DUDEN
Band 5

Der Duden in 12 Bänden

Das Standardwerk zur deutschen Sprache

Herausgegeben vom Wissenschaftlichen Rat
der Dudenredaktion:
Prof. Dr. Dr. h. c. Günther Drosdowski,
Dr. Werner Scholze-Stubenrecht,
Dr. Matthias Wermke

1. Rechtschreibung

2. Stilwörterbuch

3. Bildwörterbuch

4. Grammatik

5. Fremdwörterbuch

6. Aussprachewörterbuch

7. Herkunftswörterbuch

8. Sinn- und sachverwandte Wörter

9. Richtiges und gutes Deutsch

10. Bedeutungswörterbuch

11. Redewendungen und sprichwörtliche
Redensarten

12. Zitate und Aussprüche

DUDEN

Fremdwörterbuch

6., auf der Grundlage der amtlichen Neuregelung
der deutschen Rechtschreibung
überarbeitete und erweiterte Auflage

Herausgegeben und bearbeitet
vom Wissenschaftlichen Rat
der Dudenredaktion

DUDEN BAND 5

DUDENVERLAG
Mannheim · Leipzig · Wien · Zürich

Redaktionelle Bearbeitung:
Dr. Werner Scholze-Stubenrecht

unter Mitwirkung von Birgit Eickhoff M.A.,
Angelika Haller-Wolf, Dieter Mang,
Dr. Christine Tauchmann,
Marion Trunk-Nußbaumer M.A.,
Olaf Thyen

Weitere Mitarbeit:
Dieter Baer, Christine Beil, Pia Fritzsche,
Michael Herfurth, Helga Karamischewa,
Dr. Annette Klosa, Ursula Kraif,
Werner Lange, Helga Röseler

Die Deutsche Bibliothek – CIP-Einheitsaufnahme
Der **Duden:** in 12 Bänden; das Standardwerk zur deutschen Sprache/
hrsg. vom Wissenschaftlichen Rat der Dudenredaktion:
Günther Drosdowski... – [Ausg. in 12 Bd.]. –
Mannheim; Leipzig; Wien; Zürich: Dudenverl.
Bd. 5. Duden, Fremdwörterbuch. – 6., auf der Grundlage der amtlichen
Neuregelung der deutschen Rechtschreibung überarb. und erw. Aufl. – 1997
Duden, Fremdwörterbuch / hrsg. und bearb. vom Wissenschaftlichen Rat
der Dudenredaktion. [Red. Bearb.: Werner Scholze-Stubenrecht
unter Mitw. von Birgit Eickhoff...]. – 6., auf der Grundlage der amtlichen
Neuregelung der deutschen Rechtschreibung überarb. und erw. Aufl. –
Mannheim; Wien; Zürich: Dudenverl., 1997
(Der Duden; Bd. 5)
ISBN 3-411-04056-4

Satz: Bibliographisches Institut & F. A. Brockhaus AG
(PageOne Siemens Nixdorf)
Druck und Bindearbeit: Graphische Betriebe Langenscheidt,
Berchtesgaden
Printed in Germany
ISBN 3-411-04056-4

Vorwort

Die Neuregelung der deutschen Rechtschreibung, die am 1. Juli 1996 vereinbart wurde, hat auch im Bereich der Fremdwortschreibung zu einer Reihe von Veränderungen geführt. So gibt es zum einen mehr eindeutschende (integrierte) Schreibvarianten als früher: Man kann jetzt zum Beispiel *Biografie*, aber auch weiterhin *Biographie* schreiben, es gilt *Exposee* neben *Exposé*, *substanziell* neben *substantiell* und *Spagetti* neben *Spaghetti*. Zum anderen sind Fragen der Groß- und Kleinschreibung, der Getrennt- und Zusammenschreibung sowie der Bindestrichschreibung nun eindeutiger und klarer geregelt. Waren bisher die Wörter *Fair play, High-Society* und *Joint-venture* nach dem beobachteten Schreibgebrauch in dieser Form im Fremdwörterduden verzeichnet, so ergibt sich für alle drei Fälle nach der Neuregelung eine einheitliche Festlegung: *Fairplay* (auch *Fair Play*), *Highsociety* (auch *High Society*) und *Jointventure* (auch *Joint Venture*).

Auch bei der Worttrennung am Zeilenende sind künftig neue, vereinfachende Regeln maßgebend. Weder die Vorschrift, dass nur nach den ursprünglichen Bestandteilen eines Wortes *(Päd-ago-gik, He-li-ko-pter)* zu trennen ist, noch die Nichttrennbarkeit bestimmter Konsonantenverbindungen *(Re-krut, Si-gnal)* bleiben in dieser Form gültig. Ebenso korrekt sind jetzt auch die Trennungen *Pä-da-go-ge, He-li-kop-ter, Rek-rut* und *Sig-nal*.

Die vorliegende sechste Auflage des DUDEN-Fremdwörterbuchs ist aber nicht nur im Sinne der Rechtschreibreform vollständig überarbeitet worden. Auch dem ständigen Wandel des Wortschatzes hat die Redaktion Rechnung getragen. So finden sich im Wörterbuch Neueinträge aus fast allen Lebensbereichen wie Wirtschaft, Politik, Sport und Freizeit, Computer- und Informationstechnologie, Unterhaltungsmedien, Medizin, Umwelt, Gastronomie usw. Wörter, die noch vor wenigen Jahren nicht existierten oder weitgehend unbekannt waren, können uns heute fast täglich in Zeitungen, Fernsehsendungen oder am Arbeitsplatz begegnen; hier nur eine kleine Auswahl von Beispielen: *ausloggen, einloggen, Barrique, Beachvolleyball, BSE, Chipkarte, Coaching, Cross-over, Cyberspace, Elektrosmog, E-Mail, Event, Gameshow, Generation X, Homepage, Hotline, Hypertext, Infotainment, Inlineskate, Karaoke, mobben, Morphing, netsurfen, Notebook, Outsourcing, Peanuts, Piercing, Ranking, Rave, Shareware, Sitcom, Snowrafting, Streetball, Sushi, tapen, Telebanking, Trackball, unplugged, Update, Wellness.*

Für alle, die an der allgemeinen Diskussion über Fremdwörter in der deutschen Sprache interessiert sind, gibt die dem Wörterverzeichnis vorangestellte Einführung »Zur Geschichte und Funktion des Fremdworts« einen Überblick über Fakten und Zusammenhänge, auf deren Grundlage sich die Benutzerinnen und Benutzer dieses DUDEN-Bandes ein eigenes Urteil über die Fremdwortproblematik bilden können.

Außerdem bieten die einleitenden Abschnitte »Zur Einrichtung des Wörterverzeichnisses« und »Die neue Rechtschreibung der Fremdwörter« wichtige Informationen über die Anlage und Benutzung des Wörterbuchs und die Auswirkungen der orthographischen Neuregelung auf die Fremdwortschreibung.

Mannheim, im April 1997
Der Wissenschaftliche Rat der Dudenredaktion

Zur Geschichte und Funktion des Fremdworts

Wie in allen Kultursprachen, so gibt es auch in der deutschen Sprache eine große Zahl von Wörtern aus anderen, d. h. aus fremden Sprachen. Sie werden üblicherweise Fremdwörter genannt, obgleich sie zu einem großen Teil gar keine fremden, sondern durchaus altbekannte, gebräuchliche und nötige Wörter innerhalb der deutschen Sprache sind.

Was ist überhaupt ein Fremdwort? Woran erkennt man es? Es gibt zwar keine eindeutigen und zuverlässigen Kriterien, doch kann man vier Merkmale nennen, die oft – wenn auch nicht immer – ein Wort als nichtmuttersprachlich erkennen lassen:

1. Die *Bestandteile* des Wortes. So werden z. B. Wörter mit bestimmten Vor- und Nachsilben als fremd angesehen (*expressiv*, *Kon*frontation, Lamento, Mobbing, reformieren, Sputnik).
2. Die *Lautung*, d. h. die vom Deutschen abweichende Aussprache (z. B. Team [ti:m] oder – wie der folgende Reim erkennen lässt – „Bücherscheck – mehr als ein *Gag*" oder die nasale Aussprache von Engagement [ãgaʒə'mã:]) und die Betonung, d. h. der nicht auf der ersten oder Stammsilbe liegende Akzent (absolut, divergieren, Energie, interessant, Parität).
3. Die *Schreibung*, d. h. das Schriftbild zeigt für das Deutsche unübliche Buchstabenfolgen, unübliche grafische Strukturen, z. B. Bibliomanie, Bodybuilder, couragiert, Nuntius, Palazzo. Bestimmte Buchstaben- und Lautverbindungen können Fremdsprachlichkeit signalisieren. Im Deutschen kommen beispielsweise die Verbindungen *pt*- und *ts*- nicht im Anlaut vor, sodass man *Ptyalin, Ptosis, Tsuga* u. a. aufgrund dieser Buchstabenverbindung als fremdsprachlich erkennt.
4. Die *Ungeläufigkeit* oder der seltene Gebrauch eines Wortes in der Alltagssprache. So werden Wörter wie *exhaustiv, extrinsisch, luxurieren, Quisquilien, paginieren, Revenue, stigmatisieren* wegen ihres nicht so häufigen Vorkommens als fremde Wörter empfunden. Meistens haben die Fremdwörter aber mehr als *eines* der genannten Merkmale.

All diese Merkmale sind jedoch nur Identifizierungsmöglichkeiten, keine sicheren Maßstäbe, denn es gibt beispielsweise einerseits deutsche Wörter, die nicht auf der ersten oder Stammsilbe betont werden (z. B. Forelle, Jahrhundert, lebendig), und andererseits Fremdwörter, die wie deutsche Wörter anfangsbetont sind (Epik, Fazit, Genius, Kamera, Positivum, Schema). Außerdem werden die üblicherweise endungsbetonten fremdsprachlichen Wörter oftmals auch auf der ersten Silbe betont, wenn sie im Affekt gesprochen werden oder wenn sie besonders hervorgehoben oder auch in Gegensatz zu anderen gestellt werden sollen, z. B. exportieren, finanziell, generell, Import, kollektiv, permanent. Allerdings ist dabei die Stellung im Satz nicht unwichtig. Prädikativ gebrauchte Adjektive werden – beispielsweise – seltener auf der ersten Silbe betont (attributiv: der skandalöse/skandalöse Vorfall; aber prädikativ fast nur: der Vorfall ist skandalös).

Der Alltagssprecher neigt dazu, fremdsprachliche Wörter den deutschen Aussprachegesetzen anzupassen. Im Unterschied zu Kindern, die so gut wie möglich nachzuahmen versuchen, gleichen Erwachsene in der Regel das Fremde dem Phonemsystem ihrer Muttersprache an, beziehungsweise sie überhören die Abweichungen.

Auch sonst tragen die so genannten Fremdwörter meist schon deutliche Spuren der Eindeutschung, so z. B. wenn eine nasale Aussprache teilweise aufgegeben ist (Pension, Balkon), ein fremdsprachliches *sp* und *st* als scht (Station) bzw. schp (Spurt), ein in der fremden Sprache kurzer Vokal in offener Silbe im Neuhochdeutschen lang gesprochen (Forum, Lokus, Logik), der Akzent den deutschen Betonungsgewohnheiten entsprechend verlagert wird (Discóunt statt engl. díscount, Come-báck statt engl. cómeback) oder wenn ein fremdes Wort im Schriftbild der deutschen Sprache angeglichen worden ist (Telefon, Fotografie, Nummer, Frisör).

Die im Deutschen nicht üblichen Laute oder Lautverbindungen in fremden Wörtern werden bei häufigerem Gebrauch durch klangähnliche deutsche ersetzt, oder die in der fremden Sprache anders gesprochenen Schriftzeichen werden der deutschen Aussprache angeglichen (Portrait/Porträt; Poster: gesprochen mit langem oder kurzem o neben der englischen Aussprache 'poustə). Der Angleichungsprozess beginnt mit Teilintegrationen und vollzieht sich sowohl in der Aussprache als auch in der Schrift.

Manche fremden Wörter werden vielfach für deutsche gehalten, weil sie häufig in der Alltagssprache vorkommen *(Möbel, Bus, Doktor)* oder weil sie in Klang und Gestalt nicht oder nicht mehr fremd wirken (*Alt* = tiefe Frauenstimme; *Bluse, Dose, Droschke, Film, Flöte, Front, Keks, Klasse, Krem, Peitsche, spurten, Start, Streik, Truppe, boxen, parken*). So ist es auch zu erklären, dass das vor allem vom Lesen her bekannte Wort *Puzzle* von Testpersonen für schwäbisch gehalten und dementsprechend auch so ausgesprochen wurde. Es kann auch vorkommen, dass ein und dasselbe Wort aufgrund mehrerer Bedeutungen je nach Häufigkeit der Bedeutung als deutsches oder fremdes Wort eingruppiert wird, z. B. *Note* in der Bedeutung *Musikzeichen* als deutsches Wort, *Note* in der Bedeutung *förmliche schriftliche Mitteilung* als fremdes Wort. In manchen Wörtern sind auch ein fremdes und ein deutsches Wort in der Lautung zusammengefallen, z. B. *Ball* (französisch bal) = Tanzfest und *Ball* (althochdeutsch bal) = Spielzeug, Sportgerät. Andererseits aber werden wieder deutsche Wörter für Fremdwörter gehalten, weil sie selten sind *(Flechse, Riege, tosen)* oder weil bei ihnen an einen deutschen Wortstamm eine fremdsprachliche Endung getreten ist *(buchstabieren, hausieren, Bummelant, Schwulität)*.

Gerade bei diesen Mischbildungen, den so genannten hybriden Bildungen, besteht bei den Sprachteilhabern in der Beurteilung, ob es sich um deutsche oder fremde Wörter handelt, Unsicherheit, wobei sich in der Regel zeigt, dass fremde Suffixe die Zuordnung zum Fremdwort begünstigen, während Wörter mit fremdem Stamm und deutschen Ableitungssilben wie *Direktheit, temperamentvoll, risikoreich* und *Naivling* eher als deutsche empfunden werden.

Da der Begriff „Fremdwort" eigentlich nur für eine historische Sprachbetrachtung brauchbar ist, wurde vorgeschlagen, im Hinblick auf die Gegenwartssprache darauf zu verzichten. Es ist aber bisher keine Bezeichnung gefunden worden, die ihn zufriedenstellend ersetzen könnte.

Das Phänomen „Fremdwort" ist nicht nur als Terminus schwer abgrenzbar und in den Griff zu bekommen; es ist auch grundsätzlich zu einem umstrittenen Thema geworden. Wörter aus fremden Sprachen sind schon immer, nicht erst in der jüngsten Vergangenheit und in der Gegenwart in die deutsche Sprache aufgenommen worden. Im Laufe der Jahrhunderte sind sie ihr jedoch meist in solch einem Maße angeglichen worden, dass man ihnen die fremde Herkunft heute gar nicht mehr ansieht. Das sind beispielsweise Wörter wie *Mauer* (lat. murus), *Fenster* (lat. fenestra), *Ziegel* (lat. tegula), *Wein* (lat. vinum), die die historisch orientierte Sprachwissenschaft als Lehnwörter bezeichnet. Der Grad der Eindeutschung fremder Wörter hängt aber nicht oder nur zum Teil davon ab, wie lange ein fremdes Wort schon in der Muttersprache gebraucht wird. Das schon um 1500 ins Deutsche aufgenommene Wort *Bibliothek* beispielsweise hat seinen fremden Charakter bis heute beibehalten, während Wörter wie *Streik* (aus engl. strike) und *fesch* (aus engl. fashionable), die erst im 19. Jahrhundert aus dem Englischen ins Deutsche gekommen sind, bereits völlig eingedeutscht sind.

Der Kontakt mit anderen Völkern und der damit verbundene Austausch von Kenntnissen und Erfahrungen hat im Mittelalter genauso wie heute in der Sprache seinen Niederschlag gefunden, ohne dass jedoch im Mittelalter aus der Aufnahme solcher Wörter eine irgendwie geartete Problematik erwuchs. Viele Bezeichnungen und Begriffe kamen damals – vor allem auch in Verbindung mit dem Rittertum – aus dem Französischen ins Deutsche, wie turnier, visier, tambûr = Handtrommel, harnasch = Harnisch.

Erst mit der Entstehung der deutschen Nationalsprache in der Neuzeit entwickelte sich eine Sprachbewusstheit, die den Ausgangspunkt für den Sprachpurismus bildete, woraus dann die kritische oder ablehnende Einstellung zum nichtdeutschen Wort resultierte.

Dem Fremdwort – dieses Wort wurde vermutlich von dem Philosophen und Puristen K. C. F. Krause (1781–1832) geprägt und durch Jean Paul im Hesperus (1819) verbreitet – begann man in den Sprachgesellschaften des 17. Jahrhunderts besondere Aufmerksamkeit zu widmen. Hand in Hand mit der Kritik am fremden oder ausländischen Wort – wie man es damals noch nannte – ging die Suche nach neuen deutschen Wörtern als Entsprechung. Bedeutende Männer wie Harsdörffer (1607–1658), Schottel (1612–1676), Zesen (1619–1689) und Campe (1746–1818) sowie deren geistige Mitstreiter und Nachfolger setzten an die Stelle vieler fremder Wörter und Begriffe deutsche Wörter, von denen sich manche durchsetzten, während andere wirkungslos blieben oder wegen ihrer Skurrilität der Lächerlichkeit preisgegeben waren. Nicht selten trat aber auch das deutsche Wort neben das fremde und bereicherte auf diese Weise das entsprechende Wortfeld inhaltlich oder stilistisch. Fest zum deutschen Wortschatz gehören solche Bildungen wie *Anschrift* (Adresse), *Ausflug* (Exkursion), *Bittsteller* (Supplikant),

Bücherei (Bibliothek), *Emporkömmling* (Parvenu), *Fernsprecher* (Telefon), *fortschrittlich* (progressiv), *Sterblichkeit* (Mortalität), *Weltall* (Universum), während andere wie *Meuchelpuffer* für *Pistole, Dörrleiche* für *Mumie, Lusthöhle* für *Grotte* oder *Lotterbett* für *Sofa* lediglich als sprachgeschichtliche Kuriositäten erhalten geblieben sind. Selbst *Lehnwörter,* also solche Entlehnungen, die sich der deutschen Sprache in Lautgestalt und Flexion derart angepasst haben, dass erst wortgeschichtliche Forschung ihre fremde Herkunft zutage fördert, versuchte man zu ersetzen, z. B. *Fenster* durch *Tageleuchter.* Sogar ein Erbwort wie *Nase* wurde fälschlicherweise für ein Fremdwort gehalten und sollte mit *Gesichtserker* verdeutscht werden.

Der Anteil der Fremdwörter am deutschen Wortschatz ist gar nicht gering, was man in Fernsehen, Rundfunk und Presse, den Massenmedien, beobachten kann. Der Fremdwortanteil beläuft sich in fortlaufenden Zeitungstexten beispielsweise auf 8–9 %. Zählt man nur die Substantive, Adjektive und Verben, so steigt der prozentuale Anteil des Fremdworts sogar auf 16–17 %. In Fachtexten liegt der prozentuale Anteil des Fremdworts meist noch wesentlich höher. Man schätzt, dass auf das gesamte deutsche Vokabular von etwa 400 000 Wörtern rund 100 000 fremde Wörter kommen. Der mit rund 2 800 Wörtern aufgestellte deutsche Grundwortschatz enthält etwa 6 % fremde Wörter. Den größten Anteil am Fremdwort hat übrigens das Substantiv, an zweiter Stelle steht das Adjektiv, dann folgen die Verben und schließlich die übrigen Wortarten.

Erwähnenswert ist in dem Zusammenhang auch die Tatsache, dass man bei einer Auszählung der Fremdwörter in einer Tageszeitung aus dem Jahre 1860 zu einem Ergebnis kam, das nur wenig unter den aus der heutigen Tagespresse ermittelten Durchschnittswerten lag. Der Grund dafür liegt u. a. in der relativ schnellen Vergänglichkeit vieler Fremdwörter: Es kommen nämlich fast ebenso viele Fremdwörter aus dem Gebrauch wie neue in Gebrauch. Die alten Fremdwörterbücher machen bei einem Vergleich mit dem gegenwärtigen Fremdwortgut das Kommen und Gehen der Wörter oder ihren Bedeutungswandel genauso deutlich wie die Lektüre unserer Klassiker oder gar die Durchsicht alter Verordnungen und Verfügungen aus dem vorigen Jahrhundert. In einem Anhang zu Raabes Werken werden beispielsweise folgende Wörter, die heute weitgehend veraltet oder aber in anderer Bedeutung üblich sind, aufgeführt und erklärt: *pragmatisch* (geschäftskundig), *peristaltisch* (wurmförmig), *Utilität* (Nützlichkeit), *Idiotismus* (mundartlicher Ausdruck), *Kollaborator* (Hilfslehrer), *subhastieren* (zwangsversteigern), *Subsellien* (Schulbänke), *Malefizbuch* (Strafgesetzbuch), *Molestierung* (Belästigung), *Molesten* (Plagen), *Pennal* (spött.: neu angekommener Student), *quiesziert* (in den Ruhestand versetzt), *Cockpit* (Kampfplatz, [Zirkus]arena).

Heute, in einer Zeit, in der Entfernungen keine Rolle mehr spielen, in der die Kontinente einander näher gerückt sind, ist die gegenseitige kulturelle und somit sprachliche Beeinflussung der Völker besonders stark. So findet grundsätzlich ein Geben und Nehmen zwischen allen Kultursprachen statt, wenn auch gegenwärtig der Einfluss des Englisch-Amerikanischen dominiert. Das bezieht sich nicht nur auf das Deutsche, sondern ganz allgemein auf die nichtenglischen europäischen Sprachen. Gelegentlich werden Wörter auch nur nach englischem Muster gebildet, ohne dass es sie im englischsprachigen Raum überhaupt gibt. Man spricht dann von Scheinentlehnungen *(Twen, Handy, Showmaster)* und Halbentlehnungen mit neuen Bedeutungen *(Herrenslip,* engl. briefs). Es gibt jedoch auch den umgekehrten Prozess, dass deutsche Wörter in fremde Sprachen übernommen und dort allmählich angeglichen werden, wie z. B. im Englischen bratwurst, ersatz, gemütlichkeit, gneiss, kaffeeklatsch, kindergarten, kitsch, leberwurst, leitmotiv, ostpolitik, sauerkraut, schwarmerei, schweinehund, weltanschauung, weltschmerz, wunderkind, zeitgeist, zinc. Auch Mischbildungen oder Eigenschöpfungen wie apple strudel, beer stube, sitz bath, kitschy, hamburger kommen vor. Die im Deutschen mit altsprachlichen Bestandteilen gebildeten Wörter *Ästhetik* und *Statistik* erscheinen im Französischen als *esthétique* bzw. *statistique.* Das deutsche Wort *Rathaus* wird im Polnischen zu *ratusz, Busserl* im Ungarischen zu *puszi,* und im Rumänischen gibt es u. a. *chelner (=* Kellner), *chelneriță (=* Kellnerin), *halbă (=* Halbes [Bier]), *șlager (=* Schlager[lied]), *șpriț (=* gespritzter Wein) und *ștrand (* Strand).

Eine besondere Gattung der Fremdwörter bilden die sogenannten Bezeichnungsexotismen, Wörter, die auf Sachen, Personen und Begriffe der fremdsprachigen Umwelt beschränkt bleiben, wie z. B. *Bagno, Garrotte, Iglu, Kreml, Torero, Türbe.*

Viele Fremdwörter sind international verbreitet. Man nennt sie *Internationalismen.* Das sind Wörter, die in gleicher Bedeutung und gleicher oder ähnlicher Form in mehreren Sprachen vorkommen, wie z. B. *Medizin, Musik, Nation, Radio, System, Telefon, Theater.* Hier allerdings liegen auch nicht selten die Gefahren für Missverständnisse und falschen Gebrauch, nämlich dann, wenn Wörter in mehreren Sprachen in lautgestaltlich oder schriftbildlich zwar identischer oder nur leicht abgewandelter Form vorkommen, inhaltlich aber mehr oder weniger stark voneinander abweichen (dt. *sensibel* = engl. sensitive; engl. *sensible* = dt. vernünftig). In diesen Fällen spricht man auch von *Fauxamis,* den „falschen Freunden", die die Illusion hervorrufen, dass sie das Verständnis eines Textes erleichtern können, die in Wirklichkeit aber das Verständnis erschweren bzw. Missverständnisse hervorrufen. Weil die fremdsprachlichen Wörter sich kaum auf die Wörter des deutschstämmigen Wortschatzes beziehen lassen, weil sie nicht in einer vertrauten Wortfamilie stehen, aus der heraus sie erklärt werden können, wie z. B. *Läufer* von *laufen,* aus diesem Grunde ist mit der Verwendung von Fremdwörtern auch ganz allgemein die Gefahr des falschen Gebrauchs verbunden. Nicht umsonst heißt es daher im Volksmund: „Fremdwörter sind Glückssache." So sind Fehlgriffe leicht möglich: *Restaurator* kann mit *Restaurateur, Katheder* mit *Katheter, kodieren* mit *kodifizieren, konkav* mit *konvex* oder – wie bei Frau Stöhr in Th. Manns „Zauberberg" – *insolvent* mit *insolent* verwechselt werden. Dass falscher oder salopp-umgangssprachlicher Gebrauch zu Bedeutungswandel führen kann, der oft bis zur völligen Inhaltsumkehrung geht, macht beispielsweise die

Geschichte der Wörter *formidabel* (von *furchtbar, entsetzlich* zu *großartig*) und *rasant* (von *flach, gestreckt* zu *sehr schnell, schneidig*) deutlich.

Fremde Wörter bereiten aber nicht nur Schwierigkeiten beim Verstehen, sie bereiten nicht selten auch Schwierigkeiten im grammatischen Gebrauch. Es gibt verschiedentlich Unsicherheiten vor allem hinsichtlich des Genus (*der* oder *das Curry; das* oder *die Malaise*) und des Plurals (*die Poster* oder *die Posters, die Regime* oder *die Regimes*). Neben vom Deutschen abweichende Flexionsformen *(Atlas/Atlanten; Komma/Kommata)* treten im Laufe der Zeit nach deutschem Muster gebildete *(Atlasse, Kommas)*. Aus dieser Unsicherheit heraus ergeben sich häufig Doppelformen, bis das jeweilige fremde Wort endgültig seinen Platz im heimischen Sprachsystem gefunden hat. Das Genus der fremdsprachlichen Wörter richtet sich in der Regel entweder nach möglichen Synonymen oder nach formalen Kriterien. So sind z. B. die aus dem Französischen gekommenen Wörter *le garage, le bagage* im Deutschen Feminina, weil sich mit dem unbetonten Endungs-e in der Regel das feminine Geschlecht verbindet, während das Wort *Campus* anfangs zwischen Maskulinum (nach der Endung -us) und Neutrum (nach dem deutschen Synonym *das Feld*) schwankte.

Eine wichtige Frage in Bezug auf das Fremdwort ist auch die nach seiner inhaltlichen, stilistischen und syntaktischen Leistung. Ein Fremdwort kann besondere stilistische *(Portier/Pförtner; transpirieren/schwitzen; ventilieren/ überlegen)* und inhaltliche *(Exkursion/Ausflug; fair/anständig; simpel/einfach)* Nuancen enthalten, die es von einem entsprechenden oder inhaltlich ähnlichen deutschen Wort unterscheiden. Es kann unerwünschte Assoziationen oder nicht zutreffende Vorstellungen ausschließen *(Passiv* statt *Leideform, Substantiv* statt *Hauptwort, Verb* statt *Tätigkeitswort);* es kann verhüllend *(Fäkalien, koitieren),* aber auch abwertend *(Visage/Gesicht)* gebraucht werden, sodass das Fremdwort in der deutschen Sprache eine wichtige Funktion zu erfüllen hat. Manche Fremdwörter, vor allem Fachwörter, lassen sich gar nicht durch ein einziges deutsches Wort ersetzen, oft müssten sie umständlich umschrieben werden *(Aggregat, Automat, Elektrizität, Politik).* Das, was man an Fremdwörtern manchmal bemängelt, z. B. dass sie unklar, unpräzise, nicht eindeutig seien, das sind Nachteile – unter Umständen aber auch Vorteile –, die bei vielen deutschen Wörtern ebenfalls festgestellt werden können. Wichtig für die Wahl eines Wortes ist immer seine Leistung, nicht seine Herkunft. Die Leistung liegt nicht nur auf inhaltlichem und stilistischem Gebiet; sie kann sich auch im Syntaktischen zeigen. Die fremdsprachlichen Verben beispielsweise geben dem deutschen Satz oft aufgrund ihrer Untrennbarkeit einen anderen Aufbau. Die Satzklammer fällt weg. Das muss nicht besser, kann aber übersichtlicher sein und bietet auf jeden Fall eine Variationsmöglichkeit (z. B. Klaus *zitiert* bei solcher Gelegenheit seine Frau/Klaus *führt* bei solcher Gelegenheit seine Frau oder: *einen Ausspruch* seiner Frau *an).*

Man kann über Fremdwörter nicht pauschal urteilen. Ein Fremdwort ist immer dann gut und nützlich, wenn man sich damit kürzer und deutlicher ausdrücken kann. Solche Fremdwörter gibt es in unserer Alltagssprache in großer Zahl, und diese werden im Allgemeinen auch ohne weiteres verstanden. Gerade das ist auch ausschlaggebend, nämlich dass ein fremdes Wort verständlich ist, dass es nicht das Verständnis unnötig erschwert oder sogar unmöglich macht.

Fragwürdig wird der Gebrauch von Fremdwörtern, wo sie zur Überredung oder Manipulation, z. B. in der Sprache der Politik oder der Werbung, mehr oder weniger bewusst verwendet werden oder wo sie lediglich als intellektueller Schmuck, zur Imagepflege, aus Bildungsdünkel oder Prahlerei, vielleicht auch nur aus Bequemlichkeit oder Gedankenlosigkeit benutzt werden, wo also außersprachliche Gründe den Gebrauch bestimmen.

Fremdwörter können zwar aufgrund ihrer Herkunft aus anderen Sprachen besonders geartete Schwierigkeiten im Gebrauch und im Verstehen bereiten; sie sind aber oft ein unentbehrlicher Bestandteil der deutschen Sprache. Es stellt sich im Grunde nicht die Frage, ob man Fremdwörter gebrauchen soll oder darf, sondern wo, wie und zu welchem Zweck man sie gebrauchen kann oder soll.

Zusammenfassend lässt sich sagen: Ein Fremdwort kann dann nötig sein, wenn es mit deutschen Wörtern nur umständlich oder unvollkommen umschrieben werden kann. Sein Gebrauch ist auch dann durchaus gerechtfertigt, wenn man einen graduellen inhaltlichen Unterschied ausdrücken, die Aussage stilistisch variieren oder den Satzbau straffen will. Es sollte aber – das versteht sich von selbst – im sprachlichen Alltag überall da vermieden werden, wo die Gefahr besteht, dass es der Hörer oder Leser, an den es gerichtet ist, nicht oder nur unvollkommen versteht, wo also Verständigung und Verstehen erschwert werden.

Zur Einrichtung des Wörterverzeichnisses

I. Allgemeines

Das Fremdwörterverzeichnis enthält Fremdwörter, öfter gebrauchte Wörter, Fügungen und Redewendungen fremder Sprachen, gelegentlich auch deutsche Wörter mit fremden Ableitungssuffixen oder -präfixen, die als Fremdwörter angesehen werden könnten. Lehnwörter wurden nur dann aufgenommen, wenn sie für eine fremdwörtliche Wortfamilie erhellend sind. Fremde Eigennamen wurden in der Regel nicht berücksichtigt, es sei denn, dass sie als generalisierende Gattungsnamen verwendet werden.

Die Rechtschreibung folgt in allen Bereichen der amtlichen Neuregelung nach der Wiener Vereinbarung vom 1. Juli 1996.

II. Zeichen von besonderer Bedeutung

. *Untergesetzter Punkt* bedeutet betonte Kürze, z. B. Abiturient.

- *Untergesetzter Strich* bedeutet betonte Länge, z. B. Abitur.

| Der *senkrechte Strich* dient zur Angabe von Worttrennungsmöglichkeiten, z. B. A|bi|tur, Chi|rurg, ka|ta|stro|phal.

* Das *Sternchen* kennzeichnet Wörter (u. Wortfamilien), bei denen auch andere Trennmöglichkeiten zulässig sind, z. B. A|bi|tur* (möglich ist auch: Ab|itur), Chi|rurg* (möglich ist auch: Chir|urg), ka|ta|stro|phal* (möglich ist auch: ka|tas|tro|phal oder ka|tast|ro|phal). Vgl. hierzu auch S. 16.

/ Der *Schrägstrich* besagt, dass sowohl das eine als auch das andere möglich ist, z. B. etwas/jmdn.; ...al/...ell.

® Das Zeichen ® macht als Markenzeichen geschützte Wörter (Bezeichnungen, Namen) kenntlich. Sollte dieses Zeichen einmal fehlen, so ist das keine Gewähr dafür, dass das Wort als Handelsname frei verwendet werden darf.

- Der *waagerechte Strich* vertritt das unveränderte Stichwort bei den Beugungsangaben und auch gelegentlich (um Platz zu sparen) bei den Beispielen für den Gebrauch des Stichworts, z. B. **Effekt** *der;* -[e]s, -e; oder: **delektieren:** ... sich -.

... *Drei Punkte* stehen bei Auslassung von Teilen eines Wortes, z. B. **Altar** *der;* -[e]s, ...täre.

[ ] In den *eckigen Klammern* stehen Aussprachebezeichnungen (vgl. S. 18) sowie Buchstaben, Silben oder Wörter, die weggelassen werden können, z. B. **à deux mains** [adø'mɛ̃]; **Akkord** *der;* -[e]s, -e.

⟨ ⟩ In den *Winkelklammern* stehen Angaben zur Herkunft und gelegentlich zur ursprünglichen Bedeutung des Stichwortes, z. B. **Holding** ⟨*engl.*⟩; **Mikado** ⟨*jap.;* „erhabene Pforte"⟩.

( ) In den *runden Klammern* stehen erläuternde Zusätze, z. B. Stilschicht, Fachbereich: **Visage** ...: (ugs., abwertend); **Homecomputer** ... für den häuslichen Anwendungsbereich (EDV).

↑ Der *Pfeil* besagt, dass das folgende Wort an entsprechender alphabetischer Stelle im Wörterbuch aufgeführt und erklärt ist, z. B. **Akazie** *die;* -, -n: a) tropischer Laubbaum, zur Familie der ↑ Leguminosen gehörend ...; b) (ugs.) ↑ Robinie; **akut** ... Ggs. ↑ chronisch.

III. Anordnung und Behandlung der Stichwörter

1. Die Stichwörter sind **halbfett** gedruckt.

2. Die Anordnung der Stichwörter ist alphabetisch. Die Umlaute ä, ö, ü, äu werden wie die nicht umgelauteten Vokale a, o, u, au behandelt.

Beispiel: Ara   Ära   Araber

Die Umlaute ae, oe, ue hingegen werden entsprechend der Buchstabenfolge alphabetisch eingeordnet.

Beispiel: Caduceus   Caecum   Caeremoniale   Cafard

3. Stichwörter, die im Ganzen oder in ihren Bestimmungswörtern etymologisch miteinander verwandt sind, sind in der Regel in *Wortgruppen* zusammengefasst.

4. Wörter, die gleich geschrieben werden, aber in Aussprache, Herkunft, Genus oder Pluralform voneinander verschieden sind, erscheinen in der Regel als getrennte Stichwörter mit hochgestellten Indizes.

Beispiele: [1]**Adonis** *der;* -, -se: schöner [junger] Mann. [2]**Adonis** *die;* -, -: Hahnenfußgewächs

5. Angaben zum Genus und zur Deklination des Genitivs im Singular und – soweit gebräuchlich – des Nominativs im Plural sind bei den Substantiven aufgeführt.

Beispiele: **Aquarell** *das;* -s, -e; **Ära** *die;* -, Ären

Substantive, die nur im Plural vorkommen, sind durch die Angabe *die* (Plural) gekennzeichnet.

Beispiel: **Alimente** *die* (Plural) ...

6. Rechtschreibliche Varianten werden, sofern sie sich aus der Wortliste des amtlichen Regelwerks ergeben, beim jeweiligen Stichwort und häufig auch zusätzlich als eigene Stichwörter mit Verweis verzeichnet.

Beispiele: **Count-down,** auch: **Countdown** ...
Diktafon vgl. Diktaphon
Diktaphon, auch: Diktafon ...

7. Nach der Rechtschreibreform nicht mehr gültige Schreibungen sind nur dann verzeichnet, wenn sie an anderer Stelle des Alphabets als die neue Schreibung auftreten.

Beispiele: **Friteuse**: frühere Schreibung für: Fritteuse
Mop: frühere Schreibung für: Mopp

Schon vor der Rechtschreibreform veraltete Schreibvarianten sind mit „ältere Schreibung für" gekennzeichnet.

Beispiel: **Portrait**: ältere Schreibung für: **Porträt**

8. Nach der neuen Regelung der Worttrennung am Zeilenende ergeben sich bei vielen Fremdwörtern mehrere Trennvarianten. So kann das Wort **Deskription** zum einen nach § 111 des amtlichen Regelwerks getrennt werden, das heißt nach den Wortbestandteilen. Da hier das lateinische describere zugrunde liegt, das aus de und scribere zusammengesetzt ist, trennt man entsprechend **De-skription**. Zum anderen kann nach § 112 auch ohne Rücksicht auf die Wortbestandteile getrennt werden, wenn das Wort nicht als Zusammensetzung erkannt oder empfunden wird. Dann gilt entweder § 108, nach dem von mehreren Konsonanten zwischen zwei Vokalen nur der letzte auf die neue Zeile kommt, man trennt also **Desk-ription**. Oder man wendet § 110 an, der bei Fremdwörtern erlaubt, dass die Verbindung von Konsonant plus l, n oder r ungetrennt bleibt; dann ergibt sich die Trennung **Des-kription**.

Im DUDEN-Fremdwörterbuch wird in solchen Fällen jeweils nur eine korrekte Trennstelle im Stichwort durch den senkrechten Strich markiert. Zusätzlich sind die betroffenen Stichwörter (oder das jeweils erste Wort der Stichwortfamilie) jedoch noch durch ein Sternchen gekennzeichnet, sodass ein deutlicher Hinweis auf andere Trennmöglichkeiten gegeben ist.

Die Frage, wann die Bestandteile eines zusammengesetzten Wortes nicht mehr als solche erkannt oder empfunden werden, ist sicher nicht in jedem Fall eindeutig zu beantworten. Den Trennungsangaben in diesem Wörterbuch liegt die Einschätzung zugrunde, dass Wortbestandteile wie -gramm, -graf/-graph, -krise, -plastisch u. a. von den meisten Menschen als eigenständige Komponenten einer Zusammensetzung angesehen werden; deshalb ist in solchen Fällen das Sternchen nicht gesetzt worden. Damit ist jedoch nicht gesagt, dass eine Trennung wie Prog-ramm grundsätzlich falsch sei.

IV. Bedeutungsangaben

Die Angaben zur Bedeutung eines Stichwortes stehen hinter dem Doppelpunkt, der dem Stichwort, der Etymologie oder den Flexionsangaben folgt. Hat ein Stichwort mehrere Bedeutungen, dann werden die entsprechenden Angaben durch Ziffern oder Buchstaben voneinander getrennt.

Beispiel: **hypnotisch**: 1. a) zur Hypnose gehörend; b) zur Hypnose führend; einschläfernd. 2. den Willen lähmend.

V. Herkunftsangaben

1. Die Herkunft der Stichwörter ist durch *Kursivschrift* in Winkelklammern in knapper Form angegeben. Gelegentlich wird zum besseren Verständnis die wörtliche oder eigentliche Bedeutung eines Wortes aufgeführt. Innerhalb einer Wortgruppe werden Herkunftsangaben, die für mehrere aufeinander folgende Wörter gleich sind, nur einmal angeführt. Auf etymologische Angaben wird auch verzichtet, wenn die Bestandteile eines Kompositums als Stichwort erscheinen.

2. Durch den *Bindestrich* zwischen den Herkunftsangaben wird gezeigt, dass das Wort über die angegebenen Sprachen zu uns gekommen ist.

   Beispiel: **Aperitif** ⟨*lat.-mlat.-fr.*⟩

   Steht dabei eine Sprachbezeichnung in runden Klammern, so heißt das, dass dieser Sprache, zumindest für bestimmte Bedeutungen oder Verwendungsweisen des betreffenden Wortes, wahrscheinlich eine bestimmte Mittlerrolle bei der Entlehnung zukommt.

   Beispiel: **Postillion** ⟨*lat.-it.(-fr.)*⟩

3. Durch das *Semikolon* zwischen den Herkunftsangaben wird deutlich gemacht, dass es sich um eine künstliche Zusammensetzung aus Wortelementen der angegebenen Sprachen handelt.

   Beispiel: **Pluviograph** ⟨*lat.; gr.*⟩

   Die Wortteile können selbst wieder gewandert sein.

   Beispiel: **Azotämie** ⟨*gr.-fr.; gr.-nlat.*⟩

   Ist die Zusammensetzung in einer anderen Sprache als der deutschen gebildet worden, dann stehen die Herkunftsangaben der Wortteile in runden Klammern innerhalb der eckigen Klammern, und die Angabe für die Sprache, in der die Bildung entstanden ist, folgt unmittelbar dahinter.

   Beispiele: **Architrav** ⟨⟨*gr.; lat.*⟩ *it.*⟩; **Prestidigitateur** ⟨⟨*lat.-it.-fr.; lat.*⟩ *fr.*⟩

4. Mit „Kunstw." wird angegeben, dass es sich bei dem betreffenden Wort um ein künstlich gebildetes Wort aus frei erfundenen Bestandteilen handelt.

   Beispiele: **Aspirin, Perlon.**

   Mit „Kurzw." wird angegeben, dass es sich um ein künstlich gebildetes Wort aus Bestandteilen anderer Wörter handelt.

   Beispiele: **Telex** (Kurzw. aus: *tele*printer *ex*change).

   „Kurzform" bedeutet, dass es sich um ein gekürztes Wort handelt.

   Beispiel: **Akku...:** Kurzform von ↑ Akkumulator

VI. Aussprache

Aussprachebezeichnungen stehen in eckigen Klammern hinter den Wörtern, deren Aussprache von der im Deutschen sonst üblichen abweicht. Die verwendete Lautschrift fußt auf den Aussprachebezeichnungen der Association Phonétique Internationale (Internationale Phonetische Vereinigung), ist aber den Zwecken des Fremdwörterdudens angepasst.

Die übliche Aussprache wurde in der Regel nicht angegeben bei

c [k] vor a, o, u (*wie in* Café)
c [ts] vor e, i, ä, ae [ε(:)], ö, oe [ø(:)] *od.* [œ], ü, ue [y(:)], y (*wie in* Celsius)
i [i̯] vor Vokal in Fremdwörtern (*wie in* Union)
ti [tsi̯] vor Vokal in Fremdwörtern (*wie in* Aktion, Patient)

Besondere Zeichen der Lautschrift, Beispiele und Umschreibung

[a]	Butler [bat...]		[ɔ:]	Baseball ['beɪsbɔ:l]
[a:]	Master [ma:s...]		[õ]	Bonmot [bõ'mo:]
[ɐ]	Bulldozer [...do:zɐ]		[õ:]	Chanson [ʃã'sõ:]
[ɐ̯]	Friseur [fri'sø:ɐ̯]		[ø]	pasteurisieren [...tøri...]
[ã]	Centime [sã'ti:m]		[ø:]	Friseuse [...'zø:zə]
[ã:]	Franc [frã:]		[œ]	Feuilleton [fœjə'tõ:]
[æ]	Campus ['kæmpəs]		[œ:]	Chef d'Œuvre [ʃɛ 'dœ:vr]
[ʌ]	Dufflecoat ['dʌflcoʊt]		[œ̃]	chacun à son goût [ʃakœ̃asõ'gu]
[ai̯]	live [lai̯f]		[œ̃:]	Parfum [par'fœ̃:]
[au̯]	Browning ['brau̯...]		[ǫa]	chamois [ʃa'mǫa]
[ç]	Bronchie [...çi̯ə]		[ɔy̯]	Boykott [bɔy̯...]
[dʒ]	Gin [dʒin]		[s̬]	City ['s̬iti]
[e̬]	Regie [re̬'ʒi:]		[ʃ]	Charme [ʃarm]
[e:]	Shake [ʃe:k]		[ts]	Aktie ['aktsi̯ə]
[ɛ]	Handikap ['hɛndikɛp]		[tʃ]	Match [mɛtʃ]
[ɛ:]	fair [fɛ:r]		[u]	Routine [ru:...]
[ɛ̃]	Impromptu [ɛ̃prõ'ty:]		[u:]	Route ['ru:...]
[ɛ̃:]	Timbre [tɛ̃:brə]		[u̯]	Linguist [...'gu̯ist]
[ə]	Rage ['ra:ʒə]		[ʊ]	Booklet ['bʊklɪt]
[i]	Citoyen [sitǫa'jɛ̃:]		[v]	Violine [v...]
[i:]	Creek [kri:k]		[w]	Whisky ['wiski]
[i̯]	Ingenieur [ɪnʒe'ni̯ø:ɐ̯]		[x]	Bacchanal [baxa...]
[ɪ]	Freeclimbing [...mɪŋ]		[y]	Budget [by'dʒe:]
[l̩]	Faible ['fɛ:bl̩]		[y:]	Avenue [avə'ny:]
[n̩]	joggen ['dʒɔgn̩]		[ỹ]	Habitué [(h)abi'tỹe:]
[ŋ]	Bon [bɔŋ]		[z]	Bulldozer [...do:zɐ]
[o]	Logis [lo'ʒi:]		[ʒ]	Genie [ʒe...]
[o:]	Plateau [...'to:]		[θ]	Thriller ['θrilɐ]
[ɔ]	Hobby ['hɔbi]		[ð]	on the rocks [ɔn ðə 'rɔks]

Der Hauptakzent ['] steht vor der betonten Silbe, z. B. Catenaccio [kate-'natʃo]. Die beim ersten Stichwort stehende Ausspracheangabe ist im Allgemeinen für alle nachfolgenden Wortformen eines Stichwortartikels oder einer Wortgruppe gültig, sofern diese nicht eine neue Angabe erfordern.

VII. Im Wörterverzeichnis verwendete Abkürzungen

Abk.	Abkürzung	chem.	chemisch	got.	gotisch
afrik.	afrikanisch	Chem.	Chemie	gr., griech.	griechisch
ägypt.	ägyptisch	chilen.	chilenisch		
alban.	albanisch	chin.,	chinesisch	hebr.	hebräisch
altägypt.	altägyptisch	chines.		Heerw.	Heerwesen
altgriech.	altgriechisch			hist.	historisch
altnord.	altnordisch	dän.	dänisch	hochd.	hochdeutsch
altröm.	altrömisch	d. h.	das heißt	hottentott.	hottentottisch
alttest.	alttestamentlich	dichter.	dichterisch	Hüttenw.	Hüttenwesen
amerik.	amerikanisch	Druckw.	Druckwesen		
Amtsspr.	Amtssprache	dt.	deutsch	iber.	iberisch
Anat.	Anatomie			ind.	indisch
angels.	angelsächsisch	EDV	elektronische	indian.	indianisch
annamit.	annamitisch		Datenver-	indones.	indonesisch
Anthropol.	Anthropologie		arbeitung	ir.	irisch
arab.	arabisch	eigtl.	eigentlich	iran.	iranisch
aram.	aramäisch	elektr.	elektrisch	iron.	ironisch
Archit.	Architektur	elektron.	elektronisch	islam.	islamisch
argent.	argentinisch	Elektrot.	Elektro-	isländ.	isländisch
armen.	armenisch		technik	it., ital.,	italienisch
asiat.	asiatisch	engl.	englisch	italien.	
assyr.	assyrisch	eskim.	eskimoisch		
Astrol.	Astrologie	etrusk.	etruskisch	Jägerspr.	Jägersprache
Astron.	Astronomie	etw.	etwas	jap., japan.	japanisch
Ausspr.	Aussprache	europ.	europäisch	jav.	javanisch
austr.	australisch	ev.	evangelisch	Jh.	Jahrhundert
awest.	awestisch			jidd.	jiddisch
aztek.	aztekisch	fachspr.	fachsprachlich	jmd.	jemand
		Fachspr.	Fachsprache	jmdm.	jemandem
babylon.	babylonisch	Filmw.	Filmwesen	jmdn.	jemanden
Bantuspr.	Bantusprache	Finanzw.	Finanzwesen	jmds.	jemandes
Bauw.	Bauwesen	finn.	finnisch	jüd.	jüdisch
bayr.	bayrisch	Forstw.	Forstwirt-	jugoslaw.	jugoslawisch
bengal.	bengalisch		schaft		
Berg-	Bergmanns-	Fotogr.	Fotografie	kanad.	kanadisch
mannsspr.	sprache	fr., franz.	französisch	karib.	karibisch
Bergw.	Bergwesen	Funkw.	Funkwesen	katal.	katalanisch
berlin.	berlinisch			kath.	katholisch
Berufsbez.	Berufsbezeich-	gäl.	gälisch	kaukas.	kaukasisch
	nung	gall.	gallisch	kelt.	keltisch
bes.	besonders	galloroman.	galloromanisch	Kinderspr.	Kindersprache
Bez.	Bezeichnung	gaskogn.	gaskognisch	kirg.	kirgisisch
Biblio-	Bibliotheks-	Gastr.	Gastronomie	korean.	koreanisch
theksw.	wissenschaft	Gaunerspr.	Gaunersprache	kreol.	kreolisch
Biochem.	Biochemie	geb.	geboren	kroat.	kroatisch
Biol.	Biologie	geh.	gehoben	kuban.	kubanisch
Börsenw.	Börsenwesen	Geldw.	Geldwesen	Kunstw.	Kunstwort
Bot.	Botanik	Geneal.	Genealogie	Kunstwiss.	Kunstwissen-
bras.	brasilianisch	Geogr.	Geographie		schaft
bret.	bretonisch	Geol.	Geologie	Kurzw.	Kurzwort
brit.	britisch	germ.	germanisch	Kybern.	Kybernetik
Buchw.	Buchwesen	Gesch.	Geschichte		
bulgar.	bulgarisch	gest.	gestorben	ladin.	ladinisch
bzw.	beziehungsweise	Ggs.	Gegensatz	landsch.	landschaftlich

Landw.	Landwirtschaft	philos.	philosophisch	sumer.	sumerisch
lat.	lateinisch	Philos.	Philosophie	svw.	soviel wie
lett.	lettisch	Phon.	Phonetik	syr.	syrisch
lit.	litauisch	Phys.	Physik		
Literaturw.	Literatur- wissenschaft	Physiol.	Physiologie	tahit.	tahitisch
		Pol.	Politik	tamil.	tamilisch
Luftf.	Luftfahrt	poln.	polnisch	tatar.	tatarisch
		polynes.	polynesisch	Techn.	Technik
malai.	malaiisch	port.	portugiesisch	Theat.	Theater
math.	mathematisch	Postw.	Postwesen	Theol.	Theologie
Math.	Mathematik	provenzal.	provenzalisch	tibet.	tibetisch
mdal.	mundartlich	Psychol.	Psychologie	Tiermed.	Tiermedizin
Med.	Medizin			trop.	tropisch
melanes.	melanesisch	Rechtsw.	Rechtswissen-	tschech.	tschechisch
Meteor.	Meteorologie		schaft	tungus.	tungusisch
mex., mexik.	mexikanisch	Rel.	Religion,	türk.	türkisch
mgr.	mittel- griechisch		Religions- wissenschaft	turkotat.	turkotatarisch
Mil.	Militär	Rhet.	Rhetorik	u.	und
Mineral.	Mineralogie	röm.	römisch	u. a.	unter
mittelhochd.	mittelhoch- deutsch	roman.	romanisch		anderem, und andere[s]
mittel- niederd.	mittelnieder- deutsch	rumän.	rumänisch	u. Ä.	und Ähn-
		russ.	russisch		liche[s]
mlat.	mittel- lateinisch	sanskr.	sanskritisch	ugs.	umgangs- sprachlich
		scherzh.	scherzhaft		
mniederl.	mittelnieder- ländisch	schott.	schottisch	ung.	ungarisch
		Schülerspr.	Schülersprache	urspr.	ursprünglich
mong.	mongolisch	schwed.	schwedisch	usw.	und so weiter
Mus.	Musik	schweiz.	schweizerisch		
		See- mannsspr.	Seemanns- sprache	venez.	venezianisch
neapolitan.	neapolitanisch			Verbin- dungsw.	studentisches Verbindungs-
neuhochd.	neuhochdeutsch	Seew.	Seewesen		wesen
ngr.	neugriechisch	semit.	semitisch		
niederd.	niederdeutsch	serb.	serbisch	Verkehrsw.	Verkehrswesen
niederl.	niederländisch	serbokroat.	serbokroatisch	Verlagsw.	Verlagswesen
nlat.	neulateinisch	singhal.	singhalesisch	vgl.	vergleiche
nord.	nordisch	sizilian.	sizilianisch	Völkerk.	Völkerkunde
norw.	norwegisch	skand.	skandinavisch	Volksk.	Volkskunde
		slaw.	slawisch	vulgär-	vulgär-
o. ä.	oder ähnlich[...]	slowen.	slowenisch	lat.	lateinisch
o. Ä.	oder Ähn- liche[s]	Sozial- psychol.	Sozial- psychologie	Werbespr.	Werbesprache
od.	oder	Soziol.	Soziologie	Wirtsch.	Wirtschaft
ökum.	ökumenisch	span.	spanisch		
ostasiat.	ostasiatisch	Sprach- psychol.	Sprach- psychologie	Zahnmed.	Zahnmedizin
österr.	österreichisch			Zigeuner- spr.	Zigeunersprache (Es handelt sich
ostmitteld.	ostmittel- deutsch	Sprachw.	Sprachwissen- schaft		hier um eine in der Sprachwis-
		Stilk.	Stilkunde		senschaft übli-
Päd.	Pädagogik	Studenten- spr.	Studenten- sprache		che Bezeich- nung, die nicht
Para- psychol.	Parapsycho- logie	südamerik.	südameri- kanisch		abwertend zu verstehen ist.)
pers.	persisch				
peruan.	peruanisch	südd.	süddeutsch		
Pharm.	Pharmazie	südostasiat.	südostasiatisch	Zool.	Zoologie

Die neue Rechtschreibung der Fremdwörter

Bei der Neuregelung der deutschen Rechtschreibung wurden auch für die Fremdwortschreibung einige Änderungen festgelegt. Dadurch gibt es jetzt insgesamt mehr Schreib- und Trennvarianten als früher.

1. Es gibt mehr eingedeutschte (integrierte) Schreibungen.
2. Die Getrennt- und Zusammenschreibung wurde den allgemeinen Regeln angeglichen.
3. Die Bindestrichschreibung wurde den allgemeinen Regeln angeglichen.
4. Bei mehrteiligen Fremdwörtern gibt es mehr Großschreibungen.
5. Die Regeln der Worttrennung wurden liberalisiert.

Dies bedeutet im Einzelnen:

1. Eine kleine Gruppe von Wörtern wird jetzt in der Schreibung an andere Wörter derselben Wortfamilie angeglichen, deren Eindeutschung in der Schreibung schon weiter fortgeschritten war:
Aus *plazieren, plaziert* wird zum Beispiel *platzieren, platziert* (in Anlehnung an *Platz*); statt *Stukkateur, Stukkatur* schreiben wir künftig *Stuckateur, Stuckatur* (wie bisher schon *Stuck*).
Ähnliches gilt für die Wortteile *-tial-* und *-tiell-*; sie werden zu *-zial-* und *-ziell-*, wenn zur entsprechenden Wortfamilie ein Wort gehört, das auf *z* endet (zum Beispiel *essenziell* wegen *Essenz*). In diesen Fällen ist allerdings die alte Schreibung auch weiterhin zulässig.
Im Deutschen besonders häufig gebrauchte englische Wörter auf *-y* (zum Beispiel *Party, Rowdy*) sollen im Plural nur noch mit *-ys* und nicht mehr mit *-ies* geschrieben werden.
Die größte Zahl der Änderungen in der Fremdwortschreibung besteht darin, dass in vielen Fällen eine zweite (eingedeutschte) Form neben der bisherigen zugelassen wird. So kann beispielsweise das *ph* in den aus dem Griechischen stammenden Wortteilen *-phon-*, *-phot-* und *-graph-* generell durch *f* ersetzt werden. Man kann also jetzt schreiben: *Megaphon* oder *Megafon*, *photogen* oder *fotogen*, *Geographie* oder *Geografie*. (Die besonders gebräuchlichen Wörter *Foto, fotografieren, Telefon, telefonieren* sollen allerdings nur noch mit *f* korrekt sein).
Eine Reihe von Wörtern aus dem Französischen, die auf é enden, dürfen neu auch mit ee geschrieben werden (zum Beispiel *passé* oder *passee, Exposé* oder *Exposee*).
Darüber hinaus gibt es eine begrenzte Anzahl Einzelfestlegungen für weitere Schreibvarianten; danach kann man jetzt *Delphin* oder *Delfin, Myrrhe* oder *Myrre, Panther* oder *Panter, Facette* oder *Fassette, Spaghetti* oder *Spagetti, Portemonnaie* oder *Portmonee* u. a. schreiben.
Zu beachten ist jedoch, dass viele im Verlauf der Reformdiskussion vorgeschlagene Änderungen letztlich nicht verwirklicht worden sind. Es bleibt also bei Schreibungen wie *Taifun* (nicht: *Teifun*), *Paket* (nicht:

Packet), *Restaurant* (nicht: *Restorant*), *Rhythmus* (nicht: *Rytmus*), *Apotheke* (nicht: *Apoteke*) und *Thron* (nicht: *Tron*).

2. Zusammengesetzte Fremdwörter werden im Prinzip nach derselben Grundregel wie die deutschen Zusammensetzungen behandelt: Man schreibt sie in einem Wort. Ist der erste Bestandteil ein Adjektiv oder ein Partizip, so gilt neben der Zusammenschreibung auch die Grenntschreibung: *Happyend* oder *Happy End, Fastfood* oder *Fast Food.*

3. Ist das Wort in der Zusammenschreibung schlecht lesbar oder soll einer der Bestandteile besonders hervorgehoben werden, so kann man (wie bei Nicht-Fremdwörtern) einen Bindestrich setzen: *Airconditioning* oder *Air-Conditioning, Desktoppublishing* oder *Desktop-Publishing.*

   Bei Fremdwörtern aus dem Englischen, die aus einem Verb und einer Präposition oder einem Adverb bestehen, wird die Bindestrichschreibung bevorzugt: *Break-down* (daneben auch *Breakdown*), *Black-out* (daneben auch: *Blackout*). Eine Ausnahme bilden die Schreibungen *Pullover* und *Pullunder* (nur ohne Bindestrich).

4. In mehrteiligen substantivischen Fügungen sind künftig alle Substantive mit großem Anfangsbuchstaben zu schreiben: *Alma Mater, Eau de Toilette, Corned-Beef-Büchse.* Handelt es sich nicht um eine substantivische Fügung, so bleibt es bei der Kleinschreibung: *de facto, a capella* (in Zusammensetzungen: *De-facto-Anerkennung, A-capella-Chor*).

5. Bei der Worttrennung am Zeilenende hat man künftig die Wahl, ob man Fremdwörter wie bisher (zum Beispiel *Päd-ago-ge, Chir-urg, Peri-skop, Re-krut, elek-trisch, Ma-gnet*) trennen oder ob man dieselben Regeln wie bei einfachen heimischen Wörtern anwenden will (danach ebenso korrekt: *Pä-da-go-ge, Chi-rurg, Peris-kop, Rek-rut, elekt-risch, Mag-net*). Vgl. hierzu auch S. 16.

Das c in Fremdwörtern

In vielen Fällen ist das ältere C in Fremdwörtern (schon vor der Rechtschreibreform) im Zuge der Eindeutschung zu k oder z geworden, und zwar abhängig von seiner ursprünglichen Aussprache. Es wurde zu k vor a, o, u und vor Konsonanten. Es wurde zu z vor e, i und y, ä und ö.

Beispiele: Copie, Procura, Crematorium, Spectrum, Penicillin, Cyclamen, Cäsur; eingedeutscht: Kopie, Prokura, Krematorium, Spektrum, Penizillin, Zyklamen, Zäsur.

In einzelnen Fachsprachen, so besonders in der der Chemie, besteht die Neigung, im Sinne einer internationalen Sprachangleichung das c in den Fremdwörtern, die im Rahmen eines festen Systems bestimmte terminologische Aufgaben haben, weitgehend zu erhalten. In solchen Fällen werden fachsprachlich nicht nur Eindeutschungen vermieden, sondern es kommen auch immer häufiger „Ausdeutschungen" vor, auch bei Fremdwörtern, die in der Gemeinsprache fest verankert sind.

Beispiele: zyklisch, fachspr.: cyclisch; Nikotin, fachspr.: Nicotin; Kampfer, fachspr.: Campher.

A

à ⟨*lat.-fr.*⟩: für, je, zu, zu je

AAD = *a*naloge *A*ufnahme, *a*naloge Bearbeitung, *d*igitale Wiedergabe (Kennzeichnung der technischen Verfahren bei einer CD-Aufnahme o. Ä.)

Aak ⟨*niederl.*⟩ *das;* -[e]s, -e u. **Aa|ke** *die;* -, -n: flaches Rheinfrachtschiff

A|ba ⟨*arab.*⟩ *die;* -, -s: 1. weiter, kragenloser Mantelumhang der Araber. 2. grober Wollstoff

A|bad|don ⟨*hebr.;* „Verderben, Untergang"⟩ *der;* -[s]: 1. Name des Todesengels in der Offenbarung des Johannes. 2. Totenreich, Unterwelt, Ort des Verderbens (im Alten Testament u. in der ↑ rabbinischen Literatur)

A|ba|de ⟨nach dem Namen der iranischen Stadt⟩ *der;* -[s], -s: elfenbeingrundiger Teppich

a|bais|sie|ren [abɛ'si:rən] ⟨*fr.*⟩: senken, niederlassen. **a|bais-siert:** nach unten zum Schildrand gesenkt, geschlossen (in der Wappenkunde von den Adlerflügeln)

A|ba|ka [auch· a'baka] ⟨*indones.-span.*⟩ *der;* -[s]: ↑ Manilahanf

a|bak|te|ri|ell ⟨*gr.*⟩: nicht durch ↑ bakterielle Erreger verursacht (z. B. von Krankheiten)

A|ba|kus ⟨*gr.-lat.*⟩ *der;* -, -: 1. antikes Rechen- od. Spielbrett. 2. Säulendeckplatte beim ↑ Kapitell

a|bal|lar|di|sie|ren ⟨nach dem französischen Theologen u. Philosophen P. Abälard (1079 – 1142), der wegen seiner Liebe zu seiner Schülerin Heloise entmannt wurde⟩: (veraltet) entmannen

A|ba|li|e|na|ti|on ⟨*lat.*⟩ *die;* -, -en: 1. Entfremdung. 2. Ent-, Veräußerung (Rechtsw.). **a|b|ali|e|nie-ren:** 1. entfremden. 2. veräußern (Rechtsw.)

A|ba|lo|ne ⟨*amerik.-span.*⟩ *die;* -, -n: vor allem in der Gastronomie gebräuchliche Bez. für das Rote Seeohr, eine essbare Meeresschnecke

A|ban|don [abãˈdõ:] ⟨*fr.*⟩ *der;* -s, -s u. **A|ban|don|ne|ment** [...dɔnəˈmã:] *das;* -s, -s: Abtretung, Preisgabe von Rechten od. Sachen (bes. im Gesellschafts- und Seefrachtrecht). **a|ban|don|nie-ren:** abtreten, verzichten, preisgeben, aufgeben (von Rechten bei Aktien u. Seefracht)

à bas! [a 'ba] ⟨*fr.*⟩ nieder!, weg [damit]!

A|ba|sie ⟨*gr.-nlat.*⟩ *die;* -, ...ien: Unfähigkeit zu gehen (Med.)

A|ba|te ⟨*aram.-gr.-lat.-it.;* „Abt"⟩ *der;* -[n], ...ti od. ...ten: Titel eines Weltgeistlichen in Italien und Spanien

A|ba|tis [...'ti:] ⟨*vulgärlat.-fr.*⟩ *der* od. *das;* -: Geflügelklein (Gastr.)

a|ba|tisch ⟨*gr.*⟩: 1. die Abasie betreffend (Med.). 2. unfähig zu gehen (Med.)

A|bat|jour [abaˈʒuː̯ɐ] ⟨*fr.*⟩ *der;* -s, -s: (veraltet) 1. Lampenschirm. 2. Fenster mit abgeschrägter Laibung

A|ba|ton ['a(:)...] ⟨*gr.* „das Unbetretbare"⟩ *das;* -s, ...ta: das [abgeschlossene] Allerheiligste, der Altarraum in den Kirchen des orthodoxen Ritus (Rel.)

a bat|tu|ta vgl. Battuta

A|ba|ti ⟨*aram.;* „Vater!"⟩: 1. neutestamentliche Gebetsanrede an Gott. 2. alte Anrede an Geistliche der Ostkirche

A|ba|si|de ⟨nach Abbas, dem Onkel Mohammeds⟩ *der;* -n, -n: Angehöriger eines in Bagdad ansässigen Kalifengeschlechts

A|ba|te vgl. Abate

A|bé [a'be:] ⟨*aram.-gr.-lat.-fr.;* „Abt"⟩ *der;* -s, -s: Titel eines Weltgeistlichen in Frankreich

A|be|vil|li|en [abəvɪ'ljɛ̃:] ⟨nach dem Fundort Abbeville in Frankreich⟩ *das;* -[s]: Kulturstufe der älteren Altsteinzeit

A|b|re|vi|a|ti|on* ⟨*lat.*⟩ *die;* -, -en: Abbreviatur. **A|b|re|vi|a|tor** ⟨*lat.*⟩ *der;* -s, ...oren: hoher päpstlicher Beamter, der Schriftstü-

cke (Bullen, Urkunden, Briefe; vgl. Breve) entwirft (bis 1908). **A|b|re|vi|a|tur** ⟨*lat.-mlat.*⟩ *die;* -, -en: Abkürzung in Handschrift, Druck- u. Notenschrift (z. B. PKW, cresc.). **a|b|re|vi|ie|ren:** abkürzen (von Wörtern usw.)

Abc-Code [abe'tse:ko:t] ⟨*dt.; lat.-fr.*⟩ *der;* -s: Telegrammschlüssel, der auf dem Abc basiert

Abc|da|ri|er usw. vgl. Abeeede rier usw.

a|b|chan|gie|ren [...ʃãʒi:...]: beim Reiten vom Rechts- zum Linksgalopp wechseln

a|b|che|cken [...tʃɛkn]: [Punkt für Punkt] überprüfen, kontrollieren

ABC-Staa|ten die (Plural): Argentinien, Brasilien u. Chile

ABC-Waf|fen die (Plural): Sammelbezeichnung für atomare, biologische u. chemische Waffen

Ab|de|rit ⟨nach den Bewohnern der altgriechischen Stadt Abdera⟩ *der;* -en, -en: einfältiger Mensch, Schildbürger. **ab|de|ri-tisch:** einfältig, schildbürgerhaft

Ab|di|ka|ti|on ⟨*lat.*⟩ *die;* -, -en: (veraltet) Abdankung. **ab|di|ka-tiv:** Abdankung, Verzicht bedeutend, bewirkend; **abdikativer Führungsstil:** freies Gewähren-lassen der Mitarbeiter, wobei auf jeglichen Einfluss von oben verzichtet wird. **ab|di|zie|ren:** (veraltet) abdanken, Verzicht leisten

Ab|do|men ⟨*lat.*⟩ *das;* -s, - u. ...mina: a) Bauch, Unterleib (Med.); b) Hinterleib der Gliederfüßer. **ab|do|mi|nal** ⟨*lat.-nlat.*⟩: zum Abdomen gehörend. **Ab|do|mi|nal|gra|vi|di|tät** *die;* -, -en: Bauchhöhlenschwangerschaft (Med.). **ab|do|mi|nell:** ↑ abdominal. **Ab|do|mi|no|sko-pie*** *die;* -: ↑ Laparoskopie

Ab|duk|ti|on ⟨*lat.-nlat.;* „das Wegführen"⟩ *die;* -, -en: das Bewegen von Körperteilen von der Körperachse weg (z. B. Heben des Armes), das Spreizen der Finger u. Zehen (Med.); Ggs.

↑Adduktion. **Ab|duk|tor** *der;* -s, ...oren: Muskel, der eine ↑Abduktion bewirkt; Abziehmuskel (Anat.). **Ab|duk|to|ren|pa|ra|ly|se** *die;* -, -n: Lähmung der Abduktoren, die die Stimmritze öffnen (Med.). **Ab|dy|zens**, *der;* -:
6. Gehirnnerv (von insgesamt 12 im Gehirn entspringenden Hauptnervenpaaren), der die äußeren geraden Augenmuskeln versorgt (Anat.). **ab|du|zie|ren** ⟨*lat.*⟩: von der Mittellinie des Körpers nach außen bewegen (von Körperteilen); spreizen (Med.)
A|be|ce|da|ri|er, Abcdarier ⟨*mlat.*⟩ *der;* -s, -: (veraltet) Abc-Schütze, Schulanfänger. **A|be-ce|da|ri|um**, Abcdarium *das;* -s, ...ien: 1. alphabetisches Verzeichnis des Inhalts von alten deutschen Rechtsbüchern. 2. (veraltet) Abc-Buch, Fibel. 3. ↑Abecedarius (2). **A|be|ce|da|ri|us**, Abcdarius *der;* -, ...rii: 1. ↑Abecedarier. 2. Gedicht od. Hymnus, dessen Vers- od. Strophenanfänge dem Abc folgen. **a|be-ce|die|ren**: Töne mit ihren Buchstabennamen singen (Mus.); Ggs. ↑solmisieren
A|bele|le|spiel|le ⟨*mniederl.*; abele spelen „schöne Spiele"⟩ *die* (Plural): Bezeichnung der ältesten (spätmittelalterlichen) ernsten Dramen in niederländischer Sprache
A|bel|mo|schus ⟨*arab.-nlat.*⟩ *der;* -, -se: Bisameibisch, eine zu den Malvengewächsen gehörende Tropenpflanze, aus deren Samen ein wohlriechendes Öl gewonnen wird
A|ber|deen|rind [ɛbəˈdiːn..., auch: ˈɛbədiːn...] ⟨nach der schottischen Stadt Aberdeen⟩: schottische Rinderrasse
ab|er|rant ⟨*lat.;* „abirrend"⟩: [von der normalen Form] abweichend (z. B. in Bezug auf Lichtstrahlen, Pflanzen, Tiere). **Ab|er|ra|ti|on** *die;* -, -en: 1. bei Linsen, Spiegeln u. den Augen auftretender optischer Abbildungsfehler (Unschärfe). 2. scheinbare Ortsveränderung eines Gestirns in Richtung der Beobachtens, verursacht durch Erdbewegung u. Lichtgeschwindigkeit. 3. starke Abweichung eines Individuums von der betreffenden Tier- od. Pflanzenart (Biol.). 4. Lage- od. Entwicklungsanomalie (von Organen od. Gewebe; Med.). **Ab|er|ra|ti|ons|kon|stan|te*** *die;* -: der stets gleich bleibende Wert

der jährlichen Aberration (2) des Sternenlichtes. **ab|er|rie|ren:** [von der normalen Form] abweichen (z. B. in Bezug auf Lichtstrahlen, Pflanzen, Tiere)
A|bes|si|ni|en ⟨nach dem früheren Namen von Äthiopien⟩ *das;* -s, -: (scherzh.) Nacktbadestrand
Ab|es|siv [auch: ...ˈsiːf] ⟨*lat.-nlat.*⟩ *der;* -s, -e [...və]: Kasus in den finnisch-ugrischen Sprachen zum Ausdruck des Nicht-vorhanden-Seins eines Gegenstandes
ab|ge|fuckt [...fakt] ⟨*dt.; engl.*⟩: (Jargon) in üblem Zustand, heruntergekommen
ab|hor|res|zie|ren, ab|hor|rie-ren ⟨*lat.;* „zurückschaudern"⟩: verabscheuen, ablehnen; zurückschrecken
A|bi|e|tin|säu|re ⟨*lat.-nlat.; dt.*⟩: zu den ↑Terpenen gehörende organische Säure, Hauptbestandteil des ↑Kolophoniums (Chem.)
A|bi|li|ty [əˈbɪlətɪ] ⟨*lat.-fr.-engl.*⟩ *die;* -, -s: die durch Veranlagung od. Schulung bedingte Fähigkeit des Menschen, Leistung hervorzubringen (Psychol.)
A|bi|o|ge|ne|se, A|bi|o|ge|ne|sis ⟨*gr.;* „Entstehung aus Unbelebtem"⟩ *die;* -: Annahme, dass Lebewesen ursprünglich aus unbelebter Materie entstanden seien (Urzeugung). **A|bi|o|se, A|bi|o-sis** *die;* -: 1. Lebensunfähigkeit.
2. ↑Abiotrophie. **a|bi|o|tisch** [auch: ˈa...]: ohne Leben, leblos.
A|bi|o|tro|phie* *die;* -, ...ien: Wachstumshemmung od. vorzeitiges Absterben einzelner Gewebe u. Organe (z. B. der Netzhaut des Auges; Med.)
ab|iso|lie|ren: die Isolierung (z. B. von einem Kabelende) entfernen
A|bi|tur ⟨*lat.-mlat.-nlat.*⟩ *das;* -s, -e (Plural selten): Abschlussprüfung an der höheren Schule; Reifeprüfung, die zum Hochschulstudium berechtigt. **A|bi|tu|ri-ent** ⟨*lat.-mlat.;* „(von der Schule) Abgehender"⟩ *der;* -en, -en: jmd., der das Abitur macht bzw. gemacht hat. **A|bi|tu|ri|um** ⟨*lat.-mlat.-nlat.*⟩ *das;* -s, ...rien (veraltet) Abitur
ab|jekt ⟨*lat.*⟩: verächtlich. **ab|ji-zie|ren:** 1. verachten. 2. verwerfen
Ab|ju|di|ka|ti|on ⟨*lat.*⟩ *die;* -, -en: [gerichtliche] Aberkennung. **ab-ju|di|zie|ren:** [gerichtlich] aberkennen, absprechen
Ab|ju|ra|ti|on ⟨*lat.*⟩ *die;* -, -en: (veraltet) Abschwörung, durch

Eid bekräftigter Verzicht (Rechtsw.). **ab|ju|rie|ren:** (veraltet) abschwören, unter Eid entsagen
ab|kal|pi|teln ⟨*dt.; lat.-mlat.*⟩: (veraltend) jmdn. schelten, abkanzeln, jmdm. einen [öffentlichen] Verweis erteilen
ab|kom|man|die|ren: jmdn. [vorübergehend] irgendwohin beordern, dienstlich an einer anderen Stelle einsetzen
ab|kon|ter|fei|en: (ugs.) abmalen, abzeichnen
Ab|lak|ta|ti|on ⟨*lat.*⟩ *die;* -, -en: 1. das Abstillen, Entwöhnen des Säuglings (Med.). 2. Veredelungsmethode, bei der das Edelreis mit der Mutterpflanze verbunden bleibt, bis es mit dem Wildling verwachsen ist (Bot.). **ab|lak|tie|ren:** 1. abstillen (Med.). 2. einen Wildling durch Ablaktation (2) veredeln (Bot.)
Ab|la|ti|on ⟨*lat.;* „Wegnahme"⟩ *die;* -, -en: 1. a) Abschmelzung von Schnee u. Eis (Gletscher, Inlandeis) durch Sonnenstrahlung, Luftwärme u. Regen; b) Abtragung des Bodens durch Wasser u. Wind; vgl. Deflation (2) u. Denudation (1) (Geol.). 2. (Med.) a) operative Entfernung eines Organs od. Körperteils; Amputation; b) [krankhafte] Loslösung eines Organs von einem anderen
Ab|la|tiv ⟨*lat.*⟩ *der;* -s, -e: Kasus [in indogerm. Sprachen], der einen Ausgangspunkt, eine Entfernung o. Ä. angibt. Trennung zum Ausdruck bringt; Woherfall (Abk.: Abl.). **Ab|la|ti|vus ab|so|lu|tus** [auch: ...ˈtivos-] *der;* - -, ...vi ...ti: im Lateinischen eine selbstständig im Satz stehende satzwertige Gruppe in Form einer Ablativkonstruktion (Sprachw.); z. B. Roma deliberante (= während Rom beratschlagt[e])
Ab|le|gat ⟨*lat.*⟩ *der;* -en, -en: 1. [päpstlicher] Gesandter. 2. (veraltet) Verbannter
Ab|le|pha|rie* ⟨*gr.-nlat.*⟩ *die;* -: angeborenes Fehlen od. Verlust des Augenlides (Med.)
Ab|lep|sie* ⟨*gr.-nlat.*⟩ *die;* -: (veraltet) ↑Amaurose (Med.)
Ab|lo|ka|ti|on ⟨*lat.*⟩ *die;* -, -en: (veraltet) Vermietung, Verpachtung. **ab|lo|zie|ren:** (veraltet) vermieten, verpachten
Ab|lu|ti|on ⟨*lat.;* „Abspülen, Abwaschen"⟩, *die;* -, -en: 1. das Abtragen von noch nicht verfestigten Meeresablagerungen (Geol.). 2. bei der Messe Ausspülung

der Gefäße u. Waschung der Fingerspitzen [u. des Mundes] des ↑Zelebranten nach dem Empfang von Brot u. Wein [u. der Austeilung der ↑Kommunion (1)] (kath. Rel.)

Ab|mo|de|ra|ti|on *die;* -, -en: die eine Fernseh- od. Rundfunksendung abschließenden Worte des Moderators. **ab|mo|de|rie|ren:** als Moderator einer Sendung die abschließenden Worte sprechen

Ab|ne|ga|ti|on ⟨*lat.*⟩ *die;* -, -en: (veraltet) Teilnahmslosigkeit **ab|norm** ⟨*lat.*⟩: 1. vom Normalen abweichend; krankhaft. 2. ungewöhnlich, außergewöhnlich. **ab|nor|mal:** nicht normal. **Ab|nor|mi|tät** *die;* -, -en: 1. Abweichung vom Normalen. 2. Krankhaftigkeit, Fehlbildung. 3. (veraltend) missgebildetes Lebewesen

A|bo, *das;* -s, -s: (ugs.) Kurzform von Abonnement

a|bo|lie|ren ⟨*lat.*⟩. (veraltet) 1. abschaffen, aufheben. 2. begnadigen. **A|bo|li|ti|on** *die;* -, -en: Niederschlagung eines Strafverfahrens vor seinem rechtskräftigen Abschluss. **A|bo|li|ti|o|nis|mus** ⟨*lat.-engl.*⟩ *der;* -: 1. (hist.) Bewegung zur Abschaffung der Sklaverei in England u. Nordamerika. 2. von England im 19. Jh. ausgehender Kampf gegen die ↑Prostitution. **A|bo|li|ti|o|nist** *der;* -en, -en: Anhänger des Abolitionismus

a|bo|mi|na|bel* ⟨*lat.-fr.*⟩: abscheulich, scheußlich, widerlich

A|bon|ne|ment [abonə'mã:, *schweiz. auch:* ...ə'mεnt] ⟨*fr.*⟩ *das;* -s, -s (*schweiz. auch:* -e): 1. fest vereinbarter Bezug von Zeitungen, Zeitschriften o. Ä. auf längere, aber meist noch unbestimmte Zeit. 2. für einen längeren Zeitraum geltende Abmachung, die den Besuch einer bestimmten Anzahl kultureller Veranstaltungen (Theater, Konzert) betrifft; Anrecht, Miete. **A|bon|nent** *der;* -en, -en: 1. jmd., der etwas (z. B. eine Zeitung) abonniert hat. 2. Inhaber eines Abonnements (2). **a|bon|nie|ren:** etwas [im Abonnement] beziehen; **auf etwas abonniert sein:** 1. ein Abonnement auf etwas besitzen. 2. (scherzh.) etwas mit einer gewissen Regelmäßigkeit immer wieder bekommen, erleben **ab|o|ral** [auch: 'ap...] ⟨*lat.-nlat.*⟩: vom Mund entfernt liegend, zum After hin liegend (von einzelnen Teilen des Verdauungstraktes im Verhältnis zu anderen; Med.)

A|bo|ri|gi|ne* [εbə'ridʒini:] ⟨*lat.-engl.*⟩ *der;* -s, -s: Ureinwohner, bes. Australiens

A|bort* *der;* -s, -e: 1. ⟨*lat.*⟩ Fehlgeburt (Med.). 2. ⟨*lat.-engl.*⟩ Abbruch eines Raumfluges. **a|bor|tie|ren** ⟨*lat.*⟩: 1. fehlgebären (Med.). 2. Organe nicht ausbilden (Physiol.). **a|bor|tiv** 1. abgekürzt verlaufend (von Krankheiten; Med.). 2. abtreibend, eine Fehlgeburt bewirkend (Med.). 3. auf einer frühen Entwicklungsstufe stehen geblieben, fehlgebildet (Physiol.). **A|bor|ti|vum** *das;* -s, ...va: 1. Mittel, das den Verlauf einer Krankheit abkürzt od. ihren völligen Ausbruch verhindert (Med.). 2. Mittel zum Herbeiführen einer Fehlgeburt (Med.). **A|bor|tus** *der;* -, - [...tu:s] ↑Abort (1).

ab o|vo ⟨*lat.;* „vom Ei (an)"⟩: 1. von Anfang einer Sache an; bis auf die Anfänge zurückgehend. 2. von vornherein, grundsätzlich; z. B. jede Norm ist ab ovo eine Idealisierung. **ab o|vo ad ma|lla** ⟨„vom Ei bis zu den Äpfeln" (d. h. vom Vorgericht bis zum Nachtisch)⟩: von Anfang bis zum Ende **ab|pas|sie|ren:** (Kräuter od. Gemüse) in Fett rösten (Gastr.)

Ab|pro|dukt *das;* -s, -e: Abfall, Reststoff, nicht verwertbarer Rückstand aus einem Produktionsprozess

ab|qua|li|fi|zie|ren: abwertend, abfällig beurteilen

Ab|ra|chi|us* ⟨*lat.*⟩ *der;* -, ...ien u. ...chii: Missgeburt, der ein Arm oder beide Arme fehlen (Med.)

Ab|ra|kal|dab|ra* ⟨Herkunft unsicher⟩ *das;* -s: 1. Zauberwort. 2. (abwertend) sinnloses Gerede

Ab|ra|sax* ⟨Herkunft unsicher⟩ *der;* -: ↑Abraxas

Ab|rasch* ⟨*arab.*⟩ *der;* -: beabsichtigte oder unbeabsichtigte Farbabweichung bei Orientteppichen

Ab|ra|sio ⟨*lat.*⟩ *die;* -, ...ionen: Ausschabung, Auskratzung (bes. der Gebärmutter; Med.). **Ab|ra|si|on** ⟨*lat.*⟩ *die;* -, -en: 1. Abrasio. 2. Abschabung, Abtragung der Küste durch die Brandung (Geol.). **Ab|ra|sit®** ⟨*lat.-nlat.*⟩ *der;* -s, -e: aus ↑Bauxit gewonnenes Tonerdeprodukt, das zur Herstellung von feuerfesten Materialien verwendet wird

Ab|ra|xas* ⟨Herkunft unsicher⟩ *der;* -: 1. Geheimname Gottes in der ↑Gnostik. 2. Zauberwort auf Amuletten

ab|re|a|gie|ren: 1. länger angestaute seelische Erregungen u. Spannungen entladen. 2. sich -: sich beruhigen, zur Ruhe kommen. **Ab|re|ak|ti|on** *die;* -, -en: 1. Beseitigung seelischer Hemmungen u. Spannungen durch das bewusste Nacherleben (Psychotherapie). 2. Entladung seelischer Spannungen u. gestauter Affekte in Handlungen (Psychol.)

Ab|ré|gé* [...re'ʒe:] ⟨*lat.-fr.*⟩ *das;* -s, -s: (veraltet) kurzer Auszug, Zusammenfassung

Ab|ri* ⟨*lat.*⟩ *der;* -s, -s: altsteinzeitliche Wohnstätte unter Felsvorsprüngen od. in Felsnischen

Ab|ro|ga|ti|on ⟨*lat.;* „Abschaffung"⟩ *die;* -, -en: Aufhebung eines Gesetzes durch ein neues Gesetz. **ab|ro|gie|ren:** (veraltet) 1. abschaffen. 2. zurücknehmen

ab|rupt ⟨*lat.*⟩: 1. plötzlich und unvermittelt, ohne dass man damit gerechnet hat, eintretend (in Bezug auf Handlungen, Reaktionen o. Ä.). 2. zusammenhanglos

ABS = Antiblockiersystem

Abs|ci|sin vgl. Abszisin

Ab|sence [...sã:s] ⟨*lat.-fr.*⟩ *die;* -, -n: Geistesabwesenheit, bes. epileptischer Anfall mit nur kurz andauernder Bewusstseinstrübung (Med.). **ab|sent** ⟨*lat.*⟩: abwesend. **ab|sen|tia** vgl. in absentia. **ab|sen|tie|ren,** sich ⟨*lat.-fr.*⟩: sich entfernen. **Ab|sen|tis|mus** ⟨*lat.-nlat.*⟩ *der;* -: 1. (hist.) die häufige, gewohnheitsmäßige Abwesenheit der Großgrundbesitzer von ihren Gütern. 2. gewohnheitsmäßiges Fernbleiben vom Arbeitsplatz (Soziol.). **Ab|senz** ⟨*lat.*⟩ *die;* -, -en: 1. Abwesenheit, Fortbleiben. 2. ↑Absence

Ab|sinth ⟨*gr.-lat.*⟩ *der;* -[e]s, -e: 1. grünlicher Branntwein mit Wermutzusatz. 2. Wermutpflanze. **Ab|sin|this|mus** ⟨*gr.-lat.-nlat.*⟩ *der;* -: Krämpfe, Lähmungen u. Verwirrungszustände infolge übermäßigen Absinthgenusses

ab|so|lut [auch: 'ap...] ⟨*lat.(-fr.);* „losgelöst"⟩: 1. völlig, uneingeschränkt, äußerst. 2. überhaupt, z. B. sie ist absolut nicht ein. 3. unbedingt, z. B. er will absolut Recht behalten. 4. rein, beziehungslos, z. B. das absolute Gehör (Gehör, das ohne Hilfsmittel die Tonhöhe erkennt). 5. eine bestimmte Grundeinheit betreffend, z. B. die absolute Temperatur (die auf den absoluten Nullpunkt bezogene, die tiefste überhaupt mögliche Temperatur); die absolute Mehrheit (die Mehrheit von über 50% der Gesamtstimmenzahl); **absolute Geometrie:** ↑nichteuklidische Geometrie; **absolute Musik:** völlig autonome Instrumentalmusik, deren geistiger Gehalt weder als Tonmalerei außermusikalischer Stimmungs- od. Klangphänomene noch als Darstellung literarischer Inhalte bestimmt werden kann (seit dem 19. Jh.); Ggs. ↑Programmmusik; **absoluter Ablativ:** ↑Ablativus absolutus; **absoluter Nominativ:** ein außerhalb des Satzverbandes stehender Nominativ; **absoluter Superlativ:** ↑Elativ; **absolutes Tempus:** selbstständige, von der Zeit eines anderen Verhaltens unabhängige Zeitform eines Verbs. **Ab|so|lu|te** ⟨lat.⟩ das; -n: das rein aus sich bestehende u. in sich ruhende Sein (Philos.). **Ab|so|lu|ti|on** die; -, -en: Los-, Freisprechung, bes. Sündenvergebung. **Ab|so|lu|tis|mus** ⟨lat.-fr.⟩ der; -: 1. Regierungsform, in der alle Gewalt unumschränkt in der Hand der Monarchen liegt. 2. unumschränkte Herrschaft. **Ab|so|lu|tist** der; -en, -en: 1. Anhänger, Vertreter des Absolutismus. 2. Herrscher mit unumschränkter Macht. **ab|so|lu|tis|tisch:** 1. den Absolutismus betreffend. 2. Merkmale des Absolutismus zeigend. **Ab|so|lu|to|ri|um** ⟨lat.⟩ das; -s, ...rien: 1. (veraltet) die von der zuständigen Stelle, Behörde erteilte Befreiung von der Verbindlichkeit von Ansprüchen o. Ä. 2. a) (veraltet) Reifeprüfung; b) (veraltet) Reifezeugnis. 3. (österr.) Bestätigung einer Hochschule, dass man die im Verlauf des Studiums vorgeschriebene Anzahl von Semestern u. Übungen belegt hat. **Ab|sol|vent** [...'vɛnt] der; -en, -en: jmd., der die vorgeschriebene Ausbildungszeit an einer Schule abgeschlossen hat. **ab|sol|vie|ren:** 1. a) die vorgeschriebene Ausbildungszeit an einer Schule ableisten; b) etwas ausführen, durchführen. 2. jmdm. die Absolution erteilen (kath. Rel.). **Ab|sor|bens** ⟨lat.⟩ das; -, ...benzien u. ...bentia: der bei der Absorption absorbierende (aufnehmende) Stoff; vgl. Absorptiv. **Ab|sor|ber** ⟨lat.-engl.⟩ der; -s, -: 1. ↑Absorbens. 2. Vorrichtung zur Absorption von Gasen (z. B. in einer Kältemaschine). 3. Kältemaschine. **ab|sor|bie|ren** ⟨lat.;

„hinunterschlürfen, verschlingen"⟩: 1. aufsaugen, in sich aufnehmen. 2. [gänzlich] beanspruchen. **Ab|sorp|ti|on** die; -, -en: das Aufsaugen, das In-sich-Aufnehmen. **Ab|sorp|ti|ons|prinzip** das; -s: Grundsatz, dass bei mehreren Straftaten einer Person die Strafe nach dem Gesetz verhängt wird, das die schwerste Strafe androht (Rechtsw.). **Ab|sorp|ti|ons|spekt|rum*** das; -s, ...tren u. ...tra: ↑Spektrum, das durch dunkle Linien od. Streifen jene Bereiche des Spektrums angibt, in denen ein Stoff durchtretende Strahlung absorbiert (Phys.). **ab|sorp|tiv** ⟨lat.-nlat.⟩: zur Absorption fähig. **Ab|sorp|tiv** das; -s, -e: der bei der Absorption absorbierte Stoff; vgl. Absorbens. **Abs|ten|ti|on** ⟨lat.⟩ die; -, -en: (veraltet) Verzicht, Erbschaftsverzicht. **abs|ti|nent** ⟨lat. (-engl.)⟩: enthaltsam (in Bezug auf bestimmte Speisen, Alkohol, Geschlechtsverkehr). **Abs|ti|nent** der; -en, -en: (schweiz., sonst veraltet) Abstinenzler. **Abs|ti|nenz** die; -: Enthaltsamkeit (z. B. in Bezug auf bestimmte Speisen, Alkohol, Geschlechtsverkehr). **Abs|ti|nenzler** der; -s, -: jmd., der enthaltsam lebt, bes. in Bezug auf Alkohol. **Abs|ti|nenz|theo|rie** die; -: im 19. Jh. vertretene Zinstheorie, nach der der Sparer den Zins gleichsam als Gegenwert für seinen Konsumverzicht erhält. **Abs|tract*** ['ɛpstrɛkt] ⟨lat.-engl.⟩ das; -[s], -s: kurzer Abriss, kurze Inhaltsangabe eines Artikels od. Buches. **abs|tra|hie|ren** ⟨lat.; „ab-, wegziehen"⟩: 1. etwas gedanklich verallgemeinern, zum Begriff erheben. 2. von etwas absehen, auf etwas verzichten. **abs|trakt:** 1. vom Dinglichen gelöst, rein begrifflich. 2. theoretisch, ohne unmittelbaren Bezug zur Realität; **abstrakte Kunst:** Kunstrichtung, die vom Gegenständlichen absieht; **abstraktes Substantiv:** ↑Abstraktum; **abstrakte Zahl:** reine Zahl, d. h. ohne Angabe des Gezählten (Math.). **Abs|trak|te** die; -, -n: Teil der Orgel, das die Tasten mit den Pfeifenventilen verbindet. **Abs|trak|ti|on** die; -, -en: 1. a) Begriffsbildung; b) Verallgemeinerung; c) Begriff. 2. auf zufällige Einzelheiten verzichtende, begrifflich zusammengefasste Darstellung (Stilk.). **abs|trak|tiv**

⟨lat.-engl.⟩: 1. fähig zum Abstrahieren, zur ↑Abstraktion. 2. durch Abstrahieren gebildet. **Abs|trak|tum** das; -s, ...ta: Substantiv, das Nichtdingliches bezeichnet; Begriffswort; z. B. Hilfe, Zuneigung (Sprachw.); Ggs. ↑Konkretum **abs|trus*** ⟨lat.; „versteckt, verborgen"⟩: a) (abwertend) absonderlich, töricht; b) schwer verständlich, verworren, ohne gedankliche Ordnung **ab|surd** ⟨lat.; „misstönend"⟩: widersinnig, dem gesunden Menschenverstand widersprechend, sinnwidrig, abwegig, sinnlos; vgl. ad absurdum führen; **absurdes Drama:** moderne, dem ↑Surrealismus verwandte Dramenform, in der das Sinnlose u. Widersinnige der Welt u. des menschlichen Daseins als tragendes Element in die Handlung verwoben sint; **absurdes Theater:** Form des modernen Dramas, bei der Irrationales u. Widersinniges sowie Groteskes als Stilmittel verwendet werden, um die Absurdität des Daseins darzustellen. **Ab|sur|di|tät** die; -, -en: 1. (ohne Plural) Widersinnigkeit, Sinnlosigkeit. 2. einzelne widersinnige Handlung, Erscheinung o. Ä. **abs|ze|die|ren** ⟨lat.; „weggehen; sich absondern"⟩: eitern (Med.). **Abs|zess** der (österr., ugs. auch: das); -es, -e: Eiterherd, Eiteransammlung in einem anatomisch nicht gebildeten Gewebshohlraum (Med.). **abs|zin|die|ren** ⟨lat.⟩: abreißen, abtrennen **Abs|zi|sin** u. Abscisin ⟨lat.⟩ das; -s, -e: Wirkstoff in den Pflanzen, der das Wachstum hemmt u. das Abfallen der Blätter u. Früchte bewirkt (Bot.). **Abs|zis|se** ⟨lat.-nlat.; „die abgeschnittene (Linie)"⟩ die; -, -n: 1. horizontale Achse, Waagerechte im ↑Koordinatensystem. 2. auf der gewöhnlich horizontal gelegenen Achse (Abszissenachse) eines Koordinatensystems abgetragene erste Koordinate eines Punktes (z. B. im x, y, z-Koordinatensystem; Math.) **Ab|tes|tat** das; -[e]s, -e: (früher) ↑Testat des Hochschulprofessors am Ende des Semesters (neben dem im Studienbuch der Studierenden aufgeführten Vorlesung od. Übung); Ggs. ↑Antestat. **ab|tes|tie|ren:** ein Abtestat geben; Ggs. ↑antestieren

ab|trai|nie|ren: [Übergewicht o. Ä.] durch ↑Training verringern, abbauen

ab|tur|nen [...tœɐ̯...] ⟨dt.; engl.⟩: (ugs.) aus der Stimmung bringen; Ggs. ↑anturnen (2)

A|bu ⟨arab.; „Vater“⟩: Bestandteil arabischer Personen-, Ehren- u. Ortsnamen

A|bu|lie ⟨gr.-nlat.⟩ die; -, ...jen: krankhafte Willenlosigkeit; Willensschwäche, Willenslähmung, Entschlussunfähigkeit (Med., Psychol.). **a|bu|lisch:** a) die Abulie betreffend; b) willenlos

A|bu|na ⟨arab.; „unser Vater“⟩ der; -s, -s: frühere Bez. des leitenden Bischofs der äthiopischen Kirche

a|bun|dant* ⟨lat.⟩: häufig [vorkommend], reichlich, dicht; vgl. redundant. **A|bun|danz** ⟨„Überströmen; Überfluss“⟩ die; -: 1. [große] Häufigkeit, Dichte des Vorkommens, Fülle. 2. Merkmals- od. Zeichenüberfluss bei einer Information (Math.)

ab ur|be con|di|ta ⟨lat.; „seit Gründung der Stadt (Rom)“⟩: altrömische Zeitrechnung, beginnend 753 v. Chr.; Abk.: a. u. c.; vgl. post urbem conditam

ab|lusiv ⟨lat.⟩: missbräuchlich. **Ab|usus** der; -, - [...zu:s]: Missbrauch, übermäßiger Gebrauch, z. B. von bestimmten Arzneimitteln, Genussmitteln

A|bu|til|lon ⟨arab.-nlat.⟩ das; -s, -s: Gattung der Malvengewächse (z. B. Zimmerahorn)

a|bys|sal vgl. abyssisch. **A|byssal** ⟨gr.-nlat.⟩ das; -s: (veraltet) abyssische Region. **A|bys|sal|re|gi|on** die; -: abyssische Region. **a|bys|sisch:** 1. aus der Tiefe der Erde stammend. 2. zum Tiefseebereich gehörend, in der Tiefsee gebildet, in großer Tiefe; **abyssische Region:** Tiefseeregion, Bereich des Meeres in 3 000 bis 10 000 m Tiefe. 3. abgrundtief. **A|bys|sus** ⟨gr.-lat.⟩ der; -: 1. grundlose Tiefe, Unterwelt; das Bodenlose. 2. (veraltet) Vielfraß, Nimmersatt

A. C. = appellation contrôlée (französische Qualitäts- u. Herkunftsbezeichnung für Wein)

A|ca|de|my a|ward [ə'kɛdəmi ə'wɔːd] ⟨engl.⟩ der; - -, - -s: von der amerikanischen „Akademie für künstlerische u. wissenschaftliche Filme“ in verschiedenen Bereichen (Darstellung, Regie, Ausstattung usw.) verliehener Filmpreis; vgl. Oscar

A|ca|jou|nuss [aka'ʒu:...] ⟨Tupi-port.-fr.; dt.⟩ die; -, ...nüsse: ↑Cashewnuss

a cap|pe|l|la ⟨it.; „(wie) in der Kapelle od. Kirche“⟩: ohne Begleitung von Instrumenten (Mus.). **A-cap|pe|l|la-Chor** der; -s, ...Chöre: Chor ohne Begleitung von Instrumenten

acc. c. inf. = accusativus cum infinitivo; vgl. Akkusativ

ac|cel. = accelerando. **ac|ce|le|ran|do** [atʃele'rando] ⟨lat.-it.⟩: allmählich schneller werdend, beschleunigend; Abk.: accel. (Mus.)

Ac|cent ai|gu [aksɛ̃te'gy] ⟨lat.-fr.⟩ der; - -, -s -s [aksɛ̃ze'gy]: Betonungszeichen, ↑Akut (Sprachw.); Zeichen: ´, z. B. é.

Ac|cent cir|con|flexe [aksãsir-kõ'flɛks] der; - -, -s -s [aksãsirkõ-'flɛks]: Dehnungszeichen, ↑Zirkumflex (Sprachw.); Zeichen: ^, z. B. â. **Ac|cent grave** [aksã-gra:v] der; - -, -s -s [aksã gra:v]: Betonungszeichen, ↑Gravis (Sprachw.); Zeichen: `, z. B. è.

Ac|cen|tus [ak'tsɛn...] ⟨lat.⟩ der; -, - [...tu:s]: liturgischer Sprechgesang; Ggs. ↑Concentus

Ac|ces|soire [aksɛ'sǒaːɐ̯] ⟨lat.-fr.⟩ das; -s, -s (meist Plural): modisches Zubehör zur Kleidung (z. B. Gürtel, Handschuhe, Schmuck)

Ac|ciac|ca|tu|ra [atʃaka...] ⟨it.; „Quetschung“⟩ die; -, ...ren: besondere Art des Tonanschlags in der Klaviermusik des 17./18. Jahrhunderts, wobei eine Note gleichzeitig mit ihrer unteren Nebennote (meist Untersekunde) angeschlagen, diese jedoch sofort wieder losgelassen wird

Ac|ci|pi|es|holz|schnitt [ak-'tsi:pjɛs...] ⟨lat.; dt.⟩ der; -[e]s, -e: Holzschnitt als Titelbild in Lehr- u. Schulbüchern des 15. Jh.s, der einen Lehrer mit Schülern u. ein Spruchband zeigt mit den Worten: „Accipies tanti doctoris dogmata sancti“ ⟨lat. = mögest du die Lehren eines so großen frommen Gelehrten annehmen!)

Ac|com|pa|gna|to* [akɔmpan-'ja:to] ⟨it.; „begleitet“⟩ das; -s, -s u. ...ti: durch Instrumenten begleitete ↑Rezitativ

Ac|cor|da|tu|ra ⟨it.⟩ die; -: normale Stimmung der Saiteninstrumente (Mus.); Ggs. ↑Scordatura

Ac|cou|doir [aku'dǒaːɐ̯] ⟨lat.-fr.⟩ das; -s, -s: Armlehne am Chorgestühl

Ac|coun|tant [ə'kauntənt] ⟨engl.⟩ der; -[s], -s: Bezeichnung für den

Rechnungs- od. Wirtschaftsprüfer in Großbritannien, Irland, den Niederlanden u. den USA

Ac|cro|chage* [akro'ʃa:ʒ(ə)] ⟨fr.⟩ die; -, -n: Ausstellung aus den eigenen Beständen einer Galerie

Ac|croche-cœur* [akroʃ'kœːɐ̯] ⟨fr.; „Herzensfänger“⟩ das; -, -: Locke, die dem Betreffenden einen schmachtenden Ausdruck gibt; „Schmachtlocke“

A|ce|l|la® ⟨Kunstw.⟩ das; -: eine aus Vinylchlorid hergestellte Kunststofffolie

A|ce|ro|la|kir|sche ⟨arab.-span.; dt.⟩ die; -, -n: Vitamin-C-reiche westindische Frucht, Puerto-Rico-Kirsche

A|ce|tal ⟨lat.; arab.⟩ das; -s, -e: chem. Verbindung aus ↑Aldehyden u. ↑Alkohol (1). **A|ce|t|al|de|hyd*** ⟨Kunstw. aus „Acetat“ u. „Aldehyd“⟩ der; -s: farblose Flüssigkeit von betäubendem Geruch, Ausgangsstoff od. Zwischenprodukt für chem. ↑Synthesen (2). **A|ce|tat,** auch: Azetat ⟨lat.-nlat.⟩ das; -s, -e: Salz der Essigsäure. **A|ce|tat|sei|de,** auch: Azetatseide die; -: Kunstseide aus Zelluloseacetat; vgl. Zellulose. **A|ce|ton** das; -s: einfachstes ↑aliphatisches ↑Keton; wichtiges Lösungsmittel; bei bestimmten Krankheiten auftretendes Stoffwechselprodukt: Propanon. **A|ce|to|nä|mie*** ⟨lat.; gr.⟩ die; -, ...jen: das Auftreten von Aceton im Blut. **A|ce|t|on|u|rie*** die; -, ...jen: Auftreten von Aceton im Harn. **A|ce|to|phe|non** das; -s: aromatisches ↑Keton; Riechstoff zur Verwendung in Seifen. **A|ce|tyl** ⟨lat.; gr.⟩ das; -s: Säurerest der Essigsäure. **A|ce|tyl|cho|lin** [...ko...] das; -s: gefäßerweiternde Substanz (Gefäßhormon; Med.). **A|ce|tyl|en** das; -s: gasförmiger, brennbarer Kohlenwasserstoff. **A|ce|tyl|e|nid,** auch: **A|ce|ty|le|nid** das; -s, -e: Metallverbindung des Acetylens. **a|ce|ty|lie|ren:** eine bestimmte Molekülgruppe (Essigsäurerest) in eine organische Verbindung einführen. **A|ce|ty|lie|rung** die; -, -en: Austausch von Hydroxyl- oder Aminogruppen durch die Acetylgruppe in organischen Verbindungen. **A|ce|tyl|säu|re** die; -: Essigsäure

A|cha|la|sie [ax...] ⟨gr.⟩ die; -, ...jen: Unfähigkeit der glatten Muskulatur, sich zu entspannen (Med.)

A|chä|ne ⟨gr.-nlat.⟩ die; -, -n: einsamige Frucht der Korbblütler, deren Samen bei der Reife und Verbreitung von der ganzen oder von Teilen der Fruchtwand umschlossen bleiben; Schließfrucht (z. B. Beere, Nuss; Bot.)

A|chat ⟨gr.-lat.⟩ der; -s, -e: ein mehrfarbig gebänderter Schmuckstein; vgl. Chalzedon. **a|cha|ten:** aus Achat bestehend

A|chei|lie, A|chi|lie [ax...] ⟨gr.⟩ die; -, ...ien: angeborenes Fehlen einer Hand od. beider Hände (Med.). **A|chei|ro|poi|e|ta** ⟨"nicht von Menschenhänden gemacht"⟩ die (Plural): Bezeichnung für einige byzantinische Bildnisse Christi u. der Heiligen, die als "wahre" Bildnisse gelten, weil sie nicht von Menschenhand verfertigt, sondern auf wunderbare Weise entstanden sein (z. B. der Abdruck des Antlitzes Christi im Schweißtuch der Veronika)

a|che|ron|tisch [ax...]: 1. den Acheron (einen Fluss der Unterwelt in der griech. Sage) betreffend. 2. zur Unterwelt gehörend

A|cheu|lé|en [aʃøleɛ̃:] ⟨nach Saint-Acheul, einem Vorort von Amiens⟩ das; -[s]: Kulturstufe der älteren Altsteinzeit

A|chia [a'ʃi:a] das; -[s], -[s]: indisches Gericht aus Bambusschösslingen (Gastr.)

A|chil|les|fer|se [ax...] ⟨gr.; dt.⟩ nach dem Helden der griech. Sage Achilles⟩ die; -: verwundbare, empfindliche, schwache Stelle bei einem Menschen. **A|chil|les|seh|ne** die; -, -n: am Fersenbein ansetzendes, sehniges Ende des Wadenmuskels. **A|chil|les|seh|nen|re|flex*** der; -es, -e: Reflex beim Beklopfen der Achillessehne, wodurch der Fuß sohlenwärts gebeugt wird. **A|chil|lo|dy|nie*** ⟨gr.-nlat.⟩ die; -: Schmerz an der Achillessehne, Fersenschmerz (Med.)

ach|la|my|de|isch* [ax...] ⟨gr.-nlat.⟩: nacktblütig (von einer Blüte ohne Blütenblätter; Bot.)

A|chlor|hyd|rie* [aklo:ɐ̯...] ⟨gr.-nlat.⟩ die; -: [vollständiges] Fehlen von Salzsäure im Magensaft (Med.). **A|chlo|rop|sie*** die; -: ↑Deuteranopie

A|chol|lie [ax...] ⟨gr.-nlat.⟩ die; -: mangelhafte Absonderung von Gallenflüssigkeit (Med.)

A|chro|lit [akro'li:t] ⟨gr.-nlat.⟩ der; -s, -e: Turmalin

A|chro|ma|sie ⟨gr.-nlat.⟩ die; -, ...ien: 1. ↑Achromie. 2. besonde-

re Art erblicher Blindheit; Zapfenblindheit (Med.). 3. durch achromatische Korrektur erreichte Brechung der Lichtstrahlen ohne Zerlegung in Farben (Phys.). **A|chro|mat** der; -[e]s, -e: Linsensystem, bei dem der Abbildungsfehler der ↑chromatischen Aberration korrigiert ist. **A|chro|ma|tin** das; -s: mit spezifischen Chromosomenfärbemethoden nicht färbbarer Zellkernbestandteil (Biol.). **a|chro|matisch:** die Eigenschaft eines Achromats habend. **A|chro|ma|tis|mus** der; -, ...men: ↑Achromasie. **A|chro|ma|top|sie*** die; -, ...ien: Farbenblindheit (Med.). **A|chro|mie** die; -, ...ien: angeborenes od. erworbenes Fehlen von ↑Pigmenten (1) in der Haut; vgl. Albinismus

Ach|sen|zy|lin|der der; -s, -: von einer Nervenzelle ausgehende, erregungsleitende Nervenfaser; vgl. Neurit

A|chy|lie [ax... od. aç...] ⟨gr.-nlat.⟩ die; -, ...ien: das Fehlen von Verdauungssäften, bes. im Magen (Med.)

A|cid ['ɛsɪt] ⟨lat.-engl.⟩ das; -s: (ugs.) LSD. **A|cid House** [- haus] das; - -: von schnellen [computererzeugten] Rhythmen geprägter Tanz- u. Musikstil, die das Tanzenden in einen rauscherartigen Zustand bringen soll. **A|ci|di|met|rie*** [atsi...] ⟨lat.; gr.⟩ die; -: Methode zur Bestimmung der Konzentration von Säuren (Chem.). **A|ci|di|tät** ⟨lat.⟩ die; -: Säuregrad od. Säuregehalt einer Flüssigkeit. **a|ci|dok|lin*** ⟨lat.; gr.⟩: ↑acidophil (1) (Bot.). **a|ci|do|phil:** 1. sauren Boden bevorzugend (von Pflanzen). 2. mit sauren Farbstoffen färbbar. **A|ci|do|se** ⟨lat.-nlat.⟩ die; -, -n: krankhafte Vermehrung der Säuregehaltes im Blut (Med.). **A|ci|dum** ⟨lat.⟩ das; -s, ...da: Säure (Chem.). **A|ci|dur** ® ⟨Kunstw.⟩ das; -s: säurebeständige Gusslegierung aus Eisen u. Silicium

Ack|ja ⟨finn.-schwed.⟩ der; -[s], -s: 1. Rentierschlitten. 2. Rettungsschlitten der Bergwacht

a con|di|ti|on [akõdi'sjõ] ⟨lat.-fr.⟩ "auf Bedingung"): bedingt, unter Vorbehalt, nicht fest (Rückgabevorbehalt bei nicht verkaufte Ware); Abk.: à c.

A|co|ni|tin ⟨lat.-nlat.⟩ das; -s, -e: aus den Wurzeln des Eisenhuts gewonnenes, sehr giftiges ↑Alkaloid (Arzneimittel)

a con|to ⟨it.⟩: auf Rechnung von

...; Abk.: a c.; vgl. Akontozahlung

Ac|quit [a'ki:] ⟨lat.-fr.⟩ das; -s, -s: (veraltet) Quittung, Empfangsbescheinigung; vgl. pour acquit

A|cre ['e:kɐ] ⟨engl.⟩ der; -s, -s (aber: 7 -): engl. u. nordamerik. Flächenmaß (etwa 4047 m²)

Ac|ri|din ⟨lat.-nlat.⟩ das; -s: aus Steinkohlenteer gewonnene stickstoffhaltige organische Verbindung (Ausgangsstoff für Arzneimittel)

Ac|ro|le|in* ↑Akrolein

Ac|ro|nal* ⟨Kunstw.⟩ das; -s: Kunststoff, farbloser Lackrohstoff (Acrylharz)

ac|ross* the board [ə'krɔs ðə bɔːd] ⟨engl.⟩: an fünf aufeinander folgenden Tagen zur gleichen Zeit gesendet (von Werbesendungen in Funk u. Fernsehen)

Ac|ryl* [akry:l] ⟨gr.⟩ das; -s: Kunststoff aus ↑Polyacrylnitril (zur Textilherstellung verwendete Chemiefaser). **Ac|ryl|an** das; -s: Kunstfaser. **Ac|ryl|lat** das; -[e]s, -e: Salz od. Ester der Acrylsäure. **Ac|ryl|säu|re** ⟨gr.; dt.⟩ die; -: stechend riechende Karbonsäure (Ausgangsstoff vieler Kunstharze)

Act ⟨lat.-engl.⟩ der; -s, -s: (im angloamerikan. Recht) 1. bestimmte Art von Urkunden; Dokument. 2. Willenserklärung, Beschluss, Verwaltungsanordnung. 3. vom Parlament verabschiedetes Gesetz. **Ac|ta** ⟨lat.⟩ die (Plural): 1. Handlungen, Taten. 2. Berichte, Protokolle, Akten. **Ac|ta A|pos|to|lo|rum** ⟨lat.⟩ "Taten der Apostel") die (Plural): die Apostelgeschichte im Neuen Testament. **Ac|ta Mar|ty|rum** die (Plural): Berichte über die Prozesse u. den Tod der frühchristlichen Märtyrer. **Ac|ta Sanc|to|rum** die (Plural): Sammlung von Lebensbeschreibungen der Heiligen der katholischen Kirche, bes. der ↑Bollandisten

Ac|ti|ni|de ⟨gr.⟩ die (Plural): frühere Bez. für die Gruppe der chem. Elemente, die vom Actinium bis zum ↑Lawrencium reicht. **Ac|ti|ni|um** das; -s: chem. Element (Zeichen: Ac)

Ac|tio ⟨lat.⟩ die; -: 1. Klagemöglichkeit im röm. Recht. 2. Tätigkeit, Handeln (Philos.); Ggs. ↑Passio. **Ac|ti|o|gra|phie,** auch: ...grafie ⟨lat.; gr.⟩ die; -: Kunstrichtung in der Fotografie. **Ac|tion** ['ɛkʃən] ⟨lat.-engl.⟩ die; -s: spannende, ereignisreiche

Handlung, turbulente, oft gewaltbetonte Szenen (in Filmen, Romanen u. a.). **Ac|tion|co|mic** *der;* -s, -s: Comic mit spannender, handlungsreicher, turbulenter, oft gewaltbetonter Handlung. **Ac|tion di|recte** [aksjõdi-'rɛkt] ⟨*lat.-fr.*⟩ *die;* - -, -s -s [aksjõdi'rɛkt]: Direktanspruch; Anspruch auf Entschädigung bei der Kfz-Haftpflichtversicherung, der unmittelbar bei dem Versicherer erhoben werden kann. **Ac|tion|film** ['ɛkʃən...] ⟨*engl.*⟩ *der;* -s, -e: Spielfilm mit spannungs- u. abwechslungsreicher Handlung u. turbulenten, oft gewaltbetonten Szenen. **Ac|tion|pain|ting** [...peıntıŋ] ⟨*engl.;* „Aktionsmalerei"⟩ *das;* -: moderne Richtung innerhalb der amerikanischen abstrakten Malerei (abstrakter Expressionismus). **Ac|tion|re|search** [...rı-sə;t∫] *das;* -[s], -s: sozialwissenschaftliches Forschungsprogramm mit dem Ziel, eine Änderung der bestehenden sozialen Verhältnisse herbeizuführen (Soziol.). **Ac|tion|thril|ler** [...θrı-lɐ] *der;* -s, -: Film, Roman u. a. mit spannender, ereignisreicher, oft gewaltbetonter Handlung, die einen besonderen Nervenkitzel erzeugt. **ac|tum ut su|pra*** ⟨*lat.*⟩: (veraltet) „verhandelt wie oben"; Abk.: a. u. s. **Ac|tus** ⟨„das Wirken"⟩ *der;* -: das schon Gewordene, im Gegensatz zu dem noch nicht Gewordenen, sondern erst Möglichen (scholast. Philos.). **a|cyc|lisch** ↑ azyklisch **ad** ⟨*lat.*⟩: zu, z. B. ad 1 = zu [einem bereits aufgeführten] Punkt 1 **ad ab|sur|dum** ⟨*lat.*⟩: bis zur Widersinnigkeit; jmdn. ad absurdum führen: den Widersinn von jmds. Behauptung[en] nachweisen; etwas ad absurdum führen: die Widersinnigkeit von etwas nachweisen **ad ac|ta** ⟨*lat.;* „zu den Akten"⟩: Abk. a. a.; etwas ad acta legen: a) als erledigt ablegen; b) als erledigt betrachten **a|da|giet|to** [ada'dʒɛto] ⟨*it.*⟩: ziemlich ruhig, ziemlich langsam (Vortragsanweisung; Mus.). **A|da|giet|to** *das;* -s, -s: kurzes Adagio. **a|da|gio** [a'da:dʒo]: langsam, ruhig (Vortragsanweisung; Mus.). **A|da|gio** *das;* -s, -s: langsames Musikstück. **a|da-gis|si|mo** [ada'dʒısimo]: äußerst langsam (Vortragsanweisung; Mus.)

A|dak|ty|lie ⟨*gr.-nlat.*⟩ *die;* -: das Fehlen der Finger od. Zehen als angeborene Fehlbildung (Med.) **A|da|man|tin** ⟨*gr.-lat.*⟩ *das;* -s: Zahnschmelz (Med.). **A|da-man|ti|nom** *das;* -s, -e: Kiefergeschwulst (Med.). **A|da|man|to-blast*** *der;* -en, -en: Zelle, die den Zahnschmelz bildet (Med.). **A|da|mas** ⟨*gr.-lat.;* „unbezwingbar; Stahl"⟩ *der;* -, ...manten (veraltet) Diamant **A|da|mit** ⟨nach dem biblischen Stammvater der Menschen od. nach einem Sektengründer namens Adam⟩ *der;* -en, -en: (hist.) Angehöriger von Sekten, die angeblich nackt zu ihren Kulten zusammenkamen, um so ihre paradiesische Unschuld zu dokumentieren. **a|da|mi|tisch:** a) nach Art der Adamiten; b) nackt **A|dam|sit** ⟨nlat.; nach dem amerik. Erfinder Roger Adams⟩ *das;* -s: Haut u. Atemwege reizendes Gas **A|dap|ta|bi|li|tät*** ⟨*lat.-nlat.*⟩ *die;* -: Vermögen, sich zu ↑ adaptieren (1); Anpassungsfähigkeit. **A|dap|ta|ti|on** *die;* -, -en: 1. Anpassung (z. B. von Organen) an die Gegebenheiten, Umstände, an die Umwelt. 2. Umarbeitung eines literarischen Werks für eine andere literarische Gattung od. für ein anderes Kommunikationsmedium (z. B. Film, Fernsehen). **A|dap|ta|ti|ons|syn-drom*** ⟨*lat.-mlat.; gr.*⟩ *das;* -s, -e: Anpassungsreaktion des Organismus auf krank machende Reize wie z. B. Stress (Med.). **A|dap-ter** ⟨*lat.-engl.*⟩ *der;* -s, -: Zusatzod. Verbindungsteil, das den Anschluss eines Gerätes od. Geräteteils an ein Hauptgerät ermöglicht. **a|dap|tie|ren** ⟨*lat.*⟩: 1. anpassen (bes. Biol. u. Physiol.). 2. bearbeiten, z. B. einen Roman für den Film adaptieren. 3. (österr.) eine Wohnung, ein Haus für einen bestimmten Zweck herrichten. **A|dap|ti|on** ⟨*lat.-nlat.*⟩: ↑ Adaptation. **a|dap|tiv:** auf Adaptation beruhend. **A|dap|to-me|ter** ⟨*lat.-mlat.; gr.*⟩ *das;* -s, -: optisches Gerät, das die Anpassungsfähigkeit des Auges an die Dunkelheit misst **A|dä|quanz*** ⟨*lat.-nlat.*⟩ *die;* -: Angemessenheit u. Üblichkeit [eines Verhaltens (nach den Maßstäben der geltenden [Sozial]ordnung)]. **A|dä|quanz|the|o-rie** *die;* -: Lehre im Zivilrecht, nach der ein einen Schaden verursachendes Ereignis nur dann

zur Schadenersatzpflicht führt, wenn es im Allgemeinen u. nicht nur unter bes. ungewöhnlichen Umständen einen Schaden herbeiführt; vgl. Äquivalenztheorie. **a|dä|quat** ⟨*lat.*⟩: [einer Sache] angemessen, entsprechend; Ggs. ↑ inadäquat. **A|dä|quat|heit** *die;* -: Angemessenheit; Ggs. ↑ Inadäquathcit (a) **a da|to** ⟨*lat.*⟩: vom Tag der Ausstellung an (z. B. auf ↑ Datowechseln); Abk.: a d. **ad cal|en|das grae|cas** [- - 'grɛ:kas] ⟨*lat.;* „an den griechischen Kalenden (bezahlen)"; die Griechen kannten keine ↑ Calendae, die bei den Römern Zahlungstermine waren⟩: niemals, am St.-Nimmerleins-Tag (z. B. in Bezug auf die Bezahlung von etwas) **ADD** = analoge Aufnahme, digitale Bearbeitung, digitale Wiedergabe (vgl. AAD) **ad|de!** ⟨*lat.*⟩: füge hinzu! (Hinweis auf ärztlichen Rezepten). **Ad-dend** *der;* -en, -en: Zahl, die beim Addieren hinzugefügt werden soll; ↑ Summand. **Ad|den-dum** *das;* -s, ...da (meist Plural): Zusatz, Nachtrag, Ergänzung **ad|die|ren** ⟨*lat.*⟩: zusammenzählen, hinzufügen; **Ad|dier|ma-schi|ne** *die;* -, -n: Rechenmaschine zum ↑ Addieren u. ↑ Subtrahieren **ad|dio** [a'di:o] ⟨*it.*⟩: auf Wiedersehen; leb[t] wohl; vgl. adieu **Ad|di|ta|ment** *das;* -s, -e u. **Ad|di-ta|men|tum** ⟨*lat.*⟩ *das;* -s, ...ta: Zugabe, Anhang, Ergänzung zu einem Buch. **Ad|di|ti|on** *die;* -, -en: 1. Zusammenzählung, Hinzufügung, -rechnung (Math.); Ggs. ↑ Subtraktion. 2. Anlagerung von Atomen od. Atomgruppen an ungesättigte Moleküle (Chem.). **ad|di|ti|o|nal** ⟨*lat.-nlat.*⟩: zusätzlich, nachträglich. **Ad|di|ti|ons|the|o|rem** *das;* -s, -e: Formel zur Berechnung des Funktionswertes (vgl. Funktion) einer Summe aus den Funktionswerten der ↑ Summanden (Math.). **Ad|di|ti|ons|ver|bin-dung** *die;* -, -en: chem. Verbindung, die durch einfache Aneinanderlagerung von zwei Elementen od. von zwei Verbindungen entsteht. **Ad|di|ti|ons|wort** *das;* -[e]s, ...wörter: zusammengesetztes Wort, das zwei gleichwertige Begriffe addiert; ↑ Kopulativum (z. B. taubstumm, Strichpunkt). **ad|di|tiv** ⟨*lat.*⟩: durch Addition hinzukommend;

auf Addition beruhend; hinzufügend, aneinander reihend; **additive Farbmischung:** Überlagerung von Farben, durch die eine neue Farbe entsteht. **Ad|di|tiv** ⟨*lat.-engl.*⟩ *das;* -s, -e: Zusatz, der in geringer Menge die Eigenschaften eines chemischen Stoffes merklich verbessert (z. B. für Treibstoffe u. Öle) **ad|di|zie|ren** ⟨*lat.*⟩: zuerkennen, zusprechen (z. B. ein Bild einem bestimmten Maler) **Ad|duk|ti|on** ⟨*lat.;* „das Heranziehen"⟩ *die;* -, -en: heranziehende Bewegung eines Gliedes [zur Mittellinie des Körpers hin] (Med.); Ggs. ↑ Abduktion. **Ad|duk|tor** ⟨„Zuführer"⟩ *der;* -s, ...oren: Muskel, der eine Adduktion bewirkt (Med.) **a|de** ⟨*lat.-fr.*⟩: ↑ adieu (bes. in der Dichtung u. im Volkslied gebrauchte Form). **A|de** *das;* -s, -s: Lebewohl (Abschiedsgruß) **A|del|phie** ⟨*gr.-nlat.;* „Verschwisterung⟩ *die;* -; ...ien: Vereinigung von Staubblättern zu einem od. mehreren Bündeln (Bot.). **A|del|pho|ga|mie** *die;* -; ...ien: Bestäubung zwischen zwei ↑ vegetativ (2) aus einer gemeinsamen Mutterpflanze hervorgegangenen Geschwisterpflanzen (Bot.). **A|del|pho|kar|pie** *die;* -; ...ien: Fruchtbildung durch ↑ Adelphogamie **A|dem|ti|on*** ⟨*lat.*⟩ *die;* -, -en: (veraltet) Wegnahme, Entziehung **A|de|nin** ⟨*gr.*⟩ *das;* -s, -e: Bestandteil der Nukleinsäure; Vitamin B₄ (Biochem.). **A|de|ni|tis** ⟨*gr.-nlat.*⟩ *die;* -, ...itiden: a) Drüsenentzündung; b) Kurzbezeichnung für ↑ Lymphadenitis. **A|de|no|hy|po|phy|se** *die;* -, -n: Vorderlappen der ↑ Hypophyse (1). **a|de|no|id:** drüsenähnlich. **A|de|nom** *das;* -s, -e u. **A|de|no|ma** *das;* -s, -ta: [gutartige] Drüsengeschwulst. **a|de|no|ma|tös:** adenomartig. **a|de|nös:** die Drüsen betreffend. **A|de|no|sin** ⟨*gr.*⟩ *das;* -s: chemische Verbindung aus ↑ Adenin und ↑ Ribose, die als Pharmazeutikum gefäßerweiternd wirkt (Biochem.). **A|de|no|to|mie** *die;* -, ...ien: operative Entfernung von Wucherungen der Rachenmandel od. Entfernung der Rachenmandel selbst. **a|de|no|trop*:** ↑ glandotrop. **A|de|no|vi|rus** ⟨*gr.; lat.*⟩ *das* (auch: *der*); -, ...ren: Erreger von Drüsenkrankheiten (Med.) **A|dept*** ⟨*lat.*⟩ *der;* -en, -en: 1.

Schüler, Anhänger einer Lehre. 2. in eine geheime Lehre od. in Geheimkünste Eingeweihter **A|der|min** ⟨*gr.-nlat.*⟩ *das;* -s: Vitamin B₆, das hauptsächlich in Hefe, Getreidekeimlingen, Leber u. Kartoffeln vorkommt, das am Stoffwechsel der ↑ Aminosäuren beteiligt ist und dessen Mangel zu Störungen im Eiweißstoffwechsel u. zu zentralnervösen Störungen führt **A|des|po|ta** ⟨*gr.;* „herrenlose (Werke)"⟩ *die* (Plural): Werke unbekannter Verfasser (Literaturw.) **A|dles|siv** ⟨*lat.-nlat.*⟩ *der;* -s, -e: Kasus, bes. in den finnisch-ugrischen Sprachen, der die Lage bei etwas, die unmittelbare Nähe angibt **à deux cordes** [adø'kɔrd] ⟨*fr.*⟩: auf zwei Saiten (Mus.) **à deux mains** [adø'mɛ̃] ⟨*fr.*⟩: für zwei Hände, zweihändig (Klavierspiel); vgl. à quatre mains **Ad|hä|rens** ⟨*lat.*⟩ *das;* -, ...renzien 1. (veraltet) Anhaftendes, Zubehör. 2. Klebstoff (Chem.). **ad|hä|rent:** 1. anhängend, anhaftend (von Körpern); vgl. Adhäsion (1). 2. angewachsen, verwachsen (von Geweben od. Pflanzenteilen); vgl. Adhäsion (2 u. 3). **Ad|hä|lrenz** ⟨*lat.-mlat.*⟩ *die;* -, -en: (veraltet) Hingebung, Anhänglichkeit. **ad|hä|rie|ren** ⟨*lat.*⟩: 1. anhaften, anhängen (von Körpern od. Geweben). 2. (veraltet) beipflichten. **Ad|hä|si|on** *die;* -, -en: 1. a) das Haften zweier Stoffe od. Körper aneinander; b) das Aneinanderhaften der Moleküle im Bereich der Grenzfläche zweier verschiedener Stoffe (Phys.). 2. Verklebung von Organen, Geweben, Eingeweiden u. a. nach Operationen od. Entzündungen (Med.). 3. Verwachsung der Blüte einer Pflanze, z. B. Staubblatt im Fruchtblatt (Bot.). **ad|hä|siv** ⟨*lat.-nlat.*⟩: anhaftend, [an]klebend **ad|hi|bie|ren** ⟨*lat.*⟩: (veraltet) anwenden, gebrauchen **ad hoc** ⟨*lat.*⟩: 1. [eigens] zu diesem Zweck [gebildet, gemacht]. 2. aus dem Augenblick heraus [entstanden] **ad ho|mi|nem** ⟨*lat.;* „zum Menschen hin"⟩: auf die Bedürfnisse u. Möglichkeiten des Menschen abgestimmt; **ad hominem demonstrieren:** jmdm. etwas so unwiderleglich beweisen, dass die Rücksicht auf die Eigenart der

Person u. die Bezugnahme auf die ihr geläufigen Vorstellungen, nicht aber die Sache selbst die Methode bestimmen **ad ho|no|rem** ⟨*lat.*⟩: zu Ehren, ehrenhalber **Ad|hor|ta|ti|on** ⟨*lat.*⟩ *die;* -, -en: (veraltet) Ermahnung. **ad|hor|ta|tiv:** (veraltet) ermahnend. **Ad|hor|ta|tiv** [auch: ...'ti:f] *der;* -s, -e: Imperativ, der zu gemeinsamer Tat auffordert (z. B.: *Hoffen* wir es!) **a|di|a|bat:** ↑ adiabatisch. **A|di|a|ba|te** ⟨*gr.-nlat.*⟩ *die;* -, -n: Kurve der Zustandsänderung von Gas (Luft), wenn Wärme weder zunoch abgeführt wird (Phys., Meteor.). **a|di|a|ba|tisch** ⟨„nicht hindurchtretend"⟩: ohne Wärmeaustausch verlaufend (von Gas od. Luft; Phys., Meteor.) **A|di|a|do|cho|ki|ne|se** ⟨*gr.-nlat.*⟩ *die;* -: Unfähigkeit, entgegengesetzte Muskelbewegungen rasch hintereinander auszuführen, z. B. Beugen u. Strecken der Finger (Med.) **A|di|an|tum** ⟨*gr.-lat.*⟩ *das;* -s, ...ten: Haarfarn (subtropische Art der Tüpfelfarne, z. B. Frauenhaar) **A|di|a|phon,** auch: Adiaphon ⟨*gr.*⟩ *das;* -s, -e: 1. Tasteninstrument, bei dem vertikal aufgestellte Stahlstäbe durch Anreißen zum Klingen gebracht werden. 2. Stimmgabelklavier, bei dem abgestimmte Stimmgabeln die Töne erzeugen **A|di|a|pho|ron** ⟨*gr.;* „Nichtunterschiedenes"⟩ *das;* -s, ...ra (meist Plural): 1. Gleichgültiges. 2. Sache od. Verhaltensweise, die weder gut noch böse u. damit moralisch wertneutral ist (Philos.). 3. a) sittliche od. kultische Handlung, die in Bezug auf Heil od. Rechtgläubigkeit unerheblich ist (Theol.); b) Verhaltensweise, die gesellschaftlich nicht normiert ist u. deshalb in den persönlichen Freiheitsspielraum fällt **a|di|eu!** [a'djø:] ⟨*lat.-fr.;* „Gott befohlen"⟩: (veraltet, aber noch landsch.) leb[t] wohl!; vgl. addio. **A|di|eu** *das;* -s, -s: (veraltet) Lebewohl (Abschiedsgruß) **Ä|di|ku|la** ⟨*lat.;* „kleiner Bau"⟩ *die;* -, ...lä: a) kleiner antiker Tempel; b) altchristliche [Grab]kapelle; c) kleiner Aufbau zur Aufnahme eines Standbildes; d) Umrahmung von Fenstern, Nischen u. a. mit Säulen, Dach u. Giebel **Ä|dil** ⟨*lat.*⟩ *der;* -s od. -en, -en: an (hist.) hoher altrömischer Beamter, der für Polizeiaufsicht, Lebensmittelversorgung u. Ausrichtung der öffentlichen Spiele verantwortlich war. **Ä|di|li|tät** *die; -:* Amt u. Würde eines Ädils

ad in|fi|ni|tum, in infinitum ⟨*lat.;* „bis ins Grenzenlose, Unendliche"⟩: beliebig, unendlich lange, unbegrenzt (sich fortsetzen lassend)

A|di|nol ⟨*gr.-nlat.*⟩ *der; -s, -e:* ein feinkörniges Gestein, das durch ↑ Kontaktmetamorphose beim Eindringen von ↑ Diabas in Tongesteine entsteht (Geol.)

ad in|te|rim ⟨*lat.*⟩: einstweilen, unterdessen; vorläufig (Abk.: a. i.)

A|di|pin|säu|re ⟨*lat.-nlat.; dt.*⟩ *die; -:* eine organische Fettsäure (Zwischenprodukt bei der Herstellung von ↑ Polyamiden)

A|di|po|cire [...'siːɐ̯] ⟨*lat.-fr.*⟩ *die;* : in Leichen, die luftabgeschlossen in Wasser oder feuchtem Boden liegen, entstehendes wachsähnliches Fett (Leichenwachs).

a|di|pös: fett[reich], verfettet. **A|di|po|si|tas** ⟨*lat.-nlat.*⟩ *die; -:* a) Fettsucht, Fettleibigkeit (Med.); b) übermäßige Vermehrung od. Bildung von Fettgewebe (Med.)

A|dip|sie ⟨*gr.-nlat.*⟩ *die; -:* mangelndes Trinkbedürfnis, Trinkunlust (Med.)

à dis|cré|ti|on* [adiskre'sjõ] ⟨*lat.-fr.*⟩: nach Belieben, beliebig viel

A|di|u|rek|tin ⟨*gr.*⟩ *das; -s:* ↑ Vasopressin

Ad|ja|zent ⟨*lat.*⟩ *der; -en, -en:* Anwohner, Anrainer, Grenznachbar. **ad|ja|zie|ren** ⟨*lat.;* „bei od. neben etwas liegen"⟩: angrenzen

Ad|jek|ti|on ⟨*lat.*⟩ *die; -, -en:* Mehrgebot bei Versteigerungen. **Ad|jek|tiv** *das; -s, -e:* Eigenschaftswort, Artwort; Abk.: Adj. **ad|jek|tiv:** zum Beifügen geeignet, beigefügt; **adjektive Farben:** Farbstoffe, die nur zusammen mit einer Vorbeize färben. **Ad|jek|tiv|abs|trak|tum*** *das; -s, ...ta:* von einem Adjektiv abgeleitetes ↑ Abstraktum (z. B. „Tiefe" von „tief"). **Ad|jek|ti|vie|rung** ⟨*lat.-nlat.*⟩ *die; -, -en:* Verwendung eines Substantivs od. Adverbs als Adjektiv (z. B. ernst, selten). **ad|jek|ti|visch:** eigenschaftswörtlich, als Adjektiv gebraucht. **Ad|jek|ti|vum** ⟨*lat.*⟩ *das; -s, ...va:* ↑ Adjektiv

Ad|ju|di|ka|ti|on ⟨*lat.*⟩ *die; -, -en:* Zuerkennung von zwei od. mehr Staaten beanspruchten Gebiets[teiles] durch ein internationales Gericht (Völkerrecht). **ad|ju|di|ka|tiv** ⟨*lat.-nlat.*⟩: zuerkennend, zusprechend. **ad|ju|di|zie|ren** ⟨*lat.*⟩: zuerkennen, zusprechen

ad|jun|gie|ren ⟨*lat.*⟩: zuordnen, beifügen (Math.). **¹Ad|junkt** ⟨*lat.*⟩ *das; -s, -e:* sprachliches Element, das mit einem anderen ↑ kommutiert, d. h. nicht gleichzeitig mit diesem in einem Satz auftreten kann (Sprachw.); Ggs. ↑ Konjunkt. **²Ad|junkt** *der; -en, -en: 1.* (veraltet) einem Beamten beigeordneter Gehilfe. *2.* (österr.) Beamter im niederen Dienst. **Ad|junk|te** ⟨*lat.*⟩ *die; -, -n:* die einem Element einer ↑ Determinante (1) zugeordnete Unterdeterminante (Math.). **Ad|junk|ti|on** *die; -, -en: 1.* Hinzufügung, Beiordnung, Vereinigung. *2.* Verknüpfung zweier Aussagen durch „oder"; nicht ausschließende ↑ Disjunktion (1 c); formale Logik)

Ad|jus|ta|ge [...'taːʒə] ⟨*lat.-fr.;* „Zurichterei"⟩ *die; -, -n: 1.* a) Einrichten einer Maschine; b) Einstellen eines Werkzeugs; c) Nacharbeiten eines Werkstücks (Fachspr.). *2.* Abteilung in Walzu. Hammerwerken, in der die Bleche geschnitten, gerichtet, geprüft, sortiert u. zum Versand zusammengestellt werden. **ad|jus|tie|ren: 1.** in die entsprechende richtige Stellung o. Ä. bringen (Fachspr.). *2.* (österr.) ausrüsten, in Uniform kleiden. **Ad|jus|tie|rung** *die; -, -en: 1.* das Adjustieren (1). *2.* (österr.) a) Uniform; b) Kleidung, Aufmachung" (in Bezug auf die äußere Erscheinung eines Menschen)

Ad|ju|tant ⟨*lat.-span.;* „Helfer, Gehilfe"⟩ *der; -en, -en:* den Kommandeuren militärischer Einheiten beigegebener Offizier. **Ad|ju|tan|tur** ⟨*nlat.*⟩ *die; -, -en:* a) Amt eines Adjutanten; b) Dienststelle eines Adjutanten. **Ad|ju|tor** ⟨*lat.*⟩ *der; -s, ...oren:* Helfer, Gehilfe. **Ad|ju|tum** ⟨*lat.*⟩ *der; -s, ...ten:* (österr.) erste, vorläufige Entlohnung eines Praktikanten im Gerichtsdienst. **Ad|ju|vans** [auch: at'ju:...] *das; -, ...an|zien* (auch: ..antien) u. ...antia: ein die Wirkung unterstützender Zusatz zu einer Arznei (Med.). **Ad|ju|vant** *der; -en, -en:* (veraltet) Gehilfe, Helfer, bes. Hilfslehrer. **Ad|ju|vant|chor** *der;*

-[e]s, ...chöre: (früher) vor allem in kleineren Orten gebildeter Laienchor, der den Gottesdienst musikalisch ausgestaltete

Ad|la|tus ⟨*lat.-nlat.;* „zur Seite (stehend)"⟩ *der; -, ...ten:* (veraltet, heute noch scherzh.) meist jüngerer untergeordneter Helfer, Gehilfe, Beistand

ad l|bi|tum ⟨*lat.;* „nach Belieben"⟩: *1.* nach Belieben. *2.* a) Vortragsbezeichnung, nach der das Tempo des damit bezeichneten Musikstücks dem Interpreten freigestellt wird (Mus.); b) nach Belieben zu benutzen od. wegzulassen (in Bezug auf die zusätzliche Verwendung eines Musikinstruments einer Komposition; Mus.); Ggs. ↑ obligat (2). 3. Hinweis auf Rezepten für beliebige Verwendung bestimmter Arzneibestandteile. Abk.: ad lib., ad l., a. l.

Ad|li|gat ⟨*lat.;* „das Verbundene"⟩ *das; -s, -e:* selbstständige Schrift, die mit anderen zu einem Band zusammengebunden worden ist (Buchw.)

ad ma|io|rem Dei glo|ri|am vgl. omnia ad ...

ad ma|num me|di|ci ⟨*lat.;* eigtl. „zur Hand des Arztes"⟩, **ad manus me|di|ci** [- 'ma:nu:s -]: zu Händen des Arztes, z. B. als Hinweis bei Medikamenten; Abk.: ad m. m.

Ad|mi|nist|ra|ti|on* ⟨*lat.; 3, 4: lat.-engl.*⟩ *die; -, -en: 1.* a) Verwaltung; b) Verwaltungsbehörde. *2.* (abwertend) bürokratisches Anordnen, Verfügen. *3.* Regelung militärischer Angelegenheiten außerhalb von Strategie u. Taktik. *4.* Regierung, bes. in der USA. **ad|mi|nist|ra|tiv:** a) zur Verwaltung gehörend; b) behördlich; c) (abwertend) bürokratisch. **Ad|mi|nist|ra|tor** *der; -s, ...oren:* Verwalter, Bevollmächtigter. **ad|mi|nist|rie|ren:** a) verwalten; b) (abwertend) bürokratisch anordnen, verfügen

Ad|mi|ral ⟨*arab.-fr.*⟩ *der; -s, -e* (auch: ...äle): *1.* Seeoffizier im Generalsrang. *2.* schwarzbrauner Tagfalter mit weißen Flecken u. roten Streifen. *3.* warmes Getränk aus Rotwein, Zucker, Eiern u. Gewürzen. **Ad|mi|ra|li|tät** *die; -, -en : 1.* Gesamtheit der Admirale. *2.* oberste Kommandostelle u. Verwaltungsbehörde einer Kriegsmarine. **Ad|mi|ra|li|täts|kar|te** *die; -, -n:* von der Admiralität herausgegebene Seekarte. **Ad|mi|ral|stab** *der;* -s, ...stäbe: oberster Führungsstab einer Kriegsmarine **Ad|mi|ra|ti|on** *(lat.)* *die;* -, -en: (veraltet) Bewunderung. **ad|mi|rie|ren:** (veraltet) bewundern **Ad|mis|si|on** *(lat.; „Zulassung")* *die;* -, -en: 1. a) Übertragung eines katholischen geistlichen Amtes an eine Person trotz ↑ kanonischer (1) Bedenken; b) Aufnahme in eine ↑ Kongregation (1). 2. Einlass des Dampfes in den Zylinder einer Dampfmaschine. **Ad|mit|tanz** *(lat.-engl.)* *die;* -: Leitwert des Wechselstroms, Kehrwert des Wechselstromwiderstandes (Phys.)

ad mo|dum *(lat.):* nach Art u. Weise

ad|mo|nie|ren *(lat.):* (veraltet) 1. erinnern, ermahnen. 2. verwarnen; einen Verweis erteilen. **Ad|mo|ni|ti|on** *die;* -, -en: Ermahnung, Verwarnung, Verweis

ad mul|tos an|nos *(lat.):* auf viele Jahre (als Glückwunsch)

ad nau|se|am *(lat.; gr.-lat.):* bis zum Überdruss

Ad|nex *(lat.)* *der;* -es, -e: 1. Anhang. 2. (meist Plural) a) Anhangsgebilde von Organen des menschlichen od. tierischen Körpers (z. B. Augenlid; Med.); b) Anhangsgebilde (Eierstöcke u. Eileiter) der Gebärmutter (Med.). **Ad|ne|xi|tis** *(lat.-nlat.)* *die;* -, ...itiden: Entzündung der Gebärmutteradnexe (Med.)

ad|no|mi|nal *(lat.-nlat.):* a) zum Substantiv (Nomen) hinzutretend; b) vom Substantiv syntaktisch abhängend

ad no|tam *(lat.):* zur Kenntnis; **et|was ad notam nehmen:** etwas zur Kenntnis nehmen, sich etwas gut merken

A|do|be *(arab.-span.)* *der;* -, -s: luftgetrockneter Lehmziegel

ad o|cu|los *(lat.):* vor Augen; **et|was ad oculos demonstrieren:** etwas vor Augen führen, durch Anschauungsmaterial o. Ä. beweisen

a|do|les|zent *(lat.):* heranwachsend, in jugendlichen Alter (ca. 17. bis 20. Lebensjahr) stehend. **A|do|les|zenz** *die;* -: Jugendalter, bes. der Lebensabschnitt nach beendeter Pubertät

A|do|nai *(hebr.; „mein Herr")* (ohne Artikel): alttest. Umschreibung für den Gottesnamen „Jahwe", der aus religiöser Scheu nicht ausgesprochen werden durfte (Rel.)

¹A|do|nis ⟨schöner Jüngling der griechischen Sage⟩ *der;* -, -se: schöner [junger] Mann. **²A|do|nis** *die;* -, -: Hahnenfußgewächs (Adonisröschen). **a|do|nisch:** schön [wie Adonis]; **adonischer Vers:** antiker Kurzvers (Schema: -‿‿|-‿-). **A|do|ni|us** *⟨gr.-lat.⟩ der;* -: ↑ adonischer Vers

A|dop|ti|a|nis|mus* *(lat.)* *der;* -: Lehre, nach der Christus seiner menschlichen Natur nach nur als von Gott „adoptierter" Sohn zu gelten hat (Rel.). **a|dop|tie|ren** *(lat.; „hinzuerwählen"):* 1. als Kind annehmen. 2. etwas annehmen, nachahmend sich aneignen, z. B. einen Namen, Führungsstil adoptieren. **A|dop|ti|on** *die;* -, -en: 1. das Adoptieren. 2. Annahme, Genehmigung. **A|dop|tiv|el|tern** *die* (Plural): Eltern eines Adoptivkindes. **A|dop|tiv|kind** *das;* -[e]s, -er: adoptiertes Kind **a|do|ra|bel*** *(lat.):* (veraltet) anbetungs-, verehrungswürdig **ad|o|ral** *(lat.-nlat.):* um den Mund herum, mundwärts (Med.)

A|do|rant* *(lat.; „Anbetender")* *der;* -en, -en: in der christlichen Kunst eine stehende od. kniende Gestalt, die mit erhobenen Händen Gott anbetet od. einen Heiligen verehrt. **A|do|ra|ti|on** *die;* -, -en: a) Anbetung, Verehrung, bes. des Altarsakraments in der katholischen Kirche; b) dem neu gewählten Papst erwiesene Huldigung der Kardinäle (durch Kniefall u. Fußkuss). **a|do|rie|ren:** anbeten, verehren

A|dos|se|ment *[...'mã:]* *(lat.-fr.)* *das;* -s, -s: (veraltet) Böschung, Abschrägung. **a|dos|sie|ren:** (veraltet) anlehnen, abschrägen, abdachen. **a|dos|siert:** mit der Blattunterseite der Abstammungs- od. Mutterachse der Seitensprosses zugekehrt (in Bezug auf das Vorblatt; Bot.)

a|dou|cie|ren *[adu'si:...]* *(lat.-fr.):* (veraltet) 1. a) versüßen; b) mildern; c) besänftigen. 2. ↑ tempern. 3. (Farben) verwischen, verdünnen

ad pub|li|can|dum* *(lat.):* zur Veröffentlichung

ad re|fe|ren|dum *(lat.):* zum Berichten, zur Berichterstattung

ad rem *(lat.):* zur Sache [gehörend]

Ad|re|ma* ® *(Kurzw.)* *die;* -, -s: eine ↑ Adressiermaschine. **ad|re|mie|ren:** mit der Adrema beschriften

ad|re|nal* *(lat.):* die Nebenniere

betreffend. **Ad|re|na|lin** *das;* -s: Hormon des Nebennierenmarks. **ad|re|na|lo|trop** *(lat.; gr.):* auf das Nebennierenmark einwirkend (Med.). **Ad|re|nar|che** *(lat.; gr.)* *die;* -: Beginn vermehrter, der Pubertät vorausgehender Produktion von ↑ Androgen in der Nebennierenrinde.

ad|re|no|ge|ni|tal: Nebenniere und Keimdrüsen betreffend; **adrenogenitales Syndrom:** krankhafte Überproduktion von männlichen Geschlechtshormonen durch die Nebennierenrinde. **Ad|re|nos|te|ron** *das;* -s: Hormon der Nebennierenrinde **Ad|res|sant*** *(lat.-vulgärlat.-fr.)* *der;* -en, -en: Absender [einer Postsendung]. **Ad|res|sat** *der;* -en, -en: 1. Empfänger [einer Postsendung]; jmd., an den etw. gerichtet, für den etw. bestimmt ist. 2. (veraltet) der Bezogene (derjenige, an den der Zahlungsauftrag gerichtet ist) beim gezogenen Wechsel. 3. *(lat.-vulgärlat.-fr.-engl.)* Schüler, Kursteilnehmer (im programmierten Unterricht). **Adress|buch** *das;* -[e]s, ...bücher: Einwohner-, Anschriftenverzeichnis. **¹Ad|res|se** *(fr.)* *die;* -, -n: 1. Anschrift, Aufschrift, Wohnungsangabe. 2. Angabe des Verlegers [auf Kupferstichen]. **²Ad|res|se** *(fr.-engl.)* *die;* -, -n: 1. schriftlich formulierte Meinungsäußerung, die von Einzelpersonen od. dem Parlament an das Staatsoberhaupt, die Regierung o. Ä. gerichtet wird (Pol.). 2. Nummer einer bestimmten Speicherzelle im Speicher einer Rechenanlage (EDV). **...dres|se** *(lat.-vulgärlat.-fr.-engl.):* in Zusammensetzungen auftretendes Grundwort mit der Bedeutung „Schreiben an eine Person des öffentlichen Lebens od. an eine Partei o. Ä. anlässlich eines feierlichen od. offiziellen Anlasses". **ad|res|sie|ren** *(fr.):* 1. a) mit der Adresse versehen; b) eine Postsendung an jmdn. richten. 2. jmdn. gezielt ansprechen. **Ad|res|sier|ma|schi|ne** *die;* -, -n: Maschine zum Aufdruck regelmäßig benötigter Adressen (vgl. Adrema). **Ad|res|spe|di|teur** *der;* -s, -e: Empfangsspediteur für das Sammelgut empfängt u. weiterleitet

ad|rett* *(lat.-vulgärlat.-fr.):* 1. a) durch ordentliche, sorgfältige, gepflegte Kleidung u. entsprechende Haltung äußerlich ansprechend; b) sauber, ordentlich, proper (in Bezug auf Kleidung o. Ä.). 2. (veraltet) gewandt, flink

Ad|ria* ⟨Fantasiebezeichnung⟩ *das; -[s]:* a) ripsartiges Gewebe aus Seide od. Chemiefasern; b) Kammgarn in Schrägbindung (einer bestimmten Webart)

Ad|ri|enne* [...'ɛn], Andrienne ⟨fr.⟩ *die; -, -s:* loses Frauenüberkleid des Rokokos

Ad|rio* ⟨fr.⟩ *das; -s, -s:* (schweiz.) im ↑Omentum eines Schweinebauchfells eingenähte, faustgroße Bratwurstmasse aus Kalb- od. Schweinefleisch

Ad|rit|tu|ra* ⟨it.⟩ *das; -:* Einziehung der Regressforderung durch einen Rückwechsel od. ohne Vermittlung eines Maklers

ad sa|tu|ra|ti|o|nem ⟨lat.⟩: bis zur Sättigung (Angabe auf ärztlichen Rezepten); Abk.: ad sat.

Ad|sor|bat *das; -s, -e:* ↑Adsorptiv.

Ad|sor|bens ⟨lat.-nlat.⟩ *das; -, ...benzien od. ...bentia u. Ad|sor|ber* ⟨anglisierende Neubildung⟩ *der; -s, -:* 1. der bei der Adsorption adsorbierende Stoff. 2. Stoff, der infolge seiner Oberflächenaktivität gelöste Substanzen u. Gase (physikalisch) an sich bindet. **ad|sor|bie|ren** ⟨lat.-nlat.⟩: Gase od. gelöste Stoffe an der Oberfläche eines festen Stoffes anlagern. **Ad|sorp|ti|on** *die; -, -en:* Anlagerung von Gasen od. gelösten Stoffen an der Oberfläche eines festen Stoffes. **adsorp|tiv:** a) zur Adsorption fähig; b) nach Art einer Adsorption. **Ad|sorp|tiv** *das; -s, -e:* der bei der Adsorption adsorbierte Stoff

ad spec|ta|to|res ⟨lat.; „an die Zuschauer"⟩: an das Publikum [gerichtet] (von Äußerungen eines Schauspielers auf der Bühne)

Ad|strat ⟨lat.⟩ *das; -[e]s, -e:* fremdsprachlicher Bestandteil in einer Sprache, der den Einfluss der Sprache eines Nachbarlandes zurückzuführen ist (Sprachw.)

Ad|strin|gens ⟨lat.⟩ *das; -, ...genzien od. ...gentia:* auf Schleimhäute od. Wunden zusammenziehend wirkendes, blutstillendes Mittel (Med.). **Ad|strin|gent** *das; -s, -s:* Gesichtswasser, das ein Zusammenziehen der Poren bewirkt. **ad|strin|gie|ren** ⟨lat.⟩: zusammenziehend wirken (von Arzneimitteln)

a due [a 'du:e] ⟨lat.-it.⟩: Anweisung in Partituren, eine Instru-

mentalstimme doppelt zu besetzen (Mus.)

A|du|lar ⟨nach den Adulaalpen in Graubünden⟩ *der; -s, -e:* Feldspat (ein Mineral)

a|dult ⟨lat.⟩: erwachsen; geschlechtsreif (Med.)

A|dul|ter ⟨lat.⟩ *der; -s, -:* (veraltet) Ehebrecher. **A|dul|te|ra** *die; -, -s:* (veraltet) Ehebrecherin

⟨engl.; „Erwachsenenschule"⟩ *die; - -:* Einrichtung zur Fortbildung, Umschulung u. Weiterbildung von Erwachsenen

ad us. med. ↑ad usum medici. **ad us. prop.** ↑ad usum proprium.

ad u|sum ⟨lat.⟩: zum Gebrauch (Angabe auf ärztlichen Rezepten); Abk.: ad us. **ad u|sum Delphi|ni** ⟨„zum Gebrauch des Dauphins"⟩: für Schüler bearbeitet (von Klassikerausgaben, aus denen moralisch u. politisch anstößige Stellen entfernt sind). **ad u|sum me|di|ci,** pro usu medici: für den persönlichen Gebrauch des Arztes bestimmt (Aufdrucke auf unverkäuflichen Arzneimustern; Abk.: ad us. med. und pro us. med.). **ad u|sum pro|prium*:** für den eigenen Gebrauch (Hinweis auf ärztlichen Rezepten, die für den ausstellenden Arzt selbst bestimmt sind); Abk.: ad us. prop.

ad va|lo|rem ⟨lat.; „dem Werte nach"⟩: vom Warenwert (Berechnungsgrundlage bei der Zollbemessung)

Ad|van|tage [ɛt'va:ntɪtʃ] ⟨lat.-fr.-engl.; „Vorteil"⟩ *der; -s, -s:* unmittelbar nach dem Einstand gewonnener Punkt beim Tennis

Ad|vek|ti|on ⟨lat.⟩ *der; -, -en:* 1. in waagerechter Richtung erfolgende Zufuhr von Luftmassen (Meteor.); Ggs. ↑Konvektion (2). 2. in waagerechter Richtung erfolgende Verfrachtung (Bewegung) von Wassermassen in den Weltmeeren (Ozeanographie); Ggs. ↑Konvektion (3). **ad|vektiv** ⟨lat.-nlat.⟩: durch ↑Advektion herbeigeführt

Ad|ve|ni|at ⟨lat.; „es komme das Reich"⟩ *das; -s, -s:* Weihnachtsspende der Katholiken zur Unterstützung der Kirche in Lateinamerika. **Ad|vent** („Ankunft" ⟨Christi⟩) *der; -[e]s, -e:* a) der die letzten vier Sonntage vor Weihnachten umfassende Zeitraum, der das christliche Kirchenjahr einleitet; b) der vier Sonntage der Adventszeit. **Ad|ventis|mus** ⟨lat.-engl.-amerik.⟩ *der;*

-: Glaubenslehre der Adventisten. **Ad|ven|tist** *der; -en, -en:* Angehöriger einer der Glaubensgemeinschaften, die an die baldige Wiederkehr Christi glauben. **ad|ven|tis|tisch:** die Lehre des Adventismus betreffend. **Adven|ti|tia** ⟨lat.-nlat.⟩ *die; -:* die aus Bindegewebe u. elastischen Fasern bestehende äußere Wand der Blutgefäße (Med., Biol.). **Adven|tiv|bil|dung** *die; -, -en:* Bildung von Organen an ungewöhnlichen Stellen bei einer Pflanze (z. B. Wurzeln am Spross). **Adven|tiv|kra|ter** *der; -s, -:* Nebenkrater auf dem Hang eines Vulkankegels. **Ad|ven|tiv|pflan|ze** *die; -, -n:* Pflanze eines Gebiets, die dort nicht schon immer vorkam, sondern absichtlich als Zier- od. Nutzpflanze eingeführt od. unabsichtlich eingeschleppt wurde

Ad|verb ⟨lat.⟩ *das; -s, -ien:* Umstandswort; Abk.: Adv. **ad|verbal** ⟨nlat.⟩: zum ↑Verb hinzutretend, von ihm syntaktisch abhängend. **ad|ver|bi|al:** als Umstandswort [gebraucht]; Umstands...; **adverbiale Bestimmung:** ↑Adverbialbestimmung; **adverbialer Akkusativ** od. **Genitiv:** Umstandsangabe in Form eines Substantivs im Akkusativ od. Genitiv. **Ad|ver|bi|al** *das; -s, -e:* ↑Adverbiale. **Ad|ver|bi|al|adjek|tiv** *das; -s, -e* Adjektiv, das das Substantiv, bei dem es steht, nach seiner räumlichen od. zeitlichen Lage charakterisiert (z. B. der *heutige* Tag). **Ad|ver|bi|albe|stim|mung** *die; -, -en:* Umstandsbestimmung, -angabe. **Ad|ver|bi|al|le** *das; -s, -n u. ...lia u. ...lien:* ↑Adverbialbestimmung. **Ad|ver|bi|al|satz** *der; -es, ...sätze:* Gliedsatz (Nebensatz), der einen Umstand angibt (z. B. Zeit, Ursache). **ad|ver|bi|ell:** ↑adverbial; vgl. ...al/...ell. **Adver|bi|um** *das; -s, ...bia* (auch: ...bia): ↑Adverb

Ad|ver|sa|ria, Ad|ver|sa|ri|en ⟨lat.⟩ *die* (Plural): a) unverarbeitete Aufzeichnungen, Kladde; b) Sammlungen von Notizen. **adver|sa|tiv:** einen Gegensatz bildend, gegensätzlich, entgegensetzend; **adversative Konjunktion:** entgegensetzendes Bindewort (z. B. aber); **adversatives Asyndeton:** bindewortlose Wortod. Satzreihe, deren Glieder gegensätzliche Bedeutung haben, z. B. heute rot, morgen tot

Ad|ver|ti|sing ['ɛtvətaɪzɪŋ] ⟨engl.⟩

das; -s, -s: 1. Ankündigung, Anzeige. 2. Reklame; Werbung
ad vitr. ↑ad vitrum. **ad v|t|rum*** ⟨*lat.;* „in ein Glas"⟩: in einer Flasche (abzugeben); (Angabe auf ärztlichen Rezepten); Abk.: ad vitr.
Ad|vo|ca|tus Dei ⟨*lat.;* „Anwalt Gottes"⟩ *der;* - -, ...ti -: scherzhaft gemeinte Bezeichnung für den „Fürsprecher" in einem Heilig- od. Seligsprechungsprozess der katholischen Kirche, der die Gründe für die Heiligod. Seligsprechung darlegt. **Ad|vo|ca|tus Di|a|bo|li** („Anwalt des Teufels") *der;* - -, ...ti -: 1. scherzhaft gemeinte Bezeichnung für den „Glaubensanwalt" in einem Heilig- od. Seligsprechungsprozess der katholischen Kirche, der die Gründe gegen die Heilig- oder Seligsprechung darlegt. 2. jmd., der um der Sache willen mit seinen Argumenten die Gegenseite vertritt, ohne selbst zur Gegenseite zu gehören. **ad vo|cem** ⟨*lat.*⟩: zu dem Wort [ist zu bemerken], dazu wäre zu sagen. **Ad|vo|kat** ⟨*lat.;* „der Herbeigerufene"⟩ *der;* -en, -en: (landsch., sonst veraltet) [Rechts]anwalt, Rechtsbeistand. **Ad|vo|ka|tur** ⟨*nlat.*⟩ *die;* -, -en: (landsch., sonst veraltet) Rechtsanwaltschaft. **ad|vo|zie|ren:** (veraltet) als Advokat arbeiten
A|dy|na|mand|rie* ⟨*gr.-nlat.*⟩ *die;* -: Funktionsunfähigkeit der männlichen Teile od. Pollen einer Blüte (Bot.); vgl. Adynamogynie. **A|dy|na|mie** *die;* -, ...ien: Kraftlosigkeit, Muskelschwäche. **a|dy|na|misch:** kraftlos, schwach, ohne ↑Dynamik (2). **A|dy|na|mo|gy|nie** *die;* -: Funktionsunfähigkeit der weiblichen Teile einer Blüte (Bot.).
A|dy|ton ⟨*gr.;* „das Unbetretbare"⟩ *das;* -s, ...ta: das Allerheiligste (von griechischen u. römischen Tempeln)
Aech|me|a [eç...] ⟨*gr.*⟩ *die;* -, ...me|en: Zimmerpflanze mit in Rosetten angeordneten Blättern; Lanzenrosette (Bot.)
A|e|rä|mie* [ae...] ⟨*gr.*⟩ *die;* -, ...ien: Bildung von Stickstoffbläschen im Blut bei plötzlichem Abnehmen des äußeren Luftdrucks (z. B. bei Tauchern; Med.). **A|e|ren|chym*** ⟨*gr.-nlat.*⟩ *das;* -s, -e: mit der Außenluft in Verbindung stehender Interzellularraum (vgl. interzellular) bei Wasser- u. Sumpfpflanzen. **A|e|ri|al** *das;* -s: der freie Luftraum

als Lebensbezirk der Landtiere; vgl. Biotop. **a|e|ri|fi|zie|ren:** ↑ vertikutieren. **a|e|ri|l, a|e|risch:** durch Luft- od. Windeinwirkung entstanden (Geol.). **a|e|ro...**, **A|e|ro...** ⟨*gr.*⟩: in Zusammensetzungen auftretendes Bestimmungswort mit der Bedeutung „Luft, Gas". **a|e|rob** ⟨*gr.-nlat.*⟩: Sauerstoff zum Leben brauchend (von Organismen; Biol.). **A|e|ro|bat** ⟨*gr.;* „Luftwandler"⟩ *der;* -en, -en: 1. Seiltänzer. 2. Grübler, Träumer. **A|e|ro|ba|tik** ⟨*gr.-engl.*⟩ *die;* -: Kunstflug[vorführung]. **Ae|ro|bic** [ɛ'ro:bik] ⟨*gr.-engl.*⟩ *das;* -s, (auch:) *die;* -: Fitnesstraining mit tänzerische u. gymnastischen Übungen. **A|e|ro|bi|er** *der;* -s, -: Organismus, der nur mit Sauerstoff leben kann; Ggs. ↑Anaerobier. **A|e|ro|bi|o|lo|gie** *die;* -: Teilgebiet der Biologie, auf dem man sich mit der Erforschung der lebenden Mikroorganismen in der Atmosphäre befasst. **A|e|ro|bi|ont** *der;* -en, -en: ↑ Aerobier. **A|e|ro|bi|os** *der;* -: die Gesamtheit der Lebewesen des freien Luftraums, besonders die fliegenden Tiere, deren Nahrung im Flug aufnehmen; vgl. Benthos. **A|e|ro|bi|o|se** *die;* -: auf Luftsauerstoff angewiesene Lebensvorgänge; Ggs. ↑Anaerobiose. **A|e|ro|bus** ⟨aus ↑*Aero...* u. Omni*bus*⟩ *der;* -ses, -se: 1. Hubschrauber im Taxidienst. 2. Nahverkehrsmittel, das aus einer Kabine besteht, die an Kabeln zwischen Masten schwebt. **A|e|ro|club** vgl. Aeroklub. **A|e|ro|drom*** *das;* -s, -e: (veraltet) Flugplatz. **A|e|ro|dy|na|mik** *die;* -: Lehre von der Bewegung gasförmiger Stoffe, bes. der Luft. **A|e|ro|dy|na|mi|ker** *der;* -s, -: Wissenschaftler auf dem Gebiet der Aerodynamik. **a|e|ro|dy|na|misch:** a) zur Aerodynamik gehörend; b) den Gesetzen der Aerodynamik unterliegend. **A|e|ro|e|las|ti|zi|tät** *die;* -: das Verhalten der elastischen Bauteile gegenüber den aerodynamischen Kräften (Schwingen, Flattern) bei Flugzeugen. **A|e|ro|fo|to|gra|fie** vgl. Aerophotographie. **a|e|ro|gen:** 1. Gase bildend (z. B. von Bakterien). 2. durch die Luft übertragen (z. B. von Infektionen). **A|e|ro|ge|o|lo|gie** *die;* -: geologische Erkundung vom Flugzeug od. anderen Flugkörpern aus. **A|e|ro|ge|o|phy|sik** *die;* -: Teilgebiet der ↑ Geophysik, in der Erfor-

schung geophysikalischer Gegebenheiten vom Flugzeug od. anderen Flugkörpern aus erfolgt. **A|e|ro|gramm** *das;* -s, -e: 1. Luftpostleichtbrief. 2. grafische Darstellung von Wärme- u. Feuchtigkeitsverhältnissen in der Atmosphäre. **A|e|ro|graph,** auch: Aerograf *der;* -en, -en: Spritzgerät zum Zerstäuben von Farbe (mittels Druckluft). **A|e|ro|kar|to|graph,** auch: Aerokartograf *der;* -en, -en: 1. Gerät zum Ausmessen u. ↑Kartieren von Luftbildaufnahmen. 2. jmd., der mit einem Aerokartographen arbeitet. **A|e|ro|kli|ma|tol|lo|gie** *die;* -: ↑ Klimatologie der höheren Luftschichten, die sich mit der Erforschung ↑Atmosphäre befasst. **A|e|ro|klub,** auch: Aeroclub *der;* -s, -s: Luftsportverein. **A|e|ro|li|th** [auch: ...'lıt] *das;* -s, -e, -e[n]: (veraltet) ↑Meteorit. **A|e|ro|lo|gie** *die;* -: Teilgebiet der Meteorologie, dessen Aufgabenstellung die Erforschung der höheren Luftschichten ist. **a|e|ro|lo|gisch:** a) nach Methoden der Aerologie verfahrend; b) die Aerologie betreffend. **A|e|ro|man|tie** ⟨*gr.-lat.*⟩ *die;* -: Wahrsagen mithilfe von Lufterscheinungen. **A|e|ro|me|cha|nik** *die;* -: Wissenschaftszweig, der sich mit dem Gleichgewicht u. der Bewegung der Gase, bes. der Luft, befasst; vgl. Aerodynamik u. Aerostatik. **A|e|ro|me|di|zin** *die;* -: Teilgebiet der Medizin, dessen Aufgabenstellung die Erforschung der physischen Einwirkungen der Luftfahrt auf den Organismus der Flugreisenden ist. **A|e|ro|me|ter** *der* ⟨*gr.-nlat.*⟩ *das;* -s, -: Gerät zum Bestimmen des Luftgewichts od. der Luftdichte. **A|e|ro|naut** *der;* -en, -en: (veraltet) Luftfahrer, Luftschiffer. **A|e|ro|nau|tik** *die;* -: Luftfahrtkunde. **A|e|ro|nau|ti|ker** *der;* -s, -: Fachmann, der sich mit der Aeronautik befasst. **a|e|ro|nau|tisch:** a) Methoden der Aeronautik anwendend; b) die Aeronautik betreffend. **A|e|ro|na|vi|ga|ti|on** *die;* -: Steuerung von Luftfahrzeugen mithilfe von Ortsbestimmungen. **A|e|ro|no|mie** *die;* -: Wissenschaft, die sich mit den obersten Atmosphäre (über 30 km Höhe) befasst. **A|e|ro|pha|gie** *die;* -, ...jen: [krankhaftes] Luftschlucken (Med.). **A|e|ro|pho|bie** *die;* -, ...jen: [krankhafte] Angst vor frischer Luft (Med.). **A|e|ro|phon,** auch: **Aerofon** das; -s, -e: durch Lufteinwirkung zum Tönen gebrachtes Musikinstrument (z. B. Blasinstrument). **A|e|ro|phor** der; -s, -e: ein dem Spielen von Blasinstrumenten dienendes Gerät, das durch einen mit dem Fuß zu bedienenden Blasebalg dem Instrument Luft zuführt, unabhängig vom Atem des Spielers (Mus.). **A|e|ro|pho|to|gramm|met|rie*,** auch: **Aerofotogrammmetrie** die; -, ...jen; Aufnahme von Messbildern aus der Luft u. ihre Auswertung. **A|e|ro|pho|to|gra|phie** auch: **Aerofotografie** die; -, ...jen: das Fotografieren aus Luftfahrzeugen (bes. für † kartographische Zwecke). **A|e|ro|phyt** ‹„Luftpflanze"› der; -en, -en: Pflanze, die auf einer anderen Pflanze lebt, d. h. den Boden nicht berührt. **A|e|ro|plan** der; -[e]s, -e: (veraltet) Flugzeug. **A|e|ro|sal|lon** der, -s, -s: Ausstellung von Fahrzeugen u. Maschinen aus der Luft- u. Raumfahrttechnik. **A|e|ro|sol** ‹gr.; lat.› das; -s, -e: 1. ein Gas (bes. Luft), das feste od. flüssige Stoffe in feinstverteilter Form enthält. 2. zur Einatmung bestimmtes, flüssige Stoffe in feinstverteilter Form enthaltendes Arznei- od. Entkeimungsmittel (in Form von Sprühnebeln). **A|e|ro|sol|bom|be** die; -, -n: Behälter zum Zerstäuben eines Aerosols. **a|e|ro|so|li|e|ren:** Aerosole, z. B. Pflanzenschutzod. Arzneimittel, versprühen. **A|e|ro|sol|the|ra|pie** die; -, ...jen: Behandlung (bes. von Erkrankungen der oberen Luftwege) durch † Inhalation wirkstoffhaltiger Aerosole. **A|e|ro|son|de** die; -, -n: an einem Ballon hängendes Messgerät, das während des Aufstiegs Messwerte über Temperatur, Luftdruck u. Feuchtigkeit zur Erde sendet. **A|e|ro|s|tat*** der; -[e]s u. -en, -en: (veraltet) Luftballon. **A|e|ro|sta|tik** ‹gr.-nlat.› die; -: Wissenschaftsgebiet, auf dem man sich mit den Gleichgewichtszuständen bei Gasen befasst. **a|e|ro|sta|tisch:** a) nach Gesetzen der Aerostatik ablaufend; b) die Aerostatik betreffend. **A|e|ro|ta|xe** die; -, - n od. **A|e|ro|ta|xi** das; -s, -s: Mietflugzeug. **A|e|ro|ta|xis** die; -, ...jen: die durch Sauerstoff ausgelöste gerichtete Ortsveränderung frei beweglicher Organismen (Biol.); vgl. ²Taxis. **A|e|ro-**

te| ‹Kurzw. aus: *Aero...* u. Hotel› *das;* -s, -s: Flughafenhotel. **A|e|ro|the|ra|pie** die; -, ...jen: Sammelbezeichnung für Heilverfahren, bei denen (speziell: künstlich verdichtete od. verdünnte) Luft eine Rolle spielt (z. B. Klimakammer, Inhalation, Höhenaufenthalt). **a|e|ro|therm:** a) mit heißer Luft; b) aus heißer Luft. **A|e|ro|train** [...trɛ:] ‹gr.; lat.-vulgärlat.-fr.› der; -s, -s: Luftkissenzug. **A|e|ro|tri|an|gu|la|ti|on** ‹gr.; lat.› die; -, -en: Verfahren der Photogrammetrie (b) zur Bestimmung geodätischer Festpunkte aus Luftbildern. **A|e|ro|tro|pis|mus** der; -: durch Gase (z. B. Kohlendioxid oder Sauerstoff) ausgelöste gerichtete Wachstumsbewegung von Pflanzen (Biol.). **A|e|ro|zin** das; -s: Raketentreibstoff **A|e|t|it** [ae...; auch: ...'tιt] ‹gr.-nlat.› der; -s, -e: Adlerstein, Eisenmineral **A|e|to|sau|rus** [ae...] ‹gr.› der; -, ...rier: eidechsenähnlicher, auf zwei Beinen gehender Saurier **a|feb|ril*** [auch: 'a...] ‹gr.; lat.›: fieberfrei (Med.) **af|fa|bel** ‹lat.›: (veraltet) gesprächig, leutselig **Af|fai|re:** ältere Schreibung für † Affäre. **Af|fä|re** ‹fr.› die; -, -n: 1. besondere, oft unangenehme Sache, Angelegenheit; peinlicher Vorfall. 2. Liebschaft, Liebesabenteuer; **sich aus der Affäre ziehen:** sich mit Geschick u. erfolgreich bemühen, aus einer unangenehmen Situation herauszukommen **Af|fa|to|mie** ‹mlat.› die; -, ...jen: (hist.) Adoption mit Eigentumsübertragung, die dem Erblasser (derjenige, der das Erbe hinterlässt) aber die Nutzung des Erbes bis zum Tode überlässt (fränkisches Recht) **Af|fekt** ‹lat.› der; -[e]s, -e: a) heftige Erregung, Zustand einer außergewöhnlichen seelischen Angespanntheit; b) (nur Plural) Leidenschaften. **Af|fek|ta|ti|on** die; -, -en: a) (ohne Plural) affektiertes Benehmen; b) affektierte Äußerung, Handlung. **af|fek|tie|ren:** (veraltet) sich gekünstelt benehmen, sich zieren. **af|fek|tiert:** geziert, gekünstelt, eingebildet. **Af|fek|ti|on** die; -, -en: 1. Befall eines Organs mit Krankheitserregern; Erkrankung (Med.). 2. (veraltet) Wohlwollen, Neigung; vgl. Affektionswert. **af|fek|ti|o|niert** ‹nlat.›: (veral-

tet) wohlwollend, geneigt, [herzlich] zugetan. **Af|fek|ti|ons|wert** der; -[e]s, -e: (veraltet) Liebhaberwert. **af|fek|tisch** ‹lat.›: von Gefühl od. Erregung beeinflusst (in Bezug auf die Sprache; Sprachw.). **af|fek|tiv:** a) gefühls-, affektbetont, durch heftige Gefühlsäußerungen gekennzeichnet; b) auf einen Affekt bezogen (Psychol.). **Af|fek|ti|vi|tät** ‹nlat.› die; -: 1. Gesamtheit des menschlichen Gefühlsu. Gemütslebens. 2. die Gefühlsansprechbarkeit eines Menschen. **Af|fekt|pro|jek|ti|on** die; -, -en: Übertragung eigener Affekte auf Lebewesen od. Dinge der Außenwelt, sodass diese als Träger der Affekte erscheinen (Psychol.). **Af|fekt|psy|cho|se** die; -, -n: †Psychose, die sich hauptsächlich im krankhaft veränderten Gefühlsleben äußert (z. B. † manisch-depressives Irresein) **af|fe|rent** ‹lat.; „hinführend"›: hin-, zuführend (bes. von Nervenbahnen, die von einem Sinnesorgan zum Zentralnervensystem führen; Med.); Ggs. † efferent. **Af|fe|renz** die; -, -en: Erregung (Impuls, Information), die über die afferenten Nervenfasern von der Peripherie zum Zentralnervensystem geführt wird; Ggs. † Efferenz **af|fet|tu|o|so** ‹lat.-it.›: bewegt, leidenschaftlich (Vortragsbezeichnung; Mus.) **Af|fi|cha|ge** [afi'fa:ʒə] ‹fr.› die; -: (schweiz.) Plakatwerbung. **Af|fi|che** [a'fiʃə] ‹fr.› die; -, -n: Anschlag[zettel], Aushang, Plakat. **af|fi|chie|ren:** anschlagen, aushängen, ankleben **Af|fi|da|vit** ‹lat.-mlat.-engl.; „er hat bezeugt"› das; -s, -s: 1. eidesstattliche Versicherung (bes. auch für Wertpapiere). 2. Bürgschaft eines Bürgers des Aufnahmelandes für einen Einwanderer **af|fi|gie|ren** ‹lat.›: anheften, aushängen. **Af|fi|gie|rung** die; -, -en: das Anfügen eines † Affixes an den Wortstamm **Af|fi|li|a|ti|on** ‹lat.-mlat.› die; -, -en: 1. das Verhältnis von Sprachen, die sich aus einer gemeinsamen Grundsprache entwickelt haben, zueinander u. zur Grundsprache (Sprachw.). 2. (veraltet) † Adoption (Rechtsw.). 3. a) Lo-

genwechsel eines Logenmitglieds (vgl. Loge 3 a) nach einem Wohnungswechsel; b) rituelles Annahmeverfahren nach einem Logenwechsel (vgl. Loge 3 a). 4. a) Anschluss, Verbrüderung; b) Beigesellung (z. B. einer Tochtergesellschaft). **af|fi|li|ie|ren:** 1. aufnehmen (in eine Freimaurerloge). 2. beigesellen (einer Tochtergesellschaft) **af|fin** ⟨lat.⟩: 1. verwandt. 2. durch eine affine Abbildung auseinander hervorgehend; **affine Abbildung:** geometrische Abbildung von Bereichen od. Räumen aufeinander, bei der bestimmte geometrische Eigenschaften erhalten bleiben; **affine Geometrie:** Sätze, die von gleich bleibenden Eigenschaften von ↑Figuren (1) handeln. 3. reaktionsfähig (Chem.). **Af|fi|na|ge** [...ʒə] ⟨lat.-fr.⟩ die; -, -n: ↑Affinierung. **Af|fi|na|ti|on** die; -, -en: ↑Affinierung; vgl. ...[at]ion/...ierung. **af-fi|né** ⟨fr.⟩: (praktisch) kohlenstofffrei (Kennzeichnung bei Ferrolegierungen; Hüttenw.). **af|fi|nie|ren:** 1. reinigen, scheiden (von Edelmetallen). 2. Zuckerkristalle vom Sirup trennen. **Af|fi|nie|rung** die; -, -en: Trennung von Gold u. Silber aus ihren ↑Legierungen mittels Schwefelsäure; vgl. ...[at]ion/...ierung. **Af|fi|ni|tät** ⟨lat.; „Verwandtschaft"⟩ die; -, -en: 1. Wesensverwandtschaft von Begriffen u. Vorstellungen (Philos.). 2. Triebkraft einer chemischen Reaktion, Bestreben von Atomen od. Atomgruppen (vgl. Atom), sich miteinander zu vereinigen (Chem.). 3. a) ↑affine Abbildung; b) die bei einer affinen Abbildung gleich bleibende Eigenschaft geometrischer Figuren. 4. Schwägerschaft, das Verhältnis zwischen einem Ehegatten u. den Verwandten des anderen (Rechtsw.). 5. eine der Ursachen für Gestaltungsbewegungen von ↑Protoplasma (Biol.). 6. Anziehungskraft, die Menschen aufeinander ausüben (Sozialpsychol.). 7. Ähnlichkeit zwischen unverwandten Sprachen; vgl. Affiliation (1) (Sprachw.). **Af|fi-nor** ⟨lat.⟩ der; -s, ...oren: ältere Bez. für ↑Tensor (1)
Af|fir|ma|ti|on ⟨lat.⟩ die; -, -en: Bejahung, Zustimmung, Bekräftigung; Ggs. ↑Negation (1). **af-fir|ma|tiv:** bejahend, bestätigend. **Af|fir|ma|ti|ve** die; -, -n: bejahende Aussage, Bestäti-

gung. **af|fir|mie|ren:** bejahen, bekräftigen
Af|fix ⟨lat.; „angeheftet"⟩ das; -es, -e: an den Wortstamm tretendes ↑Morphem (↑Präfix od. ↑Suffix); vgl. Formans. **Af|fi|xo|id** das; -s, -e: an den Wortstamm tretendes ↑Morphem in Form eines ↑Präfixoids od. ↑Suffixoids **af|fi|zie|ren** ⟨lat.; „hinzutun; einwirken; anregen"⟩: reizen, krankhaft verändern (Med.). **af-fi|ziert:** 1. befallen (von einer Krankheit; Med.). 2. betroffen, erregt; **affiziertes Objekt:** Objekt, das durch die im Verb ausgedrückte Handlung unmittelbar betroffen wird (z. B. den Acker pflügen; Sprachw.); Ggs. ↑effiziertes Objekt
Af|fo|dill ⟨gr.-mlat.⟩, Asphodill ⟨gr.-lat.⟩ der; -s, -e: a) Gattung der Liliengewächse; b) Weißer Affodill (eine Art aus dieser Gattung)
af|fret|tan|do* ⟨it.⟩: schneller, lebhafter werdend (Vortragsanweisung; Mus.)
Af|fri|ka|ta, Af|fri|ka|te* ⟨lat.⟩ die; -, ...ten: enge Verbindung eines Verschlusslautes mit einem unmittelbar folgenden Reibelaut (z. B. pf; Sprachw.). **af|fri|zie-ren:** einen Verschlusslaut in eine Affrikata verwandeln (Phon.)
Af|front* [a'frõ:, schweiz.: a'frõnt] ⟨lat.-fr.⟩ der; -s, -s u. (schweiz.:) -e: herausfordernde Beleidigung, Schmähung, Kränkung. **af|fron|tie|ren:** (veraltet) jmdn. durch eine Beleidigung, Kränkung, Beschimpfung herausfordern, angreifen
af|frös* ⟨german.-provenzal.-fr.⟩: (veraltet) abscheulich, hässlich
Af|ghal|laine [afga'lε:n] ⟨Fantasiebezeichnung aus dem Namen des Staates Afghanistan u. fr. laine „Wolle"⟩ der; -[s]: Kleiderstoff aus Mischgewebe. **Af|ghan** der; -[s], -s: 1. handgeknüpfter, meist weinroter Wollteppich mit geometrischer Musterung, vorwiegend aus Afghanistan. 2. Haschischsorte. **Af|gha|ne** der; -n, -n: eine Hunderasse (Windhund). **Af|gha|ni** der; -[s], -[s]: afghanische Münzeinheit
Af|la|to|xin* ⟨Kurzw. aus Aspergillus flavus u. Toxin⟩ das; -s, -e (meist Plural): Stoffwechselprodukt verschiedener Schimmelpilze
a|fo|kal ⟨lat.⟩: brennpunktlos
à fond [a'fõ:] ⟨fr.⟩: gründlich, nachdrücklich. **à fonds per|du** [a'fõ: pεr'dy:] ⟨lat.-fr.⟩: auf Ver-

lustkonto; [Zahlung] ohne Aussicht auf Gegenleistung od. Rückerstattung
à for|fait [afɔr'fε:] ⟨fr.⟩: ohne Rückgriff (Klausel für die Vereinbarung mit dem Käufer eines ausgestellten Wechsels, nach der die Inanspruchnahme des Wechselausstellers [oder gegebenenfalls auch des ↑Indossanten] durch den Käufer ausgeschlossen wird)
a for|ti|o|ri ⟨lat.; „vom Stärkeren her"⟩: nach dem stärker überzeugenden Grund; erst recht, umso mehr (von einer Aussage; Philos.)
a fres|co, al fresco ⟨it.; „auf frischem (Kalk)"⟩: auf frischem Verputz, Kalk, auf die noch feuchte Wand [gemalt]; Ggs. ↑a secco; vgl. ¹Fresco
Af|ri|canth|ro|pus* vgl. Afrikanthropus
Af|ri|kaan|der*, Afrikaner ⟨lat.-niederl.⟩ der; -s, -: Weißer in Südafrika mit Afrikaans als Muttersprache. **af|ri|kaans:** kapholländisch. **Af|ri|kaans** das; -: das Kapholländisch, das als Staatssprache in der Republik Südafrika. **Af|ri|ka|na** ⟨lat.⟩ die (Plural): Werke über Afrika. **Af|ri|kaan-der** vgl. Afrikaander. **Af|ri|ka-nist** ⟨nlat.⟩ der; -en, -en: Wissenschaftler, der die Geschichte, die Sprachen u. Kulturen Afrikas untersucht. **Af|ri|ka|nis|tik** die; -: Wissenschaft, die sich mit der Geschichte, der Kultur u. den Sprachen der afrikanischen Naturvölker beschäftigt. **Af|ri-kanth|ro|pus,** fachspr. auch: Africanthropus ⟨lat.; gr.⟩ der; -: Menschentyp der Altsteinzeit, benannt nach den [ost]afrikanischen Fundstätten. **af|ro|ame-ri|ka|nisch:** 1. die Afrikaner (Schwarzen) in Amerika betreffend. 2. Afrika u. Amerika betreffend. **af|ro|asi|a|tisch:** Afrika u. Asien betreffend. **Af|ro|fri-sur** die; -, -en: Frisur im ↑Afrolook. **Af|ro||look** [...lʊk] der; -[s]: Frisur, bei der das Haar in stark gekrausten, dichten Locken nach allen Seiten hin absteht. **Af|schar, Af|scha|ri** ⟨nach einem iran. Nomadenstamm⟩ der; -[s], -s: Teppich mit elfenbeinfarbenem Grund
Af|ter|shave ['ɑ:ftəʃeɪv] ⟨engl.⟩ das; -[s], -s u. Aftershave-Lotion, auch: **Af|ter-Shave-Lotion** [...loʊʃn] die; -, -s: nach der Rasur zu verwendendes Gesichtswasser; vgl. Preshave

Af|ze|lia ⟨*nlat.;* nach dem schwed. Botaniker A. Afzelius, †1837⟩ *die; -:* Pflanzengattung der Hülsenfrüchtler

A|ga, Agha ⟨*türk.; „*groß"⟩ *der; -s, -s:* a) (hist.) Titel für höhere türk. Offiziere od. auch für niedere Offiziere u. Zivilbeamte; b) pers. Anrede ("Herr"). **A|ga Khan** *der; - -s, - -e:* Titel des erblichen Oberhaupts der islamischen Glaubensgemeinschaft der †Hodschas (2) in Indien u. Ostafrika

A|gal|lak|tie ⟨*gr.-nlat.*⟩ *die; -, ...ien:* Stillunfähigkeit, völliges Fehlen der Milchsekretion bei Wöchnerinnen; vgl. Hypogalaktie

a|gam ⟨*gr.-nlat.;* „ehelos"⟩: ohne vorausgegangene Befruchtung zeugend; **agame Fortpflanzung** †Agamogonie. **A|ga|met** *der; -en, -en* (meist Plural): durch †Agamogonie entstandene Zelle niederer Lebewesen, die der ungeschlechtlichen Fortpflanzung dient (Zool.). **A|ga|mie** *die; -:* 1. Ehelosigkeit. 2. geschlechtliche Fortpflanzung ohne Befruchtung (Biol.). **a|ga|misch:** 1. ehelos. 2. geschlechtslos (Bot.). **A|ga|mist** *der; -en, -en:* (veraltet) Junggeselle. **A|ga|mo|go|nie** *die; -:* ungeschlechtliche Vermehrung durch Zellteilung (Biol.)

A|ga|pan|thus* ⟨*gr.-nlat.;* „Liebesblume"⟩ *der; -, ...thi:* südafrikanische Gattung der Liliengewächse; Schmucklilie. **A|ga|pe** [...pe] ⟨*gr.-lat.*⟩ *die; -, -n:* 1. (ohne Plural): die sich in Christus zeigende Liebe Gottes zu den Menschen, bes. zu den Armen, Schwachen u. Sündern; Nächstenliebe; Feindesliebe; Liebe zu Gott (Rel.). 2. abendliches Mahl der frühchristlichen Gemeinde [mit Speisung der Bedürftigen] (Rel.)

A|gar-A|gar ⟨*malai.*⟩ *der* od. *das; -s:* stark schleimhaltiger Stoff aus ostasiat. Rotalgen

A|ga|ve ⟨*gr.-fr.;* „die Edle"⟩ *die; -, -n:* Gattung aloeähnlicher Pflanzen (vgl. Aloe) der Tropen u. Subtropen

A|gence France-Presse [aˈʒã:s frã:s'prɛs] ⟨*fr.*⟩ *die; - -:* franz. Nachrichtenagentur; Abk.: AFP

A|gen|da ⟨*lat.-roman.;* „was zu tun ist"⟩ *die; -, ...den:* 1. a) Schreibtafel, Merk-, Notizbuch; b) Terminkalender. 2. Aufstellung der Gesprächspunkte bei politischen Verhandlungen.

a|gen|da|risch ⟨*lat.-mlat.-nlat.*⟩: zur Gottesdienstordnung gehörend, ihr entsprechend. **A|gen-de** ⟨*lat.-mlat.*⟩ *die; -, -n:* 1. Buch für die Gottesdienstordnung. 2. Gottesdienstordnung. **A|gen-den** *die* (Plural): (bes. österr.) zu erledigende Aufgaben, Obliegenheiten

A|ge|ne|sie ⟨*gr.-nlat.*⟩ *die; -:* a) vollständiges Fehlen einer Organanlage (Med.); b) verkümmerte Organanlage (Med.)

A|gens ⟨*lat.*⟩ *das; -, Agenzien* (Sprachw.: -, Med. auch: Agentia): 1. treibende Kraft; wirkendes, handelndes, tätiges Wesen od. †Prinzip (Philos.). 2. (Med.) a) wirksamer Stoff, wirkendes Mittel; b) krank machender Faktor. 3. Träger eines durch das Verb ausgedrückten aktiven Verhaltens; †Patiens (Sprachw.). **A|gent** ⟨*lat.-it.*⟩ *der; -en, -en:* 1. Abgesandter eines Staates, der neben dem offiziellen diplomatischen Vertreter einen besonderen Auftrag erfüllt u. meist keinen diplomatischen Schutz besitzt. 2. in staatlichem Geheimauftrag tätiger Spion. 3. a) (österr., sonst veraltet) Handelsvertreter; b) jmd., der berufsmäßig Künstlern Engagements vermittelt. **A|gen|tie** [...'tsi:] *die; -, ...tien:* (österr.) Geschäftsstelle (bes. der Donau-Dampfschiffahrtsgesellschaft). **a|gen|tie-ren:** (österr.) Kunden werben. **A|gent pro|vo|ca|teur** [aˈʒã provokaˈtø:ʀ] ⟨*fr.*⟩ *der; - -, -s -s* [aˈʒã: provokaˈtø:ʀ]: Agent, der verdächtige Personen zu strafbaren Handlungen verleiten u. so Zwischenfälle od. kompromittierende Handlungen gegen Gegner provozieren soll; Lockspitzel. **A|gen|tur** ⟨*nlat.*⟩ *die; -, -en:* 1. Stelle, Büro, in dem [politische] Nachrichten aus aller Welt gesammelt u. an Presse, Rundfunk und Fernsehen weitergegeben werden. 2. Geschäftsnebenstelle, Vertretung. 3. Büro, das Künstlern Engagements vermittelt; Vermittlungsbüro, Geschäftsstelle eines †Agenten (3 b). **A|gen|zi|en:** *Plural* von †Agens (1 und 2)

A|gie|ra|tum ⟨*gr.-lat.-nlat.*⟩ *das; -:* Leberbalsam (ein Korbblütler)

Age|the|o|rie, auch: **Age-Theo-rie** ['e:tʃ...] ⟨*engl.*⟩ *die; -:* Theorie, die das Verhalten von Neutronen bei Neutronenbremsung beschreibt (Phys.)

A|geu|sie ⟨*gr.-nlat.*⟩ *die; -, ...ien:*

Verlust der Geschmacksempfindung (Med.)

a|ge|vol|le [aˈdʒe:vole] ⟨*lat.-it.*⟩: leicht, gefällig (Vortragsanweisung; Mus.)

Ag|ger ⟨*lat.*⟩ *der; -s, -es:* [Schleimhaut]wulst (Anat.)

Ag|gior|na|men|to [adʒor...] ⟨*lat.-fr.-it.*⟩ *das; -s:* Versuch der Anpassung der katholischen Kirche u. ihrer Lehre an die Verhältnisse des modernen Lebens (Rel.)

Ag|glo|me|rat* ⟨*lat.;* „zu einem Knäuel zusammengedrängt"⟩ *das; -s, -e:* 1. Ablagerung von unverfestigten Gesteinsbruchstücken; Ggs. †Konglomerat (2). 2. aus groben Gesteinsbrocken bestehendes vulkanisches Auswurfprodukt (Geol.). 3. feinkörniges Erz. **Ag|glo|me|ra|ti|on** ⟨*lat.-nlat.*⟩ *die; -, -en:* Anhäufung, Zusammenballung (z.B. vieler Betriebe an einem Ort). **ag|glo-me|rie|ren** ⟨*lat.*⟩: zusammenballen

Ag|glu|ti|na|ti|on* ⟨*lat.;* „das Ankleben"⟩ *die; -, -en:* 1. Verschmelzung (z.B. des Artikels od. einer Präposition mit dem folgenden Substantiv wie im Neugriech. u. in den roman. Sprachen, z.B. "Alarm" aus ital. „all'arme" = zu den Waffen; Sprachw.). 2. Ableitung u. Beugung eines Wortes mithilfe von †Affixen, die an den unverändert bleibenden Wortstamm angehängt werden; vgl. agglutinierende Sprachen (Sprachw.). 3. Verklebung, Zusammenballung, Verklumpung von Zellen (z.B. Bakterien od. roten Blutkörperchen) als Wirkung von †Antikörpern (Med.). **ag|glu|ti|nie|ren:** 1. zur Verklumpung bringen, eine Agglutination herbeiführen (Med.). 2. Beugungsformen durch Anhängen von Affixen bilden; **agglutinierende Sprache:** Sprache, die zur Ableitung u. Beugung von Wörtern †Affixe an das unverändert bleibende Wort anfügt, z.B. das Türkische u. die finnisch-ugrischen Sprachen; Ggs. †flektierende u. †isolierende Sprache. **Ag|glu|ti|nin** ⟨*lat.-nlat.*⟩ *das; -s, -e* (meist Plural): †Antikörper, der im Blutserum Blutkörperchen fremder Blutgruppen od. Bakterien zusammenballt u. damit unschädlich macht. **Ag|glu|ti|no|gen** ⟨*lat.; gr.*⟩ *das; -s, -e* (meist Plural): †Antigen, das die Bildung von Agglutininen anregt

Ag|gra|va|ti|on* ⟨*lat.;* „Beschwerung") *die;* -, -en: 1. Erschwerung, Verschlimmerung. 2. (Med.) a) Übertreibung von Krankheitserscheinungen; b) Verschlimmerung einer Krankheit. **ag|gra|vie|ren:** Krankheitserscheinungen übertreibend darstellen (Med.)

Ag|gre|gat* ⟨*lat.;* „angehäuft") *das;* -s, -e: 1. Maschinensatz aus zusammenwirkenden Einzelmaschinen, bes. in der Elektrotechnik. 2. mehrgliedriger math. Ausdruck, dessen einzelne Glieder durch + od. − miteinander verknüpft sind. 3. das Zusammenwachsen von ↑Mineralien der gleichen od. verschiedener Art. **Ag|gre|ga|ti|on** *die;* -, -en: Vereinigung von Molekülen zu Molekülverbindungen. **Ag|gregat|zu|stand** *der;* -s, ...stände: Erscheinungsform eines Stoffes (fest, flüssig, gasförmig). **aggre|gie|ren:** anhäufen **Ag|gres|si|ne*** ⟨*lat.-nlat.*⟩ *die* (Plural): von Bakterien gebildete Stoffe, die die Wirkung der natürlichen Abwehrstoffe des Körpers herabsetzen. **Ag|gres|si|on** ⟨*lat.*⟩ *die;* -, -en: 1. rechtswidriger Angriff auf ein fremdes Staatsgebiet, Angriffskrieg. 2. a) [affektbedingtes] Angriffsverhalten, feindselige Haltung eines Menschen od. eines Tieres mit dem Ziel, die eigene Macht zu steigern oder die Macht des Gegners zu mindern (Psychol.); b) feindselig-aggressive Äußerung, Handlung. **ag|gres|siv** ⟨*lat.-nlat.*⟩: angreifend; auf Angriff, Aggression gerichtet. **ag|gressi|vie|ren:** aggressiv machen. **Ag|gres|si|vi|tät** *die;* -, -en: 1. (ohne Plural) a) mehr od. weniger unbewusste, sich nicht offen zeigende, habituell gewordene aggressive Haltung des Menschen (Psychol.); b) Angriffslust. 2. die einzelne aggressive Handlung. **Ag|gres|sor** ⟨*lat.*⟩ *der;* -s, ...oren: rechtswidrig handelnder Angreifer

Ag|gri|per|len*, Ag|gry|per|len ⟨vermutlich *afrikan.; lat.-roman.*⟩ *die* (Plural): Glas-, seltener Steinperlen venezianischer od. Amsterdamer Herkunft, die früher in Westafrika als Zahlungsmittel dienten

Agha vgl. Aga

Ä|gil|de ⟨*gr.-lat.;* nach dem Schild ↑Ägis des Zeus u. der Athene⟩ *die;* -: in der Fügung: **unter jmds.**

Ägide: unter jmds. Schirmherrschaft

a|gie|ren ⟨*lat.*⟩: a) handeln, tun, wirken, tätig sein; b) [als Schauspieler] auftreten, eine Rolle spielen. **a|gil** ⟨*lat.-fr.;* „leicht zu führen, beweglich"⟩: behände, flink, gewandt; regsam, geschäftig. **a|gi|le** ['a:dʒilə] ⟨*lat.-it.*⟩: flink, beweglich (Vortragsanweisung; Mus.). **A|gi|li|tät** *die;* -: temperamentbedingte Beweglichkeit, Lebendigkeit, Regsamkeit (im Verhalten des Menschen zur Umwelt)

Ä|gi|lops ⟨*gr.-lat.*⟩ *der;* -: Windhafer (Gräsergattung in Südeuropa u. im Orient)

Ä|gi|ne|ten *die* (Plural): Giebelfiguren des Aphäatempels auf der griechischen Insel Ägina

A|gio ['a:ʒio, auch: 'a:dʒo] ⟨*it. (-fr.)*⟩ *das;* -s, -s u. Agien [...ʃən]: Aufgeld (z. B. Betrag, um den der Preis eines Wertpapiers über dem Nennwert liegt). **A|gio|papie|re** *die* (Plural): Schuldverschreibungen, die mit Agio zurückgezahlt werden. **A|gio|tage** [aʒio'ta:ʒə] ⟨*it.-fr.*⟩ *die;* -, -n: 1. Spekulationsgeschäft durch Ausnutzung von Kursschwankungen an der Börse. 2. (österr.) nicht rechtmäßiger Handel zu überhöhten Preisen, z. B. mit Eintrittskarten. **A|gio|teur** [...'tø:ɐ̯] *der;* -s, -e: 1. Börsenspekulant. 2. jmd., der unrechtmäßig z. B. mit Eintrittskarten zu überhöhten Preisen handelt. **A|gi|o|the|o|rie** *die;* -: Kapitalzinstheorie, die den Zins als Agio erklärt. **a|gi|o|tie|ren:** an der Börse spekulieren

Ä|gis ⟨*gr.-lat.;* „Ziegenfell"⟩ *die;* -: Schild des Zeus u. der Athene

A|gi|ta|tio ⟨*lat.-nlat.*⟩ *die;* -, ...tionen: körperliche Unruhe, Erregtheit eines Kranken. **A|gi|tati|on** ⟨*lat.-engl.*⟩ *die;* -, -en: a) (abwertend) aggressive Tätigkeit zur Beeinflussung anderer, vor allem in politischer Hinsicht; Hetze; b) politische Aufklärungstätigkeit; Werbung für bestimmte politische od. soziale Ziele. **A|gi|ta|ti|on und Pro|pagan|da** *die;* - - -: ↑Agitprop. **a|gita|to** [adʒi...] ⟨*lat.-it.*⟩: aufgeregt, heftig (Vortragsanweisung; Mus.). **A|gi|ta|tor** ⟨*lat.-engl.*⟩ *der;* -s, ...oren: jmd., der Agitation betreibt. **a|gi|ta|to|risch:** a) (abwertend) aggressiv [für politische Ziele] tätig, hetzerisch; b) politisch aufklärend. **a|gi|tieren:** a) (abwertend) in aggressiver Weise [für politische Ziele] tätig sein, hetzen; b) politisch

aufklären, werben. **a|gi|tiert:** erregt, unruhig (Psychol.). **[1]A|gitprop** [aus *Agitation* u. *Prop*aganda] *die;* -: Beeinflussung der Massen mit dem Ziel, in ihnen revolutionäres Bewusstsein zu entwickeln u. sie zur Teilnahme am Klassenkampf zu veranlassen. **[2]A|git|prop** *der;* -[s], -s: jmd., der agitatorische Propaganda betreibt. **A|git|pro|pe** *die;* -, -n: Gruppe von Laienspielern, die in kabarettistischer Form **[1]**Agitprop betreibt. **A|gitprop|the|a|ter** *das;* -s: in den sozialistischen Ländern entstandene Form des Laientheaters, das durch Verbreitung der marxistisch-leninistischen Lehre die allgemeine politische Bildung fördern soll

A|glo|bu|lie* ⟨*gr.; lat.-nlat.*⟩ *die;* -: Verminderung der Zahl der roten Blutkörperchen (Med.)

A|glos|sie* ⟨*gr.*⟩ *die;* -, ...ien: angeborenes Fehlen der Zunge (Med.)

A|gly|kon* ⟨*gr.-nlat.*⟩ *das;* -s, -e: zuckerfreier Bestandteil der ↑Glykoside

Ag|ma ⟨*gr.;* „Bruchstück"⟩ *das;* -[s]: der velare Nasallaut gg (ng) in der griech. u. lat. Grammatik

Ag|nat* ⟨*lat.;* „der Nachgeborene"⟩ *der;* -en, -en: (hist.) männlicher Blutsverwandter der männlichen Linie

Ag|na|tha* ⟨*gr.*⟩ *die* (Plural): Klasse von im Wasser lebenden, fischähnlichen Wirbeltieren, die keinen Kiefer haben. **Ag|na|thie** ⟨*gr.*⟩ *die;* -, ...ien: angeborenes Fehlen des Ober- od. Unterkiefers (Med.)

Ag|na|ti|on ⟨*lat.*⟩ *die;* -: (hist.) Blutsverwandtschaft väterlicherseits. **agna|tisch:** (hist.) im Verwandtschaftsverhältnis eines Agnaten stehend

Ag|ni|ti|on* ⟨*lat.*⟩ *die;* -, -en: (veraltet) Anerkennung

Ag|no|men* ⟨*lat.*⟩ *das;* -s, ...mina: in der röm. Namengebung der Beiname (z. B. die Bezeichnung „Africanus" im Namen des P. Cornelius Scipio *Africanus*); vgl. Kognomen

Ag|no|sie* ⟨*gr.-nlat.;* „das Nichterkennen"⟩ *die;* -, ...ien: 1. krankhafte Störung der Fähigkeit, Sinneswahrnehmungen (trotz erhaltener Funktionstüchtigkeit der Sinnesorgane) als solche zu erkennen (Med.). 2. Nichtwissen; Unwissenheit (Philos.). **Ag|nosti|ker** *der;* -s, -: Verfechter der Lehre des Agnostizismus. **ag-**

nos|tisch: die Agnosie betref-
fend. Ag|nos|ti|zis|mus *der; -:*
philosophische, theologische
Lehre, die eine rationale Erkenntnis des Göttlichen od.
Übersinnlichen leugnet. ag|nos-
ti|zis|tisch: die Lehre des
Agnostizismus vertretend. Ag-
nos|tus *der; -, ...ti u. ...ten:* Drei-
lappkrebs (vgl. Trilobit) aus dem
↑Paläozoikum

ag|nos|zie|ren* *‹lat.›:* a) aner-
kennen; b) (österr.) die Identität
(z. B. eines Toten) feststellen.

Ag|nus Dei* *‹lat.;* „Lamm Got-
tes") *das; - -, - -:* 1. (ohne Plural)
Bezeichung u. Sinnbild für
Christus. 2. a) Gebetshymnus im
katholischen Gottesdienst vor
der ↑Eucharistie (1 a); b) Schluss-
satz der musikalischen Messe. 3.
vom Papst geweihtes Wachstä-
felchen mit dem Bild des Oster-
lamms

A|gu|gik *‹gr.› die; -:* Lehre von der
individuellen Gestaltung des
Tempos beim musikalischen
Vortrag. a|go|gisch: individuell
gestaltet (in Bezug auf das Tempo eines musikalischen Vortrags)

à go|go *‹fr.›:* in Hülle u. Fülle,
nach Belieben

A|gon *‹gr.-lat.› der; -s, -e:* 1. sport-
licher od. geistiger Wettkampf
im antiken Griechenland. 2. der
Hauptteil der attischen Komö-
die. a|go|nal *‹gr.-nlat.›:* den
Agon betreffend; zum Wettkampf gehörend, wettkampfmä-
ßig

A|go|ne *‹gr.-nlat.;* „winkellose
(Linie)") *die; -, -n:* Linie, die alle
Orte, an denen keine Magnetna-
delabweichung von der Nord-
richtung auftritt, miteinander
verbindet

A|go|nie *‹gr.-lat.› die; -, ...ien:* a)
(ohne Plural) Gesamtheit der vor
dem Eintritt des klinischen To-
des auftretenden typischen Erscheinungen; z. B. ↑Facies hip-
pocratica (Med.); b) Todes-
kampf. A|go|nist *der; -en, -en:* 1.
Wettkämpfer, 2. einer von paar-
weise wirkenden Muskeln, der
eine Bewegung bewirkt, die der
des ↑Antagonisten (2) entgegen-
gesetzt ist (Med.). A|go|nis|tik
die; -: Wettkampfwesen, Wett-
kampfkunde. A|go|nis|ti|ker *die*
(Plural): Anhänger einer opposi-
tionellen, gegen die offizielle
christliche Kirche gerichteten
Bewegung im Nordafrika der
Spätantike

Ä|go|pho|nie *‹gr.-nlat.;* „Ziegen-

stimme") *die; -:* [krankhafter]
hoher meckernder Stimmklang
(Med.)

¹A|go|ra *‹gr.› die; -,* Ago|ren: 1.
Volksversammlung der alt-
griech. ↑Polis. 2. rechteckiger,
von Säulen umschlossener Platz
in altgriech. Städten; Markt- und
Versammlungsplatz

²A|go|ra *‹hebr.› die; -,* Agorot: is-
raelische Währungseinheit (1 israel. Schekel = 100 Agorot)

A|go|ra|pho|bie *‹gr.-nlat.› die; -:*
Platzangst, zwanghafte, von
Schwindel- od. Schwächegefühl
begleitete Angst, allein über freie
Plätze od. Straßen zu gehen
(Med.; Psychol.)

A|go|rot: *Plural* von ↑²Agora

Ag|raf|fe* *‹fr.;* „Haken"> *die; -,*
-n: 1. als Schmuckstück dienende Spange od. Schnalle. 2. klam-
merförmige Verzierung an
Rundbogen als Verbindung mit
einem darüber liegenden Gesims
(Architektur)

A|gram|ma|tis|mus *‹gr.-nlat.› der;*
-, ...men: (Med.) 1. (ohne Plural)
krankhaftes oder entwicklungs-
bedingtes Unvermögen, beim
Sprechen die einzelnen Wörter
grammatisch richtig aneinander
zu reihen; vgl. Aphasie. 2. einzelne Erscheinung des Agramma-
tismus (1)

Ag|ra|nu|lo|zy|to|se* *‹gr.;*
gr.› die; -, -n: durch Fehlen od.
starke Abnahme der ↑Granulo-
zyten im Blut bedingte schwere,
meist tödlich verlaufende
Krankheit

A|gra|pha* *‹gr.;* „Ungeschriebe-
nes"> *die* (Plural): Aussprüche
Jesu, die nicht in den vier ↑Evan-
gelien (1), sondern in anderen
Schriften des Neuen Testaments
oder in sonstigen Quellen über-
liefert sind. A|gra|phie *‹gr.-nlat.›*
die; -, ...ien: Unfähigkeit, einzelne Buchstaben od. zusammenhängende Wörter richtig zu
schreiben (Med.)

Ag|rar|bi|o|lo|gie* *‹lat.; gr.-nlat.›*
die; -: ↑Agrobiologie. Ag|rar-
che|mie *die; -:* ↑Agrikulturche-
mie. Ag|rar|eth|no|gra|phie,
auch: ...grafie *die; -:* Teilgebiet
der ↑Ethnographie, das die
Landwirtschaft als Phänomen
der Kultur erforscht. Ag|rar|ge-
o|gra|phie, auch: ...grafie *die; -:*
Teilgebiet der Geographie, das
sich mit den von der Landwirtschaft genutzten Teilen der Erd-
oberfläche beschäftigt. Ag|ra|ri-
er *der; -s, -* (meist Plural): Groß-
grundbesitzer, Landwirt. ag|ra-

risch: die Landwirtschaft betref-
fend. Ag|rar|kol|lo|ni|sati|on *die;*
-: agrarwirtschaftliche Erschlie-
ßung von wenig genutzten oder
ungenutzten Gebieten. Ag|rar-
kon|junk|tur *die; -:* spezielle
Ausprägung der gesamtwirt-
schaftlichen Konjunkturlage im
Agrarbereich. Ag|rar|kre|dit
der; -s, -e: Kredit, der landwirt-
schaftlichen Betrieben gewährt
wird. Ag|rar|po|li|tik *die; -:* Ge-
samtheit der Maßnahmen zur
Förderung der Landwirtschaft.
Ag|rar|pro|dukt *das; -s, -e:* land-
wirtschaftliches Erzeugnis. Ag-
rar|re|form *die; -, -en:* Komplex
von Maßnahmen, deren Ziel die
Förderung des Wohlstands der
in der Landwirtschaft Beschäftigten u. die Erzeugnissteigerung
der Landwirtschaft ist. Ag|rar-
so|zi|o|lo|gie *die; -:* Wissen-
schaft, die sich mit den wirtschaftlichen, sozialen u. politischen Verhältnissen der Landbe-
völkerung (z. B. Landflucht,
Verstädterung) befasst. Ag|rar-
staat *der; -[e]s, -en:* Staat, dessen Wirtschaft überwiegend
durch die Landwirtschaft be-
stimmt wird. Ag|rar|struk|tur
die; -: Gesamtheit der Bedingun-
gen (z. B. Siedlungsform, Boden-
nutzungsform), unter denen die
landwirtschaftliche Produktion
u. der Verkauf der landwirt-
schaftlichen Erzeugnisse statt-
finden. Ag|rar|tech|nik *die; -,*
-en: Technik der Bodenbearbei-
tung u. -nutzung. Ag|rar|wis-
sen|schaft *die; -:* ↑Agronomie.
Ag|rar|zo|ne *die; -:* Gebiet
mit überwiegend landwirtschaft-
licher Erwerbsstruktur

Ag|ree|ment* *[ə'gri:mənt] ‹lat.-*
fr. engl.› das; -s, -s: ↑Agrément
(1). 2. weniger bedeutsame,
formlose Übereinkunft zwischen
Staaten; vgl. Gentleman's
Agreement. ag|re|ie|ren *‹lat.-*
fr.›: genehmigen, für gut befin-
den. Ag|ré|ment *[agre'mã:] das;*
-s, -s: 1. Zustimmung einer Regierung zur Ernennung eines
diplomatischen Vertreters in ihrem Land. 2. (nur Plural) Aus-
schmückungen od. rhythmische
Veränderungen einer Melodie
(Mus.)

Ag|rest* *‹lat.-it.› der; -[e]s, -e:* aus
unreifen Weintrauben gepresster
Saft, Erfrischungsgetränk

äg|rie|ren* *‹lat.-fr.›:* (veraltet) er-
bittern

Ag|ri|kul|tur* *‹lat.› die; -, -en:*
Ackerbau, Landwirtschaft. Ag-

ri|kul|tur|che|mie *die; -:* Teilgebiet der angewandten Chemie, das sich bes. mit Pflanzen- u. Tierernährung, Düngerproduktion u. Bodenkunde befasst. **Ag|ri|kul|tur|phy|sik** *die; -:* ↑Agrophysik **Ag|ro|bi|o|lo|gie*** ⟨*gr.-nlat.-russ.*⟩ *die; -:* Lehre von den biologischen Gesetzmäßigkeiten in der Landwirtschaft. **ag|ro|bi|o|lo|gisch:** die Agrobiologie betreffend. **Ag|ro|che|mie** *die; -:* ↑Agrikulturchemie. **Ag|ro|nom** *der; -en, -en:* 1. ⟨*gr.-nlat.*⟩ akademisch ausgebildeter Landwirt. 2. ⟨*gr.-nlat.-russ.*⟩ wissenschaftlich ausgebildete Fachkraft in der sozialistischen Landwirtschaft mit leitender od. beratender Tätigkeit. **Ag|ro|no|mie** *die; -:* Ackerbaukunde, Landwirtschaftswissenschaft. **ag|ro|no|misch:** ackerbaulich. **Ag|ro|phy|sik** *die; -:* Lehre von den physikalischen Vorgängen in der Landwirtschaft. **Ag|ro|stadt** ⟨*gr.; dt.*⟩ *die; -, ...städte:* 1. große, stadtähnliche Siedlung, deren Bewohner vorwiegend in der Landwirtschaft arbeiten (z. B. in Südeuropa, Südamerika, China). 2. als Mittelpunkt von Kollektivwirtschaften propagierte u. geförderte Siedlung städtischen Typs in der Sowjetunion. **Ag|ros|to|lo|gie** ⟨*gr.-nlat.*⟩ *die; -:* Gräserkunde. **Ag|ro|tech|nik** ⟨*gr.-nlat.-russ.*⟩ *die; -:* Anbautechnik (in der Landwirtschaft). **ag|ro|tech|nisch:** die Agrotechnik betreffend. **Ag|ro|ty|pus** ⟨*gr.*⟩ *der; -, ...pen:* Kulturpflanzensorte als Produkt einer Pflanzenzüchtung **Ag|ru|men*, Ag|ru|mi** ⟨*lat.-mlat.-it.*⟩ *die* (Plural): „Sauerfrüchte") *die* (Plural): Sammelname für Zitrusfrüchte (Zitronen, Apfelsinen) **Ag|ryp|nie*** ⟨*gr.-nlat.*⟩ *die; -, ...ien* ↑Asomnie

A|gu|lja ⟨*span.*⟩ *der; -s, -s* (auch: *die; -, -s*): südamerik. Bussard

A|gu|ti ⟨*indian.-span.*⟩ *der* od. *das; -s, -s:* hasenähnliches Nagetier (Goldhase) in Südamerika

Ä|gyp|ti|ene [ɛʒiˈpsjɛn] vgl. Egyptienne. **ä|gyp|tisch** ⟨*gr.*⟩: das Land Ägypten betreffend; **ägyptische Finsternis:** sehr große Dunkelheit. **Ä|gyp|to|lo|gie** ⟨*gr.-nlat.*⟩ *der; -n, -n:* Wissenschaftler, der sich mit der Erforschung von Kultur u. Sprache des alten Ägyptens beschäftigt. **Ä|gyp|to|lo|gie** *die; -:* Wissenschaft von Kultur u. Sprache des alten

Ägyptens. **ä|gyp|to|lo|gisch:** die Ägyptologie betreffend **A|har** ⟨nach der iran. Stadt⟩ *der; -[s], -s:* Orientteppich von feiner Knüpfung u. schwerer Struktur **A|has|ver** [auch: aˈhasvɐ] ⟨*hebr.-lat.*⟩; nach Ahasverus, dem Ewigen Juden⟩ *der; -s, -s* u. *-e:* ruhelos umherirrender Mensch. **a|has|ve|risch:** ruhelos umherirrend **a|he|mi|to|nisch** ⟨*gr.; dt.*⟩: halbtonlos (Mus.) **a|his|to|risch** [auch: a...]: geschichtliche Gesichtspunkte außer Acht lassend **Ai** [auch: aˈiː] ⟨*Tupi-port.*⟩ *das; -s, -s:* Dreizehenfaultier **Aich|mo|pho|bie** ⟨*gr.-nlat.*⟩ *die; -, ...ien:* krankhafte Angst, sich od. andere mit spitzen Gegenständen verletzen zu können (Psychol.; Med.) **AI|DA-For|mel** *die; -:* zusammenfassende Formel der Aufgaben, die zu erfolgreicher Werbung führen sollen: Aufmerksamkeit (attention) erregen, Interesse (interest) wecken, Verlangen (desire) hervorrufen und den Kauf des beworbenen Objekts, auslösen **Aide** [ɛːt] ⟨*lat.-fr.*⟩ *der; -n* [ɛːdn̩], *-n* [ɛːdn̩]: 1. (veraltet) Helfer, Gehilfe. 2. (schweiz.) Küchengehilfe, Hilfskoch (Gastr.). 3. Mitspieler, Partner [im ↑Whist]. **Aide-mé|moire** [ɛtmeˈmoaːɐ̯] ⟨*fr.;* „Gedächtnishilfe") *das; -, -[s]:* im diplomatischen Verkehr in der Regel während einer Unterredung überreichte knappe schriftliche Zusammenfassung eines Sachverhalts zur Vermeidung von späteren Missverständnissen **Ai|doi|o|ma|nie** ⟨*gr.-nlat.*⟩ *die; -:* ins Krankhafte gesteigerter Geschlechtstrieb (Psychol.) **Aids** [ɛɪdz] ⟨*engl.* Kurzw. aus acquired immune deficiency syndrome⟩ *das;* - (meist ohne Artikel): durch ein Virus hervorgerufene Krankheit, die zu schweren Störungen im Immunsystem führt (Med.) **Ai|gret|te*** [ɛˈgrɛtə] ⟨*provenzal.-fr.*⟩ *die; -, -n:* 1. [Reiher]federschmuck, als Kopfputz auch mit Edelsteinen. 2. büschelförmiges Gebilde, etwa als Strahlenbündel bei Feuerwerken **Ai|guil|lette*** [ɛgiˈjɛtə] ⟨*fr.*⟩ *die; -, -n:* bauchige Wasserkanne aus Metall od. Keramik (Kunstw.) **Ai|guil|let|te** [ɛgiˈjɛtə] ⟨*fr.*⟩ *die; -, -n:* 1. Streifen von gebratenem

Fisch, Fleisch, Wild od. Geflügel. 2. (veraltet) Achselschnur [an Uniformen], Schnur zum Verschließen von Kleidungsstücken **Ai|ken-Kode** [ˈeɪkɪn...] ⟨*amerik.; lat.-gr.-engl.*⟩ *der; -s:* Kode zur Verschlüsselung von Dezimalzahlen **Ai|ki|do** ⟨*jap.*⟩ *das; -s:* Form der Selbstverteidigung **Ai|le|rons** [ɛlərõː] ⟨*lat.-fr.*⟩ *die* (Plural): Flügelstücke von größerem Geflügel **¹Air** [ɛːɐ̯] ⟨*lat.-fr.*⟩ *das; -s, -s:* 1. Hauch, Fluidum. 2. Aussehen, Haltung **²Air** [ɛːɐ̯] ⟨*it.-fr.*⟩ *das; -s, -s* (auch: *die; -, -s*): liedartiges Instrumentalstück **Air|bag** [ˈɛːɐ̯bɛk] ⟨*engl.*⟩ *der; -s, -s:* Luftsack, Sicherheitseinrichtung in Kraftfahrzeugen zum Schutz der Insassen bei einem Zusammenstoß. **Air|brush** [ˈɛːɐ̯braʃ] *der; -s, -s:* Farbsprühgerät für besondere grafische Effekte. **Airbus** [ˈɛːɐ̯...] *der; -ses, -se:* Passagierflugzeug mit großer Sitzkapazität für Mittel- u. Kurzstrecken. **Air|con|di|tion** [ˈɛːɐ̯kɔndɪʃən] vgl. Airconditioning. **Air|con|di|tio|ner** *der; -s, -* u. **Air|con|di|tio|ning** [...dɪʃnɪŋ] *das; -s, -s:* Klimaanlage **Aire|dale|ter|ri|er** [ˈɛədeil...] ⟨nach einem Airdale genannten Talabschnitt, durch den der engl. Fluss Aire fließt⟩ *der; -s, -:* Vertreter einer englischen Haushundrasse mit meist gelblich braunem Fell, das auf den Rücken u. der Oberseite von Hals u. Kopf schwarz ist **Air Force** [ˈɛɐ̯ˈfoːɐ̯s] ⟨*engl.*⟩ *die;* - -: [die engl. u. amerik.] Luftwaffe, Luftstreitkräfte. **Air|glow** [...gloː] ⟨*engl.*⟩ *das; -s:* Leuchterscheinung in der ↑Ionosphäre (Astron.). **Air|hos|tess** [...hɔstɛs] ⟨*engl.*⟩ *die; -, -en:* ↑Hostess, die im Flugzeug Dienst tut; Stewardess. **Air|lift** [ˈɛːɐ̯...] ⟨*engl.*⟩ *der; -[e]s, -e* u. *-s:* Versorgung auf dem Luftweg, Luftbrücke. **Air|lift|ver|fah|ren** *das; -s:* Verfahren zum Fördern von Erdöl durch die Zufuhr von Luft, das angewendet wird, wenn die Ölzufuhr zum Bohrloch nachlässt. **Air|mail** [ˈɛːɐ̯me:l] ⟨*engl.*⟩ *die; -:* Luftpost. **Ai|lrg|tor** [ɛ...] ⟨*engl.*⟩ *der; -s, ...toren:* eine bestimmte Art von Zahnbohrer. **Air|port** [ˈɛːɐ̯...] ⟨*engl.*⟩ *der; -s, -s:* Flughafen. **Air|ter|mi|nal** ⟨*engl.*⟩ *der* (auch: *das*); -s, -s, -s: Flughafen

Alja ⟨it.⟩ die; -, -s: (veraltet) Hofmeisterin, Erzieherin (fürstlicher Kinder)

Aljaltollah ⟨pers.⟩ der; -[s], -s: schiitischer Ehrentitel

Aljax ⟨Herkunft unsicher⟩ der; -, -: aus drei od. fünf Personen gebildete Pyramide, bei der der Obermann im Handstand steht (Kunstkraftsport)

Ajlmallin ⟨ind.; lat.⟩ das; -s: in bestimmten dem Oleander ähnlichen Gewächsen vorkommendes Alkaloid, das in der Medizin als Herzmittel verwendet wird

à jour [a'ʒu:ɐ̯] ⟨fr.⟩: 1. [„bis zum (laufenden) Tage"] a) bis zum [heutigen] Tag; à jour sein: auf dem Laufenden sein; b) ohne Buchungsrückstand (Buchführung). 2. [„durchbrochen"] (österr.: ajour) durchbrochen gearbeitet (von Spitzen u. Geweben); à jour gefasst: nur am Rande, also bodenfrei, gefasst (von Edelsteinen). aljoulrielren: 1. (österr.) etwas à jour herstellen. 2. (österr.) Edelsteine nur am Rande fassen. 3. auf dem Laufenden halten, aktualisieren

Aljolwanlöl ⟨Herkunft unsicher⟩ das; -[e]s: ätherisches Öl, das zur Herstellung von Mundwasser u. Zahnpasta verwendet wird

Alkaldelmie ⟨gr.-lat.(-fr.); Name der Lehrstätte des altgriech. Philosophen Platon in Athen⟩ die; -, ...ien: 1. a) Institution, Vereinigung von Wissenschaftlern zur Förderung u. Vertiefung der Forschung; b) Gebäude für diese Institution. 2. [Fach]hochschule (z.B. Kunst-, Musikakademie, medizinische Akademie). 3. (österr.) literarische od. musikalische Veranstaltung. Alkaldelmiker der; -s, -. 1. jmd., der eine abgeschlossene Universitäts- od. Hochschulausbildung hat. 2. Mitglied einer Akademie (1 a). alkaldelmisch: 1. an einer Universität od. Hochschule [erworben, erfolgend, üblich]. 2. a) wissenschaftlich; b) (abwertend) trocken, theoretisch; c) müßig, überflüssig. alkaldelmilsielren: a) in der Art einer Akademie (1 a, 2) einrichten; b) (abwertend) akademisch (2 b) betreiben; c) (bestimmte Stellen) nur mit Leuten akademischer (1) Ausbildung besetzen. Alkaldemislmus ⟨nlat.⟩ der; -: starre, dogmatische Kunstauffassung od. künstlerische Betätigung. Alkaldelmist der; -en, -en: (veraltet) Mitglied einer Akademie

Alkallit® [auch: ...'lɪt] ⟨Kunstw.⟩ das; -s: Kunststoff aus Kasein

Alkallkullie ⟨gr.-lat.⟩ die; -, ...ien: Rechenschwäche, meist infolge einer Erkrankung des unteren Scheitellappens (Med.)

Alkanlje ⟨russ.⟩ das; -: veränderte Aussprache unbetonter Silben in der russischen Sprache

Alkanlthit [auch: ...'tɪt] ⟨gr.-nlat.⟩ der; -s: Silberglanz (ein Mineral).

Alkanlthgloo ⟨gr.⟩ die; -, -n: krankhafte Verdickung der Oberhaut infolge von Vermehrung bzw. Wucherung der Stachelzellen (Med.). Alkanlthus ⟨gr.-lat.⟩ der; -, -: a) Bärenklau (stachliges Staudengewächs in den Mittelmeerländern); b) Ornament nach dem Vorbild der Blätter des Akanthus (z.B. an antiken Tempelgiebeln; Kunstw.)

Alkarldilalkus ⟨gr.-nlat.⟩, Alkardilus ⟨gr.⟩ -: Doppelgeburt, bei der einem Zwilling das Herz fehlt (Med.)

Alkarilalsis ⟨gr.-nlat.⟩ die; -: durch Milben hervorgerufene Hauterkrankung. Alkarilne die; -, -n: Milbe. Alkarilnglse die; -, -n: 1. durch Milben hervorgerufene Kräuselung des Weinlaubs. 2. Akariasis. Alkarilzid ⟨gr.; lat.⟩ das; -s, -e: Milbenbekämpfungsmittel im Obst- u. Gartenbau. Alkarolidlharz ⟨gr.; dt.⟩ das; -es: an den Bäumen der Gattung Xanthorrhoea gewonnenes gelbes od. rotes Harz (Farbstoff für Lack u. Firnis). Alkarollolgie die; -: Teilgebiet der Zoologie, auf dem man sich mit der Untersuchung der Milben befasst. Alkaruslräulde ⟨gr.-nlat.; dt.⟩ die; -: durch Milben hervorgerufener Hautausschlag bei Tieren

Alkarylolbilont ⟨gr.-nlat.⟩ der; -en, -en (meist Plural) ↑ Anukleobiont. Alkarylont der; -en, -en: kernlose Zelle (Zool.). alkarylot: kernlos (von Zellen; Zool.)

alkaltallekltisch ⟨gr.-lat.⟩: mit einem vollständigen Versfuß (der kleinsten rhythmischen Einheit eines Verses) endend (antike Metrik)

Alkaltalphalsie ⟨gr.⟩ die; -: Unvermögen, die grammatischen Gesetze richtig anzuwenden

Alkalthisltos ⟨gr.⟩ „nicht sitzend"⟩ der; -, ...toi: Marienhymnus der orthodoxen Kirchen, der im Stehen gesungen wird

Alkalthollik [auch: ...'li:k] ⟨gr.⟩ der; -en, -en: jmd., der nicht zur katholischen Kirche gehört. alkaltholllisch [auch: ...'to:...]: nicht zur kath. Kirche gehörend

alkaulsal ⟨gr.; lat.⟩: ohne ursächlichen Zusammenhang

alkausltisch ⟨gr.; dt.⟩: nicht ätzend (Chem.); Ggs. ↑ kaustisch

Alkalzie ⟨gr.-lat.⟩ die; -, -n: a) tropischer Laubbaum, zur Familie der ↑ Leguminosen gehörend, der Gummiarabikum liefert; b) (ugs.) ↑ Robinie

Alkellei ⟨mlat.⟩ die; -, -en: Zier- u. Arzneipflanze (ein Hahnenfußgewächs)

alkelphal, selten: alkelphallisch ⟨gr.-nlat.; „ohne Kopf"⟩: a) am Anfang um die erste Silbe verkürzt (von einem Vers; antike Metrik); b) ohne Anfang (von einem literarischen Werk, dessen Anfang nicht od. nur verstümmelt erhalten ist)

Alkilnglkes ⟨pers.-gr.⟩ der; -, -: (hist.) Kurzschwert der Perser u. Skythen

Alkilnglse (seltener) od. Alkilnelsie ⟨gr.-nlat.⟩ die; -: Bewegungsarmut, Bewegungshemmung von Gliedmaßen (Med.; Psychol.). Alkilnglten die (Plural): dickwandige Dauerzellen der Grünalgen zur Überbrückung ungünstiger Umweltbedingungen (Biol.). alkilngltisch: bewegungsgehemmt (von Gliedmaßen; Med.; Psychol.)

Aklklalmaltilon* ⟨lat.; „das Zurufen"⟩ die; -, -en: 1. beistimmender Zuruf ohne Einzelabstimmung [bei Parlamentsbeschlüssen]. 2. Beifall, Applaus. 3. liturgischer Grußwechsel zwischen Pfarrer u. Gemeinde. aklklamielren: (österr.) a) jmdm. applaudieren; b) jmdm. laut zustimmen

Aklklilmaltilsaltilon* ⟨lat.; gr.-nlat.⟩ die; -, -en: Anpassung eines Organismus an veränderte, umweltbedingte Lebensverhältnisse, bes. an ein fremdes Klima; vgl. ...ation/...ierung. aklklilmaltilsielren, sich: 1. sich an ein anderes Klima gewöhnen. 2. sich eingewöhnen, sich anderen Verhältnissen anpassen. Aklklilmaltisielrung die; -, -en: ↑ Akklimatisation; vgl. ...ation/...ierung

Aklkolladle ⟨lat.-vulgärlat.-fr.⟩ die; -, -n: 1. feierliche Umarmung bei Aufnahme in einen Ritterorden od. bei einer Ordensverleihung. 2. geschweifte Klammer, die mehrere Zeilen, Sätze, Wörter, Notenzeilen usw. zusammenfasst (Zeichen: {...}; Buchw.)

ak|kom|mo|da|bel ⟨*lat.-fr.*⟩: a) anpassungsfähig; b) zweckmäßig; c) anwendbar, einrichtbar; d) [gütlich] beilegbar (von Konflikten). **Ak|kom|mo|da|ti|on** *die;* -, -en: Angleichung, Anpassung. **ak|kom|mo|die|ren:** a) angleichen, anpassen; b) sich -: sich mit jmdm. über etwas einigen, sich vergleichen. **Ak|kommo|do|me|ter** ⟨*lat.; gr.*⟩ *das;* -s, -: Instrument zur Prüfung der Einstellungsfähigkeit des Auges **Ak|kom|pag|ne|ment*** [akompanjə'mã] ⟨*fr.*⟩ *das;* -s, -s: musikalische Begleitung (Mus.). **akkom|pag|nie|ren** [...'ji:rən]: einen Gesangsvortrag auf einem Instrument begleiten. **Ak|kompag|nist** [...'jıst] *der;* -en, -en: Begleiter (Mus.) **Ak|kord** ⟨*lat.-vulgärlat.-fr.*⟩ *der;* -[e]s, -e: 1. Zusammenklang von mindestens drei Tönen verschiedener Tonhöhe (Mus.). 2. gütlicher Ausgleich zwischen gegensätzlichen Interessen. 3. Einigung zwischen Schuldner u. Gläubiger zur Abwendung des ↑Konkurses (Vergleichsverfahren; Rechtsw.). 4. Bezahlung nach der Stückzahl, Stücklohn. **ak|kor|dant:** sich an vorhandene Strukturelemente anpassend (Geol.). **Ak|kor|dant** *der;* -en, -en: 1. jmd., der für Stücklohn arbeitet. 2. (schweiz.) kleiner Unternehmer (bes. im Bauwesen u. Ä.), der Aufträge zu einem Pauschalpreis je Einheit auf eigene Rechnung übernimmt. **Akkor|danz** *die;* -, -en: Anpassung bestimmter Gesteine an vorhandene Strukturelemente (Geol.). **Ak|kord|ar|beit** *die;* -: [auf Schnelligkeit ausgerichtetes] Arbeiten in Stücklohn. **Ak|kor|deon** *das;* -s, -s: Handharmonika. **Ak|kor|de|o|nist** *der;* -en, -en: jmd., der [berufsmäßig] Akkordeon spielt. **ak|kor|de|o|nistisch:** a) das Akkordeon betreffend; b) im Stil des Akkordeons. **ak|kor|die|ren:** vereinbaren, übereinkommen. **ak|kor|disch:** a) den Akkord (1) betreffend; b) in Akkorden (1) geschrieben. **Ak|kord|lohn** *der;* -[e]s, ...löhne: Stücklohn, Leistungslohn **ak|kou|chie|ren** [aku'ʃi:rən] ⟨*lat.-fr.*⟩: (veraltet) entbinden, Geburtshilfe leisten **ak|kre|di|tie|ren*** ⟨*lat.-it.-fr.*⟩: 1. beglaubigen (bes. einen diplomatischen Vertreter eines Landes). 2. Kredit einräumen, verschaffen. **Ak|kre|di|tiv** *das;* -s,

-e: 1. Beglaubigungsschreiben eines diplomatischen Vertreters. 2. a) Handelsklausel; Auftrag an eine Bank, einem Dritten (dem Akkreditierten) innerhalb einer bestimmten Frist einen bestimmten Betrag auszuzahlen; b) Anweisung an eine od. mehrere Banken, dem Begünstigten Beträge bis zu einer angegebenen Höchstsumme auszuzahlen **Ak|kres|zenz*** ⟨*lat.*⟩ *die;* -, -en: das Anwachsen [eines Erbteils]. **ak|kres|zie|ren:** (veraltet) anwachsen, zuwachsen **Ak|ku** *der;* -s, -s: Kurzform von ↑Akkumulator (1) **Ak|kul|tu|ra|ti|on** ⟨*lat.-nlat.*⟩ *die;* -, -en: 1. Übernahme fremder geistiger u. materieller Kulturgüter durch Einzelpersonen od. ganze Gruppen (Soziol.). 2. a) ↑Sozialisation; b) Anpassung an ein fremdes Milieu (z. B. bei Auswanderung). **ak|kul|tu|rieren:** anpassen, angleichen **Ak|ku|mu|lat** ⟨*lat.*⟩ *das;* -[e]s, -e: (veraltet) Agglomerat (1). **Akku|mu|la|ti|on** *die;* -, -en: Anhäufung, Speicherung, Ansammlung. **Ak|ku|mu|la|tor** *der;* -s, ...oren: 1. Gerät zur Speicherung von elektrischer Energie in Form von chemischer Energie; Kurzform: Akku. 2. Druckwasserbehälter einer hydraulischen Presse. 3. spezielle Speicherzelle einer Rechenanlage, in der Zwischenergebnisse gespeichert werden (EDV). **ak|ku|mu|lieren:** anhäufen; sammeln, speichern **ak|ku|rat** ⟨*lat.*⟩: 1. sorgfältig, genau, ordentlich. 2. (ugs., süddt. u. österr.) gerade, genau, z. B. akkurat das habe ich gemeint. **Ak|ku|ra|tes|se** ⟨französierende Bildung zu akkurat⟩ *die;* -: Sorgfalt, Genauigkeit; Ordnungsliebe **Ak|ku|sa|ti|ons|prin|zip** ⟨*lat.*⟩ *das;* -s: im Strafprozessrecht geltendes Prinzip, nach dem das Gericht im Strafverfahren erst übernimmt, wenn durch die Staatsanwaltschaft Anklage erhoben wurde (Rechtsw.). **Ak|kusa|tiv** *der;* -s, -e: 4. Fall, Wenfall; Abk.: Akk.; **Akkusativ mit Infinitiv** *lat.* accusativus cum infinitivo [Abk.: acc. c. inf. od. a. c. i.]): Satzkonstruktion (bes. im Lat.), in der das Akkusativobjekt des ersten Verbs zugleich Subjekt des zweiten, im Infinitiv stehenden Verbs ist (z. B. ich höre *den Hund bellen* = ich höre den

Hund. Er bellt.). **Ak|ku|sa|tivob|jekt** *das;* -s, -e: Ergänzung eines Verbs im 4. Fall (z. B. sie fährt *den Wagen*). **A|kli|ne*** ⟨*gr.-nlat.*⟩ *die;* -: Verbindungslinie der Orte ohne magnetische ↑Inklination (2) **Ak|me** ⟨*gr.;* „Spitze; Gipfel, Vollendung"⟩ *die;* -: 1. Gipfel, Höhepunkt einer Entwicklung, bes. einer Krankheit od. des Fiebers. 2. in der Stammesgeschichte die Höhepunkt der Entwicklung einer Organismengruppe; Ggs. ↑Epakme. **Ak|me|is|mus** ⟨*gr.-russ.*⟩ *der;* -: neoklassizistische literarische Richtung in Russland (um 1914), deren Vertreter Genauigkeit im Ausdruck u. Klarheit der Formen forderten. **Akme|ist** *der;* -en, -en: Vertreter des Akmeismus **Ak|ne** ⟨*gr.-nlat.*⟩ *die;* -, -n: mit Knötchen- u. Pustelbildung verbundene Entzündung der Talgdrüsen **A|ko|as|ma** ⟨*gr.-nlat.*⟩ *das;* -s, ...men: krankhafte Gehörshalluzination, subjektiv wahrgenommenes Geräusch (z. B. Dröhnen, Rauschen; Med.) **A-Koh|le** *die;* -: ↑Aktivkohle **A|ko|luth** vgl. Akolyth. **A|ko|luthie** ⟨*gr. nlat.*⟩ *die;* -, ...ien: 1. gottesdienstliche Ordnung der Stundengebete in den orthodoxen Kirchen (Rel.). 2. stoische Lehre von der notwendigen Folge der Dinge (Philos.). 3. Zeitspanne, in der eine vorhergehende seelische, noch nicht abgeklungene Erregung die nachfolgende hemmt (Psychol.). **A|kolyth,** Akoluth ⟨*gr.-mlat.;* „Begleiter"⟩ *der;* -en u. -s, -en: Laie (2), der während der ¹Messe (1) bestimmte Dienste am Altar verrichtet (früher katholische Kleriker im 4. Grad der niederen Weihen) **A|kon** (Kunstw.) *das;* -[s]: Handelsbezeichnung einiger Pflanzenseiden, die als Füllmaterial verwendet werden **A|ko|nit** ⟨*gr.-lat.*⟩ *das;* -s, -e: Eisenhut, Sturmhut (zur Familie der ↑Ranunkulazeen gehörende Pflanzengattung mit großen blauen Blüten). **A|ko|ni|tin** vgl. Aconitin **A|kon|to** ⟨*it.*⟩ *das;* -s, ...ten u. -s: (bes. österr.) Anzahlung. **A|konto|zah|lung** *die;* -, -en: Anzahlung, Abschlagszahlung; vgl. a conto **¹A|ko|rie** ⟨*gr.*⟩ *die;* -, ...ien: Unersättlichkeit, Gefräßigkeit

²A|ko|rie ⟨gr.-nlat.⟩ die; -, ...ien:
pupillenlose ↑Iris (2)

A|kos|mis|mus ⟨gr.-nlat.⟩ der; -:
philos. Lehre, die die selbstständige Existenz der Welt leugnet u.
Gott als einzig wahre Wirklichkeit betrachtet (Phil.; Rel.).
A|kos|mist der; -en, -en: Vertre-
ter des Akosmismus
a|ko|ty|le|don ⟨gr.-nlat.⟩: keim-
blattlos (Bot.). A|ko|ty|le|do|ne
die; -, -n: keimblattlose Pflanze
ak|qui|rie|ren ⟨lat.⟩: 1. erwerben,
anschaffen. 2. als Akquisiteur
tätig sein. Ak|qui|se die; -, -n:
(ugs.) ↑Akquisition (2). Ak|qui-
si|teur [...'tø:ɐ̯] ⟨französierende
Neubildung⟩ der; -s, -e: a) Kun-
denwerber, Werbevertreter (bes.
im Buchhandel); b) jmd., der andere dafür wirbt, dass sie Anzeigen in eine Zeitung setzen lassen.
Ak|qui|si|ti|on ⟨lat.(-fr.)⟩ die; -,
-en: 1. [vorteilhafte od. schlech-
te] Erwerbung. 2. Kundenwerbung durch Vertreter (bes. bei
Zeitschriften-, Theater- u. ande-
ren Abonnements). Ak|qui|si-
tor der; -s, ...oren: (österr.)
↑Akquisiteur. ak|qui|si|to|risch
⟨lat.-nlat.⟩: die Kundenwerbung
betreffend
ak|ral* ⟨gr.⟩: die ↑Akren betref-
fend
Ak|ra|ni|er* ⟨gr.-nlat.⟩ die (Plu-
ral): schädellose Meerestiere mit
knorpelartigem Rückenstützor-
gan (z.B. Lanzettfischchen).
Ak|ra|ni|us der; -, ...nien: ohne
Schädel od. Schädeldach gebo-
renes Kind (Med.)
Ak|ra|to|pe|ge* ⟨gr.-nlat.⟩ die; -,
-n: kalte Mineralquelle (unter
20°C) mit geringem Mineralge-
halt. Ak|ra|to|ther|me die; -, -n:
warme Mineralquelle (über
20°C) mit geringem Gehalt an
gelösten Stoffen
Ak|ren* ⟨gr.-nlat.⟩ die (Plural): die
äußersten (vorstehenden) Körperteile (z.B. Nase, Kinn, Beine,
Arme). Ak|ren|ze|pha|lon das;
-s, ...la: ↑Telenzephalon
Ak|ri|bie* ⟨gr.⟩ die; -: höchste Ge-
nauigkeit, Sorgfalt in Bezug auf
die Ausführung von etwas. ak|ri-
bisch: mit Akribie, sehr genau,
sorgfältig und gewissenhaft [aus-
geführt]. ak|ri|bis|tisch: intensi-
vierend für ↑akribisch
Ak|ri|din* vgl. Acridin
a|kri|tisch* ⟨gr.-nlat.⟩: ohne kriti-
sches Urteil, unkritisch, kritiklos
ak|ro|a|ma|tisch* ⟨gr.⟩ „hörbar,
zum Anhören bestimmt"): 1. nur
für den internen Lehrbetrieb
bestimmt (von Schriften des

griech. Philosophen Aristote-
les). 2. ausschließlich Eingeweih-
ten vorbehalten (von Lehren
griech. Philosophen). 3. nur zum
Anhören bestimmt (von einer
Lehrform, bei der der Lehrer
vorträgt u. der Schüler zuhört);
vgl. erotematisch. Ak|ro|an|läs-
the|sie die; -: Empfindungslosig-
keit in den ↑Akren (Med.). Ak-
ro|bat der; -en, -en: jmd., der
turnerische, gymnastische od.
tänzerische Übungen beherrscht
u. [im Zirkus od. Varietee] vor-
führt. Ak|ro|ba|tik der; -: a)
Kunst, Leistung eines Akrobaten; b) überdurchschnittliche
Geschicklichkeit u. Körperbe-
herrschung. ak|ro|ba|tisch: a)
den Akrobaten und seine Leistung betreffend; b) körperlich
besonders gewandt, geschickt.
ak|ro|dont: (von Zähnen) mitten
auf der Kante der Kiefer sich
befindend (z.B. bei Lurchen,
Schlangen). Ak|ro|dy|nie ⟨gr.-
nlat.⟩ die; -, ...ien: Schmerz an
den äußersten (vorstehenden)
Körperteilen (Med.). Ak|ro|dys-
to|nie die; -, ...ien: Krampf u.
Lähmung an den äußersten Enden der Gliedmaßen (Med.). ak-
ro|karp: die Frucht an der Spitze
tragend (Bot.). Ak|ro|ke|pha|le
vgl. Akrozephale. Ak|ro|ke|pha-
lie vgl. Akrozephalie. Ak|ro|le|in
⟨gr.; lat.⟩ das; -s: scharf riechender, sehr reaktionsfähiger ↑Alde-
hyd. Ak|ro|lith [auch: ...'lɪt] ⟨gr.⟩
das; ⟩ der; -s u. -en, -e[n]: altgriech.
Statue, bei der die nackten Teile
aus Marmor, der bekleidete Körper aus schlechterem Material
(z.B. Holz, Stuck) besteht. Ak-
ro|me|gal|lie ⟨gr.-nlat.⟩ die; -,
...ien: abnormes Wachstum der
↑Akren (z.B. Nase, Ohren, Zun-
ge, Gliedmaßen), bedingt durch
eine zu hohe Ausschüttung des
Wachstumshormons (Med.). Ak-
ro|mik|rie die; -, ...ien: abnor-
mer Kleinwuchs des Skeletts u.
der ↑Akren (Med.). ak|ro|ny-
chisch, ak|ro|nyk|tisch: beim
(scheinbaren) Untergang der
Sonne erfolgend (Astron.). Ak-
ro|nym das; -s, -e: ↑Initialwort.
akro|o|ro|gen ⟨gr.⟩: in der Tiefe
gefaltet u. nachträglich gehoben,
gebirgsbildend (Geol.). ak|ro-
pe|tal ⟨gr.; nlat.⟩ „nach oben stre-
bend"): aufsteigend (von den
Verzweigungen einer Pflanze,
der älteste Spross ist unten, der
jüngste oben; Bot.); Ggs. ↑basi-
petal. Ak|ro|pho|nie die; -, Be-
nennung der Buchstaben eine

Schrift nach etwas, dessen Bezeichnung mit dem entsprechenden Laut beginnt (z.B. in der
phönizischen Schrift). ak|ro-
pho|nisch: die Akrophonie be-
treffend; akrophonisches Prin-
zip: Akrophonie. Ak|ro|po|lis
⟨gr.⟩ die; -, ...polen: hoch gelege-
ner, geschützter Zufluchtsplatz
vieler griech. Städte der Antike.
Ak|ros|ti|chon das; -s, ...chen u.
...cha: a) hintereinander zu le-
sende Anfangsbuchstaben, -sil-
ben od. -wörter der Verszeilen,
Strophen, Abschnitte od. Kapitel, die ein Wort, einen Namen
od. einen Satz ergeben; b) Gedicht, das Akrostichen enthält;
vgl. Mesostichon, Telestichon.
Ak|ros|te|llon das; -s, ...ten u.
...ta: Gedicht, in dem Akrosti-
chon u. ↑Telestichon vereint
sind, sodass die Anfangsbuchstaben der Verse od. Zeilen eines
Gedichts od. Abschnitts von
oben nach unten gelesen u. die
Endbuchstaben von unten nach
oben gelesen das gleiche Wort
od. den gleichen Satz ergeben.
Ak|ro|ter der; -s, -e, Ak|ro|te|rie
die; -, -n u. Ak|ro|te|ri|on, Ak|ro-
te|ri|um ⟨gr.-lat.⟩ das; -s, ...ien:
Giebelverzierung an griech.
Tempeln
Ak|ro|tis|mus* ⟨gr.⟩ der; -, ...men:
Zustand des Organismus, in dem
der Puls nicht mehr gefühlt werden kann (Med.)
Ak|ro|ze|pha|le*, Akrokephale
⟨gr.-nlat.⟩ der; -n, -n: Hoch-,
Spitzkopf (Med.). Ak|ro|ze|pha-
lie, Akrokephalie die; -, ...ien:
Wachstumsanomalie, bei der
sich eine abnorm hohe u. spitze
Schädelform ausbildet (Med.).
Ak|ro|zy|a|no|se die; -, -: bläu-
liche Verfärbung der ↑Akren bei
Kreislaufstörungen (Med.). Ak-
ryl|säu|re vgl. Acrylsäure
Akt ⟨lat.⟩ der; -[e]s, -e: 1. a) Vorgang, Vollzug, Handlung; b) feierliche Handlung, Zeremoniell
(z.B. in Zusammensetzungen:
Staatsakt, Festakt). 2. Abschnitt, Aufzug eines Theater-
stücks. 3. künstlerische Darstellung des nackten menschlichen
Körpers. 4. ↑Koitus. 5. ↑Akte.
Ak|tant ⟨lat.-fr.⟩ der; -en, -en:
vom Verb gefordertes, für die
Bildung eines grammatischen
Satzes obligatorisches Satzglied
(z.B. der Gärtner bindet die Blumen; Sprachw.); vgl. Valenz. Ak-
te die; -, -n, österr. auch: Akt der;
-[e]s, -e: [geordnete] Sammlung
zusammengehörender Schrift-

stücke. **Ak|tei** *die;* -, -en: Aktensammlung. **Ak|teur** [ak'tø:ɐ̯] ⟨*lat.-fr.*⟩ *der;* -s, -e: 1. handelnde Person. 2. Schauspieler. **Akt|foto** *das;* -s, -s, **Akt|fo|to|gra|fie** *die;* -, -n: ↑Fotografie (2) eines Aktes (3). **Ak|tie** ['akt͜si̯ə] ⟨*lat.-niederl.*⟩ *die;* -, -n: Anteilschein am Grundkapital einer Aktiengesellschaft. **Ak|ti|en|ge|sell-schaft** *die;* -, -en: Handelsgesellschaft, deren Grundkapital (Aktienkapital) von Gesellschaftern (↑Aktionären) aufgebracht wird, die nicht persönlich, sondern mit ihren Einlagen für die Verbindlichkeiten haften (Abk.: AG). **Ak|ti|en|in|dex** *der;* -es, -e: Kennziffer für die Entwicklung des Kursdurchschnitts der bedeutendsten Aktiengesellschaften. **Ak|ti|en|ka|pi|tal** *das;* -s, -e u. -ien (österr. nur so): Summe des in Aktien zerlegten Grundkapitals einer Aktiengesellschaft. **Ak|ti|en|kurs** *der;* -es, -e: an der Börse festgestellter Preis von Wertpapieren **Ak|tin** ⟨*gr.*⟩ *das;* -s, -e: Eiweißverbindung im Muskel (Biochem.). **Ak|ti|ni|de** vgl. Actinide. **Ak|ti-nie** *die;* -, -n: Seeanemone. **ak|ti-nisch:** a) radioaktiv (von Heilquellen); b) durch Strahlung hervorgerufen (z. B. von Krankheiten). **Ak|ti|ni|tät** ⟨*gr.-lat.*⟩ *die;* -: photochemische Wirksamkeit einer Lichtstrahlung, bes. ihre Wirkung auf fotografisches Material. **Ak|ti|ni|um** vgl. Actinium. **Ak|ti|no|graph,** auch: ...graf ⟨*gr.-nlat.*⟩ *der;* -en, -en: Gerät zur Aufzeichnung der Sonnenstrahlung (Meteor.). **Ak|ti|no|lith** [auch: ...'lɪt] *der;* -s u. -en, -e[n]: Strahlstein (ein grünes Mineral). **Ak|ti|no|me|ter** *das;* -s, -: Gerät zur Messung der Sonnenstrahlung (Meteor.). **Ak|ti|no|met|rie** *die;* -: Messung der Strahlungsintensität der Sonne (Meteor.). **ak|ti|no|morph:** strahlenförmig (z. B. von Blüten; Bot.). **Ak|ti-no|my|ko|se** *die;* -, -n: Strahlenpilzkrankheit (Med.). **Ak|ti|no-my|zet** *der;* -en, -en: Strahlenpilz (Fadenbakterie) **Ak|ti|on** ⟨*lat.*⟩ *die;* -, -en: a) gemeinsames, gezieltes Vorgehen; b) planvolle Unternehmung, Maßnahme. **ak|ti|o|nal:** die Aktion betreffend; vgl. ...al/...ell. **Ak|ti|o|när** ⟨*lat.-fr.*⟩ *der;* -s, -e: Inhaber einer ↑Aktien einer ↑Aktiengesellschaft. **ak|ti|o|nell** ↑aktional; vgl. ...al/...ell. **Ak|ti|o|nis-mus** *der;* -: 1. Bestreben, das Be-

wusstsein der Menschen od. die bestehenden Zustände in Gesellschaft, Kunst od. Literatur durch gezielte [provozierende, revolutionäre] Aktionen zu verändern. 2. (oft abwertend) übertriebener Tätigkeitsdrang. **Ak|ti-o|nist** *der;* -en, -en: Vertreter des Aktionismus. **ak|ti|o|nis|tisch:** im Sinne des Aktionismus (1) [handelnd]. **Ak|ti|ons|art** *die;* -, -en: Geschehensart beim Verb (bezeichnet die Art u. Weise, wie das durch das Verb ausgedrückte Geschehen vor sich geht, z. B. iterativ: sticheln; faktitiv: fällen; Sprachw.); vgl. Aspekt (3). **Ak|ti|ons|po|ten|zi|al,** auch: ...potential *das;* -s, -e: elektrische Spannungsänderung mit Aktionsströmen bei Erregung von Nerven, Muskeln, Drüsen (Biochem.). **Ak|ti|ons|pro|gramm** *das;* -s, -e: Programm für Aktionen, die einem bestimmten Ziel dienen sollen. **Ak|ti|ons|quo|ti-ent** *der;* -en, -en: Maß für die Aktivität, die ein Sprechender durch seine Sprache ausdrückt, das durch das Verhältnis aktiver Elemente (z. B. Verben) zu den qualitativen (z. B. Adjektive) bestimmt wird; (Psychol.). **Ak|ti-ons|ra|di|us** *der;* -, ...ien Wirkungsbereich, Reichweite. **Ak|ti-ons|strom** *der;* -[e]s, ...ströme: bei der Tätigkeit eines Muskels auftretender elektrischer Strom. **Ak|ti|ons|tur|bi|ne** *die;* -, -n: Turbine, bei der die gesamte Energie (Wasser, Dampf od. Gas) vor dem Eintritt in das Laufrad in einer Düse in Bewegungsenergie umgesetzt wird; Gleichdruckturbine. **Ak|ti|ons-zent|rum*** *das;* -s, ...tren: 1. zentrale Stelle, von der politische Aktionen ausgehen. 2. die Großwetterlage bestimmendes, relativ häufig auftretendes, ausgedehntes Hoch- oder Tiefdruckgebiet (Meteor.)

ak|tiv [bei Hervorhebung od. Gegenüberstellung od. passiv auch: 'akti:f] ⟨*lat.*⟩: 1. a) unternehmend, geschäftig, rührig; zielstrebig; Ggs. ↑inaktiv, ↑passiv (1a); b) selbst in einer Sache tätig, sie ausübend (im Unterschied zum bloßen Erdulden o.Ä. von etw.); Ggs.↑passiv; **aktive Bestechung:** Verleitung eines Beamten od. einer im Militärdienst stehenden Person durch Geschenke, Geld o. Ä. zu einer Handlung, die eine Amts- od. Dienstpflichtverlet-

zung enthält; **aktive Handelsbilanz:** Handelsbilanz eines Landes, bei der mehr ausgeführt als eingeführt wird; **aktives Wahlrecht:** das Recht zu wählen; **aktiver Wortschatz:** Gesamtheit aller Wörter, die ein Sprecher in seiner Muttersprache beherrscht u. beim Sprechen verwendet. 2. a) im Militärdienst stehend (im Unterschied zur Reserve); b) als Mitglied einer Sportgemeinschaft regelmäßig an sportlichen Wettkämpfen teilnehmend. 3. ↑aktivisch. 4. optisch aktiv. 5. stark reaktionsfähig (Chem.); Ggs. ↑inaktiv (3 a). 6. einer studentischen Verbindung mit allen Pflichten angehörend; Ggs. ↑inaktiv (2 b). **¹Ak|tiv** [auch: ak'ti:f] ⟨*lat.*⟩ *das;* -s, -e Verhaltensrichtung des Verbs, die vom [meist in einer „Tätigkeit" befindlichen] Subjekt her gesehen ist; z. B. er *streicht* sein Zimmer; die Rosen *blühen* (Sprachw.); Ggs. ↑Passiv. **²Ak|tiv** ⟨*lat.-russ.*⟩ *das;* -s, -s od. -e: Arbeitsgruppe, bes. in der DDR, deren Mitglieder zusammen an der Erfüllung bestimmter gesellschaftlicher, wirtschaftlicher od. politischer Aufgaben arbeiten. **Ak|ti|va,** Aktiven ⟨*lat.*⟩ *die* (Plural): Vermögenswerte eines Unternehmens auf der linken Seite der↑Bilanz; Ggs. ↑Passiva. **Ak|ti|va|tor** ⟨*lat.-nlat.*⟩ *der;* -s, ...oren: 1. Stoff, der die Wirksamkeit eines↑Katalysators steigert. 2. einem nicht leuchtfähigen Stoff zugesetzte Substanz, die diesen zu einem Leuchtstoff macht (Chem.). 3. im ↑Serum (1 a) vorkommender, die Bildung von↑Antikörpern aktivierender Stoff (Med.). 4. Hilfsmittel zur Kieferregulierung. **¹Ak|ti|ve** ⟨*lat.*⟩ *der;* -n, -n: a) Sportler, der regelmäßig an Wettkämpfen teilnimmt; b) Mitglied eines Karnevalvereins, das sich mit eigenen Beiträgen an Karnevalssitzungen beteiligt; c) Mitglied einer studentischen ↑Aktivitas. **²Ak|ti-ve** *die;* -, -n: (veraltet) fabrikmäßig hergestellte Zigarette im Unterschied zur selbst gedrehten. **Ak|ti|ven** ⟨*lat.*⟩ vgl. Aktiva. **Ak|tiv|fi|nan|zie|rung** *die;* -, -en: Überlassung von Kapital an einen Dritten. **Ak|tiv|ge|schäft** *das;* -s, -e: Bankgeschäft, bei dem die Bank Kredite an Dritte gewährt; Ggs. ↑Passivgeschäft. **ak|ti|vie|ren** ⟨*lat.-fr.*⟩: 1. a) zu größerer Aktivität (1) veranlassen; b) in Tätigkeit setzen, in

Gang bringen, zu größerer Wirksamkeit verhelfen. 2. etwas als Aktivposten in die Bilanz aufnehmen; Ggs. ↑passivieren (1). 3. künstlich radioaktiv machen. **Ak|ti|vie|rung** die; -, -en: 1. (ohne Plural) das Aktivieren (1). 2. (ohne Plural) Erfassung von Vermögenswerten in der ↑Bilanz; Ggs. ↑Passivierung (Wirtsch.). 3. Prozess, durch den chemische Elemente od. Verbindungen in einen reaktionsfähigen Zustand versetzt werden (Chem.). 4. das Aktivieren (3) von Atomkernen (Phys.). **Ak|ti|vie|rungs|ana|ly|se** die; -, -n: Methode zur quantitativen Bestimmung kleinster Konzentrationen eines Elements in anderen Elementen (Chem.). **Ak|ti|vie|rungs|ener|gie** die; -, -n: 1. Energiemenge, die für die Einleitung gehemmter chem. u. physikal. Reaktionen nötig ist. 2. Energie, die einem atomaren System zugeführt werden muss, um es in einen angeregten Energiezustand zu bringen. **Ak|ti|vin** ⟨lat.-nlat.⟩ das; -s: ein ↑Chloramin. **ak|ti|visch** [auch: 'ak...] ⟨lat.⟩: das [Aktiv betreffend, zum [Aktiv gehörend (Sprachw.); Ggs. ↑passivisch. **Ak|ti|vis|mus** ⟨lat.-nlat.⟩ der; -: aktives Vorgehen, Tätigkeitsdrang. **Ak|ti|vist** der; -en, -en: 1. zielbewusst u. zielstrebig Handelnder. 2. jmd., der sich im sozialistischen Wettbewerb durch berufliche, gesellschaftliche o. ä. Leistungen besondere Verdienste erwirbt. **Ak|ti|vis|ten|dis|ser|ta|ti|on** die; -, -en: Referat eines Aktivisten (2) über seine neue, fortschrittliche Arbeitsmethode. **Ak|ti|vi|tas** ⟨nlat.⟩ die; -: Gesamtheit der zur aktiven Beteiligung in einer studentischen Verbindung Verpflichteten. **Ak|ti|vi|tät** die; -, -en: 1. (ohne Plural) Tätigkeitsdrang, Betriebsamkeit, Unternehmungsgeist; Ggs. ↑Inaktivität (1), ↑Passivität (1). 2. (ohne Plural) a) Maß für den radioaktiven Zerfall, d. h. die Stärke einer radioaktiven Quelle (Chem.); vgl. Radioaktivität; b) optische Aktivität. 3. (nur Plural) das Tätigwerden, Sichbetätigen in einer bestimmten Weise, bestimmte Handlungen. **Ak|tiv|koh|le** die; -: staubfeiner, poröser Kohlenstoff, der bes. als ↑Adsorbens zur Entgiftung, Reinigung benutzt wird (z. B. in Gasmaskenfiltern); Kurzw.: A-Kohle. **Ak|tiv|le|gi-**

ti|ma|ti|on die; -, -en: im Zivilprozess die sachliche Befugnis des Klägers, das strittige Recht geltend zu machen (Rechtsw.); Ggs. ↑Passivlegitimation. **Ak|tiv|pos|ten** der; -s, -: Vermögensposten, der auf der Aktivseite der Bilanz aufgeführt ist. **Ak|tiv|pro|zess** der; -es, -e: Prozess, den jemand als Kläger führt (Rechtsw.); Ggs. ↑Passivprozess. **Ak|tiv|stoff** der; -[e]s, -e: Stoff von großer chemischer Reaktionsfähigkeit. **Ak|ti|vum** ⟨lat.⟩ das; -s, ...va: (veraltet) [Aktiv. **Ak|tiv|ur|laub** der; -s, -e: Urlaub mit besonderen Aktivitäten, sehr aktiv gestalteter Urlaub. **Ak|tiv|zin|sen** die (Plural): Zinsen, die den Banken aus Kreditgeschäften zufließen; Ggs. ↑Passivzinsen **Ak|tor** der; -s, ...oren: ↑Aktuator. **Ak|tri|ce** [ak'tri:sə] ⟨lat.-fr.⟩ die; -, -n: Schauspielerin **ak|tu|al** ⟨lat.⟩: 1. wirksam, tätig (Philos.); Ggs. ↑potenzial (1). 2. in der Rede od. im ↑Kontext verwirklicht, eindeutig determiniert (Sprachw.); Ggs. ↑potenziell. 3. im Augenblick gegeben, sich vollziehend, vorliegend, tatsächlich vorhanden; Ggs. ↑potenziell. **Ak|tu|al|ge|ne|se** die; -, -n: stufenweise sich vollziehender Wahrnehmungsvorgang, ausgehend vom ersten, noch diffusen Eindruck bis zur klar gegliederten und erkennbaren Endgestalt (Psychol.). **ak|tu|a|li|sie|ren** ⟨lat.-nlat.-fr.⟩: 1. etwas [wieder] aktuell machen, beleben, auf den neuesten Stand bringen. 2. Varianten sprachlicher Einheiten in einem bestimmten Kontext verwenden (Sprachw.). **Ak|tu|a|lis|mus** der; -: a) philos. Lehre, nach der die Wirklichkeit ständig aktuales (1), nicht unveränderliches Sein ist; b) Auffassung, dass die gegenwärtigen Kräfte und Gesetze der Natur- u. Kulturgeschichte die gleichen sind wie in früheren Zeiträumen. **ak|tu|a|lis|tisch**: die Lehre, Theorie, Auffassung des Aktualismus betreffend, sie vertretend. **Ak|tu|a|li|tät** ⟨lat.-fr.⟩ die; -, -en: 1. (ohne Plural) Gegenwartsbezogenheit, -nähe, unmittelbare Wirklichkeit, Bedeutsamkeit für die unmittelbare Gegenwart. 2. (nur Plural) Tagesereignisse, jüngste Geschehnisse. 3. (ohne Plural) das Wirklichsein, Wirksamsein; Ggs. ↑Potenzialität (Philos.). **Ak|tu|a|li|tä|ten|ki|no** das; -s, -s:

Kino mit [durchgehend laufendem] aus Kurzfilmen verschiedener Art gemischtem Programm. **Ak|tu|a|li|täts|the|o|rie** die; -: 1. Lehre von der Veränderlichkeit, vom unaufhörlichen Werden des Seins (Philos.). 2. Lehre, nach der die Seele nicht an sich, sondern nur in den aktuellen, im Augenblick tatsächlich vorhandenen seelischen Vorgängen besteht (Psychol.). **Ak|tu|al|neu|ro|se** ⟨lat.; gr.⟩ die; -, -n: durch aktuelle, tatsächlich vorhandene, vorliegende Affekterlebnisse (z. B. Schreck, Angst) ausgelöste ↑Neurose (Psychol.). **Ak|tu|ar** ⟨lat.⟩ der; -s, -e: 1. (veraltet) Gerichtsangestellter. 2. wissenschaftlicher Versicherungs- u. Wirtschaftsmathematiker. **Ak|tu|a|ri|at** das; -[c]s, -e: Amt des Aktuars (1). **Ak|tu|a|ri|us** der; -, ...ien: ↑Aktuar (1). **Ak|tu|a|tor** ⟨lat.-engl.⟩ der; -s, ...to|ren. Bauelement am Ausgangsteil einer Steuer- od. Regelstrecke, der in Energie- od. Massenströme eingreift u. darin als veränderlicher Widerstand wirkt. **ak|tu|ell** ⟨lat.-fr.⟩: 1. im augenblicklichen Interesse liegend, zeitgemäß, zeitnah; Ggs. ↑inaktuell. 2. aktual (2, 3), im Augenblick gegeben, vorliegend, tatsächlich vorhanden; Ggs. ↑potenziell. **Ak|tu|o|ge|o|lo|gie** die; -: Teilgebiet der Geologie, das die Vorgänge der geologischen Vergangenheit unter Beobachtung der in der Gegenwart ablaufenden Prozesse zu erklären sucht. **Ak|tu|o|pa|lä|on|to|lo|gie** die; -: Teilgebiet der Paläontologie, das die Bildungsweise paläontologischer Fossilien unter Beobachtung der in der Gegenwart ablaufenden Prozesse zu erklären sucht. **Ak|tus** ⟨lat.⟩ der; -, - [...u:s]: (veraltet) [Schul]feier, [Schul]aufführung **A|ku|em** ⟨gr.⟩ das; -s, -e: phonisches u. artikulatorisches Element, in dem sich ein Affekt od. Gefühlszustand kundgibt (Sprachw.) **A|ku|li|tät** ⟨lat.⟩ die; -: akuter Verlauf einer Krankheit, akutes Krankheitsbild (Med.); Ggs. ↑Chronizität **A|ku|la|lie** die; -, ..jen: unsinnige lautliche Äußerung bei ↑Aphasie. **A|ku|met|rie*** die; -: ↑Audiometrie **a|ku|mi|nös** ⟨lat.-fr.⟩: scharf zugespitzt **A|ku|pres|sur** ⟨lat.⟩ die; -, -en:

(der Akupunktur verwandtes) Verfahren, bei dem durch kreisende Bewegungen der Fingerkuppen – unter leichtem Druck – auf bestimmten Körperstellen Schmerzen behoben werden sollen. A|ku|punk|teur [...'tøːɐ̯] ⟨lat.-nlat.⟩ der; -s, -e: jmd., der eine Akupunktur durchführt. a|ku|punk|tie|ren: eine Akupunktur durchführen. A|ku|punk|tur die; -, -en: Heilbehandlung durch Einstiche von feinen Nadeln aus Edelmetall in bestimmte Hautstellen. A|ku|punk|tu|rist der; -en, -en: ↑Akupunkteur

A|kus|ma|ti|ker ⟨gr.-nlat.⟩ der; -s, -: Angehöriger einer Untergruppe der ↑Pythagoreer (Philos.). A|kus|tik die; -: 1. a) Lehre vom Schall, von den Tönen; b) Schalltechnik. 2. Klangwirkung. A|kus|ti|ker der; -s, -: Fachmann für Fragen der Akustik. a|kus|tisch: a) die Akustik (1, 2) betreffend; b) klanglich; vgl. auditiv; akustischer Typ: Menschentyp, der Gehörtes besser behält als Gesehenes; Ggs. ↑visueller Typ. A|kus|to|che|mie die; -: Teilgebiet der physikalischen Chemie, das sich mit der Erzeugung von Schall durch chemische Reaktionen u. mit der Beeinflussung dieser durch Schallschwingungen beschäftigt

a|kut ⟨lat.; „scharf, spitz"⟩: 1. brennend, dringend, vordringlich, unmittelbar [anrührend] (in Bezug auf etwas, womit sich jmd. sofort beschäftigen muss oder was gerade unübersehbar im Vordergrund des Interesses steht). 2. unvermittelt auftretend, schnell u. heftig verlaufend (von Krankheiten u. Schmerzen; Med.); Ggs. ↑chronisch (1). A|kut der; -s, -e: Betonungszeichen, Akzent für steigende Stimmführung, z. B. é; vgl. Accent aigu. A|kut|kran|ken|haus das; -es, ...häuser: Krankenhaus für akute (2) Krankheitsfälle A|kyn ⟨kirg.-russ.⟩ der; -s, -e: kasachischer u. kirgisischer Volkssänger; vgl. Rhapsode ak|ze|die|ren ⟨lat.⟩: beitreten, beistimmen Ak|ze|le|ra|ti|on ⟨lat.; „Beschleunigung"⟩ die; -, -en: 1. Zunahme der Umlaufgeschwindigkeit des Mondes. 2. Zeitunterschied zwischen einem mittleren Sonnen- u. einem mittleren Sterntag. 3. Änderung der Ganggeschwindigkeit einer Uhr. 4. Entwick-

lungsbeschleunigung bei Jugendlichen. 5. Beschleunigung in der Aufeinanderfolge der Individualentwicklungsvorgänge (Biol.); vgl. ...ation/...ierung. Ak|ze|le|ra|ti|ons|prin|zip das; -s: Wirtschaftstheorie, nach der eine Schwankung der Nachfrage nach Konsumgütern eine prozentual größere Schwankung bei den ↑Investitionsgütern hervorruft. Ak|ze|le|ra|ti|ons|pro|zess der; ...prozesses, ...prozesse: Beschleunigungsvorgang. Ak|ze|le|ra|tor ⟨lat.-nlat.⟩ der; -s, ...oren: 1. Teilchenbeschleuniger (Kernphysik); vgl. Synchrotron, Zyklotron. 2. Verhältniszahl, die sich aus den Werten der ausgelösten (veränderten) Nettoinvestition und der sie auslösenden (verändernden) Einkommensänderung ergibt (Wirtsch.). ak|ze|le|rie|ren ⟨lat.⟩: beschleunigen, vorantreiben; fördern. Ak|ze|le|rie|rung die; -, -en: das Akzelerieren; vgl. ...ation/...ierung Ak|zent ⟨lat.; „das Antönen, das Beitönen"⟩ der; -[e]s, -e: 1. Betonung (z. B. einer Silbe). 2. Betonungszeichen. 3. (ohne Plural) Tonfall, Aussprache. 4. ↑Accentus. Ak|zent|tu|la|ti|on ⟨lat.-mlat.⟩ die; -, -en: Betonung; vgl. ...ation/...ierung. ak|zen|tu|ell ⟨lat.-fr.⟩: den Akzent betreffend. ak|zen|tu|ie|ren ⟨lat.-mlat.⟩: a) beim Sprechen hervorheben; b) betonen, Nachdruck legen auf etwas; akzentuierende Dichtung: Dichtungsart, in der die metrische Hebungen (Versakzente) mit den sprachlichen Hebungen (Wortakzente) zusammenfallen. Ak|zen|tu|ie|rung die; -, -en: das Akzentuieren; vgl. ...ation/...ierung

Ak|ze|p|is|se ⟨lat.; „erhalten zu haben"⟩ das; -, -: (veraltet) Empfangsschein. Ak|zept das; -[e]s, -e: 1. Annahmeerklärung desjenigen, der den Wechsel bezahlen muss, auf einem Wechsel. 2. akzeptierter Wechsel. ak|zep|ta|bel ⟨lat.-frz.⟩: annehmbar, brauchbar. Ak|zep|ta|bi|li|tät die; -: a) Annehmbarkeit; b) von einem kompetenten Sprecher als sprachlich üblich und richtig beurteilte Beschaffenheit einer sprachlichen Äußerung (Sprachw.); vgl. Grammatikalität. Ak|zep|tant ⟨lat.⟩ der; -en, -en: 1. jmd, der durch das Akzept (1) einen Wechsel (1) zur Bezahlung verpflichtet. 2. Empfänger, Aufnehmender. Ak|zep-

tanz die; -, -en: Bereitschaft, etwas (ein neues Produkt o. Ä.) zu akzeptieren (bes. Werbespr.). Ak|zep|ta|ti|on die; -, -en: Annahme (z. B. eines Wechsels), Anerkennung; vgl. ...ation/...ierung. ak|zep|tie|ren: etwas annehmen, billigen, hinnehmen. Ak|zep|tie|rung die; -, -en: das Anerkennen, Einverstandensein mit jmdm./etwas; vgl. ...ation/...ierung. Ak|zept|kre|dit der; -[e]s, -e: Einräumung eines Bankkredits durch Bankakzept. Ak|zep|tor ⟨„Annehmer, Empfänger"⟩ der; -s, ...oren: 1. Stoff, dessen Atome od. Moleküle ↑Ionen od. ↑Elektronen (1) von anderen Stoffen übernehmen können (Phys.). 2. Fremdatom, das ein bewegliches ↑Elektron (1) einfängt (Phys.). 3. Stoff, der nur unter bestimmten Voraussetzungen von Luftsauerstoff angegriffen wird

Ak|zess ⟨lat.; „Zutritt, Zugang"⟩ der; ...zesses, ...zesse: (österr.) 1. Zulassung zum Vorbereitungsdienst an Gerichten u. Verwaltungsbehörden. 2. Vorbereitungsdienst an Gerichten u. Verwaltungsbehörden. Ak|zes|si|on die; -, -en: 1. Zugang; Erwerb. 2. Beitritt [eines Staates zu einem internationalen Abkommen]. 3. Zusatz eines als Gleitlaut wirkenden Konsonanten, z. B. des t in gelegen/lich (Sprachw.). Ak|zes|si|ons|klau|sel, die; -: Zusatz in einem Staatsvertrag, durch den angezeigt wird, dass jederzeit auch andere Staaten diesem Vertrag beitreten können. Ak|zes|si|ons|lis|te die; -, -n: Liste in Bibliotheken, in der neu eingereihte Bücher nach der laufenden Nummer eingetragen werden. Ak|zes|sist ⟨lat.-nlat.⟩ der; -en, -en: (veraltet) Anwärter [für den Gerichts- u. Verwaltungsdienst]. Ak|zes|sit ⟨lat.; „er ist nahe herangekommen"⟩ das; -s, -s: (veraltet) zweiter od. Nebenpreis bei einem Wettbewerb. Ak|zes|so|ri|en ⟨lat.-mlat.⟩ die (Plural): Samenanhängsel bei Pflanzen als Fruchtfleischersatz (Bot.). Ak|zes|so|ri|e|tät die; -, -en: 1. (ohne Plural) a) Zugänglichkeit; b) Zulassbarkeit. 2. Abhängigkeit des Nebenrechtes von dem zugehörigen Hauptrecht (Rechtsw.). ak|zes|so|risch: hinzutretend, nebensächlich, weniger wichtig; akzessorische Atmung: zusätzliche Luftatmung neben der Kiemenatmung bei Fischen, die in sauerstoffarmen Gewässern leben; **akzessorische Nährstoffe:** Ergänzungsstoffe zur Nahrung (Vitamine, Salze, Wasser, Spurenelemente); **akzessorische Rechte:** Nebenrechte (Rechtsw.). **Ak|zes|so|ri|um** *das;* -s, ...ien: (veraltet) Nebensache, Beiwerk **Ak|zi|dens** *⟨lat.⟩ das;* -, ...dẹnzien: 1. (Plural auch: Akzidẹntia) das Zufällige, nicht notwendig einem Gegenstand Zukommende, unselbstständig Seiende (Philos.); ↑Substanz (2). 2. (Plural fachspr. auch: Akzidẹntien) Versetzungszeichen (♯, ♭ oder deren Aufhebung: ♮), das innerhalb eines Taktes zu den Noten hinzutritt (Mus.). **Ak|zi|den|ta|li|en** *⟨mlat.⟩ die* (Plural): Nebenpunkte bei einem Rechtsgeschäft (z. B. Vereinbarung einer Kündigungsfrist); Ggs. ↑Essenzialien. **ak|zi|den|tell, ak|zi|den|ti|ell** *⟨lat.-mlat.-fr.⟩:* 1. zufällig, unwesentlich. 2. nicht zum gewöhnlichen Krankheitsbild gehörend (Med.). **Ak|zi|denz** *⟨lat.⟩ die;* -, -en: 1. (meist Plural) Druckarbeit, die nicht zum Buch-, Zeitungs- u. Zeitschriftendruck gehört (z. B. Drucksachen, Formulare, Prospekte, Anzeigen). 2. ↑Akzidens (1). **Ak|zi|den|zi|en** *Plural* von ↑Akzidens. **Ak|zi|denz|satz** *der;* -es: Herstellung (Satz) von Akzidenzen (vgl. Akzidenz 1; Druckw.) **ak|zi|pie|ren** *⟨lat.⟩:* (veraltet) empfangen, annehmen, billigen **Ak|zi|se** *⟨fr.⟩ die;* -, -n: 1. indirekte Verbrauchs- u. Verkehrssteuer. 2. (hist.) Zoll (z. B. die Torabgabe im Mittelalter) **...al/...ell:** Adjektivsuffixe, die oft konkurrierend nebeneinander am gleichen Wortstamm auftreten, sowohl ohne inhaltlichen Unterschied (hormonal/hormonell) als auch mit inhaltlichem Unterschied (ideal/ideell, rational/rationell, real/reell). Die Adjektive auf ...al geben meist als ↑Relativadjektive die Zugehörigkeit (formal, rational), die auf ...ell meist eine Eigenschaft (formell, rationell) an. Doch gibt es auch gegenteilige Differenzierungen (ideal/ideell) **à la** *⟨fr.⟩:* auf, nach Art von ... **à la baisse** [ala'bɛːs] *⟨fr.; „nach unten")*: im Hinblick auf (wahrscheinlich) fallende Kurse, z. B. à la baisse spekulieren (Börsenw.); Ggs. ↑à la hausse **A|la|ba|ster** *⟨gr.-lat.⟩ der;* -s, -: 1. marmorähnliche, feinkörnige, rein weiße, durchscheinende Art des Gipses. 2. bunte Glaskugel, die die Kinder beim Murmelspiel gegen die kleineren Kugeln aus Ton werfen. **a|la|bas|tern:** 1. aus Alabaster. 2. wie Alabaster. **A|la|bast|ron*** *⟨gr.⟩ das;* -s, Alabastren: kleines antikes Salbölgefäß **à la bonne heure!** [alabɔ'nœːr] *⟨fr.; „zur guten Stunde")*: recht so!, ausgezeichnet!, bravo! **à la carte** [ala'kart] *⟨fr.⟩:* nach der Speisekarte, z. B. à la carte essen **à la hausse** [ala'oːs] *⟨fr.; „nach oben")*: im Hinblick auf (wahrscheinlich) steigende Kurse, z. B. à la hausse spekulieren (Börsenw.); Ggs. ↑à la baisse **à la jar|di|nière** [alaȝardi'njɛːr] *⟨fr.; „nach Art der Gärtnerin")*: mit Beilage von verschiedenen Gemüsesorten (zu gebratenem od. gegrilltem Fleisch); Suppe à la jardinière: Fleischbrühe mit Gemüsestückchen (Gastr.) **A|la|lie** *⟨gr.-nlat.; „Sprechunfähigkeit")* die;* -, ...ien: Unfähigkeit, artikulierte Laute zu bilden **à la longue** [ala'lõːg] *⟨fr.⟩:* auf die Dauer **à la mai|son** [alamɛː'zõ] *⟨fr.⟩:* nach Art des Hauses (Gastr.) **A|la|mé|ri|caine** [alameri'kɛːn] *⟨fr.⟩ das;* -s: Springprüfung, in der der Parcours beim ersten Fehler beendet ist (Pferdesport) **à la meu|nière** [alamø'njɛːr] *⟨fr.; „nach Art der Müllerin")*: in Mehl gewendet u. in Butter gebraten (Gastr.) **à la mode** [ala'mɔd] *⟨fr.⟩:* nach der neuesten Mode. **A|la|mo|de|li|te|ra|tur** *die;* -: stark von ausländischen, bes. franz. Vorbildern beeinflusste Richtung der deutschen Literatur im 17. Jh. (Literaturw.). **A|la|mo|de|we|sen** *das;* -s: (hist.) übertriebene Ausrichtung des modisch-gesellschaftlichen u. kulturellen Lebens nach franz. Vorbild im 17. Jh. in Deutschland. **a|la|mo|disch:** das Alamodewesen betreffend **A|lan** *⟨lat.⟩ der;* -s, -e: Aluminiumwasserstoff. **A|la|na|te** *die* (Plural): Mischhydride des Aluminiums **A|la|nin** *⟨nlat.⟩ das;* -s: eine der wichtigsten ↑Aminosäuren (Bestandteil fast aller Eiweißkörper) **A|larm** *⟨lat.-it.; „zu den Waffen!")* der;* -[e]s, -e: 1. a) Warnung bei Gefahr, Gefahrensignal; b) Zustand, Dauer der Gefahrenwarnung. 2. Aufregung, Beunruhigung. **a|lar|mie|ren** *⟨lat.-it.(-fr.)⟩:* 1. eine Person od. Institution zu Hilfe rufen. 2. beunruhigen, warnen, in Unruhe versetzen. **A|larm|pi|kett** *das;* -[e]s, -e: (schweiz.) Überfallkommando **A|last|rim*** *⟨port.⟩ das;* -s: Pockenerkrankung von gutartigem Charakter u. leichtem Verlauf; weiße Pocken (Med.) **à la suite** [ala'sɥit] *⟨fr.; „im Gefolge von ...")*: (hist.) einem Truppenteil ehrenhalber zugeteilt (Heerw.) **A|laun** *⟨lat.⟩ der;* -s, -e: Kalium-Aluminium-Sulfat (ein Mineral). **a|lau|ni|sie|ren:** mit Alaun behandeln **¹A|l|ba** *⟨lat.⟩ die;* -, ...ben: ↑Albe. **²A|l|ba** *die;* -, -s: altprovenzal. Tagelied (Minnelied) **Al|ba|no|lo|ge** *der;* -n, -n: Wissenschaftler auf dem Gebiet der Albanologie. **Al|ba|no|lo|gie** *⟨lat.-nlat.⟩ die;* -: Wissenschaft von der albanischen Sprache u. Literatur. **al|ba|no|lo|gisch:** die Albanologie betreffend **A|l|ba|rel|lo** *⟨it.⟩ das;* -s, ...lli: Apothekergefäß von zylindrischer Form **A|l|bat|ros*** *⟨arab.-span.-engl.-niederl.⟩ der;* -, -se: 1. großer Sturmvogel [der südlichen Erdhalbkugel]. 2. das Erreichen eines Lochs mit drei Schlägen weniger als gesetzt (Golf) **A|l|be** *⟨lat.⟩ die;* -, -n: weißes liturgisches Untergewand der katholischen u. anglikanischen Geistlichen. **A|l|be|do** *die;* -: Rückstrahlungsvermögen von nicht selbst leuchtenden, ↑diffus reflektierenden Oberflächen (z. B. Schnee, Eis; Phys.). **A|l|be|do|me|ter** *⟨lat., gr.⟩ das;* -s, -: Gerät zur Messung der Albedo **A|l|ber|ge** *⟨lat.-mozarab.-span.-fr. (od. it.)⟩ die;* -, -n: Sorte kleiner, säuerlicher Aprikosen mit festem Fleisch **A|l|ber|go** *⟨german.-it.⟩ das;* -s, -s u. ...ghi [...gi]: ital. Bezeichnung für: Wirtshaus, Herberge, Hotel **A|l|ber|to|ty|pie** *⟨dt.; fr.⟩ nach dem deutschen Fotografen J. Albert⟩ die;* -, ...ien: a) heute veraltetes Lichtdruckverfahren; b) Erzeugnis, das durch Albertotypie hergestellt wird **A|l|bi|gen|ser** *⟨nach der südfranz. Stadt Albi⟩ der;* -s, -: Angehöriger einer Sekte des 12./13. Jh.s in Südfrankreich u. Oberitalien **A|l|bik|las*** *⟨lat.; gr.⟩ der;* -es, -e: ↑Albit **A|l|bi|nis|mus** *⟨lat.-span.-nlat.⟩*

der; -: erblich bedingtes Fehlen von ↑ Pigment (1) bei Lebewesen. **al|bi|ni|tisch,** albinotisch: 1. ohne Körperpigment. 2. a) den Albinismus betreffend; b) die Albinos betreffend. **Al|bi|no** ⟨*lat.-span.;* „Weißling“⟩ *der;* -s, -s: 1. Mensch od. Tier mit fehlender Farbstoffbildung. 2. bei Pflanzen anomal weißes Blütenblatt o. Ä. mit fehlendem Farbstoff. **al|bi|no|tisch** vgl. albinitisch. **Al|bi|on** ⟨*kelt.,* mit *lat.* albus „weiß" in Verbindung gebracht u. auf die Kreidekliffküste bei Dover bezogen⟩: alter dichterischer Name für England. **Al|bit** [auch: ...'bɪt] ⟨*lat.-nlat.*⟩ *der;* -s, -e: Natronfeldspat (ein Mineral). **Al|biz|zie** [...iə] ⟨*nlat.;* nach dem ital. Naturforscher F. degli Albizzi⟩ *die;* -, -n: tropisches Mimosengewächs. **Al|bo|lit** ® ⟨*lat.; gr.*⟩ *das;* -s: Phenolharz (ein Kunstharz). **Al|bu|cid** ® ⟨Kunstw.⟩ *das;* -s: ein ↑ Sulfonamid. **Al|bu|go** ⟨*lat.*⟩ *die;* -, ...gines: weißer Fleck der Hornhaut (Med.). **Al|bum** ⟨„das Weiße, die weiße Tafel"⟩ *das;* -s, ...ben: 1. a) eine Art Buch mit stärkeren Seiten, Blättern, auf denen bes. Fotografien, Briefmarken, Postkarten o. Ä. angebracht werden; b) eine Art Buch mit einzelnen Hüllen, in die Schallplatten gesteckt werden. 2. a) (veraltend) im Allgemeinen zwei zusammengehörende Langspielplatten in zwei zusammenhängenden Hüllen; b) bes. im Bereich der Unterhaltungsmusik Veröffentlichung mehrerer Titel eines Künstlers, einer Gruppe auf einer CD. **Al|bu|men** *das;* -s: Eiweiß (Med., Biol.). **Al|bu|min** ⟨*nlat.*⟩ *das;* -s, -e (meist Plural): einfacher, wasserlöslicher Eiweißkörper, hauptsächlich in Eiern, in der Milch u. im Blutserum vorkommend. **Al|bu|mi|nat** *das;* -s, -e: Alkalisalz der Albumine. **Al|bu|mi|ni|me|ter** ⟨*lat.; gr.*⟩ *das;* -s, -: Messgerät (Röhrchen) zur Bestimmung des Eiweißgehaltes [im Harn] (Med.). **al|bu|mi|no|id:** eiweißähnlich; eiweißartig. **al|bu|mi|nös** ⟨*nlat.*⟩: eiweißhaltig. **Al|bu|min|u|rie** ⟨*lat.; gr.*⟩ *die;* -, ...ien: Ausscheidung von Eiweiß im Harn (Med.). **Al|bu|mo|se** ⟨*lat.*⟩ *die;* -, -n (meist Plural): Spaltprodukt der Eiweißkörper. **Al|bus** ⟨*mlat.*⟩ *der;* -, -se: Weißpfennig (eine Groschenart aus Silber, die vom

14. bis 17. Jh. am Mittel- u. Niederrhein Hauptmünze war u. in Kurhessen bis 1841 galt) **al|ca|isch** ⟨Kunstw.⟩ vgl. alkäisch **Al|can|ta|ra** ® ⟨Kunstw.⟩ *das;* -[s]: Wildlederimitat, das für Kleidungsstücke (Mäntel, Jacken usw.) verarbeitet wird **Al|car|ra|za** [...'rasa, bei span. Aussprache: ...'rraθa] ⟨*arab.-span.*⟩ *die;* -, -s: in Spanien gebräuchlicher poröser Tonkrug zum Kühlhalten von Wasser **Al|cá|zar** vgl. Alkazar **Al|che|mie** usw. vgl. Alchimie usw. **Al|chi|mie** ⟨*arab.-span.-fr.*⟩ *die;* -: 1. Chemie des Mittelalters. 2. Versuche, unedle Stoffe in edle, bes. in Gold, zu verwandeln. **Al|chi|mist** ⟨*arab.-span.-mlat.*⟩ *der;* -en, -en: 1. jmd., der sich mit Alchimie (1) befasst. 2. Goldmacher. **al|chi|mis|tisch:** die Alchimie betreffend. **Al|chy|mie** usw. vgl. Alchimie usw. **al cor|so** ⟨*it.*⟩: zum laufenden Kurs (Börsenw.) **al|cy|o|nisch** [...ts...] vgl. alkyonisch **Al|de|hyd** ⟨Kurzw. aus *nlat.* Alcoholus *dehy*drogenatus⟩ *der;* -s, -e: chem. Verbindung, die durch Wasserstoffentzug aus Alkoholen entsteht (Chem.) **al den|te** ⟨*it.*⟩: nicht ganz weich gekocht (bes. von Nudeln; Gastr.) **Al|der|man** ['ɔldəmən] ⟨*engl.*⟩ *der;* -s, ...men [...mən]: [ältester] Ratsherr, Vorsteher, Stadtrat in angelsächsischen Ländern **Al|di|ne** (nach dem venezianischen Drucker Aldus Manutius) *die;* -, -n: 1. (ohne Plural) halbfette Antiquaschrift. 2. ein Druck von Aldus Manutius od. einem seiner Nachfolger (bes. kleinformatige Klassikerausgaben) **Al|do|se** ⟨Kurzw. aus ↑ Aldehyd u. dem Suffix *-ose*⟩ *die;* -, -n: eine Zuckerverbindung mit einer Aldehydgruppe. **Al|dos|te|ron*** ⟨Kunstw.⟩ *das;* -s: Hormon der Nebennierenrinde. **Al|do|xim** ⟨Kunstw.⟩ *das;* -s, -e: Produkt aus ↑ Aldehyd u. ↑ Hydroxylamin **Ald|rey*** ® [...aj] ⟨Kunstw.⟩ *das;* -s: Aluminiumlegierung mit guter elektrischer Leitfähigkeit **Ale** [e:l] ⟨*engl.*⟩ *das;* -s: helles englisches Bier **alea iac|ta est** ⟨*lat.;* „der Würfel ist geworfen"⟩: angeblich von Caesar beim Überschreiten des Rubikon 49 v. Chr. gesprochen⟩ die Entscheidung ist gefallen, es ist entschieden. **Ale|a|to|rik**

⟨*lat.-nlat.*⟩ *die;* -: neuer Kompositionsstil, bei dem einem Interpreten an vielen Stellen einer Komposition freie Spielgestaltung erlaubt ist. **ale|a|to|risch** ⟨*lat.*⟩: vom Zufall abhängig [u. daher gewagt] ...al/...ell: vgl.:...al **Al|en|çon|spit|ze** [alã'sõ...] ⟨nach dem französischen Herstellungsort⟩ *die;* -, -n: Spitze mit Blumenmustern auf zartem Netzgrund **al|ert** ⟨*it.-fr.*⟩: munter, aufgeweckt, frisch **Aleu|kä|mie*** *die;* -, ...ien: Leukämieform mit Auftreten von unreifen weißen Blutkörperchen, aber ohne Vermehrung derselben. **aleu|kä|misch:** das Erscheinungsbild der Aleukämie zeigend, leukämieähnlich **Aleu|ron** ⟨*gr.*⟩ *das;* -s: in Form von festen Körnern od. im Zellsaft gelöst vorkommendes Reserveeiweiß der Pflanzen (Biol.) **¹Ale|xand|ri|ner*** *der;* -s, -: 1. Gelehrter, bes. Philosoph in Alexandria zur Zeit des ↑ Hellenismus. 2. Anhänger einer philosophischen Strömung in der Renaissance (Alexandrismus), die sich mit der Aristotelesinterpretation befasste **²Ale|xand|ri|ner*** ⟨Kürzung aus: alexandrinischer Vers; nach dem franz. Alexanderepos von 1180⟩ *der;* -s, -: sechssilbiger (6 betonte Silben aufweisender) [klassischer franz.] Reimvers mit 12 od. 13 Silben **Ale|xand|rit*** [auch: ...'rɪt] ⟨*nlat.;* nach dem russischen Zaren Alexander II.⟩ *der;* -s, -e: besondere Art des ↑ Chrysoberylls **Ale|xi|a|ner** ⟨*gr.*⟩ *der;* -s, -: Angehöriger einer Laienbruderschaft **Ale|xie** ⟨*gr.-nlat.*⟩ *die;* -, ...ien: Leseschwäche; Unfähigkeit, Geschriebenes zu lesen bzw. Gelesenes zu verstehen trotz intakten Sehvermögens (Med.) **Ale|xin** ⟨*gr.-nlat.*⟩ *das;* -s, -e (meist Plural): natürlicher, im Blutserum gebildeter Schutzstoff gegen Bakterien **ale|zi|thal** ⟨*gr.-nlat.*⟩: dotterarm (von Eiern; Biol.) **Al|fa,** auch: Halfa ⟨*arab.*⟩ *die;* -: ↑ Esparto **Al|fal|fa** ⟨*arab.-span.*⟩ *die;* -: Luzerne **al|fan|zen** ⟨*it.*⟩: 1. Possen reißen, närrisch sein. 2. schwindeln. **Al|fan|ze|rei** *die;* -, -en: 1. Possenreißerei. 2. [leichter] Betrug **Al|fe|nid** ⟨*fr.*⟩ *das;* -[e]s: galvanisch versilbertes Neusilber

Al|fe|ron ⟨lat.; gr.⟩ das; -s: hitzebeständiges legiertes Gusseisen
al fi|ne ⟨it.⟩: bis zum Schluss [eines Musikstückes]; vgl. da capo al fine
al fres|co vgl. a fresco
Al|ge ⟨lat.⟩ die; -, -n: niedere Wasserpflanze
Al|geb|ra* [österr. al'ge:bra] ⟨arab.-roman.⟩ die; -, ...ebren: 1. (ohne Plural) Lehre von den Gleichungen, von den Beziehungen zwischen mathematischen Größen u. den Regeln, denen sie unterliegen. 2. algebraische Struktur. **al|geb|ra|isch:** die Algebra betreffend; **algebraische Struktur:** eine Menge von Elementen (Rechenobjekten) einschließlich der zwischen ihnen definierten Verknüpfungen
Al|gen|säu|re vgl. Alginsäure
Al|ge|sie ⟨gr.-nlat.⟩ die; -, ...ien: a) Schmerz; b) Schmerzempfindlichkeit. **Al|ge|si|me|ter** u. Algometer das, -s, -: Gerät zur Messung der Schmerzempfindlichkeit (Med.). **Al|ge|si|o|lo|gie** die; -: Wissenschaftsgebiet, das sich mit dem Schmerz, seinen Ursachen, Erscheinungsweisen u. seiner Bekämpfung befasst
Al|gi|nat ⟨lat.-nlat.⟩ das; -[e]s, -e: Salz der Alginsäure. **Al|gin|säu|re**, auch: Algensäure ⟨lat.-nlat.; dt.⟩ die; -: aus Algen gewonnenes chem. Produkt von vielfacher technischer Verwendbarkeit
Al|gol|ge|ne ⟨gr.⟩ die (Plural): Schmerzstoffe, Schmerzen hervorrufende chemische Kampfstoffe
ALGOL, auch: **Al|gol** ⟨Kurzw. aus: algorithmic language; engl.⟩ das; -s: Formelsprache zur Programmierung beliebiger Rechenanlagen (EDV)
Al|gol|lag|nie* ⟨gr.-nlat.⟩ die; -, ...ien: sexuelle Lustempfindung beim Erleiden od. Zufügen von Schmerzen (Med.); vgl. Masochismus, Sadismus
Al|gol|o|ge ⟨lat.; gr.⟩ der; -n, -n: Algenforscher. **Al|gol|o|gie** die; -: Algenkunde. **al|gol|o|gisch:** algenkundlich
al|go|ma|nisch: ↑Algomanie
Al|go|me|ter vgl. Algesimeter
al|go|misch ⟨nach dem Algomagebiet in Kanada⟩: in der Fügung **algomische Faltung:** Faltung während des ↑Algonkiums (Geol.)
al|gon|kisch: das Algonkium betreffend. **Al|gon|ki|um** ⟨nlat.; nach dem Gebiet der Algonkinindianer in Kanada⟩ das; -s: jün-

gerer Abschnitt der erdgeschichtlichen Frühzeit (Geol.)
al|go|rith|misch: einem methodischen Rechenverfahren folgend. **Al|go|rith|mus** ⟨arab.-mlat.⟩ der; -, ...men: 1. (veraltet) Rechenart mit Dezimalzahlen. 2. Rechenvorgang, der nach einem bestimmten [sich wiederholenden] Schema abläuft (Arithmetik). 3. Verfahren zur schrittweisen Umformung von Zeichenreihen (math. Logik)
Al|gra|phie, auch Algrafie ⟨Kurzw. aus ↑Aluminium u. ...graphie⟩ die; -, ...ien: 1. (ohne Plural) Flachdruckverfahren mit einem Aluminiumblech als Druckfläche. 2. nach diesem Druckverfahren hergestelltes Kunstblatt
Al|hi|da|de ⟨arab.⟩ die; -, -n: drehbarer Arm (mit Ableseeinrichtung) eines Winkelmessgerätes
a|li|as ⟨lat.⟩: auch ... genannt, mit anderem Namen ..., unter dem [Deck]namen ... bekannt (in Verbindung mit einem Namen). **A|li|bi** ⟨lat. (-fr.); „anderswo"⟩ das; -s, -s: a) Beweis, Nachweis der persönlichen Abwesenheit vom Tatort zur Tatzeit des Verbrechens (Rechtsw.); b) Entschuldigung, Ausrede, Rechtfertigung. **A|li|bi|funk|ti|on** die; -, -en: Funktion, etw. zu verschleiern od. als gerechtfertigt erscheinen zu lassen, die durch eine genannte Person od. einen genannten Sachverhalt erfüllt werden soll. **A|li|en** ['eɪljən] ⟨engl.⟩ der od. das; -s, -s: außerirdisches Lebewesen. **A|li|e|na|ti|on** ⟨lat.⟩ die; -, -en: 1. Entfremdung. 2. Veräußerung, Verkauf. 3. besondere Form von ↑Psychose (Med.). **A|li|e|ni** ⟨lat.⟩ die (Plural): Tiere, die zufällig in ein ihnen fremdes Gebiet geraten bzw. dieses zufällig durchqueren (Zool.). **a|li|e|nie|ren** 1. entfremden, abwendig machen. 2. veräußern, verkaufen
A|lig|ne|ment* [aliɲjə'mã:] ⟨fr.⟩ das; -s, -s: 1. das Abstecken einer Fluchtlinie, der festgesetzten Linie einer vorderen, rückwärtigen od. seitlichen Begrenzung, bis zu der etwas gebaut werden darf [beim Straßen- oder Eisenbahnbau]. 2. Fluchtlinie [beim Straßen- od. Eisenbahnbau]. **a|lig|nie|ren** [aln'ji:...]: abmessen, Fluchtlinien [beim Straßen- od. Eisenbahnbau] abstecken
a|li|men|tär ⟨lat.⟩: a) mit der Ernährung zusammenhängend; b) durch die Ernährung bedingt. **A|li|men|ta|ti|on** ⟨mlat.⟩ die; -,

-en: die finanzielle Leistung für den Lebensunterhalt [von Berufsbeamten], Unterhaltsgewährung in Höhe der amtsbezogenen Besoldung, Lebensunterhalt. **A|li|men|te** ⟨lat.; „Nahrung; Unterhalt"⟩ die (Plural): Unterhaltsbeiträge (bes. für nichteheliche Kinder). **a|li|men|tie|ren** ⟨mlat.⟩: Lebensunterhalt gewähren, unterstützen
a li|mi|ne ⟨lat.; „von der Schwelle"⟩: kurzerhand, von vornherein; ohne Prüfung in der Sache
A|li|nea ⟨lat.; „von der (neuen) Linie"⟩ das; -s, -s: (veraltet) von vorn, mit Absatz beginnende neue Druckzeile (Abk.: Al.). **a|li|ne|ie|ren:** (veraltet) absetzen, einen Absatz machen, durch Absatz trennen (Druckw.)
a|li|phal|ti|sch ⟨gr.-nlat.⟩: offene Kohlenstoffketten in der Strukturformel aufweisend (von bestimmten organischen Verbindungen, Chem.)
a|li|quant ⟨lat.⟩: mit Rest teilend (der aliquante Teil einer Zahl ist jede dem Betrag nach kleinere Zahl, die nicht als Teiler auftreten kann, z. B. 4 zur Zahl 6; Math.); Ggs. ↑aliquot. **a|li|quot**: ohne Rest teilend (der aliquote Teil einer Zahl ist jeder ihrer Teiler, z. B. 2 zur Zahl 6; Math.); Ggs. ↑aliquant. **A|li|quo|te** die; -, -n: 1. Zahl, die eine andere Zahl ohne Rest in gleiche Teile teilt (Math.). 2. ↑Aliquotton. **A|li|quot|ton** der; -[e]s, ...töne: mit dem Grundton mitklingender Oberton (Mus.)
a|li|tie|ren ⟨Kunstw.⟩: ↑alumetieren
A|li|ud ⟨lat.; „ein anderes"⟩ das; -: Alia: Leistung, die fälschlich anstelle der geschuldeten erbracht wird (der Gläubiger erhält etwas, was von der vertraglich festgelegten Leistung entscheidend abweicht; Rechtsw.)
A|li|za|rin ⟨arab.-span.-nlat.⟩ das; -s: früher aus der Krappwurzel gewonnener, jetzt synthetisch hergestellter roter Farbstoff
Al|ka|hest ⟨arab.⟩ der od. das; -[e]s: (in der Annahme der ↑Alchimisten 1) eine angeblich alle Stoffe lösende Flüssigkeit
al|kä|isch ⟨nach dem äolischen Lyriker Alkäus"⟩; in der Fügung **alkäische Strophe:** vierzeilige Odenstrophe der Antike
Al|kal|de ⟨arab.-span.⟩ der; -n, -n: [Straf]richter, Bürgermeister in Spanien
Al|ka|li [auch: 'al...] ⟨arab.⟩ das; -s,

...alien: ↑Hydroxid der Alkalimetalle. **Al|ka|li|ä|mie** *die; -, ...jen:* ↑Alkalose. **Al|ka|li|me|tall** *das; -s, -e:* chemisch sehr reaktionsfähiges Metall aus der ersten Hauptgruppe des ↑Periodensystems der Elemente (z. B. Lithium, Natrium, Kalium). **Al|ka|li|met|rie*** *⟨arab.; gr.⟩ die; -:* Methode zur Bestimmung des genauen Laugengehaltes einer Flüssigkeit. **al|ka|lin** *⟨arab.-nlat.⟩:* a) alkalisch reagierend; b) alkalihaltig. **Al|ka|li|ni|tät** *die; -:* 1. alkalische Eigenschaft, Beschaffenheit eines Stoffes (Chem.). 2. alkalische Reaktion eines Stoffes (Chem.). **al|ka|lisch:** basisch, laugenhaft; **alkalische Reaktion:** chem. Reaktion mit Laugenwirkung. **al|ka|li|sie|ren:** etwas alkalisch machen. **Al|ka|li|tät** *die; -:* Gehalt einer Lösung an alkalischen Stoffen. **Al|ka|lo|id** *⟨arab.; gr.⟩ das; -s, -e:* eine der bes. in Pflanzen vorkommenden, vorwiegend giftigen stickstoffhaltigen Verbindungen basischen Charakters (Heilu. Rauschmittel). **Al|ka|lo|se** *⟨arab.-nlat.⟩ die; -, -n:* auf Basenüberschuss od. Säuredefizit im Blut beruhender Zustand starker, bis zu Krämpfen gesteigerter Erregbarkeit (Med.). **Al|kan** *⟨Kurzw. von: Alk*yl u. *-an⟩ das; -s, -e (meist Plural):* gesättigter Kohlenwasserstoff

Al|kan|na *⟨arab.-span.-nlat.⟩ die; -:* Gattung der Raublattgewächse, die bes. im Mittelmeerraum vorkommt (Bot.)

Al|ka|zar [al'ka:zar, auch: alka-'tsa:ɐ̯] *⟨arab.-span.⟩ der; -s, ...are* u. Alcázar *der; -[s], -es: span.* Bezeichnung für: Burg, Schloss, Palast

Al|ken *⟨Kurzw. aus ↑Alk*yl u. *-en⟩ das; -s, -e (meist Plural):* Olefin **Al|ki|ne** *⟨Kurzw. aus ↑Alk*yl u. *-in⟩ die (Plural):* Acetylenkohlenwasserstoffe

Al|ko|hol *⟨arab.-span.⟩ der; -s, -e:* 1. organische Verbindung mit einer od. mehreren ↑Hydroxylgruppen. 2. (ohne Plural) ↑Äthylalkohol (Bestandteil aller alkoholischen Getränke). 3. (ohne Plural) Weingeist enthaltendes Getränk. **Al|ko|ho|lat** *⟨arab.-span.-nlat.⟩ das; -s, -e:* Metallverbindung eines Alkohols (1). **Al|ko|ho|li|ka** *⟨arab.⟩ die (Plural):* alkoholische Getränke, Spirituosen. **Al|ko|ho|li|ker** *der; -s, -:* Gewohnheitstrinker. **al|ko|ho|lisch:** 1. den ↑Äthylalkohol betreffend,

mit diesem zusammenhängend. 2. Weingeist enthaltend, Weingeist enthaltende Getränke betreffend. **al|ko|ho|li|sie|ren:** 1. mit Alkohol versetzen. 2. betrunken machen. **al|ko|ho|li|siert:** unter der Wirkung alkoholischer Getränke stehend, betrunken. **Al|ko|hol|is|mus** *der; -:* 1. zusammenfassende Bezeichnung für verschiedene Formen der schädigenden Einwirkungen, die übermäßiger Alkoholgenuss im Organismus hervorruft. 2. Trunksucht

Al|kor* *⟨nach dem Stern im Großen Wagen⟩ das; -s:* eine ↑Folie (1) aus Kunststoff

Al|ko|ven *⟨arab.-span.-fr.⟩ der; -s, -:* Bettnische, Nebenraum

Al|kyl *⟨arab.; gr.⟩ das; -s, -e:* einwertiger Kohlenwasserstoffrest, dessen Verbindung z. B. mit einer ↑Hydroxylgruppe einfache Alkohole liefert (Chem.). **Al|ky|la|ti|on** *⟨nlat.⟩ die; -:* Einführung von Alkylgruppen in eine organische Verbindung; vgl. ...ation/ ...ierung. **Al|ky|len** *das; -s, -e* (meist Plural): (veraltet) ↑Olefin. **al|ky|lie|ren:** eine Alkylgruppe in eine organische Verbindung einführen. **Al|ky|lie|rung** *die; -:* ↑Alkylation; vgl. ...ation/...ierung

al|ky|lo|nach *⟨gr.⟩:* (dichterisch) heiter, friedlich

al|la bre|ve *⟨it.⟩:* beschleunigt (Taktart, bei der nicht nach Vierteln, sondern nach Halben gezählt wird; Mus.)

Al|lach|läs|the|sie *⟨gr.⟩ die; -, ...ien:* Reizempfindung an einer anderen als der gereizten Stelle (Psychol.)

Al|lah *⟨arab.; „der Gott"⟩:* Gott (bes. islam. Rel.)

al|la mar|cia [-'martʃa] *⟨it.⟩:* nach Art eines Marsches, marschmäßig (Vortragsanweisung; Mus.)

Al|lan|to|in *⟨gr.-nlat.⟩ das; -s:* Produkt des Harnstoffwechsels. **Al|lan|to|is** *die; -:* Urharnsack (embryonales Organ der Reptilien, Vögel u. Säugetiere einschließlich des Menschen)

al|la pol|ac|ca *⟨it.⟩:* in der Art einer ↑Polonäse (Vortragsanweisung; Mus.)

al|la pri|ma *⟨it.; „aufs Erste"⟩:* Malweise mit einmaligem Auftragen der Farbe, ohne Unterod. Übermalung; Primamalerei (Mus.). **al|lar|gan|do** *⟨it.⟩:* langsamer, breiter werdend (Vortragsanweisung; Mus.)

al|la rin|fu|sa *⟨it.⟩:* Verladung soll

in loser Schüttung erfolgen (z. B. bei Getreide)

Al|lasch *⟨nach dem lettischen Ort Allasch (Allaži) bei Riga⟩ der; -s, -e:* ein Kümmellikör

al|la tel|des|ca *⟨it.⟩:* nach Art eines deutschen Tanzes, im deutschen Stil (Vortragsanweisung; Mus.)

Al|la|tiv *⟨lat.-nlat.⟩ der; -s, -e:* Kasus, der das Ziel angibt (bes. in den finnisch-ugrischen Sprachen; Sprachw.)

al|la tur|ca *⟨it.⟩:* in der Art der türkischen Musik (Vortragsanweisung; Mus.)

Al|lau|tal* *⟨Kunstw.⟩ das; -s:* mit Reinaluminium plattiertes ↑Lautal

al|la zin|ga|re|se *⟨it.⟩:* in der Art der Zigeunermusik (Vortragsanweisung; Mus.); vgl. all'ongharese

Al|lee *⟨lat.-fr.; „Gang"⟩ die; -, Alleen:* sich lang hinziehende, gerade Straße, die auf beiden Seiten gleichmäßig von hohen, recht dicht beieinander stehenden Bäumen begrenzt ist

Al|le|gat *⟨lat.-nlat.⟩ das; -[e]s, -e:* Zitat, angeführte Bibelstelle. **Al|le|ga|ti|on** *⟨lat.⟩ die; -, -en:* Anführung eines Zitats, einer Bibelstelle. **Al|le|gat|strich** *der; -[e]s, -e:* Strich als Hinweis auf eine Briefanlage. **al|le|gie|ren:** ein Zitat, eine Bibelstelle anführen

Al|le|go|re|se *⟨gr.-nlat.⟩ die; -, -n:* Auslegung von Texten, die hinter dem Wortlaut einen verborgenen Sinn sucht. **Al|le|go|rie** *⟨gr.-lat.; „das Anderssagen"⟩ die; -, ...ien:* rational fassbare Darstellung eines abstrakten Begriffs in einem Bild, oft mithilfe der Personifikation (bildende Kunst, Literatur). **Al|le|go|rik** *die; -:* a) allegorische Darstellungsweise; b) Gesamtheit der Allegorien (in einer Darstellung). **al|le|go|risch:** sinnbildlich. **al|le|go|ri|sie|ren:** mit einer Allegorie darstellen, versinnbildlichen. **Al|le|go|ris|mus** *der; -, ...men:* Anwendung der Allegorie

al|leg|ret|to* *⟨lat.-vulgärlat.-it.⟩:* weniger schnell als allegro, mäßig schnell, mäßig lebhaft (Vortragsanweisung; Mus.). **Al|leg|ret|to** *das; -s, -s u. ...tti:* mäßig schnelles Musikstück. **Al|leg|ro:** lebhaft, schnell; **allegro giusto:** in gemäßigtem Allegro; **allegro ma non tanto:** nicht allzu schnell; **allegro ma non troppo:** nicht so sehr schnell (Vortragsanweisung; Mus.). **Al|leg|ro** *das; -s, -s*

u. ...gri: schnelles Musikstück. **Al|leg|ro|form** *die; -*, *-en:* durch schnelles Sprechen entstandene Kurzform (z. B. *gnä' Frau* für gnädige Frau; Sprachw.)

al|lel ⟨*gr. -nlat.*⟩: sich entsprechend (von den ↑Genen eines ↑diploiden Chromosomensatzes). **Al|lel** *das; -s, -e* (meist Plural): eine von mindestens zwei einander entsprechenden Erbanlagen ↑homologer ↑Chromosomen (Biol.). **Al|le|lie** *die; -:* Zusammengehörigkeit von Allelen; verschiedene Zustände einer Erbeinheit (z. B. für die Blütenfarbe: Weiß, Rot, Blau o. Ä.; Biol.). **Al|le|lo|morphis|mus** *der; -:* ↑Allelie. **Al|le|lo|pa|thie** *die; -:* gegenseitige Wirkung von Pflanzen aufeinander (Bot.)

al|le|lu|ja usw. vgl. halleluja usw. **Al|le|man|de** [...'mã:də] ⟨*german.-mlat.-fr.*, „deutscher (Tanz)"⟩ *die; -, -n:* a) alte Tanzform in gemäßigtem Tempo; b) Satz einer ↑Suite (3)

al|lerg* ⟨*gr. -nlat.*⟩: (veraltet) allergisch; **allerge Wirtschaft:** Wirtschaft, in der die Besitzer knapper Produktionsmittel aufgrund dieser Vorzugsstellung ein Einkommen erzielen, das nicht auf eigener Arbeitsleistung beruht; Ggs. ↑auterge Wirtschaft. **Al|lergen** *das; -s, -e:* Stoff (z. B. Blütenpollen), der bei entsprechend disponierten Menschen Krankheitserscheinungen (z. B. Heuschnupfen) hervorrufen kann (Med.). **Al|ler|gie** *die; -, ...ien:* vom normalen Verhalten abweichende Reaktion des Organismus auf bestimmte (körperfremde) Stoffe (z. B. Heuschnupfen, Nesselsucht), Überempfindlichkeit. **Al|ler|gi|ker** *der; -s, -:* jmd., der für Allergien anfällig ist. **al|ler|gisch:** 1. die Allergie betreffend. 2. überempfindlich, eine Abneigung gegen etwas od. jmdn. empfindend. **Al|ler|gollo|ge** *der; -n, -n:* Wissenschaftler auf dem Gebiet der Allergologie. **Al|ler|go|lo|gie** *die; -:* medizinische Forschungsrichtung, die sich mit der Untersuchung der verschiedenen Allergien befasst. **al|ler|gol|lo|gisch:** die Allergologie betreffend. **Al|ler|go|se** *die; -, -n:* allergische Krankheit

al|lez! [a'le:] ⟨*lat.-fr.,* „geht!"⟩: vorwärts!; los!

Al|li|ance [a'ljã:s] vgl. Allianz. **Al|li|anz** ⟨*lat.-fr.⟩ die; -, -en* u. Alliance *die; -, -n* (veraltet): Bündnis, Verbindung, Vereinigung

Al|li|cin vgl. Allizin. **Al|li|ga|ti|on** ⟨*lat.⟩ die; -, -en:* Mischung (meist von Metallen); Zusatz

Al|li|ga|tor ⟨*lat.-span.-engl.⟩ der; -s, ...oren:* zu den Krokodilen gehörendes Kriechtier im tropischen u. subtropischen Amerika u. in Südostasien

al|li|ie|ren ⟨*lat.-fr.⟩:* verbünden. **Al|li|ier|te** *der* u. *die; -n, -n:* a) Verbündete[r]; b) (Plural) die im 1 u. 2. Weltkrieg gegen Deutschland verbündeten Staaten

Al|li|in ⟨*lat.-nlat.⟩ das; -s:* schwefelhaltige Aminosäure, Vorstufe des ↑Allizins

Al|li|te|ra|ti|on ⟨*lat.-nlat.⟩ die; -, -en:* Stabreim, gleicher Anlaut der betonten Silben aufeinander folgender Wörter (z. B. bei *W*ind und *W*etter). **Al|li|te|ra|ti|ons|vers** *der; -es, -e:* Stabreimvers, stabender Langzeilenvers der altgermanischen Dichtung. **Al|li|te|rie|ren:** den gleichen Anlaut haben

al|li|tisch ⟨*lat.; gr.*⟩; in der Fügung **allitische Verwitterung:** Verwitterung in winterfeuchtem Klima, bei der Aluminiumverbindungen entstehen

Al|li|zin, chem. fachspr.: Allicin ⟨*lat.-nlat.⟩ das; -s:* für Knoblauch u. andere Laucharten typischer Aromastoff mit keimtötender Wirkung

Al|lo|bar ⟨*gr. -nlat.⟩ das; -s, -e:* chem. Element, bei dem die Anteile der verschiedenen ↑Isotope nicht der in der Natur vorkommenden Zusammensetzung entsprechen (z. B. durch künstliche Anreicherung eines Isotops). **Al|lo|chor|le** [...ko...] *die; -:* Verbreitung von Früchten u. Samen bei Pflanzen durch Einwirkung besonderer, von außen kommender Kräfte (z. B. Wind, Tiere, Wasser). **al|lo|chro|ma|tisch:** verfärbt (durch geringe Beimengungen anderer Substanzen); Ggs. ↑idiochromatisch. **al|loch|thon*** [alox...]: an anderer Stelle entstanden, nicht am Fundplatz heimisch (von Lebewesen u. Gesteinen; Geol. u. Biol.); Ggs. ↑autochthon (2)

Al|lod ⟨*germ.⟩ das; -s, -e* u. Allodium ⟨*germ.-mlat.⟩ das; -s, ...ien:* im mittelalterlichen Recht der persönliche Besitz, das Familienerbgut, im Gegensatz zum Lehen od. grundherrlichen Land (Rechtsw.). **al|lo|di|al:** zum Allod gehörend. **Al|lo|di|fi|ka|ti|on,** **Al|lo|di|fi|zie|rung** ⟨*mlat. -*

nlat.⟩ die; -, -en: (hist.) Umwandlung eines Lehnguts in eigenen Besitz (Rechtsw.); vgl. ...[at]ion/ ...ierung. **Al|lo|di|um** vgl. Allod

al|lo|gam: a) andere Pflanzen derselben Art bestäubend (Bot.); b) von anderen Pflanzen derselben Art bestäubt (Bot.). **Al|lo|ga|mie** ⟨*gr. -nlat.⟩ die; -, ...ien:* Fremdbestäubung von Blüten (Bot.) **al|lo|gen:** ↑allothigen. **Al|lo|graph,** auch: Allograf *das; -s, -e:* 1. stellungsbedingte ↑Variante (4) eines ↑Graphems, die in einer bestimmten graphemischen Umgebung vorkommt (z. B. lass-en u. ließ; Sprachw.). 2. Buchstabe in einer von mehreren möglichen grafischen Gestaltungen in Druck- u. Handschriften (z. B. a, a, A, A). **Al|lo|kar|pie** *die; -, ...ien:* Fruchtbildung aufgrund von Fremdbestäubung. **Al|lo|ka|ti|on** ⟨*lat.⟩ die; -, -en:* Zuweisung von finanziellen Mitteln, Produktivkräften u. Material (Wirtsch.)

Al|lo|ku|ti|on ⟨*lat.,* „das Anreden"⟩ *die; -, -en:* päpstliche Ansprache, eine der Formen offizieller mündlicher Mitteilungen des Papstes

Al|lo|la|lie ⟨*gr. -nlat.⟩ die; -, ...ien:* das Fehlsprechen Geisteskranker (Med., Psychol.). **Al|lo|metrie*** *die; -, ...ien:* das Vorauseilen bzw. Zurückbleiben des Wachstums von Gliedmaßen, Organen od. Geweben gegenüber dem Wachstum des übrigen Organismus (Med., Biol.); Ggs. ↑Isometrie. **al|lo|met|risch*:** unterschiedliche Wachstumsgeschwindigkeit zeigend im Verhältnis zur Körpergröße od. zu anderen Organen (von Gliedmaßen, Organen od. Geweben; Med., Biol.). **al|lo|morph:** ↑allotrop. **Al|lo|morph** *das; -s, -e:* ↑Variante (4) eines ↑Morphems, die in einer bestimmten phonemischen, grammatikalischen od. lexikalischen Umgebung vorkommt (z. B. das Pluralmorphem in: die Bett*en*, die Kind*er*; Sprachw.). **Al|lo|morphie** *die; -:* ↑Allotropie

all'on|ga|re|se vgl. all'ongharese **Al|lon|ge** [a'lõ:ʒə] ⟨*lat.-fr.⟩ die; -, -n:* 1. Verlängerungsstreifen bei Wechseln für ↑Indossamente. 2. das Buchblatt, an dem ausfaltbare Karten od. Abbildungen befestigt sind. **Al|lon|ge|pe|rü|cke** *die; -, -n:* Herrenperücke mit langen Locken (17. u. 18. Jh.)

all'on|gha|re|se [al|ɔŋga're:zə]

2*

⟨it.; „in der ungarischen Art"⟩: in der Art der Zigeunermusik (meist in Verbindung mit „Rondo", musikalische Satzbezeichnung [für den Schlussteil eines Musikstücks] in der klassisch-romantischen [Kammer]musik); ↑alla zingarese

al|lons! [a'lõ:] ⟨lat.-fr.; „lasst uns gehen"!⟩: vorwärts!, los! **Allons, en|fants de la pat|rie!*** [alõzä'fãdəlapa'tri(ə)] ⟨fr.; „Auf, Kinder des Vaterlandes"⟩: Anfang der französischen Nationalhymne; vgl. Marseillaise

al|lo|nym* ⟨gr.-nlat.⟩: mit einem anderen, fremden Namen behaftet. **Al|lo|nym** das; -s, -e: Sonderform des ↑Pseudonyms, bei der der Name einer bekannten Persönlichkeit verwendet wird. **Al|lo|path** der; -en, -en: Anhänger der Allopathie. **Al|lo|pa|thie** die; -: Heilverfahren, das Krankheiten mit entgegengesetzt wirkenden Mitteln zu behandeln sucht; Ggs. ↑Homöopathie. **al|lo|pa|thisch:** die Allopathie betreffend. **Al|lo|phon** das; -s, -e: phonetische Variante (4) des ↑Phonems in einer bestimmten Umgebung von Lauten (z. B. in: ich u. in: Dach; Sprachw.). **Al|lo|plas|tik** die; -, -en: Verwendung anorganischer Stoffe als Geweberersatz (z. B. Elfenbeinstifte, Silberplatten); vgl. Prothetik. **Al|lo|po|ly|plo|i|die** die; -: Vervielfachung des Chromosomensatzes eines Zellkerns durch Artenkreuzung. **Al|lor|rhi|zie** die; -: Bewurzelungsform der Samenpflanzen, bei der die Primärwurzel alleiniger Träger des späteren Wurzelsystems ist (Biol.); Ggs. ↑Homorrhizie. **Al|lo|sem** ⟨gr.⟩ das; -s, -e: im Kontext realisierte Bedeutungsvariante eines ↑Semems. **al|lo|thi|gen** u. allogen ⟨gr.⟩: nicht am Fundort, sondern an anderer Stelle entstanden (von Bestandteilen mancher Gesteine; Geol.); Ggs. ↑authigen

Al|lot|ria* ⟨gr.; „abwegige Dinge"⟩ das; -[s], - (Plural selten): mit Lärm, Tumult o. Ä. ausgeführter Unfug, Dummheiten. **al|lot|ri|o|morph:** nicht von eigenen Kristallflächen begrenzt (von Mineralien; Geol.); Ggs. ↑idiomorph. **al|lo|trop:** a) zur ↑Allotropie fähig; b) durch Allotropie bedingt. **al|lo|troph:** in der Ernährung auf organische Stoffe angewiesen (Biol.). **Al|lo|tro|pie** die; -: Eigenschaft eines

chemischen Stoffes, in verschiedenen Kristallformen vorzukommen (z. B. Kohlenstoff als Diamant u. Graphit; Chem.)

all'ot|ta|va ⟨it.; „in der Oktave"⟩: eine Oktave höher [zu spielen] (Zeichen: 8ᵛᵃ‾‾‾‾ über den betreffenden Noten); **Al|lo|xan*** ⟨Kunstw. aus ↑Allantoin ↑Oxalsäure⟩ das; -s: Spaltungsprodukt der Harnsäure **all right!** ['ɔ:l 'raɪt] ⟨engl.⟩: richtig!, in Ordnung!, einverstanden!

All|round... ['ɔ:l'raʊnd...] ⟨engl.⟩: in Zusammensetzungen auftretendes Bestimmungswort mit der Bedeutung „allseitig, für alle Gelegenheiten". **All|roun|der** ⟨engl.⟩ der; -s, -: Allroundman. **All|round|man** [...mən] ⟨engl.⟩ der; -, ...men: wendiger, vielseitiger Mann, der Kenntnisse u. Fähigkeiten auf zahlreichen Gebieten besitzt **All-Star-Band** ['ɔ:l'sta:bænd] ⟨engl.⟩ die; -, -s: 1. Jazzband, die nur aus berühmten Musikern besteht. 2. erstklassige Tanz- u. Unterhaltungskapelle **all'un|ghe|re|se** [alˈʊŋgeˈreːzə] vgl. all'ongarese **all'u|ni|so|lno** ⟨it.⟩: ↑unisono **Al|lü|re** ⟨lat.-fr.⟩ die; -, -n: 1. a) (veraltet) Gangart [des Pferdes]; b) Fährte, Spur (von Tieren). 2. (nur Plural) Umgangsformen, [auffallendes als Besonderheit hervorstechendes] Benehmen, [arrogantes] Auftreten **Al|lu|si|on** ⟨lat.⟩ die; -, -en: Anspielung auf Worte u. Geschehnisse der Vergangenheit (Stilk.) **al|lu|vi|al** ⟨lat.-nlat.⟩: das Alluvium betreffend; [durch Ströme] angeschwemmt, abgelagert (Geol.). **Al|lu|vi|on** ⟨lat.; „das Anspülen, die Anschwemmung"⟩ die; -, -en: neu angeschwemmtes Land an Fluss-, Seeufern u. Meeresküsten (Geol.). **Al|lu|vi|um** das; -s: (veraltend) ↑Holozän **Al|ly|l|al|ko|hol** ⟨lat.; gr.; arab.⟩ der; -s: wichtigster ungesättigter Alkohol. **Al|ly|len** ⟨lat.; gr.⟩ das; -s: ein ungesättigter gasförmiger Kohlenwasserstoff **Al|ma Ma|ter** ⟨lat.; „nährende Mutter"⟩ die; - -: Universität, Hochschule **Al|ma|nach** ⟨mlat.-niederl.⟩ der; -s, -e: 1. [bebildertes] kalendarisch angelegtes Jahrbuch. 2. [jährlicher] Verlagskatalog mit Textproben **Al|man|din** ⟨mlat.-nlat.; nach der

antiken Stadt Alabanda in Kleinasien⟩ der; -s, -e: Sonderform des ↑ ↑Granats; edler, roter Schmuckstein **Al|me|mar, Al|me|mor** ⟨arab.-hebr.⟩ das; -[s]: erhöhter Platz in der ↑Synagoge für die Verlesung der ↑Thora **Al|mo|sen** ⟨gr.-mlat.⟩ das; -s, -: [milde] Gabe, kleine Spende für einen Bedürftigen. **Al|mo|se|ni|er** der; -s, -e: Almosenverteiler, ein [geistlicher] Würdenträger [am päpstlichen Hof] **Al|mu|kan|ta|rat** ⟨arab.-mlat.⟩ der; -s, -e: Kreis der Himmelssphäre, der mit dem Horizontkreis parallel verläuft **Al|ni|co** ⟨Kurzw.⟩ das; -s: Legierung aus Aluminium, Nickel u. Cobaltum (Kobalt) **Aloe** ['a:loe] ⟨gr.-lat.⟩ die; -, -n: dickfleischiges Liliengewächs der Tropen u. Subtropen **al|lo|gisch** ⟨gr.⟩: ohne Logik, vernunftlos, -widrig **Al|lo|pe|zie** ⟨gr.-nlat.⟩ die; -, ...ien: (Med.) a) krankhafter Haarausfall; vgl. Pelade; b) Kahlheit **al|lo|xie|ren** ⟨Kunstw.⟩: ↑eloxieren **Al|pa|ca** vgl. ⁴Alpaka **¹Al|pa|ka** ⟨indian.-span.⟩ das; -s, -s: 1. als Haustier gehaltene Lamaart (vgl. Lama) Südamerikas. 2. (ohne Plural) die Wollhaare des Alpakas, Bestandteil des Alpakagarns. **²Al|pa|ka** der; -s: dichtes Gewebe in Tuch- od. Köperbindung (bestimmte Webart). **³Al|pa|ka** die; -: Reißwolle aus Wollmischgeweben **⁴Al|pa|ka** ⟨Herkunft unsicher⟩ das; -s: Neusilber **al pa|ri** ⟨it.; „zum gleichen (Wert)"⟩: zum Nennwert (einer ↑Aktie) **Al|pha** ⟨semit.-gr.⟩ das; -[s], -s: erster Buchstabe des griechischen Alphabets: A, α. **¹Al|pha|bet** ⟨nach den ersten beiden Buchstaben des griechischen Alphabets Alpha u. Beta⟩ das; -[e]s, -e: festgelegte Reihenfolge der Schriftzeichen einer Sprache. **²Al|pha|bet** ⟨Rückbildung zu ↑Analphabet⟩ der; -en, -en: jmd., der lesen kann. **al|pha|be|tisch:** der Reihenfolge des Alphabets folgend. **al|pha|be|ti|sie|ren:** 1. nach der Reihenfolge der Buchstaben (im Alphabet) ordnen. 2. einem ↑Analphabeten Lesen u. Schreiben beibringen. **al|pha|me|risch:** ↑alphanumerisch. **al|pha|nu|me|risch** ⟨gr.; lat.⟩: 1. neben Ziffern u. Operationszeichen auch beliebige Zeichen eines Alphabets enthaltend (vom Zeichenvorrat bei der Informationsverarbeitung; EDV). 2. mithilfe von römischen od. arabischen Ziffern, von Groß- u. Kleinbuchstaben gegliedert. **Al|pha pri|va|ti|vum** *das;* - -: griechisches Präfix, das das folgende Wort verneint. **Al|pharhyth|mus** *der;* -: typische Wellenform, die im ↑ Elektroenzephalogramm eines Erwachsenen als Kennzeichen eines ruhigen und entspannten Wachzustandes sichtbar wird. **Al|pha|strah|len,** α-**Strah|len** *die* (Plural): radioaktive Strahlen, die als Folge von Kernreaktionen, bes. beim Zerfall von Atomkernen bestimmter radioaktiver Elemente, auftreten (Kernphysik). **Al|pha|teil|chen,** α-**Teil|chen** *die* (Plural): Heliumkerne, die beim radioaktiven Zerfall bestimmter Elemente u. bei bestimmten Kernreaktionen entstehen (Bestandteil der Alphastrahlen; Kernphysik). **Alpha|tier** *das;* -[e]s, -e: (bei Tieren, die in Gruppen mit Rangordnung leben) Tier, das die Gruppe beherrscht (Verhaltensforschung). **Al|phat|ron*** ‹*gr.nlat.*› *das;* -s, ...one (auch: -s): Messgerät für kleine Gasdrücke **Al|pi|den** ‹*lat.-nlat.;* nach den Alpen› *die* (Plural): zusammenfassende Bezeichnung für die in der Kreide u. im ↑ Tertiär gebildeten europäischen Ketten- u. Faltengebirge (Geol.). **al|pin** ‹*lat.*›: 1. a) die Alpen od. das Hochgebirge betreffend; b) in den Alpen od. im Hochgebirge vorkommend. 2. den Abfahrtslauf, Super G, Riesenslalom u. Slalom betreffend (Skisport). 3. den Alpinismus betreffend. **Al|pi|na|de** *die;* -, -en: ↑ Alpiniade. **Al|pi|na|ri|um** *das;* -s, ...ien: Naturwildpark im Hochgebirge. **Al|pi|ni** ‹*lat.-it.*› *die (Plural):* italienische Alpenjäger, Gebirgstruppe. **Al|pi|ni|ade** ‹russ.› *die;* -, -n: alpinistischer Wettbewerb für Bergsteiger in den osteuropäischen Ländern. **Al|pi|nis|mus** ‹*lat.-nlat.*› *der;* -: als Sport betriebenes Bergsteigen im Hochgebirge; vgl. ...ismus/...istik. **Al|pi|nist** *der;* -en, -en: jmd., der das Bergsteigen im Hochgebirge als Sport betreibt. **Al|pi|nis|tik** *die;* -: Alpinismus; vgl. ...ismus/...istik. **Al|pi|num** ‹*lat.*› *das;* -s, ...nen: Anlage mit Gebirgspflanzen [für wissenschaftliche Zwecke]

al ri|ver|so ‹*it.*›, **al ro|ve|scio** [-ro'vɛʃo]: in der Umkehrung, von hinten nach vorn zu spielen (bes. vom Kanon; Vortragsanweisung; Mus.) **al sec|co** vgl. a secco **al seg|no*** [al'zenjo] ‹*it.*›: bis zum Zeichen (bei Wiederholung eines Tonstückes); Abk.: al s. **Alt** ‹*lat.-it.*› *der;* -s, -e: 1. a) tiefe Frauen- od. Knabensingstimme; b) ↑ Altus. 2. ↑ Altistin. 3. Gesamtheit der Altstimmen im gemischten Chor **Al|ta Mo|da** ‹*it.*› *die;* - -: italienische Variante der Haute Couture (bes. in Mailand) **Al|tan** ‹*lat.-it.*› *der;* -[e]s, -e u. **Alta|ne** *die;* -, -n: Söller, vom Erdboden aus gestützter balkonartiger Anbau (Archit.) **Al|tar** ‹*lat.*› *der;* -[e]s, ...täre: 1. erhöhter Aufbau für gottesdienstliche Handlungen in christlichen Kirchen. 2. heidnische [Brand]opferstätte. **Al|ta|rist** ‹*lat.*› *der;* -en, -en: kath. Priester, der keine bestimmten Aufgaben in der Seelsorge hat, sondern nur die Messe liest. **Al|tar[s]sakra|ment*** *das;* -[e]s: ↑ Eucharistie (a) **Alt|azi|mut*** ‹*lat.; arab.*› *das* (auch: *der*) *;* -s, -e: astronomisches Gerät zur Messung des ↑ Azimuts u. der Höhe der Gestirne **Al|te|rans** ‹*lat.*› *das;* -, ...anzien: den Stoffwechsel umstimmendes Mittel (Med.). **al|te|ra pars** vgl. audiatur et altera pars. **Al|te|rati|on** ‹*nlat.*› *die;* -, -en: 1. a) (veraltet) Aufregung, Gemütsbewegung; b) [krankhafte] Veränderung, Verschlimmerung eines Zustands (Med.). 2. ↑ chromatische (1) Veränderung eines Tones innerhalb eines Akkords (Mus.). **Al|ter E|go** [auch: -'ego] ‹*lat.; „das andere Ich"*› *das;* - - : 1. sehr enger, vertrauter Freund. 2. der abgespaltene seelische Bereich bei Personen mit Bewusstseinsspaltung. 3. (bei C. G. Jung) ↑ Anima (2) bzw. ↑ Animus (1; als Begriffe für die im Unterbewussten vorhandenen Züge des anderen Geschlechts). 4. Es (Begriff für das Triebhafte bei Freud). 5. ein Tier od. eine Pflanze, mit denen, nach dem Glauben vieler Naturvölker, eine Person eine besonders enge Lebens- u. Schicksalsgemeinschaft hat. **alte|rie|ren** ‹*lat.(-fr.)*›: 1. a) jmdn. aufregen, ärgern; **sich alterieren:** sich aufregen, sich erregen, sich

ärgern; b) etwas abändern. 2. einen Akkordton ↑ chromatisch (1) verändern. **Al|ter|nant** *der;* -en, -en: freie od. stellungsbedingte Variante eines ↑ Graphems, ↑ Morphems od. ↑ Phonems (Sprachw.). **Al|ter|nanz** ‹*nlat.*› *die;* -, -en: 1. Wechsel, Abwechslung, bes. im Obstbau die jährlich wechselnden Ertragsschwankungen. 2. ↑ Alternation (3). **Al|ter|nat** *das;* -[e]s: Wechsel der Rangordnung od. Reihenfolge im diplomatischen Verkehr, z. B. bei völkerrechtlichen Verträgen, in denen jeder Vertragspartner in der für ihn bestimmten Ausfertigung zuerst genannt wird u. zuerst unterschreibt. **Al|ter|na|ti|on** ‹*lat.*› *die;* -, -en: 1. Wechsel zwischen zwei Möglichkeiten, Dingen usw. 2. ↑ Alternanz (1). 3. das Auftreten von Alternanten (z. B. das Vorhandensein verschiedener Endungen zur Kennzeichnung des Plurals; Sprachw.). 4. Wechsel zwischen einsilbiger Hebung u. Senkung (Metrik). **alter|na|tiv** ‹*lat.-fr.*›: 1. wahlweise; zwischen zwei Möglichkeiten die Wahl lassend. 2. a) eine Haltung, Einstellung vertretend, die bestimmte Vorstellungen von anderen, menschen- u. umweltfreundlicheren Formen des Zusammenlebens zu verwirklichen sucht; b) im Gegensatz zum Herkömmlichen stehend, bes. im Hinblick auf die ökologische Vertretbarkeit. **Al|ter|na|tiv|bewe|gung** *die;* -, -en: Protest- u. Reformbewegung, die sich als Alternative zur Kultur- u. Wertordnung der bürgerlichen Gesellschaft versteht. **¹Al|ter|na|tive** *die;* , n: a) freie, aber unabdingbare Entscheidung zwischen zwei Möglichkeiten (der Aspekt des Entweder-oder); b) zweite, andere Möglichkeit; Möglichkeit des Wählens zwischen zwei oder mehreren Dingen. **²Al|terna|ti|ve** *der* od. *die;* -n, -n: Anhänger der alternativen (2) Idee. **Al|ter|na|tiv|ener|gie** *die;* -, -n: aus anderen Quellen (z. B. Sonne, Wind) als den herkömmlichen (z. B. Kohle, Öl) geschöpfte Energie (2). **Al|ter|na|tor** ‹*nlat.*› *der;* -s, ...oren: Schaltelement zur Realisierung einer von zwei möglichen Entscheidungen (EDV). **al|ter|nie|ren** ‹*lat.*›: [ab]wechseln, einander ablösen; **alternierende Blattstellung:** Anordnung der Blätter einer Pflanze, bei der die Blätter des jeweils nächsten Knotens in den Zwischenräumen der vorangegangenen Blätter stehen (Bot.); **alternierendes Fieber:** Erkrankung mit abwechselnd fiebrigen u. fieberfreien Zuständen (Med.); **alternierende Reihe:** Reihe mit wechselnden Vorzeichen vor den einzelnen Gliedern (Math.)

Al|thee ⟨gr.-lat.-nlat.⟩ die; -, -n: a) malvenähnliche Heilpflanze (Eibisch); b) aus der Altheewurzel gewonnenes Hustenmittel

Al|ti|graph, auch: Altigraf ⟨lat.; gr.⟩ der; -en, -en: automatischer Höhenschreiber (Meteor.). **Al|ti-me|ter** das; -s, -: Höhenmesser (Meteor.)

Al|tin ⟨türk.⟩ der; -[s], -e (aber: 5 Altin): alte russische Kupfermünze

Al|tist ⟨lat.-it.⟩ der; -en, -en: Sänger (meist Knabe) mit Altstimme. **Al|tis|tin** die; -, -nen: Sängerin mit Altstimme. **Al|to|ku|mulus** ⟨lat.-nlat.⟩ der; -, ...li: Haufenwolke (↑Kumulus) in mittlerer Höhe (Meteor.). **Al|to|stratus** der; -, ...ti: Schichtwolke (↑Stratus) in mittlerer Höhe (Meteor.)

Alt|ru|is|mus* ⟨lat.-nlat.⟩ der; -: durch Rücksicht auf andere gekennzeichnete Denk- u. Handlungsweise, Selbstlosigkeit; Ggs. ↑Egoismus. **Alt|ru|ist** der; -en, -en: selbstloser, uneigennütziger Mensch; Ggs. ↑Egoist. **alt|ru|is-tisch:** selbstlos, uneigennützig, aufopfernd; Ggs. ↑egoistisch

Al|tus ⟨lat.⟩ der; -, ...ti: 1. falsettierende Männerstimme im Altlage (bes. in der Musik des 16.–18. Jh.s); vgl. Alt (1). 2. Sänger mit Altstimme

Al|tyn ⟨tatar.⟩: ↑Altin

A|lu das; -s: (ugs.) Aluminium.

A|lu|chrom ® ⟨Kurzw. aus ↑Aluminium u. ↑Chrom⟩ das; -s: Werkstoffgruppe, die zur Herstellung von Widerstandslegierungen od. Heizleitern verwendet wird. **A|lu|dur** ® ⟨Kunstw.⟩ das; -s: eine Aluminiumlegierung. **A|lu|fo|lie** ⟨Kurzform aus: Aluminiumfolie⟩ vgl. Aluminiumfolie. **A|lu|men** ⟨lat.⟩ das; -s: Alaun. **a|lu|me|tie|ren** u. alitieren ⟨Kunstw.⟩: Stahl mit Aluminium bespritzen u. anschließend bei hohen Temperaturen bearbeiten. **A|lu|mi|nat** ⟨lat.-nlat.⟩ das; -s, -e: Salz einer Aluminiumverbindung. **a|lu|mi|nie|ren:** Metallteile mit Aluminium überziehen. **A|lu|mi|nit** der; -s: natür-

lich vorkommendes, kristallisiertes Aluminiumsulfat (vgl. Sulfat). **A|lu|mi|ni|um** ⟨lat.-nlat.⟩ das; -s: chem. Element; ein Leichtmetall (Zeichen: Al). **A|lu-mi|ni|um|fo|lie** die; -, -n: dünne ↑Folie aus Aluminium. **A|lu|mi-ni|um|lun|ge** die; -, -n: Aluminiumstaublunge (durch Ablagerung eingeatmeten Aluminiumstaubs in der Lunge hervorgerufenes Krankheitsbild). **A|lu|mi|no-ther|mie** ⟨lat.; gr.⟩ die; -: ↑Thermitverfahren, bei dem schwer reduzierbaren Metalloxiden Sauerstoff durch Aluminium entzogen wird

A|lum|nat ⟨lat.-nlat.⟩ das; -s, -e: 1. mit einer Lehranstalt verbundenes Schülerheim. 2. (österr.) Einrichtung zur Ausbildung von Geistlichen. 3. kirchliche Erziehungsanstalt. **A|lum|ne** ⟨lat.⟩ der; -n, -n u. **A|lum|nus** der; -, ...nen: Zögling eines Alumnats **A|lu|nit** [auch: ...'nɪt] ⟨lat.-nlat.⟩ das; -s: Alaunstein. **A|lu|sil** ® ⟨Kunstwort aus ↑Aluminium u. ↑Silicium⟩ das; -s: eine Aluminiumlegierung zur Herstellung von Motorenkolben u. einer bestimmten Schweißdrahtsorte

al|ve|o|lar ⟨lat.-nlat.⟩: mit der Zunge[nspitze] an den Alveolen (a) gebildet. **Al|ve|o|lar** der; -s, -e: mit der Zunge[nspitze] an den Alveolen (a) gebildeter Laut, Zahnlaut (↑Dental, z. B. d, s.). **al|ve|o|lär:** a) mit kleinen Fächern oder Hohlräumen versehen (Med.); b) die Alveolen betreffend (Med.). **Al|ve|o|lär|nerven** der (Plural): Kiefernerven. **Al|ve|o|le** die; -, -n (meist Plural): 1. Knochenmulde im Oberod. Unterkiefer, in der die Zahnwurzeln sitzen. 2. Lungenbläschen. **Al|ve|o|li|tis** die; -, ...iti-den: 1. Knochenhautentzündung an den Zahnfächern. 2. Entzündung der Lungenbläschen (Med.)

All|weg|bahn ⟨Kurzw.; nach dem schwed. Industriellen Axel Lenhart Wenner-Gren⟩ die; -, -en: eine Einschienenhochbahn

a. m. [eɪ 'ɛm] (Abk. für lat. ante meridiem "vor Mittag"): vormittags (engl. Uhrzeitangabe); Ggs. ↑p. m.

a. m. = ante mortem

a|ma|bi|le ⟨lat.-it.⟩: liebenswürdig, lieblich, zärtlich (Vortragsanweisung; Mus.)

a|mag|ne|tisch* ⟨gr.-lat.⟩: nicht magnetisch

a|mak|rin*⟨gr.⟩: ohne lange Fort-

sätze, ohne lange Fasern (von Nervenzellen; Med.)

A|mal|gam ⟨mlat.⟩ das; -s, -e: eine Quecksilberlegierung. **A|mal-ga|ma|ti|on** ⟨mlat.-nlat.⟩ die; -, -en: Verfahren zur Gewinnung von Gold u. Silber aus Erzen durch Lösen in Quecksilber. **a|mal|ga|mie|ren:** 1. eine Quecksilberlegierung herstellen. 2. Gold u. Silber mithilfe von Quecksilber aus Erzen gewinnen. 3. verbinden, vereinigen

A|mant [aˈmã:] ⟨lat.-fr.⟩ der; -s, -s: (veraltet) Liebhaber, Geliebter

A|ma|nu|en|sis ⟨lat.⟩ der; -, ...ses [...ze:s]: (veraltet) Gehilfe, Schreiber, Sekretär

a|ma|rant: dunkelrot. **A|ma|rant** ⟨gr.-lat.⟩ der; -s, -e: 1. Fuchsschwanz, Pflanze aus der Gattung der Fuchsschwanzgewächse. 2. dunkelroter Farbstoff. **a|ma|ran|ten:** dunkelrot

A|ma|rel|le ⟨lat.-roman.⟩ die; -, -n: Sauerkirsche. **A|ma|ret|to** ⟨it.⟩ der; -s, ...tti: 1. ein Mandellikör. 2. (meist Plural) ein Mandelgebäck. **A|ma|ro|ne** ⟨it.⟩ der; -s, -: schwerer italienischer Rotwein aus getrockneten Trauben. **A|ma|rum** ⟨lat.⟩ das; -s, ...ra (meist Plural): Bittermittel zur Steigerung der Magensaft- u. Speichelabsonderung (Med.)

A|ma|ryl ⟨gr.⟩ der; -s, -e: künstlicher, hellgrüner ↑Saphir. **A|ma-ryl|lis** ⟨gr.-lat.⟩ die; -, ...llen: eine Zierpflanze (Narzissengewächs) **a|mas|sie|ren** ⟨fr.⟩: (veraltet) aufhäufen

A|ma|teur [...'tø:ɐ̯] ⟨lat.-fr.⟩ der; -s, -e: a) jmd., der eine bestimmte Tätigkeit nur aus Liebhaberei, nicht berufsmäßig betreibt; b) aktives Mitglied eines Sportvereins, der eine bestimmte Sportart zwar nachhaltig, jedoch ohne Entgelt betreibt; Ggs. ↑Profi; c) Nichtfachmann. **A|ma|teur-sport** der; -s: Sport, den ein Amateur (a) betreibt; Ggs. Berufssport. **A|ma|teur|sta|tus** der; - : Eigenschaft, Stellung als Amateur

A|ma|ti die; -, -s: von einem Mitglied der ital. Geigenbauerfamilie Amati hergestellte Geige

A|mau|ro|se ⟨gr.-lat.⟩ die; -, -n: [völlige] Erblindung (Med.)

A|mau|se ⟨fr.⟩ die; -, -n: 1. Email. 2. Schmuckstein aus Glas

A|ma|zo|ne ⟨gr.-lat.(-fr.)⟩; nach dem Namen eines kriegerischen, berittenen Frauenvolkes der griech. Sage⟩ die; -, -n: 1. a) Turnierreiterin; b) Fahrerin beim

Motorsport. 2. sportliches, hübsches Mädchen von knabenhaft schlanker Erscheinung. 3. betont männlich auftretende Frau, Mannweib. **A|ma|zo|ni̱t** [auch: ...'nit] ⟨nach dem Fluss Amazonas⟩ *der;* -s, -e: grüner Schmuckstein (ein Mineral) **Am|bas|sa̱|de** [auch: ãba'sad] ⟨*kelt.-germ.-provenzal.-it.-fr.*⟩ *die;* -, -n: (veraltet) Botschaft, Gesandtschaft. **Am|bas|sa̱|deur** [...sa'dø̱ɐ̯] *der;* -s, -e: (veraltet) Botschafter, Gesandter **A̱m|be** ⟨*lat.-roman.*⟩ *die;* -, -n: 1. (veraltet) Doppeltreffer im Lotto. 2. Verbindung zweier Größen in der Kombinationsrechnung (Math.) **[1]Am|ber** ⟨*arab.-roman.*⟩ *der;* -s, -[n] u. Ambra *die;* -, -s: fettige Darmausscheidung des Pottwals, die als Duftstoff verwendet wird **[2]Am|ber** ['æmbə] ⟨*engl.*⟩ *der;* -s: engl. Bezeichnung für: Bernstein **Am|bi|an|ce** [ã'bjã:s(ə)] ⟨*lat.-fr.*⟩ *die;* -: schweiz. für: Ambiente. **am|bi|dex|ter** ⟨*lat.*⟩: mit beiden Händen gleich geschickt. **Am|bi-dext|ri̱e*** ⟨*lat.-nlat.*⟩ *die;* -, ...ien: Beidhändigkeit, gleich ausgebildete Geschicklichkeit beider Hände (Med.). **Am|bi|e̱n|te** ⟨*lat.-it.*⟩ *das;* -: 1. Gesamtheit dessen, was eine Gestalt umgibt (Licht, Luft, Gegenstände; bildende Kunst). 2. die spezifische Umwelt u. das Milieu, in dem jmd. lebt, bzw. die besondere Atmosphäre, die eine Persönlichkeit umgibt od. einem Raum sein besonderes Gepräge verleiht. **am|bi̱e|ren** ⟨*lat.*⟩: (veraltet) sich [um eine Stelle] bewerben, nach etwas trachten. **am|big** ⟨*lat.(-fr.)*⟩, **am|bi|gu** [ãbi'gy] ⟨*lat.-fr.*⟩: mehrdeutig, doppelsinnig. **Am|bi|gu** ⟨*lat.-fr.*⟩ *das;* -s: 1. Gemisch entgegengesetzter Dinge. 2. kaltes Abendessen. 3. französisches Kartenspiel. **am|bi|gue** [...gy̱ə]: ↑ambig. **Am|bi|gui|tät** ⟨*lat.*⟩ *die;* -, -en u. Mehr-, Doppeldeutigkeit von Wörtern, Werten, Symbolen, Sachverhalten; b) lexikalische od. syntaktische Mehrdeutigkeit (Sprachw.). **am|bi|gu|os**: zweideutig. **am|bi|po-lar**: beide Polaritäten betreffend. **Am|bi|se|xu|a|li|tät** *die;* -: Hermaphroditismus. **Am|bi|ti-on** ⟨*lat.-fr.*⟩ *die;* -, -en (meist Plural): höher gestecktes Ziel, das jmd. zu erreichen sucht, wonach jmd. strebt; ehrgeiziges Streben. **am|bi|ti|o|ni̱ert**: ehrgeizig,

strebsam. **am|bi|ti|ös**: ehrgeizig. **A̱m|bi|tus** ⟨*lat.;* „das Herumgehen; der Umlauf; der Umfang"⟩ *der;* -, - [...'tu:s]: vom höchsten bis zum tiefsten Ton gemessener Umfang, einer Melodie, einer Stimme, eines Instruments (Mus.). **am|bi|va|le̱nt** ⟨*lat.-nlat.*⟩: doppelwertig u. deshalb oft in sich widersprüchlich. **Am-bi|va|le̱nz** *die;* -, -en: Zwiespältigkeit, Zerrissenheit [der Gefühle und Bestrebungen] **Amb|ly|go|ni̱t*** [auch: ...it] ⟨*gr.-nlat.*⟩ *der;* -s: ein zur Lithiumgewinnung wichtiges Mineral. **Amb|ly|o|pi̱e** *die;* -, ...ien: Schwachsichtigkeit (Med.). **Amb|ly|po̱|de** *der;* -en, -en: ausgestorbenes elefantenartiges Huftier aus dem ↑Tertiär **[1]A̱m|bo** ⟨*lat.-it.*⟩ *der;* -s, -s u. ...ben: (österr.) ↑Ambe **[2]A̱m|bo, A̱m|bon** ⟨*gr.-lat.*⟩ *der;* -s, ...onen: erhöhtes Pult in christlichen Kirchen für gottesdienstliche Lesungen **Am|bo|ze̱p|tor** ⟨*lat.-nlat.*⟩ *der;* -s, ...oren: Schutzstoff im Blutserum **A̱m|bra*** *die;* -, -s: ↑[1]Amber **Amb|ro|sia*** ⟨*gr.-lat.*⟩ *die;* -: 1. (in der griech. Mythologie) Speise der Götter. 2. eine Süßspeise. 3. Pilznahrung bestimmter Insekten. **amb|ro|si|a̱|nisch** ⟨nach dem Bischof Ambrosius von Mailand⟩: in den Fügungen **ambrosianische Liturgie:** von der römischen ↑Liturgie abweichende Gottesdienstform der alten ↑Kirchenprovinz Mailand; **ambrosianischer Lobgesang:** das (fälschlich auf Ambrosius zurückgeführte) ↑Tedeum. **amb-ro|sisch** ⟨*gr.-lat.*⟩: 1. göttlich, himmlisch. 2. köstlich [duftend] **am|bu|la̱nt** ⟨*lat.*⟩: 1. nicht fest an einen bestimmten Ort gebunden, z. B. ambulantes Gewerbe. 2. nicht an eine Krankenhausaufnahme gebunden (Med.); Ggs. ↑stationär (2); **ambulante Behandlung:** a) (sich wiederholende) Behandlung in einer Klinik ohne stationäre Aufnahme des Patienten; b) ärztliche Behandlung, bei der Patient zum Arzt während der Sprechstunde aufsucht. **Am|bu|la̱nz** *die;* -, -en: 1. (veraltet) bewegliches Feldlazarett. 2. fahrbare ärztliche Untersuchungs- u. Behandlungsstelle. 3. Rettungswagen, Krankentransportwagen. 4. kleinere poliklinische Station für ambulante Behandlung, Ambulatori-

um. **am|bu|la̱|to̱|risch** ⟨*lat.*⟩: auf das Ambulatorium bezogen; **ambulatorische Behandlung:** ambulante Behandlung. **Am|bu|la̱|to̱-ri|um** *das;* -s, ...ien: Ambulanz (4). **am|bu|lie̱|ren:** (veraltet) spazieren gehen, lustwandeln **A|me̱|lie** ⟨*gr.-nlat.*⟩ *die;* -, ...ien: angeborenes Fehlen einer od. mehrerer Gliedmaßen (Med.) **A|me|li|o|ra|ti|o̱n** ⟨*lat.-fr.*⟩ *die;* -, -en: Verbesserung [bes. des Ackerbodens]. **a|me|li|o|rie̱|ren:** [den Ackerboden] verbessern **A|me|lo|bla̱st*** ⟨*gr.*⟩ *der;* -en, -en: Adamantoblast. **A|me|lo|bla̱s-to̱m** *das;* -s, -e: Adamantinom **a̱|men** ⟨*hebr.-gr.-lat.;* „wahrlich; es geschehe!"⟩: bekräftigendes Wort als Abschluss eines Gebets u. liturgische Akklamation im christlichen, jüdischen u. islamischen Gottesdienst. **A|men** *das;* -s, -: bekräftigende liturgische Abschlussformel nach Gebet, Segen u. a., **sein Amen zu etw. geben:** einer Sache zustimmen **A|men|de|ment** [amãd(ə)'mã] ⟨*lat.-fr.*⟩ u. Amendment [ə'mɛndmənt] ⟨*fr.-engl.*⟩ *das;* -s, -s: 1. a) Änderungsantrag zu einem Gesetzentwurf; b) Gesetz zur Änderung od. Ergänzung eines bereits erlassenen Gesetzes (Rechtsw.). 2. Berichtigung od. Änderung bei von einer Partei dargelegten Tatsachen, Behauptungen usw. im Verlauf eines gerichtlichen Verfahrens (Rechtsw.). **a|men|die̱|ren** ⟨*lat.-fr.*⟩: ein Amendement einbringen. **A|men|die̱|rung** *die;* -, -en: das Amendieren. **A|mend|ment** vgl. Amendement **A|me|nor|rhö̱** ⟨*gr.-nlat.*⟩ *die;* -, -en u. **A|me|nor|rhoe** [... ro:] *die;* -, n [...'rø̱ən]: Ausbleiben bzw. Fehlen der ↑Menstruation (Med.). **a|me|nor|rho̱|isch:** Amenorrhö betreffend **A|men|tia** ⟨*lat.*⟩ *die;* -, ...iae [...i̱ɛ] u. Amenz *die;* -: vorübergehende geistige Verwirrtheit, Benommenheit (Med.) **A|me|ri̱|can Ba̱r** [ə'mɛrɪkən-] ⟨*engl.*⟩ *die;* - -, - -s: schon am Vormittag geöffnete, meist einfachere Hotelbar. **A|me|ri̱|can Foot-ball** ⟨*engl.*⟩ *der;* - -[s]: Football. **A|me|ri̱|ca|nis|mo** ⟨*span.*⟩: Criollismo. **A|me|ri̱|can Way of Life** [ə'mɛrɪkən 'weɪ əv 'laɪf] ⟨*engl.*⟩ *der;* - - - -: amerikanischer Lebensstil. **A|me|ri̱|ci|um** ⟨*nlat.*⟩: nach dem Kontinent Amerika⟩ *das;* -s: chem. Element; ↑Transuran (Zeichen: Am). **a|me|ri̱|ka-**

ni|sie|ren: a) der amerikanischen Sprache od. den amerikanischen Verhältnissen angleichen; b) (einen Betrieb, eine Firma) mit US-amerikanischem Kapital ausstatten, unter US-amerikanische Leitung stellen. A|me|ri|ka|nis|mus *der;* -, ...men: 1. sprachliche Besonderheit des amerikanischen Englisch. 2. Entlehnung aus dem Amerikanischen [ins Deutsche]; vgl. Interferenz (3). A|me|ri|ka|nist *der;* -en, -en: Wissenschaftler auf dem Gebiet der Amerikanistik. A|me|ri|ka|nis|tik *die;* -: 1. wissenschaftliche Erforschung der Geschichte, Sprache u. Kultur der USA. 2. wissenschaftliche Erforschung der Geschichte, Sprache u. Kultur des alten Amerikas. a|me|ri|ka|nis|tisch: die Amerikanistik (1, 2) betreffend. A|me|ri|ka|num *das;* -s, ...na: Werk über Amerika. a me|tà [a me'ta] ⟨*it.;* „zur Hälfte"⟩: unter Teilung von Kosten, Gewinn u. Verlust (Kaufmannsspr.). a|me|thol|disch ⟨*gr.*⟩: ohne feste ↑Methode, planlos. A|me|tho|dist *der;* -en, -en: (veraltet; abwertend) jmd., der amethodisch arbeitet, vorgeht A|me|thyst ⟨*gr.-lat.*⟩ *der;* -[e]s, -e: violetter bis purpurroter Schmuckstein A|met|rie* ⟨*gr.*⟩ *die;* -, ...ien: Ungleichmäßigkeit, Missverhältnis. a|met|risch [auch: 'a...]: nicht gleichmäßig, in keinem ausgewogenen Verhältnis stehend. A|me|tro|pie ⟨*gr.-nlat.*⟩ *die;* -, ...ien: Fehlsichtigkeit infolge Abweichungen von der normalen Brechkraft der Augenlinse A|meub|le|ment* [aməbləmã:] ⟨*fr.*⟩ *das;* -s, -s: (veraltet) Zimmer-, Wohnungseinrichtung ¹A|mi *der;* -[s], -[s]: (ugs.) Amerikaner. ²A|mi *die;* -, -s: (ugs.) amerikanische Zigarette A|mi|ant ⟨*gr.-lat.*⟩ *der;* -s: eine Asbestart A|mid ⟨*gr.-lat.-mlat.-nlat.*⟩ *das;* -s, -e: a) chem. Verbindung des Ammoniaks, bei der ein Wasserstoffatom des Ammoniaks durch ein Metall ersetzt ist; b) Ammoniak, dessen H-Atome durch Säurereste ersetzt sind. A|mi|da|se *die;* -, -n: ↑Enzym, das Säureamide spaltet. A|mi|do...: ↑Amino... A|mi|go ⟨*span.*⟩ *der;* -s, -s: (ugs.) Geschäftsmann als Freund und Gönner eines Politikers

a|mi|kal ⟨*lat.-fr.*⟩: freundschaftlich A|mik|ron* ⟨*gr.*⟩ *das;* -s, en (meist Plural): sehr kleines Teilchen, das auch im Ultramikroskop nicht mehr erkennbar ist. a|mik|ro|sko|pisch [auch: 'a...] ⟨*gr.*⟩: durch ein normales Mikroskop nicht mehr sichtbar A|mikt ⟨*lat.*⟩ *der;* -[e]s, -e: ↑Humerale (1) a|mik|tisch ⟨*gr.*⟩: nicht durchmischt; amiktischer See: See ohne Zirkulation A|mi|mie ⟨*gr.-nlat.*⟩ *der;* -, ...ien: 1. fehlendes Mienenspiel, maskenhafte Starre des Gesichts (Med.). 2. (veraltet) a) Verlust des mimischen Ausdrucksvermögens (Med.); b) Nichtverstehen der Mimik anderer (Med.). A|min ⟨*nlat.;* Kurzw. aus ↑Ammoniak u. -in⟩ *das;* -s, -e: chem. Verbindung, die durch Ersatz von einem od. mehreren Wasserstoffatomen durch ↑Alkyle aus Ammoniak entsteht. A|mi|nie|rung *die;* -, -en: das Einführen einer Aminogruppe in eine organ. Verbindung. A|mi|no|ben|zol *das;* -s, -e: ↑Anilin. A|mi|no|plast* ⟨*gr.-nlat.*⟩ *das;* -[e]s, -e: Kunstharz, das durch ↑Kondensation (2) von Harnstoff u. ↑Formaldehyd gewonnen wird. A|mi|no|säu|re *die;* -, -n (meist Plural): organische Säure, bei der ein Wasserstoffatom durch eine Aminogruppe ersetzt ist (wichtigster Baustein der Eiweißkörper) A|mi|to|se ⟨*gr.-nlat.*⟩ *die;* -, -n: direkte Zellkernteilung (Biol.); Ggs. ↑Mitose. a|mi|to|tisch: die Amitose betreffend A|mi|xie ⟨*gr.*⟩ *die;* -: das Nichtzustande-Kommen der Paarung zwischen Angehörigen der gleichen Art aufgrund bestimmter (z. B. geographischer) Isolierungsfaktoren; Ggs. ↑Panmixie (2) Am|min|salz *das;* -es, -e: Ammoniakat. Am|mon *das;* -s, -e: Kurzform von ↑Ammonium. Am|mo|ni|ak [auch: 'am...] ⟨*ägypt.-gr.-lat.;* nach dem Fundort Ammonium in Ägypten⟩ *das;* -s: stechend riechende gasförmige Verbindung von Stickstoff u. Wasserstoff. am|mo|ni|a|ka|lisch ⟨*nlat.*⟩: ammoniakhaltig. Am|mo|ni|a|kat *das;* -[e]s, -e: chem. Verbindung, die durch Anlagerung von Ammoniak an Metallsalze entsteht. Am|mo|ni|fi|ka|ti|on *die;* -: ↑Mineralisation

des Stickstoffs mithilfe von Mikroorganismen. am|mo|ni|fi|zie|ren: den Stickstoff organischer Verbindungen durch Mikroorganismen in Ammoniumionen überführen ¹Am|mo|nit ⟨*nlat.;* nach dem ägypt. Gott Ammon, der mit Widderhörnern dargestellt wurde⟩ *der;* -en, -en: 1. ausgestorbener Kopffüßer der Kreidezeit. 2. spiralförmige Versteinerung eines Ammoniten (1). ²Am|mo|nit [auch: ...nɪt] ⟨Kurzw. aus ↑Ammoniumnitrat u. -it⟩ *der;* -s, -e: Sprengstoff Am|mo|ni|um ⟨*nlat.*⟩ *das;* -s: aus Stickstoff u. Wasserstoff bestehende Atomgruppe, die sich in vielen chem. Verbindungen wie ein Metall verhält. Am|mo|ni|um|nit|rat* *das;* -s: ein Stickstoffdünger. Am|mons|horn *das;* -[e]s, ...hörner: 1. Teil des Großhirns bei Säugetieren u. beim Menschen (Zool., Anat.). 2. ↑¹Ammonit (2) Am|ne|sie* ⟨*gr.-nlat.*⟩ *die;* -, ...ien: Erinnerungslosigkeit, Gedächtnisschwund; Ggs. ↑Hypermnesie (Med.). Am|nes|tie ⟨*gr.-lat.;* „das Vergessen; Vergebung"⟩ *die;* -, ...ien: durch ein besonderes Gesetz verfügter Straferlass od. verfügte Strafmilderung für eine Gruppe bestimmter Fälle, bes. für politische Vergehen. am|nes|tie|ren: jmdm. [durch Gesetz] die weitere Verbüßung einer Freiheitsstrafe erlassen. am|nes|tisch: die Amnesie betreffend. Am|nes|ty In|ter|na|tio|nal ['æmnɪstɪ ɪntəˈnæʃənl] ⟨*engl.*⟩ *die;* - -: 1961 gegründete internationale Organisation zum Schutze der Menschenrechte, bes. für Menschen, die aus politischen od. religiösen Gründen in Haft sind; Abk.: ai Am|ni|on ⟨*gr.-nlat.*⟩ *das;* -s: Embryonalhülle der höheren Wirbeltiere u. des Menschen (Schafhaut, Eihaut; Biol., Med.). Am|ni|o|skop* ⟨*gr.*⟩ *das;* -s, -e: konisch geformtes Rohr zur Durchführung der Amnioskopie. Am|ni|o|sko|pie* ⟨*gr.*⟩ *die;* -, ...ien: Verfahren zur Untersuchung der Fruchtblase u. zur Beurteilung des Fruchtwassers mithilfe eines Amnioskops (Med.). Am|ni|ot *der;* -en, -en (meist Plural): Wirbeltier, dessen Gruppe durch den Besitz eines Amnions in der Embryonalentwicklung gekennzeichnet ist (Reptil, Vogel, Säugetier). am|ni|o|tisch: das Amnion betreffend. **Am|ni|o|zente|se** *die;* -, -n: Durchstechen des Amnions zur Gewinnung von Fruchtwasser für diagnostische Zwecke (Med.) **a|mö|bä|isch** ⟨*gr.-lat.*⟩: das Amöbäum betreffend. Amoibaion. **A|mö|be** ⟨*gr.nlat.;* „Wechsel, Veränderung"⟩ *die;* -, -n: Einzeller der Klasse der Wurzelfüßer; Krankheitserreger [der Amöbenruhr]. **A|möb|a|sis** *die;* -, ...b|asen: Erkrankung durch Amöbenbefall (Med.). **a|mö|bo|id**: amöbenartig. **A|moi|bai|on** ⟨*gr.*⟩ *das;* -s, ...aia u. Amöbäum ⟨*gr.-lat.*⟩ *das;* -s, ...äa: Wechselgesang in der griechischen Tragödie **A|mok** ⟨*malai.*⟩: meist in bestimmten Verbindungen wie **Amok laufen:** in einem Zustand krankhafter Verwirrung [mit einer Waffe] umherlaufen und blindwütig töten; **Amok fahren:** in einer Zerstörungswut mit einem Fahrzeug umherfahren **A|mom** ⟨*gr.-lat.*⟩ *das;* -s, -e: eine tropische Gewürzpflanze **a|mön** ⟨*lat.*⟩: anmutig, lieblich. **A|mö|ni|tät** *die;* -: Anmut, Lieblichkeit **A|mo|ral** ⟨*gr.; lat.-mlat.-fr.*⟩ *die;* -: Unmoral, Mangel an Moral. **a|mo|ra|lisch:** a) sich außerhalb der Moral od. moralischer Bewertung befindend; b) die moralischen Grundsätze völlig missachtend. **A|mo|ra|lis|mus** *der;* -: 1. gegenüber den [geltenden] Grundsätzen der Moral sich ablehnend verhaltende Geisteshaltung. 2. der Moral gegenüber indifferente Lebenseinstellung. **A|mo|ra|list** *der;* -en, -en: 1. Anhänger des Amoralismus. 2. amoralischer Mensch. **a|mo|ralis|tisch:** Grundsätzen des Amoralismus folgend. **A|mo|ra|li|tät** *die;* -: Lebensführung, die keine Moral für sich anerkennt **A|morce** [a'mɔrs] ⟨*lat.-fr.*⟩ *die;* -, -s (meist Plural): (veraltet) Zündblättchen (für Feuerwerkskörper u. Ä.). **A|mo|ret|te** ⟨*lat.;* mit französischer Endung⟩ *die;* -, -n: Figur eines nackten, geflügelten, Pfeil u. Bogen tragenden kleinen Knaben (oft als Begleiter der Venus; Kunstw.). **A|mor Fa|ti** ⟨*lat.;* „Liebe zum Schicksal"⟩ *der; - -:* Liebe zum Notwendigen u. Unausweichlichen (bei Nietzsche Zeichen menschlicher Größe). **a|mo|ro|so** ⟨*lat.-it.*⟩: innig, zärtlich (Vortragsanweisung; Mus.).

A|mo|ro|so *der;* -s, ...osi: (veraltet) Liebhaber (Theat.) **a|morph** ⟨*gr.-nlat.*⟩: 1. form-, gestaltlos. 2. nicht kristallin (Phys.). 3. keine Eigenschaft, kein Merkmal ausprägend (von Genen; Biol.); vgl. ...isch/-. **A|mor|phie** *die;* -, ...ien: 1. Missgestaltung. 2. amorpher Zustand (eines Stoffes; Phys.). **a|morphisch:** amorph; vgl. ...isch/-. **A|mor|phis|mus** *der;* -: 1. Gestaltlosigkeit. 2. Missgestaltung ⟨*lat.-vulgärlat.fr.*⟩: tilgbar. **A|mor|ti|sa|ti|on** *die;* -, -en: 1. allmähliche Tilgung einer langfristigen Schuld nach vorgegebenem Plan. 2. Deckung der für ein Investitionsgut aufgewendeten Anschaffungskosten aus dem mit dem Investitionsgut erwirtschafteten Ertrag. 3. gesetzliche Beschränkung od. Genehmigungsvorbehalt für den Erwerb von Vermögenswerten (Rechtsw.). 4. Kraftloserklärung einer Urkunde. 5. (in sozialistischer Planwirtschaft) Abschreibung des Verschleißes, dem die Grundmittel in der Produktion ausgesetzt sind. **a|mor|ti|sieren:** 1. eine Schuld nach einem vorgegebenen Plan allmählich tilgen. 2. a) die Anschaffungskosten für ein Investitionsgut durch den mit diesem erwirtschafteten Ertrag decken; b) sich -: die Anschaffungskosten durch Ertrag wieder einbringen. 3. (in sozialistischer Planwirtschaft) den Verschleiß der Grundmittel in der Produktion abschreiben **A|mour** [a'mu:r] ⟨*lat.-fr.*⟩ *die;* -, -en: (veraltet) Liebschaft, Liebesabenteuer. **a|mou|rös:** eine Liebschaft betreffend, Liebes...; verliebt **Am|pe|lo|gra|phie, auch:** ...grafie ⟨*gr.-nlat.*⟩ *die;* -: Beschreibung der Traubensorten, Rebsortenkunde **Am|pere** [am'pɛːɐ̯] ⟨nach dem französischen Physiker Ampère⟩ *das;* -[s], -: Einheit der elektrischen Stromstärke (Zeichen: A). **Am|pere|me|ter** *das;* -s, -: Messgerät für die elektrische Stromstärke. **Am|pere|se|kun|de** *die;* -, -n: Maßeinheit für die Menge der elektrischen Ladung, die transportiert wird, wenn Strom von 1 Ampere eine Sekunde lang fließt (1 Ampere × 1 Sekunde = 1 Coulomb; Abk.: As). **Ampere|stun|de** *die;* -, -n: Maßeinheit für die Menge der elektrischen Ladung, die transportiert

wird, wenn Strom von 1 Ampere eine Stunde lang fließt (1 Ampere × 3 600 Sekunden = 3 600 Coulomb; Abk.: Ah) **Am|pex** ⟨Kunstw. aus *engl.* automatic programming system extended⟩ *die;* -: nach einem Verfahren zur Aufzeichnung von Bildimpulsen (Ampexverfahren) hergestelltes Band mit aufgezeichneten Bildfolgen **Am|phe|ta|min*** ⟨Kunstw.⟩ *das;* -s, -e: ↑ Weckamin, das als schnell wirkende Droge benutzt wird **am|phib:** ↑ amphibisch; vgl. ...isch/-. **Am|phi|bie** [...bjə] ⟨*gr.lat.*⟩ *die;* -, -n (meist Plural) u. Amphibium *das;* -s, ...ien: Lurch. **Am|phi|bi|en|fahr|zeug** *das;* -[e]s, -e: Kraftfahrzeug, das im Wasser u. auf dem Land verwendet werden kann. **am|phibisch:** 1. im Wasser u. auf dem Land lebend bzw. sich bewegend. 2. zu Lande u. zu Wasser operierend (Mil.); vgl. ...isch/-. **Am|phi|bi|um** vgl. Amphibie **am|phi|bol:** amphibolisch; vgl. ...isch/-. **Am|phi|bol** ⟨*gr.-nlat.*⟩ *der;* -s, -e: gesteinsbildendes Mineral (meist Hornblende; Geol.). **Am|phi|bo|lie** ⟨*gr.-lat.*⟩ *die;* -, ...ien: Doppelsinn, Zweideutigkeit, Mehrdeutigkeit; vgl. Ambiguität. **am|phi|bo|lisch:** zweideutig, doppelsinnig; vgl. ...isch/-. **Am|phi|bo|lit** [auch: ...'lɪt] ⟨*gr.-nlat.*⟩ *der;* -s, -e: ein amphibolreiches metamorphes Gestein (Geol.) **Am|phi|bra|chys*** ⟨*gr.-lat.;* „beiderseits kurz"⟩ *der;* -, -: dreisilbiger Versfuß, dreisilbige rhythmische Einheit eines Verses (⏑–⏑); antike Metrik) **Am|phi|dro|mie*** ⟨*gr. nlat.;* „das Umlaufen"⟩ *die;* -, ...ien: durch Überlagerung der Gezeitenströme entstehende, kreisförmig umlaufende Gezeitenbewegung (ohne Ebbe u. Flut) **Am|phi|go|nie** ⟨*gr.-nlat.*⟩ *die;* -: zweigeschlechtliche Fortpflanzung (durch Ei u. Samenzellen; Biol.) **am|phi|karp** ⟨*gr.-nlat.*⟩: (veraltet) zur Amphikarpie fähig. **Am|phikar|pie** *die;* -: 1. das Hervorbringen von zweierlei Fruchtformen an einer Pflanze. 2. das Reifen der Früchte über u. unter der Erde (Biol.) **Am|phi|kra|nie*** ⟨*gr.-nlat.*⟩ *die;* -, ...jen: Kopfschmerz in beiden Kopfhälften (Med.) **Am|phik|ty|o|ne*** ⟨*gr.-lat.;* „Umwohner") *der;* -n, -n: Mitglied einer Amphiktyonie. **Am|phik|tyo|nie** ⟨*gr.*⟩ *die;* -, ...jen: kultischpolit. Verband von Nachbarstaaten od. -stämmen mit gemeinsamem Heiligtum im Griechenland der Antike (z. B. Delphi u. Delos). **am|phik|ty|o|nisch**: a) nach Art einer Amphiktyonie gebildet; b) die Amphiktyonie betreffend **Am|phi|ma|cer, Am|phi|ma|zer** ⟨*gr.-lat.;* „beiderseits lang"⟩ *der;* -s, -: dreisilbiger Versfuß, dreisilbige rhythmische Einheit eines Verses; auch ↑Kretikus genannt (−⌣−; antike Metrik) **am|phi|mik|tisch** ⟨*gr.-nlat.*⟩: durch Amphimixis entstanden. **Am|phi|mj|xis** *die;* -: Vermischung der Erbanlagen bei der Befruchtung (Biol.) **Am|phi|ol|le** ® ⟨Kurzw. aus ↑*Am*pulle u. ↑*Phiole*⟩ *die;* -, -n: Kombination aus Serum- od. Heilmittelampulle u. Injektionsspritze (Med.) **Am|phi|o|xus** ⟨*gr.-nlat.*⟩ *der;* -: (veraltet) Lanzettfisch (schädelloser, glasheller kleiner Fisch) **am|phi|pneus|tisch*** ⟨*gr.-nlat.*⟩: nur vorne u. hinten Atemöffnungen aufweisend (von bestimmten Insektenlarven; Biol.) **Am|phi|po|lde** ⟨*gr.-nlat.*⟩ *der;* -en, -en: Flohkrebs **Am|phi|pros|ty|llos*** ⟨*gr.*⟩ *der;* -, ...stylen: griech. Tempel mit Säulenvorhallen an der Vorder- u. Rückseite **am|phi|sto|ma|tisch*** ⟨*gr.-nlat.*⟩: beidseitig mit Spaltöffnungen versehen (von bestimmten Pflanzenblättern; Bot.) **Am|phi|the|a|ter** ⟨*gr.-lat.*⟩ *das;* -s, -: meist dachloses Theatergebäude der Antike in Form einer Ellipse mit stufenweise aufsteigenden Sitzen. **am|phi|the|at|ralisch***: in der Art eines Amphitheaters **Ạm|pho|ra, Am|pho|re** ⟨*gr.-lat.*⟩ *die;* -, ...oren: zweihenkliges enghalsiges Gefäß der Antike zur Aufbewahrung von Wein, Öl, Honig usw. **am|pho|ter** ⟨*gr.-nlat.;* „jeder von beiden, der eine u. der andere; zwitterhaft"⟩: teils als Säure, teils als Base sich verhaltend (Chem.) **Am|pho|tro|pin*** ® ⟨Kunstw.⟩ *das;* -s: Mittel gegen Entzündungen der Harnwege **Amp|li|dy|ne*** ⟨*lat.; gr.*⟩ *die;* -, -n: Querfeldverstärkermaschine, eine elektrische Gleichstromma-

schine besonderer Bauart. **Ampli|fi|ka|ti|on** ⟨*lat.*⟩ *die;* -, -en: 1. kunstvolle Ausweitung einer Aussage über das zum unmittelbaren Verstehen Nötige hinaus (Stilk., Rhet.). 2. Erweiterung des Trauminhalts durch Vergleich der Traumbilder mit Bildern der Mythologie, Religion usw., die in sinnverwandter Beziehung zum Trauminhalt stehen (Psychoanalyse). **Amp|li|fi|katjv|suf|fix** *das;* -es, -e: Augmentativsuffix. **Amp|li|fi|ka|tj|vum** ⟨*lat.-nlat.*⟩ *das;* -s, ...iva: Augmentativum. **amp|li|fi|zie|ren** ⟨*lat.*⟩: a) erweitern; b) ausführen; c) etwas unter verschiedenen Gesichtspunkten betrachten. **Amp|li|tu|de** („Größe, Weite, Umfang"⟩ *die;* -, -n: größter Ausschlag einer Schwingung (z. B. beim Pendel) aus der Mittellage (Math., Phys.). **Amp|li|tu|denmo|du|la|ti|on** *die;* -, -en: Verfahren der Überlagerung von niederfrequenter Schwingung mit hochfrequenter Trägerwelle **Am|pul|le** ⟨*gr.-lat.;* „kleine Flasche; Ölgefäß"⟩ *die;* -, -n: 1. kleiner, keimfrei verschlossener Glasbehälter für Injektionslösungen (Med.). 2. blasenförmige Erweiterung eines röhrenförmigen Hohlorgans (z. B. des Mastdarms; Med.). 3. kleine Kanne (mit Wein, Öl u. dgl.) für den liturgischen Gebrauch **Am|pu|ta|ti|on** ⟨*lat.*⟩ *die;* -, -en: operative Abtrennung eines Körperteils, bes. einer Gliedmaße; Ablation (2 a). **am|pu|tieren** („ringsherum wegschneiden"⟩: einen Körperteil operativ entfernen (Med.) **A|mu|lett** ⟨*lat.*⟩ *das;* -[e]s, -e: kleinerer, als Anhänger (bes. um den Hals) getragener Gegenstand in Form eines Medaillons o. Ä., dem besondere, Gefahren abwehrende od. Glück bringende Kräfte zugeschrieben werden **a|mül|sạnt** ⟨*vulgärlat.-fr.*⟩: unterhaltsam, belustigend, vergnüglich. **A|muse-Gueule** [amyz(ə)-'gœl] ⟨*fr.*⟩ *das;* -, -[s]: kleines Appetithäppchen. **A|mü|se|ment** [amyzəm'ã:] *das;* -s, -s: unterhaltsamer, belustigender Zeitvertreib, [oberflächliches] Vergnügen **A|mu|sie** ⟨*gr.-nlat.*⟩ *die;* -: 1. a) Unfähigkeit, Musisches zu verstehen; b) Unfähigkeit zu musikalischem Verständnis od. zu musikalischer Hervorbringung. 2. krankhafte Störung des Sing-

vermögens od. der Tonwahrnehmung (Med.) **a|mü|sie|ren** ⟨*vulgärlat.-fr.*⟩: 1. jmdn. angenehm unterhalten; jmdn. erheitern, belustigen. 2. sich -: a) sich vergnügen, sich angenehm die Zeit vertreiben, seinen Spaß haben; b) sich über jmdn. od. etwas lustig machen **ạ|mu|sisch** ⟨*gr.-nlat.*⟩: ohne Kunstverständnis, ohne Kunstsinn **A|myg|da|lin** ⟨*gr.-nlat.*⟩ *das;* -s: blausäurehaltiges ↑Glykosid in bitteren Mandeln u. Obstkernen. **a|myg|da|lo|id**: bittermandelähnlich **A|myl|ace|tat*** ⟨*gr.; lat.*⟩ *das;* -s: Essigsäureester des Amylalkohols, Lösungsmittel für Harze u. Öle. **A|myl|al|ko|hol** *der;* -s: Hauptbestandteil der bei der alkoholischen Gärung entstehenden Fuselöle. **A|my|la|se** ⟨*gr.- nlat.*⟩ *die;* -, -n: ↑Enzym, das Stärke u. ↑Glykogen spaltet. **a|my|len** *das;* -s, -e: Penten. **a|my|lo..., A|my|lo...** ⟨*gr.*⟩: in Zusammensetzungen auftretendes Bestimmungswort mit der Bedeutung „stärke..., Stärke...", z. B. amylophil, Amylolyse. **A|my|lo|id** *das;* -s, -e: stärkeähnlicher Eiweißkörper, der durch krankhafte Prozesse im Organismus entsteht u. sich im Bindegewebe der Blutgefäße ablagert (Med.). **a|my|lo|id**: stärkeähnlich. **A|my|lo|i|do|se** *die;* -, -n: Gewebsentartung (bes. in Leber, Milz, Nieren) infolge Ablagerung von Amyloiden, wodurch eine Verhärtung des Gewebes entsteht (Med.). **A|my|lo|ly|se** *die;* -, -n: Stärkeabbau im Stoffwechselprozess, Überführung der Stärke in ↑Dextrin (2), ↑Maltose od. ↑Glykose. **a|my|lo|lytisch**: die Amylolyse betreffend **A|my|lo|se** *die;* -: in Wasser löslicher innerer Bestandteil stärkehaltiger Körner (z. B. Getreidekörner, Erbsen). **A|my|lum** ⟨*gr.- lat.*⟩ *das;* -s: pflanzliche Stärke **a|my|thisch** ⟨*gr.-nlat.*⟩: ohne Mythen (↑Mythos 1) **ạ|na** ↑ana partes aequales **A|na** ⟨Substantivierung der lateinischen Endung ...ana⟩ *die;* -, -s: (veraltet) Sammlung von Aussprüchen od. kleineren Beiträgen zur Charakteristik berühmter Männer **A|na|bap|tjs|mus** ⟨*gr.-nlat.*⟩ *der;* -: Lehre der [Wieder]täufer **A|na|bap|tjst** *der;* -en, -en: [Wieder]täufer a|na|ba|tisch ⟨gr.-nlat.⟩: aufsteigend (von Winden; Meteor.); Ggs. ↑katabatisch

A|na|bi|o|se ⟨gr.-nlat.; „Wiederaufleben"⟩ die; -: Fähigkeit von niederen Tieren u. Pflanzensamen, länger andauernde ungünstige Lebensbedingungen (z. B. Kälte, Trockenheit) in scheinbar leblosem Zustand zu überstehen

a|na|bol ⟨gr.-nlat.⟩: die Anabolie betreffend. A|na|bo|lie die; -, ...ien: 1. Erwerb neuer Merkmale in der Individualentwicklung (Biol.). 2. ↑Anabolismus. A|na|bo|li|kum das; -s, ...ka (meist Plural): den Aufbaustoffwechsel [des Körpereiweißes] fördernder Wirkstoff mit geringer ↑androgener Wirkung (Med.). A|na|bo|lis|mus der; -: Aufbau der Stoffe im Körper durch den Stoffwechsel; Ggs. ↑Katabolismus

A|na|cho|ret [...ç..., auch: ...ko... u. ...x...] ⟨gr.-lat., „zurückgezogen (Lebender)"⟩ der; -en, -en: Klausner, Einsiedler. a|na|cho|re|tisch: einsiedlerisch

A|na|chro|nis|mus ⟨gr.-nlat.⟩ der; -, ...men: 1. a) falsche zeitliche Einordnung von Vorstellungen, Sachen od. Personen; b) Verlegung, das Hineinstellen einer Erscheinung usw. in einen Zeitabschnitt, in den sie – historisch gesehen – nicht hineingehört. 2. eine durch die allgemeinen Fortschritte, Errungenschaften usw. überholte od. nicht mehr übliche Erscheinung. a|na|chro|nis|tisch: 1. den Anachronismus (1) betreffend. 2. nicht in eine bestimmte Zeit, Epoche passend; nicht zeitgemäß; zeitwidrig

An|aci|di|tät ⟨gr.; lat.⟩ die; -: Fehlen von freier Salzsäure im Magensaft (Med.)

A|na|dip|lo|se*, A|na|dip|lo|sis ⟨gr.-lat., „Verdoppelung"⟩ die; -, ...osen: Wiederholung des letzten Wortes od. der letzten Wortgruppe eines Verses od. Satzes am Anfang des folgenden Verses od. Satzes zur semantischen od. klanglichen Verstärkung (z. B. „Fern im Süd das schöne Spanien, Spanien ist mein Heimatland"; Geibel) (Rhet., Stilk.)

A|na|dy|o|me|ne [auch: ...'o:me-nə] ⟨gr.-lat.; „die (aus dem Meer) Auftauchende"⟩: Beiname der griech. Göttin Aphrodite

an|ae|rob* [an|a|e'ro:p, auch: 'an|ɛ:ro:p] ⟨gr.-nlat.⟩: ohne Sauerstoff lebend (Biol.). An|ae|ro-

bi|er der; -s, - u. An|ae|ro|bi|ont der; -en, -en: niederes Lebewesen, das ohne Sauerstoff leben kann (z. B. Darmbakterien); Ggs. ↑Aerobier. An|ae|ro|bi|o|se die; -: Lebensvorgänge, die unabhängig vom Sauerstoff ablaufen; Ggs. ↑Aerobiose

A|na|ge|ne|se ⟨gr.-nlat.⟩ die; -: Höherentwicklung innerhalb der Stammesgeschichte (Biol.)

A|na|gly|pho* ⟨gr.-lat.; „reliefartig ziseliert, erhaben"⟩ die; -, -n: in Komplementärfarben etwas seitlich verschoben übereinander gedrucktes u. projiziertes Bild, das beim Betrachten durch eine Farbfilterbrille mit gleichen Komplementärfarben räumlich erscheint (Phys.). A|na|gly|phen|bril|le die; -, -n: spezielle Brille für das Betrachten von dreidimensionalen Bildern od. Filmen.

A|nag|no|ri|sis* ⟨gr.⟩ die; -: das Wiedererkennen (zwischen Verwandten, Freunden usw.) als dramatisches Element in der antiken Tragödie (Literaturw.)

A|nag|nost der; -en, -en: Vorleser im orthodoxen Gottesdienst (Rel.)

A|na|go|ge* ⟨gr.-lat.; „das Hinaufführen"⟩ die; -: 1. „Hinaufführung" des Eingeweihten zur Schau der Gottheit (griech. Philos.). 2. Erläuterung eines Textes durch Hineinlegen eines höheren Sinnes (griech. Rhet.). a|na|go|gisch: die Anagoge (1, 2) betreffend

A|na|gramm ⟨gr.-nlat.⟩ das; -s, -e: a) Umstellung der Buchstaben eines Wortes zu anderen Wörtern mit neuem Sinn; b) Buchstabenversetzrätsel. a|na|gram|ma|tisch: nach Art eines Anagramms

A|na|kar|die [...diə] ⟨gr.-nlat.⟩ die; -, -n: ein trop. Holzgewächs

A|na|kla|sis* ⟨gr.; „Zurückbiegung"⟩ die; -: Vertauschung von Länge und Kürze innerhalb desselben Metrums (antike Metrik). a|na|klas|tisch: eine Anaklasis enthaltend (von antiken Versen) a|na|kli|tisch* ⟨gr.⟩: in der Fügung anaklitische Depression: extreme Form des ↑Hospitalismus bei Säuglingen u. Kleinkindern

a|na|ko|luth*: ↑anakoluthisch. A|na|ko|luth ⟨gr.-lat.; „ohne Zusammenhang, unpassend"⟩ das (auch: der); -s, -e u. A|na|ko|lu|thie ⟨gr.-nlat.⟩ die; -, ...ien: das Fortfahren in einer anderen als der begonnenen Satzkonstrukti-

on; Satzbruch (Sprachw.). a|na|ko|lu|thisch: in Form eines Anakoluths, einen Anakoluth enthaltend; vgl. ...isch/-

A|na|kon|da ⟨Herkunft unsicher⟩ die; -, -s: südamerikanische Riesenschlange

A|na|kre|on|tik* ⟨nach dem altgriech. Lyriker Anakreon⟩ die; -: literarische Richtung, Lyrik zur Zeit des Rokokos mit den Hauptmotiven Liebe, Freude an der Welt u. am Leben. A|na|kre|on|ti|ker der; -s, -: Vertreter der Anakreontik, Nachahmer der Dichtweise Anakreons. a|na|kre|on|tisch: a) zur Anakreontik gehörend; b) in der Art Anakreons; anakreontischer Vers: in der attischen Tragödie verwendeter ↑anaklastischer ionischer ↑Dimeter

A|na|kru|sis* [auch: ...'kru:...] ⟨gr.⟩ die; -, ...krusen: (veraltet) Auftakt, Vorschlagsilbe, unbetonte Silbe am Versanfang

A|na|ku|sis* ⟨gr.-nlat.⟩ die; -: Taubheit (Med.)

a|nal ⟨gr.-nlat.⟩: (Med.) a) zum After gehörend; b) den After betreffend; anale Phase: frühkindliche, durch Lustgewinn im Bereich des Afters gekennzeichnete Entwicklungsphase (Psychoanalyse); c) afterwärts gelegen

A|nal|cim* [...'tsi:m] ⟨gr.-nlat.⟩ das; -s: farbloses, graues od. fleischrotes Mineral

A|na|lek|ten ⟨gr.-lat.⟩ die (Plural): Sammlung von Auszügen od. Zitaten aus dichterischen od. wissenschaftlichen Werken od. von Beispielen bestimmter literarischer Gattungen. a|na|lek|tisch: a) die Analekten betreffend; b) auswählend

A|na|lep|ti|kon ⟨gr.; „kräftigend, stärkend"⟩ u. A|na|lep|ti|kum ⟨gr.-lat.⟩ das; -s, ...ka: belebendes, anregendes Mittel. a|na|lep|tisch: belebend, stärkend

A|nal|ero|tik ⟨gr.⟩ die; -: [frühkindliches] sexuelles Lustempfinden im Bereich des Afters (Psychoanalyse). A|nal|ero|ti|ker der; -s, -: jmd., dessen sexuelle Wünsche auf den Analbereich fixiert sind.

A|nal|fis|sur die; -, -en: schmerzhafte Rissbildung der Haut am After (Med.). A|nal|fis|tel die; -, -n: Mastdarm-, Afterfistel (vgl. Fistel; Med.)

An|al|gen ⟨gr.-nlat.⟩ das; -s, -e: Analgetikum. An|al|ge|sie, Analgie die; -, ...ien: Aufhebung der Schmerzempfindung,

Schmerzlosigkeit. **An|al|ge|ti-kum** *das;* -s, ...ka: Schmerzen stillendes Mittel (Med.). **an|al-ge|tisch:** Schmerzen stillend. **An|al|gie** vgl. Analgesie **an|al|lak|tisch** *‹gr.-nlat.›:* unveränderlich; **anallaktischer Punkt:** vorderer Brennpunkt bei Fernrohren **a|na|log** *‹gr.-lat.-fr.›:* 1. [einem anderen, Vergleichbaren] entsprechend, ähnlich; gleichartig; vgl. ...isch/-. 2. kontinuierlich, stufenlos, stetig veränderbar (Informationstechn.); Ggs. ↑²digital. **A|na|lo|gat** *‹nlat.›* das; -[e]s, -e: analoges Verhältnis von Begriffen (z. B. in der Philosophie). **A|na|log-di|gi|tal-Kon|ver|ter** *der;* -s, -: elektronische Schaltung, die analoge Eingangssignale in digitale Ausgangssignale umsetzt (EDV). **Analog-di|gi-tal-Wand|ler** *der;* -s, -: ↑Analog-digital-Konverter. **A|na|lo|gie** *‹gr.-lat.›* die; -, ...ien: 1. Entsprechung, Ähnlichkeit, Gleichheit von Verhältnissen, Übereinstimmung. 2. gleiche Funktion von Organen verschiedener entwicklungsgeschichtlicher Herkunft (Biol.). 3. (Sprachw.) a) in der antiken Grammatik Übereinstimmung in der Formenlehre (z. B. gleiche Endungen bei demselben Kasus) od. in der Wortbildung (gleiche Ableitungen); b) Ausgleich von Wörtern od. sprachlichen Formen nach assoziierten Wörtern od. Formen aufgrund von formaler Ähnlichkeit od. begrifflicher Verwandtschaft. **A|na|lo|gie|bil|dung** *die;* -, -en: Bildung od. Umbildung einer sprachlichen Form nach dem Muster einer anderen (z. B. *Diskothek* nach *Bibliothek;* Sprachw.). **A|na|lo|gie|schluss** *der;* -es, ...schlüsse: Folgerung von der Ähnlichkeit zweier Dinge auf die Ähnlichkeit zweier anderer od. aller übrigen. **A|na|lo-gie|zau|ber** *der;* -s, -: mit Zauber verbundene Handlung, die bewirken soll, dass sich Entsprechendes od. Ähnliches [an jmdm.] vollzieht (z. B. das Verbrennen von Haaren eines Menschen, der dadurch geschwächt werden od. sterben soll). **a|na|lo-gisch:** nach Art einer Analogie; vgl. ...isch/-. **A|na|lo|gis|mus** *‹gr.-nlat.›* der; -, ...men: Analogieschluss. **A|na|lo|gon** *‹gr.›* das; -s, ...ga: ähnlicher, gleichartiger (analoger) Fall. **A|na|log|rech-ner** *der;* -s, -: Rechenanlage, in

der die Ausgangswerte u. das Ergebnis einer Rechenaufgabe als physikalische Größen dargestellt werden; Ggs. ↑Digitalrechner. **A|na|log|uhr** *die;* -, -en: Uhr, bei der die Zeitangabe auf einem Zifferblatt durch Zeiger erfolgt; Ggs. ↑Digitaluhr **An|al|pha|bet** [auch: ...'be:t] *‹gr.›* der; -en, -en: 1. jmd., der nicht lesen und schreiben gelernt hat. 2. (abwertend) jmd., der in einer bestimmten Sache nichts weiß, nicht Bescheid weiß; z. B. ein politischer Analphabet. **an|al|pha-be|tisch** [auch: ...'be:...]: des Lesens u. Schreibens unkundig. **An|al|pha|be|tis|mus** *‹gr.-nlat.›* der; -: Unfähigkeit, zu lesen u. zu schreiben **A|nal|ver|kehr** *der;* -s: Geschlechtsverkehr, bei dem der Penis in den After eingeführt wird **A|na|ly|sand** *‹gr.-nlat.›* der; -en, -en: jmd., der sich einer Psychoanalyse unterzieht. **A|na|ly|sa-tor** *der;* -s, ...oren: 1. Messvorrichtung zur Untersuchung von polarisiertem Licht (Phys.). 2. Vorrichtung zum Zerlegen einer Schwingung in harmonische Schwingungen (Phys.). 3. jmd., der eine Psychoanalyse durchführt. **A|na|ly|se** *‹gr.-mlat.; „Auflösung"›* die; -, -n: 1. systematische Untersuchung eines Gegenstandes od. Sachverhalts hinsichtlich aller einzelnen Komponenten od. Faktoren, die ihn bestimmen; Ggs. ↑Synthese (1). 2. Ermittlung der Einzelbestandteile von zusammengesetzten Stoffen od. Stoffgemischen mit chem. oder physikal. Methoden (Chem.). **a|na|ly|sie|ren:** etwas [wissenschaftlich] zergliedern, zerlegen, untersuchen, auflösen, Einzelpunkte herausstellen. **A|na|ly|sis** die; -: 1. Teilgebiet der Mathematik, in dem mit Grenzwerten gearbeitet, Infinitesimalrechnung angewandt wird. 2. Voruntersuchung beim Lösen geometrischer Aufgaben. **A|na|lyst** [auch: 'ænəlıst] *‹gr.-engl.›;* -en, -en u. (bei engl. Aussspr.:) *der;* -s, -s: Börsenfachmann, der berufsmäßig die Lage und Tendenz an der Wertpapierbörse beobachtet u. analysiert. **A|na|ly|tik** *‹gr.-lat.›* die; -: 1. a) Kunst der Analyse; b) Lehre von den Schlüssen u. Beweisen (Logik). 2. analytische Chemie. **A|na|ly|ti|ker** *der;* -s, -: a) jmd., der bestimmte Erschei-

nungen analysiert; b) jmd., der die Analytik anwendet und beherrscht; c) Psychoanalytiker. **a|na|ly|tisch:** zergliedernd, zerlegend, durch logische Zergliederung entwickelnd; **analytische Chemie:** Teilgebiet der Chemie, das sich mit der Analyse (2) befasst; **analytische Geometrie:** Geometrie, bei der für geometrische Gebilde Funktionsgleichungen aufgestellt werden; **analytisches Drama:** Drama, das die Ereignisse, die eine tragische Situation herbeigeführt haben, im Verlauf der Handlung schrittweise enthüllt; **analytische Sprachen:** Sprachen, bei denen syntaktische Beziehungen nicht am Wort selbst, sondern mithilfe selbstständiger Wörter ausgedrückt werden (z. B. dt. „ich habe geliebt" im Gegensatz zu lat. „amavi"; Sprachw.); Ggs. ↑synthetische Sprachen; **analytisches Urteil:** Urteil, das aus der Zergliederung eines Begriffs gewonnen wird und uns so viel Erkenntnis vermittelt, wie in diesem enthalten ist (Philos.) **A|n|ä|mie*** *‹gr.-nlat.; „Blutarmut"›* die; -, ...ien: (Med.) a) Verminderung des ↑Hämoglobins u. der roten Blutkörperchen im Blut; b) akuter Blutmangel nach plötzlichem schwerem Blutverlust. **a|n|ä|misch:** die Anämie (a, b) betreffend **A|nam|ne|se** *‹gr.-lat.; „Erinnerung"›* die; -, -n: 1. Vorgeschichte einer Krankheit nach Angaben des Kranken (Med.). 2. in der Eucharistiefeier das Gebet nach der ↑Konsekration (2) (Rel.). 3. ↑Anamnesis. **A|nam|ne|sis** *die;* -, ...nesen: Wiedererinnerung der Seele an vor der Geburt, d.h. vor ihrer Vereinigung mit dem Körper, geschaute Wahrheiten (griech. Philos.). **a|nam|nes-tisch, a|nam|ne|tisch** *‹gr.-nlat.›:* die Anamnese betreffend **A|nam|ni|er*** *‹gr.-nlat.›* der; -s, -: sich ohne ↑Amnion entwickelndes Wirbeltier (Fische u. Lurche; Biol.); Ggs. ↑Amnioten **A|na|mor|pho|se** *‹gr.-nlat.›* die; -, -n: die für normale Ansicht verzerrt gezeichnete Darstellung eines Gegenstandes (Kunstw.). **A|na|mor|phot** *‹„umgestaltend, verwandelnd"›; der;* -en, -en: Linse zur Entzerrung anamorphotischer Abbildungen. **a|na|mor-pho|tisch:** umgestaltet, verwandelt, verzerrt; **anamorphotische Abbildungen:** Abbildungen, die bewusst verzerrt hergestellt sind (Foto- u. Kinotechnik)

A|na|nas ⟨Guaraní-port.⟩ *die; -, -* u. -se: 1. tropische Pflanze mit rosettenartig angeordneten Blättern u. großen fleischigen Früchten. 2. Frucht der Ananaspflanze

A|nan|kas|mus^ ⟨gr.-nlat.⟩ *der; -,* ...men: (Med., Psychol.) 1. (ohne Plural) Zwangsneurose (Denkzwang, Zwangsvorstellung); krankhafter Zwang, bestimmte [unsinnige] Handlungen auszuführen. 2. zwanghafte Handlung. **A|nan|kast** *der; -en, -en:* jmd., der unter Zwangsvorstellungen leidet (Med., Psychol.). **A|nan-ke** ⟨gr.; „Zwang, schicksalhafte Notwendigkeit"⟩ *die; -:* 1. Verkörperung der schicksalhaften Macht (bzw. Gottheit) der Natur u. ihrer Notwendigkeiten (griechische Philos.). 2. Zwang, Schicksal, Verhängnis

A|nan|ta|po|do|ton* ⟨gr.; „das Nichtzurückgegebene"⟩ *das; -, ...ta:* bei Sätzen mit zweigliedrigen Konjunktionen das Fehlen des durch die zweite Konjunktion eingeleiteten Satzes

A|na|nym ⟨gr.-nlat.⟩ *das; -s, -e:* Sonderform des ↑Pseudonyms, die aus dem rückwärts geschriebenen wirklichen Namen besteht, wobei die Buchstaben nicht od. nur teilweise verändert werden, z.B. Grob (aus Borg), Ceram (aus Marek)

a|na par|tes ae|qua|les ⟨lat.; „zu gleichen Teilen"⟩: Vermerk auf ärztl. Rezepten; Abk.: āā od. āā. pt. aequ. od. ana

A|na|päst ⟨gr.-lat.; „Zurückprallender"⟩ *der;* -[e]s, -e: aus zwei Kürzen u. einer Länge (–) bestehender Versfuß (antike Metrik). **a|na|päs|tisch:** in der Form eines Anapästs

A|na|pha|se ⟨gr.-nlat.⟩ *die; -, -n:* besonderes Stadium bei der Kernteilung der Zelle (Biol.)

A|na|pher ⟨gr.-lat.⟩ *die; -, -n:* 1. Wiederholung eines Wortes od. mehrerer Wörter zu Beginn aufeinander folgender Sätze od. Satzteile (Rhet., Stilk.); Ggs. ↑Epiphora (2). 2. zurückverweisendes Element eines Textes (z.B.: Die Frau ... *Sie* war sehr elegant). **A|na|pho|ra** *die; -, ...rä:* 1. Anapher. 2. a) Hochgebet in der Eucharistiefeier der Ostkirchen; b) die Eucharistie selbst als Hauptteil der orthodoxen Messe. **A|na|pho|re|se** *die; -:* spezielle Form der ↑Elektrophore-

se. **a|na|pho|risch:** die Anapher betreffend, in der Art der Anapher.

An|aph|ro|di|si|a|kum*, Antaphrodisiakum ⟨gr.-nlat.⟩ *das; -s, ...ka:* Mittel zur Herabsetzung des Geschlechtstriebes (Med.); Ggs. ↑Aphrodisiakum **a|na|phy|lak|tisch:** die ↑Anaphylaxie betreffend (Med.); **anaphylaktischer Schock:** Schock infolge von Überempfindlichkeit gegenüber wiederholter Zufuhr desselben Eiweißes durch Injektion (1). **A|na|phy|la|xie** ⟨gr.-nlat.⟩ *die; -, ...ien:* Überempfindlichkeit, schockartige allergische (1) Reaktion, bes. gegen artfremdes Eiweiß (Med.)

A|nap|ty|xe* ⟨gr.; „Entfaltung, Entwicklung"⟩ *die; -, -n:* Bildung eines Sprossvokals zwischen zwei Konsonanten, z.B. fünef für fünf

a|nar|ch*↑ ↑anarchisch; vgl. ...isch/-. **A|nar|chie** ⟨gr.⟩ *die; -, ...ien:* a) Zustand der Herrschaftslosigkeit, Gesetzlosigkeit; Chaos in rechtlicher, politischer, wirtschaftlicher, gesellschaftlicher Hinsicht; b) gesellschaftlicher Zustand, in dem eine minimale Gewaltausübung durch Institutionen u. maximale Selbstverantwortung des Einzelnen vorherrscht (Philos.). **a|nar-chisch:** herrschaftslos, gesetzlos, ohne feste Ordnung, chaotisch; vgl. ...isch/-. **A|nar|chis-mus** ⟨gr.-nlat.⟩ *der; -:* Lehre, die eine Gesellschaftsformation ohne Staatsgewalt u. gesetzlichen Zwang propagiert. **A|nar|chist** *der; -en, -en:* Anhänger des Anarchismus. **a|nar|chis|tisch:** dem Anarchismus entsprechend, den Anarchismus vertretend. **A|nar|cho** *der; -[s], -[s]* (meist Plural): (ugs.) jmd., der sich gegen die bestehende bürgerliche Gesellschaft u. deren Ordnung mit Aktionen u. Gewalt auflehnt. **A|nar|cho-syn|di|ka|lis|mus** *der; -:* sozialrevolutionäre Bewegung in den romanischen Ländern als die Arbeiterschaft zu organisieren suchte u. die Gewerkschaften als die einzigen effektiven Kampforgane betrachtete. **A|nar|cho-syn|di|ka|list** *der; -en, -en:* Anhänger des Anarchosyndikalismus

A|nä|re|sis* [auch: an|ε...] ⟨gr.; „Aufhebung"⟩ *die; -, ...resen:* die Entkräftung einer gegnerischen Behauptung (antike Rhet.)

An|arth|rie* ⟨gr.-nlat.⟩ *die; -, ...ien:* Unvermögen, Wörter od. Einzellaute trotz Funktionstüchtigkeit der Sprechorgane richtig zu bilden (Med.)

A|na|sar|ka, A|na|sar|kie ⟨gr.-nlat.⟩ *die; -:* Hautwassersucht, ↑Ödem des Unterhautzellgewebes (Med.)

A|nas|ta|sis* ⟨gr.-lat.; „Auferstehung"⟩ *die; -:* bildliche Darstellung der Auferstehung Jesu in der byzantinischen Kirche (Kunstwiss.) **a|nas|ta|tisch** ⟨gr.-nlat.⟩: wieder auffrischend; **anastatischer Druck:** chemisches Verfahren zur Vervielfältigung alter Drucke ohne Neusatz durch Übertragung der Druckschrift auf Stein od. Zink

An|äs|the|sie ⟨gr.-nlat.; „Unempfindlichkeit"⟩ *die; -, ...ien:* (Med.) 1. Ausschaltung der Schmerzempfindung (z.B. durch Narkose). 2. Fehlen der Schmerzempfindung (bei Nervenschädigungen). **an|äs|the-sie|ren:** schmerzunempfindlich machen, betäuben. **An|äs|the-sin ®** *das; -s, -e:* Anästhetikum für Haut u. Schleimhäute. **An|äs|the|si|o|lo|ge** *der; -n, -n:* Forscher u. Wissenschaftler auf dem Gebiet der Anästhesiologie. **An|äs|the|si|o|lo|gie** *die; -:* Wissenschaft von der Schmerzbetäubung, den Narkose- u. Wiederbelebungsverfahren. **an|äs|the-si|o|lo|gisch:** die Anästhesiologie betreffend. **An|äs|the|sist** *der; -en, -en:* Narkosefacharzt. **An|äs|the|ti|kum** *das; -s, ...ka:* Schmerzen stillendes od. den Schmerz ausschaltendes Mittel. **an|äs|the|tisch:** 1. die Anästhesie ausschaltend. 2. mit [Berührungs]unempfindlichkeit verbunden. **an|äs|the|ti|sie|ren:** ↑anästhesieren

An|as|tig|mat ⟨gr.-nlat.⟩ *der; -s* od. -en, -e[n], selten auch: *das; -s, -e:* [fotografisches] Objektiv, bei dem die Verzerrung durch schräg einfallende Strahlen u. die Bildfeldwölbung beseitigt ist. **an|as|tig|ma|tisch:** unverzerrt, ohne Astigmatismus (1)

A|nas|to|mo|se* ⟨gr.-lat.; „Eröffnung"⟩ *die; -, -n:* 1. Querverbindung zwischen Gefäßsträngen od. Pilzfäden (Bot.). 2. (Med.) a) natürliche Verbindung zwischen Blut- od. Lymphgefäßen od. zwischen Nerven; b) operativ hergestellte künstliche Verbindung zwischen Hohlorganen

A|na|stro|phe* ⟨gr.-lat.⟩ die; -, ...strophen: Umkehrung der gewöhnlichen Wortstellung, bes. die Stellung der Präposition hinter dem dazugehörenden Substantiv (z. B. zweifelsohne für ohne Zweifel; Sprachw.)

A|nas|ty|lo|se* ⟨gr.⟩ die; -, -n: vollständige Demontage eines zu rekonstruierenden Bauwerks (Kunstw.)

A|na|te|xis ⟨gr.⟩ die; -: das Wiederaufschmelzen von Gesteinen in der Erde durch ↑tektonische Vorgänge (Geol.)

A|na|them ⟨gr.-lat.⟩ das; -s, -e u. A|na|the|ma das; -s, ...themata: 1. Verfluchung, Kirchenbann. 2. a) den Göttern vorbehaltenes Weihegeschenk (antike Rel.); b) das dem Zorn der Götter Überlieferte, das Verfluchte. a|na|the|ma|ti|sie|ren: mit dem Kirchenbann belegen (Rel.)

a|na|ti|o|nal ⟨gr.; lat.⟩: nicht national [gesinnt]

A|na|tol ⟨nach der türk. Landschaft Anatolien⟩ der; -[s], -s: handgeknüpfter Teppich

A|na|tom ⟨gr.-lat.⟩ der; -en, -en: Wissenschaftler auf dem Gebiet der Anatomie. A|na|to|mie ⟨„Zergliederung"⟩ die; -, ...ien: 1. a) (ohne Plural) Wissenschaft vom Bau der [menschlichen] Körpers und seiner Organe; b) Aufbau, Struktur des [menschlichen] Körpers. 2. anatomisches Institut. 3. Lehrbuch der Anatomie (1). a|na|to|mie|ren: ↑sezieren. a|na|to|misch: a) die Wissenschaft der Anatomie betreffend; b) den Bau des [menschlichen] Körpers betreffend; c) zergliedernd

A|na|to|zis|mus ⟨gr.-lat.⟩ der; -, ...men: Verzinsung aufgelaufener Zinsen

a|na|trop* ⟨gr.-nlat.⟩: umgewendet, gegenläufig (von der Lage einer Samenanlage; Bot.)

an|axi|al ⟨gr.; lat.⟩: nicht in der Achsenrichtung angeordnet, nichtachsig, nicht achsrecht; anaxialer Satz: bestimmte drucktechnische Gestaltungsart eines Textes (Druckw.)

An|azi|di|tät vgl. Anacidität

a|na|zyk|lisch* ⟨gr.-nlat.⟩: vorwärts u. rückwärts gelesen den gleichen Wortlaut ergebend (von Wörtern od. Sätzen, z. B. Otto)

an|ceps vgl. anzeps

An|chor|man ['æŋkəmən] ⟨engl.⟩ der; -, ...men: Journalist o. Ä., der im Rundfunk, Fernsehen bes. in Nachrichtensendungen

die einzelnen journalistischen Beiträge vorstellt, die verbindenden Worte u. Kommentare spricht. An|chor|wo|man ['æŋkəwʊmən] die; -, ...women [...wImin]: Journalistin o. Ä., die im Rundfunk, Fernsehen bes. in Nachrichtensendungen die einzelnen journalistischen Beiträge vorstellt, die verbindenden Worte u. Kommentare spricht

An|cho|se [an'ʃoːzə] ⟨span. u. port.⟩ die; -, -n (meist Plural): aus Sardellen, Sprotten, Heringen u. a. Fischen durch Einlegen und anschließende Reifung hergestellte ↑Präserve. An|cho|vis vgl. Anschovis

An|ci|en|ni|tät [ãsi̯ɛni'tɛːt] ⟨fr.⟩ die; -, -en: 1. Dienstalter. 2. Dienstalterfolge. An|ci|en|ni|täts|prin|zip das; -s: Prinzip, nach dem z. B. Beamte nach dem Dienstalter, nicht nach der Leistung befördert werden. An|ci|en Ré|gime [ãs'i̯ɛ̃: re'ʒi:m] ⟨fr.; „alte Regierungsform"⟩ das; - -: alte u. nicht mehr zeitgemäße Regierungsform, Gesellschaftsordnung, bes. in Bezug auf das Herrschafts- u. Gesellschaftssystem in Frankreich vor 1789

...and ⟨lat.⟩: bezeichnet in Bildungen mit Verben (Verbstämmen) eine männliche Person, der etw. getan wird, z. B. Konfirmand = jmd., der konfirmiert wird

An|da|lu|sit [auch: ...'zɪt] ⟨nlat.; nach den Erstfunden in Andalusien⟩ der; -s, -e: graues, rötliches, gelbes od. grünes metamorphes Mineral

an|dan|te ⟨lat.-vulgärlat.-it.⟩ „gehend"⟩: ruhig, mäßig langsam, gemessen (Vortragsanweisung; Mus.). An|dan|te das; -[s], -s: ruhiges, mäßig langsames, gemessenes Musikstück. an|dan|ti|no: etwas schneller als andante (Mus.). An|dan|ti|no das; -s, -s u. ...ni: kurzes Musikstück im andante- od. Andantinotempo

An|de|sin ⟨nlat.; nach den Anden⟩ der; -s: zu den Feldspaten gehörendes Mineral. An|de|sit [auch: ...'zɪt] der; -s, -e: ein vulkanisches Gestein

...an|din ⟨lat.-dt.⟩: bezeichnet in Bildungen mit Verben (Verbstämmen) eine weibliche Person, mit der etw. getan wird, z. B. Analysandin = weibliche Person, die analysiert wird

an|do|cken ⟨dt.; engl.⟩: ein Raumfahrzeug an ein anderes ankoppeln

And|ra|go|ge* ⟨gr.-nlat.⟩ der; -n, -n: Wissenschaftler auf dem Gebiet der Andragogik. And|ra|gogik ⟨gr.-nlat.⟩ die; -: Wissenschaft von der Erwachsenenbildung (Päd.). and|ra|go|gisch: die Andragogik betreffend

And|ri|enne* [ãdri'ɛn] die; -, -s: ↑Adrienne

And|ro|blas|tom* ⟨gr.; nlat.⟩ das; -s, -e: Eierstockgeschwulst, die eine vermehrte Androgenwirkung verursacht. And|ro|di|ö|zie ⟨gr.-nlat.⟩ die; -: das Vorkommen von Pflanzen mit nur männlichen Blüten neben solchen mit zwittrigen Blüten bei der gleichen Art (Bot.). And|ro|ga|met der; -en, -en: männliche Keimzelle; Ggs. ↑Gynogamet. And|ro|ga|mon das; -s, -e: Befruchtungsstoff des männlichen Gameten. And|ro|gen das; -s, -e: männliches Geschlechtshormon. and|ro|gen: a) von der Wirkung eines Androgens; b) die Wirkung eines Androgens betreffend; c) männliche Geschlechtsmerkmale hervorrufend. and|ro|gyn ⟨gr.-lat.⟩ „Mannfrau"): 1. Androgynie (1) zeigend. 2. (Bot.) a) zuerst männliche, dann weibliche Blüten am gleichen Blütenstand ausbildend; b) viele weibliche u. dazwischen wenig männliche Blüten aufweisend (von einem Blütenstand). And|ro|gy|nie ⟨gr.-nlat.⟩ die; -: 1. Vereinigung männlicher und weiblicher Körpermerkmale und Wesenszüge in einer Person. 2. Zwitterbildung bei Pflanzen (Bot.). and|ro|gy|nisch: älter für androgyn; vgl. ...isch/-. And|ro|gy|no|phor das; -s, -en: stielartige Verlängerung der Blütenachse, auf der Stempel u. Staubblätter sitzen (Bot.). And|ro|i|de der; -n, -n, (auch:) And|ro|id der; -en, -en: (bes. in der futuristischen Literatur) menschenähnliche Maschine, künstlicher Mensch. And|ro|lo|ge der; -n, -n: Facharzt für Andrologie. And|ro|lo|gie die; -: Männerheilkunde. and|ro|lo|gisch: die Andrologie betreffend. And|ro|mo|nö|zie die; -: das Vorkommen von männlichen u. zwittrigen Blüten auf derselben Pflanze (Bot.). And|ro|sper|mi|um das; -s, ...ien (meist Plural): Samenfaden, der ein ↑Y-Chromosom enthält u. damit das Geschlecht als männlich bestimmt. And|ro|spo|re die; -, -n: 1. Spore, die zu einer männlichen

Pflanze wird. 2. Schwärmspore der Grünalgen. **And|ros|te|ron** ⟨Kunstw.⟩ *das; -s:* männliches Keimdrüsenhormon, Abbauprodukt des ↑Testosterons. **And|rö|ze|um** ⟨*gr.-nlat.*⟩ *das; -s:* Gesamtheit der Staubblätter einer Blüte **An|ei|dy|lis|mus** ⟨*gr.; lat.*⟩ *der; -:* Unfähigkeit, Bildsymbole zu verstehen **A|nek|do|te*** ⟨*gr.-fr.;* „noch nicht Herausgegebenes, Unveröffentlichtes"⟩ *die; -, -n:* kurze, oft witzige Geschichte (zur Charakterisierung einer bestimmten Persönlichkeit, einer bestimmten sozialen Schicht, einer bestimmten Zeit usw.). **A|nek|do|tik** *die; -:* alle Anekdoten, die eine bestimmte Persönlichkeit, eine soziale Schicht, eine Epoche betreffen. **a|nek|do|tisch:** in Form einer Anekdote verfasst **An|elas|ti|zi|tät** ⟨*gr.*⟩ *die; -, -en:* Abweichung vom elastischen (1) Verhalten **An|elekt|ro|lyt*** ⟨*gr.-nlat.*⟩ *der; -en* (selten: *-s*), *-e* (selten: *-en*): Verbindung, die nicht aus Ionen aufgebaut ist; Ggs. ↑Elektrolyt **A|ne|mo|cho|ren** [...'ko:...] ⟨*gr.-nlat.;* „Windwanderer"⟩ *die* (Plural): Pflanzen, deren Samen od. Früchte durch den Wind verbreitet werden (Bot.). **A|ne|mo|cho|rie** *die; -:* Verbreitung von Samen, Früchten od. Pflanzen durch den Wind. **a|ne|mo|gam:** durch Wind bestäubt (von Pflanzen; Bot.). **A|ne|mo|ga|mie** *die; -:* Windbestäubung. **a|ne|mo|gen:** durch Wind gebildet, vom Wind geformt. **A|ne|mo|gramm** *das; -s, -e:* Aufzeichnung eines Anemographen. **A|ne|mo|graph** auch; „...graf *der; -en, -en:* Windrichtung u. -geschwindigkeit messendes u. aufzeichnendes Gerät, Windschreiber (Meteor.). **A|ne|mo|lo|gie** *die; -:* Wissenschaft von den Luftströmungen (Meteor.). **A|ne|mo|me|ter** *das; -s, -:* Windmessgerät. **A|ne|mo|ne** ⟨*gr.-lat.*⟩ *die; -, -n:* kleine Frühlingsblume mit sternförmigen, weißen bis rosa Blüten; Buschwindröschen. **a|ne|mo|phil** ⟨*gr.-nlat.*⟩: ↑anemogam. **A|ne|mo|skop*** *das; -s, -e:* Instrument zum Ablesen der Windgeschwindigkeit. **A|ne|mos|tat*®** *der; -en, -en:* den Luftstrom gleichmäßig verteilendes Gerät zur Luftverbesserung. **A|ne|mo|ta|xis** *die; -, ...ta|xen:* nach der Luftströmung ausgerichtete aktive Ortsbewegung

von Lebewesen (Biol.). **A|ne|mo|tro|po|graph*,** auch: ...graf *der; -en, -en:* die Windrichtung aufzeichnendes Gerät (Meteor.). **A|ne|mo|tro|po|me|ter*** *das; -s, -:* die Windrichtung anzeigendes Gerät (Meteor.) **An|ener|gie** usw. vgl. Anergie usw. **An|en|ze|pha|lie** ⟨*gr.*⟩ *die; -, ...ien;* angeborenes Fehlen des Gehirns **Ä|ne|o|li|thi|kum*** ⟨*lat.; gr.-nlat.*⟩ *das; -s:* ↑Chalkolithikum. **ä|ne|o|li|thisch:** das Äneolithikum betreffend **An|opi|gra|pha** ⟨*gr.*⟩ *die* (Plural): unbetitelte Schriften **An|er|gie,** Anenergie ⟨*gr.-nlat.*⟩ *die; -, ...ien:* 1. ↑Abulie (Med., Psychol.). 2. Fehlen einer Reaktion des Organismus auf einen Reiz, bes. auf ein Antigen (Med.). 3. der nicht in technische Arbeit umsetzbare Anteil der für das Ablaufen eines thermodynamischen Prozesses nötigen Energie. **an|er|gisch,** anenergisch: 1. energielos (Med., Psychol.). 2. unempfindlich (gegen Reize) **A|ne|ro|id** ⟨*gr.-nlat.*⟩ *das; -[e]s, -e* u. **A|ne|ro|id|ba|ro|me|ter** *das; -s, -:* Gerät zum Anzeigen des Luftdrucks **An|ero|sie** ⟨*gr.-nlat.*⟩ *die; -, ...ien:* Anaphrodisie **An|eryth|rop|sie*** ⟨*gr.-nlat.*⟩ *die; -, ...ien:* Rotblindheit (Med.) **A|ne|thol** ⟨*gr.-lat.; lat.*⟩ *das; -s:* wichtigster Bestandteil des Anis-, Sternanis- u. Fenchelöls **A|neu|plo|id*** ⟨*gr.-nlat.*⟩: eine von der Norm abweichende, ungleiche Anzahl Chromosomen od. ein nicht ganzzahliges Vielfaches davon aufweisend (von Zellen od. Lebewesen; Biol.); Ggs. ↑euploid. **A|neu|plo|i|die** *die;* : das Auftreten anormaler Chromosomenzahlen im Zellkern (Biol.) **A|neu|rin*** *das; -s:* Vitamin B₁ **A|neu|rys|ma** ⟨*gr.;* „Erweiterung"⟩ *das; -s, ...men od. -ta:* krankhafte, örtlich begrenzte Erweiterung einer Schlagader (Med.) **An|fi|xe** ⟨*dt.; lat.-fr.-engl.*⟩ *die; -, -n:* (Jargon) der erste „Schuss" Rauschgift. **an|fi|xen:** (Jargon) jmdn. dazu überreden, sich zum ersten Mal eine Droge zu injizieren **An|ga|ria** ⟨*nlat.*⟩ nach dem sibirischen Fluss Angara) *die; -:* geotektonische Aufbauzone Nordasiens jenseits des Urals **An|ga|ri|en|recht** ⟨*pers.-gr.-lat.; dt.; lat.* angaria „Frondienst"⟩

das; -s: das Recht eines Staates, im Notstandsfall (bes. im Krieg) die in seinen Häfen liegenden fremden Schiffe für eigene Zwecke zu verwenden **An|ge|li|ka** ⟨*gr.-lat.-nlat.*⟩ *die; -, ...ken* u. *-s:* Engelwurz (eine Heilpflanze). **An|ge|lo|lat|rie*** ⟨*gr.-nlat.*⟩ *die; -:* Engelverehrung. **An|ge|lo|lo|gie** *die; -:* Lehre von den Engeln (Theol.). **An|ge|lot** [engl.: 'eindʒələt, fr.: ãʒ(ə)lo:] ⟨*lat.-fr.*⟩ *der; -s, -s:* alte englisch-französische Goldmünze. **An|ge|lus** ⟨*gr.-lat.;* eigtl. Angelus Domini = Engel des Herrn⟩ *der* (auch *das*); -, -: a) katholisches Gebet, das morgens, mittags u. abends zu den genannten Angelusläuten gebetet wird; b) Glockenzeichen für das Angelusgebet; Angelusläuten **An|gi|i|tis** ⟨*gr.-nlat.*⟩ *die; -, ...iti|den:* Entzündung eines Blutgefäßes (Med.) **An|gi|na** ⟨*gr.-lat.;* von *gr.* ag̲chónē „das Erwürgen, das Erdrosseln"⟩ *die; -, ...nen:* Entzündung des Rachenraumes, bes. der Mandeln. **An|gi|na Pec|to|ris** ⟨*gr.-lat.; lat.*⟩ *die; - -:* anfallartig auftretende Schmerzen hinter dem Brustbein infolge Erkrankung der Herzkranzgefäße. **an|gi|nös** ⟨*gr.-lat.-nlat.*⟩: a) auf Angina beruhend; b) anginaartig **An|gi|o|gramm** ⟨*gr.-nlat.*⟩ *das; -s, -e:* Röntgenbild von Blutgefäßen. **An|gi|o|gra|phie,** auch: ...grafie *die; -, ...ien:* röntgenologische Darstellung von Blutgefäßen mithilfe injizierter Kontrastmittel (Med.). **An|gi|o|lo|ge** *der; -n, -n:* Arzt u. Forscher mit Spezialkenntnissen auf dem Gebiet der Angiologie. **An|gi|o|lo|gie** *die,* - Wissenschaftsgebiet, das sich mit den Blutgefäßen u. ihren Erkrankungen beschäftigt (Med.). **an|gi|o|lo|gisch:** die Angiologie betreffend. **An|gi|om** *das; -s, -e* u. **An|gi|o|ma** *das; -s, -ta:* Geschwulst aus Blut- od. Lymphgefäßen. **An|gi|o|pa|thie** *die; -, ...ien:* Gefäßleiden. **An|gi|o|se** ⟨*gr.-nlat.*⟩ *die; -, -n:* durch gestörten Stoffwechsel entstandene Gefäßerkrankung. **An|gi|o|sper|men** *die* (Plural): Blütenpflanzen mit Fruchtknoten **Ang|lai|se*** [ãg'lɛzə] ⟨*germ.-fr.;* „englischer (Tanz)"⟩ *die; -, -n:* alter Gesellschaftstanz. **Ang|li|ka|ner** ⟨*mlat.*⟩ *der; -s, -:* Angehöriger der Kirche von England. **ang|li|ka|nisch:** zur Kirche von England gehörig. **Ang|li|ka|nis-**

mus ⟨nlat.⟩ der; -: Lehre der Kirche von England. **ang|li|sie|ren:** 1. an die Sprache, die Sitten od. das Wesen der Engländer angleichen. 2. englisieren (2). **Ang|list** der; -en, -en: jmd., der sich mit der Anglistik befasst [hat]. **Ang|lis|tik** die; -: Wissenschaft von der engl. Sprache u. Literatur. **ang|lis|tisch:** die Anglistik betreffend. **Ang|li|zis|mus** der; -, ...men: Übertragung einer für das britische Englisch charakteristischen Erscheinung auf eine nicht englische Sprache. **Ang|lo|ka|tho|li|zis|mus** ⟨germ.-lat.; gr.-nlat.⟩ der; -: katholisch orientierte Gruppe der anglikanischen Kirche. **ang|lo|phil:** für alles Englische eingenommen, dem englischen Wesen zugetan; englandfreundlich; Ggs. ↑anglophob. **Ang|lo|phi|lie** ⟨mlat.; gr.-nlat.⟩ die; -: Sympathie od. Vorliebe für alles Englische, Englandfreundlichkeit; Ggs. ↑Anglophobie. **ang|lo|phob:** gegen alles Englische eingenommen, dem engl. Wesen abgeneigt; englandfeindlich; Ggs. ↑anglophil. **Ang|lo|pho|bie** ⟨mlat.; gr.-nlat.⟩ die; -: Abneigung, Widerwille gegen alles Englische; Englandfeindlichkeit; Ggs. ↑Anglophilie. **An|go|ra...** ⟨nach dem früheren Namen der türk. Hauptstadt Ankara⟩: in Zusammensetzungen auftretendes Bestimmungswort mit der Bedeutung „mit feinen, langen Haaren", z. B. Angorakatze, Angorawolle **An|gos|tu|ra** ® ⟨span.; nach dem früheren Namen der Stadt Ciudad Bolívar in Venezuela⟩ der; -[s], -s: Bitterlikör mit Zusatz von Angosturarinde, der getrockneten Zweigrinde eines südamerikanischen Baumes **Ang|ry* Young Men** [ˈæŋrı ˈjʌŋ ˈmɛn] ⟨engl.; „zornige junge Männer"⟩ die (Plural): Gruppe sozialkritischer britischer Autoren in der zweiten Hälfte der 50er-Jahre des 20. Jahrhunderts **Angs|ter** ⟨mlat.⟩ der; -s, -: Trink[vexier]glas des 15. u. 16. Jahrhunderts **Angst|neu|ro|se** die; -, -n: durch ausgeprägte Angstsymptome gekennzeichnete ↑Neurose **Ångst|röm*** [ˈɔŋstrøːm; auch: ˈaŋ...] ⟨nach dem schwed. Physiker⟩ das; -[s], -, **Ångst|röm|ein|heit** die; -, -en: veraltete Einheit der Licht- u. Röntgenwellenlänge (1 Å = 10⁻¹⁰ m); Zeichen: Å, früher auch: A, ÅE, AE

An|guil|lette [ãgiˈjɛt] ⟨lat.-roman.⟩, **An|guil|lotte** [ãgiˈjɔt] die; -, -n: marinierter Aal **an|gu|lar** ⟨lat.⟩: zu einem Winkel gehörend, Winkel... **An|gus|rind** [ˈæŋgøs...] ⟨nach der ostschottischen Grafschaft Angus⟩ das; -[e]s, -er: Mastrind einer schottischen Rasse **An|he|li|o|se** ⟨gr.⟩ die; -: Gesundheits- od. Leistungsstörung, die auf Mangel an Sonnenlicht zurückgeführt wird (z. B. bei Grubenarbeitern; Med.) **an|he|mi|to|nisch** ⟨gr.; dt.⟩: ohne Halbtöne (Mus.) **An|hid|ro|se*,** Anidrose die; -, -n, (fachspr. auch:) **An|hid|ro|sis,** Anidrosis ⟨gr.-nlat.⟩ die; -, ...oses: (Med.) a) angeborenes Fehlen der Schweißdrüsen; b) fehlende od. verminderte Schweißabsonderung **An|hyd|rä|mie*** ⟨gr.-nlat.⟩ die; -: Verminderung des Wassergehalts im Blut (Med.). **An|hyd|rid** das; -s, -e: chem. Verbindung, die aus einer anderen durch Wasserentzug entstanden ist. **An|hyd|rit** [auch: ...ˈrɪt] der; -s, -e: wasserfreier Gips **An|id|ro|se*,** (fachspr. auch:) **An|id|ro|sis** vgl. Anhidrose **Ä|nig|ma** ⟨gr.-lat.⟩ das; -s, -ta od. ...men: Rätsel. **ä|nig|ma|tisch:** rätselhaft. **ä|nig|ma|ti|sie|ren:** in Rätseln sprechen **A|ni|lin** ⟨sanskr.-arab.-port.-fr.-nlat.⟩ das; -s: einfachstes aromatisches (von Benzol abgeleitetes) ↑Amin, Ausgangsprodukt für zahlreiche Arzneimittel, Farb- u. Kunststoffe. **A|ni|lin|druck** der; -[e]s: Hochdruckverfahren, bei dem Anilinfarben verwendet werden **A|ni|ma** ⟨lat.; „Lufthauch, Atem"⟩ die; -, -s: 1. Seele (Philos.). 2. Frau im Unbewussten des Mannes (nach C. G. Jung); vgl. Animus (1). 3. der aus unedlem Metall bestehende Kern einer mit Edelmetall überzogenen Münze. **a|ni|mal** ⟨lat.⟩: 1. a) die aktive Lebensäußerung betreffend, auf [Sinnes]reize reagierend; b) zu willkürlichen Bewegungen fähig. 2. animalisch (1, 2); vgl. ...isch/-. **a|ni|ma|lisch:** 1. tierisch, den Tieren eigentümlich. 2. triebhaft. 3. tierhaft, urwüchsig-kreatürlich. **a|ni|ma|li|sie|ren** ⟨lat.-nlat.⟩: Zellulosefasern durch dünne Überzüge von Eiweißstoffen, Kunstharzen u. dgl. wollähnlich machen. **A|ni|ma|lis|mus** der; -: religiöse Vereh-

rung von Tieren. **A|ni|ma|li|tät** ⟨lat.⟩ die; -: tierisches Wesen. **Ani|ma|teur** [...ˈtøːɐ̯] ⟨lat.-fr.⟩ der; -s, -e: jmd., der von einem Reiseunternehmen o. Ä. angestellt ist, um den Gästen durch Veranstaltung von Spielen o. Ä. Möglichkeiten für die Urlaubsgestaltung anzubieten. **A|ni|ma|ti|on** ⟨lat.-engl.⟩ die; -, -en: 1. filmtechnisches Verfahren, um belebten Objekten im Trickfilm Bewegung zu verleihen. 2. Erzeugung bewegter Bilder durch den Computer (EDV). 3. Gestaltung der Freizeit z. B. einer Reisegesellschaft durch eine Animateurin/einen Animateur. **A|ni|ma|tis|mus** ⟨lat.-nlat.⟩ der; -: Animismus (1). **a|ni|ma|tiv** ⟨lat.-engl.⟩: belebend, beseelend, anregend. **a|ni|ma|to** ⟨lat.-it.⟩: lebhaft, belebt, beseelt (Vortragsanweisung; Mus.). **A|ni|ma|tor** der; -s, ...oren: Trickfilmzeichner. **A|ni|mier|da|me** die; -, -n: entsprechend aufgemachte Frau, die in [Nacht]lokalen die Gäste, bes. Männer, zum Trinken von Alkohol animiert. **a|ni|mie|ren** ⟨lat.-fr.⟩: 1. a) anregen, ermuntern, ermutigen; b) anreizen, in Stimmung versetzen, Lust zu etwas erwecken. 2. Gegenstände od. Zeichnungen in einzelnen Phasen der Bewegungsabläufe filmen, um den Eindruck der Bewegung eines unbelebten Objekts zu vermitteln. **A|ni|mier|lo|kal** das; -s, -e: [Nacht]lokal mit Animierdamen. **A|ni|mier|mäd|chen** das; -s, -: ↑Animierdame. **A|ni|mie|rung** die; -, -en: Ermunterung zu etwas [Übermütigem o. Ä.]. **A|ni|mis|mus** ⟨nlat.⟩ der; -: 1. der Glaube an die anthropomorph gedachte seelische Mächte, Geister (Völkerk.). 2. die Lehre von der unsterblichen Seele als oberstem Prinzip des lebenden Organismus (Med.). 3. Theorie innerhalb des ↑Okkultismus, die ↑mediumistische Erscheinungen auf ungewöhnliche Fähigkeiten lebender Personen zurückführt; Ggs. ↑Spiritismus. 4. Anschauung, die die Seele als Lebensprinzip betrachtet (Philos.). **A|ni|mist** der; -en, -en: Vertreter der Lehre des Animismus (4). **a|ni|mis|tisch:** a) die Lehre des Animismus (4) vertretend; b) die Lehre des Animismus (4) betreffend. **A|ni|mo** ⟨lat.-it.⟩ das; -s: (österr.) 1. Schwung, Lust. 2. Vorliebe. **a|ni|mos** ⟨lat.⟩: 1. feindselig. 2. (veraltet) aufgeregt, gereizt, aufgebracht, erbittert. **A|ni|mo|si|tät** *die;* -, -en: 1. a) (ohne Plural) feindselige Einstellung; b) feindselige Äußerung o. Ä. 2. (ohne Plural; veraltet) a) Aufgeregtheit, Gereiztheit; b) Leidenschaftlichkeit. **A|ni|mus** *(lat.;* „Seele", „Gefühl") *der;* -: das Seelenbild des Mannes im Unbewussten der Frau (C. G. Jung). **An|ion*** *(gr.-nlat.) das;* -s, -en: negativ geladenes ↑Ion. **an|ionisch:** als od. wie ein Anion wirkend **A|nis** [auch, österr. nur: 'a:nɪs] *(gr.-lat.) der;* -es, -e: a) am östlichen Mittelmeer beheimatete Gewürz- u. Heilpflanze; b) die getrockneten Früchte des Anis. **A|ni|sette** [...'sɛt] *(gr.-lat.-fr.) der;* -s, -s: süßer, dickflüssiger Likör aus Anis (b), Koriander u. a. **an|iso|dont** *(gr.).* ↑heterodont **An|iso|ga|mie** *(gr.-nlat.) die;* -, ...ien: Befruchtungsvorgang mit ungleich gestalteten od. sich ungleich verhaltenden männlichen u. weiblichen Keimzellen (Biol.) **A|nis|öl** *das;* -s: ↑ätherisches Öl des Anis **An|iso|mor|phie** *(gr.-nlat.) die;* -: unterschiedliche Ausbildung gewisser Pflanzenorgane je nach ihrer Lage zum Boden hin od. zur Sprossachse (Bot.). **An|iso|mor|phis|mus** *der;* -, ...men: nicht volle Entsprechung zwischen Wörtern verschiedener Sprachen. **An|iso|phyl|lie** *die;* -: das Vorkommen unterschiedlicher Laubblattformen in derselben Sprosszone bei einer Pflanze (Bot.) **An|iso|trop*** ↑ die Anisotropie betreffend; Anisotropie aufweisend. **An|iso|tro|pie*** *die;* -: 1. Fähigkeit von Pflanzenteilen, unter gleichen Bedingungen verschiedene Wachstumsrichtungen anzunehmen (Bot.). 2. Eigenart von Kristallen, nach verschiedenen Richtungen verschiedene physikalische Eigenschaften zu zeigen (Phys.). **An|iso|zy|to|se** *(gr.) die;* -, -n: (bei bestimmten Blutkrankheiten) Auftreten von unterschiedlich großen roten Blutkörperchen im Blut (Med.) **An|kal|the|te** *(dt.; gr.-lat.) die;* -, -n: eine der beiden Seiten, die die Schenkel des rechten Winkels eines Dreiecks bilden (Math.) **An|ky|lo|se** *(gr.-nlat.) die;* -, -n: Gelenkversteifung [nach Ge-

lenkerkrankungen] (Med.). **An|ky|los|to|mi|a|se*, An|ky|los-to|mi|a|sis** *die;* -, ...miasen u. **An|ky|los|to|mo|se** *die;* -, -n: (in den Tropen und Subtropen sowie im Berg- u. Tunnelbau auftretender) Nematodenbefall; Hakenwurmkrankheit. **an|ky|lo|tisch:** a) die Ankylose betreffend; b) versteift (von Gelenken). **An|ky|lo|tom** *das;* -s, -e: gebogenes Operationsmesser **An|mo|de|ra|ti|on** *(dt.; lat.) die;* -, -en: vom Moderator einer Sendung gesprochene einführende Worte. **an|mo|de|rie|ren:** eine Anmoderation sprechen **An|na** *(Hindi) der;* -[s], -[s] (aber: 5 -): 1. a) Rechnungseinheit des alten Rupiengeldsystems in Vorderindien; b) Kupfermünze mit dem Wappen der Ostind. Kompanie. 2. Bez. für verschiedene indische Gewichtseinheiten **An|nal|len** *(lat.) die* (Plural); Jahrbücher, chronologisch geordnete Aufzeichnungen von Ereignissen **An|nal|lin** *(nlat.) das;* -s: feinpulveriger Gips **An|nal|list** *(lat.-nlat.) der;* -en, -en: Verfasser von Annalen. **An|nalis|tik** *die;* -: Geschichtsschreibung in Form von Annalen. **An|naten** *(lat.-mlat.;* „Jahresertrag") *die* (Plural): im Mittelalter übliche Abgabe an den Papst für die Verleihung eines kirchlichen Amtes **An|nat|to** *(indian.) der* od. *das;* -s: ↑Orlean **an|nek|tie|ren** *(lat.-fr.;* „an-", verknüpfen"): etwas gewaltsam u. widerrechtlich in seinen Besitz bringen **An|ne|li|den** *(lat.-nlat.) die* (Plural): Gliederwürmer **An|nex** *(lat.) der;* -es, -e. 1. Anhängsel, Zubehör. 2. Adnex (2). **An|ne|xi|on** *(lat.-fr.) die;* -, -en: gewaltsame u. widerrechtliche Aneignung fremden Gebiets. **An|ne|xi|o|nis|mus** *(lat.-fr.-nlat.) der;* -: Bestrebungen, die auf eine gewaltsame Aneignung fremden Staatsgebiets abzielen. **An|ne|xi|o|nist** *der;* -en, -en: Anhänger des Annexionismus. **an|ne|xi|o|nis|tisch:** den Annexionismus betreffend. **An|ne|xi|tis** *die;* -, ...itiden: ↑Adnexitis **an|ni cur|ren|tis** *(lat.):* (veraltet) laufenden Jahres (Abk.: a. c.). **an|ni fu|tu|ri:** (veraltet) künftigen Jahres; Abk.: a. f. **An|ni|hi|la|ti|on** *(lat.) die;* -, -en: 1. Vernichtung, Zunichtemachung, Ungültigkeitserklärung. 2. das

Annihilieren (2) (Kernphysik). **an|ni|hi|lie|ren:** 1. a) zunichte machen; b) für nichtig erklären. 2. Elementar- u. Antiteilchen zerstören (Kernphysik) **an|ni prae|te|ri|ti*** *(lat.):* (veraltet) vorigen Jahres (Abk.: a. p.). **An|ni|ver|sar** *(„jährlich wiederkehrend") das;* -s, -e u. **An|ni|ver|sa|ri|um** *das;* -s, ...ien (meist Plural): jährlich wiederkehrende Gedächtnisfeier für einen Toten (katholische Kirche). **an|no;** im Jahre (Abk.: a.). **an|no cur|ren|te:** (veraltet) im laufenden Jahr (Abk.: a. c.). **an|no Do|mi|ni,** (in älteren Dokumenten o. Ä.:) **An|no Do|mi|ni:** im Jahre des Herrn, d. h. nach Christi Geburt (Abk.: a. D.; früher: A. D.) **An|no|mi|na|ti|on** *(lat.) die;* -, -en: ↑Paronomasie **An|non|ce** [a'nõ:sə] *(lat.-fr.) die;* -, -n: 1. Zeitungsanzeige, ↑Inserat. 2. Ankündigung. **An|non|cen-ex|pe|di|ti|on** *die;* -, -en: Anzeigenvermittlung. **an|non|cie|ren:** 1. eine Zeitungsanzeige aufgeben. 2. a) etwas durch eine Annonce anzeigen; b) jmdn. od. etwas [schriftlich] ankündigen **An|no|ne** *(indian.) die;* -, -n: tropische Pflanze mit ledrigen Blättern u. essbaren Früchten **An|no|ta|ti|on** *(lat.) die;* -, -en: 1. (veraltet) Auf-, Einzeichnung, Vermerk. 2. erläuternder Vermerk zu einer bibliographischen Anzeige (Buchw.). **an|no|tie|ren:** den Inhalt eines Buches o. Ä. aufzeichnen, erläutern, analysieren **An|nu|a|ri|um** *(lat.) das;* -s, ...ien od. ...ia: Kalender; Jahrbuch. **an|nu|ell** *(lat.-fr.):* 1. (veraltet) [all]jährlich. 2. einjährig (von Pflanzen). **An|nu|el|le** *die;* -, n: Pflanze, die nach einer ↑Vegetationsperiode abstirbt. **An|nu|i|tät** *(lat.-mlat.) die;* -, -en: Jahreszahlung an Zinsen u. Tilgungsraten bei der ↑Amortisation (1) einer Schuld. **An|nu|i|tä|ten** *die* (Plural): jährliches Einkommen **an|nul|lie|ren** *(lat.):* etwas [amtlich] für ungültig, für nichtig erklären. **An|nul|lie|rung** *die;* -, -en: amtliche Ungültigkeits-, Nichtigkeitserklärung **An|num|ti|a|ti|ons|stil** *(lat.) der;* -s: Zeitbestimmung des Mittelalters u. der frühen Neuzeit, bei der der Jahresanfang auf das Fest Mariä Verkündigung (25. März) fiel **A|noa** *(indones.) das;* -s, -s: indonesisches Wildrind

A|no|de* ⟨gr.-engl.; „Aufweg; Eingang") die; -, -n: positive ↑Elektrode; Ggs. ↑Kathode.

a|no|disch: a) die Anode betreffend; b) mit der Anode zusammenhängend

A|no|dy|num* ⟨gr.-lat.⟩ das; -s, ...na: Analgetikum

a|no|gen ⟨gr.-nlat.⟩: aus der Tiefe aufsteigend (von Eruptivgesteinen; Geol.)

A|noia [a'nɔya] ⟨gr.-nlat.⟩ die; -: Unverstand, Stumpfheit

A|no|lyt ⟨Kurzw. aus ↑Anode u. ↑Elektrolyt⟩ der; -en ⟨auch: -s⟩, -e[n]: Elektrolyt im Anodenraum (bei Verwendung von zwei getrennten Elektrolyten; physikal. Chemie)

a|nom ⟨gr.⟩: Anomie zeigend, aufweisend

a|no|mal* [auch: ...'ma:l] ⟨gr.-lat.; „uneben")⟩: nicht normal [entwickelt], abnorm. **A|no|ma|lie** die; -, ...ien: a) (ohne Plural) Abweichung vom Normalen, Abnormität; b) körperliche Fehlbildung (Biol.); c) das unregelmäßige Verhalten des Wassers im Vergleich mit den meisten anderen Stoffen bei Temperaturänderungen (Phys.); d) Winkel zur mathematischen Beschreibung der Stellung eines Planeten in seiner Bahn um die Sonne (Astron.). **a|no|ma|lis|tisch** ⟨gr.-nlat.⟩: auf gleiche Anomalie (d) bezogen; **anomalistischer Mond:** Zeit von einem Durchgang des Mondes durch den Punkt seiner größten Erdnähe bis zum nächsten Durchgang; **anomalistisches Jahr:** Zeit von einem Durchgang der Erde durch den Punkt ihrer größten Sonnennähe bis zum nächsten Durchgang. **A|no|ma|lo|skop*** das; -s, -e: Apparat zur Prüfung des Farbensinnes bzw. der Abweichungen vom normalen Farbensehen (Med.)

A|no|mie ⟨gr.-nlat.⟩ die; -, ...ien: 1. Gesetzlosigkeit, Gesetzwidrigkeit. 2. a) Zustand mangelnder sozialer Ordnung (Soziol.); b) Zusammenbruch des kulturellen Ordnung (Soziol.); c) Zustand mangelhafter gesellschaftlicher Integration innerhalb eines sozialen Gebildes, verbunden mit Einsamkeit, Hilflosigkeit u. Ä.

a|no|misch: gesetzlos, gesetzwidrig

a|no|nym* ⟨gr.-lat.⟩: a) ungenannt, ohne Namensnennung; **Anonyme Alkoholiker:** Selbsthilfeorganisation von Alkohol-

abhängigen, deren Mitglieder ihre Abhängigkeit eingestehen müssen, aber anonym bleiben; Abk.: AA; b) unpersönlich, durch Fremdheit geprägt. **A|no|ny|ma** die (Plural): Schriften ohne Verfasserangabe. **a|no|ny|misch:** anonym; vgl. ...isch/-.

a|no|ny|mi|sie|ren: persönliche Daten aus einer Statistik, aus Fragebogen o. Ä. löschen. **A|no|ny|mi|tät** ⟨gr.-nlat.⟩ die; -: a) das Nichtbekanntsein, Nichtgenanntsein; Namenlosigkeit; b) unpersönliche, durch Fremdheit geprägte Atmosphäre. **A|no|ny|mus** ⟨gr.-lat.⟩ der; -, ...mi: namentlich nicht genannter Autor, Briefschreiber o. Ä.

A|no|phe|les* ⟨gr.-nlat.; „nutzlos, schädlich")⟩ die; -, -: in tropischen u. südeuropäischen Ländern vorkommende Stechmücke [die Malaria überträgt]

An|oph|thal|mie ⟨gr.-nlat.⟩ die; -, ...ien: angeborenes Fehlen oder Verlust eines oder beider Augäpfel (Med.)

An|opie, Anopsie ⟨gr.-nlat.⟩ die; -, ...ien: das Nichtsehen, Untätigkeit des einen Auges (z. B. beim Schielen; Med.)

an|opis|tho|gra|phisch, auch: ...grafisch ⟨gr.; „nicht von hinten beschrieben")⟩: nur auf einer Seite beschrieben (von Papyrushandschriften oder bedruckt; Ggs. ↑opisthographisch

An|op|sie vgl. Anopie

A|no|rak ⟨eskim.⟩ der; -s, -s: 1. Kajakjacke der Eskimos. 2. Windjacke mit Kapuze

a|no|rek|tal ⟨lat.-nlat.⟩: Mastdarm u. After betreffend, in der Gegend von Mastdarm u. After gelegen (Med.)

An|o|rek|ti|kum ⟨griech.⟩ das; -s, ...ka: Appetitzügler. **An|o|re|xia ner|vo|sa** ⟨nlat.⟩ die; - -: Magersucht (Med.). **An|o|re|xie** die; -: Appetitlosigkeit (Med.)

An|or|ga|ni|ker ⟨gr.-nlat.⟩ der; -s, -: Wissenschaftler auf dem Gebiet der anorganischen Chemie. **an|or|ga|nisch:** 1. a) zum unbelebten Bereich der Natur gehörend, ihn betreffend; Ggs. ↑organisch (1 b); b) ohne Mitwirkung von Lebewesen entstanden. 2. nicht nach bestimmten [natürlichen] Gesetzmäßigkeiten erfolgend; ungeordnet, ungegliedert; **anorganische Chemie:** Teilgebiet der Chemie, das sich mit Elementen und Verbindungen ohne Kohlenstoff beschäftigt; Ggs. ↑organische Chemie

An|or|gas|mie ⟨gr.-nlat.⟩ die; -, ...ien: Fehlen bzw. Ausbleiben des ↑Orgasmus (Med.)

a|nor|mal ⟨mlat.; Kreuzung aus gr.-lat. anomalus („unregelmäßig") u. normalis („nach dem Winkelmaß gerecht")⟩: nicht normal; von der Norm, Regel abweichend

A|nor|thit* [auch: ...'tɪt] ⟨gr.-nlat.⟩ der; -s: zu den Feldspaten gehörendes Mineral. **A|nor|tho|sit** [auch: ...'zɪt] der; -s: ein Gestein

An|os|mie ⟨gr.-nlat.⟩ die; -: Verlust des Geruchssinnes (Med.)

A|no|sog|no|sie* ⟨gr.-nlat.⟩ die; -: (mit manchen Gehirnerkrankungen einhergehende) Unfähigkeit, Erkrankungen der eigenen Person wahrzunehmen (Med.)

An|os|to|se ⟨gr.-nlat.⟩ die; -, -n: Störung des Knochenwachstums u. der Knochenentwicklung; Knochenschwund (Med.)

a|no|therm ⟨gr.⟩: mit zunehmender Wassertiefe kälter werdend; Ggs. ↑katotherm. **A|no|ther|mie** die; -: Abnahme der Wassertemperatur in den Tiefenzonen stehender Gewässer u. der Meere; Ggs. ↑Katothermie

An|oxä|mie*, Anoxyhämie ⟨gr. nlat.⟩ die; -: Sauerstoffmangel im Blut (Med.). **An|oxie** die; -, ...ien: Sauerstoffmangel in den Geweben (Med.). **an|oxisch:** auf Sauerstoffmangel im Gewebe beruhend, durch Sauerstoffmangel verursacht (Med.). **An|oxy|bi|o|se** die; -: Anaerobiose. **An|oxy|hä|mie** vgl. Anoxämie

An|scho|vis, auch: Anchovis [...'ço:...] ⟨gr.-vulgärlat.-it.-span.-port.-niederl.⟩ die; -, -: in Salz od. Marinade eingelegte Sardelle od. Sprotte

Ant|acid ® ⟨gr.; lat.⟩ das; -s, -e: gegen Säuren sehr widerstandsfähige Eisen-Silicium-Legierung. **Ant|aci|dum** vgl. Antazidum

An|ta|go|nis|mus ⟨gr.-lat.⟩ der; -, ...men: 1. a) (ohne Plural) Gegensatz, Gegnerschaft, Widerstreit, Widerstand; b) einzelne gegensätzliche Erscheinung o. Ä. 2. gegeneinander gerichtete Wirkungsweise (z. B. Streckmuskel-Beugemuskel; Med.). 3. gegenseitige Hemmung zweier Mikroorganismen (Biol.). **An|ta|go|nist** ⟨gr.-lat.⟩ der; -en, -en: 1. Gegner, Widersacher. 2. einer von paarweise wirkenden Muskeln, dessen Wirkung der des ↑Agonisten (2) entgegengesetzt

ist. an|ta|go|ni̱s|tisch ⟨gr. -nlat.⟩: gegensätzlich, in einem nicht auszugleichenden Widerspruch stehend, gegnerisch
Ant|al|gi̱|kum ⟨gr.-nlat.⟩ das; -s, ...ka: ↑Anästhetikum
Ant|apex, Antiapex ⟨gr.; lat.⟩ der; -, ...apizes: Gegenpunkt des ↑Apex (1)
Ant|aph|ro|di|si̱|a|kum* vgl. Anaphrodisiakum
Ant|ark|ti|ka ⟨gr.-lat.⟩ die; -: der Kontinent der Antarktis. Ant|ark|tis ⟨gr.-nlat.⟩ die; -: Land- u. Meeresgebiete um den Südpol. ant|ark|tisch: a) die Antarktis betreffend; b) zur Antarktis gehörend
Ant|arth|ri̱|ti|kum* ⟨gr.-nlat.⟩ das; -s, ...ka: Heilmittel gegen Gelenkentzündung u. Gicht
ant|as|the̱|nisch ⟨gr.-nlat.⟩: gegen Schwächezustände wirksam, stärkend (Med.)
Ant|azi̱|dum ⟨gr.; lat.⟩ das; -s, ...da: Magensäure bindendes Arzneimittel (Med.)
A̱n|te ⟨lat.⟩ die; -, -n: die meist pfeilerartig ausgebildete Stirn einer frei endenden Mauer (in der altgriechischen und römischen Baukunst)
An|te|bra̱|chi|um [...x...] ⟨lat.; gr.-lat.⟩ das; -s, ...chia: Unterarm
a̱n|te Chri̱s|tum [na̱|tum] ⟨lat.⟩: vor Christi [Geburt], vor Christus; Abk.: a. Chr. [n.]
a̱n|te ci̱|bum [-'tsi:...] ⟨lat.; „vor dem Essen"⟩: Hinweis auf Rezepten
an|te|da|ti̱e̱|ren ⟨lat.-nlat.⟩: (veraltet) 1. [ein Schreiben] vordatieren. 2. [ein Schreiben] zurückdatieren
an|te|di|lu|vi|a̱|nisch ⟨nlat.⟩: vor dem ↑Diluvium liegend, uraltertend
a̱n|te me|ri̱|di|em ⟨lat.⟩: vgl. a. m. (1); Ggs. ↑post meridiem
Ant|eme̱|ti|kum ⟨gr.⟩ das; -s, ...ka: Mittel gegen Erbrechen (Med.)
a̱n|te moṟ|tem ⟨lat.⟩: vor dem Tode (Med.); Abk.: a. m.
An|te̱n|ne ⟨lat.-it.⟩ die; -, -n: 1. Vorrichtung zum Senden od. Empfangen (von Rundfunk-, Fernsehsendungen usw.). 2. Fühler der Gliedertiere (z. B. Krebse, Insekten)
A̱n|ten|tem|pel der; -s, -: ein mit ↑Anten ausgestatteter altgriech. Tempel
An|te|pä̱n|u̱l|ti|ma* ⟨lat.⟩ die; -, ...mä u. ...men: die vor der ↑Pänultima stehende, drittletzte Silbe eines Wortes

An|te|pe̱n|di|um ⟨lat.-mlat.; „Vorhang"⟩ das; -s, ...ien: Verkleidung des Altarunterbaus, aus kostbarem Stoff od. aus einer Vorsatztafel aus Edelmetall od. geschnitztem Holz bestehend
An|te|pir|r̲he̲m* ⟨gr.⟩ das; -s, -ata: Dialogverse des Chors in der attischen Komödie, Gegenstück zum ↑Epirrhem
an|te|po|ni̱e̱|rend ⟨lat.⟩: verfrüht auftretend (Med.)
a̱n|te poṟ|tas ⟨lat.; „vor den Toren"⟩: (scherzh.) im Anmarsch, im Kommen (in Bezug auf eine Person, vor der man warnen will)
An|te|po|si̱|ti|on ⟨lat.⟩ die; -, -en: (Med.) 1. Verlagerung eines Organs nach vorn. 2. vorzeitiges Auftreten einer erblich bedingten Krankheit (im Verhältnis zum Zeitpunkt des Auftretens bei früheren Generationen)
A̱n|tes|tat das; -[e]s, -e: (früher) ↑Testat des Hochschulprofessors zu Beginn des Semesters neben der im Studienbuch des Studierenden aufgeführten Vorlesung od. Übung; Ggs. ↑Abtestat.
an|tes|tie̱|ren: ein Antestat geben; Ggs. ↑abtestieren
An|te|ze̱|dens ⟨lat.⟩ das; -, ...de̱n-zien: Grund, Ursache; Vorausgegangenes. an|te|ze|de̱nt: durch Antezedenz (2) entstanden. An|te|ze|de̱nz die; -: 1. Antezedens. 2. Talbildung durch einen Fluss, der in einem von ihm durchflossenen aufsteigenden Gebirge seine allgemeine Laufrichtung beibehält (z. B. Rheintal bei Bingen); Ggs. ↑Epigenese. An|te|ze|de̱n|zi|en die (Plural): 1. Plural von ↑Antezedens. 2. (veraltet) Vorleben, frühere Lebensumstände. an|te|ze|di̱e̱|ren: (veraltet) vorhergehen, vorausgehen. An|te|ze̱s|sor der; -s, ...o̱ren: (veraltet) [Amts]vorgänger
Ant|hel̲i̲|um ⟨gr.-lat.⟩ das; -s, ...thelien: Art eines ↑Halos (1) in Form eines leuchtenden Flecks in gleicher Höhe wie die Sonne, jedoch in entgegengesetzter Himmelsrichtung; Gegensonne (atmosphär. Optik)
Ant|hel̲m̲in|thi̱|kum ⟨gr.-nlat.⟩ das; -s, ...ka: Wurmmittel (Med.). ant|hel̲m̲in|thisch: gegen Würmer wirksam (Med.)
An|them ['ænθəm] ⟨gr.-mlat.-engl.⟩ das; -s, -s: motetten-od. kantatenartige engl. Kirchenkomposition, Hymne

Palmblättern u. Lotosblüten (altgriech. Baukunst). A̱n|the-mis ⟨gr.-lat.⟩ die; -, -: Hundskamille. An|the̱|re die; -, -n: Staubbeutel der Blütenpflanzen. An|the̱|ri̱|di|um ⟨gr.-nlat.⟩ das; -s, ...dien: Geschlechtsorgan der Algen, Moose u. Farne, das männliche Keimzellen ausbildet. An|the̱|se die; -: die Zeit vom Aufbrechen einer Blüte bis zum Verblühen (Bot.)
Ant|hid|ro̱|ti|kum* ⟨gr.-nlat.⟩ das; -s, ...ka: die Schweißbildung hemmendes Arzneimittel (Med.)
An|tho|cy̱|an vgl. Anthozyan.
An|tho|lo̱|gie ⟨gr.; „Blumenlese"⟩ die; -, ...ien: ausgewählte Sammlung, Auswahl von Gedichten od. Prosastücken. An|tho|lo̱|gi|on, Anthologium das; -s, ...ia od. ...ien: liturgisches Gebetbuch (↑Brevier 1) der orthodoxen Kirchen. an|tho|lo̱|gisch: ausgewählt. An|tho|lo̱|gi|um vgl. Anthologion. An|tho|ly̱|se ⟨gr.-nlat.⟩ die; -: Auflösung der Blüte einer Pflanze durch Umwandlung der Blütenorgane in grüne Blätter (Bot.). An|tho|xan|thi̱n das; -s, -e: im Zellsaft gelöster gelber Blütenfarbstoff. An|tho|zo̱|on ⟨gr.-nlat.⟩ das; -s, ...zo̱en: Blumentier (z. B. Koralle). An|tho|zy̱|an, chem. fachspr.: Anthocyan das; -s, -e: Pflanzenfarbstoff
Anth|ra|ce̱n* [...'tse:n] ⟨gr.-nlat.⟩ das; -s, -e: aus Steinkohlenteer gewonnenes Ausgangsmaterial vieler Farbstoffe. Anth|ra|chi̱-no̱n (Kurzw. aus ↑Anthracen ↑Chinon) das; -s: 1. Ausgangsstoff für die Anthrachinonfarbstoffe. 2. Bestandteil von Abführmitteln. Anth|rak|no̱|se ⟨gr.-nlat.⟩ die; -, -n: durch Pilze verursachte Pflanzenkrankheit (z. B. Stängelbrenner). Anth|ra|ko̱|se die; -, -n: (Med.) a) Ablagerung von Kohlenstaub in Organen; b) Kohlenstaublunge. Anth|rax ⟨gr.-lat.⟩ die; -: Milzbrand (Med.). Anth|ra|ze̱n vgl. Anthracen. anth|ra|zi̱t [auch: ...'tsit] grauschwarz. Anth|ra|zi̱t [auch: ...'tsit] ⟨gr.-nlat.⟩ der; -s, -e: harte, glänzende Steinkohle
Anth|ro|po|bio|lo̱|gie* [auch: 'an...] ⟨gr.-nlat.⟩ die; -: Lehre von den Erscheinungsformen des menschlichen Lebens u. der biologischen Beschaffenheit des Menschen. Anth|ro|po|cho̱|ren [...k...] die (Plural): durch Einfluss der Menschen verbreitete Pflanzen u. Tiere (z. B. Kultur-

pflanzen, Nahrungsmittelschäd-
linge). **Anth|ro|po|cho|rie** die; -:
durch den Menschen verursach-
te Verbreitung von Tieren u.
Pflanzen (Biol.). **anth|ro|po|-
gen**: durch den Menschen beein-
flusst, verursacht. **Anth|ro|po-
ge|ne|se** die; -: ↑ Anthropogenie.
Anth|ro|po|ge|ne|tik die; -: Hu-
mangenetik (Med.). **Anth|ro|po-
ge|nie** die; -: Wissenschaft von
der Entstehung u. Abstammung
des Menschen. **Anth|ro|po|ge-
o|gra|phie**, auch: ...grafie [auch:
'an...] die; -: Teilgebiet der Geographie, das sich mit der Wechselwirkung von Mensch und geo-
graphischer Umwelt befasst.
anth|ro|po|id: menschenähn-
lich. **Anth|ro|po|i|de** der; -n, -n,
auch: Anthropoid der; -en, -en:
Menschenaffe. **Anth|ro|po|kli-
ma|to|lo|gie** [auch: 'an...] die; -:
Wissenschaft von den Beziehungen zwischen Mensch u. Klima.
Anth|ro|po|lat|rie die; -, ...ien:
gottähnliche Verehrung eines
Menschen, Menschenkult.
Anth|ro|po|lo|ge der; -n, -n:
Wissenschaftler auf dem Gebiet
der Anthropologie. **Anth|ro|po-
lo|gie** die; -: Wissenschaft vom
Menschen, bes. unter biologischem, philosophischem, päda-
gogischem u. theologischem
Aspekt. **anth|ro|po|lo|gisch**: die
Anthropologie betreffend.
Anth|ro|po|lo|gis|mus der; -:
philosophische Auffassung, die
den Menschen zum absoluten
Mittelpunkt macht. **Anth|ro|po-
met|rie** die; -: Wissenschaft von
den menschlichen Körper- u.
Skelettmerkmalen u. deren exak-
ter Bestimmung. **anth|ro|po-
met|risch**: auf die Anthropo-
metrie bezogen. **anth|ro|po-
morph**: von menschlicher Gestalt, menschenähnlich, mensch-
lich. **Anth|ro|po|mor|phe** der;
-n, -n, (auch:) **Anth|ro|po-
morph** der; -en, -en: Mensch
(unter biologischem Aspekt);
Menschenaffe. **anth|ro|po|mor-
phisch**: die menschliche Gestalt
betreffend, sich auf sie bezie-
hend. **anth|ro|po|mor|phi|sie-
ren**: vermenschlichen, menschliche Eigenschaften auf Nicht-
menschliches übertragen. **Anth-
ro|po|mor|phis|mus** der; -,
...men: Übertragung menschlicher Eigenschaften u. Verhaltensweisen auf nichtmenschliche
Dinge od. Wesen. **Anth|ro|po-
no|se** die; -, -n: [Infekti-
ons]krankheit, die nur von

Mensch zu Mensch übertragen
werden kann (Med.); Ggs.
↑ Anthropozoonose. **Anth|ro-
po|nym** das; -s, -e: Personenna-
me (z. B. Vorname, Familienna-
me). **Anth|ro|po|ny|mie** die; -:
Anthroponymik. **Anth|ro|po-
ny|mik** die; -: Personennamen-
kunde. **Anth|ro|po|pha|ge** der;
-n, -n: ↑ Kannibale. **Anth|ro|po-
pha|gie** die; -: ↑ Kannibalismus.
Anth|ro|po|phy|ten die (Plural):
durch Menschen verbreitete
Pflanzen. **Anth|ro|po|soph** der;
-en, -en: Anhänger der Anthro-
posophie. **Anth|ro|po|so|phie**
die; -: (von Rudolf Steiner zu Beginn des 20. Jhs. begründete)
Lehre, nach der der Mensch höhere seelische Fähigkeiten entwickeln u. dadurch übersinnliche Erkenntnisse erlangen kann.
anth|ro|po|so|phisch: die Anth-
roposophie betreffend. **Anth|ro-
po|tech|nik** die; -: ↑ Human En-
gineering. **anth|ro|po|zen-
trisch**: den Menschen in den
Mittelpunkt stellend. **Anth|ro-
po|zo|en** die (Plural): durch
Menschen verbreitete Tiere.
Anth|ro|po|zo|o|no|se die; -, -n:
Infektionskrankheit, die zwischen Tier u. Mensch übertragen
werden kann (Med.); Ggs.
↑ Anthroponose. **Anth|ro|pus**
der; -: Frühmensch, Vertreter einer Frühstufe in der Entwicklung des Menschen
An|thu|rie [...rjə] (gr.-nlat.) die;
-n u. **An|thu|ri|um** das; -s, ...ien:
zu den Aronstabgewächsen gehörende Zimmerpflanze; Fla-
mingoblume
Ant|hy|gron|do|se* (gr.; dt.): die;
-, -n: Stromverteilerdose für
feuchte Räume, Feuchtraumdo-
se (Elektrot.)
An|ti|al|ko|ho|li|ker [auch: 'an...]
der; -s, -: jmd., der grundsätzlich
keinen Alkohol zu sich nimmt.
An|ti|apex vgl. Antapex
An|ti|asth|ma|ti|kum (gr.-nlat.)
das; -s, ...ka: Medikament gegen
Bronchialasthma
an|ti|au|to|ri|tär [auch: 'an...]
(gr.; lat.-fr.): nicht autoritär, Au-
torität ablehnend; **antiautoritäre
Erziehung:** Kindererziehung unter weitgehender Vermeidung
von als autoritär erachteten
Zwängen
An|ti|ba|by|pil|le (gr.; engl.; lat.)
die; -, -n: (ugs.) ein hormonales
Empfängnisverhütungsmittel
an|ti|bak|te|ri|ell [auch: 'an...]:
gegen Bakterien wirksam od. gerichtet (bes. von Medikamenten)

An|ti|bar|ba|rus (gr.-nlat.) der; -,
...ri: (hist.) Titel von Büchern,
die Verstöße gegen den richtigen
Sprachgebrauch aufführen u. be-
richtigen
An|ti|bi|ont (gr.-nlat.) der; -en,
-en: Kleinstlebewesen, von dem
die Antibiose ausgeht. **An|ti|bi-
o|se** die; -, -n: hemmende od. ab-
tötende Wirkung der Stoffwechselprodukte bestimmter Mikroorganismen auf andere Mik-
roorganismen. **An|ti|bi|o|ti|kum**
das; -s, ...ka: biologischer Wirk-
stoff aus Stoffwechselprodukten
von Kleinstlebewesen, der andere Mikroorganismen im Wachstum hemmt od. abtötet (Med.).
an|ti|bi|o|tisch: von wachstums-
hemmender od. abtötender Wirkung (Med.)
An|ti|blo|ckier|sys|tem das; -s,
-e: Bremssystem, das beim
Bremsvorgang das Blockieren
der Räder verhindert; Abk.:
ABS
An|ti|chamb|re* [ãtiʃaːbrə] ⟨lat.-
it.-fr.⟩ das; -s, -s: (veraltet) Vor-
zimmer. **An|ti|chamb|rie|ren**
[antiʃam...]: 1. (veraltet) im Vor-
zimmer eines Vorgesetzten, einer hoch gestellten Persönlichkeit o. Ä. warten. 2. durch be-
harrliches, wiederholtes Vor-
sprechen bei einer Behörde o. Ä.
etwas zu erreichen suchen
An|ti|chre|se [...ç...] ⟨gr.-lat.;
„Gegengebrauch"⟩ die; -, -n:
Überlassung der Pfandnutzung
an den Gläubiger. **an|ti|chre-
tisch**: die Pfandnutzung dem
Gläubiger überlassend
An|ti|christ ⟨gr.-lat.⟩ der; -[s] 1.
der Teufel; Widersacher Christi.
2. der; -en, -en: Gegner des
Christentums. **an|ti|christ|lich**
[auch: ...'krɪst...]: gegen das
Christentum eingestellt, gerichtet
An|tich|tho|ne* ⟨gr.-lat.⟩ der; -n,
-n: ¹Antipode (1)
an|ti|ci|pan|do vgl. antizipando
An|ti|de|pres|si|vum* ⟨gr.; lat.⟩
das; -s, ...va (meist Plural): Arzneimittel gegen ↑ Depression
(Med.)
An|ti|di|a|be|ti|kum ⟨gr.⟩ das; -s,
...ka: Arzneimittel, das den Blut-
zuckerspiegel senkt (Med.)
An|ti|di|ar|rho|i|kum ⟨gr.-nlat.⟩
das; -s, ...ka: Arzneimittel gegen
Durchfall (Med.)
An|ti|dot ⟨gr.-lat.⟩ das; -[e]s, -e u.
An|ti|do|ton ⟨gr.⟩ das; -s, ...ta: Ge-
gengift. **An|ti|do|ta|ri|um** ⟨gr.-
nlat.⟩ das; -s, ...ia: a) Verzeichnis
von Gegenmitteln, Gegengiften;

b) Titel alter Rezeptsammlungen u. Arzneibücher. An|ti|do|ton vgl. Antidot

An|ti|en|zym das; -s, -e: ↑Antikörper, der sich bei Zufuhr artfremder Enzyme im Organismus bildet u. deren Wirksamkeit herabsetzt bzw. aufhebt (Med.)

An|ti|fak|tor der; -s, ...oren: natürlicher Hemmstoff der Blutgerinnung (z. B. ↑Heparin; Med.)

An|ti|fa|schis|mus [auch: 'an...] der; -: politische Einstellung u. Aktivität gegen Nationalsozialismus u. Faschismus. An|ti|fa|schist [auch: 'an...] der; -en, -en: Vertreter des Antifaschismus. an|ti|fa|schis|tisch [auch: 'an...]: a) den Antifaschismus betreffend; b) die Grundsätze des Antifaschismus vertretend

An|ti|feb|ri|le* ⟨gr.; lat.⟩ das; -[s], ...lia: fiebersenkendes Mittel (Med.)

An|ti|ter|ment ⟨gr.; lat.⟩ das; -s, -e: ↑Antienzym

an|ti|fer|ro|mag|ne|tisch* ⟨gr.; lat.; gr.⟩: besondere magnetische Eigenschaften aufweisend (von bestimmten Stoffen; Phys.)

An|ti|foul|ling ['ænti.faulin] ⟨gr.; engl.⟩ das; -s: Anstrich für den unter Wasser befindlichen Teil des Schiffes, der die Anlagerung von Pflanzen u. Tieren verhindert

An|ti|gen ⟨gr.-nlat.⟩ das; -s, -e: artfremder Eiweißstoff (z. B. Bakterien), der im Körper die Bildung von ↑Antikörpern bewirkt, die den Eiweißstoff selbst unschädlich machen

an|ti|gliss ⟨gr.-fr.⟩: rutschsicher (z. B. von Skianzügen)

An|ti|held ⟨gr.⟩ der; -en, -en: inaktive, negative od. passive Hauptfigur in Drama u. Roman im Unterschied zum aktiv handelnden Helden

An|ti|his|ta|mi|ni|kum* ⟨nlat.; Kurzw. aus ↑anti, ↑Histidin, ↑Amin u. der Endung -ikum⟩ das; -s, ...ka: Arzneimittel gegen allergische Reaktionen

An|ti|hor|mon das; -s, -e: eiweißartiger Stoff, der die Wirkung eines Hormons abschwächen od. aufheben kann (Med.)

an|ti|tik ⟨lat.-fr.⟩: 1. auf das klassische Altertum, die Antike zurückgehend; dem klassischen Altertum zuzurechnen. 2. in altertümlichem Stil hergestellt, vergangene Stilepochen (jedoch nicht die Antike) nachahmend (bes. von Einrichtungsgegenständen); vgl. ...isch/-

An|ti|ka|tho|de, auch: An|ti|ka|to|de [auch: 'an...] die; -, -n: der ↑Kat[h]ode gegenüberstehende positive ↑Elektrode in einer Röntgenröhre

An|ti|ke ⟨lat.-fr.⟩ die; -, -n: 1. (ohne Plural) das klassische Altertum u. seine Kultur. 2. (meist Plural) antikes Kunstwerk. an|ti|kisch: dem Vorbild der antiken Kunst nachstrebend; vgl. ...isch/-. an|ti|ki|sie|ren: nach Art der Antike gestalten; antike Formen nachahmen (z. B. im Versmaß). an|ti|kle|ri|kal [auch: 'an...]: kirchenfeindlich. An|ti|kle|ri|ka|lis|mus [auch: 'an...] der; -: kirchenfeindliche Einstellung

An|ti|kli|max die; -, -e: Übergang vom stärkeren zum schwächeren Ausdruck, vom Wichtigeren zum weniger Wichtigen (Rhet., Stilk.); Ggs. ↑Klimax (1). an|ti|kli|nal* ⟨gr.-nlat.⟩: sattelförmig (von geolog Falten; Geol.), An|ti|kli|na|le* die; -, -n: Sattel (nach oben gebogene Falte) (Tektonik). An|ti|kli|ne* die; -, -n: 1. Antiklinale. 2. senkrecht zur Oberfläche des Organs verlaufende Zellwand einer Pflanze. An|ti|kli|no|ri|um* das; -s, ...ien: Faltenbündel, dessen mittlere Falten höher als die äußeren liegen (Mulde; Geol.); Ggs. ↑Synklinorium

An|ti|ko|a|gu|lans ⟨gr.; lat.⟩ das; -, ...lantia [...tsia] u. ...lanzien (meist Plural): die Blutgerinnung verzögerndes od. hemmendes Mittel (Med.)

An|ti|kom|mu|nis|mus [auch: 'an...] der; -s: Gegnerschaft gegen den Kommunismus und dessen Vertreter

An|ti|kon|zep|ti|on die; -: Empfängnisverhütung. an|ti|kon|zep|ti|o|nell: die Empfängnis verhütend (Med.). An|ti|kon|zep|ti|vum das; -s, ...iva: die Empfängnis verhütendes Mittel

An|ti|kör|per der; -s, -: im Blutserum als Reaktion auf das Eindringen von ↑Antigenen gebildeter Abwehrstoff (Med.)

An|ti|kri|tik [auch: 'an...] die; -, -en: Erwiderung auf eine ↑Kritik

An|ti|la|be ⟨gr.; „Haltegriff, Widerhalt"⟩ die; -, -n: Aufteilung eines Sprechverses auf verschiedene Personen

An|ti|le|go|me|non ⟨gr.; „was bestritten wird"⟩ das; -s, ...omena (meist Plural): 1. (ohne Plural) Buch des Neuen Testaments, dessen Aufnahme in den ↑Kanon (5) früher umstritten war.

2. (nur Plural) Werke antiker Schriftsteller, deren Echtheit bezweifelt od. bestritten wird

An|ti|lo|ga|rith|mus* [auch: 'an...] der; -, ...men: ↑Numerus (2)

An|ti|lo|gie ⟨gr.⟩ die; -, ...ien: Rede u. Gegenrede über die Verifizierbarkeit eines Lehrsatzes

An|ti|lo|pe ⟨gr.-mgr.-mlat.-engl.-fr.-niederl.⟩ die; -, -n: in Afrika u. Asien vorkommendes gehörntes Huftier

An|ti|ma|chi|a|vel|lis|mus [antimakjavel...] ⟨nach einer Schrift Friedrichs d. Gr. gegen Machiavelli⟩ der; -: gegen den ↑Machiavellismus gerichtete Anschauung

An|ti|ma|te|rie [auch: 'an...] die; -: Form der Materie, deren Atome aus Antiteilchen zusammengesetzt sind (Physik)

An|ti|me|ta|bo|le ⟨gr.-lat.; „Umänderung, Vertauschung"⟩ die; -, -n: Wiederholung von Wörtern in zwei gleich gebauen Sätzen in umgekehrter Reihenfolge (z. B.: Wir leben nicht, um zu essen, sondern wir essen, um zu leben; Rhet., Stilk.)

an|ti|me|ta|phy|sisch [auch: 'an...]: gegen die ↑Metaphysik gerichtet

An|ti|met|rie* ⟨gr.⟩ die; -: ein im Aufbau symmetrisches System, das unsymmetrisch belastet ist (Bautechnik). an|ti|met|risch: belastet mit symmetrisch angebrachten, aber entgegengesetzt wirkenden Lasten (Bautechnik)

An|ti|mi|li|ta|ris|mus [auch: 'an...] der; -: grundsätzliche Ablehnung jeglicher Form militärischer Rüstung

An|ti|mon ⟨mlat.⟩ das; -s: ein silberweiß glänzendes Halbmetall; Stibium (Zeichen: Sb). An|ti|mo|nat ⟨mlat.-nlat.⟩ das; -[e]s, -e: ein Salz der Antimonsäure. An|ti|mo|nit [auch: ...'nɪt] das; -[e]s: (meist als „Antimonglanz" od. „Grauspießglanz" bezeichnetes wichtigstes) Antimonerz

An|ti|my|ko|ti|kum ⟨gr.⟩ das; -s, ...ka: Arzneimittel zur Behandlung von Pilzinfektionen (Med.)

An|ti|neu|ral|gi|kum* ⟨gr.-nlat.⟩ das; -s, ...ka: (Med.) Schmerzen stillendes Mittel gegen Neuralgien

An|ti|neut|ron* das; -s, ...onen: Elementarteilchen, dessen Eigenschaften denen des ↑Neutrons entgegengesetzt sind (Kernphysik)

An|ti|no|mie ⟨gr.-lat.⟩ die; -, ...ien:

Widerspruch eines Satzes in sich od. zweier Sätze, von denen jeder Gültigkeit beanspruchen kann (Philos., Rechtsw.). an|ti|no|mjsch: widersprüchlich. An|ti|no|mjs|mus ⟨gr.-nlat.⟩ der; -: 1. grundsätzliche, anarchistische Gegnerschaft zu Gesetz und Gesetzlichkeit. 2. Lehre, die die Bindung an das [bes. alttest.] Sittengesetz leugnet u. die menschliche Glaubensfreiheit u. die göttliche Gnade betont (Theol.). An|ti|no|mjst der; -en, -en: Vertreter des Antinomismus An|ti|o|xi|dans ⟨gr.-nlat.⟩ das; -, ...dantien, nichtfachspr. auch: Antioxydans das; -, ...danzien: Zusatz zu Lebensmitteln, der die ↑Oxidation verhindert. an|ti|o-xi|dan|tie|ren, nichtfachspr. auch: an|ti|o|xy|dan|tie|ren: bei Lebensmitteln durch einen Zusatz das ↑Oxidieren verhindern An|ti|o|zo|nans ⟨gr.-nlat.⟩ das; -, ...nantien u. An|ti|o|zo|nant das; -s, -e u. -s: Zusatzstoff, der ↑Polymere gegen die Einwirkung von ↑Ozon schützt (Chem.) an|ti|pa|ral|lel*: parallel verlaufend, jedoch entgegengesetzt gerichtet An|ti|par|ti|kel die; -, -n (auch: das; -s, -): Antiteilchen An|ti|pas|sat der; -[e]s, -e: dem ↑Passat entgegengerichteter Wind der Tropenzone An|ti|pas|to ⟨it.⟩ der od. das; -[s], ...ti (meist Plural): ital. Bezeichnung für: Vorspeise An|ti|pa|thie [auch: 'an...] ⟨gr.-lat.⟩ die; -, ...jen: Abneigung, Widerwille gegen jmdn. od. etwas; Ggs. ↑Sympathie (1). an|ti|pa|thisch [auch: 'an...]: a) mit Antipathie erfüllt; b) Antipathie hervorrufend An|ti|pe|ris|tal|tik* die; -: Umkehrung der normalen ↑Peristaltik (z. B. bei Darmverschluss; Med.) An|ti|phlo|gjs|ti|kum ⟨gr.-nlat.⟩ das; -s, ...ka: Entzündungen hemmendes Mittel (Med.) An|ti|phon die; -, (auch:) Antiphone ⟨gr.-lat.⟩ die; -, -n: liturgischer Wechselgesang. an|ti-pho|nal ⟨gr.-lat.-nlat.⟩: im liturgischen Wechselgesang. An|ti-pho|na|le das; -s, ...lien u. An|ti-pho|nar ⟨gr.-lat.-mlat.⟩ das; -s, -ien: liturgisches Buch mit dem Text der Antiphonen u. des Stundengebets. An|ti|pho|nie vgl. Antiphon. An|ti|pho|nie die; -, ...jen: Antiphon. an|ti|pho-nisch: im Wechselgesang (zwischen erstem u. zweitem Chor oder zwischen Vorsänger und Chor) An|ti|phra|se ⟨gr.-lat.; „Gegenbenennung"⟩ die; -, -n: Wortfigur, die das Gegenteil des Gesagten meint (z. B. ironisch: eine schöne Bescherung!; Rhet.; Stilk.) An|ti|pni|gos* ⟨gr.⟩ der; -: schnell gesprochener Abschluss des ↑Antepirrhems; vgl. ↑Pnigos ¹An|ti|po|de ⟨gr.-lat.; „Gegenfüßler"⟩ der; -n, -n: 1. auf der dem Betrachter gegenüberliegenden Seite der Erde wohnender Mensch. 2. Mensch, der auf einem entgegengesetzten Standpunkt steht. 3. Zirkusartist, der auf dem Rücken liegend auf seinen Fußsohlen Gegenstände od. einen Partner balanciert. ²An|ti-po|de die; -, -n: kleine, in der pflanzlichen Samenanlage der Eizelle gegenüberliegende Zelle; Gegenfüßlerzelle (Biol.) An|ti|pro|ton das; -s, ...onen: Elementarteilchen, das ↑Gegenschaften denen des ↑Protons entgegengesetzt sind An|ti|po|se* ⟨gr.-lat.; „Gegenfall"⟩ die; -, -n: Setzung eines ↑Kasus (2) für einen anderen An|ti|py|re|se ⟨gr.-nlat.⟩ die; -: Fieberbekämpfung. An|ti|py|re-ti|kum ⟨gr.⟩ das; -, ...ka: fiebersenkendes Mittel. an|ti|py|re|tisch: fiebersenkend, fieberbekämpfend An|ti|qua ⟨lat.; „die alte (Schrift)"⟩ die; -: Bezeichnung für die heute allgemein gebräuchliche Buchschrift. An|ti-quar der; -s, -e: [Buch]händler, der gebrauchte Bücher, Kunstblätter, Noten o. Ä. kauft u. verkauft. An|ti|qua|ri|at ⟨lat.-nlat.⟩ das; -[e]s, -e: a) Handel mit gebrauchten Büchern; b) Buchhandlung, Laden, in dem antiquarische Bücher verkauft werden. an|ti|qua|risch ⟨lat.⟩: gebraucht, alt. An|ti|qua|ri|um das; -, ...ien: Sammlung von Altertümern. an|ti|quie|ren ⟨lat.-nlat.⟩: 1. veralten. 2. für veraltet erklären. an|ti|quiert: veraltet, nicht mehr zeitgemäß; altmodisch, überholt. An|ti|quiert-heit die; -, -en: a) (ohne Plural) das Festhalten an veralteten u. überholten Vorstellungen od. Dingen; b) altmodisches Gebaren; c) altmodischer Ausspruch, Brauch, Übung. An|ti|qui|tät ⟨lat.⟩ die; -, -en (meist Plural): altertümlicher [Kunst]gegenstand (Möbel, Porzellan u. a.)

An|ti|ra|chi|ti|kum ⟨gr.-nlat.⟩ das; -s, ...ka: Mittel gegen ↑Rachitis (Med.) An|ti|ra|ke|te, An|ti|ra|ke|ten-ra|ke|te die; -, -n: Kampfrakete zur Abwehr von ↑Interkontinentalraketen An|ti|rheu|ma|ti|kum ⟨gr.-nlat.⟩ das; -s, ...ka: Arzneimittel gegen rheumatische Erkrankungen An|tir|rhi|num ⟨gr.-nlat.⟩ das; -s: zu den Rachenblütlern gehörende Pflanze; Löwenmaul an|ti|sem ⟨gr.-nlat.⟩: ↑antonym An|ti|se|mit ⟨gr.; nlat.⟩ der; -en, -en: Judengegner, -feind. an|ti-se|mi|tisch: judenfeindlich. An-ti|se|mi|tis|mus der; -: a) Abneigung gegenüber den Juden; b) [politische] Bewegung mit ausgeprägten judenfeindlichen Tendenzen An|ti|sep|sis ⟨gr.-nlat.⟩ die; -: Vernichtung von Krankheitskeimen mit chemischen Mitteln, bes. in Wunden (Med.); vgl. Asepsis. An|ti|sep|tik die; -: ↑Antisepsis. An|ti|sep|ti|kum das; -s, ...ka: Bakterienwachstum hemmendes od. verhindendes Mittel [bei der Wundbehandlung]. an|ti|sep-tisch: Wundinfektionen verhindernd An|ti|se|rum das; -s, ...seren u. ...sera: ↑Antikörper enthaltendes Heilserum An|ti|ska|bi|o|sum ⟨gr.; lat.⟩ das; -s, ...sa: Mittel gegen Krätze (Med.) An|ti|sol|ma|to|gen ⟨gr.⟩ das; -s, -e: ↑Antigen An|ti|spas|mo|di|kum, Antispastikum ⟨gr.-nlat.⟩ das; -s, ...ka: krampflösendes, krampflinderndes Mittel (Med.). An|ti-spast ⟨gr.-lat.⟩ der; -s, -e: auf ↑Anaklasis des ↑Choriambus beruhende viersilbige rhythmische Einheit eines antiken Verses (Versfuß ⏑ – – ⏑). An|ti|spas|ti-kum vgl. Antispasmodikum. an-ti|spas|tisch: krampflösend An|ti|star der; -s, -s: bekannte Persönlichkeit, deren Aussehen und Auftreten von dem abweicht, was üblicherweise einen Star ausmacht (wie z. B. Schönheit, bestimmtes Verhalten u. Ä.) An|ti|sta|tik|mit|tel ⟨gr.-nlat.⟩ das; -s, -: Mittel, das die elektrostatische Aufladung von Kunststoffen (z. B. Schallplatten, Folien) u. damit der Staubanziehung verhindern soll. an|ti|sta-tisch: elektrostatische Aufladungen verhindernd od. aufhebend (Phys.)

An|tis|tes* ⟨lat.; „Vorsteher") der; -, ...stites [...te:s]: 1. Priestertitel in der Antike. 2. Ehrentitel für kath. Bischöfe u. Äbte. 3. (schweiz. früher) Titel eines Oberpfarrers der reformierten Kirche

An|ti|stro|phe [auch: 'an...] ⟨gr.-lat.⟩ die; -, -n: 1. in der altgriech. Tragödie die der ↑Strophe (1) folgende Gegenwendung des Chors beim Tanz in der ↑Orchestra. 2. das zu dieser Bewegung vorgetragene Chorlied

An|ti|teil|chen ⟨gr.-lat.⟩ das; -s, -: Elementarteilchen, dessen Eigenschaften zu denen eines anderen Elementarteilchens in bestimmter Weise ↑komplementär sind (Kernphysik)

An|ti|the|al|ter das; -s: Sammelbez. für verschiedene Richtungen des modernen experimentellen Theaters

An|ti|the|se [auch: 'an...] ⟨gr.-lat.⟩ die; -, -n: 1. der ↑These entgegengesetzte Behauptung, Gegenbehauptung; Gegensatz; vgl. These (2), Synthese (4). 2. [↑asyndetische] Zusammenstellung entgegengesetzter Begriffe (z.B. der Wahn ist kurz, die Reu ist lang; Rhet., Stilk.). An|ti|the|tik die; -: Lehre von den Widersprüchen u. ihren Ursachen (Philos.). an|ti|the|tisch: gegensätzlich

An|ti|to|xin [auch: 'an...] das; -s, -e: vom Körper gebildetes, zu den Immunstoffen gehörendes Gegengift gegen von außen eingedrungene Gifte (Med.). an|ti|to|xisch: als Antitoxin wirkend (Med.)

An|ti|tran|spi|rant* ⟨gr.; lat.-engl.⟩ das; -s, o u. -e: die Schweißabsonderung hemmendes ↑Deodorant

An|ti|tri|ni|ta|ri|er der; -s, -: Gegner der Lehre von der göttlichen Dreieinigkeit. an|ti|tri|ni|ta|risch: gegen die Dreieinigkeitslehre gerichtet

an|ti|trip|tisch ⟨gr.-nlat.⟩: überwiegend durch Reibung entstanden (Meteor.)

An|ti|tus|si|vum ⟨gr.; lat.-nlat.⟩ das; -s, ...iva: Arzneimittel gegen Husten (Med.).

An|ti|typ der; -s, -en: 1. jmd., der den allgemein üblichen Vorstellungen von einem bestimmten Typ in keiner Weise entspricht. 2. jmd., der einer bestimmten Person, Figur o.Ä. völlig entgegengesetzt ist; Gegenfigur

An|ti|ver|tex der; -: Gegenpunkt des Vertex (2)

An|ti|vi|ta|min* das; -s, -e: natürlicher od. künstlicher Stoff, der die spezifische Wirksamkeit eines Vitamins vermindert od. ausschaltet (Biol.; Med.)

an|ti|zi|pan|do ⟨lat.⟩: (veraltet) vorwegnehmend, im Voraus. An|ti|zi|pa|ti|on die; -, -en: 1. a) Vorwegnahme von etw., was erst später kommt od. kommen sollte, von zukünftigem Geschehen; b) Vorwegnahme von Tönen eines folgenden ↑Akkords (1) (Mus.). 2. Bildung eines philosophischen Begriffs od. einer Vorstellung vor der Erfahrung (↑a priori). 3. a) Vorgriff des Staates [durch Aufnahme von Anleihen] auf erst später fällig werdende Einnahmen; b) Zahlung von Zinsen u.a. vor dem Fälligkeitstermin. 4. Erteilung der Anwartschaft auf ein noch nicht erledigtes kirchliches Amt. 5. ↑Antenosition (2), 6. das bei einer jüngeren Generation gegenüber älteren Generationen frühere Erreichen einer bestimmten Entwicklungsstufe (Biol.). an|ti|zi|pa|tiv: etwas [eine Entwicklung o.Ä.] vorwegnehmend. an|ti|zi|pa|to|risch: etwas (eine Entwicklung o.Ä.) [bewusst] vorwegnehmend; ↑...iv/...orisch. an|ti|zi|pie|ren: 1. etwas [gedanklich] vorwegnehmen. 2. vor dem Fälligkeitstermin zahlen

an|ti|zyk|lisch* [auch: ...'tsyk...] od. 'an...] ⟨gr.-nlat.⟩: 1. in unregelmäßiger Folge wiederkehrend. 2. einem bestehenden Konjunkturzustand entgegenwirkend; Ggs. ↑prozyklisch (Wirtsch.). an|ti|zyk|lo|nal: durch eine Antizyklone bestimmt; antizyklonale Strömung: Luftströmung, die auf der Nordhalbkugel der Erde im Uhrzeigersinn (auf der Südhalbkugel entgegengesetzt) um eine Antizyklone kreist (Meteor.). An|ti|zyk|lo|ne die; -, -n: Hoch[druckgebiet], barometrisches Maximum (Meteor.)

An|ti|zy|mo|ti|kum ⟨gr.-nlat.⟩ das; -s, ...ka: die Gärung verzögerndes Mittel

An|to|de* ⟨gr.⟩ die; -, -n: Chorgesang in der griechischen Tragödie, zweiter Teil der ↑Ode (1)

An|tö|ke* ⟨gr.⟩ der; auf entgegengesetzter geographischer Breite, aber auf demselben Meridian wie der Betrachter wohnender Mensch

An|to|no|ma|sie* ⟨gr.-lat.⟩ die; -, ...ien: 1. Ersetzung eines Eigennamens durch eine Benennung nach besonderen Kennzeichen od. Eigenschaften des Benannten (z.B. der Zerstörer Karthagos = Scipio; der Korse = Napoleon). 2. Ersetzung der Bez. einer Gattung durch den Eigennamen eines ihrer typischen Vertreter (z.B. Krösus = reicher Mann). an|to|nym ⟨gr.-nlat.⟩: (von Wörtern) eine entgegengesetzte Bedeutung habend (z.B. alt/jung, Sieg/Niederlage; Sprachw.); Ggs. ↑synonym (2 a). An|to|nym („Gegenwort") das; -s, -e: Wort, das einem anderen in Bezug auf die Bedeutung entgegengesetzt ist (z.B. schwarz/weiß, starten/landen, Mann/Frau; Sprachw.); Ggs. ↑Synonym (1). An|to|ny|mie die; -, ...ien: semantische Relation, wie sie zwischen Antonymen besteht

an|tör|nen: ↑anturnen

Ant|ro|to|mie* ⟨gr.-nlat.⟩ die; -, ...ien: operative Öffnung der Höhle des Warzenfortsatzes (des warzenförmigen Fortsatzes des Schläfenbeins) mit Ausräumung vereiterter Warzenfortsatzzellen (Med.)

an|tur|nen [...tœɐ...] ⟨dt.; engl.⟩: (ugs.). 1. in einen [Drogen]rausch versetzen. 2. in Stimmung, Erregung o.Ä. versetzen; Ggs. ↑abturnen

A|nuk|le|o|bi|ont*, Akaryobiont ⟨gr.; lat.; gr.⟩ der; -en, -en: (Zool.) 1. Kleinstorganismus ohne Zellkern. 2. (nur Plural) zusammenfassende Bez. für Bakterien u. Blaualgen

A|nu|lus ⟨lat.; „kleiner Ring") der; -, ...li: 1. Ring am Stiel von Blätterpilzen (Bot.). 2. ringförmiger Teil eines Organs (Anat.). 3. (nur Plural) umlaufende Ringe am dorischen ↑Kapitell

A|nu|ren* ⟨gr.-nlat.; „Schwanzlose") die (Plural): Froschlurche

A|nu|rie* ⟨gr.-nlat.⟩ die; -, ...ien: Versagen der Harnausscheidung (Med.)

A|nus ⟨lat.⟩ der; -, Ani: After. A|nus prae|ter [- 'prɛ:...] ⟨nlat.⟩: kurz für: Anus praeternaturalis⟩ der; - -, Ani - u. - -: künstlich angelegter, verlegter Darmausgang (z.B. bei Mastdarmkrebs)

an|vi|sie|ren ⟨dt.; lat.-fr.⟩: 1. ins Visier nehmen, als Zielpunkt nehmen. 2. etwas ins Auge fassen, anstreben

an|vi|su|a|li|sie|ren ⟨dt.; lat.-engl.⟩: eine Idee durch eine flüchtig entworfene Zeichnung festhalten (Werbespr.)

an|zeps ⟨lat.; „schwankend"⟩: lang od. kurz (von der Schlusssilbe im antiken Vers)
an|zest|ral* ⟨lat.-fr.-engl.⟩: altertümlich, stammesgeschichtlich
A. O. C. = appellation d'origine contrôlée (französische Qualitäts- u. Herkunftsbezeichnung für Wein)
A|ö|de ⟨gr.⟩ der; -n, -n: griechischer Dichter u. Sänger im Zeitalter Homers
Ä|o|li|ne ⟨gr.-lat.-nlat.; vom Namen des griechischen Windgottes Äolus⟩ die; -, -n: ein Musikinstrument (Vorläufer der Handbzw. Mundharmonika; Mus.).
ä|o|lisch ⟨gr.-lat.⟩: 1. ⟨nach dem griechischen Windgott Äolus⟩ durch Windeinwirkung entstanden (von Geländeformen u. Ablagerungen; Geol.). 2. die altgriechische Landschaft Äolien betreffend; **äolische Tonart:** dem Moll entsprechende Kirchentonart; **äolische Versmaße:** Versformen der antiken Metrik, die eine feste Silbenzahl haben u. bei denen nicht eine Länge durch zwei Kürzen od. zwei Kürzen durch eine Länge ersetzt werden können; vgl. Glykoneus, Pherekrateus, Hipponakteus, alkäische Strophe, sapphische Strophe.
Ä|ols|har|fe die; -, -n: altes Instrument, dessen Saiten durch den Wind in Schwingungen versetzt werden; Windharfe, Geisterharfe
Ä|on ⟨gr.-lat.⟩ der; -s, -en (meist Plural): [unendlich langer] Zeitraum; Weltalter; Ewigkeit
A|o|rist ⟨gr.-lat.⟩ der; -[e]s, -e: Zeitform, die eine momentane od. punktuelle Handlung ausdrückt (z. B. die erzählende Zeitform im Griech.; Sprachw.)
A|or|ta ⟨gr.⟩ die; -, ...ten: Hauptschlagader. **A|or|tal|gie*** ⟨gr.-nlat.⟩ die; -, ...ien: an der Aorta od. im Bereich der Aorta auftretender Schmerz. **A|or|ten|insuf|fi|zi|enz, A|or|ten|klap|penin|suf|fi|zi|enz** die; -: Schließunfähigkeit der Aortenklappe. **A|or|ti|tis** die; -, ...iti̱den: Entzündung der Aorta
A|pa|che [...xə] der; -n, -n: 1. [auch: a'patʃə] ⟨indian.⟩ Angehöriger eines nordamerikanischen Indianerstammes. 2. ⟨indian.-fr.⟩ Großstadtganove (bes. in Paris). **A|pa|chen|ball** der; -[e]s, ...bälle: Kostümfest, auf dem die Teilnehmer als Ganoven o. Ä. verkleidet erscheinen
A|pa|go|ge* [auch: ...'go:ge] ⟨gr.; „das Wegführen"⟩ die; -: Schluss aus einem gültigen Obersatz u. einem in seiner Gültigkeit nicht ganz sicheren, aber glaubwürdigen Untersatz (griech. Philos.). **a|pa|go|gisch:** in der Art einer Apagoge; **apagogischer Beweis:** indirekter Beweis durch Aufzeigen der Unrichtigkeit des Gegenteils (Philos.)
a|pal|lisch ⟨gr.-nlat.⟩: in der Fügung **apallisches Syndrom:** Funktionsstörungen bei einer Schädigung der Großhirnrinde, die sich im Fehlen gerichteter Aufmerksamkeit, in fehlender Reizbeantwortung u. a. äußert (Med.)
A|pa|na|ge [...'na:ʒə] ⟨fr.⟩ die; -, -n: regelmäßige [jährliche] Zahlung an jmdn., bes. an nicht regierende Mitglieder eines Fürstenhauses zur Sicherung standesgemäßen Lebens. **a|pa|nagie|ren** [...'ʒi:...]: eine Apanage geben
a|part ⟨lat.-fr.⟩: 1. in ausgefallener, ungewöhnlicher Weise ansprechend, anziehend, geschmackvoll; reizend. 2. (veraltet) gesondert, getrennt. 3. einzeln zu liefern (Buchw.). **à part** [a 'pa:ɐ̯] ⟨fr.⟩: „beiseite (sprechen)"⟩: Kunstgriff in der Dramentechnik, eine Art lautes Denken, durch das eine Bühnenfigur ihre [kritischen] Gedanken zum Bühnengeschehen dem Publikum mitteilt. **A|par|te** das; -[s], -s: (veraltet) vgl. à part.
A|part|heid ⟨afrikaans⟩ die; -: (früher) Rassentrennung zwischen Weißen u. Farbigen in der Republik Südafrika. **A|part|hotel** [auch: ə'pa:t...] ⟨Kurzw. aus Apartment u. Hotel⟩ das; -s, -s: Hotel, das Appartements (und nicht Einzelzimmer) vermietet. **A|part|ment** [auch: ə'pa:t...] ⟨lat.-it.-fr.-engl.-amerik.⟩ das; -s, -s: Kleinwohnung (in einem [komfortablen] Mietshaus); vgl. Appartement. **A|part|menthaus** das; -es, ...häuser: Mietshaus, das ausschließlich aus Apartments besteht
A|pas|t|ron* ⟨gr.-nlat.⟩ das; -s, ...stren: Punkt der größten Entfernung des kleineren Sterns vom Hauptstern bei Doppelsternen
A|pa|thie ⟨gr.-lat.; „Schmerzlosigkeit, Unempfindlichkeit"⟩ die; -, ...ien: Teilnahmslosigkeit; Zustand der Gleichgültigkeit gegenüber dem Menschen u. der Umwelt. **a|pa|thisch:** teilnahmslos, gleichgültig gegenüber den Menschen u. der Umwelt. **a|patho|gen** ⟨gr.-nlat.⟩: keine Krankheiten hervorrufend (z. B. von Bakterien im menschlichen Organismus); Ggs. ↑pathogen
A|pa|tit [auch: ...'tɪt] ⟨gr.-nlat.⟩ der; -s, -e: ein Mineral
A|pa|to|sau|ri|er ⟨gr.⟩ der; -s, -, **A|pa|to|sau|rus** der; -, ...rier: Pflanzen fressender, riesiger Dinosaurier der Kreidezeit
A|pat|ri|de* ⟨gr.⟩ der; -n, -n od. die; -, -n: Vaterlandslose[r], Staatenlose[r]
A|pei|ron ⟨gr.⟩ das; -: das nie an eine Grenze Kommende, das Unendliche, der ungeformte Urstoff (griech. Philos.)
A|pel|la ⟨gr.⟩ die; -: (hist.) Volksversammlung in Sparta
A|per|çu [apɛr'sy:] ⟨fr.⟩ das; -s, -s: geistreiche Bemerkung
A|pe|ri|ens ⟨lat.⟩ das; -, ...rienzien u. ...rientia: Abführmittel
a|pe|ri|o|disch*: nicht ↑periodisch
A|pe|ri|tif ⟨lat.-mlat.-fr.; „(den Magen) öffnend"⟩ der; -s, -s (auch: -e): appetitanregendes alkoholisches Getränk, das bes. vor dem Essen getrunken wird. **A|pe|ri|ti̱|vum** ⟨lat.⟩ das; -s, ...va: 1. mildes Abführmittel. 2. appetitanregendes Arzneimittel. **A|pé|ro** [ape'ro:] ⟨fr.⟩ der; -s, -s (bes. schweiz.): Kurzw. für: Aperitif
A|per|so|nal|is|mus ⟨gr.; lat.nlat.⟩ der; -: buddhistische Lehre, die besagt, dass die menschliche Person zur trügerische Verkörperung eines unpersönlichen Allwesens ist
a|per|spek|ti|visch* ⟨gr.; lat.mlat.⟩: ohne Begrenzung auf den gegenwärtigen ↑perspektivischen Standpunkt des Betrachters (von der Weltsicht des Schweizer Philosophen Jean Gebser, der die Zeit als „vierte Dimension" mit einbezieht)
A|per|to|me|ter ⟨lat.; gr.⟩ das; -s, -: Messgerät zur Bestimmung der Apertur bei Mikroskopobjektiven. **A|per|tur** ⟨lat.; „Öffnung"⟩ die; -, -en u. 1. Öffnung eines Körperhohlraums, z. B. obere und untere Thoraxapertur (Med.). 2. a) Maß für die Leistung eines optischen Systems und für die Bildhelligkeit (Optik). b) Maß für die Fähigkeit eines optischen Gerätes od. fotografischen Aufnahmematerials, sehr feine, nahe beieinander liegende Details eines Objekts ge-

trennt, deutlich unterscheidbar abzubilden (Optik). A|per|tur|syn|the|se *die; -:* Verfahren der ↑Radioastronomie zur genaueren Positionsbestimmung und Beobachtung der Detailstruktur von kosmischen Radioquellen a|pe|tal ⟨*gr. -nlat.*⟩: keine Blumenkrone aufweisend (von bestimmten Blüten; Bot.). A|pe|ta|len *die* (Plural): Blütenpflanzen ohne Blumenkrone

A|pex ⟨*lat.;* „Spitze"⟩ *der; -,* Apizes [...t͡ʃeːs]: 1. Zielpunkt eines Gestirns, z. B. der Sonne, auf den dieses in seiner Bewegung gerade zusteuert (Astron.). 2. Zeichen (ˆ od. ˊ) zur Kennzeichnung langer Vokale (Sprachw.). 3. Hilfszeichen (ˊ) zur Kennzeichnung betonter Silben (Metrik)

Ap|fel|si|ne ⟨*niederl.-niederd.;* „Apfel aus China"⟩ *die; -, -n:* Frucht des Orangenbaumes

A|pha|kie ⟨*gr.-nlat.*⟩ *die; -, ...ien:* das Fehlen der Augenlinse (nach Verletzung od. Operation, seltener angeboren; Med.)

A|phä|re|se*, A|phä|re|sis ⟨*gr.-lat.;* „das Wegnehmen"⟩ *die; -, ...resen:* Wegfall eines Anlautes od. einer anlautenden Silbe (z. B. 's für es, raus für heraus)

A|pha|sie ⟨*gr.-nlat.*⟩ *die; -, ...ien:* 1. Verlust des Sprechvermögens od. Sprachverständnisses infolge Erkrankung des Sprachzentrums im Gehirn (Med.). 2. Urteilsenthaltung gegenüber Dingen, von denen nichts Sicheres bekannt ist (Philos.). A|pha|si|ker *der; -s, -:* jmd., der an Aphasie (1) leidet

A|phel* ⟨*gr.-nlat.*⟩ *das; -s, -e u.* Aphelium *das; -s, ...ien:* Punkt der größten Entfernung eines Planeten von der Sonne (Astron.); Ggs. ↑Perihel

A|phel|land|ra* ⟨*gr.-nlat.*⟩ *die; -, ...dren:* Pflanze aus der Gattung der Akanthusgewächse aus dem wärmeren Amerika (z. T. beliebte Zierpflanze)

A|phe|li|um vgl. Aphel

A|phe|mie ⟨*gr.-nlat.*⟩ *die; -, ...ien:* ↑Aphasie (1)

A|phon|ge|trie|be ⟨*gr.; dt.*⟩ *das; -s, -:* geräuscharmes Schaltgetriebe. A|pho|nie ⟨*gr.-nlat.*⟩ *die; -, ...ien:* Stimmlosigkeit, Fehlen des Stimmklangs, Flüsterstimme A|pho|ris|mus ⟨*gr.-lat.*⟩ *der; -, ...men:* prägnant-geistreich in Prosa formulierter Gedanke, der eine Erfahrung, Erkenntnis od. Lebensweisheit enthält. A|pho-

ris|tik ⟨*gr.-nlat.*⟩ *die; -:* die Kunst, Aphorismen zu schreiben. A|pho|ris|ti|ker *der; -s, -:* Verfasser von Aphorismen. a|pho|ris|tisch ⟨*gr.-lat.*⟩: 1. a) die Aphorismen, die Aphoristik betreffend; b) im Stil des Aphorismus; geistreich u. treffend formuliert. 2. kurz, knapp, nur andeutungsweise erwähnt

a|pho|tisch ⟨*gr.*⟩: lichtlos, ohne Lichteinfall (z. B. von der Tiefsee); Ggs. ↑euphotisch

A|phra|sie* ⟨*gr.-nlat.*⟩ *die; -, ...ien:* (Med.) 1. Stummheit. 2. Unvermögen, richtige Sätze zu bilden

Aph|ro|di|si|a|kum* ⟨*gr.-nlat.*⟩ *das; -s, ...ka:* den Geschlechtstrieb anregendes Mittel; Ggs. ↑Anaphrodisiakum. Aph|ro|di|sie *die; -, ...ien:* krankhaft gesteigerte geschlechtliche Erregbarkeit. aph|ro|di|sisch: 1. auf Aphrodite (griech. Liebesgöttin) bezüglich. 2. den Geschlechtstrieb steigernd (Med.). aph|ro|di|tisch: ↑aphrodisisch (1)

Aph|the ⟨*gr.-lat.*⟩ *die; -, -n:* bes. an den Lippen u. im Bereich der Mundschleimhaut befindliche schmerzhafte, kleine, gelblich weiße Pustel, Bläschen, Fleck (Med.). Aph|then|seu|che *die; -:* Maul- u. Klauenseuche

A|phyl|lie ⟨*gr.-nlat.*⟩ *die; -, -n:* blattlose Pflanze (z. B. Kaktus). A|phyl|lie *die; -:* Blattlosigkeit. a|phyl|lisch: blattlos (Bot.)

a pia|ce|re [-pi̯aˈt͡ʃeːra] ⟨*it.*⟩: nach Belieben, nach Gefallen (Vortragsbezeichnung; Tempo u. Vortrag dem Interpreten freistellt; Mus.); vgl. ad libitum (2 a)

A|pi|a|ri|um ⟨*lat.*⟩ *das; -s, ...ien:* Bienenstand, -haus

a|pi|kal ⟨*lat.-nlat.*⟩: 1. an der Spitze gelegen, nach oben gerichtet (z. B. vom Wachstum einer Pflanze). 2. mit der Zungenspitze artikuliert (von Lauten; Sprachw.). 3. am spitz geformten äußersten Ende eines Organs gelegen (Med.)

A|pi|rie ⟨*gr.*⟩ *die; -:* Unerfahrenheit

A|pis ⟨*ägypt.-gr.*⟩ *der; -:* heiliger Stier, der im alten Ägypten verehrt wurde. A|pis|stier *der; -[e]s, -e:* [figürliche] Darstellung des Apis

Ap|la|nat* ⟨*gr.-nlat.*⟩ *der; -en, -en* auch: *das; -s, -e:* Linsenkombination, durch die die ↑Aberration (1) korrigiert wird. ap|la|na|tisch: den Aplanaten betreffend

A|pla|sie* ⟨*gr.-nlat.*⟩ *die; -, ...ien:*

angeborenes Fehlen eines Organs (Med.). a|plas|tisch: die Aplasie betreffend

Ap|la|zen|ta|li|er* ⟨*gr.-nlat.*⟩ *der; -s, -* (meist Plural): Säugetier, dessen Embryonalentwicklung ohne Ausbildung einer ↑Plazenta (1) erfolgt; Ggs. ↑Plazentalier

Ap|lit* [auch: ...ˈlɪt] ⟨*gr.-nlat.*⟩ *der; -s:* feinkörniges Ganggestein

Ap|lomb* [aˈplõː] ⟨*fr.*⟩ *der; -s :* 1. a) Sicherheit [im Auftreten], Nachdruck; b) Dreistigkeit. 2. Abfangen einer Bewegung in den unbewegten Stand (Balletttanz)

Ap|noe* ⟨*gr.-nlat.*⟩ *die; -:* Atemstillstand, Atemlähmung (Med.)

APO, auch: A|po ⟨Kurzw. aus: *au*ßerparlamentarische *O*pposition⟩ *die; -:* locker organisierter Aktionsgemeinschaft von linksgerichteten Gruppen (vor allem Studenten u. Jugendliche), die Ende der 60er-Jahre mit der bestehenden politischen und sozialen Ordnung nicht zufrieden waren u. ihre Ablehnung und Kritik außerhalb der demokratischen Institutionen (z. B. durch provokative Protestaktionen) zum Ausdruck brachten

A|po|chro|mat [...k...] ⟨*gr.-nlat.*⟩ *der; -en, -en,* auch: *das; -s, -e:* fotografisches Linsensystem, das Farbfehler korrigiert

a|pod ⟨*gr.-nlat.*⟩: fußlos (von bestimmten Tiergruppen). A|po|den ⟨„Fußlose"⟩ *die* (Plural): 1. (veraltet) systematische Bez. für einige fußlose Tiergruppen (z. B. Aale, Blindwühlen). 2. zusammenfassende systematische Bez. für Aale u. Muränen

A|po|dik|tik ⟨*gr.-lat.*⟩ *die; -:* die Lehre vom Beweis (Philos.). a|po|dik|tisch: 1. unumstößlich, unwiderleglich, von schlagender Beweiskraft (Philos.). 2. keinen Widerspruch duldend, endgültig, lässend, im Urteil eines intolerant

A|po|di|sa|ti|on ⟨*gr.-nlat.*⟩ *die; -:* [Verfahren zur] Verbesserung des Auflösungsvermögens (des Vermögens, sehr feine, dicht beieinander liegende Details getrennt wahrnehmbar zu machen) eines optischen Geräts

A|po|do|sis ⟨*gr.*⟩ *die; -, ...dosen:* Nachsatz, bes. der bedingte Hauptsatz eines Konditionalsatzes (Sprachw.)

A|po|dy|te|ri|on ⟨*gr.-nlat.*⟩, A|po|dy|te|ri|um ⟨*gr.-lat.*⟩ *das; -s, ...ien:* Auskleidezimmer in den antiken Thermen

A|po|en|zym ⟨*gr.; gr. -nlat.*⟩, **A|po-fer|ment** ⟨*gr.; lat.*⟩ *das; -s, -e:* hochmolekularer Eiweißbestandteil eines Enzyms (Biol.; Med.)

A|po|gal|lak|ti|kum ⟨*gr.; gr. -lat.*⟩ *das; -s, ...ken:* vom Zentrum des Milchstraßensystems entfernter Punkt auf der Bahn eines Sterns der Milchstraße

a|po|gam ⟨*gr. -nlat.*⟩: sich ungeschlechtlich (ohne Befruchtung) fortpflanzend. **A|po|ga|mie** *die; -:* ungeschlechtliche Fortpflanzung (eine Form der ↑ Apomixis; Bot.)

A|po|gä|um ⟨*gr. -nlat.*⟩ *das; -s, ...äen:* erdfernster Punkt der Bahn eines Körpers um die Erde (Astron.); Ggs. ↑ Perigäum.

A|po|gä|ums|sa|tel|lit *der; -en, -en:* ein aus dem Apogäum einer vorläufigen Umlaufbahn in den endgültigen ↑ Orbit eingeschossener Satellit. **A|po|gä|ums-trieb|werk** *das; -s, -e:* im Apogäum der Umlaufbahn eines Satelliten kurzzeitig zu zündendes Raketentriebwerk zum Einschuss aus einer vorläufigen in die endgültige Umlaufbahn

A|po|graph, auch: Apograf ⟨*gr. -lat.*⟩ *das; -s, -e* (seltener: -e), **A|po|gra|phon**, auch: Apografon ⟨*gr. -lat.*⟩ *das; -s, ...pha,* auch: ...fa: Ab-, Nachschrift, Kopie nach einem Original

A|po|ka|lyp|se ⟨*gr. -lat.; „Enthüllung, Offenbarung“*⟩ *die; -, -n:* 1. Schrift in der Form einer Abschiedsrede, eines Testaments o. Ä., die sich mit dem kommenden [schrecklichen] Weltende befasst (z. B. die Offenbarung des Johannes im Neuen Testament). 2. (ohne Plural) Untergang, Grauen, Unheil. **A|po|ka-lyp|tik** ⟨*gr. -nlat.*⟩ *die; -:* 1. Deutung von Ereignissen im Hinblick auf ein nahes Weltende. 2. Schrifttum über das Weltende. **A|po|ka|lyp|ti|ker** *der; -s, -:* Verfasser od. Ausleger einer Schrift über das Weltende. **a|po|ka|lyp-tisch:** 1. in der Apokalypse [des Johannes] vorkommend, sie betreffend. 2. a) auf das Weltende hinweisend; Unheil kündend; b) geheimnisvoll, dunkel; **apoka-lyptische Reiter:** Sinnbilder für Pest, Tod, Hunger, Krieg; **apo-kalyptische Zahl:** die Zahl 666 (vgl. Offenbarung 13, 18)

A|po|kam|no|se ⟨*gr.*⟩ *die; -:* rasche Ermüdung, Schwäche u. Lähmung bestimmter Muskelgruppen (Med.)

a|po|karp ⟨*gr. -nlat.*⟩: aus einzelnen getrennten Fruchtblättern bestehend (von Blüten; Bot.). **A|po|kar|pi|um** *das; -s, ...ien:* aus einzelnen Früchten zusammengesetzter Fruchtstand (Bot.)

A|po|kar|te|re|se ⟨*gr.*⟩ *die; -:* Selbstmord durch Nahrungsverweigerung

A|po|ka|tas|ta|se*, **A|po|ka|tas-ta|sis** ⟨*gr. -lat.; „Wiederherstellung“*⟩ *die; -, ...stasen:* Wiederkehr eines früheren Zustandes, bes. Wiederherstellung allgemeiner Vollkommenheit in der Weltendzeit (Lehre des ↑ Parsismus u. mancher ↑ Mystiker; Rel.)

A|pö|kie* ⟨*gr.*⟩ *die; -, ...ien:* im Griechenland der Antike eine Form der Kolonisation mit dem Ziel der Gründung eines von der Mutterstadt unabhängigen neuen Staates

A|po|koi|nu [...kɔy'nu:] ⟨*gr.*⟩ *das; -[s], -s:* grammatische Konstruktion, bei der sich ein Satzteil od. Wort zugleich auf den vorhergehenden u. den folgenden Satzteil bezieht, (z. B. *Was sein Pfeil erreicht, das ist seine Beute,* was da kreucht und fleucht; Schiller)

A|po|kol|pe [...pe] ⟨*gr. -lat.*⟩ *die; -, ...open:* Wegfall eines Auslauts od. einer auslautenden Silbe (z. B. *hatt* für *hatte;* Sprachw.). **a|po|kol|pie|ren** ⟨*gr. -nlat.*⟩: ein Wort am Ende durch Apokope verkürzen (Sprachw.)

a|po|krin* ⟨*gr.*⟩: ein vollständiges Sekret produzierend u. ausscheidend (von Drüsen; Med.)

a|po|kryph* ⟨*gr. -lat.; „verborgen“*⟩: 1. zu den Apokryphen gehörend, sie betreffend. 2. unecht, fälschlich jmdm. zugeschrieben. **A|po|kryph** *das; -s, -en,* auch: **A|po|kry|phon** *das; -s, ...ypha* u. ...yphen (meist Plural): nicht in den ↑ Kanon (5) aufgenommenes, jedoch den anerkannten biblischen Schriften formal u. inhaltlich sehr ähnliches Werk (Rel.); vgl. Pseudepigraph

a|po|li|tisch ⟨*gr. -nlat.*⟩: a) nicht politisch; b) ohne Interesse an Politik

A|poll *der; -s, -s:* Apollo (1). **a|pol-li|nisch** ⟨*gr.*⟩: 1. den Gott Apollo betreffend, in der Art Apollos. 2. harmonisch, ausgeglichen, maßvoll (Philos.); Ggs. ↑ dionysisch. **A|pol|lo** ⟨*griechisch-römischer Gott der Weissagung und Dichtkunst*⟩ *der; -s, -s:* 1. schöner [junger] Mann. 2. ein Tagschmetterling. 3. ein ↑ Planetoid

a|pol|lo|nisch ⟨*nach dem griech. Mathematiker Apollonios von Perge*⟩; in der Fügung **apolloni-sches Problem:** math. Aufgabe, bestimmte festgelegte Linien durch eine Kurve zu berühren

A|pol|lo-Pro|gramm *das; -s:* Raumfahrtprogramm der USA in den 60er-Jahren des 20. Jh.s, das u. a. die Landung bemannter Raumfahrzeuge auf dem Mond beinhaltete. **A|pol|lo-Raum-fahr|zeug** *das; -s, -e:* Raumfahrzeug, mit dem das Apollo-Programm durchgeführt wurde

A|pol|log ⟨*gr. -lat.*⟩ *der; -s, -e:* [Lehr]fabel, [humoristische] Erzählung (Literaturw.). **A|po|lo-get** ⟨*gr. -nlat.*⟩ *der; -en, -en:* a) jmd., der eine bestimmte Anschauung mit Nachdruck vertritt u. verteidigt; b) [literarischer] Verteidiger eines Werkes (bes. Vertreter einer Gruppe griechischer Schriftsteller des 2. Jh.s, die für das Christentum eintraten). **A|po|lo|ge|tik** ⟨*gr. -nlat.*⟩ *die; -, -en:* 1. die Gesamtheit aller apologetischen Äußerungen; wissenschaftliche Rechtfertigung von [christlichen] Lehrsätzen. 2. (ohne Plural) Teilbereich der Theologie, in dem man sich mit der wissenschaftlich-rationalen Absicherung des Glaubens befasst. **a|po|lo|ge|tisch:** eine Ansicht, Lehre o. Ä. verteidigend, rechtfertigend. **a|po|lo|ge-ti|sie|ren:** verteidigen, rechtfertigen. **A|po|lo|gie** ⟨*gr. -lat.*⟩ *die; -, ...ien:* a) Verteidigung, Rechtfertigung einer Lehre, Überzeugung o. Ä.; b) Verteidigungsrede, -schrift. **a|po|lo|gisch:** nach Art einer Fabel, erzählend; **apo-logisches Sprichwort:** erzählendes od. Beispielsprichwort (z. B. „Alles mit Maßen“, sagte der Schneider und schlug seine Frau mit der Elle tot.). **a|po|lo|gi|sie-ren:** verteidigen, rechtfertigen

a|po|mik|tisch ⟨*gr. -nlat.*⟩: sich ungeschlechtlich (ohne Befruchtung) fortpflanzend von bestimmten Pflanzen). **A|po|mi-xis** *die; -:* ungeschlechtliche Fortpflanzung, Vermehrung ohne Befruchtung (Bot.)

A|po|mor|phin ⟨*gr. -nlat.*⟩ *das; -s:* ein ↑ Derivat (3) des ↑ Morphins (starkes Brechmittel bei Vergiftungen; Med.)

A|po|neu|ro|se ⟨*gr. -nlat.*⟩ *die; -, -n:* (Med.) 1. Ansatzteil einer Sehne. 2. flächenhafte, breite Sehne (z. B. die der schrägen Bauchmuskeln)

Apothecium

A|po|pemp|ti|kon ⟨gr.⟩ das; -s,
...ka: Abschiedsgedicht einer
fortgehenden Person an die Zu-
rückbleibenden, im Unterschied
zum ↑ Propemptikon

a|po|phan|tisch ⟨gr.⟩: aussagend,
behauptend; nachdrücklich

A|po|pho|nie, auch: Apofonie
⟨gr.-nlat.⟩ die; -: Ablaut (Vokal-
wechsel in der Stammsilbe wur-
zelverwandter Wörter, z. B.
sprechen u. sprach; Sprachw.)

A|poph|theg|ma* ⟨gr.⟩ das; -s,
...men u. -ta: [witziger, prägnan-
ter] Ausspruch, Sinnspruch, Zi-
tat, Sentenz. a|poph|theg|ma-
tisch: in der Art eines Apoph-
thegmas geprägt

A|po|phyl|lit [auch: ...'lɪt] ⟨gr.⟩
der; -s, -e: ein Mineral

A|po|pho|yse ⟨gr.-nlat.⟩ die; -, -n: 1.
Knochenfortsatz [als Ansatzstelle für Muskeln] (Med.). 2. Ein-
stülpungen des Außenskeletts
bei Gliederfüßern 3 (Bot.) a)
Anschwellung des Fruchtstiels
bei Moosen; b) Verdickung der
Zapfenschuppe bei Kiefern. 4.
Gesteinsverästelung (Geol.)

A|po|plek|ti|ker* ⟨gr.-lat.⟩ der; -s,
-: (Med.) a) jmd., der zu Schlaganfällen neigt; b) jmd., der an
den Folgen eines Schlaganfalles
leidet. a|po|plek|tisch: a) zu
Schlaganfällen neigend; b) zu einem Schlaganfall gehörend, damit zusammenhängend; durch
einen Schlaganfall bedingt.

A|po|ple|xie die; -, ...ien: 1.
Schlaganfall, Gehirnschlag. 2.
plötzliches teilweises od. gänzli-
ches Absterben der Krone von
Steinobstbäumen (Bot.)

A|po|rem ⟨gr.; „Streitfrage") das;
-s, -ata: logische Schwierig-
keit, Unlösbarkeit eines Prob-
lems (Philos.). a|po|re|ma|tisch:
zweifelhaft, schwer zu entschei-
den (Philos.). A|po|re|tik die; -:
Auseinandersetzung mit schwie-
rigen philosophischen Fragen
(Aporien) [ohne Berücksichti-
gung ihrer möglichen Lösung].

A|po|re|ti|ker der; -s, -: 1. der die
Kunst der Aporetik übende Phi-
losoph. 2. Zweifler, Skeptiker.
a|po|re|tisch: 1. a) die Aporetik
betreffend; b) in der Art der
Aporetik. 2. zu Zweifeln geneigt.

A|po|rie ⟨„Ratlosigkeit, Verle-
genheit") die; -, ...ien: 1. Unmög-
lichkeit, eine philosophische
Frage zu lösen. 2. Unmöglich-
keit, in einer bestimmten Situation die richtige Entscheidung zu
treffen. eine passende Lösung
zu finden; Ausweglosigkeit

A|po|ri|no|sis ⟨gr.⟩ die; -, ...sen: je-
de Art von Mangelkrankheit
(Med.)

A|po|ris|ma das; -s, ...men od. -ta:
↑ Aporem

A|po|ro|gal|mie ⟨gr.-nlat.⟩ die; -:
Befruchtungsvorgang bei Blütenpflanzen, bei dem der vom
↑ Pollen vorgetriebene Schlauch
die Samenanlage nicht unmittelbar über die Höhlung des
Fruchtknotens erreicht (Bot.)

A|po|s||o|pe|se ⟨gr.-lat.; „das
Verstummen") die; -, -n: bewusster Abbruch der Rede od. eines
begonnenen Gedankens vor der
entscheidenden Aussage (Rhet.;
Stilk.)

A|po|spo|rie ⟨gr.-nlat.⟩ die; -:
Überspringen der Sporenbil-
dung bei Farnen u. Blütenpflanzen im Generationswechsel
(Bot.)

A|pos|ta|sie* ⟨gr.-lat.⟩ die; -,
...ien: 1. Abfall [eines Christen
vom Glauben]. 2. Austritt einer
Ordensperson aus dem Kloster
unter Bruch der Gelübde.

A|pos|tat der; -en, -en: Abtrün-
niger, bes. in Bezug auf den
Glauben

A|pos|tel* ⟨gr.-lat.; „abgesandt;
Bote") der; -s, -: 1. Jünger Jesu
(Rel.). 2. (iron.) jmd., der für eine Welt- od. Lebensanschauung
mit Nachdruck eintritt u. sie zu
verwirklichen sucht

A|pos|tem* ⟨gr.⟩ das; -s, ...ta: Ge-
schwür, Abszess (Med.). a|pos-
te|ma|tös: eiternd (Med.)

a pos|te|ri|o|ri ⟨lat.;·„vom Späte-
ren her", d. h., man erkennt die
Ursache aus der zuerst erfahre-
nen späteren Wirkung): 1. aus
der Wahrnehmung gewonnen,
aus Erfahrung (Erkenntnistheorie); Ggs. ↑ a priori. 2. nachträglich, später; Ggs. ↑ a priori.

A|pos|te|ri|o|ri das; -, -: Erfah-
rungssatz, Inbegriff der Erkenntnisse, die a posteriori gewonnen werden; Ggs. ↑ Apriori.

a|pos|te|ri|o|risch: erfahrungs-
gemäß; Ggs. ↑ apriorisch

A|pos|tilb ⟨gr.-nlat.⟩ das; -s, -:
nicht gesetzl. photometrische
Einheit der Leuchtdichte; Abk.:
asb; vgl. Stilb

A|pos|til|le ⟨gr.-nlat.⟩ die; -, -n: 1.
Randbemerkung. 2. [empfehlen-
de od. beglaubigende] Nach-
schrift zu einem Schriftstück. 3.
(veraltet) Entlassungsgesuch

A|pos|to|lat ⟨gr.-lat.⟩ das
(fachspr. auch: der); -[e]s, -e: a)
Sendung, Amt der Apostel
(Rel.); b) Sendung, Auftrag der

Kirche; vgl. Laienapostolat.

A|pos|to|li|ker der; -s, -: Ange-
höriger verschiedener christli-
cher Gruppen u. Sekten, die sich
am Kirchenbild der apostoli-
schen Zeit orientieren. A|pos-
to|li|kum (gekürzt aus: Symbo-
lum apostolicum) das; -s: 1. das
(angeblich auf die 12 Apostel zu-
rückgehende) christliche Glau-
bensbekenntnis. 2. (veraltet)
Apostolos. a|pos|to|lisch: a)
nach Art der Apostel, von den
Aposteln ausgehend; b) päpstlich (kath. Kirche); Apostolische
Majestät: Titel der Könige von
Ungarn u. der Kaiser von Öster-
reich; Apostolischer Nuntius:
ständiger Gesandter des Papstes
bei einer Staatsregierung; Apostolische Signatur: höchstes or-
dentliches Gericht u. oberste Ge-
richtsverwaltungsbehörde der
katholischen Kirche; Apostolischer Stuhl: Heiliger Stuhl (Bez.
für das Amt des Papstes u. die
päpstlichen Behörden); apostolische Sukzession: Lehre von der
ununterbrochenen Nachfolge
der Bischöfe u. Priester auf die
Apostel; apostolische Väter: die
ältesten christlichen Schriftsteller, angeblich Schüler der Apos-
tel. A|pos|to|li|zi|tät die; -: nach
katholischem Verständnis die
Wesensgleichheit der gegenwärtigen Kirche in Lehre u. Sakra-
menten mit der Kirche der Apos-
tel. A|pos|to|los ⟨gr.⟩ der; -: (ver-
altet) Sammelbez. für die nicht
zum ↑ Evangelium (1 b) gehörenden Schriften des Neuen Testaments

A|po|stroph* ⟨gr.-lat.; „abge-
wandt; abfallend") der; -s, -e:
Auslassungszeichen; Häkchen,
mit dem man den Ausfall eines
Lautes od. einer Silbe kennzeich-
nen kann (z. B. gut'gen Himmel,
'naus). A|po|stro|phe [...fe,
auch: ...'stro:fə] die; -, ...ophen:
feierliche Anrede an eine Person
od. Sache außerhalb des Publikums; überraschende Hinwendung des Redners zum Publikum
od. zu abwesenden Personen
(Rhet., Stilk.). a|po|stro|phie-
ren ⟨gr.-nlat.⟩: 1. mit einem Apo-
stroph versehen. 2. a) jmdn. feierlich od. gezielt ansprechen,
sich deutlich auf jmdn. beziehen;
b) etwas besonders erwähnen;
c) auf etwas beziehen. 3. jmdn.
od. etwas in einer bestimmten
Eigenschaft herausstellen, als etwas bezeichnen

A|po|the|ci|um [...tsiʊm] ⟨gr.-

nlat.⟩ *das;* -s, ...ien: schüsselförmiger Fruchtbehälter bei Flechten u. Schlauchpilzen (Bot.).
A|po|the|ke ⟨*gr.-lat.*⟩ *die;* -, -n: 1. Geschäft, in dem Arzneimittel verkauft u. zum Teil hergestellt werden. 2. (abwertend) teurer Laden; Geschäft, das hohe Preise fordert. **A|po|the|ker** ⟨*mlat.*⟩ *der;* -s, -: jmd., der aufgrund eines Hochschulstudiums mit ↑Praktikum u. aufgrund seiner ↑Approbation (1) berechtigt ist, eine Apotheke zu leiten. **A|po|the|ker|fau|na** *die;* -: Sammelbez. für die in chines. Apotheken als Heilmittel geführten Fossilien. **A|po|the|ker|ge|wicht** *das;* -s, -e: frühere Gewichtseinheit für Arzneimittel (z. B. Gran, Unze)
A|po|the|o|se ⟨*gr.-lat.*⟩ *die;* -, -n: 1. Erhebung eines Menschen zum Gott, Vergöttlichung eines lebenden od. verstorbenen Herrschers. 2. Verherrlichung. 3. wirkungsvolles Schlussbild eines Bühnenstücks (Theat.). **a|po|the|o|tisch:** 1. zur Apotheose (1) erhoben. 2. eine Apotheose darstellend
a po|ti|o|ri ⟨*lat.;* „vom Stärkeren her"⟩: von der Hauptsache her, nach der Mehrzahl
A|po|tro|pai|on* vgl. Apotropäum. **a|po|tro|pä|isch** ⟨*gr.-nlat.*⟩: Unheil abwehrend (von Zaubermitteln). **A|po|tro|pä|um** *das;* -s, ...äa u. ...äen u. Apotropaion ⟨*gr.*⟩ *das;* -s, ...aia: Zaubermittel, das Unheil abwehren soll
Ap|pa|rat ⟨*lat.*⟩ *der;* -[e]s, -e: 1. zusammengesetztes mechanisches, elektrisches od. optisches Gerät. 2. (ugs.) a) Telefon; b) Radio-, Fernsehgerät; c) Elektrorasierer; d) Fotoapparat. 3. Gesamtheit der für eine [wissenschaftliche] Aufgabe nötigen Hilfsmittel. 4. Gesamtheit der zu einer Institution gehörenden Menschen u. [technischen] Hilfsmittel. 5. kritischer Apparat. 6. (salopp) etwas, was durch seine ungewöhnliche Größe, durch seine Besonderheit, Ausgefallenheit Aufsehen od. Staunen erregt. 7. Gesamtheit funktionell zusammengehörender Organe (z. B. Sehapparat; Med.). **ap|pa|ra|tiv** ⟨*lat.-nlat.*⟩: a) einen Apparat betreffend; b) den Apparatebau betreffend; c) mit Apparaten arbeitend (z. B. von technischen Verfahren); d) mithilfe von Apparaten feststellbar; **apparative Diagnostik:** ↑Diagnostik mithilfe von

Geräten (z. B. Röntgen, EKG; Med.). **Ap|pa|rat|schik** ⟨*lat.-russ.*⟩ *der;* -s, -s: (abwertend) Funktionär im Staats- u. Parteiapparat stalinistisch geprägter Staaten, der Weisungen u. Maßnahmen bürokratisch durchzusetzen versucht. **Ap|pa|ra|tur** ⟨*lat.-nlat.*⟩ *die;* -, -en: Gesamtanlage zusammengehörender Apparate u. Instrumente
ap|pa|rent ⟨*lat.-engl.*⟩: sichtbar, wahrnehmbar (von Krankheiten; Med.); Ggs. ↑inapparent
Ap|par|te|ment [...'mã:, bes. schweiz.: ...'mɛnt] ⟨*lat.-it.-fr.*⟩ *das;* -s, -s (schweiz.: -e): a) komfortable Kleinwohnung; b) Zimmerflucht, einige zusammenhängende Räume in einem größeren [luxuriösen] Hotel; vgl. Apartment. **Ap|par|te|ment|haus** *das;* -es, ...häuser: modernes Mietshaus mit einzelnen Kleinwohnungen
ap|pas|si|o|na|to ⟨*it.*⟩: leidenschaftlich, entfesselt, stürmisch (Vortragsanweisung; Mus.)
Ap|peal [ə'pi:l] ⟨*engl.*⟩ *der;* -s: a) Anziehungskraft, Ausstrahlung, Aussehen, Reiz, Image; b) Aufforderungscharakter, Anreiz (Psychol.)
Ap|pease|ment [ə'pi:zmənt] ⟨*lat.-fr.-engl.*⟩ *das;* -s: Haltung der Nachgiebigkeit; Beschwichtigung[spolitik]
Ap|pell ⟨*lat.-fr.*⟩ *der;* -s, -e: 1. Aufruf, Mahnruf (zu einem bestimmten Verhalten). 2. Aufstellung, Antreten (zur Befehlsausgabe u. a.; Mil.). 3. Gehorsam des [Jagd]hundes; **Appell haben:** gehorchen (von einem Hund). 4. kurzes Auftreten mit dem vorgestellten Fuß (Fechten). **ap|pel|la|bel** ⟨*lat.-fr.*⟩: (veraltet) gerichtlich anfechtbar. **Ap|pel|lant** ⟨*lat.*⟩ *der;* -en, -en: (veraltet) Berufungskläger (Rechtsw.). **Ap|pel|lat** *der;* -en, -en: (veraltet) Berufungsbeklagter (Rechtsw.). **Ap|pel|la|ti|on** *die;* -, -en: Berufung (Rechtsw.). **ap|pel|la|tiv:** ↑appellativisch; vgl. ...isch/-. **Ap|pel|la|tiv** *das;* -s, -e: Substantiv, das eine Gattung gleich gearteter Dinge od. Lebewesen u. zugleich jedes einzelne Wesen od. Ding dieser Gattung bezeichnet (z. B. Tisch, Mann). **ap|pel|la|ti|visch:** als Appellativ gebraucht; vgl. ...isch/-. **Ap|pel|la|tiv|na|me** *der;* -ns, -n: als Gattungsbezeichnung verwendeter Eigenname (z. B. Zeppelin für „Luftschiff"). **Ap|pel|la|ti|vum** *das;*

-s, ...va: (veraltet) Appellativ. **ap|pel|lie|ren:** 1. sich an jmdn., etw. in mahnendem Sinne wenden. 2. (veraltet) Berufung einlegen (Rechtsw.)
Ap|pen|dek|to|mie* ⟨*lat.; gr.*⟩ *die;* -, ...ien: operative Entfernung des Wurmfortsatzes des Blinddarms, Blinddarmoperation. **Ap|pen|dix** ⟨*lat.;* „Anhang, Anhängsel"⟩ *der;* -[es], ...dizes [...tse:s] od. -e: 1. Anhängsel. 2. (selten) Ansatzstück zum Füllen an Luftballons. 3. Anhang eines Buches (der unechte Schriften, Tafeln, Tabellen, Karten, den kritischen Apparat o. Ä. enthält). 4. (fachspr. nur: -) ...dizes od. ...dices [...tse:s], auch: *der;* -, ...dizes) Wurmfortsatz des Blinddarms (Med.). **Ap|pen|di|zi|tis** ⟨*lat.-nlat.*⟩ *die;* -, ...itiden: Entzündung des Wurmfortsatzes des Blinddarms, Blinddarmentzündung (Med.). **ap|pen|di|zi|tisch:** die Appendizitis betreffend
Ap|per|so|nie|rung ⟨*lat.-nlat.*⟩ *die;* -: schizophrenes Krankheitsbild, bei dem der Kranke fremde Erlebnisse als eigene ausgibt u. sich mit Verhaltensweisen anderer Personen identifiziert (Med.)
Ap|per|ti|nens ⟨*lat.*⟩ *das;* -, ...enzien (meist Plural): (veraltet) Zubehör
Ap|per|zep|ti|on ⟨*lat.-nlat.*⟩ *die;* -, -en: 1. begrifflich urteilendes Erfassen im Unterschied zur ↑Perzeption (Philos.). 2. bewusstes Erfassen von Erlebnis-, Wahrnehmungs- u. Denkinhalten (Psychol.). **Ap|per|zep|ti|onspsy|cho|lo|gie** *die;* -: (von W. Wundt begründete) Lehre von der Auffassung des Ablaufs der psychischen Vorgänge als Willensakt. **ap|per|zep|tiv:** durch Apperzeption (2) bewirkt, durch Aufmerksamkeit zustande kommend. **ap|per|zi|pie|ren:** Erlebnisse u. Wahrnehmungen ins Bewusstsein erfassen im Unterschied zu ↑perzipieren (Psychol.)
Ap|pe|tenz ⟨*lat.*⟩ *die;* -, -en: (Verhaltensforschung) a) [ungerichtete] suchende Aktivität (z. B. bei einem Tier auf Nahrungssuche); b) Begehren; Sexualverlangen. **Ap|pe|tenz|ver|hal|ten** ⟨*lat.; dt.*⟩ *das;* -s: Triebverhalten bei Tieren bei der Auffindung der triebbefriedigenden Reizsituation (Verhaltensforschung). **Ap|pe|tit** ⟨*lat.*⟩ *der;* -[e]s, -e (Plural selten): Wunsch, etw. [Bestimmtes] zu

essen od. auch zu trinken. **ap|pe-tit|lich:** a) appetitanregend; b) hygienisch einwandfrei, sauber; c) adrett u. frisch aussehend. **Ap-pe|tit|zügl|er** *der;* -s, -: Mittel, das eine appetitvermindernde Wirkung hat (Med.). **Ap|pe|ti-zer** ['æpɪtaɪzə] *⟨engl.⟩ der;* -s, -: appetitanregendes Mittel **ap|pla|nie|ren*** *⟨lat.-fr.⟩:* a) [ein]ebnen; b) ausgleichen **ap|plau|die|ren*** *⟨lat.⟩:* a) Beifall klatschen; b) jmdm./einer Sache Beifall spenden. **Ap|plaus** *der;* -es, -e (Plural selten): Beifall[sruf], Händeklatschen **ap|pli|ka|bel*** *⟨lat.-nlat.⟩:* anwendbar. **Ap|pli|ka|bi|li|tät** *die;* -: Anwendbarkeit. **Ap|pli|kant** *⟨lat.⟩ der;* -en, -en: (veraltet) 1. Bewerber, Anwärter. 2. Bittsteller. **Ap|pli|ka|te** *die;* -, -n: dritte ↑Koordinate (1) eines Punktes. **Ap|pli|ka|ti|on** *die;* -, -en: 1. Anwendung, Zuführung, Anbringung. 2. (veraltet) Bewerbung, Fleiß, Hinwendung. 3. Verordnung u. Anwendung von Medikamenten od. therapeutischen Maßnahmen (Med.). 4. Darbringung der katholischen Messe für bestimmte Personen od. Anliegen (Rel.). 5. aufgenähte Verzierung aus Leder, Filz, dünnerem Metall o. Ä. an Geweben (Textilkunde). 6. haftendes od. aufgelegtes Symbol auf Wandtafeln o. Ä. **ap|pli|ka|tiv:** als Applikation (3) verwendet (Med.). **Ap|pli-ka|tor** *⟨lat.-nlat.⟩ der;* -s, ...oren: röhren-, düsenförmiges Teil, mit dem Salbe o. Ä. appliziert, an eine bestimmte Stelle (z. B. auf eine offene Wunde, in den Darm) gebracht werden kann. **Ap|pli-ka|tur** *die;* -, -en: 1. (veraltet) zweckmäßiger Gebrauch. 2. Fingersatz, das zweckmäßige Verwenden der einzelnen Finger beim Spielen von Streichinstrumenten, Klavier u. a.; Mus.). **ap-pli|zie|ren** *⟨lat.⟩:* 1. anwenden, gebrauchen. 2. verabreichen, verabfolgen, dem Körper zuführen (z. B. Arzneimittel; Med.). 3. (Farben) auftragen. 4. (Stoffmuster) aufnähen **Ap|pog|gia|tur** u. **Ap|pog|gia|tu-ra** [...dʒa...] *⟨vulgärlat.-it.⟩ die;* -, ...ren: langer Vorschlag, der Hauptnote zur Verzierung vorausgeschickter Nebenton (Mus.) **Ap|point** [a'pŏɛ̃:] *⟨lat.-fr.⟩ der;* -s, -s: Ausgleichsbetrag; Wechsel, der eine Restschuld vollständig ausgleicht

ap|po|nie|ren *⟨lat.⟩:* beifügen **ap|port!** *⟨lat.-fr.⟩:* bring [es] her! (Befehl an den Hund). **Ap|port** *der;* -s, -e: 1. (veraltet) Sacheinlage statt Bargeld bei der Gründung einer Kapitalgesellschaft. 2. (Jägerspr.) Herbeischaffen des erlegten Wildes durch den Hund. 3. das angebliche Herbeischaffen von Gegenständen od. die Lage- od. Ortsveränderung materieller Dinge, bewirkt von Geistern od. von einem ↑¹Medium (4 a) (Parapsychol.). **ap|por-tie|ren:** Gegenstände, erlegtes Wild herbeibringen (vom Hund) **Ap|po|si|ti|on** *⟨lat.⟩ die;* -, -en: 1. substantivisches Attribut, das üblicherweise im gleichen Kasus steht wie das Substantiv od. Pronomen, zu dem es gehört (z. B. Paris, *die Hauptstadt Frankreichs;* Sprachw.). 2. Anlagerung von Substanzen (z. B. Dickenwachstum pflanzlicher Zellwände od. Anlagerung von Knochensubstanz beim Aufbau der Knochen; Biol.); Ggs. ↑Intussuszeption (1). **ap|po|si|ti|o|nal:** ↑appositionell; vgl. ...al/...ell. **ap|po|si|ti|o|nell** *⟨lat.-nlat.⟩:* die Apposition (1) betreffend, in der Art einer Apposition gebraucht; vgl. ...al/...ell. **Ap|po|si|ti|ons-au|ge** *das;* -s, -n: lichtschwaches, doch scharf abbildendes ↑Facettenauge bei Insekten (Zool.); vgl. Superpositionsauge. **ap|po-si|tiv:** in Apposition (1) [gebraucht], in der Apposition stehend (Sprachw.) **ap|prai|siv*** [aprɛ...] *⟨engl.⟩:* nicht wertfrei, bewertend (von Wörtern u. Begriffen) **Ap|pre|hen|si|on*** *⟨lat.⟩ die;* -, -en: Erfassung eines Gegenstandes durch die Sinne, Zusammenfassung mannigfaltiger Sinneseindrücke zu einer Vorstellungseinheit. **ap|pre|hen|siv** *⟨lat.-nlat.⟩:* 1. reizbar. 2. furchtsam **Ap|pre|teur** [...'tøː:ʀ] *⟨lat.-galloroman.-fr.⟩ der;* -s, -e: jmd. (Facharbeiter), der Gewebe, Textilien appretiert. **ap|pre|tie-ren:** Geweben, Textilien durch entsprechendes Bearbeiten ein besseres Aussehen, Glanz, höhere Festigkeit geben. **Ap|pre|tur** *⟨nlat.⟩ die;* -, -en: 1. das Appretieren. 2. Mittel, Masse zum Appretieren. 3. Raum, in dem Textilien appretiert werden **Ap|proach** [ə'proutʃ] *⟨engl.⟩ der;* -[e]s, -s: 1. Sehweise, Art der Annäherung an ein [wissenschaftliches] Problem. 2. Anfang eines

Werbetextes, der die Aufmerksamkeit des Verbrauchers erregen soll. 3. Landeanflug eines Flugzeugs. 4. Annäherungsschlag beim Golf **Ap|pro|ba|ti|on*** *⟨lat.; „Billigung, Genehmigung"⟩ die;* -, -en: 1. staatliche Zulassung zur Berufsausübung als Arzt od. Apotheker. 2. (kath. Rel.) a) Anerkennung, Bestätigung, Genehmigung durch die zuständige kirchliche Autorität; b) Bevollmächtigung zur Wortverkündigung u. zur Spendung des Bußsakraments. **ap|pro|ba|tur:** es wird gebilligt (Formel der kirchlichen Druckerlaubnis); vgl. Imprimatur (2). **ap|pro|bie|ren:** (österr., sonst veraltet) bestätigen, genehmigen. **ap|pro|biert:** zur Ausübung des Berufes staatlich zugelassen (von Ärzten u. Apothekern)

Ap|pro|che* [a'prɔʃə] *⟨lat.-fr.⟩ die;* -, -n: (veraltet) Laufgraben (Mil.). **ap|pro|chie|ren** [...'ʃiː...]: (veraltet) 1. sich nähern. 2. Laufgräben anlegen (Mil.) **Ap|pro|pri|a|ti|on*** *⟨lat.⟩ die;* -, -en: Zu-, Aneignung, Besitzergreifung. **Ap|pro|pri|a|ti|ons-klau|sel** *die;* -: Klausel, wonach die Regierung Steuergelder nur zu dem vom Parlament gebilligten Zweck verwenden darf. **ap-pro|pri|ie|ren:** in Besitz nehmen (z. B. (österr. Amtsspr. veraltet) Versorgung, bes. von Truppen, mit Lebensmitteln. **ap|pro|vi-si|o|nie|ren** *⟨lat.-fr.⟩:* (österr. Amtsspr. veraltet) [Truppen] mit Lebensmitteln versorgen **Ap|pro|xi|ma|ti|on*** *⟨lat.-nlat.⟩ die;* -, -en: 1. Näherung[swert], angenäherte Bestimmung, Darstellung einer unbekannten Größe od. Funktion (Math.). 2. Annäherung (an einen bestimmten Zielpunkt o. Ä.). **Ap|pro|xi-ma|tiv** *⟨lat.⟩:* 1. z. Formklasse des Adjektivs, die eine Annäherung ausdrückt (vergleichbar deutschen Adjektivbildungen wie rötlich zu rot; Sprachw.) **ap-pro|xi|ma|tiv:** angenähert, ungefähr.

Ap|ra|xie* *⟨gr.⟩ die;* -, ...ien: durch zentrale Störungen bedingte Unfähigkeit, sinnvolle u. zweckmäßige Bewegungen auszuführen (Med.)

ap|rès* **nous le déluge!** [aprɛnulde'lyːʒ] *⟨fr.; „nach uns die Sintflut!"⟩;* angeblicher Ausspruch der Marquise de Pompadour nach der verlorenen Schlacht bei Roßbach 1757): nach mir die Sintflut!; es ist mir ganz gleich, was später geschieht **Ap|rès-Ski*** [apre 'ʃi, apres'ki] ⟨fr.; norw.⟩ das; -: a) Zerstreuung od. Vergnügen [nach dem Skilaufen] im Winterurlaub; b) sportlich saloppe, modisch elegante Kleidung, die von Winterurlaubern im Allgemeinen nach dem Skilaufen getragen wird

ap|ri|cot* [... 'ko:] ⟨lat.-vulgärlat.-spätgr.-arab.-span.-fr.⟩: aprikosenfarben. **Ap|ri|ko|se** ⟨lat.-vulgärlat.-spätgr.-arab.-span.-fr.-niederl.⟩ die; -, -n: a) gelbliche, pflaumengroße, fleischige Steinfrucht des Aprikosenbaumes; b) Aprikosenbaum; c) Gartenzierbaum aus Japan

Ap|ril* ⟨lat.⟩ der; -[s], -e: vierter Monat im Jahr; Abk.: Apr. **Ap|ril|the|sen** die (Plural): von Lenin am 17. April 1917 verkündetes Aktionsprogramm, das die Aktionen der bolschewistischen Partei auf dem Weg von der Februar- zur Oktoberrevolution bestimmte

a pri|ma vis|ta [- - v...] ⟨it.; „auf den ersten Blick"⟩: 1. ohne vorherige Kenntnis, unvorbereitet. 2. vom Blatt, d. h. ohne vorherhende Probe bzw. Kenntnis der Noten singen od. spielen (Mus.); vgl. a vista

a pri|o|ri ⟨lat.; „vom Früheren her"⟩: 1. von der Erfahrung od. Wahrnehmung unabhängig, aus der Vernunft durch logisches Schließen gewonnen (Erkenntnistheorie); Ggs. ↑ a posteriori. 2. grundsätzlich, von vornherein; Ggs. ↑ a posteriori. **A|pri|o|ri*** das; -, -: Vernunftsatz, Inbegriff der Erkenntnisse, die a priori gewonnen werden; Ggs. ↑ Aposteriori. **a|pri|o|risch*:** aus Vernunftgründen [erschlossen], allein durch Denken gewonnen; Ggs. ↑ aposteriorisch. **A|pri|o|ris|mus*** ⟨lat.-nlat.⟩ der; -, ...men: a) Erkenntnis a priori; b) philosophische Lehre, die eine von der Erfahrung unabhängige Erkenntnis annimmt. **A|pri|o|rist*** der; -en, -en: Vertreter der Lehre des Apriorismus. **a|pri|o|ris|tisch*:** den Apriorismus betreffend

ap|ro|pos* [... 'po:] ⟨fr.; „zum Gesprächsthema"⟩: nebenbei bemerkt, übrigens; da wir gerade davon sprechen

Ap|ros|do|ke|se* ⟨gr.-nlat.⟩ die; -, -n: Anwendung des ↑ Aprosdoke-

tons als bewusstes Stilmittel (Rhet.; Stilk.). **ap|ros|do|ke|tisch:** a) die Aprosdokese, das Aprosdoketon betreffend; b) in Form eines Aprosdoketons abgefasst. **Ap|ros|do|ke|ton** ⟨gr.;„Unerwartetes"⟩ das; -s, ...ta: unerwartet gebrauchtes, auffälliges Wort bzw. Redewendung anstelle erwarteter geläufiger Wörter od. Wendungen (Rhet.; Stilk.)

Ap|ro|se|xie* ⟨gr.-nlat.⟩ die; -, ...ien: Konzentrationsschwäche; Störung des Vermögens, sich geistig zu sammeln, aufmerksam zu sein

Ap|si|de ⟨gr.-lat.⟩ die; -, -n: 1. Punkt der kleinsten od. größten Entfernung eines Planeten von dem Gestirn, das er umläuft (Astron.). 2. ↑ Apsis (1). **Ap|si|den|li|nie** die; -, -n: Verbindungslinie der beiden Apsiden. **ap|si|di|al** ⟨gr.-nlat.⟩: a) die Apsis (1) betreffend; b) nach Art einer Apsis (1) gebaut. **Ap|sis** ⟨gr.-lat.⟩ die; -, ...iden: 1. halbrunde, auch vieleckige Altarnische als Abschluss eines Kirchenraumes. 2. [halbrunde] Nische im Zelt zur Aufnahme von Gepäck u. a.

¹Ap|te|rie* ⟨gr.-nlat.⟩ die; -, -n (meist Plural): federfreie Stelle im Gefieder der Vögel (Zool.). **²Ap|te|rie** die; -: Flügellosigkeit (bei Insekten; Zool.). **ap|te|ry|got:** flügellos (von Insekten; Zool.). **Ap|te|ry|go|ten** die (Plural): flügellose Insekten (Zool.)

ap|tie|ren ⟨lat.⟩: 1. (veraltet) anpassen; herrichten. 2. (in der Briefmarkenkunde) einen Stempel den neuen Erfordernissen anpassen, um ihn weiterhin benutzen zu können

Ap|ti|tude ['æptitju:d] ⟨lat.-engl.⟩ die; -, -s: anlagebedingte Begabung, die die Voraussetzung für eine bestimmte Höhe der Leistungsfähigkeit ist. **Ap|ti|tude-test** der; -s, -s: Leistungsmaß zur Bestimmung der Lernfähigkeit in verschiedenen Verhaltensbereichen

Ap|ty|a|lis|mus* ⟨gr.-nlat.⟩ der; -: völliges Aufhören des Speichelabsonderung (Med.); vgl. Asialie

A|py|re|xie ⟨gr.-nlat.⟩ die; -, ...ien: fieberloser Zustand, fieberfreie Zeit (Med.)

aq. dest. ↑ Aqua destillata. **Aqua des|til|la|ta** ⟨lat.⟩ das; - -: destilliertes, chemisch reines Wasser; Abk.: aq. dest. **A|quä|dukt** der (auch: das); -[e]s, -e: (altrömi-

sches) steinernes, brückenartiges Bauwerk mit einer Rinne, in der das Wasser für die Versorgung der Bevölkerung weitergeleitet wurde. **A|qua|kul|tur** die; -, -en: 1. (ohne Plural) systematische Bewirtschaftung u. Nutzung von Meeren, Seen u. Flüssen (z. B. durch Anlegen von Muschelkulturen). 2. (ohne Plural) Verfahren zur Intensivierung der Fischzüchtung u. -produktion. 3. Anlage, in der Verfahren zur extensiven Nutzung des Meeres od. zur Intensivierung der Fischproduktion entwickelt werden

ä|qual ⟨lat.⟩: gleich [groß], nicht verschieden; Ggs. ↑ inäqual

A|qua|ma|ni|le ⟨lat.-mlat.⟩ das; -, -n: Gießgefäß od. Schüssel (zur Handwaschung des Priesters bei der Messe). **a|qua|ma|rin:** von der Farbe des Aquamarins. **A|qua|ma|rin** ⟨lat.-roman.; „Meerwasser"⟩ der; -s, -e: meerblauer ↑ Beryll, Edelstein. **A|qua|naut** ⟨lat.; gr.⟩ der; -en, -en: Forscher, der in einer Unterwasserstation die besonderen Lebens- und Umweltbedingungen in größeren Meerestiefen erforscht. **A|qua|nau|tik** die; -: Teilgebiet der ↑ Ozeanographie, auf dem man sich mit Möglichkeiten des längerfristigen Aufenthaltes von Menschen unter Wasser sowie der Erkundung u. Nutzung von Meeresbodenschätzen befasst. **A|qua|pla|ning** ⟨lat.-engl.; „Wassergleiten"⟩ das; -[s], -s: Wasserglätte; bei höheren Geschwindigkeiten vorkommendes Rutschen, Gleiten der Reifen eines Kraftfahrzeugs auf Wasser, das sich auf einer regennassen Straße gesammelt hat. **A|qua|rell** ⟨lat.-it. (-fr.)⟩ das; -s, -e: mit Wasserfarben gemaltes Bild. **a|qua|rel|lie|ren:** mit Wasserfarben malen. **A|qua|rel|list** der; -en, -en: Künstler, der mit Wasserfarben malt. **A|qua|ri|a|ner** ⟨lat.-nlat.⟩ der; -s, -: Aquarienliebhaber. **A|qua|ri|den** die (Plural): zwei im Sommer beobachtbare Meteorströme. **A|qua|rist** der; -en, -en: jmd., der sich mit Aquaristik beschäftigt. **A|qua|ris|tik** die; -: sachgerechtes Halten u. Züchten von Wassertieren u. -pflanzen als Hobby od. aus wissenschaftlichem Interesse. **a|qua|ris|tisch:** die Aquaristik betreffend. **A|qua|ri|um** das; -s, ...ien: 1. Behälter zur Pflege, Zucht u. Beobachtung von Wassertieren. 2.

Gebäude [in zoologischen Gärten], in dem in verschiedenen Aquarien (1) Wassertiere u. -pflanzen ausgestellt werden. **A|qua|tel** ⟨Kurzw. aus lat. *Aqua* „Wasser" u. Ho*tel*⟩ das; -s. -s: Hotel, das anstelle von Zimmern od. Apartments Hausboote vermietet. **A|qua|tin|ta** ⟨*lat.-it.*⟩ *die;* -, ...ten: 1. (ohne Plural) Kupferstichverfahren, das die Wirkung der Tuschzeichnung nachahmt. 2. einzelnes Blatt in Aquatintatechnik. **a|qua|tisch** ⟨*lat.*⟩: 1. dem Wasser angehörend; im Wasser lebend. 2. wässerig

Ä|qua|tiv ⟨*lat.-nlat.*⟩ *der;* -s, -e: (Sprachw.) 1. Vergleichsstufe des Adjektivs im Keltischen zur Bezeichnung der Gleichheit od. Identität bei Personen od. Sachen. 2. Kasus in den kaukasischen Sprachen zur Bezeichnung der Gleichheit od. Identität **A|qua|tone|ver|fah|ren** [akva'to:n...] ⟨*engl.; dt.*⟩ *das;* -s: Offsetdruckverfahren für bes. feine Raster (Druckw.)

Ä|qua|tor ⟨*lat.;* „Gleichmacher"⟩ *der;* -s, ...toren: 1. (ohne Plural) größter Breitenkreis, der die Erde in die nördliche u. die südliche Halbkugel teilt. 2. Kreis auf einer Kugel, dessen Ebene senkrecht auf einem vorgegebenen Kugeldurchmesser steht (Math.). **Ä|qua|to|re|al**, Äquatorial ⟨*lat.-nlat.*⟩ *das;* -s, -e: (veraltet) ein um zwei Achsen bewegbares astronomisches Fernrohr, mit dem man Stundenwinkel u. ↑Deklination (2) ablesen kann. **ä|qua|to|ri|al**: a) den Äquator betreffend; b) unter dem Äquator befindlich. **A|qua|to|ri|al** vgl. Äquatoreal

à quat|re [a 'katrə] ⟨*fr.*⟩: zu vieren. **à quat|re mains** [- - ɛ̃] ⟨*fr.;* „zu vier Händen"⟩: vierhändig (Mus.). **à quat|re par|ties** [- - par'ti:]: vierstimmig (Mus.)

A|qua|vit [...'vi:t, auch: ...'vɪt] ⟨*lat.-nlat.;* „Lebenswasser"⟩ *der;* -s, -e: vorwiegend mit Kümmel gewürzter Branntwein

Ä|qui|den|si|te ⟨*lat.*⟩ *die;* -, -n: Kurve gleicher Schwärzung od. Helligkeit auf einem [astronomischen] Foto bzw. Kurve gleicher Leuchtdichte. **ä|qui|dis|tant**: gleich weit voneinander entfernt, gleiche Abstände aufweisend (z. B. von Punkten od. Kurven; Math.). **Ä|qui|dis|tanz** *die;* -, -en: gleich großer Abstand. **ä|qui|fa|zi|al**: auf Oberu. Unterseite gleichartig gebaut (Bot.) **A|qui|fer** ⟨*lat.*⟩ *der;* -s: Grund- od. Mineralwasser enthaltende u. leitende Erdschicht (Geol.) **Ä|qui|gla|zi|a|le** ⟨*lat.-nlat.*⟩ *die;* -, -n: Verbindungslinie zwischen Orten gleich langer Eisbedeckung auf Flüssen u. Seen.

Ä|qui|gra|vi|sphä|re *die;* -: kosmische Zone, in der sich die Schwerkraft der Erde u. des Mondes die Waage halten (Astron.). **ä|qui|lib|rig|ron***, equilibrieren: ins Gleichgewicht bringen. **Ä|qui|lib|ris|mus*** *der;* -: scholastische Lehre vom Einfluss des Gleichgewichts der Motive auf die freie Willensentscheidung. **Ä|qui|lib|rist*** ⟨*lat.-fr.*⟩, Equilibrist *der;* -en, -en: ↑Artist (2), der die Kunst des Gleichgewichthaltens (mit u. von Gegenständen) ausübt; Seiltänzer. **Ä|qui|lib|ris|tik***, Equilibristik *die;* -: die Kunst des Gleichgewichthaltens. **ä|qui|lib|ris|tisch***, equilibristisch: die Äquilibristik betreffend. **Ä|qui|lib|ri|um***, Equilibrium *das;* -s: Gleichgewicht. **ä|qui|mo|lar** ⟨*lat.-nlat.*⟩: gleiche Anzahl von Molen (vgl. Mol) pro Volumeneinheit enthaltend (von Gasen od. Flüssigkeiten). **äqui|mo|le|ku|lar**: gleiche Anzahl von ↑Molekülen pro Volumeneinheit enthaltend (von Lösungen). **ä|qui|nok|ti|al** ⟨*lat.*⟩: a) das Aquinoktium betreffend; b) tropisch, Tropen... **Ä|qui|nok|ti|al|sturm** *der;* -[e]s, ...stürme (meist Plural): in der Zeit der Tagundnachtgleiche bes. am Rande der Tropen auftretende Stürme. **Ä|qui|nok|ti|um** *das;* -s, ...ien: Tagundnachtgleiche. **ä|qui|pol|lent** („gleich viel geltend"): gleichbedeutend, aber verschieden formuliert (von Begriffen od. Urteilen; Fachspr.). **Ä|qui|pol|lenz** ⟨*lat.-nlat.*⟩ *die;* -: logisch gleiche Bedeutung von Begriffen od. Urteilen, die verschieden formuliert sind (Philos.). **Ä|qui|tät** ⟨*lat.*⟩ *die;* -: (veraltet) das eigentlich übliche u. jmdm. zustehende Recht, Gerechtigkeit. **ä|qui|va|lent** ⟨*lat.-nlat.*⟩: gleichwertig, im Wert od. in der Geltung dem Verglichenen entsprechend. **Ä|qui|va|lent** *das;* -s, -e: gleichwertiger Ersatz, Gegenwert. **Ä|qui|va|lent|ge|wicht** *das;* -s, -e: ↑Quotient aus Atomgewicht u. Wertigkeit eines chemischen Elements. **Ä|qui|va|lenz** *die;* -,

-en: Gleichwertigkeit (z. B. einer Aussage; Logik; z. B. von Mengen gleicher Mächtigkeit; Math.). **Ä|qui|va|lenz|prin|zip** *das;* -s: 1. Grundsatz der Gleichwertigkeit von Leistung u. Gegenleistung (z. B. bei der Festsetzung von Gebühren; Rechtsw.). 2. Äquivalenztheorie. 3. (Phys., Relativitätstheorie) a) der Satz von der Äquivalenz von träger u. schwerer Masse; b) der Satz von der Äquivalenz von Masse u. Energie. **Ä|qui|va|lenz|the|o|rie** *die;* -: 1. Lehre von der Gleichwertigkeit aller Bedingungen (Strafrecht); vgl. Adäquanztheorie. 2. Theorie zur Rechtfertigung der Erhebung von Steuern als Gegenleistung des Einzelnen für den Nutzen, den ihm der Staat gewährt (Finanzwissenschaft). **ä|qui|vok** ⟨*lat.*⟩: a) verschieden deutbar, doppelsinnig; b) zwei-, mehrdeutig, von verschiedener Bedeutung trotz gleicher Lautung. **Ä|qui|vo|ka|ti|on** *die;* -, -en: 1. Doppelsinnigkeit, Mehrdeutigkeit. 2. Wortgleichheit bei Sachverschiedenheit (Philos.)

Ar ⟨*lat.-fr.*⟩ *das* (auch: *der*), -s, -e (aber: 3 Ar): Flächenmaß von 100 qm; Zeichen: a; vgl. Are

A|ra ⟨*Tupi-fr.*⟩, Arara ⟨*Tupi-port.*⟩ *der;* -s, -s: Langschwanzpapagei aus dem tropischen Südamerika

Ä|ra ⟨*lat.*⟩ *die;* -, Ären: 1. längerer, durch bes. Bestimmtes gekennzeichneter, geprägter Zeitabschnitt. 2. (Geol.) Erdzeitalter (Gruppe von ↑Formationen 5 a der Erdgeschichte)

A|ra|ber [auch: a'ra:bɐ] ⟨nach dem geographischen Begriff Arabien⟩ *der;* -s, -: 1. Bewohner der Arabischen Halbinsel. 2. arabisches Vollblut, Pferd einer edlen Rasse. **a|ra|besk** ⟨*arab.-gr.-lat.-it.-fr.;* „in arabischer Art"⟩: rankenförmig verziert, verschnörkelt. **A|ra|bes|ke** ⟨*arab.-gr.-lat.-it.-fr.*⟩ *die;* -, -n: 1. rankenförmige Verzierung, Ornament; vgl. Moreske. 2. Musikstück für Klavier. **A|ra|besque** [...'bɛsk] *die;* -, -s [...'bɛsk]: Tanzpose auf einem Standbein, bei der das andere Bein gestreckt nach hinten angehoben wird (Ballett). **A|ra|bi|no|se** ⟨*gr.-nlat.*⟩ *die;* -: ein einfacher Zucker mit 5 Sauerstoffatomen im Molekül, der u. a. in Rüben, Kirschen u. Pfirsichen vorkommt. **A|ra|bis** *die;* -: Gänsekresse (eine Polster bildende Zierpflanze). **A|ra|bist** *der;* -en,

-en: jmd., der sich wissenschaftlich mit der arabischen Sprache u. Literatur befasst (z. B. Hochschullehrer, Student). **A|ra|bis|tik** *die;* -: wissenschaftliche Erforschung der arabischen Sprache u. Literatur. **a|ra|bis|tisch:** die Arabistik betreffend. **A|ra|b|it** [auch: ...'bɪt] *der;* -s: fünfwertiger Zuckeralkohol, der durch ↑Reduktion (5 b) aus Arabinose entsteht u. oft in Flechten vorkommt **A|rach|ni|de** vgl. Arachnoide. **A|rach|ni|tis** u. **A|rach|no|i|di|tis** *‹gr.-nlat.›* *die;* -, ...iti|den: Entzündung der Arachnoidea. **A|rach|no|dak|ty|lie** *die;* -, ...i|en: abnorme Länge der Hand- u. Fußknochen (Spinnenfingrigkeit; Med.). **a|rach|no|id:** spinnenähnlich. **A|rach|no|i|de** u. Arachnjde *die;* -, -n: Spinnentier. **A|rach|no|i|dea** *die;* -: eine der drei Hirnhäute, die das Zentralnervensystem der Säugetiere u. des Menschen umgeben (Med.). **A|rach|no|i|di|tis** vgl. Arachnitis. **A|rach|no|lo|ge** *der;* -n, -n: Wissenschaftler, der sich mit Spinnen beschäftigt. **A|rach|no|lo|gie** *die;* -: Wissenschaft von den Spinnentieren (Spinnenkunde). **a|rach|no|lo|gisch:** die Arachnologie betreffend. **A|rach|no|pho|bie** *die;* -, -n: [krankhafte] Furcht vor Spinnen **A|ra|go|nit** [auch: ...'nɪt] *‹nlat.›* nach der spanischen Landschaft Aragonien› *der;* -s: ein Mineral aus der Gruppe der ↑Karbonate **A|rai** *‹gr.›* *die* (Plural): altgriechische Literaturgattung der Verwünschungsgedichte u. Schmähverse **A|ra|lie** [...liə] *‹Herkunft unbekannt›* *die;* -, -n: Zimmerpflanze aus der Familie der Efeugewächse **A|ran|zi|ni** *‹pers.-arab.-span.-it.›* *die* (Plural): (bes. österr.) überzuckerte od. schokoladenüberzogene gekochte Orangenschalen **A|rä|o|me|ter** *‹gr.-nlat.›* *das;* -s, -: Gerät zur Bestimmung der Dichte bzw. des spezifischen Gewichts von Flüssigkeiten u. festen Stoffen (Phys.) **Ä|rar** *‹lat.›* *das;* -s, -e: 1. a) Staatsschatz, -vermögen; b) Staatsarchiv. 2. (österr.) ↑Fiskus **A|ra|ra** vgl. Ara **ä|ra|risch** *‹lat.›*: zum ↑Ärar gehörend; staatlich **A|rau|ka|rie** [...riə] *‹nlat.;* nach der chilenischen Provinz Arau-

co› *die;* -, -n: auf der Südhalbkugel vorkommender, als Zimmerpflanze nutzbarer Baum mit nadelförmigen Blättern **A|raz|zo** *‹it.;* nach der nordfranz. Stadt Arras› *der;* -s. ...zzi: ital. Bez. für: gewirkter Bildteppich [aus Arras] **Ar|bi|ter** *‹lat.›* *der;* -s. -: (veraltet) Schiedsrichter; **Arbiter Elegantiarum**, **Arbiter Elegantiae:** Sachverständiger in Fragen des guten Geschmacks; **Arbiter Litterarum:** Literatursachverständiger **Ar|bit|ra|ge*** [...ʒə] *‹lat.-fr.›* *die;* -, -n: 1. Ausnutzung von Preis- od. Kursunterschieden für das gleiche Handelsobjekt (z. B. Gold, Devisen) an verschiedenen Börsen. 2. Schiedsgerichtsvereinbarung im Handelsrecht. **ar|bit|rär:** dem Ermessen überlassen, beliebig; nach Ermessen, willkürlich; **arbiträre Größe:** durch einen Buchstaben angedeutete, beliebige konstante Größe (Math.); **arbiträres Sprachzeichen:** nicht naturgegebenes, sondern einer vorauszusetzenden Konvention entsprechendes Sprachzeichen als verbindliche Zuordnung zwischen Lautgestalt u. Wortinhalt (Sprachw.). **Ar|bit|ra|ri|tät** *‹lat.›* *die;* -: Beliebigkeit des sprachlichen Zeichens im Hinblick auf die Zusammengehörigkeit von ↑Signifikant u. ↑Signifikat (Sprachw.). **Ar|bit|ra|ti|on** *der;* -, -en: Schiedswesen für Streitigkeiten an der Börse. **Ar|bit|ra|tor** *der;* -s, ...oren: (veraltet) Schiedsrichter. **ar|bit|rie|ren:** 1. (veraltet) schätzen. 2. eine Arbitrage (1) vollziehen. 3. (schweiz.) Schiedsrichter sein (Sport). **Ar|bit|ri|um** *‹lat.›* *das;* -s, ...ia: Schiedsspruch, Gutachten (im römischen Zivilprozessrecht) **Ar|bo|re|al** *‹lat.›* *das;* -s, -e: der ↑ökologische Lebensraum Wald (Biol.). **Ar|bo|re|tum** *das;* -s, ...ten: Baumschule; zu Studienzwecken angelegte Sammelpflanzung verschiedener Baumarten (Bot.) **Ar|bu|se** *‹pers.-russ.›* *die;* -, -n: Wassermelone **ARC** *‹Abk. für engl. American Red Cross›:* amerikanisches Rotes Kreuz **arc:** Formelzeichen für ↑Arkus **Ar|cha|ik** *‹gr.›* *die;* -: a) frühzeitliche Kulturepoche; b) ↑archaische (a, b) Art. **Ar|cha|iker** *der;* -s, -: in ↑archaischem (c) Stil

schaffender Künstler. **Ar|cha|ikum**, (auch:) **Ar|chä|i|kum** *‹gr.-nlat.›* *das;* -s: ältester Abschnitt des Archäozoikums (Geol.). **ar|cha|isch:** 1. a) der Vor-, Frühzeit angehörend od. aus ihr überkommen; vor-, frühzeitlich; b) entwicklungsgeschichtlich älteren Schichten der Persönlichkeit angehörend (Psychol.). 2. altertümlich, veraltet. 3. der Frühstufe eines Stils, bes. der vorklassischen Epoche der griechischen Kunst angehörend, entstammend. **ar|chä|isch:** das Archaikum, Archäikum betreffend. **ar|cha|i|sie|ren:** archaische Formen verwenden, nach alten Vorbildern gestalten. **Ar|cha|is|mus** *der;* -, ...men: a) (ohne Plural) Rückgriff auf veraltete Wörter, Sprach- od. Stilformen; b) älteres, einer früheren Zeit angehörendes Element (in Sprache od. Kunst). **Ar|cha|ist** *der;* -en, -en: Vertreter einer künstlerischen, geistigen Haltung, die sich an einer frühzeitlichen Epoche orientiert. **ar|cha|is|tisch:** den Archaismus betreffend. **Ar|chan|thro|pi|nen*** *die* (Plural): Gruppe der Urmenschen, in deren Lebenszeit die Entdeckung des Feuers fällt. **Ar|chä|o|lo|ge** *der;* -n, -n: Wissenschaftler auf dem Gebiet der Archäologie, Altertumsforscher. **Ar|chä|o|lo|gie** *die;* -: Wissenschaft von den sichtbaren Überresten alter Kulturen; Altertumswissenschaft. **ar|chä|o|lo|gisch:** die Archäologie betreffend. **Ar|chä|o|met|rie*** *die;* -: Gesamtheit der naturwissenschaftlichen Methoden u. Verfahren, die in der Archäologie zur Auffindung, Untersuchung u. Bestimmung von Objekten angewandt werden. **Ar|chä|o|phyt** *der;* -en, -en: ↑Adventivpflanze der frühgeschichtlichen Zeit. **Ar|chä|op|te|ris*** *die;* -: ausgestorbener Farn des ↑Devons. **Ar|chä|op|te|ryx*** *der;* -[es], -e od. ...pteryges od.: *die;* -, -e od. ...pteryges ausgestorbener Urvogel aus dem ↑²Jura. **Ar|chä|o|zo|i|kum** *das;* -s: die erdgeschichtliche Frühzeit mit dem Abschnitten ↑Archaikum u. ↑Algonkium (Geol.). **Ar|che|bak|te|rie** *die;* -, -n (meist Plural): an extremen Standorten (z. B. in Salzseen) vorkommender, früher den Bakterien zugeordneter Organismus (Biol.). **Ar|che|get** *der;* -en, -en: Stammvater; Vorläufer, Prota-

gonist. Ar|che|go|ni|aḻten *die* (Plural): zusammenfassende Bezeichnung für Moose u. Farnpflanzen, die ein Archegonium ausbilden. Ar|che|go̱|ni|um *das;* -s, ...ien: Geschlechtsorgan der Moose u. Farne, das weibliche Keimzellen ausbildet. Ar|chenze̱|pha|lon* *das;* -s: Urhirn als entwicklungsgeschichtliche Vorstufe des Vor- u. Mittelhirns. Ar|che̱|spor* *das;* -s: Zellschicht, aus der entwicklungsgeschichtlich die Sporen der Moose u. Farne sowie die Pollen der höheren Pflanzen hervorgehen (Biol.). Ar|che̱|typ [auch: ˈar...] ⟨*gr.-lat.;* „zuerst geprägt; Urbild") *der;* -s, -en u. Archetypus *der;* -, ...pen: 1. Urbild, Urform des Seienden (Philos.). 2. a) (nach C. G. Jung) die Komponente des kollektiven Unbewussten im Menschen, die die ererbte Grundlage der Persönlichkeitsstruktur bildet (Psychol.); b) Urform, Musterbild. 3. a) älteste überlieferte od. erschließbare Fassung einer Handschrift, eines Druckes; b) Original eines Kunst- od. Schriftwerkes im Gegensatz zu Nachbildungen od. Abschriften. ar|che|ty̱|pisch [auch: ˈar...]: einem Archetyp entsprechend, zugehörend. Ar|che|ty̱|pus vgl. Archetyp. Ar|che̱|lus ⟨*gr.-nlat.*⟩ *der;* -, ...chei: Bezeichnung für eine als schaffend und gestaltend vorgestellte Naturkraft (in der humanistischen Naturphilosphie)
Ar|chi|di|a|ko̱n [süddt. u. österr. auch: ...ˈdiˑ...] ⟨*gr.-lat.*⟩ *der;* -s u. -en, -e[n]: 1. a) erster Diakon, Stellvertreter des Bischofs in der alten u. frühmittelalterlichen Kirche; b) Stellvertreter eines anglikanischen Bischofs. 2. (bes. im MA) Vorsteher eines Kirchensprengels. 3. Ehrentitel in der evangelischen Kirche; Träger dieses Titels. 4. zweiter Geistlicher an evangelischen Stadtkirchen. Ar|chi|di|a|ko|na̱t *das* (auch: *der*); -[e]s, -e: 1. Amt eines Archidiakons. 2. Wohnung eines Archidiakons. Ar|chi|di|a̱|ko̱ns: Archidiakons. Ar|chi|sprengel. Ar|chi|ge̱|ne̱|se, Ar|chi|ge̱|ne̱|sis *die;* -: ↑ Abiogenese. Ar|chi|go̱|ni̱e ⟨*gr.-nlat.*⟩ *die;* -: ↑ Abiogenese. Ar|chi|le̱|xem ⟨*gr.*⟩ *das;* -s, -e: das ↑ Lexem innerhalb eines Wortfeldes, das den allgemeinsten Inhalt hat (z. B. *Pferd* gegenüber *Gaul, Klepper, Rappe, Hengst;* Sprachw.) Ar|chi|lo|chi̱us ⟨*gr.-lat.;* nach

dem altgriechischen Dichter Archilochos⟩ *der;* -: Bezeichnung für verschiedene antike Versformen; **Archilochius maior:** aus einer ↑ daktylischen ↑ Tetrapodie u. einem ↑ Ithyphallicus bestehende Versform
Ar|chi|mand|ri̱t* ⟨*gr.-lat.*⟩ *der;* -en, -en: 1. Oberer eines ostkirchlichen Kloster[verband]s. 2. Ehrentitel für verdiente Priester einer Ostkirche u. Träger dieses Titels.
ar|chi|me̱|di̱sch ⟨nach dem griech. Mathematiker Archimedes⟩: in den Fügungen **archimedische Schraube:** Gerät zur Beod. Entwässerung; Wasserschnecke; **archimedisches Prinzip:** Prinzip, nach dem der statische Auftrieb eines Körpers gleich dem Gewicht der von ihm verdrängten Flüssigkeits- od. Gasmenge ist (Phys.); **archimedischer Punkt:** a) von Archimedes geforderter fester Standpunkt außerhalb der Erde, von dem aus die Erde in Bewegung setzen könne; b) fester Standpunkt, von dem aus etw. grundlegend bestimmt, bewegt, verändert werden kann; Angelpunkt.
Ar|chi|pe̱l ⟨*gr.-mgr.-it.*⟩ *der;* -s, -e: größere Inselgruppe. Ar|chi|pho|ne̱m ⟨*gr.*⟩ *das;* -s, -e: Gesamtheit der ↑ distinktiven Merkmale, die zwei oder mehreren ↑ Phonemen gemeinsam sind (Sprachw.). Ar|chi|pres|by|ter ⟨*gr.-lat.;* „Erzpriester") *der;* -s, -: 1. oberster Priester einer [Bischofs]kirche; Erzpriester (hist.). 2. a) Vorsteher eines ländlichen evangelischen Kirchenkreises; b) Ehrentitel für verdiente evangelische Geistliche; Träger dieses Titels. Ar|chi|te̱kt ⟨*gr.;* „Oberzimmermann, Baumeister") *der;* -en, -en: auf einer Hochschule ausgebildeter Experte, der Bauwerke entwirft u. gestaltet, Baupläne ausarbeitet u. deren Ausführung überwacht. Ar|chi|te̱k|to̱|nik *die;* -, -en: 1. a) (ohne Plural) Wissenschaft von der Baukunst. 2. a) [kunstgerechter] Aufbau eines Bauwerks; b) strenger, gesetzmäßiger [künstlerischer od. geistiger] Aufbau. ar|chi|te̱k|to̱|ni̱sch: die Architektonik betreffend. Ar|chi|te̱k|tu̱r *die;* -, -en: 1. a) (ohne Plural) Baukunst [als wissenschaftliche Disziplin]; b) Baustil. 2. nach den Regeln der Baukunst gestalteter Aufbau eines Gebäudes.

(schweiz.) architektonisch. Ar|chit|ra̱v* ⟨⟨*gr.; lat.*⟩ *it.*⟩ *der;* -s, -e: auf Säulen ruhender tragender Querbalken in der antiken u. späteren Baukunst. Ar|chi̱v ⟨*gr.-lat.;* „Regierungs-, Amtsgebäude"⟩ *das;* -s, -e: a) Einrichtung zur systematischen Erfassung, Erhaltung u. Betreuung rechtlicher u. politischer Dokumente; b) geordnete Sammlung von wichtigen Dokumenten, Akten; c) Raum, Gebäude für ein Archiv (a, b). Ar|chi̱|va̱|le ⟨*nlat.*⟩ *das;* -s, ...lien (meist Plural): Aktenstück, Urkunde aus einem Archiv. ar|chi̱|va̱|lisch: urkundlich. Ar|chi̱|var *der;* -s, -e: fachkundlich ausgebildeter Betreuer eines Archivs. ar|chi̱|va̱|risch: a) das Archiv betreffend; b) Archivar betreffend. ar|chi̱|vie̱|ren: in ein Archiv aufnehmen. ar|chi̱|visch: das Archiv betreffend. Ar|chi̱|vi̱s|tik *die;* -: Archivwissenschaft
Ar|chi̱|vo̱l|te ⟨*mlat.-it.*⟩ *die;* -, -n: (Archit.) 1. bandartige Stirn-u. Innenseite eines Rundbogens. 2. plastisch gestalteter Bogenlauf im romanischen u. gotischen Portal
Ar|chon ⟨*gr.*⟩ *der;* -s, Archonten u. Ar|cho̱nt ⟨*gr.-lat.*⟩ *der;* -en, -en: höchster Beamter in Athen u. anderen Städten der Antike. Ar|chon|ta̱t ⟨*nlat.*⟩ *das;* -[e]s, -e: 1. Amt eines Archonten. 2. Amtszeit eines Archonten. ar|co ↑ coll'arco. Ar|cus vgl. Arkus
Ar|da|bi̱l, Ar|de|bi̱l ⟨nach der iranischen Stadt (bedeutender Teppichhandelsplatz)⟩ *der;* -[s], -s: handgeknüpfter Teppich Ar|do̱|me̱ter ® ⟨*lat.; gr.*⟩ *das;* -s, - : Gerät zur Messung hoher Temperaturen; Pyrometer A̱|re *die;* -, -n: (schweiz.) ↑ ¹Ar ¹A̱|rea ⟨*lat.*⟩ *die;* -, Aṟeen od. -s: 1. (veraltet): Fläche, Kampfplatz. 2. umschriebener Bezirk eines Organs (Anat.). ²A̱|rea ⟨*lat.-span.*⟩ *die;* -, -s: Flächeneinheit in Kolumbien u. Argentinien
A̱|re|a̱|funk|ti̱|on ⟨*lat.*⟩ *die;* -, -en: Umkehrfunktion einer ↑ Hyperbelfunktion (Math.)
a̱|re|a̱l ⟨*lat.-nlat.*⟩: Verbreitungsgebiet betreffend. A̱|re|a̱l *das;* -s, -e: 1. Bodenfläche. 2. Verbreitungsgebiet einer Tier- od. Pflanzenart. A̱|re|a̱l|kun|de *die;* -: Wissenschaft von der räumlichen Verbreitung der Tiere u. Pflanzen auf der Erde; Chorologie (2). A̱|re|a̱l|lin|gu̱|is|tik *die;*

-: [neuere] Sprachgeographie. a|re|al|lin|gu|is|tisch: die Areallinguistik betreffend. A|re|al|me|tho|de *die;* -: Stichprobenverfahren der Meinungsforschung, bei dem Personen aus einem bestimmten, aber willkürlich ausgewählten Siedlungsgebiet befragt werden. A|re|fle|xie* ⟨*gr.; lat.*⟩ *die;* -, ...jen: das Ausbleiben reflektorischer Reaktionen auf Reize (Med.) A|re|ka|nuss ⟨*Malayalam-port.- nlat.; dt.*⟩ *die;* -, ...nüsse: Frucht der Areka- od. Betelnusspalme A|re|na ⟨*lat.*⟩ *die;* -, ...nen: 1. a) Kampfbahn, Kampfplatz im Amphitheater der römischen Antike; b) Sportplatz, Wettkampfstätte mit ringsum steigend angeordneten Zuschauersitzen. 2. a) Vorführplatz für Stierkämpfe; b) Zirkusmanege. 3. (österr. veraltet) Sommerbühne A|ren|da vgl. Arrende A|re|o|pag ⟨*gr.-lat.*⟩ *der;* -s: höchster Gerichtshof im Athen der Antike A|re|tal|o|gie ⟨*gr.;* „Tugendschwätzerei"⟩ *die;* -, ...jen: in Form eines ↑Traktats abgefasste Lobpreisung einer Gottheit od. eines Helden (in der späten griech.-röm. Literatur). A|re|te ⟨„Tugend"⟩ *die;* -: Tüchtigkeit, Vortrefflichkeit, Tauglichkeit der Seele zu Weisheit u. Gerechtigkeit (griech. Philos.). A|re|to|lo|gie *die;* -: Lehre von der Arete; Tugendlehre A|r|gali ⟨*mongol.*⟩ *der* (auch: *das*); -[s], -s: Wildschaf in Zentralasien Ar|gand|bren|ner [ar'gã...] ⟨nach seinem Schweizer Erfinder Argand⟩ *der;* -s, -: Gasbrenner Ar|gen|tan ⟨*lat.-nlat.*⟩ *das;* -s: (veraltet) Neusilber. Ar|gen|ti|ne ⟨*lat.-fr.*⟩ *die;* -: Silberfarbe zur Herstellung von Mattpapier. Ar|gen|tit [auch: ...tɪt] ⟨*lat.-nlat.*⟩ *der;* -s: graues, metallisch glänzendes Mineral; Silberglanz. Ar|gen|to|met|rie* ⟨*lat.; gr.*⟩ *die;* -, ...jen: maßanalytisches Verfahren zur Bestimmung des Gehalts einer Lösung an Halogenid- od. Pseudohalogenidionen (Chem.). Ar|gen|tum ⟨*lat.*⟩ *das;* -s: lat. Bez. für: Silber (chem. Element; Zeichen: Ag). Ar|gi|na|se ⟨Kurzw. aus ↑*Arginin* u. *-ase*⟩ *die;* -, -n: wichtiges Stoffwechselenzym. Ar|gi|nin ⟨Bildung zu *gr. ar- ginoeis* „hell schimmernd"⟩ *das;* -s, -e: lebenswichtige ↑Amino-

säure, die in allen Eiweißkörpern enthalten ist Ar|gon [auch: ...o:n] ⟨*gr.-nlat.*⟩ *das;* -s: chemisches Element; ein Edelgas (Zeichen: Ar) Ar|go|naut ⟨*gr.-lat.*⟩ *der;* -en, -en: 1. in der griechischen Sage ein Mann der Besatzung des Schiffes Argo. 2. besondere Art des Tintenfisches Ar|got [ar'go:] ⟨*fr.*⟩ *das* od. *der;* -s, -s: 1. (ohne Plural) Sondersprache der französischen Gauner u. Bettler. 2. Sondersprache einer sozialen od. beruflichen Gruppe; Jargon (a) Ar|gu|ment ⟨*lat.*⟩ *das;* -[e]s, -e: 1. Rechtfertigungsgrund, [stichhaltiger, plausibler] Beweisgrund, Punkt einer Beweisführung. 2. unabhängige Variable einer Funktion (Math.). 3. Satzglied, mit dem eine Leerstelle ausgefüllt wird (Sprachwiss.). Ar|gu|men|ta|ti|on *die;* -, -en: Darlegung der Argumente, Beweisführung, Begründung. ar|gu|men|ta|tiv ⟨*engl.*⟩: a) die vorgebrachten Argumente betreffend; b) mithilfe von Argumenten [geführt]; vgl. ...iv/...orisch. ar|gu|men|ta|to|risch: die vorgebrachten Argumente betreffend; vgl. ...iv/...orisch. ar|gu|men|tie|ren: Argumente vorbringen, Beweise darlegen, begründen. Ar|gu|men|tum e Cont|ra|rio* *das;* - - -, ...ta - -: Schlussfolgerung aus dem Gegenteil Ar|gus ⟨nach dem hundertäugigen Riesen der griechischen Sage⟩ *der;* -, -se: scharf u. misstrauisch beobachtender Wächter. Ar|gus|au|gen *die* (Plural): scharf beobachtender Blick Ar|gy|rie ⟨*gr.-nlat.*⟩ *die;* -, ...jen: Blaugrauverfärbung der Haut u. innerer Organe durch Ablagerung von Silbersulfit (vor allem nach Anwendung silberhaltiger Medikamente); Argyrose (Med.). ar|gy|ro|phil: durch Anfärbung mit Silberpräparaten mikroskopisch darstellbar [von Gewebsstrukturen] (Med.). Ar|gy|ro|se *die;* -, -n: ↑Argyrie A|rhyth|mie usw. vgl. Arrhythmie usw. A|ri|ad|ne|fa|den ⟨nach der sagenhaften kretischen Königstochter, die Theseus mit einem Wollknäuel den Rückweg aus dem Labyrinth ermöglichte⟩ *der;* -s: etwas, was jmdm. aus einer verworrenen Lage heraushilft A|ri|a|ner ⟨nach dem ↑Presbyter (1) Arius von Alexandria⟩ *der;* -s,

-: Anhänger des Arianismus. a|ri|a|nisch: a) den Arianismus betreffend; b) die Lehre des Arianismus vertretend. A|ri|a|nis|mus *der;* -: Lehre des Arius (4. Jh.), wonach Christus mit Gott nicht wesensgleich, sondern nur wesensähnlich sei A|ri|bo|fla|vi|no|se* ⟨Kunstw.⟩ *die;* -, -n: Vitamin-B₂-Mangelkrankheit a|rid ⟨*lat.*⟩: trocken, dürr, wüstenhaft (vom Boden od. Klima). A|ri|di|tät *die;* -: Trockenheit (in Bezug auf das Klima). A|ri|di|täts|fak|tor *der;* -s, -en: Formel zur Berechnung der Trockenheit eines Gebiets A|rie [...jə] ⟨*it.*⟩ *die;* -, -n: Sologesangstück mit Instrumentalbegleitung (bes. in Oper u. Oratorium) A|ri|er ⟨*sanskr.* „Edler"⟩ *der;* -s, -: 1. Angehöriger eines der frühgeschichtlichen Völker mit ↑indogermanischer Sprache in Indien u. im Iran; 2. in der nationalsozialistischen Rassenideologie Angehöriger der so genannten nordischen Rasse A|ri|et|ta ⟨*it.*⟩, A|ri|et|te ⟨*it.-fr.*⟩ *die;* -, ...tten: kleine ↑Arie A|ri|l|lus ⟨*mlat.*⟩ *der;* -, ...lli: fleischiger Samenmantel mancher Pflanzenarten a|ri|os ⟨*it.*⟩: gesanglich, melodiös (Mus.). a|ri|o|so: liedhaft [vorzutragen] (Mus.). A|ri|o|so *das;* - s, -s u. ...si: 1. instrumental begleitetes [gegen den Sprechgesang abgehobenes] liedhaft-ausdrucksvolles od. arienähnliches Gesangsstück, Zwischenstück. 2. liedhaft-ausdrucksvolles Instrumentalstück a|risch ⟨*sanskr.*⟩: 1. a) die Sprachen der ↑Arier (1) betreffend; b) zu den Ariern (1) gehörend. 2. in der nationalsozialistischen Rassenideologie die Arier (2) betreffend, zu den Ariern (2) gehörend. a|ri|sie|ren: [durch Enteignung] in so genannten arischen (2) Besitz überführen (von jüdischen Geschäften u. Unternehmen durch das nationalsozialistische Regime) A|ris|tie ⟨*gr.*⟩ *die;* -, ...jen: überragende Heldentat und ihre literarische Verherrlichung (speziell von der Schilderung der Heldenkämpfe vor Troja in der Ilias). A|ris|to|krat* ⟨*gr.-lat.*⟩ *der;* -en, -en: 1. Angehöriger des Adels. 2. Mensch von vornehm-zurückhaltender Lebensart. A|ris|to|kra|tie* ⟨*gr.-lat.*⟩ *die;* -, ...jen: 1.

Staatsform, in der die Herrschaft im Besitz einer privilegierten sozialen Gruppe ist. 2. adlige Oberschicht mit besonderen Privilegien. 3. (ohne Plural) Würde, Vornehmheit. a|ris|to|kra|tisch*: 1. die Aristokratie (1, 2) betreffend. 2. vornehm, edel

A|ris|to||lo|chia ⟨gr.-lat.⟩ die; -, ...ien: Pflanze aus der Gattung der Osterluzeigewächse A|ris|to|nym* ⟨gr.-nlat.⟩ das; -s, -e: aus einem Adelsnamen beste hendes Pseudonym A|ris|to|pha|ne|lus ⟨gr.-lat.; nach dem altgriechischen Komödiendichter Aristophanes⟩ der; -, ...nen: antiker Vers (von der Normalform –..–.–.). a|ris|to|pha|nisch: a) in der Art des Aristophanes; b) geistvoll, witzig, mit beißendem Spott A|ris|to|te|li|ker der; -s, -: Anhänger der Philosophie des Aristoteles. a|ris|to|te|lisch: a) die Philosophie des Aristoteles betreffend; b) die Philosophie des Aristoteles vertretend. A|ris|to|te|lis|mus ⟨nlat.⟩ der; -: die von Aristoteles ausgehende, über die ↑Scholastik bis in die heutige Tage reichende Philosophie A|ri|ta|por|zel|lan ⟨nach dem Herstellungsort Arita auf der südjapanischen Insel Kiuschu⟩, (auch:) Imariporzellan ⟨nach dem japanischen Ausfuhrhafen⟩ das; -s: japanisches Porzellan des 17. Jh.s A|rith|me|tik ⟨gr.-lat.; „Rechenkunst"⟩ die; -: Teilgebiet der Mathematik, das sich mit bestimmten u. allgemeinen Zahlen befasst. A|rith|me|ti|ker der; -s, -: Fachmann auf dem Gebiet der Arithmetik. a|rith|me|tisch: a) die Arithmetik betreffend; b) rechnerisch; arithmetisches Mittel: ↑Quotient aus dem Zahlenwert einer Summe u. der Anzahl der Summanden; Durchschnittswert. A|rith|mo|griph* ⟨gr.-nlat.⟩ der; -en, -en: Zahlenrätsel. A|rith|mo|lo|gie die; -: Lehre von den magischen Eigenschaften der Zahlen. A|rith|mo|ma|nie die; -, ...ien: Zwangsvorstellung, Dinge zählen zu müssen; Zählzwang (Psych.). A|rith|mo|man|tie die; -: das Wahrsagen aus Zahlen

Ar|ka|de ⟨lat.-it.-fr.⟩ die; -, -n: a) von zwei Pfeilern od. Säulen getragener Bogen; b) (meist Plural) Bogenreihe, einseitig offener Bogengang [an Gebäuden]; c)

nach oben gewölbter Bogen bei Kleinbuchstaben einer Handschrift Ar|ka|di|en ⟨nach der altgriech. Landschaft Arkadien⟩ das; -s: Schauplatz glückseligen, idyllischen [Land]lebens. Ar|ka|di|er der; -s, -: 1. Bewohner von Arkadien. 2. Mitglied einer im 17. Jh. in Rom gegründeten literarischen Gesellschaft ar|ka|die|ren: ein Gebäude mit Arkaden (b) versehen (Archit.) ar|ka|disch: Arkadien betref fend, zu Arkadien gehörend; arkadische Poesie: Hirten- und Schäferdichtung [des 16. bis 18. Jh.s] Ar|kan|dis|zip|lin* ⟨lat.⟩ die; -: Geheimhaltung von Lehre u. Brauch einer Religionsgemeinschaft vor Außenstehenden (bes. im frühen Christentum) Ar|kan|sit [auch: ...ıt] ⟨nlat.; nach dem Staat Arkansas in den USA⟩ der; -s: ein Mineral Ar|ka|num ⟨lat.⟩ das; -s, ...na: 1. Geheimnis. 2. Geheimmittel Ar|ke|bu|se ⟨niederl.-fr.; „Hakenbüchse"⟩ die; -, -n: Handfeuerwaffe des 15./16. Jh.s. Ar|ke|bu|sier der; -s, -e: Soldat mit Arkebuse Ar|ko|se ⟨fr.⟩ die; -: feldspatreicher Sandstein Ar|ko|sol, Arcosolium ⟨lat.-mlat.⟩ das; -s, ...ien: Wandgrab unter einer Bogennische in den ↑Katakomben Ark|ti|ker ⟨gr.-nlat.⟩ der; -s, -: Bewohner der Arktis. Ark|tis die; -: Gebiet um den Nordpol. ark|tisch ⟨gr.-lat.⟩: 1. zur Arktis gehörend. 2. wie in der Arktis (z. B.: arktische Kälte) Ar|ku|bal|lis|te ⟨lat.⟩ die; -, -n: wie eine Armbrust funktionierendes römisches u. mittelalterliches Belagerungsgeschütz; Bogenschleuder Ar|kus, (auch:) Arcus ⟨lat.⟩ der; -, - [...ku:s]: Bogenmaß eines Winkels (Zeichen: arc) Ar|lec|chi|no ⟨lat.-it.⟩ der; -s u. ...ni: ↑Harlekin (1) Ar|ma|da ⟨lat.-span.; „bewaffnete (Streitmacht)"; nach der Flotte des span. Königs Philipp II.⟩ die; -, ...den u. -s: große [Kriegs]flotte; Pulk, Schwarm Ar|ma|ged|don, Harmagedon ⟨hebr.-gr.; nach Offenb. Joh. 16,16 der mythische Ort, an dem die bösen Geister die Könige der gesamten Erde für einen großen Krieg versammeln⟩ das; - [politische] Katastrophe

Ar|mag|nac* [arman'jak] ⟨fr.; nach der französischen Landschaft Armagnac⟩ der; -[s], -s: ein französischer Weinbrand. Ar|ma|gna|ken die (Plural): kriegerisches Söldnerheer der Grafen v. Armagnac (15. Jh.) Ar|ma|ri|um ⟨lat.⟩ das; -s, ...ia u. ...ien: 1. a) (in der Antike) Schrank zur Aufbewahrung von Speisen, Kleidern, Kleinodien o. Ä.; b) (in der Spätantike u. im Mittelalter) Bücherschrank. 2. Wandnische neben dem Altar zur Aufbewahrung von ↑Hostien, ↑Reliquien u. ↑Sakramentalien (kath. Kirche) Ar|ma|tur ⟨lat.; „Ausrüstung"⟩ die; -. -en: 1. a) Ausrüstung von technischen Anlagen, Maschinen u. Fahrzeugen mit Bedienungs- u. Messgeräten; b) (meist Plural) Bedienungs- u. Messgerät an technischen Anlagen. 2. (meist Plural) Drossel- od. Absperrvorrichtung, Wasserhahn u. Ä. in Badezimmern, Duschen u. Ä. 3. (veraltet) militärische Ausrüstung. Ar|ma|tu|ren|brett das; -s, -er: Tafel, Fläche, auf der die Armaturen (b) angebracht sind (z. B. in Kraftfahrzeugen od. im Flugzeugcockpit) Arm|co®-Ei|sen ⟨Kurzw. aus dem Namen der Herstellerfirma American Rolling Mill Company aus Ohio⟩ das; -s: in der Elektrotechnik verwendetes, sehr reines Eisen Ar|mee ⟨lat.-fr.; „bewaffnete (Streitmacht)"⟩ die; -, ...meen: a) Gesamtheit aller Streitkräfte eines Landes, Staates; b) großer Truppenverband. Ar|mee|korps [...ko:r] u. [...ko:rs], ...[...ko:ʀs], - ...[...ko:ʀs]: Verband von mehreren Divisionen (2). ar|mie|ren: 1. (veraltet) mit Waffen ausrüsten, bestücken (Mil.). 2. mit Armaturen (1 b, 2) versehen (Technik). 3. mit einer [verstärkenden] Ein-, Auflage, Umkleidung versehen (Bauw., Technik). Ar|mie|rung die; -, -en: 1. Waffenausrüstung (Bestückung) einer militärischen Anlage eines Kriegsschiffs. 2. Stahleinlagen für Beton Ar|mil|la ⟨lat.; „Armband"⟩ die; -, ...llen: 1. ringförmiger Hautlappen am Stiel einiger Pilzarten (Bot.). 2. Armillarsphäre. Ar|mil|lar|sphä|re die; -, -n: altes astronomisches Gerät zum Messen der Himmelskreise Ar|mi|ni|a|ner ⟨nach dem Theologen Jacobus Arminius † 1609⟩ der; -s, -: Angehöriger einer liberal-evangelischen Glaubensgemeinschaft in den Niederlanden. ar|mi|ni|a|nisch: a) den Arminianismus betreffend; b) die Lehre des Arminius vertretend. Ar|mi|ni|a|nis|mus ⟨nlat.⟩ der; -: Lehre des Jacobus Arminius, die den Vorrang der Bibel vor den kirchlichen Bekenntnissen betonte u. sich gegen die kalvinistische Staatskirche der Niederlande wandte Ar|mo|ri|al ⟨lat.-fr.⟩ das; -s, -e: Wappenbuch. Ar|mu|re ⟨ar'my:rə⟩ u. Ar|mü|re die; -, -n: klein gemustertes [Kunst]seidengewebe

Ar|ni ⟨Hindi⟩ der; -s, -s: Wasserbüffel

Ar|ni|ka ⟨nlat.; Herkunft unsicher⟩ die; -, -s: 1. krautige, würzig riechende Heilpflanze. 2. (ohne Plural) aus den Blüten u. Wurzeln der Arnika hergestellter, heilwirksamer Extrakt

A|rom ⟨gr.-lat.; „Gewürz"⟩ das; -s, -e: (dicht.) Aroma. A|ro|ma das; -s, ...men, -s u. (selten:) -ta: 1. deutlich ausgeprägter, [angenehmer] substanzspezifischer Geschmack. 2. deutlich ausgeprägter, [angenehmer] würziger Duft, Wohlgeruch von etwas (bes. eines pflanzlichen Genussmittels). 3. natürlicher od. künstlicher Geschmacksstoff für Lebensmittel, Speisen od. Getränke; Würzmittel. A|ro|ma|gramm das; -s, -e: Feststellung der Merkmale einer Weinsorte. A|ro|mat ⟨gr.-lat.-nlat.⟩ der; -en, -en (meist Plural): aromatische Verbindung. A|ro|ma|the|ra|pie ⟨gr.-lat.; gr.⟩ die; -: die Anwendung von aus Pflanzen gewonnenen ätherischen Ölen zu Heilzwecken (in der Naturheilkunde). a|ro|ma|tisch ⟨gr.-lat.⟩: 1. einen deutlich ausgeprägten, angenehmen Geschmack habend, wohlschmeckend. 2. wohlriechend; **aromatische Verbindungen:** Benzolverbindungen (Chem.). a|ro|ma|ti|sie|ren ⟨nlat.⟩: mit Aroma versehen A|ron[s]|stab ⟨gr.-lat.; dt.⟩ der; -[e]s, ...stäbe (Plural selten): bes. in Laubwäldern wachsende Pflanze mit giftigen roten Beeren

Ar|peg|gia|tur [arpɛdʒa...] ⟨german.-it.⟩ die; -, -en: Reihe arpeggierter Akkorde (Mus.). ar|peg|gie|ren [...'dʒi:...]: arpeggio spielen (Mus.). ar|peg|gio [ar'pɛdʒo]: in Form von Akkorden, deren einzelne Töne sehr schnell

nacheinander erklingen (Mus.); Abk.: arp. Ar|peg|gio das; -s, -s u. ...ggien: ein arpeggio gespieltes Musikstück. Ar|peg|gio|ne [...'dʒo:nə] die; -, -n: eine 6-saitige Streichgitarre

Ar|rak ⟨arab.-fr.; „Schweiß"⟩ der; -s, -e u. -s: [ostindischer] Branntwein aus Reis od. ↑Melasse

Ar|ran|ge|ment [arãʒə'mã] ⟨fr.⟩ das; -s, -s: 1. a) Anordnung, [künstlerische] Gestaltung, Zusammenstellung; b) [künstlerisch] Angeordnetes, aus einzelnen Komponenten geschmackvoll zusammengestelltes Ganzes. 2. Übereinkommen, Vereinbarung, Abmachung, Abrede. 3. a) Bearbeitung eines Musikstückes für andere Instrumente, als für die es geschrieben ist; b) Orchesterfassung eines Themas [im Jazz]. 4. Abwicklung der Börsengeschäfte. Ar|ran|geur [...'ʒø:ɐ̯] der; -s, -e: 1. jmd., der ein Musikstück einrichtet od. einen Schlager ↑instrumentiert (1). 2. jmd., der etwas arrangiert (1). ar|ran|gie|ren [...'ʒi:...]: 1. a) sich um die Vorbereitung u. den planvollen Ablauf einer Sache kümmern; b) in die Wege leiten, zustande bringen. 2. a) ein Musikstück für andere Instrumente, als für die es geschrieben ist, od. für ein Orchester bearbeiten; b) einen Schlager für die einzelnen Instrumente eines Unterhaltungsorchesters bearbeiten. 3. sich mit jmdm. verständigen u. eine Lösung für etwas finden; eine Übereinkunft treffen trotz gegensätzlicher od. abweichender Standpunkte. Ar|ran|gier|pro|be die; -, -n: Stellprobe im Theater

Ar|ray [ə'reɪ] ⟨engl.⟩ das u. der; -s, -s: 1. flächenhafte Gruppierung od. Anordnung von meist gleichartigen Objekten. 2. Anordnung mehrerer verschiebbarer Radioteleskope zur ↑Aperatursynthese (Astron.). 3. matrixförmige Anordnung von überwiegend gleichartigen elektronischen Bauelementen, logischen Schaltungen od. Datenspeicherelementen (Elektronik). 4. zusammenfassende Bezeichnung für ein-, zwei- od. mehrdimensional angeordnete Daten der Programmierung (EDV)

Ar|raz|zo: ↑Arazzo

Ar|rest ⟨lat.-mlat.⟩ der; -[e]s, -e: 1. Haft, Freiheitsentzug (bes. als Strafe innerhalb einer Gemeinschaft, z. B. Militär, früher auch

Schule). 2. Beschlagnahme, Sicherstellung (Rechtsw.). Ar|res|tant der; -en, -en: jmd., der sich in Haft befindet (veraltend). Ar|res|tat der; -en, -en: (veraltet) Festgenommener. Ar|res|ta|ti|on ⟨lat.-vulgärlat.-fr.⟩ die; -, -en: (veraltet) Festnahme. Ar|rest|hy|po|thek die; -, -en: zwangsweise eingetragene [Sicherungs]hypothek. Ar|rest|lo|kal das; -[e]s, -e: (veraltend) [behelfsmäßiger] Raum für Arrestanten. Ar|rêt [a'rɛ(:)] der; -s: [a'rɛ(s)], -s [a'rɛ(s)]: 1. scharfes Zügelanziehen beim Reiten. ar|re|tie|ren: 1. (veraltend) verhaften, festnehmen. 2. bewegliche Teile eines Geräts bei Nichtbenutzung sperren, blockieren. Ar|re|tie|rung die; -, -en: 1. Festnahme, Inhaftierung. 2. mechanische Vorrichtung zum Feststellen beweglicher Geräteteile

ar|re|ti|nisch ⟨nach der etrusk. Stadt Arretium (heute Arezzo) in Mittelitalien⟩: in der Fügung **arretinische Keramik:** rote Tongefäße der römischen Kaiserzeit Ar|rêt|stoß ⟨fr.; dt.⟩ der; -es, ...stöße: Sperrstoß beim Sportfechten

Ar|rha ⟨hebr.-gr.-lat.⟩ die; -, -: Geld, das beim Abschluss eines Vertrages vom Käufer gezahlt wird u. als Bestätigung des Vertrages gilt; Draufgeld

Ar|rhe|no|blas|tom ⟨gr.-nlat.⟩ das; -s, -e (veraltet): ↑Androblastom. Ar|rhe|no|ge|nie die; -, ...ien: Erzeugung ausschließlich männlicher Nachkommen (Biol.); Ggs. ↑Thelygenie. Ar|rhe|no|to|kie ⟨gr.-nlat.⟩ die; -: 1. Entwicklung von männlichen Tieren (z. B. Drohnen) aus unbefruchteten Eiern (Biol.). 2. Erzeugung ausschließlich männlicher Nachkommen (Biol.); Ggs. ↑Thelytokie. ar|rhe|no|to|kisch: nur männliche Nachkommen habend (Biol.); Ggs. ↑thelytokisch

Ar|rhyth|mie ⟨gr.-lat.⟩ die; -, ...ien: 1. unregelmäßige Bewegung; Unregelmäßigkeit im Ablauf eines rhythmischen Vorgangs. 2. unregelmäßige Herztätigkeit (Med.). ar|rhyth|misch: unrhythmisch, unregelmäßig Ar|ri|e|re|gar|de [a'rjɛːr...] ⟨fr.⟩: die; -, -n: (veraltet) Nachhut (Mil.)

Ar|ri|val [ə'raɪvəl] ⟨engl.⟩ das; -s, -s: Ankunft (Hinweis auf Flughäfen) ar|ri|ve|der|ci [arive'dertʃi] ⟨it.⟩: it. für: auf Wiedersehen! (bei

Verabschiedung von mehreren Personen)

ar|ri|vie|ren ⟨*lat.-vulgärlat.-fr.;* „das Ufer erreichen"⟩: vorwärts kommen, Erfolg haben; beruflich od. gesellschaftlich emporkommen. **ar|ri|viert:** beruflich, gesellschaftlich aufgestiegen, zu Erfolg u. Ansehen gelangt. **Ar|ri|vier|te** *der u. die;* -n, -n: jmd., der sich beruflich, gesellschaftlich nach oben gearbeitet hat, zu Erfolg u. Ansehen gelangt ist

ar|ro|gant ⟨*lat.(-fr.)*⟩: anmaßend, dünkelhaft, überheblich, eingebildet. **Ar|ro|ganz** *die;* -: arrogante Art, arrogantes Benehmen; Überheblichkeit

ar|ron|die|ren [auch: arõ...] ⟨*lat.-vulgärlat.-fr.*⟩: 1. abrunden, zusammenlegen (von einem Besitz od. Grundstück). 2. Kanten abrunden (z. B. von Leisten). **Ar|ron|dis|se|ment** [arõdɪsəmãː] *das;* -s, -s: a) dem ↑ Departement (1) **untergeordneter** Verwaltungsbezirk in Frankreich; b) Verwaltungseinheit, Stadtbezirk in französischen Großstädten, bes. in Paris

Ar|ro|se|ment [...'mãː] ⟨*lat.-vulgärlat.-fr.*⟩ *das;* -s: Umwandlung einer Staatsanleihe, bei der der Nominalzins erhöht [u. die Laufzeit der Anleihe verlängert] wird (Finanzw.). **ar|ro|sie|ren:** 1. anfeuchten, bewässern. 2. zuzahlen. **Ar|ro|sie|rung** *die;* -, -en: Arrosement

Ar|ro|si|on ⟨*lat.-nlat.*⟩ *die;* -, -en: Zerstörung von Gewebe (bes. von Gefäßwänden) durch entzündliche Vorgänge, Geschwüre

Ar|row|root ['ɛroruːt] ⟨*engl.;* „Pfeilwurzel"⟩ *das;* -s: 1. Pfeilwurz. 2. Stärkemehl aus Wurzeln u. Knollen bestimmter tropischer Pflanzen (z. B. Pfeilwurz, Batate)

Ars A|man|di ⟨*lat.*⟩ *die;* - -: Liebeskunst. **Ars an|ti|qua** ⟨*lat.;* „alte Kunst"⟩ *die;* - -: erste Blütezeit der ↑ Mensuralmusik (bes. im Paris des 13. u. 14. Jh.s); Ggs. ↑ Ars nova

Ar|schin ⟨*turkotat.-russ.*⟩ *der;* -[s], -en (aber: 3 Arschin): altrussisches Längenmaß (71,1 cm)

Ars Dic|tan|di ⟨*lat.*⟩ *die;* - -: die Kunst, regelrichtig u. nach den Theorien der gültigen rhetorischen Lehrbücher zu schreiben (Rhetorik der Antike u. des Mittelalters)

Ar|sen ⟨*gr.-lat.*⟩ *das;* -s: a) chem. Element (Zeichen: As); b) (ugs.) ↑ Arsenik

Ar|se|nal ⟨*arab.-it.;* „Haus des Handwerks"⟩ *das;* -s, -e: 1. Zeughaus; Geräte- u. Waffenlager. 2. Vorratslager, Sammlung

Ar|se|nat ⟨*gr.-nlat.*⟩ *das;* -[e]s, -e (meist Plural): Salz der Arsensäure. **Ar|se|nid** *das;* -s, -e (meist Plural): Verbindung aus Arsen u. einem Metall. **ar|se|nie|ren:** Metallgegenstände mit einer dünnen Arsenschicht überziehen. **ar|se|nig** ⟨*gr.-lat.*⟩: 1. arsenikhaltig. 2. arsenhaltig. **Ar|se|nik** *das;* -s: wichtigste [giftige] Arsenverbindung; Arsentrioxid. **Ar|se|nit** [auch: ...'nɪt] ⟨*gr.-nlat.*⟩ *das;* -s, -e u. **Ar|se|no|lith** [auch: ...'lɪt] *der;* -s u. -en, -e[n]: ein farbloses Mineral (kristallisiertes Arsenik). **Ar|sin** *das;* -s: eine dem ↑ Amin entsprechende, äußerst giftige Arsenverbindung

Ar|sis ⟨*gr.-lat.;* „Hebung" (des taktschlagenden Fußes)⟩ *die;* -, ...sen: 1. a) unbetonter Taktteil (antike Metrik), Ggs. ↑ Thesis (1 a); b) aufwärts geführter Schlag beim Taktschlagen (Mus.). 2. betonter Taktteil in der neueren Metrik; Ggs. ↑ Thesis (2)

Ars Mo|ri|en|di ⟨*lat.;* „Kunst des Sterbens"⟩ *die;* - -: Artes Moriendi ['aːrteːs -]: kleines Sterbe- u. Trostbuch des Mittelalters.

Ars no|va ⟨*lat.;* „neue Kunst"⟩ *die;* - -: die neue Strömung in der französischen Musik (kontrapunktisch-mehrstimmig) des 14. Jh.s; Ggs. ↑ Ars antiqua

Art brut [ar'bryt] ⟨*fr.*⟩ *der;* - - [von dem franz. Maler Jean Dubuffet eingeführte Bez. für die] spontan und unreflektiert gestaltete Kunst (z. B. von Kindern). **Art dé|co** [arde'ko] ⟨*fr.* art déco(ratif)⟩ *der* od. *das;* - -: künstler. Richtung (bes. Kunstgewerbe) etwa von 1920–40. **Art|di|rec|tor** ['aːtdɪrɛktə] ⟨*engl.*⟩ *der;* -s, -s: künstlerischer Leiter [des ↑ Layouts] in einer Werbeagentur]

ar|te|fakt ⟨*lat.*⟩: künstlich hervorgerufen (z. B. von Krankheiten u. Verletzungen zum Zwecke der Täuschung). **Ar|te|fakt** *das;* -[e]s, -e: 1. das durch menschliches Können Geschaffene, Kunsterzeugnis. 2. Werkzeug aus vorgeschichtlicher Zeit, das menschliche Bearbeitung erkennen lässt (Archäol.). 3. künstlich hervorgerufene körperliche Veränderung (z. B. Verletzung), meist mit einer Täuschungsabsicht verbunden (Med.). 4. Störsignal (Elektrot.). **ar|te|fi|zi|ell** ⟨*lat.-fr.*⟩: ↑ artifiziell

Ar|tel [auch: ar'tjɛl] ⟨*russ.*⟩ *das;* -s, -s: a) [Arbeiter]genossenschaft im zaristischen Russland; b) ↑ Kolchos

Ar|te po|ve|ra ⟨*lat.; it.*⟩ *die;* - -: Objektkunst, vor allem in den 60er- u. 70er-Jahren des 20. Jhs. in Italien, die unkonventionelle Materialien wie Erde, Asche, Abfälle u. Ä. verwendet u. diese bewusst unästhetisch darbietet

Ar|te|rie [...iə] ⟨*gr.-lat.*⟩ *die;* -, -n: Schlagader; Blutgefäß, das das Blut vom Herzen zu einem Organ od. Gewebe hinführt; Ggs. ↑ Vene. **ar|te|ri|ell** ⟨*gr.-nlat.*⟩: die Arterien betreffend, zu einer Arterie gehörend. **Ar|te|ri|i|tis** *die;* -, ...itiden: Schlagaderentzündung. **Ar|te|ri|o|gramm** *das;* -s, -e: Röntgenbild einer Schlagader. **Ar|te|ri|o|gra|phie,** auch: ...grafie *die;* -, ...ien: röntgenologische Darstellung einer Arterie bzw. des arteriellen Gefäßnetzes mithilfe eines Kontrastmittels. **Ar|te|ri|o|le** *die;* -, -n: sehr kleine, in Haargefäße (Kapillaren) übergehende Schlagader. **Ar|te|rio|lo|skle|ro|se*** *die;* -, -n: krankhafte Veränderung der Arteriolen. **Ar|te|ri|o|skle|ro|se*** *die;* -, -n: krankhafte Veränderung der Arterien mit Verhärtung, Verdickung u. Elastizitätsverlust; „Arterienverkalkung". **ar|te|ri|o|skle|ro|tisch*:** a) die Arteriosklerose betreffend; b) durch Arteriosklerose hervorgerufen. **Ar|te|ri|o|to|mie** *die;* -, ...ien: operatives Öffnen einer Arterie zur Entfernung eines ↑ Embolus

Ar|te|ri|tis [auch: ...ɪt] ⟨*gr.*⟩ *der;* -s, -e ein mit ↑ Aplit- u. Granitadern durchsetztes Gestein; Adergneis

ar|te|sisch ⟨*fr.;* nach der französischen Landschaft Artois⟩: in der Fügung **artesischer Brunnen:** natürlicher Brunnen, bei dem das Wasser durch einen Überdruck des Grundwassers selbsttätig aufsteigt

Ar|tes li|be|ra|les ⟨*lat.*⟩ *die* (Plural): die sieben freien Künste (Grammatik, Rhetorik, Dialektik [↑ Trivium], Arithmetik, Geometrie, Astronomie, Musik [↑ Quadrivium], die zum Grundwissen der Antike u. des Mittelalters gehörten. **Ar|tes|li|te|ra|tur** *die;* -: wissenschaftliche Bezeichnung des mittelalterlichen Fachschrifttums im Bereich der ↑ Artes liberales u. der technischen u. praktischen Kunst

Arth|ral|gie* ⟨gr.-nlat.⟩ die; -, ...ien: Gelenkschmerz (Med.). **Arth|ri|ti|ker** ⟨gr.-lat.⟩ der; -s, -: an Gelenkentzündung Leidender; Gichtkranker. **Arth|ri|tis** die; -, ...itiden: Gelenkentzündung. **arth|ri|tisch:** die Arthritis betreffend. **Arth|ri|tis|mus** ⟨gr.-nlat.⟩ der; -: (durch eine Stoffwechselstörung bedingte) erbliche Neigung zu Gicht, ↑ Asthma, Fettsucht u. a. **Arth|ro|de|se** die; -, -n: künstliche, operative Versteifung eines Gelenks. **arth|ro-gen:** a) vom Gelenk ausgehend; b) von einer Gelenkerkrankung herrührend. **Arth|ro|lith** der; -s u. -en, -e[n]: krankhaft gebildeter, frei beweglicher, verknorpelter oder verkalkter Fremdkörper in einem Gelenk; Gelenkmaus. **Arth|ro|pa|thie** die; -, ...ien: Gelenkleiden, Gelenkerkrankung. **Arth|ro|plas|tik** die; -, -en: künstliche Bildung eines neuen Gelenks nach ↑ Resektion des alten. **Arth|ro|po|den** die (Plural): Gliederfüßer (Zool.). **Arth|ro|se** die; -, -n: 1. Arthropathie. 2. Kurzbezeichnung für: Arthrosis deformans. **Arth|ro|sis de|for-mans** die; - -: degenerative, nicht akut entzündliche Erkrankung eines Gelenks als chronisches Leiden. **arth|ro|tisch:** die Arthrose betreffend; von Arthrose befallen (Med.)

ar|ti|fi|zi|ell ⟨lat.-fr.⟩: 1. künstlich. 2. gekünstelt

Ar|ti|kel [auch: ...tɪ...] ⟨lat.(-fr.)⟩ der; -s, -: 1. [der Genusbezeichnung von Substantiven dienende] Wortart mit identifizierender, individualisierender od. generalisierender Funktion; Geschlechtswort (Abk.: Art.) 2. [mit einer Nummer gekennzeichneter] Abschnitt eines Gesetzes, Vertrages usw. (Abk.: Art.) 3. Handelsgegenstand, Ware (Abk.: Art.) 4. Aufsatz, Abhandlung; Beitrag. 5. Glaubenssatz; Abschnitt eines Bekenntnisses od. Manifestes; These. **ar|ti|ku-lar:** zum Gelenk gehörend (Anat.). **Ar|ti|ku|la|ten** die (Plural): Gliedertiere. **Ar|ti|ku|la|ti-on** die; -, -en: 1. a) [deutliche] Gliederung des Gesprochenen; b) Lautbildung (Sprachw.). 2. das Artikulieren (2). 3. das Binden od. das Trennen der Töne (Mus.); vgl. ...[at]ion/...ierung. **ar|ti|ku|la|to|risch:** die Artikulation betreffend. **ar|ti|ku|lie-ren:** 1. (Silben, Wörter, Sätze)

deutlich, in bestimmter Weise aussprechen. 2. (Gefühle, Gedanken) zum Ausdruck bringen, formulieren. **Ar|ti|ku|lie|rung** die; -, -en: Artikulation (1, 2); vgl. ...[at]ion/...ierung

Ar|til|le|rie [auch: 'ar...] ⟨fr.⟩ die; -, ...ien: a) mit meist schweren Geschützen ausgerüstete Truppengattung; b) schweres Geschütz, Geschütze. **Ar|til|le|rist** [auch: 'ar...] der; -en, -en: Soldat der Artillerie. **ar|til|le|ris|tisch:** die Artillerie betreffend

Ar|ti|san [...'zã:] ⟨lat.-it.-fr.⟩ der; -s, -s: (veraltet) Handwerker

Ar|ti|scho|cke ⟨nordit.⟩ die; -, -n: distelartige Gemüsepflanze mit wohlschmeckenden Blütenknospen

Ar|tist ⟨lat.-mlat.(-fr.)⟩ der; -en, -en: 1. im Zirkus u. Varietee auftretender Künstler [der Geschicklichkeitsübungen ausführt] (z. B. Jongleur, Clown). 2. seine Darstellungsmittel u. -formen souverän beherrschender Künstler. **Ar|tis|ten|fa|kul|tät** die; -, -en: die Fakultät der ↑ Artes liberales an der mittelalterlichen Universitäten. **Ar|tis|tik** die; -: 1. Varietee- u. Zirkuskunst. 2. außerordentlich große [Fingerfertig-che] Geschicklichkeit. **ar|tis-tisch:** a) die Artistik betreffend; b) nach Art eines Artisten

Art nou|veau [arnu'vo] ⟨fr.⟩ der od. das; - -: Bezeichnung für Jugendstil in Großbritannien, den USA u. Frankreich

Ar|to|thek ⟨Kunstw.⟩ die; -, -en: Galerie, Museum, das Bilder od. Plastiken an Privatpersonen verleiht

A|ryl|bal|los ⟨gr.⟩ der; -, ...lloi [...lɔy]: kleines altgriechisches Salbgefäß

A|ryl ⟨Kurzw. aus aromatisch u. -yl⟩ das; -s, -e (meist Plural): einwertiger Rest eines aromatischen Kohlenwasserstoffs (Chem.)

¹As = Amperesekunde

²As ⟨lat.⟩ der; Asses, Asse: altrömisches Gewichts- u. Münzeinheit

³As [o:s] ⟨schwed.⟩ der (auch: das); -, Åsar: ↑ ²Os

Å|sar ['o:sar]: Plural von ↑ Ås

As|best ⟨gr.-lat.; „unauslöschlich, unzerstörbar"⟩ der; -[e]s, -e: mineralische Faser aus ↑ Serpentin od. Hornblende, widerstandsfähig gegen Hitze u. schwache Säuren. **As|bes|tose** ⟨gr.-nlat.⟩ die; -, -n: durch Einatmen von

Asbeststaub hervorgerufene Lungenerkrankung

As|ce|to|nym* [astse...] ⟨gr.-nlat.⟩ das; -s, -e: Sonderform des ↑ Pseudonyms, bei der ein Heiligenname als Deckname verwendet wird

A|schan|ti|nuss ⟨nach dem afrikanischen Stamm der Aschanti⟩ die; -, ...nüsse: (österr.) Erdnuss **Asch|ke|na|sim** [auch: ...'zi:m] ⟨hebr.⟩ die (Plural): die ost- u. mitteleuropäischen Juden. **asch|ke|na|sisch:** die Aschkenasim betreffend, zu ihnen gehörend

Asch|ram ⟨sanskr.⟩ der; -s, -s: a) Einsiedelei eines indischen Asketen; b) einem Kloster ähnliche Anlage in Indien (bes. als Ort der Meditation für die Anhänger einer Lehre)

ASCII-Code ['aski...] ⟨Abk. für engl. American Standard Code of Information Interchange⟩ der; -s: Zeichenkode, der in Rechnern zur Darstellung bestimmter Informationen verwendet wird (EDV)

As|ci|tes [...'tsi:...] vgl. Aszites **As|co|gon** vgl. Askogon. **As|co-my|zet** vgl. Askomyzet

As|cor|bin|säu|re* vgl. Askorbinsäure

ASEAN ['æsɪæn] ⟨Kurzwort aus: Association of South East Asian Nations⟩ die; -: 1967 gegründete Vereinigung südostasiatischer Staaten mit dem Ziel der Förderung des Friedens u. des sozialen sowie wirtschaftlichen Wohlstands

A|se|bie ⟨gr.⟩ die; -: Frevel gegen die Götter, Gottlosigkeit; Ggs. ↑ Eusebie

a sec|co [- 'zɛko] ⟨it.⟩: auf trockenem Verputz, Kalk, auf die trockene Wand [gemalt]; Ggs. ↑ a fresco

A|se|i|tät ⟨lat.-mlat.⟩ die; -: absolute Unabhängigkeit [Gottes], das reine Aus-sich-selbst-Bestehen (Philos.; Theol.)

A|se|mie ⟨gr.-nlat.⟩ die; -, ...ien: Störung in der Wahrnehmung u. im Gebrauch von Symbolen (Med.)

A|sep|sis ⟨gr.-nlat.⟩ die; -: Keimfreiheit (von Wunden, Instrumenten, Verbandstoffen u. Ä.; Med.). **A|sep|tik** die; -: Keimfreimachung; keimfreie Wundbehandlung. a|sep|tisch: a) keimfrei (Med.): Ggs. ↑septisch (2); b) nicht auf Infektion beruhend

a|se|xu|al [auch: ...'a:l] u. asexuell [auch: ...'ɛl] ⟨gr.; lat.⟩: 1. sich in einem Zustand unterhalb normaler sexueller Erregbarkeit befindend. 2. ungeschlechtig, geschlechtslos; vgl. ...al/...ell. A|se|xu|a|li|tät [auch: ...'tɛ:t] die; -: 1. Fehlen der ↑Libido (Med.). 2. Fehlen der Geschlechtsdrüsen (Med.). a|se-xu|ell vgl. asexual

Ash|ram ['a:fram]: ↑Aschram

A|si|a|lie ⟨gr.-nlat.⟩ die; -: Aptyalismus

A|si|a|nis|mus ⟨gr.-nlat.⟩ der; -: in Kleinasien ausgebildete Richtung der antiken griechischen Rhetorik, die sich durch Schwülstigkeit, aber auch durch pointierte Kürze auszeichnete. A|si|a|ti|kum das -s, ...ka (meist Plural): Werk über Asien

A|si|de|rit [auch: ...'rɪt] ⟨gr.-nlat.⟩ der; -s, -e: ein Meteorstein ohne od. überwiegend ohne Eisen

As|ka|ri ⟨arab.⟩ der; -s, -s: afrikanischer Soldat im ehemaligen Deutsch-Ostafrika

As|ka|ri|a|sis ⟨gr.-nlat.⟩ die; -: eine durch Infektion mit Spulwürmern hervorgerufene Krankheit (Med.). As|ka|ris die; -, ...riden (meist Plural): Spulwurm

As|ke|se ⟨gr.-nlat.⟩ „Übung"⟩ die; -: a) streng enthaltsame u. entsagende Lebensweise (zur Verwirklichung sittlicher u. religiöser Ideale); b) Bußübung. As|ket ⟨gr.-mlat.⟩ der; -en, -en: enthaltsam (in Askese) lebender Mensch. As|ke|tik u. Asketik, as|ke|tisch: a) die Askese (a) betreffend; entsagend, enthaltsam; b) Askese (b) übend; c) wie ein Asket; d) formal zurückhaltend, sparsam, streng

Ask|le|pi|a|de|us* ⟨gr.-lat.; nach dem altgriechischen Dichter Asklepiades⟩ der; -, ...dei u. ...deen: Versform der antiken Lyrik (Schema: ---.--.--.-- = Asklepiadeus minor u. ---.--.--.--.- = Asklepiadeus maior)

As|ko|gon ⟨gr.-nlat.⟩ das; -s, -e: weibliches Geschlechtsorgan der Schlauchpilze. As|ko|my|zet der; -en, -en: Pilz der Gattung Schlauchpilze

As|kor|bin|säu|re* , fachspr.: Ascorbinsäure ⟨gr.; russ.; dt.⟩ die; -: chem. Bez. für: Vitamin C

Äs|ku|lap|stab ⟨nach dem Schlangenstab des griechisch-römischen Gottes der Heilkunde, Äskulap⟩ der; -[e]s, ...stäbe: Sinnbild der Medizin

As|kus ⟨gr.-nlat.⟩ der; -, Aszi: schlauch- od. keulenförmiger Sporenbehälter der Schlauchpilze

a|so|ma|tisch [auch: ...'ma:...] ⟨gr.-nlat.⟩: nicht ↑somatisch; unkörperlich (Philos.)

A|som|nie ⟨gr.; lat.⟩ u. Agrypnie ⟨gr.⟩ die; -, ...ien: Schlaflosigkeit; Schlafstörung (Med.)

ä|so|pisch: in der Art, im Geist des altgriechischen Fabeldichters Äsop; witzig

a|so|zi|al [auch: ...'tsia:l]: unfähig zum Leben in der Gemeinschaft, sich nicht in die Gemeinschaft einfügend, am Rande der Gesellschaft lebend. A|so|zi|a|le der u. die; -n, -n: jmd., der asozial ist. A|so|zi|a|li|tät die; -: das Asozialsein

As|pa|ra|gin ⟨gr.-nlat.⟩ das; -s: Derivat (3) der Asparaginsäure. As|pa|ra|gin|säu|re die; -: in vielen Eiweißstoffen (bes. in Spargel) enthaltene ↑Aminosäure. As|pa|ra|gus [auch: ...'ra:...] ⟨gr.-lat.⟩ der; -: a) Spargel (Gemüsepflanze); b) Kraut bestimmter Spargelarten, das für Blumengebinde verwendet wird

As|pekt* ⟨lat.⟩ „das Hinsehen"⟩ der; -[e]s, -e: 1. Blickwinkel, Blickpunkt, Betrachtungsweise, Gesichtspunkt. 2. bestimmte Stellung von Sonne, Mond u. Planeten zueinander u. zur Erde (Astron.; Astrol.). 3. [in den slawischen Sprachen bes. ausgeprägte] grammatische Kategorie, mit der die Sprecherin/der Sprecher die Vollendung od. Nichtvollendung eines Geschehens aus ihrer/seiner Sicht ausdrückt (Sprachw.). 4. jahreszeitlich bedingtes Aussehen einer Pflanzengesellschaft (Bot.). as|pek|tisch: den Aspekt (3) betreffend (Sprachw.)

As|per ⟨lat.⟩ der; -[s], -: ↑Spiritus asper

as|per|gie|ren* ⟨lat.⟩: (veraltet) besprengen (mit Weihwasser). As|per|gill das; -s, -e: Weihwasserwedel. As|per|gill|lo|se ⟨lat.-nlat.⟩ die; -, -n: durch einige Arten der Schimmelpilzgattung Aspergillus verursachte Erkrankung (am häufigsten der Atmungsorgane; Med.). As|per-gill|lus der; -, ...llen: eine Gattung der Schlauchpilze (Kolben- od. Gießkannenschimmel; Bot.)

a|sper|ma|tisch ⟨gr.-nlat.⟩: ohne Samenzellen (vom ↑Ejakulat; Med.). A|sper|ma|tis|mus der; -: (Med.) 1. das Fehlen des ↑Ejakulats bzw. das Ausbleiben der ↑Ejakulation. 2. ↑Aspermie (1). A|sper|mie die; -: (Med.) 1. das Fehlen von Samenzellen im ↑Ejakulat. 2. ↑Aspermatismus (1)

As|per|si|on* ⟨lat.; „das Anspritzen"⟩ die; -, -en: das Besprengen mit Weihwasser. As|per|so|ri|um ⟨lat.-mlat.⟩ das; -s, ...ien: Weihwasserbehälter

As|phalt [auch: 'as...] ⟨gr.-lat.-fr.; „unzerstörbar"⟩ der; -s, -e: Gemisch von ↑Bitumen u. Mineralstoffen (bes. als Straßenbelag verwendet). as|phal|tie|ren: eine Straße mit einer Asphaltschicht versehen. as|phal|tisch: mit Asphalt beschichtet, versehen. As|phalt|ma|ka|dam ⟨gr.; engl.⟩ der od. das; -s, -e: Gemisch aus grobkörnigem Gestein, das zur Herstellung von Straßendecken verwendet wird

As|pho|de|lus ⟨gr.-nlat.⟩ der; -: ↑Affodill. As|pho|dill vgl. Affodill

as|phyk|tisch* ⟨gr.-nlat.⟩: pulslos, der Erstickung nahe (Med.). As|phy|xie ⟨„Pulslosigkeit"⟩ die; -, ...ien: Atemstillstand, Erstickung (infolge Sauerstoffverarmung des Bluts; Med.)

As|pi|dist|ra* ⟨gr.-nlat.⟩ die; -, ...stren: Schildblume (Zierstaude u. Zimmerpflanze)

As|pik [auch: as'pik u. 'aspik] ⟨fr.⟩ der (auch: das); -s, -e: Gallert aus Gelatine od. Kalbsknochen

As|pi|rant ⟨lat.-fr.⟩ der; -en, -en: 1. Bewerber, [Beamten]anwärter. 2. wissenschaftliche Nachwuchskraft an einer Hochschule der DDR. 3. ↑Postulant (2). As-pi|ran|tur ⟨lat.-fr.⟩ die; -, -en: besonderer Ausbildungsgang des wissenschaftlichen Nachwuchses in der DDR. As|pi|ra|ta ⟨lat.⟩ die; -, ...ten u. ...tä: behauchter [Verschluss]laut (z. B. griech. υ t ʰ; Sprachw.). As|pi|ra|teur [...'tø:ɐ̯] ⟨lat.-fr.⟩ der; -s, -e: Maschine zum Vorreinigen des Getreides. As|pi|ra|ti|on ⟨lat.⟩ die; -, -en: 1. (meist Plural) Bestrebung, Hoffnung, ehrgeiziger Plan. 2. [Aussprache eines Verschlusslautes mit] Behauchung (Sprachw.); vgl. Aspirata. 3. (Med.) a) das Eindringen von Flüssigkeiten od. festen Stoffen in die Luftröhre od. Lunge; b) Ansaugen von Luft, Gasen,

Flüssigkeiten u. a. beim Einatmen. As|pi|ra|tor ⟨lat.-nlat.⟩ der; -s, ...oren: Luft-, Gasansauger. as|pi|ra|to|risch: mit Behauchung gesprochen (Sprachw.). as|pi|rie|ren ⟨lat.(-fr.)⟩: 1. (veraltet) nach etwas streben; sich um etwas bewerben. 2. einen Verschlusslaut mit Behauchung aussprechen (Sprachw.). 3. ansaugen (von Luft, Gasen u. a.) As|pi|rin ® ⟨Kunstw.⟩ das; -s, -e: ein Schmerz- u. Fiebermittel As|pi|ro|me|ter* ⟨lat.; gr.⟩ das; -s, -: Gerät zum Bestimmen der Luftfeuchtigkeit As|pis|vi|per ⟨gr.; lat.⟩ die; -, -n: Giftschlange aus der Familie der Ottern Asp|lit* ® ⟨Kunstw.⟩ das; -s: selbsthärtender Kitt aus Phenolharz Ass ⟨lat.-fr.⟩ das; -es, -e: 1. a) [höchste] Karte im Kartenspiel; b) die Eins auf Würfeln. 2. hervorragender Spitzenkönner, bes. im Sport. 3. a) platzierter Aufschlagball, der vom Gegner nicht zurückgeschlagen werden kann (bes. Tennis); b) mit einem Schlag vom Abschlag ins Loch gespielter Ball (Golf). As|sa|gai ⟨berberisch-arab.-span.-fr.-engl.⟩ der; -s, -e: Wurfspieß eines Bantustammes im südlichen Afrika as|sai ⟨lat.-it.⟩: sehr, genug, recht, ziemlich (in Verbindung mit einer musikalischen Tempobezeichnung; Mus.) As|sam ⟨nach dem indischen Bundesstaat⟩ der; -s, -s: eine kräftige, würzige Teesorte as|sa|nie|ren ⟨lat.-fr.⟩: (österr.) gesund machen; verbessern (bes. im hygien. Sinne). As|sa|nie|rung die; -, -en: (österr.) Verbesserung der Bebauung von Liegenschaften aus hygienischen, sozialen, technischen od. verkehrsbedingten Gründen As|sas|si|ne ⟨arab.-it.⟩ der; -n, -n: 1. (veraltet) Meuchelmörder. 2. Angehöriger einer islamischen Glaubensgemeinschaft As|saut [a'so:] ⟨lat.-vulgärlat.-fr.⟩ das (auch: der); -s, -s: sportlicher Fechtwettkampf As|se|ku|ra|deur [...'dø:ɐ̯] ⟨lat.-vulgärlat.⟩, mit französischer Endung gebildet) der; -s, -e: Versicherungsagent, der als Selbstständiger für Versicherungsgesellschaften bes. an Seehandelsplätzen tätig ist. As|se|ku|rant ⟨lat.-vulgärlat.-it.⟩ der; -en, -en: Versicherer, Versicherungsträ-

ger. As|se|ku|ranz die; -, -en: (fachspr.) Versicherung. As|se|ku|ranz|prin|zip das; -s: Theorie, nach der die Steuern Versicherungsprämien für den vom Staat gewährten Personen- und Eigentumsschutz sind. As|se|ku|rat der; -en, -en: Versicherter, Versicherungsnehmer. as|se|ku|rie|ren: versichern . As|semb|la|ge* [asã'bla:ʒə] ⟨lat.-vulgärlat.-fr.⟩ die; -, -n: dreidimensionaler Gegenstand, der aus einer Kombination verschiedener Objekte entstanden ist (moderne Kunst). As|semb|lee die; -, ...bleen: Versammlung. As|semb|lée na|tio|nale [asãblenasjɔ'nal] die; - -, -s -s [...blenasjɔ'nal]: Nationalversammlung [in Frankreich 1789, 1848, 1871, 1946]. As|semb|ler [ə'sembla] ⟨lat.-vulgärlat.-fr.-engl.⟩ der; -s, -: (EDV) 1. maschinenorientierte Programmiersprache. 2. Übersetzungsprogramm zur Umwandlung einer maschinenorientierten Programmiersprache in die spezielle Maschinensprache. As|semb|ling das; -s, -s: Vereinigung, Zusammenschluss von Industriebetrieben zur Produktionssteigerung und Rationalisierung des Vertriebs as|sen|tie|ren ⟨lat.⟩: 1. bei-, zustimmen. 2. (österr. veraltet) auf Militärdiensttauglichkeit hin untersuchen. As|sen|tie|rung die; -, -en: (österr. veraltet) Musterung as|se|rie|ren ⟨lat.⟩: behaupten, versichern (Philos.). As|ser|ti|on die; -, -en: bestimmte, einfach feststellende Behauptung, Versicherung, Feststellung (Philos.). as|ser|to|risch ⟨lat.-nlat.⟩: behauptend, versichernd As|ser|vat ⟨lat.⟩ das; -[e]s, -e: ein in amtliche Verwahrung genommener, für eine Gerichtsverhandlung als Beweismittel wichtiger Gegenstand. As|ser|va|ten|kon|to das; -s, ...ten: Bankkonto, dessen Guthaben bestimmten Zwecken vorbehalten ist. as|ser|vie|ren: aufbewahren As|sess|ment|cen|ter, auch: As|sess|ment-Cen|ter ⟨amerik.⟩ das; -s, -: psychologisches Testverfahren; Einstufungstest As|ses|sor ⟨lat.⟩ ("Beisitzer") der; -s, ...oren: 1. jmd., der der zweite juristische Staatsprüfung bestanden hat. 2. (veraltet) ↑ Studienassessor; Abk.: Ass. as|ses|so|ral ⟨lat.-nlat.⟩ u. as|ses|so|risch ⟨lat.⟩: den Assessor betreffend

As|si|bi|la|ti|on ⟨lat.-nlat.⟩ die; -, -en: (Sprachw.) a) Aussprache eines Verschlusslautes in Verbindung mit einem Zischlaut (z. B. z = ts in „Zahn"); b) Verwandlung eines Verschlusslautes in einen Zischlaut (z. B. niederd. Water = hochd. Wasser); vgl. ...[at]ion/...ierung. as|si|bi|lie|ren: einem Verschlusslaut einen s- od. sch-Laut folgen lassen. As|si|bi|lie|rung die; -, -en: Assibilation; vgl. ...[at]ion/...ierung As|si|du|li|tät ⟨lat.⟩ die; -: Ausdauer, Beharrlichkeit As|si|et|te ⟨lat.-vulgärlat.-fr.⟩ die; -, -n: 1. Teller, flache Schüssel. 2. (österr. veraltet) kleines Vorod. Zwischengericht. 3. Stellung, Lage, Fassung As|sig|nant* ⟨lat.⟩ der; -en, -en: Anweisender, Aussteller einer Geldanweisung. As|sig|nat das; -en, -en: jmd., der auf eine Geldanweisung hin zahlen muss. As|sig|na|tar ⟨lat.-nlat.⟩ der; -s, -e: Empfänger einer Geldanweisung. As|sig|na|te ⟨lat.-fr.⟩ die; -, -n (meist Plural): Papiergeld[schein] der Ersten Französischen Republik. As|sig|na|ti|on ⟨lat.⟩ die; -, -en: Geld- od. Zahlungsanweisung. as|sig|nie|ren: [Geld] anweisen As|si|mi|lat ⟨lat.⟩ das; -[e]s, -e: ein im Lebewesen durch Umwandlung körperfremder in körpereigene Stoffe entstehendes Produkt (z. B. Stärke bei Pflanzen, ↑ Glykogen bei Tieren). As|si|mi|la|ti|on ⟨„Ähnlichmachung") die; -, -en: 1. a) Angleichung, Anpassung; b) Angleichung eines Konsonanten an einen anderen (z. B. das m in dt. Lamm aus mittelhochdt. lamb); Ggs. ↑ Dissimilation (1). 2. a) Überführung der von einem Lebewesen aufgenommenen Nährstoffe in (2); b) die Bildung von Kohlehydraten aus Kohlendioxid der Luft und aus Wasser unter dem Einfluss des Lichtes, wobei Sauerstoff abgegeben wird. 3. Angleichung von Menschen, die in einer anderen ethnischen od. rassischen Gruppe leben (Soziol.). As|si|mi|la|ti|ons|ge|we|be das; -s, -: ↑ Palisadengewebe. as|si|mi|la|to|risch ⟨lat.-nlat.⟩: 1. die Assimilation betreffend. 2. durch Assimilation gewonnen. as|si|mi|lie|ren ⟨lat.⟩: angleichen, anpassen. As|si|mi|lie|rung die; -, -en: ↑ Assimilation As|si|sen ⟨lat.-vulgärlat.-fr.⟩ die

(Plural): Schwurgericht und dessen Sitzungen in der Schweiz u. in Frankreich
As|sist [ə'sıst] ⟨lat.-fr.-engl.⟩ der; -s, -s: Zuspiel, das zum Treffer führt (Sport). **As|sis|tent** ⟨lat.; „Beisteher, Helfer"⟩ der; -en, -en: a) jmd., der einem anderen assistiert; b) [wissenschaftlich] entsprechend ausgebildete Fachkraft innerhalb einer bestimmten Laufbahnordnung, bes. in Forschung u. Lehre. **As|sis|tenz** ⟨lat.-mlat.⟩ die; -, -en: Beistand, Mithilfe. **As|sis|tenz|arzt** der; -es, ...ärzte: approbierter Arzt, der einem Chefarzt unterstellt ist. **As|sis|tenz|fi|gur** die; -, -en: in sakralen Bildern verwendete Figur, die nicht zum Sinngehalt des Bildes beiträgt, sondern das Bild nur auffüllt und abrundet (Kunstwiss.). **As|sis|tenz|pro|fes|sor** der; -s, -en: wissenschaftliche Fachkraft an deutschen Universitäten. **as|sis|tie|ren** ⟨lat.⟩: jmdm. nach dessen Anweisungen zur Hand gehen
As|so|ci|a|ted Press [ə'souſıeı-tıd-] ⟨engl.⟩ die; - -: US-amerikanisches Nachrichtenbüro; Abk.: AP. **As|so|cié** [aso'sje:] ⟨lat.-fr.⟩ der; -s, -s: (veraltet) Teilhaber
As|so|lu|ta ⟨lat.-it.⟩ die; -, -s: weiblicher Spitzenstar in Ballett u. Oper
As|so|nanz ⟨lat.-nlat.⟩ die; -, -en: Gleichklang zwischen zwei od. mehreren Wörtern [am Versende], der sich auf die Vokale beschränkt (Halbreim; z. B. laben; klagen; Metrik)
as|sor|tie|ren ⟨fr.⟩: nach Warenarten auswählen, ordnen u. vervollständigen. **As|sor|ti|ment** das; -s, -e: Warenlager, Auswahl, ↑Sortiment (1)
As|so|zi|a|ti|on ⟨lat.-fr.; „Vereinigung"⟩ die; -, -en: 1. Vereinigung, Zusammenschluss. 2. Verknüpfung von Vorstellungen, von denen die eine die andere hervorgerufen hat (Psychol.). 3. Vereinigung mehrerer gleichartiger Moleküle zu einem Molekülkomplex (Chem.). 4. Gruppe von Pflanzen, die sich aus verschiedenen, aber charakteristischen Arten zusammensetzt (Bot.). 5. bündnisloser, militärischer u. politischer Zusammenschluss von Staaten. 6. klangliche, inhaltliche, formale assoziative Beziehungen zwischen sprachlichen Zeichen (Sprachw.). 7. Zusammenhang zwischen zwei statistischen Reihen (Statistik). 8. Ansammlung von Sternen (Astron.); vgl. ...[at]ion/...ierung. **as|so|zi|a|tiv** ⟨nlat.⟩: a) durch Vorstellungsverknüpfung bewirkt (Psychol.); b) verbindend, vereinigend. **As|so|zi|a|tiv|ge|setz** das; -es: mathematisches Gesetz, das für eine Verknüpfungsart die Unabhängigkeit des Ergebnisses von der Klammersetzung fordert (z. B. a · (b · c) = (a · b) · c). **as|so|zi|ie|ren** ⟨lat.-fr.⟩: 1. eine gedankliche Vorstellung mit etwas verknüpfen (Psychol.). 2. sich assoziieren: sich genossenschaftlich zusammenschließen, vereinigen. **As|so|zi|ie|rung** die; -, -en: 1. vertraglicher Zusammenschluss mehrerer Personen, Unternehmen od. Staaten zur Verfolgung bestimmter gemeinsamer wirtschaftlicher Interessen. 2. ↑Assoziation (2); vgl. ...[at]ion/...ierung
as|su|mie|ren ⟨lat.⟩: annehmen, gelten lassen. **As|sump|tio** vgl. Assumtion. **As|sump|ti|o|nist** ⟨lat.-nlat.⟩ der; -en, -en: Angehöriger der ↑Kongregation der Augustiner von Mariä Himmelfahrt (1845). **As|sum|ti|on**, Assumptio ⟨lat.⟩ die; -, ...tionen: Aufnahme einer Seele in den Himmel, bes. die Himmelfahrt Marias. **As|sun|ta** ⟨lat.-it.; „die Aufgenommene"⟩ die; -, ...ten: bildliche Darstellung der Himmelfahrt Marias
As|sy|ri|o|lo|ge ⟨gr.-nlat.⟩ der; -n, -n: Wissenschaftler auf dem Gebiet der Assyriologie. **As|sy|ri|o|lo|gie** die; -: Wissenschaft von Geschichte, Sprachen u. Kulturen des alten Assyriens u. Babyloniens. **as|sy|ri|o|lo|gisch**: die Assyriologie betreffend
As|ta|sie ⟨gr.-nlat.⟩ die; -, ...ien: Unfähigkeit zu stehen (bes. bei Hysterie; Med.). **as|ta|sie|ren**: ein Messinstrument gegen Beeinflussung durch störende äußere Kräfte (z. B. Erdmagnetismus, Schwerkraft) schützen. **As|ta|sie|rung** die; -, -en: Vorrichtung, die fremde Einflüsse auf die schwingenden Teile von Messinstrumenten schwächt (z. B. die Einwirkung des Erdmagnetismus auf die Magnetnadel). **As|tat** u. **As|ta|tin** das; -s: chemisches Element (Zeichen: At). **as|ta|tisch**: gegen Beeinflussung durch äußere elektrische od. magnetische Felder geschützt (bei Messinstrumenten). **astatisches Nadelpaar:** zwei entgegengesetzt gepolte, starr untereinander verbundene (nicht gegeneinander bewegliche) Magnetnadeln gleichen magnetischen ↑²Moments (2)
as|te|risch ⟨gr.-nlat.⟩: sternähnlich. **As|te|risk** vgl. Asteriskus. **As|te|ris|kos** ⟨gr.⟩ der; -: ein Altargerät aus zwei sich kreuzenden Metallbogen als Träger der Decke über dem geweihten Brot (in den Ostkirchen). **As|te|ris|kus** ⟨gr.-lat.⟩ der; -, ...ken u. Asterisk der; -s, -s od. -e: a) Sternchen (*) als Hinweis auf eine Fußnote, Anmerkung o. Ä.; b) Sternchen (*) als Kennzeichnung von erschlossenen, nicht belegten Formen (Sprachw.). **As|te|ris|mus** ⟨gr.⟩ der; -: Eigenschaft verschiedener Kristalle, auffallendes Licht strahlenförmig zu reflektieren (Phys.). **As|te|ro|lid** der; -en, -en: kleiner Planet, ↑Planetoid. **As|te|ro|nym** das; -s, -e: Zeichen aus drei Sternchen (***) anstelle des Verfassernamens
As|the|nie ⟨gr.-nlat.⟩ die; -, ...ien: 1. (ohne Plural) Kraftlosigkeit, Schwächlichkeit (Med.). 2. Schwäche, Entkräftung, Kräfteverfall (Med.). **As|the|ni|ker** der; -s, -: jmd., der einen schmalen, schmächtigen, muskelarmen u. knochenschwachen Körperbau besitzt. **as|the|nisch**: schmalwüchsig, schwach; dem Körperbau des Asthenikers entsprechend. **As|the|no|pie** die; -: rasche Ermüdbarkeit der Augen [beim Nahesehen] (Med.). **As|the|no|sphä|re** die; -: in etwa 100 bis 200 km Tiefe gelegener Bereich des Erdmantels. **Äs|the|sie** ⟨gr.-nlat.⟩ die; -: Empfindungsvermögen, ↑Ästhesie. **Äs|the|si|o|lo|gie** die; -: Lehre von den Sinnesorganen u. ihren Funktionen (Med.). **äs|the|si|o|lo|gisch**: die Ästhesiologie betreffend. **Äs|thet** ⟨„der Wahrnehmende"⟩ der; -en, -en: jmd., der in besonderer Weise auf kultivierte Gepflegtheit, Schönheit, Künstlerisches anspricht, was sich auch in seinem Lebensstil niederschlägt. **Äs|the|tik** ⟨gr.-nlat.⟩ die; -: 1. Wissenschaft vom Schönen, Lehre von der Gesetzmäßigkeit u. Harmonie in Natur u. Kunst. 2. (ohne Plural) das stilvoll Schöne. **Äs|the|ti|ker** der; -s, -: Vertreter od. Lehrer der Ästhetik. **äs|the|tisch**: 1. die Ästhetik (1) betreffend. 2. stilvoll-schön, geschmackvoll, ansprechend. äs-

the|ti|sie|ren: einseitig nach den Gesetzen des Schönen urteilen od. etwas danach gestalten. **Äs|the|ti|zis|mus** *der; -:* Lebens- u. Kunstanschauung, die dem Ästhetischen einen absoluten Vorrang vor anderen Werten einräumt. **Äs|the|ti|zist** *der; -en, -en:* Vertreter des Ästhetizismus. **äs|the|ti|zis|tisch:** den Ästhetizismus betreffend

Asth|ma *(gr.-lat.) das; -s:* anfallsweise auftretende Atemnot, Kurzatmigkeit. **Asth|ma|ti|ker** *der; -s, -:* jmd., der an Asthma leidet. **asth|ma|tisch:** a) durch Asthma bedingt; b) an Asthma leidend, kurzatmig

As|ti *der; -[s], -:* Wein aus dem Gebiet um die oberitalienische Stadt Asti; **Asti spumante:** italienischer Schaumwein

as|tig|ma|tisch* *(gr.-nlat.):* Punkte strichförmig verzerrend (von Linsen bzw. vom Auge). **As|tig|ma|tis|mus** *der; -:* 1. Abbildungsfehler von Linsen (Phys.). 2. Sehstörung infolge krankhafter Veränderung der Hornhautkrümmung (Med.)

As|til|be* *(gr.-nlat.) die; -, -n:* Zierstaude aus der Familie der Steinbrechgewächse

Äs|ti|ma|ti|on *(lat.-fr.) die; -, -en:* Achtung, Anerkennung, Wertschätzung. **äs|ti|mie|ren:** 1. jmdn. als Persönlichkeit schätzen, ihm Aufmerksamkeit zuteil werden lassen. 2. jmds. Leistungen o. Ä. entsprechend würdigen

Äs|ti|va|ti|on *(lat.-nlat.) die; -, -en:* Art der Anordnung der Blattanlagen in der Knospe (Bot.)

Äs|to|me|ter *(lat.; gr.) das; -s, -:* Gerät zur ↑energetischen Strahlungsmessung mit Fotozellen

Ast|ra|chan* *(nach der russ. Stadt) der; -s, -s:* 1. Lammfell eines südruss. Schafes. 2. Plüschgewebe mit fellartigem Aussehen

Ast|ra|gal* *(gr.-lat.) der; -s, -e:* Rundprofil (meist Perlschnur), bes. zwischen Schaft u. Kapitell einer Säule. **Ast|ra|ga|lus** *der; -, ...li:* 1. (veraltet) oberster Fußwurzelknochen (Sprungbein; Anat.). 2. in der Antike ein kleiner Spielstein (aus dem Sprungbein von Schafen gefertigt). 3. ↑Astragal

as|tral* *(gr.-lat.):* die Gestirne betreffend; Stern... **Ast|ral|leib** *der; -s, -er:* 1. im ↑Okkultismus den Tod überdauernder unsichtbarer Leib des Menschen. 2. in der ↑Anthroposophie ätherisch gedachter Träger des Lebens im Körper des Menschen. 3. (ugs., meist iron.) schöner menschlicher Körper. **Ast|ral|my|tho|lo|gie** *die; -:* Lehre von den Gestirnen als göttlichen Mächten

Ast|ral|on* *(Kunstw.) das; -s:* durchsichtiger Kunststoff

Ast|ral|re|li|gi|on* *die; -:* göttliche Verehrung der Gestirne

Ast|rild* *(afrikaans) der; -s, -e:* vorwiegend in Afrika heimischer Webervogel, Prachtfink

Ast|ro|bi|o|lo|gie* *(gr.; gr.-nlat.) die; -:* Wissenschaft vom Leben auf anderen Himmelskörpern u. im Weltraum. **Ast|ro|dy|na|mik** *die; -:* 1. Teilgebiet der ↑Astrophysik, auf dem man sich mit der ↑Dynamik (1) von Sternsystemen o. Ä. befasst. 2. Teilgebiet der Raumflugtechnik, auf dem man sich mit der Bewegung künstlicher ↑Satelliten (3) befasst. **Ast|rog|no|sie** *(gr.-nlat.) die; -:* Kenntnis des Sternenhimmels, wie er dem bloßen Auge erscheint. **Ast|ro|graph,** auch: **Astrograf** *der; -en, -en:* 1. astronomisches Fernrohr zur fotografischen Aufnahme von Gestirnen. 2. Vorrichtung zum Zeichnen von Sternkarten. **Ast|ro|gra|phie,** auch: Astrografie *die; -, ...ien:* Sternbeschreibung. **ast|ro|gra|phisch,** auch: astrografisch: die Astrographie betreffend. **Ast|ro|kom|pass** *der; -es, -e:* Gerät zur Bestimmung der Nordrichtung unter Bezug auf einen Himmelskörper. **Ast|ro|la|bi|um** *(gr.-mlat.) das; -s, ...ien:* altes astronomisches Instrument zur lagemäßigen Bestimmung von Gestirnen. **Ast|ro|lat|rie** *(gr.-nlat.) die; -:* Sternverehrung. **Ast|ro|lo|ge** *(gr.-lat.) der; -n, -n:* jmd., der sich systematisch u./ od. beruflich mit Astrologie beschäftigt; b) (scherzh.) jmd., der aufgrund seiner Kenntnis der politischen Verhältnisse [eines Landes o. Ä.] Voraussagen über zu erwartende Maßnahmen machen kann. **Ast|ro|lo|gie** *die; -:* der Versuch, das Geschehen auf der Erde u. das Schicksal des Menschen aus bestimmten Gestirnstellungen zu deuten u. vorherzusagen; Lehre, die aus der mathematischen Erfassung der Orte u. Bewegungen der Himmelskörper sowie von orts- u. zeitabhängigen Koordinatenschnittpunkten Schlüsse zur Beurteilung von irdischen Gegebenheiten u. deren Entwicklung zieht; Schicksalsdeutung u. Vorhersage aus einem ↑Horoskop (a). **ast|ro|lo|gisch:** a) die Astrologie betreffend; b) mit den Mitteln der Astrologie erfolgend. **Ast|ro|man|tie** *(gr.-nlat.) die; -:* das Wahrsagen aus den Sternen. **Ast|ro|me|te|o|ro|lo|gie** *die; -:* 1. Wissenschaft von den ↑Atmosphären (1) anderer Himmelskörper (bes. der Planeten). 2. Lehre vom Einfluss der Gestirne aufs Wetter. **Ast|ro|me|ter** *das; -s, -:* Gerät zum Messen der Helligkeit von Sternen. **Ast|ro|met|rie** *die; -:* Zweig der Astronomie, der sich mit der Messung der Ortsveränderungen von Sternen beschäftigt. **Ast|ro|naut** *der; -en, -en:* Weltraumfahrer, Teilnehmer an einem Raumfahrtunternehmen; vgl. Kosmonaut. **Ast|ro|nau|tik** *die; -:* [Wissenschaft von der] Raumfahrt. **ast|ro|nau|tisch:** die Raumfahrt betreffend; vgl. kosmonautisch. **Ast|ro|na|vi|ga|ti|on** *die; -:* 1. ↑Navigation unter Verwendung von Messdaten angepeilter Himmelskörper. 2. Bestimmung von Ort u. Kurs eines Raumschiffs nach den Sternen. **Ast|ro|nom** *(gr.-lat.) der; -en, -en:* jmd., der sich wissenschaftlich mit der Astronomie beschäftigt; Stern-, Himmelsforscher. **Ast|ro|no|mie** *die; -:* Stern-, Himmelskunde als exakte Naturwissenschaft. **ast|ro|no|misch:** 1. die Astronomie betreffend, nach ihr üblich. 2. [unvorstellbar] groß, riesig (in Bezug auf Zahlenangaben od. Preise). **Ast|ro|pho|to|met|rie*,** auch: Astrofoto... *die; -:* Messung der Helligkeit von Gestirnen. **Ast|ro|phyl|lit** [auch: ...'lıt] *der; -s, -e:* ein Mineral. **Ast|ro|phy|sik** [auch: ...'zi:k] *die; -:* Teilgebiet der Astronomie, auf dem man sich mit dem Aufbau u. der physikalischen Beschaffenheit der Gestirne beschäftigt. **Ast|ro|phy|si|ka|lisch** [auch: ...'ka:...]: die Astrophysik betreffend. **Ast|ro|phy|si|ker** [auch: ...'fy:...] *der; -s, -:* Wissenschaftler, der auf dem Gebiet der Astrophysik arbeitet. **Ast|ro|spekt|ro|sko|pie*** [auch: ...'pi:] *die; -:* Untersuchung des ↑Spektrums von Gestirnen

Äs|tu|ar *das; -s, -e* u. **Äs|tu|a|ri|um** *(lat.) das; -s, ...ien:* trichterförmige Flussmündung

A|syl *(gr.-lat.; „Unverletzliches“) das; -s, -e:* 1. Unterkunft, Heim (für Obdachlose). 2. a) Aufnahme u. Schutz (für Verfolgte); b) Zufluchtsort. **A|sy|lant** der; -en, -en: jmd., der um Asyl nachsucht. **A|sy|lie|rung** die; -, -en: Unterbringung in einem Asyl **A|symb|las|tie*** ⟨gr.-nlat.⟩ die; -: unterschiedliche Keimungszeiten von Samen derselben Pflanze (Bot.)

A|sym|met|rie* [auch: 'a...] ⟨gr.-nlat.⟩ die; -, ...ien: Mangel an ↑ Symmetrie (1, 2), Ungleichmäßigkeit. **a|sym|met|risch** [auch: 'a...]: auf beiden Seiten einer Achse kein Spiegelbild ergebend (von Figuren o. Ä.), ungleichmäßig; Ggs. ↑ symmetrisch

A|symp|to|te* ⟨gr.-nlat.; „nicht zusammenfallend"⟩ die; -, -n: Gerade, der sich eine ins Unendliche verlaufende Kurve nähert, ohne sie zu erreichen. **a|symp-to|tisch:** sich wie eine Asymptote verhaltend (Math.)

a|syn|chrom ⟨gr.-nlat.⟩: in der Fugung: **asynchromer Druck:** Mehrfarbendruck, bei dem für jede Farbe eine Druckplatte vorhanden ist

a|syn|chron [auch: ...'kro:n] ⟨gr.-nlat.⟩: 1. nicht mit gleicher Geschwindigkeit laufend; Ggs. ↑ synchron (1). 2. a) nicht gleichzeitig; b) entgegenlaufend; Ggs. ↑ synchron (1). **A|syn|chron|mo-tor** der; -s, -e[n]: Wechsel- od. Drehstrommotor, dessen Drehzahl unabhängig von der Frequenz des Netzes geregelt werden kann

a|syn|de|tisch [auch: ...'de...] ⟨gr.-lat.⟩: a) das Asyndeton betreffend; b) nicht durch Konjunktion verbunden, unverbunden; Ggs. ↑ syndetisch. **A|syn-de|ton** das; -s, ...ta: Wort- od. Satzreihe, deren Glieder nicht durch Konjunktionen miteinander verbunden sind (z. B. „alles rennet, rettet, flüchtet", Schiller); vgl. Polysyndeton

A|sy|ner|gie* ⟨gr.-nlat.⟩ die; -, ...ien: Störung im Zusammenwirken mehrerer Muskelgruppen (z. B. bei der Durchführung bestimmter Bewegungen; Med.)

A|sys|to|lie ⟨gr.-nlat.⟩ die; -, ...ien: Systolenabschwächung od. -ausfall bei Herzmuskelschädigung

as|zen|dent ⟨lat.⟩: 1. aufsteigend (z. B. von Dämpfen; Geol.); Ggs. ↑ deszendent. 2. den Aufbau kleinerer Einheiten zu komplexeren Ganzen betreffend. **As-zen|dent** der; -en, -en (Ggs. ↑ Deszendent): 1. Vorfahr; Verwandter in aufsteigender Linie.

2. (Astron.) a) Gestirn im Aufgang; b) Aufgangspunkt eines Gestirns. 3. das im Augenblick der Geburt über dem Osthorizont tretende Tierkreiszeichen (Astrol.). **As|zen|denz** ⟨lat.-nlat.⟩ die; -, -en (Ggs. ↑ Deszendenz): 1. (ohne Plural) Verwandtschaft in aufsteigender Linie. 2. Aufgang eines Gestirns. **as|zen|die|ren** ⟨lat.⟩: 1. aufsteigen (von Gestirnen). 2. (veraltet) befördert werden, im Dienstrang aufrücken. **As|zen|si|on** die; -: (veraltet) Himmelfahrt [Christi] **As|ze|se** usw. vgl. Askese usw. **As|ze|tik** der; -: Lehre vom Streben nach christlicher Vollkommenheit. **As|ze|ti|ker** der; -s, -: Vertreter der Aszetik **As|zi:** Plural von ↑ Askus **As|zi|tes** u. Ascites ⟨gr.-lat.⟩ der; -: Bauchwassersucht (Med.)

A|tal|beg ⟨türk.; „Vater Fürst"⟩ der; -[s], -s: ehemaliger türkischer Titel für Emire **a|tak|tisch** [auch: a'tak...] ⟨gr.-nlat.⟩: unregelmäßig, ungleichmäßig (von Bewegungen; Med.) **A|ta|man** ⟨russ.⟩ der; -s, -e: frei gewählter Stammes- u. militärischer Führer der Kosaken; vgl. Hetman

A|ta|rak|ti|kum ⟨gr.; lat.⟩ das; -s, ...ka: Beruhigungsmittel (Med.). **A|ta|ra|xie** ⟨gr.⟩ die; -: Unerschütterlichkeit, Gleichmut, Seelenruhe (griech. Philos.)

A|ta|vis|mus ⟨lat.-nlat.⟩ der; -, ...men. 1. (ohne Plural) das Wiederauftreten von Merkmalen der Vorfahren, die den unmittelbar vorhergehenden Generationen fehlen (bei Pflanzen, Tieren u. Menschen). 2. entwicklungsgeschichtlich als überholt geltendes, unvermittelt wieder auftretendes körperliches od. geistigseelisches Merkmal. **a|ta|vis-tisch:** 1. den Atavismus betreffend. 2. (abwertend) in Gefühlen, Gedanken usw. einem früheren, primitiven Menschheitsstadium entsprechend

A|ta|xie ⟨gr.-nlat.⟩ die; -, ...ien: Störung im geordneten Ablauf u. in der Koordination von Muskelbewegungen (Med.)

A|teb|rin* ⟨Kunstw.⟩ das; -s: ein Malariamittel

A|tel|lek|ta|se* ⟨gr.-nlat.⟩ die; -, -n: Zustand einer Luftverknappung od. Luftleere in den Lungen (Med.). **A|te|lie** die; -, ...ien: 1. das Weiterbestehen infantiler Merkmale beim erwachsenen Menschen (Med.). 2. Merkmal,

Eigenschaft eines Tiers od. einer Pflanze ohne erkennbaren biologischen Zweck (Biol.)

A|te|li|er [atə'lje:] ⟨lat.-fr.⟩ das; -s, -s: Arbeitsraum, -stätte (z. B. für einen Künstler, für Foto- od. Filmaufnahmen)

A|tel|la|ne ⟨lat.; nach der altrömischen Stadt Atella in Kampanien⟩ die; -, -n: (ursprünglich oskische) altrömische Spaßposse

a tem|po ⟨it.⟩: 1. (ugs.) sofort, schnell. 2. im Anfangstempo [weiterspielen] (Vortragsanweisung; Mus.)

Ä|than, chem. fachspr.: Ethan ⟨gr.-nlat.⟩ das; -s: gasförmiger Kohlenwasserstoff. **Ä|tha|nal,** chem. fachspr.: Ethanal das; -s: ↑ Acetaldehyd (Chem.)

A|tha|na|si|a|num ⟨nlat.; nach dem Patriarchen Athanasius v. Alexandria, † 373⟩ das; -s: christliches Glaubensbekenntnis aus dem 6. Jh.

A|tha|na|sie ⟨gr.⟩ die; -: Unsterblichkeit (Rel.). **At|ha|na|tis|mus** ⟨gr.-nlat.⟩ der; -: Lehre von der Unsterblichkeit (Verewigung) der Seele

Ä|tha|nol, chem. fachspr.: Ethanol (Kurzw. aus ↑ Äthan u. ↑ Alkohol) das; -s: chemische Verbindung aus der Gruppe der Alkohole (Äthylalkohol)

A|thau|ma|sie ⟨gr.⟩ die; -: das Sich-nicht-Wundern, Verwundersungslosigkeit; notwendige Bedingung der Seelenruhe (↑ Ataraxie) u. Glückseligkeit (↑ Eudämonie; Phil.)

A|the|is|mus ⟨gr.-nlat.⟩ der; -: Gottesleugnung, Verneinung der Existenz Gottes oder seiner Erkennbarkeit. **A|the|ist** der; -en, -en: Anhänger des Atheismus. **a|the|is|tisch:** a) dem Atheismus anhängend; b) zum Atheismus gehörend, ihm entsprechend

A|the|lie ⟨gr.-nlat.⟩ die; -, ...ien: angeborenes Fehlen der Brustwarzen (als Fehlbildung; Med.)

a|the|ma|tisch [auch: ...'ma:...] ⟨gr.-nlat.⟩: 1. ohne Thema, ohne Themaverarbeitung (Mus.). 2. ohne ↑ Themavokal gebildet (von Wortformen); Ggs. ↑ thematisch (2)

Ä|then, chem. fachspr.: Ethen ⟨gr.-nlat.⟩ das; -s: ↑ Äthylen

A|the|nä|um ⟨gr.-lat.⟩ das; -s, ...äen: Tempel der Göttin Athene **Ä|ther** ⟨gr.-lat.⟩ der; -s: 1. a) Himmelsluft, wolkenlose Weite des Himmels; b) nach einer heute aufgegebenen Annahme das nicht näher bestimmbare Medium, in dem sich die elektrischen Wellen im Weltraum ausbreiten (Phys.). 2. (chem. fachspr.: Ether) a) das Oxid eines Kohlenwasserstoffs; b) Äthyläther (Narkosemittel). 3. Urstoff allen Lebens, Weltseele (griech. Philos.). **ä|the|risch:** a) überaus zart, erdentrückt, vergeistigt; b) ätherartig, flüchtig; **ätherische Öle:** flüchtige pflanzliche Öle von charakteristischem, angenehmem Geruch (z. B. Lavendel-, Rosen-, Zimtöl). **ä|the|ri|sie|ren** ⟨gr.-nlat.⟩: Äther anwenden; mit Äther behandeln (Med.). **Ä|ther|leib** der; -s, -er: der ätherisch gedachte Träger des Lebens im menschlichen Körper (Anthroposophie); vgl. Astralleib

a|ther|man ⟨Kurzw. aus ↑a... u. ↑diatherman⟩: für Wärmestrahlen undurchlässig

A|the|rom ⟨gr.-lat.⟩ das; -s, -e: (Med.) 1. Talgdrüsen-, Haarbalggeschwulst. 2. degenerative Veränderung der Gefäßwand bei ↑Arteriosklerose. **a|the|ro|ma|tös** ⟨gr.-nlat.⟩: (Med.) 1. das Atherom betreffend. 2. breiartig. **A|the|ro|ma|to|se** die; -, -n: krankhafte Veränderung der Arterieninnenhaut im Verlauf einer ↑Arteriosklerose (Med.). **A|the|ro|skle|ro|se*** ⟨Kurzw. aus ↑Atheromatose u. ↑Arteriosklerose⟩ die; -, -n: ↑Arteriosklerose (Med.)

A|the|sie ⟨gr.⟩ die; -, ...ien: Unbeständigkeit, Treulosigkeit.

A|thes|mie die; -, ...ien: Gesetz-, Zügellosigkeit. **A|the|to|se** die; -, -n: Verwerfung einer überlieferten Lesart (Textkritik). **A|the|to|se** ⟨gr.-nlat.⟩ die; -, -n: Krankheitsbild bei verschiedenen Erkrankungen mit unaufhörlichen, ungewollten, langsamen, bizarren Bewegungen der Gliedmaßenenden (Med.)

Äl|thin, chem. fachspr.: Ethin ⟨gr.-nlat.⟩ das; -s: Acetylen

Äl|thi|o|pi|a|nis|mus, Äl|thi|o|pis|mus ⟨gr.-nlat.; nach dem Staat Äthiopien⟩ der; -: um 1890 unter den Schwarzen in Südafrika entstandene Bewegung, die den Einfluss der Weißen in den christlichen Kirchen Afrikas einschränken od. beseitigen wollte

Ath|let ⟨gr.-lat.⟩ der; -en, -en: 1. Wettkämpfer. 2. muskulös gebauter Mann, Kraftmensch. **Ath|le|tik** die; -: die von berufsmäßig kämpfenden Athleten (1)

ausgetragenen Wettkämpfe im antiken Griechenland. **Ath|le|ti|ker** der; -s, -: Vertreter eines bestimmten Körperbautyps (kräftige Gestalt, derber Knochenbau); vgl. Leptosome, Pykniker. **ath|le|tisch:** a) muskulös, von kräftigem Körperbau; b) sportlich durchtrainiert, gestählt

Äth|ri|lo|skop* ⟨gr.-nlat.⟩ das; -s, -e: in einem Hohlspiegel stehendes Thermometer für die Messung von Raumstrahlung (Phys.)

Äl|thyl, chem. fachspr.: Ethyl ⟨gr.-nlat.⟩ das; -s, -e: einwertiges Kohlenwasserstoffradikal (vgl. Radikal 3), das in vielen organischen Verbindungen enthalten ist. **Äl|thyl|al|ko|hol** der; -s: der vom ↑Äthan ableitbare Alkohol (Weingeist); vgl. Äthanol. **Äl|thy|len,** chem. fachspr.: Ethylen das; -s: einfachster ungesättigter Kohlenwasserstoff (im Leuchtgas enthalten)

A|thy|mie ⟨gr.⟩ die; -, ...ien: Antriebslosigkeit, Schwermut (Med.)

Ä|ti|o|lo|gie ⟨gr.-lat.⟩ die; -, ...ien: (Med.) 1. Lehre von den Krankheitsursachen. 2. Gesamtheit der Faktoren, die zu einer bestehenden Krankheit geführt haben; vgl. Pathogenese. **ä|ti|o|lo|gisch:** a) die Ätiologie betreffend; b) ursächlich, begründend; **ätiologische Sagen:** Sagen, die auffällige Erscheinungen, Bräuche u. Namen erklären wollen

...[at]ion/...ierung: oftmals konkurrierende Endungen von Substantiven, die von Verben auf ...ieren abgeleitet sind; häufig stehen beide Bildungen ohne Bedeutungsunterschied nebeneinander, z. B. Isolation/Isolierung, Konfrontation/Konfrontierung; im Allgemeinen bringen jedoch die Bildungen auf ...ierung stärker das Geschehen zum Ausdruck als die Bildungen auf ...[at]ion

ä|ti|o|trop* ⟨gr.-nlat.⟩: auf die Ursache gerichtet, sie betreffend

At|lant ⟨gr.-lat.; nach dem Riesen Atlas der griechischen Sage, der das Himmelsgewölbe trägt⟩ der; -en, -en: Gebälkträger in Gestalt einer kraftvollen Männerfigur anstelle eines Pfeilers od. einer Säule (Archit.); vgl. Karyatide. **At|lan|thro|pus*** ⟨gr.-nlat.⟩ der; -, ...pi: Urmenschenform der Pithekanthropus-Gruppe. **At|lan|tik** ⟨gr.-lat.⟩ der; -s: Atlantischer Ozean. **At|lan|tik|char|ta** die; -: 1941 auf einem amerikanischen

Kriegsschiff zwischen Roosevelt u. Churchill aufgestellte Grundsätze über Kriegsziele u. Nachkriegspolitik. **At|lan|tik|pakt** der; -s: ↑NATO. **At|lan|ti|kum** ⟨nach dem Atlantischen Ozean⟩ das; -s: Wärmeperiode der Nacheiszeit. **At|lan|tis** das; -: sagenhafte Insel im Atlantischen Ozean. **at|lan|tisch:** 1. dem Atlantischen Ozean angehörend. 2. den Atlantikpakt betreffend. **At|lan|to|sau|rus** ⟨gr.-nlat.⟩ der; -, ...ri: Riesenreptil (bis 40 m Länge) aus einem früheren Erdzeitalter (untere Kreide). **[1]At|las** ⟨ein Riese der griechischen Sage, der das Himmelsgewölbe trägt⟩ der; - u. -ses, -se u. ...lanten: 1. a) Sammlung gleichartig bearbeiteter geographischer Karten in Buchform; b) Sammlung von Bildtafeln aus einem Wissensgebiet in Buchform. 2. (selten) Atlant. 3. (ohne Plural) erster Halswirbel, der den Kopf trägt (Med.)

[2]At|las ⟨arab.⟩ der; - u. -ses, -se: Gewebe mit hochglänzender Oberfläche in besonderer Bindung (Webart). **at|las|sen:** aus ↑[2]Atlas

At|man ⟨sanskr.; „Atem“⟩ der od. das; -[s]: Seele in der indischen Philosophie

At|mi|do|me|ter vgl. Atmometer. **At|mi|do|kau|sis** ⟨gr.-nlat.⟩ die; -: Ausdampfung der Gebärmutterhöhle bei starken Blutungen (Med.). **At|mo|me|ter** das; -s, -: Verdunstungsmesser (Meteor.). **at|mo|phil:** in der Atmosphäre angereichert vorkommend (z. B. Stickstoff, Sauerstoff)

At|mo|sphä|re* ⟨gr.⟩ die; -, -n: 1. a) Gashülle eines Gestirns; b) Lufthülle der Erde. 2. [nicht gesetzliche] Einheit des Druckes (Zeichen ist der physikalische Atmosphäre: atm, früher: Atm; für die technische Atmosphäre: at). 3. eigenes Gepräge, Ausstrahlung, Stimmung, Fluidum. **At|mo|sphä|ren|über|druck** der; -s: (veraltet) der um 1 Atmosphäre liegende Druck (Zeichen: atü). **At|mo|sphä|ri|li|en** die (Plural): die physikalisch u. chemisch wirksamen Bestandteile der Atmosphäre (z. B. Sauerstoff, Stickstoff). **at|mo|sphä|risch:** 1. a) die Atmosphäre (1) betreffend; b) in der Atmosphäre (1). 2. a) Atmosphäre (3), ein besonderes Fluidum betreffend; b) nur in sehr feiner Form vorhanden u. daher kaum feststellbar;

nur andeutungsweise vorhanden, anklingend. **At|mo|sphä|ro|gra|phie**, auch: ...grafie *die;* -: wissenschaftliche Beschreibung der Atmosphäre (1). **At|mo|sphä|ro|lo|gie** *die;* -: Lehre von der Atmosphäre (1; Zweig der Meteorologie) **A|toll** *〈drawid.-engl.-fr.〉 das;* -s, -e: ringförmige Koralleninsel **A|tom** *〈gr.-lat.;* „unteilbar; unteilbarer Urstoff") *das;* -s, -c: kleinste, mit chemischen Mitteln nicht weiter zerlegbare Einheit eines chem. Elementes, die noch die für das Element charakteristischen Eigenschaften besitzt. **a|to|mar** *〈gr.-nlat.〉:* a) ein Atom betreffend; b) die Kernenergie betreffend; c) mit Kernenergie [angetrieben]; d) Atomwaffen betreffend. **A|tom|bom|be** *die;* -, -n: Sprengkörper, bei dessen Explosion Atomkerne unter Freigabe größter Energiemengen zerfallen. **A|tom|bom|ber** *der;* -s, -: Kampfflugzeug, das Atomsprengkörper mit sich führt. **A|tom|ener|gie** *die;* -: bei einer Kernspaltung frei werdende Energie. **A|tom|ge|wicht** *das;* -[e]s: Vergleichszahl, die angibt, wievielmal die Masse eines bestimmten Atoms größer ist als die eines Standardatoms. **A|tom|git|ter** *das;* -s: Kristallgitter, dessen Gitterpunkte mit Atomen besetzt sind (z. B. beim Diamanten). **A|tom|gramm** *das;* -s, -e: ↑ Grammatom. **a|to|misch:** (schweiz.) ↑ atomar. **A|to|mi|seur** *[...'zø:ɐ] 〈fr.〉 der;* -s, -e: Zerstäuber. **a|to|mi|sie|ren:** machen, bewirken, dass etw. in kleinste Teile zerfällt, aufgelöst, zerlegt wird. **A|to|mis|mus** *der,* - u. Atomistik *die;* -: Anschauung, die die Welt u. die Vorgänge in ihr auf die Bewegung von Atomen zurückführt. **A|to|mist** *der;* -en, -en: Vertreter des Atomismus. **A|to|mis|tik** *die;* -: ↑ Atomismus. **a|to|mis|tisch:** 1. die Atomistik betreffend. 2. in kleine Einzelbestandteile auflösend. **A|to|mi|um** *das;* -s: das auf der Brüsseler Weltausstellung 1958 errichtete Ausstellungsgebäude in Form eines Atommodells. **A|to|mi|zer** *[...maizə] 〈engl.〉 der;* -s, -: ↑ Atomiseur. **A|tom|kern** *der;* -[e]s, -e: der aus ↑ Nukleonen bestehende, positiv geladene innere Bestandteil des Atoms, der von der Elektronenhülle (vgl. ¹Elektron) umgeben ist. **A|tom|mei|ler** *der;*

-s, -: ↑ Reaktor. **A|tom|müll** *der;* -s: radioaktiver Abfall. **A|tom|phy|sik** *die;* -: Physik der Elektronenhülle u. der in ihr ablaufenden Vorgänge. **A|tom|re|ak|tor** *der;* -s, -en: Anlage zur Gewinnung von Atomenergie durch Kernspaltung. **A|tom|spektrum*** *das;* -s, ...tren: von der Hülle eines Atoms ausgesandtes ↑ Spektrum. **A|tom|stopp** *der;* -s: (ugs.) Einstellung der Atombombenversuche u. Einschränkung der Herstellung spaltbaren Materials. **A|tom|test** *der;* -s, -s (auch: -e) u. **A|tom|ver|such** *der;* -s, -e: Erprobung von atomaren Sprengsätzen. **A|tom|waf|fen** *die* (Plural): Waffen, deren Wirkung auf der Kernspaltung od. -verschmelzung beruht **a|to|nal** [auch: ...'na:l] *〈gr.-nlat.〉:* nicht auf dem harmonisch-funktionalen Prinzip der ↑ Tonalität beruhend; **atonale Musik:** Musik, die nicht auf dem harmonisch-funktionalen Prinzip der ↑ Tonalität beruht. **A|to|na|list** *der;* -en, -en: Vertreter der atonalen Musik. **A|to|na|li|tät** *die;* -: Kompositionsweise der atonalen Musik. **A|to|nie** *〈gr.-nlat.〉 die;* -, ...ien: Erschlaffung, Schlaffheit [der Muskeln] (Med.). **a|to|nisch:** auf Atonie beruhend. **A|to|non** *das;* -s, ...na: unbetontes Wort (↑ Enklitikon od. ↑ Proklitikon) **A|to|pie** *〈gr.-nlat.〉 die;* -, ...ien: ↑ Idiosynkrasie. **a|to|pisch** *〈gr.;* „nicht an seiner Stelle"): nicht in der richtigen Lage befindlich (Med.) **A|tout** [a'tu:] *〈fr.〉 das* (auch: der); -s, -s; Trumpf im Kartenspiel. à **tout prix** [a tu 'pri:]: um jeden Preis **a|to|xisch** [auch: a'tɔ...] *〈gr.-nlat.〉:* ungiftig, nicht toxisch **at|ra|men|tie|ren*** *〈lat.-nlat.〉:* Stahl zur Verhütung von Korrosion u. Rostbildung mit einer Oxid- od. Phosphatschicht überziehen **At|re|sie*** *〈gr.-nlat.〉 die;* -, ...ien: Fehlen einer natürlichen Körperöffnung (z. B. des Afters; Med.) **A|tri|chie*** *〈gr.-nlat.〉 die;* -, ...ien: angeborenes od. erworbenes Fehlen der Körperhaare (Med.) **At|ri|um*** *〈lat.〉 das;* -s, ...ien: 1. offener Hauptraum des altröm. Hauses. 2. Säulenvorhalle (vgl. Paradies 2) altchristlicher u. romanischer Kirchen. 3. Vorhof, Vorkammer des Herzens (Med.).

4. Innenhof eines Hauses. **At|ri|um|bun|ga|low** *der;* -s, -s u. **At|ri|um|haus** *das;* -es, ...häuser: Bungalow, Haus, das um einen Innenhof gebaut ist **a|trop*** *〈gr.-nlat.〉:* aufrecht, gerade (von der Stellung der Samenanlage; Bot.) **A|tro|phie*** *〈gr.-lat.;* „Mangel an Nahrung; Auszehrung") *die;* -, ...ien: (bes. durch Ernährungsstörungen bedingter) Schwund von Organen, Geweben, Zellen (Med.) **a|tro|phie|ren** *〈gr.-nlat.〉:* schwinden, schrumpfen. **a|tro|phisch:** an Atrophie leidend, im Schwinden begriffen (Med.) **At|ro|pin*** *〈gr.-nlat.〉 das;* -s: giftiges ↑ Alkaloid der Tollkirsche **At|ro|zi|tät*** *〈lat.〉 die;* -, -en: Grausamkeit, Abscheulichkeit **at|tac|ca** *〈it.〉:* den folgenden Satz od. Satzteil ohne Unterbrechung anschließen (Vortragsanweisung; Mus.). **At|ta|ché** [...'ʃe:] *〈fr.;* „Zugeordneter") *der;* -s -s: 1. erste Dienststellung eines angehenden Diplomaten bei einer Vertretung seines Landes im Ausland. 2. Auslandsvertretungen eines Landes zugeteilter Berater (Militär-, Kultur-, Handelsattaché usw.). **At|ta|chement** [...ʃə'mã:] *das;* -s, -s: (veraltet) Anhänglichkeit, Zuneigung. **at|ta|chie|ren** [...'ʃi:...]: 1. (veraltet) zuteilen (Heerw.). 2. sich -: (veraltet) sich anschließen. **At|tack** [ə'tæk] *〈engl.〉 die;* -, -s: Zeitdauer des Ansteigens des Tons bis zum Maximum beim ↑ Synthesizer. **¹At|ta|cke** *〈fr.〉 die;* -, -n: 1. a) Reiterangriff; b) Spielzug, durch den der Gegner in die Verteidigung gedrangt wird (Sport); c) mit Schärfe geführter Angriff; scharfe Kritik. 2. Schmerz-, Krankheitsanfall (Med.). **²At|ta|cke** *〈fr.-engl.〉 die;* -, -n: lautes, explosives Anspielen des Tones im Jazz. **at|ta|ckie|ren** *〈fr.〉:* a) zu Pferde angreifen; b) angreifen (Sport); c) scharf kritisieren **At|ten|tat** [auch: ...'ta:t] *〈lat.-fr.;* „versuchtes (Verbrechen)") *das;* -s, -e: Anschlag auf einen politischen Gegner; Versuch, einen politischen Gegner umzubringen. **At|ten|tä|ter** [auch: ...'tɛ:...] *der;* -s, -: jmd., der ein Attentat verübt. **at|ten|tie|ren** *〈lat.(-fr.)〉:* (veraltet) 1. versuchen. 2. in fremde Rechte eingreifen **At|ten|tis|mus** *〈lat.-fr.-nlat.;* „abwartende Haltung") *der;* -: 1.

Haltung eines Menschen, der seine Entscheidung zwischen zwei kämpfenden Parteien vom jeweiligen Erfolg einer der Parteien abhängig macht. 2. abwartende Haltung beim Kauf von Rentenwerten (Wirtschaft) **At|test** ⟨*lat.*⟩ *das;* -[e]s, -e: 1. ärztliche Bescheinigung über einen Krankheitsfall. 2. (veraltet) Gutachten, Zeugnis. **At|tes|ta|ti|on** *die;* -, -en: 1. a) Erteilung der Lehrbefähigung in der DDR unter Erlass gewisser Prüfungen; b) Titelverleihung bzw. Bescheinigung einer Qualifikationsstufe in der DDR ohne Prüfungsnachweis, und zwar als Berufsanerkennung für langjährige Praxis. 2. schriftliche, regelmäßige Beurteilung der Fähigkeiten eines Offiziers der Nationalen Volksarmee der DDR zur Förderung seiner Entwicklung; vgl. ...ation/ ...ierung. **at|tes|tie|ren:** 1. bescheinigen, schriftlich bezeugen. 2. jmdm. eine Attestation erteilen. **At|tes|tie|rung** *die;* -, -en: das Bescheinigen; vgl. ...ation/ ...ierung **At|ti|ka** ⟨*gr.-lat.*⟩ *die;* -, ...ken: halbgeschossartiger Aufsatz über dem Hauptgesims eines Bauwerks, besonders als Träger von Skulpturen od. Inschriften (z. B. an römischen Triumphbogen; Archit.) **At|ti|la** ⟨*ung.;* nach dem Hunnenkönig⟩ *die;* -, -s, (auch:) *der;* -s, -s: a) kurzer Rock der ungarischen Nationaltracht; b) mit Schnüren besetzte Husarenjacke **at|ti|rie|ren** ⟨*fr.*⟩ (veraltet) hinzuziehen, anlocken, bestechen **at|tisch** ⟨*gr.-lat.*⟩: 1. auf die altgriechische Landschaft Attika, bes. auf Athen bezogen. 2. fein, elegant, witzig: **attisches Salz:** geistreicher Witz **At|ti|tude** [...'tyd] ⟨*lat.-it.-fr.*⟩ *die;* -, -s [...'tyd]: Ballettfigur, bei der ein Bein rechtwinklig angehoben ist. **At|ti|tü|de** *die;* -, -n: 1. a) Einstellung, [innere] Haltung; b) angenommene, nur den Anschein einer bestimmten Einstellung vermittelnde Pose. 2. ⟨*lat.-it.-fr.*-*engl.-amerik.*⟩: durch Erfahrung erworbene dauernde Bereitschaft, sich in bestimmten Situationen in spezifischer Weise zu verhalten **At|ti|zis|mus** ⟨*gr.-lat.-nlat.*⟩ *der;* -, ...men: 1. [feine] Sprechweise der Athener; Ggs. ↑ Hellenismus (2). 2. Gegenbewegung gegen den ↑ Asianismus, die die klassische

Sprache als Vorbild bezeichnete. **At|ti|zist** *der;* -en, -en: Anhänger der klassischen athenischen Sprechweise, Vertreter des Attizismus (2). **at|ti|zis|tisch:** a) den Attizismus betreffend; b) die Auffassung des Attizismus vertretend **At|to|ni|tät** ⟨*lat.-nlat.*⟩ *die;* -: regungsloser Zustand des Körpers, Regungslosigkeit bei erhaltenem Bewusstsein (Med.) **At|trac|tant*** [ə'træktənt] ⟨*lat.-engl.*⟩ *der* od. *das;* -s, -s: Lockstoff (für Insekten). **At|trait** [a'trɛː] ⟨*lat.-fr.*⟩ *der;* -s, -s: Reiz, Lockung. **¹At|trak|ti|on** ⟨*lat.-fr.-engl.*⟩ *die;* -, -en: 1. Anziehung, Anziehungskraft. 2. Glanznummer, Zugstück. **²At|trak|ti|on** ⟨*lat.*⟩ *die;* -, -en: Angleichung im Bereich von Lautung, der Bedeutung, der Form u. der Syntax (z. B. die am stärksten *betroffensten* statt *betroffenen* Gebiete; Sprachw.). **at|trak|tiv** ⟨*lat.-fr.*⟩: 1. verlockend, begehrenswert, erstrebenswert. 2. anziehend aufgrund eines ansprechenden Äußeren, gut aussehend. **At|trak|ti|vi|tät** ⟨*nlat.*⟩ *die;* -: Anziehungskraft. **At|trap|pe*** ⟨*germ.-fr.;* „Falle, Schlinge"⟩ *die;* -, -n: [täuschend ähnliche] Nachbildung bes. für Ausstellungszwecke (z. B. Blind-, Schaupackung). **at|trap|pie|ren:** (veraltet) erwischen, ertappen **at|tri|bu|ie|ren*** ⟨*lat.*⟩: 1. als ↑ Attribut (2) beigeben. 2. mit einem Attribut versehen. **At|tri|but** *das;* -[e]s, -e: 1. Eigenschaft, Merkmal einer Substanz (Philos.). 2. einem Substantiv, Adjektiv od. Adverb beigefügte nähere Bestimmung (z. B. der *große* Garten; die Stadt *hinter dem Strom; sehr* unwahrscheinlich; *tief* unten; Sprachw.). 3. Kennzeichen, charakteristische Beigabe einer Person (z. B. der Schlüssel bei der Darstellung des Apostels Petrus). **at|tri|bu|tiv** ⟨*lat.-nlat.*⟩: als Beifügung, beifügend (Sprachw.). **At|tri|bu|ti|vum** *das;* -s, ...va u. ...ve: als ↑ Attribut (2) verwendetes Wort (Sprachw.). **At|tri|but|satz** *der;* -es, ...sätze: Nebensatz in der Rolle eines Gliedteilsatzes, der ein ↑ Attribut (2) wiedergibt (z. B. eine Frau, *die Musik studiert*, ... anstelle von: eine Musik studierende Frau ...) **At|tri|ti|o|nis|mus*** ⟨*lat.-nlat.*⟩ *der;* -: katholisch-theologische

Lehre, die besagt, dass die unvollkommene Reue zum Empfang des Bußsakraments genügt; vgl. Kontritionismus **a|tü** = Atmosphärenüberdruck **a|ty|pisch** [auch: a'ty:...] ⟨*gr.-nlat.*⟩: nicht typisch, untypisch **au|ber|gi|ne** [obɛr'ʒi:nə] ⟨*arab.-katal.-fr.*⟩: dunkellila. **Au|ber|gi|ne** *die;* -, -n: 1. Nachtschattengewächs mit gurkenähnlichen Früchten. 2. a) blaurote Glasur bestimmter chinesischer Porzellane; b) chinesisches Porzellan mit blauroter Glasur **Aub|ri|e|tie*** [...ə] ⟨*nlat.;* nach dem französischen Maler Aubriet⟩ *die;* -, -n: Blaukissen, Polster bildende Zierstaude **Au|bus|son** [oby'sõ] ⟨*nach französischer Stadt⟩ *der;* -[s], -[s]: ein gewirkter Teppich **au cont|raire*** [okõ'trɛːr] ⟨*fr.*⟩: im Gegenteil **au cou|rant** [oku'rɑ̃] ⟨*fr.*⟩: auf dem Laufenden **Au|cu|ba,** Aukube ⟨*jap.-nlat.*⟩ *die;* -, ...ben: Zierstrauch aus Japan mit gelb gefleckten Blättern u. korallenroten Beeren **au|di|al|tur et al|te|ra pars** ⟨*lat.;* „auch der andere Teil möge gehört werden"⟩: man muss auch die Gegenseite hören. **Au|di|enz** *die;* -, -en: 1. feierlicher Empfang bei einer hoch gestellten politischen oder kirchlichen Persönlichkeit. 2. Unterredung mit einer hoch gestellten Persönlichkeit. **Au|di|max** *das;* -: studentisches Kurzwort für ↑ Auditorium maximum. **Au|di|me|ter** *der;* -s, -: Gerät, das als Rundfunk- u. Fernsehempfänger von Testpersonen angeschlossen wird, um den Sender sowie Zeitpunkt u. Dauer der empfangenen Sendungen zum Zweck statistischer Auswertungen zu registrieren. **Au|di|o|gramm** ⟨*lat.; gr.*⟩ *das;* -s, -e: grafische Darstellung der mithilfe des ↑ Audiometers ermittelten Werte. **au|di|o|lin|gu|al:** von gesprochenem Wort ausgehend (in Bezug auf eine Methode des Fremdsprachenunterrichts). **Au|di|o|lo|ge** *der;* -n, -n: Facharzt auf dem Gebiet der Audiologie. **Au|di|o|lo|gie** *die;* -: Teilgebiet der Medizin, auf dem sich mit den Funktionen u. den Erkrankungen des menschlichen Gehörs befasst. **au|di|o|lo|gisch:** die Audiologie betreffend. **Au|di|o|me|ter** *das;* -s, -: Gerät zum Messen der menschlichen Hörleistung auf ↑ elektroakustischem Wege. **Au|di|o-met|rie** *die;* -: Prüfung des Gehörs mit Hörmessgeräten. **au-di|o|met|risch:** 1. die Audiometrie betreffend. 2. mit dem Audiometer ermittelt. **Au|di|on** *das;* -s, -s u. ...onen: Schaltung in Rundfunkgeräten mit Elektronenröhren zum Verstärken der hörbaren (niederfrequenten) Schwingungen u. zur Trennung von den hochfrequenten Trägerwellen (Elektrot.). **Au|dio-Vi|deo-Tech|nik** *die;* -: Gesamtheit der technischen Verfahren u. Mittel, die es ermöglichen, Ton- u. Bildsignale aufzunehmen, zu übertragen u. zu empfangen sowie wiederzugeben. **Au|di|o|vi|si|on** ⟨*lat.-nlat.*⟩ *die;* -: 1. Technik des Aufnehmens, Speicherns u. Wiedergebens von Ton u. Bild. 2. Information durch Bild u. Ton. **au-di|o|vi|su|ell** ⟨*lat.*⟩: zugleich hör- und sichtbar, Hören u. Sehen ansprechend; **audiovisueller Unterricht:** Unterrichtsgestaltung mithilfe [moderner] technischer Lehr- u. Lernmittel, die sowohl auf auditivem als auch auf visuellem Wege die Wirksamkeit des Unterrichts erhöhen. **Au|di-phon**, auch: Audifon ⟨*lat.; gr.*⟩ *das;* -s, -e: Hörapparat für Schwerhörige. **Au|dit** ['ɔ:dɪt] ⟨*lat.-engl.*⟩ *der od. das;* -s, -s: [unverhofft durchgeführte] Überprüfung; Untersuchung, Prüfung (Wirtsch.). **Au|di|teur** [...'tøːɐ̯] ⟨*lat.-fr.*⟩ *der;* -s, -e: (hist.) Richter an Militärgerichten. **¹Au|di|ti|on** ⟨*lat.*⟩ *die;* -, -en: das innere Hören von Worten u. das damit verbundene Vernehmen von Botschaften einer höheren Macht (z. B. bei den Propheten). **²Au|di|ti|on** [ɔ'dɪʃn̩] ⟨*lat.-engl.*⟩ *die;* -, -s: Veranstaltung, auf der [Musical]sänger, -tänzer usw. Prüfern vorsingen, vortanzen, um an ein Theater o. Ä. engagiert zu werden. **Au|di|ti|on collo|rée** [odisjɔkɔlɔ're] ⟨*lat.-fr.;* „farbiges Hören“⟩: in Verbindung mit akustischen Reizen auftretende Farbempfindungen, eine Form der ↑ Synästhesie. **au|di|tiv** ⟨*lat.-nlat.*⟩: 1. a) das Gehör betreffend, zum Gehörsinn od. -organ gehörend (Med.); b) fähig, Sprachlaute wahrzunehmen u. zu analysieren (in Bezug auf das menschliche Gehör; Med.); vgl. akustisch. 2. vorwiegend mit Gehörsinn begabt (Psychol.). **Au-di|tor** ⟨*lat.*⟩ *der;* -s, ...oren: 1. a) Richter an der ↑ Rota; b) Verneh-

mungsrichter an kirchlichen Gerichten; c) Beamter der römischen ↑ Kurie (1). 2. a) (früher) ↑ Auditeur; b) (schweiz.) öffentlicher Ankläger bei einem Militärgericht; c) (im Kanton Zürich) Jurist in der praktischen Ausbildung bei Gericht. **Au|di-to|ri|um** *das;* -s, ...ien: 1. Hörsaal einer Hochschule. 2. Zuhörerschaft. **Au|di|to|ri|um ma|xi-mum** *das;* - - -: größter Hörsaal einer Hochschule. **Au|di|tus** *der;* -: Hörvermögen des menschlichen Hörorgans (hörbar sind Schwingungen im Frequenzbereich zwischen 20 u. 20 000 Hz) **au fait** [o'fɛ:] ⟨*fr.*⟩: gut unterrichtet, im Bilde; **jmdn. au fait setzen:** jmdn. aufklären, belehren **auf|okt|roy|lie|ren*** [...trɔa'ji:...] ⟨*dt.; lat.-fr.*⟩: aufzwingen **au four** [o'fu:r] ⟨*fr.*⟩: im Ofen (gebacken od. gebraten; Gastr.) **Au|gen|di|ag|no|se*** *die;* -, -n: 1. (ohne Plural) im Gegensatz zur Schulmedizin entwickelte Diagnostik aufgrund der Vorstellung, dass alle Organe nervale Verbindungen zur Iris besitzen, in der dann Veränderungen als Organkrankheiten zu erkennen sind. 2. einzelne Diagnose mithilfe der unter 1 genannten Methode. **Au-gen|op|ti|ker** *der;* -s, -: Optiker, der sich mit der Herstellung, Reparatur u. Anpassung von Sehhilfen (Brillen) beschäftigt (Berufsbez.) **Au|gi|as|stall** [auch: 'au...] ⟨*gr.-lat.; dt.*⟩ *nach der griech.* Sage der in dreißig Jahren nicht gereinigte Stall mit 3 000 Rindern des Königs Augias, den Herakles in einem Tag reinigte) *der;* -[e]s: in der Fügung: **den Augiasstall ausmisten, reinigen:** einen durch arge Vernachlässigung o. Ä. entstandenen Zustand großer Unordnung, korrupter Verhältnisse durch aktiv-durchgreifendes Handeln beseitigen u. wieder Ordnung, ordentliche Verhältnisse herstellen **Au|git** [auch: ...'gɪt] ⟨*gr.-lat.*⟩ *der;* -s, -e: Mineral **Aug|ment** ⟨*lat.;* „Vermehrung, Zuwachs“⟩ *das;* -s, -e: Präfix, das dem Verbstamm zur Bezeichnung der Vergangenheit vorangesetzt wird, bes. im Sanskrit u. im Griechischen (Sprachw.). **Aug|men|ta|ti|on** ⟨*lat.*⟩ *die;* -, -en: (Mus.) a) die auf mehrfache Weise mögliche Wertverlängerung einer Note in der ↑ Mensuralnotation; b) die Wiederaufnahme

des Themas einer Komposition (z. B. Sonate) in größeren als den ursprünglichen rhythmischen Werten. **Aug|men|ta|tiv** ⟨*lat.-nlat.*⟩ *das;* -s, -e u. Augmentativum *das;* -s, ...va: ein Wort, das mit einem ↑ Augmentativsuffix gebildet ist; Vergrößerungswort (Sprachw.); Ggs. ↑ Diminutiv[um]. **Aug|men|ta|tiv|suf|fix, Aug|men|ta|tiv|suf|fix,** *das;* -es, -e: Suffix, das die Größe eines Dinges od. Wesens ausdrückt (z. B. italien. ...one in *favone* große Bohne; von *fava* Bohne). **Aug-men|ta|ti|vum** vgl. Augmentativ. **aug|men|tie|ren** ⟨*lat.*⟩: 1. vermehren. 2. mit einer Augmentation versehen (Mus.) **au gra|tin** [ogra'tɛ:] ⟨*fr.*⟩: mit einer Kruste überbacken (Gastr.); vgl. gratinieren **Au|gur** ⟨*lat.*⟩ *der;* -s u. ...uren, ...uren: 1. Priester u. Vogelschauer im Rom der Antike. 2. jmd., der als Eingeweihter Urteile, Interpretationen bes. anbahnenden, bes. politischen Entwicklungen ausspricht. **Au|gu-ren|lä|cheln** *das;* -s: viel sagendes, spöttisches Lächeln des Wissens u. Einverständnisses unter Eingeweihten. **au|gu|rie-ren:** weissagen, vermuten **Au|gust** ⟨*lat.*⟩ *der;* -[e]s u. -, ...uren, achter Monat im Jahr (Abk.: Aug.). **Au|gus|ta|na** ⟨gekürzt aus Confessio Augustana; nach der Stadt Augsburg (*lat.* Augusta Vindelicorum)⟩ *die;* -: die Augsburgische ↑ Konfession, das Augsburger Bekenntnis (wichtigste lutherische Bekenntnisschrift von 1530). **au|gus|te-isch:** a) auf den röm. Kaiser Augustus bezüglich; b) auf die Epoche des röm. Kaisers Augustus bezüglich; **ein augusteisches Zeitalter:** eine Epoche, in der Kunst u. Literatur besonders gefördert werden. **Au|gus|ti|ner** ⟨nach dem Kirchenlehrer Augustinus, 354–430⟩ *der;* -s, -: a) Angehöriger des kath. Ordens der Augustiner-Chorherren (Italien, Österr., Schweiz); b) Angehöriger des kath. Ordens der Augustiner-Eremiten. **Auk|ti|on** ⟨*lat.;* „Vermehrung“⟩ *die;* -, -en: Versteigerung. **Auk-ti|o|na|tor** *der;* -s, ...oren: Versteigerer. **auk|ti|o|nie|ren:** [an den Meistbietenden] versteigern. **auk|to|ri|al** ⟨*lat.*⟩: (Literaturw.) a) aus der Sicht des Autors dargestellt; b) dem Autor eigentümlich, für ihn charakteristisch

Au|ku|be vgl. Aucuba

Aul ⟨tatar. u. kirgis.⟩ der; -s, -e: Zeltlager, Dorfsiedlung der Turkvölker

Au|la ⟨gr. -lat.⟩ die; -, ...len u. -s: 1. größerer Raum für Veranstaltungen, Versammlungen in Schulen u. Universitäten. 2. freier, hofähnlicher Platz in großen griechischen u. römischen Häusern der Antike; vgl. Atrium. 3. Palast in der röm. Kaiserzeit. 4. Vorhof in einer christlichen ↑Basilika

Au|le|tik ⟨gr.⟩ die; -: das Spielen des Aulos ohne zusätzliche Musik- od. Gesangsbegleitung im Griechenland der Antike. **Au|lo-die*** die; -, ...ien: Aulosspiel im Griechenland der Antike. **Au|los** der; -, Auloi u. ...len: antikes griech. Musikinstrument in der Art einer Schalmei

au na|tu|rel [onaty'rɛl] ⟨fr.⟩: ohne künstlichen Zusatz (von Speisen u. Getränken; Gastr.)

au pair [o'pɛːr] ⟨fr.⟩: Leistung gegen Leistung, ohne Bezahlung. **Au|pair|mäd|chen**, auch: **Au-pair-Mäd|chen** das; -s, -: junge Frau (meist Studentin od. Schülerin), die gegen Unterkunft, Verpflegung u. Taschengeld als Haushaltshilfe im Ausland arbeitet, um die Sprache des betreffenden Landes zu lernen

au por|teur [opɔr'tœːr] ⟨fr.⟩: auf den Inhaber lautend (von Wertpapieren)

Au|ra ⟨lat.; „Hauch"⟩ die; -: 1. besondere [geheimnisvolle] Ausstrahlung. 2. Vorstufe, Vorzeichen eines [epileptischen] Anfalls (Med.)

au|ral ⟨lat. -nlat.⟩: ↑aurikular

Au|ra|min ⟨Kurzw. aus ↑Aurum u. ↑Amin⟩ das; -s: gelber Farbstoff

Au|rar: Plural von ↑Eyrir

au|ra|tisch: zur Aura gehörend

Au|rea Me|di|oc|ri|tas* ⟨lat.; geflügeltes Wort aus den Oden des Horaz⟩ die; - -: der goldene Mittelweg. **Au|re|o|le** die; -, -n: 1. Heiligenschein, der die ganze Gestalt umgibt, bes. bei Christusbildern. 2. bläulicher Lichtschein am Brenner der Bergmannslampe, der Grubengas anzeigt. 3. durch Wolkendunst hervorgerufene Leuchterscheinung (Hof) um Sonne u. Mond. 4. äußere Leuchterscheinung eines Lichtbogens oder Glimmstromes (Elektrot.). **Au|re|us** ⟨lat.⟩ der; -, ...rei: altrömische Goldmünze

Au|rig|na|ci|en* [orɪnja'sjɛ̃] ⟨fr.; nach der franz. Stadt Aurignac⟩ das; -[s]: Kulturstufe der jüngeren Altsteinzeit. **Au|rig|nac|ras-se** [orɪn'jak...] die; -: Menschenrasse des Aurignacien

Au|ri|kel ⟨lat. -nlat.; „Öhrchen, Ohrläppchen"⟩ die; -, -n: Primelgewächs mit in Dolden stehenden Blüten. **au|ri|ku|lar, au|ri-ku|lär** ⟨lat.⟩: (Med.) 1. zu den Ohren gehörend. 2. ohrförmig gebogen

Au|ri|pig|ment ⟨lat.⟩ das; -[e]s: Arsentrisulfid (ein Arsenmineral)

Au|ri|punk|tur ⟨lat. -nlat.⟩ die; -, -en: (veraltet) ↑Parazentese (Med.)

Au|ro|ra ⟨lat.; nach der römischen Göttin der Morgenröte⟩ die; -, -s: 1. (ohne Plural; dichter.) Morgenröte. 2. Tagfalter aus der Familie der Weißlinge (Zool.). 3. Polarlicht (Astron.)

Au|rum ⟨lat.⟩ das; -[s]: lat. Bez. für: Gold; chem. Zeichen: Au

aus|agie|ren ⟨dt.; lat.⟩: eine ↑Emotion [ungehemmt] in Handlung umsetzen u. dadurch eine innere Spannung abreagieren

aus|bal|do|wern ⟨dt.; hebr.-jidd.-Gaunerspr.⟩: (ugs.) mit List, Geschick auskundschaften

aus|che|cken ⟨dt.; engl.⟩: 1. (Flugw.) a) (nach der Ankunft) abfertigen (z. B. Passagiere, Gepäck); Ggs. ↑einchecken (1a); b) (nach der Ankunft) sich abfertigen lassen; Ggs. ↑einchecken (1b). 2. (aus einem Hotel o. Ä.) ausziehen, abreisen (u. die entsprechenden Formalitäten erledigen); Ggs. ↑einchecken (2)

aus|dis|ku|tie|ren ⟨dt.; lat.⟩: eine Frage, ein Problem so lange erörtern, bis alle strittigen Punkte geklärt sind

aus|flip|pen ⟨dt.; engl.⟩: (ugs.) 1. sich einer als bedrückend empfundenen gesellschaftlichen Lage [durch Genuss von Rauschgift] entziehen. 2. durch Drogen in einen Rauschzustand geraten. 3. die Selbstkontrolle verlieren, mit den Nerven fertig sein, durchdrehen. 4. vor Freude ganz außer sich geraten

aus|for|mu|lie|ren ⟨dt.; lat.⟩: einem Antrag o. Ä. eine endgültige Formulierung geben

aus|la|rie|ren ⟨dt.; lat.⟩: Schiff u. Güter bei Ausfahrt verzollen. **Aus|kla|rie|rung** die; -, -en: Verzollung von Gütern bei der Ausfahrt aus dem Hafen

aus|kno|cken [...nɔkn̩] ⟨dt.; engl.⟩: durch Knock-out besiegen

aus|kris|tal|li|sie|ren ⟨dt.; gr.-lat.-fr.⟩: aus Lösungen Kristalle bilden

Aus|kul|tant ⟨lat.; „Zuhörer"⟩ der; -en, -en: (veraltet) 1. Beisitzer ohne Stimmrecht. 2. (österr.) Anwärter auf das Richteramt. **Aus|kul|ta|ti|on** die; -, -en: das Abhören von Geräuschen, die im Körperinnern, bes. im Herzen (Herztöne) u. in den Lungen (Atemgeräusche) entstehen (Med.). **aus|kul|ta|to|risch** ⟨lat.-nlat.⟩: durch Abhorchen feststellend od. feststellbar (Med.). **aus|kul|tie|ren** ⟨lat.⟩: abhorchen, Körpergeräusche abhören (Med.)

aus|log|gen ⟨dt.; engl.⟩: durch Eingabe bestimmter Daten die Verbindung zu einer Datenverarbeitungsanlage beenden (EDV); Ggs. ↑einloggen

aus|lo|gie|ren ⟨dt.; germ.-fr.⟩: ausquartieren

aus|ma|nö|vrie|ren* ⟨dt.; lat.-vulgärlat.-fr.⟩: jmdn. durch geschickte Manöver aus Konkurrenten o. Ä. ausschalten

Aus|pi|zi|um* ⟨lat.⟩ „Vogelschau"⟩ das; -s, ...ien: a) Vorbedeutung; b) (nur Plural) Aussichten [für ein Vorhaben]; **unter jmds. Auspizien:** unter jmds. Schutz, Leitung

aus|po|wern ⟨dt.; lat.-fr.⟩: ausbeuten, ausplündern u. dadurch arm machen

aus|quar|tie|ren ⟨dt.; lat.-fr.⟩: jmdn. veranlassen, seine Unterkunft zu räumen

aus|ran|gie|ren ⟨dt.; germ.-fr.⟩: unbrauchbar Gewordenes aussondern, wegwerfen

au|ßer|par|la|men|ta|risch ⟨dt.; gr.-lat.-vulgärlat.-fr.-engl.⟩: nicht parlamentarisch; **außerparlamentarische Opposition:** ↑APO, Apo

au|ßer|tour|lich ⟨dt.; gr.-lat.-fr.; dt.⟩: (österr.) außerhalb der Reihenfolge, zusätzlich [eingesetzt] (z. B. ein Bus)

aus|staf|fie|ren ⟨dt.; fr.-niederl.⟩: jmdn./etwas mit [notwendigen] Gegenständen, mit Zubehör u. a. ausrüsten, ausstatten

aus|ta|rie|ren ⟨dt.; arab.-it.⟩: 1. ins Gleichgewicht bringen. 2. (österr.) auf einer Waage das Leergewicht (↑Tara) feststellen

Aus|te|nit [auch: ...'nɪt] ⟨nlat.⟩ der; -s, -e: bestimmter Mischkristall im System Eisen-Kohlenstoff. **Aus|te|ni|ti|sie|rung** *die; -, -en:* Wärmebehandlung beim Härten von Stahl

Aus|ter *⟨gr.-lat.-roman.-niederl.-niederd.⟩ die; -, -n:* essbare Muschel, die in warmen Meeren vorkommt

Aus|te|ri|ty [ɔs'tɛrɪtɪ] *⟨gr.-lat.-fr.-engl.⟩ die; -:* wirtschaftliche Einschränkung, energische Sparpolitik

aust|ral[A] *⟨lat.⟩:* (veraltet) auf der südlichen Halbkugel befindlich, Süd... **Aust|ral** *⟨lat.-span.⟩ der; -s, -e:* argent. Währungseinheit. **aust|ra|lid** *⟨lat.-nlat.⟩:* Rassenmerkmale der Australiden zeigend. **Aust|ra|li|de** *der od. die; -n, -n:* Angehörige[r] der australischen Rasse. **aust|ra|lo|id** *⟨lat.; gr.⟩:* den Australiden ähnliche Rassenmerkmale zeigend. **Aust|ra|lo|i|de** *der od. die; -n, -n:* Mensch von australoidem Typus. **Aust|ra|lo|pi|the|cus** *⟨gr.-nlat.⟩ der; -, ...cinae od. ...cinen od. ...zinen:* Vormensch, Halbmensch, Übergangsform zwischen Tier u. Mensch. **Aust|ri|a|zis|mus** *⟨lat.-nlat.⟩ der; -, ...men:* eine innerhalb der deutschen Sprache nur in Österreich (Austria) übliche sprachliche Ausdrucksweise

aus|trick|sen *⟨dt.; galloroman.-fr.-engl.⟩:* durch einen Trick, geschickt überlisten, ausschalten

Aust|ro|mar|xis|mus* [auch: 'au...] *⟨nlat.⟩ der; -:* eine von österr. Sozialdemokraten vor u. nach dem Ersten Weltkrieg entwickelte Sonderform des Marxismus. **aust|ro|mar|xis|tisch** [auch: 'au...]: a) den Austromarxismus betreffend, auf ihn beruhend; b) die Theorie des Austromarxismus vertretend

au|tark* *⟨gr.⟩:* [vom Ausland] wirtschaftlich unabhängig, sich selbst versorgend, auf niemanden angewiesen; vgl. ...isch/-. **Au|tar|kie** *die; -, ...jen:* wirtschaftliche Unabhängigkeit [vom Ausland]. **au|tar|kisch:** die Autarkie betreffend; vgl. ...isch/-

au|teln *⟨von ↑Auto abgeleitet⟩:* (veraltet) Auto fahren

au|terg* *⟨gr.-nlat.⟩:* in der Fügung: **auterge Wirtschaft:** Wirtschaft, in der alle Einkommen auf eigener Arbeitsleistung beruhen; Ggs. ↑allerge Wirtschaft

Au|then|tie *die; -:* ↑Authentizität. **au|then|ti|fi|zie|ren** *⟨gr.; lat.⟩:* beglaubigen, die Echtheit bezeu-

gen. **Au|then|tik** *die; -, -en:* im Mittelalter eine zuerst ein authentisches Siegel beglaubigte Urkundenabschrift. **au|then|tisch** *⟨gr.-lat.⟩:* echt; zuverlässig, verbürgt. **au|then|ti|sie|ren** *⟨gr.-mlat.⟩:* glaubwürdig, rechtsgültig machen. **Au|then|ti|zi|tät** *⟨gr.-nlat.⟩ die; -:* Echtheit, Zuverlässigkeit, Glaubwürdigkeit

au|thi|gen *⟨gr.-nlat.⟩:* am Fundort selbst entstanden (von Gesteinen; Geol.); Ggs. ↑allothigen

Au|tis|mus *⟨gr.-nlat.⟩ der; -:* psychische Störung, die sich in krankhafter Ichbezogenheit u. affektiver Teilnahmslosigkeit, Verlust des Umweltkontaktes u. äußert. **Au|tist** *der; -en, -en:* jmd., der an Autismus leidet. **au|tis|tisch:** a) den Autismus betreffend; b) an Autismus leidend

Aut|ler *⟨von ↑auteln abgeleitet⟩ der; -s, -:* (veraltet) Autofahrer. **¹Au|to** *⟨gr.⟩ das; -s, -s:* Kurzform von ↑Automobil

²Au|to *⟨lat.-span. u. port.; „Handlung, Akt"⟩ das; -s, -s:* 1. feierliche religiöse od. gerichtliche Handlung in Spanien u. Portugal. 2. spätmittelalterliches geistliches Spiel des spanischen Theaters, das an Festtagen der Kirchenjahres aufgeführt wurde

Au|to|ag|gres|si|on* *⟨gr.; lat.⟩ die; -, -en:* gegen die eigene Person gerichtete Aggression (Psychol.). **Au|to|ag|gres|si|ons|krank|heit** *die; -, -en:* durch Autoantikörper verursachte Krankheit (Med.)

Au|to|an|ti|kör|per *der; -s, -* (meist Plural): ↑Antikörper, der gegen körpereigene Substanzen wirkt (Med.)

Au|to|bi|o|graph, auch: Autobiograf *⟨gr.-nlat.⟩ der; -en, -en:* jmd., der eine Autobiographie schreibt. **Au|to|bi|o|gra|phie,** auch: ...grafie *die; -, ...jen:* literarische Darstellung des eigenen Lebens. **au|to|bi|o|gra|phisch,** auch: ...grafisch: a) die Autobiographie betreffend; b) das eigene Leben beschreibend; c) in Form einer Autobiographie verfasst

Au|to|bus *⟨Kurzw. aus ↑Auto u. ↑Omnibus⟩ der; -ses, -se:* ↑Omnibus. **Au|to|car** *⟨fr.⟩ der; -s, -s:* (schweiz.) ↑Omnibus

Au|to|cho|re *[...'ko:rə] ⟨gr.-nlat.⟩ die; -, -n:* Pflanze, die ihre Früchte od. Samen selbst verbreitet. **Au|to|cho|rie** *[...ko...] die; -:* Verbreitung von Früchten u. Samen durch die Pflanze selbst

(z. B. durch Schleuder- od. Spritzbewegung)

Au|to|chrom *⟨gr.-nlat.⟩ das; -s, -e:* Ansichtspostkarte, bei der durch farbigen Überdruck auf ein schwarzes Rasterbild der Eindruck eines Mehrfarbendruckes entsteht

au|toch|thon* *⟨gr.-lat.⟩:* 1. alteingesessen, eingeboren, bodenständig (von Völkern od. Stämmen). 2. am Fundort entstanden, vorkommend (von Gesteinen u. Lebewesen; Geol. u. Biol.); Ggs. ↑allochthon. **Au|toch|tho|ne** *der od. die; -n, -n:* Ureinwohner[in], Alteingesessene[r], Eingeborene[r]

Au|to|co|der *⟨gr.; engl.⟩ der; -s:* maschinenorientierte Programmiersprache (EDV)

Au|to|cross, auch: **Au|to-Cross** *⟨engl.⟩ das; -, -e:* Autorennen auf einer abgesteckten Strecke im Gelände; vgl. Motocross

Au|to|cue *['ɔːtəʊkjuː] ⟨gr.; engl.⟩ der; -s, -s:* ↑Teleprompter

Au|to|da|fé *[...'fe:] ⟨lat. actus fidei zu port. auto-de-fé = „Glaubensakt"⟩ das; -s, -s:* 1. Ketzergericht u. -verbrennung. 2. Verbrennung von Büchern, Schriften u. Ä.

Au|to|de|ter|mi|na|ti|on *⟨gr.; lat.⟩ der; -, -en:* [polit.] Selbstbestimmung[srecht]. **Au|to|de|ter|mi|nis|mus** *⟨gr.; lat.-nlat.⟩ der; -:* Lehre von der Selbstbestimmung des Willens, die sich aus innerer Gesetzmäßigkeit unabhängig von äußeren Einflüssen vollzieht (Philos.)

Au|to|di|dakt *⟨gr.⟩ der; -en, -en:* jmd., der sich ein bestimmtes Wissen ausschließlich durch Selbstunterricht aneignet od. angeeignet hat. **au|to|di|dak|tisch:** den Selbstunterricht betreffend; durch Selbstunterricht

Au|to|di|ges|ti|on *die; -:* ↑Autolyse

Au|to|drom* *⟨gr.-fr.⟩ das; -s, -e:* 1. ↑Motodrom. 2. (österr.) Fahrbahn für ↑Skooter

au|to|dy|na|misch: selbstwirkend, selbsttätig

Au|to|elekt|rik* *⟨gr.; gr.-nlat.⟩ die; -:* elektrische Ausstattung moderner Kraftfahrzeuge

Au|to|ero|tik *⟨gr.; gr.-fr.⟩ die; - u. -* **Au|to|ero|tis|mus** *⟨gr.; gr.-nlat.⟩ der; -:* Form des erotisch-sexuellen Verhaltens, das Lustgewinn u. Triebbefriedigung ohne Partnerbezug zu gewinnen sucht; vgl. Narzissmus

Au|to|fo|kus *⟨gr.; lat.⟩ der; -, -se:*

Vorrichtung an Kameras u. Diaprojektoren für eine automatische Einstellung der Bildschärfe **au|to|gạm** ⟨gr.-nlat.⟩: sich selbst befruchtend (Biol.). **Au|to|ga-mie** die; -, ...ien: Selbstbefruchtung, geschlechtliche Fortpflanzung ohne Partner (bei bestimmten Pflanzen u. Tieren; Biol.) **au|to|gẹn** ⟨gr.⟩: 1. (von Schweißen o. Ä.) mit Stichflamme [ohne Zuhilfenahme eines Bindematerials] (Technik). 2. aus sich selbst od. von selbst entstehend (Med.); **autogenes Training:** (von dem deutschen Psychiater J. H. Schultz entwickelte) Methode der Selbstentspannung durch ↑ Autohypnose. 3. ↑ authigen (Geol.) **Au|to|gi|ro** [...'ʒi:ro] ⟨gr.-span.⟩ das; -s, -s: Drehflügelflugzeug, Hub-, Tragschrauber **Au|to|gno|sie*** ⟨gr.-nlat.⟩ die; -: Selbsterkenntnis (Philos.) **Au|to|grạmm** ⟨gr.-nlat.⟩ das; -s, -e: 1. eigenhändig geschriebener Namenszug [einer bekannten Persönlichkeit]. 2. (veraltet) ↑ Autograph. **au|to|graph,** auch: autograf ⟨gr.⟩: ↑ autographisch; vgl. ...isch/-. **Au|to|graph,** auch: Autograf das; -s, -e[n]: 1. von einer bekannten Persönlichkeit stammendes, eigenhändig geschriebenes od. authentisch maschinenschriftliches ↑ Manuskript [in seiner ersten Fassung], Urschrift. 2. (veraltet) der in der Frühzeit des Buchdrucks noch in Gegenwart des Verfassers hergestellte erste Druck. **Au|to|gra-phie,** auch: Autografie ⟨gr.-nlat.⟩ die; -, ...ien: veraltetes Vervielfältigungsverfahren. **au|to|gra-phie|ren,** auch: ...grafieren: 1. (veraltet) eigenhändig schreiben. 2. (nach einem heute veralteten Verfahren) vervielfältigen. **Au|to|gra|phi|lie** die; -: Liebhaberei für alte [Original]manuskripte. **au|to|gra|phisch,** auch: ...grafisch: ⟨gr.-lat.⟩: 1. (veraltet) eigenhändig geschrieben. 2. (nach einem heute veralteten Verfahren) vervielfältigt. **Au|to|gra|vü-re** ⟨Kurzw. aus: auto... u. ↑ Photogravüre⟩ die; -: Rastertiefdruck, ein grafisches Verfahren **Au|to|hyp|no|se** ⟨gr.; gr.-nlat.⟩ die; -: ein hypnotischer Zustand, in den sich jmd. selbst, also ohne Einwirkung einer anderen Person, versetzt; Ggs. ↑ Heterohypnose **Au|to|in|fek|ti|on** ⟨gr.; lat.⟩ die; -, -en: Infektion des eigenen Kör-

pers durch einen Erreger, der bereits im Körper vorhanden ist (Med.) **Au|to|in|to|xi|ka|ti|on** ⟨gr.; gr.-nlat.⟩ die; -, -en: Selbstvergiftung des Körpers durch im Organismus bei krankhaften Prozessen entstandene u. nicht weiter abgebaute Stoffwechselprodukte (Med.) **Au|to|kar|pie** ⟨gr.-nlat.⟩ die; -: Fruchtansatz nach Selbstbestäubung (Bot.) **Au|to|ka|tal|ly|se** die; -: Beschleunigung einer Reaktion durch einen Stoff, der während dieser Reaktion entsteht (Chem.) **au|to|ke|phal** ⟨gr.⟩: mit eigenem Oberhaupt, unabhängig (von den orthodoxen Nationalkirchen, die nur ihrem ↑ Katholikos unterstehen). **Au|to|ke|pha|lie** die; -: kirchliche Unabhängigkeit der orthodoxen Nationalkirchen **Au|to|ki|ne|se** die; -: scheinbare Eigenbewegung **Au|to|ki|no** das; -s, -s: Freilichtkino, in dem man sich einen Film vom Auto aus ansieht **Au|to|klạv*** ⟨gr.; lat.-fr.⟩ der; -s, -en: 1. Druckapparat in der chem. Technik. 2. Apparat zum Sterilisieren von Lebensmitteln. 3. Rührapparat bei der Härtung von Speiseölen. **au|to|kla|vie-ren:** mit dem Autoklav (2) erhitzen **Au|to|kor|so** der; -s, -s: Korso (1), der aus Autos besteht **Au|to|krạt*** ⟨gr.⟩ der; -en, -en: 1. diktatorischer Alleinherrscher. 2. selbstherrlicher Mensch. **Au|to|kra|tie** die; -, ...ien: Regierungsform, bei der die Staatsgewalt unumschränkt in der Hand eines einzelnen Herrschers liegt. **au|to|kra|tisch:** die Autokratie betreffend **Au|to|ly|se** ⟨gr.-nlat.⟩ die; -: 1. Abbau von Organeiweiß ohne Bakterienhilfe (Med.). 2. Selbstauflösung des Larvengewebes im Verlauf der Metamorphose bei Insekten (Biol.). **au|to|ly|tisch:** sich selbst auflösend (von Organeiweiß; Med.) **Au|to|mạt** ⟨gr.-lat.-fr.; "sich selbst bewegend"⟩ der; -en, -en: 1. a) Apparat, der nach Münzeinwurf selbsttätig Waren abgibt od. eine Dienst- od. Bearbeitungsleistung erbringt; b) Werkzeugmaschine, die Arbeitsvorgänge nach Programm selbsttätig ausführt; c) automatische Sicherung zur Verhinderung von Überlastungsschäden in elektrischen Anla-

gen. 2. elektronisch gesteuertes System, das Informationen an einem Eingang aufnimmt, selbstständig verarbeitet u. an einem Ausgang abgibt (Math., EDV). **Au|to|ma|ten|res|tau|rant** das; -s, -s: ↑ Restaurant, in dem man sich über Automaten selbst bedienen kann. **Au|to|ma|ten|the-o|rie** die; -: die math. Theorie der Automaten (2; Math.). **Au|to-ma|tie** ⟨gr.-nlat.⟩ die; -, ...ien: ↑ Automatismus. **Au|to|ma|tik** die; -, -en: a) Vorrichtung, die einen eingeleiteten technischen Vorgang ohne weiteres menschliches Zutun steuert u. regelt; b) (ohne Plural) Vorgang der Selbststeuerung. **Au|to|ma|ti|on** ⟨gr.-lat.-fr.-engl.⟩ die; -: der durch Automatisierung erreichte Zustand der modernen technischen Entwicklung, der durch den Einsatz weitgehend bedienungsfreier Arbeitssysteme gekennzeichnet ist. **Au|to|ma|ti|sa|ti|on** die; -, -en: vgl. ↑ Automatisierung; vgl. ...[at]ion/...ierung. **au|to|ma-tisch** ⟨gr.-lat.-fr.⟩: 1. a) mit einer Automatik ausgestattet (von technischen Geräten); b) durch Selbststeuerung od. Selbstregelung erfolgend; c) mithilfe eines Automaten. 2. a) unwillkürlich, zwangsläufig, mechanisch; b) ohne weiteres Zutun (des Betroffenen) von selbst erfolgend. **au|to|ma|ti|sie|ren** ⟨gr.-nlat.⟩: auf vollautomatische Fabrikation umstellen. **Au|to|ma|ti|sie|rung** die; -, -en: Umstellung einer Fertigungsstätte auf vollautomatische Fabrikation; vgl. ...[at]ion/ierung. **Au|to|ma|tis|mus** der; -, ...men: (Med.; Biol.) a) (ohne Plural) selbsttätig ablaufende Organfunktion (z. B. Herztätigkeit); b) spontan ablaufender Vorgang od. Bewegungsablauf, der nicht vom Bewusstsein od. Willen beeinflusst wird. **Au|to-ma|to|graph,** auch: ...graf der; -en, -en: Gerät zur Aufzeichnung unwillkürlicher Bewegungen **Au|to|mi|nu|te** ⟨gr.; lat.-nlat.⟩ die; -, -n: Strecke, die ein Auto in einer Minute zurücklegt **Au|to|mi|xis** ⟨gr.⟩ die; -: Selbstbefruchtung durch Verschmelzung zweier Keimzellen gleicher Abstammung **au|to|mo|bil** ⟨gr.; lat.; "selbstbeweglich"⟩: das Auto betreffend. **Au|to|mo|bil** das; -s, -e: Kraftfahrzeug, Personenkraftwagen. **Au|to|mo|bi|lis|mus** der; -:

Kraftfahrzeugwesen. **Au|to|mo|bi|list** *der;* -en, -en: (bes. schweiz.) Autofahrer. **au|to|mo|bi|lis|tisch:** den Automobilismus betreffend. **Au|to|mo|bil|sa|lon** *der;* -s, -s: Ausstellung, auf der die neuesten Automobile vorgestellt werden **au|to|mor|ph** ⟨*gr.-nlat.*⟩: 1. ↑idiomorph. 2. den Automorphismus betreffend. **Au|to|mor|phis|mus** *der;* -, ...men: spezielle Zuordnung der Elemente einer ↑algebraischen Struktur innerhalb der gleichen algebraischen Struktur (Math.); vgl. Homomorphismus **au|to|nom** ⟨*gr.;* „nach eigenen Gesetzen lebend"⟩: 1. selbstständig, unabhängig. 2. zu den Autonomen gehörend. **Au|to|no|me** *der u. die;* -n, -n: Angehörige[r] einer Gruppierung, die das Gesellschaftssystem ablehnt u. mit Gewaltaktionen bekämpft. **Au|to|no|mie** *die;* -, ...ien: 1. Selbstständigkeit [in nationaler Hinsicht], Unabhängigkeit. 2. Willensfreiheit (Philos.). **Au|to|no|mi|sie|rung** *die;* -: Verfahren aus der Regelungstechnik, durch das eine gegenseitige Beeinflussung der Regelkreise beseitigt werden soll. **Au|to|no|mist** ⟨*gr.-nlat.*⟩ *der;* -en, -en: jmd., der eine Autonomie anstrebt **au|to|nym*** ⟨*gr.-nlat.*⟩: 1. vom Verfasser unter seinem eigenen Namen herausgebracht. 2. ausdrückend, dass ein Zeichen als Eigenname von sich selbst gilt (Logik; Semiotik) **Au|to|phi|lie** ⟨*gr.-nlat.*⟩ *die;* -: Selbst-, Eigenliebe (Psychol.) **Au|to|pi|lot** *der;* -en, -en: automatische Steuerungsanlage in Flugzeugen, Raketen o. Ä. **Au|to|plas|tik** *die;* -, -en: Übertragung körpereigenen Gewebes (z. B. die Verpflanzung eines Hautlappens auf andere Körperstellen; Med.) **Au|to|poie|se** ⟨*gr.*⟩ *die;* -: Fähigkeit, sich selbst erhalten, wandeln, erneuern zu können. **au|to|poie|tisch:** die Autopoiese betreffend, auf ihr beruhend **Au|to|pol|y|plo|i|die*** ⟨*gr.-nlat.*⟩ *die;* -: Vervielfachung des arteigenen Chromosomensatzes bei einem Lebewesen **Au|to|port|rät*** *das;* -s, -s: Selbstbildnis **Au|to|psie*** ⟨*gr.*⟩ *die;* -, ...ien: 1. Leichenöffnung; Untersuchung des [menschlichen] Körpers zur Feststellung der Todesursache

(Med.). 2. Prüfung durch persönliche Inaugenscheinnahme (Fachspr.) **Au|tor** ⟨*lat.*⟩ *der;* -s, ...oren: Verfasser eines Werkes der Literatur, Musik, Kunst, Fotografie od. Filmkunst **Au|to|ra|dio** *das;* -s, -s: im Auto eingebautes spezielles Radio **Au|to|ra|di|o|gramm** ⟨*gr.; lat.; gr.*⟩ *das;* -s, -e: Aufnahme, die durch Autoradiographie gewonnen wurde. **Au|to|ra|di|o|gra|phie,** auch: ...grafie ⟨*gr.; lat.; gr.*⟩ *die;* -: Methode zur Sichtbarmachung der räumlichen Anordnung radioaktiver Stoffe (z. B. in einem Versuchstier; Phys.) **Au|to|re|fe|rat** *das;* -[e]s, -e: ↑Autorreferat **Au|to|ren|kol|lek|tiv** ⟨*lat.-russ.*⟩ *das;* -s, -e: Verfassergruppe, die ein Buch in gemeinschaftlicher Arbeit herausbringt **Au|to|ren|kor|rek|tur** vgl. Autorkorrektur. **Au|to|ren|plu|ral** *der;* -s: ↑Pluralis Modestiae **Au|to|re|verse** [...rivə:s] ⟨*gr.; lat.-engl.*⟩ *das;* -: Umschaltautomatik bei Tonbandgeräten u. Kassettenrekordern **Au|to|rhyth|mie** ⟨*gr.; gr.-lat.*⟩ *die;* -, ...ien: Aussendung von rhythmisch unterbrochenen Impulsen (z. B. durch das Atemzentrum im Gehirn) **Au|to|ri|sa|ti|on** ⟨*lat.-mlat.-nlat.*⟩ *die;* -, -en: Ermächtigung, Vollmacht; vgl. ...[at]ion/...ierung. **au|to|ri|sie|ren** ⟨*lat.-mlat.*⟩: jmdn. bevollmächtigen, [als Einzigen] zu etwas ermächtigen. 2. etwas genehmigen. **Au|to|ri|sie|rung** *die;* -, -en: Bevollmächtigung; vgl. ...[at]ion/...ierung. **au|to|ri|tär** ⟨*lat.-fr.*⟩: 1. (abwertend) a) totalitär, diktatorisch; b) unbedingten Gehorsam fordernd; Ggs. ↑antiautoritär. 2. (veraltend) a) auf Autorität beruhend; b) mit Autorität herrschend. **Au|to|ri|ta|ris|mus** *der;* -: absoluter Autoritätsanspruch. **Au|to|ri|tät** ⟨*lat.*⟩ *die;* -, -en: 1. (ohne Plural) auf Leistung od. Tradition beruhender maßgebender Einfluss einer Person od. Institution u. das daraus erwachsende Ansehen. 2. einflussreiche, maßgebende Persönlichkeit von hohem [fachlichem] Ansehen. **au|to|ri|ta|tiv** ⟨*lat.-nlat.*⟩: auf Autorität, Ansehen beruhend; maßgebend, entscheidend. **Au|tor|kor|rek|tur** und Autorenkorrektur *die;* -, -en: Korrektur des gesetzten Textes durch den Autor selbst.

Au|tor|re|fe|rat *das;* -[e]s, -e: Referat des Autors über sein Werk **Au|to|sa|lon** *der;* -s, -s: ↑Automobilsalon **Au|to|se|man|ti|kon** ⟨*gr.-nlat.*⟩ *das;* -s, ...ka: Wort od. größere sprachliche Einheit mit eigener, selbstständiger Bedeutung (z. B. Tisch, Geist; Sprachw.); Ggs. ↑Synsemantikon. **au|to|se|man|tisch:** eigene Bedeutung tragend (von Wörtern; Sprachw.); Ggs. ↑synsemantisch **Au|to|sen|si|bi|li|sie|rung** ⟨*lat.-nlat.*⟩ *die;* -, -en: Bildung von Antikörpern im Organismus aufgrund körpereigener Substanzen **Au|to|sex** ⟨*gr.; lat.-engl.*⟩ *der;* -[es]: 1. am eigenen Körper vorgenommene sexuelle Handlung. 2. Sex im Auto. **Au|to|se|xu|a|lis|mus** *der;* -: auf den eigenen Körper gerichtetes sexuelles Verlangen (Psychol.). **au|to|se|xu|ell:** den Autosexualismus betreffend **Au|to|skoo|ter** vgl. Skooter **Au|to|sko|pie*** ⟨*gr.-nlat.*⟩ *die;* -, ...ien: unmittelbare Kehlkopfuntersuchung ohne Spiegel (Med.). **au|to|sko|pisch:** die Autoskopie betreffend **Au|to|som** ⟨Kurzw. aus *auto-* u. ↑Chromosom⟩ *das;* -s, -en: nicht geschlechtsgebundenes ↑Chromosom **Au|to|ste|re|o|gramm** ⟨*gr.*⟩ *das;* -s, -e: Bild, bei dem sich bei intensivem Betrachten ein räumlicher Eindruck einstellt; 3-D-Bild. **Au|to|ste|re|o|typ** ⟨*gr.-engl.*⟩ *das;* -s, -e (meist Plural): Urteil, das sich eine Person od. Gruppe von sich selbst macht **Au|to|stopp** ⟨⟨*gr.; engl.-⟩fr.*⟩ *der;* -s, -s: das Anhalten von Autos mit dem Ziel, mitgenommen zu werden **Au|to|stra|da** ⟨*it.*⟩ *die;* -, -s: ital. Bez. für: mehrspurige Schnellstraße, Autobahn **Au|to|stun|de** ⟨*gr.; dt.*⟩ *die;* -, -n: Strecke, die ein Auto in einer Stunde zurücklegt **Au|to|sug|ges|ti|on** ⟨*gr.; lat.;* „Selbsteinredung"⟩ *die;* -, -en: das Vermögen, ohne äußeren Anlass Vorstellungen in sich zu erwecken, sich selbst zu beeinflussen. **au|to|sug|ges|tiv:** selbst beeinflussend **Au|to|te|le|fon** *das;* -s, -e: im Auto eingebautes spezielles Telefon **Au|to|to|mie** ⟨*gr.-nlat.*⟩ *die;* -, ...ien: bei verschiedenen Tieren vorkommendes Abwerfen von

3*

meist später wieder nachwachsenden Körperteilen an vorgebildeten Bruchstellen (z. B. Schwanz der Eidechse; Biol.)

Au|to|to|xin das; -s, -e: ein im eigenen Körper entstandenes Gift; vgl. Autointoxikation

Au|to|trans|for|ma|tor der; -s, ...oren: häufig als Regelumspanner verwendeter ↑Transformator mit nur einer Wicklung, an der die Sekundärspannung durch Anzapfen entnommen wird (Elektrot.)

Au|to|trans|fu|si|on die; -, -en: (Med.) 1. Eigenblutübertragung, bei der sich in einer Körperhöhle (infolge einer Verletzung) stauendes Blut wieder in den Blutkreislauf zurückgeführt wird. 2. Notmaßnahme (bei großen Blutverlusten) zur Versorgung der lebenswichtigen Organe mit Blut durch Hochlegen u. Bandagieren der Gliedmaßen

Au|to|trans|plan|tat das; -[e]s, -e: körpereigenes Gewebe für die ↑Autoplastik (Med.)

au|to|troph* ⟨gr.-nlat.⟩: sich ausschließlich von anorganischen Stoffen ernährend (von Pflanzen; Bot.); Ggs. ↑heterotroph.

Au|to|tro|phie die; -: Fähigkeit der grünen Pflanzen, anorganische Stoffe in körpereigene umzusetzen (Bot.)

Au|to|tro|pis|mus* ⟨gr.-nlat.⟩ der; -, ...men: Bestreben eines Pflanzenorgans, die Normallage einzuhalten od. sie nach einem Reiz wiederzugewinnen (Bot.)

Au|to|ty|pie ⟨gr.-nlat.; "Selbstdruck"⟩ die; -, ...ien: Rasterätzung für Buchdruck. **au|to|ty|pisch:** die Autotypie betreffend

Au|to|vak|zin ⟨gr.-lat.⟩ das; -s, -e u. **Au|to|vak|zi|ne** die; -, -n: Impfstoff, der aus Bakterien gewonnen wird, die aus dem Organismus des Kranken stammen (Med.)

au|to|ve|ge|ta|tiv: sich direkt, ohne Veredlung vermehrend (Obstbau)

Aut|oxi|da|ti|on*, nichtfachspr. auch: **Aut|oxy|da|ti|on** ⟨gr.-nlat.⟩ die; -, nur unter ↑katalytischer Mitwirkung sauerstoffreicher Verbindungen erfolgende ↑Oxidation eines Stoffes (z. B. Rosten, Vermodern; Chem.)

au|to|zent|ri|ert*: eigenständig, nicht integriert

au|to|ze|phal usw. vgl. autokephal usw.

Au|to|zid|me|tho|de ⟨gr.; lat.; gr.-lat.⟩ die; -: Verfahren der biologi-

schen Schädlingsbekämpfung, bei dem durch sterilisierte Schädlinge die Zahl der unbefruchteten Eier erhöht wird

Au|to|zoom [...zu:m] das; -s, -s: Vorrichtung, die das Zoom in der Filmkamera selbstständig reguliert u. somit automatisch eine maximale Schärfentiefe gewährleistet

aut si|mil|le ⟨lat.⟩: „oder Ähnliches" (auf ärztlichen Rezepten)

au|tum|nal ⟨lat.⟩: herbstlich. **Au|tum|nal|ka|tarrh** ⟨lat.; gr.⟩ der; -s, -e: im Herbst auftretender heuschnupfenartiger Katarrh (Med.)

Au|tu|nit [auch: ...'nıt] (nach der franz. Stadt Autun) das; -s: ein Uranmineral

aux fines herbes [o fin'zɛrb] ⟨fr.⟩: mit frisch gehackten Kräutern (Gastr.)

au|xi|li|ar ⟨lat.⟩: helfend, zur Hilfe dienend. **Au|xi|li|ar|verb** das; -s, -en: Hilfsverb

Au|xin ⟨gr.-nlat.⟩ das; -s, -e: organische Verbindung, die das Pflanzenwachstum fördert. **au|xo|chrom:** eine Farbvertiefung od. Farbänderung bewirkend (von bestimmten chem. Gruppen; Chem.). **au|xo|he|te|ro|troph*:** unfähig, die für die eigene Entwicklung nötigen Wuchsstoffe selbst zu ↑synthetisieren (Biol.). **Au|xo|spo|re** die; -, -n: Wachstumsspore bei Kieselalgen (Biol.). **au|xo|troph*:** auf die Zufuhr bestimmter Substanzen angewiesen (Biol.)

A|vai|la|ble - Light - Fo|to|gra|fie [ə'veılbl'laıt...] ⟨engl./gr.⟩ die; -: das Fotografieren bei ungünstigen natürlichen Lichtverhältnissen unter Verzicht auf Zusatzbeleuchtung (Fotogr.)

A|val ⟨fr.⟩ der (seltener: das); -s, -e: Bürgschaft, insbesondere für einen Wechsel. **a|va|lie|ren:** einen Wechsel als Bürge unterschreiben. **A|va|list** der; -en, -en: Bürge für einen Wechsel. **A|val|kre|dit** der; -s, -e: Kreditgewährung durch Bürgschaftsübernahme seitens einer Bank

A|van|ce [a'vã:sə] ⟨lat.-vulgärlat.-fr.⟩ das; -; n: 1. a) Vorsprung, Gewinn; b) Geldvorschuss. 2. Preisunterschied bei Handelsware zwischen An- und Verkauf; Gewinn. 3. (ohne Plural) Beschleunigung (an Uhrwerken; Zeichen: A); **jmdm. Avancen machen:** jmdm. gegenüber zuvorkommend, entgegenkommend sein, ihn umwerben in dem

Wunsch, ihn für sich zu gewinnen. **A|van|ce|ment** [avãsə'mã:] das; -s, -s: Beförderung, Aufrücken in eine höhere Position. **a|van|cie|ren:** in eine höhere Position aufrücken. **A|van|ta|ge** [avã'ta:ʒ͡ə] ⟨lat.-fr.⟩ der; -, -n: Vorteil, Gewinn. **A|van|ta|geur** [...ta'ʒøg] der; -s, -e: (veraltet) Fahnenjunker, Offiziersanwärter. **A|vant|gar|de** [avã...] ⟨fr.⟩ die; -, -n: 1. die Vorkämpfer einer Idee od. Richtung (z. B. in Literatur u. Kunst). 2. (veraltet) Vorhut einer Armee. **A|vant|gar|dis|mus** ⟨fr.-nlat.⟩ der; -: Fortschrittlichkeit, für neue Ideen eintretende kämpferische Richtung auf einem bestimmten Gebiet (bes. in der Kunst). **A|vant|gar|dist** der; -en, -en: Vorkämpfer, Neuerer (bes. auf dem Gebiet der Kunst u. Literatur). **a|vant|gar|dis|tisch:** vorkämpferisch. **a|van|ti!** ⟨lat.-it.⟩: vorwärts!

a|ve! ⟨lat.; „sei gegrüßt!"⟩: sei gegrüßt!; leb wohl! (lat. Grußformel). **A|ve** das; -[s], -[s]: Kurzform für: Ave-Maria

A|vec ⟨lat.-fr.⟩: in der Fügung: **mit [einem] Avec:** (ugs.) mit Schwung

A|ve-Ma|ria das; -[s], -[s]: 1. Bez. eines katholischen Mariengebets nach den Anfangsworten. 2. Ave-Maria-Läuten, Angelusläuten

A|ve|na ⟨lat.⟩ die; -: Hafer (Gattung der Süßgräser, darunter der Zierhafer)

A|ve|ni|da ⟨lat.-span. u. port.⟩ die; -: den u. -s: 1. breite Prachtstraße span., port. u. lateinamerik. Städte. 2. in Spanien u. Portugal Bez. für die Sturzflut nach heftigen Regengüssen. **A|ven|tiu|re** [avɛn'ty:rə] ⟨lat.-vulgärlat.-fr.-mhd.; „Abenteuer"⟩ die; -, -n: 1. ritterliche Bewährungsprobe, die der Held in mittelhochdt. Dichtungen bestehen muss. 2. Abschnitt in einem mittelhochdeutschen Epos, das sich hauptsächlich aus Berichten über ritterliche Bewährungsproben zusammensetzt. **A|ven|tü|re** ⟨lat.-vulgärlat.-fr.⟩ die; -, -n: Abenteuer, seltsamer Vorfall. **A|ven|tu|ri|er** [avãty'rje:] ⟨lat.-vulgärlat.-fr.⟩ der; -s, -s: (veraltet) Abenteurer, Glücksritter. **A|ven|tu|rin** ⟨lat.-vulgärlat.-it.⟩ der; -s, -e: gelber, roter od. goldflimmriger Quarz mit metallisch glänzenden Einlagerungen. **A|ve|nue** [avə'ny:] ⟨lat.-fr.⟩ die; -, ...uen [...'ny:ən]: 1. städtische, mit Bäumen bepflanzte Prachtstraße. 2. (veraltet) Zugang, Anfahrt

a|ve|rage ['ævərɪdʒ] ⟨arab.-it.-fr.-engl.⟩: (veraltet) mittelmäßig, durchschnittlich (Bez. für Warenqualität). A|ve|rage der; -: 1. arithmetisches Mittel, Mittelwert, Durchschnitt (Statistik). 2. Sammelbegriff für alle Schäden, die Schiff u. Ladung auf einer Seefahrt erleiden können; vgl. Havarie (1 b)

A|ver|bo ⟨lat.⟩ das; -s, -s: die Stammformen des Verbs (Sprachw.)

a|ver|na|lisch u. a|ver|nisch ⟨nach dem lat. Wort für „Unterwelt" Avernus⟩: höllisch, qualvoll

A|vers [a'vɛrs, österr.: a'vɛr] ⟨lat.-fr.⟩ der; -es, -e: Vorderseite einer Münze od. einer Medaille; Ggs. ↑²Revers. A|ver|sal|sum|me die; -, -n: ↑Aversum. A|ver|si|on die; -, -en: Abneigung, Widerwille. A|ver|si|o|nal|sum|me die; -, -n: ↑Aversum. a|ver|si|o|nie|ren ⟨lat.-nlat.⟩: (veraltet) abfinden. A|ver|sum das; -s, ...sa: (veraltet) Abfindungssumme, Ablösung. a|ver|tie|ren ⟨lat.-vulgärlat.-fr.⟩: (veraltet) a) benachrichtigen; b) warnen. A|ver|tis|se|ment [...'mã:] ⟨lat.-vulgärlat.-fr.⟩ das; -s, -s: (veraltet) a) Benachrichtigung, Nachricht; b) Warnung

A|vi|a|ri|um ⟨lat.⟩ das; -s, ...ien: großes Vogelhaus (z. B. in zoologischen Gärten). A|vi|a|tik ⟨lat.-nlat.⟩ die; -: Flugtechnik, Flugwesen. A|vi|a|ti|ker, Kenner des Flugwesens. A|vi|o|nik ⟨Kunstw. aus ↑Aviatik u. ↑Elektronik⟩ die; -: 1. Gesamtheit der elektron. Geräte, die in der Aviatik verwendet werden. 2. Wissenschaft u. Technik der Aviation (1)

a|vi|ru|lent ⟨gr.; lat.⟩: nicht ansteckend (von Mikroorganismen; Med.); Ggs. ↑virulent

A|vis [auch: a'vi:] ⟨lat.-fr. u. it.⟩ der od. das; -, -: 1. Ankündigung [einer Sendung an den Empfänger]. 2. Mitteilung des Wechselausstellers an den, der den Wechsel zu bezahlen hat, über die Deckung der Wechselsumme. a|vi|sie|ren ⟨lat.-it. u. fr.⟩: 1. ankündigen. 2. (veraltet) benachrichtigen. ¹A|vi|so ⟨lat.-fr.-span.(-fr.)⟩ der; -s, -s: (veraltet) leichtes, schnelles, wenig bewaffnetes Kriegsschiff. ²A|vi|so ⟨lat.-it.⟩ das; -s, -s: (österr.) ↑Avis (1)

a vis|ta ⟨lat.-it.; „bei Sicht"⟩: bei Vorlage zahlbar (Hinweis auf Sichtwechseln); Abk.: a v.; vgl. a prima vista u. Vista. A|vis|ta|wech|sel der; -s, -: Wechsel, der bei Vorlage (innerhalb eines Jahres) fällig ist; Sichtwechsel

A|vi|ta|mi|no|se* ⟨nlat.⟩ die; -, -n: Vitaminmangelkrankheit (Med.)

A|vi|va|ge [avi'va:ʒə] ⟨lat.-vulgärlat.-fr.⟩ die; -, -n: Behandlung von Fäden u. Garnen aus Chemiefasern mit fetthaltigen Stoffen zur Verbesserung von Griff, Weichheit u. Geschmeidigkeit. a|vi|vie|ren: eine ↑Avivage vornehmen

A|vo|ca|do ⟨indian.-span.⟩ die; -, -s: dunkelgrüne bis braunrote birnenförmige, essbare Steinfrucht eines südamerik. Baumes

A|voir|du|pois [fr.: avɔardy'pɔa, engl.: ɛvɛdɔ'pɔys] ⟨fr.(-engl.)⟩ das; -: englisches u. nordamerikanisches Handelsgewicht (16 Ounces); Zeichen: avdp

A|vun|ku|lat ⟨lat.-nlat.⟩ das; -[e]s, -e: Vorrecht des Bruders der Mutter eines Kindes gegenüber dessen Vater in mutterrechtlichen Kulturen (z. B. bei Pflanzervölkern)

AWACS [auch: 'ɛtwæks] ⟨amerik.; Kurzw. für engl. Airborne early warning and control system⟩: Frühwarnsystem der Nato

A|wes|ta ⟨pers.; „Grundtext"⟩ das; -: Sammelbezeichnung für die heiligen Schriften der ↑Parsen; vgl. Zendawesta. a|wes|tisch: das Awesta betreffend; awestische Sprache: altostiranische Sprache, in der das Awesta geschrieben ist

A|xel ⟨nach dem norweg. Eisläufer Axel Paulsen⟩ der; -s, -: schwieriger Sprung im Eis- u. Rollkunstlauf

A|xe|roph|thol* ⟨Kunstw.⟩ das; -s: Vitamin A₁

a|xi|al ⟨lat.-nlat.⟩: 1. in der Achsenrichtung, [längs]achsig, achsrecht. 2. zum zweiten Halswirbel gehörend (Med.). A|xi|al|li|tät die; -, -en: das Verlaufen von Strahlen eines optischen Systems in unmittelbarer Nähe der optischen Achse; Achsigkeit

a|xil|lar ⟨lat.-nlat.⟩: 1. zur Achselhöhle gehörend, in ihr gelegen (Med.). 2. unmittelbar über einer Blattansatzstelle hervorbrechend od. gewachsen; achselständig (Bot.)

A|xi|nit ⟨gr.-nlat.⟩ der; -s, -e: Silikatmineral von unterschiedlicher Färbung (für Schmucksteine verwendet)

A|xi|o|lo|gie ⟨gr.-nlat.⟩ die; -, -

...ien: Wertlehre (Philos.). a|xi|o|lo|gisch: die Axiologie betreffend. A|xi|om ⟨gr.-lat.⟩ das; -s, -e: 1. als absolut richtig anerkannter Grundsatz; gültige Wahrheit, die keines Beweises bedarf. 2. nicht abgeleitete Aussage eines Wissenschaftsbereiches, aus der andere Aussagen ↑deduziert werden. A|xi|o|ma|tik ⟨gr.-nlat.⟩ die; -: Lehre vom Definieren u. Beweisen mithilfe von Axiomen. a|xi|o|ma|tisch: 1. auf Axiome beruhend. 2. unanzweifelbar, gewiss. a|xi|o|ma|ti|sie|ren: 1. zum Axiom erklären. 2. axiomatisch festlegen. A|xi|o|me|ter das; -s, -: Richtungsweiser für das Steuerruder von Schiffen

Ax|mins|ter|tep|pich ['ɛks...] ⟨nach der engl. Stadt Axminster⟩ der; -s, -e: Florteppich mit ↑Chenillen als Schuss (Querfäden)

A|xo|lotl ⟨aztekisch⟩ der; -s, -: mexikan. Schwanzlurch

A|xon ⟨gr.⟩ das; -s, Axo|ne[n]: Neurit (Biol.; Med.). A|xo|no|met|rie* ⟨gr.-nlat.⟩ die; -, ...ien: geometrisches Verfahren, räumliche Gebilde durch Parallelprojektion auf eine Ebene darzustellen (Math.). a|xo|no|met|risch: auf dem Verfahren der Axonometrie beruhend (Math.)

A|ya|tol|lah der; -[s], -s: ↑Ajatollah

A|yun|ta|mi|en|to ⟨span.⟩ der od. das; -[s], -s: Gemeinderat spanischer Gemeinden

A|yur|ve|da ⟨sanskr.⟩ der; -[s]: Sammlung der wichtigsten Lehrbücher der altindischen Medizin aus der brahmanischen Epoche. a|yur|ve|disch: den Ayurveda betreffend, in ihm enthaltend; A|yur|we|da vgl. Ayurveda. a|yur|we|disch vgl. ayurvedisch

A|za|lee ⟨gr.-nlat.⟩, auch: A|za|lie [...jə] die; -, -n: Felsenstrauch, Zierpflanze aus der Familie der Heidekrautgewächse

A|za|rol|ap|fel ⟨arab.-span.; dt.⟩ der; -s, ...äpfel: Frucht der (zu den Rosengewächsen gehörenden) mittelmeerischen Mispel.

A|za|ro|le die; -, -n: ↑Azarolapfel

a|zen|trisch* ⟨gr.; gr.-lat.-nlat.⟩: kein Zentrum aufweisend; nicht zentrisch

a|ze|o|trop* ⟨gr.-nlat.⟩: einen bestimmten, konstanten Siedepunkt besitzend (von einem Flüssigkeitsgemisch, das aus zwei od. mehr Komponenten besteht)

a|ze|phal vgl. akephal. A|ze|pha|le ⟨gr.-nlat.⟩ der od. die; -n, -n:

Missgeburt ohne Kopf (Med.). A|ze|pha|len die (Plural): (veraltet) Muscheln (Biol.). A|ze|pha|lie die; -, ...ien: das Fehlen des Kopfes (bei Missgeburten; Med.)

A|ze|ri|den ⟨gr.; lat.⟩ die (Plural): Arzneimittel, bes. Salben, die kein Wachs enthalten

A|zet|al|de|hyd vgl. Acetaldehyd.

A|ze|ta|le vgl. Acetale. A|ze|tat usw. vgl. Acetat usw. A|ze|ton usw. vgl. Aceton usw. A|ze|tyl usw. vgl. Acetyl usw.

A|zid ⟨gr.-fr.-nlat.⟩ das; -[e]s, -e: Salz der Stickstoffwasserstoffsäure (Chem.)

A|zi|li|en [azi'liɛ̃:] ⟨fr.; nach dem Fundort Le Mas-d'Azil in Frankreich⟩ das; -[s]: Stufe der Mittelsteinzeit

A|zi|mut ⟨arab.⟩ das (auch: der); -s, -e: Winkel zwischen der Vertikalebene eines Gestirns u. der Südhälfte der Meridianebene, gemessen von Süden über Westen, Norden u. Osten. a|zi|mu|tal ⟨arab.-nlat.⟩: das Azimut betreffend

A|zi|ne ⟨gr.-fr.-nlat.⟩ die (Plural): stickstoffhaltige Verbindungen des ↑Benzols, Grundstoff der Azinfarbstoffe (Chem.)

a|zi|nös ⟨lat.⟩: traubenförmig, beerenartig (von Drüsen; Med.)

A|zo|ben|zol ⟨gr.-fr.⟩ das; -s: orangerote organische Verbindung, Grundstoff der Azofarbstoffe (Chem.). A|zo|farb|stoff der; -[e]s, -e: Farbstoff der wichtigsten Gruppe der Teerfarbstoffe (Chem.). A|zo|i|kum ⟨gr.-nlat.⟩ das; -s: Erdzeitalter ohne Spuren organischen Lebens; vgl. Archaikum (Geol.). a|zo|isch: 1. zum Azoikum gehörend. 2. ohne Spuren von Lebewesen. A|zol das; -s, -e: (meist Plural) ↑heterozyklische (2) Verbindung mit mindestens einem Stickstoffatom (Chem.). A|zo|o|sper|mie die; -, ...ien: das Fehlen von beweglichen ↑Spermien in der Samenflüssigkeit (Med.). A|zo|tä|mie* ⟨gr.-fr.; gr.-nlat.⟩ die; -, ...ien: Stickstoffüberschuss im Blut (Med.). a|zo|tie|ren: Stickstoff in eine chem. Verbindung einführen (Chem.). A|zo|to|bak|ter ⟨gr.-fr.; gr.-nlat.⟩ der od. das; -s, -: frei im Boden lebende Bakterie, die molekularen Stickstoff der Luft zu binden vermag. A|zo|to|bak|te|rin das; -s: Düngemittel, das ↑Azotobakter enthält. A|zo|tor|rhö die; -, -en u. A|zo|tor|rhöe [...'rø:] die; -, -n

[...'rø:ən]: gesteigerte Ausscheidung stickstoffhaltiger Verbindungen (z. B. Harnstoff) im Stuhl (Med.). A|zot|u|rie* die; -. ...ien: stark gesteigerte Ausscheidung von Stickstoff (Harnstoff) im Harn. A|zo|ver|bin|dung die; -, -en: chemische Verbindung mit der Azogruppe im Molekül

A|zu|le|jos [...'lɛxɔs] ⟨span.⟩ die (Plural): bunte, bes. blaue Fayenceplatten (vgl. Fayence) aus Spanien

A|zu|len ⟨pers.-arab.-span.-nlat.⟩ das; -s, -e: ein Kohlenwasserstoff; keimtötender Bestandteil des ätherischen Öls der Kamille.

A|zur ⟨pers.-arab.-mlat.-fr.⟩ der; -s: (dichter.) 1. das Blau des Himmels (intensiver Blauton). 2. der blaue Himmel. A|zu|ree|li|ni|en ⟨fr.; lat.⟩ die (Plural): waagerechtes, meist wellenförmiges Linienband auf Vordrucken (z. B. auf Wechseln od. Schecks) zur Erschwerung von Änderungen od. Fälschungen. a|zu|riert ⟨fr.⟩: mit Azureelinien versehen. A|zu|rit [auch: ...'rɪt] ⟨fr.-nlat.⟩ der; -s: ein Mineral (Kupferlasur). a|zu|rn ⟨fr.⟩: himmelblau

A|zy|a|nop|sie* ⟨gr.-nlat.⟩ die; -, ...ien: Farbenblindheit für blaue Farben (Med.)

A|zy|gie ⟨gr.⟩ die; -: 1. Ungepaartheit, das Nichtverschmelzen von ↑Gameten (Biol.). 2. einfaches Vorhandensein eines Organs (Unpaarigkeit; z. B. Leber, Milz; Med.). a|zy|gisch u. a|zy|gos: 1. ungepaart. 2. unpaarig

a|zyk|lisch* ⟨gr.-nlat.⟩: 1. nicht kreisförmig. 2. zeitlich unregelmäßig. 3. spiralig angeordnet (von Blütenblättern; Bot.). 4. (chem. fachspr. acyclisch) mit offener Kohlenstoffkette im Molekül (von organischen chemischen Verbindungen)

a|zy|misch ⟨gr.-lat.⟩: nicht gärungserregend, nicht durch Gärung entstanden (Chem.). A|zy|mi|ten die (Plural): Bez. der orthodoxen Kirche für die römisch-katholischen Christen, die die ↑Eucharistie mit ungesäuertem Brot feiern

A|zy|mon [auch: 'ats...] ⟨gr.-lat.⟩ das; -[s], ...ma: 1. ungesäuertes Brot, ↑Matze. 2. (Plural) Passahfest (vgl. Passah 1) als Fest der ungesäuerten Brote

Az|zur|ri, Az|zur|ris ⟨pers.-arab.-it.; „die Blauen") die (Plural): Bez. für italienische Sportmannschaften

Baal ⟨hebr.⟩ der; -s, -e u. -im: altorientalische Gottesbezeichnung, biblisch meist für heidnische Götter. Baals|dienst der; -[e]s: Verehrung eines Baals; Götzendienst

Baas ⟨niederl.⟩ der; -es, -e: (bes. Seemannsspr.) Herr, Meister, Aufseher, Vermittler (in Holland u. Norddeutschland)

¹Ba|ba ⟨türk.; „Vater") der; -: türkischer Ehrentitel von Geistlichen u. Frommen

²Ba|ba ⟨slaw.⟩ die; -, -s: (landsch.) Großmutter

¹Bab|bitt ['bɛbɪt] das; -s, -s: Sammelbez. für: Blei- u. Zinnbronzen

²Bab|bitt ['bɛbɪt] ⟨engl.; nach dem Titelhelden eines Romans von Sinclair Lewis⟩ der; -s, -s: geschäftstüchtiger [nordamerik.] Spießbürger

Ba|bel ⟨gr.-lat.-hebr.⟩ das; -s, -: 1. vom Sittenverfall gekennzeichneter Ort. 2. Stadt, in der nicht nur die Landessprache, sondern verwirrend viele andere Sprachen gesprochen werden

Ba|be|si|en ⟨nlat.; nach dem rumän. Arzt V. Babes⟩ die (Plural): Einzeller aus der Klasse der Sporentierchen, Erreger von verschiedenen Tierkrankheiten, die durch Zecken übertragen werden

Ba|bi|rus|sa ⟨malai.⟩ der; -[s], -s: Hirscheber auf Celebes

Ba|bis|mus ⟨pers.-nlat.⟩ der; -: religiöse Bewegung des persischen Islams im 19. Jh. (ging dem ↑Bahaismus voraus). Ba|bist der; -en, -en: Anhänger der Lehre des islamischen Babismus

Ba|bou|vis|mus [babu'vɪs...] ⟨fr.-nlat.⟩ der; -: Lehre des franz. Jakobiners u. Sozialisten Babeuf

Ba|bu ⟨Hindi; „Fürst") der; -s, -s: a) (ohne Plural) indischer Titel für gebildete Inder, entsprechend unserem „Herr"; b) Träger dieses Titels

Ba|bu|sche [auch: ...'bu...], auch: Pampusche ⟨pers.-arab.-fr.⟩ die; -, -n: (landsch.) Stoffpantoffel

Ba|busch|ka ⟨russ.⟩ die; -, -s: (landsch.) alte Frau, Großmutter; vgl. ²Baba

Ba|by ['be:bi] ⟨engl.⟩ das; -s, -s: 1. Säugling, Kleinkind. 2. Schätzchen, Liebling (als Anrede). **Ba|by|boom** [...bu:m] ⟨engl.⟩ der; -s, -s: Anstieg der Geburtenzahlen. **Ba|by|boo|mer** [...bu:mə] der; -s, -[s]: (ugs.) jmd., der einem geburtenstarken Jahrgang entstammt. **Ba|by|doll** ⟨nach der Titelfigur des gleichnamigen amerikan. Films⟩ das; -[s], -s: Damenschlafanzug aus leichtem Stoff mit kurzem Höschen u. weitem Oberteil

Ba|by|lon das; -s, -s: ↑ Babel. **ba|by|lo|nisch**: in den Fügungen: **babylonische Sprachverwirrung, babylonisches Sprachengewirr**: verwirrende Vielfalt von Sprachen, die an einem Ort zu hören sind, gesprochen werden

Ba|by|pro ⟨engl.; lat.⟩ die od. der; -, -: (Jargon) besonders junger, sich prostituierender weiblicher bzw. männlicher Minderjähriger. **ba|by|sit|ten**: (ugs.) sich als Babysitter betätigen. **Ba|by|sitter** der; -s, -: Person, die kleine Kinder bei Abwesenheit der Eltern [gegen Entgelt] beaufsichtigt. **ba|by|sit|tern**: ↑ babysitten. **Ba|by|sit|ting** das; -[s]: das Babysitten

Bac|ca|rat das; -s: ↑ Bakkarat

Bac|cha|nal [baxa..., auch: baka...] ⟨gr.-lat.⟩ das; -s, -e u. -ien: 1. altröm. Fest zu Ehren des griech.-röm. Weingottes Bacchus. 2. ausschweifendes Trinkgelage. **Bac|chant** ⟨gr.-lat.⟩ der; -en, -en: 1. (dichter.) Trinkbruder; trunkener Schwärmer. 2. fahrender Schüler im Mittelalter. **Bac|chan|tin** die; -, -nen: ↑ Mänade. **bac|chan|tisch**: ausgelassen, trunken, überschäumend. **Bac|chi|us** der; -, ...ien: dreisilbige antike rhythmische Einheit (Versfuß) von der Grundform ‿ – – . **Bac|chus**: griechisch-römischer Gott des Weins; **[dem] Bacchus huldigen**: (dichter.) Wein trinken

Ba|che|lor ['bɛtʃələ] ⟨kelt.-mlat.-fr.-engl.⟩ der; -[s], -s: niedrigster akademischer Grad in England, den USA u. anderen englischsprachigen Ländern; Abk.: B.; vgl. Bakkalaureus

Bach|ti|a|ri der; -[s], -[s]: von den iran. Bergvolk der Bachtiaren geknüpfter Teppich

Ba|cil|le [ba'tʃi:lə] ⟨mlat.-it.⟩ das; -, ...li: beckenartige große Schale

Ba|cil|lus [...'tsɪ...] ⟨lat.⟩ der; -, ...lli: 1. (meist Plural) Arzneistäbchen zur Einführung in enge Kanäle. 2. ↑ Bazillus

Back [bɛk] ⟨engl.⟩ der; -s, -s: (veraltet, aber noch österr. u. schweiz.) Verteidiger (Fußball). **Back|gam|mon** [bɛk'gɛmən] ⟨engl.⟩ das; -s: Würfelbrettspiel. **Back|ground** ['bɛkgraunt] ⟨„Hintergrund"⟩ der; -s, -s: 1. Hintergrund (im optisch-visuellen Bereich). 2. musikalischer Hintergrund. 3. geistige Herkunft, Milieu. 4. Berufserfahrung, Kenntnisse. **Back|hand** ['bɛkhɛnt] die; -, -s, (auch:) der; -[s], -s: Rückhand[schlag] im [Tisch]tennis, Federball u. [Eis]hockey; Ggs. ↑ Forehand. **Back|list** ['bɛk...] die; -, -s: Anzahl, Verzeichnis von Büchern, die nicht neu sind, aber weiterhin im Programm eines Verlags geführt werden. **Back|slash** ['bɛkslɛʃ] der; -s, -s: Schrägstrich von links oben nach rechts unten. **Back|spring** ['bɛksprɪŋ] der; -s, -s: Sprung nach rückwärts, um dem Schlag des Gegners auszuweichen (Boxen). **back|stage** ['bɛksteɪdʒ]: hinter der Bühne, hinter den Kulissen. **Back-up**, auch: **Back|up** der; -s, -s: Kopie von Daten auf einem zweiten Datenträger; Sicherungskopie

Ba|con ['be:kn, 'beɪkən] ⟨german.-fr.-engl.⟩ der; -s: durchwachsener, leicht gesalzener u. angeräucherter Speck

Bal|dia ⟨aram.-gr.-lat.-it.⟩ die; -, ...jen: ital. Bez. für: Abtei[kirche]

Bal|di|na|ge [...'na:ʒə] ⟨fr.⟩ die; -, -n u. **Bal|di|ne|rie** die; -, ...jen: scherzhaft tändelndes Musikstück, Teil der Suite im 18. Jh.

Bad|lands ['bɛdlɛnds] ⟨engl.; „schlechte Ländereien"⟩ nach dem gleichnamigen Gebiet in Süddakota⟩ die (Plural): vegetationsarme, durch Rinnen, Furchen o. Ä. zerschnittene Landschaft (Geogr.)

Bad|min|ton ['bɛtmɪntən] ⟨engl.; Besitztum des Herzogs von Beaufort in England⟩ das; -: Wettkampfform des Federballspiels

Bad|trip ['bɛt...] ⟨engl.; „schlechte Reise"⟩ der; -s, -s, auch: **Bad Trip** der; - -s, - -s: ↑ Horrortrip

Ba|fel u. **Bofel** u. **Pafel** ⟨hebr.-jidd.⟩ der; -s, -: 1. (ohne Plural) Geschwätz. 2. Ausschussware

Bal|gal|ge [ba'ga:ʒə] ⟨fr.⟩ die; -, -n:

1. (veraltet) Gepäck, Tross. 2. (abwertend) Gesindel, Pack

Bal|gas|se ⟨lat.-galloroman.-fr.⟩ die; -, -n: Pressrückstand bei der Zuckergewinnung aus Rohrzucker. **Bal|gas|so|se** ⟨fr.⟩ die; -, -n: Staublungenerkrankung bei Zuckerrohrarbeitern

Bal|ga|tell|de|likt das; -[e]s, -e: Delikt, bei dem die Schuld des Täters gering ist u. kein öffentliches Interesse an einer Strafverfolgung besteht. **Bal|ga|tel|le** ⟨lat.-it.-fr.⟩ die; -, -n: 1. unbedeutende Kleinigkeit. 2. kurzes Instrumentalstück ohne bestimmte Form (Mus.). **ba|ga|tel|li|sie|ren**: als Bagatelle behandeln, als geringfügig u. unbedeutend hinstellen, verniedlichen

Bag|gings ['bɛgɪŋs] ⟨engl.⟩ die (Plural): Bastfasergewebe (Jute), bes. für Wandbespannungen, Verpackungsstoffe usw.

Bag|no* ['banjo] ⟨gr.-lat.-it.; „Bad"⟩ das; -s, -s u. ...gni (hist.): Strafanstalt, Strafverbüßungsort [für Schwerverbrecher] (in Italien u. Frankreich)

Bal|guette [ba'gɛt] ⟨lat.-it.-fr.⟩ die; -, -n: 1. besondere Art des Edelsteinschliffs. 2. (auch: das; -s, -s) franz. Stangenweißbrot

Bal|hai ⟨pers.⟩ der; -, -[s]: Anhänger des Bahaismus. **Ba|hais|mus**, Behaismus ⟨pers.-nlat.⟩ von pers. Baha Ullah „Glanz Gottes", dem Ehrennamen des Gründers Mirsa Husain Ali⟩ der; -: aus dem ↑ Babismus entstandene universale Religion

Bal|har ⟨arab.⟩ der od. das; -[s], -[s]: Handelsgewicht in Ostindien

Bal|hal|sa In|do|ne|sia die; -: amtl. Bez. der modernen indonesischen Sprache

Baht ⟨Thai⟩ der; -, -: Währungseinheit in Thailand; Abk.: B

Bal|huw|rij|hi* ⟨sanskr.⟩ „viel Reis (habend)"⟩ das od. der; -, -: Wortzusammensetzung, die eine Person od. Sache, die nicht in den Wortgliedern genannt wird, nach einem charakteristischen Merkmal benennt; ↑ exozentrisches Kompositum, Possessivkompositum (z. B. Langbein, Löwenzahn; Sprachw.)

Bai ⟨mlat.-span.-fr.-niederl.⟩ die; -, -en: Meeresbucht

Bai|ao ⟨lateinamerik.⟩ der; -: moderner lateinamerikan. Gesellschaftstanz in offener Tanzhaltung u. lebhaftem ²/₄- od. ⁴/₈-Takt

Baig|neu|se* [bɛn'jø:zə] ⟨fr.; „Ba-

dehaube"⟩ die; -, -n: (hist.) Spitzenhaube (etwa 1780–1785) **Bail|liff** [ˈbeːlɪf] ⟨lat.-fr.-engl.⟩ der; -s, -s: engl. Form von: Bailli. **Bail|li** [baˈji] ⟨lat.-fr.⟩ der; -[s], -s mittelalterl. Titel für bestimmte Verwaltungs- und Gerichtsbeamte in England, Frankreich u. bei den Ritterorden. **Bail|lia|ge** [baˈjaːʒə] die; -, -n: a) Amt eines Bailli; b) Bezirk eines Bailli; vgl. Ballei
Bain-Ma|rie [bɛ̃...] ⟨fr.⟩ das; -, Bains-Marie [bɛ̃...]: Wasserbad (zum Warmhalten von Speisen) **Bai|ram** ⟨türk.⟩ der; -[s], -s: türkischer Name zweier großer Feste des Islams
Bai|ser [bɛˈzeː] ⟨lat.-fr.; „Kuss"⟩ das; -s, -s: aus Eischnee und Zucker bestehendes porös-sprödes, weißes Schaumgebäck
Bais|se [ˈbɛːsə] ⟨lat.-vulgärlat.-fr.⟩ die; -, -n: [starkes] Fallen der Börsenkurse od. Preise; Ggs. ↑ Hausse. **Bais|se|klau|sel** die; -, -n: Vereinbarung zwischen Käufer u. Verkäufer, dass der Käufer von einem Vertrag zurücktreten darf, wenn er von anderer Seite billiger beziehen kann. **Bais|se|spe|ku|lant** der; -en, -en: ↑ Baissier. **Bais|si|er** [bɛˈsi̯e] der; -s, -s: jmd., der auf Baisse spekuliert; Ggs. ↑ Haussier
Bait ⟨arab.; „Haus"⟩ das; -[s], -s: Verspaar des ↑ Gasels; vgl. Königsbait
Bal|ja|de|re ⟨gr.-lat.-port.-niederl.-fr.⟩ die; -, -n: indische Tempeltänzerin
Bal|jaz|zo ⟨lat.-it.⟩ der; -s, -s: Possenreißer (des italien. Theaters) **Bal|jo|nett** ⟨fr.; vom Namen der Stadt Bayonne in Südfrankr.⟩ das; -[e]s, -e: auf das Gewehr aufsetzbare Hieb-, Stoß- u. Stichwaffe mit Stahlklinge für den Nahkampf; Seitengewehr. **ba|jo|net|tie|ren:** mit dem Bajonett fechten. **Bal|jo|nett|verschluss** der; -es, ...üsse: leicht lösbare Verbindung von rohrförmigen Teilen (nach der Art, wie das Bajonett auf das Gewehr gesteckt wird)
Ba|kel ⟨lat.⟩ der; -s, -: (veraltet) Schulmeisterstock
Ba|ke|lit ® [auch: ...ˈlɪt] ⟨nach dem belg. Chemiker Baekeland⟩ das; -s: aus Kunstharzen hergestellter Kunststoff
Bak|ka|lau|re|at ⟨mlat.-fr.⟩ das; -[e]s, -e: 1. unterster akademischer Grad (in England u. Nordamerika). 2. (in Frankreich) Abitur, Reifeprüfung. **Bak|ka|lau-**

re|us ⟨mlat.⟩ der; -, ...rei: Inhaber des Bakkalaureats
Bak|ka|rat [ˈbakara(t), auch: ...ˈra] ⟨fr.⟩ das; -s: ein Kartenglücksspiel
Bak|ken ⟨norw.⟩ der; -[s], -: Sprunghügel, -schanze (Skisport)
Bak|schisch ⟨pers.⟩ das; - u. -[e]s, -e: 1. Almosen; Trinkgeld. 2. Bestechungsgeld
Bak|te|ri|äl|mie ⟨gr.-nlat.⟩ die; -, ...jen: Auftreten von Bakterien im Blut in sehr großer Anzahl. **Bak|te|rie** ⟨gr.-lat.; „Stäbchen, Stöckchen"⟩ die; -, -n: einzelliges Kleinstlebewesen (Spaltpilz), oft Krankheitserreger. **bak|te|ri|ell:** a) Bakterien betreffend; b) durch Bakterien hervorgerufen. **Bak|te|ri|o|id** das; -[e]s, -e: bakterienähnlicher Mikroorganismus, dessen Gestalt von den normalen Wuchsformen der Bakterien abweicht. **Bak|te|ri|o|lo|ge** ⟨gr.-nlat.⟩ der; -n, -n: Wissenschaftler auf dem Gebiet der Bakteriologie. **Bak|te|ri|o|lo|gie** die; -: Wissenschaft von den Bakterien. **bak|te|ri|o|lo|gisch:** die Bakteriologie betreffend. **Bak|te|ri|o|ly|se** die; -, -n: Auflösung, Zerstörung von Bakterien durch spezifische ↑ Antikörper. **Bak|te|ri|o|ly|sin** das; -s, -e: im Blut entstehender Schutzstoff, der bestimmte Bakterien zerstört. **bak|te|ri|o|ly|tisch:** Bakterien zerstörend. **Bak|te|ri|o|pha|ge** der; -n, -n: virenähnliches Kleinstlebewesen, das Bakterien zerstört. **Bak|te|ri|o|se** die; -, -n: durch Bakterien verursachte Pflanzenkrankheit. **Bak|te|ri|os|ta|se** der; -, -n: Hemmung des Wachstums u. der Vermehrung von Bakterien. **bak|te|ri|os|ta|tisch*:** Wachstum u. Vermehrung von Bakterien hemmend. **Bak|te|ri|o|the|ra|pie** die; -, ...ien: Erzeugung einer ↑ Immunität gegen ansteckende Krankheiten durch Schutzimpfung. **Bak|te|ri|um** ⟨gr.-lat.⟩ das; -s, ...ien: (veraltet) Bakterie. **Bak|te|ri|u|rie** ⟨gr.-nlat.; lat.; gr.⟩ die; -: Vorkommen von Bakterien im Harn. **bak|te|ri|zid** ⟨gr.; lat.⟩: keimtötend. **Bak|te|ri|zid** das; -s, -e: keimtötendes Mittel
Ba|la|lai|ka ⟨russ.⟩ die; -, -s u. ...ken: dreisaitiges russisches Saiteninstrument
Ba|lan|ce [baˈlãsə, auch: baˈlã:s(ə)] ⟨lat.-vulgärlat.-fr.⟩ die; -, -n: Gleichgewicht. **Ba|lan|cé** [...ˈse:] das; -s, -s: Schwebeschritt

(Tanzk.). **Ba|lan|ce|akt** der; -[e]s, -e: Vorführung eines Balancierkünstlers; Seilkunststück. **Ba|lan|ce|ment** [balãsəˈmã:] das; -s: Bebung (leichtes Schwanken der Tonhöhe) bei Saiteninstrumenten (Mus.). **Ba|lance of Pow|er** [ˈbælans ɔv ˈpaʊə] ⟨engl.; „Gleichgewicht der Kräfte"⟩ die; - - -: Grundsatz der Außenpolitik, die Vorherrschaft eines einzigen Staates zu verhindern (Pol.). **ba|lan|cie|ren** [balaŋˈsi:..., auch: balãˈsi:...]: das Gleichgewicht halten, sich im Gleichgewicht fortbewegen
Ba|la|ni|tis, Ba|la|no|pos|thi|tis ⟨gr.-nlat.⟩ die; -, ...itiden: Entzündung im Bereich der Eichel; Eicheltripper (Med.)
Ba|la|ta [auch: baˈla:ta] ⟨indian.-span.⟩ die; -: kautschukähnliches Naturerzeugnis
Bal|ban ⟨russ.⟩ der; -s, -e (veraltet) künstlicher Lockvogel (Jagdw.)
bal|bie|ren: ↑ barbieren
Bal|boa ⟨nach dem span. Entdecker⟩ der; -[s], -[s]: Währungseinheit in Panama
Bal|da|chin [auch: ...xi:n] ⟨it.; von Baldacco, der früheren italien. Form des Namens der irakischen Stadt Bagdad⟩ der; -s, -e: 1. eine Art Dach, Himmel aus Stoff u. in prunkvoller Ausführung, der sich über etw. (z. B. Thron, Altar, Kanzel, Bett) drapiert befindet. 2. steinerner Überbau über einem Altar, über Statuen usw.
bal|do|wern ⟨hebr.-jidd.-Gaunerspr.⟩: (landsch.) nachforschen
Bal|le|nit [auch: ...ˈnɪt] ⟨gr.-nlat.⟩ das; -s: Versteifungsplättchen aus vulkanisiertem Kautschuk (Ersatz für Fischbein)
Bal|les|ter ⟨gr.-lat.-mlat.⟩ der; -s, -: (hist.) Kugelarmbrust
Bal|les|t|ra* ⟨it.⟩ die; -, ...ren: (beim Fechten) Sprung vorwärts mit Ausfall (eine Angriffsbewegung, bei der sich der bewaffnete Arm u. das entsprechende Bein nach vorn bewegen)
bal|ka|ni|sie|ren ⟨türk.-nlat.⟩: staatlich zersplittern u. in verworrene politische Verhältnisse bringen (wie die Staaten der Balkanhalbinsel vor dem 1. Weltkrieg). **Bal|ka|nis|tik** die; -: ↑ Balkanologie. **Bal|ka|no|lo|ge** ⟨türk.; gr.⟩ der; -n, -n: Wissenschaftler auf dem Gebiet der Balkanologie. **Bal|ka|no|lo|gie** die; -: Wissenschaft von den Sprachen u. Literaturen auf der Balkanhalbinsel

Bal|kon [...'kɔŋ, (auch, bes. südd., österr. u. schweiz.:) ...'ko:n] ⟨germ.-it.-fr.⟩ der; -s, -s u. (bei nicht nasalierter Ausspr.:) -e: 1. offener Vorbau an einem Haus, auf den man hinaustreten kann. 2. höher gelegener Zuschauerraum im Kino u. Theater
Ball ⟨gr.-lat.-fr.⟩ der; -[e]s, Bälle: Tanzfest. **Bal|la|de** ⟨gr.-lat.-it.-fr.-engl.; „Tanzlied"⟩ die; -, -n: episch dramatisch-lyrisches Gedicht in Strophenform. **bal|la|desk** in der Art einer Ballade, balladenhaft. **Bal|lad-O|pe|ra** ['bæləd'ɔpərə] ⟨engl.⟩ die; -, -s: englisches Singspiel des 18. Jh.s mit volkstümlichen Liedern
Bal|la|watsch vgl. Pallawatsch
Bal|lei ⟨lat.-mlat.⟩ die; -, -en: [Ritter]ordensbezirk, Amtsbezirk
Bal|le|ri|na, selten: **Bal|le|ri|ne** ⟨gr.-lat.-it.⟩ die; -, ...nen: [Solo]tänzerin im Ballett. **Bal|le|ri|no** der; -s, -s: [Solo]tänzer im Ballett. **Bal|le|ron** ⟨fr.⟩ der; -s, -s: (schweiz.) eine dicke Aufschnittwurst. **Bal|lett** das; -[e]s, -e: 1. a) (ohne Plural) [klassischer] Bühnentanz; b) einzelnes Werk dieser Gattung. 2. Tanzgruppe für [klassischen] Bühnentanz. **Bal|let|teu|se** [...'tø:zə] ⟨französierende Ableitung von Ballett⟩ die; -, -n: Ballettänzerin.
Bal|lett|korps [...ko:ɐ̯] das; -, -: ↑Corps de Ballet; Gruppe der nicht solistischen Ballettänzer, die auf der Bühne den Rahmen u. Hintergrund für die Solisten bilden. **Bal|lett|to|ma|ne** der; -n, -n: Ballettbesessener. **Bal|lett|tanz** der; -es, ...tänze: ↑Ballett (1a)
ball|hor|ni|sie|ren ⟨nach dem Lübecker Buchdrucker J. Ballhorn⟩: (selten) verballhornen
Bal|lis|mus ⟨gr.-nlat.⟩ der; -: plötzliche krankhafte Schleuderbewegungen der Arme (Med.).
Bal|lis|te ⟨gr.-lat.⟩ die; -, -n: antikes Wurfgeschütz. **Bal|lis|tik** ⟨gr.-nlat.⟩ die; -: Lehre von der Bewegung geschleuderter od. geschossener Körper. **Bal|lis|ti|ker** der; -s, -: Forscher auf dem Gebiet der Ballistik. **bal|lis|tisch**: die Ballistik betreffend; **ballistische Kurve**: Flugbahn eines Geschosses; **ballistisches Pendel**: Vorrichtung zur Bestimmung von Geschossgeschwindigkeiten. **Bal|lis|to|kar|di|o|gra|phie**, auch: ...grafie die; -, ...ien: Aufzeichnung der Bewegungskurven, die die Gliedmaßen aufgrund der Herztätigkeit u. des

damit verbundenen stoßweisen Füllens der Arterien ausführen (Med.)
Bal|lit [auch: ...'lɪt] ⟨Kunstw.⟩ das; -s: ein plastisches Holz aus knetbarer Paste
Bal|lo|elek|tri|zi|tät* ⟨nlat.⟩ die; -: Wasserfallelektrizität, elektrische Aufladung der in der Luft schwebenden Tröpfchen beim Zerstäuben von Wasser (Phys.)
Bal|lon [ba'lɔŋ, (auch, bes. südd., österr. u. schweiz.:) ba'lo:n] ⟨germ. it. fr.⟩ der; -s, -s u. (bei nicht nasalierter Ausspr.:) -e: 1. ballähnlicher, mit Luft od. Gas gefüllter Gegenstand. 2. von einer gasgefüllten Hülle getragenes Luftfahrzeug. 3. große Korbflasche. 4. Glaskolben (Chem.). 5. (salopp) Kopf. **Bal|lon d'Es|sai** [balõdɛ'se:] ⟨fr.; „Versuchsballon"⟩ der; - -, - -: Nachricht, Versuchsmodell o. Ä., womit man die Meinung eines bestimmten Personenkreises erkunden will. **Bal|lo|nett** ⟨germ.-it.-fr.⟩ das; -[e]s, -e u. -s: Luft-(Gas-)Kammer im Innern von Fesselballons u. Luftschiffen. **Bal|lon|rei|fen** der; -s, -: Niederdruckreifen für Kraftfahrzeuge u. Fahrräder. **Bal|lon|se|gel** das; -s, -: leichtes, sich stark wölbendes Vorsegel auf Jachten. **Bal|loo|ning** [bə'lu:nɪŋ] ⟨engl.⟩ das; -s: das Ballonfahren
¹Bal|lot [ba'lo:] ⟨germ.-fr.⟩ das; -s, -s: 1. kleiner Warenballen. 2. Stückzählmaß im Glashandel.
²Bal|lot [ˈbɛlət] ⟨germ.-it.-fr.-engl.⟩ das; -s: engl.-amerikan. Bez. für: geheime Abstimmung. **Bal|lo|ta|ge** ⟨germ.-it.-fr.⟩ die; -, -n: im Sprung des Pferdes bei der hohen Schule. **Bal|lo|ta|ge** [...ʒə] die; -, -n: geheime Abstimmung mit weißen od. schwarzen Kugeln. **Bal|lo|tie|ren** mit Kugeln abstimmen. **Bal|lo|ti|ne** ⟨fr.⟩ die; -, -n: a) Vorspeise, die aus Fleisch, Wild, Geflügel od. Fisch besteht; b) von Knochen befreite, gebratene u. gefüllte Geflügelkeule (Gastr.)
Bal|ly|hoo ['bɛlɪhu: u. ...'hu:] ⟨engl.⟩ das; -: marktschreierische Propaganda, Reklamerummel
Bal|me ⟨kelt. ?-mlat.⟩ die; -, -n: Gesteinsnische od. Höhle unter einer überhängenden Wand; in Juraschichten
Bal|ne|o|gra|phie, auch: ...grafie ⟨lat.-nlat.⟩ die; -, ...ien: Beschreibung von Heilbädern. **Bal|ne|o|lo|gie** die; -: Bäderkunde, Heilquellenkunde. **Bal|ne|o|lo-**

gisch: die Bäderkunde betreffend. **Bal|ne|o|phy|si|o|lo|gie** die; -: Physiologie der innerlichen u. äußerlichen Anwendung von Heilquellen beim Menschen. **Bal|ne|o|the|ra|pie** die; -: Heilbehandlung durch Bäder (Med.)
Bal pa|ré [balpa're:] ⟨fr.⟩ der; - -, -s -s [balpa're:]: (veraltet) besonders festlicher Ball
¹Bal|sa ⟨span.⟩ das; -, -: sehr leichtes Nutzholz des mittel- u. südamerik. Balsabaumes (u. a. im Floßbau verwendet). **²Bal|sa** die; -, -s: floßartiges Fahrzeug aus Binsenbündeln (urspr. aus dem leichten Holz des Balsabaumes) bei den Indianern Südamerikas
Bal|sam ⟨hebr.-gr.-lat.⟩ der; -s, -e: 1. dickflüssiges Gemisch aus Harzen u. ätherischen Ölen, bes. in der Parfümerie u. (als Linderungsmittel) in der Medizin verwendet. 2. Linderung, Labsal. **bal|sa|mie|ren**: einsalben, ↑einbalsamieren. **Bal|sa|mi|ne** ⟨hebr.-gr.-lat.-nlat.⟩ die; -, -n: ↑Impatiens. **bal|sa|misch** ⟨hebr.-gr.-lat.⟩: 1. wohlriechend. 2. wie Balsam, lindernd
Bal|tis|tik ⟨lat.-mlat.-nlat.⟩ die; -: ↑Baltologie. **Bal|to|lo|ge** ⟨lat.-mlat.; gr.⟩ der; -n, -n: Wissenschaftler auf dem Gebiet der Baltologie. **Bal|to|lo|gie** die; -: Wissenschaft von den baltischen Sprachen u. Literaturen
Ba|lus|ter ⟨gr.-lat.-it.-fr.⟩ der; -s, -: kleine Säule als Geländerstütze. **Ba|lust|ra|de*** die; -, -n: Brüstung; Geländer mit Balustern
Ba|lyk ⟨russ.⟩ der; -: getrockneter Rücken des Störs
Bam|bi|na ⟨it.⟩ die; -, -s: (ugs.) a) kleines Mädchen; b) junges Mädchen; c) Freundin. **Bam|bi|no** der; -s, ...ni u. (ugs.) -s: 1. das Jesuskind im der ital. Bildhauerei u. Malerei. 2. (ugs.) a) kleines Kind; b) kleiner Junge. **Bam|boc|ci|a|de** [bambɔ'tʃa:də] ⟨nach dem Niederländer Pieter van Laer (um 1595–1642), der als Erster Genreszenen in Italien malte u. seiner Missgestalt wegen den Namen „Bamboccio" (= Knirps) trug⟩ die; -, -n: genrehafte, derbkomische Darstellung des Volkslebens
Bam|bu|le ⟨Bantuspr.-fr.⟩ die; -, -n: (Gaunerspr.) in Form von Krawall[en] geäußerter Protest bes. von Häftlingen
Bam|bus ⟨malai.-niederl.⟩ der; -[ses], -se: vor allem in tropischen u. subtropischen Gebieten vorkommende, bis 40 m hohe,

verholzende Graspflanze. **Bambus|vor|hang** *der;* -s: weltanschauliche Grenze zwischen dem kommunistischen u. nichtkommunistischen Machtbereich in Südostasien **Ba|mi-go|reng**, auch: **Ba|mi|goreng** ⟨*malai.*⟩ *das;* -[s], -s: indonesisches Nudelgericht **¹Ban** ⟨*serbokroat.*; „Herr") *der;* -s, -e u. **Banus,** *der;* -, -: a) ungarischer und serbokroatischer Würdenträger (10. u. 11. Jh.); b) im 12.–15. Jh. Titel der Oberbeamten mehrerer südlicher Grenzmarken Ungarns **²Ban** ⟨*Thai*⟩ *das;* -, -: thailänd. Getreidemaß (1 472 Liter) **³Ban** ⟨*rumän.*⟩ *der;* -[s], -i: Währungseinheit in Rumänien (100 Bani = 1 Leu) **ba|nal** ⟨*germ.-fr.*⟩: [in enttäuschender Weise] nichts Besonderes darstellend, bietend. **ba|nali|sie|ren**: ins Banale ziehen, verflachen. **Ba|na|li|tät** *die;* -, -en: 1. (ohne Plural) Plattheit, Fadheit. 2. banale Bemerkung **Ba|na|ne** ⟨*afrik.-port.*⟩ *die;* -, -n: wohlschmeckende, länglich gebogene tropische Frucht mit dicker, gelber Schale. **Ba|na|nenre|pu|blik*** ⟨*amerik.*⟩ *die;* -, -en: kleines Land in den tropischen Gebieten Amerikas, das fast nur vom Südfrüchteexport lebt u. von fremdem, meist US-amerikanischem Kapital abhängig ist. **Ba|na|nen|split** ⟨*afrik.-port.; engl.*⟩ *das;* -s, -s: Eissspeise, bestehend aus einer längs durchgeschnittenen Banane, Eis, Schlagsahne [u. Schokoladensoße] **Ba|nau|se** ⟨*gr.*⟩ *der;* -n, -n: (abwertend) jmd., der ohne Kunstverständnis ist und sich entsprechend verhält; Mensch ohne feineren Lebensstil, der Dinge, denen von Kennern eine entsprechende Wertschätzung entgegengebracht wird, unangemessen behandelt od. verwendet. **banau|sisch**: (abwertend) ohne Verständnis für geistige u. künstlerische Dinge; ungeistig **Band** [bɛnt] ⟨*germ.-fr.-engl.-amerik.*⟩ *die;* -, -s: Gruppe von Musikern, die vorzugsweise moderne Musik wie Jazz, Beat, Rock, Pop spielt. **Ban|da** ⟨*germ.-it.*⟩ *die;* -, ...de: 1. Gruppe der Blechblasinstrumente im Orchester. 2. Bühnen[blas]orchester (in Opern). **Ban|da|ge** [...ʒə] ⟨*germ.-fr.*⟩ *die;* -, -n: 1. Stützverband. 2. Schutzverband (z. B. der Hände beim Boxen). **ban|da|gie|ren**

[...ʒi:...]: mit Bandagen versehen, umwickeln. **Ban|da|gist** [...'ʒɪst] *der;* -en, -en: Hersteller von Bandagen u. Heilbinden **Ban|da|na|druck** ⟨*Hindi; dt.*⟩ *der;* -s, -e: 1. Zeugdruckverfahren zur Herstellung weißer Muster auf farbigem Grund. 2. Ergebnis dieses Verfahrens **Ban|de** ⟨*germ.-fr.*⟩ *die;* -, -n: Rand, Einfassung, besonders beim Billard, bei Eis- u. Hallenhockey u. in der Reitbahn. **Ban|deau** [bā'do:] *das;* -s, -s: (veraltet) Stirnband. **Ban|de|lier** ⟨*germ.-span.- fr.*⟩ *das;* -s, -e: (veraltet) breiter Schulterriemen als Patronengurt, Degengurt (Wehrgehänge), Patronentaschenriemen der berittenen Truppen. **Ban|denspek|trum*** *das;* -s, ...tren u. ...tra: Viellinienspektrum; besonders linienreiches, zu einzelnen Bändern verschmolzenes, von Molekülen ausgesandtes Spektrum (Phys.) **Ban|de|ril|la** [...'rılja] ⟨*germ.- span.*⟩ *die;* -, -s: mit Fähnchen geschmückter kleiner Spieß, den der Banderillero dem Stier in den Nacken stößt. **Ban|de|ril|le|ro** [...rıl'je:ro] *der;* -s, -s: Stierkämpfer, der den Stier mit den Banderillas reizt. **Ban|de|ro|le** ⟨*germ.- roman.-it.-fr.*⟩ *die;* -, -n: 1. mit einem Steuervermerk versehener Streifen, mit dem eine steuer- od. zollpflichtige Ware versehen u. gleichzeitig verschlossen wird (z. B. Tabakwaren). 2. ornamental stark verschlungenes, mit einer Erklärung versehenes Band auf Gemälden, Stichen o. Ä. (Kunstwiss.). 3. a) Wimpel am Speer od. Lanze; b) Quastenschnur um die Trompete der Spielleute u. Heerestrompeter (Mittelalter). **ban|de|ro|lie|ren**: mit einer Banderole versehen **Ban|dit** [auch: ...'dɪt] ⟨*germ.-it.*⟩ *der;* -en, -en: 1. Verbrecher, [Straßen]räuber. 2. (abwertend) jmd., der sich anderen gegenüber unmenschlich, verbrecherisch verhält **Band|lea|der** ['bɛntli:də] ⟨*engl.*⟩ *der;* -s, -s: 1. im traditionellen Jazz der die Führungsstimme in der Jazzensemble übernehmende Kornett- od. Trompetenbläser. 2. Leiter einer ↑ Band **Ban|do|la** *die;* -, ...len: ↑ Bandura **Ban|do|ne|on, Ban|do|ni|on** ⟨nach dem dt. Erfinder des Instruments H. Band⟩ *das;* -s, -s: Handharmonika mit Knöpfen zum Spielen auf beiden Seiten

Ban|du|ra ⟨*gr.-lat.-it.-poln.-russ.*⟩ *die;* -, -s: lauten- od. gitarrenähnliches ukrain. Saiteninstrument. **Ban|dur|ria** ⟨*gr.-lat.-span.*⟩ *die;* -, -s: mandolinenähnliches, zehnsaitiges span. Zupfinstrument **Ban|dy** ['bɛndi] ⟨*germ.-fr.-engl.*⟩ *das;* -, -s: heute veraltete Abart des Eishockeyspiels **Ba|ni:** *Plural* von ↑ ³Ban **Ba|ni|an** ⟨*sanskr.-Hindi-engl.*⟩ *die* (Plural): Kaste der Kaufleute in Indien, bes. in den ehemaligen Provinzen Bombay u. Bengalen **Ban|jo** [auch: 'bɛndʒo] ⟨*amerik.*⟩ *das;* -s, -s: fünf- bis neunsaitige, langhalsige Gitarre **Bank** ⟨*germ.-it.-fr.*⟩ *die;* -, -en: Kreditanstalt, Anstalt zur Abwicklung des Zahlungs- u. Devisenverkehrs. ...**bank:** in Zusammensetzungen auftretendes Grundwort mit der Bedeutung „zentrale Stelle, wo das im Bestimmungswort Genannte für den Gebrauchsfall bereitgehalten wird", z. B. Augen-, Blut-, Datenbank. **Bank|ak|zept** *das;* -s, -e: auf eine Bank gezogener u. von dieser zur Gutschrift ↑ akzeptierter Wechsel **Ban|ka|zinn** ⟨nach der Sundainsel Bangka⟩ *das;* -s: Zinn, das aus besonders reinen Erzen Indonesiens gewonnen wird **Ban|ker** [auch: 'bɛŋkə] ⟨*engl.*⟩ *der;* -s, -: Bankier, Bankfachmann. **ban|ke|rott** usw. vgl. bankrott **¹Ban|kett** ⟨*germ.-it.*⟩: Festmahl, -essen. **²Ban|kett** ⟨*germ.-fr.*⟩ *das;* -[e]s, -e, auch: **Ban|ket|te** *die;* -, -n: 1. etwas erhöhter [befestigter] Randstreifen einer [Auto]straße. 2. unterster Teil eines Gebäudefundaments (Bauw.). **ban|kettie|ren** ⟨*germ.-it.*⟩: (veraltet) ein Bankett halten, festlich tafeln **ban|ki|er** [baŋ'kje:] ⟨*germ.-it.-fr.*⟩ *der;* -s, -s: 1. Inhaber einer Bank. 2. Vorstandsmitglied einer Bank. **Ban|king** ['bɛŋkɪŋ] ⟨*engl.*⟩ *das;* -[s]: Bankwesen, Bankgeschäft, Bankverkehr. **Ban|king|theorie** *die;* -: Geldtheorie, nach der die Ausgabe von Banknoten nicht an die volle Edelmetalldeckung gebunden ist, sondern sie durch Wirtschaft reguliert wird. **Bank|kon|to** *das;* -s, ...ten (auch: -s u. ...ti): 1. Soll-und-Haben-Aufstellung eines Kunden bei einer Bank. 2. Bankguthaben. **Bank|no|te** *die;* -, -n: von einer Notenbank ausgegebener Geldschein. **Bank|o** ⟨*germ.-it.*⟩ *das;* -s: (veraltet) bankmäßige Währung. **Ban|ko|mat** ⟨aus *Bank* u.

Auto*mat*⟩ *der;* -en, -en: Geldautomat eines Geldinstituts, bei dem ein Kunde auch außerhalb der Schalterstunden Geldbeträge bis zu einer bestimmten Höhe unter Anwendung bestimmter Bedienungsvorschriften erhalten kann. **bank|rott** ⟨*it.*⟩: finanziell, wirtschaftlich am Ende; zahlungsunfähig. **Bank|rott** *der;* -[e]s, -e: finanzieller, wirtschaftlicher Zusammenbruch; Zahlungsunfähigkeit; **Bankrott gehen, machen** (ugs.; bankrott werden). **Bank|rot|teur** [...'tø:ɐ̯] ⟨französierende Bildung⟩ *der;* -s, -e: jmd., der Bankrott gemacht hat. **bank|rot|tie|ren:** Bankrott machen

ban|sai vgl. banzai

Ban|schaft ⟨*serbokroat.; dt.*⟩ *die;* -, -en: (hist.) Verwaltungsbezirk (im Königreich Jugoslawien)

Ban|tam|ge|wicht ⟨*engl.;* nach dem zum Hahnenkampf verwendeten Bantamhuhn⟩ *das;* -[e]s: leichtere Körpergewichtsklasse in der Schwerathletik. **Ban|tam-huhn** ⟨nach der javanischen Provinz Bantam⟩ *das;* -[e]s, ...hühner: ein [in England gezüchtetes] Zwerghuhn

Ba|nus vgl. ¹Ban

ban|zai! [...zai] ⟨*jap.*⟩: lebe hoch! 10 000 Jahre [lebe er]! (japan. Glückswunsch)

Ba|o|bab ⟨*afrik.*⟩ *der;* -s, -s: Affenbrotbaum; zu den Malvengewächsen gehörender afrikan. Steppenbaum

Bap|tis|mus ⟨*gr.-lat.*⟩ *der;* -: Lehre evangelischer (kalvinischer) Freikirchen, die als Bedingung der Taufe ein persönliches Bekenntnis voraussetzt. **Bap|tist** *der;* -en, -en: Anhänger des Baptismus. **Bap|tis|te|ri|um** *das;* -s, ...ien: 1. a) Taufbecken, -stein; b) Taufkapelle; c) [frühmittelalterl.] Taufkirche. 2. Tauch- u. Schwimmbecken eines Bades in der Antike. **bap|tis|tisch:** die Baptisten, den Baptismus betreffend

¹Bar ⟨*gr.* báros = „Schwere, Gewicht"⟩ *das;* -s, -s (aber: 5 Bar): Maßeinheit des [Luft]drucks; Zeichen: bar (in der Meteorologie nur: b)

²Bar ⟨*fr.-engl.*⟩ *die;* -, -s: 1. erhöhter Schanktisch. 2. intimes Nachtlokal

Ba|ra|ber ⟨*it.*⟩ *der;* -s, -: (österr. ugs.) schwer arbeitender Hilfs-, Bauarbeiter. **ba|ra|bern** (österr. ugs.) schwer arbeiten

Ba|ra|cke ⟨*span.-fr.*⟩ *die;* -, -n: be-

helfsmäßige Unterkunft, einstöckiger, nicht unterkellerter leichter Bau, bes. aus Holz

Ba|ratt ⟨*it.*⟩ *der;* -[e]s: Austausch von Waren (Wirtsch.). **Ba|rat-te|rie** *die;* -, ...jen: Unredlichkeit der Schiffsbesatzung gegenüber Reeder od. Frachteigentümer (im Seerecht). **ba|rat|tie|ren:** [Ware] gegen Ware tauschen

Bar|ba|ka|ne ⟨*roman.*⟩ *die;* -, -n: bei mittelalterlichen Befestigungswerken ein dem Festungstor vorgelagertes Außenwerk

Bar|bar ⟨*gr.-lat.;* „Ausländer, Fremder"⟩ *der;* -en, -en: 1. roher, ungesitteter u. ungebildeter Mensch; Wüstling, Rohling. 2. Nichtgrieche (für die Griechen der Antike). **Bar|ba|rei** *die;* -, -en: Rohheit, Grausamkeit; Unzivilisiertheit. **bar|ba|risch:** 1. roh, grausam; unkultiviert, unzivilisiert. 2. (ugs.) sehr [groß, stark]; über das normale Maß hinausgehend. 3. die ↑ Barbaren (2) betreffend. **Bar|ba|ris|mus** *der;* -, ...men: 1. das klassische Latein oder Griechisch übernommener fremder Ausdruck. 2. grober sprachlicher Fehler im Ausdruck

Bar|be ⟨*lat.*⟩ *die;* -, -n: 1. ein Karpfenfisch. 2. (hist.) Spitzenband an Frauenhauben

Bar|be|cue [ba:bɪkju:] ⟨*engl.-amerik.*⟩ *das;* -[s], -s: 1. in Amerika beliebtes Gartenfest, auf dem gegrillt wird; Grillfest. 2. a) Bratrost; b) auf dem Rost gegrilltes Fleisch

Bar|be|ra ⟨*it.*⟩ *der;* -s, -s: ein italienischer Rotwein

Bar|bet|te ⟨*fr.;* nach der Schutzpatronin der Artilleristen, der heiligen Barbara⟩ *die;* -, -n: 1. (hist.) Geschützbank, Brustwehr von Schiffsgeschützen. 2. ringförmiger Panzer um die Geschütztürme auf Kriegsschiffen

Bar|bier ⟨*lat.-mlat.-roman.*⟩ *der;* -s, -e: (veraltet) Friseur. **bar|bie-ren:** (veraltet) rasieren

Bar|bi|ton ⟨*gr.-lat.*⟩ *das;* -s, -s u. **Bar|bi|tos** ⟨*gr.*⟩ *der;* -: altgriechisches, der ↑ Lyra (1) ähnliches Musikinstrument

Bar|bi|tu|rat ⟨Kunstw.⟩ *das;* -s, -e (meist Plural): Medikament auf der Basis von Barbitursäure, das als Schlaf- und Beruhigungsmittel verwendet wird. **Bar|bi|tur|säu|re** *die;* -: chem. Substanz mit narkotischer Wirkung

Bar|chan [...ˈɡaːn] ⟨*russ.*⟩ *der;* -s, -e: bogenförmige Binnendüne (Geogr.)

Bar|chent ⟨*arab.-mlat.*⟩ *der;* -s, -e: Baumwollflanell

Bar|ches ⟨*hebr.*⟩ *der;* -, -: weißes Sabbatbrot der Juden

¹Bar|de ⟨*kelt.-lat.-fr.*⟩ *der;* -n, -n: 1. keltischer Sänger u. Dichter des Mittelalters. 2. Verfasser von [zeit- u. gesellschaftskritischen] Liedern, die er selbst (zur Gitarre) vorträgt

²Bar|de ⟨*arab.-span.-fr.*⟩ *die;* -, -n: Speckscheibe um gebratenes mageres Fleisch. **bar|die|ren:** mit Speck umwickeln

Bar|diet ⟨von ↑ Barditus in Anlehnung an ↑ ¹Barde (1)⟩ *das;* -[e]s, -e: 1. von Klopstock geschaffene Bez. für ein vaterländisches Gedicht. 2. ↑ Barditus. **Bar|di|tus** u. Barritus ⟨*lat.*⟩ *der;* -, - [...tu:s]: Schlachtgeschrei der Germanen vor dem Kampf

Ba|rè|ge [baˈrɛːʒə] ⟨nach dem franz. Ort Barèges⟩ *der;* -s: durchsichtiges Seidengewebe

Ba|rett ⟨*gall.-lat.-mlat.*⟩ *das;* -[e]s, -e (auch: -s): flache, randlose, kappenartige Kopfbedeckung, auch als Teil der Amtstracht von Geistlichen, Richtern u. a.; vgl. Birett

Bar|gail|ning [ˈbaːɡɪnɪŋ] ⟨*engl.*⟩ *das;* -[s]: (Wirtsch.) a) das Verhandeln; b) [Vertrags]abschluss

Barge [baːdʒ] ⟨*lat.-fr.-engl.*⟩ *die;* -, -s u. -n: (Seew.) 1. flaches Mehrzweckfahrzeug für den Hafenbetrieb. 2. Schwimmcontainer, der von Spezialschiffen transportiert wird (zur Verkürzung der Liegezeiten, zum besonders schnellen Weiterleiten der Ladung). **Barge|car|rier**, auch: **Barge-Car|rier** [...kærɪə] ⟨*engl.*⟩ *der;* -s, -s: Schiff zum Transport von Bargen (2)

Da|ri|bal ⟨Herkunft unbekannt⟩ *der;* -s, -s: nordamerik. Schwarzbär

Ba|ri|le ⟨*it.*⟩ *das;* -, ...li: älteres italienisches Flüssigkeitsmaß

Ba|ril|la [baˈrɪlja] ⟨*span.*⟩ *die;* -: sodahaltige Asche aus verbrannten Meeres- od. Salzsteppenpflanzen

Ba|ri|nas [auch: baˈri:...] vgl. Varinas

Ba|ri|ol|la|ge [...ˈʒə] ⟨*fr.*⟩ *die;* -, -n: besonderer Effekt beim Violinspiel (wiederholter rascher Saitenwechsel mit der Absicht einer Klangfarbenänderung; höherer Ton auf tieferer Saite)

ba|risch ⟨*gr.*⟩: den Luftdruck betreffend; vgl. ¹Bar

Ba|ri|ton ⟨*gr.-lat.-it.*⟩ *der;* -s, -e: a) Männerstimme in der mittleren

Lage zwischen Bass u. Tenor; b) solistische Baritonpartie in einem Musikstück; c) Sänger mit Baritonstimme. **ba|ri|to|nal** ⟨*nlat.*⟩: in der Art, Klangfarbe des Baritons. **Ba|ri|to|nist** *der;* -en, -en: Baritonsänger **Ba|ri|um** ⟨*gr.-nlat.*⟩ *das;* -s: chem. Grundstoff; Metall (Zeichen: Ba). **Ba|ri|um|sul|fat** *das;* -[e]s: schwefelsaures Barium **Bark** ⟨*kopt.-gr.-lat.-provenzal.-fr.-engl.-niederl.*⟩ *die;* -, -en: Segelschiff mit zwei größeren und einem kleineren Mast. **Bar|ka|ne,** Barkone ⟨*kopt.-gr.-lat.-it.*⟩ *die;* -, -n: Fischerfahrzeug. **¹Bar|ka|ro|le** u. Barkerole *die;* -, -n: a) Gondellied im ⁶/₈- od. ¹²/₈-Takt; b) gondelliedähnliches Instrumentalstück; c) früher auf dem Mittelmeer verwendetes Ruderboot. **²Bar|ka|ro|le,** Barkerole *der;* -n, -n: Schiffer auf einer ¹Barkarole (c). **Bar|kas|se** ⟨*kopt.-gr.-lat.-it.-span.-niederl.*⟩ *die;* -, -n: 1. größtes Beiboot auf Kriegsschiffen. 2. größeres Motorboot. **Bar|ke** ⟨*kopt.-gr.-lat.-provenzal.-fr.-niederl.*⟩ *die;* -, -n: kleines Boot ohne Mast; Fischerboot, Nachen **Bar|kee|per** [...ki:pɐ] ⟨*engl.*⟩ *der;* -s, -: jmd., der in einer Bar Getränke mixt u. ausschenkt **Bar|ke|ro|le** vgl. Barkarole. **Bar|ket|te** ⟨*kopt.-gr.-lat.-provenzal.-fr.*⟩ *die;* -, -n: kleines Ruderboot. **Bar|ko|ne** vgl. Barkane **Bar|mi|xer** *der;* -s, -: jmd., der in einer Bar Getränke mixt **¹Bar-Miz|wa** ⟨*hebr.;* „Sohn der Verpflichtung"⟩ *der;* -s, -s: jüdischer Junge, der das 13. Lebensjahr vollendet hat. **²Bar-Miz|wa** *die;* -, -s: Akt der Einführung des jüdischen Jungen in die jüdische Glaubensgemeinschaft **Barn** ⟨*engl.*⟩ *das;* -s, -s: (nicht gesetzliche) Maßeinheit zur Angabe von Wirkungsquerschnitten bes. in der Kernphysik (Zeichen: b; 1 b = 10⁻²⁸ m²) **Bar|na|bit** ⟨*it.;* nach dem Kloster S. Barnaba in Mailand⟩ *der;* -en, -en: Angehöriger eines katholischen Männerordens **ba|rock** ⟨*port.-it.-fr.;* „schief, unregelmäßig"⟩: 1. zum Barock gehörend, im Stil des Barocks. 2. a) verschnörkelt, überladen; b) seltsam-grotesk, eigenartig. **Ba|rock** *das* od. *der;* -[s]: a) Kunststil von etwa 1600 bis 1750 in Europa, charakterisiert durch Formenreichtum u. üppige Verzierungen; b) Barockzeitalter. **ba-**

ro|ckal ⟨*port.-it.-fr.-nlat.*⟩: dem Barock entsprechend. **ba|ro|cki|sie|ren:** den Barockstil nachahmen. **Ba|rock|per|le** *die;* -, -n: unregelmäßig geformte Perle. **Ba|rock|stil** *der;* -[e]s: Barock (a) **Ba|ro|gramm** ⟨*gr.-nlat.*⟩ *das;* -s, -e: Aufzeichnung des Barographen. **Ba|ro|graph,** auch: Barograf *der;* -en, -en: selbstaufzeichnender Luftdruckmesser, Luftdruckschreiber (Meteor.) **Ba|rol|lo** ⟨*it.*⟩ *der;* -s, -s: ein italienischer Rotwein **Ba|ro|me|ter** *das* (österr. u. schweiz. auch: *der*); -s, -: Luftdruckmesser (Meteor.). **Ba|ro|met|rie*** *die;* -: Luftdruckmessung. **ba|ro|met|risch*:** die Luftdruckmessung betreffend **Ba|ron** ⟨*germ.-fr.*⟩ *der;* -s, -e: Freiherr. **Ba|ro|nat** *das;* -[e]s, -e: 1. Besitz eines Barons. 2. Freiherrnwürde. **Ba|ro|ness,** -en u. **Ba|ro|nes|se** ⟨französierende Bildung⟩ *die;* -, -n: Freifräulein, Freiin. **Ba|ro|net** ['bæ-rɔnɪt] ⟨*germ.-fr.-engl.*⟩ *der;* -s, -s: in männlicher Linie erblicher englischer Adelstitel (die Baronets stehen innerhalb des niederen Adels an erster Stelle). **Ba|ro|nie** ⟨*germ.-fr.*⟩ *die;* -, ...ien: 1. Besitz eines Barons. 2. Freiherrnwürde. **Ba|ro|nin** *die;* -, -nen: Freifrau. **ba|ro|ni|sie|ren:** in den Freiherrnstand erheben **Ba|ro|ther|mo|graph,** auch: ...graf *der;* -en, -en: Verbindung von ↑Barograph u. ↑Thermograph zur Aufzeichnung von Kurven des atmosphärischen Zustands (Meteor.) **Bar|ra|ge** [...ʒə] ⟨*fr.*⟩ *die;* -, -n: (veraltet) 1. Abdämmung, Sperrung. 2. Schlagbaum. 3. Bodenquerhölzer zur festen Verwahrung von Fässern **Bar|ra|ku|da** ⟨*span.*⟩ *der;* -s, -s: Pfeilhecht (ein Raubfisch) **Bar|ras** ⟨Herkunft unsicher⟩ *der;* -: (ugs.) Militär, Militärdienst **Bar|ré** [ba're:] ⟨*galloroman.-fr.*⟩ *das;* -s, -s: Quergriff eines Fingers über mehrere Saiten beim Lauten- u. Gitarrenspiel (Mus.) **Bar|rel** ['bærəl] ⟨*fr.-engl.*⟩ *das;* -s, -s: engl. Hohlmaß; Fass, Tonne **Bar|ret|ter** ⟨*fr.-engl.*⟩ *der;* -s, -: temperaturabhängiger elektrischer Widerstand. 2. ↑Barretteranordnung. **Bar|ret|ter|an|ord|nung** *die;* -: auf dem Prinzip des ↑Bolometers beruhende Brückenschaltung zur Messung kleiner Wechselströme

Bar|ri|e|re ⟨*galloroman.-fr.*⟩ *die;* -, -n: etwas, was sich trennend, hindernd zwischen Dingen od. Personen befindet; Schranke, Schlagbaum, Hindernis. **Bar|ri|ka|de** ⟨*galloroman.-fr.*⟩ *die;* -, -n: [Straßen]sperre zur Verteidigung, bes. bei Straßenkämpfen. **bar|ri|ka|die|ren:** (selten) verbarrikadieren. **Bar|ring** ⟨*galloroman.-fr.-niederl.*⟩ *die;* -, -s: Gerüst auf Schiffen zwischen Focku. Großmast zur Aufstellung größerer Boote. **Bar|rique** [ba'rik] ⟨*galloroman.-fr.;* „Fass"⟩ *die;* -, -s: 1. früheres französisches Weinmaß. 2. Weinfass aus Eichenholz. **Bar|ris|ter** ['bæ...] ⟨*galloroman.-fr.-engl.*⟩ *der;* -s, -: Rechtsanwalt bei den englischen Obergerichten **Bar|ri|tus** vgl. Barditus **Bar|soi** ⟨*russ.*⟩ *der;* -s, -s: russischer Windhund **Bar|sor|ti|ment** *das;* -[e]s, -e: Buchhandelsbetrieb, der zwischen Verlag u. Einzelbuchhandel vermittelt **Ba|ru|tsche** u. Birutsche ⟨*lat.-it.*⟩ *die;* -, -n: (veraltet) zweirädrige Kutsche, zweirädriger Wagen **Ba|ry|met|rik*** ⟨*gr.-nlat.*⟩ *die;* -: Errechnung von Viehgewichten aus dem Volumen des Rumpfes (Landwirtsch.). **Ba|ry|on** *das;* -s, ...onen: Elementarteilchen, dessen Masse mindestens so groß ist wie die eines Protons (Phys.). **Ba|ry|sphä|re** *die;* -: innerster Teil der Erde, Erdkern. **Ba|ryt** [auch: ...'ryt] *der;* -[e]s, -e: Schwerspat, Bariumsulfat. **Ba|ry|thy|mie** *die;* -: Melancholie (Med.). **Ba|ry|ton** *das;* -s, -e: Streichinstrument des 18. Jh.s in der Art der ↑Viola d'Amore. **Ba|ry|to|ne|se** *die;* -, -n: Verschiebung des Akzents vom Wortende weg (z. B. lat. Themistocles gegenüber griech. Themistokles). **Ba|ry|to|non** ⟨*gr.-lat.*⟩ *das;* -s, ...na: Wort mit unbetonter letzter Silbe (Sprachw.). **ba|ry|zent|risch*** ⟨*gr.-nlat.*⟩: auf das Baryzentrum bezüglich. **Ba|ry|zent|rum*** *das;* -s, ...tren: Schwerpunkt (Phys.) **Bar|zel|let|ta** ⟨*it.*⟩ *die;* -, ...tten u. -s: volkstümliches norditalienisches Tanzlied (im 15. u. 16. Jh. auch als literarisch-musikalische Gattung) **ba|sal** ⟨*gr.-nlat.*⟩: a) die Basis bildend; b) auf, an der Basis, Grundfläche (z. B. eines Organs) befindlich. **Ba|sa|li|om** *das;* -s, -e: Hautgeschwulst

Ba|salt ⟨gr.-lat.⟩ der; -[e]s, -e: dunkles Ergussgestein (bes. im Straßen- u. Molenbau verwendet)

Ba|sal|tem|pe|ra|tur ⟨gr.; lat.⟩ die; -, -en: Ausgangstemperatur, bes. die morgens bei der Frau zur Beobachtung des ↑Zyklus (3) gemessene Körpertemperatur **ba|sal|ten, ba|sal|tig, ba|sal|tisch** ⟨gr.-lat.⟩: aus Basalt bestehend

Ba|sa|ne ⟨arab.-span.-provenzal.-fr.⟩ die; -, -n: für Bucheinbände verwendetes Schafleder

Ba|sar u. Bazar ⟨pers.-fr.⟩ der; -s, -e: 1. Händlerviertel in oriental. Städten. 2. Warenverkauf zu Wohltätigkeitszwecken

Basch|lik ⟨turkotat.⟩ der; -s, -s: kaukasische Wollkapuze

Ba|schyr ↑Beschir

¹Ba|se ⟨gr.-lat.; „Grundlage")** die; -, -n: Metallhydroxid; Verbindung, die mit Säuren Salze bildet. **²Base** [beɪs] ⟨gr.-lat.-fr.-engl.⟩ das; -, -s: Eckpunkt des Malquadrats (einer markierten Stelle) im Spielfeld des Baseballspiels. **³Base** [beɪs] ⟨gr.-lat.-fr.-engl.⟩ die; -, -s: ↑Basis (2)

Base|ball ['beɪsbɔːl] ⟨engl.⟩ der (auch: das); -s: amerik. Schlagballspiel. **Base|bal|ler** [...bɔːlə] der; -s, -: Baseballspieler. **Base|man** [...mæn] der; -s, ...men: Spieler der Fängerpartei, der ein ↑²Base bewacht (Baseball).

Base|ment ['beɪs...] das; -s, -s: Keller-, Untergeschoss. **Base|ment|store** [...stoːɐ̯] das; -s, -s: Ladengeschäft od. Kaufhausabteilung im Untergeschoss. **Ba|sen:** Plural von ↑Basis

BASIC [beɪsɪk] ⟨engl.; Kurzw. aus beginner's all purpose symbolic instruction code⟩ das; -[s]: einfache, vielseitig verwendbare Programmiersprache

Ba|sic Eng|lish ['beɪsɪk 'ɪŋglɪʃ] ⟨engl.; „Grundenglisch") das; - -: vereinfachte Form des Englischen mit einem Grundwortschatz von 850 Wörtern u. wenig Grammatik

Ba|si|die [...diə] ⟨gr.-nlat.⟩ die; -, -n: Sporenträger bestimmter Pilze, auf dem sich bis zu vier Sporen abgliedern. **Ba|si|di|o|spo|re** die; -, -n: an einer Basidie befindliche Spore. **ba|sie|ren** ⟨gr.-lat.-fr.⟩: 1. auf etwas beruhen, fußen; sich auf etwas gründen, stützen. 2. (selten) etwas auf etwas aufbauen. **ba|si|k|lin*** ⟨gr.-nlat.⟩: häufiger auf alkalischem als auf saurem Boden vorkom-

mend (von Pflanzenarten und -gesellschaften)

Ba|sil ⟨arab.-span.-provenzal.-fr.-engl.⟩ das; -s -s: halb gares (halb gegerbtes) australisches u. indisches Schafleder

ba|sil|lar: ↑basal

Ba|si|li|a|ner ⟨nach dem hl. Basilius⟩ der; -s, -: Mönch der griech.-orthodoxen od. griech.-unierten Kirche, der nach der Regel des hl. Basilius lebt

Ba|si|lie [...li̯ə] ⟨gr.-nlat.⟩ die; -, -n u. **Ba|si|li|en|kraut** ⟨gr.-nlat., dt.⟩ das; -s, ...kräuter: (selten) ↑Basilikum. **Ba|si|li|ka** ⟨gr.-lat.; „Königshalle") die; -, ...ken: 1. altröm. Markt- und Gerichtshalle. 2. [altchristl.] Kirchenbauform mit überhöhtem Mittelschiff. **ba|si|li|kal** ⟨gr.-lat.-nlat.⟩: zur Form der Basilika gehörend. **Ba|si|li|kum** das; -s, -s u. ...ken: Gewürz- u. Heilpflanze aus Südasien. **Ba|si|lisk** ⟨gr.-lat.⟩ der; -en, -en: 1. Fabeltier mit todbringendem Blick. 2. tropische Eidechse, mittelamerik. Leguan. **Ba|si|lis|ken|blick** ⟨gr.-lat.; dt.⟩ der; -[e]s, -e: böser, stechender Blick. **Ba|si|lon** ⟨gr.-nlat.⟩ das; -s, -s: Messpunkt am Schädel, vorderster Punkt des Hinterhauptloches. **ba|si|pe|tal** ⟨gr.-nlat.; „abwärts strebend"): absteigend (von den Verzweigungen einer Pflanze; der jüngste Spross ist unten, der älteste oben; Bot.); Ggs. ↑akropetal. **ba|si|phil** ⟨gr.-nlat.⟩: fast ausschließlich auf alkalischem (kalkreichem) Boden vorkommend (von Pflanzenarten u. -gesellschaften). **Ba|sis** ⟨gr.-lat.⟩ die; -, ...sen: 1. Grundlage, auf der man aufbauen, auf die man sich stützen kann; Ausgangspunkt. 2. militärischer Stützpunkt [in fremdem Hoheitsgebiet] (z.B. Flottenbasis, Raketenbasis). 3. a) die ökonomische Struktur der Gesellschaft als Grundlage menschlicher Existenz (Marxismus); b) die breiten Volksmassen als Ziel politischer Aktivität (Marxismus). 4. (Math.) a) Grundlinie einer geometrischen Figur; b) Grundfläche eines Körpers; c) Grundzahl einer Potenz oder eines Logarithmus. **ba|sisch:** sich wie eine ↑¹Base verhaltend; **basische Gesteine:** kieselsäurearme Gesteine; **basische Reaktion:** ↑alkalische Reaktion. **Ba|sis|de|mo|kra|tie*** die; -, -n: demokratisches System, bei dem die Basis (3) selbst tätig ist u. entschei-

det. **ba|sis|de|mo|kra|tisch*:** a) Basisdemokratie ausübend; b) auf der Grundlage der Basisdemokratie zustande gekommen. **Ba|sis|frak|tur** die; -, -en: Bruch der Schädelbasis. **Ba|sis|grup|pe** die; -, -n: politisch aktiver Arbeitskreis, bes. von Studenten, der auf einem bestimmten [Fach]gebiet progressive Ideen durchzusetzen versucht. **Ba|sis|kurs** der; -es, -e: (im Prämiengeschäft) Tageskurs eines Wertpapiers (Börsenw.). **Ba|sis|zi|tät** ⟨gr.-lat.-nlat.⟩ die; -: 1. Zahl der Wasserstoffatome im Molekül einer Säure, die bei Salzbildung durch Metall ersetzt werden können. 2. ↑Alkalität

Bas|ker|ville [...vɪl] ⟨nach dem engl. Buchdrucker⟩ die; -: Antiqua- u. Kursivdruckschrift

Bas|ket|ball ⟨engl.⟩ der; -s, ...bälle: 1. (auch: das; ohne Plural, meist ohne Artikel) Korbballspiel. 2. beim Korbballspiel verwendeter Ball

Bas|ki|ne vgl. Basquine

Bas|küle ⟨fr.⟩ die; -, -n: 1. Treibriegelverschluss für Fenster u. Türen, der zugleich [seitlich] oben u. unten schließt. 2. nach oben gewölbte Hals- und Rückenlinie des Pferdes beim Sprung (Reitsport)

Bas|ma|ti ⟨Hindi⟩ der; -s: eine langkörnige, aromatische indische Reissorte

ba|so|phil ⟨gr.-nlat.⟩: mit basischen Farbstoffen färbbar (von Gewebeteilen; Med.; Biol.). 2. zur basischen Reaktion neigend (Chem.). **Ba|so|pho|bie** die; -, ...jen: krankhafte Angst zu gehen; Zwangsvorstellung, nicht gehen zu können (Med.)

Bas|qui|no [...kiːno] u. Baskine ⟨span.-fr.; „baskischer Rock"⟩ die; -, -n: 1. nach unten spitz zulaufendes, steifes Oberteil der Frauentracht im 16./17. Jh. 2. reich verzierte, lose Frauenjacke um 1850

Bas|re|li|ef ['barelĭɛf] ⟨fr.⟩ das; -s, -s u. -e: Flachrelief, flach erhabenes ↑Relief. **Bass** ⟨lat.-it.⟩ der; -es, Bässe: 1. a) tiefe Männer[sing]stimme; b) (ohne Plural) Gesamtheit der tiefen Männerstimmen in einem Chor. 2. (ohne Plural) [solistische] Basspartie in einem Musikstück. 3. Sänger mit Bassstimme. 4. besonders tief klingendes Instrument (z.B. ↑Kontrabass) **Bas|sa:** früher in Europa verwendete Form von ↑¹Pascha

Bass|ba|ri|ton *der;* -s, -e: Sänger mit Baritonstimme in Basstönung. **Bass|buf|fo** *der;* -s, -s u. ...ffi: Opernsänger mit einer Stimme, die sich besonders für komische Bassrollen eignet. **Basse Danse** [ba:s'dãs] *⟨fr.; „*tiefer Tanz"⟩ *die;* - -, -s -s [ba:s'dãs] Schritttanz des 15. u. 16. Jh.s (in Spanien, Italien u. Frankreich) **Basse|lisse** ['baslıs, bas'lıs] *⟨fr.⟩ die;* -, -n: gewirkter Bildteppich mit waagerecht geführter Kette; Ggs. ↑Hautelisse. **Basse|lisse-stuhl** *der;* -s, ...stühle: bes. zur Teppichherstellung verwendeter Flachwebstuhl mit waagerechter Kettenführung **Bas|se|na** *⟨vulgärlat.-it.(-fr.)⟩ die;* -, -s: (ostösterr.) Wasserbecken im Flur eines alten Wohnhauses, von dem mehrere Wohnparteien das Wasser holen **Bas|set** [franz.: ba'se:, engl.: 'bæsɪt] *⟨fr.(-engl.)⟩ der;* -s, -s: Hund einer kurzbeinigen Rasse mit kräftigem Körper u. Hängeohren **Bas|sett** *⟨lat.-it.; „*kleiner Bass"⟩ *der;* -s, -e u. -s: (veraltet) Violoncello. **Bas|sett|horn** *das;* -s, ...hörner: Altklarinette, Holzinstrument (seit dem 18. Jh. gebräuchlich) **Bas|sin** [ba'sɛ̃:] *⟨vulgärlat.-fr.⟩ das;* -s, -s: künstlich angelegtes Wasserbecken **Bas|sist** *⟨lat.-it.-nlat.⟩ der;* -en, -en: 1. Sänger mit Bassstimme. 2. Musiker, der Bass (4) spielt. **Bass|kla|ri|net|te** *die;* -, -n: Klarinette, die eine Oktave tiefer als die gewöhnliche Klarinette gestimmt ist. **Bas|so** *⟨lat.-it.⟩ der;* -, Bassi: Bass (Abk. : B); **Basso continuo:** ↑Generalbass (Abk. b. c., B. c.); **Basso ostinato:** sich ständig, „hartnäckig" wiederholendes Bassmotiv; **Basso seguente:** Orgelbass, der der tiefsten Gesangstimme folgt **Bas|sot|ti** *⟨it.⟩ die* (Plural): dünne ↑Makkaroni **bas|ta!** *⟨gr.-vulgärlat.-it.⟩*: (ugs.) genug!; Schluss! (mit Nachdruck gesprochenes Wort, das zum Ausdruck bringt, dass keine Einwände mehr gemacht werden sollen) **Bas|taard** *⟨fr.-niederl.-afrikaans⟩ der;* -[s], -s: (veraltet) ↑Baster. **Bas|tard** *⟨fr.⟩ der;* -s, -e: 1. Mischling; durch Rassen- od. Artkreuzung entstandenes Tier od. entstandene Pflanze (Biol.). 2. a) (früher) uneheliches Kind eines hoch gestellten Vaters und

einer Mutter aus niedrigerem Stand; b) grobes Schimpfwort. **Bas|tar|da** *⟨fr.-it.⟩ die;* -: Druckschrift zwischen Gotisch u. Antiqua (↑Bastardschrift). **bas|tar-die|ren:** [verschiedene Rassen od. Arten] kreuzen. **Bas|tar|die-rung** *⟨fr.⟩ die;* -, -en: Artkreuzung, Rassenmischung. **Bas|tar-di|sie|rung** *die;* -, -en: ↑Hybridisierung (1). **Bas|tard|schrift** *die;* -, -en: Druckschrift, die Eigenarten zweier Schriftarten vermischt, bes. die von Fraktur u. Antiqua **Bas|te** *⟨span.⟩ die;* -, -n: Trumpfkarte (Treffass in verschiedenen Kartenspielen) **Bas|tei** *⟨fr.-it.⟩ die;* -, -en: vorspringender Teil an alten Festungsbauten, Bollwerk, ↑Bastion **Bas|ter** *⟨fr.-niederl.-afrikaans⟩ der;* -s, -: Nachkomme von Mischlingen zwischen Europäern und Hottentottenfrauen in SW-Afrika (bes. in Rehoboth) **Bas|til|le** [bas'ti:jǝ] *⟨fr.⟩ die;* -, -n: befestigtes Schloss, bes. das 1789 erstürmte Staatsgefängnis in Paris. **Bas|ti|on** *⟨fr.-it.-fr.⟩ die;* -, -en: 1. vorspringender Teil an alten Festungsbauten. 2. Bollwerk. **bas|ti|o|nie|ren:** (veraltet) eine Festung mit Bollwerken versehen **Bas|to|na|de** *⟨it.-fr.⟩ die;* -, -n: bes. im Orient übliche Prügelstrafe od. Folterung, bes. durch Stock- od. Riemenschläge auf die Fußsohlen **Ba|tail|le** [ba'taljǝ, ba'ta:jǝ] *⟨gall.-lat.-vulgärlat.-fr.⟩ die;* -, -n: (veraltet) Schlacht, Kampf. **Ba|tail-lon** [batal'jo:n] *⟨gall.-lat.-vulgär-lat.-it.-fr.⟩ das;* -s, -e: Truppenverband aus mehreren Kompanien od. Batterien **Ba|ta|te** *⟨indian.-span.⟩ die;* -, -n: stärkereiche, süß schmeckende, kartoffelartige Knolle eines tropischen Windengewächses **Batch|pro|ces|sing** ['bætʃprou-sɛsɪŋ] *⟨engl.-amerik.⟩ das;* -[s], -s: Schub- od. Stapelverarbeitung (stapelweise Verarbeitung während eines bestimmten Zeitabschnitts angesammelter gleichartiger Daten; EDV) **Ba|thik** *⟨gr.⟩ die;* -: niedrige, vulgäre Art des Schreibens od. Redens. **ba|thisch:** die Bathik betreffend; niedrig; vulgär schreibend, redend. **Ba|tho|lith** [auch: ...'lıt] *⟨gr.-nlat.⟩ der;* -s u. -en, -e[n] u. -en: in der Tiefe erstarrter, meist granitischer Gesteinskörper. **Ba|tho|me|ter,** Bathymeter

das; -s, -: Tiefseelot. **Ba|tho-pho|bie** *die;* -, ...ien: mit Angst verbundenes Schwindelgefühl beim Anblick großer Höhen od. Tiefen (Med.; Psychol.) **Bath|ro|ke|pha|lie*,** Bath|ro|ze-pha|lie *⟨gr.-nlat.⟩ die;* -, ...ien: stufenartige Ausbildung des Schädels (Med.) **ba|thy|al** *⟨gr.-nlat.⟩*: zum Bathyal gehörend. **Ba|thy|al** *das;* -s: lichtloser Bereich des Meeres zwischen 200 u. 800 m Tiefe. **Ba-thy|gra|phie,** auch: Bathygrafie, *die;* -: Tiefseeforschung. **ba|thy-gra|phisch,** auch: bathygrafisch: tiefseekundlich. **Ba|thy-me|ter** vgl. Bathometer. **Ba|thy-scaphe** [...'ska:f] *⟨gr.-fr.⟩ der* od. *das;* -[s], - u. **Ba|thy|skaph** *der;* -en, -en: (von A. Piccard entwickeltes) Tiefseetauchgerät. **Ba-thy|sphä|re** *⟨gr.-nlat.⟩ die;* -: tiefste Schicht des Weltmeeres **Ba|tik** *⟨malai.⟩ der;* -s, -en, (auch:) *die;* -, -en: 1. altes Verfahren zur Herstellung gemusterter Stoffe, bes. zum Färben von Seide und Baumwolle, mithilfe von Wachs. 2. unter Verwendung von Wachs hergestelltes gemustertes Gewebe. **ba|ti|ken:** unter Verwendung von Wachs einen Stoff mit einem Muster versehen, färben **Ba|tist** *⟨fr.;* angeblich nach einem Fabrikanten namens Baptiste aus Cambrai, der als Erster diesen Stoff hergestellt haben soll⟩ *der;* -[e]s, -e: sehr feinfädiges, meist dicht gewebtes, leichtes Gewebe aus Baumwolle, Leinen, Zellwolle, Seide od. Chemiefasern. **ba|tis|ten:** aus Batist **Bat|tag|lia*** [ba'talja] *⟨gall.-lat.-vulgärlat.-it.⟩ die;* -, ...ien: Komposition, die Kampf, Schlachtegetümmel, Siegesmusik schildert. **Bat|ter** *⟨engl.⟩ der;* -s, -: Schlagmann beim Baseball. **Bat-te|rie** *⟨gall.-lat.-vulgärlat.-fr.⟩ die;* -, ...ien: 1. der Kompanie entsprechende militärische Grundeinheit, kleinste Einheit der Artillerie u. der Heeresflugabwehrtruppe. 2. a) Stromquelle, die aus mehreren elektrochemischen Elementen besteht (z. B. Taschenlampenbatterie); b) zusammengeschaltete Gruppe von gleichartigen techn. Vorrichtungen, Elementen; c) Mischbatterie: regulierbares Gerät, das Warm- u. Kaltwasser für ein gemeinsames Zapfrohr mischt. 3. die Schlaginstrumente einer Band od. eines Orchesters.

4. große Anzahl von etwas Gleichartigem. **Bat|teur** [...'tø:ɐ̯] *der;* -s, -e: Schlagmaschine in der Spinnerei zur Auflockerung der Baumwollklumpen. **Bat|tu|ta, Bat|tu|te** ⟨*gall.-lat.-vulgärlat.-it.*⟩ *die;* -, ...ten: 1. a) Taktschlag; b) Schlag nach unten am Anfang des Taktes; a **battuta:** nach vorheriger freier Partie im Takt [spielen] (Mus.). 2. beim Stoßfechten starker Schlag mit der ganzen Stärke der Klinge längs der Klinge des Gegners
Baud [auch: bo:t] ⟨nach dem franz. Ingenieur Baudot⟩ *das;* -[s], -: Einheit der Telegrafiergeschwindigkeit
Bau|mé|grad [bo'me:...] ⟨nach dem franz. Chemiker A. Baumé⟩ *der;* -[e]s, -e (aber: 5 -): Maßeinheit für das spezifische Gewicht von Flüssigkeiten; Zeichen: °Bé (fachspr.: °Bé)
Bau|ta|stein ⟨altnord.⟩ *der;* o, e: Gedenkstein der Wikingerzeit in Skandinavien
Bau|xit [auch: ...'xɪt] ⟨nlat.; nach dem ersten Fundort Les Baux in Frankreich⟩ *der;* -s, -e: wichtigstes Aluminiumerz
Ba|va|ria ⟨nlat.⟩ *die;* -: Frauengestalt als Sinnbild Bayerns
Bax|te|ri|a|nis|mus [bɛks...] ⟨engl.-nlat.; nach dem engl. Geistlichen Baxter, † 1691⟩ *der;* -: gemäßigte Form des engl. ↑ Puritanismus
Ba|zar vgl. Basar
ba|zil|lär ⟨lat.-nlat.⟩: a) Bazillen betreffend; b) durch Bazillen verursacht. **Ba|zil|le** *die;* -, -n: (ugs.) Bazillus. **Ba|zill|u|rie*** *die;* -: ↑ Bakteriurie. **Ba|zil|lus** ⟨lat.; „Stäbchen"⟩ *der;* -, ...llen: stäbchenförmige, Sporen bildende [Krankheiten hervorrufende] ↑ Bakterie
Ba|zoo|ka [ba'zu:ka] ⟨amerik.⟩ *die;* -, -s: tragbares Gerät zum Abschießen kleinkalibriger Raketen
Bé = Baumé; vgl. Baumégrad
Beach-la-mar ['bi:tʃlə'ma:] *das;* -: engl. Form von ↑ Bêche-la-mer
Beach|vol|ley|ball ['bi:tʃ...] ⟨engl.; „Strandvolleyball"⟩ *der* (auch: *das*); -s: auf Sand von Zweiermannschaften gespielte Art des Volleyballs (1)
Bea|gle ['bi:gl] ⟨engl.⟩ *der;* -s, -[s]: Hund einer in Großbritannien gezüchteten kurzbeinigen Rasse, der zur Hasen- u. Fuchsjagd verwendet wird
Beam [bi:m] ⟨engl.⟩ *der;* -s, -s: keulenförmige Fläche, die der

Sendestrahl eines Satelliten abdeckt. **Beam|an|ten|ne** ⟨engl.⟩ *die;* -, -n: Antenne für Sendestrahlen mit besonderer Richtwirkung. **bea|men** ['bi:mən]: bis zur Unsichtbarkeit auflösen u. an einem anderen Ort wieder Gestalt annehmen lassen (in Sciencefictionfilmen u.a.)
Bear [bɛə] ⟨engl.; „Bär"⟩ *der;* -s, -s: engl. Bez. für: ↑ Baissier
Bé|ar|ner So|ße *die;* - -, - -n: ↑ Sauce béarnaise
Beat [bi:t] ⟨engl. „Schlag"⟩ *der,* -[s]; 1. Kurzform für ↑ Beatmusik. 2. durchgehender gleichmäßiger Grundschlag der Rhythmusgruppe einer Jazzband; vgl. Offbeat
be|a|tae me|mo|riae ⟨lat.⟩: seligen Angedenkens (von Verstorbenen); Abk.: b. m. **Be|a|ta Ma|ria Vir|go** ⟨lat.⟩; *die;* - - - od. (ohne Artikel) ...tae ...iae ...ginis: selige Jungfrau Maria, kath. Bez. für die Mutter Jesu; Abk.: B. M. V.
bea|ten ['bi:tn̩] ⟨engl.⟩: a) ↑ Beatmusik machen; b) nach Beatmusik tanzen. **Beat|fan** ['bi:tfɛn] *der;* -s, -s: jmd., der sich für Beatmusik begeistert. **Beat|ge|ne|ra|tion** ['bi:tdʒɛnəreiʃən] ⟨engl.-amerik.⟩ *die;* -: Gruppe amerikan. Schriftsteller (1955–1960), die neue Ausdrucksformen suchte, die kommerzialisierte Gesellschaft u. alle bürgerl. Bindungen ablehnte u. durch gesteigerte Lebensintensität (Sexualität, Jazz, Drogen) eine Bewusstseinserweiterung und metaphysische Erkenntnisse zu erlangen suchte
Be|a|ti|fi|ka|ti|on ⟨lat.-nlat.⟩ *die;* -, -en: Seligsprechung. **be|a|ti|fi|zie|ren:** selig sprechen
Beat|le ['bi:tl] ⟨engl.; nach den Beatles, den Mitgliedern eines Quartetts der Beatmusik, die lange Haare trugen⟩ *der;* -s, -s: (veraltend) langhaariger Jugendlicher. **Beat|mu|sik** ['bi:t...] *die;* -: stark rhythmisch bestimmte Form der ↑ Popmusik. **Beat|nik** ['bi:t...] ⟨amerik.⟩ *der;* -s, -s: 1. Angehöriger der ↑ Beatgeneration. 2. jmd., der sich durch unkonventionelles Verhalten gegen die bürgerliche Norm wendet. **Beat|pad** [...pɛt] *der;* -s, -s: (Jargon) Stelle, wo man Rauschgift kaufen kann
Beau [bo:] ⟨lat.-fr.⟩ *der;* -s, -s: (iron.) besonders gut aussehender Mann, der mit seinem guten Aussehen Eitelkeit sein gutes Aussehen selbst genießt

Beau|fort|ska|la ['bo:fɐt..., bo-'fɔ:r...] ⟨nach dem engl. Admiral F. Beaufort, 1774-1857⟩ *die;* -: ursprünglich 12-, jetzt 17-teilige Skala zur Bestimmung der Windstärken
Beau Geste [bo 'ʒɛst] ⟨fr.⟩ *die;* - -, -x -s [bo 'ʒɛst]: höfliche Geste, freundliches Entgegenkommen
Beau|jo|lais [boʒɔ'lɛ] ⟨fr.⟩ *der;* -, - [...'lɛs]: Rotwein aus dem Gebiet der Monts du Beaujolais in Mittelfrankreich
Deaune [bo:n] ⟨fr.⟩ *der;* -[s], -s [bo:ns]: Qualitätswein aus der südfranzös. Stadt Beaune (Burgund)
Beau|té [bo'te:] ⟨lat.-vulgärlat.-fr.⟩ *die;* -, -s: schöne Frau, Schönheit. **Beau|ty** ['bju:ti] ⟨lat.-vulgärlat.-fr.-engl.⟩ *die;* -, -s: ↑ Beauté. **Beau|ty|case** [...keɪs] ⟨engl.⟩ *das;* -, - u. -s [...sɪz]: kleiner Koffer für Schönheitsutensilien (der Dame). **Beau|ty|center** *das;* -s, -: a) Geschäft od. Teil eines Geschäftes, in dem Kosmetikartikel ausprobiert und gekauft werden können; b) Geschäft, in dem Schönheitspflege betrieben wird, Schönheitssalon. **Beau|ty|farm** *die;* -, -en: eine Art Sanatorium od. Hotel, in dem sich Frauen einer kosmetischen Behandlung unterziehen
Bé|bé [be'be:] ⟨fr.⟩ *das;* -s, -s (schweiz.) Baby
Be|bop ['bi:bɔp] ⟨amerik.; lautnachahmend⟩ *der;* -[s], -s: 1. (ohne Plural) nordamerik. Jazz um 1940. 2. Tanz in diesem Stil
Bé|cha|mel|kar|tof|feln [beʃa'mɛl...] ⟨fr.-dt.⟩ *die* (Plural): Kartoffelscheiben in ↑ Béchamelsoße. **Bé|cha|mel|so|ße** ⟨fr.; nach dem franz. Marquis L. de Béchamel⟩ *die;* -, -n: weiße Rahmsoße
Bêche-de-mer [bɛʃdə'me:ɐ̯] ⟨fr.⟩ *das;* -: auf den Englischen basierende kreolische Sprache, die früher im Gebiet des westlichen Stillen Ozeans gesprochen wurde
be|cir|cen [bə'tsɪrtsn̩] vgl. bezirzen
Bec|que|rel [bɛkə'rɛl] ⟨nach dem franz. Physiker Henri Becquerel⟩ *das;* -s, -: Maßeinheit für die Aktivität ionisierender Strahlung; Zeichen Bq. **Bec|que|rel-ef|fekt,** *der;* -[e]s: Unterschied in der Elektrospannung, der auftritt, wenn eine von zwei gleichen, in einen Elektrolyten getauchten Elektroden belichtet wird

Bed and Break|fast [ˈbɛd ənd ˈbrɛkfəst] ⟨engl.; „Bett u. Frühstück"⟩: (Angebot der Übernachtung in angloamerikanischen Ländern) Zimmer mit Frühstück (in Privatwohnungen) **Be|du|i̱|ne** ⟨arab.-fr.; „Wüstenbewohner"⟩ der; -n, -n: arabischer Nomade; vgl. Fellache **Beef|bur|ger** [ˈbiːfbɔːgə] ⟨engl.⟩ der; -s, -: 1. deutsches Beefsteak (Beefsteak aus Hackfleisch). 2. mit einer Frikadelle belegtes Brötchen. **Beef|ea|ter** [...iːtə] ⟨engl.; „Rindfleischesser"⟩ der; -s, -s (meist Plural): (scherzh.) Angehöriger der königl. Leibwache im Londoner Tower (eigtl. Yeoman of the Guard). **Beefsteak** [...steːk] ⟨engl.⟩ das; -s, -s: Steak vom Rind. **Beef|tea** [...tiː] der; -s, -s: kräftige Rindfleischbrühe **Beel|ze|bub** [auch: ˈbɛl..., beˈɛl...] ⟨hebr.-gr.-kirchenlat.; „Herr der Fliegen"⟩ der; -: [oberster] Teufel **Beff|roi*** [bɛˈfrwa] ⟨mhd.-fr.⟩ der; -s, -s: 1. hoher Glockenturm (bes. in flandrischen Städten). 2. (veraltet) Bergfried **Beg** ⟨türk.; „Herr"⟩ der; -[s], -s u. Bei der; -[s], -e u. -s: höherer türkischer Titel, oft hinter Namen, z. B. Ali-Bei; vgl. Beglerbeg **Be|gard** ⟨niederl.⟩ der; -en, -en u. **Be|gar|de** der; -n, -n: Mitglied einer halbklösterlichen Männervereinigung im Mittelalter; vgl. Begine **Be|gas|se** vgl. Bagasse **Be|gi̱|ne** ⟨niederl.⟩ die; -, -n: Mitglied einer halbklösterlichen Frauenvereinigung in Belgien u. den Niederlanden; vgl. Begard **Beg|ler|beg** ⟨türk.; „Herr der Herren"⟩ der; -s, -s: Provinzstatthalter in der alten Türkei **Be|go|nie** [...iə] ⟨nlat.; nach dem Franzosen M. Bégon, Gouverneur von San Domingo († 1710)⟩ die; -, -n: Zier- u. Gartenpflanze mit großen leuchtende Blüten u. gezackten, unsymmetrisch geformten Blättern **Be|guine** [beˈgiːn] ⟨niederl.-fr.-kolonialfr.⟩ der; -s, -s (fachspr.: die; -, -s): lebhafter volkstüml. Tanz aus Martinique u. Santa Lucia **Be|gum** ⟨türk.-Hindi-engl.⟩ die; -, -en: Titel indischer Fürstinnen **Be|ha|is|mus** vgl. Bahaismus **Be|ha|vi|o|ris|mus** [bihevjo...] ⟨engl.-nlat.⟩ der; -: sozialpsychologische Forschungsrichtung, die sich nur mit dem objektiv beobachtbaren u. messbaren Verhalten beschäftigt. **be|ha|vi|o-**

ris|tisch: a) den Behaviorismus betreffend; b) nach der Methode des Behaviorismus verfahrend **Be|he|moth** ⟨hebr.-lat.; „Großtier" (Plural von hebr. behemā = Tier)⟩ der; -[e]s, -s: 1. im Alten Testament Name des Nilpferdes. 2. in der ↑Apokalyptik mythisches Tier der Endzeit **Be|hen|nuss** u. Bennuss ⟨pers.-arab.-span.; dt.⟩ die; -, ...nüsse: ölhaltige Frucht eines ostind. Baumes **Be|hind** [biˈhaɪnd] ⟨engl.⟩ das; -s: (schweiz.) Raum hinter der Torlinie (Fußball) **Bei** vgl. Beg **bei|ge** [beːʃ, auch: ˈbɛːʒə] ⟨fr.⟩: sandfarben. **Bei|ge** das; -, - u. (ugs.) -s: beige Farbe **Beig|net*** [bɛnˈjeː] ⟨fr.⟩ der; -s, -s: Schmalzgebäck mit Füllung; Krapfen **Bei|ram** vgl. Bairam **be|kal|men** ⟨engl.⟩: (einem anderen Segelschiff durch Vorbeifahren) den Fahrtwind nehmen **Be|kas|si̱|ne** ⟨vulgärlat.-provenzal.-fr.⟩ die; -, -n: vor allem in Sümpfen lebender Schnepfenvogel **be|ki̱f|fen** ⟨arab.-amerik.⟩: sich durch ↑Kiffen in einen Rauschzustand versetzen (Jargon) **Bek|ta|schi** ⟨türk.⟩ der; -[s], -[s]: Angehöriger eines im 13. Jh. entstandenen, vornehmlich in der Türkei verbreiteten synkretistischen Derwischordens **Bel** ⟨nach dem Amerikaner A. G. Bell, dem Erfinder des Telefons⟩ das; -s, -: Kennwort bei Größen, die als dekadische Logarithmen des Verhältnisses zweier physikal. Größen gleicher Art angegeben werden (Zeichen: B) **Bell|ami*** ⟨fr.; „schöner Freund"⟩ der; -[s], -s: Frauenliebling (nach der Titelgestalt eines Romans von Maupassant) **Bel|can|ti̱st**, auch: belcantie ren ⟨lat.-it.-dt.⟩: im Stil des ↑Belcanto singen. **Bel|can|ti̱st**, auch: Belkantist der; -en, -en: Sänger, der die Kunst des ↑Belcanto beherrscht. **Bel|can|to**, auch: Belkanto ⟨lat.-it.; „schöner Gesang"⟩ der; -s: virtuoser italienischer Gesangsstil, bei dem besonders auf Klangschönheit Wert gelegt wird **Bel|lem|nit** [auch: ...ˈnɪt] ⟨gr.⟩ der; -en, -en: 1. ausgestorbener Kopffüßer. 2. versteinertes, keilförmiges Gehäuseende des Belemniten (1) **Bell|esp|rit*** [bɛlɛsˈpriː] ⟨fr.⟩ der;

-s, -s: (veraltet, oft spöttisch) Schöngeist. **Bel|le|ta|ge** [bɛlˈeˈtaːʒə] die; -, -n: (veraltet) Hauptgeschoss, erster Stock **Bel|fried** der; -(e)s, -e: ↑Beffroi **bel|kan|tie|ren** usw. vgl. belcantieren usw. **Bel|la|don|na** ⟨it.-nlat.⟩ die; -, ...nnen: a) Tollkirsche; b) aus der Tollkirsche gewonnenes Arzneimittel. **Bel|la|don|nin** das; -s: ein Alkaloid **Belle É|poque** [bɛlɛˈpɔk] ⟨lat.-fr.; gr.-mlat.-fr.⟩ die; -: Bezeichnung für die Zeit des gesteigerten Lebensgefühls in Frankreich zu Beginn des 20. Jh.s. **Belle Mère** [bɛlˈmɛːr] ⟨fr.⟩ die; - -, -s [bɛlˈmɛːr]: (scherzh.) Schwiegermutter. **Bel|let|rist*** der; -en, -en: Schriftsteller der unterhaltenden Literatur. **Bel|let|ris|tik*** die; -: unterhaltende, schöngeistige Literatur. **bel|let|ris|tisch*:** a) die Belletristik betreffend; b) schöngeistig, literarisch, unterhaltend **¹Belle|vue** [bɛlˈvyː] ⟨fr.⟩ „schöne Aussicht"⟩ die; -, -n [...vyːən]: (veraltet) Aussichtspunkt. **²Belle|vue** das; -[s], -s: Name von Schlössern od. Gaststätten mit schöner Aussicht **Bel|li|zist** ⟨lat.-nlat.⟩ der; -en, -en: Anhänger u. Befürworter des Krieges; Kriegstreiber. **bel|li|zis|tisch:** kriegstreiberisch **Bel-Pa|e|se** ⟨it.⟩ der; -: Butterkäse; vollfetter italienischer Weichkäse **¹Be|lu|ga** ⟨russ.⟩ die; -, -s: 1. russische Bezeichnung für Hausen (einen Störfisch). 2. russische Bezeichnung für Weißwal. **²Be|lu|ga** der; -s: aus dem Rogen des Hausens bereiteter ↑Kaviar **Be|lu̱tsch** der; -[e]s, -e: handgeknüpfter, meist langfransiger Teppich mit rotlila od. blaulila Grund aus dem Gebiet der Belutschen **Bel|ve|de|re** ⟨lat.-it.; „schöne Aussicht"⟩ das; -[s], -s: 1. (veraltet) Aussichtspunkt. 2. ↑²Bellevue **Be|ma** ⟨gr.; „Stufe"⟩ das; -s, -ta: a) ↑Almemar; b) erhöhter Altarraum in orthodoxen Kirchen **bé|mol** ⟨fr.⟩: franz. Bezeichnung für das Erniedrigungszeichen in der Notenschrift **Ben** ⟨hebr. u. arab.⟩: Teil hebräischer u. arabischer Familiennamen mit der Bedeutung „Sohn" od. „Enkel", z. B. Ben Akiba **be|ne** ⟨lat.(-it.)⟩: gut! **be|ne|dei|en:** segnen, lobpreisen. **Be|ne-**

dic|ti|o|na|le ⟨*lat.*⟩ *das;* -, ...lien: liturgisches Buch für die ↑Benediktion. **Be|ne|dic|tus** ⟨*lat.*⟩ *das;* -, -: 1. Anfangswort u. Bezeichnung des Lobgesangs des Zacharias nach Lukas 1,67 ff. (liturgischer Hymnus im katholischen Stundengebet). 2. zweiter Teil des ↑²Sanctus. **Be|ne|dik|ten|kraut** ⟨*lat.; dt.*⟩ *das,* -[e]s, ...kräuter: zu den Korbblütlern gehörende distelartige Pflanze, die reich an Bitter- u. Gerbstoffen ist u. von der Auszüge aus den Blättern für Kräuterliköre verwendet werden; Bitterdistel. **Be|ne|dik|ti|ner** ⟨*lat.-nlat.*⟩ *der;* -s, -: 1. Mönch des nach der Regel des hl. Benedikt (6. Jh.) lebenden Benediktinerordens (Ordinis Sancti Benedicti = „vom Orden des hl. Benedikt"; Abk.: OSB). 2. ein feiner Kräuterlikör. **Be|ne|dik|ti|on** ⟨*lat.*⟩ *die;* -, -en: Segen, Segnung, kath. kirchl. Weihe. **Be|ne|dik|tus** vgl. Benedictus. **be|ne|di|zie|ren:** segnen, weihen. **Be|ne|fiz** *das;* -es, -e: 1. (veraltet) Lehen. 2. (veraltet) Wohltat. 3. Vorstellung zugunsten eines Künstlers und für einen wohltätigen Zweck; Ehrenvorstellung. **Be|ne|fi|zi|ant** ⟨*lat.-nlat.*⟩ *der;* -en, -en: von einem Benefiz (3) begünstigter Künstler. **Be|ne|fi|zi|ar** ⟨*lat.*⟩ *der;* -s, -e u. **Be|ne|fi|zi|at** *der;* -en, -en: Inhaber eines [kirchlichen] Benefiziums. **Be|ne|fi|zi|um** *das;* -s, ...ien: 1. (veraltet) Wohltat, Begünstigung. 2. mittelalterl. Lehen (zu [erblicher] Nutzung verliehenes Land od. Amt). 3. mit einer Pfründe (Landnutzung od. Dotation) verbundenes Kirchenamt. **Be|ne|fiz|vor|stel|lung** *die;* -, -en: Beneflz (3) **Be|ne|lux** [auch: ...'luks]: Kurzw. für die in einer Zoll- u. Wirtschaftsunion zusammengeschlossenen Länder Belgique (Belgien), Nederland (Niederlande) u. Luxembourg (Luxemburg). **Be|ne|lux|staa|ten** *die* (Plural) Benelux **Ben|ga|li|ne** ⟨nach der Landschaft Bengalen in Vorderindien⟩ *die;* -: ripsbindiger (nach Ripsart gewebter) Halbseidenstoff. **ben|ga|lisch:** in ruhiggedämpftem Licht erscheinend; **bengalisches Feuer** (beim Feuerwerk verwendetes buntes Feuer). **be|nig|ne*** ⟨*lat.*⟩: gutartig (z. B. in Bezug auf Tumoren); Ggs. ↑maligne. **Be|nig|ni|tät** *die;* -: 1.

Gutartigkeit einer Krankheit (Med.); Ggs. ↑Malignität. 2. (veraltet) Güte, Milde, Gutherzigkeit **Ben|ja|min** ⟨*hebr.;* jüngster Sohn Jakobs im A.T.⟩ *der;* -s, -e: (scherzh.) Jüngster einer Gruppe oder Familie **ben mar|ca|to** ⟨*it.*⟩: gut betont, scharf markiert, akzentuiert (Mus.) **Bon|no** ⟨*gall.-lat.*⟩ *die;* -, -n: (schweiz. mdal.) Schubkarren **Ben|net|ti|tee** ⟨*nlat.;* nach dem engl. Botaniker J. J. Bennett⟩ *die;* -, -n (meist Plural): Ordnung fossiler Pflanzen der ↑Trias u. der Kreidezeit **Ben|nuss** vgl. Behennuss **ben te|nu|to** ⟨*it.*⟩: gut gehalten (Mus.) **Ben|thal** ⟨*gr.-nlat.*⟩ *das;* -s: Region des Gewässergrundes od. Meeresbodens (Biol.). **ben|tho|nisch:** das Benthos betreffend. **Ben|thos** ⟨*gr.;* „Tiefe"⟩ *das;* -: die Tier- u. Pflanzenwelt des Meeresbodens **Ben|to|nit** [auch: ...'nɪt] ⟨*nlat.;* nach den ersten Funden in der Gegend von Fort Benton in Montana, USA⟩ *der;* -s, -e: ein Ton mit starkem Quellungsvermögen **Benz|al|de|hyd** ⟨Kurzw. aus ↑*Benzo*esäure u. ↑*Aldehyd*⟩ *der;* -s, -e: künstliches Bittermandelöl. **Ben|zi|din** ⟨*arab.-it.-mlat.-nlat.*⟩ *das;* -s: Ausgangsstoff der Benzidinfarbstoffe. **Ben|zin** *das;* -s, -e: Gemisch aus gesättigten Kohlenwasserstoffen, das bes. als Treibstoff für Vergasermotoren sowie als Lösungs- u. Reinigungsmittel verwendet wird **Ben|zol** *das;* -[e]s, -e: Salz der Benzoesäure. **Ben|zo|di|a|ze|pin** *das;* -s, -e (meist Plural): ↑Tranquilizer mit Angst mindernder, beruhigender und entspannender Wirkung. **Ben|zoe** ⟨*arab.-it.-mlat.*⟩ *die;* - u. **Ben|zo|e|harz** *das;* -es: als Räuchermittel, bei der Parfümherstellung u. als Heilmittel verwendetes wohlriechendes Harz bestimmter ostindischer u. indochinesischer Benzoebaumarten. **Ben|zo|e|säu|re,** (auch:) Benzolcarbonsäure *die;* -: ein Konservierungsmittel. **Ben|zol** ⟨Kurzw. aus *Benzo*... u. ↑*Alko*hol⟩ *das;* -s, -e: Teerdestillat [aus Steinkohlen]; als Ausgangsmaterial vieler Verbindungen, Zusatz zu Treibstoffen od. als Lösungsmittel verwendeter einfachster

aromatischer Kohlenwasserstoff. **Ben|zol|car|bon|säu|re** *die;* -: Benzoesäure. **Ben|zo|yl** ⟨Kunstw. aus *Benzo*... u. *gr. hýlē* „Materie"⟩ *das;* -s: Restgruppe des Moleküls der Benzoesäure. **ben|zo|y|lie|ren:** eine Benzoylgruppe in eine chem. Verbindung einführen. **Benz|py|ren** ⟨*arab.; gr.*⟩ *das;* -s: ein als Krebs erregend geltender Kohlenwasserstoff (in Tabakrauch, Auspuffgasen u. a.). **Ben|zyl** *das;* -s: einwertige Restgruppe des ↑Toluols. **Ben|zyl|al|ko|hol** *der;* -s: in vielen Blütenölen vorkommender u. als Grundstoff für Parfüm verwendeter aromatischer Alkohol **Beo** ⟨*indones.*⟩ *der;* -s, -s: Singvogel aus Indien **Ber|ber** ⟨nordafrikan. Volk⟩ *der;* -s, -: 1. von den Berbern in Nordwestafrika geknüpfter, derber, hochfloriger Teppich aus naturfarbener Wolle. 2. in Nordafrika gezüchtetes Reitpferd. 3. Nichtsesshafter, Land-, Stadtstreicher **Ber|be|rin** ⟨*mlat.-nlat.*⟩ *das;* -s: aus der Wurzel der Berberitze gewonnenes, als gelber Farbstoff sowie als Bittermittel verwendetes ↑Alkaloid. **Ber|be|rit|ze** ⟨*mlat.*⟩ *die;* -, -n: Zierstrauch der Gattung Sauerdorn mit gelben Blüten u. roten Beerenfrüchten **Ber|ceu|se** [bɛr'søːz] ⟨*fr.*⟩ *die;* -, -n: 1. Wiegenlied (Mus.). 2. (veraltet) Schaukelstuhl **Bé|ret** [ˈbɛrɛ] ⟨*mlat.-fr.*⟩ *das;* -s: (schweiz., auch luxemburgisch) Baskenmütze **Ber|gal|ma** *der;* -[s], -s: handgeknüpfter, streng geometrisch gemusterter Orientteppich aus der türkischen Stadt Bergama **Ber|ga|mas|ca** ⟨*it.*⟩ *die;* -, -s: fröhlicher italienischer Volkstanz **Ber|ga|mot|te** ⟨*türk.-it.-fr.*⟩ *die;* -, -n: 1. a) in Südeuropa u. Westindien kultivierter Baum mit süßlich riechenden Blüten u. runden, glatten, blassgelben Früchten; b) Frucht der Bergamotte (1 a). 2. in mehreren Sorten vorkommende würzig schmeckende Birne. **Ber|ga|mot|li|kör** *der;* -s, -e: gelbgrüner Likör aus den Schalen der ↑Bergamotte (1 b). **Ber|ga|mott|öl** *das;* -[e]s, -e: aus den Schalen der Bergamotte (1 b) gewonnenes Öl für Parfums u. Liköre **Ber|ge|nie** [...i̯ə] ⟨*nlat.;* nach dem deutschen Botaniker K. A. v. Bergen⟩ *die;* -, -n: zu den Steinbrechgewächsen gehörende

Pflanze, die in Europa in zwei Arten als winterharte Zierstaude kultiviert wird

Ber|ge|re [bɛrˈʒeːrə] ⟨lat.-galloroman.-fr.⟩ die; -, -n: (veraltet) bequemer, gepolsterter Lehnsessel. **Ber|ge|ret|te** [bɛrʒəˈrɛtə] die; -, -n: Hirten-, Schäferstück (Mus.)

Be|ri|be|ri ⟨singhal.⟩ die; -: Vitamin-B_1-Mangel-Krankheit (bes. in Ostasien) mit Lähmungen u. allgemeinem Kräfteverfall

Ber|ke|li|um ⟨nlat.; nach der nordamerik. Universitätsstadt Berkeley⟩ das; -s: chem. Element; ein Transuran (Zeichen: Bk)

Ber|li|na|le ⟨Neubildung nach dem Vorbild von ↑ Biennale⟩ die; -, -n: Bezeichnung für die alljährlich in Berlin stattfindenden Filmfestspiele. **Ber|li|ne** ⟨nach dem ersten Herstellungsort Berlin⟩ die; -, -n: (im 17. u. 18. Jh.) viersitziger Reisewagen mit einem Verdeck, das zurückgeschlagen werden konnte **Ber|lo|cke** ⟨fr.⟩ die; -, -n: (im 18. u. 19.Jh. üblicher) kleiner Schmuck an [Uhr]ketten **Ber|mu|da|ho|sen, Ber|mu|das, Ber|mu|da|shorts** ⟨nach der Inselgruppe im Atlantik⟩ die (Plural): eng anliegende, fast knielange ↑ Shorts **Ber|nar|don** [...ˈdõ:] ⟨german.-fr.⟩ der; -s, -s: komische Figur des Wiener Volkstheaters im 18. Jh. **Be|rol|li|na** ⟨nlat.⟩ die; -: Frauengestalt als Sinnbild Berlins. **Be|rol|li|nis|mus** ⟨nlat., -..men: der Berliner Umgangssprache eigentümlicher Ausdruck **Ber|sag|li|e|re** [bɛrzalˈjeːrə] ⟨it.⟩ der; -[s], ...ri (meist Plural): Angehöriger einer italienischen Scharfschützentruppe **Ber|ser|ker** [auch: ˈbɛr...] ⟨altnord.; „Bärenfell, Krieger im Bärenfell"⟩ der; -s, -: 1. wilder Krieger der altnord. Sage. 2. a) kampfwütiger, sich wild gebärdender Mann; b) Mann von bes. kräftiger Statur **Ber|the** ⟨fr.⟩ die; -, -n: (in der Damenmode um 1850 übliche) kragenartige Einfassung des Halsausschnittes **Ber|til|lo|na|ge** [bɛrtijoˈnaːʒə] ⟨fr.; von Namen des franz. Anthropologen A. Bertillon, † 1914⟩ die; -: überholtes Verfahren zur Wiedererkennung rückfälliger Verbrecher durch Registrierung unveränderlicher Körpermerkmale

Be|ryll ⟨drawid.-mittelind.-gr.-lat.⟩ der; -[e]s, -e: häufig als Schmuckstein verwendetes Mineral. **Be|ryl|li|o|se** ⟨nlat.⟩ die; -, -n: durch ↑ Beryllium hervorgerufene Lungenkrankheit. **Be|ryl|li|um** das; -s: chem. Element; ein Metall (Zeichen: Be) **Be|san** ⟨lat.-it.-span.-niederl.⟩ der; -s, -e: a) Segel am hintersten Mast; b) der hinterste Mast; Besanmast **Be|schir**, Baschyr ⟨turkmen.⟩ der; -[s], -[s]: rotgrundiger turkmenischer Teppich mit Blüten- od. Wolkenbandmuster **Besch|met** ⟨tatar.⟩ der; -, -s: umhangartiges Kleidungsstück kaukasischer u. türkischer Völker **Be|sem|schon** ⟨niederl.; „besenrein"⟩ das; -s: Vergütung für die an der Verpackung hängen bleibenden Warenteile **Bé|sigue** [beˈziːk], **Be|sik** ⟨fr.⟩ das; -s: ein Kartenspiel. **Bes|se|mer|bir|ne** ⟨nach dem engl. Erfinder⟩ die; -, -n: birnenförmiger Behälter zur Stahlherstellung. **bes|se|mern:** Stahl nach dem Verfahren Bessemers herstellen **bes|ti|a|lisch** ⟨lat.⟩: 1. (abwertend) unmenschlich, vichisch, teuflisch. 2. (ugs.) fürchterlich, unerträglich. **Bes|ti|a|li|tät** die; -, -en: a) (ohne Plural) Unmenschlichkeit, grausames Verhalten; b) grausame Handlung, Tat. **Bes|ti|a|ri|um** das; -s, ...ien: Titel mittelalterl. Tierbücher. **Bes|tie** [...i̯ə] die; -, -n: Raubtier; wildes, gefährliches Tier. **Bes|ti|en|ka|pi|tell** das; -s, -e: romanisches ↑ Kapitell mit symbolischen Tiergestalten. **Bes|ti|en|säu|le** die; -, -n: romanische Säule mit reliefartigen Darstellungen miteinander kämpfender Tiere **Best|sel|ler** ⟨engl.⟩ der; -s, -: etwas (bes. ein Buch), was [seinige Zeit] sehr gut verkauft wird; vgl. Longseller, Steadyseller **Be|ta** ⟨gr.⟩ das; -[s], -s: zweiter Buchstabe des griech. Alphabets: B, β. **Be|ta|blo|cker** der; -s, -: Kurzform von ↑ Betarezeptorenblocker. **Be|ta|lin** ⟨lat.-nlat.⟩ der; -s: aus der Melasse von Zuckerrüben gewonnene Aminosäure, die als Arzneimittel bes. zur Senkung des Cholesterinspiegels, bei Lebererkrankungen u. zur Substitution von Magensäure verwendet wird. **Be|ta|re|zep|tor** ⟨auch

↑ Beta u. ↑ Rezeptor⟩ der; -s, ...oren: ↑ Rezeptor (2) des sympathischen Nervensystems, der die hemmenden Wirkungen bestimmter Substanzen vermittelt (z. B. Erweiterung der Blutgefäße, Erhöhung von Schlagvolumen und Frequenz des Herzens) (Med., Physiol.). **Be|ta|re|zep|to|ren|blo|cker** ⟨engl. to block = hemmen, blockieren⟩ der; -s, -: chemische Substanz, mit der die Wirkung auf die Betarezeptoren blockiert wird; Arzneimittel zur Behandlung bestimmter Herzkrankheiten, Bluthochdruck u. a. (Med., Chemie) **Be|ta|strah|len** ⟨gr.; dt.⟩, β-**Strah|len** die (Plural): radioaktive Strahlen, die aus Elektronen bestehen. **Be|ta|teil|chen**, β-**Teil|chen** die (Plural): beim radioaktiven Zerfall ↑ emittierte Elektronen. **Be|ta|tron*** ⟨Kurzwort aus ↑ Beta strahlen u. ↑ Elektron⟩ das; -s, ...one (auch: -s): Gerät zur Beschleunigung von Elektronen, Elektronenschleuder **bête** [bɛːt] ⟨lat.-vulgärlat.-fr.⟩: in der Fügung: **bête sein:** [im Spiel] verloren haben **Be|tel** ⟨Malayalam-port.⟩ der; -s: indisch-malaiisches Kau- u. Genussmittel aus der Frucht der Betelnusspalme **Be|ti|se** ⟨lat.-vulgärlat.-fr.⟩ der; -, -n: Dummheit **Be|ton** [beˈtõŋ, auch: beˈtõ:, (auch, österr. nur:) beˈtoːn] ⟨lat.-fr.⟩ der; -s, -s u. (bei nicht nasalierter Ausspr.:) -e: Baustoff aus einer Mischung von Zement, Wasser und Zuschlagstoffen (Sand, Kies u. a.) **Be|to|nie** [...i̯ə] ⟨lat.-vulgärlat.⟩ die; -, -n: eine rote Wiesenblume **be|to|nie|ren** ⟨lat.-fr.⟩: mit einem Betonbelag versehen. **Be|to|nie|rung** die; -, -en: a) das Betonieren; b) Schicht, Belag o. Ä. aus Beton **Be|va|tron*** [auch: ...'troːn] ⟨Kunstw. aus billion electron volts und synchrotron; amerik.⟩ das; -s, -s od. ...trone: Teilchenbeschleuniger (Phys.) **Bey** der; -s, -e u. -s: Beg **be|zir|zen**, auch: becircen ⟨nach der in der griech. Sage vorkommenden Zauberin Circe⟩: (ugs.) bezaubern, betören, auf verführerische Weise für sich gewinnen **Be|zo|ar** ⟨pers.-arab.-span.⟩: „Gegengift"⟩ der; -s, -e u. **Be|zo|ar|stein** der; -s, -e: Magenstein von Wiederkäuern (z. B. der asiat.

Bezoarziege; in der Volksmedizin gebraucht). **Be|zo|ar|wur|zel** *die; -, -n:* Wurzel eines südamerik. Maulbeergewächses, die als Heilmittel bei Schlangenbiss verwendet wird. **Be|zo|ar|zie|ge** *die; -, -n:* eine asiatische Wildziege

Bha|ga|wad|gi|ta *⟨sanskr.;* „Gesang des Erhabenen"⟩ *die; -:* altindisches religionsphilosophisches Lehrgedicht in 18 Gesängen (Teil des ↑ Mahabharata).
Bhag|van, Bhag|wan *⟨Hindi; sanskr.;* „der Erhabene"⟩ *der; -s, -s:* 1. (ohne Plural) Ehrentitel für religiöse Lehrer des Hinduismus. 2. Träger des Ehrentitels Bhagvan
Bhak|ti *⟨sanskr.⟩ die; -:* liebende Hingabe an Gott als der wichtigste Heilsweg des ↑ Hinduismus
Bhik|ku *⟨sanskr.;* „Bettler"⟩ *der; -s, -s:* buddhist. Bettelmönch.
Bhik|schu *der; -s, -s:* Mitglied des buddhistischen Mönchsordens
bi *⟨lat.⟩:* (ugs.) kurz für: bisexuell
Bi|ar|chie *⟨lat.; gr.⟩ die; -, ...ien:* Doppelherrschaft
Bi|as [auch: 'baɪəs] *⟨fr.-engl.-amerik.;* „Vorurteil"⟩ *das; -, -:* durch falsche Untersuchungsmethoden (z. B. durch Suggestivfragen) verursachte Verzerrung des Ergebnisses einer Repräsentativerhebung (Meinungsforschung)
Bi|ath|let *⟨lat.; gr.⟩ der; -en, -en:* jmd., der Biathlon betreibt. **Bi|ath|lon** *das; -s, -s:* Kombination aus Skilanglauf u. Scheibenschießen als wintersportl. Disziplin
bi|au|ral vgl. binaural
Bi|bel *⟨gr.-mlat.⟩ die; -, -n:* 1. Gesamtheit der von den christlichen Kirchen als offenbartes Wort Gottes betrachteten Schriften des Alten u. Neuen Testaments, heiliges Buch der Christen; Heilige Schrift. 2. (ugs. scherzh.) a) für jmdn. od eine Gruppe maßgebendes Buch, maßgebende Schrift; b) dickes, großes Buch. **Bi|bel|kon|kor|danz** *die; -, -en:* alphabetische Zusammenstellung von Wörtern u. Begriffen der Bibel mit Stellenangabe
Bi|bel|lot [bibə'lo:] *⟨fr.⟩ der; -s, -s:* Nippsache, Kleinkunstwerk
Bi|bel|re|gal *das; -s, -e:* (zusammengeklappt einer großen Bibel ähnlich sehende) tragbare Orgel des 16.–18. Jh.s
Bi|bel|ret|te (französierende Neubildung zu *dt.* Biber⟩ *die; -, -n:* 1.

Kaninchenfell, das durch Veredlung einem Biberfell ähnlich gemacht worden ist. 2. pelzartiger Wollplüsch
Bi|ber|nel|le *die; -, -n:* Pimpernell
Bib|lia* Pau|pe|rum *⟨mlat.;* „Armenbibel"⟩ *die; - -, ...ae [...ɛ] -:* 1. mittelalterl. Bezeichnung für einfache Kurzfassungen lat. Bibeltexte. 2. spätmittelalterl. Bilderbibel, die die wichtigsten Stationen der Heilsgeschichte als Zusammenschau von Neuem Testament u. Altem Testament darstellt. **Bi|b|lio|gno|sie** *⟨gr.-nlat.⟩ die; -:* (veraltet) Bücherkenntnis, -kunde
Bi|b|lio|graf*, Bi|b|lio|gra|fie usw. vgl. Bibliograph, Bibliographie usw. **Bi|b|lio|graph** *⟨gr.-nlat.⟩ der; -en, -en:* Bearbeiter einer Bibliographie. **Bi|b|lio|gra|phie**, auch: Bibliografie *die; -, ...ien:* 1. Bücherverzeichnis; Zusammenstellung von Büchern u. Schriften, die zu einem bestimmten Fachgebiet od. Thema erschienen sind. 2. Wissenschaft von den Büchern. **bi|b|lio|gra|phie|ren**, auch: bibliografieren: a) den Titel einer Schrift bibliographisch verzeichnen; b) die genauen bibliographischen Daten feststellen. **bi|b|lio|gra|phisch**, auch: bibliografisch: die Bibliographie betreffend
Bi|b|lio|klast* *⟨gr.-nlat.⟩ der; -en, -en:* jmd., der aus Sammelleidenschaft Bücher zerstört, indem er bestimmte Seiten herausreißt. **Bi|b|lio|lat|rie** *die; -:* a) übermäßige Verehrung heiliger Bücher, bes. der ↑ Bibel; b) Buchstabengläubigkeit in Bezug auf die Antike, die durch Verkohlen bei Vulkanausbrüchen das Aussehen eines Steins erhielt. **Bi|b|lio|ma|ne** *der; -n, -n:* jmd., der aus krankhafter Leidenschaft Bücher sammelt. **Bi|b|lio|ma|nie** *die; -:* krankhafte Büchersammelwut. **bi|b|lio|ma|nisch:** a) sich wie ein Bibliomane verhaltend; b) die Bibliomanie betreffend. **Bi|b|lio|man|tie** *die; -:* das Wahrsagen aus zufällig aufgeschlagenen Buchstellen, bes. aus der Bibel. **Bi|b|lio|pha|ge** *⟨„Bücherfresser"⟩ der; -n, -n:* leidenschaftlicher Bücherleser. **bi|b|lio|phil:** 1. [schöne u. kostbare] Bücher liebend. 2. für Bücherliebhaber wertvoll, kostbar ausgestattet (von Büchern). **Bi|b|lio|phi|le** *der u. die; -n, -n* (zwei

-[n]): jmd., der in besonderer Weise [schöne u. kostbare] Bücher schätzt, erwirbt. **Bi|b|lio|phi|lie** *die; -:* Bücherliebhaberei. **Bi|b|lio|pho|be** *der u. die; -n, -n:* Bücherfeind[in]. **Bi|b|lio|pho|bie** *die; -:* Bücherfeindlichkeit. **Bi|b|lio|so|phie** *die; -:* (veraltet) Lehre vom Zweck des Büchersammelns. **Bi|b|lio|taph** *⟨„Büchergrab"⟩ der; -en, -en:* jmd., der seine Bücher an geheimen Stellen aufbewahrt u. nicht verleiht
Bi|b|lio|thek* *⟨gr.-lat.⟩ die; -, -en:* 1. Aufbewahrungsort für eine systematisch geordnete Sammlung von Büchern, [wissenschaftliche] Bücherei. 2. [große] Sammlung von Büchern, größerer Besitz an Büchern. **Bi|b|lio|the|kar** *der; -s, -e:* [wissenschaftlicher] Verwalter einer Bibliothek. **bi|b|lio|the|ka|risch:** den Beruf, das Amt eines Bibliothekars betreffend. **Bi|b|lio|the|ko|gra|phie**, auch: ...grafie *⟨gr.-nlat.⟩ die; -, ...ien:* Beschreibung der Geschichte u. der Bücherbestände einer Bibliothek. **Bi|b|lio|the|ko|no|mie** *die; -:* Wissenschaft von den Aufgaben u. der Verwaltung einer Bibliothek
Bi|b|lio|the|ra|pie* *die; -:* 1. Wiederherstellung alter od. beschädigter Bücher. 2. Förderung der [seelischen] Gesundung von Patienten durch ausgewählte Lektüre
bib|lisch* *⟨gr.-nlat.⟩:* a) die Bibel betreffend; b) aus der Bibel stammend; **biblisches Alter:** sehr hohes Alter. **Bib|li|zis|mus** *⟨gr.-nlat.⟩ der; -:* das Auslegen der Bibel im rein wörtlichen Sinn ohne Berücksichtigung historisch-kritischer Forschungsergebnisse. **Bib|li|zist** *der; -en, -en:* Vertreter des Biblizismus
Bi|car|bo|nat vgl. Bikarbonat
bi|chrom ['bi:kro:m, auch: bi:kro:m] *⟨lat.; gr.⟩:* zweifarbig. **Bi|chro|mat** *das; -[e]s, -e:* Dichromat. **Bi|chro|mie** *die; -:* Zweifarbigkeit
Bi|ci|ni|um [bi'tsi:...] *⟨lat.⟩ das; -s, ...ien [...jən]:* Bizinie
bi|cy|clisch* vgl. bizyklisch
Bi|da *⟨arab.;* „Neuerung"⟩ *die; -:* Gesamtheit der Gebräuche od. Glaubensvorstellungen, die nicht durch die ↑ Sunna sanktioniert werden (islam. Rel.)
Bi|det [bi'de:] *⟨fr.⟩ das; -s, -s:* längliches, niedriges Waschbecken für Spülungen u. Waschungen von After u. Genitalien im Sitzen

Bid|jar* vgl. Bidschar
Bi|don [bi'dõ:] ⟨it.-fr.⟩ der; -s, -s: (schweiz.) Eimer, Kanne mit Verschluss, [Benzin]kanister. **Bidon|ville** [bidõ'vil] ⟨fr.; „Kanisterstadt") das; -s, -s: a) aus Kanistern, Wellblech u. Ä. aufgebautes Elendsviertel in den Randzonen der nordafrikan. Großstädte; b) Elendsviertel, Slum
Bid|schar*, auch: Bidjar ⟨nach der gleichnamigen iran. Stadt⟩ der; -s, -s u. -e: schwerer, fest geknüpfter Teppich mit Blüten- u. Rankenmuster
bi|en [biȩ̃] ⟨lat.-fr.⟩: gut, wohl (als Zustimmung)
bi|enn ⟨lat.⟩: zweijährig (von Pflanzen mit zweijähriger Lebensdauer, die erst im zweiten Jahr blühen u. Frucht tragen) (Bot.). **bi|en|nal**: a) von zweijähriger Dauer; b) alle zwei Jahre [stattfindend]. **Bi|en|na|le** ⟨lat.-it.⟩ die; -, -n: alle zwei Jahre stattfindende Ausstellung od. Schau, bes. in der bildenden Kunst u. im Film. **Bi|en|ne** die; -, -n: zweijährige (erst im zweiten Jahr blühende) Pflanze. **Bi|enni|um** ⟨lat.⟩ das; -s, ...ien: Zeitraum von zwei Jahren
bi|fi|lar ⟨lat.-nlat.⟩: zweifädig, zweidrähtig (Techn.). **Bi|fi|larpen|del** das; -s, -: an zwei Fäden od. Drähten aufgehängtes Pendel. **Bi|fi|lar|wick|lung** die; -, -en: Doppeldrahtwicklung zur Herabsetzung der ↑Induktivität (Elektrot.)
Bi|fo|kal|glas ⟨lat.-nlat.; dt.⟩ das; -es, ...gläser (meist Plural): Zweistärkenglas, Brillenglas mit zwei Brennpunkten (zum Weitsehen u. zum Nahsehen)
Bi|fo|ri|um ⟨lat.⟩ das; -s, ...ien: zweiflügeliges, durch eine Mittelsäule gegliedertes Fenster (gotische Baukunst)
bi|form ⟨lat.⟩: doppelgestaltig. **Bifor|mi|tät** die; -, -en: Doppelgestaltigkeit
Bi|fur|ka|ti|on ⟨lat.-nlat.⟩ die; -, -en: 1. Gabelung (bes. der Luftröhre u. der Zahnwurzeln) in zwei Äste (Med.). 2. Flussgabelung, bei der das Wasser eines Armes in ein anderes Flussgebiet abfließt (Geogr.)
Bi|ga ⟨lat.⟩ die; -, Bigen: von zwei Pferden gezogener Renn- oder Prunkwagen im alten Rom
Bi|ga|mie ⟨lat.; gr.⟩ die; -, ...ien: [gesetzwidrige] Doppelehe. **biga|misch**: in einer Doppelehe lebend. **Bi|ga|mist** der; -en, -en:

jmd., der eine zweite Ehe eingeht, obwohl die erste noch besteht. **bi|ga|mis|tisch**: a) die Bigamie betreffend; b) in Bigamie lebend
Big|ap|ple|walk ['bɪgˌæplwɔːk] ⟨engl.-amerik.⟩ der; -[s], -s: (bes. in den 1930er-Jahren in den USA beliebter) in Reihen getanzter Modetanz
Bi|ga|ra|de ⟨fr.⟩ die; -, -n: 1. bittere Pomeranze. 2. bes. zu Entenbraten gereichte Soße, die mit dem Saft od. der Schale der Bigarade (1) gewürzt ist
Big|band ['bɪgbænd] ⟨engl.-amerik.; „große Kapelle") die; -, -s, auch: **Big Band** die; - -, -s: in Instrumentalgruppen gegliedertes großes Jazz- od. Tanzorchester, in dem im Ggs. zur ↑Combo einzelne Instrumente mehrfach besetzt sind
Big|busi|ness [...'bɪznɪs] ⟨engl.amerik.; „großes Geschäft") das; -, auch: **Big Busi|ness** das; - -: a) Geschäftswelt der Großunternehmer; b) vorteilhaftes großes Geschäft
Big|e|mi|nie ⟨lat.⟩ die; -, ...ien: Doppelschlägigkeit des Pulses infolge ↑Extrasystole, die an den normalen Schlag des Herzens gekoppelt ist (Med.)
Big|no|nie* [...ɪə] ⟨nlat.; nach dem franz. Abbé Bignon⟩ die; -, -n: im tropischen Nordamerika heimische Kletterpflanze mit glockenförmigen, orangeroten Blüten
Bi|gos, Bi|gosch ⟨poln.⟩ das; -: als polnisches Naionalgericht geltender Eintopf aus Schweinefleisch, Speck, Zwiebeln, Weißkraut u. Pilzen
bi|gott ⟨fr.⟩: a) (abwertend) a) Frömmigkeit zur Schau tragend, scheinheilig; b) übertrieben glaubenseifrig. **Bi|got|te|rie** die; -, ...ien (abwertend) 1. (ohne Plural) bigottes Wesen. 2. bigotte Handlungsweise, Äußerung
Big|point [...pɔynt] ⟨engl.⟩ der; -s, -s, auch: **Big Point** der; - -s, - -s: [spiel]entscheidender Punkt im Tennis
bi|jek|tiv [auch: ...'tiːf] ⟨lat.⟩: bei der Abbildung einer mathematischen Menge jedem Urbild nur einen Bildpunkt u. umgekehrt zuordnend (Math.)
Bi|jou [bi'ȝu:] ⟨breton.-fr.⟩ der od. das; -s, -s: Kleinod, Schmuckstück. **Bi|jou|te|rie** die; -, ...ien: 1. [billiger] Schmuck. 2. (ohne Plural) Schmuckwarengeschäft, -handel. **Bi|jou|ti|er** [...'tje:] der; -s, -s: (schweiz.) Juwelier

Bi|kar|bo|nat, chem. fachspr.: Bicarbonat [...ka...] ⟨nlat.⟩ das; -s, -e: doppeltkohlensaures Salz
Bike [baɪk] ⟨engl.⟩ das; -s, -s: 1. kleines Motorrad. 2. a) kurz für ↑Mountainbike, ↑Trekkingbike; b) Fahrrad. **Bi|ker** ['baɪkɐ] der; -s, -: 1. Motorradfahrer. 2. a) Mountainbike-, Trekkingbikefahrer; b) Fahrradfahrer
Bi|ki|ni ⟨Fantasiebez.; nach dem Atoll in der Ralikgruppe der Marshallinseln⟩ der, (schweiz.: das); -s, -s: zweiteiliger Badeanzug für weibliche Personen
bi|kol|la|te|ral ⟨lat.-nlat.: „von zwei Seiten her"); in der Fügung **bikollaterales Leitbündel:** strangartiges Gewebebündel im Gefäßsystem einer Pflanze, das sowohl innen als auch außen einen Siebteil zur Leitung der Assimilationsprodukte besitzt
Bi|kom|po|si|tum das; -s, ...ta u. ...jten: Verb od. Verbalsubstantiv mit zwei Vorsilben (z.B. an-er-kennen, Rück-an-sicht; Sprachw.)
bi|kon|kav ⟨lat.-nlat.⟩: beiderseits hohl [geschliffen]; Ggs. ↑bikonvex
bi|kon|vex ⟨lat.-nlat.⟩: beiderseits gewölbt [geschliffen]; Ggs. ↑bikonkav
Bi|kus|pi|da|tus* ⟨lat.-nlat.: „zwei Höcker aufweisend") der; -, ...ti od. ...ten: ↑Prämolar
bi|la|bi|al [auch: 'bi:...] ⟨lat.-nlat.⟩: mit beiden Lippen gebildet (vom Laut). **Bi|la|bi|al** [auch: 'bi:....] der; -s, -e: mit beiden Lippen gebildeter Laut (Sprachw.)
Bi|lanz ⟨lat.-vulgärlat.-it.⟩ die; -, -en: 1. abschließende Gegenüberstellung von Vermögen u. Schulden, Aktiva u. Passiva, Einnahmen u. Ausgaben [für ein Geschäftsjahr]; Kontenabschluss. 2. Ergebnis, ↑Fazit, abschließender Überblick. **bi|lanzie|ren:** 1. in Bezug auf Soll u. Haben ausgleichen des. 2. über etw. eine Bilanz aufstellen. **Bilan|zie|rung** die; -, -en: Bilanzaufstellung
bi|la|te|ral [auch: ...'ra:l] ⟨lat.nlat.⟩: 1. zweiseitig; zwei Seiten, Partner betreffend; von zwei Seiten ausgehend; Ggs. ↑multilateral. 2. bilateralsymmetrisch (Biol.). **Bi|la|te|ra|lis|mus** der; -: System von zweiseitigen völkerrechtlichen Verträgen, insbesondere von Handels- u. Zahlungsabkommen. **Bi|la|te|ra|lium** das; -s, ...lia (meist Plural): ↑Bilaterium. **bi|la|te|ral|sym-**

met|risch*: durch eine Symmetrieebene in zwei äußerlich spiegelbildliche Hälften teilbar (in Bezug auf Menschen und Tiere); vgl. radialsymmetrisch. **Bi|la|te|ri|um** *das; -s, ...ia* (meist Plural): bilateralsymmetrisch gebautes vielzelliges Tier mit zentralem Nervensystem (Biol.)

Bil|bo|quet [...'ke:] ⟨fr.⟩ *das; -s, -s*: Spiel, bei dem eine Kugel in einem Fangbecher aufgefangen werden muss

Bil|ge ⟨engl.⟩ *die; -, -n*: Kielraum eines Schiffes, in dem sich Leckwasser sammelt (Seemannsspr.)

Bil|har|zie [...jə] ⟨nlat.; nach dem dt. Arzt Bilharz, † 1862⟩ *die; -, -n*: (veraltet) ↑ Schistosoma. **Bilhar|zi|o|se** *die; -, -n*: [ägyptische] Wurmkrankheit (durch Bilharzien hervorgerufen)

bi|li|är ⟨lat.-nlat.⟩: (Med.) a) die Galle betreffend; b) durch Galle bedingt, Gallen..., **bi|li|fer**: Gallenflüssigkeit leitend (von Körperkanälen; Med.)

bi|li|ne|ar ⟨lat.-nlat.⟩: in der Fügung: **bilineare Form**: algebraische Form, in der zwei Gruppen von Veränderlichen nur im 1. Grad (also nicht quadratisch und nicht kubisch) auftreten

bi|lin|gu|al [auch: ...'a:l] ⟨lat.-nlat.⟩: 1. zwei Sprachen sprechend, verwendend; zweisprachig. 2. zwei Sprachen betreffend, auf zwei Sprachen bezogen. **Bi|lin|gu|a|lis|mus** *der; -*: Zweisprachigkeit, bes. die [kompetente] Anwendung von zwei Sprachen durch eine Person; ↑ Diglossie. **bi|lin|gue** [...gu̯ə]: ↑ bilinguisch. **Bi|lin|gue** *die; -, -n*: zweischriftige od. zweisprachige Inschrift od. Handschrift. **bi|lin|gu|isch**, bilingue: in zwei Sprachen [geschrieben], zweisprachig. **Bi|lin|gu|is|mus** [auch: 'bi:...] *der; -* u. **Bi|lin|gu|i|tät** [auch: 'bi:...] *die; -*: ↑ Bilingualismus

bi|li|ös ⟨lat.⟩: gallig, gallehaltig (Med.). **Bi|li|ru|bin** ⟨lat.-nlat.⟩ *das; -s*: rötlich brauner Farbstoff der Galle. **Bi|li|ru|bin|u|rie*** ⟨lat.-gr.⟩ *die; -, ...ien*: Auftreten von ↑ Bilirubin im Harn. **Bi|lis** ⟨lat.⟩ *die; -*: von der Leber gebildetes, für die Fettverdauung wichtiges Sekret; Galle. **Bi|li|ver|din** ⟨lat.; lat.-roman.⟩ *das; -s*: grüner Farbstoff der Galle

Bill ⟨engl.⟩ *die; -, -s*: englische Bez. für: Gesetz[entwurf]; Urkunde, Rechnung

Bil|lard ['bɪljart, österr.: bi'ja:r̯]

⟨fr.⟩ *das; -s, -e* (auch, österr. nur -s): 1. (ohne Plural:) auf einem mit grünem Tuch bezogenen Tisch gespieltes Kugelspiel, bei dem Kugeln aus Elfenbein od. Kunststoff mit einem Stock nach bestimmten Regeln gestoßen werden. n. 2. Billardtisch. **bil|lar|die|ren**: in unzulässiger Weise stoßen (beim Billard). **Bil|lard|ka|ram|bol** *das; -s*: ↑ Karambolagebillard. **Bil|lard|queue** [...'kø:] *das; -s, -s*: ↑ ¹Queue

Bil|ber|gie [...jə] ⟨nlat.; nach dem schwed. Botaniker Billberg⟩ *die; -, -n*: Zimmerpflanze aus dem trop. Amerika, ein Ananasgewächs

Bil|let|doux [bijɛdu:] ⟨fr.⟩ *das; -, - [...'du:s]*: (veraltet, noch scherzh.) kleiner Liebesbrief. **¹Bil|le|teur** [bijɛ'tø̯ɐ] ⟨mlat.-fr.⟩ *der; -s, -e*: (österr.) Platzanweiser. **²Bil|le|teur** [bijɛ'tø̯ɐ] *der; -s, -e*: (schweiz.) Schaffner. **Bil|lett** [bil'jɛt, österr.: bi'je:, bi'lɛt, bi'jet] ⟨fr.⟩ *das; -[e]s, -s u. -e*: 1. a) Einlasskarte, Eintrittskarte; b) (schweiz., sonst veraltet) Fahrkarte. 2. (veraltet) Zettel, Briefchen

Bil|li|ar|de ⟨fr.⟩ *die; -, -n*: tausend Billionen. **Bil|li|on** ⟨fr.⟩ *die; -, -en*: eine Million Millionen

Bil|lon [bil'jõ] ⟨fr.⟩ *der od. das; -s*: Silberlegierung mit hohem Kupfer-, Zinn- od. Zinkgehalt

Bi|lo|ka|ti|on ⟨lat.-nlat.⟩ *die; -, -en*: (bes. in Heiligenlegenden berichtetes) gleichzeitiges Erscheinen eines Menschen an zwei [od. mehreren] Orten

Bi|lux|lam|pe ® ⟨lat.; gr.-lat.-fr.⟩ *die; -, -n*: Fern- und Abblendlampe in Autoscheinwerfern

bi|ma|nu|ell [auch: 'bi:...] ⟨lat.-nlat.⟩: zweihändig

bi|ma|xil|lär ⟨lat.-nlat.⟩: Ober- u. Unterkiefer betreffend

Bi|me|ster ⟨lat.⟩ *das; -s, -*: (veraltet) Zeitraum von zwei Monaten

Bi|me|tall *das; -s, -e*: Streifen aus zwei miteinander verbundenen, verschiedenen Metallen, die sich bei Erwärmung aufgrund der unterschiedlichen Ausdehnung krümmt (als Auslösevorrichtungen u. Messinstrumente in der Elektrotechnik). **bi|me|tal|lisch**: a) auf zwei Metalle bezüglich; b) aus zwei Metallen bestehend. **Bi|me|tall|is|mus** ⟨nlat.⟩ *der; -*: Doppelwährung; Währung, bei der zwei Metalle (meist Gold und Silber) Zahlungsmittel sind

bi|när, bi|när, bi|na|risch ⟨lat.⟩:

---

aus zwei Einheiten oder Teilen bestehend, Zweistoff... (Fachspr.); **binäre Einheit**: ↑ Bit. **Binär|code** *der; -s, -s*: aus einem Zeichenvorrat von nur zwei Zeichen bestehender ↑ Code (1). **Bina|ris|mus** *der; -*: sprachwissenschaftliche Theorie, wonach sich Sprachsysteme auf eine begrenzte Anzahl binärer ↑ Oppositionen (5) zurückführen lassen. **Binär|sys|tem** *das; -s*: Dualsystem. **Binär|zif|fer** *die; -, -n*: Ziffer 0 od. 1 od. eine Folge aus diesen Ziffern (EDV)

Bi|na|ti|on ⟨lat.-nlat.⟩ *die; -, -en*: zweimaliges Lesen der Messe an einem Tage durch denselben Priester

bi|na|ti|o|nal ⟨lat.-nlat.⟩: zwei Nationen od. Staaten gemeinsam betreffend

bin|au|ral (auch:) biaural ⟨lat.-nlat.⟩: 1. beide Ohren betreffend, für beide Ohren (z. B. von einem Stethoskop od. einem Kopfhörer; Med. u. Techn.). 2. zweikanalig (von elektroakustischer Schallübertragung)

bin|go! ⟨nach dem Ausruf des Gewinners beim Bingo⟩: (ugs.) getroffen! **Bin|go** ⟨engl.⟩ *das; -[s]*: lottoähnliches englisches Glücksspiel. **Bin|go|card** [...ka:d] ⟨engl.⟩ *die; -, -s*: Antwortkarte, bei der man seine Wünsche durch Ankreuzen von Zahlen in einem Zahlenfeld angeben kann

bi|nie|ren ⟨lat.-nlat.⟩: die Messe zweimal an einem Tag lesen

Bi|ni|ou [bi'nju:] ⟨breton.-fr.⟩ *der; -s, -s*: Sackpfeife in der bretonischen Volksmusik

Bi|no|de* ⟨lat.; gr.⟩ *die; -, -n*: Elektronenröhre mit zwei Röhrensystemen in einem Glaskolben, Verbundröhre

Bi|no|kel* [auch: bi'nɔk] ⟨lat.-fr.⟩ *das; -s, -*: 1. (veraltet) a) Brille; b) Fernrohr. 2. Mikroskop für beide Augen. 3. (auch:) *der* (ohne Plural) schweizerisches Kartenspiel. **bi|no|keln**: Binokel (3) spielen. **bi|no|ku|lar** ⟨lat.-nlat.⟩: 1. beidäugig; **binokulares Sehen**: Fähigkeit, mit beiden Augen, also plastisch, zu sehen. 2. für beide Augen bestimmt, zum Durchblicken mit beiden Augen zugleich. **Bi|no|ku|lar** *das; -s, -e*: optisches Gerät, das für das Sehen mit beiden Augen eingerichtet ist (z. B. Mikroskop, Fernglas). **Bi|no|ku|lar|mik|ro|skop** *das; -s, -e*: für beide Augen eingerichtetes ↑ Mikroskop

Bi|nom ⟨lat.⟩ *das; -s, -e*: Summe

od. Differenz aus zwei Gliedern (Math.). **Bi|no|mi|al|ko|ef|fi|zi|en|ten** ⟨lat.; gr.; lat.⟩ die (Plural): ↑Koeffizienten der einzelnen Glieder einer binomischen Reihe. **bi|no|misch** ⟨lat.; gr.⟩: zweigliedrig; **binomischer Lehrsatz:** math. Formel zur Berechnung von Potenzen eines Binoms **bi|o...**, **Bi|o...** ⟨gr.⟩: 1. Bestimmungswort in Zusammensetzungen mit der Bedeutung: lebens-, Lebens- (z. B. biologisch, Biologie). 2. drückt in Bildungen mit Substantiven [od. Adjektiven] aus, dass jmd. od. etw. mit Natürlichem, Naturgemäßem zu tun hat (z. B. Biobauer, Biogemüse). 3. drückt in Bildungen mit Substantiven od. Adjektiven aus, dass jmd. od. etw. in irgendeiner Weise mit organischem Leben in Beziehung steht (z. B. bioklimatisch, biokybernetisch; Biomechanik, Biotechnologie) **bi|o|ak|tiv** [auch: 'bi:o...]: biologisch aktiv, ↑biologisch (2) **Bi|o|al|ko|hol** [auch: 'bi:o...] der: durch Gärung aus Biomasse gewonnener Äthylalkohol (Chemie) **Bi|o|ast|ro|nau|tik*** [auch: 'bi:o...] die; -: Erforschung der Lebensmöglichkeiten im Weltraum **Bi|o|bib|li|o|gra|phie***, auch: ...grafie die; -, ...ien: ↑Bibliographie, die das über eine Person erschienene Schrifttum verzeichnet **Bi|o|che|mie** [auch: 'bi:o...] die; -: 1. Chemie auf dem Gebiet der Biologie, Wissenschaft von der chemischen Zusammensetzung der Organismen u. den chemischen Vorgängen in ihnen. 2. biochemische Beschaffenheit im Ganzen. **Bi|o|che|mi|ker** [auch: 'bi:o...] der; -s, -: Wissenschaftler auf dem Gebiet der Biochemie. **bi|o|che|misch** [auch: 'bi:o...]: die Biochemie betreffend, dazu gehörend, darauf beruhend. **Bi|o|chor** [...k...] ⟨gr.-nlat.⟩ das; -s, -en, **Bi|o|cho|re** die; -, -n, **Bi|o|cho|ri|on** das; -s, ...ien: engerer Lebensbereich innerhalb eines Biotops (Biol.) **bi|o|dy|na|misch** [auch: 'bi:o...]: nur mit organischen Düngemitteln gedüngt (in Bezug auf Nahrungsmittel) **Bi|o|elek|tri|zi|tät*** [auch: 'bi:o...] die; -: Gesamtheit der elektrischen Vorgänge in lebenden Organismen **Bi|o|ele|ment** das; -s, -e: Spurenelement; wichtiges, nur in sehr

kleiner Menge im Körper vorhandenes u. wirksames chemisches Element (z. B. Kupfer, Jod) **Bi|o|ener|ge|tik** [auch: 'bi:o...] die; -: Therapie zur Befreiung von Ängsten, unterdrückten Emotionen, Verkrampfungen u. Ä. mithilfe von Bewegungs-, Haltungs-, Atemübungen u. Ä. **Bi|o|ethik** die; -: Teilgebiet der ↑Ethik, das sich mit sittlichen Fragen zu Geburt, Leben u. Tod im Hinblick auf bestimmte Entwicklungstendenzen der biologisch-medizinischen Forschung (z. B. Gentechnik) u. Therapie (z. B. Gentransfer) befasst. **Bi|o|ethi|ker** [auch: 'bi:o...] der; -s, -: Fachmann auf dem Gebiet der Bioethik **Bi|o|feed|back** [...fi:dbæk] das; -s, -s: Rückkopplung innerhalb eines Regelkreises biologischer Systeme. **Bi|o|feed|back|me|tho|de** die; -: Methode, suggestives Verfahren zur Kontrolle autonomer, vom Menschen sonst kaum wahrgenommener Körperfunktionen (z. B. Blutdruck, Herzfrequenz, Hirnwellen) über Apparate, an die der Patient angeschlossen ist u. an denen er die entsprechenden Funktionen ablesen u. dann beeinflussen kann **Bi|o|gas** das; -es, -e: bei der Zersetzung von Naturstoffen (z. B. Mist o. Ä.) entstehendes Gas, das als alternative Energiequelle genutzt werden kann **bi|o|gen** ⟨gr.-nlat.⟩: durch Tätigkeit von Lebewesen entstanden, aus abgestorbenen Lebewesen gebildet. **Bi|o|ge|ne|se** die; -, -n: Entwicklung[sgeschichte] der Lebewesen. **bi|o|ge|ne|tisch:** zur Biogenese gehörend; **biogenetisches Grundgesetz:** Gesetz, wonach die Entwicklung des Einzelwesens (↑Ontogenese) eine Wiederholung seiner stammesgeschichtlichen Entwicklung (↑Phylogenese) ist (nach E. Haeckel, 1834–1919). **Bi|o|ge|nie** die; -: Entwicklungsgeschichte der Lebewesen **Bi|o|geo|gra|phie**, auch: ...grafie [auch: 'bi:o...] die; -: Wissenschaft von der geographischen Verbreitung der Tiere u. Pflanzen. **bi|o|geo|gra|phisch**, auch: ...grafisch [auch: 'bi:o...]: die Biogeographie betreffend. **Bi|o|geo|zö|no|se** ⟨gr.-nlat.⟩ die; -: System der Wechselbeziehungen, die zwischen Pflanzen u. Tieren eines Biotops mit ihrer unbelebten Umwelt bestehen

Bi|o|graf, Bi|o|gra|fie usw. vgl. Biograph usw. **Bi|o|gramm** ⟨gr.-nlat.⟩ das; -s, -e: Aufzeichnung des Lebensablaufs von Individuen einer zusammenlebenden Gruppe (Verhaltensforschung). **Bi|o|graph**, auch: Biograf ⟨gr.-nlat.⟩ der; -en, -en: Verfasser einer Biographie. **Bi|o|gra|phie**, auch: Biografie ⟨gr.⟩ die; -, ...ien: 1. Beschreibung der Lebensgeschichte einer Person. 2. Lebens[ab]lauf, Lebensgeschichte eines Menschen. **bi|o|gra|phisch**, auch: biografisch: die Biographie (2) betreffend, auf ihr beruhend **Bi|o|ka|tal|y|sa|tor** [auch: ...'za:...] der; -s, -en: Wirkstoff (z. B. Hormon), der die Stoffwechselvorgänge steuert **bi|o|kli|ma|tisch** [auch: ...'ma:...]: die Bioklimatologie betreffend. **Bi|o|kli|ma|to|lo|gie** [auch: 'bi:o...] die; -: Wissenschaft von den Einwirkungen des ↑Klimas auf das Leben **Bi|o|ky|ber|ne|tik** [auch: 'bi:o...] ⟨gr.-nlat.⟩ die; -: Wissenschaft, die die Steuerungs- und Regelungsvorgänge in biologischen Systemen (Mensch, Tier, Pflanze) untersucht. **bi|o|ky|ber|ne|tisch** [auch: 'bi:o...]: die Biokybernetik betreffend **Bi|o|lith** [auch: ...'lɪt] ⟨gr.-nlat.⟩ der; -s od. -en, -e[n] (meist Plural): aus abgestorbenen Lebewesen entstandenes ↑Sediment (Geol.) **Bi|o|lo|ge** ⟨gr.-nlat.⟩ der; -n, -n: Wissenschaftler auf dem Gebiet der Biologie. **Bi|o|lo|gie** ⟨gr.⟩ die; -: 1. Wissenschaft von der belebten Natur u. den Gesetzmäßigkeiten im Ablauf des Lebens von Pflanze, Tier u. Mensch. 2. biologische Beschaffenheit im Ganzen. **bi|o|lo|gisch:** 1. die Biologie betreffend, auf ihr beruhend. 2. den Gegenstand der Biologie (lebendige Natur, Lebensvorgänge u. -beschaffenheit) betreffend, darauf beruhend. 3. aus natürlichen Stoffen hergestellt. **bi|o|lo|gisch-dy|na|misch:** (von Nutzpflanzen) auf ausschließlich biologischer Grundlage u. unter Berücksichtigung kosmischer Konstellationen angebaut. **Bi|o|lo|gis|mus** der; -: einseitige bzw. ausschließliche Anwendung biologischer Gesichtspunkte auf andere Wissensgebiete. **bi|o|lo|gis|tisch:** den Biologismus betreffend, im Sinne des Biologismus

Bi|o|lu|mi|nes|zenz ⟨*gr.; lat.-nlat.*⟩ *die; -:* auf biochemischen Vorgängen beruhende Lichtausstrahlung vieler Lebewesen (Bakterien, Tiefseefische u. a.)
Bi|o|ly|se ⟨*gr.-nlat.*⟩ *die; -, -n:* chem. Zersetzung organischer Substanz durch lebende Organismen. **bi|o|ly|tisch:** die Biolyse betreffend, auf Biolyse beruhend
Bi|om ⟨*gr.-nlat.*⟩ *das; -s, -e:* Lebensgemeinschaft von Tieren u. Pflanzen in einem größeren geographischen Raum (tropischer Regenwald, Savanne u. a.)
Bi|o|mant ⟨*gr.-nlat.*⟩ *der; -en, -en:* jmd., der sich mit Biomantie befasst. **Bi|o|man|tie** *die; -:* Voraussage des Lebensschicksals aus biologischen Zeichen (z. B. aus den Linien der Hand)
Bi|o|mas|se ⟨*gr.; dt.*⟩ *die; -:* Masse der durch Lebewesen anfallenden organischen Substanz in einem bestimmten Lebensraum
Bi|o|me|cha|nik [auch: bi:o...] *die; -:* Teilgebiet der ↑ Biophysik, das sich mit den mechanischen Vorgängen in den Organismen befasst. **bi|o|me|cha|nisch** [auch: ˈbi:o...]: die Biomechanik betreffend
Bi|o|me|te|o|ro|lo|gie [auch: ˈbi:o...] *die; -:* Wissenschaft vom Einfluss des Wetters auf die Lebewesen, insbesondere auf den Menschen (Biol., Med.). **bi|o|me|te|o|ro|lo|gisch** [auch: ˈbi:o...]: 1. die Biometeorologie betreffend. 2. den Einfluss des Wetters auf Lebewesen betreffend
Bi|o|met|rie*, Bi|o|met|rik* ⟨*gr.-nlat.*⟩ *die; -:* [Lehre von der] Anwendung mathematischer Methoden zur zahlenmäßigen Erfassung, Planung u. Auswertung von Experimenten in Biologie, Medizin u. Landwirtschaft. **bi|o|met|risch*:** die Biometrie betreffend
bi|o|mi|me|tisch ⟨*gr.*⟩: biologische Prozesse, Strukturen o. Ä. nachahmend (bes. bei neuen Technologien)
bi|o|morph ⟨*gr.-nlat.*⟩: von den Kräften des natürlichen Lebens geformt, geprägt. **Bi|o|mor|pho|se** *die; -:* durch die Lebensvorgänge bewirkte Veränderung im Erscheinungsbild eines Lebewesens (z. B. das Altern). **bi|o|mor|pho|tisch:** die Biomorphose betreffend
Bi|o|mo|tor ⟨*gr.; lat.*⟩ *der; -s, -en:* Apparatur zur künstlichen Beatmung der Lunge

bi|o|ne|ga|tiv ⟨*gr.; lat.*⟩: lebensschädlich, lebensfeindlich
Bi|o|nik ⟨nach *engl.-amerik.* bionics; mit *bio*... nach dem Muster von *electronics* gebildetes Kurzwort⟩ *die; -:* Wissenschaft von der technischen Umsetzung u. Anwendung von Konstruktionen, Verfahren u. Entwicklungsprinzipien biologischer Systeme. **bi|o|nisch:** die Bionik betreffend, auf ihr beruhend
Bi|o|no|mie ⟨*gr.-nlat.*⟩ *die; -:* Lehre vom gesetzmäßigen Ablauf des Lebens im Tierreich
Bi|on|to|lo|gie ⟨*gr.-nlat.*⟩ *die; -:* (veraltet) Wissenschaft von den Lebewesen
Bi|o|op|tik *die; -:* Lehre von den Sehvorgängen u. optischen Erscheinungen im Bereich der Biologie
bi|o|phar|ma|zeu|tisch: die Biopharmazie betreffend, zu ihr gehörend. **Bi|o|phar|ma|zie** [auch: ˈbi:o...] *die; -:* Fachrichtung der Pharmazie, die sich mit den physikalisch-chemischen Eigenschaften von Arzneimitteln und Arzneizubereitungen als Voraussetzung für deren Wirkung befasst
Bi|o|pho|ne|tik [auch: ˈbi:o...] ⟨*gr.-nlat.*⟩ *die; -:* Wissenschaft, die sich mit den biologischen Grundlagen für die Entstehung u. Aufnahme der Sprachlaute u. den dabei stattfindenden Vorgängen im Zentralnervensystem befasst
Bi|o|phor ⟨*gr.-nlat.:* „Lebensträger"⟩ *der; -s, -e:* früher angenommene Elementareinheit des Zellplasmas
Bi|o|phy|sik [auch: ˈbi:o...] *die; -:* 1. Wissenschaft von den physikalischen Vorgängen in u. an Lebewesen. 2. medizinisch angewendete Physik (z. B. Strahlenbehandlung u. -schutz). **bi|o|phy|si|ka|lisch** [auch: ˈbi:o...]: die Biophysik betreffend
Bi|op|sie ⟨*gr.-nlat.*⟩ *die; -, ...jen:* histologische Untersuchung von Gewebe, das dem lebenden Organismus entnommen ist
Bi|o|psy|chis|mus [auch: ...ˈçis...] ⟨*gr.-nlat.*⟩ *der; -:* philosophische Anschauung, nach der jedem organischen Geschehen ein psychischer Prozess zuzuordnen ist
bi|op|tisch ⟨*gr.-nlat.*⟩: die Biopsie betreffend
Bi|o|re|ak|tor *der; -s, -en:* ↑ Fermenter
Bi|o|rheu|se, auch: Biorrheuse ⟨*gr.-nlat.;* „Lebensfluss"⟩ *die; -:*

Bezeichnung für den natürlichen Prozess des Alterns u. die damit zusammenhängenden Veränderungen im Organismus
Bi|o|rhyth|mik [auch: ...ˈrʏt...] ⟨*gr.-nlat.*⟩ *die; -:* Art, Charakter des Biorhythmus. **Bi|o|rhyth|mus** [auch: ...ˈrʏt...] *der; -:* in periodischem Ablauf erfolgender Rhythmus von physiologischen Vorgängen (z. B. Wachstum, Leistungsfähigkeit u. Ä.) bei Lebewesen.
Bi|or|rheu|se vgl. Biorheuse
Bi|os ⟨*gr.*⟩ *der; -:* das Leben; die belebte Welt als Teil des Kosmos.
Bi|o|sa|tel|lit ⟨*gr.; lat.*⟩ *der; -en, -en:* mit Tieren [und Pflanzen] besetztes kleines Raumfahrzeug zur Erforschung der Lebensbedingungen in der Schwerelosigkeit
Bi|o|se ⟨*lat.-nlat.*⟩ *die; -, -n:* einfacher Zucker mit zwei Sauerstoffatomen im Molekül
Bi|o|sen|sor ⟨*gr.; lat.*⟩ *der; -s, ...oren:* Gerät zur elektronischen Messung physikal. u. chem. Lebensvorgänge an u. im Körper
Bi|o|skop* ⟨*gr.-nlat.*⟩ *das; -s, -e:* eine der ersten Einrichtungen zur Projektion von Filmmaterial (seit 1895)
Bi|o|so|zi|o|lo|gie [auch: ˈbi:o...] ⟨*gr.; lat.; gr.*⟩ *die; -:* Wissenschaft von den Wechselbeziehungen zwischen biologischen u. soziologischen Gegebenheiten. **bi|o|so|zi|o|lo|gisch** [auch: ˈbi:o...]: die Biosoziologie betreffend, zu ihr gehörend, auf ihren Untersuchungen beruhend
Bi|o|sphä|re* ⟨*gr.-nlat.*⟩ *die; -:* Gesamtheit der von Lebewesen besiedelten Schichten der Erde. **bi|o|sphä|risch:** zur Biosphäre gehörend
Bi|o|sta|tis|tik ⟨*gr.-nlat.*⟩ *die; -:* Biometrie
Bi|o|stra|ti|gra|phie, auch: ...grafie [auch: ˈbi:o...] *die; -:* Festlegung der geologischen Gliederung u. ihres Alters mithilfe von Fossilien
Bi|o|syn|the|se ⟨*gr.*⟩ *die; -, -n:* 1. der Aufbau chem. Verbindungen in den Zellen des lebenden Organismus. 2. Herstellung organischer Substanzen mithilfe von Mikroorganismen (z. B. von Penicillin aus niederen Pilzen)
Bi|o|tar (Kunstw.) *das; -s, -e:* fotografisches Objektiv mit größerem Öffnungsverhältnis
Bi|o|tech|nik [auch: ...ˈtɛç...] *die; -, -en:* technische Nutzbarmachung biologischer Vorgänge

biotechnisch

120

(z. B. der Hefegärung). **bi|o-tech|nisch** [auch: ...'teç...]: auf die Biotechnik bezogen, lebenstechnisch. **Bi|o|tech|no|lo|gie** [auch: 'bi:o...] ⟨gr. -⟩: Wissenschaft von der Biotechnik **Bi|o|te|le|met|rie*** ⟨gr.⟩ die; -: Funkübermittlung von biolog. Messwerten eines Biosensors (Luft- u. Raumfahrt; Verhaltensforschung) **Bi|o|tin** ⟨gr. -nlat.⟩ das; -s: Vitamin H **bi|o|tisch** ⟨gr.⟩: auf Lebewesen, auf Leben bezüglich **Bi|o|tit** [auch: ...'tɪt] ⟨nlat.; nach dem französ. † 1862⟩ der; -s, -e: zu den Glimmern gehörendes dunkelgrünes bis schwarzes Mineral. **Bi|o|tit-gra|nit** [auch: ...'tɪt...] der; -s: ein Tiefengestein **Bi|o|to|nus** ⟨gr. -nlat.⟩ der; -: Art u. Weise der Spannkraft u. der gesamten Energie des menschlichen Organismus (Psychol.) **Bi|o|top** ⟨gr. -nlat.⟩ der od. das; -s, -e: 1. durch bestimmte Pflanzen- u. Tiergesellschaften gekennzeichneter Lebensraum. 2. Lebensraum einer einzelnen Art **bi|o|trop*** ⟨gr. -nlat.⟩: durch physikalische u. klimatische Reize auf die Verfassung u. Leistungsfähigkeit eines Organismus einwirkend; **biotrope Faktoren:** Kräfte (wie Sonnenschein, Luftdruck), die auf die Lebewesen bestimmend einwirken. **Bi|o|tro|pie** die; -, ...ien: wetterbedingte Empfindlichkeit des Organismus (z. B. bei plötzlichen Luftdruckschwankungen) **Bi|o|typ** [auch: ...'ty:p] der; -s, -en: ↑Biotypus. **bi|o|ty|pisch** [auch: ...ty:...]: den Biotypus betreffend. **Bi|o|ty|pus** [auch: ...'ty:...] der; -, ...pen: Gruppe od. Generationsfolge von Individuen mit gleicher Erbanlage **Bi|o|wis|sen|schaf|ten** ⟨gr.; dt.⟩ die (Plural): Gesamtheit der zur Biologie gehörenden Wissenschaftszweige **bi|o|zent|risch*** [auch: ...'tsɛn...]: das Leben, seine Steigerung u. Erhaltung in den Mittelpunkt aller Überlegungen stellend; Ggs. ↑logozentrisch **¹Bi|o|zid** ⟨gr.; lat.⟩ das: -[e]s, -e: ↑Pestizid **²Bi|o|zid** der u. das; -[e]s, -e: Vernichtung von Biotopen **Bi|o|zö|no|lo|ge** ⟨gr. -nlat.⟩ der; -n, -n: Erforscher von Biozönosen. **Bi|o|zö|no|lo|gie** die; -: Wissenschaft von den Biozönosen. **Bi|o-**

zö|no|se die; -, -n: Lebensgemeinschaft von Pflanzen u. Tieren in einem ↑Biotop (1). **bi|o-zö|no|tisch:** die Biozönose betreffend, darauf beruhend **bi|ped** ⟨lat.⟩: ↑bipedisch; vgl. ...isch/-. **Bi|pe|de** ⟨lat.⟩ der; -n, -n: Zweifüßer; zweifüßiges Tier. **Bi|pe|die** u. Bipedität ⟨lat. -nlat.⟩ die; -: Zweifüßigkeit. **bi|pe-disch:** zweifüßig **bi|po|lar** [auch: 'bi:...] ⟨gr. -lat. -nlat.⟩: zweipolig. **Bi|po|la|ri|tät** [auch: 'bi:...] die; -, -en: Zweipoligkeit, Vorhandensein zweier entgegengesetzter Pole **Bi|quad|rat*** das; -[e]s, -e: Quadrat des Quadrats, vierte Potenz (Math.). **bi|quad|ra|tisch:** in die vierte Potenz erhoben; **biquadratische Gleichung:** Gleichung 4. Grades **Bi|quet** [bi'ke:] ⟨fr.⟩ der; -s, -s: Schnellwaage für Gold- u. Silbermünzen. **bi|que|tie|ren:** Münzen abwiegen **Bir|die** ['bɔːdɪ] ⟨engl.; "Vögelchen"⟩ das; -s, -s: das Spielen eines Lochs mit einem Schlag unter ↑Par (Golf) **Bi|re|me** ⟨lat.⟩ die; -, -n: Zweiruderer; antikes Kriegsschiff mit zwei übereinander liegenden Ruderbänken **Bi|rett** ⟨lat. -mlat.⟩ das; -s, -e: aus dem Barett entwickelte dreibzw. vierkantige Kopfbedeckung katholischer Geistlicher **Bi|ru|tsche** vgl. Barutsche **bis** ⟨lat.; "zweimal"⟩: a) wiederholen, noch einmal (Anweisung in der Notenschrift); b) in einer musikalischen Aufführung als Zuruf die Aufforderung zur Wiederholung **Bi|sam** ⟨hebr. -mlat.⟩ der; -s, -e u. -s: 1. (ohne Plural) Moschus. 2. Handelsbezeichnung für Bisamrattenpelz **Bi|seau|schliff** [bi'zo:...] ⟨fr.; dt.⟩ der; -s, -e: schrägkantiger Schliff an Edelsteinen **Bi|sekt|rix*** ⟨lat. -nlat.⟩ die; -, ...tri-zes [...tse:s] Winkelhalbierende zwischen den optischen Achsen eines Kristalls (Optik) **bi|se|ri|al** ⟨lat. -nlat.⟩: (veraltet) zweireihig, zweizeilig **bi|se|riert** ⟨lat.; gr.⟩: in der Fügung: **biserierte Magnesia:** [als Heilmittel verwendete] doppelt gebrannte Magnesia **Bi|se|xu|a|li|tät** [auch: 'bi:...] die; -: 1. Doppelgeschlechtigkeit (Biol.). 2. Nebeneinander von homo- u. heterosexueller Veranlagung in einem Menschen

(Med., Psych.). **bi|se|xu|ell** [auch: 'bi:...]: 1. doppelgeschlechtig. 2. ein sowohl auf Personen des anderen als auch auf Personen des eigenen Geschlechts gerichtetes Sexualempfinden, sexuelles Verlangen habend; sowohl homo- als auch heterosexuell **Bis|kot|te** ⟨lat. -it.⟩ die; -, -n: (österr.) längliches Biskuit, Löffelbiskuit. **Bis|kuit** [...'kvi(:)t] ⟨lat. -fr.; "zweimal Gebackenes"⟩ das ⟨auch: der⟩; -[e]s, -s ⟨auch: -e⟩: 1. Feingebäck aus Mehl, Eiern, Zucker. 2. ↑Biskuitporzellan. **Bis-kuit|por|zel|lan** das; -s, -e: gelbliches, unglasiertes Weichporzellan **bis|mil|lah** ⟨arab.⟩: im Namen Gottes (islam. Eingangsformel für Gebete, Schriftstücke o. Ä.) **Bis|mu|tit** [auch: ...'tɪt] ⟨dt.-nlat.⟩ der; -s, -e: meist gelbliches Mineral. **Bis|mu|tum** das; -s: lat. Bezeichnung für Bismut/Wismut (ein Metall; Zeichen: Bi) **Bi|son** ⟨germ. -lat.⟩ der ⟨auch: das⟩; -s, -s: nordamerik. Büffel **bi|sta|bil** [auch: 'bi:...]: zwei stabile Zustände aufweisend (vor allem bei elektronischen Bauelementen) **Bis|ter** ⟨fr.⟩ der od. das; -s: aus Holzruß hergestellte bräunliche Wasserfarbe **Bis|tou|ri** [bɪs'tu:ri] ⟨fr.⟩ der od. das; -s, -s: 1. langes, schmales ↑Skalpell mit auswechselbarer Klinge. 2. früher benutztes Operationsmesser mit einklappbarer Klinge **Bis|t|ro*** ⟨fr.⟩ das; -s, -s: kleines, meist einfacheres Lokal, in dem man auch einen Imbiss nehmen kann **Bi|sul|fat** das; -s, -e: (veraltet) Hydrogensulfat. **Bi|sul|fit** das; -s, -e: (veraltet) Hydrogensulfit **bi|syl|la|bisch** [auch: 'bi:...]: (veraltet) zweisilbig **Bit** ⟨engl.; Kurzw. aus: binary digit = "binäre Ziffer"⟩ das; -[s], -[s]: 1. a) binäre Einheit für die Anzahl möglicher alternativer Entscheidungen in einem binären System; b) Binärzeichen (Zeichen: bit); c) die einzelne Entscheidung. 2. Einheit für den Informationsgehalt einer Nachricht (Zeichen: bit) **Bi|tok** ⟨russ.⟩ der; -s u. -s, Bitki: kleiner, runder gebratener Fleischkloß **bi|to|nal:** 1. auf zwei verschiedene Tonarten zugleich bezogen (Mus.). 2. doppeltönend (z. B.

vom Husten; Med.). **Bi|to|na|li-tät** die; -: gleichzeitige Anwendung zweier verschiedener Tonarten in einem Musikstück **Bit|ter|le|mon** [...'lɛmən] ⟨engl.⟩ das; -[s], -, auch: **Bit|ter Le|mon,** das; - -[s], - -: milchig-trüb aussehendes Getränk aus Zitronen- u. Limettensaft mit geringem Chiningehalt **Bi|tu|men** ⟨gall.-lat.; „Erdharz, Erdpech"⟩ das; -s, - (auch: ...mina): aus organischen Stoffen natürlich entstandene teerartige Masse (Kohlenwasserstoffgemisch), auch bei der Aufarbeitung von Erdöl als Destillationsrückstand gewonnen (verwendet u. a. als Abdichtungs- u. Isoliermasse). **bi|tu|mig:** Bitumen enthaltend, dem Bitumen ähnlich. **bi|tu|mi|nie|ren:** mit Bitumen behandeln od. versetzen. **bi|tu-mi|nös:** Bitumen enthaltend **Bi|u|ret|re|ak|ti|on** ⟨lat.; gr.; lat.⟩ die; -: Nachweis von Eiweißkörpern mit Kupfersulfat **bi|va|lent** [auch: 'bi:...] ⟨lat.-nlat.⟩: zweiwertig (Chem.). **Bi-va|lenz** [auch: 'bi:...] die; -, -en: Zweiwertigkeit (Chem.) **Bi|val|ven** [bi'valvn], **Bi|val|via** ⟨lat.-nlat.; „Zweitürige"⟩ die (Plural): Muscheln (Zool.) **Bi|wa** ⟨jap.⟩ die; -, -s: vier- bis sechssaitiges japanisches Lauteninstrument **Bi|wak** ⟨niederd.-fr.; „Beiwacht"⟩ das; -s, -s u. -e: behelfsmäßiges Nachtlager im Freien (Mil., Bergsteigen). **bi|wa|kie|ren:** im Freien übernachten (Mil., Bergsteigen) **bi|zarr** ⟨it.-fr.⟩: von absonderlicher, eigenwillig schroff-verzerrter, fremdartig-fantastischer Form, Gestalt. **Bi|zar|re|rie** die; -, ...ien: Absonderlichkeit [in Form u. Gestalt] **Bi|zeps** ⟨lat.⟩ der; -[es], -e: „zweiköpfiger", d. h. an einem Ende in zwei Teile auslaufender Oberarmmuskel (Beugemuskel) **Bi|zi|nie** [...iə] ⟨lat.⟩ die; -, -n: zweistimmiges Musikstück (auch Gesang) des 16. u. 17. Jh.s **bi|zo|nal** ⟨lat.; gr.⟩: die Bizone betreffend. **Bi|zo|ne** die; -: aus der amerikanischen u. britischen Besatzungszone in Deutschland 1947 gebildetes einheitliches Wirtschaftsgebiet (Gesch.) **bi|zyk|lisch*,** chem. fachspr.: bicyclisch [auch: bi'tsy:k..., bi-'tsyk...] ⟨lat.; gr.⟩: einen Kohlenstoffdoppelring enthaltend (von Molekülen)

Black|band ['blækbænd] ⟨engl.⟩ das; -s: weniger wertvolles Eisenerz, Kohleneisenstein. **Black-bot|tom** ['blɛkbɔtəm] ⟨engl.-amerik.⟩ der; -s, -s, auch: **Black Bot|tom** der; - -s, - -s: nordamerikanischer Gesellschaftstanz. **Black|box** ['blɛkbɔks] ⟨engl.; „schwarzer Kasten (des Zauberers)"⟩ die; -, -es, auch: **Black Box** die; - -, - -es: Teil eines ↑kybernetischen Systems, dessen Aufbau u. innerer Ablauf aus den Reaktionen auf eingegebene Signale erst erschlossen werden muss. **Black|box|me|tho|de,** auch: **Black-Box-Me|tho|de** die; -: Verfahren zum Erkennen noch unbekannter Systeme (Kybernetik). **Black|jack** ['blɛk-dʒɛk] ⟨amerik.⟩ das; -, -, auch: **Black Jack** das; - -, - -: amerikanisches Kartenspiel als Variante des Siebzehnundvier. **Black-out,** auch: **Blackout** ['blɛklaut, auch: 'blɛk'aut] ⟨engl.; „Verdunklung"⟩ das (auch: der); -[s], -s: 1. a) plötzliches Abdunkeln der Szene bei Bildschluss im Theater; b) kleinerer ↑Sketch, bei dem ein solcher Effekt die unvermittelte Schlusspointe setzt. 2. a) Verdunklung in Kriegszeiten; b) nächtlicher Stromausfall [in einer Stadt]. 3. plötzlicher, vorübergehender Ausfall von Funktionen, z. B. des Erinnerungsvermögens. **Black|pan|ther** ['blɛk-'pænθə] ⟨amerik.⟩ der; -s, -s, auch: **Black Pan|ther** der; - -s, - -: Angehöriger des Black Panther Party, einer afroamerikanischen Organisation, deren Mitglieder die soziale Benachteiligung der Schwarzen zu beseitigen versuchen. **Black|pow|er** ['blɛk-'pauə(r)] ⟨engl.; „schwarze Macht"⟩ die; -, auch: **Black Pow|er** der; - -: Bewegung nordamerikanischer Schwarzer gegen die Rassendiskriminierung. **Black|tongue** ['blɛk'taŋ] ⟨engl.⟩ „schwarze Haarzunge"⟩ die; -, auch: **Black Tongue** die; - -: 1. krankhafte braune Verfärbung der Zunge[nmitte] (Med.). 2. Schwarzzungenkrankheit des Hundes. **Bla|cky** ['blɛki] ⟨engl.⟩: Kosename für ein Wesen, das durch ein od. mehrere schwarze od. dunkle Merkmale gekennzeichnet ist **Bla|f|fert** ⟨germ.-mlat.⟩ der; -s, -e: groschenartige Silbermünze des 14.–16. Jh.s **bla|gie|ren** ⟨fr.⟩: (veraltet) 1. prahlen. 2. sich lustig machen.

Bla|gueur [...'gøːɐ̯] der; -s, -e: (veraltet) Prahlhans **bla|ma|bel** ⟨gr.-lat.-vulgärlat.-fr.⟩: beschämend. **Bla|ma|ge** [bla-'maːʒə] die; -, -n: etwas, was für den Betreffenden peinlich, beschämend, bloßstellend ist. **bla-mie|ren:** jmdm., sich eine Blamage bereiten **Blanc de Blancs** [blãdə'blã] ⟨fr.⟩ der; - - -, - -s - -: nur aus weißen Trauben gekelterter Schaumwein. **Blanc fixe** [blã'fiks] das; - -: ↑Permanentweiß. **blan|chie|ren** [blã'ʃi:...] ⟨germ.-fr.⟩: Gemüse, Mandeln u. a. mit heißem Wasser überbrühen. **Blanc|man|ger** [blãmã'ʒe:] ⟨fr.⟩ das; -s, -s: Mandelgelee **bland** ⟨lat.⟩: 1. mild, reizlos (z. B. von einer Diät). 2. (Med.) a) ruhig verlaufend (von Krankheiten); b) nicht auf Ansteckung beruhend (von Krankheiten) **Blank** [blæŋk] ⟨germ.-fr.-engl.⟩ der od. das; -s, -s: Leerstelle, Zwischenraum zwischen zwei geschriebenen Wörtern (Sprachw.; EDV). **Blan|ket** ['blæŋkɪt] ⟨engl.⟩ das; -s, -s: Brutzone, Zone außerhalb od. innerhalb der Spaltzone eines Kernreaktors, der als schneller Brüter arbeitet. **Blan-kett** ⟨französierende Bildung zu dt. blank) das; -[e]s, -e: a) Wertpapiervordruck, zu dessen Rechtsgültigkeit noch wichtige Eintragungen fehlen (Wirtsch.); b) Schriftstück mit Blankounterschrift, das dem Empfänger absprachegemäß ausfüllen soll. **blan|ko** ⟨germ.-it.⟩: leer od. nicht vollständig ausgefüllt. **Blan|ko-ak|zept** das; -[e]s, -e: Wechsel, der ↑akzeptiert wird, ehe er vollständig ausgefüllt ist. **Blan|ko-scheck** der; -s, -s: Scheck, der nur teilweise ausgefüllt, aber unterschrieben ist. **Blan|ko|voll-macht** ⟨germ.-it.; dt.⟩ die; -, -en: unbeschränkte Vollmacht. **Blan|k|vers** ⟨engl.⟩ der; -es, -e: meist reimloser fünffüßiger Jambenvers **Blan|quis|mus** [blã'kıs...] ⟨nach dem franz. Sozialisten L. A. Blanqui, 1805–1881) der; -: revolutionäre sozialistische Bewegung des 19. Jh.s in Frankreich. **Blan|quist** der; -en, -en: Anhänger des Blanquismus **bla|siert** ⟨fr.⟩: überheblich, eingebildet, hochnäsig, hochmütig **Bla|son** [bla'zõ:] ⟨fr.⟩ der; -s, -s: 1. Wappenschild. 2. Wappenkunde. 3. französisches Preisgedicht des 16. Jh.s, das in detaillierter Beschreibung von Frauen od. Pferden, Waffen, Wein u. a. handelt. **bla|so|nie|ren:** 1. ein Wappen kunstgerecht ausmalen. 2. ein Wappen entsprechend den Regeln der ↑ Heraldik beschreiben, erklären

Blas|phe|mie ⟨gr.-lat.⟩ die; -, ...jen: Gotteslästerung, verletzende Äußerung über etwas Heiliges. **blas|phe|mie|ren:** lästern, etwas Heiliges beschimpfen. **blas|phe|misch:** Heiliges lästernd, verhöhnend; eine Gotteslästerung enthaltend. **Blas|phe|mist** ⟨gr.-nlat.⟩ der; -en, -en: Gotteslästerer. **blas|phe|mis|tisch** vgl. blasphemisch

Blas|tem ⟨gr.; „Keim, Spross"⟩ das; -s: aus undifferenzierten Zellen bestehendes Gewebe, aus dem sich schrittweise die Körpergestalt entwickelt (Biol.). **Blas|to|derm** ⟨gr.-nlat.⟩ das; -s: Keimhaut, Zellwand der ↑ Blastula. **Blas|to|ge|ne|se** die; -: ungeschlechtliche Entstehung eines Lebewesens (z. B. eines ↑ Polypen 2) durch Sprossung od. Knospung. **Blas|tom** das; -s, -e: krankhafte Gewebsneubildung, echte (nicht entzündliche) Geschwulst (Med.). **Blas|to|me|re** die; -, -n: durch Furchung entstandene Zelle. **Blas|to|my|ko|se** die; -, -n: durch Sprosspilze verursachte Erkrankung (zunächst) der Haut u. Schleimhaut (Med.). **Blas|to|my|zet** der; -en, -en: Sprosspilz, Hefepilz. **Blas|toph|tho|rie*** die; -: Keimschädigung. **Blas|to|po|rus** der; -: Urmund (Öffnung des Urdarms). **Blas|to|zöl** das; -s: die Furchungshöhle der Blastula. **Blas|to|zyt** der; -en, -en (meist Plural): noch undifferenzierte ↑ embryonale Zellen. **Blas|tu|la** die; -, ...lae [...lɛ]: Blasenkeim, frühes Entwicklungsstadium des ↑ Embryos

Bla|zer [ˈbleːzɐ] ⟨engl.⟩ der; -s, -: 1. Klubjacke. 2. sportlich-elegante Damen- oder Herrenjacke

Blend ⟨engl.⟩ der od. das; -s, -s: 1. (meist Plural) Verschmelzung zweier Wörter zu einer neuen absichtlichen Kontamination (z. B. Schwabylon aus: Schwabing u. Babylon; Sprachw.). 2. a) Teemischung; aus verschiedenen Destillaten hergestellter Whisky

Blen|na|de|ni|tis* ⟨gr.-nlat.⟩ die; -, ...itiden: Schleimhautdrüsenentzündung (Med.). **Blen|nor|rha|gie** die; -, ...jen, **Blen|nor|rhö** die; -, -en u. **Blen|nor|rhöe**

[...ˈrøː] die; -, -n [...ˈrøːən]: eitrige Schleimhautabsonderung, bes. eitrige Augenbindehautentzündung (Med.)

Ble|pha|ri|tis ⟨gr.-nlat.⟩ die; -, ...itiden: Augenlid-, insbes. Lidrandentzündung (Med.). **Ble|pha|ro|chal|a|sis** die; -: Erschlaffung [u. Herabhängen] der Augenlidhaut (Med.). **Ble|pha|ro|klo|nus*** der; -, -se u. ...klonen u. **Ble|pha|ro|spas|mus*** der; -, ...men: Augenlidkrampf (Med.)

bles|sie|ren ⟨germ.-galloroman.-fr.⟩: (veraltet) verwunden, verletzen. **Bles|sur** die; -, -en: (geh.) Verwundung, Verletzung

bleu [blø:] ⟨germ.-fr.⟩: blassblau, bläulich (mit einem leichten Stich ins Grüne). **Bleu** die; -s, -[s]: bleu Farbe

Blimp ⟨engl.⟩ der; -s -s: Schallschutzgehäuse für eine Kamera [zur Dämpfung der Eigengeräusche]

Blin|da|ge [blɛˈdaːʒə] ⟨dt.-fr.⟩ die; -, -n: (hist.) Deckwand gegen Splitter im Festungsbau

Blind|date [ˈblaɪndˈdeɪt] ⟨engl.⟩ das; -[s], -s, auch: **Blind Date** das; - -[s], - -s: Verabredung mit einer unbekannten Person

Bli|ni ⟨russ.⟩ die (Plural): russische Pfannkuchen (aus Buchweizenmehl

Blis|ter ⟨engl.⟩ der; -s, -: 1. (ohne Plural; früher) scharfes Einreibemittel zur Behandlung von Beinschäden bei Pferden. 2. [festere, geformte u. durchsichtige] Kunststofffolie zur Verpackung [kleinerer] Waren. **blis|tern:** ein Blister (1) einreiben

Bliz|zard [ˈblɪzɐt] ⟨engl.⟩ der; -s, -s: Schneesturm (in Nordamerika)

Blo|cka|de ⟨mit roman. Endung zu ↑ blockieren gebildet⟩ die; -, -n: 1. a) Maßnahme, mit der der Zugang zu etwas verhindert werden soll; b) vorübergehender Ausfall bestimmter Funktionen. 2. im Satz durch ∎ gekennzeichnete Stelle (Druckw.). **blo|ckie|ren** ⟨niederl.-fr.⟩: 1. den Zugang zu etwas versperren. 2. als Hindernis im Wege sein. 3. die Funktion hemmen (bei Rädern, Bremsen o. Ä.). 4. an seiner Funktion gehindert sein. 5. fehlenden Text durch eine Blockade (2) kennzeichnen (Druckw.). **Blo|cking** ⟨engl.⟩ das; -s, -s: ↑ Blockade (1 b)

Blon|de [auch: blɔːd] ⟨germ.-fr.⟩ die; -: feine Seidenspitze mit Blumen- u. Figurenmuster. **blon|die|ren:** aufhellen (von

Haaren). **Blon|di|ne** die; -, -n: blonde Frau

Bloo|dy Ma|ry [ˈblʌdɪ ˈmɛərɪ] ⟨engl.; „Blutmarie"⟩ die; - -, - -s: Mixgetränk aus Tomatensaft und Wodka mit Zitronensaft u. verschiedenen Gewürzen

Blou|son [bluˈzɔŋ, auch: [...ˈzõː] ⟨fr.⟩ das (auch: der); -[s], -s: au] über dem Rock getragene, an den Hüften eng anliegende Bluse; b) kurze Windjacke mit Bund. **Blou|son noir** [bluˈzõː ˈnoaːɐ̯] ⟨fr.⟩ der; - -, -s -s [bluˈzõː ˈnoaːɐ̯]: franz. Bez. für: Halbstarker in schwarzer Lederkleidung

Blow-out [ˈbloʊaʊt] ⟨engl.⟩ der; -s, -s: unkontrollierter Ausbruch von Erdöl od. Erdgas aus einem Bohrloch

Blow-up [ˈbloʊʌp] ⟨engl.⟩ das; -s, -s: Vergrößerung einer Fotografie od. eines Fernsehbildes

Blue|bal|by [ˈbluːˈbeɪbɪ] ⟨engl.⟩ das; -s, -s: Kind mit ausgeprägter Blausucht bei angeborenem Herzfehler. **Blue|back** [ˈbluːbæk] ⟨engl.⟩ der; -s, -s: Pelz aus dem blaugrauen Fell jüngerer Mützenrobben. **Blue|box** [ˈbluːbɔks] ⟨engl.⟩ die; -, -es: Gerät für ein Projektionsverfahren, bei dem künstliche Hintergründe in Aufnahmestudios geschaffen werden können, wobei ein Bildgeber ein Bild auf eine blaue Spezialleinwand wirft, die das auftreffende Bild in die elektronische Kamera zurückwirft (Fernsehen). **Blue|chip** [ˈbluːˈtʃɪp] ⟨engl.-amerik.; „blaue Spielmarke" (beim Pokerspiel)⟩ der; -s, -s (meist Plural): erstklassiges Wertpapier (Spitzenwert an der Börse). **Blue|jeans**, auch: **Blue Jeans** [ˈbluːdʒiːns] ⟨engl.-amerik.⟩ die (Plural): blaue [Arbeits]hose aus Baumwollgewebe in Köperbindung (eine Webart). **Blue|mo|vie** [ˈbluːˈmuːviˑ] ⟨engl.⟩ der od. das; -s, -s: Film erotischen, pornographischen Inhalts. **Blue|note** [ˈbluːˈnoʊt] ⟨engl.⟩ die; -, -s (meist Pural): erniedrigte 3. bzw. 7. Ton der Durtonleiter im Blues. **Blues** [bluːs] der; -, -: 1. a) zur Kunstform entwickelte schwermütiges Volkslied der nordamerikanischen Schwarzen; b) daraus entstandene älteste Form des ↑ Jazz, gekennzeichnet durch den erniedrigten 3. u. 7. Ton der Tonleiter (vgl. Bluenote); c) langsamer nordamerikanischer Tanz im ⁴/₄-Takt. 2. (ohne Plural) Trübsinn, Schwermut, Depression. **Blue|screen** ['blu:skri:n] ⟨*engl.*⟩ *der;* -[s], -s: ↑ Bluebox

Blü|et|te, auch: **Blu|et|te** [bly'ɛtə] ⟨*fr.*⟩ *die;* -, -n: kleines, witzig-geistreiches Bühnenstück

Bluff [veraltend: blœf, österr. auch: blaf] ⟨*engl.*⟩ *der;* -s, -s: dreiste, bewusste Irreführung; Täuschung[smanöver]. **bluf|fen** [veraltend: 'blœfn̩, österr. auch: 'blafn̩]: durch dreistes Auftreten o. Ä. bewusst irreführen, täuschen

blü|me|rant ⟨*fr.;* „sterbendes [= blasses] Blau"⟩: (ugs.) schwinde-lig, flau

Boa ⟨*lat.*⟩ *die;* -, -s: 1. Riesen-schlange einer südamerikani-schen Gattung. 2. schlangenför-miger, modischer Halsschmuck (für Frauen) aus Pelz od. Federn

Board [bɔːd] ⟨*engl.*⟩ *das;* -s, -s: 1. Kurzform für: Snowboard, Surf-board. 2. (auch: *der*) für die Lei-tung u. Kontrolle eines [interna-tionalen] Unternehmens zustän-diges Gremium (Wirtsch.). **Boar|ding|house** ['bɔːɐdɪŋ-haʊs] ⟨*engl.*⟩ *das;* -, -s [...siz, auch: ...sɪs]: engl. Bez. für: Pen-sion, Gasthaus. **Boar|ding-school** [...sku:l] *die;* -, -s: engl. Bez. für: Internatsschule mit fa-milienartigen Hausgemeinschaf-ten

Boat|peo|ple ['boutpi:pl] ⟨*engl.*⟩ *die* (Plural): mit Booten geflohe-ne [vietnamesische] Flüchtlinge

Bob ⟨*engl.-amerik.;* Kurzform von Bobsleigh⟩ *der;* -s, -s: Sport-schlitten für zwei bis vier Perso-nen mit getrennten Kufenpaaren für Steuerung u. Bremsen. **bob-ben**: beim Bobfahren eine gleichmäßige ruckweise Ober-körperbewegung zur Beschleu-nigung der Fahrt ausführen

Bob|by ['bɔbi] ⟨*engl.*⟩ *der;* -s, -s: ugs. engl. Bez. für: Polizist

Bo|bi|ne ⟨*fr.*⟩ *die;* -, -n: 1. Garn-spule in der [Baum]wollspinne-rei. 2. fortlaufender Papierstrei-fen zur Herstellung von Zigaret-tenhülsen. 3. schmale Trommel, bei der sich das flache Förderseil in mehreren Lagen übereinander aufwickelt (Bergw.). **Bo|bi|net** [auch: ...'nɛt] ⟨*fr.-engl.*⟩ *der;* -s, -s: durchsichtiges Gewebe mit meist drei sich umschlingenden Faden-systemen, englischer Tüll. **Bo|bi-noir** [...'nɔaːɐ̯] ⟨*fr.*⟩ *der;* -s, -s: Spulmaschine in der Baumwoll-spinnerei

Bol|bo ⟨*span.*⟩ *der;* -s, -s: Possen-reißer im spanischen Theater

Bob|sleigh ['bɔbsle:] ⟨*engl.-ame-rik.*⟩ *der;* -s, -s: ↑ Bob

Bob|tail ['bɔbteɪl] ⟨*engl.*⟩ *der;* -s, -s: mittelgroßer, grauer Hüte-hund mit langen Zotten

Bo|cage [bɔ'kaːʒ] ⟨*fr.*⟩ *der;* -, -s: Landschaftstyp im Nordwesten Frankreichs mit schachbrettar-tig angelegten kleinen Feldern, die durch Hecken od. Baumrei-hen begrenzt sind

Boc|cia ['bɔtʃa] ⟨*it.*⟩ *das;* -[s] u. *die;* -: ital. Kugelspiel

Bol|cha|ra vgl. Buchara

Boche [bɔʃ] ⟨*fr.*⟩ *der;* -, -s: abwer-tende Bezeichnung der Franzo-sen für: Deutscher

Bo|de|ga ⟨*gr.-lat.-span.*⟩ *die;* -, -s: 1. a) span. Weinkeller; b) span. Weinschenke. 2. Warenlager in Seehäfen

Bo|dhi|satt|wa ⟨*sanskr.*⟩ *der;* -, -s: werdender ↑ Buddha, der den Schritt in die letzte Vollkommen-heit hinauszögert, um den From-men zu helfen

Bo|do|ni (nach dem ital. Stempel-schneider u. Buchdrucker, 1740 bis 1813) *die;* -: bekannte Anti-quaschrift

Bo|dy ['bɔdi] ⟨*engl.*⟩ *der;* -s, -s: Kurzform für: Bodysuit. **Bo|dy-buil|der** [...bɪldɐ] *der;* -s, -s: jmd., der Bodybuilding betreibt. **Bo-dy|buil|ding** [...bɪldɪŋ] *das;* -[s]: a) gezieltes Muskeltraining mit besonderen Geräten; b) Dar-stellung trainierter Muskeln im Wettkampf. **Bo|dy|check** ['bɔdi...] *der;* -s, -s: hartes, aber nach den Regeln in bestimmten Fällen erlaubtes Rempeln des Gegners beim Eishockey. **Bo|dy-dou|ble** [...'dʊ·bl] *das;* -s, -s: Er-satzdarsteller in Filmszenen, in denen nur der Körper zu sehen ist (Film). **Bo|dy|guard** [...gɑːd] *der;* -s, -s: Leibwächter. **Bo|dy-sto|cking** [...stɔkɪŋ] *der;* -[s], -s: ↑ Bodysuit. **Bo|dy|styl|ing** [...staɪlɪŋ] *das;* -s: besonders in-tensives Bewegungstraining zur Steigerung der Fitness. **Bo|dy-suit** [...sjuːt] *der;* -[s], -s: eng an-liegende, einteilige Unterklei-dung

Boer|de ['buːrdə] ⟨*niederl.*⟩ *die;* -, -n: Bez. für eine mittelniederlän-dische Erzählung mit erotisch-satirischem Inhalt

Bœuf Stro|ga|noff ['bœf 'strɔ...] ⟨*fr.-russ.*⟩ *das;* -, - - (wohl nach dem Namen einer al-ten russ. Familie; fr. bœuf = „Rind(fleisch)") *das;* - -, - -: in kleine Stücke geschnittenes Rindfleisch, bes. ↑ Filet (3 a), in pikanter Soße mit saurer Sahne

Bo|fel vgl. Bafel
Bo|fel|se vgl. Pafese

Bo|gey ['bougi] ⟨*engl.*⟩ *das;* -s, -s: ein Schlag mehr als die für das Loch festgesetzte Einheit (Golf); vgl. Par

Bog|head|koh|le ['bɔghɛd...] ⟨nach dem schottischen Ort Bog-head⟩ *die;* -: dunkelbraune Abart der ↑ Kännelkohle

Bo|go|mi|le ⟨*slaw.;* nach dem Gründer Bogomil⟩ *der;* -n, -n: Anhänger einer mittelalterlichen ↑ gnostischen Sekte auf dem Bal-kan, die die Welt als Teufels-schöpfung verwarf

Bo|go|mo|lez|se|rum ⟨nach dem russ. Physiologen Bogomolez, 1881–1946⟩ *das;* -s: ↑ Antikörper enthaltendes Serum gegen Alte-rungsprozesse u. a. (Verjün-gungsserum)

Bo|heme [bo'ɛːm, bo'ɛːm, auch: bo'heːm, bo'hɛːm] ⟨*mlat.-fr.*⟩ *die;* -: Künstlerkreise außerhalb der bürgerlichen Gesellschaft, unge-bundenes Künstlertum, unkon-ventionelles Künstlermilieu. **Bo-he|mi|en** [boe'mjɛ̃:, auch: bo-he...] *der;* -[s], -s: Angehöriger der Boheme; unbekümmerte, leichtlebige u. unkonventio-nelle Künstlernatur. **Bo|he|mist** ⟨*mlat.-nlat.*⟩ *der;* -en, -en: Wis-senschaftler auf dem Gebiet der tschechischen Sprache u. Litera-tur. **Bo|he|mis|tik** *die;* -: Wissen-schaft von der tschechischen Sprache u. Literatur. **bo|he|mis-tisch**: die Bohemistik betreffend

Boi|ler ['bɔylɐ] ⟨*lat.-fr.-engl.*⟩ *der;* -s, -s: Gerät zur Bereitung u. Spei-cherung von heißem Wasser

boi|sie|ren [bɔa'ziː...] ⟨*germ.-fr.*⟩: (veraltet) täfeln, mit Holz beklei-den

Bo|jar ⟨*russ.*⟩ *der;* -en, -en: 1. An-gehöriger des nicht fürstlichen Adels, der gehobenen Schicht in der Gefolgschaft der Fürsten u. Teilfürsten im mittelalter. Russ-land. 2. adliger Großgrundbesit-zer in Rumänien bis 1864

Bok|mål ['boːkmoːl] ⟨*norw.;* „Buchsprache"⟩ *das;* -[s]: vom Dänischen beeinflusste norweg. Schriftsprache (früher ↑ Riksmål genannt); Ggs. ↑ Nynorsk

Bol vgl. Bolus

Bol|la ⟨*lat.-span.;* „Kugel"⟩ *die;* -, -s: südamerikanisches Wurf- u. Fanggerät. **Bol|le|ro** *der;* -s, -s: stark rhythmischer span. Tanz mit Kastagnettenbegleitung. 2. a) kurzes, offen getragenes Her-renjäckchen der spanischen Na-tionaltracht; b) kurzes, modisches Damenjäckchen. **3.** der zu dem spanischen Jäckchen getragene rund aufgeschlagene Hut **Bo|le|tus** ⟨gr.-lat.⟩ der; -, ...ti: Pilz aus der Gattung der Dickröhrlinge **Bo|lid** ⟨gr.-lat.⟩ der; -s u. -en, -e[n]: **1.** großer, sehr heller Meteor, Feuerkugel. **2.** schwerer, einsitziger Rennwagen mit verkleideten Rädern. **Bo|li|de** der; -n, -n: ↑ Bolid **Bo|li|var** ⟨nach dem südamerik. Staatsmann⟩ der; -[s], -[s]: Währungseinheit in Venezuela (1 Bolivar = 100 Céntimo). **Bo|li|vi|a|no** ⟨span.⟩ der; -[s], -[s]: bolivian. Münzeinheit (100 Centavos) **Bol|lan|dist** ⟨nach dem Jesuiten J. Bolland, 1596–1665⟩ der; -en, -en: Mitglied der jesuitischen Arbeitsgemeinschaft zur Herausgabe der ↑ Acta Sanctorum **Bol|let|te** ⟨it.⟩ die; -, -n: (österr. Amtsspr.) Zoll-, Steuerbescheinigung **Bo|log|ne|ser*** [bolɔn'je:zɐ] ⟨nach der ital. Stadt Bologna⟩: dem ↑ Malteser (2) ähnlicher Zwerghund **Bo|lo|me|ter** ⟨gr.-nlat.⟩ das; -s, -: Strahlungsmessgerät mit temperaturempfindlichem elektrischem Widerstand. **bo|lo|me|trisch***: mithilfe des Bolometers **Bo|lo|skop*** ⟨gr.-nlat.⟩ das; -s, -e: Gerät zum Aufsuchen von Fremdkörpern im Körper (Med.) **Bol|sche|wik** ⟨russ.; „Mehrheitler"⟩ der; -en, -i (abwertend: -en): **1.** Mitglied der von Lenin geführten revolutionären Fraktion in der Sozialdemokratischen Arbeiterpartei Russlands vor 1917. **2.** (bis 1952) Mitglied der Kommunistischen Partei Russlands bzw. der Sowjetunion. **3.** (abwertend) Kommunist. **bol|sche|wi|kisch**: bolschewistisch (1). **bol|sche|wi|sie|ren**: **1.** nach der Doktrin des Bolschewismus gestalten, einrichten. **2.** (abwertend) gewaltsam kommunistisch machen. **Bol|sche|wis|mus** der; -: **1.** Theorie u. Taktik des revolutionären marxistischen Flügels der russischen Arbeiterbewegung mit dem Ziel, die Diktatur des Proletariats zu verwirklichen. **2.** (abwertend) Sozialismus, Kommunismus. **Bol|sche|wist** der; -en, -en: **1.** Bolschewik (1.2). **2.** (abwertend) jmd., der Kultur, geltende Ordnung usw. zerstören will; Sozialist, Kommunist. **bol|sche|wis|tisch**: **1.**

a) den Bolschewismus betreffend; b) die Bolschewisten betreffend. **2.** (abwertend) die Kultur, geltende Ordnung usw. zerstörend; sozialistisch, kommunistisch **Bol|son** ⟨span.⟩ der od. das; -s, -e: in Trockengebieten gelegenes, abflussloses, ↑ intramontanes Becken **Bo|lus** u. **Bol** ⟨gr.-nlat.⟩ der; -, ...li: **1.** (ohne Plural) ein Tonerdesilikat (z. B. ↑ Terra di Siena). **2.** a) Bissen, Klumpen (Med.); b) große Pille (Tiermed.). **Bo|lus|tod** der; -es: Tod durch Ersticken an einem verschluckten Fremdkörper (z. B. zu großen Bissen) **Bo|mät|sche** ⟨tschech.⟩ der; -n, -n: Schiffszieher (an der Elbe). **bo|mät|schen**: Lastkähne stromaufwärts ziehen, treideln **Bom|ba|ge** [bɔm'ba:ʒə] ⟨gr.-lat.-it.-fr.⟩ der; -, -n: **1.** das Biegen von Glastafeln im Ofen. **2.** das Umbördeln oder Biegen von Blech. **3.** Aufwölbung des Deckels bei Konservenbüchsen, wenn sich der Inhalt zersetzt. **4.** elastisches Material als schonende Unterlage od. Umhüllung von Maschinenwalzen. **Bom|bar|de** ⟨gr.-lat.-fr.⟩ die; -, -n: **1.** Belagerungsgeschütz (Steinschleudergeschütz) des 15.–17. Jhs. **2.** schalmeiartiges Blasinstrument in der bretonischen Volksmusik; ↑ Bomhart (1). **Bom|bar|de|ment** [...'mã:, österr.: bombard'mã:, schweiz.: bombarda'ment] das; -s, -s, (schweiz.) -e: **1.** anhaltende Beschießung durch schwere Artillerie. **2.** massiver Abwurf von Fliegerbomben. **bom|bar|die|ren**: **1.** mit Artillerie beschießen. **2.** Fliegerbomben auf etwas abwerfen. **3.** (ugs.) mit [harten] Gegenständen bewerfen. **Bombardon** [...'dõ:] ⟨gr.-lat.-fr.-it.-fr.⟩ das; -s, -s: Basstuba mit 3 oder 4 Ventilen **Bom|bast** ⟨pers.-gr.-lat.-fr.-engl.⟩ der; -[e]s: (abwertend) [Rede]schwulst, Wortschwall. **bom|bas|tisch**: übertrieben viel Aufwand aufweisend, schwülstig; pompös **Bom|be** ⟨gr.-lat.-it.-fr.⟩ die; -, -n: **1.** a) mit Sprengstoff od. Brandsätzen gefüllter Hohlkörper; b) (ugs.) Atombombe. **2.** (ugs.) wuchtiger, knallharter Schuss od. Wurf (Fußball u. a. Sportarten). **3.** von einem Vulkan ausgeworfene, in der Luft erstarrte Lavamasse. **4.** Eisenkugel mit Griff, die im Kunstkraftsport als

Jongliergewicht benutzt wird. **5.** (ugs.) steifer, runder Herrenhut. **bom|ben**: (ugs.) ↑ bombardieren (2). **Bom|ber** der; -s, -: **1.** Bombenflugzeug. **2.** (ugs.) Fuß-, auch Handballspieler mit überdurchschnittlicher Schusskraft. **bom|bie|ren**: **1.** Glasplatten im Ofen biegen. **2.** Blech umbördeln od. biegen, z. B. bombiertes Blech (Wellblech). **3.** den Deckel durch Gasdruck u. Ä. nach außen wölben (von Konservendosen); vgl. Bombage. **Bom|bil|la** [...'bɪlja] ⟨span.⟩ die; -, -s: Saugrohr aus Silber oder Rohrgeflecht, an einem Ende siebartig (in Südamerika zum Trinken des Matetees verwendet) **Bom|bus** ⟨gr.-lat.⟩ „dumpfes Geräusch"⟩ der; -: (Med.) **1.** Ohrensausen. **2.** Darmkollern **Bom|by|ko|me|ter** ⟨gr.-nlat.⟩ das; -s, -: Umrechnungstafel zur Ermittlung der Fadenfeinheit aufgrund des Fadengewichtes (Textilindustrie) **Bom|hard** u. **Bom|hart** ⟨gr.-lat.-fr.⟩ der; -s, -e: **1.** mittelalterliches Holzblasinstrument aus der Schalmeienfamilie. **2.** Zungenstimme bei der Orgel **bon** [bɔ̃] ⟨lat.-fr.⟩: (ugs.) gut. **Bon** [bɔŋ, auch: bõ:] der; -s, -s: **1.** Gutschein für Speisen od. Getränke. **2.** Kassenzettel. **bo|na fi|de** ⟨lat.⟩: guten Glaubens, auf Treu u. Glauben; vgl. mala fide **Bo|na|par|tis|mus** ⟨nach Napoleon Bonaparte I. u. III.⟩ der; -: autoritärer Herrschaftsstil in Frankreich [bes. im 19. Jh.] (Gesch.). **Bo|na|par|tist** der; -en, -en: a) Anhänger des Bonapartismus; b) Anhänger der Familie Bonaparte **Bon|bon** [bɔŋ'bɔŋ, auch: bõ'bõ:] ⟨lat.-fr.⟩ der od. das; -s, -s: **1.** geformtes Stück Zuckerware mit aromatischen Zusätzen. **2.** (ugs. scherzhaft) [rundes] Parteiabzeichen. **Bon|bo|ni|e|re**, auch: **Bon|bon|ni|e|re** [bɔŋbɔ'nje:rə, auch, österr. nur so: bõbõ'nje:rə] die; -, -n: **1.** Behälter (aus Kristall, Porzellan o. Ä.) für Bonbons, Pralinen o. Ä. **2.** hübsch aufgemachte Packung mit Pralinen od. Fondants **Bond** ⟨engl.⟩ der; -s, -s: Schuldverschreibung mit fester Verzinsung **Bon|dage** ['bɔndɪdʒ] ⟨engl.⟩ das; -: das Fesseln zur Steigerung der geschlechtlichen Erregung (im sexuell-masochistischen Bereich) **Bon|der** ® ⟨Kunstw.⟩ der; -s, -:

Phosphorsäurebeize zur Oberflächenbehandlung metallischer Werkstoffe. **bon|dern:** gegen Rost mit einer Phosphatschicht überziehen; vgl. parkerisieren. **Bon|dur** ® ⟨Kunstw.⟩ *das;* -s: Legierung aus Aluminium, Kupfer u. Magnesium
Bone-Chi|na ['boʊn'tʃaɪnə] ⟨engl.⟩ *das,* -: Porzellan, das Knochenasche enthält; Knochenporzellan
Bon|fest ⟨jap.; dt.⟩ *das;* -es: Allerseelenfest, das Hauptfest des japan. ↑Buddhismus
bon|gen ⟨lat.-fr.⟩: (ugs.) [an der Registrierkasse] einen ↑Bon tippen, bonieren
¹Bon|go ⟨afrik.⟩ *der;* -s, -s: leuchtend rotbraune Antilope mit weißen Streifen (Äquatorialafrika)
²Bon|go ⟨span.⟩ *das;* -[s], -s od. *die;* -, -s (meist Plural): einfellige, paarweise verwendete Trommel kubanischen Ursprungs (Jazzinstrument)
Bon|go|si ⟨afrik.⟩ *das;* -[s] u. **Bongo|si|holz** *das;* -es: schweres, sehr widerstandsfähiges Holz des westafrikanischen Bongosibaums
Bon|ho|mie [bɔnɔ'miː] ⟨fr.⟩ *die;* -, ...jen: (veraltet) Gutmütigkeit, Einfalt, Biederkeit. **Bon|homme** [bɔ'nɔm] *der;* -, -s: (veraltet) gutmütiger, einfältiger Mensch. **bo-nie|ren:** ↑bongen. **Bo|ni|fi|ka|ti-on** ⟨lat.-nlat.⟩ *die;* -, -en: 1. Vergütung für schadhafte Teile einer Ware. 2. a) Gutschrift am Ende des Jahres (Jahresbonus) im Großhandel; b) Zeitgutschrift [im Radsport]. **bo|ni|fi|zie|ren:** 1. vergüten. 2. gutschreiben. Do **ni|tät** ⟨lat.⟩ *die;* -, -en: 1 (ohne Plural) [einwandfreier] Ruf einer Person od. Firma im Hinblick auf ihre Zahlungsfähigkeit u. -willigkeit. 2. Güte, Wert eines Bodens (Forst- u. Landwirtschaft). **bo|ni|tie|ren** ⟨lat.-nlat.⟩: abschätzen, einstufen (von Böden, auch von Waren). **Bo|ni|tie-rung** *die;* -, -en: Abschätzung u. Einstufung (von Böden, auch von Waren). **Bo|ni|to** ⟨lat.-span.⟩ *der;* -s, -s: Thunfischart im Mittelmeer u. Pazifischen Ozean (wichtiger Speisefisch). **Bo|ni-tur** ⟨lat.-nlat.⟩ *die;* -, -en: ↑Bonitierung. **Bon|mot** [bõ'moː] ⟨fr.⟩ *das;* -s, -s: treffender geistreich-witziger Ausspruch. **Bon|ne** ⟨lat.-fr.⟩ *die;* -, -n: (veraltet) Kindermädchen, Erzieherin
Bon|net [bɔ'neː] ⟨mlat.-fr.⟩ „Müt-

ze"⟩ *das;* -s, -s: 1. Damenhaube des 18. Jh.s. 2. Beisegel, Segeltuchstreifen (Seemannsspr.).
Bon|ne|te|rie, *die;* -, ...jen: (schweiz.) Kurzwarenhandlung
¹Bon|sai ⟨jap.⟩ *der;* -[s], -s: japanischer Zwergbaum (durch besondere, kunstvolle Behandlung kleinwüchsig gehalten). **²Bon|sai** *das;* -: japanische Kunst, Zwergbäume zu ziehen. **Bon|sai|baum** *der;* -[e]s, ...bäume: ↑¹Bonsai
Bo|nus ⟨lat.-engl.⟩ *der;* - u. -ses, -u. -se (auch: ...ni): 1. Sondervergütung [bei Aktiengesellschaften]. 2. etw., was jmdm. gutgeschrieben wird, was ihm als Vorteil, Vorsprung vor anderen angerechnet wird; Ggs. ↑Malus
Bon|vi|vant [bõvi'vã:] ⟨lat.-fr.⟩ *der;* -s, -s: 1. (veraltend) Lebemann. 2. (Theater) Rollenfach des leichtlebigen, eleganten Mannes
Bon|ze ⟨jap.-port.-fr.⟩ *der,* -n, n: 1. (abwertend) jmd., der die Vorteile seiner Stellung genießt [u. sich nicht um die Belange anderer kümmert]; höherer, dem Volk entfremdeter Funktionär. 2. buddhistischer Mönch, Priester. **Bon|zo|kra|tie*** ⟨jap.-port.-fr.; gr.⟩ *die;* -, ...jen: (abwertend) Herrschaft, übermäßiger Einfluss der Bonzen (1)
Boo|gie-Woo|gie ['bʊgi'vʊgi] ⟨amerik.⟩ *der;* -[s], -s: 1. vom Klavier gespielter ↑Blues mit ↑ostinaten Bassfiguren u. starkem ↑Offbeat. 2. aus dem Boogie-Woogie (1) entwickelter Gesellschaftstanz (z. B. ↑Jitterbug, ↑Rock and Roll)
Book|let ['bʊklɪt] ⟨engl.⟩ *das;* -[s], -s: [Werbe]broschüre [ohne Umschlag, Einband]; Beilage, Beiheft [in einer CD-Hülle]
Boom [buːm] ⟨engl.⟩ *der;* -s, -s: plötzliches großes Interesse an etwas; [plötzlicher] wirtschaftlicher Aufschwung, Hochkonjunktur. **boo|men** ['buːmən]: (ugs.) einen Boom erleben. **Boom|town** ['buːmtaʊn] *die;* -, -s: (Jargon) Stadt, die in kürzester Zeit einen enormen wirtschaftlichen Aufschwung erlebt
Boos|ter ['buːstɐ] ⟨engl.⟩ „Förderer, Unterstützer"⟩ *der;* -s, -: 1. a) Hilfstriebwerk; Startrakete (Luftfahrt); b) Zusatztriebwerk; erste Stufe einer Trägerrakete (Raumfahrt). 2. Kraftverstärker in der Flugzeugsteuerung. 3. zusätzlicher Verstärker zum Einbau in Antennen- und Hi-Fi-Anlagen (Elektronik). **Boos|ter|di-**

o|de *die;* -, -n: Gleichrichter zur Rückgewinnung der Spannung bei der Zeilenablenkung (Fernsehtechnik). **Boos|ter|ef|fekt** *der;* -s, -e: Auffrischungseffekt (vermehrte Bildung von ↑Antikörpern im Blut nach erneuter Einwirkung des gleichen ↑Antigens; Med.)
Boot [buːt] ⟨engl.⟩ *der;* -s, -s (meist Plural): 1. bis über den Knöchel reichender [Wildleder]schuh. 2. Gummiglocke; Überzug aus Gummi für Hufe von Trabrenn- u. Springpferden. **boo|ten** [buːtn]: einen Computer neu starten, wobei alle gespeicherten Anwendungsprogramme neu geladen werden
Bö|o|ti|er ⟨nach der altgriech. Landschaft Böotien⟩ *der;* -s, -: (veraltet) denkfauler, schwerfälliger Mensch. **bö|o|tisch:** (veraltet) denkfaul, unkultiviert
Boot|leg|ger ['buːt...] ⟨engl.-amerik.⟩ *der;* -s, -: (hist.) Alkoholschmuggler; jmd., der illegal Schnaps brennt (in den USA zur Zeit der ↑Prohibition 2)
Bop ⟨amerik.⟩ *der;* -[s], -s: ↑Bebop
Bor ⟨pers.-arab.-mlat.⟩ *das;* -s: chem. Element; ein Nichtmetall (Zeichen: B)
Bo|ra ⟨gr.-lat.-it.⟩ *die;* -, -s: trocken-kalter Fallwind an der dalmatinischen Küste. **Bo|rac|cia** [bo'ratʃa] *die;* -, -s: besonders heftige Bora
Bo|ra|go ⟨arab.-mlat.⟩ *der;* -s: in Raublattgewächs, bes. ↑Borretsch (Bot.)
Bo|ran ⟨pers.-arab.-mlat.-nlat.⟩ *das;* -s, -e (meist Plural): Borwasserstoff. **Bo|rat** *das;* -[e]s, -e: Salz der Borsäure. **Bo|rax** ⟨pers.-arab.-mlat.⟩ *der* (österr.: das), -[es]. in großen Kristallen vorkommendes Natriumsalz der Tetraborsäure. **Bo|ra|zit** [auch: ...tsɪt] ⟨pers.-arab.-mlat.-nlat.⟩ *das;* -s: zu den Boraten gehörendes Mineral. **Bo|ra|zol*** ⟨nlat.⟩ *das;* -s: anorganisches Benzol, benzolähnliche Flüssigkeit (Chem.)
Bord|case [...keɪs] ⟨dt.; engl.⟩ *das* od. *der;* -, - u. -s [...sɪz]: kleines, kofferähnliches Gepäckstück, das man bei Flugreisen unter dem Sitz legen kann. **Bord|com|pu-ter,** *der;* -s, -: elektronische Datenverarbeitungsanlage an Bord von Flugzeugen u. Raumschiffen u. Kraftfahrzeugen, die u.a. bordbezogene Daten auswertet u. Defekte anzeigt
bor|deaux [bɔr'doː] ⟨fr.⟩: weinrot,

bordeauxrot. Bor|deaux *der; -, -*
[bɔr'doːs]: Wein aus der weiteren
Umgebung der französischen
Stadt Bordeaux
Bor|del|lai|ser Brü|he [...'lɛːzɐ -]
⟨nach der franz. Landschaft Bor-
delais bei Bordeaux⟩ *die; - -*:
Kupfervitriollösung zum Be-
spritzen der Weinstöcke u. Obst-
bäume gegen Pilzkrankheiten
Bor|dell ⟨*germ.-roman.-niederl.*;
„Bretterhüttchen"⟩ *das; -s, -e*:
Haus, Räumlichkeiten, in denen
Prostituierte ihr Gewerbe aus-
üben. Bor|de|reau [bɔrdə'roː]
⟨*germ.-fr.*⟩, auch: Bor|de|ro *der*
od. *das; -s, -s*: Verzeichnis einge-
lieferter Wertpapiere, bes. von
Wechseln
Bor|der|preis ⟨*engl.; dt.*⟩ *der; -es,
-e*: Preis frei Grenze (z. B. bei
Erdgaslieferungen; Wirtsch.)
Bor|di|a|mant *der; -en, -en*: einem
Diamanten an Härte, Glanz und
Lichtbrechung gleichkommen-
der Stoff aus Aluminium u. Bor
bor|die|ren ⟨*germ.-fr.*⟩: einfassen,
[mit einer Borte] besetzen
Bor|dun ⟨*it.*⟩ *der; -s, -e*: 1. Register
der tiefsten Pfeifen bei der Orgel.
2. in gleich bleibender Tonhöhe
gezupfte, gestrichene od. in Resonanz mitschwingende Saite. 3.
gleich bleibender Bass- od.
Quintton beim Dudelsack. 4.
↑Orgelpunkt
Bor|dü|re ⟨*germ.-fr.*⟩ *die; -, -n*:
Einfassung, Besatz, farbiger Ge-
weberand. Bor|dü|re|form *die; -,
-en*: runde Kuchenform aus
Blech (Kochkunst)
Bo|re ⟨*altnord.-engl.*⟩ *die; -, -n*:
stromaufwärts gerichtete Flut-
welle in rasch sich verengenden
Flussmündungen (vor allem
beim Ganges)
bo|re|al ⟨*gr.-lat.*⟩: nördlich; dem
nördlichen Klima Europas,
Asiens u. Amerikas zugehörend.
Bo|re|al *das; -s*: Wärmeperiode
der Nacheiszeit. Bo|re|as *der; -*:
a) Nordwind im Gebiet des Ägäi-
schen Meeres (in der Antike als
Gott verehrt); b) (dichter. veraltet) kalter Nordwind
Bor|gis ⟨verstümmelt aus *fr.* (let-
tre) bourgeoise⟩ *die; -*: Schriftgrad von 9 Punkt (Druckw.).
Bo|rid ⟨*pers.-arab.-mlat.-nlat.*⟩
das; -s, -e: Verbindung aus Bor u.
einem Metall (Chem.)
Bor|ne|ol ⟨nach der Sundainsel
Borneo⟩ *das; -s*: aromatischer
Alkohol, der in den Ölen best.
Bäume auf den Sundainseln vor-
kommt (von kampfer- u. pfeffer-
minzähnlichem Geruch)

bor|niert ⟨*fr.*⟩: a) geistig be-
schränkt, eingebildet-dumm; b)
engstirnig
Bor|nit [auch: ...'nɪt] ⟨*nlat.*; nach
dem österr. Mineralogen I. von
Born, † 1791⟩ *der; -s, -e*: Bunt-
kupfererz
Bor|re|llie [...i̯ə] ⟨*nlat.*; nach
dem franz. Bakteriologen A.
Borrel⟩ *die; -, -n* (meist Plural):
Bakterie einer Gattung der ↑Spi-
rochäten. Bor|re|li|o|se *die; -, -n*:
durch Borrelien verursachte
Krankheit
Bor|retsch ⟨*arab.-mlat.-it.(-fr.)*⟩
der; -[e]s: Gurkenkraut (Gewürzpflanze)
Bor|ro|mä|e|rin ⟨nach dem hl.
Karl Borromäus, † 1584⟩ *die; -,
-nen*: Mitglied einer kath. Frau-
enkongregation
Bor|sa|li|no ® ⟨nach dem Namen
des ital. Fabrikanten T. Borsali-
no, 1867–1939⟩ *der; -s, -s*: Her-
renfilzhut mit breiter Krempe
Bor|schtsch ⟨*russ.*⟩ *der; -*: russ.
Kohlsuppe mit Fleisch, verschiedenen Kohlsorten, roten Rüben
u. etwas ↑Kwass
Bör|si|a|ner ⟨*gr.-lat.-niederl.-
nlat.*⟩ *der; -s, -*: (ugs.) a) Börsen-
makler; b) Börsenspekulant
Bo|rus|sia ⟨*nlat.*⟩ *die; -*: Frauenge-
stalt als Sinnbild Preußens
Bo|sat|su ⟨*sanskr.-jap.*⟩ *der; -*: Ti-
tel buddhist. Heiliger in Japan
(entspricht dem Titel ↑Bodhi-
sattwa)
Bos|kett ⟨*germ.-mlat.-it.-fr.*⟩ *das;
-s, -e*: Gruppe von beschnittenen
Büschen u. Bäumen (bes. in Gär-
ten der Renaissance- u. Barock-
zeit)
Bos|kop, (schweiz. nur:) Bos-
koop ⟨nach dem niederl. Ort
Boskoop⟩ *der; -s, -*: eine Apfel-
sorte
Bol|son ⟨*nlat.*; vom Namen des in-
dischen Physikers S. N. Bose⟩
das; -s, ...onen: Elementarteilchen mit ganzzahligem od. ver-
schwindendem ↑Spin (Phys.)
Boss ⟨*niederl.-engl.-amerik.*⟩ *der;
-es, -e*: derjenige, der in einem
Unternehmen, in einer Gruppe
die Führungsrolle innehat, Chef;
Vorgesetzter
Bos|sa No|va ⟨*port.*⟩ *der; - -, - -s*:
südamerikanischer Modetanz
Bos|se ⟨*fr.*⟩ *die; -, -n*: 1. rohe od.
nur wenig bearbeitete Form eines Werkstücks (z. B. einer
Skulptur) 2. erhabene Verzierung, bes. in der Metallkunst.
bos|se|lie|ren: vgl. bossieren.
bos|seln: 1. a) an etw. mit Aus-

dauer arbeiten, herumbasteln
[um es besonders gut zu ma-
chen]; b) in Kleinarbeit [müh-
sam] herstellen; basteln. 2. ↑bos-
sieren. Bos|sen|qua|der *der; -s,
- (auch: *die; -, -n*): Naturstein,
dessen Ansichtsfläche roh bear-
beitet ist. Bos|sen|werk *das;
-[e]s*: Mauerwerk, das aus Bos-
senquadern besteht. bos|sie-
ren, bosselieren, bosseln: 1. die
Rohform einer Figur aus Stein
herausschlagen. 2. roh gebroche-
ne Mauersteine mit dem Bossier-
eisen behauen. 3. in Ton, Gips
od. Wachs (Bossierwachs) mo-
dellieren. Bos|sier|wachs *das;
-es, -e*: Modellierwachs für die
Bildhauerei
Bos|tel|la vgl. La Bostella
[1]Bos|ton ['bɔstən] ⟨nach der Stadt
in den USA⟩ *das; -s*: amerikan.
Kartenspiel. [2]Bos|ton *der; -s, -s*:
langsamer amerikanischer Wal-
zer mit sentimentalem Ausdruck
Bo|ta|nik ⟨*gr.-nlat.*⟩ *die; -*: Teilge-
biet der Biologie, auf dem man
die Pflanzen erforscht. Bo|ta|ni-
ker *der; -s, -*: Wissenschaftler u.
Forscher auf dem Gebiet der Bo-
tanik. bo|ta|nisch: pflanzen-
kundlich, pflanzlich; botani-
scher Garten: Anlage, in der
Bäume u. andere Pflanzen nach
einer bestimmten Systematik zu
Schau- u. Lehrzwecken kulti-
viert werden. bo|ta|ni|sie|ren:
Pflanzen zu Studienzwecken
sammeln
Bo|tel ⟨Kurzwort aus Boot u. Ho-
tel⟩ *das; -s, -s*: schwimmendes
Hotel, als Hotel ausgebautes ver-
ankertes Schiff
Bo|to|ku|de ⟨nach den Indianer-
stamm in Südostbrasilien⟩ *der;
-n, -n*: (veraltet abwertend)
Mensch mit schlechtem Benehmen
Bot|ry|o|my|ko|se* ⟨*gr.-nlat.*⟩ *die;
-, -n*: Traubenpilzkrankheit (bes.
der Pferde)
Bot|tel|ga *die; -, -s*: ital. Form von
↑Bodega
Bot|tel|lier ⟨*lat.-fr.-niederl.*⟩ *der;
-s, -s* u. Bottler *der; -s, -* (Seemannsspr. veraltet) Kantinen-
verwalter auf Kriegsschiffen
Bot|ler ⟨*niederl.*⟩ *der; -s, -*: hollän-
disches Segelfahrzeug mit geringem Tiefgang
Bot|ti|ne ⟨*fr.*⟩ *die; -, -n*: Damen-
halbstiefel (bes. im 19. Jh.)
Bot|tle|neck ['bɔtlnɛk] ⟨*engl.-
amerik.*⟩ *der; -s, -s*: (urspr. abge-
schlagener Flaschenhals, heute)
Metallaufsatz, der auf einen Finger gesteckt wird u. mit dem

dann auf den Gitarrensaiten entlanggeglitten wird, sodass ein hoher, singender Ton erzielt wird (Gitarrenspielweise im ↑Blues b; Mus.). **Bot|tle|par|ty** ⟨*engl.*⟩ *die;* -, -s: Party, zu der die geladenen Gäste die alkoholischen Getränke mitbringen. **Bọtt|ler:** vgl. Bottelier

Bot|toms ['bɔtəmz] ⟨*engl.*⟩ *die* (Plural): Überschwemmungsgebiete nordamerik. Flüsse

Bo|tu|lịs|mus ⟨*lat.-nlat.*⟩ *der;* -: bakterielle Lebensmittelvergiftung (bes. Wurst-, Fleisch-, Konservenvergiftung)

Bou|chée [buˈʃe:] ⟨*fr.;* „ein Mund voll"⟩ *die;* -, -s: Appetithäppchen (gefülltes Pastetchen als warme Vorspeise)

bou|che|ri|sie|ren [buʃə...] ⟨nach dem franz. Chemiker A. Boucherie⟩: den Saft frischen Holzes durch Einführen bestimmter Lösungen verdrängen (Holzschutzverfahren)

¹Bouclé* , auch: Buklee [buˈkle:] ⟨*lat.-fr.*⟩ *das;* -s, -s: Garn mit Knoten u. Schlingen. **²Bouclé*** , auch: Buklee *der;* -s, -s: 1. Gewebe aus ¹Bouclé; Noppengewebe. 2. Haargarnteppich mit nicht aufgeschnittenen Schlingen

Bou|doir [buˈdoa:ɐ̯] ⟨*fr.*⟩ *das;* -s, -s: (veraltet) elegantes, privates Zimmer einer Dame

Bouf|fon|ne|rie [bʊfɔnəˈri:] ⟨*it.-fr.*⟩ *die;* -, ...ien: (veraltet) Spaßhaftigkeit, Schelmerei

Bou|gain|vil|lea [bugɛ̃ˈvɪlea] ⟨*nlat.;* nach L.-A. de Bougainville (1729–1811), einem franz. Seefahrer⟩ *die;* -, ...leen [...leən]: südamerikanische Gattung der Wunderblumengewächse (Bot.)

Bou|gie [buˈʒi:] ⟨*fr.*⟩ *die;* -, -s: Dehnsonde (zur Erweiterung enger Körperkanäle, z.B. der Harnröhre); vgl. Bacillus (1). **bou|gie|ren** [buˈʒi:rən]: mit der Dehnsonde untersuchen, erweitern. **Bou|gie|rohr** *das;* -[e]s, -e: Kabelschutzüberzug

Boug|ram* , auch: **Boug|ran** [buˈgrã:] ⟨*fr.*⟩ *der;* -s, -s: Steifleinwand, steifer Baumwollstoff, der als Zwischenfutter verwendet wird

Bouil|la|baisse [buja'bɛ:s] ⟨*fr.*⟩ *die;* -, -s [buja'bɛ:s]: würzige provenzal. Fischsuppe

Bouil|lon [bʊlˈjɔ̃, auch: bulˈjõ:, österr.: buˈjõ:] ⟨*lat.-fr.*⟩ *die;* -, -s: 1. Kraft-, Fleischbrühe. 2. bakteriologisches Nährsubstrat. **Bouil|lon|draht** *der;* -[e]s, ...drähte: ↑Kantille. **bouil|lo-**

nie|ren [bʊljo...]: (veraltet) raffen, reihen

Boul|lan|ge|rit [bulãʒəˈri:t, auch: ...ˈrɪt] ⟨*nlat.;* nach dem franz. Geologen C.L. Boulanger⟩ *der;* -s: ein Mineral (Antimonbleiblende)

Boule [bu:l] ⟨*lat.-fr.*⟩ *das;* -[s] (auch: *die;* -): französisches Kugelspiel

Boulet|te [bu...] ⟨*fr.*⟩ *die;* -, -n: ↑Bulette

Boule|vard [bulə'va:ɐ̯] ⟨*germ.-niederl.-fr.*⟩ *der;* -s, -s: breite [Ring]straße. **Boule|var|di|er** [...'dje:] *der;* -[s], -s: Verfasser von reißerischen Bühnenstücken. **boule|var|di|sie|ren**: das Wichtigste (eines Artikels o.Ä.) zusammenfassen u. verdeutlichen (z.B. durch einen speziellen Druck). **Boule|vard|pres|se** *die;* -: sensationell aufgemachte, in großen Auflagen erscheinende u. daher billige Zeitungen, die früher überwiegend im Straßenverkauf angeboten wurden

Boulle|ar|bei|ten ['bul...] ⟨nach dem franz. Kunsttischler A. Ch. Boulle⟩ *die* (Plural): Einlegearbeiten aus Elfenbein, Kupfer od. Zinn (18. Jh.)

Boulon|nais [bulɔˈnɛ:] ⟨*fr.;* nach der historischen Landschaft um Boulogne-sur-Mer⟩ *der;* - [...nɛ:(s)], - [...nɛ:s], auch: **Boulon|nai|se** [...ˈnɛ:zə] *der;* -n, -n: edles Kaltblutpferd aus scheinbar nordfranzösischen Departements Pas-de-Calais u. Somme

Bounce [baʊns] ⟨*engl.*⟩ *der* od. *die;* -: rhythmisch betonte Spielweise im Jazz (Mus.). **Bounce|light** ['baʊnslaɪt] ⟨*engl.*⟩ *das;* -, -s: Beleuchtungstechnik bei Blitzaufnahmen, bei der das Blitzlicht nicht gegen das Motiv gerichtet wird, sondern gegen reflektierende Flächen in dessen Umgebung, wodurch eine gleichmäßige Ausleuchtung erzielt wird. **boun|cen** ['baʊnsn̩]: das Bouncelight anwenden

Bou|quet [buˈke:] *das;* -s, -s: ↑Bukett. **Bou|quet garni** *das;* -s --, - -s: Kräutersträußchen (Gastr.)

Bou|qui|nist [buki...] ⟨*niederl.-fr.*⟩ *der;* -en, -en: im Straßenbuchhändler, bes. am Seineufer in Paris, der an einem Stand antiquarische Bücher verkauft

Bour|bon ['bɔːbən] ⟨*engl.-amerik.*⟩: Kurzform von Bourbonwhiskey⟩ *der;* -s, -s: amerik. Whisky; vgl. Scotch

Bou|rẹt|te [bu...] ⟨*lat.-fr.*⟩ *die;* -, -n: ↑Bourrette

bour|geois [bʊrˈʒoa, in attributiver Verwendung: bʊrˈʒoa:z...] ⟨*germ.-fr.*⟩: a) zur Bourgeoisie gehörend; b) die Bourgeoisie betreffend. **Bour|geois** *der;* -, -: Angehöriger der Bourgeoisie. **Bour|geoi|sie** [bʊrʒoaˈzi:] *die;* -, ...ien: 1. wohlhabender Bürgerstand, Bürgertum. 2. herrschende Klasse der kapitalistischen Gesellschaft, die im Besitz der Produktionsmittel ist (Marxismus)

Bour|rée [buˈre:] ⟨*fr.*⟩ *die;* -, -s: a) heiterer bäuerischer Tanz aus der Auvergne; b) von 1650 an Satz der ↑Suite (4)

Bour|rẹt|te [bu...] ⟨*lat.-fr.*⟩ *die;* -, -n: raues Gewebe in Taftbindung aus Abfallseide; Seidenfrottee

Bou|teil|le [buˈtɛːj(ə)] ⟨*lat.-fr.*⟩ *die;* -, -n [...jən]: (veraltet) Flasche. **Bou|teil|len|stein** [...ˈtɛil...] *der;* -[e]s, -e: (veraltet) Moldavit

Bou|tique [buˈtiːk] ⟨*fr.*⟩ *die;* -, -n [...kn̩], (selten:) -s [...tiːks]: kleiner Laden für [exklusive] modische Neuheiten

Bou|ton [buˈtõ:] ⟨*germ.-fr.;* „Knospe; Knopf"⟩ *der;* -s, -s: Schmuckknopf für das Ohr. **Bou|ton|nie|re** [butoˈnjɛːrə] *der;* -, -n: äußerer Harnröhrenschnitt (Med.)

bo|vin ⟨*lat.*⟩: zum Rind gehörend (Tiermed.). **Bo|vo|vak|zin** ⟨*lat.-nlat.*⟩ *das;* -s: früher gebräuchlicher Impfstoff gegen Rindertuberkulose

Bow|den|zug ['baʊdn̩...] ⟨*engl.; dt.*⟩: nach dem engl. Erfinder Bowden⟩ *der;* -s, ...züge: Drahtkabel zur Übertragung von Zugkräften, bes. an Kraftfahrzeugen

Bo|wie|mes|ser ['boːvi...] ⟨*engl.; dt.*⟩, nach dem Amerikaner James Bowie, †1836⟩ *das;* -s, -: nordamerikan. Jagdmesser

Bow|le ['boːlə] ⟨*engl.*⟩ *die;* -, -n: 1. Getränk aus Wein, Schaumwein, Zucker u. Früchten od. würzenden Stoffen. 2. Gefäß zum Bereiten u. Auftragen einer Bowle (1)

bow|len ['boːlən] ⟨*lat.-fr.-engl.*⟩: Bowling spielen

Bow|ler ['boːlɐ] ⟨*engl.*⟩ *der;* -s -: runder, steifer [Herren]hut; vgl. Melone (2)

Bow|ling ['boːlɪŋ] ⟨*lat.-fr.-engl.*⟩ *das;* -s, -: 1. engl. Kugelspiel auf glattem Rasen. 2. amerik. Art des Kegelspiels mit 10 Kegeln. **Bow|ling|green** [...gri:n] *das;* -s, -s: Spielrasen für Bowling (1) **Bow|string|hanf** ['boʊstrɪŋ...]

Box 128

⟨engl.; dt.⟩ der; -[e]s: in Afrika als Bogensehne verwendeter Hanf aus Blattfasern

Box ⟨lat.-vulgärlat.-engl.; „Büchse, Behälter"⟩ die; -, -en: 1. a) von anderen gleichartigen Räumen abgeteilter [kastenförmiger] Raum innerhalb einer größeren Einheit; b) abgegrenzter Montageplatz für Rennwagen an einer Rennstrecke. 2. einfache Rollfilmkamera in Kastenform. 3. kastenförmiger Behälter od. Gegenstand; oft in Zusammensetzungen, z. B. Kühlbox, Lautsprecherbox. **Box|calf** vgl. Boxkalf.

bo|xen ⟨engl.⟩: [nach bestimmten sportlichen Regeln] mit den Fäusten kämpfen. **Bo|xer** ⟨engl.⟩ der; -s, -: 1. Sportler, der Boxkämpfe austrägt; vgl. boxen. 2. (bes. südd., österr.) Faustschlag. 3. Hund einer mittelgroßen Rasse mit kräftiger Schnauze (Wach- u. Schutzhund). **bo|xe-risch:** den Boxsport betreffend, zu ihm gehörend. **Bo|xer|mo|tor** ⟨engl.; lat.⟩ der; -s, -en: Verbrennungsmotor mit einander gegenüberliegenden Zylindern, deren Kolben scheinbar gegeneinander arbeiten

Box|kalf, Boxcalf [auch engl.: ˈbɔkskaːf] ⟨engl.⟩ das; -s, -s: Kalbleder

Boy [bɔy] ⟨engl.⟩ der; -s, -s: 1. Laufjunge, Diener, Bote. 2. (ugs.) junger Mann. **Boy|friend** [ˈbɔyfrɛnd] der; -s, -s: (ugs.) der Freund eines jungen Mädchens. **Boy|group** [...gruːp] die; -, -s: Popgruppe aus jungen, attraktiven Männern, deren Bühnenshow bes. durch tänzerische Elemente geprägt ist

Boy|kott [bɔy...] ⟨engl.; nach dem in Irland geächteten englischen Hauptmann und Gutsverwalter Boycott⟩ der; -[e]s, -s (auch: -e): 1. politische, wirtschaftliche od. soziale Ächtung. 2. das Boykottieren (2, 3). **boy|kot|tie|ren:** 1. mit einem Boykott (1) belegen. 2. die Ausführung von etw. ablehnen u. zu verhindern suchen. 3. zum Ausdruck der Ablehnung bewusst meiden

Boy|scout [ˈbɔyskaut] ⟨engl.⟩ der; -s, -s: engl. Bezeichnung für: Pfadfinder

Boz|zet|to ⟨it.⟩ der; -s, -s: erster skizzenhafter, plastischer Entwurf für eine Skulptur, für Porzellan

Bra|ban|çonne [brabãˈsɔn] ⟨fr.⟩ nach der belgischen Provinz Brabant⟩ die; -: belg. Nationalhymne

Bra|ça [ˈbrasa] ⟨gr.-lat.-port.⟩ die; -, -s (aber: 5 -): portugies. Längenmaß. **bra|chi|al** ⟨gr.-lat.⟩: 1. zum Oberarm gehörend (Med.). 2. mit roher Körperkraft. **Bra-chi|al|ge|walt** die; -: rohe körperliche Gewalt als Mittel zur Durchsetzung von Zielen. **Bra-chi|al|gie** ⟨gr.-lat.; gr.⟩ die; -, ...ien: Schmerzen im [Ober]arm. **Bra|chi|al|to|ren** ⟨lat.-nlat.⟩ die (Plural): Gruppe der ↑ Primaten mit stark verlängerten Armen (Schwingkletterer, z. B. der ↑ Gibbon). **Bra|chi|o|po|de** der; -n, -n: Armfüßer (muschelähnliches, festsitzendes Meerestier). **Bra|chi|o|sau|rus** ⟨lat.; gr.⟩ der; -, ...rier [...iɐ]: Pflanzen fressender, sehr großer ↑ Dinosaurier mit langen Vorderbeinen aus der Kreidezeit, bes. in Nordamerika)

Bra|chis|to|chro|ne [...ˈkroːnə] ⟨gr.-nlat.⟩ die; -, -n: Kurve, auf der ein der Schwerkraft unterworfener Massenpunkt bzw. Körper am schnellsten zu einem tiefer gelegenen Punkt gelangt (Phys.). **bra|chy|dak|ty|l:** kurzfingrig (Med.). **Bra|chy|dak-ty|lie** ⟨gr.-nlat.⟩ die; -, ...ien: angeborene Kurzfingrigkeit (Med.). **Bra|chy|gne|nie** die; -, ...ien: ↑ Brachygnathie. **Bra-chyg|na|thie*** die; -, ...ien: abnorme Kleinheit des Unterkiefers (Med.). **bra|chy|gra|phie,** auch: ...grafie die; -: (veraltet) Kurzschrift, Stenografie. **bra-chy|ka|ta|lek|tisch** ⟨gr.-lat.⟩: am Versende um einen Versfuß (eine rhythmische Einheit) bzw. um zwei Silben verkürzt (von antiken Versen). **Bra|chy|ka|tale-xe** ⟨gr.⟩ die; -, -n: Verkürzung eines Verses um den letzten Versfuß (die letzte rhythmische Einheit) oder die letzten zwei Silben. **bra|chy|ke|phal** usw. vgl. brachyzephal usw. **Bra|chy|la|lie** ⟨gr.-nlat.⟩ die; -: Aussprache abgekürzter Zusammensetzungen od. Wortgruppen mit den Namen der Abkürzungsbuchstaben (z. B. USA [gesprochen: uːlɛs-ˈaː]). **Bra|chy|lo|gie** ⟨gr.⟩ die; -, ...ien: knappe, prägnante Ausdrucksweise (Rhet.; Stilk.). **Bra-chyp|noe*** die; -: (veraltet) Kurzatmigkeit; Engbrüstigkeit; vgl. Dyspnoe. **bra|chys|tyl*** ⟨gr.-nlat.⟩: kurzgriffelig (von Pflanzenblüten). **Bra|chy|syl|la|bus** ⟨gr.-lat.⟩ der; -, ...syllaben u. ...syllabi: antiker Versfuß (rhythmische Einheit), der nur aus kur-

zen Silben besteht (z. B. ↑ Pyrrhichius, ↑ Tribrachys, ↑ Prokeleusmatikus). **bra|chy|ze|phal** ⟨gr.-nlat.⟩ u. brachykephal: kurzköpfig, rundschädelig (Med.). **Bra-chy|ze|phal|le** u. Brachykephale der u. die; -n, -n: Kurzköpfige[r], Kurzkopf (Med.). **Bra|chy|ze-phal|lie** u. Brachykephalie die; -, ...ien: Kurzköpfigkeit (Med.) **Bra|dy|arth|rie*** ⟨gr.-nlat.⟩ u. Bradylalie die; -, ...ien: schleppende, buchstabierende Sprache (Med.). **Bra|dy|kar|die** die; -, ...ien: langsame Herztätigkeit (Med.). **Bra|dy|ki|ne|sie** die; -, ...ien: allgemeine Verlangsamung der Bewegungen (Med.). **Bra|dy|ki|nin** das; -s, -e: Gewebshormon, das durch lokale Gefäßerweiterung eine fördernde Wirkung auf die Speichel- u. Schweißdrüsen ausübt (Med.). **Bra|dy|la|lie** vgl. Bradyarthrie. **Bra|dy|phra|sie** die; -, ...ien: langsames Sprechen (Med.). **Bra|dy|phre|nie** die; -, ...ien: Verlangsamung der psychomotorischen Aktivität, Antriebsmangel (Med.). **Bra|dyp|noe*** die; -: verlangsamte Atmung (Med.)

Brah|ma ⟨sanskr.⟩ der; -s: zur Zeit des frühen Buddhismus höchster Gott der ↑ Hinduismus. **Brah-ma|huhn** vgl. Brahmaputrahuhn. **Brah|ma|js|mus** der; -: ↑ Brahmanismus. **Brah|man** das; -: s: Weltseele, magische Kraft der indischen Religion, die der Brahmane im Opferspruch wirken lässt. **Brah|ma|nas** die (Plural): altindische Kommentare zu den ↑ Weden, die Anwendung und Wirkung des Opfers erläutern. **Brah|ma|ne** der; -n, -n: Angehöriger der indischen Priesterkaste. **brah|ma|nisch:** die Lehre od. die Priester der Brahmanentums betreffend. **Brah|ma|ns-mus** ⟨sanskr.-nlat.⟩ der; -: 1. eine der Hauptreligionen Indiens (aus dem ↑ Wedismus hervorgegangen). 2. (selten) Hinduismus. **Brah|ma|put|ra|huhn*** [auch: ...ˈpuː...], auch: Brahmahuhn ⟨nach dem indischen Strom Brahmaputra⟩ das; -s, ...hühner: Huhn einer schweren Haushuhnrasse. **Brah|mi|ne** vgl. Brahmane

Braille|schrift [ˈbraːjə...] ⟨nach dem franz. Erfinder Braille, † 1852⟩ die; -: Blindenschrift

Brain|drain [ˈbreɪndreɪn] ⟨engl.-amerik.; „Abfluss von Intelligenz"⟩ der; -s: Abwanderung von

Wissenschaftlern ins Ausland.
Brain|stor|ming [...stɔːmɪŋ] ⟨zu *amerik.* brainstorm = „Geistesblitz"⟩ *das;* -s: das Sammeln von spontanen Einfällen, um die beste Lösung eines Problems zu finden. **Brain|trust** [...trʌst] ⟨„Gehirntrust"⟩ *der;* -[s], -s: [wirtschaftlicher] Beratungsausschuss; Expertengruppe
Brai|se ['brɛːzə] ⟨*fr.*⟩ *die;* -, -n: [säuerliche] gewürzte Brühe zum Dämpfen von Fleisch od. Fischen. **brai|sie|ren** [brɛ...]: in der Brühe dämpfen
Brak|te|at ⟨*lat.;* „mit Goldblättchen überzogen"⟩ *der;* -en, -en: 1. Goldblechabdruck einer griechischen Münze (4.–2. Jh. v. Chr.). 2. einseitig geprägte Schmuckscheibe der Völkerwanderungszeit. 3. einseitig geprägte mittelalterl. Münze. **Brak|tee** ⟨„dünnes Blatt, Blättchen"⟩ *die;* -, -n: Deckblatt, in dessen Winkel ein Seitenspross od. eine Blüte entsteht (Bot.). **brak|te|o|id** ⟨*lat.; gr.*⟩: deckblattartig (Bot.). **Brak|te|o|le** ⟨*lat.*⟩ *die;* -, -n: Vorblatt, erstes Blatt eines Seitenod. Blütensprosses (Bot.)
Bram ⟨*niederl.*⟩ *die;* -, -en: (Seemannsspr.) zweitoberste Verlängerung der Masten sowie deren Takelung (meist als Bestimmungswort von Zusammensetzungen wie Bramsegel, ↑ Bramstenge)
Bra|mah|schloss ⟨nach dem engl. Erfinder J. Bramah, † 1814⟩ *das;* -es, ...schlösser: Schloss mit Steckschlüssel
Bra|mar|bas ⟨literar. Figur des 18. Jh.s⟩ *der;* -, -se: Prahlhans, Aufschneider. **bra|mar|ba|sie|ren:** aufschneiden, prahlen
Bram|bu|ri ⟨*tschech.;* „Brandenburger"⟩ *die* (Plural): (österr. scherzh.) Kartoffeln
Bram|sten|ge ⟨*niederl.; dt.*⟩ *die;* -, -n: (Seemannsspr.) zweitoberste Verlängerung eines Mastes
Bran|che ['brãːʃə] ⟨*lat.-galloroman.-fr.*⟩ *die;* -, -n: Wirtschafts-, Geschäftszweig. **Bran|chen|mix** *der;* -, -e: das Vertretensein der jeweiligen Branchen in großer Vielfalt in den Läden eines Geschäftsviertels, eines Einkaufszentrums o. Ä. [zur Vermeidung eines zu einseitigen Einkaufsangebots]
Bran|chi|at ⟨*gr.-nlat.*⟩ *der;* -en, -en: durch Kiemen atmendes Wirbel- od. Gliedertier. **Bran|chie** [...jə] ⟨*gr.-lat.*⟩ *die;* -, -n (meist Plural): Kieme. **bran|chi-**
olgen ⟨*gr.-nlat.*⟩: von den Kiemengängen ausgehend (Biol.).
Bran|chi|o|sau|ri|er *der;* -s, - u. **Bran|chi|o|sau|rus** *der;* -, ...saurier: Panzerlurch des ↑ Karbons u. ↑ ↑ Perms. **Bran|chi|o|sto|ma*** ⟨*gr.*⟩ *das;* -: ↑ Amphioxus
Bran|ding ['brændɪŋ] ⟨*engl.*⟩ *das;* -: 1. (Wirtsch.) Markengebung; Entwicklung von Markennamen. 2. das Einbrennen von Narbenmustern in die Haut mithilfe einer heißen Nadel; vgl. Piercing. **Brand|ma|na|ger** ['brænd.mænɪdʒɐ] ⟨*engl.*⟩ *der;* -s, -: Angestellter eines Unternehmens, der für ↑ Marketing u. Werbung eines Markenartikels verantwortlich ist; Markenbetreuer (Wirtsch.). **Bran|dy** ['brɛndi] ⟨*niederl.-engl.*⟩ *der;* -s, -s: engl. Bez. für: Weinbrand
Bran|le ['brãːlə] ⟨*galloroman.-fr.*⟩ *der;* -, -s: a) ältester franz. Rundtanz (im 16. u. 17. Jh. Gesellschaftstanz); b) Satz der ↑ Suite (4)
¹Bra|sil ⟨vom Namen des südamerikan. Staates Brasilien⟩ *der;* -s, -e u. -s: a) dunkelbrauner, würziger südamerikan. Tabak; b) eine Kaffeesorte. **²Bra|sil** *die;* -, -[s]: Zigarre aus Brasiltabak.
Bra|sil|le|in ⟨*span.-nlat.*⟩ *das;* -s: ein Naturfarbstoff; vgl. Brasilin. **Bra|sil|let|to|holz** ⟨*span.; dt.*⟩ *das;* -es: westindisches Rotholz. **Bra|sil|holz** u. **Bra|si|li|en|holz** *das;* -es: südamerik. Holz, das rote Farbstoffe liefert. **Bra|si|lin** ⟨*span.-nlat.*⟩ *das;* -s: für die Stofffärberei wichtiger Bestandteil des brasilian. Rotholzes; wird durch ↑ Oxidation zum Farbstoff **Brasilein**
Broe|sel|lett ⟨*gr.-lat.-fr.*⟩ *das;* -s, -e: 1. Armband. 2. (Gaunerspr.) Handschelle
Bras|se|rie ⟨*fr.*⟩ *die;* -, ...ien: Bierlokal
Bras|si|è|re [bra'sjɛːrə] ⟨*fr.*⟩ *die;* -, -n: knappes, taillenfreies Oberteil; Leibchen
Brat|sche ⟨*gr.-lat.-it.;* „Armgeige"⟩ *die;* -, -n: Streichinstrument, das eine Quint tiefer als die Violine gestimmt ist. **Brat|schen|schlüs|sel** *der;* -s, -: Altschlüssel (c¹ auf der Mittellinie; Mus.). **Brat|scher** *der;* -s, - u. **Brat|schist** *der;* -en, -en: Musiker, der Bratsche spielt
Bra|val|de ⟨*gr.-lat.-vulgärlat.-it.-fr.*⟩ *die;* -, -n: (veraltet) a) Prahlerei; b) Trotz. **bra|vis|si|mo!** ⟨*gr.-lat.-vulgärlat.-it.*⟩: sehr gut! (Ausruf od. Zuruf, durch den

Beifall u. Anerkennung ausgedrückt werden). **bra|vo!:** gut!, vortrefflich! (Ausruf od. Zuruf, durch den Beifall u. Anerkennung ausgedrückt werden). **¹Bra|vo** *das;* -s, -s: Beifallsruf **²Bra|vo** *der;* -s, -s u. ...vi: italien. Bez. für: Meuchelmörder, Räuber
Bra|vour auch: Bravur [bra'vuːɐ̯] ⟨*gr.-lat.-vulgärlat.-it.-fr.*⟩ *die;* -, -en: 1. (ohne Plural) a) Tapferkeit, Mut, Schneid; b) Geschicklichkeit; sichtbar gekonnte Art u. Weise, etw. zu bewältigen. 2. (nur Plural) meisterhaft ausgeführte Darbietungen. **Bra|vour|arie,** auch: Bravurarie *die;* -, -n: schwierige, auf virtuose Wirkung abzielende Arie (meist für Frauenstimme). **bra|vou|rös,** auch: bravurös: mit Bravour. **Bra|vur** usw. vgl. Bravour
break! [breɪk] ⟨*engl.*⟩: „geht auseinander!" (Kommando des Ringrichters beim Boxkampf). **¹Break** [breɪk] ⟨*engl.;* „Durchbruch"⟩ *der* od. *das;* -s, -s: 1. a) plötzlicher u. unerwarteter Durchbruch aus der Verteidigung heraus; Überrumpelung aus der Defensive, Konterschlag (Sport); b) Gewinn eines Spiels bei gegnerischem Aufschlag (im Tennis). 2. kurzes Zwischensolo im Jazz. **²Break** [breɪk] *das;* -s: das Breaken (1). **Break|dance** ['breɪkdaːns], amerik. ...dæns] ⟨*amerik.*⟩ *der;* -[s]: zu moderner Popmusik getanzte rhythmisch-akrobatische Darbietung mit pantomimischen, roboterhaft anmutenden Elementen. **Break|dan|cer** ['breɪkdaːnsɐ, amerik. ...dænsə] *der;* -s, -: jmd., der Breakdance tanzt. **brea|ken** ['breɪkn̩]: 1. a) sich mit einem entsprechenden Signal in ein laufendes Gespräch über CB-Funk einschalten; b) durch Breaken ein Gespräch führen. 2. das Aufschlagspiel des Gegners gewinnen (im Tennis). **Break-e|ven-Point** [breɪk'iːvn̩pɔɪnt] ⟨*engl.*⟩ *der;* -[s], -s: Rentabilitätsschwelle, Übergang zur Gewinnzone (Wirtsch.).
Brec|cie ['brɛtʃə] ⟨*germ.-fr.-it.*⟩ u. **Brekzie** [...jə] *die;* -, -n: Sedimentgestein aus kantigen, durch ein Bindemittel verkitteten Gesteinstrümmern
Bre|douil|le [bre'duljə] ⟨*fr.*⟩ *die;* -, -n: (ugs.) Verlegenheit, Bedrängnis
Bree|ches ['brɪtʃəs] ⟨*engl.*⟩ *die* (Plural) u. **Bree|ches|ho|se** *die;*

-, -n: kurze, oben weite, an den Knien anliegende Sport- u. Reithose

Breglma ⟨gr.⟩ das; -s, -ta od. ...men: (Med.) a) Gegend der großen Fontanelle am Schädel, in der die beiden Stirnbeinhälften u. die beiden Scheitelbeine zusammenstoßen; b) Punkt am Schädel, in dem die Pfeilnaht auf die Kranznaht stößt

Breklzie vgl. Breccie

Breltelsche ⟨altengl.-mlat.-fr.⟩ die; -, -n: Erker an Burgmauern u. Wehrgängen zum senkrechten Beschuss des Mauerfußes

Brelton [brəˈtõ:] ⟨fr.⟩ der; -s, -s: [Stroh]hut mit nach oben gerollter Krempe (aus der Volkstracht der Bretagne übernommen)

Brelve ⟨lat.; „kurz"⟩ das; -s, -n u. -s: päpstlicher Erlass in einfacherer Form. **Brelvet** [breˈve:] ⟨lat.-fr.⟩ das; -s, -s: 1. (hist.) „kurzer" Gnadenbrief des französischen Königs (mit Verleihung eines Titels u. Ä.). 2. Schutz-, Verleihungs-, Ernennungsurkunde (bes. in Frankreich). **brelveltieren:** ein Brevet ausstellen. **Brelviar** ⟨lat.⟩ das; -s, -e: ↑Breviarium (1). **Brelvialrilum** das; -s, ...ien (1. (veraltet) kurze Übersicht; Auszug aus einer Schrift. 2. Brevier (1). **Brelvier** das; -s, -e: 1. a) Gebetbuch des kath. Klerikers mit den Stundengebeten; b) tägliches kirchliches Stundengebet. 2. kurze Sammlung wichtiger Stellen aus den Werken eines Dichters od. Schriftstellers, z. B. Schillerbrevier. **brelvi malnu:** kurzerhand (Abk.: b. m., br. m.). **Brelvis** die; -, ...ves [...veːs]: Doppelganze, Note im Notenwert von zwei ganzen Noten (Notierung: quer liegendes Rechteck; Mus.); vgl. alla breve. **Brelviltät** die; -: (selten) Kürze, Knappheit

Brilard [briˈaːɐ̯] ⟨fr.⟩ nach der franz. Landschaft Brie) der; -[s], -s: Schäferhund einer franz. Rasse

Bric-à-brac [brikaˈbrak] ⟨fr.⟩ das; -[s]: a) Trödel, Wertloses; b) Ansammlung kleiner Kunstgegenstände

Brilde ⟨fr.⟩ die; -, -n: 1. (Med.) Verwachsungsstrang. 2. (schweiz.) Kabelschelle

Bridge [brɪtʃ, engl. brɪdʒ] ⟨engl.; „Brücke"⟩ das; -: ein Kartenspiel

brildielren ⟨fr.⟩: Fleisch od. Geflügel vor dem Braten die gewünschte Form geben

Brie vgl. Briekäse

brielfen [ˈbriːfən] ⟨engl.⟩: jmdn. über einen Sachverhalt informieren. **Brielfing** ⟨engl.-amerik.⟩ das; -s, -s: 1. (bes. Mil.) kurze Einweisung od. Lagebesprechung. 2. a) Schriftstück, Informationsgespräch zwischen Werbefirma u. Auftraggeber über eine Werbeidee; b) Informationsgespräch, kurze Konferenz, bes. zur Unterrichtung der Presse

Brielkälse ⟨nach der franz. Landschaft Brie⟩ der; -s, - u. Brie der; -[s], -s: Weichkäse mit Schimmelbildung

Brilgalde ⟨it.-fr.⟩ die; -, -n: 1. größere Truppenabteilung. 2. Gesamtheit der in einem Restaurationsbetrieb beschäftigten Köche u. Küchengehilfen (Gastr.). 3. kleinste Arbeitsgruppe in einem Produktionsbetrieb der DDR. **Brilgaldier** [...ˈdi̯eː] der; -s, -s: 1. Befehlshaber einer Brigade (1). 2. [auch: ...ˈdi̯ɐ, Plural: -e]: in der DDR Leiter einer Brigade (3)

Brilgant ⟨it.⟩ der; -en, -en: (hist.) a) Freiheitskämpfer; b) Straßenräuber in Italien **Brilganltilne** die; -, -n: 1. (hist.) leichte Rüstung aus Leder od. starkem Stoff. 2. ↑Brigg. **Brigg** ⟨it.-fr.-engl.⟩ die; -, -s: (hist.) zweimastiges Segelschiff

Brilghellla [...ˈgɛlla] ⟨it.⟩ der; -, -s od. ...lle: Figur des verschmitzten, Intrigen spinnenden Bedienten in der italienischen ↑Commedia dell'arte

Brilgnole* [brinˈjɔl] ⟨lat.-provenzal.-fr.⟩ die; -, -s (meist Plural): geschälte u. an der Luft getrocknete Pflaume; vgl. Prünelle

Brilkett ⟨niederl.-fr.⟩ das; -s, -s (selten: -e): aus kleinstückigem oder staubförmigem Gut (z. B. Steinkohlenstaub) durch Pressen gewonnenes festes Formstück (bes. Presskohle). **brilketltielren:** zu Briketts formen

Brilkolle ⟨provenzal.-fr.⟩ die; -, -n: Rückprall des Billardballes von der Bande. **brilkollielren:** durch Rückprall [von der Billardbande] treffen

brilllant [brɪlˈjant] ⟨drawid.-mittelind.-gr.-lat.-it.-fr.⟩: von einer Art, die sich z. B. durch bestechende, faszinierende Kunstfertigkeit, glänzende Form, gekonnte Beherrschung der Mittel auszeichnet; hervorragend **¹Brilllant** [brɪlˈjant] ⟨fr.⟩ der; -en, -en: geschliffener Diamant. **²Brilllant** [brɪlˈjant] die; -: Schriftgrad von drei ↑Punkt (2).

brilllanlte [brɪˈlantə] ⟨it.⟩: perlend, virtuos, bravourös (Mus.). **brilllanltielren** [brɪljan...] ⟨fr.⟩: glänzende Oberflächen herstellen (z. B. bei Messingplatten durch Beizen). **Brilllanltin** das; -s, -e: (österr.) ↑Brillantine. **Brillanltilne** die; -, -n: Haarpomade. **Brilllantlschliff** der; -s, -e: Schliffform von Diamanten. **Brilllanz** die; -: 1. glänzende, meisterhafte Technik bei der Darbietung von etw.; Virtuosität. 2. a) Bildschärfe (Fotogr.); b) unverfälschte Wiedergabe, bes. von hohen Tönen; Tonschärfe (Akustik). **brilllielren** [brɪlˈjiːrən]: glänzen (in einer Fertigkeit). **Brilllolnetlte** [brɪljo...] die; -, -n (meist Plural): Halbbrillant (flacher Brillant ohne Unterteil)

Brimlbolrilum ⟨lat.-fr.⟩ das; -s: (ugs. abwertend) unverhältnismäßiger Aufwand; überflüssiges Drumherum; Aufheben

Brimlsen ⟨tschech.⟩ der; -s, -: (österr.) ein Schafskäse

Brilnelllhärlte ⟨nach dem schwed. Ingenieur J. A. Brinell, †1925⟩ die; -: Maß der Härte eines Werkstoffes (eine gehärtete Stahlkugel wird mit einer bestimmten Kraft in das Prüfstück eingedrückt); Zeichen: HB

Brinklmanlship [ˈbrɪŋkmənʃɪp] ⟨engl.⟩ die; -: Politik des äußersten Risikos

Brio ⟨kelt.-it.⟩ das; -s: Feuer, Lebhaftigkeit, Schwung; Ekstatik, Leidenschaft (Mus.); vgl. alla brio

Brilloche [briˈɔʃ] ⟨normann.-fr.⟩ die; -, -s: feines Hefegebäck in Brötchenform

Brilolletts, auch: **Brilolletten** ⟨fr.⟩ die (Plural): Doppelrosen (birnenförmiges Ohrgehänge aus ringsum facettierten Diamanten)

brilolso ⟨kelt.-it.⟩: mit Feuer, mit Schwung; zügig (Vortragsanweisung; Mus.)

brilsant ⟨fr.⟩: 1. hochexplosiv; sprengend, zermalmend (Waffentechnik). 2. hochaktuell, viel Zündstoff enthaltend (z. B. von politischen Rede). **Brilsanz** die; -, -en: 1. Sprengkraft. 2. (ohne Plural) brennende, erregende Aktualität. **Brilsanzlgeschoss** das; -es, -e: Geschoss mit hochexplosivem Sprengstoff **Brilselsolleil** [briːzɔˈlej] ⟨fr.⟩ „Sonnenbrecher") der; -[s], -s: Sonnenschutz an der Außenseite von Fenstern **Brilsollett** ⟨fr.⟩ das; -s, -e u. Bri-

sol|let|te *die; -, -n:* gebratenes Klößchen aus gehacktem Kalbfleisch

Bris|sa|go ‹nach dem Ort Brissago in der Schweiz› *die; -, -[s]:* Zigarrensorte aus der Schweiz

Bris|tol|kar|ton ['brɪstl...] ‹nach der engl. Stadt› *der; -s, -s:* glattes, rein weißes Kartonpapier zur Aquarellmalerei u. zum Kreidezeichnen

Bri|sur ‹fr.› *die; -, -en:* feines Gelenk an Ohrgehängen

Bri|tan|ni|a|me|tall ‹nach „Britannia", dem *lat.* Namen Britanniens› *das; -s:* wie Silber glänzende Legierung aus Zinn u. Antimon, bisweilen auch Kupfer. **Bri|ti|zis|mus** ‹nlat.› *der; -, ...men:* 1. sprachliche Besonderheit des britischen Englisch. 2. Entlehnung aus dem britischen Englisch ins Deutsche; vgl. Anglizismus

Britsch|ka ‹poln.› *die; -, -s:* leichter offener Reisewagen

Broad|cas|ting ['brɔ:dka:stɪŋ] ‹engl.›: Rundfunk (in England u. Amerika). **Broad Church** [- tʃə:tʃ] („breite Kirche") *die; - -:* liberale Richtung der ↑anglikanischen Kirche im 19. Jh.; vgl. High Church; Low Church

Broad|side|tech|nik ['brɔ:dsaɪd...] *die; -, -en:* bestimmte Art, eine Kurve zu durchfahren (beim Automobilrennen)

Broc|co|li vgl. Brokkoli

Bro|ché [brɔ'ʃe:] ‹gall.-galloroman.-fr.› *der; -s, -s:* Stoff mit eingewebten, stickereiartig wirkenden Mustern. **bro|chie|ren:** Muster einweben

Bro|de|rie ‹fr.› *die; -, ...ien:* (veraltet a.) Stickerei. b) Einfassung. **bro|die|ren:** (veraltet a.) sticken; b) einfassen, ausnähen

Broi|ler ‹engl.› *der; -s, -:* a) zum Grillen gemästetes Hähnchen; b) (regional) gegrilltes Hähnchen

Bro|kat ‹gall.-galloroman.-it.› *der; -[e]s, -e:* 1. kostbares, meist mit Gold- od. Silberfäden durchwirktes, gemustertes [Seiden]gewebe. 2. pulverisierte Zinn- od. Zinkbronze für Bronzefarben. **Bro|ka|tell** *der; -s, -e* u. **Bro|ka|tel|le** *die; -, -n:* mittelschweres Baumwoll- od. Halbseidengewebe mit plastisch hervortretenden Mustern. **Bro|ka|tel|lo,** Brokatmarmor *der; -s:* Marmor mit blumigen Mustern. **Bro|kat|glas** *das; -es, ...gläser:* Glasgefäß mit eingelegten Gold- u. Silberfäden. **Bro|kat|mar|mor** vgl. Bro-

katello. **Bro|kat|pa|pier** *das; -s, -e:* mit Klebstoff bestrichenes, dann mit Gold- und Silberpulver bestäubtes Papier

Bro|ker ['broukə] ‹engl.› *der; -s, -:* engl. Bez. für Börsenmakler

Brok|ko|li ‹gall.-galloroman.-it.› *die* (Plural) *der; :* dem Blumenkohl ähnlicher Gemüsekohl mit grünem Blütenstand

Brom ‹gr.-lat.; „Gestank"› *das; -s:* chem. Element, Nichtmetall (Zeichen: Br). **Brom|ak|ne** *die; -, -n:* durch Brom hervorgerufener akneartiger Hautausschlag (↑Akne). **Bro|mat** ‹gr.-lat.-nlat.› *das; -[e]s, -e:* Salz der Bromsäure

Bro|mel|lie [...jə] ‹nlat.; nach dem schwed. Botaniker Olaf Bromel, †1705› *die; -, -n:* Ananasgewächs aus dem trop. Amerika

Bro|mid ‹gr.-lat.-nlat.› *das; -[e]s, -e:* Salz des Bromwasserstoffs, Verbindung eines Metalls od. Nichtmetalls mit Brom. **bro|mie|ren:** Brom in eine organische Verbindung einführen. **Bro|mis|mus** *der; -:* Vergiftungserscheinungen nach [übermäßiger] Einnahme von Brom (Med.). **Bro|mit** [auch ...'mɪt] *der; -s:* ein Mineral. **Brom|ka|li|um** *das; -s:* ↑Kaliumbromid. **Brom|kal|zi|um** vgl. Kalziumbromid. **Bro|mo|der|ma** *das; -s:* Hautausschlag nach [übermäßiger] Bromeinnahme. **Brom|sil|ber,** Silberbromid *das; -s:* äußerst lichtempfindliche Schicht auf Filmen u. Platten

Bron|che ‹gr.-lat.› *die; -, -n:* ↑Bronchie. **bron|chi|al** ‹gr.-lat.-nlat.› a) zu den Bronchien gehörend; b) die Bronchien betreffend. **Bron|chi|al|asth|ma** *das; -s:* Asthma infolge krampfartiger Verengung der Bronchiolen. **Bron|chi|al|baum** *der; -[e]s, -bäume:* die gesamte baumartige Verästelung eines Bronchus; die Gesamtheit der Bronchien. **Bron|chi|al|ka|tarrh,** auch: ...katarr *der; -s, -e:* ↑Bronchitis. **Bron|chie** [...çiə] ‹gr.-lat.› *die; -, -n* (meist Plural): Luftröhrenast. **Bron|chi|ek|ta|sie** ‹gr.-lat.-nlat.› *die; -, ...ien:* krankhafte Erweiterung der Bronchien. **Bron|chi|ol|le** ‹gr.-lat.-nlat.› *die; -, -n* (meist Plural): feinere Verzweigung der Bronchien in den Lungenläppchen. **Bron|chi|tis** ‹gr.-nlat.› *die; -, ...itiden:* Entzündung der Bronchialschleimhäute, Luftröhrenkatarrh. **Bron|cho|gramm** ‹gr.-nlat.› *das; -s, -e:* Röntgen-

bild der Luftröhrenäste. **Bron|cho|gra|phie,** auch: ...grafie *die; -, ...ien:* Aufnahme der (mit einem Kontrastmittel gefüllten) Bronchien mittels Röntgenstrahlen. **Bron|cho|pneu|mo|nie** *die; -, ...ien:* katarrhalische od. herdförmige Lungenentzündung. **Bron|cho|skop*** *das; -s, -e:* Spiegelgerät mit elektr. Lichtquelle zur Untersuchung der Bronchien. **Bron|cho|sko|pie*** *die; -, ...ien:* Untersuchung der Bronchien mithilfe des Bronchoskops (Med.). **Bron|cho|to|mie** *die; -, ...ien:* operative Öffnung der Bronchien (Med.). **Bron|chus** ‹gr.-lat.› *der; -, ...chen* (fachspr. auch: ...chi): a) [rechter od. linker] Hauptast der Luftröhre; b) (in fachspr. Fügungen) Bronchie

Bron|to|sau|ri|er ‹gr.-nlat.› *der; -s, -,* **Bron|to|sau|rus** *der; -, ...rier:* früher irrtümlich Name für ↑Apatosaurier

Bron|ze ['brõ:sə] ‹it.(-fr.)› *die; -, -n:* 1. gelblich braune Kupfer-Zinn-Legierung [mit ganz geringem Zinkanteil]. 2. Kunstgegenstand aus einer solchen Legierung. 3. (ohne Plural) gelblich braune, metallische Farbe, gelblich brauner Farbton. **Bron|ze|krank|heit** *die; -:* schwere Erkrankung der Nebennieren mit Braunverfärbung der Haut (addisonsche Krankheit). **bron|zen:** 1. aus Bronze. 2. wie Bronze [aussehend]. **bron|zie|ren:** mit Bronze überziehen. **Bron|zit** [bron..., auch ...'tsɪt] ‹nlat.› *das; -s:* faseriges, oft bronzeartig schillerndes Mineral

Broom [bru:m] ‹phonetische Umsetzung von gleichlautend. engl. brougham, dem der Name des Staatsmannes Lord Brougham zugrunde liegt› *der; -s, -s:* eine früher gebräuchliche vierrädrige Kutsche

Bro|sche ‹gall.-galloroman.-fr.; „Spitze; Spieß; Nadel"› *die; -, -n.* **bro|schie|ren** („aufspießen; durchstechen"): [Druck]bogen in einen Papier- od. Kartonumschlag heften od. leimen (Buchw.). **bro|schiert:** geheftet, nicht gebunden (Abk.: brosch.). **Bro|schur** *die; -, -en:* 1. (ohne Plural) das Einheften von Druckbogen in einen Papier- od. Kartonumschlag. 2. in einen Papier- od. Kartonumschlag geheftete Druckschrift. **Bro|schü|re** *die; -, -n:* leicht geheftete Druckschrift geringeren Umfangs, Druckheft, Flugschrift

Bros|sa|ge [...ʒə] ⟨fr.⟩ die; -: in der Tuchherstellung das Bürsten mit ↑²Flors (2). **bros|sie|ren:** [Flor] bürsten

Broug|ham [bruːm] ⟨engl.⟩ der; -s, -s: ↑ Broom

Brouil|le|rie [brujə...] ⟨fr.⟩ die; -, -n: (veraltet) Misshelligkeit, Zerwürfnis. **brouil|lie|ren** [bru'jiː...]: a) in Verwirrung bringen; b) entzweien, Unfrieden stiften. **Brouil|lon** [brujõ:] das; -s, -s: erster schriftl. Entwurf, Skizze

Brow|ning ['braʊnɪŋ] ⟨nach dem amerik. Erfinder J. M. Browning, † 1926⟩ der; -s, -s: Pistole mit Selbstladevorrichtung

Brow|ser ['braʊzɐ] ⟨engl.⟩ der; -s, -: Software zum Verwalten, Finden und Ansehen von Dateien

Bru|cel|la [...'tʃɛla] ⟨nlat.; nach dem engl. Arzt D. Bruce, † 1931⟩ die; -, ...llen (meist Plural): eine Bakteriengattung. **Bru|cel|lo|se** die; -, -n: durch Brucellen hervorgerufene Krankheit

Bru|cin [...'tsiːn], auch: Bruzin ⟨nlat.; nach dem schott. Afrikaforscher J. Bruce, † 1794⟩ das; -s: ein mit dem sehr giftigen Strychnin verwandtes Alkaloid

Brüg|no|le* [brʏn'joːlə] ⟨fr.⟩ die; -, n: Pfirsichsorte mit schwer ablösbarem Fruchtfleisch u. glatter Haut

Bru|i|tis|mus [bryi...] ⟨fr.-nlat.; von fr. bruit „Lärm, Geräusch"⟩ der; -: Richtung der neuen Musik, die in der Komposition auch außermusikal. Geräusche verwendet

Bru|maire [bry'mɛːʁ] ⟨lat.-fr.; „Nebelmonat"⟩ der; -[s]: zweiter Monat im französischen Revolutionskalender (22. Oktober bis 20. November)

Brunch [brantʃ, branʃ] ⟨engl. Bildung aus engl. breakfast „Frühstück" und lunch „Mittagsmahlzeit"⟩ der; -[e]s od. -, -[e]s od. -e: spätes, ausgedehntes u. reichliches Frühstück, das das Mittagessen ersetzt. **brun|chen:** einen Brunch einnehmen

Bru|nel|le ⟨roman.⟩ die; -, -n: 1. Braunelle (ein Wiesenkraut, Lippenblütler). 2. Kohlröschen (Orchideengewächs der Alpen)

Brü|nel|le vgl. Prünelle

brü|nett ⟨germ.-fr.⟩: a) braunhaarig; b) braunhäutig. **Brü|net|te** die; -, -n (aber: zwei -[n]): braunhaarige Frau. **brü|nie|ren:** Metallteile durch ein besonderes Verfahren bräunen

brüsk ⟨it.-fr.; „stachlig, rau"⟩: in unerwartet unhöflicher Weise barsch, schroff. **brüs|kie|ren:** sich jmdm. gegenüber unhöflich, schroff verhalten, sodass dieser sich [öffentlich] bloßgestellt, verletzt, herausgefordert fühlt

brut [bryt, fr. bryt] ⟨lat.; fr.⟩: herb (Bez. für den niedrigsten Trockenheitsgrad des Champagners). **bru|tal** ⟨lat.⟩: roh u. gefühllos; ohne Rücksicht zu nehmen, sein Vorhaben o. Ä. [auf gewaltsame Art] durchsetzend, ausführend. **bru|ta|li|sie|ren** ⟨lat.-nlat.⟩: brutal, gewalttätig machen; verrohen. **Bru|ta|lis|mus** der; -: Baustil, bei dem die Bauten aus dem Material u. der Funktion der Bauelemente bestimmt sein sollen, was dadurch erreicht wird, dass Material, Konstruktion u. a. in ihrer ursprünglichen Beschaffenheit sichtbar sind (Archit.). **Bru|ta|li|tät** ⟨lat.-mlat.⟩ die; -, -en: a) (ohne Plural) brutales Verhalten; b) brutale Tat, Gewalttätigkeit.

brut|to ⟨lat.-it.⟩: a) mit Verpackung; b) ohne Abzug [der Steuern]; roh, insgesamt gerechnet; Abk.: btto.; **brutto für netto:** der Preis versteht sich für das Gewicht der Ware einschließlich Verpackung (Handelsklausel; Abk.: bfn.). **Brut|to|ge|wicht** das; -[e]s, -e: Gewicht einer Ware einschließlich der Verpackung. **Brut|to|ge|winn** der; -[e]s, -e: 1. Rohgewinn (ohne Abzug der Kosten). 2. Deckungsbeitrag (der Teil des Verkaufserlöses, der die Stückkosten übersteigt; Wirtsch.). **Brut|to|na|ti|o|nal|pro|dukt** das; -[e]s, -e: (österr.) Bruttosozialprodukt. **Brut|to|re|gis|ter|ton|ne** die; -, -n: Einheit zur Berechnung des Rauminhalts eines Schiffes; Abk.: BRT. **Brut|to|so|zi|al|pro|dukt** das; -[e]s, -e: das gesamte Ergebnis des Wirtschaftsprozesses in einem Staat während eines Jahres; Abk.: BSP

Bru|xis|mus ⟨gr.⟩ der; -: nächtliches Zähneknirschen (Med.); vgl. Bruxomanie. **Bru|xo|ma|nie** die; -: abnormes Knirschen, Pressen u. Mahlen mit den Zähnen, und zwar außerhalb des Kauaktes; vgl. Bruxismus

Bru|yère|holz [bry'jɛːʁ...] ⟨fr.; dt.⟩ das; -es, ...hölzer: Wurzelholz der mittelmeerischen Baumheide (wird hauptsächl. für Tabakspfeifen verwendet)

Bru|zin vgl. Brucin

Bry|ol|lo|gie ⟨gr.-nlat.⟩ die; -: Mooskunde; Wissenschaft u. Lehre von den Moosen. **Bry|o|nie** ⟨gr.-lat.⟩ die; -, -n: Zaunrübe aus der Familie der Kürbisgewächse (Kletterpflanze). **Bry|o|phyt** ⟨gr.-nlat.⟩ der; -en, -en (meist Plural): Moospflanze. **Bry|o|zo|on** ⟨gr.-nlat.⟩ das; -s, ...zoen: Moostierchen (in Kolonien fest sitzendes kleines Wassertier)

BSE ⟨kurz für: bovine spongiforme Enzephalopathie⟩ die; -: Seuche, die vor allem bei Rindern unheilbare Veränderungen im Gehirn hervorruft

Bub|ble|gum ['bʌblɡʌm] ⟨amerik.⟩ der od. das; -s, -s: Kaugummi

Bu|bo ⟨gr.⟩ der; -s, ...onen: entzündliche Lymphknotenschwellung (bes. in der Leistenbeuge)

Buc|che|ro ['bukero] ⟨span.-it.⟩ der; -s, -s u. ...ri od. **Buc|che|ro|va|se** ⟨span.-it.; lat.-fr.⟩ die; -, -n: schwarzes Tongefäß mit Reliefs aus etruskischen Gräbern

Buc|ci|na vgl. Bucina

Bu|cha|ra, Bochara der; -[s] od. -s: handgeknüpfter turkmenischer Teppich mit sehr tiefem Rot (als Grundfarbe) und einem Reihenmuster aus abgerundeten Achtecken (aus dem Gebiet um die Stadt Buchara in Usbekistan)

Bu|ci|na ['buːtsina] ⟨lat.⟩, auch: Buccina ['buktsina] die; -, ...nae [...ne]: altröm. Blasinstrument (Metall- od. Tierhorn)

Bu|cin|to|ro [butʃin...] ⟨gr.-lat.-venez.-it.⟩ der; -s, (auch relativisiert) Buzentaur der; -en: nach einem Untier der griech. Sage benannte Prunkbarke der venezian. Dogen (12.–18. Jh.)

Buck|ram ⟨engl.⟩ der (auch: das); -s: Buchbinderleinwand (grob gewebter u. geglätteter Bezugsstoff aus Leinen o. Ä.)

Buck|skin* ⟨engl.; „Bocksfell"⟩ der; -s, -s: gewalktes u. gerautes Wollgewebe [meist in Köperbindung] für Herrenanzüge

Bud|dha ⟨sanskr.; „der Erleuchtete"; Ehrentitel des ind. Prinzen Siddharta (um 500 v. Chr.)⟩ der; -s, -s: Titel für frühere od. spätere Verkörperungen des histor. Buddha, die göttlich verehrt werden. **Bud|dhis|mus** ⟨sanskr.-nlat.⟩ der; -: die von Buddha begründete indisch-ostasiatische Heilslehre. **Bud|dhist** der; -en, -en: Anhänger des Buddhismus. **bud|dhis|tisch:** den Buddhismus betreffend, zu ihm gehörend

Budd‖leia ⟨engl.; nlat.; nach dem engl. Botaniker A. Buddle, 18. Jh.⟩ die; -, -s: Sommerflieder (Bot.)

Bud|get [by'dʒe:] ⟨gall.-lat.-fr.-engl.-fr.⟩ das; -s, -s: Haushaltsplan, Voranschlag von öffentl. Einnahmen u. Ausgaben. **budge|tär**: das Budget betreffend. **Bud|get|be|trag** der; -s, ...träge: Posten im Haushaltsplan. **budge|tie|ren**: ein Budget aufstellen. **Bud|ge|tie|rung** die; -, -en: Aufstellung eines Budgets

Bu|di|ke ⟨gr.-lat.-provenzal.-fr.⟩ die; -, -n: 1. kleiner Laden. 2. kleine Kneipe. **Bu|di|ker** der; -s, -: Besitzer einer Budike

Bu|do ⟨jap.⟩ das; -s: Sammelbez. für Judo, Karate u. ähnliche Sportarten. **Bu|do|ka** der; -s, -s: jmd., der Budo als Sport betreibt

Bu|en Re|ti|ro ⟨span.; „gute Zuflucht"; ein span. Schlossname⟩ das; - -s, - -s: Ruhe-, Zufluchtsort

Bü|fett ⟨fr.⟩ das; -[s], -s -u. -e u. (österr., schweiz.) Buffet [by'fe:, schweiz.: 'byfe] das; -s, -s, österr. auch: Büffet [by'fe:] das; -s, -s: 1. Geschirrschrank, Anrichte. 2. a) Schanktisch in einer Gaststätte; b) Verkaufstisch in einem Restaurant od. Café; **kaltes Buffet**, auch: **Büfett**: auf einem Tisch zur Selbstbedienung zusammengestellte, meist kunstvoll arrangierte kalte Speisen (Salate, Fleisch, Pasteten u. Ä.). **Bü|fetti|er** ⟨fr.⟩ der; -s, -s: jmd., der das Bier zapft, am Büfett ausschenkt

Buf|fa ⟨vulgärlat.-it.⟩ die; -, -s: Posse; vgl. Opera buffa

Buf|fet vgl. Büfett

Buf|fo ⟨vulgärlat.-it.⟩ der; -s, s u. ...ffi: Sänger komischer Rollen. **buf|fo|nesk**: in der Art eines Buffos

Bug|gy ['bagi] ⟨engl.⟩ der; -s, -s: 1. leichter, ungedeckter, einspänniger Wagen mit zwei oder vier hohen Rädern (früher bei Trabrennen benutzt). 2. geländegängiges Freizeitauto mit offener Kunststoffkarosserie. 3. zusammenklappbarer Kindersportwagen

bug|sie|ren ⟨lat.-port.-niederl.⟩: 1. (Seemannsspr.) [ein Schiff] ins Schlepptau nehmen u. zu einem bestimmten Ziel befördern. 2. (ugs.) jmdn./etwas mühevoll irgendwohin bringen, lotsen. **Bugsie|rer** der; -s, -: (Seemannsspr.) kleiner Schleppdampfer

Bul|hurt ⟨fr.⟩ der; -[s], -e: mittelalterliches Ritterkampfspiel, Turnier

Bu|iat|rik* [bu'ja:trɪk], auch: Bu-

iat|rie [buja...] ⟨gr.-nlat.⟩ die; -: Wissenschaft u. Lehre von den Rinderkrankheiten

Buil|der ['bɪldɐ] ⟨engl.; „Erbauer"⟩ der; -s, -: wichtiger, waschaktiver Bestandteil von Waschmitteln (z. B. Waschphosphate)

Bu|ka|ni|er ⟨fr.(-engl.)⟩ der; -s, -, auch: **Bu|ka|nier** der; -s, -e: westindischer Seeräuber im 17. Jh.

Bu|kett ⟨germ.-fr.⟩ das; -s, -s, u. -e: 1. Blumenstrauß. 2. Duft u. Geschmacksstoffe (sog. Blume) des Weines od. Weinbrands. **Bu|kett|vi|rus** das (auch der); -, ...viren: Virus der Tabakringfleckengruppe, das bei Kartoffelpflanzen bukettartigen, gedrängten Wuchs hervorruft

buk|kal ⟨lat.-nlat.⟩: zur Backe, Wange gehörend (Med.)

Buk|lee* vgl. Bouclé

Bu|ko|lik ⟨gr.-lat.⟩ die; -: Hirtenod. Schäferdichtung (Dichtung mit Motiven aus der einfachen, naturnahen, friedlichen Welt der Hirten). **Bu|ko|li|ker** der; -s, -: Vertreter der Bukolik; Hirtenlieddichter. **bu|ko|lisch**: a) die Bukolik betreffend; b) in der Art der Bukolik

Buk|ra|ni|on* ⟨gr.-lat.; „Ochsenschädel"⟩ das; -s, ...ien: [Fries mit] Nachbildung der Schädel von Opfertieren an griech. Altären, Grabmälern u. ↑ Metopen

bul|bär ⟨gr.-lat.-nlat.⟩: das verlängerte Mark betreffend, von ihm ausgehend (Med.). **Bul|bär|para|ly|se** die; -, -n: Lähmung der Schluck-, Kau- u. Kehlkopfmuskulatur infolge einer Schädigung des verlängerten Rückenmarks (Med.). **Bul|bi**: Plural von ↑ Bulbus. **bul|bo|id u. bul|bös** ⟨gr.-lat.⟩: zwiebelförmig, knollig (Med.)

Bul|bul ⟨arab.-pers.⟩ der; -s, -s: persische Nachtigall (in der pers.-türk. Dichtung Sinnbild der Gott suchenden Seele)

Bul|bus ⟨gr.-lat.⟩ der; -, ...bi u. ...ben: 1. a) Zwiebel, Pflanzenknolle; b) (Plural: Bulben) Luftknollen an tropischen Orchideen. 2. (Med.) a) zwiebelförmiges, rundliches Organ (z. B. Augapfel); b) Anschwellung

Bul|le ⟨gr.-lat.⟩ die; -, -n: Ratsversammlung (wichtiges Organ des griech. Staates, besonders im alten Athen)

Bul|let|te ⟨lat.-fr.⟩ die; -, -n: (landsch., bes. berlin.) ↑ Frikadelle

Bul|li|mie ⟨gr.⟩ die; -: Störung des

Essverhaltens mit Heißhungeranfällen u. anschließend absichtlich herbeigeführtem Erbrechen

Bulk|car|ri|er ['bʌlkkærɪɐ] ⟨engl.⟩ der; -s, -: Frachtschiff zur Beförderung loser Massengüter; vgl. Carrier. **Bulk|la|dung** die; -, -en: unverpackt zur Verschiffung gelangendes Frachtgut

Bull ⟨engl.; „Bulle"⟩ der; -s, -s: engl. Bez. für: ↑ Haussier; Ggs. ↑ Bear

Bul|la ⟨lat.⟩ die; -, ...llae [...lɛ]: Blase (Med.). **Bull|gri|um** ⟨lat.-mlat.⟩ das; -s, ...ien: Sammlung päpstl. ↑ Bullen u. ↑ Breven

Bull|dog® ⟨engl.⟩ der; -s, -s: eine Zugmaschine. **Bull|dog|ge** die; -, -n: kurzhaariger, gedrungener Hund mit großem Schädel u. kurzer Schnauze. **Bull|do|zer** [...do:zɐ] der; -s, -: schweres Raupenfahrzeug für Erdbewegungen (z. B. als ↑ Planierraupe)

Bul|le ⟨lat.; „Wasserblase"; Siegelkapsel"⟩ die; -, -n. 1. Siegel[kapsel] aus Metall (Gold, Silber, Blei) in kreisrunder Form (als Urkundensiegel, bes. im Mittelalter gebräuchlich). 2. a) mittelalterl. Urkunde mit Metallsiegel (z. B. die Goldene Bulle Kaiser Karls IV.); b) feierlicher päpstlicher Erlass. **Bulle|tin** [byl'tɛ̃] ⟨lat.-fr.⟩ das; -s, -s: 1. amtl. Bekanntmachung, Tagesbericht. 2. Krankenbericht. 3. Titel von Sitzungsberichten u. wissenschaftl. Zeitschriften

Bull|finch ['bulfɪntʃ] ⟨engl.⟩ der; -s, -s: hohe Hecke als Hindernis bei Pferderennen

Bul|lion ['buljən] ⟨engl.⟩ das; -s, -s: ungeprägtes Gold od. Silber; Pro-forma-Zahlungsmittel

bull|ös, bull|o|sus ⟨lat.-nlat.⟩: blasig (Med.)

Bull|ter|ri|er ⟨engl.⟩ der; -s, -: aus Bulldogge u. Terrier gezüchteter englischer Rassehund

Bul|ly ⟨engl.⟩ das; -s, -s: das von zwei Spielern ausgeführte Anspiel im [Eis]hockey

Bu|me|rang [auch: 'bʊmɐ...] ⟨austral.-engl.⟩ der; -s u. -e: gekrümmtes Wurfholz, das beim Verfehlen des Zieles zum Werfer zurückkehrt. **Bu|me|rang|effekt** (nach dem Bild des Bumerangs, der den Werfer treffen kann) der; -[e]s, -e: unbeabsichtigte negative Auswirkung eines Unternehmens, die sich gegen den Urheber richtet

Bu|na® [Kurzw. aus: Butadien u. Natrium] der od. das; -[s]: synthetischer Kautschuk

Bun|da ⟨ung.⟩ die; -, -s: Schaffell-
mantel ungar. Bauern, bei dem
das bestickte Leder nach außen
getragen wird
Bun|ga|low [ˈbʊŋgalo] ⟨Hindi-
engl.⟩ der; -s, -s: frei stehendes, geräumiges eingeschossiges
Wohn- od. Sommerhaus mit flachem od. flach geneigtem Dach
Bun|gee|jum|ping [ˈbʌndʒɪ-
dʒʌmpɪŋ] ⟨engl.⟩ das; -s: Springen aus großer Höhe, wobei der
bzw. die Springende durch ein
starkes Gummiseil kurz vor dem
Aufprall auf den Boden aufge-
halten wird
Bun|ker ⟨engl.⟩ der; -s, -: 1. Behäl-
ter zur Aufnahme von Massen-
gütern (Kohle, Erz). 2. a) Be-
tonunterstand [im Krieg]; b)
Schutzbau aus Stahlbeton für
militärische Zwecke od. für die
Zivilbevölkerung. 3. Sandloch
als Hindernis beim Golf. bun-
kern: Massengüter wie Kohle,
Erz in Sammelbehälter einlagern
Bun|ny [ˈbʌnɪ] ⟨engl.; „Häschen“⟩
das; -s, -s: mit Hasenohren u.
-schwänzchen herausgeputztes
Mädchen, das in bestimmten
Klubs als Bedienung arbeitet
Buph|thal|mie ⟨gr.⟩ die; -, ...ien:
krankhafte Vergrößerung des
Augapfels (Med.). Buph|thal-
mus der; -, ...mi: ↑ Hydrophthal-
mus
Bu|ran ⟨russ.⟩ der; -s, -e: lang an-
dauernder winterlicher Nordost-
sturm mit starkem Schneefall in
Nordasien
Bu|rat|ti|no ⟨lat.-it.⟩ der; -s, -s u.
...ni: italien. Bez. für: Glieder-
puppe, Marionette
Bur|ber|ry® [ˈbə:bərɪ] der; -, -s:
sehr haltbares englisches
Kammgarngewebe
Bu|reau [byˈroː] das; -s, -s u. -x:
franz. Schreibung von ↑ Büro
Bü|ret|te ⟨germ.-fr.⟩ die; -, -n:
Glasrohr mit Verschlusshahn u.
Volumenskala (wichtiges Ar-
beitsgerät bei der Maßanalyse)
Bur|gun|der der; -s, -: Wein aus
Burgund
Bur|lak ⟨russ.⟩ der; -en, -en:
Schiffsknecht, Schiffszieher (im
zaristischen Russland)
bur|lesk ⟨it.-fr.⟩: possenhaft. Bur-
les|ke die; -, -n: 1. Schwank, Pos-
se. 2. derb-spaßhaftes Musik-
stück. Bur|let|ta ⟨it.⟩ die; -, ...tten
u. -s: kleines Lustspiel
Burn-out [bə:nˈaʊt] ⟨engl.; „Ausbrennen“⟩ das; -s, -s: 1. a) Brenn-
schluss; Zeitpunkt, in dem das
Triebwerk einer Rakete abge-
schaltet wird u. der antriebslose

Flug beginnt; b) Flame-out. 2.
Durchbrennen von Brennstoff-
elementen bei Überhitzung
(Kerntechnik). 3. Syndrom (a)
der völligen seelischen u. körper-
lichen Erschöpfung (Med.)
Bur|nus ⟨arab.-fr.⟩ der; - u. -ses,
-se: Kapuzenmantel der Bedui-
nen
Bü|ro ⟨lat.-vulgärlat.-fr.⟩ das; -s,
-s: 1. Arbeitsraum; Dienststelle,
wo die verschiedenen schriftli-
chen od. verwaltungstechni-
schen Arbeiten eines Betriebes
od. bestimmter Einrichtungen
des öffentlichen Lebens erledigt
werden. 2. die zu der Dienststelle
gehörenden Angestellten. Bü|ro-
krat* ⟨fr.⟩ der; -en, -en: (abwertend) jmd., der in der Anwendung u. Auslegung von Bestim-
mungen einem starren Formalis-
mus verhaftet ist. Bü|ro|kra|tie*
die; -, ...ien: 1. (abwertend; ohne
Plural) bürokratische Denk- u.
Handlungsweise. 2. Beamten-,
Verwaltungsapparat. bü|ro|kra-
tisch*: 1. (abwertend) sich über-
genau an die Vorschriften hal-
tend [ohne den augenblicklichen
Gegebenheiten Rechnung zu tra-
gen]. 2. die Bürokratie (2) betref-
fend. bü|ro|kra|ti|sie|ren*: den
Ablauf, die Verwaltung von etwas einer schematischen, eng-
stirnig-formalistischen Ordnung
unterwerfen. Bü|ro|kra|tis-
mus* der; -: (abwertend) pedan-
tisches, engstirnig-formalisti-
sches Denken u. Handeln
¹Bur|sa ⟨nach der gleichnamigen
türk. Stadt⟩ der; -[s], -s: handge-
knüpfter Seidenteppich mit viel-
farbig gemusterter Bordüre
²Bur|sa ⟨gr.-lat.⟩ die; -, ...sae
[...zɛ]: 1. Gewebetasche, ta-
schen- od. beutelförmiger Kör-
perhohlraum (Med.). 2. Tasche
an liturgischen Gewändern
(Rel.). Bur|se die; -, -n: Studen-
tenwohnheim. Bur|si|tis ⟨gr.-
nlat.⟩ die; -, ...itiden: Schleim-
beutelentzündung (Med.)
Burst [bə:st] ⟨engl.⟩ der; -[s], -s: bei
einer Sonneneruption auftreten-
der Strahlungsausbruch im Bereich der Radiowellen
Bus ⟨engl.⟩ der; -ses, -se: 1. Kurzform
für: Autobus, Omnibus. 2.
⟨engl.⟩ Sammelleitung zur Da-
tenübertragung zwischen mehreren Funktionseinheiten (EDV)
Bu|schi|do ⟨jap.; „Weg des Krie-
gers“⟩ das; -[s]: Ehrenkodex des
japan. Militäradels aus der Feu-
dalzeit
Bu|shel [ˈbʊʃl] ⟨kelt.-mlat.-fr.-

engl.⟩ der; -s, -s (aber: 6 -[s]):
engl.-amerikan. Getreidemaß
Busi|ness [ˈbɪznɪs] ⟨engl.⟩ das; -:
vom Profitstreben bestimmtes
Geschäft, Profit bringender Ge-
schäftsabschluss. busi|ness as
u|sual [ˈbɪznɪs ət ˈju:ʒʊəl] ⟨engl.⟩:
die Geschäfte gehen ihren Gang,
alles geht seinen Gang. Busi-
ness|class [...ˈklaːs] die; -: bes.
für Geschäftsreisende eingerich-
tete Reiseklasse im Flugverkehr.
Busi|ness|man [...mən] der; -[s],
...men: Geschäftsmann
Bu|sing vgl. Bussing
Bus|sard ⟨lat.-fr.⟩ der; -s, -e: ein
Greifvogel
Bus|sing [ˈbʌsɪŋ] ⟨engl.-amerik.⟩
das; -[s]: Beförderung von farbigen Schulkindern per Omnibus
in vorwiegend von nichtfarbigen
Kindern besuchte Schulen anderer Bezirke, um der Rassentren-
nung entgegenzuwirken
Bus|so|le ⟨lat.-vulgärlat.-it.⟩ die; -,
-n: Kompass mit Kreisteilung u.
Ziellinie zur Festlegung von
Richtungen u. Richtungsände-
rungen in unübersichtlichem
Gelände u. unter Tage
Bus|ti|er [bysˈtje:] ⟨fr.⟩ das; -s, -s:
Teil der Unterkleidung für Frau-
en in Form eines miederartig an-
liegenden, nicht ganz bis zur
Taille reichenden Oberteils ohne
Ärmel
Bust|rol|phe|don* ⟨gr.-lat.; „sich
wendend wie der Ochse beim
Pflügen“⟩ das; -s: Schreibrich-
tung, bei der die Schrift abwechselnd nach rechts u. nach links
(„furchenwendig“) läuft (bes. in
frühgriech. Sprachdenkmälern)
Bu|su|ki ⟨gr.⟩ die; -, -s: grie-
chisches, in der Volksmusik verwendetes Lauteninstrument
Bu|ta|di|en ⟨Kurzw. aus: Butan u.
di- u. -en⟩ das; -s: ungesättigter
gasförmiger Kohlenwasserstoff
(Ausgangsstoff für syntheti-
schen Gummi). Bu|tan ⟨gr.-nlat.⟩
das; -s: gesättigter gasförmiger
Kohlenwasserstoff, der in Erd-
gas u. Erdöl enthalten ist. Bu|ta-
nol ⟨gr.-nlat.; arab.⟩ das; -s, -e:
↑ Butylalkohol
butch [bʊtʃ] ⟨engl.⟩: ausgeprägt
männlich (im Aussehen usw.)
Bu|ten ⟨gr.-nlat.⟩ das; -s: ↑ Butylen
Bu|ti|ke vgl. Boutique u. Budike.
Bu|ti|ker vgl. Budiker
Bu|tin ⟨gr.-nlat.⟩ das; -s: vom Bu-
tan abgeleiteter, dreifach ungesättigter Kohlenwasserstoff
But|ler [ˈbatlə] ⟨lat.-fr.-engl.⟩ der;
-s, -: Diener in einem vornehmen
Haushalt, bes. in England

But|ter|fly ['bʌtəflaɪ] ⟨engl.; „Schmetterling"⟩ der; -[s], -s: 1. bestimmter Spreizsprung im Eiskunstlaufen. 2. (beim Turnen) Salto seitwärts gestreckt, der von einem Bein gesprungen und auf dem anderen Bein (Schwungbein) aufgefangen wird. 3. (ohne Plural) Butterflystil. **But|ter|fly-stil** der; -[e]s: Schmetterlingsstil (im Schwimmsport)

But|ton [bʌtn] ⟨engl.; „Knopf"⟩ der; -s, -s: runde Plakette zum Anstecken [mit einer Aufschrift], die die politische, religiöse o. Ä. Einstellung des Trägers zu erkennen gibt. **Button-down-Hemd** [...'daʊn...] das; -[e]s, -en: sportliches Oberhemd, dessen Kragenspitzen festgeknöpft sind

Bu|tyl ⟨gr.-nlat.⟩ das; -s: Kohlenwasserstoffrest mit vier Kohlenstoffatomen. **Bu|tyl|al|ko|hol** der; -s, -e: als Lösungsmittel od. Riechsalz verwendeter Alkohol mit vier Kohlenstoffatomen. **Bu|ty|len** das; -s: ungesättigter gasförmiger Kohlenwasserstoff (aus Erdöl gewonnener Ausgangsstoff für Buna, Nylon u. a.). **Bu|ty|rat** das; -s, -e: Salz od. Ester der Buttersäure. **Bu|ty-ro|me|ter** das; -s, -: Messrohr zur Bestimmung des Fettgehaltes der Milch

Bu|vet|te [by'vɛtə] ⟨fr.⟩ die; -, -n: kleine Weinstube

Bu|xus ⟨lat.⟩ der; -: Buchsbaum (Bot.)

Buy-out ['baɪ.aʊt] ⟨engl.⟩ das; -s, -s: Kurzform für: ↑Management-Buy-out

bye-bye! ['baɪ'baɪ] ⟨engl.⟩: auf Wiedersehen!

By|li|ne ⟨russ.⟩ die; -, -n: episches Heldenlied der russischen Volksdichtung

By|pass ['baɪpas] ⟨engl.⟩ der; -[es], ...pässe: 1. a) Umführung [einer Strömung], Nebenleitung (Techn.); b) Kondensator (1) zur Funkentstörung (Elektrot.). 2. (Med.) a) Umleitung der Blutbahn; b) Ersatzstück, durch das die Umleitung der Blutbahn verläuft

By|ro|nis|mus [baɪro...] ⟨nlat.⟩ der; -: literarische Richtung des 19. Jh.s, die sich an der satirisch-melancholischen Weltschmerzdichtung des engl. Dichters Byron († 1824) orientiert (z. B. Platen, Grabbe, Puschkin, Musset)

Bys|sus ⟨gr.-lat.⟩ der; -: 1. kostbares, zartes Leinen- od. Seidenge-

webe des Altertums (z. B. ägyptische Mumienbinden). 2. ® feines Baumwollgewebe für Leibwäsche. 3. Haftfäden mehrerer Muschelarten (als Muschelseide verarbeitet)

Byte [baɪt] ⟨engl.⟩ das; -[s], -[s]: (EDV) zusammengehörige Folge von acht Bits

By|zan|ti|ner ⟨nach Byzanz, dem alten Namen von Istanbul/ Konstantinopel⟩ der; -s, -: (veraltet abwertend) Kriecher, Schmeichler. **by|zan|ti|nisch**: 1. zu Byzanz gehörend. 2. (veraltet, abwertend) kriecherisch, unterwürfig. **By|zan|ti|nis|mus** ⟨nlat.⟩ der; -: (abwertend) Kriecherei, unwürdige Schmeichelei. **By|zan|ti|nist** der; -en, -en: Wissenschaftler [u. Lehrer] auf dem Gebiet der Byzantinistik. **By|zan|ti|nis|tik** die; -: Wissenschaft, die sich mit der Erforschung der byzantinischen Kultur u. Geschichte befasst. **By|zan|ti|no|lo|gie** die; -: ↑Byzantinistik

Ca. = Carcinoma; vgl. Karzinom

Cab [kæb] ⟨engl.⟩ das; -s, -s: einspännige englische Droschke

Ca|ba|let|ta ⟨it.⟩ die; -, -s u. ...tten: kleine Arie; vgl. Kavatine

Ca|bal|le|ro [kabal'je:ro, auch: kava...] ⟨lat.-span.⟩ der; -s, -s: 1. (hist.) spanischer Edelmann, Ritter. 2. Herr (span. Titel)

Ca|ban [ka'bã] ⟨fr.⟩ der; -s, -s: a) kurzer sportlicher Herrenmantel; b) längere [Kostüm]jacke für Frauen

Ca|ba|nos|si vgl. Kabanossi

Ca|ba|ret vgl. Kabarett

Cab|cart ['kæbka:t] ⟨engl.⟩ das; -[s], -s: einspänniger, zweirädriger Wagen

Cable|trans|fer ['keɪbltrænsfɛ:] ⟨engl.⟩ der; -s, -s: telegrafische Überweisung von Geldbeträgen nach Übersee; Abk.: CT

Ca|bo|chon [kabɔ'ʃõ:] ⟨fr.⟩ der; -s, -s: a) Schliff, bei dem die Oberseite des Schmucksteins kuppelförmig gewölbt erscheint; b) Schmuckstein mit Cabochonschliff

Ca|boc|lo* [ka'bɔklo] ⟨indian.-port.⟩ der; -s, -s: Nachkomme aus den Ehen zwischen den ersten portugiesischen Siedlern u. indianischen Frauen in Brasilien

Ca|bo|ta|ge vgl. Kabotage

Cab|ret|ta* ⟨span.⟩ das; -s: sehr feines Nappaleder aus den Häuten spanischer Bergziegen

Cab|rio* vgl. Kabrio. **Cab|ri|o|let** vgl. Kabriolett

Cac|cia ['katʃa] ⟨lat.-vulgärlat.-it.; „Jagd"⟩ die; -, -s: Kanon von zwei Solostimmen mit Instrumentalstütze in der italienischen ↑Ars nova

Cache [kæʃ, auch: kaʃ] ⟨fr.-engl.⟩ der; -, -s: Speichereinheit als Zwischenträger von Daten zweier kommunizierender Funktionseinheiten unterschiedlicher Datenflussgeschwindigkeiten; Pufferspeicher (EDV)

Cache-cache [kaʃ'kaʃ] ⟨fr.⟩ das; -: Versteckspiel

Ca|che|lot vgl. Kaschelott

Cache|mire vgl. Kaschmir

Ca|che|nez [kaʃ(ə)'ne:] ⟨fr.⟩ das; - [...e:(s)], - [...e:s]: [seidenes] Halstuch. **Cache|sexe** [kaʃ'sɛks] ⟨fr.-amerik.⟩ das; -, -: nur das Geschlecht bedeckender Slip. **Cachet** [ka'ʃe:, auch: ka'ʃɛ] ⟨lat.-galloroman.-fr.⟩ das; -s, -s: (veraltet) 1. Siegel. 2. Eigenart, Gepräge, Eigentümlichkeit. **Cache|ta|ge** [kaʃ'ta:ʒə] ⟨fr.⟩ die; -, -n: (Kunstw.) 1. (ohne Plural) Verfahren der Oberflächengestaltung in der modernen Kunst, bei dem Münzen, Schrauben u. Ä. in relieffartig erhöhte Farbschichten wie ein Siegel eingedrückt werden. 2. ein nach diesem Verfahren gefertigtes Bild

Ca|che|te|ro [katʃe...] ⟨lat.-vulgärlat.-span.⟩ der; -s, -s: Stierkämpfer, der dem vom ↑Matador (1) verwundeten Stier den Gnadenstoß gibt

ca|chie|ren vgl. kaschieren

Ca|chot [ka'ʃo] ⟨lat.-galloroman.-fr.⟩ das; -s, -s: (veraltet) 1. finsteres [unterirdisches] Gefängnis. 2. strenger Arrest

Ca|chou [ka'ʃu:] ⟨drawid.-port.-fr.⟩ das; -s, -s: 1. Gambir. 2. Hustenmittel (Salmiakpastillen)

Ca|chu|cha [ka'tʃutʃa] ⟨span.⟩ die; -: andalusischer Solotanz im ³/₄-Takt mit Kastagnettenbegleitung

Cä|ci|li|a|nis|mus [tsɛtsi...] ⟨nlat.⟩ der; -: nach der heiligen Cäcilia, seit dem 15. Jh. Schutzpatronin der Musik⟩ der; -: kirchenmusikalische Reformbewegung (in Bezug

auf die Hinwendung zur mehrstimmigen ↑Vokalmusik) im 19. u. beginnenden 20. Jh. (Mus.)
Cal|cio|cal|val|lo [katʃoka'valo] ⟨lat.-it.⟩ der; -[s], -s: [geräucherter] süditalienischer Hartkäse
Cac|ta|ceae [kakta'tse:ɛ] ⟨gr.-lat.-nlat.⟩ die (Plural): wissenschaftl. Ordnungsbez. für ↑Kaktazeen
CAD [kæd] ⟨Abk. für engl.: computer-aided design „computerunterstütztes Entwerfen"⟩: rechnerunterstützte Konstruktion und Arbeitsplanung
Cal|da|ve|rin vgl. Kadaverin
Cad|die ['kɛdɪ, 'kædɪ] ⟨lat.-provenzal.-gaskogn.-fr.-engl.⟩ der; -s, -s: 1. Junge, der dem Golfspieler die Schläger trägt. 2. ⓇⓇ zweirädriger Wagen zum Transportieren der Golfschläger. 3. ⓇⓇ Einkaufswagen [in einem Supermarkt]
Cal|dett vgl. ²Kadett
Cad|mi|um vgl. Kadmium
Cad|re* ['ka:drə] ⟨lat.-it.-fr.⟩ das; -s, -s: Kennzeichnung bestimmter Cadrepartien beim Billard (in Verbindung mit zwei Zahlen; z. B. Cadre 47/2). **Cad|re|par|tie** die; -, -n: ↑Kaderpartie
Cal|du|ce|us [ka'du:tseus] ⟨lat.⟩ der; -, ...cei: Heroldsstab des altrömischen Gottes Merkur
Cae|cum vgl. Zäkum u. Zökum
Cae|re|mo|ni|al|le [tsɛ...] ⟨lat.⟩ das; -, ...lien u. ...lia: amtliches Buch der kath. Kirche mit Anweisungen für das ↑Zeremoniell feierlicher Gottesdienste
Cal|fard [kafa:ɐ̯] ⟨fr.⟩ das; -[s]: (schweiz., sonst veraltet) Unlust; Überdruss
Cal|fé [ka'fe:] ⟨arab.-türk.-it.-fr.⟩ das; -s, -s: Gaststätte, die vorwiegend Kaffee u. Kuchen anbietet; Kaffeehaus; vgl. Kaffee. **Cal|fé comp|let*** [kafekɔ̃'plɛ] der; - -, -s - [...kõ'plɛ]: Kaffee mit Milch, Brötchen, Butter u. Marmelade. **Cal|fé crème** [kafe'krɛ:m] der; - -, -s - [...krɛ:m]: (schweiz.) Kaffee mit Sahne. **Cal|fe|te|ria** ⟨arab.-türk.-it.-amerik.-span.⟩ die; -, -s u. ...ien: Imbissstube, Restaurant mit Selbstbedienung. **Cal|fe-tier** [kafe'tje:] ⟨arab.-türk.-it.-fr.⟩ der; -s, -s: (veraltet) Kaffeehausbesitzer. **Cal|fe|ti|e|re** [...'tje:rə] die; -, -n: (veraltet) 1. Kaffeehauswirtin. 2. Kaffeekanne
Cal|fu|so ⟨port.⟩ der; -s, -s: Nachkomme aus einer Verbindung zwischen Schwarzen u. Indianern in Brasilien
Cal|hier [ka'je:] ⟨fr.; „Schreibheft"⟩ das; -s, -s: (hist.) Wünsche

od. Beschwerden enthaltendes Schreiben, das dem König von den Ständevertretern überreicht wurde
Cais|son [kɛ'sõ:] ⟨lat.-it.-fr.⟩ der; -s, -s: Senkkasten für Bauarbeiten unter Wasser. **Cais|son-krank|heit** die; -: Krankheit, die nach Arbeiten unter erhöhtem Luftdruck auftritt; Druckluftkrankheit (Med.)
Cake [ke:k, keɪk] ⟨engl.⟩ der; -s, -s: (schweiz.) in länglicher Form gebackene Art Sandkuchen. **Cake-walk** ['keɪkwɔ:k] ⟨engl.⟩ der; -[s], -s: um 1900 entstandener afroamerik. Gesellschaftstanz
cal = Kalorie
Cal|la|ma|res ⟨span.⟩ die (Plural): Gericht aus frittierten Tintenfischstückchen
Cal|la|mus ⟨gr.-lat.⟩ der; -, ...mi: 1. antikes Schreibgerät aus Schilfrohr. 2. hohler Teil des Federkiels bei Vogelfedern (Spule)
cal|lan|do ⟨gr.-lat.-it.⟩: an Tonstärke u. Tempo gleichzeitig abnehmend (Vortragsanweisung; Mus.)
Cal|ca|ne|us [kal'ka:neus] ⟨lat.⟩ der; -, ...nei [...nei]: Fersenbein, hinterer Fußwurzelknochen (Med.; Biol.)
Cal|ce|o|la|ria vgl. Kalzeolarie
Cal|ces ['kaltse:s]: Plural von ↑Calx. **Cal|ci|fe|rol** ⟨Kurzw. aus: nlat. calciferus „Kalk tragend" u. ↑Ergosterol⟩ das; -s: Vitamin D₂ [mit antirachitischer Wirkung]. **Cal|ci|spon|giae** [...gje] ⟨lat.⟩ die (Plural): Kalkschwämme. **Cal|cit** vgl. Kalzit. **Cal|ci|um** usw. vgl. Kalzium usw. **Cal|cu-lus** ['kalkulus] der; -, ...li: 1. in der Antike der Rechenstein für den ↑Abakus (1). 2. ↑Konkrement
Cal|da|ri|um vgl. Kaldarium
Cal|de|ra, Kaldera ⟨lat.-span.⟩ die; -, ...ren: durch Explosion od. Einsturz entstandener kesselartiger Vulkankrater (Geol.)
Cal|em|bour, Calembourg [kalã-'bu:ɐ̯] ⟨fr.⟩ der; -s: (veraltet) Wortspiel; vgl. Kalauer
Cal|len|dae vgl. Kalenden u. ad calendas graecas. **Cal|len|du|la** ⟨lat.-nlat.⟩ die; -, ...lae [...lɛ]: Ringelblume (Korbblütler)
Calf [kalf, engl.: ka:f] ⟨engl.⟩ das; -s: Kalbsleder, das bes. zum Einbinden von Büchern verwendet wird
Cal|li|ban ['ka[:]liban, engl.: 'kælɪbæn] vgl. Kaliban
Cal|li|che [ka'li:tʃə] ⟨span.⟩ die; -: Salzvorkommen mit hohem Ge-

halt an Natriumnitrat im Boden trockener Klimagebiete
Cal|li|for|ni|um ⟨nlat. nach Kalifornien⟩ das; -s: stark radioaktives, künstlich hergestelltes Metall aus der Gruppe der ↑Transurane; Zeichen: Cf
Cal|li|na ⟨span.⟩ die; -, -s: sommerliche Lufttrübung durch Staub u. Schlieren der aufsteigenden Warmluft, bes. über den Hochflächen Innerspaniens
Cal|la ⟨gr.-nlat.⟩ die; -, -s: (zu den Aronstäben gehörende)-Pflanze mit breiten, glatten grünen Blättern u. lang gestieltem Blütenstand mit weißem Hüllblatt
Cal|la|ne|tics® [kɛlə'netiks] ⟨nach der Amerikanerin Callan Pinckney⟩ die (Plural): Fitnesstraining, das bes. auf die tieferen Muskelschichten wirkt
Call|boy ['kɔ:lbɔɪ] ⟨engl.⟩ der; -s, -s: junger Mann, der auf telefonischen Anruf hin Besuche macht od. Besucher empfängt u. gegen Bezahlung deren [homo]sexuelle Wünsche befriedigt. **Call|girl** [...gə:l] ⟨engl.⟩ das; -s, -s: Prostituierte, die auf telefonischen Anruf hin Besucher empfängt od. Besuche macht
Call-in [kɔ:l'ɪn] ⟨engl.⟩ das; -s, -s: Sendung im Rundfunk od. Fernsehen, in die die Zuhörer bzw. Zuschauer anrufen können; Anrufsendung
Call|ling|card [kɔ:lɪŋ'ka:d] ⟨engl.⟩ die; -, -s: Telefonkarte zum internationalen bargeldlosen Telefonieren
Cal|lus vgl. Kallus
cal|ma|to ⟨gr.-lat.-it.⟩: beruhigt (Vortragsanweisung; Mus.)
Cal|me vgl. Kalme
Cal|mette|ver|fah|ren [kal-'mɛt...] ⟨nach dem franz. Bakteriologen Calmette⟩ das; -s: Schutzimpfung gegen Tuberkulose
Cal|lo vgl. Kalo
Cal|lor ⟨lat.⟩ der; -s: Wärme, Hitze (als Symptom einer Entzündung; Med.)
cal|lo|ri|sie|ren vgl. kalorisieren
Cal|lo|lyos [...jɔs] ⟨span.⟩ die (Plural): wollige Felle des span. od. südamerikan. Merinolammes
Cal|lu|met vgl. Kalumet
Cal|lut|ron* ⟨Kurzw. aus Cálifornia University Cyclotron⟩ das; -s, ...one u. -s: Trennanlage für ↑Isotope
Cal|lva vgl. Kalva
Cal|lval|dos ⟨fr.; französisches Departement⟩ der; -, -: französischer Apfelbranntwein

Cal|va|ria ⟨*lat.*⟩ *die; -, ...riae* [...rie̯]: knöchernes Schädeldach (Med.)

cal|vi|nisch usw. vgl. kalvinisch usw.

Cal|vi|ti|es [kal'vi:tsiεs] ⟨*lat.*⟩ *die; -:* Kahlköpfigkeit (Med.)

¹Calx ⟨*lat.*⟩ *die; -, Calces* [...tse:s]: Ferse

²Calx ⟨*gr.-lat.*⟩ *die; -, Calces* [...tse:s]: Kalk

Cal|ly|ces: *Plural* von ↑Calyx. **ca-ly|ci|nisch** ⟨*gr.-nlat.*⟩: kelchartig (von Blütenhüllen; Bot.)

Cal|yp|so [ka'lıpso] ⟨Herkunft unsicher⟩ *der; -[s], -s:* 1. volkstümliche Gesangsform der afroamerikanischen Musik Westindiens. 2. figurenreicher Modetanz im Rumbarhythmus

Cal|lypt|ra* vgl. Kalyptra

Ca|lyx ⟨*gr.-lat.*⟩ *der; -, ...lyces* ['ka-lytse:s]: 1. Blütenkelch (Bot.). 2. Körperteil der Seelilien (Zool.)

CAM [kæm] ⟨Abk. für: engl. computer-aided manufacturing „computerunterstütztes Fertigen"⟩: Bez. für die computerunterstützte Steuerung u. Überwachung von Produktionsabläufen

Ca|ma|ieu [kama'jø:] ⟨*fr.*⟩ *die; -, -en:* 1. aus einem Stein mit verschieden gefärbten Schichten (z. B. aus Onyx) herausgearbeitete ↑Kamee. 2. Gemälde auf Holz, Leinwand, Porzellan, Glas, das in mehreren Abtönungen einer Farbe gehalten ist, bes. häufig grau in grau; vgl. Grisaille (1 b). **Ca|ma|ieu|mal|le|rei** *die; -:* besondere Art der Porzellanmalerei (Ton-in-Ton-Bemalung)

Ca|mal|re|ra ⟨*gr.-lat.-span.*⟩ *die; -, -s:* span. Bez. für: Kellnerin. **Ca-mal|ro|ro** *der; -[s], -s:* span. Bez. für: Kellner

Cam|ber ['kɛmbɐ] ⟨*engl.*⟩ *der; -s, -:* weicher Herrenfilzhut

Cam|bi|al|ta ⟨*lat.-it.*⟩ *die; -, ...ten:* vertauschte Note, Wechselnote (Mus.). **Cam|bio** usw. vgl. Kambio usw. **Cam|bi|um** vgl. Kambium

Cam|cor|der ⟨*engl.; Kurzw. aus camera „Kamera" u. ↑Recorder*⟩ *der; -s, -:* Kurzw. für: Kamerarekorder

Ca|me|lot vgl. ²Kamelott

Ca|mem|bert ['kaməmbε:ɐ̯, auch: kamã'bε:ɐ̯] ⟨*fr.; französische Stadt in der Normandie*⟩ *der; -s, -s:* vollfetter Weichkäse mit weißem Schimmelbelag

Ca|meo ['kæmıɔʊ] *der; -s, -s:* Kurzauftritt prominenter Zeitgenossen in einem Film

Ca|me|ra obs|cu|ra* ⟨*lat.; „dunk-*

le Kammer"⟩ *die; - -, ...rae* [...rε] ...rae [...rε]: innen geschwärzter Kasten mit transparenter Rückwand, auf der eine an der Vorderseite befindliche Sammellinse ein auf dem Kopf stehendes, seitenverkehrtes Bild erzeugt (Urform der fotografischen Kamera). **Ca|mer|len|go** ⟨*it.*⟩ *der; -s, -s:* Schatzmeister des Kardinalskollegiums, Kämmerer

Ca|mi|on [ka'mjõ] ⟨*fr.*⟩ *der; -s, -s:* (schweiz.) Lastkraftwagen. **Ca-mi|on|na|ge** [kamjɔ'na:ʒə] *die, -:* (schweiz.) 1. Spedition. 2. Gebühr für die Beförderung von Frachtgut. **Ca|mi|on|neur** [ka-mjɔ'nø:ɐ̯] *der; -s, -e:* (schweiz.) Spediteur

Ca|mi|sole ⟨*fr.*⟩ *das; -s, -s:* Hemdröckchen mit schmalen Trägern und eingearbeitetem Büstenteil

Ca|mor|ra vgl. Kamorra

Ca|mou|fla|ge* [kamu'fla:ʒə] ⟨*fr.*⟩ *die; -, -n:* 1. (veraltet) Tarnung von Befestigungsanlagen. 2. (abwertend) Tarnung von [politischen] Absichten. **ca|mou|flie-ren** ⟨*it.-fr.*⟩: (veraltet) tarnen, verbergen

Camp [kɛmp] ⟨*lat.-it.-fr.-engl.*⟩ *das; -s, -s:* 1. [Zelt]lager, Ferienlager (aus Zelten od. einfachen Häuschen). 2. Gefangenenlager

Cam|pa|ni|le vgl. Kampanile. **Cam|pa|nu|la** ⟨*lat.-mlat.*⟩ *die; -, ...lae* [...lε]: Glockenblume

Cam|pa|ri® ⟨*it.*⟩ *der; -s, -s* (aber: 2 Campari): ein Bitterlikör

Cam|pe|chel|holz [kam'petʃe...] *das; -es:* ↑Kampescheholz

cam|pen ['kɛmpn̩] ⟨*lat.-it.-fr.-engl.*⟩: am Wochenende od. während der Ferien im Zelt od. Wohnwagen leben. **Cam|per** *der; -s, -:* jmd., der am Wochenende od. während der Ferien im Zelt od. Wohnwagen lebt

Cam|pe|si|no ⟨*lat.-span.*⟩ *der; -s, -s:* armer Landarbeiter, Bauer (in Spanien u. Südamerika)

Cam|pher vgl. Kampfer

cam|pie|ren: (österr., schweiz.) vgl. kampieren

Cam|pig|ni|en* [kãpın'jɛ:] ⟨nach der Fundstelle Campigny in Frankreich⟩ *das; -[s]:* Kulturstufe der Mittelsteinzeit

Cam|pil|lit ⟨*gr.*⟩ *das; -s:* starkes Nervengift

Cam|ping ['kɛm...] ⟨*lat.-it.-fr.-engl.*⟩ *das; -s:* das Leben im Freien [auf Campingplätzen], im Zelt od. Wohnwagen während der Ferien od. am Wochenende. **Cam-ping|platz** *der; -es, ...plätze:* Ge-

lände, auf dem gegen Gebühr gezeltet bzw. der Wohnwagen abgestellt werden darf. **Camp-mee|ting** ['kæmpmi:tıŋ] ⟨*engl.-amerik.*⟩ *das; -s, -s:* [↑methodistische] Versammlung zur Abhaltung von Gottesdiensten im Freien od. in einem Zelt (bes. in den USA); Zeltmission. **Cam|po** ['kampo] ⟨*lat.-span. u. port.*⟩ *der; -s, -s* (meist Plural): 1. brasilianische ↑Savanne mit weiten Grasflächen. 2. Rinderhaut aus Eigenschlachtungen südamerikanischer Viehzüchter. **Cam|po-san|to** ⟨*lat.-it.*⟩ *der; -s, -s od. ...ti:* ital. Bez. für: Friedhof. **Cam-pus** ['kam..., engl.: 'kæmpɔs] ⟨*lat.-engl.-amerik.*⟩ *der; -, -:* Gesamtanlage einer Hochschule; Universitätsgelände

cam|py ['kɛmpı] ⟨*engl.*⟩: extravagant, theatralisch, manieristisch

Ca|nal|di|enne [kana'djɛn] ⟨*fr.*⟩ *die; -, -s:* lange, warme, sportliche Jacke mit Gürtel

Ca|nail|le [ka'naljə] *die; -, -n:* ↑Kanaille

Ca|na|lis ⟨*babylon.-assyr.-gr.-lat.-it.*⟩ *der; -, ...li:* ital. Bez. für: Kanal. **Ca|na|lis** ⟨*lat.*⟩ *der; -, ...les:* röhrenförmiger Durchgang, Körperkanal (z. B. Med.)

Ca|na|pé vgl. Kanapee

Ca|na|rie ⟨*fr.; nach den Kanarischen Inseln*⟩ *die; -:* Paartanz im ³/₄- od. ³/₈-Takt (vom 16. bis 18. Jh. Gesellschaftstanz), eine Art schnelle ↑Courante od. ↑Gigue

Ca|nas|ta ⟨*lat.-span.; „Korb"*⟩ *das; -s:* (aus Uruguay stammendes) Kartenspiel

Can|can [kã'kã:] ⟨*lat.-fr.*⟩ *der; -s, -s:* lebhafter Tanz im ²/₄-Takt, heute vor allem Schautanz in Varietés u. Nachtlokalen

can|celn ['kɛntsl̩n] ⟨*lat.-fr.-engl.*⟩: streichen, absagen, rückgängig machen

Can|cer ⟨*lat.*⟩ *der; -s, -:* ↑Karzinom. **Can|cer en cui|rasse** [kã-sεrãkÿi'ras] ⟨*fr.*⟩ *der; - - -, - - -:* Brustdrüsenkrebs mit harten Ausläufern, die in angrenzende Teile des Brustkorbs eindringen (Med.). **can|ce|rol|gen** vgl. kanzerogen. **Can|ce|rol|lo|ge** ⟨*lat.; gr.*⟩ *der; -n, -n:* ↑Karzinologe

Can|ci|on [kan'θjon] ⟨*lat.-span.*⟩ *das; -s, -s:* spanisches lyrisches Gedicht. **Can|ci|o|nei|ro** [kãsju'aj-ru]: portugiesische Form von ↑Cancionero. **Can|ci|o|ne|ro** [kansjo'ne:ro, span.: kanθjo'ne-ro] *der; -s, -s:* in der portugiesi-

schen u. spanischen Literatur eine Sammlung lyrischer Gedichte
cạnd. vgl. Kandidat (2). **Can|de̱-la** ⟨*lat.*; „Wachslicht, Kerze") *die;* -, -: Einheit der Lichtstärke; Zeichen: cd. **Cạn|di|da** *die;* -: 1. Antiquadruckschrift. 2. [krankheitserregender] Sprosspilz auf Haut u. Schleimhaut. **can|di|da̱-tus** [re|ve|ren|di] mi|nis|te̱|rii *der;* - - -, ...ti - -: Kandidat des [lutherischen] Predigtamts; Abk.: cand. [rev.] min. od. c. r. m. **Can-dle-Light-Din|ner** ['kɛnd|laɪt...] ⟨*engl.*⟩ *das;* -s, -[s]: festliches Abendessen mit Kerzenbeleuchtung
Ca|ni|nus ⟨*lat.*⟩ *der;* -, ...ni: Eckzahn (Zahnmed.)
Ca|ni|ti|es [ka'niːtsi̯ɛs] ⟨*lat.*⟩ *die;* -: das Ergrauen der Haare (Med.)
Cạn|na ⟨*sumer.-babylon.-gr.-lat.*⟩ *die;* -, -: in tropischen Gebieten wild wachsende, als Zierpflanze kultivierte hohe Staude mit roten, gelben od. rosa Blüten
Cạn|na|bis ⟨*gr.-lat.-engl.*⟩ *der;* -: a) Hanf; b) andere Bez. für ↑Haschisch
Cạn|nae vgl. Kannä
Can|ne|lé [kanə'leː] ⟨*fr.*⟩ *der;* -[s]: Ripsgewebe mit Längsrippen verschiedener Stärke
Can|nel|koh|le ['kɛnl...] vgl. Kännelkohle
Can|nel|lo̱|ni ⟨*it.*⟩ *die* (Plural): mit Fleisch gefüllte u. mit Käse überbackene Nudelteigröllchen
Can|ning ['kɛnɪŋ] ⟨*engl.*⟩ *das;* -s, -s: Umhüllung des Brennstoffes in Kernreaktoren
Can|non-Not|fall|re|ak|ti|on ['kɛnən...] ⟨nach dem amerik. Physiologen Cannon⟩ *die;* -: Sofortreaktion des menschlichen Organismus auf plötzliche schwere Belastungen
Ca|noe ['kaːnu, auch: ka'nuː] vgl. Kanu
Cạ|non vgl. Kanon
Cạ|ñon ['kanjɔn od. kan'joːn, engl.: 'kænjən] ⟨*lat.-span.*⟩ *der;* -s, -s: enges, tief eingeschnittenes, steilwandiges Tal, bes. im westlichen Nordamerika
Ca|no̱|ni|cus vgl. Kanoniker
Ca|no̱s|sa vgl. Kanossa
Ca|no̱|ti|er [...'tje:] ⟨*fr.*⟩ *der;* -[s], -s: steifer, flacher Strohhut mit gerader Krempe
Cant [kɛnt] ⟨*lat.-engl.*⟩ *der;* -s: a) heuchlerische Sprache, Scheinheiligkeit; b) Rotwelsch. **can|ta̱-bi|le** ⟨*lat.-it.*⟩: gesangartig, ausdrucksvoll (Vortragsanweisung; Mus.). **can|tan|do:** singend (Vortragsanweisung; Mus.)

Cạn|ta̱|ro ⟨*lat.-mgr.-arab.-it.*⟩ *der;* -s, ...ari: ↑Kantar
Can|ta̱|te vgl. Kantate
Cạn|ter usw. vgl. Kanter usw.
Can|tha|ri|din vgl. Kantharidin
Cạn|ti|ca ⟨*lat.*⟩ *die* (Plural): 1. die gesungenen Teile des altröm. Dramas; Ggs. ↑Diverbia. 2. zusammenfassende Bezeichnung der biblischen Gesänge u. Gebete nach den Psalmen in ↑Septuaginta u. ↑Vulgata, Bestandteil der Stundengebete. **Can|ti|le̱|na** ⟨*spätlat.-it.*⟩ *die;* -, ...nen: (im MA.) a) liedhafter Teil im liturgischen Gesang (z. B. Tropus 2 b); b) einstimmiges Spielmannslied; c) mehrstimmiger Liedsatz. **Cạn|to** ⟨*lat.-it.*⟩ *der;* -s, -s: Gesang. **Cạn|tus** ⟨*lat.*⟩ *der;* -, - [...tuːs]: Gesang, Melodie, melodietragende Oberstimme bei mehrstimmigen Gesängen; **Cantus choralis** [- koː...]: einstimmiger gregorianischer Gesang; **Cantus figuralis:** mehrstimmige Musik des 15. bis 17. Jh.s; **Cantus firmus:** [choralartige] Hauptmelodie eines polyphonen Chorod. Instrumentalsatzes; Abk.: c. f.; **Cantus mensurabilis od. mensuratus:** in der gregorianischen Kirchenmusik Choralnoten mit Bezeichnung der Tondauer; **Cantus planus:** in der gregorianischen Kirchenmusik Choralnoten ohne Bezeichnung der Tondauer; vgl. Kantus
Can|vas|sing ['kɛnvəsɪŋ] ⟨*engl.*⟩ *das;* -[s]: Wahlstimmenwerbung durch persönliche Hausbesuche prominenter Politiker.
Can|zo̱|ne *die;* -, -n: italienische Form von ↑Kanzone
Cao-Dai ['kaṷ...] ⟨*annamit.;* „höchster Palast"⟩ *der;* - u. **Cao-da̱|is|mus** *der;* -: 1926 begründete ↑synkretistische Religion mit buddhistischen, christlichen u. a. Bestandteilen in Vietnam
Cạ|pa ⟨*lat.-span.*⟩ *die;* -, -s: farbiger Umhang der Stierkämpfer.
Cape [keːp] ⟨*lat.-roman.-engl.*⟩ *das;* -s, -s: ärmelloser Umhang [mit Kapuze]. **Ca|pe|a|dor** ⟨*lat.-span.*⟩ *der;* -s, -es, (eindeutschend auch:) Kapeador *der;* -s, -e: Stierkämpfer, der den Stier mit der Capa reizt
Ca|pis|ṯrum* ⟨*lat.*⟩ *das;* -s, ...stra: besondere Art eines Kopfverbandes um Schädel u. Unterkiefer (Halfterbinde; Med.)
Ca|pi̱|ta [auch: 'kaː...]: *Plural* von ↑Caput. **Ca|pi|ti̱|ļum** ⟨*lat.*⟩ *das;* -s, ...tia: mützenartiger Kopfverband (Med.)

ca|pi̱|to? ⟨*lat.-it.*⟩: verstanden?
Ca|pi̱|tul|lum *das;* -s, ...la: Köpfchen, Gelenkköpfchen (Med.).
Ca|po̱|tas|to ⟨*it.*⟩ *der;* -, ...sti: ↑Kapodaster
Cap|puc|ci|no [kapʊ'tʃiːno] ⟨*it.*⟩ *der;* -s, -s (aber: 2 Cappuccino): heißes Kaffeegetränk mit geschlagener Sahne od. aufgeschäumter Milch u. ein wenig Kakaopulver
Ca|pric|cio* [ka'prɪtʃo] ⟨*lat.-it.*⟩ *das;* -s, -s: scherzhaftes, launiges Musikstück (Mus.). **ca|pric|cio|so** [...'tʃoːzo]: eigenwillig, launenhaft, kapriziös, scherzhaft (Vortragsanweisung; Mus.). **Cap|ri|ce** [ka'priːsə] ⟨*lat.-it.-fr.*⟩ *die;* -, -n: 1. franz. Form von ↑Capriccio. 2. ↑Kaprice
Cap|ro|lac|tam* vgl. Kaprolaktam; **Cap|ro|na̱t** vgl. Kapronat; **Cap|ron|säu|re** vgl. Kapronsäure
Caps. ⟨*lat.;* „capsula"⟩ Abkürzung auf Rezepten für: Kapsel. **Cạp|si|cum** vgl. Kapsikum
Cap|si|en [ka'psi̯ɛ:] ⟨*fr.;* nach dem Fundort Gafsa (altröm. Capsa) in Tunesien⟩ *das;* -[s]: Kulturstufe der Alt- u. Mittelsteinzeit
Cap|ta̱|tio Be|ne|vo|len|ti|ae ⟨*lat.*⟩ *die;* - -: das Werben um die Gunst des Publikums im bestimmten Redewendungen; vgl. Kaptation
Ca|pu|chon [kapy'ʃõ:] ⟨*lat.-provenzal.-fr.*⟩ *der;* -s, -s: Damenmantel mit Kapuze
Cạ|put [auch: 'kaː...] ⟨*lat.;* „Haupt, Kopf"⟩ *das;* -, Capita: 1. Hauptstück, Kapitel eines Buches. 2. a) Kopf; b) Gelenk- od. Muskelkopf (Med.). **Cạ|put mo̱r|tu|um** ⟨„toter Kopf"⟩ *das;* -: rote Farbe aus Eisenoxid, Englischrot (Malerfarbe, Poliermittel). 2. (veraltet) Wertloses
Ca|quel|lon [kakə'lõ:] ⟨*fr.*⟩ *das;* -s, -s: Topf aus Steingut od. Keramik mit Stiel (z. B. zum Fondue)
Cạr ⟨*fr.*⟩ *der;* -s, -s: (schweiz.) Kurzform für ↑Autocar
Ca|ra|bi|ni̱|e̱|re vgl. Karabiniere
Ca|ra|cạl|la ⟨*gall.-lat.*⟩ *die;* -, -s: langer Kapuzenmantel (Kleidungsstück in der Antike)
Ca|ra̱|cho vgl. Karacho
ca|ram̱|ba! ⟨*span.*⟩: (ugs.) Teufel!; Donnerwetter!
Ca|ra̱|van [auch: 'ka..., seltener: 'kɛrəvɛn od. ...'vɛn] ⟨*pers.-engl.*⟩ *der;* -s, -s: 1. a) ® Wagen, der sowohl als Freizeitfahrzeug wie auch als Fahrzeug für Transporte benutzt werden kann; b)

Reisewohnwagen. 2. Verkaufswagen. **Ca|ra|va|ner** *der;* -s, -: jmd., der im Caravan (1 b) lebt. **Ca|ra|va|ning** *das;* -s: das Leben im Caravan (1 b) **Car|ba|zol*** vgl. Karbazol. **Carbid** vgl. Karbid. **Car|bo** *⟨lat.⟩ der;* -[s]: Kohle; **Carbo medicinalis:** medizinische Kohle, Tierkohle (Heilmittel bei Darmkatarrh u. Vergiftungen). **car|bo|cyclisch*** vgl. karbozyklisch **Carbo|li|ne|um** vgl. Karbolineum. **Car|bol|säu|re** vgl. Karbolsäure. **Car|bo|na|do** vgl. Karbonado. **Car|bo|nat** vgl. Karbonat. **Car|bo|ne|um** *⟨lat.-nlat.⟩ das;* -s: veraltete Bez. für Kohlenstoff; Zeichen: C. **Car|bo|nyl** *⟨lat.; gr.⟩ das;* -s, -e: jede flüssige od. feste anorganische Verbindung, die Kohlenoxid u. ein Metall in chem. Bindung enthält (Chem.). **Car|bo|nyl|grup|pe** u. ketogruppe *die;* -, -n: zweiwertige CO-Gruppe, bes. reaktionsfähige Atomgruppe (z. B. der Ketone). **Car|bo|run|dum** ⑱ vgl. Karborund **Car|ci|no...** vgl. Karzino... **Car|di|gan** [engl. ˈkaːdɪɡən] *⟨engl.; nach J. Th. Brudenell, 7. Earl of Cardigan (1797–1868)⟩ der;* -s, -s: lange, wollene, kragenlose ein- od. zweireihige Strickweste für Damen **Car|di[o]...** vgl. Kardi[o]... **CARE** [kɛə] *⟨engl.; Abk. für:* Cooperative for American Remittances to Europe): zugleich „Sorge"): 1946 in den USA entstandene Hilfsorganisation, die sich um die Milderung wirtschaftlicher Not in Europa nach dem 2. Weltkrieg bemühte care of [ˈkɛər -] *⟨engl.⟩:* wohnhaft bei... (Zusatz bei der Adressenangabe auf Briefumschlägen; Abk.: c/o **ca|rez|zan|do** u. **ca|rez|ze|vo|le** *⟨lat.-it.⟩:* zärtlich, schmeichelnd, liebkosend (Vortragsanweisung; Mus.) **Ca|ries** vgl. Karies. **Ca|ril|lon** [kariˈjõː] *⟨lat.-vulgärlat.-fr.⟩ das;* -[s], -s: 1. mit Klöppeln geschlagenes, mit einer Tastatur gespieltes od. durch ein Uhrwerk mechanisch betriebenes Glockenspiel. 2. Musikstück für Glockenspiel od. Instrumentalstück mit glockenspielartigem Charakter **Ca|ri|na** *⟨lat.; „Kiel"⟩ die;* -, ...nae: 1. kielartiger Vorsprung an Organen (Med., Biol.). 2. Brustbeinkamm der Vögel (Zool.). 3.

Gehäuseteil (Rückenplatte) gewisser Rankenfüßer (z. B. der Entenmuschel) aus der Ordnung der niederen Krebse **ca|rin|thisch** ⟨latinisierend; nach der alten römischen Provinz „provincia Cartana", dem heutigen Kärnten⟩: Kärntner; z. B. carinthischer Sommer **Ca|ri|o|ca** *⟨indian.-port.⟩ die;* -, -s: um 1930 in Europa eingeführter lateinamerikan. Modetanz im ⁴/₄-Takt, eine Abart der ↑Rumba **Ca|ri|tas** *die;* -: Kurzbezeichnung für den Deutschen Caritasverband der katholischen Kirche; vgl. Karitas. **ca|ri|ta|tiv** vgl. karitativ **Car|ja|cking** [ˈkaːdʒɛkɪŋ] *⟨engl.⟩ das;* -[s], -s: Vorgang, bei dem ein Auto unter Androhung von Gewalt seinem Fahrer weggenommen wird **Car|ma|gno|le*** [karmanˈjoːlə] ⟨nach der piemontesischen Stadt Carmagnola⟩ *die;* -, -n: 1. (ohne Plural) ein franz. Revolutionslied aus dem 18. Jh. 2. ärmellose Jacke [der ↑Jakobiner (1)] **Car|men** *⟨lat.⟩ das;* -s, ...mina: [Fest-, Gelegenheits]gedicht **Car|nal|lit** vgl. Karnallit **Car|net [de pas|sa|ges]** [karˈnɛ (də paˈsaːʒə)] *⟨fr.⟩ das;* - - -, -s [karˈnɛ] - -: Sammelheft von ↑Triptyks, Zollpassierscheinheft für Kraftfahrzeuge **Ca|rol** [ˈkærəl] *⟨gr.-lat.-fr.-engl.⟩ das;* -s, -s: englisches volkstümliches [Weihnachts]lied **Ca|ro|tin** vgl. Karotin. **Ca|ro|ti|no|id** vgl. Karotinoid **Ca|ro|tis** vgl. Karotis **Car|pac|cio** [karˈpatʃo] *⟨it.; wohl dem Maler Vittore Carpaccio (†1526) zu Ehren⟩ das;* -[s], -s: kalte [Vor]speise, die aus rohem, dünn geschnittenem Rindfleischscheiben, angerichtet mit Zitronensaft, Olivenöl und Parmesan, besteht **Car|pa|lia** *⟨gr.-nlat.⟩ die* (Plural): Sammelbezeichnung für die acht Handwurzelknochen **car|pe di|em!** *⟨lat.⟩:* „pflücke den Tag!"; Spruch aus Horaz, Oden I, 11, 8): a) nutze den Tag!; b) koste den Tag voll aus! **Car|pen|ter|brem|se** vgl. Karpenterbremse **Car|port** *⟨engl.-amerik.⟩ der;* -s, -s: überdachter Abstellplatz für Autos **Car|pus** *⟨gr.-nlat.⟩ der;* -, ...pi: Handwurzel (Med.) **Car|ra|ra** ⟨Ort in Oberitalien⟩ *der;* -s: Marmor aus Carrara. **car|ra-**

risch: Carrara betreffend, aus Carrara stammend; **carrarischer Marmor:** ↑Carrara **Car|ri|er** [ˈkɛrɪə] *⟨engl.⟩ der;* -s, -s: Unternehmen od. Organisation, die Personen od. Güter zu Wasser, zu Land u. in der Luft befördert **Car|sha|ring** [ˈkaːʃɛərɪŋ] *⟨engl.⟩ das;* -[s]: organisierte Nutzung eines Autos von mehreren Personen **Carte blanche** [kartˈblãːʃ] *⟨fr.; „weiße Karte"⟩ die;* -, -s -s [kartˈblãːʃ]: unbeschränkte Vollmacht **car|te|si|a|nisch** usw. vgl. kartesianisch usw. **Car|tha|min** vgl. Karthamin **Car|ti|la|go** *⟨lat.⟩ die;* -, ...gines: Knorpel (Med.); vgl. kartilaginär **Car|toon** [karˈtuːn] *⟨gr.-lat.-it.-engl.⟩ der od. das;* -[s], -s: 1. parodistische Zeichnung, Karikatur; gezeichnete od. gemalte [satirische] Geschichte in Bildern. 2. (Plural) Comicstrips. **Car|toonist** *der;* -en, -en: Künstler, der Cartoons zeichnet **Car|ving** *⟨engl.⟩ das;* -[s]: das Fahren auf der Kante, ohne zu rutschen (beim Snowboardfahren) **Ca|sa|no|va** ⟨ital. Abenteurer⟩ *der;* -[s], -s: jmd., der es versteht, auf verführerische Weise die Liebe der Frauen zu gewinnen; Frauenheld **Cä|sar** *⟨lat.⟩* nach dem röm. Feldherrn u. Staatsmann) *der;* Cäsaren, Cäsaren: (ehrender Beiname für einen röm.) Kaiser, Herrscher. **cä|sa|risch:** 1. kaiserlich. 2. selbstherrlich. **Cä|sa|ris|mus** *⟨lat.-nlat.⟩ der;* -: unbeschränkte, meist despotische Staatsgewalt. **Cä|sa|ro|pa|pis|mus** *der;* -: Staatsform, bei der die weltliche Herrscher zugleich auch geistliches Oberhaupt ist **Cas|ca|deur** [...ˈdøːɐ̯] vgl. Kaskadeur **Cas|ca|ra sag|ra|da*** *⟨span.⟩ die;* - -: Rinde des amerik. Faulbaums (Abführmittel) **Cas|co** *⟨span.⟩ der;* -[s], -[s]: Mischling in Südamerika **Case|his|to|ry** [ˈkeɪshɪstərɪ] *⟨engl.⟩ die;* -, -s: a) Fallgeschichte; ausführliche Beschreibung einer Werbeaktion (Wirtsch.); b) Beschreibung sämtlicher erfassbaren Lebensdaten, Umweltverhältnisse u. deren Einflüsse auf die Entwicklung eines Individuums (Psychol.) **Ca|se|in** vgl. Kasein

Cash [kɛʃ] ⟨lat.-it.-fr.-engl.⟩ das; -: Bargeld, Barzahlung. **cash and carʀry** [ˈkɛʃ ənd ˈkɛrɪ]: bar bezahlen u. mitnehmen (Vertriebsform des Groß- u. Einzelhandels, die auf Bedienung u. besondere Präsentation der Waren verzichtet u. die dadurch bewirkten Kostenersparnisse an die Abnehmer weitergibt); vgl. Discountgeschäft. **Cash-and-carʀry-Klausel** die; -: 1. Vertragsklausel im Überseehandel, wonach der Käufer die Ware bar bezahlen u. im eigenen Schiff abholen muss. 2. Bestimmung der nordamerik. Neutralitätsgesetzgebung von 1937, dass an Krieg führende Staaten Waffen nur gegen Barzahlung u. auf Schiffen des Käufers geliefert werden dürfen. **cash beʀfore deʀliʀveʀry** [- bɪˈfɔː dɪˈlɪvərɪ]: bar bezahlen vor Auslieferung (Handelsklausel, nach der der Kaufpreis vor der Warenlieferung zu zahlen ist) **Caʀshewʀnuss** [ˈkɛʃu..., auch: kəˈʃu:...] ⟨Tupi-port.-engl.; dt.⟩ die; -, ...nüsse: essbare Frucht des Nierenbaums aus dem tropischen Amerika **Cashʀflow** [ˈkɛʃfloʊ] ⟨engl.⟩ der; -s: Überschuss, der einem Unternehmen nach Abzug aller Unkosten verbleibt u. die Kennziffer zur Beurteilung der finanziellen Struktur eines Unternehmens ergibt. **cash on deʀliʀveʀry** [- - dɪˈlɪvərɪ] ⟨engl.⟩: bar bezahlen bei Auslieferung (Handelsklausel, nach der der Kaufpreis bei Übergabe der Ware zu zahlen ist) **Caʀsiʀno** vgl. Kasino **Cäʀsiʀum** ⟨lat.⟩ das; -s: chem. Element; ein Metall (Zeichen: Cs) **Casʀsa** ⟨lat.-it.⟩ die; -: 1. ital. Bez. für: Kasse; vgl. per cassa u. Kassa. 2. Trommel; **gran cassa:** große Trommel (Mus.) **Casʀsaʀpanʀca** ⟨it.⟩ die; -, -s: ein ital. Möbelstück des Mittelalters u. der ↑ Renaissance (Verbindung von Truhe und Bank mit Rück- und Seitenlehnen) **Casʀsaʀta** ⟨arab.-it.⟩ die; -, -[s] od. das; -[s], -[s]: italienische Eissspezialität mit kandierten Früchten **Casʀsaʀva** vgl. Kassawa **Casʀsetʀte** vgl. Kassette **Casʀsiʀnet** [ˈkɛsɪnɛt], (eindeutschend auch:) Kassinett ⟨fr.-engl.⟩ der; -[s], -s: halbwollener Streichgarnstoff in Leinen- od. Köperbindung (eine Webart) **Casʀsiʀloʀpeiʀum,** (eindeutschend auch:) Kassiopeium ⟨nlat.; nach

dem Sternbild Kassiopeia⟩ das; -s: (veraltet) Bez. für das chem. Element ↑ Lutetium; Zeichen: Cp **Casʀsis** ⟨lat.-fr.⟩ der; -, -: a) französischer Likör aus Johannisbeeren; b) französischer Branntwein aus Johannisbeeren **Casʀsoʀne** ⟨lat.-it.⟩ der; -, ...ni: wertvolles italienisches Möbelstück der ↑ Renaissance (lang gestreckter, gradflächiger Kasten, mit Malerei, Schnitzerei u. Einlegearbeiten verziert) **Cast** ⟨amerik.⟩ das; -: (bes. amerik.) der gesamte Stab von Mitwirkenden an einem Film. **Casting** ⟨engl.⟩ das; -[s], -s: 1. (in der Sportfischerei) Wettkampf, der darin besteht, dass man die Angel weit od. auf ein bestimmtes Ziel hin auswirft. 2. (bei Film, Fernsehen) Rollenbesetzung **Casʀtle** [kɑːsl] ⟨lat.-engl.⟩ das; -, -s: engl. Bez. für: Schloss, Burg ¹**Casʀtor** vgl. Kastor ²**Casʀtor** ⟨engl. Kurzwort aus: cask for storage and transport of radioactive material⟩ der; -s, -s: Behälter zum Transportieren u. Lagern von radioaktivem Material **Casʀtoʀreʀum** das; -s: Drüsenabsonderung des Bibers (Bibergeil) **Casʀtriʀsʀmus*** u. **Casʀtroʀisʀmus** ⟨nlat.⟩ der; -: Bezeichnung für die politischen Ideen u. das politische System des kubanischen Ministerpräsidenten F. Castro innerhalb des Weltkommunismus; vgl. Fidelismo **Casuʀaʀriʀna** vgl. Kasuarina **Casuʀla** vgl. Kasel **Cäʀsur** vgl. Zäsur **Casʀsus** vgl. Kasus; **Casus Belli:** Kriegsfall, Krieg auslösendes Ereignis; **Casus Foederis:** Ereignis, das die Bündnispflicht eines Staates auslöst; **Casus knacksus:** (scherzh.) Knackpunkt; **Casus obliquus:** abhängiger Fall (z. B. Genitiv, Dativ, Akkusativ); **Casus rectus:** unabhängiger Fall (Nominativ) **Caʀtalʀpa** vgl. Katalpa **Caʀtaʀracʀta** vgl. Katarakta **Catʀboot** [ˈkɛt...] ⟨engl.⟩ das; -[e]s, -e: kleines einmastiges Segelboot ¹**Catch** [kɛtʃ] ⟨lat.-vulgärlat.-fr.-engl.⟩ der; -, -es [...ɪs, auch: ...ɪz]: geselliges englisches Chorlied mit derbkomischen, spaßhaften Texten (17. u. 18. Jh.). ²**Catch** das; -: Abk. für ↑ Catch-as-catch-can. **Catch-as-catch-can** [ˈkɛtʃ əz ˈkɛtʃ ˈkɛn] ⟨amerik.⟩ das; -: von Berufsringern ausgeübte Art des

Freistilringens, bei der fast alle Griffe erlaubt sind. **catʀchen** [ˈkɛtʃn]: im Stil des Catch-as-catch-can ringen. **Catʀcher** [ˈkɛtʃɐ] der; -s, -: Berufsringer, der im Stil des Catch-as-catch-can ringt **Catʀchup** [ˈkɛtʃap] vgl. Ketschup **Caʀteʀchiʀne** ⟨nlat. Bildung zu ↑ Catechu⟩ die (Plural): farblose, kristallisierte organische Verbindungen (Grundlage natürlicher Gerbstoffe). **Caʀteʀchu** vgl. Katechu **Caʀteʀnacʀcio** [kate'natʃo] ⟨lat.-it.; „Sperrkette, Riegel"⟩ der; -[s]: besondere Verteidigungstechnik im Fußballspiel, bei der sich beim einem gegnerischen Angriff die gesamte Mannschaft kettenartig vor dem eigenen Strafraum zusammenzieht **Caʀteʀne** vgl. Katene **Caʀteʀring** [ˈkeɪtərɪŋ] ⟨lat.-it.-fr.-engl.⟩ das; -[s]: Beschaffung von Lebensmitteln, Verpflegung; Verpflegungswesen **Caʀterʀpilʀlar** [ˈkɛtəpɪlə] ⟨engl.⟩ der; -s, -[s]: Raupenschlepper (bes. im Straßenbau) **Catʀgut** [ˈkɛtɡat] vgl. Katgut **Caʀthedʀra*** ⟨gr.-lat.⟩ die; -, ...rae: 1. [Lehr]stuhl (vgl. Katheder). 2. Ehrensitz, bes. eines Bischofs od. des Papstes; **Cathedra Petri:** der Päpstliche Stuhl **Caʀtinʀga** ⟨indian.-port.⟩ die; -, -s: savannenartige Zone mit lichten Wäldern, Kaktusgewächsen u. a. in Brasilien **Catʀliʀnit** [auch: ...ˈnɪt] ⟨nlat.; nach dem amerik. Forscher George Catlin⟩ der; -s: nordamerikanischer Pfeifenstein (Tonschiefer); aus dem der Kopf der indianischen Friedenspfeife besteht **Catʀsuit** [ˈkɛtsjuːt] ⟨engl.⟩ der; -s: einteiliges, eng anliegendes, figurbetontes Kleidungsstück **Catʀwalk** [ˈkɛtwɔːk] der; -s, -s: Laufsteg **Cattʀleya** [kat'laia] ⟨nlat.; nach dem engl. Züchter Cattley⟩ die; -, ...leien: Orchideengattung aus dem tropischen Amerika **Cauʀda** ⟨lat.⟩ die; -: 1. Schwanz; Endstück eines Organs od. Körperteils (Med.). 2. Schleppe, bes. an den liturgischen Gewändern hoher Geistlicher (Rel.). 3. der nach oben od. unten gerichtete Hals einer Note od. ↑ Ligatur (2) (Mus.). **cauʀdaʀlis** vgl. kaudal **Cauʀdex** ⟨lat.⟩ der; -, ...dices: 1. [nicht verholzender] Stamm der Palmen u. Baumfarne. 2. tiefere Teile des Gehirns bei Säugetieren u. beim Menschen (im Gegensatz zu Groß- u. Kleinhirn)

Cau|dil|lo [kauˈdɪljo] ⟨span.; „Anführer, Heerführer"⟩ der; -[s], -s: 1. politischer Machthaber, Diktator. 2. Heerführer

Cau|sa ⟨lat.⟩ die; -, ...sae: 1. Grund, Ursache [z. B. eines Schadens]; Rechtsgrund (Rechtsw.). 2. (österr.) sich in einer bestimmten Weise darstellender Fall. **Cause cé|lèb|re*** [kozzeˈlɛbr] ⟨lat.-fr.⟩ die; - -, -s -s [kozzeˈlɛbr]: berühmter Rechtsstreit, berüchtigte Angelegenheit. **Cau|se|rie** [kozəˈriː] die; -, ...ien: unterhaltsame Plauderei. **Cau|seur** [koˈzøːɐ̯] der; -s, -e: [amüsanter] Plauderer. **Cau|seu|se** [koˈzøːzə] die; -, -n: 1. (veraltet) unbekümmert-munter plaudernde Frau. 2. kleines Sofa

Caus|ti|cum vgl. Kaustikum

Caux|be|wegung [ˈko...] ⟨nach dem Schweizer Luftkurort Caux⟩ die; -: religiöse Bewegung zur moralischen Erneuerung

Cal|va ⟨span.⟩ der; -s, -s: spanischer Schaumwein

Cal|val|lie|re ⟨lat.-it.⟩ der; -, ...ri: ital. Adelstitel; Abk.: Cav.

cal|ve cal|nem! ⟨lat.; „hüte dich vor dem Hund!"⟩: Inschrift auf Tür od. Schwelle altröm. Häuser

Cal|vi|tät vgl. Kavität

Cal|vum ⟨lat.⟩ das; -s, ...va: Hohlraum (Med.)

Ca|yenne|pfef|fer [kaˈjɛn...] ⟨nach der Hauptstadt von Französisch-Guayana, Cayenne⟩ -s: vorwiegend aus ↑ Chili hergestelltes scharfes Gewürz

CD ⟨Abk. für engl. compact disc⟩ die; -s, -[s]: ↑ Compactdisc, ↑ CD-ROM. **CD Play|er** [ˈtʃeːˈdeːpleɪə] ⟨engl.⟩ der; -s, -: Plattenspieler für CDs. **CD-ROM** ⟨Abk. für engl. read only memory „Nurlesespeicher"⟩ die; -, -[s]: Speicherplatte [für PCs mit entsprechendem Laufwerk], deren Programminhalt abgerufen, aber nicht verändert werden kann

Cel|ci|die [...diə] vgl. Zezidie

Cel|dil|le [seˈdiːjə] ⟨span.-fr.; von span. zedilla = kleines z⟩ die; -, -n: kommaartiges, ↑diakritisches Zeichen [unterhalb eines Buchstabens] mit verschiedenen Funktionen (z. B. franz. ç [s] vor a, o, u od. rumän. ş [ʃ])

Cei|lo|me|ter ⟨lat.-fr.-engl.; gr.⟩ das; -s, -: Wolkenhöhenmesser

Cein|tu|ron [sɛ̃tyˈrõ:] ⟨lat.-fr.⟩ das; -s, -s: (schweiz.) Koppel (des Soldaten)

Cel|leb|ret* vgl. Zelebret

Cel|les|ta [tʃe...] ⟨lat.-it.; „die Himmlische"⟩ die; -, -s u. ...ten: zart klingendes Tasteninstrument, das zur Tonerzeugung Stahlplatten u. röhrenförmige ↑ Resonatoren verwendet

Cel|la, (eindeutschend auch:) Zella ⟨lat.⟩ die; -, Cellae: 1. der Hauptraum im antiken Tempel, in dem das Götterbild stand. 2. a) (veraltet) Mönchszelle; b) ↑Kellion (Rel.). 3. kleinste Einheit eines Organismus, Zelle (Med.). **Cel|le|rar** der; -s, -e u. **Cel|le|ra|ri|us** der; -, ...rii: Wirtschaftsverwalter eines Klosters

Cel|list [tʃe...] ⟨it.⟩ der; -en, -en: Musiker, der Cello spielt. **cel|lis|tisch:** 1. das Cello betreffend. 2. celloartig. **Cel|lo** ⟨it.⟩ das; -s, -s u. ...lli: Kurzform für ↑ Violoncello

Cel|lo|phan ®, auch: Zellophan ⟨lat.; gr.⟩ das; -s u. **Cel|lo|pha|ne** ® die; -: durchsichtige, leicht dehnbare u. welche, aber konsistente Folie (als Verpackungsmaterial). **cel|lo|pha|nie|ren:** eine Ware in Cellophan verpacken. **Cel|lu|la** ⟨lat.⟩ die; -, ...lae: kleine Körperzelle (Med.). **Cel|lu|li|te, Cel|lu|li|tis** vgl. Zellulitis. **Cel|lu|lo|se** vgl. Zellulose

Cel|si|us ⟨nach dem schwed. Astronomen⟩: Gradeinheit auf der Celsiusskala; Zeichen: C; fachspr. °C. **Cel|si|us|ska|la** die; -, ...len: Temperaturskala, bei der der Abstand zwischen dem Gefrier- u. dem Siedepunkt des Wassers in 100 gleiche Teile unterteilt ist

Cel|ti|um ⟨lat.-nlat.⟩ das; -s: (veraltet) ↑ Hafnium

Cem|ba|list [tʃ...] ⟨gr.-lat.-it.⟩ der; -en, -en: Musiker, der Cembalo spielt. **cem|ba|lis|tisch:** 1. das Cembalo betreffend. 2. cembaloartig. **Cem|ba|lo** ⟨Kurzw. für: Clavicembalo⟩ das; -s, -s u. ...li: Tasteninstrument des 14. bis 18. Jh.s (alte Form des Klaviers, bei dem die Saiten aber angerissen, nicht angeschlagen werden)

Ce|no|man ⟨nach dem Siedlungsgebiet der Cenomanen, eines keltischen Volksstamms⟩ das; -s: Stufe der Kreideformation (Geol.)

Cent [sɛnt] ⟨lat.-fr.-engl.⟩ der; -[s], -[s] ⟨aber: 5 -⟩: Untereinheit der Währungseinheiten verschiedener Länder (z. B. USA, Niederlande); Abk.: c u. ct, im Plural: cts. **Cen|ta|vo** ⟨lat.-port.-span.⟩ der; -[s], -[s] ⟨aber: 5 -⟩: Untereinheit der Währungseinheiten verschiedener südamerikani-

scher Länder (z. B. Argentinien, Brasilien). **Cen|te|nar...** vgl. Zentenar...

¹Cen|ter [ˈsɛntɐ] ⟨gr.-lat.-fr.-amerik.; „Mittelpunkt"⟩ das; -s, -: a) großes Kaufhaus, Einzelhandelsgeschäft; b) Geschäftsviertel mit verschiedenen Einzelhandelsgeschäften u. Ä. **²Cen|ter** der; -s, -: zentraler Angriffsspieler (Basketball). **Cen|ter|court**, auch: **Cen|ter-Court** [...kɔːt] ⟨amerik.⟩ vgl. Centrecourt

Cen|te|si|mo [tʃ...] ⟨lat.-it.⟩ der; -[s], ...mi: Untereinheit der Währungseinheiten verschiedener Länder (z. B. Italien, Somali). **Cen|té|si|mo** [sɛnˈteː...] ⟨lat.-span.⟩ der; -[s], -[s] ⟨aber: 5 -⟩: Untereinheit der Währungseinheiten verschiedener Länder (z. B. Panama, Chile). **Cen|time** [sãˈtiːm] ⟨lat.-fr.⟩ der; -s, -s ⟨aber: 5 -⟩: Untereinheit der Währungseinheiten verschiedener Länder (z. B. Frankreich, Schweiz); Abk.: c u. ct, Plural: ct[s], schweiz. nur: Ct. **Cén|ti|mo** [ˈsɛn...] ⟨lat.-span.⟩ der; -[s], -s ⟨aber: 5 -⟩: Untereinheit der Währungseinheiten bestimmter Länder (z. B. Spanien, Costa Rica)

Cen|to ⟨lat.⟩ der; -s, -s u. Centones: Gedicht, das aus einzelnen Versen bekannter Dichter zusammengesetzt ist

Cent|ral* In|tel|li|gence Agen|cy [ˈsɛntrəl ɪnˈtelɪdʒəns ˈeɪdʒənsi] ⟨engl.⟩ die; - - -: US-amerikanischer Geheimdienst; Abk.: CIA. **Cen|tre|court**, auch: **Cen-tre-Court** [ˈsɛntəkɔːt] ⟨engl.⟩ der; -s, -s: Hauptplatz großer Tennisanlagen

Cent|ro|som* vgl. Zentrosom

Cen|tu|rie usw. vgl. Zenturie usw.

Ce|phal|[o]... vgl. Kephal[o]...

Cer, (eindeutschend auch:) Zer ⟨lat.-nlat.; nach dem 1801 entdeckten Asteroiden Ceres⟩ das; -s: chem. Element; ein Metall (Zeichen: Ce)

Ce|ra ⟨lat.⟩ die; -, ...ren: 1. [Bienen]wachs (Pharm.). 2. weiche Hautverdickung am Schnabel vieler Vögel (Zool.)

Cer|cle [ˈsɛrkl] ⟨lat.-fr.⟩ der; -s, -s: 1. a) Empfang [bei Hofe]; b) vornehmer Gesellschaftskreis. 2. (österr.) die ersten Reihen im Theater od. Konzertsaal

Ce|re|a|li|en ⟨lat.⟩ die (Plural): 1. altrömisches Fest zu Ehren der Ceres, der Göttin des Ackerbaus. 2. ↑Zerealie

Ce|re|bel|la: *Plural* von ↑ Cerebellum. ce|re|bel|lar vgl. zerebellar.
Ce|re|bel|lum ⟨*lat.*⟩ *das;* -s, ...bella: Kleinhirn (Med.). Ce|reb|ra*: *Plural* von ↑ Cerebrum.
Ce|reb|rum* *das;* -s, ...bra: [Groß]hirn, Gehirn (Med.)
Ce|re|o|lus ⟨*lat.*⟩ *der;* -, ...li: Arzneistäbchen (aus Wachs)
Ce|re|sin vgl. Zeresin
Ce|re|us ⟨*lat.*⟩ *der;* -: Säulenkaktus
ce|rise [sə'ri:z] ⟨*gr.-lat.-vulgärlat.-fr.*⟩: kirschrot
Ce|rit vgl. Zerit
Cer|mets ['sə:mɛts] ⟨Kunstw. aus: *engl.* ceramic u. *metals*⟩ *die* (Plural): metallkeramische Werkstoffe, die aus einem Metall u. einer keramischen Komponente bestehen
Ce|ro|tin|säu|re vgl. Zerotinsäure
Cer|to|sa [tʃ...] ⟨*it.;* „Kartause"⟩ *die;* -, ...sen: Kloster der ↑ Kartäuser in Italien. Cer|to|sa|mo|sa|ik *das;* -s, -en: geometrisch gemustertes Elfenbeinmosaik orientalischen Charakters der norditalienischen Renaissance
Ce|ru|men vgl. Zerumen. Ce|rus|sit vgl. Zerussit
Cer|ve|lat ['sɛrvəla] ⟨*fr.*⟩ *der;* -s, -s: (schweiz.) Brühwurst aus Rindfleisch mit Schwarten u. Speck; vgl. Servela, Zervelatwurst
Cer|vix ⟨*lat.*⟩ *die;* -, ...ices: (Anat.)
a) Hals, Nacken; b) halsförmiger Abschnitt eines Organs (z. B. der Gebärmutter)
c'est la guerre! [sɛla'gɛːr] ⟨*fr.;* „das ist der Krieg"⟩: so ist es nun einmal [im Krieg], da kann man nichts machen!
c'est la vie! [sɛla'vi:] ⟨*fr.;* „das ist das Leben"⟩: so ist das [Leben] nun einmal!
Ces|to|des ⟨*gr.-nlat.*⟩ vgl. Zestoden
Ce|ta|ce|um ⟨*gr.-lat.-nlat.*⟩ *das;* -s: aus dem Kopf von Pottwalen gewonnene fettartige, spröde Substanz (Walrat)
ce|te|ris pa|ri|bus ⟨*lat.*⟩: unter [sonst] gleichen Umständen (methodologischer Fachausdruck der Wirtschaftstheorie). ce|te-rum cen|seo ⟨*lat.;* „im Übrigen meine ich"⟩ (dass Karthago zerstört werden muss): Schlusssatz jeder Rede Catos im römischen Senat⟩: im Übrigen meine ich (als Einleitung einer immer wieder vorgebrachten Forderung, Ansicht)
Ce|vap|ci|ci u. Če|vap|či|či [tʃe-

'vapt|ʃit|ʃi] ⟨*serbokroat.*⟩ *die* (Plural): gegrillte Hackfleischröllchen
CGS-Sys|tem ⟨Abk. von Centimeter, Gramm, Sekunde⟩ *das;* -s: älteres physikalisches Maßsystem, das auf den Grundeinheiten Zentimeter, Gramm u. Sekunde aufgebaut ist
Chab|lis* [ʃa'bli:] ⟨*fr.;* nach der franz. Stadt⟩ *der;* - [...(s)], - [...s]: Weißwein aus Niederburgund
Cha-Cha-Cha ['tʃa'tʃa'tʃa] ⟨*span.*⟩ *der;* -[s], -s: dem ↑ Mambo ähnlicher Tanz aus Kuba
Cha|conne [ʃa'kɔn] ⟨*span.-fr.*⟩ *die;* -, -s u. -n u. Ciacona ⟨*span.-it.*⟩ *die;* -, -s: 1. spanischer Tanz im $^3/_4$-Takt. 2. Instrumentalstück im $^3/_4$-Takt mit zugrunde liegendem achttaktigem ↑ ostinatem Bassthema (Mus.)
cha|cun à son goût [ʃakœasõ'gu] ⟨*fr.*⟩: jeder nach seinem Geschmack; jeder, wie es ihm beliebt
Cha|gas|krank|heit ['ʃa:...] ⟨nach dem brasilianischen Arzt u. Bakteriologen Carlos Chagas⟩ *die;* -: tropische Infektionskrankheit
¹Chag|rin* [ʃa'grɛ̃:] ⟨*germ.-fr.*⟩ *der;* -s: Kummer, Verdruss
²Chag|rin* [ʃa'grɛ̃:] ⟨*türk.-fr.*⟩ *das;* -s, -s: Leder aus Pferde- od. Eselshäuten mit Erhöhungen auf der Narbenseite. chag|ri|nie|ren ⟨*türk.-fr.*⟩: ein Narbenmuster auf Leder aufpressen
Chai|ne ['ʃɛ:nə] ⟨*lat.-fr.*⟩ *die;* -, -n: 1. Kettfaden. 2. (veraltet) Kette (beim Rundtanz)
Chair|lei|der ['ʃɛ:ɐ̯...] ⟨*lat.-fr.;* dt.⟩ *das;* -s, -: pflanzlich nachgegerbtes ↑ Glacéleder
Chair|man ['tʃɛ:ɐ̯mən] ⟨*lat.-engl.; engl.*⟩ *der;* -, ...men: in England u. Amerika der Vorsitzende eines politischen od. wirtschaftlichen Gremiums, bes. eines parlamentarischen Ausschusses
Chai|se ['ʃɛ:zə] ⟨*lat.-fr.*⟩ *die;* -, -n: 1. (veraltet) Stuhl, Sessel. 2. a) (veraltet) halb verdeckter Wagen; b) (abwertend) altes, ausgedientes Fahrzeug. 3. (veraltet) ↑ Chaiselongue. Chai|se|longue [ʃɛzə'lɔ̃, auch: ...'lõ:k] ⟨„Langstuhl"⟩ *die;* -, -n u. -s (ugs. auch: *das;* -s) -s: gepolsterte Liege mit Kopflehne
Chak|ra* ['tʃa...] ⟨*sanskr.;* „Rad"⟩ *das;* -[s], -s u. ...kren: 1. (nach indischer Vorstellung) eines von sieben Energiezentren im menschlichen Körper. 2. ↑ Tschakra
Cha|ku ['tʃa:ku] ⟨*jap.*⟩ *das;* -s, -s: Kurzform von ↑ Nunchaku

Chal|la|za *die;* -, ...lazen, auch: Chal|la|ze [ça...] ⟨*gr.-nlat.*⟩ *die;* -, -n: 1. bei Blütenpflanzen die Stelle, von der die Hüllen der Samenanlage mit dem Knospenkern (↑ Nucellus) ausgehen (Knospengrund; Bot.). 2. zweispiralig gedrehter Eiweißstrang im Ei der Vögel (Hagelschnur; Zool.). Chal|la|zi|on u. Chal|la|zi-um *das;* -s, ...ien [...jən]: entzündliche Anschwellung am Augenlid (Hagelkorn; Med.). Cha|la|zo|ga|mie *die;* -, ...ien: Form der ↑ Aporogamie; Befruchtungsvorgang bei den Blütenpflanzen, bei dem der Weg des Pollenschlauchs über die ↑ Chalaza (1) zur Eizelle führt (Bot.)
Chal|ce|don vgl. Chalzedon
Chal|let [ʃa'le:, ʃa'le] ⟨*schweiz.-fr.*⟩ *das;* -s, -s: 1. Sennhütte. 2. Ferien-, Landhaus [in den Bergen]
Chal|li|ko|se [ça...] ⟨*gr.-nlat.*⟩ *die;* -, -n: Kalk[staub]lunge (Med.)
Chal|ko|che|mi|gra|phie, auch: ...grafie [çal...] ⟨*gr.; arab.; gr.*⟩ *die;* -: Metallgravierung. Chal|ko-ge|ne ⟨*gr.-nlat.*⟩ *die* (Plural): Sammelbezeichnung für die Elemente der sechsten Hauptgruppe des periodischen Systems (Chem.). Chal|ko|graph, auch: ...graf *der;* -en, -en: Kupferstecher. Chal|ko|gra|phie, auch: ...grafie *die;* -, ...ien: (veraltet) 1. (ohne Plural) Kupferstechkunst. 2. Kupferstich. Chal|ko|lith [auch: ...'lɪt] *der;* -s u. -en, -e[n]: ein Mineral. Chal|ko|li|thi|kum [auch: ...'liti...] *das;* -s: jungsteinzeitliche Stufe, in der bereits Kupfergegenstände auftreten. chal|ko|phil: sich mit Chalkogenen verbindend (von [metallischen] Elementen). Chal|ko|se *die;* -: Ablagerung von Kupfer od. Kupfersalzen im Gewebe, bes. im Augapfel (Med.)
Chal|u|meau [ʃaly'mo:] ⟨*lat.-mlat.-fr.*⟩ *das;* -s, -s: 1. einfaches Holzblasinstrument des Mittelalters. 2. (ohne Plural) tiefstes Register der Klarinette
Chal|ly [ʃa'li:] ⟨*fr.*⟩ *der;* -[s]: dem ↑ Musselin ähnlicher taftbindiger Kleiderstoff aus Seide u. Wolle
Chal|ze|don, auch: Chalcedon [kalts...] ⟨wahrsch. nach der altgriech. Stadt Kalchedon (lat. =Chalcedon) am Bosporus) *der;* -s, -e: ein Mineral (Quarzabart)
Cha|ma|le|on [ʃa...] vgl. Schamade
Cha|mä|le|on [ka...] ⟨*gr.-lat.;* „Erdlöwe"⟩ *das;* -s, -s: [auf Bäumen lebende] kleine Echse, die ihre Hautfarbe bei Gefahr rasch

ändert. **Cha|mä|phyt** [ça...] ⟨*gr.-nlat.*⟩ *der;* -en, -en (meist Plural): Zwergstrauch; Lebensform von Pflanzen, deren Erneuerungsknospen in Bodennähe liegen u. darum ungünstige Jahreszeiten relativ geschützt (z. B. unter einer Schneedecke) überdauern (Bot.). **Cha|mä|ze|pha|lie** *die;* -, ...ien: Schädeldeformierung mit niedriger Gesichtsform (Med.) **Cham|ber|tin** [ʃãbɛr'tɛ̃] ⟨*fr.*⟩ *der;* -[s]: burgundischer Spitzenwein aus Gevrey-Chambertin **Chamb|ray*** [ʃam'brɛ:] ⟨*fr.-amerik.*⟩ *der;* -s, -s: leichtes Baumwollgewebe in Leinwandbindung mit farbigem Schuss u. weißem Kettfaden **Chamb|re* des Dé|pu|tés** [ʃãbrədedepy'te] ⟨*fr.*⟩ *die;* - - -: franz. Abgeordnetenkammer der 3. Republik (1875 bis 1940). **Chamb|re gar|nie** [ʃãbrə-] *das;* - -, -s -s [ʃãbrəgar'ni]: (veraltet) möbliertes Zimmer zum Vermieten. **Chamb|re sé|pa|rée** [ʃãbrəsepa're] *das;* - -, -s -s [ʃãbrə sepa're]: (veraltet) kleiner Nebenraum in Restaurants für ungestörte Zusammenkünfte. **Chamb|ri|e|re** [ʃã...] *die;* -, -n: beim Zureiten u. in der Manege benutzte Peitsche **cha|mois** [ʃa'mɔa] ⟨*fr.*⟩: gämsfarben, gelbbräunlich. **Cha|mois** *das;* -: 1. besonders weiches Gämsen-, Ziegen-, Schafleder. 2. chamois Farbe. **Cha|mois|pa|pier** *das;* -s, -e: gelbbräunliches Kopierpapier (Fotogr.) **Champ** [tʃɛmp] ⟨*lat.-galloroman.-fr.-engl.*⟩ *der;* -s, -s: Kurzform von ↑Champion **cham|pag|ner*** [ʃam'panjə] ⟨*lat.-fr.*⟩: zart gelblich. **Cham|pag|ner** *der;* -s, -: in Frankreich hergestellter weißer od. roter Schaumwein [aus Weinen der Champagne]. **Cham|pig|non** [ˈʃampinjɔŋ, selten: ˈʃã:pinjõ] ⟨*lat.-vulgärlat.-fr.*⟩ *der;* -s, -s: ein essbarer Pilz (auch gärtnerisch angebaut). **Cham|pi|on** [ˈtʃɛmpjən] ⟨*lat.-galloroman.-fr.-engl.*⟩ *der;* -s, -s: Meister[mannschaft] in einer Sportart, Spitzensportler. **Cham|pi|o|nat** [ʃam...] ⟨*fr.*⟩ *das;* -[e]s, -e: Meisterschaft in einer Sportart. **Cham|pi|ons League** [ˈtʃɛmpjənz ˈli:g] ⟨*engl.*⟩ *die;* - -: Pokalwettbewerb der europäischen Landesmeister im Fußball, bei dem die Viertelfinalgegner durch Punktspiele ermittelt werden **Cham|sin** [kam'zi:n] vgl. Kamsin

¹**Chan** [ka:n, xa:n], auch: Han ⟨*pers.-arab.*⟩ *der;* -s, -s u. -e: Herberge im Vorderen Orient ²**Chan** [ka:n, xa:n] *der;* -s, -e: ↑Khan **Chan|ce** [ˈʃã:sə, auch: ʃã:s] ⟨*lat.-vulgärlat.-fr.*⟩ *die;* -, -n: 1. günstige Gelegenheit; Möglichkeit, etwas Bestimmtes zu erreichen. 2. Aussicht auf Erfolg **Chan|cel|lor** [ˈtʃɑ:nsələ] ⟨*lat.-fr.-engl.*⟩ *der;* -s, -s: engl. Bez. für: Kanzler **Chan|cen|gleich|heit** *die;* -: gleiche Ausbildungs- u. Aufstiegsmöglichkeiten für jeden ohne Rücksicht auf Herkunft o. Ä. (Bildungspolitik) **Chang** [tʃaŋ] ⟨*chin.*⟩ *das;* -[s], -[s]: chines. Längenmaß **Change** [ʃã:ʒ, engl.: tʃeɪndʒ] ⟨*lat.-fr.* u. *engl.*⟩ *die;* - (bei franz. Ausspr.) u. *der;* - (bei engl. Ausspr.): Tausch, Wechsel [von Geld]. **chan|geant** [ʃãˈʒã] ⟨*lat.-fr.*⟩: in mehreren Farben schillernd (von Stoffen). **Chan|geant** *der;* -[s], -s: 1. [taftbindiges] Gewebe mit verschiedenfarbigen Kett- u. Schussfäden, das bei Lichteinfall verschieden schillert. 2. Schmuckstein mit schillernder Färbung. **Chan|gement** [ʃãʒəˈmã] *das;* -s, -s: (veraltet) Vertauschung, Wechsel, Änderung; **Changement de Pieds** [...dəˈpje:]: Ballettfigur mit Wechsel der Position der Füße im Sprung. **chan|gie|ren** [ʃãˈʒi:rən]: 1. (veraltet) wechseln, tauschen, verändern. 2. [verschieden]farbig schillern (von Stoffen). 3. (veraltet) vom Rechts- zum Linksgalopp übergehen (Reiten). 4. die Fährte wechseln (Jägerspr.) **Cha|no|yu** [ˈtʃanoju] vgl. Tschanoju ¹**Chan|son** [ʃãˈsõ:] ⟨*lat.-fr.*⟩ *die;* -s: a) in der frühen franz. Dichtung episches od. lyrisches Lied, das im Sprechgesang vorgetragen wurde (z. B. Chanson de Geste); b) Liebes- od. Trinklied des 15.–17. Jhs. ²**Chan|son** *das;* -s, -s: witzig-freches, geistreiches rezitativisches Lied mit oft zeitod. sozialkritischem Inhalt. **Chan|son de Geste** [- dˈʒɛst] *der;* - - -, -s [ʃãˈsõ:] - -: vgl. ¹Chanson (a). **Chan|so|ni|er** vgl. Chansonnier. **Chan|sonnet|te**, auch: **Chan|so|net|te** *die;* -, -n: 1. kleines Lied komischen od. frivolen Inhalts. 2. Chansonsängerin. **Chan|son|ni|er**, auch:

Chansonier [...ˈnje:] *der;* -s, -s: 1. franz. Liederdichter des 12.–14. Jh.s; vgl. Troubadour. 2. Liedersammlung mit provenzalischen Troubadourliedern. 3. Chansonsänger od. -dichter. **Chan|son|ni|è|re**, auch: Chansonière [...ˈnje:rə] *die;* -, -n: ↑Chansonnette (2). **Chan|ta|ge** [ʃãˈta:ʒə] *die;* -: Androhung von Enthüllungen zum Zweck der Erpressung. **Chan|teu|se** [ʃãˈtø:zə] *die;* -, -n: Sängerin **Chan|til|ly|spit|ze** [ʃãˈtiˈji...] ⟨*nach dem franz.* Ort Chantilly in der Picardie⟩ *die;* -, -n: Klöppelspitze **Cha|nuk|ka** [xa...] ⟨*hebr.*; „Weihe"⟩ *die;* -: jüdisches Fest der Tempelweihe im Dezember **Cha|os** [ˈka:ɔs] ⟨*gr.-lat.*⟩ *das;* -: totale Verwirrung, Auflösung aller Ordnungen, völliges Durcheinander. **Cha|os|the|o|rie** *die;* -: mathematisch-physikalische Theorie, die versucht, zufällige, bedingte Vorgänge rechnerisch zu beschreiben. **Cha|ot** *der;* -en, -en: a) (meist Plural) jmd., der seine politischen Ziele durch Gewaltaktionen u. gezielte Zerstörungsmaßnahmen zu erreichen sucht; b) (ugs.) jmd., der Unruhe u. Verwirrung stiftet. **Cha|o|tik** *die;* -: chaotische Art u. Weise. **cha|o|tisch** ⟨*gr.-nlat.*⟩: wirr, ungeordnet **Cha|pal|da** [ʃa...] ⟨*port.*⟩ *die;* -, -s: terrassenförmige, trockene Hochebene in Zentralbrasilien **Cha|peau** [ʃaˈpo] ⟨*lat.-vulgärlat.-fr.*⟩ *der;* -s, -s: (veraltet, aber noch scherzhaft) Hut. **Cha|peau claque** [ʃapoˈklak] ⟨*fr.*⟩ *der;* - -, -x -s [ʃaˈpoˈklak]: zusammenklappbarer Zylinderhut. **Cha|pe|ron** [ʃapəˈrõ] *der;* [ə], -s: 1 im Mittelalter von Männern u. Frauen getragene, eng anschließende Kapuze mit kragenartigem Schulterstück. 2. (veraltet) ältere Dame, die eine jüngere als Beschützerin begleitet. **cha|pe|ro|nie|ren**: (veraltet) eine junge Dame zu ihrem Schutz begleiten **Cha|pe|to|nes** [tʃa...] ⟨*span.*⟩ *die* (Plural): Bezeichnung für die noch unerfahrenen Neueinwanderer nach Spanisch-Südamerika **Cha|pi|teau** [ʃapiˈto:] ⟨*lat.-fr.*⟩ *das;* -, -x [...ˈto:]: Zirkuszelt, -kuppel **Chap|li|na|de*** [tʃa...] ⟨*nach dem englischen Filmschauspieler Ch. Chaplin*⟩ *die;* -, -n: komischer Vorgang, burlesk-grotesker Vorkommnis (wie in den Filmen Chaplins). **chap|li|nęsk**: in der Art Chaplins, burlesk-grotesk **chap|ta|li|sie|ren** [ʃap...] ⟨nach dem franz. Forscher Chaptal⟩: Wein durch Zusatz von Zucker verbessern **Cha|rac|ter in|de|le|bi|lis** ⟨gr.-lat.; lat.⟩ der; - -: unzerstörbares Merkmal ß. Siegel, das nach kath. Lehre Taufe, Firmung u. Priesterweihe der Seele einprägen **Cha|ra|de** [ʃa...] vgl. Scharade **Cha|rak|ter** ⟨gr.-lat.; „eingekerbtes, eingeprägtes [Schrift]zeichen"⟩ der; -s, ...ęre: 1. a) Gesamtheit der geistig-seelischen Eigenschaften eines Menschen, seine Wesensart; b) Mensch als Träger bestimmter Wesenszüge. 2. (ohne Plural) a) charakteristische Eigenart, Gesamtheit der einer Personengruppe od. einer Sache eigentümlichen Merkmale u. Wesenszüge; b) einer künstlerischen Äußerung od. Gestaltung eigentümliche Geschlossenheit der Aussage. 3. (meist Plural) Schriftzeichen, Buchstaben. 4. (veraltet) Rang, Titel. **Cha|rak|ter|dra|ma** das; -s, ...men: Drama, dessen Schwerpunkt nicht in der Verknüpfung des Geschehens, sondern in der Darstellung der Charaktere liegt. **cha|rak|te|ri|sie|ren** ⟨gr.-lat.-fr.⟩: 1. jmdn./etwas in seiner Eigenheit darstellen, kennzeichnen, treffend schildern. 2. für jmdn./etwas kennzeichnend sein. /etwas **Cha|rak|te|ris|tik** ⟨gr.-nlat.⟩ die; -, -en: 1. Kennzeichnung, treffende Schilderung einer Person od. Sache. 2. grafische Darstellung einer physikalischen Gesetzmäßigkeit in einem Koordinatensystem (Kennlinie). 3. Kennziffer eines ↑Logarithmus (Math.). **Cha|rak|te|ris|ti|kum** das; -s, ...ka: bezeichnende, hervorstechende Eigenschaft. **cha|rak|te|ris|tisch**: bezeichnend, kennzeichnend für jmdn./etwas. **Cha|rak|ter|ko|mö|die** die; -, -n: Komödie, deren komische Wirkung weniger auf Verwicklungen der Handlung als auf der Darstellung eines komischen Charakters beruht. **cha|rak|ter|lich**: den ↑Charakter (1 a) eines Menschen betreffend. **Cha|rak|te|rol|lo|ge** der; -n, -n: Erforscher des menschlichen Persönlichkeit. **Cha|rak|te|rol|lo|gie** die; -: Persönlichkeitsforschung,

Charakterkunde. **cha|rak|te|ro|lo|gisch**: die Charakterologie betreffend, charakterkundlich. **Cha|rak|te|ro|pa|thie** die; -, ...ien: erworbene charakterliche Abnormität (Psychol.). **Cha|rak|ter|rol|le** die; -, -n: Rollenfach im Theater (Darstellung eines komplexen u. widersprüchlichen Charakters). **Cha|rak|ter|stück** das; -[e]s, -e: romantisches Klavierstück, dessen Gehalt durch den Titel bezeichnet ist (z. B. „Nocturnes"). **Cha|rak|ter|tra|gö|die** die; -, -n: Tragödie, die sich aus den besonderen Charaktereigenschaften des Helden entwickelt **Char|cu|te|rie** [ʃarky...] ⟨fr.⟩ die; -, ...ien: (südd. veraltet) [Schweine]schlachterei. **Char|cu|ti|er** [...'tje:] der; -s, -s: (südd. veraltet) [Schweine]schlachter **Char|don|nay** [ʃardɔ'ne] ⟨fr.⟩ der; -s: Rebsorte, aus der z. B. trockener weißer Burgunder u. Champagner hergestellt wird **Char|don|net|sei|de** [ʃardɔ'ne:...] ⟨nach dem franz. Chemiker Chardonnet⟩ die; -: die erste, heute nicht mehr hergestellte Art von Kunstseide **Chard|schit*** ⟨arab.; „Ausziehder"⟩ der; -en, -en: Mitglied einer islamischen Sekte **Char|ge** [ʃarʒə] ⟨lat.-vulgärlat.-fr.; „Last"⟩ die; -, -n: 1. Amt, Würde, Rang. 2. (Mil.) a) Dienstgrad; b) Vorgesetzter. 3. ↑Chargierter. 4. Ladung, Beschickung (Techn.). 5. Nebenrolle mit meist einseitig gezeichnetem Charakter (Theat.). 6. Serie, z. B. von Arzneimitteln, die während eines Arbeitsabschnitts u. mit den gleichen Rohstoffen gefertigt u. verpackt werden (Med.). **Char|gé d'Af|faires** [ʃar'ʒe: da'fɛ:ɐ̯] ⟨fr.⟩ der; - - -, -s [ʃar'ʒe: -]: Geschäftsträger, Chef einer diplomatischen Mission od. dessen Vertreter. **char|gie|ren** [ʃar'ʒi:...] ⟨lat.-vulgärlat.-fr.⟩: 1. in der studentischen Festtracht erscheinen (von Chargierten). 2. einen ↑Reaktor mit Brennstoff beschicken. 3. (Theat.) a) eine Nebenrolle spielen; b) in seiner Rolle übertreiben. **Char|gier|te** der; -n, -n: einer der drei Vorsitzenden eines ↑Korps (2) **Cha|ris** [ça:rɪs, auch: 'çarɪs] ⟨gr.⟩ die; -, ...riten: 1. (ohne Plural) Anmut. 2. (meist Plural) Göttin der Anmut. **Cha|ris|ma** [auch: 'çarɪsma, ça'rɪsma] ⟨gr.-lat.;

„Gnadengabe"⟩ das; -s, ...rismen u. ...rismata: 1. die durch den Geist Gottes bewirkten Gaben und Befähigungen des Christen in der Gemeinde (Theol.). 2. besondere Ausstrahlungskraft eines Menschen. **cha|ris|ma|tisch**: a) das Charisma betreffend; b) Charisma besitzend. **cha|ri|ta|tiv** [ka...] vgl. karitativ. **Cha|ri|té** [ʃari'te:] ⟨lat.-fr.⟩ die; -, -s: (veraltet) Krankenhaus, Pflegeanstalt. **Cha|ri|ten** [ça...] ↑Charis (2). **Cha|ri|tin** [ça...] ⟨gr.⟩ die; -, -nen: ↑Charis (2) **Cha|ri|va|ri** [ʃari'va:ri] ⟨gr.-spät-lat.-fr.⟩ das; -s, -s: 1. (veraltet) Durcheinander. 2. (veraltet) Katzenmusik. 3. (veraltet) alle vier Damen (beim Kartenspiel) in einer Hand. 4. a) (bayr.) Uhrkette; b) Anhänger an einer Uhrkette **Charles|ton** ['tʃarlstn̩] ⟨nach der Stadt in South Carolina, USA⟩ der; -s, -s: Modetanz der 20er-Jahre im schnellen, stark synkopierten Foxtrottrhythmus **Char|li|è|re** [ʃar'lje:rə] ⟨fr.⟩ der; dem franz. Physiker J. A. C. Charles⟩ die; -, -n: mit Wasserstoffgas gefüllter Luftballon **Char|lot|te** [ʃar...] ⟨fr.⟩ die; -, -n: warme od. kalte Süßspeise aus Biskuits, Makronen u. Früchten **Char|ly** ['tʃa:li] ⟨engl.⟩ der; -[s]: (Jargon) Kokain **char|mant** [ʃar...], auch: scharmant ⟨lat.-fr.⟩: bezaubernd, von liebenswürdig-gewinnender Wesensart. **Charme** [ʃarm], auch: Scharm der; -s: liebenswürdig-gewinnende Wesensart. **Char|mel|laine** [ʃarmə'lɛ:n] ⟨fr.⟩ der; -[s] od. die; -: schmiegsamer Kammgarnwollstoff in Köperod. Atlasbindung (besondere Webart). **Char|meur** [...'mø:ɐ̯] ⟨lat.-fr.⟩ der; -s, -s u. -e: Mann, der mit gezieltem Charme [Frauen] für sich einzunehmen vermag. **Char|meuse** [...'mø:z] die; -: maschenfeste Wirkware aus synthetischen Fasern. **char|mie|ren**: (veraltet) durch seinen Charme bezaubern. **char|ming** ['tʃa:mɪŋ] ⟨engl.⟩: liebenswürdig, gewinnend **Chä|ro|ma|nie** [çε...] ⟨gr.-nlat.⟩ die; -, ...ien: krankhafte Heiterkeit (Med.) **Chart** [tʃart] ⟨engl.⟩ der od. das; -s, -s: 1. grafische Darstellung von Zahlenreihen. 2. (nur Plural) ↑Hitliste. **Char|ta** ['karta] ⟨ägypt.-gr.-lat.⟩ die; -, -s: Verfassungsurkunde, Staatsgrunde-

setz; vgl. Magna Charta. **Charte** [ˈʃartə] ⟨lat.-fr.⟩ die; -, -n: wichtige Urkunde im Staats- u. Völkerrecht. **Char|ter** [ˈtʃ..., auch: ˈʃ...] ⟨lat.-fr.-engl.⟩ die; -, -, (auch:) der; -s, -s: 1. engl. Bez. für: Urkunde, Freibrief. 2. Mietod. Pachtvertrag über ein Flugzeug, ein Schiff o. Ä. **Char|te|rer** der; -s, -: jmd., der etwas chartert, gechartert hat. **Char|ter|ma|schi|ne** die; -, -n: von einer privaten Gesellschaft o. Ä. [für eine Flugreise] gemietetes Flugzeug (keine Linienmaschine). **char|tern**: ein Flugzeug, ein Schiff o. Ä. mieten. **Char|tis|mus** ⟨engl.-nlat.⟩ der; -: erste organisierte Arbeiterbewegung in England. **Char|tist** der; -en, -en: Anhänger des Chartismus
¹Chart|reu|se* ℗ [ʃarˈtrøːzə] ⟨nach dem Kloster in der Dauphiné⟩ der; -: von franz. Kartäuserminnchen heregestellter Kräuterlikör. **²Chart|reu|se** die; -, -n: ein Gericht aus Gemüse od. Teigwaren u. Fleisch
Char|tu|la|ria [kar...] ⟨ägypt.-gr.-lat.-mlat.⟩ die (Plural): gesammelte Abschriften von Urkunden in Buchform
Cha|ryb|dis [ça...] ⟨gr.-lat.⟩ die; -: gefährlicher Meeresstrudel der griechischen Sage; vgl. Szylla
Cha|san [xa...] ⟨hebr.⟩ der; -s, -e: Vorbeter in der Synagoge
Chase [tʃeɪs] ⟨lat.-vulgärlat.-fr.-engl.-amerik.; „Jagd"⟩ das od. die; -: Improvisation, bei der sich zwei od. mehrere Solisten ständig abwechseln
Chas|ma [ç...] ⟨gr.-lat.⟩ das; -s, ...men u. Chasmus ⟨gr.-nlat.⟩ der; -, -se od. ...men: Gähnkrampf (Med.). **chas|mo|gam**: offenblütig, der Fremdbestäubung zugänglich (von Pflanzen; Bot.); Ggs. ↑kleistogam. **Chas|mo|ga|mie** die; -, ...ien: Fremdbestäubung bei geöffneter Blüte (Bot.); Ggs. ↑Kleistogamie
Chasse [ʃas] ⟨lat.-vulgärlat.-fr.; „Jagd"⟩ die; -: 1. Billardspiel mit 15 Bällen. 2. dreistimmiger, gesungener Kanon der französischen Musik des 14. Jh.s (Mus.)
Chas|se|pot|ge|wehr [ʃasə-ˈpo:...] ⟨nach dem französischen Gewehrkonstrukteur⟩ französischer Hinterlader im Krieg 1870-71
Chas|sid [xa...] ⟨hebr.; „der Fromme"⟩ der; -[s], -im (meist Plural): 1. Anhänger des ↑Chassidismus. 2. ↑Chassidäer. **Chas|si|dä|er** der; -s, - (meist Plural): Gegner

der jüdischen Hellenisten während der Erhebung der Makkabäer im 2. Jh. v. Chr. **Chas|si|dis|mus** ⟨hebr.-nlat.⟩ der; -: im 18. Jh. entstandene religiöse Bewegung des osteuropäischen Judentums, die der starren Gesetzeslehre eine lebendige Frömmigkeit entgegensetzt
Chas|sis [ʃaˈsi.] ⟨lat.-fr.⟩ das; - , -: 1. Fahrgestell von Kraftfahrzeugen. 2. Montagerahmen elektronischer Apparate (z. B. eines Rundfunkgerätes)
Cha|su|ble [ʃaˈzybl] ⟨lat.-fr.(-engl.)⟩ das; -s, -s: ärmelloses Überkleid für Damen in der Art einer Weste
Châ|teau [ʃaˈtoː] ⟨lat.-fr.⟩ das; -s, -s: franz. Bez. für: Schloss, Herrenhaus, Landgut, Weingut. **Cha|teau|bri|and** [ʃatobriˈã:] ⟨nach F. R. Vicomte de Chateaubriand⟩ das; -[s], -s: doppelt dick geschnittene Rinderlende, die gegrillt od. in der Pfanne gebraten wird (Gastr.)
Cha|te|laine [ʃatəˈlɛːn] ⟨lat.-fr.⟩ die; -, -s od. das; -s, -s: 1. aus Metallgliedern zusammengesetzter Frauengürtel, an dem im 16. Jh. Gebetbuch, Schlüssel usw. hingen. 2. (veraltet) kurze verzierte Uhrkette; Uhranhänger
Chat|on|fas|sung [ʃatõ:...] ⟨dt.⟩ die; -, -en: Kastenfassung aus Gold- od. Silberblech für Edelsteine
Chau|deau [ʃoˈdoː] ⟨lat.-fr.⟩ das; -[s], -s: Weinschaumsoße. **Chaud|froid** [ʃoˈfrwa] das; -[s], -s: Vorspeise aus Fleisch- u. Fischstückchen, die mit einer geleeartigen Soße überzogen sind. **Chauf|feur** [ʃɔˈføːɐ̯] ⟨lat.-vulgärlat.-fr.; „Heizer"⟩ der; -s, -e: jmd., der berufsmäßig andere Personen im Auto fährt, befördert. **Chauf|feu|se** [ʃɔˈføːzə] die; -, -n: (bes. schweiz.) weibliche Form zu ↑Chauffeur. **chauf|fie|ren**: (veraltend) 1. ein Kraftfahrzeug lenken. 2. jmdn. [berufsmäßig] in einem Kraftfahrzeug transportieren
Chaul|moo|gra|öl [ʃoːlˈmuːgra...] ⟨Bengali; gr.-lat.⟩ das; -s: gelbbraunes, fettes Öl aus dem Samen eines birmanischen Baumes, Heilmittel gegen Lepra u. bösartige Hautkrankheiten
Chaus|see [ʃoˈseː] ⟨lat.-galloroman.-fr.⟩ die; -, ...sseen: mit Asphalt, Beton od. Steinpflaster befestigte u. ausgebaute Landstraße. **chaus|sie|ren**: (veral-

tend) mit einer festen Fahrbahndecke versehen, asphaltieren, betonieren
Chau|vi [ˈʃoːvi] ⟨fr.⟩ der; -s, -s: (ugs. abwertend) Vertreter des ↑Chauvinismus (2). **Chau|vi|nis|mus** [ʃovi...] ⟨fr.⟩ der; -, ...men: (abwertend) 1. a) (ohne Plural) exzessiver Nationalismus militaristischer Prägung; extrem patriotische, nationalistische Haltung; b) einzelne chauvinistische Äußerung, Handlung. 2. selbstgefällige, überhebliche Art von Männern gegenüber Frauen aufgrund eines gesteigerten Selbstwertgefühls u. die damit verbundene gesellschaftliche Bevorzugung der Angehörigen des eigenen Geschlechts. **Chau|vi|nist** der; -en, -en: (abwertend) Vertreter des ↑Chauvinismus (1a, 2). **chau|vi|nis|tisch**: (abwertend) von Chauvinismus erfüllt; dem Chauvinismus entsprechend
Cha|wer [xa...] ⟨hebr.⟩ der; -[s], n: 1. rabbinischer Ehrentitel (für Gelehrte). 2. Freund, Kamerad, Partner (als Anrede bes. von Organen der zionistischen Arbeiterpartei im Sinne von „Genosse" gebraucht)
¹Check [tʃɛk] ⟨pers.-arab.-fr.-engl.⟩: jede Behinderung des Spielverlaufs im Eishockey
²Check [ʃɛk] ⟨engl.-amerik.⟩ der; -s, -s: (schweiz.) ↑Scheck
che|cken [ˈtʃɛkn̩] ⟨engl.⟩: 1. behindern, [an]rempeln (Eishockey). 2. nachprüfen, kontrollieren. 3. (ugs.) merken, begreifen, verstehen. **Che|cker** der; -s, -: Kontrolleur (Techn.). **Check-in** das; -[s], -s: Abfertigung des Fluggastes vor Beginn des Fluges. **Che|cking** das; -s, -s: das Checken. **Chook|list** die; -, -s: Kontrollliste, mit deren Hilfe das einwandfreie Funktionieren komplizierter technischer Apparate überprüft od. das Vorhandensein notwendiger Ausrüstungsgegenstände festgestellt wird. **Check|lis|te** die; -, -n: 1. ↑Checklist. 2. a) Liste der Flugpassagiere, die abgefertigt worden sind; b) Kontrollliste [zum Abhaken]. **Check-out** [...laut] das; -[s], -s: Durchführung automatischer Kontrollmaßnahmen bei der Herstellung u. Prüfung technischer Geräte. **Check-point** [...pɔynt] ⟨engl.⟩ der; -s, -s: Kontrollpunkt (bes. an einem Grenzübergang). **Check-up** [...ap] der od. das; -[s], -s: 1. umfangreiche medizinische Vorsor-

geuntersuchung. 2. Überprüfung, Inspektion

Ched|dar|kä|se ['tʃɛdɐ...] ⟨nach der engl. Ortschaft Cheddar⟩ *der;* -s, -: ein fetter Hartkäse

Che|der|schu|le ['xe:...] ⟨hebr.; dt.⟩: traditionelle jüdische Grundschule für Jungen vom vierten Lebensjahr an

chee|rio! ['tʃi:rio, 'tʃɪərɪ'ou] ⟨engl.⟩: (ugs.) 1. prost!, zum Wohl! 2. auf Wiedersehen!

Cheer|lea|der ['tʃi:ɐli:dɐ] ⟨engl.⟩ *der;* -s, -: Angehörige einer Gruppe von möglichst attraktiven jungen Frauen, die bei manchen Sportveranstaltungen dazu eingesetzt werden, die Anhänger einer bestimmten Mannschaft dazu zu bringen, diese möglichst lebhaft anzufeuern u. durch lautstarken Beifall zu unterstützen

Cheese|bur|ger ['tʃi:zbɐgɐ] ⟨engl.; dt.⟩ *der;* -s, -: eine Art ↑Hamburger, der zusätzlich zu den übrigen Zutaten eine Scheibe Käse enthält

Chef [ʃɛf, (österr.) auch: ʃe:f] ⟨lat.-galloroman.-fr.⟩ *der;* -s, -s: 1. a) Leiter, Vorgesetzter, Geschäftsinhaber; b) (ugs.) Anführer. 2. (ugs.) saloppe Anrede (als Aufforderung o. Ä.) an einen Unbekannten. **Chef|arzt** *der;* -es, ...ärzte: leitender Arzt in einem Krankenhaus. **Chef|coach** *der;* -[s], -s: erster, leitender ¹Coach. **Chef de Mis|si|on** ['ʃɛf də mɪ'sjõ:] ⟨fr.⟩ *der;* - - -, -s - - ['ʃɛf də mɪ'sjõ:]: Leiter einer sportlichen Delegation (z. B. bei den Olympischen Spielen). **Chef de Rang** ['ʃɛf də 'rã:] *der;* - - -, -s - - ['ʃɛf də 'rã:]: Abteilungskellner in einem großen Hotel. **Chef d'Œuv|re*** ['ʃɛ 'dœ:vr] ⟨fr.⟩ *das;* -, -s - ['ʃɛ 'dœ:vr]: Hauptwerk, Meisterwerk. **Chef|dol|met|scher** *der;* -s, -: erster Dolmetscher. **Chef|eta|ge** *die;* -, -n: Etage in einem Geschäftshaus, in der sich die Räume der Geschäftsleitung, des Chefs befinden. **Chef|ide|o|lo|ge** *der;* -n, -n: maßgeblicher Theoretiker einer politischen Richtung. **Chef|lek|tor** *der;* -s, -en: Leiter eines Verlagslektorats. **Chef|pi|lot** *der;* -en, -en: erster Pilot (1a). **Chef|re|dak|teur** *der;* -s, -e: Leiter einer Redaktion. **Chef|sek|re|tä|rin*** *die;* -, -nen: Sekretärin des Chefs. **Chef|trai|ner** *der;* -s, -: erster, leitender Trainer

Chei|li|tis [ç...] ⟨gr.-nlat.⟩ *die;* -, ...itiden: Lippenentzündung (Med.). **Chei|lo|plas|tik** *die;* -, -en: Lippenplastik, Bildung einer künstlichen Lippe (Med.).

Cheil|los|chi|sis* [...'sçi:zɪs] *die;* -, ...chisen: Lippenspalte, Hasenscharte (Med.). **Chei|lo|se** u. **Cheilosis** *die;* -: entzündliche Schwellung der Lippen (mit Borkenbildung u. Faulecken; Med.)

Chei|ro|lo|gie [ç...] vgl. Chirologie. **Chei|ro|no|mie** u. **Chironomie** ⟨gr.⟩ *die;* -: 1. mimische Bewegung u. Gebärdensprache der Hände zum Ausdruck von Handlung, Gedanke u. Empfindung (Tanzkunst). 2. Chorleitung durch Handbewegungen, mit denen dem Sängerchor melodischer Verlauf, Rhythmus u. Tempo eines Gesangs angezeigt werden (altgriech. u. frühchristl. Musik). **chei|ro|no|misch** u. **chironomisch** a) die Cheironomie betreffend; b) mit Mitteln der Cheironomie gestaltet. **Chei|ro|skop*** *das;* -s, -e: Gerät zur Behandlung von Schielstörungen (Med.). **Chei|ro|spas|mus** u. **Chirospasmus** ⟨gr.-nlat.⟩ *der;* -, ...men: Schreibkrampf (Med.).

Chei|ro|to|nie ⟨gr.; "Handausstreckung"⟩ *die;* -, ...ien: 1. Abstimmung durch Heben der Hand (in Institutionen der altgriechischen Staaten). 2. Handauflegung [bei der katholischen Priesterweihe] (Rel.)

Chel|i|do|nin [ç...] ⟨gr.-nlat.⟩ *das;* -s: Alkaloid aus dem Schellkraut von beruhigender Wirkung. **Chel|li|ze|re** ⟨gr.⟩ *die;* -, -n: vorderste, der Nahrungsaufnahme dienende paarige Gliedmaße der Spinnentiere; Kieferfühler (Zool.).

Chel|lé|en [ʃɛlɛ'ɛ̃:] ⟨nach dem franz. Ort Chelles⟩ *das;* -[s]: Kulturstufe der frühesten Altsteinzeit

Chel|o|nia [ç...] ⟨gr.-lat.⟩ *die;* -, ...niae [...niɛ]: Suppenschildkröte

Chel|sea|por|zel|lan ['tʃɛlsi...] ⟨nach dem Londoner Stadtteil Chelsea⟩: im 18. Jh. hergestelltes englisches Weichporzellan mit bunter Bemalung; vgl. Sèvresporzellan

Chem|cor® [çɛm'kɔ:ɐ] ⟨Kunstw.⟩ *das;* -s: eine hochfeste Glassorte. **Che|mi|at|rie*** [ç...] ⟨gr.-nlat.⟩ *die;* -: ↑Iatrochemie. **Che|mie** ⟨arab.-roman.⟩ *die;* -: 1. Naturwissenschaft, die die Eigenschaften, die Zusammensetzung u. die Umwandlung von Stoffe erforscht. 2. (ugs.) (zu einem bestimmten Zweck einge- setzte) Chemikalien. **Che|mie|la|bo|rant** *der;* -en, -en: für Tätigkeiten in der chemischen Industrie ausgebildeter Laborant (Berufsbez.). **Che|mi|graph,** auch: **...graf** ⟨arab.-roman.; gr.⟩ *der;* -en, -en: jmd., der Druckplatten mit chemischen Mitteln herstellt. **Che|mi|gra|phie,** auch: **...grafie** *die;* -: Herstellung von Druckplatten durch Ätzen od. Gravieren. **che|mi|gra|phisch,** auch: **...grafisch:** a) die Chemigraphie betreffend; b) mit chemischen Mitteln hergestellt (von Druckplatten). **Che|mi|kal** ⟨arab.-roman.-nlat.⟩ *das;* -s, -ien u. **Che|mi|ka|lie** *die;* -, -n (meist Plural): industriell hergestellter chemischer Stoff. **Che|mi|kant** *der;* -en, -en: Chemiefacharbeiter. **Che|mi|ker** *der;* -s, -: Wissenschaftler auf dem Gebiet der Chemie. **Che|mi|lu|mi|nes|zenz** ⟨arab.-roman.; lat.-nlat.⟩ u. Chemolumineszenz *die;* -: durch chemische Vorgänge bewirkte mische Lichtausstrahlung (z. B. bei Leuchtkäfern)

Che|mi|née [ʃəmɪ'ne] ⟨fr.⟩ *das;* -s, -s: (schweiz.) offener Kamin in einem modernen Haus

che|misch [ç...] ⟨arab.-roman.⟩: a) die Chemie betreffend, mit Chemie zusammenhängend; auf den Erkenntnissen der Chemie basierend; in der Chemie verwendet; b) den Gesetzen der Chemie folgend, nach ihnen erfolgend, ablaufend; durch Stoffumwandlung entstehend; c) mithilfe von [giftigen, schädlichen] Chemikalien erfolgend, [giftige, schädliche] Chemikalien verwendend

Che|mise [ʃə'mi:z] ⟨lat.-fr.; „Hemd"⟩ *die;* -, -n: a) (veraltet) Hemd, Überwurf; b) hoch gegürtetes Kleid in hemdartigem Schnitt aus leichtem Stoff (um 1800). **Che|mi|sett** *das;* -[e]s, -e u. **Che|mi|set|te** *die;* -, -n: a) gestärkte Hemdbrust an Frack- u. Smokinghemden; b) heller Einsatz an Damenkleidern

che|mi|sie|ren [çə...] ⟨arab.-roman.-nlat.⟩: (selten) auf technischem Gebiet verstärkt die Chemie anwenden

Che|mi|sier|kleid [ʃəmi'zje:...] ⟨lat.-fr.; dt.⟩ *das;* -[e]s, -er: (bes. schweiz.) Kittelkleid, Damenkleid mit blusenartigem Oberteil

Che|mi|sie|rung [çe...] *die;* -, -en: das Chemisieren. **Che|mis|mus** ⟨arab.-roman.-nlat.⟩ *der;* -: Gesamtheit der chemischen Vorgänge bei Stoffumwandlungen (bes. im Tier- od. Pflanzenkörper). **Che|mo|au|to|tro|phie*** ⟨arab.; gr.-nlat.⟩ die; -: ↑ autotrophe Ernährungsweise bestimmter Mikroorganismen (Biol.). **Che|mo|keu|le** die; -, -n: Reizstoffsprühgerät als eine Art Kampfmittel bei polizeilichen Einsätzen; „chemische Keule". **Che|mo|lu|mi|nes|zenz** vgl. Chemilumineszenz. **Che|mo|nas|tie** ⟨arab.-roman; gr.⟩ die; -, -n: durch chemische Reize ausgelöste Bewegung von Pflanzenteilen, die keine deutliche Beziehung zur Richtung des Reizes hat (z. B. Krümmungsbewegungen der Drüsenhaare des Sonnentaus). **Che|mo|re|sis|tenz** ⟨arab.-roman; lat.⟩ die; -: bei der Behandlung von Infektionen entstehende Unempfindlichkeit mancher Krankheitserreger gegen vorher wirksame ↑ Chemotherapeutika (Med.). **Che|mo|re|zep|tor** der; -s, ...oren (meist Plural): Sinneszelle od. Sinnesorgan zur Aufnahme chemischer Reize (Med.). **Che|mo|sis** ⟨gr.⟩ die; -, ...sen: entzündliches ↑ Ödem der Bindehaut. **Che|mo|syn|the|se** ⟨arab.-roman; gr.⟩ die; -: Aufbau körpereigener organischer Substanzen aus anorganischen durch Oxidation, zu dem manche Bakterien in der Lage sind. **che|mo|tak|tisch:** die Chemotaxis betreffend. **Che|mo|ta|xis** die; -, ...xen: durch chemische Reize ausgelöste Orientierungsbewegung von Tieren und Pflanzen. **Che|mo|tech|nik** der; -: die Gesamtheit der Maßnahmen, Einrichtungen u. Verfahren, die dazu dienen, chemische Erkenntnisse praktisch nutzbar zu machen. **Che|mo|tech|ni|ker** der; -s, -: Fachkraft der chemischen Industrie. **Che|mo|the|ra|peu|ti|kum** das; -s, ...ka (meist Plural): aus chemischen Substanzen hergestelltes Arzneimittel, das Krankheitserreger o. Ä. in ihrem Wachstum hemmt u. abtötet. **che|mo|the|ra|peu|tisch:** a) die Chemotherapie betreffend; b) nach den Methoden der Chemotherapie verfahrend. **Che|mo|the|ra|pie** die; -: Behandlung von Krankheiten mit chemischen Mitteln. **Che|mo|tro|pis|mus** der; -, ...men: durch chemische Reize ausgelöste Wachstumsbewegung bei Pflanzen. **Che|mur|gie*** die; -: Gewinnung chemischer Produkte aus land- u. forstwirtschaftlichen Erzeugnissen **Che|nil|le** [ʃəˈnɪljə, auch: ʃəˈniːjə] ⟨lat.-fr.⟩ die; -, -n: Garn, dessen Fasern in dichten Büscheln seitlich vom Faden abstehen **cher|chez la femme!** [ʃɛrʃeˈfam] ⟨fr.; „sucht die Frau!"⟩: dahinter steckt bestimmt eine Frau! **Cher|ry|bran|dy** [ˈtʃɛriˈbrɛndi] ⟨engl.⟩ der; -s, -s: feiner Kirschlikör **Che|rub** [ˈçeːrup, auch: ˈk...], ökum.: Kerub ⟨hebr.-gr.-lat.⟩ der; -s, -im u. -inen, auch: -e: [biblischer] Engel (mit Flügeln u. Tierfüßen), himmlischer Wächter (z. B. des Paradieses). **che|ru|bi|nisch:** nach der Art eines Cherubs, engelgleich **Ches|ter|field** [ˈtʃɛstəfiːld] ⟨englischer Lord, der 1889 den betreffenden Mantel kreierte⟩ der; -[s], -s: eleganter Herrenmantel mit verdeckter Knopfleiste. **Ches|ter|käse** [ˈtʃɛstə...] ⟨nach der engl. Stadt Chester⟩ der; -s, -: ein fetter Hartkäse **che|va|le|resk** [ʃəvaləˈrɛsk] ⟨lat.-it.-fr.⟩: ritterlich. **Che|va|le|rie** [ʃəvaləˈriː] ⟨lat.-fr.⟩ die; -: 1. Ritterschaft, Rittertum. 2. Ritterlichkeit. **Che|va|lier** [ʃəvaˈlie:] („Ritter") der; -s, -s: franz. Adelstitel; vgl. Cavaliere. **Che|vau|le|ger** [ʃəvoleˈʒe:] ⟨fr.⟩ der; -s, -s: (veraltet) Angehöriger der leichten Kavallerie (einer bis ins 19. Jh. bestehenden Truppengattung) **che|vil|lie|ren** [ʃəviˈjiː...] ⟨lat.-fr.⟩: [Kunst]seide nachbehandeln, um sie glänzender zu machen **Che|vi|ot** [ˈʃeviɔt, auch: ˈʃeːvjɔt] ⟨engl.⟩ der; -s, -s: aus Wolle der Cheviotschafe hergestelltes, dauerhaftes Kammgarngewebe **Chev|reau*** [ʃəˈvroː, auch: ˈʃevro] ⟨lat.-fr.⟩ das; -s, -s: Ziegenleder. **Chev|rette** [ʃəˈvrɛt] die; -, -n: mit Chromsalzen gegerbtes Schafleder. **Chev|ron** [ʃəˈvrõː] der; -s, -s: 1. Wollgewebe mit Fischgrätmusterung. 2. nach unten offener Winkel, Sparren (Wappenkunde). 3. französisches Dienstgradabzeichen **Che|vy-Chase-Stro|phe** [ˈtʃɛvɪ ˈtʃeɪs...] ⟨engl.; nach der Ballade von der Jagd (chase) auf den Cheviot Hills⟩ die; -, -n: Strophenform ungeistlicher Volksballaden **Che|wing|gum** [ˈtʃuːɪŋgʌm] ⟨engl.⟩ der; -[s], -s: Kaugummi

Chi [çi:] ⟨gr.⟩ das; -[s], -s: zweiundzwanzigster Buchstabe des griech. Alphabets: X, χ **Chi|an|ti** [ˈkjanti] ⟨nach der italienischen Landschaft⟩ der; -[s]: ein kräftiger, herber italienischer Rotwein **Chi|a|ros|cu|ro*** [kja...] ⟨it.⟩ das; -[s]: Helldunkelmalerei **Chi|as|ma** [ç...] ⟨gr.-lat.⟩ das; -s, ...men: Überkreuzung zweier Halbchromosomen eines Chromosomenpaares während der ↑ Reduktionsteilung (Biol.); **Chi|as|ma opticum:** Sehnervenkreuzung (Med.). **Chi|as|ma|ge** [...ˈmaːʒə] ⟨gr.-lat.; fr.⟩ die; -, -n: Kunstwerk, das aus in Fetzen zerrissenen u. wieder zusammengeklebten Texten od. Bildern besteht, die mit anderem derartig verarbeiteten Papier kombiniert od. als Hintergrund verwendet werden. **Chi|as|mus** ⟨gr.-nlat.; vom griech. Buchstaben Chi = Χ (= kreuzweise)⟩ der; -, ...men: kreuzweise syntaktische Stellung von aufeinander bezogenen Wörtern od. Redeteilen (z. B. groß war der Einsatz, der Gewinn war klein; Rhet.; Stilk.); Ggs. ↑ Parallelismus (2). **chi|as|tisch:** in der Form des Chiasmus **Chi|a|vet|te** [kja...] ⟨lat.-it. ⟩ die; -, -n: in der Vokalmusik des 15.–17. Jh.s Notenschlüssel, der zur leichteren Lesbarkeit entfernt liegender Tonarten gegenüber den üblichen Schlüsseln um eine Terz höher od. tiefer geschoben wurde (Mus.) **chic** [ʃik] usw.: ↑ schick usw. **Chi|ca|go|jazz** [ʃiˈkaːgo...] ⟨nach der Stadt im den USA⟩ der; -: von Chicago ausgehende Stilform des Jazz in den Jahren nach dem Ersten Weltkrieg; vgl. New-Orleans-Jazz **Chi|cha** [ˈtʃitʃa] ⟨indian.-span.⟩ die; -: süßes südamerikanisches Getränk mit geringem Alkoholgehalt **Chi|chi** [ʃiˈʃiː] ⟨fr.⟩ das; -[s], -[s]: 1. (ohne Plural) Getue, Gehabe. 2. verspieltes ↑ Accessoire **Chi|cle** [ʃ...] ⟨indian.-span.⟩ der; -[s]: aus Rindeneinschnitten des Sapotillbaumes gewonnener Milchsaft, der zur Herstellung von Kaugummi dient **Chi|co** [ˈtʃiːko, ˈtʃiko] ⟨span.⟩ der; -[s], -s: span. Bez. für: kleiner Junge **Chi|co|rée,** auch: Schikoree [ˈʃiːkore, ˈʃiko're:] ⟨gr.-lat.-it.-fr.⟩ der; -s, auch: die; -: die als Gemüse od. Salat zubereiteten gelblich weißen Blätter der Salatzichorie **Chief** [tʃiːf] ⟨lat.-galloroman.-fr.-engl.⟩ der; -s, -s: engl. Bez. für: Chef, Oberhaupt **Chiffon** [ʃiˈfõ, ʃiˈfõː; (österr.:) ʃiˈfoːn] ⟨fr.; „Lumpen“⟩ der; -s, -s u. (österr.:) -e: feines, schleierartiges Seidengewebe in Taftbindung. **Chiffonade** [ʃifoˈnaːdə] die; -, -n: in feine Streifen geschnittenes Gemüse, als Suppeneinlage verwendet. **Chiffonnier** [ʃifoˈnjeː] der; -s, -s: 1. Lumpensammler. 2. Schrank mit aufklappbarer Schreibplatte, hinter der sich Schubladen u. Fächer befinden. **Chiffonniere** [ʃifoˈnjeːrə] die; -, -n: 1. Nähtisch, hohe Schubladenkommode. 2. (schweiz.) Kleiderschrank **Chiffre*** [ˈʃifrə, auch: ˈʃifɐ] ⟨arab.-mlat.-fr.⟩ die; -, -n: 1. Ziffer. 2. geheimes Schriftzeichen, Geheimzeichen, Zeichen einer Geheimschrift. 3. Kennziffer einer Zeitungsanzeige. 4. Stilfigur [der modernen Lyrik] (Literaturw.). **Chiffreur** [ʃifrøːɐ̯] der; -s, -e: jmd., der Chiffren (2) dekodiert. **chiffrieren**: verschlüsseln, in einer Geheimschrift abfassen; Ggs. ↑ dechiffrieren **Chignon*** [ʃinˈjõ:] ⟨lat.-galloroman.-fr.⟩ der; -s, -s: im Nacken getragener Haarknoten **Chihuahua** [tʃiˈuaua] ⟨span.⟩ der; -s, -s: kleinster, dem Zwergpinscher ähnlicher Hund mit übergroßen, fledermausartigen Ohren **Chilana** [ç...] ⟨Kurzw. aus China u. lat. lana = „Wolle“⟩ die; -: aus China stammende Wolle mittlerer Qualität **Chili** [ˈtʃiːli] ⟨indian.-span.⟩ der; -s: 1. mittelamerikanische Paprikaart, die den ↑ Cayennepfeffer liefert. 2. mit Cayennepfeffer scharf gewürzte Tunke **Chiliade** [ç...] ⟨gr.⟩ die; -, -n: (veraltet) Reihe, Zahl von Tausend. **Chiliasmus** ⟨gr.-nlat.⟩ der; -: [Lehre von der] Erwartung des Tausendjährigen Reichs Christi auf Erden nach seiner Wiederkunft vor dem Weltende (Offenbarung 20, 4f.). **Chiliast** ⟨gr.-lat.⟩ der; -en, -en: Anhänger des ↑ Chiliasmus. **chiliastisch**: den Chiliasmus betreffend **Chili con Carne** [tʃ...] ⟨span.-engl.⟩ ; „Chili mit Fleisch“⟩ mit Chilischoten od. Cayennepfeffer scharf gewürztes mexikanisches Rinderragout mit [Kidney]bohnen

Chiller [tʃilə] ⟨engl.⟩ der; -s, -: Erzählung mit einer gruselig-schauerlichen Handlung **Chillies** [ˈtʃilis] ⟨indian.-span.; engl.⟩ die (Plural): Früchte des ↑ Chilis (1), die getrocknet den ↑ Cayennepfeffer liefern **Chimära** [ç...] ⟨gr.-lat.; „Ziege“⟩ die; -: Ungeheuer der griech. Sage (Löwe, Ziege u. Schlange in einem). **Chimäre** die; -, -n: 1. ↑ Schimäre. 2. a) Organismus od. einzelner Trieb, der aus genetisch verschiedenen Zellen aufgebaut ist (Biol.); b) Lebewesen, dessen Körper Zellen mit abweichender Chromosomenstruktur besitzt (Med.) **Chinacracker** [ç...] ⟨nach dem ostasiat. Land; engl.⟩ der; -s, -[s]: ein Feuerwerkskörper. **Chinagras** ⟨ind.-port.; dt.⟩ das; -es, ...gräser: Ramie. **Chinakohl** der; -[e]s: als Gemüse od. Salat verwendete Kohlart mit geschlossenem, keulenförmigem Kopf. **Chinakrepp** der; -s: ein ↑ Crêpe de Chine aus Kunstseide od. Chemiefasergarnen. **Chinaleinen** das; -s: Grasleinen, Gewebe aus ↑ Ramie **Chinampa** [tʃ...] ⟨indian.-span.⟩ die; -, -s (meist Plural): am Rande eines Sees angelegte, als Anbaufläche dienende künstliche Insel (in Mexiko) **Chinarinde** [ç...] ⟨indian.-span.; dt.⟩ die; -, -n: chininhaltige Rinde bestimmter südamerik. Bäume **Chinatinktur** ⟨indian.-span.; lat.⟩ die; -: Alkoholauszug aus gemahlener Chinarinde **Chinatown** [ˈtʃaɪntaʊn] ⟨engl.⟩ die; -, -s: Chinesenviertel. **Chinaware** [ç...] ⟨ind.-port.; dt.⟩ die; -: kunstgewerbliche Arbeiten aus China, bes. Porzellan **Chinawhite** [ˈtʃaɪnəˈwaɪt] ⟨engl.⟩ das; -s: sehr stark wirkendes Rauschmittel, bei dem schon eine geringe Mehrdosis tödlich wirkt **¹Chinchilla** [tʃɪnˈtʃila] ⟨indian.-span.⟩ die; -, -s: südamerik. Nagetier mit wertvollem Pelz, Wollmaus. **²Chinchilla** das; -s, -s: 1. deutsche Kaninchenrasse mit bläulich aschgrauem Fell. 2. Fell der ¹Chinchilla **chin-chin!** [ˈtʃɪnˈtʃɪn] ⟨engl.⟩: (ugs.) prost!, zum Wohl! **Chiné** [ʃiˈneː] ⟨fr.⟩ der; -[s], -s [Kunst]seidengewebe mit abgeschwächter, verschwommener Musterung. **chiniert**: in Zacken gemustert (von Geweben)

Chinin [ç...] ⟨indian.-span.-it.⟩ das; -s: ↑ Alkaloid der ↑ Chinarinde (als Fieber-, bes. Malariamittel verwendet) **Chinois** [ʃiˈnoa] ⟨fr.⟩ der; -, -: kandierte kleine, unreife ↑ Pomeranze od. Zwergorange. **Chinoiserie** [ʃinoazoˈriː] die; -, ...jen: 1. kunstgewerblicher Gegenstand in chines. Stil (z. B. Porzellan, Lackarbeit). 2. an chinesische Vorbilder anknüpfende Zierform[en] in der Kunst des 18. Jh.s **Chinolin** [ç...] ⟨indian.-span.; lat.⟩ das; -s: gelbliche Flüssigkeit, ein ↑ Antiseptikum (Med.) **Chinon** ⟨indian.-span.-nlat.⟩ die; -s, -e: gelb bis rot gefärbte Verbindung mit hoher Reaktionsbereitschaft (Chem.) **Chinook** [tʃiˈnʊk] ⟨nach dem nordamerik. Indianerstamm⟩ der; -s: warmer, trockener od. föhnartiger Fallwind an der Ostseite der Rocky Mountains **Chintz** [tʃɪnts] ⟨Hindi-engl.⟩ der; -[es], -e: bunt bedrucktes Gewebe aus Baumwolle od. Chemiefasergarnen in Leinenbindung mit spiegelglatter, glänzender Oberfläche; vgl. Ciré **Chilonograph** [ç...], auch: ...graf ⟨gr.-nlat.⟩ der; -en, -en: Gerät zur Aufzeichnung der Fallmenge von Niederschlägen in fester Form, bes. von Schnee. **chionophil**: im Winter eine dauerhafte u. dicke Schneedecke als Kälteschutz benötigend (von Pflanzen; Bot.) **Chip** [tʃɪp] ⟨engl.⟩ der; -s, -s: 1. Spielmarke (bei Glücksspielen). 2. (meist Plural) dünne, roh in Fett gebackene Kartoffelscheibe. 3. sehr kleines Halbleiterplättchen, das einen integrierten Schaltkreis od. eine Gruppe solcher Schaltungen trägt u. auf dem Informationen gespeichert werden können (Mikroelektronik). **Chipkarte** ⟨engl.; dt.⟩ die; -, -n: als Ausweis, Zahlungsmittel o. Ä. dienende Kunststoffkarte mit einem Chip (3) **Chippendale** ⟨nach dem engl. Tischler⟩ das; -[s]: englischer Möbelstil des 18. Jh.s, der in sich Elemente des englischen Barocks, des französischen Rokokos, chinesische u. gotische Formen mit der Tendenz zum Geraden u. Flachen vereinigt **Chippy** [ˈtʃɪpi] ⟨engl.⟩ der; -s, -s: jmd., der Rauschgift nur in kleinen Dosierungen nimmt; Anfänger (in Bezug auf Rauschgift)

Chi|rag|ra* [ç...] ⟨gr.-lat.⟩ das; -s: Gicht in den Hand- u. Fingergelenken (Med.)

Chi|ri|mo|ya [tʃiriˈmoːja] ⟨indian.-span.⟩ die; -, -s: Honig- od. Zimtapfel, wohlschmeckende Frucht eines [sub]tropischen Baumes

Chi|rog|no|mie* [ç...] ⟨gr.-nlat.⟩ die; -: Chirologie. **Chi|ro|grammal|to|man|tie** die; -, ...ien: Handschriftendeutung. **Chi|rograph,** auch: ...graf ⟨gr.-lat.⟩ das; -s, -en u. **Chi|ro|gra|phum** das; -s, ...graphen u. ...rographa: 1. Vertragsurkunde, deren Beweiskraft nicht auf Zeugen, sondern auf der Handschrift des Verpflichteten beruht (römisches Recht). 2. besondere Urkundenart im mittelalterlichen Recht. 3. päpstliche Verlautbarung in Briefform mit eigenhändiger Unterschrift des Papstes. **Chi|ro|lo|gie** u. Cheirologie ⟨gr.-nlat.⟩ die; -: 1. Lehre von der Deutung der Handlinien, ihr Ausdruck innerer Wesenseigenschaften sein sollen. 2. die Hand- u. Fingersprache der Taubstummen. **Chi|ro|mant** der; -en, -en: Handliniendeuter. **Chi|ro|mantie** die; -: Handlesekunst **Chi|ron|ja** [tʃiˈrɔnʒa] ⟨span.⟩ die; -, -s: Zitrusfrucht aus Puerto Rico mit gelber, leicht zu lösender Schale

Chi|ro|no|mie [ç...] usw. vgl. Cheironomie usw. **Chi|ro|pä|die** die; -: Handfertigkeitsunterricht. **Chi|ro|prak|tik** die; -: manuelles Einrenken verschobener Wirbelkörper u. Bandscheiben. **Chi|ro|prak|ti|ker** der; -s, -: Fachmann auf dem Gebiet der Chiropraktik. **Chi|rop|te|ra*** die (Plural): Fledermäuse. **Chi|roptel|rit*** [auch: ...rɪt] das; -s: phosphorsäurehaltige Erde aus allmählich fossil werdendem Kot von Fledermäusen. **Chi|rop|tero|gal|mie*** die; -: Bestäubung von Blüten durch Fledermäuse. **Chi|ro|spas|mus** vgl. Cheirospasmus. **Chi|ro|thel|ra|pie** die; -: von einem Arzt ausgeführte Chiropraktik. **Chi|ro|thel|ri|um** ⟨"Handtier"⟩ das; -s, ...ien: Saurier aus der Buntsandsteinzeit, von dem nur die Fußabdrücke bekannt sind **Chi|rurg*** ⟨gr.-lat.⟩ der; -en, -en: Facharzt [u. Wissenschaftler] auf dem Gebiet der Chirurgie (1). **Chi|rur|gie** die; -, ...ien: 1. (ohne Plural) Teilgebiet der Medizin, Lehre von der operativen

Behandlung krankhafter Störungen u. Veränderungen im Organismus. 2. chirurgische Abteilung eines Krankenhauses. **chi|rur|gisch:** a) die Chirurgie betreffend; b) operativ

Chi|tar|ro|ne [ki...] ⟨gr.-lat.-it.⟩ das; -[s], -s u. ...ni, auch: die; -, -n: italienische Basslaute, Generalbassinstrument im 17. Jh. (Mus.)

Chi|tin [ç...] ⟨semit.-gr.-nlat.⟩ das; -s: stickstoffhaltiges ↑ Polysaccharid, Hauptbestandteil der Körperhülle von Krebsen, Tausendfüßern, Spinnen, Insekten, bei Pflanzen in den Zellwänden von Flechten u. Pilzen. **chi|tinig:** chitinähnlich. **chi|tinös:** aus Chitin bestehend. **Chi|ton** ⟨semit.-gr.⟩ das; -s, -e: Leibrock, Kleidungsstück im Griechenland der Antike. **Chi|to|nen** ⟨semit.-gr.-nlat.⟩ die (Plural): Gattung aus der Familie der Käferschnecken

Chlai|na [ç...] ⟨gr.⟩ u. Chläna ⟨gr.-lat.⟩ die; -, ...nen: ungenähter wollener Überwurf für Männer im Griechenland der Antike **Chla|my|do|bak|te|rie** [ç...] ⟨gr.⟩ die; -, -n (meist Plural) zu einer im Wassser lebenden Bakterienordnung gehörende Bakterie. **Chla|mys** die; -, -: knielanger, mantelartiger Überwurf für Reiter u. Krieger im Griechenland der Antike

Chlä|na [ç...] vgl. Chlaina **Chlo|an|thit** [k..., auch: ...'tɪt] ⟨gr.-nlat.⟩ das; -s, -e: Arsennickelkies, ein weißes od. graues Mineral. **Chlo|as|ma** das; -s, ...men: brauner Hautfleck, Leberfleck (Med.)

Chlor [k...] ⟨gr.; "gelblich grün"⟩ das; -s: chemisches Element; ein Nichtmetall (Zeichen: Cl). **Chloral** (Kurzw. aus: Chlor u. ↑ Aldehyd) das; -s: Chlorverbindung, stechend riechende, ätzende Flüssigkeit. **Chlo|ral|hyd|rat*** das; -s: ein Schlafmittel. **Chlo|ra|lis|mus** ⟨nlat.⟩ der; -; ...men: Chloralvergiftung. **Chlo|ramin*** das; -s: Bleich- u. Desinfektionsmittel. **Chlo|rat** das; -s, -e: Salz der Chlorsäure. **Chlo|ratilon** der; -: Verfahren zur Goldgewinnung aus goldhaltigen Erzen. **Chlo|ra|tit** [auch: ...'tɪt] das; -s, -e: [reibungsempfindlicher] Chloratsprengstoff. **Chlor|di|lo|xid** das; -s: Chlorverbindung, Desinfektions- u. Mehlbleichmittel. **Chlo|rel|la** ⟨gr.⟩ die; -, ...llen: zu einer weltweit verbreiteten Gattung gehörende Grünalge.

chlo|ren: ↑ chlorieren (2). **Chlorid** das; -[e]s, -e: chemische Verbindung des Chlors mit Metallen od. Nichtmetallen. **chlo|rie|ren:** 1. in den Molekülen einer chemischen Verbindung bestimmte Atome od. Atomgruppen durch Chloratome ersetzen. 2. mit Chlor keimfrei machen (z. B. Wasser). **chlo|rig:** chlorhaltig, chlorartig. **¹Chlo|rit** [auch: ...'rɪt] das; -s, -e: Salz der chlorigen Säure. **²Chlo|rit** [auch: ...'rɪt] der; -s, -e: ein grünes, glimmerähnliches Mineral. **chlo|ri|ti|sie|ren:** in ein Salz der chlorigen Säure umwandeln. **Chlor|kalk** der; -[e]s: Bleich- u. Desinfektionsmittel. **Chlor|nat|ri|um*:** ↑ Natriumchlorid. **Chlor|ro|form** ⟨gr.; lat.⟩ das; -s: süßlich riechende, farblose Flüssigkeit (früher ein Betäubungsmittel, heute nur noch als Lösungsmittel verwendet). **chlo|ro|for|mie|ren:** durch Chloroform betäuben. **Chlo|rom** ⟨gr.-nlat.⟩ das; -s, -e: bösartige Geschwulst mit eigentümlich grünlicher Färbung (Med.). **Chlo|ro|my|ce|tin**® das; -s: ein ↑ Antibiotikum. **Chlo|ro|phan** der; -s, -e: smaragdgrüner ↑ ²Fluorund. **Chlo|ro|phyll** ⟨"Blattgrün"⟩ das; -s: magnesiumhaltiger, grüner Farbstoff in Pflanzenzellen, der die ↑ Assimilation (2 b) ermöglicht. **Chlo|ro|phy|tum** das; -s, ...ten: Grünlilie, eine Zierpflanze aus Südafrika. **Chlo|ro|phyl|zee** die; -, -n (meist Plural): Grünalge. **Chlo|ro|plast** der; -en, -en (meist Plural): kugeliger Einschluss der Pflanzenzellen, der Chlorophyll enthält. **Chlo|rop|sie*** das; -: das Grünsehen (als Folgeerscheinung bei bestimmten Vergiftungen; Med.). **Chlo|ro|se** das; -, -n: 1. mangelnde Ausbildung von Blattgrün (Pflanzenkrankheit). 2. Bleichsucht bei Menschen infolge Verminderung des Blutfarbstoffes (Med.). **chlor|sauer:** in der Fügung: **chlorsaures Kalium:** Kaliumchlorat. **Chlor|stick|stoff** ⟨gr.; dt.⟩ der; -s: eine hochexplosive, ölige Chlorverbindung. **Chlo|rür** ⟨gr.-fr.⟩ das; -s, -e: frühere Bez. für ein ↑ Chlorid mit niedriger Wertigkeitsstufe des zugehörigen Metalls

Chlyst [xlyst] ⟨russ.; "Geißler"⟩ der; -en, -en: Anhänger einer russ. Sekte (seit dem 17. Jh.)

Cho|a|ne [k...] ⟨gr.⟩ die; -, -n (meist Plural): hintere Öffnung der Nase zum Rachenraum

Choc [ʃɔk] ältere Schreibung für: Schock

Choke [tʃoʊk] u. **Choker** ⟨engl.⟩ der; -s, -s: Luftklappe im Vergaser (Kaltstarthilfe). **Choke|bohrung** ⟨engl.; dt.⟩ die; -, -en: kegelförmige Verengung an der Mündung des im Übrigen zylindrischen Laufes von Jagdgewehren. **Cho|ker** vgl. Choke

cho|kie|ren [ʃɔˈki:...] ältere Schreibung für: schockieren

Cho|la|go|gum* [ç...] ⟨gr.-lat.⟩ das; -s, ...ga: galletreibendes Mittel, zusammenfassende Bez. für Cholekinetikum u. Choleretikum (Med.). **Cho|lä|mie*** ⟨gr.-nlat.⟩ die; -, ...jen: Übertritt von Galle ins Blut (Med.). **Cho|lan-gi|om** das; -s, -e: [bösartige] Geschwulst im Bereich der Gallenwege (Med.). **Cho|lan|gi|tis** die; -, ...itjden: Entzündung der Gallengänge (einschließlich der Gallenblase; Med.). **Cho|lan|säu|re** ⟨gr.-nlat.; dt.⟩ die; -: Grundsubstanz der Gallensäuren. **Cho|le-ki|ne|ti|kum** das; -s, ...ka: Mittel, das die Entleerung der Gallenblase anregt (Med.). **Cho|le-lith** [auch: ...ˈlɪt] ⟨gr.-nlat.⟩ der; -[e]s u. -en, -e[n]: Gallenstein (Med.). **Cho|le|li|thi|a|sis** die; -: Gallensteinleiden, -kolik (Med.). **Cho|le|ra** [k...] ⟨gr.-lat. „Gallenbrechdurchfall"⟩ die; -: schwere (epidemische) Infektionskrankheit (mit heftigen Brechdurchfällen; Med.). **Cho|le|re|se** [ç...] ⟨gr.-nlat.⟩ die; -, -n: Gallenabsonderung (Med.). **Cho|le|re|ti-kum** das; -s, ...ka: Mittel, das die Gallenabsonderung in der Leber anregt (Med.). **cho|le|re|tisch**: die Gallenabsonderung anregend (Med.). **Cho|le|ri|ker** [k...] ⟨gr.-lat.⟩ der; -s, -: (nach dem von Hippokrates aufgestellten Temperamentstyp) reizbarer, jähzorniger Mensch; vgl. Melancholiker, Phlegmatiker, Sanguiniker. **Cho|le|ri|ne** ⟨gr.-nlat.⟩ die; -, -n: abgeschwächte Form der Cholera (Med.). **cho|le|risch** ⟨gr.-lat.⟩: jähzornig, aufbrausend; vgl. melancholisch, phlegmatisch, sanguinisch. **Cho|les|ta|se** vgl. Cholostase. **Cho|les|te|a|tom** [ç...] ⟨gr.-nlat.⟩ das; -s, -e: (Med.) 1. besondere Art der chronischen Mittelohrknocheneiterung. 2. gutartige Perlgeschwulst an der Hirnrinde. **Cho|les|te|rin** [auch: k...] das; -s: wichtigstes, in allen tierischen Geweben vorkommendes ↑ Sterin, Hauptbestandteil der Gallensteine. **Cho-**

le|zys|ti|tis die; -, ...itjden: Gallenblasenentzündung (Med.). **Cho|le|zys|to|pa|thie** die; -, ...jen: Gallenblasenleiden (Med.)

Chol|iam|bus* [ç...] ⟨gr.-lat. „Hinkjambus"⟩ der; -, ...ben: ein aus Jamben bestehender antiker Vers, in dem statt des letzten ↑ Jambus ein ↑ Trochäus auftritt

Chol|lin [ç...] ⟨gr.-nlat.⟩ das; -s: Gallenwirkstoff (in Arzneimitteln verwendet)

Chol|los|ta|se u. Cholestase [ç...] ⟨gr.-nlat.⟩ die; -, -n: Stauung der Gallenflüssigkeit in der Gallenblase. **chol|los|ta|tisch**: durch Gallenstauung entstanden (Med.). **Chol|u|rie*** die; -, ...jen: Auftreten von Gallenbestandteilen im Harn (Med.)

Cho|ma|ge|ver|si|che|rung [ʃo-ˈmaːʒɔ...] ⟨gr.-vulgärlat.-fr.; dt.⟩ die; -, -en: Ausfallversicherung bei Betriebs- od. Mietunterbrechung

Chon [tʃɔn] ⟨korean.⟩ der; -, -: Währungseinheit in Süd-Korea. **Chon|dren*** [ç...] ⟨gr.⟩ die (Plural): kleine Körner (Kristallaggregate), aus denen die Chondrite aufgebaut sind. **Chond|rin** ⟨gr.-nlat.⟩ das; -s: aus Knorpelgewebe gewonnene Substanz, die als Leim verwendet wird. **Chond|ri|o|so|men** die (Plural): ↑ Mitochondrien. **Chond|rit** [auch: ...ˈdrɪt] der; -s, -e: 1. aus Chondren aufgebauter Meteoritstein. 2. pflanzlichen Verzweigungen ähnelnder Abdruck in Gesteinen (Geol.). **Chond|ri|tis** die; -, ...itjden: Knorpelentzündung (Med.). **chond|ri|tisch**: die Struktur des Chondrits betreffend. **Chond|ro|blast** der; -s, -en (meist Plural): Bindegewebszelle, von der die Knorpelbildung ausgeht (Med.). **Chond|ro-blas|tom** das; -s, -e: gutartige Geschwulst aus Knorpelgewebe (Med.). **Chond|ro|dys|tro|phie** die; -: erbbedingte Knorpelbildungsstörung bei Tier u. Mensch. **Chond|rom** das; -s, -e: Chondroblastom. **Chond|ro-ma|to|se** die; -, -n: Bildung zahlreicher Knorpelgewebsgeschwülste im Körper (Med.). **Chond|ro|sar|kom** das; -s, -e: aus Knorpelgewebe bestehende bösartige Geschwulst (Med.). **Chond|ry|llen** ⟨gr.-engl.⟩ die (Plural): erbsengroße Steinchen in Meteoriten (Mineral.).

Chop|per [tʃ...] ⟨engl.⟩ der; -s, -[s]: 1. vorgeschichtliches Hauwerk-

zeug, aus einem Steinbrocken o. Ä. geschlagen. 2. Vorrichtung zum wiederholten, zeitweisen Unterbrechen („Zerhacken") einer Strahlung, wodurch getrennte Impulse entstehen (Phys.). 3. aus Teilen verschiedener Motorräder gebautes Motorrad

¹Chor [k...] ⟨gr.-lat.⟩ der, seltener: das; -[e]s, Chö̤re: 1. erhöhter Kirchenraum mit [Haupt]altar (ursprünglich für das gemeinsame Chorgebet der ↑ Kleriker). 2. Platz der Sänger auf der Orgelempore. **²Chor** ⟨gr.-lat.⟩ der; -[e]s, Chö̤re: (Mus.) 1. Gruppe von Sängern, die sich zu regelmäßigem, gemeinsamem Gesang zusammenschließen. 2. gemeinsamer [mehrstimmiger] Gesang von Sängern. 3. Musikstück für gemeinsamen [mehrstimmigen] Gesang. 4. Verbindung der verschiedenen Stimmlagen einer Instrumentenfamilie. 5. gleich gestimmte Saiten (z. B. beim Klavier, bei der Laute o. Ä.). 6. zu einer Taste gehörende Pfeifen der gemischten Stimmen bei der Orgel. **³Chor** ⟨gr.-lat.⟩ der u. das; -s, -e: die für ein Muster erforderliche Abteilung im Kettsystem des Webgeschirrs (Weberei) **Cho|ral** ⟨gr.-nlat.⟩ der; -s, ...rä̤le: a) kirchlicher Gemeindegesang; b) Lied mit religiösem Inhalt. **Cho-ral|kan|ta|te** die; -, -n: Kantate, der ein evangelisches Kirchenlied in mehreren Sätzen zugrunde liegt. **Cho|ral|no|ta|ti|on** der; -, -en: mittelalterliche Notenschrift, die nur die relativen, nicht die ↑ mensurierten Tonhöhenunterschiede angibt. **Cho-ral|pas|si|on** die; -, -en: gesungener Passionsbericht im einstimmigen gregorianischen Choralton

Chor|da u. Chorde [k...] ⟨gr.-lat.⟩ die; -, ...den: 1. Sehnen-, Knorpel- od. Nervenstrang (Anat.). 2. knorpelähnlicher Achsenstab als Vorstufe der Wirbelsäule (bei Schädellosen, Mantel- u. Wirbeltieren; Biol.). **Chor|da|phon**, auch: ...fon ⟨„Saitentöner"⟩ das; -s, -e: Instrument mit Saiten als Tonerzeugern (Musik). **Chor|da|ten** ⟨gr.-nlat.⟩ die (Plural): zusammenfassende Bezeichnung für Tiergruppen, die eine Chorda besitzen (Schädellose, Wirbeltiere, Lanzettfischchen, Manteltiere; Biol.). **Chor|de** vgl. Chorda. **Chor|di|tis** die; -, ...itjden: Entzündung der Stimmbänder (Med.). **Chor|dom** das; -s, -e:

[bösartige] Geschwulst an der Schädelbasis (Med.). **Chor|do-to|nal|or|gan** das; -s, -e (meist Plural): Sinnesorgan der Insekten (primitives Hörorgan; Biol.) **Cho|rea** [k...] ⟨gr.-lat.⟩ die; -: Veitstanz (Med.). **cho|re|a|form** u. choreiform ⟨gr.-nlat.⟩: veitstanzartig. **Cho|re|ge** [ç..., auch: k...] ⟨gr.⟩ der; -n, -n: Chorleiter im altgriech. Theater. **cho|re|i-form** [k...] vgl. choreaform. **Cho-re|o|graph**, auch: ...graf ⟨gr.-nlat.⟩ der; -en, -en: jmd., der [als Leiter eines Balletts] eine Tanzschöpfung kreiert u. inszeniert. **Cho|re|o|gra|phie**, auch: ...grafie die; -, ...ien: a) künstlerische Gestaltung u. Festlegung der Schritte u. Bewegungen eines Balletts; b) (früher) grafische Darstellung von Tanzbewegungen u. -haltungen. **cho|re|o|gra-phie|ren**, auch: ...grafieren: ein Ballett einstudieren, inszenieren. **cho|re|o|gra|phisch**, auch: ...grafisch: die Choreographie betreffend. **Cho|re|o|ma|nie** u. Choromanie die; -, ...ien: krankhaftes Verlangen, zu tanzen od. rhythmische Bewegungen auszuführen (Med.). **Cho|re|us** [ç..., auch: k...] ⟨gr.-lat.⟩ der; -, ...een: ↑Trochäus. **Cho|reut** [ç...] ⟨gr.⟩ der; -en, -en: 1. Chorsänger. 2. Chortänzer. **Cho|reu|tik** die; -: altgriech. Lehre vom Chorreigentanz. **cho|reu|tisch**: a) die Choreutik betreffend; b) im Stil eines altgriech. Chorreigentanzes ausgeführt. **Chor|frau** [k...] die; -, -en: 1. ↑Kanonissin. 2. a) Angehörige einer religiösen, nach der Augustinerregel lebenden Gemeinschaft; b) Angehörige des weiblichen Zweiges eines Ordens (z. B. Benediktinerin). **Chor|haupt** das; -[e]s, ...häupter: Abschluss des ¹Chors als halbkreisförmige ↑Apsis (1). **Chor|herr** der; -[e]n, -en: 1. Mitglied eines Domkapitels. 2. Angehöriger einer Ordensgemeinschaft, die nicht nach einer Ordensregel, sondern nach anderen Richtlinien lebt (z. B. Prämonstratenser). **Chor|iam|bus*** [ç...] ⟨gr.-lat.⟩ der; -, ...ben: aus einem ↑Choreus u. einem ↑Jambus bestehender Versfuß (-.-.). **Cho|ri|o|li|dea** [k...] ⟨gr.-nlat.⟩ die; -: Aderhaut des Auges (Med.). **Cho|ri|on** ⟨gr.⟩ das; -s: 1. Zottenhaut, embryonale Hülle vieler Wirbeltiere u. des Menschen (Biol.). 2. hartschalige Hülle vieler Insekteneier (Zool.).

Cho|ri|o|zö|no|se [ç...] ⟨gr.⟩ die; -, -n: ↑Biochore **cho|ri|pe|tal** [k...] ⟨gr.-nlat.⟩: getrenntblättrig (von Pflanzen, deren Blumenkronblätter nicht miteinander verwachsen sind; Bot.) **cho|risch** [k...] ⟨gr.-lat.⟩: den ²Chor betreffend, durch den Chor auszuführen. **Cho|rist** ⟨gr.-lat.-mlat.⟩ der; -en, -en: Mitglied eines [Opern]chors. **Chor|kan-ta|te** die; -, -n: Kantate mit Instrumentalbegleitung, die vom Chor allein (ohne Solisten) gesungen wird. **Chör|lein** das; -s, -: halbrunder od. vieleckiger Erker an mittelalterlichen Wohnbauten **Cho|ro|gra|phie** [ç...], auch: ...grafie ⟨gr.-lat.⟩ die; -, ...ien: ↑Chorologie. **cho|ro|gra-phisch**, auch: ...grafisch: ↑chorologisch. **Cho|ro|lo|gie** ⟨gr.-nlat.⟩ die; -, ...ien: 1. Raum- od. Arealwissenschaft, bes. Geographie u. Astronomie. 2. Arealkunde. **cho|ro|lo|gisch**: die Chorologie betreffend **Cho|ro|ma|nie** [k...] vgl. Choreomanie **Chor|rei|gent** der; -en, -en: (südd.) Leiter eines katholischen Kirchenchors. **Chor|ton** der; -[e]s: Normalton für die Chor- u. Orgelstimmung. **Cho|rus** ⟨gr.-lat.⟩ der; -, -se: 1. das einer Komposition zugrunde liegende Form- u. Akkordschema, das die Basis für Improvisationen bildet (Jazz). 2. Hauptteil od. Refrain eines Stücks aus der Tanz- od. Unterhaltungsmusik **Cho|se** [ʃ...], auch: Schose ⟨lat.-gr.⟩ die; -, -n: (ugs.) [unangenehme] Sache, Angelegenheit **Chow-Chow** [tʃau'tʃau, auch: ʃau'ʃau] ⟨chin.-engl.⟩ der; -s, -s: Hund einer in China gezüchteten Rasse **Chre|ma|tis|tik** [kre...] ⟨gr.⟩ die; -: (hist.) gewerbsmäßiges Betreiben einer Erwerbswirtschaft mit dem Ziel, sich durch Tauschen u. Feilschen zu bereichern. **Chres-to|ma|thie** [krɛ...] ⟨„das Erlernen von Nützlichem"⟩ die; -, ...ien: für den Unterricht bestimmte Sammlung ausgewählter Texte aus den Werken bekannter Autoren. **Chrie** [çri:(ə)] ⟨gr.-lat.⟩ die; -, -n: 1. praktische Lebensweisheit, moralisches Exempel. 2. (veraltet) Anweisung für Schulaufsätze **Chri|sam** [ç...] ⟨gr.-lat.⟩ das od. der; -s u. **Chris|ma** [ç...] ⟨gr.-lat.⟩ das; -s, -: ge-

weihtes Salböl (in der katholischen u. orthodoxen Kirche bei Taufe, Firmung, Bischofs- u. Priesterweihe verwendet). **Chris|ma|le** ⟨gr.-nlat.⟩ das; -s, ...lien [...ljən] u. ...lia: (kath. Rel.) 1. Tuch od. Kopfbinde zum Auffangen des Salböls. 2. mit Wachs getränktes Altartuch. 3. Gefäß zur Aufbewahrung des Chrisams. **Chris|mon** ⟨gr.-mlat.⟩ das; -s, ...ma: reich verzierter Buchstabe C am Anfang vieler mittelalterlicher Urkunden (urspr. das ↑Christogramm) **Christ** [k...] ⟨gr.-lat.⟩ der; -en, -en: Anhänger [u. Bekenner] des Christentums; Getaufter. **Christ|de|mo|krat*** der; -en: -en: Anhänger einer christlichdemokratischen Partei. **Chris|te elei|son!**: Christus, erbarme dich! vgl. Kyrie eleison. **Chris-ten|tum** das; -s: auf Jesus Christus, sein Leben u. seine Lehre gegründete Religion. **chris|ti|a|ni-sie|ren**: (die Bevölkerung eines Landes) zum Christentum bekehren. **Chris|ti|a|ni|tas** die; -: Christlichkeit als Geistes- u. Lebenshaltung. **Chris|tian Sci-ence** ['krɪstjən 'saɪəns] ⟨engl.⟩ die; - -: 1879 in den USA gegründete christliche Gemeinschaft, die durch enge Verbindung mit Gott menschliche Unzulänglichkeit überwinden will; vgl. Szientismus (2). **christ|ka|tho-lisch** [k...] (schweiz.) altkatholisch. **Christ|ka|tho|li|zis|mus** (schweiz.) der; -: Lehre der altkatholischen Kirche, die den Primat des Papstes ablehnt; Altkatholizismus. **christ-lich** ⟨gr.-lat.; dt.⟩: a) auf Christus und seine Lehre zurückgehend; der Lehre Christi entsprechend; b) im Christentum verwurzelt, begründet; c) kirchlich; **Christ|mas|Ca-rol**, auch: **Christ|mas-Ca|rol** ['krɪsməs'kærəl] ⟨engl.⟩ das; -s, -s: volkstümliches englisches Weihnachtslied; vgl. Carol. **Christ|mas|pan|to|mime**, auch: **Christ|mas-Pan|to|mime** ['krɪs-məs'pæntəmaɪm] ⟨„Weihnachtsspiel"⟩ die; -, -s (meist Plural): in England zur Weihnachtszeit aufgeführtes burleskes Ausstattungsstück aus Märchen, Sage u. Geschichte. **Christ|met|te** die; -, -n: Mitternachtsgottesdienst in der Christnacht. **Chris|to|gramm** ⟨gr.-nlat.⟩ das; -s, -e: ↑Christus-

monogramm. **Chris|to|lat|rie***
die; -: Verehrung Christi als
Gott. **Chris|to|lo|gie** *die; -,*
...jen: Lehre der christlichen
Theologie von der Person Chris-
ti. **chris|to|lo|gisch:** die Chris-
tologie betreffend. **Chris|to-
pha|nie** *die; -,* ...jen: Erschei-
nung Jesu Christi, bes. des aufer-
standenen Christus. **Chris|to-
zent|rik*** *die; -:* Betonung der
zentralen u. einzigartigen Stellung Jesu Christi in der Schöp-
fungs- u. Heilsgeschichte. **chris-
to|zent|risch*:** auf Christus als
Mittelpunkt bezogen. **Chris|tus-
mo|no|gramm** *das; -s, -e:* Sym-
bol für den Namen Christus, das
aus dessen griech. Anfangsbuchstaben X (Chi) u. P (Rho) zusam-
mengefügt ist; vgl. IHS

Chrom [k...] *⟨gr.-lat.-fr.; „Farbe")
das; -s:* chem. Element; ein Me-
tall (Zeichen: Cr). **chrom|af|fin:**
mit Chromsalzen anfärbbar (von
Zellen u. Zellteilen; Biochem.);
chromaffines System: eine
Gruppe hormonliefernder Zellen, die sich bei Behandlung mit
bestimmten chemischen Substanzen braun färben. **Chro-
man®** *⟨nlat.⟩ das; -s:* Chrom-Ni-
ckel-Legierung. **Chro|mat** *das;
-s, -e:* Salz der Chromsäure.
Chro|ma|tid *⟨gr.-nlat.⟩ das; -[e]s,
-en (meist Plural):* Chromo-
somenspalthälfte, aus der bei der
Zellteilung das Tochterchromo-
som entsteht (Biol.). **Chro|ma-
tie** *die; -,* ...jen: Projektionsver-
fahren beim Fernsehen, durch
das künstliche Hintergründe im
Aufnahmestudios geschaffen
werden können; vgl. Bluescreen,
Bluebox. **chro|ma|tie|ren:** die
Oberfläche von Metallen mit einer Chromatschicht zum Schutz
gegen ↑Korrosion (1) überzie-
hen. **Chro|ma|tik** *⟨gr.-lat.⟩ die; -:*
1. Veränderung („Färbung") der
sieben Grundtöne durch Verset-
zungszeichen um einen Halbton
nach oben od. unten; Ggs. ↑Dia-
tonik (Mus.). 2. Farbenlehre
(Phys.). **Chro|ma|tin** *⟨gr.-nlat.⟩
das; -s, -e:* mit bestimmten Stoffen anfärbbarer Bestandteil des
Zellkerns, der das Erbgut der
Zelle enthält. **chro|ma|tisch**
⟨gr.-lat.⟩: 1. in Halbtönen fortschreitend (Mus.). 2. die Chro-
matik (2) betreffend; **chromatische Aberration:** Abbildungsfeh-
ler von Linsen durch Farbzer-
streuung. **chro|ma|ti|sie|ren**
⟨gr.-nlat.⟩: chromatieren. **Chro-
ma|to|dys|op|sie*** *die; -,* ...jen:

Farbenblindheit (Med.). **Chro-
ma|to|gramm** *das; -s, -e:* Dar-
stellung des Analysenergebnis-
ses einer Chromatographie
[durch Farbbild]. **Chro|ma|to-
gra|phie,** auch: ...grafie *die; -:*
Verfahren zur Trennung che-
misch nahe verwandter Stoffe.
chro|ma|to|gra|phie|ren, auch:
...grafieren: eine Chromatogra-
phie durchführen. **chro|ma|to-
gra|phisch,** auch: ...grafisch: a)
die Chromatographie betreffend; b) das Verfahren der Chromatographie anwendend. **Chro-
ma|to|me|ter** *das; -s, -:* Gerät
zur Bestimmung des Anteils der
Grundfarben in einer Farbmi-
schung. **chro|ma|to|phil:** leicht
färbbar (bes. von Textilfasern).
Chro|ma|to|phor („Farbstoff-
träger") *das; -s, -en (meist Plural):* 1. Farbstoff tragende ↑Or-
ganelle der Pflanzenzelle (Bot.).
2. Farbstoffzelle bei Tieren, die
den Farbwechsel der Haut ermöglicht (z. B. beim Chamäleon;
Zool.). **Chro|ma|top|sie*** u.
Chromopsie *die; -:* Sehstörung,
bei der Gegenstände in bestimmten Farbtönen verfärbt od. Farb-
töne bei geschlossenen Augen
wahrgenommen werden (Med.).
Chro|mat|op|to|me|ter* u.
Chromoptometer *das; -s, -:* Apparat zur Messung der Farb-
wahrnehmungsfähigkeit (Med.).
Chro|ma|to|se *die; -, -n:* abnor-
me Farbstoffablagerung in der
Haut (Med.); vgl. Dyschromie.
Chrom|at|ron *das; -s,* ...one,
auch: -s: spezielle Bildröhre für
das Farbfernsehen. **Chrom|gelb**
das; -s: deckkräftige Malerfarbe,
Bleichromat. **Chrom|grün** *das;
-s:* Deckgrün, Mischfarbe aus
Berliner Blau u. Chromgelb.
Chro|mi|di|en *die* (Plural): (ver-
altet) ↑Mikrosomen. **chro|mie-
ren:** Wolle nach dem Färben mit
Chromverbindungen beizen.
¹Chro|mit [auch: ...'mɪt] *der; -s,
-e:* Chrom[eisen]erz, ein Mine-
ral. **²Chro|mit** *das; -s, -e:* ein Salz
der Chromsäure

Chrom|le|der *⟨gr.-lat. fr.; dt.⟩ das;
-s:* mit Chromverbindungen ge-
gerbtes Leder. **chro|mo|gen**
⟨gr.-nlat.⟩: Farbstoff bildend.
Chro|mo|lith [auch: ...'lɪt] *das;
u. -en, -e[n]:* unglasiertes Stein-
zeug mit eingelegten farbigen
Verzierungen. **Chro|mo|li|tho-
gra|phie,** auch: ...grafie *die; -,*
...jen: Mehrfarben[stein]druck.
Chro|mo|mer *das; -s, -en (meist
Plural):* stark anfärbbare Ver-

dichtung der Chromosomen-
längsachse, Träger bestimmter
Erbfaktoren (Biol.). **Chro|mo-
ne|ma** *das; -s,* ...men (meist Plu-
ral): spiralig gewundener Faden,
der mit 2–4 anderen ein Chro-
mosom bildet (Biol.). **Chro|mo-
ni|ka** *die; -, -s u.* ...ken: eine ↑dia-
tonische u. chromatische Mund-
harmonika. **Chro|mo|pa|pier**
das; -s, -e: [einseitig] mit Kreide
gestrichenes glattes Papier für
↑Offsetdruck u. Steindruck.
Chro|mo|phor („Farbträger")
der; -s, -e: Atomgruppe organi-
scher Farbstoffe, die für die Farbe des betreffenden Stoffes verantwortlich ist (Chem.). **Chro-
mo|plast** *der; -en, -en (meist
Plural):* gelber od. roter kugeli-
ger Farbstoffträger bestimmter
Pflanzenzellen, der die Färbung
der Blüten od. Früchte be-
stimmt. **Chro|mo|pro|te|id** *das;
-[e]s, -e (meist Plural):* Eiweiß-
stoff, der einen Farbstoff enthält
(z. B. Hämoglobin, Chlorophyll;
Chem.). **Chro|mop|sie*** vgl.
Chromatopsie. **Chrom|op|to-
me|ter*** vgl. Chromatoptome-
ter. **Chro|mo|skop*** *das; -s, -e:*
Vorrichtung zur Untersuchung
u. Projektion von Farben mithilfe von Farbfiltern (Optik). **Chro-
mo|som** *das; -s, -en (meist Plu-
ral):* in jedem Zellkern in artspe-
zifischer Anzahl u. Gestalt vor-
handenes, das Erbgut eines Le-
bewesens tragendes, fadenför-
miges Gebilde, Kernschleife
(Biol.). **chro|mo|so|mal:** das
Chromosom betreffend. **Chro-
mo|so|men|ab|er|ra|ti|on** *die; -,
-en:* Veränderung der Chromosomenstruktur vor einer Aufteilung der Chromosomen in
Chromatiden. **Chro|mo|so-
men|ano|ma|lie** *die; -, -n:* durch
Chromosomenmutation ent-
standene Veränderung in der
Zahl od. Struktur der Chromo-
somen. **Chro|mo|so|men|mu-
ta|ti|on** *die; -, -en:* Strukturände-
rung eines Chromosoms, die zu
einer Änderung des Erbguts
führt. **Chro|mo|so|men|re|duk-
ti|on** *die; -, -en:* Halbierung der
Chromosomenzahl durch ↑Re-
duktionsteilung. **Chro|mo-
sphä|re*** *die; -:* glühende Gas-
schicht um die Sonne. **Chro|mo-
ty|pie** *die; -:* Farbendruck.
Chrom|oxid|grün, nicht-
sprachlich auch: **Chrom|oxyd-
grün** *⟨gr.-nlat.; dt.⟩ das; -s:* dun-
kelgrüne deckende Malerfarbe.
Chro|mo|zent|rum* *das; -s,*

...zentren: stark anfärbbarer Chromosomenabschnitt (Biol.).

Chrom|rot das; -s: Malerfarbe (basisches Bleichromat)

Chro|nik [k...] ⟨gr.-lat.⟩ die; -, -en: 1. Aufzeichnung geschichtlicher Ereignisse in zeitlich genauer Reihenfolge. 2. (ohne Plural) zusammenfassende Bez. für zwei geschichtliche Bücher des Alten Testaments. **Chro|ni|ka** die (Plural): ↑ Chronik (2). **chro|ni|ka|lisch** ⟨gr.-nlat.⟩: in Form einer Chronik abgefasst. **Chro|nique scan|da|leuse** [krɔnikskãda-'løːz] ⟨fr.⟩ die; - -, -s -s [krɔnikskãda'løːz]: Sammlung von Skandal- u. Klatschgeschichten einer Epoche od. eines bestimmten Milieus. **chro|nisch** ⟨gr.-lat.⟩: 1. sich langsam entwickelnd, langsam verlaufend (von Krankheiten; Med.); Ggs. ↑ akut (2). 2. (ugs.) dauernd, ständig, anhaltend. **Chro|nist** ⟨gr.-nlat.⟩ der; -en, -en: Verfasser einer Chronik. **Chro|nis|tik** die; -: Gattung der Geschichtsschreibung. **Chro|ni|zi|tät** die; -: chronischer Verlauf einer Krankheit; Ggs. ↑ Akuität (Med.). **Chro|no|bi|lo|lo|gie** die; -: Fachgebiet der Biologie, auf dem die zeitlichen Gesetzmäßigkeiten im Ablauf von Lebensvorgängen erforscht werden. **Chro|no|di|s|ti|chon*** ⟨gr.-nlat.⟩ das; -s, ...chen: ↑ Chronogramm in der Form eines ↑ Distichons. **Chro|no|gramm** das; -s, -e: 1. ein Satz od. eine Inschrift (in lat. Sprache), in der hervorgehobene Großbuchstaben als Zahlzeichen die Jahreszahl eines geschichtlichen Ereignisses ergeben, auf das sich der Satz bezieht. 2. Aufzeichnung eines Chronographen. **Chro|no|graph**, auch: ...graf der; -en, -en: Gerät zum Übertragen der Zeitangabe einer Uhr auf einen Papierstreifen. **Chro|no|gra|phie**, auch: ...grafie ⟨gr.-lat.⟩ die; -, ...ien: Geschichtsschreibung nach der zeitlichen Abfolge. **chro|no|gra|phisch**, auch: ...grafisch: die Chronographie betreffend. **Chro|no|lo|gie** ⟨gr.⟩ der; -n, -n: Wissenschaftler auf dem Gebiet der Chronologie. **Chro|no|lo|gie** die; -, ...ien: 1. (ohne Plural) Wissenschaft u. Lehre von der Zeitmessung u. -rechnung. 2. Zeitrechnung. 3. zeitliche Abfolge (von Ereignissen). **chro|no|lo|gisch**: zeitlich geordnet. **Chro|no|me|ter** ⟨gr.-nlat.⟩ „Zeitmesser"⟩ das; -s, -: transportable

Uhr mit höchster Ganggenauigkeit, die bes. in der Astronomie u. Schifffahrt eingesetzt wird. **Chro|no|met|rie*** die; -, ...ien: Zeitmessung. **chro|no|met|risch***: auf genauer Zeitmessung beruhend. **Chro|no|pa|tho|lo|gie** die; -: Lehre vom gestörten zeitlichen Ablauf der Lebensvorgänge unter krankhaften Bedingungen. **Chro|no|pho|to|gra|phie**, auch: ...fotografie die; -: Vorstufe der ↑ Kinematographie, bei der die Bewegung fotografisch in Einzelbilder zerlegt wurde. **Chro|no|phy|si|o|lo|gie** die; -: Lehre vom zeitlichen Ablauf der normalen Lebensvorgänge bei Mensch u. Tier (z. B. Schlafwach-Rhythmus). **Chro|no|skop*** das; -s, -e: genau gehende Uhr mit einem Stoppuhrmechanismus, mit dem Zeitabschnitte gemessen werden können, ohne dass der normale Gang der Uhr dadurch beeinflusst wird. **Chro|nos|ti|chon*** das; -s, ...chen: ↑ Chronogramm in Versform. **Chro|no|therm ®** das; -s, -e: mit einer Uhr verbundener Temperaturregler an einer Wärmequelle in Versuchsräumen. **Chro|not|ron*** das; -s, ...onen: Gerät zur Messung der Zeitdifferenz zweier Impulse im Nanosekundenbereich

Chrot|ta [k...] ⟨kelt.-lat.⟩ die; -, -s u. ...tten: ↑ Crwth

Chry|sa|li|de [çry...] ⟨gr.-lat.⟩ die; -, -n: mit goldglänzenden Flecken bedeckte Puppe mancher Schmetterlinge (Zool.). **Chry|san|the|me*** [kry...] die; -, -n u. **Chry|san|the|mum*** [auch: ç...] das; -s, -[s]: Zierpflanze mit größeren strahlenförmigen Blüten. **ohryo|o|lo|phan|t|n^** [çry...] ⟨gr.-nlat.⟩: in Goldelfenbeintechnik gearbeitet (von antiken Figuren, deren nackte Teile des Körpers mit Elfenbein, die bekleideten Teile u. die Haare mit Gold belegt sind). **Chry|so|be|ryll** [çry...] der; -s, -e: ein grüner Edelstein. **Chry|so|chalk** [çryso'çalk] u. Chrysokalk ⟨gr.-nlat.⟩ der; -[e]s: goldfarbige Bronze. **Chry|so|der|ma** der; -s, -ta: ↑ Chrysose. **Chry|so|gra|phie**, auch: ...grafie die; -: die Kunst, mit Goldtinktur zu schreiben od. zu malen bzw. Schriftzeichen u. Ä. mit Blattgold zu belegen. **Chry|so|li|din** das; -s: orange- bis braunroter Farbstoff. **Chry|so|kalk** vgl. Chrysochalk. **Chry|so|lith**

[auch:...'lɪt] ⟨gr.-lat.⟩ der; -s u. -en, -e[n]: ein Mineral. **Chry|so|pras*** der; -es, -e: ein Halbedelstein. **Chry|so|lse** u. **Chry|so|lsis** die; -, ...osen: Ablagerung von Gold in der Haut u. damit verbundene Gelbfärbung der Haut nach längerer Behandlung mit goldhaltigen Arzneimitteln. **Chry|so|til** der; -s, -e: ein farbloses, feinfaseriges Mineral **chtho|nisch** [ç] ⟨gr.⟩: der Erde angehörend, unterirdisch; **chthonische Götter:** Erdgottheiten; in der Erde wohnende u. wirkende Götter (z. B. Pluto, die Titanen)

Chubb|schloss ® ['tʃap...] ⟨nach dem englischen Erfinder⟩ das; -es, ...schlösser: ein Sicherheitsschloss

Church|ar|my ['tʃɔːtʃ'aːmi] ⟨engl.; „Kirchenarmee"⟩ die; -: kirchlich-soziale Laienbewegung der englischen Staatskirche, die ihre Aufgabe in sozialer Fürsorge u. Volksmission sieht

Chut|ba [x...] ⟨arab.⟩: Predigt im islamischen Gottesdienst am Freitagen u. Festtagen

Chut|ney ['tʃatnɪ] ⟨Hindi-engl.⟩ das; -[s], -s: Paste aus zerkleinerten Früchten mit Gewürzzusätzen

Chuz|pe [x...] ⟨hebr.-jidd.⟩ die; -: (salopp abwertend) Unverfrorenheit, unbekümmerte Dreistigkeit, Unverschämtheit

chyl|lös [çy...] ⟨gr.-nlat.⟩: (Med.) a) aus Chylus bestehend; b) milchig getrübt. **Chy|lu|rie*** die; -, ...ie: Ausscheidung von Chylus im Harn (Med.). **Chyl|lus** ⟨gr.-lat.⟩ der; -: milchig-trüber Inhalt der Darmlymphgefäße (Med.). **Chy|mo|l|sin** [çy...] ⟨gr.-nlat.⟩ das; -s: Absonderung des Labmagens im Kälbermagen, Labferment (Biol.). **Chy|mus** ⟨gr.-lat.⟩ der; -: nicht zu Ende verdauter (angedauter) Speisebrei im Magen, der von dort aus in den Darm gelangt (Med.)

Chyp|re* ['ʃiːprə] ⟨nach der franz. Form des Namens „Zypern"⟩ das; -: ein Parfüm

CIA ['siːaɾ'eɪ] ⟨gekürzt aus engl. Central Intelligence Agency⟩ der; -: US-amerikanischer Geheimdienst

Cia|co|na [tʃak...]: vgl. Chaconne

ciao! [tʃau]: ⟨lat.-it.⟩: tschüs!, hallo! (salopp-kameradschaftlicher Gruß zum Abschied [od. zur Begrüßung]); vgl. tschau!

Ci|bo|ri|um [ts...] vgl. Ziborium

CIC = Codex Juris Canonici

Ci|ce|ro ['tsɪtsero, auch: 'tsi:tsero] ⟨nach dem römischen Redner⟩ die (schweiz.: der); -: Schriftgrad von 12 Punkt (ungefähr 4,5 mm Schrifthöhe; Druckw.). Ci|ce|ro|ne [tʃitʃe'ro:nə] ⟨lat.-it.; aufgrund eines scherzhaften Vergleichs mit dem römischen Redner Cicero⟩ der; -[s], -s u. ...ni: [sehr viel redender] Fremdenführer. Ci|ce|ro|ni|a|ner [tsi...] ⟨lat.⟩ der; -s, -: Vertreter des Ciceronianismus. ci|ce|ro|ni|a|nisch: 1. a) nach Art des Redners Cicero; b) mustergültig, stilistisch vollkommen. 2. a) den Ciceronianer betreffend; b) den Ciceronianismus betreffend. Ci|ce|ro|ni|a|nis|mus ⟨lat.-nlat.⟩ der; -: in der Renaissancezeit einsetzende Bewegung in Stilkunst u. Rhetorik, die sich den Stil des römischen Redners u. Schriftstellers Cicero zum Vorbild nimmt Ci|cis|beo [tʃitʃis...] ⟨it.⟩ der; -[s], -s: [vom Ehemann akzeptierter] Liebhaber der Ehefrau Cid|re* ['si:drə] ⟨hebr.-gr.-lat.-vulgärlat.-fr.⟩ der; -[s]: französischer Apfelwein aus der Normandie od. Bretagne cif [tsɪf, sɪf] ⟨Abk. für engl.: cost, insurance, freight⟩: Kosten, Versicherung u. Fracht (Rechtsklausel im Überseehandelsgeschäft, wonach im Warenpreis Verladekosten, Versicherung u. Fracht bis zum Bestimmungshafen enthalten sind) Ci|lia vgl. Zilie Cim|bal vgl. Zimbal Cin|cho|na [sɪn'tʃo:na] ⟨nach der Gemahlin des Grafen Cinchón, des Vizekönigs von Peru im 17. Jahrh.⟩ die; -, ...nen: Chinarindenbaum (Südamerika). Cin|cho|nin [nlat.] das; -s: ein ↑Alkaloid der ↑Chinarinde Cinch|ste|cker ['sɪntʃ...] ⟨engl.; dt.⟩ der; -s, -: Steckverbindung [an elektrischen Geräten] mit zentralem Stift und ihn umgebender Hülse als zweitem Pol Ci|ne|ast [s...] ⟨gr.-fr.⟩ der; -en, -en: a) Filmschaffender; b) Filmkenner, begeisterter Kinogänger. Ci|ne|as|tik die; -: Filmkunst. ci|ne|as|tisch: die Cineastik betreffend Ci|nel|li [tʃ...] vgl. Tschinellen Ci|ne|ma [tʃ...] ⟨gr.-it.⟩ Kurzform von cinematografo⟩, Ci|né|ma [sine'ma] ⟨gr.-fr.⟩ Kurzform von cinématographe) das; -s, -s: Filmtheater, Kino. Ci|ne|ma|gic [sɪnə'mædʒɪk] ⟨gr.-engl.; Kunstw.⟩ aus Cinema u. magic⟩ das; -: Ver-

fahren der Trickfilmtechnik, bei dem Real- u. Trickaufnahmen gemischt werden (Filmw.). Ci|ne|ma|scope® [sinema'sko:p] ⟨gr.-engl.⟩ das; -: besonderes Projektionsverfahren (Filmw.). Ci|ne|ma|thek [s...] ⟨gr.-fr.; gr.⟩ vgl. Kinemathek. Ci|ne|phi|le [s...] ⟨fr.; gr.⟩ der; -n, -n: jmd., dessen Interessen u. Aktivitäten sich ganz auf die Filmkunst richten. Ci|ne|ra|ma® [s...] ⟨gr.-fr.-engl⟩ das; -: besonderes Projektionsverfahren Cin|gu|lum [ts...] vgl. Zingulum Cin|que|cen|tist [tʃɪŋkvetʃen...] ⟨lat.-it.⟩ der; -en, -en: Künstler des Cinquecento. Cin|que|cen|to das; -[s]: Kultur u. Kunst des 16. Jh.s in Italien (Hochrenaissance, ↑Manierismus 1) Cin|vat|brü|cke ['tʃɪnvat...] ⟨iran.; dt.⟩ „Trennungsbrücke") die; -: Totenbrücke der alten iranischen u. der ↑parsischen Religion, von die Bösen in die Hölle stürzen Cin|za|no® [tʃɪn...] der; -[s], -s (aber: 3 Cinzano): italienischer Wermutwein Ci|pol|la|ta [tʃ...] ⟨lat.-it.; „Zwiebelgericht") die; -, -s u. ...ten: a) Gericht aus Bratwürstchen, Zwiebeln, Maronen, Karotten u. Speck; b) kleines, in der Zusammensetzung der Weißwurst ähnliches Würstchen. Ci|pol|lin der; -s: Zwiebelmarmor (mit Kalkglimmerschiefer durchsetzter Marmor) Cip|pus der; -, -: Zippus cir|ca ⟨lat.⟩: vgl. zirka; Abk.: ca. cir|ca|di|an ⟨lat.-engl.⟩: vgl. zirkadian. Cir|ca|ra|ma [sɪrka...] ⟨(lat.; gr.) engl.⟩ das; -: Filmwiedergabetechnik, bei der Film so projiziert wird, dass sich für den Zuschauer von der Mitte des Saales aus ein Rundbild ergibt Cir|ce ⟨nach der Zauberin der griech Sage⟩ die; -, -n: verführerische Frau, die es darauf anlegt, Männer zu betören cir|cen|sisch vgl. zirzensisch Cir|col|la|ti|on [sircola'sjŏ:] ⟨lat.-fr.⟩ die; -, -s: Kreisstoß beim Fechten Cir|cuit|trai|ning ['sə:kɪt...] ⟨engl.⟩ das; -s: zur Verbesserung der allgemeinen ↑Kondition (2b) geschaffene Trainingsmethode, die in einer Aufeinanderfolge von Kraftübungen an verschiedenen, im Kreis aufgestellten Geräten besteht Cir|cu|lus ⟨lat.⟩ der; -, ...li: [kleiner] Kreis, Ring (Med.). Cir|cu-

lus vi|ti|o|sus der; - -, ...li ...si: 1. Zirkelschluss, bei dem das zu Beweisende in der Voraussetzung enthalten ist. 2. gleichzeitig bestehende Krankheitsprozesse, die sich gegenseitig ungünstig beeinflussen (Med.). 3. Teufelskreis Cir|cus vgl. Zirkus Ci|ré [si're:] ⟨lat.-fr.; „gewachst"⟩ der; -[s], -s: Seidengewebe mit harter Glanzschicht. Cire per|due [sirpɛr'dy] ⟨„verlorenes Wachs"⟩ die; - -: beim Bronzeguss über einem tönernen Kern modellierte u. beim Guss wegschmelzende Wachsform Ci|si|o|ja|nus ⟨lat.-nlat.⟩ der; -, ...ni: kalendarischer Merkvers des Mittelalters in lateinischer Sprache, der das Datum eines bestimmten Festes angibt (so bedeutet cisio = „Beschneidung" in Anfangsstellung vor Janus (2.-nuarius), dass das Fest Christi Beschneidung auf den 1. Januar fällt) Cis|la|weng vgl. Zislaweng Cis|ta vgl. Zista ci|ta|to lo|co [auch: -'loko] ⟨lat.⟩: an der angeführten Stelle; Abk.: c. l.; vgl. loco citato ci|tis|si|me ⟨lat.⟩: sehr eilig; Abk.: eilig Ci|to|yen [sitoa'jɛ̃] ⟨lat.-mlat.-fr.⟩ der; -s, -s: franz. Bez. für: Bürger Cit|ral* vgl. Zitral. Cit|rat vgl. Zitrat. Cit|rin vgl. Zitrin. Cit|rus|frucht vgl. Zitrusfrucht. Cit|rus|pflan|ze vgl. Zitruspflanze Ci|ty [sɪti] ⟨lat.-fr.-engl.⟩ die; -, -s: Geschäftsviertel einer Großstadt, Innenstadt. Ci|ty|bike [...baɪk] ⟨engl.⟩ das; -s, -s: kleines Motorrad für den Stadtverkehr; vgl. Bike. Ci|ty|ruf der; -s: auf unterschiedliche Weise über meist kürzere Strecken übermittelbarer Funkruf, der in Form von Tönen, Ziffern od. Text mithilfe kleiner, handlicher Empfangsgeräte empfangen werden kann Ci|vet [si've, si'vɛ] ⟨lat.-fr.⟩ das; -s, -s: ↑Ragout von Hasen u. Wildkaninchen Ci|vi|tas Dei ⟨lat.⟩ die; - -: Staat Gottes, den dem Staat des Teufels gegenübergestellt wird (geschichtsphilosophischer Begriff aus dem Hauptwerk des Augustinus) Clac|to|nien [klɛkto'njɛ̃] ⟨nach dem Fundort Clacton on Sea in England⟩ das; -[s]: Kulturstufe der älteren Altsteinzeit Cla|do|ce|ra vgl. Kladozeren

Claim [kleɪm] ⟨*lat.-fr.-engl.*⟩ *das;* -[s], -s: 1. Anrecht, Rechtsanspruch, Patentanspruch (Rechtsw.). 2. Anteil (z. B. an einem Goldgräberunternehmen; Wirtsch.). 3. Behauptung, die von der Werbung aufgestellt wird

Clai|ret [klɛ'rɛ] ⟨*lat.-vulgärlat.-fr.*⟩ *der;* -s, -s: französischer Rotwein, der wenig Gerbstoff enthält. **Clai|rette** [...'rɛt] ⟨*lat.-fr.*⟩ *die;* -: leichter französischer Weißwein. **Clair-obs|cur*** [klɛrɔps'kyːɐ̯] *das;* -[s]: Helldunkelmalerei (Stil in Malerei u. Grafik). **Clair|obs|cur|schnitt*** *der;* -[e]s, -e: Helldunkelschnitt in der Holzschnittkunst. **Clai|ron** [...'rõː] *das;* -s, -s: 1. Bügelhorn, Signalhorn. 2. ↑Clarino (1). 3. ↑Clarino (2). **Clair|vo|yance** [...vɔa̯'jɐ̃ːs] *die;* -: Fähigkeit, im ↑somnambulen od. Trancezustand die Zukunft vorauszusehen; Hellsehen

Clan [klaːn, engl.: klɛːn] ⟨*kelt.-engl.*⟩ *der;* -s, -e u. (bei engl. Aussprache:) -s: 1. schottischer Lehns- u. Stammesverband. 2. (iron. abwertend) durch gemeinsame Interessen od. verwandtschaftliche Beziehungen verbundene Gruppe

Claque [klak] ⟨*fr.*⟩ *die;* -, -n: bestellte, mit Geld od. Freikarten bezahlte Gruppe von Beifallklatschern. **Cla|queur** [kla'køːɐ̯] *der;* -s, -e: bestellter Beifallklatscher
¹Cla|ret ['klɛrət] ⟨*lat.-fr.-engl.*⟩ *der;* -[s], -s: engl. Bez. für: roter Bordeauxwein. **²Cla|ret** [kla're:] ⟨*lat.-fr.*⟩ *der;* -[s], -s: leichter Rotwein. **Cla|ri|no** ⟨*lat.-it.*⟩ *das;* -s, -s u. ...ni: 1. hohe Trompete (Bachtrompete). 2. Zungenstimme der Orgel

Clor|kia u. **Clor|kie** ⟨*nlat.;* nach dem amerik. Forscher William Clark, 1770–1838⟩ *die;* -, ...ien: Zierpflanze aus Nordamerika (Nachtkerzengewächs)

Clau|su|la ⟨*lat.*⟩ *die;* -, lae [...ɛ]: ↑Klausel. **clau|su|la re|bus sic stan|ti|bus:** Vorbehalt, dass ein Schuldversprechen od. ein Geschäft bei Veränderung der Verhältnisse seine bindende Wirkung verliert (Rechtsw.) **Cla|ve|cin** [klavə'sɛ̃:] ⟨*lat.; gr.) mlat.-fr.*⟩ *das;* -s, -s: franz. Bez. für ↑Cembalo. **Cla|ve|loi|njst** [...si...] *der;* -en, -en (meist Plural) franz. Komponist bedeutender Cembalomusik im 17. u. 18. Jh. **Cla|ves** ⟨*lat.-span.*⟩ *die* (Plural): Hartholzstäbchen als Rhythmusinstrument. **Cla|vi-**

cem|ba|llo [...'tʃɛm...] ⟨*(lat.; gr.) mlat.-it.*⟩ *das;* -s, -s u. ...li: Cembalo. **Cla|vi|cu|la** ⟨*lat.*⟩ *die;* -, ...lae [...lɛ]: Schlüsselbein (Med.). **Cla|vis** *die;* -, - u. ...ves [...ve:s]: 1. (Mus.) a) Orgeltaste; b) Notenschlüssel. 2. (veraltet) lexikographisches Werk zur Erklärung antiker Schriften od. der Bibel. **Cla|vus** *der;* -, ...vi: 1. Purpur- od. Goldstreifen am Gewand altröm. Würdenträger. 2. (Med.) a) Hornzellenwucherung der Haut; b) Hühnerauge

clean [kliːn] ⟨*engl.*⟩: von Drogen nicht mehr abhängig
Clear-Air-Tur|bu|lenz [klɪə'ɛə...] ⟨*lat.-fr.-engl.*⟩ *die;* -, -en: ↑Turbulenz (2) im wolkenfreien Raum (Meteor.)

Clea|ring ['kliːrɪŋ] *das;* -s, -s: Verrechnung; Verrechnungsverfahren

Cle|ma|tis vgl. Klematis

Cle|men|ti|ne ⟨wohl nach dem ersten Züchter, dem franz. Trappistenmönch Père Clément⟩ *die;* -, -n: süße [kernlose] mandarinenähnliche Frucht

Cle|ri|hew ['klerɪhjuː] ⟨nach dem ersten Verfasser E. Clerihew Bentley⟩ *das;* -[s], -s: vierzeilige humoristische Gedichtform

Clerk [klark, klɑːk] ⟨*gr.-lat.-fr.-engl.*⟩ *der;* -s, -s: 1. kaufmännischer Angestellter (in England od. Amerika). 2. britischer od. amerikanischer Verwaltungsbeamter [beim Gericht]

cle|ver ['klɛvɐ] ⟨*engl.*⟩: in taktisch schlauer, geschickter Weise vorgehend. **Cle|ver|ness** *die;* -: clevere Art u. Weise

Cli|an|thus ⟨*gr.-nlat.*⟩ *der;* -: aus Australien stammender Zierstrauch

Cli|ché [kli'ʃeː] vgl. Klischee

Cliff|han|ger [...hɛŋɐ] ⟨*engl.*⟩ *der;* -s, -: effektvoller, Spannung hervorrufender Schluss der Folge einer Fernseh- od. Rundfunkserie, der Neugier auf die Fortsetzung wecken soll

Clinch [klɪntʃ, klɪnʃ] ⟨*engl.*⟩ *der;* -[e]s: das Umklammern u. Festhalten des Gegners im Boxkampf

Cli|no|mo|bil vgl. Klinomobil

Clip ⟨*engl.*⟩ *der;* -s, -s: 1. vgl. Klipp, Klips. 2. ↑Videoclip. **Clip|per** ® ⟨*engl.*⟩ *der;* -s, -: auf Überseestrecken eingesetztes amerikanisches Langstreckenflugzeug

Cli|que ['klɪkə, auch: kliːkə] ⟨*fr.*⟩ *die;* -, -n: a) (abwertend) Personengruppe, die vornehmlich ihre

eigenen Gruppeninteressen verfolgt; b) Freundes-, Bekanntenkreis

Cli|via, auch: Klivie ⟨*nlat.;* nach einer engl. Herzogin, Lady Clive⟩ *die;* -, ...vien: Zimmerpflanze mit orangefarbenen Blüten

Clo|chard [klɔ'ʃaːr] ⟨*fr.*⟩ *der;* -[s], -s: Stadtstreicher (bes. in Frankreich)

Cloche [klɔʃ] ⟨*fr.*⟩ *die;* -, -s [klɔʃ]: bes. beim Servieren verwendete Metallhaube zum Warmhalten von Speisen

Clog [klɔk] ⟨*engl.*⟩ *der;* -s, -s (meist Plural): Holzpantoffel

Cloi|son|né [klọazɔ'ne:] ⟨*lat.-vulgärlat.-fr.*⟩ *das;* -s, -s: bestimmte Technik bei Goldemailarbeiten, Zellenschmelz

Clo|ning ⟨*engl.*⟩ *das;* -s, -s: künstliches Erzeugen von Leben, einem Lebewesen durch genetische Manipulation. **Clo|nus** ⟨*engl.,-nlat.*⟩ *der;* -, -se; ohne natürliche Zeugung aus Lebenzellen entwickelter künstlicher Mensch

Clo|qué [klɔ'keː] ⟨*fr.*⟩ *der;* -[s], -s: modisches Kreppgewebe mit welliger Oberfläche; Blasenkrepp

Clos [klɔː] ⟨*lat.-fr.*⟩ *das;* - [klɔ:(s)], - [klɔ:s]: von einer Mauer od. Hecke eingefriedeter Weinberg od. -garten in Frankreich. **Closed|shop** ['klouzd'ʃɔp] ⟨*engl.*⟩ *der;* -[s], -s: 1. Betriebsart eines Rechenzentrums, bei der der Benutzer die Daten anliefert u. die Resultate abholt, jedoch zur Datenverarbeitungsanlage selbst keinen Zutritt hat (EDV); Ggs. ↑Openshop (1). 2. Unternehmen, das ausschließlich Gewerkschaftsmitglieder beschäftigt (in England u. den USA); Ggs. ↑Openshop (2). **Close-up** ['klous│ap] ⟨*engl.*⟩ *das;* -s, -s: Nah-, Großaufnahme (Film; Fernsehen).

Clost|ri|di|um* ⟨*gr.-nlat.*⟩ *das;* -s, ...ien: Gattung Sporen bildender [krankheitserregender] ↑Bakterien

Cloth [klɔθ] ⟨*engl.; „Tuch"*⟩ *der od. das;* -: glänzender [Futter]stoff aus Baumwolle od. Halbwolle in Atlasbindung (einer besonderen Webart)

Clou [kluː] ⟨*lat.-fr.;* „Nagel"⟩ *der;* -s, -s: Höhepunkt (im Ablauf) von etwas; Kernpunkt

Clown [klaṷn] ⟨*lat.-fr.-engl.*⟩ *der;* -s, -s: Spaßmacher [im Zirkus od. Varietee]. **Clow|ne|rie** *die;* -, ...jen: Spaßmacherei, spaßige

Geste. **clow|nẹsk:** nach Art eines Clowns. **Clow|nịs|mus** ⟨nlat.⟩ *der; -:* groteske Körperverrenkungen bei einem hysterischen Anfall (Med.)
Clụb vgl. Klub
Clum|ber|spa|ni|el [ˈklʌmbə...] ⟨nach dem engl. Landsitz Clumber⟩ *der; -s, -s:* englische Jagdhundrasse
Clu|ni|a|zẹn|ser usw. vgl. Kluniazenser usw.
Clus|ter [ˈklastɐ] ⟨engl.⟩ *der; -s, -[s]:* 1. als einheitliches Ganzes zu betrachtende Menge von Einzelteilchen (Kernphysik). 2. Klanggebilde, das durch Übereinanderstellen kleiner ↑ Intervalle (2) entsteht; Klangfeld (Mus.). 3. (Sprachw.) a) Folge von aufeinander folgenden ungleichen Konsonanten; b) ungeordnete Menge semantischer Merkmale eines Begriffs
¹Coach [koːtʃ, koutʃ] ⟨engl.⟩ *der; -[s], -s:* Sportlehrer, Trainer u. Betreuer eines Sportlers od. einer Sportmannschaft. **²Coach** *die; -, -s:* im 19. Jh. verwendete vierrädrige Kutsche für vier Personen. **coa|chen:** einen Sportler od. eine Sportmannschaft betreuen u. trainieren. **Coa|ching** *das; -s:* das Coachen, bes. das Betreuen während des Wettkampfs
Co|a|gu|lum vgl. Koagulum
Coat [kout] ⟨germ.-fr.-engl.⟩ *der; -[s], -s:* dreiviertellanger Mantel.
Coa|ting [ˈkoːtɪŋ, ˈkoutɪŋ] *der; -[s], -s:* 1. (ohne Plural) tuchartiger Kammgarnstoff in Köperbindung (une Webart). 2. schützende Beschichtung, Überzug (gegen Abrieb usw.). 3. Überzug aus (natürlichen od. synthetischen) Wachsen u. Harzen, der z. B. auf Lebensmittel zum Schutz gegen Wasseraufnahme od. -abgabe sowie gegen schädigende Einwirkungen aus der Lageratmosphäre aufgebracht wird
Cọb ⟨engl.⟩ *der; -s, -s:* kleines, starkes, für Reiten u. Fahren gleichermaßen geeignetes englisches Gebrauchspferd
Co|baea [koˈbɛːa] ⟨nlat.; nach dem spanischen Naturforscher B. Cobo, 1582–1657⟩ *die; -, -s:* Glockenrebe (eine mexikanische Zierpflanze)
Cọbb|ler ⟨engl.⟩ *der; -s, -s:* ↑ Cocktail aus Likör, Weinbrand od. Weißwein, Fruchtsaft, Früchten u. Zucker
CỌBOL ⟨Kurzw. aus: *Common business oriented language; engl.*⟩ *das; -s:* Programmierspra-

che zur problemorientierten Formulierung von Programmen der kommerziellen Datenverarbeitung (EDV)
Cọ|ca *die; -, -s* od. *das; -[s], -s* (aber: 3 Coca): (ugs. kurz für) [Flasche] Coca-Cola. **Co|ca-Cọ|la** ® ⟨Herkunft unsicher⟩ *das; -[s]* od. *die; -* (5 [Flaschen] -): koffeinhaltiges Erfrischungsgetränk. **Co|ca|ịn** vgl. Kokain
Co|car|ci|no|gẹ|ne [...t͜si...] ⟨lat.⟩ *die* (Plural): Krebsverstärker; Gruppe Krebs auslösender Stoffe
Cọc|cus vgl. Kokke
Co|che|nịl|le [kɔʃəˈnɪljə] vgl. Koschenille
Cọch|lea ⟨gr.-lat.⟩ *die; -, ...eae* [...eɛ]: 1. Teil des Innenohrs 2. Gehäuse der Schnecken
Co|chon [kɔˈʃõː] ⟨fr.; „Schwein"⟩ *der; -s, -s:* (veraltet) unanständiger Mensch. **Co|chon|ne|rie** [kɔʃɔnə...] *die; -, ...ien:* Schweinerei, Unflätigkeit, Zote
Cọ|cker|spa|ni|el ⟨engl.⟩ *der; -s, -s:* englische Jagdhundrasse
¹Cock|ney [ˈkɔknɪ] ⟨engl.⟩ *das; -[s]:* (als Zeichen der Unbildung angesehene) Mundart der Londoner Bevölkerung. **²Cock|ney** *der; -s, -s:* jmd., der Cockney spricht
Cọck|pit ⟨engl.; „Hahnengrube"⟩ *das; -s, -s:* 1. Pilotenkabine in [Düsen]flugzeugen. 2. Fahrersitz in einem Rennwagen. 3. vertiefter, ungedeckter Sitzraum für die Besatzung in Segel- u. Motorbooten. **Cock|tail** [ˈkɔkteıl] ⟨engl; „Hahnenschwanz"⟩ *der; -s, -s:* 1. a) alkoholisches Mischgetränk aus verschiedenen Spirituosen, Früchten, Fruchtsaft u. anderen Zutaten; b) Mischung (z. B. von Speisen). 2. ↑ Cocktailparty. **Cock|tail|kleid** *das; -[e]s, -er:* elegantes, modisches, kurzes Gesellschaftskleid. **Cock|tail|par|ty** *die; -, -s:* zwanglose Geselligkeit in den frühen Abendstunden, bei der Cocktails (1 a) serviert werden
Cọ|da vgl. Koda
Code [koːt] vgl. Kode. **Code ci|vil** [koːdsiˈviːl] ⟨fr.⟩ *der; - -:* französisches Zivilgesetzbuch
Co|de|ịn vgl. Kodein
Code Na|po|lé|on [koːdnapoleˈõ] ⟨fr.⟩ *der; - -:* Bezeichnung des Code civil zwischen 1807 u. 1814.
Code|swit|ching [ˈkoudswıtʃıŋ] ⟨engl.⟩ *das; -s:* Übergang von einer Sprachvariante in eine andere (z. B. von der Standardsprache in die Mundart) innerhalb ei-

nes Gesprächs (Sprachw.). **Cọ|dex** ⟨lat.⟩ *der; -, ...ices:* ↑ Kodex. **Cọ|dex ar|gẹn|te|us** *der; - -:* ältestes ↑ Evangeliar in gotischer Sprache mit Silberschrift auf Purpurpergament. **Cọ|dex au|re|us** *der; - -,* Codices aurei [...tse:s -]: kostbare, mittelalterliche Handschrift mit Goldschrift od. goldenem Einband. **Cọ|dex Iụ|ris Ca|no|ni|ci, Cọ|dex Jụ|ris Ca|no|ni|ci** *der; - - -:* das Gesetzbuch des katholischen Kirchenrechts (seit 1918); Abk.: CIC. **Co|di|ci|lllus** *der; -, ...lli:* kleiner Kodex, Notizbüchlein; vgl. Kodizill. **co|di|e|ren** ⟨lat.-fr.⟩ vgl. kodieren. **Co|di|e|rung** vgl. Kodierung
Cọ|don ⟨lat.-fr.⟩ *das; -s, ...one[n]:* Bez. für drei aufeinander folgende Basen einer Nukleinsäure, die den Schlüssel zur Aminosäure im ↑ Protein darstellen (Biochem.)
Coe|cum [ˈt͜soːkʊm] vgl. Zökum
Coe|les|tin [t͜soː...] vgl. Zölestin. **Coe|lin|[blau]** ⟨lat.; dt.⟩ *das; -s:* eine lichtblaue Malerfarbe
Coe|me|te|ri|um [t͜soː...] vgl. Zömeterium
Coe|no|bịt [t͜soː...] usw. vgl. Zönobit usw.
co|le|tan [ko...] usw. vgl. koätan usw.
Cœur [køːɐ̯] ⟨lat.-fr.⟩ *das; -[s], -[s]:* durch ein rotes Herz gekennzeichnete Spielkarte
Cof|fee|shop [ˈkɔfıʃɔp] ⟨amerik.⟩ *der; -s, -s:* kleines Restaurant (oft innerhalb eines Hotels), in dem Erfrischungen u. kleine Mahlzeiten serviert werden. **Cof|fe|in** vgl. Koffein
Cof|fey|na|gel [ˈkɔfe...] ⟨engl.; dt.⟩ *u.* Koffinnagel *der; -s, ...nägel:* hölzerner od. metallener Dorn zur Befestigung von leichtem Tauwerk auf Segelschiffen
Cof|fi|nịt [auch: ...ˈnɪt] ⟨nach dem amerik. Geologen R. C. Coffin⟩ *das; -s:* ein stark radioaktives Mineral
co|gi|to, er|go sụm ⟨lat.; „Ich denke, also bin ich"⟩: Grundsatz des französischen Philosophen Descartes
cog|nac* [ˈɔknjak] ⟨fr.⟩: goldbraun. **Cog|nac** ® ⟨nach der französischen Stadt⟩ *der; -[s], -s* (aber: 3 -): das Weinen des Gebietes um Cognac hergestellter) französischer Weinbrand
Cog|no|men vgl. Kognomen
Coif|feur [koaˈføːɐ̯] ⟨fr.⟩ *der; -s, -e:* (bes. schweiz.) Friseur. **Coif|feu|se** [...ˈføːzə] *die; -, -n:*

(schweiz.) Friseuse. **Coif|fure** [...'fy:ɐ̯] *die;* -, -n: 1. (geh.) Frisierkunst. 2. (schweiz.) Frisiersalon. 3. (veraltet) kunstvoll gestaltete Frisur

Coil [kɔy̯l] ‹*engl.*› *das;* -s: dünnes, aufgewickeltes Walzblech

Co|in|ci|den|tia Op|po|si|to|rum [ko|ɪntsi... -] ‹*lat.*: „Zusammenfall der Gegensätze"› *die;* - -: Aufhebung der irdischen Widersprüche im Unendlichen, im göttlichen All (bei Nikolaus von Kues u. Giordano Bruno)

Coint|reau* ® [kõɛ̃'tro:] ‹*fr.*› *der;* -s, -: französischer Orangenlikör

Co|ir [ko'i:ɐ̯, 'kɔɪə] ‹*Malayalam-engl.*› *das;* -[s] od. *die;* -: Faser der Kokosnuss

Co|i|tus vgl. Koitus. **Co|i|tus a Ter|go** *der;* - - -, - [...tu:s] - -: Form des Koitus, bei der die Frau dem Mann den Rücken zuwendet; Geschlechtsverkehr „von hinten" (Med.). **Co|i|tus in|ter|rup|tus** *der;* - -, - [...tu:s] ...ti: Form des Koitus, bei der der Penis vor dem Samenerguss aus der Scheide herausgezogen wird (Med.). **Co|i|tus per A|num** *der;* - - -, - [...tu:s] - -: Geschlechtsverkehr durch Einführen des Penis in den After des Geschlechtspartners (Med.). **Co|i|tus per Os** *der;* - - -, - [...tu:s] - -: vgl. Fellatio (Med.). **Co|i|tus re|ser|va|tus** *der;* - -, - [...tu:s] ...ti: Geschlechtsverkehr, bei dem der Samenerguss absichtlich über längere Zeit hin od. gänzlich unterdrückt wird (Med.)

Coke ® [ko:k, koʊk] ‹*amerik.*› *das;* -[s], -s: ↑Coca-Cola

Co|la *die;* -, -s od. *das;* -[s], -s (aber: 5 Cola): (ugs. kurz für) ↑Coca-Cola

Co|la|ni *der;* -s, -s: Kolani

Co|la|scio|ne [...'ʃo:nə] ‹*it.*› *der;* -, ...ni: südital. Lauteninstrument mit langem Hals u. wechselnder Saitenzahl

col bas|so ‹*it.*›: mit dem Bass od. der Bassstimme [zu spielen] (Spielanweisung); Abk.: c. b. (Mus.)

Col|chi|cin vgl. Kolchizin

Col|chi|cum ‹*nlat.*; nach der antiken Landschaft Kolchis am Schwarzen Meer› *das;* -s: Herbstzeitlose (ein Liliengewächs)

Cold|cream ['koʊld'kri:m] ‹*engl.*› *die;* -, -s: pflegende, kühlende Hautcreme. **Cold|rub|ber** ['koʊldrʌbə] ‹„kaltes Gummi"› *der;* -[s]: ein Kunstkautschuk

Co|le|op|ter* [ko...] ‹*gr.*› *der;* -s, -: senkrecht startendes u. landendes Flugzeug mit einem Ringflügel; vgl. Koleoptere

Co|le|us ‹*gr.-lat.*› *der;* -: Buntnessel (eine tropische Zimmerpflanze)

col|la des|tra* ‹*it.*›: mit der rechten Hand [zu spielen] (Spielanweisung; Mus.); Abk.: c. d. vgl. colla sinistra

Col|la|ge [kɔ'la:ʒə] ‹*fr.*› *die;* -, -n: etwas, was aus ganz Verschiedenartigem, aus vorgegebenen Dingen verschiedenen Ursprungs, Stils zusammengesetzt, -gestellt ist. **col|la|gie|ren**: als Collage zusammensetzen, -stellen

col|la par|te ‹*it.*›: mit der Hauptstimme [gehend] (Spielanweisung; Mus.). **coll'ar|co**: [wieder] mit dem Bogen [zu spielen] (Spielanweisung für Streicher nach vorausgegangenem ↑Pizzikato; Mus.); Abk.: c. a.

Col|lar|gol* ® *das;* -s: Bakterien tötendes Heilmittel in Salbenform; vgl. Kollargol

col|la si|nis|tra* ‹*it.*›: mit der linken Hand [zu spielen] (Spielanweisung; Mus.); Abk.: c. s.; vgl. colla destra

col|lé [kɔ'le:] ‹*gr.-vulgärlat.-fr.*; „angeleimt"›: dicht anliegend (vom Billardball, der an der Bande liegt)

Col|lec|ta|nea: lat. Form von ↑Kollektaneen

Col|lege ['kɔlɪdʒ] ‹*lat.-fr.-engl.*› *das;* -[s], -s: a) private höhere Schule mit Internat in England; b) einer Universität angegliederte Lehranstalt mit Wohngemeinschaft von Dozenten u. Studenten in England; c) Eingangsstufe der Universität; die ersten Universitätsjahre in den USA. **Col|lège** [kɔ'lɛ:ʒ] ‹*lat.-fr.*› *das;* -[s], -s: höhere Schule in Frankreich, Belgien u. der französischsprachigen Schweiz. **Col|lege|map|pe** ['kɔlɪdʒ...] ‹*lat.-fr.-engl.; dt.*› *die;* -, -n: kleine, schmale Aktentasche [mit Reißverschluss]; Kollegmappe. **Col|le|gi|um mu|si|cum** [- ...kum] ‹*lat.; gr.-lat.*› *das;* - -, ...gia ...ca: freie Vereinigung von Musikliebhabern [an Universitäten]. **Col|le|gi|um pu|bli|cum*** ‹*lat.*› *das;* - -, ...gia ...ca: öffentliche Vorlesung an einer Universität

col leg|no* [- 'lɛnjo] ‹*it.*›: mit dem Holz des Bogens [zu spielen] (Spielanweisung für Streicher; Mus.)

Col|li|co ® ‹Kunstw.›: *der;* -s, -s: zusammenlegbare, bahneigene Transportkiste aus Metall

Col|lie ‹*engl.*› *der;* -s, -s: schottischer Schäferhund

Col|li|er [kɔ'lje:] vgl. Kollier (1). **Col|li|er de Vé|nus** [kɔljedve'nys] ‹*lat.-fr.*› *das;* - - -, -s [kɔ'lje] - -: (veraltet) ↑Leukoderma

Col|lo|qui|um vgl. Kolloquium

Col|lum ‹*lat.*› *das;* -s, ...lla: (Med.) 1. Hals. 2. sich verjüngender Teil eines Organs, Verbindungsteil

Co|lon vgl. Kolon

Co|lón ‹nach der span. Namensform von Kolumbus› *der;* -[s], -s (aber: 5 Colón): Währungseinheit in Costa Rica u. El Salvador

Co|lo|nel [fr.: kɔlɔ'nɛl, engl.: 'kə:nəl] ‹*lat.-it.-fr. (-engl.)*› *der;* -s, -s: franz. u. engl. Bez. für: Oberst

Co|lo|nia ‹*lat.*; „Ansiedlung"› *die;* -, ...iae [...niɛ]: in der Antike eine Siedlung außerhalb Roms u. des römischen Bürgergebiets (z. B. Colonia Raurica, heute: Augst)

Co|lo|ra|do|it [auch: ...'ɪt] ‹nach dem amerikanischen Bundesstaat Colorado› *das;* -s: ein seltenes Mineral. **Co|lo|ra|do|kä|fer** vgl. Koloradokäfer

Co|lor|bild [auch: ko'lo:ɐ̯...] ‹*lat.; dt.*› *das;* -[e]s, -er: 1. Fernsehbild in Farbe. 2. Farbfoto. **Co|lor|film** *der;* -[e]s, -e: Farbfilm. **Co|lor|ge|rät** *das;* -[e]s, -e: Farbfernsehgerät

Co|lo|sko|pie *die;* -, ...ien: ↑Koloskopie

Colt ® ‹nach dem amerikanischen Industriellen u. Erfinder› *der;* -s, -s: (bes. im amerikanischen Westen der Kolonialzeit verwendeter) Revolver

Co|lum|ba|ri|um [ko...] vgl. Kolumbarium

Co|lum|bi|um [ko...] ‹*nlat.*; nach dem poetischen Namen Columbia für Amerika› *das;* -s: veraltete, in angelsächsischen Ländern noch übliche Bez. für das chem. Element ↑Niob; Zeichen: Cb

Com|bi vgl. Kombi

Com|bine [kɔ̃m'ba͜in] vgl. Kombine. **Com|bine|pain|ting** ['kɔmbaɪnpɛɪntɪŋ] ‹*engl.*› *das;* -: amerikanische Kunstrichtung, bei der der Künstler Gegenstände des täglichen Lebens und vorgefundene Materialien zu Bildern zusammensetzt

Com|bo ‹Kurzw. aus amerik. combination = Zusammenstellung› *die;* -, -s: kleines Jazz- od. Tanzmusikensemble, in dem jedes Instrument nur einmal vertreten ist

Come-back, auch: **Come|back** [kam'bɛk] ⟨engl.; „Rückkehr"⟩ das; -[s], -s: erfolgreiches Wiederauftreten eines bekannten Künstlers, Politikers, Sportlers nach längerer Pause

COMECON, Co|me|con ⟨Kurzwort aus engl. Council for Mutual Economic Assistance/Aid⟩ der od. das; -: Wirtschaftsorganisation der Ostblockstaaten, Rat für Gegenseitige Wirtschaftshilfe; Abk.: RGW

Co|mé|die lar|moy|ante [kɔmedi larmŏa'jã:t] ⟨fr.⟩ die; - -: Rührstück der franz. Literatur des 18. Jh.s (Literaturw.)

Come-down ['kʌmdau̯n] ⟨engl.⟩ das; -s, -s: Nachlassen der Rauschwirkung (bei Drogen)

Co|me|dy ['kɔmədi] ⟨engl.⟩ die; -, -s: 1. [oft als Serie produzierte] Komödie, bes. im Fernsehen. 2. kurz für ↑Comedyshow. **Co|me-dy|show** [...ʃou̯] die; -, -s: Show, bes. im Fernsehen, in der Sketche, Slapsticks u. Ä. dargeboten werden

Come quick, dan|ger! ['kʌm 'kwɪk 'deɪndʒə] ⟨engl.; „kommt schnell, Gefahr!"⟩: ehemaliges Seenotfunksignal; Abk.: CQD

Co|mes ⟨lat.; „Begleiter"⟩ der; -, - u. Comites [...te:s]: 1. a) im antiken Rom hoher Beamter im kaiserlichen Dienst; b) im Mittelalter Gefolgsmann od. Vertreter des Königs in Verwaltungs- u. Gerichtsangelegenheiten; Graf. 2. Wiederholung des Fugenthemas in der zweiten Stimme (Mus.)

co|me so|p|ra* ⟨it.⟩: wie oben, wie zuvor (Spielanweisung; Mus.)

Co|mes|ti|bles [...'ti:bl] ⟨lat.-fr.⟩ die (Plural): (schweiz.) Feinkost, Delikatessen; vgl. Komestibilien

Co|mic der; -s, -s (meist Plural): Kurzform von ↑Comicstrip. **Co|mic|strip** [...strɪp] ⟨amerik.; „drolliger Streifen"⟩ der; -[s], -s: mit Texten gekoppelte Bilderfortsetzungsgeschichte abenteuerlichen, grotesken od. utopischen Inhalts

Co|ming|man ['kʌmɪŋ'mæn] ⟨engl.⟩ der; -, ...men [...'mɛn], auch: **Co|ming Man** der; - -, - Men: jmd, von dem angenommen wird, dass er eine große Karriere macht. **Co|ming-out** [kʌmɪŋ'au̯t] ⟨engl.⟩ das; -[s], -s: das Öffentlichmachen von etwas (als bewusstes Handeln), bes. das öffentliche Sichbekennen zu seiner homosexuellen Veranlagung

comme ci, comme ça [kɔm'si kɔm'sa] ⟨fr.⟩: nicht besonders [gut]

Com|me|dia dell'Ar|te ⟨it.⟩ die; - -: volkstümliche italienische Stegreifkomödie des 16. bis 18. Jh.s

comme il faut [kɔmil'fo:] ⟨fr.⟩: wie es sich gehört; mustergültig

Com|mis voya|geur [kɔmivwa-jaʒœ:r] ⟨fr.⟩ der; - -, - -s [- ...ʒœ:r]: (veraltet) Handlungsreisender

Com|mon Law [kɔmən'lɔ:] ⟨engl.⟩ das; - -: (Rechtsw.) a) das für alle Personen im englischen Königreich einheitlich geltende Recht im Unterschied zu den örtlichen Gewohnheitsrechten; b) das in England entwickelte Recht im Unterschied zu den aus dem römischen Recht abgeleiteten Rechtsordnungen; vgl. Statute Law. **Com|mon Pray|er-Book** [-'prɛəbʊk] ⟨„Allgemeines Gebetbuch"⟩ das; - -: Bekenntnis- u. Kirchenordnungsgrundlage der anglikanischen Kirche. **Common|sense** [...sɛns] ⟨engl.⟩ der; -, auch: **Com|mon Sense** der; - -: gesunder Menschenverstand. **Com|mon|wealth** [...wɛlθ] ⟨engl.⟩ das; -: Staatenbund, [britische] Völkergemeinschaft; **Commonwealth of Nations** [- əv neɪʃənz]: Staatengemeinschaft des ehemaligen britischen Weltreichs. **Com|mu-ne Sanc|to|rum** ⟨lat.; „das den Heiligen Gemeinsame"⟩ das; - -: Sammlung von Mess- u. Breviergebeten in der katholischen Liturgie für die Heiligenfeste, die keine [vollständigen] Texte besitzen. **Com|mu|nio Sanc|to|rum** die; - -: die Gemeinschaft der Heiligen, d.h. der Gott Angehörenden (im christlichen Glaubensbekenntnis). **Com|mu|ni|qué** [kɔmyni'ke:] vgl. Kommuniqué. **Com|mu|nis O|pi|nio** die; - -: allgemeine Meinung, herrschende Auffassung [der Gelehrten]

co|mo|do ⟨lat.-it.⟩: gemächlich, behaglich, ruhig (Vortragsanweisung; Mus.)

Com|pact|disc [engl.: 'kɔmpɛkt-dɪsk] ⟨engl.⟩ die; -, -s, auch: **Compact Disc** die; - -, - -s: aus metallisiertem Kunststoff bestehende kleine, durch Laserstrahl abtastbare Speicherplatte von hoher Ton- bzw. Bildqualität

Com|pag|nie* [kɔmpan'ji:] vgl. Kompanie. **Com|pag|non** [kɔmpan'jõ:] vgl. Kompagnon

Com|pi|ler [kɔm'paɪlɐ] ⟨engl.⟩ der; -s, -: Computerprogramm, das

ein in einer problemorientierten Programmiersprache geschriebenes Programm in die Maschinensprache der jeweiligen Rechenanlage übersetzt (EDV)

Com|pli|ance [kəm'plaɪəns] ⟨engl.⟩ die; -: 1. Bereitschaft eines Patienten zur aktiven Mitwirkung an therapeutischen Maßnahmen (Med.; Psychol.). 2. elastische Volumendehnbarkeit von Atmungs- u. Gefäßsystemen (Med.)

[1]Com|po|sé [kõpo'ze:] ⟨lat.-fr.; „zusammengesetzt"⟩ der; -[s], -[s]: zweifarbig gemustertes Gewebe, bei dem Muster- u. Grundfarbe wechseln. **[2]Com|po|sé** das; -[s], -s: a) zwei od. mehrere farblich u. im Muster aufeinander abgestimmte Stoffe; b) aus [2]Composé (a) hergestellte, mehrteilige Damenoberbekleidung. **Com|po|ser** ⟨lat.-fr.-engl.⟩ der; -s, -: elektrische Schreibmaschine mit automatischem Randausgleich u. auswechselbarem Kugelkopf, die druckfertige Vorlagen liefert (Druckw.). **Com|po|si|tae** [...tɛ] die (Plural) vgl. Kompositae. **Com|pound|kern** [kɔm'paunt...] ⟨lat.-fr.-engl.; dt.⟩ der; -s, -e: bei Beschuss eines Atomkerns mit energiereichen Kern (Kernphysik). **Com-pound|ma|schi|ne** die; -, -n: a) Kolbenmaschine, bei der das Antriebsmittel nacheinander verschiedene Zylinder durchströmt; b) Gleichstrommaschine (Elektrot.). **Com|pound|öl** das; -s, -e: Mineralöl mit Fettölzusatz zur Erhöhung der Schmierfähigkeit. **Com|pound|trieb|werk** ⟨engl.⟩ das; -s, -e: Verbindung eines Flugmotors mit einer Abgasturbine zur Leistungssteigerung

comp|tant [kõ'tã:]: ↑kontant. **Comp|toir** [kõ'toa:ɐ̯] ⟨lat.-fr.⟩ das; -s, -s: (veraltet) Kontor

Comp|ton|ef|fekt ['kɔmptən...] ⟨nach dem amerik. Physiker Compton⟩ der; -[e]s: mit einer Änderung der Wellenlänge verbundene Streuung elektromagnetischer Wellen (Physik)

Com|pur ® ⟨Kunstw.⟩ der; -s, -e: Objektivverschluss (Fotogr.)

Com|pu|ter [kɔm'pju:tɐ] ⟨lat.-engl.⟩ der; -s, -: programmgesteuerte, elektronische Rechenanlage. **Com|pu|ter|ani|ma|ti-on** die; -, -en: durch Computer erzeugte Darstellung mehrdimensionaler bewegter Bilder auf einem Bildschirm. **Com|pu|ter-**

di|ag|nos|tik* *die;* -: Teilgebiet der ↑ Diagnostik, das u. a. mit der Anwendung statistischer Methoden u. der Einbeziehung von Datenverarbeitungsanlagen eine Objektivierung u. Automatisierung der diagnostischen Befunde erreichen will. **Com|pu|ter|ge|ne|ra|ti|on** *die;* -, -en: ↑ Generation (4) in der Entwicklung von Computern. **com|pu|te|ri|sie|ren:** a) Informationen u. Daten für einen Computer lesbar machen; b) Informationen in einem Computer speichern. **Com|pu|ter|kri|mi|na|lis|tik** *die;* -: Aufklärung u. Bekämpfung von Verbrechen mithilfe von Computern. **Com|pu|ter|kri|mi|na|li|tät** *die;* -: Gesamtheit der Straftaten (Datenmissbrauch, Informationsdiebstahl u. Ä.), die mithilfe von Computeranlagen begangen werden. **Com|pu|ter|kunst** *die;* -: ein Verfahren moderner Kunstproduktion, bei dem mithilfe von Computern Grafiken, Musikkompositionen, Texte u. a. hergestellt werden. **Com|pu|ter|lin|gu|is|tik** *die;* -: Bez. für linguistische Forschungen, bei denen man elektronische Rechenanlagen für die Bearbeitung u. Beschreibung sprachlicher Probleme verwendet. **com|pu|tern:** (ugs.) mit dem Computer arbeiten, umgehen. **Com|pu|ter|si|mu|la|ti|on** *die;* -: modellhafte Darstellung [u. Berechnung] bestimmter Aspekte eines Systems, Vorgangs, Problems o. Ä. mithilfe des Computers. **Com|pu|ter|to|mo|gra|phie,** auch: ...grafie *die;* : Röntgenuntersuchungstechnik, bei der aus den von einem Computer aufbereiteten Messergebnissen ein Dichteverteilungsgrad der untersuchten Schichten rekonstruiert wird. **Com|pu|ter|vi|rus** *das* (auch: *der);* -, ...viren: unbemerkt in einen Rechner eingeschleustes Computerprogramm, das die vorhandene Software manipuliert od. zerstört. **Com|pu|tis|tik** [kompu...] vgl. Komputistik

Comte [kõ:t] ⟨*lat.-fr.*⟩ *der;* -, -s [kõ:t]: Graf [in Frankreich]. **Com|tesse** [kõ'tɛs] vgl. Komtesse

con ab|ban|do|no ⟨*lat.-it.*⟩: frei u. leidenschaftlich, mit Hingabe (Vortragsanweisung; Mus.). **con af|fet|to:** ↑ affetuoso. **con a|mo|re:** ↑ amoroso. **con a|ni|ma:** mit Seele, mit Empfindung (Vortragsanweisung; Mus.)

con|axi|al: ↑ koaxial
con brio ⟨*lat.-it.*⟩: ↑ brioso. **con cal|lo|re:** mit Wärme (Vortragsanweisung; Mus.)
Con|ce|leb|ra|tio* vgl. Konzelebration
Con|cen|tus ⟨*lat.*⟩ *der;* -, - [...tu:s]: Gesang mit ausgeprägt melodischer Gestaltung in der Liturgie der katholischen u. protestantischen Kirche; Ggs. ↑ Accentus **Con|cept|art** ['kɔnsɛptla:ɐt, auch: kɔn'sɛpt...] ⟨*engl.*⟩ *die;* -: moderne Kunstrichtung, in der das Konzept das fertige Kunstwerk ersetzt. **Con|cep|tio im|ma|cu|la|ta** vgl. Immaculata conceptio. **Con|cer|tan|te** [it.: kɔntʃer..., fr.: kõsɛr'tã:t] ⟨*lat.-it.* u. *fr.*⟩ *die;* -, -n: Konzert für mehrere Soloinstrumente od. Instrumentengruppen. **Con|cer|ti|no** [kɔntʃer...] ⟨*lat.-it.*⟩ *das;* -s, -s: 1. kleines Konzert. 2. Gruppe von Instrumentalsolisten im Concerto grosso. **Con|cer|to gros|so** ⟨„großes Konzert"⟩ *das;* - -, ...ti ...ssi: 1. Gesamtorchester im Gegensatz zum solistisch besetzten Concertino (2). 2. Hauptgattung des barocken Instrumentalkonzerts (für Orchester u. Soloinstrumente. **Con|certs spi|ri|tu|els** [kõsɛrspiri'tyel] ⟨*lat.-fr.*⟩ *die* (Plural): erste öffentliche Konzerte mit zumeist geistlichen Werken in Paris (18. Jh.)
Con|cet|ti [kɔn'tʃɛti] vgl. Konzetti
Con|cha usw. vgl. Koncha usw.
Con|ci|erge [kõ'sjɛrʃ, fr.: kõ'sjɛrʒ] ⟨*lat.-vulgärlat.-fr.*⟩ *der* u. *die;* -, -s, (auch): -n: franz. Bez. für: Hausmeister[in], Portier[sfrau]. **Con|ci|er|ge|rie** [...ʒə'ri:] *die;* -: (hist.) Pariser Untersuchungsgefängnis, in dem zahlreiche prominente Opfer der Französischen Revolution inhaftiert waren
con|ci|ta|to [kɔntʃi...] ⟨*lat.-it.*⟩: erregt, aufgeregt (Vortragsanweisung; Mus.)
Con|clu|sio vgl. Konklusion
Con|cor|dia vgl. Konkordia
Con|cours hip|pique [kõkuri'pik] ⟨*lat.-fr.; gr.-fr.*⟩ *der;* - -, - - [...rzi'pik]: franz. Bez. für: Reit- u. Fahrturnier
Con|den|so ⟨*lat.*⟩ *das;* -: keramischer Isolierstoff (Elektrot.)
Con|den|si|te ® ⟨*lat.-nlat.*⟩ *das;* -: flüssiges Binde- u. Imprägniermittel
con dis|cre|zi|o|ne* ⟨*lat.-it.*⟩: mit Takt, mit Zurückhaltung in gemäßigtem Vortrag (Vortragsanweisung; Mus.)
Con|di|ti|o|na|lis: lat. Form von ↑ Konditional. **Con|di|tio si|ne qua non** ⟨*lat.*⟩ *die;* - - -: 1. notwendige Bedingung, ohne die etwas anderes nicht eintreten kann, unerlässliche Voraussetzung (Philos.). 2. ↑ Äquivalenztheorie (1)
con dol|lo|re: ↑ doloroso
Con|dot|ti|e|re vgl. Kondottiere
Con|duc|tus u. Konduktus ⟨*lat.*⟩ *der;* -, -: (Mus.) a) einstimmiges lateinisches Lied des Mittelalters; b) eine Hauptform der mehrstimmigen Musik des Mittelalters neben ↑ Organum (1) u. ↑ Motette
Con|du|i|te vgl. Konduite
Con|dy|lus ⟨*gr.-lat.*⟩ *der;* -, ...li: Gelenkkopf, -fortsatz (Med.)
con ef|fet|to: ↑ effettuoso. **con es|pres|si|o|ne:** ↑ espressivo
con|fer ⟨*lat.*⟩: vergleiche; Abk.: cf., cfr., conf. **Con|fé|rence** [kõfe'rãs] ⟨*lat.-mlat.-fr.*⟩ *die;* -, -n: Ansage eines Conférenciers. **Con|fé|ren|ci|er** [...rã'sje:] *der;* -s, -s [witzig unterhaltender] Ansager im Kabarett od. Varietée, bei öffentlichen u. privaten Veranstaltungen. **con|fe|rie|ren** vgl. konferieren (2)
Con|fes|sio ⟨*lat.*⟩ *die;* -, ...ones [...ne:s]: 1. a) Sünden-, Glaubensbekenntnis; b) Bekenntnisschrift [der Reformationszeit], z. B. Confessio Augustana, vgl. Konfession. 2. Vorraum eines Märtyrergrabes unter dem Altar in altchristlichen Kirchen. **Con|fes|sio Au|gus|ta|na** vgl. Augustana. **Con|fes|sio Bel|gi|ca** *die;* - -: Bekenntnisschrift der reformierten Gemeinden in den spanischen Niederlanden (1561). **Con|fes|sio Gal|li|ca|na** *die;* - -: Bekenntnisschrift der reformierten Gemeinden Frankreichs (1559). **Con|fes|sio Hel|ve|ti|ca** vgl. Helvetische Konfession. **Con|fes|sor** ⟨„Bekenner"⟩ *der;* -s, ...ores [...re:s]: Ehrenname für die verfolgten Christen [der römischen Kaiserzeit]. **Con|fi|se|rie** vgl. Konfiserie. **Con|fi|te|or** ⟨„ich bekenne"⟩ *das;* -: allg. Sündenbekenntnis im christlichen Gottesdienst; vgl. Konfitent. **Con|foe|de|ra|tio Hel|ve|ti|ca** ⟨*lat.*⟩ *die;* - - -: Schweizerische Eidgenossenschaft; Abk.: CH
con for|za ⟨*lat.-it.*⟩: mit Kraft, mächtig, wuchtig (Vortragsanweisung; Mus.)

Con|fra|ter vgl. Konfrater

con fu|o|co ⟨lat.-it.; „mit Feuer"⟩: heftig, schnell (Vortragsanweisung; Mus.)

Con|fu|ta|tio ⟨lat.; „Widerlegung"⟩ die; -: die Erwiderung von katholischer Seite auf die ↑Confessio Augustana (verfasst 1530)

Con|ga ⟨span.⟩ die; -, -s: 1. kubanischer Volkstanz im ⁴/₄-Takt. 2. große Handtrommel in der Musik der kubanischen Schwarzen, auch im modernen Jazz verwendet

con gra|zia: ↑grazioso

Con|gress of In|dust|ri|al* Or|ga|ni|za|tions* ['kɔŋgrɛs əv ɪn-'dʌstrɪəl ɔ:gənaɪ'zeɪʃənz] ⟨engl.⟩ der; - - - -: Spitzenorganisation der amerikanischen Gewerkschaften; Abk.: CIO

Con|greve|druck ['kɔngri:v...] ⟨nach dem englischen General u. Ingenieur W. Congreve⟩ der; -[e]s: (veraltet) ein Farbdruckverfahren

Col|ni|fe|rae [...rɛ] vgl. Konifere

con im|pe|to: ↑impetuoso

Con|junc|ti|va vgl. Konjunktiva.

Con|junc|ti|vi|tis vgl. Konjunktivitis

con leg|gie|rez|za [- lɛdʒe...] ⟨it.⟩: mit Leichtigkeit, ohne Schwere (Vortragsanweisung; Mus.)

con mo|to ⟨lat.-it.⟩: mit Bewegung, etwas beschleunigt (Vortragsanweisung; Mus.)

Con|nais|seur [kɔnɛ'sø:ɐ̯] ⟨lat.-fr.⟩ der; -s, -s: Kenner, Sachverständiger; Feinschmecker

Con|nec|tion [kə'nɛkʃən] ⟨lat.-engl.⟩ die; -, -s: Beziehung, Zusammenhang, Verbindung

con pas|si|o|ne: ↑passionato, appassionato

con pie|tà [- pje'ta]: pietoso

Con|scious|ness-Rai|sing ['kɔn-ʃəsnɪs.reɪzɪŋ] ⟨engl.⟩ das; -[s], -s: Form der ↑Psychotherapie (2), die dem Behandelten zur Bewusstseinserweiterung verhilft

Con|se|cu|tio Tem|po|rum ⟨lat.⟩ die; - -: Zeitenfolge in Haupt- u. Gliedsätzen (Sprachw.)

Con|seil [kõ'se:j, kõ'sɛj] ⟨lat.-fr.⟩ der; -s, -s: Rat, Ratsversammlung (als Bezeichnung für verschiedene Staats- u. Justizinstitutionen in Frankreich, z.B. Conseil d'État = Staatsrat); vgl. Konseil

Con|sen|sus ⟨lat.; „Übereinstimmung"⟩ der; -, -: Zustimmung; Consensus communis: allgemeine Übereinstimmung der katholischen Gläubigen in einer Lehr-

frage (Beweismittel für die Richtigkeit eines katholischen ↑Dogmas); Consensus Gentium ⟨„Übereinstimmung der Völker"⟩: Schluss von der allgemeinen Geltung eines Satzes auf dessen begründeten Charakter (Philos.). Consensus omnium: die Übereinstimmung aller Menschen in bestimmten Anschauungen u. Ideen (z.B. von der Gültigkeit der Menschenrechte u.a.), die oft auch als Beweis für die Richtigkeit einer Idee gewertet wird; vgl. Konsens

con sen|ti|men|to ⟨lat.-it.⟩: mit Gefühl (Vortragsanweisung; Mus.)

Con|si|li|um Ab|e|un|di ⟨lat.⟩ das; - -: einem Schüler od. einem Studenten förmlich erteilter Rat, die Lehranstalt zu verlassen, um ihm den Verweis von der Anstalt zu ersparen

Con|sis|ten|cy [kən'sɪstənsɪ] ⟨lat.-engl.⟩ die; -, -s: Widerspruchsfreiheit, Stimmigkeit der Angaben von Befragten (in der Markt- u. Meinungsforschung)

Con|so|la|tio ⟨lat.⟩ die; -, ...ones: Trostgedicht, -schrift (Gattung der altröm. Literatur); vgl. Konsolation

Con|som|mé [kõsɔme:] ⟨lat.-fr.⟩ die; -, -s, auch: das; -s, -s: Kraftbrühe [aus Rindfleisch u. Suppengemüse]

con sor|di|no ⟨lat.-it.⟩: mit dem Dämpfer (Spielanweisung für Streichinstrumente)

con spi|ri|to: ↑spirituoso

Con|sta|ble* ['kanstəbl] ⟨lat.-engl.⟩ der; -, -s: ↑Konstabler

Con|sti|tu|ante [kõsti'tyã:t] ⟨lat.-fr.⟩ die; -, -s [...'tyã:t], auch: Konstituante die; -, -n: grundlegende verfassunggebende [National]versammlung (bes. die der Französischen Revolution von 1789)

Con|struc|tio ad Sen|sum ⟨lat.⟩ die; - - -: Satzkonstruktion, bei der sich das Prädikat od. Attribut nicht nach der grammatischen Form des Subjekts, sondern nach dessen Sinn richtet (z.B. eine Menge Äpfel fielen vom Baum [statt: eine Menge Äpfel fiel ...]; Sprachw.); Synesis. Con|struc|tio a|po Koi|nu ⟨lat.; gr.⟩ die; - - -: ↑Apokoinu. Con|struc|tio ka|ta Sy|ne|sin die; - - -: ↑Synesis

Con|sul|ting [kən'sʌltɪŋ] ⟨lat.-engl.⟩ das; -s: Beratung, Beratungstätigkeit (bes. in der Wirtschaft)

Con|ta|gi|on usw. vgl. Kontagion usw.

Con|tai|ner [kɔn'te:nɐ] ⟨lat.-fr.-engl.⟩ der; -s, -: 1. der rationelleren u. leichteren Beförderung dienender [quaderförmiger] Großbehälter in standardisierter Größe. 2. Großbehälter zur rationellen Beseitigung von [speziellem] Müll. 3. Behälter zur Präsentation eines Angebots im Handel. con|tai|ne|ri|sie|ren: in Containern verschicken (von Waren od. Fluggepäck). Con|tai|ner|schiff das; -[e]s, -e: Spezialfrachtschiff zum Transport von Containern. Con|tai|ner|ter|mi|nal ⟨engl.⟩ der (auch: das); -s, -s: Hafen, in dem Container verladen werden. Con|tain|ment das; -s, -s: 1. [Schutz]umhüllung für Atomreaktoren. 2. (ohne Plural) engl.-amerikan. Bez. für die Politik der Stärke innerhalb des westlichen Verteidigungsbündnisses

Con|tan|go [auch: kən'tæŋgou] ⟨engl.⟩ der; -s, -s: Report (2)

¹Con|te [kõ:t] ⟨lat.-fr.⟩ die; -, -s [kõ:t]: Erzählform in der französischen Literatur, die ungefähr zwischen Roman u. Novelle steht

²Con|te ⟨lat.-it.⟩ der; -, -s u. ...ti: hoher italienischer Adelstitel (ungefähr dem Grafen entsprechend)

Con|tel|ben ® ⟨Kunstw.⟩ das; -s: ein Tuberkuloseheilmittel (Med.)

Con|te|nance [kõtə'nã:s] ⟨lat.-vulgärlat.-fr.⟩ die; -: (veraltend) Fassung, Haltung (in schwieriger Lage), Gelassenheit

con te|ne|rez|za: ↑teneramente

Con|ter|gan ® ⟨Kunstw.⟩ das; -s: Handelsname für das Schlafmittel ↑Thalidomid. Con|ter|gan|kind das; -[e]s, -er: (ugs.) fehlgebildet geborenes Kind, dessen Mutter während der Schwangerschaft Contergan eingenommen hatte

Con|tes: Plural von ↑Conte

Con|tes|sa ⟨lat.-it.⟩ die; -, ...ssen: hoher italienischer Adelstitel (ungefähr der Gräfin entsprechend). Con|tes|si|na die; -, -s: italienischer Adelstitel (ungefähr der Komtesse entsprechend)

Con|test ⟨lat.-fr.-engl.⟩ der; -[e]s, -s u. -e: Wettbewerb (im Bereich der Unterhaltungsmusik)

Con|ti|nuo ⟨lat.-it.⟩ der; -s, -s: Kurzform von ↑Basso continuo

Con|to de Reis [port.: 'kontu ðə 'rrejʃ, bras.: - di 'rrejs] das; - - -: portugiesische (1 000 Escudos)

u. brasilianische (1 000 Cruzeiros) Rechnungseinheit **con|ra*** ⟨*lat.*⟩: lat. Schreibung von ↑kontra. **Con|ra** vgl. Kontra. **Con|ra|dic|tio in ad|jec|to** *die; - - -*: Widerspruch zwischen der Bedeutung eines Substantivs u. dem hinzugefügten Adjektiv, Sonderform des ↑Oxymorons (z. B. der arme Krösus; Rhet.; Stilk.). **con|ra le|gem**: gegen den ⌊reinen⌋ Wortlaut des Gesetzes (Rechtsw.); Ggs. ↑intra legem. **con|ra|ria con|ra|ri|is**: „Entgegengesetztes mit Entgegengesetztem" [bekämpfen] (ein Grundsatz des Volksglaubens); vgl. similia similibus. **Con|ra|sto** ⟨*lat.-it.*⟩ *der; -s, -s*: eine ital. Variante des mittelalterlichen Streitgedichts. **Con|ra|te|nor** *der; -s ...öre*: die dem 1 ↑Tenor (1) u. dem ↑Diskant (1) hinzugefügte Stimme in der Musik des 14. u. 15. Jh.s. **con|re cœur** [kõtra'kœ:r] ⟨*fr.*⟩ „gegen das Herz"): zuwider. **Con|re|coup** [...'ku:] *der; -s, -s*: bei einem heftigen Aufprall entstehende Gegenkraft, die ihrerseits Verletzungen auch an der der Aufprallstelle gegenüberliegenden Seite hervorruft (Med.). **Con|re|danse** [...'dã:s] *die od. der; -, -s* [...'dã:s]: ↑Kontretanz. **Con|re|tanz** vgl. Kontretanz. **Con|trol|ler** [kən'troulə] ⟨*fr.-engl.*⟩ *der; -s, -*: Fachmann für Kostenrechnung u. Kostenplanung in einem Betrieb. **Con|trol|ling** [...lɪŋ] ⟨*fr.-engl.*⟩ *das; -s*: von den Unternehmensführung ausgeübte Steuerungsfunktion (Wirtsch.). **Con|trol|tow|er** vgl. Tower **Con|ur|ba|tion** [kɔnə:'bəɪʃən] ⟨*lat.-engl.*⟩ *die; -, -s* u. Konurbation *die; -, -en*: besondere Form städtischer ↑Agglomeration, die sich durch geschlossene Bebauung u. hohe Bevölkerungsdichte auszeichnet; Stadtregion **Co|nus** ⟨*gr.-lat.*⟩ *der; -, ...ni*: 1. Zapfen der ↑Koniferen. 2. kegelförmige Anschwellung eines Organs (Med.). 3. Gattung aus der Familie der Kegelschnecken mit kegelförmigem Gehäuse (Zool.); vgl. Konus **Con|ve|ni|ence|goods** [kən'vi:njənsgudz] ⟨*engl.;* convenience = Bequemlichkeit) *die* (Plural) = Güter des täglichen Bedarfs, die der Verbraucher in der unmittelbaren Nachbarschaft kauft u. bei denen keine nennenswerten Qualitäts- u. Preisunterschiede bestehen (z. B.

Brot, Gemüse, Zigaretten); Ggs. ↑Shoppinggoods **Con|vent** vgl. Konvent **Con|ver|ter** vgl. Konverter. **Con|ver|ti|ble Bonds** [kən'və:təbl 'bɔndz] ⟨*engl.*⟩ *die* (Plural): (in England u. den USA) Schuldverschreibungen, die sich in Aktien der Gesellschaft umwandeln lassen **Con|vey|er** [kɔnve:ɐ] ⟨*lat.-vulgär-lat.-fr.-engl.*⟩ *der; -s, -*: Becherwerk, Förderband **cool** [ku:l] ⟨*engl.;* „kühl"⟩: (salopp) 1. leidenschaftslos, nüchtern-sachlich u. kühl im Handeln od. Einschätzen einer Situation. 2. sehr gut. **Cool|jazz** ['ku:ldʒæz] ⟨*amerik.*⟩ *der; -*, auch: **Cool Jazz** *der; - -*: Jazzstil der 50er-Jahre (als Reaktion auf den ↑Bebop). **Cool|ness** ['ku:lnɛs] *die; -*: das Coolsein **Co|or|di|nates** [kou'ɔ:dɪnəts] ⟨*lat.-engl.*⟩ *die* (Plural): mehrere aufeinander abgestimmte Kleidungsstücke **Cop** ⟨*engl.*⟩ *der; -s, -s*: (ugs.) amerikanischer Verkehrspolizist **Co|pi|lot** vgl. Kopilot. **Co|pro|duk|ti|on** vgl. Koproduktion. **co|pro|du|zie|ren** vgl. koproduzieren **Co|py|right** ['kɔpirajt] ⟨*engl.*⟩ *das; -s, -s*: Urheberrecht des britischen u. amerikanischen Rechts. **Co|py|test** *der; -[e]s, -s*: eine nach dem Copytesting-Verfahren durchgeführte Untersuchung. **Co|py|tes|ting** *das; -s*: werbepsychologische Untersuchungsmethode, die die Qualität eines Werbemittels feststellen will, indem sie prüft, wie eine Personengruppe auf ein vorgelegtes Muster reagiert **Coq au Vin** [kɔku'vɛ̃.] ⟨*fr.*⟩ *das od. der; - - -*: Hähnchen in Burgundersoße **Co|quil|le** [kɔk'i:j(ə)] ⟨*gr.-lat.-vulgär-lat.-fr.*⟩ *die; -, -n* (meist Plural): a) Muschelschale (b) in einer Muschelschale angerichtetes Ragout **Cor** ⟨*lat.*⟩ *das; -*: Herz (Med.) **co|ram pub|li|co*** ⟨*lat.*⟩: vor aller Welt, öffentlich; vgl. Koram **Cord** ⟨*gr.-lat.-fr.-engl.*⟩ *der; -[e]s, -e u. -s*: geripptes, sehr haltbares [Baumwoll]gewebe **Cor|di|al Mé|doc** ⟨*fr.*⟩ *der; - -, - -*: Likör aus Destillaten franz. Weine **Cór|do|ba** ['kɔr...] (span. Forscher) *der; -[s], -[s]*: Münzeinheit in Nicaragua **Cor|don bleu** [kɔrdõ'blø] ⟨*fr.*⟩ *das; - -, -s -s* [...dõ'blø]: mit einer Kä-

sescheibe u. mit gekochtem Schinken gefülltes Kalbsschnitzel (Gastr.). **Cor|don sa|ni|taire** [- sani'tɛ:r] *der; - -, -s -s* [- sani'tɛ:r]: 1. Sperrgürtel zum Schutz gegen das Einschleppen epidemischer Krankheiten. 2. Grenzposten an einer Militärgrenze **Core** [kɔ:] ⟨*engl.;* „Kern, Innerstes"⟩ *das; -[s], -s*: der wichtigste Teil eines Kernreaktors, in dem die Kernreaktion abläuft (Kernphysik) **Cor|fam** ® ⟨Kunstw.⟩ *das;* -[s]: in den USA entwickeltes synthetisches Material, das ähnliche Eigenschaften wie Leder aufweist **Co|ri|o|lis|kraft** ⟨nach dem franz. Physiker u. Ingenieur G. G. Coriolis⟩ *die; -*: in einem rotierenden Bezugssystem auf einen sich bewegenden Körper einwirkende Trägheitskraft (Phys.) **Co|ri|um** ⟨*gr.-lat.*⟩ *das; -s*: Lederhaut (zwischen Oberhaut u. Unterhautgewebe; Med.) **Cor|na|mu|sa** ⟨*it.*⟩ *die; -, -s*: ↑Cornemuse **Cor|nea** ⟨*lat.*⟩, auch: Kornea *die; -, ...neae* [...nee]: Hornhaut des Auges **Cor|ned|beef** ['kɔrnət..., auch: 'kɔ:nd'bi:f] ⟨*engl.*⟩ *das; -*, auch: **Cor|ned Beef,** *das; - - -*: zerkleinertes, gepökeltes Rindfleisch [in Dosen]. **Cor|ned|pork** [...'pɔ:k] *das; -*, auch: **Cor|ned Pork** *das; - - -*: zerkleinertes, gepökeltes Schweinefleisch [in Dosen] **Cor|ne|muse** [kɔrnə'my:z] ⟨(*lat.; galloroman.*) *fr.*⟩ *die; -, -s* [...'my:z]: Dudelsack, Sackpfeife **Cor|ner** ['kɔ:nə] ⟨*lat.-fr.-engl.*⟩ *der; -s, - -*: 1. Ringecke (beim Boxen). 2. planmäßig herbeigeführter Kursanstieg an Effekten- u. Warenbörsen, um die Baissepartei in Schwierigkeiten zu bringen (Börsenwesen). 3. (österr., schweiz.) Ecke, Eckball beim Fußballspiel **Cor|net à Pis|tons** [kɔrnɛapis'tõ] ⟨*fr.*⟩ *das; -, -s - -* [...kɔrnɛza...]: [2]Kornett (2). **Cor|net|to** ⟨*it.*⟩ *das; -s, -s u. ...ti*: kleines Griffflochhorn, Zink (ein altes Holzblasinstrument; Mus.) **Corn|flakes** ['kɔ:nflɛɪks] ⟨*engl.*⟩ *die* (Plural): geröstete Maisflocken **Cor|ni|chon** [kɔrni'ʃõ:] ⟨*lat.-fr.*⟩ *das; -s, -s*: kleine, in Gewürzessig eingelegte Gurke; Pfeffergürkchen. **Cor|no** ⟨*lat.-it.*⟩ *das; -, ...ni*: Horn; **Corno da Caccia** [- - 'ka-

Corolla 162

tʃa]: Waldhorn, Jagdhorn; **Cor-no di Bassetto:** Bassetthorn (Mus.)
Col|rol|la vgl. Korolla. **Col|rol|na** vgl. Korona. **Col|rol|ner** [ˈkɔrənɐ] ⟨lat.-fr.-engl.⟩ der; -s, -s: (in England u. in den USA) Beamter, der plötzliche u. unter verdächtigen Umständen eingetretene Todesfälle untersucht
Cor|po|ra: Plural von ↑Corpus.
Cor|po|rate I|den|ti|ty [ˈkɔːpərɪt aɪˈdɛntətɪ] ⟨engl.⟩ die, - -, - -s: Erscheinungsbild einer Firma in der Öffentlichkeit (Warenzeichen, Form- u. Farbgebung der Produkte, Verpackungen u. Ä.).
Corps [koː̯ɐ] vgl. Korps. **Corps con|su|laire** [kɔrkõsyˈlɛːr] das; -, - -s [...ˈlɛːr]: franz. Bez. für: Konsularisches Korps. **Corps de Bal|let** [kɔrdəbaˈlɛ] ⟨fr.⟩ das; - -, - - -: Ballettgruppe, -korps.
Corps dip|lo|ma|tique* [kɔrdiploˈmaˈtik] das; - -, - -s [...ˈtik]: diplomatisches Korps; Abk.: CD.
Cor|pus ⟨lat.⟩ das; -, ...pora: 1. Hauptteil eines Organs od. Körperteils (Med.). 2. der zentrale Strang des ↑Vegetationskegels einer Pflanze (Bot.); Ggs. ↑Tunica (1). 3. ↑²Korpus. **Cor|pus Chris|ti** das; - -: das ↑Altarsakrament in der katholischen Kirche; **Corpus Christi mysticum:** [die Kirche als] der mystische Leib Christi. **Cor|pus|cu|lum** das; -s, ...la (meist Plural): kleines Gebilde im Organismus (Med.)
Cor|pus De|lic|ti das; - -, ...pora -: etwas, was als Gegenstand für eine kriminelle, belastende Tat gedient hat u. Beweisstück für die Überführung des Täters ist. **Cor|pus In|scrip|ti|o|num La|ti|na|rum** das; - - -: maßgebliche Sammlung der lateinischen Inschriften der Römerzeit (Abk.: CIL). **Cor|pus Ju|ris,** auch: Korpus Juris das; - -: Gesetzbuch, Gesetzessammlung. **Cor|pus Ju|ris Ca|no|ni|ci,** auch: - Iuris - [- - ...tsi] das; - - -: bis 1918 allein gültige Sammlung des katholischen Kirchenrechts; vgl. Codex Juris Canonici. **Cor|pus Ju|ris Ci|vi|lis** [- - tsi vi:...] das; - - -: von dem oströmischen Kaiser Justinian im 6. Jh. n. Chr. veranlasste Sammlung der damals geltenden Rechtsvorschriften. **Cor|pus Re|for|ma|to|rum** das; - - -: Gesamtausgabe der Schriften der Reformatoren mit Ausnahme der Schriften Luthers

Cor|re|ge|dor [kɔreʒɐˈdoːɐ̯] ⟨port.⟩ der; -s u. -en, -en: hoher Verwaltungsbeamter in Portugal. **Cor|re|gi|dor,** auch: Korregidor [kɔrexiˈdoɐ̯] ⟨lat.-span.⟩ der; -s u. -en, -en: (früher in Spanien) Vorsteher des Magistrats einer Stadt, der mit Rechtspflege u. Verwaltungsaufgaben betraut ist
Cor|ren|te ⟨lat.-it.⟩ die; -, -n: italienische Form von ↑Courante
Cor|ri|da [de To|ros] ⟨span.⟩ die; - [- -], -s [- -]: spanische Bezeichnung für Stierkampf
Cor|ri|gen|da vgl. Korrigenda.
Cor|ri|gens vgl. Korrigens. **cor|ri|ger la for|tune** [kɔriʒelafɔrˈtyn] ⟨lat.-fr.⟩: durch betrügerische Manipulationen „dem Glück nachhelfen", falsch spielen
Cor|sa|ge [kɔrˈzaːʒə] vgl. Korsage
Cor|so vgl. Korso
Cor|tège [kɔrˈtɛʒ] vgl. Kortege.
Cor|tes ⟨lat.-span. u. port.⟩ die (Plural): Volksvertretung in Spanien u. früher auch in Portugal
Cor|tex vgl. Kortex. **Cor|ti|cos|te|ron*** vgl. Kortikosteron. **Cor|ti|ne** vgl. Kortine
Cor|ti|or|gan, cor|ti|sche Or|gan ⟨nach dem italien. Arzt Corti⟩ das; -s: Teil des Innenohrs (Anat.)
Cor|ti|sol ⟨Kunstw.⟩ das; -s: Hydrokortison. **Cor|ti|son** vgl. Kortison
Co|ry|dal|lis vgl. Korydalis
Co|ry|za vgl. Koryza
cos: ↑Kosinus
Co|sa Nos|tra* ⟨it.⟩ die; - - : kriminelle Organisation in den USA (nach dem Vorbild der sizilianischen Mafia)
cosec = Kosekans
Cos|ma|ten ⟨nach dem italienischen Vornamen Cosmas⟩ die (Plural): Bez. für mehrere italienische Künstlerfamilien (12. bis 14. Jh.), deren häufiger Vorname Cosmas häufig war
Cos|mea ⟨gr.-nlat.⟩ die; -, ...gen: zu den Korbblütlern gehörende Pflanze mit fein geschlitzten Blättern u. großen Blüten, von der einige Arten als Zierpflanzen gehalten werden; Schmuckkörbchen. **Cos|mot|ron*** vgl. Kosmotron
Cos|ta ⟨lat.⟩ die; -, ...tae [...tɛ]: Rippe (Med.)
cost and freight [ˈkɔst ənd ˈfreɪt] ⟨engl. „Kosten u. Fracht"⟩: (Klausel im Überseehandel, nach dem Fracht- u. Versandkosten im Preis eingeschlossen sind;

Abk.: cf). **cost, in|su|rance, freight** [- ɪnˈʃʊərəns ˈfreɪt] ⟨„Kosten, Versicherung u. Fracht"⟩: (Klausel im Überseehandel, nach der Fracht-, Versicherungs- u. Verladekosten im Preis eingeschlossen sind; Abk.: cif)
cot = Kotangens
Cô|tel|lé [kotəˈleː] ⟨fr.⟩ der; -[s], -s: Kleider- od. Mantelstoff mit feinen Rippen. **Col|te|lline** [...ˈliːn] ⟨fr.⟩ der; -[s], -s: Möbelbezugsstoff mit kordartigen Rippen
Co|til|lon [kotiˈjõ] vgl. Kotillon
Cot|tage [ˈkɔtɪdʒ] ⟨fr.-engl.⟩ das; -, -s: engl. Bez. für [einstöckiges] Haus auf dem Lande; Ferienhaus
Cot|ton [ˈkɔtn̩] ⟨semit.-arab.-fr.-engl.⟩ der od. das; -s: engl. Bez. für: [Gewebe aus] Baumwolle, Kattun. **cot|to|ni|sie|ren** vgl. kotonisieren
Cot|ton|ma|schi|ne [ˈkɔtn̩...] ⟨nach dem englischen Erfinder W. Cotton⟩ die; -, -n: Wirkmaschine zur Herstellung von Damenstrümpfen.
Cot|ton|öl [ˈkɔtn̩...] das; -[e]s: aus Baumwollsamen gewonnenes Öl, das in Technik u. Heilkunde verwendet wird
Cot|ton|stuhl vgl. Cottonmaschine. **Cot|ton|wood** [ˈkɔtn̩wʊd] ⟨engl.⟩ das; -[s]: Holz der amerikanischen Pappel
Couch [kaʊtʃ] ⟨lat.-fr.-engl.⟩ die (schweiz. auch: der); -, -[e]s u. -en: breiteres Sofa mit niedriger Rückenlehne. **Couch|po|ta|to** [...pəˈteɪtəʊ] ⟨engl.⟩ die; -, -es: jmd., der am liebsten [fernsehend] auf der Couch sitzt od. liegt; Couchkartoffel
Cou|é|lis|mus [kyeˈɪs...] ⟨nlat.; nach dem franz. Apotheker Coué⟩ der; -: Entspannung durch Autosuggestion als Heilverfahren
Cou|la|ge [kuˈlaːʒə] ⟨lat.-fr.⟩ die; -: franz. Bez. für ↑Leckage
Cou|leur [kuˈløːɐ̯] ⟨lat.-fr.⟩ die; -en u. -s: 1. (innerhalb einer gewissen Vielfalt) bestimmte geistig-weltanschauliche Prägung (einer Person). 2. Trumpf (im Kartenspiel). 3. Band u. Mütze einer studentischen Verbindung
Cou|lis [kuˈli:] ⟨lat.-fr.⟩ die; -, -: durchgesiebte Brühe oder Püree von gekochtem Fleisch, Wild, Gemüse o. Ä. als Suppen- od. Soßengrundlage
Cou|loir [kuˈlo̯aːɐ̯] ⟨lat.-fr.⟩ der; -s, -s: 1. Verbindungsgang. 2. (schweiz. nur das) Schlucht,

schluchtartige Rinne (Alpinistik). 3. eingezäunter, ovaler Sprunggarten zum Einspringen junger Pferde ohne Reiter

Coullomb [ku'lõ:] ⟨nach dem franz. Physiker de Coulomb⟩ *das; -s, -:* Maßeinheit für die Elektrizitätsmenge (1 C = 1 Amperesekunde; Zeichen: C)

Count [kaunt] ⟨*lat.-fr.-engl.*⟩ *der; -s, -s:* engl. Titel für einen Grafen von nichtbritischer Herkunft

Count-down [kauntdaun], auch: **Countldown** ⟨*engl.;* „Herunterzählen“⟩ *der* od. *das; -[s], -s:* 1. a) bis zum [Start]zeitpunkt null rückwärts schreitende Ansage der Zeiteinheiten als Einleitung eines Startkommandos [beim Abschuss einer Rakete]; b) die Gesamtheit der vor einem [Raketen]start auszuführenden letzten Kontrollen. 2. letzte technische Vorbereitungen vor einem Unternehmen. **Counlter** [kauntɐ] ⟨*engl.*⟩ *der; -s, -:* (Jargon) a) Schalter, an dem die Flugreisenden abgefertigt werden (Luftf.); b) Theke in Reisebüros u. Ä.

Counlterldislplay [...dɪspleɪ] *das; -s, -s:* bildl. Darstellung einer Ware für den Ladentisch als Thekenaufsteller (Werbespr.).

Counlterlpart ⟨*engl.*⟩ *das; -s, -s:* 1. passendes Gegenstück, ↑Komplement (1). 2. jmd., der einem Entwicklungsexperten in einem Land der Dritten Welt als Fach-, Führungskraft zugeordnet ist. **Counlterltelnor** ⟨*engl.; lat.-ital.*⟩ *der; -s, ...öre:* a) engl. Bez. für ↑Contratenor; b) ↑Altus

Counltess ['kauntɪs] ⟨*lat.-fr.-engl.*⟩ *die; -, ...tessen* u. *...tesses* [...tɪsɪz]: engl. Titel für eine Gräfin

Countlrylmulsic* ['kantrɪmjuːzɪk] ⟨*amerik.*⟩ *die; -:* Volksmusik [der Südstaaten der USA]

Counlty ['kaunti] ⟨*lat.-fr.-engl.*⟩ „Grafschaft“⟩ *die; -, -s* [...i:s]: Gerichts- u. Verwaltungsbezirk in England u. in den USA

Coup [ku:] ⟨*gr.-lat.-vulgärlat.-fr.;* „Faustschlag; Ohrfeige“⟩ *der; -s, -s:* überraschend durchgeführte, verwegen-erfolgreiche Unternehmung

Couplalge [ku'pa:ʒ] ⟨*galloroman.-fr.*⟩ *die; -:* Beimischung von [Brannt]wein in andere [Brannt]weine; Weinbrandverschnitt

Coup de Main [kud'mɛ̃] ⟨*fr.*⟩ *der; - - -, -s - -* [kud'mɛ̃]: (veraltet) Handstreich, rascher gelungener Angriff. **Coup d'État** [kude'ta]

⟨*fr.*⟩ *der; - -, -s -* [kude'ta]: (veraltend) Staatsstreich.

Coupe [kup] ⟨*fr.*⟩ *die; -, -s,* (auch:) *der; -s, -s:* Eisbecher **Coulpé**, auch: Kupee ⟨*fr.*⟩ *das; -s, -s:* 1. (veraltet) Abteil in einem Eisenbahnwagen. 2. geschlossene zweisitzige Kutsche. 3. geschlossener [zweisitziger] Pkw mit versenkbaren Seitenfenstern.

Coupllet* [ku'ple:] ⟨*lat.-fr.*⟩ *das; -s, -s:* scherzhaft-satirisches Strophengedicht mit Kehrreim, meist aktuellen [politischen] od. pikanten Inhalts **Coulpon** vgl. Kupon

Cour [ku:ɐ] ⟨*lat.-vulgärlat.-fr.*⟩ *die; -:* in der veralteten Wendung **jmdm. die Cour machen/schneiden:** jmdm. den Hof machen **Coulralge** [ku'ra:ʒə] ⟨*lat.-fr.*⟩ *die; -:* Beherztheit, Schneid, Mut. **coulralgiert** [...ʒiːɐt]: beherzt **coulrant** [ku...] vgl. kurant. **Coulrant** vgl. Kurant **Coulranlte** [ku'rã:t(ə)] ⟨*lat.-fr.*⟩ *die; -, -n:* 1. alter franz. Tanz in raschem, ungeradem Takt. 2. zweiter Satz der Suite in der Musik des 18. Jh.s (Mus.)

Courlbette [kur'bɛt] usw. vgl. Kurbette usw.

Course [kɔ:s] ⟨*lat.-engl.*⟩ *die; -, -s* [...sɪs]: Golfplatz

Court [kɔ:t] ⟨*lat.-altfr.-engl.*⟩ *der; -s, -s:* Spielfeld des Tennisplatzes

Courltalge, (auch:) Kurtage [kur'ta:ʒə] ⟨*fr.*⟩ *die; -, -n:* Maklergebühr bei Börsengeschäften.

Courltiler [kur'tie] *der; -s, -s:* (veraltet) freiberuflicher Handelsmakler

Courltoilsie [kurtoa'zi:] ⟨*lat.-vulgärlat.-fr.*⟩ *die; -, ...ien:* feines, ritterliches Benehmen, Höflichkeit.

Couslcous ['kuskus] ⟨*arab.-fr.*⟩ *das; -, -:* vgl. [2]Kuskus

Couslsin [ku'zɛ̃] ⟨*lat.-vulgärlat.-fr.*⟩ *der; -s, -s:* Sohn von Bruder od. Schwester eines Elternteils; Vetter. **Couslsilne** [ku'zi:nə], auch: Kusine *die; -, -n:* Tochter von Bruder od. Schwester eines Elternteils; Base

Coulture [ku'ty:ɐ] ⟨*lat.-fr.*⟩ *die; -:* ↑Haute Couture. **Coulturiler** [kuty'rie] *der; -s, -s:* ↑Haute Couturier

Coulvalde [ku'va:də] ⟨*lat.-fr.*⟩ *die; -, -n:* (bei bestimmten Völkern) Brauch, nach dem der Mann sich während des Geburtsvorgangs ins Bett legt u. das Verhalten der werdenden Mutter nachahmt; Männerkindbett.

Coulvert [ku've:ɐ, ku'vɛ:ɐ] ⟨*lat.-*

⟨*fr.*⟩ *das; -s, -s:* 1. Bettbezug für Steppdecken u. Ä. 2. vgl. Kuvert.

Coulveulse [ku'vø:zə] *die; -, -n:* Wärmebett, Brutschrank für Frühgeburten (Med.)

Colver ['kavɐ] ⟨*engl.*⟩ *das; -s, -[s]:* a) Titelseite einer Illustrierten; b) Schallplattenhülle. **Colverlboy** [...bɔy] *der; -s, -s:* a) auf der Titelseite einer Illustrierten abgebildeter [junger] Mann; b) ↑Dressman. **Colverlcoat** [...kout] *der; -[s], -s:* 1. fein meliertes, gabardineähnliches [Woll]gewebe. 2. dreiviertellanger Mantel aus Covercoat (1). **Colverlgirl** [...gɜːl] *das; -s, -s:* auf der Titelseite einer Illustrierten abgebildete junge Frau. **colvern:** als Coverversion aufnehmen, herausbringen. **Colverlstolry** *die; -, -s:* Titelgeschichte. **Colver-up** [...'ap] *das; -:* volle Körperdeckung beim Boxen. **Colverlversilon** [engl. 'kʌvəvəːʃn] *die; -, -en* u. (bei engl. Aussprache:) *-s:* (in der Unterhaltungsmusik) Fassung eines älteren Titels mit [einem] anderen Interpreten

Cowlboy ['kaubɔy] ⟨*engl.;* „Kuhjunge“⟩ *der; -s, -s:* berittener amerikanischer Rinderhirt (der gleichzeitig als Verkörperung so genannten männlichen Lebensstils gilt)

Cowlper ['kaupɐ] ⟨nach dem engl. Ingenieur Cowper⟩ *der; -s, -s:* Winderhitzer für Hochöfen

Colxa ⟨*lat.*⟩ *die; -, ...xae* [...ä]: Hüfte (Med.). **Colxallgia*** vgl. Koxalgie. **Colxiltis** vgl. Koxitis

Cox' Olranlge ⟨nach dem engl. Züchter R. Cox⟩ *die; - -, - -n,* (eindeutschend auch:) **Cox Olranlge** *der; - -:* aromatischer, feiner Winterapfel mit goldgelber bis orangefarbener [rot marmorierter] Schale

Colyolte vgl. Kojote

Crablmeat ['kræbmiːt] ⟨*engl.*⟩ *das; -s:* engl. Bez. für: Krabben[fleisch]

[1]**Crack** [krɛk] ⟨*engl.*⟩ *der; -s, -s:* 1. hervorragender Sportler; Spitzensportler. 2. bestes Pferd eines Rennstalls. [2]**Crack** *das; -s:* ein Kokain enthaltendes synthetisches Rauschgift. **cralcken** u.) **kracken. Cralcker** *der; -s, -[s],* (auch:) **Kräcker** *der; -s, -* (meist Plural): 1. ungesüßtes, keksartiges Kleingebäck. 2. Knallkörper, Knallbonbon

Cralcolvilenne [krako'vjɛn] ⟨*fr.*⟩ *die; -, -s:* ↑Krakowiak

Cramlpus vgl. [1]Krampus

Cralni... vgl. Krani... **Cralnilum**

u. Kr**a**nium ⟨gr.-mlat.⟩ das; -[s],
...ia: knöcherner Schädel bei
Mensch u. Wirbeltieren
Cra**|**que**|**lé, (auch:) Krakelee
[krakə'le:] ⟨fr.⟩ das; -s, -s: 1.
(auch: der) Kreppgewebe mit ris-
siger, narbiger Oberfläche. 2. feine Haarrisse in der Glasur von
Keramiken od. auf Glas. Cra-
que**|**lure [...'ly:rə] vgl. Krakelüre
Crash [kreʃ] ⟨engl.⟩ der; -[s], -s: 1.
Zusammenstoß, Unfall (bes. bei
Autorennen). 2. Zusammen-
bruch eines Unternehmens, einer Bank o. Ä. mit weit reichen-
den Folgen (Wirtsch.). Cr**a**sh**|**-
kid das; -s, -s: Jugendlicher, der
Autos aufbricht, um sie kaputt-
zufahren (Jargon). Cr**a**sh**|**kurs
der; -es, -e: Lehrgang, in dem
dem der Unterrichtsstoff besonders komprimiert u. in kurzer
Zeit vermittelt wird. Cr**a**sh**|**test
der; -[e]s, -s (auch: -e): Test, mit
dem das Unfallverhalten von
Kraftfahrzeugen ermittelt werden soll
Crawl [krɔ:l] vgl. Kraul
Cra**|**yon [krɛ'jõ] vgl. Krayon
Cream [kri:m]: engl. Bez. für
↑Creme
Cr**e**las vgl. Kreas
Cré**|**la**|**tion [krea'sjõ] ⟨lat.-fr.⟩ die;
-, -s [...'sjõ]: Kreation (1)
Cre**|**do vgl. Kredo
Creek [kri:k] ⟨altnord.-engl.⟩ der;
-s, -s: 1. nur zur Regenzeit Wasser führender Fluss [in Austra-
lien]. 2. durch Landsenkung aus
ehemaligen Flusstälern entstandene Meeresbucht. 3. kleiner
Flusslauf (in den USA)
Cré**|**mant [kre'mã:] ⟨fr.⟩ der; -s, -s:
französischer Schaumwein.
creme [krɛ:m, krɛ:m]: mattgelb,
gelblich. Creme die; -, -s
(schweiz.: -n): 1. pasten-, salben-
artige Masse aus Fetten u. Wasser zur Pflege der Haut. 2. a)
dickflüssige od. schaumige, lo-
ckere Süßspeise; b) süße Masse
als Füllung für Süßigkeiten od.
Torten; c) dickflüssiger Likör; d)
Cremesuppe (selten). 3. Kaffee-
sahne (selten). 4. (ohne Plural) a)
das Feinste, Erlesenste; b) gesellschaftliche Oberschicht; vgl.
Krem. Crème de la Crème
[krɛ:m də la krɛ:m] die; - - - -: die
höchsten Vertreter(innen) der
gesellschaftlichen Oberschicht.
Crème doub**|**le* [- du:bl] die; - -,
-s -s: dicke Sahne mit ca. 40%
Fettgehalt; Doppelrahm. Crème
fraîche [- frɛʃ] („frische Sahne")
die; - -, -s -s: saure Sahne mit ca.
30 % Fettgehalt

Cre**|**o**|**le, auch: Kreole ⟨fr.⟩ die; -,
-n (meist Plural): ringförmiger
Ohrring, in den ein kleinerer
Schmuckgegenstand eingehängt
werden kann
¹Crêpe [krɛp], auch: Krepp ⟨fr.⟩
die; -, -s u. der; -s, -s: sehr dünner
Eierkuchen. ²Crêpe der; -[s], -s:
vgl. Krepp
Crêpe de Chine [- də'ʃin] ⟨fr.⟩ der;
- - -, -s - - [krɛp - -]: feinnarbiges
Gewebe aus Natur- od. Kunst-
seide. Crêpe Geor**|**gette [- ʒɔr-
'ʒɛt] der; - -, -s - [krɛp -]: zartes,
durchsichtiges Gewebe aus
Kreppgarn. Crêpe la**|**va**|**ble
[- la'vabl] der; - -, -s -s [krɛp la-
'vabl]: weiches Kreppgewebe aus
[Kunst]seide für Damenwäsche.
Crepe**|**line [...'li:n] vgl. Krepe-
line. Crêpe ma**|**ro**|**cain [-
marɔ'kɛ̃] der; - -, -s -s [krɛp]: fein
geripptes [Kunst]seidengewebe
in Taftbindung. Crêpe Sa**|**tin
[-sa'tɛ̃] der; - -, -s - [krɛp -]:
[Kunst]seidenkrepp mit einer
glänzenden u. einer matten Sei-
te. Crêpe Su**|**zette [- sy'zɛt] die; -
-, -s - [krɛp -] (meist Plural): dünner Eierkuchen, der mit Rum-
brand od. Likör flambiert wird.
Cre**|**pon [kre'põ] vgl. Krepon
cresc. = crescendo. cre**|**scen**|**do
[krɛʃɛndo] ⟨lat.-it.⟩: allmählich
lauter werdend, im Ton an-
schwellend (Vortragsanweisung;
Mus.); Abk.: cresc.; Ggs. ↑de-
crescendo. Cre**|**scen**|**do das; -s,
-s u. ...di: allmähliches Anwach-
sen der Tonstärke (Vortrags-
weisung; Mus.); Ggs. ↑Decre-
scendo
Cr**e**ti**|**cus vgl. Kretikus
Cre**|**tonne, auch: Kretonne [kre-
'tõn] ⟨fr.⟩ die; -, -s u. der; -s, -s:
Baumwollgewebe in Leinenbindung; vgl. Kreton
Cr**e**ve**|**tte vgl. Krevette
Crew [kru:] ⟨lat.-engl.⟩ die; -, -s: 1.
a) Schiffsmannschaft; b) Besat-
zung eines Flugzeugs; c) Mannschaft eines Ruderbootes. 2. Ka-
dettenjahrgang bei der Marine.
3. einem Zweck, einer bestimmten Aufgabe verpflichtete, gemeinsam auftretende Gruppe
von Personen
Crib**|**bage ['krɪbɪdʒ] ⟨engl.⟩ das; -:
ein altes englisches Kartenspiel
Cr**i**cket vgl. Kricket
Crime [kraim] ⟨engl.; „Verbre-
chen"⟩: ↑Sex and Crime
Cri**|**ol**|**lis**|**mo [kriɔljismo] ⟨span.;
„Kreolentum"⟩ der; -: geistig-li-
terarische Strömung in Latein-
amerika mit der Tendenz, eine
Synthese indianischer, ibero-

amerikanischer u. europäischer
Kultur zu schaffen. Cri**|**ol**|**lo
[kri'ɔljo] der; -[s], -s: ↑Kreole
Cris**|**pi**|**na**|**den ⟨nach den Heili-
gen Crispinus u. Crispinianus⟩
die (Plural): Geschenke, die auf
Kosten anderer gemacht werden
Cris**|**to**|**ba**|**lit, auch: Kristobalit
[auch: ...'lɪt] ⟨nlat.; nach dem
Fundort San Cristóbal in Mexi-
ko⟩ der; -s, -e: trübe, milchweiße
Kristalle bildendes Mineral
Cr**o**f**|**ter ⟨engl.⟩ der; -s, -s: klein-
bäuerlicher, auf Nebenerwerb
angewiesener Pächter (bes. in
Schottland)
Croi**|**sé [krɔa'ze:] ⟨lat.-fr.; „ge-
kreuzt"⟩ das; -[s], -s: Baumwoll-
od. Kammgarngewebe in Köperbindung
Crois**|**sant [krɔasã:] ⟨lat.-fr.⟩ das;
-[s], -s: Gebäck aus Plunderteig
von der Form eines Hörnchens
Cro**|**mag**|**non**|**ras**|**se* [kroman-
'jõ:...] ⟨nach dem Fundort bei
Cro-Magnon in Frankreich⟩ die;
-: Menschenrasse der jüngeren
Altsteinzeit
Crom**|**ar**|**gan ® ⟨Kunstw.⟩ das; -s:
hochwertiger rostfreier Chrom-
Nickel-Stahl
Crom**|**lech vgl. Kromlech
Crookes**|**glas ['kruks...] ⟨nach
dem engl. Physiker Crookes⟩
das; -es, ...gläser: Brillenglas,
das für infrarote u. ultraviolette
Strahlen undurchlässig ist
Croo**|**ner ['kru:nɐ] ⟨engl.⟩ der; -s,
-: engl. Bezeichnung für: Sänger
sentimentaler Lieder; Schnul-
zensänger
Cro**|**quet ['krɔkɛt, ...kət, auch:
krɔkɛt]: vgl. Krocket
Cro**|**quet**|**te [kro'kɛtə] vgl. Kro-
kette
Cro**|**quis [kro'ki:] vgl. Kroki
cross [krɔs] ⟨lat.-engl.⟩: diagonal
(Tennis). Cr**o**ss der; -, -: 1. diagonal über den Platz geschlagener
Ball (Tennis). 2. kurz für ↑Cross-
country. Cross**|**count**|**ry*, auch:
Cross-Count**|**ry* [...kʌntri]
⟨engl.⟩ das; -[s], -s: Querfeldein-
wettbewerb im Lauf, Rad- u.
Motorradrennen u. a. (Sport).
Cros**|**sing-o**|**ver ['krɔsɪŋ'ouvə]
das; -: Erbfaktorenaustausch
zwischen homologen Chromoso-
men (Biol.). Cr**o**s**|**sing**|**sym-
met**|**rie* die; -: Symmetrie bzw.
Äquivalenz von Reaktionen bei
der Wechselwirkung von Elementarteilchen (Kernphysik).
Cr**o**ss-o**|**ver [...'ouvə] das; -: 1.
Vermischung unterschiedlicher
[Musik]stile (z. B. Klassik u.
Pop). 2. ↑Crossing-over. Cr**o**ss-

rate [...reɪt] *die; -:* Mittel zur Feststellung des echten Wertes einer Währung im Vergleich zur amtlich festgesetzten Parität unter Bezug auf den Dollarkurs. **Cross|talk** [...tɔ:k] *der; -s, -s:* der Klangqualität abträgliches Sichvermischen der beiden Lautsprecherinformationen bei stereophoner Wiedergabe **Croul|pa|de** [kru...] vgl. Kruppade. **Crou|pier** [kru'pje:] ⟨*germ.-fr.*⟩ *der; -s, -s·* Angestellter einer Spielbank, der die Einsätze einzieht, die Gewinne auszahlt u. den äußeren Ablauf des Spiels überwacht. **Crou|pon** [kru'põ:] *der; -s, -s:* für die Lederherstellung bes. wertvoller Rückenteil der Haut von Rindern. **crou|po|nie|ren:** Halspartie u. Bauchteile der Haut von Rindern, die vielfach gesondert gegerbt werden, abschneiden **Crou|ton** [kru'tɔ:] ⟨*lat.-fr.*⟩ *der, -[s], -s* (meist Plural): aus Weißbrot geschnittene u. in Fett gebackene Würfel, Scheibchen o. Ä. zum Garnieren von Speisen od. als Suppeneinlage **Cru** [kry:] ⟨*lat.-fr.*⟩ *das; -[s], -s:* Wachstum, Lage als Qualitätsbezeichnung für französische Weine **Cru|ci|fe|rae** [kru'tsi:ferɛ] (Plural) vgl. Kruzifere **Cruise|mis|sile** ['kru:z'mɪsaɪl] ⟨*engl.-amerik.*⟩ *das; -s, -s:* unbemannter Flugkörper mit Düsenantrieb (zusätzlich Startraketen) u. konventionellem od. nuklearem Gefechtskopf; Marschflugkörper. **Crui|sing** ['kru:zɪŋ] ⟨*engl.*⟩ *das; -[s]:* das Suchen nach einem Sexualpartner (Jargon) **Crumb|lage** ['krʌmblɪdʒ] ⟨*engl.*⟩ *die; -, -s* [...ɪdʒɪz] a) (ohne Plural) künstlerische Technik, bei der ein reproduziertes Bild angefeuchtet, zerknüllt u. auf diese Weise deformiert wieder aufgeklebt wird; b) Produkt dieser Technik **Crus** ⟨*lat.*⟩ *das; -, Crura:* (Med.) 1. [Unter]schenkel. 2. schenkelartiger Teil eines Körperteils **Crus|ta** ⟨*lat.*⟩ *die; -, ...stae* [...tɛ]: Kruste, Schorf (Med.) **Crux** ⟨*lat.*⟩; „Kreuz") *die; -, Cruces* ['kru:tse:s]: a) (ohne Plural) Last, Kummer, Leid; b) (Plural selten) Schwierigkeit **Crwth** [kru:θ] ⟨*kelt.*⟩ *die; -, -:* altkeltisches, lyraähnliches Saiteninstrument der Barden **Csár|da** ['tʃarda, 'tʃardɔ] ⟨*ung.*⟩ *die; -, -s:* Pusztaschenke. **Csár-**

dás ['tʃardas, 'tʃa:rda:s] *der; -, -:* ungarischer Nationaltanz **Csi|kós** ['tʃi:ko:ʃ, 'tʃiko:ʃ] ⟨*ung.*⟩ *der; -, -:* ungarischer Pferdehirt **Cul|ba|nit** [auch: ...nɪt] ⟨nach der Insel Kuba⟩ *der; -s, -e:* ein stark magnetisches Mineral **Cul|bi|cul|lum** ⟨*lat.*⟩ *das; -s, ...la:* 1. Schlafraum im altrömischen Haus. 2. Grabkammer in den ↑ Katakomben **Cul|cur|bi|ta** ⟨*lat.*⟩ *die; -, ...tae* [...tɛ]: Zierkürbis mit verschiedenfarbigen Früchten **cui bo|no?** ⟨*lat.;* Zitat aus einer Rede von Cicero⟩: wem nützt es?, wer hat einen Vorteil davon? **Cuite|sei|de** u. Cuitseide ['kvit...] ⟨*fr.; dt.*⟩ *die; -:* durch Seifenbad entbastete, daher sehr weiche Seide **cuius re|gio, e|ius re|li|gio** ⟨*lat.*⟩: wessen das Land, dessen [ist] die Religion (Grundsatz des Augsburger Religionsfriedens von 1555, nach dem der Landesfürst die Konfession der Untertanen bestimmte) **Cul de Pa|ris** [kydpa'ri] ⟨*fr.;* „Pariser Gesäß") *der; - - -, -s -* [küd...]: um die Jahrhundertwende unter dem Kleid getragenes Gesäßpolster. **Cul|do|skop*** usw. vgl. Kuldoskop usw. **Cu-lotte** [ky'lɔt] ⟨*lat.-fr.*⟩ *die; -, -n* [...tn]: im 17. u. 18. Jh. von der (franz.) Aristokratie getragene Kniehose; vgl. Sansculotte **Cul|pa** ⟨*lat.*⟩ *die; -:* Schuld, Versschulden; Fahrlässigkeit; **Culpa lata:** grobe Fahrlässigkeit (Rechtsw.); **Culpa levis:** leichte Fahrlässigkeit (Rechtsw.) **Cul|te|ra|nist** vgl. Kulteranist. **Cul|tis|mo** vgl. Kultismus. **Cul|tu|ral Lag** ['kʌltʃərəl 'læg] ⟨*engl.*⟩ *das; - -, - -s:* verspätete soziokulturelle Anpassung von Personen[gruppen] an die vom technischen Fortschritt gesteuerte Entwicklung (Soziol.) **Cum|ber|land|so|ße** ['kʌmbələnd...] ⟨*engl.*⟩: aus Johannisbeergelee, Senf u. verschiedenen anderen Zutaten hergestellte pikante Soße **cum gra|no sa|lis** ⟨*lat.;* „mit einem Körnchen Salz"): mit Einschränkung; nicht ganz wörtlich zu nehmen **cum in|fa|mia** ⟨*lat.*⟩: mit Schimpf u. Schande **cum lau|de** ⟨*lat.;* „mit Lob"): gut (drittbestes Prädikat bei der Doktorprüfung)

cum tem|po|re ⟨*lat.;* „mit Zeit"): eine Viertelstunde nach der angegebenen Zeit; mit akademischem Viertel; Abk.: c. t. **Cu|mu|lo|nim|bus** usw. vgl. Kumulonimbus usw. **Cunc|ta|tor** ⟨*lat.*⟩ vgl. Kunktator **Cun|ni|lin|gus** ⟨*lat.*⟩ *der; -, ...gi:* Befriedigung bzw. sexuelle Stimulierung der weiblichen Geschlechtsorgane mit Lippen, Zähnen u. Zunge; vgl. Fellatio **Cup** [kap] ⟨*lat.-roman.-engl.*⟩ *der; -s, -s:* 1. Siegespokal bei Sportwettkämpfen. 2. Pokalwettbewerb. 3. Schale des Büstenhalters **Cul|pal** ⟨Kurzw. aus: *Cu*prum u. *Al*uminium) *das; -s:* als Werkstoff in der Elektrotechnik dienendes kupferplattiertes Aluminium **Cu|pi|do** vgl. Kupido **Cyp|pa** ⟨*lat.*⟩ *die; -, Cuppae* [...ɛ]: Schale eines [Abendmahls]kelches **Cup|ra|lon*** ® ⟨Kunstw.⟩ *das; -s:* Mischgarn aus ↑Perlon u. ↑Cuprama (Textilchemie). **Cup|ra-ma** ® ⟨Kunstw.⟩ *die; -:* wollartige, aus Zellulose hergestellte Kunstfaser. **Cup|re|jin** ⟨*lat.-nlat.*⟩ *das; -s:* eine organische Verbindung, Grundstoff von Chinin. **Cup|re|sa** ® ⟨Kunstw.⟩ *die; -:* nach dem Kupferoxid-Ammoniak-Verfahren aus Baumwollfasern hergestellte Chemiefaser. **Cup|ro** ⟨Kunstw.⟩ *das; -s:* Sammelbezeichnung für meist seidenähnliche synthetische Fasern, die nach dem Kupferoxid-Ammoniak-Verfahren auf Zellulosebasis hergestellt werden (Textilchemie). **Cyp|rum** *das; -s:* Kupfer; chem. Element (Zeichen: Cu) **Cu|pu|la,** auch: Kupula ⟨*lat.*⟩ *die; -, ...lae* [...ɛ]: 1. Fruchtbecher bei Buchengewächsen. 2. gallertartige Substanz in den Gleichgewichtsorganen der Wirbeltiere u. des Menschen (Med.) **Cu|ra|çao** ® [kyra'sa:o] ⟨nach der Insel im Karibischen Meer⟩ *der; -s, -s* (aber: 2 -): mit getrockneten Schalen unreifer Pomeranzen aromatisierter Likör **Cu|ra pos|te|ri|or** ⟨*lat.;* „spätere Sorge") *die; - -:* Angelegenheit, mit der man sich erst später zu beschäftigen hat, nachdem das Wichtigere erledigt ist **Cu|ra|re** vgl. Kurare. **Cu|ra|rin,** auch: Kurarin ⟨*indian.-span.-nlat.*⟩ *das; -s:* wirksamer Bestandteil des Kurare (Chem.)

Cur|cu|ma vgl. Kurkuma

Cu|ré [ky're:] ⟨lat.-fr.⟩ der; -s, -s: katholischer Pfarrer in Frankreich

Cu|ret|tai|ge [kyrɛ'ta:ʒə] usw. vgl. Kürettage usw.

Cu|rie [ky'ri:] ⟨nach dem franz. Physikerehepaar⟩ das; -, -: Maßeinheit der Radioaktivität (Zeichen: Ci; älter: c). Cu|ri|um ⟨fr.-nlat.⟩ das; -s: radioaktives, künstlich erzeugtes chemisches Element; ein Transuran (Zeichen: Cm)

Cur|ling ['kə:lɪŋ] ⟨engl.⟩ das; -s: ein aus Schottland stammendes, dem Eisschießen ähnliches Spiel auf dem Eis

cur|ren|tis ⟨lat.⟩: (veraltet) [des] laufenden [Jahres, Monats] (Abk.: cr). cur|ri|cu|lar: das Curriculum, Fragen des Curriculums betreffend. Cur|ri|cu|lum ⟨lat.-engl.⟩ das; -s, ...la: auf einer Theorie des Lehrens u. Lernens aufbauender Lehrplan; Lehrprogramm. Cur|ri|cu|lum Vi|tae [-'vi:tɛ] ⟨lat.⟩ das; - -, ...la -: (veraltet) Lebenslauf

Cur|ry ['kœri, seltener: 'kari] ⟨angloind.⟩ das; -s, -s: 1. (ohne Plural: auch: der) scharf-pikante, dunkelgelbe Gewürzmischung indischer Herkunft. 2. ostindisches Fleisch- od. Fischragout mit einer Currysoße

Cur|sor ['kəsə] ⟨lat.-engl.⟩ der; -s, -[s]: Zeichen (Pfeil o. Ä.) auf dem Bildschirm, das anzeigt, an welcher Stelle die nächste Eingabe erfolgt

Cur|tain|wall ['kə:rtn'wɔ:l] ⟨engl.⟩ der; -s, -s: Außenwand eines Gebäudes, der keine tragende Funktion zukommt (Archit.)

Cus|tard ['kastɐt] ⟨engl.⟩ der; -, -s: einem Vanillepudding ähnliche englische Süßspeise

Cus|to|di|an [kʌs'toudjən] ⟨lat.-engl.⟩ der; -s, -s: englische Bez. für: Treuhänder eines unter fremdstaatliche Verwaltung gestellten Vermögens

Cut [kœt, kat] ⟨engl.⟩ der; -s, -s: 1. ↑Cutaway. 2. Bez. der Haut, bes. rund um die Augenpartien (beim Boxen). 3. Ausscheiden der schlechteren Spieler vor den Schlussrunden (beim Golf). Cu|ta|way* ['kœtəvə, 'kat...] der; -s, -s: als offizieller Gesellschaftsanzug am Vormittag getragener, langer, schwarzer od. dunkler, vorn abgerundet geschnittener Sakko mit steigenden Revers

Cu|ti|cu|la vgl. Kutikula. Cu|tis vgl. Kutis

cut|ten ['katṇ] ⟨engl.⟩: Filmszenen od. Tonbandaufnahmen für die endgültige Fassung schneiden u. zusammenkleben. Cut|ter ['katɐ] ⟨engl.⟩ der; -s, -: 1. Schnittmeister; Mitarbeiter bei Film, Funk u. Fernsehen, der Filme od. Tonbandaufnahmen in Zusammenarbeit mit dem Regisseur für die endgültige Fassung zusammenschneidet u. montiert. 2. Gerät zum Zerkleinern von Fleisch. cut|tern: ↑cutten

Cu|vée [ky've:] ⟨lat.-fr.⟩ die; -, -s (auch: das; -s, -s): Verschnitt, Mischung verschiedener Weine (bes. bei der Herstellung von Schaumweinen)

Cy|an usw. vgl. Zyan usw.

Cy|ber|sex ['saibɐsɛks] ⟨Kunstw. aus engl. cybernetics u. Sex⟩ der; -[es]: sexuelle Stimulation durch computergesteuerte Simulation. Cy|ber|space [...] ⟨Kunstw. aus engl. cybernetics u. space⟩ der; -, -s [...sɪs]: von Computern erzeugte virtuelle Scheinwelt, die eine fast perfekte Illusion räumlicher Tiefe u. realitätsnaher Bewegungsabläufe vermittelt (z. B. zur Simulation von Flugmanövern). Cy|borg* ['saibɔ:g] ⟨engl.; Kunstw. aus: cybernetic organism⟩ der; -s, -s: [geplante] Integrierung technischer Geräte in den Menschen als Ersatz od. zur Unterstützung nicht ausreichend leistungsfähiger Organe (z. B. bei langen Raumflügen)

Cyc|la|mat* ⟨Kunstw.⟩ das; -s, -e: künstlich hergestellter kochbeständiger Süßstoff

Cyc|la|men* vgl. Zyklamen

cyc|lisch* vgl. zyklisch

Cy|clo|ni|um* [zü...] ⟨gr.-nlat.⟩ das; -s: erstmals im ↑Zyklotron erzeugtes Isotop des ↑Promethium. Cyc|lops* ⟨gr.-lat.⟩ der; -, ...piden: niederer Krebs

Cym|bal vgl. Zimbal

cy|ril|lisch vgl. kyrillisch

Da|ca|po vgl. Dakapo

da ca|po ⟨lat.-it. „vom Kopf an"⟩: wiederholen, noch einmal vom Anfang an (Mus.; Abk.: d. c.); da

capo al fine: vom Anfang bis zum Schlusszeichen (wiederholen)

d'ac|cord [da'ko:ɐ̯, da'ko:r] ⟨lat.-vulgärlat.-fr.⟩: (veraltet) einig, einverstanden

Dac|ron* ® ⟨Kunstw.⟩ das; -s: synthetische Faser (Chem.)

Da|da ⟨fr.; urspr. lautmalend⟩ der; -[s]: 1. programmatisches Schlagwort des Dadaismus. 2. Name für die verschiedenen dadaistischen Gruppierungen. Da|da|is|mus ⟨fr.-nlat.⟩ der; -: internationale revolutionäre Kunst- u. Literaturrichtung um 1920, die jegliches Kunstideal negierte u. absolute Freiheit der künstlerischen Produktion sowie einen konsequenten Irrationalismus in der Kunst proklamierte. Da|da|ist der; -en, -en: Vertreter des Dadaismus. da|da|is|tisch: den Dadaismus betreffend, zu ihm gehörend, für ihn charakteristisch; in der Art des Dadaismus

Dä|da|le|um ⟨gr.-nlat.; nach Dädalus, dem Baumeister u. Erfinder in der griech. Sage⟩ das; -s, ...leen: 1833 erfundene Vorrichtung zum Erzeugen bewegter Bilder; spezielle Art des ↑Stroboskops (2). ¹dä|da|lisch: (veraltet) erfinderisch. ²dä|da|lisch ⟨nach einem mythischen kretischen Bildhauer Daidalos⟩: in den Anfängen der griechischen Kunst entstanden; frührarchaisch

Dad|dy ['dedi] ⟨engl.⟩ der; -s, -s: engl. ugs. Bez. für: Vater

Da|gal|ba vgl. Dagoba

Da|ges|tan* ⟨nach dem gleichnamigen Gebiet am Kaspischen Meer⟩ der; -, -: schafwollener, geknüpfter Teppich

Da|gol|ba, auch: Dagaba ⟨singhal.⟩ die; -, ...ben: 1. buddhistischer Reliquienschrein. 2. Raum, in dem eine Dagoba (1) aufbewahrt u. verehrt wird

Da|guer|reo|typ [dagɛro...] ⟨fr.; gr.⟩ nach dem Erfinder der Fotografie, dem Franzosen Daguerre⟩ das; -s, -e: Daguerreotypie (2). Da|guer|reo|ty|pie die; -, ...ien: 1. (ohne Plural) heute nicht mehr übliches fotografisches Verfahren, bei dem Metallplatten verwendet werden. 2. unter Verwendung einer Metallplatte hergestellte Fotografie

Da|ha|bi|je ⟨arab.; „die Goldene"⟩ die; -, -n: langes, schmales, altertümliches Nilschiff mit Segel, Verdeck u. Kajüte

Dah|lie [...je] ⟨nlat.; nach dem schwed. Botaniker A. Dahl⟩ die;

-, -n: zu den Korbblütlern gehörende, im Spätsommer u. Herbst blühende [Garten]pflanze mit großen Blüten; Georgine

Dail Eilreann ['da:l 'eːrɪn, engl.: daɪl 'ɛərən] ⟨gäl.⟩ der; - -: das Abgeordnetenhaus der Republik Irland

Dailly Soap ['deɪlɪ 'soʊp] ⟨engl.⟩ „tägliche Seife[noper]"; ↑ Soapopera⟩ die; - -, - -s: werktäglich ausgestrahlte triviale Hörspielod. Fernsehspielserie

Daimio u. Daimyo ⟨chin.-jap.⟩ der; -, -s: (veraltet) japanischer Territorialfürst

Daimonion u. Dämonium ⟨gr.⟩ das; -s: warnende innere Stimme [der Gottheit] bei Sokrates

Daimyo vgl. Daimio

¹Daina ⟨lett.⟩ die; -, -s: weltliches lettisches Volkslied lyrischen Charakters. **²Dainạ** ⟨lit.⟩ die; -, Dainos: weltliches litauisches Volkslied lyrischen Charakters

Dalkạlpo ⟨lat.-it.⟩ das; -s, -s: Wiederholung (Mus.); vgl. da capo.

Dalkạlpolarie die; -, -n: (bes. im 18. Jh.) dreiteilige Arie, bei der der dritte Teil die Wiederholung des ersten darstellt

Dakhlma ⟨awest.-pers.; „Scheiterhaufen"⟩ der; -, -s: in drei konzentrischen Kreisen errichteter, oben offener Turm, in dem die Parsen ihre Verstorbenen den Aasvögeln aussetzen; Turm des Schweigens

Daklryloladelniltis* ⟨gr.-nlat.⟩ die; -, ...itiden: Tränendrüsenentzündung (Med.). **Daklryolith** [auch: ...ɪt] der; -s u. -en, -e[n]: harte Ablagerung in den Tränenkanälen (Med.). **Daklryops** der; -, ...open: von einer Tränendrüse ausgehende Zyste unter dem oberen Augenlid (Med.).
Daklrylorlrhö die; -, -en u. Dakrylorlrhöe [...'rø:] die; -, -n [...'røən]: Tränenfluss (Med.)
Daklryolzysltiltis die; -, ...itiden: Entzündung des Tränensacks (Med.)

Dakltyllen: Plural von ↑ Daktylus.

dakltyllielren in der Finger- u. Gebärdensprache reden. **Dakltyllilolmanltie** ⟨gr.-nlat.⟩ die; -: das Wahrsagen mithilfe eines Pendels. **Daklty|lilolthek** ⟨gr.-lat.⟩ die; -, -en: Ringbehältnis, Ringkästchen, bes. eine Sammlung von Gemmen, Kameen u. geschnittenen Steinen (vor allem im Altertum u. in der Renaissance). **dakltylllisch:** aus ↑ Daktylen bestehend. **Dakltyllltis** ⟨gr.-nlat.⟩ die; -, ...itiden: Fingerent-

zündung (Med.). **Dakltyllo** die; -, -s: Kurzform von ↑ Daktylographin. **Daklty|lolepitlrit*** ⟨gr.⟩ der; -en, -en: aus dem ↑ Hemiepes u. dem ↑ Epitriten zusammengesetztes altgriech. Versmaß. **Dakty|lolgramm** ⟨gr.-nlat.⟩ das; -s, -e: Fingerabdruck **Dakltyllolgraph**, auch: Daktylograf der; -en, -en: (schweiz.) Maschinenschreiber. **Dakltyllogralphie**, auch: Daktylografie die; -: (schweiz.) das Maschinenschreiben. **dakltyllolgralphleren**, auch: daktylografieren (schweiz.) Maschine schreiben. **Dakltyllolgralphin**, auch: Daktylografin die; -, -nen: (schweiz.) Maschinenschreiberin **Dakltyllloglrylpolse*** die; -, -n: Verkrümmung der Finger od. Zehen (Med.). **Dakltyllollolgie** die; -, ...ien: Finger- u. Gebärdensprache der Taubstummen u. Gehörlosen. **Dakltyllolmeldion**
lie die; -, ...ien: krankhafter Großwuchs der Finger od. Zehen. **Dakltyllolskop*** der; -en, -en: Fachmann für Daktyloskopie. **Dakltyllolskolpie*** die; -, ...ien: Verfahren zur Auswertung von Fingerabdrücken. **Dakltyllus** ⟨gr.-lat.; „Finger"⟩ der; -, ...ylen: Versfuß (rhythmische Einheit) aus einer Länge u. zwei Kürzen (‒‿‿)

Dallai-Lalma ⟨tibet.⟩ der; -[s], -s: weltliches Oberhaupt in Tibet ↑ Lamaismus in Tibet

Dallbe u. Dallben: Kurzform von ↑ Duckdalbe, Duckdalben

Dallberlgia ⟨nlat.; nach dem schwed. Botaniker Dalberg⟩ die; -, ...ien [...jen]: indischer Rosenholzbaum

Dalk ⟨pers.⟩ der; -[e]s, -e: Mönchs-, Derwischkutte

Dalllelolchin [...'xi:n] ⟨Kunstw.⟩ u. Thalleiochin [...lajoxi:n] das; -s: ein grüner Farbstoff; Chinagrün

Dalllles ⟨hebr.-jidd.⟩ der; -: (ugs.) 1. Armut, Not, Geldverlegenheit. 2. Hautreizung; Erkältung **dalllli!** ⟨poln.⟩: (ugs.) schnell!

Dallmaltik, Dallmaltilka ⟨lat.⟩ die; -, ...ken: 1. spätrömisches Oberkleid (aus weißer dalmatischer Wolle). 2. liturgisches Gewand, bes. der kath. ↑ Diakone. **Dallmalt|lner** der; -, -: 1. schwere alkoholreiche Weinsorte aus Dalmatien. 2. weißer Windhund mit schwarzen od. braunen Tupfen

dal seglno* [- zɛnjo] ⟨lat.-it.⟩: vom Zeichen an wiederholen

(Vortragsanweisung; Mus.; Abk.: d. s.)

Dalltolnjslmus ⟨nlat.; nach dem engl. Physiker John Dalton, †1844⟩ der; -: angeborene Farbenblindheit (Med.)

Dalmaslsé ⟨fr.; vom Namen der kleinasiat. Stadt Damaskus⟩ der; -[s], -s: damastartige Futterseide mit großer Musterung. **Dalmassin** [...'sɛ̃] ⟨fr.⟩ der; -[s], -s: Halbdamast. **Dalmạst** ⟨it.⟩ der; [e]s, -e: einfarbiges [Seiden]gewebe mit eingewebten Mustern. **damạsten** (aus Damast). 1. aus Damast. 2. wie mạsten: 1. aus Damast. 2. wie Damast. **dalmaslzielren** ⟨nlat.⟩: 1. glatte Wappenflächen mit Ornamenten verzieren. 2. Stahl od. Eisen mit feinen Mustern versehen

¹Dạlme ⟨lat.-fr.⟩ die; -, -n: 1. a) höfliche Bezeichnung für ‚Frau' od. in höflicher Anrede (ohne Namensnennung) an eine Frau. b) gebildete, kultivierte, vornehme Frau. 2. (ohne Plural) ein altes Brettspiel. 3. a) die Königin im Schachspiel; b) Doppelstein im Damespiel. 4. Spielkarte

²Dame [deɪm] ⟨engl.⟩ die; -: a) Titel der weiblichen Träger verschiedener Orden im Ritterstand; b) Trägerin des Titels Dame (a)

Dạmlmar ⟨malai.⟩ das; -s: Dammarharz. **Dạmlmalralfichlte** die; -, -n: harzreiche ↑ Araukarie der malai. Inseln u. Australiens. **Dạmlmarlharz** das; -es: hellgelbes, durchsichtiges Harz ostasiatischer Bäume, das technisch vielfach verwendet wird **damlnạltur** ⟨lat.; „(das Buch) wird verdammt"⟩: (hist.) der Zensur dienende technische Formel, die besagte, dass ein Buch nicht gedruckt werden durfte.
Dạmlno ⟨lat.-it.⟩ der od. das; -s, -s u. **Dạmlnum** ⟨lat.⟩ ⟨Schaden, Nachteil"⟩ das; -s, ...na: Abzug vom Nennwert eines Darlehens als Vergütung für die Darlehensgewährung (Wirtsch.)

Dạlmoklles|schwert* (nach dem Günstling des älteren Dionysios von Syrakus) das; -[e]s: stets drohende Gefahr

Dạlmon ⟨gr.-lat.⟩ der; -s, ...onen: geisterhaftes, suggestive u. unheimliche Macht über jmdn. besitzendes Wesen, das den Willen des Betroffenen bestimmt.
Dạlmolnie ⟨gr.-lat.⟩ die; -, ...jen: unerklärbare, bedrohliche Macht, die von jmdm./etwas ausgeht od. die einem unentrinnbare ausgelieferte Objekt

vollkommen beherrscht; Besessenheit. **dä|mo|nisch** ⟨gr.-lat.⟩: eine suggestive u. unheimliche Macht ausübend. **dä|mo|ni|sie|ren:** mit dämonischen Kräften erfüllen, zu einem Dämon machen. **Dä|mo|nis|mus** ⟨gr.-nlat.⟩ der; -: Glaube an Dämonen. **Dä|mo|ni|um** ⟨gr.-lat.⟩: ↑Daimonion. **Dä|mo|no|lo|gie** ⟨gr.-nlat.⟩ die; -, ...ien: Lehre von den Dämonen

Dan ⟨jap.; „Stufe, Meistergrad"⟩ der; -, -: Leistungsgrad für Fortgeschrittene in allen Budosportarten

Da|na|er|ge|schenk ⟨gr.; dt.; nach der Bez. Homers für die Griechen⟩ das; -[e]s, -e: etw., was sich im Nachhinein für den, der es als Gabe o. Ä. bekommt, als unheilvoll, Schaden bringend erweist. **Da|na|i|den|ar|beit** ⟨nach der griechischen Sage, in der die Töchter des Danaos in der Unterwelt ein Fass ohne Boden mit Wasser füllen sollten⟩ die; -: vergebliche, qualvolle Arbeit; sinnlose Mühe

Dance|floor ['da:nsflɔ] ⟨engl.⟩ der; -s, -s: 1. Tanzfläche einer Diskothek. 2. (ohne Plural) in Diskotheken gespielte Tanzmusik verschiedener Musikstile. **Dan|cing** ['da:nsɪŋ] das; -s, -s: Tanz[veranstaltung], Tanzlokal **Dan|dy** ['dɛndi] ⟨engl.⟩ der; -s, -s: 1. Mann, der sich übertrieben modisch kleidet. 2. Vertreter des ↑Dandyismus. **dan|dy|haft:** nach der Art eines Dandys. **Dan|dy|is|mus** der; -: in der Mitte des 18. Jh.s in England entstandener u. später auch in Frankreich aufgekommener Lebensstil, der für die Exklusivität in Kleidung u. Lebensführung sowie ein geistreich-zynisch-ironischen Konversationston u. eine gleichgültig-arrogante Haltung typisch waren

Da|ne|brog* ⟨dän.⟩ der; -s: die dänische Flagge. **da|ni|sie|ren, dä|ni|sie|ren:** dänisch machen, gestalten

Danse ma|cab|re* [dãsmaˈka:br(ə)] ⟨fr.⟩ der; - -, -s -s [dãsmaˈka:br(ə)]: Totentanz

Dan|tes, Tantes ⟨lat.-span.⟩ die (Plural): (veraltet) Spielmarken **dan|tesk** ⟨nach dem it. Dichter Dante Alighieri (1265–1321)⟩: in der Art Dantes

Daph|ne ⟨gr.-lat.; „Lorbeer"⟩ die; -, -n: Seidelbast (früh blühender Zierstrauch). **Daph|nia, Daph|nie** [...je] ⟨gr.-nlat.⟩ die; -, ...nien [...jen]: im Süßwasser lebender

Wasser|floh. Daph|nin das; -s: Bestandteil einer Seidelbastrinde, der vielfach als Arznei verwendet wird

Da|ra|buk|ka ⟨arab.⟩ die; -, ...ken: arabische Trommel

Da|ri ⟨arab.⟩ das; -s: kultivierte Art des ↑Sorghum; Zuckerhirse **Dar|jee|ling** [da:ˈdʒiːlɪŋ] ⟨nach dem westbengalischen Ort⟩ der; -s: eine indische Teesorte

Dark|horse ['da:khɔ:s] ⟨engl.; „dunkles Pferd"⟩ das; -, -s [...hosɪz], auch: **Dark Horse** das; - -, -: -s: noch nicht bekanntes Rennpferd. **Dark|room** [...ru:m] der; -s, -s, auch: **Dark Room** der; - -s, - -s: meist völlig abgedunkeltes Hinter-, Nebenzimmer o. Ä. als Ort für sexuelle Kontakte in von Homosexuellen besuchten Lokalen

Dar|ling ⟨engl.⟩ der; -s, -s: Liebling **Darts** [da:ts] ⟨germ.-altfr.-engl.⟩ das; -: engl. Wurfpfeilspiel **Dar|wi|nis|mus** ⟨nlat.⟩ der; -: von dem engl. Naturforscher Charles Darwin begründete Lehre von der stammesgeschichtlichen Entwicklung durch Mutation u. Selektion. **Dar|wi|nist** der; -en, -en: Anhänger der Lehre Darwins. **dar|wi|nis|tisch:** den Darwinismus betreffend, auf ihm beruhend, für ihn charakteristisch **Dash** [dɛʃ] ⟨engl.⟩ der; -s, -s: Spritzer, kleinste Menge (bei der Bereitung eines Cocktails) **Dai|sy|mel|ter** ⟨gr.-nlat.⟩ das; -s, -: Gerät zur Bestimmung der Gasdichte **DAT** ⟨engl.; digital audio tape⟩: ↑Digitaltonband

Da|ta|high|way, auch: **Da|ta-High|way** ['deɪtəhaɪweɪ, 'da:ta...] ⟨engl.⟩ der; -s, -s: ↑Datenhighway

Da|ta|rie ⟨lat.-nlat.⟩ die; -: (hist.) päpstliche Behörde zur Erledigung von Gnadenakten u. zur Vergabe von Pfründen **Date** [deɪt] ⟨amerik.⟩ das; -[s], -s: 1. Verabredung, Treffen. 2. jmd., mit dem man ein Date (1) hat **Da|tei** ⟨lat.⟩ die; -, -en: nach zweckmäßigen Kriterien geordneter, zur Aufbewahrung geeigneter Bestand an sachlich zusammengehörenden Belegen od. anderen Dokumenten, bes. in der Datenverarbeitung. **Da|ten** die (Plural): 1. Plural von ↑Datum. 2. (durch Beobachtung, Messungen o. Ä. gewonnene) [Zahlen]werte, (auf Beobachtungen, Messungen o. Ä. beruhende) Angaben, formulierbare Be-

funde. 3. zur Lösung od. Durchrechnung einer Aufgabe vorgegebene Zahlenwerte, Größen (Math.). **Da|ten|bank** die; -, -en: technische Anlage, in der große Datenbestände zentralisiert gespeichert sind. **Da|ten|high|way** [...haiweɪ] der; -s, -s: universell nutzbares Telekommunikationsnetz zur schnellen Übertragung von großen Datenmengen (z. B. zur Anwendung von Multimedia); Datenautobahn. **Da|ten|kom|pres|si|on*** die; -, -en, **Da|ten|kom|pri|mie|rung** der; -, -en: Veränderung von Daten od. Zeichen mit dem Ziel, den Bedarf an Speicherplatz zu verringern oder die Übertragungsgeschwindigkeit zu erhöhen. **Da|ten|ty|pis|tin** ⟨lat.; gr.⟩ die; -, -nen: Neubildung in Anlehnung an Stenotypistin) die; -, -nen: Angestellte, die Daten (2) in ein Datenendgerät eingibt. **da|tie|ren** ⟨lat.-fr.⟩: 1. (einen Brief o. Ä.) mit dem Datum (1) versehen. 2. die Entstehungszeit von etw. bestimmen, angeben. 3. a) seit einem bestimmten Zeitpunkt bestehen, zu einer bestimmten Zeit begonnen haben; b) aus einer bestimmten Zeit stammen, von einem bestimmten Ereignis herrühren **Da|tiv** ⟨lat.⟩ der; -s, -e: Wemfall, dritter Fall; Abk.: Dat. **Da|tiv|ob|jekt** das; -[e]s, -e: Ergänzung eines Verbs im ↑Dativ (z. B. sie gibt ihm das Buch). **Da|ti|vus e|thi|cus** ⟨lat.; gr.-lat.⟩ der; - -, ...vi ...ci: freier Dativ der inneren Anteilnahme (z. B. Du bist mir ein geiziger Kerl!)

DAT-Kas|set|ten|re|kor|der u. **DAT-Rekorder** ⟨engl.⟩ der; -s, -: Gerät zur Aufnahme und rauschfreien Wiedergabe von Digitaltonbändern **da|to** ⟨lat.⟩: heute; **bis dato:** bis heute

Da|to|lith [auch: ...ɪt] ⟨gr.-nlat.⟩ der; -s u. -en, -e[n]: ein Mineral von körniger Struktur **Da|to|wech|sel** der; -s, -: Wechsel, der zu einem bestimmten Zeitpunkt nach dem Ausstellungstage eingelöst werden kann **DAT-Rel|kor|der** der; vgl. DAT-Kassettenrekorder **Dat|scha** ⟨russ.⟩ die; -, -s od. ...schen: russisches Holzhaus, Sommerhaus. **Dat|sche** die; -, -n: (regional) bebautes Wochenendgrundstück **Dat|tel** ⟨gr.-lat.-vulgärlat.-roman.⟩ die; -, -n: süße, pflaumenförmige Frucht der Dattelpalme

da|tum ⟨lat.⟩: (in alten Briefen u. Urkunden) geschrieben, ausgefertigt; Abk.: dat. **Da|tum** das; -s, ...ten: 1. a) dem Kalender entsprechende Zeitangabe, Tagesangabe; b) Zeitpunkt. 2. Faktum **Da|tu|ra** ⟨sanskr.-Hindi-nlat.⟩ die; -: Stechapfel

Dau, Dhau ⟨arab.⟩ die; -, en: Zweimastschiff mit Trapezsegeln (an der ostafrikanischen und arabischen Küste)

dau|bie|ren [do...] ⟨fr.⟩: (veraltet) dämpfen, dünsten (von Fleisch u. a.)

Dau|phin [do'fɛ̃] ⟨gr.-lat.-galloroman.-fr.⟩ der; -s, -s: (hist.) Titel des französischen Thronfolgers

Da|vis|cup ['deɪvɪskap] u. **Da|vis-po|kal** ⟨nach dem amerik. Stifter D. F. Davis⟩ der; -s: 1. bedeutendster, im Tennissport bei internationalen Mannschaftswettbewerben vergebener Wanderpokal. 2. internationaler Wettbewerb im Tennissport, bei dem die siegreiche Mannschaft den Daviscup (1) gewinnt

Da|vit ['deɪvɪt] ⟨engl.⟩ der; -s, -s: dreh- u. schwenkbare kranähnliche Vorrichtung auf Schiffen

da|wai ⟨russ.⟩: los!; vorwärts!

Dawes|plan ['dɔz...] ⟨engl.; dt.; nach dem amerik. Politiker C. G. Dawes⟩ der; -[e]s: Plan für die Reparationszahlungen Deutschlands nach dem 1. Weltkrieg

Day|crui|ser ['deɪkru:zə] ⟨engl.; „Tageskreuzer"⟩ der; -s, -: Sportmotorboot mit geringerem Wohnkomfort

Da|zit [auch: ...'tsɪt] der; -s, -e: ein Quarzgestein

D-Day ['di:deɪ] ⟨aus engl. Day-Day⟩ der; -s, -s: (als Deckname gedachte) Bez. für den Tag, an dem ein größeres militärisches Unternehmen beginnt (z. B. der Beginn der Invasion der Alliierten in Frankreich am 6. Juni 1944)

DDD = digitale Aufnahme, Bearbeitung u. Wiedergabe (Kennzeichnung der technischen Verfahren bei einer CD-Aufnahme o. Ä.)

Dead|heat, auch: **Dead Heat** ['dɛdhi:t] ⟨engl.⟩ das; - [s], - -s: gleichzeitiger Zieleinlauf zweier od. mehrerer Teilnehmer; totes Rennen. **Dead|line** ['dɛdlaɪn] ⟨engl.⟩ die; -, -s: 1. letzter [Ablieferungs]termin [für Zeitungsartikel]; Redaktions-, Anzeigenschluss. 2. Stichtag. 3. äußerste Grenze [in Bezug auf die Zeit]. **Dead|weight** ['dɛdweɪt] das;

-[s], -s: Gesamttragfähigkeit eines Schiffes

de|ag|gres|si|vie|ren* ⟨lat.-nlat.⟩: [Emotionen] die Aggressivität nehmen (Psych.)

de|ak|ti|vie|ren ⟨lat.⟩: 1. (eine Maschine, einen Motor o. Ä.) abschalten; etw. in einen nichtaktiven Zustand versetzen. 2. ↑ desaktivieren **De|ak|zen|tu|ie|rung** die; -, -en: bestimmte Art der Entzerrung beim Empfang (Funkw.)

Deal [di:l] ⟨engl.⟩ der; -s, -s: (Jargon) Handel, Geschäft. **dea|len**: mit Rauschgift handeln. **Dea|ler** der; -s, -: 1. jmd., der mit Rauschgift handelt; vgl. Pusher. 2. ↑ Jobber (1)

Dean [di:n] ⟨lat.-fr.-engl.⟩ der; -s, -s: engl. Bez. für: Dekan **De|as|pi|ra|ti|on*** ⟨lat.⟩ die; -, -en: Verwandlung eines aspirierten Lauts in einen nicht aspirierten (z. B. bʰ zu b, θpraohw.) **De|ba|kel** ⟨fr.⟩ das; -s, -: Zusammenbruch, Niederlage, unglücklicher, unheilvoller Ausgang **De|bar|da|ge** [debar'da:ʒə] ⟨fr.⟩ die; -, -n: das Ausladen, Löschen einer [Holz]fracht

¹**De|bar|deur** [debar'dø:ɐ̯] der; -s, -e: (veraltet) Schiffsentlader.

²**De|bar|deur** das; -s, -s: rund ausgeschnittenes Trägerhemdchen. **de|bar|die|ren**: (veraltet) eine Fracht ausladen, eine Ladung löschen **de|bar|kie|ren** ⟨fr.⟩: (veraltet) aus einem Schiff ausladen, ausschiffen

De|bat|te ⟨lat.-vulgärlat.-fr.⟩ die; -, -n: Erörterung, Aussprache zu einem bestimmten, festgelegten Thema, wobei die verschiedenen Meinungen dargelegt, die Gründe dafür u. Wider vorgebracht werden **De|bat|ten|schrift** die; -: (veraltet) Eil-, Redeschrift in der Stenografie. **De|bat|ter** ⟨engl.⟩ der; -s, -: jmd., der debattiert. **de|bat|tie|ren** ⟨fr.⟩: eine Debatte führen, erörtern **De|bauche** [de'bo:ʃ(ə)] ⟨fr.⟩ die; -, -n [...ʃn]: (selten) ausschweifender Lebenswandel. **de|bau|chie|ren**: (selten) ausschweifend leben

De|bel|la|ti|on ⟨lat.; „Besiegung, Überwindung"⟩ die; -, -en: Beendigung eines Krieges durch die völlige Vernichtung des feindlichen Staates (Völkerrecht)

De|bet ⟨lat.⟩ das; -s, -s: die linke Seite (Sollseite) eines Kontos; Ggs. ↑²Kredit

de|bil ⟨lat.⟩: an Debilität leidend (Med.). **De|bi|li|tät** die; -: Intelligenzdefekt leichtesten Grades (Med.)

De|bit [de'bi:] ⟨mittelniederd.-fr.⟩ der; -s: (veraltet) Warenverkauf, Ausschank. **de|bi|tie|ren**: eine Person od. ein Konto belasten. **De|bi|tor** ⟨lat.⟩ der; -s, ...oren (meist Plural): Schuldner, der Waren von einem Lieferer auf Kredit bezogen hat **de|blo|ckie|ren** ⟨fr.⟩: 1. ↑ blockieren (2) Text durch die richtigen ersetzen (Druckw.). 2. von einer Blockade befreien **de|bou|chie|ren** [debuʃ...] ⟨fr.⟩: (veraltet) aus einem Engpass hervorrücken (Mil.)

De|b|re|cz|i|ner* ['dɛbrɛtsi:nɐ] u. **De|b|re|zi|ner** der; -, -: nach der ung. Stadt Debreczin benanntes, stark gewürztes Würstchen **Debt|ma|nage|ment** ['dɛt'mæ-nɪdʒmənt] ⟨engl.⟩ das; -s, -s: Schuldenstrukturpolitik (Politik; Wirtsch.)

De|bug|ging [di:'bʌgɪŋ] ⟨engl.-amerik.⟩ das; -[s], -s: Vorgang bei der Programmherstellung, bei dem das Programm getestet wird u. die entdeckten Fehler beseitigt werden (EDV) **De|bun|king** [di:'bʌŋkɪŋ] ⟨engl.⟩ das; -s, -s: das Entlarven eines Helden od. eines Mythos im Film, Theater od. Roman **De|büt** [de'by:] ⟨fr.⟩ das; -s, -s: erstes [öffentliches] Auftreten (z. B. eines Künstlers, Sportlers o. Ä.) **De|bü|tant** der; -en, -en: erstmalig Auftretender. **De|bü|tan|tin** die; -, -nen: 1. weibliche Form zu ↑ Debütant. 2. junges Mädchen aus der Oberschicht, das [auf einem Debütantinnenball] in der Gesellschaft eingeführt wird. **De|bü|tan|tin|nen|ball** der; -[e]s, ...bälle: Ball, auf dem die Debütantinnen (2) vorgestellt werden. **de|bü|tie|ren**: zum ersten Mal [öffentlich] auftreten **De|ca|me|ro|ne*** ⟨gr.-ital.⟩ der (auch: das); -s: ↑ Dekameron **De|cay** [di'keɪ] ⟨engl.⟩ das; -[s]: Zeit des Abfallens des Tons vom Maximum bis 0 beim ↑ Synthesizer **De|cha|nat** [...ç...] u. Dekanat ⟨lat.-mlat.⟩ das; -[e]s, -e: Amt od. Amtsbereich (Sprengel) eines ↑ Dechanten (Dekans). **De|cha|nei** u. Dekanei die; -, -en: Wohnung eines ↑ Dechanten. **De|chant** [dɛ'çant, auch, österr. nur: 'dɛ...] ⟨lat.⟩ der; -en, -en u. Dekan der; -s, -e: höherer kath.

Geistlicher, Vorsteher eines Kirchenbezirks innerhalb der ↑ Diözese, auch eines ↑ Domkapitels u. a. **De|chan|tei** *die;* -, -en: (österr.) Amtsbereich eines ↑ Dechanten
De|char|ge [deˈʃarʒə] ⟨fr.⟩ *die;* -, -n: (veraltet) Entlastung (von Vorstand u. Aufsichtsrat bei Aktiengesellschaften). **de|char|gie|ren:** (veraltet) entlasten
De|cher ⟨lat.⟩ *das* od. *der;* -s, -: (hist.) deutsches Maß für Felle u. Rauchwaren
De|chet [deˈʃe] ⟨lat.-vulgärlat.-fr.⟩ *der;* -s, -s (meist Plural): Spinnereiabfälle verschiedener Art
de|chiff|rie|ren* [deʃif...] ⟨fr.⟩: entschlüsseln; Ggs. ↑ chiffrieren
De|chiff|rie|rung *die;* -, -en: Entschlüsselung
De|ci|dua ⟨lat.⟩ *die;* -, ...duae [...ɛ]: die aus der Schleimhaut der Gebärmutter entwickelte Siebhaut (Schicht der Eihäute; Med.)
de|ci|so [deˈtʃiːzo] ⟨lat.-it.⟩: entschlossen, entschieden (Vortragsanweisung; Mus.)
De|co|der [auch: diˈkoʊdə] ⟨engl.⟩ *der;* -s, -: Datenentschlüssler in einem ↑ Computer, Stereorundfunkgerät, Nachrichtenübertragungssystem; Ggs. ↑ Encoder.
de|co|die|ren vgl. dekodieren.
De|co|die|rung vgl. Dekodierung. **De|co|ding** [dɪˈkoʊdɪŋ] *das;* -s, -s: Entschlüsselung einer Nachricht (Kommunikationsforschung); Ggs. ↑ Encoding
De|col|la|ge [dekɔˈlaːʒə] ⟨fr.⟩ *die;* -, -n: Bild, das durch die Veränderung von vorgefundenen Materialien entsteht (z. B. Zerstörung der Oberfläche durch Abreißen, Zerschneiden od. Ausbrennen, bes. von ↑ Collagen).
De|col|la|gist *der;* -en, -en: jmd., der Decollage herstellt
Dé|col|le|ment [dekɔləˈmã:] ⟨lat.-fr.⟩ *das;* -s, -s: Ablösung der Haut von der Muskulatur durch stumpfe Gewalteinwirkung (z. B. bei Quetschverletzungen; Med.)
Dé|col|le|té: ↑ Dekolleté
De|co|ra|ted Style [ˈdekəretɪd ˈstaɪl] ⟨engl.⟩ *der;* - -: Epoche des gotischen Baukunst in England im 13. u. 14. Jh.
Dé|cou|pa|ge [dekuˈpaːʒə] ⟨fr.⟩ *die;* -, -n: franz. Bez. für: Drehbuch
de|cou|ra|gie|ren [dekuraˈʒiːrən] ⟨lat.-fr.⟩: entmutigen. **de|cou|ra|giert:** mutlos, verzagt
De|court [deˈkuːɐ̯] *der;* -s, -s: Dekort

Dé|cou|vert: ↑ Dekuvert. **de|couv|rie|ren*:** ↑ dekuvrieren
de|cresc.* = descrescendo. **de|cre|scen|do** [dekreˈʃɛndo] ⟨lat.-it.⟩: an Tonstärke geringer werdend, im Ton zurückgehend, leiser werdend (Vortragsanweisung; Mus.); Abk.: decresc.; Ggs. ↑ crescendo. **De|cre|scen|do** *das;* -s, -s u. ...di: das Abnehmen, Schwächerwerden der Tonstärke (Mus.); Ggs. ↑ Crescendo
De|cu|bi|tus vgl. Dekubitus
de da|to ⟨lat.⟩: (veraltet) vom Tag der Ausstellung an (auf Urkunden); Abk.: d. d.
De|di|ka|ti|on ⟨lat.⟩ *die;* -, -en: 1. Widmung. 2. Gabe, die jmdm. gewidmet, geschenkt worden ist (z. B. vom Autor); Schenkung.
de|di|ka|ti|ons|ti|tel *der;* -s, -: besonderes Blatt des Buches, das die Widmung (Dedikation) trägt
de|di|tie|ren ⟨lat.⟩: eine Schuld tilgen
de|di|zie|ren ⟨lat.⟩: jmdm. etw. zueignen, für ihn bestimmen
De|duk|ti|on ⟨lat.⟩ *die;* -, -en: a) Ableitung des Besonderen u. Einzelnen vom Allgemeinen; Erkenntnis des Einzelfalls durch ein allgemeines Gesetz (Philos.); Ggs. ↑ Induktion (1); b) logische Ableitung von Aussagen aus anderen Aussagen mithilfe logischer Schlussregeln (Kybern.).
de|duk|tiv [auch: ˈdeː...]: das Besondere, den Einzelfall aus dem Allgemeinen ableitend; Ggs. ↑ induktiv (1). **de|du|zie|ren:** das Besondere, den Einzelfall aus dem Allgemeinen ableiten; Ggs. ↑ induzieren (1)
De|em|pha|sis ⟨(lat.; gr.)-engl.⟩ *die;* -: Ausgleich der Vorverzerrung (Funkw.); vgl. Preemphasis
Deep|free|zer [ˈdiːpfriːzə] ⟨engl.-amerik.⟩ *der;* -s, -: Tiefkühlvorrichtung, Tiefkühltruhe
De|e|sis ⟨gr.⟩ „Bitte") *die;* -, ...esen: ↑ byzantinische Darstellung des [im Jüngsten Gericht] thronenden Christus zwischen Maria u. Johannes dem Täufer, den „Fürbittern"
De|es|ka|la|ti|on [auch: ˈdeː...] ⟨fr.-engl.⟩ *die;* -, -en: stufenweise Verringerung od. Abschwächung eingesetzter [militärischer] Mittel; Ggs. ↑ Eskalation. **de|es|ka|lie|ren** [auch: ˈdeː...]: die eingesetzten [militär.] Mittel stufenweise verringern od. abschwächen; Ggs. ↑ eskalieren
de fac|to ⟨lat.⟩: tatsächlich [bestehend]; Ggs. ↑ de jure. **De|fai|tis|mus** vgl. Defätismus

De|fä|ka|ti|on ⟨lat.⟩ *die;* -, -en: 1. Reinigung, Klärung (bes. von Flüssigkeiten). 2. Stuhlentleerung (Med.). **de|fä|kie|ren:** Kot ausscheiden (Med.)
De|fa|ti|ga|ti|on ⟨lat.⟩ *die;* -, -en: Ermüdung, Überanstrengung (Med.)
De|fä|tis|mus ⟨lat.-vulgärlat.-fr.-nlat.⟩ *der;* -: geistig-seelischer Zustand der Mutlosigkeit, Hoffnungslosigkeit u. Resignation; Schwarzseherei. **De|fä|tist** ⟨lat.-vulgärlat.-fr.⟩ *der;* -en, -en: jmd., der mut- u. hoffnungslos ist u. die eigene Sache für aussichtslos hält; Schwarzseher; Pessimist. **de|fä|tis|tisch:** sich im Zustand der Mutlosigkeit u. Resignation befindend; pessimistisch, ohne Hoffnung
de|fä|zie|ren ⟨lat.⟩: ↑ defäkieren
de|fekt ⟨lat.⟩: schadhaft, fehlerhaft, nicht in Ordnung. **De|fekt** *der;* -[e]s, -e: 1. Schaden, Fehler. 2. (nur Plural) a) zur Ergänzung einer vorhandenen Schrift von der Schriftgießerei bezogene Drucktypen; b) im Setzereimagazin aufbewahrte, zeitweilig überzählige Drucktypen. 3. (nur Plural) a) Bücher mit Fehlern, die repariert werden; b) zum Aufbinden einer Auflage an der Vollzahl fehlende Bogen od. Beilagen. **De|fekt|exem|plar*** *das;* -s, -e: Buch mit Herstellungsmängeln od. Beschädigungen (Buchw.). **de|fek|tiv** [auch: ˈdeː...]: mangelhaft, fehlerhaft, unvollständig (lat.-nlat.) *der;* -: Fehlerhaftigkeit, Mangelhaftigkeit. **De|fek|ti|vum** ⟨lat.⟩ *das;* -s, ...va: nicht in allen Formen auftretendes od. nicht an allen syntaktischen Möglichkeiten seiner Wortart teilnehmendes Wort (z. B. Leute ohne entsprechende Einzahlform; Sprachw.). **De|fekt|mu|ta|ti|on** ⟨lat.⟩ *die;* -, -en: spontane oder durch ↑ Mutagene hervorgerufene Erbänderung, die teilweisen oder völligen Ausfall bestimmter Körperfunktionen bewirkt (Biol.). **De|fek|tur** ⟨lat.-nlat.⟩ *die;* -, -en: ergänzende Herstellung von Arzneimitteln, die Apotheken in größeren Mengen vorrätig halten sollen
De|fe|mi|na|ti|on ⟨lat.-nlat.⟩ *die;* -, -en: (Med.). 1. (veraltet) physische u. psychische Umwandlung der Frau zum männl. Geschlecht hin. 2. Verlust der typisch weiblichen Geschlechtsempfindungen; Frigidität

Dé|fense mus|cu|laire [defɑ̃s-mysky'lɛːr] ⟨fr.⟩ die; - -: Abwehrspannung der Muskeln (Med.). **De|fen|si|o|na|le** ⟨lat.⟩ das; -s: (hist.) erste umfassende Heeresordnung der Schweizer Eidgenossenschaft. **de|fen|siv** [auch: 'deː...] ⟨lat.-mlat.⟩: a) verteidigend, abwehrend; Ggs. ↑offensiv; b) auf Sicherung od. Sicherheit bedacht; Risiken vermeidend. **De|fen|siv|al|li|anz** die; -, -en: Verteidigungsbündnis. **De|fen|si|ve** die; -, -n: Verteidigung, Abwehr; Ggs. ↑Offensive. **De|fen|si|vi|tät** ⟨nlat.⟩ die; -: Neigung zu abwehrender Haltung. **De|fen|sor Fi|dei** [- 'fiːdei] ⟨lat.; „Verteidiger des Glaubens"⟩ der; -[s] -: (seit Heinrich VIII.) Ehrentitel des englischen Königs. **De|fe|ren|ti|tis** ⟨lat.-nlat.⟩ die; -, ...itiden: Entzündung des Samenleiters (Med.). **de|fe|rie|ren** ⟨lat.⟩: (veraltet) 1. jmdm. einen Eid vor einem Richter auferlegen. 2. einem Antrag stattgeben **De|fer|ves|zenz** ⟨lat.-nlat.⟩ die; -: Nachlassen des Fiebers, Entfieberung (Med.) **De|fib|ra|tor** ⟨lat.-nlat.⟩ der; -s, ...oren: Maschine, die durch Dampf aufgeweichte Holzschnitzel zerfasert (z. B. für die Herstellung von Holzfaserplatten). **De|fib|reur** [...'brøːɐ̯] ⟨lat.-fr.⟩ der; -s, -e: (veraltet) Defibrator. **De|fib|ril|la|ti|on** ⟨lat.-fr.⟩ die; -, -en: Beseitigung von bestimmten Herzmuskelstörungen durch Medikamente od. Elektroschocks (Med.). **De|fib|ril|la|tor** der; -s, ...oren: Gerät, das Herzmuskelstörungen durch einen Stromstoß bestimmter Stärke beseitigt (Med.) **de|fib|ri|nie|ren*** ⟨lat.-nlat.⟩: ↑Fibrin auf mechanische Weise aus frischem Blut entfernen u. es dadurch ungerinnbar machen (Med.) **de|fi|ci|en|do** [defi'tʃɛndo] ⟨lat.-it.⟩: Tonstärke u. Tempo zurücknehmend; nachlassend; abnehmend (Vortragsanweisung; Mus.). **De|fi|cit|spen|ding** ['dɛfɪsɪtspɛndɪŋ] ⟨engl.⟩ das; -[s]: Defizitfinanzierung; Finanzierung öffentlicher Investitionen u. Subventionen durch später eingehende Haushaltsmittel **De|fi|gu|ra|ti|on** ⟨lat.-nlat.⟩ die; -, -en: (veraltet) Verunstaltung, Entstellung. **de|fi|gu|rie|ren** ⟨lat.⟩: (veraltet) verunstalten, entstellen **De|fi|lee** ⟨lat.-fr.⟩ das; -s, -s (veraltet: ...|een): 1. (veraltet) Enge, Engpass (Geogr.). 2. parademäßiger Vorbeimarsch, das Vorüberziehen an jmdm. **de|fi|lie|ren**: parademäßig an jmdm. vorüberziehen

De|fi|ni|en|dum ⟨lat.⟩ das; -s, ...da: Begriff, der bestimmt werden soll, über den etwas ausgesagt werden soll; das, was definiert wird (Sprachw.). **De|fi|ni|ens** das; -, ...nientia: Begriff, der einen anderen Begriff bestimmt, der über diesen anderen Begriff etwas aussagt; das Definierende (Sprachw.). **de|fi|nie|ren** ⟨lat.; „abgrenzen, bestimmen"⟩: 1. den Inhalt eines Begriffs auseinander legen, feststellen. 2. von jmdm./etwas her seine Bestimmung, Prägung erfahren, seinen existenziellen Inhalt erhalten. **de|fi|nit**: bestimmt; definite Größen: Größen, die immer das gleiche Vorzeichen haben (Math.). **De|fi|ni|ti|on** die; -, -en: 1. genaue Bestimmung [des Gegenstandes] eines Begriffes durch Auseinanderlegung u. Erklärung seines Inhaltes. 2. als unfehlbar geltende Entscheidung des Papstes od. eines ↑Konzils über ein Dogma (Rel.). **de|fi|ni|tiv**: (in Bezug auf eine Entscheidung, Festlegung, auf ein abschließendes Urteil) endgültig. **De|fi|ni|ti|vum** das; -s, ...va: endgültiger Zustand. **De|fi|ni|tor** der; -s, ...oren: 1. Verwaltungsbeamter der kath. Kirche in einem Bistum od. Dekanat. 2. Rat, Visitator od. gewählter Leiter des Generalkapitels (im Mönchswesen). **de|fi|ni|to|risch**: a) die Definition betreffend; b) durch Definition festgelegt **De|fi|xi|on** ⟨lat.-nlat.; „Festheftung"⟩ die; -, -en: Versuch, einen persönlichen Feind zu vernichten, indem man sein Bild (Rachepuppe) od. seinen geschriebenen Namen mit Nadeln od. Nägeln durchbohrt (Völkerk.). **de|fi|zi|ent** ⟨lat.⟩: unvollständig (bes. von Vokalzeichen; von Schriftsystemen). **De|fi|zi|ent** der; -en, -en: 1. (veraltet) Dienstunfähiger. 2. (bes. südd. u. österr.) durch Alter od. Krankheit geschwächter kath. Geistlicher. **De|fi|zit** ⟨lat.-fr.⟩ das; -s, -e: 1. Fehlbetrag. 2. Mangel. **de|fi|zi|tär**: a) mit einem Defizit belastet; b) zu einem Defizit führend. **De|fi|zit|fi|nan|zie|rung** ⟨lat.⟩ die; -, -en: ↑Deficitspending **De|fla|gra|ti|on** ⟨lat.; „Nieder-

brennen, gänzliche Vernichtung"⟩ die; -, -en: verhältnismäßig langsam erfolgende Explosion (Verpuffung) von Sprengstoffen (Bergw.). **De|flag|ra|tor** ⟨lat.-nlat.⟩ der; -s, ...oren: elektrisches ↑Voltaelement für große Stromstärken (Phys.) **De|fla|ti|on*** ⟨lat.-nlat.⟩ die; -, -en: 1. Verminderung des Geldumlaufs, um den Geldwert zu steigern u. die Preise zu senken (Wirtsch.); Ggs. ↑Inflation (a). 2. Ausblasen u. Abtragen von lockerem Gestein durch Wind (Geol.). **de|fla|ti|o|när**: die Deflation (1) betreffend. **de|fla|ti|o|nie|ren**: den Geldumlauf herabsetzen. **de|fla|ti|o|nis|tisch** u. deflatorisch: die Deflation (1) betreffend, sich auf sie beziehend; Ggs. ↑inflationistisch, ↑inflatorisch. **De|fla|ti|ons|wan|ne** die; -, -n: vom Wind ausgeblasene Vertiefung, meist in Trockengebieten (Geol.). **de|fla|to|risch**: ↑deflationistisch **De|flek|tor*** ⟨lat.-nlat.⟩ der; -s, ...oren: 1. Saug-, Rauchkappe, Schornsteinaufsatz (Techn.). 2. Vorrichtung im Beschleuniger zur Ablenkung geladener Teilchen aus ihrer Bahn (Kernphysik). **De|fle|xi|on** ⟨lat.⟩ die; -, -en: (veraltet) Ablenkung (z. B. von Lichtstrahlen) **De|flo|ra|ti|on*** ⟨lat.; „Entblütung"⟩ die; -, -en: Zerstörung des ↑Hymens [beim ersten Geschlechtsverkehr]; Entjungferung (Med.). **de|flo|rie|ren**: das Hymen [beim ersten Geschlechtsverkehr] zerstören **de|form** ⟨lat.⟩: entstellt, verunstaltet. **De|for|ma|ti|on** die; -, -en: 1. Formänderung, Verformung. 2. Verunstaltung, Fehlbildung (bes. von Organen lebender Wesen); vgl. ...[at]ion/...ierung. **de|for|mie|ren**: 1. verformen (den Körper) verunstalten. **De|for|mie|rung** die; -, -en: das Deformieren (2). **de|for|mi|tät** die; -, -en: 1. Fehlbildung (von Organen od. Körperteilen). 2. (ohne Plural) Zustand der Fehlbildung **De|frau|dant*** ⟨lat.⟩ der; -en, -en: jmd., der eine ↑Defraudation begeht. **De|frau|da|ti|on** die; -, -en: Betrug; Unterschlagung, Hinterziehung (bes. von Zollabgaben). **de|frau|die|ren**: betrügen; unterschlagen, hinterziehen **De|fros|ter*** ⟨engl.⟩ der; -s, -: 1. a) Vorrichtung in Kraftfahrzeugen, die das Beschlagen od. Vereisen der Scheiben verhindern soll; b) Abtauvorrichtung in Kühlschränken. 2. [Sprüh]mittel zum Enteisen von Kraftfahrzeugscheiben

De|ga|ge|ment [degaʒə'mã:] ⟨fr.⟩ das; -s, -s: 1. Zwanglosigkeit. 2. Befreiung [von einer Verbindlichkeit]. 3. das Degagieren (2). de|ga|gie|ren [...'ʒi:...]: 1. von einer Verbindlichkeit befreien. 2. die Klinge von einer Seite auf die andere bringen, wobei die Hand des Gegners mit der Waffe umkreist wird (Fechten). de|ga|giert: zwanglos, frei

De|ge|ne|ra|ti|on ⟨lat.-nlat.; „Entartung"⟩ die; -, -en: 1. Verfall von Zellen, Geweben od. Organen (Biol., Med.). 2. vom Üblichen abweichende negative Entwicklung, Entartung; körperlicher od. geistiger Verfall, Abstieg. De|ge|ne|ra|ti|ons|psy|cho|se die; -, -n: durch Degenerationsvorgänge (z. B. Altern) hervorgerufener geistiger Abbau mit psychischer Fehlhaltung (Med.). de|ge|ne|ra|tiv: mit Degeneration zusammenhängend. de|ge|ne|rie|ren ⟨lat.⟩: 1. verfallen, verkümmern (Biol., Med.). 2. vom Üblichen abweichend sich negativ entwickeln, entarten; körperlich od. geistig verfallen

de|gla|cie|ren* ⟨fr.⟩: kalte Flüssigkeit beigeben; ablöschen (Gastr.)

De|glu|ti|na|ti|on* ⟨lat.-nlat.⟩ die; -, -en: falsche Abtrennung eines Wortanlauts, der als Artikel verstanden wird (z. B. ostmitteld. „ein nöter = eine Natter" ergibt hochd. „eine Otter"; Sprachw.). De|glu|ti|ti|on* ⟨lat.-nlat.⟩ die; -, -en: Schlingbewegung, Schluckakt (Med.)

De|gor|ge|ment [...ʒə'mã:] ⟨lat.-fr.⟩ das; -s, -s: Entfernung der Hefe im Flaschenhals (bei der Schaumweinherstellung). de|gor|gie|ren [...'ʒi:...]: 1. die Hefe bei der Schaumweinherstellung aus dem Flaschenhals entfernen. 2. Fleisch wässern, um das Blut zu entfernen (Gastr.)

De|gout [de'gu:] ⟨lat.-fr.⟩ der; -s: Ekel, Widerwille, Abneigung. de|gou|tant: ekelhaft, abstoßend. de|gou|tie|ren: anekeln, anwidern

De|gra|da|ti|on* ⟨lat. „Herabsetzung"⟩ die; -, -en: das [Zurück]versetzen in eine niedere Position (z. B. als Strafe für ein

die Ehrauffassungen verletzendes Handeln); vgl. ...[at]ion/...ie-rung. de|gra|die|ren: 1. in eine niedere Position [zurück]versetzen (z. B. als Strafe für ein die Ehrauffassungen verletzendes Handeln). 2. Energie in Wärme umwandeln (Phys.). 3. einen Boden verschlechtern; vgl. Degradierung (2). De|gra|die|rung die; -, -en: 1. das Degradieren. 2. Veränderung eines guten Bodens zu einem schlechten (durch Auswaschung, Kahlschlag u. a.; Landw.); vgl. ...[at]ion/...ierung

de|grais|sie|ren* [degrɛ...] ⟨lat.-fr.⟩: das Fett von Soßen u. Fleischbrühen abschöpfen (Gastr.). De|gras [de'gra] das; -: Gerberfett (Abfallfett in der Gerberei)

De|gres|si|on* ⟨lat.⟩ die; -, -en: 1. Verminderung der Stückkosten mit steigender Auflage (Fachwort der Kostenrechnung). 2. Verminderung des jährlichen Abschreibungsbetrages (Steuerrecht). de|gres|siv ⟨lat.-nlat.⟩: abfallend, sich stufenweise od. kontinuierlich vermindernd (z. B. von Schulden)

De|gus|ta|ti|on ⟨lat.⟩ die; -, -en: (bes. schweiz.) Prüfung; das Kosten von Lebensmitteln in Bezug auf Geruch u. Geschmack. de gus|ti|bus non est dis|pu|tan|dum ⟨lat.; „über Geschmacker ist nicht zu streiten"⟩: über Geschmack lässt sich nicht streiten (weil jeder ein eigenes ästhetisches Urteil hat). de|gus|tie|ren: (bes. schweiz.) Lebensmittel in Bezug auf Geruch u. Geschmack prüfen, kosten

De|his|zenz ⟨lat.-nlat.; „das Aufklaffen"⟩ die; -: besondere Art des Aufspringens kapselartiger Organe bei Pflanzen (z. B. von Staubblättern u. Früchten; Bot.)

De|hors [de'o:ɐ̯, de'o:ɐ̯s] ⟨lat.-fr.⟩ die (Plural): äußerer Schein, gesellschaftlicher Anstand; meist in der Fügung: die Dehors wahren: den Schein wahren

De|hu|ma|ni|sa|ti|on ⟨lat.-nlat.⟩ die; -: Entmenschlichung, Herabwürdigung

De|hyd|ra|se* u. Dehydrogenase ⟨lat.; gr.⟩ die; -, -n: ↑Enzym, das Wasserstoff abspaltet. De|hyd|ra|ta|ti|on die; -, -en: Entzug von Wasser, Trocknung (z. B. von Lebensmitteln). De|hyd|ra|ti|on die; -, -en: Entzug von Wasserstoff; vgl. ...[at]ion/...ierung. de-hyd|ra|ti|sie|ren: Wasser entziehen. de|hyd|rie|ren: einer chem.

Verbindung Wasserstoff entziehen. De|hyd|rie|rung die; -, -en: ↑Dehydration; vgl. ...[at]ion/ ...ierung. De|hyd|ro|ge|na|se die; -, -n: ↑Dehydrase

De|i|fi|ka|ti|on ⟨lat.-nlat.⟩ die; -, -en: Vergottung eines Menschen od. Dinges. de|i|fi|zie|ren ⟨lat.⟩: zum Gott machen, vergotten. Dei gra|tia ⟨lat.; „von Gottes Gnaden"⟩: Zusatz zum Titel von Bischöfen, früher auch von Fürsten; Abk.: D. G.

deik|tisch, auch: de|ik|tisch ⟨gr.⟩: 1. hinweisend (als Eigenschaft bestimmter sprachlicher Einheiten, z. B. von ↑Demonstrativpronomen; Sprachw.). 2. von der Anschauung ausgehend (als Lehrverfahren)

De|in|king ⟨engl.⟩ das; -[s]: Entfernung von Druckfarben bei der Aufarbeitung von Altpapier

De|is|mus ⟨lat.-nlat.⟩ der; -: Gottesauffassung der Aufklärung des 17. u. 18. Jh.s, nach der Gott die Welt zwar geschaffen hat, aber keinen weiteren Einfluss mehr auf sie ausübt. De|ist der; -en, -en: Anhänger des Deismus. de|is|tisch: der Lehre des Deismus folgend, sich auf sie beziehend

De|i|xis ⟨gr.⟩ die; -: hinweisende ↑Funktion von Wörtern (z. B. Pronomen wie dieser, jener, Adverbien wie hier, heute) in einem Kontext (Sprachw.)

Dé|jà-vu [deʒa'vy:] ⟨fr.; „schon gesehen"⟩ das; -[s], -s u. Dé-jà-vu-Er|leb|nis das; -ses, -se: Erinnerungstäuschung, bei der der Eindruck entsteht, gegenwärtig Erlebtes schon einmal erlebt zu haben

De|jekt ⟨lat.⟩ das; -[e]s, -e: (selten) Auswurf; Kot (Med.). De|jek|ti-on die; -, -en: Auswurf; Kotentleerung (Med.)

De|jeu|ner [deʒø'ne:] ⟨lat.-vulgär-lat.-fr.⟩ das; -s, -s: 1. (veraltet) Frühstück. 2. (veraltet) kleines Mittagessen. 3. wertvolles Kaffee- od. Teeservice, Frühstücksgedeck für zwei Personen. de-jeu|nie|ren: (veraltet) frühstücken

de ju|re ⟨lat.⟩: von Rechts wegen, rechtlich betrachtet; Ggs. ↑de facto

De|ka das; -[s], -[s]: (österr.) Kurzform von ↑Dekagramm. De|ka|b|rist* ⟨gr.-russ.⟩ der; -en, -en: Teilnehmer an dem Offiziersaufstand für eine konstitutionelle Verfassung in Russland im Jahre 1825. De|ka|de ⟨gr.-lat.⟩

die; -, -n: 1. Satz od. Serie von 10 Stück. 2. Zeitraum von 10 Tagen, Wochen, Monaten od. Jahren. 3. Einheit von 10 Gedichten od. 10 Büchern (Literaturw.)

de|ka|dẹnt ⟨*lat.-mlat.*⟩: infolge kultureller Überfeinerung entartet u. ohne Kraft od. Widerstandsfähigkeit. **De|ka|dẹnz** *die*; -: Verfall, Entartung, sittlicher u. kultureller Niedergang

do|ka|disch ⟨*gr.*⟩: zehnteilig; auf die Zahl 10 bezogen; **dekadischer Logarithmus:** Zehnerlogarithmus, Logarithmus einer Zahl zur Basis 10 (Formelzeichen: $\log_{10}$ oder lg); **dekadisches System:** Zahlensystem mit der Grundzahl 10; Dezimalsystem. **De|ka-e|der** ⟨*gr.-nlat.*⟩ *das*; -s, -: ein Körper, der von zehn Vielecken (Flächen) begrenzt ist. **De|ka-gramm** [auch: 'de:...] *das*; -s, -e (aber: 5 -)⟩: 10 g; Zeichen: Dg, (österr.:) dkg; vgl. Deka. **De|ka-li|ter** *der* od. *das*; -s, -: 10 l; Zeichen: Dl, dkl

De|kal|kier|pa|pier ⟨*lat.-fr.*; *gr.-lat.*⟩ *das*; -s: zur Herstellung von Abziehbildern verwendetes saugfähiges Papier

De|ka|llo ⟨*it.*⟩ *der* od. *das*; -, ...li: (veraltet) Gewichts- od. Maßverlust (von Waren)

De|ka|log ⟨*gr.-lat.*; „zehn Worte"⟩ *der*; -s: die Zehn Gebote. **De|ka-me|ron*** ⟨*gr.-it.*⟩ *das*; -s: Boccaccios Erzählungen der „zehn Tage"; vgl. Heptameron, Hexameron. **De|ka|me|ter** ⟨*gr.-nlat.*⟩ *das*; -s, -: 10 m; Zeichen: dam, (veraltet:) dkm, Dm. **De|kan** ⟨*lat.*⟩ *der*; -s, -e: 1. in bestimmten evang. Landeskirchen ↑Superintendent. 2. ↑Dechant. 3. Vorsteher einer ↑Fakultät (1). **De|ka|nat** ⟨*lat.-mlat.*⟩ *das*; -[e]s, -e: 1. Amt, Bezirk eines Dekans; vgl. Dechanat. 2. Fakultätsverwaltung. 3. Unterteilung des Tierkreises in Abschnitte von je zehn Grad (Astrol.). **De|ka|nei** *die*; -, -en: Wohnung eines Dekans (1 u. 2); vgl. Dechanei

de|kan|tie|ren ⟨*mlat.-fr.*⟩: eine Flüssigkeit abklären, vom Bodensatz abgießen (z. B. bei älteren Rot- u. Portweinen)

de|ka|pie|ren ⟨*fr.*⟩: a) Eisenteile durch chem. Lösungsmittel von Farbresten reinigen; b) Metallteile od. Blech beizen u. dadurch von dünnen Anlauf- bzw. Oxidationsschichten befreien

De|ka|pi|ta|ti|on ⟨*lat.-mlat.*; „Enthauptung"⟩ *die*; -, -en: das Leben

der Mutter rettende Abtrennung des kindl. Kopfes während der Geburt (Med.). **de|ka|pi|tie|ren** u. dekaptieren: eine ↑Dekapitation ausführen (Med.)

De|ka|po|lde ⟨*gr.-nlat.*⟩ *der*; -n, -n (meist Plural): Zehnfußkrebs

De|kap|su|la|ti|on ⟨*lat.-nlat.*⟩ *die*; -, -en: operative Abtragung der Nierenkapsel (Med.)

de|kap|tie|ren vgl. dekapitieren

De|kar ⟨*lat.-nlat.*⟩ *das*; -s, -e u. (schweiz.:) De|ka|re *die*; -, -n: 10 Ar

de|kar|tel|lie|ren, häufiger: **dekar|tel|li|sie|ren** ⟨*fr.*⟩: wirtschaftliche Unternehmenszusammenschlüsse, ↑Kartelle auflösen, die eine Beschränkung des Wettbewerbs zum Ziel haben

De|ka|ster ⟨*gr.-fr.*⟩ *der*; -s, -e u. -s: 10 Kubikmeter. **De|ka|syl|la-bus** ⟨*gr.-lat.*⟩ *der*; -, ...bi: zehnsilbiger Vers aus ↑Jamben

De|ka|teur [...'tø:g] ⟨*lat. fr.*⟩ *der*; -s, -e: Fachmann, der dekatiert. **de|ka|tie|ren:** [Wollstoffe mit Wasserdampf behandeln, um nachträgliches Einlaufen zu vermeiden. **De|ka|tie|rer** *der*; -s, -: ↑Dekateur

De|kat|ron ⟨*gr.*⟩ *das*; -s, ...one: 1. Gasentladungsröhre mit zehn ↑Kathoden. 2. elektronisches Schaltelement in Rechen- u. Zählschaltungen zur Darstellung u. Verarbeitung der Ziffern 0 bis 9

De|ka|tur ⟨*lat.-fr.*⟩ *die*; -: Vorgang des ↑Dekatierens

De|kla|ma|ti|on* ⟨*lat.*⟩ *die*; -, -en: 1. kunstgerechter Vortrag (z. B. einer Dichtung); auf äußere Wirkung bedachte, oft auch pathetisch vorgetragene Äußerung. 2. Hervorhebung u. ↑Artikulation einer musikalischen Phrase od. des Sinn- u. Ausdrucksgehalts eines vertonten Textes (Mus.). **De|kla|ma-tor** *der*; -s, ...oren: Vortragskünstler. **De|kla|ma|to|rik** ⟨*lat.-nlat.*⟩ *die*; -: Vortragskunst. **de-kla|ma|to|risch:** 1. ausdrucksvoll im Vortrag, z. B. eines Textes. 2. beim Gesang der Wortverständlichkeit Wert legend. **de-kla|mie|ren** ⟨*lat.*⟩: 1. [kunstgerecht] vortragen. 2. das entsprechende Verhältnis zwischen der sprachlichen u. musikalischen Betonung im Lied herstellen

De|kla|ra|ti|on* ⟨*lat.*⟩ *die*; -, -en: 1. Erklärung [die etwas Grundlegendes enthält]. 2. a) abzugebende Meldung gegenüber den Außenhandelsbehörden (meist

Zollbehörden) über Einzelheiten eines Geschäftes; b) Inhalts-, Wertangabe (z. B. bei einem Versandgut). **de|kla|ra|tiv:** in Form einer Deklaration (1). **de|kla|ra-to|risch:** a) ↑deklarativ; b) bezeugend, klarstellend, beweiskräftig; **deklaratorische Urkunde:** nachträglich zu Beweiszwecken ausgestellte Beweisurkunde (Rechtsw.). **de|kla|rie|ren:** 1. eine ↑Deklaration (2) abgeben. 2. als etwas bezeichnen. **de|kla-riert:** offenkundig, ausgesprochen, erklärt

de|klas|sie|ren* ⟨*lat.-fr.*⟩: 1. einem Gegner eindeutig überlegen sein u. ihn überraschend hoch besiegen (Sport). 2. von einer bestimmten sozialen od. ökonomischen Klasse in eine niedrigere gelangen (Soziol.)

de|kli|na|bel ⟨*lat.*⟩: beugbar (von Wörtern bestimmter Wortarten). **De|kli|na|ti|on** *die*; -, -en: 1. Formenabwandlung (Beugung) des Substantivs, Adjektivs, Pronomens und Numerales; vgl. Konjugation. 2. Abweichung, Winkelabstand eines Gestirns vom Himmelsäquator (Astron.). 3. Abweichung der Richtungsangabe der Magnetnadel [beim Kompass] von der wahren (geographischen) Nordrichtung. **De-kli|na|tor** ⟨*lat.-nlat.*⟩ *das*; -s, ...oren u. **De|kli|na|to|ri|um** *das*; -s, ...ien: Gerät zur Bestimmung [zeitlicher Änderungen] der Deklination (2). **de|kli|nie|ren** ⟨*lat.*⟩: Substantive, Adjektive, Pronomen und Numeralia in ihren Formen abwandeln; beugen; vgl. konjugieren. **De|kli|no|me-ter** ⟨*lat.*; *gr.*⟩ *das*; s, -: ↑Deklinator

de|ko|die|ren, (In der Technik meist:) decodieren ⟨*fr.*⟩: [eine Nachricht] mithilfe eines ↑Kodes entschlüsseln; Ggs. ↑kodieren (1), endecodieren. **De|ko|die-rung** *die*; -, -en: das Dekodieren

De|kokt ⟨*lat.*⟩ *das*; -[e]s, -e: Abkochung, Absud (von Arzneimitteln)

De|kol|le|té, auch: **De|kol|le|tee**, schweiz.: Décolleté [dekɔl'te:] ⟨*lat.-fr.*⟩ *das*; -s, -s: tiefer Ausschnitt an Damenkleidern, der Schulter, Brust od. Rücken frei lässt. **de|kol|le|tie|ren:** 1. mit einem Dekolleté versehen. 2. (ugs.) bloßlegen. **de|kolle-tiert:** tief ausgeschnitten

De|ko|lo|ni|sa|ti|on ⟨*lat.-nlat.*⟩ *die*; -, -en: Entlassung einer ↑Kolonie aus der wirtschaftlichen, militärischen u. politischen Abhängigkeit vom Mutterland

de|ko|lo|rie|ren ⟨*lat.-fr.*⟩: entfärben, ausbleichen

De|kom|pen|sa|ti|on ⟨*lat.-nlat.*⟩ *die;* -, -en: das Offenbarwerden einer latenten Organstörung durch Wegfall einer Ausgleichsfunktion (Med.)

de|kom|po|nie|ren ⟨*lat.-nlat.*⟩: zerlegen, auflösen [in die Grundbestandteile]. **De|kom|po|si|ti|on** *die;* -, -en: 1. Auflösung. 2. a) das Nachlassen einer Organfunktion; b) Organschwund u. allgemeiner körperlicher Verfall bei Säuglingen infolge schwerer Ernährungsstörung (Med.). **de|kom|po|si|to|risch:** (geistig) zersetzend, zerstörend. **De|kom|po|si|tum** ⟨*lat.*⟩ *das;* -s, ...ta: Neu- od. Weiterbildung aus einer Zusammensetzung (↑Kompositum), entweder in Form einer Ableitung, z. B. *wetteifern* von *Wetteifer,* od. in Form einer mehrgliedrigen Zusammensetzung, z. B. Armbanduhr, Eisenbahnfahrplan

De|kom|pres|si|on* ⟨*lat.-nlat.*⟩ *die;* -, -en: 1. Druckabfall in einem technischen System. 2. [allmähliche] Druckentlastung für den Organismus nach längerem Aufenthalt in Überdruckräumen (z. B. Taucherglocken). **De|kom|pres|si|ons|kam|mer** *die;* -, -n: geschlossener Raum, in dem der Organismus nach längerem Aufenthalt in Überdruckräumen allmählich vom Überdruck entlastet wird. **de|kom|pri|mie|ren** ⟨*lat.-nlat.*⟩: den Druck von etwas verringern

De|kon|di|ti|o|na|ti|on ⟨*lat.-nlat.*⟩ *die;* -, -en: Verminderung der körperlichen Leistungsfähigkeit (bes. bei Raumflügen) infolge Schwerelosigkeit

De|kon|struk|ti|vis|mus* ⟨*lat.-engl.*⟩ *der;* -: seit Mitte der 80er-Jahre bestehende Richtung in der Architektur, die, anknüpfend an den russ. ↑Konstruktivismus (), durch die Auflösung traditioneller statischer Verhältnisse u. den Zusammenstoß unterschiedlicher Materialien, Räume u. Richtungen gekennzeichnet ist

De|kon|ta|mi|na|ti|on ⟨*lat.-nlat.*⟩ *die;* -: a) Entfernung von ↑Neutronen absorbierenden Spaltprodukten aus dem Reaktor; b) Entseuchung, Entgiftung (bes. eines durch atomare, biologische od. chemische Kampfstoffe ver-

seuchten Objekts od. Gebiets); vgl. ...[at]ion/...ierung; Ggs. ↑Kontamination (2). **de|kon|ta|mi|nie|ren:** eine Dekontamination (b) vornehmen; Ggs. ↑kontaminieren (2). **De|kon|ta|mi|nie|rung** *die;* -, -en: das Dekontaminieren; vgl. ...[at]/...ierung

De|kon|zent|ra|ti|on* ⟨⟨*lat.; gr.-lat.*⟩ *fr.-nlat.*⟩ *die;* -, -en: Zerstreuung, Zersplitterung, Auflösung, Verteilung; Ggs. ↑Konzentration (1). **de|kon|zent|rie|ren:** zerstreuen, zersplittern, auflösen, verteilen; Ggs. ↑konzentrieren (1)

De|kor ⟨*lat.-fr.*⟩ *der* (auch: *das*); -s, -s u. -e: 1. farbige Verzierung, Ausschmückung, Vergoldung, Muster auf etwas. 2. Ausstattung [eines Theaterstücks od. Films], Dekoration. **De|ko|ra|teur** [...'tø:ɐ̯] *der;* -s, -e: Fachmann, der die Ausschmückung von Innenräumen, Schaufenstern usw. besorgt. **De|ko|ra|ti|on** *die;* -, -en: 1. (ohne Plural) das Ausschmücken, Ausgestalten. 2. Schmuck, Ausschmückung, Ausstattung, schmückende Dinge. 3. Bühnenausstattung, Bühnenbild, [Film]kulisse. 4. a) Ordensverleihung, Dekorierung; b) Orden, Ehrenzeichen; vgl. ...[at]ion/...ierung. **de|ko|ra|tiv:** a) schmückend, (als Schmuck) wirkungsvoll; b) die Theater-, Filmdekoration betreffend. **de|ko|rie|ren:** 1. ausschmücken, künstlerisch ausgestalten. 2. einen Orden verleihen. **De|ko|rie|rung** *die;* -, -en: 1. a) das Ausschmücken; b) Ausschmückung eines Raumes o. Ä. 2. a) Verleihung von Orden o. Ä. aufgrund besonderer Verdienste; b) Orden; vgl. ...[at]ion/...ierung

De|kort [de'ko:ɐ̯, auch: de'kɔrt] ⟨*lat.-fr.*⟩ *der;* -s, -s u. (bei dt. Ausspr.:) -e: 1. Abzug vom Rechnungsbetrag, z. B. wegen schlechter Verpackung, Mindergewicht, Qualitätsmangel. 2. Preisnachlass [im Exportgeschäft]. **de|kor|tie|ren:** einen bestimmten Betrag von der Rechnung wegen schlechter Beschaffenheit der Ware abziehen

De|ko|rum ⟨*lat.*⟩ *das;* -s: (veraltet) äußerer Anstand, Schicklichkeit. **De|ko|stoff** *der;* -[e]s, -e: Kurzw. aus: Dekorationsstoff

De|kre|ment* ⟨*lat.*⟩ *das;* -[e]s, -e: 1. Verminderung, Verfall. 2. das Abklingen von Krankheitserscheinungen. 3. ↑logarithmisches Dekrement

de|kre|pit* ⟨*lat.-fr.*⟩: (veraltet) heruntergekommen, verlebt. **De|kre|pi|ta|ti|on** ⟨*lat.-nlat.*⟩ *die;* -, -en: das Zerplatzen von Kristallen beim Erhitzen, verbunden mit Knistern und Austritt von Wasserdampf. **de|kre|pi|tie|ren:** unter Austritt von Wasserdampf zerplatzen (von Kristallen)

De|kre|scen|do* [dekre'ʃɛndo] vgl. Decrescendo. **De|kres|zenz** ⟨*lat.*⟩ *die;* -, -en: 1. Abnahme. 2. allmähliche Tonabschwächung (Mus.)

Dek|ret* ⟨*lat.*⟩ *das;* -[e]s, -e: Beschluss, Verordnung, behördliche, richterliche Verfügung. **Dek|re|ta|le** ⟨*lat.-mlat.*⟩ *das;* -, ...lien od. *die;* -, -n (meist Plural): päpstliche Entscheidung in kirchlichen Einzelfragen (bis 1918 Hauptquelle des katholischen Kirchenrechts, heute nur in Bezug auf das katholische ↑Dogma u. die ↑Kanonisation). **Dek|re|ta|list** u. Dekretist ⟨*lat.-nlat.*⟩ *der;* -en, -en: mittelalterlicher Lehrer des [katholischen] Kirchenrechts. **dek|re|tie|ren** ⟨*lat.-fr.*⟩: verordnen, anordnen. **Dek|re|tist** vgl. Dekretalist

de|kryp|tie|ren ⟨*lat.-gr.*⟩: einen Geheimtext ohne Kenntnis des Schlüssels in den Klartext umzusetzen versuchen

De|ku|bi|tus u. Decubitus ⟨*lat.-nlat.*⟩ *der;* -: das Wundliegen, Druckbrand (Med.)

De|ku|ma|ten|land, De|ku|mat|land ⟨*lat.; dt.*⟩ *das;* -[e]s: vom ↑Limes (1) eingeschlossenes altrömisches Kolonialgebiet zwischen Rhein, Main und Neckar

de|ku|pie|ren ⟨*fr.*⟩: aussägen, ausschneiden. **De|kup|pier|sä|ge** *die;* -, -n: Schweif-, Laubsäge

De|ku|rie [...jə] ⟨*lat.*⟩ *die;* -, -n: a) [Zehner]gruppe als Untergliederung des Senats od. des Richterkollegiums im Rom der Antike; b) Unterabteilung von zehn Mann in der altrömischen Reiterei. **De|ku|rio** *der;* -s u. ...onen, ...onen: a) Mitglied einer Dekurie (a); b) Anführer einer Dekurie (b)

de|kus|siert ⟨*lat.*⟩: kreuzweise gegenständig, d. h. sich kreuzweise abgestuft in Paaren gegenüberstehend (von der Blattstellung bei Pflanzen)

De|ku|vert [...'ve:ɐ̯] ⟨*lat.-fr.*⟩ *das;* -s, -s: Wertpapiermangel an der Börse (Wirtsch.). **de|kuv|rie|ren*:** jmdn., etwas erkennbar machen, entlarven

De|la|mi|na|ti|on ⟨*lat. -nlat.*⟩ *die;* -, -en: Entstehung des inneren Keimlaltes (bei der tierischen Entwicklung) durch Querteilung der Blastulazellen und damit Abspaltung einer zweiten Wandzellschicht (Biol.)

De|lat ⟨*lat.*⟩ *der;* -en, -en: (veraltet) jmd., der zu einer Eidesleistung verpflichtet wird. **De|la|ti|on** *die;* -, -en: (veraltet) 1. [verleumderische] Anzeige. 2. Übertragung, Anfall einer Erbschaft. 3. (hist.) durch das Gericht auferlegte Verpflichtung zur Eidesleistung vor einem Richter (Rechtsw.); Ggs. ↑Relation (4). **de|la|to|risch:** (veraltet) verleumderisch

de|le|al|tur ⟨*lat.;* „es möge getilgt werden"⟩: Korrekturanweisung, dass etwas gestrichen werden soll; Abk.: del.; Zeichen: ⌀ (Druckw.), **De|le|a|tur** *das;* -s, -: das Tilgungszeichen (Druckw.) **De|le|gat** ⟨*lat.*⟩ *der;* -en, -en: Bevollmächtigter; **Apostolischer Delegat:** Bevollmächtigter des Papstes ohne diplomatische Rechte; vgl. Nuntius. **De|le|ga|ti|on** *die;* -, -en: 1. Abordnung von Bevollmächtigten, die meist zu [politischen] Tagungen, zu Konferenzen usw. entsandt wird. 2. Übertragung von Zuständigkeiten, Leistungen, Befugnissen (Rechtsw., Wirtsch.); vgl. ...[at]ion/...ierung. **De|le|ga|tur** ⟨*lat. -nlat.*⟩ *die;* -, -en: Amt od. Amtsbereich eines Apostolischen Delegaten

de le|ge fe|ren|da ⟨*lat.*⟩: vom Standpunkt des zukünftigen Rechts aus **de le|ge la|ta:** vom Standpunkt des geltenden Rechts aus

de|le|gie|ren ⟨*lat.*⟩: 1. abordnen. 2. a) Zuständigkeiten, Leistungen, Befugnisse übertragen (Rechtsw.); b) eine Aufgabe auf einen anderen übertragen. **De|le|gier|te** *der* u. *die;* -n, -n: Mitglied einer Delegation (1). **De|le|gie|rung** *die;* -, -en: Delegation (2); vgl. ...[at]ion/...ierung **de|lek|ta|bel** ⟨*lat.* ⟩: (selten) genussreich, ergötzlich. **de|lek|tie|ren:** ergötzen; sich -: sich gütlich tun

de|le|tär ⟨*lat. -nlat.*⟩: tödlich, verderblich (Med.). **De|le|ti|on** ⟨*lat.*⟩ *die;* -, -en: 1. Verlust eines mittleren Chromosomenstückes (Biol.). 2. Tilgung sprachlicher Elemente im Satz, z. B. die Weglassprobe zur Feststellung der ↑Valenz von Verben (Sprachw.)

Del|fin vgl. Delphin. **Del|fi|na|ri|um** vgl. Delphinarium. **Del|fi|nin** vgl. Delphinin. **Del|fi|no|lo|ge** vgl. Delphinologe **De|li|be|ra|ti|on** ⟨*lat.*⟩ *die;* -, -en: Beratschlagung, Überlegung. **De|li|be|ra|ti|ons|frist** *die;* -, -en: Bedenkzeit, Überlegungsfrist; bes. im röm. Recht dem Erben gesetzte Frist zur Entscheidung über Annahme oder Ablehnung einer Erbschaft. **De|li|be|ra|tiv|stim|me** *die;* -, -n: eine nur beratende, aber nicht abstimmungsberechtigte Stimme in einer politischen Körperschaft; Ggs. ↑Dezisivstimme. **de|li|be|rie|ren:** überlegen, beratschlagen

De|li|ci|ous [dɪˈlɪʃəs] ⟨*engl.*⟩, **De|li|ci|us** *der;* -, -: Golden Delicious. **de|li|kat** ⟨*lat.-fr.*⟩: 1. auserlesen fein; lecker, wohlschmeckend; Ggs. ↑indelikat. 2. zart [fühlend], zurückhaltend, behutsam. Ggs. ↑indelikat. 3. wählerisch, anspruchsvoll. 4. Diskretion erfordernd, nur mit Zurückhaltung, mit Takt zu behandeln, durchzuführen sein. **De|li|ka|tes|se** *die;* -, -n: 1. Leckerbissen; Feinkost. 2. (ohne Plural) Zartgefühl

De|likt *lat.*⟩ *das;* -[e]s, -e: ungesetzliche Handlung, Straftat **De|li|mi|ta|ti|on** ⟨*lat.*⟩ *die;* -, -en: 1. (veraltet) Grenzberichtigung. 2. Abgrenzung od. Unterteilung komplexer sprachlicher Erscheinungen in einzelne Elemente (Sprachw.). **de|li|mi|ta|tiv:** zur Abgrenzung dienend, bes. zur Abgrenzung von ↑Morphemen gegenüber Wörtern. **de|li|mi|tie|ren:** (veraltet) Grenzen berichtigen

de|li|ne|a|vit ⟨*lat.;* „hat [es] gezeichnet"⟩: in Verbindung mit dem Namen Angabe des Künstlers, Zeichners, bes. auf Kupferstichen; Abk.: del., delin. **de|lin|quent** ⟨*lat.*⟩: straffällig, verbrecherisch. **De|lin|quent** *der;* -en, -en: jmd., der straffällig geworden ist. **De|lin|quenz** *die;* -, ...en: Straffälligkeit

De|lir ⟨*lat.*⟩ *das;* -s, -e: Kurzform von ↑Delirium. **de|li|rant:** das Delirium betreffend, in der Art des Deliriums; **deliranter Zustand:** ↑Delirium. **de|li|rie|ren:** irre sein, irrereden (Med.). **de|li|ri|ös** ⟨*lat.-nlat.*⟩: mit Delirien verbunden (Med.). **De|li|ri|um** ⟨*lat.*⟩ *das;* -s, ...ien: Bewusstseinstrübung (Verwirrtheit), verbunden mit Erregung, Sinnestäuschungen u. Wahnideen. **De|li|ri|um tre|mens** *das;* - -: Säuferwahn; durch Alkoholentzug (bei Trinkern) ausgelöste Psychose, die durch Bewusstseinstrübung, Halluzinationen o. Ä. gekennzeichnet ist **de|lisch:** in der Fügung: **delisches Problem:** die nicht lösbare Aufgabe, nur mithilfe von Zirkel u. Lineal die Kantenlänge eines Würfels zu bestimmen, der das doppelte Volumen eines gegebenen Würfels haben soll ⟨nach einem würfelförmigen Altar des Apollon auf Delos, der aufgrund eines Orakels von den Griechen als Sühne verdoppelt werden sollte⟩

de|li|zi|ös ⟨*lat.-fr.*⟩: sehr schmackhaft. **De|li|zi|us:** ↑Golden Delicious

Del|kre|de|re* ⟨*lat.-it.*⟩ *das;* -, -: 1. Haftung für den Eingang einer Forderung. 2. Wertberichtigung für voraussichtliche Ausfälle von Außenständen. **Del|kre|de|re|fonds** [...fõː] *der;* -, - [...fõːs]: Rücklage zur Deckung möglicher Verluste durch ausstehende Forderungen

de|lo|gie|ren [...ˈʒiː...] ⟨*fr.*⟩: 1. (bes. österr.) jmdn. zum Auszug aus einer Wohnung veranlassen. 2. (veraltet) abmarschieren, aufbrechen. **De|lo|gie|rung** *die;* -, -en (bes. österr.): Ausweisung aus einer Wohnung

¹**Del|phin**, auch: Delfin ⟨*gr.-lat.*⟩ *der;* -s, -e: eine Walart. ²**Delphin**, auch: Delfin *das;* -s: Delphinschwimmen (spezieller Schwimmstil). **Del|phi|na|ri|um**, auch: Delfinarium ⟨*gr.-lat.-nlat.*⟩ *das*, -s, ...ien: Anlage mit großem Wasserbecken, in dem Delphine gehalten u. vorgeführt werden. **Del|phi|nin**, auch: Delfinin *das;* -s: ↑Alkaloid aus dem Samen einer Ritterspornart, das zu Arzneizwecken verwendet wird. **Del|phi|no|lo|ge**, auch: Delfinologe *der;* -n, -n: Fachmann, der das Verhalten der Delphine wissenschaftlich untersucht

del|phisch ⟨*gr.-lat.*⟩: nach der altgriech. Orakelstätte Delphi⟩: doppelsinnig, rätselhaft [dunkel]

¹**Del|ta** ⟨*gr.*⟩ *das;* -[s], -s: vierter Buchstabe des griech. Alphabets: Δ, δ. ²**Del|ta** *das;* -s, -s u. ...ten: fächerförmiges, mehrarmiges Mündungsgebiet eines Flusses. **Del|ta|me|tall** *das;* -s, -e: besondere, im Maschinenbau verwendete Messinglegierung von hoher Festigkeit. **Del|ta-**

strah|len, δ-Strahl|len ⟨gr.-lat.; dt.⟩ die (Plural): beim Durchgang radioaktiver Strahlung durch Materie freigesetzte Elektronenstrahlen. **Del|to|id** ⟨gr.-nlat.⟩ das; -[e]s, -e: a) konkaves Viereck aus zwei Paaren gleich langer benachbarter Seiten, von denen ein Paar einen überstumpfen Winkel bildet u. dessen Diagonalenschnittpunkt außerhalb des Vierecks liegt; b) Drachenviereck. **Del|to|id|do|de|ka|e|der** der; -s, -: Kristallform mit 12 ↑Deltoiden **Del|lu|si|on** ⟨lat.⟩ die; -, -en: a) Verspottung; b) Hintergehung, Täuschung. **de|lu|so|risch** ⟨lat.-nlat.⟩: a) verspottend; b) jmdn. hintergehend, täuschend **de Luxe** [də'lyks] ⟨fr.⟩: kostbar ausgestattet, mit allem Luxus **Del|ly|sid** ⟨Kunstw.⟩ das; -s: Handelsname für Lysergsäurediäthylamid (LSD) **De|ma|go|ge*** ⟨gr.; „Volksführer"⟩ der; -n, -n: (oft abwertend) jmd., der andere politisch aufhetzt, durch leidenschaftliche Reden verführt; Volksverführer. **De|ma|go|gie** die; -: (abwertend) Volksaufwieglung, Volksverführung, politische Hetze. **de|ma|go|gisch**: (abwertend) aufwieglend, hetzerisch, Hetzpropaganda treibend **De|mant** [auch: de'mant] ⟨gr.-lat.-vulgärlat.-fr.⟩ der; -[e]s, -e: (dichterisch) Diamant. **de|man|ten**: (dichterisch) diamanten. **De|man|to|id** ⟨nlat.⟩ der; -[e]s, -e: ein Mineral **De|march*** ⟨gr.-lat.⟩ der; -en, -en: Vorsteher eines ↑Demos in altgriech. Gemeinden **De|mar|che** [de'marʃ(ə)] ⟨fr.⟩ die; -, -n: diplomatischer Schritt, mündlich vorgetragener diplomatischer Einspruch **De|mar|ka|ti|on** ⟨fr.⟩ die; -, -en: a) Abgrenzung; b) scharfe Abgrenzung kranken Gewebes von gesundem (Med.). **De|mar|ka|ti|ons|li|nie** die; -, -n: zwischen zwei Staaten vereinbarte vorläufige Grenzlinie. **de|mar|kie|ren**: abgrenzen **de|mas|kie|ren** ⟨fr.⟩: a) die Maske abnehmen; sich -: seine Maske abnehmen; b) jmdn. entlarven (z. B. in Bezug auf dessen schlechte Absichten); sich -: sein wahres Gesicht zeigen **De|mal|te|ri|al|li|sa|ti|on** ⟨lat.-nlat.; „Entstofflichung"⟩ die; -, -en: Auflösung eines körperhaften Gegenstandes bis zur Un-

sichtbarkeit (Parapsychol.); Ggs. ↑Rematerialisation **De|mel|lee** ⟨lat.-vulgärlat.-fr.⟩ das; -[s], -s: (veraltet) Streit, Händel **De|men:** *Plural* von ↑Demos **de|ment** ⟨lat.⟩: an Demenz leidend (Med.). **De|men|ti** ⟨lat.-fr.⟩ das; -s, -s: offizielle Berichtigung od. Widerruf einer Behauptung od. Nachricht. **De|men|tia** ⟨lat.⟩ die; -, ...tiae [...tie̯]: ↑Demenz. **De|men|tia prae|cox** die; - -: (Med.) 1. (veraltet) ↑Hebephrenie. 2. ↑Demenz. **De|men|tia se|ni|lis** die; - -: altersbedingter Intelligenzdefekt (Med.). **de|men|tie|ren** ⟨lat.-fr.⟩: eine Behauptung od. Nachricht offiziell berichtigen od. widerrufen. **De|menz** ⟨lat.⟩ die; -, -en: auf organischen Hirnschädigungen beruhender dauernder Intelligenzdefekt **De|me|rit** ⟨lat.-fr.⟩ der; -en, -en: straffällig gewordener Geistlicher, der wegen dieses Vergehens sein kirchliches Amt nicht ausüben kann **De|mi|john** ['de:midʒɔn] ⟨engl.⟩ der; -s, -s: Korbflasche **de|mi|li|ta|ri|sie|ren** ⟨lat.-fr.⟩: entmilitarisieren **De|mi|mon|de** [dəmi'mõ:də] ⟨fr.⟩ die; -: Halbwelt **De|mi|ne|ra|li|sa|ti|on** ⟨nlat.⟩ die; -: 1. Verarmung des Körpers an Mineralien (z. B. Kalk-, Salzverlust; Med.). 2. das Demineralisieren. **de|mi|ne|ra|li|sie|ren**: die Minerale aus etwas entfernen **de|mi|nu|tiv** usw. diminutiv usw. **de|mi-sec** [...'sɛk] ⟨fr.⟩: halbtrocken (von franz. Schaumweinen) **De|mis|si|on** ⟨lat.-fr.⟩ die; -, -en: a) Rücktritt eines Ministers od. einer Regierung; b) (veraltet) Entlassung eines Ministers od. einer Regierung. **De|mis|si|o|när** der; -s, -e: (schweiz., sonst veraltet) entlassener, verabschiedeter Beamter. **de|mis|si|o|nie|ren:** 1. a) von einem Amt zurücktreten (von Ministern od. Regierungen); b) (schweiz.) kündigen. 2. (veraltet) jmdn. entlassen (von Ministern) **De|mi|urg** ⟨gr.-lat.⟩ der; -en u. -s: Weltbaumeister, Weltenschöpfer (bei Platon u. in der ↑Gnosis) **De|mi|vi|erge** [...'vi̯erʒ] ⟨lat.-fr.; „Halbjungfrau"⟩ die: Wortschöpfung des franz. Schriftstellers M. Prévost; die (in der Sexualwissenschaft) Mädchen, das zwar sexuelle Kontakte, aber keinen Geschlechtsverkehr hat

De|mo die; -, -s: (ugs.) Kurzform von ↑Demonstration (1) **De|mo|bi|li|sa|ti|on** ⟨lat.-fr.⟩ die; -, -en: a) Rückführung des Kriegsheeres auf den Friedensstand; Ggs. ↑Mobilisation (2); b) Umstellung der Industrie von Kriegs- auf Friedensproduktion; vgl. ...[at]ion/...ierung. **de|mo|bi|li|sie|ren:** a) aus dem Kriegszustand in Friedensverhältnisse überführen; Ggs. ↑mobilisieren (1); b) die Kriegswirtschaft abbauen; c) (veraltet) jmdn. aus dem Kriegsdienst entlassen. **De|mo|bi|li|sie|rung** die; -, -en: das Demobilisieren; vgl. ...[at]ion/...ierung; Ggs. ↑Mobilisierung (3) **dé|mo|dé** [...'de:] ⟨fr.⟩: aus der Mode, nicht mehr aktuell **De|mo|du|la|ti|on** ⟨lat.-nlat.⟩ die; -, -en: Abtrennung der durch einen modulierten hochfrequenten Träger übertragenen niederfrequenten Schwingung in einem Empfänger; Gleichrichtung. **De|mo|du|la|tor** der; -s, ...oren: Bauteil in einem Empfänger, der die Demodulation bewirkt; Gleichrichter. **de|mo|du|lie|ren:** eine Demodulation vornehmen; gleichrichten **De|mo|graph**, auch: Demograf ⟨gr.-nlat.⟩ der; -en, -en: jmd., der berufsmäßig Demographie betreibt. **De|mo|gra|phie**, auch: Demografie die; -, ...ien: 1. Beschreibung der wirtschafts- u. sozialpolitischen Bevölkerungsbewegung. 2. Bevölkerungswissenschaft. **de|mo|gra|phisch**, auch: demografisch: die Demographie betreffend **De|moi|selle** [demŏa'zɛl, dŏ...] ⟨lat.-galloroman.-fr.⟩ die; -, -n: (veraltet) junges Mädchen; Fräulein **Dem|öko|lo|gie** ⟨gr.-nlat.⟩ die; -: Teilgebiet der ↑Ökologie, auf dem die Umwelteinflüsse auf ganze ↑Populationen (2) einer bestimmten Tier- u. Pflanzenwelt erforscht werden **De|mo|krat*** ⟨gr.-mlat.-fr.⟩ der; -en, -en: 1. Vertreter demokratischer Grundsätze; Mensch mit demokratischer Gesinnung; jmd., der den Willen der Mehrheit respektiert. 2. Mitglied einer demokratischen Partei. **De|mo|kra|tie** ⟨gr.-mlat.⟩ die; -, ...ien: 1. (ohne Plural) a) politisches Prinzip, nach dem das Volk durch freie Wahlen an

Denier

der Machtausübung im Staat teilhat; b) Regierungssystem, in dem die vom Volk gewählten Vertreter die Herrschaft ausüben. 2. Staat mit demokratischer Verfassung, demokratisch regiertes Volkswesen. 3. (ohne Plural) Prinzip der freien u. gleichberechtigten Willensbildung u. Mitbestimmung in gesellschaftlichen Gruppen. **de|mo|kra|tisch:** 1. in der Art einer Demokratie (1), die Demokratie (1) betreffend, sich auf sie beziehend. 2. nach den Prinzipien der Demokratie (3) aufgebaut, verfahrend; nach Demokratie (3) strebend. **de|mo|kra|ti|sie|ren:** demokratische Prinzipien in einem bestimmten Bereich einführen u. anwenden. **De|mo|kra|ti|sie|rung** die; -, -en: das Demokratisieren. **De|mo|kra|tis|mus** ⟨gr.-nlat.⟩ der; -: übertriebene Anwendung demokratischer Prinzipien **de|mo|lie|ren** ⟨lat.-fr.⟩: 1. gewaltsam, mutwillig zerstören. 2. (österr.) abreißen. **De|mo|li|ti|on** die; -, -en: (veraltet) Zerstörung einer Festung **de|mo|ne|ti|sie|ren** ⟨lat.-fr.⟩: einziehen, aus dem Umlauf ziehen (von Münzen). **De|mo|ne|ti|sie|rung** die; -, -en: Außerkurssetzung eines Zahlungsmittels (meist von Münzen) **de|mo|no|misch** ⟨gr.⟩: die soziale Organisation in tierischen Gemeinschaften betreffend (z. B. die Kastenbildung im Insektenstaat) **De|monst|rant*** ⟨lat.⟩ der; -en, -en: Teilnehmer an einer Demonstration (1). **De|monst|ra|ti|on** ⟨lat.(engl.)⟩ die; -, -en: 1 Massenprotest, Massenkundgebung. 2. sichtbarer Ausdruck einer bestimmten Absicht; eindringliche, nachdrückliche Bekundung (für od. gegen etw./ jmdn.). 3. [wissenschaftl.] Vorführung (z. B. mit Lichtbildern) im Unterricht od. bei Veranstaltungen. **De|monst|ra|ti|ons|ob|jekt** das; -[e]s, -e: Person ode Sache, an der od. mit der etwas demonstriert (2) wird. **de|monst|ra|tiv** ⟨lat.⟩: 1. in auffallender, oft auch provozierender Weise seine Einstellung bekundend; betont auffallend, herausfordernd. 2. anschaulich, verdeutlichend, aufschlussreich. 3. hinweisend (Sprachw.). **De|monst|ra|tiv** das; -s, -e: hinweisendes Fürwort; Demonstrativpronomen.

De|monst|ra|tiv|ad|verb das; -s, -ien: demonstratives ↑ Pronominaladverb (z. B. da, dort). **De|monst|ra|tiv|pro|no|men** das; -s, - u. ...mina: hinweisendes Fürwort (z. B. dieser, jener). **De|monst|ra|ti|vum** das; -s, ...va: (veraltet) ↑ Demonstrativpronomen. **De|monst|ra|tor** der; -s, ...oren: Beweisführer, Vorführer. **de|monst|rie|ren:** 1. an einer Demonstration (1) teilnehmen. 2. öffentlich zu erkennen geben. 3. in anschaulicher Form darlegen, vorführen; **ad hominem demonstrieren:** jmdm. etwas so widerlegen od. beweisen, dass die Bezugnahme auf ihm geläufige Vorstellungen, nicht aber die Sache selbst die Methode bestimmt **de|mon|ta|bel** ⟨lat.-fr.⟩: zerlegbar, zum Wiederabbau geeignet. **De|mon|ta|ge** [ˈtaːʒə] die; -, -n: Abbau, Abbruch, Zerlegung; das Auseinandernehmen. **de|mon|tie|ren:** abbauen, zerlegen; auseinander nehmen **De|mo|ra|li|sa|ti|on** ⟨lat.-fr.⟩ die; -, -en: 1. das Demoralisieren. 2. das Demoralisiertsein. **de|mo|ra|li|sie|ren:** a) jmds. Moral untergraben; einer Person od. Gruppe durch bestimmte Handlungen, Äußerungen o. Ä. die sittlichen Grundlagen für eine entsprechende Gesinnung, ein Verhalten nehmen; b) jmds. Kampfgeist untergraben, mutlos machen, entmutigen **de mor|tu|is nil/ni|hil ni|si be|ne** ⟨lat.⟩: „von den Toten [soll man] nur gut [sprechen]" **De|mos** ⟨gr.⟩ der; -, Demen: 1. Gebiet u. Volksgemeinde eines altgriechischen Stadtstaates. 2. in Griechenland Bezeichnung für den kleinsten staatlichen Verwaltungsbezirk. **De|mo|skop*** der; -en, -en: Meinungsforscher. **De|mo|sko|pie*** die; -, ...ien: Meinungsumfrage, -forschung. **de|mo|sko|pisch*:** a) durch Meinungsumfragen [ermittelt]; b) auf Meinungsumfragen bezogen. **de|mo|tisch:** volkstümlich; **demotische Schrift:** altägyptisch volkstümliche Schrägschrift; vgl. hieratisch. **De|mo|tis|tik** ⟨gr.-nlat.⟩ die; -: Wissenschaft von der demotischen Schrift **De|mo|ti|va|ti|on** ⟨lat.-mlat.-nlat.⟩ die; -, -en: 1. das Demotivieren. 2. das Demotiviertsein; Ggs. ↑ Motivation (3). **de|mo|ti|vie|ren:** jmds. Interesse an etw.

schwächen; bewirken, dass jmds. Motivation, etw. zu tun, nachlässt, vergeht; Ggs. ↑ motivieren (2) **De|mul|ga|tor** ⟨lat.-nlat.⟩ der; -s, ...oren: Stoff, der eine ↑ Emulsion (1) entmischt. **de|mul|gie|ren:** eine ↑ Emulsion (1) entmischen **De|mul|zens** ⟨lat.⟩ das; ...zentia u. ...zenzien (meist Plural): linderndes Mittel (Med.) **De|nar** ⟨lat.⟩ der; -s, -e: a) altrömische Silbermünze; b) (seit dem 7. Jh. n. Chr.) fränkische Silbermünze; Abk.: d **De|na|tu|ra|li|sa|ti|on** ⟨lat.-nlat.⟩ die; -, -en: Entlassung aus der bisherigen Staatsangehörigkeit. **de|na|tu|ra|li|sie|ren:** aus der bisherigen Staatsangehörigkeit entlassen, ausbürgern. **de|na|tu|rie|ren** ⟨lat.-mlat.⟩: 1. Stoffe durch Zusätze so verändern, dass sie ihre ursprünglichen Eigenschaften verlieren. 2. vergällen, ungenießbar machen. 3. Eiweißstoffe chemisch ↑ irreversibel verändern **de|na|zi|fi|zie|ren** ⟨lat.; nlat.⟩: ↑ entnazifizieren **Dend|rit*** [auch: ...ˈdrɪt] ⟨gr.-nlat.⟩ der; -en, -en: 1. moos-, strauchod. baumförmige Eisen- u. Manganabsätze auf Gesteinsflächen (Geol.). 2. verästelte Protoplasmafortsatz (vgl. Protoplasma) einer Nervenzelle (Med.). **dend|ri|tisch:** verzweigt, verästelt (von Nervenzellen). **Dend|ro|bi|os** der; -: Gesamtheit der auf Baumstämmen lebenden ↑ Organismen (1 b). **Dend|ro|chro|no|lo|gie** die; -, ...ien: Jahresringforschung; Verfahren zur Bestimmung des Alters vorgeschichtlicher Funde mithilfe der Jahresringe mitgefundener Holzreste. **Dend|ro|lo|ge** der; -n, -n: Wissenschaftler, der auf dem Gebiet der Baum- und Gehölzkunde arbeitet. **Dend|ro|lo|gie** die; -: wissenschaftliche Baumkunde; Gehölzkunde. **dend|ro|lo|gisch:** die Dendrologie betreffend. **Dend|ro|me|ter** das; -s, -: Gerät zur Messung der Höhe u. Dicke stehender Bäume **De|ner|vie|rung** ⟨lat.-nlat.⟩ die; -, -en: Ausschaltung der Verbindung zwischen Nerv und dazugehörigem Organ (Med.) **Den|gue|fie|ber** [ˈdɛŋɡe...] ⟨span.; lat.⟩ das; -s: schnell u. heftig verlaufende Infektionskrankheit in den Tropen u. Subtropen **¹De|ni|er** [deˈnjeː, də...] ⟨lat.-fr.⟩

das; -[s], -: 1. (veraltet) Einheit für die Fadenstärke bei Seide u. Chemiefasern (Zeichen: den). 2. alte franz. Gewichtseinheit. **²De|ni|er** *der;* -s, -s: mittelalterliche französische Silbermünze **De|nim** ® ⟨Kunstw. aus *fr.* serge de Nîmes, „Serge aus (der französischen Stadt) Nîmes"⟩ *der* od. *das;* -[s]: blauer Jeansstoff **de|nit|rie|ren*** ⟨*nlat.*⟩: ↑ Nitrogruppen aus einer Verbindung entfernen (Chem.). **De|nit|ri|fi|ka|ti|on** *die;* -: das Freimachen von Stickstoff aus Salzen der Salpetersäure (z. B. im Kunstdünger) durch Bakterien. **de|nit|ri|fi|zie|ren:** eine Denitrifikation durchführen **De|no|bi|li|ta|ti|on** ⟨*lat.-nlat.*⟩ *die;* -, -en: Entzug des Adelsprädikats (der Bezeichnung des Adelsstandes). **de|no|bi|li|tie|ren:** jmdm. das Adelsprädikat entziehen **¹De|no|mi|na|ti|on** ⟨*lat.*⟩ *die;* -, -en: 1. a) Ernennung, Benennung; b) Ankündigung, Anzeige; 2. Aktienabstempelung, Herabsetzung des Nennbetrags einer Aktie (Wirtsch.). **²De|no|mi|na|ti|on** ⟨*lat.-engl.*⟩ *die;* -, -en: (amerik. Bez. für) christl. Religionsgemeinschaft (Kirche od. Sekte). **De|no|mi|na|tiv** *das;* -s, -e u. **De|no|mi|na|ti|vum** *das;* -s, ...va: Ableitung von einem Substantiv od. Adjektiv (vgl. ↑ Nomen; z. B. *tröstlich* von *Trost, bangen* von *bang*). **de|no|mi|nie|ren:** ernennen, benennen **De|no|tat** ⟨*lat.*⟩ *das;* -s, -e: (Sprachw.) 1. vom Sprecher bezeichneter Gegenstand od. Sachverhalt in der außersprachlichen Wirklichkeit; Ggs. ↑ Konnotat (1). 2. begrifflicher Inhalt eines sprachlichen Zeichens im Gegensatz zu den emotionalen Nebenbedeutungen; Ggs. ↑ Konnotat (2). **De|no|ta|ti|on** *die;* -, -en: 1. Inhaltsangabe eines Begriffs (Logik). 2. a) die auf den mit dem Wort gemeinten Gegenstand hinweisende Bedeutung (z. B. von *Mond* „Erdtrabant, der durch das von ihm reflektierte Sonnenlicht oft die Nächte erhellt" im Gegensatz zur ↑ Konnotation 2 a); b) die formale Beziehung zwischen dem Zeichen (↑ Denotator) u. dem bezeichneten Gegenstand od. Sachverhalt in der außersprachlichen Wirklichkeit (↑ Denotat; Sprachw.); Ggs. ↑ Konnotation (2 b). **de|no|ta|tiv:** nur den begrifflichen In-

halt eines sprachlichen Zeichens betreffend, ohne Berücksichtigung von Nebenbedeutungen, die es als Begleiterscheinungen beim Sprecher od. Hörer wachruft (Sprachw.); Ggs. ↑ konnotativ. **De|no|ta|tor** *der;* -s, ...oren: sprachliches Zeichen, das einen Gegenstand od. Sachverhalt in der außersprachlichen Wirklichkeit bezeichnet (Sprachw.)

Dens ⟨*lat.*⟩ *der;* -, Dentes ['dɛnte:s]: Zahn (Med.) **Den|si|me|ter** ⟨*lat.; gr.*⟩ *das;* -s, -: Gerät zur Messung des ↑ spezifischen (1) Gewichts (vorwiegend von Flüssigkeiten). **Den|si|tät** ⟨*lat.*⟩ *die;* -: 1. Dichte, Dichtigkeit (Phys.). 2. Maß für den Schwärzegrad fotografischer Schichten. **Den|si|to|me|ter** ⟨*lat.; gr.*⟩ *das;* -s, -: Schwärzungsmesser für fotografische Schichten. **Den|si|to|met|rie*** *die;* -: Messung der Dichte von Stoffen (Phys.). **Den|so|graph,** auch: Densograf *der;* -en, -en u. ↑ Densitometer. **Den|so|me|ter** *das;* -s, - u. ↑ Densitometer **Den|tag|ra*** *das;* -s: ↑ Dentalgie. **den|tal** ⟨*lat.-nlat.*⟩: 1. die Zähne betreffend, zu ihnen gehörend (Med.). 2. mithilfe der Zähne gebildet (von Lauten; Sprachw.). **Den|tal** *der;* -s, -e: Zahnlaut (z. B. d, t). **Den|tal|gie*** ⟨*lat.; gr.*⟩ *die;* -, ...ien: Zahnschmerz (Med.). **Den|tal|is** ⟨*lat.-nlat.*⟩ *die;* -, ...les [...le:s]: (veraltet) Dental. **Den|tal|li|sie|rung** *die;* -, -en: Verwandlung eines nicht dentalen Lautes in einen dentalen, meist unter Einfluss eines benachbarten Dentals (Sprachw.). **den|te|lie|ren** [dãtə...] ⟨*lat.-fr.*⟩: auszacken (von Spitzen). **Den|telles** [dã'tɛl] *die* (Plural): [geklöppelte] Spitzen. **Den|tes:** Plural von ↑ Dens. **Den|ti|fi|ka|ti|on** ⟨*lat.-nlat.*⟩ *die;* -: Zahnbildung (Med.). **Den|ti|kel** ⟨*lat.* „Zähnchen"⟩ *der;* -s: kleine Neubildung aus Dentin im Zahninnern (Med.). **Den|tin** ⟨*lat.-nlat.*⟩ *das;* -s: 1. Zahnbein; knochenähnliche, harte Grundsubstanz des Zahnkörpers (Med.). 2. Hartsubstanz der Haischuppen (Biol.). **Den|tist** *der;* -en, -en: frühere Berufsbezeichnung für einen Zahnheilkundigen ohne akademische Ausbildung. **Den|ti|ti|on** ⟨*lat.*⟩ *die;* -: Zahndurchbruch; das Zahnen (Med.). **den|to|gen** ⟨*lat.; gr.*⟩: von den Zähnen ausgehend (Med.). **Den|to|lo|gie** *die;* -: Zahnheilkunde

De|nu|da|ti|on ⟨*lat.;* „Entblößung"⟩ *die;* -, -en: 1. flächenhafte Abtragung der Erdoberfläche durch Wasser, Wind u. a. (Geol.). 2. Entblößung von einer natürlichen Hülle, bes. des Zahnhalses vom Zahnfleisch (Med.) **de|nuk|le|a|ri|sie|ren*** ⟨*lat.-nlat.*⟩: von Atomwaffen befreien. **De|nuk|le|a|ri|sie|rung*** *die;* -: Abrüstung von Atomwaffen **De|nun|zi|ant** ⟨*lat.*⟩ *der;* -en, -en: jmd., der einen anderen denunziert. **De|nun|zi|at** *der;* -en, -en: (veraltet) Verklagter, Beschuldigter. **De|nun|zi|a|ti|on** ⟨*lat.*⟩ *die;* -, -en: Anzeige eines Denunzianten. **de|nun|zi|a|to|risch** ⟨*lat.-nlat.*⟩: 1. denunzierend, einer Denunziation gleichkommend. 2. brandmarkend, öffentlich verurteilend. **de|nun|zie|ren** ⟨*lat.*⟩: a) (abwertend) [aus persönlichen, niedrigen Beweggründen] anzeigen; b) ⟨*lat.-engl.*⟩ als negativ hinstellen, brandmarken, öffentlich verurteilen

Deo *das;* -s, -s: Kurzform von ↑ Deodorant **De|o|do|rant** ⟨*engl.*⟩ *das;* -s, -s u. -e: erfrischendes Mittel gegen Körpergeruch. **De|o|do|rant|spray** *der* od. *das;* -s, -s: ↑ Spray mit desodorierender Wirkung. **de|o|do|rie|ren, de|o|do|ri|sie|ren:** ↑ desodorieren **Deo gra|ti|as** ⟨*lat.*⟩: Gott sei Dank! **De|on|tik** ⟨*gr.*⟩ *die;* -: Lehre von der logischen Struktur normativethischer Denkformen. **de|on|tisch:** die Deontik betreffend; **deontische Logik:** spezielle Form der ↑ Modallogik, die exakte sprachliche Grundlagen für den Aufbau einer systematischen ↑ Ethik (1 a) liefern soll. **De|on|to|lo|gie** *die;* -: Ethik als Pflichtenlehre **Deo op|ti|mo ma|xi|mo** ⟨*lat.*⟩: Gott, dem Besten u. Größten⟩: Einleitung kirchlicher Weihinschriften; vgl. Iovi optimo maximo; Abk.: D. O. M. **De|o|spray** ⟨*engl.*⟩ *der* od. *das;* -s, -s: Kurzform von ↑ Deodorantspray **De|par|te|ment** [departə'mã, schweiz. auch: ...ə'mɛnt] ⟨*lat.-fr.*⟩ *das;* -s, -s u. (schweiz.:) -e: 1. Verwaltungsbezirk (in Frankreich). 2. (schweiz.) Ministerium (beim Bund und in einigen Kantonen der Schweiz). 3. (schweiz.) Abteilung, Geschäftsbereich. **de|par|te|men|tal** [...mã'ta:l, schweiz. auch: ...'mɛnta:l] ⟨*fr.*⟩:

ein Departement (1, 2) betreffend, dazu gehörend. **Delpart|ment** [dɪˈpɑːtmənt] ⟨lat.-fr.-engl.⟩ das; -s, -s: Fachbereich (an amerikanischen u. britischen Universitäten). **De|par|ture** [dɪˈpɑːtʃə] ⟨engl.⟩ die; -: 1. Abflugstelle (auf Hinweisschildern auf Flughäfen). 2. Abflugzeit **De|pen|dance** [depãˈdãːs] ⟨lat.-fr.⟩ die; -, -n: 1. Niederlassung, Zweigstelle. 2. Nebengebäude [eines Hotels]. **Dé|pen|dance:** franz. Schreibung für ↑ Dependance. **de|pen|den|ti|ell** vgl. dependenziell. **De|pen|denz** ⟨lat.⟩ die; -, -en: Abhängigkeit (Philos.; Sprachw.). **De|pen|denz|gram|ma|tik** die; -, -en: Abhängigkeitsgrammatik; Forschungsrichtung der ↑ Linguistik, die die hinter der linearen Erscheinungsform der gesprochenen od. geschriebenen Sprache verborgenen strukturellen Beziehungen zwischen den einzelnen Elementen im Satz untersucht od. darstellt, vor allem die Abhängigkeit der Satzglieder vom Verb (Sprachw.). **de|pen|den|zi|ell**, auch: dependentiell ⟨lat.-nlat.⟩: (Sprachw.) a) auf die Dependenzgrammatik bezüglich; b) nach der Methode der Dependenzgrammatik vorgehend **De|per|so|na|li|sa|ti|on** ⟨lat.-nlat.⟩ die; -, -en: Verlust des Persönlichkeitsgefühls (bei geistig-seelischen Störungen). **De|pe|sche** ⟨lat.-fr.⟩ die; -, -n: (veraltet) Telegramm, Funknachricht. **de|pe|schie|ren:** (veraltet) telegrafieren **De|phleg|ma|ti|on** ⟨lat.; gr.-lat.⟩ nlat.⟩ die; -, -en: Rückflusskühlung bei der [Spiritus]destillation. **De|phleg|ma|tor** der; -s, ...oren: Apparat, der die Dephlegmation bewirkt. **de|phleg|mie|ren:** der Dephlegmation unterwerfen **de|pig|men|tie|ren** ⟨lat.-nlat.⟩: [Haut]farbstoff entfernen. **De|pig|men|tie|rung** die; -, -en: Entfernung od. Verlust des [Haut]farbstoffes **De|pi|la|ti|on** ⟨lat.-nlat.⟩ die; -, -en: Enthaarung (Med.). **De|pi|la|to|ri|um** das; -s, ...ien: Enthaarungsmittel (Med.). **de|pi|lie|ren** ⟨lat.⟩: enthaaren (Med.) **De|place|ment*** [deplasˈmãː] ⟨fr.⟩ das; -s, -s: Wasserverdrängung eines Schiffes. **de|pla|cie|ren** [depla'siːrən], auch: ...a'tsiː...] (veraltet) verrücken, verdrängen. **de|pla|ciert** [depla-

'siːɐt], auch: deplatziert [...a'tsiːɐt]: fehl am Platz, unangebracht. **De|pla|cie|rung,** auch: Deplatzierung die; -, -en: (veraltet) Verrückung, Verdrängung. **de|plat|ziert** vgl. deplaciert **De|ple|ti|on*** ⟨lat.⟩ die; -, -en: Entleerung körpereigener Stoffe **de|plo|ra|bel*** ⟨lat.-fr.⟩: beklagens-, bedauernswert **De|po|la|ri|sa|ti|on** ⟨⟨lat.; gr.⟩ nlat.⟩ die; -, -en: (Physik) Aufhebung der ↑ Polarisation in ↑ galvanischen Elementen. **De|po|la|ri|sa|tor** der; -s, ...oren: Sauerstoff od. Chlor abgebende Chemikalie, die in ↑ galvanischen Elementen den Wasserstoff bindet, durch den sich die positive Elektrode polarisiert. **de|po|la|ri|sie|ren:** eine Depolarisation vornehmen **De|po|ly|me|ri|sa|ti|on** ⟨⟨lat.; gr.⟩ nlat.⟩ die; -, -en: Zerlegung von ↑ polymeren Stoffen **De|po|nat** ⟨lat.⟩ das; -[e]s, -e: etw., was jmd. deponiert hat, was deponiert worden ist **De|po|nens** ⟨lat.⟩ das; -, ...nentia u. ...nenzien: lat. Verb mit passivischen Formen u. aktivischer Bedeutung. **De|po|nent** der; -, -en: jmd., der etwas hinterlegt, in Verwahrung gibt. **De|po|nie** ⟨lat.-fr.⟩ die; -, ...ien: Müllabladeplatz. **de|po|nie|ren:** niederlegen, hinterlegen, in Verwahrung geben. **De|po|nie|rung** die; -, -en: Speicherung, Lagerung **De|po|pu|la|ti|on** ⟨lat.⟩ die; -, -en: (veraltet) Entvölkerung **De|port** [auch: deˈpoːɐ] ⟨lat.-fr.⟩ der; -s, -e u. (bei dt. Aussspr.:) -e: Kursabzug bei Termingeschäften; Ggs. ↑ Report (2). **De|por|ta|ti|on** ⟨lat.⟩ die; -, -en: Zwangsverschickung, Verschleppung, Verbannung (von Verbrechern, politischen Gegnern od. ganzen Volksgruppen). **de|por|tie|ren:** (Verbrecher, politische Gegner od. ganze Volksgruppen) zwangsweise verschicken, verschleppen, verbannen **De|po|si|tar** ⟨lat.⟩ u. **De|po|si|tär** ⟨lat.-fr.⟩ der; -s, -e: Verwahrer von Wertgegenständen, -papieren u. a. **De|po|si|ten:** Plural von ↑ Depositum. **De|po|si|ten|bank** die; -, -en: Bank, die sich auf Depositenannahme u. Gewährung von kurzfristigen Krediten (Ä. beschränkt; Kreditbank. **De|po|si|ti|on** die; -, -en: 1. Hinterlegung (Rechtsspr.). 2. Absetzung eines kath. Geistlichen oh-

ne Wiederverwendung im Kirchendienst (Rel.). 3. [bei Gericht niedergelegte] Zeugenaussage (Rechtsspr.). **De|po|si|to|ri|um** das; -s, ...ien: Aufbewahrungsort, Hinterlegungsstelle. **De|po|si|tum** das; -s, ...siten: 1. etw., was hinterlegt, in Verwahrung gegeben worden ist. 2. (Plural) Gelder, die als kurz- od. mittelfristige Geldanlage bei einem Kreditinstitut gegen Verzinsung eingelegt u. nicht auf einem Spar- od. Kontokorrentkonto verbucht werden **de|pos|se|die|ren** ⟨lat.-fr⟩: (veraltet) enteignen, entrechten, entthronen **De|pot** [deˈpoː] ⟨lat.-fr.⟩ das; -s, -s: 1. a) Aufbewahrungsort für Sachen; b) Abteilung einer Bank, in der Wertsachen und -schriften verwahrt werden; c) aufbewahrte Gegenstände. 2. Bodensatz in Getränken, bes. im Rotwein (Gastr.). 3. Ablagerung (Med.). 4. ↑ Depotbehandlung. 5. Sammelstelle für Omnibusse od. Schienenfahrzeuge. **De|pot|be|hand|lung** die; -, -en: Einspritzung von Medikamenten in schwer löslicher Form zur Erzielung länger anhaltender Wirkungen **de|po|ten|zie|ren** ⟨lat.-nlat.⟩: des eigenen Wertes, der eigenen Kraft, ↑ Potenz berauben **De|pot|fund** [deˈpoː...] ⟨lat.-fr.; dt.⟩ der; -[e]s, -e: archäologischer Sammelfund aus vorgeschichtlicher Zeit (bei Ausgrabungen). **De|pot|prä|pa|rat** das; -[e]s, -e: Arzneimittel in schwer löslicher Form, das im Körper langsam abgebaut wird u. dadurch anhaltend wirksam wird. **De|pot|wech|sel** der; -s, -: als Sicherung für einen Bankkredit hinterlegter Wechsel **De|pra|va|ti|on** ⟨lat.⟩ die; -, -en: 1. Wertminderung, bes. im Münzwesen. 2. Verschlechterung eines Krankheitszustands (Med.). 3. Entartung. **de|pra|vie|ren:** 1. etwas im Wert herabsetzen, bes. von Münzen. 2. verderben **De|pre|ka|ti|on*** ⟨lat.⟩ die; -, -en: (veraltet) Abbitte; vgl. deprezieren **De|pres|si|on*** ⟨lat.⟩ die; -, -en: 1. Niedergeschlagenheit, traurige Stimmung. 2. Einsenkung, Einstülpung, Vertiefung (z. B. im Knochen; Med.). 3. Niedergangsphase im Konjunkturverlauf (Wirtsch.). 4. Landsenke.

Festlandgebiet, dessen Oberfläche unter dem Meeresspiegel liegt (Geogr.). 5. Tief, Tiefdruckgebiet (Meteor.). 6. (Astron.) a) negative Höhe eines Gestirns, das unter dem Horizont steht; b) Winkel zwischen der Linie Auge–Horizont u. der waagerechten Linie, die durch das Auge des Beobachters verläuft. 7. vorübergehendes Herabsetzen des Nullpunktes [eines Thermometers] durch Überhöhung der Temperatur u. unmittelbar folgende Abkühlung auf 0° (Phys.). 8. Unterdruck, der durch das Saugen der Ventilatoren bei der Zufuhr von Frischluft im Bergwerk entsteht (Bergw.). **de|pres|siv:** 1. traurig, niedergeschlagen, seelisch gedrückt. 2. durch einen Konjunkturrückgang bestimmt (Wirtsch.). **De|pres|si|vi|tät** die; -: Zustand der Niedergeschlagenheit

De|pre|ti|a|ti|on* ⟨lat.-nlat.⟩ die; -, -en: (veraltet) 1. Entwertung. 2. Herabsetzung. **de|pre|ti|a|tiv:** abschätzig, pejorativ. **de|pre|ti|e|ren** ⟨lat.⟩: (veraltet) 1. unterschätzen. 2. entwerten. 3. (im Preis) herabsetzen

de|pre|zie|ren* ⟨lat.⟩: (veraltet) Abbitte leisten; vgl. Deprekation

de|pri|mie|ren* ⟨lat.-fr.⟩: niederdrücken, entmutigen. **de|pri|miert:** entmutigt, niedergeschlagen, gedrückt; schwermütig

De|pri|va|ti|on* ⟨lat.-nlat.; „Beraubung"⟩ die; -,-en: 1. Mangel, Verlust, Entzug von etwas Erwünschtem (z. B. fehlende Zuwendung der Mutter, Liebesentzug u. Ä.; Psychol.). 2. Absetzung eines kath. Geistlichen. **De|pri|va|ti|ons|syn|drom** das; -s, -e: körperlich-seelischer Entwicklungsrückstand bei Kindern (bes. in Heimen), die die Mutter od. eine andere Bezugsperson entbehren müssen (↑Hospitalismus). **de|pri|vie|ren:** die Mutter od. eine andere Bezugsperson entbehren lassen

De pro|fun|dis ⟨lat.; „Aus der Tiefe (rufe ich, Herr, zu dir)"⟩ das; -: Anfangsworte u. Bezeichnung des 130. (129.) Psalms nach der ↑Vulgata (1)

De|pu|rans ⟨lat.-nlat.⟩ das; -, ...antia u. ...anzien (meist Plural): Abführmittel (Med.)

De|pu|tant ⟨lat.⟩ der; -en, -en: jmd., der auf ein Deputat Anspruch hat. **De|pu|tat** das; -[e]s, -e: 1. zum Gehalt od. Lohn gehörende Sachleistungen. 2. Anzahl der Pflichtstunden, die eine Lehrkraft zu geben hat. **De|pu|ta|ti|on** die; -, -en: Abordnung, die im Auftrage einer Versammlung einer politischen Körperschaft Wünsche od. Forderungen überbringt. **de|pu|tie|ren** ⟨lat.-fr.⟩: einen Bevollmächtigten od. eine Gruppe von Bevollmächtigten abordnen. **De|pu|tier|te** der u. die; -n, -n: 1. Mitglied einer Deputation. 2. Abgeordnete[r] (z. B. in Frankreich)

De|qua|li|fi|zie|rung ⟨lat.-mlat.⟩ die; -, -en: verminderte Nutzung, Entwertung vorhandener beruflicher Fähigkeiten im Zuge von Rationalisierungs- u. Automatisierungsmaßnahmen in der Wirtschaft

De|ran|ge|ment [derãʒə'mã:] ⟨fr.⟩ das; -s, -s: Störung, Verwirrung, Zerrüttung. **de|ran|gie|ren** [...'ʒi:...]: (veraltet) stören, verwirren. **de|ran|giert:** völlig in Unordnung, zerzaust

Der|by ['dɛrbi] ⟨engl.; nach dem Begründer, dem 12. Earl of Derby⟩ das; -[s], -s: 1. alljährliche Zuchtprüfung für die besten dreijährigen Vollblutpferde in Form von Pferderennen. 2. bedeutendes sportliches Spiel von besonderem Interesse (z. B. Lokalderby)

De|re|a|li|sa|ti|on ⟨lat.-amerik.⟩ die; -, -en: der Wirklichkeit nicht entsprechende subjektive Ausdeutung u. nachträgliche Rechtfertigung des eigenen Verhaltens (Psychol.)

de|re|gu|lie|ren ⟨lat.-nlat.⟩: regelnde Maßnahmen aufheben. **De|re|gu|lie|rung** die; -, -en: das Deregulieren

de|re|lie|rend ⟨nlat.⟩ u. **de|re|is|tisch** ⟨nlat.-engl.⟩: die Erkenntnis durch unreflektierte Emotionen beeinflussend

De|re|lik|ti|on ⟨lat.⟩ die; -, -en: Besitzaufgabe (Rechtsw.). **de|re|lin|quie|ren:** Eigentumsrechte aufgeben (Rechtsspr.)

de ri|gueur [dəri'gœ:r] ⟨lat.-fr.⟩: (veraltet) unerlässlich, streng

De|ri|vans ⟨lat.⟩ das; -, ...antia u. ...anzien (meist Plural): ableitendes Mittel; Hautreizmittel; Mittel, das eine bessere Durchblutung von Organen bewirkt; Med.). **De|ri|vat** das; -[e]s, -e: 1. abgeleitetes Wort (z. B. Schönheit von schön; Sprachw.). 2. Organ, das sich auf ein anderes, entwicklungsgeschichtlich älteres Organ zurückführen lässt (z. B. die Haut als Derivat des

äußeren Keimblattes; Biol.). 3. Verbindung, die aus einer anderen entstanden ist (Chem.). 4. finanzwirtschaftliche Vertragsform, die auf den künftigen Kauf od. Verkauf bzw. über Rechte zum künftigen Kauf od. Verkauf traditioneller Finanzinstrumente abzielt (z. B. Optionen, Swaps, Futures); Derivativ (2) (Bankw.). **De|ri|va|ti|on** die; -, -en: 1. Bildung neuer Wörter aus einem Ursprungswort; Ableitung (Sprachw.). 2. seitliche Abweichung eines Geschosses von der Visierlinie. **De|ri|va|ti|ons|rech|nung** die; -: (veraltet) ↑Differenzialrechnung. **De|ri|va|ti|ons|win|kel** der; -s, -: 1. Winkel der Kiellinie eines drehenden Schiffes mit der an den Drehkreis gelegten Tangente (Schifffahrt). 2. Winkel zwischen Seelenachse (d. i. eine gedachte Längsachse im Hohlraum eines Gewehrlaufs od. Geschützes) u. Visierlinie (Artillerie). **De|ri|va|tiv** das; -s, -e: 1. abgeleitetes Wort, Ableitung (z. B. täglich von Tag; Sprachw.). 2. ↑Derivat (4). **de|ri|va|tiv:** durch Ableitung entstanden (Sprachw.). **De|ri|va|ti|vum** das; -s, ...va: (veraltet) Derivativ (1). **De|ri|va|tor** ⟨lat.-nlat.⟩ der; -s, ...oren: Gerät zur Bestimmung der Tangente od. zum Zeichnen der Differenzialkurven aus einer gezeichnet vorliegenden Kurve (Math.). **de|ri|vie|ren** ⟨lat.⟩: 1. von der Visierlinie abweichen (von Geschossen); vgl. Derivation (2). 2. [ein Wort] ableiten (z. B. Verzeihung von verzeihen). **De|ri|vier|te** die; -n, -n: mithilfe der Differenzialrechnung abgeleitete Funktion einer Funktion. (Math.)

Der|ma ⟨gr.⟩ das; -s, -ta: Haut (Med.). **der|mal** u. **dermatisch** ⟨gr.-nlat.⟩: die Haut betreffend, von ihr stammend, in der Haut gelegen (Med.). **Der|mal|gie*** die; -, ...ien: Hautnervenschmerz (Med.). **Der|ma|ti|kum** das; -s, ...ka: Medikament zur Behandlung der Haut (Med.). **der|ma|tisch:** ↑dermal. **Der|ma|ti|tis** die; -, ...itiden: Hautentzündung (Med.). **Der|ma|to|gen** das; -s: Zellschicht, die den ↑Vegetationskegel der Pflanzen schützt (Bot.). **Der|ma|to|lo|ge** der; -n, -n: Hautarzt. **Der|ma|to|lo|gie** die; -: Lehre von den Hautkrankheiten. **Der|ma|to|ly|sis** die; -: angeborene Schlaffheit der Haut (Med.). **Der|ma|tom** das; -s, -e:

1. Hautgeschwulst (Med.). 2. Hautsegment (Med.); vgl. Segment (2). 3. chirurgisches Instrument zur Ablösung von Hautlappen für Transplantationszwecke. **Der|ma|to|my|ko|se** die; -, -n: Pilzflechte der Haut (Med.). **Der|ma|to|my|om** das; -s, -e: gutartige Hautgeschwulst (Med.). **Der|ma|to|phy|ton** der; -s, ...ten: Haut- u. Haarpilz (Med.). **Dor|ma|to|pląs|tik** die; -, -en: Ersatz von kranker od. verletzter Haut durch Hauttransplantation (Med.). **Der|ma-top|sie*** die; -: Lichtempfindlichkeit der Haut (Zool.). **der-ma|top|tisch:** die Dermatopsie betreffend. **Der|ma|to|se** die; -, -n: Hautkrankheit (Med.). **Der-ma|to|zo|on** das; -s, ...zoen: tierischer Hautschmarotzer, der Hautkrankheiten hervorrufen kann (Med.). **Der|ma|to|zo|o-no|se** die; -, -n: durch Dermatozoen verursachte Hautkrankheit (Med.). **Der|mo|graph,** auch: Dermograf der; -en, -en: Fettstift für Markierungen auf der Haut (Med.). **Der|mo|gra|phie,** auch: Dermografie die; -, ...ien, **Der-mo|gra|phis|mus,** auch: Dermografismus ⟨„Hautschrift"⟩ der; -, ...men: Streifen- od. Striemenbildung auf mechanisch gereizten Hautstellen (Med.). **Der-mo|id** das; -s, -e: hautartige Fehlbildung an Schleimhäuten (Med.). **Der|mo|id|zys|te** die; -, -n: weiche, von Epidermis ausgekleidete Zyste, die Talg, Keratin u. auch Haare enthalten kann (Med.). **Der|mo|plas|tik** die; -en: 1. ↑Dermatoplastik. 2. Präparationsverfahren zur möglichst naturgetreuen Darstellung von Wirbeltieren. **der|mo|trop*:** die Haut beeinflussend, auf sie wirkend, auf sie gerichtet (Med.) **Der|ni|er Cri** [ɛrnjeˈkri] ⟨fr.; „letzter Schrei"⟩ der; - -, - -s [...jeˈkri]: allerletzte Neuheit des. in der Mode)

De|ro|gal|ti|on ⟨lat.⟩ die; -, -en: Teilaufhebung, teilweise Außerkraftsetzung [eines Gesetzes]. **de|ro|gal|to-risch:** u. **de|ro|gal|to-risch:** aufhebend, beschränkend. **de|ro|gie|ren:** teilweise außer Kraft setzen

De|route [deˈruːt(ə)] ⟨lat.-fr.⟩ die; -, -n [...tn]: 1. Kurs-, Preissturz. 2. (veraltet) wilde Flucht einer Truppe. **de|rou|tie|ren:** Preisverfall bewirken (Wirtsch.).

Der|rick|kran ⟨nach einem engl. Henker des 17. Jh.s namens Der-

rick⟩ der; -[e]s, ...kräne (fachspr.: -e): Montagekran für Hoch- u. Tiefbau

Der|ris ⟨gr.⟩ die; -: in Afrika u. Asien beheimateter Schmetterlingsblütler, dessen Wurzeln zur Herstellung von Schädlingsbekämpfungsmitteln dienen

De|ru|ta|wa|re ⟨nach der ital. Stadt Deruta in der Provinz Perugia⟩ die; -, -n: Tonware des 16. Jh.s

Der|wisch ⟨pers.-türk.: „Bettler"⟩ der; -[e]s, -e: Mitglied eines islamischen religiösen Ordens, zu dessen Riten Musik u. rhythmische Tänze gehören

des|ak|ti|vie|ren ⟨lat.⟩: in einen nichtaktiven (vgl. aktiv 5) Zustand versetzen (Chem.)

des|a|mi|nie|ren ⟨Kunstw.⟩: eine Aminogruppe aus organischen Verbindungen abspalten (Chem.)

Des|an|ne|xi|on ⟨lat. fn⟩ die; -, -en: das Rückgängigmachen einer ↑Annexion (französisches Schlagwort im 1. Weltkrieg in Bezug auf Elsass-Lothringen)

des|ar|mie|ren ⟨lat.-fr.⟩: 1. (veraltet) entwaffnen. 2. dem Gegner die Klinge aus der Hand schlagen (Fechtsport)

De|sas|ter ⟨it.-fr.; „Unstern"⟩ das; -s, -: Missgeschick, Unheil; Zusammenbruch

des|a|vou|ie|ren [dɛsavuˈiːran, deza...] ⟨lat.-fr.⟩: 1. im Stich lassen, bloßstellen. 2. nicht anerkennen, verleugnen, in Abrede stellen; Bloßstellung, Brüskierung

Des|a|vou|ie|rung die; -, -en: Bloßstellung, Brüskierung

Des|cort [dɛˈkoːr̩] ⟨lat.-fr.⟩ das; -, -s: altfranz.-provenzal. Gedichtgattung mit ungleichen Strophen

Dos|on|ga|ge|ment [dezãgaʒə-ˈmãː] ⟨fr.⟩ das; -s, -s: ↑Disengagement

De|sen|si|bi|li|sa|ti|on u. Desensibilisierung ⟨lat.-nlat.⟩ die; -, -en: 1. Verringerung der Lichtempfindlichkeit von belichteten fotografischen Schichten mithilfe von Desensibilisatoren. 2. Schwächung od. Aufhebung der allergischen Reaktionsbereitschaft eines Organismus durch stufenweise gesteigerte Zufuhr des anfallauslösenden Allergens; vgl. Allergen (Med.). **De|sen|si-bi|li|sa|tor** der; -s, ...oren: Farbstoff, der Filme ↑desensibilisiert (2). **de|sen|si|bi|li|sie|ren:** 1. unempfindlich machen (Med.). 2. Filme mithilfe von ↑Desensibilisatoren weniger lichtempfindlich machen (Fotogr.). **De-**

sen|si|bi|li|sie|rung die: -, -en: ↑Desensibilisation

↑Desensibilisation

De|ser|teur [dezɛrˈtøːɐ̯] ⟨lat.-fr.⟩ der; -s, -e: Fahnenflüchtiger, Überläufer. **de|ser|tie|ren:** fahnenflüchtig werden; zur Gegenseite überlaufen

De|ser|ti|fi|ka|ti|on ⟨lat.-nlat.⟩ die; -, -en: Vordringen der Wüste in bisher noch von Menschen genutzte Räume aufgrund einer zu starken Nutzung der Wüstenrandgebiete durch den Menschen

De|ser|ti|on ⟨lat.-fr.⟩ die; -, -en: Fahnenflucht

Dés|ha|bil|lé [dezabiˈjeː] ⟨lat.-fr.⟩ das; -[s], -s: (bes. im 18. Jh.) elegantes Haus- u. Morgenkleid

de|si|de|ra|bel ⟨lat.⟩: wünschenswert. **De|si|de|rat** ⟨„Gewünschtes"⟩ das; -[e]s, -e u. Desiderata das; -s, ...ta: 1. vermisstes u. zur Anschaffung in Bibliotheken vorgeschlagenes Buch. 2. etw., was fehlt, was nötig gebraucht wird; Erwünschtes. **de|si|de-rat:** eine Lücke füllend, einem Mangel abhelfend; dringend nötig. **De|si|de|ra|ti|vum** das; -, ...va: Verb, das einen Wunsch ausdrückt (z. B. lat. „scripturio" = ich will gern schreiben). **De-si|de|ra|tum** das; -, ...ta: ↑Desiderat. **De|si|de|ri|um** das; -s, ...ien u. ...ia: 1. Wunsch, Forderung, Verlangen. 2. (meist Plural) Desiderat (1)

De|sign [diˈzaɪn] ⟨lat.-fr.-engl.⟩ das; -s, -s: formgerechte u. funktionale Gestaltgebung u. die so erzielte Form eines Gebrauchsgegenstandes; Entwurf[szeichnung]

De|si|gnat* ⟨lat⟩ das; -[e]s, -e: (Sprachw.; Logik) das durch eine Bezeichnung ⟨einen bezeichnenden Ausdruck, einen ↑Designator, einen ↑Signifikanten⟩ Bezeichnete (das seinerseits [sprachlicher] Inhalt, Klasse od. Gegenstand ist). **De|si|gna|ti|on** ⟨lat.⟩ die; -, -en: 1. Bestimmung, Bezeichnung. 2. vorläufige Ernennung. **De|si|gna|tor** der: -s, ...oren (Sprachw.; Logik) Bezeichnung, bezeichnender Ausdruck für ein Bezeichnetes (↑Designat, ↑Signifikat). **de|sig|na-tus:** im Voraus ernannt, vorgesehen (Abk.: d.). **De|si|gner** [diˈzaɪnɐ] ⟨lat.-fr.-engl.⟩ der; -s, -: Formgestalter für Gebrauchs- u. Verbrauchsgüter. **De|si|gner|dro|ge** die; -, -n: [in Abwandlung einer bekannten Droge] synthetisch hergestelltes, neuartiges Rauschmittel. **De|sig|ner|food** [...fu:d] *das;* -s: ↑Novelfood. **De|sig|ner|mo|de** *die:* von Modedesignern entworfene Kleidung **de|sig|nie|ren*** ⟨*lat.*⟩: bestimmen, bezeichnen; für ein [noch nicht besetztes] Amt vorsehen **Des|il|lu|si|on** ⟨*lat.-fr.*⟩ *die;* -, -en: 1. (ohne Plural) Enttäuschung, Ernüchterung. 2. enttäuschendes Erlebnis; Erfahrung, die eine Hoffnung zerstört. **des|il|lu|sio|nie|ren:** enttäuschen, ernüchtern. **Des|il|lu|si|o|nis|mus** ⟨*lat.-fr.-nlat.*⟩ *der;* -: Hang zu illusionsloser, schonungslos nüchterner Betrachtung der Wirklichkeit **Des|in|fek|ti|on** ⟨*nlat.*⟩ *die;* -, -en: 1. Abtötung von Erregern ansteckender Krankheiten durch physikalische od. chemische Verfahren bzw. Mittel. 2. (ohne Plural) Zustand, in dem sich etwas nach dem Desinfizieren befindet. **Des|in|fek|tor** *der;* -s, ...oren: 1. Fachmann für Desinfektionen. 2. Gerät zur Desinfizierung von Kleidungsstücken u. Ä. **des|in|fi|zie|ren:** von Krankheitserregern befreien, entkeimen, entseuchen. **Des|in|fi|zie|rung** *die;* -, -en: ↑Desinfektion (1); vgl. ...at]ion/...ierung **Des|in|for|ma|ti|on** ⟨*nlat.*⟩ *die;* -, -en: bewusst falsche Information **Des|in|teg|ra|ti|on*** ⟨*nlat.*⟩ *die;* -, -en: (Pol., Soziol.) 1. Spaltung, Auflösung eines Ganzen in seine Teile; Ggs. ↑Integration (2). 2. (ohne Plural) Zustand, in dem sich etwas nach der Auflösung o. Ä. befindet; Ggs. ↑Integration (3); vgl. ...at]ion/...ierung. **Des|in|teg|ra|tor** *der;* -s, ...oren: Maschine, die nichtfaserige Materialien zerkleinert. **des|in|teg|rie|rend:** nicht unbedingt notwendig, nicht wesentlich. **Des|in|teg|rie|rung** *die;* -, -en: ↑Desintegration (1); Ggs. ↑Integrierung; vgl. ...at]ion/...ierung **Des|in|te|res|se*** ⟨*lat.-fr.*⟩ *das;* -s: Unbeteiligtsein, innere Unbeteiligtheit, Gleichgültigkeit gegenüber jmdm./etwas; Ggs. ↑Interesse (1). **des|in|te|res|siert:** an etwas nicht interessiert; uninteressiert; Ggs. ↑interessiert **Des|in|ves|ti|ti|on** ⟨*lat.-nlat.*⟩ *die;* -, -e: Verringerung des Bestandes an Gütern für späteren Bedarf; ↑Devestition; Ggs. ↑Investition (2) **Des|in|vol|ture** [dezẽvɔl'ty:ɐ] ⟨*lat.-fr.*⟩ *die;* -: ungezwungene Haltung, Ungeniertheit [im Stil]

de|sis|tie|ren ⟨*lat.*⟩: (veraltet) von etwas absehen; Ggs. ↑insistieren **Des|ja|ti|ne** ⟨*russ.*⟩ *die;* -, -n: alte russ. Flächeneinheit (entspricht ungefähr einem Hektar) **Desk|re|search** ['dɛskrisə:tʃ] ⟨*engl.*⟩ *das;* -[s], -s: „Schreibtischforschung"; Auswertung statistischen Materials zum Zweck der Markt- u. Meinungsforschung; Ggs. ↑Fieldresearch **de|skri|bie|ren*** ⟨*lat.*⟩: beschreiben. **De|skrip|ti|on** *die;* -, -en: Beschreibung. **de|skrip|tiv:** beschreibend; Ggs. ↑präskriptiv. **De|skrip|ti|vis|mus** *der;* -: Richtung der modernen Sprachwissenschaft, die nicht von abstrakten Theorien, sondern beschreibend von der konkreten Sprache ausgeht. **de|skrip|ti|vis|tisch:** nach Art, nach der Methode des Deskriptivismus. **De|skrip|tor** *der;* -s, ...oren: Kenn- od. Schlüsselwort, durch das der Inhalt einer Information charakterisiert wird u. das zur Bestimmung von ↑Daten im Speicher eines ↑Computers dient **Desk|top** ⟨*engl.*⟩ *der;* -s, -s: Schreibtischplatte. **Desk|top-pub|li|shing*,** auch: **Desk-top-Pub|li|shing** [...'pʌblıʃŋ] ⟨*engl.*⟩ *das;* - -[s]: das Erstellen von Satz u. Layout eines Textes am Schreibtisch mithilfe der EDV **Des|min** ⟨*gr.-nlat.*⟩ *der;* -s, -e: meist weißes, auch gelblich rötliches Mineral aus der Gruppe der ↑Zeolithe. **Des|mi|tis** *die;* -, ...iti|den: Sehnen- od. Bänderentzündung (Med.). **Des|mo|dont** *das;* -s: Wurzelhaut (des Zahnes) (Med.). **Des|mo|id** *das;* -s, -e: harte Bindegewebsgeschwulst (Med.). **Des|mol|a|se** *die;* -, -n: veraltete Bez. für ein Enzym, das die Bindung zwischen zwei Kohlenstoffatomen einer C-Kette aufspaltet (Chem.). **Des|mo|lo|gie** *die;* -: Lehre von der Bedeutung der Antriebshemmung für die Entstehung neurotischer Fehlverhaltens (Psychoanalyse) **Des|o|do|rant** *das;* -s, -s (auch: -e) ↑Deodorant. **des|o|do|rie|ren:** schlechten, unangenehmen [Körper]geruch beseitigen od. überdecken. **Des|o|do|rie|rung** *die;* -, -en: Beseitigung, Milderung, Überdeckung unangenehmen [Körper]geruchs. **des|o|do|ri|sie|ren:** ↑desodorieren. **Des-o|do|ri|sie|rung** *die;* -, -en: ↑Desodorierung

de|sol|lat ⟨*lat.*⟩: 1. trostlos, traurig (in Bezug auf einen Zustand, in dem sich etw. befindet). 2. vereinsamt **Des|or|dre*** [de'zɔrdər] ⟨*lat.-fr.*⟩ *der;* -s, -s: Unordnung, Verwirrung **Des|or|ga|ni|sa|ti|on** ⟨*fr.*⟩ *die;* -en: 1. Auflösung, Zerrüttung. 2. fehlende, mangelhafte Planung, Unordnung; vgl. ...at]ion/...ierung. **des|or|ga|ni|sie|ren:** etwas zerstören, zerrütten, auflösen. **Des|or|ga|ni|sie|rung** *die;* -, -en: ↑Desorganisation; vgl. ...at]ion/...ierung **des|ori|en|tiert** ⟨*fr.*⟩: nicht od. falsch unterrichtet, nicht im Bilde. **Des|ori|en|tie|rung** *die;* -: 1. falsche od. mangelhafte Unterrichtung; Verwirrung. 2. Störung der normalen Zeit- u. Raumempfindens (Med.) **Des|or|na|men|ta|do|stil** ⟨*lat.-span.; lat.*⟩ *der;* -[e]s: span. Baustil der Renaissance von geometrischer Strenge (Archit.) **De|sorp|ti|on** ⟨*lat.-nlat.*⟩ *die;* -, -en: 1. das Austreiben eines ↑adsorbierten od. ↑absorbierten Stoffes (Phys.). 2. das Entweichen ↑adsorbierter Gase (Chem.) **Des|oxi|da|ti|on,** auch: Desoxydation ⟨*nlat.*⟩ *die;* -, -en: Entzug von Sauerstoff aus einer chemischen Verbindung; vgl. Oxidation (1). **des|oxi|die|ren,** auch: desoxydieren: einer chemischen Verbindung Sauerstoff entziehen; vgl. oxidieren. **Des|oxy|ri|bo|se** *die;* -: in der Desoxyribo[se]nukleinsäure (DNS) enthaltener Zucker. **Des|oxy|ri|bo[se]nuk|le|in|säu|re*** *die;* -: in allen Lebewesen vorhandene Nukleinsäure, die als Träger der Erbinformation die stoffliche Substanz der Gene darstellt (Biochemie); Abk.: DNS **des|pek|tie|ren** ⟨*lat.*⟩: jmdn. geringschätzen, verachten. **des-pek|tier|lich:** geringschätzig, abschätzig, abfällig **Des|pe|ra|do*** ⟨*lat.-span.-engl.;* „Verzweifelter"⟩ *der;* -s, -s: 1. ein zu jeder Verzweiflungstat entschlossener politischer Abenteurer. 2. Bandit (bes. im Wilden Westen Amerikas). **des|pe|rat** ⟨*lat.*⟩: verzweifelt, hoffnungslos. **Des|pe|ra|ti|on** *die;* -: Verzweiflung **Des|pot** ⟨*gr.*⟩ *der;* -en, -en: 1. Gewaltherrscher. 2. herrischer Mensch, Tyrann. **Des|po|tie** *die;* -, ...ien: Gewalt-, Willkürherrschaft. des|po|tisch: 1. rücksichtslos, herrisch. 2. willkürlich, tyrannisch. des|po|ti|sie|ren: jmdn. gewalttätig behandeln, willkürlich vorgehen gegen jmdn. Des|po|tis|mus ⟨gr.-nlat.⟩ der; -: System der Gewaltherrschaft Des|qual|ma|ti|on ⟨lat.-nlat.; „Abschuppung"⟩ die; -, -en: a) schuppen- od. schalenförmiges Abspringen von Teilchen der Gesteinsoberfläche, bes. bei Massengesteinen wie Granit (Geol.); b) Abstoßung von abgestorbenen, verhornten Hautschichten bei Säugetieren u. beim Menschen (Med.; Biol.); c) Abstoßung der Gebärmutterschleimhaut bei der ↑ Menstruation (Med.)

Des|sert [dɛˈseːɐ̯, dɛˈsɛːɐ̯, auch: dɛˈsɛrt] ⟨lat.-fr.⟩ das; -s, -s: Nachtisch, Nachspeise. Des|sertwein der, -[e]s, -e. Wein mit hohem Alkohol- u. Zuckergehalt; Süßwein, Südwein

Des|sin [dɛˈsɛ̃] ⟨lat.-it.-fr.⟩ das; -s, -s: 1. Plan, Zeichnung, [Web]muster. 2. Weg des gestoßenen Balls beim ↑ Billard. Des|si|na|teur [dɛsinaˈtøːɐ̯] der; -s, -e: Musterzeichner [im Textilgewerbe]; vgl. Designer. des|si|nie|ren: Muster entwerfen, zeichnen. des|si|niert: gemustert. Des|si|nie|rung die; -, -en: Muster, Musterung

Des|sous [dɛˈsu:] ⟨lat.-fr.⟩ das; - [dɛˈsu:(s)], - [dɛˈsu:s] (meist Plural): Damenunterwäsche

de|sta|bi|li|sie|ren ⟨lat.-engl.⟩: instabil machen, der Stabilität berauben. De|sta|bi|li|sie|rung die; -, -en: das Destabilisieren

Des|til|lat* ⟨lat.⟩ das; -[e]s, -e: Produkt einer ↑ Destillation (1). Des|til|la|teur ⟨lat.-fr.⟩ der; -s, -e: 1. Branntweinbrenner. 2. Gastwirt, der Branntwein ausschenkt. Des|til|la|ti|on ⟨lat.⟩ die; -, -en: 1. Reinigung u. Trennung meist flüssiger Stoffe durch Verdampfung u. anschließende Wiederverflüssigung. 2. Branntweinbrennerei. 3. kleine Schankwirtschaft. des|til|la|tiv ⟨lat.-nlat.⟩: durch Destillation bewirkt, gewonnen. Des|til|la|tor der; -s, ...oren: Apparat zum Destillieren. Des|til|le die; -, -n: (ugs.) 1. [kleinere] Gastwirtschaft, in der Branntwein ausgeschenkt wird. 2. Brennerei, die Branntwein herstellt. des|til|lie|ren ⟨lat.⟩: eine Destillation (1) durchführen

Des|ti|na|tar* ⟨lat.-nlat.⟩ u. Des|ti|na|tär ⟨lat.-fr.⟩ der; -s, -e: 1. diejenige [natürliche od. juristische] Person, der [vom Gesetzgeber her] die Steuerlast zugedacht ist. 2. Empfänger von Frachten, bes. im Seefrachtverkehr. 3. die durch eine Stiftung begünstigte Person. Des|ti|na|ti|on ⟨lat.⟩ die; -, -en: Bestimmung, Endzweck

de|sti|tu|ie|ren* ⟨lat.⟩: (veraltet) absetzen. De|sti|tu|ti|on die; -, -en: (veraltet) Absetzung von einem Posten; Amtsenthebung

Des|to|se ⟨Kunstw.⟩ die; -: aus rohem Stärkesirup gewonnener Süßstoff

des|tra ma|no* vgl. mano destra

de|stru|ie|ren* ⟨lat.⟩: zerstören. De|struk|ti|on die; -, -en: 1. Zerstörung. 2. Abtragung der Erdoberfläche durch Verwitterung (Geol.). De|struk|ti|ons|trieb der; [e]s: auf Zerstörung gerichteter Trieb (Psychol.). de|struk|tiv: 1. zersetzend, zerstörend. 2. bösartig, zum Zerfall [von Geweben] führend (Med.)

de|sul|to|risch ⟨lat.⟩: (veraltet) sprunghaft, unbeständig

des|zen|dent* ⟨lat.⟩: nach unten sinkend (von Wasser od. wässrigen Lösungen); Ggs. ↑ aszendent; deszendente Lagerstätten: Erzlagerstätten, die sich aus nach unten gesickerten Lösungen gebildet haben. Des|zen|dent der; -en, -en (Ggs. ↑ Aszendent): 1. Nachkommen, Abkömmling. 2. (Astron.) a) Gestirn im Untergang; b) Untergangspunkt eines Gestirns. der im Augenblick der Geburt am Westhorizont abgehende Punkt der ↑ Ekliptik (Astrol.). Des|zen|denz ⟨lat.-mlat.⟩ die; -, -en (Ggs. ↑ Aszendenz): 1. (ohne Plural) Verwandtschaft in absteigender Linie. 2. Untergang eines Gestirns. Des|zen|denz|theo|rie die; -, -n: Abstammungstheorie, nach der die höheren Lebewesen aus niederen hervorgegangen sind. des|zen|die|ren ⟨lat.⟩: absteigen, absinken (z. B. von Gestirnen, von Wasser); vgl. Aszendent, Wasser). des|zen|die|rend: ↑ deszendierend. Des|zen|sus ⟨lat.; „das Herabsteigen"⟩ der; -, - [...zuːs]: 1. Verlagerung der Keimdrüsen von Säugetieren im Laufe der embryonalen od. fetalen Entwicklung nach unten bzw. hinten (Biol.). 2. das Absinken eines Organs infolge Bindegewebsschwäche (Med.)

dé|ta|ché [detaˈʃeː] ⟨fr.⟩: kurz, kräftig, zwischen Auf- u. Abstrich abgesetzt (vom Bogenstrich bei Streichinstrumenten; Mus.). Dé|ta|ché das; -s, -s: kurzer, kräftiger, zwischen Auf- u. Abstrich abgesetzter Bogenstrich (Mus.). De|ta|che|ment [detaʃəˈmãː, schweiz. auch: ...ˈmɛnt] das; -s, -s u. schweiz. -e: 1. (veraltet) für besondere Aufgaben abkommandierte Truppenabteilung (Mil.). 2. [auf Absonderung bedachte] kühle Distanzhaltung

[1]De|ta|cheur [...ˈʃøːɐ̯] ⟨fr.⟩ der; -s, -e: Müllereimaschine, die die im Walzenstuhl entstandenen Mehlplättchen zu Mehl zerkleinert

[2]De|ta|cheur [...ˈʃøːɐ̯] ⟨fr.⟩ der; -s, -e: Fachmann auf dem Gebiet der Fleckenentfernung

[1]de|ta|chie|ren [...ˈʃiːrən] ⟨fr.⟩ von Flecken reinigen

[2]de|ta|chie|ren ⟨fr.⟩ 1. (veraltet) eine Truppenabteilung für besondere Aufgaben abkommandieren (Mil.). 2. das Mahlgut zerbröckeln (Techn.); vgl. [1]Detacheur

de|ta|chiert ⟨fr.⟩: sachlich-kühl, losgelöst von persönlicher Anteilnahme

De|ta|chur [...ˈʃuːɐ̯] ⟨fr.⟩ die; -, -en: chemische Fleckenbeseitigung aus Geweben

De|tail [deˈtai, auch: deˈtaːj] ⟨lat.-fr.⟩ das; -s, -s: 1. Einzelheit; Einzelteil; Einzelding. De|tail|han|del der; -s (schweiz., sonst veraltet) Klein-, Einzelhandel. de|tail|lie|ren [...ˈji:...]: 1. im Einzelnen darlegen. 2. (Kaufmannsspr.) eine Ware in kleinen Mengen verkaufen, de|tail|liert: in allen Einzelheiten, in die Einzelheiten gehend, genau. De|tail|list [...ˈjɪst] der; -en, -en: (veraltet) Einzelhandelsunternehmer

De|tek|tei ⟨lat.⟩ die; -, -en: Detektivbüro, Ermittlungsbüro. de|tek|tie|ren ⟨engl.⟩: aufspüren; durch intensives Nachforschen, Prüfen o. Ä. feststellen (Fachspr.). De|tek|tiv ⟨lat.-engl.⟩ der; -s -e: 1. Privatperson [mit polizeilicher Lizenz], die berufsmäßig Ermittlungen aller Art anstellt. 2. Geheimpolizist, Ermittlungsbeamter. do|tok|ti|visch: in der Art eines Detektivs. De|tek|tor der; -s, ...oren: 1. Hochfrequenzgleichrichter, ↑ Demodulator (Funkw.). 2. Gerät zur Auffindung von Wasseradern (z. B. Wünschelrute)

Dé|tente [de'tã:t] ⟨*lat.-fr.*⟩ *die; -*: Entspannung zwischen Staaten **De|ten|ti|on** ⟨*lat.*⟩ *die; -, -en*: 1. Besitz einer Sache ohne Rechtsschutz (röm. Recht). 2. (veraltet) Haft, Gewahrsam **De|ter|gens** ⟨*lat.*⟩ *das; -, ...gentia* u. ...genzien (meist Plural): 1. reinigendes, desinfizierendes Mittel (Med.). 2. ⟨*lat.-engl.*⟩: seifenfreies, hautschonendes Wasch-, Reinigungs- u. Spülmittel; in Waschmitteln o. Ä. enthaltener Stoff, der die Oberflächenspannung des Wassers herabsetzt. **De|ter|gen|tia** u. **De|tergen|zi|en:** *Plural* von ↑ Detergens **De|te|ri|o|ra|ti|on** ⟨*lat.-fr.*;⟩ „Verschlechterung") *die; -, -en*: Wertminderung einer Sache (Rechtsw.); vgl. ...[at]ion/...ierung. **De|te|ri|o|ra|ti|vum** ⟨*lat.-nlat.*⟩ *das; -s, ...va*: ↑ Pejorativum. **de|te|ri|o|lo|rie|ren** ⟨*lat.-fr.*⟩ „verschlechtern"): im Wert mindern (Rechtsw.). **De|te|ri|o|rie|rung** *die; -, -en*: ↑ Deterioration; vgl. ...[at]ion/...ierung **De|ter|mi|nan|te** ⟨*lat.*; „abgrenzend, bestimmend") *die; -, -n*: 1. bestimmender Faktor. 2. Rechenausdruck in der Algebra zur Lösung eines Gleichungssystems. 3. im Aufbau u. in der chemischen Zusammensetzung noch nicht näher bestimmbarer Faktor der Keimentwicklung, der für die Vererbung und Entwicklung bestimmend ist (Biol.). **De|ter|mi|na|ti|on** ⟨„Abgrenzung") *die; -, -en*: 1. Bestimmung eines Begriffs durch einen nächstuntergeordneten, engeren (Philos.). 2. das Festgelegtsein eines Teils des Keims für die Ausbildung eines bestimmten Organs (Entwicklungsphysiologie). 3. Bestimmung, Zuordnung. 4. das Bedingtsein aller psychischen Phänomene durch äußere (z. B. soziale) od. innerseelische (z. B. Motivation) Gegebenheiten (Psychol.). **de|ter|mi|na|tiv** ⟨*lat.-nlat.*⟩: 1. bestimmend, begrenzend, festlegend. 2. entscheiden, entschlossen. **De|ter|mi|na|tiv** *das; -s, -e*: 1. Zeichen in der ägyptischen u. sumerischen Bilderschrift, das die Zugehörigkeit eines Begriffs zu einer bestimmten Kategorie festlegt. 2. sprachliches Element als Weiterbildung od. Erweiterung der Wurzel eines indogermanischen Wortes ohne [wesentlichen] Bedeutungsunterschied

(z. B. *m* bei Hel*m*, Qual*m*; Sprachw.); Ggs. ↑ Formans. 3. besondere Art des Demonstrativpronomens (z. B. dasjenige, dieselbe). **De|ter|mi|na|tiv|kom|po|si|tum** *das; -s, ...ta*: Zusammensetzung, bei der das erste Glied das zweite näher bestimmt (z. B. Kartoffelsuppe = Suppe aus Kartoffeln; Sprachw.). **De|ter|mi|na|tiv|vum** *das; -s, ...va*: ↑ Determinativ. **de|ter|mi|nie|ren** ⟨*lat.*⟩: 1. begrenzen; abgrenzen. 2. bestimmen; entscheiden. **De|ter|mi|niert|heit** *die; -*: Bestimmtheit, Abhängigkeit des (unfreien) Willens von inneren od. äußeren Ursachen (Philos.). **De|ter|mi|nis|mus** ⟨*lat.-nlat.*⟩ *der; -*: 1. Lehre von der kausalen [Vor]bestimmtheit alles Geschehens. 2. die der Willensfreiheit widersprechende Lehre von der Bestimmung des Willens durch innere od. äußere Ursachen (Ethik); Ggs. ↑ Indeterminismus. **De|ter|mi|nist** *der; -en, -en*: Vertreter des Determinismus. **de|ter|mi|nis|tisch:** den Determinismus betreffend; [Willens]freiheit verneinend. **De|ter|mi|no|lo|gi|sie|rung** *die; -, -en*: Übergang des fachsprachlichen Wortgutes in die Gemeinsprache (Sprachw.) **de|tes|ta|bel** ⟨*lat.-fr.*⟩: verabscheuungswürdig. **de|tes|tie|ren:** verabscheuen, verwünschen ¹**De|to|na|ti|on** ⟨*lat.-fr.*⟩ *die; -, -en*: stoßartig erfolgende, extrem schnelle chemische Reaktion von explosiven Gas- bzw. Dampfgemischen od. brisanten Sprengstoffen mit starker Gasentwicklung ²**De|to|na|ti|on** ⟨*gr.-lat.-fr.*⟩ *die; -, -en*: unreines Singen od. Spielen (Mus.) **De|to|na|tor** ⟨*lat.-nlat.*⟩ *der; -s, ...oren*: Hilfsmittel zur Übertragung der Zündung vom Zündmittel auf die Sprengladung eines Geschosses. ¹**de|to|nie|ren** ⟨*lat.-fr.*⟩: knallen, explodieren ²**de|to|nie|ren** ⟨*gr.-lat.-fr.*⟩: unrein singen od. spielen (Mus.) **De|trak|ti|on*** ⟨*lat.*⟩ *die; -, -en*: das Ausheben größerer Gesteinsod. Bodenpartien aus dem Untergrund eines Gletschers durch das Eis (Geol.). **De|tri|ment*** ⟨*lat.*⟩ *der; -[e]s, -e* (veraltet) Schaden, Nachteil. **det|ri|to|gen** ⟨*lat.; gr.*⟩: durch ↑ organischen (1) Detritus (2) entstanden (von Kalkbänken u.

Kalkablagerungen in Rifflücken; Geol.). **Det|ri|tus** ⟨*lat.;* „das Abreiben") *der; -*: 1. zerriebenes Gesteinsmaterial, Gesteinsschutt (Geol.). 2. Schwebe- u. Sinkstoffe in den Gewässern, deren Hauptanteil abgestorbene ↑ Mikroorganismen bilden (Biol.). 3. Überrest zerfallener Zellen od. Gewebe (Med.) **de|ti|to** ⟨*it.*⟩: (bayr., österr.) dito **De|tu|mes|zenz** ⟨*lat.-nlat.*⟩ *die; -*: Abschwellung, Abnahme einer Geschwulst (Med.). **De|tu|mes|zenz|trieb** *der; -[e]s*: Drang zur geschlechtlichen Befriedigung (eine Teilkomponente des Sexualtriebs; Med.) **Deuce** [dju:s] ⟨*engl.*⟩ *das; -*: Einstand (Tennis) **De|us abs|con|di|tus** ⟨*lat.;* „der verborgene Gott") *der; - -*: der trotz Offenbarung letztlich unerkennbare Gott (Philos.). **De|us ex Ma|chi|na** [- - 'maxina] ⟨„der Gott aus der [Theater]maschine" (im altgriechischen Theater schwebten die Götter an einer kranähnlichen Maschine auf die Bühne)⟩ *der; - - -*: unerwarteter Helfer aus einer Notlage; überraschende, in keinem unmittelbaren Zusammenhang stehende Lösung einer Schwierigkeit **Deu|te|ra|go|nist*** ⟨*gr.*⟩ *der; -en, -en*: zweiter Schauspieler auf der altgriechischen Bühne; vgl. Protagonist u. Tritagonist. **Deu|te|ra|no|mal|lie** u. Deuteroanomalie *die; -, ...ien*: Rotsichtigkeit, Grünschwäche (Med.). **Deu|te|ra|no|pie** u. Deuteroanopie ⟨*gr.-nlat.*⟩ *die; -, ...ien*: Grünblindheit (Med.). **Deu|te|ri|um** *das; -s*: schwerer Wasserstoff, Wasserstoffisotop; chemisches Zeichen: D; vgl. Isotop. **Deu|te|ri|um|oxid**, auch: Deuteriumoxyd *das; -s*: schweres Wasser. **Deu|te|ro|ano|mal|lie** vgl. Deuteranomalie. **Deu|te|ro|ano|pie** vgl. Deuteranopie. **Deu|te|ro|je|sa|ja** *der; -*: unbekannter, der Zeit des babylonischen Exils angehörender Verfasser von Jesaja 40–50; vgl. Tritojesaja. **Deu|te|ron** *das; -s, ...onen*: aus einem ↑ Proton u. einem ↑ Neutron bestehender Atomkern des Deuteriums; Abk.: d. **deu|te|ro|no|misch** ⟨*gr.-lat.*⟩: zum 5. Buch Mose gehörend. **Deu|te|ro|no|mist** ⟨*gr.-lat.-nlat.*⟩ *der; -en*: Verfasser des Deuteronomiums u. Bearbeiter der älttest. Geschichtsbücher (Rel.). **Deu|te|ro|no|mi|um** ⟨*gr.-lat.*⟩ „zweite

Gesetzgebung"⟩ *das;* -s: das 5. Buch Mose. **Deu|te|ros|to|mi|er** ⟨*gr.-nlat.*⟩ *der;* -s, - (meist Plural): systematische Zusammenfassende Bez. der Tierstämme, bei denen sich der bleibende Mund neu bildet u. der Urmund zum After wird (Zool.). **Deu|to|plas|ma** *das;* -s, ...men: im ↑Protoplasma der Zelle vorhandene Reservestoffe (z. B. der Dotter der Eizelle; Biol.)

Deut|zie [...i̯ə] ⟨*nlat.;* nach dem Holländer J. van der Deutz⟩ *die;* -, -n: zur Gattung der Steinbrechgewächse gehörender Zierstrauch aus Ostasien

Deux|pi|èces [dø'pi̯ɛːs] ⟨*fr.*⟩ *das;* -, -: zweiteiliges Kleid

De|val|lu|a|ti|on ⟨*lat.-engl.*⟩ *die;* -, -en, **De|val|va|ti|on** ⟨*lat.-nlat.*⟩ *die;* -, -en: Abwertung einer Währung. **de|val|va|to|risch** u. **de|val|va|to|ri|sch** u. **de|val|va|to|nis|tisch:** abwertend (bes. in Bezug auf eine Währung). **de|val|vie|ren:** [eine Währung] abwerten

De|vas|ta|ti|on ⟨*lat.*⟩ *die;* -, -en: Verwüstung, Verheerung. **de|vas|tie|ren:** zerstören, verwüsten

De|vel|lo|per [dɪ'vɛləpə] ⟨*engl.*⟩ *der;* -s, -: Entwickler (Fotogr.)

De|ver|ba|tiv ⟨*lat.-nlat.*⟩ *das;* -s, -e u. **De|ver|ba|ti|vum** *das;* -s, ...va: von einem Verb abgeleitetes Substantiv od. Adjektiv (z. B. *Eroberung* von *erobern*, *tragbar* von *tragen;* Sprachw.)

de|ves|tie|ren ⟨*lat.;* „entkleiden"⟩: die Priesterwürde od. (im Mittelalter) das Lehen entziehen. **De|ves|ti|ti|on** ⟨*lat.-nlat.*⟩ *die;* -, -en: Desinvestition. **De|ves|ti|tur** ⟨*lat.-nlat.*⟩ *die;* -, -en: Entziehung der Priesterwürde od. (im Mittelalter) des Lehens

de|vi|ant ⟨*lat.-nat.*⟩: von der Norm sozialen Verhaltens, vom Üblichen abweichend (Soziol.). **De|vi|anz** *die;* -, -en: Abweichung (von der Norm; Soziol.). **De|vi|a|ti|on** *die;* -, -en: Abweichung. **De|vi|a|ti|o|nist** *der;* -en, -en: jmd., der von der vorgezeichneten [Partei]linie abweicht, Abweichler. **de|vi|ie|ren** ⟨*lat.*⟩: von der [Partei]linie abweichen

De|vi|se ⟨*lat.-vulgärlat.-fr.*⟩ *die;* -, -n: 1. Wahl-, Leitspruch. 2. (meist Plural) a) im Ausland zahlbare Zahlungsanweisung in fremder Währung; b) ausländisches Zahlungsmittel

de|vi|tal ⟨*lat.-nlat.*⟩: leblos, abgestorben (z. B. von Zähnen mit abgestorbener ↑Pulpa; (Med.). **De|vi|ta|li|sa|ti|on** *die;* -, -en: Abtötung [der ↑Pulpa] (Med.). **de|vi|ta|li|sie|ren:** [die ↑Pulpa] abtöten (Med.)

De|vo|lu|ti|on ⟨*lat.-nlat.*⟩ *die;* -, -en: 1. (veraltet) Übergang eines Rechtes od. einer Sache an einen anderen (Rechtsw.). 2. Befugnis einer höheren Stelle, ein von der nachgeordneten Stelle nicht od. fehlerhaft besetztes Amt [neu] zu besetzen (kath. Kirchenrecht). **de|vol|vie|ren** ⟨*lat.*⟩: (veraltet) zufallen, übergehen an jmdn. (von einem Recht od. einer Sache; Rechtsw.)

De|von ⟨*nlat.;* nach der engl. Grafschaft Devonshire⟩ *das;* -[s]: eine ↑Formation (5 a) des ↑Paläozoikums (Geol.). **de|vo|nisch:** das Devon betreffend

de|vo|rie|ren ⟨*lat.*⟩: verschlucken (Med.)

de|vot ⟨*lat.*⟩: 1. unterwürfig, ein übertriebenes Maß an Ergebenheit zeigend. 2. (veraltet) demütig. **De|vo|tio mo|der|na** ⟨„neuartige Frömmigkeit"⟩ *die;* - -: eine auf den deutschen Mystik verwandte religiöse Erneuerungsbewegung des 14.-16. Jh.s. **De|vo|ti|on** *die;* -, -en: 1. Andacht. 2. Unterwürfigkeit. **de|vo|ti|o|nal** ⟨*lat.-nlat.*⟩: ehrfurchtsvoll. **De|vo|ti|o|na|lie** *die;* -, -n (meist Plural): der Andacht dienender Gegenstand (z. B. Statue, Rosenkranz; Rel.)

De|wa|da|si ⟨*sanskr.;* „Dienerin der Götter"⟩ *die;* -, -s: Tempeltänzerin; vgl. Bajadere. **De|wa|na|ga|ri** *die;* -: indische Schrift, in der das Sanskrit geschrieben u. gedruckt ist

Do|xi|o|lo|gra|phie, auch: **Dexiografie** ⟨*gr.-nlat.*⟩ *die;* -: das Schreiben von links nach rechts. **de|xi|o|lo|gra|phisch,** auch: **dexiografisch:** von links nach rechts geschrieben

Dext|ran* ⟨Kunstw. aus: *lat.* dexter „rechts"⟩ *das;* -s: synthetisches Blutglas. **Dext|rin** *das;* -s, -e: 1. Stärkegummi, Klebemittel. 2. ein wasserlösliches Abbauprodukt der Stärke (Med.; Chem.). **dext|rol|gyr** ⟨*lat.; gr.*⟩: die Ebene ↑polarisierten Lichts nach rechts drehend (Phys.; Chem.); Zeichen: d; Ggs. ↑lävogyr. **Dext|ro|kar|die** *die;* -, ...ien: Lage des Herzens in der rechten Brusthöhle (Med.). **Dext|ro|se** ⟨Kunstw. aus: *lat.* dexter „rechts"⟩ *die;* -: Traubenzucker

De|zem ⟨*lat.*⟩ *der;* -s, -s: (hist.) vom Mittelalter bis ins 19. Jh. die

Abgabe des zehnten Teils vom Ertrag eines Grundstücks an die Kirche (Zehnt). **De|zem|ber** *der;* -[s], -: zwölfter Monat im Jahr; Abk.: Dez. **De|zem|vir** *der;* -s u. -n, -n: (hist.) Mitglied des Dezemvirats. **De|zem|vi|rat** *das;* -[e]s, -e: (hist.) aus 10 Mitgliedern bestehendes Beamten- od. Priesterkollegium im antiken Rom zur Entlastung der Magistrate. **De|zen|ni|um** *das;* -s, ...ien: Jahrzehnt, Zeitraum von 10 Jahren

de|zent ⟨*lat.*⟩: a) vornehm-zurückhaltend, taktvoll, feinfühlig; b) unaufdringlich, nicht [als störend] auffallend; Ggs. ↑indezent

de|zent|ral* ⟨*lat.-nlat.*⟩: vom Mittelpunkt entfernt; Ggs. ↑zentral (a). **De|zent|ra|li|sa|ti|on** *die;* -en: 1. Übertragung von Funktionen u. Aufgaben auf verschiedene [untergeordnete] Stellen; Ggs. ↑Zentralisation (1). 2. (ohne Plural) Zustand, in dem sich etwas nach dem Dezentralisieren befindet; Ggs. ↑Zentralisation (2); vgl. ...[at]ion/...ierung. **de|zent|ra|li|sie|ren:** eine Dezentralisation (1) durchführen; Ggs. ↑zentralisieren. **De|zent|ra|li|sie|rung** *die;* -, -en: Dezentralisation; vgl. ...[at]ion/ ...ierung

De|zenz ⟨*lat.*⟩ *die;* -: 1. vornehme Zurückhaltung; Unaufdringlichkeit; Ggs. ↑Indezenz. 2. unauffällige Eleganz

De|ze|reb|ra|ti|on* ⟨*lat.*⟩ *die;* -, -en: 1. ↑apallisches Syndrom (Med.). 2. Ausschaltung des Großhirns im Tierexperiment. **De|ze|reb|rie|rung** *die;* -, -en: Dezerebration (1, 2)

De|zer|nat ⟨*lat.;* „es soll entscheiden..."⟩ *das;* -[e]s, -e: Geschäftsbereich eines Dezernenten. **De|zer|nent** ⟨„Entscheidender"⟩ *der;* -en, -en: Sachbearbeiter mit Entscheidungsbefugnis bei Behörden u. Verwaltungen; Leiter eines Dezernats

De|zett ⟨*lat.-it.*⟩ *das;* -[e]s, -e: Musikstück für zehn Soloinstrumente (Mus.)

De|zi|ar ⟨*lat.*⟩ *das;* -s, -e (aber: 5 -): 110 Ar; Zeichen: da. **De|zi|a|re** *die;* -, -n: (schweiz.) Deziar. **De|zi|bel** *das;* -s, -: der 10. Teil des Bel; Zeichen: dB; vgl. Bel

de|zi|die|ren ⟨*lat.*⟩: entscheiden. **de|zi|diert:** entschieden, energisch

De|zi|dua: ↑Decidua

De|zi|gramm *das;* -s, -[e] (aber: 5 -): 110 Gramm; Zeichen:

De|zi|li|ter *der* (auch: *das*); -s, -:
¹/₁₀ Liter; Zeichen: dl. de|zi|mal
⟨*lat.-mlat.*⟩: auf die Grundzahl 10
bezogen. De|zi|mal|bruch *der;*
-[e]s, ...brüche: ein Bruch, dessen Nenner 10 od. eine ↑ Potenz
(4) von 10 ist (z. B. 0,54 = ⁵⁴/₁₀₀).
De|zi|mal|le *die;* -[n], -n: eine Zif-
fer der Ziffernfolge, die rechts
vom Komma eines Dezimal-
bruchs steht. de|zi|ma|li|sie-
ren: auf das Dezimalsystem umstellen (z. B. eine Währung). De-
zi|mal|klas|si|fi|ka|ti|on *die;* -:
Ordnungssystem für Karteien,
Register u. Ä., das das gesamte
Wissensgebiet in 10 Hauptabtei-
lungen einteilt, diese wieder in 10
Unterabteilungen usw.; Abk.:
DK. De|zi|mal|maß *das;* -es, -e:
Maß, das auf das Dezimalsystem
bezogen ist. De|zi|mal|po|tenz
die; -, -en: die im Verhältnis 1:10
fortschreitenden Verdünnungs-
stufen der homöopathischen
Arzneien. De|zi|mal|sys|tem
das; -s: ↑ dekadisches System.
De|zi|mal|waa|ge *der;* -, -n: eine
Waage, bei der die Last zehnmal
so schwer ist wie die Gewichts-
stücke, die beim Wiegen aufge-
legt werden. De|zi|ma|ti|on ⟨*lat.;*
„Zehntung") *die;* -, -en: 1. (hist.)
Hinrichtung jedes zehnten Mannes (ehemaliger Kriegsbrauch).
2. (veraltet) Erhebung des Zehn-
ten. De|zi|me ⟨*lat.-nlat.*⟩ *die;* -,
-n: 1. ↑ Intervall (2) von zehn
↑ diatonischen Stufen (Mus.). 2.
aus zehn Zeilen bestehende [spa-
nische] Strophenform. De|zi-
me|ter ⟨*lat.; gr.*⟩ *fr.*⟩ *der* (auch:
das); -s, -: ¹/₁₀ Meter; Zeichen:
dm. de|zi|mie|ren ⟨*lat.*⟩: 1.
jmdm. große Verluste beibringen, etwas durch Gewalteinwir-
kung in seinem Bestand stark
vermindern. 2. (hist.) jeden
zehnten Mann mit dem Tod be-
strafen
De|zi|si|lo|nis|mus *der;* -: rechts-
philosophische Anschauung,
nach der das als Recht anzuse-
hen ist, was die Gesetzgebung
zum Recht erklärt. de|zi|siv
⟨*lat.-mlat.-fr.*⟩: entscheidend, be-
stimmt. De|zi|siv|stim|me *die;* -,
-n: [mit]entscheidende Stimme
in einem politischen Körperschaft; Ggs. ↑ Deliberativstimme
De|zis|ter ⟨⟨*lat.; gr.*⟩ *fr.*⟩ *der;* -s, -e
u. -s (aber: 5 Dezister): 110 Ster
(110 cbm)
Dhar|ma [´darma] ⟨*sanskr.*⟩ *das*
od. *der;* -[s], -s: 1. (ohne Plural)
Gesetz, Lehre (in indischen Re-
ligionen u. indischer Philoso-

phie, bes. die ewige Lehre
Buddhas. 2. Grundbestandteil
der Welt (z. B. der Raum, das
↑ Nirwana)
Dhau vgl. Dau
d'Hondt|sch [tɔntʃ] ⟨nach V.
d'Hondt, †1907, Professor der
Rechtswissenschaft in Gent⟩: in
der Fügung **d'hondtsches Sys-
tem:** Berechnungsmodus für die
Verteilung der Sitze in Vertre-
tungskörperschaften (z. B. in
Parlamenten) bei der Verhältnis-
wahl
Dho|ti [´do:ti] ⟨*Hindi-engl.*⟩ *der;*
-[s], -s: Lendentuch der Inder
Dia ⟨*gr.*⟩ *das;* -s, -s: Kurzform von
↑ Diapositiv
Di|al|bas ⟨*gr.-nlat.*⟩ *der;* -es, -e:
Grünstein (ein Ergussgestein)
Di|al|be|tes ⟨*gr.-lat.*⟩ *der;* -: (Med.)
a) Harnruhr; b) Kurzbez. für:
Diabetes mellitus. Di|al|be|tes
mel|li|tus ⟨*gr.-lat.*⟩ *der;* -, -:
Krankheit, für die erhöhter Blutzuckergehalt u. Ausscheidung
von Zucker im Urin typisch ist;
Zuckerkrankheit. Di|al|be|ti|ker
der; -s, -: Zuckerkranker (Med.).
di|al|be|tisch: zuckerkrank
(Med.). Di|al|be|to|lo|ge *der;* -n,
-n: Wissenschaftler, der sich mit
der Erforschung der Zucker-
krankheit beschäftigt. Di|al|be-
to|lo|gie *die;* -: wissenschaftli-
che Erforschung der Zucker-
krankheit
Di|al|bo|lie ⟨*gr.*⟩ *die;* -: teuflische
Bosheit, abgründiges Bösesein.
Di|al|bo|lik ⟨*gr.-lat.*⟩ *die;* -: teuf-
lisches, boshaftes Wesen. dia-
bo|lisch: teuflisch. Di|al|bo|lo
⟨*gr.-lat.-it.*⟩ *das;* -s, -s: ein Ge-
schicklichkeitsspiel mit einem
Doppelkreisel. Di|al|bo|lus ⟨*gr.-
lat.;* „Verleumder") *der;* -: der
Teufel
Di|al|bon ® ⟨*Kunstw.*⟩ *das;* -s: säu-
re-, hitze- u. korrosionsbeständi-
ger Werkstoff aus porösem Graphit
Di|ab|ro|sis* ⟨*gr.;* „das Durch-
fressen") *die;* -: Zerstörung, das
Durchbrechen (z. B. einer Ge-
fäßwand; Med.)
di|a|chron [...´kro:n] ⟨*gr.-nlat.*⟩: a)
die Diachronie betreffend; b) ge-
schichtlich, entwicklungsmäßig
betrachtet; Ggs. ↑ synchron (3).
Di|a|chro|nie *die;* -: Darstellung
der geschichtlichen Entwicklung
einer Sprache (Sprachw.); Ggs.
↑ Synchronie. di|a|chro|nisch:
↑ diachron (a); Ggs. ↑ synchro-
nisch (1)
Di|a|dem ⟨*gr.-lat.*⟩ *das;* -s, -e: 1.
zeichnerische Darstellung von

reif aus Edelmetall, meist mit
Edelsteinen od. Perlen besetzt
Di|a|do|che ⟨*gr.;* „Nachfolger")
der; -n, -n: 1. Nachfolger Alexan-
ders des Großen. 2. (Plural) um
den Vorrang streitende Nachfolger einer bedeutenden, einfluss-
reichen Persönlichkeit
Di|a|ge|ne|se ⟨*gr.-nlat.*⟩ *die;* -, -n:
nachträgliche Veränderung ei-
nes ↑ Sediments (1) durch Druck
u. Temperatur (Geol.)
Di|a|gly|phe* ⟨*gr.-nlat.*⟩ *die;* -, -n:
in eine Fläche vertieft geschnit-
tene, gemeißelte od. gestochene
Figur. di|a|gly|phisch: vertieft
geschnitten, gemeißelt, gesto-
chen
Di|a|gno|se* ⟨*gr.-fr.;* „unterschei-
dende Beurteilung, Erkenntnis")
die; -, -n: 1. aufgrund genauer
Beobachtung, Untersuchun-
gen abgegebene Feststellung,
Beurteilung über den Zustand,
die Beschaffenheit von etw. (z. B.
von einer Krankheit). 2. zusam-
menfassende Beschreibung der
wichtigsten Merkmale für die
Bestimmung der systematischen
Stellung einer Pflanzen- od.
Tierart (bzw. Gattung, Familie,
Ordnung; Bot.; Zool.). Di|ag-
no|se|zent|rum *das;* -s, ...ren:
Klinik, die auf die Früherken-
nung von Krankheiten u. Organ-
störungen spezialisiert ist. Di-
ag|nos|tik *die;* -: Fähigkeit u.
Lehre, Krankheiten zu erkennen
(Med.; Psychol.). Di|ag|nos|ti-
ker *der;* -s, -: jmd., der eine Di-
agnose stellt. Di|ag|nos|ti|kon u.
Di|ag|nos|ti|kum *das;* -s, ...ka:
Erkennungsmerkmal (bes. einer
Krankheit). di|ag|nos|tisch: 1.
durch Diagnose festgestellt. 2.
die Diagnose betreffend. di|ag-
nos|ti|zie|ren: eine Krankheit
[durch eingehende Untersuchung des Patienten] feststellen
di|a|go|nal ⟨*gr.-lat.;* „durch die
Winkel führend") a) zwei nicht
benachbarte Ecken eines Vielecks verbindend (Geom.); b)
schräg, quer verlaufend; **diago-
nales Lesen:** [oberflächliches]
nicht alle Einzelheiten eines Textes beachtendes Lesen, durch
das man sich einen allgemeinen
Überblick verschafft. Di|a|go-
nal *der;* -[s], -s: schräg gestreifter
Kleiderstoff in Köperbindung
(eine Webart). Di|a|go|na|le *die;*
-, -n: Gerade, die zwei nicht benachbarte Ecken eines Vielecks
miteinander verbindet (Geom.)
Di|a|gramm ⟨*gr.-lat.*⟩ *das;* -s, -e: 1.
zeichnerische Darstellung von

Größenverhältnissen in anschaulicher, leicht überblickbarer Form. 2. schematische Darstellung von Blütengrundrissen (Bot.). 3. Stellungsbild beim Schach. 4. magisches Zeichen (Drudenfuß); vgl. Pentagramm. **Di|a|graph,** auch: **Diagraf** ⟨gr.-nlat.⟩ der; -en, en: 1. Gerät zum Zeichnen von [Schädel]umrissen u. Kurven. 2. ↑Diphthong

Di|a|hy|po|nym* das; -s, -e: ↑Inkonym

Di|a|kaus|tik ⟨gr.-nlat.⟩ die; -, -en: die beim Durchgang von ↑parallelem (1) Licht bei einer Linse entstehende Brennfläche (die im Idealfall ein Brennpunkt ist). **di|a|kaus|tisch:** auf die Diakaustik bezogen

Di|a|kon ⟨gr.-lat.; „Diener“⟩ der; -s u. -en, -e[n]: 1. kath., anglikan. od. orthodoxer Geistlicher, der um einen Weihegrad unter dem Priester steht. 2. In der evang. Kirche Krankenpfleger, Pfarrhelfer od. Prediger ohne Hochschulausbildung; vgl. Diakonus. **Di|a|ko|nat** das (auch: der); -[e]s, -e: 1. a) Amt eines Diakons; b) Wohnung eines Diakons. 2. Pflegedienst (in Krankenhäusern). **Di|a|ko|nie** die; -: [berufsmäßiger] Dienst an Armen u. Hilfsbedürftigen (Krankenpflege, Gemeindedienst) in der evang. Kirche. **Di|a|ko|ni|kon** ⟨gr.⟩ das; -[s], ...ka: 1. der Sakristeiraum der orthodoxen Kirche. 2. Südtür in der ↑Ikonostase; vgl. Parakonikon. **di|a|ko|nisch** ⟨gr.-nlat.⟩: die Diakonie betreffend. **Di|a|ko|nis|se** ⟨gr.-lat.⟩ die; -, -n u. **Di|a|ko|nis|sin** die; -, -nen: in der Diakonie tätige, in Schwesterngemeinschaft lebende Frau. **Di|a|ko|nus** ⟨gr.-lat.⟩ der; -, ...ne[n]: (veraltet) zweiter od. dritter Pfarrer einer evang. Gemeinde; Hilfsgeistlicher

Di|a|kri|se u. **Di|a|kri|sis** ⟨gr.; „Unterscheidung“⟩ die; -, ...isen: 1. ↑Differenzialdiagnose. 2. entscheidende Krise einer Krankheit. **di|a|kri|tisch:** unterscheidend; **diakritisches Zeichen:** Zeichen, das die besondere Aussprache eines Buchstabens anzeigt (z. B. die ↑Cedille [ç])

di|a|lek|tin ⟨gr.-nlat.⟩: Röntgenstrahlen durchlassend (Med.)

Di|a|lekt ⟨gr.-lat.⟩ der; -[e]s, -e: Mundart; örtlich od. landschaftl. begrenzte sprachliche Sonderform; regionale Variante einer Sprache. **di|a|lek|tal** ⟨gr.-lat.-nlat.⟩: den Dialekt betreffend, mundartlich. **Di|a|lekt|ge|o|gra|phie,** auch: ...grafie die; -: Mundartforschung, die die geographische Verbreitung von Dialekten u. ihren Sprachformen untersucht. **Di|a|lek|tik** ⟨gr.-lat.⟩ die; -: 1. innere Gegensätzlichkeit. 2. a) philosophische Arbeitsmethode, die ihre Ausgangsposition durch gegensätzliche Behauptungen (↑These u. ↑Antithese 1) infrage stellt u. in der ↑Synthese (4) beider Positionen eine Erkenntnis höherer Art zu gewinnen sucht; b) die sich in antagonistischen Widersprüchen bewegende Entwicklung von Geschichte, Ökonomie u. Gesellschaft (dialekt. Materialismus). 3. die Fähigkeit, den Diskussionspartner in Rede u. Gegenrede zu überzeugen; vgl. Sophistik (2). **Di|a|lek|ti|ker** der; -s, -: 1. ein in der Dialektik (3) Erfahrener; jmd., der geschickt zu argumentieren versteht. 2. ein Vertreter der dialektischen (3) Methode. **di|a|lek|tisch:** 1. ↑dialektal. 2. die Dialektik (1) betreffend, gegensätzlich. 3. in Gegensätzen, entsprechend der Methode der Dialektik (2 a) denkend. **dialektischer Materialismus:** wissenschaftliche Lehre des Marxismus von den allgemeinen Bewegungs-, Entwicklungs- u. Strukturgesetzen der Natur u. der Gesellschaft; Abk.: DIA-MAT. 4. haarspalterisch, spitzfindig. **Di|a|lek|tis|mus** der; -, ...men: dialektaler Ausdruck. **Di|a|lek|to|lo|gie** ⟨gr.-nlat.⟩ die; -: Mundartforschung. **di|a|lek|to|lo|gisch:** die Dialektologie betreffend

Di|a|llag ⟨gr.-nlat.⟩ der; -s, -e: ein Mineral

Di|a|lle|le ⟨gr.⟩ die; -, -n: die im Kreis bewegende Art des Denkens; Fehlschluss; vgl. Circulus vitiosus (1)

Di|a|log ⟨gr.-lat.-fr.⟩ der; -[e]s, -e: a) von zwei Personen abwechselnd geführte Rede u. Gegenrede, Wechselrede; Ggs. ↑Monolog (b); b) Gespräch, das zwischen zwei Gruppierungen geführt wird, um sich u. die gegenseitigen Standpunkte kennen zu lernen. **di|a|lo|gisch:** in Dialogform. **di|a|lo|gi|sie|ren:** in Dialogform gestalten. **Di|a|lo|gis|mus** ⟨gr.-lat.-nlat.⟩ der; -: rhetorische Figur in Form von Fragen, die ein Redner gleichsam im Selbstgespräch an sich selbst richtet u. auch selbst beantwortet (Rhet.; Stilk.). **Di|a|lo|gist** der; -en, -en: Bearbeiter der Dialoge im Drehbuch

Di|a|ly|pe|ta|le ⟨gr.-nlat.⟩ die; -, -n (meist Plural): Pflanze mit einer in Kelch u. [freiblättrige] Krone gegliederten Blüte. **Di|a|ly|sat** das; -[e]s, -e: durch ↑Dialyse gewonnener ↑Extrakt (1) aus frischen Pflanzen. **Di|a|ly|sa|tor** der; -s, ...oren: Gerät zur Durchführung der Dialyse. **Di|a|ly|se** ⟨gr.; „Auflösung, Trennung“⟩ die; -, -n: a) Blutreinigung mittels einer künstlichen Niere; Blutwäsche; b) Verfahren zur Trennung niedermolekularer von höhermolekularen Stoffen mittels einer Membran, die nur für erstere durchlässig ist. **Di|a|ly|se|ap|pa|rat** der; -[e]s, -e: Gerät zur Reinigung des Blutes von Giftstoffen, das bei einem Versagen der Nieren deren Funktion übernimmt; künstliche Niere. **Di|a|ly|se|zent|rum*** das; -s, ...tren: Spezialklinik, in der Dialysen (1) vorgenommen werden. **di|a|ly|sie|ren:** eine Dialyse durchführen. **di|a|ly|tisch:** a) auf Dialyse beruhend; b) auflösend; zerstörend

di|a|mag|ne|tisch* ⟨gr.-nlat.⟩: den Diamagnetismus betreffend. **Di|a|mag|ne|tis|mus** der; -: a) Eigenschaft von Stoffen, deren ↑Moleküle kein magnetisches Moment enthalten; b) Wissenschaft von den Eigenschaften diamagnetischer Stoffe

¹Di|a|mant ⟨gr.-lat.-vulgärlat.-fr.; „Unbezwingbarer“⟩ der; -en, -en: aus reinem Kohlenstoff bestehender wertvoller Edelstein von sehr großer Härte. **²Di|a|mant** die, -: kleinster Schriftgrad (4 Punkt; Druckw.). **di|a|man|ten:** a) aus Diamant; b) fest wie Diamant; **diamantene Hochzeit:** der 60., mancherorts auch der 75. Jahrestag der Hochzeit. **Di|a|man|ti|ne** die; - u. **Di|a|man|tit** [auch: ...'tit] das; -s: ein Poliermittel

DIAMAT. Di|a|mat der; -[s]: ↑dialektischer Materialismus

Di|a|me|ter ⟨gr.-lat.⟩ der; -s, -: Durchmesser eines Kreises od. einer Kugel. **di|a|met|ral*:** völlig entgegengesetzt. **di|a|met|risch*** ⟨gr.⟩: dem Durchmesser entsprechend

Di|a|mid* ⟨Kunstw.⟩ das; vgl. ↑Hydrazin. **Di|a|min** ⟨Kunstw.⟩ das; -s, -e: organische Verbindung mit zwei Aminogruppen (Chem.)

Di|a|ne|tik ⟨gr.-engl.-amerik.⟩ die; -: von L. R. Hubbard, dem Begründer der Scientology, vertretene medizin. Theorie, dass alle Krankheiten mit psychotherapeutischen Mitteln geheilt werden können. **Di|a|no|e|tik** die; -: die Lehre vom Denken; die Kunst des Denkens (Philos.). **di|a|no|e|tisch:** denkend, den Verstand betreffend (Philos.)

Di|a|pa|son ⟨gr.-lat.; „durch alle (Töne)"⟩ der (auch: das); -s, -s u. ...one: ursprünglicher Name der altgriechischen Oktave

Di|a|pau|se ⟨gr.; „das Dazwischenausruhen"⟩ die; -, -n: in seinem Verlauf meist erblich festgelegter, jedoch durch äußere Einflüsse ausgelöster Ruhezustand während der Entwicklung vieler Tiere (Biol.)

Di|a|pe|de|se ⟨gr.⟩ die; -, -n: Durchtritt von Blutkörperchen durch eine unverletzte Gefäßwand (Med.)

di|a|phan ⟨gr.⟩: durchscheinend, durchsichtig. **Di|a|pha|nie** die; -, ...ien: durchscheinendes Bild. **Di|a|pha|ni|tät** ⟨gr.-nlat.⟩ die; -: Durchlässigkeit in Bezug auf Lichtstrahlen (Meteor.). **Di|a|pha|no|skop** das; -s, -e: Instrument zum Durchführen einer Diaphanoskopie (Med.). **Di|a|pha|no|sko|pie*** die; -, ...ien: Untersuchung, bei der Körperteile u. Körperhöhlen (z. B. die Nasennebenhöhle) durch eine dahinter gehaltene Lichtquelle durchleuchtet werden, um krankhafte Veränderungen anhand von Schatten festzustellen

Di|a|pho|nie, auch: Diafonie ⟨gr.-lat.⟩ die; -, ...ien: 1. Missklang, Dissonanz in der altgriech. Musik. 2. ↑Organum (1)

Di|a|pho|ra ⟨gr.; „Verschiedenheit"⟩ die; -: (Rhet.). 1. Darlegung, Betonung des Unterschieds zweier Dinge. 2. Hervorhebung der Bedeutungsverschiedenheit eines im Text wiederholten Satzgliedes durch Emphase der Zweitsetzung (z. B. O Kind, meine Seele und nicht mein Kind!; Shakespeare). **Di|a|pho|re|se** ⟨gr.-lat.⟩ die; -, -n: Schweißabsonderung (Med.). **Di|a|pho|re|ti|kum** das; -s, ...ka: schweißtreibendes Mittel. **di|a|pho|re|tisch:** schweißtreibend

Di|a|phrag|ma ⟨gr.⟩ das; -s, ...men: 1. Zwerchfell (Med.). 2. durchlässige Scheidewand bei Trennverfahren (z. B. bei ↑Osmose u. ↑Filtration). 3.

Empfängnisverhütungsmittel in Form eines kleinen, in die Scheide einzuführenden Spiralrings. 4. Austrittsstelle des Dampfstrahls bei ↑Vakuumpumpen. 5. (veraltet) Blende (in der Optik)

Di|aph|tho|re|se* ⟨gr.-nlat.⟩ die; -, -n: Umbildung durch rückschreitende ↑Metamorphose (4) (Geol.). **Di|aph|tho|rit** [auch: ...ˈrɪt] der; -s, -e: Gestein, das durch Diaphthorese entstanden ist (Geol.)

Di|a|phy|se ⟨gr.⟩ die; -, -n: Teil der Röhrenknochen zwischen den beiden ↑Epiphysen (2; Med.)

Di|a|pir ⟨gr.-nlat.⟩ der; -s, -e: pfropfen- od. pilzförmige Gesteinskörper, meist Salz. **Di|a|pir|fal|tung** ⟨gr.⟩ die; -, -en: Verfaltung u. Durchknetung des Gesteins beim Emporsteigen eines Diapirs (Geol.)

Di|a|po|si|tiv [auch: ...ˈtiːf] ⟨gr.; lat.⟩ das; -s, -e: durchsichtiges fotografisches Bild (zum ↑Projizieren auf eine weiße Fläche). **Di|a|pro|jek|tor** der; -s, -en: Gerät zum Vorführen von Diapositiven u. Dias. **Di|ä|re|se u. Di|ä|re|sis** ⟨gr.-lat.⟩ die; -, ...resen: 1. getrennte Aussprache zweier Vokale, die nebeneinander liegen u. eigentlich einen ↑Diphthong ergäben (z. B. Deïsmus, naïv). 2. Einschnitt im Vers, an dem das Ende des Wortes u. des Versfußes (der rhythmischen Einheit) zusammenfallen (z. B. Du siehst, wohin du siehst ‖ nur Eitelkeit auf Erden; Gryphius). 3. Aufgliederung eines Hauptbegriffs in mehrere Unterbegriffe (Rhet.). 4. Begriffszerlegung, Teilung eines Begriffs bis zum Unteilbaren (Philos.). 5. Zerreißung eines Gefäßes mit Blutaustritt in die Umgebung (Med.)

Di|a|ri|um ⟨lat.⟩ das; -s, ...ien: (veraltet) Buch, stärkeres Heft für [tägliche] Eintragungen

Di|ar|rhö ⟨gr.-lat.; „Durchfluss"⟩ die; -, -en u. **Di|ar|rhöe** [...ˈrøː] die; -, -n [...ˈrøːən]: Durchfall. **di|ar|rhö|isch** ⟨gr.⟩: mit Durchfall verbunden

Di|arth|ro|se* ⟨gr.; „Vergliederung, Gliederbildung"⟩ die; -, -n: Kugelgelenk (Med.)

di|a|schisti [...ˈsçɪst u. ...ˈʃɪst] ⟨gr.-nlat.⟩: in der chemischen Zusammensetzung der verwandter Gesteine abweichend (Geol.)

Di|as|keu|ast* ⟨gr.⟩ der; -en, -en: Bearbeiter eines literarischen Werkes, bes. der homerischen Epen

Di|a|skop* das; -s, -e: ↑Diaprojektor. **Di|a|sko|pie** die; -, ...ien: 1. Röntgendurchleuchtung (Med.). 2. medizinische Methode zur Untersuchung der Haut

Di|as|por* ⟨gr.-nlat.⟩ der; -s, -e: ein Mineral. **Di|as|po|ra** ⟨gr.; „Zerstreuung"⟩ die; -: a) Gebiet, in dem die Anhänger einer Konfession (auch Nation) gegenüber einer anderen in der Minderheit sind; b) eine konfessionelle (auch nationale) Minderheit

Di|as|ta|se* ⟨gr.; „das Auseinanderstehen; Spaltung"⟩ die; -, -n: 1. (ohne Plural) ↑Amylase. 2. anatomische Lücke zwischen Knochen od. Muskeln, die durch Auseinanderklaffen zweier Gelenkflächen od. zweier Muskeln entsteht (Med.). **Di|as|te|ma** ⟨gr.-lat.; „Zwischenraum, Abstand"⟩ das; -s, ...stemata: angeborene Zahnlücke (bes. zwischen den oberen Schneidezähnen; Med.)

Di|as|to|le* [diˈastoːle, auch: diaˈstoːlə] ⟨gr.-lat.⟩ die; -, ...olen: 1. mit der Zusammenziehung rhythmisch abwechselnde Erweiterung des Herzens (Med.). 2. Dehnung eines kurzen Vokals aus Verszwang (antike Metrik); Ggs. ↑Systole. **di|as|to|lisch:** die Diastole betreffend, auf ihr beruhend, zur Diastole gehörend

di|a|strat*, di|a|stra|tisch ⟨gr.; lat.⟩: die schichtenspezifischen Unterschiede einer Sprache betreffend (Sprachw.); vgl. ...isch/-.

Di|a|sys|tem ⟨gr.; gr.-lat.⟩ das; -s, -e: [übergeordnetes] System, in dem verschiedene Systeme in Abhängigkeit voneinander funktionieren (Sprachw.)

di|ät ⟨gr.-lat.⟩: den Vorschriften einer Diät folgend, der Ernährung durch Diät entsprechend. **Di|ät** ⟨gr.; „Lebensweise"⟩ die; -: Krankenkost, Schonkost; auf die Bedürfnisse eines Kranken, Übergewichtigen o. Ä. abgestimmte Ernährungsweise; vgl. aber: Diäten

Di|ä|tar ⟨lat.-nlat.⟩ der; -s, -e: (veraltet) [bei Behörden] auf Zeit Angestellter, Hilfsarbeiter. **di|ä|ta|risch:** gegen Tagegeld

Di|ä|tas|sis|ten|tin ⟨gr.⟩ die; -, -nen: weibl. Fachkraft, die bei der Aufstellung von Diätplänen beratend mitwirkt

Di|ä|ten ⟨lat.-mlat.-fr.⟩ die (Plural): a) Bezüge der Abgeordneten [im Bundestag] in Form von Tagegeld, Aufwandsentschädigung u. a.; b) Einkommen bestimmter außerplanmäßiger Lehrkräfte (Diätendozenten) an Hochschulen **Di|ä|te|tik** ⟨gr.-lat.-nlat.⟩ die; -, -en: Ernährungs-, Diätlehre (Med.). **Di|ä|te|ti|kum** das; -s, ...ka: für eine ↑Diät geeignetes Nahrungsmittel. **di|ä|te|tisch:** der Diätetik gemäß **Di|a|thek** ⟨gr.⟩ die; -, -en: Sammlung von ↑Diapositiven **di|a|ther|man** ⟨gr.-nlat.⟩: wärmedurchlässig, Wärmestrahlen nicht absorbierend (z. B. bestimmte Gase; Meteor.; Phys.; Med.). **Di|a|ther|ma|ni|tät** u. **Di|a|ther|man|sie** die; -: Durchlässigkeit (für Wärmestrahlen; Meteor.). **Di|a|ther|mie** die; -: Heilverfahren, bei dem Hochfrequenzströme Gewebe im Körperinnern durchwärmen (Med.) **Di|a|the|se** ⟨gr.⟩ die; -, -n: 1. besondere Bereitschaft des Organismus zu bestimmten krankhaften Reaktionen (z. B. zu Blutungen); Veranlagung für bestimmte Krankheiten. 2. ↑Genus Verbi **Di|ä|thy|len|gly|kol,** chem. fachspr.: Diethylenglykol ⟨gr.-nlat.⟩ das; -s: Bestandteil von Gefrierschutzmitteln u. a. (Chem.) **di|ä|tisch** ⟨gr.-lat.-nlat.⟩: die Ernährung betreffend. **Di|ä|tis|tin** die; -, -nen: ↑Diätassistentin **Di|a|to|mee** ⟨gr.-nlat.⟩ die; -, ...meen (meist Plural): Kieselalge (einzelliger pflanzlicher Organismus). **Di|a|to|me|en|er|de** die; -: Kieselgur, Ablagerung von Diatomeen im Süßwasser bei niederen Temperaturen. **Di|a|to|mit** [auch: ...'mɪt] der; -s: Sedimentgestein aus verfestigtem Diatomeenschlamm **Di|a|to|nik** ⟨gr.-nlat.⟩ die; -: Dur-Moll-Tonleitersystem mit 7 Stufen (Ganz- u. Halbtöne); Ggs. ↑Chromatik (1). **di|a|to|nisch** ⟨gr.-lat.⟩: in der Tonfolge einer Dur- od. Molltonleiter folgend; Ggs. ↑chromatisch (1) **di|a|to|pisch** ⟨gr.⟩: die landschaftlich bedingten Unterschiede sprachlicher Formen betreffend (Sprachw.) **Di|at|ret|glas*** ⟨gr.-spätlat.; dt.⟩ das; -es, ...gläser: aus altröm. Zeit stammendes prunkvolles Gefäß aus Glas, das mit einem kunstvollen gläsernen Netzwerk überzogen ist **Di|at|ri|be*** ⟨gr.-lat.⟩ die; -, -n: moralische Schrift, die durch Dialoge auf Einwände eines (fiktiven) Zuhörers eingeht

Di|a|vo|lo ⟨gr.-lat.-it.⟩ der; -, ...li: ital. Bez. für: Teufel **Di|a|zin** ⟨Kunstw.⟩ das; -s, -e: sechsgliedrige Ringverbindung mit zwei Stickstoffatomen im Ring (Chem.). **Di|a|zo|ty|pie** ⟨Kunstw.⟩ die; -: Lichtpausverfahren (Fototechnik) **Djb|bel|ma|schi|ne** ⟨engl.; gr.-lat.-fr.⟩ die; -, -n: eine Sämaschine, die dibbelt. **djb|beln** ⟨engl.⟩: in Reihen mit größeren Abständen säen **Djb|buk** ⟨hebr.; „das Anhaften"⟩ der; -[s], -s: (in der Kabbalistik) sündige Seele eines Toten, die als böser Geist von einem Menschen Besitz ergreift u. ihn quält **Di|both|ri|o|ce|pha|lus*** ⟨gr.-nlat.⟩ der; -, ...li: Fischbandwurm **Di|bra|chys*** ⟨gr.-lat.⟩ der; -, -: ↑Pyrrhichius **Di|cent|ra*** ⟨gr.-nlat.⟩ die; -, ...rae der Mohngewächse (z. B. die Gartenpflanze Tränendes Herz) **Di|cha|si|um** [dɪ'ça:...] ⟨gr.-nlat.⟩ das; -s, ...ien: zweigabeliger ↑zymöser (trugdoldiger) Blütenstand (vom Hauptspross entspringen zwei Seitenzweige, die sich ihrerseits auf die gleiche Weise verzweigen; Bot.) **Di|chol|ga|mie** [dɪ'ço...] ⟨gr.-nlat.⟩ die; -: zeitlich getrennte Reife der weiblichen u. männlichen Geschlechtsorgane, wodurch die Selbstbestäubung bei Zwitterblüten verhindert wird (Bot.) **Di|chol|re|us** [dɪ'ço...] der; -, ...gen: doppelter ↑Trochäus (–‿–) **di|cho|tom** [dɪ'ço...] ⟨gr.; „zweigeteilt"⟩ u. **dichotomisch:** 1. gegabelt (von Pflanzensprossen). 2. in Begriffspaare eingeteilt; vgl. Dichotomie (2); vgl. ...isch/-. **Di|cho|to|mie** die; -, ...ien: 1. Verteilung des Pflanzensprosses (die Hauptachse gabelt sich in zwei gleich starke Nebenachsen). 2. a) Zweiteilung, Gliederung (z. B. eines Gattungsbegriffs in zwei Arten); b) Gliederung eines Oberbegriffs in einen davon enthaltenen Begriff u. dessen Gegenteil. **di|cho|to|misch** vgl. dichotom **Di|chro|is|mus** [dikro...] ⟨gr.-nlat.⟩ die; -: Eigenschaft vieler ↑Kristalle (1), Licht nach verschiedenen Richtungen in zwei Farben zu zerlegen; vgl. Pleochroismus. **di|chro|i|tisch:** in verschiedenen Richtungen zwei Farben zeigend. **Di|chro|ma|sie** u. Dichromatopsie die; -, ...ien:

Farbenblindheit, bei der nur zwei der drei Grundfarben erkannt werden (Med.). **Di|chro|mat** das; -[e]s, -e: Salz der Dichromsäure. **di|chro|ma|tisch:** zweifarbig. **Di|chro|ma|top|sie*** vgl. Dichromasie. **Di|chro|mie** die; -, ...ien: verschiedene Färbung von zwei Tieren der gleichen Art (meist in Abhängigkeit vom Geschlecht). **Di|chrom|säu|re** die; -, -n: Säure mit zwei Atomen Chrom im Molekül. **Di|chro|skop*** dus, -s, -e: besondere Lupe zur Erkennung des ↑Diod. ↑Pleochroismus bei Kristallen. **di|chro|sko|pisch*:** a) das Dichroskop betreffend; b) mithilfe des Dichroskops **Dic|ti|on|naire** [dɪksjɔ'nɛːɐ̯] das (auch: der); -s, -s: ↑Diktionär **Di|dak|tik** ⟨gr.-nlat.⟩ die; -, -en: 1. (ohne Plural) Lehre vom Lehren u. Lernen; Unterrichtslehre, -kunde, 2. a) Theorie der Bildungsinhalte, Methode des Unterrichters; b) Abhandlung, Darstellung einer didaktischen Theorie. **Di|dak|ti|ker** der; -s, -: a) Fachvertreter der Unterrichtslehre; b) jmd., der einer Gruppe von Personen einen Lehrstoff vermittelt. **di|dak|tisch** ⟨gr.⟩: a) die Vermittlung von Lehrstoff, das Lehren u. Lernen betreffend; b) für Unterrichtszwecke geeignet; c) belehrend, lehrhaft. **di|dak|ti|sie|ren:** einen Lehrstoff didaktisch aufbereiten. **Di|dak|ti|sie|rung** der; -, -en: das Didaktisieren **Di|das|ka|li|en** die (Plural): 1. Anweisungen altgriech. Dramatiker für die Aufführung ihrer Werke. 2. in der Antike urkundliche Verzeichnisse der aufgeführten Dramen mit Angaben über Titel, Dichter, Schauspieler, Ort u. Zeit der Aufführung usw. **Di|da|xe** die; -, -n: Lehre, Lehrhaftigkeit, ↑Didaktik **Did|ge|ri|doo** [dɪdʒəri'du:] ⟨engl.⟩ das; -s, -s: langes, röhrenförmiges Blasinstrument der australischen Ureinwohner **Di|dot|sys|tem** [di'do:...] das; -s: von dem franz. Buchdrucker François Ambroise Didot wesentlich verbessertes typographisches Maßsystem **Di|dym** ⟨gr.-nlat.⟩ das; -s: ein Seltenerdmetall (Gemisch aus den chemischen Elementen ↑Praseodym u. ↑Neodym). **Di|dy|mi|tis** die; -, ...itiden: Hodenentzündung (Med.) **di|dy|na|misch** ⟨gr.-nlat.⟩:

lange u. zwei kurze Staubblätter aufweisend (bei Zwitterblüten; Bot.)

Di|e|ge|se ⟨gr.⟩ die; -, -n: (veraltet) weitläufige Erzählung, Ausführung, Erörterung. **di|e|ge|tisch:** (veraltet) erzählend, erörternd

Die|hard [ˈdaɪhɑːd] ⟨engl.; nach dem Ausruf „die hard!" = verkaufe dein Leben teuer!, dem Wahlspruch des 57. engl. Regiments zu Fuß⟩ der; -s, -s: Anhänger des äußersten rechten Flügels der Konservativen in England

Di|e|lektri|kum* ⟨gr.-nlat.⟩ das; -s, ...ka: luftleerer Raum od. isolierende Substanz, in der ein ↑elektrisches Feld ohne Ladungszufuhr erhalten bleibt. **di|e|lektrisch:** elektrisch nicht leitend (von bestimmten Stoffen).

Di|e|lektri|zi|täts|kon|stan|te die; -[n], -n: Wert, der die elektrischen Eigenschaften eines Stoffes kennzeichnet; Zeichen: ε

Di|en ⟨nlat.⟩ das; -s, -e: ein ungesättigter Kohlenwasserstoff (Chem.)

Di|es ⟨lat.⟩ der; -: Kurzform von ↑Dies academicus. **Di|es a|ca|de|mi|cus** ⟨lat.; gr.-lat.⟩ der; - -: vorlesungsfreier Tag an der Universität, an dem aus besonderem Anlass eine Feier od. Vorträge angesetzt sind. **Di|es a|lter** ⟨lat.; „schwarzer Tag"⟩ der; - -: Unglückstag

Di|e|se vgl. Diesis

Di|es I|rae ⟨lat.; „Tag des Zorns"⟩ das; - -: Bezeichnung u. Anfang der Sequenz der Totenmesse

Di|e|sis u. Diese ⟨gr.-lat.⟩ die; -, Di̱esen: (veraltet) Erhöhungszeichen um einen halben Ton (Mus.)

Di|e|thy|l|en|gly|kol vgl. Diäthylenglykol

Dieu le veut! [djøˈvø] ⟨fr.; „Gott will es!"⟩: Kampfruf der Kreuzfahrer auf dem ersten Kreuzzug (1096–99)

Dif|fal|co ⟨it.⟩ der; -[s], -s u. ...chi [...ki]: (veraltet) Preisnachlass, Rabatt; vgl. Dekort (2)

Dif|fa|ma|ti|on ⟨lat.-nlat.⟩ die; -, -en: ↑ Diffamierung; vgl. ...[at]ion/...ierung. **dif|fa|ma|to|risch:** ehrenrührig, verleumderisch. **Dif|fa|mie** ⟨lat.-fr.⟩ die; -, ...i̱en: 1. (ohne Plural) verleumderische Bosheit. 2. Beschimpfung, verleumderische Äußerung. **dif|fa|mie|ren:** jmdn. in seinem Ansehen, etwas in seinem Wert herabsetzen, verun-

glimpfen; jmdn./etwas in Verruf bringen. **Dif|fa|mie|rung** die; -, -en: Verleumdung, Verbreitung übler Nachrede; vgl. ...[at]ion/ ...ierung

dif|fe|rent ⟨lat.⟩: verschieden, ungleich. **dif|fe|ren|ti|al** usw. vgl. differenzial usw. **Dif|fe|ren|ti|at** usw. vgl. Differenziat usw. **dif|fe|ren|ti|ell** vgl. differenziell. **Dif|fe|renz** ⟨lat.⟩ die; -, -en: 1. Unterschied (zwischen bestimmten Werten, Maßen o. Ä.). 2. Ergebnis einer ↑Subtraktion (Math.). 3. (meist Plural) Meinungsverschiedenheit, Unstimmigkeit, Zwist. **Dif|fe|ren|zen|quo|ti|ent** der; -en, -en: ↑Quotient aus der Differenz zweier Funktionswerte (vgl. Funktion 2) u. der Differenz der entsprechenden ↑Argumente (3; Math.). **Dif|fe|renz|ge|schäft** das; -[e]s, -e: Börsentermingeschäft, bei dem nicht Lieferung u. Bezahlung des Kaufobjekts, sondern nur die Zahlung der Kursdifferenz zwischen Vertragskurs u. Kurs am Erfüllungstag an den gewinnenden Partner vereinbart wird. **dif|fe|ren|zi|al,** auch: differential ⟨lat.-nlat.⟩: ↑differenziell. **Dif|fe|ren|zi|al,** auch: Differential das; -s, -e: 1. Zuwachs einer ↑Funktion (2) bei einer [kleinen] Änderung ihres ↑Arguments (3) (Math.). 2. Kurzform von ↑Differenzialgetriebe. **Dif|fe|ren|zi|al|analy|sa|tor,** auch: Differentialanalysator der; -s, -en: Rechenmaschine zur Lösung von Differenzialgleichungen. **Dif|fe|ren|zi|al|di|ag|no|se*,** auch: Differentialdiagnose die; -, -n: a) Krankheitsbestimmung durch unterscheidende, abgrenzende Gegenüberstellung mehrerer Krankheitsbilder mit ähnlichen Symptomen; b) jede der bei der Differenzialdiagnostik konkurrierenden ↑Diagnosen (1). **Dif|fe|ren|zi|al|di|ag|nos|tik*,** auch: Differentialdiagnostik die; -: ↑Differentialdiagnose (a). **Dif|fe|ren|zi|al|ge|o|me|trie*,** auch: Differentialgeometrie die; -: Gebiet der Mathematik, in dem die Differenzialrechnung auf Flächen u. Kurven angewandt wird. **Dif|fe|ren|zi|al|ge|trie|be,** auch: Differentialgetriebe das; -s, -: Ausgleichsgetriebe bei Kraftfahrzeugen. **Dif|fe|ren|zi|al|glei|chung,** auch: Differentialgleichung die; -, -en: Gleichung, in der Differentialquotienten auf-

treten. **Dif|fe|ren|zi|al|quo|ti|ent,** auch: Differentialquotient der; -en, -en: a) Grundgröße der Differenzialrechnung; b) Grenzwert des ↑Quotienten, der den Tangentenwinkel bestimmt. **Dif|fe|ren|zi|al|rech|nung,** auch: Differentialrechnung die; -: Teilgebiet der höheren Mathematik. **Dif|fe|ren|zi|al|ren|te,** auch: Differentialrente die; -, -n: Einkommen, das unter Voraussetzung unterschiedlicher Produktionskosten allen Produzenten mit niedrigeren Produktionskosten zufließt. **Dif|fe|ren|zi|at,** auch: Differentiat das; -s, -e: durch Differenziation (1 b) entstandenes Mineral u. Gestein. **Dif|fe|ren|zi|a|ti|on,** auch: Differentiation die; -, -en: 1. (Geol.) a) Aufspaltung einer Stammschmelze in Teilschmelzen; b) Abtrennung von Mineralien aus Schmelzen während der der Gesteinswerdung. 2. Anwendung der Differenzialrechnung. **Dif|fe|ren|zi|a|tor,** auch: Differentiator der; -s, ...oren: ↑Derivator. **dif|fe|ren|zi|e|ll,** auch: differentiell: a) einen Unterschied begründend od. darstellend; **differenzielle Psychologie:** Bereich der Psychologie, das des Erleben u. Verhalten des Einzelnen bes. unter dem Aspekt der individuellen Unterschiede betrachtet (nach L. W. Stern). **Dif|fe|ren|zi|e|rbar** die; -: Eignung einer ↑Funktion (2) zur ↑Differenziation (2). **dif|fe|ren|zi|e|ren** ⟨lat.-nlat.⟩: 1. a) fein trennen; genau, bis ins Einzelne unterscheiden; b) sich -: sich aufgliedern, Konturen gewinnen. 2. eine ↑Funktion (2) nach den Regeln der Differenzialrechnung behandeln (Math.). 3. Überfärbung von mikroskopischen Präparaten (Einzellern, Gewebsschnitten) mithilfe von Alkohol od. Säuren auf unterschiedliche Intensitätsstufen zurückführen (zum Zwecke besserer Unterscheidbarkeit einzelner Strukturen). **dif|fe|ren|ziert:** aufgegliedert, vielschichtig, in die Einzelheiten gehend. **Dif|fe|ren|zi|e|rung** die; -, -en: 1. Unterscheidung, Sonderung, Abstufung, Abweichung, Aufgliederung. 2. a) Bildung verschiedener Gewebe aus ursprünglich gleichartigen Zellen; b) Aufspaltung ↑systematischer Gruppen im Verlauf der Stammesgeschichte (Biol.). **Dif|fe|renz|ton** der; -[e]s, ...töne:

↑Kombinationston. **dif|fe|rie|ren** ⟨*lat.*⟩: verschieden sein, voneinander abweichen

dif|fi|zil ⟨*lat.-fr.*⟩: schwierig, schwer zu behandeln, zu bewältigen, zu handhaben aufgrund der komplizierten Gegebenheiten

Dif|flu|enz ⟨*lat.*⟩ *die;* -, -en: Gabelung eines Gletschers (Geol.); Ggs. ↑Konfluenz

dif|form ⟨*lat.-nlat.*⟩: missgestaltet. **Dif|for|mi|tät** *die;* -, -en: Missbildung, Missgeburt

dif|frakt ⟨*lat.*⟩: zerbrochen (Bot.). **Dif|frak|ti|on** ⟨*lat.-nlat.*⟩ *die;* -, -en: Beugung der Lichtwellen und anderer Wellen (Phys.)

dif|fun|die|ren ⟨*lat.*⟩: 1. eindringen, verschmelzen (Chem.). 2. zerstreuen (von Strahlen; Phys.).

dif|fus: 1. zerstreut, ohne genaue Abgrenzung (Chem.; Phys.); **diffuses Licht:** Streulicht; Licht ohne geordneten Strahlenverlauf; **diffuse Reflexion:** Lichtbrechung an rauen Oberflächen. 2. unklar, verschwommen. **Dif|fu|sat** ⟨*lat.-nlat.*⟩ *das;* -s, -e: durch Diffusion entstandene Mischung; Produkt einer Verschmelzung verschiedener Stoffe (Chem.). **Dif|fu|si|on** ⟨*lat.;* „das Auseinanderfließen"⟩ *die;* -, -en: 1. a) ohne äußere Einwirkung eintretender Ausgleich von Konzentrationsunterschieden (Chem.); b) Streuung des Lichts (Phys.). 2. Wetteraustausch (Bergw.). 3. Auslaugung (bei der Zuckerherstellung). **Dif|fu|sor** ⟨*lat.-nlat.*⟩ *der;* -s, ...oren: 1. Rohrleitungsteil, dessen Querschnitt sich erweitert (Strömungstechnik). 2. transparente, Licht streuende Plastikscheibe zur Erweiterung des Messwinkels bei Lichtmessern (Fotogr.)

Di|gam|ma ⟨*gr.*⟩ *das;* -[s], -s: Buchstabe im ältesten griech. Alphabet (Ϝ)

di|gen ⟨*gr.-nlat.*⟩: durch Verschmelzung zweier Zellen gezeugt (Biol.)

di|ge|rie|ren ⟨*lat.;* „auseinander tragen, zerteilen"⟩: 1. lösliche Drogenanteile auslaugen, ausziehen (Chem.). 2. verdauen (Med.)

Di|gest [ˈdaɪdʒɛst] ⟨*lat.-engl.*⟩ *der* od. *das;* -[s], -s: a) bes. in den angelsächs. Ländern übliche Art von Zeitschriften, die Auszüge aus Büchern, Zeitschriften usw. bringen; b) Auszug [aus einem Buch od. Bericht]. **Di|ges|ten** ⟨*lat.;* „Geordnetes"⟩ *die* (Plural): Gesetzsammlung des Justinian,

Bestandteil des ↑Corpus Juris Civilis. **Di|ges|tif** ⟨*lat.-fr.*⟩ *der;* -s, -s: die Verdauung anregendes alkoholisches Getränk, das nach dem Essen getrunken wird. **Di|ges|ti|on** *die;* -, -en: 1. Auslaugung, Auszug (Chem.). 2. Verdauung (Med.). **di|ges|tiv** ⟨*lat.-mlat.*⟩: a) die Verdauung betreffend; b) die Verdauung fördernd (Med.). **Di|ges|ti|vum** *das;* -s, ...va: verdauungsförderndes Mittel. **Di|ges|tor** ⟨*lat.-nlat.*⟩ *der;* -s, ...oren: 1. Raum od. Einrichtung mit erhöhtem Luftaustausch in einem ↑Laboratorium. 2. (veraltet) Dampfkochtopf. 3. Gefäß zum ↑Digerieren (1)

Dig|ger ⟨*engl.;* „Ausgräber"⟩ *der;* -s, -: Goldgräber

Di|gi|mal|tik ⟨*lat.; gr.*⟩ *die;* -: elektronische Zähltechnik; Wissenschaft von der ↑digitalen Informationsverarbeitung. **Di|git** [ˈdɪdʒɪt] ⟨*lat.-engl.*⟩ *das;* -[s], -s: Ziffer, Stelle (in der Anzeige eines elektronischen Geräts; Techn.). ¹**di|gi|tal** ⟨*lat.*⟩: mit dem Finger (Med.). ²**di|gi|tal** ⟨*lat.-engl.*⟩: Signale, Daten in Ziffern (d. h. in Schritten u. nicht stufenlos bzw. analog) darstellend od. dargestellt; digitalisiert; Ggs. ↑analog (2). **Di|gi|tal-a|na|log-Kon|ver|ter** *der;* -s, -: elektronische Schaltung, die digitale Eingangssignale in analoge Ausgangssignale umsetzt; Ggs. ↑Analog-digital-Konverter. ¹**Di|gi|ta|lis** ⟨*lat.*⟩ *die;* -, -: Fingerhut. ²**Di|gi|ta|lis** *das;* -: aus den Blättern des Fingerhutes gewonnenes starkes Herzmittel (Med.). **di|gi|tal|i|sie|ren** ⟨*lat.-engl.*⟩: analoge Signale, Daten in digitale Werte (meist ↑Binärziffern) umwandeln. **Di|gi|tal|rech|ner** *der;* -s, -: mit nicht zusammenhängenden Einheiten (Ziffern, Buchstaben) arbeitende Rechenanlage; elektronischer Rechner, der mit ↑Binärziffern arbeitet; Ggs. ↑Analogrechner. **Di|gi|tal|tech|nik** *die;* -: Teilgebiet der Informationstechnik u. Elektronik, das sich mit der Erfassung, Darstellung, Verarbeitung u. Übertragung digitaler Größen befasst. **Di|gi|tal|ton|band** *das;* -[e]s, ...bänder: (in Japan entwickeltes) 3,8 mm schmales Magnetband, bei dem die Aufnahme der Schallsignale in digitalisierter Form, d. h. bei voll erhaltener Tongüte, erfolgt. **Di|gi|tal|uhr** *die;* -, -en: Uhr, die die Uhrzeit nicht mit Zeigern angibt, sondern als Zahl (z. B.

18.20); Ggs. ↑Analoguhr. **Di|gi|to|xin** *das;* -s: wirksamster u. giftigster Bestandteil der Digitalisblätter. **Di|gi|tus** ⟨*lat.*⟩ *der;* -, ...ti: (Med.) 1. Finger. 2. Zehe

Di|glos|sie* ⟨*gr.*⟩ *die;* -, ...ien: Form der Zweisprachigkeit, bei der die eine Sprachform die Standard- od. Hochsprache darstellt, während die andere im täglichen Gebrauch, in informellen Texten auftritt

Di|glyph ⟨*gr.;* „Zweischlitz"⟩ *der;* -s, -e: Platte mit zwei Schlitzen als Verzierung am Fries (bes. in der ital. Renaissance beliebte Abart des ↑Triglyphs)

Dig|ni|tar* ⟨*lat.-nlat.*⟩ u. **Dig|ni|tär** ⟨*lat.-fr.*⟩ *der;* -s, -e: geistlicher Würdenträger der kath. Kirche.

Dig|ni|tät ⟨*lat.*⟩ *die;* -, -en: a) (ohne Plural) Wert, hoher Rang, Würde; b) Amtswürde eines höheren kath. Geistlichen

Di|gramm ⟨*gr.*⟩ *das;* -s, -e: ↑Digraph. **Di|graph,** auch: Digraf *das* (auch: *der*); -s, -e[n]: Verbindung von zwei Buchstaben zu einem Laut (z. B. dt. „ng" od. gotisch „ei" [gesprochen: ɪː])

Di|gres|si|on* ⟨*lat.*⟩ *die;* -, -en: 1. Abweichung, Abschweifung. 2. Winkel zwischen dem Meridian u. dem Vertikalkreis, der durch ein polnahes Gestirn geht

di|gyn ⟨*gr.*⟩: zwei Griffel aufweisend (von einer Blüte)

di|hyb|rid* [auch: ...ˈbriːt] ⟨*gr.-lat.*⟩: sich in zwei Erbmerkmalen unterscheidend (Biol.). **Di|hyb|ri|de** [auch: ...ˈbriːdə] *die;* -, -n (auch: *der;* -n, -n): ↑Bastard (1); Individuum, dessen Eltern zwei verschiedene Erbmerkmale haben, die das Individuum nun selbst in sich trägt (z. B. Vater schwarzhaarig, Mutter blond, sodass schwarzhaariger Sohn blonde Kinder haben kann)

Di|jam|bus ⟨*gr.-lat.*⟩ *der;* -, ...ben: doppelter ↑Jambus (‿–‿–)

di|ju|di|zie|ren ⟨*lat.*⟩: (veraltet) entscheiden, urteilen (Rechtsw.)

di|ka|ry|ont ⟨*gr.-nlat.*⟩ *das;* -s: Zweikernstadium (Zelle enthält einen männlichen u. einen weiblichen ↑haploiden Kern) vor der Befruchtung bei den höheren Pilzen

Di|kas|te|ri|um ⟨*gr.-nlat.*⟩ *das;* -s, ...ien: altgriech. Gerichtshof

Di|ke|ri|on ⟨*gr.*⟩ *das;* -s, ...ien: zweiarmiger Leuchter (Insignie des Bischofs in den Ostkirchen)

di|klin* ⟨*gr.-nlat.*⟩: eingeschlechtige Blüten aufweisend (von Pflanzen; Bot.)

di|ko|tyl ⟨gr.⟩: zweikeimblättrig. **Di|ko|tyl|le** u. **Di|ko|ty|le|do|ne** ⟨gr.-nlat.⟩ die; -, -n: zweikeimblättrige Pflanze **Di|kro|tie*** ⟨gr.-nlat.⟩ die; -, ...ien: Zweigipfeligkeit (doppeltes Schlagen) des Pulses (Med.). **Dik|ta:** Plural von ↑ Diktum. **Dik|ta|fon** vgl. Diktaphon **Dik|tam** ⟨gr.-lat.⟩ der; -s: ↑ Diptam **dik|tan|do** ⟨lat.⟩: (selten) diktierend, beim Diktieren. **Dik|tant** der; -en, -en: jmd., der diktiert. **Dik|tan|ten|se|mi|nar** das; -s, -e: Seminar, Übungskurs, in dem man sich mit der Ansagetechnik beim Phonodiktat beschäftigt. **Dik|ta|phon**, auch: Diktafon ⟨lat.; gr.⟩ das; -s, -e: Diktiergerät; Tonbandgerät zum Diktieren. **Dik|tat** ⟨lat.⟩ das; -[e]s, -e: 1. a) das Diktieren; b) das Diktierte; c) Nachschrift; vom Lehrer diktierte Sätze als Rechtschreibeübung in der Schule. 2. etw., was jmdm. von einem andern vorgeschrieben, auferlegt worden ist. **Dik|ta|tor** der; -s, ...oren: 1. unumschränkter Machthaber an der Spitze eines Staates; Gewaltherrscher. 2. (abwertend) herrischer, despotischer Mensch. 3. (hist.) röm. Beamter, dem auf bestimmte Zeit die volle Staatsgewalt übertragen wurde (z. B. Cäsar). **dik|ta|to|ri|al:** a) gebieterisch, autoritär; b) absolut, unumschränkt. **dik|ta|to|risch:** 1. unumschränkt, einem unumschränkten Gewaltherrscher unterworfen. 2. (abwertend) gebieterisch, keinen Widerspruch duldend. **Dik|ta|tur** die; -, -en: 1. (ohne Plural) a) auf unbeschränkte Vollmacht einer Person od. Gruppe gegründete Herrschaft in einem Staat; **Diktatur des Proletariats:** politische Herrschaft der Arbeiterklasse im Übergangsstadium zwischen der kapitalistischen u. der klassenlosen Gesellschaftsform (Marxismus). b) autoritär, diktatorisch regiertes Staatswesen. 2. (abwertend) autoritäre Führung, autoritärer Zwang, den eine Einzelperson, eine Gruppe od. Institution auf andere ausübt; Willkürherrschaft. **dik|tie|ren:** 1. jmdm. etwas, was er [hin]schreiben soll, Wort für Wort ansagen, vorsprechen. 2. zwingend vorschreiben, festsetzen; auferlegen. **Dik|tier|ge|rät** das; -[e]s, -e: Gerät zur Aufnahme u. Wiedergabe eines gesprochenen Textes. **Dik|ti|on** die; -, -en: mündliche

od. schriftliche Ausdrucksweise; Stil (1). **Dik|ti|o|när** ⟨lat.-mlat.-fr.⟩ das (auch: der); -s, -e: (veraltet) Wörterbuch. **Dik|tum** ⟨lat.; ⟩ „Gesagtes") das; -s, ...ta: Ausspruch **Dik|ty|o|ge|ne|se** ⟨gr.-nlat.⟩ die; -, -n: Gerüstbildung; Bez. für ↑ tektonische Bewegungsformen (Geol.). **di|la|ta|bel** ⟨lat.-nlat.⟩: dehnbar. **Di|la|ta|bil|les** [...le:s] die (Plural): hebräische Buchstaben, die zum Ausfüllen der Zeilen in die Breite gezogen wurden. **Di|la|ta|ti|on** die; -, -en: 1. Ausdehnung, spezifische Volumenänderung, Verlängerung eines elastisch gedehnten Körpers (Phys.). 2. Erweiterungswachstum der Baumstämme (Bot.). 3. krankhafte od. künstliche Erweiterung von Hohlorganen (z. B. von Gefäßen des Herzens; Med.). **Di|la|ta|ti|ons|fu|ge** die; -, -n: Dehnungsfuge in Betonstraßen, Brücken, Talsperren usw., die Spannungen bei Temperatursteigerung verhindert. **Di|la|ta|tor** der; -s, ...oren: 1. erweiternder Muskel (Med.). 2. Instrument zur Erweiterung von Höhlen u. Kanälen des Körpers (Med.). **di|la|tie|ren:** ein Hohlorgan mechanisch erweitern (Med.). **Di|la|ti|on** der; -, -en: Aufschub, Aufschubfrist (Rechtsw.). **Di|la|to|me|ter** ⟨lat.; gr.⟩ das; -s, -: 1. Apparat zur Messung der Ausdehnung von Körpern bei Temperaturerhöhung (Phys.). 2. Apparat zur Bestimmung des Alkoholgehalts einer Flüssigkeit auf der Grundlage der so genannten Schmelzausdehnung. **di|la|to|risch** ⟨lat.⟩: aufschiebend, verzögernd; **dilatorische Einrede:** aufschiebende Einrede bei Gericht; Ggs. ↑ peremptorische Einrede (Rechtsw.) **Dil|do** ⟨engl.⟩ der; -[s], -s: ↑ Godemiché **Di|lem|ma** ⟨gr.-lat.⟩ das; -s, -s u. -ta: Wahl zwischen zwei [gleich unangenehmen] Dingen; Zwangslage, -entscheidung. **di|lem|ma|tisch:** zwei alternativ verbundene [sich gegenseitig ausschließende] Lösungen enthaltend **Di|let|tant** ⟨lat.-it.⟩ der; -en, -en: 1. (oft abwertend) Nichtfachmann; jmd., der sich ohne fachmännische Schulung in Kunst od. Wissenschaft betätigt. 2. (veraltet) Kunstliebhaber. **di|let|tan|tisch:** (oft abwertend) unfachmännisch, laienhaft, unzuläng-

lich. **Di|let|tan|tis|mus** ⟨nlat.⟩ der; -: (oft abwertend) 1. Betätigung in Kunst od. Wissenschaft ohne Fachausbildung. 2. Stümperhaftigkeit. **di|let|tie|ren** ⟨lat.-it.⟩: sich als Dilettant betätigen, sich versuchen **Di|li|gence** [dili'ʒã:s] ⟨lat.-fr.⟩ die; -, -n [...sn]: (hist.) [Eil]postwagen. **Di|li|genz** ⟨lat.⟩ die; -: (veraltet) Sorgfalt, Fleiß **di|lu|ie|ren** ⟨lat.-nlat.⟩: verdünnen (z. B. eine Säure durch Zusatz von Wasser; Med.). **Di|lu|ti|on** die; -, -en: Verdünnung (Med.). **di|lu|vi|al** ⟨lat.⟩: das Diluvium betreffend, aus ihm stammend. **Di|lu|vi|um** ⟨„Überschwemmung, Wasserflut") das; -s: frühere Bez. für ↑ Pleistozän **Dime** [daɪm] ⟨lat.-fr.-engl.⟩ der; -s, -s (aber: 10 Dime): Silbermünze der USA im Wert von 10 Cents **Di|men|si|on** ⟨lat.⟩ die; -, -en: 1. Ausdehnung, Abmessung (z. B. eines Körpers nach Länge, Breite, Höhe). 2. Ausmaß. **di|men|si|o|nal** ⟨lat.-nlat.⟩: die Dimension bestimmend; Dimensionen habend. **di|men|si|o|nie|ren:** die (optimalen) Maße, Abmessungen von etw. festlegen **di|mer** ⟨gr.⟩: zweiteilig, zweigliedrig (Chem., Med.). **Di|me|ri|sa|ti|on** ⟨gr.-nlat.⟩ die; -, -en: Vereinigung zweier gleicher Teilchen (z. B. Atome, Moleküle; Chem.). **Di|me|ter** ⟨gr.-lat.⟩ der; -s, -: aus zwei gleichen Metren bestehender antiker Vers; vgl. Metrum **di|mi|nu|en|do** ⟨lat.-it.⟩: an der Tonstärke abnehmend, schwächer werdend; Abk.: dim. (Vortragsanweisung; Mus.). **Di|mi|nu|en|do** das; -s, -s u. ...di: allmähliches Nachlassen der Tonstärke (Mus.). **di|mi|nu|ie|ren** ⟨lat.⟩: verkleinern, verringern, vermindern. **Di|mi|nu|ti|on** die; -, -en: 1. Verkleinerung, Verringerung. 2. (Mus.) a) Verkleinerung des Themas durch Verwendung kürzerer Notenwerte; Ggs. ↑ Augmentation (a); b) variierende Verzierung durch Umspielen der Melodienoten; c) Tempobeschleunigung durch Verkürzung der Noten. **di|mi|nu|tiv:** (in Bezug auf den Inhalt eines Wortes) verkleinernd (Sprachw.). **Di|mi|nu|tiv** das; -s, -e, **Di|mi|nu|tiv|form** die; -, -en u. **Di|mi|nu|ti|vum** das; -s, ...va: Ableitungsform eines Substantivs, die im Vergleich zur Bedeutung des Grundwortes eine Verkleinerung ausdrückt, oft emotionale

Konnotationen hat u. auch als Koseform gebraucht wird (z. B. Öfchen, Gärtlein, ein Pfeifchen rauchen; Sprachw.); Ggs. ↑ Augmentativum
Di|mis|si|on ⟨lat.⟩ die; -, -en: (veraltet) ↑ Demission. **Di|mis|si|o-när** der; -s, -e: (veraltet) ↑ Demissionär. **Di|mis|so|ri|al|le** ⟨lat.-nlat.⟩ das; -s, ...ali̱en: Genehmigung, mit der der zuständige Amtsträger einen anderen Geistlichen zu Amtshandlungen (Taufe, Trauung o. Ä.) ermächtigt. **di-mit|tie̱|ren** ⟨lat.⟩: (veraltet) entlassen, verabschieden
Di̱m|mer ⟨germ.-engl.⟩ der; -s, -: schalterähnliche Vorrichtung, mit der die Helligkeit des elektrischen Lichts in fließenden Übergängen reguliert werden kann
di mo̱l|to vgl. molto
di|mo̱rph ⟨gr.⟩: 1. zweigestaltig. 2. in zwei Kristallsystemen auftretend (von Kristallen). **Di|mor-phi̱e** ⟨gr.-nlat.⟩ die; -, ...i̱en u. **Di-mor|phi̱s|mus** der; -, ...men: Zweigestaltigkeit; das Nebeneinanderbestehen zweier verschiedener Formen (z. B. der gleichen Tier- od. Pflanzenart)
DI̱N ®: 1. Kurzw. für: Deutsche Industrie-Norm[en] (später gedeutet als: Das Ist Norm); Verbandszeichen des Deutschen Instituts für Normung e. V. (früher: Deutscher Normenausschuss); Schreibweise: mit einer Nummer zur Bez. einer Norm, z. B. DIN 16 511. 2. Maßeinheit für die Lichtempfindlichkeit des Films
Di|nan|de|ri̱e ⟨fr.; nach der belg. Stadt Dinant⟩ die; -, ...i̱en: Messingarbeit aus dem Maastal, aus Brabant u. Flandern
Di̱|nar ⟨lat.-mgr.-arab.⟩ der; -s, -e (aber: 6 Dinar): Währungseinheit in verschiedenen arab. Ländern u. auf dem Balkan
Di̱|ner [di'ne:] ⟨lat.-vulgärlat.-fr.⟩ das; -s, -s: 1. festliches Mittagod. Abendessen. 2. (in Frankreich) Hauptmahlzeit des Tages, die am Abend eingenommen wird
DI̱N-For|mat das; -[e]s, -e: nach DIN festgelegtes Papierformat
Di̱n|gi, fachspr.: **Di̱n|ghy** ⟨Hindiengl.⟩ das; -s, -s: a) kleines Sportsegelboot; b) kleinstes Beiboot auf Kriegsschiffen
Di̱n|go ⟨austr.⟩ der; -s, -s: austr. Wildhund von der Größe eines kleinen deutschen Schäferhunds
DI̱N-Grad der; -[e]s, -e: (früher für) ↑ DIN (2)

di|nie̱|ren ⟨lat.-vulgärlat.-fr.⟩: [festlich] speisen. **Di|ning|car** ['daınıŋka:] ⟨engl.⟩ der; -s, -s: Speisewagen (in England). **Di-ning|room** ['daınıŋrʊm] der; -s, -s: Esszimmer (in England)
Di̱nk ⟨Kurzwort aus engl. double income, no kids „doppeltes Einkommen, keine Kinder"⟩ der; -s, -s (meist Plural): jmd., der über relativ viel Geld verfügt, da er in einer Partnerschaft lebt, in der beide Partner einem Beruf nachgehen u. keine Kinder haben
Di̱n|ner ⟨engl.⟩ das; -s, -[s]: 1. Festmahl. 2. (in England) Hauptmahlzeit am Abend. **Di̱n|ner|ja-cket** [...dʒɛkıt] das; -s, -s: engl. Bez. für das Jackett eines Smokings
Di̱|no ⟨gr.⟩ der; -s, -s: Kurzform von ↑ Dinosaurier. **Di̱|no|sau̱|ri|er** ⟨gr.-nlat.⟩ der; -s, - u. **Di̱|no|sau̱-rus** der; -, ...rier: ausgestorbene Riesenechse. **Di̱|no|the̱|ri|um** das; -s, ...ien: ausgestorbenes riesiges Rüsseltier Europas
DI̱N-Sen|si|to|me|ter das; -s, -: ↑ Sensitometer zum Messen von DIN-Graden (1)
Di̱|o|de ⟨gr.-nlat.⟩ die; -, -n: Zweipolröhre, Gleichrichterröhre (Elektrot.)
Di̱|o|le|fin ⟨nlat.⟩ das; -s, -e: ↑ Dien. **Di̱|o|len** ® ⟨Kunstw.⟩ das; -s: eine synthetische Textilfaser aus Polyester
Di̱|on die; -, -en: (österr.) kurz für a) ↑ Direktion; b) ↑ Division
Di̱|o|ny|si|en ⟨gr.-lat.⟩ die (Plural): altgriech. Fest zu Ehren des Wein- u. Fruchtbarkeitsgottes Dionysos. **di|o|ny|sisch**: 1. dem Dionysos zugehörend, ihn betreffend. 2. wild begeistert, rauschhaft dem Leben hingegeben (nach Nietzsche); Ggs. ↑ apollinisch
di|o|phan|tisch ⟨nach dem griech. Mathematiker Diophantos aus Alexandria; 3. Jh. v. Chr.⟩: in der Fügung: **diophantische Gleichung**: Gleichung mit mehreren Unbekannten, für die ganzzahlige Lösungen zu finden sind (Math.)
Di̱|op|sid ⟨gr.-nlat.⟩ der; -s, -e: ein Mineral. **Di̱|op|tas** der; -, -e: ein Mineral. **Di̱|op|ter** ⟨gr.-lat.⟩ das; -s, -: 1. Zielgerät (veraltet) zum Anvisieren eines Lochblende u. Zielmarke). 2. (veraltet) Sucher an Fotoapparaten. **Di̱|op|trie̱*** ⟨gr.-nlat.⟩ die; -, ...ien: Maßeinheit des Brechwertes optischer Systeme; Abk.: dpt, Dptr. u. dptr. (Physik). **Di-op|trik*** ⟨gr.-nlat.⟩ die; -: (veraltet) Lehre

von der Brechung des Lichts. **di-op|trisch*:** a) zur Dioptrie gehörend; das Licht brechend; durchsichtig; b) nur lichtbrechende Elemente enthaltend (z. B. dioptrische Fernrohre). **Di-op|tro|me|ter*** das; -s, -: Gerät für die Bestimmung der Dioptrien. **Di̱|o|ra|ma** ⟨„Durchschaubild"⟩ das; -s, ...men: plastisch wirkendes Schaubild, bei dem Gegenstände vor einem gemalten od. fotografierten Rundhorizont aufgestellt sind u. teilweise in diesen übergehen
Di̱|o|ris|mus ⟨gr.-nlat.⟩ der; -, ...men: Begriffsbestimmung. **Di-o|ri̱t** [auch: ...'rıt] der; -s, -e: ein körniges Tiefengestein (aus Plagioklas u. Amphibol)
Di̱|os|ku̱|ren ⟨gr.; „Söhne des Zeus"; nämlich: Kastor u. Pollux⟩ die (Plural): unzertrennliches Freundespaar
Di̱|o|xan ⟨gr.-nlat.⟩ das; -s: bes. als Lösungsmittel für Fette, Lacke u. Ä. verwendete farblose, ätherähnlich riechende Flüssigkeit. **Di̱|o|xid** [auch: ...'ksi:], auch: Dioxyd das; -e: anorganische Verbindung von einem Atom Metall od. Nichtmetall mit zwei Sauerstoffatomen (Chem.). **Di̱-o|xin** ⟨gr.-nlat.⟩ das; -s, -e: 1. (meist Plural) äußerst beständige, hochgiftige, v. a. bei Verbrennungsprozessen entstehende mehrfach chlorierte (seltener bromierte) chem. Verbindung. 2. (meist Singular) bestimmte, besonders giftige Verbindung aus der Gruppe der Dioxine (1). **Di̱-o|xyd** [auch: ...'ksy:t] vgl. Dioxid
di|ö|ze|san ⟨gr.-lat.⟩: zu einer Diözese gehörend, die Diözese betreffend. **Di|ö|ze|san** der; -en, -en: Angehöriger einer Diözese. **Di|ö|ze|se** ⟨gr.-lat.⟩ die; -, -n: a) Amtsgebiet eines katholischen Bischofs; b) (früher auch:) evangel. Kirchenkreis; vgl. Dekanat. **Di|ö|zie** ⟨gr.-nlat.⟩ die; -: Zweihäusigkeit bei Pflanzen (männliche u. weibliche Blüten stehen auf verschiedenen Individuen). **di|ö|zisch**: zweihäusig (von Pflanzen). **Di|ö-zis|mus** der; -: ↑ Diözie
Di̱p ⟨engl.⟩ der; -s, -s: kalte, dickflüssige Soße zum Eintunken von kleinen Happen wie Fleischstücken o. Ä.
Di̱|pep|ti̱d ⟨gr.-nlat.⟩ das; -s, -e: ein aus zwei beliebigen ↑ Aminosäuren aufgebauter Eiweißkörper (Chem.). **Di̱|pep|ti|da̱|se** die; -, -n: ↑ Enzym, das Dipeptide spaltet (Chem.)

Diph|the|rie ⟨gr.-nlat.⟩ die; -, ...ien: Infektionskrankheit im Hals- u. Rachenraum mit Bildung häutiger Beläge auf den Tonsillen u. Schleimhäuten. **diph|the|risch:** durch Diphtherie hervorgerufen. **Diph|the|ri|tis** die; -: (ugs.) ↑Diphtherie. **diph|the|ro|id:** 1. diphtherieähnlich. 2. die Diphtherie betreffend

Diph|thong* ⟨gr.-lat.⟩ der; -s, -e: aus zwei Vokalen gebildeter Laut, Doppellaut, Zwielaut (z. B. ei, au; Sprachw.); Ggs. ↑Monophthong. **Diph|thon|gie** ⟨gr.-nlat.⟩ die; -, ...ien: gleichzeitige Bildung von zwei verschiedenen Tönen (bei Stimmbanderkrankungen; Med.). **diph|thon|gie|ren** ⟨gr.-lat.⟩: einen Vokal zum Diphthong entwickeln (z. B. das i in mittelhochd. wīp zu ei in neuhochd. Weib; Sprachw.); Ggs. ↑monophthongieren. **diph|thon|gisch:** (Sprachw.) a) einen Diphthong enthaltend; b) als Diphthong lautend; Ggs. ↑monophthongisch

di|phy|le|tisch ⟨gr.-nlat.⟩: stammesgeschichtlich von zwei Ausgangsformen ableitbar (von Tier- od. Pflanzeneinheiten) **Di|phyl|lo|both|ri|um*** ⟨gr.-nlat.⟩ das; -s, ...rien: ↑Dibothriocephalus

di|phy|o|dont: einen Zahnwechsel durchmachend (von Lebewesen; Med.)

Di|pla|ku|sis* ⟨gr.-nlat.; „Doppelhören"⟩ die; -: das Hören verschiedener Töne auf beiden Ohren beim Erklingen eines einzigen Tones (Med.)

Di|ple|gie* ⟨gr.-nlat.⟩ die; -, ...ien: doppelseitige Lähmung (Med.)

Di|plex|be|trieb* vgl. Duplexbetrieb

Dip|lo|do|kus* ⟨gr.-nlat.⟩ der; -, ...ken: ausgestorbene Riesenechse

Dip|lo|e* ⟨gr.⟩ die; -: zwischen den beiden Tafeln des Schädeldachs liegende schwammige Knochensubstanz (Med.). **di|plo|id** ⟨gr.-nlat.⟩: einen doppelten (d. h. vollständigen) Chromosomensatz aufweisend; Ggs. ↑haploid. **Di|plo|i|die** die; -: das Vorhandensein des vollständigen, d. h. des normalen (doppelten) Chromosomensatzes im Zellkern (Biol.).

Dip|lo|kok|kus der; -, ...kken: paarweise zusammenhängende ↑Kokken (Krankheitserreger; Med.)

Dip|lom* ⟨gr.-lat; „zweifach Gefaltetes"; „Handschreiben auf

zwei zusammengelegten Blättern"⟩ das; -s, -e: amtliche Urkunde über eine Auszeichnung od. über eine abgelegte Prüfung bes. an einer Hochschule od. bei der Handwerkskammer; Abk.: Dipl. **Dip|lo|mand** ⟨gr.-lat.-nlat.⟩ der; -en, -en: jmd., der sich auf eine Diplomprüfung vorbereitet. **Dip|lo|mat** ⟨gr.-lat.-nlat.-fr.⟩ der; -en, -en: 1. jmd., der im auswärtigen Dienst eines Staates steht u. bei anderen Staaten als Vertreter dieses Staates beglaubigt ist. 2. jmd., der geschickt u. klug taktiert, um seine Ziele zu erreichen, ohne andere zu verärgern. **Dip|lo|ma|tie** die; -: 1. völkerrechtliche Regeln für außenpolitische Verhandlungen; Verhandlungstaktik. 2. Gesamtheit der Diplomaten, die in einer Hauptstadt, in einem Land akkreditiert sind. 3. kluges, geschicktes Verhalten. **Dip|lo|ma|tik** die; -: Urkundenlehre. **Dip|lo|ma|ti|ker** der; -s, -: Urkundenforscher u. -kenner. **dip|lo|ma|tisch:** 1. die Diplomatik betreffend, urkundlich. 2. a) die Diplomatie betreffend, auf ihr beruhend; b) den Diplomaten betreffend. 3. klugberechnend, geschickt im Umgang. **dip|lo|mie|ren** ⟨gr.-lat.-nlat.⟩: jmdm. aufgrund einer Prüfung ein Diplom erteilen **Dip|lont*** ⟨gr.-lat.⟩ der; -en, -en: tierischer od. pflanzlicher Organismus, dessen Körperzellen zwei Chromosomensätze aufweisen. **Dip|lo|pie** die; -: gleichzeitiges Sehen zweier Bilder von einem einzigen Gegenstand (Med.). **dip|los|te|mon:** mit zwei Staubblattkreisen versehen (von Blüten, deren äußerer zu dem nächststehenden Blütenhüllkreis versetzt steht; Bot.)

Dip|noi* [...noi] ⟨gr.-nlat.⟩ die (Plural): kiemen- u. lungenatmende Knochenfische

Di|po|die ⟨gr.-lat.; „Doppelfüßigkeit"⟩ die; -, ...ien: Verbindung zweier Versfüße (rhythmischer Einheiten) zu einem Verstakt; vgl. Monopodie u. Tripodie. **di|po|disch** ⟨gr.⟩: (bes. von jambischen u. trochäischen Versen) abwechselnd Haupt- u. Nebenton aufweisend

Di|pol ⟨gr.-nlat.⟩ der; -s, -e: 1. Anordnung zweier gleich großer elektrischer Ladungen od. magnetischer Pole entgegengesetzter Polarität in geringem Abstand voneinander. 2. ↑Dipolantenne. **Di|pol|an|ten|ne** die; -, -n: An-

tennenanordnung mit zwei gleichen, elektrisch leitenden Teilen **dip|pen** ⟨engl.⟩: 1. (Seemannsspr.) die Flagge zum Gruß halb niederholen u. wieder aufziehen. 2. in einen Dip eintunken

Dip|so|ma|ne ⟨gr.-nlat.; „Trinksüchtiger"⟩ der od. die; -n, -n: jmd., der von periodischer Trunksucht befallen ist. **Dip|so|ma|nie** ⟨gr.-...⟩ die; -, ...ien: periodisches Auftreten von Trunksucht

Dip|tam* ⟨gr.-lat.-mlat.⟩ der; -s: zu den Rautengewächsen gehörende Staude, deren an ätherischen Ölen reiche Blätter entzündbar sind; Brennender Busch (Bot.)

Dip|te|ren* ⟨gr.-nlat.; „Zweiflügler"⟩ die (Plural): Zweiflügler. **Dip|te|ros** ⟨gr.-lat.⟩ der; -, ...roi: griech. Tempel, der von einer doppelten Säulenreihe umgeben ist

Dip|ty|chon* ⟨gr.-lat.⟩ das; -s, ...chen u. ...cha: 1. (im Altertum) zusammenklappbare Schreibtafel. 2. (im Mittelalter) zweiflügeliges Altarbild; vgl. Triptychon, Polyptychon

Di|py|lon|kul|tur ⟨gr.-lat.; nach der Fundstelle vor dem Dipylon, dem „Doppeltor", in Athen⟩ die; -: eisenzeitliche Kultur in Griechenland; **Di|py|lon|stil** ⟨nach den Dipylonvasen⟩ der; -s: geometrischer Stil der frühgriech. Vasenmalerei. **Di|py|lon|va|se** die; -, -n (meist Plural): Tongefäß der griech. Vasenmalerei in der späteren archaischen Zeit

Di|rae ⟨lat.⟩ die (Plural): Verwünschungsgedichte u. Schmähverse (altröm. Literaturgattung)

Di|rect|cos|ting [dı'rεktkɔstıŋ] ⟨engl.⟩ das; - [-s]: Sammelbez. für verschiedene Verfahren der Teilkostenrechnung (Wirtsch.). **Di|rect|mai|ling** [dı'rεktmeılıŋ] ⟨engl.⟩ das; -[s], -s: Form der Direktwerbung, bei der das Werbematerial (Briefumschlag u. Prospekt mit Rückantwortkarte) an eine bestimmte Zielgruppe mit der Post geschickt wird. **Di|rec|toire** [dırεk'toa:ʁ] ⟨lat.-fr.⟩ das; -[s]: franz. Kunststil zwischen ↑Louis-seize u. ↑¹Empire (b). **di|rekt** ⟨lat.⟩: 1. unmittelbar, ohne Umweg od. Verzögerung o. Ä. ohne dass etwas anderes schenliegt od. unternommen wird (in Bezug auf das Verhältnis zwischen räumlichem od. zeitlichem Ausgangspunkt u. dem Zielpunkt); **direkte Rede:** in Anführungszeichen stehende wörtliche, unabhängige Rede (z.B.: Er sagte: „Ich gehe nach Hause."); Ggs. ↑indirekte Rede. 2. geradezu, ausgesprochen, regelrecht, z.B. es ist direkt ein Glück, dass ich dich getroffen habe. **Di|rek|ti|on** *die;* -, -en: 1. (ohne Plural) Leitung eines Unternehmens o.Ä. 2. die leitenden Personen eines Unternehmens, Geschäftsleitung o.Ä.; dazugehörige Büroräume. 3. (veraltet) Richtung. 4. (schweiz.) kantonales Ministerium. **di|rek|tiv:** Verhaltensregeln gebend. **Di|rek|ti-ve** ⟨*lat.-nlat.*⟩ *die;* -, -n: Weisung; Verhaltensregel. **Di|rekt|kan|di-dat** *der;* -en, -en: Politiker, der sich um ein Direktmandat bewirbt. **Di|rekt|man|dat** *das;* -[e]s, -e: ↑Mandat (2), das der Kandidat einer Partei in einer Wahl persönlich erringt. **Di|rek-tor** ⟨*lat.*⟩ *der;* -s, ...oren: 1. a) Leiter (einer Schule); b) jmd , der ei-nem Unternehmen, einer Behörde vorsteht; Vorsteher. 2. Zusatzelement für die ↑Dipolantenne mit Richtwirkung. **Di|rek|to-rat** ⟨*lat.-nlat.*⟩ *das;* -[e]s, -e: 1. a) Leitung; b) Amt eines Direktors od. einer Direktorin. 2. Dienstzimmer eines Direktors od. einer Direktorin. **di|rek|to|ri|al:** a) einem Direktor od. einer Direktorin zustehend; b) von einem Direktor od. einer Direktorin veranlasst; c) einem Direktor [in der Art des Benehmens] ähnlich, entsprechend. **Di|rek|to|rin** ⟨*lat.*⟩ *die;* -, -nen: weibliche Form zu ↑Direktor (1). **Di|rek|to|ri|um** *das;* -s, ...ien: 1. Vorstand, Geschäftsleitung, leitende Behörde. 2. (ohne Plural) ↑Directoire. **Di-rekt|ri|ce*** [dirɛk'tri:sə] ⟨*lat.-fr.*⟩ *die;* -, -n: leitende Angestellte, bes. in der Bekleidungsindustrie. **Di|rekt|rix*** ⟨*lat.*⟩ *die;* -: Leitlinie von Kegelschnitten, Leitkurve von gekrümmten Flächen (Math.). **Di|ret|tis|si|ma** ⟨*ital.*⟩ *die;* -, -s: Route, die ohne Umwege zum Gipfel eines Berges führt. **di|ret|tis|si|mo:** den direkten Weg zum Gipfel nehmend. **Di-rex** ⟨*lat.*⟩ *der;* -, -e (Plural selten) u. *die;* -, -en: (Schülerspr.) Kurzw. für: ↑Direktor (1 a) u. Direktorin

Dirge [də:dʒ] ⟨*lat.-engl.;* nach dem lat. Anfangswort einer Totenklage „Dirige, Domine" = Leite, Herr...) *das;* -, -s: engl. Bez. für: Trauer-, Klagegedicht, Klagelied

Dir|ham u. **Dir|hem** ⟨*gr.-arab.*⟩ der; -s, -s (aber: 5 Dirham): 1. Währungs- u. Münzeinheit in verschiedenen arab. Ländern (Abk.: DH). 2. frühere Gewichtseinheit in den islamischen Ländern

Di|ri|gat ⟨*lat.*⟩ *das;* -[e]s, -e: 1. Orchesterleitung, Dirigentschaft. 2. Tätigkeit, [öffentliches] Auftreten eines Dirigenten. **Di|ri-gent** *der;* -en, -en: 1. Leiter eines Orchesters od. Chores, einer musikalischen Aufführung. 2. jmd., der etw. leitet, lenkt, dirigiert (2). **di|ri|gie|ren:** 1. ein Orchester od. einen Chor, eine musikalische Aufführung (Konzert, Oper) leiten. 2. die Leitung von etw. haben; den Gang, Ablauf von etw. steuern; durch Anweisungen o.Ä. an ein bestimmtes Ziel, in eine gewünschte Richtung lenken. **Di|ri|gis|mus** ⟨*lat.-nlat.*⟩ *der;* -: staatliche Lenkung der Wirtschaft. **di|ri|gis|tisch:** 1. den Dirigismus betreffend. 2. reglementierend, in der Bewegungsfreiheit einengend, Vorschriften machend

di|ri|mie|ren ⟨*lat.-fr.*⟩: 1. (österr.) (bei Stimmengleichheit) eine Entscheidung herbeiführen. 2. (veraltet) trennen, entfremden, sich lösen

Dirt|track|ren|nen, auch: **Dirt-Track-Ren|nen** ['də:t'træk...] ⟨*engl.; dt.*⟩ *das;* -s, -: Motorrad- od. Fahrradrennen auf Schlacken- od. Aschenbahnen

Di|sac|cha|rid u. **Di|sa|cha|rid** [auch: 'di:za...] ⟨*gr.; sanskr.-gr.-lat.-nlat.*⟩ *das;* -s, -e: Kohlehydrat, das aus zwei Zuckermolekülen aufgebaut ist

Dis|agio [dɪs'a:dʒo] ⟨*lat.-fr.-it.*⟩ *das;* -s, -u. ...ien: Abschlag, um den der Preis od. Kurs hinter dem Nennwert od. der ↑Parität (2) eines Wertpapiers od. Geldsorte zurückbleibt

dis|am|bi|gu|ie|ren ⟨*lat.*⟩: die ↑Ambiguität eines sprachlichen Zeichens, eines Ausdrucks (durch bestimmte syntaktische od. semantische Zuordnungen) aufheben; etw. eindeutig machen (Sprachw.)

Dis|can|tus ⟨*lat.-mlat.*⟩ *der;* -, - [...tu:s]: ↑Diskant

Dis|cip|les of Christ* [dɪ'saɪpəls əv 'kraɪst] ⟨*engl.;* „Jünger Christi") *die* (Plural): Zweig der Baptisten in den USA u. Kanada

Disc|jo|ckey vgl. Diskjockey. **Disc|man** ® ['dɪskmən] ⟨*engl.*⟩ *der;* -[s], -s: tragbarer CD-Player mit Kopfhörern. **Dis|co** vgl. Dis-ko. **Dis|co|fox** vgl. Diskofox. **Dis|co|queen** vgl. Diskoqueen. **Dis|co|rol|ler** vgl. Diskoroller. **Dis|co|sound** vgl. Diskosound

Dis|count [dɪs'kaʊnt] ⟨*lat.-fr.-engl.*⟩ *der;* -s, -s: Einkaufsmöglichkeit, bei der man in Selbstbedienung Waren verbilligt einkaufen kann. **Dis|count|bro|ker** [dɪskaʊnt'bro:kɐ] ⟨*engl.*⟩ *der;* -s, -: Unternehmen, das im Auftrag von Privatkunden Wertpapierhandelsgeschäfte ohne Beratung gegen niedrige Gebühren betreibt. **Dis|coun|ter** *der;* -s, -: 1. jmd., der eine Ware mit Preisnachlass verkauft. 2. ↑Discount|ge|schäft *das;* -[e]s, -e u. **Dis|count|la|den** *der;* -s, ...läden: Einzelhandelsgeschäft, in dem Markenartikel u. andere Waren zu einem hohen Rabattsatz (mitunter zu Großhandelspreisen) verkauft werden

Dis|en|gage|ment [dɪsɪn'geɪdʒ-mənt] ⟨*engl.*⟩ *das;* -s: das militärische Auseinanderrücken (der Machtblöcke)

Di|seur [di'zø:ɐ] ⟨*lat.-fr.*⟩ *der;* -s, -e: Sprecher, Vortragskünstler, bes. im Kabarett. **Di|seu|se** [di-'zø:zə] *die;* -, -n: weibliche Form zu ↑Diseur

dis|gru|ent ⟨*lat.-nlat.*⟩: nicht übereinstimmend; Ggs. ↑kongruent (1)

Dis|har|mo|nie [auch: 'dis...] ⟨*lat.; gr.-lat.*⟩ *die;* -, ...ien: 1. Missklang (Mus.). 2. Uneinigkeit, Unstimmigkeit, Misston. **dis-har|mo|nie|ren:** nicht zusammenstimmen, uneinig sein. **dis-har|mo|nisch:** 1. einen Missklang bildend (Mus.). 2. eine Unstimmigkeit aufweisend; uneinig. 3. unterschiedlich verformt (bei der Faltung von Gesteinen) (Geol.)

Dis|jek|ti|on ⟨*lat.*⟩ *die;* -, -en: Persönlichkeitsspaltung als Traumerlebnis, bei dem in einem Trauminhalt in doppelter Gestalt erscheint (z.B. man sieht sich selbst u. ist zugleich als Zuschauer anwesend; Psychol.)

dis|junkt ⟨*lat.*⟩: getrennt, geschieden (von gegensätzlichen Begriffen, die zu einem Gattungsbegriff gehören). **Dis|junk|ti|on** *die;* -, -en: 1. a) Trennung, Sonderung; b) Verknüpfung zweier Aussagen durch das ausschließende „Entweder-oder" (Logik); c) Verknüpfung zweier Aussagen durch das nicht ausschließende „Oder" (Logik). 2. (Biol.) a) Trennung eines pflan-

zen- od. tiergeographischen Verbreitungsgebietes in mehrere nicht zusammenhängende Teilgebiete (z. B. die Verbreitung von Robben im Ozean u. in Binnenseen); b) Trennungsvorgang bei ↑ Chromosomen. **dis|junk|tiv:** a) einander ausschließend, aber zugleich eine Einheit bewirkend (von Urteilen od. Begriffen); Ggs. ↑ konjunktiv; b) eine Wahlmöglichkeit zwischen mehreren sprachlichen Formen aufweisend (die aber nicht frei ist, sondern von der jeweiligen Umgebung abhängt, z. B. Vergangenheitsform der schwachen Verben: er wend-e t-e, er lach-t-e; Sprachw.); **disjunktive Konjunktion:** ausschließendes Bindewort (z. B. *oder*)
Dis|kant ⟨*lat.-mlat.*⟩ *der;* -s, -e: 1. die dem ↑ Cantus firmus hinzugefügte Gegenstimme; oberste Stimme, ↑ Sopran (Mus.). 2. sehr hohe, schrille Stimmlage beim Sprechen. 3. obere Hälfte der Tastenreihe beim Klavier. **Diskant|schlüs|sel** *der;* -s: Sopranschlüssel, C-Schlüssel auf der untersten der fünf Notenlinien
Dis|ket|te ⟨*gr.-lat.-fr.-engl.*⟩ *die;* -, -n: Datenträger in Form einer kleinen, auf beiden Seiten magnetisierbaren Kunststoffplatte, der direkten Zugang auf die gespeicherten Daten ermöglicht
Disk|jo|ckey [ˈdɪsk-dʒɔke, auch: ...ki] ⟨*engl.*⟩ *der;* -s, -s: jmd., der in Rundfunk od. Fernsehen u. bes. in Diskotheken Schallplatten präsentiert.
Dis|ko ⟨*engl.*⟩ *die;* -, -s: 1. Tanzlokal, bes. für Jugendliche, mit Schallplatten- od. Tonbandmusik. 2. Tanzveranstaltung mit Schallplatten- od. Tonbandmusik. **Dis|ko|fox** *der;* -[es], -e: moderne Form des ↑ Foxtrotts, der in Diskotheken getanzt wird.
Dis|ko|gra|phie, auch: Diskografie ⟨*gr.-nlat.*⟩ *die;* -, ...ien: Schallplattenverzeichnis, das (mehr od. weniger vollständig u. mit genauen Daten) die Plattenaufnahmen eines bestimmten ↑ Interpreten (2) od. ↑ Komponisten enthält. **dis|ko|i|dal:** scheibenförmig; **diskoidale Furchung:** Furchungsvorgang bei dotterreichen Eizellen, bei dem sich nur der Teilbezirk des Eies im Bereich des Zellkerns in ↑ Blastomeren teilt, die dann scheibenartig der unzerlegten Masse des Dotters aufliegen (Biol.). **Dis|ko|lo|gie** *die;* -: Aufgabengebiet,

auf dem man sich mit Möglichkeiten u. Grenzen der Musik u. ihrer Interpretation im Bereich der Tonträger befasst. **Dis|ko|my|zet** *der;* -en, -en (meist Plural): Scheibenpilz (gehört zur Gruppe der Schlauchpilze)
Dis|kont ⟨*lat.-it.*⟩ *der;* -s, -e u. Diskonto *der;* -[s], -s u. ...ti: 1. der bei Ankauf einer noch nicht fälligen Zahlung, bes. eines Wechsels, abgezogene Zins; Vorzinsen. 2. ↑ Diskontsatz, Diskontierung. **Dis|kon|ten** *die* (Plural): inländische Wechsel. **Dis|kont|ge|schäft** *das;* -[e]s, -e: Wechselgeschäft. **dis|kon|tie|ren:** eine später fällige Forderung (z. B. einen Wechsel) unter Abzug von Zinsen ankaufen
dis|kon|ti|nu|ier|lich ⟨*lat.-nlat.*⟩: aussetzend, unterbrochen, zusammenhangslos; Ggs. ↑ kontinuierlich; **diskontinuierliche Konstituente:** sprachl. Konstruktion, die in der linearen Redekette nicht als der geschlossene, sondern als eine von anderen Konstituenten unterbrochene Einheit auftritt (z. B. sie **macht** das Fenster **auf;** Sprachw.). **Dis|kon|ti|nu|i|tät** *die;* -, -en: 1. Ablauf von Vorgängen mit zeitlichen u./od. räumlichen Unterbrechungen; Ggs. ↑ Kontinuität. 2. Grundsatz, nach dem im Parlament eingebrachte Gesetzesvorlagen, die nicht mehr vor Ablauf einer Legislaturperiode behandelt werden konnten, vom neuen Parlament neu eingebracht werden müssen
Dis|kon|to ⟨*lat.-it.*⟩ vgl. Diskont. **Dis|kont|satz** *der;* -es, ...sätze: Zinsfuß, der bei der Diskontberechnung zugrunde gelegt wird; vgl. Lombardsatz
Dis|ko|pa|thie ⟨*gr.-nlat.*⟩ *die;* -, ...ien: Bandscheibenleiden, degenerative Veränderung an der Zwischenwirbelscheibe; vgl. Degeneration (1) (Med.). **Dis|ko|queen** [...kwi:n] ⟨*engl.*⟩ *die;* -, -s: 1. höchst erfolgreiche Interpretin von Liedern im Diskosound. 2. junge Frau, die in einer Diskothek durch ihr anziehendes Äußeres, durch ihre modisch schicke Kleidung u. durch ihr Tanzen auffällt u. von allen bewundert wird
dis|kor|dant ⟨*lat.*⟩: ungleichförmig zueinander gelagert (von Gesteinen); Geol.). **Dis|kor|danz** ⟨*lat.-mlat.*⟩ *die;* -, -en: 1. Uneinigkeit, Missklang. 2. (meist Plural) Unstimmigkeit in der Komposi-

tion od. in der Wiedergabe eines musikalischen Werkes. 3. ungleichförmige Lagerung zweier Gesteinsverbände (Geol.)
Dis|ko|rol|ler [auch: ...roʊlə] ⟨*engl.*⟩ *der;* -s, -: besonders schneller Rollschuh mit daran befindlichen Schuhen. **Dis|ko-sound** ⟨*engl.*⟩ *der;* -s: ↑ Sound eines Liedes, der durch Einfachheit des ↑ Arrangements (3 b) u. durch verstärkte Betonung einer einfachen Rhythmik gekennzeichnet ist u. der sich deshalb bes. als Tanzmusik eignet. **Dis|ko|thek** ⟨*gr.-nlat.*⟩ *die;* -, -en: 1. a) Schallplattensammlung, -archiv; b) Räumlichkeiten, in denen ein Schallplatten-, Tonbandarchiv untergebracht ist. 2. ↑ Disko (1). **Dis|ko|the|kar** *der;* -s, -e: Verwalter einer Diskothek (1 a) [beim Rundfunk]
Dis|kre|dit ⟨*lat.-it.-fr.*⟩ *der;* -[e]s: übler Ruf. **dis|kre|di|tie|ren:** dem Ruf, Ansehen einer Person od. Sache schaden, abträglich sein
dis|kre|pant ⟨*lat.*⟩: [voneinander] abweichend, zwiespältig. **Dis|kre|panz** *die;* -, -en: Widersprüchlichkeit, Missverhältnis zwischen zwei Sachen
dis|kret ⟨*lat.-mlat.-fr.*⟩: 1. a) so unauffällig behandelt, ausgeführt o. Ä., dass es von anderen kaum od. gar nicht bemerkt wird; vertraulich; b) taktvoll, rücksichtsvoll; Ggs. ↑ indiskret. 2. a) (von sprachlichen Einheiten) abgegrenzt, abgetrennt, abgrenzbar, z. B. durch Substitution (Sprachw.); b) in einzelne Punkte zerfallend, vereinzelt, abzählbar (bezogen auf eine Folge von Ereignissen od. Symbolen; Techn.); **diskrete Zahlenwerte:** Zahlenwerte, die durch endliche ↑ Intervalle (4) voneinander getrennt stehen (Math., Phys.). **Dis|kre|ti|on** ⟨*lat.-fr.*⟩ *die;* -: a) Rücksichtnahme, taktvolle Zurückhaltung; b) Vertraulichkeit, Verschwiegenheit. **dis|kre|ti|o|när:** dem Ermessen des Partners anheim stellend
Dis|kri|mi|nan|te ⟨*lat.*⟩ *die;* -, -n: mathematischer Ausdruck, der bei Gleichungen zweiten u. höheren Grades die Eigenschaft der Wurzel angibt (Math.). **Dis|kri|mi|na|ti|on** *die;* -, -en: ↑ Diskriminierung; vgl. ...[at]ion/...ie-rung. **Dis|kri|mi|na|tor** ⟨*lat.-nlat.*⟩ *der;* -s, ...oren: Schaltung von Elektronenröhren zur Ermittlung der Größenverteilung

von elektrischen ↑Impulsen (2 a; Elektrot.). **dis|kri|mi|nie|ren** ⟨*lat.;* „trennen, absondern"⟩: durch [unzutreffende] Äußerungen, Behauptungen in der Öffentlichkeit jmds. Ansehen, Ruf schaden, ihn herabsetzen. 2. (durch unterschiedliche Behandlung) benachteiligen, zurücksetzen. 3. unterscheiden (Fachspr.). **Dis|kri|mi|nie|rung** *die;* -, -en: das Diskriminieren; vgl. ...[at]ion/...ierung

dis|kur|rie|ren ⟨*lat.*⟩: a) [heftig] erörtern; verhandeln; b) sich unterhalten. **Dis|kurs** *der;* -es, -e: 1. methodisch aufgebaute Abhandlung über ein bestimmtes. [wissenschaftliches] Thema. 2. a) Gedankenaustausch, Unterhaltung; b) heftiger Wortstreit, Wortwechsel. 3. die von einem Sprachteilhaber auf der Basis seiner sprachlichen Kompetenz tatsächlich realisierten sprachlichen Äußerungen (Sprachw.). **dis|kur|siv** ⟨*lat.-mlat.*⟩: von Begriff zu Begriff methodisch fortschreitend (Philos.); Ggs. ↑intuitiv

Dis|kus ⟨*gr.-lat.*⟩ *der;* - u. -ses, ...ken u. -se: 1. scheibenförmiges Wurfgerät aus Holz mit Metallreifen u. Metallkern (Sport). 2. wulstförmige Verdickung des Blütenbodens, bes. bei Doldenblütlern (Bot.). 3. in der orthodoxen Kirche Opferteller (vgl. Patene) für das geweihte Brot

Dis|kus|si|on ⟨*lat.*⟩ *die;* -, -en: Erörterung, Aussprache, Meinungsaustausch. **dis|ku|ta|bel** ⟨*lat.-fr.*⟩: erwägenswert, annehmbar; Ggs. ↑indiskutabel. **Dis|ku|tant** ⟨*lat.-nlat.*⟩ *der;* -en, -en: Teilnehmer an einer Diskussion. **dis|ku|tie|ren** ⟨*lat.*⟩: a) etwas eingehend mit anderen erörtern, besprechen; b) Meinungen austauschen

Dis|lo|ka|ti|on ⟨*lat.-nlat.*⟩ *die;* -, -en: 1. räumliche Verteilung von Truppen. 2. Lageveränderung, Verschiebung der Bruchenden gegeneinander bei Knochenbrüchen (Med.). 3. Verschiebung, Versetzung von Atomen in einem Kristallgitter (Phys.). 4. Störung der normalen Lagerung von Gesteinsverbänden durch Faltung od. Bruch (Geol.); vgl. ...[at]ion/...ierung. **Dis|lo|ka|ti|ons|be-ben** *das;* -s, -: Erdbeben, das durch ↑tektonische Bewegungen verursacht wird (Geol.)

dis|lo|yal [auch: ˈdɪs...] ⟨*lat.; lat.-fr.*⟩: gegen die Regierung eingestellt; Ggs. ↑loyal (a)

dis|lo|zie|ren ⟨*lat.-nlat.*⟩: 1. Truppen räumlich verteilen. 2. (schweiz.) umziehen. **Dis|lo|zie-rung** *die;* -, -en: ↑Dislokation; vgl. ...[at]ion/...ierung

Dis|memb|ra|ti|on* ⟨*lat.-nlat.*⟩ *die;* -, -en: 1. Zerschlagung, Zerstückelung, bes. von Ländereien bei Erbschaften. 2. Zerfall eines Staates in verschiedene Teile, die sich verselbstständigen (z. B. Österreich-Ungarn 1918). **Dis-memb|ra|tor** *der,* -s, ...oren: Maschine zur Zerkleinerung halbharter Materialien (z. B. Ton, Gips)

Dis|pa|che [dɪsˈpaʃ(ə)] ⟨*it.-fr.*⟩ *die;* -, -n: Schadensberechnung u. -verteilung auf die Beteiligten bei Seeschäden. **Dis|pa|cheur** [...ˈʃøːɐ̯] *der;* -s, -e: Sachverständiger für Seeschadensberechnung u. -verteilung. **dis|pa|chie-ren** [...ˈkiːrən]: den Seeschadenanteil berechnen

dis|pa|rat ⟨*lat.*⟩: ungleichartig, unvereinbar, sich widersprechend. **Dis|pa|ri|tät** ⟨*lat.-nlat.*⟩ *die;* -, -en: Ungleichheit, Verschiedenheit

Dis|pat|cher [dɪsˈpɛtʃɐ] ⟨*lat.-it.-engl.*⟩ *der;* -s, -: leitender Angestellter in der Industrie, der den Produktionsablauf überwacht

Dis|pens ⟨*lat.-mlat.;* „Erlass"⟩ *der;* -es, -e od. (österr. u. im kath. Kirchenrecht nur:) *die;* -, -en: Befreiung von einer allgemein geltenden Vorschrift für einen jeweiligen Einzelfall (bes. im kath. Kirchenrecht). **dis|pen|sa-bel** ⟨*lat.-nlat.*⟩: (veraltet) verzeihlich. **Dis|pen|saire|me|tho|de** [...pãˈsɛː̯ɐ̯...] ⟨*lat.-fr.; gr.-lat.*⟩ *die;* -, -n: vorbeugendes Verfahren der Erfassung u. medizinischen Betreuung bestimmter gesundheitlich gefährdeter Bevölkerungsgruppen (Med., Sozialpsychol.). **Dis|pen|sa|ri|um** *das;* -s, ...ien: ↑Dispensatorium. **Dis|pen|sa|ti|on** ⟨*lat.*⟩ *die;* -, -en: ↑Dispensierung; vgl. ...[at]ion/...ierung. **Dis|pen|sa|to|ri|um** *das;* -s, ...ien: Arzneibuch. **Dis-pens|ehe** *die;* -, -n: Ehe, die mit kirchlichem Dispens [von bestehenden Ehehindernissen] geschlossen wird. **Dis|pen|ser** ⟨*lat.-engl.*⟩ *der;* -s, -: 1. etw., was verkaufsunterstützend eingesetzt wird (z. B. Leerpackungen, Verkaufsständer, Warenautomaten). 2. Fahrzeug zur Betankung von Luftfahrzeugen. **dis|pen-sie|ren:** 1. jmdn. von etwas befreien, beurlauben. 2. Arzneien

bereiten u. abgeben. **Dis|pen-sie|rung** *die;* -, -en: 1. Befreiung von einer Verpflichtung. 2. Bereitung u. Abgabe einer Arznei; vgl. ...[at]ion/...ierung

Dis|per|gens* ⟨*lat.*⟩ *das;* -, ...en-zien u. ...entia: gasförmiges od. flüssiges Lösungsmittel, in dem ein anderer Stoff in feinster Verteilung enthalten ist. **dis|per|gie-ren:** zerstreuen, verbreiten, fein verteilen

Di|sper|mie ⟨*gr.-nlat.*⟩ *die;* -, ...ien: das Eindringen zweier ↑Spermatozoen in dieselbe Eizelle (Med.)

dis|pers* ⟨*lat.*⟩: zerstreut; fein verteilt; **disperse Phase:** der in einer Flüssigkeit je nach seiner Größe in grober, feiner od. feinster Form verteilte Stoff (Phys., Chem.); vgl. Phase (3). **Dis|per-sant** [dɪsˈpɔːsənt] ⟨*lat.-engl.*⟩ *das;* -[s], -s: ↑Additiv, das Fremdstoffe im Schmieröl in der Schwebe halten u. verhindern soll, dass sie sich im Motor absetzen. **Dis|per-si|on** ⟨*lat.*⟩ *die;* -, -en: 1. feinste Verteilung eines Stoffes in einem anderen od. der Art, dass seine Teilchen im andern schweben. 2. (Phys.) a) Abhängigkeit der Fortpflanzungsgeschwindigkeit einer Wellenbewegung (z. B. Licht, Schall) von der Wellenlänge bzw. der Frequenz; b) Zerlegung von weißem Licht in ein farbiges Spektrum. 3. Streuung der Einzelwerte vom Mittelwert (Statistik). **Dis|per|sil|tät** ⟨*lat.-nlat.*⟩ *die;* -, -en: Verteilungsgrad bei der Dispersion. **Dis|per|so-id** ⟨*lat.; gr.*⟩ *das;* -s, -e: disperses System aus Dispergens u. Dispersum; Gesamtheit einer Flüssigkeit u. das darin verteilten (↑dispersen) Stoffes (Phys., Chem.). **Dis|per|sum** *das;* -s, -s, -n: Stoff in feinster Verteilung, der in einem ↑Dispergens schwebt

Dis|pla|ced Per|son [dɪsˈpleɪst ˈpɔːsn] ⟨*engl.*⟩ *die;* - -, - -s: Bez. für einen Ausländer, der während des Zweiten Weltkriegs nach Deutschland [zur Zwangsarbeit] verschleppt wurde; Abk.: D. P.

Dis|play [dɪsˈpleɪ] ⟨*engl.*⟩ *das;* -s, -s: 1. a) werbewirksames Auf-, Ausstellen von Waren; b) Dekorationselement, das den ausgestellten Gegenstand ins Blickpunkt rücken soll. 2. Gerät, das Daten optisch darstellt in Form von Ziffern, Buchstaben, Zeichen o. Ä. **Dis|play|er** [...ˈpleɪə] *der;* -s, -: Entwerfer von Dekorationen u. Verpackungen

Di|spon|de|us ⟨gr.-lat.⟩ der; -, ...gen: doppelter ↑Spondeus (----)

Dis|po|nen|de ⟨lat.⟩ die; -, -n (meist Plural): vom Sortimentsbuchhändler bis zum vereinbarten Abrechnungstermin nicht verkauftes Buch, das er mit Genehmigung des Verlages weiter bei sich lagert. **Dis|po|nent** der; -en, -en: 1. kaufmännischer Angestellter, der mit besonderen Vollmachten ausgestattet ist u. einen größeren Unternehmensbereich leitet. 2. künstlerischer Vorstand, der für den Vorstellungs- u. Probenplan, für die Platzmieten u. für den Einsatz der Schauspieler u. Sänger verantwortlich ist (Theat.). **dis|po|ni|bel** ⟨lat.-nlat.⟩: verfügbar. **Dis|po|ni|bi|li|tät** die; -: Verfügbarkeit. **dis|po|nie|ren** ⟨lat.⟩: a) in bestimmter Weise verfügen; b) im Voraus [ein]planen, kalkulieren. **dis|po|niert**: 1. a) [besonders für einen künstlerischen Vortrag] in einer bestimmten Verfassung; b) [besonders in Bezug auf eine bestimmte Krankheit o. Ä.] empfänglich; c) zu etw. eine Veranlagung, Begabung besitzend. 2. aus einer Anzahl von Orgelregistern kombiniert (beim Orgelbau). **Dis|po|si|ti|on** die; -, -en: 1. a) das Verfügenkönnen; freie Verwendung; b) Planung, das Sicheinrichten auf etw.; c) Gliederung, Plan. 2. a) bestimmte Veranlagung, Empfänglichkeit, innere Bereitschaft zu etw.; b) Empfänglichkeit, Anfälligkeit für Krankheiten (Med.). 3. Anzahl u. Art der Register bei der Orgel. **Dis|po|si|ti|ons|fä|hig:** geschäftsfähig. **Dis|po|si|ti|ons|fonds** der; -, -: Posten des Staatshaushalts, über dessen Verwendung die Verwaltung selbst bestimmen kann. **Dis|po|si|ti|ons|kre|dit** der; -[e]s, -e: Kredit, der dem Inhaber eines Lohn- od. Gehaltskontos erlaubt, sein Konto in bestimmter Höhe zu überziehen; Überziehungskredit. **dis|po|si|tiv** ⟨lat.-nlat.⟩: anordnend, verfügend; dispositives Recht: rechtlich vorgeschriebene Regelung, die durch die daran Beteiligten geändert werden kann. **Dis|po|si|tiv** ⟨lat.-nlat.⟩ das; -s, -e (bes. schweiz.): a) Absichts-, Willenserklärung; b) Gesamtheit aller Personen u. Mittel, die für eine bestimmte Aufgabe eingesetzt werden können, zur Disposition stehen. **Dis|po|si|tor**

der; -s, ...oren: Planet, der die in einem Tierkreiszeichen befindlichen Himmelskörper beherrscht (Astrol.)

Dis|pro|por|ti|on [auch: 'dıs...] ⟨lat.-nlat.⟩ die; -, -en: Missverhältnis. **Dis|pro|por|ti|o|na|li|tät** [auch: 'dıs...] die; -, -en: Missverhältnis, bes. in der Konjunkturtheorie. **dis|pro|por|ti|o|niert** [auch: 'dıs...]: schlecht proportioniert, ungleich

Dis|put ⟨lat.-fr.⟩ der; -[e]s, -e: kontrovers geführtes Gespräch; Streitgespräch. **dis|pu|ta|bel** ⟨lat.⟩: strittig; Ggs. ↑indisputabel. **Dis|pu|tant** der; -en, -en: jmd., der an einem Disput teilnimmt. **Dis|pu|ta|ti|on** die; -, -en: [wissenschaftliches] Streitgespräch. **dis|pu|tie|ren**: ein [wissenschaftliches] Streitgespräch führen; diskutieren. **Dis|pu|tier|er** der; -s, -: jmd., der gern u. oft disputiert

Dis|qua|li|fi|ka|ti|on ⟨lat.-engl.⟩ u. Disqualifizierung die; -, -en: 1. Ausschließung vom Wettbewerb bei sportlichen Kämpfen wegen Verstoßes gegen eine sportliche Regel; vgl. ...[at]ion/...ierung. 2. Untauglichkeit. **dis|qua|li|fi|zie|ren:** a) einen Sportler wegen groben Verstoßes gegen eine sportliche Regel vom Kampf ausschließen; b) für untauglich erklären. **Dis|qua|li|fi|zie|rung** die; -, -en: Disqualifikation; vgl. ...[at]ion/...ierung

Diss die; -: (Jargon) Kurzform von ↑Dissertation

dis|se|cans ⟨lat.⟩: trennend, durchschneidend, spaltend (Med.)

Dis|se|mi|na|ti|on ⟨lat.; „Aussaat"⟩ die; -, -en: (Med.) a) Verbreitung (z. B. von Krankheitserregern im Körper); b) Ausbreitung einer Seuche. **dis|se|mi|niert:** ausgestreut, über ein größeres Gebiet hin verbreitet (von Krankheitserregern od. -erscheinungen; Med.)

dis|sen ⟨amerik.⟩: verächtlich machen, schmähen (Rapperjargon)

Dis|sens ⟨lat.⟩ der; -es, -e: Meinungsverschiedenheit in Bezug auf bestimmte Fragen o. Ä.; Ggs. ↑Konsens. **Dis|sen|ter** ⟨lat.-engl.; „Andersdenkender"⟩ der; -s, -s: Mitglied einer [protestantischen] Kirche in Großbritannien, die sich von der Staatskirche getrennt hat. **dis|sen|tie|ren** ⟨lat.⟩: abweichender Meinung sein

Dis|se|pi|ment ⟨lat.⟩ das; -s, -e: Scheidewand im Innern von Blumentieren, Regenwürmern u. Armfüßern (Biol.)

Dis|ser|tant ⟨lat.⟩ der; -en, -en: ↑Doktorand. **Dis|ser|ta|ti|on** ⟨lat.; „Erörterung"⟩ die; -, -en: schriftliche wissenschaftliche Abhandlung zur Erlangung des Doktorgrades. **dis|ser|tie|ren:** an einer Dissertation arbeiten

dis|si|dent ⟨lat.-engl.⟩: von einer offiziellen Meinung o. Ä. abweichend; oppositionell. **Dis|si|dent** ⟨lat.; „Getrennter"⟩ der; -en, -en: 1. jmd., der außerhalb einer staatlich anerkannten Religionsgemeinschaft steht; Konfessionsloser. 2. jmd., der mit der offiziellen [politischen] Meinung nicht übereinstimmt; anders Denkender, Abweichler. **Dis|si|denz** ⟨engl.-fr.⟩ die; -, -en: Widerstand[sbewegung], Opposition[sbewegung]. **Dis|si|di|en** die (Plural): (veraltet) Streitpunkte. **dis|si|die|ren:** a) anders denken; b) [aus der Kirche] austreten

Dis|si|mi|la|ti|on ⟨lat.; „Entähnlichung"⟩ die; -, -en: 1. Änderung eines von zwei gleichen od. ähnlichen Lauten in einem Wort od. Unterdrückung des einen ihnen (z. B. Ausfall eines n in König, aus diesem kuning); Ggs. ↑Assimilation (1 b). 2. Abbau u. Verbrauch von Körpersubstanz unter Energiegewinnung; Ggs. ↑Assimilation (2 a). 3. Wiedergewinnung einer eigenen Volks- od. Gruppeneigenart (Soziol.). **dis|si|mi|lie|ren:** 1. zwei ähnliche od. gleiche Laute in einem Wort durch den Wandel des einen Lautes unähnlich machen, stärker voneinander abheben (Sprachw.); vgl. Dissimilation (1). 2. höhere organische Verbindungen beim Stoffwechsel unter Freisetzung von Energie in einfachere zerlegen (Biol.). **Dis|si|mu|la|ti|on** die; -, -en: a) bewusste Verheimlichung von Krankheiten od. Krankheitssymptomen. **dis|si|mu|lie|ren:** (bes. eine Krankheit od. ihre Symptome) verbergen, vortäuschen (Med.)

Dis|si|pa|ti|on ⟨lat.; „Zerstreuung, Zerteilung"⟩ die; -, -en: Übergang einer umwandelbaren Energieform in Wärmeenergie. **Dis|si|pa|ti|ons|sphä|re** die; -: äußerste Schicht der Atmosphäre in über 800 km Höhe; vgl. Exosphäre. **dis|si|pie|ren:** (Fachspr.) 1. zerstreuen. 2. umwandeln

dis|so|lu|bel ⟨*lat.*⟩: löslich, auflösbar, zerlegbar. **dis|so|lut:** zügellos, haltlos. **Dis|so|lu|ti|on** *die;* -, -en: 1. Auflösung, Trennung (Med.). 2. Zügellosigkeit. **Dis|sol|vens** *das;* -, ...ventia u. ...venzien: auflösendes, zerteilendes [Arznei]mittel (Med.). **dis|sol|vie|ren:** auflösen, schmelzen **dis|so|nant** ⟨*lat.*⟩: 1. misstönend, nach Auflösung strebend (Mus.). 2. unstimmig, unschön. **Dis|so|nanz** *die,* -, -en: 1. Zusammenklang von Tönen, der als Missklang empfunden wird u. nach der überlieferten Harmonielehre eine Auflösung fordert (Mus.). 2. Unstimmigkeit, Differenz. **dis|so|nie|ren:** 1. dissonant klingen. 2. nicht übereinstimmen **Dis|sous|gas** [dɪˈsuː...] ⟨*lat.-fr.; gr.-niederl.*⟩ *das;* -es: in druckfester Stahlflasche aufbewahrtes, in ↑Aceton gelöstes ↑Acetylen **dis|so|zi|al** ⟨*lat.; lat.-fr.-engl.*⟩: aufgrund bestimmter Fehlverhaltens nicht od. nur bedingt in der Lage, sich in die Gesellschaft einzuordnen (Psychol.). **Dis|so|zi|a|li|tät** *die;* -: dissoziales Verhalten (Psychol.). **Dis|so|zi|a|ti|on** ⟨*lat.;* „Trennung") *die;* -, -en: 1. krankhafte Entwicklung, in deren Verlauf zusammengehörende Denk-, Handlungs- od. Verhaltensabläufe in Einzelheiten zerfallen, wobei deren Auftreten weitgehend der Kontrolle des Einzelnen entzogen bleibt (z. B. Gedächtnisstörungen, ↑Halluzinationen; Psychol.). 2. Störung des geordneten Zusammenspiels von Muskeln, Organteilen od. Empfindungen (Med.). 3. Zerfall von ↑Molekülen in einfachere Bestandteile (Chem.). **Dis|so|zi|a|ti|ons|kon|stan|te** *die;* -[n]: Gleichgewichtskonstante (vgl. Konstante) einer Aufspaltung von ↑Molekülen u. ↑Ionen od. ↑Atome (Chem.). **dis|so|zi|a|tiv** ⟨*lat.-nlat.*⟩: a) die Dissoziation betreffend; b) durch Dissoziation bewirkt. **dis|so|zi|ie|ren** ⟨*lat.*⟩: 1. trennen, auflösen 2. (Chem.) a) in ↑Ionen od. ↑Atome aufspalten; b) in Ionen zerfallen **Dis|stress** ⟨*gr.; engl.*⟩ *der;* -es, -e: ↑Stress (1); Ggs. ↑Eustress **Dis|su|a|si|on** ⟨*lat.-nlat.*⟩ *die;* -, -en: Abhaltung, Abschreckung **dis|tal*** ⟨*lat.-nlat.*⟩: weiter von der Körpermitte (bei Blutgefäßen: vom Herzen) bzw. charakteristischen Bezugspunkten entfernt

liegend als andere Körper- oder Organteile (Biol., Med.); vgl. proximal. **Dis|tanz** ⟨*lat.*⟩ *die;* -, -en: 1. Abstand, Entfernung. 2. a) zurückzulegende Strecke (Leichtathletik, Pferderennsport); b) Gesamtzeit der angesetzten Runden (Boxsport). 3. (ohne Plural) Reserviertheit, abwartende Zurückhaltung. **Distanz|ge|schäft** *das;* -[e]s, -e: Kaufvertrag, bei dem der Käufer die Ware nicht an Ort u. Stelle einsehen kann, sondern aufgrund eines Musters od. Katalogs bestellt; Ggs. ↑Lokogeschäft. **dis|tan|zie|ren** ⟨*lat.-fr.*⟩: 1. a) von jmdm., etwas abrücken; Abstand nehmen; b) jmds. Verhalten nicht billigen. 2. in einem Wettkampf überrunden, besiegen (Sport). **dis|tan|ziert:** Zurückhaltung wahrend; auf [gebührenden] Abstand bedacht. **Dis|tanz|kom|po|si|ti|on** *die;* -, -en: unfeste Zusammensetzung bei Verben (z. B.: einsehen – er sieht es ein; Sprachw.). **Dis|tanz|re|lais** *das;* -, -: ↑Relais (1), das bei Kurzschluss den Wechselstromwiderstand u. damit die Entfernung zwischen seiner Einbaustelle u. der Kurzschlussstelle misst (vgl. Relais). **Dis|tanz|ritt** *der;* -s, -e: Ritt über eine sehr lange Strecke. **Dis|tanz|wech|sel** *der;* -s, -: Wechsel, bei dem Ausstellungs- u. Zahlungsort verschieden sind (Wirtsch.). **Dis|then*** ⟨*gr.-nlat.*⟩ *der;* -s, -e: meist blaues, triklines Mineral **dis|tich** ⟨*gr.-lat.*⟩: in zwei einander gegenüberstehenden Reihen angeordnet (von Blättern, z. B. den Farnen; Bot.). **Dis|ti|chi|as** ⟨*gr.-nlat.*⟩ *die;* -, ...iasen u. **Dis|ti|chi|e** *die;* -, ...ien: ↑Anomalie (1 b) des Augenlids in Form einer Art Doppelwuchs der Wimpern (hinter den Wimpern bildet sich eine zweite Reihe von kleinen Härchen; Med.). **dis|ti|chisch** u. **dis|ti|chi|tisch:** 1. das Distichon betreffend. 2. aus metrisch ungleichen Verspaaren bestehend; Ggs. ↑monostichisch. **Dis|ti|cho|my|thie** *die;* -, ...ien: aus zwei Verszeilen (vgl. Distichon) bestehende Form des Dialogs im Versdrama; vgl. Stichomythie. **Dis|ti|chon** ⟨*gr.-lat.*⟩ *das;* -s, ...chen: aus zwei Verszeilen, bes. aus ↑Hexameter u. ↑Pentameter bestehende Verseinheit; vgl. Elegeion **Dis|tin|gem*** [dɪstɪŋˈgeːm] ⟨*lat.*⟩ *das;* -s, -e: distinktives Sprach-

zeichen (z. B. ein Phonem, eine Phonemgruppe) (Sprachw.). **dis|tin|guie|ren** [dɪstɪŋˈgiː...: auch: ...gu'iː...]: unterscheiden, in besonderer Weise abheben. **dis|tin|guiert:** vornehm; sich durch betont gepflegtes Auftreten o. Ä. von anderen abhebend. **dis|tjnkt** ⟨*lat.*⟩: klar u. deutlich [abgegrenzt]. **Dis|tink|ti|on** ⟨*lat.-fr.*⟩ *die;* -, -en: 1. a) Auszeichnung, [hoher] Rang; b) (österr.) Rangabzeichen. 2. Unterscheidung. **dis|tink|tiv:** unterscheidend; **distinktive Merkmale:** bedeutungsunterscheidende Eigenschaften einer vergleichbaren Einheit, die sich durch Vergleich mit anderen sprachlichen Einheiten festgestellt werden (Sprachw.) **Dis|tor|si|on** ⟨*lat.*⟩ *die;* -, -en: 1. Verstauchung eines Gelenks (Med.); vgl. Luxation. 2. Bildverzerrung, -verzeichnung (Optik) **dis|tra|hie|ren** ⟨*lat.*⟩: a) auseinander ziehen, trennen; b) (veraltet) zerstreuen, ablenken. **Dis|trak|ti|on** *die;* -, -en: 1. (veraltet) Zerstreuung. 2. Zerrung von Teilen der Erdkruste durch ↑tektonische Kräfte. 3. das Auseinanderziehen von ineinander verschobenen Bruchenden (zur Einrichtung von Knochenbrüchen; Med.). **Dis|trak|tor** ⟨*lat.-engl.*⟩ *der;* -s, ...oren: (beim ↑Multiple-choiceverfahren) eine von den zur Auswahl angebotenen Antworten, die aber nicht richtig ist **Dis|tri|bu|ent*** ⟨*lat.*⟩ *der;* -en, -en: Verteiler. **dis|tri|bu|ie|ren:** verteilen, austeilen. **Dis|tri|bu|ti|on** ⟨*lat.-(engl.)*⟩ *die;* -, -en: 1. Verteilung. 2. verallgemeinerte Funktion, die sich durch Erweiterung des mathematischen Funktionsbegriffs ergibt (Math.). 3. Summe aller Umgebungen, in denen eine sprachliche Einheit vorkommt im Gegensatz zu jenen, in denen sie nicht erscheinen kann (Sprachw.). **dis|tri|bu|ti|o|nal** u. **dis|tri|bu|ti|o|nell:** durch Distribution (3) bedingt; vgl. ...al/...ell. **dis|tri|bu|tiv:** 1. a) eine sich wiederholende Verteilung angebend (Sprachw.); b) in bestimmten Umgebungen vorkommend. 2. nach dem Distributivgesetz verknüpft (Math.). **Dis|tri|bu|tiv|ge|setz** *das;* -es: die Verknüpfungen mathematischer Größen bei Addition u. Multiplikation regelndes Gesetz. **Dis|tri|bu|ti|vum** *das;* -s, ...va: Numerale, das das Verteilen einer bestimmten Menge auf gleich bleibende kleinere Einheiten ausdrückt; Verteilungszahlwort (im Deutschen: „je"; Sprachw.). **Dis|tri|bu|tiv|zahl** *die;* -, -en: ↑Distributivum **Dist|rikt*** *⟨lat.(-fr.-engl.-amerik.)⟩ der;* -[e]s, -e: Bezirk, abgeschlossener Bereich **Dis|zes|si|on** *⟨lat.⟩ die;* -, -en: Weggang; Abgang; Übertritt zu einer anderen Partei **Dis|zip|lin*** *⟨lat.⟩ die;* -, -en: 1. (ohne Plural) auf Ordnung bedachtes Verhalten; Unterordnung, bewusste Einordnung. 2. a) Wissenschaftszweig, Spezialgebiet einer Wissenschaft; b) Teilbereich, Unterabteilung einer Sportart. **dis|zip|li|när** *⟨lat.-mlat.⟩:* die Disziplin betreffend. **Dis|zip|li|nar|ge|walt** *die;* -: die rechtliche Gewalt des Staates seinen Beamten gegenüber. **dis|zip|li|na|risch:** a) der Dienstordnung gemäß; b) streng. **Dis|zip|li|nar|stra|fe** *die;* -, -n: aufgrund einer Disziplinarordnung verhängte Strafe. **dis|zip|li|nell:** ↑disziplinarisch (a). **dis|zip|li|nie|ren:** a) an ↑Disziplin (1) gewöhnen, dazu erziehen; b) (selten) maßregeln. **dis|zip|li|niert:** a) an bewusste Einordnung gewöhnt; b) zurückhaltend, beherrscht, korrekt; sich nicht gehen lassend. **Dis|zip|li|nie|rung** *die;* -, -en: das Disziplinieren, Diszipliniertwerden. **dis|zip|lin|los:** ohne Disziplin (1) **Dis|zi|si|on*** u. **Dis|zis|si|on** *⟨lat.⟩ die;* -, -en: operative Spaltung bzw. Zerteilung eines Organs od. Gewebes (Med.) **Dit** *[di:] ⟨lat.-fr.⟩ das;* -s, -s: altfranzösisches belehrendes Gedicht mit eingeflochtener Erzählung **Di|thy|ram|be** *⟨gr.-lat.⟩ die;* -, -n u. **Dithyrambus** *der;* -, ...ben: a) kultisches Weihelied auf Dionysos; b) Loblied, begeisternde Würdigung. **di|thy|ram|bisch:** begeistert. **Di|thy|ram|bos** *der;* -, ...ben: griech. Form von Dithyrambus. **Di|thy|ram|bus** *der;* -, ...ben: ↑Dithyrambe **di|to** *⟨lat.-it.-fr.; „besagt"⟩:* dasselbe, ebenso (in Bezug auf ein vorher gerade Genanntes); Abk.: do., dto.; vgl. detto. **Di|to** *das;* -s, -s: Einerlei **Di|tro|chä|us*** *⟨gr.-lat.⟩ der;* -, ...äen: doppelter ↑Trochäus (-́--́-) **Dit|to|gra|phie,** auch: **Dittografie** *⟨gr.-nlat.; „Doppelschreibung"⟩ die;* -, ...ien: 1. fehlerhafte

Wiederholung von Buchstaben, Buchstabengruppen od. Wörtern in handgeschriebenen od. gedruckten Texten; Ggs. ↑Haplographie. 2. doppelte Lesart od. Fassung einzelner Stellen in antiken Texten. **Dit|to|lo|gie** *die;* -, ...ien: fehlerhaftes, doppeltes Aussprechen eines od. mehrerer Laute, bes. beim Stottern **Di|u|re|se** *⟨gr.-nlat.⟩ die;* -, -n: Harnausscheidung (Med.). **Di|u|re|ti|kum** *⟨gr.-lat.⟩ das;* -s, ...ka: harntreibendes Mittel. **di|u|re|tisch** *⟨gr.-lat.⟩:* harntreibend (Med.) **Di|ur|nal** *⟨lat.-mlat.;* „das Tägliche"⟩ *das;* -s, -e u. **Di|ur|na|le** *das;* -, ...lia: Gebetbuch der kath. Geistlichen mit den Tagesgebeten; Auszug aus dem ↑Brevier (1 a). **Di|ur|num** *⟨lat.⟩ das;* -s, ...nen: (österr. veraltet) Tagegeld **Di|va** *⟨lat.-it.; „die Göttliche"⟩ die;* -, -s u. ...ven: 1. a) gefeierte Sängerin, [Film]schauspielerin [die durch exzentrische Allüren von sich reden macht]; b) jmd., der durch besondere Empfindlichkeit, durch eine gewisse Exzentrik o. Ä. auffällt. 2. a) Beiname altrömischer Göttinnen; b) Titel der nach ihrem Tode vergöttlichten römischen Kaiserinnen **Di|van** vgl. Diwan **Di|ver|bia** *⟨lat.⟩ die* (Plural): die gesprochenen Teile der altröm. Komödie (Dialog, Wechselgespräch); Ggs. ↑Cantica (1) **di|ver|gent** *⟨lat.-nlat.⟩:* 1. entgegengesetzt, unterschiedlich; Ggs. ↑konvergent; vgl. divergierend. 2. keinen Grenzwert habend (Math.). **Di|ver|genz** *die;* -, -en: das Auseinandergehen, das Auseinanderstreben (von Meinungen, Zielen o. Ä.); Ggs. ↑Konvergenz (1, 4, 5). **di|ver|gie|ren:** auseinander gehen, streben; Ggs. ↑konvergieren (b). **di|ver|gie|rend:** auseinander gehend, in entgegengesetzter Richtung verlaufend; Ggs. ↑konvergierend **di|vers...** *⟨lat.⟩:* einige, mehrere [verschiedene]. **Di|ver|sa** u. Diverse *die* (Plural): Vermischtes, Allerlei. **Di|ver|sant** *⟨lat.-russ.⟩ der;* -en, -en: (im kommunistischen Sprachgebrauch) Saboteur; jmd., der Diversionsakte verübt. **Di|ver|se** *die* (Plural): ↑Diversa. **Di|ver|si|fi|ka|ti|on** u. Diversifizierung die; -, -en: 1. *⟨lat.-nlat.⟩* Veränderung, Abwechslung, Vielfalt. 2. *⟨lat.-engl.⟩* Ausweitung der Produktion ei-

nes Unternehmens auf neue, bis dahin nicht erzeugte Produkte (Wirtsch.). **di|ver|si|fi|zie|ren:** ein Unternehmen auf neue Produktions- bzw. Produktbereiche umstellen. **Di|ver|si|fi|zie|rung** *die;* -, -en: ↑Diversifikation. **Di|ver|si|on** *die;* -, -en: 1. *⟨lat.⟩* (veraltet) Angriff von der Seite, Ablenkung. 2. *⟨lat.-russ.⟩* (im kommunistischen Sprachgebrauch) Sabotage gegen den Staat. **Di|ver|si|tät** *⟨lat.⟩ die;* -: Vielfalt, Vielfältigkeit. **di|ver|tie|ren** *⟨lat.-fr.⟩:* (veraltet) ergötzen, belustigen. **Di|ver|ti|kel** *⟨lat.⟩ das;* -s, -: Ausbuchtung eines Hohlorgans (z. B. am Darm; Med.). **Di|ver|ti|ku|li|tis** *⟨lat.-nlat.⟩ die;* -, ...itiden: Entzündung eines Divertikels. **Di|ver|ti|ku|lo|se** *die;* -, -n: vermehrtes Auftreten von Divertikeln im Darm (Med.). **Di|ver|ti|men|to** *⟨lat.-it.⟩ das;* -s, -s u. ...ti: 1. einer Suite od. Sonate ähnliche heitere Intrumentalkomposition. 2. ↑Potpourri (1). 3. freies, die strenge Thematik auflockerndes Zwischenspiel der Fuge. **Di|ver|tis|se|ment** *[divɛrtisə'mã:] ⟨lat.-fr.⟩ das;* -s, -s: 1. Gesangs- od. Balletteinlage in französischen Opern des 17. u. 18. Jh.s. 2. (selten) Divertimento **di|vi|de et im|pe|ra!** *⟨lat.;* „teile und herrsche!"⟩: stifte Unfrieden unter denen, die du beherrschen willst! (legendäres, sprichwörtlich gewordenes Prinzip der altrömischen Außenpolitik). **Di|vi|dend** *der;* -en, -en: Zahl, die durch eine andere geteilt wird (Math.); Ggs. ↑Divisor. **Di|vi|den|de** *⟨lat.-fr.⟩ die;* -, -n: der jährlich auf eine Aktie entfallende Anteil am Reingewinn. **di|vi|die|ren:** teilen; Ggs. ↑multiplizieren (1) **Di|vi|di|vi** *⟨indian.-span.⟩ die* (Plural): gerbstoffreiche Schoten einer [sub]tropischen Pflanze **Di|vi|na|ti|on** *⟨lat.⟩ die;* -, -en: Voraussage von Ereignissen. **di|vi|na|to|risch** *⟨lat.-nlat.⟩:* vorahnend, seherisch. **Di|vi|ni|tät** *⟨lat.⟩ die;* -: Göttlichkeit; göttliches Wesen **Di|vis** *⟨lat.⟩ das;* -es, -e: 1. (veraltet) Teilungszeichen. 2. Bindestrich (Druckw.). **di|vi|si** *⟨lat.-it.⟩:* musikalisches Vortragszeichen, das das Streichen bei mehrstimmigen Stellen vorschreibt, dass diese nicht mit Doppelgriffen, sondern geteilt (von zwei Musikern) zu spielen sind; Abk.: div. **Di|vi|si|on** *die;* -, -en: 1. *⟨lat.⟩*

Teilung (Math.); Ggs. ↑Multiplikation. 2. ⟨lat.-fr.⟩ militärische Einheit. **Di|vi|si|o|när** ⟨lat.-fr.⟩ *der;* -s, -e: (bes. schweiz.) Befehlshaber einer Division. **Di|vi|si|o|nis|mus** *der;* -: Richtung der modernen franz. Malerei (Zerteilung der Farben in einzelne Tupfen), Vorstufe des ↑Pointillismus. **Di|vi|si|o|nist** *der;* -en, -en: Vertreter des Divisionismus. **Di|vi|sor** ⟨lat.⟩ *der;* -s, ...oren: Zahl, durch die eine andere geteilt wird (Math.), Ggs. ↑Dividend. **Di|vi|so|ri|um** ⟨lat.-nlat.⟩ *das;* -s, ...ien: gabelförmige Blattklammer des Setzers zum Halten der Vorlage (Druckw.)

Di|vul|ga|tor ⟨lat.⟩ *der;* -s, ...oren: Verbreiter, Propagandist

Di|vul|si|on ⟨lat.⟩ *die;* -, -en: gewaltsame Trennung, Zerreißung (Med.)

Di|vus ⟨lat.; „der Göttliche"⟩: Titel röm. Kaiser

Di|wan ⟨pers.-türk.-roman.⟩ *der;* -s, -e: 1. niedrige gepolsterte Liege ohne Rückenlehne. 2. (hist.) türk. Staatsrat. 3. orientalische Gedichtsammlung

Di|xie *der;* -[s]: (ugs.) Kurzform von Dixieland. **Di|xie|land** ⟨amerik.⟩ *der;* -[s] u. **Di|xie|land|jazz** *der;* -: Variante des Jazz, die dem ↑Ragtime ähnelt

di|zy|got ⟨gr.⟩: zweieiig; aus zwei befruchteten Eizellen stammend (von Zwillingen); vgl. monozygot

DJ ['di:dʒeɪ] *der;* -[s], -s: kurz für ↑Discjockey

Djak ⟨griech.(-russ.)⟩ *der;* -en, -en: (im zaristischen Russland bis zum Beginn des 18.Jh.s) Schriftführer; Sekretär; gehobener Verwaltungsbeamter

Dja|maa ⟨arab.⟩ *die;* -: Gemeinschaft der rechtgläubigen Muslime [die sich in Abgrenzung gegen alle Neuerungen an die wahre überlieferte Glaubenslehre halten] (islam. Rel.)

Djan|na ⟨arab.⟩ *die;* -: islam. Bez. für Paradies

Djo|she|gan vgl. Dschuscheghan

Dju|ma [dʒ...] ⟨arab.⟩ *die;* -: Zusammenkunft der Gläubigen zu Predigt u. gemeinsamem Gebet am Freitagmittag; Freitagsgebet

DNA = desoxyribonucleic acid (englische Bez. für Desoxyribo[se]nukleinsäure). **DNS** = Desoxyribo[se]nukleinsäure. **DNS-Kör|per** *der;* -s, -: ↑Nukleoide

-do ⟨it.⟩: Silbe, auf die man den Ton c singen kann; vgl. Solmisation

do|cen|do dis|ci|mus ⟨lat.⟩: durch Lehren lernen wir

doch|misch: den Dochmius betreffend; **dochmischer Vers** ↑Dochmius. **Doch|mi|us** ⟨gr.-lat.; „der Krumme, der Schiefe"⟩ *der;* -, ...ien: altgriech. Versfuß (rhythmische Einheit) (.---.; mit vielen Varianten)

Dock ⟨niederl. od. engl.⟩ *das;* -s, -s, selten: -e: Anlage zum Ausbessern von Schiffen. **do|cken:** 1. a) ein Schiff ins Dock bringen; b) im Dock liegen. 2. ein Docking vornehmen. **Do|cking** ⟨engl.⟩ *das;* -s, -s: Ankopplung eines Raumfahrzeugs an ein anderes

Doc|tor iu|ris ut|ri|us|que ⟨lat.⟩ *der;* - - -, -es [...'to:re:s...] - -: Doktor beider Rechte (des weltlichen u. kanonischen Rechts); Abk.: Dr. j. u.

Do|de|ka|dik ⟨gr.-nlat.⟩ *die;* -: ↑Duodezimalsystem. **do|de|ka|disch** ↑duodezimal. **Do|de|ka|e|der** ⟨gr.⟩ *das;* -s, -: 1. ein von 12 Flächen begrenzter Körper. 2. kurz für ↑Pentagondodekaeder.

Do|de|ka|pho|nie, auch: Dodekafonie *die;* -: Zwölftonmusik. **do|de|ka|pho|nisch,** auch: dodekafonisch: die Dodekaphonie betreffend. **Do|de|ka|pho|nist,** auch: Dodekafonist *der;* -en, -en: Vertreter der Zwölftonmusik. **Do|de|ka|po|lis** ⟨griech.⟩ *die;* -: (im alten Griechenland) Bund aus 12 Städten

Doel|len|stück ['du:lən...] ⟨niederl.⟩ *das;* -[e]s, -e: Gemälde eines niederl. Malers des 16. u. 17.Jh.s (bes. Hals, Rembrandt u. van der Helst) mit der Darstellung einer festlichen Schützengesellschaft

Doe|skin ® ['do:skɪn] ⟨engl.; „Rehfell"⟩ *der,* -[s]: kräftiger, glatter Wollstoff

Do|gal|res|sa ⟨lat.-it.⟩ *die;* -, ...ssen: Gemahlin eines ↑Dogen

Dog|cart ['dɔgka:t] ⟨engl.; „Hundekarren"⟩ *der;* -s, -s: offener, zweirädriger Einspänner [für die Jagd]

Do|ge ['do:ʒə] ⟨lat.-it.; „Herzog"⟩ *der;* -n, -n (hist.) a) Titel des Staatsoberhauptes in Venedig u. Genua; b) Träger dieses Titels

Dog|ge ⟨engl.⟩ *der;* -, -n: Vertreter einer Gruppe von großen, schlanken Hunderassen

¹Dog|ger ⟨niederl.⟩ *der;* -s, -: niederl. Fischereifahrzeug

²Dog|ger ⟨engl.⟩ *das;* -s: mittlere ↑Formation (5 a) des Juras; Brauner Jura; vgl. ²Jura

Dog|ma ⟨gr.-lat.⟩ *das;* -s, ...men:

fester, als Richtschnur geltender [religiöser, kirchlicher] Lehr-, Glaubenssatz. **Dog|ma|tik** ⟨gr.-nlat.⟩ *die;* -, -en: wissenschaftliche Darstellung der [christl.] Glaubenslehre. **Dog|ma|ti|ker** *der;* -s, -: 1. starrer Verfechter einer Ideologie, Anschauung od. Lehrmeinung. 2. Lehrer der Dogmatik. **dog|ma|tisch** ⟨gr.-lat.⟩: starr an eine Ideologie od. Lehrmeinung gebunden bzw. daran festhaltend. **dog|ma|ti|sie|ren:** zum Dogma erheben. **Dog|ma|tis|mus** ⟨gr.-nlat.⟩ *der;* -: starres Festhalten an Anschauungen od. Lehrmeinungen. **dog|ma|tis|tisch:** in Dogmatismus befangen; unkritisch denkend

Dog|skin ⟨engl.; „Hundefell"⟩ *das;* -s: Leder aus kräftigem Schaffell

do it your|self! ['du: ɪt jɔ:'self] ⟨engl.⟩: mach es selbst! **Do-it-your|self-Be|we|gung** *die;* -: Schlagwort für die eigene Ausführung handwerklicher Arbeiten

Do|ket ⟨gr.-nlat.⟩ *der;* -en, -en (meist Plural): Anhänger des Doketismus. **Do|ke|tis|mus** *der;* -: [frühchristliche] Sektenlehre, die Christus nur einen Scheinleib zuschreibt u. seinen persönlichen Kreuzestod leugnet. **Do|ki|ma|sie** ⟨gr.⟩ *die;* -: 1. im alten Griechenland Prüfung aller Personen, die im Staatsdienst tätig werden wollten. 2. ↑Dokimastik. **Do|ki|ma|si|o|lo|gie** ⟨gr.-nlat.⟩ *die;* -: ↑Dokimastik. **Do|ki|mas|tik** *die;* -: Gesamtheit aller Verfahren zur Bestimmung des [Edel]metallgehalts in Erzen. **do|ki|mas|tisch:** die Dokimastik betreffend, **dokimastische Analyse** ↑Dokimastik

Dok|tor ⟨lat.-mlat.; „Lehrer"⟩ *der;* -s, ...oren: 1. a) höchster akademischer Grad; Abk.: Dr.; b) jmd., der den Doktortitel hat; Abk.: Dr., im Plural: Dres. (d.h. doctores). 2. (ugs.) Arzt. **Dok|to|rand** *der;* -en, -en: jmd., der sich mit einer Dissertation auf seine Promotion vorbereitet; Abk.: Dd. **Dok|to|rat** *das;* -[e]s, -e: 1. Doktorprüfung. 2. Doktorgrad. **dok|to|rie|ren:** 1. den Doktorgrad erlangen. 2. an der ↑Dissertation arbeiten. **Dokt|rin** ⟨lat.⟩ *die;* -, -en: etw., was als Grundsatz, programmatische Festlegung gilt. **dokt|ri|när** ⟨lat.-fr.⟩: 1. a) auf einer Doktrin beruhend; b) in der Art einer Doktrin; 2. (abwertend) theoretisch starr u. einseitig. **Dokt|ri|när*** *der;* -s, -e: Verfechter, Vertreter einer Doktrin. **Doktri|na|ris̱|mus*** ⟨*nlat.*⟩ *der;* -: (abwertend) wirklichkeitsfremdes, starres Festhalten an bestimmten Theorien od. Meinungen. **dokt|ri|nẹll*:** eine Doktrin betreffend **Do|ku|mẹnt** ⟨*lat.*⟩ *das;* -[e]s, -e: 1. Urkunde, Schriftstück. 2. Beweisstück, Beweis. 3. (im kommunistischen Sprachgebrauch) Parteidokument. 4. Datei (EDV). **Do|ku|men|tal|l̲ist** ⟨*lat.-nlat.*⟩ *der;* -en, -en: ↑ Dokumentar. **Do|ku|men|ta|l̲is|tik** *die;* -: fachwissenschaftliche Disziplin, die sich mit den Problemen bei der Mechanisierung des Prozesses der Informationssammlung, -speicherung u. -abrufung befasst. **Do|ku|men|tạr** *der;* -s, -e: jmd., der nach einer wissenschaftlichen Fachausbildung in einem Dokumentationszentrum od. in einer Spezialbibliothek tätig ist (Berufsbez.). **Do|ku|men|tạr|film** *der;* -[e]s, -e: Film, der Begebenheiten u. Verhältnisse möglichst genau, den Tatsachen entsprechend, zu schildern versucht. **do|ku|men|ta|risch:** amtlich, urkundlich; beweiskräftig. **Do|ku|men|ta|r̲ist** *der;* -en, -en: jmd., der Dokumentarberichte, -filme o. Ä. herstellt. **Do|ku|men|tạr|spiel** *das;* -[e]s, -e: besondere Produktion des Fernsehens, in der ein historisches od. geschichtliches Ereignis im Spielhandlung nachgestaltet wird. **Do|ku|men|ta|ti|on** *die;* -, -en: 1. a) Zusammenstellung, Ordnung u. Nutzbarmachung von Dokumenten u. [Sprach]materialien jeder Art (z. B. Akten, Zeitschriftenaufsätze); b) das Zusammengestellte; c) aus dokumentarischen Texten, Originalaufnahmen bestehende Sendung o. Ä. 2. beweiskräftiges Zeugnis, anschaulicher Beweis. **Do|ku|men|ta|tor** *der;* ...oren: ↑ Dokumentarist. **do|ku|men|t̲ie|ren:** 1. zeigen. 2. [durch Dokumente] beweisen

Dol ⟨Kurzform von lat. dolor „Schmerz“⟩ *das;* -[s], -: Messeinheit für die ↑ Intensität einer Schmerzempfindung; Zeichen: dol (Med.)

Dol|lan ⟨Kunstw.⟩ *das;* -[s]: synthetische Faser, die bes. für Berufskleidung verwendet wird

Dọl|by u. **Dọl|by-Sys|tem** ® *das;* -s: elektronisches Verfahren zur

---

Unterdrückung von Störgeräuschen bei Tonbandaufnahmen **dol|ce** [ˈdɔltʃə] ⟨*lat.-it.*⟩: sanft, lieblich, süß, weich (Vortragsanweisung; Mus.). **Dol|ce|far|ni|en|te** *das;* -: süßes Nichtstun. **dol|ce far ni|en|te:** „süß ists, nichts zu tun“. **Dol|ce Stil nu|o-vo** [- ˈsti:l ˈnu̯ɔːvo] ⟨„süßer neuer Stil“⟩ *der;* - - -: besondere Art des Dichtens, durch die der provenzal.-sizilian. Minnesang im 13. Jh. in Mittel- u. Oberitalien unter dem Einfluss ↑ platonischer (1) u. ↑ scholastischer Elemente sowie der sozialen Umschichtung durch den Aufstieg des Bürgertums weiterentwickelt wurde. **Dol|ce Vi|ta** ⟨„süßes Leben“⟩ *das* od. *die;* - - -: luxuriöses Leben, das aus Müßiggang u. Vergnügungen besteht. **Dọl|ci-an** vgl. Dulzian. **dol|cis|si|mo** [dɔlˈtʃisimo] überaus sanft, süß (Vortragsanweisung; Mus.) **Dọld|rums*** ⟨*engl.*⟩ *die* (Plural): (Seemannsspr.) Windstillen, bes. der ↑ äquatoriale Windstillengürtel; vgl. Kalmenzone

Dôle [doːl] ⟨*frz.*⟩ *der;* -s, -s: ein Rotwein aus dem Schweizer Wallis

do|lẹn|te, dolẹndo: ↑ doloroso **Do|le|r̲it** [auch: ...ˈrɪt] ⟨*gr.-nlat.*⟩ *der;* -e: grobkörnige Basaltart **do|li|cho|ke|phal** usw.: ↑ dolichozephal **do|li|cho|ze|phal** ⟨*gr.-nlat.*⟩: langköpfig (Biol., Med.). **Do|li|cho|ze|pha|lie** *die;* -: Langköpfigkeit (Biol., Med.) **do|lie|ren** vgl. dollieren **Do|li|ne** ⟨*slowen.*⟩ *die;* -, -n: trichterförmige Vertiefung der Erdoberfläche, bes. im ↑ Karst (Geogr.)

Dọl|lar ⟨*niederd.-engl.-amerik.*⟩ *der;* -[s], -s (aber: 30 Dollar): Währungseinheit in den USA, in Kanada u. anderen Ländern (1 Dollar = 100 Cents); Zeichen: $. **Dọl|lar|scrip** *der;* -s, -s: Spezialgeldschein für die amerikanische Besatzungstruppe und 1945; vgl. Scrip

dol|lie|ren ⟨*lat.-fr.*⟩: Leder abschaben, abschleifen

Dọl|ly ⟨*engl.*⟩ *der;* -[s], -s: a) fahrbares Stativ für die Filmkamera; b) fahrbarer Kamerawagen mit aufmontierter Kamera

Dọl|ma ⟨*türk.*⟩ *das;* -[s], -s (meist Plural): türkisches Nationalgericht aus Kohl- u. Weinblättern, die mit gehacktem Hammelfleisch u. Reis gefüllt sind

Dọl|man ⟨*türk.(-ung.)*⟩ *der;* -s, -e: 1. geschnürte Jacke der alttürki-

---

schen Tracht. 2. mit Schnüren besetzte Jacke der Husaren. 3. kaftanartiges Frauengewand in den ehemals türkischen Gebieten des Balkans

Dọl|men ⟨*bret.-fr.;* „Steintisch“⟩ *der;* -s, -: tischförmig gebautes Steingrab der Jungsteinzeit u. frühen Bronzezeit

Dọl|metsch ⟨*Mitanni-türk.-ung.*⟩ *der;* -[e]s, -e: a) ↑ Dolmetscher; b) Fürsprecher. **dọl|met|schen:** a) einen gesprochenen od. geschriebenen Text für jmdn. mündlich übersetzen; b) als ↑ Dolmetscher tätig sein. **Dọl|met|scher** *der;* -s, -: jmd., der [berufsmäßig] mündlich übersetzt

Do|lo|mịt [auch: ...ˈmɪt] ⟨*fr.-nlat.;* nach dem französischen Mineralogen Dolomieu⟩ *der;* -s, -e: 1. ein Mineral. 2. ein Gesteinskomplex. **do|lo|rọs** u. **do|lo|rọ̈s** ⟨*lat.-(-fr.)*⟩: schmerzhaft, schmerzerfüllt. **Do|lo|rọ|sa** ⟨*lat.*⟩ *die;* -: ↑ Mater dolorosa. **do|lo|rọ|so** ⟨*lat.-it.*⟩: klagend, betrübt, trauervoll (Vortragsanweisung; Mus.)

dọl|os ⟨*lat.*⟩: arglistig, mit bösem Vorsatz (Rechtsw.). **Dọl|lus** *der;* -: Arglist, böser Vorsatz (Rechtsw.). **Dọl|lus di|rẹc|tus** *der;* - -: Vorsatz im vollen Bewusstsein der Folgen einer Tat u. ihrer strafrechtlich erfassten Verwerflichkeit (Rechtsw.). **Do|lus e|ven|tu|a|lis** *der;* - - -: bedingter Vorsatz, d. h. bewusstes In-Kauf-Nehmen der Nebenfolgen einer Tat (Rechtsw.)

[1]Dom ⟨*lat.-it.-fr.;* „Haus (der Christengemeinde)“⟩ *der;* -[e]s, -e: Bischofs-, Haupt-, Stiftskirche mit ausgedehntem ↑ [1]Chor (1). **[2]Dom** ⟨*gr.-provenzal.-fr.*⟩ *der;* -[e]s, -e: 1. Kuppel, gewölbte Decke. 2. gewölbter Aufsatz (eines Dampfkessels od. Destillierapparats. **[3]Dom** ⟨*lat.-port.;* „Herr“⟩ *der;* -: in Verbindung mit dem Taufnamen gebrauchte port. Bez. für Herr

[4]Dom ⟨*sanskr.-Hindi*⟩ *der;* -s, -s Angehöriger einer niedrigen ↑ Kaste Indiens

Dọl|ma ⟨*gr.-lat.*⟩ *das;* -s, ...men Kristallfläche, die zwei Kristall achsen schneidet

Do|mä|ne ⟨*lat.-fr.;* „Herrschaftsgebiet“⟩ *die;* -, -n: 1. Staatsgut -besitz. 2. Spezialgebiet; Gebiet auf dem sich jmd. besonders be tätigt o. Ä. **do|ma|ni|al** ⟨*fr.*⟩: z einer Domäne gehörend, eine Domäne betreffend

Do|ma|ti|um ⟨*gr.-nlat.;* „Wohnung") *das;* -s, ...ien: entsprechende Bildung an Pflanzenteilen (z. B. ein Hohlraum, ein Haarbüschel), die von anderen Organismen (z. B. Milben) bewohnt wird

Do|mes|tik *‹lat.-fr.› der;* -en, -en: 1. (meist Plural) Dienstbote. 2. Radrennfahrer, der dem besten Fahrer einer Mannschaft im Straßenrennen Hilfsdienste leistet (z. B. Getränke beschafft). **Do|mes|ti|ka|ti|on** *die;* -, -en: Zähmung u. [planmäßige] Züchtung von Haustieren u. Kulturpflanzen aus Wildtieren bzw. Wildpflanzen. **Do|mes|ti|ke** *der;* -n, -n: ↑Domestik. **Do|mes|ti|kin** *die;* -, -nen: (Jargon) Masochistin, die sadistische Handlungen an sich vornehmen lässt. **do|mes|ti|zie|ren:** 1. Haustiere u. Kulturpflanzen aus Wildformen züchten. 2. zähmen, bändigen. **Du|mi|ti|na** *‹lat.› die,* *, ...nä u. -s: 1. Stiftsvorsteherin. 2. (Pl. -s) Prostituierte, die sadistische Handlungen an einem Masochisten vornimmt. **do|mi|nal:** in der Art einer Domina (2). **do|mi|nant:** 1. (von Erbfaktoren) vorherrschend, überdeckend (Biol.); Ggs. ↑rezessiv (1). 2. a) beherrschend, bestimmend; b) ↑dominierend (1 a). 3. (Jargon) dominierend (2). **Do|mi|nant|ak|kord** *der;* -[c]s, -c: ↑Dominante (2 b) (Mus.). **Do|mi|nan|te** *‹lat.-it.› die;* -, -n: 1. vorherrschendes Material. 2. (Mus.) a) Quint; fünfte Stufe der ↑diatonischen Tonleiter; b) Durdreiklang über der Quint einer Dur- od. Molltonleiter. **Do|mi|nant|sept|ak|kord** *‹lat.› der;* -[e]s, -e: Dreiklang auf der Dominante (2 a) mit zusätzlicher kleiner ↑Septime (Mus.). **Do|mi|nanz** *‹lat.-nlat.› die;* -, -en: 1. Eigenschaft von Erbfaktoren, sich gegenüber anderen Erbfaktoren desselben Gens sichtbar durchzusetzen (Biol.). Ggs. ↑Rezessivität. 2. a) das Dominieren (1 a); b) das Dominieren (1 b); Vorherrschaft. **Do|mi|nat** *‹lat.› der* od. *das;* -[e]s, -e: absolutes, göttlich sanktioniertes römisches Kaisertum. **Do|mi|na|ti|on** *die;* -, -en: das Dominieren (1 b), Beherrschung, Vormachtstellung. **Do|mi|ni|ca** *‹Kurzform von* dominica dies = der Tag des Herrn*) die;* -: Sonntag; **Dominica in albis:** Weißer Sonntag (erster Sonntag nach Ostern, nach den bis dahin getragenen weißen

Kleidern der neu Getauften in der alten Kirche). **do|mi|nie|ren:** 1. a) bestimmen, herrschen, vorherrschen; b) jmdn., etwas beherrschen. 2. sadistische Handlungen an einem Masochisten vornehmen. **do|mi|nie|rend:** 1. a) vorherrschend, überwiegend; b) beherrschend. 2. (Jargon) sadistische Handlungen an einem Masochisten vornehmend. **Do|mi|ni|ka|ner** *‹mlat.› der;* -s, -: Angehöriger des vom hl. Dominikus im Jahre 1215 gegründeten Predigerordens; Abk.: O. P. od. O. Pr. **do|mi|ni|ka|nisch:** die Dominikaner betreffend. **Do|mi|ni|on** [do'mɪnjen] *‹lat.-fr.engl.› das;* -s, -s u. ...nien: (hist.) ein der Verwaltung nach selbstständiges Land des Britischen Reiches u. Commonwealth. **Do|mi|ni|um** *‹lat.› das;* -s, ...ien: (veraltet) Herrschaft, Herrschaftsgebiet. **¹Do|mi|no** *‹lat. it. fr.› der;* -s, -s: a) langer [seidener] Maskenmantel mit Kapuze u. weiten Ärmeln; b) Träger eines solchen Kostüms; c) (österr.) Spielstein in ²Domino (a). **²Do|mi|no** *das;* -s, -s: a) Spiel, bei dem rechteckige, mit Punkten versehene Steine nach einem bestimmten System aneinander gelegt werden; b) (österr.) Spielstein im ²Domino (a)

Do|mi|nus *‹lat.› der;* -, ...ni: Gott der Herr (kath. Liturgie). **Do|mi|nus vo|bis|cum** („der Herr sei mit euch!"): Gruß des Priesters an die Gemeinde in der (früher lateinischen) kathol. Liturgie **Do|mi|zel|lar** *‹lat.-mlat.› der;* -s, -e: (veraltet) junger ↑Kanoniker, der noch keinen Sitz u. keine Stimme im ↑Kapitel (2) hat. **Do|mi|zil** *‹lat.› das;* -s, -e. 1. Wohnsitz, Wohnhaus. 2. Zahlungsort [von Wechseln]. 3. einem bestimmten Planeten zugeordnetes Tierkreiszeichen (Astrol.). **do|mi|zi|lie|ren** *‹lat.-nlat.›:* 1. ansässig sein. 2. einen Wechsel an einem anderen Ort als dem Wohnort dessen, der den Scheck od. Wechsel zahlen muss, zur Zahlung anweisen. **Do|mi|zil|wech|sel** *der;* -s, -: Wechsel, der an einem besonderen Domizil (2) einzulösen ist. **Dom|ka|pi|tel** *das;* -s, -: Gemeinschaft von Geistlichen an bischöflichen Kirchen, die für die Gestaltung des Gottesdienstes verantwortlich sind u. den Bischof beraten. **Dom|ka|pi|tu|lar** *der;* -s, -e: Mitglied des Domkapitels

Domp|teur [...'tø:ɐ̯] *‹lat.-fr.› der;* -s, -e: Tierbändiger. **Domp|teu|rin** [...'tørɪn] *die;* -, -nen, u. **Domp|teu|se** [...'tøːzə] *die;* -, -n: Tierbändigerin

Dom|ra *‹russ.› die;* -, -s u. ...ren: einer Laute ähnliches, altes russ. Instrument mit langem Hals, ovalem Klangkörper u. meist drei in Quarten gestimmten Saiten

Don *‹lat.-span.* u. *lat.-it.›* (ohne Artikel): a) in Verbindung mit dem Vornamen gebrauchte spanische Bezeichnung für Herr; b) in Verbindung mit dem Vornamen gebrauchter Titel der Priester u. der Angehörigen bestimmter Adelsfamilien in Italien. **Do|ña** [ˈdɔnja] *‹lat.-span.›* (ohne Artikel): in Verbindung mit dem Vornamen gebrauchte spanische Bezeichnung für Frau

Do|na|rit [auch: ...'rɪt] *‹nlat.; nach dem germ. Gewittergott Donar› der;* -s: bes. im Steinkohlenbergbau verwendeter pulvriger Sprengstoff

Do|na|tar *‹lat.-nlat.› der;* -s, -e: Empfänger einer Schenkung (Rechtsw.). **Do|na|ti|on** *‹lat.› die;* -, -en: Schenkung (Rechtsw.). **Do|na|tis|mus** *‹nlat.; nach dem Bischof Donatus von Karthago› der;* -: rigoristische Bewegung (u. sich daraus entwickelnde Sonderkirche) in der nordafrik. Kirche vom 4. bis 7. Jh., in der sich religiöse, nationale u. soziale Elemente verbanden. **Do|na|tist** *der;* -en, -en: Anhänger des Donatismus. **Do|na|tor** *‹lat.; "Spender"› der;* -s, ...oren: 1. (veraltet) Stifter, Geber, bes. eines Buches. 2. Atom od. Molekül, das beim Ablauf einer chemischen Reaktion Elektronen (1) od. Ionen abgibt (Phys., Chem.)

Do|ne|gal *‹nach der gleichnamigen irischen Grafschaft› der;* -[s], -s: locker gewebter Mantelstoff aus Noppenstreichgarn in Köper-od. Fischgratbindung

Dö|ner|ke|bab *‹(arab.-)türk.› der;* -s, -s: ↑Kebab aus am einem senkrecht stehenden Spieß gebratenem, stark gewürztem Fleisch mit Fladenbrot, Knoblauchsoße u. weiteren Zutaten

Don|jon [dõˈʒõ] *‹fr.› der;* -s, -s: Hauptturm einer mittelalterlichen Burg in Frankreich

Don Ju|an [dɔn ˈxŭan, auch: dõˈʒɥã:] *‹nach der gleichnamigen Sagengestalt in der spanischen Literatur› der;* - -s, - -s: Mann,

der ständig neue erotische Beziehungen sucht; Frauenheld
Don|key ['dɔŋki] ⟨engl.; „Esel"⟩ der; -s, -s: Hilfskessel zum Betrieb der Lade- u. Transportvorrichtungen auf Handelsschiffen (Seew.)
Don|na ⟨lat.-it.⟩: in Verbindung mit dem Vornamen gebrauchter Titel in bestimmten italienischen Adelsfamilien
Don Qui|chotte [dɔŋkiʃɔt, auch: dõ -] ⟨span.-fr.; Romanheld bei Cervantes⟩ der; - -s, - -s: lächerlich wirkender Schwärmer, dessen Tatendrang an den realen Gegebenheiten scheitert. **Don|qui|chot|te|rie** die; -, ...ien: törichtes, von Anfang an aussichtsloses Unternehmen aus weltfremdem Idealismus. **Don|qui|chot|ti|a|de** die; -, -n: Erzählung im Stil des Romans „Don Quichotte" von Cervantes. **Don Qui|jo|te, Don Qui|xo|te** [dɔŋki'xo:tə] ⟨span.⟩: ↑ Don Quichotte
Dont|ge|schäft ['dõː...] ⟨fr.; dt.⟩ das; -[e]s, -e: Börsengeschäft, bei dem die Erfüllung des Vertrages erst zu einem späteren Termin, aber zum Kurs des Abschlusstages erfolgt (Börsenw.)
Do|num ⟨lat.⟩ das; -s, Dona: Schenkung [eines Buches]
Do|nut ['doʊnʌt] ⟨amerik.⟩ der; -s, -s: rundes Hefegebäck mit einem Loch in der Mitte
doo|deln ['du:...] ⟨engl.⟩: nebenher in Gedanken kleine Männchen o. Ä. malen, kritzeln
Dope [do:p] ⟨niederl.-engl.⟩ das; -s: Rauschgift, bes. Haschisch.
do|pen [auch: 'dɔpn]: durch (verbotene) Anregungsmittel zu einer vorübergehenden sportlichen Höchstleistung zu bringen versuchen. **Do|ping** [auch: 'dɔ...] das; -s, -s: (unerlaubte) Anwendung von Anregungsmitteln zur vorübergehenden Steigerung der sportlichen Leistung
Dop|pel|nel|son der; -[s], -[s]: doppelter ↑ Nelson beim Ringen u. Rettungsschwimmen. **Dop|pik** ⟨Kunstw.⟩ die; -: doppelte Buchführung. **dop|pio movi|men|to** ⟨it.⟩: doppelte Bewegung, doppelt so schnell wie bisher (Vortragsanweisung; Mus.)
Do|ra|de ⟨lat.-fr.⟩ die; -, -n: Goldmakrele. **Do|ra|do** vgl. Eldorado
Do|rant ⟨mlat.⟩ der; -[e]s, -e: (nach altem Volksglauben) zauberbrechende od. -abwehrende Pflanze (z. B. Löwenmaul).
do|risch ⟨nach dem altgriechischen Stamm der Dorer⟩: a) die [Kunst der] Dorer betreffend; b) aus der Landschaft Doris stammend; **dorische Tonart:** eine der drei altgriechischen Stammtonarten, aus der sich die auf dem Grundton d stehende Haupttonart im mittelalterlichen System der Kirchentonarten entwickelte (Mus.)
Dor|meu|se [...'møːzə] ⟨lat.-fr.⟩ die; -, -n: 1. Haube der Rokokozeit zum Schutz der Frisur. 2. bequemer Lehnstuhl des Empire.
Dor|mi|to|ri|um ⟨lat.⟩ das; -s, ...ien: a) Schlafsaal in einem Kloster; b) Teil eines Klostergebäudes, der die Einzelzellen enthält
Do|ro|ma|nie ⟨gr.⟩ die; -: krankhafte Sucht, Dinge zu verschenken (Med., Psychol.)
Do|ro|ni|cum ⟨arab.-mlat.⟩ das; -s, -: zu den Korbblütlern gehörende gelb blühende Pflanze; Gämswurz (Bot.)
dor|sal ⟨lat.-mlat.⟩: 1. (Med.) a) zum Rücken, zur Rückseite gehörend; b) am Rücken, an der Rückseite gelegen; zur Rückseite, zum Rücken hin; rückseitig. 2. mit dem Zungenrücken gebildet (von Lauten; Sprachw.). **Dor|sal** der; -s, -e: mit dem Zungenrücken gebildeter Laut (Sprachw.). **Dor|sa|le** das; -s, -: Rückwand eines Chorgestühls. **Dor|sal|laut** der; -[e]s, -e: ↑ Dorsal. **dor|si|vent|ral** ⟨lat.-nlat.⟩: (von Pflanzenteilen u. Tieren) einachsig ↑ symmetrisch (2). **dor|so|vent|ral**: vom Rücken zum Bauch hin gelegen (Anatom. u. Biol.)
Dos ⟨lat.⟩ die; -, Dotes ['do:teːs] Mitgift (Rechtsw.)
DOS ® ⟨engl.; Kurzw. aus Disc Operating System⟩ das; -: Plattenbetriebssystem, das dialogorientiert arbeitet (EDV)
dos à dos [doza'do] ⟨lat.-vulgärlat.-fr.⟩: Rücken an Rücken (Ballett)
Do|sa|ge [do'za:ʒə] ⟨fr.⟩ die; -, -n: das Zusetzen von in Wein gelöstem Zucker bei der Schaumweinherstellung
do|sie|ren ⟨gr.-mlat.-fr.⟩: [eine bestimmte Menge] ab-, zumessen.
Do|sie|rung die; -, -en: 1. das Dosieren. 2. abgemessene, dosierte Menge von etw. **Do|si|me|ter** ⟨gr.-nlat.⟩ das; -s, -: Gerät zur Messung der vom Menschen aufgenommenen Menge an radioaktiven Strahlen. **Do|si|met|rie** die; -: Messung der Energiemenge von Strahlen (z. B. von Röntgenstrahlen). **Do|sis** ⟨gr.-mlat.⟩
die; -, ...sen: entsprechende, zugemessene [Arznei]menge
Dos|sier [dɔ'sje:] ⟨lat.-vulgärlat.-fr.⟩ das (veraltet: der); -s, -s: umfängliche Akte, in der alle zu einer Sache, einem Vorgang gehörenden Schriftstücke enthalten sind. **dos|sie|ren**: abschrägen, abböschen. **Dos|sie|rung** die; -, -en: 1. das Dossieren. 2. flache Böschung
Do|tal|sys|tem ⟨lat.; gr.-lat.⟩ das; -s: (hist.) System des ehelichen Güterrechts im röm. Recht, nach dem das Vermögen der Frau nach der Hochzeit in das des Mannes übergeht. **Do|ta|ti|on** ⟨lat.-mlat.⟩ die; -, -en: 1. Schenkung, Zuwendung von Geld od. anderen Vermögenswerten. 2. Mitgift; vgl. ...[at]ion/...ierung.
Do|tes: Plural von ↑ Dos. **do|tie|ren** ⟨lat.(-fr.)⟩: 1. (in Bezug auf gehobene berufliche Positionen) in bestimmter Weise bezahlen. 2. mit einer bestimmten Geldsumme o. Ä. ausstatten. 3. (zur gezielten Veränderung der elektrischen Leitfähigkeit) Fremdatome in Halbleitermaterial einbauen (Phys.). **Do|tie|rung** die; -, -en: 1. das Dotieren. 2. Entgelt, Gehalt, bes. in gehobenen Angestelltenpositionen; vgl. ...[at]ion/...ierung
dou|beln ['du:bln] ⟨lat.-fr.⟩: a) die Rolle eines Filmschauspielers bei gefährlichen Szenen, bei Proben o. Ä. übernehmen; b) eine Szene mit einem Double (1 a) besetzen. **Doub|la|ge*** [du'bla:ʒə] die; -, -en: 1. Vorgang des filmischen ↑ Synchronisierens (3). 2. durch Synchronisieren (3) hergestelltes Werk. **Dou|ble** ['du:bl] das; -s, -s: a) jmd., der einen Darsteller doubelt; b) Doppelgänger(in). 2. Variation eines Satzes der ↑ Suite (4) durch Verdopplung der Notenwerte u. Verzierung der Oberstimme (Mus.). 3. Doubleface (b). 4. Gewinn der Meisterschaft u. des Pokalwettbewerbs durch dieselbe Mannschaft in einem Jahr (Sport). **Doub|lé*** [du'ble:] vgl. Dublee. **Doub|le|face** ['du:bl|fa:s, 'dʌblfeːs] das (auch; der); -s, -s ['du:bl|fa:s, 'dʌblfeːsɪz]: a) Gewebe aus [Halb]seide od. Chemiefasern mit verschiedenfarbigen Seiten, die beide nach außen getragen werden können; b) doppeltes Gewebe aus Streichgarn für Wintermäntel. **doub|lie|ren*** vgl. dublieren. **Doub|lu|re*** [du'bly:rə] vgl. Dublüre

Dou|ceur [du'søːɐ̯] ⟨lat.-fr.⟩ das; -s, -s: (veraltet) Trinkgeld

Dough|nut ['doʊnʌt]: ↑Donut

Doug|la|sie* [du'glaːzjə] ⟨nlat.; nach dem schott. Botaniker David Douglas⟩ die; -, -n u. **Doug|las|fich|te** ['duːglas...] die; -, -n: schnell wachsender Nadelbaum mit weichen Nadeln

Doug|las|raum* ['daglas...] ⟨nach dem schott. Arzt J. Douglas⟩ der; -s: Bauchfellgrube zwischen Mastdarm u. Blase bzw. Gebärmutter. **Doug|las|skop** das; -s, -e: ↑Endoskop zur Betrachtung des Douglasraums. **Doug|las|sko|pie** die; -, ...ien: Untersuchung des Douglasraums mittels Douglasskop

Doul|pi|on [du'pjõ:] ⟨fr.⟩ der od. das; -[s]: naturseidenähnliches Noppengewebe

Dou|ri|ne [du'riːnə] ⟨arab.-fr.⟩ u. Durine die; -, -n: durch Trypanosomen verursachte Geschlechtskrankheit von Pferd u. Esel; Beschälseuche

do ut des ⟨lat.; „ich gebe, damit du gibst"⟩: 1. altröm. Rechtsformel für gegenseitige Verträge od. Austauschgeschäfte. 2. Ausdruck dafür, dass mit einer Gegengabe od. einem Gegendienst gerechnet wird

Dow-Jones-In|dex ['daʊ'-dʒoʊnz...] ⟨nach der amerik. Firma Dow, Jones u. Co., die den Index ermittelt⟩ der; -[es]: Aufstellung der errechneten Durchschnittskurse der dreißig wichtigsten Aktien in den USA (Wirtsch.)

Dow|las ['daʊləs] ⟨engl.⟩ das; -: dichtes, gebleichtes Baumwollgewebe für Wäsche u. Schürzen

down [daʊn] ⟨engl.⟩: ⟨ugs⟩ sich körperlich, seelisch auf einem Tiefstand befindend; zerschlagen, ermattet; niedergeschlagen, bedrückt

Dow|ning Street ['daʊnɪŋ 'striːt] ⟨nach dem englischen Politiker Sir George Downing⟩ die; - -: 1. Straße in London mit dem Amtssitz des britischen Premierministers. 2. (ohne Artikel) die britische Regierung

Down|load ['daʊnloʊd] ⟨engl.⟩ das; -s, -s: das Downloaden (EDV); Ggs. ↑Upload. **down|loa|den:** Daten von einem zentralen, meist größeren Computer auf einen Arbeitsplatzcomputer übertragen, herunterladen (z. B. bei der Datenfernübertragung); Ggs. ↑uploaden

Down-Syn|drom* [daʊn...] ⟨nach dem britischen Arzt J. L. H. Down⟩ das; -s: (früher meist Mongolismus genannte) genetisch bedingte, teils schwerwiegende Entwicklungshemmungen und Veränderungen des Erscheinungsbilds eines Menschen

Do|xa ⟨gr.⟩ die; -: überweltliche Majestät Gottes; göttliche Wirklichkeit (Rel.). **Do|xa|le** ⟨mlat.⟩ das; -s, -s: Gitter zwischen Chor u. Mittelschiff, bes. in barocken Kirchen. **Do|xo|graph,** auch: Doxograf ⟨gr.-nlat.⟩ der; -en, -en: einer der griech. Gelehrten, die die Lehren der Philosophen nach Problemen geordnet sammelten. **Do|xo|lo|gie** ⟨gr.-mlat.⟩ die; -, ...ien: Lobpreisung, Verherrlichung Gottes od. der Dreifaltigkeit; vgl. ²Gloria

Do|yen [dŏa'jɛ̃:] ⟨lat.-fr.⟩ der; -s, -s: dienstältester diplomatischer Vertreter u. meist Sprecher eines diplomatischen Korps

Do|zent ⟨lat.; „Lehrender"⟩ der; -en, -en: a) Lehrer an einer Hochschule, Fachhochschule od. Volkshochschule; b) Lehrer an einer Universität, der noch nicht zum Professor ernannt ist; c) Privatdozent. **Do|zen|tur** ⟨lat.-nlat.⟩ die; -, -en: a) akademischer Lehrauftrag; b) Stelle für eine Dozentin/einen Dozenten. **do|zie|ren** ⟨lat.⟩: a) an einer Hochschule lehren; b) in belehrendem Ton reden

Drach|me ⟨gr.-lat.⟩ die; -, -n: 1. griech. Währungseinheit. 2. (hist.) ein Apothekergewicht unterschiedlicher Größe

Dra|gee, auch: **Dra|gée** [...ʒeː] ⟨gr.-lat.-fr.⟩ das; -s, -s: 1. mit einem Glanzüberzug versehene Süßigkeit, die eine feste oder flüssige Masse enthält. 2. linsenförmige Arznei, die aus einem Arzneimittel mit einem geschmacksverbessernden Überzug besteht. **Dra|geur** [...ʒøːɐ̯] der; -s, -e: jmd., der Dragees herstellt. **dra|gie|ren** [...ʒ...]: Dragees herstellen. **Dra|gist** [...ʒ...] der; -en, -en: ↑Drageur

Dra|go|man [auch: ...'maːn] ⟨arab.-mgr.-it.⟩ der; -s, -e: [einheimischer, sich als Fremdenführer betätigender] Dolmetscher im Nahen Osten

Dra|gon u. Dragun ⟨arab.-roman.⟩ der od. das; -s: ↑Estragon

Dra|go|na|de ⟨gr.-lat.-fr.⟩ die; -, -n: a) (hist.) unter Ludwig XIV. angeordnete Gewaltmaßnahme zur Bekehrung der franz. Protestanten durch Einquartierung

von Dragonern; b) gewaltsame Maßregel. **Dra|go|ner** der; -s, -: (hist.) Kavallerist auf leichterem Pferd, leichter Reiter

Drag|queen ['drægkwiːn] ⟨engl.⟩ die; -, -s: (Jargon) männlicher homosexueller Transvestit

Dra|gun vgl. Dragon

Drain [drɛ̃:] ⟨engl.-fr.⟩ auch: Drän der; -s, -s: 1. Röhrchen aus Gummi od. anderem Material mit seitlichen Öffnungen (Med.). 2. Drän (1). **Drai|na|ge,** auch: Dränage [drɛ'naːʒə] die; -, -n: 1. ↑Dränung. 2. Ableitung von Wundabsonderungen (z. B. Eiter) durch Drains (Med.). **drai|nie|ren**: 1. Wundabsonderungen, Flüssigkeiten durch Drains ableiten (Med.). 2. dränieren (1) **Drai|si|ne** ⟨nach dem dt. Erfinder Drais⟩ die; -, -n: 1. Vorläufer des Fahrrads, Laufrad. 2. kleines Schienenfahrzeug zur Streckenkontrolle

dra|ko|nisch ⟨nach dem altgriech. Gesetzgeber Drakon⟩: sehr streng, hart. **Dra|kon|ti|a|sis** ⟨gr.-nlat.⟩ die; -: ↑Drakunkulose. **Dra|kun|ku|lo|se** die; -, -n: Wurmkrankheit des Menschen, die durch einen (im Unterhautbindegewebe schmarotzenden) Fadenwurm hervorgerufen wird

Dra|lon ® ⟨Kunstw.⟩ das; -[s]: synthetische Faser

Dra|ma ⟨gr.-lat.; „Handlung, Geschehen"⟩ das; -s, ...men: 1. a) (ohne Plural) Bühnenstück: Tragödie u. Komödie umfassende literarische Gattung, in der eine Handlung durch die beteiligten Personen auf der Bühne dargestellt wird; b) Schauspiel [mit tragischem Ausgang]. 2. erschütterndes, trauriges Geschehen. **Dra|ma|tik** die; -: 1. dramatische Dichtkunst. 2. Spannung, innere Bewegtheit. **Dra|ma|ti|ker** der; -s, -: Verfasser von Dramen. **dra|ma|tisch**: 1. das Drama (1 a) betreffend, kennzeichnend, zum Drama gehörend. 2. a) aufregend u. spannungsreich; b) drastisch, einschneidend. **dra|ma|ti|sie|ren** ⟨nlat.⟩: 1. einen literarischen Stoff als Drama für die Bühne bearbeiten. 2. etwas lebhafter, aufregender darstellen, als es in Wirklichkeit ist. **Dra|ma|tis Per|so|nae** [- ...nɛ] ⟨lat.⟩ die (Plural): die Personen, die in einem Drama (1 b) auftreten. **Dra|ma|turg** ⟨gr.; „Schauspielmacher, -dichter"⟩ der; -en, -en: literatur- u. theaterwissenschaftlicher Berater bei Theater,

Funk u. Fernsehen. Dra|ma|tur-
gie *die; -, ...ien:* 1. Lehre von der
äußeren Bauform u. den Gesetz-
mäßigkeiten der inneren Struktur des Dramas, bes. im Hinblick
auf die praktische Realisierung.
2. Bearbeitung u. Gestaltung eines Dramas, Hörspiels, [Fern-
seh]films o. Ä. 3. Abteilung der
beim Theater, Funk od. Fernsehen beschäftigten Dramaturgen.
dra|ma|tur|gisch: 1. die Drama-
turgie (1) betreffend. 2. die
Kunst der Gestaltung eines
Stücks, einer Szene betreffend.
3. die Dramaturgie (3) betref-
fend. Dram|ma per mu|si|ca
(it.) das; - - -, ...me - -: ital. Bezeichnung für: Oper, musikali-
sches Drama. Dra|mol|lett *(gr.-
lat.-fr.) das; -s, -e (auch: -s):* kurzes Bühnenspiel
Drän *(engl.-fr.) der; -s, -s u. -e:* 1.
Entwässerungsgraben, -röhre. 2.
↑ Drain (1). Drä|na|ge [drɛ-
'na:ʒə] *die; -, -n:* 1. ↑ Dränung. 2.
Drainage (2). drä|nie|ren: 1. den
Boden durch Dränung entwäs-
sern. 2. ↑ drainieren. Drä|nie-
rung *die; -, -en:* ↑ Dränung. Dränung *die; -, -en:* Entwässerung
des Bodens durch Röhren- od.
Grabensysteme, die das über-
schüssige Wasser sammeln u. ab-
leiten
Drap [dra] *(vulgärlat.-fr.) der; -:*
festes Wollgewebe
Dra|pa *(altnord.) die; -, Drapur:*
altnord. Gedichtform
Dra|pé, *auch:* Drapee *(vulgärlat.-
fr.) der; -s, -s:* Herrenanzugstoff
aus Kammgarn od. Streichgarn
in Atlasbindung. Dra|peau
[...'po:] *das; -s, -s:* (veraltet) Fah-
ne, Banner. Dra|pee *vgl. Drapé.*
Dra|pe|rie *die; -, ...ien:* 1. kunst-
voller Faltenwurf eines Vor-
hangs od. Kleides. 2. strahlen-
förmiges Nordlicht. dra|pie|ren:
1. kunstvoll in Falten legen. 2.
mit kunstvoll gefaltetem Stoff
behängen, schmücken. 3. Gegenstände kunstvoll anordnen.
drapp, drapp|far|ben, drapp-
far|big: *(österr.)* sandfarben
(von Stoffen)
Dra|pur: *Plural von* ↑ Drapa
Dras|tik *(gr.) die; -:* derbe An-
schaulichkeit u. Direktheit.
Dras|ti|kum *(gr.-nlat.) das; -s,
...ka:* starkes Abführmittel.
dras|tisch *(gr.):* a) anschaulich-
derb [und auf diese Weise sehr
wirksam]; b) sehr stark, deutlich
in seiner [negativen] [Aus]wir-
kung spürbar
Draw|back [drɔ:bɛk] *(engl.) das;*

-[s], -s: Rückvergütung von zu
viel bezahltem Zoll
dra|wi|disch: zu der Völkergrup-
pe der Drawida in Mittel- u. Süd-
indien gehörend
Draw|ling|room [drɔ:ɪŋrʊm]
(engl.; „Zimmer, in das man sich
zurückzieht") *der; -s, -s:* Emp-
fangs- u. Gesellschaftszimmer in
England
Dra|zä|ne *(gr.-nlat.) die; -, -n:* zu
den Liliengewächsen gehörende
Zimmerblattpflanze; Drachen-
baum
Dread|locks ['drɛd...] *(engl.;*
„Furchtlocken") *die* (Plural):
(bes. von Rastafaris getragene)
aus dünnen Haarsträhnen ge-
flochtene kleine Zöpfchen.
Dread|nought ['drɛdnɔ:t] *(engl.;*
„Fürchtenichts") *der; -s, -s:*
(hist.) engl. Großkampfschiff
Dream|team; *auch:* Dream-
Team ['dri:mti:m] *(engl.;*
„Traumteam") *das; -s, -s:* in ihrer
Art als ideal [zusammengesetzt]
empfundene Mannschaft, idea-
les Gespann, wie man es sich er-
träumt hat
Dress *(lat.-vulgärlat.-fr.-engl.)
der; -es, -e, (österr.:) die; -, -en:*
besondere Kleidung (z. B. Sport-
kleidung)
Dres|sat *(lat.-vulgärlat.-fr.-nlat.)
das; -[e]s, -e:* 1. Ergebnis einer
Tierdressur. 2. zur automati-
schen Gewohnheit gewordene
anerzogene Verhaltens-, Reakti-
onsweise (Psychol.). Dres|seur
[...'søːɐ̯] *(lat.-vulgärlat.-fr.-engl.)
-s, -e:* jmd., der Tiere dressiert,
abrichtet. dres|sie|ren: 1. a) Tie-
re abrichten; einem Tier bestimmte Fähigkeiten beibringen;
b) (abwertend) jmdn. durch Disziplinierung zu einer bestimmten
Verhaltensweise bringen. 2. a) einem Gericht, bes. Geflügel,
durch Zusammenbinden od. -nä-
hen vor dem Braten eine zum
Servieren geeignete Form geben; b) mit einer Creme o. Ä.
verzieren, die aus einem Spritz-
beutel gedrückt wird; c) durch
Ausdrücken aus einem Spritz-
beutel bestimmte Formen aus
Teig, Creme o. Ä. bilden. 3. Hüte
unter Dampf in der Hutpresse
formen. 4. Schappeseide käm-
men (Spinnerei). 5. nachwalzen
(Technik). Dres|sing *(lat.-vul-
gärlat.-fr.-engl.) das; -s, -s:* 1. Ma-
rinade (1); Salatsoße. 2. Kräu-
ter- od. Gewürzmischung für
Bratenfüllungen
Dres|sing|gown [...gaʊn] *(engl.)
der* (auch: *das*); *-s, -s:* [Her-

ren]morgenmantel mit Schalkra-
gen u. geschlungenem Gürtel.
Dress|man [...mən] *(dt.* Bildung
aus *engl. dress* u. *man) der; -s,
...men [mən]:* 1. a) männliche
Person, die auf Modeschauen
Herrenkleidung vorführt; b)
männliches Fotomodell. 2. (verhüllend in Anzeigen) junger
Mann, der sich prostituiert.
Dres|sur *(lat.-vulgärlat.-fr.-nlat.)
die; -, -en:* 1. a) das Abrichten
von Tieren; b) (abwertend) die
Disziplinierung von Personen. 2.
Kunststück eines dressierten
Tieres. 3. kurz für: Dressurrei-
ten
Drib|bel *(engl.) das; -s, -:* ↑ Dribb-
ling. drib|beln: den Ball, die
Scheibe (beim Hockey) durch
kurze Stöße [über größere Stre-
cken] vorwärts treiben (Sport).
Drib|bler *der; -s, -:* Spieler, der
[gut] zu dribbeln versteht. Dribb-
ling *das; -s, -s:* das Dribbeln
Drink *(engl.) der; -[s], -s:* alkoholisches [Misch]getränk
Drive [draɪf, draɪv] *(engl.) der; -s,
-s:* 1. a) Schwung, Lebendigkeit,
Dynamik; b) Neigung, starker
Drang, Tendenz. 2. besonderer
Schlag (Treibschlag) beim Golf-
spiel u. Tennis. 3. Steigerung der
rhythmischen Intensität u. Span-
nung im Jazz. Drive-in-Ki|no
das; -s, -s: ↑ Autokino.
Drive-in-Res|tau|rant *das; -s,
-s:* Schnellgaststätte für Auto-
fahrende mit Bedienung am
Fahrzeug. dri|ven [draɪvn]: ei-
nen Treibball spielen (bes. Golf).
Dri|ver [...vɐ] *der; -s, -:* 1. Golf-
schläger für Abschlag und Treibschlag. 2. Signalverstärker, Trei-
ber (EDV)
Dro|ge *(niederl.-fr.) die; -, -n:* 1. a)
Rauschgift; b) (veraltend) Arzneimittel. 2. (durch Trocknen
haltbar gemachter) pflanzlicher
od. tierischer Stoff, der als Arz-
nei-, Gewürzmittel u. für technische Zwecke verwendet wird.
Dro|gen|dea|ler *der; -s, -:* vgl.
Dealer. Dro|ge|rie *die; -, ...ien:*
Einzelhandelsgeschäft zum Verkauf von bestimmten, nicht apo-
thekenpflichtigen Heilmitteln,
Chemikalien u. kosmetischen
Artikeln. Dro|gist *der; -en, -en:*
Besitzer od. Angestellter einer
Drogerie mit spezieller Ausbildung
Dro|le|rie *(fr.) die; -, ...ien:* lustige
Darstellung von Menschen, Tie-
ren u. Fabelwesen in der ↑ Gotik
Dro|me|dar [auch: 'dro:...] *(gr.-
lat.-fr.;* „Renner, Rennkamel")

das; -s, -e: einhöckeriges Kamel in Nordafrika u. Arabien

Dron|te ⟨fr.⟩ die; -, -n: (im 17. Jh. ausgestorbener) flugunfähiger Kranichvogel

Drop|kick ⟨engl.⟩ der; -s, -s: Schuss (bes. beim Fußball), bei dem der Ball in dem Augenblick gespielt wird, in dem er auf den Boden aufprallt. **Drop-out** [...-aut] ⟨engl.⟩ der; -[s], -s: 1. jmd., der aus der sozialen Gruppe ausbricht, in die er integriert war. 2. a) Ausfall bei der Datenspeicherung auf Magnetband (EDV); b) durch unbeschichtete Stellen im Magnettonband od. Schmutz zwischen Band u. Tonkopf verursachtes Aussetzen in der Schallaufzeichnung (Techn.). **drop|pen**: einen neuen Ball ins Spiel bringen, indem man ihn in bestimmter Weise fallen lässt (Golf). **Drop|per** der; -s, -: ↑ Dropshot. **Drops** ⟨engl.⟩ „Trop fen") der; -, - u. -e: 1. (auch: das; meist Plural): ungefüllter, flacher, runder Fruchtbonbon. 2. (ugs.) jmd., der durch sein Wesen, Benehmen auffällt, z. B. das ist ein ulkiger -. **Drop|shot** [...ʃɔt] ⟨engl.⟩ der; -[s], -s: in Netznähe ausgeführter Schlag beim [Tisch]tennis, bei dem sich der Schläger leicht rückwärts bewegt, sodass der Ball kurz hinter dem Netz fast senkrecht herunterkommt

Drosch|ke ⟨russ.⟩ die; -, -n: 1. (hist.) leichtes ein- oder zweispänniges Mietfuhrwerk zur Beförderung von Personen. 2. (veraltet) Taxi

Dro|se|ra ⟨gr.-nlat.⟩ die; -, ...rae [...rɛ]: eine Fleisch fressende Pflanze; Sonnentau **Dro|sograph**, auch: Drosograf der; -en, -en: automatisches Taumessgerät (Meteor.). **Dro|so|me|ter** das; -s, -: Taumessgerät (Meteor.). **Dro|so|phi|la** die; -, ...lae [...lɛ]: zu den Taufliegen gehörendes (häufig zu genetischen Versuchen benutztes) Insekt

Drug|store [ˈdrʌgstɔː] ⟨engl.-amerik.⟩ der; -[s], -s: (bes. in den USA) Verkaufsgeschäft für alle Artikel des täglichen Bedarfs

Dru|i|de ⟨kelt.-lat.⟩ der; -n, -n: kelt. Priester der heidnischen Zeit. **Dru|i|den|or|den** der; -s: nach Art einer ↑ Loge (3 a) aufgebauter, 1781 in England gegründeter Orden mit humanen, weltbürgerlichen Zielen. **dru|i|disch**: zu den Druiden gehörend, die Druiden betreffend

Drum [dram, drʌm] ⟨engl.⟩ die; -, -s: a) engl. Bezeichnung für Trommel; b) (nur Plural): Schlagzeug (bes. im Jazz). **Drum|com|pu|ter** der; -s, -: elektronisches Schlagzeug **Drum|lin** [auch: drʌmlɪn] ⟨kelt.-engl.⟩ der; -s, -s: von Eiszeitgletschern geformter lang gestreckter Hügel aus Grundmoränenschutt **Drum|mer** [ˈdramɐ, ˈdrʌmə] ⟨engl.⟩ der; -s, -: Schlagzeuger in einer Band **Drums** die: Plural von ↑ Drum u. ↑ Drumlin

Dru|schi|na ⟨russ.; „Kriegsschar, Leibwache") die; -: (hist.) Schutztruppe russischer Fürsten **Dru|se** ⟨arab.; nach dem Gründer Ad Darasi, 1017 n. Chr.⟩ der; -n, -n: Angehöriger einer islam. Sekte im Libanon u. in Syrien **dry** [draɪ] ⟨engl.; „trocken"): herb, trocken (von [Schaum]weinen u anderen alkohol. Getränken) **Dry|a|de** ⟨gr.-lat.⟩ die; -, -n (meist Plural): Waldnymphe (griech. Mythologie). **Dry|as** die; -: Vertreter einer im Hochgebirge wachsenden Gattung der Rosengewächse; Silberwurz **Dry|far|ming** [ˈdraɪ...] ⟨engl.⟩ das; -[s], auch: **Dry Far|ming**, das; --[s]: bes. in niederschlagsarmen Gebieten angewandte Bodenbewirtschaftungsmethode, bei der nach einem Jahr des Anbaus ein Jahr der Brache zur Speicherung von Feuchtigkeit für das nächste Anbaujahr folgt **Dry|o|pi|the|kus** ⟨gr.-nlat.⟩ der; -: ausgestorbener Menschenaffe des ↑ Tertiärs

Dsche|bel ⟨arab.⟩ der; -[ə]: Berg, Gebirge (in arabischen erdkundlichen Namen) **Dschel|la|ba** ⟨arab.⟩ die; -, -s: weites arabisches Männergewand aus Wolle **Dschig|ge|tai** ⟨mong.⟩ der; -s, -s: heute fast ausgerottete, im Norden Chinas u. in der Mongolei lebende Unterart des Halbesels **Dschi|had** ⟨arab.; „zielgerichtetes Mühen") der; -: in Europa oft als „heiliger Krieg" bezeichneter Kampf der Muslime zur Verteidigung u. Ausbreitung des ↑ Islams. **Dschin|na** ⟨arab.; „Dämonen") der; -s, - u. -e: böser Geist (im [vor]islamischen Volksglauben) **Dscho|do** ⟨jap.; „Reich ohne Makel") das; -: ideales Reich der Wiedergeburt im ↑ Buddhismus des ↑ Mahajana

Dschon|ke vgl. Dschunke **Dschun|gel** ⟨Hindi-engl.⟩ der (selten: das); -s, -: undurchdringlicher tropischer Sumpfwald **Dschun|ke** ⟨malai.-port.⟩ die; -, -n: chinesisches Segelschiff mit flachem Schiffsrumpf u. rechteckigen, aus Bast geflochtenen Segeln **Dschu|sche|ghan** ⟨pers.; nach der gleichnamigen iranischen Stadt⟩ der; -[s], -s: handgeknüpfter rot-, blau- oder elfenbeingrundiger Orientteppich

DTP = Desktoppublishing **du|al** ⟨lat.⟩: eine Zweiheit bildend. **Du|al** der; -s, Duale u. **Du|a|lis** der; -, Duale: 1. neben Singular u. Plural eigener Numerus (3) für zwei Dinge od. Wesen, der heute nur noch in den slawischen u. baltischen Sprachen auftritt (Sprachw.). 2. vom Verfasser nicht beabsichtigte [Teil]nebenlösung eines Schachproblems (Kunstschach). **du|a|li|sie|ren** ⟨lat.-nlat.⟩: verzweifachen, verdoppeln. **Du|a|lis|mus** der; -: 1. a) Zweiheit; b) Gegensätzlichkeit; Polarität zweier Faktoren. 2. philosophisch-religiöse Lehre, nach der es nur zwei voneinander unabhängige ursprüngliche Prinzipien im Weltgeschehen gibt (z. B. Gott–Welt; Leib–Seele; Geist–Stoff); Ggs. ↑ Monismus. 3. Rivalität zweier Staaten od. zwischen zwei Parteien. **Du|a|list** der; -en, -en: Vertreter des Dualismus (2). **du|a|lis|tisch**: 1. den Dualismus betreffend. 2. zwiespältig, gegensätzlich. **Du|a|li|tät** ⟨lat.⟩ die; -: 1. Zweiheit, Doppelheit; wechselseitige Zuordnung zweier Begriffe. 2. Eigenschaft zweier geometrischer Gebilde, die gestattet, aus über das andere abzuleiten (Math.). **Du|a|li|täts|prin|zip** das; -s, -ien: Anwendung der Dualität (2). **Du|al|sys|tem** das; -s, -e: 1. (ohne Plural) Zahlensystem, das als Basis die Zahl zwei verwendet u. mithilfe von nur zwei Zahlenzeichen (0 u. 1) alle Zahlen als Potenzen von 2 darstellt. 2. zweiseitiges Abstammungs-, Verwandtschaftsverhältnis (Soziol.) **Du|bas|se** ⟨russ.⟩ die; -, -n: flaches, barkenähnliches Ruderboot in Polen u. Russland **Dub|bing** [ˈdabɪŋ] ⟨engl.⟩ das; -s, -s: das Überspielen, Kopieren von Video- od. Tonaufnahmen

Du|bia u. **Du|bi|en:** *Plural* von ↑Dubium. **du|bi|os** u. **du|bi|ös** ⟨*lat.-(-fr.)*⟩: zweifelhaft, fragwürdig. **Du|bi|o|sa** u. **Du|bi|o|sen** ⟨*lat.*⟩ *die* (Plural): Forderungen, Außenstände, deren Begleichung zweifelhaft ist (Wirtsch.). **Du|bi|ta|tio** *die;* -, ...ti|ones: die Darstellung einleitende zweifelnde Frage (Rhet.). **du|bi|ta|tiv:** zweifelhaft, Zweifel ausdrückend. **Du|bi|ta|tiv** *der;* -s, -e: Konjunktiv mit dubitativer Bedeutung (Sprachw.). **Du|bi|um** *das;* -s, ...ia u. ...ien: Zweifelsfall **Dub|lee*** ⟨*lat.-fr.*⟩ *das;* -s, -s: 1. Metall mit Edelmetallüberzug. 2. Stoß beim Billardspiel. **Dub|let|te** *die;* -, -n: 1. doppelt vorhandenes Stück (in einer Sammlung o. Ä.). 2. das Erlegen von zwei Stück Wild mit zwei rasch aufeinander folgenden Schüssen aus einem Gewehr (Jagd). 3. Edelstein[imitation] aus zwei durch Übereinanderpressen zusammengesetzten verschiedenen Teilen. 4. zwei unmittelbar aufeinander folgende Schläge mit derselben Hand (Boxen). 5. schlechter, unscharfer, durch doppelten Rand des Schriftbildes gekennzeichneter Druck (Druckw.). **dub|lie|ren:** 1. Metall mit einem dünnen Überzug aus Edelmetall (bes. aus Gold) versehen. 2. zusammendrehen, doppeln (bes. von Garnen). 3. abschmieren (abfärben, wenn der Druckbogen aus der Maschine auf den Auslegetisch gelangt; Druckw.). 4. bei der Restaurierung eines Gemäldes die Rückseite durch ein Gewebe od. eine Holztafel verstärken (Kunstw.). **Dub|lier|ma|schi|ne** *die;* -, -n: Maschine, die vor dem Zwirnen die Garne verdoppelt od. vervielfacht (Spinnerei). **Dub|lo|ne** ⟨*lat.-span.-fr.*⟩ *die;* -, -n: frühere span. Goldmünze. **Dub|lü|re** ⟨*lat.-fr.*⟩ *die;* -, -n: 1. a) (veraltend) Unterfutter; b) Aufschlag an Uniformen. 2. verzierte Innenseite des Buchdeckels; Spiegel (Buchw.) **Duc** [dyk] ⟨*lat.-fr.;* „Herzog"⟩ *der;* -[s], -s: höchste Rangstufe des Adels in Frankreich. **Du|ca** ⟨*lat.-it.;* „Herzog"⟩ *der;* -, -s: ital. Adelstitel. **Du|ce** ['du:tʃe] ⟨*ital.*⟩ *der;* -s: Titel des italienischen Faschistenführers B. Mussolini (1883–1945) **Du|cen|to** [du'tʃɛnto] vgl. Duecento **Du|ces** ['du:tse:s]: *Plural* von ↑Dux. **Du|chesse** [dy'ʃɛs] ⟨*lat.-*

fr.⟩ *die;* -, -n [...sn]: 1. Herzogin (in Frankreich). 2. (ohne Plural) schweres [Kunst]seidengewebe mit glänzender Vorder- u. matter Rückseite in Atlasbindung. **Du|chesse|spit|ze** *die;* -, -n: Spitze, bei der die einzelnen geklöppelten Muster aneinander genäht sind

Du|cho|bor|ze ⟨*russ.;* „Geisteskämpfer"⟩ *der;* -n, -n: Anhänger einer im 18. Jh. in Russland entstandenen rein ↑rationalistischen Sekte (ohne Priesterstand) **Dyck|dal|be**, (seltener:) **Dyck|dal|be** *die;* -, -n (meist Plural), (auch:) **Dyck|dal|ben**, **Dyck|dal|ben** ⟨*niederl.;* nach dem Herzog von Alba (Duc d'Albe)⟩ *der;* -s, - (meist Plural): eingerammte Pfahlgruppe zum Festmachen von Schiffen im Hafen **Duc|tus** ⟨*lat.;* „Führung, Leitung"⟩ *der;* -, - [...tu:s]: Gang, Kanal, Ausführungsgang von Drüsen (Med.); vgl. Duktus **dye** ⟨*lat.-it.*⟩: zwei (Mus.); a due (zu zweit). **Du|e|cen|tjst** [due-tʃen...] ⟨*ital.*⟩ *der;* -en, -en: Künstler, Schriftsteller des Duecento. **Du|e|cen|to** [due'tʃɛnto], Dugento u. Ducento *das;* -[s]: das 13. Jh. in Italien als Stilbegriff **Du|ell** ⟨*lat.-fr.*⟩ *das;* -s, -e: Zweikampf. **Du|el|lant** ⟨*lat.-mlat.*⟩ *der;* -en, -en: jmd., der sich mit einem anderen duelliert. **du|el|lie|ren,** sich: ein Duell austragen **Du|en|ja** ⟨eingedeutschte Form von *span.* dueña = „Herrin"⟩ *die;* -, -s: (veraltet) Anstandsdame, Erzieherin **Du|ett** ⟨*lat.-it.*⟩ *das;* -[e]s, -e: a) Komposition für zwei Singstimmen; b) zweistimmiger musikalischer Vortrag (Mus.) **Duf|fle|coat** ['dʌflkout] ⟨anglisierende Neubildung zum Namen der belg. Stadt Duffel u. engl. coat = „Mantel"⟩ *der;* -s, -s: dreiviertellanger, meist mit Knebeln zu schließender Sportmantel **Du|four|kar|te** [dy'fu:r...] ⟨nach dem schweiz. General Dufour⟩ *die;* -, -n: topographische Landeskarte der Schweiz **Du|gen|to** [du'dʒɛnto] vgl. Duecento **Du|gong** ⟨*malai.*⟩ *der;* -s, -e u. -s: Seekuh der australischen u. philippinischen Küstengewässer ⟨des Roten Meeres **du jour** [dy'ʒu:ɐ̯] ⟨*lat.-fr.;* „vom Tage"⟩: (veraltet) vom Dienst; du jour sein (mit dem für einen bestimmten, immer wiederkeh-

renden Tag festgelegten Dienst an der Reihe sein) **Du|ka|ten** ⟨*lat.-mlat.-it.*⟩ *der;* -s, -: frühere Goldmünze **Dyk-Dyk** ⟨*melanes.*⟩ *der;* -: geheimer Männerbund auf den Inseln des Bismarckarchipels **Duke** [dju:k] ⟨*lat.-fr.-engl.;* „Herzog"⟩ *der;* -, -s: höchste Rangstufe des Adels in England. **duk|til** ⟨*lat.-fr.-engl.*⟩: gut dehn-, streckbar, verformbar; plastisch (Techn.). **Duk|ti|li|tät** *die;* -: Dehnbarkeit, Verformbarkeit (Techn.). **Duk|tor** ⟨*lat.*⟩ *der;* -s, ...oren: Stahlwalze in der Schnellpresse, durch die die Regulierung der Farbe erfolgt (Druckw.). **Duk|tus** ⟨*lat.*⟩ *der;* -: a) Schriftzug, Linienführung der Schriftzeichen; b) charakteristische Art der [künstlerischen] Formgebung; vgl. Ductus **Dul|ci|mer** ['dʌlsimə(r)] ⟨*engl.*⟩ *die;* -, -s: engl. Bezeichnung für Hackbrett; mit Klöppeln zu schlagendes Saiteninstrument **Dul|cin** u. Dulzin ⟨Kunstw. aus: *lat.* dulcis „süß"⟩ *das;* -s: heute nicht mehr zugelassener künstlicher Süßstoff. **Dul|zi|an** u. Dolcian ⟨*lat.-it.*⟩ *der;* -s, -e: 1. im 16. u. 17. Jh. verwendete Frühform des Fagotts. 2. nasal klingendes Zungenregister der Orgel. **Dul|zin** vgl. Dulcin. **Dul|zi|nea** ⟨*lat.-span.*⟩ *die;* -, ...een: (scherzh. abwertend) Freundin, Geliebte **¹Du|ma** ⟨*russ.*⟩ *die;* -, -s: 1. (hist.) Rat der fürstlichen Gefolgsleute in Russland. 2. russ. Stadtverordnetenversammlung seit 1870. 3. russ. Parlament **²Du|ma** ⟨*russ.*⟩ *die;* -, Dumy u. Dumen: ukrainisches Volkslied, das heroische Ereignisse od. volkstümliche Helden besingt **Dumb|show** [dʌm'ʃou] ⟨*engl.;* „stumme Schau"⟩ *die;* -, -s, auch: ↑¹Pantomime im älteren engl. Drama, die vor der Aufführung der Handlung verdeutlichen sollte **Dum|dum** ⟨*angloind.*⟩ *das;* -[s], -[s] u. **Dum|dum|ge|schoss** *das;* -es, -e: (völkerrechtlich verbotenes) wie ein Sprenggeschoss wirkendes Infanteriegeschoss mit abgekniffener Spitze u. dadurch freiliegendem Bleikern, das große Wunden verursacht **Du|men:** *Plural* von ↑²Duma **Dym|ka** ⟨*slaw.*⟩ *die;* -, ...ki: schwermütiges slawisches Volkslied, meist in Moll

Dum|my ['dami] ⟨engl.; „Attrappe; Schaufensterpuppe") der; -s, -s: a) lebensgroße, bei Unfalltests in Kraftfahrzeugen verwendete [Kunststoff]puppe; b) auch das: Attrappe, Schaupackung, Probeband (für Werbezwecke) **Dum|per** ['dampɐ, 'dʌmpə] ⟨engl.⟩ der; -s, -: Kippwagen, -karren für Erdtransport. **Dum|ping** ['dampɪŋ] das; -s: Export einer Ware unter ihrem Inlandpreis, um damit einen ausländischen Markt zu erobern (Wirtsch.)

Du|my: Plural von ↑²Duma

Dun|ci|a|de [...t̯s...] ⟨engl.; nach der Satire „Dunciad" von A. Pope († 1744)⟩ die; -, -n: literarischsatirisches Spottgedicht

Du|nit [auch: ...'nɪt] ⟨nlat.; nach den neuseeländischen Bergen Dun Mountains⟩ der; -s: ein Tiefengestein

Dun|king ['daŋkɪŋ] ⟨engl.⟩ das; -s, -s. Korbwurf, bei dem die Hände der od. des Werfenden oberhalb des Korbrings sind

Duo ⟨lat.-it.⟩ das; -s, -s: 1. Komposition für zwei meist ungleiche [Instrumental]stimmen. 2. a) zwei gemeinsam musizierende Solisten; b) (iron.) zwei Personen, die eine [strafbare] Handlung gemeinsam ausführen, z. B. ein Gaunerduo

du|o|de|nal: zum Duodenum gehörend, es betreffend (Med.). **Du|o|de|nal|ul|kus** ⟨lat.-nlat.⟩ das; -, ...ulzera: Zwölffingerdarmgeschwür (Med.). **Du|o|de|ni|tis** die; -, ...itiden: Entzündung des Zwölffingerdarms (Med.). **Du|o|de|num** ⟨lat.⟩ das; -s, ...na: Zwölffingerdarm (Med.). **Du|o|dez** das; -es: Buchformat in der Größe eines zwölftel Bogens (Zeichen: 12⁰). **Du|o|dez|fürst** der; -en, -en: (iron.) Herrscher eines sehr kleinen Fürstentums. **Du|o|dez|fürs|ten|tum** das; -s, ...tümer: (iron.) sehr kleines Fürstentum. **du|o|de|zi|mal** ⟨lat.-nlat.⟩: auf das Duodezimalsystem bezogen. **Du|o|de|zi|mal|sys|tem** das; -s: Zahlensystem mit der Grundzahl 12. **Du|o|de|zi|me** ⟨lat.-it.⟩ die; -, -n: a) zwölfter Ton einer ↑diatonischen Tonleiter; b) Intervall von zwölf diatonischen Tonstufen. **Du|o|dez|staat** der; -[e]s, -en: sehr kleiner Staat.

Du|o|di|o|de ⟨lat.; gr.⟩ die; -, -n: aus zwei vereinigten ↑Dioden bestehende Doppelzweipolröhre

Du|o|dra|ma das; -s, ...men: Drama mit nur zwei Personen

Du|o|kul|tur die; -, -en: Doppelanbau von Kulturpflanzen auf demselben Feldstück (Landw.)

Du|o|le ⟨lat.-it.⟩ die; -, -n: Folge von zwei Noten, die für drei Noten gleicher Gestalt bei gleicher Zeitdauer eintreten (Mus.)

du|plen ⟨Kurzw. aus: ↑duplizieren⟩: von einer Positivkopie eine Negativkopie herstellen (Fotografie)

dü|pie|ren ⟨fr.⟩: täuschen, überlisten, zum Narren halten

Dup|la*: Plural von ↑Duplum. **Dup|let** [du'ple:] u. **Dup|lett** ⟨lat.-fr.⟩ das; -s, -s: Lupe aus zwei Linsen. **Dup|lex|au|to|ty|pie** die; -, ...ien: doppelte Rasterätzung für Zweifarbendruck. **Dup|lex|be|trieb** ⟨lat.; dt.⟩ der; -[e]s, -e: 1. Telegrafieverfahren, bei dem zu gleicher Zeit über die gleiche Leitung in verschiedenen Richtungen telegrafiert wird. 2. Betrieb einer Computersystems in der Weise, dass bei seinem Ausfallen auf ein bereitstehendes gleichartiges System ausgewichen werden kann. **dup|lie|ren:** verdoppeln. **Dup|lik** ⟨lat.-fr.⟩ die; -, -en: (veraltet) Gegenerklärung des Beklagten auf eine ↑Replik (1 b) (Rechtsw.). **Dup|li|kat** ⟨lat.⟩ das; -[e]s, -e: Zweitausfertigung, Zweitschrift, Abschrift. **Dup|li|ka|ti|on** die; -, -en: 1. das Duplizieren; Verdoppelung. 2. Verdopplung eines Chromosomenabschnitts (Genetik). **Dup|li|ka|tur** ⟨lat.-nlat.⟩ die; -, -en: Verdoppelung, Doppelbildung (Med.). **dup|li|zie|ren** ⟨lat.⟩: verdoppeln. **Dup|li|zi|tät** die; -, -en: 1. Doppelheit; doppeltes Vorkommen, Auftreten von etw. 2. (veraltet) Zweideutigkeit. **Dup|lum** das; -s, ...pla: ↑Duplikat

Dup|ren* [dy...] ⟨Kunstw.⟩ das; -s: synthetischer Kautschuk

Dul|que ['duke] ⟨span.⟩ der; -[s], -s: 1. (ohne Plural) höchster Rang des Adels in Spanien. 2. Träger dieses Ranges. **Dul|que|sa** [du-'kesa] ⟨span.⟩ die; -, -s: weibl. Form zu ↑Duque

Dur ⟨lat.⟩ das; -, -: Tongeschlecht aller Tonarten, bei denen ein Halbton zwischen der dritten u. vierten sowie der siebten u. achten Stufe der Tonleiter liegt; Ggs. ↑¹Moll. **Du|ra** die; -: ↑Dura Mater. **du|ra|bel:** dauerhaft, bleibend. **Dur|ak|kord** der; -[e]s, -e: Akkord in Dur. **du|ral** ⟨lat.-nlat.⟩: zur Dura gehörend. **Du|ral** (Kunstw.) das; -s: (österr.)

Duralumin. Du|ra|lu|min* ® das; -s: sehr feste Aluminiumlegierung. **Du|ra Ma|ter** ⟨lat.⟩ die; -: harte (äußere) Hirnhaut (Med.). **du|ra|tiv** [auch: ...'ti:f] ⟨Med.-nlat.⟩: andauernd, anhaltend; **durative Aktionsart:** ↑Aktionsart eines Verbs, die die Dauer eines Seins od. Geschehens ausdrückt. **Du|rax** ® ⟨Kunstw.⟩ das; -: härtbares Phenolharz

Dur|bar ⟨pers.-angloind.⟩ der od. das; -s, -s: offizieller Empfang bei indischen Fürsten u. bei dem ehemaligen Vizekönig von Indien

Du|ri|an|baum ⟨malai.; dt.⟩ der; -[e]s, ...bäume: malai. Wollbaumgewächs, dessen kopfgroße, stachelige, gelbbraune Kapselfrüchte kastaniengroße Samen mit weichem, weißlichem, wohl schmeckendem, aber übel riechendem Samenmantel enthalten

Du|ri|ne vgl. Dourine

Du|rit [auch: ...'rɪt] ⟨Kunstw.⟩ der; -s, -e: streifige Steinkohle mit hohem Ascherückstand. **Du|ro|plast*** ⟨lat.; gr.⟩ der (auch: das); -[e]s, -e (meist Plural): in Hitze härtbarer, aber nicht schmelzbarer Kunststoff

Du|r|ra ⟨arab.⟩ die; -: afrikanische Hirseart, die als Brotgetreide verwendet wird

Du|rum|wei|zen ⟨lat.; dt.⟩ der; -s: Hart- od. Glasweizen

Dust [dʌst] ⟨engl.⟩ der; -[s]: feinste Teeaussiebung

Dutch|man ['dʌtʃmən] ⟨engl.; „Holländer") der; -s, ...men: Schimpfwort Englisch sprechender Matrosen für deutsche Seeleute

Du|ty|free|shop, auch: **Duty-free-Shop** ['dju:tifri:ʃɔp] ⟨engl.⟩ der; -s, -s: ladenähnliche Einrichtung im Bereich eines Flughafens o. Ä., wo man Waren zollfrei kaufen kann

Du|um|vir ⟨lat.⟩ der; -s u. -n, -n (auch: ...virn) [...i:rn] (hist.) röm. Titel für die Beamten verschiedener Zweimannbehörden in Rom bzw. in römischen Kolonien u. ↑Munizipien. **Du|um|vi|rat** das; -[e]s, -e: Amt u. Würde der Duumvirn

Du|vet [dy've] ⟨altnord.-fr.⟩ das; -s, -s: (schweiz.) Daunendecke, Federbett. **Du|ve|ti|ne** [dyf'ti:n] ⟨fr.⟩ der; -s, -s: Samtimitation aus [Baum]wolle od. Chemiefaser

Dux ⟨lat.⟩ der; -, Duces ['du:t̯se:s]: meist einstimmiges Fugenthema in der Haupttonart, das im ↑Comes (2) mündet (Mus.)

Dwai̱lta ⟨sanskr.; „Zweiheit") der; -: Lehre der ind. Philosophie des †Wedanta, die, alle Einheit negierend, nur die Zweiheit von Gott u. Welt gelten lässt **Dwa̱nd|wa*** ⟨sanskr.; „Paar") das; -[s], -[s]: †Additionswort **Dy|a̱|de** ⟨gr.-lat.; „Zweiheit") die; -, -en: 1. Zusammenfassung zweier Einheiten (Begriff aus dem Gebiet der Vektorrechnung; Math.). 2. Paarverhältnis (Soziol.). **Dy|a̱|dik** ⟨gr.⟩ die; -: auf dem Zweiersystem aufgebaute Arithmetik; Dualsystem. **dy|a̱disch:** dem Zweiersystem zugehörend. **Dy|ar|chi̱e** die; -, ...ien: von zwei verschiedenen Gewalten bestimmte Staatsform. **Dy̱as** ⟨gr.-lat.⟩ die; -: (veraltet) ¹Perm. **dy|a̱s|sisch:** die Dyas betreffend

Dyb|buk, Dy̱|buk vgl. Dibbuk

Dyn ⟨Kurzform von gr. dýnamis = „Kraft"): nicht gesetzliche Einheit der Kraft im †CGS-System (Zeichen: dyn). **Dy|na|me̱ter** ⟨gr.-nlat.⟩ das; -s, -: Instrument zur Bestimmung der Vergrößerungsleistung von Fernrohren. **Dy|na̱|mik** ⟨gr.-lat.⟩ die; -, -en: 1. (ohne Plural) Lehre vom Einfluss der Kräfte auf die Bewegungsvorgänge von Körpern. 2. a) (Plural selten) auf Veränderung, Entwicklung gerichtete Kraft; Triebkraft; b) (ohne Plural) dynamische (2 b) Art, dynamisches (2 b) Wesen. 3. Differenzierung der Tonstärke (Musik). **Dy|na̱|mis** die; -: Kraft, Vermögen, eine Änderung herbeizuführen (Philos.). **dy|na̱|misch** ⟨gr.⟩: 1. die von Kräften erzeugte Bewegung betreffend; Ggs. †statisch (2); **dynamische Geologie:** Wissenschaft von den Kräften, die das geogr. Bild der Erde bestimmten u. bestimmen. 2. a) eine Bewegung, Entwicklung aufweisend; **dynamische Rente:** Rente, deren Höhe nicht auf Lebenszeit festgesetzt, sondern periodisch der Entwicklung des Sozialprodukts angepasst wird; b) durch Schwung u. Energie gekennzeichnet; Tatkraft u. Unternehmungsgeist besitzend. 3. die Differenzierungen der Tonstärke betreffend (Mus.). **dy|na|misie̱|ren:** a) etwas in Bewegung setzen, vorantreiben, beschleunigen; b) bestimmte Leistungen an die Veränderungen [der allgemeinen Bemessensgrundlage] anpassen. **Dy|na|mi̱s|mus** ⟨gr.-nlat.⟩ der; -, ...men: 1. (ohne Plu-

ral) philos. Lehre, nach der alle Wirklichkeit auf Kräfte u. deren Wirkungen zurückgeführt werden kann. 2. (ohne Plural) Glaube mancher Naturvölker an die Wirkung unpersönlicher übernatürlicher Kräfte in Menschen u. Dingen. 3. a) (ohne Plural) Dynamik (2); b) dynamisches Element, dynamischer Zug. **dy|na|mi̱s|tisch:** den Dynamismus betreffend. **Dy|na|mi̱t** [auch: ...'mɪt] das; -s: auf der Grundlage des †Nitroglyzerins hergestellter Sprengstoff. **Dy|na̱|mo** [auch: 'dy:...] ⟨gr.-engl.⟩ der; -s, -s: Kurzform von †Dynamomaschine. **Dy|na|mo|graph,** auch: Dynamograf ⟨gr.-nlat.⟩ der; -en, -en: registrierendes Dynamometer. **Dy|na|mo|ma|schi̱ne** [auch: 'dy:...] die; -, -n: Maschine zur Erzeugung elektrischen Stroms. **dy|na|mo|meta|mo̱rph:** durch Druck umgeformt (Geol.). **Dy|na|mo|meta|mor|pho̱s|mus** der; -: †Dynamometamorphose. **Dy|na|mo|meta|mor|pho̱|se** die; -: durch Druck verursachte Umformung von Mineralien u. Gesteinen (Geol.). **Dy|na|mo|me̱ter** [„Kraftmesser"] das; -s, -: 1. Vorrichtung zum Messen von Kräften und mechanischer Arbeit. 2. Messgerät für Ströme hoher Frequenzen (Phys.). **Dy|na̱st** ⟨gr.-lat.⟩ der; -en, -en: (hist.) Herrscher, [kleiner] Fürst. **Dy|nas|ti̱e** ⟨gr.⟩ die; -, ...ien: Herrschergeschlecht, Herrscherhaus. **dy|na̱s|tisch:** die Dynastie betreffend. **Dy|na|tron*** ⟨gr.-nlat.⟩ die; -s, ...one (auch: -s): †Triode, bei der am Gitter eine höhere †positive (4) Spannung liegt als an der †Anode. **Dy|no̱de*** die; -, -n: zusätzliche, mehrfach eingebaute †Elektrode einer Elektronenröhre zur Beeinflussung des Stromes (Elektrot.) **Dy|o|phy|si̱t** ⟨gr.-nlat.⟩ der; -en, -en: Vertreter des Dyophysitismus. **dy|o|phy|si̱|tisch:** den Dyophysitismus betreffend. **Dy|o|phy|si̱t|is|mus** der; -: Lehre von den zwei Naturen Christi, nach der Christus wahrer Gott u. wahrer Mensch zugleich ist. **Dy|op|so̱n** ⟨gr.⟩ das; -s: einfachste Form des †Oligopsons, bei der auf einem Markt nur zwei Nachfrager vorhanden sind (Wirtsch.). **Dys|a|ku̱|sis** ⟨gr.-nlat.⟩ die; -: (Med.) 1. krankhafte Überempfindlichkeit des Gehörs (gegen bestimmte Töne). 2. Schwerhörigkeit

Dys|arth|ri̱e* ⟨gr.-nlat.⟩ die; -, ...ien: organisch bedingte Sprachstörung, speziell Störung der Lautbildung infolge mangelhafter Koordination der Sprechwerkzeuge, die bes. bei Gehirnverletzung od. -erkrankungen auftritt (Med.). **Dys|arth|ro̱|se** die; -, -n: krankhafte Verformung od. Veränderung eines Gelenks (Med.) **Dys|äs|the|si̱e** ⟨gr.⟩ die; -: 1. der Wirklichkeit nicht entsprechende Wahrnehmung einer Sinnesempfindung (Physiol.). 2. das Erleben aller äußeren Eindrücke als unangenehm (Psychol.) **Dys|au|to|no|mi̱e** ⟨gr.-nlat.⟩ die; -, ...ien: angeborene Entwicklungsstörung des vegetativen Nervensystems (Med.) **Dys|bak|te|ri̱e** ⟨gr.-nlat.⟩ die; -, ...ien: Störung in der Zusammensetzung der normalen Bakterienflora von Mund, Darm oder Scheide (Med.) **Dys|ba|si̱e** ⟨gr.-nlat.⟩ die; -, ...ien: Gehstörung; durch eine Durchblutungsstörung der Beine verursachtes erschwertes Gehen (Med.) **Dys|bu|li̱e** ⟨gr.-nlat.⟩ die; -: Willensschwäche, krankhafte Fehlgerichtetheit des Willens (Psychol.) **Dys|cho|li̱e** [...ç...] ⟨gr.-nlat.⟩ die; -, -n: krankhaft veränderte Zusammensetzung der Galle (Med.) **Dys|chro|ma|top|si̱e*** [...kro...] ⟨gr.⟩ die; -, -n: Farbenfehlsichtigkeit. **Dys|chro|mi̱e** ⟨gr.-nlat.⟩ die; -, ...ien: †Chromatose **Dys|en|te|ri̱e** ⟨gr.-lat.⟩ die; -, ...ien: Durchfall, Ruhr (Med.). **dys|en|te̱|risch:** ruhrartig **Dys|er|gi̱e** ⟨gr.-nlat.⟩ die; -: verminderte Widerstandskraft; ungewöhnliche Krankheitsbereitschaft des Organismus gegenüber Infektionen (Med.) **Dys|funk|ti̱on** ⟨gr.; lat.⟩ die; -, -en: 1. gestörte Funktion, Funktionsstörung eines Organs (Med.). 2. im Bestand eines Systems schädlicher Sachverhalt. **dys|funk|ti|o|na̱l:** eine Funktion, Wirkung o. Ä. abträglich, schädlich **Dys|glos|si̱e** ⟨gr.⟩ die; -, -n durch Fehlbildungen od. Erkrankungen der Sprechwerkzeuge hervorgerufene Sprachstörung **Dys|gna|thi̱e*** ⟨gr.⟩ die; -: Fehlentwicklung, die zu einer abnormen Form u. Funktion des Kiefers führt (Med.)

Dys|gram|ma|tis|mus ⟨*gr.-lat.*⟩ *der;* -: Sprachstörung; Unfähigkeit einer Sprecherin/eines Sprechers, grammatisch richtige Sätze zu bilden

Dys|hid|ro|se* ⟨*gr.-nlat.*⟩ *die;* -, -n u. **Dys|hid|ro|sis** *die;* -: Störung der Schweißabsonderung (verminderte od. vermehrte Schweißabsonderung; Med.)

Dys|kal|ku|lie ⟨*gr.*⟩ *die;* -: Lernversagen im Rechnen bei besserem Intelligenz- u. übrigem Leistungsniveau; Rechenschwäche

Dys|ke|ra|to|se ⟨*gr.-nlat.*⟩ *die;* -, -n: anomale Verhornung der Haut (Med.)

Dys|ki|ne|sie ⟨*gr.-nlat.*⟩ *die;* -, ...ien: motorische Fehlfunktion, besonders des Gallenwegsystems als funktionelle Störung (Med.)

Dys|ko|lie ⟨*gr.*⟩ *die;* -: Schwermut, Trübsinn (Psychol.)

Dys|kra|nie* ⟨*gr.-nlat.*⟩ *die;* -, ...ien: Schädelfehlbildung (Med.)

Dys|kra|sit* [auch: ...'sɪt] *die;* "schlechte Mischung") *der;* -s, -e: silberweißes, metallisch glänzendes Mineral; Antimonsilber; Silberantimon

Dys|la|lie ⟨*gr.-nlat.*⟩ *die;* -, ...ien: (bes. im Kindesalter auftretende) durch Stammeln gekennzeichnete Artikulationsstörung (Med.)

Dys|le|xie ⟨*gr.-nlat.*⟩ *die;* -, ...ien: Teilverlust intakter Lesefähigkeit durch Hirnverletzungen od. Hirnerkrankungen (Med.; Psychol.)

dys|mel ⟨*gr.*⟩: mit angeborenen Fehlbildungen der Gliedmaßen behaftet (Med.). **Dys|me|lie** ⟨*gr.-nlat.*⟩ *die;* -, ...ien: angeborene Fehlbildung der Gliedmaßen (Med.)

Dys|me|nor|rhö ⟨*gr.-nlat.*⟩ *die;* -, -en [...'rø:ən] u. **Dys|me|nor|rhöe** [...'rø:] *die;* -, -n [...'røən]: schmerzhafte Menstruation (Med.)

Dys|met|rie* ⟨*gr.*⟩ *die;* -, ...ien: Störung der Fähigkeit, gezielte Bewegungen richtig auszuführen (Med.)

Dys|o|dil ⟨*gr.-nlat.*⟩ *das;* -s, -e: blättriges, graues bis bräunliches, bitumen- u. diatomeenhaltiges Gestein; Blätter-, Papierkohle

Dys|on|to|ge|nie ⟨*gr.-nlat.*⟩ *die;* -, ...ien: Störung der ↑Ontogenese, die zu einer Fehlbildung des Embryos führen kann (Med.)

Dys|op|sie* ⟨*gr.*⟩ *die;* -, ...ien: Sehstörung (Med.)

Dys|os|mie* ⟨*gr.-nlat.*⟩ *die;* -, ...ien: Störung od. Beeinträchtigung des Geruchssinns (Med.).

Dys|os|phre|sie *die;* -, ...ien: Störung des Geruchssinns (Med.)

Dys|os|to|se* ⟨*gr.-nlat.*⟩ *die;* -, -n: Störung des Knochenwachstums, mangelhafte Verknöcherung bzw. Knochenbildung

Dys|pa|reu|nie* ⟨*gr.-nlat.*⟩ *die;* -, ...ien: Schmerzen (der Frau) u. Ausbleiben des Orgasmus beim Koitus (Med.)

Dys|pep|sie ⟨*gr.-lat.*⟩ *die;* -, ...ien: Verdauungsstörung, -schwäche (Med.). **dys|pep|tisch** ⟨*gr.*⟩: a) schwer verdaulich; b) schwer verdauend

Dys|phal|gie ⟨*gr.-nlat.*⟩ *die;* -, ...ien: schmerzhafte Störung des normalen Schluckvorgangs (Med.)

Dys|pha|sie ⟨*gr.-nlat.*⟩ *die;* -, ...ien: Bezeichnung für angeborene, zentrale Hör- u. Sprachstörungen (Med.)

Dys|pho|nie ⟨*gr.*⟩ *die;* -, ...ien: Stimmstörung (z. B. bei Heiserkeit; Med.)

Dys|pho|rie ⟨*gr.*⟩ *die;* -, ...ien: ängstlich-bedrückte, traurige, mit Gereiztheit einhergehende Stimmungslage (Med., Psychol.); Ggs. ↑Euphorie (b). **dys|pho|risch:** ängstlich-bedrückt, freudlos, gereizt u. leicht reizbar; Ggs. ↑euphorisch

dys|pho|tisch ⟨*gr.-nlat.*⟩: lichtarm (von tieferen Gewässerschichten)

Dys|phra|sie ⟨*gr.*⟩ *die;* -, ...ien: Bezeichnung für die inhomogenen Phänomene psychotischen Sprachverhaltens (Psychol.)

Dys|phre|nie ⟨*gr.-nlat.*⟩ *die;* -, ...ien: (durch anomale körperliche Bedingungen verursachte) psychische Störung (Med.)

Dys|pla|sie* ⟨*gr.-nlat.*⟩ *die;* -. ...ien: Fehlbildung, Fehlentwicklung eines Gewebes (Med.). **dys|plas|tisch:** fehlentwickelt, von den normalen Körperwachstumsformen stark abweichend (Med.)

Dys|pnoe* ⟨*gr.-lat.*⟩ *die;* -: gestörte Atmung mit vermehrter Atemarbeit, Atemnot, Kurzatmigkeit (Med.)

Dys|pro|si|um* ⟨*gr.-nlat.*⟩ *das;* -s: chem. metallisches Element aus der Gruppe der ↑Lanthanide (Zeichen: Dy)

Dys|pro|te|in|ämie* ⟨*gr.*⟩ *die;* -, ...ien: Störung in der Zusammensetzung der Proteine des Blutserums (z. B. bei einer Entzündung) (Med.)

Dys|thy|mie ⟨*gr.*⟩ *die;* -, ...ien: länger anhaltende Schwermut, Melancholie (Med.; Psychol.)

Dys|to|kie ⟨*gr.*⟩ *die;* -, ...ien: gestörter Geburtsverlauf (Med.); Ggs. ↑Eutokie

Dys|to|nie ⟨*gr.-nlat.*⟩ *die;* -, ...ien: Störung des normalen Spannungszustandes der Muskeln u. Gefäße; Ggs. ↑Eutonie; **vegetative Dystonie:** zusammenfassende Bezeichnung für alle funktionellen Störungen des vegetativen Nervensystems ohne nachweisbare organische Erkrankung; psychovegetatives Syndrom (Med.)

Dys|to|pie ⟨*gr.-nlat.*⟩ *die;* -, ...ien: Fehllagerung; das Vorkommen von Organen an ungewöhnlichen Stellen; Ggs. ↑Eutopie (Med.). **dys|to|pisch:** an ungewöhnlichen Stellen vorkommend (von Organen; Med.)

dys|troph* ⟨*gr.-nlat.*⟩ die Ernährung störend (Med.). **Dys|tro|phie** *die;* -, ...ien: (Med.) a) Ernährungsstörung; Ggs. ↑Eutrophie (a); b) mangelhafte Versorgung eines Organs mit Nährstoffen; Ggs. ↑Eutrophie (b). **Dys|tro|phi|ker** *der;* -s, -: jmd., der an Dystrophie leidet (Med.)

Dys|u|rie* ⟨*gr.-lat.*⟩ *die;* -, ...ien: schmerzhafte Störung der Harnentleerung (Med.)

Dys|ze|pha|lie ⟨*gr.-nlat.*⟩ *die;* -, ...ien: Sammelbez. für die verschiedenen Formen der Schädelfehlbildung (Med.)

Dy|tis|cus ⟨*gr.-nlat.*⟩ *der;* -, ...ci Gelbrandkäfer (Gattung der Schwimmkäfer)

Ea|gle ['i:g(ə)l] ⟨*lat.-fr.-engl.;* „Adler") *der;* -s, -s: 1. Goldmünze der USA mit dem Adler als Prägebild, meist zu 10 Dollar. 2. das Treffen des Loches mit zwei Schlägen weniger als durch ↑Par vorgesehen (Golf)

EAN-Code ['e:|'a:|'ɛn...] [Abk. für: *Europäische Artikel-Num-*

merierung] *der;* -s: Strichkode auf Waren

Earl [ə:l] ⟨*engl.*⟩ *der;* -s, -s: Graf (bis in die Mitte des 14. Jh.s höchste Stufe des engl. Adels).

Earl Grey [- 'greɪ] *der;* - -: mit Bergamotteöl aromatisierter Tee

Earlly Engllish ['ə:lɪ 'ɪŋglɪʃ] ⟨*engl.*⟩ *das;* - -: Frühstufe der engl. Gotik (etwa 1170 bis 1270)

East [i:st] ⟨*engl.*⟩: Osten; Abk.: E

ealsy ['i:zi] ⟨*engl.*⟩: (ugs.) leicht, lässig, locker. **Ealsylrilder** ['i:zi:'raɪdɐ] ⟨*amerik.*⟩ *der;* -s, -[s]: 1. Motorrad mit hohem, geteiltem Lenker u. einem Sattel mit hoher Rückenlehne. 2. Jugendlicher, der auf einem Easyrider (1) fährt

Eat-Art ['i:t'a:t] ⟨*engl.*⟩ *die;* -: Kunstrichtung, die Kunstobjekte als Gegenstände zum Verzehr produziert

Eau de Collogline* ['o: də ko'lɔnjə] ⟨*fr.*⟩ *das* (auch: *die*); - - -, -x [o:] - -: Kölnischwasser. **Eau de Jalvel** [- - ʒa'vɛl] ⟨nach Javel bei Paris⟩ *das* (auch: *die*); - - -, -x [o:] - -: Bleich- u. Desinfektionsmittel. **Eau de Lalbarlraque** [- - laba'rak] ⟨nach dem franz. Chemiker⟩ *das* (auch: *die*); - - -, -x [o] - -: Bleichmittel. **Eau de Parlfum** [- - par'fœ̃] *das;* - - -, -x [o:] - -: Duftwasser, dessen Duftstärke zwischen Eau de Toilette u. Parfum liegt. **Eau de Toillette** [- - tọa'lɛt] *das;* - - -, -x [o:] - -: Duftwasser, dessen Duftstärke zwischen Eau de Parfum u. Eau de Cologne liegt. **Eau de Vie** [- - 'vi:] („Wasser des Lebens") *das* (auch: *die*); - - -: Weinbrand, Branntwein. **Eau forte** [- 'fɔrt] *das* (auch: *die*); - -: (selten) Salpetersäure

elbelnielren ⟨*ägypt.-gr.-lat.-nlat.*⟩: kunsttischlern; vgl. Ebenist. **Elbelnist** *der;* -en, -en: Kunsttischler des 18. Jh.s, der Möbel mit Ebenholz- u. anderen Einlagen anfertigt

Elbilolnit ⟨*hebr.-mlat.;* „der Arme"⟩ *der;* -en, -en: Anhänger einer judenchristlichen Sekte des 1. u. 2. nachchristlichen Jh.s, die am mosaischen Gesetz festhielt

Elbolla, Elbollalfielber ⟨nach dem Fluss in Zaire⟩ *das;* -s: durch einen Virus hervorgerufene, oft tödlich verlaufende epidemische Infektionskrankheit

Elbolnit ⟨*lat.:...'nɪt*⟩ ⟨*ägypt.-gr.-lat.-fr.-engl.*⟩ *das;* -s: Hartgummi aus Naturkautschuk

Elbulllilolskop* ⟨*lat.; gr.*⟩ *das;* -s, -e: Gerät zur Durchführung der Ebullioskopie. **Elbulllilolskolpie** *die;* -: Bestimmung des ↑Molekulargewichts aus der ↑molekularen Siedepunktserhöhung (Dampfdruckerniedrigung einer Lösung gegenüber dem reinen Lösungsmittel)

Elburlnelaltilon u. **Elburlnilfilkatilon** ⟨*lat.-nlat.*⟩ *die;* -, -en: Verknöcherung, übermäßige elfenbeinartige Verhärtung der Knochen (Med.)

Elcaillelmallelrei [e'kaj...] ⟨*fr.;* „Schuppe"⟩ *die;* -, -en: schuppenartige Malerei auf Porzellan

Elcart [e'ka:ɐ̯] vgl. Ekart. **Elcarlté** [ekar'te:] vgl. Ekarté

eclce! ['ɛktsə] ⟨*lat.*⟩: siehe da! **Ęcce** ⟨nach Jesaja 57, 1: ecce, quomodo mọritur iụstus = „sieh, wie der Gerechte stirbt"⟩ *das;* -, -: (veraltet) jährliches Totengedächtnis eines Gymnasiums. **Ecce-Họlmo** ⟨nach dem Ausspruch des Pilatus, Joh. 19, 5: „Sehet, welch ein Mensch!"⟩ *das;* -[s], -[s]: Darstellung des dorngekrönten Christus in der Kunst

Ecklclelsia ⟨*gr.-lat.*⟩ *die;* -: 1. ↑Ekklesia. 2. in der bildenden Kunst die Verkörperung des Neuen Testaments in Gestalt einer Frau mit Krone, Kelch u. Kreuzstab (immer zusammen mit der ↑Synagoge 3 dargestellt; Kunstw.); **Ecclesia militans** ⟨*lat.*⟩: die in der Welt kämpfende Kirche (die Kirche auf Erden; **Ecclesia patiens:** die leidende Kirche, die Seelen der Verstorbenen im Fegefeuer; vgl. [kath.] Ekklesiologie); **Ecclesia triumphans:** die triumphierende Kirche, die Kirche im Stande der Vollendung, die Heiligen im Himmel (entsprechend der [kath.] Ekklesiologie)

Ecldylson vgl. Ekdyson

Elchaplpé [eʃa'pe:] ⟨*fr.*⟩ *das;* -s, -s: Sprung aus der geschlossenen Position der Füße in eine offene (Ballett). **Elchaplpelment** [eʃapə'mã:] *das;* -s, -s: 1. (veraltet) das Entweichen, Flucht. 2. Ankerhemmung der Uhr. 3. Mechanik, die das Zurückschnellen der angeschlagenen Hämmerchen beim Klavier bewirkt. **elchappielren:** (veraltet) entweichen, entwischen

Elcharpe [e'ʃarp] ⟨*fr.*⟩ *die;* -, -s: a) Schärpe, Schal (im 19. Jh.); b) (bes. schweiz.) gemustertes Umschlagtuch

elchaufflielren, sich [eʃɔ'fi:rən] ⟨*lat.-vulgärlat.-fr.*⟩: a) sich erhitzen; b) sich aufregen. **elchauffiert:** a) erhitzt; b) aufgeregt

Elchec [e'ʃɛk] ⟨*pers.-arab.-mlat.-*

fr.⟩ *der;* -s, -s: 1. franz. Bez. für: Schach. 2. Niederlage

Elchelle [e'ʃɛl] ⟨*lat.-fr.*⟩ *die;* -, -n [...lən]: (veraltet) 1. Leiter. 2. a) Maßstab; b) gleitende Lohnskala. 3. Tonleiter. **Elchellon** [eʃəlõ:] *der;* -s, -s: (veraltet) Staffelstellung (von Truppen; Mil.). **elchelolnielren:** (veraltet) gestaffelt aufstellen (von Truppen; Mil.)

Elchelvelria [ɛtʃe've:ri̯a] ⟨*nlat.;* nach dem mex. Pflanzenzeichner Echeverría⟩ *die;* -, ...ien: dickfleischiges, niedriges Blattgewächs (beliebte Zimmerpflanze aus Südamerika)

Elchilnit [auch: ...'nɪt]⟨*gr.-nlat.*⟩ *der;* -s u. -en, -e[n]: versteinerter Seeigel. **Elchilnolderlme** *der;* -n, -n (meist Plural): Stachelhäuter (z. B. Seestern, Seeigel, Seelilie, Seegurke, Schlangenstern). **Elchilnolkakltus** *der;* -, ...tẹen: Igelkaktus. **Elchilnolkoklkolse** *die;* -, -n: Echinokokkenkrankheit; vgl. Echinokokkus. **Elchilnolkoklkus** *der;* -, ...kken: Hundebandwurm, Finne (Frühstadium des Hülsenbandwurms). **Elchilnus** ⟨*gr.-lat.*⟩ *der;* -, -: 1. Seeigel (Zool.). 2. Wulst des ↑Kapitells einer ↑dorischen Säule zwischen der Deckplatte u. dem Säulenschaft

Elcho ⟨*gr.-lat.*⟩ *das;* -s, -s: 1. Widerhall. 2. Resonanz, Reaktion auf etwas (z. B. auf einen Aufruf). 3. Wiederholung eines kurzen ↑Themas (3) in geringerer Tonstärke (Mus.). **Ęlcholeflfekt** *der;* -[e]s, -e: 1. [fehlerhafte] Wiederholung od. [unbeabsichtigter] Nachhall aufgrund bestimmter technischer [Neben]effekte (Techn.). 2. [Stil]effekt durch echoartige Wirkung (Mus.). **elcholen:** 1. widerhallen. 2. wiederholen. **Elcholgralphie,** auch: Echografie *die;* -, ...jen: ↑elektroakustische Prüfung u. Aufzeichnung der Dichte eines Gewebes mittels Schallwellen (Med.). **Elcholkilnelse, Elcholkilnelsie** ⟨*gr.-nlat.*⟩ *die;* -, ...jen: Trieb gewisser Geisteskranker, gesehene Bewegungen mechanisch nachzuahmen (Med.). **Elchollallie** ⟨*gr.-nlat.*⟩ *die;* -, ...jen: 1. sinnlos-mechanisches Nachsprechen vorgesprochener Wörter oder Sätze bei Geisteskranken (Med.). 2. Wiederholung eines Wortes od. von Wortteilen bei Kindern vom 9. bis 12. Lebensmonat (Sprachpsychologie). **Ęlchollot** ⟨*gr.-lat.; dt.*⟩ *das;* -[e]s, -e: Apparat zur Messung von Meerestiefen durch ↑akustische Methoden. E|cho|mal|tis|mus *der;* -, ...men: sinnlos-mechanisches Nachahmen von gesehenen Bewegungen, Gebärden sowie Nachsprechen von Wörtern u. Sätzen bei Geisteskranken (Med.). E|cho|mi|mie *die;* -: nachahmendes Gebärdenspiel. E|cho|phra|sie *die;* -, ...ien: ↑Echolalie (1, 2). E|cho|pra|xie *die;* -, ...ien: ↑Echokinesie. E|cho|thy|mie *die;* -: Fähigkeit des Gefühls, die Gefühle u. ↑Affekte anderer Menschen mitzuempfinden (Psychol.) Ec|lair* [eˈklɛːr] ⟨*lat.-vulgärlat.-fr.*⟩ *das;* -s, -s: Gebäck mit Kremfüllung und Zucker- oder Schokoladenguss E|co|no|mi|ser [ɪkɔnɔmaizə] ⟨*gr.-lat.-fr.-engl.;* „Sparer"⟩ *der;* -s, -: Wasservorwärmer bei Dampfkesselanlagen. E|co|no|my|klas|se [ɪˈɔnəmi...] ⟨*engl.;* „Sparsamkeit"⟩ *die;* -, -n: billigste Tarifklasse im Flugverkehr e cont|ra|rio* ⟨*lat.*⟩: aufgrund eines Umkehrschlusses, eines Schlusses aus einem gegenteiligen Sachverhalt auf entsprechend gegenteilige Folgen (Rechtsw.) E|cos|sais [ekɔˈsɛ] ⟨*fr.;* „schottisch"⟩ *der;* -: groß karierter Kleider- u. Futterstoff. E|cos|sai|se [...ˈsɛzə] *die;* -, -n: a) schottischer Volkstanz im Dreiertakt; b) Gesellschaftstanz des 18. u. 19. Jh.s in raschem ²/₄-Takt (auch als Komposition der klassisch-romantischen Klaviermusik) E|cra|sé|le|der* [ekraˈzeː] ⟨*fr.; dt.*⟩ *das;* -s, -: gefärbtes, glattes Leder mit künstlich geprägter Narbung. éc|ra|sez l'in|fâme! [ekrazeˈfaːm] ⟨*fr.;* „Rottet den niederträchtigen [Aberglauben] aus!"⟩ Schlagwort Voltaires gegen die kath. Kirche ec|ru* ↑ekrü Ecs|tas|y* [ˈɛkstəzɪ] ⟨*gr.-lat.-fr.-engl.*⟩ *die;* -, -s: halluzinogene Designerdroge E|cu, ECU [eˈkyː] ⟨*fr.;* Abk. für: *engl.* European Currency Unit] *der;* -[s], -[s] od. *die;* -, -: europäische Währungseinheit e|da|phisch ⟨*gr.-nlat.*⟩: a) auf den Erdboden bezüglich; b) bodenbedingt. E|da|phon *das;* -s: Gesamtheit der in u. auf dem Erdboden lebenden Kleinlebewesen (Pflanzen u. Tiere; Biol.) E|den ⟨*hebr.;* „Wonne"⟩ *das;* -s: das Paradies [der Bibel], meist in der Fügung: der Garten Eden

E|den|ta|te ⟨*lat.*⟩ *der;* -n, -n: zahnarmes Säugetier (Gürtel-, Schuppen-, Faultier u. Ameisenbär; Zool.) e|die|ren ⟨*lat.*⟩: 1. Bücher herausgeben, veröffentlichen. 2. editieren (EDV) E|dikt ⟨*lat.*⟩ *das;* -[e]s, -e: a) amtlicher Erlass von Kaisern u. Königen (Gesch.); b) (österr.) [amtliche] Anordnung, Vorschrift e|di|tie|ren ⟨*lat.-fr.-engl.*⟩: Daten eingeben, löschen, ändern (EDV). E|di|tio ca|sti|ga|ta ⟨*lat.*⟩ *die;* - -, Editiones castigatae [...ne:s ...tɛ]: Buchausgabe, bei der religiös, politisch od. erotisch anstößige Stellen vom Herausgeber od. von der Zensur gestrichen wurden. E|di|ti|on *die;* -, -en: 1. a) Ausgabe von Büchern, bes. Neuherausgabe von älteren klassischen Werken; b) Verlag. 2. Herausgabe von ↑Musikalien, bes. in laufenden Sammlungen; Abk.: Ed. E|di|tio prin|ceps *die;* - -, Editiones principes [...ne:s ...pe:s]: Erstausgabe alter [wieder entdeckter] Werke. ¹E|di|tor [auch: eˈdi:...] *der;* -s, ...oren: Herausgeber eines Buches. ²E|di|tor [ˈɛdɪtɐ] ⟨*engl.*⟩ *der;* -s, -s: Komponente eines Datenverarbeitungssystems zur Bearbeitung von Texten, Grafiken im Dialog (EDV). E|di|to|ri|al [auch: ɛdɪˈtɔːriəl] ⟨*lat.-engl.*⟩ *das;* -[s], -s: 1. Vorwort des Herausgebers in einer [Fach]zeitschrift. 2. Leitartikel des Herausgebers od. des Chefredakteurs einer Zeitung. 3. a) Redaktionsverzeichnis, -impressum; b) Verlagsimpressum (EDV). E|du|ka|ti|on ⟨*lat.*⟩ *die;* -, -en: Erziehung E|dukt *das;* -[e]s, -e: 1. aus Rohstoffen abgeschiedener Stoff (z. B. Öl aus Sonnenblumenkernen). 2. Ausgangsgestein bei der ↑Metamorphose (4) (Geol.) E|du|tain|ment [ɛdjuˈteɪnmənt] ⟨Kunstwort aus: *engl.* education „Erziehung" u. entertainment „Unterhaltung"⟩ *das;* -s: Computerlernprogramme, die Wissen auf unterhaltsame u. spielerische Weise vermitteln E|fen|di u. Effendi ⟨*gr.-ngr.-türk.;* „Herr"⟩ *der;* -s, -s: (veraltet) Anrede u. Titel für höhere Beamte in der Türkei Ef|fekt ⟨*lat.*⟩ *der;* -[e]s, -e: a) Wirkung, Erfolg; b) (meist Plural)

auf Wirkung abzielendes Ausdrucks- u. Gestaltungsmittel; c) Ergebnis, sich aus etwas ergebender Nutzen. Ef|fek|ten ⟨*lat.-fr.*⟩ *die* (Plural): 1. Wertpapiere, die an der Börse gehandelt werden (z. B. ↑Obligationen 2 u. ↑Aktien). 2. (schweiz.) bewegliche Habe, Habseligkeiten. Ef|fek|ten|bör|se *die;* -, -n: Börse, an der Effekten gehandelt werden. ef|fek|tiv ⟨*lat.*⟩: a) tatsächlich, wirklich; b) wirkungsvoll (im Verhältnis zu den aufgewendeten Mitteln); c) (ugs.) überhaupt, ganz u. gar; d) lohnend. Ef|fek|tiv *das;* -s, -e: Verb des Verwandelns (z. B. knechten = zum Knecht machen; Sprachw.); vgl. Faktitiv. Ef|fek|tiv|do|sis *die;* -, ...dosen: diejenige Menge von Substanzen (z. B. Medikamenten, Gift), die bei einem Menschen od. bei Versuchstieren wirksam ist (Med.) Ef|fek|ti|vi|tät *die;* -: Wirksamkeit, Durchschlagskraft, Leistungsfähigkeit. Ef|fek|tiv|lohn *der;* -[e]s, ...löhne: wirklich gezahlter Lohn, der aus Tariflohn u. übertariflichen Zahlungen sowie zusätzlichen Leistungen besteht. Ef|fek|tiv|wert *der;* -[e]s, -e: der tatsächlich wirkende Durchschnittswert des von null bis zum Maximalwert (Scheitelwert) dauernd wechselnden Stromwertes (bes. bei Wechselstrom; Elektrot.). Ef|fekt|kohle *der;* -: Dochtkohle von Bogenlampen mit Leuchtsalzzusatz. Ef|fek|tor *der;* -s, ...oren (meist Plural): 1. (Physiol.) a) Nerv, der einen Reiz vom Zentralnervensystem zu den Organen weiterleitet u. dort eine Reaktion auslöst; b) Korperorgan, das auf einen aufgenommenen u. weitergeleiteten Reiz ausführend reagiert. 2. Stoff, der eine Enzymreaktion (vgl. Enzym) hemmt od. fördert, ohne an deren Auslösung mitzuwirken (Biol.). ef|fek|tu|ie|ren ⟨*lat.-mlat.-fr.*⟩: einen Auftrag ausführen, eine Zahlung leisten Ef|fe|mi|na|ti|on ⟨*lat.;* „Verweiblichung"⟩ *die;* -, -en: (Med.) a) das Vorhandensein ↑psychisch weiblicher Eigenschaften beim Mann; b) höchster Grad entgegengesetzter Geschlechtsempfindung beim Mann (passive ↑Homosexualität). ef|fe|mi|niert: (von einem Mann) verweiblicht, weiblich in seinen Empfindungen u. seinem Verhalten

Ef|fen|di vgl. Efendi

ef|fe|rent ⟨lat.⟩: herausführend, von einem Organ herkommend (Med.); Ggs. ↑afferent. Ef|fe|renz die; -, -en: Erregung, die über die efferenten Nervenfasern vom Zentralnervensystem zur Peripherie geführt wird u. die ↑Motorik (1 a) in Gang setzt; Ggs. ↑Afferenz

ef|fer|ves|zie|ren ⟨lat.⟩: aufbrausen, aufwallen (Phys.)

Ef|fet [ε'fe:, auch: ε'fe:] ⟨lat.-fr.; „Wirkung"⟩ der (auch: das); -s, -s: einer [Billard]kugel od. einem Ball beim Stoßen, Schlagen, Treten o.Ä. durch seitliches Anschneiden verliehener Drall. ef|fet|tu|o|so ⟨lat.-it.⟩: effektvoll, mit Wirkung (Mus.). Ef|fi|ci|en|cy [ɪ'fɪʃənsɪ] ⟨lat.-engl.⟩ die; -: 1. Wirtschaftlichkeit, bestmöglicher Wirkungsgrad (wirtschaftspolitisches Schlagwort, bes. in den USA u. in England). 2. Leistungsfähigkeit

ef|fi|lie|ren ⟨lat.-fr.⟩: dichte Haare beim Schneiden gleichmäßig ausdünnen. Ef|fi|lo|chés [...lɔ-'ʃe:] die (Plural): Reißbaumwolle

ef|fi|zi|ent ⟨lat.⟩: besonders wirksam u. wirtschaftlich, leistungsfähig; Ggs. ↑ineffizient. Ef|fi|zi|enz die; -, -en: 1. Wirksamkeit u. Wirtschaftlichkeit; Ggs. ↑Ineffizienz. 2. ↑Efficiency (1, 2). ef|fi|zie|ren: hervorrufen, bewirken. ef|fi|ziert: bewirkt; effiziertes Objekt: Objekt, das durch das im Verb ausgedrückte Verhalten hervorgerufen oder bewirkt wird (z.B. Kaffee kochen; Sprachw.); Ggs. ↑affiziertes Objekt

Ef|fla|ti|on ⟨lat.-nlat.⟩ die; -, -en: das Aufstoßen (Med.); vgl. Eruktation

Ef|flo|res|zenz ⟨lat.-nlat.; „das Aufblühen"⟩ die; -, -en: 1. krankhafte Hautveränderung (z.B. Pusteln, Bläschen, Flecken; Med.). 2. Bildung von Mineralüberzügen auf Gesteinen u. Böden (Ausblühung; Geol.); vgl. Exsudation (2). ef|flo|res|zie|ren ⟨lat.; „aufblühen"⟩: 1. krankhafte Hautveränderungen zeigen (Med.). 2. Mineralüberzüge bilden (von Gesteinen; Geol.)

ef|flu|ie|ren ⟨lat.⟩: ausfließen (Med.). Ef|flu|vi|um das; -s, ...ien: Erguss, Ausfluss, Ausdünstung (Med.)

Ef|fu|si|o|me|ter ⟨lat.; gr.⟩ das; -s, -: Apparat zur Messung der Gasdichte. Ef|fu|si|on ⟨lat.; „das Ausgießen; das Herausströmen"⟩ die; -, -en: das Ausfließen von ↑Lava (Geol.). ef|fu|siv lat.-nlat.⟩: durch Ausfließen von ↑Lava gebildet (Geol.). Ef|fu|siv|ge|stein das; -s: Ergussgestein, das sich bei der Erstarrung des ↑Magmas an der Erdoberfläche bildet (Geol.)

EFTA ⟨Kurzw. aus engl. European Free Trade Association⟩ die; -: Europäische Freihandelsassoziation (Freihandelszone)

e|gal ⟨lat.-fr.⟩: 1. gleich, gleichartig, gleichmäßig. 2. (ugs.) gleichgültig, einerlei. e|ga|li|sie|ren ⟨lat.-fr.⟩: 1. etwas Ungleichmäßiges ausgleichen, gleichmachen. 2. den Vorsprung des Gegners aufholen, ausgleichen; (einen Rekord) einstellen (Sport). e|ga|li|tär: auf politische, bürgerliche od. soziale Gleichheit gerichtet. E|ga|li|ta|ris|mus ⟨lat.-fr.-nlat.⟩ der; -: Sozialtheorie von der [möglichst] vollkommenen Gleichheit in der menschlichen Gesellschaft bzw. von einer Verwirklichung. E|ga|li|tät die; -: Gleichheit. É|ga|li|té [...'te:] ⟨lat.-fr.⟩ die; -: Gleichheit (eines der Schlagworte der Franz. Revolution); vgl. Fraternité, Liberté

E|ges|ta ⟨lat.⟩ die (Plural): Körperausscheidungen (z.B. Erbrochenes, Stuhl; Med.). E|ges|ti|on ⟨lat.⟩ die; -, -en: Stuhlgang (Med.)

Egg|head ['εghεd] ⟨engl.-amerik.; „Eierkopf"⟩ der; -s, -s: (oft scherzh. od. abwertend) Intellektueller

eg|lo|mi|sie|ren* ⟨fr.; nach dem franz. Kunsthändler J.-B. Glomi (18.Jh.)⟩: eine Glasftafel o.Ä. auf der Rückseite so mit Lack bemalen, dass Aussparungen entstehen, die mit spiegelnder Materie hinterlegt werden

E|go ⟨lat.⟩ das; -, -s: das Ich (Philos.); vgl. Alter Ego. E|go|ide|al, auch: E|go-I|de|al das; -s, -e: für die eigene Person gültiges Leitbild, das durch seinen Grundsatzcharakter zur Persönlichkeitsentwicklung beiträgt (Psychol.). E|go|is|mus ⟨lat.-fr.⟩ der; -, ...men: 1. (ohne Plural) Selbstsucht, Eigenliebe, Ichsucht, Eigennutz; Ggs. ↑Altruismus. 2. (Plural) selbstsüchtige Handlungen o.Ä. E|go|ist der; -en, -en: jmd., der sein Ich u. seine persönlichen Interessen in den Vordergrund stellt; Ggs. ↑Altruist. e|go|is|tisch: ichsüchtig, nur sich selbst gelten lassend; Ggs. ↑altruistisch. e|go|man: krankhaft selbstbezogen. E|go|ma|ne der; -en, -en: jmd., der egoman ist, an Egomanie leidet. E|go|ma|nie die; -: krankhafte Selbstbezogenheit. E|go|tis|mus ⟨lat.-engl.⟩ der; -: philosophisch begründete Form des Egoismus, die das Glück der Menschheit dadurch herbeizuführen trachtet, dass der Einzelne auf ein Höchstmaß persönlichen diesseitigen Glücks hinarbeitet. E|go|tist der; -en, -en: 1. Anhänger des Egotismus. 2. Autor eines ↑autobiographischen Romans in der Ichform. E|go|trip der; -s, -s: (Jargon) jmds. augenblickliche Lebenshaltung, -gestaltung, bei der das Denken u. Verhalten fast ausschließlich auf die eigene Person, die eigene Erlebnisweise gerichtet ist

E|gout|teur [egu'tø:ɐ] ⟨lat.-fr.⟩ der; -s, -e: Vorpresswalze bei der Papierherstellung (auch zur Erzeugung der Wasserzeichen)

E|go|zent|rik* ⟨lat.; gr.-lat.) nlat.⟩ die; -: Einstellung od. Verhaltensweise, die die eigene Person als Zentrum allen Geschehens betrachtet und alle Ereignisse nur in ihrer Bedeutung für u. in ihrem Bezug auf die eigene Person wertet. E|go|zent|ri|ker der; -s, -: jmd., der egozentrisch ist. e|go|zent|risch: ichbezogen; die eigene Person als Zentrum allen Geschehens betrachtend, alles in Bezug auf die eigene Person beurteilend. E|go|zent|ri|zi|tät die; -: ↑Egozentrik

eg|re|nie|ren* ⟨lat.-fr.⟩: Baumwollfasern von den Samen trennen. E|gre|nier|ma|schi|ne die; -, -n: Maschine, die die Baumwollfasern vom Samen trennt

eg|res|siv* ⟨lat.⟩: das Ende eines Vorgangs od. Zustands ausdrückend (von Verben; z.B. verblühen, platzen; Sprachw.); Ggs. ↑ingressiv (1). 2. den Luftstrom bei der Artikulation nach außen richtend (Phonetik); Ggs. ↑ingressiv (2)

E|gyp|ti|enne [εʃ'psiεn] ⟨fr.; „ägyptische (Schrift)"⟩ die; -: besondere Art der Antiquaschrift

Ei|de|tik ⟨gr.-nlat.⟩ die; -: 1. Fähigkeit, sich Objekte od. Situationen so anschaulich vorzustellen, als ob sie realen Wahrnehmungscharakter hätten. 2. Eidologie (Psychol.). Ei|de|ti|ker der; -s, -: jmd., der die Fähigkeit hat, sich Objekte od. Situationen so anschaulich, wie wirklich vorhanden vorzustellen. ei|de|tisch: a) die Eidetik betreffend; b) anschaulich, bildhaft. **Ei|do|lo|gie** *die;* -, ...ien: Theorie, auf dem Weg der Gestaltbeschreibung das Wesen eines Dinges zu erforschen (Philos.). **Ei|do|lon** ⟨gr.⟩ *das;* -[s], ...la: Abbild, kleines Bild, Nach-, Spiegel-, Trugbild (Philos.); vgl. Idol. **Ei|do|phor ®** ⟨gr.-nlat.;⟩ „Bildträger") *das;* -s, -e: Fernsehgroßbild-Projektionsanlage. **Ei|do|phor|ver|fah|ren** *das;* -s: Verfahren, bei dem an einen Fernsehempfänger ein Projektor angeschlossen ist, der das Bild auf die Größe einer Kinoleinwand bringt. **Ei|dos** ⟨gr.⟩ *das;* -: 1. Gestalt, Form, Aussehen. 2. Idee (bei Plato). 3. Gegensatz zur Materie (bei Aristoteles). 4. Art im Gegensatz zur Gattung (Logik). 5. Wesen (bei Husserl)

ein|bal|sa|mie|ren ⟨dt.; hebr.-gr.-lat.⟩: (einen Leichnam) zum Schutz vor Verwesung mit bestimmten konservierenden Mitteln behandeln

ein|che|cken ⟨dt.; engl.⟩: 1. (Flugw.) a) (vor dem Abflug) abfertigen (z. B. Passagiere od. Gepäck); Ggs. ↑auschecken (1a); b) (vor dem Abflug) sich abfertigen lassen; Ggs. ↑auschecken (1b). 2. (in ein Hotel o. Ä.) einziehen; sich anmelden (u. die entsprechenden Formalitäten erledigen); Ggs. ↑auschecken (2)

Ein|he|ri|er ⟨altnord.⟩ *der;* -s, -: gefallener Kämpfer (nord. Mythologie)

ein|log|gen ⟨dt.; engl.⟩: durch Eingabe bestimmter Daten eine Verbindung zu einer Datenverarbeitungsanlage herstellen (EDV), Ggs. ↑ausloggen

ein|quar|tie|ren ⟨dt.; lat.-fr.⟩: [Soldaten] in einem ↑Quartier (1) unterbringen

ein|scan|nen [...skɛnən] ⟨dt.; engl.⟩: mit dem Scanner eingeben

Ein|stei|ni|um ⟨nlat.; nach dem Physiker A. Einstein († 1955)⟩ *das;* -s: chem. Element; Zeichen: Es

Ei|zes vgl. Ezzes

E|ja|cu|la|tio prae|cox ⟨lat.⟩ *die;* - -: vorzeitig erfolgender Samenerguss (Med.). **E|ja|ku|lat** *das;* -[e]s, -e: bei der Ejakulation ausgespritzte Samenflüssigkeit (Med.). **E|ja|ku|la|ti|on** ⟨lat.-nlat.⟩ *die;* -, -en: Ausspritzung der Samenflüssigkeit beim ↑Orgasmus; Samenerguss (Med.). **e|ja|ku|lie|ren** ⟨lat.; „hinauswerfen")**:** Samenflüssigkeit aus-

spritzen (Med.). **E|jek|ti|on** *die;* -, -en: 1. explosionsartiges Ausschleudern von Materie (Schlacken, Asche) aus einem Vulkan (Geol.). 2. (veraltet) das Hinauswerfen; das Vertreiben [aus dem Besitz]. **E|jek|tiv** *der;* -s, -e u. **E|jek|tiv|laut** *der;* -[e]s, -e: Verschlusslaut, bei dem Luft aus der Mundhöhle strömt; Ggs. ↑Injektiv. **E|jek|tor** ⟨lat.-nlat.⟩ *der;* -s, ...oren: 1. automatisch arbeitender Patronenauswerfer bei Jagdgewehren. 2. Strahlpumpe mit Absaugvorrichtung. **e|ji|zie|ren:** 1. (Materie) ausschleudern (Phys.). 2. (veraltet) jmdn. hinauswerfen, [aus dem Besitz] vertreiben

e|jus|dem men|sis ⟨lat.⟩: (veraltet) desselben Monats; Abk.: e. m.

E|kart [e'kaːɐ̯] ⟨lat.-fr.⟩ *der;* -s, -s: Unterschied zwischen ↑Basiskurs u. Prämienkurs (Basiskurs + Prämie; Börsenw.)

¹**E|kar|té** [...'te:] ⟨fr. carte = „(Spiel)karte") *das;* -s, -s: franz. Kartenspiel. ²**E|kar|té** [...'te:] ⟨fr. écarter = auseinander treiben") *das;* -s, -s: (im klassischen Ballett) Position schräg zum Zuschauer

Ek|chon|drom* ⟨gr.-nlat.⟩ *das;* -s, -e: Knorpelgeschwulst (Med.). **Ek|chon|dro|se** ⟨gr.⟩ *die;* -, -n: gutartige Wucherung von Knorpelgewebe (Med.)

Ek|chy|mo|se ⟨gr.⟩ *die;* -, -n: flächenhafter Bluterguss, blutunterlaufene Stelle in der Haut (Med.)

ek|de|misch ⟨gr.⟩: (veraltet) auswärts befindlich, abwesend

Ek|dy|son ⟨gr.⟩ *das;* s: Häutungshormon der Insekten (Zool.)

Ek|kle|sia ⟨gr.-lat.⟩ *die;* -: Kirche; vgl. Ecclesia. **Ek|kle|si|as|tes** *der;* -: griech. Bez. des ältesten Buches „Prediger Salomo". **Ek|kle|si|as|tik** *die;* -: ↑Ekklesiologie. **Ek|kle|si|as|ti|kus** *der;* -: Titel des ältesten Buches „Jesus Sirach" in der ↑Vulgata (1). **ek|kle|si|o|gen:** durch Einfluss von Kirche u. Religion entstanden (z. B. Neurosen). **Ek|kle|si|o|lo|gie** ⟨gr.⟩ *die;* -: theologische Lehre von der christlichen Kirche

ek|krin ⟨gr.-nlat.⟩: ↑exokrin

Ek|kyk|le|ma* ⟨gr.⟩ *das;* ...emen: kleine fahrbare Bühne der altgriech. Theaters für Szenen, die sich eigtl. innerhalb eines Hauses abspielten

Ek|lai|reur* [eklɛ'røːɐ̯] ⟨lat.-vul-

gärlat.-fr.⟩ *der;* -s, -e: (veraltet) Kundschafter, Aufklärer (im Krieg)

Ek|lamp|sie ⟨gr.-nlat.⟩ *die;* -, ...ien: plötzlich auftretende, lebensbedrohende Krämpfe während der Schwangerschaft, Geburt od. im Wochenbett (Med.). **Ek|lamp|sis|mus** *der;* -: Bereitschaft des Organismus für eine Eklampsie (Med.). **ek|lamp|tisch:** die Eklampsie betreffend, auf ihr beruhend (Med.)

Ek|lat* [e'klaː)] ⟨fr.⟩ *der;* -s, -s: Aufsehen, Knall, Skandal; [in der Öffentlichkeit] starkes Aufsehen erregender Vorfall. **ek|la|tant:** 1. offenkundig. 2. Aufsehen erregend; auffallend

Ek|lek|ti|ker ⟨gr.; „auswählend, auslesend")*der;* -s, -: a) jmd., der weder ein eigenes philos. System aufstellt noch an anderes übernimmt, sondern aus verschiedenen Systemen das ihm Passende auswählt; b) (abwertend) jmd., der (z. B. in einer Theorie) fremde Ideen nebeneinander stellt, ohne eigene Gedanken dazu zu entwickeln. **ek|lek|tisch:** a) (abwertend) in unschöpferischer Weise nur Ideen anderer (z. B. in einer Theorie) verwendend; b) aus bereits Vorhandenem auswählend u. übernehmend. **Ek|lek|ti|zis|mus** ⟨gr.-nlat.⟩ *der;* -: 1. (abwertend) unoriginelle, unschöpferische geistige Arbeitsweise, bei der Ideen anderer übernommen od. zu einem System zusammengetragen werden. 2. Rückgriff auf die Stilmittel verschiedener Künstler früherer Epochen mangels eigenschöpferischer Leistung (in der bildenden Kunst u. Literatur). **ek|lek|ti|zis|tisch:** nach der Art des Eklektizismus (1, 2) verfahrend

Ek|lip|se ⟨gr.; „Ausbleiben, Verschwinden") *die;* -, -n: Verfinsterung (in Bezug auf Mond od. Sonne; Astron.). **Ek|lip|tik** ⟨gr.-nlat.⟩ *die;* -, -en: der größte Kreis, in dem die Ebene der Erdbahn um die Sonne die als unendlich groß gedachte Himmelskugel schneidet (Astron.). **ek|lip|ti|kal:** die Ekliptik betreffend, mit ihr zusammenhängend. **ek|lip|tisch** ⟨gr.⟩: die Eklipse betreffend

Ek|lo|ge ⟨gr.-lat.; „Auswahl") *die;* -, -n: a) altröm. Hirtenlied; vgl. Idylle; b) kleineres, ausgewähltes Gedicht. **Ek|lo|git** ⟨gr.-nlat.⟩ *das;* -s, -e: durch ↑Metamorphose (4) entstandenes Gestein (Geol.).

Ek|lo|git|scha|le *die; -:* tiefere Zone des ↑²Simas (Geol.)

Ekm|ne|sie* *⟨gr.-nlat.⟩ die; -,* ...ien: krankhafte Vorstellung, in einen früheren Lebensabschnitt zurückversetzt zu sein (Med.)

Ek|noia [...'nɔya] *⟨gr.;* „Sinnlosigkeit") *die; -:* krankhaft gesteigerte Erregbarkeit im Pubertätsalter (Med.)

E|ko|no|mi|ser [i'kɔnomajzɐ] vgl. Economiser

E|kos|sai|se [ekɔ'sɛ:zə] vgl. Ecossaise

Ek|pho|rie *⟨gr.-nlat.⟩ die; -,* ...ien: durch Reizung des Zentralnervensystems hervorgerufene Reproduktion von Dingen oder Vorgängen; Vorgang des Sicherinnerns (Med.)

Ek|phym *⟨gr.⟩ das; -s, -e:* Auswuchs, Höcker (Med.)

Ek|py|ro|sis *⟨gr.-lat.;* „das Ausbrennen") *die; -:* Weltbrand, Wiederauflösung der Welt in Feuer, das Urelement, aus dem sie entstand (philos. Lehre bei Heraklit u. den Stoikern)

Ek|ra|sit* *⟨fr.-nlat.⟩ das; -s:* Sprengstoff, der ↑Pikrinsäure enthält

ek|rü* *⟨lat.-fr.⟩:* a) ungebleicht; b) weißlich, gelblich. **Ek|rü|sei|de** *die; -:* nicht vollständig entbastete Naturseide von gelblicher Farbe

Eks|ta|se* *⟨gr.-lat.;* „Aus-sich-herausgetreten-Sein") *die; -, -n:* [religiöse] Verzückung, rauschhafter Zustand, in dem der Mensch der Kontrolle des normalen Bewusstseins entzogen ist. **Eks|ta|tik** *⟨gr.⟩ die; -:* Ausdruck[sform] der Ekstase. **Eks|ta|ti|ker** *der; -s, -:* jmd., der in Ekstase geraten ist; verzückter, rauschhafter Schwärmer. **eks|ta|tisch:** in Ekstase, außer sich, schwärmerisch, rauschhaft

Eks|tro|phie* *⟨gr.-nlat.⟩ die; -,* ...ien: ↑Ektopie

Ek|ta|se *⟨gr.-lat.⟩ die; -, -n:* Dehnung eines Vokals (antike Metrik). **Ek|ta|sie** *⟨gr.-nlat.⟩ die; -,* ...ien: Erweiterung, Ausdehnung eines Hohlorgans (Med.). **Ek|ta|sis** *die; -:* ↑Ektase

Ek|te|nie *⟨gr.⟩ die; -,* ...ien: großes Fürbittegebet im Gottesdienst der orthodoxen Kirchen

Ekth|lip|sis* *⟨gr.-lat.⟩ die; -,* ...ipsen: ↑Elision

Ek|thym *⟨gr.⟩ das; -s, -e:* Hauteiterung mit nachfolgender Geschwürbildung (Med.)

Ek|to|derm *⟨gr.-nlat.;* „Außenhaut") *das; -s, -e:* äußere Haut-schicht des tierischen und menschlichen Keims, die bei der Gastrulabildung (vgl. Gastrula) entsteht (Med.); vgl. Entoderm. **ek|to|der|mal:** vom äußeren Keimblatt abstammend bzw. ausgehend (Med.). **Ek|to|dermo|se** *die; -, -n:* Erkrankung von Organen, die aus dem Ektoderm hervorgegangen sind (bes. Erkrankung der Haut; Med.)

Ek|to|des|men *⟨gr.-nlat.⟩ die* (Plural): die Außenwände von Epidermiszellen durchziehende Plasmastränge, die zur Reizleitung u. vermutl. auch als Transportbahnen zwischen Außenwelt u. Pflanzeninnerem dienen (Bot.)

Ek|to|hor|mon *⟨gr.-nlat.⟩ das; -s, -e:* ↑Pheromon

Ek|to|mie *⟨gr.-nlat.⟩ die; -,* ...ien: operatives Herausschneiden, vollständige Entfernung eines Organs im Unterschied zur ↑Resektion (Med.)

ek|to|morph *⟨gr.-nlat.⟩:* eine hagere, hoch aufgeschossene Konstitution aufweisend (Anat.). **Ekto|mor|phie** *die; -:* Konstitution eines bestimmten Menschentyps, der ungefähr dem ↑Leptosomen entspricht

Ek|to|pa|ra|sit *⟨gr.-nlat.⟩ der; -en, -en:* pflanzlicher od. tierischer Schmarotzer, der auf der Körperoberfläche lebt (z. B. Blut saugende Insekten; Biol.; Med.); Ggs. ↑Entoparasit

ek|to|phy|tisch *⟨gr.-nlat.⟩:* nach außen herauswachsend (Med.)

Ek|to|pie *⟨gr.-nlat.⟩ die; -,* ...ien: meist angeborene Lageveränderung eines Organs (z. B. Wanderniere; Med.). **ek|to|pisch:** an falscher Stelle liegend (von Organen; Med.)

Ek|to|plas|ma *⟨gr.-nlat.⟩ das; -s,* ...men: äußere Schicht des ↑Protoplasmas bei Einzellern (Biol.); Ggs. ↑Entoplasma

Ek|to|sit *⟨gr.-nlat.⟩ der; -en, -en:* Ektoparasit

Ek|to|ske|lett *⟨gr.⟩ das; -[e]s, -e:* den Körper umschließendes Skelett bei Wirbellosen und Wirbeltieren; Außen-, Hautskelett (z. B. die ↑chitinöse Hülle der Insekten); Ggs. ↑Endoskelett

Ek|to|sko|pie* *⟨gr.-nlat.⟩ die; -,* ...ien: Untersuchung u. Erkennung von Krankheitserscheinungen mit bloßem Auge (Med.)

Ek|to|to|xin *⟨gr.-nlat.⟩ das; -s, -e:* von lebenden Bakterien ausgeschiedenes Stoffwechselprodukt, das im Körper von Mensch und Tier als Gift wirkt (Med.)

ek|to|troph *⟨gr.-nlat.;* „sich außen ernährend"):* außerhalb der Wirtspflanze lebend (von ↑symbiotisch an Pflanzenwurzeln lebenden Pilzen, bei denen die Pilzfäden nicht ins Innere der Wurzelzellen eindringen, sondern auf den Wurzeln bleiben)

Ekt|ro|dak|ty|lie* *⟨gr.-nlat.⟩ die; -,* ...ien: angeborene Fehlbildung der Hände u. Füße, die durch Fehlen von Fingern od. Zehen gekennzeichnet ist (Med.). **Ektro|me|llie** *die; -,* ...ien: angeborene Fehlbildung mit Verstümmelung der Gliedmaßen (Med.)

Ekt|ro|pi|on* *⟨gr.⟩ u.* **Ekt|ro|pi|um** *⟨gr.-nlat.⟩ das; -s,* ...ien: Auswärtskehrung, Umstülpung einer Schleimhaut (z. B. der Lippen, des Augenlides; Med.). **ektro|pi|o|nie|ren:** die Augenlider zur Untersuchung od. Behandlung des Auges nach außen umklappen (Med.)

Ek|ty|pus [auch: ɛk'ty:...] *⟨gr.⟩ der; -,* ...pen: Nachbildung, Abbild, Kopie (Fachspr.); Ggs. ↑Prototyp (1)

Ek|zem *⟨gr.⟩ das; -s, -e:* nicht ansteckende, in vielen Formen auftretende juckende Entzündung der Haut (Med.). **Ek|ze|ma|ti|ker** *⟨gr.-nlat.⟩ der; -s, -:* jmd., der zu Ekzemen neigt (Med.). **Ek|zema|to|id** *das; -s, -e:* ekzemartige Hauterkrankung (Med.). **ek|zema|tös:** von einem Ekzem befallen, hervorgerufen (Med.)

El *⟨semit.⟩ der; -,* Elim: semit. Bez. für: Gott; vgl. Eloah

El|la|bo|rat *⟨lat.⟩ das; -[e]s, -e:* a) (abwertend) flüchtig zusammengeschriebene Arbeit, die weiter keine Beachtung verdient; Machwerk; b) (selten) schriftliche Arbeit, Ausarbeitung. **el|la|bo|riert:** differenziert ausgebildet; **elaborierter Code:** hoch entwickelter sprachlicher ↑Code (1) eines Sprachteilhabers (Sprachw.); Ggs. ↑restringierter Code

El|la|i|din *⟨gr.-nlat.⟩ das; -s, -e:* fettartige chem. Verbindung, die durch Einwirkung ↑salpetriger Säuren auf Elain entsteht (Chem.). **El|la|in** *das; -s:* in tierischen u. nicht trocknenden pflanzlichen Fetten u. Ölen vorkommende chem. Verbindung (Chem.). **El|la|in|säu|re** *die; -:* Ölsäure. **El|la|i|o|som** *das; -s, -en* (meist Plural): besonders fett- u. eiweißreiches Gewebeanhängsel an pflanzlichen Samen (Bot.)

El|lan [auch: e'lã:] *⟨lat.-fr.⟩ der; -s:*

innerer, zur Ausführung von etwas vorhandener Schwung; Spannkraft, Begeisterung. E‖lan **vi‖tal** [elävi...] *der;* - - : schöpferische Lebenskraft bzw. metaphysische Urkraft, die die biologischen Prozesse steuert; die die Entwicklung der Organismen vorantreibende Kraft (nach H. Bergson; Philos.) E‖lä‖o‖lith [auch: ...'lɪt] *⟨gr.-nlat.⟩ der;* -s, -e: ein Mineral. E‖lä‖o**plast** *der;* -en, -en: Ölkörperchen in pflanzlichen Zellen (Bot.) E‖last *⟨gr.-nlat.⟩ der;* -[e]s, -e (meist Plural): Kunststoff von gummiartiger Elastizität. E‖lastik *das;* -s, -s, (auch:) *die* -, -en: 1. (ohne Plural) Zwischenfutterstoff aus Rohleinen. 2. Gewebe aus sehr dehnbarem Material. e‖las‖tisch: 1. dehnbar, biegsam. 2. Elastizität (2) besitzend. E‖las‖ti‖zi‖tät *die;* -: 1. Fähigkeit eines Körpers, eine aufgezwungene Formänderung nach Aufhebung des Zwangs rückgängig zu machen (Phys.). 2. Spannkraft [eines Menschen], Beweglichkeit, Geschmeidigkeit. E‖las‖ti‖zi‖täts‖ko‖ef‖fi‖zi‖ent *der;* -en, -en: Messgröße der Elastizität. E‖las‖ti‖zi‖täts‖mo‖dul *der;* -s, -n: Messgröße der Elastizität. E‖las‖to‖mer *das;* -s, -e u. E‖las‖to‖me‖re *das;* -n, -n (meist Plural): ↑synthetischer (2) Kautschuk u. gummiähnlicher Kunststoff (Chem.). E‖la‖te‖re *die;* -, -n (meist Plural): Schleuderzelle bei Lebermoosen, die die Sporen aus den Kapseln befördert (Bot.). E‖la‖tiv *⟨lat.⟩ der;* -s, -e: (Sprachw.) 1. absoluter ↑Superlativ (ohne Vergleich) (z. B. modernste Maschinen = sehr moderne Maschinen, höflichst = sehr höflich). 2. in den finno-ugrischen Sprachen Kasus zur Bezeichnung der Wegbewegung von einem Ort **El‖der‖states‖man** [...steɪtsmən] *⟨engl.;* „(alt)erfahrener Staatsmann"⟩ *der;* -, ...men: Politiker, der nach seinem Ausscheiden aus einem hohen Staatsamt weiterhin große Hochachtung genießt **El‖do‖ra‖do**, Dorado *⟨lat.-span.;* „das vergoldete (Land)"⟩ *das;* -s, -s: Gebiet, das alle Gegebenheiten, Voraussetzungen für jmdn. bietet (z. B. in Bezug auf eine bestimmte Betätigung); Traumland, Wunschland, Paradies, das jmdm. ausreichende Entfaltungsmöglichkeiten bietet

E‖le‖a‖te *⟨gr.-lat.⟩ der;* -n, -n (meist Plural): Vertreter der von Xenophanes um 500 v. Chr. in Elea (Unteritalien) gegründeten griech. Philosophenschule. e‖le**a‖tisch:** die Eleaten betreffend. E‖le‖a‖tis‖mus *⟨gr.-lat.-nlat.⟩ der;* -: philosophische Lehre, die von einem absoluten, nur durch Denken zu erfassenden Sein ausgeht u. ihm das Werden u. die sichtbare Welt als Schein entgegensetzt E‖le‖fan‖t‖‖a‖sis, auch: Elephantiasis *⟨gr.-lat.⟩ die;* -, ...iasen: durch Lymphstauungen bedingte, unförmige Verdickung des Haut- u. Unterhautzellgewebes mit Bindegewebswucherung (Med.). e‖le‖fan‖tös: (ugs. scherzh.) außergewöhnlich, großartig e‖le‖gant *⟨lat.-fr.⟩:* a) (von der äußeren Erscheinung) durch Vornehmheit, erlesenen Geschmack, bes. der Kleidung od. ihrer Machart, auffallend; b) in gewandt u. harmonisch wirkender Weise ausgeführt, z. B. eine elegante Lösung; c) kultiviert, erlesen, z. B. in eleganter Wein; sie sprach ein elegantes Französisch. E‖le‖gant [ele'gã:] *der;* -s -s: (veraltet) auffällig modisch gekleideter Mann. E‖le‖ganz *die;* -: a) (in Bezug auf die äußere Erscheinung) geschmackvolle Vornehmheit; b) Gewandtheit, Geschmeidigkeit, Harmonie [in der Bewegung] E‖le‖gei‖on *⟨gr.⟩ das;* -s: elegisches Versmaß, d. h. Verbindung von ↑Hexameter u. ↑Pentameter; vgl. Distichon. E‖le‖gie *⟨gr.-lat.⟩ die;* -, ...ien: 1. a) in ↑Elegeion abgefasstes Gedicht; b) wehmütiges Gedicht, Klagelied. 2. Schwermut. E‖le‖gi‖ker *⟨gr.⟩ der;* -s, -: 1. Elegiendichter. 2. jmd., der zu elegischen, schwermütigen Stimmungen neigt. e‖le‖gisch: 1. a) die Gedichtform der Elegie betreffend; b) in Elegieform gedichtet. 2. voll Wehmut, Schwermut; wehmütig. E‖le‖gjam‖bus *⟨gr.-nlat.⟩ der;* -, ...ben: aus dem ↑Hemiepes u. dem jambischen ↑Dimeter bestehendes altgriech. Versmaß (antike Metrik) E‖le‖i‖son *⟨gr.;* „Erbarme dich!"⟩ *das;* -s, -s: gottesdienstlicher Gesang; vgl. Kyrie eleison E‖lek‖ti‖on *⟨lat.⟩ die;* -, -en: Auswahl, Wahl; vgl. Selektion. e‖lek‖tiv: auswählend; vgl. selektiv (1). E‖lek‖tor *der;* -s, ...oren: 1. Wähler, Wahlherr (z. B. Kur-

fürst bei der Königswahl). 2. [Aus]wählender. E‖lek‖to‖rat *⟨lat.-nlat.⟩ das;* -[e]s, -e: (hist.) a) Kurfürstentum; b) Kurfürstenwürde E‖lek‖tra‖kom‖plex* ⟨nach der griech. Sagengestalt Elektra⟩ *der;* -es: bei weiblichen Personen auftretende, zu starke Bindung an den Vater (Psychol.); vgl. Ödipuskomplex E‖lek‖tret* *⟨gr.-engl.⟩ der* (auch: *das*); -s, -e: elektrischer ↑Isolator mit entgegengesetzten elektrischen Ladungen an zwei gegenüberliegenden Flächen. E‖lek‖tri‖fi‖ka‖ti‖on *⟨gr.-nlat.⟩ die;* -, -en: (schweiz.) ↑Elektrifizierung; vgl. ...[at]ion/...ierung. e‖lek‖tri‖fi‖zie‖ren: auf elektrischen Betrieb umstellen (bes. Eisenbahnen). E‖lek‖tri‖fi‖zie‖rung *die;* -, -en: Umstellung auf elektrischen Betrieb [bei Eisenbahnen], vgl. [at]ion/ ierung E‖lek‖trik *die;* -: a) Gesamtheit einer elektrischen Anlage od. Einrichtung (z. B. Autoelektrik); b) (ugs.) Elektrotechnik. E‖lek‖tri‖ker *der;* -s, -: Handwerker im Bereich der Elektrotechnik, Elektroinstallateur, -mechaniker. e‖lek‖trisch: 1. auf der Anziehungs- bzw. Abstoßungskraft geladener Elementarteilchen beruhend; durch [geladene] Elementarteilchen hervorgerufen. 2. a) die Elektrizität betreffend, sie benutzend; b) durch elektrischen Strom angetrieben; mithilfe des elektrischen Stroms erfolgend; **elektrische Induktion:** Erscheinung, bei der durch ein sich änderndes Magnetfeld in einem Leiter eine elektrische Spannung erzeugt wird. E‖lek‖tri‖sche *die;* -n, -n: (ugs. veraltet) Straßenbahn. e‖lek‖tri‖sie‖ren: 1. elektrische Ladungen erzeugen, übertragen. 2. den Organismus mit elektrischen Stromstößen behandeln. 3. sich - : seinen Körper unabsichtlich mit einem Stromträger in Kontakt bringen u. dadurch einen elektrischen Schlag bekommen. E‖lek‖tri‖sier‖ma‖schi‖ne *die;* -, -n: Maschine, die den elektrischen Strom zum Elektrisieren durch Reibungselektrizität erzeugt. E‖lek‖tri‖zi‖tät *die;* -: 1. auf der Anziehung bzw. Abstoßung elektrisch geladener Teilchen beruhendes Grundphänomen der Natur. 2. elektrische Energie. E‖lek‖tro‖akus‖tik [auch: ...e'lektro...] *die;* -: Wissenschaft, die sich mit der

Umwandlung der Schallschwingungen in elektrische Spannungsschwankungen u. umgekehrt befasst. e|lektro|akustisch [auch: e'lɛktro...]: die Elektroakustik betreffend. E|lẹkt|ro|anal|ly|se die; -: chem. Untersuchungsmethode mithilfe der ↑ Elektrolyse. E|lẹkt|ro|au|to das; -s, -s: Auto, das nicht mit Benzin, sondern mit einer Batterie angetrieben wird. E|lekt|roche|mie [auch: e'lɛktro...] die; -: die Wissenschaft von den Zusammenhängen zwischen elektrischen Vorgängen und chemischen Reaktionen. e|lektro|che|misch [auch: e'lɛktro...]: die Elektrochemie betreffend. E|lekt|ro|chir|ur|gie [auch: e'lɛktro...] die; -: Sammelbez. für die verschiedenen Formen der Anwendung elektrischer Energie zu chirurgischen Zwecken. e|lekt|ro|chi|rur|gisch [auch: e'lɛktro...]: die Elektrochirurgie betreffend. E|lekt|ro|chord ⟨gr.-nlat.⟩ das; -s, -e: elektrisches Klavier. E|lekt|ro|co|lor|verfah|ren [auch: ...ko'lo:ɐ̯...] ⟨gr.; lat.; dt.⟩ das; -s: elektrolytisches Verfahren zum Färben von Metallen. E|lekt|ro|de ⟨gr.-nlat.⟩ die; -, -n: elektrisch leitender, meist metallischer Teil, der am Übergang des elektrischen Stromes in ein anderes Leitermedium (Flüssigkeit, Gas u. a.) vermittelt. E|lekt|ro|di|a|ly|se die; -: Verfahren zur Entsalzung wässriger Lösungen nach dem Prinzip der ↑ Dialyse (z. B. Entsalzen von Wasser). E|lekt|rody|na|mik die; -: im allgemeinsten Sinne die Theorie der Elektrizität bzw. sämtlicher elektromagnetischer Erscheinungen; Wissenschaft von der bewegten (strömenden) Elektrizität u. ihren Wirkungen. e|lekt|ro|dy|namisch: die Elektrodynamik betreffend. E|lekt|ro|dy|na|mome|ter das; -s, -: Messgerät für elektrische Stromstärke u. Spannung. E|lekt|ro|en|dos|mo|se u. Elektroosmose die; -, -n: durch elektrische Spannung bewirkte ↑ osmotische Flüssigkeitswanderung. E|lekt|ro|ener|gie die; -, -n: in Kraftwerken aus primären Energieträgern u. aus Wasserkraft gewonnene u. zum Verbraucher transportierte elektrische Energie. E|lekt|roen|ze|pha|lo|gramm das; -s, -e: Aufzeichnung des Verlaufs der Hirnaktionsströme; Abk.: EEG

(Med.). E|lekt|ro|en|ze|pha|lograph, auch: ...graf der; -en, -en: Gerät zur Aufzeichnung eines Elektroenzephalogramms (Med.). E|lekt|ro|en|ze|pha|logra|phie, auch: ...grafie die; -: Verfahren, die Aktionsströme des Gehirns zu ↑diagnostischen Zwecken grafisch darzustellen (Med.); vgl. Enzephalogramm. E|lekt|ro|ero|si|on die; -, -en: spanloses Bearbeitungsverfahren für Hartmetalle u. gehärtete Werkstoffe, bei dem durch Erzeugung örtlich sehr hoher Temperaturen durch elektrische Lichtbogen od. periodische Funkenüberschläge kleine Teilchen vom Werkstück abgetragen werden (Techn.). E|lekt|ro|gra|vimet|rie die; -: Verfahren der Elektroanalyse, das auf der quantitativen Abscheidung von Metallen aus wässrigen Lösungen an einer Elektrode beruht. E|lekt|ro|in|ge|ni|eur der; -s, -e: auf dem Gebiet der Elektronik ausgebildeter Ingenieur (Berufsbez.). E|lekt|ro|jet [...dʒɛt] ⟨gr.; engl.⟩ der; -s, -s: gebündelter elektrischer Ringstrom, der das normale Stromsystem der ionisierten (vgl. Ion) hohen Atmosphäre überlagert. e|lekt|ro|kalo|risch [auch: ...e'lɛktro...] ⟨gr.; lat.-nlat.⟩: die Wärmeerzeugung durch elektrischen Strom betreffend. E|lekt|ro|kar|di|o|gramm ⟨gr.-nlat.⟩ das; -s, -e: Aufzeichnung des Verlaufs der Aktionsströme des Herzens; Abk.: EKG u. Ekg (Med.). E|lekt|ro|kar|di|o|graph, auch: ...graf der; -en, -en: Gerät zur Aufzeichnung eines Elektrokardiogramms. E|lekt|ro|kar|di|o|graphie, auch: ...grafie die; -: Verfahren, die Aktionsströme des Herzens zu diagnostischen Zwecken grafisch darzustellen. E|lekt|ro|kar|ren der; -s, -: kleines, durch ↑ Akkumulatoren (1) gespeistes Transportfahrzeug. E|lekt|ro|ka|tal|ly|se die; -, -n: durch elektrischen Strom bewirkte Aufnahme von Arzneimitteln durch die Haut. E|lektro|kaus|tik die; -: Operationsmethode mithilfe des Elektrokauters. E|lekt|ro|kau|ter der; -s, -: chirurgisches Instrument zur elektrischen Verschorfung kranken Gewebes. E|lekt|ro|kera|mik die; -: Gesamtheit der Bauteile aus keramischen Werkstoffen für die Elektrotechnik. E|lekt|ro|ko|a|gu|la|ti|on die; -,

-en: chirurgische Behandlung (Zerstörung) von Gewebe durch Hochfrequenzströme (Med.). E|lekt|ro|lu|mi|nes|zenz ⟨gr.; lat.⟩ die; -, -en: eine Leuchterscheinung unter der Einwirkung elektrischer Entladungen. E|lekt|ro|ly|se die; -, -n: durch elektrischen Strom bewirkte chem. Zersetzung von Salzen, Säuren u. Laugen. E|lekt|ro|lyseur [...'zø:ɐ̯] ⟨gr.-fr.⟩ der; -s, -e: Vorrichtung zur Gasgewinnung durch Elektrolyse. e|lekt|ro|lysie|ren: eine chem. Verbindung durch elektrischen Strom aufspalten. E|lekt|ro|lyt ⟨gr.-nlat.⟩ der; -s (selten: -en), -e (selten: -en): den elektrischen Strom leitende und sich durch ihn zersetzende Lösung, z. B. Salz, Säure, Base. e|lekt|ro|ly|tisch: den elektrischen Strom leitend u. sich durch ihn zersetzend (von [wässrigen] Lösungen). E|lektro|lyt|me|tall das; -s, -e: durch Elektrolyse gereinigtes Metall. E|lekt|ro|mag|net [auch: e'lɛktro...] der; -en u. -[e]s, -e[n]: Spule mit einem Kern aus Weicheisen, durch die elektrischer Strom geschickt u. ein Magnetfeld erzeugt wird. e|lektro|mag|ne|tisch [auch: e'lɛktro...]: den Elektromagnetismus betreffend, auf ihm beruhend; elektromagnetische Induktion: Entstehung eines elektrischen Stromes durch das Bewegen eines Magnetpols. E|lekt|ro|magne|tis|mus [auch: e'lɛktro...] der; -: durch Elektrizität erzeugter ↑ Magnetismus (1). E|lekt|rome|cha|nik [auch: e'lɛktro...] der; -: Teilgebiet der Elektrotechnik bzw. Feinmechanik, das sich mit der Umsetzung von elektrischen Vorgängen in mechanische u. umgekehrt befasst. E|lekt|ro|me|cha|ni|ker der; -s, -: Handwerker od. Industriearbeiter, der aus Einzelteilen elektromechanische Anlagen u. Geräte montiert (Berufsbez.). e|lekt|ro|me|cha|nisch [auch: e'lɛktro...]: die durch Elektrizität erzeugte mechanische Energie betreffend. E|lẹkt|ro|me|tall das; -s, -e: durch Elektrolyse gewonnenes Metall. E|lekt|ro|metal|lur|gie die; -: Anwendung der Elektrolyse bei der Metallgewinnung. E|lekt|ro|me|ter der; -s, -: Gerät zum Messen elektrischer Ladungen u. Spannungen. E|lekt|ro|mo|bil das; -s, -e: Elektroauto. E|lekt|ro|mo|tor *der; -s, ...ọren* (auch: *-e*): Motor, der elektrische Energie in mechanische Energie umwandelt. **e|lekt|ro|mo|to|risch:** den Elektromotor betreffend; **elekt-romotorische Kraft:** durch magnetische, elektrostatische, thermoelektrische u. a. elektrochemische Vorgänge hervorgerufene Spannung. **E|lekt|ro|my|lo-gramm** *das; -s, -e:* Registrierung der Aktionsströme der Muskeln. **¹E|lekt|ron** [auch: e'lek... od. ...'tro:n] *⟨gr., „Bernstein"⟩ das; -s, ...onen:* negativ elektrisches Elementarteilchen. **²E|lẹkt|ron** *das; -s:* 1. natürlich vorkommende Gold-Silber-Legierung. 2. ⑧ Magnesiumlegierung [mit wechselnden Zusätzen]. **E|lẹkt|ro-nar|ko|se** *⟨gr.-nlat.⟩ die; -, -n:* Narkose mittels elektrischen Stroms (Med.). **E|lekt|ro|nen-ak|zep|tor** *⟨gr.; lat.⟩ der; -s, -en:* Atom, das aufgrund seiner Ladungsverhältnisse ein ¹Elektron aufnehmen kann. **E|lekt|ro|nen-do|na|tor** *der; -s, -en:* Atom, das aufgrund seiner Ladungsverhältnisse ein ¹Elektron abgeben kann. **E|lekt|ro|nen|kon|fi|gu-ra|ti|on** *die; -, -en:* Gesamtheit der Elektronenanordnung innerhalb eines Atoms od. Moleküls. **E|lek|tro|nen|mik|ro|skop** *das; -s, -e:* Mikroskop, das nicht mit Lichtstrahlen, sondern mit Elektronen arbeitet. **e|lekt|ro-nen|mik|ro|sko|pisch:** a) mittels eines Elektronenmikroskops durchgeführt (von Vergrößerungen); b) die Elektronenmikroskopie betreffend. **E|lekt|ro-nen|op|tik** *die; -:* Abbildung mithilfe von Elektronenlinsen (z. B. beim Elektronenmikroskop). **e|lekt|ro|nen|op|tisch:** a) mittels Elektronenlinsen abgebildet; b) die Elektronenoptik betreffend. **E|lekt|ro|nen|or|gel** *die; -, -n:* elektronisch betriebenes Orgelinstrument. **E|lekt|ro-nen|ra|di|us** *der; -, ...ien:* bei der Annahme einer kugelförmigen, räumlichen Ausdehnung eines Elektrons sich ergebende Größe für dessen Radius; halber Durchmesser eines Elektrons. **E|lekt|ro|nen|röh|re** *die; -, -n:* luftleeres Gefäß mit Elektrodenanordnung zum Gleichrichten, zur Verstärkung u. a. Erzeugung von elektromagnetischen Schwingungen. **E|lekt|ro|nen-spin** *der; -s:* [Messgröße für den] Eigendrehimpuls eines Elektrons. **E|lekt|ro|nen|stoß** *der;*

-es, ...stöße: Stoß eines Elektrons auf Atome. **E|lekt|ro|nen-the|o|rie** *die; -, ...ien:* Theorie vom Wesen u. der Wirkung des ¹Elektrons. **E|lekt|ro|nen|volt** vgl. Elektronvolt. **E|lekt|ro|nen-wel|le** *die; -, -n:* elektromagnetische Welle beim bewegten ¹Elektron; den ¹Elektronen zugeordnete Materiewelle. **E|lekt|ro-nik** *⟨gr.-nlat.⟩ die; -:* Zweig der Elektrotechnik, der sich mit der Entwicklung u. Verwendung von Geräten mit Elektronenröhren, Fotozellen, Halbleitern u. Ä. befasst. **E|lekt|ro|ni|ker** *der; -s, -:* Techniker der Elektronik. **e|lekt|ro|nisch:** die Elektronik betreffend; **elektronische Daten-verarbeitung:** das Erfassen, Aufbereiten, Berechnen, Auswerten u. Aufbewahren von Daten mittels Computers; Abk.: EDV; **elektronische Musik:** Sammelbegriff für jede Art von Musik, bei deren Entstehung, Wiedergabe od. Interpretation elektronische Hilfsmittel eingesetzt werden; **elektronisches Publizieren:** Veröffentlichungen von Informationen online über Computernetze (z. B. ↑Internet). **E|lekt|ro|ni-um** ⑧ *das; -s, ...ien:* Instrument mit elektronischer Klangerzeugung. **E|lekt|ron|volt** *das; -s, -:* Energieeinheit der Kernphysik; Abk.: eV. **E|lekt|ro|os|mo|se** vgl. Elektroendosmose. **e|lekt-ro|phil:** zur Anlagerung elektrischer Ladungen neigend (Eigenschaft kleinster Teilchen, z. B. in ↑Kolloiden); Ggs. ↑elektrophob. **e|lekt|ro|phob:** nicht zur Anlagerung elektrischer Ladungen neigend (Eigenschaft kleinster Teilchen, z. B. in ↑Kolloiden); Ggs. ↑elektrophil. **E|lekt|ro-phon** *das; -s, -e:* ein elektrisches Musikinstrument. **E|lekt|ro-phor** *der; -s, -e:* Elektrizitätserzeuger; vgl. Influenzmaschine. **E|lekt|ro|pho|re|se** *⟨gr.-nlat.; gr.⟩ die; -:* Bewegung elektrisch geladener Teilchen in nicht leitender Flüssigkeit unter dem Einfluss elektrischer Spannung. **e|lekt|ro|pho|re|tisch:** die Elektrophorese betreffend. **E|lekt|ro|phy|si|o|lo|gie** *die; -:* Teilgebiet der Physiologie, das sich mit den von Lebewesen erzeugten elektrischen Strömen befasst. **e|lekt|ro|pol|lie-ren:** Metallteile mit gleichzeitiger Oberflächenaktivierung im ↑galvanischen Bad reinigen (Techn.). **E|lekt|ro|punk|tur** *⟨gr.;*

lat.⟩ die; -, -en: Ausführung der ↑Akupunktur mithilfe einer nadelförmigen Elektrode. **E|lekt-ro|re|zep|tor** *der; -s, -en* (meist Plural): Sinnesorgan, das Veränderungen in einem bestimmte Tiere (z. B. elektrische Fische) umgebenden elektrischen Feld anzeigt (Biol.). **E|lekt|ro|schock** *der; -s, -s:* durch elektrische Stromstöße erzeugter künstlicher Schock zur Behandlung gewisser Gemüts- u. Geisteskrankheiten (z. B. Schizophrenie). **E|lekt|ro|skop** *⟨gr.-nlat.⟩ das; -s, -e:* Gerät, mit dem geringe elektrische Ladungen nachgewiesen werden. **E|lekt|ro|smog** *der; -[s]:* (ugs.) (möglicherweise gesundheitsgefährdende) elektromagnetische Strahlung, die von Fernseh-, Radar-, Mikrowellen u. Ä. ausgeht. **E|lekt|ro|sta|tik** *die; -:* Wissenschaft von den unbewegten elektrischen Ladungen. **e|lekt|ro|sta|tisch:** die Elektrostatik betreffend. **E|lekt-ro|strik|ti|on** *die; -, -en:* Deformierung. 2. Zusammenziehung eines Körpers durch Anlegen einer elektrischen Spannung. **E|lekt-ro|tech|nik** *die; -:* Technik, die sich mit Erzeugung u. Anwendung der Elektrizität befasst. **E|lekt|ro|tech|ni|ker** *der; -s, -:* a) Elektroingenieur; b) Facharbeiter auf dem Gebiet der Elektrotechnik. **e|lekt|ro|tech|nisch:** die Elektrotechnik betreffend. **E|lekt|ro|tha|ra|pie** *die; -:* Heilbehandlung mithilfe elektrischer Ströme. **E|lekt|ro|ther|mie** *die; -.* 1. Wissenschaft von der Erwärmung mithilfe der Elektrizität. 2. Erwärmung mithilfe der Elektrizität. **e|lekt|ro|ther-misch:** die Elektrothermie betreffend. **E|lekt|ro|to|mie** *die; -, ...ien:* Entfernung von Gewebswucherungen mit elektrischen Schneidschlinge (Med.). **E|lekt|ro|to|nus** *der; -:* veränderter Zustand von einem elektrischen Strom durchflossenen Nervs. **E|lekt|ro|ty|pie** *die; -:* ↑Galvanoplastik. **E|lẹkt|rum** *⟨gr.-lat.⟩ das; -s:* ↑²Elektron (1) **E|le|mẹnt** *⟨lat.⟩ das; -[e]s, -e:* 1. [Grund]bestandteil, Komponente; typisches Merkmal, Wesenszug. 2. (ohne Plural) Kraft, Faktor. 3. (Plural) Grundbegriffe, Grundgesetze, Anfangsgründe. 4. (ohne Plural) [idealer] Lebensraum; Umstände, in denen sich ein Individuum [am besten] entfalten kann. 5. a) (in den antiken

u. mittelalterlichen Naturphilosophie) einer der vier Urstoffe Feuer, Wasser, Luft u. Erde; b) (meist Plural) Naturgewalt, Naturkraft. 6. mit chemischen Mitteln nicht weiter zerlegbarer Stoff (Chemie). 7. Stromquelle, in der chemische Energie in elektrische umgewandelt wird (Elektrot.). 8. (meist Plural) (abwertend) Person als Bestandteil einer nicht geachteten od. für schädlich angesehenen sozialen od. politischen Gruppe. 9. eines von mehreren Einzelteilen, aus denen sich etw. zusammensetzt, aus denen etw. konstruiert, aufgebaut wird; Bauteil. e|le|men|tar: 1. a) grundlegend, wesentlich; b) selbst einem Anfänger, einem Unerfahrenen bekannt, geläufig [u. daher einfach, primitiv]. 2. naturhaft, ungebändigt, ungestüm. 3. als reines Element vorhanden (z.B. elementarer Schwefel; Chem.). E|le|men|tar|ana|ly|se die; -, -n: mengenmäßige Bestimmung der Elemente von organischen Substanzen. E|le|men|tar|ge|dan|ke der; -ns, -n: Begriff der Völkerkunde für gleichartige Grundvorstellungen im Glauben u. Brauch verschiedener Völker ohne gegenseitige Beeinflussung (nach A. Bastian, † 1905). E|le|men|tar|geis|ter die (Plural): die in den vier Elementen (Erde, Wasser, Luft, Feuer) nach Meinung des Volksglaubens vorkommenden Geister. e|le|men|ta|risch: naturhaft; vgl. -isch/-. E|le|men|tar|la|dung die; -, -en: kleinste nachweisbare elektrische Ladung; Zeichen: e. E|le|men|tar|mag|net* der; -[e]s u. -en, -e[n]: ↑hypothetisch angenommener kleiner Magnet mit konstantem magnetischem Moment als Baustein magnetischer Stoffe. E|le|men|tar|ma|the|ma|tik die; -: unterste Stufe der Mathematik. E|le|men|tar|quan|tum das; -s: kleinste quantenhaft auftretende Wirkung; Zeichen: h. E|le|men|tar|teil|chen das; -s, -: Sammelbezeichnung für alle Sorten von kleinsten nachweisbaren geladenen u. ungeladenen Teilchen, aus denen Atome aufgebaut sind. E|le|men|tar|un|ter|richt der; -[e]s: a) Anfangs-, Einführungsunterricht; b) Grundschulunterricht (Päd.). E|le|men|ten|paar das; -[e]s, -e: zwei sich gegeneinander bewegende Teile eines mechanischen Ge-

triebes, die miteinander verbunden sind Ele|mi ⟨arab.-span.⟩ das; -s: Harz einer bestimmten Gruppe tropischer Bäume E|len|chus ⟨gr.-lat.⟩ der; -, ...chi od. ...chen: Gegenbeweis, Widerlegung (Philos.). E|lenk|tik die; -: Kunst des Beweisens, Widerlegens, Überführens (Philos.) E|le|phan|ti|a|sis vgl. Elefantiasis E|leu|si|ni|en ⟨gr.-lat.; nach dem altgriech. Ort Eleusis bei Athen⟩ die (Plural): altgriech. Fest mit ↑Prozession zu Ehren der griech. Fruchtbarkeitsgöttin Demeter. e|leu|si|nisch: aus Eleusis stammend; Eleusinische Mysterien: nur Eingeweihten zugängliche kultische Feiern zu Ehren der griech. Fruchtbarkeitsgöttin Demeter E|leu|the|ro|no|mie ⟨gr.-nlat.⟩ die; -: das Freiheitsprinzip der inneren Gesetzgebung (Kant) E|le|va|ti|on ⟨lat.; „Aufheben, Hebung"⟩ die; -, -en: 1. Erhöhung, Erhebung. 2. Höhe eines Gestirns über dem Horizont. 3. das Emporheben der Hostie u. des Kelches [vor der Wandlung] in der Messe. 4. [physikalisch unerklärbare] Anhebung eines Gegenstandes in Abhängigkeit von einem Medium (Parapsychol.). 5. Sprungkraft, die den Tänzer befähigt, Bewegungen in der Luft auszuführen (Ballett). E|le|va|ti|ons|win|kel der; -s -: Erhöhungswinkel (Math., Ballistik). E|le|va|tor ⟨lat.-nlat.⟩ der; -s, ...oren: Fördereinrichtung, die Güter weiterbefördert (z.B. Getreide, Sand, Schotter; Techn.). E|le|ve ⟨lat.-vulgärlat.-fr.; „Schüler"⟩ der; -n, -n: jmd., der sich als Anfänger in der praktischen Ausbildungszeit, z.B. am Theater, befindet e|li|die|ren ⟨lat.⟩: a) eine ↑Elision vornehmen; b) streichen, tilgen E|li|mi|na|ti|on ⟨lat.⟩ die; -, -en: 1. Ausschaltung, Beseitigung, Entfernung. 2. rechnerische Beseitigung einer unbekannten Größe, die in mehreren Gleichungen vorkommt (Math.). 3. das Verlorengehen bestimmter Erbmerkmale im Laufe der stammesgeschichtlichen Entwicklung (Biol.). e|li|mi|nie|ren: a) aus einem größeren Komplex herauslösen u. so beseitigen, unwirksam werden lassen; b) etw. aus einem größeren Komplex lösen, um es isoliert zu behandeln e|li|sa|be|tha|nisch: aus dem

Zeitalter Elisabeths I. von England stammend, sich darauf beziehend E|li|si|on ⟨lat.⟩ die; -, -en: 1. Ausstoßung eines unbetonten Vokals im Wortinnern (z.B. Wand[e]rung; Sprachw.). 2. Ausstoßung eines Vokals am Ende eines Wortes vor einem folgenden mit Vokal beginnenden Wort (z.B. Freud[e] und Leid, sagt[e] er; Sprachw.) e|li|tär ⟨französierende Ableitung von Elite⟩: a) einer Elite angehörend; auserlesen: b) auf die [vermeintliche] Zugehörigkeit zu einer Elite begründet [u. daher dünkelhaft-eingebildet]. E|li|te [österr. auch: ...'lit] ⟨lat.-vulgärlat.-fr.⟩ die; -, -n: 1. a) Auslese der Besten; b) Führungsschicht. 2. (ohne Plural) genormte Schriftgröße bei Schreibmaschinen (früher Perlschrift). E|li|ti|sie|rung die; -, -en: a) Aufwertung als zur Elite gehörend; b) Entwicklung, die dahin geht, dass etwas nur von einer Elite getragen wird. E|li|tis|mus der; -: das Elitärsein; elitäre Art E|li|xier ⟨gr.-arab.-mlat.⟩ das; -s, -e: Heiltrank; Zaubertrank; Verjüngungsmittel (Lebenselixier) e|li|zi|tie|ren ⟨lat.-engl.⟩: jmdm. etwas entlocken, jmdn. zu einer Äußerung bringen ...ell/...al vgl. ...al/...ell El|lip|se ⟨gr.-lat.⟩ die; -, -n: 1. Kegelschnitt; geometrischer Ort aller Punkte, von denen zwei festen Punkten, den Brennpunkten, die gleiche Summe der Abstände haben (Math.). 2. a) Ersparung, Auslassung von Redeteilen, die für das Verständnis entbehrlich sind, z.B. der [Täter oder die Täter sollen sich melden; Karl fährt nach Italien, Wilhelm [fährt] an die Nordsee; b) Auslassungssatz; Satz, in dem Redeteile erspart sind, z.B. keine Zeit (= ich habe keine Zeit)! el|lip|so|id ⟨gr.-nlat.⟩: ellipsenähnlich. El|lip|so|id das; -[e]s, -e: Körper, der von einer Ebene in Form einer Ellipse geschnitten wird; geschlossene Fläche zweiter Ordnung (bzw. der von ihr umschlossene Körper), deren ebene Schnittflächen Ellipsen sind, im Grenzfall Kreise. el|lip|tisch ⟨gr.-nlat.⟩: 1. in der Form einer Ellipse (1) (Math.); elliptische Geometrie: ↑nichteuklidische Geometrie. 2. die Ellipse (2) betreffend; unvollständig (Sprachw.). El|lip|ti|zi|tät ⟨gr.

nlat.⟩ die; -: Abplattung, Unterschied zwischen dem Äquatordurchmesser u. dem Poldurchmesser eines Planeten

Ello|ah ⟨hebr.⟩ der; -[s], Elohịm: alttest. Bezeichnung für: Gottheit, Gott

Ello|dea u. Helodea ⟨gr.-nlat.⟩ die; -: bes. in stehenden Gewässern vorkommendes Froschbissgewächs; Wasserpest

Ello|ge [e'lo:ʒə] ⟨gr.-(m)lat.-fr.⟩ die; -, -n: an einen anderen gerichtete Äußerung, mit der jmd. in betonter [überschwänglicher] Weise Lob u. Anerkennung zum Ausdruck bringt; Lobeserhebung. **Ello|gi|um** ⟨gr.-lat.⟩ das; -s, ...ia: 1. in der römischen Antike Inschrift auf Grabsteinen, Statuen u. a. 2. Lobrede

¹Ello|hịm ⟨hebr.⟩ der; -: alttest. Bez. für: ↑Jahwe. **²Ello|hịm:** Plural von ↑Eloah. **Ello|hịst** ⟨hebr.-nlat.⟩ der; -en: eine der Quellenschriften des ↑Pentateuchs (nach ihrem Gebrauch von Elohim für: Gott); vgl. Jahwist

Ello|ga|ti|on ⟨lat.-nlat.⟩ die; -, -en: 1. Winkel zwischen Sonne u. Planet. 2. der Betrag, um den ein Körper aus einer stabilen Gleichgewichtslage entfernt wird (z. B. bei Schwingung um diese Lage)

ello|quent ⟨lat.⟩: beredsam, beredt. **Ello|quenz** die; -: Beredsamkeit

Ello|xal ® ⟨Kurzw. aus: elektrisch oxidiertes Aluminium⟩ das; -s: Schutzschicht aus Aluminiumoxid. **ello|xie|ren:** mit Eloxal überziehen

Ello|lat ⟨lat.-nlat.⟩ das; -[e]s, -e: durch Elution herausgelöster Stoff. **ello|lie|ren** ⟨lat.; gr.⟩ „auswaschen, ausspülen"): einen Stoff von einem ↑Adsorbens ablösen (Chem.)

Ello|lu|kub|ra|ti|on* ⟨lat.-nlat.⟩ die; -, -en: (veraltet) a) mühevoll erstellte, sorgfältige Abhandlung. b) wissenschaftliche Arbeit, die nachts geschaffen wurde

Ello|lu|ti|on ⟨lat.⟩ die; -, -en: das Herauslösen von adsorbierten Stoffen (vgl. adsorbieren) aus festen Adsorptionsmitteln (Chem.)

Ello|lu|vi|al|ho|ri|zont ⟨lat.-nlat.; gr.-lat.⟩ der; -[e]s, -e: Verwitterungsboden, der sich unmittelbar aus dem darunter noch zutage liegenden Gestein entwickelt hat; Auslaugungshorizont (vgl. Horizont 3) eines Bodenprofils (Geol.). **Ello|lu|vi|um** ⟨lat.-nlat.⟩ das; -s: ↑Eluvialhorizont

elly|sälisch vgl. elysisch. **Elly|see** [eli...] ⟨gr.-lat.-fr.⟩ das; -s u. **Elly-see-Pallast** der; -[e]s: Palast in Paris (Amtssitz des franz. Staatspräsidenten)

elly|sie|ren ⟨Kunstw. aus: Elektrolyse u. der Verbalendung -ieren⟩: Hartmetalle elektrolytisch schleifen (Techn.)

elly|sisch ⟨gr.-lat.⟩ u. elysäisch ⟨gr.-nlat.⟩: zum Elysium gehörend; paradiesisch, himmlisch. **Elly|si|um** ⟨gr.-lat.⟩ das; -s: in der griech. Sage das Land der Seligen in der Unterwelt

Ellyt|ron* ⟨gr.-nlat.⟩ das; -s, ...tren (meist Plural): zur Schutzdecke umgewandelter Vorderflügel der Käfer, Wanzen, Grillen u. a.

Ellze|vir ['ɛlzəvi:ɐ̯] ⟨nach dem Namen einer holländ. Buchdruckerfamilie des 17. Jh.s⟩ die; -: eine Antiquadruckschrift. **Ellze-vi|ri|a|na** ⟨nlat.⟩ die (Plural): von der holländ. Buchdruckerfamilie Elzevir herausgegebene röm. u. griech. Klassikerausgaben im Duodezformat; vgl. Duodez

E-Mail ['i:meɪl] ⟨engl.⟩ die; -, -s: 1. elektron. Daten- u. Nachrichtenaustausch über Computer. 2. Nachricht über E-Mail (1)

Ellmail [e'maɪ] ⟨germ.-fr.⟩ das; -s, -s: glasharter, gegen Korrosion u. Temperaturschwankungen beständiger Schmelzüberzug als Schutz auf metallischen Oberflächen od. als Verzierung. **Ellmail brun** [emaj'brœ] das; - -: Firnisbrand (im 12. u. 13. Jh. geübte Technik, Kupfer teilweise zu vergolden). **Ellmail|le** [e'maj] u. e'maɪ, e'ma:j] die; -, -n: ↑Email. **Ellmail|leur** [ema'jø:ɐ̯, emaɪ'jø:ɐ̯] der; -s, -e: Emaillierer; jmd., der Schmuck, Industriewaren usw. mit Emailglasurfarben überzieht. **ellmail|lie|ren** [ema'ji:..., emaɪ'ji:...]: mit Email überziehen. **Ellmail|malle|rei** die; -, -en: a) (ohne Plural) das Malen mit farbigem Glas, das als flüssige Masse auf Metall, zuweilen auch auf Glas od. Ton aufgetragen u. eingebrannt wird; b) einzelne Arbeit in der Technik der Emailmalerei (a)

Ellman ⟨lat.⟩ das; -s, -s (aber: 5 Eman): (veraltet) Maßeinheit für den radioaktiven Gehalt, bes. im Quellwasser (Zeichen: eman). **Ellma|na|ti|on** ⟨lat.; „Ausfluss"⟩ die; -, -en: 1. das Hervorgehen aller Dinge aus dem unveränderlichen, vollkommenen, göttlichen Einen (bes. in der neuplatonischen u. gnostischen Lehre). 2.

Ausstrahlung psychischer Energie (Psychol.). 3. (ohne Plural; veraltet) gasförmige radioaktive Isotope des Edelgases ↑Radon (Zeichen: Em). **Ellma|na|tis-mus** ⟨lat.-nlat.⟩ der; -: durch die Idee der Emanation (1) bestimmtes Denken der spätgriech. Philosophen. **ellma|nie|ren** ⟨lat.⟩: ausströmen; durch natürliche od. künstliche Radioaktivität Strahlen aussenden. **Ellma|no|me|ter** ⟨lat.; gr.⟩ das; -s, -: Gerät zum Messen des Radongehaltes der Luft (Meteor.)

Ellman|ze die; -, -n: (ugs., oft abwertend) [junge] Frau, die sich bewusst emanzipiert gibt u. sich aktiv für die Emanzipation (2) einsetzt. **Ellman|zi|pa|ti|on** ⟨lat.; „Freilassung"⟩ die; -, -en: 1. Befreiung aus einem Zustand der Abhängigkeit; Verselbstständigung. 2. rechtliche u. gesellschaftliche Gleichstellung [der Frau mit dem Mann]. **ellman|zi|pa|tiv:** die Emanzipation betreffend. **ellman|zi|pa|to|risch** ⟨lat.-nlat.⟩: auf Emanzipation (1, 2) gerichtet; vgl. ...iv/...orisch. **ellman|zi|pie|ren** ⟨lat.⟩: a) (selten) aus einer bestehenden Abhängigkeit lösen; selbstständig, unabhängig machen; b) sich -: die eigene Entfaltung hemmenden Abhängigkeit lösen; sich selbstständig, unabhängig machen. **ellman|zi|piert:** die traditionelle Rolle [der Frau] nicht mehr akzeptierend, selbstständig, unabhängig; selbstbewusst

Ellmas|ku|la|ti|on ⟨lat.-nlat.; „Entmannung"⟩ die; -, -en: 1. a) operative Entfernung von Penis u. Hoden; b) Entfernung der Keimdrüsen; vgl. Kastration. 2. a) Verweichlichung; b) Verwässerung; vgl. ...[at]ion/...ierung. **Ellmas|ku|la|tor** der; -s, ...oren: Gerät zum Kastrieren von Hengsten. **ellmas|ku|lie|ren:** 1. entmannen. 2. verweichlichen. **Ellmas|ku|lie|rung** die; -, -en: ↑Emaskulation; vgl. ...[at]ion/...ierung

Em|bal|la|ge [ãba'la:ʒə] ⟨germ.-fr.⟩ die; -, -n: Umhüllung od. Verpackung einer Ware. **em|bal|lie|ren:** [ver]packen, einpacken

Em|bar|go ⟨galloroman.-span.⟩ das; -s, -s: 1. Beschlagnahme od. das Zurückhalten fremden Eigentums (meist von Schiffen od. Schiffsladungen) durch einen Staat. 2. staatliches Waren- u. Kapitalausfuhrverbot, Auflage-

u. Emissionsverbot für ausländische Kapitalanleihen
Em|bar|ras [āba´ra] ⟨galloroman.-fr.⟩ der od. das; -, -: (veraltet) Verlegenheit, Verwirrung, Hindernis. **em|bar|ras|sie|ren:** (veraltet) 1. hindern. 2. in Verlegenheit, Verwirrung setzen
Em|ba|te|ri|on ⟨gr.⟩ das; -s, ...rien: Marschlied, Kriegsgesang bes. der spartanischen Soldaten
em|be|tie|ren [ābe...] ⟨lat.-fr.⟩: (veraltet) dumm machen, langweilen
Emb|lem* [auch: a´ble:m] ⟨gr.-lat.-fr.⟩ das; -s, -e (bei dt. Aussprache auch: -ata): 1. Kennzeichen, Hoheitszeichen [eines Staates]. 2. Sinnbild (z. B. Ölzweig für Frieden). **Emb|le|matik** die; -: Forschungsrichtung, die sich mit der Herkunft u. Bedeutung von Emblemen (2) befasst. **emb|le|ma|tisch:** sinnbildlich
Em|bo|li: Plural von ↑Embolus.
Em|bo|lie ⟨gr.-nlat.⟩ die; -, ...ien: Verstopfung eines Blutgefäßes durch in die Blutbahn gelangte körpereigene oder körperfremde Substanzen (Embolus; Med.). **em|bo|li|form** ⟨gr.; lat.⟩: pfropfenförmig, -artig. **Em|bo|lismus** der; -: (im Kalenderwesen des Mittelalters) Einfügung von Schaltmonaten im julianischen Kalender. **Em|bo|lo|phra|sie** ⟨gr.⟩ die; -, ...ien: Laut, Silbe od. Wort, das vorausgestellt od. eingeschoben wird, um Unterbrechungen im Sprechfluss auszufüllen. **Em|bo|lus** ⟨gr.-lat.⟩ der; -, ...li: Gefäßpfropf; in der Blutbahn befindlicher Fremdkörper (z.B. Blutgerinnsel, Fetttropfen, Luftblase; Med.)
Em|bon|point [ābő´pǫɛ̃:] ⟨fr.⟩ das od. der; -s: a) Wohlbeleibtheit, Körperfülle; b) (scherzh.) dicker Bauch
Em|bou|chu|re [ābu´ʃy:rǝ] ⟨fr.⟩ die; -, -n: a) Mundstück von Blasinstrumenten; b) Mundstellung, Ansatz beim Blasen eines Blasinstruments (Mus.)
emb|ras|sie|ren* [ābra...] ⟨lat.-fr.⟩: (veraltet) umarmen, küssen
Emb|ros* ⟨roman.⟩ das; -: Lammfell aus Italien od. Spanien
em|brouil|lie|ren* [ābru´ji:...] ⟨fr.⟩: (veraltet) verwirren
Emb|ryo* ⟨gr.-lat.⟩ der (österr. auch: das); -s, ...onen u. -s: 1. im Anfangsstadium der Entwicklung befindlicher Keim; in der Keimentwicklung befindlicher

Organismus, beim Menschen die Leibesfrucht von der vierten Schwangerschaftswoche bis zum Ende des vierten Schwangerschaftsmonats (oft auch gleichbedeutend mit ↑Fetus gebraucht). 2. Teil des Samens der Samenpflanzen, der aus Keimachse, Keimwurzel u. Keimblättern besteht (Bot.). **Emb|ryo|ge|ne|se** u. **Emb|ryo|ge|nie** ⟨gr.-nlat.⟩ die; -: Keimentwicklung; Entstehung und Entwicklung des Embryos (Med.). **Emb|ry|o|lo|gie** die; -: Lehre u. Wissenschaft von der vorgeburtlichen Entwicklung des Lebewesen (Med.). **emb|ry|o|nal** u. **emb|ry|o|nisch:** a) zum Keimling gehörend; im Keimlingszustand, unentwickelt; b) unreif; c) ungeboren. **Emb|ry|o|pa|thie** die; -: Krankheiten u. Defekte, die für den Embryo charakteristisch sind; durch Erkrankung der Mutter in den ersten Schwangerschaftsmonaten getretene Schädigung des Keimlings u. daraus entstandene Organfehlbildung. **emb|ry|o|pathisch:** die Embryopathie betreffend. **Emb|ry|o|sack** der; -[e]s, ...säcke: innerer Teil der Samenanlage einer Blüte (Biol.). **Emb|ry|o|to|mie** die; -: operative Zerstückelung des in der Gebärmutter abgestorbenen Kindes während der Geburt bei unüberwindlichen Geburtshindernissen. **Emb|ry|o|trans|fer** der; -s, -s: Übertragung u. Einpflanzung von Eizellen, die außerhalb des Körpers befruchtet wurden
E|men|da|ti|on ⟨lat.⟩ die; -, -en: Verbesserung, Berichtigung (bes. von Texten). **e|men|die|ren:** verbessern, berichtigen
E|mer|genz ⟨lat.-mlat.(-engl.)⟩ die; -, -en: 1. (ohne Plural) Begriff der neueren engl. Philosophie, wonach höhere Seinsstufen durch neu auftauchende Qualitäten aus niederen entstehen. 2. Auswuchs einer Pflanze, an dessen Aufbau nicht nur die ↑Epidermis, sondern auch tiefer liegende Gewebe beteiligt sind (z. B. Stachel der Rose). **e|mer|gie|ren** ⟨lat.⟩: (veraltet) auftauchen, emporkommen, sich hervortun
E|me|rit ⟨lat.; „Ausgedienter“⟩ der; -en, -en: im Alter dienstunfähig gewordener Geistlicher (im kath. Kirchenrecht). **e|me|ri|tie|ren** ⟨lat.-nlat.⟩: jmdn. in den Ruhestand versetzen, entpflichten

(z. B. einen Professor). **e|me|ri|tiert:** in den Ruhestand versetzt (von Hochschullehrern). **E|me|ri|tie|rung** die; -, -en: Entbindung eines Hochschullehrers von der Verpflichtung, Vorlesungen abzuhalten (entsprechend der Versetzung in den Ruhestand bei anderen Beamten). **e|me|ri|tus** ⟨lat.⟩: (in Verbindung mit dem davor stehenden Titel) von seiner Lehrtätigkeit entbunden. **E|me|ri|tus** der; -, ...ti: im Ruhestand befindlicher, entpflichteter Hochschullehrer; Abk.: em.
el|mers ⟨lat.⟩: über der Wasseroberfläche lebend (z. B. bei Organen einer Wasserpflanze, die über das Wasser hinausragen); Ggs. ↑submers. **E|mer|si|on** ⟨lat.-nlat.⟩ die; -, -en: 1. Heraustreten eines Mondes aus dem Schatten seines Planeten. 2. durch ↑Epirogenese verursachtes Aufsteigen des Landes bei Rückzug des Meeres
E|me|sis ⟨gr.⟩ die; -: Erbrechen; vgl. Vomitus. **E|me|ti|kum** ⟨gr.-lat.⟩ das; -s, ...ka: Brechmittel. **e|me|tisch:** Brechreiz erregend
E|meu|te [e´mǫ:tǝ] ⟨lat.-fr.⟩ die; -, -n: (veraltet) Aufstand, Meuterei, Aufruhr
E|mig|rant* ⟨lat.⟩ der; -en, -en: Auswanderer; jmd., der [aus politischen, wirtschaftlichen oder religiösen Gründen] sein Heimatland verlässt; Ggs. ↑Immigrant. **E|mig|ra|ti|on** die; -, -en: 1. Auswanderung (bes. aus politischen, wirtschaftlichen od. religiösen Gründen); Ggs. ↑Immigration. 2. ↑Diapedese. **e|mig|rie|ren:** [aus politischen, wirtschaftlichen od. religiösen Gründen] auswandern; Ggs. ↑immigrieren
e|mi|nent ⟨lat.-fr.⟩: außerordentlich, äußerst [groß] (bes. in Bezug auf eine als positiv empfundene Qualität, Eigenschaft, die in hohem Maße vorhanden ist). **E|mi|nenz** ⟨lat.⟩ die; -, -en: Hoheit (Titel der Kardinäle): **graue Eminenz:** nach außen kaum in Erscheinung tretende, aber einflussreiche [politische] Persönlichkeit
E|mir [auch: e´mi:ɐ] ⟨arab.⟩ der; -s, -e: Befehlshaber, Fürst, Gebieter (bes. in islamischen Ländern) **E|mi|rat** ⟨arab.-nlat.⟩ das; -[e]s, -e: arabisches Fürstentum
e|misch ⟨engl.⟩: bedeutungsunterscheidend, ↑distinktiv (Sprachw.); Ggs. ↑etisch
E|mis|sär ⟨lat.-fr.⟩ der; -s, -e: Ab

gesandter mit einem bestimmten Auftrag. E|mis|si|on ⟨lat. (-fr.)⟩ die; -, -en: 1. Ausgabe von Wertpapieren od. Geld (Bankwesen). 2. Aussendung von elektromagnetischen Teilchen oder Wellen (Phys.). 3. Entleerung (z. B. der Harnblase; Med.). 4. das Ausströmen luftverunreinigender Stoffe in die Außenluft; Luftverunreinigung; Immission. 5. (schweiz.) Rundfunksendung. E|mis|si|ons|ka|tas|ter der od. das; -s, -: Bestandsaufnahme der Luftverschmutzung in einem Gebiet. E|mis|si|ons|spekt|rum* das; -s, ...spektren u. ...spektra: Spektrum eines Atoms od. Moleküls, das durch Anregung zur Ausstrahlung gebracht wird. E|mis|si|ons|stopp der; -s, -s: Ausgabestopp von Aktien u. Wertpapieren (Wirtsch.). E|mis|si|ons|the|o|rie die; -: Theorie, nach der das Licht nicht eine Wellenbewegung ist, sondern aus ausgesandten Teilchen besteht. E|mit|tent ⟨lat.⟩ der; -en, -en: 1. jmd., der Wertpapiere ausstellt und ausgibt (Bank). 2. Verursacher einer Emission (4). E|mit|ter ⟨lat.-engl.⟩ der; -s, -: Emissionselektrode eines ↑Transistors. e|mit|tie|ren ⟨lat.(-fr.)⟩: 1. ausgeben, in Umlauf setzen (von Wertpapieren od. Geld). 2. aussenden (z. B. Elektronen; Phys.). 3. (umweltgefährdende Stoffe) in die Luft ablassen Em|me|na|go|gum* ⟨gr.-nlat.⟩ das; -s, ...ga (meist Plural): den Eintritt der Monatsregel förderndes Mittel (Med.) Em|me|tro|pie* ⟨gr.-nlat.⟩ die; -: Normalsichtigkeit (Med.) E|mol|li|ens ⟨lat.⟩ das; -, ...ienzien u. ...ientia: Mittel, das die Haut weich u. geschmeidig macht E|mo|lu|ment ⟨lat.⟩ das; -s, -e: (veraltet) 1. Nutzen, Vorteil. 2. Nebeneinnahme E|mo|ti|on ⟨lat.⟩ die; -, -en: Gemütsbewegung, seelische Erregung, Gefühlszustand; vgl. Affekt. e|mo|ti|o|nal u. emotionell ⟨lat.-nlat.⟩: mit Emotionen verbunden; aus einer Emotion, einer inneren Erregung erfolgend; gefühlsmäßig; vgl. affektiv; vgl. ...al/...ell. e|mo|ti|o|na|li|sie|ren: Emotionen wecken, Emotionen einbauen (z. B. in ein Theaterstück). E|mo|ti|o|na|lis|mus der; -: Auffassung, nach der alle seelischen u. geistigen Tätigkeiten durch ↑Affekt u. Gefühl bestimmt sind. E|mo|ti|o|na|li-

tät die; -: inneres, gefühlsmäßiges Beteiligtsein an etwas; vgl. Affektivität. e|mo|ti|o|nell vgl. emotional; ...al/...ell. e|mo|tiv ⟨lat.-engl.⟩ vgl. emotional. E|mo|ti|vi|tät die; -, -en: erhöhte Gemütserregbarkeit (Psychol.) Em|pa|thie ⟨gr.-engl.⟩ die; -: Bereitschaft u. Fähigkeit, sich in die Einstellung anderer Menschen einzufühlen (Psychol.). em|pa|thisch: bereit u. fähig, sich in die Einstellung anderer Menschen einzufühlen (Psychol.) Em|pha|se ⟨gr.-lat.⟩ die; -, -n: Nachdruck, Eindringlichkeit [im Reden]. em|pha|tisch: mit Nachdruck, stark, eindringlich (Rhet., Sprachw.) Em|phy|sem ⟨gr.; „das Eingeblasene, die Aufblähung“⟩ das; -s, -e: Luftansammlung im Gewebe; Aufblähung von Organen od. Körperteilen, bes. bei einem vermehrten Luftgehalt in den Lungen (Med.). em|phy|se|ma|tisch ⟨gr.-nlat.⟩: durch eingedrungene Luft aufgebläht (Med.) Em|phy|teu|se ⟨gr.-lat.⟩ die; -, -n: spätrömischer, dt. Erbpacht ähnlicher Rechtsbegriff ¹Em|pire [ã'pi:ʀ] ⟨lat.-fr.⟩ das; -[s]: a) (hist.) franz. Kaiserreich unter Napoleon I. (Premier Empire, 1804–1815) u. unter Napoleon III. (Second Empire, 1852–1870); b) Stil[epoche] der Jahre (etwa 1809–1830). ²Em|pire ['ɛmpaɪə] ⟨lat.-fr. engl.⟩ das; -[s]: die frühere brit. Weltreich Em|pi|rem ⟨gr.-nlat.⟩ das; -s, -e: Erfahrungstatsache. Em|pi|rie ⟨gr.⟩ die; : 1. Methode, die sich auf Erfahrung stützt, um [wissenschaftl.] Erkenntnisse erlangen. 2. aus der Erfahrung gewonnene Kenntnisse; Erfahrungswissen. Em|pi|ri|ker ⟨gr.-lat.⟩ der; -s, -: jmd., der aufgrund von Erfahrung denkt u. handelt; jmd., der die Empirie als einzige Erkenntnisquelle gelten lässt. Em|pi|rio|kri|ti|zis|mus ⟨gr.-nlat.⟩ der; -: (von R. Avenarius begründete) erfahrungskritische Erkenntnistheorie, die sich unter Ablehnung der Metaphysik allein auf die kritische Erfahrung beruft. Em|pi|ri|o|kri|ti|zist der; -en, -en: Vertreter der Lehre des Empiriokritizismus. Em|pi-

ris|mus ⟨gr.-nlat.⟩ der; -: philos. Lehre, die als einzige Erkenntnisquelle die Sinneserfahrung, die Beobachtung, das Experiment gelten lässt. Em|pi|rist der; -en, -en: Vertreter der Lehre des Empirismus. em|pi|ris|tisch: den Grundsätzen des Empirismus entsprechend Em|place|ment* [āplas'mã:] ⟨fr.⟩ das; -s, -s: Aufstellung; [Geschutz]stand (Mil.) Em|plast|rum* ⟨gr.-lat.⟩ das; -[s], ...stra: medizin. Em|ployé* [āplɔa'je:] ⟨lat.-vulgärlat.-fr.⟩ der; -s, -s: (veraltet) Angestellter, Gehilfe. em|ploy|ie|ren [...'ji:...]: (veraltet) anwenden Em|po|ri|um ⟨gr.-lat.⟩ das; -s, ...ien: (in der Antike) zentraler Handelsplatz, Markt Em|pres|se|ment* [āprɛsə'mã:] ⟨lat.-fr.⟩ das; -s: Eifer, Bereitwilligkeit, Diensteifer Em|py|em ⟨gr.⟩ das; -s, -e: Eiteransammlung in natürlichen Körperhöhlen (Med.) em|py|re|isch ⟨gr.-nlat.⟩: zum Empyreum gehörend; lichtstrahlend, himmlisch. Em|py|re|um das; -s: im Weltbild der antiken u. scholastischen Philosophie der oberste Himmel, der sich über der Erde wölbt, der Bereich des Feuers od. des Lichtes, die Wohnung der Seligen. em|py|reu|ma|tisch: durch Verkohlung entstanden E|mu ⟨port.⟩ der; -s, -s: in Australien beheimateter, großer straußenähnlicher Laufvogel E|mu|la|ti|on ⟨lat.-engl.⟩ die; -: 1. (veraltet) Wetteifer. 2. (veraltet) Eifersucht, Neid. 3. Nachahmung der Funktionen eines anderen Computers (EDV). E|mu|la|tor der; -s, ...oren: Zusatzgerät od. ↑Programm (4) zur ↑Emulation (3) E|mul|ga|tor ⟨lat.-nlat.⟩ der; -s, ...toren: Mittel, das die Bildung einer ↑Emulsion (1) erleichtert. e|mul|gie|ren ⟨lat.⟩: a) eine Emulsion herstellen; b) einen [unlöslichen] Stoff in einer Flüssigkeit verteilen. E|mul|sin ⟨lat.-nlat.⟩ das; -s: ein in bittern Mandeln enthaltenes ↑Enzym. E|mul|si|on ⟨lat.⟩ die; -, -en: 1. Gemenge aus zwei ineinander unlösbaren Flüssigkeiten (z. B. Öl in Wasser), bei dem die eine Flüssigkeit in Form kleiner Tröpfchen in der anderen verteilt ist. 2. lichtempfindliche Schicht fotografischer Platten, Filme u. Papiere

E|mun|dạn|tia ⟨*lat.*⟩ *die* (Plural): äußerlich anzuwendende Reinigungsmittel (Med.)

E|na|kį|ter u. E|naks|kin|der u. Ẹ|naks|söh|ne ⟨nach dem riesengestalteten Volk in Kanaan, 5. Mose 1, 28 u. öfter⟩ *die* (Plural): riesenhafte Menschen

En|al|la|ge* [auch: eʼnalage] ⟨*gr.*⟩ *die*; -: Setzung eines beifügenden Adjektivs vor ein anderes Substantiv, als zu dem es logisch gehört (z. B. mit einem blauen Lächeln seiner Augen, statt: mit einem Lächeln seiner blauen Augen; Sprachw.)

En|an|thẹm* ⟨*gr.-nlat.*⟩ *das;* -s, -e: dem ↑Exanthem der Haut entsprechender Schleimhautausschlag (Med.)

en|an|ti|o|trọp* ⟨*gr.-nlat.*⟩: zur Enantiotropie fähig. En|an|ti|o|tro|pie *die;* -: wechselseitige Überführbarkeit eines Stoffes von einer Zustandsform in eine andere (z. B. von ↑rhombischem zu ↑monoklinem (1) Schwefel; Form der ↑Allotropie)

En|arth|ron* ⟨*gr.-nlat.*⟩ *das;* -s, ...thren: Fremdkörperchen im Gelenk (Med.). En|arth|rọl|se *die;* -, -n: Nussgelenk (eine Form des Kugelgelenks, bei der die Gelenkpfanne mehr als die Hälfte des Gelenkkopfes umschließt; z. B. Hüftgelenk; Med.)

E|na|ti|ọn ⟨*lat.-nlat.*⟩ *die;* -, -en: Bildung von Auswüchsen auf der Oberfläche pflanzlicher Organe (Bot.)

en a|vant! [ãnaʼvã] ⟨*lat.-fr.*⟩: vorwärts!

en bloc [ãˈblɔk] ⟨*fr.*⟩: im Ganzen, in Bausch u. Bogen

en ca|bo|chon [ãkabɔˈʃõ] ⟨*fr.*⟩: glatt geschliffen mit gewölbter Oberseite u. flacherer Unterseite (von Edelsteinen); vgl. Cabochon

en ca|naille [ãkaˈnaj] ⟨*fr.*⟩: verächtlich, wegwerfend. en|ca|nail|lie|ren [ãkanaˈjiː...], sich: (abwertend) sich mit Menschen der unteren sozialen Schicht abgeben, sich zu ihnen hinunterbegeben

en car|rière [ãkaˈrjɛːr] ⟨*fr.*⟩: in vollem Lauf

En|ceinte [ãˈsɛːt] ⟨*lat.-fr.*⟩ *die;* -, -n: (hist.) Umwallung, Außenwerk einer Festung (Mil.)

En|ce|pha|li|tis vgl. Enzephalitis. En|ce|pha|lon ⟨*gr.-nlat.*⟩ *das;* -s, ...la: ↑Cerebrum. En|ce|pha|lo|pa|thie vgl. Enzephalopathie

en|chan|tiert [ãʃã...] ⟨*lat.-fr.*⟩: (veraltet) bezaubert, entzückt

en|chas|sie|ren [ãʃa...] ⟨*lat.-fr.*⟩:

(veraltet) einen Edelstein einfassen. En|chas|su|re [ãʃaˈsyːrə] *die;* -, -n: (veraltet) Einfassung von Edelsteinen

En|chei|rẹ|se ⟨*gr.*⟩ *die;* -, -n: Handgriff; Operation (Med.). En|chei|rẹ|sis Na|tu|rae [- ...rɛ] ⟨*gr.; lat.*⟩ *die;* - -: Handhabung, Bezwingung der Natur (z. B. in Goethes „Faust"). En|chi|rị|di|on ⟨*gr.-lat.*⟩ *das;* -s, ...ien: (veraltet) kurz gefasstes Handbuch

en|chond|rạl* u. endochondral ⟨*gr.-nlat.*⟩: im Knorpel liegend (Med.). En|chond|rom *das;* -s, -e: Knorpelgeschwulst (Med.)

En|co|der [ɪnˈkoʊdə] ⟨*lat.-fr.- engl.*⟩ *der;* -s, -: Einrichtung zum Verschlüsseln von Daten usw.; [Daten]verschlüsseler in einem ↑Computer; Ggs. ↑Decoder. en|co|die|ren vgl. enkodieren. En|co|die|rung vgl. Enkodierung. En|co|ding [ɪnˈkoʊ...] ⟨*engl.*⟩ *das;* -[s], -s: Verschlüsselung einer Nachricht (Techn.; Kommunikationsforschung); Ggs. ↑Decoding

En|coun|ter [ɪnˈkaʊntə] ⟨*roman.- fr.-engl.*⟩ *das* od. *der;* -s, -: 1. Begegnung, Zusammenstoß. 2. Gruppentraining zur Steigerung der ↑Sensitivität (Sensitivitätstraining), bei dem die spontane Äußerung von ↑Aggressionen, ↑Sympathien u. ↑Antipathien eine besondere Rolle spielt (Psychol.)

en|cou|ra|gie|ren [ãkuraˈʒiːrən] ⟨*lat.-fr.*⟩: ermutigen, anfeuern

En|cri|nus* ⟨*gr.-nlat.*⟩ *der;* -, ...ni: ausgestorbene Gattung der Seelilien

En|da|or|tį|tis* ⟨*gr.-nlat.*⟩ *die;* -, ...itiden: Entzündung der inneren Gefäßwandschicht der ↑Aorta (Med.)

En|dar|te|rị|tis* ⟨*gr.-nlat.*⟩ *die;* -, ...itiden: Entzündung der innersten Gefäßwandschicht der Schlagadern (Med.)

En|de|ca|sịl|la|bo ⟨*gr.-lat.-it.*⟩ *der;* -[s], ...bi: elfsilbiger ital. Vers (des ↑Sonetts, der ↑Stanze u. der ↑Terzine); vgl. Hendekasyllabus

En|de|cha [ɛnˈdɛtʃa] ⟨*lat.-span.*⟩ *die;* -, -s: span. Strophenform, bes. in Klageliedern u. Trauergedichten

En|de|mie ⟨*gr.-nlat.*⟩ *die;* -, ...ien: örtlich begrenztes Auftreten einer Infektionskrankheit (z. B. der Malaria in [sub]tropischen Sumpfgebieten); vgl. Epidemie. en|de|misch: a) [ein]heimisch; b) örtlich begrenzt auftretend (von Infektionskrankhei-

ten; Med.); c) in einem bestimmten Gebiet verbreitet (Biol.). En|de|mịs|mus *der:* -: Vorkommen von Tieren u. Pflanzen in einem bestimmten begrenzten Bezirk (Biol.). En|de|mį|ten *die* (Plural): Pflanzen bzw. Tiere, die in einem begrenzten Lebensraum vorkommen (Biol.)

en|der|mạl ⟨*gr.-nlat.*⟩: in der Haut [befindlich], in die Haut [eingeführt] (Med.)

en|des|mạl ⟨*gr.-nlat.*⟩: im Bindegewebe [vorkommend, liegend] (Med.)

en dé|tail [ãdeˈtaj] ⟨*lat.-fr.*⟩: im Kleinen; einzeln; im Einzelverkauf; Ggs. ↑en gros

En|di|vie [...viə] ⟨*ägypt.-gr.-lat.- vulgärlat.-roman.*⟩ *die;* -, -n: eine Salatpflanze (Korbblütler)

En|do|bi|ọnt ⟨*gr.*⟩ *der;* -en, -en: Lebewesen, das in einem anderen lebt; Ggs. ↑Epibiont. En|do|bi|ọl|se *die;* -, -n: Gemeinschaft meist verschiedenartiger Lebewesen, von denen eines der beiden im anderen lebt (z. B. Bakterien im Darm der Tiere; Biol.); Ggs. ↑Epibiose

En|do|car|dị|tis vgl. Endokarditis. En|do|car|dị|um *das;* -s, ...dia: ↑Endokard

en|do|chond|rạl* vgl. enchondral

En|do|cra|ni|um* vgl. Endokranium

En|do|dẹr|mis ⟨*gr.-nlat.*⟩ *die;* -, ...men: innerste Zellschicht der Pflanzenrinde, hauptsächlich bei Wurzeln (Bot.)

En|do|en|zym ⟨*gr.-nlat.*⟩ *das;* -s, -e: ↑Enzym, das im ↑Protoplasma lebender Zellen entsteht u. den organischen Stoffwechsel steuert

En|do|ga|mie ⟨*gr.-nlat.*⟩ *die;* -: Heiratsordnung, nach der nur innerhalb eines bestimmten sozialen Verbandes (z. B. Stamm eines Naturvolkes, Kaste) geheiratet werden darf; Ggs. ↑Exogamie

en|do|gẹn ⟨*gr.*⟩: 1. a) im Körper selbst, im Körperinnern entstehend, von innen kommend (von Stoffen, Krankheitserregern od. Krankheiten; Med.); Ggs. ↑exogen (1 a); b) innen entstehend (von Pflanzenteilen, die nicht aus Gewebeschichten der Oberfläche, sondern aus dem Innern entstehen u. die unbeteiligten äußeren Gewebeschichten durchstoßen; Bot.); Ggs. ↑exogen (1 b). 2. von Kräften im Erdinneren erzeugt (Geol.); Ggs. ↑exogen (2)

En|do|kan|ni|ba|lis|mus ⟨gr.; span.-nlat.⟩ der; -: Verzehren von Angehörigen des eigenen Stammes; Ggs. ↑Exokannibalismus

En|do|kard ⟨gr.-nlat.⟩ das; -[e]s, -e: Herzinnenhaut (Med.). En|do|kar|di|tis die; -, ...itiden: Herzinnenhautentzündung, bes. an den Herzklappen (Med.). En|do|kar|do|se die; -, -n: Entartungserscheinung an der Herzinnenhaut (Med.)

En|do|karp ⟨gr.-nlat.⟩ das; -[e]s, e: bei Früchten die innerste Schicht der Fruchtwand (z. B. harte Schale des Steins bei Pfirsichen od. Aprikosen; Bot.); vgl. Exokarp u. Mesokarp

En|do|kra|ni|um* u. Endocranium ⟨gr.-nlat.⟩ das; -s, ...ien: ↑Dura

en|do|krin* ⟨gr.-nlat.⟩: mit innerer ↑Sekretion verbunden (von Drüsen; Medizin); Ggs. ↑exokrin. En|do|kri|nie die; -: durch Störung der inneren ↑Sekretion verursachter Krankheitszustand (Med.). En|do|kri|no|lo|ge der; -n, -n: Wissenschaftler auf dem Gebiet der Endokrinologie. En|do|kri|no|lo|gie die; -: Lehre von den endokrinen Drüsen (Med.)

En|do|lym|phe ⟨gr.-nlat.⟩ die; -, -n: Flüssigkeit im häutigen Labyrinth des Innenohrs der Wirbeltiere u. des Menschen (Biol.; Med.)

En|do|ly|sin ⟨gr.-nlat.⟩ das; -s, -e (meist Plural): weißen Blutkörperchen entstammender, Bakterien abtötender Stoff

En|do|met|ri|o|se* ⟨gr.-nlat.⟩ die; -, -n: das Auftreten verschleppten Gebärmutterschleimhautgewebes außerhalb der Gebärmutter (Med.). En|do|met|ri|tis die; , ...itiden: Entzündung der Gebärmutterschleimhaut (Med.). En|do|met|ri|um das; -s, ...trien: Gebärmutterschleimhaut (Med.)

en|do|morph ⟨gr.-nlat.⟩: 1. die Endomorphose betreffend, durch sie hervorgerufen (Geol.); Ggs. ↑exomorph. 2. die Endomorphie betreffend, ↑pyknisch. En|do|mor|phie die; -: Konstitution eines bestimmten Menschentyps, der ungefähr dem ↑Pykniker entspricht; vgl. Ektomorphie u. Mesomorphie. En|do|mor|phis|mus der; -, ...men: Abbildung einer algebraischen Struktur in sich, Sonderform des ↑Homomorphismus. En|do|mor|pho|se die; -, -n: innere Umwandlung eines Erstarrungs-

gesteins unter Einfluss der Umgebung (Geol.)

En|do|my|ces [...'my:tse:s] ⟨gr.-nlat.⟩ u. En|do|my|zes die (Plural): den Hefen nahe stehende Pilzgattung (Krankheitserreger; Med.)

En|do|phle|bi|tis ⟨gr.-nlat.⟩ die; -, ...itiden: Entzündung der Innenhaut einer Vene (Med.)

En|do|phyt ⟨gr.-nlat.⟩ der; -en, -en: in anderen Pflanzen oder Tieren wachsende Schmarotzerpflanze. en|do|phy|tisch: nach innen wachsend (Med.)

En|do|plas|ma ⟨gr.-nlat.⟩ das; -s, ...men: ↑Entoplasma. en|do|plas|ma|tisch: innerhalb des Zellplasmas gelegen: endoplasmatisches Retikulum: mit ↑Ribosomen besetzte Netzstruktur in einer Zelle (Biol.)

En|do|pro|the|se ⟨gr.⟩ die; -, -n: aus Kunststoff, Metall o. Ä. gefertigtes Ersatzstück, das im ↑Organismus den geschädigten Körperteil ganz od. teilweise ersetzt (Med.)

En|dor|phin ⟨Kunstw. aus Endo- u. Morphin⟩ das; -s, -e: körpereigener Eiweißstoff (Hormon), der schmerzstillend wirkt

En|do|ske|lett ⟨gr.-nlat.⟩ das; -[e]s, -e: knorpeliges oder aus Knochen bestehendes Innenskelett der Wirbeltiere (Biol.); Ggs. ↑Ektoskelett

¹En|do|skop* ⟨gr.-nlat.⟩ das; -s, -e: in eine Lichtquelle eingeschlossenes optisches Instrument zur Untersuchung von Hohlorganen u. Körperhöhlen sowie zur gezielten Gewebsentnahme (Med.). ²En|do|skop der; -en, -en: (selten) Facharzt für Endoskopie (Med.) En|do|sko|pie die; -, ...ien: Ausleuchtung u. Ausspiegelung einer Körperhöhle mithilfe des Endoskops (Med.). en|do|sko|pisch: a) das Endoskop betreffend; b) die Endoskopie betreffend; c) mittels Endoskop

En|dos|mo|se* ⟨gr.-nlat.⟩ die; -, -n: ↑Kataphorese

en|do|so|ma|tisch ⟨gr.-nlat.⟩: innerhalb des Körpers (Med.)

En|do|sperm ⟨gr.-nlat.⟩ das; -s, -e: Nährgewebe im Pflanzensamen (Bot.). En|do|spo|re die; -, -n: im Innern eines Sporenbehälters entstehende ↑Spore (1) (bes. bei Pilzen; Bot.)

En|dost* ⟨gr.-nlat.⟩ das; -[e]s: faserige Haut über dem Knochenmark an der Innenfläche der Knochenhöhlen (Med.)

En|do|thel ⟨gr.-nlat.⟩ das; -s, -e:

Zellschicht an der Innenfläche der Blut- u. Lymphgefäße (Med.). En|do|the|li|om das; -s, -e: geschwulstförmige Neubildung aus Endothelzellen (Med.). En|do|the|li|o|se die; -, -n: ↑Retikulose. En|do|the|li|um das; -s, ...ien: ↑Endothel

en|do|therm ⟨gr.-nlat.⟩: Wärme aufnehmend, bindend; endotherme Prozesse: Vorgänge, bei denen von außen Wärme zugeführt werden muss (Phys., Chem.)

en|do|thym ⟨gr.-nlat.⟩: die Schicht des Psychischen betreffend, die das Unbewusste, die Affekte, die Gefühle umfasst (Psychol.)

En|do|to|xin ⟨gr.-nlat.⟩ das; -s, -e: Bakteriengift, das erst mit dem Zerfall der Bakterien frei wird

en|do|troph* ⟨gr.-nlat.⟩: sich innen ernährend (Eigenschaft von Pilzen, deren Wurzelfäden in das Innere der Wurzelzellen höherer Pflanzen eindringen; Bot.)

en|do|zent|risch* ⟨gr.⟩: zur gleichen Formklasse gehörend (von einer sprachlichen Konstruktion, die den gleichen Kategorie angehört wie eines ihrer konstituierenden Glieder; z. B. großes Haus – Haus; Sprachw.); Ggs. ↑exozentrisch

En|du|ro ⟨lat.-fr.-engl.⟩ die; -, -s: geländegängiges Motorrad

E|ner|geia ⟨gr.⟩ die; -: (in der aristotelischen Philosophie gleichbedeutend mit) Tätigkeit, Tatkraft, Bereitschaft zum Handeln; vgl. Dynamis. E|ner|ge|tik die; -: philosophische Lehre, die die Energie als Wesen u. Grundkraft aller Dinge erklärt (W. Ostwald). E|ner|ge|ti|ker der; -s, -: Vertreter der Lehre der Energetik. e|ner|ge|tisch: 1. die Energie betreffend, auf ihr beruhend. 2. die Energetik betreffend; energetischer Imperativ: „Verschwende keine Energie, verwerte sie!" (Grundsatz der Philosophie von W. Ostwald); energetische Sprachbetrachtung: Auffassung, die Sprache nicht als einmal Geschaffenes, sondern als ständig wirkende Kraft zu betrachten (Sprachw.). e|ner|gi|co [...dʒiko] ⟨gr.-it.⟩: energisch, entschlossen (Vortragsanweisung; Mus.). E|ner|gi|de ⟨gr.-nlat.⟩ die; -, -n: die Funktionseinheit eines einzelnen Zellkerns mit dem ihn umgebenden und von ihm beeinflussten Zellplasma (Biol.).

E|ner|gie ⟨gr.-lat.-fr.⟩ die; -, ...ien: 1. (ohne Plural) a) mit

Nachdruck, Entschiedenheit [u. Ausdauer] eingesetzte Kraft, um etw. durchzusetzen; b) starke geistige u. körperliche Spannkraft. 2. Fähigkeit eines Stoffes, Körpers od. Systems, Arbeit zu verrichten, die sich aus Wärme, Bewegung o. Ä. herleitet (Phys.). **E|ner|gie|kri|se** die; -, -n: ↑ Krise (2) in der Versorgung mit Energie (2). **E|ner|gie|prin|zip** das; -s: Prinzip von der Erhaltung der Energie (Phys.). **E|ner|gie|versor|gung** die; -: Einrichtungen und Vorgänge, die der Erzeugung und Verteilung von Energie, bes. elektrischer Energie, dienen. **e|ner|gisch:** a) starken Willen u. Durchsetzungskraft habend u. entsprechend handelnd; zupackend, tatkräftig; b) von starkem Willen und Durchsetzungskraft zeugend; c) entschlossen, nachdrücklich. **e|nergo|che|misch** ⟨gr.; arab.-roman.⟩: durch chemische Reaktionen erzeugt (Energie) **E|ner|va|ti|on** ⟨lat.⟩ die; -, -en: ↑Enervierung; vgl. ...[at]ion/ ...ierung. **e|ner|vie|ren:** 1. jmds. Nerven überbeanspruchen; auf Nerven und seelische Kräfte zerstörerisch wirken. 2. die Verbindung zwischen Nerv und dazugehörigem Organ ausschalten (Med.). **E|ner|vie|rung** die; -, -en: 1. Überbeanspruchung der Nerven; Belastung der seelischen Kräfte. 2. Ausschaltung der Verbindung zwischen Nerv und dazugehörigem Organ (Med.)
en face [ãˈfas] ⟨lat.-fr.⟩: von vorn [gesehen]; in gerader Ansicht (bes. von Bildnisdarstellungen) **en fa|mille** [ãfaˈmij] ⟨lat.-fr.; „in der Familie"⟩: in engem, vertrautem Kreis **En|fant ter|ri|ble** [ãfãˈteˈriːbl] ⟨lat.-fr.; „schreckliches Kind"⟩ das; - -, -s -s [ãfãteˈriːbl]: jmd., der seine Umgebung in Verlegenheit bringt, sie schockiert **en|fi|lie|ren** ⟨äfi...⟩ ⟨lat.-fr.⟩: 1. (veraltet) einfädeln, aneinander reihen. 2. ein Gelände [in seiner ganzen Ausdehnung] beschießen (Mil.) **en|flam|mie|ren** ⟨ãfla...⟩ ⟨lat.-fr.⟩: (veraltet) entflammen, begeistern, entzücken **En|fle** [ãfl] ⟨lat.-fr.⟩ das; -s, -s: franz. Kartenspiel **En|fleu|ra|ge** [ãflœˈraːʒə] ⟨lat.-fr.⟩ die; -: Verfahren zur Gewinnung feiner Blumendüfte in der Parfümindustrie

En|ga|ge|ment [ãgaʒ͜əˈmãː] ⟨germ.-fr.⟩ das; -s, -s: 1. (ohne Plural) weltanschauliche Verbundenheit mit etwas; innere Bindung an etwas; Gefühl des inneren Verpflichtetseins, des was; persönlicher Einsatz. 2. Anstellung, Stellung, bes. eines Künstlers. 3. Aufforderung zum Tanz. 4. Verpflichtung, zur festgesetzten Zeit gekaufte Papiere abzunehmen, zu bezahlen oder die für diesen Tag verkauften zu liefern (Börsenw.). **en|ga|gieren** [ãgaˈʒiːrən]: 1. jmdn. (bes. einen Künstler) unter Vertrag nehmen, für eine Aufgabe verpflichten. 2. (veraltend) zum Tanz auffordern. 3. sich engagieren: sich binden, sich verpflichten; einen geistigen Standort beziehen. 4. die Klingen aneinander anlehnen, den Kontakt zwischen den Klingen herstellen (Fechten). **en|ga|giert:** a) entschieden für etwas eintretend; b) ein starkes persönliches Interesse an etwas habend
en garde! [ãˈgard] ⟨fr.⟩: Kommando, mit dem die Fechter aufgefordert werden, Fechtstellung einzunehmen
En|gast|ri|mant* ⟨gr.⟩ der; -en, -en: mithilfe des Bauchredens Wahrsagender
En|gi|nee|ring [ɛndʒɪˈnɪərɪŋ] ⟨lat.-altfr.-engl.⟩ das; -[s]: 1. engl. Bez. für: Ingenieurwesen. 2. ↑Industrialengineering
En|gi|schi|ki ⟨jap.⟩ das; -[s]: wichtigstes Ritualbuch des japan. ↑Schintoismus aus dem 10. Jh.
Engllish spo|ken [ˈɪŋglɪʃ ˈspoukən] ⟨engl.; „Englisch gesprochen"⟩: hier wird Englisch gesprochen, hier spricht man Englisch (als Hinweis z. B. für Kunden in Geschäften). **english|waltz** [ˈɪŋglɪʃwɔːls] der; -, -: langsamer Walzer. **eng|li|sie|ren:** 1. etwas nach engl. Art umgestalten; vgl. anglisieren (1). 2. einem Pferd die niederziehenden Schweifmuskeln durchschneiden, damit es den Schwanz hoch trägt
En|go|be [ãˈgoːbə] ⟨fr.⟩ die; -, -n: dünne keramische Überzugsmasse. **en|go|bie|ren:** Tonwaren mit einer keramischen Gussmasse überziehen
En|gor|ge|ment [ãgorʒ͜əˈmãː] ⟨lat.-fr.⟩ das; -s, -s: Stockung im Wirtschaftsleben
En|gramm ⟨gr.-nlat.⟩ das; -s, -e: im Zentralnervensystem hinterlassene Spur eines Reiz- oder Er-

lebniseindrucks, die dessen Reproduktion zu einem späteren Zeitpunkt möglich macht; Erinnerungsbild (Med.)
en gros [ãˈgro] ⟨lat.-fr.⟩: im Großen; Ggs. ↑en détail. **En|gros|han|del** der; -s: Großhandel. **En|gros|sist** der; -en, -en: (österr.) Grossist
En|har|mo|nik ⟨gr.-nlat.⟩ die; -: verschiedene Notierung u. Benennung von Tönen u. Akkorden bei gleichem Klang (z. B. cis = des; Mus.). **en|har|mo|nisch:** mit einem anders benannten u. geschriebenen Ton dem gleichen Klang habend, harmonisch vertauschbar (in Bezug auf die Tonhöhe; Mus.); **enharmonische Verwechslung:** Vertauschung u. musikalische Umdeutung enharmonisch gleicher Töne od. Akkorde
E|nig|ma usw. vgl. Änigma usw.
En|jam|be|ment [ãʒãbəˈmãː] ⟨fr.⟩ das; -s, -s: Übergreifen des Satzes in den nächsten Vers; Nichtzusammenfall von Satz- u. Versende (Metrik)
en|kaus|tie|ren ⟨gr.-nlat.⟩: das Malerverfahren der Enkaustik anwenden. **En|kaus|tik** ⟨gr.⟩ die; -: Malverfahren, bei dem die Farben durch Wachs gebunden und **en|kaus|tisch:** die Enkaustik betreffend, mit ihrer Technik arbeitend, nach diesem Verfahren ausgeführt
En|kla|ve* ⟨lat.-vulgärlat.-fr.⟩ die; -, -n: vom eigenen Staatsgebiet eingeschlossener Teil eines fremden Staatsgebietes; Ggs. ↑Exklave (1)
En|kli|se*, En|kli|sis ⟨gr.; „das Hinneigen"⟩ die; -, ...isen: Verschmelzung eines unbetonten Wortes [geringeren Umfangs] mit einem vorangehenden betonten (z. B. ugs. „denkste" aus: denkst du od. „zum" aus: zu dem; Sprachw.); Ggs. ↑Proklise. **En|kli|ti|kon** ⟨gr.⟩ das; -s, ...ka: unbetontes Wort, das sich an das vorhergehende betonte anlehnt (z. B. ugs. „kommste" aus: kommst du; Sprachw.). **en|kli|tisch** ⟨gr.-lat.⟩: sich an ein vorhergehendes betontes Wort anlehnend (Sprachw.); Ggs. ↑proklitisch
en|ko|die|ren: [eine Nachricht] mithilfe eines ↑Kodes verschlüsseln; Ggs. ↑dekodieren. **En|kodie|rung** die; -, -en: Verschlüsselung [einer Nachricht] mithilfe eines ↑Kodes
En|kol|pi|on ⟨gr.⟩ das; -s, ...pien:

1. auf der Brust getragene Reliquienkapsel; vgl. Amulett. 2. Brustkreuz kirchlicher Würdenträger der orthodoxen Kirche; vgl. Pektorale (1)

En|ko|mi|ast ⟨gr.⟩ der; -en, -en: Lobredner. En|ko|mi|as|tik die; -: die Kunst, bedeutende u. verdiente Personen in einer Lobrede od. einem Lobgedicht zu preisen. En|ko|mi|on u. En|ko|mi|um ⟨gr.-lat.⟩ das; -s, ...ien: Lobrede, Lobgedicht

En|kul|tu|ra|ti|on ⟨lat.⟩ die; -: das Hineinwachsen des Einzelnen in die Kultur der ihn umgebenden Gesellschaft; vgl. Akkulturation

en masse [ã'mas] ⟨fr.; „in Masse"⟩: (ugs. emotional) in großer Menge, Zahl [vorhanden, vorkommend]; überaus viel

en mi|ni|a|ture [ãminja'ty:r] ⟨fr.⟩: in kleinem Maßstab; einem Vorbild in kleinerem Ausmaß ungefähr entsprechend; im Kleinen dargestellt, vorhanden, und zwar in Bezug auf etwas, was eigentlich als Größeres existiert

En|ne|a|gramm ⟨gr.⟩ das; -s, -e: auf der Einteilung des menschlichen Charakters in 9 Grundtypen beruhendes Erklärungssystem der menschlichen Persönlichkeit, das durch einen in 9 Teile gegliederten Kreis symbolisiert wird (Esoterik)

En|nui [ã'nÿi:] ⟨lat.-vulgärlat.-fr.⟩ der od. das; -s: a) Langeweile; b) Verdruss; Überdruss. en|nu|yant [ãny'jã:]: (veraltet) a) langweilig; b) verdrießlich, lästig. en|nu|yie|ren [ãny'ji:rən]: (veraltet) a) langweilen; b) ärgern; lästig werden

en|oph|thal|misch ⟨gr.-nlat.⟩: den Enophthalmus betreffend (Med.). En|oph|thal|mus der; -: abnorme Tieflage des Augapfels in der Augenhöhle (Med.)

e|norm ⟨lat.-fr.⟩: von außergewöhnlich großem Ausmaß, außerordentlich; erstaunlich. E|nor|mi|tät die; -, -en: erstaunliche Größe; Übermaß

En|os|to|se ⟨gr.-nlat.⟩ die; -, -n: Knochengeschwulst, die vom Knocheninnern ausgeht (Med.)

en pas|sant [ãpa'sã] ⟨fr.; „im Vorübergehen"⟩: nebenher (im Bezug auf etw., was neben dem Eigentlichen mehr am Rande noch mit erledigt, gemacht wird); en passant schlagen: einen gegnerischen Bauern, der aus der Grundstellung in einem Zug zwei Felder vorrückt u. neben einem eigenen Bauern zu stehen

kommt, im nächsten Zug so schlagen, als ob er nur ein Feld vorgerückt wäre (Schach)

en pleine car|ri|ère [ãplɛnka'rjɛ:r] ⟨fr.⟩: in gestrecktem Galopp

en pro|fil [ãprɔ'fil] ⟨fr.⟩: im Profil, von der Seite

En|quete [ã'ke:t, auch: ã'kɛ:t] ⟨lat.-fr.⟩ die; -, -n: 1. amtliche Untersuchung, Erhebung, die bes. zum Zweck der Meinungs-, Bevölkerungs-, Wirtschaftsforschung u. Ä. durchgeführt wird. 2. (österr.) Arbeitstagung. En|quete|kom|mis|si|on die; -, -en: Kommission, die eine Enquete durchführt

en|ra|giert [ãra'ʒi:ɐt] ⟨fr.⟩: a) leidenschaftlich für etwas eingenommen; b) leidenschaftlich erregt

en|rhü|miert [ãry...] ⟨fr.⟩: (veraltet) verschnupft, erkältet

en|rol|lie|ren [ãrɔ'li:rən] ⟨fr.⟩: anwerben (von Truppen; Mil.)

en route [ã'rut] ⟨fr.⟩: unterwegs

Ens ⟨lat.⟩ das; -: das Seiende, Sein, Wesen, Idee (Philos.)

En|sem|ble [ã'sã:bḷ] ⟨lat.-fr.⟩ das; -s, -s: 1. zusammengehörende, aufeinander abgestimmte Gruppe von Schauspielern, Tänzern, Sängern od. Orchestermusikern. 2. kleine Besetzung im Instrumental- u. Unterhaltungsmusik. 3. Szene mit mehreren Solostimmen oder mit Solo u. Chor. 4. mehrteiliges Kleidungsstück, dessen Teile aufeinander abgestimmt sind. 5. Gesamtheit mehrerer Einzelteile, die [planvoll, wirkungsvoll] aufeinander abgestimmt sind. En|sem|ble|mu|sik die; -: Unterhaltungs- u. Tanzmusik

En|sil|la|ge [ãsi'la:ʒə], Silage ⟨fr.⟩ die; -: 1. Gärfutter. 2. Bereitung von Gärfutter

Ens|ta|tit* [auch: ...'tɪt] ⟨gr.-nlat.⟩ der; -s, -e: ein Mineral

en suite [ã'sɥit] ⟨lat.-fr.⟩: 1. im Folgenden, demzufolge. 2. ununterbrochen

Ent|amö|be* ⟨gr.-nlat.⟩ die; -, -n: ↑Amöbe, die im Innern des menschlichen od. tierischen Körpers ↑parasitisch lebt

ent|ano|ny|mi|sie|ren* ⟨dt.; gr.-lat.⟩: die Anonymität personenbezogener Daten aufheben (EDV). Ent|ano|ny|mi|sie|rung die; -, -en: das Entanonymisieren

En|ta|ri ⟨türk.⟩ das; -[s], -s: altes orientalisches, dem ↑Kaftan ähnliches langes Gewand

En|ta|se, En|ta|sis ⟨gr.⟩ die; -, ...asen: das kaum merkliche Di-

ckerwerden des sich bogenförmig verjüngenden Schaftes antiker Säulen nach der Mitte zu (Archit.)

En|te|le|chie ⟨gr.-lat.⟩ die; -, ...ien: etwas, was sein Ziel in sich selbst hat; die sich mit Stoff verwirklichende Form (Aristoteles); die im Organismus liegende Kraft, die seine Entwicklung u. Vollendung bewirkt (Philos.). en|te|le|chisch ⟨gr.-nlat.⟩: die Entelechie betreffend, auf ihr beruhend, durch sie bewirkt

En|ten|te [ã'tã:t] ⟨lat.-fr.⟩ die; -, -n: Einverständnis, Bündnis; Entente cordiale [ãtãtkɔr'djal] ⟨„herzliches Einverständnis"⟩: das französisch-englische Bündnis nach 1904 (Pol.)

en|te|ral ⟨gr.-nlat.⟩: auf den Darm bzw. die Eingeweide bezogen (Med.). En|te|ral|gie* ⟨gr.-nlat.⟩ die; -, ...ien: ↑Enterodynie. En|te|ral|min* ⟨Kunstw. aus: gr. éntera „Eingeweide" u. ↑Amin⟩ das; -s, -e: ↑Serotonin. En|te|ri|tis ⟨gr.-nlat.⟩ die; -, ...itiden: Entzündung des Dünndarms; Darmkatarrh (Med.). En|te|ro|anas|to|mo|se* die; -, -n: künstlicher, operativ hergestellter Verbindungsweg zwischen zwei Darmstücken (Med.). En|te|ro|dy|nie die; -, ...ien: Darmschmerz, Leibschmerz. en|te|ro|gen: im Darm entstanden, von ihm ausgehend (Med.). En|te|ro|ki|na|se die; -: in der Darmschleimhaut gebildetes ↑Enzym, das inaktive ↑Proenzyme der Bauchspeicheldrüse in aktive Enzyme umsetzt. En|te|ro|kly|se* die; -, -n u. En|te|ro|klys|ma* das; -s, ...men u. -ta: Darmspülung (Med.). En|te|ro|kok|ken die (Plural): zur normalen Darmflora des Menschen gehörende Darmbakterien (Med.). En|te|ro|ko|li|tis ⟨gr.-nlat.⟩ die; -, ...itiden: Entzündung des Dünn- u. Dickdarms (Med.). En|te|ro|lith [auch: ...'lɪt] der; -s u. -en, -e[n]: krankhaftes, festes Gebilde (Konkrement) im Darm aus verhärtetem Kot oder an Ablagerungen, die sich um Fremdkörper (z. B. verschluckte Knochensplitter) herum gebildet haben; Kotstein (Med.). En|te|ro|my|i|a|se der; -, -n: Madenkrankheit des Darmes (Med.). En|te|ron ⟨gr.; „das Innere"⟩ das; -s, ...ra: Darm (bes. Dünndarm); Eingeweide (Med.). En|te|ro|neu|ro|se ⟨gr.-nlat.⟩ die; -, -n: nervöse Darmstörung (Med.). En|terop|to|se* *die; -, -n:* Eingeweidesenkung durch verminderte Spannung der Gewebe (z. B. bei Abmagerung; Med.). En|te|rosit *der; -en, -en:* Darmschmarotzer (Med.). En|te|ro|skop* *das; -s, -e:* mit elektrischer Lichtquelle u. Spiegel versehenes Instrument zur Untersuchung des Dickdarms (Med.). En|te|rosko|pie* *die; -, ...ien:* Untersuchung mit dem Enteroskop (Med.). En|te|ro|sto|mie* *die; -, ...ien:* Anlegung eines künstlichen Afters (Med.). En|te|ro|tomie *die; -, ...ien:* operatives Öffnen des Darms; Darmschnitt (Med.). En|te|ro|vi|rus ⟨gr.; lat.⟩ *das,* auch: *der -, ...viren* (meist Plural): Erreger von Darmkrankheiten (Med.). En|te|roze||le ⟨gr.-lat.⟩ *die; -, -n:* Darmbruch; Eingeweidebruch (Med.). En|te|ro|zo|on ⟨gr.-nlat.⟩ *das; -s, ...zoen* u. ...zoa (meist Plural): tierischer Darmschmarotzer En|ter|tai|ner [ˈɛntɐteɪnɐ] ⟨engl.⟩ *der; -s, -:* Unterhalter; jmd., der andere auf angenehme, heitere Weise unterhält (z. B. als Conférencier, Diskjockey). En|tertain|ment [ɛntɐˈteɪnmənt] *das; -s:* berufsmäßig gebotene leichte Unterhaltung

en|te|tiert [ãtɛˈtiːɐt] ⟨lat.-fr.⟩: (veraltet) starrköpfig, eigensinnig

En|thal|pie ⟨gr.-nlat.⟩ *die; -:* a) bei konstantem Druck vorhandene Wärme (Phys.); b) die gesamte in der feuchten Luft vorhandene Wärmeenergie (Meteor.)

Ent|hel|min|the ⟨gr.-nlat.⟩ *die; -, -n* (meist Plural): Eingeweidewurm (Med.)

en|thu|si|as|mie|ren ⟨gr.-fr.⟩: begeistern, in Begeisterung versetzen, entzücken. En|thu|sias|mus ⟨gr.-nlat.⟩ *der; -:* leidenschaftliche Begeisterung, Schwärmerei. En|thu|si|ast *der; -en, -en:* begeisterter, leidenschaftlicher Bewunderer, Schwärmer. en|thu|si|as|tisch: begeistert, schwärmerisch

En|thy|mem ⟨gr.-lat.⟩ *das; -s, -e:* Wahrscheinlichkeitsschluss, unvollständiger Schluss (bei dem eine Prämisse fehlt, aber in Gedanken zu ergänzen ist; Philos.)

En|ti|tät ⟨lat.-mlat.⟩ *die; -, -en:* 1. Dasein im Unterschied zum Wesen eines Dinges (Philos.). 2. [gegebene] Größe

ent|mi|li|ta|ri|sie|ren ⟨dt.; lat.⟩: aus einem Gebiet die Truppen abziehen u. die militärischen Anlagen abbauen. Ent|mi|li|ta|risie|rung *die; -, -en:* das Entmilitarisieren

Ent|my|tho|lo|gi|sie|rung ⟨dt.; gr.-nlat.⟩ *die; -, -en:* 1. Versuch, die christliche Botschaft von alten Mythen zu befreien u. modernem Verständnis zu erschließen (nach R. Bultmann). 2. Denkprozess, der auf die Beseitigung mythischer od. irrationaler ↑ Implikationen in Wörtern, Begriffen und Aussagen abzielt

ent|na|zi|fi|zie|ren ⟨dt.; nlat.⟩: 1. Maßnahmen zur Ausschaltung nationalsozialistischer Einflüsse aus dem öffentlichen Leben durchführen. 2. einen ehemaligen Nationalsozialisten politisch überprüfen u. ihn [durch Sühnemaßnahmen] entlassen

En|to|blast, En|to|derm ⟨gr.nlat.⟩ *das; -s, -e:* das innere Keimblatt in der Entwicklung der Vielzeller (Med.); vgl. Ektoderm. en|to|der|mal: aus dem inneren Keimblatt entstehend (Med.); vgl. ektodermal

en|to|mo|gam ⟨gr.-nlat.⟩: insektenblütig; auf die Bestäubung durch Insekten eingerichtet (von Pflanzen; Bot.). En|to|mo|gamie *die; -:* Insektenblütigkeit; Art der Beschaffenheit von Blüten, die auf Übertragung des Pollens durch Insekten eingerichtet sind (Bot.). En|to|mo|lo|ge *der; -n, -n:* Insektenforscher. En|tomo|lo|gie *die; -:* Insektenkunde. en|to|mo|lo|gisch: die Entomologie betreffend

En|to|pa|ra|sit ⟨gr.-nlat.⟩ *der; -en, -en:* ↑ Parasit (1), der im Innern anderer Tiere u. Pflanzen lebt (Biol., Med.); Ggs. ↑ Ektoparasit

en|to|pisch ⟨gr.⟩: am Ort befindlich; einheimisch, örtlich

En|to|plas|ma ⟨gr.-nlat.⟩ *das; -s, ...men:* innere Schicht des ↑ Protoplasmas bei Einzellern (Biol.); Ggs. ↑ Ektoplasma

en|top|tisch* ⟨gr.-nlat.⟩: im Augeninnern [gelegen] (Med.)

En|to|sko|pie* vgl. Endoskopie

en|to|tisch* ⟨gr.-nlat.⟩: im Ohr entstehend, im Ohr gelegen (Med.)

En|tou|ra|ge [ãtuˈraːʒə] ⟨fr.⟩ *die; -:* Umgebung, Gefolge

En-tout-Cas [ãtuˈka] ⟨lat.-fr.; „in jedem Fall"⟩ *der; - [...a(s)], - [...as:]:* 1. großer Schirm gegen Sonne u. Regen. 2. überdeckter Tennisplatz, auf dem bei Sonne u. Regen gespielt werden kann

En|to|xis|mus ⟨gr.-nlat.⟩ *der; -, ...men:* 1. (ohne Plural) Vergiftung (Med.). 2. Vergiftungserscheinung (Med.)

En|to|zo|on ⟨gr.-nlat.⟩ *das; -s, ...zoen* u. ...zoa: tierischer Schmarotzer im Körperinneren (Med.)

Ent|r'acte* [ãˈtrakt]: ↑ Entreacte

Ent|reacte* [ãˈtrakt] *der; -s, -s,* Ent|re|akt [ãtrəˈlakt] ⟨lat.-fr.⟩ *der; -[e]s, -e:* (auch selbstständig aufgeführte) Zwischenaktmusik von Opern u. Schauspielen

Ent|re|chat* [ãtrəˈʃa] ⟨fr.⟩ *der; -s, -s:* gerader Sprung in die Höhe, bei dem die Fersen in der Luft [mehrmals] gekreuzt übereinander geschlagen werden (Ballett)

Ent|re|cote* [ãtrəˈkot] ⟨lat.-fr.⟩ *das; -[s], -s:* Rippenstück vom Rind, das in Scheiben gebraten wird

Ent|ree* [ãˈtreː] ⟨lat.-fr.⟩ *das; -s, -s:* 1. Eintrittsgeld. 2. a) Eintritt, Eingang; b) Eingangsraum, Vorzimmer. 3. Vorspeise od. Zwischengericht. 4. a) Eröffnungsmusik bei einem ↑ Ballett; b) Eintrittslied od. -arie, bes. in Singspiel u. Operette (Mus.)

Ent|re|fillet* [ãtrəfiˈle] ⟨lat.-fr.⟩ *das; -s, -s:* eingeschobene [halbamtliche] Zeitungsnachricht

Ent|re|lacs* [ãtrəˈla(ː)] ⟨fr.⟩ *das; - [...a:(s), auch: ...a(s)], - [...a(:)s]* (meist Plural): Flechtwerk; einander kreuzende od. ineinander verschlungene Linien u. Bänder im Kunstgewerbe u. in der Baukunst

Ent|re|més* ⟨lat.-it.-fr.-span.; „Zwischenspiel"⟩ *das; -, -:* (ursprünglich possenhafter) Einakter des span. Theaters, der zwischen zwei Aufzügen eines Schauspiels aufgeführt wurde

Ent|re|me|ti|er* [ãtrəməˈtje] ⟨lat.-fr.⟩ *der; -s, -s:* Spezialkoch für Suppen u. kleinere Zwischengerichte (Gastr.). Ent|re|mets [...ˈme] ⟨lat.-fr.⟩ „Zwischengericht") *das; - [...e:(s)], - [...e:s]:* [leichtes] Zwischengericht

ent|re nous* [ãtrəˈnu] ⟨lat.-fr.; „unter uns"⟩: ohne die Gegenwart eines Fremden u. daher in der nötigen Atmosphäre der Vertraulichkeit

Ent|re|pot* [ãtrəˈpo:] ⟨lat.-fr.⟩ *das; -, -s:* zollfreier Stapelplatz, Speicher

Ent|re|pre|neur* [ãtrəprəˈnøːɐ] ⟨lat.-fr.⟩ *der; -s, -e:* Unternehmer, Veranstalter, Agent (z. B. von Konzerten, Theateraufführungen). Ent|re|pri|se* [....priz] *die; -, -n [...zn]:* Unternehmung

Ent|re|sol* [ãtrəˈsɔl] ⟨*lat.-fr.*⟩ *das;* -s, -s: Zwischengeschoss, Halbgeschoss

Ent|re|vue* [ãtrəˈvyː] ⟨*lat.-fr.*⟩ *die;* -, -n [...yːən]: Zusammenkunft, Unterredung (bes. von Monarchen)

ent|rie|ren* [ãˈtriːrən] ⟨*lat.-fr.;* „eintreten"⟩: (veraltet) beginnen, in etw. eintreten

En|tro|pie* ⟨*gr.-nlat.*⟩ *die;* -, ...ien: 1. physikalische Größe, die die Verlaufsrichtung eines Wärmeprozesses kennzeichnet. 2. Größe des Nachrichtengehalts einer nach statistischen Gesetzen gesteuerten Nachrichtenquelle; mittlerer Informationsgehalt der Zeichen eines bestimmten Zeichenvorrats (Informationstheorie). 3. Maß für den Grad der Ungewissheit über den Ausgang eines Versuchs. **En|tro|pi|um** *das;* -s, ...ien: krankhafte Umstülpung der Augenlider nach innen (Med.)

E|nuk|le|a|ti|on* ⟨*lat.-nlat.*⟩ *die;* -, -en: operative Ausschälung (z. B. einer Geschwulst od. des Augapfels; Med.). **e|nuk|le|ie|ren** ⟨*lat.*⟩ „aus-, entkernen"⟩: 1. entwickeln, erläutern. 2. eine Enukleation ausführen (Med.)

E|nu|me|ra|ti|on ⟨*lat.*⟩ *die;* -, -en: Aufzählung. **E|nu|me|ra|ti|onsprin|zip** *das;* -s: gesetzgebungstechnisches Verfahren, eine Reihe von Einzeltatbeständen aufzuzählen, anstatt sie mit einer globaleren Bezeichnung (vgl. Generalklausel 2) zu umfassen. **e|nu|me|ra|tiv:** aufzählend. **e|nu|me|rie|ren:** aufzählen

E|nun|zi|a|ti|on ⟨*lat.*⟩ *die;* -, -en: Aussage, Erklärung; Satz

E|nu|re|se* ⟨*gr.-nlat.*⟩ *die;* -, -n: unwillkürliches Harnlassen, Bettnässen, bes. bei Kindern (Med.)

En|ve|lop|pe [ãvəˈlɔp(ə)] ⟨*fr.*⟩ *die;* -, -n: 1. (veraltet) a) Hülle; b) Futteral; c) Decke; d) [Brief]umschlag. 2. bestimmte (einhüllende) Kurve einer gegebenen Kurvenschar; Kurve, die alle Kurven einer gegebenen Schar (einer Vielzahl von Kurven) berührt u. umgekehrt in jedem ihrer Punkte von einer Kurve der Schar berührt wird (Math.). 3. Anfang des 19. Jh.s übliches schmales, mantelähnliches Kleid

En|vers [ãˈvɛːr̥] ⟨*lat.-fr.*⟩ *der;* - [...r̥(s)], - [...r̥s] (veraltet) Kehrseite

En|vi|ron|ment [ɛnˈvaɪrənmənt] ⟨*engl.*⟩ *das;* -s, -s: Kunstform,

die eine räumliche Situation durch Anordnung verschiedener Objekte u. Materialien (z. B. Sand, Blütenstaub) herstellt (Kunstw.). **en|vi|ron|men|tal:** in der Form, Art eines Environments. **En|vi|ron|to|lo|gie** [ɛnviˈrɔn...] ⟨*fr.-engl.; gr.*⟩ *die;* -: Umweltforschung

en vogue [ãˈvoːk, auch: ãˈvɔg] ⟨*fr.*⟩: zurzeit gerade beliebt, modern, in Mode, im Schwange; vgl. Vogue

En|vo|yé [ãvɔaˈjeː] ⟨*lat.-galloroman.-fr.*⟩ *der;* -s, -s: Gesandter **En|ze|pha|li|tis** ⟨*gr.-nlat.*⟩ *die;* -, ...itiden: Gehirnentzündung (Med.). **En|ze|pha|lo|gramm** *das;* -s, -e: Röntgenbild der Gehirnkammern (Med.). **En|ze|pha|lo|gra|phie,** auch: ...grafie *die;* -, ...ien: (Med.) 1. ↑ Elektroenzephalographie. 2. ↑ Röntgenographie des Gehirns. **En|ze|pha|lo|mala|zie** *die;* -, ...ien: Gehirnerweichung (Med.). **En|ze|pha|lo|me|nin|gi|tis** *die;* -, ...itiden: Gehirn- und Hirnhautentzündung (Med.). **En|ze|pha|lo|pa|thie** *die;* -, -n: Erkrankung des Gehirns (Med.). **En|ze|pha|lor|rha|gie** *die;* -, ...ien: Hirnblutung (Med.). **En|ze|pha|lo|ze|le** *die;* -, -n: Hirnbruch; das Hervortreten von Hirnteilchen durch Lücken des Schädels

En|zyk|li|ka* [auch: ...ˈtsyːk...] ⟨*gr.-nlat.*⟩ *die;* -, ...ken: [päpstliches] Rundschreiben. **en|zyklisch** [auch: ...ˈtsyːk...]: einen Kreis durchlaufend; **enzyklische Bildung:** die Bildung, die sich der Mensch des Mittelalters durch das Studium der Sieben Freien Künste erwarb, des ↑ Triviums u. des ↑ Quadriviums. **En|zyklo|pä|die** ⟨*gr.-nlat.*⟩ *die;* -, ...ien: übersichtliche u. umfassende Darstellung des gesamten vorliegenden Wissensstoffs aller Disziplinen od. nur eines Fachgebiets in alphabetischer od. systematischer Anordnung; vgl. Konversationslexikon. **En|zyklo|pä|di|ker** *der;* -s, -: Verfasser einer Enzyklopädie. **en|zyklo|pä|disch:** 1. a) allumfassende Kenntnisse habend; b) allumfassende Kenntnisse vermittelnd. 2. nach Art der Enzyklopädie. **En|zyklo|pä|dist** *der;* -en, -en: Herausgeber u. Mitarbeiter der großen franz. „Encyclopédie", die unter Diderots und d'Alemberts Leitung 1751–1780 erschien **En|zym** ⟨*gr.-nlat.*⟩ *das;* -s, -e: in der lebenden Zelle gebildete organische Verbindung, die den Stoffwechsel des Organismus steuert

(Med.); vgl. Ferment. **en|zy|matisch:** von Enzymen bewirkt. **En|zy|mo|lo|gie** *die;* -: Wissenschaft, Lehre von den Enzymen **en|zys|tie|ren** ⟨*gr.-nlat.*⟩: um sich herum eine ↑ Zyste (2) bilden, sich einkapseln (Biol.)

E|o|bi|ont ⟨*gr.*⟩ *der;* -en, -en: Urzelle als erstes Lebewesen mit Zellstruktur (Biol.)

eo ip|so ⟨*lat.*⟩: 1. eben dadurch. 2. von selbst, selbstverständlich

E|o|li|enne [eoˈli̯ɛn] ⟨*gr.-lat.-fr.*⟩ *die;* -: zartes, fein geripptes [Halb]seidengewebe in Taftbindung

E|o|lith [auch: ...ˈlɪt] ⟨*gr.-nlat.*⟩ *der;* -s u. -en, -e[n]: Feuerstein mit natürlichen Absplitterungen, die an vorgeschichtliche Steinwerkzeuge erinnern. **E|o|li|thi|kum** [auch: ...ˈlɪt...] *das;* -s: vermeintliche, aufgrund der Eolithenfunde (vgl. Eolith) angenommene früheste Periode der Kulturgeschichte. **E|los** ⟨nach der gr. Göttin⟩ *die;* -: (dichter.) Morgenröte.

E|o|sin ⟨*gr.*⟩ *das;* -s: roter Farbstoff, der u. a. zur Herstellung von roten Tinten, Lippenstiften, Zuckerwaren verwendet wird. **e|o|si|nie|ren:** mit Eosin rot färben. **e|o|si|no|phil:** mit Eosin färbbar. **E|o|zän** *das;* -s: zweitälteste Stufe des ↑ Tertiärs (Geol.). **e|o|zän:** das Eozän betreffend. **E|o|zo|en:** *Plur.* von ↑ Eozoon. **E|o|zo|li|kum** *das;* -s: ↑ Archäozoikum. **e|o|zo|isch:** das Eozoikum betreffend. **E|o|z|go|on** *das;* -s, Eozoen (meist Plural): eigenartige Form aus unreinem Kalk als Einschluss in Gesteinen der Urzeit, die man früher irrtümlich für Reste tierischen Lebens hielt

E|pa|go|ge* ⟨*gr.;* „Hinaufführung"⟩ *die;* -: Denkvorgang vom Einzelnen zum Allgemeinen (Logik); vgl. Induktion (1). **e|pa|go|gisch:** zum Allgemeinen führend (Logik); vgl. induktiv (1); **epagogischer Beweis:** Beweis, der die Wahrheit eines Satzes dadurch zeigt, dass die Folgen des Satzes als wahr bewiesen werden (Logik)

E|pak|me* ⟨*gr.*⟩ *die;* -, -en: in der Stammesgeschichte der Anfang der Entwicklung einer Organismengruppe (z. B. der Saurier; Zool.); Ggs. ↑ Akme u. ↑ Parakme

E|pak|te* ⟨*gr.-lat.*⟩ *die;* -, -n: Anzahl der Tage vom letzten Neumond des alten bis zum Beginn des neuen Jahres

E|pa|na|lep|se* ⟨*gr.-lat.*⟩ u. **E|pa-**

na|lep|sis ⟨gr.⟩ die; -, ...epsen: (Rhet.; Stilk.) a) Wiederholung eines gleichen Wortes od. einer Wortgruppe im Satz; b) ↑Anadiplose

E|pa|na|pho|ra* ⟨gr.⟩ die; -, ...rä: ↑Anapher

E|pa|no|dos* ⟨gr.; „Rückweg"⟩ die; -, ...doi [...doy]: Wiederholung eines Satzes, aber in umgekehrter Wortfolge (z. B. Ich preise den Herrn, den Herrn preise ich; Rhet., Stilk.)

E|parch* ⟨gr.⟩ der; -en, -en: (hist.) Statthalter einer Provinz im Byzantinischen Reich. E|par|chie die; -, ...ien: 1. (hist.) byzantinische Provinz. 2. ↑Diözese der Ostkirche

E|paul|lett [epo'lɛt] ⟨lat.-fr.⟩ das; -s, -s u. E|paul|let|te die; -, -n: Achsel-, Schulterstück auf Uniformen

E|pa|ve ⟨lat.-fr.⟩ die; -: (veraltet) Trümmer, Überreste, Strandgut

E|pei|ro|ge|ne|se vgl. Epirogenese. E|pei|ro|pho|re|se ⟨gr.-nlat.⟩ die; -, -n: horizontale Verschiebung der Kontinente (Geol.)

E|pi|so|di|on ⟨gr.⟩ das; -s, ...ia: Dialogszene des altgriech. Dramas, die zwischen zwei Chorliedern eingeschaltet war; vgl. Stasimon

E|pen: Plur. von ↑Epos

E|pen|dym* ⟨gr.; „Oberkleid"⟩ das; -s: feinhäutige Auskleidung der Hirnhöhlen u. des Rückenmarkkanals (Med.). E|pen|dy|mom ⟨gr.-nlat.⟩ das; -s, -e: Hirntumor aus Ependymzellen (Med.)

E|pen|the|se* u. E|pen|the|sis ⟨gr.-lat.; „Einschiebung"⟩ die; -, ...thesen: Einschub von Lauten, meist zur Erleichterung der Aussprache (z. B. t in namentlich; Sprachw.); vgl. Anaptyxe u. Epithese

E|pe|xe|ge|se* ⟨gr.-lat.⟩ die; -, -n: in der Art einer ↑Apposition (1) hinzugefügte Erklärung (z. B. drunten im Unterland (Rhet.; Stilk.). e|pe|xe|ge|tisch ⟨gr.⟩: in Form einer Epexegese abgefasst

E|phe|be ⟨gr.-lat.⟩ der; -n, -n: (hist.) wehrfähiger junger Mann im alten Griechenland. E|phe|bie die; -: Pubertät [des jungen Mannes] (Med.). e|phe|bisch: in der Art eines Epheben

E|phed|ra* ⟨gr.-lat.⟩ die; -, ...drae [...drɛ] u. ...edren: schachtelhalmähnliche Pflanze, aus der Ephedrin gewonnen wird; Meerträubchen. E|phed|rin® ⟨gr.-lat.-nlat.⟩ das; -s: dem ↑Adrena-

lin verwandtes ↑Alkaloid (als Heilmittel vielfältig verwendet)

E|phe|li|den* ⟨gr.-lat.⟩ die (Plural): Sommersprossen (Med.)

e|phe|mer* ⟨gr.-lat.; „für einen Tag"⟩: 1. nur kurze Zeit bestehend, flüchtig, rasch vorübergehend [u. daher ohne bleibende Bedeutung]. 2. (von kurzlebigen Organismen) nur einen Tag lang lebend, bestehend (Bot.; Zool.). E|phe|me|ra die (Plural): Eintagsfieber (Med.). ¹E|phe|me|ri|de ⟨gr.-nlat.⟩: Eintagsfliege (Zool.). ²E|phe|me|ri|de ⟨gr.-lat.⟩: 1. (meist Plural) Tafel, in der die täglichen Stellungen von Sonne, Mond u. Planeten vorausberechnet sind; Tabelle des täglichen Gestirnstandes (Astron.; Astrol.). 2. (nur Plural) Tagebücher, periodische Schriften, Zeitschriften. e|phe|me|risch ↑ephemer. E|phe|me|ro|phyt ⟨gr.-nlat.⟩ der; -en, -en: Pflanze, die nur vorübergehend u. vereinzelt in einem Gebiet vorkommt (Bot.)

E|phip|pi|um* ⟨gr.-lat.; „Satteldecke"⟩ das; -s, ...pien: sattelähnliche Schutzhülle der Wintereier von Wasserflöhen (Biol.)

E|phor ⟨gr.-lat.; „Aufseher"⟩ der; -en, -en: (hist.) einer der fünf jährlich gewählten höchsten Beamten im antiken Sparta. E|pho|rat ⟨gr.-nlat.⟩ das; -[e]s, -e: 1. (hist.) Amt eines Ephoren. 2. Amt eines Ephorus. E|pho|rie ⟨gr.⟩ die; -, ...ien: [kirchlicher] Aufsichtsbezirk; Amtsbezirk. E|pho|rus ⟨gr.-lat.⟩ der; -, ...oren: a) ↑Dekan (1) in der reformierten Kirche; b) Leiter eines evangelischen Predigerseminars od. Wohnheims

E|pi|bi|ont ⟨gr.⟩ der; -en, -en: Organismus, der auf einem anderen lebt; Ggs. ↑Endobiont. E|pi|bio|se ⟨gr.-nlat.⟩ die; -: Gemeinschaft meist verschiedenartiger Lebewesen, von denen ein Partner auf dem anderen lebt; z. B. Wachstum von Bakterien auf der Haut des Menschen; Biol.); Ggs. ↑Endobiose

E|pi|bo|lie ⟨gr.-nlat.⟩ die; -: Umwachsung von Zellschichten bei der Keimentwicklung (Biol.)

E|pi|ce|di|um [...'tse:...] ⟨gr.-nlat.⟩ ↑Epikedeion

E|pi|con|dy|lus ⟨gr.-nlat.⟩ der; -, ...li: Knochenvorsprung od. Knochenfortsatz, der an einem ↑Condylus liegt (Med.)

E|pi|cö|num [...'tsø:...] ⟨gr.-lat.⟩

das; -s, ...na: Substantiv, das ein Wesen mit natürlichem Geschlecht (ein Tier) bezeichnet, aber mit einem Genus sowohl vom männlichen als vom weiblichen Tier gebraucht wird (z. B. Affe, Giraffe)

E|pi|deik|tik ⟨gr.⟩ die; -: rhetorisch reich ausgeschmückte Fest- u. Preisrede; bei Fest- u. Gelegenheitsreden üblicher Redestil (Rhet., Stilk.). e|pi|deik|tisch: die Epideiktik betreffend, in den Vordergrund stellend; prahlend, prunkend

E|pi|de|mie ⟨gr.-mlat.⟩ die; -, ...ien: zeitlich u. örtlich in besonders starkem Maße auftretende Infektionskrankheit; Seuche, ansteckende Massenerkrankung in einem begrenzten Gebiet. E|pi|de|mio|lo|ge ⟨gr.-nlat.⟩ der; -n, -n: Wissenschaftler, der auf dem Gebiet der Epidemiologie arbeitet. E|pi|de|mio|lo|gie die; -: Wissenschaft von der Entstehung, Verbreitung, Bekämpfung u. den sozialen Folgen von Epidemien, zeittypischen Massenerkrankungen u. Zivilisationsschäden. e|pi|de|mio|lo|gisch: die Epidemiologie betreffend. e|pi|de|misch ⟨gr.-mlat.⟩: in Form einer Epidemie auftretend

e|pi|der|mal ⟨gr.-nlat.⟩: von der ↑Epidermis stammend, zu ihr gehörend (Med.). E|pi|der|mis ⟨gr.-lat.⟩ die; -, ...men: äußere Zellschicht der Haut, Oberhaut (Med.). e|pi|der|mo|i|dal* ↑epidermal. E|pi|der|mo|phyt der; -en, -en: krankheitserregender Hautpilz (Med.). E|pi|der|mo|phy|tie die; -, ...ien: Pilzkrankheit der Haut (Med.)

E|pi|di|a|skop* ⟨gr.-nlat.⟩ das; -s, -e: Projektor, der als ↑Diaskop u. ↑Episkop verwendet werden kann

E|pi|di|dy|mis ⟨gr.⟩ die; -, ...didymiden: Nebenhoden (Med.). E|pi|di|dy|mi|tis ⟨gr.-nlat.⟩ die; -, ...mitiden: Nebenhodenentzündung (Med.)

E|pi|dot ⟨gr.-nlat.⟩ der; -s, -e: meist grünliches, gesteinsbildendes Mineral

e|pi|gä|on ⟨gr.⟩ das; -s: Lebensraum der auf dem Erdboden lebenden Organismen. e|pi|gä|isch: oberirdisch (von Keimblättern, die bei der Keimung aus der Erde hervortreten u. grün werden; Bot.)

E|pi|gast|ri|um* ⟨gr.-nlat.⟩ das; -s, ...ien: Oberbauchgegend, Magengrube (Med.)

E|pi|ge|ne|se ⟨gr. -nlat.⟩ die; -, -n: Entwicklung eines jeden Organismus durch aufeinander folgende Neubildungen; vgl. Präformationstheorie. e|pi|ge|ne|tisch: 1. auf die Epigenese bezogen, durch Epigenese entstanden (Biol.). 2. später entstanden, jünger als das Nebengestein (von geologischen Lagerstätten); Ggs. ↑syngenetisch (2)

E|pi|glot|tis* ⟨gr.⟩ die; -, ...tti|den: Kehldeckel. E|pi|glot|t|tis ⟨gr.-nlat.⟩ die; -, ...iti|den: Entzündung des Kehldeckels (Med.)

e|pi|go|nal ⟨gr.-nlat.⟩: unschöpferisch, nachahmend

E|pi|go|na|ti|on ⟨gr.-ngr.⟩ das; -s, ...ien: auf die Knie herabhängendes Tuch in der Bischofstracht der orthodoxen Kirche

E|pi|go|ne ⟨gr.; „Nachgeborener"⟩ der; -n, -n: jmd., der in seinen Werken schon vorhandene Vorbilder verwendet od. im Stil nachahmt, ohne selbst schöpferisch, stilbildend zu sein. e|pi|go|nen|haft: in der Art eines Epigonen, nachahmend. E|pi|go|nen|tum das; -s: epigonenhafte Art u. Weise

E|pi|gramm ⟨gr.-lat.; „Aufschrift"⟩ das; -s, -e: kurzes, meist in Distichen (vgl. Distichon) abgefasstes Sinn- od. Spottgedicht. E|pi|gram|ma|tik ⟨gr.-nlat.⟩ die; -: Kunst des Verfassens von Epigrammen. E|pi|gram|ma|ti|ker der; -s, -: Verfasser von Epigrammen. e|pi|gram|ma|tisch ⟨gr.-lat.⟩: a) das Epigramm betreffend; b) kurz, treffend, witzig, geistreich, scharf pointiert. E|pi|gram|ma|tist der; -en, -en: (veraltet) Epigrammatiker. E|pi|graph, auch: Epigraf ⟨gr.; „Aufschrift"⟩ das; -s, -e: antike Inschrift. E|pi|gra|phik, auch: Epigrafik ⟨gr.-nlat.⟩ die; -: Inschriftenkunde (als Teil der Altertumswissenschaft). E|pi|gra|phi|ker, auch: Epigrafiker der; -s, -: Inschriftenforscher

e|pi|gyn ⟨gr.-nlat.⟩: über dem Fruchtknoten stehend (von Blüten; Bot.); Ggs. ↑hypogyn

E|pik ⟨gr.-lat.⟩ die; -: literarische Gattung, die jede Art von Erzählung in Versen od. Prosa umfasst

E|pi|kan|thus ⟨gr.-nlat.⟩ der; -: Hautfalte am inneren Rand des oberen Augenlids (Med.)

E|pi|kard ⟨gr.-nlat.⟩ das; -[e]s: dem Herzen der Wirbeltiere u. des Menschen aufliegendes Hautblatt des Herzbeutels (Med.)

E|pi|karp ⟨gr.-nlat.⟩ das; -s, -e: äußerste Schicht der Fruchtschale von Pflanzen

E|pi|ke|dei|on ⟨gr.⟩ das; -s, ...deia: [antikes] Trauer- u. Trostgedicht; vgl. Epicedium

E|pi|ker ⟨gr.-lat.⟩ der; -s, -: Dichter, der sich der Darstellungsform der ↑Epik bedient

E|pi|kie ⟨gr.; „Angemessenheit, Nachsichtigkeit"⟩ die; -: Prinzip der kath. Moraltheologie zur Interpretation menschlicher Gesetze, das besagt, dass ein menschliches (auch kirchliches) Gesetz nicht unbedingt in jedem Fall verpflichtend ist

E|pik|le|se*⟨gr.; „Anrufung"⟩ die; -, -n: Anrufung des Heiligen Geistes in der Liturgie der orthodoxen Kirche

E|pi|kon|dy|li|tis ⟨gr.⟩ die; -, ...iti|den: Entzündung eines ↑Epicondylus (Tennisarm; Med.)

e|pi|kon|ti|nen|tal ⟨gr; lat.-nlat.⟩: in der ↑kontinentalen Randzone liegend (von Epikontinentalmeeren; Geol.). E|pi|kon|ti|nen|tal|meer das; -[e]s, -e: ein festländisches Gebiet einnehmendes Meer, Überspülungsmeer, Flachmeer (Geol.)

E|pi|ko|tyl ⟨gr.-nlat.⟩ das; -s, -e: erster, blattloser Sprossabschnitt der Keimpflanze (Bot.)

E|pi|kri|se ⟨gr.; „Beurteilung; Entscheidung"⟩ die; -, -n: abschließende kritische Beurteilung eines Krankheitsverlaufs vonseiten des Arztes (Med.)

E|pi|ku|re|er ⟨gr.-lat.⟩ der; -s, -: 1. Vertreter u. Anhänger der Lehre des griech. Philosophen Epikur. 2. jmd., der im materiellen Freuden des Daseins unbedenklich genießßt, Genussmensch. e|pi|ku|re|isch u. epikurisch: 1. nach der Lehre des griech. Philosophen Epikur lebend. 2. genießerisch; auf Genuss, auf das Genießen gerichtet. E|pi|ku|re|is|mus ⟨gr.-nlat.⟩ der; -: 1. Lehre des griech. Philosophen Epikur. 2. auf Genuss der materiellen Freuden des Daseins gerichtetes Lebensprinzip. e|pi|ku|risch vgl. epikureisch

E|pi|la|ti|on ⟨gr.-nlat.⟩ die; -, -nen: Entfernung von Körperhaaren (Med.)

E|pi|lep|sie ⟨gr.-lat.-fr.; „Anfassen; Anfall"⟩ die; -, ...ien: Krankheit, die sich in plötzlich einsetzenden starken Krämpfen u. kurzer Bewusstlosigkeit äußert; Fallsucht (Med.). e|pi|lep|ti|form ⟨gr.; lat.⟩: einem epileptischen Anfall od. seinen Erschei-

nungsformen vergleichbar (Med.). E|pi|lep|ti|ker ⟨gr.-lat.⟩ der; -s, -: jmd., der an Epilepsie leidet. e|pi|lep|tisch: a) durch Epilepsie verursacht; b) zur Epilepsie neigend, an Epilepsie leidend. e|pi|lep|to|id ⟨gr.-nlat.⟩: epileptiform

e|pi|li|e|ren ⟨lat.-nlat.⟩: Körperhaare entfernen (Med.)

E|pi|lim|ni|on ⟨gr.-nlat.⟩ das; -s, ...ien: obere Wasserschicht eines Sees mit ↑thermischen Ausgleichsbewegungen

E|pi|log ⟨gr.-lat.⟩ der; -[e]s, -e: a) Schlussrede, Nachspiel im Drama; b) Prolog (1 a); b) abschließendes Nachwort [zur Erläuterung eines literarischen Werkes]; Ggs. ↑Prolog (1 b)

e|pi|me|the|isch ⟨gr.; nach Epimetheus, dem Bruder des Prometheus; „der zu spät Denkende"⟩: a) erst später mit dem Denken einsetzend; b) erst handelnd, dann denkend; unbedacht

E|pi|nas|tie ⟨gr.-nlat.⟩ die; -, ...ien: verstärktes Wachstum der Blattoberseite gegenüber der Blattunterseite bei Pflanzen. e|pi|nas|tisch: ein verstärktes Wachstum der Blattoberseite zeigend

E|ping|lé* ⟨epɛ̃'gle⟩ ⟨lat.-fr.⟩ der; -[s], -s: 1. Stoff für Damenkleider mit verschiedenen breiten Rippen. 2. Möbelbezugsstoff mit nicht aufgeschnittenen Schlingen

E|pi|ni|ki|on ⟨gr.-nlat.⟩ das; -s, ...ien: altgriech. Siegeslied zu Ehren eines Wettkampfsiegers

E|pi|pa|lä|o|li|thi|kum ⟨gr.-nlat.⟩ das; -s: ↑Mesolithikum

E|pi|pha|nia vgl. Epiphanie. E|pi|pha|ni|as ⟨gr.⟩ das; - u. Epiphanienfest ⟨gr; dt.⟩ das; -es, -e: Fest der „Erscheinung des Herrn" am 6. Januar, Dreikönigsfest. E|pi|pha|nie ⟨gr.⟩ die; -, ...ien: Erscheinung einer Gottheit (bes. Christi) unter den Menschen. E|pi|phä|no|men ⟨gr.-nlat.⟩ das; -s, -e: Begleiterscheinung (Philos.)

E|pi|pha|rynx ⟨gr.-nlat.⟩ der; -: nasaler Abschnitt des Rachenraumes; Nasenrachenraum (Med.)

E|pi|pher der; -, -n: ↑Epiphora (2).

E|pi|pho|ra ⟨gr.-nlat.⟩ die; -, ...rä: 1. Tränenfluss (Med.). 2. Wiederholung eines od. mehrerer Wörter am Ende aufeinanderfolgender Sätze od. Satzteile; Ggs. ↑Anapher (Rhet., Stilk.)

E|pi|phyl|lum ⟨gr.-nlat.⟩ das; -s, ...llen: Blätterkaktus aus Brasilien

Elpilphylse ⟨gr.; „Zuwuchs, Ansatz") die; -, -n: (Med., Biol.) 1. Zirbeldrüse der Wirbeltiere. 2. Gelenkstück der Röhrenknochen von Wirbeltieren u. vom Menschen. **Elpilphyt** ⟨gr.-nlat.⟩ der; -en, -en: Pflanze, die auf anderen Pflanzen wächst, sich aber selbstständig ernährt; Überpflanze (Bot.)

elpilrolgen ⟨gr.-nlat.⟩: durch Epirogenese entstanden. **Elpilrolgenelse** u. Epeirogenese die; -, -n: langsame, in großen Zeiträumen ablaufende Hebungen u. Senkungen größerer Erdkrustenteile; Kontinentaldrift (Geol.). **elpilrolgelnelmtisch**: ↑epirogen

Elpirlrhem u. **Elpirlrhelma** ⟨gr.; „das Dazugesprochene") das; -s, ...emata: Dialogverse des Chors in der attischen Komödie; Ggs. ↑Antepirrhem

elpisch ⟨gr.-lat.⟩: a) die Epik betreffend; b) erzählerisch, erzählend; c) sehr ausführlich [berichtend]; nichts auslassend, alle Einzelheiten enthaltend **Elpilsem** ⟨gr.⟩ das; -s, -e: die Inhaltsseite eines ↑Grammems (Sprachw.). **Elpilselmem** das; -s, -e: die Bedeutung eines ↑Tagmems, der kleinsten bedeutungstragenden grammatischen Form (Sprachw.)

Elpilsilioltolmie ⟨gr.-nlat.⟩ die; -, ...jen: Scheidendammschnitt (operativer Eingriff bei der Entbindung zur Vermeidung eines Dammrisses; Med.)

Elpilsit ⟨gr.-nlat.⟩ der; -en, -en: räuberisches Tier, das sich von anderen Tieren ernährt (z. B. Greifvogel; Zool.)

Elpilsklelriltis ⟨gr.-nlat.⟩ die; -, ...itiden: Entzündung des Bindegewebes zwischen Bindehaut u. ↑Sklera (Med.)

Elpilskop* ⟨gr.-nlat.⟩ das; -s, -e: Bildwerfer für nichtdurchsichtige Bilder (z. B. aus Büchern)

elpislkolpal* ⟨gr.-lat.⟩: bischöflich. **Elpislkolpalle** der; -n, -n: Anhänger einer der protestantischen Kirchengemeinschaften mit bischöflicher Verfassung in England od. Amerika. **Elpislkopallislmus** ⟨gr.-lat.-nlat.⟩ der; -: kirchenrechtliche Auffassung, nach der das ↑Konzil der Bischöfe über dem Papst steht; Ggs. ↑Kurialismus u. ↑Papalismus. **Elpislkolpallist** der; -en, -en: Verfechter des Episkopalismus. **Elpislkolpallkirlche** die; -: 1. nichtkatholische Kirche mit bischöflicher Verfassung u. ↑apos-

tolischer Sukzession (z. B. die ↑orthodoxe u. die anglikanische Kirche). 2. jede nichtkatholische Kirche mit bischöflicher Leitung (z. B. die lutherischen Landeskirchen). **Elpislkolpat** ⟨gr.-lat⟩ der od. das; -[e]s; -e: a) Gesamtheit der Bischöfe [eines Landes]; b) Amt u. Würde eines Bischofs. **elpislkolpisch**: ↑episkopal. **Elpiskolpus** der; -, ...pi: Bischof

Elpilsolde ⟨gr.-fr.⟩ die; -, -n: 1. flüchtiges Ereignis innerhalb eines größeren Geschehens; unbedeutende, belanglose Begebenheit. 2. Nebenhandlung, Zwischenstück in Dramen od. Romanen. 3. eingeschobener Teil zwischen erster u. zweiter Durchführung des Fugenthemas (Mus.). **elpilsoldisch**: dazwischengeschaltet, vorübergehend, nebensächlich

Elpislpaldie* ⟨gr.-nlat.⟩ die; -, ...jen: Fehlbildung der Harnröhre mit Öffnung an der Penisoberseite (Med.)

Elpilslpaslti!kum* das; -s, ...ka: (Med.) a) Hautreizmittel; b) Mittel, um Eiter od. Gewebeflüssigkeit nach außen abzuleiten (Zugmittel)

Elpislta!se* ⟨gr.⟩ die; -, -n: das Zurückbleiben in der Entwicklung bestimmter Merkmale bei einer Art od. einer Stammeslinie gegenüber verwandten Formen (Biol.). **Elpistalsie** die; -, ...jen u. **Elpistalsis** die; -, ...asen: Überdeckung der Wirkung eines Gens durch ein anderes, das nicht zum gleichen Erbanlagenpaar gehört; vgl. Hypostase (5) (Med.). **elpistaltisch**: die Wirkung eines Gens durch ein anderes überdeckend (Med.). **Elpistalxis*** ⟨gr.⟩ die; -: Nasenbluten (Med.)

Elpistel* ⟨gr.-lat.⟩ die; -, -n: 1. Sendschreiben, Apostelbrief im Neuen Testament. 2. vorgeschriebene gottesdienstliche Lesung aus den neutestamentlichen Briefen u. der Apostelgeschichte; vgl. Perikope (1). 3. (ugs.) [kunstvoller] längerer Brief. 4. (ugs.) kritisch mahnende Worte, Strafpredigt

elpistelmisch* ⟨gr.-engl.⟩: ↑epistemologisch. **Elpistelmollolgie** ⟨gr.-nlat.⟩ die; -: Wissenschaftslehre, Erkenntnistheorie (bes. in der angelsächsischen Philosophie). **elpistelmollolgisch**: die Epistemologie betreffend, erkenntnistheoretisch

Elpistollae* obslcu!rolrum** vi-

rolrum [...le ...sku... v...] ⟨lat.⟩ die (Plural): Dunkelmännerbriefe (Sammlung erdichteter mittellat. Briefe ungenannter Verfasser, z. B. Ulrich v. Huttens, die zur Verteidigung des Humanisten Reuchlin das Mönchslatein u. die scholastische Gelehrsamkeit verspotteten). **Elpistollar** ⟨gr.-lat.⟩ das; -s, -e u. **Elpistollarium** das; -s, ...ien: 1. liturgisches Buch (↑Lektionar 1) mit den gottesdienstlichen ↑Episteln (2) der Kirche. 2. Sammlung von Briefen bekannter Personen. **Elpistollolgralphie**, auch: Epistolografie ⟨gr.-nlat.⟩ die; -, ...jen: Kunst des Briefschreibens

elpistolmaltisch* ⟨gr.⟩: auf der Oberseite vom Spaltöffnungen versehen (von bestimmten Pflanzenöffnungen; Bot.)

Elpilstrolpheus* ⟨gr.; „der Umdreher") der; -: zweiter Halswirbel bei Reptilien, Vögeln, Säugetieren u. Menschen (Med.; Zool.)

Elpistyl* ⟨gr.-lat.⟩ das; -s -e u. **Elpistyllilon** ⟨gr.⟩ das; -s, ...ien: ↑Architrav

Elpiltaph ⟨gr.-lat.⟩ das; -s, -e u. **Elpiltalphilum** das; -s, ...ien: 1. a) Grabschrift; b) Gedenktafel mit Inschrift für einen Verstorbenen an einer Kirchenwand od. an einem Pfeiler. 2. in der orthodoxen Kirche das am Karfreitag aufgestellte Christusbild

Elpiltalsis ⟨gr.-lat.; „Anspannung") die; -, ...asen: der ↑Protasis folgende Steigerung der Handlung zur dramatischen Verwicklung, bes. im dreiaktigen Drama

Elpiltalxie ⟨gr.-nlat.⟩ die; -, ...jen: kristalline Abscheidung auf einem anderen [gleichartigen] Kristall (Chem.)

Elpiltha!lalmilon u. **Elpiltha!lalmilum** ⟨gr.-lat.⟩ das; -s, ...ien: [antikes] Hochzeitslied, -gedicht

Elpiltheļ ⟨gr.-nlat.⟩ das; -s, -e: oberste Zellschicht der tierischen u. menschlichen Haut- u. Schleimhautgewebes. **elpiltheļlilaļ**: zum Epithel gehörend. **Elpiltheļlilen** Plur. von ↑Epithelium. **Elpiltheļlilom** das; -s, -e: Hautgeschwulst aus Epithelzellen (Med.). **Elpiltheļlilsaltilon** ⟨gr.-nlat.⟩ die; -: Bildung von Epithelgewebe (Med.). **Elpiltheļlilum** das; -s, ...ien: abgeschuppte Schleimhautepithelzelle (Med.); vgl. Epithel. **Elpiltheļlkör!perlchen** die (Plural): Nebenschilddrüsen

Elpilthem ⟨gr.⟩ das; -s, -e: pflanz-

liches Gewebe (unterhalb der
↑Hydathoden). E|pi|the|se
⟨„das Darauflegen"⟩ die; -, -n:
Anfügung eines Lautes an ein
Wort, meist aus Gründen der
Sprecherleichterung (z. B. eines
d in niemand; mittelhochd. *nie-
man*); vgl. Epenthese. E|pi|the-
ta or|nan|tia: *Plur.* von ↑Epithe-
ton ornans. E|pi|the|ton ⟨gr.-lat.;
„Hinzugefügtes"⟩ *das;* -s, ...ta: 1.
als Attribut gebrauchtes Adjektiv od. Partizip (z. B. das *große*
Haus; Sprachw.). 2. in der biologischen Systematik der zweite
Teil des Namens, der die Unterabteilungen der Gattung be-
zeichnet. E|pi|the|ton or|nans
⟨gr.-lat.; lat.⟩ *das;* - -, ...ta ...antia:
nur schmückendes, d.h. typisie-
rendes, formelhaftes, immer
wiederkehrendes Beiwort (z. B.
grüne Wiese, *rotes* Blut, *brennen-
des* Problem)
F|pi|to|kie *die;* -· Umwandlung
mancher Borstenwürmer zu anders gestalteten geschlechtsrei-
fen Individuen
E|pi|to|ma|tor ⟨gr.-nlat.⟩ *der;* -s,
...oren: Verfasser einer Epitome.
E|pi|to|me ⟨gr.-lat.⟩ *die;* -,
...omen: Auszug aus einem
Schriftwerk; wissenschaftlicher
od. geschichtlicher Abriss (in der
altröm. u. humanistischen Literatur)
E|pi|tra|cha|lilon* ⟨gr.-mgr.⟩ *das;*
-s, ...ien: stolaartiges Band, das
Priester und Bischöfe der Ost-
kirche beim Gottesdienst um den
Hals tragen; vgl. Stola
E|pit|rit* ⟨gr.-lat.⟩ *der;* -en, -en:
aus drei Längen u. einer Kürze
bestehender altgriechischer
Versfuß
E|pi|tro|pe* ⟨gr.⟩ *die;* -, -n: schein-
bares Zugeben, einstweiliges
Einräumen (Rhet.). e|pi|tro-
pisch: scheinbar zugestehend
E|pi|zent|ral|lent|fer|nung* ⟨gr.-
nlat.; dt.⟩ *die;* -, -en: Entfernung
zwischen Beobachtungsort u.
Epizentrum. E|pi|zent|rum ⟨gr.-
nlat.⟩ *das;* -s, ...ren: senkrecht
über einem Erdbebenherd liegendes Gebiet der Erdoberfläche
E|pi|zeu|xis ⟨gr.-lat.⟩ *die;* -, ...xes:
↑Epanalepse
e|pi|zo|isch ⟨gr.-nlat.⟩: (Biol.) a)
auf Tieren vorkommend, lebend
(von Schmarotzern); b) sich
durch Anheften an Menschen u.
Tiere verbreitend (von Samen)
E|pi|zo|ne ⟨gr.-nlat.⟩ *die;* -: obere
Tiefenzone bei der ↑Metamor-
phose (4) der Gesteine (Geol.)

E|pi|zo|on ⟨gr.-nlat.⟩ *das;* -s, ...zo-
en u. ...zoa: auf Tiere beschränk-
te Bez. für Organismen, die auf
Tieren leben, ohne bei diesen zu
schmarotzen. E|pi|zo|o|ng|se
die; -, -n: durch Epizoen hervor-
gerufene Hautkrankheit. E|pi-
zo|o|tie *die;* -, ...ien: 1. epidemi-
sches Auftreten seuchenhafter
Erkrankungen bei Tieren. 2.
durch tierische Parasiten hervorgerufene Hautkrankheit (Med.)
E|pi|zy|kel ⟨gr.; „Nebenkreis"⟩
der; -s, -: Kreis, dessen Mittelpunkt sich auf einem anderen
Kreis bewegt od. der auf einem
anderen Kreis abrollt (in der Antike u. von Kopernikus zur Erklärung der Planetenbahnen be-
nutzt). E|pi|zyk|lo|i|de* ⟨gr.-
nlat.⟩ *die;* -, -n: Kurve, die ein
Punkt eines Kreises beschreibt,
der auf dem Umfang eines festen
Kreises abrollt
e|po|chal ⟨gr.-mlat.-nlat.⟩: 1. a)
über den Augenblick hinaus be-
deutsam, in die Zukunft hinein-
wirkend; b) (ugs.) Aufsehen er-
regend; bedeutend. 2. die einzelnen Fächer nicht nebeneinander,
sondern nacheinander zum Ge-
genstand habend (Päd.). ¹E|po-
che ⟨gr.-mlat.; „das Anhalten (in
der Zeit)"⟩ *die;* -, -n: 1. großer geschichtlicher Zeitabschnitt, dessen Beginn [u. Ende] durch einen deutlichen, einschneidenden
Wandel der Verhältnisse, durch
eine Wende o. Ä. gekennzeichnet
ist. 2. Zeitpunkt des Standortes
eines Gestirns (Astron.). ²E|po-
che ⟨gr.⟩ *die;* -: 1. das Ansichhal-
ten, Zurückhalten des Urteils
(bei den Skeptikern). 2. Abschal-
tung der Außenwelteinflüsse
(bei dem Philosophen Husserl)
E|pu|lde* ⟨gr.-lat.; „Nach-,
Schlussgesang"⟩ *die;* -, -n: 1. [an-
tike] Gedichtform, bei der ein einen längeren Vers ein kürzerer
folgt. 2. in antiken Gedichten u.
bes. in den Chorliedern der altgriech. Tragödie auf ↑Strophe
(1) u. ↑Antistrophe (2) folgender
dritter Kompositionsteil, Abge-
sang. e|po|disch ⟨gr.⟩: die Epode
betreffend
E|po|nym* ⟨gr.⟩ *das;* -s, -e: Gat-
tungsbez., die auf einen Personennamen zurückgeht (z. B. *Zep-
pelin* für Luftschiff)
E|po|pöe [auch: ...'pø:] ⟨gr.⟩ *die;* -,
-n: (veraltet) Epos
E|pos ⟨gr.-lat.⟩ *das;* -, Epen: erzäh-
lende Versdichtung; Heldenge-
dicht, das häufig Stoffe der Sage
od. Geschichte behandelt

E|po|xid*, auch: E|po|xyd ⟨gr.-
nlat.⟩ *das;* -s, -e: durch Anlage-
rung von Sauerstoff an ↑Olefine
gewonnene chem. Verbindung
E|p|rou|vet|te* [epru'vɛt] ⟨lat.-fr.⟩
die; -, -n [...tn] (österr.) Reagenz-
glas
E|p|si|llon ⟨gr.⟩ *das;* -[s], -s: fünfter
Buchstabe des griech. Alphabets
(kurzes e): E, ε
E|pu|llis* ⟨gr.⟩ *die;* -, ...iden: Zahn-
fleischgeschwulst (Med.)
E|qua|li|zer ['i:kwəlaɪzə] ⟨lat.-
engl.⟩ *der;* -s, -: [Zusatz]gerät an
Verstärkern von Hi-Fi-Anlagen
zur Verbesserung des Klangbil-
des
E|quer|re ['ɛkɛrə] ⟨lat.-vulgärlat.-
fr.⟩ *die;* -, -s: (schweiz.) Winkelmaß
E|quest|rik* ⟨lat.-nlat.⟩ *die;* -:
Reitkunst (bes. im Zirkus).
E|qui|dae [...ɛ] u. E|qui|den *die*
(Plural): pferdeartige Tiere
(Pferd, Esel, Zebra u. a.)
e|qui|lib|rie|ren* usw. vgl. äqui-
librieren usw.
E|qui|pa|ge [ek(v)i'pa:ʒə] ⟨alt-
nord.-fr.⟩ *die;* -, -n: 1. elegante
Kutsche. 2. (veraltet) Schiffsmannschaft. 3. (veraltet) Ausrüstung [eines Offiziers].
E|quipe [eki:p, e'kɪp] ⟨gr.⟩ *die;* -, -n:
ausgewählte Mannschaft, Team
(bes. [Reit]sport). e|qui|pie|ren
[ek(v)i'pi:rən] ausrüsten, aus-
statten. E|quip|ment [i'kwɪp-
mənt] ⟨engl.⟩ *das;* -s, -s: technische Ausrüstung
E|qui|se|tum ⟨lat.⟩ *das;* -s, ...ten:
Schachtelhalm (einzige heute
noch vorkommende Gattung der
Schachtelhalmgewächse)
E|r|bi|um ⟨nlat.; nach dem schwed.
Ort Ytterby⟩ *das;* -s: chem. Element aus der Gruppe der seltenen Erdmetalle (Zeichen: Er)
E|re|bos [auch: 'ɛ...] ⟨gr.⟩ u. E|re-
bus ⟨gr.-lat.⟩ *der;* -: Unterwelt,
Reich der Toten in der griech.
Sage
e|rek|til ⟨lat.-nlat.⟩: schwellfähig,
erektionsfähig (Med.). E|rek|ti-
on ⟨lat.; „Aufrichtung"⟩ *die;* -,
-en: durch Blutstauung entstehende Versteifung u. Aufrichtung von Organen, die mit
Schwellkörpern versehen sind
(wie z. B. das männliche Glied)
E|re|mit ⟨gr.-lat.⟩ *der;* -en, -en: aus
religiösen Motiven von der Welt
abgeschieden lebender Mensch;
Klausner, Einsiedler; Ggs. ↑Zö-
nobit. E|re|mi|ta|ge [eremi-
'ta:ʒə] ⟨gr.-lat.-fr.⟩ *die;* -, -n: a)
Einsiedelei; b) abseits gelegene
Grotte od. Nachahmung einer

Einsiedelei in Parkanlagen des 18. Jh.s. E|re|mi|tei ⟨gr.-lat.⟩ die; -, -en: Einsiedelei. E|re|mu|rus ⟨gr.-nlat.⟩ der; -, -: Lilienschweif, Steppenkerze (Liliengewächs; asiatische Zierpflanze) E|rep|sin ⟨Kunstw.⟩ das; -s: Eiweiß spaltendes Enzymgemisch des Darm- u. Bauchspeicheldrüsensekrets e|re|thisch ⟨gr.-nlat.⟩: reizbar, leicht erregbar (Med.). E|re|this|mus der; -: Gereiztheit, krankhaft gesteigerte Erregbarkeit (Med.) Erg ⟨gr.⟩ das; -s, -: nicht gesetzliche Einheit der Energie und der Arbeit im ↑CGS-System; Zeichen: erg. Er|ga|si|o|li|po|phyt ⟨gr.-nlat.⟩ der; -en, -en (meist Plural): ehemalige Kulturpflanze, die Teil der natürlichen Flora geworden ist. Er|ga|si|o|phy|go|phyt der; -en, -en (meist Plural): verwilderte Kulturpflanze. Er|ga|si|o|phyt der; -en, -en (meist Plural): Kulturpflanze. Er|gas|to|plas|ma das; -s, ...men: Bestandteil des Zellplasmas einer Drüsenzelle, in dem intensive Eiweißsynthesen stattfinden. Er|ga|tiv [auch: ...'ti:f] der; -s, -e: Kasus, der bei transitiven Verben den Handelnden bezeichnet (bes. in den kaukasischen Sprachen) er|go ⟨lat.⟩: also, folglich. er|go bi|ba|mus!: also lasst uns trinken! (Kehrreim von [mittelalt.] Trinkliedern) Er|go|graph, auch: Ergograf ⟨gr.-nlat.⟩ der; -en, -en: Gerät zur Aufzeichnung der Muskelarbeit (Med.). Er|go|gra|phie, auch: Ergografie die; -: Aufzeichnung der Arbeitsleistung von Muskeln mittels eines Ergometers (Med.). Er|go|lo|gie die; -: a) Arbeits- u. Gerätekunde; b) Erforschung der volkstümlichen Arbeitsbräuche u. Arbeitsgeräte sowie deren kultureller Bedeutung. er|go|lo|gisch: die Ergologie betreffend. Er|go|me|ter das; -s, -: Apparat zur Messung der Arbeitsleistung von Muskeln (Med.). Er|go|met|rie* die; -: Messung der körperlichen Leistungsfähigkeit eines Menschen mittels eines Ergometers (Med.). er|go|met|risch*: a) die Ergometrie betreffend; b) zum Ergometer gehörend. Er|gon ⟨gr.⟩ das; -s, -e (meist Plural): hochwirksamer biologischer Wirkstoff (Hormon, Vitamin, Enzym). Er|go|nom der; -en, -en: jmd., der sich wissenschaft-

lich mit Ergonomie befasst. Er|go|no|mie u. Er|go|no|mik ⟨gr.-nlat.-engl.⟩ die; -: Wissenschaft von den Leistungsmöglichkeiten u. -grenzen des arbeitenden Menschen sowie der besten wechselseitigen Anpassung zwischen dem Menschen u. seinen Arbeitsbedingungen. er|go|no|misch: die Ergonomie betreffend. Er|gos|tat* der; -en, -en: ↑Ergometer Er|gos|te|rin* ⟨Kurzw. aus: franz. ergot „Mutterkorn" u. Cholesterin⟩ das; -s: Vorstufe des Vitamins D₂. Er|gos|te|rol* das; -s: engl. Bez. für: Ergosterin. Er|go|ta|min* ⟨Kurzw. aus: franz. ergot „Mutterkorn" u. ↑Ammonium u. -in⟩ das; -s: bes. zur Geburtserleichterung verwendetes ↑Alkaloid aus dem Mutterkorn Er|go|the|ra|peut ⟨gr.⟩ der; -en, -en: jmd., der mit einer ärztlich verordneten Ergotherapie betraut ist. Er|go|the|ra|pie die; -, ...ien: Beschäftigungstherapie, die auch Teile der Arbeitstherapie umfasst (Soziol.; Med.) Er|go|tin® ⟨fr.-nlat.⟩ das; -s: zur Geburtserleichterung verwendetes Präparat aus dem Mutterkorn (einem Getreideparasiten); vgl. Ergotren. Er|go|tis|mus der; -: Vergiftung durch Mutterkorn; Kribbelkrankheit. Er|go|to|xin ⟨fr.; gr.-nlat.⟩ das; -s: ↑Alkaloid des Mutterkorns; vgl. Ergotamin. Er|got|ren* ® ⟨Kunstw.⟩ das; -s: aus dem Ergotin weiterentwickeltes Präparat (zur raschen Blutstillung bei der Geburtshilfe) er|go|trop* ⟨gr.-nlat.⟩: leistungssteigernd (Med.) e|ri|gi|bel ⟨lat.-nlat.⟩: ↑erektil. e|ri|gie|ren ⟨lat.⟩: a) sich aufrichten, versteifen; vgl. Erektion; b) eine Erektion haben E|ri|ka ⟨gr.-lat.⟩ die; -, -s u. ...ken: Heidekraut. E|ri|kal|zee ⟨gr.-lat.-nlat.⟩ die; -, ...zeen (meist Plural): Vertreter der Familie der Heidekrautgewächse (Heidekraut, Alpenrose, Azalee) E|rin|no|phi|lie ⟨dt.-gr.⟩ die; -: Sammeln nichtpostalischer Gedenkmarken (Teilgebiet der ↑Philatelie) E|rin|nye [...nyə] u. E|rin|nys ⟨gr.-lat.⟩ die; -, ...yen [...nyən] (meist Plural): griechische Rachegöttin; vgl. Furie (1) E|ris|lap|fel ⟨nach Eris, der griech. Göttin der Zwietracht⟩ der; -s: Zankapfel, Gegenstand des Streites. E|ris|tik ⟨gr.⟩ die; -:

Kunst u. Technik des [wissenschaftlichen] Streitgesprächs. E|ris|ti|ker der; -s, - (meist Plural): Philosoph aus der Schule des Eukleides von Megara mit dem Hang zum Disputieren, zum wissenschaftlichen Streiten. e|ris|tisch: die Eristik betreffend e|ri|tis si|cut De|us ⟨lat.⟩: ihr werdet sein wie Gott (Worte der Schlange beim Sündenfall, 1. Mose 3, 5) e|ro|die|ren ⟨lat.⟩: auswaschen u. zerstören (Geol.) e|ro|gen ⟨gr.-nlat.⟩: a) geschlechtliche Erregung auslösend; b) geschlechtlich leicht erregbar, reizbar (z. B. erogene Körperstellen). E|ro|ge|ni|tät die; -: Eigenschaft, erogen zu sein e|ro|il|co ⟨gr.-lat.-it.⟩: heldisch, heldenmäßig (Vortragsanweisung; Mus.) E|ros [auch: 'ɛrɔs] ⟨gr.-lat.; griech. Gott der Liebe⟩ der; -: 1. das der geschlechtlichen Liebe innewohnende Prinzip [ästhetisch-]sinnlicher Anziehung. 2. (verhüllend) Sexualität, geschlechtliche Liebe; pädagogischer Eros: eine das Verhältnis zwischen Erzieher u. Schüler beherrschende geistigseelische Liebe (Päd.); philosophischer Eros: Drang nach Erkenntnis u. schöpferischer geistiger Tätigkeit; vgl. Eroten. E|ros|cen|ter ⟨gr.; gr.-lat.-fr.-engl.⟩ das; -s, -: [behördlich genehmigtes u. kontrolliertes] Haus, in dem Prostitution betrieben wird; Bordell E|ro|si|on ⟨lat.⟩ die; -, -en: 1. (Geol.) zerstörende Wirkung von fließendem Wasser, von Eis u. Wind an der Erdoberfläche. 2. (Med.) a) Gewebeschaden an der Oberfläche der Haut u. der Schleimhäute (z. B. Abschürfung); b) das Fehlen od. Abschleifen des Zahnschmelzes. 3. mechanische Zerstörung feuerfester Baustoffe (Techn.). E|ro|si|ons|ba|sis die; -, ...sen: tiefster Punkt eines Flusses bei seiner Mündung. e|ro|siv ⟨lat.-nlat.⟩: a) die Erosion betreffend; b) durch Erosion entstanden E|ros|tess ⟨Kunstw. aus ↑Eros u. ↑Hostess⟩ die; -, -en: ↑Prostituierte E|ro|tel|ma ⟨gr.⟩ das; -s, ...temata: Frage, Fragesatz. E|ro|te|ma|tik die; -: a) Kunst der richtigen Fragestellung; b) Unterrichtsform, bei der gefragt u. geantwortet wird. e|ro|te|ma|tisch: hauptsächlich auf Fragen des Lehrers beruhend (vom Unterricht); vgl. akroamatisch (3)

E|ro|ten ⟨gr.⟩ die (Plural): allegorische Darstellungen geflügelter Liebesgötter, meist in Kindergestalt; vgl. Eros. E|ro|ti|cal [...k|] ⟨Kunstw. aus Erotik u. ↑Musical⟩ das; -s, -s: Bühnenstück, Film mit erotischem Inhalt. E|ro|tik ⟨gr.-fr.⟩ die; -: a) mit sensorischer Faszination erlebte, den geistigseelischen Bereich einbeziehende sinnliche Liebe; b) (verhüllend) Sexualität. E|ro|ti|ka: Plur. von ↑Erotikon. E|ro|ti|ker der; -s, -: a) Verfasser von Erotika; b) sinnlicher Mensch. E|ro|ti|kon ⟨gr.⟩ das; -s, ...ka u. ...ken: 1. Werk, Dichtung mit erotischem Inhalt. 2. im Hinblick auf sexuelle Betätigung anregendes Mittel. e|ro|tisch ⟨gr.-fr.⟩: a) die Liebe betreffend in ihrer [ästhetisch-]sinnlichen Anziehungskraft; b) (verhüllend) sexuell. e|ro|ti|sie|ren ⟨gr.-nlat.⟩: durch ästhetischsinnliche Reize sinnliches Verlangen hervorrufen, wecken. E|ro|tis|mus u. E|ro|ti|zis|mus der; -: Überbetonung des Erotischen. E|ro|to|lo|gie die; -: a) wissenschaftliche Beschäftigung mit den verschiedenen Erscheinungsformen der Erotik u. ihren inneren Voraussetzungen; b) Liebeslehre. E|ro|to|ma|ne ⟨gr.⟩ der; -n, -n: männliche Person, die an Erotomanie leidet (Med., Psychol.). E|ro|to|ma|nie die; -: krankhaft übersteigertes sexuelles Verlangen (Med., Psychol.). er|ra|re hu|ma|num est ⟨lat.⟩: Irren ist menschlich (als eine Art Entschuldigung, wenn jmd. irrtümlich etw. Falsches gemacht hat). Er|ra|ta: Plur. von ↑Erratum. er|ra|tisch ⟨lat.; „verirrt, zerstreut"⟩: vom Ursprungsort weit entfernt; erratischer Block: Gesteinsblock (Findling) in ehemals vergletscherten Gebieten, der während der Eiszeit durch das Eis dorthin gelangte (Geol.). Er|ra|tum ⟨„Irrtum"⟩ das; -s, ...ta: Druckfehler

Er|rhi|num ⟨gr.⟩ das; -s, ...rhi|na: Nasen-, Schnupfenmittel

E|ru|di|ti|on ⟨lat.⟩ die; -: (veraltet) Gelehrsamkeit

e|ru|ie|ren ⟨lat.; „herausgraben, zutage fördern"⟩: a) etw. durch gründliche Untersuchungen herausfinden; b) jmdn. ermitteln, ausfindig machen. E|ru|ie|rung die; -, -en: das Eruieren

E|ruk|ta|ti|on ⟨lat.⟩ die; -, -en:

[nervöses] Aufstoßen, Rülpsen (Med.); vgl. Efflation. e|ruk|tie|ren: aufstoßen, rülpsen (Med.) e|rup|tie|ren ⟨lat.; „hervorbrechen"⟩: ausbrechen (z. B. von Asche, Lava, Gas, Dampf; Geol.). E|rup|ti|on die; -, -en: 1. a) vulkanischer Ausbruch von Lava, Asche, Gas, Dampf (Geol.); b) Gasausbruch auf der Sonne. 2. (Med.) a) Ausbruch eines Hautausschlages; b) Hautausschlag. e|rup|tiv ⟨lat.-nlat.⟩: 1. durch Eruption entstanden (Geol.). 2. aus der Haut hervortretend (Med.). E|rup|tiv|ge|stein das; -[e]s, -e: Ergussgestein (Geol.)

E|ry|si|pel ⟨gr.-lat.⟩ das; -s u. E|ry|si|pe|las das; -: Rose, Wundrose (Med.). E|ry|si|pe|lo|id ⟨gr.-nlat.⟩ das; -s: auf den Menschen übertragbare Form des Rotlaufs (Med.)

E|ry|thea ⟨nlat.; nach der aus der griechischen Heraklessage bekannten Insel Erytheia (Südspanien)⟩ die; -, ...theen: Palmengattung aus Mittelamerika (auch als Zimmerpflanze)

E|ry|them ⟨gr.; „Röte"⟩ das; -s, -e: entzündliche Rötung der Haut infolge verstärkten Durchblutung durch Gefäßerweiterung (Med.)

E|ryth|rä|mie* ⟨gr.⟩ die; -, ...ien: eine Blutkrankheit (Med.). E|ryth|ras|ma das; -s, ...men: Zwergflechte (Pilzerkrankung der Haut; Med.). ¹E|ryth|rin das; -s, -e: 1. ein organischer Farbstoff. 2. in verschiedenen Flechtenarten vorkommender ↑Ester des ↑Erythrits. ²E|ryth|rin der; a: Kobaltblüte, pfirsichblütenrotes Mineral; E|ryth|ris|mus der; -, ...men: 1. Rotfärbung bei Tieren. 2. Rothaarigkeit beim Menschen (Med.). E|ryth|rit [auch: ...'rɪt] der; -[e]s, -e: einfachster vierwertiger Alkohol. E|ryth|ro|blast der; -en, -en: kernhaltige Jugendform (unreife Vorstufe) der roten Blutkörperchen (Med.). E|ryth|ro|blas|to|se die; -, -n: auf dem Auftreten von Erythroblasten im Blut beruhende Erkrankung (bei ↑Anämie, ↑Leukämie; Med.). E|ryth|ro|der|mie die; -, ...ien: länger dauernde, oft schwere, ausgedehnte Hautentzündung mit Rötung, Verdickung u. Schuppung (Med.). E|ryth|ro|ly|se die; -: Auflösung der roten Blutkörperchen (Med.). E|ryth|ro|me|lal|gie die; -: schmerzhafte

Schwellung u. Rötung der Gliedmaßen, bes. der Füße (Med.). E|ryth|ro|mit der; -en, -en (meist Plural): bei schwerer ↑Anämie in roten Blutkörperchen nachweisbares fadenförmiges Gebilde (Med.). E|ryth|ro|my|cin, u. E|ryth|ro|my|zin das; -s: ↑Antibiotikum mit breitem Wirkungsbereich. E|ryth|ro|pa|thie die; -, ...ien (meist Plural): Blutkrankheit, die meist mit einer Schädigung od. Fehlbildung der roten Blutkörperchen verbunden ist (Med.). E|ryth|ro|pha|ge der; -n, -n (meist Plural): den Abbau der roten Blutkörperchen einleitender ↑Makrophage (Med.). E|ryth|ro|pho|bie die; -: 1. krankhafte Angst zu erröten (Psychol.). 2. krankhafte Angst vor roten Gegenständen (Med.). E|ryth|ro|pla|sie die; -, ...ien: auf Wucherung beruhende rötlich braune Verdickung mit höckeriger, zur Verhornung neigender Oberfläche, die auf verschiedenen Schleimhäuten auftreten kann (Med.). E|ryth|ro|po|e|se die; -: Bildung od. Entstehung der roten Blutkörperchen (Med.). e|ryth|ro|po|e|tisch: die Bildung od. Entstehung der roten Blutkörperchen betreffend (Med.). E|ryth|rop|sie die; -, ...ien: Sehstörung, bei der die vom Auge fixierten Gegenstände rötlich erscheinen; Rotsehen (Med.). E|ryth|ro|sin das; -s, -s: künstlicher Farbstoff, der als ↑Sensibilisator verwendet wird. E|ryth|ro|zyt der; -en, -en: rotes Blutkörperchen (Med.). E|ryth|ro|zy|to|ly|se der; -: ↑Erythrolyse. E|ryth|ro|zy|to|se die; -: krankhafte Vermehrung der roten Blutkörperchen (Med.)

Es|cal|lopes [eska'lɔp(s)] ⟨fr.⟩ die (Plural): dünne, gebratene Fleisch-, Geflügel- od. Fischscheibchen

Es|cape|tas|te [ɪs'keɪp...] ⟨engl.; dt.⟩ die; -, -n: Taste auf der Computertastatur für Befehle wie „Menü verlassen", „Befehl abbrechen" o. Ä.

Es|cha|to|lo|gie ⟨gr.-nlat.⟩ die; -: Lehre von den letzten Dingen, d. h. vom Endschicksal des einzelnen Menschen u. der Welt. es|cha|to|lo|gisch: die letzten Dinge, die Eschatologie betreffend

Esch|scholt|zia ⟨nlat.; nach dem deutschbaltischen Naturforscher J. F. Eschscholtz, †1831⟩ die; -, ...ien: Goldmohn

Es|cu|do ⟨port.⟩ der; -[s], -[s]: port. Währungseinheit; Abk.: Es, Esc

Es|ka|der ⟨lat.-vulgärlat.-it.-fr.⟩ die; -, -s: (veraltet) [Schiffs]geschwader, -verband. Es|kad|ron* die; -, -en: ↑Schwadron Es|ka|la|de ⟨fr.⟩ die; -, -n: Erstürmung einer Festung mit Sturmleitern. es|ka|la|die|ren: 1. eine Festung mit Sturmleitern erstürmen. 2. eine Eskaladierwand überwinden. Es|ka|la|dier|wand die; -, ...wände: Hinderniswand für Kletterübungen. Es|ka|la|ti|on ⟨fr.-engl.⟩ die; -, -en: der jeweiligen Notwendigkeit angepasste allmähliche Steigerung, Verschärfung, insbesondere beim Einsatz militärischer od. politischer Mittel; Ggs. ↑Deeskalation; vgl. ...[at]ion/...ierung. es|ka|lie|ren: a) stufenweise steigern, verschärfen; b) durch ↑Eskalation steigern, verschärfen; c) sich [allmählich] steigern, verschärfen, ausweiten; Ggs. ↑deeskalieren. Es|ka|lie|rung die; -, -en: ↑Eskalation; vgl. ...[at]ion/...ierung Es|ka|mo|ta|ge ⟨ɛskamo'ta:ʒə⟩ ⟨lat.-span.-fr.⟩ die; -, -n: Taschenspielertrick, Zauberkunststück. Es|ka|mo|teur [...'tø:ɐ̯] der; -s, -e: Taschenspieler, Zauberkünstler. es|ka|mo|tie|ren: a) durch einen [Taschenspieler]trick verschwinden lassen; wegzaubern; b) durch gezwungene Erklärungen scheinbar zum Verschwinden bringen; weginterpretieren Es|ka|pa|de ⟨lat.-it.-fr.⟩ die; -, -n: 1. falscher Sprung eines Dressurpferdes. 2. mutwilliger Streich, Seitensprung, Abenteuer, abenteuerlich-eigenwillige Unternehmung. Es|ka|pis|mus ⟨lat.-vulgärlat.-fr.-engl.⟩ der; -: (Psychol.) a) [Hang zur] Flucht vor der Wirklichkeit u. den realen Anforderungen des Lebens in eine imaginäre Scheinwirklichkeit; b) Zerstreuungs- u. Vergnügungssucht, bes. in der Folge einer bewussten Abkehr von eingefahrenen Gewohnheiten u. Verhaltensmustern. es|ka|pis|tisch: (Psychol.) a) vor der Wirklichkeit u. den realen Anforderungen des Lebens in eine imaginäre Scheinwelt flüchtend; b) zerstreuungs- u. vergnügungssüchtig im Sinne des Eskapismus (b) Es|ka|ri|ol ⟨lat.-it.-fr.⟩ der; -s: Winterendivie (Bot.) Es|kar|pe ⟨fr.⟩ die; -, -n: innere Grabenböschung bei Befestigungen. es|kar|pie|ren: Böschun-

gen steil machen (bei Befestigungen) Es|kar|pin [...pɛ̃:] ⟨it.-fr.⟩ der; -s, -s: leichter Schuh, bes. der zu Seidenhosen u. Strümpfen getragene Schnallenschuh der Herren im 18. Jh. Es|ki|mo ⟨indian.-engl.⟩ der; -[s], -[s]: 1. Angehöriger eines in arktischen u. subarktischen Gebieten lebenden mongoliden Volkes; ↑Inuit. 2. (ohne Plural) schwerer Mantelstoff. es|ki|mo|isch ⟨nach Art der Eskimos (1). es|ki|mo|tie|ren: nach Art der Eskimos im Kajak unter dem Wasser durchdrehen u. in die aufrechte Lage zurückkehren Es|kompte [ɛs'kõ:t] ⟨lat.-it.-fr.⟩ der; -s, -s: 1. Rabatt, Preisnachlass bei Barzahlung. 2. ↑Diskont. es|komp|tie|ren: 1. Preisnachlass gewähren. 2. den Einfluss eines Ereignisses auf den Börsenkurs im Voraus einkalkulieren u. den Kurs entsprechend gestalten Es|ko|ri|al|schaf ⟨nach dem spanischen Schloss Escorial⟩ das; -[e]s, -e: spanisches Tuchwollschaf, von dem die bekannten Merinoschafe abstammen Es|kor|te ⟨lat.-vulgärlat.-it.-fr.⟩ die; -, -n: Geleit, [militärische] Schutzwache, Schutz, Gefolge. es|kor|tie|ren: schützend, bewachend od. ehrend geleiten (bes. Milit.) Es|ku|do vgl. Escudo Es|me|ral|da ⟨span.⟩ die; -, -s: spanischer Tanz E|so|te|rik ⟨gr.⟩ die; -: 1. esoterische Geisteshaltung, esoterisches Denken. 2. esoterische Beschaffenheit einer Lehre o. Ä. 3. Grenzwissenschaft. E|so|te|riker der; -s, -: jmd., der in die Geheimlehren einer Religion, Schule od. Lehre eingeweiht ist; Ggs. ↑Exoteriker. e|so|te|risch: 1. nur für Eingeweihte einsichtig, [geistig] zugänglich. 2. die ↑Esoterik (3) betreffend, dazu gehörend Es|pa|da ⟨lat.-span.; „Degen"⟩ der; -s, -s: spanischer Stierkämpfer Es|pa|d|rille* [...'dri:j] ⟨gr.-lat.-span.-fr.⟩ die; -, -s [...'dri:j]: Leinenschuh mit Sohle aus Espartogras [der mit Bändern kreuzweise um den unteren Teil der Waden geschnürt wird] Es|pag|nolle* [span'jo:l] ⟨fr.⟩: Es|pag|no|let|te [...jo'lɛtə] die; -, -n u. Es|pag|no|lette|ver|schluss [...jo'lɛt...] ⟨fr.; dt.⟩ der; -es,

...schlüsse: Drehstangenverschluss für Fenster Es|par|set|te ⟨lat.-provenzal.-fr.⟩ die; -, -n: kleeartige Futterpflanze auf kalkreichen Böden Es|par|to ⟨span.⟩ der; -s, -s u. Es|par|to|gras das; -es, ...gräser: a) in Spanien u. Algerien wild wachsendes Steppengras; b) zähe Blatt des Espartograses, das bes. zur Papierfabrikation verwendet wird; vgl. Alfa, Halfa Es|pé|rance [ɛspe'rã:s] ⟨lat.-fr.⟩ die; -, -n: Glücksspiel mit zwei Würfeln. Es|pe|ran|tist ⟨lat.-nlat.⟩ der; -en, -en: jmd., der Esperanto sprechen kann. Es|pe|ran|to ⟨nach dem Pseudonym „Dr. Esperanto" (= der Hoffende) des poln. Erfinders Zamenhof⟩ das; -[s]: übernationale, künstliche Weltsprache. Es|pe|ran|to|lo|ge der; -n, -n: Wissenschaftler, der sich mit Sprache und Literatur des Esperanto beschäftigt. Es|pe|ran|to|lo|gie die; -: Wissenschaft von Sprache und Literatur des Esperanto Es|pi|ne|lla ⟨span.; nach dem spanischen Dichter Espinel⟩ die; -, -s: spanische Gedichtform (Form der ↑Dezime 2) es|pi|ran|do ⟨lat.-it.⟩: verhauchend, ersterbend, verlöschend (Vortragsanweisung; Mus.) Es|pla|na|de* ⟨lat.-it.-fr.⟩ die; -, -n: freier Platz, der meist durch Abtragung alter Festungswerke entstanden ist Es|pres|si*: Plural von ↑¹Espresso (2). es|pres|si|vo ⟨lat.-it.⟩: ausdrucksvoll (Vortragsanweisung; Mus.) Es|pres|si|vo das; -s, -s od. ...vi: ausdrucksvolle Gestaltung in der Musik. ¹Espres|so der; -[s], -s od. ...ssi: 1. (ohne Plural) sehr dunkel gerösteter Kaffee. 2. in einer Espressomaschine zubereiteter, sehr starker Kaffee. ²Es|pres|so das; -[s], -s: kleine Kaffeestube, kleines Lokal, in dem u. a. ¹Espresso (2) serviert wird Es|prit* [ɛs'pri:] ⟨lat.-fr.⟩ der; -s: geistreiche Art; feine, witzig-einfallsreiche Geistesart. Es|prit de Corps [ɛsprid'ko:r] der; - - -: Korpsgeist, Standesbewusstsein Es|qui|re [ɪs'kwaɪə] ⟨lat.-fr.-engl.⟩ der; -s, -s: englischer Höflichkeitstitel; Abk.: Esq. Es|sä|er die (Plural): ↑Essener Es|say ['ɛsɛ, auch: ɛ'se:] ⟨lat.-fr.-engl.⟩ der od. das; -s, -s: Abhandlung, die eine literarische od. wissenschaftliche Frage in knapper u. anspruchsvoller Form behandelt. Es|say|ist *der;* -en, -en: Verfasser von Essays. Es|say|istik *die; -:* Kunstform des Essays. es|say|is|tisch: a) den Essay betreffend; b) für den Essay charakteristisch; von der Form, Art eines Essays

Es|se ⟨*lat.*⟩ *das;* -: Sein, Wesen (Philos.)

Es|se|ner ⟨*hebr.-gr.*⟩ *die* (Plural): altjüdische Sekte (etwa von 150 v. Chr. bis 70 n. Chr.) mit einem Gemeinschaftsleben nach Art von Mönchen

Es|sen|tia ⟨*lat.*⟩ *die; -:* Essenz (4), Wesen, Wesenheit (Philos.); Ggs. ↑ Existentia. es|sen|ti|al usw. vgl. essenzial usw. Es|sential [ɪˈsɛnʃəl] ⟨*lat.-engl.*⟩ *das;* -s, -s (meist Plural): wesentlicher Punkt; unentbehrliche Sache. es|sen|ti|ell vgl. essenziell. Essenz ⟨*lat.*⟩ *die; -*, -en: 1. wesentlichster Teil, Kernstück. 2. konzentrierter Duft- od. Geschmacksstoff aus pflanzlichen od. tierischen Substanzen. 3. stark eingekochte Brühe zur Verbesserung von Speisen. 4. Wesen, Wesenheit einer Sache. essen|zi|al, auch: essential ⟨*lat.-mlat.*⟩ ⟨bes. Philos.⟩: vgl. essenziell. es|sen|zi|a|li|en, auch: Essentialien ⟨*lat.-mlat.*⟩ *die* (Plural): Hauptpunkte bei einem Rechtsgeschäft; Ggs. ↑ Akzidentalien. es|sen|zi|ell, auch: essentiell ⟨*lat.-fr.*⟩: 1. a) wesentlich, hauptsächlich; b) wesensmäßig (Philos.). 2. lebensnotwendig (Chem., Biol.). 3. (von Krankheitserscheinungen, die nicht symptomatisch für bestimmte Krankheiten sind, sondern ein eigenes Krankheitsbild darstellen) selbstständig (Med.)

Es|se|xit [auch: ...ˈksit] ⟨*nlat.;* nach der Landschaft Essex County in Massachusetts/USA⟩ *der; -s*, -e: ein Tiefengestein

Es|sig|läther *der; -s:* technisch vielfach verwendete organische Verbindung (Äthylacetat), eine angenehm u. erfrischend riechende, klare Flüssigkeit

Es|siv ⟨*lat.-nlat.*⟩ *der; -s:* Kasus in den finnougrischen Sprachen, der ausdrückt, dass sich etwas in einem Zustand befindet

Es|tab|lish|ment* [ɪsˈtɛblɪʃmənt] ⟨*engl.*⟩ *das; -s*, -s: a) Oberschicht der politisch, wirtschaftlich od. gesellschaftlich einflussreichen Personen; b) (abwertend) etablierte bürgerliche Gesellschaft, die auf Erhaltung des Status quo bedacht ist

Es|ta|fet|te ⟨*germ.-it.-fr.*⟩ *die; -*, -n: (veraltet) [reitender] Eilbote

Es|ta|ka|de ⟨*germ.-roman.*⟩ *die; -*, -n: 1. Rohr-, Gerüstbrücke. 2. Pfahlwerk zur Sperrung von Flusseingängen od. Häfen

Es|ta|min *das;* -[s]: ↑ Etamin

Es|ta|mi|net [...ˈneː] ⟨*fr.*⟩ *das;* -[s], -s: (veraltet) a) kleines Kaffeehaus; b) Kneipe

Es|tam|pe* [ɛsˈtãːp(ə)] ⟨*germ.-it.-fr.*⟩ *die; -*, -n: von einer Platte gedruckte Abbildung

Es|tan|zia* ⟨*lat.-span.*⟩ *die; -*, -s: südamerikan. Landgut [mit Viehwirtschaft]

Es|ter ⟨Kunstw. aus: *Essig*äther⟩ *der;* -s, -: organische Verbindung aus der Vereinigung von Säuren mit Alkoholen unter Abspaltung von Wasser (Chem.). Es|te|ra|se ⟨*nlat.*⟩ *die; -*, -n: Fett spaltendes Enzym (Chem.)

Es|til ® ⟨Kunstw.⟩ *das;* -s: intravenöses Kurznarkotikum

es|tin|gu|en|do* [...ɪŋˈguɛndo] ⟨*lat.-it.*⟩: verlöschend, ausgehend, ersterbend (Vortragsanweisung; Mus.). es|tin|to: erloschen, verhaucht (Vortragsanweisung; Mus.)

Es|to|mi|hi ⟨*lat.;* nach dem Eingangsvers des Gottesdienstes, Psalm 31, 3: „Sei mir (ein starker Fels)“⟩: letzter Sonntag vor der Passionszeit; vgl. Quinquagesima (1)

Est|ra|de* ⟨*lat.-it.-fr.;* „gepflasterter Weg“⟩ *die; -*, -n: 1. erhöhter Teil des Fußbodens (z. B. vor einem Fenster). 2. (regional) volkstümliche künstlerische Veranstaltung mit gemischtem musikalischem u. artistischem Programm. Est|ra|den|kon|zert *das;* -[e]s, -e: ↑ Estrade (2)

Est|ra|gon* ⟨*arab.-mlat.-fr.*⟩ *der;* -s: Gewürzpflanze (Korbblütler)

Est|ran|ge|lo* ⟨*gr.-syr.*⟩ *die; -:* alte kursive syr. Schrift

Est|re|ma|du|ra|garn* ⟨nach der span. Landschaft Estremadura⟩ *das; -s:* glattes Strick- od. Häkelgarn aus Baumwolle

et ⟨*lat.*⟩: und; Zeichen (in Firmennamen): &; vgl. Et-Zeichen

E|ta ⟨*gr.*⟩ *das;* -[s], -s: siebter Buchstabe des griech. Alphabets (langes E): H, η

e|tab|lie|ren* ⟨*lat.-fr.*⟩: 1. einrichten, gründen (z. B. eine Fabrik). 2. sich -: a) sich niederlassen, sich selbstständig machen (als Geschäftsmann); b) sich irgendwo häuslich einrichten; sich eingewöhnen; c) einen sicheren Platz innerhalb einer Ordnung

od. Gesellschaft einnehmen (z. B. von politischen Gruppen). E|tab|lis|se|ment [...ˈmãː, schweiz.: ...ˈmɛnt] *das;* -s, -s u. (schweiz.:) -e: 1. Unternehmen, Niederlassung, Geschäft, Betrieb. 2. a) kleineres, gepflegtes Restaurant; b) Vergnügungsstätte, [zweifelhaftes] [Nacht]lokal; c) (verhüllend) Bordell

E|ta|ge [eˈtaːʒə] ⟨*lat.-vulgärlat.-fr.*⟩ *die; -*, -n: Stockwerk, [Ober]geschoss. E|ta|ge|re [...ˈʒeːrə] *die;* -, -n: 1. a) Gestell für Bücher od. für Geschirr; b) meist drei verschieden große, übereinander angeordnete, mit einem Stab in der Mitte verbundene Teller od. Schalen für Obst, Gebäck o. Ä. 2. aufhängbare, mit Fächern versehene Kosmetiktasche

E|ta|la|ge [...ˈlaːʒə] ⟨*germ.-fr.*⟩ *die;* -, -n: (veraltet) das Ausstellen, Aufbauen von Ware [im Schaufenster]. e|ta|lie|ren (veraltet) ausstellen. E|ta|lon [...lõː] ⟨*fr.*⟩ *der; -s*, -s: Normalmaß, Eichnormaß. E|ta|lon|na|ge [...ˈnaːʒə] *die;* -, -n: Steuerung der Stärke u. der Zusammensetzung des Kopierlichtes in der Kopiermaschine (Filmw.)

E|ta|min ⟨*lat.-vulgärlat.-fr.*⟩ *das* (bes. österr. auch: *der*); -[s] u. durchsichtiges Gewebe [für Vorhangstoffe]

E|tap|pe ⟨*niederl.-fr.;* „Warenniederlage“⟩ *die; -*, -n: 1. a) Teilstrecke, Abschnitt eines Weges; b) [Entwicklungs]stadium, Stufe. 2. [Nachschub]gebiet hinter der Front (Mil.). E|tap|penschwein *das;* -[e]s, -e: (derb abwertend) Soldat, der in der Etappe (2) bleibt

E|tat [eˈtaː] ⟨*lat.-fr.*⟩ *der;* -s, -s: 1. a) [Staats]haushaltsplan; b) [Geld]mittel, die über einen begrenzten Zeitraum für bestimmte Zwecke zur Verfügung stehen. 2. durch einen Probedruck festgehaltener Zustand der Platte während der Entstehung eines Kupferstiches. e|ta|ti|sie|ren: einen Posten in den Staatshaushalt aufnehmen. E|ta|tis|mus *der;* -: 1. bestimmte Form der Planwirtschaft, in der die staatliche Kontrolle nur in den wichtigsten Industriezweigen (z. B. Tabakindustrie) wirksam wird. 2. eine ausschließlich auf das Staatsinteresse eingestellte Denkweise. 3. (schweiz.) Stärkung der Zentralgewalt des Bundes gegenüber den Kantonen.

e|ta|tis|tisch: a) den Etatismus betreffend; b) in der Art des Etatismus. **É|tats gé|né|raux** [eta 3ene'ro] *die* (Plural): (hist.) die französischen Generalstände (Adel, Geistlichkeit, Bürgertum) bis zum 18. Jh.

E|ta|zis|mus ⟨*gr.-nlat.*⟩ *der; -:* Aussprache des griechischen Eta wie langes e

et ce|te|ra ⟨*lat.*; „und die übrigen (Sachen)“⟩: und so weiter; Abk.: etc. **et ce|te|ra pp.** ⟨pp. = Abk. von *lat.* perge, perge; „fahre fort, fahre fort“⟩: (verstärkend) und so weiter, und so weiter. **et cum spi|ri|tu tuo** ⟨*lat.*; „und mit deinem Geiste“⟩: Antwort der Gemeinde auf den Gruß ↑ Dominus vobiscum

e|te|pe|te|te ⟨*niederd.* od. *fr.*⟩: (ugs.) a) geziert, zimperlich, übertrieben empfindlich; b) steif u. konventionell, nicht ungezwungen, nicht aufgeschlossen

e|ter|ni|sie|ren ⟨*lat.-fr.*⟩: (veraltet) verewigen; in die Länge ziehen. **E|ter|nit** ® [auch: ...'nıt] ⟨*lat.-nlat.*⟩ *das* od. *der; -s:* wasserundurchlässiges u. feuerfestes Material, Asbestzement

E|te|si|en ⟨*gr.-lat.*⟩ *die* (Plural): von April bis Oktober gleichmäßig wehende, trockene Nordwestwinde im östlichen Mittelmeer. **E|te|si|en|kli|ma** *das; -s:* Klima mit trockenem, heißem Sommer u. mildem Winter mit Niederschlägen

E|than vgl. Äthan. E|tha|nal vgl. Äthanal.

E|tha|no|graph, auch: Ethanograf ⟨*gr.-nlat.-engl.*⟩ *der; -en, -en:* Gerät zum Messen des Alkoholspiegels im Blut. **E|tha|nol** vgl. Äthanol. **E|then** vgl. Äthen. **E|ther** vgl. Äther (2).

E|thik ⟨*gr.-lat.*⟩ *die; -, -en:* 1. a) Lehre vom sittlichen Wollen u. Handeln des Menschen in verschiedenen Lebenssituationen (Philos.); b) die Ethik (1 a) darstellendes Werk. 2. (ohne Plural) [allgemeingültige] Normen u. Maximen der Lebensführung, die sich aus der Verantwortung gegenüber anderen herleiten. **E|thi|ker** *der; -s, -:* a) Lehrer der philosophischen Ethik; b) Begründer od. Vertreter einer ethischen Lehre; c) jmd., der in seinem Wollen u. Handeln von ethischen Grundsätzen ausgeht. **E|thi|ko|the|o|lo|gie** ⟨*gr.*⟩ *die; -:* (nach Kant) Schluss von dem moralischen Gesetz in uns auf Gott als dessen Urheber

E|thin vgl. Äthin. e|thisch ⟨*gr.-lat.*⟩: 1. die Ethik betreffend. 2. die von Verantwortung u. Verpflichtung anderen gegenüber getragene Lebensführung, -haltung betreffend, auf ihr beruhend; sittlich; **ethische Indikation:** Indikation für einen Schwangerschaftsabbruch aus ethischen Gründen (z. B. nach einer Vergewaltigung); **ethisches Produkt** ⟨nach engl. ethical product(s)⟩: rezeptpflichtiges Arzneimittel

Eth|narch ⟨*gr.*⟩ *der; -en, -en:* 1. (hist.) subalterner Fürst (im röm. Zeit, bes. in Syrien u. Palästina). 2. Führer der griech. Volksgruppe auf Zypern. **Eth|nie** ⟨*gr.-nlat.*⟩ *die; -, ...ien:* Menschengruppe mit einheitlicher Kultur. **Eth|ni|kon** ⟨*gr.*⟩ *das; -s, ...ka:* Völkername, Personengruppenname. **eth|nisch** ⟨*gr.-lat.*⟩: a) einer sprachlich u. kulturell einheitlichen Volksgruppe angehörend; b) die Kultur- u. Lebensgemeinschaft einer Volksgruppe betreffend; **ethnischer Konflikt:** Konfliktverlauf, in dem sich bestimmte Gruppen auf [konstruierte] ethnische Zugehörigkeit berufen und die daraus resultierenden Grenzlinien die Grundlage für soziale Konflikte werden; **ethnische Säuberung:** (beschönigend) gewaltsame Vertreibung von Volksgruppen aus einem ethnischen Mischgebiet zugunsten des Wohn- und Lebensrechts einer einzigen Ethnie. **Eth|no|ge|ne|se** *die; -, -n:* Prozess der Herausbildung eines Volkes od. einer anderen ethnischen Einheit. **Eth|no|graf** usw. vgl. Ethnograph usw. **Eth|no|graph, auch: Ethnograf** ⟨*gr.-nlat.*⟩ *der; -en, -en:* ↑ Ethnologe. **Eth|no|gra|phie, auch: Ethnografie** *die; -:* Teilbereich der Völkerkunde, der die Merkmale der verschiedenen Völker u. Kulturen systematisch beschreibt; beschreibende Völkerkunde. **eth|no|gra|phisch, auch: ethnografisch:** die Ethnographie betreffend. **Eth|no|lin|gu|is|tik** ⟨*gr.; lat.-nlat.*⟩ *die; -:* Disziplin der Linguistik, die Sprache im Zusammenhang mit der Kulturgeschichte der Sprachträger untersucht. **Eth|no|lo|ge** *der; -n, -n:* Wissenschaftler auf dem Gebiet der Ethnologie, Völkerkundler. **Eth|no|lo|gie** *die; -:* 1. allgemeine [vergleichende] Völkerkunde, in der die Ergebnisse der Ethnographie miteinander verglichen

werden. 2. Wissenschaft, die sich mit Sozialstruktur und Kultur der [primitiven] Gesellschaften beschäftigt. 3. in den USA betriebene Wissenschaft, die sich mit Sozialstruktur und Kultur aller Gesellschaften beschäftigt. **eth|no|lo|gisch:** völkerkundlich. **Eth|no|me|di|zin** *die; -, -en:* 1. (ohne Plural) Heilkunde speziell der Naturvölker. 2. in der Ethnomedizin (1) verwendetes Heilmittel. **Eth|no|pop** *der; -[s]:* von der Volksmusik bes. Afrikas, Asiens od. Südamerikas beeinflusste Popmusik. **Eth|no|zent|ris|mus** *der; -:* besondere Form des Nationalismus, bei der das eigene Volk (die eigene Nation) als Mittelpunkt u. zugleich als gegenüber anderen Völkern überlegen angesehen wird. **Eth|no|zid** ⟨*gr.-lat.*⟩ *der* (auch: *das*); -[e]s, -e u. -ien: Zerstörung der kulturellen Identität einer Volksgruppe durch erzwungene Assimilierung (Soziol.)

E|tho|lo|ge ⟨*gr.*⟩ *der; -n, -n:* Verhaltensforscher; Wissenschaftler auf dem Gebiet der Ethologie. **E|tho|lo|gie** *die; -:* Wissenschaft vom Verhalten der Tiere; Verhaltensforschung. **e|tho|lo|gisch:** die Ethologie betreffend. **E|thos** ⟨*gr.-lat.*⟩ *das; -:* vom Bewusstsein sittlicher Werte geprägte Gesinnung, Gesamthaltung; ethisches Bewusstsein

E|thyl vgl. Äthyl. Äthyl usw.

E|ti|enne [ɛ'tjɛn] ⟨nach der franz. Buchdruckerfamilie Estienne⟩ *die; -:* alte Antiquadruckschrift

E|ti|kett ⟨*niederl.-fr.*⟩ *das; -[e]s, -e[n]* (auch: -s): mit einer Aufschrift versehenes [Papier]schildchen [zum Aufkleben]. **E|ti|ket|te** *die; -, -n:* 1. a) zur bloßen Förmlichkeit erstarrte offizielle Umgangsform; b) Gesamtheit der allgemein od. in einem bestimmten Bereich geltenden gesellschaftlichen Umgangsformen. 2. ↑ Etikett. **e|ti|ket|tie|ren:** mit einem Etikett versehen. **E|ti|ket|tie|rung** *die; -, -en:* 1. das Etikettieren. 2. Etikett

E|ti|o|le|ment [etjolamã:] ⟨*lat.-fr.*⟩ *das; -s:* das Etiolieren. **e|ti|o|lieren:** (von Pflanzen) im Dunkeln od. bei zu geringem Licht wachsen u. dadurch ein nicht normales Wachstum (z. B. zu lange, gelblich-blasse Stiele) zeigen; vergeilen (Gartenbau)

e|tisch ⟨*engl.*⟩: nicht bedeutungsunterscheidend, nicht distinktiv (Sprachw.); Ggs. ↑ emisch

E|tü|de ⟨*lat.-fr.*⟩ *die;* -, -n: Übungs-, Vortrags-, Konzertstück, das spezielle Schwierigkeiten enthält

E|tui [et'viː, e'tÿiː] ⟨*fr.*⟩ *das;* -s, -s: kleines [flaches] Behältnis zum Aufbewahren kostbarer od. empfindlicher Gegenstände

e|ty|misch ⟨*gr.*⟩: das Etymon, die wahre, eigentliche Bedeutung betreffend. **E|ty|mo|lo|ge** ⟨*gr.-lat.*⟩ *der;* -n, -n: Wissenschaftler, der die Herkunft u. Geschichte von Wörtern untersucht. **E|ty|mo|lo|gie** *die;* -, ...ien: a) (ohne Plural) Wissenschaft von der Herkunft, Geschichte u. Grundbedeutung der Wörter; b) Herkunft, Geschichte u. Grundbedeutung eines Wortes. **e|ty|mo|lo|gisch:** die Etymologie (b) betreffend. **e|ty|mo|lo|gi|sie|ren:** nach Herkunft u. Wortgeschichte untersuchen. **E|ty|mon** [auch: 'ɛ...] („das Wahre") *das;* -s, ...ma: die so genannte ursprüngliche Form u. Bedeutung eines Wortes; Stammwort (Sprachw.)

Et-Zei|chen *das;* -s, -: Und-Zeichen (&)

Eu|bak|te|rie ⟨*gr.-nlat.*⟩ *die;* -, ...ien: 1. normale Zusammensetzung der Bakterien in den Organen der Menschen (Med.). 2. (Plural) vgl. Eukaryonten

Eu|bi|o|tik ⟨*gr.-nlat.*⟩ *die;* -: Lehre vom gesunden [körperlichen u. geistigen] Leben

Eu|bu|lie ⟨*gr.*⟩ *die;* -: Vernunft, Einsicht

Eu|cha|ris|tie [...ç...] ⟨*gr.-lat.;* „Danksagung"⟩ *die;* -, ...ien: a) (ohne Plural) Sakrament des Abendmahls, Altarsakrament; b) Feier des heiligen Abendmahls als Mittelpunkt des christlichen Gottesdienstes; c) eucharistische Gabe (Brot u. Wein). **Eu|cha|ris|tie|feier** *die;* -, -n: katholische Feier der Messe. **eu|cha|ris|tisch** ⟨*gr.-nlat.*⟩: auf die Eucharistie bezogen; **Eucharistischer Kongress:** [internationale] katholische Tagung zur Feier u. Verehrung der Eucharistie

Eu|dä|mo|nie ⟨*gr.*⟩ *die;* -: Glückseligkeit, seelisches Wohlbefinden (Philos.). **Eu|dä|mo|nismus** ⟨*gr.-nlat.*⟩ *der;* -: philosophische Lehre, die im Glück des Einzelnen od. der Gemeinschaft die Sinnerfüllung menschlichen Daseins sieht. **Eu|dä|mo|nist** *der;* -en, -en: Vertreter des Eudämonismus. **eu|dä|mo|nis|tisch:** a) auf den Eudämonismus bezo-

gen; b) dem Eudämonismus entsprechend

Eu|di|o|me|ter ⟨*gr.-nlat.*⟩ *das;* -s, -: Glasröhre zum Abmessen von Gasen. **Eu|di|o|met|rie*** *die;* -: Messung des Sauerstoffgehaltes der Luft als Güteprobe

Eu|do|xie ⟨*gr.*⟩ *die;* -, ...ien: 1. guter Ruf. 2. richtiges Urteil

Eu|er|gie ⟨*gr.-nlat.*⟩ *die;* -: unverminderte Leistungsfähigkeit u. Widerstandskraft des gesunden Organismus (Med.)

Eu|ge|ne|tik ⟨*gr.-nlat.*⟩ *die;* -: ↑ Eugenik. **eu|ge|ne|tisch:** ↑ eugenisch. **Eu|ge|nik** *die;* -: Erbgesundheitsforschung u. -lehre mit dem Ziel, erbschädigende Einflüsse u. die Verbreitung von Erbkrankheiten zu verhüten. **eu|ge|nisch:** die Eugenik betreffend

Eug|na|thie* ⟨*gr.-nlat.*⟩ *die;* -: normale Ausbildung u. Funktion des Kausystems (Kiefer u. Zähne)

eu|hed|ral* ⟨*gr.-nlat.*⟩: ↑ idiomorph

Eu|he|me|ris|mus ⟨*nlat.;* nach dem griech. Philosophen Euhemeros, um 300 v. Chr.⟩ *der;* -: [rationalistische] Deutung von Mythen u. Religionen. **eu|he|me|ris|tisch:** Religion u. Götterverehrung im Sinne des Euhemerismus deutend

Eu|ka|lyp|tus ⟨*gr.-nlat.*⟩ *der;* -, ...ten u. -: aus Australien stammende Gattung immergrüner Bäume u. Sträucher

Eu|ka|ry|on|ten u. **Eu|ka|ri|o|ten** ⟨*gr.*⟩ *die* (Plural): zusammenfassende Bez. für alle Organismen, deren Zellen einen typischen Zellkern charakterisiert sind (Biol.); Ggs. ↑ Prokaryonten

Eu|ki|ne|tik ⟨*gr.-nlat.*⟩ *die;* -: Lehre von der schönen u. harmonischen Bewegung (Tanzkunst)

euk|li|disch* in der Fügung **euklidische Geometrie:** Geometrie, die auf den von Euklid festgelegten Axiomen beruht (Math.); Ggs. ↑ nichteuklidische Geometrie

Eu|kol|lie ⟨*gr.*⟩ *die;* -: heitere, zufriedene Gemütsverfassung

Eu|kra|sie* ⟨*gr.;* „gute Mischung"⟩ *die;* -: normale Zusammensetzung der Körpersäfte (Med.)

Eu|lan ® ⟨Kurzw. aus: griech. *eu* „gut" u. lat. *lana* „Wolle"⟩ *das;* -s: Mittel, das verwendet wird, um Wolle, Federn od. Haare vor Motten zu schützen. **eu|la|ni|sie|ren:** durch Eulan vor Motten schützen

Eu|lo|gie ⟨*gr.-lat.*⟩ *die;* -, ...ien: 1. kirchlicher Segensspruch, Weihegebet. 2. in der orthodoxen Kirche das nicht zur Eucharistie benötigte Brot, das als „Segensbrot" nach dem Gottesdienst verteilt wird

Eu|me|ni|de ⟨*gr.-lat.;* „die Wohlwollende"⟩ *die;* -, -n (meist Plural): verhüllender Name der ↑ Erinnye

Eu|nuch ⟨*gr.-lat.*⟩ „Betthalter, -schützer"⟩ *der;* -en, -en: durch Kastration zeugungsunfähig gemachter Mann [als Haremswächter]. **Eu|nu|chis|mus** *der;* -: Gesamtheit der charakteristischen Veränderungen im Erscheinungsbild eines Mannes nach der Kastration. **Eu|nu|cho|i|dis|mus** ⟨*gr.-nlat.*⟩ *der;* -: auf Unterfunktion der Keimdrüsen beruhende Form des ↑ Infantilismus mit unvollkommener Ausbildung der Geschlechtsmerkmale (Med.)

Eu|o|ny|mus vgl. Evonymus

Eu|pa|the|[lo]|skop* ⟨*gr.-nlat.*⟩ *das;* -s, -e: Klimamessgerät, das Temperatur, Strahlung u. Ventilation berücksichtigt

Eu|pe|la|gisch ⟨*gr.-nlat.*⟩ *der;* -: dauernd im freien Seewasser lebend (von Pflanzen u. Tieren; Biol.)

Eu|phe|mis|mus ⟨*gr.-nlat.*⟩ *der;* -, ...men: mildernde, verhüllende, beschönigende Umschreibung für ein anstößiges od. unangenehmes Wort (z.B. „dahinscheiden" für „sterben"). **eu|phe|mis|tisch:** mildernd, verhüllend, beschönigend

Eu|pho|nie, auch: Eufonie ⟨*gr.-lat.*⟩ *die;* -, ...ien: sprachlicher Wohlklang, Wohllaut (bes. Sprachw.; Mus.); Ggs. ↑ Kakophonie. **eu|pho|nisch,** auch: eufonisch: a) wohllautend, -klingend (bes. Sprachw.; Mus.); b) die Aussprache erleichternd (von Lauten, z.B. t in eigentlich). **Eu|pho|ni|um,** auch: Eufonium ⟨*gr.-nlat.*⟩ *das;* -s, ...ien: 1. Glasröhrenspiel, das durch Bestreichen der Glasröhren mit den Fingern zum Klingen gebracht wird. 2. Baritonhorn

Eu|phor|bia u. **Eu|phor|bie** ⟨*gr.-lat.*⟩ *die;* -, ...ien: Gattung der Wolfsmilchgewächse (Zierstaude). **Eu|phor|bi|um** ⟨*gr.-nlat.*⟩ *das;* -s: Gummiharz einer marokkanischen Euphorbiapflanze (das in der Tierheilkunde verwendet wird)

Eu|pho|rie ⟨*gr.*⟩ *die;* -, ...ien: a) augenblickliche, heiter-zuversicht-

liche Gemütsstimmung; Hochgefühl, Hochstimmung; b) (ohne Plural) subjektives Wohlbefinden Schwerkranker; Ggs. ↑Dysphorie (Med., Psychol.). **Eu|pho|ri|kum** *das;* -s, ...ka: Rauschmittel mit euphorisierender Wirkung. **eu|pho|risch:** a) in heiterer Gemütsverfassung, hochgestimmt; b) die Euphorie (b) betreffend; Ggs. ↑dysphorisch. **eu|pho|ri|sie|ren:** [durch Drogen u. Rauschmittel] ein inneres Glücks- od. Hochgefühl erzeugen
eu|pho|tisch ⟨gr.-nlat.⟩: lichtreich (in Bezug auf die obersten Schichten von Gewässern; Ggs. ↑aphotisch)
Eu|phu|is|mus ⟨engl.; nach dem Roman „Euphues" des Engländers Lyly von 1579⟩ *der;* -: Schwulststil in der englischen Barockliteratur. **eu|phu|is|tisch:** in der Art des Euphuismus
eu|plo|id* ⟨gr.-nlat.⟩: ausschließlich vollständige Chromosomensätze (vgl. Chromosom) aufweisend (von den Zellen eines Organismus; Biol.); Ggs. ↑aneuploid. **Eu|plo|i|die** *die;* -: das Vorliegen ausschließlich vollständiger Chromosomensätze in den Zellen von Organismen, wobei jedes ↑Chromosom jeweils einmal vorhanden ist (Biol.)
Eup|noe* ⟨gr.⟩ *die;* -: regelmäßiges ruhiges Atmen (Med.)
Eup|ra|xie* ⟨gr.⟩ *die;* -: sittlich richtiges Handeln
eu|raf|ri|ka|nisch* ⟨Kurzw. aus: *europäisch* u. *afrikanisch*⟩: Europa u. Afrika gemeinsam betreffend. **eu|ra|si|al|tisch** ⟨Kurzw. aus: *europäisch* u. *asiatisch*⟩: über das Gesamtgebiet Europas und Asiens (von Tieren und Pflanzen). **Eu|ra|si|en** (ohne Artikel); -s (in Verbindung mit Attributen: *das;* -[s]): Festland von Europa u. Asien, größte zusammenhängende Landmasse der Erde. **Eu|ra|si|er** *der;* -s, -: 1. Bewohner Eurasiens. 2. jmd, der als Kind eines europäischen u. eines asiatischen Elternteils geboren wurde. **eu|ra|sisch:** a) Eurasien betreffend; b) die Eurasier betreffend. **Eu|ra|tom** ⟨Kurzw. aus: *Europäische Atom*(energie)*gemeinschaft*⟩ *die;* -: gemeinsame Organisation der Länder der Europäischen Gemeinschaft zur friedlichen Nutzung der Atomenergie u. zur Gewährleistung einer friedlichen Atomentwicklung

Eu|rhyth|mie ⟨gr.-lat.⟩ *die;* -: 1. Gleichmaß von Bewegungen. 2. Regelmäßigkeit des Pulses (Med.). 3. ↑Eurythmie. **Eu|rhyth|mik** ⟨gr.-nlat.⟩ *die;* -: ↑Eurhythmie (1)
Eu|ro ⟨Kunstw.⟩ *der;* -[s], -s (aber: 30 Euro): Währungseinheit der europäischen Währungsunion. **Eu|ro|che|que** [...ʃɛk] ⟨Kurzw. aus: *europäisch* u. franz. *chèque*⟩ *der;* -s, -s: offizieller, bei den Banken fast aller europäischen Länder einlösbarer Scheck. **Eu|ro|con|trol*** [...kɔntroul] ⟨Kurzw. aus: *Europa* u. engl. to *control* „überwachen, prüfen" für engl.: European Organization for the Safety of Air Navigation⟩ *der;* -: europäische Organisation zur Sicherung des Luftverkehrs im oberen Luftraum. **Eu|ro|dol|lars** ⟨Kurzw. aus: *europäisch* u. ↑*Dollar*⟩ *die* (Plural): Dollarguthaben in Europa für Geld- u. Kreditgeschäfte europäischer Banken od. europäischer Niederlassungen von US-Banken (Wirtsch.). **Eu|ro|kom|mu|nis|mus** *der;* -: bis zur Auflösung der Sowjetunion in den kommunistischen Parteien Westeuropas, bes. Frankreichs u. Italiens vertretene politische Richtung, die den sowjetischen Führungsanspruch nicht akzeptierte u. nationalen Sonderformen des Kommunismus Platz einzuräumen versuchte (Pol.). **Eu|ro|kom|mu|nist** *der;* -en, -en: Vertreter des Eurokommunismus. **Eu|ro|pa|cup** [...kap] ⟨engl.⟩ *der;* -s, -s: 1. Wettbewerb im Sport für Mannschaften aus europäischen Ländern um einen Pokal als Siegestrophäe. 2. die Siegestrophäe dieses Wettbewerbs. **eu|ro|pa|i|sie|ren:** nach europäischem Vorbild umgestalten. **Eu|ro|pe|an Re|co|ve|ry Pro|gram** [juərə'pi:ən rɪ'kʌvərɪ 'prougræm] ⟨engl.⟩ *das;* - - -: ↑Marshallplan, US-amerikanisches Wiederaufbauprogramm für Europa nach dem 2. Weltkrieg (Abk.: ERP). **eu|ro|pid** ⟨gr.-nlat.⟩: zum europäisch-südeurasischen Rassenkreis gehörend (Anthropol.). **Eu|ro|pi|de** *der* u. *die;* -n, -n: Angehörige[r] des europiden Rassenkreises. **Eu|ro|pi|um** *das;* -s: chem. Element aus der Gruppe der Metalle der seltenen Erden (Zeichen: Eu). **Eu|ro|pol** ⟨Kurzw. aus: *Europäisches Polizeiamt*⟩ *die;* -: europäisches Kriminalamt. **eu|ro-**

si|bi|risch ⟨Kurzw. aus: *europäisch* u. *sibirisch*⟩: über Europa u. die Nordhälfte Asiens verbreitet (von Tieren u. Pflanzen). **Eu|ro|vi|si|on** ⟨Kurzw. aus: *europäisch* u. ↑*Television*⟩ *die;* -: Zusammenschluss westeuropäischer Rundfunk- u. Fernsehorganisationen zum Zwecke des Austauschs von Fernsehprogrammen; vgl. ↑Intervision
eu|ry|chor ⟨gr.-nlat.⟩: ↑eurytop. **eu|ry|hal|lin:** gegen Schwankungen des Salzgehaltes im Boden u. im Wasser unempfindlich (von Pflanzen u. Tieren); Ggs. ↑stenohalin. **eu|ry|ök:** gegen größere Schwankungen der Umweltfaktoren unempfindlich (von Pflanzen u. Tieren); Ggs. ↑stenök. **eu|ry|o|xy|bi|ont:** gegen Schwankungen des Sauerstoffgehalts unempfindlich (von Pflanzen u. Tieren). **eu|ry|phag:** nicht auf bestimmte Nahrung angewiesen (von Pflanzen u. Tieren); Ggs. ↑stenophag. **Eu|ry|pro|so|pie*** *die;* -: Breitgesichtigkeit (Med.). **eu|ry|som:** breitwüchsig (Med.). **eu|ry|therm:** unabhängig von Temperaturschwankungen (von Lebewesen); Ggs. ↑stenotherm
Eu|ryth|mie ⟨gr.-lat.; vom Begründer der ↑Anthroposophie, R. Steiner, gebrauchte Schreibung⟩ *die;* -: in der Anthroposophie gepflegte Bewegungskunst u. -therapie, bei der Gesprochenes, Vokal- u. Instrumentalmusik in Ausdrucksbewegungen umgesetzt werden
eu|ry|top ⟨gr.-nlat.⟩: weit verbreitet (von Pflanzen u. Tieren)
Eu|sel|bie ⟨gr.⟩ *die;* -: Gottesfurcht, Frömmigkeit; Ggs. ↑Asebie
Eus|ta|chi-Röh|re* *die;* -, -en: eustachische Röhre. **eus|ta|chisch** ⟨nach dem italienischen Arzt Eustachio⟩: in der Fügungen: **eustachische Röhre, eustachische Tube:** Ohrtrompete (Verbindungsgang zwischen Mittelohr u. Rachenraum; Med.; Biol.)
Eus|ta|sie* ⟨gr.-nlat.⟩ *die;* -, ...ien: durch Veränderungen im Wasserhaushalt der Erde hervorgerufene Meeresspiegelschwankung. **eus|ta|tisch:** durch ↑Tektonik (1) räumlich verändert (z. B. von Meeresbecken)
Eu|stress (gebildet aus *gr.* eu = gut u. Stress) *der;* -es, -se: anregender, leistungs- u. lebensnotwendiger Stress; Ggs. ↑Disstress
Eu|tek|ti|kum ⟨gr.-nlat.⟩ *das;* -s,

...ka: feines kristallines Gemisch zweier od. mehrerer Kristallarten, das aus einer erstarrten, einheitlichen Schmelze entstanden ist u. den niedrigsten möglichen Schmelz- bzw. Erstarrungspunkt (den eutektischen Punkt) zeigt. **eu|tek|tisch:** dem Eutektikum entsprechend, das Eutektikum betreffend; **eutektischer Punkt;** tiefster Schmelz- bzw. Erstarrungspunkt von Gemischen. **Eu|tek|to|id** *das;* -s, -e: Stoff, der aus zwei od. mehreren im eutektischen Punkt zusammengeschmolzenen Stoffen besteht **Eu|tha|na|sie** *(gr.; „leichter Tod")* *die;* -: 1. a) Erleichterung des Sterbens, bes. durch Schmerzlinderung mit Narkotika (Med.). b) beabsichtigte Herbeiführung des Todes bei unheilbar Kranken durch Anwendung von Medikamenten (Med.). 2. (nationalsozialistisch verhüllend) Vernichtung von menschlichem Leben, das für lebensunwert erachtet wird **Eu|thy|mie** *(gr.) die;* -: Heiterkeit, Frohsinn **Eu|to|kie** *(gr.) die;* -: leichte Geburt (Med.); Ggs. ↑ Dystokie **Eu|to|nie** *die;* -: normaler Spannungszustand der Muskeln u. Gefäße (Med.); Ggs. ↑ Dystonie **Eu|to|pie** *(gr.-nlat.) die;* -: normale Lage [von Organen] (Med.); Ggs. ↑ Dystopie **eu|trop** *(gr.):* für Insekten u. Vögel nur schwer zugänglichen Honig besitzend (von Blüten; Bot.) **eu|troph*** *(gr.; „gut nährend"):* a) nährstoffreich (von Böden od. Gewässern); **eutrophe Pflanzen:** an nährstoffreichen Boden gebundene Pflanzen; b) zu viel Nährstoffe enthaltend, überdüngt (von Gewässern). **Eu|tro|phie** *die;* -: a) guter Ernährungszustand des Organismus (bes. von Säuglingen); Ggs. ↑ Dystrophie (a); b) regelmäßige u. ausreichende Versorgung eines Organs mit Nährstoffen; Ggs. ↑ Dystrophie (b). **eu|tro|phie|ren:** eutroph (b) werden. **Eu|tro|phie|rung** *die;* -, -en: unerwünschte Zunahme eines Gewässers an Nährstoffen u. damit verbundenes nutzloses u. schädliches Pflanzenwachstum **Eu|zo|ne,** Evzone *(gr.-ngr.) der;* -n, -n: Soldat einer Infanterieelitetruppe der griech. Armee **E|va|ku|a|ti|on** *(lat.) die;* -, -en: ↑ Evakuierung; vgl. ...[at]ion/...ierung. **e|va|ku|ie|ren:** 1. a) die Bewohner eines Gebietes oder

Hauses [vorübergehend] aussiedeln, wegbringen; b) wegen einer drohenden Gefahr ein Gebiet [vorübergehend] von seinen Bewohnern räumen. 2. ein ↑ Vakuum herstellen; luftleer machen (Techn.). 3. (veraltet) ausleeren, entleeren. **E|va|ku|ie|rung** *die;* -, -en: 1. a) Gebietsräumung; b) Aussiedlung von Bewohnern. 2. Herstellung eines ↑ Vakuums; vgl. ...[at]ion/...ierung. **E|va|lu|a|ti|on** *(lat.-fr.-engl.) die;* -, -en: a) Bewertung, Bestimmung des Wertes; b) Beurteilung [von Lehrplänen und Unterrichtsprogrammen] (Päd.); vgl. ...[at]ion/...ierung. **e|va|lu|a|tiv:** wertend. **e|va|lu|ie|ren:** a) bewerten; b) [Lehrpläne, Unterrichtsprogramme] beurteilen. **E|va|lu|ie|rung** *die;* -, -en: Auswertung; vgl. ...[at]ion/...ierung. **E|val|va|ti|on** *(lat.-fr.) die;* -, -en: Schätzung, Wertbestimmung; vgl. ...[at]ion/...ierung. **e|val|vie|ren:** abschätzen

E|van|ge|le *(gr.-mlat.) der;* -n, -n: (ugs. abwertend) ↑ Protestant (1); vgl. Kathole. **E|van|ge|li|är** *das;* -s, -e u. -ien u. **E|van|ge|li|a|ri|um** *das;* -s, ...ien: liturgisches Buch (↑ Lektionar) mit dem vollständigen Text der vier Evangelien u. meist einem Verzeichnis der bei der Messe zu lesenden Abschnitte. **E|van|ge|li|en|har|mo|nie** *die;* -, ...ien : eine vor allem im Altertum u. Mittelalter vorkommende, aus dem Wortlaut der vier Evangelien zusammengefügte Erzählung vom Leben u. Wirken Jesu. **e|van|ge|li|kal** *(gr.-mlat.-engl.):* 1. dem Evangelium gemäß. 2. zur englischen ↑ Low Church gehörend. 3. die unbedingte Autorität des Neuen Testaments im Sinne des ↑ Fundamentalismus vertretend (von der Haltung evangelischer Freikirchen). **E|van|ge|li|ka|le** *der;* -n, -n: jmd., der dem evangelikalen (vgl. evangelikal 3) Richtung angehört. **E|van|ge|li|sa|ti|on** *(gr.-lat.-nlat.) die;* -, -en: Evangelisieren. **e|van|ge|lisch** *(gr.-lat.):* 1. das Evangelium als Grundlage betreffend, auf dem Evangelium fußend; **evangelische Räte:** nach der katholischen Moraltheologie die drei Ratschläge Christi zu vollkommenem Leben (Armut, Keuschheit, Gehorsam), Grundlage der Mönchsgelübde. 2. ↑ protestantisch; Abk.: ev. **e|van|ge|lisch-lu|the|risch:** einer protestantischen Bekennt-

nisgemeinschaft angehörend, die sich ausschließlich an Martin Luther (1483–1546) u. seiner Theologie orientiert; Abk.: ev.-luth. **e|van|ge|lisch-re|for|miert:** einer protestantischen Bekenntnisgemeinschaft angehörend, die auf die schweizerischen Reformatoren Ulrich Zwingli (1484–1531) u. Johann Calvin (1509–1564) zurückgeht; Abk.: ev.-ref. **e|van|ge|li|sie|ren** *(gr.-lat.-nlat.):* mit dem Evangelium vertraut machen, zum Evangelium (1) bekehren. **E|van|ge|li|sie|rung** *die;* -, -en: das Evangelisieren. **Evan|ge|list** *(gr.-lat.) der;* -en, -en: 1. Verfasser eines der vier Evangelien (2 a). 2. das Evangelium verlesender Diakon. 3. evangelisierender [Wander]prediger, bes. einer evangelischen Freikirche. **E|van|ge|lis|tar** *(gr.-lat.-nlat.) das;* -s, -e u, **E|van|ge|lis|ta|ri|um** *das;* -s, ...ien: liturgisches Buch, das in der Messe zu lesenden Abschnitte aus den Evangelien (2 a) enthält; vgl. Evangeliar. **E|van|ge|lis|ten|sym|bol** *das* -s, -e: eins der vier Evangelisten (1) zugeordneten Bildsymbole: Engel od. Mensch (Matthäus), Löwe (Markus), Stier (Lukas), Adler (Johannes). **E|van|ge|li|um** *(gr.-lat.;* „gute Botschaft") *das;* -s, ...ien: 1. (ohne Plural) die Frohe Botschaft von Jesus Christus, Heilsbotschaft Christi 2. a) von einem der vier Evangelisten (1) verfasster Bericht über das Leben u. Wirken Jesu (der ersten vier Bücher des Neuen Testaments); Abk.: Ev.; b) für die gottesdienstliche Lesung vorgeschriebener Abschnitt aus einem Evangelium (2 a)

E|va|po|ra|ti|on *(lat.;* „Ausdampfung") *die;* -, -en: Verdampfung, Verdunstung [von Wasser]. **E|va|po|ra|tor** *(lat.-nlat.) der;* -s, ...oren: Gerät zur Gewinnung von Süßwasser [aus Meerwasser]. **e|va|po|rie|ren:** a) verdunsten; b) Wasser aus einer Flüssigkeit (bes. Milch) verdampfen lassen u. sie auf diese Weise eindicken. **E|va|po|ri|me|ter** *(lat.; gr.) das;* -s, -: Verdunstungsmesser (Phys., Meteor.). **E|va|po|ro|gra|phie,** auch: ...grafie *(„Verdampfungsaufzeichnung") die;* -, -: fotografisches Verfahren, das zur Abbildung eines Gegenstandes die von diesem ausgehenden Wärmestrahlen benutzt

E|va|si|on ⟨lat.⟩ die; -, -en: 1. das Entweichen, Flucht; vgl. Invasion (1). 2. Ausflucht. e|va|siv ⟨lat.-nlat.⟩: Ausflüchte enthaltend; vgl. ...iv/...orisch. e|va|so|risch: ausweichend, Ausflüchte suchend; vgl. ...iv/...orisch

E|vek|ti|on ⟨lat.⟩ die; -: durch die Sonne hervorgerufene Störung der Mondbewegung (Astron.)

E|ve|ne|ment [evenə'mã:] ⟨lat.-fr.⟩ das; -s, -s: 1. Begebenheit, Ereignis. 2. Erfolg, Ausgang einer Sache. E|vent [i'vent] ⟨lat.-altfr.-engl.⟩ der od. das; -s, -s: (Jargon) Veranstaltung, Ereignis

E|ven|tail [evã'ta:j] ⟨lat.-fr.⟩ das; -s, -s: Fächermaler auf Bucheinbänden

E|vent|ra|ti|on* ⟨lat.-nlat.⟩ die; -, -en: 1. das Heraustreten der Baucheingeweide nach operativem Bauchschnitt od. nach schwerer Verletzung der Bauchdecke; größerer Bauchbruch (Med.). 2. ↑Eviszeration

e|ven|tu|al ⟨lat.-mlat.⟩: (selten) ↑eventuell (1). E|ven|tu|al|an|trag der; -[e]s, ...anträge: Neben-, Hilfsantrag, der für den Fall gestellt wird, dass der Hauptantrag abgewiesen wird (Rechtsw.). E|ven|tu|al|do|lus vgl. Dolus eventualis. E|ven|tu|a|li|tät die; -, -en: Möglichkeit, möglicher Fall. e|ven|tu|a|li|ter: (bildungssprachlich, veraltet) vielleicht, eventuell (2). e|ven|tu|ell ⟨lat.-mlat.-fr.⟩: 1. möglicherweise eintretend. 2. gegebenenfalls, unter Umständen, vielleicht; Abk.: evtl.

E|ver|glaze ⓡ ['ɛvəgleɪz] ⟨engl.; „Immerglanz"⟩ das; -, -: durch bestimmtes Verfahren krumpf- u. knitterfrei gemachtes [Baumwoll]gewebe mit erhaben geprägter Kleinmusterung. E|ver|green ['ɛvəgri:n] ⟨engl.; „immergrün"⟩ der (auch: das); -s, -s: 1. Musikstück, bes. Schlager o. Ä., das längere Zeit beliebt bleibt u. immer wieder gespielt wird. 2. ↑²Standard

E|ver|te|brat* ⟨lat.-nlat.⟩ der; -en, -en (meist Plural): wirbelloses Tier; Ggs. ↑Vertebrat

Eve|ry|bo|dy's Dar|ling ['ɛvrɪbɔdiz -] ⟨engl.⟩ der; - -s, - -s: jmd., der [aufgrund seines Bemühens, allen zu gefallen, es allen recht zu machen] überall beliebt, gern gesehen ist

E|vi|de|ment [evidə'mã:] ⟨lat.-vulgärlat.-fr.⟩ das; -s, -s: Auskratzung von Knochenteilen od. der Gebärmutterschleimhaut (Med.)

e|vi|dent ⟨lat.⟩: offenkundig u. klar ersichtlich; offen zutage liegend; überzeugend, offenbar. E|vi|denz die; -: Deutlichkeit; vollständige, überwiegende Gewissheit; einleuchtende Erkenntnis; etwas in Evidenz halten: (österr.) etwas im Auge behalten

E|vik|ti|on ⟨lat.⟩ die; -, -en: Entziehung eines Besitzes durch richterliches Urteil, weil ein anderer ein größeres Recht darauf hat (Rechtsw.). e|vin|zie|ren: jmdm. durch richterliches Urteil einen Besitz entziehen, weil ein anderer ein größeres Recht darauf hat

E|vi|ra|ti|on ⟨lat.; „Entmannung"⟩ die; -: Verlust des männlichen Gefühlslebens u. Charakters u. deren Ersatz durch entsprechende weibliche Eigenschaften (Psychol.)

E|vis|ze|ra|ti|on ⟨lat.⟩ die; -, -en: Entleerung des Körpers von Brust- u. Baucheingeweiden (bei der Leibesfrucht im Rahmen einer ↑Embryotomie; Med.)

E|vo|ka|ti|on ⟨lat.; „Herausrufen, Aufforderung"⟩ die; -, -en: 1. Erweckung von Vorstellungen od. Erlebnissen bei der Betrachtung eines Kunstwerkes. 2. (hist.) Recht des Königs bzw. des Papstes, eine nicht erledigte Rechtssache unter Umgehung der Instanzen vor sein [Hof]gericht zu bringen. 3. Vorladung eines Beklagten vor ein Gericht. 4. (hist.) Herausrufung der Götter einer belagerten Stadt, um sie auf die Seite der Belagerer zu ziehen (altröm. Kriegsbrauch). e|vo|ka|tiv: bestimmte Vorstellungen enthaltend; vgl. ...iv/...orisch. e|vo|ka|to|risch: bestimmte Vorstellungen erweckend; vgl. ...iv/...orisch

E|vo|lu|te ⟨lat.⟩ die; -, -n: Kurve, die aus einer aufeinander folgenden Reihe von Krümmungsmittelpunkten einer anderen Kurve (der Ausgangskurve) entsteht. E|vo|lu|ti|on die; -, -en: a) allmählich fortschreitende Entwicklung; Fortentwicklung; b) stammesgeschichtliche Entwicklung der Lebewesen von niederen zu höheren Formen. 3. ↑Reformation. e|vo|lu|ti|o|när ⟨lat.-nlat.⟩: a) auf Evolution beruhend; b) sich allmählich u. stufenweise entwickelnd. E|vo|lu|ti|o|nis|mus der; -: naturphilosophische Richtung des 19. Jh.s, in deren Mittelpunkt der Evolutionsgedanke stand.

E|vo|lu|ti|o|nist der; -en, -en: Anhänger des Evolutionismus. e|vo|lu|ti|o|nis|tisch: auf dem Evolutionismus beruhend. E|vo|lu|ti|ons|the|o|rie die; -, -n: Theorie von der Entwicklung aller Lebewesen aus niederen, primitiven Organismen. E|vol|ven|te ⟨lat.; „Abwicklungslinie"⟩ die; -, -n: Ausgangskurve einer Evolute. E|vol|ven|ten|ver|zah|nung die; -, -en: Verzahnungsart von Zahnrädern, bei denen das Zahnprofil als Evolvente ausgebildet ist. e|vol|vie|ren: entwickeln, entfalten; entfaltend, entwickelnd darstellen; vgl. involvieren

E|vo|ny|mus ⟨gr.-lat.⟩ der (auch: die); -: Gattung der Spindelbaumgewächse (Ziersträucher; bekanntester Vertreter: Pfaffenhütchen)

E|vor|si|on ⟨lat.-nlat.⟩ die; -, -en: a) wirbelnde Bewegung des Steine u. Sand mitführenden Wassers, wodurch Strudellöcher (z. B. in Bächen) entstehen (Geol.); b) durch wirbelnde Bewegung des Wassers entstandenes Strudelloch (Geol.)

e|vo|zie|ren ⟨lat.⟩: 1. durch ↑Evokation (1) hervorrufen, bewirken. 2. [einen Beklagten] vorladen

ev|vi|va! [ɛ'vi:va] ⟨lat.-it.; „er lebe hoch!"⟩: ital. Hochruf

Ev|zo|ne vgl. Euzone

ex ⟨lat.; „aus"⟩: 1. Aufforderung, ein Glas ganz zu leeren, auszutrinken. 2. (ugs.) vorbei, aus, zu Ende. 3. (salopp) tot. 4. ehemalig...; als häufige Vorsilbe, z. B. Exgattin, Exminister

ex ab|rup|to ⟨lat.⟩: unversehens

ex ae|quo [- ɛ:...] ⟨lat.⟩: in derselben Weise, gleichermaßen

E|xag|ge|ra|ti|on* ⟨lat.⟩ die; -, -en: unangemessen übertriebene Darstellung von Krankheitserscheinungen (Med.). e|xag|ge|rie|ren: Krankheitserscheinungen unangemessen übertrieben darstellen (Med.)

E|xai|re|se* vgl. Exhärese

e|xakt* ⟨lat.⟩: 1. genau [u. sorgfältig]. 2. pünktlich; exakte Wissenschaften: Wissenschaften, deren Ergebnisse auf logischen od. mathematischen Beweisen od. auf genauen Messungen beruhen (z. B. Mathematik, Physik). E|xakt|heit die; -: Genauigkeit, Sorgfältigkeit

E|xal|ta|ti|on* ⟨lat.-fr.⟩ die; -, -en: a) Zustand des Exaltiertseins. b) Vorgang des Exaltiertseins e|xal|tie|ren, sich: 1. sich überschwänglich benehmen. 2. sich hysterisch erregen. e|xal|tiert: 1. aufgeregt. 2. überspannt **Exa|men*** ⟨lat.⟩ das; -s, - u. ...mina: Prüfung (bes. als Studienabschluss). E|xa|mi|nand der; -en, -en: Prüfling. E|xa|mi|na|tor der; -s, ...oren: Prüfer. E|xa|mi|na|to|ri|um das; -s, ..ien (veraltet) 1. Prüfungskommission. 2. Vorbereitung auf eine Prüfung. e|xa|mi|nie|ren: 1. im Rahmen eines Examens prüfen, befragen. 2. prüfend ausfragen, ausforschen. 3. prüfend untersuchen E|xa|nie* ⟨lat.-nlat.⟩ die; -, ...ien: Mastdarmvorfall (Med.) **ex an|te** ⟨lat.⟩: im Voraus (Wirtsch.); Ggs. ↑ex post (2) Ex|an|them* ⟨gr.-lat.; „das Aufgeblühte"⟩ das; -s, -e: ausgedehnter, meist entzündlicher Hautausschlag (Med.). ex|an|the|ma|tisch ⟨gr.-nlat.⟩: mit einem Exanthem verbunden (Med.) E|xanth|ro|pie* ⟨gr.-nlat.⟩ die; -: Menschenscheu E|xa|ra|ti|on* ⟨lat.; „Ausspülung"⟩ die; -, -en: durch die schleifende Wirkung vordringenden Gletschereises bewirkte Gesteinsabtragung (Geol.); vgl. Erosion (1) E|xarch* ⟨gr.-lat.⟩ der; -en, -en: 1. (hist.) byzantinischer (oströmischer) Statthalter. 2. in der orthodoxen Kirche Vertreter des ↑Patriarchen (3) für ein bestimmtes Gebiet (↑Diaspora a). E|xar|chat ⟨gr.-mlat.⟩ das (auch: der); -[e]s, -e: Amt u. Verwaltungsgebiet eines Exarchen Ex|ar|ti|ku|la|ti|on ⟨lat.-nlat.⟩ die; -, -en: operative Abtrennung eines Gliedes im Gelenk (Med.) E|xau|di* ⟨lat.; nach dem Eingangsvers des Gottesdienstes, Psalm 27, 7: „Herr, höre meine Stimme, ..."⟩: in der evangelischen Kirche Bez. des sechsten Sonntags nach Ostern E|xa|zer|ba|ti|on* ⟨lat.⟩ die; -: Verschlimmerung, zeitweise Steigerung, Wiederaufleben einer Krankheit (Med.) **ex ca|thed|ra*** ⟨lat.; gr.-lat.; „vom (päpstlichen) Stuhl"⟩: a) päpstlicher Vollmacht u. daher unfehlbar; b) von maßgebender Seite, sodass etwas nicht angezweifelt werden kann Ex|cep|tio [...tsio] ⟨lat.⟩ die; -, -nes [...'tsio:ne:s]: Einspruch, Einrede (aus dem antiken römischen Zivilprozessrecht; Rechtsw.);

Exceptio Doli: Einrede der Arglist; vgl. Dolus; **Exceptio plurium:** Einrede des Vaters eines unehelichen Kindes, dass die Mutter in der Zeit der Empfängnis mit mehreren Männern verkehrt habe; vgl. Exzeption Ex|change [ɪks'tʃeɪndʒ] ⟨lat.-vulgärlat.-fr.-engl.⟩ die; -, -n: 1. Tausch, Kurs (im Börsengeschäft). 2. a) Börsenkurs; b) Börse Ex|che|quer [ɪks'tʃɛkɐ] ⟨fr.-engl.⟩ das; -: Schatzamt, Staatskasse in England ex|cu|dit ⟨lat.; „hat es gebildet, verlegt od. gedruckt"⟩: Vermerk hinter dem Namen des Verlegers (Druckers) bei Kupferstichen; Abk.: exc. u. excud. **ex de|fi|ni|ti|o|ne** ⟨lat.⟩: wie es die Definition beinhaltet E|xed|ra* ⟨gr.-lat.⟩ die; -, Exedren: 1. halbrunder od. rechteckiger nischenartiger Raum als Erweiterung eines Saales od. einer Säulenhalle (in der antiken Architektur). 2. Apsis (1) in der mittelalt. Baukunst E|xe|ge|se* ⟨gr.⟩ die; -, -n: Wissenschaft der Erklärung u. Auslegung eines Textes, bes. der Bibel. E|xe|get der; -en, -en: Fachmann für Bibelauslegung. E|xe|ge|tik ⟨gr.-lat.⟩ die; -: (veraltet) Wissenschaft der Bibelauslegung (Teilgebiet der Theologie). e|xe|ge|tisch ⟨gr.⟩: [die Bibel] erklärend. e|xe|gie|ren: (veraltet) [die Bibel] erklären E|xek|ra|ti|on* usw. vgl. Exsekration usw. E|xe|ku|tant ⟨lat.⟩ der; -en, -en: jmd., der etwas ausübt, vollzieht, durchführt. ex|e|ku|tie|ren ⟨lat.-nlat.⟩: 1. a) an jmdm. ein Urteil vollstrecken, vollziehen; jmdn. hinrichten; b) (veraltet) jmdn. bestrafen. 2. (österr.) pfänden. E|xe|ku|ti|on die; -, -en: 1. a) Vollstreckung eines Todesurteils, Hinrichtung; b) (veraltet) Vollziehung einer Strafe. 2. Durchführung besonderer Aktion. 3. (österr.) Pfändung. E|xe|ku|ti|ons|kom|man|do das; -s, -s: ↑Kommando (3), das die Exekution (1 a) durchführt. e|xe|ku|tiv ⟨lat.-nlat.⟩: ausführend; vgl. ...iv/...orisch] E|xe|ku|ti|ve die; -, -n: 1. vollziehende, vollstreckende Gewalt im Staat; vgl. Judikative, Legislative (a). 2. (österr.) Gesamtheit der Organe zur Ausübung der vollziehenden Gewalt, bes. Polizei u. Gendarmerie. E|xe|ku|tor ⟨lat.⟩ der; -s,

...oren: 1. Vollstrecker [einer Strafe]. 2. (österr.) Gerichtsvollzieher. e|xe|ku|to|risch: (selten) durch [Zwangs]vollstreckung erfolgend; vgl. ...iv/...orisch E|xem|pel* ⟨lat.⟩ das; -s, -: 1. [abschreckendes] Beispiel, Lehre. 2. kleine Erzählung mit sittlicher od. religiöser Nutzanwendung im Rahmen einer Rede od. Predigt. 3. [Rechen]aufgabe. E|xem|p|lar ⟨„Abbild, Muster"⟩ das; -s, -e: [durch besondere Eigenschaften od. Merkmale auffallendes] Einzelstück (bes. Schriftwerk) od. Einzelwesen aus einer Reihe von gleichartigen Gegenständen od. Lebewesen; Abk.: Expl. e|xem|p|la|risch: a) beispielhaft, musterhaft; b) warnend, abschreckend; hart u. unbarmherzig vorgehend, um abzuschrecken. E|xem|p|la|ris|mus ⟨lat.-nlat.⟩ der; -: 1. Lehre, nach der alle Geschöpfe – was ihre Inhaltlichkeit betrifft – Spiegelbilder ihres göttlichen Urbildes sind (Philos.). 2. Lehre, nach der die Erkenntnis der Dinge durch ihre in Gott seienden Urbilder ermöglicht wird (Philos.). e|xem|p|li cau|sa ⟨lat.⟩: z. B. c. E|xem|p|li|fi|ka|ti|on ⟨lat.-mlat.⟩ die; -, -en: Erläuterung durch Beispiele. e|xem|p|li|fi|ka|to|risch ⟨lat.-nlat.⟩: zum Zwecke der Erläuterung an Beispielen. e|xem|p|li|fi|zie|ren ⟨lat.-mlat.⟩: an etwas erläutern e|xemt* ⟨lat.⟩: von bestimmten allgemeinen Lasten od. gesetzlichen Pflichten befreit. E|xem|ti|on die; -, -en: Befreiung von bestimmten allgemeinen Lasten od. gesetzlichen Pflichten e|xen (zu lat. ex): (veraltet) 1. (Schülerspr., Studentenspr.) von der [Hoch]schule weisen. 2. (Schülerspr.) eine Unterrichtsstunde unentschuldigt versäumen E|xen|te|ra|ti|on* ⟨gr.-lat.-nlat.⟩ die; -, -en (Med.) 1. vorübergehende Vorverlagerung von Organen, bes. der Eingeweide bei Bauchoperationen. 2. Entfernung des Augapfels, der Eingeweide. e|xen|te|rie|ren ⟨gr.-lat.⟩: (Med.) 1. die Eingeweide [bei Operationen] vorverlagern. 2. den Augapfel, die Eingeweide entfernen E|xe|qua|tur ⟨lat.; „er möge ausführen"⟩ das; -s, ...uren: 1. Zulassung eines ausländischen Konsuls, Bestätigung im Amt. 2. staatliche Genehmigung zur Publikation kirchlicher Akte.

E|xe|qui|en die (Plural): a) katholische Begräbnisfeier, Totenmesse; b) Musik bei Begräbnisfeiern. **e|xe|qui̱e|ren:** (veraltet) Schulden eintreiben, pfänden

E|xer|ci̱|ti|um* vgl. Exerzitium

E|xer|gi̱e* ⟨gr.-nlat.⟩ die; -, ...i̱en: der Anteil der Energie, der in die gewünschte, wirtschaftlich verwertbare Form (z. B. elektrische Energie) umgewandelt wird (Phys.). **e|xer|go̱n** u. **e|xer|go̱nisch:** Energie abgebend; **exergonische Reaktion:** chemische Reaktion, in deren Verlauf Energie freigesetzt wird (Chem.)

e|xer|zi̱e|ren* ⟨lat.⟩: 1. militärische Übungen machen. 2. etwas [wiederholt] einüben. **E|xer|zi̱|ti|en** die (Plural): geistliche Übungen (in der kath. Kirche nach dem Vorbild des hl. Ignatius v. Loyola). **E|xer|zi̱|ti|um** das; -s, ...i̱en: (veraltet) Übung; schriftliche Übungs-, Hausarbeit

e̱x est ⟨lat.⟩: es ist aus

ex fa̱l|so quo̱d|li|bet ⟨lat.; „aus Falschem (folgt) Beliebiges"⟩: aus einer falschen Aussage darf jede beliebige Aussage logisch gefolgert werden (Grundsatz der scholastischen Logik)

Ex|fol|li|a̱|ti|on ⟨lat.-nlat.⟩ die; -: Abblätterung, Abstoßung abgestorbener Gewebe u. Knochen (Med.)

Ex|hai̱|re|se vgl. Exhärese

Ex|ha|la̱|ti|on ⟨lat.⟩ die; -, -en: 1. Ausatmung, Ausdünstung (Med.). 2. das Ausströmen vulkanischer Gase u. Dämpfe (Geol.). **ex|ha|li̱e|ren:** 1. ausatmen, ausdünsten (Med.). 2. vulkanische Gase u. Dämpfe ausströmen

Ex|hä̱|re|se, Exairese u. Exhairese ⟨gr.⟩ die; -, -n: operative Entfernung od. Herausschneidung von Organteilen, bes. von Nerven

Ex|haus|ti|o̱n ⟨lat.; „Ausschöpfung"⟩ die; -: Erschöpfung (Med.). **Ex|haus|ti|ons|me|tho̱de** ⟨lat.; gr.⟩ die; -: antikes Rechenverfahren, mathematische Probleme der Integralrechnung ohne ↑ Integration (4) zu lösen. **ex|haus|ti̱v** ⟨lat.-nlat.⟩: vollständig. **Ex|hau̱s|tor** der; -s, ...o̱ren: Entlüfter; Gebläse zum Absaugen von Dampf, Staub, Spreu

Ex|he|re|da̱|ti|on ⟨lat.⟩ die; -, -en: (veraltet) Enterbung. **ex|he|re|di̱e|ren:** (veraltet) enterben

ex|hi|bi̱e|ren ⟨lat.⟩: a) zur Schau stellen, vorzeigend darbieten; b) exhibitionistisch (a) zur Schau stellen. **Ex|hi|bi̱|ti|on** die; -, -en: Zurschaustellung, bes. das Entblößen der Geschlechtsteile in der Öffentlichkeit. **ex|hi|bi̱|ti|o|ni̱e|ren:** ↑ exhibieren. **Ex|hi|bi̱|ti|o|ni̱s|mus** ⟨lat.-nlat.⟩ der; -: krankhafte, auf sexuellen Lustgewinn gerichtete Neigung, bes. bei Männern, zur Entblößung der Geschlechtsteile in Gegenwart anderer Personen meist des anderen Geschlechts. **Ex|hi|bi̱|ti|o|ni̱st** der; -en, -en: jmd., der an Exhibitionismus leidet. **ex|hi|bi|ti|o|ni̱s|tisch:** a) den Exhibitionismus leidend; b) den Exhibitionismus betreffend

Ex|ho̱r|te ⟨lat.-nlat.⟩ die; -, -n: (veraltet) Ermahnungsrede

Ex|hu|ma̱|ti|on ⟨lat.-mlat.⟩ die; -, -en: das Wiederausgraben einer bestatteten Leiche od. von Leichenteilen (z. B. zum Zwecke einer gerichtsmedizinischen Untersuchung); vgl. ...[at]ion/...ierung. **ex|hu|mi̱e|ren:** eine bestattete Leiche wieder ausgraben. **Ex|hu|mi̱e|rung** die; -, -en: das Exhumieren; vgl. ...[at]ion/...ierung

E̱|xi (Kurzform von ↑ Existenzialist) der; -[s], -[s]: (Jargon abwertend) Jugendlicher, der auf übliche bürgerliche Weise lebt

E|xi|ge̱nz* ⟨lat.⟩ die; -: (veraltet) Bedarf, Erfordernis. **e|xi|gi̱e|ren:** (veraltet) fordern; [eine Schuld] eintreiben. **E|xi|gu|i|tä̱t** ⟨lat.⟩: (veraltet) Geringfügigkeit

E|xi̱l ⟨lat.⟩ das; -s, -e: a) Verbannung; b) Verbannungsort. **E|xi̱|lant** der; -en, -en: jmd., der im Exil lebt. **e|xi|li̱e|ren:** ins Exil schicken, verbannen. **e|xi|li̱isch:** a) während des Exils geschehen; b) vom Geist der Exilzeit geprägt. **E|xi̱l|li|te|ra|tur** die; -, -en: während eines aus politischen od. religiösen Gründen erzwungenen od. freiwilligen Exils verfasste Literatur, bes. zur Zeit des Nationalsozialismus in Deutschland. **E|xi̱l|re|gie|rung** die; -, -en: Regierung, die gezwungen ist, ihren Sitz ins Ausland zu verlegen, od. die sich dort gebildet hat

e|xi|mi̱e|ren* ⟨lat.⟩: von einer Verbindlichkeit, bes. von der Gerichtsbarkeit eines anderen Staates, befreien; vgl. exemt, Exemtion

E|xi̱|ne ⟨lat.-nlat.⟩ die; -, -n: äußere, derbe Zellwand der Sporen der Moose u. Farnpflanzen so-

wie des Pollenkorns der Blütenpflanzen (Bot.); Ggs. ↑ Intine

e|xis|te̱nt ⟨lat.⟩: wirklich, vorhanden. **E|xis|te̱n|tia** die; -: Vorhandensein, Dasein (Philos.); Ggs. ↑ Essentia. **e|xis|ten|ti|a̱l** usw. vgl. existenzial usw. **e|xis|ten|ti̱e̱ll** vgl. existenziell. **E|xis|te̱nz** ⟨lat.⟩ die; -, -en: 1. a) (Plural selten) Dasein, Leben; b) Vorhandensein, Wirklichkeit. 2. (Plural selten) materielle Lebensgrundlage, Auskommen, Unterhalt. 3. (mit abwertendem Attribut) Mensch, z. B. eine verkrachte, dunkle Existenz. **E|xis|te̱nz|ana|ly|se** die; -, -n: psychoanalytisches Verfahren, mit dem die Geschichte eines Individuums unter dem Gesichtspunkt von Sinn- u. Wertbezügen durchforscht wird (Psychol.). **E|xis|te̱nz|be|weis** der; -es, -e: Beweis für das tatsächliche Vorhandensein einer mathematisch festgelegten Größe. **e|xis|ten|zi̱al,** auch: existential ⟨lat.-nlat.⟩: die Existenz, das [menschliche] Dasein hinsichtlich seines Seinscharakters betreffend; vgl. existenziell. **E|xis|ten|zi̱al,** auch: Existential das; -s, -ien = (einzelner) Seinscharakter des [menschlichen] Daseins (Philos.). **E|xis|ten|zi̱a|li̱s|mus,** auch: Existentialismus der; -: a) (bes. auf Sartre zurückgehende) Form der Existenzphilosophie, die u. a. von der Absurdität des Daseins, von der Existenzangst sowie Vereinzelung des Menschen u. der Freiheit des Menschen, sich selbst zu entwerfen, ausgeht u. Begriffe wie Freiheit, Tod, Entscheidung in den Mittelpunkt stellt; b) vom Existentialismus (a) geprägte nihilistische Lebenseinstellung. **E|xis|ten|zi̱a|li̱st,** auch: Existentialist der; -en, -en: a) Vertreter des Existentialismus; b) Anhänger einer von der Norm abweichenden Lebensführung außerhalb der geltenden bürgerlichen, gesellschaftlichen u. moralischen Konvention. **e|xis|ten|zi̱a|li̱s|tisch,** auch: existentialistisch: a) den Existentialismus od. Existenzialismus betreffend. **E|xis|ten|zi̱a̱l|phi|lo|so|phie,** auch: Existentialphilosophie die; -: ↑ Existenzphilosophie. **e|xis|ten|zi̱e̱ll,** auch: existentiell ⟨lat.-fr.⟩: auf das unmittelbare und wesenhafte Dasein bezogen, daseinsmäßig; vgl. existenzial. **E|xis|te̱nz|mi|ni̱mum** das; -s, ...ma: Mindestenkommen, das zur Lebenserhaltung eines Menschen erforderlich ist. E|xis|tenz|phi|lo|so|phie die; -: neuere philosophische Richtung, die das Dasein des Menschen in einer von ihm nicht gewählten Weise zum Thema hat. e|xis|tie|ren: 1. vorhanden sein, da sein, bestehen. 2. leben E|xit ⟨lat.-engl.⟩ der; -s, -s: engl. Bez. für: Ausgang, Notausgang. E|xi|tus* ⟨lat.⟩ der; -: 1. Tod, tödlicher Ausgang eines Krankheitsfalles od. Unfalls (Med.). 2. Ausgang (Anat.) ex ju|van|ti|bus ⟨lat.⟩: Erkennung einer Krankheit aus der Wirksamkeit der spezifischen Mittel (Med.) Ex|kar|di|na|ti|on ⟨lat.-mlat.⟩ die; -, -en: Entlassung eines katholischen Geistlichen aus seiner Diözese Ex|ka|va|ti|on ⟨lat.⟩ die; -, -en: 1. (krankhafte od. normale) Aushöhlung, Ausbuchtung [eines Organs] (Med.). 2. Entfernung kariösen Zahnbeins mit dem Exkavator (Zahnmed.). 3. Ausschachtung, Ausbaggerung, Auswaschung (Fachspr.). Ex|ka|va|tor ⟨lat.-nlat.⟩ der; -s, ...oren: 1. Maschine für Erdarbeiten. 2. löffelartiges Instrument zur Entfernung kariösen Zahnbeins (Zahnmed.). ex|ka|vie|ren ⟨lat.⟩: 1. aushöhlen, ausschachten. 2. kariöses Zahnbein mit dem Exkavator entfernen (Zahnmed.) Ex|kla|ma|ti|on ⟨lat.⟩ die; -, -en: Ausruf. ex|kla|ma|to|risch ⟨lat.-nlat.⟩: ausrufend; marktschreierisch. ex|kla|mie|ren ⟨lat.⟩: ausrufen Ex|kla|ve ⟨Analogiebildung zu ↑Enklave⟩ die; -, -n: 1. von fremdem Staatsgebiet eingeschlossener Teil des eigenen Staatsgebiets; Ggs. ↑Enklave. 2. gelegentliches Auftreten einer Pflanzen- od. Tierart außerhalb ihres üblichen Verbreitungsgebietes ex|klu|die|ren ⟨lat.⟩: ausschließen; Ggs. ↑inkludieren. Ex|klu|si|on die; -, -en: Ausschließung. ex|klu|siv ⟨lat.-mlat.-engl.⟩: 1. a) sich gesellschaftlich abschließend, abgrenzend, abhebend [u. daher in der allgemeinen Wertschätzung hoch stehend]; b) den Ansprüchen der vornehmen Gesellschaft, höchsten Ansprüchen genügend; [vornehm u.] vorzüglich, anspruchsvoll. 2. ausschließlich einem bestimmten Personenkreis od. bestimmten

Zwecken, Dingen vorbehalten, anderen [Dingen] nicht zukommend. Ex|klu|siv|be|richt der; -[e]s, -e: Bericht, der nur von einer Zeitschrift o. Ä. veröffentlicht wird, für den nur eine Zeitschrift o. Ä. das Recht der Veröffentlichung hat. ex|klu|si|ve ⟨lat.-mlat.⟩: ohne, ausschließlich; Abk.: exkl.; Ggs. ↑inklusive. Ex|klu|siv|recht das; -[e]s (hist.) das von katholischen Monarchen beanspruchte Recht, unerwünschte Bewerber von der Papstwahl auszuschließen. Ex|klu|siv|fo|to das; -s, -s: nur einem bestimmten Fotografen gestattete, nur einer einzigen Zeitung zur Veröffentlichung freigegebene Aufnahme. Ex|klu|siv|in|ter|view das; -s, -s: nur einer bestimmten Person (z. B. einem Reporter) gewährtes Interview. Ex|klu|si|vi|tät ⟨lat.-mlat.-engl.⟩ die; -: das Exklusivsein, exklusiver Charakter, exklusive Beschaffenheit Ex|kom|mu|ni|ka|ti|on ⟨lat.⟩ die; -, -en: Ausschluss aus der Gemeinschaft der katholischen Kirche; Kirchenbann. ex|kom|mu|ni|zie|ren: aus der katholischen Kirchengemeinschaft ausschließen Ex|ko|ri|a|ti|on ⟨lat.-nlat.⟩ die; -, -en: Hautabschürfung (Med.) Ex|kre|ment ⟨lat.⟩ das; -[e]s, -e (meist Plural): Ausscheidung (Kot, Harn) Ex|kres|zenz ⟨lat.⟩ die; -, -en: krankhafter Auswuchs, Gewebewucherung (Med.) Ex|kret ⟨lat.⟩ das; -[e]s, -e: Stoffwechselprodukt, das vom Körper nicht weiter zu verwerten ist u. daher ausgeschieden wird (z. B. Schweiß, Harn, Kot); vgl. ¹Sekret (1), Inkret. Ex|kre|ti|on ⟨lat.-nlat.⟩ die; -, -en: Ausscheidung nicht weiter verwertbarer Stoffwechselprodukte (Med.). ex|kre|to|risch: ausscheidend, absondernd (Med.) Ex|kul|pa|ti|on ⟨lat.-mlat.⟩ die; -, -en: Rechtfertigung, Entschuldigung, Schuldbefreiung (Rechtsw.). ex|kul|pie|ren: rechtfertigen, entschuldigen, von einer Schuld befreien (Rechtsw.) Ex|kurs ⟨lat.; „das Herauslaufen, der Streifzug"⟩ der; -es, -e: a) kurze Erörterung eines Spezialproblems im Rahmen einer wissenschaftlichen Abhandlung; b) vorübergehende Abschweifung vom Hauptthema (z. B. während eines Vortrags).

Ex|kur|si|on ⟨lat.-fr.⟩ die; -, -en: wissenschaftlich vorbereitete u. unter wissenschaftlicher Leitung durchgeführte Lehr- od. Studienfahrt Ex|ku|sa|ti|on ⟨lat.⟩ die; -, -en: (veraltet) Entschuldigung ex|lex ⟨lat.⟩: (veraltet) recht- u. gesetzlos, vogelfrei, geächtet Ex|li|b|ris* ⟨lat.; „aus den Büchern"⟩ das; -, -: meist kunstvoll ausgeführter, auf die Innenseite des vorderen Buchdeckels geklebter Zettel mit dem Namen od. Monogramm des Eigentümers Ex|mat|ri|kel* ⟨lat.-nlat.⟩ die; -, -n: Bescheinigung über das Verlassen der Hochschule. Ex|mat|ri|ku|la|ti|on die; -, -en: Streichung aus dem Namenverzeichnis einer Hochschule; Ggs. ↑Immatrikulation. ex|mat|ri|ku|lie|ren: jmdn. aus dem Namenverzeichnis einer Hochschule streichen; Ggs. ↑immatrikulieren Ex|mis|si|on ⟨lat.-nlat.⟩ die; -, -en: gerichtl. Ausweisung aus einer Wohnung od. einem Grundstück. Ex|mit|tie|ren die; -, -en: Ausweisung aus einer Wohnung od. von einem Grundstück weise aus einer Wohnung od. von einem Grundstück weisen (Rechtsw.). Ex|mit|tie|rung die; -, -en: Ausweisung aus einer Wohnung; vgl. ...[at]ion/...ierung ex nunc ⟨lat.; „von jetzt an"⟩: Zeitpunkt für den Eintritt der Wirkung einer Bestimmung od. Vereinbarung (Rechtsw.); vgl. ex tunc E|xo|bi|o|lo|ge der; -n, -n: Wissenschaftler auf dem Gebiet der Exobiologie. E|xo|bi|o|lo|gie die; -: Wissenschaft vom außerirdischen Leben E|xo|der|mis ⟨gr.-nlat.⟩ die; -, ...men: äußeres [verkorktes] Abschlussgewebe der Pflanzenwurzel E|xo|dos* ⟨gr.; „Ausgang, Auszug"⟩ der; -, ...doi: a) Schlusslied des Chors im altgriech. Drama; Ggs. ↑Parodos; b) Schlussteil des altgriech. Dramas. E|xo|dus ⟨gr.-lat.; nach lat.⟩ das; -: das Auszug der Juden aus Ägypten (das schildert) der; -, -se: Auszug, das Verlassen eines Raumes usw. (in Bezug auf eine größere Anzahl von Menschen) ex of|fi|cio ⟨lat.⟩: von Amts wegen, amtlich (Rechtsw.) E|xo|ga|mie ⟨gr.-nlat.⟩ die; -: Heiratsordnung, nach der nur außerhalb des eigenen sozialen Verbandes (z. B. Stamm, Sippe) geheiratet werden darf; Ggs. ↑Endogamie

e|xo|gen ⟨gr.-nlat.⟩: 1. a) außerhalb des Organismus entstehend; von außen her in den Organismus eindringend (von Stoffen, Krankheitserregern od. Krankheiten) (Med.); Ggs. ↑endogen (1 a); b) außen entstehend (vor allem in Bezug auf Blattanlagen u. Seitenknospen) (Bot.); Ggs. ↑endogen (1 b). 2. von Kräften ableitbar, die auf die Erdoberfläche einwirken, wie Wasser, Wind, Atmosphäre, Organismen u. a. (Geol.); Ggs. ↑endogen (2)

E|xo|kan|ni|ba|lis|mus *der;* -: das Verzehren von Angehörigen eines fremden Stammes; Ggs. ↑Endokannibalismus

E|xo|karp ⟨gr.-nlat.⟩ *das;* -s, -e: bei Früchten die äußerste Schicht der Fruchtwand (z. B. der Haarüberzug bei Pfirsich u. Aprikose; Bot.)

e|xo|krin* ⟨gr.-nlat.⟩: nach außen absondernd (von Drüsen) (Med.) Ggs. ↑endokrin

e|xo|morph ⟨gr.-nlat.⟩: das Nebengestein beeinflussend (bei Erstarrung einer Schmelze; Geol.); Ggs. ↑endomorph (1)

E|xo|ne|ra|ti|on* ⟨lat.⟩ *die;* -, -en: (veraltet) Entlastung. **e|xo|ne|rie|ren:** (veraltet) entlasten

E|xo|nym* *das;* -s, -e u. **E|xo|ny-mon** ⟨gr.-nlat.⟩ *das;* -s, ...ma: von dem amtlichen Namen abweichende, aber in anderen Ländern gebrauchte Ortsnamenform (z. B. dt. *Mailand* für ital. *Milano)*

ex o|pe|re o|pe|ra|to ⟨lat.; „durch die vollzogene Handlung")": Ausdruck der katholischen Theologie für die Gnadenwirksamkeit der Sakramente, unabhängig von der sittlichen ↑Disposition des spendenden Priesters

E|xo|pho|rie ⟨gr.⟩ *die;* -: äußerlich nicht wahrnehmbare, latente Veranlagung zum Auswärtsschielen (Med.). **e|xo|pho|risch:** verweisend

ex|oph|thal|misch* ⟨gr.⟩: aus der Augenhöhle heraustretend (Med.). **Ex|oph|thal|mus** ⟨gr.-nlat.⟩ *der;* -: krankhaftes Hervortreten des Augapfels aus der Augenhöhle (Med.)

e|xo|phy|tisch vgl. ektophytisch
e|xo|bi|tant ⟨lat.⟩: außergewöhnlich; übertrieben; gewaltig. **E|xor|bi|tanz** ⟨lat.-nlat.⟩ *die;* -, -en: Übermaß; Übertreibung

E|xor|di|um* ⟨lat.; „Anfang, Einleitung")": *das;* -s, ...ia: [kunstgerechte] Einleitung [einer Rede] (Rhet.)

ex o|ri|en|te lux ⟨lat.⟩: aus dem Osten (kommt) das Licht (zunächst auf die Sonne bezogen, dann übertragen auf Christentum u. Kultur)

e|xor|zie|ren u. **e|xor|zi|sie|ren** ⟨gr.-lat.⟩: Dämonen u. Geister durch Beschwörung austreiben. **E|xor|zis|mus** *der;* -, ...men: Beschwörung von Dämonen u. Geistern durch Wort [u. Geste]. **E|xor|zist** *der;* -en, -en: 1. Geisterbeschwörer. 2. (veraltet) jmd., der den dritten Grad der katholischen niederen Weihen besitzt

E|xo|ske|lett vgl. Ektoskelett

Ex|os|mo|se* ⟨gr.-nlat.⟩ *die;* -, -n: ↑Osmose von Orten höherer zu Orten geringerer Konzentration (Chem.)

E|xo|sphä|re ⟨gr.-nlat.⟩ *die;* -: oberste Schicht der ↑Atmosphäre (1 b); vgl. Dissipationssphäre

E|xos|to|se* ⟨gr.-nlat.⟩ *die;* -, -n: sich von der Knochenoberfläche aus entwickelnder knöcherner Zapfen (Med.)

E|xot, auch: **E|xo|te** ⟨gr.-lat.⟩ *der;* ...ten, ...ten: 1. Mensch, Tier od. Pflanze aus einem fernen, meist überseeischen, tropischen Land; 2. (nur Plural) überseeische Wertpapiere, die im Telefonhandel od. ungeregelten Freiverkehr gehandelt werden. **E|xo|ta|ri|um** ⟨gr.-nlat.⟩ *das;* -s, ...ien: Anlage, in der exotische Tiere zur Schau gestellt werden. **E|xo|te|ri|ker** ⟨gr.-lat.⟩ *der;* -s, -: Außenstehender, Nichteingeweihter; Ggs. ↑Esoteriker. **e|xo|te|risch:** für Außenstehende, für die Öffentlichkeit bestimmt; allgemein verständlich; Ggs. ↑esoterisch

e|xo|therm ⟨gr.-nlat.⟩: mit Freiwerden von Wärme verbunden, unter Freiwerden von Wärme ablaufend (von chemischen Vorgängen)

E|xo|tik ⟨gr.-lat.⟩ *die;* -: exotisches Aussehen, Wesen; exotische Beschaffenheit, Gestaltung. **E|xo-ti|ka** *die* (Plural): aus fernen Ländern stammende Kunstwerke. **e|xo|tisch:** a) fremdländisch, überseeisch; b) einen fremdartigen Zauber ausstrahlend. **E|xo-tis|mus** ⟨gr.-lat.-nlat.⟩ *der;* -, ...men: fremdsprachiges Wort, das auf einen Begriff der fremdsprachigen Umwelt beschränkt bleibt (z. B. Kolchos, Lord, Cowboy)

exo o|vo vgl. ab ovo

E|xo|zent|ri|kum* ⟨gr.-nlat.⟩ *das;* -s, ...ka: exozentrisches Kompositum. **e|xo|zent|risch:** (von sprachlichen Konstruktionen) als Ganzes einer anderen Kategorie angehörend als jeder der konstituierenden Teile (z. B. *auf dich;* weder „auf" noch „dich" kann die syntaktische Funktion der Fügung „auf dich" übernehmen) (Sprachw.); Ggs. ↑endozentrisch; **exozentrisches Kompositum:** Kompositum, das etwas bezeichnet, was mit seinem Grundwort nicht zu bezeichnen ist (z. B. *Löwenmäulchen,* das nicht ein „Mäulchen" bezeichnet, sondern eine Blume; vgl. Bahuwrihi

Ex|pan|der ⟨lat.-engl.⟩ *der;* -s, -: Trainingsgerät zur Kräftigung der Arm- u. Oberkörpermuskulatur (Sport). **ex|pan|die|ren** ⟨lat.⟩: [sich] ausdehnen. **ex|pan-si|bel** ⟨lat.-fr.⟩: ausdehnbar. **Ex-pan|si|on** *die;* -, -en: das Expandieren, räumliche Ausdehnung [verbunden mit mehr Einfluss u. Macht]. **Ex|pan|si|o|nist** *der;* -en, -en: jmd., der auf stärkeres wirtschaftlich-materielles Wachstum (mit Großtechnologie) ausgerichtet ist, ohne Rücksicht auf die Beeinträchtigung der natürlichen u. sozialen Lebensgrundlagen. **Ex|pan|si|ons-ma|schi|ne** *die;* -, -n: Kraftmaschine, die ihre Energie aus dem Expandieren des Energieträgers gewinnt (z. B. die Kolbendampfmaschine). **Ex|pan|si|ons|po|li-tik** *die;* -: 1. auf Vergrößerung des Macht- od. Einflussbereichs gerichtete Politik. 2. auf eine kräftige Steigerung des Umsatzes u. des Marktanteils gerichtete Unternehmensführung (Wirtsch.). **ex|pan|siv:** sich ausdehnend, auf Ausdehnung u. Erweiterung bedacht od. gerichtet, starke Expansion aufweisend

Ex|pat|ri|a|ti|on* ⟨lat.-mlat.⟩ *die;* -, -en: Ausbürgerung, Verbannung; vgl. ...[at]ion/...ierung. **ex-pat|ri|ie|ren:** ausbürgern, verbannen. **Ex|pat|ri|ie|rung** *die;* -, -en: das Expatriieren; vgl. ...[at]ion/...ierung

Ex|pe|di|ent ⟨lat.⟩ *der;* -en, -en: a) Abfertigungsbeauftragter in der Versandabteilung einer Firma; b) Angestellter in einem Reisebüro, Reisebürokaufmann. **ex-pe|die|ren** ⟨„losmachen")": absenden, abfertigen, befördern (von Gütern u. Personen). **Ex-pe|dit** *das;* -[e]s, -e: (österr.) Versandabteilung (z. B. in einem Kaufhaus). Ex|pe|di|ti|on *die;* -, -en: 1. a) Forschungsreise [in unbekannte Gebiete]; b) Personengruppe, die eine Expedition (1 a) unternimmt; c) (veraltet) Kriegszug, militärisches Unternehmen. 2. Gruppe zusammengehörender Personen, die von einem Land, einem Verband od. einem Unternehmen zur Wahrnehmung bestimmter (bes. sportlicher) Aufgaben ins Ausland geschickt werden. 3. a) Versand- od. Abfertigungsabteilung (z. B. einer Firma); b) das Expedieren. 4. (veraltet) Anzeigenabteilung. ex|pe|di|tiv: zur Expedition gehörend. Ex|pe|di|tor *‹lat.-nlat.› der;* -s, ...oren: Expedient Ex|pek|to|rans *‹lat.› das;* -, ...ranzien u. ...rantia u. Ex|pek|to|ran|ti|um *‹lat.-nlat.› das;* -s, ...tia: schleimlösendes Mittel, Hustenmittel (Med.). Ex|pek|to|ra|ti|on *die;* -, -en: 1. das Sichaussprechen, Erklärung [von Gefühlen]. 2. Auswurf (Med.). ex|pek|to|rie|ren *‹lat.›:* 1. seine Gefühle aussprechen. 2. Schleim auswerfen, aushusten (Med.) ex|pel|lie|ren *‹lat.›:* (veraltet) austreiben, verjagen Ex|pen|sen *‹lat.› die* (Plural): [Gerichts]kosten.   ex|pen|siv *‹lat.-nlat.›:* kostspielig Ex|pe|ri|ment *‹lat.› das;* -[e]s, -e: 1. wissenschaftlicher Versuch, durch den etw. entdeckt, bestätigt od. gezeigt werden soll. 2. [gewagter] Versuch, Wagnis; gewagtes, unsicheres Unternehmen; Unternehmung mit unsicherem Ausgang. ex|pe|ri|men|tal *‹lat.-nlat.›:* (selten) ↑experimentell, vgl. ...al/...ell. Ex|pe|ri|men|tal|film *der;* -s, -e: Studiofilm. Ex|pe|ri|men|tal|phy|sik *die;* -: Teilgebiet der Physik, auf dem mithilfe von Experimenten die Naturgesetze erforscht werden. Ex|pe|ri|men|ta|tor *der;* -s, ...oren: jmd., der Experimente macht od. vorführt. ex|pe|ri|men|tell ‹französierende Bildung›: auf Experimenten beruhend; vgl. ...al/...ell. ex|pe|ri|men|tie|ren *‹lat.-mlat.›:* Experimente anstellen. Ex|pe|ri|men|tum Cru|cis *‹lat.› das;* - - : Experiment, dessen Ausgang eine endgültige Entscheidung über mehrere Möglichkeiten herbeiführt. ex|pert *‹lat.-fr.›:* (veraltet) erfahren, sachverständig. Ex|per|te *der;* -n, -n: jmd., der auf dem infrage kommenden Gebiet

besonders gut Bescheid weiß; Sachverständiger, Kenner. Ex|per|ti|se *die;* -, -n: Gutachten eines Experten. ex|per|ti|sie|ren: (selten) in einer Expertise begutachten Ex|pla|na|ti|on *‹lat.› die;* -, -en: Auslegung, Erläuterung, Erklärung von Texten in sachlicher Hinsicht (Literaturw.). ex|pla|na|tiv: auslegend, erläuternd. ex|pla|nie|ren: auslegen, erläutern Ex|plan|ta|ti|on *‹lat.-nlat.› die;* -, -en: das Explantieren; Auspflanzung (Med.; Zool.). ex|plan|tie|ren: (Zellen, Gewebe, Organe) für die Gewebezüchtung od. Transplantation aus dem lebenden Organismus entnehmen, auspflanzen (Med.; Zool.) Ex|ple|tiv *‹lat.›* „ergänzend") *das;* -s, -e: für den Sinn des Satzes entbehrliches Wort; Gesprächspartikel (früher „Füll-, Flick-, Würzwort" genannt), z. B. „Ob *er wohl* Zeit hat?" ex|pli|cit *‹lat.›:* „es ist vollzogen, es ist zu Ende" (gewöhnlich am Ende von Handschriften u. Frühdrucken); Ggs. ↑incipit; vgl. explizit. Ex|pli|cit *das;* -s, -s: die Schlussworte einer mittelalt. Handschrift u. eines Frühdrucks. Ex|pli|ka|ti|on *die;* -, -en: (selten) Darlegung, Erklärung, Erläuterung. ex|pli|zie|ren: darlegen, erklären, erläutern. ex|pli|zit: a) ausdrücklich, deutlich; Ggs. ↑implizit (1); b) ausführlich u. differenziert dargestellt; vgl. explicit; **explizite Funktion:** mathematische Funktion, deren Werte sich unmittelbar (d. h. ohne Umformung der Funktion) berechnen lassen. ex|pli|zi|te: in aller Deutlichkeit ex|plo|die|ren *‹lat.›:* 1. durch heftigen inneren [Gas]druck plötzlich auseinander getrieben werden, mit Knall [zer]platzen, bersten. 2. einen heftigen Gefühlsausbruch zeigen Ex|ploit [eks'plǫa] *‹lat.-vulgärlat.-altfr.-fr.› der;* -s: hervorragende Leistung, Glanzleistung (schweiz., bes. Sport). Ex|ploi|ta|ti|on [eksplǫa...] *‹lat.-fr.› die;* -, -en: (veraltet) 1. Ausbeutung. 2. Nutzbarmachung (z. B. eines Bergwerks). Ex|ploi|teur [eks-plǫa'tø:ɐ̯] *der;* -s, -e: (veraltet) jmd., der eine Sache od. Person exploitiert. ex|ploi|tie|ren: [eks-plǫa...] (veraltet) 1. aus der Arbeitskraft eines andern Gewinn ziehen, dessen Arbeitskraft für

sich ausnutzen, ausbeuten. 2. [Bodenschätze] nutzbar machen Ex|plo|rand *‹lat.› der;* -en, -en: jmd., der exploriert wird. Ex|plo|ra|ti|on *die;* -, -en: Untersuchung u. Befragung; Nachforschung; Erkundung. Ex|plo|ra|tor *der;* -s, ...oren: jmd., der exploriert. Ex|plo|ra|to|ren|ver|fah|ren *‹lat.; dt.› das;* -s, -: Erforschung der Volkskultur (Sprache, Brauchtum, Geräte u. a.) durch persönl. Befragung von Gewährsleuten. ex|plo|ra|to|risch *‹lat.›:* [aus]forschend, prüfend. ex|plo|rie|ren *‹lat.›:* 1. erforschen, untersuchen, erkunden (z. B. Boden, Gelände). 2. [Personen]gruppen zu Untersuchungs-, Erkundungszwecken befragen, ausforschen; (Verhältnisse) durch Befragung u. Gespräche untersuchen, erkunden (Psychol.; Med.) ex|plo|si|bel *‹lat.-nlat.›:* 1. explosionsfähig, -gefährlich. 2. zu unvermittelten Gewalthandlungen u. plötzlichen Kurzschlussreaktionen neigend (von ↑Psychopathen; Med.; Psychol.). Ex|plo|si|bi|li|tät *die;* -: Fähigkeit zu explodieren (1). Ex|plo|si|on *‹lat.› die;* -, -en: 1. mit einem heftigen Knall verbundenes Zerplatzen u. Zerbersten eines Körpers. 2. heftiger Gefühlsausbruch, bes. Zornausbruch. Ex|plo|si|ons|kra|ter *der;* -s, -: durch explosionsartige Vulkanausbrüche entstandener Krater (z. B. Maar). Ex|plo|si|ons|mo|tor *der;* -s, ...oren, auch: Explosionsmotor *der;* -s, -e: Motor, der seine Energie aus der Explosion eines Treibstoff-Luft-Gemisches gewinnt. ex|plo|siv *‹lat.-nlat.›:* a) leicht explodierend (1); b) zu Gefühlsausbrüchen neigend. 2. a) explosionsartig; b) sehr temperamentvoll, heftig. Ex|plo|siv *der;* -s, -e u. Ex|plo|si|va *die;* -, ...vä: Explosivlaut. Ex|plo|si|vi|tät *die;* -: explosive Beschaffenheit, Art [u. Weise]. Ex|plo|si|v|laut *der;* -[e]s, -e: Laut, der durch die plötzliche Öffnung eines Verschlusses entsteht (z. B. b, k) Ex|po|nat *‹lat.-russ.› das;* -[e]s, -e: Ausstellungsstück, Museumsstück. Ex|po|nent *‹lat.› der;* -en, -en: 1. herausgehobener Vertreter einer Richtung, einer Partei usw. 2. Hochzahl, bes. der Wurzel- u. Potenzrechnung (z. B. *n* bei a^n). Ex|po|nen|ti|al|funk|ti|on *‹lat.-nlat.; lat.› die;* -, -en: math. Funktion, bei der die unabhängige Veränderliche als ↑Exponent (2) einer konstanten Größe (meist e) auftritt. **Ex|ponen|ti|al|glei|chung** ⟨lat.-nlat.; dt.⟩ die; -, -en : Gleichung mit einer Unbekannten im Exponenten. **ex|po|nen|ti|ell** ⟨lat.⟩: gemäß einer [speziellen] Exponentialfunktion verlaufend, z. B.: exponentieller Abfall einer physikalischen Größe. **ex|po|nie|ren**: 1. a) darstellen, zur Schau stellen; b) (veraltet) belichten (Fotogr.). 2. sich -: die Aufmerksamkeit auf sich lenken, sich durch sein Handeln sichtbar herausheben, herausstellen [u. sich dadurch auch der Kritik, Angriffen aussetzen]. **ex|po|niert**: herausgehoben u. dadurch Gefährdungen od. Angriffen in erhöhtem Maß ausgesetzt

¹Ex|port ⟨lat.-engl.⟩ der; -[e]s, -e: 1. Ausfuhr, Absatz von Waren im Ausland. 2. das Ausgeführte; (Ggs. ↑Import). **²Ex|port** das; -, -: Kurzform von ↑Exportbier. **Ex|port|bier** ⟨urspr. das für den Export nach Übersee stärker eingebraute Bier von besonderer Haltbarkeit⟩ das; -[e]s, -e: ein qualitativ gutes, geschmacklich abgerundetes (wie sehr bitteres) Bier. **Ex|por|ten** die (Plural): Ausfuhrwaren. **Ex|por|teur** [...'tø:ɐ] ⟨französische Bildung⟩ der; -s, -e: jmd. (auch ein Unternehmen), der exportiert. **ex|por|tie|ren** ⟨lat.-engl.⟩: Waren ins Ausland ausführen **Ex|po|sé**, auch: Exposee [...'ze:] ⟨lat.-fr.⟩ das; -s, -s: a) Denkschrift, Bericht, Darlegung, zusammenfassende Übersicht; b) Entwurf, Plan, Handlungsskizze (bes. für ein Filmdrehbuch). **Ex|po|si|ti|on** ⟨lat.⟩ die; -, -en : 1. Darlegung, Erörterung. 2. einführender, vorbereitender Teil des Dramas (meist im 1. Akt od. als ↑Prolog). 3. a) erster Teil des Sonatensatzes mit der Aufstellung der Themen; b) Kopfteil bei der Fuge mit der ersten Themadurchführung. 4. Ausstellung, Schau. 5. in der katholischen Kirche im Mittelalter aufgekommener Brauch, das Allerheiligste in der ↑Monstranz od. im ↑Ziborium zur Anbetung zu zeigen. 6. Lage eines bewachsenen Berghanges in Bezug auf die Einfallsrichtung der Sonnenstrahlen (Biol.). 7. (veraltet) Belichtung (Fotogr.). 8. Grad der Gefährdung für einen Organismus, der sich aus der Häufigkeit u. Inten-

sität aller äußeren Krankheitsbedingungen ergibt, denen der Organismus ausgesetzt ist (Med.). **ex|po|si|to|risch** ⟨lat.-engl.⟩: erklärend, darlegend (z. B.: expositorische Texte). **Ex|po|si|tur** ⟨lat.-nlat.⟩ die; -, -en : 1. abgegrenzter selbstständiger Seelsorgebezirk einer Pfarrei. 2. (österr.) a) in einem anderen Gebäude untergebrachter Teil einer Schule; b) auswärtige Zweigstelle eines Geschäftes. **Ex|po|si|tus** ⟨lat.⟩ der; -, ...ti: Geistlicher als Leiter einer Expositur (1) **ex post** ⟨lat.⟩: 1. nach geschehener Tat; hinterher. 2. im Nachhinein (Wirtsch.); Ggs: ↑ex ante. **ex post fac|to** ⟨lat.⟩: ↑ex post (1) **ex|press** ⟨lat.⟩: 1. eilig, Eil... 2. (landsch.) eigens, ausdrücklich, zum Trotz. **Ex|press** ⟨lat.-engl.⟩ der; -es, -e: (veraltet) Schnellzug. **Ex|press|bo|te** ⟨lat.-engl.; dt.⟩ der; -n, -n : (veraltet) Eilbote (Postw.). **Ex|press|gut** das; -[e]s, ...güter: Versandgut, das auf dem schnellsten Weg zum Bestimmungsort gebracht wird. **Ex|pres|si|on** ⟨lat.⟩ die; -, -en : 1. Ausdruck. 2. besonderes Register beim Harmonium. 3. das Herauspressen (z. B. der Nachgeburt) (Med.). **Ex|pres|sio|nis|mus** ⟨lat.-nlat.⟩ der; -: 1. Kunstrichtung der frühen 20. Jh.s, die im bewussten Gegensatz zum ↑Impressionismus (1 u. 2) steht. 2. musikalischer Ausdrucksstil um 1920. **Ex|pres|sio|nist** der; -en, -en : Vertreter des Expressionismus. **ex|pres|sio|nis|tisch**: a) im Stil des Expressionismus; b) den Expressionismus betreffend. **ex|pres|sis ver|bis** [...si:s ...bi:s] ⟨lat.⟩: ausdrücklich. **ex|pres|siv** ⟨lat.-nlat.⟩: ausdrucksstark, mit Ausdruck, ausdrucksbetont. **Ex|pres|si|vi|tät** die; -: 1. Fülle des Ausdrucks, Ausdrucksfähigkeit. 2. Ausprägungsgrad einer Erbanlage im Erscheinungsbild (Biol.) **ex pro|fes|so** ⟨lat.⟩: berufsmäßig, von Amts wegen, absichtlich **Ex|pro|mis|si|on** ⟨lat.-nlat.⟩ die; -, -en : der ursprüngliche Schuldner befreiende Schuldübernahme durch einen Dritten (Rechtsw.) **Ex|prop|ri|a|teur*** [...'tø:ɐ] ⟨lat.-fr.⟩ der; -s, -e: Enteigner, Ausbeuter (Marxismus). **Exprop|ri|a|ti|on** ⟨lat.-nlat.⟩ die; -, -en : Enteignung (Marxismus). **ex|prop|ri|ie|ren**: enteignen (Marxismus)

Ex|pul|si|on ⟨lat.⟩ die; -, -en : Entfernung, Abführung (z. B. von Eingeweidewürmern; Med.). **expul|siv** ⟨lat.-nlat.⟩: die Expulsion betreffend (Med.) **ex|qui|sit** ⟨lat.⟩: ausgesucht, erlesen, vorzüglich **Ex|sek|ra|ti|on*** u. Exekration ⟨lat.⟩ die; -, -en : 1. Entweihung. 2. feierliche Verwünschung, Fluch (kath. Kirche). **ex|sek|rie|ren** u. exekrieren: 1. entweihen. 2. verwünschen, verfluchen (kath. Kirche) **Ex|sik|kans** ⟨lat.-nlat.⟩ das; -, ...kkanzien u. ...kkantia: austrocknendes, Flüssigkeit ↑absorbierendes Mittel (Med.). **Ex|sikkat** das; -[e]s, -e: getrocknete Pflanzenprobe (Bot.). **Ex|sik|ka|ti|on** ⟨lat.⟩ die; -, -en : Austrocknung (Chem.). **ex|sik|ka|tiv** ⟨lat.-nlat.⟩: austrocknend (Chem.). **Ex|sik|ka|tor** der; -s, ...oren: Gerät zum Austrocknen od. zum trockenen Aufbewahren von Chemikalien. **Ex|sik|ko|se** die; -, -n: Austrocknung des Körpers bei starkem Flüssigkeitsverlust (z. B. bei Durchfall) **ex sil|len|tio** ⟨lat.⟩: ↑ex tacendo **Ex|spek|tant** ⟨lat.⟩ der; -en, -en : (hist.) jmd., der eine Exspektanz besitzt, Anwärter. **Ex|spek|tanz** ⟨lat.-nlat.⟩ die; -, -en : (hist.) Anwartschaft auf eine noch nicht besetzte Stelle im Staats- od. im kirchlichen Dienst. **ex|spek|ta|tiv**: 1. eine Exspektanz gewährend. 2. abwartend (von einer Krankheitsbehandlung) (Med.) **Ex|spi|ra|ti|on** ⟨lat.⟩ die; -: Ausatmung (Med.). **ex|spi|ra|to|risch** ⟨lat.-nlat.⟩: auf Exspiration beruhend, mit ihr zusammenhängend; Ggs. ↑inspiratorisch (2); **exspiratorische Artikulation**: Lautbildung beim Ausatmen; **exspiratorischer Akzent**: den germanischen Sprachen eigentümlicher Akzent, der auf der Tonstärke des Gesprochenen beruht, Druckakzent. **ex|spi|rie|ren** ⟨lat.⟩: ausatmen (Med.). **Ex|spo|li|a|ti|on** ⟨lat.⟩ die; -, -en : (veraltet) Beraubung. **ex|spo|li|ie|ren** (veraltet) ausrauben, plündern **Ex|stir|pa|ti|on** ⟨lat.; „Ausrottung"⟩ die; -, -en : völlige Entfernung [eines erkrankten Organs] (Med.). **Ex|stir|pa|tor** der; -s, ...oren: besondere Art eines ↑Grubbers. **ex|stir|pie|ren**: ein erkranktes Organ od. eine Geschwulst völlig entfernen (Med.) **Ex|su|dat** ⟨lat.⟩ das; -[e]s, -e: 1.

entzündliche Ausschwitzung (eiweißhaltige Flüssigkeit, die bei Entzündungen aus den Gefäßen austritt; Med.). 2. Drüsenabsonderung bei Insekten (Biol.). **Exsu|da|ti|on** *die; -, -en:* 1. Ausschwitzung, Absonderung eines Exsudats (Med.; Biol.). 2. Ausscheidung von Mineralstoffen aus ↑kapillar aufsteigenden u. verdunstenden Bodenlösungen; vgl. Effloreszenz (2). **ex|su|dativ** *⟨lat.-nlat.⟩:* mit der Exsudation (1) zusammenhängend, auf ihr beruhend

ex ta|cen|do *⟨lat.⟩:* aus dem Nichtvorkommen (von Belegen) **Ex|tem|po|ra|le** *⟨lat.⟩ das; -s, ...lien:* (veraltet) unvorbereitet anzufertigende [Klassen]arbeit. **Ex|tem|po|re** *das; -s, -s:* a) improvisierte Einlage [auf der Bühne]; b) Stegreifspiel, Stegreifrede. **ex tem|po|re:** aus dem Stegreif. **ox|tem|po|ri|g|ren** *⟨lat.-nlat.⟩:* a) eine improvisierte Einlage [auf der Bühne] geben; b) aus dem Stegreif reden, schreiben, musizieren usw. **Ex|ten|ded** *[ıks'tɛndıd] ⟨lat.-engl.⟩ die; -:* aus England stammende, breite Antiquadruckschrift (Druckw.). **Ex|ten|der** *⟨engl.⟩ der; -s, -:* Mittel zum Strecken teurer Rohstoffe (z. B. in der Farbenproduktion) (bes. Chemie). **ex|ten|die|ren** *⟨lat.⟩:* (veraltet) ausweiten, ausdehnen, erweitern. **ex|ten|si|bel** *⟨lat.-nlat.⟩:* (veraltet) ausdehnbar. **Exten|si|bi|li|tät** *die; -, -en:* (veraltet) Ausdehnbarkeit. **Ex|ten|sion** *⟨lat.⟩ die; -, -en:* 1. Ausdehnung, Streckung. 2. Umfang eines Begriffs, Gesamtheit der Gegenstände, die unter diesen Begriff fallen (z. B. Obst: Äpfel, Birnen ...; Logik); Ggs. ↑Intension (2). **ex|ten|si|o|nal:** 1. auf die Extension (2) bezogen; Ggs. ↑intensional (1). 2. (bes. in der Mengenlehre) umfangsgleich; vgl. intensional (2). **Ex|ten|si|tät** u. Extensivität *⟨lat.-nlat.⟩ die; -:* Ausdehnung, Umfang. **ex|tensiv** *⟨lat.⟩:* 1. ausgedehnt, umfassend, in die Breite gehend (z.B. -e Beeinflussung). 2. auf großen Flächen, aber mit verhältnismäßig geringem Aufwand betrieben (z. B. -e Nutzung des Bodens). 3. ausdehnend, erweiternd (von der Auslegung eines Gesetzes) (Rechtsw.). **ex|ten|si|vie|ren:** ausdehnen, in die Breite gehen od. wirken lassen. **Ex|ten|si|vität** vgl. Extensität. **Ex|ten|sor**

der; -s, ...oren: Streckmuskel (Med.) **Ex|te|ri|eur** *[...ri'ø:ɐ] ⟨lat.-fr.⟩ das; -s, -s u. -e:* 1. Äußeres; Außenseite; Erscheinung. 2. die Körperform eines Tiers im Hinblick auf einen bestimmten Zweck (z. B. beim Pferd als Zug- od. Reittier) (Landw.). **Ex|te|ri|o|ri|tät** *⟨lat.-nlat.⟩ die; -, -en:* (veraltet) Äußeres, Außenseite, Oberfläche **Ex|ter|mi|na|ti|on** *⟨lat.⟩ die; -, -en:* (veraltet) a) Vertreibung; Landesverweisung; b) Zerstörung. **ex|ter|mi|nie|ren:** (veraltet) ausrotten, vertreiben **ex|tern** *⟨lat.⟩:* 1. auswärtig, fremd; draußen befindlich. 2. nicht im Internat wohnend; vgl. Externe. **Ex|ter|ne:** *Plural* von ↑Externum. **Ex|ter|na|li|sa|ti|on** *die; -, -en:* das Externalisieren; vgl. Projektion (4). **ex|ter|na|lisie|ren:** nach außen verlagern (z. B. Ängste) (Psychol.); vgl. internalisieren. **Ex|ter|nat** *⟨lat.-nlat.⟩; Gegenbildung zu* ↑Internat) *das; -[e]s, -e:* Lehranstalt, deren Schüler außerhalb der Schule wohnen. **Ex|ter|ne** *⟨lat.⟩ der u. die; -n, -n:* 1. Schüler[in], der bzw. die nicht im Internat wohnt. 2. Schüler[in], der bzw. die die Abschlussprüfung an einer Schule ablegt, ohne diese zuvor besucht zu haben. **Ex|ternist** *⟨lat.-nlat.⟩ der; -en, -en:* (österr.) Externe (1, 2). **Ex|ternspeicher** *der; -s, -:* außerhalb der Zentraleinheit angeordneter Datenspeicher (EDV). **Ex|ternum** *⟨lat.⟩ das; -s, ...na:* äußerlich anzuwendendes Arzneimittel (Med.)

ex|te|ro|zep|tiv *⟨lat.⟩:* Reize wahrnehmend, die von außerhalb des Organismus kommen (z. B. mittels Augen, Ohren) (Psychol.; Med.); Ggs. ↑propriozeptiv **ex|ter|ri|to|ri|al** *⟨lat.-nlat.⟩:* außerhalb der Landeshoheit stehend. **ex|ter|ri|to|ri|a|li|sie|ren:** jmdm. Exterritorialität gewähren. **Ex|ter|ri|to|ri|a|li|tät** *die; -:* a) Unabhängigkeit bestimmter ausländischer Personen (z. B. Gesandter) von der Gerichtsbarkeit des Aufenthaltsstaates; b) Unverletzlichkeit u. Unantastbarkeit von Diplomaten im Gastland **Ex|tink|teur** *[...'tø:ɐ] ⟨lat.-fr.⟩ der; -s, -e:* (veraltet) Feuerlöscher. **Ex|tink|ti|on** *⟨lat.⟩ die; -, -en:* 1. (veraltet) Auslöschung, Tilgung. 2. Schwächung einer Wellenbe

wegung (Strahlung) beim Durchgang durch ein ↑¹Medium (3) (Phys.; Astron.; Meteor.). **Extink|ti|ons|ko|ef|fi|zi|ent** *der; -en:* Maß für die Extinktion (2) **ex|tor|qui|e|ren** *⟨lat.⟩:* (veraltet) abpressen, erzwingen. **Ex|tor|sion** *die; -, -en:* (veraltet) Erpressung **ext|ra** *⟨lat.⟩:* a) besonders, für sich, getrennt; b) zusätzlich, dazu; c) ausdrücklich; d) absichtlich; e) zu einem bestimmten Zweck; f) besonders, ausgesucht. **Ext|ra** *das; -s, -s* (meist Plural): Zubehörteil (speziell zu Autos), das über die übliche Ausstattung hinausgeht **Ext|ra|blatt*** *das; -[e]s, ...blätter:* Sonderausgabe einer Zeitung mit besonders aktuellen Nachrichten **ext|ra* dry** *[- draɪ] ⟨engl.⟩:* trocken (von Sekt u. Schaumweinen) **ext|ra* ecc|le|si|am* nul|la salus** *⟨lat.⟩:* "außerhalb der Kirche [ist] kein Heil" (Ausspruch des hl. Cyprian, † 258) **ext|ra|flo|ral*** *⟨lat.-nlat.⟩:* außerhalb der Blüte befindlich (Bot.) **ext|ra|ga|lak|tisch*** *⟨lat.; gr.⟩:* außerhalb der Milchstraße (vgl. Galaxie) liegend (Astron.) **ext|ra|ge|ni|tal*** *⟨lat.-nlat.⟩:* (Med.) 1. außerhalb der Geschlechtsteile. 2. unabhängig von den Geschlechtsteilen (bes. in Bezug auf die Übertragung von Geschlechtskrankheiten) **Ex|tra|hent*** *⟨lat.⟩ der; -en, -en:* (veraltet) jmd., auf dessen Antrag eine gerichtl. Verfügung erlassen wird (Rechtsw.). **ex|trahie|ren:** 1. [einen Zahn] herausziehen. 2. eine Extraktion (2) vornehmen. 3. (veraltet) eine Vollstreckungsmaßregel erwirken **ext|ra|in|tes|ti|nal*** *⟨lat.-nlat.⟩:* außerhalb des Darmkanals (Med.) **ext|ra|kor|po|ral*** *⟨lat.⟩:* außerhalb des Körpers erfolgend, verlaufend (Med.) **Ex|trakt*** *⟨lat.⟩ der* (naturwiss. fachsprachlich auch: *das*); *-[e]s, -e:* 1. Auszug aus tierischen od. pflanzlichen Stoffen. 2. konzentrierte Zusammenfassung der wesentlichsten Punkte eines Buches, Schriftstücks od. einer Rede. **Ex|trak|teur** *[...'tø:ɐ] ⟨lat.-fr.⟩ der; -s, -e:* Gerät zur Vornahme einer Extraktion (1). **Ex|trak|tion** *⟨lat.-nlat.⟩ die; -, -en:* 1. Herauslösung einzelner Bestandteile aus einem flüssigen od. festen

Stoffgemisch mit einem geeigneten Lösungsmittel (Chem.). 2. das Ziehen eines Zahnes (Med.). **ex|trak|tiv:** ausziehend; auslaugend; löslich ausziehbar. **Extrak|tiv|stoff** *der;* -[e]s, -e: in Pflanzen od. Tieren vorkommender Stoff, der durch Wasser od. Alkohol ausgezogen werden kann (Biol.)
ext|ra|lin|gu|al* ⟨*lat.-nlat.*⟩: außersprachlich, nicht zur Sprache gehörend (Sprachw.); Ggs. ↑intralingual
ext|ra|mun|dan* ⟨*lat.*⟩: außerweltlich, ↑transzendent (1) (Philos.); Ggs. ↑intramundan
ext|ra|mu|ral* ⟨*lat.-nlat.*⟩: 1. außerhalb der Stadtmauern befindlich. 2. außerhalb der Wand eines Hohlraums (z. B. des Darms) gelegen (Med.). **ext|ra mu|ros** ⟨*lat.*⟩: außerhalb der Mauern
ext|ran* ⟨*lat.-nlat.*⟩: (veraltet) ausländisch, fremd. **Ext|ra|ne|er** *der;* -s, - u. **Ext|ra|ne|us** ⟨*lat.*⟩ *der;* -, ...neer: ↑Externe
ext|ra|or|di|när* ⟨*lat.-fr.*⟩: außergewöhnlich, außerordentlich. **Ext|ra|or|di|na|ri|at** ⟨*lat.-nlat.*⟩ *das;* -[e]s, -e: Amt eines Extraordinarius. **Ext|ra|or|di|na|ri|um** ⟨*lat.*⟩ *das;* -s, ...ien: außerordentlicher Haushalt[splan] eines Staates. **Ext|ra|or|di|na|ri|us** *der;* -, ...ien: außerordentlicher Professor. **ext|ra or|di|nem:** außerhalb der Reihe
ext|ra|pe|ri|to|ne|al* ⟨⟨*lat.; gr.*⟩ *nlat.*⟩: außerhalb des Bauchfells gelegen (Med.)
ext|ra|pleu|ral* ⟨⟨*lat.; gr.*⟩ *nlat.*⟩: außerhalb des Brustfellraums gelegen (Med.)
Ext|ra|po|la|ti|on* ⟨*lat.-nlat.*⟩ *die;* -, -en: näherungsweise Bestimmung von Funktionswerten außerhalb eines ↑Intervalls (4) aufgrund der Kenntnis von Funktionswerten innerhalb dieses Intervalls. **ext|ra|po|lie|ren:** aus dem Verhalten einer Funktion innerhalb eines mathematischen Bereichs auf ihr Verhalten außerhalb dieses Bereichs schließen
Ext|ra|po|si|ti|on* ⟨*lat.-nlat.*⟩ *die;* -, -en: Herausstellung eines Gliedsatzes an das Ende des Satzgefüges, wobei ein stellvertretendes „es" vorangestellt wird, z. B.: „Es ist schön, dass du kommst" für: „Dass du kommst, ist schön" (Sprachw.)
Ext|ra|pro|fit* *der;* -[e]s, -e: Über-, [Zusatz]verdienst (Marxismus)

Ext|ra|pu|ni|ti|vi|tät* ⟨*lat.-nlat.*⟩ *die;* -, -en: Wunsch od. Wille, andere Personen für eigene moralische Unzulänglichkeit od. eigene Schuld büßen zu lassen (Sozialpsychol.)
Ext|ra|sys|to|le* [auch: ...'zystole] *die;* -, -n: auf einen ungewöhnlichen Reiz hin erfolgende vorzeitige Zusammenziehung des Herzens innerhalb der normalen Herzschlagfolge (Med.). **Ext|ra|sys|to|lie** *die;* -, -n: durch Extrasystolen hervorgerufene Herzrhythmusstörung (Med.)
ext|ra|ten|siv* ⟨*lat.-nlat.*⟩: extensiv (2)
Ext|ra|ter|rest|rik* ⟨*lat.-nlat.*⟩ *die;* -: Fachgebiet der Physik, auf dem die physikalischen Vorgänge u. Gegebenheiten untersucht werden, die sich außerhalb der Erde u. ihrer Atmosphäre abspielen. **ext|ra|ter|rest|risch:** außerhalb der Erde (einschließlich ihrer Atmosphäre) gelegen (Astron.; Phys.)
Ext|ra|tour *die;* -, -en: (ugs.) eigenwilliges u. eigensinniges Verhalten od. Vorgehen innerhalb einer Gruppe
ext|ra|ute|rin* ⟨*lat.-nlat.*⟩: außerhalb der Gebärmutter (Med.). **Ext|ra|ute|rin|gra|vi|di|tät** *die;* -, -en: Schwangerschaft, bei der sich das befruchtete Ei außerhalb der Gebärmutter eingenistet hat (Med.).
ext|ra|va|gant* [auch: ˈɛks...] ⟨*lat.-mlat.-fr.*⟩: 1. a) ausgefallenen Geschmack habend, zeigend; b) von ungewöhnlichem u. ausgefallenem Geschmack zeugend u. dadurch auffallend. 2. überspannt, verstiegen, übertrieben. **Ext|ra|va|ganz** [auch: ˈɛks...] *die;* -, -en: 1. etwas, was aus dem Rahmen des Üblichen herausfällt; ausgefallenes Verhalten, Tun. 2. (ohne Plural) Ausgefallenheit. 3. Überspanntheit, Verstiegenheit. **ext|ra|va|gie|ren** ⟨*lat.-mlat.*⟩: (veraltet) überspannt handeln
Ext|ra|va|sat* ⟨*lat.-nlat.*⟩ *das;* -[e]s, -e: aus einem Gefäß ins Gewebe ausgetretene Flüssigkeit wie Blut od. Lymphe (Med.). **Ext|ra|va|sa|ti|on** *die;* -, -en: Blut- od. Lympherguss in das Zellgewebe (Med.)
Ext|ra|ver|si|on* ⟨*lat.-nlat.*⟩ *die;* -, -en: seelische Einstellung, die durch Konzentration der Interessen auf äußere Objekte gekennzeichnet ist; Ggs. ↑Introversion. **ext|ra|ver|tiert** u. ext-

rovertiert: nach außen gerichtet, für äußere Einflüsse leicht empfänglich; Ggs. ↑introvertiert (Psychol.)
ext|ra|zel|lu|lär* ⟨*lat.-nlat.*⟩: außerhalb der Zelle (Med.)
ext|rem* ⟨*lat.*⟩: 1. äußerst [hoch, niedrig]; ungewöhnlich. 2. radikal; **extremer Wert:** a) Hoch- od. Tiefpunkt einer Funktion od. einer Kurve; b) größter od. kleinster Wert einer Messreihe. **Ext|rem** *das;* -s, -e: höchster od. niedrigster Grad, äußerste Grenze. **ext|re|mi|sie|ren** ⟨*lat.-nlat.*⟩: zu einer extremen Haltung bringen, gelangen lassen, ins Extrem treiben. **Ext|re|mi|sie|rung** *die;* -: das Extremisieren. **Ext|re|mis|mus** *der;* -, ...men: 1. (ohne Plural) extreme, radikale [politische] Haltung od. Richtung. 2. auf Extremismus (1) beruhende Handlung. **Ext|re|mist** *der;* -en, -en: radikal eingestellter Mensch. **ext|re|mis|tisch:** eine extreme, radikale [politische] Einstellung zeigend; den Extremismus vertrechtend. **Ext|re|mi|tät** ⟨*lat.*⟩ *die;* -, -en: 1. (meist Plural) Gliedmaße (Med.). 2. äußerstes Ende; Extremsein (z. B. einer Idee oder eines Planes). **Ext|rem|sport** *der;* -[e]s, -e (Plural selten): mit höchster körperlicher Beanspruchung, mit besonderen Gefahren verbundener Sport (z. B. Triathlon, Freeclimbing). **Ext|re|mum** *das;* -s, ...ma u. **Ext|rem|wert** *der;* -[e]s, -e: a) höchster od. tiefster Wert einer Funktion od. einer Kurve; b) größter od. kleinster Wert einer Messreihe
ext|rin|sisch* ⟨*lat.-fr.-engl.*⟩: von außen her [angeregt], nicht aus eigenem inneren Anlass erfolgend, sondern aufgrund äußerer Antriebe; Ggs. ↑intrinsisch (Psychol.); **extrinsische Motivation:** durch äußere Zwänge, Strafen verursachte Motivation (1); Ggs. ↑intrinsische Motivation
Ext|ro|phie* ⟨*gr.-nlat.*⟩ *die;* -: ...Ektopie
ext|rors* ⟨*lat.*⟩: nach außen gewendet (in Bezug auf die Stellung der Staubbeutel zur Blütenachse; Bot.); Ggs. ↑intrors. **ext ro|ver|tiert** vgl. extravertiert
Ext|ru|der* ⟨*lat.-engl.*⟩ *der;* -s, -: Maschine zur Herstellung von Formstücken (Rohre, Drähte, Bänder usw.) aus ↑thermoplastischem Material, das im formbaren Zustand durch Düsen gepresst wird (Techn.). **ext|ru|die-**

ren: Formstücke aus ↑thermoplastischem Material mit dem Extruder herstellen (Techn.). **Ext|ru|si|on** ⟨lat.-nlat.⟩ die; -, -en: 1. Ausfluss von Lava u. Auswurf von Lockermaterial an Vulkanen (Geol.). 2. das Überstehen eines Zahnes über die Bissebene (Zahnmed.). **ext|ru|siv:** an der Erdoberfläche erstarrt (von Gesteinen) (Geol.). **Ext|ru|siv|ge|stein** das; -s: an der Erdoberfläche erstarrtes Ergussgestein (Geol.)

ex tunc ⟨lat.; „von damals an"⟩: Zeitpunkt für den Eintritt der Rückwirkung einer Bestimmung od. Vereinbarung; vgl. ex nunc **e|xu|be|rans*** ⟨lat.⟩: stark wuchernd (Med.). **e|xu|be|rant:** (veraltet) überschwänglich, üppig. **E|xu|be|ranz** die; -, -en: (veraltet) Üppigkeit, Überfluss, Überschwänglichkeit

E|xu|li|ant ⟨lat.⟩ der; -en, -en: 1. im 17. u. 18. Jh. aus einem der Länder der habsburgischen Monarchie vertriebener Protestant. 2. (veraltet) Verbannter, Vertriebener. **e|xu|lie|ren:** (veraltet) in der Verbannung leben

Ex|ul|ze|ra|ti|on* ⟨lat.⟩ die; -, -en: Geschwürbildung, Verschwärung (Med.). **ex|ul|ze|rie|ren:** schwären (Med.)

Ex|un|da|ti|on* ⟨lat.⟩ die; -, -en: (veraltet) Überschwemmung. **ex|un|die|ren:** (veraltet) über die Ufer treten

ex un|gue le|o|nem ⟨lat.; „den Löwen nach der Klaue (malen)"⟩: aus einem Glied od. Teil auf die ganze Gestalt, auf das Ganze schließen

ex u|su ⟨lat.; „aus dem Gebrauch heraus"⟩: aus der Erfahrung, durch Übung, nach dem Brauch **E|xu|vie*** ⟨lat.⟩ die; -, -n: 1. tierische Körperhülle, die beim Wachstumsprozess von Zeit zu Zeit abgestreift wird (z. B. Schlangenhaut). 2. (Plural) (veraltet) Siegesbeute

ex vo|to ⟨lat.⟩: aufgrund eines Gelübdes (Inschrift auf ↑Votivgaben). **Ex|vo|to** das; -s, -s od. Ex-voten: Weihegabe, Votivbild od. -tafel

Ex|ze|dent ⟨lat.⟩ der; -en, -en: 1. (veraltet) Übeltäter, Unfugstifter. 2. über eine selbst gewählte Versicherungssumme hinausgehender Betrag (Versicherungswesen). **Ex|ze|den|ten|ver|trag** der; -s, ...verträge: Vertrag, in dem der Erstversicherer den Rückversicherer nur in einzel-

nen, über ein gewisses Maß hinausgehenden Objekten beteiligt (Versicherungswesen). **ex|ze|die|ren:** (veraltet) a) Unfug stiften; b) ausschweifen, übertreiben

ex|zel|lent ⟨lat.-fr.⟩: hervorragend, ausgezeichnet, vortrefflich. **Ex|zel|lenz** ⟨„Vortrefflichkeit, Erhabenheit"⟩ die; -, -en: 1. Anrede im diplomatischen Verkehr. 2. (hist.) Titel von Ministern u. hohen Beamten; Abk.: Exz. **ex|zel|lie|ren** ⟨lat.⟩: hervorragen, glänzen. **Ex|zel|si|or|marsch** der; -es, ...märsche: Vorrücken eines Bauern vom Ausgangs- zum Umwandlungsfeld (Kunstschach)

Ex|zen|ter ⟨gr.-nlat.⟩ der; -s, -: exzentrisch (2) auf einer Welle angebrachte Steuerungsscheibe (Techn.). **Ex|zen|ter|pres|se** die; -, -n: Werkzeugmaschine, bes. zum Stanzen u. Pressen von Blechen, Kunststoffen usw., bei der die Auf- u. Abwärtsbewegung durch einen auf der Antriebswelle sitzenden Exzenter erzeugt wird. **Ex|zent|rik*** die; -: 1. von üblichen Verhaltensweisen abweichendes, überspanntes Benehmen. 2. mit stark übertriebener Komik dargebotene ↑Artistik. **Ex|zent|ri|ker** der; -s, -: 1. überspannter, verschrobener Mensch. 2. Artist in der Rolle eines Clowns. **ex|zent|risch:** 1. überspannt, verschroben. 2. außerhalb des Mittelpunktes liegend. **Ex|zent|ri|zi|tät** die; -, -en: 1. das Abweichen, Abstand vom Mittelpunkt. 2. Überspanntheit

Ex|zep|ti|on ⟨lat.⟩ die; -, -en: (veraltet) 1. Ausnahme. 2. juristische Einrede; vgl. Exceptio. **Ex|zep|ti|o|nal|is|mus** ⟨lat.-nlat.⟩ der; -, ...men: 1. (ohne Plural) Lehrmeinung, dass bestimmte Gesteine, Gebirge u. a. durch außergewöhnliche, heute nicht mehr beobachtbare Prozesse gebildet worden sind (Geol.). 2. außergewöhnlicher Prozess der Bildung bestimmter Gesteine, Gebirge u. a. **ex|zep|ti|o|nell** ⟨lat.-fr.⟩: ausnahmsweise auftretend, außergewöhnlich. **ex|zep|tiv** ⟨lat.-nlat.⟩: (veraltet) ausschließend, ausnehmend. **Ex|zep|tiv|satz** der; -es, ...sätze: bedingender Gliedsatz, der eine Ausnahme ausdrückt (z. B. es sei denn) **ex|zer|pie|ren** ⟨lat.; „herausklauben, auslesen"⟩: ein Exzerpt anfertigen. **Ex|zerpt** das; -[e]s, -e: schriftlicher, mit dem Text der

Vorlage übereinstimmender Auszug aus einem Werk. **Ex|zerp|ti|on** die; -, en: 1. das Exzerpieren. 2. (selten) das Exzerpierte. **Ex|zerp|tor** der; -s, ...oren: jmd., der Exzerpte anfertigt

Ex|zess ⟨lat.⟩ der; -es, -e: Ausschreitung; Ausschweifung; Maßlosigkeit. **ex|zes|siv** ⟨lat.-nlat.⟩: außerordentlich; das Maß überschreitend; ausschweifend; **exzessives Klima:** Landklima mit jährlichen Temperaturschwankungen über 40 °C

ex|zi|die|ren ⟨lat.⟩: Gewebe (z. B. eine Geschwulst) aus dem Körper herausschneiden (Med.) **ex|zi|pie|ren** ⟨lat.⟩: (veraltet) ausnehmen, als Ausnahme hinstellen

Ex|zi|si|on ⟨lat.⟩ die; -, -en: das Herausschneiden von Gewebe (z. B. einer Geschwulst; Med.) **ex|zi|ta|bel** ⟨lat.-nlat.⟩: reizbar, erregbar, nervös (Med.; Psychol.). **Ex|zi|ta|bi|li|tät** die; -: Reizbarkeit, Erregbarkeit, Nervosität (Med.; Psychol.). **Ex|zi|tans** ⟨lat.⟩ das; -, ...tanzien u. ...tantia: Herz, Kreislauf, Atmung od. Nerven anregendes, belebendes Arzneimittel (Med.). **Ex|zi|ta|ti|on** die; -, -en: Erregungszustand des Organismus (Med.). **ex|zi|ta|tiv** ⟨lat.-nlat.⟩: erregend (Med.). **ex|zi|tie|ren** ⟨lat.⟩: anregen (Med.)

Eye|cat|cher [ˈaikɛtʃɐ] ⟨engl.⟩ der; -s, -: Blickfang (z. B. in der Werbung). **Eye|li|ner** [ˈailainɐ] ⟨engl.⟩ der; -s, -[s]: flüssiges Kosmetikum zum Ziehen eines Lidstriches

Ey|rir ⟨isländ.⟩ der od. das; -s, Aurar: isländ. Währungseinheit

Ez|jes, Eizes ⟨jidd.⟩ die (Plural): (österr. ugs.) Tips, Ratschläge

fa ⟨it.⟩: Silbe, auf die man beim Solmisieren den Ton f singt; vgl. Solmisation

Fa|bi|a|nist der; -en, -en: 1. Anhänger der **Fabian Society**. 2. Mitglied eines nach röm. Fabier. **Fa|bi|an So|ci|e|ty** [ˈfeibjən səˈsaiəti] ⟨lat.-engl.⟩ nach dem röm. Feldherrn Fabius Cunctator (d. h. der Zauderer)⟩ die; - -: Vereinigung linksliberaler englischer Intellektueller, die Ende des 19. Jh.s durch friedliche soziale Reformarbeit eine klassenlose Gesellschaft u. soziale Gleichheit anstrebten. **Fa̱bi̱er** der; -s, -: Mitglied der Fabian Society

Fa̱bi̱s̱mus ⟨lat.-nlat.⟩ der; -: Erkrankung nach dem Genuss von Bohnen od. infolge Einatmung ihres Blütenstaubs (Med.)

Fab̲le̲au* [faˈbloː] ⟨it.-fr.⟩ das; -, -x [faˈbloː]: ↑Fabliau. **Fab̲le̲ con̲ve̲nue** [fʌbləkɔ̃vˈny] ⟨„verabredete Fabel"⟩ die; - -, -s -s [fʌbləkɔ̃vˈny]: etwas Erfundenes, das man als wahr gelten lässt. **Fab̲li̲au** [fabliˈoː] das; -, -x [fabliˈoː]: altfranzösische Verserzählung mit komischem, vorwiegend erotischem Inhalt

Fab̲ri̲k* ⟨lat.-fr.⟩ die; -, -en: a) gewerblicher, mit Maschinen ausgerüsteter Produktionsbetrieb; b) Gebäude[komplex], in dem ein Industriebetrieb untergebracht ist; c) (ugs.) Belegschaft eines Industriebetriebs. **Fab̲ri̲kạnt** der; -en, -en: a) Besitzer einer Fabrik; b) Hersteller einer Ware. **Fab̲ri̲kạt** ⟨lat.-nlat.⟩ das; -[e]s, -e: 1. fabrikmäßig hergestelltes Erzeugnis der Industrie. 2. bestimmte Ausführung eines Fabrikats (1), Marke. **Fab̲ri̲ka̲ti̲on** ⟨lat.-fr.⟩ die; -, -en: Herstellung von Gütern in einer Fabrik. **fab̲ri̲ka̲to̲risch** ⟨lat.⟩: die Fabrikation betreffend. **fab̲ri̲zi̲ren** ⟨lat.⟩: 1. (ugs. scherzhaft od. abwertend) a) zusammenbasteln; b) anstellen, anrichten. 2. (veraltet) serienmäßig in einer Fabrik herstellen

fa̲bu̲lla do̲lcet ⟨lat.; „die Fabel lehrt"⟩: die Moral von der Geschichte ist ..., diese Lehre soll man aus der Geschichte ziehen. **Fa̲bu̲llạnt** der; -en, -en: a) Erfinder od. Erzähler von Fabeln, von fantastisch · ausgeschmückten Geschichten; b) Schwätzer; Schwindler. **fa̲bu̲li̲e̲ren** ⟨a⟩ fantastische Geschichten erzählen; b) munter drauflosplaudern; schwätzen; c) schwindeln. **Fa̲bu̲li̲st** ⟨lat.-nlat.⟩ der; -en, -en: (veraltet) Fabeldichter. **fa̲bu̲lọ̈s** ⟨lat.-fr.⟩: (ugs. scherzh.) 1. märchenhaft. 2. unwirklich, unwahrscheinlich

Fa̲bur̲den [ˈfæbədn] ⟨fr.-engl.⟩ der; -s, -s: improvisierte Unterstimme in der englischen mehrstimmigen Musik des 15. u. 16. Jh.s (Mus.)

fạc ⟨lat.⟩: mach! (auf Rezepten). **Face** [faːs] ⟨lat.-fr.⟩ die; -, -n: (veraltet) 1. Gesicht, Vorderseite; vgl. en face. 2. ↑Avers. **Face̲li̲f̲ting** [ˈfeɪslɪftɪŋ] ⟨engl.⟩ das; -s, -s: Gesichtsoperation, bei der altersbedingte Hautfalten durch Herausschneiden von Hautstreifen operativ beseitigt werden **Fạcẹt̲te** [...s...], auch: Fassette ⟨lat.-fr.⟩ die; -, -n: 1. kleine eckige Fläche, die durch das Schleifen eines Edelsteins od. eines Körpers aus Glas od. Metall entsteht. 2. abgeschrägte Kante an ↑Klischees (1) u. Ätzungen (Druckw.). 3. Verblendteil bei Zahnersatz (z. B. bei einer Brücke). **Fạcẹt̲ten̲au̲ge** das; -s, -n: Sehorgan der Insekten u. anderer Gliederfüßer, das aus zahlreichen Einzelaugen zusammengesetzt ist (Zool.). **fạcẹt̲tie̲ren**: mit Facetten versehen **Fạch̲i̲di̲ot** der; -en, -en: (abwertend) Wissenschaftler, der sich nur mit seinem Fachgebiet befasst u. sich mit Problemen u. Fragen aus anderen Bereichen nicht auseinander setzt

Fạ̲ci̲ạ̲llis vgl. Fazialis. **Fạ̲ci̲es** ⟨lat.⟩ die; -, -: 1. (Med.) a) Gesicht; b) Außenfläche an Organen u. Knochen; c) für bestimmte Krankheiten typischer Gesichtsausdruck. 2. ↑Fazies. **Fạ̲cies ab̲do̲mi̲nạ̲llis** ⟨lat.; lat.-nlat.⟩ die; - -: verfallenes, blasses Gesicht bei an Bauchfellentzündung Erkrankten (Med.). **Fạ̲cies gạst̲ri̲ca*** ⟨lat.; gr.; nlat.⟩ die; - -: Gesichtsausdruck bei Magenleidenden mit tiefer Nasen-Lippen-Falte (Med.). **Fạ̲cies hip̲poc̲rạ̲ti̲ca*** ⟨lat.; gr.-lat.⟩ die; - -: ängstlicher, verfallener Gesichtsausdruck bei Sterbenden (Med.). **Fạ̲cies le̲o̲ni̲na** ⟨lat.; „Löwengesicht"⟩ die; - -: entstelltes Gesicht bei Leprakranken (Med.). **Fạ̲çon** [faˈsõ:] vgl. Fasson. **Façon de par̲ler** [fasõːdparˈle] ⟨fr.⟩ die; - - -, -s - - [fasõ:dparˈle]: (veraltet a) bestimmte Art zu reden; b) bloße Redensart, leere Worte. **Fạ̲çonné** [fasoˈne:] der; -[s], -s: modisches Gewebe mit kleiner Musterung, die durch verschiedene Bindung zustande kommt. **fair** [fɛːɐ̯] ⟨engl.⟩: a) anständig, ehrlich, gerecht; b) den [Spiel]regeln entsprechend; die beachtend, kameradschaftlich (Sport). **Fair̲ness** [ˈfɛːɐ̯nɛs] die; -: u. Fairplay ['fɛːɐ̯pleɪ] das; -, auch: **Fair Play**; - -: 1. (Sport) ehrliches, anständiges Verhalten in einem sportlichen Wettkampf. 2. gerechtes, anständiges Verhalten [im Geschäftsleben]. **Fair̲way**

rɪŋ] das; -s: aus den USA stammende Methode der Absatzfinanzierung, bei der die Lieferfirma ihre Forderungen aus Warenlieferungen einem Finanzierungsinstitut verkauft, das meist auch das volle Kreditrisiko übernimmt (Wirtsch.). **Fạc̲tu̲re** [fakˈtyːrə] die; -, -n: Faktur (2 b).

Fạ̲cul̲tas Do̲cẹn̲di ⟨lat.⟩ die; -: a) Lehrauftrag an einer höheren Schule im Angestelltenverhältnis; b) (veraltet) Lehrbefähigung

Fạ̲dai̲se [faˈdɛːzə] ⟨fr.⟩ die; -, -n: (veraltet) Albernheit, Geschmacklosigkeit.

Fạ̲den̲mo̲le̲kül das; -s, -e: ein lang gestrecktes ↑Makromolekül

Fạ̲desse [faˈdɛs] die; -: (österr. ugs.) langweilige Art

Fạding [ˈfeɪdɪŋ] ⟨engl.⟩ das; -s: 1. das An- u. Abschwellen der Empfangsfeldstärke elektromagnetischer Wellen (Schwund) (Elektrot.). 2. das Nachlassen der Bremswirkung bei Kraftfahrzeugen infolge Erhitzung der Bremsen

fạ̲di̲si̲e̲ren: (österr. ugs.) 1. jmdn. langweilen. 2. sich -: sich langweilen

Fạ̲do [port.: ˈfaðu] ⟨lat.-port.⟩ der; -[s], -s: melancholisch gestimmtes, zur Gitarre gesungenes volkstümliches portugiesisches Lied

Faẹn̲ces [ˈfɛːtsɛːs] vgl. Fäzes

Faẹn̲za̲mạ̲jo̲li̲ka ⟨nach der ital. Stadt Faenza⟩ die; -, ...ken (meist Plural): besonders behandelte Tonware; vgl. Fayence

Fạ̲ga̲ra̲sei̲de ⟨arab.-mlat.; dt.⟩ die; -: eine Wildseide

Fạ̲gott ⟨it.⟩ das; -s, -e: Holzblasinstrument in tiefer Tonlage mit u-förmig geknickter Röhre u. Doppelrohrblatt. **Fạ̲got̲ti̲st** der; -en, -en: Fagottspieler

Fai̲ble [ˈfɛːbl] ⟨lat.-galloroman.-fr.⟩ das; -s, -s: Vorliebe, Neigung

Fai̲lle [faːj od. ˈfaljə] ⟨fr.⟩ die; -: Seidengewebe mit feinen Querrippen (Rippseide). **Fai̲lle̲ti̲ne** [faːjə... od. faljət...] ⟨fr.⟩ die; -: Faille einer leichten Qualität

Fac̲tion-Pro̲sa [ˈfækʃən...] ⟨engl.; lat.⟩ die; -: amerik. Dokumentarliteratur (seit Mitte der 60er-Jahre). **Fac̲to̲ring** [ˈfæktə-

['fɛəweɪ] *das;* -s, -s: kurz gemähte Spielbahn zwischen Abschlag u. Grün beim Golf

Fai|ry|chess ['fɛ:rit∫es] ⟨*engl.;* „Märchenschach"⟩ *das;* -, auch: **Fai|ry Chess** *das;* - -: modernes Teilgebiet des ↑ Problemschachs (z. B. Hilfsmatt) mit z. T. neu erfundenen Figuren (wie Nachtreiter, Kamelreiter, Grashüpfer) od. mit verändertem Schachbrett (Kunstschach)

Fai|seur [fɛˈzøːɐ̯] ⟨*lat.-fr.;* „Macher"⟩ *der;* -s, -e: jmd., der ein geplantes [übles] Unternehmen durchführt, Anstifter. **Fait accomp|li*** [fɛtakõˈpli] *das;* - -, -s -s [fɛzakõˈpli]: vollendeter Tatbestand, Tatsache

Faith and Or|der ['feɪθ ənd 'ɔːdə] ⟨*engl.;* „Glaube und Ordnung"⟩: ökumenische Einigungsbewegung, deren Ziel es ist, die Trennung der Christenheit ↑ dogmatisch u. rechtlich zu überwinden

fä|kal ⟨*lat.-nlat.*⟩: kotig (Med.). **Fä|kal|dün|ger** *der;* -s, -: Dünger aus menschlichen Ausscheidungsstoffen. **Fä|ka|li|en** die (Plural): von Menschen u. Tieren ausgeschiedener Kot u. Harn (Med.). **Fä|kals|ta|se*** ⟨*lat.-nlat.; gr.*⟩ *die;* -, -n: Koprostase **Fa|kih** ⟨*arab.*⟩ *der;* -s, -s: Lehrer der islamischen Rechtswissenschaft

Fa|kir [österr.: faˈkiɐ̯] ⟨*arab.;* „der Arme"⟩ *der;* -s, -e: a) Bettelmönch, frommer Asket [in islamischen Ländern]; b) Gaukler, Zauberkünstler [in Indien]

Fak|si|mi|le ⟨*lat.-engl.;* „mache ähnlich!"⟩ *das;* -s, -s: mit einem Original in Größe u. Ausführung genau übereinstimmende Nachbildung oder ↑ Reproduktion (2 b) (z. B. einer alten Handschrift). **fak|si|mi|lie|ren**: eine Vorlage getreu nachbilden. **Fakt** *das* (auch: *der*); -[e]s, -en, (auch: -s) (meist Plural): ↑ Faktum. **Fak|ta:** *Plural* von ↑ Faktum. **Fak|ta|ge** [...ˈtaːʒə] ⟨*lat.-fr.*⟩ *die;* -, -n: Beförderungsgebühr. **Fak|ten:** *Plural* von ↑ Fakt, ↑ Faktum. **Fak|ti|on** ⟨*lat.;* „Tatgemeinschaft"⟩ *die;* -, -en: [kämpferische] parteiähnliche Gruppierung; sezessionistisch tätige, militante Gruppe, die sich innerhalb einer Partei gebildet hat und deren Ziele u. Ansichten von der Generallinie der Partei abweichen. **fak|ti|ös** ⟨*lat.-fr.*⟩: vom Parteigeist beseelt; aufrührerisch, aufwiegelnd **Fak|tis** ⟨Kunstw.⟩ *der;* -: künstlich

hergestellter, kautschukähnlicher Füllstoff

fak|tisch ⟨*lat.*⟩: a) tatsächlich, wirklich, auf Tatsachen gegründet; b) (österr. ugs.) praktisch, quasi. **fak|ti|tiv** ⟨*lat.-nlat.*⟩: a) das Faktitiv betreffend; b) bewirkend. **Fak|ti|tiv** [auch: 'fak...] *das;* -s, -e u. **Fak|ti|ti|vum** *das;* -s, ...va: abgeleitetes Verb, das ein Bewirken zum Ausdruck bringt (z. B. schärfen = scharf machen). **Fak|ti|zi|tät** *die;* -, -en: Tatsächlichkeit, Gegebenheit, feststellbare Wirklichkeit; Ggs. ↑ Logizität (Philos.). **Fak|to|gra|phie,** auch: ...grafie ⟨*lat.; gr.*⟩: *die;* -: ↑ Factionprosa. **fak|to|lo|gisch:** die Fakten betreffend. **Fak|tor** ⟨*lat.;* „Macher"⟩ *der;* -s, ...oren: 1. wichtiger Umstand; mitwirkende, mitbestimmende Ursache, Gesichtspunkt. 2. technischer Leiter einer Setzerei, Buchdruckerei, Buchbinderei 3. Zahl od. Größe, die mit einer anderen multipliziert wird. **Fak|to|rei** ⟨*lat.-mlat.*⟩ *die;* -, -en: größere Handelsniederlassung in Übersee. **Fak|to|ren|ana|ly|se** *die;* -, -n: mathemat. Verfahren zur Ermittlung der Faktoren, die einer großen Menge verschiedener Eigenschaften zugrunde liegen (Psychol.). **fak|to|ri|ell:** nach Faktoren aufgeschlüsselt, in Faktoren zerlegt (",mach alles!"⟩ *das;* -s, -s u. ...ten: jmd., der in einem Haushalt od. Betrieb alle nur möglichen Arbeiten und Besorgungen erledigt; Mädchen für alles. **Fak|tum** ⟨*lat.*⟩ *das;* -s, ...ten, veraltend auch: ...ta: [nachweisbare] Tatsache, Ereignis. **¹Fak|tur** ⟨*lat.-it.*⟩ *die;* -, -en: Warenrechnung; Lieferschein. **²Fak|tur** ⟨*lat.-fr.*⟩ *die;* -, -en: a) handwerkliche Arbeit; b) kunstgerechter Aufbau [einer Komposition]. **Fak|tu|ra** ⟨*lat.-it.*⟩ *die;* -, ...ren: (österr., schweiz., sonst veraltet) ↑ ¹Faktur. **fak|tu|rie|ren:** Fakturen ausschreiben, Waren berechnen. **Fak|tu|rier|ma|schi|ne** *die;* -, -n: Büromaschine zum Erstellen von Rechnungen zu einem Arbeitsgang. **Fak|tu|rist** *der;* -en, -en: Angestellter, der kaufmännische Betriebes, der mit der Aufstellung und Prüfung von Fakturen betraut ist

fa|ku||tent ⟨*lat.-nlat.*⟩: kotartig, kotig (Med.). **Fä|ku||om** *das;* -s, -e: ↑ Koprom

Fa|kul|tas ⟨*lat.;* „Fähigkeit, Vermögen"⟩ *die;* -: Lehrberechtigung,

vgl. Facultas Docendi. **Fa|kul|tät** ⟨*lat.-(mlat.)*⟩ *die;* -, -en: 1. a) eine Gruppe zusammengehörender Wissenschaften umfassende Abteilung an einer Universität od. Hochschule (z. B. Philosophie, Medizin); b) die Gesamtheit der Lehrer u. Studenten, die zu einer Fakultät gehören. 2. ↑ Fakultas. 3. die Rechte, die eine höhere kirchliche Stelle einer untergeordneten überträgt (kath. Kirchenrecht). 4. ↑ Produkt, dessen Faktoren (3) durch die Gliederung der natürlichen Zahlenreihe, von 1 beginnend, gebildet werden, z. B. 1 · 2 · 3 · 4 · 5 (geschrieben = 5!, gesprochen: 5 Fakultät; Math.). **fa|kul|ta|tiv** ⟨*lat.-nlat.*⟩: freigestellt, wahlfrei; dem eigenen Ermessen, Belieben überlassen; Ggs. ↑ obligatorisch **Fa|laises** [faˈlɛːz] ⟨*fr.*⟩, auch: **Fa|lai|sen** [faˈlɛːzn] *das* (Plural): Steilküsten [der Normandie u. Picardie]

Fa|lan|ge [faˈlaŋɡe, auch: faˈlaŋxe] ⟨*gr.-span.*⟩ *die;* -: (1977 im Zuge der Demokratisierung aufgelöste) faschistische, totalitäre Staatspartei Spaniens unter Franco. **Fa|lan|gist** *der;* -en, -en: Mitglied der Falange **Fa|la|sche** ⟨*semit.*⟩ *der;* -n, -n: äthiopischer Jude **Fal|dis|to|ri|um** ⟨*germ.-mlat.*⟩ „Faltstuhl"⟩ *das;* -, ...ien: [faltbarer] Armlehnstuhl des Bischofs od. Abtes für besondere kirchliche Feiern **Fal|ler|ner** ⟨*lat.*⟩ *der;* -s, -: ein schwerer, trockener, weißer od. roter Tischwein aus Kampanien **Fal|ko|nett** ⟨*vulgärlat.-it.*⟩ *das;* -s, -e: (im 16. und 17 Jh.) Feldgeschütz von kleinem Kaliber **Fal|la|zi|en** ⟨*lat.*⟩ *die* (Plural): Täuschungen; formal unrichtige Schlüsse; Fehl- u. Trugschlüsse (Philos.). **fal|li|bel** ⟨*lat.-nlat.*⟩: dem Irrtum unterworfen. **Fal|li|bi|lis|mus** *der;* -: Anschauung der kritisch-rationalistischen Schule, nach der es keine unfehlbare Erkenntnisinstanz gibt (Philos.). **Fal|li|bi|li|tät** *die;* -, -en: (veraltet) Fehlbarkeit. **fal|lie|ren** ⟨*lat.-it.*⟩: 1. in Konkurs gehen. 2. (landsch.) missraten, misslingen. **Fal|li|ment** *das;* -s, -e u. **Fal|lis|se|ment** [falisəˈmãː] ⟨*lat.-fr.*⟩ *das;* -s, -s: (veraltet) Bankrott, Zahlungseinstellung. **fal|lit** ⟨*lat.-it.*⟩: (veraltet) zahlungsunfähig. **Fal|lit** *der;* -en, -en: (veraltet) jmd., der zahlungsunfähig ist

Fall-out, auch: **Fall|out** [fɔːˈl‿aut] ⟨engl.⟩ der; -s, -s: radioaktiver Niederschlag

Fal|lot u. **Fal|lot** ⟨fr.⟩ der; -en, -en: (österr.) Gauner, Betrüger

Fal|sa: Plural von ↑Falsum. **Fal|sett** ⟨lat.-it.⟩ das; -[e]s, -e: [durch Brustresonanz verstärkte] Kopfstimme bei Männern; vgl. Fistelstimme. **Fal|set|tie|ren:** Falsett singen. **Fal|set|tist** der; -en, -en: Sänger für Diskant- od. Altpartien [im 15. u. 16. Jh.]. **Fal|sett|stim|me** die; -, -n: ↑Fistelstimme. **Fal|si|fi|kat** ⟨lat.; „Gefälschtes"⟩ das; -[e]s, -e: Fälschung, gefälschter Gegenstand. **Fal|si|fi|ka|ti|on** ⟨lat.-mlat.⟩ die; -, -en: 1. Widerlegung einer wissenschaftlichen Aussage durch ein Gegenbeispiel (Wissenschaftstheorie). 2. (veraltet) Fälschung. **fal|si|fi|zie|ren:** 1. eine Hypothese durch empirische Beobachtung widerlegen; Ggs. ↑verifizieren (1). 2. (veraltet) [ver]fälschen. **Fal|so|bor|do|ne** ⟨it.⟩ der; -, Falsibordoni: ↑Fauxbourdon

Fals|taff ⟨nach einer komischen Dramenfigur bei Shakespeare⟩ der; -s, -s: dicker Prahlhans, Schlemmer

Fal|sum ⟨lat.⟩ das; -s, ...sa: (veraltet) Betrug, Fälschung

Fal|ma ⟨lat.⟩ die; -: etw., was gerüchtweise über jmdn., etw. verbreitet, erzählt wird; Gerücht

fa|mi|li|al ⟨lat.⟩: die Familie als soziale Gruppe betreffend. **fa|mi|li|är:** a) die Familie betreffend; b) ungezwungen, vertraulich. **Fa|mi|li|a|re** der od. die; -n, -n (meist Plural): 1. Mitglied eines päpstlichen Hauses. 2. Bedienstete(r) eines Klosters, die (der) zwar in der Hausgemeinschaft lebt, aber nicht zum betreffenden Orden gehört. **Fa|mi|li|a|ri|sie|ren,** sich ⟨lat.-fr.⟩: (veraltet) sich vertraut machen. **Fa|mi|li|a|ri|tät** ⟨lat.⟩ die; -, -en: familiäres (b) Verhalten; Vertraulichkeit. **Fa|mi|lie** die; -, -n: 1. a) Gemeinschaft aus einem Elternpaar u. mindestens einem Kind; b) Gruppe der nächsten Verwandten; Sippe. 2. systematische Kategorie, in der näher verwandte Gattungen zusammengefasst werden (Biol.). **Fa|mi|lis|mus** ⟨lat.-fr.-engl.⟩ der; -: bestimmte Sozialstruktur, bei der das Verhältnis von Familie u. Gesellschaft durch weitgehende Identität gekennzeichnet ist (z. B. die chinesischen Großfamilien; Soziol.)

fa|mos ⟨lat.; „viel besprochen; berühmt; berüchtigt"⟩: 1. (ugs.) durch seine Art beeindruckend, Gefallen, Bewunderung erweckend; großartig, prächtig, ausgezeichnet. 2. (veraltet) berüchtigt, verrufen; vgl. Famosschrift. **Fa|mos|schrift** die; -, -en: (hist.) Schmähschrift im Zeitalter des Humanismus u. der Reformation

Fa|mu|lant ⟨lat.⟩ der; -en, -en: Student, der seine Famulatur ableistet. **Fa|mu|la|tur** ⟨lat.-nlat.⟩ die; -, -en: Praktikum, das ein Student im Rahmen seiner Ausbildung ableisten muss. **fa|mu|lie|ren** ⟨lat.⟩: als Student[in] das Praktikum ableisten. **Fa|mu|lus** ⟨„Diener"⟩ der; -, -se u. ...li: (veraltet) a) ↑Famulant; b) studentische Hilfskraft

Fan [fɛn] ⟨engl.-amerik.; Kurzw. aus: engl. fanatic „Fanatiker"⟩ der; -s, -s: begeisterter Anhänger von jmdm. od. etwas

Fa|nal ⟨gr.-arab.-it.-fr.⟩ das; -s, -e: 1. (hist.) Feuer-, Flammenzeichen. 2. Ereignis, Tat, Handlung als weithin erkennbares u. wirkendes, Aufmerksamkeit erregendes Zeichen, das eine Veränderung, den Aufbruch zu etw. Neuem ankündigt

Fa|na|ti|ker ⟨lat.(-fr.)⟩ der; -s, -: jmd., der sich für eine Überzeugung, eine Idee fanatisch einsetzt; sie fanatisch verficht; Eiferer; dogmatischer Verfechter einer Überzeugung od. einer Idee; vgl. fa. **fa|na|tisch:** sich mit Fanatismus, mit einer Art Verbohrtheit, mit blindem Eifer [u. rücksichtslos] für etw. einsetzend. **fa|na|ti|sie|ren** ⟨lat.-fr.⟩: jmdn. aufhetzen, fanatisch machen. **Fa|na|tis|mus** der; -: rigoroses, unduldsames Eintreten für eine Sache od. Idee als Ziel, das kompromisslos durchzusetzen versucht wird

¹Fan|cy [ˈfɛnsi] ⟨gr.-lat.-fr.-engl.; „Fantasie"⟩ der od. das; -[s]: beidseitig gerauter ↑Flanell in Leinen- od. Köperbindung (einer Webart). **²Fan|cy** der; -, -s: kurze Instrumentalfantasie (Mus.).

Fan|cy|drink [ˈfɛnsi...] der; -[s], -s: Mixgetränk eine festes Rezept. **Fan|cy|work** [ˈfɛnsiwɔːk] das; -s, -s: aus Tauwerk hergestellte Knoten u. Flechtereien

Fan|dan|go ⟨span.⟩ der; -s, -s: schneller span. Volkstanz im ³/₄- od. ⁶/₈-Takt mit Kastagnetten- u. Gitarrenbegleitung

Fan|da|ro|le vgl. Farandole

Fa|nen|ga ⟨arab.-span.⟩ die; -, -s: früher in Spanien u. Lateinamerika verwendetes Hohlmaß unterschiedlicher Größe

Fan|fa|re ⟨fr.⟩ die; -, -n: 1. Dreiklangstrompete ohne Ventile. 2. Trompetensignal. 3. kurzes Musikstück [für Trompeten u. Pauken] in der Militär- u. Kunstmusik

Fan|fa|ron [fãfaˈrõː] ⟨span.-fr.⟩ der; -s, -s: (veraltet) Großsprecher, Prahler. **Fan|fa|ro|na|de** die; -, -en: (veraltet) Großsprecherei, Prahlerei

Fan|glo|me|rat* ⟨lat.-engl.; lat.⟩ das; -[e]s, -e: ungeschichtete Ablagerung aus Schlammströmen zeitweilig Wasser führender Flüsse in Trockengebieten (Geol.)

Fan|go ⟨germ.-it.⟩ der; -s: ein vulkanischer Mineralschlamm, der zu Heilzwecken verwendet wird (a) für die Fans einer bekannten **Fan|klub** [ˈfɛn...] der; -s, -s: ↑Klub (a) für die Fans einer bekannten Persönlichkeit, eines [bekannten] Sportklubs o. Ä.

Fan|nings [ˈfɛn...] ⟨engl.⟩ die (Plural): durch Sieben gewonnene kleinblättrige, feine handelsübliche Teesorte (in Deutschland fast ausschließlich für Aufgussbeutel verwendet); vgl. Dust

Fa|non [faˈnõː] ⟨germ.-fr.⟩ der; -s u. **Fa|no|ne** ⟨germ.-fr.-it.⟩ der; -[s], ...oni: zweiteiliger ↑liturgischer Schulterkragen des Papstes

Fan|ta|sia ⟨gr.-lat.-it.⟩ die; -, -s: 1. wettkampfartiges Reiterspiel [der Araber u. Berber]. 2. ital. Bez. für: Fantasie (3). **Fan|ta|sie,** auch: Phantasie ⟨gr.-lat.⟩ die; -, ...ien: 1. a) (ohne Plural) Fähigkeit, sich etwas in Gedanken auszumalen; Vorstellungs-, Einbildungskraft; b) Vorstellung, Einbildung; Produkt der Fantasie (1 a). 2. (nur Plural) Fieberträume im Fantasie. 3. (ohne Plural) die Einbildungskraft hingeben; frei erfinden; erdichten, ausschmücken. 2. in Fieberträumen irrereden (Med.). 3. frei über eine Melodie od. ein Thema musizieren (Mus.); vgl. improvisieren. **Fan|tast,** auch: Phantast

⟨gr.-mlat.⟩ der; -en, -en: (abwertend) Träumer, Schwärmer; Mensch mit überspannten Ideen.
Fan|tas|te|rei, auch: Phantasterei die; -, -en: wirklichkeitsfremde Träumerei, Überspanntheit.
Fan|tas|tik, auch: Phantastik die; -: das Fantastische, Unwirkliche. **Fan|tas|ti|ka**, auch: Phantastika die (Plural): Naturstoffe, Pharmaka (1) u. a., die stark erregend auf die Psyche wirken (Med.). **fan|tas|tisch**, auch: phantastisch: 1. a) auf Fantasie (1) beruhend, nur in der Fantasie bestehend; unwirklich; **fantastische Literatur**: über den Realismus hinausgehende, durch fantastische Elemente gekennzeichnete Literatur. b) verstiegen, überspannt. 2. (ugs.) unglaublich; großartig, wunderbar. **Fantasy** ['fɛntəzɪ] ⟨engl.; „Fantasie"⟩ die; -: Gattung von Romanen, Filmen u. a., die märchen- u. mythenhafte Traumwelten voller Magie darstellen
Fan|zine ['fɛnziːn] ⟨amerik. Kurzw. aus engl. *fan* u. magazine⟩ das; -s, -s: Zeitschrift für Anhänger (Fans) bestimmter Personen od. Sachen
Fa|rad ⟨nach dem engl. Physiker M. Faraday⟩ das; -[s], -: Maßeinheit der elektrischen ↑ Kapazität; Zeichen: F (Phys.). **Fa|ra|day|kä|fig** ['faːradeː:..., auch: 'fɛrədi...] der; -s, -e: metallene Umhüllung zur Abschirmung eines begrenzten Raumes gegen äußere ↑ elektrische (1) Felder u. zum Schutz empfindlicher [Mess]geräte gegen elektrische Strömung (Phys.). **Fa|ra|di|sa|ti|on** ⟨nlat.⟩ die; -: Anwendung des faradischen Stroms zu Heilzwecken (Med.). **fa|ra|disch**: in der Fügung **faradischer Strom**: unsymmetrischer, durch Unterbrecherschaltung erzeugter Wechselstrom. **fa|ra|di|sie|ren**: mit faradischem Strom behandeln (Med.). **Fa|ra|do|the|ra|pie** ⟨engl.; gr.⟩ die; -: ↑ Faradisation
Fa|ran|do|le u. Fandarole ⟨provenzal.-fr.⟩ die; -, -n: ein schneller Paartanz aus der Provence
Far|ce ['farsə] ⟨lat.-vulgärlat.-fr.⟩ die; -, -n: 1. derbkomisches Lustspiel. 2. abgeschmackte Getue, billiger Scherz. 3. Füllung für Fleisch od. Fisch [aus gehacktem Fleisch] (Gastr.). **Far|ceur** [...'søːɐ̯] der; -s, -e: (veraltet) Possenreißer. **far|cie|ren** [...'siː...]: mit einer Farce (3) füllen (Gastr.)

Fa|re|ghan vgl. Ferraghan
fare|well [fɛə'wɛ] ⟨engl.⟩: leb[t] wohl! (englischer Abschiedsgruß)
Far|fal|le ⟨it.⟩ die (Plural): schmetterlingsförmige Nudeln
Far|in ⟨lat.⟩ der; -s: a) gelblich brauner, feuchter Zucker; b) Puderzucker
Farm ⟨lat.-fr.-engl.⟩ die; -, -en: 1. größerer landwirtschaftlicher Betrieb in angelsächsischen Ländern. 2. Landwirtschaftsbetrieb mit Geflügel- od. Pelztierzucht. **Far|mer** der; -s, -: Besitzer einer Farm
Fa|ro ⟨gr.-lat.-it.⟩ der; -s, -s: ↑ Pharus
Fas ⟨lat.⟩ das; -: (hist.) in der röm. Antike das von den Göttern Erlaubte; Ggs. ↑ Nefas; vgl. per fas
Fa|san ⟨gr.-lat.-fr.; nach dem Fluss Phasis, dem antiken Namen für den russischen Fluss Rioni am Schwarzen Meer⟩ der; -[e]s, -e[n]: ein Hühnervogel. **Fa|sa|ne|rie** die; -, ...jen: a) Gartenanlage zur Aufzucht von Fasanen; b) (bes. im 17. u. 18. Jh.) Gebäude in einer Fasanerie (a)
Fas|ces [...tseːs] vgl. Faszes
Fä|sche ⟨lat.-it.⟩ die; -, -n: (österr.) 1. lange Binde zum Umwickeln verletzter Gliedmaßen o. Ä. 2. weiße Umrandung an Fenstern u. Türen (bei bunt verputzten Häusern). 3. Eisenband zum Befestigen von Angeln an einer Tür, von Haken o. Ä. **fa|schen**: (österr.) mit einer Fasche (1) umwickeln
fa|schie|ren ⟨lat.-fr.⟩: (österr.) durch den Fleischwolf drehen. **Fa|schier|te** das; -n: (österr.) Hackfleisch, Gehacktes
Fa|schi|ne ⟨lat.-it.-fr.⟩ die; -, -n: Reisiggeflecht für [Ufer]befestigungsbauten. **fa|schi|sie|ren** ⟨lat.-it.⟩: mit faschistischen Tendenzen durchsetzen. **Fa|schi|sie|rung** die; -, -en: das Eindringen faschistischer Tendenzen [in eine Staatsform]. **Fa|schis|mus** der; -: 1. (hist.) das von Mussolini errichtete Herrschaftssystem in Italien (1922–1945). 2. (abwertend) eine nach dem Führerprinzip organisierte, nationalistische, antidemokratische, antisozialistische u. antikommunistische rechtsradikale Bewegung, Herrschaftsform. **Fa|schist** der; -en, -en: Anhänger des Faschismus. **fa|schis|tisch**: a) den Faschismus betreffend, zum Faschismus gehörend; b) vom Faschismus geprägt. **fa|schis|to-**

id: dem Faschismus ähnlich, faschistische Züge zeigend. **Fa|scho** der; -s, -s: 1. (Jargon) ↑ Faschist. 2. mit dem ↑ Neofaschismus sympathisierender, meist gewalttätiger [u. in einer Clique organisierter] Jugendlicher
Fa|shion ['fɛʃn] ⟨lat.-fr.-engl.⟩ die; -: a) Mode; b) Vornehmheit; gepflegter Lebensstil. **fa|shio|na|bel** [faʃio'naːbl] u. **fa|shio|na|ble** ['fɛʃənəbl]: modisch, elegant, vornehm. **Fa|shio|na|ble No|vel** ['fɛʃənəbl 'nɔvəl] ⟨„Modernoman"⟩ das; -s: englischer Roman der Übergangszeit zwischen Romantik u. Realismus im 19. Jh., in der die Welt des Dandyismus [kritisch] behandelt
Fas|sa|de ⟨lat.-vulgärlat.-it.-fr.⟩ die; -, -n: Vorderseite, Stirnseite [eines Gebäudes, die oft ansprechend, z. B. mit Ornamenten, geschmückt ist]. **Fas|set|te** vgl. Facette
Fas|si|on ⟨lat.-mlat.⟩ die; -, -en: (veraltet) 1. Bekenntnis, Geständnis. 2. Steuererklärung
[1]Fas|son [fa'sõː, schweiz. u. österr. meist fa'soːn] ⟨lat.-fr.⟩ die; -, -s (schweiz. u. österr.: -en): die bestimmte Art u. Weise (des Zuschnitts, Sitzes usw.). **[2]Fas|son** [fa'sõː] das; -s, -s: ↑ Revers
fas|so|nie|ren: 1. in Form bringen, formen (bes. von Speisen). 2. (österr.) die Haare in Fassonschnitt schneiden. **Fas|so|nie|rung** die; -, -en: eingekerbtes ↑ Dekor (1) am Rand von Geschirr aus Keramik u. Metall. **Fas|son|nu|del** [fa'sõː...] die; -, -n (meist Plural): Nudel in Form eines Sternchens, Buchstabens o. Ä. **Fas|son|schnitt** der; -[e]s, -e: mittellanger Haarschnitt für Herren, bei dem die Haare an der Seite u. im Nacken stufenlos geschnitten werden
Fas|ta|ge [...ʒə] vgl. Fustage
[1]Fast|back ['faːstbɛk] ⟨engl.; „schnelles Heck"⟩ das; -s, -s, auch: Fast Back das; - -, - -s: Autodach, das in ein schräg abfallendes Heck übergeht; Fließheck. **[2]Fast-back**, auch: **Fast|back** ⟨engl.; „schnell rückwärts, zurück"⟩ das; -s: Filmtrick, mit dem ein oben gezeigter Vorgang in umgekehrter Reihenfolge vorgeführt werden kann. **Fast|break** ['faːstbreɪk] ⟨engl.-amerik.⟩ der od. das; - -, - -s od. das; - -, - -s: äußerst schnell ausgeführter Durchbruch aus der Verteidigung, Steilangriff (beim

↑Basketball). **Fast|food** ['fa:st-fu:d] ⟨*engl.*; „schnelles Essen"⟩ *das;* -[s], auch: **Fast Food** ['fa:st 'fu:d] *das;* - -[s]: (in bestimmten Schnellgaststätten angebotene) schnell und leicht verzehrbare kleinere Gerichte

Fas|ti ⟨*lat.;* „Spruchtage"⟩ *die* (Plural): Tage des altrömischen Kalenders, an denen staatliche u. gerichtliche Angelegenheiten erledigt werden durften

fas|ti|di|ös ⟨*lat.-fr.*⟩: (veraltet) widerwärtig, langweilig. **Fas|ti|di|um** ⟨*lat.*⟩ *das;* -s: Abneigung, Widerwille (z. B. gegen Essen; Med.)

Fas|zes [...ʦe:s] ⟨*lat.*⟩ *die* (Plural): (hist.) Rutenbündel mit Beil (Abzeichen der altröm. Liktoren als Symbol der Amtsgewalt der römischen Magistrate u. ihres Rechts, zu züchtigen u. die Todesstrafe zu verhängen. **fas|zi|al** ⟨*lat.-nlat.*⟩: bündelweise. **Fas|zi|a|ti|on** *die;* -, -en: Bildung von bandähnlichen Querschnittsformen bei Pflanzenwurzeln (Verbänderung; Bot.). **Fas|zie** [...jə] ⟨*lat.*⟩ *die;* -, -n: (Med.) 1. dünne, sehnenartige Muskelhaut. 2. Binde, Bindenverband. **Fas|zi|kel** *der;* -s, -: 1. [Akten]bündel, Heft. 2. kleines Bündel von Muskelod. Nervenfasern (Med.). **fas|zi-ku|lie|ren** ⟨*lat.-nlat.*⟩: (veraltet) aktenmäßig bündeln, heften

Fas|zi|na|ti|on ⟨*lat.;* „Beschreiung, Behexung"⟩ *die;* -, -en: fesselnde Wirkung, die von einer Person od. Sache ausgeht. **fas|zi-nie|ren**: eine fesselnde, anziehende Wirkung auf jmdn. ausüben. **Fas|zi|no|sum** *das;* -s: auf seltsame, geheimnisvolle Weise Faszinierendes, Fesselndes, Anziehendes

Fas|zi|o|lo|se ⟨*nlat.*⟩ *die;* -, -n: Erkrankung der Gallenwege (Leberegelkrankheit; Med.)

Fa|ta (Plural): 1. ↑Parzen u. ↑Moiren. 2. *Plural von*: Fatum. **fa|tal** ⟨*lat.;* „vom Schicksal bestimmt"⟩: a) sehr unangenehm u. peinlich; Unannehmlichkeiten, Ärger verursachend; in Verlegenheit bringend; misslich; b) unangenehme, schlimme Folgen nach sich ziehend; verhängnisvoll, verderblich, folgenschwer. **Fa|ta|lis|mus** ⟨*lat.-nlat.*⟩ *der;* -: völlige Ergebenheit in die als unabänderlich hingenommene Macht des Schicksals; Schicksalsgläubigkeit. **Fa|ta|list** *der;* -en, -en: jmd., der sich dem Schicksal ohnmächtig ausgelie-

fert fühlt; Schicksalsgläubiger. **fa|ta|lis|tisch**: sich dem Schicksal ohnmächtig ausgeliefert fühlend; schicksalsgläubig. **Fa|ta|li-tät** ⟨*lat.-mlat.*⟩ *die;* -, -en: Verhängnis, Missgeschick, peinliche Lage

Fa|ta Mor|ga|na ⟨*it.*⟩ *die;* - -, - ...nen u. - -s: durch Luftspiegelung hervorgerufene Sinnestäuschung, bes. in Wüstengebieten, bei der entfernte Teile einer Landschaft nähergerückt scheinen od. bei der man Wasserflächen zu sehen meint

Fa|thom ['fæðəm] ⟨*engl.;* „Faden"⟩ *das;* -s, -[s]: engl. Längenmaß (1,828 m), bes. bei der Schifffahrt

fa|tie|ren ⟨*lat.*⟩: 1. (veraltet) bekennen, angeben. 2. (österr.) eine Steuererklärung abgeben

fa|ti|gant ⟨*lat.-fr.*⟩: (veraltet) ermüdend, langweilig; lästig. **Fa|ti-ge** u. Fatigue *die;* -, -n: (veraltet) Ermüdung. **fa|ti|gie|ren**: (veraltet) ermüden; langweilen. **Fa-tigue** [fa'ti:g] vgl. Fatige

Fa|ti|mi|den ⟨*nlat.;* nach Fatima, einer Tochter Mohammeds⟩ *die* (Plural): (hist.) vom 10. bis 12. Jh. regierende islamische Dynastie in Nordafrika u. im Vorderen Orient

Fat|sia ⟨*jap.-nlat.*⟩ *die;* -, ...ien: ein Araliengewächs (eine Zimmerpflanze)

Fa|tu|i|tät ⟨*lat.;* „Albernheit, Einfalt"⟩ *die;* -: Intelligenzdefekt (veraltet, Med.)

Fa|tum ⟨*lat.*⟩ *das;* -s, ...ta: Schicksal, Geschick, Verhängnis; vgl. Fata

Fat|wa vgl. Fetwa

Fau|bourg [fo'bu:r] ⟨*fr.*⟩ *der;* -s, -s: franz. Bez. für: Vorstadt

Faun ⟨*lat.;* nach dem altröm. Feld-u. Waldgott Faunus⟩ *der;* -[e]s, -e: geiler, lüsterner Mensch. **Fau|na** ⟨altröm. Fruchtbarkeitsgöttin⟩ *die;* -, ...nen: 1. Tierwelt eines bestimmten Gebietes (z. B. eines Erdteils, eines Landes). 2. systematische Zusammenstellung der in einem bestimmten Gebiet vorkommenden Tierarten. **Fau|nen|kun|de** *die;* -: ↑Faunistik. **fau|nisch**: lüstern, geil. **Fau|nist** ⟨*lat.-nlat.*⟩ *der;* -en, -en: Fachmann auf dem Gebiet der Faunistik. **Fau|nis|tik** *die;* -: Teilbereich der Zoologie, der sich mit der Erforschung der Tierwelt eines bestimmten Gebiets befasst. **fau|nis|tisch**: die Tierwelt u. ihre Erforschung betreffend

Fausse [fo:s] ⟨*lat.-fr.*⟩ *die;* -, -n: ↑Foße. **faute de mieux** [fot-də'mjø]: in Ermangelung eines Besseren; im Notfall

Fau|teuil [fo'tø:j] ⟨*germ.-fr.*⟩ *der;* -s, -s: (österr. u. schweiz., sonst veraltet) Armstuhl, Lehnsessel

Faut|fracht ⟨*fr.; dt.*⟩ *die;* -: a) machungswidrig nicht genutzter [Schiffs]frachtraum; b) Abstandssumme, die ein Befrachter an eine Spedition od. Reederei bei Rücktritt vom Frachtvertrag zahlen muss

Fau|vis|mus [fo'vɪs...] ⟨*germ.-fr.-nlat.;* nach franz. fauves „wilde Tiere", wie eine Gruppe Pariser Maler scherzhaft genannt wurde⟩ *der;* -: Richtung innerhalb der französischen Malerei des frühen 20. Jh.s, die im Gegensatz zum ↑Impressionismus steht (Kunstwiss.). **Fau|vist** *der;* -en, -en: Vertreter des Fauvismus. **fau|vis|tisch**: a) den Fauvismus betreffend, zu ihm gehörend; b) im Stil des Fauvismus gestaltet

Faux|ami [foza'mi] ⟨*fr.;* „falscher Freund"⟩ *der;* -, -s [foza'mi]: in mehreren Sprachen in gleicher od. ähnlicher Form vorkommendes Wort, das jedoch von Sprache zu Sprache verschiedene Bedeutungen hat (z. B. *aktuell* für engl. *actually* statt *tatsächlich; Staat* für fr. *état*, aber dt. Etat = *Haushalt*). **Faux|bour|don** [fobur'dɔ:] ⟨*fr.*⟩ *der;* -s, -s: 1. franz. Bez. für: ↑Faburden. 2. Tonsatz mit einfachem Kontrapunkt in konsonanten ↑Akkorden (Mus.). 3. Sprechton in der ↑Psalmodie. **Faux|pas** [fo'pa] ⟨„Fehltritt"⟩ *der;* -, - [...'pas]: Taktlosigkeit; Verstoß gegen gesellschaftliche Umgangsformen

Fa|vel|la ⟨*port.*⟩ *die;* -, -s: Elendsquartier, Slum [in südamerik. Großstädten]

Fa|ven: *Plural von* ↑Favus (2)

Fa|vi: *Plural von* ↑Favus (2)

Fa|vis|mus vgl. Fabismus

fa|vo|ra|bel ⟨*lat.-fr.*⟩: (veraltet) günstig, geneigt; vorteilhaft. **Fa-vo|ris** [...'ri:] ⟨*lat.-it.*⟩ *die* (Plural): (veraltet) schmaler, knapp bis an das Kinn reichender Backenbart. **fa|vo|ri|sie|ren**: 1. begünstigen, bevorzugen. 2. als voraussichtlichen Sieger in einem Wettbewerb ansehen, nennen; zum Favoriten erklären. **Fa|vo-rit** ⟨*lat.-it.-fr.(-engl.)*⟩ *der;* -en, -en: 1. a) jmd., der bevorzugt, anderen vorgezogen wird; begünstigte Person; b) (veraltet) Günstling, Geliebter. 2. Teilnehmer an einem Wettbewerb mit den größten Aussichten auf den Sieg. **Fa-vo|ri|te** ⟨*lat.-it.-fr.*⟩ *die;* -, -n: 1. Name mehrerer Lustschlösser des 18. Jh.s. 2. (veraltet) † Favoritin (1b). **Fa|vo|ri|tin** *die;* -, -nen: 1. a) weibliche Person, die bevorzugt, anderen vorgezogen wird; begünstigte Person; b) Geliebte [eines Herrschers]. 2. Teilnehmerin an einem Wettbewerb mit den größten Aussichten auf den Sieg **Fa|vus** ⟨*lat.*⟩ *der;* -, ...ven u. ...vi: 1. (ohne Plural) eine ansteckende Hautkrankheit (Erbgrind). 2. Wachsscheibe im Bienenstock **Fax** *das;* -, -[e]: Kurzform von: † Telefax. **fa|xen** Kurzform von: † telefaxen **Fa|yence** [fa'jã:s] ⟨*it.-fr.;* nach der ital. Stadt Faenza⟩ *die;* -, -n: eine mit Zinnglasur bemalte Tonware; vgl. Majolika. **Fa|yen|ce|rie** [...sə...] *die;* -, ...ien: Fabrik, in der Fayencen hergestellt werden **Fa|ze|let** u. **Fa|ze|net** ⟨*lat.-it.*⟩ *das;* -s, -s: (veraltet) [Zier]taschentuch **Fa|zen|da** [fa'tsɛnda, fa'zɛnda] ⟨*port.;* „Besitz, Vermögen"⟩ *die;* -, -s: Landgut in Brasilien **Fä|zes** u. Faeces ⟨*lat.*⟩ *die* (Plural): Stuhl, Kot (Med.) **Fa|ze|tie** [...jə] ⟨*lat.*⟩ *die;* -, -n: 1. (meist Plural) witzige Erzählung erotischen od. satirischen Inhalts [im Italien des 15. u. 16. Jh.s]. 2. (nur Plural) drollige Einfälle, Spottreden **fa|zi|al** ⟨*lat.-mlat.*⟩: zum Gesicht gehörend (Med.). **Fa|zi|a|lis** ⟨*eigtl. Nervus facialis*⟩ *der;* -: Gesichtsnerv (Med.). **fa|zi|ell** ⟨*französierende Bildung*⟩. die verschiedenartige Ausbildung gleichaltriger Gesteinsschichten betreffend (Geol.). **Fa|zi|es** ⟨*lat.*⟩ *die;* -, -[...e:s]: 1. die verschiedene Ausbildung von Sedimentgesteinen gleichen Alters (Geol.); vgl. Facies. 2. kleinste Einheit einer Pflanzengesellschaft (Bot.). **Fa-zi|li|tät** ⟨*lat.(-engl.)*⟩ *die;* -, -en: 1. (veraltet) Leichtigkeit, Gewandtheit; Umgänglichkeit. 2. Kreditmöglichkeit, die bei Bedarf in Anspruch genommen werden kann; Erleichterung von Zahlungsbedingungen (Wirtsch.). 3. ⟨*engl. facilities*⟩ (nur Plural) Möglichkeiten, Einrichtungen, Ausstattung. **Fa|zit** ⟨*lat.;* „es macht"⟩ *das;* -s, -e u. -s: 1. [Schluss]summe einer Rechnung. 2. Ergebnis; Schlussfolgerung

Fea|ture ['fi:tʃɐ] ⟨*lat.-fr.-engl.;* „Aufmachung"⟩ *das;* -s, -s, (auch:) *die;* -, -s: 1. a) Sendung in Form eines aus Reportagen, Kommentaren u. Dialogen zusammengesetzten [Dokumentar]berichtes; b) zu einem aktuellen Anlass herausgegebener, besonders aufgemachter Textod. Bildbeitrag. 2. Hauptfilm einer Filmvorstellung **feb|ril*** ⟨*lat.-nlat.*⟩: fieberhaft, fiebrig (Med.). **Feb|ris** *die;* -: Fieber (Med.) **Feb|ru|ar*** ⟨*lat.;* „Reinigungsmonat"⟩ *der;* -[s], -e: zweiter Monat des Jahres; Abk.: Febr. **fe|cit** ['fe:tsɪt] ⟨*lat.*⟩: „hat (es) gemacht" (häufige Aufschrift auf Kunstwerken hinter dem Namen des Künstlers); Abk.: f. od. fec.; vgl. ipse fecit **Fe|da|jin** ⟨*arab.;* „die sich Opfernden"⟩ *der;* -s, -: a) arabischer Freischärler; b) Angehöriger einer arabischen politischen Untergrundorganisation **Feed-back**, auch: **Feed|back** ['fi:dbɛk] ⟨*engl.*⟩ *das;* -s, -s: 1. zielgerichtete Steuerung eines technischen, biologischen od. sozialen Systems durch Rückmelden der Ergebnisse, wobei die Eingangsgröße durch Änderung der Ausgangsgröße beeinflusst werden kann (Kybernetik). 2. Reaktion, die jmdm. anzeigt, dass ein bestimmtes Verhalten, eine Äußerung verstanden wurde; Rückmeldung, Rückkopplung. **Fee|der** ['fi:dɐ] ⟨*engl.;* „Fütterer"⟩ *der;* -s, -: elektrische Leitung, die der Energiezuführung dient (bes. die von einem Sender zur Sendeantenne führende Speiseleitung; Funkw.) **Fee|ling** ['fi:lɪŋ] ⟨*engl.*⟩ *das;* -s, -s: a) [den ganzen Körper erfüllendes] Gefühl; b) Gefühl für etwas; c) Stimmung, Atmosphäre **Fee|rie** [feə'ri:, fe'ri:] ⟨*lat.-vulgär-lat.-fr.*⟩ *die;* -, ...ien: szenische Aufführung eine Feengeschichte unter großem bühnentechnischem u. austattungsmäßigem Aufwand **Feet** [fi:t]: *Plural* von † Foot **fe|kund** ⟨*lat.*⟩: fruchtbar (Biol.). **Fe|kun|da|ti|on** ⟨*lat.-nlat.*⟩ *die;* -, -en: Befruchtung. **Fe|kun|di|tät** ⟨*lat.*⟩ *die;* -: Fruchtbarkeit **Fel|bel** ⟨*it.*⟩ *der;* -s, -: hochfloriger [Kunst]seidenplüsch mit glänzender Oberfläche [für Zylinderhüte] **Fel|li|den** ⟨*lat.-nlat.*⟩ *die* (Plural):

Familie der Katzen u. katzenartigen Raubtiere **Fel|la|che** ⟨*arab.*⟩ *der;* -n, -n: Angehöriger der Ackerbau treibenden Landbevölkerung im Vorderen Orient; vgl. Beduine. **fel|la-chisch:** in der Art der Fellachen. **Fel|lah** *der;* -s, -s: † Fellache **Fel|la|tio** ⟨*lat.*⟩ *die;* -, ...ones: Praxis sexueller Befriedigung, bei der der Penis mit Lippen, Zähnen u. Zunge gereizt wird; vgl. Cunnilingus. **fel|la|ti|o|nie|ren:** den Geschlechtspartner durch Fellatio befriedigen. **Fel|lat|rix*** *die;* -, ...trizen: weibliche Person, die Fellatio ausübt. **fel|lie|ren:** † fellationieren **Fel|low** ['fɛloʊ] ⟨*engl.;* „Geselle, Bursche"⟩ *der;* -s, -s: 1. in Großbritannien: a) mit einem Rechten u. Pflichten ausgestattetes Mitglied eines † College (a); b) Inhaber eines Forschungsstipendiums; c) Mitglied einer wissenschaftlichen Gesellschaft. 2. in den USA: Student höheren Semesters. **Fel|low|ship** [...ʃɪp] *der;* -, -s: 1. Status eines Fellows (1) 2. Stipendium für graduierte Studenten an engl. u. amerik. Universitäten. **Fel|low|tra|vel|ler** [...trɛvələ] ⟨„Mitreisender"⟩ *der;* -s, -[s]: a) Anhänger u. Verfechter [kommunistischer] politischer Ideen, der sich nicht eingeschriebenes Parteimitglied ist; b) politischer Mitläufer **Fel|lo|nie** ⟨*mlat.-fr.*⟩ *die;* -, ...ien: (hist.) vorsätzlicher Bruch des Treueverhältnisses zwischen Lehnsherr u. Lehnsträger im Mittelalter **Fel|lu|ke** ⟨*arab.-span.-fr.*⟩ *die;* -, -n: a) zweimastiges Küstenfahrzeug des Mittelmeers mit einem dreieckigen Segel (Lateinsegel), b) früher verwendetes kleines Kriegsschiff in Galeerenform **Fel|mel** u. Fimmel ⟨*lat.*⟩ *der;* -s, -: männliche Pflanze bei Hanf u. Hopfen. **Fel|mel|be|trieb** *der;* -[e]s, -e: forstwirtschaftliche Form des Hochwaldbetriebs, die durch gezieltes Abholzen möglichst viele Altersstufen im Baumbestand erhalten will. **fe-meln** u. fimmeln: die reife männliche Hanfpflanze ernten. **Fe|mi-nat** *das;* -[e]s, -e: 1. System, in dem die Frau die bevorzugte Stellung innehat. 2. nur aus weibl. Mitgliedern bestehendes Gremium. **fe|mi|ni|e|ren:** infolge eines Eingriffs in den Hormonhaushalt verweiblichen (von Männern bzw. männlichen Tieren; Med., Biol.). **fe|mi|nin**: 1. a) für die Frau charakteristisch; weiblich; b) das Weibliche betonend; c) (oft abwertend) (als Mann) nicht die charakteristischen Eigenschaften eines Mannes habend, nicht männlich, zu weich, weibisch. 2. mit weiblichem Geschlecht (Sprachw.). **Fe|mi|ni|num** *das;* -s, ...na: (Sprachw.) a) weibliches Geschlecht eines Substantivs; b) weibliches Substantiv (z. B. die Uhr); Abk.: f., F., Fem. **Fe|mi|ni|sa|ti|on** *die;* -, -en: ↑ Feminisierung; vgl. ...[at]ion/ ...ierung. **fe|mi|ni|sie|ren:** verweiblichen. **Fe|mi|ni|sie|rung** *die;* -, -en: a) das Feminisieren; b) das Feminisiertsein; vgl. ...[at]ion/ ...ierung. **Fe|mi|nis|mus** *⟨lat. -nlat.⟩ der;* -, ...men: 1. (ohne Plural) Richtung der Frauenbewegung, die, von den Bedürfnissen der Frau ausgehend, eine grundlegende Veränderung der gesellschaftlichen ↑ Normen (1 a) (z. B. der traditionellen Rollenverteilung) u. der ↑ patriarchalischen Kultur anstrebt. 2. das Vorhandensein od. die Ausbildung weiblicher Geschlechtsmerkmale beim Mann od. bei männlichen Tieren (Med., Biol.). **Fe|mi|nist** *der;* -en, -en: jmd., der sich zu den Überzeugungen u. Forderungen des Feminismus (1) bekennt. **Fe|mi|nis|tin** *die;* -, -nen: Vertreterin des Feminismus (1). **fe|mi|nis|tisch:** 1. den Feminismus (1) betreffend. 2. den Feminismus (2) betreffend; weibisch. **Fe|mi|ni|tät** *die;* -: das Femininsein; feminine Art

fe|misch ⟨Kunstw. aus: *lat. fer*rum „Eisen" u. ↑*M*agnesium⟩: reich an Eisen u. Magnesium; Ggs. ↑ salisch

Femme fa|tale [famfa'tal] *⟨fr.⟩ die;* - -, -s -s [famfa'tal]: Frau mit Charme u. Intellekt, die durch ihren extravaganten Lebenswandel u. ihr verführerisches Wesen ihren Partnern häufig zum Verhängnis wird

fe|mo|ral *⟨lat.-nlat.⟩:* zum Oberschenkel gehörend (Med.)

Fem|to... *⟨skand.⟩* „fünfzehn"): Vorsatz vor physikalischen Einheiten zur Bezeichnung des 10^{15}fachen (des 10^{15}ten Teils) der betreffenden Einheit (z. B. Femtofarad); Zeichen: f

Fe|mur *⟨lat.⟩ das;* -s, Femora: 1. Oberschenkel[knochen] (Med.). 2. drittes Glied eines Insektenod. Spinnenbeins (Zool.)

Fench u. Fennich ⟨*lat.*⟩ *der;* -[e]s, -e: eine Hirseart **Fen|chel** *⟨lat.⟩ der;* -s: 1. ein Gemüse. 2. eine Gewürz- u. Heilpflanze (Doldengewächs) **Fen|dant** [fã'dã:] *⟨fr.⟩ der;* -s: Weißwein aus dem Kanton Wallis (Schweiz) **Fen|der** *⟨engl.;* „Abwehrer, Verteidiger"⟩ *der;* -s, -: mit Kork od. Tauwerk gefülltes Kissen zum Schutz der Schiffsaußenseite beim Anlegen am Kai u. Ä. **Fe|nek** vgl. Fennek **Feng|shui,** auch: **Feng-Shui** ⟨*chin.;* „Wind-Wasser"⟩ *das;* -: chinesische Kunst der harmonischen Lebens- u. Wohnraumgestaltung **Fe|ni|er** ⟨*ir.-engl.⟩ der;* -s, -s: (hist.) Mitglied eines irischen Geheimbundes, der Ende des 19. u. Anfang des 20. Jh.s für die Trennung Irlands von Großbritannien kämpfte **Fen|nek** u. Fenek ⟨*arab.⟩ der;* -s, -s u. -e: Wüstenfuchs **Fen|nich** vgl. Fench **Fen|no|sar|ma|tia** ⟨*nlat.;* aus lat. *Fenni* „Finnen" u. lat. *Sarmatia* „polnisch-russisches Tiefland"⟩ *die;* -: ↑ präkambrischer gefalteter Kontinentkern (Ureuropa; Geol.). **fen|no|sar|ma|tisch:** Fennosarmatia betreffend (Geol.). **Fen|no|skan|dia** ⟨aus lat. *Fenni* „Finnen" u. lat. *Scandia* „Schweden"⟩ *die;* -: (Geol.) 1. zusammenfassende Bez. für die skandinavischen Länder u. Finnland. 2. zusammenfassende Bez. für den Baltischen Schild u. das ↑ Kaledonien. **fen|no|skan|disch:** Fennoskandia betreffend (Geol.). **Fenz** *⟨lat.-fr.-engl.⟩ die;* -, -en: [von Deutschamerikanern verwendete Bez. für] Zaun, Einfriedung. **fen|zen:** einfriedigen **Fe|ra|li|en** ⟨*lat.⟩ die* (Plural): (hist.) öffentliche Totenfeier am Schlusstag der ↑ Parentalien **Fe|ria** ⟨*lat.⟩ die;* -, ...iae [...iɛ]: Wochentag im Gegensatz zum Sonn- u. Feiertag in der katholischen ↑ Liturgie. **fe|ri|al** ⟨*nlat.⟩* (österr.) zu den Ferien gehörend; frei, unbeschwert. **Fe|ri|al|da|tie|rung** *die;* -, -en: (vom 13. bis 16. Jahrhundert übliche) Art der Datierung, bei der die Wochentage auf Heiligenfeste bezogen wurden. **Fe|ri|al|tag** *der;* -[e]s, -e: (österr.) Ferientag. **Fe|ri|en** ⟨*lat.⟩ die* (Plural): a) mehrere zusammenhängende Tage od. Wochen dauernde, der Erholung

dienende, turnusmäßig wiederkehrende Arbeitspause einer Institution (z. B. der Schule, Hochschule, des Gerichts, Parlaments); b) Urlaub **ferm** vgl. firm. **fer|ma|men|te** *⟨lat.-it.⟩:* sicher, fest, kräftig (Vortragsanweisung; Mus.) **Fer|man** ⟨*pers.-türk.⟩ der;* -s, -e: (hist.) Erlass eines islamischen Herrschers **Fer|ma|te** *⟨lat.-it.;* „Halt, Aufenthalt"⟩ *die;* -, -n: 1. Haltezeichen. Ruhepunkt (Mus.); Zeichen: ⌒ über der Note (Mus.). 2. Dehnung der [vor]letzten Silbe eines Verses, die das metrische Schema sprengt. **Ferme** [fɛrm] *⟨lat.-fr.⟩ die;* -, -n: [Bauern]hof, Pachtgut (in Frankreich) **Fer|ment** ⟨*lat.⟩* „Gärung; Gärstoff"⟩ *das;* -s, -e: (veraltet) ↑ Enzym. **Fer|men|ta|ti|on** ⟨*lat.-nlat.⟩ die;* -, -en: 1. chem. Umwandlung von Stoffen durch Bakterien u. ↑ Enzyme (Gärung). 2. biochem. Verarbeitungsverfahren zur Aromaentwicklung in Lebens- u. Genussmitteln (z. B. Tee, Tabak). **fer|men|ta|tiv:** durch Fermente hervorgerufen. **Fer|men|ter** ⟨*lat.-engl.⟩ der;* -s, -: Anlage für die Massenkultur von Mikroorganismen in Forschung u. Industrie. **fer|men|tie|ren** ⟨*lat.⟩:* durch Fermentation (2) veredeln **Fer|mi|on** ⟨*nlat.;* nach dem ital. Physiker E. Fermi⟩ *das;* -s, ...onen: Elementarteilchen mit halbzahligem ↑ Spin (Phys.). **Fer|mi|um** *das;* -s: chem. Element; ein Transuran (Zeichen: Fm) **Fer|nam|buk|holz** vgl. Pernambukholz

fe|ro|ce [fe'ro:tʃə] *⟨lat.-it.⟩:* wild, ungestüm, stürmisch (Vortragsanweisung; Mus.)

Fer|ra|ghan ⟨*der;* -s, -e: aus dem iranischen Landschaft) *der;* -s, -e: ein rotod. blaugrundiger Teppich mit dichter Musterung

Fer|rit [auch: ...'rɪt] *⟨lat.-nlat.⟩ der;* -s, -e (meist Plural): 1. reine, weiche, fast kohlenstofffreie Eisenkristalle (α-Eisen). 2. einer der magnetischen (1), zur Herstellung nachrichtentechnische Bauteile verwendete Werkstoffe. **Fer|rit|an|ten|ne** *die;* -, -n: Richtantenne mit hochmagnetischem Ferritkern (z. B. in Rundfunkempfängern). **Fer|ro|elek|tri|zi|tät*** *die;* -: dem Ferromagnetismus analoges Verhalten eines weniger weniger Stoffes aufgrund bestimmter ↑ elektrischer (1) Eigenschaften. **Fer|ro|graph**

auch: Ferrograf ⟨lat.; gr.⟩ der; -en, -en: Gerät zur Messung der magnetischen Eigenschaften eines Werkstoffs. **Fer|rol|le|gie|rung** die; -, -en: Eisenlegierung mit Begleitelementen. **Fer|ro|mag|ne|ti|kum*** ⟨lat.; gr.-lat.⟩ das; -s, ...ka: eine ferromagnetische Substanz. **fer|ro|mag|ne|tisch***: sich wie Eisen magnetisch verhaltend. **Fer|ro|mag|ne|tis|mus*** der; -: Magnetismus des Eisens (Kobalts, Nickels u. a.), der durch eine besonders hohe ↑ Permeabilität (2) gekennzeichnet ist. **Fer|ro|man|gan** ⟨lat.⟩ das; -s: Legierung des Eisens mit ↑ Mangan **Fer|ro|nie|re** [...'njɛ:rə] ⟨fr.⟩ die; -, -n: früher von Frauen um die Stirn getragene schmale Goldkette mit einem Edelstein od. einer ↑ Kamee **Fer|ro|sil|lit** [auch: ...'lɪt] ⟨lat.⟩ das; -s: ein Mineral. **Fer|ro|skop*** ⟨lat.; gr.⟩ das; -s, -e: tiermedizinisches Instrument, mit dem verschluckte Metallteile nachgewiesen werden können. **Fer|ro|ty|pie** die; -, ...ien: fotografisches Verfahren zur Herstellung von Bildern auf lichtempfindlich beschichteten, schwarz gelackten Eisenblechen. **Fer|rum** ⟨lat.⟩ das; -s: Eisen; chem. Element (Zeichen: Fe) **fer|til** ⟨lat.⟩: fruchtbar (Biol., Med.); Ggs. ↑ steril (2). **Fer|ti|li|sa|ti|on** ⟨lat.-nlat.⟩ die; -, -en: Befruchtung (Med.). **Fer|ti|li|tät** die; -: Fähigkeit von Organismen, Nachkommen hervorzubringen; Fruchtbarkeit (Biol., Med.); Ggs. ↑ Sterilität (2) **fer|vent** ⟨lat.⟩: (veraltet) hitzig, glühend, eifrig **Fes** ⟨türk.; marokkanische Stadt⟩ der; -[es], -[e]: bes. in islamischen Ländern getragene kegelstumpfförmige rote Filzkappe **fesch** [österr.: fe:ʃ] ⟨engl.⟩: (österr. u. ugs.) a) schick, schneidig, flott, elegant; b) (österr.) nett, freundlich. **Fe|schak** der; -s, -s: (österr. ugs.) fescher [junger] Mann. **Fe|schak|tum** der; -s: (österr.) Benehmen, Lebensform eines Feschaks; ↑ Snobismus (2) **fes|ti|na len|te!** ⟨lat.⟩: „Eile mit Weile!" (nach Sueton ein häufiger Ausspruch des röm. Kaisers Augustus) **Fes|ti|val** [ˈfɛstivəl, ...val] ⟨lat.-fr.-engl. (-fr.)⟩ das (schweiz. auch: der); -s, -s: [in regelmäßigen Abständen wiederkehrende] kultu-

relle Großveranstaltung; Festspiele. **Fes|ti|vi|tät** ⟨lat.⟩ die; -, -en: (ugs.) Festlichkeit. **fes|tiv|vo** ⟨lat.-it.⟩: festlich, feierlich (Vortragsanweisung; Mus.). **Fes|ton** [fɛsˈtõ:] ⟨lat.-vulgärlat.-it.-fr.⟩ das; -s, -s: 1. Schmuckmotiv von bogenförmig durchhängenden Gewinden aus Blumen, Blättern od. Früchten an Gebäuden od. in der Buchkunst. 2. mit Zierstichen gestickter bogen- od. zackenförmiger Rand eines Stückes Stoff. **fes|to|nie|ren**: 1. mit Festons (1) versehen. 2. Stoffkanten mit Festonstich versehen. **fes|to|so** ⟨lat.-it.⟩: ↑ festivo **Fes|zen|ni|nen** ⟨lat.; wahrscheinlich nach der etrusk. Stadt Fescennium⟩ die (Plural): altitalische Festlieder voll derben Spotts **Fe|ta** ⟨ngr.⟩ der; -s: [stark gesalzener] griechischer Weichkäse aus Schafsmilch **fe|tal** u. fötal ⟨lat.⟩: zum ↑ Fetus gehörend, den Fetus betreffend (Med.) **Fe|te** [auch: ˈfɛ:tə] ⟨lat.-vulgärlat.-fr.⟩ die; -, -n: (ugs.) kleineres Fest, Party, ausgelassene Feier **Fe|ti|al|len** ⟨lat.⟩ die (Plural): Priesterkollegium im alten Rom, das die für den völkerrechtlichen Verkehr bestehenden Vorschriften überwachte **fe|tie|ren** ⟨lat.-vulgärlat.-fr.⟩: (veraltet) jmdn. durch ein Fest ehren **Fe|tisch** ⟨lat.-port.-fr.⟩ der; -[e]s, -e: Gegenstand, dem helfende od. schützende Zauberkraft zugeschrieben wird (Völkerk.); vgl. Amulett u. Talisman. **fe|ti|sie|ren**: etwas zum Fetisch, Abgott machen. **Fe|ti|schis|mus** ⟨nlat.⟩ der; -: 1. Glaube an einen Fetisch; Fetischverehrung [in primitiven Religionen] (Völkerk.). 2. sexuelle Neigung, bei der bestimmte Körperteile od. Gegenstände (z. B. Strümpfe, Wäschestücke, die der begehrten Person gehören, als einzige od. bevorzugte Objekte sexueller Erregung u. Befriedigung dienen (Psychol.). **Fe|ti|schist** der; -en, -en: 1. Fetischverehrer (Völkerk.). 2. Person mit fetischistischen Neigungen (Psychol.). **fe|ti|schis|tisch**: den Fetischismus betreffend **Fe|to|ge|ne|se** ⟨lat.; gr.-lat.⟩ die; -, -n: Entwicklung des ↑ Fetus (Med.). **Fe|to|met|rie*** die; -: das Ausmessen des Fetus im Mutterleib mithilfe von ↑ Ultraschall.

Fet|tuc|ci|ne [...'tʃi:ne] ⟨it.⟩ die (Plural): Bandnudeln **Fe|tus** u. Fötus ⟨lat.⟩ der; - u. -ses, -se u. ...ten: [menschliche] Leibesfrucht vom dritten Schwangerschaftsmonat an (Med.) **Fet|wa**, Fatwa ⟨arab.⟩ das; -s, -s: Rechtsgutachten des ↑ Muftis, in dem festgestellt wird, ob eine Handlung mit den Grundsätzen des islamischen Rechts vereinbar ist **feu|dal** ⟨germ.-mlat.⟩: 1. das Lehnswesen betreffend. 2. a) vornehm, herrschaftlich; b) reichhaltig ausgestattet. 3. (bes. marxist. abwertend) reaktionär. **Feu|dal|herr|schaft** die; -: ↑ Feudalismus. **feu|dal|li|sie|ren**: in ein Feudalsystem mit einbeziehen. **Feu|da|lis|mus** ⟨nlat.⟩ der; -: 1. auf dem Lehnsrecht aufgebaute Wirtschafts- u. Gesellschaftsform, in der alle Herrschaftsfunktionen von der über den Grundbesitz verfügenden aristokratischen Oberschicht ausgeübt werden. 2. a) System des Lehnswesens im mittelalterlichen Europa; b) Zeit des Feudalismus (2 a). **feu|da|lis|tisch**: zum Feudalismus gehörend. **Feu|da|li|tät** die; -: 1. Lehnsverhältnis im Mittelalter. 2. herrschaftliche Lebensform. **Feu|dal|sys|tem** das; -s: ↑ Feudalismus **Feuil|la|ge** [fœˈja:ʒə] ⟨lat.-vulgärlat.-fr.⟩ die; -, -n: geschnitztes od. gemaltes Laub- od. Blattwerk. **Feuil|lan|ten** [fœˈjan...] u. **Feuillants** [fœˈjã] (nach der Abtei Feuillant bei Toulouse) die (Plural): 1. ↑ Kongregation französischer ↑ Zisterzienser. 2. Mitglieder eines gemäßigt-monarchistischen Klubs während der Franz. Revolution, die im Kloster der Feuillanten in Paris tagten **Feuil|le|ton** [fœjətõ:, auch: ˈfœjə̃tõ] ⟨„Beiblättchen"⟩ das; -s, -s: 1. kultureller Teil einer Zeitung. 2. literarischer Beitrag im Feuilletonteil einer Zeitung. 3. (österr.) populärwissenschaftlicher, im Plauderton geschriebener Aufsatz. **feuil|le|to|ni|sie|ren**: einen zum Feuilleton gehörenden Beitrag in der Zeitung feuilletonistisch gestalten. **Feuil|le|to|nis|mus** ⟨nlat.⟩ der; -: (oft abwertend) in der literarischen Form des Feuilletons ausgeprägte Sprach- u. Stilhaltung; ...is|mus/...istik. **Feuil|le|to|nist** der; -en, -en: jmd., der Feuilletons schreibt. **Feuil|le|to|nis|tik** die; -:

Feuilletonismus; vgl. ...ismus/ ...istik. **feuil|le|to|nis|tisch:** a) das Feuilleton betreffend; b) im Stil eines Feuilletons geschrieben

¹Fez ⟨fr.⟩ der; -: (ugs.) Spaß, Vergnügen, Ulk, Unsinn

²Fez [fe:s, auch: fe:ts] ⟨türk.⟩ der; -[es], -[e]: ↑ Fes

Fi|a|ker ⟨fr.⟩ der; -s, -: (österr.) a) [zweispännige] Pferdedroschke; b) Kutscher, der einen Fiaker fährt

Fi|a|le ⟨gr.-lat.-it.⟩ die; -, -n: schlankes, spitzes Türmchen an gotischen Bauwerken, das als Bekrönung von Strebepfeilern dient (Archit.)

Fi|an|chet|to [fi̯aŋˈketo] ⟨it.⟩ das; -[s], ...etti (auch: -s): Schacheröffnung mit einem od. mit beiden Springerbauern zur Vorbereitung eines Flankenangriffs der Läufer (Schach)

fi|ant vgl. ²fiat

Fi|as|co ⟨germ.-it.; „Flasche"⟩ der; -s, -s u. ...chi: mit Stroh umflochtene Flasche für ↑ Chianti.

Fi|as|ko das; -s, -s: 1. Misserfolg, Reinfall. 2. Zusammenbruch

¹fi|at ⟨lat; nach dem Schöpfungsspruch „fiat lux!" = es werde Licht, 1. Mose 1, 3⟩: es geschehe!

²fi|at: man verarbeite zu ... (auf Rezepten; Med.); Abk.: f. **Fi|at** ⟨lat.⟩ das; -s, -s: (veraltet) Zustimmung, Genehmigung. **fi|at jus|ti|tia, et pe|re|at* mun|dus:** „Das Recht muss seinen Gang gehen, und sollte die Welt darüber zugrunde gehen" (angeblicher Wahlspruch Kaiser Ferdinands I.)

¹Fi|bel ⟨gr.-lat.⟩ die; -, -n: 1. bebildertes Lesebuch für Schulanfänger. 2. Lehrbuch, das das Grundwissen eines Fachgebietes vermittelt

²Fi|bel ⟨lat.⟩ die; -, -n: frühgeschichtliche Spange od. Nadel aus Metall zum Zusammenstecken der Kleidungsstücke

Fi|ber ⟨lat.⟩ die; -, -n: 1. [Muskel]faser. 2. (ohne Plural) künstlich hergestellter Faserstoff

fib|ril|lär* ⟨lat.-nlat.⟩: aus Fibrillen bestehend; faserig (Med.). **Fib|ril|le** die; -, -n: sehr feine Muskel- od. Nervenfaser (Med.). **fib|ril|lie|ren:** Papierrohstoff zerfasern u. mahlen. **Fib|rin** das; -s: Eiweißstoff des Blutes, der bei der Blutgerinnung aus Fibrinogen entsteht (Med.). **Fib|ri|no|gen** ⟨lat.-nlat.; gr.⟩ das; -s: im Blut enthaltener Eiweißstoff, die lösliche Vorstufe

des Fibrins (Med.). **Fib|ri|no|ly|se** die; -, -n: Auflösung eines Fibringerinnsels durch Enzymeinwirkung (Med.). **Fib|ri|no|ly|ti|kum** das; -s, ...ka: Arzneimittel zur Beseitigung frisch entstandener Blutgerinnsel (Med.). **fib|ri|no|ly|tisch:** die Fibrinolyse betreffend (Med.). **fib|ri|nös** ⟨lat.-nlat.⟩: fibrinhaltig, fibrinreich (z. B. von krankhaften Ausscheidungen; Med.). **Fib|ro|blast** ⟨lat.; gr.⟩ der; -en, -en (meist Plural): Bildungszelle des faserigen Bindegewebes (Med.). **Fib|ro|chon|drom** das; -s, -e: gutartige Knorpelgeschwulst (Med.). **Fib|ro|e|las|to|se** der; -, -n: übermäßiges Wachstum des faserigen u. elastischen Bindegewebes (Med.). **Fib|ro|in** das; -s: Eiweißstoff der Naturseide. **Fib|ro|lith** das; -s, -e: gutartige Geschwulst aus Binde- u. Fettgewebe (Med.). **Fib|rom** das; -s, -e: gutartige Geschwulst aus Bindegewebe (Med.). **Fib|ro|ma|to|se** die; -, -n: (Med.) 1. geschwulstartige Wucherung des Bindegewebes. 2. das gehäufte Auftreten von Fibromen. **Fib|ro|my|om** ⟨lat.; gr.⟩ das; -s, -e: gutartige Geschwulst aus Binde- u. Muskelgewebe (Med.). **fib|rös** ⟨lat.-nlat.⟩: aus derbem Bindegewebe bestehend; faserreich (Med.). **Fib|ro|sar|kom** ⟨lat.; gr.⟩ das; -s, -e: bösartige Form des Fibroms (Med.). **Fib|ro|se** die; -, -n: krankhafte Vermehrung von Bindegewebe in Organen (Med.). **Fib|ro|zyt** der; -en, -en (meist Plural): spindelförmige Zelle im lockeren Bindegewebe (Med.)

¹Fi|bu|la ⟨lat.⟩ die; -, Fibuln: ↑ ²Fibel. **²Fi|bu|la** die; -, ...lae [...lɛ]: Wadenbein (hinter dem Schienbein gelegener Unterschenkelknochen)

Fi|ca|ria ⟨lat.⟩ die; -, ...iae [...iɛ]: Scharbockskraut (Hahnenfußgewächs)

¹Fiche [fiːʃ] ⟨lat.-vulgärlat.-fr.⟩ die; -, -s: 1. Spielmarke. 2. (veraltet) Pflock zum Lagerabstecken. **²Fiche** [fiːʃ] ⟨lat.-vulgärlat.-fr.-engl.⟩ das od. der; -s, -s: mit einer lichtempfindlichen Schicht überzogene Karte, auf der in Form fotografischer Verkleinerungen Daten von Originalen gespeichert sind, die mit speziellen Lesegeräten gelesen werden. **³Fiche** [ˈfiʃ(ə)] ⟨lat.-vulgärlat.-fr.⟩ die; -, -s: (schweiz.) Karteikarte

Fi|chu [fiˈʃy:] ⟨fr.⟩ das; -s, -s: großes dreieckiges, auf der Brust ge-

kreuztes Schultertuch, dessen Enden vorn od. auf dem Rücken verschlungen werden

Fi|cus ⟨lat.⟩ der; -, ...ci [...tsi]: Feigenbaum (Maulbeergewächs)

Fi|de|i|kom|miss [auch: ˈfiː...] ⟨lat.⟩ das; -es, -e: unveräußerliches u. unteilbares Vermögen einer Familie (Rechtsw.). **Fi|de|is|mus** ⟨lat.-nlat.⟩ der; -: 1. erkenntnistheoretische Haltung, die den Glauben als einzige Erkenntnisgrundlage betrachtet u. ihn über die Vernunft setzt (Philos.). 2. evangelisch-reformierte Lehre, nach der nicht der Glaubensinhalt, sondern nur der Glaube an sich entscheidend sei. **Fi|de|ist** der; -en, -en: Anhänger des Fideismus. **fi|de|is|tisch:** den Fideismus betreffend

fi|del ⟨lat.; „treu"⟩: lustig, heiter, gut gelaunt, vergnügt

Fi|del ⟨Herkunft unsicher⟩ die; -, -n: Saiteninstrument des Mittelalters

Fi|de|lis|mo ⟨nach dem kubanischen Ministerpräsidenten Fidel Castro⟩ der; -[s], **Fi|de|lis|mus** der; -: revolutionäre politische Bewegung in Kuba [u. in Lateinamerika] auf marxistisch-leninistischer Grundlage; vgl. Castrismus. **Fi|de|list** der; -en, -en: Anhänger Fidel Castros; Vertreter des Fidelismus

Fi|de|li|tas u. **Fi|de|li|tät** ⟨lat.⟩ die; -: ↑ Fidulität. **Fi|des** die; -: im alten Rom das Treueverhältnis zwischen ↑ ¹Patron (1) u. Klient

Fi|di|bus ⟨Herkunft unsicher⟩ der; -u. -ses, -u. -se: Holzspan od. gefalteter Papierstreifen zum Feuer- od. Pfeifeanzünden

Fi|du|li|tät ⟨lat.⟩ die; -, -en: der inoffizielle, zwanglosere zweite Teil eines studentischen ↑ Kommerses. **Fi|duz** das; -es: in der Fügung: **kein Fiduz zu etw. haben:** 1. (ugs.) keinen Mut zu etw. haben. 2. keine Lust zu etw. haben. **Fi|du|zi|ant** der; -en, -en: Treugeber bei einem ↑ fiduziarischen Geschäft (Rechtsw.). **Fi|du|zi|ar** der; -s, -e: Treuhänder bei einem ↑ fiduziarischen Geschäft (Rechtsw.). **fi|du|zi|a|risch:** (Rechtsw.) als Treuhänder auftretend; **fiduziarisches Geschäft:** Treuhandgeschäft, bei dem der Fiduziant dem Fiduziar ein Mehr an Rechten überträgt, als er selbst aus einer vorher getroffenen schuldrechtlichen Vereinbarung hat. **fi|du|zit!** (aus lat. fiducia sit = vertraue darauf!) Antwort des Studenten auf den

Bruderschafts- u. Trinkzuruf „schmollis!" **Fi|du|zit** *das;* -: der Zuruf „fiduzit!"

Fiel|dis|tor ⟨*engl.*⟩ *der;* -s, ...oren: Feldtransistor, bei dem das elektrische Feld den Stromfluss steuert. **Field|re|search** [ˈfiːldrɪˌsəːtʃ] *das;* -[s]: Verfahren in der Markt- u. Meinungsforschung zur Erhebung statistischen Materials durch persönliche Befragung od. durch Fragebogen (Soziol.); Ggs. ↑Deskresearch. **Field|spa|ni|el** [ˈfiːldʒpaːnjəl, ...spɛnjəl] *der;* -s, -s: kleiner engl. Jagdhund. **Field|work** [...wəːk] *das;* -s: Verfahren in der Markt- u. Meinungsforschung zur Erhebung statistischen Materials durch persönliche Befragung von Testpersonen durch Interviewer (Soziol.). **Field|wor|ker** [...wəːkə] *der;* -s, -: ↑Interviewer, der zur Erhebung statistischen Materials durch Befragungen durchführt

Fie|rant ⟨*lat.-it.*⟩ *der;* -en, -en: (österr.) Markthändler

fie|ro ⟨*lat.-it.*⟩: stolz, wild, heftig (Vortragsanweisung; Mus.)

Fies|ta ⟨*lat.-span.*⟩ *die;* -, -s: spanisches [Volks]fest

fif|ty-fif|ty ⟨*engl.-amerik.;* „fünfzig-fünfzig"⟩: (ugs.) in den Fügungen: **fifty-fifty machen:** so teilen, dass jeder die Hälfte erhält; **fifty-fifty stehen/ausgehen:** unentschieden stehen/ausgehen

Fi|ga|ro ⟨Bühnengestalt in Beaumarchais' Lustspiel „Der Barbier von Sevilla"⟩ *der;* -s, -s: a) (scherzh.) Friseur; b) (selten) gewitzter, redegewandter Mann

Fight [fait] ⟨*engl.*⟩ *der;* -s, -s: a) Kampf, Wettkampf; harte Auseinandersetzung; b) Boxkampf. **figh|ten** [ˈfaitən]: a) hart, verbissen kämpfen; b) (beim Boxen) ungestüm, den Schlagabtausch suchend kämpfen. **Figh|ter** [ˈfaitə] *der;* -s, -: a) jmd., der fightet (a); Kämpfernatur; b) Boxer, der den Schlagabtausch u. eine ungestüme Kampfweise bevorzugt

Fi|gur ⟨*lat.-fr.*⟩ *die;* -, -en: 1. Körperform, Gestalt, äußere Erscheinung eines Menschen im Hinblick auf ihre Proportioniertheit. 2. [künstlerische] Darstellung eines menschlichen, tierischen od. abstrakten Körpers. 3. Spielstein, bes. beim Schachspiel. 4. a) [geometrisches] Gebilde aus Linien od. Flächen, Umrisszeichnung o. Ä.; b) Abbildung, die als Illustration einem Text beigegeben ist. 5. a)

Persönlichkeit, Person (in ihrer Wirkung auf ihre Umgebung, auf die Gesellschaft); b) (ugs.) Person, Mensch (meist männlichen Geschlechts), Typ, (z. B. an der Theke standen ein paar Figuren); c) handelnde Person, Gestalt in einem Werk der Dichtung. 6. (beim Tanz, Eistanz, Kunstflug, Kunstreiten u. a.) in sich geschlossene [tänzerische] Bewegungsfolge, die Teil eines größeren Ganzen ist. 7. in sich geschlossene Tonfolge als schmückendes u. vielfach zugleich textausdeutendes Stilmittel (Mus.). 8. von der normalen Sprechweise abweichende sprachliche Form, die als Stilmittel eingesetzt wird (Sprachw.); ↑Allegorie, ↑Anapher, ↑Chiasmus. **Fi|gu|ra** ⟨*lat.*⟩ *die;* -: Bild, Figur; **wie Figura zeigt:** (veraltet) wie klar vor Augen liegt, wie an diesem Beispiel klar zu erkennen ist. **Fi|gu|ra|e|ty|mo|lo|gi|ca** ⟨*lat.; gr.-lat.*⟩ *die;* - -, ...rae [...rɛ] ...cae [...kɛ]: Redefigur, bei der sich ein intransitives Verb mit einem Substantiv gleichen Stamms od. verwandter Bedeutung als Objekt verbindet (z. B. einen [schweren] Kampf kämpfen; Rhet., Stilk.). **fi|gu|ral** ⟨*lat.-nlat.*⟩: mit Figuren versehen. **Fi|gu|ra|li|tät** *die;* -: figürliche Beschaffenheit, Form (Kunstwiss.). **Fi|gu|ral|mu|sik** *die;* -: mehrstimmiger ↑kontrapunktischer Tonsatz in der Kirchenmusik des Mittelalters; Ggs. ↑gregorianischer Choral. **Fi|gu|rant** ⟨*lat.*⟩ *der;* -en, -en: 1. (veraltet) Gruppentänzer im Gegensatz zum Solotänzer (Ballett). 2. (veraltet) Statist, stumme [Neben]rolle (Theat.). 3. Nebenperson, Lückenbüßer. **Fi|gu|ra|ti|on** *die;* -, -en: 1. Auflösung einer Melodie od. eines Akkords in rhythmische [melodisch untereinander gleichartige] Notengruppen (Mus.). 2. (Kunstwiss.) a) figürliche Darstellung; b) Formgebilde; vgl. ...[at]ion/...ierung. **fi|gu|ra|tiv:** 1. a) grafisch od. als Figur wiedergebend od. wiedergegeben; b) (etwas Abstraktes) gegenständlich wiedergebend. 2. (veraltet) figürlich (3). **Fi|gu|ren|ka|pi|tell** *das;* -s, -e: mit Figuren geschmücktes ↑Kapitell [an romanischen Bauwerken] (Archit.). **fi|gu|rie|ren:** 1. eine Rolle spielen; in Erscheinung treten. 2. einen Akkord mit einer Figuration versehen (Mus.). **Fi-**

gu|rie|rung *die;* -, -en: ↑Figuration; vgl. ...[at]ion/...ierung. **Fi|gu|ri|ne** ⟨*lat.-it.-fr.*⟩ *die;* -, -n: 1. kleine Figur, kleine Statue. 2. Nebenfigur auf [Landschafts]gemälden. 3. Kostümzeichnung od. Modellbild für Theateraufführungen. **fi|gür|lich** ⟨*lat.; dt.*⟩: 1. in Bezug auf die Figur (1). 2. eine Figur (2), Figuren (2) darstellend (Kunstwiss.). 3. (veraltend) (von Wortbedeutungen) in einem bildlichen, übertragenen Sinn gebraucht

Fikh [fik] ⟨*arab.*⟩ *das;* -: die Rechtswissenschaft des Islams

Fik|ti|on ⟨*lat.*⟩ *die;* -, -en: 1. etw., was nur in der Vorstellung existiert; etw. Vorgestelltes, Erdachtes. 2. bewusst gesetzte widerspruchsvolle od. falsche Annahme als methodisches Hilfsmittel bei der Lösung eines Problems (Philos.). **fik|ti|o|nal** ⟨*lat.-nlat.*⟩: auf einer Fiktion beruhend **fik|ti|o|na|li|sie|ren:** als Fiktion darstellen. **Fik|ti|o|na|lis|mus** *der;* -: philosophische Theorie der Fiktionen (Philos.). **fik|tiv:** eingebildet, erdichtet; angenommen, auf einer Fiktion (1) beruhend

Fil-à-Fil [fila'fil] ⟨*lat.-fr.;* „Faden an Faden"⟩ *das;* -: Kleiderstoff mit karoähnlichem Gewebebild.

Fil|a|ge [...ʒə] *die;* -, -n: 1. das Zusammendrehen von Seidenfäden. 2. das Abziehen der gezinkten Karten beim Falschspiel. **Fi|la|ment** ⟨*lat.*⟩ *das;* -s, -e: 1. Staubfaden der Blüte (Bot.). 2. (meist Plural) dunkles, fadenförmiges Gebilde in der ↑Chromosphäre (Astron.). 3. auf chemisch-technischem Wege erzeugte, fast endlose Faser als Bestandteil von Garnen u. Kabeln. **Fi|lan|da** ⟨*lat.-it.*⟩ *die;* -: (veraltet) Seidenspinnerei. **Fi|la|ria** ⟨*lat.-nlat.*⟩ *die;* -, ...iae [...je̩] u. ...ien (meist Plural): Fadenwurm (Krankheitserreger). **Fi|la|ri|en|krank|heit** *die;* -, -en: ↑Filariose. **fi|lar il tu|o|no** ⟨*it.*⟩: den Ton gleichmäßig ausströmen, sich entwickeln lassen (Vortragsanweisung bei Gesang u. Streichinstrumenten; Mus.). **Fi|la|ri|o|se** ⟨*lat.-nlat.*⟩ *die;* -, -n: durch Filariaarten hervorgerufene Krankheit (Med.).

File [fail] ⟨*lat.-fr.-engl.*⟩ *das;* -s, -s: engl. Bezeichnung für: Datei (EDV)

Fi|let [fi'leː] ⟨*lat.-fr.*⟩ *das;* -s, -s: netzartig gewirkter Stoff. 2. a) Handarbeitstechnik, bei der ein

Gitterwerk aus quadratisch verknüpften Fäden hergestellt wird; b) Handarbeit, die durch Filet (2 a) entstanden ist. 3. a) Lendenstück von Schlachtvieh u. Wild; b) Geflügelbrust[fleisch]; c) entgrätetes Rückenstück bei Fischen. 4. der Auflockerungsmaschine (Krempel) in der Baumwollspinnerei. **Fi|let|ar|beit** *die;* -, -en: Handarbeit[stechnik], bei der ein Gitterwerk aus quadratisch verknüpften Fäden hergestellt wird, das dann in verschiedenartiger Weise bestickt wird. **Fi|le|te** *⟨lat.-roman.⟩ die;* -, -n: a) Stempel der Buchbinder mit bogenförmiger Prägefläche zum Aufdrucken von Goldverzierungen; b) mit der Filete a) hergestellte Verzierung auf Bucheinbänden. **fi|le|tie|ren** u. filieren: aus Fleisch Filetstücke herauslösen. **Fi|let|spit|ze** *die;* -, -n: Spitze mit geknüpftem Netzgrund **Fi|li|a|le** *⟨lat.-mlat.-fr.⟩ die;* -, -n: Zweiggeschäft eines Unternehmens. **Fi|li|al|ge|ne|ra|ti|on** *die;* -, -en: direkte Nachkommen eines Elternpaares bzw. eines sich durch ↑ Parthenogenese (2) fortpflanzenden Lebewesens (Genetik). **Fi|li|a|list** *der;* -en, -en: 1. Leiter einer Filiale (Wirtsch.). 2. Seelsorger einer Filialgemeinde. **Fi|li|al|kir|che** *die;* -, -n: von der Pfarrkirche der Hauptgemeinde aus betreute Kirche mit einer Filialgemeinde. **Fi|li|al|pro|ku|ra** *die;* -, ...ren: ↑ Prokura, die auf eine od. mehrere Filialen eines Unternehmens beschränkt ist. **Fi|li|a|ti|on** *⟨lat.-nlat.⟩ die;* -, -en: 1. [Nachweis der] Abstammung einer Person von einer anderen (Geneal.). 2. legitime Abstammung eines Kindes von seinen Eltern (Rechtsw.). 3. Gliederung des Staatshaushaltsplanes. 4. (hist.) Verhältnis vom Mutter- u. Tochterkloster im Ordenswesen des Mittelalters (Rel.). **¹Fi|li|bus|ter** vgl. Flibustier. **²Fi|li|bus|ter** *[...'bastɐ] ⟨amerik.⟩ das;* -[s], -: im amerikanischen Senat von Minderheiten geübte Praktik, durch Marathonreden die Verabschiedung eines Gesetzes zu verhindern **fi|lie|ren** *⟨lat.-fr.⟩:* 1. eine ↑ Filetarbeit anfertigen u. vgl. filetieren. 3. Karten beim Kartenspielen unterschlagen. **fi|li|form** *⟨lat.-nlat.⟩:* fadenförmig (Med.). **fi|lig|ran*:** aus Filigran bestehend; filigranähnliche Formen aufwei-

send; sehr fein, feingliedrig. **Fi|lig|ran*** *⟨lat.-it.⟩ das;* -s, -e u. **Fi|lig|ran|ar|beit** *die;* -, -en: Goldschmiedearbeit aus feinem Gold-, Silber- od. versilbertem Kupferdraht. **Fi|lig|ran|glas*** *das;* -es: durch eingeschmolzene, Gitter u. Muster bildende weiße Glasfäden verziertes Kunstglas; Fadenglas. **Fi|lig|ran|pa|pier*** *das;* -s: feines Papier mit netzod. linienförmigen Wasserzeichen **Fi|li|us** *⟨lat.⟩ der;* -, ...lii u. -se: (scherzh.) Sohn **Fil|lér** *['fɪlɛ, auch: 'fɪle:ɐ] ⟨ung.⟩ der;* -[s], -: ungarische Münzeinheit (= 0,01 Forint) **Film|gro|tes|ke** *die;* -, -n: Groteskfilm. **fil|mo|gen:** als Stoff für eine Verfilmung, eine filmische Darstellung geeignet. **Fil|mo|gra|phie,** auch: Filmografie *die;* -, ...ien: Verzeichnis, Zusammenstellung aller Filme eines ↑ Regisseurs o. Ä. **Fil|mo|thek** *⟨germ.-engl.; gr.⟩ die;* -, -en: ↑ Kinemathek **Fi|lo** *⟨lat.-it.⟩ der;* -s, -s: Art das Fechtangriffs, bei dem die angreifende Klinge die gegnerische aus der Stoßrichtung zu drängen sucht, indem sie an ihr entlanggleitet **Fi|lou** *[fi'lu:] ⟨engl.-fr.⟩ der* (auch: *das*); -s, -s: (scherzh.) jmd., der andere mit Schläue, Raffinesse [in harmloser Weise] zu übervorteilen versteht **Fils** *⟨arab.⟩ der;* -, -: Münzeinheit in verschiedenen arabischen Ländern **Filt|rat*** *⟨mlat.⟩ das;* -[e]s, -e: die bei der Filtration anfallende geklärte Flüssigkeit. **Filt|ra|ti|on** *die;* -, -en: Verfahren zum Trennen von festen Stoffen u. Flüssigkeiten. **filt|rie|ren** *⟨germ.-mlat.⟩:* eine Flüssigkeit od. ein Gas von darin enthaltenen Bestandteilen mithilfe eines Filters trennen; filtern. **Filt|rier|pa|pier** *das;* -s: ungeleimtes, saugfähiges Papier [in Trichterform] zum Filtrieren **Fi|lü|re** *⟨lat.-fr.⟩ die;* -, -n: (veraltet) Gewebe, Gewirke **Fil|zo|kra|tie*** *⟨dt.; gr.⟩ die;* -, ...ien: verfilzte, ineinander verflochtene Machtverhältnisse, die durch Begünstigung o. Ä. bei der Ämterverteilung zustande kommen **Fim|brie*** *⟨lat.; „Faden, Franse"⟩ die;* -, ...ien: fransenartige Gewebsbildung (Med., Anat.) **Fim|bul|win|ter** *⟨altnord.⟩ der;* -s:

dreijähriger schrecklicher Winter der germanischen Sage vom Weltuntergang **Fim|mel** usw. vgl. Femel usw. **FINA** u. **Fi|na** *⟨Abk. für: Fédération Internationale de Natation Amateur⟩ die;* -: Internationaler Amateur-Schwimmverband **fi|nal** *⟨lat.⟩:* 1. das Ende, den Schluss von etwas bildend. 2. die Absicht, den Zweck betreffend, bestimmend od. kennzeichnend (Sprachw., Rechtsw.); **finale Konjunktion:** den Zweck, die Absicht angebendes Bindewort (z. B. damit; Sprachw.). **¹Fi|nal** *der;* -s, -s: (schweiz.) Finale (2). **²Fi|nal** *['faml] ⟨lat.-engl.⟩ das;* -s, -s: engl. Bezeichnung für: Finale (2). **Fi|nal|de|cay** *[...dɪ'keɪ] das;* -s, auch: **Fi|nal De|cay** *das;* - -s: Zeit des Abfallens des Tons im Maximum bis zu einem vorbestimmbaren Niveau u. endgültiges Abfallen von diesem Niveau auf 0 nach Loslassen der Taste beim Synthesizer. **Fi|na|le** *⟨lat.-it.(-fr.)⟩ das;* -s, - : 1. einen besonderen Höhepunkt darstellender, glanzvoller, Aufsehen erregender Abschluss von etwas; Ende, Schlussteil. 2. (Sport; Plural Finals) a) Endkampf, Endspiel, Endrunde eines aus mehreren Teilen bestehenden sportlichen Wettbewerbs; b) Endspurt. 3. (Mus.) a) letzter (meist der vierte) Satz eines größeren Instrumentalwerkes; b) Schlussszene der einzelnen Akte eines musikalischen Bühnenwerks. **Fi|na|lis** *⟨lat.-mlat.⟩ die;* -, ...les *[...le:s]:* die Tonart bestimmender Schlusston einer kirchentonalen Melodie (Mus.). **Fi|na|lis|mus** *⟨lat.-nlat.⟩ der;* -: philosophische Lehre, nach der alles Geschehen von Zwecken bestimmt ist bzw. zielstrebig verläuft (Philos.). **Fi|na|list** *⟨lat.-it.-fr.⟩ der;* -en, -en: Teilnehmer an einem Finale (2 a). **Fi|na|li|tät** *⟨lat.⟩ die;* -, -en: Bestimmung eines Geschehens od. einer Handlung nicht durch ihre Ursachen, sondern durch ihren Zweck; Zweckbestimmtheit; Ggs. ↑ Kausalität. **Fi|nal|satz** *der;* -es, ...sätze: Gliedsatz, der die Absicht den Zweck eines Verhaltens angibt; Zwecksatz (Sprachw.). **Fi|nan|ci|er** *[finã'sje:]* vgl. Finanzier. **Fi|nanz** *⟨lat.-mlat.-fr.⟩ die;* -: 1. Finanz-, Geldwesen. 2. Gesamtheit der Fachleute des Bank- u. Geldwesens; Hochfinanz. 3. (österr. ugs.) Finanz amt. **Fi|nanz|aus|gleich** *der;* -[e]s: zweckmäßiger Ausgleich der anfallenden Einnahmen u. Ausgaben zwischen Bund, Ländern u. Gemeinden. **Fi|nan|zen** *die* (Plural): 1. Finanz-, Geldwesen. 2. Einkünfte od. Vermögen des Staates, eines Landes, einer Körperschaft des öffentlichen Rechts u. Ä. 3. (ugs.) Geld, das jmd. zur Verfügung hat. **Fi|nanzer** ⟨*lat.-mlat.-fr.-it.*⟩ *der;* -s, -: (österr. ugs.) Zollbeamter. **finan|zi|ell** ⟨französierende Bildung⟩: geldlich, wirtschaftlich. **Fi|nan|zi|er** [...'tsi̯eː], auch: Financier ⟨*lat.-mlat.-fr.*⟩ *der;* -s, -s: jmd., der über ein Vermögen verfügt u. damit bestimmte Dinge finanziert. **fi|nan|zie|ren:** 1. die finanziellen Mittel für etw., jmdn. zur Verfügung stellen. 2. a) mithilfe eines Kredits kaufen, bezahlen; b) einen Kredit aufnehmen. **Fi|nanz|po|li|tik** *die;* : a) Gesamtheit der finanzwirtschaftlichen Überlegungen u. Maßnahmen eines Staates; b) Gesamtheit der Maßnahmen, die den finanziellen Sektor eines Unternehmens betreffen (Wirtsch.). **Fi|nanz|wirt|schaft** *die;* -: Wirtschaft der öffentlichen Körperschaften, bes. des Bundes, der Länder u. Gemeinden. **Fi|nanz|wis|sen|schaft** *die;* -: Gebiet der Wirtschaftswissenschaften, das die öffentliche Finanzwirtschaft zum Gegenstand hat

fi|nas|sie|ren ⟨*lat.-fr.*⟩: Ränke schmieden; Kniffe, Tricks, Kunstgriffe anwenden

Fin|ca ⟨*span.*⟩ *die;* -, -s: Landhaus mit Garten, Landgut in Südamerika, ↑ Hazienda

Fin de Siè|cle [fɛ̃d'sjɛkl] ⟨*fr.;* „Jahrhundertende"; nach einem Lustspieltitel von Jouvenot u. Micard, 1888⟩ *das;* - - -: Bezeichnung für die Zeit des ausgehenden 19. Jh.s, die in Gesellschaft, bildender Kunst u. Literatur ausgeprägte Verfallserscheinungen wie Überfeinerung u. Ä. aufweise.

Fi|ne ⟨*lat.-it.*⟩ *das;* -s, -s: Bezeichnung am Ende des ersten Teils eines Musikstücks, das bis zu dieser Stelle wiederholt werden soll

Fines Herbes [fin'zɛrb] ⟨*fr.;* „feine Kräuter"⟩ *die* (Plural): fein gehackte Kräuter [mit Champignons od. Trüffeln] (Gastr.).

Fi|nes|se ⟨*lat.-fr.*⟩ *die;* -, -n: 1. a) (meist Plural) Kunstgriff, Trick, besondere Technik in der Arbeitsweise; b) Schlauheit,

Durchtriebenheit. 2. (meist Plural) [dem neuesten Stand der Technik entsprechende] Besonderheit, Feinheit in der Beschaffenheit. 3. (ohne Plural) reiches ↑ Bukett (2) (von Weinen). **Finette** [fiˈnɛt] *die;* -: feiner Baumwollflanell mit angerauter linker Seite

fin|gie|ren ⟨*lat.*⟩: in einer bestimmten Absicht vorspiegeln, vortauschen; erdichten

Fi|ni|mel|ter ⟨*lat.; gr.*⟩ *das;* -s, -: Apparat, der bei Gasschutzgeräten zur Überwachung des Sauerstoffvorrats dient

Fi|nis ⟨*lat.;* „Ende"⟩ *das;* -, -: 1. (veraltet) Schlussvermerk in Druckwerken. 2. (ohne Artikel, ohne Plural) Schluss, Ende. **Finish** [ˈfɪnɪʃ] ⟨*lat.-fr.-engl.*⟩ *das;* -s, -s: 1. letzter Arbeitsgang, der einem Produkt die endgültige Form gibt; letzter Schliff, Vollendung. 2. Endkampf, Endspurt; letzte entscheidende Phase eines sportlichen Wettkampfs. **fi|ni|shen:** bei einem Pferderennen im Finish dem Pferd die äußerste Leistung abverlangen. **Finis|sa|ge** [...'saːʒə] ⟨*fr.*⟩ *die;* -, -n: Veranstaltung zur Beendigung einer Kunstausstellung, Schließung einer Galerie o. Ä. **Finis|seur** [finɪˈsøːɐ̯] ⟨*lat.-fr.*⟩ *der;* -s, -e: Rennsportler mit starkem Endspurt. **fi|nit** ⟨*lat.*⟩: bestimmt (Sprachw.); **finite Form:** in Person u. Zahl bestimmte Verbform im Unterschied zum Infinitiv u. Partizip. **Fi|ni|tis|mus** ⟨*lat.-nlat.*⟩ *der;* -: Lehre von der Endlichkeit der Welt u. des Menschen (Philos.). **Fi|ni|tum** *das;* -s, ...ta: ↑ finite Form

Finn-Din|gi, (auch:) **Finn-Dinghy** ⟨*schwed.; Hindi-engl.;* „finnisches Dingi"⟩ *das;* -s, -s: kleines Einmannboot für die Rennsegelsport. **Finn|mark** *die;* -, -: finnische Währungseinheit; Abk.: Fmk; vgl. Markka. **fin|no|ugrisch*:** die Sprachfamilie betreffend, deren Sprecher heute auf der finnischen Halbinsel, in den nordwestlichen Sibirien u. in der ungarischen Steppe beheimatet sind. **Fin|no|ug|rist*** *der;* -en, -en: Wissenschaftler, Spezialist für finnougrische Sprachen. **finn|ug|risch*:** finnougrisch. **Fin|te** ⟨*lat.-it.*⟩ *die;* -, -n: 1. Vorwand, Täuschung, Scheinmanöver. 2. a) Scheinhieb beim Boxen; Scheinhieb od. -stoß beim Fechten; b) angedeuteter Griff beim Ringen, um den Gegner

täuschen soll. **fin|tie|ren:** eine Finte (2) ausführen

Fi|o|ret|te ⟨*lat.-it.;* „Blümchen"⟩ *die;* -, -n u. **Fi|o|ri|tur** *die;* -, -en (meist Plural): Gesangsverzierung in Opernarien des 18. Jh.s (Mus.)

Fir|le|fanz ⟨Herkunft unsicher⟩ *der;* -es, -e : (ugs. abwertend) 1. überflüssiges od. wertloses Zeug; Tand, Flitter. 2. Unsinn, törichtes Zeug, Gerede, Gebaren. 3. (selten) jmd., der nur Torheiten im Sinn hat, mit dem nicht viel anzufangen ist. **Fir|le|fanze|rei** *die;* -, -en: törichtes Zeug, Unsinn

firm ⟨*lat.*⟩, (österr. auch:) **ferm** ⟨*lat.-it.*⟩: bes. in der Verbindung: **in etw. firm sein:** [in einem bestimmten Fachgebiet, Bereich] sicher, sattelfest, beschlagen sein. **Fir|ma** ⟨*lat.-it.*⟩ *die;* -, ...men: 1. a) kaufmännischer Betrieb, gewerbliches Unternehmen; b) der ins Handelsregister eingetragene Name eines Unternehmens, Geschäfts o. Ä.; Abk.: Fa. (Wirtsch.). 2. (ugs. abwertend): Sippschaft, Gesellschaft. **Fir|ma|ment** ⟨*lat.*⟩ *das;* -[e]s: der sichtbare Himmel, das Himmelsgewölbe. **Fir|me|lung** *die;* -, -en: ↑ Firmung. **fir|men:** jmdm. die Firmung erteilen. **fir|mie|ren** ⟨*lat.-it.*⟩: (von Firmen o. Ä.) unter einem bestimmten Namen bestehen, einen bestimmten Namen führen [u. mit diesem unterzeichnen]. **Fir|mung** *die;* -, -en: vom Bischof durch Salbung u. Handauflegen vollzogenes katholisches Sakrament, das der Kräftigung im Glauben dienen soll. **Firm|ware** [ˈfɔːmwɛə] ⟨*engl.*⟩ *die;* -, -s: zur Hardware eines Computers gehörende, vom Hersteller auf Festwertspeicher abgelegte Programme (4)

Fir|nis ⟨*fr.*⟩ *der;* -ses, -se: schnell trocknendes, farbloses Öl, das als Schutzanstrich auf etw. aufgetragen wird. **fir|nis|sen:** mit Firnis beschichten

first class [ˈfəːst ˈklaːs] ⟨*engl.*⟩: der ersten Klasse, Spitzenklasse zugehörend, von hohem Standard. **First-Class-Ho|tel** *das;* -s, -s: Hotel von gehobenem Standard; Luxushotel

First-Day-Co|ver [ˈfəːstˈdeɪˈkʌvə] ⟨*engl.*⟩ *der;* -, -: Ersttagsbrief (Liebhaberstück für Briefmarkensammler)

First La|dy [ˈfəːst ˈleɪdɪ] ⟨*engl.*⟩ *die;* - -, - ...dies: Frau eines Staatsoberhauptes

Firth [fə:θ] ⟨*anord.-engl.*⟩ *der;* -, -es ['fə:θɪz]: in Schottland Bezeichnung für tief ins Landesinnere hereinreichender, lang gestreckter Meeresarm

Fi|sett|holz ⟨Herkunft unsicher⟩ *das;* -es: das einen gelben Farbstoff enthaltende Holz des Färbermaulbeerbaumes u. des Perückenstrauches

Fi|shing for Comp|li|ments* ['fɪʃɪŋ fə 'kɔmplɪmənts] ⟨*engl.;* „nach Komplimenten angeln"⟩ *das;* - - -: auffallend bescheidene od. negative Selbstdarstellung [durch die andere sich zu einer positiven Reaktion od. zu Lob veranlasst sehen]

Fi|si|ma|ten|ten ⟨Herkunft unsicher⟩ *die* (Plural): (ugs.) 1. unernstes, albernes Verhalten. 2. umständliches Gebaren. 3. überflüssige Ausstattung

Fis|kal ⟨*lat.*⟩ *der;* -s, -e: (veraltet) Amtsträger, der vor Gerichten die (vermögenswerten) Rechte des Kaisers od. eines Landesherrn zu vertreten hatte. **Fis|ka|li|ne** ⟨*lat.-mlat.*⟩ *der;* -n, -n: (in merowingischer Zeit) Leibeigener am Hofe des Königs u. auf den königlichen Gütern. **fis|ka|lisch:** den Staat als Verwalter des Staatsvermögens betreffend. **Fis|kus** ⟨*lat.;* „Korb; Geldkorb"⟩ *der;* -, ...ken u. -se (Plural selten): der Staat als Eigentümer des Staatsvermögens; Staatskasse

Fi|so|lle ⟨*gr.-lat.-roman.*⟩ *die;* -, -n: (österr.) Frucht der grünen Gartenbohne

fis|sil ⟨*lat.*⟩: spaltbar. **Fis|si|li|tät** ⟨*lat.-nlat.*⟩ *die;* -: Spaltbarkeit. **¹Fis|si|on** ⟨*lat.*⟩ *die;* -, -en: Teilung einzelliger pflanzlicher u. tierischer Organismen in zwei gleiche Teile (Biol.). **²Fis|si|on** ⟨*lat.-engl.*⟩ *die;* -, -en: 1. Atomkernspaltung (Kernphysik). 2. Kern- bzw. Zellteilung bei Einzellern (Biol.). **Fis|sur** ⟨*lat.*⟩ *die;* -, -en: (Med.) 1. Riss, Schrunde, bes. der unelastisch gewordenen Haut od. Schleimhaut. 2. Knochenriss

Fis|tel ⟨*lat.;* „Röhre"⟩ *die;* -, -n: 1. durch Gewebszerfall entstandener od. operativ angelegter röhrenförmiger Kanal, der ein Organ mit der Körperoberfläche od. einem anderen Organ verbindet (Med.). 2. ↑Fistelstimme. **Fis|tel|stim|me** ⟨*lat.; dt.*⟩ *die;* -, -n: 1. die männliche Kopfstimme ohne Brustresonanz (Mus.) 2. unangenehm hohe Sprechstimme bei Männern

Fist|fu|cking [...fakɪŋ] ⟨*engl.;* „Faustficken"⟩ *das;* -s, -s: (homosexuelle) Praktik, bei der die Hand od. Faust in den After des Geschlechtspartners eingeführt wird

Fis|tu|la ⟨*lat.*⟩ *die;* -, ...ae [...ɛ]: 1. Hirtenflöte, Panflöte. 2. Orgelpfeife. 3. vgl. Fistel (1)

fit ⟨*engl.-amerik.*⟩: in guter körperlicher Verfassung, leistungsfähig, sportlich durchtrainiert. **Fit|ness** *die;* -: gute körperliche Verfassung, Leistungsfähigkeit (aufgrund eines planmäßigen sportlichen Trainings). **Fit|ness-cen|ter** *das;* -s, -: mit Sportgeräten ausgestattete Einrichtung zur Erhaltung od. Verbesserung der körperlichen Leistungsfähigkeit. **Fit|ness|stu|dio,** auch: **Fitness-Stu|dio** *das;* -s, -s: ↑Fitnesscenter. **Fit|ness|trai|ning** *das;* -s, -s: sportliches Training zur Erhaltung od. Verbesserung der körperlichen Leistungsfähigkeit. **fit|ten:** 1. anpassen (Technik). 2. einen Kiel auf Unebenheiten hin abtasten (Schiffsbau). **Fit|ting** *das;* -s, -s (meist Plural): Verbindungsstück bei Rohrleitungen

Fi|u|ma|ra u. **Fi|u|ma|re** ⟨*lat.-it.*⟩ *die;* -, ...re[n]: Flusslauf, der im regenlosen Sommer kaum od. kein Wasser führt (Geogr.)

Five o'Clock ['faɪvə'klɔk] ⟨*engl.*⟩ *der;* - -, - -s: Kurzform von Five o'Clock Tea. **Five o'Clock Tea** [- - 'ti:] *der;* - - -, - - -s: Fünfuhrtee. **Fives** [faɪvz] *das;* -: engl. Ballspiel, bei dem der gegen eine Wand geworfene Ball vom Gegner aufgefangen werden muss

fix ⟨*lat.;* „angeheftet, fest"⟩: 1. fest, feststehend. 2. (ugs.) a) geschickt, anstellig, gewandt, pfiffig; b) flink, schnell. **Fi|xa:** Plural von ↑ Fixum. **Fi|xa|ge** [...ʒə] ⟨*lat.-fr.*⟩ *die;* -, -n: fototechnisches Verfahren, bei dem das entwickelte Bild mithilfe von Chemikalien lichtbeständig gemacht wird (Fotogr.). **Fi|xa|teur** [...tø:ɐ̯] ⟨*lat.-fr.*⟩ *der;* -s, -e: 1. Mittel zum Haltbarmachen von Parfümdüften. 2. Zerstäuber zum Auftragen eines Fixativs. **Fi|xa|ti|on** ⟨*lat.-nlat.*⟩ *die;* -, -en: 1. gefühlsmäßige Bindung an jmdn., an etwas (Psychol.). 2. (veraltet) Festigung; vgl. ...[at]ion/...ierung. **Fi|xa|tiv** *das;* -s, -e: Mittel, das in verschiedenen Bereichen zum Festigen u. Härten verwendet wird. **Fi|xa|tor** *der;* -s, ...oren: ↑Fixateur (1). **fi|xen** ⟨*lat.-fr.-engl.*⟩: 1.

als Börsenspekulant Leerverkäufe tätigen (Börsenw.). 2. (Jargon) dem Körper durch Injektionen Rauschmittel zuführen. **Fi|xer** *der;* -s, -: 1. Börsenspekulant, der auf eine erwartete Baisse hin Geschäfte tätigt. 2. (Jargon) jmd., der harte Drogen (z. B. Opium od. Heroin) spritzt. **Fix|ge|schäft** ⟨*lat.; dt.*⟩ *das;* -[e]s, -e: Kaufvertrag, bei dem der vereinbarte Leistung zu einem genau festgelegten Zeitpunkt erbracht werden muss (Rechtsw.). **fi|xie|ren** ⟨*lat.-(fr.)*⟩: 1. a) schriftlich niederlegen, in Wort od. Bild dokumentarisch festhalten; b) [schriftlich] festlegen, formulieren; verbindlich bestimmen. 2. a) an einer Stelle befestigen, festmachen, -heften; b) das Gewicht mit gestreckten Armen über dem Kopf halten u. damit die Beherrschung des Gewichts demonstrieren (Gewichtheben); c) den Gegner so festhalten, dass er sich nicht befreien kann (Ringen). 3. sich emotional an jmdn., etw. binden (Psychol., Verhaltensforschung). 4. a) die Augen fest auf ein Objekt richten, heften [um es genau zu erkennen]; b) in für den Betroffenen unangenehmer, irritierender Weise mit starrem Blick unverwandt ansehen, anstarren, mustern. 5. a) (fotografisches Material) im Fixierbad lichtbeständig machen (Fotogr.); b) etwas mit einem Fixativ behandeln (Fachspr.); c) (pflanzliche od. organische Gewebeteile) zum Zwecke mikroskopischer Untersuchung o. Ä. mit geeigneten Stoffen haltbar machen (Fachspr.). **Fi|xier|nat-ron*** *-s* u. **Fi|xier|salz** *das;* -es: Natriumthiosulfat, das in der Fotografie zum Fixieren verwendet wird. **Fi|xie|rung** *die;* -en: 1. das Fixieren, Fixiertwerden. 2. Vorrichtung zur Befestigung von etw. (Fachspr.). **Fi|xing** *das;* -s, -s: (dreimal täglich) erfolgende Feststellung der Devisenkurse (Börsenw.). **Fi|xis|mus** *der;* -: wissenschaftliche Theorie, die besagt, dass die Erdkruste als Ganzes od. in ihren Teilen fest mit ihrem Untergrund verbunden ist (Geol.); Ggs. ↑Mobilismus. **Fix|punkt** *der;* -[e]s, -e: fester Bezugspunkt für eine Messung, Beobachtung o. Ä. **Fix-stern** *der;* -[e]s, -e: scheinbar unbeweglicher u. seine Lage zu anderen Sternen nicht verändernder, selbst leuchtender Stern

(Astron.). **Fi|xum** ⟨lat.⟩ das; -s, ...xa: festes Gehalt, festes Einkommen

Fizz [fis] ⟨engl.⟩ der; -[es], -e: alkoholisches Mischgetränk mit Früchten od. Fruchtsäften

Fjäll ⟨schwed.⟩ u. **Fjell** ⟨norw.⟩ der; -s, -s: weite, baumlose Hochfläche in Skandinavien oberhalb der Waldgrenze

Fjärd ⟨skand.⟩ der; -[e]s, -e: tief ins Land eingreifender Meeresarm an der schwedischen u. finnischen Küste; vgl. Fjord

Fjeld ⟨norw.⟩ der; -[e]s, -s: (veraltet) Fjell. **Fjell** vgl. Fjäll

Fjord ⟨skand.⟩ der; -[e]s, -e: [an einer Steilküste] tief ins Landinnere hineinreichender, lang gestreckter Meeresarm

Fla|gel|lant ⟨lat.; „Geißler"⟩ der; -en, -en (meist Plural): 1. (hist.) Angehöriger religiöser Bruderschaften des Mittelalters, die durch Selbstgeißelung Sündenvergebung erreichen wollten. 2. Mensch, der in Züchtigung u. Geißelung sexuelle Erregung u. Befriedigung sucht (Med.; Psychol.) **Fla|gel|lan|tis|mus** ⟨lat.-mlat.⟩ der; -: Trieb zur sexuellen Lustgewinnung durch Flagellation. **Fla|gel|lat** ⟨lat.⟩ der; -en, -en (meist Plural): Einzeller mit einer od. mehreren Fortbewegungsgeißeln am Vorderende; Geißeltierchen (Biol.). **Fla|gel|la|ti|on** die; -, -en: sexuelle Erregung u. Befriedigung durch aktive od. passive Geißelung mit einer Riemen- od. Strickpeitsche (Med., Psychol.). **Fla|gel|le** vgl. Flagellum. **Fla|gel|lo|ma|nie** ⟨lat.; gr.⟩ die; -: ↑ Flagellantismus. **Fla|gel|lum** ⟨lat.⟩ das; s, ...llen u. Flagelle die; -, -n: 1. Fortbewegungsorgan vieler einzelliger Tiere u. Pflanzen. 2. Riemenod. Strickpeitsche eines Flagellanten

◄**Fla|geo|lett** [flaʒo'lɛt] ⟨lat.-vulgärlat.-fr.⟩ das; -s, -e od. -s (Mus.) 1. besonders hohe Flöte, kleinster Typ der Schnabelflöte. 2. Flötenton bei Streichinstrumenten u. Harfen. 3. Flötenregister der Orgel

◄**ag|rant*** ⟨lat.-fr.⟩: deutlich u. offenkundig [im Gegensatz zu etw. stehend], ins Auge fallend; vgl. in flagranti

'**lair** [flɛːɐ̯] ⟨lat.-fr.⟩ das; -s: 1. die einen Menschen od. eine Sache umgebende, als positiv empfundene persönliche Note, Atmosphäre, Fluidum. 2. (bes. schweiz.) feiner Instinkt, Gespür

Fla|kon [fla'kõ:] ⟨germ.-galloroman.-fr.⟩ der od. das; -s, -s: Glasfläschchen mit Stöpsel [zum Aufbewahren von Parfum]

Flam|beau [flã'bo:] ⟨lat.-fr.⟩ der; -s, -s: a) Fackel; b) mehrarmiger Leuchter mit hohem Fuß

Flam|bee [flã'be:] ⟨lat.-fr.⟩ das; -s, -s: flambierte Speise

Flam|berg ⟨germ.-fr.⟩ der; -[e]s, -e: (hist.) mit beiden Händen zu führendes Landsknechtsschwert mit wellig geflammter Klinge, Flammenschwert

flam|bie|ren: 1. Speisen (z. B. Früchte, Eis o. Ä.) zur Geschmacksverfeinerung mit Alkohol übergießen, anzünden (u. brennend auftragen). 2. (veraltet) absengen, abflammen. **flambo|yant** [flãboa'jant]: 1. a) flammend, geflammt; b) farbenprächtig, grell bunt. 2. heftig, energisch. **Flam|boy|ant** [...'jã:] der; -s, -s: in den Tropen u. Subtropen vorkommender, prächtig blühender Zierbaum (Bot.). **Flam|boy|ant|stil** ⟨lat.-fr.; lat.⟩ der; -[e]s: der spätgotische Baustil in England u. Frankreich; Flammenstil

Fla|men ⟨lat.⟩ der; -, ...mines [...ne:s] (meist Plural): (hist.) eigener Priester eines einzelnen Gottes im Rom der Antike

Fla|men|co ⟨span.⟩ der; -[s], -s: a) andalusisches [Tanz]lied; b) stark rhythmisch bewegter Solood. Paartanz, der auf den Flamenco (a) getanzt wird

Fla|men|ga u. **Fla|men|go** u. Flamingo ⟨span.⟩ der; -s, -: Krepp in Leinwandbindung mit Querrippen u. glänzender Kette

Flamo out [flɛim'aut] ⟨engl.⟩ der; -, -s: durch Treibstoffmangel bedingter Ausfall eines Flugzeugstrahltriebwerks

Fla|min|go ⟨span.⟩ der; -s, -s: 1. rosafarbener Wasserwatvogel. 2. vgl. Flamenga

Fla|mi|sol ⟨Kunstw.⟩ der; -s: Krepp in Leinwandbindung mit Querrippen u. matter Kette

Flam|me|ri ⟨kelt.-engl.⟩ der; -[s], -s: kalte Süßspeise aus Milch, Zucker, Stärkeprodukten u. Früchten (im zum Servieren gestürzt wird)

Fla|nell ⟨kelt.-engl.-fr.⟩ der; -s, -e: [gestreiftes od. bedrucktes] rauhes Gewebe in Leinen- od. Köperbindung für Wäsche od. Oberbekleidung. **fla|nel|len**: aus Flanell

Fla|neur [fla'nø:ɐ̯] ⟨altisl.-fr.⟩ der; -s, -e: jmd., der flaniert. **fla|nie-**

ren: ohne bestimmtes Ziel langsam spazieren gehen

flan|kie|ren ⟨germ.-fr.⟩: zu beiden Seiten von etw., jmdm. stehen, gehen; [schützend] begleiten; **flankierende Maßnahme:** zusätzliche, unterstützende Maßnahme zu einem Gesetz, einer politischen Entscheidung o. Ä.

Flap [flɛp] ⟨engl.⟩ das; -s, -s: an der Tragflächenunterseite von Flugzeugen anliegender klappenähnlicher Teil als Start- u. Landehilfe. **Flap|per** [flɛpɐ̯] ⟨engl.⟩ der; -s, -: in England u. Nordamerika Bezeichnung für ein selbstbewusstes junges Mädchen

Flare [flɛːɐ̯] ⟨engl.⟩ das; -s, -s: intensiver, stürmisch verlaufender Strahlungsausbruch in der Chromosphäre, der im Zusammenhang mit Sonnenflecken auftritt; chromosphärische Eruption (Astron.)

Flaoh [flɔʃ] ⟨engl.; „Blitz"⟩ der; -s, -s: 1. (Film) a) kurze Einblendung in eine längere Bildfolge; b) Rückblick, Rückblende. ↑ Flashlight. 3. (Jargon) Augenblick, in dem sich das gespritzte Rauschmittel mit dem Blut verbindet. 4. Eil-, Kurzmeldung (Rundf., Ferns., Zeitungsw.). **Flash-back** ['flæʃbæk] das; -[s], -s: durch ↑ Konditionierung bedingter Rauschzustand wie nach der Einnahme von Drogen, ohne dass eine Einnahme von Drogen erfolgt wäre. **Flashlight** [...lait] das; -s, -s: 1. aufeinander folgende Lichtblitze, aufblitzendes Licht (z. B. in Diskotheken). 2. Anlage, die Flashlights (1) erzeugt

flat [flɛt] ⟨engl.⟩: engl. Bezeichnung für das Erniedrigungszeichen in der Notenschrift, z. B. a flat (as; Mus.). **Flat** das; -s, -s: (veraltend) [Klein]wohnung

Fla|tte|rie ⟨germ.-fr.⟩ die; -, ...jen: (veraltet) Schmeichelei. **Flatteur** [...'tøːɐ̯] der; -s, -e: (veraltet) Schmeichler. **flat|tie|ren**: (veraltet) schmeicheln

Fla|tu|lenz ⟨lat.-nlat.⟩ die; - (Med.) 1. Gasbildung im Magen od. Darm, Blähsucht. 2. Abgang von Blähungen. **Fla|tus** ⟨lat.⟩ der; -, - [...tu:s]: Blähung (Med.)

flau|tan|do u. **flau|tal|to** ⟨it.⟩: Vorschrift für Streicher, nahe am Griffbrett zu spielen, um eine flötenartige Klangfarbe zu erzielen (Mus.). **Flau|to** der; -, ...ti: [Block- od. Schnabel]flöte. **Flauto tra|ver|so** der; - -, ...ti ...si: Querflöte (Mus.).

Fla|von ⟨lat. -nlat.⟩ das; -s, -e: ein gelblicher Pflanzenfarbstoff

Fleece [fli:s] ⟨engl.⟩ das; -: synthetisch hergestellter flauschiger Stoff mit gerauter Oberfläche

flek|tie|ren ⟨lat.⟩: ein Wort in seinen grammatischen Formen abwandeln, beugen; ↑deklinieren od. ↑konjugieren; **flektierende Sprachen:** Sprachen, die die Beziehungen der Wörter im Satz zumeist durch ↑Flexion der Wörter ausdrücken (Sprachw.); Ggs. ↑agglutinierende u. ↑isolierende Sprachen

flẹt|schern ⟨nach dem amerik. Soziologen H. Fletcher⟩: Speisen langsam u. gründlich kauen

Fleur [flø:ɐ̯] ⟨lat.-fr.; „Blume, Blüte"⟩ die; -, -s: das Beste von etwas, Zierde, Glanz. **Fleu|ret** [flø're:] vgl. Florett. **Fleu|rette** [...'rɛt] ⟨lat.-fr.⟩ die; -: durchsichtiges Kunstseidengewebe mit Kreppeffekt. **Fleu|rin** ⟨Kunstw.⟩ der; -s, -[s]: Verrechnungseinheit der internationalen Organisation der Blumengeschäfte. **Fleu|rist** ⟨lat.-fr.⟩ der; -en, -en: (veraltet) Blumenfreund, Blumenkenner. **Fleu|ron** [...'rõ:] ⟨lat.-it.-fr.⟩ der; -s, -s: 1. Blumenverzierung [in der Baukunst u. im Buchdruck]. 2. (nur Plural) zur Garnierung von Speisen verwendete ungesüßte Blätterteigstückchen **Fleu|te** ['flø:tə] vgl. Flüte

fle|xi|bel ⟨lat.⟩: 1. biegsam, elastisch. 2. beweglich, anpassungsfähig, geschmeidig. 3. beugbar (von einem Wort, das man flektieren kann; Sprachw.). **Fle|xi-bi|li|tät** die; -: 1. Biegsamkeit. 2. Fähigkeit des Menschen, sich wechselnden Situationen rasch anzupassen. **Fle|xi|ble Response** ['flɛksəbl rɪs'pɔns] ⟨engl.; „flexible Reaktion"⟩ die; -: (in der strategischen Planung der NATO) das Sich-offen-Halten verschiedener, der jeweiligen Situation angepasster Möglichkeiten des Reagierens auf einen Angriff, das weder zeitlich noch vor der Wahl der Mittel hier für den Gegner kalkulierbar sein soll (Milit.). **Fle|xi|o|le** ® ⟨Kunstw.⟩ die; -, -n: Tropfflasche od. -ampulle aus unzerbrechlichem Kunststoff (Med.). **Fle|xi|on** die; -, -en: 1. ↑Deklination od. ↑Konjugation eines Wortes (Sprachw.). 2. Beugung, Abknickung von Körperorganen (Med.). 3. ↑Flexur (2). **Fle|xiv** das; -s, -e: Flexionsmorphem; ↑Morphem, das zur Beugung eines Wortes verwendet wird (Sprachw.). **fle|xi|visch** ⟨lat.-nlat.⟩: die Flexion (1) betreffend, Flexion zeigend (Sprachw.). **Flexo|druck** der; -[e]s: besonderes Druckverfahren, bei dem die flexiblen Druckformen auf dem Druckzylinder befestigt werden (Druckw.). **Fle|xor** der; -s, ...oren: Beugemuskel (Med.). **Fle|xur** ⟨lat.⟩ die; -, -en: 1. Biegung, gebogener Abschnitt eines Organs (Med.). 2. bruchlose Verbiegung von Gesteinsschichten (Geol.)

Fli|bus|ti|er [...jɐ] ⟨engl.-fr.⟩ u. Filibuster der; -s, -: (hist.) Angehöriger einer westindischen Seeräubervereinigung in der zweiten Hälfte des 17. Jh.s

Flic ⟨fr.⟩ der; -s, -s: (ugs.) franz. Bezeichnung für Polizist

Flick|flack ⟨fr.; „klipp, klapp"⟩ der; -s, -s: [in schneller Folge geturnter] Handstandüberschlag (Sport)

Flie|boot ⟨niederl.⟩ das; -s, -e: a) kleines Fischerboot; b) Beiboot

Flif|fis ⟨Herkunft unsicher⟩ der; -, -: zweifacher Salto mit Schraube (beim Trampolinturnen)

Flip ⟨engl.⟩ der; -s, -s: 1. alkoholisches Mischgetränk mit Ei. 2. ein Drehsprung im Eiskunstlauf. **Flip|chart** [...tʃa:t] das; -s, -s: auf einem Gestell befestigter großer Papierblock, dessen Blätter nach oben umgeschlagen werden können. **Flip|flop** das; -s, -s u. **Flip-flop|schal|tung** ⟨engl.; dt.⟩ die; -, -en: Kippschaltung in elektronischen Geräten. **flip|pen** vgl. flippern. **Flip|per** ⟨engl.⟩ der; -s, -: Spielautomat, bei dem man eine Kugel möglichst lange auf dem abschüssigen Spielfeld halten muss. **flip|pern:** an einem Flipper spielen

Flirt [flœrt, auch: flɪrt] ⟨engl.⟩ der; -[e]s, -s: 1. Bekundung von Zuneigung durch das Verhalten, durch Blicke u. Worte in scherzender, verspielter Form. 2. unverbindliches Liebesabenteuer, Liebelei. **flir|ten** ['flœrtn̩, auch: 'flɪrtn̩]: jmdm. durch Blicke u. Worte scherzend u. verspielt seine Zuneigung zu erkennen geben; in netter, harmloser Form ein Liebesverhältnis anzubahnen suchen

Float [flout] ⟨engl.⟩ der; -s, -s: Summe von Konten abgebuchten, aber noch nicht gutgeschriebenen Zahlungen im bargeldlosen Zahlungsverkehr

floa|ten ['floutn̩] ⟨engl.⟩: (vom Außenwert einer Währung) durch Freigabe des Wechselkurses schwanken (Wirtsch.). **Floa-ting** das; -s, -s: durch die Freigabe des Wechselkurses eingeleitetes Schwanken des Außenwertes einer Währung in einem System fester Wechselkurse

Flo|bert|ge|wehr [auch: flo-'bɛːɐ̯..., ...'bɛːɐ̯] ⟨nach dem franz. Waffentechniker N. Flobert († 1894)⟩ das; -s, -e: Kleinkalibergewehr

Flock|print ⟨dt.; engl.⟩ der; -[s]: Flockdruck, bei dem das Muster durch aufgeklebten Faserstaub gebildet wird (Textilkunde)

Flo|con|né ⟨lat.-fr.⟩ der; -[s], -s: weicher Mantelstoff mit flockiger Außenseite

Flo|ka|ti ⟨ngr.⟩ der; -[s], -s: heller, schaffellartig zottiger Teppich [aus Schurwolle] in Art der griechischen Hirtenteppiche

Flok|ku|la|ti|on ⟨lat.-engl.⟩ die; -, -en: Zusammenballung u. Ausfällung [von Pigmentpartikeln]

Floor [flo:] ⟨engl.⟩ der; -s, -s: 1. (an Produktenbörsen) abgegrenzter Raum, in dem sich die Makler zur Abwicklung von Termingeschäften zusammenfinden. 2. vereinbarter Mindestzins bei zinsvariablen Anleihen (Börsenw.)

Flop ⟨engl.⟩ der; -s, -s: 1. Kurzw. für ↑Fosburyflop. 2. Angelegenheit od. Sache, die keinen Anklang findet u. deshalb nicht den erwarteten [finanziellen] Erfolg bringt. **flop|pen:** 1. im Fosburyflop springen; 2. ein Misserfolg, Flop sein. **Flop|py** die; -, -s: Kurzbez. für Floppydisk. **Flop-py|disk** die; -, -, auch: **Flop|py Disk** die; - -, - -s: beidseitig beschichtete, als Datenspeicher dienende Magnetplatte; Diskette

¹**Flor** ⟨lat.⟩ der; -s, -e: 1. a) Blumen-, Blütenfülle, Blütenpracht; b) Menge blühender [schöner] Blumen [der gleichen Art]; Fülle von Blüten [einer Pflanze]. 2. Wohlstand, Gedeihen

²**Flor** ⟨lat.-provenzal.-fr.-niederl.⟩ der; -s, -e u. (selten) Flöre: 1. a) feines, zartes durchsichtiges Gewebe; b) Trauerflor; schwarze Band, das als Zeichen der Trauer am Ärmel od. Rockaufschlag getragen wird. 2. aufrecht stehend Faserenden bei Samt, Plüsch u. Teppichen

Flo|ra ⟨lat.; nach der altitalische Frühlingsgöttin⟩ die; -, ...ren:

a) Pflanzenwelt eines bestimmten Gebietes; b) Bestimmungsbuch für die Pflanzen eines bestimmten Gebietes. 2. Gesamtheit der natürlich vorkommenden Bakterien in einem Körperorgan, z. B. Darmflora (Med.). **flo|ral:** a) mit Blumen, geblümt; b) Blüten betreffend, darstellend. **Flo|re|al** ⟨lat.-fr.;⟩ „Blütenmonat") der; -, -s: der achte Monat des franz. Revolutionskalenders (20. April bis 19. Mai). **Florenele|ment** das; -[e]s, -e: Gruppe von Pflanzenarten, -gattungen usw., die bestimmte Gemeinsamkeiten besitzen, insbesondere Artengruppe etwa gleicher geographischer Verbreitung, die am Aufbau der Pflanzendecke eines bestimmten Gebietes beteiligt ist **Flo|ren|ti|ner** ⟨nach der ital. Stadt Florenz⟩ der; -s, -: 1. Damenstrohhut mit breitem, schwingendem Rand. 2. halbseitig mit Kuvertüre überzogenes Gebäckstück mit Honig u. Nüssen od. Mandeln. **Flo|ren|ti|num** ⟨nlat.⟩ das; -s: (veraltet) ↑ Promethium **Flo|res** [...re:s] ⟨lat.;⟩ „Blumen, Blüten") die (Plural): 1. getrocknete Blüten[teile] als Bestandteile von Drogen. 2. in der Musik des Mittelalters Bezeichnung für gesungene, meist improvisierte Verzierungen. **Flo|res|zenz** ⟨lat.-nlat.⟩ die; -, -en: (Bot.) a) Blütezeit; b) Gesamtheit der Blüten einer Pflanze, Blütenstand. **Flo|rett** ⟨lat.-it.-fr.⟩ das; -[e]s, -e u. Fleuret [flø're:] das; -s, -s: Stoßwaffe zum Fechten. **flo|ret|tie|ren:** mit dem Florett fechten. **Flo|rett|sei|de** die; -: ↑ Abfall der Naturseide. **flo|rid** ⟨lat.-nlat.⟩: (von Krankheiten) voll entwickelt, stark ausgeprägt, rasch fortschreitend (Med.). **flo|rie|ren** ⟨lat.⟩: sich [geschäftlich] günstig entwickeln, gedeihen. **Flo|ril|leg** das; -s, -e u. **Flo|ril|le|gium** ⟨lat.-mlat.;⟩ „Blütenlese") das; -s, ...ien [...jən]: 1. ↑ Anthologie. 2. a) (hist.) Auswahl aus den Werken von Schriftstellern der Antike; b) Sammlung von Redewendungen. **Flo|rin** der; -s, -e u. -s: a) niederl. Gulden; b) ['flɔrən] ehemalige englische Silbermünze. **Flo|rist** ⟨lat.-nlat.⟩ der; -en, -en: 1. Kenner u. Erforscher der ↑ Flora (1 a). 2. Blumenbinder (Berufsbez.). **Flo|ris|tik** die; -: Zweig der Pflanzengeographie, der sich mit den verschiedenen Florengebieten der

Erde befasst. **flo|ris|tisch:** die Flora od. die Floristik betreffend **Flor|post|pa|pier** ⟨zu ↑[2]Flor⟩ das; -s, -e: dünnes, durchsichtiges, aber festes Papier für Luftpost u. a. **Flos|kel** ⟨lat.;⟩ „Blümchen") die; -, -n: nichts sagende Redensart, formelhafte Redewendung **Flo|ta|ti|on** ⟨engl.⟩ die; -, -en: Aufbereitungsverfahren zur Anreicherung von Mineralien, Gesteinen u. chem. Stoffen (Techn.). **flo|ta|tiv:** die Flotation betreffend. **flo|tie|ren:** Erz aufbereiten (Techn.). **Flo|ti|gol** u. **Flo|tol** ⟨Kunstw.⟩ das; -s, -e: bei der Flotation zugesetztes Mittel, durch das die Oberflächenspannung herabgesetzt wird **Flot|te** ⟨germ.-roman.⟩ die; -, -n: 1. a) Gesamtheit der Schiffe eines Staates (Handels- od. Kriegsflotte); b) größerer [Kriegs]schiffsverband. 2. Flüssigkeit, in der Textilien gebleicht, gefärbt od. imprägniert werden. **flot|tie|ren:** 1. schwimmen, schweben, schwanken. 2. sich verwickeln (von Kettfäden in der Weberei); **flottierender Faden:** im Gewebe freiliegender Kettod. Schussfaden; **flottierende Schuld:** schwebende, nicht fundierte Schuld (Rechtsw.). **Flot|til|le** [auch: flɔ'til(j)ə] ⟨germ.-fr.-span.⟩ die; -, -n: Verband kleinerer Kriegsschiffe

Flow [floʊ] ⟨engl.⟩ der; -s, -s: Durchströmung, Durchfluss, bes. von Flüssigkeiten (z. B. Blut, Harn) durch entsprechende Gefäße des Körpers (Med.) **Flow|er|pow|er,** auch: **Flower-Power** ['flaʊəpaʊə] ⟨engl.⟩ die; -: Schlagwort der Hippies, mit dem in der Konfrontation mit der bürgerlichen Gesellschaft Blumen als Symbol für ihr Ideal einer humanisierten Gesellschaft verwenden **Flu|at** ⟨Kurzw. für: Fluorsilikat⟩ das; -[e]s, -e: Mittel zur Härtung von Baustoffen gegen Verwitterung; Fluorsilikat. **flu|a|tie|ren:** mit Fluaten behandeln. **Flyd** vgl. Fluid (2). **flu|id** ⟨lat.⟩: flüssig, fließend (Chem.). **Flu|id** das; -s, -s, auch: Fluid das; -s, -e: 1. flüssiges Mittel, Flüssigkeit (Chem.; Kosmetik). 2. (auch: Flud) Getriebeflüssigkeit, die Druckkräfte übertragen kann. **Flu|i|da:** Plural von ↑ Fluidum. **flu|i|dal** ⟨lat.-nlat.⟩: (vom Gefüge erstarrter Schmelzen) Fließstrukturen aufweisend (Geol.). **Flu|i|dal|struk|tur** u. **Flu|i|dal|tex|tur** die;

-, -en : Fließgefüge von Mineralien, die in Fließrichtung der ↑ Lava erstarrt sind (Geol.). **Fluidics** ⟨lat.-engl.⟩ die (Plural): nach den Gesetzen der Hydromechanik arbeitende Steuerelemente in technischen Geräten. **Flu|i|dum** ⟨lat.⟩ das; -s, ...da: besondere von einer Person od. Sache ausgehende Wirkung, die eine bestimmte [geistige] Atmosphäre schafft. **Fluk|tu|a|ti|on** die; -, -en: 1. Schwanken, Schwankung, Wechsel. 2. das mit dem Finger spürbare Schwappen einer Flüssigkeitsansammlung unter der Haut (Med.). **fluk|tu|ie|ren:** 1. schnell wechseln, schwanken. 2. hin u. her schwappen (von abgekapselten Körperflüssigkeiten) **[1]Flu|or** ⟨lat.⟩ das; -s: chem. Element; ein Nichtmetall (Zeichen: F). **[2]Flu|or** der; -: Ausfluss aus der Scheide u. der Gebärmutter (Med.). **Flu|o|res|ce|in** u. **Flu|o|res|ce|in** ⟨lat.-nlat.⟩ das; -s: gelbroter Farbstoff, dessen verdünnte Lösung stark grün fluoresziert. **Flu|o|res|zenz** die; -: Eigenschaft bestimmter Stoffe, bei Bestrahlung durch Licht-, Röntgen-od. Kathodenstrahlen sichtbar zu leuchten. **flu|o|res|zie|ren:** bei Bestrahlung (z. B. mit Licht) aufleuchten (von Stoffen). **Flu|o|rid** das; -[e]s, -e: Salz der Fluorwasserstoffsäure. **flu|o|ri|die|ren** u. **flu|o|ri|die|ren** u. **flu|o|ri|sie|ren:** a) Fluor in chem. Verbindungen einführen (Chem.); b) etwas mit [1]Fluor anreichern (z. B. Trinkwasser). **Flu|o|rit** [auch: ...'rɪt] der; -s, -e: ein Mineral (Flussspat). **flu|o|ro|gen** ⟨lat.; gr.⟩: die Eigenschaft der Fluoreszenz besitzend; **fluorogene Gruppen:** organische Gruppen, die in fluoreszierenden Stoffen als Träger der Fluoreszenz angesehen werden. **Flu|o|ro|me|ter** das; -s, -: Gerät zur Messung der Fluoreszenz. **Flu|o|ro|met|rie** die; -: Fluoreszenzmessung. **flu|o|ro|met|risch:** durch Fluorometrie ermittelt. **Flu|o|ro|phor** der; -s, -e: Fluoreszenzträger. **flu|o|ro|phor:** ↑ fluorogen; **fluorophore Gruppen:** ↑ fluorogene Gruppen. **Flu|o|ro|se** die; -, -n: Gesundheitsschädigung durch Fluor[verbindungen]. **Flu|or|si|li|kat** das; -[e]s, -e: ↑ Fluat. **Flu|or|test** der; -[e]s, -e: chem. Verfahren zur Bestimmung des relativen Alters von Fossilien aus ihrem Fluorgehalt

Flush [flʌʃ] ⟨engl.⟩ der (auch: das); -s, -s: Hitzewallung mit Hautrötung (Med.)

Flüǀte u. Fleute ⟨niederl. (-fr.)⟩ die; -, -n: Dreimaster des 17. u. 18. Jh.s

Flutǀter [ˈflʌtə] ⟨engl.; „Flattern“⟩ das; -s: bei der Tonwiedergabe auftretendes Zittern infolge ungleichmäßigen Laufes der rotierenden Teile von Plattenspielern, Kassettenrekordern o. Ä.

fluǀviǀal ⟨lat.⟩ u. **fluǀviǀaǀtil**: von fließendem Wasser abgetragen od. abgelagert (Geol.). **fluǀviǀoǀglaǀziǀal** ⟨lat.-nlat.⟩: von eiszeitlichem Schmelzwasser abgetragen od. abgelagert (Geol.). **Fluǀviǀoǀgraph**, auch: Fluviograf ⟨lat.; gr.⟩ der; -en, -en: selbst registrierender Pegel. **Fluǀxiǀon** ⟨lat.; „das Fließen“⟩ die; -, -en: Blutandrang (Med.). **Fluǀxiǀoǀnenǀrechǀnung** u. **Fluǀxiǀonsǀrechnung** die; -: (von I. Newton verwendete Bezeichnung für) Differenzialrechnung

Fly-by [ˈflaɪˈbaɪ] ⟨engl.; „Vorbeiflug“⟩ das; -s, -s: (Raumfahrt) a) Steuermanöver eines Raumflugkörpers, bei dem die Freiflugbahn bei Annäherung an einen Planeten durch Ausnutzung von dessen Gravitation u. Bewegung verändert wird; b) Vorüberflug eines Raumflugkörpers an einem Planeten. **Flyǀer** [ˈflaɪɐ] ⟨engl.⟩ der; -s, -: 1. Vorspinn-, Flügelspinnmaschine. 2. Arbeiter an einer Vorspinnmaschine. 3. (Jargon) Handzettel. **Flyǀing Dutchǀman** [ˈflaɪɪŋ ˈdʌtʃmən] ⟨engl.; „fliegender Holländer“⟩ der; - -, - ...men: von zwei Personen zu segelndes Boot für den Rennsegelsport. **Flyǀmoǀbil** [ˈflaɪ...] ⟨engl.; Kurzw. für: flying automobile⟩ das; -s, -e: Kleinflugzeug, das nach einfachem Umbau auch als Auto verwendet werden kann. **Fly-oǀver** [flaɪˈovɐ, ˈflaɪouvə] der; -s, -s: Straßenüberführung

fob, f. o. b. = free on board. **Fobklauǀsel** die; -: Klausel (1), die in der Bestimmung ↑ fob besteht

föǀdeǀral ⟨lat.-fr.⟩ ↑ föderativ. **föǀdeǀralǀiǀsieǀren**: die Form einer Föderation geben. **Föǀdeǀraǀlisǀmus** der; -: das Streben nach Errichtung od. Erhaltung eines Bundesstaates mit weitgehender Eigenständigkeit der Einzelstaaten; Ggs. ↑ Zentralismus. **Föǀdeǀraǀlist** der; -en, -en: Anhänger des Föderalismus. **föǀdeǀraǀlisǀtisch**: den Föderalismus erstre-

bend, fördernd, erhaltend. **Föǀdeǀrat** der; -en, -en: Bündnispartner. **Föǀdeǀraǀtiǀon** ⟨lat.⟩ die; -, -en: a) Verband; b) Verbindung, Bündnis [von Staaten]. **föǀdeǀraǀtiv** ⟨lat.-fr.⟩: bundesmäßig. **Föǀdeǀraǀtivǀsysǀtem** das; -s, -e: föderative Gliederung, Verfassung eines Staates. **föǀdeǀrieǀren**: sich verbünden. **Föǀdeǀrierǀte** der u. die; -n, -n (meist Plural): verbündeter Staat, verbündete Macht

Foǀgosch ⟨ung.⟩ der; -[e]s, -e: (österr.) Zander

Foie gras [fwaˈgra] ⟨fr.⟩ die; - -, -s - [fwaˈgra]: Gänsestopfleber

foǀkal ⟨lat.-nlat.⟩: 1. den Brennpunkt betreffend, Brenn... (Phys.). 2. von einem infektiösen Krankheitsherd ausgehend, ihn betreffend (Med.). **Foǀkalǀdistanz** die; -, -en: Brennweite (Phys.). **Foǀkalǀinǀfekǀtiǀon** die; -, -en: von einer Stelle im Körper ausgehende Infektion (Med.). **Foǀkoǀmeǀter** ⟨lat.; gr.⟩ das; -s, -: Gerät zur Bestimmung der Brennweite (Phys.). **Foǀkus** ⟨lat.⟩ der; -, -se: 1. Brennpunkt (Phys.). 2. Streuherd einer Infektion (Med.). **foǀkusǀsieǀren**: 1. a) optische Linsen ausrichten (Phys.); b) etwas (z. B. Lichtstrahlen) auf einen zentralen Punkt richten. 2. Strahlen, die aus geladenen Teilchen bestehen, durch geeignete elektrische od. magnetische Felder bündeln (Phys.)

Folǀder [ˈfoʊldə] ⟨germ.-engl.⟩ der; -s, -: Faltprospekt, -broschüre

¹Foǀlia ⟨lat.⟩: Plural von ↑ Folium

²Foǀlia ⟨span.⟩ die; -, -s u. ...jen: a) spanische Tanzmelodie im ³/₄-Takt; b) Variation über ein solches Tanzthema

Foǀliǀant ⟨lat.-nlat.⟩ der; -en, -en: 1. Buch im Folioformat. 2. (ugs.) großes, unhandliches [altes] Buch. **¹Foǀlie** [...jə] ⟨lat.-vulgärlat.⟩ die; -, -n: 1. aus Metall od. Kunststoff in Bahnen hergestelltes, sehr dünnes Material zum Bekleben od. Verpacken. 2. auf einer dünnen Haut aufgebrachte u. auf Buchdecken aufgepresste Farbschicht (Druckw.). 3. Hintergrund (von dem sich etwas abhebt)

²Foǀlie ⟨fr.⟩ die; -, ...jen: (veraltet) Torheit, Narrheit, Tollheit

Foǀliǀen: Plural von ↑ ¹Folie, ↑ Folio u. ↑ Folium. **foǀliǀieǀren** ⟨lat.-nlat.⟩: 1. die Blätter eines Druckbogens nummerieren. 2. etwas mit einer Folie unterlegen. 3. (in Geschäftsbüchern) gegenüber-

liegende Bogenseiten gleich beziffern (Wirtsch.)

Foǀlinǀsäuǀre vgl. Folsäure

foǀlio: auf dem Blatt [einer mittelalterlichen Handschrift]; Abk. fol., z. B. fol. 3b. **Foǀlio** ⟨lat.⟩ das; -s, ...ien u. -s: 1. (veraltet) Buchformat in der Größe eines halben Bogens (gewöhnlich mehr als 35 cm); Zeichen: 2°; Abk.: fol., Fol. 2. Doppelseite des Geschäftsbuches. **Foǀliǀlum** das; -s, ...ia u. ...ien (meist Plural): bes. als Bestandteil von Drogen od. Heilmittel verwendetes Pflanzenblatt (Pharm.)

Folk [foʊk] ⟨engl.⟩ der; -s: ↑ Folkmusic. **Folǀkeǀting** ⟨dän.⟩ das; -s: a) bis 1953 die zweite Kammer des dänischen Reichstags; b) ab 1953 das dänische Parlament. **Folǀkeǀviǀse** ⟨dän.; „Volksweise“⟩ die; -, -r (meist Plural): skandinavische Ballade des Mittelalters (13.-16. Jh.); vgl. Kämpevise. **Folkǀloǀre*** ⟨engl.; „Wissen des Volkes“⟩ die; -: 1. a) Sammelbezeichnung für die Volksüberlieferungen (z. B. Lied, Tracht, Brauchtum) als Gegenstand der Volkskunde; b) Volkskunde. 2. a) Volkslied, -tanz u. -musik [als Gegenstand der Musikwissenschaft]; b) volksmusikalische Züge in der Kunstmusik. 3. Moderichtung, der volkstümliche Trachten u. bäuerliche Kleidung (auch anderer Länder) als Vorlage dienen. **Folkǀloǀrist*** der; -en, -en: Kenner der Folklore, Volkskundler. **Folkǀloǀrisǀtik*** die; -: Wissenschaft von den Volksüberlieferungen, Volksliedforschung. **folkǀloǀrisǀtisch***: 1. die Folklore betreffend. 2. volksliedhaft, nach Art der Volksmusik (von Werken der Kunstmusik). 3. volkskundlich. **Folkǀmuǀsic** [ˈfoʊkmjuːzɪk] ⟨engl.⟩ die; -: moderne Musik, die ihre Elemente aus der traditionellen Volksmusik bezieht, deren Textinhalte jedoch zeitgenössisch [u. zeitkritisch] sind. **Folkǀsong** ⟨engl.; „Volkslied“⟩ der; -s: Lied in der Art u. im Stil eines Volkslieds

Folǀletǀte ⟨fr.⟩ die; -, -n: großes Halstuch in Dreieckform der Mode des 18. Jh.s

Folǀliǀkel ⟨lat.; „kleiner Ledersack, -schlauch“⟩ der; -s, -: (Med.) 1. Drüsenbläschen, kleiner [Drüsen]schlauch, Säckchen (z. B. Haarbalg, Lymphknötchen). 2. Zellhülle des gereiften Eis der Eierstocks. **Folǀliǀkel-**

epi|thel *das;* -s, -e: Zellschicht, die die Eizelle im Eierstock umgibt (Med.).

Fol|li|kel|hormon *das;* -s, -e: weibliches Geschlechtshormon. Fol|li|kelsprung *der;* -s, ...sprünge: ↑ Ovulation. fol|li|ku|lar u. fol|li|ku|lär ⟨*lat.-nlat.*⟩: (Med.) follikelartig, schlauchartig; b) den Follikel betreffend; von einem Follikel ausgehend. Fol|li|ku|li|tis *die;* -, ...itiden: Entzündung der Haarbälge (Med.)

Fol|säu|re u. Fol|insäure ⟨Kunstw.⟩ *die;* -: zum Vitamin-B-Komplex gehörendes Vitamin

Fo|ment ⟨*lat.*⟩ *das;* -[e]s, -e u. Fomen|ta|ti|on *die;* -, -en: warmer Umschlag um einen erkrankten Körperteil (Med.)

Fon usw. vgl. Phon usw.

fon|cé [fõ'se:] ⟨*lat.-fr.*⟩: (veraltet) dunkel (von einer Farbe). Fond [fõ:] *der;* -s, -s: 1. Rücksitz im Auto. 2. a) Hintergrund (z. B. eines Gemäldes od. einer Bühne). b) Stoffgrund, von dem sich ein Muster abhebt. 3. Grundlage, Hauptsache. 4. beim Braten od. Dünsten zurückgebliebener Fleischsaft (Gastr.).

Fon|da|co ⟨*gr.-arab.-it.*⟩ *der;* -, ...chi od. -s: Kaufhaus im Orient u. im Mittelmeergebiet

Fon|dant [fõ'dã:] ⟨*lat.-fr.*; „schmelzend"⟩ *der* (österr.: *das*); -s, -s: unter Zugabe von Farb- u. Geschmacksstoffen hergestellte Zuckermasse od. -ware

Fonds [fõ:] ⟨*lat.-fr.*⟩ *der;* - [fõ:(s)], - [fõ:s]: 1. a) Geld- od. Vermögensreserve für bestimmte Zwecke; b) (in der sozialistischen Planwirtschaft) Gesamtheit der im gesellschaftlichen Interesse verwendbaren materiellen u. finanziellen Mittel eines sozialistischen Betriebes. 2. Schuldverschreibungen öffentlicher Körperschaften

Fon|due [fõ'dy:, schweiz.: 'fõdy:] ⟨*lat.-fr.*; „geschmolzen"⟩ *das,* -s, -s (selten: *die;* -, -s): a) Schweizer Spezialgericht aus geschmolzenem Käse, in den Brotwürfel getaucht werden; b) Fleischgericht, bei dem das in Würfel geschnittene Fleisch am Tisch in heißem Öl gegart wird; Fleischfondue; c) chinesisches Fondue: Fleischfondue, bei dem statt des Öls Brühe verwendet wird

*o|no|dik|tat usw. vgl. Phonodiktat usw. fo|no|gen usw. vgl. phonogen usw. Fo|no|graf usw. vgl. Phonograph usw.

*on|tä|ne ⟨*lat.-fr.*⟩ *die;* -, -n: auf-

steigender [Wasser]strahl (bes. eines Springbrunnens). Fon|tanel|le ⟨*lat.-mlat.-fr.*⟩ *die;* -, -n: Knochenlücke am Schädel von Neugeborenen (Med.)

Fon|tan|ge [fõ'tã:ʒə] ⟨nach dem Namen einer franz. Herzogin⟩ *die;* -, -n: hoch getürmte, mit Schmuck u. Bändern gezierte Haartracht des ausgehenden 17. Jh.s

Food|de|si|gner ['fu:ddizainɐ] ⟨*engl.*⟩ *der;* -s, -: jmd., der beruflich Speisen für Fotos in Kochbüchern und Zeitschriften zubereitet und dekorativ anrichtet

Foot [fut] ⟨*engl.*⟩ *der;* -, Feet [fi:t]: Fuß (engl. u. amerik. Längenmaß von 13 Yard, geteilt in 12 Inches = 0,3048 m); Abk.: ft. Foot|ball [fʊtbɔ:l] *der;* -[s]: in Amerika aus dem ↑ Rugby entwickeltes Kampfspiel. Foot|candle [...kændl] *die;* -, -s: engl. u. amerik. physikalische Einheit der Beleuchtungsstärke (10,76 Lux; Phys.). Foo|ting [futing] *das;* -[s], -s: Dauerlaufgeschwindigkeit, bei der die Pulsfrequenz gleichbleibend bei 130/min liegt

Fo|ra: *Plural* von ↑ Forum

Fo|ra|men ⟨*lat.*⟩ *das;* -s, -u. ...mina: Loch, Lücke, Öffnung (Med.). Fo|ra|mi|ni|fe|re ⟨*lat.-nlat.*⟩ *die;* -, -n (meist Plural): im Meer lebender Wurzelfüßer mit ein- od. mehrkammeriger Schale u. fadenförmigen Scheinfüßchen

Force [fɔrs] ⟨*lat.-vulgärlat.-fr.*⟩ *die;* -: (veraltet) Stärke, Gewalt, Zwang; Force majeure [fɔrsma'ʒœ:r]: höhere Gewalt. Force de Frappe [...də'frap] ⟨*fr.*⟩ *die;* - -: die Gesamtheit der mit Atomwaffen u. der dafür nötigen Herstellung ausgerüsteten französischen militärischen Einheiten

For|ceps vgl. Forzeps

for|cie|ren [...'si...] ⟨*lat.-vulgärlat.-fr.*⟩: etwas mit Nachdruck betreiben, vorantreiben, beschleunigen, steigern. for|ciert: gewaltsam, erzwungen, gezwungen, unnatürlich; forcierter Marsch: (veraltet) Eilmarsch

For|dis|mus ⟨*nlat.*⟩ nach dem amerik. Großindustriellen H. Ford) *der;* -: industriepolitische Konzeption der weitestgehenden Rationalisierung u. Standardisierung

Fo|re [fɔ:rə] ⟨*skand.*⟩ *die;* -: Eignung des Schnees zum [Ski]fahren; Geführigkeit

Fore|cad|die ['fɔ:kædi] ⟨*engl.*⟩ *der;* -s, -s: ↑ Caddie (1), der den Flug des Balles beobachten soll

der vorausgeschickt wird, um ein Zeichen zu geben, dass der Platz frei ist (Golf). Fore|che|cking [...tʃɛkɪŋ] ⟨*engl.*⟩ *das;* -s, -s: das Stören des gegnerischen Angriffs in der Entwicklung, bes. bereits im gegnerischen Verteidigungsdrittel (Eishockey). Forehand [...hænd] *die;* -, -s, (auch:) *der;* -[s], -s: Vorhandschlag in Tennis, Tischtennis, Federball und [Eis]hockey; Ggs. ↑ Backhand

Fo|reign Of|fice ['fɔrɪn 'ɔfɪs] ⟨*engl.*⟩ *das;* - -: das britische Außenministerium

fo|ren|sisch ⟨*lat.*⟩: 1. (veraltet) zur wortgewandten Rede gehörend, ↑ rhetorisch. 2. die Gerichtsverhandlung betreffend, gerichtlich: forensische Chemie: Teilgebiet der Chemie im Bereich der Gerichtsmedizin, das sich mit dem Nachweis von Vergiftungen u. der Aufklärung von Verbrechen durch eine chem. Spurenanalyse beschäftigt; forensische Pädagogik: zusammenfassende Bezeichnung für die Bereiche Kriminalpädagogik u. Jugendstrafvollzug; forensische Psychologie: Psychologie, die sich mit den in der Gerichtspraxis auftretenden psychologischen Problemen befasst

For|fait [fɔr'fɛ] ⟨*fr.*⟩ *das;* -s, -s: (schweiz., bes. Sport) Zurückziehung einer Meldung bes. für einen Sportwettbewerb. for|faitie|ren ⟨*lat.-fr.*⟩: (eine Forderung) nach überschlägiger Berechnung verkaufen

For|feit ['fɔ:fɪt] ⟨*engl.*; „Strafe, Buße"⟩ *das;* -s, -s: (Kaufmannsspr.) Abstandssumme bei Vertragsrücktritt, Reugeld

Fo|rint [bes. österr. auch: ...'rɪnt] ⟨*ung.*⟩ *der;* -[s], -s (österr.: -e) (aber: 10 Forint): ungarische Währungseinheit; Abk.: Ft.

For|la|na u. For|la|ne u. Furlana u. Furlane ⟨*it.*⟩ *die;* -, ...nen: alter, der ↑ Tarantella ähnlicher ital. Volkstanz im ⁶/₈-(⁶/₄-)Takt

For|mag|gio [...maddʒo; *lat.-vulgärlat.-it.*] *der;* -[s]: ital. Bez. Dezeichnung für Käse. for|mal ⟨*lat.*⟩: 1. die äußere Form betreffend; auf die äußere Form, Anlage o. Ä. bezüglich. 2. nur der Form nach [vorhanden], ohne eigentliche Entsprechung in der Wirklichkeit

For|mal ⟨Kurzw. für: ↑ *Formal*dehyd⟩ *das;* -s: ↑ Formaldehyd

for|mal|äs|the|tisch ⟨*lat.*; *gr.-nlat.*⟩: die reine Form eines Kunstwerks in Betracht ziehend

For|al|de|hyd [auch: ...'hy:t] ⟨Kurzw. aus *nlat.* Acidum *formicum* „Ameisensäure" u. ↑*Aldehyd*⟩ *der;* -s: zur Desinfektion von Räumen verwendetes, farbloses, stechend riechendes Gas **For|ma|lie** [...jə] ⟨*lat.*⟩ *die;* -, -n (meist Plural): Formalität, Förmlichkeit, Äußerlichkeit **For|ma|lin** ® ⟨Kunstw. aus ↑*Formal*dehyd u. *-in*⟩ *das;* -s: als Konservierungs- od. Desinfektionsmittel verwendete gesättigte Lösung von ↑Formaldehyd in Wasser **for|ma|li|sie|ren** ⟨*lat.-nlat.*⟩: 1. etwas in bestimmte [strenge] Formen bringen; sich an gegebene Formen halten. 2. ein [wissenschaftliches] Problem mithilfe von Formeln allgemein formulieren u. darstellen. 3. a) zur bloßen bzw. festen, verbindlichen Form machen; b) sich formalisieren: (selten) zur bloßen bzw. festen, verbindlichen Form werden. **For|ma|lis|mus** *der;* -, ...men: 1. a) (ohne Plural) Bevorzugung der Form vor dem Inhalt, Überbetonung des rein Formalen, übertriebene Berücksichtigung von Äußerlichkeiten; b) etwas mechanisch Ausgeführtes; c) (ohne Plural; DDR abwertend) Vorwurf, die subjektive Kunstauffassung über den politisch-ideologischen Inhalt zu stellen u. somit im Widerspruch zum propagierten sozialistischen Realismus zu stehen. 2. Auffassung der Mathematik als Wissenschaft von rein formalen ↑Strukturen (1). **For|ma|list** *der;* -en, -en: Anhänger des Formalismus. **for|ma|lis|tisch:** das Formale überbetonend. **For|ma|li|tät** ⟨*lat.-mlat.*⟩ *die;* -, -en: 1. Förmlichkeit, Äußerlichkeit, Formsache. 2. [amtliche] Vorschrift. **for|ma|li|ter** ⟨*lat.*⟩: der äußeren Form nach. **for|ma|ju|ris|tisch:** rein äußerlich genau dem Gesetz entsprechend **Form|amid*** ⟨Kurzw. aus *nlat.* Acidum *formicum* „Ameisensäure" u. ↑*Amid*⟩ *das;* -[e]s: als Lösungsmittel verwendete farblose Flüssigkeit, das ↑Amid der Ameisensäure **For|mans** ⟨*lat.*⟩ *das;* -, ...anzien u. ...antia: grammatisches Bildungselement; gebundenes Morphem (z. B. lieb*lich*); Ggs. ↑Determinativ (2). **For|mant** *der;* -en, -en: 1. ↑Formans (Sprachw.). 2. einer der charakteristischen Teiltöne eines Lautes (Akustik). **For|man|tia** u. **For|man|zi|en** *Plural* von ↑Formans. **For|mat** ⟨„Geformtes; Genormtes") *das;* -[e]s, -e: 1. [genormtes] Größenverhältnis eines (Handels)gegenstandes nach Länge u. Breite (bes. bei Papierbogen). 2. (ohne Plural) a) stark ausgeprägtes Persönlichkeitsbild; außergewöhnlicher Rang aufgrund der Persönlichkeit, bedeutender Fähigkeiten o. Ä.; b) besonderes Niveau, große Bedeutung. 3. aus dem beim Schließen einer Buchdruckform zwischen die einzelnen Schriftkolumnen gelegten Eisen- od. Kunststoffstegen (Formatstegen) gebildeter Rahmen, der die gleichmäßigen Abstand der Druckseiten voneinander sichert (Druckw.). **for|ma|tie|ren:** a) Daten nach verbindlich vorgegebenen Vorschriften od. nach den Bedürfnissen des Benutzers anordnen u. zusammenstellen; b) eine Diskette für die Aufnahme von Daten bereit machen (EDV). **For|ma|ti|on** ⟨*lat.(-fr.)*⟩ *die;* -, -en: 1. Herausbildung durch Zusammenstellung. 2. a) bestimmte Anordnung, Aufstellung, Verteilung; b) für einen bestimmten militärischen Zweck od. Auftrag gebildete Truppe, Gruppe, Verband. 3. a) Gruppe, zu der man sich zusammengeschlossen hat; b) in bestimmter Weise strukturiertes, soziales, ökonomisches o. ä. Gebilde. 4. Pflanzengesellschaft ohne Berücksichtigung der Artenzusammensetzung (z. B. Laubwald, Steppe). 5. (Geol.) a) Zeitabschnitt in der Erdgeschichte, der sich hinsichtlich Fauna od. Flora von anderen unterscheidet; b) Folge von Gesteinsschichten, die sich in einem größeren erdgeschichtlichen Zeitraum gebildet hat. **For|ma|ti|ons|flug** *der;* -es, ...flüge: a) Flug mehrerer Luftfahrzeuge in Formation (2 a); b) Flug von zwei od. mehreren Raumfahrzeugen auf gleichen od. ähnlichen Bahnen als Vorbereitung eines Rendezvousmanövers. **For|ma|ti|ons|grup|pe** *die;* -, -n: Gruppe einander nahe stehender Formationen (5 a) (z. B. Kreide, Jura, Trias; Geol.). **For|ma|ti|ons|tanz** *der;* -es: Tanz, bei dem acht Paare eine Formation (2 a) bilden (Tanzsport). **for|ma|tiv** ⟨*lat.-nlat.*⟩: die Gestaltung betreffend, gestaltend. **For|ma|tiv** *das;* -s, -e: (Sprachw.) 1.

↑Formans. 2. kleinstes Element mit syntaktischer Funktion innerhalb einer Kette. 3. Zeichenform, -gestalt (im Unterschied zum bezeichneten Inhalt). **Forme fruste** [fɔrm'fryst] ⟨fr.⟩ *die;* - -: nicht voll ausgeprägtes Krankheitsbild; milder Verlauf einer Krankheit (Med.). **For|mel** ⟨*lat.*⟩ *die;* -, -n: 1. fester sprachlicher Ausdruck, feste Formulierung für etw. Bestimmtes. 2. Folge von Buchstaben, Zahlen od. Worten zur verkürzten Bez. eines mathematischen, chemischen od. physikalischen Sachverhalts (z. B. H₂O = Wasser). 3. kurzer, knapper Satz od. Ausdruck, in dem sich ein gedanklicher Zusammenhang erhellend fassen lässt. 4. durch eine Kommission der Internationalen Automobilverbandes od. durch einen Motorsportverband festgelegte Merkmale des Rennwagens einer bestimmten Klasse; Rennformel (z. B. Formel 1, 2, 3, V, Super-V). **For|mel-1-Klas|se** [...'ains...] *die;* -: Klasse von Rennwagen der Formel 1. **for|mell** ⟨*lat.-fr.*⟩: 1. a) dem Gesetz od. der Vorschrift nach, offiziell; b) bestimmten gesellschaftlichen Formen, den Regeln der Höflichkeit genau entsprechend. 2. a) aufgrund festgelegter Ordnung, aber nur äußerlich, ohne eigentlichen Wert, um dem Anschein zu genügen; b) auf Distanz haltend, engeren persönlichen Kontakt meidend u. sich nur auf eine unverbindliche Umgangsform beschränkend **For|mi|at** ⟨*lat.-nlat.*⟩ *das;* -[e]s, -e: Salz der Ameisensäure. **For|mi|ca|tio** *vgl.* Formikatio **for|mi|da|bel** ⟨*lat.-fr.*⟩: 1. außergewöhnlich, erstaunlich; großartig. 2. (veraltet) furchtbar **for|mie|ren** ⟨*lat.(-fr.)*⟩: 1. a) bilden, gestalten; b) sich formieren: sich zusammenschließen, sich nach einem bestimmten Plan organisieren. 2. a) jmdn. od. etwas in einer bestimmten Reihenfolge aufstellen; b) sich formieren: sich in bestimmter Weise ordnen **For|mi|ka|ri|um** ⟨*lat.-nlat.*⟩ *das;* -s ...ien: zum Studium des Verhaltens der Tiere künstlich angelegtes Ameisennest. **For|mi|ka|tic** ⟨*lat.*⟩ *die;* -: Hautjucken, Hautkribbeln (Med.). **For|mol** ® ⟨Kunstw. aus *nlat.* Acidum *for micum* „Ameisensäure" u. ↑Al kohol⟩ *das;* -s: ↑Formalin

Forlmullar ⟨lat.⟩ das; -s, -e: [amtlicher] Vordruck; Formblatt, Muster. forlmullielren ⟨lat.-fr.⟩: 1. in eine angemessene sprachliche Form bringen. 2. festlegen, entwerfen

Forlmyl ⟨lat.; gr.⟩ das; -s: Säurerest der Ameisensäure (Chem.)

Forlnix ⟨lat.⟩ der; -, ...nices: Wölbung, gewölbter Teil eines Organs (Med.)

Forlsylthie [fɔr'zy:tsiə, auch: ...tiə; österr., schweiz.: fɔr'zi:tsiə] ⟨nlat.; nach dem engl. Botaniker Forsyth⟩ die; -, -n: früh blühender Strauch (Ölbaumgewächs, Zierstrauch) mit leuchtend gelben, viergeteilten Blüten

Fort [fo:ɐ̯] ⟨lat.-fr.⟩ das; -s, -s: abgeschlossenes, räumlich begrenztes Festungswerk. ⟨lat.-it.⟩: laut, stark, kräftig (Vortragsanweisung; Mus.); Abk.: f. Forlte das; -s, -s u. ...ti: große Lautstärke, starke Klangfülle (Mus.). Forltelpilalno das; -s, -s u. ...ni: 1. laute u. sofort danach leise Tonstärke (Mus.). 2. (veraltet) Klavier, ↑ Pianoforte. forltepilalno: laut u. sofort danach leise (Vortragsanweisung; Mus.); Abk.: fp. Forltes: Plural von ↑Fortis. forltes forltulna adljuvat ⟨lat.⟩: den Mutigen hilft das Glück (lateinisches Sprichwort). Forlti: Plural von ↑Forte. Forltifilkaltilon die; -, -en: (veraltet a.) Befestigung, Befestigungswerk; b) (ohne Plural) Befestigungskunst. forltilfilkaltolrisch ⟨lat.-nlat.⟩: die Fortifikation betreffend. forltilfilzielren: befestigen. Forltis ⟨lat.⟩ die; -, Fortes [...te:s]: mit großer Intensität gesprochener u. mit gespanntem Artikulationsorganen gebildeter Konsonant (z. B. p, t, k; Sprachw.); Ggs. ↑¹Lenis. forltislsilmo ⟨lat.-it.⟩: sehr laut, äußerst stark u. kräftig (Vortragsanweisung; Mus.); Abk.: ff. Forltislsimo das; -s, -s u. ...mi: sehr große Lautstärke, sehr starke Klangfülle (Mus.)

FORTRAN ⟨Kurzw. für engl. formula translator⟩ das; -s: bes. auf wissenschaftliche u. technische Aufgaben ausgerichtete Programmiersprache (EDV)

Forltulna ⟨lat.; röm. Glücksgöttin⟩ die; -: Erfolg, Glück. Fortune [...'ty:n], (eingedeutscht:) Forltülne ⟨lat.-fr.⟩ die; -: Glück, Erfolg

Folrum ⟨lat.⟩ das; -s, ...ren u. ...ra: 1. geeigneter Personenkreis, der eine sachverständige Erörterung von Problemen od. Fragen garantiert. 2. geeigneter Ort für etwas, Plattform. 3. öffentliche Diskussion, Aussprache. 4. Markt- u. Versammlungsplatz in den römischen Städten der Antike (bes. im alten Rom)

Forlward ['fɔ:wəd] ⟨engl.⟩ der; -s, -s: (schweiz.) Stürmer (Fußball, Eishockey)

forlzanldo vgl. sforzando. forlzato vgl. sforzato

Forlzeps u. Forceps ['fɔrtseps] ⟨lat.⟩ der od. die; -, ...zipes u. ...cipes [...tsipe:s]: Geburtszange (Med.)

Foslbulrylflop ['fɔsbərɪflɔp] ⟨nach dem amerik. Leichtathleten R. Fosbury⟩ der; -s, -s: a) Hochsprungtechnik, bei der der Springer sich nach dem Absprung so dreht, dass er mit dem Rücken die Latte überquert; b) einzelner Sprung in dieser Technik

Foslsa ⟨lat.⟩ die; -, Fossae [...ɛ]: Grube, Vertiefung (Med.)

Folßle ⟨lat.-fr.⟩ die; -, -n: Fehlfarbe, leere Karte (im Kartenspiel)

foslsil ⟨lat.⟩ „ausgegraben“): a) vorweltlich, urzeitlich; als Versteinerung erhalten; Ggs. ↑rezent (1); b) in früheren Zeiten entstanden [u. von jüngeren Ablagerungen überlagert]. Foslsil das; -s, -ien: als Abdruck, Versteinerung o. Ä. erhaltener Überrest von Tieren od. Pflanzen aus früheren Epochen der Erdgeschichte. Foslsillilsaltilon ⟨lat.-nlat.⟩ die; -, -en: Vorgang des Entstehens von Fossilien. foslsillilsielren: versteinern, zu Fossilien werden. Foslsulla ⟨lat.⟩ die; -, ...lae [...ɛ]: Grübchen, kleine Vertiefung (Med.)

föltal vgl. fetal

föltid ⟨lat.⟩: übel riechend, stinkend (Med.)

Folto das; -s, -s schweiz. die; -s): Kurzform von Fotografie (2). folto..., Folto... vgl. auch photo..., Photo... Foltolbilollolgie usw. vgl. Photobiologie usw.

Foltolelektlrilziltät* vgl. Photoelektrizität. Foltollflnish [...finɪʃ] das; -s, -s: Zieleinlauf, bei dem der Sieger nur durch Zielfotografie ermittelt werden kann (Sport). foltolgen, auch: photogen ⟨gr.-engl.⟩: zum Filmen od. Fotografieren besonders geeignet, bildwirksam (bes. von Personen). Foltolgelniltät, auch: Photogenität die; -: Bildwirksamkeit (z. B. eines Gesichts). Foltolgraf, auch: Photograph ⟨gr.-engl.⟩ der; -en, -en: jmd., der [berufsmäßig] Fotografien macht. Foltolgralfie auch: Photographie die; -, ...ien: 1. (ohne Plural) Verfahren zur Herstellung dauerhafter, durch elektromagnetische Strahlen od. Licht erzeugter Bilder. 2. einzelnes Lichtbild, Foto. foltolgralfielren: mit dem Fotoapparat Bilder machen. foltolgralfisch auch: photographisch: a) mithilfe der Fotografie [erfolgend], die Fotografie betreffend; b) das Fotografieren betreffend. Foltolkolpie die; -, ...ien: fotografisch hergestellte Kopie eines Schriftstücks, einer Druckseite od. eines Bildes, Ablichtung. Foltolkolpielren: ein Schriftstück, eine Druckseite o. Ä. fotografisch vervielfältigen, ablichten. Foltolmelter, Foltolmetlrie*, foltolmetlrisch* vgl. Photometer, Photometrie, photometrisch. Foltolmoldell das; -s, -e: fotogene Person, die als ↑Modell (8) für [Mode]fotos o. Ä. tätig ist. Foltolmonltalge die; -, -n: 1. Zusammensetzung verschiedener Bildausschnitte zu einem neuen Gesamtbild. 2. in durch Fotomontage hergestelltes Bild. Foltolobljekltiv das; -s, -e: Linsenkombination an Fotoapparaten zur Bilderzeugung. Foltololpltik die; -, -: Kameraobjektiv. Föltor ⟨lat.⟩ der; -s: übler Geruch (Med.)

Foltolrelallislmus der; -: 1. Stilrichtung in der künstlerischen Fotografie (1), die Welt kritisch-realistisch zu erfassen. 2. Stilrichtung in der [modernen] Malerei, bei der dem Maler Fotografien als Vorlagen für seine Bilder dienen. Foltolrelallist der; -en, -en: Maler, der seine Bilder nach fotografischen Vorlagen malt. Folto|sa|fa|ri die; -, -s: [Gesellschafts]reise bes. nach Afrika, um Tiere zu beobachten u. zu fotografieren. Folto|set|ter der; -s, -: ↑Intertype-Fotosetter. Folto|syn|the|se vgl. Photosynthese. Folto|thek die; -, -en: geordnete Sammlung von Fotografien (2) od. Lichtbildern. folto|trop*, auch: phototrop: bei Lichteinwirkung (UV-Licht) verfärbend (von Brillengläsern). Folto|tro|pie*, auch: Phototropie ⟨gr.-nlat.⟩ die; -: unter dem Einfluss von sichtbarem oder ultraviolettem Licht (z. B. Sonnenstrahlen) eintretende ↑reversible (1) Farbänderung, Verfärbung. Folto|vol|ta|ik, folto-

vol|ta|isch vgl. Photovoltaik, photovoltaisch. vgl. Photovoltaik, photovoltaisch. **Photozelle.** Fo|to|zin|ko|gra|fie vgl. Photozinkographie **Fö|tus** vgl. Fetus **foud|ro|yant*** [fudrǫa'jã:, ...jant] ⟨lat.-fr.⟩: blitzartig entstehend, schnell u. heftig verlaufend (Med.) **foul** [faul] ⟨engl.⟩: regelwidrig, gegen die Spielregeln verstoßend (Sport). **Foul** das; -s, -s: regelwidrige Behinderung eines gegnerischen Spielers, Regelverstoß (Sport) **¹Foul|lard** [fu'la:ɐ̯] ⟨lat.-vulgärlat.-fr.⟩ der; -s, -s: a) Maschine zum Färben, ↑Appretieren u. ↑Imprägnieren von Geweben; b) leichtes [Kunst]seidengewebe mit kleinen Farbmustern (bes. für Krawatten u. Schals). **²Foulard** das; -s, -s: (schweiz.) Halstuch aus Kunstseide. **Foul|lar|dine** [fular'di:n] die; -: bedrucktes, feinfädiges Baumwollgewebe in Atlasbindung (Webart). **Fou|lé** [fu'le:] der; -[s], -s: weicher, kurz gerauter Wollstoff **fou|len** ['faulən] ⟨engl.⟩: regelwidrig, unfair spielen (Sport) **Fou|ra|ge** vgl. Furage **Four|gon** [fur'gõ:] ⟨lat.-galloroman.-fr.⟩ der; -s, -s: 1. (veraltet) Packwagen, Vorratswagen. 2. (schweiz.) Militärlastwagen, Postlastwagen. 3. (österr. veraltet) Leichenwagen **Fou|rier** [fu'ri:ɐ̯] ⟨fr.⟩ der; -s, -e: 1. a) (österr., schweiz.) für die Verpflegung u. das Rechnungswesen einer Einheit verantwortlicher Unteroffizier; b) (schweiz.) dritthöchster Dienstgrad eines Unteroffiziers. 2. ↑Furier **Four|let|ter|word**, auch: **Four-Letter-Word** ['fɔ:lɛtəwə:d] ⟨engl.⟩: „Vierbuchstabenwort" nach engl. to fuck = ficken⟩ der; -s, -s: vulgäres [Schimpf]wort [aus dem Sexualbereich] **Four|ni|ture** [furni'ty:ɐ̯] ⟨germ.-fr.⟩ die; -, -n [...'ty:rən]: 1. Speisezutat, bes. Kräuter u. Gewürze. 2. Halbfabrikate u. Einzelteile zur Herstellung von Schmuckstücken **Four|rure** [fu'ry:ɐ̯] ⟨germ.-fr.⟩ die; -: (veraltet) Pelzwerk **Fo|vea** ⟨lat.⟩ die; -, ...eae [...ɛɛ]: flache Grube in Knochen, Geweben od. Organen (Anat.). **Fo|ve|o|la** ⟨lat.-nlat.⟩ die; -, ...lae [...lɛ]: kleine Fovea (Anat.) **fow, f.o.w.** = free on waggon **Fox** ⟨engl.⟩ der; -[es], -e: Kurzform von: Foxterrier u. Foxtrott. **Fox-**

hound [...haunt] ⟨engl.; „Fuchshund"⟩ der; -s, -s: schneller, großer englischer Jagdhund (besonders für Fuchsjagden). **Fox|ter|ri|er** der; -s, -: rauhaariger englischer Jagdhund. **Fox|trott** ⟨engl.-amerik.; „Fuchsschritt"⟩ der; -s, -e u. -s: Gesellschaftstanz im ⁴/₄-Takt (um 1910 in den USA entstanden) **Fo|yer*** [fǫa'je:] ⟨lat.-vulgärlat.-fr.⟩ das; -s, -s: Wandelhalle, Wandelgang [im Theater] **Fra|cas** [fra'ka] ⟨lat.-it.-fr.⟩ der; -: (veraltet) Lärm, Getöse **Frack** ⟨fr.-engl.⟩ der; -[e]s, Fräcke, (ugs. auch:) -s: bei festlichen Anlässen od. von Kellnern u. Musikern als Berufskleidung getragene, vorne kurze, hinten mit langen, bis zu den Knien reichenden Rockschößen versehene, meist schwarze Jacke **fra|gil** ⟨lat.⟩: zerbrechlich; zart. **Fra|gi|li|tät** die; -: Zartheit, Zerbrechlichkeit. **Frag|ment** das; -[e]s, -e: 1. Bruchstück, Überrest. 2. unvollständiges [literarisches] Werk. 3. Knochenbruchstück (Med.). **frag|men|tär:** (selten) fragmentarisch. **frag|men|ta|risch:** bruchstückhaft, unvollendet. **Frag|men|ta|ti|on** ⟨lat.-nlat.⟩ die; -, -en: (Bot.) 1. direkte Kernteilung (Durchschnürung des Kerns ohne genaue Chromosomenverteilung). 2. ungeschlechtliche Vermehrung von Pflanzen aus Pflanzenteilen (z. B. durch Zerteilen der Mutterpflanze). **frag|men|tie|ren:** in Bruchstücke zerlegen **frais** [frɛ:s], **fraise** [frɛ:z] ⟨lat.-galloroman.-fr.⟩: erdbeerfarben **¹Fraise** das; -, -: erdbeerfarbene Farbe **²Fraise** ['frɛ:zə] (eingedeutscht auch:) Fräse der; -, -n: 1. im 16. u. 17. Jh. getragene Halskrause. 2. Backenbart **frak|tal** ⟨engl.-fr.-lat.⟩: vielfältig gebrochen, stark gegliedert. **Frak|tal** das; -s, -e: komplexes geometrisches Gebilde [wie es ähnlich auch in der Natur vorkommt] (z. B. das Adernetz der Lunge). **Frak|tal|ge|o|me|trie*** die; -: Geometrie, die sich mit den Fraktalen befasst u. mit deren Hilfe z. B. komplexe Naturerscheinungen mathematisch erfasst u. am Computer simuliert werden kann (Math.) **Frak|ti|on** ⟨lat.-fr.⟩ die; -, -en: 1. a) organisatorische Gliederung im Parlament, in der alle Abgeordneten einer Partei u. befreunde-

ter Parteien zusammengeschlossen sind; b) Zusammenschluss einer Sondergruppe innerhalb einer Organisation; c) (österr.) [einzeln gelegener] Ortsteil. 2. bei einem Trenn- bzw. Reinigungsverfahren anfallender Teil eines Substanzgemischs (Chem.). **frak|ti|o|nell:** a) eine Fraktion betreffend; b) Fraktion bildend. **Frak|ti|o|nier|ap|pa|rat** der; -[e]s, -e: Gerät zur Ausführung einer fraktionierten Destillation (Chem.). **frak|ti|o|nie|ren:** Flüssigkeitsgemische aus Flüssigkeiten mit verschiedenem Siedepunkt durch Verdampfung isolieren (Chem.). **Frak|ti|o|nie|rung** die; -, -en: 1. Zusammenschluss zu Fraktionen (1a, b). 2. Zerlegung eines chemischen Prozesses in mehrere Teilabschnitte (Chem.). **Frak|ti|ons|chef** der; -s, -s: Vorsitzender einer ↑Fraktion (1a). **Frak|ti|ons|zwang** der; -[e]s: Verpflichtung eines Abgeordneten, seine Stimme nur im Sinne der Fraktionsbeschlüsse abzugeben **Frak|tur** ⟨lat.; „Bruch"⟩ die; -, -en: 1. Knochenbruch (Med.). 2. eine Schreib- u. Druckschrift. **Fraktur reden:** deutlich u. unmissverständlich seine Meinung sagen **Fram|bö|sie** ⟨fr.⟩ die; -, ...ien: ansteckende Hautkrankheit der Tropen (Med.) **¹Frame** [fre:m] ⟨engl.⟩ der; -n [...mən], -n [...mən]: Rahmen, Träger in Eisenbahnfahrzeugen. **²Frame** der u. das; -s, -s: 1. besondere Datenstruktur für die begriffliche Repräsentation von Objekten u. stereotypen Situationen in Modellen künstlicher Intelligenz (Sprachw., EDV). 2. [im programmierten Unterricht] Lernschritt innerhalb eines Lernprogramms **Fra|na** ⟨it.⟩ die; -, Frane: Erdrutsch [im Apennin] (Geol.) **Franc** [frã:] ⟨germ.-mlat.-fr.⟩ der; -, -s (aber: 100 Franc): Währungseinheit verschiedener europäischer Länder; Abk.: fr, Plural: frs; **französischer Franc;** Abk.: FF, (franz.:) F; **belgischer Franc;** Abk.: bfr, Plural: bfrs; **Luxemburger Franc;** Abk.: lfr, Plural: lfrs; **Schweizer Franc;** Abk.: sfr, Plural: sfrs. **Fran|çai|se** [frã'sɛ:zə] die; -, -n: älterer franz. Tanz im ⁶/₈-Takt. **Fran|çais** fon|da|men|tal [frãsɛfõdamã'tal] ⟨fr.⟩ das; - -: Grundwortschatz der französischen Sprache (Sprachw.). **¹Fran|chi|se** [frã'ʃiːzə] ⟨germ.-mlat.-fr.⟩ die; -, -n: 1. (veraltet) Freiheit, Freimütigkeit. 2. Abgaben-, Zollfreiheit. 3. Freibetrag, für den die Versicherung [bei Bagatellschäden] nicht eintritt. ²Fran|chise ['fræntʃaɪz] ⟨germ.-mlat.-fr.-engl.⟩ das; -: Vertriebsform im Einzelhandel, bei der ein Unternehmer seine Produkte durch einen Einzelhändler in Lizenz verkaufen lässt. Fran|chi|sing [...zɪŋ] das; -s: ↑²Franchise Fran|ci|um ⟨nlat.; vom mlat. Namen Francia für Frankreich⟩ das; -s: radioaktives Element aus der Gruppe der Alkalimetalle; Zeichen: Fr. fran|co vgl. franko Fra|ne: Plur. von ↑Frana Fran|ka|tur ⟨germ.-mlat.-it.⟩ die; -, -en: a) das Freimachen einer Postsendung; b) die zur Frankatur (a) bestimmten Briefmarken. fran|kie|ren: Postsendungen freimachen fran|ko u. franco ⟨germ.-mlat.-it.⟩: portofrei für den Empfänger. Fran|ko|ka|na|di|er: französisch sprechender Bewohner Kanadas. Fran|ko|ma|ne ⟨germ.-mlat.; gr.⟩ der; -n, -n: jmd., der übertrieben alles Französische liebt u. nachahmt. Fran|ko|ma|nie die; -: übertriebene Nachahmung alles Französischen. fran|ko|phil ⟨germ.-mlat.; gr.⟩: Frankreich, seinen Bewohnern u. seiner Kultur besonders aufgeschlossen gegenüberstehend. Fran|ko|phi|lie die; -: Vorliebe für Frankreich, seine Bewohner u. seine Kultur. fran|ko|phob: Frankreich, seinen Bewohnern u. seiner Kultur ablehnend gegenüberstehend. Fran|ko|pho|bie die; -: Abneigung gegen Frankreich, seine Bewohner u. seine Kultur. fran|ko|phon, auch: frankofon ⟨germ.-mlat.; gr.⟩: französischsprachig. Fran|ko|pho|ne, auch: Frankofone der u. die; -n, -n: jmd., der Französisch (als seine Muttersprache) spricht. Fran|ko|pho|nie, auch: Frankofonie die; -: Französischsprachigkeit. Frank|ti|reur [frãti'rœːʀ, auch: frãk...] ⟨fr.; „Freischütze"⟩ der; -s, -e u. (bei franz. Aussprache) -s: (veraltet) Freischärler Fran|zis|ka|ner ⟨nach dem Ordensgründer Franziskus⟩ der; -s, -: Angehöriger des vom hl. Franz v. Assisi 1209/10 gegründeten Bettelordens (Erster Orden, Abk.: O. F. M.); vgl. Kapuziner, Konventuale, Klarisse, Terziar.

Fran|zis|ka|ner|bru|der der; -s, ...brüder: Laienbruder des klösterlichen Dritten Ordens (↑Terziar) des hl. Franz. Fran|zis|ka|ne|rin die; -, -nen: 1. Angehörige des Zweiten Ordens des hl. Franz, ↑Klarisse. 2. Angehörige des Dritten Ordens (vgl. Terziar), klösterlich lebende Schul- u. Missionsschwester fran|zö|sie|ren: a) auf franz. Art, nach franz. Geschmack gestalten; b) französisch, zu französisch Sprechenden machen frap|pant ⟨germ.-fr.⟩: verblüffend, treffend, überraschend. ¹Frap|pé, auch: Frap|pee [fra'pe:] der; -s, -s: Gewebe mit eingepresster Musterung. ²Frap|pé, auch: Frap|pee das; -s, -s: ein mit klein geschlagenem Eis serviertes [alkoholisches] Getränk. ³Frap|pé, auch: Frap|pee das; -s, -s: leichtes, schnelles Anschlagen der Ferse des Spielbeins gegen das Standbein vor u. hinter dem Spann des Fußes (Ballett). frap|pie|ren: 1. jmdn. überraschen, in Erstaunen versetzen. 2. Wein od. Sekt in Eis kalt stellen Fras|ca|ti ⟨nach ital. Stadt Frascati⟩ der; -, -: italienischer Weißwein aus der Umgebung von Frascati Frä|se vgl. Fraise Fra|te ⟨lat.-it.⟩: Anrede und Bezeichnung italienischer Klosterbrüder (meist vor vokalisch beginnenden Namen, z. B. Frate Elia, Frat' Antonio). Fra|ter ⟨lat.⟩ der; -s, Fratres [...re:s]: 1. [Kloster]bruder vor der Priesterweihe; vgl. Pater. 2. Laienbruder eines Mönchsordens; Abk.: Fr. Fra|ter|her|ren die (Plural): katholische Schulgenossenschaft des späten Mittelalters, deren Gelehrtenschulen durch die der Jesuiten abgelöst wurden. Fra|ter|ni|sa|ti|on ⟨lat.-fr.⟩ die; -, -en: Verbrüderung. fra|ter|ni|sie|ren: sich verbrüdern, vertraut werden. Fra|ter|ni|tät ⟨lat.⟩ die; -: 1. a) Brüderlichkeit; b) Verbrüderung. 2. [kirchliche] Bruderschaft. Fra|ter|ni|té [...ni'te:] ⟨lat.-fr.⟩ die; -: Brüderlichkeit (eines der Schlagworte der Franz. Revolution); vgl. Égalité, Liberté. Frat|res*: Plural von ↑Frater. Frat|res* mi|no|res ⟨lat.⟩ die (Plural): ↑Franziskaner Fra|wa|schi ⟨awest.⟩ die; -, -: im ↑Parsismus der persönliche Schutzgeist (auch die Seele) eines Menschen

Freak [friːk] ⟨engl.-amerik.⟩ der; -s, -s: 1. jmd., der sich nicht ins normale bürgerliche Leben einfügt, der seine gesellschaftlichen Bindungen aufgegeben hat. 2. jmd., der sich in übertriebener Weise für etwas begeistert free a|long|side ship ['fri: ə'lɔŋsaɪd 'ʃip] ⟨engl.⟩: frei längsseits Schiff (Klausel, die dem Verkäufer auferlegt, alle Kosten u. Risiken bis zur Übergabe der Ware an das Seeschiff zu tragen); Abk.: f. a. s. Free|clim|ber ['fri:'klaɪmə] ⟨engl.⟩ der; -s, -: jmd., der Freeclimbing [als Sportart] betreibt. Free|climbing [...mɪŋ] das; -s: Bergsteigen ohne Hilfsmittel (wie Seil, Haken o. Ä.). Free|con|cert ['fri:-'kɔnsət] ⟨engl.⟩ das; -s, -s, auch: Free Con|cert das; - -s, - -s: (bes. der Plattenwerbung dienendes) Rockkonzert, bei dem die Gruppen ohne Gage auftreten u. kein Eintritt erhoben wird. Freedom-Rides ['fri:dəm'raɪdz] ⟨engl.⟩ die (Plur.): Form der Massendemonstration, bei der sich Demonstrationszüge sternförmig aus verschiedenen Richtungen zu einem bestimmten Ziel hin bewegen u. sich dort zu einer Massenkundgebung vereinigen. Free|hold ['fri:houʼld] ⟨engl.⟩ das; -s, -s: lehnsfreier Grundbesitz in England. Free|hol|der [...də] der; -s, -s: lehnsfreier Grundeigentümer in England. Free|jazz [...'dʒæz] der; -, auch: Free Jazz der; - -: auf freier Improvisation beruhendes Spielen von Jazzmusik. Free-lance ['fri:lɑːns] der; -, -s [...sɪz] engl. Bez. für: a) freier Musiker (ohne Bindung an ein bestimmtes Ensemble); b) freier Schriftsteller, freier Journalist; c) freier Mitarbeiter. free on board ['fri: ɔn 'bɔ:d]: frei an Bord (Klausel, die besagt, dass der Verkäufer die Ware auf dem Schiff zu übergeben u. bis dahin alle Kosten u. Risiken zu tragen hat); Abk.: fob, f.o.b. Free on wag|gon [...'wægən]: frei Waggon; vgl. free on board; Abk.: fow, f.o.w. Free|sie [...jə] ⟨nlat.; nach dem Kieler Arzt F. H. Th. Freese⟩ die; -, -n: als Schnittblume (Schwertlilliengewächs aus Südafrika) beliebte Zierpflanze mit großen, glockigen, duftenden Blüten Free|style ['fri:staɪl] ⟨engl.⟩ die; -s, auch: Free Style der; - -s: Sportart, bei der auf speziellen Skiern in den Disziplinen Ballett, Buckelpistenfahren u. Springen akrobatische Schwünge, Drehungen, Sprünge u. Ä. ausgeführt werden

Freeze ['fri:z] ⟨engl.⟩ das; -: das Einfrieren aller atomaren Rüstung

Fre|gat|te ⟨roman.⟩ die; -, -n: schwer bewaffnetes, hauptsächlich zum Geleitschutz eingesetztes Kriegsschiff. **Fre|gatt|vo|gel** der; -s, ...vögel: Raubvogel in tropischen Küstengebieten (Ruderfüßer)

¹Fre|li|mo ⟨Kurzw. aus: *Frente de Libertação de Moçambique; port.*⟩ die (auch: der); -: 1. (bis 1975) Befreiungsbewegung in Moçambique. 2. (seit 1975) Einheitspartei in Moçambique. **²Fre|li|mo** der; -[s], -s: Angehöriger der Frelimo

Fre|mi|tus ⟨lat.; „Rauschen; Dröhnen"⟩ der; -: beim Sprechen fühlbare, schwirrende Erschütterung des Brustkorbes über verdichteten Lungenteilen (Med.)

French|kni|cker ['frɛntʃ 'nɪkə] ⟨dt. Bildung aus engl. *French knickers* (Plural) „französischer Schlüpfer"⟩ der; -s, -s, auch: **French Kni|cker** der; - -s, - -s: lose fallende Damenunterhose aus glänzendem Stoff, meist mit spitzenverzierten Beinen

fre|ne|tisch ⟨gr.-lat.-fr.⟩: stürmisch, rasend, tobend (bes. von Beifall, Applaus); vgl. aber phrenetisch

Fre|nu|lum ⟨lat.⟩ das; -s, ...la: (Med.) 1. kleines Bändchen, kleine Haut-, Schleimhautfalte. 2. die Eichel des männlichen Gliedes mit der Vorhaut verbindende Hautfalte; Vorhautbändchen

fre|quent ⟨lat.⟩: 1. (veraltet) häufig, zahlreich. 2. beschleunigt (vom Puls; Med.). 3. häufig vorkommend, häufig gebraucht (Sprachw.). **Fre|quen|ta** ® ⟨Kunstw.⟩ das; -[s]: keramischer Isolierstoff der Hochfrequenztechnik. **Fre|quen|tant** ⟨lat.⟩ der; -en, -en: (veraltet) regelmäßiger Besucher. **Fre|quen|ta|ti|on** die; -, -en: (veraltet) häufiges Besuchen. **Fre|quen|ta|tiv** das; -s, -e u. **Fre|quen|ta|ti|vum** das; -s, ...va: ↑ Iterativ[um]. **fre|quen|tie|ren**: zahlreich besuchen, aufsuchen; häufig stark in Anspruch nehmen. **Fre|quenz** („zahlreiches Vorhandensein") die; -, -en: 1. Höhe der Besucherzahl; Zustrom, Verkehrsdichte. 2. Schwingungs-, Periodenzahl von Wellen in der Sekunde

(Phys.). 3. Anzahl der Atemzüge od. der Herz- bzw. Pulsschläge in der Minute (Med.). **Fre|quenz|mo|du|la|ti|on** die; -, -en: Änderung der Frequenz der Trägerwelle entsprechend dem Nachrichteninhalt (Funkw.); Abk.: FM. **Fre|quenz|mo|du|la|tor** der; -s, -en: Gerät zur Frequenzmodulation

Fres|ke ⟨germ.-it.-fr.⟩ die; -, -n: ↑ ¹Fresko. **¹Fres|ko** ⟨germ.-it.; „frisch"⟩ das; -s, ...ken: auf frischem, noch feuchtem Putz ausgeführte Malerei (Kunstw.). **²Fres|ko** der; -s: poröses, raues Kammgarngewebe in Leinwandbindung. **Fres|ko|ma|le|rei** die; -: Malerei auf feuchtem Putz; Ggs. ↑ Seccomalerei

Fres|nel|lin|se [frɛ'nɛl...] ⟨nach A. J. Fresnel⟩ die; -, -n: aus Teilstücken zusammengesetzte Linse für Beleuchtungszwecke

Fret ⟨niederl.-fr.⟩ der; -s: Schiffsfracht. **Fret|teur** [...'tø:ɐ] der; -s, -e: Reeder, der Frachtgeschäfte abschließt. **fret|tie|ren**: Frachtgeschäfte (für Schiffe) abschließen

Frett ⟨lat.-vulgärlat.-fr.-niederl.⟩ das; -[e]s, -e u. **Frett|chen** das; -s, -: zum Kaninchenfang verwendeter blassgelber Iltis. **fret|tie|ren**: mit dem Frett[chen] jagen

fri|de|ri|zi|a|nisch ⟨zu Fridericus, der latinisierten Form von Friedrich⟩: auf die Zeit König Friedrichs II. von Preußen bezogen

fri|gid, frigide ⟨lat.⟩: 1. sexuell nicht erregbar; orgasmusunfähig (von Frauen; Med.). 2. (gehoben veraltend) kühl, nüchtern. **Fri|gi|da|ri|um** ⟨lat.⟩ das; -s, ...ien: 1. Abkühlungsraum in altröm. Bädern. 2. kaltes Gewächshaus. **fri|gi|de** vgl. frigid. **Fri|gi|di|tät** die; -: (bei einer Frau) mangelnde sexuelle Erregbarkeit, Unfähigkeit zum Orgasmus. **Fri|go|ri|me|ter** ⟨lat.; gr.⟩ das; -s, -: Gerät zum Bestimmen der Abkühlungsgröße (Wärmemenge, die ein Körper unter dem Einfluss bestimmter äußerer Bedingungen abgibt; Med.)

Fri|ka|del|le ⟨lat.-galloroman.-it.⟩ die; -, -n: gebratener Kloß aus Hackfleisch; deutsches Beefsteak, Bulette. **Fri|kan|deau** [...'do:] ⟨lat.-galloroman.-fr.⟩ das; -s, -s: zarter Fleischteil an der inneren Seite der Kalbskeule (Kalbsnuss). **Fri|kan|del|le** ⟨Mischbildung aus Frikadelle u. Frikandeau⟩ die; -, -n: 1. Schnitte

aus gedämpftem Fleisch. 2. ↑ Frikadelle. **Fri|kas|see** ⟨fr.⟩ das; -s, -s: Gericht aus hellem Fleisch in einer hellen, leicht säuerlichen Soße. **fri|kas|sie|ren**: 1. als Frikassee zubereiten. 2. (ugs.) verprügeln; übel zurichten

fri|ka|tiv ⟨lat.-nlat.⟩: durch Reibung hervorgebracht (von Lauten; Sprachw.). **Fri|ka|tiv** der; -s, -e: Reibelaut (z. B. sch, f; Sprachw.). **Fri|ka|ti|vum** das; -s, ...iva: (veraltet) Frikativ. **Frik|ti|o|graph**, auch: Friktiograf ⟨lat.; gr.⟩ der; -en, -en: physikalisches Gerät zur Messung der Reibung. **Frik|ti|on** ⟨lat.⟩ die; -, -en: 1. Reibung. 2. (Med.) a) Einreibung (z. B. mit Salben); b) eine Form der Massage (kreisförmig reibende Bewegung der Fingerspitzen). 3. Widerstand, Verzögerung, die der sofortigen Wiederherstellung des wirtschaftlichen Gleichgewichts beim Überwiegen von Angebot od. Nachfrage entgegensteht (Wirtsch.). **Frik|ti|ons|ka|lan|der** der; -s, -: Walzwerk zur ↑ Satinage des Papiers

Fri|maire [fri'mɛ:ɐ̯] ⟨germ.-fr.; „Reifmonat"⟩ der; -[s], der dritte Monat im franz. Revolutionskalender (21. Nov. bis 20. Dez.)

Fris|bee ® ['frɪzbi] ⟨engl.⟩ das; -, -s: kleine, runde Wurfscheibe aus Plastik (Sportgerät)

Fri|sé [...'ze:] ⟨fr.⟩ das; -: Kräuselod. Frottierstoff aus [Kunst]seide. **Fri|sée** der; -s u. **Fri|sée|sa|lat** der; -[e]s: Kopfsalat mit kraus gefiederten Blättern. **Fri|seur** [...'zø:ɐ̯] (französierende Bildung zu ↑ frisieren), (eingedeutscht:) Frisör der; -s, -e: jmd., der anderen das Haar schneidet [u. frisiert]. **Fri|seu|rin** die; -, -nen: (eingedeutscht:) Frisörin die; -, -nen: ↑ Friseuse. **Fri|seu|se** [...'zø:zə] (eingedeutscht:) Frisöse die; -, -n: weibliche Form zu ↑ Friseur. **fri|sie|ren** ⟨fr.⟩: 1. jmdn. od. sich kämmen; jmdm. od. sich selbst die Haare [kunstvoll] herrichten. 2. a) (ugs.) Änderungen an etw. vornehmen, um dadurch einen ungünstigen Sachverhalt zu verschleiern, um etw. vorzutäuschen; b) die Leistung eines serienmäßig hergestellten Kfz-Motors durch nachträgliche Veränderungen steigern. **Fri|sör** vgl. Friseur. **Fri|sö|rin** vgl. Friseurin. **Fri|sur** ⟨nlat. Bildung zu ↑ frisieren⟩ die; -, -en: 1. Art und Weise, in der das Haar gekämmt, gelegt, gesteckt, geschnitten, frisiert ist. 2. das Frisieren (2). 3. gekräuselter Kleiderbesatz

Fri|teu|se [...'tø:zə], **fri|tie|ren** usw.: frühere Schreibung für: Fritteuse, frittieren usw.

Fri|til|la|ria ⟨lat.-nlat.⟩ die; -, ...ien: Kaiserkrone (Liliengewächs)

Frit|tal|te ⟨lat.-it.⟩ die; -, -n: in dünne Streifen geschnittener Eierkuchen als Suppeneinlage. **Frit|te** ⟨lat.-fr.; „Gebackenes“⟩ die; -, -n: 1. aus dem Glasur- od. Emaillegemenge hergestelltes Zwischenprodukt bei der Glasfabrikation. 2. (nur Plural) Kurzbez. für: Pommes frites. **frit|ten**: 1. eine pulverförmige Mischung bis zum losen Aneinanderhaften der Teilchen erhitzen. 2. sich durch Hitze verändern (von Sedimentgesteinen beim Emporsteigen von ↑Magma [1]; Geol.). 3. (ugs.) frittieren. **Frit|ter** ⟨lat.-fr.-engl.⟩ der; -s, -: ↑Kohärer. **Frit|teu|se** [...'tø:zə] ⟨französierende Bildung zu ↑frittieren⟩ die; -, -n: elektrisches Gerät zum Frittieren von Speisen. **frit|tie|ren** ⟨lat.-fr.⟩: Speisen od. Gebäck in heißem Fett schwimmend garen (Gastr.). **Frit|tung** die; -, -en: das Umschmelzen von Sedimentgesteinen durch Hitzeeinwirkung von aufsteigendem ↑Magma (1) (Geol.). **Frit|tü|re** die; -, -n: 1. heißes Fett- od. Ölbad zum Ausbacken von Speisen. 2. eine in heißem Fett ausgebackene Speise. 3. ↑Fritteuse

fri|vol ⟨lat.-fr.⟩: 1. a) leichtfertig, bedenkenlos; b) das sittliche Empfinden, die geltenden Moralbegriffe verletzend; schamlos, frech. 2. (veraltet) eitel, nichtig. **Fri|vo|li|tät** die; -, -en: 1. a) Bedenkenlosigkeit, Leichtfertigkeit; b) Schamlosigkeit, Schlüpfrigkeit. 2. (meist Plural): Schiffchenspitze, ↑Okkispitze (eine Handarbeit)

Frois|sé [froa'se:] ⟨fr.⟩ der od. das; -s, -s: künstlich geknittertes Gewebe. **frois|sie|ren** ⟨lat.-fr.⟩: (veraltet) kränken, verletzen

Fro|mage [fro'ma:ʒ] ⟨lat.-vulgär-lat.-fr.⟩ der; -, -s: franz. Bez. für: Käse. **Fro|mage de Brie** [-də 'bri:] ⟨nach der franz. Landschaft Brie⟩ der; - - -, -s [fro'ma:ʒ] - -: ein Weichkäse

Fron|de ['frõ:də] ⟨lat.-vulgärlat.-fr.⟩ die; -: 1. a) Oppositionspartei des franz. Hochadels im 17. Jh.; b) der Aufstand des franz. Hoch-

adels gegen das absolutistische Königtum (1648–1653). 2. scharfe politische Opposition, oppositionelle Gruppe innerhalb einer Partei od. einer Regierung **Fron|des|zenz** ⟨lat.-nlat.⟩ die; -: das Auswachsen gewisser Pflanzenorgane (z. B. Staubblätter) zu Laubblättern (Bot.)

Fron|deur [frõ'dø:ɐ̯] ⟨lat.-vulgärlat.-fr.⟩ der; -s, -e: 1. Anhänger der Fronde (1). 2. scharfer politischer Opponent u. Regierungsgegner. **fron|die|ren**: 1. als Frondeur tätig sein. 2. sich heftig gegen etwas auflehnen, sich widersetzen

fron|dos ⟨lat.⟩: zottenreich (z. B. von der Darmschleimhaut

Frons ⟨lat.⟩ die; -, Frontes: Stirn; Stirnbein (Med.; Anat.). **Front** ⟨lat.-fr.⟩ die; -, -en: 1. a) Vorder-, Stirnseite; b) die ausgerichtete vordere Reihe einer angetretenen Truppe. 2. Gefechtslinie, an der feindliche Streitkräfte miteinander in Feindberührung kommen; Kampfgebiet. 3. geschlossene Einheit, Block. 4. (meist Plural) Trennungslinie, gegensätzliche Einstellung. 5. Grenzfläche zwischen Luftmassen von verschiedener Dichte u. Temperatur (Meteor.). **fron|tal** ⟨nlat.⟩: a) an der Vorderseite befindlich, von der Vorderseite kommend, von vorn; b) unmittelbar nach vorn gerichtet; c) zur Stirn gehörend (Anat.). **Fron|tal|le** ⟨lat.⟩ das; -[s], ...lien: ↑Antependium. **Fron|ta|li|tät** ⟨lat.-nlat.⟩ die; -: eine in der archaischen, ägypt. u. vorderasiat. Kunst beobachtete Gesetzmäßigkeit, nach der jeder menschliche Körper unabhängig von seiner Stellung u. Bewegung stets frontal dargestellt ist. **Front|frau** die: weibliche Form zu ↑Frontmann. **Fron|tis|piz*** ⟨lat.-mlat.-fr.⟩ das; -es, -e: 1. Giebeldreieck [über einem Gebäudevorsprung] (Archit.). 2. Verzierung eines Buchtitelblatts (Buchw.). **Front|man** [...mən, engl.: frʌntmæn] ⟨engl.⟩ der; -[s], ...men u. ...mann der; ...männer: Musiker einer Rockgruppe o. Ä., der bei Auftritten [als Sänger] im Vordergrund agiert. **Fron|to|genese** ⟨lat.-fr.; gr.⟩ die; -, -n: Bildung von Fronten (5) (Meteor.). **Fron|to|ly|se** ⟨lat.; gr.⟩ die; -, -n: Auflösung von Fronten (5) (Meteor.). **Fron|ton** [frõ'tõ:] ⟨fr.⟩ das; -s, -s: ↑Frontispiz (1)

Frps|ter ⟨anglisierende Bildung

zu dt. Frost⟩ der; -s, -: Tiefkühlfach eines Kühlgeräts

Frot|ta|ge [...ʒə] ⟨fr.⟩ die; -, -n: 1. a) (ohne Plural) grafisches Verfahren, bei dem Papier auf einen prägenden Untergrund (z. B. Holz) gedrückt wird, um dessen Struktur sichtbar zu machen, Durchreibung; b) Grafik, die diese Technik aufweist. 2. Erzeugung sexueller Lustempfindungen durch Reiben der Genitalien am [bekleideten] Partner (Med., Psychol.). **Frot|té** [...'te:] der, -[s], -s (österr.) u. **Frot|tee** das od. der; -[s], -s: stark saugfähiges [Baum]wollgewebe mit noppiger Oberfläche. **Frot|teur** [...'tø:ɐ̯] der; -s, -e: 1. jmd., der durch Reiben der Genitalien am [bekleideten] Partner sexuelle Lustempfindung erlebt (Med.; Psychol.). 2. (veraltet) Bohner. **frot|tie|ren**: 1. die Haut [nach einem Bad] mit Tüchern od. Bürsten [ab]reiben. 2. (veraltet) bohnern **Frot|tol|la** ⟨it.⟩ die; -, -s u. ...olen: weltliches Lied der zweiten Hälfte des 15. Jh.s u. des frühen 16. Jh.s [in Norditalien]

Frou|frou [fru'fru:] ⟨fr., lautmalende Bildung⟩ der od. das; -s, -s: das Rascheln u. Knistern der eleganten (bes. für die Zeit um 1900 charakteristischen) weiblichen Unterkleidung

Fruc|to|se, (eingedeutscht:) **Fruktose** ⟨lat.-nlat.⟩ die; -: Fruchtzucker. **fru|gal** ⟨lat.-fr.; „zu den Früchten gehörend, aus Früchten bestehend“⟩: einfach, bescheiden; nicht üppig (in Bezug auf das Essen u. Trinken). **Fru|ga|li|tät** die; -: Einfachheit, Bescheidenheit. **Fru|gi|vo|re** ⟨lat.-nlat.⟩ der; -n, -n (meist Plural) Fruchtfresser, Pflanzenfresser (Biol.). **Fruk|ti|dor** [frykti'do:ɐ̯] ⟨⟨lat.; gr.⟩ „Fruchtmonat“⟩ der; -[s], -s: zwölfte Monat des franz. Revolutionskalenders (18. Aug. bis 16. Sept.). **Fruk|ti|fi|ka|ti|on** ⟨lat.⟩ die; -, -en: 1. (selten) Nutzbarmachung, Verwertung. 2. Ausbildung von Fortpflanzungskörpern in besonderen Behältern (z. B. Ausbildung der Sporen bei Farnen; Bot.); -ug. ...[at]ion/...ierung. **fruk|ti|fi|zie|ren**: 1. (selten) aus etwas Nutzen ziehen. 2. Früchte ansetzen od. ausbilden (Bot.). **Fruk|ti|fi|zie|rung** vgl. Fruktifikation. **Fruk|ti|vo|re** der; -n, -n (meist Plural): sich hauptsächlich von Früchten ernährendes

Tier; Früchtefresser (Zool.).
Frukǀtoǀse vgl. Fructose
Frust *der;* -[e]s, -e: (ugs.) 1. (ohne Plural) das Frustriertsein; Frustration. 2. frustrierendes Erlebnis
fruste [frʏst] ⟨*lat.-it.-fr.*⟩: unvollkommen, wenig ausgeprägt (von Symptomen einer Krankheit; Med.); vgl. Forme fruste
frustǀran* ⟨*lat.*⟩: a) vergeblich, irrtümlich, z. B. frustrane Herzkontraktion (Herzkontraktion, die zwar zu hören ist, deren Puls aber wegen zu geringer Stärke nicht gefühlt werden kann; Med.); b) zur Frustration führend, Frustration bewirkend.
Frustǀraǀtiǀon ⟨*lat.*⟩ *die;* -, -en: Erlebnis einer wirklichen od. vermeintlichen Enttäuschung u. Zurücksetzung durch erzwungenen Verzicht od. versagte Befriedigung (Psychol.). **Frustǀraǀtiǀonsǀtoǀleǀranz** *die;* -: Umleitung einer Frustration in Wunschvorstellungen; [erlernbare] ↑Kompensation; ↑Sublimierung einer Frustration ohne Aggressionen od. Depressionen (Psychol.). **frustǀraǀtoǀrisch:** (selten) auf Täuschung bedacht. **frustǀrieǀren:** jmds. Erwartung enttäuschen, jmdm. die Befriedigung eines Bedürfnisses versagen.
Frutǀti di Maǀre ⟨*it.;* „Früchte des Meeres"⟩ *die* (Plural): Meeresfrüchte (z. B. Muscheln, Austern)
Fuchǀsie [...i̯ə] ⟨*nlat.;* nach dem Botaniker L. Fuchs, 16. Jh.⟩ *die;* -, -n: als Strauch wachsende Pflanze mit dunkelgrünen Blättern u. hängenden, mehrfarbigen (roten, rosa, weißen od. violetten) Blüten. **Fuchǀsin** ⟨Kurzw. aus ↑*Fuchsie* u. der Endung *-in*⟩ *das;* -s: synthetisch hergestellter roter Farbstoff
fuǀdit ⟨*lat.;* „hat (es) gegossen"⟩: Aufschrift auf gegossenen Kunstwerken u. Glocken hinter dem Namen des Künstlers od. Gießers; Abk.: fud.
Fuǀeǀro ⟨*lat.-span.;* „Forum"⟩ *der;* -[s], -s: Gesetzessammlung, Grundgesetz, Satzung im spanischen Recht
Fuǀfu ⟨*westafrik.*⟩ *der;* -[s], -s: westafrikanisches Gericht aus zu einem Brei gestampften gekochten Maniok- od. Jamsknollen, der zu kleinen Kugeln geformt u. mit einer stark gewürzten, öligen Suppe übergossen wird
fuǀgal ⟨*lat.-it.-nlat.*⟩: fugenartig,

im Fugenstil (Mus.). **fuǀgalǀto** ⟨*lat.-it.*⟩: fugenartig, frei nach der Fuge komponiert. **Fulgalǀto** *das;* -s, -s u. ...ti: Fugenthema mit freien kontrapunktischen Umspielungen ohne die Gesetzmäßigkeit der Fuge (Mus.). **Fulgaziǀltät** ⟨*lat.*⟩ *die;* -, -en: Aktivität gasförmiger Systeme (Chemie). **Fulge** ⟨*lat.-it.*⟩ *die;* -, -n: nach strengen Regeln durchkomponierte kontrapunktische Satzart (mit nacheinander in allen Stimmen durchgeführtem, frei geprägtem Thema; Mus.). **Fulgetǀte** u. **Fulghetǀlta** *die;* -, ...tten: nach Fugenregeln gebaute, aber in allen Teilen verkürzte kleine Fuge. **fuǀgieǀren:** ein Thema fugenartig durchführen (Mus.)
Fulgu ⟨*jap.*⟩ *das;* -[s], -s: japanisches Gericht aus Kugelfischen
Fulguǀrant ⟨*lat.;* „glänzend"⟩ *der;* -[s] u. **Fulgulǀranǀte** *die;* -: Atlasgewebe mit glänzender rechter Seite. **Fulgulǀrit** [auch: ...'rɪt] ⟨*lat.-nlat.*⟩ *der;* -s, -e: 1. durch Blitzschlag röhrenförmig zusammengeschmolzene Sandkörner (Blitzröhre). 2. ein Sprengstoff. 3. ⓇＡsbestzementbaustoff
Fulliǀgo ⟨*lat.;* „Ruß"⟩ *die* (auch: *der*); -[s], ...gines [...gine:s]: bräunlich schwarzer Belag der Mundhöhle bei schwer Fiebernden
Fullǀdress ⟨*engl.;* „volle Kleidung"⟩ *der;* -: großer Gesellschaftsanzug, Gesellschaftskleidung. **Fullǀhouse** ['fʊl'haʊs] ⟨„volles Haus"⟩ *das;* -, -s [...'haʊzɪz] 1. Kartenkombination beim ↑Poker. 2. volles Haus; drangvolle Enge (ugs.). **Fullǀserǀvice** [...'sɔːvɪs] ⟨„volle Dienstleistung"⟩ *der;* -, -s: Kundendienst, der alle anfallenden Arbeiten übernimmt. **Fullǀspeed** [...'spiːd] ⟨„volle Geschwindigkeit"⟩ *die;* -: das Entfalten der Höchstgeschwindigkeit [eines Autos]. **Fullǀtimeǀjob**, auch: **Full-Time-Job** [...taːm...] *der;* -s, -s: Tätigkeit, Beschäftigung, die jmds. ganze Zeit beansprucht, ihn voll ausfüllt; Ganztagsarbeit. **fulǀly faǀshioned** ['fʊli 'fæʃənd]: formgestrickt, formgearbeitet (von Kleidungsstücken)
fulǀmiǀnant ⟨*lat.*⟩: sich in seiner außergewöhnlichen Wirkung od. Qualität in auffallender Weise mitteilend; glänzend, großartig, ausgezeichnet. **Fulǀmiǀnat** ⟨*lat.-nlat.*⟩ *das;* -[e]s, -e: hochexplosives Salz der Knallsäure

Fulǀmaǀrolle ⟨*lat.-it.*⟩ *die;* -, -n: das Ausströmen von Gas u. Wasserdampf aus Erdspalten in vulkanischen Gebieten. **Fulǀmé** [fyˈmeː] ⟨*lat.-fr.*⟩ *der;* -[s], -s: 1. Rauch- od. Rußabdruck beim Stempelschneiden. 2. erster Druck, Probeabzug eines Holzschnittes mithilfe feiner Rußfarbe
Fun [fan] ⟨*engl.*⟩ *der;* -s: Vergnügen, das eine bestimmte Handlung, ein Ereignis o. Ä. bereitet
Funǀda ⟨*lat.*⟩ *die;* -, ...dae [...de]: Bindenverband für Teilabdeckungen am Kopf (Med.)
Funǀdaǀment ⟨*lat.*⟩ *das;* -[e]s, -e: 1. Unterbau, Grundbau, Sockel (Bauw.). 2. die Druckform tragende Eisenplatte bei einer Buchdruckerschnellpresse (Druckw.). 3. a) Grund, Grundlage; b) Grundbegriff, Grundlehre (Philos.). **funǀdaǀmenǀtal:** grundlegend; schwerwiegend. **Funǀdaǀmenǀtalǀbass** *der;* -es: der ideelle Bastton, der zwar die Harmonie aufbaut, aber nicht selbst erklingen muss (Mus.). **Funǀdaǀmenǀtaǀlisǀmus** ⟨*lat.-nlat.(-engl.)*⟩ *der;* -: 1. geistige Haltung, die durch kompromissloses Festhalten an [ideologischen, religiösen] Grundsätzen gekennzeichnet ist. 2. eine streng bibelgläubige, theologische Richtung im Protestantismus in den USA, die sich gegen Bibelkritik u. moderne Naturwissenschaft wendet. **Funǀdaǀmenǀtaǀlist** *der;* -en, -en: 1. Anhänger, Vertreter des Fundamentalismus. 2. jmd., der kompromisslos an seinen [ideologischen, religiösen] Grundsätzen festhält. **funǀdaǀmenǀtaǀlisǀtisch:** 1. den Fundamentalismus betreffend. 2. die Fundamentalisten betreffend, ihnen eigen. **Funǀdaǀmenǀtalǀonǀtoǀloǀgie** *die:* -: ↑Ontologie des menschlichen Daseins. **Funǀdaǀmenǀtalǀphiǀloǀsoǀphie** *die;* -: Philosophie als Prinzipienlehre. **Funǀdaǀmenǀtalǀpunkt** *der;* -es, -e: ↑Fixpunkt. **Funǀdaǀmenǀtalǀtheǀoǀloǀgie** *die;* -: Untersuchung der Grundlagen, auf denen die katholische Lehre aufbaut; vgl. Apologetik. **funǀdaǀmenǀtieǀren** ⟨*lat.-nlat.*⟩: ein Fundament (1) legen; gründen. **Funǀdaǀtiǀon** ⟨*lat.*⟩ *die;* -, -en: 1. (schweiz.) Fundament[ierung] (Bauw.). 2. [kirchliche] Stiftung. **Funǀdi** *der;* -s, -s: Kurzform von ↑Fundamentalist (2). **funǀdieǀren** ⟨*lat.;* „den Grund legen (für

etwas)"⟩: 1. etwas mit dem nötigen Fundus (2) ausstatten, mit den nötigen Mitteln versehen. 2. [be]gründen, untermauern (z. B. von Behauptungen). **Fụn|dus** ⟨lat.; „Boden, Grund, Grundlage"⟩ der; -, -: 1. [Abteilung mit der] Gesamtheit der Ausstattungsmittel in Theater u. Film. 2. [geistiger] Grundstock, auf dem man für seinen Bedarf zurückgreifen kann. 3. [Hinter]grund, Boden eines Hohlorgans (Med.). 4. Grund u. Boden; Grundstück (hist.)

fu|neb|re* [fy'nɛbr] ⟨lat.-fr.⟩ u. **fu|ne|ra|le** ⟨lat.-it.⟩: traurig, ernst (Vortragsanweisung; Mus.). **Fu|ne|ra|li|en** ⟨lat.⟩ die (Plural): Feierlichkeiten bei einem Begräbnis **Fünf|li|ber** ⟨dt.; lat.-fr.⟩ der; -s, -: (schweiz. mdal.) Fünffrankenstück

Fun|fur ['fʌnfəː] ⟨engl.⟩ der; -s, -s: Kleidungsstück aus einem od. mehreren weniger kostspieligen [Imitat]pelzen

Fụn|gi: Plur. von ↑ Fungus

fun|gi|bel ⟨lat.-nlat.⟩: 1. austauschbar, ersetzbar (Rechtsw.): **fungible Sache:** vertretbare Sache, d. h. eine bewegliche Sache, die im Verkehr nach Maß, Zahl u. Gewicht bestimmt zu werden pflegt (Rechtsw.). 2. in beliebiger Funktion einsetzbar; ohne festgelegten Inhalt u. daher auf verschiedene Weise verwendbar. **Fun|gi|bi|li|en** die (Plural): ↑ fungible Sachen. **Fun|gi|bi|li|tät** die; -: 1. Austauschbarkeit, Ersetzbarkeit (Rechtsw.). 2. die beliebige Einsetzbarkeit, Verwendbarkeit. **fun|gie|ren** ⟨lat.⟩: eine bestimmte Funktion ausüben, eine bestimmte Aufgabe haben, zu etwas da sein

Fun|gis|ta|ti|kum* ⟨lat.; gr.⟩ das; -s, ...ka: Wachstum u. Vermehrung von [krankheitserregenden] Kleinpilzen hemmendes Mittel (Med.). **fun|gis|ta|tisch:** Wachstum u. Vermehrung von [krankheitserregenden] Kleinpilzen hemmend. **fun|gi|zid** ⟨lat.-nlat.⟩: pilztötend (von chemischen Mitteln; Med.). **Fun|gi|zid** das; -[e]s, -e: im Garten- u. Weinbau verwendetes Mittel zur Bekämpfung Pflanzen schädigender Pilze. **fun|gös** ⟨lat.⟩: schwammig (z. B. von Gewebe, von einer Entzündung; Med.). **Fun|go|si|tät** ⟨lat.-nlat.⟩ die; -: schwammige Wucherung tuberkulösen Gewebes (bes. im Kniegelenk; Med.). **Fụn|gus** ⟨lat.;

„Erdschwamm"⟩ der; -, ...gi: 1. lat. Bez. für: Pilz. 2. schwammige Geschwust (Med.)

Fu|ni vgl. Skifuni. **Fu|ni|cu|lai|re** [fynikv'lɛːʀ] ⟨lat.-fr.⟩ das; -[s], -s: Drahtseilbahn. **Fu|ni|cu|lus** ⟨lat.⟩ der; -, ...li: 1. Stiel, durch den die Samenanlage mit dem Fruchtblatt verbunden ist (Bot.). 2. Gewebestrang (z. B. Samenstrang, Nabelschnur; Med.). **fu|ni|ku|lär:** einen Gewebestrang betreffend, zu einem Gewebestrang gehörend. **Fu|ni|ku|lar|bahn** ⟨lat.-it. od. lat.-fr.⟩ die; -, -en: (veraltet) Drahtseilbahn; vgl. Funiculaire. **Fu|ni|ku|li|tis** ⟨lat.-nlat.⟩ die; -, ...i|ti|den: Entzündung des Samenstrangs (Med.)

Funk [faŋk] ⟨engl.-amerik.⟩ der; -s: a) bluesbetonte u. auf Elemente der Gospelmusik zurückgreifende Spielweise im Jazz; b) meist von Schwarzen in Amerika gespielte Popmusik, die eine Art Mischung aus Rock u. Jazz darstellt

Fụn|kie [...jə] ⟨nlat., nach dem dt. Apotheker H. Chr. Funck⟩: Gartenzierpflanze (Liliengewächs) mit weißen, blauen od. violetten Blütentrauben

fun|kig ['faŋkɪç] ⟨engl.-amerik.⟩: in der Art des ↑ Funk

Fụnk|kol|leg ⟨dt.; lat.⟩ das; -s, -s u. -ien: wissenschaftliche Vorlesungsreihe im Hörfunk als eine Form des Fernstudiums

Funk|ti|o|lekt ⟨lat.; gr.⟩ der; -[e]s, -e: für eine bestimmte Funktion charakteristische, ihr angemessene Schreib- od. Sprechweise. **Funk|ti|on** ⟨lat.⟩ die; -, -en: 1. a) (ohne Plural) Tätigkeit, das Arbeiten (z. B. eines Organs); b) Amt, Stellung (von Personen); c) [klar umrissene] Aufgabe innerhalb eines größeren Zusammenhanges, Rolle. 2. veränderliche Größe, die in ihrem Wert von einer anderen abhängig ist (Math.). 3. auf die drei wesentlichen Hauptakkorde ↑ ¹Tonika, ↑ Dominante u. ↑ Subdominante zurückgeführte harmonische Beziehung (Mus.). **funk|ti|o|nal** ⟨lat.-nlat.⟩: die Funktion betreffend, auf die Funktion bezogen, der Funktion entsprechend; vgl. ...al/...ell; **funktionale Grammatik:** Richtung innerhalb der Sprachwissenschaft, die grammatische Formen nicht nur formal, sondern auch hinsichtlich ihrer Funktion im Satz untersucht (Sprachw.); **funktionale**

Satzperspektive: Gliederung des Satzes nicht nach der formalen, sondern nach der informationstragenden Struktur (Sprachw.). **Funk|ti|o|nal** das; -s, -e: eine ↑ Funktion (2) mit beliebigem Definitionsbereich, deren Werte ↑ komplexe od. ↑ reelle Zahlen sind (Math.). **funk|ti|o|nal|si|e|ren:** dem Gesichtspunkt der Funktion entsprechend gestalten. **Funk|ti|o|na|lis|mus** der; -: 1. ausschließliche Berücksichtigung des Gebrauchszweckes bei der Gestaltung von Gebäuden unter Verzicht auf jede zweckfremde Formung (Archit.). 2. philosophische Lehre, die das Bewusstsein als Funktion der Sinnesorgane u. die Welt als Funktion des Ich betrachtet. 3. Richtung in der Psychologie, die die Bedeutung psychischer Funktionen für die Anpassung des Organismus an die Umwelt betont. **Funk|ti|o|na|list** der; -en, -en: Vertreter u. Verfechter des Funktionalismus. **funk|ti|o|na|lis|tisch:** den Funktionalismus betreffend. **Funk|ti|o|na|li|tät** die; -: funktionale Beschaffenheit. **Funk|ti|o|nal|stil** der; -[e]s, -e: Verwendungsweise sprachlicher Mittel, die je nach gesellschaftlicher Tätigkeit od. sprachlich-kommunikativer Funktion differieren (Sprachw.). **Funk|ti|o|när** der; -s, -e: (schweiz.) Funktionär. **Funk|ti|o|när** ⟨lat.-fr.⟩ der; -s, -e: offizieller Beauftragter eines wirtschaftlichen, sozialen od. politischen Verbandes od. einer Sportorganisation. **funk|ti|o|nell:** 1. a) auf die Leistung bezogen, durch Leistung bedingt; b) wirksam; c) die Funktion (1c) erfüllend, im Sinne der Funktion wirksam, die Funktion betreffend. 2. die Beziehung eines Tones (Klanges) hinsichtlich der drei Hauptakkorde betreffend. 3. die Leistungsfähigkeit eines Organs betreffend; **funktionelle Erkrankung:** Erkrankung, bei der nur die Funktion eines Organs gestört, nicht aber dieses selbst krankhaft verändert ist (Med.); **funktionelle Gruppen:** Atomgruppen in organischen ↑ Molekülen, bei denen charakteristische Reaktionen ablaufen können (Chem.). **Funk|ti|o|nen|the|o|rie** der; -: allgemeine Theorie der Funktionen (2) (Math.). **funk|ti|o|nie|ren** ⟨lat.-fr.⟩: in [ordnungsgemäßem] Betrieb sein; reibungslos ablaufen; vorschriftsmäßig erfolgen. **Funk|tions|leis|te** *die;* -, -n: Aneinanderreihung von ↑ Icons auf dem PC-Bild, bei deren Anklicken der Ablauf eines ↑ Makros gestartet wird, um ein auf dem Icon in schriftlicher od. symbolischer Form dargestelltes Ergebnis zu erreichen (EDV). **Funk|ti|onspsy|cho|lo|gie** *die;* -: Wissenschaft von den Erscheinungen u. Funktionen der seelischen Erlebnisse. **Funk|ti|ons|verb** *das;* -s, -en: ein Verb, das in einer festen Verbindung mit einem Substantiv gebraucht wird, wobei das Substantiv den Inhalt der Wortverbindung bestimmt (z. B. in Verbindung *treten;* in Gang *bringen;* Sprachw.). **Funk|ti|onsverb|ge|fü|ge** *das;* -s, -: Verbalform, die aus der festen Verbindung von Substantiv u. Funktionsverb besteht (z. B. *in Verbindung treten; in Betrieb sein;* Sprachw.). **Funk|tiv** ⟨*lat.-nlat.*⟩ *das;* -s, -e: jedes der beiden Glieder einer Funktion (in der ↑ Glossematik L. Hjelmslevs). **Funktor** *der;* -s, ...oren: 1. ein Ausdruck, der einen anderen Ausdruck näher bestimmt (moderne Logik). 2. Ergänzung einer Leerstelle im Satz (Sprachw.)

Fu|o|ru|sci|to ⟨f|uoru'ʃi:to⟩ ⟨*lat.-it.*⟩ *der;* -[s], ...ti: italienischer politischer Flüchtling während der Zeit des ↑ Risorgimento u. ↑ Faschismus **Fu|ra|ge** ⟨fu'ra:ʒə⟩ ⟨*germ.-fr.*⟩ *die;* -: (Mil. veraltet) a) Verpflegung für die Truppe; b) Futter für die Pferde. **fu|ra|gie|ren:** Furage beschaffen (Mil. veraltet)

Fu|ran ⟨*lat.*⟩ *das;* -s, -e: farblose, chloroformartig riechende, leicht entflammbare Flüssigkeit, die meist aus ↑ Furfural gewonnen wird u. das Grundgerüst vieler heterozyklischer Verbindungen bildet (Chemie) **Fur|ca** ⟨*lat.;* „Gabel"⟩ *die;* -, ...cae [...tsɛ]: letzter, gegabelter Hinterleibsteil mancher Krebse (Zool.) **Fur|fu|ral** ⟨*lat.*⟩ *das;* -s: aus Pentosen enthaltenden landwirtschaftlichen Abfallstoffen (wie z. B. Kleie) gewonnene farblose, schleimhautreizende ölige Flüssigkeit, die u. a. als Lösungsmittel verwendet wird (Chemie) **Fu|ri|ant** ⟨*lat.-tschech.*⟩ *der;* -[s], -s: böhmischer Nationaltanz im schnellen ³/₄-Takt mit scharfen rhythmischen Akzenten. **fu|ribund** ⟨*lat.*⟩: rasend, tobsüchtig

(Med.). **Fu|rie** *die;* -, -n: 1. römische Rachegöttin; vgl. Erinnye. 2. rasende, wütende Frau **Fu|ri|er** ⟨*germ.-fr.*⟩ *der;* -s, -e: 1. der für Verpflegung u. Unterkunft einer Truppe sorgende Unteroffizier; vgl. Fourier. 2. Rechnungsführer **fu|ri|os** ⟨*lat.*⟩: a) wütend, hitzig; b) mitreißend, glänzend. **fu|ri|o|so** ⟨*lat.-it.*⟩: wild, stürmisch, leidenschaftlich (Vortragsanweisung; Mus.). **Fu|ri|o|so** *das;* -s, -s u. ...si: Musikstück od. musikalischer Satz von wild-leidenschaftlichem Charakter (Mus.) **Fur|la|na** u. **Fur|la|ne** vgl. Forlana **Fur|nier** ⟨*germ.-fr.*⟩ *das;* -s, -e: dünnes Deckblatt (aus gutem, meist auch gut gemasertem Holz), das auf weniger wertvolles Holz aufgeleimt wird. **furnie|ren:** mit Furnier belegen **Fu|ror** ⟨*lat.*⟩ *der;* -s: Wut, Raserei. **Fu|ro|re** ⟨*lat.-it.*⟩ *die;* - od. *das;* -s: rasender Beifall; Leidenschaftlichkeit; **Furore machen:** Aufsehen erregen, Beifall erringen. **Fu|ror po|e|ti|cus** ⟨*lat.;* gr.-*lat.*⟩ *der;* - -: (nach antiker [platonischer] Auffassung) rauschhafter Zustand des inspirierten Dichters. **Fu|ror teu|to|ni|cus** ⟨*lat.; germ.-lat.*⟩ *der;* - -: germanisches bzw. deutsches Ungestüm **Fu|run|kel** ⟨*lat.;* „kleiner Dieb"⟩ *der,* auch: *das;* -s, -: eitrige Entzündung eines Haarbalgs u. seiner Talgdrüse, Eitergeschwür (Med.). **Fu|run|ku|lo|se** ⟨*lat.-nlat.*⟩ *die;* -, -n: ausgedehnte Furunkelbildung (Med.) **Fu|sa** ⟨*lat.-it.*⟩ *die;* -, ...ae [...zɛ] u. ...sen: Achtelnote in der ↑ Mensuralnotation **Fu|sa|ri|o|se** ⟨*lat.-nlat.*⟩ *die;* -, -n: durch Fusarium erzeugte Pflanzenkrankheit (Bot.). **Fu|sa|ri|um** *das;* -s, ...ien: ein Schlauchpilz (Pflanzenschädling; Bot.) **fu|si|form** ⟨*lat.*⟩: (von Bakterien) spindelförmig (Biol.; Med.) **Fü|si|lier** ⟨*lat.-vulgärlat.-fr.*⟩ *der;* -s, -e: (schweiz., sonst veraltet) Infanterist. **fü|si|lie|ren:** standrechtlich erschießen. **Fü|sil|la|de** [fyzi'ja:də] *die;* -, -n: [massenweise] standrechtliche Erschießung von Soldaten **Fu|sil|li** ⟨*it.*⟩ *die* (Plural): spiralige gedrehte Nudeln **Fu|si|on** ⟨*lat.;* „Gießen, Schmelzen"⟩ *die;* -, -en: 1. Vereinigung, Verschmelzung (z. B. zweier od. mehrerer Unternehmen od. politischer Organisationen). 2. Vereinigung der Bilder des rechten

u. des linken Auges zu einem einzigen Bild (Optik; Med.). **fu|si|onie|ren** ⟨*lat.-nlat.*⟩: verschmelzen (von zwei od. mehreren [großen] Unternehmen). **Fu|si|onsre|ak|tor** *der;* -s, -en: ↑ Reaktor zur Energiegewinnung durch Atomkernfusion. **Fu|sit** [auch: ...'zɪt] ⟨*lat.-nlat.*⟩ *der;* -s, -e: Steinkohle, deren einzelne Lagen aus verschieden zusammengesetztem Material bestehen **Fus|ta|ge** [fʊs'ta:ʒə] u. Fastage [...'ta:ʒə] ⟨französierende Bildung zu *fr.* fût (älter *fr.* fust) „Baumstamm; Schaft; Weinfass"⟩ *die;* -, -n: 1. Leergut. 2. Preis für Leergut **Fus|ta|nel|la** ⟨*ngr.-it.*⟩ *die;* -, ...llen: kurzer Männerrock der griechischen Nationaltracht **Fus|ti** ⟨*lat.-it.*⟩ *die* (Plural): [Vergütung für] Unreinheiten einer Ware **Fus|tik|holz** ⟨*arab.-roman.-engl.; dt.*⟩ *das;* -es: tropische, zur Farbstoffgewinnung geeignete Holzart (Gelbholz) **Fu|su|ma** ⟨*jap.*⟩ *die;* -, -s: undurchsichtige Schiebewand, die im japanischen Haus die einzelnen Räume voneinander trennt **Fut|hark** ['fu:θark] ⟨nach den ersten sechs Runenzeichen⟩ *das;* -s, -e: das älteste germanische Runenalphabet **fu|tie|ren** ⟨*lat.-fr.*⟩: (schweiz.): 1. jmdn. beschimpfen, tadeln. 2. sich futieren: sich um etwas nicht kümmern, sich über etwas hinwegsetzen **fu|til** ⟨*lat.*⟩: (veraltet) nichtig, unbedeutend, läppisch. **Fu|ti|li|tät** *die;* -, -en: (veraltet) Nichtigkeit, Unbedeutendheit **Fu|ton** ⟨*jap.*⟩ *der;* -s, -s: als Matratze dienende, relativ hart gepolsterte Matte eines japanischen Bettes **Fut|te|ral** ⟨*germ.-mlat.*⟩ *das;* -s, -e: [eng] der Form angepasste Hülle für einen Gegenstand (z. B. für eine Brille) **Fu|tur** ⟨*lat.*⟩ *das;* -s, -e: 1. Zeitform, mit der ein verbales Geschehen od. Sein aus der Sicht des Sprechers als Vorhersage, Vermutung, als feste Erwartung o. Ä. charakterisiert wird. 2. Verbform des Futurs (1). **Fu|tu|ra** *die,* -: eine Schriftart (Druckw.). **Future** ['fju:tʃə(r)] ⟨*engl.*⟩ *der;* -s: Termingeschäft, das an der Börse gehandelt wird. **fu|tu|risch** (Sprachw.) a) das Futur betreffend; b) im Futur auftretend. **Fu-**

                                          Galan

tu|ris|mus ⟨lat. -nlat.⟩ der; -: von Italien ausgehende literarische, künstlerische u. politische Bewegung des beginnenden 20.Jh.s, die den völligen Bruch mit der Überlieferung u. ihren Traditionswerten forderte. **Fu|tu|rist** der; -en, -en: Anhänger des Futurismus. **Fu|tu|ris|tik** die; -: ↑Futurologie. **fu|tu|ris|tisch:** zum Futurismus gehörend. **Fu|tu|rol|lo|ge** ⟨lat.; gr.⟩ der; -n, -n: Wissenschaftler auf dem Gebiet der Futurologie. **Fu|tu|rol|lo|gie** die; -: moderne Wissenschaft, die sich mit den erwartbaren zukünftigen Entwicklungen auf technischem, wirtschaftlichem u. sozialem Gebiet beschäftigt. **fu|tu|rol|lo|gisch:** die Futurologie betreffend. **Fu|tu|rum** ⟨lat.⟩ das; -s, ...ra: (veraltet) ↑Futur. **Fu|tu|rum e|x|ak|tum*** das; -, ...ra ...ta: vollendetes Futur (z. B. er wird gegangen sein; Sprachw.)

Fuz|zy|lo|gik, Fuz|zy|the|o|rie [ˈfʌzɪ...] ⟨engl.⟩ die; -: bei Systemen der künstlichen Intelligenz angewandte Methode der Nachahmung des menschlichen Denkens (EDV)

Fy|lg|ja ⟨altnord.⟩ die; -, ...jur: der persönliche Schutzgeist eines Menschen in der altnord. Religion (Folgegeist)

Fyl|ke ⟨norw.⟩ das; -[s], -r: norweg. Bez. für: Provinz, Verwaltungsgebiet

G

Ga|bar|dine [ˈgabardiːn, auch: ...ˈdiːn] ⟨fr.⟩ der; -s, -, auch: die; -, - [...ˈdiːnə]: Gewebe mit steil laufenden Schrägrippen (für Kleider, Mäntel u. Sportkleidung)

Gabb|ro* ⟨it.⟩ der; -s: ein Tiefengestein (Geol.)

Ga|bel|le ⟨arab.-it.-fr.⟩ die; -, -n: Steuer, Abgabe, bes. Salzsteuer in Frankreich 1341–1790

Gad|get [ˈgædʒɪt] ⟨engl.⟩ das; -s, -s: kleine Werbebeigabe

Ga|do|li|nit [auch: ...ˈnɪt] ⟨nlat.⟩: nach dem finn. Chemiker J. Gadolin, † 1852) der; -s, -e: ein Mineral. **Ga|do|li|ni|um** das; -s: zu

den seltenen Erdmetallen gehörendes chem. Element (Zeichen: Gd)

Gag [gɛk] ⟨engl-amerik.⟩ der; -s, -s: 1. (im Theater, Film, Kabarett) [durch technische Tricks herbeigeführte] komische Situation, witziger Einfall. 2. etw., was als eine überraschende Besonderheit angesehen wird

ga|ga ⟨fr.⟩: a) trottelig; b) übergeschnappt, verrückt

Ga|ga|ku ⟨jap.⟩ das; -s: aus China übernommene Kammer-, Orchester- od. Chormusik am japanischen Kaiserhof (8.–12. Jh. n. Chr.)

Ga|gat ⟨gr.-lat.⟩ der; -[e]s, -e: als Schmuckstein verwendete Pechkohle

Ga|ge [ˈgaːʒə] ⟨germ.-fr.⟩ die; -, -n: Bezahlung, Gehalt von Künstlern

Gag|ger [ˈgægə] ⟨engl.-amerik.⟩ der; -s, -: Gagman

Ga|gist [gaˈʒɪst] der; -en, -en: 1. jmd., der Gage bezieht 2. (österr. veraltet) Angestellter des Staates od. des Militärs (in der österr.-ungar. Monarchie)

Gag|li|ar|de* [galˈjardə] vgl. Gaillarde

Gag|man [ˈgægmən] ⟨engl.-amerik.⟩ der; -[s], ...men [...mən]: jmd., der Gags erfindet

Gah|nit [auch: ...ˈnɪt] ⟨nlat.⟩ nach dem schwedischen Chemiker J. G. Gahn, † 1818) der; -s, -e: dunkelgrünes bis schwarzes metamorphes Mineral

gaie|ment [geˈmã] vgl. gaîment

Gail|lard [gaˈjaːr] ⟨fr.⟩ der; -s: franz. Bez. für: Bruder Lustig.

Gail|lar|de die; -, -n: 1. (früher) lebhafter, gewöhnlich als Tanztanz zur ↑Pavane getanzter Springtanz im ³/₄-Takt. 2. bestimmter Satz der ↑Suite (4) (bis etwa 1600)

Gail|lar|dia [gaˈjardɪa] ⟨nlat.; nach dem franz. Botaniker Gaillard de Marentonneau⟩ die; -, ...ien: Kokardenblume (Korbblütler; Zierstaude)

gaî|ment [geˈmã] ⟨germ.-provenzal.-fr.⟩: lustig, fröhlich, heiter (Vortragsanweisung; Mus.).

gaio [ˈgaio] ⟨germ.-provenzal.-fr.-it.⟩: ↑gaîment

Gai|ta ⟨span.⟩ die; -, -s: Bez. für verschiedenartige span. Blasinstrumente (z. B. Dudelsack aus Ziegenleder, Hirtenflöte). **Gaj-da** [ˈgajda] ⟨span.-türk.⟩ die; -, -s: türkische Sackpfeife

Gal ⟨Kurzw. für Galilei, nach dem Namen des ital. Naturforschers

Galileo Galilei (1691–1736)⟩ das; -s, -: nichtgesetzliche Einheit der Beschleunigung

Ga|la [auch: ˈgala] ⟨span.⟩ die; -, -s: 1. (ohne Plural) für einen besonderen Anlass vorgeschriebene festliche Kleidung; großer Gesellschaftsanzug. 2. (hist.) Hoftracht. 3. Theater-, Opernaufführung, Auftritt von Unterhaltungskünstlern o. Ä. [in festlichem Rahmen]; Galavorstellung

Ga|la|bi|ja ⟨arab.⟩ die; -, -s: weites wollenes Gewand, das von den ärmeren Schichten der arabischsprachigen Bevölkerung des Vorderen Orients getragen wird

Ga|lak|ta|go|gum* ⟨gr.⟩ das; -s, ...ga: milchtreibendes Mittel für Wöchnerinnen (Med.). **ga|lak-tisch** ⟨gr.-lat.⟩: zum System der Milchstraße (↑Galaxis) gehörend; **galaktische Koordinaten:** ein astronomisches Koordinatensystem; **galaktisches Rauschen:** im Ursprung nicht lokalisierbare Radiowellen aus dem Milchstraßensystem. **Ga|lak|to|lo|gie** ⟨gr.-nlat.⟩ die; -: Wissenschaft von der Zusammensetzung u. Beschaffenheit der Milch u. ihrer Verbesserung. **Ga|lak|to|me|ter** das; -s, -: Messgerät zur Bestimmung des spezifischen Gewichts der Milch. **Ga|lak|tor|rhö** die; -, -en u. **Ga|lak-tor|rhöe** [...ˈrøː] die; -, -n: Milchabsonderung, die nach dem Stillen od. auch bei Hypophysenerkrankungen eintritt (Med.). **Ga|lak|to|sä|mie*** die; -, ...ien: angeborene Stoffwechselkrankheit des Säuglings, bei der die mit der Milch aufgenommene ↑Galaktose nicht in ↑Glukose umgewandelt werden kann. **Ga|lak|to|se** die; -, -n: Bestandteil des Milchzuckers. **Ga|lak|to|si|da|se*** die; -, -n: Milchzucker spaltendes ↑Enzym. **Ga|lak|to|sta|se*** die; -, -n: Milchstauung (z. B. bei Brustdrüsenentzündung od. Saugschwäche des Neugeborenen; Med.). **Ga|lak|to|su|rie*** die; -, ...ien: das Auftreten von Milchzucker im Harn (Med.). **Ga|lak|to|zel|le** die; -, -n: Milchzyste (der Brustdrüse); ↑Hydrozele mit milchigem Inhalt (Med.).

Ga|la|lith® [auch: ...ˈlɪt] ⟨„Milchstein“⟩ das; -s: harter, hornähnlicher, nicht brennbarer Kunststoff

Ga|lan ⟨span.⟩ der; -s, -e: a) (veraltet) Mann, der sich mit besonderer Höflichkeit, Zuvorkommenheit um eine Frau bemüht;

b) (iron.) Liebhaber, Freund. **ga-lạnt** ⟨fr.-span.⟩: a) (von Männern) betont höflich u. gefällig gegenüber Frauen; b) ein Liebeserlebnis betreffend; amourös; vgl. Roman, Stil; **galante Dichtung:** geistreich-spielerische Gesellschaftspoesie als literarische Mode in Europa 1680 bis 1720. **Gallan|te|rie** ⟨fr.⟩ die; -, ...jen: a) sich bes. in geschmeidigen Umgangsformen ausdrückendes höfliches, zuvorkommendes Verhalten gegenüber Frauen; b) galantes ↑ Kompliment. **Gallan-te|ri|en** die (Plural): ↑ Galanteriewaren. **Gallan|te|rie|wa|ren** die (Plural): (veraltet) Mode-, Putz-, Schmuckwaren; modisches Zubehör wie Tücher, Fächer usw. **Gallant|homme** [...'tɔm] der; -s, -s: franz. Bez. für: Ehrenmann, Mann von feiner Lebensart **Gallan|ti|ne** ⟨fr.⟩ die; -, -n: Pastete aus Fleisch od. Fisch, die mit Aspik überzogen ist u. kalt aufgeschnitten wird **Gallant|u|o|mo*** ⟨it.⟩ der; -s, ...mi-ni: ital. Bezeichnung für: Ehrenmann **Galla|xi|as** ⟨gr.⟩ die; -: (veraltet) Milchstraße. **Galla|xie** ⟨gr.-lat.-mlat.⟩ die; -, ...jen: (Astron.) a) großes Sternsystem außerhalb der Milchstraße; b) Spiralnebel. **Galla|xis** die; -, ...xjen: (Astron.) a) (ohne Plural) Milchstraße; b) Galaxie **Gạl|ban** u. **Gạl|ba|num** ⟨semit.-gr.-lat.⟩ das; -s: Galbensaft (Heilmittel aus dem Milchsaft pers. Doldenblütler) **Galle|ạs|se** ⟨gr.-mgr.-mlat.-it.⟩ die; -, -n u. Galjass ⟨gr.-mgr.-mlat.-it.-fr.-niederl.⟩ die; -, -en: 1. Küstenfrachtsegler mit Kiel u. plattem Heck, mit Großmast u. kleinem Besanmast (vgl. Besan). 2. größere Galeere. **Galleelre** ⟨gr.-mgr.-mlat.-it.⟩ die; -, -n: mittelalterliches zweimastiges Turderschiff des Mittelmeerraums mit 25 bis 50 Ruderbänken, meist von Sklaven, Sträflingen gerudert **Galle|nik** ⟨nach dem altgr. Arzt Galen (129–199 n. Chr.)⟩ die; -: Lehre von den natürlichen (pflanzlichen) Arzneimitteln. **Galle|ni|kum** ⟨nlat.⟩ das; -s, ...ka: in der Apotheke aus ↑ Drogen (2) zubereitetes Arzneimittel (im Gegensatz zum chem. Fabrikerzeugnis). **galle|nisch:** aus Drogen zubereitet; vgl. Galenikum

Galle|nịt [auch: ...'nɪt] ⟨lat.-nlat.⟩ der; -s, -e: Bleiglanz, wichtiges Bleierz **Galle|o|ne** u. Galione ⟨gr.-mgr.-mlat.-span.-niederl.⟩ die; -, -n: großes span. u. port. Kriegs- u. Handelssegelschiff des 15.–18. Jh.s mit 3–4 Decks übereinander. **Galle|ọt** ⟨gr.-mgr.-mlat.-roman.⟩ der; -en, -en: Galeerensklave. **Galle|ọ|te** u. Galiote die; -, -n u. Galjot die; -, -en: der Galeasse (1) ähnliches kleineres Küstenfahrzeug. **Galle|ra** ⟨gr.-mgr.-mlat.-span.⟩ die; -, -s: größerer span. Planwagen als Transport- u. Reisefahrzeug **Galle|rie** ⟨it.⟩ die; -, ...jen: 1. (Archit.) a) mit Fenstern, Arkaden u. Ä. versehener Gang als Laufgang an der Fassade einer romanischen od. gotischen Kirche; b) umlaufender Gang, der auf der Innenhofseite um das Obergeschoss eines drei- od. vierflügeligen Schlosses, Palastes o. Ä. geführt ist; c) außen an Bauernhäusern angebrachter balkonartiger Umgang. 2. in den alten Schlössern ein mehrere Räume verbindender Gang od. ein großer lang gestreckter, für Festlichkeiten od. auch zum Aufhängen od. Aufstellen von Bildwerken benutzter Raum (Archit.). 3. a) kurz für Gemäldegalerie; b) Kunst-, insbes. Gemäldehandlung, die auch Ausstellungen veranstaltet. 4. a) Empore [in einem Saal, Kirchenraum]; b) (veraltend) oberster Rang im Theater; c) (veraltend) das auf der Galerie sitzende Publikum. 5. Orientteppich in der Form eines Läufers. 6. (bes. österr., schweiz.) Tunnel an einem Berghang mit fensterartigen Öffnungen an der Talseite. 7. (hist.) mit Schießscharten versehener, bedeckter Gang im Mauerwerk einer Befestigungsanlage. 8. [glasgedeckte] Passage o. Ä. mit Läden. 9. (veraltend) um das Heck laufender Rundgang an [alten Segel]schiffen (Seemannsspr.). 10. (meist scherzh.) größere Anzahl gleichartiger Dinge, Personen, z. B. sie besitzt eine ganze Galerie schöner Hüte. 11. (österr. veraltend) Unterwelt, Verbrecherwelt. **Galle|rie|ton** der; -[e]s: durch ↑ Oxidation des Öls entstandene dunkle, bräunliche Tönung alter Ölgemälde. **Galle|rie|wald** der; -[e]s, ...wälder: schmaler Waldstreifen an Flüssen u. Seen afrikanischer Savannen u. Steppen-

gebiete. **Galle|rịst** der; -en, -en: Besitzer einer Galerie (3b). **Gallẹt|te** ⟨fr.⟩ die; -, -n: flacher Kuchen [aus Blätterteig] **Gallgạnt|wur|zel** ⟨arab.-mlat.; dt.⟩ die; -, -n: zu Heilzwecken u. als Gewürz verwendete Wurzel eines ursprünglich südchinesischen Ingwergewächses **Galli|ma|thịas** ⟨fr.⟩ der od. das; -: sinnloses, verworrenes Gerede **Galli|on** ⟨gr.-mgr.-mlat.-span.-niederl.⟩ das; -s, -s: Vorbau am Bug älterer Schiffe. **Galli|o|ne** vgl. Galeone. **Galli|ons|fi|gur** die; -, -en: 1. aus Holz geschnitzte Verzierung des Schiffsbugs (meist in Form einer Frauengestalt). 2. zugkräftige, werbende Gestalt, Person an der Spitze einer Partei, Organisation, eines Verbands o. Ä. **Galli|o|te** vgl. Galeote **Galli|pot** [...'po:] ⟨fr.⟩ der; -s: franz. Bezeichnung für: Fichtenharz **Galli|um** ⟨gr.-lat.⟩ das; -s: Labkraut **Galli|vạlte** ⟨engl.⟩ die; -, -n: (früher) Transportschiff in Indien **Galljass** vgl. Galeasse. **Galljot** vgl. Galeote **Galllạt** ⟨lat.-nlat.⟩ das; -s, -e: Salz der ↑ Gallussäure (Chem.) **Gall|é|glas** [ga'le:...] ⟨nach dem franz. Kunsthandwerker des Jugendstils E. Gallé⟩ das; -es, ...gläser: ein Kunstglas **Galle|rịa** ⟨it.⟩ die; -, -s: mehrere Räume od. Gebäudeteile verbindende hallenartige Konstruktion mit großen Glasflächen (Archit.) **Galllẹrt** [auch: ...'lert] ⟨lat.-mlat.⟩ das; -s, -e u. **Galller|te** die; -, -n: steif gewordene, durchsichtige, gelatineartige Masse aus eingedickten pflanzlichen od. tierischen Säften. **galler|tig** [auch: 'ga...]: aus Gallerte od. gallertähnlichem Stoff bestehend **Galli|lar|de** [ga'jardə] vgl. Gaillarde **gal|li|e|ren** ⟨lat.-nlat.⟩: ein Textilgewebe für die Aufnahme von Farbstoff mit Flüssigkeiten behandeln, die Tannin od. Galläpfelauszug enthalten (Färberei) **gal|li|ka|nisch** ⟨mlat.; vom lat. Namen Gallia für Frankreich⟩: dem Gallikanismus entsprechend; **gallikanische Kirche:** mit Sonderrechten ausgestattete kath. Kirche in Frankreich vor 1789; **gallikanische Liturgie:** Sonderform der vorkarolingischen ↑ Liturgie in Gallien; vgl. Confessio Gallicana. **Gallli|ka-**

nis|mus ⟨mlat.-fr.⟩ der; -: a)
franz. Staatskirchentum mit
Sonderrechten gegenüber dem
Papst (vor 1789); b) national-
kirchliche Bestrebungen in
Frankreich bis 1789
Gal|li|on vgl. Galion. **Gal|li|ons-
fi|gur** vgl. Galionsfigur
gal|li|sie|ren ⟨nlat.; vom Namen
des dt. Chemikers L. Gall⟩: bei
der Weinherstellung dem Trau-
bensaft Zuckerlösung zusetzen,
um den Säuregehalt abzubauen
od. den Alkoholgehalt zu stei-
gern
Gal|li|um ⟨lat.-nlat.⟩ das; -s: chem.
Element; ein Metall (Zeichen:
Ga)
Gal|li|zis|mus ⟨lat.-nlat.⟩ der; -,
...men: Übertragung einer für
das Französische charakteristi-
schen sprachlichen Erscheinung
auf eine nichtfranzösische Sprache im lexikalischen od. syntaktischen Bereich, sowohl fälschlicherweise als auch bewusst; vgl.
Interferenz (3)
Gal|ljam|bus ⟨gr.-lat.⟩ der; -,
...ben: antiker Vers aus ↑katalek-
tischen ionischen ↑Tetrametern
Gal|lo|ma|ne ⟨lat.; gr.⟩ der; -n, -n:
jmd., der alles Französische in
leidenschaftlicher, übertriebener Weise bewundert u. nach-
ahmt. **Gal|lo|ma|nie** die; -: über-
triebene Vorliebe für alles Französische
Gal|lon ['gælən] der od. das; -[s],
-s: ↑Gallone. **Gal|lo|ne** ⟨fr.-engl.⟩
die; -, -n: a) engl. Hohlmaß (=
4,546 l); Abk.: gal; b) amerik.
Hohlmaß (= 3,785 l); Abk.: gal
gal|lo|phil ⟨lat.; gr.⟩: ↑frankophil;
Ggs. ↑gallophob. **Gal|lo|phi|lie**
die; -: ↑Frankophilie; Ggs. ↑Gal-
lophobie. **gal|lo|phob:** ↑franko-
phob; Ggs. ↑gallophil. **Gal|lo-
pho|bie** die; -: ↑Frankophobie;
Ggs. ↑Gallophilie. **gal|lo|ro|ma-
nisch** ⟨lat.-nlat.⟩: das Galloro-
manische betreffend. **Gal|lo|ro-
ma|nisch** das; -[en]: aus dem
Vulgärlatein hervorgegangener
Teil des Westromanischen, der
sprachgeographisch auf das ehe-
malige römische Gallien beschränkt ist u. die unmittelbare
Vorstufe des Altprovenzalischen
u. Altfranzösischen bildet
Gal|lup|lin|stilltut [auch: 'gɛləp...]
das; -[e]s: nach seinem Begrün-
der, dem amerik. Statistiker G.
H. Gallup (20. Jh.), benanntes
amerikanisches Forschungsin-
stitut zur Erforschung der öffentlichen Meinung
Gal|lus|säu|re ⟨lat.-nlat.; dt.⟩ die;

-: in zahlreichen Pflanzenbe-
standteilen (z. B. Galläpfeln,
Teeblättern, Rinden) vorkommende organische Säure
Gal|mei [auch: 'gal...;] ⟨gr.-lat.-
mlat.-fr.⟩ der; -s, -e: Zinkspat,
wichtiges Zinkerz (Geol.)
Gallon [ga'lõ:] ⟨fr.⟩ der; -s, -s u.
Gallo|ne ⟨fr.⟩ die; -, -n: Tresse,
Borte, Litze. **ga|lo|nie|ren** ⟨fr.⟩:
a) mit Galons besetzen; b) lang-
haarige, dichte Felle durch Da-
zwischensetzen schmaler Leder-
streifen o. Ä. verlängern
Gallo|pin [...'pɛ:] ⟨germ.-fr.⟩ der;
-s, -s: (veraltet) 1. Ordonnanzof-
fizier. 2. heiterer, unbeschwerter
junger Mensch. **Gallopp** ⟨germ.-
fr.(-it.)⟩ der; -s, -s u. -e: 1. Gangart, Sprunglauf des Pferdes. 2.
um 1825 aufgekommener schneller Rundtanz im ³/₄-Takt. **Gallop-
pa|de** ⟨germ.-fr.⟩ die; -, -n: (ver-
altet) ↑Galopp. **Gallop|per**
⟨germ.-fr.-engl.⟩ der; -s, : für Ga
lopprennen gezüchtetes Pferd.
ga|lop|pie|ren ⟨germ.-fr.-it.⟩:
(von Pferden) im Sprunglauf gehen; **galoppierend:** sich schnell
verschlimmernd, negativ entwi-
ckelnd, z. B. galoppierende
Schwindsucht, eine galoppierende Geldentwertung
Gallo|sche ⟨fr.⟩ die; -, -n: (veral-
tet) Gummiüberschuh
Gallto|nie [...jə] ⟨nach dem engl.
Naturforscher u. Schriftsteller
Sir Francis Galton (1822–1911)⟩
die; -, -n: südafrik. Lilienge-
wächs mit hängenden, glocken-
förmigen Blüten (Bot.)
gal|va|ni|sal|ti|on ⟨it.-nlat.; nach
dem ital. Anatomen L. Galvani
(1737–1798)⟩ die; -, -en: Anwendung des elektr. Gleichstroms zu
Heilzwecken. **gal|va|nisch:** auf
der elektrolytischen Erzeugung
von elektrischem Strom beruhend; **galvanische Polarisation:**
elektrische Gegenspannung bei
galvanischen Vorgängen; **galva-
nisches Element:** Vorrichtung
zur Erzeugung von elektrischem
Strom auf galvanischer Grundlage; **galvanische Hautreaktion:**
Veränderung der elektrischen
Leitfähigkeit, des Widerstandes
der Haut (z. B. bei gefühlsmäßi-
gen Reaktionen; Psychol.). **Gal-
va|ni|seur** [...zø:ɐ̯] ⟨it.-fr.⟩ der;
-e: Facharbeiter für Galvano-
technik. **gal|va|ni|sie|ren:** durch
Elektrolyse mit Metall überzie-
hen. **Gal|va|nis|mus** ⟨it.-nlat.⟩
der; -: Lehre vom galvanischen
Strom. **Gal|va|no** ⟨it.⟩ das; -s, -s:
auf galvanischem Wege herge-

stellte Abformung von einer
↑Autotypie, einer Strichätzung,
einem Schriftsatz u. a. **Gallva-
no|gra|phie,** auch: ...grafie ⟨it.;
gr.⟩ die; -: Verfahren zur Herstellung von Kupferdruckplatten.
Gallva|no|kaus|tik die; -: das
Ausbrennen kranken Gewebes
mit dem Galvanokauter (Med.).
Gallva|no|kau|ter der; -s: ärztli-
ches Instrument mit einem durch
galvanischen Strom erhitzten
Platindraht zur Vornahme von
Operationen. **Gallva|no|kli-
schee** das; -s, -s: ↑Galvanoplas-
tik. **Gallva|no|me|ter** das; -s, -:
elektromagnetisches Messinstrument für elektrischen Strom.
gal|va|no|met|risch: mithilfe
des Galvanometers erfolgend.
Gallva|no|nar|ko|se die; -, -n:
Narkoseverfahren, bei dem mithilfe von elektrischem Gleich-
strom die Erregbarkeit des Rü-
ckenmarkes vollständig ausge-
schaltet wird. **Gallva|no|plas|tik**
die; -: Verfahren zum Abformen
von Gegenständen durch galva-
nisches Auftragen dicker, ab-
ziehbarer Metallschichten, wobei von den Originalen Wachs-
od. andere Negative angefertigt
werden, die dann in Kupfer, Ni-
ckel od. anderem Metall abge-
formt werden können, wodurch
z. B. Pressformen für die Schall-
plattenherstellung erzeugt,
Druckplatten usw. hergestellt
werden. **Gallva|no|plas|ti|ker**
der; -s, -: jmd., der galvanoplas-
tische Arbeiten ausführt. **gallva-
no|plas|tisch:** die Galvanoplas-
tik betreffend, auf ihr basierend.
Gallva|no|punk|tur ⟨it.; lat.⟩ die;
-, -en: elektrische Entfernung
von Haaren. **Gallva|no|skop**
⟨it.; gr.⟩ das; -s, -e: elektrisches
Messgerät. **Gallva|no|ste|gie***
die; -: galvanische (elektrolyti-
sches) Überziehen von Metall-
flächen mit Metallüberzügen.
Gallva|no|ta|xis die; -, ...xen:
durch elektrische Reize ausgelöste Bewegung bei Tieren, die
positiv (zur Reizquelle hin) oder
negativ (von der Reizquelle weg)
verlaufen kann. **Gallva|no|tech-
nik** der; -: Technik des ↑Galvani-
sierens. **Gallva|no|the|ra|pie**
die; -, ...ien: ↑Galvanisation.
Gallva|no|tro|pis|mus* der; -,
...men: durch elektrischen Strom
experimentell beeinflusste
Wachstumsbewegung bei Pflan-
zen. **Gallva|no|ty|pie** die; -: (ver-
altet) Galvanoplastik
Gal|man|der ⟨gr.-mlat.⟩ der; -s, -:

bes. auf kalkhaltigem Boden vorkommende Pflanze in vielen Arten, von denen einige als Heilpflanzen gelten; Teucrium (Gattung der Lippenblütler)

Ga|ma|sche ⟨arab.-span.-provenzal.-fr.⟩ die; -, -n: a) über Strumpf u. Schuh getragene [knöpfbare] Beinbekleidung aus Stoff od. Leder; b) aus Bändern gewickelte Beinbekleidung. **Ga|ma|schendienst** der; -[e]s: (abwertend) pedantischer, sinnloser [Kasernen]drill (wegen der zahlreichen Knöpfe an den Militärgamaschen des 18. Jh.s)

Ga|ma|si|di|o|se ⟨nlat.⟩ die; -, -n: auf Menschen übertragbare Vogelmilbenkrätze

Gam|ba|de [auch: gã'b...] ⟨vulgärlat.-it.-fr.⟩ die; -, -n: 1. a) Luftsprung; b) Kapriole, närrischer Einfall. 2. schneller Entschluss

Gam|bang ⟨indones.⟩ das; -s, -s: im Gamelan verwendetes xylophonartiges Instrument

Gam|be ⟨vulgärlat.-it.⟩ die; -, -n: ↑ Viola da Gamba, mit den Knien gehaltenes Streichinstrument des 16. bis 18. Jh.s

Gam|bir ⟨malai.⟩ der; -s: als Gerbu. Heilmittel verwendeter Saft eines ostasiatischen Kletterstrauches

Gam|bist ⟨vulgärlat.-it.⟩ der; -en, -en: Musiker, der Gambe spielt

Gam|bit ⟨vulgärlat.-it.-span.⟩ das; -s, -s: Schacheröffnung mit einem Bauernopfer zur Erlangung eines Stellungsvorteils

Game|boy ® ['ge:m..., 'geɪm...] ⟨engl.⟩ der; -[s], -s: kleines elektronisches Spielgerät

Ga|me|lan ⟨indones.⟩ das; -s, -s: auf einheimischem Schlag-, Blasu. Saiteninstrumenten spielendes Orchester auf Java u. Bali, das vor allem Schattenspiele und rituelle Tänze musikalisch begleitet. **Ga|me|lang:** ↑Gamelan

Ga|mel|le ⟨lat.-span.-it.-fr.⟩ die; -, -n: (schweiz.) Koch- u. Essgeschirr der Soldaten

Game|show ['ge:m..., 'geɪm...] ⟨engl.⟩ die; -, -s: Unterhaltungssendung im Fernsehen, in der bestimmte Spiele [um Preise, Gewinne] veranstaltet werden

Ga|met ⟨gr.-nlat.⟩ der; -en, -en: geschlechtlich differenzierte Fortpflanzungszelle von Pflanze, Tier u. Mensch. **Ga|me|tangio|ga|mie*** die; -: bei Pilzen vorkommende Art der Befruchtung, bei der die Gametangien verschmelzen, ohne Geschlechtszellen zu entlassen

(Bot.) **Ga|me|tan|gi|um** das; -s, ...ien: Pflanzenzelle, in der sich die Geschlechtszellen in Ein- od. Mehrzahl bilden. **Ga|me|to|ga|mie** die; -, ...ien: Vereinigung zweier verschiedengeschlechtiger Zellen. **Ga|me|to|ge|ne|se** die; -, -n: Entstehung der Gameten u. ihre Wanderung im Körper bis zur Befruchtung (Biol.). **Ga|me|to|pa|thie** die; -, ...ien: Keimschäden, die von der Zeit der Reifung der Gameten bis zur Befruchtung auftreten (Med.). **Ga|me|to|phyt** der; -en, -en: Pflanzengeneration, die sich geschlechtlich fortpflanzt (im Wechsel mit dem ↑Sporophyten). **Ga|me|to|zyt** der; -en, -en: noch undifferenzierte Zelle, aus der im Verlauf der Gametenbildung die Gameten hervorgehen

Ga|min [ga'mɛ̃] ⟨fr.⟩ der; -s, -s: (veraltet) Straßen-, Gassenjunge, Bursche

Gam|ma ⟨semit.-gr.⟩ das; -[s], -s: dritter Buchstabe des griech. Alphabets: Γ, γ. **Gam|ma|astro|no|mie*** vgl. Röntgenastronomie. **Gam|ma|funk|ti|on** das; -: Verallgemeinerung des mathematischen Ausdrucks ↑Fakultät auf nichtganzzahlige Zahlen. **Gam|ma|glo|bu|lin** das; -s: Eiweißbestandteil des Blutplasmas (zur Vorbeugung u. Behandlung bei verschiedenen Krankheiten verwendet; Med.). **Gam|ma|me|tall** das; -s: Legierung aus Kupfer u. Zinn. **Gam|ma|quant,** γ-Quant das; -s, -en: den ↑Gammastrahlen zugeordnetes Elementarteilchen

Gam|ma|rus ⟨gr.-lat.⟩ der; -: Flohkrebs

Gam|ma|spekt|ro|me|ter* das; -s, -: Gerät zur Aufzeichnung der Linien eines Gammaspektrums. **Gam|ma|spekt|rum** das; -s, ...tren u. ...tra: Energiespektrum der Gammastrahlen. **Gam|mastrah|len,** γ-Strah|len ⟨semit.-gr.-lat.; dt.⟩ die (Plural): vom Ehepaar Curie entdeckte radioaktive Strahlung, kurzwellige Röntgenstrahlen, die in der Strahlentherapie u. zur Prüfung von Werkstoffen eingesetzt werden. **Gam|ma|zis|mus** ⟨semit.-gr.-lat.-nlat.⟩ der; -: Schwierigkeit bei der Aussprache von g u. k, die fälschlich wie j, d od. t ausgesprochen werden (häufig in der Kindersprache; als Dialektfehler u. auch infolge Krankheit). **Gam|me** ⟨gr.-lat.-it.-fr.⟩ die; -, -n: Tonleiter, Skala

Ga|mo|ne ⟨gr.-nlat.⟩ die (Plural): von den Geschlechtszellen abgegebene (für den Befruchtungsvorgang wichtige) chem. Stoffe. **Ga|mont** der; -en, -en: Abschnitt im Entwicklungszyklus einzelliger Tiere u. Pflanzen, in dem der einzellige Organismus durch Vielfachteilung Geschlechtszellen bildet (Biol.). **ga|mo|phob** ⟨gr.⟩: ehescheu (Fachspr.). **ga|mo|trop*** ⟨gr.⟩: auf den Schutz der Geschlechtsorgane gerichtet (Bot.); **gamotrope Bewegungen:** Bewegungen der Blüten zum Schutz u. zur Unterstützung der Geschlechtsorgane (z. B. Schließen vor Regenfällen)

Gamp|so|dak|ty|lie ⟨gr.-nlat.⟩ die; -, ...ien: Unfähigkeit, den kleinen Finger zu strecken (Med.)

Ga|nache [ga'naʃ] ⟨fr.⟩ die; -: cremige Nachspeise, die hauptsächlich aus einer Mischung von süßer Sahne u. geriebener Schokolade hergestellt wird

Ga|na|sche ⟨gr.-it.-fr.⟩ die; -, -n: breiter Seitenteil des Pferdeunterkiefers

Gan|dha|ra|kunst [...'da:ra...] die; -: griechisch-buddhistische Kunst aus der Schule der im Afghanistan gelegenen Landschaft Gandhara

Gan|dhar|wa [...'da:ɐ̯va] ⟨sanskr.⟩ die (Plural): Halbgötter (in Luft u. Wasser) des ↑Hinduismus

Ga|neff ⟨jidd.⟩ der; -s: der Gaunerspr.) der; -[s], -e: ↑ Ganove

Gang [gɛŋ] ⟨engl.⟩ die; -, -s: organisierte Gruppe von [jungen] Menschen, die sich kriminell, gewalttätig verhält

Gang|li|en*: Plural von ↑Ganglion. **Gang|li|en|blo|cker** ⟨gr.-lat.; niederl.-fr.-dt.⟩ der; -s, -: die Reizübertragung im Nervensystem hemmendes Mittel (Med.). **Gang|li|en|zel|le** die; -, -n: Nervenzelle. **Gang|li|om** das; -s, -e: bösartige Geschwulst, die von Ganglien des ↑Sympathikus ihren Ausgang nimmt (Med.). **Gang|li|on** ⟨gr.-lat.⟩ das; -s, ...ien: 1. Nervenknoten (Anhäufung von Nervenzellen). 2. Überbein (Med.). **Gang|li|o|ni|tis** vgl. Ganglitis. **Gang|li|o|ple|gi|kum** ⟨gr.-nlat.⟩ das; -s, -ka (meist Plural): Ganglienblocker (Med.). **Gang|li|tis** u. Ganglionitis die; -, ...iti|den: Nervenknotenentzündung

Gan|grän [gaŋ'grɛ:n] ⟨gr.-lat.⟩ die; -, -en, auch: das; -s, -e u. (selten:) **Gan|grä|ne** die; -, -n: [bes.

feuchter] Brand, Absterben des Gewebes (Med.). **gan|grä|nes|zie|ren** ⟨gr.-lat.-nlat.⟩: brandig werden (Med.). **gan|grä|nös**: mit Gangränbildung einhergehend (Med.)

Gang|spill ⟨niederl.⟩ das; -[e]s, -e: Ankerwinde

Gangs|ter [ˈgɛŋstɐ] ⟨engl.⟩ der; -s, -: (meist in einer Gruppe organisierter) [Schwer]verbrecher

Gang|way [ˈgæŋweɪ] ⟨engl.⟩ die; -, -s: an ein Schiff od. Flugzeug heranzuschiebende, einem Steg od. einer Treppe ähnliche Vorrichtung, über die die Passagiere ein- u. aussteigen

Ga|no|blast* ⟨gr.-nlat.⟩ der; -en, -en (meist Plural): Zahnschmelz bildende Zelle (Med.). **Ga|no|den** die (Plural): Schmelzschupper (zusammenfassende Bez. für Störe, Hechte u. ↑Kaimanfische). **Ga|no|id|schup|pe** ⟨gr.-nlat., dt.⟩ die; -, -n: rhombenförmige Fischschuppe (charakt. für die Ganoiden). **Ga|no|in** ⟨gr.-nlat.⟩ das; -s: perlmutterglänzender Überzug der Ganoidschuppen. **Ga|no|sis** ⟨gr.; „das Schmücken; der Glanz"⟩ die; -, ...osen: Imprägnierung von Bildwerken aus Gips od. Marmor

Ga|no|ve ⟨hebr.-jidd.; aus der Gaunerspr.⟩ der; -n, -n: (ugs. abwertend) Verbrecher, Betrüger, Angehöriger der Unterwelt

Ga|ny|med [auch: ˈga:...] ⟨Mundschenk des Zeus in der griech. Sage⟩ der; -s, -e: junger Kellner, Diener

Ga|ra|ge [...ʒə] ⟨germ.-fr.⟩ die; -, -n: 1. Einstellraum für Kraftfahrzeuge. 2. Autowerkstatt. **ga|ra|gie|ren** [...ˈʒi:...] ⟨österr. u. schweiz.⟩ in einer Garage einstellen. **Ga|ra|gist** [...ˈʒɪst] der; -en, -en (schweiz.): Besitzer einer Autowerkstatt, Mechaniker

Ga|ra|mond [...ˈmõ:] ⟨franz. Stempelschneider⟩ die; -: eine Antiquadruckschrift; vgl. Garmond

Ga|rant ⟨germ.-fr.⟩ der; -en, -en: Person, Institution o. Ä., die (durch ihr Ansehen) Gewähr für die Sicherung, Erhaltung o. Ä. von etw. bietet. **Ga|ran|tie** die; ...ien: 1. Gewähr, Sicherheit. 2. vom Hersteller schriftlich gegebene Zusicherung, innerhalb eines bestimmten begrenzten Zeitraums auftretende Defekte an einem gekauften Gegenstand kostenlos zu beheben. 3. a) einen bestimmten Sachverhalt betreffende verbindliche Zusage, [ver-

traglich festgelegte] Sicherheit; b) Haftungsbetrag, Sicherheit, Bürgschaft (Bankw.). **ga|ran|tie|ren**: bürgen, verbürgen, gewährleisten. **ga|ran|tiert**: (ugs.) mit Sicherheit, bestimmt

Gar|çon [garˈsõ:] ⟨germ.-fr.⟩ der; -s, -s: 1. franz. Bez. für: Kellner. 2. (veraltet) junger Mann; Junggeselle. **Gar|çonne** [...ˈsɔn] die; -, -n [...nən]: 1. (veraltet) ledige Frau. 2. (ohne Plural) knabenhafte Mode um 1925 u. wieder um 1950. **Gar|çon|nière** [garsɔnˈjɛ:r] die; -, -n [...rən]: (österr.) Einzimmerwohnung

Gar|de ⟨germ.-fr.⟩ die; -, -n: 1. Leibwache eines Fürsten. 2. Kern-, Elitetruppe. 3. Fastnachtsgarde; [meist friderizianisch] uniformierte, in Karnevalsvereinen organisierte [junge] Frauen u. Männer. **Gar|de|dukorps** [gard(ə)dyˈkoː:ɐ̯] ⟨fr.⟩ das; -: 1. Leibgarde eines Monarchen. 2. früher in Potsdam stationiertes Gardekavallerieregiment. **Gar|de|korps** das; -, -: Gesamtheit der Garden (2). **Gar|de|man|ger** [...mãˈʒe:] der; -s, -s: 1. (veraltet) Speisekammer. 2. Spezialkoch für kalte Speisen (Gastr.).

Gar|de|nie [...jə] ⟨nlat.; nach dem schott. Botaniker A. Garden (18. Jh.)⟩ die; -, -n: immergrüner tropischer Strauch mit duftenden Blüten

Gar|den|par|ty [ˈga:dnˈpa:tɪ] ⟨engl.⟩ die; -, -s: [sommerliches] Fest im Garten

Gar|de|ro|be ⟨germ.-fr.⟩ die; -, -n: 1. [gesamte] Oberbekleidung, die jmd. besitzt od. gerade trägt. 2. Kleiderablage[raum]. 3. Ankleideraum (z. B. von Schauspielern). **Gar|de|ro|bi|er** [...ˈbje:] der; -s, -s: männl. Person, die im Theater Künstler ankleidet u. ihre Garderobe in Ordnung hält (Theat.). **Gar|de|ro|bi|e|re** [...rə] die; -, -n: 1. weibl. Person, die im Theater Künstler ankleidet u. ihre Garderobe in Ordnung hält (Theat.). 2. (veraltend) Garderobenfrau, Angestellte, die in der Garderobe tätig ist. **gar|dez!** [garˈde:] ⟨„schützen Sie (Ihre Dame)!"⟩: (bei privaten Schachpartien manchmal verwendeter) höflicher Hinweis auf die Bedrohung der Dame

Gar|di|ne ⟨lat.-fr.-niederl.⟩ die; -, -n: [durchsichtiger] Fenstervorhang

Gar|dist ⟨germ.-fr.⟩ der; -en, -en: Angehöriger der Garde

gar|ga|ri|sie|ren ⟨gr.-lat.-fr.⟩: gurgeln (Med.). **Gar|ga|ris|ma** ⟨gr.-lat.⟩ das; -s, -ta: Gurgelmittel (Med.)

Ga|rigue u. Garrigue [gaˈrig] ⟨provenzal.-fr.⟩ die; -, -s: strauchige, immergrüne Heide in Südfrankreich

Gar|mond [garˈmõ:] ⟨nach dem franz. Stempelschneider Garamond⟩ die; -: (südd., österr.) ³Korpus; vgl. Garamond

Gar|ne|lle ⟨niederl.⟩ die; -, -n: (in verschiedenen Arten im Meer lebender) Krebs mit seitlich abgeflachtem Körper u. langem, kräftigem Hinterleib (z. B. Krabbe, ↑²Granat)

gar|ni vgl. Hotel garni. **Gar|nier** das; -s: Boden- u. Seitenverkleidung der Laderäume eines Frachtschiffs. **gar|nie|ren** ⟨germ.-fr.⟩: 1. a) mit Zubehör, Zutat versehen; b) schmücken, verzieren. 2. mit Garnier versehen

Gar|ni|e|rit [auch: ...ˈrɪt] ⟨nlat.; nach dem franz. Geologen J. Garnier (1839–1904)⟩ der; -s, -e: hellgrünes Mineral, das zur Nickelgewinnung dient

Gar|ni|son ⟨germ.-fr.⟩ die; -, -en: 1. Standort militärischer Verbände u. ihrer Einrichtungen. 2. Gesamtheit der Truppen eines gemeinsamen Standorts. **gar|ni|so|nie|ren**: in der Garnison [als Besatzung] liegen. **Gar|ni|tur** die; -, -en: 1. a) mehrere zu einem Ganzen gehörende Stücke (z. B. Wäsche-, Polster-, Schreibtischgarnitur); die erste, zweite Garnitur: (ugs.) die besten, weniger guten Vertreter aus einer Gruppe; b) zu einem Eisenbahnzug zusammengestellte Wagen, die mehrere Fahrten gemeinsam machen. 2. Verzierung, Besatz

Ga|rot|te usw. vgl. Garrotte usw.

Gar|rouil|le [gaˈru:jə] ⟨fr.⟩ die; -: Wurzelrinde der Kermeseiche aus Algerien (Gerbmittel)

Gar|rigue [gaˈrig] vgl. Garigue

Gar|rot|te ⟨span.⟩ die; -, -n: (früher) Halseisen, Würgschraube zur Vollstreckung der Todesstrafe (in Spanien). **gar|rot|tie|ren**: mit der Garrotte erdrosseln

Ga|rúa ⟨span.⟩ die; -: dichter Küstennebel im Bereich des kalten Perustroms an der mittleren Westküste Südamerikas (Meteor.). **Ga|rú|a|kli|ma** das; -s: Klima im Einflussbereich kalter Meere

Ga|sel ⟨arab.⟩ das; -s, -e u. **Ga|se|le** die; -, -n: [orientalische]

dichtform mit wiederkehrenden gleichen od. „rührenden" Reimen; vgl. Bait

ga|sie|ren ⟨gr.-niederl.-nlat.⟩: Garne durch Absengen über Gasflammen von Faserenden befreien. **ga|si|fi|zie|ren** ⟨gr.-niederl.; lat.⟩: für Gasbetrieb herrichten

Gas|ko|na|de ⟨fr.; nach den Bewohnern der Gascogne⟩ die; -, -n: (veraltet) Prahlerei, Aufschneiderei

Gas|ödem das; -s, -e: durch Gasbrandbazillen erregte schwere Infektion. **Ga|so|me|ter** ⟨gr.-niederl.; gr.⟩ der; -s, -: Behälter für Leuchtgas

Gast|räa* ⟨gr.-nlat.⟩ die; -, ...äen: hypothetisches Urdarmtier. **Gast|rä|a|the|o|rie** die; -: von Haeckel aufgestellte Theorie über die Abstammung aller Tiere, die eine ↑Gastrulation durchlaufen, von einer gemeinsamen Urform, der Gasträa. **gast|ral**: zum Magen gehörend, den Magen betreffend (Med.). **Gast|ral|gie** die; -, ...ien: Magenkrampf (Med.). **Gast|rek|ta|sie** die; -, ...ien: Magenerweiterung (Med.). **Gast|rek|to|mie** die; -, ...ien: operative Entfernung des Magens (Med.). **Gast|rin** das; -s: die Absonderung von Magensaft anregender hormonähnlicher Stoff (Med.). **gast|risch**: zum Magen gehörend, vom Magen ausgehend (Med.). **Gast|ri|tis** die; -, ...itiden: Magenschleimhautentzündung, Magenkatarrh. **Gast|ri|zis|mus** der; -: Magenverstimmung (Med.). **Gast|ro|anas|to|mo|se** die; -, -n: operative Verbindung zweier getrennter Magenabschnitte. **Gast|ro|di|a|pha|nie** die; -, ...ien: Magendurchleuchtung (Med.). **gast|ro|du|o|de|nal** ⟨gr.; lat.⟩: Magen u. Zwölffingerdarm betreffend (Med.). **Gast|ro|du|o|de|ni|tis** die; -, ...itiden: Entzündung der Schleimhaut von Magen u. Zwölffingerdarm (Med.). **Gast|ro|dy|nie** ⟨gr.-nlat.⟩ die; -, ...ien: Magenschmerzen, Magenkrampf (Med.). **gast|ro|en|te|risch**: Magen u. Darm betreffend (Med.). **Gast|ro|en|te|ri|tis** die; -, ...itiden: Magen-Darm-Entzündung (Med.). **Gast|ro|en|te|ro|kol|li|tis** die; -, ...itiden: Entzündung des gesamten Verdauungskanals vom Magen bis zum Dickdarm (Med.). **Gast|ro|en|te|ro|lo|ge** der; -n, -n: Arzt mit

speziellen Kenntnissen auf dem Gebiet der Magen- u. Darmkrankheiten (Med.). **Gast|ro|en|te|ro|lo|gie** die; -: Wissenschaft von den Krankheiten des Magens u. Darms (Med.). **Gast|ro|en|te|ro|pa|thie** die; -, ...ien: Magen- u. Darmleiden (Med.). **Gast|ro|en|te|ro|sto|mie** die; -, ...ien: operativ geschaffene Verbindung zwischen Magen u. Dünndarm (Med.). **gast|ro|gen**: vom Magen ausgehend (Med.). **gast|ro|in|tes|ti|nal** ⟨gr.; lat.⟩: Magen u. Darm betreffend (Med.). **Gast|ro|lith** [auch: ...'lɪt] ⟨gr.-nlat.⟩ der; -s u. -en, -e[n]: Magenstein (Med.). **Gast|ro|lo|gie** die; -: Teilgebiet der Gastroenterologie (Med.). **Gast|ro|ly|se** die; -, -n: operatives Herauslösen des Magens aus Verwachsungssträngen (Med.). **Gast|ro|ma|la|zie** die; -, ...ien: Magenerweichung (infolge Selbstverdauung des Magens; Med.). **Gast|ro|mant** ⟨gr.⟩ der; -en, -en: ↑Engastrimant. **Gast|ro|me|gal|lie** ⟨gr.-nlat.⟩ die; -, ...ien: abnorme Vergrößerung des Magens (Med.). **Gast|ro|my|zet** der; -en, -en (meist Plural): Bauchpilz (z.B. Bofist). **Gast|ro|nom** ⟨gr.-fr.⟩ der; -en, -en: Gastwirt mit besonderen Kenntnissen auf dem Gebiet der Kochkunst. **Gast|ro|no|mie** die; -: 1. Gaststättengewerbe. 2. feine Kochkunst. **gast|ro|no|misch**: 1. das Gaststättengewerbe betreffend. 2. die feine Kochkunst betreffend. **Gast|ro|pa|re|se** ⟨gr.-nlat.⟩ die; -, -n: Erschlaffung des Magens (Med.). **Gast|ro|pa|thie** die; -, ...ien: Magenleiden (Med.). **Gast|ro|pe|xie** die; -, ...ien: Annähen des Magens an die Bauchwand (zur Magensenkung; Med.). **Gast|ro|plas|tik** die; -, -en: operative Wiederherstellung der normalen Magenform nach einer Magenresektion (Med.). **Gast|ro|ple|gie** („Magenlähmung") die; -, ...ien: Schwäche der Magenmuskulatur (Med.). **Gast|ro|po|de** der; -n, -n (meist Plural): Schnecke als Gattungsbezeichnung (eine Klasse der Weichtiere od. ↑Mollusken; Zool.). **Gast|rop|to|se** die; -, -en: Magensenkung (Med.). **Gast|ror|rha|gie** die; -, ...ien: Magenbluten (Med.). **Gast|ro|se** die; -, -n: (veraltend) nicht entzündliche ↑organische (1a) u. ↑funktionelle Veränderung des Magens (Med.). **Gast|ro|skop** das; -s, -e:

mit Spiegel versehenes, durch die Speiseröhre eingeführtes Metallrohr zur Untersuchung des Mageninneren (Med.). **Gast|ro|sko|pie** die; -, ...ien: Magenspiegelung mit dem Gastroskop (Med.). **Gast|ro|soph** der; -en, -en: Anhänger der Gastrosophie. **Gast|ro|so|phie** die; -: Kunst, Tafelfreuden [weise] zu genießen. **gast|ro|so|phisch**: Tafelfreuden [weise] genießend. **Gast|ro|spas|mus** der; -, ...men: Magensteifung, -krampf, schmerzhafte Zusammenziehung des Magens (Med.). **Gast|ro|sto|mie** die; -, ...ien: operatives Anlegen einer Magenfistel (bes. zur künstlichen Ernährung; Med.). **Gast|ro|to|mie** die; -, ...ien: Magenschnitt, operative Öffnung des Magens (Med.). **Gast|ro|tri|chen** die (Plural): mikroskopisch kleine, wurmähnliche, bewimperte Tiere (Wasserbewohner; Zool.). **Gast|ro|zöl** das; -s, -e: Darmhöhle, der von Darm u. Magen umschlossene Hohlraum (Med.; Biol.). **Gast|ru|la** die; -: zweischichtiger Becherkeim (Entwicklungsstadium vielzelliger Tiere; Zool.). **Gast|ru|la|ti|on** die; -: Bildung der ↑Gastrula aus der ↑Blastula in der Entwicklung mehrzelliger Tiere

Gate [geɪt] ⟨engl.; „Tor, Pol"⟩ das; -s, -s: spezielle Elektrode zur Steuerung eines Elektronenstroms. **Gate|fold** ['geɪtfoʊld] ⟨engl.; „Klappe" u. „Faltung, Falz"⟩ das; -s, -s: Seite in einem Buch, einer Zeitschrift o.Ä., die größer ist als die anderen u. daher in die passende Form gefaltet ist

Ga|thas ⟨awest.⟩ die (Plural): ältester Teil des ↑Awesta, von Zarathustra selbst stammende strophische Lieder

gat|tie|ren ⟨dt., mit romanisierender Endung⟩: Ausgangsstoffe für Gießereiprodukte (z.B. Roheisen, Stahlschrott, Gussbruch) in bestimmten Mengenverhältnissen fachgemäß mischen

Gau|chis|mus [goˈʃɪs...] ⟨zu fr. gauche „links; Linke"⟩ der; -: (links von der Kommunistischen Partei Frankreichs stehende) linksradikale politische Bewegung, Ideologie in Frankreich. **Gau|chist** ⟨fr.⟩ der; -en, -en: Anhänger des Gauchismus. **gau|chis|tisch**: den Gauchismus betreffend, dazu gehörend, darauf beruhend

Gaul|cho ['gaʊtʃo] ⟨indian.-span.⟩ der; -[s], -s: berittener südamerikanischer Viehhirt

Gau|de|al|mus ⟨lat.; eigentlich: Gaudeamus igitur: „Freuen wir uns denn!"⟩ das; -: Name eines alten Studentenliedes. **Gau|di** die; - (auch: das; -s): (ugs.) ↑Gaudium. **gau|die|ren**: (veraltet) sich freuen. **Gau|di|um** das; -s: großer Spaß, Belustigung, Vergnügen

Gauf|ra|ge* [go'fra:ʒə] ⟨fr.⟩ die; -, -n: Narbung od. Musterung von Papier u. Geweben. **Gauf|ré** [go-'fre:] das; -[s], -s: Gewebe mit eingepresstem Muster. **gauf|rie-ren** mit dem Gaufrierkalander prägen od. mustern. **Gauf|rier-ka|lan|der** der; -s, -: ↑Kalander zur Narbung od. Musterung von Papier u. Geweben

Gauge [geidʒ] ⟨fr.-engl.⟩ das; -: in der Strumpffabrikation Maß zur Angabe der Maschenzahl u. damit zur Feinheit des Erzeugnisses; Abk.: gg

Gaul|lis|mus [go'lıs...] ⟨fr.⟩ der; -: nach dem franz. Staatspräsidenten General Ch. de Gaulle benannte politische Bewegung, die eine autoritäre Staatsführung u. die führende Rolle Frankreichs in Europa zum Ziel hat. **Gaul|list** der; -en, -en: Verfechter, Anhänger des Gaullismus. **gaul|lis-tisch**: den Gaullismus betreffend, zu ihm gehörend

Gault [goːlt] ⟨engl.⟩ der; -[e]s: zweitälteste Stufe der Kreide (Geol.)

Gault|the|ria [gɔl...] ⟨nlat.⟩ nach dem französisch-kanadischen Botaniker J.-F. Gaultier (1708–1756)⟩ die; -, ...ien: Gattung der Erikagewächse, aus deren Blättern das als Heilmittel verwendete Gaultheriaöl gewonnen wird

Gaur ⟨Hindi⟩ der; -[s], -[s]: indisches Wildrind

Ga|vi|al ⟨Hindi⟩ der; -s, -e: Schnabelkrokodil

Ga|vot|te [ga'vɔt(ə)] ⟨provenzal.-fr.⟩ die; -, -n: a) Tanz im ^{2}/4-Takt; b) auf die Sarabande folgender Satz der Suite (4)

gay [geɪ] ⟨engl.; „fröhlich"⟩: (Jargon) [offen u. selbstbewusst] homosexuell. **Gay** der; -s, -s: (Jargon) Homosexueller. **Ga|ya cien|cia** ['ga:ja 'tsjentsja] ⟨provenzal.; „fröhliche Wissenschaft"⟩ die; - - -: Dichtung der Toulouser Meistersingerschule im 14. Jh. (vorwiegend Mariendichtung)

Ga|yal ['ga:jal, auch: ga'ja:l] ⟨Hindi⟩ der; -s, -s: hinterindisches leicht zähmbares Wildrind (Haustierform des ↑Gaur)

Ga|ze ['ga:zə] ⟨pers.-arab.-span.-fr.⟩ die; -, -n: 1. [als Stickgrundlage verwendetes weitmaschiges [gestärktes] Gewebe aus Baumwolle, Seide o. Ä. 2. Verbandmull

Ga|zel|le ⟨arab.-it.⟩ die; -, -n: Antilopenart der Steppengebiete Nordafrikas und Asiens

Ga|zet|te [auch: ga'zɛtə] ⟨venezian.-it.-fr.⟩ die; -, -n: (oft iron.) Zeitung

Ga|zi [ˈgaːzi] vgl. Ghasi

Gaz|pa|cho [gas'patʃo] ⟨span.⟩ der; -[s], -s: a) kalt angerichtete spanische Gemüsesuppe; b) als Brotbelag verwendetes Gericht aus Bröckchen eines in der Asche od. auf offenem Feuer gebackenen Eierkuchens

Ge|an|ti|kli|na|le vgl. Geoantiklinale

Ge|cko ⟨malai.-engl.⟩ der; -s, -s u. ...onen: tropisches u. subtropisches eidechsenartiges Kriechtier

Ge|gen|kon|di|tio|nie|rung ⟨dt.; lat.-nlat.⟩ die; -, -en: Lernvorgang mit dem Ergebnis der Umkehrung eines ↑konditionierten Verhaltens; Psychol.); vgl. Konditionierung

Ge|gen|kul|tur ⟨dt.; lat.⟩ die; -, -en: Kulturgruppierung, die in Ablehnung der bürgerlichen Gesellschaft eigene Kulturformen entwickelt (Soziol.); vgl. Subkultur

Ge|gen|re|for|ma|ti|on ⟨dt.; lat.⟩ die; -: Gegenbewegung der kath. Kirche gegen die ↑Reformation im 16. u. 17. Jh.

ge|han|di|kapt [gə'hɛndikɛpt] ⟨engl.⟩: durch etwas behindert, benachteiligt; vgl. handikapen

Ge|hen|na ⟨hebr.-gr.-lat.⟩ nach Ge-Hinnom (= Tal Hinnoms) bei Jerusalem (urspr. wurden hier Menschenopfer dargebracht)⟩ die; -: spätjüdisch-neutestamentliche Bez. für: Hölle

Ge|in ⟨gr.-nlat.⟩ das; -s: 1. der schwarzbraune Hauptbestandteil der Ackererde. 2. ↑Glykosid aus der Wurzel der Nelkenwurz (Bot.)

Gei|sa: Plural von ↑Geison

Gei|ser ⟨isländ.⟩ der; -s, -: ↑Geysir

Gei|sha ['ge:ʃa, auch: gaiʃa] ⟨jap.-engl.⟩ die; -, -s: in Musik u. Tanz ausgebildete Gesellschafterin, die zur Unterhaltung der Gäste in japanischen Teehäusern o. Ä. beiträgt

Gei|son ⟨gr.⟩ das; -s, -s u. ...sa: Kranzgesims des antiken Tempels

Gei|to|no|ga|mie ⟨gr.-nlat.⟩ die; -: Übertragung von Blütenstaub zwischen Blüten, die auf derselben Pflanze stehen (Bot.)

Gel ⟨Kurzform von ↑Gelatine⟩ das; -s, -e u. -s. -s: 1. gallertartiger Niederschlag aus einer fein zerteilten Lösung. 2. gallertartiges Kosmetikum

Gel|lar ⟨Kunstw.⟩ das; -s: dem ↑Agar-Agar ähnliches Präparat aus Ostseealgen

Ge|las|ma ⟨gr.; „das Lachen"⟩ das; -s, -ta u. ...men: Lachkrampf (Med.)

Ge|la|ti|ne [ʒe...] ⟨lat.-it.-fr.⟩ die; -: geschmack- u. farblose, aus Knochen u. Häuten hergestellte leimartige Substanz, die vor allem zum Eindicken u. Binden von Speisen, aber auch in der pharmazeutischen u. Kosmetikindustrie Verwendung findet. **ge|la|ti|nie|ren**: a) zu Gelatine erstarren; b) eine fein zerteilte Lösung in Gelatine verwandeln. **ge|la|ti|nös**: gallerteartig. **Ge-la|tit** [auch: ...'tıt] ⟨Kunstw.⟩ das; -s: Gesteinssprengstoff. **Gel-coat** [ʒe:lko:t, 'dʒelkoʊt] ⟨engl.⟩ das; -s: oberste Schicht der Außenhaut eines Bootes, das aus glasfaserverstärktem Kunststoff gebaut ist. **Gel|lee** [ʒe'le:, ʒɔ'le:] ⟨lat.-vulgärlat.-fr.⟩ das od. der; -s, -s: a) süßer Brotaufstrich aus gallertartig eingedicktem Fruchtsaft; b) gallertartige, halbsteife Masse, z. B. aus Fleisch- od. Fischsaft; c) halbfeste, meist durchscheinende Substanz, die als Wirkstoffträger in der kosmetischen Industrie verwendet wird. **Ge|lée roy|ale** [ʒɔlerwa'jal] ⟨fr.⟩ das; - -: Futtersaft für die Larven der Bienenköniginnen, der in der kosmetischen u. pharmazeutischen Industrie verwendet wird. **Gel|li|di|um** ⟨lat.⟩ das; -s: Gattung meist fiederig verzweigter Rotalgen mit in allen Meeren verbreiteten Arten. **ge-lie|ren** [ʒe..., ʒɔ...] ⟨lat.-vulgärlat.-fr.⟩: zu Gelee werden. **Gel-li|frak|ti|on** ⟨lat.⟩ die; -, -en: Frostsprengung, durch Spaltenfrost verursachte Gesteinszerkleinerung

Gel|lo|lep|sie, **Ge|lo-ple|gie*** die; -, ...jen: mit Bewusstlosigkeit verbundenes, plötzliches Hinstürzen bei Affekterregungen (z. B. Lachkrampf; Med.)

Ge|lo|trip|sie* ⟨lat.; gr.⟩ die; -, ...ien: punktförmige Massage zur Behebung von Muskelhärten (Med.)

Ge|ma|ra ⟨aram.⟩ die; -: zweiter Teil des ↑Talmuds, Erläuterung der ↑Mischna

Ge|mat|rie* ⟨gr.-hebr.⟩ die; -: Deutung u. geheime Vertauschung von Wörtern mithilfe des Zahlenwertes ihrer Buchstaben (bes. in der ↑Kabbala)

Ge|mel|lus ⟨lat.⟩ der; -, ...lli u. Geminus der; -, ...ni: Zwilling (Med.). Ge|mi|na|ta die; -, ...ten: Doppelkonsonant, dessen Bestandteile auf zwei Sprechsilben verteilt werden (z. B. ital. freddo, gesprochen: fred-do; im Deutschen nur noch orthograph. Mittel). Ge|mi|na|ti|on die; -, -en: 1. Konsonantenverdoppelung; vgl. Geminata. 2. ↑Epanalepse. ge|mi|nie|ren: einen Konsonanten od. ein Wort verdoppeln. Ge|mi|ni|pro|gramm ⟨⟨lat.; gr.⟩ amerik.⟩ das; -s: amerikanisches Programm des Zweimannraumflugs. Ge|mi|nus vgl. Gemellus

Gem|me ⟨lat.(-it.)⟩ die; -, -n: 1. bes. im Altertum beliebter Edelstein mit vertieft od. erhaben eingeschnittenen Figuren. 2. Brutkörper niederer Pflanzen (Form der ungeschlechtlichen Vermehrung; Biol.). Gem|mo|glyp|tik ⟨lat.; gr.⟩ die; -: ↑Glyptik. Gem|mol|o|ge der; -en, -en: Fachmann für Schmuck u. Edelsteine. Gem|mo|lo|gie die; -: Edelsteinkunde. gem|mo|lo|gisch: die Edelsteinkunde betreffend. Gem|mu|la ⟨lat.⟩ die; -, ...lae [...lɛ]: widerstandsfähiger Fortpflanzungskörper der Schwämme, der ein Überdauern ungünstiger Lebensverhältnisse ermöglicht (Biol.)

Gen ⟨gr.⟩ das; -s, -e: in den ↑Chromosomen lokalisierter Erbfaktor. Gen|anal|y|se ⟨gr.⟩ die; -, -n: Analyse (2) von Genen zur Ermittlung der Erbanlagen

ge|nant [ʒe...] ⟨germ.-fr.⟩: a) lästig, unangenehm, peinlich; b) (landsch.) gehemmt u. unsicher, schüchtern; etwas als peinlich empfindend

Ge|nan|tin ® ⟨Kunstw.⟩ das; -s: ↑Glysantin

Gen|bank die; -, -en: Einrichtung zur Sammlung, Erhaltung u. Nutzung des Genmaterials bestimmter Pflanzenarten (Bot.; Landw.)

Gen|chi|rur|gie* die; -: ↑Genmanipulation

Gen|darm [ʒan..., auch: ʒã...] ⟨fr.⟩ der; -en, -en: (österr., schweiz., sonst veraltet) (bes. auf dem Land eingesetzter) Polizist. Gen|dar|me|rie die; -, ...ien: (österr., schweiz., sonst veraltet) staatl. Polizei in Landbezirken

Gene [schɛːn] ⟨germ.-fr.⟩ die; -: (veraltet) [selbstauferlegter] Zwang; Unbehagen, Unbequemlichkeit; vgl. sans gêne

Ge|ne|al|o|ge ⟨gr.⟩ der; -n, -n: Forscher auf dem Gebiet der Genealogie. Ge|ne|al|o|gie die; -, ...ien: Wissenschaft von Ursprung, Folge u. Verwandtschaft der Geschlechter; Ahnenforschung. ge|ne|al|o|gisch: die Genealogie betreffend

Ge|ne|ra: Plural von ↑Genus

Ge|ne|ral ⟨lat.(-fr.)⟩ der; -s, -e u. ...räle: 1. a) (ohne Plural) [höchster] Dienstgrad der höchsten Rangklasse der Offiziere; b) Offizier dieses Dienstgrades. 2. a) oberster Vorsteher eines katholischen geistlichen Ordens od. einer ↑Kongregation; b) oberster Vorsteher der Heilsarmee. Ge|ne|ral|ab|so|lu|ti|on die; -, -en: (kath. Rel.) 1. sakramentale Lossprechung ohne Einzelbeichte (in Notfällen). 2. vollkommener Ablass, Nachlass der Sündenstrafe in Verbindung mit dem Sakramenten der Buße u. ↑Eucharistie (für Sterbende od. Ordensmitglieder). Ge|ne|ral|ad|mi|ral der; -s, ...räle: 1. Offizier der Kriegsmarine im Range eines Generalobersten. 2. (ohne Plural) Titel der ältesten Admirale (im 17. u. 18 Jh.). Ge|ne|ral|agent der; -en, -en: Hauptvertreter. Ge|ne|ral|agen|tur die; -, -en: Hauptgeschäftsstelle. Ge|ne|ral|am|nes|tie die; -, ...ien: eine größere Anzahl von Personen betreffende Amnestie. Ge|ne|ral|at ⟨lat.-nlat.⟩ das; -[e]s, -e: 1. Generalswürde. 2. Amt eines katholischen Ordensgenerals; b) Amtssitz eines katholischen Ordensgenerals. Ge|ne|ral|bass der; -es, ...bässe: unter einer Melodiestimme stehende fortlaufende Bassstimme mit den Ziffern der für die harmonische Begleitung zu greifenden Akkordstufen (in der Musik des 17. u. 18. Jh.s). Ge|ne|ral|beich|te die; -, -n: Beichte über das ganze Leben od. einen größeren Lebensabschnitt vor wichtigen persönlichen Entscheidungen. Ge|ne|ral|di|rek|tor der; -s, -en: Leiter eines großen Unterneh-

mens. Ge|ne|ral|le ⟨lat.⟩ das; -s, ...ien, auch: ...lia: allgemein Gültiges; allgemeine Angelegenheiten. Ge|ne|ral|gou|ver|ne|ment [...guvɛrnəmã] das; -s, -s: 1. Statthalterschaft. 2. größeres ↑Gouvernement. Ge|ne|ral|gou|ver|neur [...nøːɐ̯] der; -s, -e: 1. Statthalter. 2. Leiter eines Generalgouvernements. Ge|ne|ra|lia u. Ge|ne|ra|lien: Plural von ↑Generale. Ge|ne|ral|in|spek|teur [...tøːɐ̯] der; -s, -e: unmittelbar dem Verteidigungsminister unterstehender ranghöchster Soldat und höchster militärischer Repräsentant der Bundeswehr. Ge|ne|ral|in|spek|ti|on die; -, -en: gründliche, umfassende ↑Inspektion (1). Ge|ne|ral|in|ten|dant der; -en, -en: Leiter mehrerer Theater, eines Staatstheaters od. einer Rundfunkanstalt. Ge|ne|ra|li|sa|ti|on ⟨lat.-nlat.⟩ die; -, -en: 1. Gewinnung des Allgemeinen, der allgemeinen Regel, des Begriffs, des Gesetzes durch ↑Induktion aus Einzelfällen (Philos.). 2. Vereinfachung bei der Verkleinerung einer Landkarte (Geogr.). 3. ↑Generalisierung (2); vgl. ...[at]ion/...ierung. ge|ne|ra|li|sie|ren: verallgemeinern, aus Einzelfällen das Allgemeine (Begriff, Satz, Regel, Gesetz) gewinnen. ge|ne|ra|li|siert: über den ganzen Körper verbreitet (bes. von Hautkrankheiten; Med.). Ge|ne|ra|li|sie|rung die; -, -en: 1. das Generalisieren; Verallgemeinerung. 2. Fähigkeit, eine ursprünglich an einen bestimmten Reiz gebundene Reaktion auch auf nur ähnliche Reize folgen zu lassen (Psychol.); vgl. ...[at]ion/...ierung. Ge|ne|ra|lis|si|mus ⟨lat.-it.⟩ der; -, ...mi u. -se: oberster Befehlshaber, Kommandierender. Ge|ne|ra|list der; -en, -en: jmd. in seinen Interessen nicht auf ein bestimmtes Gebiet festgelegt (ein). Ge|ne|ra|li|tät ⟨lat.(-fr.)⟩ die; -: 1. Gesamtheit der Generale. 2. (veraltet) Allgemeinheit. ge|ne|ra|li|ter ⟨lat.⟩: im Allgemeinen, allgemein betrachtet. Ge|ne|ral|ka|pi|tel das; -s, -: Versammlung der Oberen u. Bevollmächtigten eines katholischen Ordens, zur Neuwahl des Vorstehers. Ge|ne|ral|klau|sel die; -, -n: 1. allgemein gehaltene, nicht auf bestimmten Tatbestandsmerkmalen versehene Rechtsbestimmung. 2. Übertragung aller öffentlich-rechtlichen

Streitigkeiten an die Verwaltungsgerichte (soweit vom Gesetz nichts anderes bestimmt ist). **Ge|ne|ral|kom|man|do** *das;* -s, -s: oberste Kommandostelle u. Verwaltungsbehörde eines Armeekorps. **Ge|ne|ral|kon|gre|ga|ti|on** *die;* -, -en: Vollsitzung einer kirchlichen Körperschaft (z. B. ↑Konzil, ↑Synode). **Ge|ne|ral|kon|sul** *der;* -s, -n: ranghöchster ↑Konsul (2). **Ge|ne|ral|kon|su|lat** *das;* -[e]s, -e: a) Amt eines Generalkonsuls; b) Sitz eines Generalkonsuls. **Ge|ne|ral|leut|nant** *der;* -s, -s: a) (ohne Plural) zweithöchster Dienstgrad in der Rangklasse der Generale; b) Inhaber dieses Dienstgrades. **Ge|ne|ral|li|nie** *die;* -, -n: allgemein gültige Richtlinie. **Ge|ne|ral|ma|jor** *der;* -s, -e: a) (ohne Plural) dritthöchster Dienstgrad in der Rangklasse der Generale; b) Inhaber dieses Dienstgrades. **Ge|ne|ral|mu|sik|di|rek|tor** *der;* -s, -en: a) erster Dirigent; b) (ohne Plural) Amt u. Titel des leitenden Dirigenten (z. B. eines Opernhauses; Abk.: GMD). **Ge|ne|ral|par|don** *der;* -s, -s: a) (veraltet) allgemeiner Straferlass; b) pauschale Vergebung; Nachsicht gegenüber jmds. Verfehlungen. **Ge|ne|ral|pau|se** *die;* -, -n: für alle Sing- u. Instrumentalstimmen geltende Pause (Abk.: GP). **Ge|ne|ral|prä|ven|ti|on** *die;* -, -en: allgemeine Abschreckung von der Neigung zur strafbaren Tat durch Strafandrohung. **Ge|ne|ral|pro|be** *die;* -, -n: letzte Probe vor der ersten Aufführung eines Musik- od. Bühnenwerkes. **Ge|ne|ral|pro|fos** *der;* -es u. -en, -e[n]: (hist.) 1. mit Polizeibefugnissen u. dem Recht über Leben u. Tod ausgestatteter Offizier (in den mittelalterlichen Söldnerheeren). 2. Leiter der Militärpolizei in Österreich (bis 1866). **Ge|ne|ral|pro|ku|ra|tor** *der;* -s, -en: Vertreter eines geistlichen Ordens beim ↑Vatikan. **Ge|ne|ral|quar|tier|meis|ter** *der;* -s, -: 1. (hist.) wichtigster ↑Adjutant des Feldherrn; engster Mitarbeiter des Generalstabschefs. 2. Verantwortlicher für die Verpflegung aller Fronttruppen im 2. Weltkrieg. **Ge|ne|ral|sek|re|tär*** *der;* -s, -e: mit ↑exekutiven Vollmachten ausgestatteter hoher amtlicher Vertreter [internationaler] politischer, militärischer u. ä. Vereinigungen (z. B. der UNO u. NATO). **Ge|ne-**

ral|sek|re|ta|ri|at *das;* -s, -e: a) Amt eines Generalsekretärs; b) Sitz eines Generalsekretärs. **Ge|ne|ral|staa|ten** *die* (Plural): 1. das niederländische Parlament. 2. (hist.) im 15. Jh. der vereinigte Landtag der niederl. Provinzen. 3. (hist.) 1593 bis 1796 die Abgeordnetenversammlung der sieben niederl. Nordprovinzen. **Ge|ne|ral|stab** *der;* -s, ...stäbe: zur Unterstützung des obersten militärischen Befehlshabers eingerichtetes zentrales Gremium, in dem besonders ausgebildete Offiziere (aller Ränge) die Organisation der militärischen Kriegsführung planen u. durchführen. **Ge|ne|ral|stäb|ler** *der;* -s, -: Offizier im Generalstab. **Ge|ne|ral|stän|de** *die* (Plural): (hist.) die franz. Reichsstände (Adel, Geistlichkeit u. Bürgertum). **Ge|ne|ral|streik** *der;* -s, -s: [politischen Zielen dienender] allgemeiner Streik der Arbeitnehmer eines Landes. **Ge|ne|ral|su|per|in|ten|dent** *der;* -en, -en: dem Bischof u. ↑Präses rangmäßig entsprechender leitender Geistlicher einer evangelischen Kirchenprovinz od. Landeskirche. **Ge|ne|ral|vi|ka|ri|at** *das;* -s, -e: Verwaltungsbehörde einer katholischen ↑Diözese od. Erzdiözese **Ge|ne|ral|ver|trag** *der;* -[e]s: 1952 abgeschlossener Vertrag, der das Besatzungsstatut in der Bundesrepublik ablöste. **Ge|ne|ral|vi|kar** *der;* -s, -e: Stellvertreter des katholischen [Erz]bischofs für die Verwaltungsaufgaben. **Ge|ne|ra|tio|nis|mus** *(lat.-nlat.) der;* -: Lehre im altchristlichen ↑Traduzianismus von der Entstehung der menschlichen Seele durch elterliche Zeugung. **Ge|ne|ra|tio ae|qui|vo|ca** [- εˈkvi:-voka] *(lat.),* „uneindeutige Zeugung") *die;* - -: Urzeugung (Hypothese von der Entstehung des Lebens auf der Erde ohne göttlichen Schöpfungsakt). **Ge|ne|ra|ti|on** *die;* -, -en: 1. a) die einzelnen Glieder der Geschlechterfolge (Eltern, Kinder, Enkel usw.); vgl. Parentalgeneration u. Filialgeneration; b) in der Entwicklung einer Tier- od. Pflanzenart die zu einem Fortpflanzungs- od. Wachstumsprozess gehörenden Tiere bzw. Pflanzen.

2. ungefähr die Lebenszeit eines Menschen umfassender Zeitraum. 3. alle innerhalb eines bestimmten kleineren Zeitraumes geborenen Menschen, bes. im Hinblick auf ihre Ansichten zu Kultur, Moral u. ihre Gesinnung; **Generation X:** Altersgruppe der etwa 1965 bis 1975 Geborenen, für die Orientierungslosigkeit, Desinteresse an Staat u. Politik u. a. typisch ist. 4. Gesamtheit der durch einen bestimmten Stand in der technischen Entwicklung o. Ä. gekennzeichneten Geräte. **Ge|ne|ra|tio|nen|kon|flikt** u. **Ge|ne|ra|ti|ons|kon|flikt** *der;* -[e]s, -e: Konflikt zwischen Angehörigen verschiedener Generationen, bes. zwischen Jugendlichen u. Erwachsenen, der aus den unterschiedlichen Auffassungen in bestimmten Lebensfragen erwächst. **Ge|ne|ra|ti|ons|wech|sel** *der;* -s, -: 1. Wechsel zwischen geschlechtlicher u. ungeschlechtlicher Fortpflanzung bei Pflanzen u. wirbellosen Tieren (Biol.). 2. Ablösung von Angehörigen der älteren Generation durch Angehörige der jüngeren. **Ge|ne|ra|tio pri|ma|ria** (‚„ursprüngliche Zeugung") u. **Ge|ne|ra|tio spon|ta|nea** (‚„freiwillige Zeugung") *die;* - -: ↑Generatio aequivoca. **ge|ne|ra|tiv** *(lat.-nlat.):* die geschlechtliche Fortpflanzung betreffend (Biol.); **generative Grammatik:** sprachwissenschaftliche Forschungsrichtung, die das Regelsystem beschreibt, durch dessen bewusste Beherrschung der Sprecher in der Lage ist, alle in der betreffenden Sprache vorkommenden Äußerungen zu bilden u. zu verstehen. **Ge|ne|ra|ti|vist** *der;* -en, -en: Vertreter der generativen Grammatik. **Ge|ne|ra|ti|vi|tät** *die;* -: Fortpflanzungs-, Zeugungskraft. **Ge|ne|ra|tor** *(lat.) der;* -s, ...oren: 1. Gerät zur Erzeugung einer elektrischen Spannung od. eines elektrischen Stroms. 2. Schachtofen zur Erzeugung von Gas aus Kohle, Koks od. Holz. **Ge|ne|ra|tor|gas** *das;* -es: Treibgas (Industriegas), das beim Durchblasen von Luft durch glühende Kohlen entsteht. **ge|ne|rell** *(lat.;* französierende Neubildung): allgemein, allgemein gültig, im Allgemeinen, für viele Fälle derselben Art zutreffend; Ggs. ↑speziell. **ge|ne|rie|ren:** a) erzeugen, produ-

zieren; b) (sprachliche Äußerungen) in Übereinstimmung mit einem grammatischen Regelsystem erzeugen, bilden (Sprachw.). **Ge|ne|rie|rung** *die;* -: das Generieren (von sprachlichen Äußerungen) (Sprachw.). **Ge|ne|ri|kum** *⟨lat.-fr.-engl.⟩ das;* -s, ...ka: Arzneimittel, das einem bereits auf dem Markt befindlichen, als Markenzeichen eingetragenen Präparat in der Zusammensetzung gleicht, in der Regel billiger angeboten wird als dieses u. als Namen die chemische Kurzbezeichnung trägt. **ge|ne|risch** *⟨lat.-nlat.⟩:* a) das Geschlecht od. die Gattung betreffend; b) in allgemein gültigem Sinne gebraucht (Sprachw.). **Ge|ne|ro chi|co** *['xenero 'tʃiko] ⟨span.⟩ der;* - -, -s -s: (bes. in der 2. Hälfte des 19. Jh.s beliebte) volkstümliche einaktige spanische Komödie. **ge|ne|rös** *[auch: ʒe...] ⟨lat.-fr.;* „von (guter) Art, Rasse"*⟩:* a) großzügig, nicht kleinlich im Geben, im Gewähren von etw.; b) edel, großmütig denkend u. handelnd; von großherziger Gesinnung [zeugend]. **Ge|ne|ro|si|tät** *die;* -, -en: a) Freigebigkeit; b) Großmut. **Ge|ne|se** *⟨gr.-lat.⟩ die;* -, -n: Entstehung, Entwicklung; vgl. Genesis. **Ge|ne|sis** *[auch:* 'ge:n...] *die;* -: 1. das Werden, Entstehen, Ursprung; vgl. Genese. 2. das 1. Buch Mosis mit der Schöpfungsgeschichte. **Ge|neth|li|a|kon*** *⟨gr.⟩ das;* -s, ...ka: antikes Geburtstagsgedicht. **Ge|ne|tik** *⟨gr.-nlat.⟩ die;* -: Vererbungslehre. **Ge|ne|ti|ker** *der;* -s, -: Wissenschaftler auf dem Gebiet der Genetik. **ge|ne|tisch:** a) die Entstehung, Entwicklung der Lebewesen betreffend, entwicklungsgeschichtlich; b) auf der Genetik beruhend, zu ihr gehörend; **genetische Philologie:** Erforschung der [sprachlichen] Entstehung von Werken der Dichtkunst; **genetischer Code:** Schlüssel für die Übertragung genetischer ↑Information (1) von den ↑Nukleinsäuren auf die ↑Proteine beim Proteinaufbau; **genetischer Fingerabdruck:** Muster des persönlichen Erbguts, das durch molekularbiologische Genanalyse gewonnen wird. **Ge|ne|tiv** *der;* -s, -e: (selten) Genitiv

Ge|net|te *[ʒə'nɛt(ə), ʒe...] ⟨arab.-span.-fr.⟩ die;* -, -s u. -n: Ginsterkatze; Schleichkatze der afrikanischen Steppen (auch in Südfrankreich u. den Pyrenäen)

Ge|ne|ver *[ʒe'ne:vɐ, auch: ʒə'n..., ge'n...] ⟨lat.-fr.⟩ der;* -s, -: niederländischer Wacholderbranntwein **ge|ni|al** *⟨lat.⟩:* a) hervorragend begabt; b) großartig, vollendet; vgl. ...isch/-. **ge|ni|a|lisch:** a) nach Art eines Genies, genieähnlich; b) in oft exaltierter Weise das Konventionelle missachtend; vgl. ...isch/-. **Ge|ni|a|li|tät** *die;* -: schöpferische Veranlagung des Genies. ¹**Ge|nie** *[ʒe...] ⟨lat.-fr.⟩ das;* -s, -s: 1. überragende schöpferische Geisteskraft. 2. hervorragend begabter, schöpferischer Mensch. ²**Ge|nie** *die;* -, -s: (schweiz. ugs.) Genietruppe. **Ge|ni|en:** Plural von ↑Genius. **Ge|nie|of|fi|zier** *der;* -s, -e: (schweiz.) Offizier der ↑Genietruppen. **Ge|nie|pe|ri|o|de** *der;* -: zeitgenössische Bezeichnung der ↑Geniezeit **ge|nie|ren** *[ʒe...] ⟨germ.-fr.⟩:* a) sich -: gehemmt sein, sich unsicher fühlen, sich schämen; b) stören, verlegen machen, z. B.: ihre Anwesenheit genierte ihn **Ge|nie|trup|pe** *[ʒe...] die;* -, -n: (schweiz.) technische Kriegstruppe, ↑Pioniere (eine der Truppengattungen, aus denen sich die schweiz. Armee zusammensetzt). **Ge|nie|we|sen** *das;* -s: (schweiz.) militärisches Ingenieurwesen. **Ge|nie|zeit** *die;* -: die Sturm-und-Drang-Zeit (Zeitabschnitt der dt. Literaturgeschichte von 1767 bis 1785) (Literaturw.)

Ge|ni|sa *⟨hebr.⟩ die;* -, -s: Raum in der ↑Synagoge zur Aufbewahrung schadhaft gewordener Handschriften u. Kultgegenstände

Ge|nis|ta *⟨lat.⟩ die;* -: Ginster (gelb blühender Strauch; Schmetterlingsblütler) **ge|ni|tal** *⟨lat.⟩:* zu den Geschlechtsorganen gehörend, von ihnen ausgehend, sie betreffend (Med.); vgl. ...isch/-. **Ge|ni|ta|le** *das;* -s, ...lien (meist Plural): Geschlechtsorgan (Med.). **ge|ni|ta|lisch:** sich auf das Genitale beziehend, dazu gehörend; vgl. ...isch/-. **Ge|ni|ta|li|tät** *die;* -: mit dem Eintreten des Menschen in die genitale Phase beginnende Stufe der Sexualität (Psychol.). **Ge|ni|tiv** *der;* -s, -e: 1. zweiter Fall, Wesfall; Abk.: Gen. 2. Wort, das im Genitiv (1) steht. **ge|ni|ti|visch:** zum Genitiv gehörend. **Ge|ni|tiv|kom|po|si|tum** *das;* -s, ...ta: zusammengesetztes Substantiv, dessen Be-

stimmungswort aus einem Substantiv im Genitiv besteht (z. B.: *Bundes*kanzler). **Ge|ni|tiv|objekt** *das;* -[e]s, -e: Ergänzung eines Verbs im Genitiv (z. B.: bedarf *seines Rates*). **Ge|ni|ti|vus de|fi|ni|ti|vus, Ge|ni|ti|vus ex|pli|ca|ti|vus** *der;* - -, ...vi ...vi: bestimmender, erklärender Genitiv (z. B.: das Vergehen *des Diebstahls* [Diebstahl = Vergehen]). **Ge|ni|ti|vus ob|iec|ti|vus** *der;* - -, ...vi ...vi: Genitiv als Objekt einer Handlung (z. B.: der Entdecker *des Atoms* [er entdeckte das Atom]. **Ge|ni|ti|vus par|ti|ti|vus** *der;* - -, ...vi ...vi: Genitiv als Teil eines übergeordneten Ganzen (z. B.: die Hälfte *seines Vermögens*). **Ge|ni|ti|vus pos|ses|si|vus** *der;* - -, ...vi ...vi: Genitiv des Besitzes, der Zugehörigkeit (z. B.: das Haus *des Vaters*). **Ge|ni|ti|vus Qua|li|ta|tis** *der;* - -, ...vi -: Genitiv der Eigenschaft (z. B.: ein Mann *mittleren Alters*). **Ge|ni|ti|vus sub|iec|ti|vus** *der;* - -, ...vi ...vi: Genitiv als Subjekt eines Vorgangs (z. B.: die Ankunft *des Zuges* [der Zug kommt an]). **Ge|ni|us** *⟨lat.; eigtl.* „Erzeuger"*⟩ der;* -, ...ien: 1. (hist.) im röm. Altertum Schutzgeist, göttliche Verkörperung des Wesens eines Menschen, einer Gemeinschaft, eines Ortes. 2. a) (ohne Plural) schöpferische Kraft eines Menschen; b) schöpferisch begabter Mensch, Genie. 3. (meist Plural) geflügelt dargestellte niedere Gottheit der röm. Mythologie (Kunstw.). **Ge|ni|us e|pi|de|mi|cus** *der;* - -: vorherrschender Charakter einer [gerade herrschenden] Epidemie. **Ge|ni|us Lo|ci** *der;* - -: [Schutz]geist eines Orts; geistiges Klima, das an einem bestimmten Ort herrscht. **Ge|ni|us Mor|bi** *der;* - -: Charakter einer Krankheit (Med.). **Ge|ni|za** *[...za] vgl.* Genisa **Gen|ma|ni|pu|la|ti|on** *die;* -, -en: Manipulation am genetischen Material von Lebewesen in der Absicht, bestimmte Veränderungen herbeizuführen od. neue Kombinationen von Erbanlagen zu entwickeln (Biol.; Med.). **Gen|mu|ta|ti|on** *die;* -, -en: erbliche Veränderung eines ↑Gens. **gen|ne|ma|tisch** u. **gen|ne|misch** *⟨gr.-nlat.⟩:* Sprachlaute als akustische Erscheinung betreffend (Sprachw.). **Gen|öko|lo|gie** *die;* -: Lehre von den Beziehungen zwischen ↑Genetik u. ↑Ökologie (gr.-nlat.) *der;* das; -s,

-e: einfacher Chromosomensatz einer Zelle, der deren Erbmasse darstellt. **Ge|nom|ana|ly|se** die; -, -n: Entschlüsselung der im Genom kodierten genetischen Information. **Ge|nom|mu|ta|ti|on** die; -, -en: erbliche Veränderung eines Genoms. **ge|no|spe|zi-fisch:** charakteristisch für das Erbgut. **Ge|no|typ** der; -s, -en u. Genotypus der; -, ...pen: Gesamtheit der Erbfaktoren eines Lebewesens; vgl. Phänotyp. **ge-no|ty|pisch:** auf den Genotyp bezogen. **Ge|no|ty|pus** vgl. Genotyp. **Ge|no|zid** ⟨gr.; lat.⟩ der (auch: das); -[e]s, -e u. -ien: Völkermord. **Gen|re** ['ʒã:rə] ⟨lat.-fr.⟩ das; -s, -s: Gattung, Wesen, Art. **Gen|re|bild** das; -[e]s, -er: Bild im Stil der Genremalerei. **gen-re|haft:** im Stil, in der Art der Genremalerei gestaltet. **Gen|re-ma|le|rei** die; -: Malerei, die typische Zustände aus dem täglichen Leben einer bestimmten Berufsgruppe od. einer sozialen Klasse darstellt. **Gen|ro** ⟨jap.; „Älteste"⟩ der; -: (hist.) vom jap. Kaiser eingesetzter Staatsrat. **Gens** ⟨lat.; „Geschlechtsverband, Sippe"⟩ die; -, Gentes [...te:s]: (hist.) altrömischer Familienverband. **Gent** [dʒɛnt] ⟨engl. Kurzform von: Gentleman⟩ der; -s, -s: (iron.) Geck, feiner Mann. **Gen|tech|nik** die; -: Teilgebiet der Molekularbiologie, auf dem man sich mit der Erforschung u. der Manipulation von Genen befasst. **gen|tech|nisch:** die Gentechnik betreffend, mit ihren Methoden erfolgend. **Gen|tech-no|lo|gie** die; -, ...ien: Gentechnik. **Gen|tes:** Plural von ↑Gens. **Gen|ti|a|na** ⟨illyrisch-lat.⟩ die; -: Enzian. **gen|til** [ʒɛn'ti:l, ʒã'ti:l] ⟨lat.-fr.⟩: (veraltet) fein, nett, wohlerzogen. **Gen|ti|len** ⟨lat.⟩ die (Plural): (hist.) die Angehörigen der altröm. Gentes (vgl. Gens). **Gen-til|homme** [ʒãti'jɔm] ⟨lat.-fr.⟩ der; -s, -s: fr. Bez. für: Mann von vornehmer Gesinnung, Gentleman. **Gen|tle|man** ['dʒɛntlmən] ⟨engl.⟩ der; -s, ...men [...mən]: Mann von Lebensart u. Charakter; ↑Gentilhomme; vgl. Lady. **gen|tle|man|like** [...laık]: nach Art eines Gentlemans, vornehm, höchst anständig. **Gen|tle-man's Ag|ree|ment***, **Gen|tle-men's Ag|ree|ment*** ['dʒɛntl-

mən ə'gri:mənt] das; - -s, - -s: [diplomatisches] Übereinkommen ohne formalen Vertrag; Übereinkunft auf Treu u. Glauben. **Gen|trans|fer** der; -s, -s: Übertragung einer zusätzlichen genetischen Information (in Form einer DNS) in den Kern einer Zelle. **Gent|ry** ['dʒɛntrɪ] ⟨lat.-fr.-engl.⟩ die; -: niederer engl. Adel. **Ge|nua** ⟨nach dem erstmaligen Auftauchen dieses Segels 1927 bei einer Regatta in Genua⟩ die; -, -: großes, den Mast u. das Großsegel stark überlappendes Vorsegel. **Ge|nua|samt** ⟨nach der ital. Stadt Genua⟩ der; -[e]s: Rippensamt für Möbelbezüge. **ge|nu|in** ⟨lat.⟩: 1. echt, naturgemäß, rein, unverfälscht. 2. angeboren, erblich (Med.; Psychol.) **Ge|nu re|cur|va|tum** ⟨lat.⟩ das; - -, Genua recurvata: überstreckbares Knie, das einen nach vorne offenen Winkel bildet (Med.). **Ge|nus** [auch: 'ge:nus] ⟨lat.⟩ das; -, Genera: 1. Art, Gattung. 2. grammatisches Geschlecht. **Ge-nus|kauf** [auch: 'ge:...] der; -[e]s, ...käufe: Gattungskauf, bei dem nur die Gattungsmerkmale der zu liefernden Sache, nicht aber ihre Besonderheiten bestimmt werden (Rechtsw.). **Ge|nus pro-xi|mum** [auch: 'ge:...] das; - -, Genera proxima: übergeordneter Gattungsbegriff. **Ge|nus Ver|bi** [auch: 'ge:...] das; - -, Genera Verbi: -: Verhaltensrichtung des Verbs (Sprachw.) **ge|o|an|ti|kli|nal** ⟨gr.-nlat.⟩: die Geoantiklinale betreffend. **Ge|o-an|ti|kli|na|le,** auch: **Geantiklinale** die; -, -n: weiträumiges Aufwölbungsgebiet der Erdkruste (Geol.) **Ge|o|bi|o|lo|gie** die; -: Wissenschaft, die sich mit den Beziehungen zwischen ↑Geosphäre u. Menschen befasst. **ge|o|bi|o|lo-gisch:** die Geobiologie betreffend **Ge|o|bi|ont** der; -en, -en: Lebewesen im Erdboden **Ge|o|bo|ta|nik** die; -: Pflanzengeographie (Wissenschaft von der geographischen Verbreitung der Pflanzen). **ge|o|bo|ta-nisch:** die Geobotanik betreffend **Ge|o|che|mie** die; -: Wissenschaft von der chem. Zusammensetzung der Erde als Ganzes. **ge|o|che|misch:** die Geochemie betreffend

Ge|o|chro|no|lo|gie die; -: Wissenschaft von der absoluten geologischen Zeitrechnung (Geol.) **Ge|o|dä|sie** ⟨gr.⟩ die; -: [Wissenschaft von der] Erdvermessung; Vermessungswesen. **Ge|o|dät** ⟨gr.-nlat.⟩ der; -en, -en: Landvermesser. **ge|o|dä|tisch:** die Geodäsie betreffend **Ge|o|de** ⟨gr.-nlat.⟩ die; -, -n: 1. Blasenhohlraum (Mandel) eines Ergussgesteins, der mit Kristallen gefüllt sein kann (z. B. Achatmandel; Geol.). 2. Konkretion (3) **Ge|o|de|pres|si|on** ⟨gr.-nlat.⟩ die; -, -en: ↑Geosynklinale **Ge|o|drei|eck** ® ⟨Kunstw. aus ↑Geometrie u. Dreieck⟩ das; -s, -e (ugs.: -s): mathematisches Hilfsmittel in Form eines (transparenten) Dreiecks zum Ausmessen u. Zeichnen von Winkeln, Parallelen o. Ä. **Ge|o|dy|na|mik** die; : allgemeine Geologie, die die ↑exogenen (2) u. ↑endogenen (2) Kräfte behandelt **Ge|o|frak|tur** die; -, -en: alte, innerhalb der Erdgeschichte immer wieder aufbrechende Schwächezone der Erdkruste (Geol.) **Ge|o|ge|ne|se. Ge|o|ge|nie** u. Geogonie ⟨gr.-nlat.⟩ die; -: Wissenschaft von der Entstehung der Erde **Ge|o|gno|sie*** ⟨gr.-nlat.⟩ die; -: (veraltet) Geologie. **Ge|o|gnost** der; -en, -en: (veraltet) Geologe. **ge|o|gnos|tisch:** (veraltet) geologisch **Ge|o|go|nie** vgl. Geogenie. **Ge|o|graph,** auch: Geograf ⟨gr.-lat.⟩ der; -en, -en: Wissenschaftler auf dem Gebiet der Geographie. **Ge|o|gra|phie,** auch: Geografie der; -: Erdkunde; **ge|o-gra|phisch,** auch: geografisch: a) die Geographie betreffend, erdkundlich; b) die Lage, das Klima usw. eines Ortes, Gebietes betreffend; c) sich auf einen bestimmten Punkt o. Ä. der Erdoberfläche beziehend **Ge|o|id** ⟨gr.-nlat.⟩ das; -[e]s: die von der tatsächlichen Erdgestalt abweichende theoretische Körper, dessen Oberfläche die Feldlinien der Schwerkraft überall im rechten Winkel schneidet **Ge|o|iso|ther|me** die; -, -n: Kurve, die Bereiche gleicher Temperatur der Erdinnern verbindet **ge|o|karp** ⟨gr.-nlat.⟩: unter der Erde reifend (von Pflanzenfrüchten). **Ge|o|kar|pie** die; -: das Reifen von Pflanzenfrüchten unter der Erde

Ge|o|ko|ro|na *die; -:* überwiegend aus Wasserstoff bestehende Gashülle der Erde oberhalb 1000 km Höhe

Ge|o|kra|tie* ⟨*gr.-lat.*⟩ *die; -, ...jen:* Erdperiode, in der die Festländer größere Ausdehnung haben als die Meere (Geol.)

Ge|o|lo|ge ⟨*gr.-nlat.*⟩ *der; -n, -n:* Wissenschaftler auf dem Gebiet der Geologie. **Ge|o|lo|gie** *die; -:* Wissenschaft von der Entwicklung[sgeschichte] u. vom Bau der Erde. **ge|o|lo|gisch:** die Geologie betreffend; **geologische Formation:** bestimmter Zeitraum der Erdgeschichte

Ge|o|man|tie ⟨*gr.-lat.*⟩ u. **Ge|o|man|tik** ⟨*gr.-nlat.*⟩ *die; -:* Kunst (bes. der Chinesen u. Araber), aus Linien u. Figuren im Sand wahrzusagen

Ge|o|me|di|zin *die; -:* Wissenschaft von den geographischen u. klimatischen Bedingtheiten der Krankheiten u. ihrer Verbreitung auf der Erde. **ge|o|me|di|zi|nisch:** die Geomedizin betreffend

Ge|o|me|ter ⟨*gr.-lat.*⟩ *der; -s, -:* Geodät. **Ge|o|met|rie*** *die; - ...jen:* Zweig der Mathematik, der sich mit den Gebilden der Ebene u. des Raumes befasst. **ge|o|met|risch*:** die Geometrie betreffend, durch Begriffe der Geometrie darstellbar; **geometrischer Ort:** geometrisches Gebilde, dessen sämtliche Punkte die gleiche Bedingung erfüllen; **geometrischer Stil:** nach seiner Linienornamentik benannter Stil der griech. Vasenmalerei; **geometrisches Mittel:** n-te Wurzel aus dem Produkt von n Zahlen

Ge|o|mor|pho|lo|ge *der; -n, -n:* Wissenschaftler auf dem Gebiet der Geomorphologie. **Ge|o|mor|pho|lo|gie** *die; -:* Wissenschaft von den Formen der Erdoberfläche u. deren Veränderungen (Geol.). **ge|o|mor|pho|lo|gisch:** die Geomorphologie betreffend

Ge|o|nym* ⟨*gr.-nlat.*⟩ *das; -s, -e:* Deckname, der aus einem geographischen Namen od. Hinweis besteht (z. B. Stendhal nach dem Ortsnamen Stendal)

ge|o|pa|thisch: in Zusammenhang mit geographischen, klimatischen, meteorologischen Bedingungen Krankheiten verursachend

Ge|o|pha|ge ⟨*gr.-nlat.*⟩ *der* u. *die; -n, -n:* a) jmd., der Erde isst; b) jmd., der an Geophagie (b) leidet. **Ge|o|pha|gie** *die; -:* a) Sitte, bes. bei Naturvölkern, tonige od. fette Erde zu essen; b) krankhafter Trieb, Erde zu essen

Ge|o|phon ⟨*gr.-nlat.*⟩ *das; -s, -e:* Instrument für geophysikalische Untersuchungen

Ge|o|phy|sik *die; -:* Wissenschaft von den physikalischen Vorgängen u. Erscheinungen auf, über u. in der Erde. **ge|o|phy|si|ka|lisch:** die Geophysik betreffend. **Ge|o|phy|si|ker** *der; -s, -:* Wissenschaftler auf dem Gebiet der Geophysik

Ge|o|phyt ⟨*gr.-nlat.*⟩ *der; -en, -en* (meist Plural): Erdpflanze, die Trocken- u. Kältezeiten mit unterirdischen Knospen überdauert (Bot.)

Ge|o|plas|tik *die; -, -en:* räumliche Darstellung von Teilen der Erdoberfläche

Ge|o|po|li|tik *die; -:* Wissenschaft von der Einwirkung geographischer Faktoren auf politische Vorgänge u. Kräfte. **ge|o|po|li|tisch:** die Geopolitik betreffend

Ge|o|psy|cho|lo|gie *die; -:* Wissenschaft von der Beeinflussung der Psyche (1a) durch Klima, Wetter, Jahreszeiten u. Landschaft. **ge|o|psy|cho|lo|gisch:** die Geopsychologie betreffend

Ge|or|gette [ʒɔr'ʒɛt] ⟨*fr.*⟩ *der; -s, -s:* ↑Crêpe Georgette

Ge|or|gi|ne ⟨*nlat.; nach dem russ. Botaniker J. G. Georgi, † 1802*⟩ *die; -, -n:* Seerosendahlie (Korbblütler)

Ge|o|sphä|re *die; -:* Raum, in dem die Gesteinskruste der Erde, die Wasser- u. Lufthülle aneinander grenzen

Ge|o|sta|tik *die; -:* Erdgleichgewichtslehre.

ge|o|sta|ti|o|när: immer über demselben Punkt des Erdäquators stehend u. dabei über dem Äquator mit der Erdrotation mitlaufend (von Satelliten). **ge|o|sta|tisch:** die Geostatik betreffend

ge|o|stro|phisch* ⟨*gr.-nlat.*⟩: in der Fügung: **geostrophischer Wind:** Wind in hohen Luftschichten bei geradlinigen ↑Isobaren (Meteor.)

Ge|o|sul|tur *die; -, -en:* Geofraktur

ge|o|syn|kli|nal ⟨*gr.-nlat.*⟩: die Geosynklinale betreffend (Geol.). **Ge|o|syn|kli|na|le** u. **Ge|o|syn|kli|ne** *die; -, -n:* weiträumi-

ges Senkungsgebiet der Erdkruste (Geol.)

Ge|o|ta|xis *die; -, ...taxen:* Orientierungsbewegung bestimmter Pflanzen u. Tiere, die in der Richtung durch die Erdschwerkraft bestimmt ist

Ge|o|tech|nik *die; -:* Ingenieurgeologie

Ge|o|tek|to|nik *die; -:* Lehre von den allgemeinen Gesetzmäßigkeiten in der Entwicklung der gesamten Erdkruste (Geol.) **ge|o|tek|to|nisch:** die Geotektonik betreffend (Geol.)

Ge|o|the|ra|pie *die; -:* klimatische Heilbehandlung (Med.)

ge|o|ther|mal: die Erdwärme betreffend. **Ge|o|ther|mik** *die; -:* Wissenschaft von den Temperaturverteilung u. den Wärmeströmen innerhalb des Erdkörpers. **ge|o|ther|misch:** die Erdwärme betreffend; **geothermische Tiefenstufen:** Stufen der Wärmezunahme in der Erde (normal um 1° C auf 33 m). **Ge|o|ther|mo|me|ter** *das; -s, -:* Messgerät zur Bestimmung der Temperatur in bestimmten tiefen Erdschichten

ge|o|trop* u. **ge|o|tro|pisch** ⟨*gr.-nlat.*⟩: auf die Schwerkraft ansprechend (von Pflanzen). **Ge|o|tro|pis|mus** *der; -:* Erdwendigkeit; Vermögen der Pflanzen, sich in Richtung der Schwerkraft zu orientieren. **Ge|o|tro|po|skop** *das; -s, -e:* Gyroskop

Ge|o|tu|mor *der; -s, ...oren:* Geo antiklinale

Ge|o|wis|sen|schaf|ten ⟨*gr.; dt.*⟩ *die* (Plural): alle mit der Erforschung der Erde sich befassenden Wissenschaften

Ge|o|zen|trik* ⟨*gr.-nlat.*⟩ *die; -:* geozentrisches Weltsystem (z. B bei Ptolemäus). **ge|o|zen|trisch** 1. auf die Erde als Mittelpunk bezogen; Ggs. ↑heliozentrisch 2. auf den Erdmittelpunkt bezo gen; vom Erdmittelpunkt aus ge rechnet, z. B.: die -e Ort eine Gestirns

Ge|o|zo|o|lo|gie *die; -:* Wisser schaft von den geographischen Verbreitung der Tiere, Zoogeo graphie. **ge|o|zo|o|lo|gisch:** di Geozoologie betreffend

ge|o|zyk|lisch*: den Umlauf de Erde um die Sonne betreffen

Ge|pard ⟨*mlat.-fr.*⟩ *der; -s, -e:* se schlankes, hochbeiniges, schne les katzenartiges Raubtier (in I bes. in Afrika)

Ge|phy|ro|pho|bie ⟨*gr.-nlat.*⟩ *di -, ...jen:* Angst vor dem Betret einer Brücke (Med.)

Ge|ra|go|ge* *der;* -n, -: jemand, der auf dem Gebiet der Geragogik ausgebildet, tätig ist. Ge|ra|go|gik *(gr.-nlat.) die;* -: Teilgebiet der Pädagogik, das sich mit Bildungsfragen u. -hilfen für ältere Menschen befasst Ge|ra|nie *(gr.-lat.) die;* -, -n u. Geranium *das;* -s, ...ien: Storchschnabel; Zierstaude mit zahlreichen Arten. Ge|ra|ni|ol ⟨Kurzw. aus: ↑Geranium u. ↑Alkohol⟩ *das;* -s: aromatische, in zahlreichen Pflanzenölen (z.B. Rosenöl) enthaltene Alkohollösung. Ge|ra|ni|um vgl. Geranie. Ge|ra|ni|um|öl *das;* -s: ätherisches Öl mit feinem Rosenduft (aus Pelargonienblättern) Ge|rant [ʒe...] ⟨lat.-fr.⟩ *der;* -en, -en: (veraltet) Geschäftsführer, Herausgeber einer Zeitung od. Zeitschrift Ger|be|ra ⟨nlat.; nach dem dt. Arzt u. Naturforscher T. Gerber, 1823–1891⟩ *die;* -, -[s]: margeritenähnliche Blume in roten u. gelben Farbtönen (Korbblütler) ger|bul|lie|ren ⟨nlat.-it.⟩: (veraltet) aus trockener Ware Verunreinigungen auslesen. Ger|bu|lur *die;* -, -en: (veraltet) 1. aus trockener Ware ausgelesene Verunreinigungen. 2. Abzug wegen Verunreinigung der Ware Ge|re|nuk ⟨Somali⟩ *der;* -[s], -s: eine Gazellenart (im Buschwald von Äthiopien bis Tansania) Ge|ri|al|ter* *(gr.-nlat.) der;* -s, -: Arzt mit Spezialkenntnissen auf dem Gebiet der Geriatrie. Ge|ri|at|rie *die;* -: Altersheilkunde, Zweig der Medizin, der sich mit den Krankheiten des alternden u. alten Menschen beschäftigt. Ge|ri|at|ri|kum *das;* -s, ...ka: Mittel zur Behandlung von Alterserscheinungen. ge|ri|at|risch: die Geriatrie betreffend ge|rie|ren, sich ⟨lat.⟩: sich benehmen, auftreten Ger|ma|nia *(lat.) die;* -: Frauengestalt [im Waffenschmuck], die das ehemalige Deutsche Reich symbolisch verkörpert. Ger|ma|nin ® ⟨lat.-nlat.⟩ *das;* -s: Mittel gegen die Schlafkrankheit. ger|ma|ni|sie|ren: eindeutschen. Ger|ma|nis|mus *der;* -, ...men: 1. sprachliche Besonderheit des Deutschen. 2. Entlehnung aus dem Deutschen [in eine andere Sprache]. Ger|ma|nist *der;* -en, -en: 1. jmd., der sich wissenschaftlich mit der Germanistik befasst. 2. (veraltet) Jurist auf dem Gebiet des deutschen u.

germ. Rechts. Ger|ma|nis|tik *die;* -: 1. Wissenschaft von den germanischen Sprachen. 2. deutsche Sprach- u. Literaturwissenschaft, Deutschkunde im weiteren Sinne (unter Einschluss der deutschen Volkskunde u. Altertumskunde). ger|ma|nis|tisch: die Germanistik betreffend. Ger|ma|ni|um *das;* -s: chem. Element; ein Metall (Zeichen: Ge). ger|ma|no|phil ⟨lat., gr.⟩: deutschfreundlich. Ger|ma|no|phi|lie *die;* -: Deutschfreundlichkeit. ger|ma|no|phob ⟨lat.-gr.⟩: deutschfeindlich. Ger|ma|no|pho|bie *die;* -: Deutschfeindlichkeit. ger|ma|no|typ ⟨lat.; gr.-lat.⟩: einen für Mitteldeutschland kennzeichnenden Typ der Gebirgsbildung betreffend, bei dem der orogenetische Druck nicht zur Faltung, sondern zur Bruchbildung führt (Geol.). ger|mi|nal ⟨lat.-nlat.⟩: den Keim betreffend. Ger|mi|nal [ʒɛrmi'nal] ⟨lat.-fr.⟩ „Keimmonat") *der;* -[s], -s: siebter Monat des franz. Revolutionskalenders (21. März bis 19. April). Ger|mi|nal|drü|se *die;* -, -n (meist Plural): Keimod. Geschlechtsdrüse. Ger|mi|na|lie *(lat.-nlat.) die;* -, -n (meist Plural): Germinaldrüse. Ger|mi|na|ti|on ⟨lat.⟩: „das Sprossen") *die;* -, -en: Keimungsperiode der Pflanzen. ger|mi|na|tiv ⟨lat.-nlat.⟩: die Keimung betreffend Ge|rol|der|ma *(gr.-nlat.) das;* -, -ta: schlaffe, welke, runzlige Haut (Med.). Ge|ro|hy|gi|e|ne *die;* -: Hygiene im Alter (Med.). Ge|ront *(gr.) der;* -en, -en: Mitglied der ↑Gerusia. Ge|ron|to|kra|tie* *(gr.-nlat.) die;* -, -n: Herrschaft des Rates der Alten (Gesch.; Völkerk.). Ge|ron|to|lo|ge *der;* -n, -n: Forscher od. Arzt mit Spezialkenntnissen auf dem Gebiet der Gerontologie. Ge|ron|to|lo|lo|gie *die;* -: Fachgebiet, auf dem die Alterungsvorgänge beim Menschen unter biologischen, medizinischen, psychologischen u. sozialen Aspekten erforscht werden. ge|ron|to|lo|gisch: die Gerontologie betreffend Ge|run|di|um *(lat.) das;* -s, ...dien gebeugter Infinitiv des Lat. (z.B. lat. *amandi* = „des Liebens"). ge|run|div *(lat.-mlat.)*: gerundivisch. Ge|run|div *das;* -s, -e: Verbaladjektiv (a) mit passivischer Bedeutung, das die Notwendigkeit eines Tuns ausdrückt (z.B. lat. *laudandus* = „zu lo-

bend, lobenswert"). ge|run|divisch: das Gerundiv betreffend, in der Art des Gerundivs. Ge|run|di|vum *das;* -s, ...va: Gerundiv Ge|ru|sia u. Ge|ru|sie *(gr.) die;* -: (hist.) Rat der Alten (in Sparta) Ge|sa|rol ⟨Kunstw.⟩ *das;* -s: ein Pflanzenschutzmittel gegen Insekten Ge|sei|er u. Ge|sei|re ⟨jidd.⟩ *das;* -s u. Ge|sei|res *das;* -: (ugs.) wehleidiges Klagen, überflüssiges Gerede Ges|pan* ⟨ung.⟩ *der;* -[e]s, -e: (hist.) Verwaltungsbeamter in Ungarn. Ges|pan|schaft *die;* -, -en: (hist.) Grafschaft, Amt[sbereich] eines Gespans Ges|so|pain|ting ['dʒɛsoʊpeɪntɪŋ] ⟨engl.⟩ *das;* -s: von engl. Malern des 19. Jh.s aufgenommene Maltechnik des Mittelalters, die eine Verbindung von Malerei u. Flachrelief darstellt Ges|tal|gen *(lat.; gr.) das;* -s, -e (meist Plural): weibliches Keimdrüsenhormon des Corpus luteum, das der Vorbereitung u. Erhaltung der Schwangerschaft dient (Biol.; Med.). Ges|ta|ti|on *die;* -, -en: Gravidität. Ges|te *(lat.)* [auch: 'ge:...] *die;* -, -n: Gebärde, die Rede begleitende Ausdrucksbewegung des Körpers, bes. der Arme u. Hände. Ges|tik [auch: 'ge:...] ⟨lat.-nlat.⟩ *die;* -: Gesamtheit der Gesten als Ausdruck der Psyche. Ges|ti|ku|la|ti|on ⟨lat.⟩ *die;* -, -en: Gebärdenspiel, Gebärde[nsprache]. ges|ti|ku|lie|ren: Gebärden machen. Ges|ti|on *die;* -, -en: Führung, Verwaltung. ges|tisch [auch: 'ge:...]: die Gestik betreffend. Ges|to|se *(lat.-nlat.) die;* -, -n: krankhafte Schwangerschaftsstörung. Ges|tus *der;* -: a) Gestik; b) Ausdruck, geistiges Gebaren Get|ter ⟨engl.⟩ *der;* -s, -: Fangstoff zur Bindung von Gasen (bes. in Elektronenröhren zur Aufrechterhaltung des Vakuums verwendet). ge|ttern: durch Getter binden; mit einem Getter versehen. Get|te|rung *die;* -, -en: Bindung von Gasen durch Getter Get|to, auch: Ghetto *(it.) das;* -s, -s: a) von den übrigen Vierteln der Stadt [durch Mauern usw.] abgetrenntes Wohnviertel, in dem die jüdische Bevölkerung (im Anfang freiwillig, später zwangsweise) lebte; b) Stadtbezirk, in dem die diskriminierte Minderheiten, Ausländer od. auch privilegierte Be-

völkerungsschichten zusammen-
leben. **Gęt|to|blas|ter**, auch:
Gh... [...bla:stə] ⟨engl.⟩ der; -s, -:
großer, besonders leistungsstarker
tragbarer Radiorekorder. **get|to-
i|sie|ren**, auch: gh... 1. zu einem
Getto machen. 2. in ein Getto
bringen
Geu|se ⟨fr.-niederl.; „Bettler")
der; -n, -n: niederl. Freiheitskämpfer in der Zeit der spanischen Herrschaft (im 16. Jh.)
Gey|sir ['gaizɪr]: ⟨isländ.⟩ der; -s,
-e: durch Vulkanismus entstandene heiße Springquelle; vgl.
Geiser
Gha|sel u. **Gha|se|le** vgl. Gasel
Gha|si ⟨arab.⟩ u. **Ga̱zi** [...z...]
⟨arab.-türk.; „Kämpfer im heiligen Krieg") der; -: Ehrentitel türkischer Herrscher
Ghęt|to usw. vgl. Getto usw.
Ghi|bel|li|ne vgl. Gibelline
Ghib|li* vgl. Gibli
Ghil|ly|schnü|rung [...li...] ⟨gäl.-
engl.⟩ die; -, -en: Schuhschnü-
rung, bei der der Schnürsenkel
nicht durch Ösen, sondern durch
Lederschlaufen gezogen wird
Ghost|word ['goʊstwəːd] ⟨engl.;
„Geisterwort") das; -s, -s: Wort,
das seine Entstehung einem
Schreib-, Druck- od. Ausspra-
chefehler verdankt. **Ghost|wri-
ter** [...raɪtə] ⟨engl.; „Geister-
schreiber") der; -s, -: Autor, der
für eine andere Person schreibt
u. nicht als Verfasser genannt
wird
G. I. u. **GI** [dʒiːˈaɪ] ⟨amerik.⟩ der;
-[s], -[s]: (ugs.) amerikan. Soldat
Gi|aur ⟨pers.-türk.⟩ der; -s, -s: Un-
gläubiger (im Islam Bezeichnung
für die Nichtmoslems)
Gib|bon ⟨fr.⟩ der; -s, -s: südost-
asiatischer schwanzloser Langarmaffe
Gib|bus ⟨lat.⟩ der; -: Buckel
(Med.)
Gi|bel|li|ne ⟨it.⟩ der; -n, -n: An-
hänger der Hohenstaufenkaiser
in Italien, Gegner der Guelfen
Gib|li*, auch: Ghibli ⟨arab.-it.⟩
der; -: trockenheißer, Staub u.
Sand führender Wüstenwind in
Libyen (bes. an der Küste)
Gien ⟨lat.-altfr.-mniederl.⟩ das;
-s, -e: (Seemannsspr.) schweres
Takel. **gie|nen:** (Seemannsspr.)
mit dem Gien schleppen, heben
¹Gig ⟨engl.⟩ die; -, -s, (seltener:)
das; -s, -s: Sportruderboot, Bei-
boot. **²Gig** das; -s, -s: (früher)
leichter, offener zweirädriger
Wagen
³Gig ⟨engl.⟩ der; -s, -s: bezahlter
Auftritt einer Band od. eines

Einzelmusikers in einem Kon-
zert, einem [Nacht]lokal, einem
Plattenstudio
Gi|ga|byte [...ˈbaɪt] ⟨gr.; engl.⟩
das; -[s], -[s]: 2³⁰ Byte; Zeichen:
GByte (EDV). **Gi|ga|elekt|ro-
nen|volt*** ⟨gr.⟩ das; - u. -[e]s, -:
eine Milliarde Elektronenvolt;
Zeichen: GeV (Phys.). **Gi|ga-
hertz** ⟨gr.⟩ das; -, -: 1 Milliarde
Hertz; Zeichen: GHz (Phys.).
Gi|gant ⟨gr.-lat., nach den rie-
senhaften Söhnen der Gäa (=
Erde) in der griech. Sage⟩ der;
-en, -en: jmd., der riesig, hünen-
haft, beeindruckend groß in seinen Ausmaßen u. in seiner [Leis-
tungs]kraft ist. **gi|gan|tęsk:** ins
Riesenhafte übersteigert; über-
trieben groß, riesig. **Gi|ganth-
ro|pus*** ⟨gr.-nlat.⟩ der; -, ...pi:
Urmenschenform mit übergro-
ßen Körpermaßen. **gi|gan|tisch**
⟨gr.-lat.⟩: riesenhaft, außeror-
dentlich, von ungeheurer Größe.
Gi|gan|tis|mus ⟨gr.-nlat.⟩ der; -:
1. krankhafter Riesenwuchs
(Med.). 2. Gesamtheit der Er-
scheinungsformen, in denen Gigantomanie offenbar wird. **Gi-
gan|to|gra|phie,** auch: ...grafie
die; -, ...ien: Verfahren zur Vergrößerung von Bildern für Pla-
kate durch Rasterübertragung
[auf ein Offsetblech], wobei un-
gewöhnliche Rasterweiten ent-
stehen. **Gi|gan|to|ma|chie** ⟨gr.-
lat.⟩ die; -: der Kampf der Gigan-
ten gegen Zeus in der griech.
Mythologie (dargestellt im Fries
am Pergamonaltar). **Gi|gan|to-
ma|nie** die; -: Sucht, Bestreben,
alles ins Riesenhafte zu üb-
ersteigern, mit riesenhaften Ausmaßen zu gestalten (z. B. in der Bau-
kunst). **gi|gan|to|ma̱nisch:** die
Gigantomanie betreffend, auf
ihr beruhend
Gi|go|lo ['ʒi:golo, auch: ˈʒɪg...] ⟨fr.⟩
der; -[s], -s: 1. Eintänzer. 2. (ugs.)
junger Mann, der sich von Frau-
en aushalten lässt
Gi|got [ʒiˈgo:] ⟨fr.⟩ das; -s, -s: 1.
(schweiz.) Hammelkeule. 2. im
19. Jh. der sog. Schinken- od.
Hammelkeulenärmel. **Gigue**
[ʒi:g] ⟨fr.-engl.-fr.⟩ die; -, -n
[ˈʒi:gn]: (Mus.) a) nach 1600 entwickelter heiterer Schreittanz im
Dreiertakt; b) seit dem 17. Jh.
Satz einer Suite (4)
Gi|la|tier [auch: ˈhi:lɑ...] ⟨engl.;
nach dem Fluss Gila River im
Arizona⟩ das; -[e]s, -e: eine sehr
giftige Krustenechse
Gil|den|so|zi|a|lis|mus ⟨engl.⟩ der; -: in
England entstandene Lehre von

der Verwirklichung des praktischen Sozialismus (Anfang des
20. Jh.s)
Gi|let [ʒiˈle:] ⟨türk.-arab.-span.-fr.⟩
das; -s, -s: (veraltet) Weste
Gim|mick ⟨engl.⟩ der (auch: das);
-s, -s: überraschender, Aufmerksamkeit erregender, witziger Effekt, Gag (bes. in der Werbung)
Gin [dʒɪn] ⟨lat.-fr.-niederl.-engl.⟩
der; -s, -s (aber: 2 Gin): engl.
Wacholderbranntwein. **Gin|fizz,**
auch: Gin-Fizz ['dʒɪnfɪs] ⟨engl.⟩
der; -, - (aber: 2 Ginfizz, auch:
Gin-Fizz): Mixgetränk aus Gin,
Mineralwasser, Zitrone u. Zucker
Gin|gan ['gɪŋgan] ⟨malai.⟩ der; -s,
-s: gemustertes Baumwollgewe-
be in Leinenbindung (Webart)
Gin|ger ['dʒɪndʒɐ] ⟨lat.-engl.⟩ der;
-s, -: Ingwer. **Gin|ger|ale** [...eɪl]
⟨engl.⟩ das; -s, -s (aber: 2 Gin-
gerale): alkoholfreies Erfrischungsgetränk mit Ingwerge-
schmack. **Gin|ger|beer** [...bɪə]
⟨engl.⟩ das; -s, -s (aber: 2 Ginger-
beer): Ingwerbier
Ging|ham ['gɪŋəm] ⟨malai.-engl.⟩
der; -s, -s: Gingan
Gin|gi|vi|tis [gɪŋgi...] ⟨lat.-nlat.⟩
die; -, ...itiden: Zahnfleischentzündung
Gink|go ['gɪŋko] ⟨jap.⟩, auch: **Gin-
ko** der; -s, -s: den Nadelhölzern
verwandter, in Japan u. China
heimischer Zierbaum mit fächer-
artigen Blättern
Gin|seng ['gɪnzɛŋ] auch: 'ʒ...]
⟨chin.⟩ der; -s, -s: Wurzel eines
ostasiatischen Araliengewächses
(Anregungsmittel; Allheilmittel
der Chinesen, das als lebensver-
längernd gilt)
Gin To|nic [dʒɪn -] der; - - [s], - -s
(aber: 2 Gin Tonic): Gin mit Tonic [u. Zitronensaft o. Ä.]
gio|co|so [dʒoˈko:zo; ital.] ⟨lat.-
it.⟩: scherzend, spaßhaft, fröh-
lich, lustig (Vortragsanweisung;
Mus.)
Gi|pü|re ⟨germ.-fr.⟩ die; -, -n:
Klöppelspitze aus Gimpen (mit
Seide übersponnenen Baum-
wollfäden)
Gi|raf|fe ⟨arab.-it.⟩ die; -, -n: Säu-
getier der mittelafrika. Steppe mit
2 bis 3 m langem Hals (Wieder-
käuer)
Gi|ral|geld [ʒ...], ⟨gr.-lat.-it.; dt.⟩
das; -[e]s, -er: [Buch]geld des Gi-
roverkehrs, des bargeldlosen
Zahlungsverkehrs der Banken.
Gi|ran|dol|la [dʒi...], ⟨gr.-lat.-it.⟩
die; -, ...olen u. **Gi|ran|do|le**
[ʒiran..., ʒirã...] ⟨it.-fr.⟩ die; -, -n:
1. Feuergarbe beim Feuerwerk

2. mehrarmiger Leuchter. 3. mit Edelsteinen besetztes Ohrgehänge. **Gi|rant** [ʒi...] ⟨*gr.-lat.-it.*⟩ *der;* -en, -en: jmd., der einen Wechsel od. ein sonstiges Orderpapier durch Indossament überträgt (Wirtsch.)

Gi|rar|di|hut [ʒi...] *der;* -[e]s, ...hüte: [nach dem Wiener Schauspieler Girardi, um 1900]: flacher Herrenstrohhut; †Canotier

Gi|rat [ʒi...] ⟨*gr.-lat.-it.*⟩ *der;* -en, -en u. **Gi|ra|tar** [ʒi...] *der;* -s, -e: jmd., für den bei der Übertragung eines Orderpapiers ein Indossament erteilt wurde (Wirtsch.). **gi|rie|ren** [ʒi...]: einen Wechsel od. ein sonstiges Orderpapier mit einem Giro (I, 2) versehen

Girl [gøːɐl, gœrl] ⟨*engl.*⟩ *das;* -s, -s: 1. junges Mädchen. 2. einer Tanzgruppe, einem Ballett angehörende Tänzerin

Gir|lan|de ⟨*it.-fr.*⟩ *die;* -, -n: langes, meist in durchhängendem Bogen angeordnetes Gebinde aus Blumen, Blättern, Tannengrün o. Ä. od. aus buntem Papier zur Dekoration an Gebäuden, in Räumen usw.

Gir|lie [ˈɡœrli:] ⟨*engl.*⟩ *das;* -s, -s: junge Frau, die unkonventionelle, mädchenhafte, aber körperbetonte Kleidung mit selbstbewusstem, manchmal frechem Auftreten verbindet

¹Gi|ro [ˈʒiːro] ⟨*gr.-lat.-it.;* „Kreis"⟩ *das;* -s, -s (österr. auch: Giri): 1. Überweisung im bargeldlosen Zahlungsverkehr. 2. Indossament; Vermerk, durch den ein Wechsel od. ein sonstiges Orderpapier auf einen anderen übertragen wird. **²Gi|ro** [ˈʒiːro] *der;* -s; kurz für: †Giro d'Italia. **Gi|ro|bank** [ˈʒiːro...] *die;* -, -en: Bank, die den Giroverkehr betreibt. **Gi|ro d'I|ta|lia** [ˈʒiːro di-ˈtaːlia] *der;* - -: Etappenrennen in Italien für Berufsfahrer im Radsport. **Gi|ro|kas|se** [ˈʒiːro...] *die;* -, -n: Girobank. **Gi|ro|kon|to** [ˈʒiːro...] *das;* -s, ...ten: Konto, über das Girogeschäfte durch Scheck od. Überweisung abgewickelt werden

Gi|ron|dist [ʒirõˈdɪst] ⟨*fr.*⟩ *der;* nach dem franz. Departement Gironde⟩ *der;* -en, -en: Anhänger der Gironde, des gemäßigten Flügels der Republikaner zur Zeit der Französischen Revolution

Gi|ro|scheck [ˈʒiːro...] *der;* -s, -s: Scheck, der durch Belastung des Girokontos des Ausstellers u. durch Gutschrift auf dem Konto

des Zahlungsempfängers beglichen wird

Gi|tal|na [xiˈtaːna] ⟨*span.*⟩ *die;* -: Zigeunertanz mit Kastagnettenbegleitung

Gi|tar|re ⟨*gr.-arab.-span.*⟩ *die;* -, -n: sechssaitiges Zupfinstrument mit flachem Klangkörper, offenem Schallloch, Griffbrett u. 12 bis 22 Bünden. **Gi|tar|rist** *der;* -en, -en: Musiker, der Gitarre spielt

Giuo|co pi|a|no [ˈdʒuoːko] ⟨*lat.-it.*⟩ *das;* - -, **Giuochi piani** [ˈdʒuoːki -] eine bestimmte Eröffnung im Schachspiel

gius|to [ˈdʒusto] ⟨*lat.-it.*⟩: richtig, angemessen (Vortragsanweisung; Mus.)

Gi|vrine [ʒivˈriːn] ⟨Kunstw. aus: *fr.* givre „Raureif"⟩ *der;* -[s]: kreppartiges Ripsgewebe für Damenmäntel

Gla|bel|la ⟨*lat.-nlat.*⟩ *die;* -, ...llen: 1. als anthropologischer Messpunkt geltende unbehaarte Stelle zwischen den Augenbrauen. 2. Kopfmittelstück der Trilobiten

Glace ⟨*lat.-vulgärlat.-fr.;* „Eis, Gefrorenes"⟩: 1. [gla(:)s] *die;* -, -s [gla(:)s] a) aus Zucker hergestellte Glasur; b) Gelee aus Fleischsaft. 2. [ˈglasə] *die;* -, -n (schweiz.) Speiseeis, Gefrorenes. **Gla|ce,** auch: **Gla|cee** [glaˈseː] *der;* -[s], -s: 1. glänzendes, †changierendes Gewebe aus Naturseide od. Reyon. 2. Glacéleder. **Gla|cé|le|der** *das;* -s, -: feines, glänzendes Zickel- od. Lammleder. **gla|cie|ren** [glaˈsiːrən]: 1. (veraltet) zum Gefrieren bringen. 2. mit geleeartigem Fleischsaft überziehen, überglänzen (Kochk.). **Gla|cis** [glaˈsiː] *das;* - [glaˈsi:(s)], - [glaˈsi:s]: Erdaufschüttung vor einem Festungsgraben, die keinen toten Winkel entstehen lässt

Gla|di|a|tor ⟨*lat.*⟩ *der;* -s, ...oren: (im alten Rom) Fechter, Schwertkämpfer, der in Zirkusspielen auf Leben u. Tod gegen andere Gladiatoren od. gegen wilde Tiere kämpft. **Gla|di|o|le** ⟨„kleines Schwert"⟩ *die;* -, -n: als Schnittblume beliebte Gartenpflanze mit hohem Stiel, breiten, schwertförmigen Blättern, die in trichterförmigen Blüten, die in einem dichten Blütenstand auf eine Seite ausgerichtet sind

gla|go|li|tisch ⟨*slaw.*⟩: altslawisch; **glagolitisches Alphabet:** auf die griech. Minuskel zurückgehendes altslaw. Alphabet, in dem kirchenslaw. Texte geschrie-

ben sind. **Gla|go|li|za** *die;* -: die glagolitische Schrift

Gla|mour [ˈglæmə] ⟨*engl.;* „Blendwerk, Zauber"⟩ *der* od. *das;* -s: blendender Glanz; auffällige, betörende Aufmachung. **Gla|mour|girl** [ˈglæmə...] *das;* -s, -s: auffällig attraktives, die Blicke auf sich ziehendes, blendend aufgemachtes Mädchen; Film-, Reklameschönheit. **gla|mou|rös** [glamu...]: bezaubernd aufgemacht; von äußerlicher, blendender Schönheit

Gland vgl. Glandula. **Glandes:** *Plural* von Glans. **glan|do|trop*** ⟨*lat.; gr.*⟩: auf eine Drüse einwirkend (Med.). **Glan|du|la** ⟨*lat.*⟩ *die;* -, ...lae [...lɛ] u. Glandel *die;* -, -n: Drüse (Med.). **glan|du|lär** ⟨*lat.-nlat.*⟩: zu einer Drüse gehörend (Med.). **Glans** ⟨*lat.*⟩ *die;* -, Glandes: Eichel; vorderer verdickter Teil des Penis, der Klitoris (Med.)

Glas|har|mo|ni|ka ⟨*dt.; gr.-lat.-nlat.*⟩ *die;* -, -s u. ...ken: Instrument, bei dem eine Anzahl von drehbaren Glasschalen, mit feuchten Fingern berührt, zart klingende Töne erzeugt. **gla|sie|ren** (mit romanisierender Endung zu dt. *Glas* gebildet): mit einer Glasur überziehen

Glas|nost ⟨*russ.;* „Öffentlichkeit"⟩ *die;* -: Transparenz bes. in Bezug auf die Zielsetzungen der Regierung (in der Sowjetunion der späten Achtzigerjahre)

Gla|sur *die;* -, -en: 1. Zuckerguss. 2. glasartige Masse als Überzug auf Tonwaren

Glau|koch|ro|it* [...kro..., auch: ...ˈit] ⟨*gr.-nlat.*⟩ *der;* -s, -e: ein Mineral. **Glau|ko|dot** *das;* -[s], -e: ein Mineral. **Glau|kom** *das;* -s, -e: grüner Star (Augenkrankheit) (Med.). **Glau|ko|nit** [auch: ...ˈnɪt] *der;* -s, -e: ein Mineral. **Glau|ko|nit|sand** [auch: ...ˈnɪt...] *der;* -[e]s: Grünsand; Ablagerung im Schelfmeer (Geol.). **Glau|ko|phan** *der;* -s, -e: ein Mineral

Gläve [...fə] vgl. Gleve

gla|zi|al ⟨*lat.*⟩: a) eiszeitlich; b) Eis, Gletscher betreffend. **Gla|zi|al** *das;* -s, -e: Eiszeit. **Gla|zi|al|ero|si|on** *die;* -, -en: die abtragende Wirkung eines Gletschers u. des Eises (Geol.). **Gla|zi|al|fau|na** *die;* -: Tierwelt der unvereisten Nachbargebiete der eiszeitlichen Gletscher. **Gla|zi|al|flo|ra** *die;* -: Pflanzenwelt der unvereisten Nachbargebiete der eiszeitlichen Gletscher. Gla|zi-

al|kos|mo|go|nie *die; -:* Welteislehre; kosmogonische Hypothese, nach der durch den Zusammenprall von riesenhaften Eis- u. Glutmassen die Gestirne entstanden sein sollen. **Gla|zi|al|land|schaft** *die; -, -en:* Landschaft, deren Oberfläche weitgehend durch Eis- u. Gletschereinwirkung gestaltet wurde. **Gla|zi|al|re|likt** *das; -[e]s, -e:* durch die Eiszeit verdrängte Tier- od. Pflanzenart, die auch nach dem Rückzug der Gletscher in wärmeren Gebieten blieb. **Gla|zi|al|zeit** *die; -, -en:* Glazial. **gla|zi|är:** glazigen. **gla|zi|gen** *⟨lat.; gr.⟩:* unmittelbar vom Eis geschaffen (Geol.). **gla|zi|o|flu|vi|a|til:** während einer Eiszeit durch das Wirken eines Flusses entstanden (Geol.). **Gla|zi|o|lo|ge** *der; -n, -n:* Wissenschaftler auf dem Gebiet der Glaziologie. **Gla|zi|o|lo|gie** *die; -:* Wissenschaft von der Entstehung u. Wirkung des Eises u. der Gletscher; Gletscherkunde. **gla|zi|o|lo|gisch:** die Glaziologie betreffend **Gle|dit|schie** *[...ʃiə] ⟨nlat.; nach dem dt. Botaniker J. G. Gleditsch, † 1786⟩ die; -, -n:* Christusdorn; zu den Hülsenfrüchten gehörender akazienähnlicher Zierbaum mit dornigen Zweigen **Glee** *[gli:] ⟨engl.⟩ der; -s, -s:* einfaches Lied für drei oder mehr Stimmen (meist Männerstimmen) ohne instrumentale Begleitung in der engl. Musik des 17. bis 19. Jh.s **Gle|fe** vgl. Gleve **Glen|check** *['glɛntʃɛk] ⟨engl.⟩ der; -s, -s:* [Woll]gewebe mit großer Karomusterung **Gle|ve** *[...fə] ⟨lat.-fr.⟩ die; -, -n:* 1. einschneidiges mittelalterliches Stangenschwert. 2. kleinste Einheit der mittelalterlichen Ritterheere. 3. obere Hälfte einer Lilie (in der Heraldik) **Glia** *die; -:* ↑Neuroglia. **Gli|a|din** *⟨gr.-nlat.⟩ das; -s:* einfacher Eiweißkörper im Getreidekorn **Gli|der** *['glaɪ...] ⟨engl.⟩ der; -s, -:* Lastensegler (ohne eigenen motorischen Antrieb) **Gli|ma** *⟨isländ.⟩ die; -:* alte, noch heute übliche Form des Ringkampfes in Island **Gli|o|blas|tom*** *⟨gr.-nlat.⟩ das; -s, -e:* bösartiges Gliom des Großhirns (Med.). **Gli|om** *das; -s, -e:* Geschwulst im Gehirn, Rückenmark od. Auge (Med.). **Glio|sar|kom** *das; -s, -e:* (veraltet) Glioblastom

Glis|sa|de *⟨fr.⟩ die; -, -n:* Gleitschritt in der Tanzkunst (im Bogen nach vorn od. hinten). **glis|san|do** *⟨fr.-it.⟩:* (Mus.) a) schnell mit der Nagelseite des Fingers über die Klaviertasten gleitend; b) bei Saiteninstrumenten mit dem Finger auf einer Saite gleitend. **Glis|san|do** *das; -s, -s u. ...di:* der Vorgang des Glissandospieles (Mus.) **Glis|son|schlin|ge** *['glɪsən...] ⟨nach dem engl. Anatomen Glisson (1597–1677)⟩:* Zugvorrichtung zur Streckung der Wirbelsäule bei der Behandlung von Wirbelsäulenerkrankungen (Med.) **glo|bal** *⟨lat.-nlat.⟩:* 1. auf die gesamte Erde bezüglich; weltumspannend; Erd-. 2. a) umfassend, gesamt; b) allgemein, ungefähr. **Glo|bal|bud|ge|tie|rung** *[...bydʒə...] ⟨lat.-nlat.; fr.⟩:* neues Verfahren der Haushaltsplanung, das für bestimmte öffentliche Einrichtungen einen globalen Betrag ansetzt u. die weitere (flexiblere) Verwendung dieser Haushaltsmittel der betreffenden Einrichtung (z. B. einer Hochschule) überlässt. **glo|ba|li|sie|ren:** auf die ganze Erde ausdehnen. **Glo|ba|li|sie|rung** *die; -, -en:* das Globalisieren. **Glo|bal|strah|lung** *die; -:* Summe aus Sonnen- u. Himmelsstrahlung (Meteor.). **Glo|be|trot|ter** *[auch: 'glo:p...] ⟨engl.⟩ der; -s, -:* Weltenbummler. **Glo|bi|ge|ri|ne** *⟨lat.-nlat.⟩ die; -, -n (meist Plural):* frei schwimmendes Meerestierchen, dessen Gehäuse aus mehreren [stachligen] Kugeln besteht. **Glo|bi|ge|ri|nen|schlamm** *der; -[e]s, -e u. ...schlämme:* aus den Schalen der Globigerinen entstandenes kalkreiches Sediment in der Tiefsee. **Glo|bin** *das; -s, -e:* Eiweißbestandteil des ↑Hämoglobins. **Glo|bo|id** *⟨lat.; gr.⟩ das; -s, -e:* 1. (meist Plural) glasiges Kügelchen, das bei der Bildung des ↑Aleurons entsteht (Biol.). 2. Fläche, die von einem um eine beliebige Achse rotierenden Kreis erzeugt wird (Math.). **Glo|bu|la|ria** *⟨lat.-nlat.⟩ die; -, ...ien:* Kugelblume; niedrige blau blühende Voralpen- u. Alpenpflanze. **Glo|bu|lin** *das; -s, -e:* wichtiger Eiweißkörper des menschlichen, tierischen u. pflanzlichen Organismus (vor allem in Blut, Milch, Eiern u. Pflanzensamen) (Med.; Biol.). **Glo|bu|lus** *⟨lat.⟩*

der; -, ...li: kugelförmiges Arzneimittel (Med.). **Glo|bus** *⟨„Kugel")⟩ der; - u. ...busses, ...ben u. ...busse:* Kugel mit dem Abbild der Erdoberfläche od. der scheinbaren Himmelskugel auf ihrer Oberfläche **Glo|chi|di|um** *[...x...] ⟨gr.-nlat.⟩ das; -s, ...ien:* 1. Larve der Flussmuschel. 2. (meist Plural) borstenartiger Stachel bei Kaktuswächsen **glo|me|ru|lär** *⟨lat.-nlat.⟩:* den Glomerulus betreffend. **Glo|me|ru|lus** *der; -, ...li:* Blutgefäßknäuelchen der Nierenrinde (Med.). **Glo|mus** *⟨lat.⟩ das; -, ...mera:* Knäuel, Knoten, Anschwelung, Geschwulst (Med.) **¹Glo|ria** *⟨lat.⟩ das; -s od. die; -:* (iron.) Ruhm, Herrlichkeit; (ugs. iron.) **mit Glanz und Gloria:** ganz und gar. **²Glo|ria** *das; -s:* (nach dem Anfangswort bezeichnetes) Lobgesang in der christlichen Liturgie. **³Glo|ria** *⟨Fantasiebezeichnung⟩ das od. der; -s:* (aber: 2 Gloria): süßer, starker Kaffee, auf dem Löffel Kognak abgebrannt wird (Gastr.). **Glo|ria in ex|cel|sis Deo:** Ehre sei Gott in der Höhe (Anfangsworte des auch als „großes Gloria" od. „große Doxologie" bezeichneten Lobgesanges in der christlichen Liturgie; nach Luk. 2, 14). **Glo|ria Pa|tri et Spi|ri|tu San|c|to*:** Ehre sei dem Vater und dem Sohne und dem Heiligen Geiste (Anfangsworte des auch als „kleines Gloria" od. „kleine Doxologie" bezeichneten Lobgesanges in der christlichen Liturgie). **Glo|ria|sei|de** *die; -:* feiner Futter- u. Schirmstoff in Leinenbindung. **Glo|rie** *[...riə] ⟨lat.⟩ die; -, -n:* 1. Ruhm, Herrlichkeit [Gottes]. 2. Lichtkreis, Heiligenschein. 3. helle farbige Ringe um den Schatten eines Körpers (z. B. Flugzeug, Ballon) auf einer von Sonne od. Mond beschienenen Nebelwand od. Wolkenoberfläche, die durch Beugung des Lichts an den Wassertröpfchen od. Eiskristallen der Wolken entstehen. **Glo|ri|en|schein** *der; -s, -e:* Heiligenschein. **Glo|ri|et|te** *⟨lat.-fr.⟩ die; -, -n:* offener Gartenpavillon im barocken od. klassizistischen Park. **Glo|ri|fi|ka|ti|on** *⟨lat.⟩ die; -, -en:* Verherrlichung; vgl. Glorifizierung u. ...[at]ion/...ierung. **glo|ri|fi|zie|ren:** verherrlichen. **Glo|ri|fi|zie|rung** *die; -, -en:* das Glorifizieren; Verherrlichung;

vgl. ...[at]ion/...ierung. Glo|ri|o|le *die; -, -n:* Heiligenschein. glo|ri|os: 1. glorreich, ruhmvoll, glanzvoll. 2. (veraltet) großsprecherisch, prahlerisch Glos|sa *(gr.-lat.) die; -:* Zunge (Med.). Glos|sal|gie* *(gr.) die; -, ...jen:* ↑Glossodynie. Glos|santh|rax* *(gr.-nlat.) der; -:* Milzbrandkarbunkel der Zunge (Med.). Glos|sar *(gr.-lat.) das; -s, -e:* 1. Sammlung von Glossen (1). 2. Wörterverzeichnis [mit Erklärungen]. Glos|sa|ri|um *das; -s, ...ien:* (veraltet) Glossar. Glos|sa|tor *(gr.-nlat.) der; -s, ...oren:* Verfasser von Glossen (1, 4). glos|sa|to|risch: die Glossen (1, 4) betreffend. Glos|se [fachspr.: 'glɔ:...] *(gr.-lat.; „Zunge; Sprache") die; -, -n:* 1. in alten Handschriften erscheinende Erläuterung eines der Erklärung bedürftigen Ausdrucks. 2. a) spöttische Randbemerkung; b) kurzer Kommentar in Tageszeitungen mit [polemischer] Stellungnahme zu Tagesereignissen. 3. spanische Gedichtform, bei der jede Zeile eines vorangestellten vierzeiligen Themas als jeweiliger Schlussvers von vier Strophen wiederkehrt. 4. erläuternde Randbemerkung zu einer Gesetzesvorlage (im Mittelalter bes. die den Inhalt aufhellenden Anmerkungen im ↑Corpus juris civilis). Glos|sem *(gr.(-engl.)) das; -s, -e:* 1. (nach der Kopenhagener Schule) aus dem ↑Plerem u. dem ↑Kenem bestehende kleinste sprachliche Einheit, die nicht weiter analysierbar ist (Sprachw.). 2. (veraltet) Glosse (1). Glos|se|ma|tik *(gr.-nlat.) die; -:* Richtung des ↑Strukturalismus (1) der Kopenhagener Schule, bei der unter Einbeziehung formallogischer u. wissenschaftsmethodologischer Grundsätze die Ausdrucks- u. Inhaltsseite der Sprache untersucht wird (Sprachw.). Glos|se|ma|tist *der; -en, -en:* Anhänger der Glossematik (Sprachw.). glos|sie|ren *(gr.-lat.):* 1. durch Glossen (1) erläutern. 2. mit spött. Randbemerkungen versehen, begleiten. Glos|si|na *(gr.-nlat.) die; -, ...nae [...ɛ]:* ↑Tsetsefliege. Glos|si|tis *die; -, ...iti|den:* Zungenentzündung (Med.). Glos|so|dy|nie* *(gr.-nlat.) die; -, ...ien:* brennender od. stechender Zungenschmerz (Med.). Glos|so|graph, auch: Glossograf *(gr.) der; -en, -en:* antiker od.

mittelalterlicher Verfasser von Glossen (1). Glos|so|gra|phie, auch: ...grafie *die; -:* das Erläutern durch Glossen (1) in der Antike u. im Mittelalter. Glos|so|la|lie *(gr.-nlat.),* Glottolale *der* u. *die; -n, -n:* Zungenredner[in]. Glos|so|la|lie, Glottolalie *die; -:* a) Zungenreden, ekstatisches Reden in fremden Sprachen in der Urchristengemeinde (Apostelgesch. 2; 1. Kor. 14); b) Hervorbringung von fremdartigen Sprachlauten u. Wortneubildungen, bes. in der ↑Ekstase (Psychol.). Glos|so|ple|gie* *die; -, ...jen:* Zungenlähmung (Med.). Glos|sop|te|ris|flo|ra* *(gr.; lat.) die; -:* farnähnliche Flora des ↑Gondwanalandes (nach der das alte Festland rekonstruiert wurde). Glos|sop|to|se* *(gr.-nlat.) die; -, -n:* Zurücksinken der Zunge bei tiefer Bewusstlosigkeit (Med.). Glos|sos|chi|sis* *[...sç...] die; -, ...sen:* Spaltzunge (Med.). Glos|so|spas|mus* *der; -:* Zungenkrampf (Med.). Glos|so|ze|le *die; -, -n:* das Hervortreten der Zunge aus dem Mund bei krankhafter Zungenvergrößerung (Med.). Glot|tal *der; -s, -e:* Kehlkopf-, Stimmritzenlaut. glot|tal: durch die Stimmritze im Kehlkopf erzeugt (von Lauten). Glot|tis *(gr.) die; -:* Glottides [...'ti:dɛs]: a) das aus den beiden Stimmbändern bestehende Stimmorgan im Kehlkopf; b) die Stimmritze zwischen den beiden Stimmbändern im Kehlkopf. Glot|tis|schlag *der; -[e]s, ...schläge:* beim Gesang als harter, unschöner Tonansatz empfundener Knacklaut vor Vokalen. Glot|to|chro|no|lo|gie *[...kr...] die; -:* Wissenschaft (Teilgebiet der ↑diachronischen Linguistik), die anhand etymologisch nachweisbarer Formen das Tempo sprachlicher Veränderungen, die Trennungszeiten von miteinander verwandten Sprachen zu bestimmen sucht (Sprachw.). glot|to|gon *(gr.-nlat.):* den Ursprung der Sprache betreffend; vgl. ...isch/-. Glot|to|go|nie *die; -:* (veraltend) wissenschaftliche Erforschung der Entstehung einer Sprache, insbesondere ihrer formalen Ausdrucksmittel. glot|to|go|nisch vgl. glottogon; vgl. ...isch/-. Glot|to|la|lie vgl. Glossolale. Glot|to|la|lie vgl. Glossolalie. Glo|xi|nie *[...njə] (nach dem elsässischen Arzt Benj. Peter Gloxin,*

18. Jh.) *die; -, -n:* 1. im tropischen Südamerika vorkommende Pflanze mit glocken- bis röhrenförmigen Blüten. 2. aus Südbrasilien stammende Zierpflanze mit großen, glockenförmigen, leuchtenden Blüten Glu|ci|ni|um *(gr.-nlat.) das; -s:* ursprüngliche Bezeichnung für: ↑Beryllium Glu|co|se vgl. Glukose. Glu|co|oj|de vgl. Glukosid. Glu|ko|se, auch: Fachspr.: Glucose *(gr.) die; -:* ↑Traubenzucker. Glu|ko|sid *das; -[e]s, -e* (meist Plural): ↑Glykosid. Glu|kos|u|rie* *die; -, ...jen:* Ausscheidung von Traubenzucker im Harn (Med.) Glu|ta|mat *(lat.; gr.) das; -[e]s, -e:* Salz der Glutaminsäure. Glu|ta|min *das; -s, -e:* bes. im Pflanzenreich weit verbreitete, vor allem beim Keimen auftretende Aminosäure. Glu|ta|min|säu|re *(lat.; gr.; dt.) die; -:* in sehr vielen Eiweißstoffen enthaltene Aminosäure, die sich u. a. reichlich in der Hirnsubstanz findet u. daher therapeutisch zur Erhöhung der geistigen Leistungsfähigkeit verwendet wird (Med.). Glu|ten *(lat.; „Leim") das; -s:* Eiweißstoff der Getreidekörner, der für die Backfähigkeit des Mehls wichtig ist; Kleber. Glu|tin *(lat.) das; -s:* Eiweißstoff (Hauptbestandteil der Gelatine) Gly|ce|rid vgl. Glyzerid. Gly|ce|rin vgl. Glyzerin. Gly|ce|rol *(gr.-fr.-engl.) das; -s, -e:* Glyzerin (Chemie). Gly|cin *das; -s:* 1. ↑Glykokoll. 2. ℗ ein fotografischer Entwickler. Gly|kä|mie* *(gr.-nlat.) die; -:* normaler Zuckergehalt des Blutes (Med.). Gly|ko|chol|lie *[...ço..., od. ...ko...] die; -:* Auftreten von Zucker in der Gallenflüssigkeit. Gly|ko|gen *das; -s:* tierische Stärke, energiereiches Kohlehydrat in fast allen Körperzellen (bes. in Muskeln u. der Leber) (Med.; Biol.). Gly|ko|ge|nie *die; -:* Aufbau des Glykogens in der Leber (Med.; Biol.). Gly|ko|ge|no|ly|se *die; -:* Abbau des Glykogens im Körper (Med.; Biol.). Gly|ko|ge|no|se *die; -, -n:* Glykogenspeicherkrankheit; Stoffwechselerkrankung im Kindesalter mit übermäßiger Ablagerung von Glykogen bes. in Leber u. Niere (Med.). Gly|ko|koll *das; -s:* Aminoessigsäure, einfachste ↑Aminosäure; Leimsüß (Chem.). Gly|kol *(Kurzw. aus: gr. glykýs „süß" u. Alkohol) das;*

-s, -e: 1. zweiwertiger giftiger Alkohol von süßem Geschmack. 2. Äthylenglykol, ein Frostschutz- u. Desinfizierungsmittel. **Glykol|säu|re** die; -: in der Gerberei verwendete Oxyessigsäure, die u. a. in unreifen Weintrauben vorkommt. **Gly|ko|ly|se** ⟨gr.-nlat.⟩ die; -, -n: Aufspaltung des Traubenzuckers in Milchsäure. **Gly|ko|ne|o|ge|nie** die; -: Zuckerneubildung aus Nichtzuckerstoffen **Gly|ko|ne|us** ⟨gr.-lat.; nach dem altgriech. Dichter Glykon⟩ der; -, ...ne|en: achtsilbiges antikes Versmaß **Gly|ko|se** ⟨gr.-nlat.⟩ die; -: ältere Form für: Glukose. **Gly|ko|sid** das; -[e]s, -e (meist Plural): Pflanzenstoff, der in Zucker u. a. Stoffe, bes. Alkohole, spaltbar ist. **Gly|kos|u|rie*** die; -, ...ien: Ausscheidung von Zucker im Harn (Med.) **Gly|phe** vgl. Glypte. **Gly|phik** ⟨gr.-nlat.⟩ die; -: (veraltet) ↑Glyptik. **Gly|pho|gra|phie,** auch: Glyphographie vgl. Glyptographie. **Glyp|te,** Glyphe ⟨gr.⟩ die; -, -n: geschnittener Stein; Skulptur. **Glyp|tik** ⟨gr.⟩ die; -: die Kunst, mit Meißel od. Grabstichel in Stein od. Metall zu arbeiten; Steinschneidekunst; das Schneiden der Gemmen; vgl. Glyphik u. Gemmoglyptik. **Glyp|to|gra|phie,** auch: Glyptografie ⟨gr.-nlat.⟩ die; -: Beschreibung der Glypten; Gemmenkunde. **Glyp|to|thek** der; -, -en: Sammlung von Glypten **Gly|san|tin** ® ⟨Kunstw.⟩ das; -s: Gefrierschutzmittel aus ↑Glykol u. ↑Glyzerin **Gly|ze|rid,** fachspr.: Glycerid ⟨gr.-nlat.⟩ das; -s, -e: Ester des ↑Glyzerins (Chem.). **Gly|ze|rin,** chem. fachspr.: Glycerin ⟨gr.-nlat.⟩ das; -s: dreiwertiger, farbloser, sirupartiger Alkohol. **Gly|zi|ne, Gly|zi|nie** [...i̯ə] die; -, -n: sich in die Höhe windender Zierstrauch mit blauvioletten Blütentrauben; ↑Wistaria. **Gly|zyr|rhi|zin** das; -s: Süßholzzucker; Glykosid mit farblosen, sehr süß schmeckenden Kristallen, die sich in heißem Wasser u. Alkohol lösen
G-Man [ˈdʒiː mæn] ⟨engl.-amerik.; Kurzw. für: government man; „Regierungsmann") das; -[s], G-Men: Sonderagent des FBI **Gna|tho|lo|gie** ⟨gr.-nlat.⟩ die; -: im Bereich der Zahnmedizin Lehre von der Kaufunktion, bes. von

deren Wiederherstellung. **Gna|thos|chi|sis*** [...ˈsçi:...] ⟨gr.-nlat.⟩ die; -, ...sen: angeborene [Ober]kieferspalte (Med.). **Gna|thos|to|men*** die (Plural): alle Wirbeltiere mit Kiefern **Gnoc|chi** [ˈnjɔki] ⟨it.⟩ die (Plural): Klößchen aus Grieß, Mais, Kartoffeln und/oder Mehl, die in Salzwasser gegart in verschiedenen Zubereitungsarten als Vorspeise oder Beilage gereicht werden **Gnom** ⟨auf Paracelsus zurückgehende Wortneuschöpfung, ohne sichere Deutung⟩ der; -en, -en: jmd., der sehr klein ist; Kobold, Zwerg **Gno|me** ⟨gr.-lat.⟩ die; -, -n: lehrhafter [Sinn-, Denk]spruch in Versform od. in Prosa; ↑Sentenz (1 b). **Gno|mi|ker** ⟨gr.⟩ der; -s, -: Verfasser von Gnomen. **gno|misch:** die Gnome betreffend, in der Art der Gnome; **gnomischer Aorist:** in Gnomen zeitlos verwendeter ↑Aorist (Sprachw.); **gnomisches Präsens:** in Sprichwörtern u. Lehrsätzen zeitlos verwendetes Präsens (z. B. Gelegenheit **macht** Diebe; Sprachw.). **Gno|mo|lo|gie** ⟨gr.⟩ die; -, ...ien: Sammlung von Weisheitssprüchen u. Anekdoten; vgl. Florilegium (1). **gno|mo|lo|gisch:** die Gnomologie betreffend. **Gno|mon** ⟨gr.-lat.⟩ der; -s, ...mo|ne: senkrecht stehender Stab, dessen Schattenlänge zur Bestimmung der Sonnenhöhe gemessen wird (für Sonnenuhren). **gno|mo|nisch:** Zentral...; **gnomonische Projektion:** nicht winkeltreue ↑Zentralprojektion. **Gno|se|o|lo|gie** ⟨gr.-nlat.⟩ die; -: Erkenntnislehre, -theorie. **gno|se|o|lo|gisch:** die Gnoseologie betreffend. **Gno|sis** ⟨gr.⟩ die; -: [Gottes]erkenntnis; in der Schau Gottes erfahrene Welt des Übersinnlichen (hellenistische, jüdische u. bes. christliche Versuche der Spätantike, im Glauben verborgenes Geheimnisse durch philosophische Spekulation zu erkennen u. so zur Erlösung vorzudringen); vgl. Gnostizismus u. Pneumatiker. **Gnos|tik** ⟨gr.-lat.⟩ die; -: (veraltet) die Lehre von Gnosis. **Gnos|ti|ker** der; -s, -: Vertreter der Gnosis od. des Gnostizismus. **gnos|tisch:** die Gnosis od. den Gnostizismus betreffend. **Gnos|ti|zis|mus** ⟨gr.-nlat.⟩ der; -: 1. alle religiösen Richtungen, die die Erlösung durch [philosophische] Erkennt-

nis Gottes u. der Welt suchen. 2. ↑synkretistische religiöse Strömungen u. Sekten (↑Gnosis) der späten Antike. **Gno|to|bi|o|lo|gie** ⟨gr.-nlat.⟩ die; -: Forschungsrichtung, die sich mit der keimfreien Aufzucht von Tieren für die Immunologie beschäftigt **Gnu** ⟨hottentott.⟩ das; -s, -s: süd- und ostafrikanische Antilope **Go** ⟨jap.⟩ das; -: japan. Brettspiel **Goal** [goːl] ⟨engl.⟩ das; -s, -s: (österr. u. schweiz.) Tor, Treffer (Sport). **Goal|get|ter** [ˈgoːl...] ⟨anglisierende Bildung zu engl. to get a goal „ein Tor schießen"⟩ der; -s, -: besonders erfolgreicher Torschütze (Sport). **Goa|lie** [ˈgoːli] der; -s, -: (schweiz.) Torhüter. **Goal|kee|per** [...kiːpɐ] ⟨engl.⟩ der; -s, -: (bes. österr. u. schweiz.) Torhüter **Go|bel|let** [gobaˈleː] ⟨fr.⟩ der; -s, -s: Becher od. Pokal auf einem Fuß aus Gold, Silber od. Glas (vom Mittelalter bis zum 18. Jh.) **Go|be|lin** [gobaˈlɛ̃] ⟨fr.⟩ der; nach der gleichnamigen franz. Färberfamilie⟩ der; -s, -s: Wandteppich mit eingewirkten Bildern. **Go|be|lin|ma|le|rei** die; -: Nachahmung gewirkter Gobelins durch Malerei **Go|de** ⟨altnord.⟩ der; -n, -n: Priester u. Gauvorsteher im alten Island u. in Skandinavien **Gode|mi|ché** [goːtmiˈʃeː] ⟨fr.⟩ der; -, -s: künstliche Nachbildung des erigierten Penis, von Frauen zur Selbstbefriedigung od. bei der Ausübung gleichgeschlechtlichen Verkehrs benutzt wird **Go|det** [goˈdɛ] ⟨fr.⟩ das; -s, -s: in einem Kleidungsstück eingesetzter Keil **God|ron*** [goˈdrõː] ⟨fr.⟩ das; -s, -s: ausgeschweifter Rand, Buckel an Metallgegenständen. **god|ro|nie|ren:** ausschweifen, fälteln **Goe|the|a|na** ⟨nlat.⟩ die (Plural): Werke von u. über Goethe **Go-go-Boy** [ˈgoːgobɔy] ⟨engl.⟩ der; -s, -s: Vortänzer in einer Diskothek o. Ä. **Go-go-Funds** [...fands] die (Plural): besonders gewinnbringende ↑Investmentfonds (Wirtsch.). **Go-go-Girl** [...gəːl] ⟨engl.⟩ das; -s, -s: Vortänzerin in einer Diskothek **Gog und Ma|gog:** barbarisches Volk der Bibel, das in der Endzeit herrscht u. untergeht (Offenb. 20, 8; eigtl. der König Gog von Magog, Hesekiel 38f.) **Goi** ⟨hebr.⟩ der; -[s], Gojim [auch: goˈjiːm]: jüd. Bez. für: Nichtjude

Go-in ⟨engl.⟩ das; -s, -s: [gewaltsames] Eindringen demonstrierender Gruppen in einen Raum od. ein Gebäude [um eine Diskussion zu erzwingen]. **Go|kart** ⟨engl.-amerik.; „Laufwagen"⟩ der; -[s], -s: niedriger, unverkleideter kleiner Sportrennwagen **Go|lat|sche** vgl. Kolatsche **Gol|den De|li|cious** ['goʊldən dɪ'lɪʃəs] ⟨engl.⟩ der; - -, - -: eine Apfelsorte. **Gol|den Goal** ['goʊldən goːl] ⟨engl.⟩ das; - -s, - -s: (beim Fußball) Spielentschei dung durch das erste gefallene Tor in einem zusätzlichen Spielabschnitt. **Gol|den Twen|ties** ['goʊldən 'twentɪz] ⟨engl.⟩ die (Plural): die [goldenen] Zwanzigerjahre **Go|lem** ⟨hebr.⟩ der; -s: durch Zauber zum Leben erweckte menschl. Tonfigur (↑ Homunkulus) der jüd. Sage **¹Golf** ⟨gr.-lat.-it.⟩ der; -[e]s, -e: größere Meeresbucht, Meerbusen **²Golf** ⟨schott.-engl.⟩ das; -s: Rasenspiel mit Hartgummiball u. Schläger. **Gol|fer** der; -s, -: Golfspieler **Gol|gal|tha,** (ökum.:) Golgota ⟨hebr.-gr.-kirchenlat.; nach der Kreuzigungsstätte Christi⟩ das; -[s]: tiefster Schmerz, tiefstes Leid, das jmd. zu erleiden hat **Gol|gi|ap|pa|rat** ['gɔldʒi...] ⟨nach dem ital. Histologen C. Golgi, 1844–1926⟩ der; -[e]s: am Zellstoffwechsel beteiligte Lamellen- od. Bläschenstruktur in der tierischen u. menschlichen Zelle **Go|li|ard, Go|li|ar|de** ⟨fr.⟩ der; ...den, ...den: umherziehender franz. Kleriker u. Scholar, bes. des 13. Jh.s; vgl. Vagant **Go|li|ath** ⟨riesenhafter Vorkämpfer der Philister, 1. Sam. 17⟩ der; -s, -s: Riese, riesiger Mensch **Go|lil|la** [go'lɪlja] ⟨span.⟩ die; -, -s: kleiner, runder, steifer Männerkragen des 17. Jh.s **¹gon** ⟨gr.⟩ das; -s, -e (aber: 5 -): Maßeinheit für [ebene] Winkel, der 100. Teil eines rechten Winkels (auch Neugrad genannt); Zeichen: gon (Geodäsie) **Go|na|de** ⟨gr.-nlat.⟩ die; -, -n: Geschlechts-, Keimdrüse (Med., Biol.). **go|na|do|trop*:** auf die Keimdrüsen wirkend (bes. von Hormonen; Med., Biol.) **Go|nag|ra*** ⟨gr.-nlat.⟩ das; -s: Kniegicht. **Go|narth|ri|tis** u. **Gonitis** die; -, ...itiden: Kniegelenkentzündung (Med.) **gon|del** ⟨venezian.-it.⟩ die; -, -n: 1. anges, schmales venezianisches

Boot. 2. Korb am Ballon; Kabine am Luftschiff. 3. längerer, von allen Seiten zugänglicher Verkaufsstand in einem Kaufhaus. 4. Hängegefäß für Topfpflanzen. 5. (landsch.) einem Hocker ähnlicher Stuhl mit niedrigen Armlehnen. **gon|deln:** (ugs.) gemächlich fahren. **Gon|do|let|ta** die; -, -s: kleines, meist überdachtes Boot (z. B. auf Parkseen). **Gon|do|li|e|ra** die; -, ...ren: ital. Schifferlied im ⁶/₈- od. ¹²/₈-Takt (auch in die Kunstmusik übernommen). **Gon|do|li|e|re** der; -, ...ri: Führer einer Gondel (1) **Gond|wa|na|fau|na** ⟨nach der ind. Provinz⟩ die; -: für das Gondwanaland typische Fauna. **Gond|wa|na|flo|ra** die; -: für das Gondwanaland typische Flora; ↑ Glossopterisflora. **Gond|wa|na|land** das; -[e]s: großer Kontinent der Südhalbkugel im ↑ Paläozoikum u. ↑ Mesozoikum **Gon|fa|lo|ni|e|re** ⟨germ.-it.⟩ der; -s, ...ri: in Italien bis 1859, in den Provinzhauptstädten des Kirchenstaates bis 1870 gebräuchliche Bezeichnung für das Stadtoberhaupt **Gong** ⟨malai.-engl.⟩ der (selten das); -s, -s: [an Schnüren aufgehängte, dickwandige] Metallscheibe, die – durch einen Klöppel angeschlagen – einen dumpf hallenden Ton hervorbringt. **gongen:** a) ertönen (vom Gong); b) den Gong schlagen **Gon|go|rjs|mus** ⟨span.; nach dem span. Dichter Luis de Góngora y Argote⟩ der; -: span. literarischer Stil des 17. Jh.s, der durch häufige Verwendung von Fremdwörtern, Nachbildungen der lat. Syntax, durch bewusst gesuchte u. überraschende Metaphern, rhetorische Figuren u. zahlreiche Anspielungen auf die antike Mythologie gekennzeichnet ist; vgl. Euphuismus u. Marinismus. **Gon|go|rist** der; -en, -en: Vertreter des Gongorismus **Go|ni|a|tit** [auch: ...'tɪt] ⟨gr.-nlat.⟩ der; -en, -en: versteinerter Kopffüßler (wichtig als Leitfossil im ↑ Silur). **Go|ni|o|me|ter** das; -s, -: 1. Gerät zum Messen der Winkel zwischen [Kristall]flächen durch Anlegen zweier Schenkel. 2. Winkelmesser für Schädel u. Knochen. **Go|ni|o|me|trie*** die; -: Winkelmessung; Teilgebiet der ↑ Trigonometrie, das sich mit den Winkelfunktionen befasst (Math.). **go|ni|o|me|trisch*:**

das Messen mit dem Goniometer; die Goniometrie betreffend: zur Goniometrie gehörend (Math.). **Go|ni|tis** die; -, ...itiden: ↑ Gonarthritis **Go|no|blen|nor|rhö*** ⟨gr.-nlat.⟩ die; -, -en u. **Go|no|blen|nor|rhöe** [...'røː] die; -, -n [...'røːən]: eitrige, durch ↑ Gonokokken hervorgerufene Bindehautentzündung; Augentripper (Med.). **Go|no|cho|rjs|mus** [...ko...] der; -: Getrenntgeschlechtigkeit (Biol.). **Go|no|cho|rjs|ten** die (Plural): getrenntgeschlechtige Tiere. **Go|no|kok|kus** der; -, ...kken: Bakterie, die als Erreger des Trippers gilt. **Go|no|phor** das; -s, -en: männliches Geschlechtsindividuum bei Röhrenquallen. **Go|nor|rhö** die; -, -en u. **Go|nor|rhöe** [...'røː] die; -, -n [...'røːən]: Tripper (Geschlechtskrankheit). **go|nor|rho|isch:** a) den Tripper betreffend; b) auf Tripper beruhend **good|bye!** [gud'baɪ] ⟨engl.⟩: engl. Gruß (= auf Wiedersehen!) **Good|will** ['gud'wɪl] ⟨engl.⟩ der; -s: a) ideeller Firmenwert, Geschäftswert (Wirtsch.); b) Ansehen, guter Ruf einer Institution o. Ä.; c) Wohlwollen, freundliche Gesinnung. **Good|will|rei|se** ⟨engl.; dt.⟩ die; -, -n: Reise eines Politikers, einer einflussreichen Persönlichkeit od. Gruppe, um freundschaftliche Beziehungen zu einem anderen Land od. das eigene Ansehen wiederherzustellen od. zu stärken. **Good|will|tour** ⟨engl.; fr.⟩ die; -, -en: ↑ Goodwillreise **Go|pak** ⟨russ.⟩, **Hopak** ⟨ukrainisch⟩ der; -s, -s: bes. in der Ukraine u. in Weißrussland üblicher, schneller Tanz im ²/₄-Takt für mehrere Tänzer **gor|disch** ⟨nach der antiken Stadt Gordion⟩: in der Fügung: **gordischer Knoten** ⟨in der griech. Sage am Streitwagen des Gordios in Gordion befindlicher, angeblich unentwirrbar geflochtener Knoten, wobei dem die Herrschaft über Asien verheißen war, der ihn lösen konnte; Alexander der Große durchhieb ihn mit dem Schwert⟩: schwieriges Problem **Gor|go|nen|haupt** ⟨nach dem weiblichen Ungeheuer Gorgo in der griech. Sage⟩ die; -[e]s, ...häupter: Unheil abwehrendes [weibliches] Schreckgesicht, bes. auf Waffen u. Geräten der Antike (z. B. auf der ↑ Ägis) **Gor|gon|zo|la** ⟨it.; nach dem gleichnamigen ital. Ort⟩ *der; -s, -s:* mit gleichnamigen durchsetzter ital. Weichkäse

Go|ri|lla ⟨*afrik.-gr.-engl.*⟩ *der; -s, -s:* 1. größter Menschenaffe (in den Wäldern Äquatorialafrikas). 2. (Jargon) Leibwächter von kräftig-robuster Statur

Go|rod|ki ⟨*russ.*⟩ *die* (Plural): eine Art Kegelspiel in Russland

Go|sa|in ⟨*sanskr.-Hindi*⟩ *der; -s, -s:* in religiöser Meditation lebender Mensch in Indien

Gösch ⟨*fr.-niederl.*⟩ *die; -, -en:* a) kleine, rechteckige (an Feiertagen im Hafen gesetzte) Landesflagge; b) andersfarbige obere Ecke am Flaggenstock als Teil der Landesflagge

Go-slow [gou'slou] ⟨*engl.*⟩ *der* od. *das; -s, -s:* Bummelstreik, Dienst nach Vorschrift [im Flugwesen]

Gos|pel ⟨*engl.*⟩ *das* od. *der; -s, -s:* ↑Gospelsong. **Gos|pel|sän|ger** *der; -s, - u.* **Gos|pel|sin|ger** *der; -s, -[s]:* jmd., der Gospelsongs vorträgt. **Gos|pel|song** *der; -s, -s:* jüngere, seit 1940 bestehende verstädterte Form des ↑Negrospirituals, bei der die jazzmäßigen Einflüsse zugunsten einer europäischen Musikalität zurückgedrängt sind

Gos|po|dar vgl. Hospodar

Gos|po|din ⟨*russ.*⟩ *der; -s, ...dą:* Herr (russ. Anrede)

Gos|sy|pi|um ⟨*gr.-lat.-nlat.*⟩ *das; -:* Malvengewächs, das die Baumwolle liefert

Got|cha ['gɔtʃɐ] ⟨*engl.-amerik.*⟩ *das; -s:* eine Art Spiel, bei dem die Teilnehmer im freien Gelände mit Farbmarkierungswaffen auf Personen, Tiere u. Sachen schießen

Go|tik ⟨*fr.*⟩ *die; -:* a) europ. Kunststil von der Mitte des 12. bis zum Ende des 15. Jh.s; b) Zeit des gotischen Stils. **go|tisch:** 1. den (german.) Stamm der Goten betreffend. 2. die Gotik betreffend; **gotische Schrift:** (seit dem 12. Jh. aus der karolingischen ↑Minuskel gebildete) Schrift mit spitzbogiger Linienführung u. engem Zusammenschluss der Buchstaben (Druckw.). 3. eine Faltungsphase der obersilurischen Gebirgsbildung betreffend. **Go|tisch** *das; -[s]:* 1. gotische (1) Sprache. 2. gotische Schrift. **Go|ti|sche** *das; -n:* a) die gotische Sprache im Allgemeinen; b) das die Gotik kennzeichnende. **Go|ti|zis|mus** ⟨*fr.-nlat.*⟩ *der; -, ...men:* 1. Übertragung einer für das Gotische charakteristischen

sprachlichen Erscheinung auf eine nichtgotische Sprache (Sprachw.). 2. Nachahmung des gotischen (2) Stils. **go|ti|zis|tisch:** den gotischen (2) Stil nachahmend

Got|lan|di|um ⟨*nlat.;* nach der schwed. Insel Gotland⟩ *das; -[s]:* a) Unterabteilung des ↑Silurs (Obersilur); b) selbstständige erdgeschichtliche Formation (Silur; Geol.)

Gou|lache [gu̯a(:)ʃ] ⟨*lat.-it.-fr.*⟩ *die; -, -n:* 1. (ohne Plural) deckende Malerei mit Wasserfarben in Verbindung mit Bindemitteln u. Deckweiß, deren dicker Farbauftrag nach dem Trocknen eine dem ↑Pastell ähnliche Wirkung ergibt. 2. Bild in der Technik der Gouache

Gou|da ['ɡau̯da] ⟨nach der niederländ. Stadt Gouda⟩ *der; -s, -s:* ein [holländischer] Hartkäse. **Gou|da|kä|se** ⟨*niederländ.; dt.*⟩ *der; -s, -:* ↑Gouda

Goud|ron [gu'drõ:] ⟨*arab.-fr.*⟩ *der* (auch: *das*); *-s:* wasserdichter Anstrich

Gourde [gurd] ⟨*fr.*⟩ *der; -, -s* [gurd] (aber: 10 -): Währungseinheit auf Haiti (= 100 Centimes)

Gour|mand [gur'mã:] ⟨*fr.*⟩ *der; -s, -s:* jmd., der gern u. zugleich viel isst; Schlemmer. **Gour|man|di|se** [gurmã'di:zə] *die; -, -n:* besondere Delikatesse; Leckerbissen. **Gour|met** [gur'mɛ, auch: ...'me:] *der; -s, -s:* jmd., der ein Kenner von Speisen u. Getränken ist u. gern ausgesuchte Delikatessen isst; Feinschmecker; vgl. Gourmand

Gout [gu:] ⟨*lat.-fr.*⟩ *der; -s, -s:* Geschmack, Wohlgefallen; vgl. Hautgout. **gou|tie|ren** [gu'ti:...] ⟨„kosten, schmecken"⟩: Geschmack an etwas finden; gutheißen

Gou|ver|nan|te [guvɛr...] ⟨*lat.-fr.*⟩ *die; -, -n:* [altjüngferliche, bevormundende, belehrende] Erzieherin, Hauslehrerin. **gou|ver|nan|ten|haft:** in der Art einer Gouvernante. **Gou|ver|ne|ment** [...nǝ'mã:] *das; -s, -s:* a) Regierung; Verwaltung; b) Verwaltungsbezirk (militärischer od. ziviler Behörden). **gou|ver|ne|men|tal:** (veraltet) regierungsfreundlich; Regierungs... **Gou|ver|neur** [...'nø:ɐ̯] *der; -s, -e:* 1. Leiter eines Gouvernements; Statthalter (einer Kolonie). 2. Befehlshaber einer größeren Festung. 3. oberster Beamter eines Bundesstaates in den USA

Graaf|fol|li|kel ⟨nach einem holländ. Anatomen des 17. Jh.s⟩ *der; -s, -:* sprungreifes, das reife Ei enthaltendes Bläschen im Eierstock (Biol., Med.)

Gra|ci|o|so [gras...] ⟨*lat.-span.*⟩ *der; -s, -s:* die komische Person im span. Lustspiel (der lustige, seinen Herrn parodierende Gediente)

gra|da|tim ⟨*lat.*⟩: (veraltet) schritt-, stufenweise, nach und nach. **Gra|da|ti|on** *die; -, -en:* a) Steigerung, stufenweise Erhöhung; Abstufung; b) Aneinanderreihung steigernder (vgl. Klimax 1) od. abschwächender (vgl. Antiklimax) Ausdrucksmittel (z. B.: Goethe, groß als Forscher, größer als Dichter, am größten als Mensch). **Gra|di|ent** *der; -en, -en:* 1. Steigungsmaß einer Funktion (2) in verschiedenen Richtungen; Abk.: grad (Math.). 2. Gefälle (z. B. des Luftdruckes od. der Temperatur auf einer bestimmten Strecke (Meteor.). **Gra|di|en|te** *die; -, -n:* von Gradienten gebildete Neigungslinie. **Gra|di|ent|wind** *der; -[e]s, -e:* Wind der freien Atmosphäre, der eigentlich in Richtung des Luftdruckgradienten weht, jedoch infolge der ↑Corioliskraft nahezu parallel zu den ↑Isobaren verläuft (Meteor.). **gra|die|ren:** verstärken und einen höheren Grad bringen, bes. Salzsoler in Gradierwerken allmählich (gradweise) konzentrieren. **Gra|dier|werk** *das; -[e]s, -e:* hohes mit Reisig belegtes Holzgerüst über das Sole herabrieselt, die durch erhöhte Verdunstung konzentriert wird (früher zur Salzgewinnung, heute noch in Kurorten zur Erzeugung salzhaltiger u. heilkräftiger Luft). **gra|du|al** ⟨*lat.-mlat.*⟩: den Grad, Rang betreffend. **Gra|du|a|le** *das; -s, ...lien:* 1. kurzer Psalmgesang nach der ↑Epistel in der kath. Messe (urspr. auf den Stufen des ↑²Ambos). 2. liturg. Gesangbuch mit den Messgesängen. **Gra|du|al|lied** *das; -[e]s, -er:* anbetende u. lobpreisendes Gemeindelied zwischen den Schriftlesungen im evangelischen Gottesdienst. **Gra|du|al|psalm** *der; -s, -en:* ↑Graduale (1). **Gra|du|al|sys|tem** *das; -s:* Erbfolge nach Grade der Verwandtschaft zur Erblasser durch Eintritt der übrigen Erben der gleichen Ordnung in die Erbfolge eines ausfallenden Erben (gesetzlich gergelt für Erben vierter u. höherer Ordnung); vgl. Parentelsystem. **Gra|du|a|ti|on** *die;* -, -en: Gradeinteilung auf Messgeräten, Messgefäßen u. dgl.; vgl. ...[at]ion/...ierung. **gra|du|ell** ⟨*lat.-mlat.-fr.*⟩: grad-, stufenweise, allmählich. **gra|du|ie|ren** ⟨*lat.-mlat.*⟩: 1. mit Graden versehen (z. B. ein Thermometer). 2. a) einen akademischen Grad verleihen; b) einen akademischen Grad erwerben. **gra|du|iert:** a) mit einem akademischen Titel versehen; b) (veraltet) mit dem Abschlusszeugnis einer Fachhochschule versehen; Abk.: grad., z. B. Ingenieur (grad.). **Gra|du|ier|te** *der* u. *die;* -n, -n: Träger[in] eines akademischen Titels. **Gra|du|ie|rung** *die;* -, -en: a) das Graduieren; b) ↑Graduation; vgl. ...[at]ion/...ierung. **Gra|dus ad Par|nas|sum** ⟨*lat.;* „Stufe zum Parnass" (dem altgriech. Musenberg u. Dichtersitz)⟩ *der;* - - -, - - - [...du:s - -]: a) (hist.) Titel von Werken, die in die lat. od. griech. Verskunst einführen; b) (nach dem Titel der Kontrapunktlehre von J. J. Fux aus dem Jahr 1725) Titel von Etüdenwerken **Grae|cum** ['grɛ:...] ⟨*gr.-lat.*⟩ *das;* -s: durch eine Prüfung nachgewiesene Kenntnisse in der altgriechischen Sprache **¹,²Graf** vgl. Graph. **Gra|fem** usw. vgl. Graphem usw. **Gra|fe|o|lo|gie** usw. vgl. Grapheologie usw. **Graf|fi|a|to** u. Sgraffiato ⟨*germ.-it.*⟩ *der;* -s, ...ti: Verzierung von Tonwaren durch Anguss einer Farbschicht, in die ein Ornament eingegraben wird. **Graf|fi|to** ⟨„Schraffierung"⟩ *der* od. *das;* -[s], ...ti (meist Plural) · a) in Stein geritzte Inschrift; b) in eine Marmorfliese eingeritzte zweifarbige ornamentale od. figurale Dekoration; c) auf Wände, Mauern, Fassaden usw. meist mit Spray gesprühte, gespritzte od. gemalte [künstlerisch gestaltete] Parole, Spruch od. Figur; vgl. Sgraffito **Gra|fie** vgl. Graphie. **Gra|fik,** auch: Graphik ⟨*gr.-lat.;* „Schreib-, Zeichenkunst"⟩ *die;* -, -en: 1. (ohne Plural) Kunst u. Technik des Holzschnitts, Kupferstichs, der ↑Radierung, ↑Lithographie, Handzeichnung. 2. einzelner Holzschnitt, Kupferstich, einzelne Radierung, Lithographie, Handzeichnung. **Gra|fi|ker,** auch: Graphiker *der;*

-s, -: Künstler u. Techniker auf dem Gebiet der Grafik (1). **Gra|fik|kar|te,** auch: Graphikkarte *die;* -, -en: spezielle Steckkarte zur Erstellung [farbiger] Grafiken auf dem Bildschirm eines Computers. **gra|fisch,** auch: graphisch: a) die Grafik betreffend; b) durch Grafik dargestellt; **grafische Künste** vgl. Grafik (1). **Gra|fit** usw. vgl. Graphit usw. **Gra|fo...** vgl. Grapho... **Gra|ham|brot** ⟨nach dem Amerikaner S. Graham, 1794–1851, dem Verfechter einer auf Diät abgestellten Ernährungsreform⟩ *das;* -[e]s, -e: ohne Gärung aus Weizenschrot hergestelltes Brot **¹Grain** [greɪn] ⟨*lat.-fr.-engl.;* „Korn"⟩ *der;* -s, -s (aber: 10 -): älteres Gewicht für feine Wiegungen (Gold, Silber, Diamanten u. Perlen). **²Grain** [grɛ̃:] ⟨*lat.-fr.*⟩ *das;* -s, -s: bes. für Kleider verwendetes, zweischüssiges Ripsgewebe. **grai|nie|ren** [grɛ...]: (Fachspr.) Papier, Karton, Pappe einseitig narben, aufrauen **Grä|ko|ma|ne** ⟨*gr.-nlat.*⟩ *der;* -n, -n: jmd., der mit einer Art von Besessenheit alles Griechische liebt, bewundert u. nachahmt. **Grä|ko|ma|nie** *die;* -: Nachahmung alles Griechischen mit einer Art von Besessenheit. **Grä|kum** vgl. Graecum **Gral** ⟨*fr.*⟩ *der;* -s: in der mittelalterlichen Dichtung (in Verbindung mit den Sagen des Artus- u. Parzivalkreises) wundertätiger Stein od. Gefäß mit heilender Wirkung, in dem Christi Blut aufgefangen worden sein soll **Gra|mi|ne|en** ⟨*lat.*⟩ *die* (Plural)· Gräser (Bot.) **Gramm|äqui|va|lent** ⟨*gr.; lat.-nlat.*⟩ *das;* -[e]s, -e: Einheit der Stoffmenge (Chem.); 1 Grammäquivalent ist die dem ↑Äquivalentgewicht zahlenmäßig entsprechende Grammmenge; Zeichen: ↑Val. **Gram|ma|tik** ⟨*gr.-lat.*⟩ *die;* -, -en: 1. a) Beschreibung der Struktur einer Sprache als Teil der Sprachwissenschaft; **inhaltsbezogene Grammatik:** primär auf das Feststellen der sprachlichen Inhalte abgestellte Grammatik; b) einer Sprache zugrunde liegendes Regelsystem. 2. Werk, in dem Sprachregeln abgehandelt sind; Sprachlehre. 3. gesetzmäßige Struktur von etwas (z. B. die - der Gefühle). **Gram|ma|ti|ka|li|sa|ti|on** ⟨*gr.-lat.-nlat.*⟩ *die;* -, -en: das Ab-

sinken eines Wortes mit selbstständigem Bedeutungsgehalt zu einem bloßen grammatischen Hilfsmittel (bes. bei den Bindewörtern); vgl. ...[at]ion/...ierung. **gram|ma|ti|ka|lisch:** a) die Grammatik betreffend; vgl. grammatisch (a); b) sprachkundlich. **gram|ma|ti|ka|li|sie|ren:** der Grammatikalisation unterwerfen. **Gram|ma|ti|ka|li|sie|rung** *die;* -, -en: a) das Grammatikalisieren; b) ↑Grammatikalisation; vgl. ...[at]ion/...ierung. **Gram|ma|ti|ka|li|tät** *die;* -: grammatikalische Korrektheit, Stimmigkeit der Segmente eines Satzes; vgl. Akzeptabilität (b). **Gram|ma|ti|ker** ⟨*gr.-lat.*⟩ *der;* -s, -: Wissenschaftler auf dem Gebiet der Grammatik. **gram|ma|tisch:** a) die Grammatik betreffend; vgl. grammatikalisch; b) der Grammatik gemäß; sprachrichtig; nicht ungrammatisch. **Gram|ma|ti|zi|tät** *die;* -: das Grammatische in der Sprache. **Gramm|atom** *das;* -s, -e: so viele Gramm eines chem. Elementes, wie dessen Atomgewicht angibt. **Gramm|mol** *das;* -s, -e: die aus ↑Epism u. ↑Tagmem bestehende kleinste grammatische Einheit. **Gramm|ka|lo|rie** vgl. Kalorie. **Gramm|mol** u. **Gramm|mo|le|kül** ⟨*gr.; lat.*⟩ u. Mol ⟨*lat.*⟩ *das;* -s, -e: so viele Gramm einer chem. Verbindung, wie deren Molekulargewicht angibt. **Gram|mo|phon** ®, auch: Grammofon ⟨*gr.-nlat.*⟩ *das;* -s, -e: (früher) Schallplattenapparat. **Gram|my** [græmɪ] ⟨*amerik.*⟩ *der;* -s, -s: amerikanischer Schallplattenpreis **gram|ne|ga|tiv** ⟨nach dem dän. Bakteriologen Gram, 1853–1938⟩: nach dem gramschen Färbeverfahren sich rot färbend (von Bakterien; Med.); grampositiv **Gra|mo|la|ta** ⟨*it.*⟩ *die;* -, -s: ital. Bez. für: halbgefrorene Limonade **gram|po|si|tiv** ⟨nach dem dän. Bakteriologen Gram⟩: nach dem gramschen Färbeverfahren sich dunkelblau färbend (von Bakterien; Med.); vgl. gramnegativ **Gra|na** ⟨*lat.*⟩ *die* (Plural): farbstoffhaltige Körnchen in der farbstofflosen Grundsubstanz der ↑Chromatophoren (Biol.).

Gra|na|di|l|le vgl. Grenadille.
Gra|na|li|en ⟨lat.-nlat.⟩ die (Plural): durch Granulieren (Körnen) gewonnene [Metall]körner.
¹Gra|nat ⟨lat.-mlat.⟩ der; -[e]s, -e, (österr.:) der; -en, -en: Mineral, das in mehreren Abarten u. verschiedenen Farben vorkommt
²Gra|nat ⟨niederl.⟩ der; -[e]s, -e: kleines Krebstier (Garnelenart)
Gra|nat|ap|fel ⟨lat.; dt.⟩ der; -s, ...äpfel: apfelähnliche Beerenfrucht des Granatbaums. **Granat|baum** der; -s, ...bäume: zu den Myrtenpflanzen gehörender Strauch od. Baum des Orients (auch eine Zierpflanzenart). **Gra|na|te** ⟨lat.-it.⟩ die; -, -n: mit Sprengstoff gefülltes, explodierendes Geschoss.
Grand [grã:, ugs. auch: graŋ] ⟨lat.-fr.⟩ der; -s, -s: höchstes Spiel im Skat, bei dem nur die Buben Trumpf sind; **Grand Hand:** Grand aus der Hand, bei dem der Skat nicht aufgenommen werden darf (verdeckt bleibt).
Grand Cru [grã:'kry] der; - -, -s -s [grã:'kry(s)] franz. Bez. für Weinlagen besonderer Qualität.
Gran|de ⟨lat.-span.⟩ der; -n, -n: bis 1931 mit besonderen Privilegien u. Ehrenrechten verbundener Titel der Angehörigen der höchsten Adels in Spanien.
Grande Ar|mée [grãdar'me] ⟨lat.-fr.⟩ die; - -: [die] Große Armee (Napoleons I.). **Grande Nation** [grãdna'sjõ] die; - -: Selbstbezeichnung der franz. Volkes (seit Napoleon I.). **Gran|deur** [grã'dø:ɐ̯] die; -: strahlende Größe; Großartigkeit. **Gran|dez|za** ⟨lat.-span.⟩ die; -: feierlich-hoheitsvolle Eleganz der Bewegung, des Auftretens. **Grand Fleet** ['grænd 'fli:t] ⟨engl.⟩ die; - -: die im 1. Weltkrieg in der Nordsee eingesetzte engl. Flotte.
Grand-Gui|gnol [grãgi'njɔl] ⟨fr.; nach dem Namen des Pariser Theaters Le Grand-Guignol⟩ das; -, -s: Theaterstück mit bewusst platt-abgeschmackter u. blutrünstiger, aber dennoch naiver Darstellungsweise. **Grandho|tel** ['grã:...] ⟨fr.⟩ das; -s, -s: großes, komfortables Hotel. **gran|dig** ⟨lat.-roman.⟩: (mundartlich) groß, stark; großartig. **gran|di|los** ⟨lat.-it.⟩: großartig, überwältigend, erhaben. **Gran|dio|si|tät** die; -: Großartigkeit, überwältigende Pracht. **gran|di|oso:** großartig, erhaben (Vortragsanweisung; Mus.). **Grand Lit** [grã'li:] ⟨fr.⟩ das; - -, -s -s [grã-

'li:]: breiteres Bett für zwei Personen. **Grand Mal** [grã'mal] ⟨lat.-fr.⟩ das; - -: epileptischer Anfall mit schweren Krämpfen, Bewusstlosigkeit u. Gedächtnisverlust (auch Haut Mal genannt; Med.). **Grand Old La|dy** ['grɛnd 'oʊld 'le:di] ⟨engl.; „große alte Dame"⟩ die; - - -, - - Ladies: älteste bedeutende weibliche Persönlichkeit auf einem bestimmten Gebiet. **Grand Old Man** ['grɛnd 'oʊld 'mæn] ⟨engl.; „großer alter Mann"⟩ der; - - -, - - Men [- - 'mɛn]: älteste bedeutende männliche Persönlichkeit auf einem bestimmten Gebiet. **Grand ou|vert** [grã:u've:ɐ̯ od. ...u've:ɐ̯] ⟨fr.⟩ der; - -[s], - -s [...u've:ɐ̯s od. ...u've:ɐ̯s]: (im Skat) Grand aus der Hand, bei dem der Spieler seine Karten offen hinlegen muss. **Grand Prix** [grã'pri:] ⟨lat.-fr.⟩ der; - -: franz. Bez. für: großer Preis, Hauptpreis. **Grandseig|neur*** [grãsɛn'jø:ɐ̯] ⟨fr.⟩ der; -s, -s u. -e: vornehmer, weltgewandter Mann. **Grand|slam** ['grænd'slɛm] ⟨engl.⟩ der; -[s], -s, auch: **Grand Slam** der; - -[s], - -s: Gewinn der Einzelwettbewerbe bei den internationalen Tennismeisterschaften von Großbritannien, Frankreich, Australien und den USA innerhalb eines Jahres durch einen Spieler oder eine Spielerin. **Grand-Tou|risme-Ren|nen** [grãtu'rɪsmə...] ⟨fr.; dt.⟩ das; -s, -: internationales Sportwagenrennen mit Wertungsläufen, Rundrennen, Bergrennen u. ↑ Rallyes
gra|nie|ren ⟨lat.-nlat.⟩: 1. die Platte beim Kupferstich aufrauen. 2. Papier körnen, aufrauen. 3. (selten) ↑ granulieren. **Gra|nier|stahl** der; -s: bogenförmiges, mit gezähnter Schneide versehenes Stahlinstrument („Wiege"), mit dem beim Kupferstich die Platte aufgeraut („gewiegt") wird. **Gra|nit** [auch: ...'nɪt] ⟨lat.-it.⟩ der; -s, -e: sehr hartes Gestein aus körnigen Teilen von Feldspat, Quarz u. Glimmer. **Gra|ni|ta** vgl. Granomolata. **gra|ni|ten** [auch: ...'nɪ...]: 1. ↑ granitisch. 2. hart wie Granit. **Gra|ni|til|sa|ti|on** ⟨lat.-it.-nlat.⟩ die; -, -en: Entstehung der verschiedenen ↑ Granite; vgl. ...[at]ion/...ierung. **gra|ni|tisch** [auch: ...'nɪ...]: den Granit betreffend. **Gra|ni|ti|sie|rung** die; -, -en: ↑ Granitisation. **Gra|ni|tit** [auch: ...'tɪt] der; -s, -e: eine Art des ↑ Granits, die hauptsächlich dunklen Glimmer ent-

hält. **Gra|nit|por|phyr** der; -s: eine Art des Granits mit großen Feldspatkristallen in der feinkörnigen Grundmasse
Gran|ny Smith ['grɛni 'smɪθ] ⟨engl.⟩ der; - -, - -: glänzend grüner, saftiger Apfel aus Australien
Gra|no|di|o|rit [auch: ...'rɪt] ⟨lat.; gr.⟩ der; -s, -e: ein kieselsäurereiches Tiefengestein (Geol.). **Gra|nu|la:** Plural von ↑ Granulum. **gra|nu|lär** ⟨lat.-nlat.⟩: ↑ granulös. **Gra|nu|lar|a|tro|phie*** ⟨lat.; gr.⟩ die; -, ...ien: ↑ Zirrhose. **Gra|nu|lat** ⟨lat.-nlat.⟩ das; -[e]s, -e: durch Granulieren in Körner zerkleinerte Substanz. **Gra|nu|la|ti|on** die; -, -en: 1. Herstellung u. Bildung einer körnigen [Oberflächen]struktur. 2. körnige [Oberflächen]struktur; vgl. ...[at]ion/...ierung. **Gra|nu|la|ti|ons|gewe|be** das; -s: a) sich bei der Heilung von Wunden u. Geschwüren neu bildendes gefäßreiches Bindegewebe, das nach einiger Zeit in Narbengewebe übergeht; b) Gewebe, das sich bei bestimmten Infektionen u. chronischen Entzündungen im Gewebsinneren bildet (Med.). **Gra|nu|la|tor** der; -s, ...oren: Vorrichtung zum Granulieren (1). **Gra|nu|len** die (Plural): auf der Sonnenoberfläche nicht gleichmäßig hellen Oberfläche der Sonne als körnige Struktur sichtbare auf- u. absteigende Gasmassen, deren Anordnung sich innerhalb weniger Minuten ändert u. deren helle Elemente eine Ausdehnung von etwa 1 000 km haben. **gra|nu|lie|ren:** 1. [an der Oberfläche] körnig machen, in körnige, gekörnte Form bringen (Fachspr.). 2. Körnchen, Granulationsgewebe bilden (Med.). **gra|nu|liert:** körnig zusammengeschrumpft (z. B. bei Schrumpfniere; Med.). **Gra|nu|lie|rung** die; -, -en: 1. das Granulieren; Granulation (1). 2. (selten) Granulation (2); vgl. ...[at]ion/...ierung. **Gra|nu|lit** [auch: ...'lɪt] der; -s, -e: Weißstein; hellfarbiger kristalliner Schiefer aus Quarz, Feldspat, Granat u. Rutil. **gra|nu|li|tisch** [auch: ...'lɪ...]: den Granulit betreffend. **Gra|nu|lom** der; -s, -e: Granulationsgeschwulst (bes. an der Zahnwurzelspitze). **Gra|nu|lo|ma|tö|se** die; -: auf der Bildung von Granulomen einhergehend; von einem Granulomatose gehörend. **Gra|nu|lo|ma|to|se** die; -, -n: Bildung zahlreicher

Granulome; Erkrankung, die mit der Bildung von Granulomen einhergeht. **Gra|nu|lo|me|trie*** *die; -:* Gesamtheit der Methoden zur prozentualen Erfassung des Kornaufbaus von Sand, Kies, Böden od. Produkten der Grob- u. Feinzerkleinerung mithilfe von Sichtung, Siebung od. ↑ Sedimentation (1). **gra|nu|lös:** körnig, gekörnt. **Gra|nu|lo|se** *die; -, -n:* ↑ Trachom. **Gra|nu|lo|zyt** *⟨lat.; gr.⟩ der; -en, -en* (meist Plural): weißes Blutkörperchen von körniger Struktur. **Gra|nu|lo|zy|to|pe|nie** *⟨gr.⟩ die; -, ...jen:* Mangel an Granulozyten im Blut als Krankheitssymptom. **Gra|nu|llum** *⟨lat.⟩ das; -s, ...la:* 1. Arzneimittel in Körnchenform; Arzneikügelchen (Med.). 2. Teilchen der mikroskopischen Kornstruktur der lebenden Zelle (Med.). 3. beim ↑ Trachom vorkommende körnige Bildung unter dem Oberlid (Med.). 4. Gewebeknötchen im Granulationsgewebe (a, b) (Med.) **Grape|fruit** [ˈgreːpfruːt] *⟨engl.⟩ die; -, -s:* eine Art ↑ Pampelmuse **[1]Graph,** auch: Graf *⟨griech.⟩ der; -en, -en:* grafische Darstellung, bes. von Relationen [von Funktionen] in Form von Punktmengen, bei denen gewisse Punktpaare durch Kurven (meist Strecken) verbunden sind (Math.; Phys.; EDV; Sprachw.). **[2]Graph,** auch: Graf *das; -s, -e:* Schriftzeichen, kleinste, nicht bedeutungskennzeichnende Einheit in schriftlichen Äußerungen (Sprachw.). **Gra|phem,** auch: Grafem *das; -s, -e:* kleinste bedeutungsunterscheidende grafische Symbol, das ein od. mehrere ↑ Phoneme wiedergibt (Sprachw.). **Gra|phe|ma|tik,** auch: Grafematik *die; -:* ↑ Graphemik (Sprachw.). **gra|phe|ma|tisch,** auch: grafematisch: die Graphematik betreffend (Sprachw.). **Gra|phe|mik,** auch: Grafemik *die; -:* Wissenschaft von den Graphemen unter dem Aspekt ihrer Unterscheidungsmerkmale u. ihrer Stellung im Alphabet (Sprachw.). **gra|phe-misch,** auch: grafemisch: die Graphemik betreffend (Sprachw.). **Gra|phe|o|lo|gie,** auch: Grafeologie *die; -:* 1. Wissenschaft von der Verschriftung von Sprache und von den Schreibsystemen. 2. ↑ Graphemik. **gra|phe|o|lo|gisch,** auch: grafeologisch: die Grapheologie

betreffend. **Gra|phie,** auch: Grafie *die; -, ...jen:* Schreibung, Schreibweise (Sprachw.). **Gra|phik** vgl. Grafik. **Gra|phi|ker** vgl. Grafiker. **Gra|phik|kar|te** vgl. Grafikkarte. **gra|phisch** vgl. grafisch. **Gra|phit,** auch: Grafit [auch: ...ˈfɪt] *⟨gr. -nlat.⟩ der; -s, -e:* vielseitig in der Industrie verwendetes, weiches schwarzes Mineral aus reinem Kohlenstoff. **gra|phi|tie|ren,** auch: grafitieren: mit Graphit überziehen. **gra|phi|tisch,** auch: grafitisch [auch: ...ˈfi...]: aus Graphit bestehend, **Gra|pho|lo|ge,** auch: Grafologe *der; -n, -n:* Wissenschaftler auf dem Gebiet der Graphologie. **Gra|pho|lo|gie,** auch: Grafologie *die; -:* Wissenschaft von der Deutung der Handschrift als Ausdruck des Charakters. **gra|pho|lo|gisch,** auch: grafologisch: die Graphologie betreffend. **Gra|pho|ma-nie,** auch: Grafomanie *die; -:* Schreibwut. **Gra|pho|spas-mus*,** auch: Grafospasmus *der; -, ...men:* Schreibkrampf (Med.). **Gra|pho|sta|tik,** auch: Grafostatik *die; -:* zeichnerische Methode zur Lösung statischer Aufgaben. **Gra|pho|thek,** auch: Grafothek *die; -:* Grafothek ⟨Kunstw. aus *Grapho...* u. ...*thek;* vgl. Bibliothek⟩ *die; -, -en:* Kabinett, das grafische Originalblätter moderner Kunst ausleiht. **Gra|pho|the|ra-pie,** auch: Grafotherapie *die; -:* Befreiung von Erlebnissen od. Träumen durch Aufschreiben (Psychol.) **Grap|pa** *⟨it.⟩ der; -s, -s od. die; -, -s:* italienisches alkoholisches Getränk aus Trester (Traubenrückstände) **Grap|to|li|th** [auch: ...ˈlɪt] *⟨gr. -nlat.⟩ der; -s u. -en, -en:* koloniebildendes, fossiles, sehr kleines Meerestier aus dem Silur **Grass** *⟨engl.-amerik.; „Gras"⟩ das; -:* (ugs. verhüllend) ↑ Marihuana **gras|sie|ren** *⟨lat.⟩:* um sich greifen; wüten, sich ausbreiten (z. B. von Seuchen) **Gra|ti|al** *⟨lat.-mlat.⟩ das; -s, -e:* ↑ Gratiale **Gra|ti|al|le** *das; -s, ...lien:* (veraltet) a) Dankgebet; b) Geschenk (Trinkgeld). **Gra|ti|as** *⟨lat.; gratias agamus Deo = lasst uns Gott danken⟩ das; -, -:* nach dem Anfangswort bezeichnetes (urspr. klösterliches) Dankgebet nach Tisch. **Gra|ti|fi|ka|ti|on** *⟨„Gefälligkeit"⟩ die; -, -en:* zusätzliches [Arbeits]entgelt zu besonderen

Anlässen (z. B. zu Weihnachten). **gra|ti|fi|zie|ren:** (veraltet) vergüten **Gra|tin** [graˈtɛ̃:] *⟨fr.⟩ das od. der; -s, -s:* überbackenes Gericht (z. B. Apfel-, Käse-, Kartoffelgratin). **gra|ti|nie|ren** *⟨germ.-fr.⟩:* überbacken, bis eine braune Kruste entsteht (Gastr.); vgl. au gratin **gra|tis** *⟨lat.⟩:* unentgeltlich, frei, unberechnet. **Gra|tu|l|ant** *der; -en, -en:* jmd., der jmdm. gratuliert. **Gra|tu|la|ti|on** *die; -, -en:* 1. das Gratulieren. 2. Glückwunsch. **Gra|tu|la|ti|ons|cour** [...kuːg] *⟨lat.; lat.-fr.⟩ die; -, -en:* Glückwunschzeremoniell zu Ehren einer hoch gestellten Persönlichkeit. **gra|tu|lie|ren** *⟨lat.⟩:* beglückwünschen, Glückwünsche aussprechen; Glück wünschen **Gra|va|men** *⟨lat.⟩ das; -s, ...mina* (meist Plural): Beschwerde, bes. die Vorwürfe gegen Kirche u. Klerus im 15. u. 16. Jh. **Gra-va|ti|on** *die; -, -en:* (veraltet) Beschwerung, Belastung. **gra-ve** *⟨lat.-it.⟩:* schwer, feierlich, ernst (Vortragsanweisung; Mus.). **Gra|ve** *das; -s, -s:* langsamer Satz od. Satzteil von ernstem, schwerem, majestätischem Charakter seit dem frühen 17. Jh. (Mus.) **Gra|vet|ti|en** [gravɛˈtjɛ̃] ⟨nach der Felsnische La Gravette in Frankreich⟩ *das; -[s]:* Kulturstufe der Jüngeren Altsteinzeit **Gra|veur** [...ˈvøːɐ̯] *⟨niederl.-niederl.-fr.⟩ der; -s, -e:* Metall-, Steinschneider, Stecher **gra|vid** *⟨lat.;* „beschwert"): schwanger (Med.). **Gra|vi|da** *die; -, ...dae* [...dɛ]: schwangere Frau (Med.). **gra|vi|de** vgl. gravid. **Gra|vi|di|tät** *die; -, -en:* Schwangerschaft (Med.) **[1]gra|vie|ren** *⟨niederd.-niederl.-fr.⟩:* in Metall, Stein [ein]schneiden **[2]gra|vie|ren** *⟨lat.⟩:* (veraltet) beschweren, belasten. **gra|vie-rend** *⟨lat.⟩:* ins Gewicht fallend, schwerwiegend u. sich möglicherweise nachteilig auswirkend **Gra|vie|rung** *die; -, -en:* 1. das Gravieren. 2. eingravierte Schrift, Verzierung o. Ä. **Gra|vi|me|ter** *⟨lat.⟩ das; -s, -:* Instrument zur Messung der Veränderlichkeit der Schwerkraft (Geol.). **Gra|vi|me|trie*** *die; -:* 1. Messanalyse; Verfahren zur quantitativen Bestimmung von Elementen u. Gruppen in Stoffgemischen (Chem.). 2.

Messung der Veränderlichkeit der Schwerkraft (Geol.). gra|vi|met|risch*: die Erdschwere betreffend (*lat.*) *der; -, -:* Betonungszeichen für den „schweren", fallenden Ton (z. B. à); vgl. Accent grave. Gra|vi|sph|re* (*lat.; gr.*) *die; -, -n:* Bereich des Weltraums, in dem die Schwerkraft eines Weltkörpers die Schwerkraft anderer Weltkörper überwiegt. Gra|vi|tät (*lat.*) *die; -:* (veraltet) [steife] Würde, Gemessenheit im Gehaben. Gra|vi|ta|ti|on (*lat.-nlat.*) *die; -:* Schwerkraft, Anziehungskraft, bes. die zwischen der Erde u. den in ihrer Nähe befindlichen Körpern. Gra|vi|ta|ti|ons|dif|fe|ren|zi|a|ti|on, auch: ...differentiation *die; -:* das Absinken von Kristallen durch die Schwerkraft bei Erstarrung einer Schmelze (Geol.). Gra|vi|ta|ti|ons|ener|gie *die; -:* die durch die Schwerkraft aufbringbare Energie. gra|vi|tä|tisch (*lat.*): ernst, würdevoll, gemessen. gra|vi|tie|ren (*lat.-nlat.*): a) infolge der Schwerkraft auf einen Punkt hinstreben; b) sich zu etwas hingezogen fühlen. Gra|vi|ton *das; -s, ...onen:* Feldquant, Elementarteilchen des Gravitationsfeldes; vgl. Quant

Gra|vur ⟨mit lateinischer Endung zu ↑Gravüre⟩ *die; -, -en:* eingravierte Verzierung. Gra|vü|re ⟨*niederd.-niederl.-fr.*⟩ *die; -, -n:* 1. ↑ Gravur. 2. a) Erzeugnis der Gravierkunst (Kupfer-, Stahlstich); b) auf photomechanischem Wege hergestellte Tiefdruckform; c) Druck von einer auf photomechanischem Wege hergestellten Tiefdruckform

Gra|zie [...jə] ⟨*lat.*⟩ *die; -, -n:* 1. (ohne Plural) Anmut, Liebreiz. 2. (meist Plural) (in der röm. Mythologie) eine der drei (den Chariten in der griechischen Mythologie entsprechenden) Göttinnen der Anmut u. Schönheit

gra|zil (*lat.*): fein gebildet, zartgliedrig, zierlich. Gra|zi|li|tät *die; -:* feine Bildung, Zartgliedrigkeit, Zierlichkeit

gra|zi|ös (*lat.-fr.*): anmutig, mit Grazie. gra|zi|o|so (*lat.-it.*): anmutig, mit Grazie (Vortragsanweisung; Mus.). Gra|zi|o|so *das; -s, -s u. ...si:* Satz von anmutigem, graziösem Charakter (Mus.)

grä|zi|si|e|ren ⟨*gr.-lat.*⟩: in [alt]griech. Sprachform bringen. Grä|zis|mus ⟨*gr.-nlat.*⟩ *der; -,*

...men: altgriech. Spracheigentümlichkeit in einer nichtgriech. Sprache, bes. in der lateinischen; vgl. ...ismus/...istik. Grä|zist *der; -en, -en:* jmd., der sich wissenschaftlich mit dem Altgriechischen befasst (z. B. Hochschullehrer, Student). Grä|zis|tik *die; -:* Wissenschaft von der altgriechischen Sprache [u. Kultur]; vgl. ...ismus/...istik. grä|zis|tisch: a) das Gebiet des Altgriechischen betreffend; b) in der Art, nach dem Vorbild des Altgriechischen. Grä|zi|tät ⟨*gr.-lat.*⟩ *die; -:* Wesen der altgriech. Sprache u. Sitte

Green|back [ˈgriːnbɛk] ⟨*engl.-amerik.*⟩ *der; -[s], -s:* a) 1862 ausgegebene amerikanische Schatzanweisung mit Banknotencharakter mit grünem Rückseitenaufdruck; b) (volkstümlich in den USA) US-Dollarnote. **Green|horn** [...hɔːn] ⟨*engl.*⟩ *das; -s, -s:* jmd., der auf einem für ihn neuen Gebiet zu arbeiten begonnen hat u. noch ohne einschlägige Erfahrungen ist; Neuling, Grünschnabel. **Green|peace** [...piːs] ⟨*engl.*⟩: internationale Organisation von Umweltschützern

Green|wi|cher Zeit [ˈgrɪnɪdʒɐ-] *die; - -:* westeurop. Zeit, bezogen auf den Nullmeridian, der durch Greenwich (Vorort von London) geht

Gre|ga|ri|ne (*lat.-nlat.*) *die; -, -n:* einzelliger tierischer Schmarotzer im Innern von wirbellosen Tieren (Zool.)

Grège [grɛːʒ] (*it.-fr.*) *die; -:* Rohseide[nfaden] aus 3–8 Kokonfäden, die nur durch den Seidenleim zusammengehalten werden

Gre|go|ri|a|nik ⟨*nlat.*⟩ *die; -:* a) die Kunst des gregorianischen Gesangs; b) den gregorianischen Choral betreffende Forschung. gre|go|ri|a|nisch: in den Fügungen: **gregorianischer Choral od. Gesang:** einstimmiger, rhythmisch freier, unbegleiteter liturg. Gesang der kath. Kirche (benannt nach Papst Gregor I., 590–604); Ggs. ↑ Figuralmusik; **gregorianischer Kalender:** der von Papst Gregor XIII. 1582 eingeführte, noch heute gültige Kalender. gre|go|ri|a|ni|sie|ren: in der Manier des gregorianischen Gesangs komponieren. Gre|gors|mes|se *die; -:* im Spätmittelalter häufige Darstellung der bildenden Kunst, auf der Christus dem vor

dem Altar knienden Papst Gregor I. erscheint

Grel|lots [grəˈloː] ⟨*fr.*⟩ *die* (Plural): [als Randverzierung angebrachte] plastische Posamentenstickerei in Form von Knötchen u. kleinen Schlingen

Gre|mi|a|le ⟨*lat.-mlat.*⟩ *das; -s, ...lien:* Schoßtuch des kath. Bischofs beim Messelesen. Gre|mi|um ⟨*lat.;* „Schoß; eine Arm voll, Bündel"⟩ *das; -s, ...ien:* a) Gemeinschaft, beratende oder beschlussfassende Körperschaft; Ausschuss; b) (österr.) Berufsvereinigung

Gre|na|di|er ⟨*lat.-it.-fr.;* „Handgranatenwerfer"⟩ *der; -s, -e:* a) Soldat der Infanterie (besonderer Regimenter); b) (ohne Plural) unterster Dienstgrad eines Teils der Infanterie. Gre|na|di|le ⟨*lat.-span.-fr.*⟩ u. Granadille ⟨*lat.-span.*⟩ *die; -, -n:* essbare Frucht verschiedener Arten von Passionsblumen

Gre|na|din [grənaˈdɛ̃] ⟨*lat.-it.-fr.*⟩: nach der spanischen Stadt Granada) *das od. der; -s, -s:* kleine gebratene Fleischschnitte

¹Gre|na|di|ne ⟨*lat.-it.-fr.*⟩ *die; -:* Saft aus Granatäpfeln [Orangen u. Zitronen]. ²Gre|na|di|ne ⟨*fr.*⟩ *die; -:* a) hart gedrehter Naturseidenzwirn; b) durchbrochenes Gewebe aus ²Grenadine (a) in Leinenbindung (Webart)

Grey|hound [ˈgreɪhaʊnd] ⟨*engl.*⟩ *der; -[s], -s:* 1. engl. Windhund. 2. Kurzwort für: Greyhoundbus. Grey|hound|bus *der; -ses, -se:* Omnibus einer amerikanischen Busliniengesellschaft (in den Vereinigten Staaten ein wichtiges öffentliches Verkehrsmittel im Überlandverkehr)

Grib|let|te* ⟨*fr.*⟩ *die; -, -n:* (veraltet) kleine, gespickte Fleischschnitte

grie|chisch-ka|tho|lisch: 1. (auch:) griechisch-uniert: einer mit Rom ↑ unierten orthodoxen Nationalkirche angehörend (die bei eigenen Gottesdienstformen in Lehre u. Verfassung den Papst anerkennt). 2. (veraltet) ↑ griechisch-orthodox. grie-chisch-or|tho|dox: der von Rom (seit 1054) getrennten morgenländischen od. Ostkirche od. einer ihrer ↑ autokephalen Nationalkirchen angehörend. grie-chisch-rö|misch: 1. (beim Ringen) nur Griffe oberhalb der Gürtellinie gestattend. 2. ↑ grie-chisch-katholisch. grie|chisch u|niert: ↑ griechisch-katholisch

Grieve [griːv] vgl. James Grieve

Grif|fon [grɪˈfõː] ⟨fr.⟩ der; -s, -s: als Jagd- od. Schutzhund gehaltener, kräftiger Vorstehhund mit rauem bis struppigem Fell

grig|nar|die|ren* [grinjar...] ⟨nach dem französischen Chemiker Grignard, 1871–1935⟩: nach einem bestimmten Verfahren ↑Synthesen organischer Stoffe bilden

Grill ⟨lat.-fr.-engl.⟩ der; -s, -s: Bratrost. **Gril|la|de** [griˈjaːdə] ⟨lat.-fr.⟩ die; -, -n: gegrilltes Fleischstück. **gril|llen** ⟨lat.-fr.-engl.⟩: auf dem Grill braten. **Grill|let|te** die; -, -n: (regional) gegrilltes Hacksteak. **gril|lie|ren** [griˈjiː...]: (schweiz.) ↑grillen. **Grill|room** [ˈgrɪlruːm] ⟨engl.⟩ der; -s, -s: Restaurant od. Speiseraum in einem Hotel, in dem hauptsächlich Grillgerichte [zubereitet u.] serviert werden

Gri|mas|se ⟨germ.-fr.⟩ die; -, -n: eine bestimmte innere Einstellung, Haltung o. Ä. durch verzerrte Züge wiedergebender Gesichtsausdruck; Fratze. **gri|mas|sie|ren**: das Gesicht verzerren, Fratzen schneiden

Grin|go ⟨gr.-lat.-span.; „griechisch" (= unverständlich)⟩ der; -s, -s: (abwertend) jmd., der nicht romanischer Herkunft ist (in Südamerika)

Gri|ot [griˈoː] ⟨fr.⟩ der; -s, -s: (bes. im nordwestl. Afrika) fahrender Sänger u. Spaßmacher, dem übernatürliche Kräfte zugeschrieben werden

grip|pal: a) die Grippe betreffend; b) von einer Grippe herrührend; mit Fieber u. ↑Katarrh verbunden. **Grip|pe** ⟨germ.-fr.; „Grille, Laune"⟩ die; -, -n: mit Fieber u. Katarrh verbundene [epidemisch auftretende] Virusinfektionskrankheit. **Grip|pe-pneu|mo|nie** die; -, -n: gefährliche, durch Grippe hervorgerufene Lungenentzündung (Med.). **grip|po|id**: ↑grippös. **grip|pös** ⟨germ.-fr.-nlat.⟩: grippeartig (Med.)

Gri|saille [griˈzaːj] ⟨germ.-fr.⟩ die; -, -n: 1. a) Malerei in grauen (auch braunen od. grünen) Farbtönen; b) Gemälde in grauen (auch braunen od. grünen) Farbtönen. 2. (ohne Plural) Seidenstoff aus schwarzem u. weißem Garn. **Gri|set|te** ⟨fr.; „Kleid aus grauem Stoff" (wie es von den Näherinnen getragen wurde)⟩ die; -, -n: 1. a) junge [Pariser] Näherin, Putzmacherin; b) leicht-

fertiges junges Mädchen. 2. eine Pastetenart

Gris|li|bär u. Grizzlybär ⟨engl.; dt.; „grauer Bär"⟩ der; -en, -en: dunkelbrauner amerik. Bär (bis 2,30 m Körperlänge). **Gri|son** [griˈzõː] ⟨fr.⟩ der; -s, -s: in Mittelu. Südamerika heimischer, einem Dachs ähnlicher Marder mit oberseits hellgrauem Fell

Grit ⟨engl.⟩ der; -s, -e: [Mühlen]sandstein

Grizz|ly|bär [ˈgrɪsli...] vgl. Grislibär

gro|bi|a|nisch ⟨dt.-nlat.⟩: in der Art eines Grobians; **grobianische Dichtung:** Dichtung des 15. u. 16. Jh.s, die das grobe, unflätige Verhalten (bes. bei Tisch) ironisch u. satirisch darstellt. **Gro-bi|a|nis|mus** der; -: grobianische Dichtung

Grog ⟨engl.; nach dem Spitznamen des engl. Admirals Vernon: „Old Grog"⟩ der; -s, -s: heißes Getränk aus Rum (auch Arrak od. Weinbrand), Zucker u. Wasser. **grog|gy** ⟨„vom Grog betrunken"⟩: schwer angeschlagen, nicht mehr zu etw. (z. B. zum Kämpfen) fähig

grol|lie|resk ⟨fr.; nach dem franz. Bibliophilen Grolier de Servières, 1479–1565⟩: in der Art eines Groliereinbandes (= Maroquin- od. Kalbsledereinband mit farbigen od. goldenen Verzierungen)

Groom [gruːm] ⟨engl.⟩ der; -s, -s: engl. Bezeichnung für: a) Reitknecht; b) junger Diener, Page

Groove [gruːv] ⟨engl.⟩ der; -s: Art u. Weise, Musik in rhythmisch-melodischer Weise darzubieten, die innere Beteiligung, Anteilnahme erkennen lässt u. sich auf das Publikum überträgt. **groo-ven** [ˈgruːvən]: 1. ein Instrument so spielen, dass man die innere Beteiligung erkennen kann, die sich auf das Publikum überträgt. 2. so rhythmisch-melodisch u. mitreißend sein, dass es sich auf das Publikum überträgt. **Groo-ving** das; -[s]: Herstellung einer aufgerauten Fahrbahn mit Rillen (auf Startpisten, Autobahnen)

¹Gros [groː] ⟨lat.-fr.⟩ das; -, - [groːs]: überwiegender Teil einer Personengruppe

²Gros ⟨lat.-fr.-niederl.⟩ das; -ses, -se (aber: 6 -): 12 Dutzend (= 144 Stück

Groß|al|mo|se|nier [...iːr] ⟨dt.; gr.-mlat.⟩ der; -s, -e: oberster Geistlicher (↑Almosenier) des ↑Klerus am franz. Hof (seit

15. Jh.). **Groß|dyn** ⟨dt.; gr.⟩ das; -s: ↑Dyn

Gros|sesse ner|veuse [grosɛsnɛrˈvøːz] ⟨fr.⟩ die; - -, -s -s [grosɛsnɛrˈvøːz]: eingebildete Schwangerschaft (Med.)

Groß|in|qui|si|tor ⟨dt.; lat.⟩ der; -s, -en: oberster Richter der span. ↑Inquisition

Gros|sist ⟨lat.-fr.⟩ der; -en, -en: Großhändler

Groß|koph|ta [...kɔfta] ⟨angeblicher Gründer der ägypt. Freimaurerei; Herkunft unsicher⟩ der; -s: Leiter des von Cagliostro gestifteten Freimaurerbundes (um 1770). **Groß|kor|don** [...dõː] ⟨dt.; fr.⟩ der; -s: höchste Klasse der Ritter- u. Verdienstorden. **Groß|mo|gul** ⟨dt.; pers.-Hindi-port.-fr.⟩ der; -s, -n: 1. nordindischer Herrscher (16.–19. Jh.). 2. (ohne Plural) einer der größten Diamanten. **Groß|muf|ti** ⟨dt.; arab.⟩ der; -s, -s: Titel des Rechtsgelehrten (↑Mufti) Husaini von Jerusalem

Groß|so|han|del ⟨lat.-it.; dt.⟩ der; -s: (veraltet) Großhandel. **gros-so mo|do** ⟨lat.⟩: im großen Ganzen

Gros|su|lar ⟨germ.-fr.-nlat.⟩ der; -s, -e: grüne u. gelbgrüne Abart des ↑¹Granats

Groß|we|sir ⟨dt.; arab.⟩ der; -s, -e: 1. (hist.) hoher islam. Beamter, der nur dem Sultan unterstellt ist. 2. (ohne Plural) Titel des türk. Ministerpräsidenten (bis 1922)

Grosz [grɔʃ] ⟨dt.-poln.⟩ der; -, -e (aber: 10 -y): 0,01 Zloty (poln. Währungseinheit)

gro|tesk ⟨gr.-lat.-vulgärlat.-it.-fr.⟩: a) durch eine Übersteigerung od. Verzerrung absonderlich, fantastisch wirkend; b) absurd, lächerlich. **Gro|tesk** die; -: gleichmäßig starke Antiquaschrift ohne ↑Serifen. **Gro|tes-ke** die; -, -n: 1. fantastisch geformtes Tier- u. Pflanzenornament der Antike u. Renaissance. 2. Erzählform, die Widersprüchliches, z. B. Komisches u. Grauen Erregendes, verbindet. 3. ↑Grotesktanz. **Gro|tesk|film** der; -[e]s, -e: Lustspielfilm mit oft völlig sinnloser ↑Situationskomik (z. B. Paul u. Patachon). **Gro|tesk|tanz** der; -es, ...tänze: karikierender Tanz mit drastischen Übertreibungen u. verzerrenden Bewegungen

Grot|te ⟨gr.-lat.-vulgärlat.-it.⟩ die; -, -n: malerische, oft in Renaissance- u. Barockgärten künstlich gebildete Felsenhöhle. **Grọt|to** *das;* -s, ...ti (auch: -s): Tessiner Weinschenke

Ground|hos|tess ['graunt...] ⟨*engl.*⟩ *die;* -, -en: Angestellte einer Fluggesellschaft, der die Betreuung der Fluggäste auf dem Flughafen obliegt

Grou|pie ['gru:pi] ⟨*engl.*⟩ *das;* -s, -s: meist weiblicher ↑ Fan, der möglichst engen Kontakt mit seinem Idol sucht

Growl [graul] ⟨*engl.*⟩ *der* od. *das;* -s, -s: (im Jazz) spezieller Klangeffekt, bei dem vokale Ausdrucksmittel auf Instrumenten nachgeahmt werden

grụb|ben vgl. grubbern. **Grụb-ber** *der;* -s, -: mit einer ungeraden Anzahl von Zinken versehenes, auf vier Rädern laufendes Gerät zur Bodenbearbeitung (Eggenpflug); vgl. Kultivator. **grụb|bern,** grubben ⟨*engl.*⟩: mit dem Grubber pflügen

Grụnd|bass ⟨*dt.; lat.-it.*⟩ *der;* -es: 1. Reihe der tiefsten Töne eines Musikwerkes als Grundlage seiner Harmonie. 2. ↑ Fundamentalbass

Grunge [grandʒ] ⟨*engl.-amerik.*⟩ *der;* -: 1. Rockmusik, für die harte Gitarrenklänge u. eine lässige Vortragsweise typisch sind. 2. Mode in Form bewusst unansehnlicher, schmuddeliger Kleidung

Grụpp ⟨*it.-fr.*⟩ *der;* -s, -s: aus Geldrollen bestehendes, zur Versendung bestimmtes Paket

Grup|pen|dy|na|mik ⟨*dt.; gr.-lat.*⟩ *die;* -: (Sozialpsychol.) a) koordiniertes Zusammenwirken, wechselseitige Steuerung des Verhaltens der Mitglieder einer Gruppe bzw. Verhältnis des Individuums zur Gruppe; b) Wissenschaft von der Gruppendynamik (a). **grup|pen|dy|na|misch:** die Gruppendynamik betreffend, zu ihr gehörend

Gru|si|cal ['gru:zɪk|] (anglisierende Neubildung zu *gruseln* nach dem Vorbild von ↑ Musi*cal*) *das;* -s, -s: nach Art eines Musicals aufgemachter Gruselfilm

Gruy|ère [gry'jɛːr] *der;* -s: Hartkäse aus der gleichnamigen Schweizer Landschaft. **Gruy-ère|kä|se** ⟨*fr.; dt.*⟩ *der;* -s: ↑ Gruyère

G-String ['dʒi:strɪŋ] ⟨*engl.;* „G-Saite"⟩ *die;* -, -s od. *der;* -s, -s: oft von ⟨Striptease⟩tänzerinnen als Slip getragenes Kleidungsstück, das aus einem nur ein Geschlechtsteile bedeckenden

---

Stoffstreifen besteht, der an einer um die Hüften geschlungenen Schnur befestigt ist

Gu|al|jak|harz ⟨*indian.-span.; dt.*⟩ *das;* -es: als Heilmittel verwendetes Harz des in Mittelamerika wachsenden Guajakbaumes. **Gu|al|ja|kọl** ⟨Kurzw. aus *Guajak* u. ↑ Alkohol⟩ *das;* -s: aromatischer Alkohol, der als ↑ Antiseptikum u. ↑ Expektorans verwendet wird. **Gu|al|jak|pro|be** *die;* -, -n: Untersuchung auf Blut in Stuhl, Urin und Magensaft (Med.)

Gu|al|jạl|ve, auch: Guave ⟨*indian.-span.*⟩ *die;* -, -n: tropische Frucht in Apfel- od. Birnenform

Gu|al|nạl|ko ⟨*indian.-span.*⟩ u. **Huanaco** ⟨*indian.*⟩ *das* (älter: *der*); -s, -s: (in Südamerika lebendes) dem ↑ Lama ähnliches, zur Familie der Kamele gehörendes Tier mit langem, dichtem Fell

Gu|al|nil|din ⟨*indian.-span.-nlat.*⟩ *das;* -s: Imidoharnstoff; vgl. Imid. **Gu|al|nịn** ⟨*indian.-span.*⟩ *das;* -s: Bestandteil der ↑ Nukleinsäuren. **Gua-no** ⟨*indian.-span.*⟩ *der;* -s: aus Exkrementen von Seevögeln bestehender organischer Dünger

Gu|al|rạ|na [auch: ...ra'na] ⟨*indian.-span.*⟩ *der* u. *das;* -s, -s: koffeinhaltige getrocknete Paste aus den Samen eines im Amazonasgebiet heimischen Seifenbaumgewächses, die zu Getränken, Tonika o. Ä. verarbeitet wird

Gu|al|rạ|ni, Gu|al|ra|nị *der;* -, -: Währungseinheit in Paraguay

Gu|ar|dia ci|vil [- si'vil] ⟨*span.*⟩ *die;* - -: spanische ↑ Gendarmerie. **Gu|ar|di|an** ⟨*germ.-mlat.;* „Wächter"⟩ *der;* -s, -e: Vorsteher eines Konvents der ↑ Franziskaner u. ↑ Kapuziner

Gu|ar|ne|ri *die;* -, -s u. **Gu|ar|ne-ri|us** *die;* -, ...rii: Geige aus der Werkstatt der Geigenbauerfamilie Guarneri aus Cremona

Gu|asch vgl. Gouache

Gu|al|ve vgl. Guajave

Gu|ber|ni|um *das;* -s, ...ien: (veraltet) ↑ Gouvernement

Gud|scha|rạ|ti* [gʊdʒa...] ⟨*Hindi*⟩ *das;* -s: moderne indische Sprache

Gu|ẹl|fe [auch: 'gɛlfə] ⟨*germ.-it.;* „Welfe"⟩ *der;* -n, -n: (hist.) Anhänger päpstlicher Politik, Gegner der ↑ Gibellinen

¹Gu|e|ril|la [ge'rılja] ⟨*germ.-span.*⟩ *die;* -, -s: a) Kleinkrieg, den irreguläre Einheiten der einheimischen Bevölkerung gegen eine Besatzungsmacht od. im Rah-

---

men eines Bürgerkriegs führen; b) einen Kleinkrieg führende Einheit. **²Gu|e|ril|la** *der;* -[s], -s (meist Plural): Angehöriger einer ¹Guerilla (b). **Gu|e|ril|le|ro** [...'je:ro] ⟨*germ.-span.*⟩ *der;* -s, -s: Untergrundkämpfer in Südamerika. **Gu|er|rig|li|le|ro*** [gueril-'je:ro] ⟨*germ.-span.-it.*⟩ *der;* -, ...ri: italienischer Partisan (des 2. Weltkriegs)

Guide [fr.: gid, engl.: gaɪd] ⟨*germ.-fr.(-engl.)*⟩ *der;* -s, -s: 1. Reisebegleiter; jmd., der Touristen führt. 2. Reiseführer, -handbuch

gui|dọ|nisch [gui...] ⟨*it.; dt.*⟩: in der Fügung **guidonische Hand:** Guido von Arezzo (980–1050) zugeschriebene Darstellung der Solmisationssilben (vgl. Solmisation) durch Zeigen auf bestimmte Stellen der offenen linken Hand zur optischen Festlegung einer Melodie (Mus.)

Guig|nol* [gin'jɔl] ⟨*fr.*⟩ *der;* -s, -s: Kasperle des französischen Puppentheaters, Hanswurst des Lyoner Puppenspiels

Guild|hall ['gɪldhɔːl] ⟨*engl.;* „Gildenhalle"⟩ *die;* -, -s: Rathaus in England (bes. in London)

Guil|loche [gi'jɔf, gɪl'jɔf] ⟨*fr.*⟩ *die;* -, -n: 1. verschlungene Linienzeichnung auf Wertpapieren od. zur Verzierung auf Metall, Elfenbein, Holz. 2. Werkzeug zum Anbringen verschlungener [Verzierungs]linien. **Guil|lo|cheur** [...'ʃøːɐ] *der;* -s, -e: Linienstecher. **guil|lo|chie|ren** [...'ʃiː...]: Guillochen stechen

Guil|lo|ti|ne [gijo..., gɪljo...] ⟨nach dem französischen Arzt Guillotin⟩ *die;* -, -n: mit einem Fallbeil arbeitendes Hinrichtungsgerät. **guil|lo|ti|nie|ren:** durch die Guillotine hinrichten

¹Gui|nea [gi...] (Staat in Westafrika). **²Gui|nea** ['gɪnı] ⟨*engl.*⟩ *die;* -, -s u. **Gui|nee** [gi'ne:(ə)] ⟨*engl.-fr.*⟩ *die;* -, ...gen: a) frühere englische Goldmünze; b) frühere englische Rechnungseinheit von 21 Schilling

Gui|pure|spit|ze [gi'py:ɐ...] ⟨*germ.-fr.; dt.*⟩ *die;* -, -n: reliefartiger Spitzenstoff; vgl. Gipüre

Guir|lan|de [gɪr...] vgl. Girlande

Gui|tar|re [gi...] vgl. Gitarre

Gu|ja|rạ|ti [gʊdʒa...] vgl. Gudscharati

Gu|lag ⟨Kurzwort aus *russ.* Glavnoe *U*pravlenije *Lag*erej⟩, *der;* -[s]: Hauptverwaltung des Straflagersystems in der UdSSR (1930–1955)

Gu|lasch [auch: 'gʊ...] ⟨ung.⟩ das u. der; -[e]s, -e u. -s: scharf gewürztes Fleischgericht. Gu|lasch|ka|no|ne die; -, -n: (scherzh.) Feldküche. Gul|ly ⟨lat.-fr.-engl.⟩ der (auch: das); -s, -s: in die Fahrbahndecke eingelassener abgedeckter kastenförmiger Schacht, durch den das Straßenabwasser in die Kanalisation abfließen kann. Gul|yás ['gʊlaʃ] das u. der; -, -: ↑Gulasch. Gum|ma ⟨ägypt.-gr.-lat.-nlat.⟩ das; -s, -ta u. Gummen: gummiartige Geschwulst im Tertiärstadium der Syphilis (Med.). ¹Gum|mi ⟨ägypt.-gr.-lat.⟩ das u. der; -s, -[s]: a) Vulkanisationsprodukt aus ↑Kautschuk; b) aus schmelzbaren Harzen gewonnener Klebstoff, z. B. ↑Gummiarabikum. ²Gum|mi der; -s, -s: a) Radiergummi; b) (ugs.) Kondom. ³Gum|mi das; -s, -s: Gummiband. Gum|mi|ara|bi|kum ⟨nlat.⟩ das; -s: wasserlöslicher Milchsaft verschiedener Akazienarten, der für Klebstoff u. Bindemittel verwendet wird. Gum|mi|elas|ti|kum ⟨nlat.⟩ das; -s: ↑Kautschuk. gum|mie|ren: a) mit einer Klebstoffschicht versehen; b) (ein Gewebe) mit Latex, Kunststoff wasserdicht machen. Gum|mi|gutt ⟨ägypt.-gr.-lat.; malai.⟩ das; -s: giftiges Harz ostindischer Bäume, das gelbe Aquarellfarbe liefert. Gum|mi|pa|ra|graph der; -en, -en: (ugs.) Paragraph, der so allgemein od. unbestimmt formuliert ist, dass er die verschiedensten Auslegungen zulässt. gum|mös ⟨ägypt.-gr.-lat.-nlat.⟩: gummiartig, Gummen bildend (Med.). Gum|mo|se die; -, -n: krankhafter Harzfluss bei Steinobstgewächsen (Bot.). Gun [gan] ⟨engl.-amerik.⟩ das od. der; -s, -s: (Jargon) Spritze, mit der Rauschgift in die ↑Vene gespritzt wird. Gun|man ['gʌnmən] ⟨engl.⟩ der; -s, ...men: bewaffneter Gangster, Killer. Gup|py ⟨nach dem Namen des brit.-westind. Naturforschers R. J. L. Guppy⟩ der; -s, -s: zu den Zahnkarpfen gehörender beliebter Aquarienfisch. Gur|de ⟨lat.-fr.⟩ die; -, -n: Pilgerflasche im Mittelalter (aus getrocknetem Kürbis, dann auch aus Glas, Ton od. Metall). Gur|kha [...ka] ⟨angloind.; ostindisches Volk in Nepal⟩ der; -[s], -s]: Soldat einer nepalesischen

Spezialtruppe in der indischen bzw. in der britischen Armee. Gu|ru ⟨Hindi⟩ der; -s, -s: a) [als Verkörperung eines göttlichen Wesens verehrter] religiöser Lehrer im ↑Hinduismus; b) Idol; von einer Anhängerschaft als geistiger Führer verehrte u. anerkannte Persönlichkeit. Gus|la ⟨serb., kroat.⟩ die; -, -s u. ...len u. Gusle die; -, -s u. -n: südslawisches Streichinstrument mit einer Rosshaarsaite, die über eine dem Tamburin ähnliche Felldecke gespannt ist. Gus|lar der; -en, -en: Guslaspieler. Gus|le vgl. Gusla. Gus|li ⟨russ.⟩ die; -, -s: im 18. Jh. in Russland gebräuchliches harfenähnliches Klavichord mit 5 bis 32 Saiten. gus|tie|ren ⟨lat.-it.⟩: (ugs.) ↑goutieren. gus|ti|ös ⟨lat.-it.⟩: (österr.) lecker, appetitanregend (von Speisen). Gus|to der; -s, -s: Geschmack, Neigung. Gus|to|me|ter ⟨lat.; gr.⟩ das; -s, -: Gerät zur Prüfung des Geschmackssinnes (Med.). Gus|to|met|rie* die; -: Prüfung des Geschmackssinnes. Gut|tap|er|cha ⟨malai.⟩ die; - od. das; -[s]: kautschukähnliches Produkt aus dem Milchsaft einiger Bäume Südostasiens, das früher vor allem als Isoliermittel verwendet wurde. Gut|ta|ti|on ⟨lat.-nlat.⟩ die; -, -en: Wasserausscheidung von Pflanzen durch ↑Hydathoden. Gut|ti ⟨malai.⟩ das; -s: ↑Gummigutt. gut|tie|ren ⟨lat.-nlat.⟩: Wasser ausscheiden (von Pflanzen). Gut|ti|fe|ren ⟨malai.; lat.⟩ die (Plural) ⟨: Guttibaumgewächse, Pflanzenfamilie, zu der z. B. der Butterbaum gehört. Gut|ti|ol|le ® ⟨lat.⟩ die; -, -n: Tropfflasche (Med.). gut|tu|ral ⟨lat.-nlat.⟩: die Kehle betreffend (Sprachw.). Gut|tu|ral der; -s, -e: Gaumen-, Kehllaut, zusammenfassende Bez. für ↑Palatal, ↑Velar u. ↑Labiovelar (Sprachw.). Gut|tu|ra|lis die; -, ...les [...le:s]: (veraltet) Guttural. Gu|yot [gi'jo:] ⟨nach dem Namen des amerikanischen Geographen u. Geologen schweizerischer Abstammung A. H. Guyot, 1807–1884⟩ der; -s: tafelbergähnliche Tiefseekuppe. Gym|kha|na ⟨angloind.⟩ das; -s, -s: Geschicklichkeitswettbewerb (bes. für Leichtathleten, Reiter, Wassersportler, Kraftwagenfahrer)

Gym|naest|ra|da* [... nɛ...] ⟨gr.; span.⟩ die; -, -s: internationales Turnfest (ohne Wettkämpfe) mit gymnastischen u. turnerischen Schaudarbietungen. gym|na|si|al ⟨gr.-nlat.⟩: das Gymnasium betreffend. Gym|na|si|arch ⟨gr.-lat.⟩ der; -en, -en: Leiter eines antiken Gymnasiums (2). Gym|na|si|ast ⟨gr.-nlat.⟩ der; -en, -en: Schüler eines Gymnasiums (1). Gym|na|si|um ⟨gr.-lat.⟩ das; -s, ...ien: 1. a) zur Hochschulreife führende höhere Schule; b) (früher) höhere Schule mit Latein- und Griechischunterricht (humanistisches Gymnasium); c) Gebäude eines Gymnasiums (1a). 2. im Altertum, bes. in Griechenland, Übungs- u. Wettkampfanlage zur körperlichen Ertüchtigung der Jugend. Gym|nast ⟨gr.⟩ der; -en, -en: 1. Trainer der Athleten in der griech. Gymnastik. 2. Lehrer der Hellgymnastik. Gym|nas|tik ⟨gr.-nlat.⟩ die; -: rhythmische Bewegungsübungen zu sportlichen Zwecken, zur Körperertüchtigung od. zur Heilung bestimmter Körperschäden. Gym|nas|ti|ker der; -s, -: jmd., der körperliche Bewegungsübungen ausführt. Gym|nas|tin die; -, -nen: Lehrerin der Heilgymnastik. gym|nas|tisch: die Gymnastik betreffend. gym|nas|ti|zie|ren: die Muskeln des Pferdes [u. Reiters] für höchste Anforderungen systematisch durchbilden. Gym|no|lo|gie die; -: Wissenschaft der Leibeserziehung, des Sports, der Bewegungsrekreation u. der Bewegungstherapie. Gym|no|so|phist ⟨gr.-lat.; „nackter Weiser“⟩ der; -en, -en: indischer ↑Asket bes. in der griech. Literatur. Gym|no|sper|me ⟨gr.-nlat.⟩ die; -, -n (meist Plural): nacktsamige Pflanze (deren Samen nicht von einem Fruchtknoten umschlossen sind; Bot.). Gy|nae|ce|um [...nɛ...] ⟨gr.-nlat.⟩ das; -s, ...ceen: Gynäzeum (2). Gy|nä|kei|on ⟨gr.⟩ das; -s, ...eien: Frauengemach der altgriech. Hauses. Gy|nä|ko|kra|tie* ⟨gr.-nlat.⟩ die; -, ...ien: ↑Matriarchat. Gy|nä|ko|lo|ge ⟨gr.-nlat.⟩ der; -n, -n: Frauenarzt, Wissenschaftler auf dem Gebiet der Frauenheilkunde (Med.). Gy|nä|ko|lo|gie die; -: Frauenheilkunde (Med.). gy|nä|ko|lo|gisch: die Frauenheilkunde betreffend (Med.). Gy|nä|ko|mas|tie die; -, ...ien: weibl.

Brustbildung bei Männern (Med.). **Gy|nä|ko|pho|bie** *die;* -: Abneigung gegen alles Weibliche (Psychol.). **Gy|nä|ko|sper|mi-um** *das;* -s, ...ien: Samenfaden, der ein X-Chromosom enthält u. damit das Geschlecht als weiblich bestimmt. **Gy|nan|der*** *der;* -s, -: Tier mit der Erscheinung des Gynandromorphismus. **Gy-nand|rie*** *die;* -: 1. Verwachsung der männlichen u. weiblichen Blütenorgane (Bot.). 2. Scheinzwittrigkeit bei Tieren (durch Auftreten von Merkmalen des andern Geschlechts; Zool.). 3. Ausbildung von Körpermerkmalen des weiblichen Geschlechts bei männlichen Personen. **gy|nand|risch*:** scheinzwitterartig (von Tieren). **Gy-nand|ris|mus*** *der;* -: (selten) ↑Gynandrie. **Gy|nand|ro|mor-phis|mus*** *der;* -, ...men: 1. bei Tieren auftretendes Scheinzwittertum (Biol.). 2. Gynandrie (3). **Gy|nanth|ro|pos*** ⟨„Fraumann"⟩ *der;* -, ...thro̱pen u. ...poi: (veraltet) menschlicher Zwitter. **Gy|nat|re|sie*** *die;* -, ...ien: angeborenes Fehlen der weiblichen Geschlechtsöffnung od. Verschluss der Mündungen einzelner Geschlechtsorgane (Med.). **Gy|nä|ze|um** ⟨*gr.-lat.*⟩ *das;* -s, ...ẹen: 1. ↑Gynäkeion. 2. Gesamtheit der weiblichen Blütenorgane einer Pflanze. **Gy-ner|gen** ® ⟨⟨*gr.; fr.*⟩ *nlat.*⟩ *das;* -s: vielfach (z. B. in der ↑Gynäkologie, bei Migräne) verwendetes Präparat aus dem Mutterkorn (Med.). **Gy|no|gal|met** ⟨*gr.-nlat.*⟩ *der;* -en, -en (meist Plural): Eizelle, weibliche Geschlechtszelle; Ggs. ↑Androgamet. **Gy-no|ge|ne|se** *die;* -, -n: Eientwicklung durch Scheinbefruchtung. **Gy|no|phor** *der;* -s, -en: Verlängerung der Blütenachse zwischen ↑Gynäzeum (2) u. Blütenhülle (Bot.). **Gy|nos|te|mi|um*** *das;* -s, ...ien: Griffelsäule der Orchideenblüte

Gy|ro|bus ⟨*gr.; lat.-fr.*⟩ *der;* -ses, -se: bes. in der Schweiz verwendeter Bus, der durch Speicherung der kinetischen Energie seines rotierenden Schwungrades angetrieben wird. **gy|ro|mag-ne|tisch*** ⟨*gr.-nlat.*⟩: kreiselmagnetisch, auf der Wechselwirkung von Drehimpuls u. magnetischem Moment beruhend (Phys.). **Gy|ro|me|ter** *das;* -s, -: Drehungsmesser für Drehgeschwindigkeit, Tourenschreiber.

Gy|ros ⟨*ngr.*⟩ *das;* -, -: griechisches Gericht aus Schweine-, Rind-, Hammelfleisch, das an einem senkrecht stehenden Spieß gebraten u. dann portionsweise abgeschnitten wird (Gastr.). **Gy-ro|skop*** *das;* -s, -e: Messgerät für den Nachweis der Achsendrehung der Erde. **Gy|ro|val|ge** ⟨*gr.; lat.*⟩ *der;* -n, -n: (veraltet) a) Landstreicher; b) Bettelmönch. **Gy|rus** ⟨*gr.-lat.;* „Kreis"⟩ *der;* -, ...ri: Gehirnwindung (Med.)

Gytt|ja ⟨*schwed.*⟩ *die;* -, ...jen: in Seen u. Mooren abgelagerter Faulschlamm organischer Herkunft (Geol.)

Hal|ba|ner ⟨Herkunft unsicher⟩ *die* (Plural): Nachkommen deutscher Wiedertäufer des 16. Jh.s in der Slowakei u. in Siebenbürgen

Hal|ba|ne|ra ⟨*span.;* vom Namen der kuban. Hauptstadt Havanna (span. *La Habana*)⟩ *die;* -, -s: kubanischer (auch in Spanien heimischer) Tanz in ruhigem ²/₄-Takt

Hal|ba|ner|fa|yence [...fa'jã:s] *die* -, -n (meist Plural): volkstümliche ↑Fayence, die bes. im 17. u. 18. Jh. von den ↑Habanern hergestellt wurde

Hab|dal|la ⟨*hebr.*⟩ *die;* -, -s: vom jüdischen Hausherrn in der häuslichen Feier am Ausgang des ↑Sabbats od. eines Feiertags gesprochenes lobpreisendes Gebet

Hal|be|as Cọr|pus ⟨*lat.;* „du habest den Körper"⟩: Anfangsworte des mittelalterlichen Haftbefehls. **Hal|be|as|kor|pus|ak|te** *die;* -: 1679 vom englischen Oberhaus erlassenes Gesetz zum Schutze der persönlichen Freiheit, nach dem niemand ohne richterlichen Haftbefehl verhaftet od. in Haft gehalten werden darf. **ha|be|mus Pạl|pam** ⟨„wir haben einen Papst"⟩: Ausruf von der Außenloggia der Peterskirche nach vollzogener Papstwahl. **ha|bent sụa fạta li|bẹl|li:** „[auch] Bücher haben ihre Schicksale" (nach Terentianus

Maurus). **ha|bil:** fähig, gewandt. **ha|bil.:** Abk. für: habilitatus = habilitiert (vgl. habilitieren a); Dr. habil. = doctor habilitatus: habilitierter Doktor. **Ha|bi|li-tand** ⟨*lat.-mlat.*⟩ *der;* -en, -en: jmd., der zur Habilitation zugelassen ist. **Ha|bi|li|ta|ti|on** *die;* -, -en: Erwerb der Lehrberechtigung an Hochschulen u. Universitäten durch Anfertigung einer schriftlichen Arbeit. **Ha|bi|li-ta-tus:** mit Lehrberechtigung (an Hochschule u. Universität); Abk.: habil. **ha|bi|li|ti̱e̱|ren:** a) sich habilitieren: die Lehrberechtigung erwerben an einer Hochschule od. Universität erwerben; b) jmdm. die Lehrberechtigung erteilen. **¹Ha|bit** [auch: ...'bɪt, 'habɪt] ⟨*lat.-fr.*⟩ *das* (auch: *der*); -s, -e: Kleidung, die einer beruflichen Stellung, einer bestimmten Gelegenheit od. Umgebung entspricht. **²Ha|bit** ['hæbɪt] ⟨*lat.-fr.-engl.*⟩ *das* (auch: *der*); -s, -s: Gewohnheit, Erlerntes, Anerzogenes, Erworbenes (Psychol.). **¹Ha|bi|tạt** ⟨*lat.*⟩ *das;* -s, -e: a) Standort, an dem eine Tier- od. Pflanzenart regelmäßig vorkommt; b) Wohnplatz von Ur- u Frühmenschen. **²Ha|bi|tạt** ⟨*lat. engl.*⟩ *das;* -s, -e: a) Wohnstätte Wohnraum, Wohnplatz; b) kapselförmige Unterwasserstation in der die ↑Aquanauten wohnen können. **ha|bi|tu|a|li|si̱e̱|ren** ⟨*lat.-mlat.-nlat.*⟩: 1. zur Gewohnheit werden. 2. zur Gewohnheit machen. **Ha|bi|tu|a|li|si̱e̱|run** *die;* -, -en: das Habitualisieren **ha|bi|tu|a|li|ti|on** *die;* -, -en a) Gewöhnung (Med.; Psychol.) b) physische u. psychische Gewöhnung an Drogen. **Ha|bi|tu** [(h)abi'ty:ẹ:] ⟨*lat.-fr.*⟩ *der;* -s, - (österr., sonst veraltet) ständig Besucher, Stammgast. **ha|bi|tu-ẹll:** 1. gewohnheitsmäßig; stär dig. 2. verhaltenseigen; zur G wohnheit geworden, zum Cha rakter gehörend (Psychol.); **h. bituelle Krankheit:** ständig vo kommende od. häufig wiede kehrende Krankheit (Med.). **H bi|tus** ⟨*lat.*⟩ *der;* -: 1. Ersche nung; Haltung; Gehaben. 2. B sonderheiten im Erscheinung bild eines Menschen, die ein gewissen Schluss auf Kran heitsanlagen zulassen (Med 3. Aussehen, Erscheinungsbi (von Tieren, Pflanzen u. Krist len). 4. auf einer Disposition a gebaute, erworbene sittlich Haltung, z. B. guter Habitus (T gend), böser Habitus (Laster; kath. Theologie)

Ha|boob [hə'bu:b] u. **Ha|bub** ⟨arab.-engl.⟩ der; -[s]: Sandsturm in Nordafrika u. Indien

Ha|bu|tai ⟨jap.⟩ der; -[s], -s: zartes Gewebe aus Japanseide in Taftbindung (Webart); vgl. Japon

Há|ček ['ha:tʃɛk] ⟨tschech.; „Häkchen"⟩, (eingedeutscht:) **Hat|schek** das; -s, -s: ↑diakritisches Zeichen in Form eines Häkchens, das, bes. in den slawischen Sprachen, einen Zischlaut od. einen stimmhaften Reibelaut angibt, z. B. tschech. č [tʃ], ž [ʒ]

Ha|ché [ha'ʃe:] vgl. Haschee

Ha|ci|en|da [a'sjɛnda] vgl. Hazienda. **Ha|ci|en|de|ro** [a'sjɛn...] vgl. Haziendero

Hack [hɛk, hæk] ⟨Kurzform von engl. hackney; „Kutschpferd"⟩ der; -[s], -s: keiner bestimmten Rasse angehörendes Reitpferd

Ha|cker [auch: 'hɛkɐ] ⟨engl.⟩ der; -s, -: jmd., der durch geschickte Ausprobieren u. Anwenden verschiedener Computerprogramme mithilfe eines Personalcomputers über eine spezielle Telefonleitung unberechtigt in andere Computersysteme eindringt

Had|dock ['hædək] ⟨engl.⟩ der; -[s], -s: kalt geräucherter Schellfisch ohne Kopf u. Gräten

Ha|des ⟨griech. Gott der Unterwelt⟩ der; -: 1. Unterwelt, Totenreich. 2. jenseits des Pluto vermuteter Planet

Ha|dith ⟨arab.; „Rede; Bericht"⟩ der (auch: das); -, -e: Überlieferung angeblicher Aussprüche Mohammeds, Hauptquelle der islamischen Religion neben dem ↑Koran

Had|rom* ⟨gr.-nlat.⟩ das; -s, -e: leitendes u. speicherndes Element des Wassers leitenden Gefäßbündels bei Pflanzen (Holzfaser). **Had|ron** ⟨gr.⟩ das; -s, ...onen: Elementarteilchen, das starker Wechselwirkung mit anderen Elementarteilchen unterliegt. **had|ro|zen|trisch:** konzentrisch um ein leitendes Gefäßbündel angeordnet (Bot.)

Hadsch ⟨arab.⟩ der; -: Wallfahrt nach Mekka zur ↑Kaaba, die jeder volljährige Moslem einmal unternehmen soll

Had|schar* ⟨arab.; „Stein"⟩ der; -s: schwarzer Stein an der ↑Kaaba, den die Mekkapilger küssen. **Had|schi** ⟨arab.-türk.⟩ der; -s, -s: 1. Mekkapilger. 2. christlicher Jerusalempilger im Orient

-|ae|man|thus* [hɛ...] ⟨gr.-nlat.⟩

der; -, ...thi: ein Narzissengewächs (Blutblume). **Hae|moc|cult-Test ®** [hɛ...] ⟨gr.; lat.; engl.⟩ der; -[e]s, -s (auch -e): Test zur Früherkennung von Darmkrebs, bei dem Stuhlproben auf das Vorhandensein von Blut untersucht werden (Med.)

Ha|fis ⟨arab.; „Hüter, Bewahrer"⟩ der; -: Ehrentitel eines Mannes, der den ↑Koran auswendig weiß

Haf|ni|um ⟨nlat.; von Hafnia, dem nlat. Namen für Kopenhagen⟩ das; -s: chem. Element; ein Metall (Zeichen: Hf)

Haf|ta|ra ⟨hebr.; „Abschluss"⟩ die; -, ...roth: Lesung aus den Propheten beim jüdischen Gottesdienst als Abschluss des Wochenabschnitts; vgl. Parasche

Ha|ga|na ⟨hebr.; „Schutz, Verteidigung"⟩ die; -: jüdische militärische Organisation in Palästina zur Zeit des britischen Mandats (1920–48), aus der sich die reguläre Armee Israels entwickelte

Hag|ga|da ⟨hebr.; „Erzählung"⟩ die; -, ...doth: erbaulich-belehrende Erzählung biblischer Stoffe in der ↑talmudischen Literatur

Hag|gis ['hægɪs] ⟨schott.-engl.⟩ der; -, -: in Schafsmagen gegarte Innereien des Schafs

Ha|gi|as|mos ⟨gr.; „Heiligung, Weihe"⟩ der; -: Wasserweihe der orthodoxen Kirche (zur Erinnerung an die Taufe Jesu). **Ha|gi|ograph,** auch: Hagiograf ⟨gr.-mlat.⟩ der; -en, -en: Verfasser von Heiligenleben. **Ha|gi|o|gra|pha** u. **Ha|gi|o|gra|phen** ⟨gr.; „heilige Schriften"⟩ die (Plural): griech. Bez. des dritten Teils des Alten Testaments. **Ha|gi|o|gra|phie,** auch: Hagiografie ⟨gr.-nlat.⟩ die; -, ...ien: Erforschung u. Beschreibung von Heiligenleben. **ha|gi|o|gra|phisch,** auch: hagiografisch: die Hagiographie betreffend. **Ha|gi|o|lat|rie*** die; -, ...ien: Verehrung der Heiligen. **Ha|gi|o|lo|gie** die; -: Lehre von den Heiligen. **Ha|gi|o|lo|gi|on** ⟨gr.-mgr.⟩ das; -, ...ien: liturgisches Buch mit Lebensbeschreibungen der Heiligen in der orthodoxen Kirche. **ha|gi|o|lo|gisch** vgl. hagiographisch. **Ha|gi|o|nym** ⟨gr.-nlat.⟩ das; -s, -e: Deckname, der aus dem Namen eines Heiligen od. einer kirchlichen Persönlichkeit besteht

Hah|ni|um ⟨nlat.; nach dem dt. Chemiker O. Hahn (1879–1968), dem Entdecker der Kernspaltung⟩ das; -s: chem. Element (Zeichen: Ha)

Hai ⟨altnord.-isländ.-niederl.⟩ der; -[e]s, -e: spindelförmiger, meist räuberischer Knorpelfisch

Hai|duck, Hai|duk vgl. Heiduck

Haik ⟨arab.⟩ das od. der; -[s], -s: in Nordafrika mantelartiger Überwurf, bes. der Berber[frauen]

Hai|kai u. **Hai|ku** u. Hokku ⟨jap.⟩ das; -[s], -s: aus drei Zeilen mit zusammen 17 Silben bestehende japanische Gedichtform

Ha|li|ti|enne [hai'tiɛn] ⟨fr.; nach der Insel Haiti⟩ die; -: taftartiger Seidenrips

Ha|ji|me ['hadʒime] ⟨jap.⟩: Kommando des Kampfrichters (beim ↑Budo), mit dem er dazu auffordert, den Kampf zu beginnen

Ha|ka|ma ⟨jap.⟩ der; -[s], -s: schwarzer Hosenrock (beim ↑Aikido u. ↑Kendo)

¹Ha|kim ⟨arab.⟩ der; -s, -s: Arzt; Weiser, Philosoph (im Orient). **²Ha|kim** der; -s, -s: Herrscher; Gouverneur, Richter (im Orient)

Ha|la|cha [...'xa:] ⟨hebr.; eigtl. „Weg"⟩ die; -, ...choth: aus der Bibel abgeleitete verbindliche Auslegung der Thora. **ha|la|chisch:** die Halacha betreffend, ihr gemäß

Ha|la|li ⟨fr.⟩ das; -s, -[s]: Jagdruf am Ende einer Treibjagd

Halb|af|fix ⟨dt.; lat.⟩ das; -es, -e: als Wortbildungsmittel in der Art eines Präfixes od. Suffixes verwendetes, weitgehend noch als selbstständig empfundenes, wenn auch semantisch verblasstes Wort; Präfixoid od. Suffixoid (z. B. stein- in steinreich, -geil in erfolgsgeil; Sprachw.). **Halb|fab|ri|kat*** das; -s, -e: zwischen Rohstoff u. Fertigerzeugnis stehendes ↑Produkt. **Halb|fi|nal|le** das; -s, -: vorletzte Spielrunde in einem sportlichen Wettbewerb (z. B. im Fußball; Sport). **Halb|for|mat** das; -s, -e: ein Bildformat in der Größe 18 × 24 mm (Fotogr.). **Halb|nel|son** ⟨nach einem nordamerik. Sportler⟩ der; -[s], -[s]: Nackenhebel (Spezialgriff), bei dem nur ein Arm eingesetzt wird (Ringen). **halb|part** ⟨dt.; lat.⟩: zu gleichen Teilen. **Halb|prä|fix** das; -es, -e: ↑Präfixoid; vgl. Halbaffix. **Halb|suf|fix** das; -es, -e: ↑Suffixoid; vgl. Halbaffix. **Halb|vo|kal** der; -s, -e: (Sprachw.) 1. unsilbisch gewordener, als ↑Konsonant gesprochener Vokal (z. B. j). 2. unsilbischer ↑Vokal (z. B. u) 1 in dem ↑Diphthong ai)

Ha|léř ['halɛ:rʃ] ⟨dt.-tschech.⟩ der;

-, - (aber: 2 Haléře, 10 Haléřů): Untereinheit der tschechischen Krone **Half** [ha:f] ⟨engl.; „halb"⟩ der; -s, -s: (österr.) Läufer in einer [Fuß]ballmannschaft **Hal̦l̦fa** ⟨arab.⟩ die; -: ↑ Esparto **Half|back** ['ha:fbɛk] ⟨engl.⟩ der; -s, -s: (schweiz.) ↑ Half. **Half|court** ['ha:fkɔ:t] ⟨engl.⟩ der; -s, -s: zum Netz hin gelegener Teil des Spielfeldes (Tennis). **Half|pen|ny** ['heɪpnɪ] der; -[s], -s: engl. Münze (0,5 p). **Half|pipe** ['ha:fpaɪp] die; -, -s: untere Hälfte einer waagrechten Röhre aus Beton o. Ä., in der Skateboard-, BMX-Radfahrer o. Ä. üben u. Kunststücke ausführen können. **Half|rei|he** ['ha:f...] ⟨engl.; dt.; „Halbreihe"⟩: (österr.) Läuferreihe in einer [Fuß]ballmannschaft. **Half|time** ['ha:ftaɪm] ⟨engl.⟩ die; -, -s: Halbzeit (Sport). **Half|vol|ley** ['ha:fvɔli] der; -s, -s u. **Half|volley|ball** der; -[e]s, ...bälle: im Augenblick des Abprallens geschlagener Ball (Tennis, Tischtennis) **Hal̦lid** das; -[e]s. -e: ↑ Halogenid. **Ha|lis|te|re|se*** ⟨gr.-lat.⟩ die; -: Abnahme der Kalksalze in den Knochen, Knochenerweichung (Med.). **Hal̦lit** [auch: ...ɪt] der; -s, -e: 1. Steinsalz (ein Mineral). 2. Salzgestein **Hal̦li|tus** ⟨lat.⟩ der; -: Hauch, Atem, Ausdünstung, Geruch (Med.) **hal|ky|o̦|nisch** vgl. alkyonisch **Hal̦lel** ⟨hebr.; „preiset!"⟩ das; -s: jüdischer Lobgesang an hohen Festtagen (Psalm 113–118). **hal-le|lu̦|ja** u. alleluja: „lobet den Herrn " (aus den Psalmen übernommener) gottesdienstlicher Freudenruf. **Hal|le|lu̦|ja** u. Alleluja das; -s, -s: liturgischer Freudengesang **Hal|lo|ween** [hælou'i:n] ⟨engl.; aus veraltet engl. halow „Heilige(r)" u. eve „(Vor)abend"⟩ das; -[s], -s: Tag vor Allerheiligen (der bes. in den USA gefeiert wird) **Hal̦l|rist|nin|gar** vgl. Helleristninger **Hal|lu|zi|na̦nt** ⟨lat.⟩ der; -en, -en: jmd., der an Halluzination leidet. **Hal|lu|zi|na|ti̦o̦n** die; -, -en: Sinnestäuschung, Trugwahrnehmung; Wahrnehmungserlebnis, ohne dass ein der wahrgenommene Gegenstand in der Wirklichkeit existiert. **hal|lu|zi|na̦|tiv** ⟨lat.-nlat.⟩ u. **hal|lu|zi|na|to̦|risch** ⟨lat.⟩: auf Halluzination beruhend, in Form einer Halluzination. **hal|lu|zi|nie̦|ren:** a) eine Hal-

luzination haben, einer Sinnestäuschung unterliegen; b) Nicht Existierendes als existierend vortäuschen, sich vorstellen. **hal|lu-zi|no|gen** ⟨lat.; gr.⟩: Halluzinationen hervorrufend, zu Halluzinationen führend. **Hal|lu|zi|no-ge̦n** das; -s, -e: Droge, die halluzinationsartige Erscheinungen hervorruft (Med.) **Hal̦l|ma** ⟨gr.; „Sprung"⟩ das; -s: ein Brettspiel für 2 bis 4 Personen **hal|my|ro|ge̦n** ⟨gr.-nlat.⟩: aus dem Meerwasser ausgeschieden (z. B. von Salzlagerstätten; Geol.). **Hal|my|ro|ly̦|se** die; -: Verwitterung von Gestein auf dem Meeresgrund unter dem Einfluss von Meerwasser (Geol.) **Ha̦l̦lo** ⟨gr.-lat.⟩ der; -[s], -s od. Halonen: 1. Hof um eine Lichtquelle, hervorgerufen durch Reflexion, Beugung u. Brechung der Lichtstrahlen an kleinsten Teilchen. 2. Ring um die Augen (Med.). 3. Warzenhof (Med.) **ha|lo|bi|o̦nt** ⟨gr.-nlat.⟩: ↑ halophil. **Ha|lo|bi|o̦nt** der; -en, -en: Lebewesen, das vorzugsweise in salzreicher Umgebung gedeiht (Biol.) **Ha|lo|ef|fekt** [auch: 'heɪlou...] ⟨(gr.; nlat.) engl.⟩ der; -[e]s, -e: positive od. negative Beeinflussung bei der Beurteilung bestimmter Einzelzüge einer Person durch den ersten Gesamteindruck od. die bereits vorhandene Kenntnis von anderen Eigenschaften (Psychol.) **ha|lo|ge̦n:** Salz bildend. **Ha|lo-ge̦n** das; -s, -e: Salzbildner (Fluor, Chlor, Brom, Jod); chem. Element, das ohne Beteiligung von Sauerstoff mit Metallen Salze bildet. **Ha|lo|ge|nid** das; -[e]s, -e: Verbindung aus einem Halogen u. einem chem. Element (meist Metall), Salz einer Halogenwasserstoffsäure. **Ha|lo-ge|ni̦e|ren:** ein Halogen in eine organische Verbindung einführen, Salz bilden. **Ha|lo|ge̦n|lam|pe** die; -, -n: eine helle Glühlampe mit einer Füllung aus Edelgas, der eine geringe Menge von Halogen beigemischt ist. **Halo-ge̦n|was|ser|stoff** der; -[e]s, -e: Kohlenwasserstoff, bei dem die Wasserstoffatome ganz od. teilweise durch Halogene ersetzt sind. **Ha|lo|ge̦n|was|ser|stoff-säure** die; -, -en: Säure, die aus einem Halogen u. Wasserstoff besteht (z. B. Salzsäure). **Ha|lo-id** das; -[e]s, -e: ↑ Halogenid. **Ha-lo|me̦|ter** das; -s, -: Messgerät

zur Bestimmung der Konzentration von Salzlösungen **Ha|lo̦|nen:** Plural von ↑ Halo. **ha-lo|nie̦rt** ⟨gr.-lat.-nlat.⟩: von einem Hof umgeben, umrändert (z. B. vom Auge; Med.) **Ha|lo|pe̦|ge** ⟨gr.⟩ die; -, -n: kalte Salzquelle. **ha|lo|phi̦l** ⟨gr.-nlat.⟩: salzreiche Umgebung bevorzugend (von Lebewesen; Biol.). **Ha|lo|phy̦t** der; -en, -en: auf salzreichem Boden (vor allem an Meeresküsten) wachsende Pflanze, Salzpflanze. **Ha|lo-the̦r|me** die; -, -n: warme Salzquelle. **Ha|lot|ri|chi̦t*** [auch: ...ɪt] der; -s, -e: ein Mineral. **ha-lo|xe̦n:** salzreiche Umgebung als Lebensraum duldend (von Lebewesen; Biol.) **Hal|te|re** ⟨gr.-lat.⟩ die; -, -en: 1. [beim Weitsprung zur Steigerung des Schwunges benutztes] hantelartiges Stein- oder Metallgewicht (im alten Griechenland). 2. zu einem Schwingkölbchen umgewandelter Flügel mancher Insekten (Zool.) **Hal|ly̦n|ke** ⟨tschech.; urspr. „Henkersknecht"⟩ der; -n, -n: a) (abwertend) jmd., dessen Benehmen od. Tun als gemein od. hinterhältig angesehen wird; b) (scherzh.) kleiner, frecher Junge **Hal̦l|wa** ⟨arab.⟩ das; -[s]: orientalische Süßigkeit aus einer flockigen Mischung von zerstoßenem Sesamsamen u. Honig od. Sirup **Hä̦m** ⟨gr.; „Blut"⟩ das; -s: Farbstoffanteil in ↑ Hämoglobin **Ha|ma̦|da** vgl. Hammada **Ha|ma̦|dan** ⟨nach dem Namen der iran. Stadt⟩ der; -[s], -s: handgeknüpfter Teppich [aus Kamelwolle] mit initialartiger Musterung **Ha|ma|dry̦|a|de*** ⟨gr.-lat.⟩ die; -, -n: ↑ Dryade **Hä|mag|glu|ti|na|ti|o̦n*** ⟨gr.; lat.⟩ die; -, -en: Zusammenballung, Verklumpung von roten Blutkörperchen (Med.). **Hä|mag|glu|ti|ni̦n** das; -s, -e: Schutzstoff des Serums, der eine ↑ Agglutination von roten Blutkörperchen bewirkt (Med.). **Hä|ma|go̦|gum** ⟨gr.-nlat.⟩ das; -s, ...ga: Mittel, das Blutungen herbeiführt od. fördert (Med.). **Hä|ma|lops** ⟨gr.-nlat.⟩ der; -: Bluterguss im Auge (Med.) **Ha|ma̦m** ⟨türk.⟩ der; -[s], -s: türkisches Bad **Ha|ma|me̦|lis** ⟨gr.⟩ die; -: haselnussähnliches Gewächs (in Amerika u. Asien), aus dessen Rinde u. zu pharmazeutischen u. kosmetischen Präparaten verwendeter Extrakt gewonnen wird u. dessen Äste als Wünschelruten verwendet werden; Zaubernuss **Ham and Eggs** ['hæm ənd 'ɛgz] ⟨engl.; „Schinken u. Eier"⟩ *die* (Plural): engl. Bez. für: gebratene Schinken[speck]scheiben mit Spiegeleiern **Hä|man|gi|om*** ⟨gr.-nlat.⟩ *das;* -s, -e: gutartige Blutgefäßgeschwulst, Blutschwamm (Med.). **Hä|marth|ro|se** *die;* -, -n: Bluterguss in einem Gelenk (Med.) **¹Ha|mar|tie** ⟨gr.⟩ *die;* -: Irrtum, Sünde als Ursache für die Verwicklungen in der altgriech. Tragödie (Aristoteles). **²Ha|mar|tie** *die;* -, ...ien: örtlicher Gewebsdefekt als Folge einer embryonalen Fehlentwicklung des Keimgewebes (Med.). **Ha|mar|tom** ⟨gr.-nlat.⟩ *das;* -s, -e: geschwulstartige Wucherung defekten Gewebes, das durch eine ↑²Hamartie entstanden ist (Med.) **Ha|ma|sa** ⟨arab.⟩ *die;* -, -s: Titel berühmter arab. Anthologien **Hä|ma|te|in** *das;* -s: ↑Hämatoxylin. **Hä|ma|te|me|sis*** ⟨gr.-nlat.⟩ *die;* -: Blutbrechen (z. B. bei Magengeschwüren; Med.). **Hä|mat|hi|dro|se*, Hä|ma|tid|ro|se** *die;* -, -n: ↑Hämidrose. **Hä|ma|tin** *das;* -s: eisenhaltiger Bestandteil des roten Blutfarbstoffs. **Hä|ma|ti|non** *das;* -s: in der Antike häufig verwendete kupferhaltige rote Glasmasse. **Hä|ma|tit** [auch: ...ɪt] *der;* -s, -e: wichtiges Eisenerz. **Hä|ma|to|blast*** *der;* -en, -en (meist Plural): ↑Hämoblast. **Hä|ma|to|chyl|u|rie*** *die;* -, ...ien: Auftreten von Blut u. Darmlymphe im Harn (Med.). **hä|ma|to|gen:** 1. aus dem Blut stammend (Med.). 2. Blut bildend (Med.). **Hä|ma|to|gramm** *das;* -s, -e: Blutbild, tabellarische Zusammenfassung der zur Beurteilung eines Blutbildes wichtigen Befunde (Med.). **Hä|ma|to|li|din** *das;* -s: sich bei Blutaustritt aus Gefäßen bildender eisenfreier Farbstoff des ↑Hämoglobins. **Hä|ma|to|kok|kus** *der;* -, ...kken: Grünalgengattung, von der einige Arten rot gefärbte ↑Plastiden haben (Biol.). **Hä|ma|to|kol|pos** *der;* -: Ansammlung von Menstrualblut in der Scheide (bei Scheidenverschluss; Med.). **Hä|ma|to|ko|ni|en** *die* (Plural): ↑Hämokonien. **Hä|ma|to|krit*** *der;* -en, -en: Glasröhrchen mit Gradeinteilung zur Bestimmung des Ver-

hältnisses von roten Blutkörperchen zum Blutplasma. **Hä|ma|to|krit|wert*** *der;* -[e]s, -e: prozentualer Volumenanteil der Blutzellen an der Gesamtblutmenge (Med.). **Hä|ma|tol|lo|ge** *der;* -n, -n: Arzt mit Spezialkenntnissen auf dem Gebiet der Blutkrankheiten (Med.). **Hä|ma|tol|lo|gie** *die;* -: Teilgebiet der Medizin, das sich mit dem Blut u. den Blutkrankheiten befasst (Med.). **hä|ma|tol|lo|gisch:** die Hämatologie betreffend. **Hä|ma|tom** *das;* -s, -e: Ansammlung von Blut außerhalb der Blutbahn in den Weichteilen; Blutbeule, Bluterguss (Med.). **Hä|ma|to|met|ra*** *die;* -: Ansammlung von Menstrualblut in der Gebärmutter bei Verschluss der Muttermundes (Med.). **Hä|ma|to|my|e|lie** *die;* -, ...ien: Rückenmarksblutung (Med.). **Hä|ma|to|pha|ge** *der;* -n, -n (meist Plural): Blut saugender Parasit (Biol.). **Hä|ma|to|pho|bie** *die;* -, ...ien: krankhafte Angst vor Blut (Psychol.). **Hä|ma|to|pneu|mo|tho|rax** *der;* -[es]: Bluterguss u. Luftansammlung im Brustfellraum (Med.). **Hä|ma|to|po|e|se** *die;* -: Blutbildung, bes. Bildung der roten Blutkörperchen (Med.). **hä|ma|to|po|e|tisch:** Blut bildend (Med.). **Hä|ma|tor|rhö** *die;* -, -en u. **Hä|ma|tor|rhöe** [...rø:] *die;* -, -n [...rø:ən]: Blutsturz (Med.). **Hä|ma|to|se** *die;* -, -en: ↑Hämatopoese. **Hä|ma|to|sko|pie*** *die;* -, ...ien: Blutuntersuchung (Med.). **Hä|ma|to|sper|mie** *die;* -: ↑Hämospermie. **Hä|ma|to|tho|rax** *der;* -[es]: Bluterguss in der Brusthöhle (Med.). **Hä|ma|to|to|xi|ko|se** *die;* -, -n: ↑Hämatoxikose. **Hä|ma|to|xy|lin** *das;* -s: in der ↑Histologie zur Zellkernfärbung verwendeter Farbstoff aus dem Holz des südamerik. Blutholzbaumes. **Hä|ma|to|ze|le** *die;* -, -n: geschwulstartige Ansammlung von geronnenem Blut in einer Körperhöhle, bes. in der Bauchhöhle (z. B. als Folge einer Verletzung; Med.). **Hä|ma|to|ze|phal|lus** *der;* -: Bluterguss im Gehirn (Med.). **Hä|ma|to|zo|on** *das;* -, ...zoen (meist Plural): tierische ↑Parasiten, die im Blut anderer Tiere od. des Menschen leben (Biol.; Med.). **Hä|ma|to|zyt** *der;* -en, -en (meist Plural): ↑Hämozyt. **Hä|ma|to|zy|tol|ly|se** *die;* -: Auflösung der roten Blutkörperchen (Med.). **Hä|mat|u|rie*** *die;* -,

...ien: Ausscheidung nicht zerfallener (nicht aufgelöster) roter Blutkörperchen mit dem Urin (Med.) **Ham|bur|ger** [auch: 'hæmbə:gə] ⟨dt.-engl.⟩ *der;* -s, -: aufgeschnittenes weiches, mit gebratenem Hackfleisch u. weiteren Zutaten belegtes Brötchen **Häm|hid|ro|se*** ⟨gr.⟩, **Häm|hid|ro|sis, Hä|mid|ro|se, Hä|mid|ro|sis** *die;* -: Absonderung rot gefärbten Schweißes (Blutschwitzen; Med.). **Hä|mi|glo|bin** *das;* -s: ↑Methämoglobin. **Hä|min** *das;* -s, -e: Porphyrin-Eisenkomplexsalz, ein Oxidationsprodukt des Häms (Med.) **Ham|ma|da** u. Hamada ⟨arab.⟩ *die;* -, -s: Stein- u. Felswüste, die dadurch entstanden ist, dass lockeres Gestein vom Wind weggetragen wurde (Geogr.) **Ham|mal** ⟨arab.⟩ *der;* -s, -: Lastträger im Vorderen Orient **Ham|mam** ⟨arab.⟩ *der;* -[s], -s: Badehaus im Vorderen Orient **Ham|mond|or|gel** ['hæmənd...] ⟨nach dem amerik. Erfinder Hammond⟩ *die;* -, -n: elektroakustische Orgel **Hä|mo|blast** ⟨gr.-nlat.⟩ *der;* -en, -en (meist Plural): Blut bildende Zelle im Knochenmark (Stammzelle; Med.). **Hä|mo|chro|to|se** *die;* -, -n: bräunliche Verfärbung von Haut u. Gewebe durch eisenhaltige ↑Pigmente infolge Zerstörung roter Blutkörperchen (Med.). **Hä|mo|chro|mo|me|ter** *das;* -s, -: ↑Hämometer. **Hä|mo|di|al|ly|se** *die;* -, -n: Reinigung des Blutes von krankhaften Bestandteilen (z. B. in der künstlichen Niere). **Hä|mo|dy|na|mik** *die;* -: Lehre von den physikalischen Grundlagen der Blutbewegung. **hä|mo|dy|na|misch:** die Bewegung des Blutes betreffend. **Hä|mo|dy|na|me|ter** *das;* -s, -: Blutdruckmessapparat (Med.). **Hä|mo|glo|bin** ⟨gr.; lat.⟩ *das;* -s: Farbstoff der roten Blutkörperchen; Zeichen: Hb. **hä|mo|glo|bi|no|gen** ⟨gr.; lat.⟩: aus Hämoglobin entstanden, Hämoglobin bildend (Med.). **Hä|mo|glo|bi|no|me|ter** *das;* -s -: ↑Hämometer. **Hä|mo|glo|bin|u|rie** *die;* -, ...ien: Ausscheidung von roten Blutfarbstoff im Harn (Med.). **Hä|mo|gramm** ⟨gr.-nlat.⟩ *das;* -s, -e: tabellarische Zusammenfassung der zur Beurteilung eines Blutbildes wichtigen Befunde (Med.). **Hä|mo|ko|ni|en** *die*

(Plural): kleinste Kern- od. Fettteilchen im Blut (Med.). **Hämo|lym|phe** *die; -, -n:* Blutflüssigkeit wirbelloser Tiere mit offenem Blutgefäßsystem (Biol.). **Hämo|ly|se** *die; -, -n:* Auflösung der roten Blutkörperchen durch Austritt des roten Blutfarbstoffs; Abbau des roten Blutfarbstoffs (Med.). **Hämo|ly|sin** *das; -s, -e:* ↑ Antikörper, der artfremde Blutkörperchen auflöst (Med.). **hämo|ly|tisch:** roten Blutfarbstoff auflösend, mit Hämolyse verbunden (Med.). **Hämo|me|ter** *das; -s, -:* Gerät zur Bestimmung des Hämoglobingehaltes des Blutes (Med.). **Hämo|pa|thie** *die; -, ...ien:* Blutkrankheit (Med.). **Hämo|pe|ri|kard** *das; -[e]s, -e:* Bluterguss im Herzbeutel (Med.). **Hämo|phi|lie** *die; -, ...ien:* Bluterkrankheit (Med.). **Hämoph|thal|mus** *der; -: ↑* Hämalops. **Hämop|toe, Hämop|ty|se** u. **Hämop|ty|sis** *die; -:* Bluthusten, Blutspucken infolge Lungenblutung (Med.). **Hämor|rha|gie** *die; -, ...ien:* Blutung (Med.). **hämor|rha|gisch:** zu Blutungen führend, mit ihnen zusammenhängend (Med.). **hämor|rho|i|dal:** die Hämorrhoiden betreffend, durch sie hervorgerufen. **Hämor|rho|i|de,** auch: Hämorride *(gr.-lat.) die; -, -n* (meist Plural): knotenförmig hervortretende Erweiterung der Mastdarmvenen um den After herum (Med.). **Hämor|ri|de** vgl. Hämorrhoide. **Hämo|si|de|rin** *(gr.-nlat.) das; -s:* eisenhaltiger, gelblicher Blutfarbstoff, der aus zerfallenden (sich auflösenden) roten Blutkörperchen stammt (Med.). **Hämo|si|de|ro|se** *die; -, -n:* vermehrte Ablagerung von Hämosiderin in inneren Organen (Med.). **Hämo|sit** *der; -en, -en* (meist Plural): Blutparasit. **Hämo|spa|sie** *die; -:* [trockenes] Schröpfen (örtliche Ansaugung des Blutes in die Haut mittels einer luftleer gemachten Glas- od. Gummiglocke; Med.). **Hämo|sper|mie** *die; -:* Entleerung von blutiger Samenflüssigkeit (Med.). **Hämo|spo|ri|di|um** *das; -s, ...ien [...i^en]* u. ...ia (meist Plural): einzelliger Blutparasit (Biol., Med.). **Hämos|ta|se** *die; -, -n:* (Med.) 1. Blutstockung. 2. Blutstillung. **Hämos|ta|se|o|lo|gie** *die; -:* - interdisziplinäre Wissenschaft, die sich mit der Physiologie u. Pathologie der Gerinnung, der Blutstillung, der Fibri-

nolyse u. der Gefäßwandung beschäftigt (Med.). **Hämos|ta|ti|kum** *das; -s, ...ka:* Hämostyptikum. **hä|mos|ta|tisch:** ↑ hämostyptisch. **Hämos|typ|ti|kum** *das; -s, ...ka:* Blut stillendes Mittel (Med.). **hä|mos|typ|tisch:** Blut stillend (Med.). **Hämo|the|ra|pie** *die; -, ...ien:* Form der Reizkörpertherapie, bei der eine bestimmte Menge körpereigenes Blut nach Entnahme wieder in einen Muskel injiziert wird (Med.). **Hämo|tho|rax** *der; -[es]: ↑* Hämatothorax. **Hämo|to|xi|ko|se** *die; -, -n:* auf Vergiftung beruhende Schädigung der Blut bildenden Zentren im Knochenmark (Med.). **Hämo|to|xin** *das; -s, -e* (meist Plural): die roten Blutkörperchen schädigendes bakterielles od. chemisches Blutgift (Med.). **Hämo|zy|a|nin** *das; -s:* blauer Blutfarbstoff mancher wirbellosen Tiere (Biol.). **Hämo|zyt** *der; -en, -en* (meist Plural): Blutkörperchen (Med.). **Hämo|zy|to|blast** *der; -en, -en* (meist Plural): Stammzelle der Hämozyten

Han vgl. Chan
han|deln [ˈhɛndln] *(engl.):* (Jargon) handhaben, gebrauchen, verfahren. **Hand|held** [ˈhɛndhelt]: kleiner handlicher Taschencomputer
Han|di|cap [ˈhɛndikɛp] usw. vgl. Handikap usw. **Han|di|kap** [ˈhɛndikɛp] *(engl.),* auch: Handicap *-s, -s:* 1. etw., was für jmdn., etw. eine Behinderung od. ein Nachteil ist. 2. durch eine Vorgabe für die leistungsschwächeren Spieler, für das weniger leistungsfähige Pferd entstehender Ausgleich gegenüber dem Stärkeren (Sport). **han|di|ka|pen** [...kɛpn], auch: handicapen: 1. eine Behinderung, einen Nachteil für jmdn., etw. darstellen. 2. jmdm. ein Handikap auferlegen; vgl. gehandikapt. **han|di|ka|pie|ren** [...kɛˈpiː...], auch: handicapieren: (schweiz.) handikapen **Han|di|kap|per** [...kɛpɐ], auch: Handicapper *der; -s, -:* jmd., der bei Rennen mit der Festsetzung der Handikaps (2) beauftragt ist; Ausgleicher (Sport).
Hand|kom|mu|ni|on *(dt.; lat.) die; -, -en: ↑* Kommunion (1), bei der die ↑ Hostie dem Gläubigen in die Hand gelegt wird. **Hand|ling** [ˈhɛndlɪŋ] *(germ.-engl.) das; -[s]:* Handhabung.

Hand-out, auch: **Hand|out** [ˈhændaut] *(engl.) das; -s, -s:* ausgegebene Informationsunterlage, Informationsschrift (z. B. bei Tagungen, Sitzungen). **Hands** [hɛnts] *(germ.-engl.) das; -, -:* (österr.) Handspiel (Fußball)
Hand|schar* u. Kandschar *(arab.) der; -s, -e:* messerartige Waffe der Orientalen
Han|dy [ˈhɛndi] *(anglisierende Bildung) das; -s, -s:* handliches Mobiltelefon. **Han|dy|man** [...mæn] *der; -s, ...men [...mən]:* Bastler, Heimwerker
Ha|ne|fi|te (nach dem Gründer Abu Hanifa) *der; -n, -n* (meist Plural): Anhänger einer der Rechtsschulen im sunnitischen Islam, die bes. in der Türkei, in Zentralasien, Afghanistan, Pakistan, Indien u. China verbreitet ist u. in der Auslegung des Moralgesetzes am großzügigsten verfährt
Han|gar [auch: ...ˈgaːɐ̯] *(germ.-fr.) der; -s, -s:* Flugzeug-, Luftschiffhalle
Hang-over [ˈhæŋˈouvə] *(engl.) der; -s:* Katerstimmung nach dem Genuss von Alkohol od. Drogen
Han|gul *(Hindi) der; -s, -s:* Kaschmirhirsch (nordindischer Hirsch mit fünfendigem Geweih)
Han|ni|bad ad por|tas!, fälschlich meist: **Han|ni|bal an|te por|tas!** *(lat.;* „Hannibal an (vor) den Toren"; Schreckensruf der Römer im 2. Punischen Krieg): (scherzh.) Achtung! Vorsicht! (er kommt gerade, von dem etw. Unangenehmes o. Ä. zu erwarten ist)
Han|som [ˈhænzəm] (nach dem Namen des engl. Erfinders J. A. Hansom, 1803–1882) *der; -s, -s:* zweirädrige englische Kutsche mit zwei Sitzplätzen u. Verdeck, bei der der Kutschbock erhöht hinter den Sitzen befindet
han|tie|ren *(fr.-niederl.):* (mit einem Gegenstand in der Hand) sichtbar, hörbar tätig, beschäftigt sein
Ha|num *(türk. u. pers.;* „Dame"; *das; -:* Höflichkeitsanrede ar Frauen im Türkischen u. Persischen
Ha|o|ma u. Hauma *(awest.) der; -* heiliges Opfergetränk (Pflanzen saft) der ↑ Parsen
Ha|o|ri *(jap.) der; -[s], -s:* über den Kimono getragener knielange Überwurf mit angeschnitten Ärmeln

ha|pa|xanth* u. **ha|pa|xan|thisch** ⟨gr.-nlat.⟩: nur einmal blühend u. dann absterbend (von Pflanzen; Bot.); Ggs. ↑pollakanth. **Ha|pax|le|go|me|non** ⟨gr.⟩ das; -s, ...mena: nur einmal belegtes, in seiner Bedeutung oft nicht genau zu bestimmendes Wort einer [heute nicht mehr gesprochenen] Sprache

Ha|phal|ge|sie* ⟨gr.-nlat.⟩ die; -: übermäßige Schmerzempfindlichkeit der Haut bei jeder Berührung (z. B. bei ↑Hysterie; Med.)

hap|lo|dont* ⟨gr.-nlat.⟩: wurzellos u. kegelförmig (von den Zähnen niederer Wirbeltiere u. einiger Nagetiere; Biol.). **Ha|plo|dont** der; -en, -en: einfacher kegelförmiger Zahn (Biol.). **Hap|lo|gra|phie**, auch: ...grafie die; -, ...ien: fehlerhafte Auslassung eines von zwei gleichen od. ähnlichen Lauten od. Wortteilen in geschriebenen od. gedruckten Texten; Ggs. ↑Dittographie. **ha|plo|id**: nur einen einfachen Chromosomensatz aufweisend (Biol.); Ggs. ↑diploid. **hap|lo|kaul|lisch** ⟨gr.; lat.⟩: einachsig (von Pflanzen, bei denen der Stängel mit einer Blüte abschließt; Bot.). **Hap|lo|lo|gie** ⟨gr.-nlat.⟩ die; -, ...ien: Verschmelzung zweier gleicher od. ähnlicher Silben (z. B. Zauberin statt Zaubererin, Adaption statt Adaptation; Sprachw.). **Hap|lont** der; -en, -en: Lebewesen, dessen Zellen einen einfachen Chromosomensatz aufweisen (Biol.). **Hap|lo|lo|pha|se** die; -, -n: die beim geschlechtlichen Fortpflanzungsprozess regelmäßig auftretende Phase mit nur einem einfachen Chromosomensatz (Biol.). **hap|los|te|mon**: nur einen Staubblattkreis aufweisend (von Blüten; Bot.)

Hap|pe|ning ['hɛpənɪŋ] ⟨engl.⟩ das; -s, -s: [öffentliche] Veranstaltung eines Künstlers, die – unter Einbeziehung des Publikums – ein künstlerisches Erlebnis [mit überraschender od. schockierender Wirkung] vermitteln soll. **Hap|pe|nist** der; -en, -en: Künstler, der Happenings veranstaltet

hap|py ['hɛpi] ⟨engl.⟩: in glückseliger, zufriedener Stimmung. **Hap|py|end** [hɛpi'lɛnt] ⟨"glückliches Ende"⟩: das; -[s], -s, auch: **Hap|py End,** das, - [-s], - -s: [unerwarteter] glücklicher Ausgang eines Konfliktes, einer Liebesge-

schichte. **hap|py|en|den:** (ugs.) [doch noch] einen glücklichen Ausgang nehmen, ein Happyend finden. **Hap|py few** ['hɛpi 'fju:] die (Plural): glückliche Minderheit. **Hap|py Hour** ['hɛpi 'auə] die; - -, - -s: festgesetzte Zeit, in der in bestimmten Lokalen die Getränke zu einem ermäßigten Preis angeboten werden

Hap|ten ⟨gr.⟩ das; -s, -e (meist Plural): organische, eiweißfreie Verbindung, die die Bildung von ↑Antikörpern im Körper verhindert, Halbantigen. **Hap|te|re** ⟨gr.-nlat.⟩ die; -, -n (meist Plural): Haftorgan bei Pflanzen. **Hap|tik** die; -: Lehre vom Tastsinn (Psychol.). **hap|tisch** ⟨gr.; "greifbar"⟩: den Tastsinn betreffend. **Hap|to|nas|tie** ⟨gr.-nlat.⟩ die; -, ...ien: durch Berührungsreiz ausgelöste Pflanzenbewegung (Bot.). **Hap|to|tro|pis|mus*** der; -, ...men: durch Berührungsreiz ausgelöste Krümmungsbewegung, bes. bei Kletterpflanzen (Bot.)

Ha|ra|ki|ri ⟨jap.⟩ das; -[s], -s: ritueller Selbstmord durch Bauchaufschlitzen (in Japan); Seppuku

Ha|ram ⟨arab.⟩ der; -s, -s: heiliger, verbotener Bezirk im islamischen Orient

ha|ran|gie|ren ⟨germ.-it.-fr.⟩: (veraltet) 1. a) eine langweilige, überflüssige Rede halten; b) jmdn. mit einer Rede, mit einer Unterhaltung langweilen. 2. anreden, ansprechen

Ha|rass ⟨fr.⟩ der; -es, -e: Lattenkiste od. Korb zum Verpacken zerbrechlicher Waren wie Glas, Porzellan o. Ä.

Har|dan|ger|ar|beit ⟨nach der norw. Landschaft Hardanger⟩ die; , -en: Durchbruchstickerei in grobem Gewebe mit quadratischer Musterung (Textil). **Har|dan|ger|fie|del** die; -, -n: volkstümliches norwegisches Streichinstrument mit vier Griff- u. vier Resonanzsaiten

Hard|bop ['ha:d...] ⟨amerik.⟩ der; -[s], -s: Jazzstil, der stilistisch eine Fortsetzung, gleichzeitig jedoch eine Glättung u. z. T. Vereinfachung des ↑Bebop darstellt (Mus.). **Hard|co|py** ['ha:dkɔpi] ⟨engl.; "feste (im Sinne von gegenständlich) Kopie"⟩ die; -, -s, auch: **Hard Co|py** die; - -, - -s: Ausdruck von im Computer gespeicherten Daten od. Texten über einen Drucker od. ↑Plotter (EDV); Ggs. ↑Softcopy. **Hard|core** ['ha:dkɔ:] ⟨engl.; "harter

Kern"⟩ der; -s, -s: 1. harter innerer Kern von Elementarteilchen. 2. kurz für ↑Hardcorefilm, ↑Hardcoreporno. **Hard|core|film** vgl. Hardcoreporno. **Hard|core|por|no** der; -s, -s: pornographischer Film, in dem geschlechtliche Vorgänge z.T. in Großaufnahme u. mit genauen physischen Details gezeigt werden. **Hard|co|ver** ['ha:d'kʌvə] ⟨engl.⟩ das; -s, -s, auch: **Hard Cover** das; - -s, - -s: Buch mit festem Einbanddeckel; Ggs. ↑Paperback. **Hard|disk** die; -, -, auch: **Hard Disk** die; - -, - - -s: engl. Bez. für: Festplatte (EDV). **Hard|drink** der; -s, -s, auch: **Hard Drink** der; - -s, - -s: hochprozentiges alkoholisches Getränk; Ggs. ↑Softdrink. **Hard|drug** ['ha:d'drʌg] die; -, -s, auch: **Hard Drug** die; - -, - -s: (Jargon) Rauschgift, das süchtig macht. **Hard|ledge** [...'edʒ] ⟨"harte Kante"⟩ die; -: Richtung in der modernen Malerei, die klare geometrische Formen u. kontrastreiche Farben verwendet. **Hard|li|ner** [...laɪnə] ⟨engl.⟩ der; -s, -: Vertreter eines harten [politischen] Kurses. **Hard|rock** der; -[s], auch: **Hard Rock** der; - -[s]: Stilrichtung der Rockmusik, für die eine sehr einfache harmonische u. rhythmische Struktur u. extreme Lautstärke kennzeichnend sind (Mus.). **Hard|sel|ling** das; -: Anwendung von aggressiven Verkaufsmethoden. **Hard|stuff** [...'stʌf] der; -s, -s: starkes Rauschgift (z. B. Heroin, LSD). **Hard|top** ⟨engl.⟩ das od. der; -s, -s: 1. abnehmbares Verdeck von [Sport]wagen. 2. Sportwagen mit einem Hardtop (1). **Hard|ware** [...wɛə] ⟨engl.; "harte Ware"⟩ die; -, -s: Gesamtheit der technischphysikalischen Teile einer Datenverarbeitungsanlage (EDV); Ggs. ↑Software

Har|dy|brem|se [...di...] ⟨nach dem engl. Ingenieur J. G. Hardy⟩ die; -, -n: Saugluftbremse für Eisenbahnfahrzeuge

Ha|rem ⟨arab.-türk.; "das Verbotene"⟩ der; -s, -s: 1. (in den Ländern des Islams) abgetrennte Frauenabteilung der Wohnhäuser, zu der kein fremder Mann Zutritt hat. 2. a) große Anzahl von Ehefrauen eines reichen orientalischen Mannes; b) alle im Harem (1) wohnenden Frauen

Hä|re|si|arch ⟨gr.⟩ der; -en, -en: Begründer u. geistliches Oberhaupt einer [altkirchlichen] Hä-

resie. **Hä|re|sie** ⟨gr.-nlat.⟩ die; -,
...ien: von der offiziellen Kir-
chenmeinung abweichende Leh-
re, Irrlehre, Ketzerei. **Hä|re|ti-
ker** ⟨gr.-lat.⟩ der; -s, -: jmd., der
von der offiziellen Lehre ab-
weicht; Ketzer. **hä|re|tisch:** vom
Dogma abweichend, ketzerisch
Ha|rid|schan* u. **Ha|ri|jan**
⟨sanskr.; „Gotteskinder") der; -s,
-s: Inder, der keiner Kaste angehört; vgl. Paria (1)
Har|le|kin [...ki:n] ⟨fr.-it.-fr.⟩ der;
-s, -e: 1. Hanswurst, Narrenge-
stalt [der ital. Bühne]. 2. Bären-
schmetterling (ein lebhaft ge-
färbter Nachtfalter). 3. Sprung-
spinne. 4. Zwergpinscher. **Har-
le|ki|na|de** die; -, -n: Possen-
spiel. **har|le|ki|nisch** [auch:
...'ki:...] nach Art eines Harle-
kins, [lustig] wie ein Harlekin
Har|ma|ge|don: ↑ Armageddon
Har|mat|tan ⟨afrik.⟩ der; -s: tro-
ckener, von der Sahara zur atlan-
tischen Küste Afrikas wehender
Nordostwind (Meteor.)
Har|mo|nie ⟨gr.-lat.; „Fügung")
die; -, ...ien: 1. wohltönender Zu-
sammenklang mehrerer Töne
od. Akkorde; schöner, angeneh-
mer Klang (Mus.). 2. ausgewo-
genes, ausgeglichenes, gesetz-
mäßiges Verhältnis der Teile zueinander; Ebenmaß (Archit.;
bild. Kunst). 3. innere u. äußere
Übereinstimmung; Einklang;
Eintracht. **Har|mo|nie|leh|re**
die; -, -n: a) (ohne Plural) Teilgebiet der Musikwissenschaft, das
sich mit den harmonischen Verbindungen von Tönen u. Akkorden im musikalischen Satz befasst; b) von einem Musikwis-
senschaftler od. Komponisten
aufgestellte Theorie, die sich mit
den harmonischen Verbindungen von Tönen u. Akkorden be-
fasst. **Har|mo|nie|mu|sik** die; -:
1. nur durch Blasinstrumente
ausgeführte Musik. 2. aus Blasinstrumenten bestehendes ↑ Or-
chester (1). **Har|mo|nie|or-
ches|ter** das; -s, -: Blasorches-
ter. **har|mo|nie|ren:** gut zu
jmdm. od. zu etwas passen, ein
als angenehm empfundenes
Ganzes bilden; gut zusammen-
passen, -klingen; miteinander
übereinstimmen. **Har|mo|nik**
die; -: Lehre von der Harmonie
(1) (Mus.). **Har|mo|ni|ka** ⟨gr.-
lat.-nlat.⟩ die; -, -s u. ...ken: Musikinstrument, dessen Metall-
zungen durch Luftzufuhr (durch
den Mund bzw. einen Balg) in
Schwingung versetzt werden

(z. B. Mund-, Zieh- od. Hand-
harmonika). **har|mo|ni|kal:** den
Gesetzen der Harmonie folgend,
entsprechend (Mus.). **Har|mo-
ni|ka|tür** die; -, -en: besonders
konstruierte Tür, die wie eine
Ziehharmonika zusammenge-
schoben werden kann; Falttür.
Har|mo|ni|ker ⟨gr.-lat.⟩ der; -s, -:
(hist.) Musiktheoretiker im alten
Griechenland (Mus.). **har|mo-
nisch:** 1. übereinstimmend, aus-
geglichen, gut zusammenpas-
send. 2. den Harmoniegesetzen
entsprechend; schön, angenehm
klingend (Mus.); **harmonische
Teilung:** Teilung einer Strecke
durch einen Punkt auf der Strecke u. einen außerhalb, sodass
gleiche Teilungsverhältnisse ent-
stehen (Math.). **Har|mo|ni|sche**
die; -n, -n: Schwingung, deren
↑ Frequenz ein ganzzahliges Viel-
faches einer Grundschwingung
ist (Phys.). **har|mo|ni|sie|ren**
⟨gr.-lat.-nlat.⟩: 1. eine Melodie
mit passenden Akkorden od. Figuren begleiten (Mus.). 2. in Einklang, in Übereinstimmung bringen, harmonisch gestalten. **Har-
mo|ni|sie|rung** die; -, -en: das
Harmonisieren. **har|mo|nis-
tisch:** 1. die gegenseitige Anpassung, Harmonisierung betreffend; nach einem Harmonisie-
rungsplan in Einklang bringend.
2. nach den Gesetzen der Har-
monielehre gestaltet. **Har|mo|ni-
um** das; -s, ...ien od. -s: Tasteninstrument, dessen Töne von
saugluftbewegten Durchschlag-
zungen erzeugt werden. **Har|mo-
no|gramm** das; -s, -e: grafische
Darstellung von zwei oder mehr
voneinander abhängigen Ar-
beitsabläufen, als Hilfe zur Ko-
ordination (Wirtsch.)
Har|most ⟨gr.⟩ der; -en, -en: Be-
fehlshaber, den von Sparta
nach den Peloponnesischen
Krieg besetzten Städten
vorstand. **Har|mo|stie** die;
-, -n: 1. bes. zum Fang von Fi-
schen od. Meeressäugetieren be-
nutzter Wurfspeer od. pfeilarti-
ges Geschoss mit Widerhaken u.

Leine. 2. an Webautomaten
Hilfsmittel zum Einweben der
Querfäden (Textiltechnik). **Har-
pu|nen|ka|no|ne** die; -, -n: kano-
nenartiges Gerät zum Abschie-
ßen von Harpunen. **Har|pu|nier**
der; -s, -e: Harpunenwerfer. **har-
pu|nie|ren:** mit der Harpune
fangen
Har|py|ie [...jə] ⟨gr.-lat.⟩ die; -, -n:
1. (meist Plural) Sturmdämon in
Gestalt eines Mädchens mit Vo-
gelflügeln in der griech. Mythologie. 2. großer süd- und mittel-
amerik. Raubvogel. 3. Jungfrau-
enadler; Wappentier, das den
Oberkörper einer Frau hat
Har|ris|tweed, als Warenzei-
chen: **Har|ris Tweed®** ['hæ-
rıs...] ⟨engl.⟩ der; -s: handge-
sponnener und handgewebter
↑ Tweed
Har|ry ['hærı] ⟨engl.⟩ -s: (Jar-
gon) Heroin
Har|te|beest ⟨niederl.-afrikaans⟩
das; -s, -s: Kuhantilope der süd-
afrikan. Steppe
Hart|schier ⟨lat.-it.⟩ „Bogen-
schütze") der; -s, -e: Leibwächter
Ha|rus|pex* ⟨lat.⟩ der; -, -e u. Ha-
ruspizes [...tse:s]: jmd., der aus
den Eingeweiden von Opfertie-
ren wahrsagt (bei Etruskern u.
Römern). **Ha|rus|pi|zi|um** das;
-s, ...ien: Wahrsagung aus den
Eingeweiden
Ha|sard ⟨arab.-span.-fr.⟩ das;
-s: Hasardspiel. **Ha|sar|deur**
[...'dø:ɐ̯] der; -s, -e: (abwertend)
jmd., der verantwortungslos
handelt u. alles aufs Spiel setzt;
ha|sar|die|ren: alles aufs Spiel
setzen, wagen. **Ha|sard|spiel**
das; -[e]s, -e: 1. Glücksspiel. 2.
Unternehmung, bei der jmd. ohne Rücksicht auf andere u. auf
sich selbst alles aufs Spiel setzt
Hasch das; -s: (ugs.) Kurzform
von ↑ Haschisch
Ha|schee ⟨germ.-fr.⟩ das; -s, -s:
Gericht aus fein gehacktem
Fleisch
ha|sche|mi|ten vgl. Haschimi-
den
ha|schen ⟨zu ↑ Hasch⟩: (ugs.) Ha-
schisch rauchen in anderer
Form zu sich nehmen. **Ha|scher**
der; -s, -: (ugs.) jmd., der hascht,
der [gewohnheitsmäßig] Haschisch zu sich nimmt
ha|schie|ren ⟨fr.⟩: fein hacken, zu
↑ Haschee verarbeiten
Ha|schi|mi|den u. Haschemiten
⟨arab.⟩ die (Plural): von Mohammed abstammende arab. Dynas-
tie in Irak u. Jordanien
Ha|schisch ⟨arab.⟩ das (auch:

der); -s: aus dem Blütenharz des indischen Hanfs gewonnenes Rauschgift. **Haschljoint** ⟨arab.; engl.⟩ der; -s, -s: (ugs.) Haschischzigarette

Halsellant ⟨lat.-vulgärlat.-fr.⟩ der; -en, -en: Spaßmacher, Narr. **haselliglren:** Possen machen; lärmen, toben

Hälsiltaltilon ⟨lat.⟩ die, -: Zögern, Zaudern. **hälsiltielren** ⟨„hängen bleiben"⟩: zögern, zaudern

Hatlschek* vgl. Háček

Hatltrick ['hættrɪk] ⟨engl.⟩ der; -s, -s: (Sport) a) dreimaliger Erfolg (in einer Meisterschaft o. Ä.); b) drei von einem Spieler in unmittelbarer Folge in einem Spielabschnitt erzielte Tore (im Fußball, Handball u. a.)

Haulbitlze ⟨tschech.; „Steinschleuder"⟩ die; -, -n: Flach- und Steilfeuergeschütz

Haulma vgl. Haoma

Haulsa vgl. Haussa

häuslgelren ⟨zu Haus mit französierender Endung⟩: mit etw. handeln, indem man von Haus zu Haus geht u. Waren zum Kauf anbietet

Hauslsa u. Hausa ⟨nach dem Volk im mittleren Sudan⟩ das; -: afrikanische Sprache, die in West- u. Zentralafrika als Verkehrssprache verwendet wird

Hausse ['hoːs(ə), oːs] ⟨lat.-vulgärlat.-fr.⟩ die; -, -n: 1. a) allgemeiner Aufschwung [in der Wirtschaft]; b) Steigen der Börsenkurse; Ggs. ↑ Baisse. 2. Griff am unteren Bogenende bei Streichinstrumenten, Frosch. **Hauslsier** [...'sjeː] der; -s, -s: Börsenspekulant, der mit Kurssteigerungen rechnet u. deshalb Wertpapiere ankauft; Ggs. ↑ Baissier. **hauslsielren:** im Kurswert steigen (von Wertpapieren)

Hausltolrilum ⟨lat.-nlat.⟩ das; -s, ...ien (meist Plural): 1. Saugwarze od. -wurzel pflanzlicher Schmarotzer. 2. zu einem Saugorgan umgewandelte Zelle im Embryosack der Samenpflanze, die Nährstoffe zum wachsenden ↑ Embryo (2) leitet (Bot.)

lautlbois [(h)oːˈbɔa] ⟨fr.⟩ die; -, -: franz. Bez. für: Oboe. **Haute Coifflfure** [(h)oːtkɔaˈfyːʁ] die; - -: Frisierkunst, die für die Mode tonangebend ist (bes. in Paris u. Rom). **Haute Coulture** [(h)oːtkuˈtyːʁ] die; - -: Schneiderkunst, die für die elegante Mode tonangebend ist (bes. in Paris u. Rom). **Haute Coulturliler** [(h)oːtkutyˈrje:] der; - -s, - -s: Mo-

deschöpfer.   **Hautelfilnance** [(h)oːtfiˈnãːs] die; -: Hochfinanz; Finanzgruppe, die politische u. wirtschaftliche Macht besitzt. **Hautellisse** [(h)oːtˈlɪs] die; -, -n: 1. Webart mit senkrechter Kette. 2. Wand- oder Bildteppich, der mit senkrechter Kette gewebt ist. **Hautellisselstuhl** der; -s, ...stühle: Webstuhl für Gobelins u. Teppiche, auf dem die Kette senkrecht läuft; Hochwebstuhl. **Hautelrilvilen** [(h)oːtriˈvjɛ̃ː] ⟨nach dem Ort Hauterive im Kanton Neuenburg (Schweiz)⟩ das; -[s]: Stufe der Unterkreide (Erdzeitalter; Geol.). **Hautelvollee** [(h)oːtvoˈle:] ⟨fr.⟩ die; -: (oft iron.) gesellschaftliche Oberschicht; die feine, bessere Gesellschaft. **Hautlgout** [oˈgu:] der; -s: 1. eigentümlich scharfer, würziger Geschmack u. Geruch, den das Fleisch von Wild nach dem Abhängen annimmt ? Anrüchigkeit. **Haut Mal** [oˈmal] das; - -: ↑ Grand Mal. **Hautlrellilef** [(h)oː:...] das; -s, -s u. -e: Hochrelief. **Haut-Saulternes** [osoˈtɛrn] ⟨nach der südwestfrz. Stadt Sauternes⟩ der; -: weißer Bordeauxwein

Halvalmal ⟨altnord.; „Rede des Hohen"⟩ das; -s: Sammlung von Lebensregeln in Sprüchen Odins (Teil der ↑ Edda)

¹Halvanlna ⟨nach der kubanischen Stadt Havanna⟩ der; -s: kubanische Tabaksorte. **²Halvanlna** die; -, -s: Zigarre aus einer bestimmten kubanischen Tabaksorte

Halvalrie ⟨arab.-it.-fr.-niederl.⟩ die; -, ...ien: 1. a) durch Unfall verursachter Schaden od. Beschädigung an Schiffen od. ihrer Ladung an Flugzeugen; b) (österr.) Schaden, Unfall bei einem Kraftfahrzeug. 2. Beschädigung an Maschinen u. technischen Anlagen. **halvalrielren:** a) durch eine Havarie (1 a, 2) beschädigt werden; b) (österr.) einen Autounfall haben. **halvalriert:** a) durch Havarie (1 a, 2) beschädigt; b) (österr.) durch einen Unfall beschädigt (vom Kraftfahrzeugen). **Halvalrist** der; -en, -en: 1. Eigentümer eines havarierten Schiffes. 2. beschädigtes Schiff

Halvellock ⟨nach dem engl. General Sir Henry Havelock, 1795-1857⟩ der; -s, -s: langer ärmelloser Herrenmantel mit pelerinenartigem Umhang

have, pia alnilmal ⟨lat.; „sei gegrüßt, fromme Seele!"⟩: In-

schrift auf Grabsteinen o. Ä.; vgl. Ave

Halvelrei die; -, -en: ↑ Havarie

Halwaiilgiltarlre ⟨nach den Hawaiiinseln⟩ die; -, -n: große Gitarre mit leicht gewölbter Decke u. 6-8 Stahlsaiten

Hawlthorneleflfekt ['hɔːθɔːn...] ⟨nach einer zwischen 1927 u. 1932 durchgeführten Untersuchung in den Hawthorne-Werken, Chicago⟩ der; -[e]s, -e: Einfluss, den die bloße Teilnahme an einem Experiment auf die Versuchsperson u. damit auf das Experimentsergebnis auszuüben vermag (Soziol.; Psychol.)

Halzilenlda ⟨lat.-span.⟩ die; -, -s (auch: ...den): Landgut, Farm, bes. in Süd- u. Mittelamerika. **Halzilenldelro** der; -s, -s: Besitzer einer Hazienda

HDTV ⟨Abk. für engl. high definition television⟩: Bez. für hochauflösendes Fernsehen

Head [hɛd] ⟨engl.⟩ der; -s, -s: Wort als Trägerelement einer [Satz]konstruktion (Sprachw.). **Headlhunlter** ['hɛdhantɐ] ⟨engl.; „Kopfjäger"⟩ der; -s, -: jmd., der Führungskräfte abwirbt. **Headline** ['hɛdlaɪn] die; -, -s: Schlagzeile; Überschrift in einer Zeitung, Anzeige o. Ä. **Headlquarter** ['hɛdkwɔːtə] ⟨engl.⟩: Hauptquartier

Healring ['hiːrɪŋ] ⟨engl.⟩ das; -s, -s: [öffentliche] Anhörung, Befragung von Sachverständigen, Betroffenen usw.

Helaultoglnolmie* ⟨gr.-nlat.⟩ die; -: Selbsterkenntnis (Philos.). **Helaultolnolmie** die; -: Selbstgesetzgebung (Philos.). **Helaultoskolpie** die; -: Doppelgängerwahn (Psychol.; Med.)

Healvilsidelschicht ['hɛvɪsaɪd...] ⟨nach dem engl. Physiker⟩ die; -: elektrisch leitende Schicht der Atmosphäre in etwa 100 km Höhe über dem Erdboden, die teilweise u. kurze elektrische Wellen reflektiert

Healvylmeltal ['hɛvɪˈmɛtl] ⟨engl. „Schwermetall"⟩ das; -s, auch: **Healvy Meltal,** das; - -[s] u. **Healvylrock** ['hɛvɪˈrɔk] ⟨engl.⟩ der; -[s], auch: **Healvy Rock,** der; - -[s]: aggressivere Variante des Hardrocks

Hebldolmaldar ⟨gr.-lat.⟩ der; -s, -e. **Hebldolmaldalrilus** der; -, ...ien: katholischer Geistlicher, der im ↑ Kapitel (2a) od. Kloster den Wochendienst hat

Helbelphrelnie ⟨gr.-nlat.⟩ die; -, ...ien: Form der ↑ Schizophrenie, die in der Pubertät auftritt (Med.; Psychol.). **He|bo|i|dophre|nie** die; -, ...ien: leichte Form der ↑ Hebephrenie (Med.). **He|bos|te|o|to|mie*** u. **He|boto|mie** die; -, ...ien: ↑ Pubeotomie

Heb|ra|i|cum* ⟨gr.-lat.⟩ das; -s: durch eine Prüfung nachgewiesene Kenntnisse in der hebräischen Sprache, die bes. für das Theologiestudium erforderlich sind. **Heb|ra|i|ka** ⟨gr.-lat.⟩ die (Plural): Werke über die hebräische Geschichte u. Kultur. **Hebra|is|mus** ⟨nlat.⟩ der; -, ...men: stilistisches u. syntaktisches Charakteristikum der hebräischen Sprache in einer anderen Sprache, bes. im griechischen Neuen Testament; vgl. ...ismus/ ...istik. **Heb|ra|ist** der; -en, -en: jmd., der sich wissenschaftlich mit der hebräischen Geschichte u. Sprache beschäftigt. **Heb|rais|tik** die; -: Wissenschaft von der hebräischen Sprache [u. Kultur], bes. als wissenschaftliche Beschäftigung christlicher Gelehrter mit der hebräischen Sprache des Alten Testaments; vgl. ...ismus/...istik. **heb|ra|istisch:** die Erforschung der hebräischen Sprache u. Kultur betreffend

Hedge|ge|schäft ['hɛdʒ...] ⟨engl.; dt.⟩ das; -[e]s, -e: besondere Art eines Warentermingeschäfts (z. B. Rohstoffeinkauf), das zur Absicherung gegen Preisschwankungen mit einem anderen, auf den gleichen Zeitpunkt terminierten Geschäft (z. B. Produktverkauf) gekoppelt wird

He|do|nik ⟨gr.⟩ die; -: ↑ Hedonismus. **He|do|ni|ker** der; -s, -: ↑ Hedonist. **He|do|nis|mus** ⟨gr.-nlat.⟩ der; -: in der Antike begründete philosophische Lehre, nach welcher das höchste ethische Prinzip das Streben nach Sinnenlust u. Genuss ist. **He|do|nist** der; -en, -en: Vertreter der Lehre des Hedonismus. **he|do|nis|tisch:** 1. den Hedonismus betreffend, auf ihm beruhend. 2. das Lustprinzip befolgend (Psychol.)

Hed|ro|ze|lle* ⟨gr.-nlat.⟩ die; -, -n: Bruch, der durch eine Lücke im Beckenboden zwischen After und ↑ Skrotum bzw. ↑ Vagina (1 b) austritt (Med.)

Hedsch|ra* ⟨arab.; „Loslösung“⟩ die; -: Übersiedlung Mohammeds im Jahre 622 von Mekka nach Medina (Beginn der islamischen Zeitrechnung)

He|ge|mon ⟨gr.⟩ der; -en, -en: Fürst, der über andere Fürsten herrscht. **he|ge|mo|ni|al** ⟨gr.- nlat.⟩: a) die Vormachtstellung habend; b) die Vormachtstellung erstrebend. **He|ge|mo|nie** ⟨gr.; „Oberbefehl“⟩ die; -, ...ien: Vorherrschaft [eines Staates]; Vormachtstellung, Überlegenheit [kultureller, wirtschaftlicher, politischer u. a. Art]. **He|ge|mo|nikon** ⟨gr.-lat.⟩ das; -: (in der stoischen Lehre) der herrschende Teil der Seele, die Vernunft (Philos.). **he|ge|mo|nisch** ⟨gr.⟩: die Hegemonie betreffend. **Hegu|me|nos** der; -, -...oi u. Igumen ⟨ngr.⟩ der; -s, -: Vorsteher eines orthodoxen Klosters

Hei|duck u. Haiduck u. Haiduk ⟨ung.⟩ der; -en, -en: (hist.) 1. Angehöriger einer ungarischen Söldnertruppe im 15. u. 16. Jh., Freischärler zur Unterstützung Österreichs in den Türkenkriegen. 2. (seit dem 18. Jh.) Diener eines Magnaten in Österreich-Ungarn

Heil|an|läs|the|sie ⟨dt.; gr.-nlat.⟩ die; -, -n: ältere Bez. für ↑ Neuraltherapie

Heil|mar|me|ine ⟨gr.⟩ die; -: das unausweichliche Verhängnis, Schicksal (in der griech. Philosophie)

Heim|trai|ner ⟨dt.; engl.⟩ der; -s, -: ↑ Hometrainer

Hei|ti ⟨altnord.⟩ das; -[s], -s: in der altnord. Dichtung die bildliche Umschreibung eines Begriffs durch eine einfache eingliedrige Benennung (z. B. „Renner“ statt „Ross“)

Hei|ka|tom|be ⟨gr.-lat.⟩ die; -, -n: einem unheilvollen Ereignis o. Ä. zum Opfer gefallene, erschütternd große Zahl, Menge von Menschen. **Hek|tar*** [auch: ...'ta:ɐ̯] ⟨⟨gr.; lat.⟩ fr.⟩ das (auch: der); -s, -e (aber: 2 -): Flächen-, bes. Feldmaß (= 100 Ar = 10 000 Quadratmeter); Zeichen: ha. **Hek|ta|re** die; -, -n: (schweiz.) Hektar

Hek|tik ⟨gr.-mlat.⟩ die; -: 1. übersteigerte Betriebsamkeit, fieberhafte Eile. 2. (veraltet) krankhafte Abmagerung mit fortschreitendem Kräfteverfall (bes. bei Schwindsucht; Med.). **Hek|ti|ker** der; -s, -: 1. (ugs.) jmd., der voller Hektik (1) ist. 2. (veraltet) Lungenschwindsüchtiger (Med.). **hek|tisch:** 1. fieberhaft-aufgeregt, von unruhig-nervöser Betriebsamkeit. 2. (veraltend) in Begleitung der Lungen

tuberkulose auftretend (Med.); **hektische Röte:** [fleckige] Wangenröte des Schwindsüchtigen **Hek|to|gramm** [auch: 'hɛk...] das; -s, -e (aber: 2 -): 100 Gramm (Zeichen: hg). **Hek|to|graph,** auch: ...graf ⟨gr.-nlat.⟩ der; -en, -en: ein Vervielfältigungsgerät. **Hek|to|gra|phie,** auch: ...grafie die; -, ...ien: 1. ein Vervielfältigungsverfahren. 2. eine mit dem Hektographen hergestellte Vervielfältigung. **hek|to|gra|phieren,** auch: ...grafieren: [mit dem Hektographen] vervielfältigen. **Hek|to|li|ter** [auch: 'hɛk...] ⟨gr.- fr.⟩ der (auch: das); -s, -: 100 Liter (Zeichen: hl). **Hek|to|me|ter** [auch: 'hɛk...] der (auch: das); -s, -: 100 Meter (Zeichen: hm). **Hek|to|pas|cal** [auch: 'hɛk...] das; -s, -: 100 Pascal (Zeichen: hPa). **Hek|tos|ter** [auch: 'hɛk...] der; -s, -e u. -s (aber: 2 -): Raummaß (bes. für Holz): 100 Kubikmeter (Zeichen: hs). **Hek|towatt** [auch: 'hɛk...] das; -s, -: 100 Watt

He|ku|ba ⟨gr.-lat.⟩: griech. mythologische Gestalt (Gemahlin des Königs Priamos, Mutter von Hektor): in der Wendung **jmdm. Hekuba sein, werden:** jmdm. gleichgültig sein, werden; jmdn. nicht [mehr] interessieren nach Shakespeares „Hamlet“, worin auf die Stelle bei Homer angespielt wird, wo Hektor zu seiner Gattin Andromache sagt, ihn bekümmere seiner Mutter Hekuba Leid weniger als das ihre)

He|lan|ca ® ⟨Kunstw.⟩ das; -: hochelastisches Kräuselgarn aus Nylon

he|li|a|kisch ⟨gr.-lat.⟩ u. **helisch** ⟨gr.-nlat.⟩: zur Sonne gehörend; **helischer Aufgang:** Aufgang eines Sterns in der Morgendämmerung; **helischer Untergang:** Untergang eines Sterns in der Abenddämmerung. **He|li|anthe|mum** das; -s, ...themen: Sonnenröschen (Zierstaude mit verschiedenen Arten) (Bot.). **He|lian|thus** der; -, ...then: Sonnenblume (Korbblütler mit großer Blüten). **He|li|ar** ® ⟨Kunstw.⟩ das; -s, -e: fotografisches Objektiv

He|li|kes [...ke:s] ⟨gr.-lat.⟩ die (Plural): Volutenranken des korinth. ↑ Kapitells, die nach inne eingerollt sind. **He|li|ko|gy|re** ⟨gr.⟩ die; -, -n: Schraubenachse symmetr. Form der Kristallbildung (Kristallographie). **He|likon** ⟨gr.-nlat.⟩ das; -s, -s: Musik instrument; Kontrabasstuba mit kreisrunden Windungen (bes. in der Militärmusik verwendet). **He|li|kop|ter*** ⟨gr.-nlat.⟩ der; -s, -: Hubschrauber

He|lio|bi|o|lo|gie die; -: Teilbereich der Biologie, bei dem man sich mit dem Einfluss der Sonne auf die ↑ Biosphäre befasst. **he|lio|bi|o|lo|gisch:** die Heliobiologie betreffend. **He|li|o|dor** ⟨gr.-nlat.⟩ der; -s, -e: ein Mineral (Edelstein der Beryllgruppe). **He|li|o|graph,** auch: ...graf der; -en, -en: 1. astronomisches Fernrohr mit fotografischem Gerät für Aufnahmen der Sonne. 2. Blinkzeichengerät zur Nachrichtenübermittlung mithilfe des Sonnenlichts. **He|li|o|gra|phie,** auch: ...grafie die; -: 1. ein Druckverfahren, das sich der Fotografie bedient. 2. das Zeichengeben mit dem Heliographen (2). **he|li|o|gra|phisch,** auch: ...grafisch: den Heliographen betreffend. **He|li|o|gra|vüre,** Photogravüre ⟨gr.-fr.⟩ die; -, -n: 1. (ohne Plural) ein Tiefdruckverfahren zur hochwertigen Bildreproduktion auf fotografischer Grundlage. 2. im Heliogravüreverfahren hergestellter Druck. **He|li|o|me|ter** ⟨gr.⟩ das; -s, -: Spezialfernrohr zur Bestimmung bes. kleiner Winkel zwischen zwei Gestirnen. **heli|o|phil:** sonnenliebend; photophil (von Tieren od. Pflanzen; Biol.); Ggs. ↑ heliophob. **he|li|ophob:** den Sonnenschein meidend; photophob (von Tieren od. Pflanzen; Biol.); Ggs. ↑ heliophil. **He|li|o|sis** die; -: (Med.). 1. Sonnenstich, Übelkeit und Kopfschmerz infolge längerer Sonnenbestrahlung. 2. Hitzschlag, Wärmestau im Körper. **He|li|o|skop*** das; -s, -e: Gerät zur direkten Sonnenbeobachtung, das die Strahlung abschwächt (Astron.). **He|li|ostat*** der; -[e]s u. -en, -e[n]: Gerät mit Uhrwerk u. Spiegel, das dem Sonnenlicht für Beobachtungszwecke stets die gleiche Richtung gibt (Astron.). **He|li|o|thera|pie** die; -: Heilbehandlung mit Sonnenlicht u. -wärme (Med.). **he|li|o|trop*:** 1. nur der Farbe des ¹Heliotrops (1). 2. heliotropisch. **¹He|li|o|trop*** das; -s, -e: 1. Sonnenwende, Zimmerpflanze, deren Blüten nach Vanille duften. 2. (ohne Plural) blauviolette Farbe (nach den Blüten des Heliotrops). 3. Sonnenspiegel

zur Sichtbarmachung von Geländepunkten. **²He|li|o|trop*** der; -s, -e: Edelstein (Abart des Quarzes). **He|li|o|tro|pin*** ⟨gr.⟩ das; -s: organ. Verbindung, die zur Duftstoff- u. Seifenherstellung verwendet wird. **he|li|o|tro|pisch:** (veraltet) phototropisch, lichtwendig (von Pflanzen). **He|li|otro|pis|mus** der; -: (veraltet) Phototropismus. **he|li|o|zentrisch:** die Sonne als Weltmittelpunkt betrachtend; Ggs. ↑ geozentrisch; **heliozentrisches Weltsystem:** von Kopernikus entdecktes u. aufgestelltes Planetensystem mit der Sonne als Weltmittelpunkt. **He|li|o|zo|on** ⟨gr.-nlat.⟩ das; -s, ...zoen (meist Plural): Sonnentierchen (einzelliges, wasserbewohnendes Lebewesen)

He|li|port ⟨gr.-lat.; Kurzw. aus ↑ Helikopter u. ↑ Airport⟩ der; -s, -s: Landeplatz für Hubschrauber

he|lisch: ↑ heliakisch

He|li|skiing ⟨Kunstw. aus engl. helicopter u. skiing⟩ das; -s: Skilaufen auf Pisten, zu denen man sich mit einem Hubschrauber bringen lässt

He|li|um das; -s: chem. Element; ein Edelgas (Zeichen: He). **He|lium|ion** das; -s, -en: Ion des Heliumatoms

He|lix ⟨gr.-lat.; „spiralig Gewundenes"⟩ die; -, ...ices [...tse:s]: 1. der umgebogene Rand der menschlichen Ohrmuschel (Med.). 2. Schnirkelschnecke (z. B. Weinbergsschnecke; Zool.). 3. wendelförmige Molekülstruktur (Chem.). **He|li|zi|tät** dle; -: Projektion des Spins eines Elementarteilchens auf seine Bewegungsrichtung (Phys.)

hell|ko|gen ⟨gr.-nlat.⟩: aus einem Geschwür entstanden (Med.). **Hell|ko|lo|gie** die; -: Wissenschaft u. Lehre von den Geschwüren (Med.). **Hell|ko|ma** ⟨gr.⟩ das; -[s], -ta: Geschwür, Eiterung (Med.). **Hell|ko|se** die; -, -n: Geschwürbildung (Med.)

Hell|la|di|kum ⟨gr.-lat.⟩ das; -s: bronzezeitliche Kultur auf dem griechischen Festland. **hell|ladisch:** das Helladikum betreffend

Hel|le|bo|rus ⟨gr.-lat.⟩ der; -, ...ri: Vertreter der Gattung der Hahnenfußgewächse (mit Christrose u. Nieswurz; Bot.)

helle|nisch ⟨gr.⟩: a) das antike Hellas (Griechenland) betreffend; b) griechisch (in Bezug auf

den heutigen Staat). **hel|le|nisie|ren** ⟨gr.-nlat.⟩: nach griech. Vorbild gestalten; griech. Sprache u. Kultur nachahmen. **Helle|nis|mus** der; -: 1. Griechentum; (nach J. G. Droysen:) die Kulturepoche von Alexander dem Gr. bis Augustus (Verschmelzung des griech. mit dem oriental. Kulturgut). 2. die griechische nachklassische Sprache dieser Epoche; Ggs. ↑ Attizismus (1). **Hel|le|nist** der; -en, -en: 1. jmd., der sich wissenschaftlich mit dem nachklassischen Griechentum befasst. 2. (im N.T.) Griechisch sprechender, zur hellenistischen Kultur neigender Jude der Spätantike. **Hel|le|nistik** die; -: Wissenschaft, die sich mit der hellenischen Sprache u. Kultur befasst. **hel|le|nis|tisch:** den Hellenismus (1, 2) betreffend. **Hel|le|no|phi|lie** die; -: Vorliebe für die hellenistische Kultur

Hel|le|rist|nin|ger ⟨norweg.⟩ die (Plural): Felszeichnungen, -bilder der Jungstein- u. Bronzezeit in Schweden u. Norwegen

Hel|min|tha|go|gum* ⟨gr.-nlat.⟩ das; -s, ...ga: Mittel gegen Wurmkrankheiten (Med.). **Helmin|the** die; -, -n (meist Plural): Eingeweidewurm (Med.). **Helmin|thi|a|sis** die; -, ...thiasen u. **Hel|min|tho|se** die; -, -n: ↑ Helminthiasis

Helminthose: Wurmkrankheit (Med.). **Hel|min|tho|lo|gie** die; -: Wissenschaft von den Eingeweidewürmern (Med.). **Helmin|tho|se** die; -, -n: ↑ Helminthiasis

Hel|o|bi|ae ⟨gr.-nlat.⟩ die (Plural): Pflanzenordnung der Sumpflilien (mit Froschlöffel, Wasserpest u. a.; Bot.). **Hel|o|doa** vgl. Elodea. **Hel|o|des** die; -: Sumpffieber, Malaria (Med.). **Hel|o|phyt** der; -en, -en: Sumpfpflanze (unter Wasser wurzelnde, aber über die Wasseroberfläche herausragende Pflanze)

Hel|ot der; -en, -en u. **He|lote** der; -n, -n: Staatssklave im alten Sparta. **Hel|o|tis|mus** ⟨gr.-nlat.⟩ der; -: Ernährungssymbiose, aus der eine Art mehr Nutzen hat als die andere

Hel|vet das; -s u. **Hel|ve|ti|en** [helve'si̯ɛ̃] ⟨lat.-fr.⟩ das; -s: mittlere Stufe des ↑ Miozäns (Erdzeitalter) (Geol.). **Hel|ve|ti|ka** ⟨lat.⟩ die (Plural): Werke über die Schweiz (= Helvetien). **hel|vetisch** ⟨lat.⟩: schweizerisch; **Helvetische Konfession, Helvetisches Bekenntnis:** Bekenntnis[schriften] der evangelisch-reformierten Kirche von 1536 und bes. 1562/66; Abk.: H. B. **Hel|ve|tis|mus** ⟨lat.-nlat.⟩ der; -, ...men: eine innerhalb der deutschen Sprache nur in der Schweiz (= Helvetien) übliche sprachliche Ausdrucksweise (z. B. Blocher = Bohnerbesen) **He|man** ['hi:mɛn] ⟨engl.⟩ der; -s, Hemen ['hi:mɛn]: besonders männlich u. potent wirkender Mann

he|me|ra|di|a|phor* ⟨gr.⟩: kulturindifferent, durch Kultureinflüsse weder beeinträchtigt noch begünstigt (von Lebewesen) **He|me|ra|lo|pie*** ⟨gr.-nlat.⟩ die; -: Nachtblindheit (Med.). **He|me|ro|cal|lis** ⟨gr.⟩ die; -: Gattung der Taglilien **he|me|ro|phil** ⟨gr.⟩: kulturliebend (von Tieren und Pflanzen, die Kulturbereiche bevorzugen). **he|me|ro|phob**: kulturmeidend (von Tieren und Pflanzen, die nur außerhalb des menschlichen Kulturbereichs optimal zu leben vermögen). **He|me|ro|phyt** der; -en, -en: Pflanze, die nur im menschlichen Kulturbereich richtig gedeiht **He|mi|al|gie** ⟨gr.-nlat.⟩ die; -, ...ien: Kopfschmerz auf einer Kopfseite, Migräne (Med.). **He|mi|an|äs|the|sie** ⟨gr.-nlat.⟩ die; -, ...ien: Empfindungslosigkeit einer Körperhälfte (Med.). **He|mi|an|o|pie, He|mi|an|op|sie,** Hemiop[s]ie die; -, ...ien: Halbsichtigkeit, Ausfall einer Hälfte des Gesichtsfeldes (Med.). **He|mi|a|ta|xie** die; -, ...ien: Bewegungsstörungen einer Körperhälfte (Med.). **He|mi|at|ro|phie*** die; -, ...ien: Schwund von Organen, Geweben u. Zellen der einen Körperhälfte (Med.). **He|mi|e|drie*** die; -: Kristallklasse, bei der nur die Hälfte der möglichen Flächen ausgebildet ist (Mineral.). **He|mi|e|pes** ⟨gr.⟩ der; -, -: [unvollständiger] halber Hexameter. **He|mi|gna|thie*** ⟨gr.-nlat.⟩ die; -, ...ien: Fehlen einer Kieferhälfte (Fehlbildung; Med.). **He|mi|kra|nie*** ⟨gr.-lat.⟩ die; -, ...ien: Hemialgie. **He|mi|kra|ni|o|se** die; -, -n: halbseitige Schädelvergrößerung (Fehlbildung; Med.). **He|mi|kryp|to|phyt** der; -en: -en: Pflanze, deren Überwinterungsknospen am Erdboden od. an Erdsprossen sitzen (z. B. Erdbeeren, Alpenveilchen; Bot.). **He|mi|mel|lie** die; -, ...ien: Fehlbildung, bei

die Gliedmaßen der einen Körperhälfte mehr od. weniger verkümmert sind (Med.). **He|mi|me|tal|bol|len** die (Plural): Insekten mit unvollständiger Verwandlung (Zool.). **He|mi|me|ta|bo|lie** die; -: Verwandlung der Insektenlarve zum fertigen Insekt ohne die sonst übliche Einschaltung eines Puppenstadiums (Zool.). **he|mi|morph**: an zwei entgegengesetzten Enden verschieden ausgebildet (von Kristallen; Mineral.). **He|mi|mor|phit** der; -s, -e: Kalamin. **He|mi|o|le** die; -, -n: (Mus.). 1. in der † Mensuralnotation die Einführung schwarzer Noten zu den seit dem 15. Jh. üblichen weißen (zum Ausdruck des Verhältnisses 2 : 3). 2. das Umschlagen des zweimal dreiteiligen Taktes in den dreimal zweiteiligen Takt. **He|mi|o|pie, He|mi|op|sie** vgl. Hemianopsie. **He|mi|pa|re|se** ⟨gr.-nlat.⟩ die; -, -n: halbseitige leichte Lähmung (Med.). **he|mi|pe|la|gisch**: 1. dem 200 bis 2 700 m tiefen Meer entstammend (von Meeresablagerungen, z. B. Blauschlick). 2. nicht immer frei schwimmend (von Wassertieren, die im Jungstadium das Wasser bewohnen und sich später am Meeresgrund ansiedeln; Zool.). **He|mi|ple|gie*** die; -, ...ien: Lähmung einer Körperseite (z. B. bei Schlaganfall; Med.); vgl. Monoplegie. **He|mi|ple|gi|ker** der; -s, -: u. **He|mi|ple|gi|sche** der u. die; -n, -n: halbseitig Gelähmte[r] (Med.). **He|mi|ple|re*** die; -, -n (meist Plural): Halbflügler (Insekten, z. B. Wanzen; Zool.). **He|mi|spas|mus*** der; -, ...men: halbseitiger Krampf (Med.). **He|mi|sphä|re*** ⟨gr.-lat.⟩ die; -, -n: a) eine der beiden bei einem gedachten Schnitt durch den Erdmittelpunkt entstehenden Hälften der Erde; Erdhälfte, Erdhalbkugel; b) Himmelshalbkugel; c) rechte bzw. linke Hälfte des Großhirns u. des Kleinhirns (Med.). **he|mi|sphä|risch***: die Hemisphäre betreffend. **He|mi|sti|chi|on*** ⟨gr.⟩, **He|mi|sti|chi|um*** ⟨gr.-lat.⟩ das; -s, ...ien: Halbzeile eines Verses, Halb-, Kurzvers in der altgriech. Metrik. **He|mi|sti|cho|my|thie*** ⟨gr.-nlat.⟩ die; -: aus Hemistichien bestehende Form des Dialogs im Versdrama; vgl. Stichomythie. **He|mi|to|nie** ⟨gr.⟩ die; -, ...ien: halbseitiger Krampf mit schnellem Wechsel der Muskel-

tonus (Med.). **he|mi|to|nisch**: mit Halbtönen versehen (Mus.). **He|mi|zel|lu|lo|se** die; -, -n: Kohlenhydrat (Bestandteil pflanzlicher Zellwände). **he|mi|zyk|lisch*** [auch: ...'tsyk...] kreisförmig od. spiralig (von der Anordnung der [Blüten]blätter bei Pflanzen) **Hem|lock|tan|ne** ⟨engl.; dt.⟩ die; -, -n: Tsuga **He|na|de** ⟨gr.⟩ die; -, -n: Einheit im Gegensatz zur Vielheit, † Monade (Philos.). **Hen|de|ka|gon** ⟨gr.-nlat.⟩ das; -s, -e: Elfeck. **Hen|de|ka|syl|la|bus** ⟨gr.-lat.⟩ der; -, ...syllaben u. ...syllabi: elfsilbiger Vers; vgl. Endecasillabo. **Hen|di|a|dy|oin** ⟨gr.-mlat.; „eins durch zwei"⟩ das; -s, - u. (seltener) **Hen|di|a|dys** das; -, - : (Stilk.) 1. die Ausdruckskraft verstärkende Verbindung zweier synonymer Substantive od. Verben, z. B.: bitten u. flehen. 2. das bes. in der Antike beliebte Ersetzen eines Attributs durch eine reihende Verbindung mit „und" (z. B.: die Masse und die hohen Berge statt: die Masse der hohen Berge) **Hen|ding** ⟨altnord.⟩ die; -, -ar: Silbenreim der nord. Skaldendichtung, zunächst als Binnenreim neben dem Stabreim, später Endreim (bei den island. Skalden)

He|nis|mus ⟨gr.-nlat.⟩ der; -: Weltdeutung von einem Urprinzip aus (Philos.). **Hen|na** ⟨arab.⟩ das; -s (auch: die); -: 1. Kurzform für: Hennastrauch (in Asien u. Afrika heimischer Strauch mit gelben bis ziegelroten Blüten). 2. aus Blättern u. Stängeln des Hennastrauchs gewonnenes rotgelbes Färbemittel für kosmetische Zwecke

Hen|nin [e'nɛ̃] ⟨fr.⟩ der (auch: das); -s, -s: (bis ins 15. Jh. von Frauen getragene) hohe, kegelförmige Haube, mit der Spitze herabhängenden Schleier; burgundische Haube **He|no|the|is|mus** ⟨gr.-nlat.⟩ der; -: religiöse Haltung, die die Hingabe an nur einen Gott fordert, ohne allerdings die Existenz anderer Götter zu leugnen od. ihre Verehrung zu verbieten; vgl. Monotheismus. **he|no|the|is|tisch**: den Henotheismus betreffend **Hen|ri-deux-Stil** [ãri'dø...] ⟨fr.⟩ der; -[e]s: zweite Stilperiode der französischen Renaissance während der Regierung Heinrichs II (1547–59). **Hen|ri|quat|re** [ãri-

'katr(ə)] *der;* -[s] [...tr(ə)], -s
[...tr(ə)]: nach Heinrich IV. von
Frankreich benannter Spitzbart
Hen|ry ['hɛnri] ⟨nach dem amerik.
Physiker J. Henry, † 1878⟩ *das;* -,
-: physikalische Maßeinheit für
Selbstinduktion (1 Voltsekunde/
Ampere); Zeichen: H
He|or|to|lo|gie ⟨gr.-nlat.⟩ *die;* -:
die kirchlichen Feste betreffen-
der Teil der ↑ Liturgik. **He|or|to-
lo|gi|um** *das;* -s, ...icn: kirchli-
cher Festkalender
He|par ⟨gr. lat.⟩ *das;* -s, Hepata.
Leber (Med.). **He|pa|rin** ⟨gr.-
nlat.⟩ *das;* -s: aus der Leber gewonnene, die Blutgerinnung
hemmende Substanz (Med.).
He|par|pro|be *die;* -, -n: Verfah-
ren zum Nachweis von Schwefel
in Schwefelverbindungen. **He-
pa|tal|gie*** *die;* -, ...ien: Leber-
schmerz, Leberkolik (Med.). **he-
pa|tal|gisch***: die Hepatalgie
betreffend; mit Leberschmerzen
verbunden (Med.). **He|pa|tar-
gie*** *die;* -, ...ien: Funktions-
schwäche der Leber mit Bildung
giftiger Stoffwechselprodukte
(Med.). **He|pa|ti|cae** *die* (Plu-
ral): Lebermoose (Bot.). **He|pa-
ti|ka** *die;* -, ...ken: Leberblüm-
chen (Bot.). **He|pa|ti|sa|ti|on**
die; -, -en: leberähnliche Beschaffenheit der Lunge bei ent-
zündlichen Veränderungen in
der Lunge (Med.). **he|pa|tisch**
⟨gr.-lat.⟩: (Med.) a) zur Leber gehörend; b) die Leber betreffend.
He|pa|ti|tis ⟨gr.-nlat.⟩ *die;* -, ...iti-
den: Leberentzündung (Med.).
He|pa|to|blas|tom* ⟨gr.⟩ *das;* -s,
-e: Missbildungsgeschwulst der
Leber (Med.). **he|pa|to|gen** ⟨gr.-
nlat.⟩: (Med.) 1. in der Leber gebildet (z. B. von den Gallenflüs-
sigkeit). 2. von der Leber ausge-
hend (von Krankheiten). **He|pa-
to|gra|phie,** auch: **...grafie** *die;* -:
röntgenologische Darstellung
der Leber nach Injektion von
Kontrastmitteln (Med.). **He|pa-
to|lith** [auch: ...'lɪt] *der;* -s u. -en,
-e[n]: Gallenstein in den Gallen-
gängen der Leber, Leberstein
(Med.). **He|pa|to|lo|ge** *der;* -n,
-n: Arzt mit speziellen Kenntnissen auf dem Gebiet der Leber-
krankheiten (Med.). **He|pa|to-
lo|gie** *die;* -: Lehre von der Leber
(einschließlich der Gallenwege),
ihren Funktionen u. Krankhei-
ten (Med.). **he|pa|to|lo|gisch**:
die Hepatologie betreffend. **He-
pa|to|me|ga|lie** *die;* -, ...ien: Le-
bervergrößerung (Med.). **He|pa-
to|pank|re|as*** *das;* -: Anhang-

drüse des Darms, die bei manchen Wirbellosen die Funktion
der Leber u. Bauchspeicheldrüse
gleichzeitig ausübt (Zool.). **He-
pa|to|pa|thie** *die;* -, ...ien: Le-
berleiden (Med.). **He|pa|to-
phle|bi|tis*** *die;* -, ...itiden: Ent-
zündung der Venen in der Le-
ber (Med.). **He|pa|top|to|se***
die; -, -n: Senkung der Leber;
Wanderleber (Med.). **He|pa|to-
se** *die;* -, -n: Erkrankung mit de-
generativer Veränderung der eigentlichen Leberzellen (Med.).
He|pa|to|to|xä|mie* *die;* -,
...ien: Blutvergiftung durch
Zerfallsprodukte der erkrankten
Leber
He|phäst ⟨nach dem griech. Gott
des Feuers u. der Schmiede-
kunst⟩ *der;* -s, -e: (scherzh.)
kunstfertiger Schmied
Heph|the|mi|me|res* ⟨gr.⟩ *die;* -,
-: ↑ Zäsur nach dem Halbfüßen
bzw. nach der ersten Hälfte des
vierten Fußes im ↑ Hexameter;
vgl. Penthemimeres, Trithemi-
meres. **Hep|ta|chord** [...'k...]
⟨gr.-lat.⟩ *der od. das;* -[e]s, -e: Folge von sieben ↑ diatonischen Tonstufen (große Septime) (Mus.).
Hep|ta|gon *das;* -s, -e: Sieben-
eck. **Hep|ta|me|ron** ⟨gr.-fr.⟩ *das;*
-s: dem ↑ Dekameron nachgebil-
dete Erzählungen der „Sieben
Tage" der Margarete von Navar-
ra; vgl. Hexameron. **Hep|ta|me-
ter** ⟨gr.-nlat.⟩ *der;* -s, -: siebenfü-
ßiger Vers. **Hep|tan** *das;* -s, -e:
Kohlenwasserstoff mit sieben
Kohlenstoffatomen im Molekül.
Hep|tar|chie ⟨gr.⟩ *die;* - (hist.) Staa-
tenbund der sieben angelsächsi-
schen Kleinkönigreiche (Essex,
Sussex, Wessex, Northumber-
land, Ostanglien, Mercien,
Kent). **Hep|ta|teuch** ⟨gr.-mlat.⟩
der; -s: die ersten sieben Bücher
des Alten Testaments (1.–5.
Buch Mose, Josua, Richter); vgl.
Pentateuch. **Hep|ta|to|nik** ⟨gr.-
nlat.⟩ *die;* -: System der Siebentö-
nigkeit (Mus.). **Hep|to|de** *die;* -,
-n: Elektronenröhre mit sieben
Elektroden. **Hep|to|se** *die;* -, -n
(meist Plural): einfache Zucker-
art mit sieben Sauerstoffatomen
im Molekül (Biochem.)
He|rai|on u. **Heräon** ⟨gr.⟩ *das;*
-s: Tempel, Heiligtum der griech.
Göttin Hera, bes. in Olympia u.
auf Samos
He|rak|li|de* ⟨gr.-lat.⟩ *der;* -n, -:
Nachkomme des Herakles. **He-
rak|li|te|ler** *der;* -s, -: Schüler u.
Anhänger des altgriech. Philosophen Heraklit

He|rak|lith ® [auch: ...'lɪt]
⟨Kunstwort⟩ *der;* -s: Material für
Leichtbauplatten
He|ral|dik ⟨germ.-mlat.-fr.⟩ *die;* -:
Wappenkunde, Heroldskunst
(von den Herolden (1) entwi-
ckelt). **He|ral|di|ker** *der;* -s, -:
Wappenforscher, -kundiger. **he-
ral|disch**: die Heraldik betref-
fend
He|rä|lon vgl. Heraion
He|rat ⟨nach dem Namen der af-
ghanischen Stadt⟩ *der;* -s, -s:
dichter, kurz geschorener Tep-
pich in Rot od. Blau. **He|ra|ti-
mus|ter** *das;* -s, -: aus Rosetten,
Blüten u. Blättern in geometrischer Anordnung bestehendes
Teppichmuster
Her|bal|list ⟨lat.⟩ *der;* -en, -en:
Heilkundiger, der auf Kräuter-
heilkunde spezialisiert ist. **Her-
bar, Her|ba|ri|um** *das;* -s, ...rien:
systematisch angelegte Samm-
lung gepresster u. getrockneter
Pflanzen u. Pflanzenteile. **her-
bi|kol**: Kräuter bewohnend (von
Tieren, die auf grünen Pflanzen
leben). **her|bi|vor** ⟨lat.-nlat.⟩:
Kräuter fressend (von Tieren,
die nur von pflanzlicher Nah-
rung leben). **Her|bi|vo|re** *der;* -n,
-n: Tier, das nur pflanzliche
Nahrung zu sich nimmt. **her|bi-
zid**: Pflanzen tötend. **Her|bi|zid**
das; -s, -e: chemisches Mittel zur
Abtötung von Pflanzen
he|re|di|e|ren ⟨lat.⟩: erben. **he|re-
di|tär**: 1. die Erbschaft, das Er-
be, die Erbfolge betreffend. 2.
erblich, die Vererbung betref-
fend (Biol.; Med.). **He|re|di|tät**
die; -, -en: (veraltet) 1. Erbschaft.
2. Erbfolge (Rechtsw.). **He|re-
do|de|ge|ne|ra|ti|on** ⟨lat.-nlat.⟩
die; -: erbliche ↑ Degeneration
(2) in bestimmten Geschlechter-
folgen (Med.). **He|re|do|pa|thie**
die; -, ...ien: Erbkrank-
heit (Med.)
He|re|ke ⟨nach einem türk. Ort⟩
der; -s, -s: türkischer Knüpftep-
pich
He|ris ⟨nach dem iran. Ort Heris⟩
der; -, -: Sammelbezeichnung
für verschiedenartige, handge-
knüpfte Gebrauchsteppiche aus
dem iran. Aserbeidschan
Her|ko|gal|mie ⟨gr.-nlat.⟩ *die;* -:
besondere Anordnung der
Staubblätter u. Narben zur Ver-
hinderung der Selbstbestäubung
der Pflanzen (Bot.)
Her|ku|les ⟨nach dem Halbgott
der griechischen Sage⟩ *der;* -, -se:
Mensch mit großer Körperkraft.
Her|ku|les|ar|beit *die;* -, -en: an-

strengende, schwere Arbeit. **her-kу̣llisch:** riesenstark (wie Herkules)

Her|man|dạd [span.: ɛrman'dað] ⟨lat.-span.; „Bruderschaft") die; -: a) im 13.–15. Jh. Bündnis kastilischer u. aragonesischer Städte gegen Übergriffe des Adels u. zur Wahrung des Landfriedens; b) seit dem 16. Jh. eine spanische Gendamerie; **die heilige Hermandad:** (veraltet iron.) die Polizei

Her|mạ|on ⟨gr.; „Geschenk des Hermes") das; -s: (veraltet) Fund, Glücksfall

Her|maph|ro|djs|mus*: ↑ Hermaphroditismus. **Her|maph|ro-djt** ⟨gr.-lat.; zum Zwitter gewordener Sohn der griech. Gottheiten Hermes u. Aphrodite⟩ der; -en, -en: Zwitter; Individuum (Mensch, Tier od. Pflanze) mit Geschlechtsmerkmalen von beiden Geschlechtern (Biol.; Med.). **her|maph|ro|dj|tisch:** zweigeschlechtig, zwittrig. **Her-maph|ro|dj|tjs|mus** u. Hermaphrodismus ⟨gr.-lat.-nlat.⟩ der; -: Zweigeschlechtigkeit, Zwittrigkeit (Biol.; Med.)

Hẹr|me ⟨gr.-lat.⟩ die; -, -n: Pfeiler od. Säule, der mit einer Büste gekrönt ist (urspr. des Gottes Hermes)

Her|me|neu|tik ⟨gr.⟩ die; -: 1. wissenschaftliches Verfahren der Auslegung u. Erklärung von Texten, Kunstwerken od. Musikstücken. 2. metaphysische Methode des Verstehens menschlichen Daseins (Existenzphilosophie). **her|me|neu|tisch:** einen Text o. Ä. erklärend, auslegend

Her|me|tik ⟨gr.-nlat.-engl.⟩ die; -: 1. (veraltend) ↑ Alchimie (1,2) u. ↑ Magie (1,3). 2. luftdichte ↑ Apparatur. **Her|me|ti|ker** ⟨gr.-nlat.⟩ der; -s, -: 1. Anhänger des Hermes Trismegistos, des ägypt.-spätantiken Gottes der Magie u. Alchimie. 2. Schriftsteller mit vieldeutiger dunkler Ausdrucksweise (bes. in der alchimistischen, astrologischen u. magischen Literatur). **her|me|tisch:** 1. a) dicht verschlossen, sodass nichts ein- od. herausdringen kann, z.B.: hermetisch verschlossene Ampullen; b) durch eine Maßnahme od. einen Vorgang so beschaffen, dass nichts od. niemand eindringen od. hinausgelangen kann, z.B.: ein Gebäude hermetisch abriegeln. 2. vieldeutig, dunkel, eine geheimnisvolle Ausdrucksweise

bevorzugend; nach Art der Hermetiker; **hermetische Literatur: hermetische Poesie:** philosophisch-okkultistische Literatur der Hermetiker (2). **her-me|til|sie|ren:** dicht verschließen, luft- u. wasserdicht machen.

Her|me|tjs|mus der; -: 1. Richtung der modernen italienischen Lyrik. 2. Dunkelheit, Vieldeutigkeit der Aussage als Wesenszug der modernen Poesie

Her|mi|ta|ge [ɛrmi'taːʒə] ⟨fr.⟩ der; -: franz. Wein aus dem Anbaugebiet um die Gemeinde Tain-l'Hermitage im Rhonetal

Hẹr|nie [...njə] ⟨lat.⟩ die; -, -n: 1. Eingeweidebruch (Med.). 2. krankhafte Veränderungen an Kohlpflanzen (durch Algenpilze hervorgerufen) (Bot.). **Her|nio-to|mie** ⟨lat.; gr.⟩ die; -, ...jen: Bruchoperation (Med.)

Hẹl|rọa: Plural von ↑ Heroon. **Hẹ-rọ|en:** Plural von ↑ Heros. **Hẹl|rọ-en|kult** der; -[e]s, -e (Plural selten) u. **Hẹl|rọ|en|kul|tus** der; -, ...kulte (Plural selten): Heldenverehrung. **Hẹl|ro|ji|de** die; -, -n (meist Plural): Heldenbrief; von Ovid geschaffene Literaturgattung (Liebesbrief eines Heroen od. einer Heroin). **Hẹl|ro|jik** die; -: Heldenhaftigkeit. **¹Hẹl|rọ|in** ⟨gr.-lat.⟩ die; -, -nen: 1. Heldin. 2. Heroine (Theat.).

²Hẹl|rọ|in ⟨gr.-nlat.⟩ das; -s: aus einem weißen, pulverförmigen Morphinderivat bestehendes, sehr starkes, süchtig machendes Rauschgift.

Hẹl|rọ|ji|ne ⟨gr.-lat.⟩ die; -, -n: Darstellerin einer Heldenrolle auf der Bühne. **Hẹl|ro|ji|njs|mus** der; -: Heroinsucht. **hẹ|rọ|isch** ⟨gr.-lat.⟩: heldenmütig, heldenhaft; **heroische Landschaft:** 1. großes Landschaftsbild mit Gestalten der antiken Mythologie (17. Jh.). 2. Bild, das eine dramatisch bewegte, monumentale Landschaft darstellt (19. Jh.); **heroischer Vers:** Vers des Epos. **hẹl|ro|ji|sie-ren** ⟨gr.-lat.-nlat.⟩: als Helden verherrlichen, zum Helden erheben. **Hẹl|rọ|js|mus** der; -: Heldentum, Heldenmut

Hẹl|rold ⟨germ.-fr.⟩ der; -[e]s, -e: 1. jmd., der eine Botschaft überbringt, der etw. verkündet. 2. wappenkundiger Hofbeamter im Mittelalter. **Hẹl|rolds|kunst** die; -: (veraltet) Heraldik. **Hẹl|rolds-li|te|ra|tur** die; -: mittelalterliche Literatur, in der die Beschreibung fürstlicher Wappen mit der Huldigung ihrer gegenwärtigen od. früheren Träger verbunden

wird; Wappendichtung (Literaturw.)

Hẹl|rons|ball ⟨nach dem altgriech. Mathematiker Heron⟩ der; -s, ...bälle: Gefäß mit Röhre, in dem Wasser mithilfe des Drucks zusammengepresster Luft hochgetragen od. ausgespritzt wird (z. B. ein Parfümzerstäuber)

Hẹl|rọ|on ⟨gr.⟩ das; -s, ...rọa: Grabmal u. Tempel eines Heros.

Hẹl|ros ⟨gr.-lat.⟩ der; -, ...ọen: 1. (in der griech. Mythologie) zwischen Göttern u. Menschen stehender Held, Halbgott, der im Leben große Taten vollbracht u. nach seinem Tod die Fähigkeit erlangt hat, den Menschen aus eigener Macht Hilfe zu leisten. 2. heldenhafter Mann, Held

Hẹl|rost|rạt* ⟨nach dem Griechen Herostratos, der 356 v. Chr. den Artemistempel zu Ephesus in Brand steckte, um berühmt zu werden⟩ der; -en, -en: Verbrecher aus Ruhmsucht. **Hẹl|rost|rạ|ten-tum** das; -s: durch Ruhmsucht motiviertes Verbrechertum. **he-rost|rạ|tisch:** aus Ruhmsucht Verbrechen begehend

Hẹl|ro|tricks|ter ['hiːroˈtrɪkstɐ] ⟨gr.-engl.; „Held-Gauner") der; -s, -: 1. listiger, oft selbst betrogener Widersacher des Himmelsgottes in vielen Religionen. 2. der Teufel im Märchen

Her|pan|gj|na* ⟨gr.-nlat.⟩ die; -, ...nen: Entzündung der Mundhöhle mit Bläschenbildung (Med.). **Hẹr|pes** ⟨gr.-lat.⟩ der; -: Bläschenausschlag (Med.). **Hẹr-pes zọs|ter** [auch: ...'tsɔstɐ] ⟨gr.-nlat.⟩ der; - - u. Zoster der; -s: Viruserkrankung mit Hautbläschen in der Gürtelgegend; Gürtelrose (Med.). **her|pe|ti|form** ⟨gr.; lat.⟩: einem Bläschenausschlag ähnlich, herpesartig (Med.). **her|pe|tisch:** a) den Herpes betreffend; b) die für einen Herpes charakteristischen Bläschen aufweisend. **Her|pe-tol|lo|gie** ⟨gr.-nlat.⟩ die; -: Kriechtierkunde (Wissenschaft von den ↑ Amphibien u. ↑ Reptilien; Biol.)

Herz|in|farkt ⟨dt.; lat.-nlat.⟩ der; -[e]s, -e: ↑ Myokardinfarkt. **Hẹrz in|suf|fi|zi|enz** ⟨dt.; lat.⟩ die; -: Herz[muskel]schwäche (Med.). **Hẹrz|tam|po|na|de** ⟨dt.; germ.-fr.⟩ die; -: tamponartiger Verschluss der Herzhöhle durch Blutgerinsel (Med.)

her|zy|nisch ⟨nach dem antiken Namen Hercynia silva = „Her zynischer Wald" für das deu sche Mittelgebirge): parallel zum Harznordrand von NW nach SO verlaufend (von tektonischen Strukturen; Geogr.)

Hes|pe|re|tin ⟨gr.⟩ das; -s: zu den Flavonen gehörender Pflanzenfarbstoff. **Hes|pe|ri|de** die; -, -n (meist Plural): 1. weibliche Sagengestalt in der griech. Mythologie. 2. Dickkopffalter (Biol.). **Hes|pe|ri|din** das; -s: Glykosid aus [unreifen] Orangenschalen. **Hes|pe|ri|en** [...jən] ⟨gr.-lat.⟩ das; -s: (dichter.) (in antiker Literatur) Name Italiens od. Spaniens, auch Westafrikas. **Hes|pe|ros** u. **Hes|pe|rus** der; -: der Abendstern in der griech. Mythologie

Hes|si|an [ˈhɛsiən] ⟨engl.⟩ das od. der; -s: grobes, naturfarbenes Jutegewebe in Leinenbindung für Säcke u. a.

He|sy|chạs|mus [...ç...] ⟨gr.-nlat.⟩ der; -: im orthodoxen Mönchtum der Ostkirche eine mystische Bewegung, die durch stille Konzentration das göttliche Licht (↑Taborlicht) zu schauen sucht. **He|sy|chạst** [...ç...] der; -en, -en: Anhänger des Hesychasmus

He|tä|re ⟨gr.; „Gefährtin"⟩ die; -, -n: a) in der Antike [hoch gebildete, politisch einflussreiche] Freundin, Geliebte bedeutender Männer; b) ↑Prostituierte, Freudenmädchen. **He|tä|rie** ⟨gr.-lat.⟩ die; -, ...jen: [alt]griech. (meist geheime) polit. Verbindung; **Hetärie der Befreundeten:** griechischer Geheimbund zur Befreiung von den Türken

he|te|ro ⟨gr.⟩: Kurzform von ↑heterosexuell; Ggs. ↑homo. **He|te|ro** der; -s, -s: heterosexueller Mann; Ggs. ↑Homo. **He|te|ro|au|xin** ⟨gr.-nlat.⟩ das; -s: β-Form der Indolylessigsäure, wichtigster Wuchsstoff der höheren Pflanzen. **he|te|ro|blạs|tisch*:** 1. unterschiedlich ausgebildet (von Jugend- und Folgeformen von Blättern; Bot.). 2. unterschiedlich entwickelt (in Bezug auf die Korngröße bei metamorphen Gesteinen). **he|te|ro|chla|my|de|lisch** [...çla...]: verschieden ausgebildet (von Blüten mit verschiedenartigen Blütenhüllblättern, d. h. mit einem Kelch u. andersfarbigen Blütenblättern; Bot.). **He|te|ro|chro|mie** [...kro...] die; -, ...jen: verschiedene Färbung, z. B. der Iris der Augen (Biol.). **He|te|ro|chro|mo|sọm** das; -s, -en: geschlechtsbestimmendes ↑Chromosom. **He-**

te|ro|chy|lie [...çy...] die; -: wechselnder Salzsäuregehalt des Magensafts (Med.). **he|te|ro|cyc|lisch*** [auch: ...ˈtsyk...] vgl. heterozyklisch. **he|te|ro|dọnt*:** 1. mit verschieden gestalteten Zähnen (vom Gebiss der Säugetiere mit Schneide-, Eck- u. Backenzähnen); Ggs. ↑homodont. 2. Haupt- u. Nebenzähne besitzend (vom Schalenverschluss mancher Muscheln). **He|te|ro|don|tie*** die; -: das Ausgestattetsein mit verschieden gestalteten Zähnen (z. B. beim Gebiss des Menschen; Biol.; Med.). **he|te|ro|dọx** ⟨gr.-mlat.⟩: 1. andersgläubig, von der herrschenden [Kirchen]lehre abweichend. 2. Schachprobleme betreffend, die nicht den normalen Spielbedingungen entsprechen, dem Märchenschach (vgl. Fairychess) angehörend (Biol.). **He|te|ro|do|xie** ⟨gr.⟩ die; -, ...jen: Lehre, die von der offiziellen, kirchlichen abweicht (Rel.). **he|te|ro|dy|na|misch** ⟨gr.-nlat.⟩: ungleichwertig in Bezug auf die Entwicklungstendenz (von zwittrigen Blüten, deren weibliche od. männliche Organe so kräftig entwickelt sind, dass sie äußerlich wie eingeschlechtige Blüten erscheinen; Bot.). **he|te|ro|fi|nal** ⟨gr.; lat.⟩: durch einen anderen als den ursprünglichen Zweck bestimmt (Philos.). **he|te|ro|ga|me|tisch** ⟨gr.-nlat.⟩: verschiedengeschlechtige ↑Gameten bildend (Biol.). **He|te|ro|ga|mie** die; -, ...jen: Ungleichartigkeit der Gatten bei der Partnerwahl (z. B. in Bezug auf Alter, Gesellschaftsklasse, Konfession; Soziol.); Ggs. ↑Homogamie. **he|te|ro|gen** ⟨gr.-mlat.⟩: einer anderen Gattung angehörend; uneinheitlich, aus Ungleichartigem zusammengesetzt; Ggs. ↑homogen. **He|te|ro|ge|ne|se** die; -: anomale, gestörte Gewebebildung (Med.). **He|te|ro|ge|ni|tät** die; -: Ungleichartigkeit, Verschiedenartigkeit, Uneinheitlichkeit. **He|te|ro|go|nie** die; -: (Philos.) 1. Die Entstehung aus Andersartigem; Ggs. ↑Homogonie. 2. das Entstehen von anderen Wirkungen als den ursprünglich beabsichtigten, die wiederum neue Motive verursachen können (nach Wundt; Philos.). 3. besondere Form des ↑Generationswechsels bei Tieren (z. B. bei Wasserflöhen): auf eine sich geschlechtlich fortpflanzende Generation folgt

eine andere, die sich aus unbefruchteten Eiern entwickelt (Biol.). **he|te|ro|grad:** auf ↑quantitative Unterschiede gerichtet (Statistik); Ggs. ↑homograd. **He|te|ro|grạmm** das; -s, -e: Schreibweise mit andersartigen Schriftzeichen (z. B. Zahlzeichen anstelle des ausgeschriebenen Zahlworts). **he|te|ro|graph,** auch: ...graf: Heterographie aufweisend (Sprachw.). **He|te|ro|gra|phie,** auch: ...grafie die; -: (Sprachw.) 1. unterschiedliche Schreibung von Wörtern mit gleicher Aussprache (z. B. viel – fiel) 2. Verwendung gleicher Schriftzeichen für verschiedene Laute (z. B. ch im Deutschen für den Achlaut und den Ichlaut). **He|te|ro|hyp|no|se** die; -, -n: Versenkung in ↑Hypnose durch Fremde; Ggs. ↑Autohypnose. **He|te|ro|kar|pie** die; -: das Auftreten verschieden gestalteter Früchte bei einem Pflanzenindividuum (Bot.). **he|te|ro|kli|sie*** die; -: ↑Deklination (1) eines ↑Substantivs mit wechselnden Stämmen (z. B. griech. hē̄par, Genitiv: hēpatos „Leber"; Sprachw.). **he|te|ro|kli|tisch*** ⟨gr.⟩: in den Deklinationsformen verschiedene Stämme aufweisend (von Substantiven; Sprachw.). **He|te|ro|kli|ton*** ⟨gr.-lat.⟩ das; -s, ...ta: Nomen, das seine Kasusformen nach mindestens zwei verschiedenen Deklinationstypen bildet oder bei dem sich verschiedene Stammformen zu einem Paradigma ergänzen, z. B. der Staat, des Staates (stark), die Staaten (schwach); vgl. Heteroklisie (Sprachw.). **He|te|ro|kli|tum*** ⟨gr.-nlat.⟩ die; -: Einkeimblättrigkeit bei Pflanzen (durch Rückbildung des zweiten Keimblatts; Bot.); Ggs. ↑Synkotylie. **he|te|ro|log:** abweichend, nicht übereinstimmend, artfremd (Med.); **heterologe Insemination:** künstliche Befruchtung mit nicht vom Ehemann stammendem Samen; Ggs. ↑homologe Insemination. **he|te|ro|mer:** verschieden gegliedert (von Blüten, in deren verschiedenen Blattkreisen die Zahl der Glieder wechselt; Bot.); Ggs. ↑isomer. **He|te|ro|me|rie** die; -: unterschiedliche Gliederung in Bezug auf die Blattkreise einer Blüte, die alle unterschiedlich viele Glieder aufweisen (Bot.). he|te|ro|me|sisch: in verschiedenen ¹Medien (3) gebildet (von Gestein; Geol.); Ggs. ↑ isomesisch. He|te|ro|me|ta|bo|lie *die; -, ...*jen: schrittweise ↑ Metamorphose bei Insekten ohne Puppenstadium. he|te|ro|morph ⟨*gr.*⟩: anders-, verschiedengestaltig, auf andere od. verschiedene Weise gebildet, gestaltet (Chem.; Phys.). He|te|ro|mor|phie ⟨*gr.-nlat.*⟩ *die; -* u. He|te|ro|mor|phis|mus *der; -*: 1. Eigenschaft mancher Stoffe, verschiedene Kristallformen zu bilden (Chem.). 2. das Auftreten heteromorpher Lebewesen innerhalb einer Art: a) bei einem Tierstock (z. B. Fress-, Geschlechts- u. Schwimmpolypen bei Nesseltieren); b) bei einem Tierstaat (z. B. Königin, Arbeiterin, Soldat bei Ameisen); c) im ↑ Generationswechsel. He|te|ro|mor|phop|sie* *die; -, ...*jen: Wahrnehmungsstörung, bei der ein Gegenstand von jedem Auge anders wahrgenommen wird (Med.). He|te|ro|mor|pho|se *die; -, -n*: Form der ↑ Regeneration, bei der anstelle eines verloren gegangenen Organs ein anderes Organ gebildet wird (z. B. ein Fühler anstelle eines Augenstiels bei Zehnfußkrebsen; Biol.). he|te|ro|nom: 1. fremdgesetzlich, von fremden Gesetzen abhängend (Philos.). 2. ungleichwertig (von den einzelnen Abschnitten bei Gliedertieren, z. B. Insekten; Zool.); Ggs. ↑ homonom. He|te|ro|no|mie *die; -*: 1. Fremdgesetzlichkeit, von außen her bezogene Gesetzgebung. 2. Abhängigkeit von anderer als der eigenen sittl. Gesetzlichkeit; Ggs. ↑ Autonomie (2) (Philos.). 3. Ungleichwertigkeit, Ungleichartigkeit (z. B. der einzelnen Abschnitte bei Gliedertieren; Zool.); Ggs. ↑ Homonomie. he|te|ro|nym*: die Heteronymie (1, 2) betreffend. He|te|ro|nym* *das; -s, -e*: 1. Wort, das von einer anderen Wurzel (einem anderen Stamm) gebildet ist als das Wort, mit dem es (sachlich) eng zusammengehört, z. B. *Schwester: Bruder* im Gegensatz zu griech. *adelphē* „Schwester": *adelphós* „Bruder"; vgl. Heteronymie (1). 2. Wort, das in einer anderen Sprache, Mundart od. einem anderen Sprachsystem dasselbe bedeutet (z. B. dt. *Bruder* / franz. *frère*, südd. *Samstag* / nordd.

Sonnabend). He|te|ro|ny|mie* ⟨*gr.*⟩ *die; -*: 1. Bildung sachlich zusammengehörender Wörter von verschiedenen Wurzeln (Stämmen). 2. das Vorhandensein mehrerer Wörter aus verschiedenen Sprachen, Mundarten od. Sprachsystemen bei gleicher Bedeutung. he|te|ro|pha̱g: (Biol.) 1. sowohl pflanzliche wie tierische Nahrung fressend (von Tieren) 2. auf verschiedenen Wirtstieren od. Pflanzen schmarotzend (von Parasiten); Ggs. ↑ homophag. He|te|ro|phe|mie *die; -*: ↑ Paraphasie. He|te|ro|pho|bie *die; -, ...*jen: Angst vor dem anderen Geschlecht. he|te|ro|pho̱n, auch: heterofon: 1. im Charakter der Heterophonie (Mus.). 2. verschieden lautend, besonders bei gleicher Schreibung (z. B.: *Rentier* [rɛn'ti̯eː] = Rentner gegenüber *Rentier* ['rɛnti̯ɐ] = Ren) (Sprachw.). He|te|ro|pho|nie, auch: Heterofonie *die; -*: auf der Grundlage eines bestimmten Themas improvisiertes Zusammenspiel von zwei od. mehr Stimmen, die tonlich u. rhythmisch völlig selbständig spontan durch bestimmte Verzierungen vom Thema abweichen (Musik); Ggs. ↑ Unisono. He|te|ro|pho|rie ⟨*gr.-nlat.*⟩ *die; -*: Neigung zum Schielen infolge einer Veränderung in der Spannung der Augenmuskeln (Med.). He|te|ro|phyl|lie *die; -*: das Auftreten verschieden gestalteter Laubblätter bei einem Pflanzenindividuum (Bot.). he|te|ro|pisch*: in verschiedener ↑ Fazies vorkommend (von Gestein; Geol.); Ggs. ↑ isopisch. He|te|ro|pla|sie* *die; -, ...*jen: Neubildung von Geweben von anderer Beschaffenheit als der des Ursprungsgewebes, bes. bei bösartigen Tumoren (Med.). He|te|ro|plas|tik *die; -, -en*: Überpflanzung von artfremdem (tierischem) Gewebe auf den Menschen (Med.); Ggs. ↑ Homöoplastik. he|te|ro|po|lar*: abweichend (von Zellen, deren Chromosomenzahl von der einer normalen, ↑ diploiden Zelle abweicht; Biol.). he|te|ro|po|lar: entgegengesetzt elektrisch geladen; **heteropolare Bindung**: Zusammenhalt zweier Molekülteile durch entgegengesetzte elektr. Ladung (Anziehung) beider Teile (Phys.). He|te|rop|te|ra* *die* (Plural) u. He|te|rop|te|ren* *die* (Plural): Wanzen. He|te|ro|rhi-

zie *die; -*: Verschiedenwurzeligkeit, das Auftreten verschiedenartiger Wurzeln mit verschiedenen Funktionen an einer Pflanze (Bot.). He|te|ro|se|mie *die; -, ...*jen: abweichende, unterschiedliche Bedeutung des gleichen Wortes in verschiedenen Sprachsystemen (z. B. bedeutet *schnuddelig* im Obersächsischen *unsauber*, im Berlinischen *lecker*; Sprachw.). He|te|ro|se|xu|a|li|tät *die; -*: auf das andere Geschlecht gerichtetes Geschlechtsempfinden; Ggs. ↑ Homosexualität (Med.). he|te|ro|se|xu|e̱ll: geschlechtlich auf das andere Geschlecht bezogen; Ggs. ↑ homosexuell (Med.). He|te|ro|sis ⟨*gr.;* „Veränderung") *die; -*: das Auftreten einer im Vergleich zur Elterngeneration [in bestimmten Merkmalen] leistungsstärkeren ↑ Filialgeneration (Biol.). He|te|ro|ske|das|ti|zi|tät* ⟨*gr.*⟩ *die; -, -en*: signifikante Ungleichheit in der Streuung der Ergebnisse von Stichproben in Bezug auf die einer Erhebung zugrunde liegende statistische Gesamtheit (Statistik). He|te|ro|so̱m ⟨*gr.-nlat.*⟩ *das; -s, -en*: ↑ Heterochromosom. He|te|ro|sper|mie* *die; -*: verschiedenartige Samenausbildung bei derselben Art (z. B. bei Schnecken; Biol.). He|te|ro|sphä|re* *die; -*: der obere Bereich der ↑ Atmosphäre (1 b) (etwa ab 100 km Höhe); Ggs. ↑ Homosphäre. He|te|ro|spo|ren ⟨*gr.; dt.*⟩ *die* (Plural): der Größe u. dem Geschlecht nach ungleich differenzierte Sporen (Biol.). He|te|ro|spo|rie* ⟨*gr.-nlat.*⟩ *die; -*: Ausbildung von Heterosporen (Biol.). He|te|ro|ste|reo|typ* ⟨*gr.-engl.*⟩ *das; -s, -e* (meist Plural): Vorstellung, Vorurteil, das Mitglieder einer Gruppe od. Gemeinschaft von anderen Gruppen besitzen (Soziol.). He|te|ro|sty|lie* ⟨*gr.-nlat.*⟩ *die; -*: das Vorkommen mehrerer Blütentypen auf verschiedenen Pflanzenindividuen derselben Art (Bot.); Ggs. ↑ Homostylie. He|te|ro|ta|xie *die; -*, ...xien: spiegelbildliche Umlagerung der Eingeweide im Bauch (Med.). He|te|ro|te|lie *die; -*: Unterordnung unter fremde, durch anderes entstandene Zwecke (Philos.). he|te|ro|therm: wechselwarm; die eigene Körpertemperatur der Temperatur der Umgebung angleichend (von Kriechtieren; Biol.). **He|te|ro|to|nie** *die;* -, ...ien: ständiges Schwanken des Blutdrucks zwischen normalen und erhöhten Werten (Med.). **He|te|ro|to|pie** *die;* -, ...ien: Entstehung von Geweben am falschen Ort (z. B. von Knorpelgewebe im Hoden; Med.). **he|te|ro|to|pisch**: in verschiedenen Räumen gebildet (von Gestein; Geol.); Ggs. ↑isotopisch. **He|te|ro|trans|plan|ta|ti|on** *die;* -, -en: ↑Heteroplastik. **he|te|ro|trop***: ↑anisotrop. **he|te|ro|troph***: in der Ernährung auf Körpersubstanz od. Stoffwechselprodukte anderer Organismen angewiesen (Biol.); Ggs. ↑autotroph. **He|te|ro|tro|phie*** *die;* -: Ernährungsweise durch Aufnahme organischer Nahrung (Biol.). **he|te|ro|zerk**: ungleich ausgebildet (von der Schwanzflosse bei Haien und Stören; Biol.). **He|te|ro|ze|te|sis** *die;* -; 1. falsche Beweisführung mit beweisfremden Argumenten. 2. verfängliche Frage mit verschiedenen Antwortmöglichkeiten. **he|te|ro|zisch***: zweihäusig (von Pflanzen, bei denen sich männliche und weibliche Blüten auf verschiedenen Individuen befinden); diözisch; **heterözische Parasiten:** Schmarotzer, die eine Entwicklung auf verschiedenen Wirtsorganismen durchmachen (Biol.). **he|te|ro|zy|got**: mischerbig, ungleicherbig (in Bezug auf die Erbanlagen von Eizellen oder Individuen, die durch Kreuzung entstanden sind; z. B. rosa Blüte, entstanden aus einer roten und einer weißen; Biol.); Ggs. ↑homozygot **He|te|ro|zy|go|tie** *die;* -: Mischerbigkeit, Ungleicherbigkeit einer befruchteten Eizelle oder eines Individuums (Biol.); Ggs. ↑Homozygotie. **he|te|ro|zyk|lisch***: 1. verschiedenquirlig (von Blüten, deren Blattkreise unterschiedlich viele Blätter enthalten; Bot.). 2. (chem. fachspr.:) heterocyclisch: im Kohlenstoffring auch andere Atome enthaltend (Chem.)

He|thi|to|lo|ge *⟨hebr.; gr.⟩ der;* -n, -n: Wissenschaftler auf dem Gebiet der Hethitologie. **He|thi|to|lo|gie** *die;* -: Wissenschaft von den Hethitern u. den Sprachen u. Kulturen der alten Kleinasiens **Het|man** *⟨dt.-slaw.; „Hauptmann"⟩ der;* -s, -e (auch: -s): 1. Oberhaupt der Kosaken. 2. in Polen (bis 1792) vom König eingesetzter Oberbefehlshaber

heu|re|ka! *⟨gr.;* „ich habe [es] gefunden"⟩ (angebl. Ausruf des griech. Mathematikers Archimedes bei der Entdeckung des hydrostatischen Grundgesetzes, d. h. des Auftriebs)): freudiger Ausruf bei Lösung eines schweren Problems. **Heu|ris|tik** *⟨gr.-nlat.⟩ die;* -: Lehre, Wissenschaft von den Verfahren, Probleme zu lösen; methodische Anleitung, Anweisung zur Gewinnung neuer Erkenntnisse. **heu|ris|tisch**: die Heuristik betreffend; **heurlstisches Prinzip:** Arbeitshypothese als Hilfsmittel der Forschung; vorläufige Annahme zum Zweck des besseren Verständnisses eines Sachverhalts

He|vea *⟨indian.-span.-nlat.⟩ die;* -, ...veae [...vee] u. ...veen: tropischer Baum, aus dem Kautschuk gewonnen wird (Bot.)

He|xa|chord *[...'kɔrt] ⟨gr.-lat.⟩* „sechssaitig, -stimmig"⟩ *der* od. *das; das;* -[e]s, -e: Aufeinanderfolge von sechs Tönen der ↑diatonischen Tonleiter (nach G. v. Arezzo als Grundlage der ↑Solmisation benutzt; Mus.). **he|xa|dak|tyl** *⟨gr.⟩*: sechs Finger bzw. Zehen an einer Hand bzw. an einem Fuß aufweisend (Med.). **He|xa|dak|ty|lie** *⟨gr.-nlat.⟩ die;* -: Missbildung der Hand bzw. des Fußes mit sechs Fingern bzw. Zehen (Med.). **He|xa|de|zi|mal|sys|tem** *das;* -s: Zahlensystem mit der Grundzahl 16 (Math.; EDV) **he|xa|disch** *⟨gr.⟩*: auf der Zahl Sechs als Grundzahl aufbauend (Math.). **He|xa|e|der** *⟨gr.-nlat.⟩ das;* -s, -: Sechsflächner, Würfel. **he|xa|e|drisch***: sechsflächig. **He|xa|e|me|ron** *⟨gr.-lat.⟩ das;* -s: Sechstagewerk der Schöpfung (1. Mose, 1 ff.), vgl. Hexameron. **He|xa|gon** *das;* -s, -e: Sechseck. **he|xa|go|nal** *⟨gr.-nlat.⟩*: sechseckig. **He|xa|gramm** *das;* -s, -e: sechsstrahliger Stern aus zwei gekreuzten gleichseitigen Dreiecken; Sechsstern (Davidsstern der Juden). **he|xa|mer**: sechsteilig, sechszählig (z. B. von Blüten). **He|xa|me|ron** *das;* -s, -s: Titel für Sammlungen von Novellen, die an sechs Tagen erzählt werden; vgl. Hexaemeron, Dekameron u. Heptameron. **He|xa|me|ter** *⟨gr.-lat.⟩ der;* -s, -: aus sechs ↑Versfüßen (meist ↑Daktylen) bestehender epischer Vers (letzter Versfuß um eine Silbe gekürzt). **he|xa|met|risch*** *⟨gr.⟩*: in Hexametern verfasst, und der Hexameter

bezüglich. **He|xa|min*** *⟨gr.-nlat.⟩ das;* -s: hochexplosiver Sprengstoff. **He|xan** *das;* -s, -e: Kohlenwasserstoff mit sechs Kohlenstoffatomen, der sich leicht verflüchtigt (Bestandteil des Benzins u. des Petroleums; Chem.). **he|xan|gu|lär** *⟨gr.; lat.⟩*: sechswinklig. **He|xa|pla*** *⟨gr.⟩ die;* -: Ausgabe des Alten Testaments mit hebräischem Text, griech. Umschrift u. vier griech. Übersetzungen in sechs Spalten. **he|xa|plo|id*** *⟨gr.-nlat.⟩*: sechszählig; einen sechsfachen Chromosomensatz habend (von Zellen; Biol.). **He|xa|po|de** *⟨gr.⟩ der;* -n, -n (meist Plural): Sechsfüßer; Insekt. **He|xas|ty|los*** *der;* -, ...stylen: Tempel mit sechs Säulen [an der Vorderfront]. **He|xa|teuch** *⟨gr.-nlat.⟩ der;* -s: die ersten sechs Bücher des Alten Testaments (1.-5. Buch Mose, Buch Josua); vgl. Pentateuch

He|xis *⟨gr.⟩ die;* -: das Haben, Beschaffenheit, Zustand (z. B. bei Aristoteles die Tugend als Hexis der Seele; Philos.)

He|xit *⟨gr.-nlat.⟩ der;* -s, -e: sechswertiger, der Hexose verwandter Alkohol (Chem.). **He|xo|de*** *der;* -, -n: Elektronenröhre mit 6 Elektroden, explosiver Sprengstoff. **He|xo|se** *die;* -, -n: ↑Monosaccharid mit sechs Kohlenstoffatomen im Molekül (Chem.). **He|xyl** *das;* -s: ↑Hexamin

Hi|at *⟨lat.⟩ der;* -s, -e: ↑Hiatus. **Hi|a|tus** *⟨lat.;* „Kluft"⟩ *der;* -, - [...tu:s]: 1. Öffnung, Spalt in Knochen od. Muskeln (Med.). 2. a) das Aufeinanderfolgen zweier Vokale in der Fuge zwischen zwei Wörtern, z. B. sagte er (Sprachw.); b) das Aufeinanderfolgen zweier verschiedener Silben angehörender Vokale im Wortinnern, z. B. Kooperation (Sprachw.). 3. zeitliche Lücke bei der ↑Sedimentation eines Gesteins (Geol.). 4. Zeitraum ohne Funde; Fundlücke (Prähistorie). **Hi|al|tus|her|nie** [...ja] *die;* -, -n: Zwerchfellbruch

Hi|a|wa|tha [haɪə'woθə, hia'va:ta] *⟨engl.;* sagenhafter nordamerik. Indianerhäuptling⟩ *der;* -[s], -s: Gesellschaftstanz in den Zwanzigerjahren des 20. Jh.s

Hi|ber|na|kel *⟨lat.;* „Winterlager"⟩ *das;* -, -[n] (meist Plural): im Herbst gebildete Überwinterungsknospen zahlreicher Wasserpflanzen (Bot.). **hi|ber|nal**:

winterlich; den Winter, die Wintermonate betreffend. **Hi|berna|ti|on** u. **Hi|ber|ni|sie|rung** *die;* -, -en: künstl. herbeigeführter Winterschlaf (als Narkoseergänzung od. Heilschlaf; Med.); vgl. Hypothermie

Hi|bis|kus ⟨gr.-lat.⟩ *der;* -, ...ken: Eibisch; Malvengewächs, das viele Arten von Ziersträuchern u. Sommerblumen aufweist

hic et nunc ⟨lat.; „hier und jetzt"⟩: sofort, im Augenblick, augenblicklich, ohne Aufschub, auf der Stelle (in Bezug auf etwas, was getan werden bzw. geschehen soll oder ausgeführt wird)

[1]**Hi|cko|ry** *der;* -s, -s, (auch: *die;* -, -s): (in Nordamerika u. in China heimischer) Walnussbaum mit glatten, essbaren Nüssen u. wertvollem Holz. [2]**Hi|cko|ry** *das;* -s: Holz des Hickorybaumes

hic Rho|dus, hic sal|ta! ⟨lat.; „Hier ist Rhodos, hier springe!"; nach einer äsopischen Fabel⟩: hier gilt es; hier zeige, was du kannst

Hi|dal|go ⟨span.; eigtl. „Sohn von etwas, Sohn des Vermögens"⟩ *der;* -s, -s: 1. (hist.) Mitglied des niederen iberischen Adels. 2. frühere mexikan. Goldmünze

Hid|ra|de|ni|tis* u. **Hidro[s]adenitis** ⟨gr.-nlat.⟩ *die;* -, ...itjden: Entzündung einer Schweißdrüse (Med.). **Hid|ro|a** *die* (Plural): Schwitzbläschen, Lichtpocken (Med.). **Hid|ro[s]|a|de|ni|tis** vgl. Hidradenitis. **Hid|ro|se** u. **Hidro|sis** *die;* -: 1. Schweißbildung u. -ausscheidung. 2. Erkrankung der Haut infolge krankhafter Schweißabsonderung. **Hid|ro|tikum** *das;* -s, ...ka: schweißtreibendes Mittel (Med.). **hid|rotisch:** schweißtreibend (Med.). **Hid|ro|zys|ten** *die* (Plural): blasenartige Erweiterungen von Schweißdrüsen (Med.)

Hidsch|ra* vgl. Hedschra

hi|e|mal ⟨lat.⟩: ↑ hibernal

Hi|e|rarch [hj...], auch: hi...] ⟨gr.⟩ *der;* -en, -en: oberster Priester im antiken Griechenland. **Hie|rar|chie*** *die;* -, ...jen: 1. [pyramidenförmige] Rangordnung, Rangfolge, Über- u. Unterordnungsverhältnisse. 2. Gesamtheit derer, die in der kirchlichen Rangordnung stehen. **hi|e|rarchisch*:** 1. einer pyramidenförmigen Rangordnung entsprechend, in der Art einer Hierarchie streng gegliedert. 2. den Priesterstand u. seine Rangordnung betreffend. **hi|e|rar|chisie|ren*** ⟨gr.-nlat.⟩: Rangordnungen entwickeln (Soziol.). **hie|ra|tisch** ⟨gr.-lat.⟩: 1. priesterlich; heilige Gebräuche od. Heiligtümer betreffend; **hieratische Schrift:** von den Priestern vereinfachte Hieroglyphenschrift, die beim Übergang vom Stein zum Papyrus (als Schreibmaterial) entstand; vgl. demotische Schrift. 2. (bes. in der archaischen griechischen od. in der byzantinischen Kunst) streng, starr. [1]**Hi|e|ro|dy|le** ⟨gr.-lat.⟩ *der;* -n, -n: Tempelsklave des griechischen Altertums. [2]**Hi|e|ro|dule** *die;* -, -n: Tempelsklavin (des Altertums), die der Gottheit gehörte u. deren Dienst u.a. in sakraler Prostitution bestand. **Hiero|gly|phe** ⟨gr.⟩ *die;* -, -n: 1. Zeichen der altägyptischen, altkretischen u. hethitischen Bilderschrift. 2. (nur Plural; iron.) schwer od. nicht lesbare Schriftzeichen. **Hi|e|ro|gly|phik** ⟨gr.-lat.⟩ *die;* -: Wissenschaft von den Hieroglyphen. **hi|e|ro|glyphisch:** 1. in der Art der Hieroglyphen. 2. die Hieroglyphen betreffend. **Hi|e|ro|gramm** ⟨gr.-nlat.; „heilige Schrift"⟩ *das;* -s, -e: Zeichen einer geheimen altägyptischen Priesterschrift, die ungewöhnliche Hieroglyphen aufweist. **Hi|e|ro|kra|tie*** *die;* -, ...jen: Priesterherrschaft; Regierung eines Staates durch Priester (z. B. in Tibet vor der chinesischen Besetzung). **Hi|e|ro|mant** *der;* -en, -en: jmd., der aus Opfern (bes. geopferten Tieren) weissagt; vgl. Haruspex. **Hi|e|roman|tie** *die;* -: Weissagung aus Opfern. **Hi|e|ro|mo|na|chos** ⟨gr.-mgr.⟩ *der;* -, ...choi: zum Priester geweihter Mönch in der orthodoxen Kirche. **Hi|e|ronym*** ⟨gr.-nlat.⟩ *das;* -s, -e: heiliger Name, den jmdm. beim Eintritt in eine Kultgemeinschaft gegeben wird. **Hi|e|ro|ny|mie*** *die;* -: Namenswechsel beim Eintritt in eine Kultgemeinschaft. **Hi|ero|phant** ⟨gr.-lat.⟩ *der;* -en, -en: Oberpriester u. Lehrer der heiligen Bräuche, bes. in den ↑ Eleusinischen Mysterien. **Hi|e|ro|skopie*** ⟨gr.⟩ *die;* -: ↑ Hieromantie

Hi-Fi ['haifi, auch: 'hai'faɪ]: ↑ Highfidelity

high [hai] ⟨engl.-amerik.⟩: (Jargon) in einem rauschhaften Zustand, in begeisterter Hochstimmung, z. B. nach dem Genuss von Rauschgift. **High|ball**

['haibɔ:l] ⟨engl.-amerik.⟩ *der;* -s, -s: ↑ Longdrink auf der Basis von Whisky. **High|board** ['haibɔ:d] ⟨engl.⟩ *das;* -s, -s: halbhohes Möbelstück mit Schubfach- u. Vitrinenteil; vgl. Sideboard. **Highbrow** [...brau] ⟨„hohe Stirn"⟩ *der;* -[s], -s: Intellektueller; jmd., der sich übertrieben intellektuell gibt; vgl. Egghead. **High Church** [-'tʃə:tʃ] *die;* - -: Hochkirche; Richtung der engl. Staatskirche, die eine Vertiefung der liturgischen Formen anstrebt; vgl. Broad Church, Low Church. **High|end-** ['haɪ'ɛnt...] ⟨engl.⟩: drückt in Bildungen mit Substantiven aus, dass sich das damit Bezeichnete im oberen Leistungsod. Preisbereich befindet (z. B. Highendverstärker). **High|fi|deli|ty** ['haifi'dɛliti] *die;* -: 1. originalgetreue Wiedergabe bei Schallplatten u. elektroakustischen Geräten (Abk.: Hi-Fi). 2. Lautsprechersystem, das eine originalgetreue Wiedergabe ermöglichen soll (Abk.: Hi-Fi). **High|heels** ['hai'hi:ls] *die* (Plural): Stöckelschuhe. **High|impact** ['haj'impɛkt] *der;* -s, -s: hoher Grad, große Belastung, starke Wirkung. **High|life** ['hailaif] ⟨dt. Bildung aus engl. high u. life⟩ *das;* -[s]: 1. exklusives Leben neureicher Gesellschaftskreise. 2. Hochstimmung, Ausgelassenheit. **High|light** [...lait] ⟨engl.⟩ *das;* -[s], -s: 1. Höhepunkt, Glanzpunkt eines [kulturellen] Ereignisses. 2. Lichteffekt auf Bildern od. Fotografien (bild. Kunst). **High|noon** ['haj'nu:n] ⟨amerik.⟩ *der;* -[s], -s: spannungsgeladene Atmosphäre (wie im Wildwestfilm). **High|ri|ser** [...rajzə] *der;* -[s], -: Fahrrad od. Motorrad mit hohem, geteiltem Lenker u. Sattel mit Rückenlehne. **High|school** [...sku:l] ⟨engl.-amerik.⟩ *die;* -, -s: amerik. höhere Schule. **High|sno|bi|e|ty** [...sno'bajəti] (scherzh. Bildung aus engl.-amerik. high, snob u. so*ciety*) *die;* -: Gruppe der Gesellschaft, die durch entsprechende ↑ snobistische Lebensführung Anspruch auf Zugehörigkeit zur Highsociety erhebt. **High|so|ci|e|ty** ['hajsə'sajəti] *die;* -: die vornehme Gesellschaft, die oberen Zehntausend. [1]**High|tech** ['haj'tɛk] ⟨Kunstw aus engl. High Style u. Technology⟩ *der;* -[s]: Stil der Innenarchitektur, der bei industrielle Ma terialien u. Einrichtungsgegen stände für das Wohnen verwendet werden. **²High|tech** ⟨engl. high tech, gekürzt aus high technology = Hochtechnologie⟩ das; -[s], auch die; -: Hochtechnologie, Spitzentechnologie. **Highway** [...weɪ] ⟨engl.⟩ der; -s, -s: 1. engl. Bez. für: Haupt-, Landstraße. 2. amerik. Bez. für: Fernstraße

Hi|ja|cker [ˈhaɪdʒɛkɐ] ⟨engl.-amerik.⟩ der; -s, -: Luftpirat. **Hi|ja|cking** [...dʒɛkɪŋ] das; -[s], -s: Flugzeugentführung

Hi|la: Plural von ↑ Hilum

Hi|la|ri|tät ⟨lat.⟩ die; -: (veraltet) Heiterkeit, Fröhlichkeit

Hi|li: Plural von ↑ Hilus. **Hi|li|tis** ⟨lat.-nlat.⟩ die; -, ...itiden: Entzündung der Lungenhilusdrüsen (Med.)

Hill|bil|ly ⟨amerik.⟩ der; -s, -s: (abwertend) Hinterwäldler [aus den Südstaaten der USA]. **Hill|bil|ly-mu|sic** [...mjuːzɪk], auch: Hillbillimusik die; -: 1. ländliche Musik der nordamerik. Südstaaten. 2. kommerzialisierte volkstümliche Musik der Cowboys

Hi|lum ⟨lat.-nlat.⟩ das; -s, ...la: „Nabel" des Pflanzensamens; Stelle, an der Samen angewachsen ist (Bot.). **Hi|lus** der; -, Hili: vertiefte Stelle an der Oberfläche eines Organs, wo Gefäße, Nerven u. Ausführungsgänge strangförmig ein- od. austreten (Med.)

Hi|ma|ti|on ⟨gr.⟩ das; -[s], ...ien: mantelartiger Überwurf der Griechen in der Antike, der aus einem rechteckigen Stück Wollstoff besteht

Hi|na|ja|na, Hi|na|ya|na ⟨sanskr.⟩ „kleines Fahrzeug (der Erlösung)"⟩ das; -: strenge, nur mönchische Richtung des ↑ Buddhismus; vgl. Mahajana, Wadschrajana

Hin|di ⟨pers.⟩ das; -: Amtssprache in Indien. **Hin|du** der; -[s], -[s]: Anhänger des Hinduismus. **Hin|du|is|mus** ⟨pers.-nlat.⟩ der; -: 1. aus dem ↑ Brahmanismus entwickelte indische Volksreligion. 2. (selten) Brahmanismus. **hin|du|is|tisch:** den Hinduismus betreffend

Hink|jam|bus ⟨dt.; gr.-lat.⟩ der; -, ...ben: ↑ Choliambus

Hi|obs|bot|schaft ⟨nach der Gestalt des Hiob im Alten Testament⟩ die; -, -en: Unglücksbotschaft

hip ⟨engl.⟩: (Jargon) ↑ up to date

Hip-Hop ⟨engl.-amerik.⟩ der; -s:

auf dem ↑ Rap basierender, bes. zum Tanzen geeigneter Musikstil, der durch elektronisch erzeugte, stark rhythmisierte Musik [u. Texte, die vor allem das Leben der unteren sozialen Schichten in amerik. Großstädten widerspiegeln] gekennzeichnet ist

Hip|panth|ro|pie* ⟨gr.-nlat.⟩ die; -, ...ien: Wahnvorstellung, ein Pferd zu sein (Psychol.; Med.).

Hip|parch* ⟨gr.⟩ der; -en, -en: Befehlshaber der Reiterei in der griechischen Antike. **Hip|pa|ri|on** ⟨gr.-nlat.⟩ das; -s, ...ien: ausgestorbene dreizehige Vorform des heutigen Pferdes (Biol.).

Hip|pi|at|rie* u. **Hip|pi|at|rik*** ⟨gr.⟩ die; -: Pferdeheilkunde.

Hip|pie ⟨amerik.⟩ der; -s, -s: [jugendlicher] Anhänger einer bes. in den USA in der 2. Hälfte der 1960er-Jahre ausgebildeten, betont antibürgerlichen u. pazifistischen Lebensform; Blumenkind. **Hip|pie|look** [...lʊk] der; -s: unkonventionelle Kleidung, die derjenigen der Hippies ähnelt

Hip|po|cam|pus ⟨gr.-lat.⟩ der; -, ...pi: 1. Teil des Großhirns bei Säugetieren u. beim Menschen; Ammonshorn (Anatom.; Zool.). 2. Seepferdchen (Fisch mit pferdekopfähnlichem Schädel); vgl. Hippokamp. **Hip|po|drom*** der od. (österr. nur:) das; -s, -e: 1. (hist.) Pferde- und Wagenrennbahn. 2. Reitbahn auf Jahrmärkten o. Ä. **Hip|po|gryph*** ⟨it.⟩ der; -s u. -en, -e[n]: von Ariost u. Bojardo (ital. Dichtern der Renaissancezeit) erfundenes geflügeltes Fabeltier mit Pferdeleib u. Greifenkopf; bei neueren Dichtern ↑ Pegasus. **Hip|po|kamp** ⟨gr.-lat.⟩ der; -en, -en: fischschwänziges Seepferd der antiken Sage; vgl. Hippocampus (2). **Hip|po|kra|ti|ker*** ⟨nach dem altgriech. Arzt Hippokrates⟩ der; -s, -: Anhänger des altgriech. Arztes Hippokrates u. seiner Schule. **hip|po|kra|tisch*:** 1. auf Hippokrates bezüglich, seiner Lehre gemäß; **hippokratischer Eid:** a) moralisch-ethische Grundlage des Arzttums (z. B. immer zum Wohle des Kranken zu handeln); b) (hist.) Schwur auf die Satzung der Ärztezunft; **hippokratisches Gesicht:** Gesichtsausdruck Schwerkranker u. Sterbender (Med.). 2. den altgriech. Mathematiker Hippokrates betreffend, seiner Lehre entsprechend; **hippokratische**

Möndchen: zwei mondsichelförmige Flächen, die aus den drei Halbkreisen über den Seiten eines rechtwinkligen Dreiecks entstehen (die Flächen haben zusammen den gleichen Inhalt wie das Dreieck). **Hip|po|kra|tis-mus*** ⟨gr.-nlat.⟩ der; -: Lehre des altgriech. Arztes Hippokrates. **Hip|po|kre|ne*** ⟨gr.-lat.; „Rossquelle"⟩ die; -: Quelle der Inspiration für den Dichter im alten Griechenland (nach der Sage durch den Hufschlag des ↑ Pegasus entstanden). **Hip|po|lo|ge** ⟨gr.-nlat.⟩ der; -n, -n: Wissenschaftler auf dem Gebiet der Hippologie. **Hip|po|lo|gie** die; -: wissenschaftliche Pferdekunde. **hip|po|lo|gisch:** die Hippologie betreffend. **Hip|po|ma|nes** ⟨gr.⟩ das; -, -: gelbliche Masse auf der Stirn neugeborener Pferde od. Schleim aus der Scheide von Stuten (wurde im Altertum als ↑ Aphrodisiakum verwendet)

Hip|po|nak|te|us ⟨gr.-lat.; nach dem altgriech. Dichter Hipponax⟩ der; -, ...teen: antiker Vers, Sonderform des ↑ Glykoneus

Hip|po|po|ta|mus der; -, -: großes Fluss- od. Nilpferd (Paarhufer; Biol.). **Hip|po|the|ra|pie** die; -: Therapie, bei der bestimmte körperl. Behinderungen durch Reiten behandelt werden. **Hip|pu|rit** ⟨gr.-nlat.⟩ der; -en, -en: ausgestorbene Muschel der Kreidezeit. **Hip|pur|säu|re** ⟨gr.-nlat.; dt.⟩ die; -: eine organische Säure, Stoffwechselprodukt von Pflanzenfressern. **Hip|pus** ⟨gr.-nlat.⟩ der; -: plötzlich auftretende, rhythmische Schwankungen der Pupillenweite (Med.)

Hips|ter ⟨engl.⟩ der; -[s], - (Jargon) 1. Jazzmusiker. 2. jmd., der über alles, was modern ist, Bescheid weiß u. ↑ hip ist

Hi|ra|ga|na ⟨jap.⟩ das; -[s] od. die; -: japanische Silbenschrift, die zur Darstellung grammatischer Beugungsendungen verwendet wird; vgl. Katakana

Hir|su|ties ⟨lat.-nlat.⟩ die; -: abnorm starke Behaarung (Med.). **Hir|su|tis|mus** ⟨gr.⟩: übermäßig starker Haar-, bes. Bartwuchs (Med.)

Hi|ru|din ⟨lat.-nlat.⟩ das; -[s]: aus den Speicheldrüsen der Blutegel gewonnener, die Blutgerinnung hemmender Stoff

¹His|bol|lah u. Hisbullah ⟨arab.⟩ die; -: Gruppe extremistischer, schiitischer Moslems, bes. im Libanon. **²His|bol|lah** u. Hisbullah *der;* -s, -s: Anhänger der ¹Hisbollah. **¹˒²His|bul|lah** vgl. ¹˒²Hisbollah

His|pa|na ⟨span.⟩ *die;* -, -s: weibliche Form von ↑Hispano. **His|pa|ni|dad** [ispani'ðað] ⟨span.⟩ *die;* -: ↑Hispanität. **his|pa|ni|sie|ren** ⟨lat.-nlat.⟩: spanisch machen, gestalten. **His|pa|nis|mus** *der;* -, ...men: fälschlicherweise oder bewusst vorgenommene Übertragung einer für die spanische Sprache charakteristischen Erscheinung auf eine nichtspanische Sprache im lexikalischen od. syntaktischen Bereich; vgl. Germanismus, Interferenz. **His|pa|nist** *der;* -en, -en: jmd., der sich wissenschaftlich mit der Hispanistik befasst. **His|pa|nis|tik** *die;* -: Wissenschaft von der spanischen Sprache u. Literatur (Teilgebiet der ↑Romanistik 1). **His|pa|ni|tät** *die;* -: Spaniertum; das Bewusstsein aller Spanisch sprechenden Völker von ihrer gemeinsamen Kultur; vgl. Hispanidad. **His|pa|no** ⟨span.⟩ *der;* -s, -s: ↑Hispanoamerikaner. **His|pa|no|ame|ri|ka|ner** *der;* -s, -: in den USA lebender Einwanderer aus den Spanisch sprechenden Ländern Lateinamerikas. **His|pa|no|ame|ri|ka|nis|mus** *der;* -, ...men: sprachl. Besonderheit des in Lateinamerika gesprochenen Spanisch. **His|pa|no|mo|res|ke** ⟨lat.; span.⟩ *die;* -, -n: span.-maurische ↑Majolika mit Goldglanzüberzug (spätes Mittelalter u. Renaissance)

His|ta|min* ⟨Kurzw. aus: ↑Histidin u. ↑Amin⟩ *das;* -s, -e: Gewebehormon (Med.). **His|ti|din** ⟨gr.-nlat.⟩ *das;* -s: eine ↑Aminosäure. **his|ti|o|id** u. histoid: gewebeähnlich, gewebeartig (Med.). **His|ti|o|zyt** *der;* -en, -en: Wanderzelle des Bindegewebes, Blutzelle (Med.). **His|to|che|mie** ⟨gr.; arab.-roman.⟩ *die;* -: Wissenschaft vom chem. Aufbau der Gewebe u. von den chem. Vorgängen darin. **his|to|che|misch:** die Histochemie betreffend. **his|to|gen** ⟨gr.-nlat.⟩: vom Gewebe herstammend. **His|to|ge|ne|se** u. **His|to|ge|nie** *die;* -: 1. Ausbildung von Organgewebe aus undifferenziertem Embryonalgewebe (Biol.; Med.). 2. Entstehung von krankhaftem Gewebe bei Tumoren (Med.). **his|to|ge|ne|tisch:** die Histogenese (1) betreffend. **His|to|gramm** ⟨gr.-lat.; gr.⟩ *das;* -s, -e: grafische Darstellung einer Häufigkeits-

verteilung in Form von Säulen, die den Häufigkeiten der Messwerte entsprechen. **his|to|id** vgl. histioid. **His|to|lo|ge** ⟨gr.-nlat.⟩ *der;* -n, -n: Forscher u. Lehrer auf dem Gebiet der Histologie. **His|to|lo|gie** *die;* -: Wissenschaft von den Geweben des Körpers (Med.). **his|to|lo|gisch:** die Histologie betreffend, zu ihr gehörend (Med.). **His|to|ly|se** *die;* -: Auflösung (Einschmelzung) des Gewebes unter Einwirkung von ↑Enzymen (bei eitrigen Prozessen; Med.) **His|to|mat** [...'ma(:)t] *der;* -: Kurzwort für ↑historischer Materialismus **His|ton** *das;* -s, -e (meist Plural): zu den ↑Proteinen gehörender Eiweißkörper. **His|to|pa|tho|lo|gie** *die;* -: Wissenschaft von den krankhaften Gewebeveränderungen. **His|to|ra|di|o|gra|phie,** auch: ...grafie ⟨gr.; lat.; gr.⟩ *die;* -, ...ien: Röntgenaufnahme von mikroskopisch dünnen Gewebeschnitten bzw. Präparaten **His|to|rie** [...jə] *die;* -, -n: 1. (ohne Plural) [Welt]geschichte. 2. (veraltet) (ohne Plural) Geschichtswissenschaft. 3. (veraltet) [abenteuerliche, erdichtete] Erzählung; Bericht. **His|to|ri|en|bi|bel** *die;* -, -n: im Mittelalter volkstümlich bebilderte Darstellung der biblischen Erzählungen. **His|to|ri|en|ma|le|rei** ⟨gr.-lat.; dt.⟩ *die;* -, -en: Geschichtsmalerei (bildliche Darstellung von Ereignissen aus der Geschichte, der ↑Mythologie u. der Dichtung). **His|to|rik** ⟨gr.-lat.⟩ *die;* -: a) Geschichtswissenschaft; b) Lehre von der historischen Methode der Geschichtswissenschaft. **His|to|ri|ker** *der;* -s, -: Geschichtsforscher, -kenner, -wissenschaftler. **His|to|ri|o|graph,** auch: Historiograf ⟨gr.⟩ *der;* -en, -en: Geschichtsschreiber. **His|to|ri|o|gra|phie,** auch: Historiografie *die;* -: Geschichtsschreibung. **His|to|ri|o|lo|gie** ⟨gr.-nlat.⟩ *die;* -: Studium und Kenntnis der Geschichte. **his|to|risch** ⟨gr.-lat.⟩ *die;* -: (der Geschichte gemäß, überliefert; bedeutungsvoll für die Geschichte. 2. einer früheren Zeit, der Vergangenheit angehörend; **historischer Materialismus:** die von Marx u. Engels begründete Lehre, nach der die Geschichte von den ökonomischen Verhältnissen bestimmt wird (Philos.); **historisches Präsens:** Präsensform

des Verbs, die zur Schilderung eines vergangenen Geschehens eingesetzt wird. **his|to|ri|sie|ren** ⟨gr.-lat.-nlat.⟩: in geschichtliche Weise darstellen, geschichtliche Elemente in stärkerem Maße mit einbeziehen, Historisches stärker hervorheben, ein historisches Aussehen geben, in ein historisches Gewand kleiden. **His|to|ris|mus** *der;* -, ...men: 1. (ohne Plural) eine Geschichtsbetrachtung, die alle Erscheinungen aus ihren geschichtl. Bedingungen heraus zu verstehen u. zu erklären sucht. 2. Überbewertung des Geschichtlichen. 3. ↑Eklektizismus (Kunstwiss.). **His|to|rist** *der;* -en, -en: Vertreter des Historismus. **his|to|ris|tisch:** a) den Historismus betreffend; b) in der Art des Historismus. **His|to|ri|zis|mus** *der;* -, ...men: ↑Historismus (2). **His|to|ri|zi|tät** *die;* -: Geschichtlichkeit, Geschichtsbewusstsein **His|to|the|ra|pie** ⟨gr.-nlat.⟩ *die;* -, ...ien: ↑Organotherapie

Hist|ri|o|ne* ⟨lat.⟩ *der;* -n, -n: Schauspieler im Rom der Antike **Hit** ⟨engl.⟩ *der;* -[s], -s: 1. etw., was sehr erfolgreich, beliebt, begehrt ist, bes. ein Musikstück. 2. (Jargon) für einen Trip (2) vorgesehene Menge von Rauschgift **Hitch|cock** ['hɪtʃkɔk] ⟨nach dem engl. Regisseur u. Autor Alfred Hitchcock (1899–1980)⟩ *der;* -s: spannender, Angst u. Schauder hervorrufender Film [von Hitchcock]; Thriller **hitch|hi|ken** ['hɪtʃhaɪkn̩] ⟨amerik.⟩: (ugs.) Autos anhalten u. sich umsonst mitnehmen lassen. **Hitch|hi|ker** ['hɪtʃhaɪkɐ] *der;* -s, -: (ugs.) jmd., der Autos anhält u. sich umsonst mitnehmen lässt **Hit|lis|te** ⟨engl.⟩ *die;* -, -n: Verzeichnis der (innerhalb eines bestimmten Zeitraums) beliebtesten od. meistverkauften Musikstücke. **Hit|pa|ra|de** *die;* -, -n: 1. ↑Hitliste. 2. Radio-, Fernsehsendung, in der Hits vorgestellt werden

HIV-In|fek|ti|on [ha:i:'faʊ...] ⟨kurz für *engl. human immuno-deficiency virus*; *lat.*⟩ *die;* -, -en: Infektion mit den Erregern von Aids. **HIV-ne|ga|tiv:** nicht befallen von Aidserregern. **HIV-po|si|tiv:** von Aidserregern befallen **Hob|bock** ⟨nach der engl. Firma *Hubbuck*⟩ *der;* -s, -s: Gefäß zum Versand von Fetten Farben o. Ä. **Hob|by** ⟨engl.⟩ *das;* -s, -s: Beschäf tigung, der man aus Freude an der Sache [u. zum Ausgleich für die Berufs- od. Tagesarbeit] in seiner Freizeit nachgeht. **Hob|by|ist** *der;* -en, -en: jmd., der ein Hobby hat

Ho|bo ['houbou] ⟨*amerik.*⟩ *der;* -s, -[e]s: umherziehender Gelegenheitsarbeiter, Tramp in den USA, der das Land in Güterzügen als blinder Passagier durchreist

Ho|boe usw.: (veraltet) ↑Oboe usw.

hoc an|no ⟨*lat.*⟩: in diesem Jahre; Abk.: h. a.

hoc est ⟨*lat.*⟩: (veraltʃˈet) das ist; Abk.: h. e.

Hoche|pot [ɔʃˈpo] ⟨*fr.*⟩ *das;* -, -s [ɔʃˈpo]: Eintopfgericht

Hoch|fre|quenz ⟨*dt.; lat.*⟩ *die;* -, -en: Gebiet der elektrischen Schwingungen oberhalb der Mittelfrequenz (etwa 20 000 Hertz) bis zum Gebiet der Höchstfrequenz (etwa ab 100 Millionen Hertz); Abk.: HF

Ho|ckey ['hɔke, auch: 'hɔki] ⟨*engl.*⟩ *das;* -s: zwischen zwei Mannschaften ausgetragenes Ballspiel, bei dem ein kleiner Ball nach bestimmten Regeln mit gekrümmten Schlägern in das gegnerische Tor zu spielen ist

hoc lo|co ⟨*lat.*⟩: (veraltet) hier, an diesem Ort; Abk.: h. l.

Ho|de|ge|sis*, Ho|de|ge|tik* ⟨*gr.*⟩ *die;* -: (veraltet) Anleitung zum Studium eines Wissens- od. Arbeitsgebietes. **Ho|de|get|ria*** ⟨„Wegführerin"⟩ *die;* -, ...trien: stehende Mutter Gottes (auch als Halbfigur) mit dem Kind auf dem linken Arm (byzantinischer Bildtypus). **Ho|do|graph**, auch: Hodograf ⟨*gr.-nlat.*⟩ *der;* -en, -en: grafische Darstellung der Geschwindigkeitsvektoren bei einem Bewegungsablauf. **Ho|do|me|ter** *das;* -s, -: Wegmesser, Schrittzähler

Hod|scha* ⟨*pers.-türk.*⟩ *der;* -[s], -s: 1. [geistl.] Lehrer. 2. (nur Plural) Zweig der ↑Ismailiten (unter dem ↑Aga Khan)

Hoi|jal|dre* [ɔˈxaldre] ⟨*span.*⟩ *der;* -[s], -s: span. Mürbeteigkuchen

Hoi|ke|tus u. Hoquetus ⟨*mlat.*⟩ *der;* -: Kompositionsart vom 12. bis 13. Jh. (Verteilung der Melodie auf verschiedene Stimmen, sodass bei Pausen der einen die andere die Melodie übernimmt)

Hok|ku ⟨*jap.*⟩ *das;* -[s], -s: ↑Haikai

Hoi|kus|po|kus ⟨*engl.*⟩ *der;* -: 1. Zauberformel der Taschenspieler. 2. etwas, bei dem hinter viel

äußerem Aufwand nichts weiter steckt

hol|and|risch* ⟨*gr.*⟩: (von Genen u. bestimmten Merkmalen) so beschaffen, dass etwas ausschließlich im männl. Geschlecht, d. h. vom Vater auf den Sohn, vererbt werden kann; Ggs. ↑hologyn. **Hol|ark|tis** ⟨*gr.-nlat.*⟩ *die;* -: pflanzen- u. tiergeographisches Gebiet, das die ganze nördliche gemäßigte u. kalte Zone bis zum nördlichen Wendekreis umfasst. **hol|ark|tisch**: die Holarktis betreffend

Hol|ding ['houldɪŋ] ⟨*engl.*⟩ *die;* -, -s u. **Hol|ding|ge|sell|schaft** *die;* -, -en: Gesellschaft, die nicht selbst produziert, die aber Aktien anderer Gesellschaften besitzt u. diese dadurch beeinflusst oder beherrscht

Hole [houl] ⟨*engl.;* „Loch"⟩ *das;* -s, -s: Golfloch (Sport)

Ho|li|days ['hɔlɪdeɪs] ⟨*germ.-engl.*⟩ *die* (Plural): Ferien, Urlaub

Ho|lis|mus ⟨*gr.-nlat.*⟩ *der;* -: Lehre, die alle Erscheinungen des Lebens aus einem ganzheitlichen Prinzip ableitet (Philos.). **ho|lis|tisch**: das Ganze betreffend

Holk vgl. Hulk

hol|le|ri|thie|ren ⟨nach dem deutsch-amerik. Erfinder H. Hollerith⟩: auf Hollerithkarten bringen. **Hol|le|rith|kar|te** *die;* -, -n: früher gebräuchliche Karte, auf der Informationen durch bestimmte Lochungen festgehalten waren; Lochkarte. **Hol|le|rith|ma|schi|ne** *die;* -, -n: früher übliche Lochkartenmaschine zum Buchen von Daten

Hol|ly|wood|schau|kel ['hɔliwud...] ⟨nach der amerik. Filmstadt⟩ *die;* -, -n: Gartenmöbel in Form einer breiten, gepolsterten [u. überdachten] Bank, die frei aufgehängt u. wie eine Schaukel hin- u. herschwingen kann

Hol|mi|um ⟨*nlat.;* nach Holmia, dem latinisierten Namen der Stadt Stockholm⟩ *das;* -s: chem. Element; Seltenerdmetall (Zeichen: Ho)

hol|o|ark|tisch vgl. holarktisch.
Hol|o|caust ⟨*gr.-lat.-engl.*⟩ *der;* -[s], -s: Massenvernichtung menschlichen Lebens, bes. die der Juden während des Nationalsozialismus. **Hol|o|e|der** ⟨*gr.-nlat.*⟩ *der;* -s, -: holoedrischer Kristall. **Hol|o|ed|rie*** *die;* -: Vollflächigkeit; volle Ausbildung aller Flächen eines Kristalls. **hol|o|ed|risch***: vollflä-

chig (von Kristallen). **Hol|o|en|zym** *das;* -s, -e: vollständiges, aus ↑Apoenzym u. ↑Koenzym zusammengesetztes ↑Enzym. **Ho|lo|fer|ment** *das;* -s, -e: (veraltet) ↑Holoenzym. **Ho|lo|gramm** *das;* -s, -e: Speicherbild; dreidimensionale Aufnahme eines Gegenstandes, die bei der Holographie entsteht. **Hol|o|gra|phie**, auch: Holografie *die;* -: Technik zur Speicherung u. Wiedergabe von Bildern in dreidimensionaler Struktur, die (in zwei zeitlich voneinander getrennten Schritten) durch das kohärente Licht von Laserstrahlen erzeugt sind; akustische Holographie: aus den Echos von Schallwellen mithilfe von Laser erzeugtes räuml. Bild des den Schall reflektierenden Objekts. **ho|lo|gra|phie|ren**, auch: holografieren: 1. (veraltet) völlig eigenhändig schreiben. 2. mit Holographie ausrüsten. **ho|lo|gra|phisch**, auch: holografisch: 1. eigenhändig geschrieben (Bibliothekswesen). 2. mit der Technik der Holographie hergestellt. **Hol|o|gra|phon**, auch ...grafon ⟨*gr.*⟩ u. **Hol|o|gra|phum**, auch: ...grafum ⟨*gr.-lat.*⟩ *das;* -s, ...pha: (veraltet) eigenhändig geschriebene Urkunde. **ho|lo|gyn** ⟨*gr.*⟩: (von Genen u. bestimmten Merkmalen) so beschaffen, dass etwas ausschließlich von der Mutter auf die Tochter vererbt werden kann; Ggs. ↑holandrisch. **hol|o|krin** ⟨*gr.-nlat.*⟩: Sekrete absondernd, in denen sich die Zellen der Drüse völlig auflösen haben; Ggs. ↑merokrin (Biol.; Med.). **hol|o|kris|tal|lin***: ganz kristallin (von Gesteinen; Geol.). **Hol|o|me|ta|bo|lien** *die* (Plural): Insekten mit vollständiger ↑Metamorphose (2) (Biol.). **Hol|o|me|ta|bo|lie** *die;* -: vollkommene ↑Metamorphose (2) in der Entwicklung der Insekten (unter Einschaltung eines Puppenstadiums; Biol.). **Ho|lo|pa|ra|sit** ⟨*gr.-lat.*⟩ *der;* -en, -en: Vollschmarotzer; Pflanze ohne Blattgrün, die sämtliche Nährstoffe von der Wirtspflanze bezieht. **ho|lo|phras|tisch** ⟨*gr.-lat.*⟩: aus einem Wort bestehend (von Sätzen); **holophrastische Rede:** Einwortsatz (z. B. *Komm!* oder *Feuer!*). **Hol|o|si|de|rit** [auch: ...ˈrɪt] ⟨*gr.-nlat.*⟩ *der;* -s, -e: ↑Meteorit, der ganz aus Nickeleisen besteht. **Hol|o|thu|rie** [...ə] ⟨*gr.-lat.*⟩ *die;* -, -n: Seewalze od. Seegurke (Stachelhäuter des

Atlantiks und des Mittelmeers; Zool.). **ho|lo|tisch:** ganz, völlig, vollständig. **Hol|lo|to|pie** ⟨gr.- nlat.⟩ die; -: Lage eines Organs in Beziehung zum Gesamtkörper (Med.). **Hol|lo|to|p|us** der; -, ...pen: in der zoologischen Nomenklatur das Einzelstück einer Tierart, nach dem diese erstmals wissenschaftlich beschrieben wurde. **ho|lo|zän:** zum Holozän gehörend, es betreffend. **Ho|lozän** das; -s: jüngste Abteilung des ↑Quartärs **Hols|ter** ⟨mittelniederd.-niederl.- engl.⟩ das; -s, -: 1. offene Ledertasche für eine griffbereit getragene Handfeuerwaffe. 2. Jagdtasche (Jägerspr.) **Hol|ma** vgl. Haoma **Ho|mat|ro|pin*** ⟨gr.⟩ das; -s: dem ↑Atropin verwandter chem. Stoff aus Mandelsäure u. Tropin (zur kurzfristigen Pupillenerweiterung; Med.) **Home|ban|king** ['houmbɛŋkɪŋ] ⟨engl.⟩ das; -[s]: Abwicklung von Bankgeschäften von zu Hause aus (mithilfe von Telekommunikation). **Home|base** [...beɪs] ⟨engl.-amerik.⟩ das; -, -s [...stz]: im Baseball Markierung („Mal") zwischen den beiden Schlägerboxen. **Home|com|pu|ter** ⟨engl.⟩ der; -s, -: kleiner Computer für den häuslichen Anwendungsbereich (EDV). **Home|dress** der; - u. -es, -e: Hauskleid, Hausanzug. **Home|figh|ter** [...faite] ⟨engl.-amerik.⟩ der; -s, -: im heimischen Boxring, vor heimischem Publikum besonders starker u. erfolgreicher ↑Boxer. **Home|land** [...lend] ⟨engl.⟩ das; -[s], -s (meist Plural): (früher) in der Republik Südafrika den verschiedenen farbigen Bevölkerungsgruppen zugewiesenes Siedlungsgebiet. **Home|page** [...peɪdʒ] die; -, -s [...dʒɪz]: im Internet über Rechner abrufbare grafische Darstellung von Informationen, Angeboten einer Firma, Institution o. Ä. **Homeplate** [...pleɪt] das; -[s], -s: ↑Homebase **Ho|me|ri|de** ⟨gr.-lat.⟩ der; -n, -n: 1. Angehöriger einer altgriech. Rhapsodengilde auf der Insel Chios, die sich von Homer herleitete. 2. Rhapsode, der die homerischen Gedichte vortrug. **ho|me|risch:** von dem altgriech. Dichter Homer stammend, zu seinem dichter. Werk gehörend; typisch für den Dichter Homer, in seinen Werken häufig anzu-

treffen; **homerisches Gelächter:** schallendes Gelächter (nach Stellen bei Homer, wo von dem „unauslöschlichen Gelächter der seligen Götter" die Rede ist). **Ho|me|ris|mus** der; -, ...men: homerischer Ausdruck, homerisches Stilelement im Werk eines anderen Dichters **Home|rule** ['houmru:l] ⟨engl.; „Selbstregierung"⟩ die; -: Schlagwort der irischen Unabhängigkeitsbewegung. **Homerun** [...ran] ⟨engl.-amerik.⟩ der; -[s], -s: im Baseball Treffer, der es dem Schläger ermöglicht, nach Berühren des ersten, zweiten u. dritten Base das Schlagmal wieder zu erreichen (Sport). **Home|spun** [...span] ⟨engl.; „hausgesponnen"⟩ das; -s, -s: grobfädiger, früher handgesponnener roppiger Wollstoff. **Home|sto|ry** ⟨engl.⟩ die; -, -s: mit Fotos versehener Bericht in einer Zeitschrift o. Ä. über eine [prominente] Person in ihrem häuslichen, privaten Bereich. **Home-trai|ner** der; -s, -: fest stehendes Heimübungsgerät (in der Art eines Fahrrades od. eines Rudergerätes) zum Konditions- u. Ausgleichstraining od. für heilgymnastische Zwecke. **Homewear** [...weə] der od. das; -[s]: Kleidung für zu Hause **Ho|mi|let** ⟨gr.⟩ der; -en, -en: 1. Fachmann auf dem Gebiet der Homiletik. 2. Prediger. **Ho|mi|le|tik** die; -: Geschichte u. Theorie der Predigt. **ho|mi|le|tisch** ⟨gr.-lat.⟩: die Gestaltung der Predigt betreffend. **Ho|mi|li|ar** das; -s, -e u. (seltener:) **Ho|mi|li|a|rium** ⟨gr.-lat.-mlat.⟩ das; -s, ...ien: mittelalterliche Predigtsammlung. **Ho|mi|lie** die; -, ...ien: erbauliche Bibelauslegung; Predigt über einen Abschnitt der Hl. Schrift. **Ho|mi|lo|pa|thie** u. **Ho|mi|lo|pho|bie** ⟨gr.-nlat.⟩ die; -: krankhafte Angst beim Umgang mit Menschen, meist als Folge einer Isolierung (Psychol.; Med.) **Ho|mi|nes:** Plural von ↑[1]Homo. **Ho|mi|ni|de,** auch: **Ho|mi|nid** ⟨lat.-nlat.⟩ der; ...iden, ...den: Angehöriger einer Ordnung von Lebewesen, die aus dem heutigen Menschen u. seinen Vorläufern sowie den Menschenaffen besteht (Biol.). **Ho|mi|ni|sa|ti|on** die; -: Menschwerdung (im Hinblick auf die Stammesgeschichte). **ho|mi|ni|sie|ren:** zum Menschen entwickeln. **Ho|mi|nismus** der; -: philos. Lehre, die alle

Erkenntnis u. Wahrheit nur in Bezug auf den Menschen u. nicht an sich gelten lässt. **ho|mi|ni|stisch:** 1. den Hominismus betreffend, auf ihm beruhend. 2. auf den Menschen bezogen, nur für den Menschen geltend **Hom|mage** [ɔ'ma:ʃ] ⟨lat.-fr.⟩ die; -, -n [...ʒn]: Huldigung, Ehrerbietung; Hommage à ...: Huldigung für ... **Homme à Femmes** [ɔma-'fam] ⟨fr.; „Mann für Frauen"⟩ der; - - -, -s - - [ɔma'fam]: Mann, der von Frauen geliebt wird, bei ihnen sehr beliebt ist; Frauentyp. **Homme de Lett|res** [ɔmdə-'letrə] ⟨fr.⟩ der; - - -, -s - - [ɔm-də...]: ↑Literat **ho|mo** ⟨gr.⟩: Kurzform von ↑homosexuell; Ggs. ↑hetero **[1]Ho|mo** ⟨lat.⟩ der; -, ...mines ['hɔmine:s]: Frühform des Menschen; der Mensch selbst als Angehöriger einer Gattung der Hominiden (Biol.); **Homo erectus:** Vertreter einer ausgestorbenen Art der Gattung [1]Homo; **Homo Faber** ⟨„Verfertiger"⟩: der Mensch mit seiner Fähigkeit, für sich Werkzeuge und technische Hilfsmittel zur Naturbewältigung herzustellen; **Homo ludens:** der Mensch als Spielender; **Homo novus:** Neuling; Emporkömmling; **Homo oeconomicus:** der ausschließlich von wirtschaftlichen Zweckmäßigkeitserwägungen geleitete Mensch; gelegentlich Bezeichnung des heutigen Menschen schlechthin (Psychol.; Soziol.); **Homo sapiens** ⟨„vernunftbegabter Mensch"⟩: wissenschaftl. Bez. des heutigen Menschen **[2]Ho|mo** ⟨gr.⟩ der; -s, -s: homosexueller Mann; Ggs. ↑Hetero. **Ho-mö|ark|ton** ⟨gr.-nlat.; „ähnlich anfangend"⟩ das; -s, ...ta: Redefigur, bei der die Anfänge zweier aufeinander folgender Wörter gleich oder ähnlich lauten, z. B. Mädchen mähen ... (Rhet.). **Ho-mo|chro|nie** [...kro...] die; - ...ien: gleichzeitiges Auftreter oder Einsetzen einer Erscheinung an verschiedenen Punkten der Erde (z. B. das gleichzeitige Eintreten der Flut in räumlich getrennten Gebieten; Geogr. Meteor.; Meereskunde). **Ho-mo|dont*:** mit gleichartigen Zähnen ausgestattet (vom Gebiss der Amphibien, Reptilien u. a. Wirbeltierklassen; Biol.); Ggs. ↑heterodont. **Ho|mo|emo|ti|o|na|li-tät** die; -: das emotionale Sich hingezogen-Fühlen zum glechen Geschlecht. **Ho|mo|le|rot** *der; -en, -en :* ↑Homoerotiker, ↑Homosexueller. **Ho|mo|le|ro|tik** *die; -:* auf das eigene Geschlecht gerichtete ↑Erotik; vgl. Homosexualität. **Ho|mo|le|ro|ti|ker** *der; -s, -:* jmd., dessen erotisch-sexuelle Empfindungen auf Partner des gleichen Geschlechts gerichtet sind. **ho|mo|le|ro|tisch:** a) sich zum gleichen Geschlecht aufgrund sinnlich-ästhetischer Reize hingezogen fühlend; b) ↑homosexuell. **Ho|mo|le|ro|tis|mus** *der; -:* Empfindungsweise, deren libidinöse Wünsche gleichgeschlechtlich bezogen, aber oft so gut sublimiert sind, dass sie unbewusst, latent bleiben. **Ho|mo|ga|mie** *die; -:* 1. gleichzeitige Reife von männlichen u. weiblichen Blütenorganen bei einer zwittrigen Blüte (Bot.). 2. Gleichartigkeit der Gatten bei der Partnerwahl (z. B. in Bezug auf Alter, Klasse, Konfession; Soziol.); Ggs. ↑Heterogamie. **ho|mo|gen:** gleich[artig]; gleichmäßig aufgebaut, einheitlich, aus Gleichartigem zusammengesetzt; Ggs. ↑heterogen; **homogene Gleichung:** Gleichung, in der alle Glieder den gleichen Grad haben wie die Unbekannte u. auf einer Seite der Gleichung stehen (die andere Seite hat den Wert null; Math.). **ho|mo|ge|ni|sie|ren:** 1. nicht mischbare Flüssigkeiten (z. B. Fett u. Wasser) durch Zerkleinerung der Bestandteile mischen (Chem.). 2. Metall glühen, um ein gleichmäßiges Gefüge zu erhalten. 3. Organe od. Gewebe zerkleinern (Physiol.). **Ho|mo|ge|ni|sie|rung** *die; -, -en:* Vermischung von prinzipiell verschiedenen Elementen oder Teilen. **Ho|mo|ge|ni|tät** *die; -:* Gleichartigkeit, Einheitlichkeit, Geschlossenheit. **Ho|mo|go|nie** *die; -:* Entstehung aus Gleichartigem (Philos.); Ggs. ↑Heterogonie. **ho|mo|grad:** auf qualitative Unterschiede gerichtet (Statistik); Ggs. ↑heterograd. **Ho|mo|gramm** (selten) u. **Ho|mo|graph,** auch: Homograf *das; -s, -e:* Wort, das mit der Aussprache von einem anderen gleich geschriebenen unterscheidet, z. B. Tenor „Haltung" neben Tenor „hohe Männerstimme"; vgl. Homonym (1 b). **ho|lmo ho|mi|ni lu|pus** ⟨*lat.;* „der Mensch (ist) dem Menschen ein Wolf"⟩: der Mensch ist der ge-

fährlichste Feind des Menschen (Grundprämisse der Staatstheorie des engl. Philosophen Th. Hobbes im „Leviathan") **Ho|moi|lo|nym** vgl. Homöonym **ho|mo|llog** ⟨*gr.*⟩: gleich liegend, gleich lautend; übereinstimmend; entsprechend; **homologe Insemination:** künstliche Befruchtung mit vom Ehemann stammendem Samen (Med.); Ggs. ↑heterologe Insemination; **homologe Organe:** Organe von entwicklungsgeschichtlich gleicher Herkunft, aber mit verschiedener Funktion (z. B. Schwimmblase der Fische u. Lunge der Landwirbeltiere; Biol.); **homologe Stücke:** sich entsprechende Punkte, Seiten oder Winkel in kongruenten oder ähnlichen geometrischen Figuren (Math.); **homologe Reihe:** Gruppe chemisch nahe verwandter Verbindungen, für die sich eine allgemeine Reihenformel aufstellen lässt (Chem.). **Ho|mo|llog** *das; -s, -e:* chem. Verbindung einer ↑homologen Reihe. **Ho|mo|llo|ga|ti|lon** *die; -, -en:* (vom Internationalen Automobil-Verband festgelegtes) Reglement, wonach ein Wagenmodell für Wettbewerbszwecke in bestimmter Mindeststückzahl gebaut sein muss, um in eine bestimmte Wettbewerbskategorie eingestuft zu werden. **Ho|mo|llo|gie** *die; -, ...ien:* 1. Übereinstimmung des Handelns mit der Vernunft und damit mit der Natur (stoische Lehre). 2. Übereinstimmung, Entsprechung von biolog. Organen hinsichtlich ihrer Entwicklungsgeschichte, nicht aber hinsichtlich der Funktion. 3. Übereinstimmung von Instinkten und Verhaltensformen bei verschiedenen Tieren od. Tier u. Mensch. **ho|mo|llo|gie|ren** ⟨*gr.-nlat.*⟩: 1. einen Serienwagen in die internationale Zulassungsliste zur Klasseneinteilung für Rennwettbewerbe aufnehmen (Automobilsport). 2. eine Skirennstrecke nach bestimmten Normen anlegen (Skisport). **Ho|mo|llo|gu|me|non** ⟨*gr.;* „das Übereinstimmende") *das; -s, ...mena* (meist Plural): unbestritten zum ↑Kanon (5) gehörende Schrift des Neuen Testaments; vgl. Antilegomenon. **ho|mo|lmorph** ⟨*gr.-nlat.*⟩: Homomorphismus aufweisend (von algebraischen Strukturen; Math.). **Ho|mo|lmor|phis|mus** *der; -,*

...men: spezielle Abbildung einer ↑algebraischen Struktur in od. auf eine andere (Math.). **ho|mo|nom:** gleichwertig (hinsichtlich der einzelnen Abschnitte bei Gliedertieren; Zool.); Ggs. ↑heteronom. **Ho|mo|no|mie** *die; -:* gleichartige Gliederung eines Tierkörpers mit gleichwertigen Segmenten (Biol.); Ggs. ↑Heteronomie. **ho|mo|nym** ⟨*gr.-lat.*⟩: in Lautung u. Schreibung übereinstimmend, aber mit stark abweichender Bedeutung; ein Homonym darstellend (Sprachw.); vgl. ...isch/-. **Ho|mo|nym*** *das; -s, -e:* 1. (Sprachw.) a) Wort, das ebenso wie ein anderes geschrieben u. gesprochen wird, aber verschiedene Bedeutung hat u. sich grammatisch, z. B. durch Genus, Plural, Konjugation, von diesem unterscheidet, z. B. der/das Gehalt; die Bänke/Banken; sieben (Verb)/sieben (Zahl), vgl. Polysem; Homograph; Homophon; b) (früher) Wort, das ebenso wie ein anderes lautet u. geschrieben wird, aber einen deutlich anderen Inhalt [u. eine andere Herkunft] hat, z. B. Schloss (Türschloss u. Gebäude). 2. Deckname, der aus einem klassischen Namen besteht, z. B. Cassandra = William Neil Connor (Literaturw.). **Ho|mo|ny|mie*** *die; -:* die Beziehung zwischen Wörtern, die Homonyme sind (Sprachw.). **ho|mo|ny|misch*:** auf die Homonymie bezogen; vgl. ...isch/-

Ho|mö|o|me|ri|len ⟨*gr.-lat.*⟩ *die* (Plural): gleichartige, qualitativ fest bestimmte ähnliche Teilchen der Urstoffe (bei dem altgriech. Philosophen Anaxagoras). **ho|mö|o|morph** ⟨*gr.-nlat.*⟩: gleichgestaltig, von gleicher Form u. Struktur (von Organen bzw. Organteilen; Med.). **Ho|mö|o|nym** *das; -s, -e:* 1. ähnlich lautendes Wort od. ähnlich lautender Name, z. B. Schmied–Schmidt. 2. Wort, das mit einem anderen partiell synonym ist, das die gleiche Sache wie ein anderes bezeichnet, im Gefühlswert aber verschieden ist (z. B. Haupt/Kopf; Sprachw.); vgl. Homonym. **Ho|mö|o|path** *der; -en, -en:* homöopathisch behandelnder Arzt. **Ho|mö|o|pa|thie** *die; -:* Heilverfahren, bei dem die Kranken mit solchen Mitteln in hoher Verdünnung behandelt werden, die in größerer Menge bei Gesunden ähnliche Krankheitserscheinungen hervorrufen; Ggs. ↑Allopathie. **ho|mö|o|pa|thisch:** die Homöopathie anwendend, betreffend. **Ho|mö|o|pla|sie*** *die; -:* organähnliche Neubildung (Med.). **Ho|mö|o|plas|tik** u. Homopl**a**stik *die; -,* -en: operativer Ersatz verloren gegangenen Gewebes durch arteigenes (z. B. Verpflanzen von einem Menschen auf den anderen; Med.); Ggs. ↑Heteroplastik; vgl. Autoplastik. **ho|mö|o|po|lar:** gleichartig elektrisch geladen; **homöopolare Bindung:** Zusammenhalt von Atomen in Molekülen, der nicht auf der Anziehung entgegengesetzter Ladung beruht (Phys.). **Ho|mö|o|pro|pho|ron*** ⟨*gr.-lat.*⟩ *das; -s, ...ra:* Redefigur, bei der aufeinander folgende Wörter ähnlich od. gleich klingende Laute haben (z. B. O d*u*, d*ie* d*u* d*ie* Tugend liebst; Rhet.). **Ho|mö|öp|to-ton*** („gleich deklinierend") *das; -s, ...ta:* Redefigur, bei der ein Wort mit anderen aufeinander folgenden in der Kasusendung übereinstimmt, z. B. lat. omn*ibus* vir*ibus* (Rhet.). **Ho|mö|os|mie** ⟨*gr.-nlat.*⟩ *die; -:* das Gleichbleiben des ↑osmotischen Druckes im Innern eines Organs bei schwankendem osmotischem Druck der Umgebung. **Ho|mö-os|ta|se*** *die; -, -n,* **Ho|mö|os-ta|sie*** *die; -, ...ien* u. **Ho|mö|os-ta|sis*** *die; -, ...sen:* Gleichgewicht der physiologischen Körperfunktionen; (u. a. durch Regulationshormone der Nebennierenrinde aufrechterhaltene) Stabilität des Verhältnisses von Blutdruck, Körpertemperatur, pH-Wert des Blutes u. a. **Ho|mö-os|tat*** *der; -en, -en:* technisches System, das sich der Umwelt gegenüber in einem stabilen Zustand halten kann (Kybernetik). **ho|mö|os|ta|tisch*:** die Homöostase betreffend, dazu gehörend. **Ho|mö|o|te|leu|ton** ⟨*gr.-lat.*⟩ „ähnlich endend") *das; -s, ...ta:* Redefigur, bei der aufeinander folgende Wörter oder Wortgruppen gleich klingen (z. B. tr*au*, sch*au* [wem]). **ho|mö-o|therm** ⟨*gr.-nlat.*⟩: warmblütig, gleich bleibend warm (von Tieren, deren Körpertemperatur bei schwankender Umwelttemperatur gleich bleibt, z. B. bei Vögeln u. Säugetieren); Ggs. ↑poikilotherm. **Ho|mö|o|ther-mie** *die; -:* Warmblütigkeit (Zool.)

ho|mo|phag ⟨*gr.*⟩: a) nur pflanzliche od. tierische Nahrung fressend (von Tieren); b) auf nur einem Wirtsorganismus schmarotzend (von Parasiten; Biol.); Ggs. ↑heterophag. **ho|mo|phil:** ↑homosexuell. **Ho|mo|phi|lie** *die; -:* ↑Homosexualität. **ho|mo|phob:** die Homophobie betreffend. **Ho-mo|pho|bie** *die; -:* krankhafte Angst vor u. Abneigung gegen ↑Homosexualität. **ho|mo|phon,** auch: homofon ⟨*gr.*⟩: 1. gleichstimmig, melodiebetont, in der Kompositionsart der Homophonie; Ggs. ↑polyphon (2). 2. gleich lautend (von Wörtern od. Wortsilben; Sprachw.); vgl. ...isch/-. **Ho|mo|phon,** auch: Homofon *das; -s, -e:* Wort, das mit einem anderen gleich lautet, aber verschieden geschrieben wird (z. B. Lehre–Leere); vgl. Homograph, Homonym. **Ho-mo|pho|nie,** auch: Homofonie *die; -:* Satztechnik, bei der die Melodiestimme hervortritt, alle anderen Stimmen begleitend zurücktreten (Mus.); Ggs. ↑Polyphonie; vgl. Harmonie u. Monodie. **ho|mo|pho|nisch,** auch: homofonisch: auf die Homophonie bezogen; vgl. ...isch/-. **Ho|mo-pla|sie*** *die; -:* falsche ↑Homologie (2); Übereinstimmung von Organen, die auf gleichartiger Anpassung an ähnliche Lebensbedingungen beruht. **Ho|mo-plas|tik** vgl. Homoplastik. **ho-mor|gan*** ⟨*gr.-nlat.*⟩: mit dem gleichen Artikulationsorgan gebildet (von Lauten, z. B. b, p). **Ho|mor|ga|ni|tät*** *die; -:* ↑Assimilation (1); Angleichung in der Artikulation eines Lautes an die eines folgenden, z. B. mittelhochdt. inbiȝ gegenüber neuhochdt. Imbiss. **Ho|mor|rhi|zie** *die; -:* Bildung der ersten Wurzeln seitlich am Spross (Hauptwurzel wird nicht gebildet; bei Farnpflanzen; Bot.); Ggs. ↑Allorrhizie. **Ho|mo|seis|te** *die; -, -n* (meist Plural): Linie, die Orte gleichzeitiger Erschütterung an der Erdoberfläche (bei Erdbeben) verbindet. **ho|mo|sem;** vgl. ↑synonym. **Ho|mo|se|xu|a|li|tät** ⟨*gr.; lat.-nlat.*⟩ *die; -:* sich auf das eigene Geschlecht richtendes Geschlechtsempfinden, gleichgeschlechtl. Liebe (bes. von Männern); Ggs. ↑Heterosexualität. **ho|mo|se|xu|ell:** a) gleichgeschlechtlich empfindend (bes. von Männern), zum eigenen Geschlecht hinneigend; Ggs. ↑hete-

rosexuell; b) für Homosexuelle u. deren Interessen bestimmt, z. B. eine -e Bar, -e Bücher. **Ho-mo|se|xu|el|le** *der u. die; -n, -n:* homosexuelle männliche bzw. weibliche Person. **Ho|mo|ske-das|ti|zi|tät*** *die; -, -en:* Gleichheit bzw. nicht signifikante Ungleichheit in der Streuung der Ergebnisse von Stichproben in Bezug auf die der Erhebung zugrunde liegende statistische Gesamtheit (Statistik). **Ho|mo-sphä|re*** *die; -:* sich von den darüber liegenden Luftschichten abgrenzende untere Erdatmosphäre, die durch eine nahezu gleiche Zusammensetzung der Luft gekennzeichnet ist (Meteor.); Ggs. ↑Heterosphäre. **Ho-mo|sty|lie*** ⟨*gr.-nlat.*⟩ *die; -:* Blütenausbildung, bei der die Narben der Blüten aller Individuen einer Art immer auf der gleichen Höhe wie die Staubbeutel stehen (Bot.); Ggs. ↑Heterostylie. **Ho-mo|the|tisch:** ↑synthetisch. **Ho-mo|trans|plan|ta|ti|on** ⟨*gr.; lat.-nlat.*⟩ *die; -, -en:* ↑Homöoplastik. **Ho|mo|tro|pie*** ⟨*gr.-nlat.*⟩ *die; -:* das homoerotische, homosexuelle Hingewendetsein zum eigenen Geschlecht (Fachspr.). **Ho|mo|usie** ⟨*gr.;* „wesensgleich") *die; -:* Wesensgleichheit von Gottvater u. Gott Sohn. **Ho-mö|usie** ⟨„wesensähnlich") *die; -:* Wesensähnlichkeit zwischen Gottvater u. Gott Sohn (Kompromissformel im Streit gegen den ↑Arianismus) **ho|mo|zen|trisch*** ⟨*gr.-nlat.*⟩: von einem Punkt ausgehend od. in einem Punkt zusammenlaufend (von Strahlenbündeln). **ho-mo|zy|got:** mit gleichen Erbanlagen versehen; reinerbig (von Individuen, bei denen gleichartige mütterliche u. väterliche Erbanlagen zusammentreffen; Biol.); Ggs. ↑heterozygot. **Ho-mo|zy|go|tie** *die; -:* Erbgleichheit von Organismen, die aus einer ↑Zygote von Keimzellen mit gleichen Erbfaktoren hervorgegangen sind (Biol.); Ggs. ↑Heterozygotie **Ho|mun|ku|lus** ⟨*lat.;* „Menschlein") *der; -, ...lusse od. ...li:* (nach alchimistischer Vorstellung) künstlich geschaffener Mensch **Ho|nan|sei|de** ⟨nach der chines. Provinz Honan⟩ *die; -, -n:* Rohseide, Seidengewebe aus Tussahseide mit leichten Fadenverdickungen ho|nen ⟨engl.⟩: ziehschleifen (Verfahren zur Feinbearbeitung von zylindrischen Bohrungen, das die Oberfläche bei hoher Messu. Formgenauigkeit glättet)

ho|nett ⟨lat.-fr.⟩: anständig, ehrenhaft, rechtschaffen

Ho|ney ['hʌnɪ] ⟨engl.; „Honig") der; -[s], -s: engl. Bez. für: Schätzchen, Liebling, Süße[r].

Ho|ney|moon [...mu:n] ⟨engl.; „Honigmond"⟩ der, -s, -s. Flitterwochen

ho|ni soit qui mal y pense (auch: honni, honny ...) [ɔnisoakimali-'pã:s] ⟨fr.-engl.; „Verachtet sei, wer Arges dabei denkt"; Wahlspruch des Hosenbandordens, des höchsten engl. Ordens, der seine Stiftung angeblich einem galanten Zwischenfall verdankt): nur ein Mensch, der etwas Schlechtes dabei denkt, wird hierbei etwas Anstößiges finden

Hon|neur [(h)ɔ'nøːɐ] ⟨lat.-fr.⟩ der; -s, -s: 1. Ehrenbezeigung, Ehre; die Honneurs machen: die Gäste willkommen heißen (bei Empfängen). 2. das Umwerfen der mittleren Kegelreihe beim Kegeln. 3. (nur Plural) höchste Karten bei ↑Whist u. ↑Bridge

hon|ni soit qui mal y pense (auch: hon|ny soit ...) vgl. honi soit...

ho|no|ra|bel ⟨lat.⟩: (veraltet) ehrenvoll, ehrbar. Ho|no|rant der; -en, -en: jmd., der einen Wechsel anstelle des Bezogenen annimmt od. zahlt (vgl. honorieren); vgl. Intervention. Ho|no|rar („Ehrensold") das; -s, -e: Vergütung für frei- od. nebenberufliche wissenschaftliche, künstlerische o. ä. Tätigkeit. Ho|no|rar|pro|fes|sor der; -s, -en: a) (ohne Plural) Ehrentitel für einen nicht beamteten Universitätsprofessor; Abk.: Hon.-Prof.; b) Träger dieses Titels. Ho|no|rat der; -en, -en: jmd., für den ein Wechsel bezahlt wird; vgl. Intervention. Ho|no|ra|ti|or der; ...oren, ...oren (meist Plural): 1. Person, die unentgeltlich Verwaltungsaufgaben übernimmt u. aufgrund ihres sozialen Status Einfluss ausübt. 2. angesehener Bürger, bes. in kleineren Orten. Ho|no|ra|ti|o|ren|de|mo|kra|tie die; -: Demokratie (bes. im 19. Jh.), in der die Politiker vorwiegend dem Besitzbzw. dem Bildungsbürgertum entstammten. Ho|no|ra|ti|o|ren|par|tei die; -: (im 19. Jh. in Deutschland) politische Partei,

deren Mitglieder od. maßgebliche Führungsgruppen vorwiegend dem Besitz- bzw. Bildungsbürgertum entstammten. ho|no|rie|ren ⟨„ehren; belohnen"): 1. ein Honorar zahlen; vergüten. 2. anerkennen, würdigen, durch Gegenleistungen abgelten. 3. einen Wechsel annehmen, bezahlen (Wechselrecht). ho|no|rig: 1. ehrenhaft. 2. freigebig. ho|no|ris cau|sa: ehrenhalber; Abk.: h.c.; Doktor honoris causa: Doktor ehrenhalber; Abk.: Dr. h. c. (z. B. Dr. phil. h.c.). Ho|no|ri|tät die; -, -en: 1. (ohne Plural) Ehrenhaftigkeit. 2. Ehrenperson. Ho|nou|ra|ble ['ɔnərəbl] ⟨lat.-fr.-engl.; „ehrenwert"): Hochwohlgeboren (engl. Ehrentitel); Abk.: Hon.

¹Hon|ved u. Hon|véd ['hɔnveːd] ⟨ung., „Vaterlandsverteidiger") der; -s, -s: ungarischer (freiwilliger) Landwehrsoldat. ²Hon|ved u. Hon|véd der; -: a) ungarisches Freiwilligenheer (gegen Österreich 1848-67); b) ungarische Landwehr (1867-1918); c) ungarische Armee (1918-45)

Hook [hʊk] ⟨engl.⟩ der; -s, -s: 1. a) Haken (im Boxsport); b) Schlag, bei dem der Ball in einer der Schlaghand entgegengesetzten Kurve fliegt (Golf). 2. hakenartiges Ansatzstück an Kunstarmen zum Greifen u. Halten (Med.). hoo|ken ['hʊkn] einen Hook (1 b) spielen. Hoo|ker ['hʊkə] der; -s, -: 1. Golfspieler, dessen Spezialität der Hook (1 b) ist. 2. der zweite u. dritte Stürmer (beim ↑Rugby) der steht. Hook|shot ['hʊkʃɔt] der; -s, -s: meist im Sprung ausgeführter Korbwurf (beim ↑Basketball 1), bei dem der Ball mit seitlich ausgestrecktem Arm über dem Kopf aus dem Handgelenk geworfen wird

Hoo|li|gan ['huːlɪgn] ⟨engl.⟩ der; -s, -s: Halbstarker, Rowdy; Randalierer (bes. bei Massenveranstaltungen). Hoo|li|ga|nis|mus der; -: Rowdytum

Hoo|te|nan|ny ['huːtənænɪ] ⟨engl.-amerik.⟩ der; -, -s, (auch:) der od. das; -[s], -s: [improvisiertes] gemeinsames Volksliedersingen

Hop ⟨engl.⟩ der; -s, -s: in der Leichtathletik erster Sprung beim Dreisprung; vgl. Jump (1), Step (1).

Ho|pak ⟨ukrain.⟩ der; -s, -s: ↑Gopak

Hop|lit* ⟨gr.-lat.; „Schildträger"⟩ der; -en, -en: schwer bewaffneter Fußsoldat im alten Griechenland. Hop|li|tes ⟨nlat.⟩ der; -, ...ten: versteinerter ↑Ammonit, der als eines der wichtigsten Leitfossilien der Kreidezeit gilt (Geol.)

Ho|que|tus vgl. Hoketus

¹Ho|ra, (auch:) Hore ⟨lat.⟩ die; -, Horen (meist Plural): a) Gebetsstunde, bes. eine der acht Gebetszeiten des Stundengebets in der kath. Kirche; b) kirchliches Gebet zu verschiedenen Tageszeiten.

²Ho|ra ⟨gr.; „Reigen") die; -, -s: 1. jüdischer Volkstanz. 2. a) rumänischer Volkstanz; b) ländliche Tanzveranstaltung mit rumänischen Volkstänzen

Ho|ra|ri|um ⟨lat.⟩ das; -s, ...ien: Stundenbuch, Gebetbuch für Laien

Hor|de|lin ⟨lat -nlat⟩ das; -s: Eiweißkörper in der Gerste. Hor|de|nin das; -s: bes. in Malzkeimen enthaltenes Alkaloid, das in der Medizin als Herzanregungsmittel verwendet wird. Hor|de|ol|lum das; -s, ...la: Gerstenkorn; Drüsenabszess am Augenlid (Med.)

Ho|re vgl. ¹Hora. Ho|ren ⟨gr.-lat.⟩ die (Plural): 1. Plur. von ↑¹Hora 2. griech. Göttinnen der Jahreszeiten u. der [sittlichen] Ordnung

Ho|ri|zont ⟨gr.-lat.; „Grenzlinie; Gesichtskreis") der; -[e]s, -e: 1. Begrenzungslinie zwischen dem Himmel u. der Erde; wahrer Horizont: Schnittlinie einer senkrecht zum Lot am Beobachtungsort durch den Erdmittelpunkt gelegten Ebene mit der (unendlich groß gedachten) Himmelskugel (Astron.); natürlicher Horizont: sichtbare Grenzlinie zwischen Himmel u. Erde; künstlicher Horizont: spiegelnde Fläche (Quecksilber) zur Bestimmung der Richtung zum Zenit (Astron.). 2. Gesichtskreis; geistiges Fassungsvermögen. 3. kleinste Einheit innerhalb einer ↑Formation (5), räumlich die kleinste Schichteinheit, zeitlich die kleinste Zeiteinheit (Geol.). 4. Schnittgerade der vertikalen Zeichenebene mit der Ebene, von der aus abzubildenden horizontalen Ebene parallel verläuft (in der Perspektive). Ho|ri|zon|tal ⟨gr.-lat.-nlat.⟩: waagerecht. Ho|ri|zon|ta|le die; -, -n (drei -n); auch: -): 1. a) waagerechte Gerade; Ggs. ↑Vertikale; b) waagerechte Lage. 2. (ugs.) Prostituierte. **Ho|ri|zon|tal|fre|quenz** *die;* -, -en: Anzahl der in einer Sekunde übertragenen Zeilen (Fernsehtechnik). **Ho|ri|zon|tal|in|ten|si|tät** *die;* -: Stärke des Erdmagnetfeldes in waagerechter Richtung. **Ho|ri|zon|tal|konzern** *der;* -s, -e: Konzern, der Unternehmen der gleichen Produktionsstufe umfasst; Ggs. ↑ Vertikalkonzern. **Ho|ri|zon|tal|pen|del** *das;* -s, -: Pendel, das um eine nahezu vertikale Drehachse in einer nahezu horizontalen Ebene schwingt. **ho|ri|zon|tie|ren:** 1. die verschiedene Höhenlage eines Horizonts einmessen (Geol.). 2. die Achsen von geodätischen Messinstrumenten in waagerechte u./od. senkrechte Lage bringen (Geodäsie) **hor|misch** *‹gr.-engl.›:* in der Wendung **hormische Psychologie:** Psychologie, die sich mit den Motivationen u. den dynamischen Aspekten des Verhaltens beschäftigt. **Hor|mon** *‹gr.-nlat.› das;* -s, -e: körpereigener, von den Drüsen mit innerer Sekretion gebildeter u. ins Blut abgegebener Wirkstoff, der biochemisch-physiologische Abläufe steuert u. koordiniert (Med.). **hor|mo|nal,** (auch:) **hor|mo|nell:** aus Hormonen bestehend, auf sie bezüglich (Med.); vgl. ...al/...ell. **Hor|mon|prä|pa|rat** *das;* -s, -e: aus Drüsen, Drüsenextrakten o. Ä. gewonnenes Arzneimittel, das z. B. bei fehlender od. unzureichender Produktion von Hormonen verwendet wird (Med.). **Hor|mon|the|ra|pie** *die;* -, -n: medizinische Behandlung mit Hormonpräparaten

Horn|back ['hɔːnbæk] *‹engl.› das* od. *der;* -s, -s: verhornter Rücken einer Krokodilhaut, der durch Abschleifen eine besonders ausgeprägte Maserung zutage treten lässt u. hauptsächlich für Luxusartikel der Lederwarenindustrie verwendet wird **Hor|ni|to** *‹span.› der;* -s, -s: kegelförmige Aufwölbung über Austrittsstellen dünnflüssiger Lava **Horn|pipe** ['hɔːnpaɪp] *‹engl.› die;* -, -s: 1. Schalmeienart. 2. alter Tanz im ³/₄- oder ⁴/₄-Takt **Ho|ro|log** *‹gr.-lat.› das;* -s, -e: (veraltet) Uhr. **Ho|ro|lo|gi|on:** ↑ Horologium (1). **Ho|ro|lo|gi|um** *das;* -s, ...ien: 1. liturgisches Buch mit den Texten für die Stundengebete der orthodoxen Kirche. 2. Horolog

Ho|rop|ter* *‹gr.-nlat.› der;* -s: kreisförmige horizontale Linie, auf der alle Punkte liegen, die bei gegebener Augenstellung mit beiden Augen nur einfach gesehen werden (Med.) **Ho|ro|skop*** *‹gr.-lat.;* „Stundenseher") *das;* -s, -e: (Astrol.) a) schematische Darstellung der Stellung der Gestirne zu einem bestimmten Zeitpunkt als Grundlage zur Schicksalsdeutung; b) Voraussage über kommende Ereignisse aufgrund von Sternkonstellationen; c) Aufzeichnung des Standes der Sterne bei der Geburt, Kosmogramm. **ho|ro|sko|pie|ren:** ein Horoskop stellen. **ho|ro|sko|pisch:** das Horoskop betreffend, darauf beruhend **Hor|ra:** ↑ ²Hora (1) **hor|rend** *‹lat.›:* 1. (emotional) jedes normale Maß überschreitend, sodass es entsprechende Kritik hervorruft. 2. (veraltet) durch seinen geistigen Gehalt Entsetzen erregend. **hor|ri|bel:** (veraltet) 1. als Erlebnis, Mitteilung Grauen erregend, grausig, furchtbar. 2. ↑ horrend (1). **hor|ri|bi|le dic|tu:** es ist furchtbar, dies sagen zu müssen; Gott sei's geklagt (veraltet) (Plural selten): (veraltet) Schrecklichkeit, Furchtbarkeit. **Hor|ri|bi|li|tät** *die;* -, -en (Plural selten): (veraltet) Schrecklichkeit, Furchtbarkeit. **Hor|ror** *der;* -s: a) auf Erfahrung beruhender, schreckerfüllter Schauder, Abscheu, Widerwille [sich mit etw. zu befassen]; b) schreckerfüllter Zustand, in den jmd. durch etw. gerät. **Hor|ror|film** *der;* -[e]s, -e: Film, dessen Thema u. Gestaltung bei den Zuschauenden Grauen u. Entsetzen erregen soll. **Hor|ror|li|te|ra|tur** *die;* -, -en: literarische Werke aller Gattungen, die Unheimliches, Gräueltaten u. Ä. darstellen. **Hor|ror|trip** *der;* -s, -s: 1. a) Reise voller Schrecken; Schreckensfahrt o) b) schrecklicher Vorgang; schreckliches Ereignis. 2. Drogenrausch mit Angst- u. Panikgefühlen nach dem Genuss von starken Drogen. **Hor|ror Va|cui** ['va:kui] *der;* -: a) Angst vor der Leere (von Aristoteles ausgehende Annahme, die Natur sei überall um Auffüllung eines leeren Raumes bemüht; Philos.) **hors con|cours** [ɔrkõˈkuːr] *‹lat.-fr.›:* außer Wettbewerb. **Hors-d'œuvre* [ɔr'dœːvr(ə)] *‹fr.› das;* -s, -s: appetitanregendes kaltes od. warmes Vor- od. Beigericht **Horse** [hɔs] *‹engl.;* „Pferd"; Tabu-

wort) *das;* -: (Jargon) Heroin. **Horse|pow|er** [...pauə]: in Großbritannien u. Nordamerika verwendete Einheit der Leistung (= 745,7 Watt), Pferdestärke; Abk.: h. p. (früher: HP) **Hor|ta|tiv** *der;* -s, -e: ↑ Adhortativ **Hor|ten|sie** [...jə] *‹nlat.,* nach Hortense Lepaute, der Reisegefährtin des franz. Botanikers Commerson, 18. Jh.) *die;* -, -n: als Strauch- u. Topfpflanze verbreitetes Steinbrechgewächs mit kleinen weißen, grünlichen, roten od. blauen Blüten in Rispen od. [kugeligen] doldenähnlichen Blütenständen **Hor|ti|kul|tur** *‹lat.› die;* -: Gartenbau. **Hor|tu|lus A|ni|mae** [-...me] *‹lat.;* „Seelengärtlein") *der* od. *das;* - -, ...li -: häufiger Titel von spätmittelalterlichen Gebetbüchern **ho|san|na** usw.: ↑ hosianna usw. **ho|si|an|na!** *‹hebr.-gr.-mlat.;* „hilf doch!"):* alttestamentl. Gebets- u. Freudenruf, der in die christliche Liturgie übernommen wurde. **Ho|si|an|na** *das;* -s, -s: mit dem ↑ ²Sanctus verbundener Teil des christlichen Gottesdienstes vor der ↑ Eucharistie. **Ho|si|an|na|ruf** *der;* -[e]s, -e: lauter öffentlicher Beifall; Sympathiekundgebung, die einer prominenten Persönlichkeit zuteil wird (häufig iron.) **Hos|pi|tal** *‹lat.› das;* -s, -e u. ...täler: 1. [kleineres] Krankenhaus. 2. (veraltet) Armenhaus, Altersheim. **hos|pi|ta|li|sie|ren:** in ein Krankenhaus oder Pflegeheim einliefern. **Hos|pi|ta|li|sie|rung** *die;* -, -en: das Hospitalisieren, Hospitalisiertwerden. **Hos|pi|ta|lis|mus** *‹lat.-nlat.› der;* -: 1. das Auftreten von Entwicklungsstörungen u. -rückständen bei Kindern als Folge mangelnder Zuwendung, bes. bei Heimerziehung (Psychol., Päd.). 2. Infektion von Krankenhauspatienten od. -personal durch im Krankenhaus resistent gewordene Keime (Med.). **Hos|pi|ta|li|tät** *‹lat.› die;* -: (veraltet) Gastfreundschaft. **Hos|pi|ta|li|ter** *‹lat.-nlat.› der;* -s, -: Mitglied einer mittelalterlichen religiösen Genossenschaft (von Laienbrüdern, Mönchen oder Ordensritter) für Krankenpflege. **Hos|pi|tant** *‹lat.› der;* -en, -en: a) Gasthörer an Hochschulen u. Universitäten; b) um abhängiger od. einer kleiner Partei angehörender Abgeordneter, der als Gast Mitglied einer nahe stehenden parlamentarischen Fraktion. **Hos|pi|tanz** die; -: Gastmitgliedschaft in einer parlamentarischen Fraktion. **Hos|pi|ta|ti|on** die; -: das Teilnehmen am Unterricht u. der Besuch von pädagogischen Einrichtungen als Teil der praktischen pädagogischen Ausbildung (Päd.). **hos|pi|tie|ren:** als Gast zuhören od. teilnehmen. **Hos|piz** das, -es, -e: 1. großstädtisches Gasthaus od. Hotel mit christlicher Hausordnung. 2. von Mönchen errichtete Unterkunft für Reisende od. wandernde Mönche im Mittelalter (z. B. auf dem St.-Bernhard-Pass) 3. Einrichtung zur Betreuung schwer kranker od. sterbender Menschen u. deren Angehöriger **Hos|po|dar,** Gospodar (slaw.; „Herr") der; -s u. -en, -e[n]: (hist.) slaw. Fürstentitel in einigen Ländern Südosteuropas **Host|com|pu|ter** ['houst...] (engl.) der; -s, -: in einem Netzwerk unabhängig arbeitender Computer, der nur übermittelte Daten verarbeitet u. speichert (EDV). **Hos|tess** [auch: 'hos...] (lat.-fr.-engl.) „Gastgeberin") die; -, ...tessen: 1. a) junge weibliche Person, die auf Messen, in Hotels o. Ä. zur Betreuung od. Beratung der Besucher, Gäste o. Ä. angestellt ist; b) Angestellte einer Fluggesellschaft, die im Flugzeug od. auf dem Flughafen die Reisenden betreut. 2. (verhüllend) † Prostituierte, die ihre Dienste bes. über Zeitungsannoncen anbietet **Hos|tie** [...jə] (lat.; „Opfer, Opfertier") die; -, -n· a) (in der kath. Kirche) ¹Oblate (1 a), die zum Leib Christi geweiht u. in der Kommunion (1) an die Gläubigen ausgeteilt wird; b) (in der lutherischen Kirche) ¹Oblate (1 b), die als Abendmahlsbrot verwendet wird **hos|til** (lat.): feindlich. **Hos|ti|li|tät** die; -, -en: Feindseligkeit **Hot** (engl.-amerik.) der; -s: scharf akzentuierende u. synkopierende Spielweise im Jazz **Hot|brines** [...bramz] (engl.) die (Plural): am Meeresboden austretende heiße Lösungen (Geol.) **Hotch|potch** ['hɔtʃpɔtʃ] (fr.-engl.) das; -, -es [...iz]: † Hochepot **Hot|dog** (amerik.) das od. der; -s, -s, auch: **Hot Dog** das od. der; -s, -s: in ein aufgeschnittenes Brötchen gelegtes heißes Würstchen mit Ketschup o. Ä.

Ho|tel (lat.-fr.) das; -s, -s: Beherbergungs- u. Verpflegungsbetrieb gehobener Art mit einem gewissen Mindestkomfort. **Ho|tel gar|ni** (lat.-fr.; germ.-fr.) das; - -, -s -s [ho'tɛl gar'ni]: Hotel[betrieb], in dem es nur Frühstück gibt. **Ho|tel|ie|r** [...'lje:] (lat.-fr.) der; -s, -s: Eigentümer od. Pächter eines Hotels. **Ho|tel|le|rie** die; -: Gast-, Hotelgewerbe **Hot|jazz** [...'dʒæz] (engl.) der; -, auch: **Hot Jazz** der; - -: † Hot **Hot|line** [ˈhɔtlaɪn] (engl.; „heißer Draht") die; -, -s: Telefonanschluss für raschen Serviceleistungen (z. B. von Computerfirmen) **Hot|melt** (engl.) das; -s, -s: zum Versiegeln u. Kleben verwendeter Werk- od. Klebstoff, der bei normaler Temperatur fest ist, aber beim Erwärmen in eine flüssige Schmelze übergeht **Hot|pants** [pɛnts] (engl.; „heiße Hosen") die (Plural), auch: **Hot Pants** die (Plural): (zu Anfang der 70er-Jahre) von Frauen getragene kurze, eng anliegende, im Zuschnitt Shorts ähnliche Hose **hot|ten** (engl.): 1. (ugs.) zu Hotjazz tanzen. 2. Hotjazz spielen **Hot|to|nia** (nlat.; nach dem holländ. Botaniker Peter Hotton, † 1709) die; -, ...ien: als Zierpflanze für Aquarien u. Uferbepflanzungen verwendete Wasserprimel **Houppe|lande** [u'plã:d] (fr.) die; -, -s [u'plã:d]: im 14. Jh. aufgekommenes langes, glockenförmig geschnittenes Obergewand des Mannes **Hour|di** [ur'di:] (fr.) der; -s, -s: Hohlstein aus gebranntem Ton mit ein- od. zweireihiger Lochung, der bes. für Decken u. zwischen Stahlträgern verwendet wird **House** [haus] (engl.; „Haus"; nach der Diskothek „The Warehouse" in Chicago) der; - (meist ohne Artikel): einfach strukturierte Variante des Dancefloor (2), die bei den dazu Tanzenden ein Trancegefühl erzeugen soll **House of Com|mons** [ˈhaus əv 'kɔmənz] (engl.) das; - - -: das britische Unterhaus. **House of Lords** [- - 'lɔːdz] „Haus der Lords") das; - - -: das britische Oberhaus **Hous|se** ['huse] vgl. Husse **Ho|ver|craft** [ˈhɔvəkraːft] (engl.; „Schwebefahrzeug") das; -[s], -s: Luftkissenfahrzeug (Auto, Schiff)

Ho|wea (nlat.; nach der austr. Lord-Howe-Insel) die; -, ...ween: als Zierpflanze beliebtes Palmengewächs mit stark geringeltem Stamm (Bot.) **Hu|a|na|co** vgl. Guanako **Hu|er|ta** ['ɥɛrta] (lat.-span.; „Garten") die; -, -s: fruchtbare, künstlich bewässerte Ebene in Spanien **Hu|ge|no|tte** (dt.-fr.; „Eidgenosse") der; -n, -n: 1. Anhänger des Kalvinismus in Frankreich. 2. Nachkomme eines zur Zeit der Verfolgung aus Frankreich geflohenen Kalvinisten **Hughes|te|le|graf** ['hju:z...] nach dem engl. Physiker D. E. Hughes, 1831-1900) der; -en, -en: Telegraf, der am Empfänger direkt Buchstaben druckt **hu|ius an|ni** (lat.): dieses Jahres; Abk.: h. a. **hu|ius men|sis:** dieses Monats; Abk.: h. m. **Huk** (niederl.) die; , en: Landzunge, die den geradlinigen Verlauf einer Küste unterbricht (Seemannsspr.) **Hu|ka** (arab.) die; -, -s: orientalische Wasserpfeife **Huk|boot** (niederl.) das; -[e]s, -e: kleines Beiboot des Hukers. **Hu|ker** der; -s, -: breites, flaches Seegelschiff, das in der Hochseefischerei eingesetzt wurde **Huk|ka:** † Huka **Hul|la** (hawaiisch) die; -, -s, (auch:) der; -s, -s: [kultischer] Gemeinschaftstanz der Eingeborenen auf Hawaii. **Hul|la-Hoop** [...'hup] u. Hula-Hopp (hawaiisch; engl.) der od. das; -s, -s: a) † Hula-Hoop-Reifen; b) Reifenspiel, bei dem man einen Reifen um die Hüfte kreisen lässt. **Hu|la-Hoop-Rei|fen** der; -s, -: Reifen, den man durch kreisende Bewegungen des Körpers um die Hüften schwingen lässt. **Hu|la-Hopp:** † Hula-Hoop **Hulk,** Holk (engl.) die; -, -e[n] od. der; -[e]s, -e od. -e[n] od. das; -: abgetakelter, für Kasernen- u. Magazinzwecke verwendeter Schiffskörper **hu|man** (lat.): 1. a) die Menschenwürde achtend, menschenwürdig; Ggs. † inhuman; b) eine Härte, nachsichtig im Umgang mit anderen. 2. zum Menschen gehörend, ihn betreffend. **Hu|man|bi|o|lo|ge** der; -n, -n: Wissenschaftler auf dem Gebiet der Humanbiologie. **Hu|man|bi|o|lo|gie** die; -: Teilgebiet der naturwissenschaftlichen Anthropologie, das sich mit der körperlichen u. dem Verhalten des Menschen beschäftigt. **hu|m**a**n|bi|o|lo|gisch:** die Humanbiologie betreffend. **Hu|man|en|gi|nee|ring** ['hju:mən ɛndʒɪ-'nɪərɪŋ] ⟨engl.-amerik.⟩ das; -, auch: **Hu|man En|gi|nee|ring** das; - -: Berücksichtigung der psychologischen u. sozialen Voraussetzungen des Menschen bei der Gestaltung u. Einrichtung von Arbeitsplätzen u. maschinellen Einrichtungen; Sozialtechnologie (Sozialpsychol.). **Hu|m**a**n|ge|ne|tik** ⟨lat.; gr.-nlat.⟩ die; -: Teilgebiet der Genetik, das sich mit den Erscheinungen der Vererbung beim Menschen, besonders mit der genetisch bedingten Variabilität, befasst. **Hu|m**a**n|ge|ne|ti|ker** der; -s, -: Wissenschaftler auf dem Gebiet der Humangenetik. **hu|m**a**n|ge|ne|tisch:** die Humangenetik betreffend. **Hu|ma|ni|o|ra** die (Plural): (veraltet) das griechisch-römische Altertum als Grundlage der Bildung u. als Lehr- u. Prüfungsfächer. **hu|ma|ni|sie|ren** ⟨lat.-nlat.⟩: (bes. in Bezug auf die Lebens- u. Arbeitsbedingungen des Menschen) humaner, menschenwürdiger, menschlicher, sozialer gestalten. **Hu|ma|ni|sie|rung** die; -, -en: das Humanisieren. **Hu|ma|nis|mus** der; -: 1. (auf das Bildungsideal der griechisch-römischen Antike gegründetes) Denken u. Handeln im Bewusstsein der Würde des Menschen; Streben nach einer echten Menschlichkeit. 2. literarische u. philologische Neuentdeckung u. Wiedererweckung der antiken Kultur, ihrer Sprachen, ihrer Kunst u. Geisteshaltung vom 13. bis zum 16. Jh. **Hu|ma|nist** der; -en, -en: 1. jmd., der die Ideale des Humanismus (1) in seinem Denken u. Handeln zu verwirklichen sucht, vertritt. 2. Vertreter des Humanismus (2). 3. jmd., der über eine humanistische [Schul]bildung verfügt; Kenner der alten Sprachen. **hu|ma|nis|tisch:** 1. a) im Sinne des Humanismus (1) handelnd; b) am klassischen Altertum orientiert. 2. altsprachlich gebildet; **humanistisches Gymnasium:** höhere Schule mit vorwiegend altsprachlichen Lehrfächern. **hu|ma|ni|tär:** menschenfreundlich, wohltätig, speziell auf das Wohl des Menschen gerichtet. **Hu|ma|ni|ta|ris|mus** ⟨nach dem Namen einer nach dem „Journal humanitaire" benannten, in Frank-

reich seit 1839 bestehenden Gruppe⟩ der; -: menschenfreundliche Gesinnung, Denkhaltung. **Hu|m**a**|ni|tas** ⟨lat.⟩ die; -: Menschlichkeit, Menschenliebe (als Grundlage des Denkens u. Handelns). **Hu|ma|ni|tät** die; -: vom Geist der Humanitas durchdrungene Haltung, Gesinnung; Menschlichkeit. **Hu|man|me|di|zin** die; -: Teilbereich der Medizin, der sich mit den Menschen befasst; Ggs.: Tiermedizin. **Hu|man|me|di|zi|ner** der; -s, -: Arzt der Humanmedizin. **hu|man|me|di|zi|nisch:** die Humanmedizin betreffend, auf ihr beruhend, zu ihr gehörend. **Hu|m**a**n|öko|lo|ge** der; -n, -n: Wissenschaftler auf dem Gebiet der Humanökologie. **Hu|m**a**n|öko|lo|gie** die; -: Teilgebiet der Ökologie; Lehre von den Wechselbeziehungen des Menschen mit seiner belebten u. unbelebten Umwelt. **hu|man|öko|lo|gisch:** die Humanökologie betreffend, auf ihr beruhend. **Hu|m**a**n|psy|cho|lo|ge** der; -n, -n: Wissenschaftler auf dem Gebiet der Humanpsychologie. **Hu|man|psy|cho|lo|gie** die; -: Wissenschaft, die sich mit der ↑Psyche (1) des Menschen befasst. **hu|man|psy|cho|lo|gisch:** die Humanpsychologie betreffend, auf ihr beruhend. **Hu|man Re|la|tions** ['hju:mən rɪ'leɪʃənz] ⟨engl.-amerik.⟩ die (Plural): (in den 1930er-Jahren von den USA ausgegangene) Richtung der betrieblichen Personal- u. Sozialpolitik, die die Bedeutung der zwischenmenschlichen Beziehungen am Arbeitsplatz thematisierte. **Hu|man|wis|sen|schaft** die; -, -en: in den Bereich der Geisteswissenschaften gehörende Wissenschaft, die sich mit dem Menschen beschäftigt (z. B. Anthropologie, Soziologie). **Hum|bug** ⟨engl.⟩ der; -s: etw., was als unsinnig, töricht angesehen wird

Hu|me|ra|le ⟨lat.-mlat.⟩ das; -s, ...lien u. ...lia: 1. in der Liturgie der Eucharistie verwendetes Schultertuch des katholischen Priesters; Amikt. 2. am Vorderende gelegener Hornschild des Bauchpanzers bei Schildkröten (Zool.). **Hu|me|rus** ⟨lat.⟩ der; -, ...ri: Oberarmknochen (Med.)

hu|mid, hu|mi|de ⟨lat.⟩: feucht, nass; **humide Gebiete:** Landstriche mit einer jährlichen Niederschlagsmenge von über 600 l pro

m² (Meteor.). **Hu|mi|di|tät** ⟨lat.-nlat.⟩ die; -: Feuchtigkeit (in Bezug auf das Klima) **Hu|mi|fi|ka|ti|on** ⟨lat.-nlat.⟩ die; -: die meist im Boden stattfindende Umwandlung organischer Stoffe in Humus; das Vermodern; Humusbildung. **hu|mi|fi|zie|ren:** zu Humus umwandeln; vermodern. **Hu|mi|fi|zie|rung** die; -: ↑Humifikation. **hu|mil** ⟨lat.⟩: (veraltet) niedrig; demütig. **hu|mi|li|ant:** (veraltet) demütigend. **Hu|mi|li|at** der; -en, -en (meist Plural): Anhänger einer Bußbewegung des 11. u. 12. Jh.s. **Hu|mi|li|a|ti|on** die; -, -en: (veraltet) Demütigung. **Hu|mi|li|tät** die; -: (veraltet) Demut. **Hu|min|säu|re** ⟨lat.-nlat.⟩ die; -, -n: als Resten abgestorbener Lebewesen sich im Boden bildende Säure. **Hu|mit** [auch: ...'mɪt] der; -s, -e u. -e. **Hu|mo|lith** [auch: ...'lɪt] ⟨lat.; gr.⟩ der; -s u. -en, -e[n]: ↑Sediment pflanzlicher Herkunft (z. B. Torf, Braunkohle)

¹**Hu|mor** ⟨lat.-fr.-engl.⟩ der; -s, -e (Plural selten):1. (ohne Plural) Fähigkeit eines Menschen, über bestimmte Dinge zu lachen. 2. sprachliche, künstlerische o. ä. Äußerung einer von Humor (1) bestimmten Geisteshaltung. **schwarzer Humor:** Humor, der das Grauen, das Grauenhafte einbezieht

²**Hu|mor** ⟨lat.⟩ der; -s, -es: Körperflüssigkeit (Med.). **hu|mo|ral** ⟨lat.-nlat.⟩: die Körperflüssigkeit betreffend, auf sie bezüglich. **Hu|mo|ral|di|ag|nos|tik*** die; -: medizinische Methode der Krankheitserkennung durch Untersuchung der Körperflüssigkeiten. **Hu|mo|ral|pa|tho|lo|gie** die; -: antike Lehre, nach der alle Krankheiten auf die fehlerhafte Zusammensetzung des Blutes u. anderer Körpersäfte zurückzuführen seien; Säftelehre; vgl. Solidarpathologie

Hu|mo|res|ke ⟨dt. Bildung aus ↑¹Humor u. roman. Endung analog zu Groteske, Burleske⟩ die; -, -n: 1. kleine humoristische Erzählung. 2. Musikstück von komischem od. erheiterndem Charakter. **hu|mo|rig:** launig, mit Humor. ¹**Humor. Hu|mo|rist** ⟨lat.-fr.-engl.⟩ der; -en, -en: 1. Künstler dessen Werke sich durch eine humoristische Behandlungsweise des Stoffes auszeichnen. 2. Vortragskünstler, der witzige Sketche o. Ä. darbietet. **Hu|mo|ris|ti-**

kum ⟨nlat.⟩ das; -s, ...ka: etwas
Humorvolles. hu|mo|ris|tisch:
den ¹Humor betreffend; scherzhaft, launig, heiter
hul|mos ⟨lat.-nlat.⟩: reich an Hu-
mus. Hu|mus ⟨lat.; „Erde, Erd-
boden"⟩ der; -: fruchtbarer
Bodenbestandteil von dunkel-
brauner Färbung, der durch mik-
robiologische u. biochemische
Zersetzung abgestorbener
pflanzlicher u. tierischer Substanz in einem ständigen Prozess
entsteht
Hund|red|weight* ['hʌndrad-
weit] ⟨engl.⟩ das; -[s], -s: engl.
Handelsgewicht von etwa
51 kg; Abk.: cwt. (eigtl.: cent-
weight)
Hun|ga|ri|kum ⟨nlat.⟩ das; -s, ...ka
(meist Plural): Werk über Un-
garn. Hun|ga|ris|tik die; -: Wis-
senschaft von der ungarischen
Sprache u. Literatur
Hun|ter ['hʌntəl ⟨engl.⟩ der; -s, -:
1. Jagdpferd. 2. Jagdhund
Hur|ling ['hɔːlɪŋ] ⟨engl.⟩ das; -s:
dem Hockey verwandtes, in Irland noch gespieltes Schlagball-
spiel (Sport)
Hu|ron ⟨nach dem Huronsee in
Nordamerika⟩ das; -s: das mittlere ↑Algonkium in Nordamerika (Geol.)
Hur|ri|kan [auch: 'hʌrɪkən, 'hʊrɪ-
kan] ⟨indian.-span.-engl.⟩ der;
-s, -e u. (bei engl. Ausspr.:) -s:
Orkan; heftiger tropischer
mittelamerikanischer Wirbel-
sturm
Hu|sar ⟨lat.-mlat.-it.-serbokroat.-
ung.⟩ der; -en, -en: (hist.) Angehöriger der leichten Reiterei in
ungar. Nationaltracht
Hus|ky ['hʌski] ⟨engl⟩ der; -s, -s:
Eskimohund (mittelgroße, spitz-
ähnliche Hunderasse)
Hus|le ⟨slaw.⟩ die; -, -n: altertüm-
liche Geige der Lausitzer Wen-
den; vgl. Gusla
Hus|se u. Housse ⟨fr.⟩ die; -, -n:
dekorativer textiler Überwurf
für Sitzmöbel
Hus|sit ⟨nlat.; nach dem tschech.
Reformator Johannes Hus,
† 1415⟩ der; -en, -en: Anhänger
der religiös-soziale Aufstands-
bewegung im 15. u. 16. Jh. in
Böhmen, die durch die Verbrennung des Reformators Hus auf
dem Konzil zu Konstanz 1415
hervorgerufen wurde. Hus|si-
tis|mus der; -: Lehre u. Bewe-
gung der Hussiten
Hustle ['hʌsl] ⟨germ.-engl.⟩ der;
-[s], -s: a) (in den 70er-Jahren beliebter) Linientanz, bei dem die

Tanzenden in Reihen stehen u.
bestimmte Schrittfolgen ausfüh-
ren; b) ↑Diskofox. Hust|ler
['hʌslə] der; -s, -: jmd., der Hustle
tanzt
Hy|a|lde ⟨gr.; Herkunft unsicher⟩
die; -, -n: 1. Nymphe in der
griech. Mythologie. 2. (Plural)
Sternanhäufung im Sternbild
Stier (Astron.)
hy|a|lin ⟨gr.-lat.⟩: durchschei-
nend, glasartig, glasig (Med.).
Hy|a|lin das; -s, -e: aus Geweben
umgewandelte glasige Eiweiß-
masse. Hy|a|li|no|se ⟨gr.-nlat.⟩
die; -, -n: Ablagerung von Hyalin
in Geweben u. an Gefäßwänden
(Med.). Hy|a|lith [auch: ...'lɪt]
der; -s, -e: wie Glas glänzender
Opal (Geol.). Hy|a|li|tis die; -,
...iti|den: Entzündung des Glas-
körpers im Innern des Auges
(Med.). Hy|a|lo|gra|phie, auch:
Hyalografie die; -: a) (ohne Plural) Druckverfahren, bei dem eine Zeichnung in eine Glasplatte
eingeritzt u. (zur Herstellung von
Abzügen) durch Eintauchen in
eine Säure eingeätzt wird; b)
durch das Verfahren der Holo-
graphie (a) hergestelltes grafi-
sches Blatt (Kunstwissenschaft).
Hy|a|lo|id ⟨gr.-lat.⟩: a) glasartig;
b) den Glaskörper des Auges be-
treffend (Med.). hy|a|lo|klas-
tisch*: (von Gesteinen) aus zer-
brochener glasiger Lava beste-
hend. Hy|a|lo|klas|tit* [auch:
...'ɪt] der; -s, -e: aus kantigen,
splittrigen Bruchstücken er-
starrter glasiger Lava bestehen-
des Gestein (Geol.). Hy|a|lo-
phan ⟨gr.-nlat.⟩ der; -s, -e: ein
Mineral. Hy|a|lo|pi|li|tisch
⟨lat.⟩: (von magmatischen Gesteinen) eigengestaltig ausgebil-
dete Kristalle in einer glasigen
Grundmasse aufweisend (Ge-
ol.). Hy|a|lo|plas|ma das; -s:
flüssige, klare, fein granulierte
Grundsubstanz des Zellplasmas
(Med.)
Hy|ä|ne ⟨gr.-lat.⟩ die; -, -n: (in
Afrika u. Asien heimisches)
nachtaktives hundeähnliches
Raubtier, das sich vorwiegend
von Aas ernährt
¹Hy|a|zinth ⟨gr.-lat.⟩ der; -[e]s, -e:
durchsichtiges, gelbrotes Mineral (Abart des Zirkons), das häufig als Schmuckstein verwendet
wird. ²Hy|a|zinth ⟨nach der gr.
Sagengestalt⟩ der; -s, -e: schöner
Jüngling
Hy|a|zin|the die; -, -n: winterhar-
te Zwiebelpflanze mit stark duftenden, farbenprächtigen Blüten

¹hyb|rid* ⟨gr.⟩: hochmütig, über-
heblich, übersteigert, vermessen
²hyb|rid* ⟨lat.⟩ gemischt, von
zweierlei Herkunft, aus Ver-
schiedenem zusammengesetzt;
durch Kreuzung, Mischung entstanden; hybride Bildung: Zwit-
terbildung, Mischbildung, zu-
sammengesetztes od. abgeleite-
tes Wort, dessen Teile verschiedenen Sprachen angehören (z. B.
Auto-mobil ⟨gr.; lat.⟩, Büro-kra-
tie ⟨fr.; gr.⟩, Intelligenz-ler ⟨lat.;
dt.⟩; (Sprachw.); vgl. ...isch/-.
Hyb|ri|de ⟨lat.⟩ die; -, -n (auch:
der); -n, -n: aus Kreuzungen verschiedener Arten hervorgegan-
gene Pflanze; aus Kreuzungen
verschiedener Rassen hervorge-
gangenes Tier (Biol.). hyb|ri-
disch: sich auf Mischung, Kreuzung beziehend, sie betreffend;
vgl. ...isch/-. Hyb|ri|di|sie|rung
die; -, -en: Artenkreuzung; Ras-
senkreuzung; Hybridzüchtung
(Biol.). -n: Rakete, die zum Antrieb sowohl feste als auch flüssige
Brennstoffe verwendet. Hyb|rid-
rech|ner der; -s, -: elektronische
Rechenanlage, die die Informa-
nen sowohl in analoger als auch
in digitaler Form verarbeitet
kann
Hyb|ris ⟨gr.⟩ die; -: [in der Antike]
frevelhafter Übermut, Selbst-
überhebung (besonders gegen
die Gottheit); Vermessenheit
Hy|darth|ro|se* ⟨gr.-nlat.⟩ u.
Hydrarthrose die; -, -n: krankhafte Ansammlung von Flüssigkeit in Gelenken; Gelenkerguss
(Med.). Hy|da|tho|de die; -, -n
(meist Plural): Blattöffnung bei
Pflanzen zur Abgabe von Was-
ser (Bot.). Hy|da|to|cho|rie die;
-: ↑Hydrochorie. hy|da|to|gen:
(Geol.) 1. aus einer wässerigen
Lösung gebildet (von Minera-
lien). 2. durch Wasser zusam-
mengeführt od. aus Wasser abgeschieden (von Schichtgesteinen).
3. ↑hydatopyrogen. hy|da|to|py-
ro|gen: (von Gesteinen) aus ei-
ner mit Wasserdampf gesättigten
Schmelze entstanden (Geol.).
Hyd|ra ⟨gr.-lat.⟩ die; -, ...dren: 1.
(in der griech. Mythologie von
Herakles getötetes) neunköpfi-
ges Seeungeheuer, dessen abge-
schlagene Köpfe doppelt nach-
wuchsen. 2. Süßwasserpolyp.
hyd|ra|go|gisch: (von Arznei-
mitteln) stark abführend (Medi-
zin). Hyd|ra|go|gum ⟨gr.-nlat.⟩
das; -s, ...ga: stark wirkendes, die
Ausscheidung flüssigen Stuhls

herbeiführendes Arzneimittel (Med.). **Hyd|rä|mie** die; -, ...ien: erhöhter Wassergehalt des Blutes (Med.). **Hyd|rạm|ni|on** das; -s, ...ien: übermäßige Fruchtwassermenge (Med.) **Hyd|rạnt*** ⟨gr.-lat.⟩ der; -en, -en: größere Zapfstelle zur Wasserentnahme aus Rohrleitungen. **Hyd|rạnth** der; -en, -en: Einzelpolyp eines Polypenstockes (z. B. bei Korallen; Zool.). **Hyd|ra|pul|per** [...palpɐ] ⟨gr.; engl.⟩ der; -s, -: in der Papierherstellung Maschine zur Aufbereitung von Altpapier u. Rohstoffen. **Hyd|rar|gil|lit** [auch: ...'lɪt] der; -s, -: farbloses, weißes oder grünliches, glasig glänzendes Mineral, das besonders bei der Gewinnung von ↑Aluminium u. zur Herstellung feuerfester Steine verwendet wird. **Hyd|rar|gy|ro|se** ⟨gr.-nlat.⟩ die; -, -n: durch eingeatmete Quecksilberdämpfe verursachte Vergiftung (Med.). **Hyd|rar|gy|rum** das; -s: chem. Element; Quecksilber (Zeichen: Hg). **Hyd|rarth|ro|se** vgl. Hydarthrose **Hy|dra|sys|tem*** ⟨gr.-lat.⟩ das; -s: [verbotenes] Verkaufsverfahren, bei dem der Verkauf der Ware gegen Anzahlung u. die Verpflichtung des Käufers erfolgt, die Restschuld durch Ratenzahlung u. Vermittlung neuer Kunden abzutragen; Schneeballsystem. **Hyd|rat** das; -[e]s, -e: Verbindung von Oxiden od. wasserfreien Säuren mit Wasser (Chem.). **Hyd|ra|ta|ti|on** u. **Hyd|ra|ti|on** die; -, -en: 1. Bildung von Hydraten (Chem.). 2. durch Absorption von Wasser verursachte Quellung u. Volumenvergrößerung von Mineralien u. die dadurch hervorgerufene Sprengung der Gesteine (Geol.). **hyd|ra|ti|sie|ren:** Hydrate bilden (Chem.). **Hyd|rau|lik*** ⟨gr.-lat.⟩ die; -, -en: 1. Theorie u. Wissenschaft von den Strömungen der Flüssigkeiten (z. B. im Wasserbau). 2. Gesamtheit der Steuer-, Regel-, Antriebs- und Bremsvorrichtungen eines Fahrzeugs, Flugzeugs od. Geräts, dessen Kräfte mithilfe des Drucks einer Flüssigkeit erzeugt od. übertragen werden. **hyd|rau|lisch:** mit Flüssigkeitsdruck arbeitend, mit Wasserantrieb; **hydraulische Bremse:** Vorrichtung zum Abbremsen rotierender Räder durch flüssigkeitsgefüllte Druckzylinder, die über

Bremsbacken einen Druck auf das Bremsgehäuse (und damit auf das Rad) ausüben; **hydraulische Presse:** Wasserdruckpresse, Vorrichtung zur Erzeugung hohen Druckes, bei der die Erscheinung der allseitigen Ausbreitung des Drucks in einer Flüssigkeit genutzt wird; **hydraulischer Abbau:** Gold- und Silbergewinnung durch Wasserschwemmung; **hydraulischer Mörtel:** besondere Art von Mörtel, die auch unter Wasser erhärtet; **hydraulisches Gestänge:** Gestänge, bei dem die Druckübertragung durch eine Flüssigkeitssäule erfolgt; **hydraulisches Getriebe:** Getriebe, in dem Flüssigkeiten zur Übertragung von Kräften u. Bewegungen dienen: **hydraulische Zuschläge** ↑Hydraulite. **Hyd|rau|lit** [auch: ...'lɪt] der; -[e]s, -e: Zusatzstoff zur Erhöhung der Bindefähigkeit von Baustoffen **Hyd|ra|zi|de*** ⟨gr.; gr.-fr.⟩ die (Plural): Salze des Hydrazins. **Hyd|ra|zin** das; -s: chem. Verbindung von Stickstoff mit Wasserstoff, die bei der Entwicklung von Raketentreibstoffen, bei der Herstellung von Medikamenten, Klebstoff o. Ä. verwendet wird. **Hyd|ra|zin|gelb** das; -s: gelber Teerfarbstoff. **Hyd|ra|zo|ne** die (Plural): chemische Verbindungen von Hydrazin mit ↑Aldehyden od. ↑Ketonen. **Hy|dra|zo|ver|bin|dung** die; -, -en: ↑Hydrazin **Hyd|ria*** ⟨gr.-lat.⟩ die; -, ...ien [...jən]: bauchiger altgriech. Wasserkrug mit drei Henkeln. **Hyd|ri|at|rie** ⟨gr.-nlat.⟩ die; -: ↑Hydrotherapie. **Hyd|rid** das; -[e]s, -e: chemische Verbindung des Wasserstoffs mit einem od. mehreren anderen chemischen Elementen metallischen od. nichtmetallischen Charakters. **hyd|rie|ren:** Wasserstoff in ungesättigte Verbindungen anlagern (Chem.). **Hyd|ro|bi|en|schicht*** ⟨gr.; dt.⟩ die; -, -en (meist Plural): im Tertiär entstandener versteinerungsreicher, bituminöser Mergelschiefer im Oberrheingebiet. **Hyd|ro|bi|o|lo|ge** der; -n, -n: Wissenschaftler, der sich mit den im Wasser lebenden Organismen befasst. **Hyd|ro|bi|o|lo|gie** ⟨gr.-nlat.⟩ die; -: Teilgebiet der Biologie, das sich mit den im Wasser lebenden Organismen befasst.

das; -s: stark reduzierende organische Verbindung, die als fotografischer Entwickler verwendet wird. **Hyd|ro|cho|rie** [...ko...] ⟨gr.-nlat.⟩ die; -: Verbreitung von Pflanzenfrüchten u. -samen durch das Wasser (Bot.). **Hyd|ro|cop|ter** der; -s, -: Fahrzeug, das mit einem Propeller angetrieben wird u. sowohl im Wasser als auch auf dem Eis eingesetzt werden kann. **Hyd|ro|cor|ti|son** vgl. Hydrokortison. **Hyd|ro|dy|na|mik** der; -: Wissenschaft von den Bewegungsgesetzen der Flüssigkeiten (Strömungslehre; Phys.). **hyd|ro|dy|na|misch:** sich nach den Gesetzen der ↑Hydrodynamik verhaltend **hyd|ro|elekt|risch*** ⟨gr.-lat.⟩: elektrische Energie mit Wasserkraft erzeugend. **Hyd|ro|elekt|ro|sta|ti|on** die; -, -en: Station, in der elektrische Energie durch Wasserkraft erzeugt wird **hyd|ro|ener|ge|tisch*** ⟨gr.⟩: vom Wasser angetrieben. **hyd|ro|gam:** (von Pflanzen) wasserblütig, die Pollen durch Wasser übertragend (Bot.). **Hyd|ro|ga|mie** die; -: Wasserblütigkeit; Bestäubung von Blüten unter Wasser bzw. Übertragung des Pollens durch Wasser (Bot.). **Hyd|ro|gel** ⟨gr.; lat.⟩ das; -s, -e: aus wässriger ↑kolloidaler Lösung ausgeschiedener Stoff. **Hyd|ro|gen** u. **Hyd|ro|ge|ni|um** ⟨gr.-nlat.⟩ das; -s: chem. Element; Wasserstoff (Zeichen: H). **Hyd|ro|gen|bom|be** die; -, -n: Wasserstoffbombe. **Hyd|ro|gen|karbo|nat** das; -s, -e: doppeltkohlensaures Salz mit Säurewasserstoffrest. **Hyd|ro|gen|salz** das; -s, -e: Salz mit Säurewasserstoff im Molekül. **Hyd|ro|ge|o|lo|ge** der; -n, -n: Wissenschaftler, der auf dem Gebiet der Hydrogeologie arbeitet. **Hyd|ro|ge|o|lo|gie** die; -: Teilgebiet der angewandten Geologie, das sich mit dem Wasserhaushalt des Bodens u. der Wasserversorgung befasst (Geol.). **hyd|ro|ge|o|lo|gisch:** die Hydrogeologie betreffend; **hydrogeologische Karte:** Gewässerkarte, die die Grundwasserverhältnisse eines bestimmten Gebietes darstellt **Hyd|ro|graph*,** auch: Hydrograf ⟨gr.⟩ der; -en, -en: Wissenschaftler, der auf dem Gebiet der Hydrographie arbeitet. **Hyd|ro|gra|phie,** auch: Hydrografie die; -: Teilgebiet der Hydrologie, das sich mit den Gewässern im natürlichen Wasserkreislauf zwischen dem Niederschlag auf das Festland u. dem Rückfluss ins Meer befasst (Gewässerkunde). **hyd|ro|gra|phisch,** auch: hydrografisch: die Hydrographie betreffend **Hyd|ro|ho|nen*** ⟨gr.; engl.⟩ das; -s: Verfahren zur Oberflächenveredelung von Metallen. **Hyd|ro|kar|bon|gas** das; -es, -e: Schwelgas. **Hyd|ro|kar|pie** die; -: das Ausreifen von Früchten im Wasser (Bot.). **Hyd|ro|ki|ne|ter** der; -s, -: Dampfstrahlapparat, der Kesselwasser durch Einführen von Dampf aus einem anderen Kessel erwärmt. **Hyd|ro|kor|ti|son** u. Hydrocortison das; -s: ein Hormon der Nebennierenrinde (Med.). **Hyd|ro|kul|tur** die; -, -en: Kultivierung von Nutz- u. Zierpflanzen in Behältern mit Nährlösung statt auf natürlichem Boden. **Hyd|ro|la|se** die; -, -n (meist Plural): ↑Enzym, das Verbindungen durch Anlagerung von Wasser spaltet **Hyd|ro|lo|ge*** ⟨gr.⟩ der; -n, -n: Wissenschaftler auf dem Gebiet der Hydrologie. **Hyd|ro|lo|gie** die; -: Wissenschaft vom Wasser, seinen Arten, Eigenschaften u. seinen Erscheinungsformen. **hyd|ro|lo|gisch:** die Hydrologie betreffend. **Hyd|ro|lo|gi|um** das; -s, ...ien: Wasseruhr (bis ins 17. Jh. in Gebrauch). **Hyd|ro|ly|se** die; -, -n: Spaltung chemischer Verbindungen durch Wasser. **hyd|ro|ly|tisch:** die Hydrolyse betreffend, auf sie bezogen **Hyd|ro|man|tie** ⟨gr.-lat.⟩ die; -: Zukunftsdeutung aus Erscheinungen in u. auf glänzendem Wasser (bes. im Vorderen Orient). **Hyd|ro|me|cha|nik** die; -: aus ↑Hydrodynamik u. ↑Hydrostatik bestehende Mechanik der Flüssigkeiten. **hyd|ro|me|cha|nisch:** die Hydromechanik betreffend. **Hyd|ro|me|du|se** ⟨gr.-nlat.⟩ die; -, -n: Qualle aus der Gruppe der ↑Hydrozoen. **Hyd|ro|me|tall|ur|gie*** die; -: [Technik der] Metallgewinnung aus wässrigen Metallsalzlösungen. **Hyd|ro|me|te|o|re** die (Plural): durch Verdichtung von Wasserdampf in der ↑Atmosphäre entstehende Niederschläge (z. B. Regen, Schnee, Tau). **Hyd|ro|me|te|o|ro|lo|gie** die; -: Wissenschaft vom Verhalten des Wasserdampfs in der ↑Atmosphäre (Meteor.). **Hyd|ro|me|ter** das; -s, -: Gerät zur Messung der Ge-

schwindigkeit fließenden Wassers, des Wasserstandes od. des spezifischen Gewichts von Wasser. **Hyd|ro|met|rie** die; -: Wassermessung. **hyd|ro|met|risch:** die Flüssigkeitsmessung betreffend. **Hyd|ro|mik|ro|bi|o|lo|gie*** ⟨gr.⟩ die; -: Teilgebiet der Hydrobiologie, das sich mit der Bedeutung von Bakterien, Pilzen u. Hefen für den Stoffhaushalt der Gewässer befasst. **Hyd|ro|mo|ni|tor** ⟨gr.; lat.⟩ der; -s, ...oren: Gerät für Erdarbeiten mit Wasserstrahl. **Hyd|ro|mor|phie** die; -: besondere Ausbildung von Organen, die unter Wasser vorkommen (z. B. Stängel u. Blätter bei Wasserpflanzen). **Hyd|ro|my|e|lie** ⟨gr.-lat.⟩ die; -: angeborene Erweiterung des mit Flüssigkeit gefüllten Zentralkanals im Rückenmark (Med.). **hyd|ro|na|li|sie|ren*** ⟨Kunstw.⟩: mit ↑Hydronalium überziehen. **Hyd|ro|na|li|um** das; -s: eine wasserbeständige Aluminium-Magnesium-Legierung. **Hyd|ro|naut** der; -en, -en: ↑Aquanaut. **Hyd|ro|neph|ro|se** ⟨gr.-nlat.⟩ die; -, -n: durch Harnstauung verursachte Erweiterung des Nierenbeckens (Sackniere, Stauungsniere; Med.). **Hyd|ron|farb|stoff** ⟨gr.; dt.⟩ der; -[e]s, -e: Schwefelfarbstoff (z. B. Hydronblau). **Hyd|ro|ny|mie** die; -: Gewässernamen; vorhandener Bestand an Namen von Gewässern, bes. von Flüssen. **Hyd|ro|path** ⟨gr.-nlat.⟩ der; -en, -en: Hydroheilkundiger. **Hyd|ro|pa|thie** die; -: ↑Hydrotherapie. **hyd|ro|pa|thisch:** auf die Wasserheilkunde bezogen, sie betreffend. **Hyd|ro|pe|ri|kard** das; -[e]s. -e u. **Hyd|ro|pe|ri|kar|di|um** das; -s, ...ien: Ansammlung größerer Flüssigkeitsmengen im Herzbeutelraum (Med.). **Hyd|ro|phan** der; -s, -e: als Schmuckstein beliebter, milchiger, durch Wasserverlust getrübter Opal, der durch Wasseraufnahme vorübergehend durchscheinend wird **hyd|ro|phil*:** 1. (von Pflanzen u. Tieren) im od. am Wasser lebend (Bot.; Zool.); Ggs. ↑hydrophob (1). 2. Wasser, Feuchtigkeit anziehend (Chem.); Ggs. ↑hydrophob (2). **Hyd|ro|phi|lie** die; -: (von best. Stoffen) Eigenschaft, Wasser anzuziehen; Bestreben, Wasser aufzunehmen (Chem.). **hyd|ro|phob** ⟨gr.-lat.⟩: 1. (von Pflanzen u. Tie-

ren) trockene Lebensräume bevorzugend (Bot.; Zool.); Ggs. ↑hydrophil (1). 2. Wasser, Feuchtigkeit abstoßend; nicht in Wasser löslich (Chem.); Ggs. ↑hydrophil (2). **Hyd|ro|pho|bie** die; -, ...ien: 1. krankhafte Wasserscheu bei Menschen u. Tieren, bes. als Begleitsymptom bei Tollwut (Med.). 2. Bestreben bestimmter Pflanzen zu Wasser, Wasser zu meiden (Biol.). **hyd|ro|pho|bie|ren** ⟨gr.-lat.-nlat.⟩: Textilien Wasser abweisend machen. **Hyd|ro|phor** ⟨gr.-nlat.⟩ der; -s, -e: Druckkessel in Wasserversorgungsanlagen u. Feuerspritzen. **Hyd|ro|pho|re** die (Plural): Wasserträger[innen] (häufiges Motiv der griech. Kunst). **Hyd|roph|thal|mus** ⟨gr.-nlat.: „Wasserauge"⟩ der; -, ...mi: Vergrößerung des Augapfels infolge übermäßiger Ansammlung von Flüssigkeit im Auge (Med.). **Hyd|ro|phyt** der; -en, -en: Wasserpflanze (Bot.). **hyd|ro|pi|gen:** (von Krankheiten) Wassersucht erzeugend (Med.). **hyd|ro|pisch** ⟨gr.-lat.⟩: wassersüchtig, an Wassersucht leidend (Med.). **Hyd|ro|plan** ⟨gr.-nlat.⟩ der; -s, -e: 1. Wasserflugzeug. 2. Gleitboot. **hyd|ro|pneu|ma|tisch:** gleichzeitig durch Luft u. Wasser angetrieben. **Hyd|ro|po|nik** die; -: ↑Hydrokultur. **hyd|ro|po|nisch:** die Hydroponik betreffend, auf ihr beruhend, zu ihr gehörend, mit ihrer Hilfe. **Hyd|rops** ⟨gr.-lat.⟩ der; - u. **Hyd|rop|sie** ⟨gr.-nlat.⟩ die; -: (durch verschiedene Krankheiten verursachte) Ansammlung seröser Flüssigkeit im Gewebe, in Gelenken od. in Körperhöhlen: Wassersucht (Med.). **Hyd|ro|pul|sa|tor** ⟨gr.; lat.⟩ der; -s, ...oren u. **Hyd|ro|pul|sor** ⟨gr.; lat.⟩ der; -s, ...oren: Pumpe, bei der ein Treibflüssigkeitsstrom die Pumpleistung erbringt. **Hyd|ror|rha|chie** die; -, ...ien: ↑Hydromyelie. **Hyd|ror|rhö** ⟨gr.-nlat.⟩ die; -, -en u. **Hyd|ror|rhöe** [...'rø:] die; -, -n [...'røːən]: wässeriger Ausfluss (Med.). **Hyd|ro|salz** das; -es, -e: ↑Hydrogensalz. **Hyd|ro|sol** ⟨gr.; lat.⟩ das; -s, -e: kolloidale Lösung mit Wasser als Lösungsmittel (Chem.). **Hyd|ro|sphä|re** ⟨gr.-nlat.⟩ die; -: aus den Meeren, den Binnengewässern, dem Grundwasser, dem in Eis gebundenen u. in der Atmosphäre vorhandenen Wasser bestehende Wasserhülle der Erde **Hyd|ro|sta|tik*** ⟨gr.-nlat.⟩ die; -:

Wissenschaft von den Gleichgewichtszuständen bei ruhenden Flüssigkeiten (Phys.). **hyd|ro|sta|ltisch:** sich nach den Gesetzen der Hydrostatik verhaltend; **hydrostatischer Druck:** in jeder Richtung gleich hoher Druck einer ruhenden Flüssigkeit gegen die von ihr berührten Flächen (z. B. gegen eine Gefäßwand); **hydrostatisches Paradoxon:** Phänomen, dass der Druck, den eine Flüssigkeit auf den Boden eines Gefäßes ausübt, weder von der Form des Gefäßes noch von der Menge der Flüssigkeit, sondern von der Höhe der über dem Boden des Gefäßes stehenden Flüssigkeit abhängt; **hydrostatische Waage:** Waage, bei der durch den Auftrieb einer Flüssigkeit sowohl das Gewicht der Flüssigkeit als auch das des Eintauchkörpers bestimmt werden kann (Phys.). **Hyd|ro|tech|nik** die; -: Technik des Wasserbaues. **hyd|ro|tech|nisch:** die Hydrotechnik betreffend, auf ihr beruhend; mit den Mitteln der Hydrotechnik. **hyd|ro|the|ra|peu|tisch:** zur Hydrotherapie gehörend (Med.). **Hyd|ro|the|ra|pie** die; -, -n: (Med.) 1. (ohne Plural) als Teilbereich der Medizin Lehre von der Heilbehandlung durch Anwendung von Wasser. 2. Heilbehandlung durch Anwendung von Wasser in Form von Bädern, Waschungen, Güssen, Dämpfen o. Ä. **hyd|ro|ther|mal:** (von Erzen u. anderen Mineralien) aus verdünnten Lösungen ausgeschieden. **Hyd|ro|tho|rax** der; -[es]: bei Herzinsuffizienz u. Brustfellentzündung auftretende Ansammlung seröser, wässriger Flüssigkeit in der Brusthöhle (Med.)

Hyd|ro|xid*, auch: Hydroxyd ⟨gr.⟩ das; -[e]s, -e: anorganische Verbindung mit einer od. mehreren funktionellen Hydroxylgruppen (OH⁻). **Hyd|ro|xid|ion,** auch: Hydroxydion das; -s, -en: in Hydroxiden enthaltenes einwertiges ↑Anion. **hyd|ro|xi|disch,** auch: hydroxydisch: (von chem. Verbindungen) Hydroxide enthaltend. **Hyd|ro|xy|la|min*** das; -s: stark hygroskopische u. explosible chemische Verbindung, deren stark giftige Salze als fotografische Entwicklungssubstanzen u. als Reduktionsmittel verwendet werden. **Hyd|ro|xyl|grup|pe** ⟨gr.; dt.⟩ die; -, -n: OH-Gruppe (Wasserstoff-Sauer-

stoff-Gruppe) in chem. Verbindungen. **Hyd|ro|ze|lle** ⟨gr.-lat.⟩ die; -, -n: (Med.) Ansammlung von Flüssigkeit in einer Zyste am Hoden od. am Samenstrang; Wasserbruch. **Hyd|ro|ze|pha|le** ⟨gr.-nlat.⟩ der; -n, -n u. **Hyd|ro|ze|pha|lus** der; -, ...alen od. ...li: abnorm vergrößerter Schädel infolge übermäßiger Flüssigkeitsansammlung; Wasserkopf (Med.). **Hyd|ro|zo|on** das; -s, ...zoen (meist Plural): zu den Nesseltieren gehörendes, im Wasser lebendes Tier, das meist in Kolonien entweder am Grund festsetzt od. im Wasser umherschwimmt. **Hyd|ro|zyk|lon** der; -s, -e: (Techn.). a) Vorrichtung zur Abwasserreinigung; b) Vorrichtung zur Aufbereitung von Erz. **Hyd|ru|rie** die; -: Ausscheidung stark verdünnten Urins durch die Nieren (Med.)

Hye|to|graph, auch: Hyetograf ⟨gr.-nlat.⟩ der; -en, -en: (veraltet) Gerät zur fortlaufenden Registrierung von Niederschlagsmengen (Meteor.). **Hye|to|gra|phie,** auch: Hyetografie die; -: Messung der Menge u. Verteilung der Niederschlägen (Meteor.). **hye|to|gra|phisch,** auch: hyetografisch: die Niederschlagsverhältnisse auf der Erde betreffend (Meteor.). **Hye|to|me|ter** das; -s, -: (veraltet) Niederschlags-, Regenmesser (Meteor.). **Hy|gi|e|ne** ⟨gr.-nlat.⟩ die; -: 1. Bereich der Medizin, der sich mit der Erhaltung u. Förderung der Gesundheit u. ihren natürlichen u. sozialen Vorbedingungen befasst; Gesundheitslehre. 2. Gesamtheit der Maßnahmen in den verschiedenen Bereichen zur Erhaltung u. Hebung des Gesundheitsstandes u. zur Verhütung u. Bekämpfung von Krankheiten; Gesundheitspflege. 3. Sauberkeit, Reinlichkeit; Maßnahmen zur Sauberhaltung. **Hy|gi|e|ni|ker** der; -s, -: 1. Mediziner auf dem Gebiet der Hygiene (1). 2. Fachmann für einen Bereich der Hygiene (2). **hy|gi|e|nisch:** 1. die Hygiene (1, 2) betreffend, ihr entsprechend, auf ihr beruhend, zu ihr gehörend. 2. hinsichtlich der Sauberkeit, Reinlichkeit einwandfrei; den Vorschriften über Sauberkeit entsprechend; sehr sauber

Hyg|ro|cha|sie* [...ça...] ⟨gr.-nlat.⟩ die; -: das Sichöffnen von Fruchtständen bei Befeuchtung durch Regen od. Tau, das die

Verbreitung der Sporen oder Samen ermöglicht (Bot.). **Hyg|ro|gramm** das; -s, -e: Aufzeichnung eines Hygrometers (Meteor.). **Hyg|ro|graph,** auch: Hygrograf der; -en, -en: vgl. Hygrometer. **Hyg|rom** das; -s, -e: Wasser- od. Schleimgeschwulst in Schleimbeuteln u. Sehnenscheiden (Med.)

Hyg|ro|me|ter* das; -s, -: Luftfeuchtigkeitsmesser (Meteor.). **Hyg|ro|met|rie** die; -: Luftfeuchtigkeitsmessung (Meteor.). **hyg|ro|met|risch:** a) die Hygrometrie betreffend, zu ihr gehörend; b) mithilfe eines Hygrometers. **Hyg|ro|mor|phie** die; -: besondere Ausgestaltung von Pflanzenteilen zur Förderung der ↑Transpiration (2). **Hyg|ro|mor|pho|se** die; -: Anpassung von Teilen feucht wachsender Pflanzen an die feuchte Umgebung (Bot.). **Hyg|ro|nas|tie** die; -: Krümmungsbewegungen von Pflanzen aufgrund von Veränderungen der Luftfeuchtigkeit (Bot.). **hyg|ro|phil:** (von best. Pflanzen) Feuchtigkeit, feuchte Standorte bevorzugend (Bot.). **Hyg|ro|phil|lie** die; -: Vorliebe best. Pflanzen für feuchte Standorte (Bot.). **Hyg|ro|phyt** der; -en, -en: an Standorten mit gleich bleibend hoher Boden- u. Luftfeuchtigkeit wachsende Pflanze (Bot.). **Hyg|ro|skop** das; -s, -e: Gerät zur annäherungsweisen Bestimmung des Luftfeuchtigkeitsgehaltes (Meteor.). **hyg|ro|sko|pisch:** 1. (von Stoffen) Wasser an sich ziehend, bindend (Chem.). 2. (von toten Pflanzenteilen) sich aufgrund von Quellung od. Entquellung bewegend (Bot.). **Hyg|ro|sko|pi|zi|tät** die; -: Fähigkeit mancher Stoffe, Luftfeuchtigkeit aufzunehmen an sich zu binden (Chem.). **Hyg|ros|tat** der; -[e]s u. -en, -e[n]: Gerät zur Aufrechterhaltung der Luftfeuchtigkeit. **Hyg|ro|ta|xis** die; -: Fähigkeit mancher Tiere (z. B. Schildkröten, Asseln), [über weite Entfernungen] Wasser bzw. das ihnen zuträgliche feuchte Milieu zu finden (Biol.). **Hy|lä|a** ⟨gr.-nlat.⟩ die; -: tropisches Regenwaldgebiet am Amazonas. **Hy|le** ⟨gr.-lat.; „Gehölz, Wald; Stoff"⟩ die; -: Stoff, Materie; (nach Aristoteles) der erstarre Urstoff. **Hy|le|mor|phis|mus** u. Hylomorphismus ⟨gr.-nlat.⟩ der; -: (von der Scholastik nach Aristoteles entwickelte) philosophi-

sche Lehre, nach der alle körperlichen Substanzen aus Stoff u. Form bestehen, eine Einheit von Form u. Materie darstellen. **hylisch:** materiell, stofflich, körperlich (Philos.). **Hy|lo|morphis|mus:** ↑ Hylemorphismus. **hy|lo|trop*:** bei gleicher chemischer Zusammensetzung in andere Formen überführbar. **Hy|lo|tro|pie*** *die;* -: Überführbarkeit eines Stoffes in einen anderen ohne Änderung der chemischen Zusammensetzung. **Hy|lo|zo|is|mus** *der,* -: Lehre der ionischen Naturphilosophen von einem belebten Urstoff, der ↑ Hyle, als der Substanz aller Dinge. **hy|lo|zo|is|tisch:** den Hylozoismus betreffend, auf ihm beruhend
¹Hy|men *(gr.-lat.;* „Häutchen") *das* (auch: *der*); -s, -: dünnes Häutchen am Scheideneingang bei der Frau, das im Allgemeinen beim ersten Geschlechtsverkehr (unter leichter Blutung) zerreißt; Jungfernhäutchen (Med.). **²Hymen** *(gr.-lat.) der;* -s, - u. Hymenaeus, Hymenäus *der;* -, ...aei: altgriechisches, der Braut von einem [Mädchen]chor gesungenes Hochzeitslied. **³Hy|men** u. Hymenaios, Hymenäus: griechischer Hochzeitsgott. **Hy|menai|los** *(gr.):* ↑³Hymen. **hy|menal** *(gr.-lat.-nlat.):* zum ¹Hymen gehörend, es betreffend (Med.). **Hy|me|nä|us** *(gr.-lat.):* ↑², ³Hymen.
Hy|me|ni|um *(gr.-nlat.) das;* -s, ...ien: Fruchtschicht der Schlauch- u. Ständerpilze (Bot.). **Hy|me|no|my|zet** *der;* -en, -en (meist Plural): Pilz aus der Ordnung der Ständerpilze (Bot.). **Hy|me|nop|ter*** *der;* -en, -en (meist Plural): Insekt der Ordnung Hautflügler
Hym|ner *(gr.-lat.-mlat.) das;* -s, -e u. -ien u. **Hym|na|ri|um** *das;* -s, ...ien: liturgisches Buch mit den kirchlichen Hymnen. **Hym|ne** *(gr.-lat.) die;* -, -n u. Hymnus *der;* -, ...nen: 1. feierlicher Festgesang; Lobgesang [für Gott], Weihelied. 2. kirchliches od. geistliches Gesangs- u. Instrumentalwerk von betont feierlichem Ausdruck. 3. (der Ode sehr ähnliches) feierliches Gedicht. 4. kurz für Nationalhymne. **Hym|nik** *(gr.-nlat.) die;* -: Kunstform der Hymne. **Hym|ni|ker** *der;* -s, -: Hymnendichter. **hym|nisch:** in der Form od. Art der Hymne abgefasst. **Hym|no|de** *(gr.) der;* -n, -n: altgriech. Verfasser und Sän-

ger von Hymnen. **Hym|no|die** *die;* -: Hymnendichtung. **Hym|no|graph,** auch: Hymnograf *der;* -en, -en: altgriech. Hymnenschreiber. **Hym|no|lo|ge** *(gr.-nlat.) der;* -n, -n: Wissenschaftler auf dem Gebiet der Hymnologie. **Hym|no|lo|gie** *die;* -: Wissenschaft von den [christlichen] Hymnen; Hymnenkunde. **hym|no|lo|gisch:** die Hymnologie betreffend. **Hym|nus** *der;* -, ...nen: ↑ Hymne
Hy|os|zy|a|min *(gr.-nlat.) das;* -s: als Arzneimittel verwendetes ↑ Alkaloid einiger Nachtschattengewächse
hy|pa|bys|sisch* *(gr.):* (von magmatischen Schmelzen) in geringer Tiefe zwischen schon festen Gesteinen erstarrt (Geol.)
Hy|pa|ci|di|tät* u. Hypazidität *die;* -: ↑ Subacidität
Hy|pa|ku|sis* *(gr.-nlat.) die;* -: [nervös bedingte] Schwerhörigkeit (Med.)
Hy|pal|bu|mi|no|se* *(gr.; lat.)* *die;* -: verminderter Eiweißgehalt des Blutes (Med.)
Hy|pal|ga|tor* *(gr.-nlat.) der;* -s, ...oren: Narkosegerät. **Hy|pal|ge|sie** *die;* -: verminderte Schmerzempfindlichkeit (Med.). **hy|pal|ge|tisch:** vermindert schmerzempfindlich (Med.)
Hy|pal|la|ge* [auch: hy'palage] *(gr.;* „Vertauschung") *die;* -: 1. Vertauschung eines attributiven Genitivs mit einem attributiven Adjektiv u. umgekehrt (z. B. „jagdliche Ausdrücke" statt „Ausdrücke der Jagd"; Sprachw.)
Hy|päs|the|sie* *(gr.-nlat.) die;* -, ...ien: herabgesetzte Empfindlichkeit (Med.) **hy|päs|tho|tisch:** unterempfindlich für Berührungsreize
hy|päth|ral* *(gr.):* unter freiem Himmel, nicht überdacht. **Hy|päth|ral|tem|pel** *(gr.; lat.) der;* -s, -: großer antiker Tempel mit nicht überdachtem Innenraum
Hy|pa|zi|di|tät* vgl. Hypacidität
Hype [haip] *(engl.) der;* -s, -s: 1. [aggressive] Werbung. 2. Trick, Betrug
Hy|per|aci|di|tät u. Hyperazidität *die;* -: ↑ Superacidität
Hy|per|aku|sie *(gr.-nlat.) die;* -: krankhaft verfeinertes Gehör infolge gesteigerter Erregbarkeit des Hörnervs (Med.)
Hy|per|al|ge|sie *(gr.-nlat.) die;* -: gesteigertes Schmerzempfinden

(Med.). **hy|per|al|ge|tisch:** schmerzüberempfindlich (Med.) **Hy|per|ämie** *(gr.-nlat.) die;* -: vermehrte Blutfülle in einem begrenzten Körperbezirk; Wallung (Med.). **hy|per|ämisch:** vermehrt durchblutet (Med.). **hy|per|ämi|sie|ren:** erhöhte Durchblutung bewirken (Med.) **Hy|per|äs|the|sie** *(gr.-nlat.) die;* -, ...ien: Überempfindlichkeit, gesteigerte Erregbarkeit, bes. gesteigerte Empfindlichkeit der Haut gegen Berührungen (Med.). **hy|per|äs|the|tisch:** überempfindlich (Med.)
Hy|per|azi|di|tät vgl. Hyperacidität
hy|per|bar *(gr.):* ein größeres spezifisches Gewicht habend als eine andere Flüssigkeit (von Flüssigkeiten); **hyperbare Sauerstofftherapie:** Überdruckbeatmung eines Patienten mit reinem Sauerstoff (Med.). **Hy|per|ba|sis** *(gr.) die;* -, ...basen u. **Hy|per|ba|ton** *(gr.-lat.) das;* -s, ...ta: jede Abweichung von der üblichen Wortstellung (z. B.: Wenn er ins Getümmel mich von Löwenkriegern reißt... [Goethe]; Sprachw.) **Hy|per|bel** *(gr.-lat.;* „Darüber-hinaus-Werfen") *die;* -, -n: 1. mathematischer Kegelschnitt, geometrischer Ort aller Punkte, die von zwei festen Punkten (Brennpunkten) gleich bleibende Differenz der Entfernungen haben. 2. Übertreibung des Ausdrucks (z. B. himmelhoch; Rhet.; Stilk.). **Hy|per|bel|funk|ti|on** *die;* -, -en: eine aus Summe od. Differenz zweier Exponentialfunktionen entwickelte Größe (Math.). **Hy|per|bo|li|ker** *der;* -s, -: jmd., der zu Übertreibungen im Ausdruck neigt. **hy|per|bo|lisch:** 1. hyperbelartig, hyperbelförmig, als Hyperbel darstellbar; **hyperbolische Geometrie:** ↑ nichteuklidische Geometrie. 2. im Ausdruck übertreibend. **Hy|per|bo|lo|id** *(gr.-nlat.) das;* -[e]s, -e: Körper, der durch Drehung einer Hyperbel (1) um ihre Achse entsteht (Math.)
Hy|per|bo|re|er *(gr.-lat.) die* (Plural): (nach der griech. Sage) ein Volk in Thrakien, bei dem sich der griech. Gott Apoll im Winter aufhielt. **hy|per|bo|re|isch:** (veraltet) im hohen Norden gelegen, wohnend
Hy|per|bu|lie *(gr.-nlat.) die;* -: krankhafter Betätigungsdrang (bei verschiedenen psychischen Erkrankungen); Ggs. ↑ Hypobulie

Hy|per|cha|rak|te|ri|sie|rung *die;*
-, -en: Charakterisierung durch
mehr als nur ein Element,
z. B. die dreifache Pluralkennzeichnung in *die Männer* (Artikel, Umlaut, -er-Endung;
Sprachw.)

Hy|per|chlor|hyd|rie* ⟨*gr.-nlat.*⟩
die; -: ↑Superacidität

Hy|per|cho|lie [...ç...] ⟨*gr.-nlat.*⟩
die; -, ...ien: krankhaft gesteigerte Gallensaftbildung (Med.)

hy|per|chrom ⟨*gr.-nlat.*⟩: zu viel
Blutfarbstoff besitzend; überstark gefärbt (Med.); Ggs. ↑hypochrom. **Hy|per|chro|ma|to|se** *die;* -: vermehrte ↑Pigmentation der Haut (Med.). **Hy|per|chro|mie** *die;* -, ...ien: vermehrter Farbstoffgehalt der roten
Blutkörperchen (Med.); Ggs.
↑Hypochromie

Hy|per|dak|ty|lie ⟨*gr.-nlat.*⟩ *die;* -,
...ien: angeborene Missbildung
der Hand oder des Fußes mit
mehr als je fünf Fingern od. Zehen (Med.)

Hy|per|du|lie ⟨*gr.*⟩ *die;* -: Verehrung Marias als Gottesmutter
(im Unterschied zur Anbetung,
die nur Gott zukommt; kath.
Kirche)

Hy|per|eme|sis ⟨*gr.-nlat.*⟩ *die;* -:
übermäßig starkes Erbrechen
(Med.)

Hy|per|er|gie ⟨*gr.-nlat.; Kurzw.*
aus *Hyper...* u. ↑Al*lergie*⟩ *die;* -,
...ien: allergische Überempfindlichkeit des Körpers gegen Bakteriengifte (Med.)

Hy|per|ero|sie ⟨*gr.-nlat.*⟩ *die;* -,
...ien: Liebeswahn; krankhafte
Steigerung des Geschlechtstriebes (Med.); vgl. Erotomanie

Hy|per|frag|ment *das;* -[e]s, -e:
Atomkern, das dem eines der
normalerweise in ihm enthaltenen ↑Neutronen durch ein ↑Hyperon ersetzt ist (Kernphys.)

Hy|per|funk|ti|on *die;* -, -en:
Überfunktion, gesteigerte Tätigkeit eines Organs (Med.); Ggs.
↑Hypofunktion

Hy|per|ga|lak|tie ⟨*gr.-nlat.*⟩ *die;* -,
...ien: übermäßige Milchabsonderung bei stillenden Frauen
(Med.); Ggs. ↑Hypogalaktie

Hy|per|ga|mie *die;* -: Heirat einer
Frau aus einer niederen Schicht
od. Kaste mit einem Mann aus
einer höheren (Soziol.); Ggs.
↑Hypogamie

Hy|per|ge|ni|ta|lis|mus ⟨*gr.; lat.-*
nlat.⟩ *der;* -: übermäßige u. frühzeitige Entwicklung der Geschlechtsorgane (Med.)

Hy|per|geu|sie ⟨*gr.-nlat.*⟩ *die;* -:

...ien: abnorm verfeinerter Geschmackssinn (Med.); Ggs.
↑Hypogeusie

Hy|per|glo|bu|lie *die;* -, ...ien:
↑Polyglobulie

Hy|per|gly|kä|mie ⟨*gr.-nlat.*⟩ *die;*
-: vermehrter Blutzuckergehalt
(Med.); Ggs. ↑Hypoglykämie

hy|per|gol u. **hy|per|go|lisch** ⟨*gr.;*
lat.-nlat.⟩: spontan u. unter
Flammenbildung miteinander
reagierend (von zwei chem. Substanzen); **hypergoler, hypergolischer Treibstoff:** [Raketen]treibstoff, der spontan zündet, indem
er mit einem Sauerstoffträger in
Berührung kommt

Hy|per|he|do|nie ⟨*gr.-nlat.*⟩ *die;* -:
krankhaft übersteigertes Lustgefühl (Psychol.; Med.)

Hy|per|hid|ro|sis* u. **Hy|per|id-**
ro|se u. **Hy|per|id|ro|sis** ⟨*gr.-*
nlat.⟩ *die;* -: übermäßige
Schweißabsonderung (Med.)

Hy|per|in|su|li|nis|mus ⟨*gr.; lat.-*
nlat.⟩ *der;* -: vermehrte Insulinbildung (vgl. Insulin) u. dadurch
bewirkte Senkung des Blutzuckers (Med.); Ggs. ↑Hypoinsulinismus

Hy|per|in|vo|lu|ti|on ⟨*gr.; lat.-*
nlat.⟩ *die;* -, -en: starke Rückbildung eines Organs (Med.)

Hy|per|kal|zä|mie* ⟨*gr.; lat.; gr.*⟩
die; -, ...ien: Erhöhung des Kalziumgehaltes des Blutes (Med.)

Hy|per|kap|nie ⟨*gr.-nlat.*⟩ *die;* -,
...ien: übermäßiger Kohlensäuregehalt des Blutes (Med.); Ggs.
↑Hypokapnie

hy|per|ka|ta|lek|tisch ⟨*gr.-lat.*⟩:
Hyperkatalexe aufweisend (von
Versen). **Hy|per|ka|ta|le|xe** ⟨*gr.*⟩
die; -, -n: Verlängerung des
Verses um eine od. mehrere Silben

Hy|per|ke|ra|to|se ⟨*gr.-nlat.*⟩ *die;*
-, -n: übermäßig starke Verhornung der Haut (Med.)

Hy|per|ki|ne|se ⟨*gr.-nlat.*⟩ *die;* -,
-n: motorischer Reizzustand des
Körpers mit Muskelzuckungen
u. unwillkürlichen Bewegungen
(Med.); Ggs. ↑Hypokinese. **hy-**
per|ki|ne|tisch: die Hyperkinese betreffend; mit Muskelzuckungen u. unwillkürlichen Bewegungen einhergehend

hy|per|kor|rekt ⟨*gr.; lat.*⟩: a) übersteigerte korrekt; b) **hyperkorrekte Bildung:** irrtümlich nach dem
Muster anderer hochsprachlich
korrekter Formen gebildeter
Ausdruck, der in Mundartsprecher gebraucht, wenn er Hochsprache sprechen muss
(Sprachw.)

Hy|per|kri|nie ⟨*gr.-nlat.*⟩ *die;* -,
...ien: übermäßige Drüsenabsonderung (z. B. von Speichel;
Med.)

hy|per|kri|tisch ⟨*gr.*⟩: überstreng,
tadelsüchtig

Hy|per|kul|tur ⟨*gr.; lat.*⟩ *die;* -:
übertriebene Verfeinerung;
überfeinerte Kultur, Kultiviertheit

Hy|per|link [ˈhaipəlɪŋk] ⟨*gr.; engl.*⟩
der; -s, -s: a) durch das Anklicken einer Stelle auf dem Bildschirm ausgelöstes Aufrufen
weiterer Informationen; b) Stelle
auf dem Bildschirm, an der
durch Anklicken mit der Maus
der Hyperlink (a) ausgelöst wird

Hy|per|li|pi|dä|mie* ⟨*gr.-nlat.*⟩
die; -, -n: erhöhter Gehalt des
Blutes an Fetten, an Cholesterin
(Med.)

Hy|per|mas|tie* ⟨*gr.*⟩ *die;* -, ...ien:
abnorm starke Entwicklung der
weiblichen Brust; vgl. Polymastie

Hy|per|me|dia [ˈhaipə...] ⟨zusammengezogen aus *Hyper*text u.
Multi*media*⟩ *das;* -[s] (meist ohne
Artikel): Multimedia unter dem
Gesichtspunkt der durch Hyperlinks hergestellten netzartigen
Verknüpfung von Text-, Bild-,
Ton-, Grafik- u. Videoelementen

Hy|per|me|nor|rhö ⟨*gr.-nlat.*⟩ *die;*
-, -en u. **Hy|per|me|nor|rhöe**
[...ˈø:] *die;* -, -n [...ˈø:ən]: verstärkte Regelblutung (Med.):
Ggs. ↑Hypomenorrhö

Hy|per|me|tal|bo|lie ⟨*gr.-nlat.*⟩
die; -, ...ien: eine Form der ↑Holometabolie, wobei dem Puppenstadium ein Scheinpuppenstadium vorausgeht (Biol.)

Hy|per|me|ter ⟨*gr.*⟩ *der;* -s, -?:
Vers, dessen letzte, auf einen Vokal ausgehende überzählige Silbe
mit der mit einem Vokal beginnenden Anfangssilbe des nächsten Verses durch ↑Elision des
Vokals verbunden wird (antike
Metrik). **Hy|per|met|rie*** ⟨*gr.-*
nlat.⟩ *die;* -: Bewegungsübermaß
das Hinausschießen der Bewegung über das angestrebte Zie'
hinaus (Med.). **hy|per|met**
risch* ⟨*gr.*⟩: in Hypermetern
verfasst, den Hypermeter betref
fend. **Hy|per|met|ron*** *das;* -s
...tra: ↑Hypermeter. **Hy|per**
met|ro|pie* ⟨*gr.-nlat.*⟩ *die;* -:
Über-, Weitsichtigkeit (Med.)
Ggs. ↑Myopie. **hy|per|met|ro**
pisch*: weitsichtig (Med.); Ggs
↑myop

Hy|per|mne|sie ⟨*gr.-nlat.*⟩ *die;* -
abnorm gesteigerte Gedächtnis

leistung (z. B. in Hypnose; Med.); Ggs. ↑Amnesie

hy|per|mo|dern ⟨gr.; lat.-fr.⟩: übermodern, übertrieben neuzeitlich

hy|per|morph ⟨gr.⟩: (das Merkmal) verstärkt ausprägend (von einem ↑mutierten 1 Gen; Biol.); Ggs. ↑hypomorph

Hy|per|mo|ti|li|tät ⟨gr.; lat.-nlat.⟩ die; -: ↑Hyperkinese

Hy|per|neph|ri|tis* ⟨gr.-nlat.⟩ die; -, ...iti̱den: Entzündung der Nebennieren (Med.). **Hy|per|neph|rom** das; -s, -e: Nierentumor, dessen Gewebestruktur der des Nebennierengewebes ähnlich ist (Med.)

Hy|per|o|don|ti̱e ⟨gr.-nlat.⟩ die; -: das Vorhandensein von überzähligen Zähnen (Med.); vgl. Hypodontie

Hy|pe|ron ⟨gr.-nlat.⟩ das; -s, ...onen: Elementarteilchen, dessen Masse größer ist als die eines ↑Nukleons (Kernphys.)

Hy|per|ony|chie [...'çi:] ⟨gr.-nlat.⟩ die; -, ...ien: abnorm starke Nagelbildung an Händen u. Füßen (Med.)

Hy|pe|ro|nym* ⟨gr.-nlat.⟩ das; -s, -e: übergeordneter Begriff; Wort, Lexem, das in einer übergeordneten Beziehung zu einem bzw. mehreren anderen Wörtern, Lexemen steht, aber inhaltlich allgemeiner, weniger merkmalhaltig ist, z. B. zu sich nehmen zu essen, Medikament zu Pille, Tablette, Dragee, Kapsel; Superonym (Sprachw.); Ggs. ↑Hyponym. **Hy|pe|ro|ny|mi̱e** die; -, ...ien: in Übergeordnetheit sich ausdrückende semantische Relation, wie sie zwischen Hyperonym u. Hyponym besteht (Sprachw.); Ggs. ↑Hyponymi̱e

Hy|pe|ro|on ⟨gr.⟩ das; -s, ...roa: das obere Stockwerk des altgriechischen Hauses

Hy|per|o|pi̱e die; -, ...ien: ↑Hypermetropie

Hy|per|o|re|xi̱e ⟨gr.-nlat.⟩ die; -, ...ien: Heißhunger (Med.)

Hy|per|os|mi̱e ⟨gr.-nlat.⟩ die; -: abnorm gesteigertes Geruchsvermögen (Med.)

Hy|per|os|to|se ⟨gr.-nlat.⟩ die; -, -n: Wucherung des Knochengewebes (Med.)

Hy|per|phy|sik ⟨gr.-nlat.⟩ die; -: Erklärung von Naturerscheinungen vom Übersinnlichen her. **hy|per|phy|sisch**: übernatürlich

Hy|per|pla|si̱e* ⟨gr.-nlat.⟩ die; -, ...ien: Vergrößerung von Geweben u. Organen durch abnorme Vermehrung der Zellen (Med.; Biol.); Ggs. ↑Hypoplasie; vgl. Hypertrophie. **hy|per|plas|tisch**: Hyperplasie aufweisend

hy|per|py|re|tisch ⟨gr.-nlat.⟩: abnorm hohes Fieber habend (Med.). **Hy|per|py|re|xi̱e** die; -: übermäßig hohes Fieber (Med.)

Hy|per|sek|re|ti|on* ⟨gr.; lat.⟩ die; -, -en: vermehrte Absonderung von Drüsensekret (Med.)

hy|per|sen|si|bel ⟨gr.; lat.⟩: überaus sensibel (1, 2), empfindsam. **hy|per|sen|si|bi|li|si̱e|ren**: 1. die Empfindlichkeit, Sensibilität stark erhöhen. 2. die Empfindlichkeit von fotografischem Material durch bestimmte Maßnahmen vor der Belichtung erhöhen (Fotogr.)

Hy|per|so|mi̱e ⟨gr.-nlat.⟩ die; -: Riesenwuchs (Med.); Ggs. ↑Hyposomie; vgl. Gigantismus (1)

Hy|per|som|ni̱e ⟨gr.-nlat.⟩ die; -: krankhaft gesteigertes Schlafbedürfnis (Med.)

hy|per|so|nisch ⟨gr.; lat.⟩: Überschallgeschwindigkeit betreffend

Hy|per|sper|mi̱e ⟨gr.-nlat.⟩ die; -, ...ien: vermehrte Samenbildung (Med.)

Hy|per|ste|a|to|sis ⟨gr.-nlat.⟩ die; -, ...osen: (Med.) 1. übermäßige Talgdrüsenausscheidung. 2. abnorme Fettsucht

Hy|per|sthen ⟨gr.-nlat.⟩ der; -s, -e: ein Mineral

Hy|per|te|lie ⟨gr.-nlat.⟩ die; -: Überentwicklung eines Körperteils (Biol.)

Hy|per|ten|si|on ⟨gr.⟩ die; -, -en: ↑Hypertonie

Hy|per|text ['haipə...] ⟨gr.; ⟨lat.⟩engl.⟩ der; -[e]s, -e: über Hyperlinks verbundenes Netz von Texten od. Teilen von Texten

Hy|per|the|lie ⟨gr.-nlat.⟩ die; -, ...ien: Ausbildung überzähliger Brustwarzen bei Frauen u. Männern (Med.); vgl. Polymastie

Hy|per|ther|mi̱e ⟨gr.-nlat.⟩ die; -: (Med.) 1. Wärmestauung im Körper, ungenügende Abfuhr der Körperwärme bei hoher Außentemperatur. 2. sehr hohes Fieber. 3. künstliche Überwärmung des Körpers zur Steigerung der Durchblutung; vgl. Hypothermie

Hy|per|thy|mi̱e ⟨gr.-nlat.⟩ die; -: ungewöhnlich gehobene seelische Stimmung, erhöhte Betriebsamkeit (Psychol.)

Hy|per|thy|re|o|i|dis|mus ⟨gr.-nlat.⟩ der; - u. **Hy|per|thy|re|o|se** die; -: Überfunktion der Schilddrüse (Med.); Ggs. ↑Hypothyreoidismus, -thyreose

Hy|per|to|ni̱e ⟨gr.-nlat.⟩ die; -, ...ien (Med.) 1. gesteigerte Muskelspannung; Ggs. ↑Hypotonie (1). 2. erhöhter Blutdruck; Ggs. ↑Hypotonie (2). 3. erhöhte Spannung im Augapfel; Ggs. ↑Hypotonie (3). **Hy|per|to|ni|ker** der; -s, -: jmd., der an zu hohem Blutdruck leidet (Med.); Ggs. ↑Hypotoniker. **hy|per|to|nisch**: 1. Hypertonie zeigend; Ggs. ↑hypotonisch (1). 2. höheren ↑osmotischen Druck als das Blutplasma besitzend (Med.); Ggs. ↑hypotonisch (2)

Hy|per|tri|cho|se ⟨gr.-nlat.⟩ die; -, -n u. **Hy|per|tri|cho|sis** die; -, ...oses: krankhaft vermehrte Körperbehaarung (Med.); Ggs. ↑Hypotrichose; vgl. Hirsutismus

hy|per|troph* ⟨gr.-nlat.⟩: 1. durch Zellenwachstum vergrößert (von Geweben u. Organen; Med.). 2. überspannt, überzogen; vgl. ...isch/-. **Hy|per|tro|phi̱e** die; -, ...ien: übermäßige Vergrößerung von Geweben u. Organen infolge Vergrößerung der Zellen (Med.; Biol.); Ggs. ↑Hypotrophie; vgl. Hyperplasie. **hy|per|tro|phiert** vgl. hypertroph. **hy|per|tro|phisch** vgl. hypertroph; vgl. ...isch/-

Hy|per|ur|ba|nis|mus ⟨gr.; lat.-nlat.⟩ der; -, ...men: hyperkorrekte Bildung (↑hyperkorrekt b; Sprachw.)

Hy|per|uri|kä|mi̱e* ⟨gr.-nlat.⟩ die; -: Harnsäurevermehrung im Blut (Med.)

Hy|per|ven|ti|la|ti|on ⟨gr.; lat.⟩ die; -: übermäßige Steigerung der Atmung, zu starke Beatmung der Lunge (Med.)

Hy|per|vi|ta|mi|no|se* ⟨gr.; lat.; gr.⟩ die; -: Schädigung des Körpers durch zu reichliche Vitaminzufuhr (Med.); Ggs. ↑Hypovitaminose

Hy|per|zyk|lus* [auch: ...'tsy...] ⟨gr.; gr.-lat.⟩ der; -, ...len: zyklische Verknüpfung sich selbst reproduzierender Einzelzyklen (Biol.)

Hy|phä|ma* ⟨gr.-nlat.⟩ das; -s, -ta: Bluterguss in der vorderen Augenkammer (Med.)

Hy|phä|re|se* ⟨gr.⟩ die; -, -n: Ausstoßung eines kurzen Vokals vor einem anderen Vokal (Sprachw.); vgl. Aphärese

Hy|phe ⟨gr.⟩ die; -, -n: Pilzfaden; fadenförmige, oft zellig gegliederte Grundstruktur der Pilze (Bot.)

Hy|phen* ⟨gr.-lat.; „in eins (zusammen)"⟩ das; -[s], -: 1. in der antiken Grammatik die Zusammenziehung zweier Wörter zu einem ↑ Kompositum. 2. der bei einem Kompositum verwendete Bindestrich

Hy|phid|ro|se* ⟨gr.-nlat.⟩ die; -, -n: verminderte Schweißabsonderung (Med.)

hyp|na|gog, hyp|na|go|gisch ⟨gr.-nlat.⟩: a) zum Schlaf führend, einschläfernd; b) den Schlaf betreffend; vgl. ...isch/-.

Hyp|na|go|gum das; -s, ...ga: Schlafmittel (Med.). **Hyp|nal|gie** ⟨gr.-nlat.⟩ die; -, ...ien: Schmerz, der nur im Schlaf auftritt (Med.). **Hyp|no|ana|ly|se** ⟨gr.-nlat.⟩ die; -: Psychoanalyse mit vorausgehender Hypnose. **hyp|no|id**: dem Schlaf bzw. der Hypnose ähnlich (von Bewusstseinszuständen). **Hyp|no|lep|sie** die; -, -n: Narkolepsie (Med.). **Hyp|no|nar|ko|se** die; -, -n: durch Hypnose geförderte od. eingeleitete Narkose (Med.). **Hyp|no|pä|die** die; -: Erziehung od. Unterricht im Schlaf od. schlafähnlichem Zustand. **hyp|no|pä|disch**: die Hypnopädie betreffend, auf ihr beruhend. **Hyp|no|se** die; -, -n: schlafähnlicher, eingeschränkter Bewusstseinszustand, der vom Hypnotiseur durch Suggestion herbeigeführt werden kann u. in dem die Willens- u. teilweise auch die körperlichen Funktionen leicht zu beeinflussen sind (Med.; Psychol.). **Hyp|no|sie** die; -, ...ien: (Med.) 1. Schlafkrankheit. 2. krankhafte Schläfrigkeit. **Hyp|no|the|ra|peut** der; -en, -en: jmd., der Hypnotherapie anwendet. **Hyp|no|the|ra|pie** die; -, ...ien: ↑ Psychotherapie, bei der die Hypnose zu Hilfe genommen wird. **Hyp|no|tik** die; -: Wissenschaft von der Hypnose. **Hyp|no|ti|kum** ⟨gr.-lat.⟩ das; -s, ...ka: ↑ Hypnagogum. **hyp|no|tisch**: 1. a) zur Hypnose gehörend; b) zur Hypnose führend; einschläfernd. 2. den Willen lähmend. **Hyp|no|ti|seur** ⟨...'zøːɐ̯⟩ ⟨gr.-lat.-fr.⟩ der; -s, -e: jmd., der andere hypnotisieren kann. **hyp|no|ti|sie|ren**: in Hypnose versetzen. **Hyp|no|tis|mus** ⟨gr.-nlat.⟩ der; -: 1. Wissenschaft von der Hypnose. 2. Beeinflussung

Hy|po|a|ci|di|tät [...ts...] u. **Hy|po|a|zi|di|tät** die; -: ↑ Subacidität

Hy|po|bro|mit* das; -s, -e: Salz der unterbromigen Säure (Chem.)

Hy|po|bu|lie ⟨gr.-nlat.⟩ die; -: herabgesetzte Willenskraft, Willensschwäche (bei verschiedenen psychischen Krankheiten); Ggs. ↑ Hyperbulie

Hy|po|chlo|rä|mie* [...klor...] ⟨gr.-nlat.⟩ die; -, ...ien: Chlorbzw. Kochsalzmangel im Blut (Med.). **Hy|po|chlor|hyd|rie*** die; -, ...ien: verminderte Salzsäureabsonderung des Magens (Med.). **Hy|po|chlo|rit** das; -s, -e: Salz der unterchlorigen Säure (Chem.)

Hy|po|chon|der [...x...] ⟨gr.-nlat.⟩ der; -s, -: Mensch, der aus ständiger Angst, krank zu sein od. zu werden, sich fortwährend selbst beobachtet u. schon geringfügige Beschwerden als Krankheitssymptome deutet; eingebildeter Kranker. **Hy|po|chond|rie*** die; -, ...ien: Gefühl einer körperlichen od. seelischen Krankheit ohne pathologische Grundlage. **hy|po|chond|risch*** ⟨gr.⟩: an Hypochondrie leidend; schwermütig, trübsinnig

hy|po|chrom [...kr...] ⟨gr.-nlat.⟩: zu wenig Blutfarbstoff besitzend; zu schwach gefärbt (Med.); Ggs. ↑ hyperchrom. **Hy|po|chro|mie** die; -, ...ien: Mangel an Blutfarbstoff (Med.); Ggs. ↑ Hyperchromie

Hy|po|chy|lie [...ç...] ⟨gr.-nlat.⟩ die; -, ...ien: verminderte Magensaftabsonderung (Med.)

Hy|po|dak|ty|lie ⟨gr.-nlat.⟩ die; -, ...ien: angeborenes Fehlen von Fingern od. Zehen (Med.)

Hy|po|derm ⟨gr.-nlat.⟩ das; -s, -e: 1. unter der Oberhaut gelegene Zellschicht bei Sprossen u. Wurzeln von Pflanzen (Biol.). 2. Lederhaut der Wirbeltiere. 3. äußere einschichtige Haut der Gliederfüßer, die den Chitinpanzer ausscheidet (Biol.). **hy|po|der|ma|tisch**: unter der Haut gelegen

Hy|po|doch|mi|us ⟨gr.-nlat.⟩ der; -, ...ien [...iən]: antiker Versfuß, umgedrehter ↑ Dochmius (‒.‒.‒)

Hy|po|don|tie* ⟨gr.-nlat.⟩ die; -, ...ien: angeborenes Fehlen von Zähnen (Med.); vgl. Hyperodontie

Hy|po|drom* ⟨gr.-nlat.⟩ das; -s, -e: überdachter Platz zum Spazierengehen

Hy|po|funk|ti|on ⟨gr.; lat.⟩ die; -en: Unterfunktion, verminderte Tätigkeit, Arbeitsleistung eines Organs (Med.); Ggs. ↑ Hyperfunktion

hy|po|gä|isch ⟨gr.-lat.⟩: unterirdisch (von Keimblättern, die während der Keimung des Samens unter der Erde bleiben u. als Reservestoffbehälter dienen)

Hy|po|ga|lak|tie ⟨gr.-nlat.⟩ die; -, ...ien: zu geringe Absonderung der Milchdrüsen in der Stillzeit, vorzeitig aufhörende Sekretion der Brustdrüsen (Med.); Ggs. ↑ Hypergalaktie

Hy|po|ga|mie ⟨gr.-nlat.⟩ die; -: Heirat einer Frau aus einer höheren Schicht od. Kaste mit einem Mann aus einer niederen (Soziol.); Ggs. ↑ Hypergamie

Hy|po|gast|ri|um* ⟨gr.-nlat.⟩ das; -s, ...ien: Unterleibsregion, Unterbauch (Med.)

Hy|po|gä|um ⟨gr.-lat.⟩ das; -s, ...gäen: unterirdisches Gewölbe, unterirdischer Kultraum (z. B. in der pers.-röm. Mithrasreligion); vgl. Mithräum

Hy|po|ge|ni|tal|is|mus ⟨gr.; lat.-nlat.⟩ der; -: Unterentwicklung u. -funktion der Geschlechtsdrüsen u. -organe (Med.)

Hy|po|geu|sie ⟨gr.-nlat.⟩ die; -: das Herabgesetztsein der Geschmacksempfindung, Geschmacksstörung (Med.); Ggs. ↑ Hypergeusie

Hy|po|gly|kä|mie* ⟨gr.-nlat.⟩ die; -, ...ien: abnorm geringer Zuckergehalt des Blutes (Med.); Ggs. ↑ Hyperglykämie

Hy|po|gna|thie* ⟨gr.-nlat.⟩ die; -, ...ien: Unterentwicklung des Unterkiefers (Med.)

Hy|po|go|na|dis|mus ⟨gr.-nlat.⟩ der; -: Unterentwicklung, verminderte Funktion der männlichen Geschlechtsdrüsen (Med.)

hy|po|gyn ⟨gr.-nlat.⟩: unter dem Fruchtknoten stehend (von Blüten; Bot.); Ggs. ↑ epigyn. **hy|po|gy|nisch** vgl. hypogyn

Hy|po|id|ge|trie|be ⟨gr.; dt.⟩ das; -s, -: Kegelradgetriebe, dessen Wellen sich in geringem Abstand kreuzen (Techn.)

Hy|po|in|su|li|nis|mus ⟨gr.; lat.-nlat.⟩ der; -: verminderte Insulinbildung u. dadurch bedingte Steigerung des Blutzuckergehalts (Med.); Ggs. ↑ Hyperinsulinismus

Hy|po|ka|li|ä|mie ⟨gr.; arab.; gr.⟩ die; -, -n: verminderter Kaliumgehalt des Blutes (Med.)

Hy|po|kal|zä|mie* ⟨gr.-nlat.⟩ die; -: herabgesetzter Kalziumgehalt des Blutes (Med.)

Hy|po|kap|nie ⟨gr.-nlat.⟩ die; -, ...ien: verminderter Kohlensäuregehalt des Blutes (Med.); Ggs. ↑ Hyperkapnie

hy|po|kaus|tisch ⟨gr.-lat.⟩: durch Bodenheizung erwärmt. **Hy|po|kaus|tum** das; -s, ...sten: antike Bodenheizanlage

Hy|po|kei|me|non ⟨gr.⟩ das; -: 1. in der altgriech. Philosophie das Zugrundeliegende, die Substanz. 2. altgriech. Bez. für das ↑ Subjekt (Satzgegenstand)

Hy|po|ki|ne|se ⟨gr.-nlat.⟩ die; -, -n: verminderte Bewegungsfähigkeit bei bestimmten Krankheiten (Med.); Ggs. ↑ Hyperkinese. **hy|po|ki|ne|tisch**: die Hypokinese betreffend

Hy|po|ko|ris|mus ⟨gr.-nlat.⟩ der; -, ...men: Veränderung eines Namens in eine Kurz- od. Koseform. **Hy|po|ko|ris|ti|kum** das; -s, ...ka: Kosename, vertraute Kurzform eines Namens (z. B. *Fritz* statt *Friedrich*)

Hy|po|ko|tyl ⟨gr.-nlat.⟩ das; -s, -e: Keimstängel der Samenpflanzen, Übergang von der Wurzel zum Spross (Bot.)

Hy|po|kre|nal* ⟨gr.-nlat.⟩ das; -s: 1. unmittelbar unterhalb der Quelle liegender Abschnitt eines fließenden Gewässers (Geogr.). 2. der Lebensraum Quellrinnsal (Biol.)

Hy|po|kri|sie* ⟨gr.-lat.⟩ die; -, ...jen: Heuchelei, Verstellung

hy|po|kris|tal|lin* ⟨gr.; gr.-lat.-mlat.⟩: halbkristallin (von Gesteinen)

Hy|po|krit * ⟨gr.-lat.⟩ der; -en, -en: Heuchler. **hy|po|kri|tisch**: scheinheilig, heuchlerisch

hy|po|lep|tisch ⟨gr.⟩: etwas dünn, fein, zart

Hy|po|lim|ni|on ⟨gr.-nlat.⟩ das; -s, ...ien: Tiefenschicht eines Sees (Geogr.)

Hy|po|li|thal ⟨gr.-nlat.⟩ das; -s: Lebensraum unter Steinen (z. B. für bestimmte Schnecken, Käfer, Asseln; Biol.; Zool.)

hy|po|lo|gisch ⟨gr.⟩: unterhalb des Logischen liegend; **hypologisches Denken:** das vorsprachliche Denken des noch nicht sprachfähigen Kleinkindes u. der höheren Tiere

Hy|po|ma|nie ⟨gr.-nlat.⟩ der; -, ...jen: leichte Form der ↑ Manie in Form von gehobener, heiterer Stimmungslage, Lebhaftigkeit, unter Umständen im Wechsel mit leicht ↑ depressiven Stimmungen (Med.). **Hy|po|ma|ni|ker** der; -s, -: an Hypomanie Leidender (Med.). **hy|po|ma|nisch**: an Hypomanie leidend (Med.). **Hy|po|me|nor|rhö** ⟨gr.-nlat.⟩ die; -, -en u. **Hy|po|me|nor|rhöe** [...'rø:] die; -, -n [...'rø:ən]: zu schwache Regelblutung (Med.); Ggs. ↑ Hypermenorrhö

Hy|po|mne|ma* ⟨gr.-lat.⟩ das; -s, ...mnemata: (veraltet) Nachtrag, Zusatz; Bericht, Kommentar. **Hy|po|mne|sie** ⟨gr.-nlat.⟩ die; -, ...ien: mangelhaftes Erinnerungsvermögen, Gedächtnis (Med.)

Hy|po|mo|bi|li|tät vgl. Hypokinese

Hy|po|mo|chli|on* ⟨gr.⟩ das; -s: 1. Unterstützungs- bzw. Drehpunkt eines Hebels. 2. Drehpunkt eines Gelenks (Med.)

hy|po|morph ⟨gr.⟩: (das Merkmal) schwächer ausprägend (von einem ↑ mutierten 1 Gen; Biol.); Ggs. ↑ hypermorph

Hy|po|mo|ti|li|tät ⟨gr.; lat.-nlat.⟩ die; -: ↑ Hypokinese

Hy|po|nas|tie ⟨gr.-nlat.⟩ die; -: Krümmungsbewegung durch verstärktes Wachstum der Blattunterseite gegenüber der Blattoberseite bei Pflanzen (Biol.)

Hy|po|nit|rit* das; -s, -e: Salz der untersalpetrigen Säure (Chem.)

Hy|po|nym* ⟨gr.-lat.⟩ das; -s, -e: Wort, Lexem, das in einer untergeordneten Beziehung zu einem anderen Wort, Lexem steht, aber inhaltlich differenzierter, merkmalhaltiger ist, z. B. *essen* zu *zu sich nehmen, Tablette* zu *Medikament* (Sprachw.); Ggs. ↑ Hyperonym. **Hy|po|ny|mie** die; -, ...ien: Untergeordnetheit als Folge einer Veränderung der ausdrückende semantische Relation, wie sie zwischen Hyponym u. Hyperonym besteht (Sprachw.); Ggs. ↑ Hyperonymie

Hy|po|phos|phit das; -s, -e: Salz der unterphosphorigen Säure (Chem.)

hy|po|phre|nisch* ⟨gr.-nlat.⟩: unterhalb des Zwerchfells gelegen (Med.)

Hy|po|phy|se ⟨gr.⟩ die; -, -n: 1. Hirnanhang[sdrüse] (Med.). 2. Keimanschluss; Zelle, die im Pflanzensamen Embryo u. Embryoträger verbindet (Bot.)

Hy|po|pla|sie* ⟨gr.-nlat.⟩ die; -, ...ien: unvollkommene Anlage; Unterentwicklung von Geweben od. Organen (Med., Biol.). **hy|po|plas|tisch**: Hypoplasie zeigend

Hy|po|py|on ⟨gr.-nlat.⟩ das; -s: Eiteransammlung in der vorderen Augenkammer (Med.)

Hy|por|chem [...ç...] ⟨gr.⟩ das; -s, -en u. **Hy|por|che|ma** das; -s, ...chemata: altgriechisches Tanz- u. Chorlied

Hy|pos|mie* ⟨gr.-nlat.⟩ die; -, ...ien: vermindertes Geruchsvermögen (Med.); Ggs. ↑ Hyperosmie

hy|po|som ⟨gr.-nlat.⟩: von zu kleinem Wuchs (Med.). **Hy|po|so|mie** die; -: krankhaftes Zurückbleiben des Körperwachstums hinter dem Normalmaß (Kleinwuchs; Med.); Ggs. ↑ Hypersomie

Hy|po|spa|die* ⟨gr.-nlat.⟩ die; -, ...ien: untere Harnröhrenspalte (Missbildung; Med.)

Hy|po|spor|mie* ⟨gr.-nlat.⟩ die; -, -n: verminderter Gehalt der Samenflüssigkeit an funktionstüchtigen Spermien (Med.)

Hy|pos|phag|ma* ⟨gr.⟩ das; -s, ...mata: flächenhafter Blutaustritt unter die Augenbindehaut (Med.)

Hy|pos|ta|se* ⟨gr.-lat.⟩ die; -, -n: 1. Unterlage, Substanz; Verdinglichung, Vergegenständlichung eines bloß in Gedanken existierenden Begriffs. 2. a) Personifizierung göttlicher Eigenschaften od. religiöser Vorstellungen zu einem eigenständige göttlichen Wesen (z. B. die Erzengel in der Lehre Zarathustras); b) Wesensmerkmal einer personifizierten göttlichen Gestalt. 3. vermehrte Anfüllung tiefer liegender Körperteile mit Blut (z. B. bei Bettlägerigen in den hinteren unteren Lungenpartien; Med.). 4. Verselbstständigung eines Wortes als Folge einer Veränderung der syntaktischen Funktion (z. B. der Übergang eines Substantivs im Genitiv zum Adverb wie *des Mittags* zu *mittags*; Sprachw.). 5. die Unterdrückung der Wirkung eines Gens durch ein anderes, das nicht zum gleichen Erbanlagenpaar gehört; vgl. Epistase. **Hy|pos|ta|sie** vgl. Hypostase. **hy|pos|ta|sie|ren** ⟨gr.-nlat.⟩: a) verdinglichen, vergegenständlichen; b) personifizieren. **Hy|pos|ta|sie|rung** die; -, -en: ↑ Hypostase (1). **Hy|pos|ta|sis** die; -, ...asen: ↑ Hypostase (5). **hy|pos|ta|tisch**: a) vergegenständlichend, gegenständlich; b) durch Hypostase hervorgerufen; **hypostatische Union:** Vereinigung göttlicher u. menschlicher Natur in der Person Christi zu einer einzigen ↑ Hypostase (2 a)

Hy|pos|the|nie* ⟨gr.-nlat.⟩ die; -, ...ien: leichter Kräfteverfall

hy|pos|to|ma|tisch* ⟨gr.-nlat.⟩: nur auf der Unterseite Spaltöffnungen habend (von den Blättern vieler Laubbäume; Bot.)

Hy|pos|ty|lon* ⟨*gr.*⟩ *das;* -s, ...la u.

Hy|pos|ty|los *der;* -, ...loi: gedeckter Säulengang; Säulenhalle; Tempel mit Säulengang

hy|po|tak|tisch ⟨*gr.*⟩: der Hypotaxe (2) unterliegend, unterordnend (Sprachw.); Ggs. ↑parataktisch. **Hy|po|ta|xe** *die;* -, -n: 1. Zustand herabgesetzter Willensu. Handlungskontrolle, mittlerer Grad der Hypnose (Med.). 2. Unterordnung, ↑Subordination, z. B. *Mutters* Schwester, zwischen Sätzen, z. B. er sagte, *dass er krank sei* (Sprachw.); Ggs. ↑Parataxe. **Hy|po|ta|xis** *die;* -, ...taxen: ↑Hypotaxe (2)

Hy|po|ten|si|on ⟨*gr.; lat.*⟩ *die;* -, -en: ↑Hypotonie

Hy|po|te|nu|se ⟨*gr.-lat.*⟩ *die;* -, -n: im rechtwinkligen Dreieck die dem rechten Winkel gegenüberliegende Seite

Hy|po|tha|la|mus ⟨*gr.; gr.-lat.*⟩ *der;* -, ...mi: unter dem ↑Thalamus liegender Teil im Zwischenhirn

Hy|po|thek ⟨*gr.-lat.*⟩ „Unterlage; Unterpfand") *die;* -, -en: a) (zu den Grundpfandrechten gehörendes) Recht an einem Grundstück, einem Wohnungseigentum o. Ä. zur Sicherung einer Geldforderung, das (im Gegensatz zur Grundschuld) mit dieser Forderung rechtlich verknüpft ist; b) durch eine Hypothek (a) entstandene finanzielle Belastung eines Grundstücks, eines Wohnungseigentums o. Ä.; c) durch eine Hypothek (a) gesicherte Geldmittel, die jmdm. zur Verfügung gestellt werden. **Hy|po|the|kar** *der;* -s, -e: Pfandgläubiger, dessen Forderung durch eine Hypothek (a) gesichert ist. **hy|po|the|ka|risch**: eine Hypothek betreffend. **Hy|po|the|kar|kre|dit** *der;* -[e]s, -e: durch Hypothek (a) gesicherter Kredit. **Hy|po|the|ken|brief** *der;* -[e]s, -e: Urkunde, die die Rechte aus einer Hypothek (a) enthält

Hy|po|ther|mie ⟨*gr.-nlat.*⟩ *die;* -, ...ien (Med.) 1. (ohne Plural) abnorm niedrige Körpertemperatur. 2. künstliche Unterkühlung des Körpers zur Reduktion der Stoffwechsel- u. Lebensvorgänge im Organismus; vgl. Hibernation, Hyperthermie

Hy|po|the|se ⟨*gr.-lat.*⟩ *die;* -, -n: 1. a) zunächst unbewiesene Annahme von Gesetzlichkeiten od. Tatsachen mit dem Ziel, sie durch Beweise zu ↑verifizieren (1) od. zu ↑falsifizieren (1) (als

Hilfsmittel für wissenschaftliche Erkenntnisse); Vorentwurf für eine Theorie; b) Unterstellung, unbewiesene Voraussetzung. 2. Vordersatz eines hypothetischen Urteils (wenn A gilt, gilt auch B). **hy|po|the|tisch**: nur angenommen, auf einer unbewiesenen Vermutung beruhend, fraglich, zweifelhaft; **hypothetischer Imperativ:** nur unter gewissen Bedingungen notwendiges Sollen; vgl. kategorischer Imperativ; **hypothetisches Konstrukt:** gedankliche Hilfskonstruktion zur Beschreibung von Dingen od. Eigenschaften, die nicht konkret beobachtbar, sondern nur aus Beobachtbarem erschließbar sind

Hy|po|thy|re|o|i|dis|mus ⟨*gr.-nlat.*⟩ *der;* - u. **Hy|po|thy|re|o|se** *die;* -: herabgesetzte Tätigkeit der Schilddrüse (Med.); Ggs. ↑Hyperthyreoidismus, -thyreose

Hy|po|to|nie ⟨*gr.-nlat.*⟩ *die;* -, ...ien: (Med.) 1. herabgesetzte Muskelspannung; Ggs. ↑Hypertonie (1). 2. zu niedriger Blutdruck; Ggs. ↑Hypertonie (2). 3. Verminderung des Drucks im Auge; Ggs. ↑Hypertonie (3). **Hy|po|to|ni|ker** *der;* -s, -: jmd., der an zu niedrigem Blutdruck leidet (Med.); Ggs. ↑Hypertoniker. **hy|po|to|nisch**: 1. die Hypotonie betreffend; Ggs. ↑hypertonisch (1). 2. geringeren osmotischen Druck besitzend als das Blut (von Lösungen); Ggs. ↑hypertonisch (2)

Hy|po|tra|che|li|on* [...x...] ⟨*gr.*⟩ *das;* -s, ...ien: Säulenhals (unter dem ↑Kapitell befindlich)

Hy|po|tri|cho|se* ⟨*gr.-nlat.*⟩ *die;* -, -n u. **Hy|po|tri|cho|sis** *die;* -, ...oses: spärlicher Haarwuchs, mangelhafte Behaarung des Körpers (Med.); Ggs. ↑Hypertrichose

Hy|po|tro|phie* ⟨*gr.-nlat.*⟩ *die;* -, ...ien: 1. unterdurchschnittliche Größenentwicklung eines Gewebes oder Organs (Med.); Ggs. ↑Hypertrophie. 2. Unterernährung

Hy|po|vi|ta|mi|no|se* ⟨*gr.; gr.*⟩ *die;* -, -n: Vitaminmangelkrankheit (Med.); Ggs. ↑Hypervitaminose

Hy|po|xä|mie* ⟨*gr.-nlat.*⟩ *die;* -, ...ien: Sauerstoffmangel im Blut (Med.). **Hy|po|xie** *die;* -: Sauerstoffmangel in den Geweben (Med.)

Hy|po|zent|rum* ⟨*gr.*⟩ *das;* -s, ...tren: Erdbebenherd; Stelle in der Erdin-

nern, von der ein Erdbeben ausgeht (Geol.)

Hy|po|zyk|lo|i|de* ⟨*gr.-nlat.*⟩ *die;* -, -n: Kurve, die ein Peripheriepunkt eines Kreises beschreibt, wenn dieser Kreis auf der inneren Seite eines anderen, festen Kreises abrollt (Math.)

Hyp|si|pho|bie ⟨*gr.-nlat.*⟩ *die;* -, ...ien: Höhenangst, Höhenschwindel (Med.). **Hyp|si|ze|pha|lie** *die;* -, ...ien: Schädeldeformation (Turmschädel; Med.). **Hyp|so|me|ter** *das;* -s, -: Luftdruckmessgerät zur Höhenmessung. **Hyp|so|met|rie*** *die;* -: Höhenmessung. **hyp|so|met|risch**: die Hypsometrie betreffend. **Hyp|so|ther|mo|me|ter** *das;* -s, -: mit einem Hypsometer gekoppeltes Thermometer

Hys|te|ral|gie* ⟨*gr.-nlat.*⟩ *die;* -, ...ien: Gebärmutterschmerz (Med.). **Hys|te|rek|to|mie** *die;* -, ...ien: operative Entfernung der Gebärmutter (Med.)

Hys|te|re|se u. **Hys|te|re|sis** ⟨*gr.*⟩ *die;* -: das Zurückbleiben einer Wirkung hinter dem jeweiligen Stand der sie bedingenden veränderlichen Kraft; tritt als magnetische Hysterese (auch Trägheit od. Reibung genannt) auf

Hys|te|rie ⟨*gr.-nlat.*⟩ *die;* -, ...ien: 1. auf psychotischer Grundlage beruhende od. aus starken Gemütserregungen entstehende, abnorme seelische Verhaltensweise mit vielfachen Symptomen ohne genau umschriebenes Krankheitsbild (Med.). 2. hysterisches (2) Verhalten. **Hys|te|ri|ker** ⟨*gr.-lat.*⟩ *der;* -s, -: jmd., der Symptome der Hysterie in Charakter od. Verhalten zeigt (Med.). **hys|te|risch**: 1. auf Hysterie beruhend. 2. an Hysterie leidend, zu nervöser Aufgeregtheit neigend, übertrieben leicht erregbar; übertrieben nervös, erregt; überspannt. 3. (veraltet) an der Gebärmutter erkrankt (Med.). **hys|te|ri|si|e|ren**: hysterisch (2) machen. **Hys|te|rol|gen** ⟨*gr.-nlat.*⟩: (Med.) 1. auf hysterischen Ursachen beruhend. 2. eine Hysterie auslösend; **hysterogene Zonen:** Körperstellen, deren Berührung hysterische Zustände hervorrufen kann (Med.)

Hys|te|ro|gramm *das;* -s, -e: Röntgenbild der Gebärmutter (Med.). **Hys|te|ro|gra|phie,** auch: ...grafie *die;* -, ...ien: röntgenologische Untersuchung u. Darstellung der Gebärmutter. **hys|te|ro|lid:** hysterieähnlich.

Hys|te|ro|lo|gie ⟨gr.⟩ die; -, ...jen: Hysteron-Proteron (2)
Hys|te|ro|ma|nie ⟨gr.-nlat.⟩ die; -, ...jen: ↑Nymphomanie
Hys|te|ron-Pro|te|ron ⟨gr.; „das Spätere (ist) das Frühere"⟩ das; -s, Hystera-Protera: 1. Scheinbeweis aus einem selbst erst zu beweisenden Satz (Philos.). 2. Redefigur, bei der das begrifflich od. zeitlich Spätere zuerst steht (z. B. bei Vergil: Lasst uns sterben und uns in die Feinde stürzen!; Rhet.)
Hys|te|rop|to|se* ⟨gr.-nlat.⟩ die; -: Gebärmuttervorfall (Med.).
Hys|te|ro|skop das; -s, -e: ↑Endoskop zur Untersuchung der Gebärmutterhöhle. **Hys|te|ro-sko|pie** die; -: Untersuchung der Gebärmutterhöhle mit einem Hysteroskop (Med.). **Hys|te|ro-to|mie** die; -: operative Öffnung der Gebärmutter, Gebärmutter-schnitt (Med.)

I

Iam|be usw. vgl. Jambe usw.
I|at|rik* ⟨gr.⟩ die; -: Heilkunst, ärztliche Kunst (Med.). **i|at-risch:** zur Heilkunst gehörend (Med.). **I|at|ro|che|mie** ⟨gr.; arab.-roman.⟩ die; -: von Paracelsus begründete [chemische] Heilkunst (im 16. u. 17. Jh.). **i|at-ro|gen** ⟨gr.-nlat.⟩: durch ärztliche Einwirkung entstanden (Med.). **I|at|ro|lo|gie** die; -: ärztliche Lehre, Lehre von der ärztlichen Heilkunst (Med.). **i|at|ro-lo|gisch:** die Iatrologie betreffend
I|be|ris ⟨gr.-lat.⟩ die; -, -: Schleifenblume (Kreuzblütler; Zierpflanze mit zahlreichen Arten)
i|be|risch: die Pyrenäenhalbinsel betreffend. **I|be|ro|ame|ri|ka**, ohne Artikel; -s (in Verbindung mit Attributen: das; -[s]): das von der Iberischen Halbinsel aus kolonisierte u. durch Sprache u. Kultur mit ihr verbundene ↑Lateinamerika. **i|be|ro|ame|ri|ka-nisch:** 1. Iberoamerika betreffend. 2. zwischen Spanien, Portugal u. Lateinamerika bestehend

I|bi|at|ron* ⟨gr.⟩ das; -s, -e (auch: -s): Gerät zur Blutbestrahlung (Med.)
i|bi|dem [auch: 'i:bi..., 'ıbi...] ⟨lat.⟩: ebenda, ebendort (Hinweiswort in wissenschaftlichen Werken zur Ersparung der wiederholten vollständigen Anführung eines bereits zitierten Buches; Abk.: ıb., ibd., ibid.)
I|bis ⟨ägypt.-gr.-lat.⟩ der; Ibisses, Ibisse: Storchvogel der Tropen u. Subtropen mit sichelförmigem Schnabel (heiliger Vogel der ägyptischen Göttin Isis)
Ibn ⟨arab.⟩: Sohn (Teil arabischer Personennamen, z. B. Ibn Saud, Ibn Al Farid)
Ib|rik* ⟨pers.⟩ der od. das; -s, -s: [im Orient] Wasserkanne mit dünnem Hals u. ovalem Bauch
IC = Intercityzug
IC-Ana|ly|se [i'tse:...] ⟨Zusammensetzung aus der Abk. von engl. Immediate Constituents u. ↑Analyse⟩ die; -, -n: Konstituentenanalyse
ICE = Intercityexpresszug
Ich|neu|mon ⟨gr.-lat.; „Spürer"⟩ der od. das; -s, -e u. -s: große, langhaarige, grünlich graue Schleichkatze mit langem Schwanz u. sehr kurzen Beinen.
Ich|neu|mo|ni|den ⟨gr.-nlat.⟩ die (Plural): Schlupfwespen (Zool.).
Ich|no|gramm das; -s, -e: 1. Aufzeichnung der Gehspur. 2. Gipsabdruck des Fußes
I|chor [auch: 'ı...] ⟨gr.⟩ der; -s: 1. Blut der Götter (bei Homer). 2. blutig-seröse Absonderung ↑gangränöser Geschwüre (Med.). 3. beim Absinken von Gesteinen in große Tiefen durch teilweises Aufschmelzen dieser Gesteine entstandene granitische Lösung (Geol.)
Ich|thy|o|dont ⟨gr.-nlat.⟩ der; -en, -en: fossiler Fischzahn (früher als Amulett verwendet). **Ich|thy-ol** ⟨gr.; lat.⟩ das; -s: aus Ölschiefer mit fossilen Fischresten gewonnenes Mittel gegen Furunkel, rheumatische Beschwerden, Frostschäden u. a. **Ich|thy-o|lith** [auch: ...'lıt] ⟨gr.-nlat.⟩ der; -s u. -en, -e[n]: versteinerter Fisch[rest]. **Ich|thy|o|lo|ge** der; -n, -n: Wissenschaftler auf dem Gebiet der Ichthyologie. **Ich-thy|o|lo|gie** die; -: Wissenschaft von den Fischen; Fischkunde. **ich|thy|o|lo|gisch:** die Ichthyologie betreffend. **Ich|thy|o|pha-ge** ⟨gr.-lat.; „Fischesser"⟩ der; -n, -n (meist Plural): Angehöriger von Küstenvölkern, die sich nur

od. überwiegend von Fischen ernähren. **Ich|thy|oph|thalm** ⟨gr.-nlat.⟩ der; -s, -e: ein Mineral (Fischaugenstein). **Ich|thy|oph-thi|ri|us*** der; -, ...ien: Wimpertierchen, das eine gefährliche Fischkrankheit, bes. bei Aquarienfischen, verursacht (Zool.). **Ich|thy|op|te|ry|gi|um*** das; -s: Fischflossenskelett, aus dem sich das Fuß- u. Handskelett der übrigen Wirbeltiere ableitet (Biol.). **Ich|thy|o|sau|ri|er** [...i̯ɐ] der; -s, - u. **Ich|thy|o|sau|rus** der; -, ...rier [...i̯ɐ]: Fischechse (ausgestorbenes Meereskriechtier der Jura- u. Kreidezeit). **Ich-thy|o|se** u. **Ich|thy|o|sis** die; -, ...osen: Fischschuppenkrankheit (Verhornung der trockenen, schuppenden Haut; Med.). **Ich-thy|o|to|xin** das; -s, -e: im Blutserum des Aales enthaltenes Gift (nach Erwärmung über 60°C unschädlich)
I|cing ['aısıŋ] ⟨engl.-amerik.⟩ das; -s, -s: unerlaubter Weitschuss, Befreiungsschlag (beim Eishockey)
I|con [ɔıkən] ⟨gr.-lat.-engl.⟩ „Bild"⟩ das; -s, -s: grafisches Sinnbild für Anwendungsprogramme, Dateien u. a. auf dem Bildschirm (EDV)
Ic|te|rus vgl. Ikterus
Ic|tus vgl. Iktus
¹Id ⟨Kurzform von ↑Idioplasma⟩ das; -[s], -e: kleinster Bestandteil des ↑Idioplasmas (Biol.)
²Id ⟨arab.⟩ das; -[s], -: mit der Fastenzeit ↑Ramadan in zeitlichem Zusammenhang stehendes höchstes mohammedanisches Fest
³Id ⟨lat.⟩ das; -[s]: (in der Tiefenpsychologie) das Unbewusste; Es
I|da|ho ['aıdəred] ⟨Kurzw. aus Idaho (Bundesstaat in den USA) u. engl. red „rot"⟩ der; -s, -s: mittelgroßer bis großer, rötlicher Tafelapfel mit einem weißen bis gelblichen, saftigen, leicht säuerlichen Fruchtfleisch
i|de|al|gen ⟨gr.-lat.⟩ u. ideogen: durch Vorstellungen ausgelöst, aufgrund von Vorstellungsbildern (Psychol.). **i|de|al** ⟨gr.-lat.⟩: 1. den höchsten Vorstellungen entsprechend, vollkommen. 2. nur gedacht, nur in der Vorstellung so vorhanden, der Idee entsprechend. 3. (veraltet) ideell, geistig, vom Idealen bestimmt; vgl. ...isch/-. **I|de|al** das; -s, -e: 1. jmd., etw. als Verkörperung von etw. Vollkommenem; Idealbild. 2. als eine Art höchster Wert er-

kanntes Ziel; Idee, nach deren Verwirklichung man strebt. **i|de|a|lisch:** einem Ideal entsprechend od. angenähert; vgl. ...isch/-. **i|de|a|li|sie|ren** ⟨gr.-lat.-fr.⟩: jmdn., etw. vollkommener sehen, als die betreffende Person od. Sache ist; verklären, verschönern. **I|de|a|lis|mus** ⟨gr.-lat.-nlat.⟩ der; -: 1. philosophische Anschauung, die die Welt u. das Sein als Idee, Geist, Vernunft, Bewusstsein bestimmt u. die Materie als deren Erscheinungsform versteht; Ggs. ↑Materialismus (1). 2. [mit Selbstaufopferung verbundenes] Streben nach Verwirklichung von Idealen ethischer u. ästhetischer Natur; durch Ideale bestimmte Weltanschauung, Lebensführung. **I|de|a|list** der; -en, -en: 1. Vertreter des Idealismus (1); Ggs. ↑Materialist (1). 2. jmd., der selbstlos, dabei aber auch die Wirklichkeit etwas außer Acht lassend, nach der Verwirklichung bestimmter Ideale strebt; Ggs. ↑Realist (1). **i|de|a|lis|tisch:** 1. in der Art des Idealismus (1); Ggs. ↑materialistisch (1). 2. an Ideale glaubend u. nach deren Verwirklichung strebend, dabei aber die Wirklichkeit etwas außer Acht lassend; Ggs. ↑realistisch (1). **I|de|a|li|tät** die; -: 1. das Sein als Idee od. Vorstellung, ideale Seinsweise. 2. Seinsweise des Mathematischen, der Werte. **i|de|a|li|ter:** idealerweise. **I|de|al|kon|kur|renz** die; -: Tateinheit, Erfüllung mehrerer strafrechtlicher Tatbestände durch eine strafwürdige Handlung; vgl. Realkonkurrenz (Rechtsw.). **I|de|al|spea|ker** [ar'al'spi:kə] ⟨engl.⟩ der; -, -, auch: **I|de|al Spea|ker** der; - -, - -s: im Rahmen der ↑generativen Grammatik entwickeltes Modell eines idealen (2) Sprecher-Hörers, der eine Sprache perfekt beherrscht u. keine psychologisch bedingten Fehler macht (Sprachw.). **I|de|al|typ** der; -s, -en: Individuum, das ausschließlich alle die Merkmale aufweist, aufgrund deren es einer bestimmten Gruppe zugeordnet ist. **I|de|a|ti|on** die; -, -en: terminologische Bestimmung von Grundtermini der ↑Geometrie, der ↑Kinematik u. der ↑Dynamik (1). **I|dee** ⟨gr.-lat.(-fr.)⟩ die; -, Ideen: 1. (Philos.) a) (in der Philosophie Platos) den Erscheinungen zugrunde liegender reiner Begriff der Dinge; b) Vorstellung, Begriff von etwas auf einer hohen Stufe der Abstraktion. 2. Gedanke, der jmdn. in seinem Denken, Handeln bestimmt; Leitbild. 3. schöpferischer Gedanke; guter Einfall; Vorstellung. **I|dée fixe** [ide'fiks] ⟨fr.⟩ die; - -, -s -s [ide'fiks]: a) Zwangsvorstellung; b) der über einem ganzen musikalischen Werk stehende Grundgedanke (z. B. in der Symphonie fantastique von H. Berlioz). **i|de|ell** ⟨französierende Bildung zu ↑ideal⟩: auf einer Idee beruhend, von ihr bestimmt; gedanklich, geistig. **I|de|en|as|so|zi|a|ti|on** die; -, -en: unwillkürlich sich einstellende Vorstellungs- u. Gedankenverbindung. **I|de|en|dra|ma** das; -s, ...men: Drama, dessen Handlung von einer allgemein gültigen Idee (Weltanschauung) bestimmt wird (z. B. Goethes „Pandora"). **I|de|en|flucht** die; -: krankhafte Beschleunigung u. Zusammenhanglosigkeit des Gedankenablaufes (z. B. als Symptom des ↑manisch-depressiven Irreseins).

¹i|dem ⟨lat.⟩: derselbe (Hinweiswort in wissenschaftlichen Werken zur Ersparung der wiederholten vollen Angabe eines Autorennamens; Abk.: id.). **²idem:** dasselbe; Abk.: id.

I|den u. Idus ['i:du:s] ⟨lat.⟩ die (Plural): der 13. od. 15. Monatstag des altröm. Kalenders; **die Iden/Idus des März:** 15. März (Tag der Ermordung Cäsars im Jahre 44 v. Chr.)

i|dent: (österr.) identisch. **I|den|ti|fi|ka|ti|on** ⟨lat.-nlat.⟩ die; -, -en: 1. das Identifizieren. 2. emotionales Sichgleichsetzen mit einer anderen Person od. Gruppe u. Übernahme ihrer Motive u. Ideale in das eigene Ich (Psychol.); vgl. ...[at]ion/...ierung. **i|den|ti|fi|zie|ren:** 1. genau wiedererkennen; die Identität, Echtheit einer Person od. Sache feststellen. 2. a) mit einem anderen als dasselbe betrachten, gleichsetzen; b) sich -: jmds. Anliegen o. Ä. zu seiner eigenen Sache machen; aus innerer Überzeugung ganz mit jmdm., etw. übereinstimmen; c) sich -: sich mit einer anderen Person od. Gruppe emotional gleichsetzen u. ihre Motive u. Ideale in das eigene Ich übernehmen (Psychol.). **I|den|ti|fi|zie|rung** die; -, -en: das Identifizieren; vgl. ...[at]ion/

...ierung. **i|den|tisch:** ein u. dasselbe [bedeutend], völlig gleich; wesensgleich; gleichbedeutend; **identischer Reim:** Reim mit gleichem Reimwort; rührender Reim (z. B. freien/freien); **identische Zwillinge:** eineiige Zwillinge (Med.). **I|den|ti|tät** ⟨lat.⟩ die; -: a) vollkommene Gleichheit od. Übereinstimmung (in Bezug auf Dinge od. Personen); Wesensgleichheit; das Existieren von jmdm., etw. als ein Bestimmtes, Individuelles, Unverwechselbares; b) die als „Selbst" erlebte innere Einheit der Person (Psychol.). **I|den|ti|täts|aus|weis** der; -es, -e: (österr.) während der Besatzungszeit 1945–1955 gültiger Personalausweis. **I|den|ti|täts|kar|te** die; -, -n: (österr. veraltet, schweiz.) Personalausweis. **I|den|ti|täts|nach|weis** der; -es, -e: Nachweis, dass eine aus den Händen der Zollbehörde entlassene Ware, die aber noch mit Zoll belastet ist, unverändert wieder vorgeführt wird (Wirtsch.). **I|den|ti|täts|pa|pie|re** die (Plural): Schriftstücke, die jmdn. als bestimmte Person od. als einen in einer bestimmten Angelegenheit Berechtigten ausweisen (Rechtsw.). **I|den|ti|täts|phi|lo|so|phie** die; -: Philosophie, in der die Differenz von Denken u. Sein, Geist u. Natur, Subjekt u. Objekt aufgehoben ist (bei Parmenides, Spinoza, im deutschen Idealismus bes. bei Schelling, den der Ausdruck geprägt hat)

i|de|o|gen vgl. ideagen. **I|de|o|gramm** ⟨gr.-nlat.⟩ das; -s, -e: Schriftzeichen, das einen ganzen Begriff darstellt. **I|de|o|gra|phie,** auch: Ideografie die; -, ...ien (Plural selten): aus Ideogrammen gebildete Schrift, Begriffsschrift. **i|de|o|gra|phisch,** auch: ideografisch: die Ideographie betreffend. **I|de|o|ki|ne|se** die; -, -n: Bewegung, die zwar aus einer richtigen Vorstellung heraus entsteht, aber bei krankhaft geschädigten Nervenbahnen falsch ausgeführt, z. B. mit einer anderen verwechselt wird (Med.; Psychol.). **I|de|o|kra|tis|mus*** der; -: (veraltet) Herrschaft der Vernunftbegriffe u. vernünftiger [Rechts]verhältnisse. **I|de|o|lo|ge** der; -n, -n: 1. [exponierter] Vertreter einer Lehre. Lehrer einer Ideologie. 2. (veraltet) weltfremder Schwärmer, Träumer. **I|de|o|lo|gem** das; -s, -e: Gedankengebilde; Vorstellungswert. I|de|o|lo|gie ⟨gr.-fr.; „Lehre von den Ideen"⟩ die; -, ...ien: a) an eine soziale Gruppe, eine Kultur o. Ä. gebundenes System von Weltanschauungen, Grundeinstellungen u. Wertungen; b) weltanschauliche Konzeption, in der Ideen (2) der Erreichung politischer u. wirtschaftlicher Ziele dienen. I|de|o|lo|gie|kri|tik die; -: a) das Aufzeigen der materiellen Bedingtheit einer Ideologie (Soziol.); b) Kritik der gesellschaftlichen ↑Prämissen bei der Textinterpretation. i|de|o|lo|gisch: a) eine Ideologie betreffend; b) (veraltet) weltfremd, schwärmerisch. i|de|o|lo|gi|sie|ren: 1. mit einer bestimmten Ideologie durchdringen. 2. zu einer Ideologie machen. I|de|o|lo|gi|sie|rung die; -, -en: das Ideologisieren. i|de|o|mo|to|risch ⟨gr., lat.⟩: ohne Mitwirkung des Willens, unbewusst ausgeführt, nur durch Vorstellungen ausgelöst (in Bezug auf Bewegungen od. Handlungen; Psychol.). I|de|o|re|al|ge|setz ⟨gr.; lat.; dt.⟩ das; -es: für die Ausdruckskunde (Vorgänge der Nachahmung, Suggestion, Hypnose u. a.) bedeutsame Erscheinung, dass subjektive Erlebnisinhalte den Antrieb zu ihrer objektiven Verwirklichung einschließen (Psychol.) id est ⟨lat.⟩: das ist, das heißt; Abk.: i. e.

i|di|o|blast* ⟨gr.-nlat.⟩ der; -en, -en (meist Plural): Pflanzeneinzelzelle od. Zellgruppe von spezifischer Gestalt u. mit besonderer Funktion, die in einen größeren andersartigen Zellverband eingelagert ist (Biol.). i|di|o|chro|ma|tisch [...k...]: eigenfarbig, eine Färbung durch fremde Substanzen im Bezug auf Mineralien; Geol.); Ggs. ↑allochromatisch. i|di|o|gramm ⟨gr.⟩ das; -s, -e: grafische Darstellung der einzelnen ↑Chromosomen eines Chromosomensatzes (Biol.). i|di|o|gra|phisch, auch: idiographisch: das Eigentümliche, Einmalige, Singuläre beschreibend (in Bezug auf die Geschichtswissenschaft). I|di|o|ki|ne|se die; -, -n: Erbänderung durch die Erbmasse durch Umwelteinflüsse verändert u. eine ↑Mutation bewirkt wird. I|di|o|kra|sie* die; -, ...ien: ↑Idiosynkrasie. I|di|o|lat|rie* die; -: Selbstvergötterung, Selbstanbetung. I|di|o|lekt ⟨gr.⟩

der; -[e]s, -e: Sprachbesitz u. Sprachverhalten, Wortschatz u. Ausdrucksweise eines einzelnen Sprachteilhabers (Sprachw.); vgl. Soziolekt. i|di|o|lek|tal: a) den Idiolekt betreffend; b) in der Art eines Idiolekts (Sprachw.). I|di|om ⟨gr.-lat.-fr.⟩ das; -s, -e: (Sprachw.) 1. die einer kleineren Gruppe od. einer sozialen Schicht eigentümliche Sprechweise od. Spracheigentümlichkeit (z. B. Mundart, Jargon). 2. ↑lexikalisierte feste Wortverbindung, Redewendung (z. B. die schwarze Kunst, ins Gras beißen). I|di|o|ma|tik ⟨gr.-nlat.⟩ die; -: 1. Teilgebiet der Sprachwissenschaft, auf dem man sich mit den Idiomen (1) befasst. 2. Gesamtbestand der Idiome (2) in einer Sprache. i|di|o|ma|tisch: die Idiomatik betreffend; idiomatischer Ausdruck: Redewendung, deren Gesamtbedeutung nicht aus der Bedeutung der Einzelwörter erschlossen werden kann. i|di|o|ma|ti|siert: zu einem Idiom (2) geworden u. damit ohne semantisch-morphologische Durchsichtigkeit (Sprachw.). I|di|o|ma|ti|sie|rung die; -, -en: [teilweiser] Verlust der semantisch-morphologischen Durchsichtigkeit eines Wortes od. einer Wortverbindung (Sprachw.). i|di|o|morph ⟨gr.-nlat.⟩: von eigenen echten Kristallflächen begrenzt (von Mineralien; Geol.); Ggs. ↑allotriomorph. i|di|o|pa|thisch: selbstständig, von sich aus entstanden (von Krankheiten; Med.); Ggs. ↑traumatisch (1). I|di|o|phon, auch: Idiofon das; s, e: selbstklingendes Musikinstrument (Becken, Glocken). I|di|o|plas|ma das, -s. Keimplasma, die Gesamtheit der im Zellplasma vorhandenen Erbpotenzen (Biol.). I|di|or|rhyth|mie ⟨gr.⟩ die; -: freiere Form des orthodoxen Mönchstums; vgl. idiorrhythmische Klöster. i|di|or|rhyth|misch: nach eigenem [Lebens]maß; idiorrhythmische Klöster: freiere Form des orthodoxen Klosterwesens, bei dem der Mönch, vom gemeinsamen Gottesdienst abgesehen, die private Gestaltung seines Lebens gestattet. I|di|o|som ⟨gr.-nlat.⟩ das; -s, -en (meist Plural): 1. ↑Trichosom. 2. stark granulierte Plasmazone (vgl. Plasma 1) um das ↑Zentrosom (Biol.). I|di|o|syn|kra|sie* die; -, ...ien: a) [angeborene] Überemp-

findlichkeit gegen bestimmte Stoffe (z. B. Nahrungsmittel) u. Reize (Med.); b) besonders starke Abneigung u. Überempfindlichkeit gegenüber bestimmten Personen, Lebewesen, Gegenständen, Reizen, Anschauungen u. Ä. (Psychol.). i|di|o|syn|kra|tisch*: a) überempfindlich gegen bestimmte Stoffe u. Reize (Med.); b) von unüberwindlicher Abneigung erfüllt u. entsprechend auf jmdn., etw. reagierend (Psychol.). I|di|ot ⟨gr. lat.; „Privatmann, einfacher Mensch; ungeübter Laie, Stümper"⟩ der; -en, -en: 1. (Med. veraltend) an Idiotie leidender Mensch. 2. a) (veraltet) Laie, Ungelehrter; b) (abwertend) Dummkopf. I|di|o|tie ⟨gr.⟩ die; -, ...ien: 1. (Med. veraltend) angeborener od. im frühen Kindesalter erworbener Intelligenzdefekt schwersten Grades; vgl. Debilität u. Imbezillität. 2. (abwertend) Dummheit, Einfältigkeit. I|di|o|ti|kon ⟨gr.-nlat.⟩ das; -s, ...ken (auch: ...ka): Mundartwörterbuch, auf eine Sprachlandschaft begrenztes Wörterbuch. i|di|o|tisch ⟨gr.-lat.⟩: 1. (Med. veraltend) an Idiotie leidend. 2. (abwertend) dumm, einfältig. I|di|o|tis|mus ⟨gr.-lat.⟩ der; -, ...men: 1. (Med.) a) Idiotie (1); b) Äußerung der Idiotie (1). 2. kennzeichnender, eigentümlicher Ausdruck eines Idioms, Spracheigenheit (Sprachw.). I|di|o|ty|pisch: durch die Gesamtheit des Erbgutes festgelegt (Biol.). I|di|o|ty|pus der; -, ...pen: das gesamte Erbgut, das sich aus ↑Genom, ↑Plasmon u. (bei grünen Pflanzen) ↑Plastom zusammensetzt (Biol.). I|di|o|va|ri|a|ti|on ⟨gr.; lat.⟩ die; -, -en: ↑Genmutation I|do ⟨Kunstw.; nach dem unter dem Stichwort „Ido" eingereichten Vorschlag des Franzosen L. de Beaufort⟩ das; -s: künstliche, aus dem ↑Esperanto weiterentwickelte Welthilfssprache I|do|kras* ⟨gr.-nlat.⟩ der; -, -e: ein Mineral. I|dol ⟨gr.-lat.; „Gestalt, Bild; Trugbild, Götzenbild"⟩ das; -s, -e: 1. a) jmd., etwas als Gegenstand bes. großer Verehrung, meist als Wunschbild Jugendlicher; b) (veraltend, abwertend) falsches Ideal; Leitbild, dessen Zugkraft im vordergründig Äußerlichen liegt. 2. Gottes-, Götzenbild [in Menschengestalt] (Rel.). I|do|lat|rie*, Idolatrie die; -, ...ien: Bilderverehrung,

-anbetung, Götzendienst. i|do|li|sie|ren ⟨gr.-lat.-nlat.⟩: zum Idol (1) machen. I|do|li|sie|rung die; -, -en: das Idolisieren. I|do|lo|lat|rie* vgl. Idolatrie I|do|ne|i|tät ⟨lat.-mlat.⟩ die; -: (veraltet) a) Geeignetheit, Tauglichkeit; b) passender Zeitpunkt Id|ri|a|lit* [auch: ...'lit] ⟨nlat.; nach der jugoslaw. Bergwerksstadt Idrija (ital.: Idria)⟩ der; -s, -e: ein Mineral Idsch|ma ⟨arab.⟩ die; -: Übereinstimmung der Gelehrten als Grundlage für die Deutung der islamischen Gesetze I|dus vgl. Iden I|dyll ⟨gr.-lat.; „Bildchen"⟩ das; -s, -e: Bild, Zustand eines friedlichen u. einfachen Lebens in meist ländlicher Abgeschiedenheit. I|dyl|le die -, -n: a) Schilderung eines Idylls in Literatur (Vers, Prosa) u. bildender Kunst; b) Idyll. I|dyl|lik die; -: idyllischer Charakter, idyllische Atmosphäre. I|dyl|li|ker der; -s, -: jmd., der einen Hang zum Idyll hat. i|dyl|lisch: a) das Idyll, die Idylle betreffend; b) beschaulich-friedlich ...ie|rung/...[at]i|on vgl. ...[at]ion/ ...ierung I|for ⟨Kurzw. aus Implementation Force⟩ die; -: internationale Truppe unter NATO-Führung in Bosnien u. Herzegowina I|ge|lit ® [auch: ...'lit] ⟨Kunstw.⟩ das; -: polymeres Vinylchlorid (ein Kunststoff) Ig|lu ⟨eskim.⟩ der od. das; -s, -s: runde Schneehütte der Eskimos Ig|ni|punk|tur* ⟨lat.-nlat.⟩ die; -, -en: das Aufstechen einer Zyste mit dem ↑Thermokauter (z. B. bei einer Zystenniere; Med.). Ig|nit|ron ⟨lat.; gr.⟩ das; -s, ...one (auch: -s): als Gleichrichter (Gerät zur Umwandlung von Wechselstrom in Gleichstrom) für hohe Stromstärken verwendete Röhre mit Quecksilberkathode ig|no|ra|mus et ig|no|ra|bi|mus* ⟨lat. „wir wissen (es) nicht u. werden (es auch) nicht wissen"⟩: Schlagwort für die Unlösbarkeit der Welträtsel. Ig|no|rant der; -en, -en: (abwertend) unwissender, kenntnisloser Mensch; Dummkopf. Ig|no|rant (abwertend) von Unwissenheit, Kenntnislosigkeit zeugend. Ig|no|ranz die; -: (abwertend) Unwissenheit, Dummheit. ig|no|rie|ren: nicht wissen wollen; absichtlich übersehen, nicht beachten. Ig|nos|zenz die; -: (veraltet) Ver-

zeihung. ig|nos|zie|ren: (veraltet) verzeihen I|go ⟨jap.⟩ das; -: ↑Go I|gu|a|na ⟨indian.-span.⟩ die; -, ...nen: in tropischen Gebieten Amerikas vorkommender großer ↑Leguan mit sichelförmigem Kamm. I|gu|a|no|don* ⟨indian.-span.; gr.⟩ das; -s, -s od. ...odon|ten: urzeitlicher Pflanzen fressender ↑Dinosaurier (Biol.) I|gu|men vgl. Hegumenos Ih|ram [ix'ra:m] ⟨arab.⟩ der; -s, -s: (islam. Rel.) 1. (ohne Plural) Zustand kultischer Reinheit, in dem der Muslim die rituellen Gebete zu verrichten hat u. den er auch auf der Pilgerfahrt nach Mekka einzuhalten hat. 2. Bekleidung des nach Mekka pilgernden Muslims, die aus zwei langen weißen Baumwolltüchern besteht, die um Rücken u. linke Schulter bzw. um die Taille geschlungen werden I|ka|ko|pflau|me ⟨indian.-span.; dt.⟩ die; -, -n: Goldpflaume, wohlschmeckende Steinfrucht eines Rosengewächses (tropisches Westafrika u. Amerika) I|ka|ri|er (nach der griech. Sagengestalt Ikarus) der; -s, -: Angehöriger einer Artistengruppe, bei deren Vorführungen einer auf dem Rücken liegt u. mit den Füßen seine Partner in der Luft herumwirbelt I|ke|ba|na ⟨jap.; „lebendige Blumen"⟩ das; -[s]: japanische Kunst des Blumensteckens, des künstlerischen, symbolischen Blumenarrangements I|kon ⟨gr.⟩ das; -s, -e: stilisierte Abbildung eines Gegenstandes, Zeichen, das mit dem Gegenstand, den es darstellt, Ähnlichkeit aufweist. I|ko|ne ⟨gr.-mgr.-russ.; „Bild"⟩ die; -, -n: 1. Kultbild, geweihtes Tafelbild der orthodoxen Kirche (thematisch u. formal streng an die Überlieferung gebunden). 2. Person od. Sache als Verkörperung bestimmter Werte, Vorstellungen, eines bestimmten Lebensgefühls o. Ä. i|ko|nisch: 1. in der Art der Ikonen. 2. bildhaft, anschaulich. I|ko|nis|mus der; -, ...men: anschauliches Bild (z. B. in den natürlichen Sprachen). I|ko|no|du|le ⟨gr.-nlat.⟩ der; -n, -n: Bilderverehrer. I|ko|no|du|lie die; -: Bilderverehrung. I|ko|no|graph, auch: Ikonograf der; -en, -en: 1. Wissenschaftler auf dem Gebiet der Ikonographie. 2. dem Storchschnabel ähnliche Vor-

richtung zur Bildabzeichnung für ↑Lithographen. I|ko|no|gra|phie, auch: Ikonografie ⟨gr.-lat.⟩ die; -: 1. wissenschaftliche Bestimmung von Bildnissen des griech. u. röm. Altertums. 2. a) Beschreibung, Form- u. Inhaltsdeutung von [alten] Bildwerken; b) ↑Ikonologie. i|ko|no|gra|phisch, auch: ikonografisch: die Ikonographie betreffend. I|ko|no|klas|mus* ⟨gr.-nlat.⟩ der; -: ...men: Bildersturm; Abschaffung u. Zerstörung von Heiligenbildern (bes. der Bilderstreit in der byzantinischen Kirche des 8. u. 9. Jh.s). I|ko|no|klast* ⟨gr.-mgr.⟩ der; -en, -en: Bilderstürmer, Anhänger des Ikonoklasmus. i|ko|no|klas|tisch*: den Ikonoklasmus betreffend, bilderstürmerisch. I|ko|no|lat|rie* ⟨gr.-nlat.⟩ die; -: ↑Ikonodulie. I|ko|no|lo|gie die; -: Lehre vom Sinngehalt alter Bildwerke; vgl. Ikonographie (2a). I|ko|no|me|ter das; -s, -: Rahmensucher an einem fotografischen Apparat. I|ko|no|skop* ⟨gr.-nlat.⟩ das; -s, -e: speichernde Fernsehaufnahmeröhre. I|ko|nos|tas* ⟨gr.-mgr.⟩ der; -, -e u. I|ko|nos|ta|se* die; -, -n u. I|ko|nos|ta|sis* die; -, ...asen: dreitürige Bilderwand zwischen Gemeinde- u. Altarraum in orthodoxen Kirchen I|ko|sa|e|der ⟨gr.-nlat.⟩ das; -s, -: regelmäßiger Zwanzigflächner (von 20 gleichseitigen Dreiecken begrenzt; Math.). I|ko|si|tet|ra|e|der* das; -s, -: Kristallform aus 24 symmetrischen Vierecken ik|te|risch ⟨gr.-lat.⟩: die Gelbsucht betreffend; mit Gelbsucht behaftet, gelbsüchtig (Med.). Ik|te|rus der; -: Gelbsucht (Med.) Ik|tus ⟨lat.; „Stoß, Schlag"⟩ der; - [...u:s] u. Ikten: 1. [nachdrückliche] Betonung der Hebung im Vers, Versakzent (Sprachw.). 2 unerwartet u. plötzlich auftretendes Krankheitszeichen (Med.). 3. Stoß, stoßförmige Erschütterung (Med.) I|lang-I|lang-Öl vgl. Ylang Ylang-Öl Il|chan [il'ka:n, il'xa:n] ⟨mong. türk.⟩ der; -s: (hist.) Titel der mongolischen Herrscher in Persien (13. u. 14. Jh.) I|lea: Plur. von ↑Ileum. I|le|en Plur. von ↑Ileus I|le|itis ⟨lat.-nlat.⟩ die; -, ...itiden: Entzündung des Ileums (Med.) I|le|um ⟨lat.-nlat.⟩ das; -s, Ilea: Krummdarm, unterer Teil des Dünndarms (Med.)

Il|le|us ⟨gr.-lat.⟩ *der;* -, Ileen ['i:leən] u. Ilei ['i:lei] Darmverschluss (Med.)

Il|lex ⟨lat.⟩ *die* (auch: *der*); -, -: Stechpalme

il|la|tiv ⟨lat.-nlat.⟩: (veraltet) folgernd, konsekutiv (Sprachw.). **Il|la|tiv** *der;* -s, -e: 1. Kasus zur Bezeichnung der Bewegung od. Richtung in etw. hinein (in den finnougrischen Sprachen; Sprachw.). 2. (veraltet) konsekutive Konjunktion (z. B. deshalb; Sprachw.). **Il|la|tum** ⟨lat.⟩ *das;* -s, Illaten u. ...ta (meist Plural): (veraltet) von der Frau in die Ehe eingebrachtes Vermögen (Rechtsw.)

il|le|gal ⟨lat.-mlat.⟩: gesetzwidrig, ungesetzlich, ohne behördliche Genehmigung; Ggs. ↑legal. **Il|legal|i|tät** *die;* -, -en: 1. a) (ohne Plural) Ungesetzlichkeit, Gesetzwidrigkeit; b) illegaler Zustand, Illegale Lebensweise. 2. einzelne illegale Handlung. **il|legi|tim** ⟨lat.⟩: a) unrechtmäßig, im Widerspruch zur Rechtsordnung [stehend], nicht im Rahmen bestehender Vorschriften [erfolgend]; Ggs. ↑legitim (1a); b) unehelich; außerehelich; Ggs. ↑legitim (1b). **Il|le|gi|ti|mi|tät** ⟨lat.-nlat.⟩ *die;* -: unrechtmäßiges Verhalten

il|li|be|ral ⟨lat.⟩: engherzig, unduldsam. **Il|li|be|ra|li|tät** *die;* -: Engherzigkeit, Unduldsamkeit **il|li|mi|tiert** [auch: 'il....] ⟨lat.⟩: unbegrenzt, unbeschränkt

Il|li|ni|um ⟨nlat.; nach dem nordamerik. Bundesstaat Illinois⟩ *das;* -s: (veraltet) ↑Promethium **il|li|quid** ⟨lat.-nlat.⟩: [vorübergehend] zahlungsunfähig. **Il|li|quidi|tät** *die;* ꞉ [vorübergehende] Zahlungsunfähigkeit, Mangel an flüssigen [Geld]mitteln **Il|lit** [auch: ...'lit] ⟨nlat.; nach dem Vorkommen im nordamerik. Bundesstaat Illinois⟩ *der;* -s, -e: ein glimmerartiges Tonmineral **il|li|te|rat** ⟨lat.⟩: ungelehrt, nicht wissenschaftlich gebildet. **Il|li|terat** ⟨lat.⟩ *der;* -en, -en: Ungelehrter, nicht wissenschaftlich Gebildeter

Il|lo|ku|ti|on ⟨lat.-nlat.⟩ *die;* -, -en: Sprechhandlung mit kommunikativer Funktion (Sprachw.). **illo|ku|ti|o|när** ⟨lat.⟩: die Illokution betreffend (Sprachw.); **illokutionärer Akt:** der Sprechakt im Hinblick auf seine ↑kommunikative Funktion, z. B. Aufforderung, Frage; vgl. lokutionärer Akt, perlokutionärer Akt. **il|lo|ku|tiv:**

↑illokutionär; **illokutiver Akt:** ↑illokutionärer Akt; **illokutiver Indikator:** Partikelwort od. kurze Phrase, die die Funktion hat, einen nicht eindeutigen Satz eindeutig zu machen, z. B. du kannst ja noch überlegen (als Rat)

il|lo|yal* ['ilọaja:l, auch: ...'ja:l] ⟨lat.-fr.⟩: a) den Staat, eine Instanz nicht respektierend; Ggs. ↑loyal (a); b) vertragsbrüchig, gegen Treu und Glauben; Ggs. ↑loyal (b); c) die Interessen der Gegenseite nicht achtend; Ggs. ↑loyal (b). **Il|lo|ya|li|tät** *die;* -: illoyale Gesinnung, Verhaltensweise

Il|lu|mi|nat ⟨lat.; „der Erleuchtete"⟩ *der;* -en, -en (meist Plural): Angehöriger einer geheimen Verbindung, bes. des Illuminatenordens. **Il|lu|mi|na|ten|orden** *der;* -s: (hist.) aufkläreristisch-freimaurerische geheime Gesellschaft des 18. Jh.s. **Il|lu|mi|na|tion** ⟨lat.(-fr.)⟩ *die;* -, -en: 1. [farbige] Beleuchtung über allem im Freien (von Gebäuden, Denkmälern). 2. göttliche Erleuchtung des menschlichen Geistes (nach der theologischen Lehre Augustins). 3. das Ausmalen von ↑Kodizes, Handschriften, Drucken mit ↑Lasurfarben. **Il|lu|mina|tor** ⟨lat.-mlat.⟩ *der;* -s, ...oren: Hersteller von Malereien in Handschriften u. Büchern des Mittelalters. **il|lu|mi|nie|ren** ⟨lat.(-fr.)⟩: 1. festlich erleuchten. 2. Handschriften ausmalen; Buchmalereien herstellen (von Künstlern des Mittelalters). 3. erhellen. **Il|lu|mi|nist** ⟨lat.-nlat.⟩ *der;* -en, -en. ↑Illuminator **Il|lu|si|on** ⟨lat.-fr.⟩ *die;* -, -en: 1. beschönigende, dem Wunschdenken entsprechende Selbsttäuschung über einen in Wirklichkeit weniger positiven Sachverhalt. 2. falsche Deutung von tatsächlichen Sinneswahrnehmungen (im Unterschied zur Halluzination; Psychol.). 3. Täuschung durch die Wirkung des Kunstwerks, das Darstellung als Wirklichkeit erleben lässt (Ästhetik). **il|lu|si|o|när** ⟨lat.-nlat.⟩: 1. auf Illusionen beruhend. 2. ↑illusionistisch (1). **il|lu|si|o|nie|ren** ⟨lat.-fr.⟩: in jmdm. eine Illusion erwecken; jmdm. etwas vorgaukeln; täuschen. **Il|lu|si|o|nismus** ⟨lat.-nlat.⟩ *der;* -: 1. die Objektivität der realen Welt, der Wahrheit, Schönheit, Sittlichkeit als Schein erklärende philoso-

phische Anschauung. 2. illusionistische [Bild]wirkung. **Il|lusi|o|nist** *der;* -en, -en: 1. jmd., der sich Illusionen macht; Träumer. 2. Zauberkünstler. **il|lu|si|onis|tisch:** 1. durch die künstlerische Darstellung Scheinwirkungen erzeugend (bildende Kunst). 2. ↑illusionär (1). **il|lu|so|risch** ⟨lat.-fr.⟩: a) nur in der Illusion bestehend, trügerisch; b) vergeblich, sich erübrigend **il|lus|ter** ⟨lat.-fr.⟩: glanzvoll, vornehm, erlaucht. **Il|lust|ra|tl|on**ᴬ ⟨lat.⟩ *die;* -, -en: a) Bebilderung, erläuternde Bildbeigabe; b) Veranschaulichung, Erläuterung. **il|lust|ra|tiv*** ⟨lat.-nlat.⟩: a) als ↑Illustration (a) dienend; mittels Illustration; b) veranschaulichend, erläuternd. **Il|lust|ra|tor*** ⟨lat.⟩ *der;* -s, ...oren: Künstler, der ein Buch mit Bildern ausgestaltet. **il|lust|rie|ren*:** a) ein Buch mit Bildern ausgestalten, bebildern; b) veranschaulichen, erläutern. **Il|lust|rier|te*** *die;* -n, -n (zwei -, auch: -n): periodisch erscheinende Zeitschrift, die überwiegend Bildberichte u. Reportagen aus dem Zeitgeschehen veröffentlicht

il|lu|vi|al ⟨lat.-nlat.⟩: den Illuvialhorizont betreffend (Geol.). **Illu|vi|al|ho|ri|zont** *der;* -[e]s: (Geol.) a) Unterboden; b) Ausfällungszone des Bodenprofils; c) Bodenschicht, in der bestimmte Stoffe aus einer anderen Schicht ausgeschieden werden

Il|ly|rist ⟨lat.-nlat.⟩ *der;* -en, -en: Wissenschaftler auf dem Gebiet der Illyristik. **Il|ly|ris|tik** *die;* -: Wissenschaft, die sich mit illyrischen Sprachresten im europäischen Namengut befasst **Il|me|nit** [auch: ...'nit] ⟨nlat.; nach dem russ. Ilmengebirge⟩ *der;* -s, -e: ein Mineral (Titaneisen) **Il|mage** ['ımıt∫, 'ımıdʒ] ⟨lat.-fr.-engl.⟩ *das;* -[s], -s ['ımıt∫(s), 'ımıdʒız]: Vorstellung, [positives] Bild, das ein Einzelner od. eine Gruppe von einer Einzelperson od. einer anderen Gruppe (od. einer Sache) hat; Persönlichkeits-, Charakterbild. **Il|mageor|thi|kon** ⟨lat.-fr.-engl.; gr.⟩ *das;* -s, ...one (auch: -s): speichernde Fernsehaufnahmeröhre. **il|magi|na|bel** ⟨lat.-fr.-engl.⟩: vorstellbar, erdenkbar (Philos.). **Il|ma|ginal** ⟨lat.-fr.-engl.⟩: ein fertig ausgebildetes Insekt betreffend (Biol.). **Il|ma|ginal|sta|di|um** *das;* -s: Stadium der Insekten nach Abschluss der ↑Metamorphose (2) (Biol.).

imaginär ⟨lat.-fr.; „bildhaft"⟩: nur in der Vorstellung vorhanden, nicht wirklich, nicht ↑real (1); imaginäre Zahl: durch eine positive od. negative Zahl nicht darstellbare Größe, die durch das Vielfache von i (der Wurzel von −1) gegeben u. nicht auf ↑reelle Zahlen rückführbar ist (Math.). Imagination die; -, -en: Fantasie, Einbildungskraft, bildhaft anschauliches Denken. imaginativ ⟨lat.-nlat.⟩: auf Imagination beruhend; vorgestellt. imaginieren ⟨lat.⟩: sich vorstellen; bildlich, anschaulich machen, ersinnen. Imagismus ⟨lat.-engl.⟩ der; -: engl.-amerik. lyrische Bewegung von etwa 1912–1917, die für die Lyrik den Wortschatz der Alltagssprache forderte u. dabei höchste Präzision u. Knappheit des Ausdrucks u. Genauigkeit des dichterischen Bildes erstrebte. Imagist der; -en, -en: Vertreter des Imagismus. imagistisch: den Imagismus betreffend, zum Imagismus gehörend. Imago ⟨lat.⟩ die; -, ...gines [...gine:s]: 1. im Unterbewusstsein existierendes [Ideal]bild einer anderen Person der sozialen Umwelt (Psychol.). 2. fertig ausgebildetes, geschlechtsreifes Insekt (Biol.). 3. (im antiken Rom) wächserne Totenmaske von Vorfahren, die im Atrium des Hauses aufgestellt wurde. Imago Dei ⟨„Ebenbild Gottes"⟩ die; - -: die Gottebenbildlichkeit des Menschen als christliche Lehre (1. Mose 1, 27) Imam ⟨arab.; „Vorsteher"⟩ der; -s, -s u. -e: 1. a) Vorbeter in der ↑Moschee; b) (ohne Plural) Titel für verdiente Gelehrte des Islams. 2. Prophet u. religiöses Oberhaupt der ↑Schiiten. 3. (hist.) Titel der Herrscher von Jemen (Südarabien). Imamit der; -en, -en: Angehöriger der am weitesten verbreiteten Gruppe der Schiiten Iman ⟨arab.; „der Glaube"⟩ das; -s: Glaube (islam. Rel.) Imariporzellan das; -s: ↑Aritaporzellan IMAX® ['aımæks] ⟨Kurzw. aus: Imagination maximum; engl.⟩ das; -: spezielle Form der Filmprojektion, die aufgrund eines besonderen Bildformats, spezieller Linsen sowie durch Querlauf des Films im Projektor den Eindruck erweckt, dass sich der Zuschauer selbst mitten in der Handlung befindet

Imballance [ım'bæləns] ⟨engl.⟩ die; -, -s [...sız]: Ungleichgewicht; gestörtes Gleichgewicht (Chem.; Med.) imbezil u. imbezill ⟨lat.⟩: an ↑Imbezillität leidend (Med.). Imbezillität die; -: angeborener od. frühzeitig erworbener Intelligenzdefekt mittleren Grades (Med.); vgl. Debilität u. Idiotie imbibieren ⟨lat.; „einsaugen"⟩: quellen (von Pflanzenteilen). Imbibition ⟨lat.-nlat.⟩ die; -, -en: 1. Quellen von Pflanzenteilen (z. B. Samen; Bot.). 2. Durchtränken von Gesteinen mit magnetischen Gasen od. wässrigen Lösungen (Geol.) Imbroglio* [ım'brɔljo] ⟨it.⟩ das; -s, ...li [...lji] u. -s: rhythmische Taktverwirrung durch Übereinanderschichtung mehrerer Stimmen in verschiedenen Taktarten (Mus.) Imid u. Imin ⟨Kunstw.⟩ das; -s, -e: chem. Verbindung, die NH-Gruppe (Imido-, Iminogruppe) enthält Imitat ⟨lat.⟩ das; -[e]s, -e: Kurzform von ↑Imitation (1b). Imitatio Christi („Nachahmung Christi"; Titel eines lat. Erbauungsbuchs des 14. Jh.s) die; - -: christliches Leben im Gehorsam gegen das Evangelium (als Lebensideal bes. in religiösen Gemeinschaften des 14. u. 15. Jh.s). Imitation die; -, -en: 1. a) das Nachahmen; Nachahmung; b) [minderwertige] Nachbildung eines wertvollen ↑Materials (1) od. eines Kunstgegenstandes. 2. genaue Wiederholung eines musikalischen Themas in anderer Tonlage (in Kanon u. Fuge). Imitativ ⟨lat.⟩ das; -s, -e: Verb des Nachahmens (z. B. büffeln = arbeiten wie ein Büffel; Sprachw.). imitativ ⟨lat.⟩: auf Imitation beruhend; nachahmend. Imitator der; -s, ...oren: Nachahmer. imitatorisch: nachahmend. imitieren: 1. nachahmen; nachbilden. 2. ein musikalisches Thema wiederholen. imitiert: nachgeahmt, künstlich, unecht (bes. von Schmuck) Immaculata ⟨lat.; „die Unbefleckte", d.h. die unbefleckt Empfangene⟩ die; -: Beiname Marias in der katholischen Lehre. Immaculata Conceptio die; - -: die Unbefleckte Empfängnis [Mariens] (d.h. ihre Bewahrung vor der Erbsünde im Augenblick der Empfängnis durch ihre Mutter Anna)

immanent ⟨lat.; „darin bleibend"⟩: 1. innewohnend, in etw. enthalten. 2. die Grenzen möglicher Erfahrung nicht übersteigend, innerhalb dieser Grenzen liegend, bleibend; den Bereich des menschlichen Bewusstseins nicht überschreitend; Ggs. ↑transzendent (1). Immanenz ⟨lat.-nlat.⟩ die; -: 1. das, was innerhalb einer Grenze bleibt u. sie nicht überschreitet. 2. (Philos.) a) Beschränkung auf das innerweltliche Sein; b) Einschränkung des Erkennens auf das Bewusstsein od. auf Erfahrung; vgl. Transzendenz. Immanenzphilosophie die; -: Richtung der Philosophie, wonach alles Sein in das Bewusstsein verlegt ist u. nicht darüber hinausgeht. immanieren ⟨lat.⟩: innewohnen, enthalten sein Immanuel ⟨hebr.⟩ der; -s: symbolischer Name des Sohnes einer jungen Frau (bzw. Jungfrau), dessen Geburt Jesaja weissagt (Jes. 7, 14); später bezogen auf Jesus Christus (Rel.) Immaterialgüterrecht ⟨lat.-nlat.; dt.⟩ das; -[e]s: Recht, das jmdm. an seinen geistigen Gütern zusteht (z. B. Patentrecht; Rechtsw.). Immaterialismus ⟨lat.-nlat.⟩ der; -: Lehre, die die Materie als selbstständige Substanz leugnet u. dagegen ein geistig-seelisches Bewusstsein setzt (Philos.). Immaterialität [auch: 'ım...] die; -: unkörperliche Beschaffenheit, stoffloses Dasein. immateriell [auch: 'hm...] ⟨lat.-fr.⟩: unstofflich, unkörperlich; geistig; Ggs. ↑materiell (1) Immatrikulation* ⟨lat.-mlat.⟩ die; -, -en: 1. Einschreibung an einer Hochschule, Eintragung in die ↑Matrikel (1); Ggs. ↑Exmatrikulation. 2. (schweiz.) amtliche Zulassung eines Kraftfahrzeugs o. Ä. immatrikulieren ⟨lat.⟩: a) in die Matrikel (1) einer Hochschule aufnehmen; Ggs. ↑exmatrikulieren; b) sich immatrikulieren: seine Anmeldung im ↑Sekretariat (1) einer Universität abgeben; Ggs. ↑exmatrikulieren. 2. (schweiz.) (ein Motorfahrzeug) anmelden immatur ⟨lat.⟩: (von Frühgeborenen) unreif, nicht voll entwickelt (Med.) immediat ⟨lat.⟩: (veraltend) unmittelbar, ohne Zwischenschaltung einer anderen Instanz [dem Staatsoberhaupt unterstehend]

Im|me|di|at|ge|such *das;* -[e]s, -e: unmittelbar an die höchste Behörde gerichtetes Gesuch. im|me|di|a|ti|sie|ren ⟨*lat.-nlat.*⟩: (hist.) [reichs]unmittelbar machen (in Bezug auf Fürsten od. Städte bis 1806) im|mens ⟨*lat.*⟩: in Staunen, Bewunderung erregender Weise groß o.Ä.; unermesslich [groß]. Im|men|si|tät *die;* -: (veraltet) Unermesslichkeit, Unendlichkeit. im|men|su|ra|bel: unmessbar. Im|men|su|ra|bi|li|tät ⟨*lat.-nlat.*⟩ *die;* -: Unmessbarkeit Im|mer|si|on ⟨*lat.;* „Eintauchung"⟩ *die;* -, -en: 1. Einbetten eines Objekts in eine Flüssigkeit mit besonderen lichtbrechenden Eigenschaften (zur Untersuchung von Kristallformen u. in der Mikroskopie). 2. Eintritt eines Himmelskörpers in den Schatten eines anderen. 3. ↑Inundation. 4. bei bestimmten Hautkrankheiten u. Verbrennungen angewandtes stundenbis tagelanges Vollbad (Med.). Im|mer|si|ons|tau|fe *die;* -, -n: ältere (von den ↑Baptisten noch geübte) Form der christlichen Taufe durch Untertauchen des Täuflings; vgl. Aspersion Im|mi|grant* ⟨*lat.*⟩ *der;* -en, -en: Einwanderer (aus einem anderen Staat); Ggs. ↑Emigrant. Im|mig|ra|ti|on ⟨*lat.-nlat.*⟩ *die;* -, -en: 1. Einwanderung; Ggs. ↑Emigration (1). 2. besondere Art der ↑Gastrulation, bei der sich Einzelzellen vom ↑Blastoderm ins ↑Blastozöl abgliedern u. eine neue Zellschicht ausbilden (Biol.). im|mig|rie|ren ⟨*lat.*⟩: einwandern; Ggs. ↑emigrieren im|mi|nent ⟨*lat.*⟩: drohend, nahe bevorstehend (z.B. von Fehlgeburten; Med.) Im|mis|si|on ⟨*lat.*⟩ *die;* -, -en (meist Plural): 1. das Einwirken von Luftverunreinigungen, Schadstoffen, Lärm, Strahlen u.Ä. auf Menschen, Tiere, Pflanzen, Gebäude u.Ä. 2. (veraltet) Einsetzung in ein Amt. 3. kurz für: Immissionskonzentration. Im|mis|si|ons|kon|zent|ra|ti|on* *die;* -, -en: Menge eines verunreinigten Spurenstoffes, die in der Volumeneinheit (Kubikmeter) Luft enthalten ist. Im|mis|si|ons|schutz *der;* -es: (gesetzlich festgelegter) Schutz vor Immissionen (1) im|mo|bil [auch: ...'bi:l] ⟨*lat.*⟩: 1. unbeweglich; Ggs. ↑mobil (1a). 2. nicht für den Krieg bestimmt od. ausgerüstet, nicht kriegsbereit (in Bezug auf Truppen); Ggs. ↑mobil (2). Im|mo|bi|li|ar|kre|dit ⟨*lat.-nlat.; lat.-it.*⟩ *der;* -[e]s, -e: durch Grundbesitz abgesicherter Kredit. Im|mo|bi|li|ar|ver|si|che|rung ⟨*lat.-nlat.; dt.*⟩ *die;* -, -en: Gebäudeversicherung. Im|mo|bi|lie [...iə] ⟨*lat.*⟩ *die;* -, -s: unbeweglicher Besitz (z.B. Grundstück, Gebäude); Ggs. ↑Mobilien (2). Im|mo|bi|li|sa|ti|on ⟨*lat.-nlat.*⟩ *die;* -, -en: a) (Med.) Ruhigstellung von Gliedern od. Gelenken; b) Verlust der Beweglichkeit [in Bezug auf einen Körperteil]; vgl. ...[at]ion/...ierung. im|mo|bi|li|sie|ren: (ein Glied od. Gelenk) ruhig stellen (Med.). Im|mo|bi|li|sie|rung *die;* -, -en: das Immobilisieren (Med.); vgl. ...[at]ion/...ierung. Im|mo|bi|lis|mus *der;* -: Unbeweglichkeit als geistige Haltung. Im|mo|bi|li|tät* ⟨*lat.*⟩ *die;* -: Zustand der Unbeweglichkeit, bes. bei Truppen im|mo|ra|lisch [auch: ...'ra:...] ⟨*lat.-nlat.*⟩: unmoralisch, unsittlich (Philos.). Im|mo|ra|lis|mus *der;* -: Ablehnung der Verbindlichkeit moralischer Grundsätze u. Werte (Philos.). Im|mo|ra|list *der;* -en, -en: jmd., der die Geltung der herrschenden Moral leugnet. Im|mo|ra|li|tät *die;* -: a) Unmoral, Unsittlichkeit; b) Gleichgültigkeit gegenüber moralischen Grundsätzen im|mor|ta|li|sie|ren ⟨*lat.*⟩: (Gentechnik) dauerhaft, unsterblich machen (z.B. von Zellen). Im|mor|ta|li|tät ⟨*lat.*⟩ *die;* -: Unsterblichkeit. Im|mor|tel|le ⟨*lat. fr.;* „Unsterbliche"⟩ *die;* -, -n: Sommerblume mit strohtrockenen, gefüllten Blüten (Korbblütler); Strohblume Im|mum Coeli [-'tsø:li] ⟨*lat.*⟩ *das;* - -: Schnittpunkt der ↑Ekliptik u. des unter dem Ortshorizont gelegenen Halbbogens des Ortsmeridians; Spitze des IV. Hauses, Himmelstiefe; Abk.: I.C. (Astrol.) im|mun ⟨*lat.;* „frei von Leistungen"⟩: 1. für bestimmte Krankheiten unempfänglich, gegen Ansteckung gefeit (Med.). 2. (als Angehöriger des diplomatischen Korps od. als Parlamentarier) vor Strafverfolgung geschützt (Rechtsw.). Im|mun|ant|wort *die;* -, -en: Reaktion des Organismus auf ein Antigen, die entweder zur Bildung von Antikörpern od. zur Bildung von Lymphozy-ten führt, die mit dem Antigen spezifisch reagieren (Med.). Im|mun|bi|o|lo|gie *die;* -: Teilgebiet der Immunologie, das sich mit den Fragen ererbter od. erworbener Immunität, mit Abwehrreaktionen bei Organtransplantationen u.Ä. befasst. Im|mun|che|mie *die;* -: Teilgebiet der Immunologie, das sich mit den chemischen u. biochemischen Grundlagen der Immunität (1) befasst. Im|mun|de|fekt *der;* -[e]s, -e: angeborene od. erworbene Störung der ↑Immunität (1). Im|mun|ge|ne|tik *die;* -: Teilgebiet der Immunologie, das sich mit den genetischen Systemen beschäftigt, die dem Immunsystem zugrunde liegen. im|mun|ge|ne|tisch: a) die Immungenetik betreffend, darauf beruhend; b) die Entstehung einer ↑Immunität (1) betreffend (Med.). Im|mun|glo|bu|lin *das;* -s, -e: Protein, das die Eigenschaften eines Antikörpers aufweist (Med.). im|mu|ni|sie|ren ⟨*lat.-nlat.*⟩: (gegen Bakterien u.Ä.) unempfindlich machen. Im|mu|ni|sie|rung *die;* -, -en: Bewirkung von Immunität (1). Im|mu|ni|tät ⟨*lat.*⟩ *die;* -, -en (Plural selten): 1. (angeborene od. durch Impfung erworbene) Unempfänglichkeit für Krankheitserreger od. deren ↑Toxine (Med.; Biol.). 2. verfassungsrechtlich garantierter Schutz vor Strafverfolgung (für Bundes- u. Landtagsabgeordnete); vgl. Indemnität. 3. ↑Exterritorialität. Im|mun|kör|per *der;* -s, -: ↑Antikörper vgl. immungenetisch Im|mu|no|lo|ge ⟨*lat.; gr.*⟩ *der;* -n, -n: Wissenschaftler auf dem Gebiet der Immunologie (Med.). Im|mu|no|lo|gie *die;* -: Wissenschaft, die sich mit der Reaktion des Organismus auf das Eindringen körperfremder Substanzen befasst. im|mu|no|lo|gisch: a) die Immunologie betreffend; b) die Immunität (1) betreffend. Im|mu|no|pa|thie *die;* -, -en: Sammelbez. für durch ↑Immunantworten verursachten Krankheitserscheinungen; Immunkrankheit. Im|mu|no|sup|pres|si|on vgl. Immunsuppression. Im|mu|no|sup|pres|siv vgl. immunsuppressiv. Im|mu|no|sup|pres|si|on *die;* -: Unterdrückung einer immunologischen (b) Reaktion (z.B. bei Transplantationen). Im|mun|sup-

pres|siv: eine immunologische (b) Reaktion unterdrückend (z. B. in Bezug auf Arzneimittel). **Im|mun|sys|tem** *das;* -s, -e: für die Immunität (1) verantwortliches Abwehrsystem des Körpers **Im|mu|ta|bi|li|tät** ⟨*lat.*⟩ *die;* -: (veraltet) Unveränderlichkeit **Im|pact** [...pɛkt] ⟨*lat.-engl.*⟩ *der;* -s, -s: 1. Belastung, Wirkung. 2. Stärke der von einer Werbemaßnahme ausgehenden Wirkung (Werbespr.). 3. Moment, in dem der Schläger den Ball trifft (Golf) **im|pair** [ɛ̃'pɛ:ɐ̯] ⟨*lat.-fr.*⟩: (von den Zahlen beim Roulett) ungerade; Ggs. ↑pair **Im|pakt** ⟨*lat.-engl.*⟩ *der;* -s, -e: 1. Meteoriteneinschlag. 2. (auch: *das*) ↑Impact. **im|pak|tiert** ⟨*lat.-nlat.*⟩: eingeklemmt, eingekeilt (z. B. von Zähnen; Med.) **Im|pak|tit** [auch: ...'tɪt] *der;* -s, -e: Glasbildung, die mit einem Meteoriteneinschlag in Beziehung steht.
Im|pa|la ⟨*afrik.*⟩ *die;* -, -s: (in den Steppen Afrikas heimische) kleine Antilope mit braunem Rücken, weißer Unterseite u. schwarzer Zeichnung auf den Fersen
Im|pa|ri|tät ⟨*lat.*⟩ *die;* -: (veraltet) Ungleichheit
Im|passe [ɛ̃'pas] ⟨*fr.*⟩ *die;* -, -s [ɛ̃'pas]: (veraltet) Ausweglosigkeit, Sackgasse
im|pas|tie|ren ⟨*it.*⟩: Farbe [mit dem Spachtel] dick auftragen (Malerei). **Im|pas|to** *das;* -s, -s u. ...sti: dicker Farbauftrag auf einem Gemälde (Malerei)
Im|pa|ti|ens [...tsiɛns] ⟨*lat.*⟩ *die;* -: Springkraut, Balsamine (beliebte Topfpflanze)
Im|peach|ment [ɪm'pi:tʃmənt] ⟨*engl.*⟩ *das;* -[s], -s: (in England, in den USA) gegen einen hohen Staatsbeamten (vom Parlament bzw. vom Repräsentantenhaus) erhobene Anklage wegen Amtsmissbrauchs o. Ä., die im Falle der Verurteilung die Amtsenthebung zur Folge hat
Im|pe|danz ⟨*lat.-nlat.*⟩ *die;* -, -en: elektr. Scheinwiderstand; Wechselstromwiderstand eines Stromkreises (Phys.). **Im|pe|danz|relais** *das:* ↑Distanzrelais
Im|pe|di|ment ⟨*lat.*⟩ *das;* -[e]s, -e: (veraltet) rechtliches Hindernis (z. B. Ehehindernis)
im|pe|net|ra|bel* ⟨*lat.*⟩: (veraltet) undurchdringlich
im|pe|ra|tiv ⟨*lat.*⟩: befehlend, zwingend, bindend; **imperatives**

Mandat: ↑Mandat (2), das den Abgeordneten an den Auftrag seiner Wähler bindet; vgl. ...isch/-. **Im|pe|ra|tiv** *der;* -s, -e: 1. Befehlsform (z. B. geh!; Sprachw.). 2. Pflichtgebot (Philos.); vgl. kategorischer Imperativ. **im|pe|ra|ti|visch** [auch: 'ɪm]: in der Art des Imperativs (1); vgl. ...isch/-. **Im|pe|ra|tor** *der;* -s, ...oren: 1. im Rom der Antike Titel für den Oberfeldherrn. 2. von Kaisern gebrauchter Titel zur Bezeichnung ihrer kaiserlichen Würde; Abk.: Imp.; **Imperator Rex:** Kaiser u. König (Titel z. B. Wilhelms II.); Abk.: I. R. **im|pe|ra|to|risch:** 1. den Imperator betreffend. 2. in der Art eines Imperators, gebieterisch. **Im|pe|rat|rix*** *die;* -, ...rices [...'tri:tse:s]: weibliche Form zu ↑Imperator
Im|per|fekt [auch: ...'fɛkt] ⟨*lat.*⟩ *das;* -s, -e: 1. (ohne Plural) Zeitform, mit der ein verbales Geschehen od. Sein aus der Sicht des Sprechers als [unabgeschlossene, „unvollendete“] Vergangenheit charakterisiert wird. 2. Verbform des Imperfekts (1), ↑Präteritum (z. B. rauchte, fuhr). **im|per|fek|ti|bel** ⟨*lat.-fr.*⟩: (veraltet) vervollkommnungsunfähig, unbildsam. **Im|per|fek|ti|bi|li|tät** *die;* -: Unfähigkeit zur Vervollkommnung, Unbildsamkeit. **im|per|fek|tisch** [auch: ...'fɛk...] ⟨*lat.*⟩: das Imperfekt betreffend. **im|per|fek|tiv** ⟨*lat.-nlat.*⟩: 1. ↑imperfektisch (z. B.). 2. unvollendet, einen Vorgang in seinem Verlauf darstellend; **imperfektive Aktionsart:** ↑Aktionsart eines Verbs, die das Sein od. Geschehen als zeitlich unbegrenzt, als unvollendet, als dauernd (↑durativ) kennzeichnet (z. B. wachen). **Im|per|fek|tum** ⟨*lat.*⟩ *das;* -s, ...ta: ↑Imperfekt
im|per|fo|ra|bel ⟨*lat.-nlat.*⟩: undurchbohrbar. **Im|per|fo|ra|ti|on** *die;* -, -en: angeborene Verwachsung einer Körperöffnung (z. B. des Afters); ↑Atresie (Med.)
im|pe|ri|al ⟨*lat.*⟩: das Imperium betreffend; herrschaftlich, kaiserlich. **¹Im|pe|ri|al** *das;* -[s]: ein vor Einführung der DIN-Größen übliches Papierformat (57 x 78). **²Im|pe|ri|al** *der;* -s, -e: 1. kleine italienische Silbermünze (12.–15. Jh.). 2. frühere russ. Goldmünze. **³Im|pe|ri|al** *die;* -: (veraltet) Schriftgrad von 9 ↑Cicero. **Im|pe|ri|a|lis|mus** ⟨*lat.-fr.*⟩

der; -: 1. Bestrebung einer Großmacht, ihren politischen, militärischen u. wirtschaftlichen Macht- u. Einflussbereich ständig auszudehnen. 2. (nach marxistischer Anschauung) die Endstufe des Kapitalismus mit Verflechtung der Industrie- u. Bankmonopole. **Im|pe|ri|a|list** *der;* -en, -en: Vertreter des Imperialismus. **im|pe|ri|a|lis|tisch:** dem Imperialismus zugehörend. **Im|pe|ri|um** ⟨*lat.*⟩ *das;* -s, ...ien: 1. [röm.] Kaiserreich, Weltreich. 2. sehr großer Herrschafts-, Macht- u. Einflussbereich
im|per|me|a|bel ⟨*lat.-nlat.*⟩: undurchlässig (Med.). **Im|per|me|a|bi|li|tät** *die;* -: Undurchlässigkeit
Im|per|so|na|le ⟨*lat.*⟩ *das;* -s, ...lia u. ...lien: unpersönliches Verb, das nur in der 3. Pers. Singular vorkommt (z. B. es schneit); Ggs. ↑Personale (1)
im|per|ti|nent ⟨*lat.*⟩: „nicht dazu (zur Sache) gehörig“): in herausfordernder Weise ungehörig, frech, unverschämt. **Im|per|ti|nenz** ⟨*lat.-mlat.*⟩ *die;* -, -en: 1. (ohne Plural) dreiste Ungehörigkeit, Frechheit, Unverschämtheit. 2. impertinente Äußerung, Handlung
im|per|zep|ti|bel ⟨*lat.*⟩: (Psychol.; selten) nicht wahrnehmbar
im|pe|ti|gi|nös ⟨*lat.*⟩: borkig, grindig (Med.). **Im|pe|ti|go** *die;* -, ...gines: Eitergrind, -flechte, entzündliche [ansteckende] Hautkrankheit mit charakteristischer Blasen-, Pustel- u. Borkenbildung (Med.)
im|pe|tu|ö|so ⟨*lat.-it.*⟩: stürmisch, ungestüm, heftig (Vortragsanweisung; Mus.). **Im|pe|tus** ⟨*lat.*⟩ *der;* -: a) [innerer] Antrieb, Anstoß, Impuls; b) Schwung[kraft], Ungestüm
Im|pi|e|tät ⟨*lat.*⟩ *die;* -: (veraltet): Mangel an ↑Pietät; Gottlosigkeit, Lieblosigkeit
Im|plan|tat* ⟨*lat.-nlat.*⟩ *das;* -[e]s, -e: dem Körper eingepflanztes Gewebestück o. Ä. (Med.). **Im|plan|ta|ti|on** *die;* -, -en: Einpflanzung von Gewebe (z. B. Haut), Organteilen (z. B. Zähnen) od. sonstigen Substanzen in den Körper; Organeinpflanzung (Med.). **im|plan|tie|ren:** eine Implantation vornehmen. **Im|plan|to|lo|gie** *die;* -: Lehre von den [Möglichkeiten der] Implantationen (Med.)
Im|ple|ment* ⟨*lat.*⟩ *das;* -[e]s, -e:

(veraltet) Ergänzung, Erfüllung [eines Vertrages]. im|ple|men|tie|ren ⟨lat.-engl.⟩: (Software, Hardware o. Ä.) in ein bestehendes Computersystem einsetzen, einbauen u. so ein funktionsfähiges Programm erstellen (EDV). Im|ple|men|tie|rung die; -, -en: das Implementieren, Implementiertwerden (EDV)

Im|pli|kat* ⟨lat.⟩ das; -[e]s, -e: etwas, was in etwas anderes einbezogen ist. Im|pli|ka|ti|on ⟨lat.; „Verflechtung"⟩ die; -, -en: a) Einbeziehung einer Sache in eine andere; b) Bez. für die logische „Wenn-dann"-Beziehung (Philos.; Sprachw.). im|pli|zie|ren: einbeziehen, gleichzeitig beinhalten, bedeuten; mit enthalten. im|pli|zit: 1. mit enthaltend, mit gemeint, aber nicht ausdrücklich gesagt; Ggs. ↑explizit (a). 2. nicht aus sich selbst zu verstehen, sondern logisch zu erschließen. 3. als Anlage vorhanden (Med.). im|pli|zi|te: [unausgesprochen] mit inbegriffen, eingeschlossen

im|plo|die|ren* ⟨lat.-nlat.⟩: durch Implosion zerstört werden (z. B. die Bildröhre eines Fernsehers). Im|plo|si|on die; -, -en: schlagartige Zertrümmerung eines Hohlkörpers durch äußeren Überdruck. Im|plo|siv der; -s, -e u. Im|plo|siv|laut der; -[e]s, -e: Verschlusslaut, bei dessen Artikulation der von innen nach außen drängende Luftstrom nicht unterbrochen wird (z. B. das b in „abputzen")

Im|plu|vi|um* ⟨lat.⟩ das; -s, ...ien u. ...ia: (in altröm. Häusern) rechteckiges Sammelbecken für Regenwasser im Fußboden des ↑Atriums (1)

im|pon|de|ra|bel ⟨lat.-nlat.⟩: (veraltet) unwägbar, unberechenbar. Im|pon|de|ra|bi|li|en die (Plural): Unwägbarkeiten; Gefühlsu. Stimmungswerte; Ggs. ↑Ponderabilien. Im|pon|de|ra|bi|li|tät die; -: Unwägbarkeit, Unberechenbarkeit

im|po|nie|ren ⟨lat.(-fr.)⟩: a) Achtung einflößen, großen Eindruck machen; b) (veraltet) sich geltend machen. Im|po|nier|ge|ha|be ⟨lat.(-fr.); dt.⟩ das; -s: von [männlichen] Tieren vor der Paarung. einem Rivalen gegenüber gezeigtes kraftvolles Auftreten (mit gesträubten Federn, hoch gestelltem Schwanz o. Ä.), das der Werbung od. Drohung dient (Verhaltensforschung)

Im|port ⟨lat.-fr.-engl.⟩ der; -[e]s, -e: 1. Einfuhr. 2. das Eingeführte; Ggs. ↑¹Export. im|por|tant ⟨lat.-fr.⟩: (veraltet) wichtig, bedeutsam. Im|por|tanz die; -: (veraltet) Wichtigkeit, Bedeutsamkeit. Im|por|te ⟨lat.-fr.-engl.⟩ die; -, -n (meist Plural): 1. Einfuhrware. 2. (veraltend) im Ausland hergestellte Zigarre. Im|por|teur [...'tø:ɐ̯] ⟨französierende Ableitung von ↑importieren⟩ der; -s, -e: Person, Firma, die etw. importiert. im|por|tie|ren ⟨lat.(-fr.-engl.)⟩: Waren aus dem Ausland einführen

im|por|tun ⟨lat.⟩: ungeeignet; ungelegen; Gg. ↑opportun

im|po|sant ⟨lat.-fr.⟩: durch Größe, Bedeutsamkeit od. Ungewöhnlichkeit ins Auge fallend; einen bedeutenden Eindruck hinterlassend; eindrucksvoll, großartig, überwältigend

im|pos|si|bel ⟨lat.⟩: (veraltet) unmöglich. Im|pos|si|bi|li|tät die; -, -en: (veraltet) Unmöglichkeit

Im|post ⟨lat.-mlat.⟩ der; -[e]s: (veraltet) Warensteuer

im|po|tent [auch: ...'tɛnt] ⟨lat.⟩: 1. a) (vom Mann) unfähig zum Geschlechtsverkehr; b) zeugungsunfähig; unfähig, Kinder zu bekommen, aufgrund der Unfruchtbarkeit des Mannes; Ggs. ↑potent (2). 2. nicht schöpferisch, leistungsschwach, unfähig, untüchtig. Im|po|tenz [auch: ...'tɛnts] die; -, -en: 1. a) Unfähigkeit (des Mannes) zum Geschlechtsverkehr; b) Zeugungsunfähigkeit, Unfruchtbarkeit (des Mannes). 2. Unvermögen, [künstlerische] Unfähigkeit

Im|prä|gna|ti|on* ⟨lat.-vulgärlat.⟩ die; -, -en: 1. feine Verteilung von Erdöl od. Erz auf Spalten od. in Poren eines Gesteins (Geol.). 2. das Eindringen der Samenfäden in das reife Ei, Befruchtung (Med.). 3. das Imprägnieren. im|prä|gnie|ren ⟨lat.; „schwängern"⟩: 1. feste Stoffe mit einem Schutzmittel gegen Feuchtigkeit, Zerfall u. a. durchtränken. 2. Getränke (z. B. Sekt, Wein) unter Druck Kohlensäure zusetzen, um ihnen ↑moussierende Eigenschaften zu verleihen. Im|prä|gnie|rung die; -, -en: a) das Imprägnieren; b) durch Imprägnieren erreichter Zustand

im|prak|ti|ka|bel* ⟨lat.; gr.-mlat.⟩: undurchführbar, nicht anwendbar

Theater-, Konzertagent, der für einen Künstler die Verträge abschließt u. die Geschäfte führt

Im|pres|si|on* ⟨lat.-fr.; „Eindruck"⟩ die; -, -en: 1. Sinneseindruck, Empfindung, Wahrnehmung, Gefühlseindruck; jeder unmittelbar empfangene Bewusstseinsinhalt (Hume). 2. a) Einbuchtung od. Vertiefung an Organen od. anderen Körperteilen (Anat.); b) durch Druck od. Stoß verursachte ↑pathologische Eindellung eines Körperteils (Med.). im|pres|si|o|na|bel ⟨lat.-nlat.⟩: für Impressionen besonders empfänglich; erregbar, reizbar. Im|pres|si|o|nis|mus ⟨lat.-fr.⟩ der; -: Ende des 19. Jh.s entstandene Stilrichtung der bildenden Kunst, der Literatur u. der Musik, deren Vertreter persönliche Umwelteindrücke u. Stimmungen besonders in künstlerischen Kleinformen (Skizzen, Einaktern, Tonmalereien) wiedergeben. Im|pres|si|o|nist der; -en, -en: Vertreter des Impressionismus. im|pres|si|o|nis|tisch* -1 im Stil des Impressionismus od. den Impressionismus betreffend. Im|pres|sum ⟨lat.⟩ das; -s, ...ssen: Angabe über Verleger, Drucker, Redakteure u. a. in Zeitungen, Zeitschriften, Büchern u. Ä. im|pri|ma|tur ⟨„es werde gedruckt"⟩: Vermerk des Autors od. Verlegers auf dem letzten Korrekturabzug, dass der Satz zum Druck freigegeben ist; Abk.: impr., imp. Im|pri|ma|tur die; -s u. (österr. auch:) Im|pri|ma|tur die; -: 1. Druckerlaubnis (allgemein). 2. am Anfang od. Ende eines Werks vermerkte, nach kath. Kirchenrecht erforderliche bischöfliche Druckerlaubnis für Bibelausgaben u. religiöse Schriften; vgl. approbatur. Im|pri|mé [ɛ̃pri'me:] ⟨lat.-fr.⟩ der; -[s], -s: 1. bedrucktes Seidengewebe mit ausdrucksvollem Muster. 2. internat. Bez. für: Drucksache (Postw.). im|pri|mie|ren ⟨lat.-nlat.⟩: das Imprimatur erteilen

Im|promp|tu* [ɛ̃prõ'ty:] ⟨lat.-fr.⟩ das; -s, -s: Komposition der Romantik, bes. für Klavier, in der Art einer Improvisation

Im|pro|pe|ri|en* ⟨lat.; „Vorwürfe"⟩ die (Plural): die Klagen des Gekreuzigten über das undankbare Volk Israel darstellende Gesänge der kath. Karfreitagsliturgie

Im|pro|vi|sa|teur* ⟨lat.-fr.⟩ der;

-s, -e: jmd., der am Klavier [zur Unterhaltung] improvisiert. **Im|pro|vi|sa|ti|on** ⟨*lat.-it.*⟩ *die;* -, -en: 1. das Improvisieren, Kunst des Improvisierens. 2. ohne Vorbereitung, aus dem Stegreif Dargebotenes; Stegreifschöpfung, [an ein Thema gebundene] musikalische Stegreiferfindung u. -darbietung. **Im|pro|vi|sa|tor** *der;* -s, ...oren: jmd., der etwas aus dem Stegreif darbietet; Stegreifkünstler. **im|pro|vi|sa|to|risch:** in der Art eines Improvisators. **im|pro|vi|sie|ren:** 1. etwas ohne Vorbereitung, aus dem Stegreif tun; mit einfachen Mitteln herstellen, verfertigen. 2. a) Improvisationen (2) spielen; b) während der Darstellung auf der Bühne seinem Rollentext frei Erfundenes hinzufügen

Im|puls ⟨*lat.;* „Anstoß"⟩ *der;* -es, -e: 1. a) Anstoß, Anregung; b) Antrieb, innere Regung. 2. a) Strom- od. Spannungsstoß von relativ kurzer Dauer; b) Anstoß, Erregung, die von den Nerven auf entsprechende Zellen, Muskeln o. Ä. übertragen wird (Med.). 3. (Physik) a) Produkt aus Kraft u. Dauer eines Stoßes; b) Produkt aus Masse u. Geschwindigkeit eines Körpers. **Im|puls|ge|ne|ra|tor** *der;* -s, -en: Gerät zur Erzeugung elektrischer Impulse in gleichmäßiger Folge. **im|pul|siv** ⟨*lat.-nlat.*⟩: aus einem plötzlichen, augenblicklichen Impuls heraus handelnd, einer Eingebung sogleich folgend, spontan. **Im|pul|si|vi|tät** *die;* -: impulsives Wesen. **Im|puls|tech|nik** *die;* -: Teilgebiet der ↑Elektrotechnik, auf dem man sich mit der Erzeugung, Verbreitung u. Anwendung elektrischer Impulse befasst

Im|pu|ta|bi|li|tät ⟨*lat.-nlat.*⟩ *die;* -: Zurechnungsfähigkeit, geistige Gesundheit (Med.). **Im|pu|ta|ti|on** ⟨*lat.*⟩ *die;* -, -en: 1. von Luther bes. betonter Grundbegriff der christl. Rechtfertigungs- u. Gnadenlehre, nach der dem sündigen Menschen als Glaubendem die Gerechtigkeit Christi angerechnet u. zugesprochen wird. 2. (veraltet) [ungerechtfertigte] Beschuldigung. **im|pu|ta|tiv** (veraltet) eine [ungerechtfertigte] Beschuldigung enthaltend; **imputative Rechtfertigung:** ↑Imputation (1). **im|pu|tie|ren** (veraltet) [ungerechtfertigt] beschuldigen

in ⟨*engl.*⟩: in der Verbindung: **in sein:** 1. (bes. von Personen im Showgeschäft o. Ä.) im Brennpunkt des Interesses stehen, gefragt sein; Ggs. ↑out (sein 1). 2. sehr in Mode sein, von vielen begehrt sein, betrieben werden; Ggs. ↑out (sein 2) (ugs.)

in ab|sen|tia ⟨*lat.*⟩: in jmds. Abwesenheit (bes. Rechtsw.)

in abs|trac|to* ⟨*lat.*⟩: rein begrifflich, nur in der Vorstellung; Ggs. ↑in concreto; vgl. abstrakt

In|aci|di|tät ⟨*lat.; nlat.*⟩ *die;* -: ↑Anacidität

in|adä|quat* [auch: ...'kva:t] ⟨*lat.-nlat.*⟩: unangemessen, nicht passend, nicht entsprechend; Ggs. ↑adäquat. **In|adä|quat|heit** *die;* -, -en: a) (ohne Plural) Unangemessenheit; Ggs. ↑Adäquatheit; b) etwas Unangemessenes; Beispiel, Fall von Unangemessenheit

in ae|ter|num [-ε...] ⟨*lat.*⟩: auf ewig

in|ak|ku|rat [auch: ...'ra:t] ⟨*lat.-nlat.*⟩: ungenau, unsorgfältig

in|ak|tiv [auch: ...'ti:f] ⟨*lat.-nlat.*⟩: 1. sich untätig, passiv verhaltend; Ggs. ↑aktiv (1a). 2. a) außer Dienst; sich im Ruhestand befindend, verabschiedet, ohne Amt; b) (Studentenspr.) zur Verbindung in freierem Verhältnis stehend; Ggs. ↑aktiv (6). 3. a) chemisch unwirksam (in Bezug auf chemische Substanzen, ↑Toxine o. Ä., deren normale Wirksamkeit durch bestimmte Faktoren wie z. B. starke Hitze ausgeschaltet wurde); Ggs. ↑aktiv (5); b) ruhend; vorübergehend keine Krankheitssymptome zeigend (in Bezug auf Krankheitsprozesse wie z. B. Lungentuberkulose). **In|ak|ti|ve** *der;* -n, -n: von den offiziellen Veranstaltungen weitgehend befreites Mitglied (älteren Semesters) einer studentischen Verbindung. **in|ak|ti|vie|ren:** 1. in den Ruhestand versetzen, von seinen [Amts]pflichten entbinden. 2. einem Mikroorganismus (z. B. einem Serum o. Ä.) durch bestimmte chemische od. physikalische Verfahren seine spezifische Wirksamkeit nehmen (Med.). **In|ak|ti|vi|tät** [auch: ...'tε:t] *die;* -: 1. Untätigkeit, passives Verhalten; Ggs. ↑aktivität (1). 2. chemische Unwirksamkeit. 3. das Ruhen eines krankhaften Prozesses (Med.). **in|ak|tu|ell** [auch: ...'tuεl]: nicht im augenblicklichen Interesse liegend, nicht zeitgemäß; nicht zeitnah; Ggs. ↑aktuell (1)

in|ak|zep|ta|bel [auch: ...'za:...] ⟨*lat.-nlat.*⟩: unannehmbar. **In|ak|zep|ta|bi|li|tät** [auch: ...'tε:t] *die;* -: Unannehmbarkeit

in all|bis [-'albi:s] ⟨*lat.;* „in weißen (Bogen)"⟩: (veraltet) (von Büchern) in Rohbogen, nicht gebunden; vgl. Dominica in albis

in|ali|e|na|bel ⟨*lat.-nlat.*⟩: unveräußerlich, nicht übertragbar (Rechtsw.)

il|nan* ⟨*lat.*⟩: nichtig, leer, hohl, eitel (in der atomistischen Philosophie). **I|na|ni|tät** *die;* -: Nichtigkeit, Leere, Eitelkeit. **I|na|ni|ti|on** ⟨*lat.-nlat.*⟩ *die;* -: Abmagerung mit völliger Entkräftung u. Erschöpfung als Folge unzureichender Ernährung od. bei auszehrenden Krankheiten wie der Tuberkulose (Med.)

in|ap|pa|rent [auch: ...'rεnt] ⟨*lat.-engl.*⟩: nicht sichtbar, nicht wahrnehmbar (von Krankheiten; Med.); Ggs. ↑apparent

in|ap|pel|la|bel ⟨*lat.-nlat.*⟩: (veraltet) keine Möglichkeit mehr bietend, ein Rechtsmittel einzulegen, durch Berufung nicht anfechtbar (von gerichtlichen Entscheidungen)

In|ap|pe|tenz [auch: ...'εnts] ⟨*lat.-nlat.*⟩ *die;* -: fehlendes Verlangen (z. B. nach Nahrung; Med.)

in|äqual ⟨*lat.-nlat.*⟩: (veraltet) ungleich, verschieden; Ggs. ↑äqual

in|ar|ti|ku|liert [auch: ...'li:ɐ̯] ⟨*lat.-nlat.*⟩: nicht artikuliert (vgl. artikulieren), ohne deutliche Gliederung gesprochen

In|au|gu|ral|dis|ser|ta|ti|on ⟨*lat.-nlat.*⟩ *die;* -, -en: wissenschaftliche Arbeit (↑Dissertation) zur Erlangung der Doktorwürde. **In|au|gu|ra|ti|on** ⟨*lat.*⟩ *die;* -, -en: feierliche Einsetzung in ein hohes [politisches, akademisches] Amt, eine Würde. **in|au|gu|rie|ren:** a) in ein hohes [politisches, akademisches] Amt, eine Würde einsetzen; b) etw. Neues [feierlich] einführen, etw. ins Leben rufen, schaffen; c) (österr. selten) einweihen

In|azi|di|tät vgl. Inacidität

In|bet|ween [ɪnbɪ'twi:n] ⟨*engl.*⟩ *der;* -s, -s: halbdurchsichtiger, in seiner Dichte zwischen Gardinen- u. Vorhangstoff liegender Stoff zur Raumausstattung

in bl|an|ko ⟨*it.*⟩: ausgefüllt, leer (von Schecks o. Ä.)

in bond ⟨*engl.*⟩: unverzollt, aber unter Zollaufsicht stehend (von gelagerten Waren; Wirtsch.)

in bre|vi ⟨*lat.*⟩: (veraltet) bald, in Kürze

In|cen|tive [ɪnˈsɛntɪv] ⟨lat.-engl.⟩ das; -s, -s: a) (Plural) durch wirtschaftspolitische (meist steuerliche) Maßnahmen ausgelöste Anreizeffekte zu erhöhter ↑ökonomischer (a) Leistungsbereitschaft; b) von einem Unternehmen seinen Mitarbeitern angebotene Gratifikation, die zur Leistungssteigerung anreizen soll; c) ↑Inzentiv. **In|cen|tive|rei|se** die; -, -n: Reise, die ein Unternehmen bestimmten Mitarbeitern als Prämie od. als Anreiz zur Leistungssteigerung stiftet

Inch [ɪntʃ] ⟨engl.⟩ der; -, -es [...tʃɪs] (4 Inch[es]): angelsächsisches Längenmaß (= 2,54 cm) Abk.: in.; Zeichen: ″

in|cho|a|tiv [...k...] ⟨lat.⟩: (von Verben) einen Beginn ausdrückend (z. B. erwachen; Sprachw.). **In|cho|a|tiv** das; -s, -e: Verb mit inchoativer Aktionsart. **In|cho|a|ti|vum** das; -s, ...va: ↑Inchoativ

in|chro|mie|ren [...k...] ⟨gr.-nlat.⟩: auf Metalle eine Oberflächenschutzschicht aus Chrom auf nicht galvanischem Wege aufbringen

in|ci|den|tell [...ts...] vgl. inzidentell

in|ci|dit [...ts...] ⟨lat.⟩: „(dies) hat geschnitten" (vor dem Namen des Stechers auf Kupferstichen); Abk.: inc.

in|ci|pit [...ts...] ⟨lat.⟩: „(es) beginnt" (am Anfang von Handschriften u. Frühdrucken); Ggs. ↑explicit. **In|ci|pit** das; -s, -s: 1. Anfangsformel, Anfangsworte einer mittelalterlichen Handschrift od. eines Frühdruckes. 2. (Mus.) a) Bezeichnung eines Liedes, einer Arie mit den Anfangsworten ihres Textes; b) Anfangstakte eines Musikstücks in einem thematischen Verzeichnis

n|clu|si|ve vgl. inklusive

n con|cert [-ˈkɔnsət] ⟨engl.⟩: (Werbespr.) a) in einem öffentlichen Konzert, in öffentlicher Veranstaltung [auftretend]; b) in einem Mitschnitt eines öffentlichen Konzerts (im Unterschied zu einer Studioaufnahme)

n con|cre|to* ⟨lat.⟩: auf den vorliegenden Fall bezogen; im Einzelfall; in Wirklichkeit; Ggs. ↑in abstracto; vgl. konkret

n|con|tro* vgl. Inkontro

n con|tu|ma|ci|am ⟨lat.; „wegen Unbotmäßigkeit"); **in contumaciam urteilen:** in (wegen, trotz) Abwesenheit des Beklagten ein

Urteil fällen; **in contumaciam verurteilen:** gegen jmdn. wegen Nichterscheinens vor Gericht (trotz ergangener Vorladung) ein Versäumnisurteil fällen; vgl. Kontumaz

in|cor|po|ra|ted [ɪnˈkɔːpəreɪtɪd] ⟨engl.-amerik.⟩: engl.-amerik. Bez. für: [als Aktiengesellschaft, im Handelsregister] eingetragen; Abk.: Inc.

in cor|po|re ⟨lat.⟩: gemeinsam, alle zusammen

In|co|terms ⟨Kurzw. aus: International commercial terms; engl.⟩ die (Plural): Gesamtheit der im internationalen Handel üblichen Bestimmungen für Lieferung, Beförderung, Abnahme u. Ä. von Waren (Wirtsch.)

In|cro|ya|ble [ɛ̃krŏaˈjaːbl] ⟨lat.-fr.⟩ „der Unglaubliche") der; -[s], -s [...bl]: (scherzh.) a) großer, um 1800 in Frankreich getragener Zweispitz; b) stutzerhafter Träger eines großen Zweispitzes

In|cu|bus vgl. Inkubus

In|cus ⟨lat.⟩ der; -, Incudes [...kuːdeːs]: Amboss, mittleres Knöchelchen des Gehörorgans (Biol.; Med.)

in|danth|ren*: (von gefärbten Textilien) licht- u. farbecht. **In|danth|ren ®** ⟨Kurzw. aus ↑Indigo u. ↑Anthrazen⟩ das; -s, -e: licht- u. waschechter synthetischer Farbstoff für Textilien (Chem.)

in|de|bi|te ⟨lat.⟩: irrtümlich u. ohne rechtlichen Grund geleistet (von Zahlungen). **In|de|bi|tum** das; -s, ...ta: (veraltet) Zahlung, die irrtümlich u. ohne rechtlichen Grund geleistet wurde

in|de|ci|so [inde'tʃiːzo] ⟨lat.-it.⟩: unbestimmt (Vortragsanweisung; Mus.)

in|de|fi|ni|bel ⟨lat.⟩: nicht definierbar, nicht begrifflich abgrenzbar; unerklärbar. **in|de|fi|nit** [auch: ˈin...]: unbestimmt; indefinites Pronomen: ↑Indefinitpronomen. **In|de|fi|ni|t|pro|no|men** das; -s, - u. ...mina: unbestimmtes Fürwort, z. B. jemand, kein. **In|de|fi|ni|tum** das; -s, ...ta: (selten) Indefinitpronomen

in|de|kli|na|bel* [auch: ...'naː...] ⟨lat.⟩: nicht beugbar (z. B. rosa: eine rosa Kleid; Sprachw.). **In|de|kli|na|bi|le** das; -, ...bilia: indeklinables Wort

in|de|li|kat [auch: ...'kaːt] ⟨lat.-fr.⟩: unzart; unfein; Ggs. ↑delikat (1, 2)

in|dem|ni|sie|ren ⟨lat.-fr.⟩: (veraltet) entschädigen, vergüten;

Indemnität erteilen (Rechtsw.). **In|dem|ni|tät** die; -: 1. nachträgliche Billigung eines Regierungsaktes, den das Parlament zuvor [als verfassungswidrig] abgelehnt hatte. 2. Straffreiheit des Abgeordneten in Bezug auf Äußerungen im Parlament

in|de|monst|ra|bel* [auch: ...'straː...] ⟨lat.⟩: nicht demonstrierbar, nicht beweisbar (Philos.)

In|dent|ge|schäft ⟨engl.; dt.⟩ das; -[e]s, -e: Exportgeschäft, das Mindel ung des Risikos für den Exporteur dient

In|de|pen|dence Day [ɪndɪˈpɛndəns ˈdeɪ] ⟨engl.-amerik.⟩ der; - -: Unabhängigkeitstag der USA (4. Juli). **In|de|pen|dent** ⟨lat.-fr.-engl.⟩ der; -en, -en (meist Plural): a) Anhänger eines radikalen Puritanismus in England im 17. Jh.; b) ↑Kongregationalist. **In|de|pen|dent La|bour Par|ty** [-ˈleɪbə ˈpɑːtɪ] ⟨engl.⟩ die; - - -: a) Name der ↑Labour Party bis 1906; b) 1914 von der Labour Party abgespaltene Partei mit pazifistischer Einstellung. **In|de|pen|denz** ⟨lat.-nlat.⟩ die; -: (veraltet) Unabhängigkeit

in|de|ter|mi|na|bel [auch: ...'in...] ⟨lat.⟩: unbestimmt, unbestimmbar (Philos.). **In|de|ter|mi|na|ti|on** [auch: ˈin...] ⟨lat.-nlat.⟩ die; -: 1. Unbestimmtheit (Philos.). 2. Unentschlossenheit. **in|de|ter|mi|niert** [auch: ˈin...]: unbestimmt, nicht festgelegt (abgegrenzt), frei (Philos.). **In|de|ter|mi|nis|mus** ⟨lat.-nlat.⟩ der; -: Lehrmeinung, nach der Geschehen nicht od. nur bedingt durch Kausalität u. Naturgeschehen bestimmt ist (Philos.); Ggs. ↑Determinismus (2)

In|dex ⟨lat.; „Anzeiger; Register, Verzeichnis") der; - u. -es, -e u. ...dizes, auch: ...dices [... diˈtseːs]: 1. alphabet. [Stichwort]verzeichnis (von Namen, Sachen, Orten u. a.). 2. (Plural Indexe, Indices) Liste von Büchern, die nach päpstlichem Entscheid von den Gläubigen nicht gelesen werden durften; **auf dem Index stehen:** verboten sein. 3. (Plural Indizes, Indices) statistischer Messwert, durch den eine Veränderung bestimmter wirtschaftlicher Tatbestände (z. B. Preisentwicklung in einem bestimmten Bereich) ausgedrückt wird (Wirtsch.). 4. (Plural Indizes, Indices) a) Buchstabe od. Zahl, die zur Kennzeichnung und Unterscheidung gleichartiger Größen an diese (meist tiefer stehend) angehängt wird (z. B. a_1, a_2, a_3 od. allgemein a_i, a_n, a_i; Math.); b) hoch gestellte Zahl, die ↑Homographen o. Ä. zum Zwecke der Unterscheidung vorangestellt wird (Lexikographie). 5. Zeigefinger (Med.). 6. Verhältnis der Schädelbreite zur Schädellänge in Prozenten (Messwert der ↑Anthropologie). 7. als separate ↑Datei gespeichertes Verzeichnis von ²Adressen (2) (EDV). in|de|xie|ren ⟨lat. -nlat.⟩: a) Speicheradressen ermitteln, indem man den Wert im Adressfeld einer Instruktion zum Inhalt eines ↑Indexregisters hinzuzählt (EDV); vgl. ²Adresse (2); b) einen Index, eine Liste von Gegenständen od. Hinweisen anlegen; vgl. indizieren; c) Titel, Bücher auf den ↑Index (2) setzen. In|de|xie|rung die; -, -en: 1. das Indexieren (a, b). 2. Dynamisierung (vgl. dynamisieren b) eines Betrages durch Knüpfung an eine Indexklausel. In|dex|klau|sel die; -, -n: Wertsicherungsklausel, nach der die Höhe eines geschuldeten Betrages vom Preisindex der Lebenshaltung abhängig gemacht wird. In|dex|re|gis|ter das; -s, -: Teil in Computeranlagen, in dem unabhängig vom Rechenwerk mit Zahlen gerechnet werden kann, die in der Position eines Adressenteils stehen (EDV); vgl. ²Adresse (2). In|dex|wäh|rung ⟨lat.; dt.⟩ die; -, -en: Währung, die durch die Beeinflussung der Geld- u. Kreditmenge durch die Notenbank manipuliert wird. In|dex|zif|fer die; -, -n: Ziffer, die die Veränderung von Zahlenwerten zum Ausdruck bringt (z. B. Preisindex)

in|de|zent [auch: ...'tsɛnt] ⟨lat.⟩: nicht taktvoll, nicht feinfühlig; Ggs. ↑dezent. In|de|zenz [auch: ...'tsɛnts] die; -, -en: Mangel an Takt, Feinfühligkeit; Ggs. ↑Dezenz (1)

¹In|di|a|ca ® ⟨Kunstw.⟩ das; -: von den südamerik. Indianern stammendes, dem ↑Volleyball (1) verwandtes Mannschaftsspiel, bei dem anstelle des Balles eine ²Indiaca verwendet wird. ²In|di|a|ca die; -, -s: für das ¹Indiaca verwendeter, mit Federn versehener Lederball mit elastischer Füllung In|di|an ⟨kurz für: „indianischer Hahn"⟩ der; -s, -e: (bes. österr.) Truthahn. In|di|a|na|po|lis|start ⟨nach der Hauptstadt des US-Bundesstaates Indiana, In-

dianapolis, einer Stadt mit bekanntem Autorennen⟩ der; -[e]s, -s (selten: -e): Form des Starts bei Autorennen, bei der die Fahrzeuge nach einer Einlaufrunde im fliegenden ↑Start über die Startlinie fahren. In|di|a|ner|fal|te die; -, -n: ↑Mongolenfalte. in|di|a|nisch: a) die Indianer betreffend; b) zu den Indianern gehörend. In|di|a|nist ⟨nlat.⟩ der; -en, -en: Kenner, Erforscher der indianischen Sprachen u. Kulturen. In|di|a|nis|tik die; -: Wissenschaft, die sich mit der Erforschung der indianischen Sprachen u. Kulturen beschäftigt

In|di|ca|tor ⟨lat. -nlat.⟩ der; -s: Gattung der Honiganzeiger (spechtartige Vögel des afrikanischen Urwaldes)

In|die ['ɪndi] ⟨Kurzform von engl. independent label⟩ das; -s, -s: a) kleine, unabhängige Plattenfirma; b) unabhängiger Produzent von Musik, Filmen o. Ä.

in|dif|fe|rent [auch: ...'rɛnt] ⟨lat.⟩: unbestimmt; gleichgültig, teilnahmslos, unentschieden; indifferentes Gleichgewicht: Gleichgewicht, bei dem eine Verschiebung die Energieverhältnisse nicht ändert (Mechanik); indifferente Stoffe: feste, flüssige od. gasförmige Substanzen, die entweder gar nicht od. unter extremen Bedingungen nur sehr geringfügig mit Chemikalien reagieren. In|dif|fe|ren|tis|mus ⟨lat. -nlat.⟩ der; -: Gleichgültigkeit gegenüber bestimmten Dingen, Meinungen, Lehren; Uninteressiertheit, Verzicht auf eigene Stellungnahme. In|dif|fe|renz [auch: ...'rɛnts] ⟨lat.⟩ die; -, -en: 1. (ohne Plural) Gleichgültigkeit, Uninteressiertheit. 2. (von chem. Stoffen [in Arzneimitteln]) Neutralität

in|di|gen ⟨lat.⟩: eingeboren, einheimisch. In|di|ge|nat ⟨lat. -nlat.⟩ das; -[e]s; -e: a) Heimat-, Bürgerrecht; b) Staatsangehörigkeit In|di|ges|ti|on ⟨lat.⟩ die; -, -en: Verdauungsstörung (Med.) In|dig|na|ti|on* ⟨lat.⟩ die; -: Unwille, Entrüstung. in|dig|nie|ren: Unwillen, Entrüstung hervorrufen. in|dig|niert: peinlich berührt, unwillig entrüstet. In|dig|ni|tät die; -: 1. (veraltet) Unwürdigkeit. 2. Erbunwürdigkeit (Rechtsw.)

In|di|go ⟨gr. -lat. -span.⟩ der od. das; -s, -s: ältester u. wichtigster organischer, heute synthetisch hergestellter tief dunkelblauer

↑[Küpen]farbstoff (Chem.). In|di|go|blau das; -s, - (ugs.: -s): ↑Indigo. in|di|go|id ⟨gr. -lat. -span.; gr.⟩: indigoähnlich. In|di|go|lith [auch: ...'lɪt] der; -s u. -en, -e[n]: seltener, indigoblauer Turmalin. In|di|go|tin ⟨nlat.⟩ das; -s: ↑Indigo. In|dik ⟨gr. -lat.⟩ der; -s: Indischer Ozean

In|di|ka|ti|on ⟨lat.⟩ die; -, -en: 1. (aus der ärztlichen Diagnose sich ergebende) Veranlassung, ein bestimmtes Heilverfahren anzuwenden, ein Medikament zu verabreichen (Med.); Ggs. ↑Kontraindikation; vgl. indizieren (2), ...[at]ion/...ierung. 2. das Angezeigtsein eines Schwangerschaftsabbruchs: a) kriminologische Indikation (bei Vergewaltigung); b) embryopathische Indikation (wegen möglicher Schäden des Kindes); c) medizinische Indikation (bei Gefahr für das Leben der Mutter); d) soziale Indikation (bei einer Notlage). In|di|ka|ti|o|nen|mo|dell, In|di|ka|ti|ons|mo|dell das; -s, -e: Modell zur Freigabe des Schwangerschaftsabbruchs unter bestimmten medizinisch-embryopathischen od. kriminologischen Voraussetzungen. ¹In|di|ka|tiv ⟨lat.⟩ der; -s, -e: Wirklichkeitsform des Verbs (z. B. fährt); Abk.: Ind.; Ggs. ↑Konjunktiv. ²In|di|ka|tiv ⟨lat.-fr.⟩ das; -s, -s: Erkennungsmelodie; bestimmtes Musikstück, das immer wiederkehrende Radio- u. Fernsehsendungen einleitet. in|di|ka|ti|visch [auch: ...'ti:...]: den Indikativ betreffend, im Indikativ [stehend] In|di|ka|tor ⟨lat. -nlat.⟩ der; -s, ...oren: 1. Umstand od. Merkmal, das als [beweiskräftiges] Anzeichen od. als Hinweis auf etwas anderes dient. 2. (veraltet) Liste der ausleihbaren Bücher einer Bibliothek. 3. Gerät zum Aufzeichnen des theoretischen Arbeitsverbrauches u. der ↑indizierten Leistung einer Maschine (z. B. Druckverlauf im Zylinder von Kolbenmaschinen). 4. Stoff (z. B. Lackmus), der durch Farbwechsel eine bestimmte chemische Reaktion anzeigt. In|di|ka|trix* die; -: mathematische Hilfsmittel zur Feststellung der Krümmung einer Fläche in einem ihrer Punkte. In|dik|ti|on ⟨lat.; „Ansage, Ankündigung"⟩ die; -, -en: mittelalterliche Jahreszählung (Römerzinszahl) m 15-jähriger Periode, von 31

n. Chr. an gerechnet (nach dem alle 15 Jahre aufgestellten röm. Steuerplan)

In|dio ⟨span.⟩ *der; -s, -s:* süd- od. mittelamerikanischer Indianer

in|di|rekt [auch: ...rekt] ⟨*lat.-mlat.*⟩: 1. nicht durch eine unmittelbare Äußerung, Einflussnahme o. Ä.; nicht persönlich; über einen Umweg; Ggs. ↑ direkt; **indirekte Rede:** abhängige Rede (z. B.: Er sagte, *er sei nach Hause gegangen*); Ggs. ↑ direkte Rede; **indirekte Steuer:** Steuer, die im Preis bestimmter Waren, bes. bei Genuss- u. Lebensmitteln, Mineralöl o. Ä. enthalten ist; **indirekte Wahl:** Wahl [der Abgeordneten, des Präsidenten] durch Wahlmänner. 2. (in Bezug auf räumliche Beziehungen) nicht unmittelbar, nicht auf einem direkten Weg; **indirekte Beleuchtung:** Beleuchtung, bei der die Lichtquelle nicht sichtbar ist

in|dis|kret* [auch: ...'kre:t]: ohne den gebotenen Takt od. die gebotene Zurückhaltung in Bezug auf die Privatsphäre eines anderen; Ggs. ↑ diskret. **In|dis|kre|ti|on** [auch: 'in...] *die; -, -en:* a) Mangel an Verschwiegenheit; Vertrauensbruch; b) Taktlosigkeit

in|dis|ku|ta|bel [auch: ...'ta:...]: nicht der Erörterung wert; Ggs. ↑ diskutabel

in|dis|pen|sa|bel [auch: ...'za:...]: (veraltet) unerlässlich

in|dis|po|ni|bel [auch: ...'ni:...]: a) nicht verfügbar; festgelegt; b) (selten) unveräußerlich. **in|dis|po|niert:** unpässlich; nicht zu etwas aufgelegt; in schlechter Verfassung. **In|dis|po|niert|heit** *die; -:* Zustand des Indisponiertseins. **In|di|o|po|si|t|i|on** *die; -, -en:* Unpässlichkeit; schlechte körperlich-seelische Verfassung

in|dis|pu|ta|bel [auch: ...'ta:...]; ⟨*lat.*⟩: (veraltet) nicht strittig, unbestreitbar; Ggs. ↑ disputabel

In|dis|zip|lin* [auch: ...'pli:n] *die; -:* (selten) Mangel an Disziplin. **in|dis|zip|li|niert:** keine Disziplin haltend

In|di|um [*nlat.;* von *lat.* indicum „Indigo", so benannt aufgrund der zwei indigoblauen Linien im Spektrum des Indiums] *das; -s:* chem. Element; ein Metall (Zeichen: In)

in|di|vi|du|al|di|ag|no|se* *die; -, -n:* Methode zur Erfassung der Persönlichkeit eines Menschen mithilfe von Tests sowie der ↑ differenziellen u. Tiefenpsychologie. **In|di|vi|du|al|dis|tanz** *die; -,*

-en: spezifischer Abstand, auf den sich Tiere bestimmter Arten (außer bei der Brutpflege) untereinander annähern (Zool.). **In|di|vi|du|al|ethik** *die; -:* 1. Teilgebiet der ↑ Ethik (1 a), das insbesondere die Pflichten des Einzelnen gegen sich selbst berücksichtigt. 2. Ethik, in der der Wille od. die Bedürfnisse des Einzelnen als oberster Maßstab zur Bewertung von Handlungen angesehen werden. **In|di|vi|du|a|li|sa|ti|on** ⟨*lat.-nlat.*⟩ *die; -, -en:* Individualisierung; vgl. ...[at]ion/...ierung. **in|di|vi|du|a|li|sie|ren** ⟨*lat.-mlat.-fr.*⟩: die Individualität eines Gegenstandes bestimmen; das Besondere, Einzelne, Eigentümliche [einer Person, eines Falles] hervorheben. **In|di|vi|du|a|li|sie|rung** *die; -, -en:* a) das Individualisieren; b) individualisierte Darstellung; vgl. ...[at]ion/ ...ierung. **In|di|vi|du|a|lis|mus** ⟨*lat.-mlat.-nlat.*⟩ *der; -:* 1. Anschauung, die dem Individuum u. seinen Bedürfnissen den Vorrang vor der Gemeinschaft einräumt (Philos.). 2. Haltung eines Individualisten (2). **In|di|vi|du|a|list** *der; -en, -en:* 1. Vertreter des Individualismus. 2. jmd., der einen ganz persönlichen, eigenwilligen Lebensstil entwickelt hat u. sich dadurch von anderen, ihren Verhaltens- u. Denkweisen abhebt. **in|di|vi|du|a|lis|tisch:** 1. dem Individualismus entsprechend. 2. der Haltung, Eigenart eines Individualisten entsprechend. **In|di|vi|du|a|li|tät** ⟨*lat.-mlat.-fr.*⟩ *die; -, -en:* 1. (ohne Plural) persönliche Eigenart; Eigenartigkeit, Einzigartigkeit. 2. Persönlichkeit. **In|di|vi|du|al|po|tenz** *die; -, -en:* 1. [sexuelle] Leistungsfähigkeit männlicher Individuen (Biol.). 2. Ausmaß der Erbtüchtigkeit eines Zuchttieres (Biol.). **In|di|vi|du|al|prä|ven|ti|on** *die; -, -en:* ↑ Spezialprävention. **In|di|vi|du|al|psy|cho|lo|gie** *die; -:* 1. psychologische Forschungsrichtung, die sich mit dem Einzelwesen befasst. 2. (von dem Psychiater u. Psychologen A. Adler entwickelte) Psychologie des Unbewussten, nach der der Hauptantrieb des menschlichen Handelns in sozialen Bedürfnissen u. damit in einem gewissen Streben nach Geltung u. Macht liegt. **in|di|vi|du|al|psy|cho|lo|gisch:** die Individualpsychologie betreffend. **In|di|vi|du|al|tou|ris|mus** *der; -:* Touris-

mus, der sich auf den individuell reisenden Urlauber bezieht; Ggs. ↑ Pauschaltourismus. **In|di|vi|du|a|ti|on** ⟨*lat.-nlat.*⟩ *die; -, -en:* Prozess der Selbstwerdung des Menschen, in dessen Verlauf sich das Bewusstsein der eigenen Individualität bzw. der Unterschiedenheit von anderen zunehmend verfestigt; Ggs. ↑ Sozialisation; vgl. ...[at]ion/...ierung. **in|di|vi|du|ell** ⟨*lat.-mlat.-fr.*⟩: 1. a) auf das Individuum, den einzelnen Menschen, seine Bedürfnisse, speziellen Verhältnisse u. Ä. zugeschnitten, ihnen angemessen, ihnen entsprechend; b) durch die Eigenart, Besonderheit u. Ä. der Einzelpersönlichkeit geprägt; je nach persönlicher Eigenart [verschieden]. 2. [als persönliches Eigentum] einem Einzelnen gehörend, nicht gemeinschaftlich, öffentlich genutzt, verwendet, verbraucht. 3. als Individuum, als Persönlichkeit zu respektieren; als Einzelpersönlichkeit in Erscheinung tretend, auffallend. **In|di|vi|du|en:** *Plural* von ↑ Individuum. **in|di|vi|du|ie|ren:** eine individuelle, akzentuierte [Persönlichkeits]struktur annehmen. **In|di|vi|du|ie|rung** *die; -, -en:* ↑ Individuation; vgl. ...[at]ion/...ierung. **In|di|vi|du|um** ⟨*lat.;* „das Unteilbare") *das; -s, ...duen:* 1. der Mensch als Einzelwesen [in seiner jeweiligen Besonderheit]. 2. (abwertend) Mensch von zweifelhaftem Charakter; in irgendeiner Hinsicht negativ eingeschätzte Person. 3. Pflanze, Tier als Einzelexemplar (Biol.). 4. kleinstes chemisches Teilchen jeglicher Art (Chem.). **in|di|vi|si|bel:** unteilbar

In|diz ⟨*lat.;* „Anzeige; Anzeichen") *das; -es, ...[i]en:* 1. Hinweis, Anzeichen. 2. (meist Plural) Umstand, der mit großer Wahrscheinlichkeit auf einen bestimmten Sachverhalt (vor allem auf eine Täterschaft) schließen lässt; Tatumstand; Verdachtsmoment (Rechtsw.). **In|di|zes:** *Plural* von ↑ Index. **In|di|zi|ell:** (seltener) ein Indiz (2), Indizien betreffend (Rechtsw.). **In|di|zi|en:** *Plural* von ↑ Indiz. **In|di|zi|en|be|weis** *der; -es, -e:* Beweis, der sich nur auf zwingende Verdachtsmomente stützt (Rechtsw.). **in|di|zie|ren:** 1. anzeigen, auf etwas hinweisen. 2. etwas als angezeigt erscheinen lassen (Med.). 3. auf der ↑ Index

(1) setzen. 4. a) ↑indexieren (a, b); b) zum Zwecke der Unterscheidung mit einer hoch gestellten Zahl versehen (z. B. Homonyme). in|di|ziert: 1. angezeigt, ratsam. 2. ein bestimmtes Heilverfahren nahe legend (Med.); Ggs. ↑kontraindiziert; **indizierte Leistung:** durch den ↑Indikator (3) angezeigte, von der Maschine aufgenommene Leistung. In|di|zie|rung die; -, -en: das Indizieren; vgl. ...[at]ion/...ierung. In|di|zi|um das; -s, ...ien: (veraltet) Indiz

in|do|a|risch: die von den ↑Ariern hergeleiteten Völker Vorderindiens betreffend. In|do|eu|ro|pä|er der; -s, -: ↑Indogermane. in|do|eu|ro|pä|isch: ↑indogermanisch. In|do|eu|ro|pä|ist der; -en, -en: ↑Indogermanist. In|do|eu|ro|pä|is|tik die; -: ↑Indogermanistik. In|do|ger|ma|ne der; -n, -n: Angehöriger eines der Völker, die das Indogermanische als Grundsprache haben. in|do|ger|ma|nisch: die Indogermanen od. das Indogermanische betreffend; Abk.: idg. In|do|ger|ma|ni|sche das; -n: erschlossene Grundsprache der Indogermanen (benannt nach den räumlich am weitesten voneinander entfernten Vertretern, den Indern im Südosten u. den Germanen im Nordwesten). In|do|ger|ma|nist ⟨nlat.⟩ der; -en, -en: Wissenschaftler auf dem Gebiet der Indogermanistik. In|do|ger|ma|nis|tik die; -: Wissenschaft, die die einzelnen Sprachzweige des Indogermanischen u. die Kultur der Indogermanen erforscht In|dok|tri|na|ti|on* ⟨lat.⟩ die; -, -en: [massive] psychologische Mittel nutzende Beeinflussung von Einzelnen od. ganzen Gruppen der Gesellschaft im Hinblick auf die Bildung einer bestimmten Meinung od. Einstellung; vgl. ...[at]ion/...ierung. in|dok|tri|na|tiv: auf indoktrinierende Weise. in|dok|tri|nie|ren: in eine bestimmte Richtung drängen, beeinflussen. In|dok|tri|nie|rung die; -, -en: das Indoktrinieren, Indoktriniertwerden; vgl. ...[at]ion/...ierung In|dol ⟨Kurzw. aus lat. indicum „Indigo" u. dem fachspr. Suffix ...ol⟩ das; -s: chem. Verbindung, die bei Fäulnis von Eiweiß entsteht in|do|lent [auch: ...'lɛnt] ⟨lat.⟩: 1. geistig träge u. gleichgültig; keine Gemütsbewegung erkennen

lassend. 2. a) schmerzunempfindlich; gleichgültig gegenüber Schmerzen; b) (vom Organismus od. von einzelnen Körperteilen) schmerzfrei; c) (von krankhaften Prozessen) keine Schmerzen verursachend. In|do|lenz [auch: ...'lɛnts] die; -: das Indolentsein In|do|lo|ge ⟨gr.-nlat.⟩ der; -n, -n: Wissenschaftler auf dem Gebiet der Indologie. In|do|lo|gie die; -: Wissenschaft von der indischen Sprache u. Kultur

In|door|fuß|ball ['ɪndɔː(r)...] ⟨engl.; dt.⟩ der; -s: Hallenfußball in|do|pa|zi|fisch: um den Indischen u. Pazifischen Ozean gelegen

in|dos|sa|bel ⟨lat.-it.⟩: durch Indossament übertragbar (Wirtsch.). In|dos|sa|ment das; -[e]s, -e: Wechselübertragung, Wechselübertragungsvermerk (Wirtsch.). In|dos|sant der; -en, -en: jmd., der die Rechte an einem Wechsel auf einen anderen überträgt; Wechselüberschreiber (Wirtsch.). In|dos|sat der; -en, -en u. In|dos|sa|tar der; -s, -e: durch Indossament ausgewiesener Wechselgläubiger (Wirtsch.). In|dos|sent vgl. Indossant. In|dos|sie|ren: einen Wechsel durch Indossament übertragen (Wirtsch.). In|dos|so das; -s, -s u. ...ssi: Übertragungsvermerk eines Wechsels

in du|bio ⟨lat.⟩: im Zweifelsfall; **in dubio pro reo:** im Zweifelsfall für den Angeklagten (alter Rechtsgrundsatz, nach dem in Zweifelsfällen ein Angeklagter mangels Beweises freigesprochen werden soll)

In|duk|tanz ⟨lat.-nlat.⟩ die; -: ↑induktiver Widerstand (Elektrot.). In|duk|ti|on ⟨lat.; „das Hineinführen"⟩ die; -, -en: 1. wissenschaftliche Methode, vom besonderen Einzelfall auf das Allgemeine, Gesetzmäßige zu schließen; Ggs. ↑Deduktion (a). 2. Erzeugung elektr. Ströme u. Spannungen in elektrischen Leitern durch bewegte Magnetfelder (Elektrot.). 3. von einem bestimmten Keimteil ausgehende Wirkung, die einen anderen Teil des Keimes zu bestimmten Entwicklungsvorgängen zwingt (Biol.). In|duk|ti|ons|ap|pa|rat ⟨lat.-nlat.⟩ der; -[e]s, -e: Transformator zur Erzeugung hoher Spannung, der durch Gleichstromimpulse betrieben wird. In|duk|ti|ons|krank|heit die; -, -en:

unechte, bes. psychotische Krankheit, die alle Symptome einer echten Krankheit zeigt u. die durch ständigen persönlichen Kontakt mit einem Kranken auf psychischem, suggestivem Weg übertragen wird (Med.). In|duk|ti|ons|ofen der; -s, ...öfen: elektrischer Schmelzofen, Ofen für hohe Temperaturen, bei dem das Metall induktiv (2) geschmolzen wird. In|duk|ti|ons|strom der; -[e]s, ...ströme: durch Induktion (2) erzeugter Strom. in|duk|tiv ⟨lat.⟩: 1. in der Art der Induktion (1) vom Einzelnen zum Allgemeinen hinführend; Ggs. ↑deduktiv. 2. durch Induktion (2) wirkend od. entstehend; **induktiver Widerstand:** durch die Wirkung der Selbstinduktion bedingter Wechselstromwiderstand. In|duk|ti|vi|tät ⟨lat.-nlat.⟩ die; -, -en: Verhältnis zwischen induzierter Spannung u. Änderung der Stromstärke pro Zeiteinheit. In|duk|tor der; -s, ...oren: Induktionsapparat

in dul|ci ju|bi|lo ⟨lat.; „in süßem Jubel", Anfang eines mittelalterl. Weihnachtsliedes mit gemischtem lateinischem u. deutschem Text (dt.: Nun singet u. seid froh!)⟩: (ugs.) herrlich u. in Freuden

in|dul|gent ⟨lat.⟩: nachsichtig. In|dul|genz die; -, -en: 1. Nachsicht. 2. Straferlass (Rechtswissenschaft). 3. Ablass, Nachlass der zeitlichen Sündenstrafen In|dul|lin ⟨Kunstw.⟩ das; -s, -e (meist Plural): blaugrauer Teerfarbstoff (Chem.) In|dult ⟨lat.⟩ der od. das; -[e]s, -e: 1. Frist, Vergünstigung, die in bestimmten Fällen gewährt wird. 2. Einräumung einer Frist, wenn der Schuldner in Verzug ist (Wirtsch.). 3. vorübergehende Befreiung von einer gesetzlichen Verpflichtung (kath. Kirchenrecht) in du|p|lo* ⟨lat.⟩: (veraltet) in zweifacher Ausfertigung, doppelt In|du|ra|ti|on ⟨lat.-nlat.⟩ die; -, -en: Gewebe- od. Organverhärtung (Med.). in|du|rie|ren ⟨lat.⟩: sich verhärten (in Bezug auf Haut, Muskeln od. Gewebe; Med.) In|du|si ⟨Kurzw. für induktive Zugsicherung⟩ die; -: durch Induktion (2) gesteuerte Sicherheitsvorrichtung zur automatischen Steuerung von Zügen In|du|si|en|kalk ⟨lat.; dt.⟩ der;

-[e]s: Kalkbänke aus Röhren von Köcherfliegenlarven des Tertiärs. **In|du|si|um** ⟨lat.⟩ das; -s, ...ien: häutiger Auswuchs der Blattunterseite von Farnen, der die Sporangien überdeckt (Bot.) **In|dust|ri|al|de|sign*** [in'dʌstrɪəl-'dɪzaɪn] ⟨lat.-engl.⟩ das; -s, auch: **In|dust|ri|al De|sign** das; - -s: Formgebung, bewusste Gestaltung von Gebrauchsgegenständen. **In|dust|ri|al|de|sig|ner** [...dɪ'zaɪnə] der; -s, -, auch: **In|dust|ri|al De|sig|ner** der; - -s, - -: Formgestalter für Gebrauchsgegenstände. **In|dust|ri|al|en|gi|neer** [...ɛndʒɪ'nɪə] ⟨lat.-engl.⟩ der; -s, -s, auch: **In|dust|ri|al En|gi|neer** der; - -s, - -s: jmd., der über Spezialkenntnisse auf dem Gebiet der Rationalisierung von Arbeitsprozessen in der Industrie verfügt. **In|dust|ri|al|en|gi|nee|ring** [...'nɪərɪŋ] das; -s, auch: **In|dust|ri|al En|gi|nee|ring** das; - -s: Wissenschaft u. Technik der Rationalisierung von Arbeitsprozessen in der Industrie (bes. in den USA). **in|dust|ri|al|li|sie|ren** ⟨lat.-fr.⟩: a) mit Industrie versehen, Industrie ansiedeln; b) industrielle Herstellungsmethoden in einem Produktionsbereich, einem Betrieb o. Ä. einführen. **In|dust|ri|al|li|sie|rung** die; -, -en: das Industrialisieren, Industrialisiertwerden. **In|dust|ri|al|lis|mus** der; -: Prägung einer Volkswirtschaft durch die Industrie mit ihren Auswirkungen. **In|dust|rie** („Fleiß, Betriebsamkeit") die; -, ...ien: 1. Wirtschaftszweig, der die Gesamtheit aller mit der Massenherstellung von Konsum- u. Produktionsgütern beschäftigten Fabrikationsbetriebe eines Gebietes erfasst. 2. Gesamtheit der Fabrikationsbetriebe einer bestimmten Branche in einem Gebiet. **In|dust|rie|ar|chä|o|lo|gie** die; -: Erhaltung, Restaurierung, Erforschung von Objekten der Industrie (wie Bauwerke, Maschinen, Produkte industrieller Fertigung) mit den Methoden von Archäologie u. Denkmalschutz. **In|dust|rie|ka|pi|tän** der; -s, -e: (ugs.) Leiter eines großen Industriebetriebes. **In|dust|rie|kon|zern** der; -s, -e: Konzern, in dem mehrere Industriebetriebe zusammengeschlossen sind. **in|dust|ri|ell**: a) die Industrie betreffend; b) mithilfe der Industrie (1) hergestellt. **In|dust|ri|el|le** der u. die; -n, -n: Unternehmer[in], Eigentümer[in] eines Industriebetriebs. **In|dust|rie|mag|nat** der; -en, -en: Eigentümer großer, in Industriebetrieben investierter Kapitalien. **In|dust|rie|ob|li|ga|ti|on** die; -, -en (meist Plural): Anleihe eines [Industrie]unternehmens. **In|dust|rie|so|zi|o|lo|gie** die; -: Teilgebiet der Soziologie, das sich mit den Institutionen, Organisationen, Verhaltensmustern u. Einstellungen in Industriegesellschaften befasst. **in|dust|rie|so|zi|o|lo|gisch**: die Industriesoziologie betreffend **In|du|zie|ren** ⟨lat.⟩: 1. vom besonderen Einzelfall auf das Allgemeine, Gesetzmäßige schließen; Ggs. ↑deduzieren. 2. elektrische Ströme u. Spannungen in elektrischen Leitern durch bewegte Magnetfelder erzeugen (Elektrot.). 3. bewirken, hervorrufen, auslösen (Fachspr.); **in|duzieren|de Reaktion**: Umsetzung von zwei Stoffen durch Vermittlung eines dritten Stoffes (Chem.); **in|duziertes Irresein**: psychotischer Zustand durch Übernahme von Wahnvorstellungen, Hysterie eines Geisteskranken (Psychol.) **In|e|di|tum** ⟨lat.⟩ das; -s, ...ta: noch nicht herausgegebene Schrift **in ef|fec|tu** ⟨lat.⟩: (veraltet) in der Tat, wirklich. **in|ef|fek|tiv** [auch: ...'ti:f] ⟨lat.-nlat.⟩: unwirksam; Ggs. ↑effektiv **in ef|fi|gie** ⟨lat.⟩ „im Bilde"): bildlich; **in effigie hinrichten**: (veraltet) an einer bildlichen Darstellung eines entflohenen Verbrechers dessen Hinrichtung symbolisch vollziehen **in|ef|fi|zi|ent** [auch: ...'tsjɛnt]: nicht wirksam, keine Wirksamkeit habend; sich als Kraft nicht auswirkend; Ggs. ↑effizient. **In|ef|fi|zi|enz** [auch: ...'tsjɛnts]: -, -en: Unwirksamkeit, Wirkungslosigkeit; Ggs. ↑Effizienz **in|le|gal** [auch: ...'ga:l] ⟨lat.-fr.⟩: (selten) ungleich **il|ner*** ⟨lat.-span.⟩: (veraltet) untätig, träge; unbeteiligt; **iner|ter Stoff**: reaktionsträger Stoff, der an gewissen chem. Vorgängen nicht beteiligt (z. B. Edelgase; Chem.). **I|ner|ti|al|sys|tem** ⟨lat.-nlat.; gr.-lat.⟩ das; -s, -e: Koordinatensystem, das sich geradlinig mit konstanter Geschwindigkeit bewegt (Phys.). **I|ner|tie** die; -: Trägheit, Langsamkeit (z. B. eines Körperorgans hinsichtlich seiner Arbeitsleistung; Med.)

in|es|sen|zi|ell, auch: inessentiell [auch: ...'tsjɛl]: nicht wesensmäßig, unwesentlich (Philos.); Ggs. ↑essenziell **In|es|siv** ⟨lat.-nlat.⟩ der; -s, -e: die Lage in etwas angebender Kasus in den finnougrischen Sprachen **in|exakt** [auch: ...'ksakt] ⟨lat.⟩: ungenau **in|exis|tent** [auch: ...'tɛnt] ⟨lat.⟩: nicht vorhanden, nicht bestehend; Ggs. ↑existent. [1]**In|exis|tenz** [auch: ...'tɛnts] ⟨spätlat. tnex(s)stens „nicht vorhanden") die; -: das Nichtvorhandensein. [2]**In|exi|stenz** [auch: ...'tɛnts] ⟨spätlat. inexsistens „darin vorhanden") die; -: das Enthaltensein in etwas (Philos.) **in|ex|plo|si|bel** [auch: ...zi:...] ⟨lat.-nlat.⟩: nicht explodierend, ohne Anlage zum Explodieren **in ex|ten|so** ⟨lat.⟩: ausführlich; vollständig **in ext|re|mis*** ⟨lat.⟩: im Sterben [liegend] (Med.) **in fac|to** ⟨lat.⟩: in der Tat, in Wirklichkeit, wirklich **in|fal|li|bel** ⟨lat.-nlat.⟩: unfehlbar (vom Papst). **In|fal|li|bi|list** der; -en, -en: Anhänger des kath. Unfehlbarkeitsdogmas. **In|fal|li|bi|li|tät** die; -: Unfehlbarkeit des Papstes in Dingen der Glaubenslehre **in|fam** ⟨lat.; „berüchtigt, verrufen"): 1. bösartig u. jmdm. auf durchtriebene, schändliche Weise schadend. 2. (ugs.) a) in beinträchtigender, schädigender Weise stark, z. B. infame Schmerzen; b) in beeinträchtigend, schädigend hohem Maße; sehr, z. B. es ist infam kalt. **In|fa|mie** die; -, ...ien: 1. a) (ohne Plural) infame Art, Niedertracht; b) infame Äußerung, Handlung o. Ä.; Unverschämtheit. 2. Verlust der kirchlichen Ehrenhaftigkeit [als Folge richterlicher Ehrloserklärung] (kath. Kirchenrecht). **in|fa|mie|ren**: (veraltet) verleumden, für ehrlos erklären **In|fant** ⟨lat.-span.; „Kind, Knabe; Edelknabe") der; -en, -en: (hist.) Titel spanischer u. portugiesischer Prinzen. **In|fan|te|rie** [...t(ə)ri, auch: ...tə'ri:, ...'tri:] ⟨lat.-it.-(-fr.)⟩ die; -, ...ien: a) auf den Nahkampf spezialisierte Waffengattung der Kampftruppen, die sich zu Fuß mit der Waffe in der Hand kämpfenden Soldaten umfasst; b) (ohne Plural) Soldaten der Infanterie. **In|fan|te|rist** [...t(ə)rɪst, auch: ...tə'rɪst, ...'trɪst] der; -en, -en:

Soldat der Infanterie, Fußsoldat. **in|fan|te|ris|tisch**: zur Infanterie gehörend. **in|fan|til** ⟨*lat.*⟩: a) (abwertend) auf kindlicher Entwicklungsstufe stehen geblieben, geistig od. körperlich unterentwickelt; kindisch; b) der kindlichen Entwicklungsstufe entsprechend, einem Kind angemessen, kindlich (Fachspr.). **in|fan|ti|li|sie|ren**: geistig unselbstständig, zum Kind machen; bevormunden. **In|fan|ti|li|sie|rung** *die*; -: a) das Infantilisieren; b) das Infantilwerden. **In|fan|ti|lis|mus** ⟨*lat.-nlat.*⟩ *der*; -, ...men: 1. (ohne Plural) körperliches, geistiges Stehenbleiben auf kindlicher Entwicklungsstufe (Psychol.; Med.). 2. Äußerung, Merkmal des Infantilismus (1). **In|fan|ti|list** *der*; -en, -en: jmd., der auf der kindlichen Entwicklungsstufe stehen geblieben ist. **In|fan|ti|li|tät** *die*; -: a) kindisches Wesen, Unreife; b) Kindlichkeit, kindliches Wesen. **in|fan|ti|zid**: den Kindesmord betreffend. **In|fan|ti|zid** *der*; -[e]s, -e: Kindesmord **In|farkt** ⟨*lat.-nlat.*⟩ *der*; -[e]s, -e: a) Absterben eines Gewebestücks od. Organteils nach längerer Blutleere infolge Gefäßverschlusses (Med.); b) plötzliche Unterbrechung der Blutzufuhr in den Herzkranzgefäßen; Herzinfarkt (Med.). **In|farkt|per|sön|lich|keit** *die*; -, -en: jmd., der aufgrund seiner körperlich-psychischen Voraussetzungen zum Infarkt disponiert ist (Med.). **in|far|zie|ren** ⟨*lat.*⟩: einen Infarkt hervorrufen (Med.) **in|faust** ⟨*lat.*⟩: ungünstig (z. B. in Bezug auf den angenommenen Verlauf einer Krankheit; Med.) **In|fekt** *der*; -[e]s, -e: (Med.) 1. Infektionskrankheit. 2. ↑Infektion (1). **In|fek|ti|on** ⟨*lat.*⟩ *die*; -, -en: (Med.) 1. Ansteckung [durch Krankheitserreger]. 2. (ugs.) Infektionskrankheit, Entzündung. 3. (Jargon) Infektionsabteilung (in einem Krankenhaus o. Ä.). **In|fek|ti|ons|psy|cho|se** *die*; -, -n: Psychose bei u. nach Infektionskrankheiten (Med.). **in|fek|ti|ös** ⟨*lat.-fr.*⟩: ansteckend; auf Ansteckung beruhend (Med.). **In|fek|ti|o|si|tät** ⟨*lat.-nlat.*⟩ *die*; -: Ansteckungsfähigkeit [eines Krankheitserregers] (Med.) **In|fel** vgl. Inful **In|fe|renz** ⟨*lat.*⟩ *die*; -, -en: aufbereitetes Wissen, das aufgrund von logischen Schlussfolgerungen gewonnen wurde

in|fe|ri|or ⟨*lat.*⟩: 1. untergeordnet. 2. a) jmdm. unterlegen; b) (österr.) (im Vergleich mit einem andern) äußerst mittelmäßig. 3. minderwertig, gering. **In|fe|ri|o|ri|tät** ⟨*lat.-nlat.*⟩ *die*; -: 1. untergeordnete Stellung. 2. Unterlegenheit. 3. Minderwertigkeit. **in|fer|nal** (seltener), **in|fer|na|lisch** ⟨*lat.*; „unterirdisch"⟩: a) höllisch, teuflisch; Vorstellungen von der Hölle weckend; b) schrecklich, unerträglich; vgl. ...isch/-. **In|fer|na|li|tät** ⟨*lat.-nlat.*⟩ *die*; -: (veraltet) teuflische Verruchtheit. **In|fer|no** ⟨*lat.-it.*⟩ *das*; -s: 1. Unterwelt, Hölle. 2. a) schreckliches, unheilvolles Geschehen, von dem viele Menschen gleichzeitig betroffen sind; b) Ort eines schrecklichen, unheilvollen Geschehens; c) Zustand entsetzlicher Qualen von unvorstellbarem Ausmaß **in|fer|til** ⟨*lat.*⟩: 1. unfruchtbar. 2. unfähig, eine Schwangerschaft auszutragen (Med.). **In|fer|til|li|tät** *die*; -: Unfruchtbarkeit (Med.) **In|fi|bu|la|ti|on** ⟨*lat.*; zu fibula „Nadel"⟩ *die*; -, -en: (aus rituellen Gründen) bei Männern das Fixieren der Vorhaut durch Draht od. das Einziehen eines Ringes bzw. bei Frauen das Vernähen od. Verklammern der Vulva, um so das Vollziehen des Geschlechtsverkehrs [bis zur Hochzeit] zu verhindern **in|fight** [ˈɪnfaɪt] ⟨*engl.*⟩ *der*; -[s], -s u. **In|figh|ting** *das*; -[s], -s: Nahkampf (Boxsport) **In|filt|rant** ⟨*lat.; germ.-mlat.*⟩ *der*; -en, -en: jmd., der sich zum Zwecke der ↑Infiltration (2) in einem Land aufhält. **In|filt|rat** *das*; -[e]s, -e: in normales Gewebe eingelagerte fremdartige, insbes. krankheitserregende Zellen, Gewebe od. Flüssigkeiten (Med.). **In|filt|ra|ti|on** *die*; -, -en: 1. das Eindringen, Einsickern, Einströmen (z. B. von Flüssigkeiten). 2. ideologische Unterwanderung u. ...[at]ion/...ierung. **In|filt|ra|ti|ons|an|äs|the|sie** *die*; -, ...ien: örtliche Betäubung durch Einspritzungen (Med.). **in|filt|ra|tiv**: 1. sich in der Art einer Infiltration ausbreitend. 2. auf eine Infiltration (2) abzielend, in der Art einer Infiltration (2) wirkend. **In|filt|ra|tor** ⟨*lat.-engl.*⟩ *der*; -s, ...oren: ↑Infiltrant. **in|filt|rie|ren**: 1. a) eindringen, einsickern; b) einflößen. 2. in fremdes Staatsgebiet, in eine Organi-

sation eindringen [lassen] u. ideologisch unterwandern. **In|filt|rie|rung** *die*; -, -en: das Infiltrieren; vgl. ...[at]ion/...ierung **in|fi|nit** [auch: ...ˈniːt] ⟨*lat.*⟩: unbestimmt (Sprachw.); **infinite Form**: Form des Verbs, die keine Person oder Zahl bezeichnet (z. B. erwachen [Infinitiv] erwachend [1. Partizip], erwacht [2. Partizip]). **in|fi|ni|te|si|mal** ⟨*lat.-nlat.*⟩: zum Grenzwert hin unendlich klein werdend (Math.). **In|fi|ni|te|si|mal|rech|nung** *die*; -: ↑Differenzial- u. ↑Integralrechnung. **In|fi|ni|tis|mus** *der*; -: Lehre von der Unendlichkeit der Welt, des Raumes u. der Zeit (Philos.). **In|fi|ni|tiv** [auch: ...ˈtiːf] ⟨*lat.*⟩ *der*; -s, -e: Grundform, Nennform, durch Person, Numerus u. Modus nicht näher bestimmte Verbform (z. B. wachen). **In|fi|ni|tiv|kon|junk|ti|on** *die*; -, -en: die im Deutschen vor dem Infinitiv stehende Konjunktion „zu" **In|fir|mi|tät** ⟨*lat.*⟩ *die*; -: Gebrechlichkeit (Med.) **In|fix** [auch: ˈɪn...] ⟨*lat.*⟩ *das*; -es, -e: in den Wortstamm eingefügtes Sprachelement (z. B. das n in *lat.* fundo [Präs.] gegenüber fudi [Perf.]) **in|fi|zie|ren** ⟨*lat.*⟩: (Med.) a) eine Krankheit, Krankheitserreger übertragen; anstecken; b) sich -: Krankheitskeime aufnehmen, sich ansteckten **in flag|ran|ti*** ⟨eigtl.: - - - crimine; *lat.*⟩: auf frischer Tat **in|flam|ma|bel** ⟨*lat.-mlat.*⟩: entzündbar. **In|flam|ma|bi|li|tät** *die*; -: Entzündbarkeit, Brennbarkeit. **In|flam|ma|ti|on** ⟨*lat.*⟩ *die*; -, -en: 1. (veraltet) Feuer, Brand. 2. Entzündung (Med.). **in|flam|mie|ren**: (veraltet) entflammen, in Begeisterung versetzen **In|fla|tie|ren** ⟨*lat.-nlat.*⟩: die Geldentwertung vorantreiben, durch eine Inflation entwerten (Wirtsch.). **In|fla|ti|on** ⟨*lat.*; „das Sichaufblasen; das Aufschwellen"⟩ *die*; -, -en: 1. a) mit Geldentwertung u. Preissteigerung verbundene beträchtliche Erhöhung des Geldumlaufs im Verhältnis zur Produktion (Wirtsch.); Ggs. ↑Deflation (1); b) Zeit, in der eine Inflation (a) stattfindet. 2. das Auftreten in allzu großer Menge; übermäßige Ausweitung. **in|fla|ti|o|när**: eine Inflation verursachend, auf eine Inflation hindeutend

in|fla|ti|o|nie|ren: ↑inflatieren.
In|fla|ti|o|nie|rung *die; -, -en:* das Inflationieren. In|fla|ti|o-
nis|mus *der; -:* Form der Wirt-
schaftspolitik, bei der die Wirtschaft durch Vermehrung des
umlaufenden Geldes bei Vollbe-
schäftigung beeinflusst wird. in-
fla|ti|o|nis|tisch: 1. den Inflatio-
nismus betreffend. 2. ↑inflatio-
när; Ggs. ↑deflationistisch. in-
fla|to|risch: 1. ↑inflationär. 2.
eine Inflation darstellend
in|fle|xi|bel [auch: ...'ksi:...] *⟨lat.⟩:*
1. (selten) unbiegsam, un-
elastisch. 2. nicht beugbar
(Sprachw.). 3. nicht anpassungs-
fähig. In|fle|xi|bi|le *das; -s, ...bi-
lia:* inflexibles (2) Wort. In|fle-
xi|bi|li|tät *⟨lat.-nlat.⟩ die; -:* 1.
(selten) Unbiegsamkeit. 2. starre
Geisteshaltung; Unfähigkeit zu
anpassungsfähigem Verhalten
In|flo|res|zenz *⟨lat.-nlat.⟩ die; -,
-en:* Blütenstand (Bot.). in flo|ri-
bus *⟨lat.;* „in Blüten"⟩: in Blüte,
im Wohlstand
In|flu|enz *⟨lat.-mlat.;* „Einfluss"⟩
die; -, -en: die Beeinflussung eines elektrisch ungeladenen Körpers durch die Annäherung eines
geladenen (z. B. die Erzeugung
von Magnetpolen in unmagneti-
siertem Eisen durch die Annähe-
rung eines Magnetpoles). In|flu-
en|za *⟨lat.-mlat.-it.⟩ die; -:* (veral-
tend) Grippe. in|flu|en|zie|ren
⟨lat.-mlat.-nlat.⟩: einen elektrisch ungeladenen Körper durch
die Annäherung eines geladenen
beeinflussen. In|flu|enz|ma-
schi|ne *die; -, -n:* Maschine zur
Erzeugung hoher elektrischer
Spannung. In|flu|enz|mi|ne *die;
-, -n:* ¹Mine (4), die durch die
(elektrische oder magnetische)
Beeinflussung eines sich nähern-
den Körpers explodiert. In|flu-
xus phy|si|cus *⟨lat.; gr.-lat.⟩ der;
- -:* 1. Beeinflussung der Seele
durch den Leib (Scholastik). 2.
Wechselwirkung von Leib-See-
le, Körper-Geist (17. u. 18. Jh.)
In|fo *⟨Kurzform von Information⟩
das; -s, -s:* über ein aktuelles
Problem informierendes
[Flug]blatt. In|fo|bahn *⟨lat.-
engl.-amerik.; dt.⟩ die; -, -en:* Bezeichnung für Hochgeschwin-
digkeits-Datenleitungen u. -Da-
tennetze; ↑Datenhighway. In|fo-
line *[...lain] ⟨engl.⟩ die; -, -s:* telefonischer Auskunftsdienst
in fo|lio *⟨lat.⟩:* in Folioformat (von
Büchern)
In|fo|mo|bil [auch: '...in...]
⟨Kunstw. aus *Info*rmation u. Au-

to*mobil*⟩ *das; -s, -e:* (ugs.) Fahrzeug, meist Omnibus, als fahrba-
rer Informationsstand
In|for|ma|lis|mus *⟨lat.⟩ der; -:*
↑Informel. In|for|mand ⟨„der zu
Unterrichtende"⟩ *der; -en, -en:*
a) jmd., der [im Rahmen einer
praktischen Ausbildung] mit den
Grundfragen eines bestimmten
Tätigkeitsbereiches vertraut gemacht werden soll; b) Ingenieur,
der sich in verschiedenen Abteilungen [über deren Aufgaben u.
Arbeitsweise] informieren soll.
In|for|mant *der; -en, -en:* jmd.,
der [geheime] Informationen lie-
fert, Gewährsmann. In|for|ma-
tik *⟨lat.-nlat.⟩ die; -:* Wissenschaft von den elektronischen
Datenverarbeitungsanlagen u.
den Grundlagen ihrer Anwen-
dung. In|for|ma|ti|ker *der; -s, -:*
Wissenschaftler, Fachmann auf
dem Gebiet der Informatik. In-
for|ma|ti|on *⟨lat.⟩ die; -, -en:* 1. a)
Nachricht, Mitteilung, Hinweis;
Auskunft; Belehrung, Aufklärung; b) Informationsstand. 2.
Gehalt einer Nachricht, die aus
Zeichen eines Kodes zusammengesetzt ist (Kybernetik); vgl.
...[at]ion/...ierung. in|for|ma|ti-
o|nell: die Information betref-
fend. In|for|ma|ti|ons|äs|the|tik
die; -: moderne ↑Ästhetik (1), die
ästhetische Produkte als Summe
informativer Zeichen betrachtet
u. sie mit mathematisch-infor-
mationstheoretischen Mitteln
beschreibt. in|for|ma|ti|ons-
the|o|re|tisch: die Informati-
onstheorie betreffend. In|for-
ma|ti|ons|the|o|rie *die; -:* 1. For-
schungszweig der Psycholo-
gie, der die Abhängigkeit
menschlicher Entscheidungen
vom Umfang der für eine sichere
Entscheidung erforderlichen Informationen zu ermitteln ver-
sucht. 2. mathematische Theorie, die sich mit der quantitativen
u. strukturellen Erforschung von
Information (2) befasst; Theorie
der elektronischen Nachrichten-
übertragung. in|for|ma|tiv *⟨lat.-
nlat.⟩:* belehrend; Einblicke,
Aufklärung bietend, aufschluss-
reich; vgl. ...iv/...orisch. In|for-
ma|tor *⟨lat.⟩ der; -s, ...oren:*
jmd., der andere informiert (1),
von dem andere Informationen
beziehen. in|for|ma|to|risch
⟨lat.-nlat.⟩: dem Zwecke der Information dienend, einen allgemeinen Überblick verschaffend;
vgl. ...iv/...orisch
In|for|mel [ɛ̃fɔr'mɛl] *⟨lat.-fr.⟩ das;*

-: Richtung der modernen Malerei, die frei von allen Regeln unter Verwendung von Stofffetzen,
Holz o. Ä. zu kühnen u. fantasti-
schen Bildern gelangt
¹in|for|mell *⟨lat.-fr.⟩* (selten): in-
formatorisch, informierend. ²in-
for|mell *⟨lat.-fr.⟩:*
ohne [formalen] Auftrag; ohne
Formalitäten, nicht offiziell; in-
formelle Kunst: ↑Informel; infor-
melle Gruppe: sich spontan bildende Gruppe innerhalb einer
festen Organisation
in|for|mie|ren *⟨lat.⟩:* 1. Nach-
richt, Auskunft geben, in Kenntnis setzen; belehren. 2. sich --:
Auskünfte, Erkundigungen ein-
ziehen, sich unterrichten. In|for-
mie|rung *die; -, -en:* das Infor-
mieren (1 u. 2); vgl. ...[at]ion/
...ierung. In|fo|tain|ment
[...'teinmənt] ⟨Kurzw. aus *Information u. Enter*tainment⟩ *das; -s:*
durch Showelemente, effekte
aufgelockerte Vorstellung von
Nachrichten, Fakten o. Ä. (z. B.
bei einer Informationsveranstal-
tung, im Fernsehen). In|fo|thek
⟨Kunstw.⟩ die; -, -en: Informationsstand, an dem gespeicherte
Informationen (z. B. zur Ver-
kehrslage) abgerufen werden
können
In|fra|grill* ® *⟨Kunstw.⟩ der; -s,
-s:* Grill, der durch Infrarot er-
hitzt wird. in|fra|krus|tal *⟨lat.-
nlat.⟩:* unterhalb der Erdkruste
befindlich (Geol.)
In|frak|ti|on* *⟨lat.-nlat.⟩ die; -,
-en:* Knickungsbruch ohne voll-
ständige Durchtrennung der
Knochenstruktur (Med.)
in|fra|rot*: zum Bereich des Inf-
rarots gehörend. In|fra|rot *⟨lat.;
dt.⟩ das; -s:* unsichtbare Wärme-
strahlen, die im Spektrum zwischen dem roten Licht u. den
kürzesten Radiowellen liegen
(Phys.). In|fra|rot|film [auch:
...'ro:t...] *der; -[e]s, -e:* für infrarote Strahlen empfindlicher
Film. In|fra|schall *der; -[e]s:*
Schall, dessen Frequenz unter 20
Hertz liegt; Ggs. ↑Ultraschall.
In|fra|struk|tur *⟨lat.⟩ die; -, -en:*
1. notwendiger wirtschaftlicher
u. organisatorischer Unterbau
einer hoch entwickelten Wirtschaft (Verkehrsnetz, Arbeits-
kräfte u. a.). 2. militärische Anlagen (Kasernen, Flugplätze
usw.). in|fra|struk|tu|rell: die
Infrastruktur betreffend
In|ful *⟨lat.⟩ die; -, -n:* 1. altrömi-
sche weiße Stirnbinde der Priester u. der kaiserlichen Statthal-

ter. 2. katholisches geistliches Würdezeichen. in|fu|liert: 1. zum Tragen der Inful od. Mitra berechtigt, mit der Inful ausgezeichnet. 2. mit einer Mitra gekrönt (von geistlichen Wappen) in|fun|die|ren ⟨lat.; „hineingießen"⟩: eine Infusion vornehmen (Med.). In|fus das; -es, -e: Aufguss, wässriger Pflanzenauszug. In|fu|si|on die; -, -en: Einführung größerer Flüssigkeitsmengen (z. B. physiologische Kochsalzlösung) in den Organismus, bes. über die Blutwege (intravenös), über das Unterhautgewebe (subkutan) od. durch den After (rektal; Med.). In|fu|si|ons|tier|chen das; -s, -: ↑ Infusorium. In|fu|so|ri|en|er|de ⟨lat.-nlat.; dt.⟩ die; -: Kieselgur, ↑ Diatomeenerde. In|fu|so|ri|um ⟨lat.-nlat.⟩ das; -s, ...ien (meist Plural): Aufgusstierchen (einzelliges Wimpertierchen). In|fu|sum das; -s, ...sa: ↑ Infus

in ge|ne|re ⟨lat.⟩: im Allgemeinen, allgemein. in|ge|ne|riert: angeboren (Med.). In|ge|ni|eur [ɪnʒe'niøːɐ̯] ⟨lat.-fr.⟩ der; -s, -e: auf einer Hoch- od. Fachhochschule ausgebildeter Techniker; Abkürzungen: Ing. (grad.), Dipl.-Ing., Dr.-Ing. In|ge|ni|eur|ge|o|lo|ge der; -n, -n: jmd., der in Ingenieurgeologie ausgebildet ist (Berufsbez.). In|ge|ni|eur|ge|o|lo|gie die; -: Teilgebiet der angewandten Geologie, das die geologische Vorarbeit u. Beratung bei Bauingenieuraufgaben umfasst. in|ge|ni|eur|tech|nisch: die Arbeit des Ingenieurs betreffend, damit befasst. in|ge|ni|ös: erfinderisch, kunstvoll erdacht; scharfsinnig, geistreich. In|ge|ni|o|si|tät die; -: a) Erfindungsgabe, Scharfsinn; b) von Ingenium zeugende Beschaffenheit. In|ge|ni|um ⟨lat.⟩ das; -s, ...ien: natürliche Begabung, [schöpferische] Geistesanlage, Erfindungskraft, Genie. In|ge|nu|i|tät die; -: 1. (hist.) Stand eines Freigeborenen, Freiheit. 2. (veraltet) Freimut, Offenheit, Natürlichkeit im Benehmen. In|ge|renz ⟨lat.-nlat.⟩ die; -, -en: 1. (veraltet) Einmischung; Einflussbereich, Wirkungskreis. 2. strafbares Herbeiführen einer Gefahrenlage durch den Täter, der es dann unterlässt, die Schädigung abzuwenden (z. B. Unterlassung der Sicherung einer Straßenbaustelle; Rechtsw.). In|ges|ta ⟨lat.⟩ die (Plural): aufgenommene Nahrung (Med.). In|ges|ti|on die; -: Nahrungsaufnahme (Med.)

in glo|bo ⟨lat.⟩: im Ganzen, insgesamt In|got ['ɪŋɔt] ⟨engl.⟩ der; -s, -s: 1. Form, in die Metall gegossen wird. 2. Barren (Gold, Silber); [Stahl]block In|grain|pa|pier [ɪn'grɛm...] ⟨lat.-fr.-engl.; gr.-lat.⟩ das; -s: Zeichenpapier von rauer Oberfläche mit farbigen od. schwarzen Wollfasern In|gre|di|ens ⟨lat.; „Hineinkommendes"⟩ das; -, ...ienzien (meist Plural) u. In|gre|di|enz der; -, -en (meist Plural): 1. Zutat (Pharm., Gastr.). 2. Bestandteil (z. B. einer Arznei) In|gre|mi|a|ti|on ⟨lat.-mlat.⟩ die; -, -en: (veraltet) Aufnahme in eine geistliche Körperschaft Ing|res|pa|pier ['ɛ̃:gr...] ⟨nach dem franz. Maler Ingres (1780–1867)⟩ das; -s: farbiges Papier für Kohle- u. Kreidezeichnungen In|gress ⟨lat.⟩ der; -es, -e: (veraltet) Eingang, Zutritt. In|gres|si|on die; -, -en: kleinräumige Meeresüberflutung des Festlandes (Geogr.). in|gres|siv [auch: ...'siːf] ⟨lat.-nlat.⟩: 1. einen Beginn ausdrückend (in Bezug auf Verben; z. B. entzünden, erblassen; Sprachw.). Ggs. ↑ egressiv (1); ingressive Aktionsart: ↑ inchoative Aktionsart; ingressiver Aorist: den Eintritt einer Handlung bezeichnender ↑ Aorist. 2. bei der Artikulation von Sprachlauten den Luftstrom von außen nach innen richtend; Ggs. ↑ egressiv (2) (Sprachw.). In|gres|si|vum das; -s, ...va: Verb mit ingressiver Aktionsart in gros|so ⟨lat.-it.⟩: (veraltend) ↑ en gros In|group ['ɪngruːp] ⟨engl.⟩ die; -, -s: [soziale] Gruppe, zu der jmd. gehört u. der er sich innerlich stark verbunden fühlt (Soziol.); Ggs. ↑ Outgroup in|gu|i|nal [ɪŋ...] ⟨lat.⟩: zur Leistengegend gehörend (Med.) Ing|wä|o|nis|mus ⟨nlat.⟩ der; -, ...men: sprachlicher Einfluss des Nordseegermanischen (auf das Altsächsische; Sprachw.) Ing|wer ⟨sanskr.-griech.-lat.⟩ der; -s, -: 1. (ohne Plural) tropische u. subtropische Gewürzpflanze. 2. (ohne Plural) a) essbarer, aromatischer, brennend scharf schmeckender Teil des Wurzelstocks des Ingwers (1); b) aus dem Wur-

zelstock der Ingwerpflanze gewonnenes aromatisches, brennend scharfes Gewürz. 3. mit Ingweröl gewürzter Likör In|ha|la|ti|on ⟨lat.⟩ die; -, -en: Einatmung von Heilmitteln (z. B. in Form von Dämpfen). In|ha|la|tor ⟨lat.-nlat.⟩ der; -s, ...oren: Inhalationsgerät (Med.). In|ha|la|to|ri|um das; -s, ...ien: mit Inhalationsgeräten ausgestatteter Raum. In|ha|ler ['ɪnheɪlə] ⟨lat.-engl.⟩ der; -s, -: Inhalationsgerät, Inhalationsfläschchen. in|ha|lie|ren ⟨lat.⟩: a) eine Inhalation vornehmen; b) (ugs.) [Zigaretten] über die Lunge rauchen in|hä|rent ⟨lat.⟩: an etwas haftend, ihm innewohnend; das Zusammengehören von Ding u. Eigenschaft betreffend (Philos.). In|hä|renz ⟨lat.-mlat.⟩ die; -: die Verknüpfung (das Anhaften) von Eigenschaften (↑ Akzidenzien) mit den Dingen (↑ Substanzen), zu denen sie gehören (Philos.). in|hä|rie|ren ⟨lat.⟩: an etwas hängen, anhaften (Philos.). in|hi|bie|ren ⟨lat.⟩: (veraltet) einer Sache Einhalt tun; verhindern. In|hi|bin ⟨lat.-nlat.⟩ das; -s, -e: Stoff im Speichel, der auf die Entwicklung von Bakterien hemmend wirkt (Med.). In|hi|bi|ti|on ⟨lat.⟩ die; -, -en: (veraltet) Einhalt, gerichtliches Verbot, einstweilige Verfügung. In|hi|bi|tor ⟨lat.-nlat.⟩ der; -s ...oren: Hemmstoff, der chemische Vorgänge einschränkt od. verhindert (Chem.). in|hi|bi|to|risch: (veraltet) verhindernd, verbietend (durch Gerichtsbeschluss; Rechtsw.)

in hoc sa|lus ⟨lat.⟩: „in diesem (ist) Heil" (Auflösung der frühchristlichen Abkürzung des Namens Jesu in griech. Form: IH[ΣOY]Σ); Abk.: I. H. S. od. IHS

in hoc sig|no* ⟨lat.; eigtl.: in hoc signo vinces „in diesem Zeichen [wirst du siegen]"): Inschrift eines Kreuzes, das nach der Legende dem röm. Kaiser Konstantin im Jahre 312 n. Chr. am Himmel erschien; Abk.: I. H. S. od. IHS

in|ho|mo|gen [auch: ...'geːn] ⟨lat.; gr.⟩: nicht gleich[artig]; inhomogene Gleichung: Gleichung, bei der mindestens zwei Glieder verschiedenen Grades auftreten; vgl. heterogen. In|ho|mo|ge|ni|tät [auch: 'ɪn...] die; -: Ungleichartigkeit

in ho|no|rem ⟨lat.⟩: zu Ehren

in|hu|man [auch: ...'ma:n] ⟨lat.⟩: nicht menschenwürdig, unmenschlich; Ggs. ↑human (1 a).

In|hu|ma|ni|tät [auch: 'm...] die; -, -en: Nichtachtung der Menschenwürde, Unmenschlichkeit; Ggs. ↑Humanität

in in|fi|ni|tum: ↑ad infinitum

in in|teg|rum* ⟨lat.⟩: in der Fügung: **in integrum restituieren:** (veraltet) in den vorigen [Rechts]stand wieder einsetzen, den früheren Rechtszustand wieder herstellen (Rechtsw.)

in|in|tel|li|gi|bel ⟨lat.⟩: (veraltet) unverständlich, nicht erkennbar; Ggs. ↑intelligibel

I|ni|qui|tät* ⟨lat.⟩ die; -: (veraltet) Unbilligkeit, Härte

i|ni|ti|al* ⟨lat.⟩: anfänglich, beginnend. **I|ni|ti|al** das; -s, -e (seltener) u. **I|ni|ti|a|le** die; -, -n: großer, meist durch Verzierung u. Farbe ausgezeichneter Anfangsbuchstabe [in alten Büchern od. Handschriften]. **I|ni|ti|a|li|sie|rung** die; -, -en: das Herstellen eines bestimmten Anfangszustands von Computern, Programmeinheiten o. Ä., um das gewünschte Betriebsverhalten zu erzielen (EDV). **I|ni|ti|al|spreng|stoff** der; -s, -e: explosiver Zündstoff für Sprengstofffüllung. **I|ni|ti|al|sta|di|um** das; -s, ...ien: Anfangsstadium eines Krankheitsverlaufs (Med.). **I|ni|ti|al|wort** das; -[e]s, ...wörter: Kurzwort (↑Akronym), das aus zusammengerückten Anfangsbuchstaben gebildet ist (z. B. UNO). **I|ni|ti|al|zel|len** die (Plural): unbegrenzt teilungs- u. wachstumsfähige Zellgruppe an der Spitze von Pflanzensprossen, aus denen sämtliche Zellen des ganzen Pflanzenkörpers hervorgehen (Bot.). **I|ni|ti|al|zün|dung** die; -, -en: Sprengstoffexplosion mit Initialsprengstoff. **I|ni|ti|and** der; -en, -en: jmd., der in etwas eingeweiht werden soll; Anwärter für eine Initiation. **I|ni|ti|ant** der; -en, -en: 1. jmd., der die Initiative ergreift. 2. (schweiz.) a) jmd., der das Initiativrecht hat; b) jmd., der das Initiativrecht ausübt. **I|ni|ti|a|ti|on** die; -, -en: [durch bestimmte Bräuche geregelte] Aufnahme eines Neulings in eine Standes- od. Altersgemeinschaft, einen Geheimbund o. Ä., bes. die Einführung der Jugendlichen in den Kreis der Männer od. Frauen bei Naturvölkern; vgl. ...[at]ion/ ...ierung. **I|ni|ti|a|ti|ons|ri|ten** die (Plural): Bräuche bei der Initiation (Völkerk.). **i|ni|ti|a|tiv** ⟨lat.-fr.⟩: a) die Initiative ergreifend; Anregungen gebend; erste Schritte in einer Angelegenheit unternehmend; b) Unternehmungsgeist besitzend. **I|ni|ti|a|tiv|an|trag** der; -[e]s, ...anträge: die parlamentarische Diskussion eines bestimmten Problems (z. B. einer Gesetzesvorlage) einleitender Antrag. **I|ni|ti|a|ti|ve** die; -, -n: 1. a) erster tätiger Anstoß zu einer Handlung, der Beginn einer Handlung; b) Entschlusskraft, Unternehmungsgeist. 2. das Recht zur Einbringung einer Gesetzesvorlage (in der Volksvertretung). 3. (schweiz.) Volksbegehren. **I|ni|ti|a|tiv|recht** das; -[e]s: das Recht, Gesetzentwürfe einzubringen (z. B. einer Fraktion, der Regierung). **I|ni|ti|a|tor** ⟨lat.⟩ der; -s, ...oren: 1. jmd., der etwas veranlasst u. dafür verantwortlich ist; Urheber, Anreger. 2. Stoff, der bereits in geringer Konzentration eine chemische Reaktion auslösen kann (Chemie). **i|ni|ti|a|to|risch** ⟨lat.-nlat.⟩: einleitend; veranlassend; anstiftend. **I|ni|ti|en** ⟨lat.⟩ die (Plural): Anfänge, Anfangsgründe. **i|ni|ti|ie|ren:** 1. a) den Anstoß geben; b) die Initiative ergreifen. 2. [mit einem Ritual] in einen Kreis einführen, in eine Gemeinschaft aufnehmen; einweihen; das Initiieren; vgl. ...[at]ion/...ie-rung

In|jek|ti|on ⟨lat.⟩ die; -, -en: 1. Einspritzung (intravenös, subkutan od. intramuskulär) von Flüssigkeiten in den Körper zu therapeutischen od. diagnostischen Zwecken (Med.). 2. starke Füllung u. damit Sichtbarwerden kleinster Blutgefäße im Auge bei Entzündungen (Med.). 3. Einspritzung von Verfestigungsmitteln (z. B. Zement) in unfesten Baeuntergrund. 4. das Eindringen ↑magmatischer Schmelze in Fugen u. Spalten des Nebengesteins (Geol.). 5. das Einbringen von [Elementar]teilchen (Ladungsträgern) in einen Halbleiterbereich von bestimmter elektrischer Leitfähigkeit bzw. in die Hochenergie- u. Kern-physik in einen Teilchenbeschleuniger (Phys.). **In|jek|ti|ons|me|ta|mor|pho|se** die; -, -n: starke Injektion (4), die Mischgesteine erzeugt (Geol.). **in|jek|tiv:** bei einer abbildung einer Menge ver-

schiedenen Urbildern verschiedene Bildpunkte zuordnend (Math.). **In|jek|tiv** der; -s, -e u. **In|jek|tiv|laut** der; -[e]s, -e: Verschlusslaut, bei dem Luft in die Mundhöhle strömt; Ggs. ↑Ejektiv. **In|jek|to|ma|ne** ⟨lat.; gr.⟩ der; -n, -n: jmd., der sich in krankhafter Sucht Injektionen (1) zu verschaffen sucht (Psychol.). **In|jek|to|ma|nie** die; -: Sucht nach Injektionen (1), wobei der Akt des Einspritzens als Koitussymbol verstanden wird. **In|jek|tor** ⟨lat.-nlat.⟩ der; -s, ...oren: 1. Pressluftzubringer in Saugpumpen. 2. Dampfstrahlpumpe zur Speisung von Dampfkesseln. **in|ji|zie|ren** ⟨lat.⟩: in den Körper einspritzen (Med.)

in|jun|gie|ren ⟨lat.⟩: (veraltet) anbefehlen, zur Pflicht machen, einschärfen. **In|junk|ti|on** der; -, -en: (veraltet) Einschärfung; Vorschrift; Befehl

In|ju|ri|ant ⟨lat.⟩ der; -en, -en: (veraltet) Beleidiger, Ehrabschneider. **In|ju|ri|at** der; -en, -en: (veraltet) Beleidigter. **In|ju|rie** [...i̯ə] die; -, -n: Unrecht, Beleidigung durch Worte od. Taten. **in|ju|ri|ie|ren:** (veraltet) beleidigen, jmdm. die Ehre abschneiden. **in|ju|ri|ös:** (veraltet) beleidigend, ehrenrührig

In|ka ⟨Quechua „[Gott]könig")⟩ der; -[s], -[s]: (hist.) Angehöriger der ehemaligen indianischen Herrscher- u. Adelsschicht in Peru, bes. der Könige des Inkareiches

In|kan|ta|ti|on ⟨lat.⟩ die; -, -en: Bezauberung, Beschwörung [durch Zauberformeln o. Ä.] (Volksk.)

In|kar|di|na|ti|on ⟨lat.-mlat.⟩ die; -, -en: Eingliederung eines katholischen Geistlichen in eine bestimmte Diözese od. einen Orden [nach vorausgegangener ↑Exkardination]

in|kar|nat ⟨lat.⟩: fleischfarben. **In|kar|nat** das; -[e]s: fleischfarbener Ton (auf Gemälden). **In|kar|na|ti|on** die; -, -en: 1. Fleischwerdung, Menschwerdung eines göttlichen Wesens. 2. Verkörperung. **in|kar|nie|ren,** sich: verkörpern. **in|kar|niert:** 1. Fleisch geworden. 2. verkörpert **In|kar|ze|ra|ti|on** ⟨lat.-nlat.⟩ die; -, -en: Einklemmung (z. B. eines Eingeweidebruches; Med.). **in|kar|ze|rie|ren:** sich einklemmen (z. B. in Bezug auf einen Bruch; Med.)

In|kas|sant ⟨lat.-it.⟩ der; -en, -en:

(österr.) Kassierer. **In|kas|so** *das;* -s, -s (auch, österr. nur: ...ssi): Beitreibung, Einziehung fälliger Forderungen. **In|kas|so|bü|ro** *das;* -s, -s: Unternehmen, das sich mit der Einziehung fälliger Forderungen befasst. **In|kas|so|in|dos|sa|ment** *das;* -s, -e: Indossament mit dem Zweck, den Wechselbetrag durch den Indossatar auf Rechnung des Wechselinhabers einziehen zu lassen

In|kli|na|ti|on* ⟨*lat.*⟩ *die;* -, -en: 1. Neigung, Hang. 2. Neigung einer frei aufgehängten Magnetnadel zur Waagrechten (Geogr.). 3. Neigung zweier Ebenen od. einer Linie u. einer Ebene gegeneinander (Math.). 4. Winkel, den eine Planeten- od. Kometenbahn mit der ↑Ekliptik bildet (Astron.).

in|kli|nie|ren: (veraltet) eine Neigung, Vorliebe für etwas haben

in|klu|die|ren* ⟨*lat.*⟩: (veraltet) einschließen; Ggs. ↑exkludieren.

In|klu|sen („Eingeschlossene") *die* (Plural): (hist.) Menschen die sich zur Askese u. Gebet einschließen od. einmauern ließen. **in|klu|si|on** *die;* -, -en: (selten) Einschließung, Einschluss. **in|klu|si|ve** ⟨*lat.-mlat.*⟩: einschließlich, inbegriffen; Abk.: inkl.; Ggs. ↑exklusive

in|kog|ni|to* ⟨*lat.-it.;* „unerkannt")**:** unter fremdem Namen [auftretend, lebend]. **In|kog|ni|to** *das;* -s, -s: Verheimlichung der Identität einer Person, das Auftreten unter fremdem Namen

in|ko|hä|rent ⟨*lat.*⟩: unzusammenhängend; Ggs. ↑kohärent. **In|ko|hä|renz** ⟨*lat.-nlat.*⟩ *die;* -, -en: mangelnder Zusammenhang; Ggs. ↑Kohärenz (1)

in|ko|hal|tiv vgl. inchoativ

In|ko|llat ⟨*lat.*⟩ *das;* -s, -e: ↑Indigenat

in|kom|men|su|ra|bel ⟨*lat.*⟩: nicht messbar; nicht vergleichbar; **inkommensurable Größen:** Größen, deren Verhältnis irrational ist (Math.); Ggs. ↑kommensurabel. **In|kom|men|su|ra|bi|li|tät** ⟨*lat.-mlat.*⟩ *die;* -: Unvergleichbarkeit von Stoffen mit Messwerten wegen fehlender zum Vergleich geeigneter Eigenschaften (Phys.); Ggs. ↑Kommensurabilität

in|kom|mo|die|ren ⟨*lat.*⟩: (veraltet) a) bemühen, Unbequemlichkeiten bereiten; belästigen; b) sich -: sich Mühe, Umstände machen. **In|kom|mo|di|tät** *die;* -,

-en: (veraltet) Unbequemlichkeit, Lästigkeit

in|kom|pa|ra|bel ⟨*lat.*⟩: 1. (veraltet) unvergleichbar. 2. (veraltet) nicht steigerungsfähig (von Adjektiven; Sprachw.). **In|kom|pa|ra|bi|lle** *das;* -s, ...bilia u. ...bilien: (veraltet) inkomparables Adjektiv

in|kom|pa|ti|bel ⟨*lat.-mlat.*⟩: nicht ↑kompatibel. **In|kom|pa|ti|bi|li|tät** *die;* -, -en: das Inkompatibelsein

in|kom|pe|tent [auch: ...'tɛnt] ⟨*lat.*⟩: 1. a) nicht zuständig, nicht befugt, eine Angelegenheit zu behandeln (bes. Rechtsw.); Ggs. ↑kompetent (1b); b) nicht maßgebend, nicht urteilsfähig, nicht über den nötigen Sachverstand verfügend; Ggs. ↑kompetent (1a). 2. tektonisch verformbar (in Bezug auf Gesteine); Ggs. ↑kompetent (2). **In|kom|pe|tenz** [auch: ...'tɛnz] ⟨*lat.-nlat.*⟩ *die;* -, -en: a) das Nichtzuständigsein, Nichtbefugnis; Ggs. ↑Kompetenz (1b); b) Unfähigkeit, Unvermögen (1a)

in|kom|plett* [auch: ...'plɛt] ⟨*lat.-fr.*⟩: unvollständig; Ggs. ↑komplett (1a)

in|kom|pre|hen|si|bel* ⟨*lat.*⟩: (veraltet) unbegreiflich; Ggs. ↑komprehensibel

in|kom|pres|si|bel* ⟨*lat.-nlat.*⟩: nicht zusammenpressbar (von Körpern; Phys.). **In|kom|pres|si|bi|li|tät** *die;* -: Nichtzusammenpressbarkeit (Phys.)

in|kon|gru|ent* [auch: ...'ɛnt] ⟨*lat.*⟩: nicht übereinstimmend, nicht passend, nicht deckungsgleich; Ggs. ↑kongruent (2). **In|kon|gru|enz** [auch: ...'ɛnts] *die;* -, -en: Nichtübereinstimmung, Nichtdeckung

in|kon|se|quent ⟨*lat.*⟩: nicht folgerichtig, widersprüchlich [in seinem Verhalten]; Ggs. ↑konsequent. **In|kon|se|quenz** [auch: ...'kvɛnts] *die;* -, -en: mangelnde Folgerichtigkeit; Widersprüchlichkeit [in seinem Verhalten]; Ggs. ↑Konsequenz

in|kon|sis|tent [auch: ...'tent] ⟨*lat.-nlat.*⟩: a) keinen Bestand habend; Ggs. ↑konsistent; b) widersprüchlich, unzusammenhängend in der Gedankenführung; Ggs. ↑konsistent. **In|kon|sis|tenz** [auch: ...'tɛnts] *die;* -: a) Unbeständigkeit; Ggs. ↑ Widersprüchlichkeit; Ggs. ↑Konsistenz (2)

in|kons|tant [auch: ...'stant] ⟨*lat.*⟩: nicht feststehend, unbe-

ständig; Ggs. ↑konstant. **In|kons|tanz** [auch: ...'stants] *die;* -: Unbeständigkeit

in|kon|ti|nent [auch: ...'nɛnt] ⟨*lat.*⟩: Inkontinenz aufweisend. **In|kon|ti|nenz** [auch: ...'nɛnts] ⟨*lat.*⟩ *die;* -, -en: Unvermögen, Harn od. Stuhl willkürlich zurückzuhalten (Med.); Ggs. ↑Kontinenz (2)

In|kont|ro* ⟨*it.*⟩ *das;* -s, -u. ...ri: (beim Fechten) Doppeltreffer, bei dem ein Fechter gegen die Regeln verstößt, sodass dem Gegner ein Treffer gutgeschrieben wird

in|kon|ve|na|bel [auch: ...'na...] ⟨*lat.-fr.*⟩: (veraltet) unpassend, ungelegen; unschicklich; Ggs. ↑konvenabel. **in|kon|ve|ni|ent** [auch: ...'njɛnt] ⟨*lat.*⟩: (veraltet) 1. unpassend, unschicklich. 2. unbequem. **In|kon|ve|ni|enz** [auch: ...'njɛnts] *die;* -, -en: (veraltet) 1. Ungehörigkeit, Unschicklichkeit (2b); Ggs. ↑Konvenienz (2b). 2. Unbequemlichkeit, Ungelegenheit; Ggs. ↑Konvenienz (2 a)

in|kon|ver|ti|bel [auch: ...'ti:...] ⟨*lat.*⟩: 1. (veraltet) unbekehrbar; unwandelbar. 2. nicht frei austauschbar (von Währungen; Wirtsch.)

In|ko|nym* [auch: 'ɪn...] ⟨*gr.*⟩ *das;* -s, -e: ↑Kohyponym, das zu einem anderen Kohyponym in einer kontradiktorischen Beziehung steht (z. B. *Hahn* zu *Henne* unter dem ↑Hyperonym *Huhn;* Sprachw.). **In|ko|ny|mie** [auch: 'ɪn...] *die;* -, ...ien: in Nebengeordnetheit sich ausdrückende semantische Relation, wie sie zwischen Inkonymen besteht (Sprachw.)

in|kon|zi|li|ant [auch: ...'ljant] ⟨*lat.*⟩: nicht umgänglich; unverbindlich; Ggs. ↑konziliant

in|kon|zinn [auch: ...'tsɪn] ⟨*lat.*⟩: 1. (veraltet) unangemessen, nicht gefällig; Ggs.↑konzinn (1). 2. ungleichmäßig, unharmonisch im Satzbau; Ggs. ↑konzinn (2) (Rhet.; Stilk.). **In|kon|zin|ni|tät** *die;* -: 1. Unangemessenheit, mangelnde Gefälligkeit; Ggs ↑Konzinnität (1). 2. Unebenmäßigkeit im Satzbau; Ggs ↑Konzinnität (2) (Rhet.; Stilk.)

In|ko|or|di|na|ti|on [auch ...tsio:n] ⟨*lat.-nlat.*⟩ *die;* -, -en das Fehlen des Zusammenwir kens bei Bewegungsmuskel (Med.). **in|ko|or|di|niert** [auch ...'ni:ɐt]: nicht aufeinander abge stimmt (Med.)

in|kor|po|ral ⟨*lat.*⟩: im Körper [befindlich] (Med.). In|kor|po|ra|ti|on *die;* -, -en: 1. Einverleibung. 2. Eingemeindung; rechtliche Einverleibung eines Staates durch einen anderen Staat (Rechtsw.). 3. Aufnahme in eine Körperschaft od. studentische Verbindung. 4. Angliederung (z. B. einer Pfarrei) an ein geistliches Stift, um dieses wirtschaftlich besser zu stellen (bes. im Mittelalter); vgl. ...[at]ion/...ierung. in|kor|po|rie|ren: 1. einverleiben. 2. eingemeinden, einen Staat in einen andern eingliedern. 3. in eine Körperschaft od. studentische Verbindung aufnehmen. 4. angliedern, eine ↑Innovation (4) durchführen; **inkorporierende Sprachen:** indian. Sprachen, die das Objekt in das Verb aufnehmen; vgl. polysynthetisch. In|kor|po|rie|rung *die;* -, -en: das Inkorporieren; vgl. ...[at]ion/...ierung

in|kor|rekt [auch: ...'rɛkt] ⟨*lat.*⟩: ungenau, unrichtig; fehlerhaft, unangemessen [im Benehmen]; unordentlich; Ggs. ↑korrekt. In|kor|rekt|heit [auch: ...'rɛkt...] *die;* -, -en: 1. (ohne Plural) a) inkorrekte Art, Fehlerhaftigkeit; Ggs. ↑Korrektheit (1); b) Unangemessenheit; Ggs. ↑Korrektheit (2). 2. a) Fehler, Unrichtigkeit (in einer Äußerung usw.); b) Beispiel, Fall inkorrekten Verhaltens

In|kre|ment* ⟨*lat.;* „Zuwachs"⟩ *das;* -[e]s, -e: Betrag, um den eine Größe zunimmt (Math.); Ggs. ↑Dekrement

In|kret ⟨*lat.*⟩ *das;* -[e]s, -e: von den Blutdrüsen in den Körper abgegebener Stoff (Hormon); vgl. Exkret. In|kre|ti|on ⟨*lat.-nlat.*⟩ *die;* -: innere Sekretion (Med.). in|kre|to|risch: der inneren Sekretion zugehörend, ihr dienend (Med.)

in|kri|mi|nie|ren* ⟨*lat.-mlat.*⟩: (eines Verbrechens) beschuldigen, anschuldigen (Rechtsw.). in|kri|mi|niert: (als Verstoß, Vergehen o. Ä.) zur Last gelegt, zum Gegenstand einer Strafanzeige, einer öffentlichen Beschuldigung gemacht

In|krus|ta|ti|on* ⟨*lat.*⟩ *die;* -, -en: 1. farbige Verzierung von Flächen durch Einlagen (meist Stein in Stein; Kunstw.). 2. Krustenbildung durch chemische Ausscheidung (z. B. Wüstenlack; Geol.). 3. eingesetzter Besatzteil, Blende, Ornament; Inkrus-

tierung (Schneiderhandwerk); vgl. ...[at]ion/ ...ierung. in|krus|tie|ren: 1. mit einer Inkrustation (1) verzieren. 2. durch chemische Ausscheidung Krusten bilden (Geol.). 3. mit einer Inkrustation (3) versehen. In|krus|tie|rung *die;* -, -en: Inkrustation (3); vgl. ...[at]ion/...ierung

In|ku|bant ⟨*lat.*⟩ *der;* -en, -en: jmd., der sich einer Inkubation (3) unterzieht. In|ku|ba|ti|on *die;* -, -en: 1 Bebrütung von Vogeleiern (Biol.). 2. (Med.) a) das Sichfestsetzen von Krankheitserregern im Körper; b) das Aufziehen von Frühgeborenen in einem Inkubator (1); c) kurz für: ↑Inkubationszeit. 3. (hist.) Tempelschlaf in der Antike (um Heilung od. Belehrung durch den Gott zu erfahren). In|ku|ba|ti|ons|zeit *die;* -, -en: Zeit von der Ansteckung bis zum Ausbruch einer Krankheit (Med.). In|ku|ba|tor *der;* -s, ...oren: 1. Brutkasten für Frühgeburten (Med.). 2. Behälter mit Bakterienkulturen. In|ku|bus *der;* -, Inkuben: 1. a) nächtlicher Dämon, Alb im römischen Volksglauben; b) Teufel, der mit einer Hexe geschlechtlich verkehrt (im Volksglauben des Mittelalters). 2. (ohne Plural) während des Schlafs auftretende Atembeklemmung mit Angstzuständen (Med.); vgl. Sukkubus

in|ku|lant [auch: ...'lant]: ungefällig (im Geschäftsverkehr), die Gewährung von Zahlungs- od. Lieferungserleichterungen ablehnend; Ggs. ↑kulant. In|ku|lanz [auch: ...'lants] *die;* -, -en: Ungefälligkeit (im Geschäftsverkehr); Ggs. ↑Kulanz

In|kul|pant ⟨*lat.*⟩ *der;* -en, -en: (veraltet) Ankläger, Beschuldiger (Rechtsw.). In|kul|pat *der;* -en, -en: (veraltet) Angeklagter, Angeschuldigter (Rechtsw.)

In|kul|tu|ra|ti|on ⟨*lat.*⟩ *die;* -, -en: 1. das Eindringen einer Kultur in eine andere. 2. (bei der Missionstätigkeit) Berücksichtigung der jeweiligen Eigenart der Kultur, in die das Christentum vermittelt wird

In|ku|na|bel ⟨*lat.;* „Windeln; Wiege"⟩ *die;* -, -n (meist Plural): Wiegendruck, Frühdruck, Druckerzeugnis aus der Frühzeit des Buchdrucks (vor 1500). In|ku|nab|list* ⟨*lat.-nlat.*⟩ *der;* -en, -en: Wissenschaftler auf dem Gebiet der Inkunabelkunde

in|ku|ra|bel [auch: ...'ra:...] ⟨*lat.*⟩: unheilbar (Med.)

in|ku|rant [auch: ...'rant] ⟨*lat.-fr.*⟩: a) nicht im Umlauf; b) schwer verkäuflich

In|kur|si|on ⟨*lat.*⟩ *die;* -, -en: Übergriff, Eingriff

In|kur|va|ti|on ⟨*lat.*⟩ *die;* -, -en: (veraltet) Krümmung

In|laid ⟨*engl.*⟩ *der;* -s, -e: (schweiz.) durchgemustertes Linoleum. In|lay [...leɪ] ⟨*engl.;* „Einlegestück"⟩ *das;* -s, -s: aus Metall od. Porzellan gegossene Zahnfüllung

In|li|ner ['ɪnlaɪnɐ] ⟨*engl.*⟩ *der;* s, -: Rollschuh mit schmalen, in einer Linie hintereinander angeordneten Rollen. In|line|skate ['ɪn-laɪnske:t] ⟨*engl.*⟩ *das;* -s, -s (meist Plural): ↑Inliner. In|line|ska|ter ['ɪnlaɪnske:tɐ] *der;* -s, -: jmd., der mit Inlineskates Rollschuh läuft. In|line|ska|ting ['ɪnlaɪnske:tɪŋ] *das;* -s: Rollschuhlaufen mit Inlineskates.

in ma|io|rem Dei glo|ri|am ⟨*lat.*⟩: ↑omnia ad maiorem Dei gloriam

in me|di|as res ⟨*lat.;* „mitten in die Dinge hinein"⟩: ohne Einleitung u. Umschweife zur Sache in me|mo|ri|am ⟨*lat.*⟩: zum Gedächtnis, zum Andenken; z. B.: in memoriam des großen Staatsmannes; in memoriam Maria Theresia

in na|tu|ra ⟨*lat.*⟩ „in Natur"⟩: 1. leibhaftig, wirklich, persönlich. 2. (ugs.) in Waren, in Form von Naturalien

In|ne|ra|ti|on ⟨*nlat.*⟩ *die;* -, -en: ↑Internalisation

In|ner|space|for|schung ⟨*engl.*⟩ *die;* -: In|ner-Space-For|schung ['ɪnə-'speɪs...] ⟨*engl.;* *das;* -: Meereskunde, Meeresforschung; vgl. Outerspaceforschung

In|ner|va|ti|on ⟨*lat.-nlat.*⟩ *die;* -, -en: 1. Versorgung von Geweben und Organen mit Nerven. 2. Leitung der Reize durch die Nerven zu den Organen u. Geweben des Organismus (Med.). in|ner|vie|ren: 1. mit Nerven od. Nervenreizen versehen (Med.). 2. anregen

in|no|cen|te [ɪno'tʃɛnte] ⟨*lat.-it.*⟩: „unschuldig": anspruchslos; ursprünglich (Vortragsanweisung; Mus.)

in no|mi|ne Dei ⟨*lat.*⟩: im Namen Gottes (unter Berufung auf Gott); Abk.: I. N. D. in no|mi|ne Domini ⟨*lat.*⟩: im Namen des Herrn; Abk.: I. N. D. (Eingangsformel alter Urkunden)

In|no|va|ti|on ⟨*lat.-nlat.*⟩ *die;* -, -en: Einführung von etw. Neuem, Erneuerung, Neuerung. Inno|va|ti|ons|spross ⟨lat.-nlat.; dt.⟩ der; -es, -e: Erneuerungsspross bei mehrjährigen Pflanzen, Jahrestrieb. in|no|va|tiv ⟨lat.-nlat.⟩: Innovationen schaffend, beinhaltend; vgl. ...iv/ ...orisch. in|no|va|to|risch: Innovationen zum Ziel habend; vgl. ...iv/...orisch

in nu|ce ⟨lat.; „in der Nuss"⟩: im Kern; in Kürze, kurz u. bündig

In|nu|en|do ⟨lat.-engl.⟩ das; -s, -s: versteckte Andeutung, Anspielung

in|of|fen|siv [auch: ...'zi:f]: nicht angreifend, nicht angriffslustig; Ggs. ↑ offensiv

in|of|fi|zi|ell [auch: 'tsiεl]: 1. a) nicht in amtlichem, offiziellem Auftrag; nicht amtlich, außerdienstlich; b) einer amtlichen, offiziellen Stelle nicht bekannt, nicht von ihr bestätigt, anerkannt, nicht von ihr ausgehend; Ggs. ↑ offiziell (1). 2. nicht förmlich, nicht feierlich, nicht in offiziellem Rahmen; Ggs. ↑ offiziell (2). in|of|fi|zi|ös [auch: ...'tsiø:s]: nicht von einer halbamtlichen Stelle veranlasst, beeinflusst, bestätigt

In|oku|la|ti|on ⟨lat.⟩ die; -, -en: 1. Impfung (als vorbeugende u. therapeutische Maßnahme) (Med.). 2. unbeabsichtigte Übertragung von Krankheitserregern bei Blutentnahmen, Injektionen od. Impfungen (Med.). 3. das Einbringen von Krankheitserregern, Gewebe, Zellmaterial in einen Organismus od. in Nährböden. in|oku|lie|ren: 1. eine Inokulation (1) vornehmen (Med.). 2. Krankheitserreger im Sinne einer Inokulation (2) übertragen (Med.). In|oku|lum das; -s, ...la: Impfkultur, Menge einer Reinkultur von Mikroorganismen, die zur Auf- und Weiterzucht verwendet werden (Biol.; Pharm.)

in|ope|ra|bel [auch: ...'ra:...]: nicht operierbar; durch Operation nicht heilbar (Med.); Ggs. ↑ operabel

in|op|por|tun [auch: ...tu:n] ⟨lat.⟩: nicht angebracht, nicht zweckmäßig, unpassend; Ggs. ↑ opportun. In|op|por|tu|ni|tät [auch: ...'tεt] die; -, -en: das Unangebrachtsein, Unzweckmäßigkeit, Ungünstigkeit; Ggs. ↑ Opportunität

in op|ti|ma for|ma ⟨lat.⟩: in bester Form; einwandfrei; wie sichs gehört

I|no|sin ⟨gr.-nlat.⟩ das; -s, -e: kris-

tallisierende Nukleinsäure, die in Fleisch, in Hefe u. a. enthalten ist (Chem.). I|no|sit ⟨gr.-nlat.⟩ der; -s, -e: wichtiger Wirkstoff, vor allem Wuchsstoff der Hefe (kristalliner, leicht süßlich schmeckender und in Wasser löslicher Stoff; Chem.). I|no|sit|u|rie* u. I|nos|u|rie* die; -: vermehrte Ausscheidung von Inosit im Harn (Med.)

in|oxi|die|ren, auch: in|oxy|die|ren ⟨lat.; gr.⟩: eine Rostschutzschicht aus Oxiden auf eine Metalloberfläche aufbringen

in par|ti|bus in|fi|de|li|um ⟨lat.; „im Gebiet der Ungläubigen"⟩: (hist.) Zusatz zum Titel von Bischöfen in wieder heidnisch gewordenen Gebieten; Abk.: i. p. i.

in pec|to|re ⟨lat.; „in der Brust"⟩: unter Geheimhaltung (z. B. bei der Ernennung eines Kardinals, dessen Namen der Papst aus bestimmten [politischen] Gründen zunächst nicht bekannt gibt); vgl. in petto

in per|pe|tu|um ⟨lat.⟩: auf immer, für ewige Zeiten

in per|so|na ⟨lat.⟩: in Person, persönlich, selbst

in pet|to ⟨lat.-it.; „in der Brust"⟩: beabsichtigt, geplant; etw. in petto haben: etw. im Sinne, bereit haben, etw. vorhaben, im Schilde führen; vgl. in pectore

in ple|no ⟨lat.⟩: in voller Versammlung; vollzählig; vgl. Plenum

in pon|ti|fi|ca|li|bus ⟨lat.; „in priesterlichen Gewändern"⟩: (scherzh.) im Festgewand, [höchst] feierlich

in pra|xi ⟨lat.; gr.-lat.⟩: a) in der Praxis, im wirklichen Leben; tatsächlich; b) in der Rechtsprechung (im Gegensatz zur Rechtslehre); vgl. Praxis (1)

in punc|to ⟨lat.⟩: in dem Punkt, hinsichtlich; in puncto puncti [sexti]: (veraltet, scherzh.) hinsichtlich (des sechsten Gebotes) der Keuschheit

In|put ⟨engl.; „Zugeführtes"⟩ der (auch: das); -s, -s: 1. die in einem Produktionsbetrieb eingesetzten, aus anderen Teilbereichen der Wirtschaft bezogenen Produktionsmittel; Ggs. ↑ Output (1) (Wirtsch.). 2. Eingabe von Daten od. eines Programms in eine Rechenanlage (EDV); Ggs. ↑ Output (2b). In|put-Out|put-A|na|ly|se [...'aut...] ⟨engl.⟩ die; -, -n: 1. Methode zur Untersuchung der produktionsmäßigen Beziehungen zwischen den Teil-

bereichen der Wirtschaft. 2. Untersuchung der wechselseitigen Zusammenhänge zwischen Inputs (2) u. ↑ Outputs (2 b)

In|qui|lin ⟨lat.⟩ der; -en, -en (meist Plural): Insekt, das in Körperhohlräumen od. Behausungen anderer Lebewesen als Mitbewohner lebt (Zool.)

In|qui|rent ⟨lat.⟩ der; -en, -en: (veraltet) Untersuchungsführer. in|qui|rie|ren: nachforschen; [gerichtlich] untersuchen, verhören. In|qui|sit der; -en, -en (veraltet) Angeklagter. In|qui|si|ti|on ⟨„Untersuchung"⟩ die; -, -en: 1. (hist.) Untersuchung durch Institutionen der katholischen Kirche u. daraufhin durchgeführte staatliche Verfolgung der ↑ Häretiker zur Reinerhaltung des Glaubens (bis ins 19. Jh., bes. während der Gegenreformation). 2. Inquisitionsprozess. In|qui|si|ti|ons|ma|xi|me die; -: strafprozessualer Grundsatz, nach dem der Richter selbst ein Strafverfahren einleitet (Rechtsw.). In|qui|si|ti|ons|pro|zess der; -es, -e: gerichtliche Eröffnung u. Durchführung eines Strafprozesses aufgrund der ↑ Inquisitionsmaxime (Rechtsw.). in|qui|si|tiv: [nach]forschend, neugierig, wissbegierig; vgl. ...iv/...orisch. In|qui|si|tor der; -s, ...oren: 1. (hist.) jmd., der ein Inquisitionsverfahren leitet od. anstrengt. 2. [strenger] Untersuchungsrichter. in|qui|si|to|risch ⟨lat.-nlat.⟩: nach Art eines Inquisitors, peinlich ausfragend; vgl. ...iv/...orisch

In|ro ⟨jap.⟩ das; -s, -s: reich verziertes, geschnitztes japan. Döschen aus Elfenbein od. gelacktem Holz

in sal|do ⟨lat.-it.⟩: (veraltet) im Rest, im Rückstand

In|sa|li|va|ti|on ⟨lat.-nlat.⟩ die; -, -en: Einspeichelung, Vermischung der aufgenommenen Speise mit Speichel, speziell beim Kauakt im Mund (Med.)

in sal|vo ⟨lat.⟩: (veraltet) in Sicherheit

in|san ⟨lat.⟩: geistig krank (Med.). In|sa|nia die; -: Denkstörung mit Verlust des Realitätsbezugs (Med.)

In|sa|ti|a|bel ⟨lat.⟩: (veraltet) unersättlich

in|schal|lah ⟨arab.⟩: wenn Allah will

In|sekt ⟨lat.⟩ das; -[e]s, -en: Kerbtier (geflügelter, Luft atmender Gliederfüßer). In|sek|ta|ri|um

⟨lat. -nlat.⟩ das; -s, ...ien: der Aufzucht u. dem Studium von Insekten dienende Anlage. **in|sek|ti|vor:** Insekten fressend. **¹In|sek|ti|vo|re** der; -n, -n (meist Plural): Insekten fressendes Tier. **²In|sek|ti|vo|re** die; -n, -n (meist Plural): Insekten fressende Pflanze. **In|sek|ti|zid:** Insekten vernichtend (in Bezug auf chemische Mittel). **In|sek|ti|zid** das; -s, -e: Insektenbekämpfungsmittel. **In|sek|to|lo|ge** ⟨lat.; gr.⟩ der; -n, -n: ↑ Entomologe **In|sel|hop|ping** ⟨engl.; dt.⟩ das; -s: touristische Unternehmung, bei der nacheinander mehrere Inseln eines Achipels besucht werden **In|se|mi|na|ti|on** ⟨lat. -nlat.⟩ die; -, -en: 1. künstliche Befruchtung; vgl. heterologe Insemination u. homologe Insemination. 2. das Eindringen der Samenfäden in das reife Ei (Med.). **In|se|mi|na|tor** der; -s, ...oren: jmd., der auf einer Tierbesamungsstation als Fachmann Methoden für die künstliche Befruchtung der Tiere entwickelt u. anwendet. **in|se|mi|nie|ren:** künstlich befruchten **in|sen|si|bel** [auch: ...'zi:...] ⟨lat.⟩: unempfindlich gegenüber Schmerzen u. Reizen von außen. **In|sen|si|bi|li|tät** [auch: ...'tɛ:t] die; -: Unempfindlichkeit gegenüber Schmerzen u. Reizen von außen **In|se|pa|rables** [ɛsepa'rabl] ⟨lat.-fr.; „Unzertrennliche"⟩ die (Plural): kleine, kurzschwänzige Papageien (Käfigvögel) **in|se|quent** [auch: ...'kvɛnt] ⟨lat.⟩: keine Beziehung zum Schichtenbau der Erde habend (in Bezug auf Flussläufe, Geol.); Ggs. ↑ konsequent (3) **In|se|rat** ⟨lat.-nlat.⟩ das; -[e]s, -e: Anzeige (in einer Zeitung, Zeitschrift o. Ä.). **In|se|rent** ⟨lat.⟩ der; -en, -en: jmd., der ein Inserat aufgibt. **in|se|rie|ren:** a) ein Inserat aufgeben; b) durch ein Inserat anbieten, suchen, vermitteln. **In|sert** ⟨lat.-engl.⟩ das; -s, -s: 1. Inserat, bes. in einer Zeitschrift, in Verbindung mit einer beigehefteten Karte zum Anfordern weiterer Informationen od. zum Bestellen der angebotenen Ware. 2. in einen Kunststoff zur Verstärkung eingelassenes Element. 3. grafische Darstellung, Schautafel für den Zuschauer, die als Einschub [zwischen zwei Programmbestandteile] eingeblendet wird. **In|ser-**

tion die; -, -en: 1. das Aufgeben einer Anzeige. 2. das Einfügen sprachlicher Einheiten in einen vorgegebenen Satz (als Verfahren zur Gewinnung von Kernsätzen; Sprachw.). 3. das Einfügen einer Urkunde in vollem Wortlaut in eine neue Urkunde als Form der Bestätigung, ↑ Transsumierung. 4. Ansatz, Ansatzstelle (z. B. einer Sehne am Knochen od. eines Blattes am Spross; Med.; Biol.; Bot.). **In|side** ['ɪnsaɪd] ⟨engl.⟩ der; -[s], -s: (schweiz. veraltet) Innenstürmer, Halbstürmer (Fußball). **In|si|der** der; -s, -: jmd., der bestimmte Dinge, Verhältnisse als ein Dazugehörender, Eingeweihter kennt. **In|side|sto|ry** der; -, -s: aus innerer Sicht, von einem Beteiligten selbst verfasster Bericht **In|si|di|en** [...jən] ⟨lat.⟩ die (Plural). (veraltet) Nachstellungen **in|si|di|ös:** heimtückisch, schleichend (von Krankheiten; Med.) **In|sig|ne*** ⟨lat.; „Abzeichen"⟩ das; -s, ...nien [...jən] (meist Plural): Zeichen staatlicher od. ständischer Macht u. Würde (z. B. Krone, Rittersporen) **In|si|mu|la|ti|on** ⟨lat.⟩ die; -, -en: (veraltet) Verdächtigung, Anschuldigung. **in|si|mu|lie|ren:** (veraltet) verdächtigen, anschuldigen **In|si|nu|ant** ⟨lat.⟩ der; -en, -en: 1. jmd., der Unterstellungen, Verdächtigungen äußert. 2. jmd., der andern etwas zuträgt, einflüstert. 3. jmd., der sich bei andern einschmeichelt. **In|si|nu|la|ti|on** die; -, -en: 1. a) Unterstellung, Verdächtigung; b) Einflüsterung, Zuträgerei; c) Einschmeichelung. 2. (veraltet) Eingabe eines Schriftstücks an ein Gericht. **In|si|nu|la|ti|ons|do|ku|ment** das; -[e]s, -e: Bescheinigung über eine Insinuation (2). **In|si|nu|la|ti|ons|man|da|tar** der; -s, -e: zur Entgegennahme von Insinuationen (2) Bevollmächtigter. **in|si|nu|ie|ren:** a) unterstellen; b) einflüstern, zutragen; c) sich: sich einschmeicheln. 2. (veraltet) ein Schriftstück einem Gericht einreichen **in|si|pid, in|si|pi|de** ⟨lat.⟩: (veraltet) schal, fade; albern, töricht **in|sis|tent** ⟨lat.⟩: (selten) auf etwas bestehend, beharrlich, hartnäckig. **In|sis|tenz** ⟨lat.⟩ die; -: Beharrlichkeit, Hartnäckigkeit. **in|sis|tie|ren:** auf etwas bestehen, beharren; Ggs. ↑ desistieren

in **si|tu** ⟨lat.⟩: a) (von Organen, Körperteilen, Geweben o. Ä.) in der natürlichen, richtigen Lage (Med.); vgl. Situs; b) (von ausgegrabenen Gegenständen, Fundstücken) in originaler Lage (Archäol.) **in|skri|bie|ren** ⟨lat.⟩: (österr.) a) sich an einer Universität einschreiben; b) (ein Studienfach, eine Vorlesung, Übung o. Ä.) belegen. **In|skrip|ti|on** die; -, -en: (österr.) a) Einschreibung an einer Universität; b) Anmeldung zur Teilnahme an einer Vorlesung, Übung o. Ä. **In|so|la|ti|on** ⟨lat. -nlat.⟩ die; -, -en: 1. Strahlung der Sonne auf die Erde, Sonneneinstrahlung (Meteor.). 2. Sonnenstich **in|so|lent** [auch: ...'lɛnt] ⟨lat.⟩: anmaßend, unverschämt. **In|so|lenz** [auch: ...'lɛnts] die; -, -en: Anmaßung, Unverschämtheit **in|so|lie|ren** ⟨lat. -nlat.⟩: (veraltet) der Sonne aussetzen, sich sonnen; vgl. Insolation **in|so|lu|bel** ⟨lat.⟩: unlöslich, unlösbar (Chem.). **in|sol|vent** [auch: ...'vɛnt] ⟨lat.-nlat.⟩: zahlungsunfähig (Wirtsch.); Ggs. ↑ solvent. **In|sol|venz** [auch: ...'vɛnts] die; -, -en: Zahlungsunfähigkeit (Wirtsch.); Ggs. ↑ Solvenz **In|som|nie** ⟨lat.⟩ die; -: Schlaflosigkeit (Med.) in **spe** [- 'spe:] ⟨lat.⟩: „in der Hoffnung"; zukünftig, baldig **In|spek|teur*** [...'tøːɐ̯] ⟨lat.-fr.⟩ der; -s, -e: 1. Leiter einer Inspektion (2). 2. Dienststellung der ranghöchsten, Aufsicht führenden Offiziere der Teilstreitkräfte der Bundeswehr **In|spek|ti|on** ⟨lat.; „Besichtigung, Untersuchung"⟩ die; -, -en: 1. a) Prüfung, Kontrolle; b) regelmäßige Untersuchung u. Wartung eines Kraftfahrzeugs (gegebenenfalls mit Reparaturen). 2. Behörde, der die Prüfung od. Aufsicht [über die Ausbildung der Truppen] obliegt. **In|spek|tor** der; -s, ...oren: 1. Verwaltungsbeamter auf der ersten Stufe des gehobenen Dienstes (bei Bund, Ländern u. Gemeinden). 2. jmd., der etw. inspiziert, dessen Amt es ist, Inspektionen durchzuführen. **In|spek|to|rat** das; -[e]s, -e: (veraltet) Amt eines Inspektors **In|spi|ra|ti|on*** ⟨lat.; „Einhauchung"⟩ die; -, -en: 1. schöpferischer Einfall, Gedanke; plötzliche Erkenntnis, erhellende Idee, die jmdn., bes. einen geistigen

Tätigkeit, weiterführt; Erleuchtung, Eingebung. 2. (ohne Plural) Einatmung; das Einsaugen der Atemluft (Med.); Ggs. ↑Exspiration. **in|spi|ra|tiv:** durch Inspiration wirkend; vgl. ...iv/ ...orisch. **In|spi|ra|tor** *der;* -s, ...oren: jmd., der einen anderen inspiriert, zu etw. anregt. **in|spi-ra|to|risch** *⟨lat.-nlat.⟩:* 1. ↑inspirativ. 2. die Inspiration (2) betreffend (Med.); Ggs. ↑exspiratorisch; vgl. ...iv/...orisch. **in-spi|rie|ren** *⟨lat.⟩:* zu etw. anregen, animieren. **In|spi|rier|te** *der* u. *die;* -n, -n: Anhänger[in] einer Sekte des 18. Jh.s, die an göttliche Eingebung bei einzelnen Mitgliedern glaubte

In|spi|zi|ent* *⟨lat.⟩ der;* -en, -en: 1. für den reibungslosen Ablauf von Proben und Aufführungen beim Theater oder von Sendungen beim Rundfunk und Fernsehen Verantwortlicher. 2. Aufsicht führende Person. **in|spi-zie|ren** *⟨„besichtigen“⟩:* be[auf]sichtigen; prüfen. **In|spi|zie-rung** *die;* -, -en: genaue Prüfung

in|sta|bil* [auch: ...'i:l] *⟨lat.⟩:* unbeständig; Ggs. ↑stabil; **instabiles Atom:** Atom, dessen Kern durch radioaktiven Prozess von selbst zerfällt (Phys.); **instabile Schwingungen:** Flatterschwingungen bei Flugzeugtragflügeln; angefachte, durch äußere Einwirkung entstandene Schwingungen bei Hängebrücken u. Ä. **In|sta|bi|li|tät** *die;* -, -en (Plural selten): Unbeständigkeit, Veränderlichkeit, Unsicherheit

In|stal|la|teur* [...'tø:ɐ̯] ⟨französierende Bildung zu installieren⟩ *der;* -s, -e: Handwerker, der die technischen Anlagen eines Hauses (Rohre, Gas-, Elektroleitungen o. Ä.) verlegt, anschließt, repariert (Berufsbez.). **In|stal|la-ti|on** *⟨lat.-mlat.⟩ die;* -, -en: 1. a) Einbau, Anschluss (von technischen Anlagen); b) technische Anlage. 2. (schweiz., sonst veraltet) Einweisung in ein [geistliches] Amt. 3. das Überspielen eines Computerprogramms auf die Festplatte (EDV). **in|stal|lie-ren:** 1. technische Anlagen einrichten, einbauen, anschließen. 2. in ein [geistliches] Amt einweisen. 3. (ein Computerprogramm) auf die Festplatte überspielen (EDV). 4. a) irgendwo einrichten, in etwas unterbringen; b) sich installieren: sich einrichten

in|stant* [auch: 'ɪnstənt] *⟨lat.-*

engl.⟩: sofort, ohne Vorbereitung zur Verfügung (als nachgestelltes Attribut gebraucht), z. B.: Haferflocken instant. **in|stan-tan** *⟨lat.-mlat.⟩:* unverzüglich einsetzend, sich sofort auswirkend, augenblicklich. **In|stant-ge|tränk** [auch: 'ɪnstənt...] *⟨lat.-engl.; dt.⟩ das;* -[e]s, -e: Schnellgetränk, Getränk, das ohne Vorbereitung aus pulveriger Substanz schnell zubereitet werden kann. **in|stan|ti|sie|ren:** pulverförmige Extrakte herstellen. **In-stanz** *⟨lat.-mlat.⟩ die;* -, -en: zuständige Stelle (bes. bei Behörden od. Gerichten). **In|stan|zen-weg** *der;* -[e]s: Dienstweg. **In-stan|zen|zug** *der;* -[e]s: Übergang einer Rechtssache an das nächsthöhere, zuständige Gericht (Rechtsw.). **in|sta|ti|o|när** *⟨lat.-nlat.⟩:* nicht gleich bleibend, schwankend, z. B. bei veränderlichen Stromröhren (Hydraulik). **in sta|tu nas|cen|di** *⟨lat.⟩:* im Zustand des Entstehens. **in sta-tu quo:** im gegenwärtigen Zustand, unverändert; vgl. Status quo. **in sta|tu quo an|te:** im früheren Zustand; vgl. Status quo ante

In|stau|ra|ti|on* *⟨lat.⟩ die;* -, -en: (veraltet) Erneuerung; Wiedereröffnung. **in|stau|rie|ren:** (veraltet) erneuern, wiederherstellen **in|sti|gie|ren*** *⟨lat.⟩:* anregen, anstacheln

In|stil|la|ti|on* *⟨lat.⟩ die;* -, -en: Einträufelung, tropfenweise Verabreichung [von Arzneimitteln] unter die Haut, in die Blutbahn od. in Körperhöhlen (Med.). **in-stil|lie|ren:** in den Organismus einträufeln (Med.)

Ins|tinkt* *⟨lat.-mlat.;* instinctus naturae „Anreizung der Natur, Naturtrieb“⟩ *der;* -[e]s, -e: 1. a) angeborene, keiner Übung bedürftige Verhaltensweise u. Reaktionsbereitschaft der Triebsphäre, meist im Interesse der Selbst- u. Arterhaltung (bes. bei Tieren); b) (meist Plural) schlechter, zum Schlechten neigender Trieb im Menschen. 2. sicheres Gefühl für etwas. **ins-tinkt|iv** *⟨lat.-fr.⟩:* 1. instinktbedingt, durch den Instinkt geleitet. 2. von einem Gefühl geleitet; gefühlsmäßig, unwillkürlich. **ins|tink|tu|ell:** ↑instinktiv (1) **in|sti|tu|ie|ren*** *⟨lat.⟩:* 1. einrichten, errichten. 2. (veraltet) anordnen, unterweisen; stiften. **In-sti|tut** *das;* -[e]s, -e: 1. a) Einrichtung, Anstalt, die [als Teil einer

Hochschule] wissenschaftlichen Arbeiten, der Forschung, der Erziehung o. Ä. dient; b) Institutsgebäude. 2. durch positives (gesetzlich verankertes) Recht geschaffenes Rechtsgebilde (z. B. Ehe, Familie, Eigentum o. Ä.). **In|sti|tu|ti|on** *die;* -, -en: 1. einem bestimmten Bereich zugeordnete öffentliche [staatliche, kirchliche] Einrichtung, dem Wohl od. Nutzen des Einzelnen od. der Allgemeinheit dient. 2. (veraltet) Einsetzung in ein [kirchl.] Amt. **in|sti|tu|ti|o|na|li|sie|ren** *⟨lat.-nlat.⟩:* a) in eine gesellschaftlich anerkannte, feste [starre] Form bringen; b) sich institutionalisieren: eine [gesellschaftlich anerkannte] feste [starre] Form annehmen; zu einer Institution (1) werden. **In|sti|tu|ti|o|na|li|sie-rung** *die;* -: das Institutionalisieren. **In|sti|tu|ti|o|na|lis|mus** *der;* -: sozialökonomische Lehre des amerikanischen Nationalökonomen u. Soziologen Th. Veblen (1857–1929). **in|sti|tu|ti|o|nell** *⟨lat.-fr.⟩:* 1. die Institution betreffend; **institutionelle Garantie:** Unantastbarkeit bestimmter Einrichtungen (z. B. der Ehe, der Familie o. Ä.) (Rechtsw.). 2. ein Institut (1 a, 2) betreffend, zu einem Institut gehörend **in|stra|die|ren*** *⟨lat.-it.⟩:* 1. a) (veraltet) Soldaten in Marsch setzen; b) den Weg eines Briefes o. Ä. bestimmen. 2. (schweiz.) über eine bestimmte Straße befördern, leiten. **In|stra|die|rung** *die;* -, -en: das Instradieren (1, 2) **in|stru|ie|ren*** *⟨lat.;* „herrichten; ausrüsten; unterweisen“⟩: 1. in Kenntnis setzen; unterweisen, lehren, anleiten. 2. (veraltet) eine Rechtssache zur Entscheidung vorbereiten. **In|struk|teur** [...'tø:ɐ̯] *⟨lat.-fr.⟩ der;* -s, -e: jmd., der andere unterrichtet, [zum Gebrauch von Maschinen, zur Auslegung von Vorschriften, Richtlinien o. Ä.] anleitet. **In-struk|ti|on** *⟨lat.⟩ die;* -, -en: Anleitung; Vorschrift, Richtschnur, Dienstanweisung. **in|struk|tiv** *⟨lat.-fr.⟩:* lehrreich, aufschlussreich. **In|struk|tiv** *⟨lat.-nlat.⟩ der;* -s, -e: finnougrischer Kasus zur Bezeichnung der Art und Weise. **In|struk|tor** *⟨lat.-mlat.⟩ der;* -s, ...oren: 1. (veraltet) Lehrer; Erzieher (bes. von Einzelpersonen). 2. (österr.) Instrukteur. **In-stru|ment** *⟨lat.;* „Ausrüstung“⟩ *das;* -[e]s, -e: 1. Gerät, feines Werkzeug [für technische od.

wissenschaftliche Arbeiten]. 2. kurz für: Musikinstrument. in|stru|men|tal ⟨lat.-nlat.⟩: 1. a) durch Musikinstrumente ausgeführt, Musikinstrumente betreffend; Ggs. ↑ vokal; b) wie Instrumentalmusik klingend. 2. als Mittel od. Werkzeug dienend. 3. das Mittel od. Werkzeug bezeichnend; instrumentelle Konjunktion: das Mittel angebendes Bindewort (z. B. indem) (Sprachw.); vgl. ...al/...ell. In|stru|men|tal der; -s, -e: das Mittel od. Werkzeug bezeichnender Kasus (im Deutschen durch Präpositionalfall ersetzt, im Slaw. noch erhalten) (Sprachw.). In|stru|men|ta|lis der; -, ...les: Instrumental. in|stru|men|ta|li|sie|ren: 1. [in der Unterhaltungsmusik] ein Gesangsstück zu einem Instrumentalstück umschreiben; vgl. instrumentieren (1 b). 2. (für seine Zwecke) als Instrument benutzen. In|stru|men|ta|li|sie|rung die; -, -en: 1. (ohne Plural) Neigung der deutschen Gegenwartssprache, „bei der sprachlichen Einordnung Sachen, über die der Mensch verfügt, in Form und Rolle des sprachlichen ‚Instrumentalis‘ zu bringen" (L. Weisgerber; z. B.: „den Kunden mit Waren beliefern" statt „dem Kunden Waren liefern"). 2. das Instrumentalisieren (1, 2). In|stru|men|ta|lis|mus der; -: amerikanische Ausprägung des ↑ Pragmatismus, in der Denken u. Begriffsbildung (Logik, Ethik, Metaphysik) nur Werkzeuge zur Beherrschung von Natur u. Mensch sind (Philos.). In|stru|men|ta|list der; -en, -en. 1. jmd., der [berufsmäßig] bes. in einem ↑ Ensemble (2) ein Instrument (2) spielt; Ggs. ↑ Vokalist. 2. Anhänger, Vertreter des Instrumentalismus. In|stru|men|tal|mu|sik die; -, -en: nur mit Instrumenten ausgeführte Musik; Ggs. ↑ Vokalmusik. In|stru|men|tal|satz ⟨lat.-nlat.; dt.⟩ der; -es, ...sätze: Umstands[glied]satz des Mittels od. Werkzeuges (z. B.: er vernichtete das Ungeziefer, indem er es mit Gift besprühte). In|stru|men|tal|so|list der; -en, -en: jmd., der innerhalb eines Orchesters, Ensembles o. Ä. ein Instrument (2) als ↑ Solist (a) spielt. in|stru|men|ta|ri|sie|ren ⟨lat.-nlat.⟩: zu einem Instrumentarium (1) machen. In|stru|men|ta|ri|sie|rung die; -, -en: das Instrumen-

tarisieren. In|stru|men|ta|ri|um das; -s, ...ien: 1. alles, was zur Durchführung einer Tätigkeit o. Ä. gebraucht wird. 2. Instrumentensammlung. 3. Gesamtzahl der in einem Klangkörper für eine bestimmte musikalische Aufführung vorgesehenen Musikinstrumente. In|stru|men|ta|ti|on die; -, -en: a) Besetzung der einzelnen Stimmen einer mehrstimmigen ↑ Komposition (2 b) mit bestimmten Instrumenten (2) eines Orchesters zwecks bestimmter Klangwirkungen; b) Einrichtung einer (ursprünglich nicht für [verschiedene] Instrumente geschriebenen) Komposition für mehrere Instrumente, für ein Orchester; vgl. ...[at]ion/ ...ierung. In|stru|men|tal|tiv das; -s, -e: Verb des Benutzens (z. B. hämmern = „mit dem Hammer arbeiten"). In|stru|men|ta|tor der; -s, ...oren. jmd., der die ↑ Instrumentation durchführt. in|stru|men|ta|to|risch: die ↑ Instrumentation betreffend. in|stru|men|tell: Instrumente (1) betreffend, mit Instrumenten versehen, unter Zuhilfenahme von Instrumenten; vgl. ...al/...ell. in|stru|men|tie|ren: 1. a) eine Komposition [nach der Klavierskizze] für die einzelnen Orchesterinstrumente ausarbeiten u. dabei bestimmte Klangvorstellungen realisieren; b) eine Komposition für Orchesterbesetzung umschreiben, eine Orchesterfassung von etwas herstellen. 2. mit [technischen] Instrumenten ausstatten. 3. einem operierenden Arzt die chirurgischen Instrumente zureichen. In|stru|men|tie|rung die; -, en: das Instrumentieren (1, 2); vgl. ...[at]ion/ ...ierung

In|sub|or|di|na|ti|on [auch: 'in...] ⟨lat.-nlat.⟩ die; -, -en: mangelnde Unterordnung; Ungehorsam gegenüber [militär.] Vorgesetzten In|su|dat ⟨lat.⟩ das; -[e]s, -e: entzündliche Ausschwitzung (eiweißhaltige Flüssigkeit, die bei Entzündungen in den Gefäßen verbleibt; Med.). In|su|da|ti|on die; -, -en: Ausschwitzung, Absonderung eines Insudats (Med.) in|suf|fi|zi|ent [auch: ...'tsjent] ⟨lat.⟩: 1. unzulänglich, unzureichend. 2. (von der Funktion, Leistungsfähigkeit eines Organs) ungenügend, unzureichend, geschwächt (Med.). In|suf|fi|zi|enz [auch: ...'tsjents] die; -, -en: 1. Unzulänglichkeit; Schwäche;

Ggs. ↑ Suffizienz (1). 2. ungenügende Leistung, Schwäche eines Organs (Med.); Ggs. ↑ Suffizienz (2). 3. Vermögenslage eines Schuldners, bei der die Gläubiger nicht ausreichend befriedigt werden können (Rechtsw.) In|su|la|ner ⟨lat.⟩ der; -s, -: Inselbewohner. in|su|lar: die Insel od. Inseln betreffend; inselartig; Insel... In|su|la|ri|tät ⟨lat.-nlat.⟩ die; -: Insellage, geographische Abgeschlossenheit. In|su|lin das; -s: 1. Hormon der Bauchspeicheldrüse. 2. ® Arzneimittel für Zuckerkranke. In|su|lin|de ⟨lat. niederl.⟩ die; - (vom niederl. Schriftsteller Multatuli [1820 bis 1887] geprägter) Name für die Inselwelt des Malaiischen Archipels. In|su|lin|schock der; -s, -s (selten: -e): 1. bei Diabetikern durch hohe Insulingaben [nach Diätfehlern] ausgelöster Schock. 2. durch Einspritzung von Insulin künstlich erzeugter Schock zur Behandlung von ↑ Schizophrenie In|sult ⟨lat.-mlat.⟩ der; -[e]s, -e: 1. [schwere] Beleidigung, Beschimpfung. 2. Anfall (z. B. Schlaganfall) (Med.). In|sul|ta|ti|on ⟨lat.⟩ die; -, -en: Insult (1). in|sul|tie|ren: [schwer] beleidigen, verhöhnen in sum|ma ⟨lat.⟩: im Ganzen, insgesamt In|sur|gent ⟨lat.⟩ der; -en, -en: Aufständischer. in|sur|gie|ren: 1. zum Aufstand reizen. 2. einen Aufstand machen. In|sur|rek|ti|on die; -, -en: Aufstand; Volkserhebung in sus|pen|so ⟨lat.⟩: (veraltet) unentschieden, in der Schwebe In|sze|na|tor* ⟨lat.; gr.-lat.-fr.⟩ der; -s, ...oren: (selten) Leiter einer Inszenierung. in|sze|na|to|risch: die Inszenierung betreffend, auf die Inszenierung bezogen. in|sze|nie|ren: 1. (ein Stück beim Theater, Fernsehen, einen Film) vorbereiten, bearbeiten, einstudieren, künstlerisch gestalten und beim Bühnenstück, Fernsehspiel, Film Regie führen. 2. (oft abwertend) geschickt ins Werk setzen, organisieren, vorbereiten u. einfädeln. In|sze|nie|rung die; -, -en: 1. das Inszenieren. 2. inszeniertes Stück In|ta|bu|la|ti|on ⟨lat.-nlat.⟩ die; -, -en: 1. (veraltet) Einschreibung in eine Tabelle. 2. Eintragung ins Grundbuch (früher in Ungarn). in|ta|bu|lie|ren: (veraltet) [in eine Tabelle] eintragen.

In|tag|lio* [ɪn'taljo] ⟨lat. -mlat. -it.⟩ das; -s, ...ien [...jɔn]: Gemme mit eingeschnittenen Figuren

in|takt ⟨lat.⟩: a) unversehrt, unberührt, heil; b) [voll] funktionsfähig, ohne Störungen funktionierend

In|tar|seur [...'zøːɐ̯] ⟨französierende Bildung⟩ der; -s, -e: Intarsiator. In|tar|sia ⟨(lat.; arab.) it.⟩ die; -, ...ien (meist Plural): Einlegearbeit (andersfarbige Hölzer, Elfenbein, Metall usw. in Holz). In|tar|si|a|tor ⟨(lat.; arab.) it.-nlat.⟩ der; -s, ...oren: Kunsthandwerker, Künstler, der Intarsien herstellt. In|tar|si|a|tur ⟨(lat.; arab.) it.⟩ die; -, -en: (selten) Intarsia. In|tar|sie [...zjə] die; -, -n: ↑Intarsia. in|tar|sie|ren: Intarsien herstellen

in|te|ger ⟨lat.⟩: 1. unbescholten; ohne Makel; unbestechlich. 2. (veraltet) neu; sauber, unversehrt

in|teg|ral* ⟨lat.-mlat.⟩: ein Ganzes ausmachend; für sich bestehend. In|teg|ral das; -s, -e: 1. Rechensymbol der Integralrechnung (Zeichen: ∫). 2. mathematischer Summenausdruck über die ↑Differenziale eines endlichen od. unendlichen Bereiches. In|teg|ral|glei|chung ⟨lat.-mlat.; dt.⟩ die; -, -en: mathematische Gleichung, bei der die Unbekannte in irgendeiner Form unter dem Integralzeichen auftritt. In|teg|ral|helm der; -[e]s, -e: mit einem durchsichtigen ↑Visier (1 b) zum Schutz des Gesichts versehener Sturzhelm für Motorradfahrer u. a., der infolge seiner Größe (im Unterschied zu anderen Sturzhelmen) auch Hals u. Kinnpartie schützt. In|teg|ra|lis|mus ⟨lat.-mlat.-nlat.⟩ der; -: zeitweilige katholische Bestrebung, alle Lebensbereiche nach kirchlichen Maßstäben zu gestalten. In|teg|ra|list der; -en, -en: Anhänger des Integralismus. In|teg|ral|rech|nung die; -: Teilgebiet der ↑Infinitesimalrechnung (Umkehrung der Differenzialrechnung). In|teg|rand ⟨lat.⟩ der; -en, -en: das zu Integrierende, was unter dem Integralzeichen steht (Math.). In|te|graph, auch: ...graf ⟨lat.; gr.⟩ der; -en, -en: ein ↑Integriergerät. In|teg|ra|ti|on ⟨lat.; „Wiederherstellung eines Ganzen"⟩ die; -, -en: 1. [Wieder]herstellung einer Einheit [aus Differenziertem]; Vervollständigung. 2. Einbeziehung, Eingliederung in ein größeres

Ganzes; Ggs. ↑Desintegration (1). 3. Zustand, in dem sich etwas befindet, nachdem es integriert worden ist; Ggs. ↑Desintegration (2). 4. Berechnung eines Integrals; vgl. ...[at]ion/...ierung. In|teg|ra|ti|o|nist ⟨lat.-nlat.⟩ der; -en, -en: Anhänger der Aufhebung der Rassentrennung in den USA. in|teg|ra|ti|o|nis|tisch: 1. die Integration (1, 2, 3) zum Ziele habend, im Sinne der Integration. 2. im Sinne der ↑Integrationisten. In|teg|ra|ti|ons|pro|zess der; -es, -e: Prozess der Integration. In|teg|ra|ti|ons|psy|cho|lo|gie u. In|teg|ra|ti|ons|ty|po|lo|gie die; -: Typenlehre, die die Einheit im Aufbau der Persönlichkeit u. ihrer Beziehung zur Umwelt annimmt, je nach dem Grade des Zusammenwirkens u. Sichdurchdringens der einzelnen physischen u. psychischen Funktionen (E. R. Jaensch). in|teg|ra|tiv: eine Integration (1, 2, 3) darstellend, in der Art einer Integration, auf eine Integration hindeutend. In|teg|ra|tor ⟨lat.⟩ der; -s, ...oren: Rechenmaschine zur zahlenmäßigen Darstellung von Infinitesimalrechnungen. In|teg|ri|er|an|la|ge ⟨lat.; dt.⟩ die; -, -n: auf dem Dualsystem aufgebauter Integrator [größerer Ausmaßes]. in|teg|rie|ren ⟨lat.; „wiederherstellen; ergänzen"⟩: 1. a) in ein übergeordnetes Ganzes aufnehmen; b) sich integrieren: sich in ein übergeordnetes Ganzes einfügen. 2. ein Integral berechnen (Math.). in|teg|rie|rend: zu einem Ganzen notwendig gehörend; wesentlich, unerlässlich. In|teg|rie|rer der; -s, -: Rechenanlage, mit der die Ausgangswerte u. das Ergebnis einer Rechenaufgabe als physikalische Größen dargestellt werden; Analogrechner (EDV). In|teg|rier|ge|rät ⟨lat.; dt.⟩ die; -, -[e]s, -e: Integrator [für spezielle Zwecke]. in|teg|riert ⟨lat.⟩: durch Integration (1) entstanden, z. B.: integrierte Gesamt[hoch]schule; integrierter Typus: die durch ganzheitliche Auffassungs-, Reaktions- u. Erlebnisweise gekennzeichnete Persönlichkeit (Psychol.). In|teg|rie|rung die; -, -en: das Integrieren (1, 2); Ggs. ↑Desintegrierung; vgl. ...[at]ion/...ierung. In|teg|ri|me|ter ⟨lat.; gr.⟩ das; -s, -: spezielle Vorrichtung zur Lösung von Integralen. In|teg|ri|tät ⟨lat.⟩ die; -: 1. Makellosigkeit,

Unbescholtenheit, Unbestechlichkeit. 2. Unverletzlichkeit [eines Staatsgebietes] (Rechtsw.). In|te|gu|ment ⟨lat.; „Bedeckung, Hülle"⟩ das; -s, -e: 1. Gesamtheit der Hautschichten der Tiere u. des Menschen einschließlich der in der Haut gebildeten Haare, Federn, Stacheln, Kalkpanzer usw. (Biol.). 2. Hülle um den ↑Nucellus der Samenanlage (Bot.). In|te|gu|men|tum das; -s, ...ta: ↑Integument

In|tel|lec|tus ar|che|ty|pus ⟨lat.; gr.-lat.; „urbildlicher Verstand"⟩ der; - -: das Urbild prägendes, göttliches, schauend-schaffendes Denken im Unterschied zum menschlichen, diskursiven Denken (Scholastik). In|tel|lekt ⟨lat.⟩ der; -[e]s: Fähigkeit, Vermögen, mit dessen Einsatz des Denkens Erkenntnisse, Einsichten zu erlangen; Denk-, Erkenntnisvermögen; Verstand. in|tel|lek|tu|al: (selten) vom Intellekt ausgehend, zum Intellekt gehörend; vgl. ...al/...ell. in|tel|lek|tu|a|li|sie|ren ⟨lat.-nlat.⟩: einer intellektuellen Betrachtung unterziehen. In|tel|lek|tu|a|lis|mus der; -: 1. philosophische Lehre, die dem Intellekt den Vorrang gibt. 2. übermäßige Betonung des Verstandes; einseitig verstandesmäßiges Denken. in|tel|lek|tu|a|lis|tisch: die Bedeutung des Verstandes einseitig betonend. In|tel|lek|tu|a|li|tät ⟨lat.⟩ die; -: Verstandesmäßigkeit. in|tel|lek|tu|ell ⟨lat.-fr.⟩: a) den Intellekt betreffend; geistig-begrifflich; b) einseitig, betont verstandesmäßig; auf den Intellekt ausgerichtet; c) die Intellektuellen betreffend; vgl. ...al/...ell. In|tel|lek|tu|el|le der u. die; -n, -n: jmd. mit akademischer Ausbildung, der in geistig-schöpferischer, kritischer Weise Themen problematisiert u. sich mit ihnen auseinander setzt. in|tel|li|gent ⟨lat.⟩: a) Intelligenz (1) besitzend; verständig; klug; begabt; b) mit künstlicher Intelligenz arbeitend (EDV). In|tel|li|genz die; -, -en: 1. [besondere] geistige Fähigkeit; Klugheit; künstliche Intelligenz: Fähigkeit bestimmter Computerprogramme, menschliche Intelligenz nachzuahmen (EDV). 2. (ohne Plural) Schicht der wissenschaftlich Gebildeten. 3. (meist Plural; veraltend) Vernunftwesen, mit Intelligenz (1) ausgestattetes Lebewesen. **In-tel|li|genz|bes|tie** [...tiə] *die; -, -n:* a) (ugs.) ungewöhnlich intelligenter Mensch; b) (abwertend) jmd., der seine Intelligenz zur Schau stellt. **In|tel|li|genz|blatt** ⟨*lat.; dt.*⟩ *das; -[e]s, ...blätter:* Nachrichten- u. Inseratenblatt des 18. u. 19. Jh.s (mit staatl. Monopol für Inserate). **In|tel|li|gen-zi|ja** ⟨*lat -russ.*⟩ *die; -:* a) alte russ. Bez. für die Gebildeten; b) russ. Bez. für: Intelligenz (2). **In|tel|li-genz|ler** *der; -s, -:* (abwertend) Angehöriger der Intelligenz (2). **In|tel|li|genz|quo|ti|ent** *der; -en, -en:* Maß für die allgemeine intellektuelle Leistungsfähigkeit, das sich aus dem Verhältnis des Intelligenzalters zum Lebensalter (od. auch von anderen vergleichbaren Größen) ergibt (W. Stern); Abk.: IQ. **In|tel|li-genz|test** *der; -[e]s, -s (auch: -e):* psychologischer Test zur Messung der Intelligenz (1). **in|tel|li-gi|bel:** nur durch den ↑Intellekt im Gegensatz zur sinnlichen Wahrnehmung, Erfahrung erkennbar (Philos.); **intelligibler Charakter:** der freie Wille des Menschen als Ding an sich; der Charakter als Kausalität aus Freiheit (Kant); **intelligible Welt:** 1. die nur geistig wahrnehmbare Ideenwelt Platos (Philo von Alexandrien). 2. Gesamtheit des objektiv Geistigen, des nur Gedachten (Scholastik). 3. die unerkennbare u. unerfahrbare Welt des Seienden an sich (Kant). **in|tel|li|go, ut cre|dam:** ich gebrauche den Verstand, um zum Glauben zu kommen (zusammenfassende Formel für die Lehren P. Abälards, 1079–1142); vgl. credo, ut intelligam

In|ten|dant ⟨*lat.-fr.*⟩ *der; -en, -en:* künstlerischer u. geschäftlicher Leiter eines Theaters, einer Rundfunk- od. Fernsehanstalt. **In|ten|dan|tur** *die; -, -en:* (veraltet) 1. Amt eines Intendanten. 2. (veraltet) Verwaltungsbehörde eines Heeres. **In|ten|danz** *die; -, -en:* a) Amt eines Intendanten; b) Büro eines Intendanten. **in-ten|die|ren** ⟨*lat.*⟩: auf etwas hinzielen; beabsichtigen, anstreben, planen. **In|ten|si|me|ter** ⟨*lat.; gr.*⟩ *das; -s, -:* Messgerät, bes. für Röntgenstrahlen. **In|ten|si|on** ⟨*lat.*⟩ *die; -, -en:* 1. Anspannung; Eifer; Kraft. 2. Sinn, Inhalt einer Aussage (Logik); Ggs. ↑Extension (2). **in|ten|si|o|nal:** 1. auf die Intension (2) bezogen; Ggs. ↑extensional (1). 2. (in der Mathematik) inhaltsgleich, obwohl äußerlich verschieden; vgl. extensional (2). **In|ten|si|tät** ⟨*lat.-nlat.*⟩ *die; -:* [konzentrierte] Stärke, [besonders gesteigerte] Kraft. **In|ten|si|täts|ge|ni|tiv** *der; -s, -e:* vgl. paronomastisch. **in|ten|siv** ⟨*lat.-fr.*⟩: 1. gründlich u. auf die betreffende Sache konzentriert. 2. stark, kräftig, durchdringend (in Bezug auf Sinneseindrücke). 3. auf kleinen Flächen, aber mit verhältnismäßig großem Aufwand betrieben (Landw.); Ggs. ↑extensiv (2); **intensive Aktionsart:** ↑Aktionsart, die den größeren oder geringeren Grad, die Intensität eines Geschehens kennzeichnet (z. B. schnitzen = „kräftig u. ausdauernd schneiden"). **in|ten|si|vie-ren** ⟨*lat.-fr.*⟩: verstärken, steigern; gründlich durchführen. **In|ten|siv|kurs** *der; -es, e:* ↑Kurs (2 a), bei dem Kenntnisse durch intensiven (1) Unterricht in vergleichsweise kurzer Zeit vermittelt werden. **In|ten|siv-sta|ti|on** *die; -, -en:* Krankenhausstation zur Betreuung akut lebensgefährlich erkrankter Personen (z. B. bei Herzinfarkt) unter Anwendung bestimmter lebenserhaltender Sofortmaßnahmen (Sauerstoffzelt, Tropfinfusion, ständige ärztliche Überwachung; Med.). **In|ten|si|vum** ⟨*nlat.*⟩ *das; -s, ...va:* Verb mit intensiver Aktionsart. **In|ten|ti|on** ⟨*lat.*⟩ *die; -, -en:* 1. Absicht; Vorhaben; Anspannung geistiger Kräfte auf ein bestimmtes Ziel. 2. Wundheilung (Med.). **in|ten-ti|o|nal** ⟨*lat. nlat.*⟩: mit einer Intention (1) verknüpft, zielgerichtet, zweckbestimmt, vgl. ...al/...ell. **In|ten|ti|o|na|lis|mus** *der; -:* philosophische Lehre, nach der die Handlung nur nach ihrer Absicht, nicht nach ihrer Wirkung zu beurteilen ist. **In-ten|ti|o|na|li|tät** *die; -:* Lehre von der Ausrichtung aller psychischen Akte auf ein reales od. ideales Ziel. **in|ten|ti|o|nell:** intentional; vgl. ...al/...ell. **In|ten-ti|ons|psy|cho|se** *die; -:* geistige Störung, in deren Verlauf Hemmungen die Ausführung bestimmter Handlungen unterbinden (Med.; Psychol.). **In|ten|ti-ons|tre|mor** *der; -s:* krankhaftes Zittern bei Beginn u. Verlauf willkürlicher [gezielter Bewegungen (Med.; Psychol.)

agierend u. aufeinander reagierend, wechselseitig in seinem Verhalten beeinflussen (von Menschen, auch z. B. von Computersystemen, Medien usw. u. deren Benutzern). **In|ter|ak|ti-on** ⟨*lat.-nlat.*⟩ *die; -, -en:* das Interagieren. **In|ter|ak|ti|ons-gram|ma|tik** *die; -:* Forschungsrichtung der modernen Linguistik, die Sprechhandlungen im Hinblick auf ihren dialogischen u. interaktiven Charakter untersucht u. darstellt (Sprachw.). **in-ter|ak|tiv:** interagierend, zur Interaktion bereit, Interaktion ermöglichend. **In|ter|ak|ti|vi|tät** *die; -:* das Interaktivsein

in|ter|al|li|iert: mehrere Alliierte gemeinsam betreffend

In|ter|bri|ga|dist *der; -en, -en:* Angehöriger der internationalen antifaschistischen ↑Brigaden (1), die im spanischen Bürgerkrieg auf republikanischer Seite kämpften

In|ter|car|ri|er|ver|fah|ren [...'kɛ-ri̯ə...] ⟨*engl.; dt.*⟩ *das; -s:* Verfahren zur Gewinnung des zum Fernsehbild gehörenden Tons im Fernsehempfänger

In|ter|ci|ty [...'sıti] ⟨*engl.*⟩ *der; -s, -s:* kurz für: Intercityzug. **In|ter-ci|ty|ex|press** [...'sıti...] *der; -es, -e:* kurz für: Intercityexpresszug. **In|ter|ci|ty|ex|press|zug** [...'sıti...] *der; -[e]s, ...züge:* besonders schneller Intercityzug (Abk.: ICE). **In|ter|ci|ty|zug** [...'sıti...] *der; -[e]s, ...züge:* mit besonderem ↑Komfort ausgestatteter Schnellzug, der nur an wichtigen Bahnhöfen hält, günstige Anschlusszüge hat und daher kürzere Fahrzeiten ermöglicht (Abk.: IC)

in|ter|den|tal ⟨zwischen den Zähnen gebildet od. liegend, den Zahnzwischenraum betreffend (Med.). **In|ter|den|tal** *der; -s, -e:* Zwischenzahnlaut, stimmloser od. stimmhafter ↑dentaler Reibelaut (z. B. im Englischen). **In|ter|den|tal|lis** *die; -, ...les* [...le:s]: Interdental

in|ter|de|pen|dent ⟨*lat.-nlat.*⟩: voneinander abhängend. **In|ter-de|pen|denz** *die; -, -en:* gegenseitige Abhängigkeit

In|ter|dikt ⟨*lat.*⟩ *das; -[e]s, -e:* Verbot kirchlicher Amtshandlungen als Strafe gegen eine bestimmte Person od. einen bestimmten Bezirk (kath. Kirchenrecht). **In|ter|dik-ti|on** *die; -, -en:* (veraltet) Untersagung, Entmündigung

in|ter|dis|zip|li|när* ⟨*lat.-nlat.*⟩:

mehrere Disziplinen (2) umfassend, die Zusammenarbeit mehrerer Disziplinen betreffend; vgl. multidisziplinär. In|ter|dis|zip|li|na|ri|tät *die; -:* Zusammenarbeit mehrerer Disziplinen (2) in|ter|di|ur|n ⟨*lat. -nlat.*⟩: (veraltet) einen Tag lang; **interdiurne Veränderlichkeit:** Mittelwert des Temperatur- od. Luftdruckunterschiedes zweier aufeinander folgender Tage (Meteor.) in|ter|di|zie|ren ⟨*lat.*⟩: (veraltet) 1. untersagen, verbieten. 2. entmündigen in|te|res|sant* ⟨*lat.-mlat.-fr.*⟩: 1. geistige Teilnahme, Aufmerksamkeit erweckend; fesselnd. 2. vorteilhaft (Kaufmannsspr.). In|te|res|se ⟨*lat.-mlat.(-fr.)*⟩ *das; -s, -n:* 1. (ohne Plural) geistige Anteilnahme, Aufmerksamkeit; Ggs. ↑Desinteresse. 2. a) (meist Plural) Vorliebe, Neigung; b) Neigung zum Kauf. 3. a) (meist Plural) Bestrebung, Absicht; b) das, woran jmdm. sehr gelegen ist, was für jmdn. od. etw. wichtig od. nützlich ist; Vorteil, Nutzen. 4. (nur Plural; veraltet) Zinsen. In|te|res|sen|ge|mein|schaft ⟨*lat.-mlat.(-fr.); dt.*⟩ *die; -, -en:* 1. Zusammenschluss mehrerer Personen, Gruppen o. Ä. zur Wahrung od. Förderung gemeinsamer Interessen. 2. Zusammenschluss mehrerer selbstständig bleibender Unternehmen o. Ä. zur Wahrung wirtschaftlicher Interessen. In|te|res|sen|sphä|re *die; -, -n:* Einflussgebiet eines Staates. In|te|res|sent ⟨*lat.-mlat.-nlat.*⟩ *der; -en, -en:* a) jmd., der an etwas Interesse zeigt, hat; b) potenzieller Käufer. in|te|res|sie|ren ⟨*lat.-mlat.(-fr.)*⟩: 1. sich interessieren: a) Interesse zeigen, Anteilnahme bekunden; b) sich nach etwas erkundigen; etwas beabsichtigen, anstreben; an jmdm., an etwas interessiert sein (Interesse bekunden; haben wollen). 2. jmdn. interessieren: a) jmds. Interesse wecken; b) jmdn. zu gewinnen suchen. in|te|res|siert: [starken] Anteil nehmend; geistig aufgeschlossen; aufmerksam; Ggs. ↑desinteressiert. In|te|res|siert|heit *die; -:* das Interessiertsein an etwas, das Habenwollen, bekundetes Interesse; **materielle Interessiertheit:** (in sozialistischen Ländern) Interesse an der Verbesserung des eigenen Lebensstandards, das durch größere Leistungen befriedigt werden kann

In|ter|face [...feis] ⟨*engl.*⟩ *das; -, -s* [...sis]: Schnittstelle; Übergangsbzw. Verbindungsstelle zwischen Bauteilen, Schaltkreisen, Programmen, Rechnern od. Geräten (EDV) in|ter|fas|zi|ku|lär ⟨*lat.-nlat.*⟩: den Kambiumstreifen (vgl. Kambium) innerhalb der Markstrahlen betreffend (Bot.) In|ter|fe|renz ⟨*lat.-nlat.*⟩ *die; -, -en:* 1. Erscheinung des ↑Interferierens, Überlagerung, Überschneidung. 2. Hemmung eines biologischen Vorgangs durch einen gleichzeitigen u. gleichartigen anderen (z. B. Hemmung des Chromosomenaustausches in der Nähe eines bereits erfolgten Chromosomenbruchs, einer Virusinfektion durch ein anderes Virus o. Ä.; Biol.; Med.). 3. a) Einwirkung eines sprachlichen Systems auf ein anderes, die durch die Ähnlichkeit von Strukturen verschiedener Sprachen od. durch die Vertrautheit mit verschiedenen Sprachen entsteht; b) falsche Analogie beim Erlernen einer Sprache von einem Element der Fremdsprache auf ein anderes (z. B. die Verwechslung ähnlich klingender Wörter); c) Verwechslung von ähnlich klingenden [u. semantisch verwandten] Wörtern innerhalb der eigenen Sprache (Sprachw.). In|ter|fe|renz|far|be ⟨*lat.-nlat.; dt.*⟩ *die; -, -n:* von Dicke u. Doppelbrechung eines Kristalls abhängige Farbe, die beim Lichtdurchgang durch eine Kristallplatte auftritt u. durch die Interferenz der beiden polarisierten Wellen bedingt ist. in|ter|fe|rie|ren ⟨*lat.-nlat.*⟩: sich überlagern, überschneiden. In|ter|fe|ro|me|ter ⟨*lat.; gr.*⟩ *das; -s, -:* Gerät, mit dem man unter Ausnutzung der Interferenz Messungen ausführt (z. B. die Messung von Wellenlängen, der Konzentration von Gasen, Flüssigkeiten o. Ä.). In|ter|fe|ro|met|rie* *die; -:* Messverfahren mithilfe des ↑Interferometers. in|ter|fe|ro|met|risch*: unter Ausnutzung der Interferenz messend. In|ter|fe|ron ⟨*lat.-nlat.*⟩ *das; -s, -e:* von Körperzellen gebildeter Eiweißkörper, der als Abwehrsubstanz bei der ↑Interferenz (2) von Infektionen wirksam ist u. deshalb als Mittel zur Krebsbekämpfung angewendet wird (Med.) In|ter|fol|ri|kum ⟨*lat.-nlat.*⟩ *das;*

-s: Luftspalt zwischen den Polen eines Elektromagneten mit Eisenkern in|ter|fo|li|ie|ren ⟨*lat.-nlat.*⟩: hinter jeder Blattseite eines Buches ein leeres weißes Blatt folgen lassen, „durchschießen" (Druckw.) in|ter|frak|ti|o|nell: zwischen den Fraktionen bestehend (in Bezug auf Vereinbarungen), allen Fraktionen gemeinsam in|ter|gal|lak|tisch: zwischen den verschiedenen Milchstraßensystemen (vgl. Galaxie) gelegen (Astron.) in|ter|gla|zi|al: zwischeneiszeitlich; warmzeitlich. In|ter|gla|zi|al *das; -s, -e* u. In|ter|gla|zi|al|zeit *die; -, -en:* Zwischeneiszeit (Zeitraum zwischen zwei Eiszeiten) in|ter|grup|pal: die Beziehungen u. Spannungen zwischen verschiedenen sozialen Gruppen betreffend (Soziol.) In|ter|ho|tel ⟨Kunstw. aus ↑international und ↑*Hotel*⟩ *das; -s, -s:* gut ausgestattetes Hotel besonders für ausländische Gäste (in der ehemaligen DDR) In|te|ri|eur [ɛ̃te'rjøːɐ] ⟨*lat.-fr.*⟩ *das; -s, -s u. -e:* 1. a) das Innere [eines Raumes]; b) die Ausstattung eines Innenraumes. 2. einen Innenraum darstellendes Bild, bes. in der niederl. Malerei des 17. Jh.s In|te|rim ⟨*lat.;* inzwischen, einstweilen"⟩ *das; -s, -s:* 1. Zwischenzeit. 2. vorläufige Regelung, Übergangslösung (vor allem im politischen Bereich). In|te|ri|mis|tisch ⟨*lat.-nlat.*⟩: vorläufig, einstweilig. In|te|rims|kon|to *das; -s, ...ten (auch: -s u. ...ti):* Zwischenkonto; vorläufig eingerichtetes Konto, das zwischen endgültigen Konten abgerechnet wird. In|te|rim|spra|che *die; -:* beim Erlernen einer Fremdsprache erreichter Entwicklungsstand zwischen Unkenntnis u. Beherrschung der zu erlernenden Sprache (Sprachw.) In|ter|in|di|vi|du|ell: zwischen Individuen ablaufend, mehrere Individuen betreffend In|ter|jek|ti|on ⟨*lat.;* „Dazwischenwurf"⟩ *die; -, -en:* Ausrufe-, Empfindungswort (z. B.: au, bäh). in|ter|jek|ti|o|nell: die Interjektion betreffend, in der Art einer Interjektion, eine Interjektion darstellend in|ter|ka|lar ⟨*lat.*⟩: 1. eingeschaltet (in Bezug auf Schaltjahre). 2. auf bestimmte Zonen des Sprosses beschränkt (in Bezug auf das Streckungswachstum der Pflanzen) (Bot.). In|ter|ka|la|re *die* (Plural): Zwischenknorpel im Fuß- u. Handskelett (Biol.). In|ter|ka|lar|früch|te u. In|ter|ka|la|ri|en [...rjən] *die* (Plural): Einkünfte einer unbesetzten katholischen Kirchenpfründe

in|ter|kan|to|nal: (schweiz.) zwischen den Kantonen bestehend, allgemein

in|ter|ka|te|go|ri|al: zwischen ↑ Kategorien bestehend

In|ter|ko|lum|nie [...jə] *(lat.) die;* -, -n u. In|ter|ko|lum|ni|um *das;* -s, ...ien [...jən] Abstand zwischen zwei Säulen eines antiken Tempels

in|ter|kom|mu|nal *(lat.-nlat.):* zwischen ↑ Kommunen (1) bestehend (in Bezug auf Vereinbarungen, Finanzabkommen o. Ä.). In|ter|kom|my|ni|on *(gegenseitige Gemeinschaft") die;* -: Abendmahlsgemeinschaft zwischen Angehörigen verschiedener christlicher ↑ Konfessionen (teilweise in der ↑ ökumenischen Bewegung)

In|ter|kon|fes|si|o|na|lis|mus *der;* -: das Streben nach Zusammenarbeit der christlichen ↑ Konfessionen über bestehende Glaubensgegensätze hinweg, Bemühung um (bes. politische u. soziale) Zusammenarbeit zwischen ihnen. in|ter|kon|fes|si|o|nell: das Verhältnis verschiedener Konfessionen zueinander betreffend; über den Bereich einer Konfession hinausgehend; zwischenkirchlich

in|ter|kon|ti|nen|tal: a) zwischen zwei Kontinenten gelegen (in Bezug auf Mittelmeere); b) von einem Kontinent aus einen anderen erreichend (z. B.: interkontinentale Raketen). In|ter|kon|ti|nen|tal|ra|ke|te *die;* -, -n: landgestützte militärische Rakete mit großer Reichweite

in|ter|kos|tal: zwischen den Rippen liegend (Med.). In|ter|kos|tal|neu|ral|gie* *die;* -, -n: ↑ Neuralgie im Bereich der Zwischenrippennerven (Med.)

in|ter|kra|ni|al: im Schädelinnern gelegen, vorkommend (Med.)

in|ter|krus|tal *(lat.-nlat.):* in der Erdkruste gebildet od. liegend (von Gesteinen; Geol.)

in|ter|kul|tu|rell: die Beziehungen zwischen den verschiedenen Kulturen betreffend

in|ter|kur|rent u. in|ter|kur|rie-

rend *(lat.):* hinzukommend (z. B. von einer Krankheit, die zu einer anderen hinzukommt)

in|ter|li|ne|ar: zwischen die Zeilen des fremdsprachigen Urtextes geschrieben (von Übersetzungen, bes. in frühen mittelalterlichen Handschriften). In|ter|li|ne|ar|glos|se *die;* -, -n: interlineare ↑ Glosse (1). In|ter|li|ne|ar|ver|si|on *die;* -, -en: interlineare wörtliche Übersetzung

In|ter|lin|gua *(lat.-nlat.) die;* -: 1. von Bodmer vereinfachte Welthilfssprache des ital. Mathematikers G. Peano, die auf dem Latein u. den roman. Sprachen fußt. 2. von der IALA vorgeschlagene Welthilfssprache. in|ter|lin|gu|al: zwei od. mehrere Sprachen betreffend, zwei od. mehreren Sprachen gemeinsam. In|ter|lin|gue *die;* -: neuer Name für die von E. von Wahl geschaffene Welthilfssprache ↑ Occidental. In|ter|lin|gu|ist *der;* -en, -en: 1. jmd., der Interlingua (2) spricht. 2. Wissenschaftler auf dem Gebiet der Interlinguistik. In|ter|lin|gu|is|tik *die;* -: 1. Plansprachenwissenschaft; Wissenschaft von den künstlichen Welthilfssprachen. 2. die Mehrsprachigkeit, die Linguistik der Übersetzung, die Sozio- u. Psycholinguistik umfassender ↑ synchroner vergleichender Sprachwissenschaftszweig. in|ter|lin|gu|is|tisch: die Interlinguistik betreffend

In|ter|lu|di|um *(lat.-nlat.) das;* -s, ...ien: musikalisches Zwischenspiel (bes. in der Orgelmusik) In|ter|lu|ni|um *(lat.) das;* -s, ...ien: Zeit des Neumonds

In|ter|ma|xil|la|re *(lat.-nlat.) die;* -, -n, In|ter|ma|xil|lar|kno|chen *der;* -s, -: Zwischenkieferknochen

In|ter|mé|di|aire [ɛ̃tɛrmeˈdiɛːß] *(lat.-fr.) das;* -, -s: eine Dressuraufgabe im internationalen Reitsport. in|ter|me|di|är *(lat.-nlat.):* in der Mitte liegend, dazwischen befindlich, ein Zwischenglied bildend; **intermediärer Stoffwechsel:** Zwischenstoffwechsel; Gesamtheit der Abbau- u. Umbauvorgänge der Stoffe im Körper nach ihrer Aufnahme (Med.); **intermediäres Gestein:** neutrales, weder saures noch basisches Eruptivgestein (Geol.). In|ter|me|din *das;* -s: Hormon,

das den Farbwechsel bei Fischen u. Fröschen beeinflusst. In|ter|me|dio *(lat.-it.) das;* -s, -s u. In|ter|me|di|um *(lat.) das;* -s, ...ien: kleines musikalisches Zwischenspiel (ursprünglich zur Erheiterung des Publikums bei Schauspielaufführungen, bei Fürstenhochzeiten o. Ä. Ende des 16. Jh.s). in|ter|me|di|us *(lat.):* in der Mitte liegend (Med.) in|ter|menst|ru|al* u. in|ter|menst|ru|ell *(lat.-nlat.):* zwischen zwei ↑ Menstruationen liegend, den Zeitraum zwischen zwei Menstruationen betreffend (Med.); vgl. ...al/...ell. In|ter|menst|ru|um *das;* -s, ...ua: Zeitraum zwischen zwei ↑ Menstruationen (Med.)

In|ter|mez|zo *(lat.-it.) das;* -s, -s u. ...zzi: 1. a) Zwischenspiel im Drama, in der ernsten Oper; b) kürzeres Klavier- od. Orchesterstück. 2. lustiger Zwischenfall; kleine, unbedeutende Begebenheit am Rande eines Geschehens

in|ter|mi|nis|te|ri|ell *(lat.-mlat.-fr.):* die Zusammenarbeit zwischen den einzelnen Ministerien betreffend

In|ter|mis|si|on *(lat.) die;* -: zeitweiliges Zurücktreten von Krankheitssymptomen (Med.). in|ter|mit|tie|ren: [zeitweilig] zurücktreten (von Krankheitssymptomen; Med.). in|ter|mit|tie|rend: zeitweilig aussetzend, nachlassend; mit Unterbrechungen verlaufend, z. B. intermittierender Strom (Elektrot.); intermittierendes Fieber (Med.); **intermittierendes Hinken:** zeitweiliges Hinken infolge von Schmerzen, die bei ungenügender Mehrdurchblutung während einer Mehrarbeit der Muskulatur, vor allem der Wadenmuskulatur, auftreten (Med.)

in|ter|mo|le|ku|lar: zwischen den Molekülen bestehend, stattfindend (Chem.; Phys.)

In|ter|mun|di|en *(lat.) die* (Plural): die nach Epikur zwischen den unendlich vielen Welten liegenden, von Göttern bewohnten Zwischenräume

in|tern *(lat.;* „inwendig"): 1. innerlich, inwendig. 2. die inneren Organe betreffend (Med.). 3. nur den inneren, engsten Kreis einer Gruppe betreffend (in vertrautem Kreis erfolgend; nicht öffentlich. 4. im Internat wohnend. In|ter|na: *Plural* von ↑ Internum. in|ter|nal: innerlich, verinnerlicht. In|ter|na|li|sa|ti|on *(lat.-engl.)*

die; -, -en: ↑ Internalisierung; vgl. ...[at]ion/...ierung. **in|ter|na|li|sie|ren:** Werte, Normen, Auffassungen o. Ä. übernehmen u. sich zu Eigen machen; verinnerlichen. **In|ter|na|li|sie|rung** *die; -, -en:* das Internalisieren; vgl. ...[at]ion/...ierung. **In|ter|nat** *das; -[e]s, -e:* 1. [höhere] Lehranstalt, in der die Schüler zugleich wohnen u. verpflegt werden; vgl. Externat. 2. an eine [höhere] Lehranstalt angeschlossenes Heim, in dem die Schüler wohnen u. verpflegt werden **in|ter|na|ti|o|nal** [auch: ˈın...] *⟨lat.-nlat.⟩:* 1. zwischen mehreren Staaten bestehend. 2. über den Rahmen eines Staates hinausgehend, nicht national begrenzt, überstaatlich, weltweit. **¹In|ter|na|ti|o|na|le** *⟨lat.-nlat.⟩ die; -, -n:* 1. ⟨Kurzform von „Internationale Arbeiterassoziation"⟩: Vereinigung von Sozialisten u. Kommunisten (I., II. u. III. Internationale) unter dem Kampfruf: „Proletarier aller Länder, vereinigt euch!" 2. (ohne Plural) Kampflied der internationalen Arbeiterbewegung („Wacht auf, Verdammte dieser Erde"). **²In|ter|na|ti|o|na|le** *der u. die; -n, -n:* jmd., der als Mitglied einer Nationalmannschaft internationale Wettkämpfe bestreitet (Sport). **in|ter|na|ti|o|na|li|sie|ren** *⟨lat.-nlat.⟩:* 1. die Gebietshoheit eines Staates über ein bestimmtes Staatsgebiet zugunsten mehrerer Staaten od. der ganzen Völkerrechtsgemeinschaft beschränken. 2. international (2) machen. **In|ter|na|ti|o|na|li|sie|rung** *die; -, -en:* das Internationalisieren. **In|ter|na|ti|o|na|lis|mus** *der; -, ...men:* 1. (ohne Plural) das Streben nach zwischenstaatlichem Zusammenschluss. 2. Wort, das in gleicher Bedeutung u. gleicher od. ähnlicher Form in verschiedenen Kultursprachen vorkommt (z. B. Container; Sprachw.). **In|ter|na|ti|o|na|list** *der; -en, -en:* Anhänger des Internationalismus (1). **In|ter|na|ti|o|na|li|tät** *die; -:* Überstaatlichkeit **In|ter|ne** *⟨lat.⟩ der u. die; -n, -n:* Schüler[in] eines Internats; vgl. Externe **In|ter|net** ⟨Kurzwort aus *engl. international* u. *network*"⟩ *das; -s:* internationales Netzwerk") *das; -s:* internationales Computernetzwerk. **In|ter|net|ca|fé** *das; -s, -s:* Café, wo den Gästen Terminals

zur Verfügung stehen, mit denen sie das Internet benutzen können **in|ter|nie|ren** *⟨lat.-fr.⟩:* 1. a) Angehörige eines gegnerischen Staates während des Krieges in staatlichen Gewahrsam nehmen, in Lagern unterbringen; b) jmdn. in einem Lager festsetzen. 2. einen Kranken isolieren, in einer geschlossenen Anstalt unterbringen. **In|ter|nie|rungs|la|ger** *das; -s, -:* Lager, in dem Zivilpersonen [während des Krieges] gefangen gehalten werden. **In|ter|nist** *⟨lat.-nlat.⟩ der; -en, -en:* 1. Facharzt für innere Krankheiten. 2. (veraltet) ↑ Interne. **in|ter|nis|tisch:** die innere Medizin betreffend **In|ter|no|di|um** *⟨lat.⟩ das; -s, ...ien:* zwischen zwei Blattansatzstellen od. Blattknoten liegender Sprossabschnitt einer Pflanze (Bot.) **In|ter|num** *⟨lat.⟩ das; -s, ...na:* 1. Gebiet, das einer bestimmten Person, Gruppe od. Behörde vorbehalten u. Dritten gegenüber abgeschlossen ist. 2. nur die eigenen inneren Verhältnisse angehende Angelegenheit **In|ter|nun|ti|us** *⟨lat.⟩ der; -, ...ien:* diplomatischer Vertreter des Papstes in kleineren Staaten; vgl. Nuntius **in|ter|or|bi|tal:** zwischen den ↑ Orbits befindlich; für den Raum zwischen den Orbits bestimmt **in|ter|oze|a|nisch:** Weltmeere verbindend **in|ter|par|la|men|ta|risch:** die Parlamente der einzelnen Staaten umfassend; **Interparlamentarische Union:** Vereinigung von Parlamentariern verschiedener Länder; Abk.: IPU **In|ter|pel|lant** *⟨lat.⟩ der; -en, -en:* Parlamentarier, der eine Interpellation (1) einbringt. **In|ter|pel|la|ti|on** ⟨„Unterbrechung"⟩ *die; -, -en:* 1. parlamentarische Anfrage an die Regierung. 2. (veraltet; Rechtsw.) a) Einrede: das Recht, die Erfüllung eines Anspruchs ganz od. teilweise zu verweigern; b) Einspruchsrecht gegen Versäumnisurteile, Vollstreckungsbefehle o. Ä.; c) Mahnung des Gläubigers an den Schuldner. 3. (veraltet) Unterbrechung, Zwischenrede. **in|ter|pel|lie|ren:** 1. eine Interpellation einbringen. 2. (veraltet) unterbrechen, dazwischenreden, ins Wort fallen

in|ter|per|so|nal u. **in|ter|per|so|nell:** zwischen zwei od. mehreren Personen ablaufend, mehrere Personen betreffend; vgl. ...al/...ell **In|ter|pe|ti|o|lar|sti|pel** *⟨lat.⟩ die; -, -n:* Verwachsungsprodukt der Nebenblätter bei Pflanzen mit gegenständigen (einander gegenüberstehenden) Blättern (Bot.) **in|ter|pla|ne|tar** u. **in|ter|pla|ne|ta|risch:** zwischen den Planeten befindlich; vgl. ...isch/-. **In|ter|pla|ne|to|sen** *⟨lat.; gr.⟩ die* (Plural): beim Weltraumflug drohende Krankheiten (bes. als Folge der starken Beschleunigung, der Schwerelosigkeit u. der veränderten Umweltbedingungen; Med.) **In|ter|plu|vi|al** *⟨lat.-nlat.⟩ das; -s, -e* u. **In|ter|plu|vi|al|zeit** *die; -, -en:* regenärmere Zeit in den heutigen Tropen u. Subtropen während der ↑ Interglazialzeiten **in|ter|po|cu|la** *⟨lat.;* „zwischen den Bechern"⟩: (veraltet) beim Wein, beim Trinken **In|ter|pol** (Kurzw. aus: *Internationale Kriminalpolizeiliche Organisation⟩ die; -:* zentrale Stelle (mit Sitz in Paris) zur internationalen Koordination der Ermittlungsarbeit in der Verbrechensbekämpfung **In|ter|po|la|ti|on** *⟨lat.⟩ die; -, -en:* 1. das Errechnen von Werten, die zwischen bekannten Werten einer ↑ Funktion (2) liegen (Math.). 2. spätere unberechtigte Einschaltung in den Text eines Werkes. **In|ter|po|la|tor** *der; -s, ...oren:* jmd., der eine Interpolation (2) vornimmt. **in|ter|po|lie|ren:** 1. Werte zwischen bekannten Werten einer ↑ Funktion (2) errechnen. 2. eine Interpolation (2) vornehmen **in|ter|po|nie|ren** *⟨lat.⟩:* (veraltet) 1. [etwas] vermitteln. 2. ein Rechtsmittel [gegen einen Bescheid] einlegen. **In|ter|po|si|ti|on** *die; -, -en:* (Med.) 1. Lagerung von Weichteilen zwischen Knochenbruchstücken. 2. operative Einlagerung der Gebärmutter zwischen Blase u. vorderer Scheidenwand (bei Scheidenvorfall) **In|ter|pret** *⟨lat.⟩ der; -en, -en:* 1. jmd., der etwas interpretiert (1). 2. Künstler, der Lieder od. andere Musikkompositionen einem Publikum vermittelt (z. B. Musiker, Sänger). **In|ter|pre|ta|ment** *das; -[e]s, -e:* Deutungsmittel Verständigungsmittel, Kommunikationsmittel. In|ter|pre|tant *der;* -en, -en: jmd., der sich um die Interpretation (1) von etwas bemüht. In|ter|pre|ta|ti|on *die;* -, -en: 1. Auslegung, Erklärung, Deutung [von Texten]. 2. künstlerische Wiedergabe von Musik. In|ter|pre|ta|tio ro|ma|na *die;* - -: (hist.) 1. röm. Deutung u. Benennung nichtröm. Götter (z. B. Donar als Jupiter) 2. Deutung u. Übernahme germanischer religiöser Bräuche u. Vorstellungen durch die katholische Kirche. in|ter|pre|ta|tiv *(lat.-nlat.):* auf Interpretation beruhend; erklärend, deutend, erhellend; vgl. ...iv/...orisch. In|ter|pre|ta|tor *(lat.) der;* -s, ...oren: ↑ Interpret (1). In|ter|pre|ta|to|risch: den Interpreten, die Interpretation betreffend; vgl. ...iv/...orisch. In|ter|pre|ter [auch: ɪnˈtəːprɪtə] *(lat.-engl.) der;* -s, -: ↑ Programm (4), das die Anweisungen eines in einer anderen Programmiersprache geschriebenen Programms sofort ausführt (EDV). in|ter|pre|tie|ren: 1. [einen Text] auslegen, erklären, deuten. 2. ein Musikstück künstlerisch wiedergeben

In|ter|psy|cho|lo|gie *die;* -: Psychologie der zwischenmenschlichen Beziehungen

in|ter|pun|gie|ren *(lat.):* ↑ interpunktieren. in|ter|punk|tie|ren *(lat.-nlat.):* Satzzeichen setzen.

In|ter|punk|ti|on *(lat.) die;* -: Setzung von Satzzeichen; Zeichensetzung

In|ter|ra|di|us *der;* -, ...ien (meist Plural): Linie, welche den Winkel zwischen den Körperachsen strahlig symmetrischer Tiere halbiert

In|ter|rail|kar|te [...reɪl...] *(Kunstwort aus international u. engl. rail = Eisenbahn) die;* -, -n: (früher) verbilligte Jugendfahrkarte für Fahrten in Europa innerhalb eines bestimmten Zeitraums

In|ter|re|gio *(lat.) der;* -s, -s u. In|ter|re|gio|zug *der;* -[e]s, ...züge: gewöhnlich im Zweitunterstatt verkehrender Schnellzug, der das Programm der Intercityzüge auf bestimmten Strecken ergänzt; Abk.: IR

In|ter|reg|num* *(lat.) das;* -s, ...nen u. ...na: 1. Zwischenregierung, vorläufige Regierung. 2. Zeitraum, in dem eine vorläufig eingesetzte Regierung die Regierungsgeschäfte wahrnimmt. 3. (ohne Plural) (hist.) die kaiserlose Zeit zwischen 1254 u. 1273

In|ter|re|na|lis|mus *(lat.-nlat.) der;* -: Beeinflussung von Körperbau u. Geschlechtsmerkmalen durch Überproduktion von Nebennierenhormonen (Biol.; Med.)

in|ter|ro|ga|tiv *(lat.):* fragend (Sprachw.). In|ter|ro|ga|tiv *das;* -s, -e: ↑ Interrogativpronomen. In|ter|ro|ga|tiv|ad|verb *das;* -s, ...bien: Frageumstandswort (z. B. wo?, wann?). In|ter|ro|ga|tiv|pro|no|men *das;* -s, - u. ...mina: fragendes Fürwort, Fragefürwort (z. B. wer?, welcher?). In|ter|ro|ga|tiv|satz *der;* -es, ...sätze: (direkter od. indirekter) Fragesatz (z. B. *Wo warst du gestern?;* Er fragte mich, *wo ich gewesen sei*). In|ter|ro|ga|ti|vum *das;* -s, ...va: ↑ Interrogativpronomen

In|ter|rup|ti|on *(lat.) die;* -, -en: 1. [künstliche] Unterbrechung (z. B. einer Schwangerschaft od. des ↑ Koitus; Med.). 2. Unterbrechung; Störung. In|ter|rup|tus *der;* -, -: kurz für: Coitus interruptus; vgl. Koitus

In|ter|sek|ti|on *(lat.) die;* -, -en: Durchschnittsmenge zweier Mengen, deren Elemente in beiden Mengen vorkommen (z. B. bilden die Mengen „Frauen" u. „Ärzte" die Intersektion „Ärztinnen")

In|ter|sep|tum *(lat.) das;* -s, ...ta: (veraltet) ↑ Septum

In|ter|se|rie *(lat.-nlat.) die;* -, -en: europäische Wettbewerbsserie mit Rundstreckenrennen für Sportwagen, zweisitzige Rennwagen o. Ä. (Motorsport)

In|ter|sex *[auch: ˈɪn...] (lat.-nlat.) das;* -es, -e: Individuum, das die typischen Merkmale der Intersexualität zeigt (Biol.). In|ter|se|xu|a|li|tät *die;* -: krankhafte Mischung von männlichen u. weiblichen Geschlechtsmerkmalen u. Eigenschaften in einem Individuum, das normalerweise eindeutig getrenntgeschlechtig sein müsste (eine Form des Scheinzwittertums; Biol.). in|ter|se|xu|ell: geschlechtliche Zwischenform im Sinn der Intersexualität zeigend (von Individuen; Biol.)

In|ter|shop *(Kunstw. aus ↑ international u. ↑ Shop) der;* -[s], -s u. ...läden: früher in der DDR existierendes Geschäft (innerhalb einer Kette), in dem ausländische Waren u. Spitzenerzeugnisse aus der Produktion der DDR nur gegen frei konvertierbare Währung verkauft wurden

in|ter|sta|di|al *(lat.-nlat.):* die Ablagerungen während eines Interstadials betreffend (Geol.). In|ter|sta|di|al *das;* -s, -e: Wärmeschwankung während einer Glazialzeit (Geol.)

in|ter|stel|lar *(lat.-nlat.):* zwischen den Fixsternen befindlich; **interstellare Materie:** nicht genau lokalisierbare, wolkenartig verteilte Materie zwischen den Fixsternen

in|ter|sti|ti|ell *(lat.-nlat.):* in den Zwischenräumen liegend (z. B. von Gewebe, Gewebeflüssigkeiten o. Ä.; Biol.) In|ter|sti|ti|um *(lat.) das;* -s, ...ien: 1. Zwischenraum (z. B. zwischen Organen). 2. (nur Plural) vorgeschriebene Zwischenzeit zwischen dem Empfang zweier geistlicher Weihen (kath. Kirchenrecht)

in|ter|sub|jek|tiv: verschiedenen Personen gemeinsam, von verschiedenen Personen nachvollziehbar

In|ter|ter|ri|to|ri|al: zwischenstaatlich (von Abkommen od. Vereinbarungen)

In|ter|tri|go *(lat.) die;* -, ...gines [...ne:s]: Wundsein, Hautwolf (Med.). In|ter|tri|tur *(lat.-nlat.) die;* -, -en: (veraltet) Abnutzung durch Reibung (z. B. bei Münzen)

In|ter|tro|chan|tär *(lat.; gr.):* zwischen den beiden Rollhügeln (Knochenvorsprüngen) am Oberschenkelknochen liegend (Anat.)

In|ter|type ® *[...taɪp] (engl.) die;* -, -s u. -: Lichtsetzmaschine mit auswechselbaren Linsensystemen, durch die die Schrifttype in verschiedenen Größen projiziert werden kann

in|ter|ur|ban *(lat.-nlat.; „zwischenstädtisch"):* (veraltet) Überland-

In|ter|usu|ri|um *(lat.) das;* -s, ...ien: Zwischenzinsen, die sich als Vorteil des Gläubigers bei vorzeitiger Leistung des Schuldners einer unverzinslichen Geldsumme ergeben

In|ter|vall *(lat.) das;* -s, -e: 1. Zeitabstand, Zeitspanne; Frist; Pause. 2. Abstand zweier zusammen od. nacheinander klingender Töne (Mus.). 3. (Med.) a) symptom- od. beschwerdefreie Zwischenzeit im Verlauf einer Krankheit; b) Zeit zwischen den ↑ Menstruationen. 4. der Bereich zwischen zwei Punkten einer Strecke od. Skala (Math.). In|ter|vall|trai-

ning ⟨*lat.; engl.*⟩ *das;* -s, -s: Trainingsmethode, bei der ein Trainingsprogramm stufenweise so durchgeführt wird, dass die einzelnen Übungen in einem bestimmten Rhythmus von kürzeren Entspannungspausen unterbrochen werden (Sport)

in|ter|va|lu|ta|risch ⟨*lat.; lat.-it.*⟩: im Währungsaustausch stehend

In|ter|ve|ni|ent ⟨*lat.*⟩ *der;* -en, -en: jmd., der sich in [Rechts]streitigkeiten [als Mittelsmann] einmischt. **in|ter|ve|nie|ren** ⟨*lat.-fr.*⟩: 1. dazwischentreten; vermitteln; sich einmischen (von einem Staat in die Verhältnisse eines anderen). 2. einem Prozess beitreten, sich vermittelnd in eine Rechtssache einschalten (Rechtsw.). 3. als hemmender Faktor in Erscheinung treten. **In|ter|vent** ⟨*lat.-russ.*⟩ *der;* -en, -en: russ. Bez. für: kriegerischer ↑Intervenient. **In|ter|ven|ti|on** ⟨*lat.-fr.*⟩ *die;* -, -en: 1. Vermittlung; diplomatische, wirtschaftliche, militärische Einmischung eines Staates in die Verhältnisse eines anderen. 2. Ehreneintritt eines Dritten zum Schutze eines Rückgriffschuldners (Wechselrecht); vgl. Honorant, Honorat. 3. Maßnahme zur Verhinderung von Kursrückgängen bestimmter ↑Effekten. **In|ter|ven|ti|o|nis|mus** ⟨*lat.-nlat.*⟩ *der;* -: [unsystematisches] Eingreifen des Staates in die [private] Wirtschaft. **In|ter|ven|ti|o|nist** *der;* -en, -en: Anhänger des Interventionismus. **in|ter|ven|ti|o|nis|tisch:** den Interventionismus betreffend. **In|ter|ven|ti|ons|kla|ge** *die;* -, -n: Widerspruchs-, Anfechtungsklage gegen die Zwangsvollstreckung (Rechtsw.). **in|ter|ven|tiv:** (veraltet) dazwischentretend, vermittelnd **In|ter|ver|si|on** ⟨*lat.*⟩ *die;* -, -en: ↑Interlinearversion. **in|ter|ver|teb|ral*** ⟨*lat.-nlat.*⟩: zwischen den Wirbeln liegend (Med.). **In|ter|view** [...'vju:, auch: 'ɪn...] ⟨*lat.-fr.-engl.*⟩ *das;* -s, -s: 1. von einem Berichterstatter von Presse, Rundfunk od. Fernsehen vorgenommene Befragung einer meist bekannten Persönlichkeit zu bestimmten Themen od. zur eigenen Person. 2. a) gezielte Befragung beliebiger od. ausgewählter Personen zu statistischen Zwecken (Soziol.); b) ↑methodische (2) Befragung eines Patienten zur Aufnahme einer ↑Anamnese

u. zur Diagnose (Med.; Psychol.). **in|ter|vie|wen** [...'vju:ən]: 1. mit jmdm. ein Interview führen. 2. (ugs.) jmdn. in einer bestimmten Angelegenheit befragen, ausfragen. **In|ter|vie|wer** [...'vju:ɐ, auch: 'ɪn...] *der;* -s, -: jmd., der mit jmdm. ein Interview führt

In|ter|vi|si|on ⟨Kurzw. aus ↑international u. ↑Television⟩ *die;* -: (früher) Zusammenschluss osteuropäischer Fernsehanstalten zum Zwecke des Austausches von Fernsehprogrammen; vgl. Eurovision

in|ter|ze|die|ren ⟨*lat.*⟩: dazwischentreten (zwischen Schuldner u. Gläubiger); sich verbürgen, für jmdn. eintreten **In|ter|zel|lu|lar** u. **In|ter|zel|lu|lär** ⟨*lat.-nlat.*⟩: zwischen den Zellen gelegen (Med.; Biol.). **In|ter|zel|lu|la|re** *die;* -, -n (meist Plural): Zwischenzellraum (Med., Biol.) **In|ter|zep|ti|on** ⟨*lat.*⟩ *die;* -, -en: 1. Verdunstungsverlust bei Niederschlägen durch Abgabe von Feuchtigkeit an die Außenluft, bes. im Wald. 2. (veraltet) Wegnahme, Unterschlagung (Rechtsw.). **In|ter|zes|si|on** ⟨*lat.*⟩ *die;* -, -en: 1. das Eintreten für die Schuld eines andern (z. B. Bürgschaftsübernahme). 2. (veraltet) Intervention (1) **In|ter|zo|nal:** zwischen zwei Bereichen (z. B. von Vereinbarungen, Verbindungen o. Ä.). **In|ter|zo|nen|tur|nier** *das;* -s, -e: Schachturnier der Sieger u. Bestplatzierten aus den einzelnen Zonenturnieren zur Ermittlung der Teilnehmer am ↑Kandidatenturnier

in|tes|ta|bel ⟨*lat.*⟩: unfähig, ein Testament zu machen od. als Zeuge aufzutreten (Rechtsw.). **In|tes|tat|er|be** ⟨*lat.; dt.*⟩ *der;* -n, -n: gesetzlicher Erbe eines Erblassers, der kein Testament hinterlassen hat. **In|tes|tat|erb|fol|ge** ⟨*lat.*⟩ *die;* -: gesetzliche Erbfolge **in|tes|ti|nal** ⟨*lat.-nlat.*⟩: zum Darmkanal gehörend (Med.). **In|tes|ti|num** ⟨*lat.*⟩ *das;* -, ...nen u. ...na: Darmkanal, Eingeweide (Med.)

In|thro|ni|sa|ti|on ⟨*(lat.; gr.-)mlat.*⟩ *die;* -, -en: a) Thronerhebung eines Monarchen; b) feierliche Einsetzung eines neuen Abtes, Bischofs od. Papstes; vgl. ...[at]ion/...ierung. **in|thro|ni|sie|ren:** a) einen Monarchen auf den Thron erheben; b) einen

neuen Abt, Bischof od. Papst feierlich einsetzen. **In|thro|ni|sie|rung** *die;* -, -en: ↑Inthronisation; vgl. ...[at]ion/...ierung

In|ti ⟨*indian.*⟩ *der;* -[s], -s (aber: 5 -): (seit 1985) Währungseinheit in Peru

In|ti|fa|da ⟨*arab.*⟩ *die;* -: palästinensischer Widerstand in den von Israel besetzten Gebieten

in|tim ⟨*lat.;* „innerst; vertrautest"⟩: 1. innig; vertraut, eng [befreundet]. 2. a) (verhüllend) sexuell; **mit jmdm. intim sein:** mit jmdm. geschlechtlich verkehren; b) den Bereich der Geschlechtsorgane betreffend. 3. ganz persönlich, verborgen, geheim. 4. gemütlich, anheimelnd. 5. genau, bis ins Innerste. **In|ti|ma** *die;* -, ...mä: 1. innerste Haut der Gefäße (Med.). 2. Vertraute; [engl] Befreundete, Busenfreundin. **In|ti|mal|ti|on** *die;* -, -en: (veraltet) gerichtliche Ankündigung, Aufforderung, Vorladung. **In|tim|hy|gi|e|ne** *die;* -: Körperpflege im Bereich der Geschlechtsteile. **In|ti|mi:** *Plural* von ↑Intimus **In|ti|mi|da|ti|on** ⟨*lat.-nlat.*⟩ *die;* -, -en: (veraltet) Einschüchterung. **in|ti|mi|die|ren:** (veraltet) einschüchtern; Furcht, Schrecken einjagen; abschrecken **in|ti|mie|ren** ⟨*lat.*⟩: jmdm. eine ↑Intimation zustellen. **In|ti|mi|tät** ⟨*lat.-nlat.*⟩ *die;* -, -en: 1. (ohne Plural) a) vertrautes, intimes Verhältnis; Vertrautheit; b) Vertraulichkeit; vertrauliche Angelegenheit. 2. (meist Plural) sexuelle, erotische Handlung, Berührung, Äußerung. 3. (ohne Plural) gemütliche, intime Atmosphäre. 4. (ohne Plural) ↑Intimsphäre. **In|tim|sphä|re*** *die;* -: innerster persönlicher Bereich. **In|tim|spray** ⟨*lat.; engl.*⟩ *der* u. *das;* -s, -s: Deodorant für den Intimbereich. **In|ti|mus** ⟨*lat.*⟩ *der;* -, ...mi: Vertrauter; [engl] Befreundeter, Busenfreund

In|ti|ne ⟨*lat.-nlat.*⟩ *die;* -, -n: innere Zellwand der Sporen der Moose u. Farnpflanzen u. der Pollenkörner der Blütenpflanzen (Bot.); Ggs. ↑Exine

In|ti|tu|la|ti|on ⟨*lat.-nlat.*⟩ *die;* -, -en: (veraltet) Betitelung, Überschrift

in|tol|le|ra|bel ⟨*lat.*⟩: (veraltet) unerträglich; unleidlich, unausstehlich. **in|tol|le|rant** ⟨*lat.-fr.*⟩: 1. unduldsam; [eine andere Meinung, Haltung, Weltanschauung] auf keinen Fall gelten lassend; Ggs. ↑tolerant. 2. bestimmte Stoffe od. Alkohol) nicht vertragend (Med.). **|n|to|le|ranz** *die;* -, -en: 1. Unduldsamkeit (gegenüber einer anderen Meinung, Haltung, Weltanschauung usw.); Ggs. ↑Toleranz (1). 2. auf Unverträglichkeit beruhende Abneigung des Organismus gegen bestimmte Stoffe (bes. gegen bestimmte Nahrungsmittel od. Alkohol); mangelnde Widerstandsfähigkeit des Organismus gegen schädigende äußere Einwirkungen (Med.); Ggs. ↑Toleranz (2) **In|to|na|ti|on** ⟨*lat.-mlat.;* „Einstimmung") *die;* -, -en: 1. Veränderung des Tones nach Höhe u. Stärke beim Sprechen von Silben od. ganzen Sätzen; Tongebung (Sprachw.). 2. in der Gregorianik die vom Priester, Vorsänger od. Kantor gesungenen Anfangsworte eines liturgischen Gesangs, der dann vom Chor od. von der Gemeinde weitergeführt wird. 3. präludierende Einleitung in größeren Tonsätzen; kurzes Orgelvorspiel (Mus.). 4. Art der Tongebung bei Sängern u. Instrumentalisten, z.B. eine reine, unsaubere, weiche Intonation (Mus.). 5. im Instrumentenbau, bes. bei Orgeln, der Ausgleich der Töne u. ihrer Klangfarben (Mus.). **In|to|nem** ⟨*lat.; gr.*⟩ *das;* -s, -e: Einzelsegment aus der Tonkurve, in der ein gesprochener Textabschnitt verläuft (Sprachw.). **in|to|nie|ren** ⟨*lat.*⟩: 1. beim Sprechen od. Singen die Stimme auf eine bestimmte Tonhöhe einstellen (Physiol.). 2. a) anstimmen, etwas zu singen od. zu spielen beginnen; b) den Ton angeben; c) Töne mit der Stimme od. auf einem Instrument in einer bestimmten Tongebung hervorbringen **in to|to** ⟨*lat.*⟩: im Ganzen; insgesamt, vollständig. **In|tou|rist** ['intu...] ⟨*russ.*⟩ *die od. der;* - (oft ohne Artikel gebraucht): (früher) staatliches sowjetisches Reisebüro mit Vertretungen im Ausland **In|to|xi|ka|ti|on** ⟨*gr.-nlat.*⟩ *die;* -, -en: Vergiftung; schädigende Einwirkung von Giftstoffen auf den Organismus (Med.). **int|ra|ab|do|mi|nal*** u. **int|ra|ab|do|mi|nell:** innerhalb des Bauchraums gelegen od. erfolgend (Med.); vgl. ...al/...ell **int|ra|al|ve|o|lar*:** innerhalb der ↑Alveolen liegend (Med.)

In|tra|bi|li|tät* ⟨*lat.-nlat.*⟩ *die;* -: Eintritt von Stoffen in das Zellplasma (vgl. Plasma) durch die äußere Plasmahaut (Biol.) **In|tra|da*** u. Entrada *die;* -, ...den: ↑Intrade. **In|tra|de** ⟨*lat.-it.*⟩ *die;* -, -n: festliches, feierliches Eröffnungs- od. Einleitungsstück (z.B. der Suite; Mus.) **int|ra|glu|tä|al*** ⟨*lat.-nlat.*⟩: (Med.) in den großen Gesäßmuskel erfolgend (z.B. von Injektionen; innerhalb des großen Gesäßmuskels [gelegen] **int|ra|grup|pal*** ⟨*lat.; dt.-nlat.*⟩: die Beziehungen u. Spannungen innerhalb einer sozialen Gruppe betreffend (Soziol.) **int|ra|in|di|vi|du|ell*:** innerhalb eines Individuums ablaufend **int|ra|kar|di|al*:** innerhalb des Herzens gelegen, unmittelbar ins Herz hinein erfolgend (Med.) **int|ra|kon|ti|nen|tal*:** in einen Kontinent eingesenkt (von Einbruchs- u. Ingressionsmeeren; Geol.) **int|ra|kra|ni|ell*** ⟨*lat.; gr.-nlat.*⟩: innerhalb des Schädels lokalisiert (z.B. von Tumoren; Med.) **int|ra|krus|tal*** ⟨*lat.-nlat.*⟩: ↑interkrustal **int|ra|ku|tan*** ⟨*lat.-nlat.*⟩: in der Haut [gelegen]; in die Haut hinein (z.B. von Injektionen; Med.) **int|ra* le|gem** ⟨*lat.*⟩: innerhalb, im Rahmen des Gesetzes (Rechtsw.); Ggs. ↑contra legem **int|ra|lin|gu|al*:** innersprachlich; innerhalb einer Sprache auftretend; Ggs. ↑extralingual **int|ra|lum|bal*:** im Lendenwirbelkanal [gelegen], in ihn hinein erfolgend (Med.) **int|ra|mer|ku|ri|ell*** ⟨*lat.-nlat.*⟩: innerhalb der vom Planeten Merkur beschriebenen Bahn befindlich **int|ra|mo|le|ku|lar*:** sich innerhalb der Moleküle vollziehend (Chem.) **int|ra|mon|tan*:** im Gebirge eingesenkt (von Becken; Geol.) **int|ra|mun|dan*** ⟨*lat.*⟩: innerhalb dieser Welt, innerweltlich (Philos.); Ggs. ↑extramundan **int|ra|mu|ral*:** innerhalb der Wand eines Hohlorgans gelegen (Med.). **int|ra mu|ros** ⟨*lat.;* „innerhalb der Mauern"): nicht öffentlich, geheim **int|ra|mus|ku|lär*:** im Innern eines Muskels gelegen; ins Innere des Muskels hinein erfolgend (von Injektionen; Med.); Abk.: i. m.

|nt|ra|net* ⟨*lat.; engl.*⟩ *das;* -s, -s: Vernetzung von Computersystemen zur Informationsübermittlung zwischen Filialen, Arbeitsstellen o.Ä. einer Firma, Institution o.Ä. **in|tran|si|gent** ⟨*lat.-nlat.*⟩: unversöhnlich, zu keinen Konzessionen od. Kompromissen bereit (bes. in der Politik). **In|tran|si|gent** *der;* -en, -en: 1. starr an seinen Prinzipien festhaltender Parteimann. 2. (nur Plural) extreme politische Parteien. **In tran|si|genz** *die;* -: Unversöhnlichkeit; mangelnde Bereitschaft zu Konzessionen **in|tran|si|tiv** ⟨*lat.*⟩: (von bestimmten Verben) nichtzielend; kein Akkusativobjekt nach sich ziehend u. kein persönliches Passiv bildend (z.B. danken; Sprachw.); Ggs. ↑transitiv. **|n|tran|si|tiv** *das;* -s, -e: intransitives Verb **In|tran|si|ti|vum** *das;* -s, ...va: ↑Intransitiv **int|ra|oku|lar*:** innerhalb des Auges gelegen (z.B. von Tumoren od. Fremdkörpern; Med.) **int|ra|oral*:** (Med.) in die Mundhöhle hinein erfolgend; innerhalb der Mundhöhle **int|ra|os|sär*** ⟨*lat.-nlat.*⟩: innerhalb des Knochens (Med.) **int|ra* par|tum** ⟨*lat.*⟩: während der Geburt (Med.) **int|ra|pe|ri|to|ne|al*:** innerhalb des Bauchfellraumes gelegen bzw. erfolgend (Med.) **int|ra|per|so|nal*, int|ra|per|so|nell:** innerhalb einer Person ablaufend, stattfindend; nur eine Person betreffend; vgl. ...al/...ell **int|ra|pleu|ral*:** innerhalb der Pleurahöhle (vgl. Pleura) gelegen bzw. erfolgend (Med.) **int|ra|pul|mo|nal*:** innerhalb des Lungengewebes liegend (Med.) **int|ra|sub|jek|tiv*:** innerhalb des einzelnen Subjekts bleibend **int|ra|tel|lu|risch*:** 1. innerhalb der von der Erde beschriebenen Bahn befindlich (Astron.). 2. im Erdkörper liegend od. entstehend (Geol.) **int|ra|tho|ra|kal*:** innerhalb der Brusthöhle gelegen (Med.) **int|ra|ute|rin*:** innerhalb der Gebärmutter liegend bzw. erfolgend. **In|tra|ute|rin|pes|sar** *das;* -s, -e: in die Gebärmutter eingelegtes ↑Pessar (Med.) **int|ra|va|gi|nal*:** innerhalb der Scheide gelegen (Med.) **int|ra|va|sal*** ⟨*lat.-nlat.*⟩: innerhalb der Blutgefäße gelegen (Med.)

int|ra|ve|nös*: innerhalb einer Vene gelegen bzw. vorkommend; in die Vene hinein erfolgend (von Injektionen); i. v. (Med.)

int|ra|vi|tal*: während des Lebens vorkommend, auftretend (Med.)

int|ra|zel|lu|lar u. int|ra|zel|lu|lär: innerhalb der Zelle[n] gelegen (Med.; Biol.)

int|ri|gant* ⟨lat.-it.-fr.⟩: ständig auf Intrigen sinnend; ränkesüchtig, hinterlistig. Int|ri|gant der; -en, -en: jmd., der intrigiert; Ränkeschmied. Int|ri|ganz die; -: intrigantes Verhalten. Int|ri|ge die; -, -n: hinterlistig angelegte Verwicklung, Ränkespiel. int|ri|gie|ren: Ränke schmieden, hinterlistig Verwicklungen inszenieren, einen gegen den anderen ausspielen. int|ri|kat ⟨lat.⟩: (veraltet) verwickelt, verworren; heikel; verfänglich

int|rin|sisch* ⟨lat.-fr.-engl.⟩: von innen her, aus eigenem Antrieb durch Interesse an der Sache erfolgend, durch in der Sache liegende Anreize bedingt (Psychol.); Ggs. ↑extrinsisch; **intrinsische Motivation:** durch die von einer Aufgabe ausgehenden Anreize bedingte ↑Motivation (1); Ggs. ↑extrinsische Motivation.

in trip|lo* ⟨lat.⟩: (selten) [in] dreifach[er Ausfertigung]; vgl. Triplum

|nt|ro* ⟨lat.-engl.⟩ das; -s, -s: a) einleitender Musiktitel; b) Vorbemerkung, einleitender Artikel einer Zeitschrift o. Ä. Int|ro|duk|ti|on ⟨lat.⟩ die; -, -en: 1. (veraltet) Einleitung, Einführung. 2. a) freier Einleitungssatz vor dem Hauptsatz einer Sonate, einer Sinfonie od. eines Konzerts; b) erste Gesangsnummer einer Oper. 3. Einführen des ↑Penis in die ↑Vagina beim Geschlechtsverkehr (Med.). int|ro|du|zie|ren: einleiten, einführen. Int|ro|dukzi|o|ne ⟨lat.-it.⟩ die; -, ...ni: ↑Introduktion (2)

Int|ro|i|tis* ⟨lat.-nlat.⟩ die; -, ...iti|den: Entzündung des Scheideneinganges (Med.). Int|ro|i|tus ⟨lat.⟩ der; -, -: 1. Eingang in ein Hohlorgan des Körpers (z. B. Scheideneingang; Med.). 2. a) Eingangsgesang [im Wechsel mit Psalmversen] in der Messe; b) [im Wechsel gesungene] Eingangsworte od. Eingangslied im evangelischen Gottesdienst

Int|ro|jek|ti|on* ⟨lat.-nlat.⟩ die; -, -en: unbewusste Einbeziehung fremder Anschauungen, Motive o. Ä. in das eigene Ich, in den subjektiven Interessenkreis (Psychol.); int|ro|ji|zie|ren: fremde Anschauungen, Ideale o. Ä. in die eigenen einbeziehen (Psychol.)

Int|ro|mis|si|on* ⟨lat.-nlat.⟩ die; -, -en: das Intromittieren. int|ro|mit|tie|ren: a) hineinstecken, hineinschieben; b) eindringen. int|rors ⟨lat.⟩: nach innen gewendet (von Staubbeuteln, die den Blütenachse zugewendet sind; Bot.); Ggs. ↑extrors

Int|ro|spek|ti|on* ⟨lat.-nlat.; „Hineinsehen"⟩ die; -, -en: Selbstbeobachtung; Beobachtung der eigenen seelischen Vorgänge zum Zwecke psychologischer Selbsterkenntnis (Psychol.). int|ro|spek|tiv: auf dem Weg der Innenschau, der psychologischen Selbsterkenntnis

Int|ro|ver|si|on* ⟨lat.-nlat.⟩ die; -, -en: Konzentration des Interesses von der Außenwelt weg auf innerseelische Vorgänge (meist in Verbindung mit Kontaktthemmung od. -scheu; C. G. Jung; Psychol.); Ggs. ↑Extraversion. int|ro|ver|tiert: nach innen gewandt, zur Innenverarbeitung der Erlebnisse veranlagt (Psychol.); Ggs. ↑extravertiert

In|tru|der* ⟨lat.-engl.⟩ der; -s, -[s]: militärisches Schutz- u. Aufklärungsflugzeug, speziell im Schnellwarndienst zur Unterstützung von Flugzeugträgern. in|tru|die|ren ⟨lat.-nlat.⟩: eindringen (von Schmelzen in Gestein; Geol.). In|tru|si|on die; -, -en: 1. Vorgang, bei dem Magma zwischen die Gesteine der Erdkruste eindringt u. erstarrt (Geol.). 2. widerrechtliches Eindringen in einen fremden Bereich. in|tru|siv: durch Intrusion entstanden (Geol.). In|tru|si|va die (Plural): ↑Intrusivgestein. In|tru|siv|ge|stein das; -s, -e: Tiefengestein (in der Erdkruste erstarrtes Magma; Geol.)

In|tu|ba|ti|on* ⟨lat.-nlat.⟩ die; -, -en: (bei Erstickungsgefahr) Einführung eines [Metall]rohrs vom Mund aus in den Kehlkopf zum Einbringen von Medikamenten in die Luftwege od. zu Narkosezwecken (Med.). in|tu|bie|ren: eine Intubation vornehmen (Med.)

In|tu|i|ti|on* ⟨lat.-mlat.⟩ die; -, -en: a) das unmittelbare, nicht dis-

kursive, nicht auf Reflexion beruhende Erkennen, Erfassen eines Sachverhalts od. eines komplizierten Vorgangs; b) Eingebung, [plötzliches] ahnendes Erfassen. In|tu|i|ti|o|nis|mus ⟨lat.-mlat.-nlat.⟩ der; -: 1. Lehre, die der Intuition den Vorrang vor der Reflexion, vor dem diskursiven Denken gibt. 2. Lehre von der ursprüngl. Gewissheit des Unterschiedes von Gut u. Böse (Ethik). 3. bei der Begründung der Mathematik entwickelte Theorie, die mathematische Existenz in Konstruierbarkeit gleichsetzt. in|tu|i|ti|o|nis|tisch: den Intuitionismus betreffend. in|tu|i|tiv ⟨lat.-mlat.⟩: a) auf Intuition (a) beruhend; Ggs. ↑diskursiv; b) mit Intuition (b)

In|tu|mes|zenz u. In|tur|geszenz ⟨lat.-nlat.⟩ die; -, -en: Anschwellung (Med.)

|n|tus ⟨lat.⟩: innen, inwendig; **etwas intus haben:** (ugs.) etwas begriffen haben; sich etwas einverleibt haben, etwas gegessen od. getrunken haben; **einen intus haben:** (ugs.) angetrunken, beschwipst sein. In|tus|krus|ta|ti|on die; -, -en: ↑Fossilisation toter Organismen durch Ausfüllen mit mineralischen Stoffen (Geol.). In|tus|sus|zep|ti|on die; -, -en: 1. Einlagerung neuer Teilchen zwischen bereits vorhandene (besondere Form des Pflanzenwachstums; Biol.); Ggs. ↑Apposition (2). 2. Einstülpung eines Darmabschnitts in einen anderen (Med.)

|l|nu|lit ⟨eskim.; „Menschen"⟩ die (Plural): Selbstbezeichnung der Eskimos

|l|nu|la ⟨gr.-lat.⟩ die; -, ...lae [...lɛ]: Alant, Vertreter der Gattung der Korbblütler mit zahlreichen Arten von Gewürz- u. Heilkräutern. I|nu|lin ⟨gr.-lat.-nlat.⟩ das; -s: aus gewissen Pflanzenknollen (z. B. den Wurzeln von Löwenzahn, Alant, Dahlie) gewonnenes ↑Kohlehydrat, das als Diätzucker für Zuckerkranke verwendet wird

In|un|da|ti|on ⟨lat.⟩ die; -, -en: völlige Überflutung des Landes bei ↑Transgression des Meeres (Geogr.). In|un|da|ti|ons|ge|biet das; -[e]s, -e: Hochflutbett eines seichten Stromes (Geogr.). In|unk|ti|on ⟨lat.⟩ die; -, -en: Einreibung (von Arzneimitteln in flüssiger od. Salbenform; Med.)

in u|sum Del|phi|ni: ↑ad usum Delphini

in|va|die|ren ⟨lat.⟩: in fremdes Gebiet einfallen; vgl. Invasion
In|va|gi|na|ti|on ⟨lat.-nlat.⟩ die; -, -en: 1. Darmeinstülpung (Med.). 2. (in der Keimesentwicklung) Einstülpungsvorgang mit Ausbildung der ↑dorsalen (1) u. der ↑ventralen (1) Urmundlippe (Biol.; Med.)
in|va|lid, in|va|li|de ⟨lat.-fr.⟩: arbeits-, dienst-, erwerbsunfähig (infolge einer Verwundung, eines Unfalles, einer Krankheit o. Ä.).
In|va|li|da|ti|on die; -, -en: (veraltet) Ungültigmachung. **In|va|li|de** der u. die; -n, -n: Arbeits-, Dienst-, Erwerbsunfähige[r] (infolge von Unfall, Verwundung, Krankheit o. Ä.). **in|va|li|die|ren**: (veraltet) ungültig machen, umstoßen. **in|va|li|di|sie|ren**: 1. für invalide erklären. 2. jmdm. eine Alters- od. Arbeitsunfähigkeitsrente gewähren. **In|va|li|di|tät** die; -; [dauernde] erhebliche Beeinträchtigung der Arbeits-, Dienst-, Erwerbsfähigkeit
In|var ® ⟨von engl. invariable⟩ das; -s: Eisen-Nickel-Legierung, die bes. zur Herstellung unempfindlicher Messgeräte verwendet wird (Chem.). **in|va|ri|a|bel** [auch: ɪnvaˈrja...] ⟨lat.-nlat.⟩: unveränderlich; **invariable Erdschicht**: Erdschicht, in der sich die Temperaturschwankungen der Erdoberfläche nicht mehr auswirken (Geol.). **in|va|ri|ant** [auch: ...ˈrjant]: unveränderlich (von Messgrößen in der Mathematik). **In|va|ri|an|te** die; -, -n: Größe, die bei Eintritt gewisser Veränderungen unveränderlich bleibt (Math.). **In|va|ri|an|ten|the|o|rie** die; -: mathematische Theorie, die die [geometrischen] Größen untersucht, die bei einzelnen ↑Transformationen unverändert bleiben. **In|va|ri|anz** die; -: Unveränderlichkeit (z. B. von Größen in der Mathematik).
In|var|stahl ® ⟨lat.-nlat.; dt.⟩ der; -[e]s: Eisen-Nickel-Legierung mit niedrigem Wärmedehnungskoeffizienten
In|va|si|on ⟨lat.-fr.⟩ die; -, -en: 1. Einfall; feindliches Eindringen von Truppen in fremdes Gebiet; vgl. Evasion (1). 2. das Eindringen von Krankheitserregern in die Blutbahn (Med.). **in|va|siv**: in das umgebende Bindegewebe wuchernd hineinwachsend (von Krebszellen; Med.). **In|va|sor** ⟨lat.⟩ der; -s, ...oren (meist Plural): Eroberer; eindringender Feind

In|vek|ti|ve ⟨lat.⟩ die; -, -n: Schmährede od. -schrift; beleidigende Äußerung; Beleidigung
in|ve|nit ⟨lat.⟩: hat [es] erfunden (auf grafischen Blättern vor dem Namen des Künstlers, der die Originalzeichnung schuf); Abk.: inv. **In|ven|tar** das; -s, -e: 1. Gesamtheit der zu einem Betrieb, Unternehmen, Haus, Hof o. Ä. gehörenden Einrichtungsgegenstände u. Vermögenswerte (einschließlich Schulden). 2. Verzeichnis des Besitzstandes eines Unternehmens, Betriebs, Hauses [das neben der ↑Bilanz jährlich zu erstellen ist]. 3. Verzeichnis der Vermögensgegenstände u./od. Verbindlichkeiten aus einem Nachlass. **In|ven|ta|ri|sa|ti|on** ⟨lat.-nlat.⟩ die; -, -en: Bestandsaufnahme [des Inventars]; vgl. ...[at]ion/...ierung. **In|ven|ta|ri|sa|tor** der; -s, ...oren: mit einer Bestandsaufnahme betraute Person. **in|ven|ta|ri|sie|ren**: ein Inventar, den Bestand von etwas aufnehmen. **In|ven|ta|ri|sie|rung** die; -, -en: das Inventarisieren; vgl. ...[at]ion/...ierung. **In|ven|ta|ri|um** ⟨lat.⟩ das; -s, ...ien: (veraltet) Inventar. **in|ven|tie|ren** ⟨lat.-nlat.⟩: (veraltet) 1. erfinden. 2. Bestandsaufnahme machen. **In|ven|ti|on** ⟨lat.⟩ die; -, -en: 1. (veraltet) Erfindung. 2. kleines zwei- od. dreistimmiges Klavierstück in kontrapunktisch imitierendem Satzbau mit nur einem zugrunde liegenden Thema (J. S. Bach). **In|ven|tor** der; -s, ...oren: Erfinder, Urheber. **In|ven|tur** ⟨lat.-mlat.⟩ die; -, -en: Bestandsaufnahme der Vermögensteile u. Schulden eines Unternehmens zu einem bestimmten Zeitpunkt durch Zählen, Messen o. Ä. anlässlich der Erstellung der ↑Bilanz; vgl. Skontro
in ver|ba ma|gist|ri* vgl. jurare in verba magistri
in|vers ⟨lat.⟩: umgekehrt; **inverse Funktion**: durch Vertauschung der unabhängigen u. der abhängigen Variablen gewonnene Umkehrfunktion der ursprünglichen Funktion (Math.). **In|ver|si|on** ⟨„Umkehrung"⟩ die; -, -en: 1. Umkehrung der üblichen Wortstellung (Subjekt–Prädikat), d. h. die Stellung Prädikat–Subjekt. 2. a) Darstellung von Kaliumnitrat aus einem Lösungsgemisch von Natriumnitrat u. Kaliumchlorid; b) Umwandlung von Rohrzucker in ein Gemisch

aus Traubenzucker u. Fruchtzucker (Chem.). 3. Berechnung der inversen Funktion (Umkehrfunktion; Math.). 4. a) Umkehrung des Geschlechtstriebs; vgl. Homosexualität; b) Umlagerung od. Umstülpung eines Organs (z. B. der Eingeweide od. der Gebärmutter; Med.). 5. Form der Chromosomenmutation, bei der ein herausgebrochenes Teilstück sich unter Drehung um 180° wieder an der bisherigen Stelle einfügt (Biol.). 6. Reliefumkehr; durch unterschiedliche Widerstandsfähigkeit der Gesteine hervorgerufene Nichtübereinstimmung von ↑tektonischem Bau u. Landschaftsbild, sodass z. B. eine geologische Grabenzone landschaftlich als Erhebung erscheint (Geol.). 7. Temperaturumkehr an einer Sperrschicht, an der die normalerweise mit der Höhe abnehmende Temperatur sprunghaft zunimmt (Meteor.). 8. Umkehrung der Notenfolge der Intervalle (Mus.). **In|ver|ta|se** die; -: ↑Saccharase. **In|ver|teb|rat*** der; -en, -en (meist Plural): ↑Evertebrat. **In|ver|ter** ⟨lat.-engl.⟩ der; -s, -: Sprachumwandlungsgerät zur Wahrung des Fernsprechgeheimnisses auf Funkverbindungen. **in|ver|tie|ren** ⟨lat.⟩: umkehren, umstellen, eine Inversion vornehmen. **in|ver|tiert**: 1. umgekehrt. 2. zum eigenen Geschlecht hin empfindend (Med.); vgl. homosexuell. **In|ver|t|in** das; -s: ↑Saccharase. **In|vert|zu|cker** ⟨lat.; dt.⟩ der; -s: das durch ↑Inversion (2 b) entstehende Gemisch aus Traubenzucker u. Fruchtzucker (z. B. im Bienenhonig)
in|vol|tie|ren ⟨lat.; „einkleiden"⟩: 1. mit den Zeichen der Amtswürde bekleiden, in ein Amt einsetzen; vgl. Investitur (1). 2. a) Kapital langfristig in Sachgütern anlegen; b) etwas auf jmdn./etwas [in reichem Maße] verwenden. **In|ves|tie|rung** die; -, -en: das Investieren (2); vgl. Investition
In|ves|ti|ga|ti|on ⟨lat.⟩ die; -, -en: (veraltet) Untersuchung, Nachforschung. **in|ves|ti|ga|tiv** ⟨lat.-engl.⟩: nach-, ausforschend; enthüllend, aufdeckend. **In|ves|ti|ga|tor** der; -s, ...oren: jmd., der investigiert. **in|ves|ti|gie|ren**: nachforschen, nachspüren, untersuchen
In|ves|ti|ti|on ⟨lat.-nlat.⟩ die; -, -en: 1. langfristige Anlage von

Kapital in Sachgütern. 2. Erhöhung des Bestandes an Gütern für späteren Bedarf. **In|ves|ti|ti|ons|gü|ter** die (Plural): Güter, die der ↑ Produktion dienen (z. B. Maschinen, Fahrzeuge, Werkhallen). **In|ves|ti|tur** ⟨lat.-mlat.⟩ die; -, -en: 1. a) Einweisung in ein niederes geistliches Amt (katholisches Pfarramt); b) im Mittelalter feierliche Belehnung mit dem Bischofsamt durch den König. 2. abschließender Akt der Eigentumsübertragung (im älteren dt. Recht). 3. Bestätigung des Ministerpräsidenten durch die Nationalversammlung (in Frankreich). **in|ves|tiv**: als Investition, in Form von Investitionen, zur produktiven Verwendung; Ggs. ↑ konsumtiv. **In|ves|tiv|lohn** ⟨lat.-nlat.; dt.⟩ der; -[e]s, ...löhne: Lohnanteil, der nicht dem Konsum zufließt, sondern zwangsweise investiv verwendet wird. **In|vest|ment** ⟨lat.-engl.⟩ das; -s, -s: Kapitalanlage in Investmentzertifikaten. **In|vest|ment|fonds** [...fõ:] ⟨lat.-engl.; lat.-fr.⟩ der; -, - [...fõ:s]: Sondervermögen einer Kapitalanlagegesellschaft, das in Wertpapieren od. Grundstücken angelegt wird (Wirtsch.). **In|vest|ment|ge|schäft** das; -[e]s, -e: Geschäft einer Investmentgesellschaft (Anlage u. Beschaffung des Fondskapitals). **In|vest|ment|pa|pier** das; -s, -e: ↑ Investmentzertifikat. **In|vest|ment|trust** [...trast] der; -s, -s: Investmentgesellschaft; Kapitalanlage- u. Beteiligungsgesellschaft, die Investmentgeschäfte betreibt. **In|vest|ment|zer|ti|fi|kat** das; -[e]s, -e: Schein über einen Anteil am Vermögen eines Investmentfonds. **In|ves|tor** ⟨lat.-nlat.⟩ der; -s, ...oren: Kapitalanleger. **In|ves|tor-Re|la|tions** [...rɪˈleɪʃənz] ⟨amerik.⟩ die (Plural): Pflege der Beziehungen einer Aktiengesellschaft zu ihren Aktionären **In|ve|te|ra|ti|on** ⟨lat.⟩ die; -, -en: (veraltet) Verjährung (Rechtsw.). **in|ve|te|rie|ren**: (veraltet) verjähren (Rechtsw.) **in vi|no ve|ri|tas** ⟨lat.; „im Wein [ist] Wahrheit“⟩: jmd., der etw. getrunken hat, spricht Wahrheiten aus, die man im nüchternen Zustand sonst eher für sich behält **in|vi|si|bel** [auch: ...'zi:...] ⟨lat.⟩: (selten) unsichtbar **In|vi|ta|ti|on** ⟨lat.⟩ die; -, -en: (selten) Einladung. **In|vi|ta|to|ri|um**

⟨lat.-mlat.⟩ das; -s, ...ien: Einleitungsgesang der ↑ Matutin mit der Aufforderung zum Gebet (Psalm 95). **in|vi|tie|ren** ⟨lat.⟩: (veraltet) 1. einladen, zu Gast bitten. 2. ersuchen **in vi|tro*** ⟨lat.; „im Glas“⟩: im Reagenzglas [durchgeführt] (von wissenschaftlichen Versuchen); vgl. aber: in vivo. **In-vi|tro-Fer|ti|li|sa|ti|on** die; -, -en: künstlich herbeigeführte Verschmelzung einer menschlichen Eizelle mit einer Samenzelle außerhalb des Körpers der Frau **in vi|vo** ⟨lat.; „im Leben“⟩: am lebenden Objekt [beobachtet od. durchgeführt] (von wissenschaftlichen Versuchen); vgl. aber: in vitro **In|vo|ka|ti|on** ⟨lat.⟩ die; -, -en: Anrufung Gottes [u. der Heiligen] (z. B. am Anfang von mittelalterlichen Urkunden). **In|vo|ka|vit:** Bezeichnung des ersten Fastensonntags nach dem alten ↑ Introitus (2) des Gottesdienstes (Psalm 91, 15: „Er rief [mich] an, [so will ich ihn erhören]“) **In|vo|lu|ti|on** ⟨lat.; „Windung“⟩ die; -, -en: 1. Darstellung der Verhältnisse zwischen Punkten, Geraden oder Ebenen in der ↑ projektiven Geometrie. 2. normale Rückbildung eines Organs (z. B. der Gebärmutter nach der Entbindung) od. des ganzen Organismus (als Alterungsvorgang; Med.). 3. a) Verfall eines sozialen Organismus; b) Rückentwicklung demokratischer Systeme u. Formen in vor- od. antidemokratische. **in|vol|vie|ren**: 1. einschließen, einbegreifen, enthalten (den Sinn eines Ausdrucks). 2. an etwas beteiligen, in etwas verwickeln; vgl. evolvieren **In|zens** ⟨lat.⟩ der; -es, -e od. die; -, -atignen u. **In|zen|sa|ti|on** ⟨lat.-nlat.⟩ die; -, -en: das Beräuchern mit Weihrauch (kath. Kirche). **in|zen|sie|ren** ⟨lat.-mlat.⟩: mit Weihrauch beräuchern. **In|zen|so|ri|um** das; -s, ...ien: (veraltet) Räuchergerät **in|zen|tiv** ⟨lat.-engl.⟩: anspornend, anreizend, antreibend. **In|zen|tiv** ⟨lat.⟩ das; -s, -e: Anreiz, Ansporn **In|zest** ⟨lat.⟩ der; -[e]s, -e: a) Geschlechtsverkehr zwischen Blutsverwandten, zwischen Geschwistern u. zwischen Eltern u. Kindern; Blutschande (Med.); b) Paarung von nahe verwandten Tieren. **in|zes|tu|ös**

⟨lat.-fr.⟩: blutschänderisch, einen Inzest bedeutend, in der Art eines Inzests. **In|zest|zucht** ⟨lat.; dt.⟩ die; -: 1. bei Tieren die Paarung nächster Blutsverwandter zur Herauszüchtung reiner Linien. 2. züchterisch vorgenommene Selbstbestäubung bei fremdbestäubenden Pflanzen **in|zi|dent** ⟨lat.⟩: (veraltet) im Verlauf einer Angelegenheit nebenbei auffallend; zufällig. **in|zi|den|tell**: überwiegend an den Details einer Sache interessiert. **in|zi|den|ter**: beiläufig, am Rande. **In|zi|denz** ⟨lat.-mlat.⟩ die; -, -en: 1. (veraltet) Eintritt (eines Ereignisses), Vorfall. 2. Eigenschaft, gemeinsame Punkte zu besitzen; Beziehung zwischen einem Punkt u. einer Geraden, wobei der Punkt auf der Geraden liegt bzw. die Gerade durch den Punkt geht (Geometrie). 3. Einfall von [atomaren] Teilchen in ein bestimmtes Raumgebiet (Astron.). 4. Umstand, dass öffentliche Subventionen od. Steuern nicht die Wirtschaftssubjekte begünstigen od. belasten, denen sie vom Gesetzgeber zugedacht sind (Wirtsch.) **in|zi|die|ren** ⟨lat.⟩: einen Einschnitt machen (Med.) **in|zi|pi|ent** ⟨lat.⟩: beginnend (Med.) **In|zi|si|on** ⟨lat.⟩ die; -, -en: 1. Einschnitt (Med.). 2. ↑ Zäsur, bes. des Pentameters. **In|zi|siv** ⟨lat.-nlat.⟩ der; -s, -en u. **In|zi|si|vus** der; -, ...vi: Schneidezahn (Med.). **In|zi|sur** ⟨lat.⟩ die; -, -en: Einschnitt, Einbuchtung, Einsenkung an Knochen u. Organen des menschlichen u. tierischen Körpers (Anat.) **Iod** vgl. Jod **I|on** [auch: 'i:ɔn] ⟨gr.; „Gehendes, Wanderndes“⟩ das; -s, Ionen: elektrisch geladenes Atom od. Molekül (Phys.). **I|o|nen|hyd|ra|ta|ti|on*** u. **I|o|nen|hyd|ra|ti|on** die; -: Anlagerung von Wassermolekülen an Ionen (Hydratwolke). **I|o|nen|re|ak|ti|on** die; -, -en: chemische Reaktion, deren Triebkraft durch die Anwesenheit von Ionen maßgeblich beeinflusst wird. **I|o|nen|strah|len** die (Plural): aus [rasch bewegten] geladenen materiellen Teilchen (Ionen) bestehende Strahlen. **I|o|nen|the|ra|pie** die; -: Heilmethode zur Beeinflussung des Ionenhaushalts der menschlichen Körpers (Med.) **I|o|ni|cus** ⟨gr.-lat.⟩ der; -, ...ci [...tsi]

u. **Io|ni|ker** der; -s, -: antiker Versfuß (rhythmische Einheit); **Ionicus a maiore:** Ionicus mit meist zwei Längen u. zwei Kürzen (–––‿‿); **Ionicus a minore:** Ionicus mit meist zwei Kürzen u. zwei Längen (‿‿––) ...i|on/...ie|rung vgl. ...[at]ion/ ...ierung

Io|ni|sa|ti|on ⟨gr.-nlat.⟩ die; -, -en: Versetzung von Atomen od. Molekülen in elektrisch geladenen Zustand; vgl. ..[at]ion/ ...ierung.

Io|ni|sa|tor der; -s, ...oren: Gerät, das Ionisation bewirkt. [1]**io|nisch:** aus Ionen bestehend, sie betreffend

[2]**io|nisch** ⟨gr.-lat.⟩: den altgriech. Dialekt u. die Kunst der Ionier betreffend; **ionischer Dimeter:** aus zwei Ionici bestehendes antikes Versmaß. **Io|nisch** das; - u.

Io|ni|sche das; -n: altgriech. (ionische) Tonart; in der alten Kirchenmusik die dem heutigen C-Dur entsprechende Tonart

io|ni|sie|ren ⟨gr.-nlat.⟩: 1. Ionisation bewirken. 2. in ein Ion übergehen. **Io|ni|sie|rung** die; -, -en: das Ionisieren; vgl. ...[at]ion/ ...ierung. **Io|ni|um** das; -s: radioaktives Zerfallsprodukt des Urans, Ordnungszahl 90 (Zeichen: Io). **Io|no|me|ter** das; -s, -: Messgerät zur Bestimmung der Ionisation eines Gases (meist der Luft), um Rückschlüsse auf vorhandene Strahlung zu ziehen

Io|non vgl. Jonon

Io|no|pho|re|se die; -, -n: ↑Iontophorese. **Io|no|sphä|re*** ⟨gr.-nlat.⟩ die; -: äußerste Hülle der Erdatmosphäre (in einer Höhe von 80 bis 800 km). **Ion|to|pho|re|se** ⟨gr.-nlat., gr.⟩ die; -, -n: Einführung von Ionen mithilfe des ↑galvanischen Stroms durch die Haut in den Körper zu therapeutischen Zwecken (bes. bei Erkrankungen des Bewegungsapparates, ferner bei Haut- u. Schleimhautkrankheiten; Med.)

Io|ta usw. vgl. Jota usw.

Io|vi op|ti|mo ma|xi|mo ⟨lat.⟩: Jupiter, dem Besten u. Größten (Eingangsformel röm. Weihinschriften); Abk.: I. O. M.; vgl. Deo optimo maximo

I|pe|ka|ku|an|ha [...'ku̯anja] ⟨indian.-port.⟩ die; -: Brechwurz, Wurzel einer südamerikanischen Pflanze (Husten- u. Brechmittel)

Ip|sa|ti|on ⟨lat.-nlat.⟩ die; -, -en: Selbstbefriedigung, Onanie. **ip-se fe|cit** ⟨lat.⟩: er hat [es] selbst gemacht (auf Kunstwerken vor

od. hinter der Signatur des Künstlers; Abk.: i. f.). **Ip|sis-mus** der; -, ...men: ↑Ipsation. **ip-sis|si|ma ver|ba:** völlig die eigenen Worte (einer Person, die sie gesprochen hat). **ip|so fac|to** ⟨„durch die Tat selbst"⟩: Rechtsformel, die besagt, dass die Folgen einer Tat von selbst eintreten. **ip|so ju|re** ⟨„durch das Recht selbst"⟩: Rechtsformel, die besagt, dass die Rechtsfolgen einer Tat von selbst eintreten

IQ [i:'ku:, auch: ai'kju.] der; -s, -s: ↑Intelligenzquotient

I|ra|de ⟨arab.-türk.; „Wille"⟩ der od. das; -s, -n: (hist.) Erlass des Sultans (der Kabinettsorder des absoluten Herrschers entsprechend)

ira|nisch: die auf dem Hochland von Iran lebenden Völker betreffend; **Iranische Sprachen:** Sprachen der von den ↑Ariern hergeleiteten Völker auf dem Hochland von Iran. **I|ra|nist** ⟨nlat.⟩ der; -en, -en: Wissenschaftler auf dem Gebiet der Iranistik. **I|ra|nis|tik** die; -: Wissenschaft von den iranischen Sprachen u. Kulturen; Irankunde

Ir|bis ⟨mong.-russ.⟩ der; -ses, -se: Schneeleopard (in den Hochgebirgen Zentralasiens)

I|re|nik ⟨gr.⟩ die; -: das Bemühen um eine friedliche interkonfessionelle Auseinandersetzung mit dem Ziel der Aussöhnung. **i|re-nisch:** friedliebend, friedfertig

I|ri|dek|to|mie* ⟨gr.-nlat.⟩ die; -, ...ien: Ausschneidung [eines Teils] der Regenbogenhaut (Med.). **I|ri|di|um** das; -s: chem. Element; ein Edelmetall (Zeichen: Ir). **I|ri|do|lo|ge** der; -n, -n: Augendiagnostiker. **I|ri|do|lo-gie** die; -: Augendiagnose. **I|ri-do|to|mie** die; -, ...ien: ↑Iridektomie. **I|ris** ⟨gr.-lat.; „Regenbogen"⟩ die; -, -: 1. Regenbogen (Meteor.). 2. (Plural auch: Iriden od. Irides [i'ri:de:s]) Regenbogenhaut des Auges (Med.). 3. Schwertlilie. **I|ris|blen|de** die; -, -n: verstellbare Blende (bes. bei fotogr. Apparaten), deren Öffnung in der Größe kontinuierlich verändert werden kann. **I|ris|di|ag|no|se*** die; -: ↑Iridologie. **I|rish|cof|fee** [ˈaɪərɪʃˈkɔfi] ⟨engl.⟩ der; -, -s: Kaffee mit einem Schuss Whiskey u. Schlagsahne. **I|rish|cream** [...kri:m] ⟨engl.⟩ der; -, -s: Likör aus Sahne u. Whiskey. **I|rish|stew** [...'stju:] das; -[s], -s: Eintopfgericht aus Weißkraut mit Hammelfleisch u. a.

i|ri|sie|ren ⟨gr.-lat.-nlat.⟩: in Regenbogenfarben schillern; **irisierende Wolken:** Wolken, deren Ränder perlmutterfarbene Lichterscheinungen zeigen (Meteor.). **I|ri|tis** die; -, ...itiden: Regenbogenhautentzündung

I|ro|nie ⟨gr.-lat.⟩ die; -, ...ien (Plural selten): a) feiner, verdeckter Spott, mit dem man etwas dadurch zu treffen sucht, dass man es unter dem auffälligen Schein der eigenen Billigung lächerlich macht; b) paradoxe Konstellation, die einem als frivoles Spiel einer höheren Macht erscheint, z. B. eine Ironie des Schicksals, der Geschichte. **I|ro|ni|ker** der; -s, -: Mensch mit ironischer Geisteshaltung. **i|ro|nisch:** voller Ironie; mit feinem, verstecktem Spott; durch übertriebene Zustimmung seine Kritik zum Ausdruck bringend. **i|ro|ni|sie-ren** ⟨gr.-lat.-fr.⟩: einer ironischen Betrachtung unterziehen

I|ron|man ['aɪənmæn] ⟨engl.⟩ der; -s: Triathlonwettkampf über die volle Distanz von 3,8 km Schwimmen, 180 km Radfahren und 42,195 km Laufen

I|ro|nym* ⟨gr.-nlat.⟩ das; -s, -e: ironische Wendung als Deckname (z. B.: Von einem sehr Klugen)

Ir|ra|di|a|ti|on ⟨lat.-nlat.⟩ die; -en: 1. Ausbreitung von Erregungen od. von Schmerzen im Bereich ↑peripherer Nerven (Med.). 2. das Übergreifen von Gefühlen auf neutrale Bewusstseinsinhalte od. Assoziationen (Psychol.). 3. Überbelichtung von fotografischen Platten. 4. optische Täuschung, durch die ein heller Fleck auf dunklem Grund dem Auge größer erscheint als ein dunkler Fleck auf hellem Grund. **ir|ra|di|ie|ren** ⟨lat.⟩: ausstrahlen, als eine Irradiation (1 u. 2) wirken

ir|ra|ti|o|nal ⟨lat.-nlat.⟩: a) dem Verstand nicht fassbar, dem logischen Denken nicht zugänglich; b) vernunftwidrig, sich nicht durch Brüche ganzer Zahlen ausdrücken lassen; **irrationale Zahlen:** alle Zahlen, die sich nicht in der nicht periodische Dezimalbrüche mit unbegrenzter Stellenzahl dargestellt werden können (Math.); Ggs. ↑rational; vgl. ...al/...ell. **Ir|ra|ti-o|na|lis|mus** ⟨lat.-nlat.⟩ der; -, ...men: 1. (ohne Plural) Vorrang des Gefühlsmäßigen vor der Verstandeserkenntnis. 2. (ohne Plural) metaphysische Lehre, nach der Wesen u. Ursprung der Welt dem Verstand (der Ratio) unzugänglich sind. 3. irrationale Verhaltensweise, Geschehen o. Ä. **Ir|ra|ti|o|na|li|tät** *die; -:* die Eigenschaft des Irrationalen. **ir|ra|ti|o|nell** [auch: ...'nɛl]: dem Verstand nicht zugänglich, außerhalb des Rationalen; vgl. ...al/ ...ell

ir|re|al: nicht wirklich, unwirklich; Ggs. ↑real (2). **Ir|re|al** *der; -s, -e:* ↑Irrealis. **Ir|re|a|lis** *der; -, ...les* [...'le:s]: ↑Modus des unerfüllbaren Wunsches, einer als unwirklich hingestellten Annahme (z. B. Wenn ich ein Vöglein wär ..., Hättest du es doch nicht getan!). **Ir|re|a|li|tät** *die; -, -en:* die Nicht- od. Unwirklichkeit; Ggs. ↑Realität

Ir|re|den|ta *⟨lat. -it.⟩ die; -, ...ten:* 1. (ohne Plural) ital. Unabhängigkeitsbewegung im 19. Jh. 2. politische Unabhängigkeitsbewegung, die den Anschluss abgetrennter Gebiete an das Mutterland anstrebt. **Ir|re|den|tis|mus** *⟨lat.-it.-nlat.⟩ der; -:* Geisteshaltung der Irredenta. **Ir|re|den|tist** *der; -en, -en:* Angehöriger der Irredenta, Verfechter des Irredentismus. **ir|re|den|tis|tisch:** den Irredentismus betreffend

ir|re|duk|ti|bel [auch: ...'ti:bəl] *⟨lat.-nlat.⟩:* nicht zurückführbar, nicht wiederherstellbar. **ir|re|du|zi|bel** [auch: ...'tsi:bəl]: nicht zurückführbar, nicht ableitbar (Philos.; Math.); Ggs. ↑reduzibel. **Ir|re|du|zi|bi|li|tät** *die; -:* Nichtableitbarkeit (Philos.; Math.)

ir|re|gu|lär [auch: ...'lɛɐ̯]: 1. a) nicht regelgemäß, nicht der Regel entsprechend; b) nicht dem Gesetz entsprechend, ungesetzlich, regelwidrig; Ggs. ↑regulär; **irreguläre Truppen:** außerhalb des regulären Heeres aufgebotene Verbände (Freikorps, Partisanen o. Ä.). 2. um Empfang der katholischen geistlichen Weihen ausgeschlossen. **Ir|re|gu|lä|re** *der; -n, -n:* Angehöriger irregulärer Truppen. **Ir|re|gu|la|ri|tät** *die; -, -en:* 1. a) Regellosigkeit; mangelnde Gesetzmäßigkeit; Ggs. ↑Regularität (a); b) vom üblichen Sprachgebrauch abweichende Erscheinung (Sprachw.); Ggs. ↑Regularität (b). 2. kirchenrechtliches Hindernis, das vom Empfang der geistlichen Weihen ausschließt (kath. Kirchenrecht)

ir|re|le|vant [auch: ...'vant]: unerheblich, belanglos; Ggs. ↑relevant. **Ir|re|le|vanz** [auch: ...'vants] *die; -, -en:* Unwichtigkeit, Bedeutungslosigkeit; Ggs. ↑Relevanz

ir|re|li|gi|ös [auch: ...'gjøs] *⟨lat.⟩:* nicht religiös (2). **Ir|re|li|gi|o|si|tät** [auch: 'ɪr...] *die; -:* irreligiöse Einstellung; Ggs. ↑Religiosität

ir|re|pa|ra|bel [auch: ...'ra:bəl] *⟨lat.⟩:* a) sich nicht durch eine Reparatur instand setzen lassend; b) nicht ersetzen, beheben lassend; c) nicht heilbar, in der Funktion nicht wiederherzustellen (Med.). **Ir|re|pa|ra|bi|li|tät** *die; -:* Unmöglichkeit, einen Schaden, Fehler o. Ä. wieder auszugleichen

ir|re|po|ni|bel [auch: ...'ni:bəl]: nicht wieder in die normale Lage zurückzubringen (z. B. von Gelenken; Med.); Ggs. ↑reponibel

ir|re|spi|ra|bel [auch: ...'ra:bəl] *⟨lat.⟩:* nicht atembar, zum Einatmen untauglich (Med.)

ir|re|ver|si|bel [auch: ...'zi:bəl] *⟨lat.-fr.⟩:* nicht umkehrbar, nicht rückgängig zu machen; Ggs. ↑reversibel (1). **Ir|re|ver|si|bi|li|tät** [auch: 'ɪr...] *die; -:* Unumkehrbarkeit; Ggs. ↑Reversibilität

ir|re|vi|si|bel [auch: ...'zi:bəl]: (veraltet) nicht mit Rechtsmitteln anfechtbar (in Bezug auf Urteile); Ggs. ↑revisibel

Ir|ri|ga|ti|on *⟨lat.; „Bewässerung"⟩ die; -, -en:* 1. Ausspülung (bes. des Darms bei Verstopfung), Einlauf (Med.). 2. (selten) Bewässerung (Fachspr.). **Ir|ri|ga|tor** *der; -s, ...oren:* (z. B. für Spülungen des Dickdarms verwendeter) Spülapparat (Med.). **ir|ri|gie|ren:** (selten) bewässern **ir|ri|ta|bel** *⟨lat.⟩:* reizbar, erregbar, empfindlich (z. B. von Nerven; Med.). **Ir|ri|ta|bi|li|tät** *die; -:* Reizbarkeit, Empfindlichkeit (z. B. eines Gewebes; Med.). **Ir|ri|ta|ti|on** *die; -, -en:* a) auf jmdn., etw. ausgeübter Reiz, Reizung; b) das Erregtsein; c) Verwirrung, Zustand der Verunsicherheit. **ir|ri|tie|ren:** a) [auf]reizen, erregen; b) unsicher machen, verwirren, beunruhigen, beirren; c) stören, lästig sein; d) (veraltend) ärgern

Ir|vin|gi|a|ner ⟨nach dem Volksprediger Edward Irving⟩ *der; -s, -:* Angehöriger einer schwärmerischen katholisch-apostolischen Sekte des 19. Jh.s [in England], die die baldige Wiederkunft Christi erwartete. **Ir|vin-**

gi|a|nis|mus *⟨nlat.⟩ der; -:* Lehre der Irvingianer

Is|a|bel|le ⟨angeblich nach der Farbe des Hemdes, das die span. Erzherzogin Isabelle von 1601 bis 1604 getragen haben soll⟩ *die; -, -n:* Pferd mit isabellfarbenem Fell u. gleichfarbenem od. hellerem Mähnen- u. Schweifhaar. **i|sa|bell|far|ben** u. **i|sa|bell|far|big:** graugelb

Is|a|go|ge *⟨gr.-lat.⟩ die; -, -n:* in der Antike Einführung in eine Wissenschaft. **Is|a|go|gik** *⟨gr.⟩ die; -:* Kunst der Einführung in eine Wissenschaft, bes. die Lehre von der Entstehung der biblischen Bücher

Is|a|kus|te *⟨gr.-nlat.⟩ die; -, -n:* Verbindungslinie zwischen Orten gleicher Schallstärke bei Erdbeben

Is|al|lo|ba|re *⟨gr.-nlat.⟩ die; -, -n:* Linie, die Orte gleicher Luftdruckveränderung verbindet (Meteor.). **Is|al|lo|ther|me** *die; -, -n:* Linie, die Orte gleicher Temperaturveränderung verbindet (Meteor.)

Is|a|na|ba|se *⟨gr.-nlat.⟩ die; -, -n:* Verbindungslinie zwischen Orten gleicher Hebung (bei tektonischer Bewegung der Erdkruste)

Is|a|ne|mo|ne *⟨gr.-nlat.⟩ die; -, -n:* Linie, die Orte verbindet, an denen gleiche Windgeschwindigkeit herrscht (Meteor.)

Is|a|no|ma|le *⟨gr.-nlat.⟩ die; -, -n:* Linie, die Orte verbindet, deren Abweichung von einem Normalwert gleich ist (Meteor.)

I|SA-Sys|tem *das; -s:* die von der International Federation of the National Standardizing Associations festgelegten Normzahlen, Toleranzen, Passungen bei einander zugeordneten Maschinenteilen

Is|a|tin *⟨gr.-lat.-nlat.⟩ das; -s:* bei der Oxidation von Indigo mit Salpetersäure entstehendes Zwischen- u. Ausgangsprodukt in der pharmazeutischen u. Farbstoffindustrie. **I|sa|tis** *⟨gr.-lat.⟩ die; -:* Gattung der Kreuzblütler; Waid

Is|ba *⟨russ.⟩ die; -,* Isbi: russische Bezeichnung für: Holzhaus, Blockhütte (bes. der Bauern)

ISBN: Abk. für engl. *International Standard Book Number* (mehrstellige Nummer, die seit 1973 jedes Buch erhält)

-isch/-: bei Adjektiven aus fremden Sprachen konkurrieren zuweilen endungslose Adjektive mit solchen, die auf -isch enden

Die endungslosen haben dabei mehr die Qualität eines Eigenschaftswortes, z. B. *analoges* (entsprechendes) Handeln; *synonyme* (sinnverwandte) Wörter. Die auf -isch endenden dagegen sind Relativadjektive, d. h., sie drücken eine allgemeine Beziehung aus, z. B. *analogischer* (durch Analogie herbeigeführter) Ausgleich; *synonymische* (in Bezug auf die Synonymie bestehende) Reihen, Annäherungen, Konkurrenzen

Is|chä|mie* ⟨*gr.-nlat.*⟩ *die;* -, ...jen: örtliche Blutleere, mangelnde Versorgung einzelner Organe mit Blut (Med.). **is|chä|misch:** blutleer (Med.)

‖sche ⟨*hebr.-jidd.*⟩ *die;* -, -: (ugs.) Mädchen, junge Frau (aus der Sicht eines Jungen, jungen Mannes)

Is|chi|a|di|kus* [auch: ɪˈʃi̯a...] ⟨*gr.-lat.*⟩ *der;* ...kal (Plural selten): Ischias-, Hüftnerv. **is|chi|a|disch*** [auch: ɪˈʃi̯a...]: den Ischias betreffend. **Is|chi|al|gie*** [auch: ɪˈʃi̯...] ⟨*gr.-nlat.*⟩ *die;* -: ↑ Ischias. **‖schi|as*** [auch: ˈɪsçi̯as] ⟨*gr.-lat.*⟩ *der* od. *das* (fachspr. auch: *die*), -: Hüftschmerzen; [anfallsweise auftretende] Neuralgie im Ausbreitungsbereich des ↑ Ischiadikus (Med.). **Is|chi|um** [ˈɪsçi̯ʊm] *das;* -s, ...ia: Hüfte, Gesäß (Med.)

Is|chu|rie* ⟨*gr.-nlat.*⟩ *die;* -, ...jen: Harnverhaltung; Unmöglichkeit, Harn zu entleeren (Med.)

ISDN: Abk. für: *Integrated services digital network* ⟨*engl.;* „Dienste integrierendes digitales [Nachrichten]netz"⟩: der schnellen Übermittlung von Sprache, Text, Bild, Daten dienendes Kommunikationsnetz

i|sen|trop* u. **i|sen|tro|pisch** ⟨*gr.-nlat.*⟩: (von thermodynamischen Prozessen) bei gleich bleibender ↑ Entropie verlaufend

Is|fa|han u. Ispahan ⟨nach der iran. Stadt Isfahan (früher: Ispahan)⟩ *der;* -[s], -s: feiner, handgeknüpfter Teppich mit Blüten-, Ranken- od. Arabeskenmusterung auf meist beigefarbenem Grund

Is|lam [auch: ˈɪslam] ⟨*arab.;* „Hingabe [an Gott]"⟩ *der;* -[s]: auf die im Koran niedergelegte Verkündigung des arabischen Propheten Mohammed (um 570 – 632) zurückgehende monotheistische Religion. **Is|la|mi|sa|ti|on** ⟨*arab.-nlat.*⟩ *die;* -, -en: Bekehrung zum Islam; vgl. ...[at]ion/

...ierung. **is|la|misch:** zum Islam gehörend. **is|la|mi|sie|ren:** zum Islam bekehren; unter die Herrschaft des Islams bringen. **Is|la|mi|sie|rung** *die;* -, -en: das Islamisieren; vgl. ...[at]ion/...ierung

Is|ma|e|lit (nach Ismael (im A. T.), dem Sohn Abrahams, der nach Isaaks Geburt mit seiner Mutter Hagar verstoßen wurde) *der;* -en, -en: a) Angehöriger alttestamentlicher nordarabischer Stämme, die Ismael als ihren Stammvater ansehen; b) ↑ Ismaelit. **Is|ma|i|lit** (nach Ismail, einem Nachkommen Mohammeds (8. Jh.)) *der;* -en, -en: Angehöriger einer ↑ schiitischen Glaubensgemeinschaft, in der nur sieben ↑ Imame (2), als letzter Ismail, anerkannt werden

Is|mus *der;* -, Ismen: abwertende Bezeichnung für eine bloße Theorie, eine von den vielen auf ...ismus endenden Richtungen in Wissenschaft, Kunst o. A., von Lehrmeinungen u. Systemen. **...is|mus/...is|tik:** zuweilen konkurrierende Endungen miteinander; dabei drücken die Wörter auf ...ismus mehr eine Tendenz, Richtung, Geisteshaltung aus; die Wörter auf ...istik dagegen beziehen sich mehr auf die Erscheinung, die Äußerungsform (z. B. *Tourismus/ Touristik, Realismus/Realistik*)

I|so|amp|li|tu|de* ⟨*gr.-nlat.*⟩ *die;* -, -n: Linie, die Orte verbindet, an denen gleiche mittlere Temperaturschwankungen bestehen (Meteor.)

i|so|bar ⟨*gr.-nlat.*⟩: 1. (in Bezug auf Atomkerne) gleiche Nukleonenzahl bei verschiedener Protonen- u. Neutronenzahl besitzend. 2. gleichen Druck habend (Phys.). **i|so|ba|rer Vorgang:** ohne Druckänderung verlaufender Vorgang (Phys.). **I|so|bar** *das;* -s, -e: Atomkern mit isobaren Eigenschaften. **I|so|ba|re** *die;* -, -n: Verbindungslinie zwischen Orten, an denen gleicher Luftdruck herrscht

I|so|ba|se ⟨*gr.-nlat.*⟩ *die;* -, -n: ↑ Isanabase

I|so|ba|the ⟨*gr.-nlat.*⟩ *die;* -, -n: Verbindungslinie zwischen Punkten, an denen gleiche Wassertiefe herrscht

I|so|bu|tan *das;* -s: gesättigter Kohlenwasserstoff; farbloses, brennbares Gas

I|so|chas|me [...ç...] ⟨*gr.-nlat.*⟩ *die;* -, -n: Verbindungslinie zwischen Orten gleich häufigen

Auftretens von Polarlicht (Meteor.)

I|so|chi|me|ne ⟨*gr.-nlat.*⟩ *die;* -, -n: Verbindungslinie zwischen Orten gleicher mittlerer Wintertemperatur (Meteor.)

i|so|chor ⟨*gr.-nlat.*⟩: gleiches Volumen habend; **isochorer Vorgang:** Vorgang ohne Änderung des Volumens

i|so|chrom ⟨*gr.-nlat.*⟩: ↑ isochromatisch. **I|so|chro|ma|sie** *die;* -: gleiche Farbempfindlichkeit, Farbtonrichtigkeit, bes. bei fotografischen Emulsionen. **i|so|chro|ma|tisch:** verschiedene Farben gleich behandelnd, für alle Spektralfarben gleich empfindlich, farbtonrichtig; **isochromatische Platte:** für den gesamten Spektralbereich gleich empfindliche fotografische Platte

i|so|chron ⟨*gr.-nlat.*⟩: gleich lang dauernd (Phys.). **I|so|chro|ne** *die;* -, -n; Verbindungslinie zwischen Orten gleichzeitigen Auftretens bestimmter Erscheinungen (z. B. einer Erdbebenwelle). **I|so|chro|nis|mus** *der;* -: Eigenschaft von Schwingsystemen bei Uhren, dass die Schwingungsdauer von Störungen unabhängig ist

I|so|cyc|lisch* vgl. isozyklisch
i|so|dont* ⟨*gr.-nlat.*⟩: ↑ homodont
I|so|dy|na|me ⟨*gr.-nlat.*⟩ *die;* -, -n: Verbindungslinie zwischen Orten, an denen gleiche magnetische Stärke herrscht. **I|so|dy|ne** *die;* -, -n: Linie, die Punkte gleicher Kraft verbindet (Phys.)

i|so|elek|trisch*: die gleiche Anzahl positiver wie negativer Ladungen aufweisend (bei ↑ amphoteren ↑ Elektrolyten); **isoelektrischer Punkt:** bei organischen ↑ Kolloiden auf der Kurve, die den Ladungsüberschuss der positiven Wasserstoffionen angibt, der Punkt, bei dem durch Zugabe von Laugen od. Säuren die negativen Ionen zu den freien Wasserstoffionen gerade neutralisiert werden

I|so|ga|met ⟨*gr.-nlat.*⟩ *der;* -en, -en: männliche od. weibliche Geschlechtszelle ohne geschlechtsspezifische Merkmale (Biol.). **I|so|ga|mie** *die;* -, ...ien: Vereinigung gleich gestalteter Geschlechtszellen (Biol.)

i|so|gen ⟨*gr.-nlat.*⟩: (in Bezug auf pflanzliche od. tierische Organismen) genetisch identisch

I|so|ge|o|ther|me ⟨*gr.-nlat.*⟩ *die;* -, -n: Verbindungslinie zwischen Orten, an denen gleiche Erdbodentemperatur herrscht (Meteor.)

I|so|glọs|se* ⟨gr.-nlat.⟩ die; -, -n: auf Sprachkarten Linie, die Gebiete gleichen Wortgebrauchs begrenzt (Sprachw.)

I|so|gon ⟨gr.-nlat.⟩ das; -s, -e: regelmäßiges Vieleck. i|so|go|nạl: winkelgetreu (bes. bei geometrischen Figuren u. bei Landkarten), gleichwinklig. I|so|go|na|li|tät die; -: Winkeltreue (bes. bei Landkarten). I|so|go|ne die; -, -n: Verbindungslinie zwischen Orten gleicher ↑Deklination (3) od. gleichen Windes (Meteor.)

I|so|ha|li|ne ⟨gr.-nlat.⟩ die; -, -n: Verbindungslinie zwischen Orten gleichen Salzgehalts (Geol.)

I|so|he|lie [...i̯e] ⟨gr.-nlat.⟩ die; -, -n: Verbindungslinie zwischen Orten mit gleich langer Sonnenbestrahlung (Meteor.)

I|so|hy|e|te ⟨gr.-nlat.⟩ die; -, -n: Verbindungslinie zwischen Orten mit gleicher Niederschlagsmenge (Meteor.)

I|so|hyp|se ⟨gr.-nlat.⟩ die; -, -n: Verbindungslinie zwischen Orten gleicher Meereshöhe (Geogr.)

I|so|ke|pha|lie ⟨gr.-nlat.⟩ die; -: gleiche Kopfhöhe aller Gestalten eines Gemäldes od. Reliefs

I|so|ke|rau|ne ⟨gr.-nlat.⟩ die; -, -n: Verbindungslinie zwischen Orten gleicher Häufigkeit, Stärke od. der Gleichzeitigkeit von Gewittern (Meteor.)

i|so|kli|nal* ⟨gr.-nlat.⟩: nach den gleichen Richtung einfallend (Geol.). I|so|kli|na|le die; -, -n u. I|so|kli|nạl|fal|te die; -, -n: Gesteinsfalte, deren beide Schenkel gleich geneigt sind (Geol.). I|so|kli|ne die; -, -n: Verbindungslinie zwischen Orten gleicher ↑Inklination (2) (Geogr.)

I|so|ko|lon ⟨gr.⟩ das; -s, ...la: Satzteil, der innerhalb einer Periode mit anderen koordinierten Satzteilen in der Länge gleich ist (antike Rhet.); vgl. Kolon (2)

I|so|kry|me ⟨gr.-nlat.⟩ die; -, -n: 1. Verbindungslinie zwischen Orten mit gleichzeitiger Eisbildung auf Gewässern (Meteor.). 2. Verbindungslinie zwischen Orten gleicher Minimaltemperatur

I|so|lar|plat|te ⟨lat.-it.-fr.-nlat.; dt.⟩ die; -, -n: lichthoffreie fotografische Platte. I|so|la|ti|on ⟨lat.-it.-fr.⟩ die; -, -en: 1. Absonderung, Getrennthaltung [von Infektionskranken, psychisch Auffälligen u. Häftlingen]. 2. a)

Vereinzelung, Vereinsamung (eines Individuums innerhalb einer Gruppe); Abkapselung; b) Abgeschnittenheit eines Gebietes (vom Verkehr, von der Kultur o. Ä.). 3. a) Verhinderung des Durchgangs von Strömen (Gas, Wärme, Elektrizität, Wasser u. a.) mittels nicht leitender Stoffe; b) Isoliermaterial (Techn.); vgl. ...[at]ion/...ierung. I|so|la|ti|o|nịs|mus ⟨lat.-it.-fr.-nlat.⟩ der; -: politische Tendenz, sich vom Ausland abzuschließen u. staatliche Eigeninteressen zu betonen. I|so|la|ti|o|nịst der; -en, -en: Verfechter des Isolationismus. i|so|la|ti|o|nịs|tisch: den Isolationismus betreffend, dem Isolationismus entsprechend. I|so|la|ti|ons|haft die; -: Haft, bei der die Kontakte des Häftlings zur Außenwelt eingeschränkt od. unterbunden werden. i|so|la|tiv ⟨lat.-it.-fr.⟩: eine Isolation (1, 2, 3) darstellend, beinhaltend. I|so|la|tor der; -s, ...ọren: 1. Stoff, der Energieströme schlecht od. gar nicht leitet. 2. a) Material zum Abdichten, Isolieren; b) zur Verhinderung von Kurzschlüssen o. Ä. verwendetes Material als Umhüllung u. Stütze für unter Spannung stehende elektrische Leitungen. I|so|le|xe ⟨gr.-nlat.⟩ die; -, -n: ↑Isoglosse

i|so|lie|ren ⟨lat.-it.-fr.⟩: 1. absondern; vereinzeln; abschließen; isolierende Sprache: Sprache, die die Beziehungen der Wörter im Satz nur durch die Wortstellung ausdrückt (z. B. das Chinesische); Ggs. ↑agglutinierende, ↑flektierende Sprache; isolierte Bildung: von einer Gruppe od. einer bestimmten Funktion losgelöste, erstarrte sprachliche Form (z. B. verschollen; lebt nicht mehr als 2. Partizip zu „verschallen", sondern ist zum Adjektiv geworden). 2. Infizierte von Nichtinfizierten getrennt halten (Med.). 3. eine Figur von ihren Mitstreitkräften abschneiden (Schach). 4. einen ↑Isolator anbringen (Techn.). I|so|lier|sta|ti|on die; -, -en: Abteilung eines Krankenhauses, in der Patienten mit Infektionskrankheiten, seltener auch psychisch Kranke untergebracht werden. I|so|lie|rung die; -, -en: a) das Isolieren; b) ↑Isolation (3 b); vgl. ...[at]ion/...ierung

I|so|li|nie die; -, -n: Linie auf geographischen, meteorologischen

u. sonstigen Karten, die Punkte gleicher Wertung od. gleicher Erscheinungen verbindet

i|so|mag|ne|tisch*: gleiche erdmagnetische Werte aufweisend; isomagnetische Kurve: Verbindungslinie zwischen isomagnetischen Punkten

i|so|mẹr ⟨gr.; „von gleichen Teilen"⟩: 1. gleich gegliedert in Bezug auf die Blattkreise einer Blüte, die alle gleich viele Glieder aufweisen (Bot.); Ggs. ↑heteromer. 2. die Eigenschaft der Isomeren aufweisend (Chem.). I|so|mẹr das; -s, -e (meist Plural) u. I|so|me|re das; -n, -n (meist Plural): 1. chemische Verbindung, die trotz der gleichen Anzahl gleichartiger Atome im Molekül durch deren Anordnung von einer entsprechenden anderen Verbindung hinsichtlich ihrer chemischen u. physikalischen Eigenschaften unterschieden ist. 2. Atomkern, der die gleiche Anzahl Protonen u. Neutronen wie ein anderer Atomkern hat, aber unterschiedliche kernphysikalische Eigenschaften aufweist. I|so|me|rie ⟨gr.-nlat.⟩ die; -: 1. gleiche Gliederung in Bezug auf die Blattkreise einer Blüte, die alle gleich viele Glieder aufweisen (Bot.). 2. die Verhaltensweise der Isomeren. I|so|me|ri|sa|ti|on die; -, -en u. I|so|me|ri|sie|rung die; -, -en: Umwandlung einer chemischen Verbindung in eine andere von gleicher Summenformel u. gleicher Molekülgröße; vgl. ...[at]ion/...ierung. i|so|me|sisch ⟨gr.⟩: im gleichen ↑¹Medium (3) gebildet (in Bezug auf Gesteine; Geol.); Ggs. ↑heteromesisch

I|so|me|trie* ⟨gr.; „gleiches Maß"⟩ die; -: 1. Längengleichheit, Längentreue, bei Landkarten. 2. mit dem Gesamtwachstum übereinstimmendes, gleichmäßig verlaufendes Wachstum von Organen od. Organsystemen (Biol.); Ggs. ↑Allometrie. I|so|me|trik die; -: isometrisches Muskeltraining. i|so|me|trisch: die gleichen Längenausdehnung beibehaltend; isometrisches Muskeltraining: rationelle Methode der Krafttrainings, bei der die Muskulatur ohne Änderung der Längenausdehnung angespannt wird; isometrisches Wachstum: ↑Isometrie (2)

i|so|me|trop* ⟨gr.-nlat.⟩: (auf beiden Augen) gleichsichtig (Med.).

I|so|me|tro|pie *die;* -: gleiche Sehkraft auf beiden Augen (Med.)

i|so|morph ⟨*gr.-nlat.*⟩: 1. von gleicher Gestalt (bes. bei Kristallen; Phys., Chem.). 2. in der algebraischen Struktur einen Isomorphismus enthaltend (Math.). 3. die gleiche sprachliche Struktur (die gleiche Anzahl von Konstituenten mit den gleichen Beziehungen zueinander, z. B. unbezähmbar, unverlierbar) aufweisend (Sprachw.). I|so|mor|phie *die;* -: isomorpher Zustand. I|so|mor|phis|mus *der;* -: 1. Eigenschaft gewisser chemischer Stoffe, gemeinsam dieselben Kristalle (Mischkristalle) zu bilden. 2. spezielle, umkehrbar eindeutige Abbildung einer algebraischen Struktur auf eine andere (Math.)

I|so|ne|phe ⟨*gr.-nlat.*⟩ *die;* -, -n: Verbindungslinie zwischen Orten mit gleich starker Bewölkung (Meteor.)

I|so|no|mie ⟨*gr.*⟩ *die;* -: (veraltet) a) Gleichheit vor dem Gesetz; b) [politische] Gleichberechtigung

I|so|omb|re* ⟨*gr.-nlat.*⟩ *die;* -, -n: Verbindungslinie zwischen Orten mit gleicher Wasserverdunstung (Meteor.)

I|so|pa|ge ⟨*gr.-nlat.*⟩ *die;* -, -n: Verbindungslinie zwischen Orten mit zeitlich gleich langer Eisbildung auf Gewässern (Meteor.)

I|so|pa|thie ⟨*gr.-nlat.*⟩ *die;* -: Behandlung einer Krankheit mit Stoffen, die durch die Krankheit im Organismus gebildet werden (z. B. Antikörper, Vakzine; Med.)

i|so|pe|ri|met|risch* ⟨*gr. nlat.*⟩: (von Flächen u. Körpern) von gleichem Ausmaß (Math.)

I|so|perm ⟨*gr.; lat.*⟩ *das;* -s: magnetisches Material mit möglichst konstanter ↑Permeabilität bei verschiedenen Magnetfeldstärken (Phys.)

I|so|pha|ne ⟨*gr.-nlat.*⟩ *die;* -, -n: Verbindungslinie zwischen Orten mit gleichem Vegetationsbeginn (Meteor.)

I|so|pho|ne, auch: Isofone ⟨*gr.-nlat.*⟩ *die;* -, -n: Linie auf Sprachkarten, die die geographische Verbreitung bestimmter Lauterscheinungen verzeichnet

i|so|pisch* ⟨*gr.-nlat.*⟩: (in Bezug auf Gesteine) in den gleichen ↑Fazies vorkommend (Geol.); Ggs. ↑heteropisch

ten mit gleichen Zahlenwerten, die hauptsächlich zur grafischen Darstellung der täglichen u. jährlichen Temperaturänderungen dient (Meteor.)

I|so|po|de ⟨*gr.-nlat.*⟩ *der;* -n, -n (meist Plural): Assel

I|so|pren* ⟨*Kunstwort*⟩ *das;* -s: flüssiger, ungesättigter Kohlenwasserstoff

I|sop|te|ra* ⟨*gr.-nlat.*⟩ *die* (Plural): ↑Termiten

I|so|quan|te ⟨*gr.; lat.*⟩ *die;* -, -n: grafische Darstellung des Verhältnisses der einzelnen für die Produktion notwendigen Faktoren (z. B. Arbeit, Boden, Kapital) zur Feststellung u. Planung von Produktmenge, Kosten u. a.

i|so|rhyth|misch ⟨*gr.*⟩: (Mus.) a) (in Kompositionen des ausgehenden Mittelalters) unabhängig von Tonhöhe u. Text rhythmisch sich wiederholend; b) (in kontrapunktischen Sätzen) in allen Stimmen eines Satzes rhythmisch gleich bleibend

I|sor|rha|chie [...xiə] ⟨*gr.-nlat.*⟩ *die;* -, -n: Verbindungslinie zwischen Orten mit gleichzeitigem Fluteintritt

I|so|seis|te ⟨*gr.-nlat.*⟩ *die;* -, -n: Verbindungslinie zwischen Orten mit gleicher Erdbebenstärke

I|so|skop* ⟨*gr.-nlat.*⟩ *das;* -s, -e: Bildaufnahmevorrichtung beim Fernsehen

I|sos|mo|tisch*: ↑isotonisch

I|sos|pin* ⟨*gr.; engl.*⟩ *der;* -s, -s: Quantenzahl zur Klassifizierung von Elementarteilchen (Phys.)

I|so|sta|sie* ⟨*gr.-nlat.*⟩ *die;* -: Gleichgewichtszustand zwischen einzelnen Krustenstücken der Erdrinde u. der darunter befindlichen unteren Zone der Erdkruste. I|so|sta|tisch: die Isostasie betreffend

I|so|tal|lan|to|se ⟨*gr.-nlat.*⟩ *die;* -, -n: Verbindungslinie zwischen Orten mit gleicher jährlicher Temperaturschwankung (Meteor.)

I|so|the|re ⟨*gr.-nlat.*⟩ *die;* -, -n: Verbindungslinie zwischen Orten mit gleich starker Sommersonnenbestrahlung (Meteor.)

i|so|therm ⟨*gr.-nlat.*⟩: gleiche Temperatur habend (Meteor.); isothermer Vorgang: Vorgang, der ohne Temperaturveränderung verläuft. I|so|ther|me *die;* -, -n: Verbindungslinie zwischen Orten mit gleicher Temperatur (Meteor.). I|so|ther|mie *die;* -, ...ien: 1. gleich bleibende Temperaturverteilung (Meteor.). 2. Er-

haltung der normalen Körpertemperatur (Med.)

I|so|to|mie ⟨*gr.-nlat.*⟩ *die;* -: gleichmäßiges Wachstum der Triebe einer ↑dichotomen Verzweigung bei Pflanzen

I|so|ton ⟨*gr.-nlat.*⟩ *das;* -s, -e (meist Plural): Atomkern, der die gleiche Anzahl Neutronen wie ein anderer, aber eine von diesem verschiedene Protonenzahl enthält (Kernphys.). i|so|tonisch: (in Bezug auf Lösungen) gleichen ↑osmotischen Druck habend

i|so|top ⟨*gr.-nlat.*⟩: gleiche Kernladungszahl, gleiche chemische Eigenschaften, aber verschiedene Masse besitzend; vgl. ...isch/-. I|so|top *das;* -s, -e (meist Plural): Atom od. Atomkern, der sich von einem andern des gleichen chemischen Elements nur in seiner Massenzahl unterscheidet. I|so|to|pen|di|ag|nos|tik* *die;* -: Verwendung von radioaktiven Isotopen zu medizinisch-diagnostischen Zwecken (Med.). I|so|to|pen|the|ra|pie *die;* -: Verwendung von radioaktiven Isotopen zu therapeutischen Zwecken (Med.). I|so|to|pie *die;* -: 1. a) isotoper Zustand; b) das Vorkommen von Isotopen. 2. Einheitlichkeit von Rede u. Realitätsebene (Sprachw.). iso|to|pisch: (in Bezug auf Gesteine) im gleichen Raum gebildet (Geol.); Ggs. ↑heterotopisch; vgl. ...isch/-

I|so|tron* ⟨*gr.-nlat.*⟩ *das;* -s, ...trone (auch: -s): Gerät zur Isotopentrennung, das die unterschiedliche Geschwindigkeit verschiedener Isotope gleicher Bewegungsenergie ausnutzt

i|so|trop* ⟨*gr.*⟩: nach allen Richtungen hin gleiche Eigenschaften aufweisend (Phys.); Ggs. ↑anisotrop. I|so|tro|pie ⟨*gr.-nlat.*⟩ *die;* -: isotrope Eigenschaft

I|so|ty|pie ⟨*gr.-nlat.*⟩ *die;* -: Übereinstimmung von Stoffen in Bezug auf Zusammensetzung u. Kristallgitter, ohne dass sie Mischkristalle miteinander bilden können (Chem.).

i|so|zyk|lisch* ⟨*gr.-nlat.*⟩: 1. ↑isomer (1). 2. (chem. fachspr.: isocyclisch) als organisch-chemische Verbindung ringförmig angeordnete Moleküle aufweisend, wobei im Ring nur Kohlenstoffatome auftreten

Is|pa|han vgl. Isfahan

Isth|mi|en ⟨*gr.-lat.*⟩ *die* (Plural):

in der Antike auf dem Isthmus von Korinth zu Ehren des Poseidon alle zwei Jahre veranstaltete panhellenistische Spiele mit sportlichen Wettkämpfen u. Wettbewerben in Musik, Vortrag u. Malerei. **|sth|mus** *der; -, ...men:* 1. Landenge (z. B. die von Korinth od. Sues). 2. (Plural ...mi od. ...men) enger Durchgang, verengte Stelle, schmale Verbindung [zwischen zwei Hohlräumen] (Anat.)

I|ta|ko|lu|mịt [auch: ...'mɪt] ⟨nach dem brasilian. Berg Pico Itacolomi⟩ *der; -s, -e:* Gelenksandstein aus verzahnten, nicht verwachsenen Quarzkörnern

I|ta|la ⟨*lat.*⟩ *die; -:* a) wichtige Gruppe unter den ältesten der Vulgata vorausgehenden lateinischen Bibelübersetzungen; b) (fälschlich) Bezeichnung für: ↑Vetus Latina. **I|ta|li|a|nịs|mus** *der; -, ...men:* 1. Übertragung einer für das Italienische charakteristischen sprachlichen Erscheinung auf eine nicht italienische Sprache. 2. Entlehnung aus dem Italienischen (z. B. in der deutschen Schriftsprache in Südtirol). **I|ta|li|a|nịst** *der; -en, -en:* Romanist, der sich auf die italienische Sprache u. Literatur spezialisiert hat. **i|ta|li|a|nịs|tisch:** das Gebiet der italienischen Sprache u. Literatur betreffend. **I|ta|li|enne** [...'li̯ɛn] ⟨*lat.-fr.*⟩ *die; -:* Antiqua mit fetten Querstrichen. **I|ta|lique** [...'li:k] *die; -:* französische Bezeichnung für: Kursive. **i|ta|lisch:** das antike Italien betreffend. **I|ta|lo|western** *der; -[s], -:* Western mit besonderen, durch italienische Regisseure entwickelten Stilmerkmalen

I|ta|zịs|mus ⟨*gr.-nlat.;* nach der Aussprache des griech. Eta wie Ita⟩ *der; -:* Aussprache der altgriechischen e-Laute wie langes i

ịte, mịs|sa est ⟨*lat.;* „geht, (die gottesdienstliche Versammlung) ist entlassen!"⟩: Schlussworte der katholischen Messfeier (ursprünglich zur Entlassung der ↑Katechumenen vor dem Abendmahl; vgl. ¹Messe)

ịtem ⟨*lat.*⟩: (veraltet) ebenso, desgleichen, ferner; Abk.: it. **¹Ịtem** ⟨*lat.*⟩ *das; -s, -s:* (veraltet) das Fernere, Weitere; weiterer [Frage]punkt

²Ịtem ['aɪtəm] ⟨*lat.-engl.*⟩ *das; -s, -s:* (fachspr.) a) etwas einzeln Aufgeführtes; Einzelangabe, Posten, Bestandteil, Element,

Einheit; b) einzelne Aufgabe innerhalb eines Tests

I|te|ra|ti|ọn ⟨*lat.;* „Wiederholung"⟩ *die; -, -en:* 1. schrittweises Rechenverfahren zur Annäherung an die exakte Lösung (Math.). 2. a) Verdoppelung einer Silbe od. eines Wortes, z. B. soso (Sprachw.); b) Wiederholung eines Wortes od. einer Wortgruppe im Satz (Rhet.; Stil.). 3. zwanghafte u. gleichförmige ständige Wiederholung von Wörtern, Sätzen u. einfachen Bewegungen (Psychol.). **i|te|ra|tiv** *das; -s, -e:* Verb mit iterativer Aktionsart. **i|te|ra|tịv:** 1. wiederholend; **iterative Aktionsart:** Aktionsart, die eine häufige Wiederholung von Vorgängen ausdrückt (z. B. sticheln = immer wieder stechen). 2. sich schrittweise in wiederholten Rechengängen der exakten Lösung annähernd (Math.). **I|te|ra|tịvum** *das; -s, ...va:* ↑Iterativ. **i|te|rie|ren:** wiederholen, eine Iteration (1) vornehmen

I|thy|phạl|li|cus ⟨*gr.-lat.*⟩ *der; -, ...ci* [...'tsi]: dem Dionysoskult entstammender dreifüßiger trochäischer Kurzvers der Antike. **i|thy|phạl|lisch:** (von antiken Götterbildern) mit aufgerecktem männlichem Glied (als Sinnbild der Fruchtbarkeit)

I|ti|ne|rar ⟨*lat.*⟩ *das; -s, -e u. I|ti|ne|ra|ri|um** *das; -s, ...ien:* 1. Straßen- und Stationenverzeichnis der römischen Kaiserzeit mit Angaben über Wegstrecken u. a. 2. Verzeichnis der Wegeaufnahmen bei Forschungsreisen

...iv/...o|risch ⟨*lat.(-fr.* bzw. *-engl.)/lat.-dt.*⟩: gelegentlich miteinander konkurrierende Adjektivendungen, von denen im Allgemeinen die ...iv-Bildungen besagen, dass das im Basiswort Genannte ohne ausdrückliche Absicht in etwas enthalten ist (z. B. *informativ* Information enthaltend, informierend), während die ...orisch-Bildungen den im Basiswort genannten Inhalt auch zum Ziel haben (z. B. *informatorisch* zum Zwecke der Information [verfasst], den Zweck habend zu informieren)

Iw|rịt[h]* ⟨*neuhebr.*⟩ *das; -[s]:* Neuhebräisch; Amtssprache in Israel

i|xo|thym ⟨*gr.-nlat.*⟩: von schwerfälligem Temperament, beharrlich (Psychol.). **I|xo|thy|mie** *die; -:* schwerfälliges, beharrliches Temperament (Psychol.)

Jab [dʒæb] ⟨*engl.*⟩ *der; -s, -s:* kurzer, hakenartiger Schlag (Boxen)

Ja|bo|ran|di|blatt [auch: ʒ...] ⟨*indian.-port.; dt.*⟩ *das; -[e]s, ...blätter* (meist Plural): giftiges Blatt brasilianischer Sträucher, aus dem ↑Pilokarpin gewonnen wird

Ja|bot [ʒa'bo:] ⟨*fr.*⟩ *das; -s, -s:* am Kragen befestigte Spitzen- od. Seidenrüsche (früher zum Verdecken der vorderen Verschlusses an Damenblusen, im 18. Jh. an Männerhemden)

Ja|cket|kro|ne ['dʒɛkt...] ⟨*engl.; dt.*⟩ *die; -, -n:* Zahnmantelkrone aus Porzellan od. Kunstharz (Med.). **Ja|ckẹtt** [ʒa...] ⟨*fr.*⟩ *das; -s, -s* (seltener: -e): Jacke als Teil eines Herrenanzugs

Jack|pot ['dʒɛkpɔt] ⟨*engl.*⟩ *der; -s, -s:* 1. Grundeinsatz beim Kauf von Pokerkarten. 2. (bei Toto, Lotto) bes. hohe Gewinnquote, die dadurch entsteht, dass es in dem vorausgegangenen Spiel od. den vorausgegangenen Spielen keinen Gewinner gegeben hat

Jack|stag* ['dʒɛk...] ⟨*engl.; niederd.*⟩ *das; -[e]s, -e[n]:* Schiene zum Festmachen von Segeln

Ja|co|net, Ja|con|net ['ʒakɔnɛt, auch: ...'nɛt] ⟨*engl.*⟩ u. **Jakonett** *der; -[s], -s:* weicher baumwollener Futterstoff

Jac|quard [ʒa'ka:r] ⟨nach dem Erfinder dieses Webverfahrens, dem französischen Seidenweber Jacquard, 1752–1834⟩ *der; -[s], -s:* Gewebe, dessen Musterung mithilfe von Lochkarten (so genannten Jacquardkarten) hergestellt wird

Jac|que|rie [ʒakə...] ⟨*lat.-fr.;* nach dem Spitznamen *Jacques Bonhomme* für den franz. Bauern⟩ *die; -:* Bauernaufstand in Frankreich im 14. Jh.

Ja|cụz|zi ® [auch: dʒə'ku:zɪ] ⟨nach dem Namen der amerikanischen Herstellerfirma⟩ *der; -[s], -s:* [für therapeutische Zwecke genutzter] Whirlpool

ja|de ⟨*lat.-span.-fr.*⟩: blassgrün. **Ja|de** *der; -[s] (auch: die); -:*

blassgrüner, durchscheinender Schmuckstein. **Ja|de|jt** [auch: ...'it] *der;* -s, -e: weißlich grünes, dichtes, körniges bis faseriges Mineral, das in der Jungsteinzeit zu geschliffenen Beilen u. Äxten verarbeitet wurde und das als Schmuckstein verwendet wird. **ja|den:** aus Jade bestehend **j'a|doube** [ʒaˈdub] ⟨fr.; „ich stelle zurecht"⟩: international gebräuchlicher Schachausdruck, der besagt, dass man eine berührte Schachfigur nicht ziehen, sondern nur an den richtigen Platz stellen will **Jaf|fa|ap|fel|si|ne** ⟨nach Jaffa, Teil der Stadt Tel Aviv-Jaffa in Israel⟩ *die;* -, -n: im Vorderen Orient angebaute Apfelsine mit heller Schale **Ja|gu|ar** ⟨indian.-port.⟩ *der;* -s, -e: dem Leoparden sehr ähnliches südamerikanisches Raubtier **Jah|ve** vgl. Jahwe. **Jah|vist** vgl. Jahwist. **Jah|we**, (ökum. auch:) Jahve ⟨hebr.⟩: Name Gottes im A.T.; vgl. Jehova. **Jah|wist**, (auch:) Jahvist ⟨hebr.-nlat.⟩ *der;* -en: Quellenschrift des ↑ Pentateuchs, die den Gottesnamen Jahwe gebraucht **Jai|na** [ˈdʒaina] vgl. Dschaina. **Jai|nis|mus** vgl. Dschainismus. **jai|nis|tisch** vgl. dschainistisch **Jak**, auch: Yak ⟨tibet.⟩ *der;* -s, -s: wild lebendes asiatisches Hochgebirgsrind **¹Ja|ka|ran|da** ⟨indian.-port.⟩ *die;* -, -s: in den Tropen heimisches, als Zimmerpflanze gehaltenes Gewächs mit blauen od. violetten Blüten. **²Ja|ka|ran|da** *das;* -s, -s u. **Ja|ka|ran|da|holz** ⟨indian.-port.; dt.⟩ *das;* -es, ...hölzer: ↑ Palisander **Ja|ko** ⟨fr.⟩ *der;* -s, -s: Graupapagei **Ja|ko|bi** ⟨nach dem Apostel Jakobus d. Ä.⟩ *das;* - (meist ohne Artikel): Jakobstag (25. Juli), an dem nach altem Brauch die Ernte beginnt **Ja|ko|bi|ner** ⟨nach dem Dominikanerkloster St. Jakob in Paris⟩ *der;* -s, -: 1. Mitglied des radikalsten u. wichtigsten politischen Klubs während der französischen Revolution. 2. (selten) französischer Angehöriger des Dominikanerordens. **Ja|ko|bi|ner|müt|ze** *die;* -, -n: als Freiheitssymbol getragene rote Wollmütze der Jakobiner (1). **ja|ko|bi|nisch:** a) zu den Jakobinern gehörend; b) die Jakobiner betreffend **Ja|ko|bit** ⟨nach dem Bischof Ja-

kob Baradäus, 6. Jh.⟩ *der;* -en, -en: 1. Anhänger der syrischen ↑ monophysitischen Nationalkirche. 2. (bes. in Schottland) Anhänger des 1688 aus England vertriebenen Königs Jakob II. u. seiner Nachkommen **Ja|ko|nett** vgl. Jacon[n]et **Jak|ta|ti|on** ⟨lat.⟩ *die;* -: unwillkürliches Gliederzucken, unruhiges Hin- u. Herwälzen bei schweren Erkrankungen (Med.) **Ja|la|pe** ⟨span.; nach der mexikan. Stadt Jalapa⟩ *die;* -, -n: tropisches Windengewächs, das ein als Abführmittel verwendetes Harz liefert **Ja|leo** [xa...] ⟨span.⟩ *der;* -[s], -s: lebhafter spanischer Tanz im ³/₈-Takt **Ja|lon** [ʒaˈlõ:] ⟨fr.⟩ *der;* -s, -s: Absteckpfahl, Messlatte, Fluchtstab (für Vermessungen) **Ja|lou|set|te** [ʒalu...] ⟨französierende Verkleinerungsbildung zu ↑ Jalousie⟩ *die;* -, -n: Jalousie aus Leichtmetall- od. Kunststofflamellen. **Ja|lou|sie** ⟨gr.-lat.-vulgärlat.-fr.⟩ *die;* -, ...jen: Vorrichtung am Fenster, die meist aus Querleisten zusammengesetzt ist u. teilweise od. als Ganzes heruntergelassen werden kann. **Ja|lou|sie|schwel|ler** ⟨gr.-lat.-vulgärlat.-fr.; dt.⟩ *der;* -s, -: Schwellwerk der Orgel, das eine Schwellung od. Dämpfung des Tons ermöglicht **Ja|mai|kal|pfef|fer** ⟨nach der Antilleninsel, dem wichtigsten Herkunftsland⟩ *der;* -s: ↑ Piment. **Ja|mai|ka|rum** *der;* -s: auf Jamaika od. einer anderen Antilleninsel aus vergorenem Zuckerrohrsaft durch mehrmaliges Destillieren hergestellter hochprozentiger Rum **Jam|be** *die;* -, -n: ↑ Jambus. **Jam|be|lle|gus⁺** ⟨gr.-lat.⟩ *der;* ...gi: aus einem ↑ Jambus u. einem ↑ Hemiepes bestehendes antikes Versmaß. **Jam|ben:** *Plural* von ↑ Jambus. **Jam|bi|ker** *der;* -s, -: Dichter, der vorwiegend Verse in Jamben schreibt. **jam|bisch:** den Jambus betreffend, nach der Art des Jambus. **Jam|bo|graph**, auch: Jambograf *der;* -en, -en: Vertreter der altgriechischen Jambendichtung **Jam|bo|ree** [dʒæmbəˈri:] ⟨engl.⟩ *das;* -[s], -s: 1. internationales Pfadfindertreffen. 2. Zusammenkunft zu einer Tanz- od. Unterhaltungsveranstaltung **Jam|bus** ⟨gr.-lat.⟩ *der;* ...ben: Versfuß aus einer kurzen (unbetonten) und einer langen (betonten) Silbe (.–)

Jam|bu|lse ⟨angloind.⟩ *die;* -, -n: apfel- od. aprikosenartige Frucht tropischer Obstbäume **James Grieve** [ˈdʒeɪmz ˈgriːv] ⟨engl.; nach dem Namen des Züchters⟩ *der;* - -, - -: a) (ohne Plural) hellgrüne, hellgelb u. hellrot geflammte Apfelsorte; b) Apfel dieser Sorte **Jam|ses|sion** [ˈdʒæmˈsɛʃən] ⟨engl.⟩ *die;* -, -s: zwanglose Zusammenkunft von [Jazz]musikern, bei der aus dem Stegreif gespielt wird (auch als Programmteil von Jazzkonzerten) **Jams|wur|zel** ⟨afrik.-port.-engl.; dt.⟩ *die;*-, -n: a) in tropischen Gebieten angebaute kletternde Pflanze mit essbaren Wurzelknollen; b) der Kartoffel ähnliche, sehr große Knolle der Jamswurzel (a), die in tropischen Gebieten ein wichtiges Nahrungsmittel ist **Jang** vgl. Yang **Jan|ga|da** ⟨tamil.-port.⟩ *die;* -, -s: aus mehreren zusammengebundenen Baumstämmen bestehendes Floßboot, das bes. von den Fischern Nordostbrasiliens benutzt wird. **Jan|ga|dei|ro** [...ˈde:ro] *der;* -[s], -s: zur Besatzung einer Jangada gehörender Fischer **Ja|nit|schar⁺** ⟨türk.; „neue Streitmacht"⟩ *der;* -en, -en: (hist.) Soldat einer Kerntruppe des osmanischen Sultans (14.–17. Jh.). **Ja|nit|scha|ren|mu|sik** ⟨türk.; dt.⟩ *die;* -, -en: 1. [türkische] Militärmusik mit Trommeln, Becken, Triangel und Schellenbaum. 2. charakteristisches Instrumentarium der Janitscharenmusik (1) **Jan Maat** ⟨niederl.⟩ *der;* - -[e]s, - -e u. - -en u. **Jan|maat** *der;* -[e]s, -e u. -en: (scherzh.) Matrose **Jan|se|nis|mus** ⟨nlat.; nach dem niederl. Theologen Cornelius Jansen, † 1638⟩ *der;* -: romfeindliche, auf Augustin zurückgreifende katholisch-theologische Richtung des 17.–18. Jh.s in Frankreich. **Jan|se|nist** *der;* -en, -en: Anhänger des Jansenismus. **jan|se|nis|tisch:** den Jansenismus betreffend **Ja|nu|ar** ⟨lat.; nach dem römischen Gott der Tür, Janus, der gleichzeitig Ein- u. Ausgang, Beginn u. Ende bedeutet u. mit einem zweigesichtigen Kopf, der vorwärts u. rückwärts blickt, dargestellt wird⟩ *der;* -[s], -e: erster Monat im Jahr; Abk.: Jan. **Ja|nus|ge|sicht** *das;* -[e]s, -er: ↑ Januskopf. **Ja|nus|kopf** ⟨lat.;

dt.⟩ *der;* -[e]s, ...köpfe: Kopf mit zwei in entgegengesetzter Richtung blickenden Gesichtern (oft als Sinnbild des Zwiespalts)

Ja|pa|no|lo|ge ⟨*jap.; gr.*⟩ *der;* -n, -n: Wissenschaftler auf dem Gebiet der Japanologie. **Ja|pa|no|lo|gie** *die;* -: Wissenschaft von der japanischen Sprache u. Literatur. **ja|pa|no|lo|gisch:** die Japanologie betreffend

Ja|phe|ti|tol|lo|ge ⟨nach Japhet, dem dritten Sohn Noahs u. Stammvater bes. der kleinasiatischen Völker⟩ *der;* -n, -n: Wissenschaftler auf dem Gebiet der Japhetitologie. **Ja|phe|ti|to|lo|gie** *die;* -: wissenschaftliche Anschauung des russischen Sprachwissenschaftlers N. Marr von einer vorindogermanischen (japhetitischen) Sprachfamilie

Ja|pon [ʒaˈpõ] ⟨*fr.;* „Japan"⟩ *der;* -[s], -s: Gewebe in Taftbindung aus Japanseide

Jar|di|ni|e|re [ˈʒar..., auch: ...ˈniɛːrə] ⟨*germ.-fr.*⟩ *die;* -, -n: Schale für Blumenpflanzen

Jar|gon [ʒarˈgõː] ⟨*fr.*⟩ *der;* -s, -s: a) umgangssprachlich geprägte Sondersprache einer Berufsgruppe od. einer sozialen Gruppe; b) (abwertend) saloppe, ungepflegte Ausdrucksweise

Jarl ⟨*altnord.*⟩ *der;* -s, -s: 1. normannischer Edelmann. 2. Statthalter in Skandinavien (im Mittelalter)

Jar|mul|ke ⟨*poln.-jidd.*⟩ *die;* -, -s u. ...ka: Samtkäppchen der Juden

Ja|ro|wi|sa|ti|on ⟨*russ.-nlat.*⟩ *die;* -, -en: künstliche Kältebehandlung von Samen u. Keimlingen, um eine Entwicklungsbeschleunigung zu erzielen. **ja|ro|wi|sie|ren:** Saatgut einer künstlichen Kältebehandlung aussetzen

Jasch|mak ⟨*türk.*⟩ *der;* -[s], -s: (nur noch selten getragener) Schleier wohlhabender Türkinnen

Jas|min ⟨*pers.-arab.-span.*⟩ *der;* -s, -e: 1. zu den Ölbaumgewächsen gehörender Zierstrauch mit stark duftenden Blüten. 2. zu den Steinbrechgewächsen gehörender Zierstrauch mit stark duftenden Blüten; Falscher Jasmin, Pfeifenstrauch

Jas|pé|garn ⟨*semit.-gr.-lat.-fr.; dt.*⟩ *das;* -[e]s, -e: aus zwei od. drei verschiedenfarbigen Vorgarnen gesponnenes Garn. **Jas|per|wa|re** [ˈdʒɛspə:...] ⟨*semit.-gr.-lat.-fr.-engl.; dt.*⟩ *die;* -, -en: farbiges [mit weißen Reliefs verziertes] englisches Steingut aus

Töpferton u. pulverisiertem Feuerstein. **jas|pie|ren** ⟨*semit.-gr.-lat.-fr.*⟩: etw. wie Jaspis mustern, sprenkeln; **jaspierter Stoff:** aus Jaspégarn hergestellter Woll- u. Baumwollstoff mit marmoriertem Aussehen. **Jas|pis** ⟨*semit.-gr.-lat.*⟩ *der;* - u. -ses, -se: undurchsichtiges, intensiv grau, bläulich, gelb, rot od. braun gefärbtes, zum Teil gebändertes Mineral, das als Schmuckstein verwendet wird

Jas|tik u. Yastik ⟨*türk.;* „Polster"⟩ *der;* -[s], -s: kleiner orientalischer Gebrauchsteppich, der meist als Vorleger od. Sitzbelag verwendet wird

Ja|tal|gan ⟨*türk.*⟩ *der;* -s, -e: früher im Orient als Hauptwaffe der Janitscharen verbreiteter Säbel mit s-förmiger Klinge

Jat|ro|che|mie* vgl. Iatrochemie

Jau|se ⟨*slowen.*⟩ *die;* -, -n: (österr.) Zwischenmahlzeit, Vesper. **jausen:** (seltener für:) ↑jausnen. **jaus|nen:** a) eine Jause einnehmen; b) (etwas Bestimmtes) zur Jause essen, trinken

Jazz [dʒæz, auch: dʒɛs, jats] ⟨*amerik.*⟩ *der;* -: a) aus der Volksmusik der nordamerikanischen Schwarzen entstandene Musik mit charakteristischen Rhythmusinstrumenten u. mit Bläsergruppen; b) Musik im Stil des Jazz (a). **Jazz|band** [ˈdʒɛzbænd, ˈdʒɛsbɛnt] *die;* -, -s: aus zwei Instrumentalgruppen (mit rhythmischer u. melodischer Funktion) bestehende Band, die Jazz spielt. **ja|zzen** [ˈdʒæzn, auch: ˈdʒɛsn, ˈjatsn]: Jazzmusik spielen. **Jaz|zer** *der;* -s, -: Jazzmusiker. **Jazz|gym|nas|tik** *die;* -: Gymnastik zu Jazzmusik od. anderer moderner Musik. **jaz|zo|id** ⟨*amerik.; gr.*⟩: dem Jazz ähnlich, in der Art des Jazz. **Jazz|rock** *der;* -s: Musikstil der 1970er-Jahre, bei dem Elemente des Jazz u. des ²Rocks miteinander verschmolzen sind

Jean Po|tage [ʒãpɔˈtaːʒ] ⟨*fr.;* „Hans Suppe"⟩: franz. Bez. für: Hanswurst

¹Jeans [dʒiːnz] ⟨*amerik.*⟩ *die* (Plural, auch Singular:) *die;* -, -: a) saloppe Hose [aus Baumwollstoff] im Stil der Bluejeans; b) Kurzform von ↑Bluejeans. **²Jeans** *das;* -: (ugs.) verwaschener blauer Farbton, der der Farbe der Bluejeans entspricht

Jeep ® [dʒiːp] ⟨*amerik.*⟩ *der;* -s, -s: (bes. Militärfahrzeug,

aber auch in Land- u. Forstwirtschaft usw. gebrauchtes) kleineres, meist offenes, geländegängiges Fahrzeug mit starkem Motor u. Vierradantrieb

Je|ho|va ⟨*hebr.*⟩: ↑Jahwe

Je|ju|ni|tis ⟨*lat.-nlat.*⟩ *die;* -, ...iti|den: Entzündung des zum Dünndarm gehörenden Leerdarms (Med.)

je|mi|ne! ⟨entstellt aus: Jesu domine: „o Herr Jesus!"⟩: (ugs.) du lieber Himmel! (Schreckensruf) **Jen** vgl. Yen

je|nisch ⟨*Zigeunerspr.;* „klug, gescheit"⟩: wandernde Volksstämme betreffend; **jenische Sprache:** Rotwelsch, Gaunersprache (Sprachw.)

Je|re|mi|a|de ⟨nach dem biblischen Propheten Jeremia⟩ *die;* -, -n: Klagelied, Jammerrede

Je|rez [ˈçeːrɛs, x...] ⟨nach der span. Stadt Jerez de la Frontera⟩ *der;* -: alkoholreicher, bernsteingelber Süßwein

Je|ri|cho|beu|le *die;* -, -n: ↑Orientbeule. **Je|ri|cho|ro|se** *die;* -, -n: Pflanze des Mittelmeerraums, die bei Trockenheit ihre Zweige nach innen rollt, sodass ein kugeliges Gebilde entsteht, das sich erst bei Feuchtigkeit wieder entrollt

Jerk [dʒɜːk] ⟨*engl.*⟩ *der;* -[s], -s: (beim Golf) scharf ausgeführter Schlag, bei dem der Schläger im dem Moment, in dem er den Ball trifft, plötzlich abgebremst wird

¹Jer|sey [ˈdʒøːɐzi, ˈdʒœrzi] *der;* -[s], -s: feinmaschig gewirkter od. gestrickter Kleiderstoff aus Wolle, Baumwolle od. Chemiefasern. **²Jer|sey** *das;* -, -s: eng anliegendes Hemd aus Trikot

Je|schi|wa ⟨*hebr.*⟩ *die;* -, -s od. ...wot: höhere Talmudschule zur Ausbildung der Gelehrten u. Rabbiner

je|su|a|nisch: auf Jesus bezüglich, zurückgehend. **Je|su|i** ⟨*nlat.*⟩ *der;* -en, -en: 1. Angehöriger des Jesuitenordens. 2. Mensch, der trickreich u. ... wortverdrehend zu argumentieren versteht (Schimpfwort). **Je|su|i|ten|dich|tung** *die;* -, -: a) (Plural selten): (vom 16. b. 18. Jh.) hauptsächlich in lateinischer Sprache verfasste Dich tungen (bes. Dramen u. geistliche Lieder) von Angehörigen des Jesuitenordens. **Je|su|i|ten|dra ma** *das;* -, ...men: a) (ohne Plural) von Angehörigen des Jesu tenordens geschaffene Drame dichtung aus der Zeit der Gegen reformation (16. u. 17. Jh.); b) zur Jesuitendichtung gehörendes Drama. Je|su|i|ten|ge|ne|ral der; -s, -e u. ...räle: oberster Ordensgeistlicher der Jesuiten. Je|su|i|ten|or|den der; -s: vom hl. Ignatius v. Loyola 1534 gegründeter Orden; Abk.: SJ (Societas Jesu). Je|su|i|ten|stil ⟨nlat.; lat.⟩ der; -[e]s: prunkvolle Form des Barocks, bes. in südamerikanischen Kirchen des 17. Jh.s. Je|su|i|ten|tum das; -s: Geist u. Wesen des Jesuitenordens. je|su|i|tisch: 1. die Jesuiten betreffend. 2. einem Jesuiten (2) entsprechend. Je|su|i|tis|mus der; -: 1. Jesuitentum. 2. Wesens-, Verhaltensart eines Jesuiten (2). Je|sus Ho|mi|num Sal|va|tor Jesus, Erlöser der Menschen (Deutung des latinisierten Monogramms Christi, ↑IHS). Je|sus Na|za|re|nus Rex Ju|dae|o|rum ⟨lat.⟩: Jesus von Nazareth, König der Juden (Inschrift am Kreuz; nach Joh. 19, 19); Abk.: I. N. R. I. Je|sus Peo|ple ['dʒi:zǝs 'pi:pl] ⟨engl.⟩ die; (Plural): Angehörige der Jesus-People-Bewegung. Je|sus-Peo|ple-Be|we|gung die; -: (um 1967 in Amerika) unter Jugendlichen entstandene ekstatisch-religiöse Bewegung, die u. a. durch eine spontane Form gemeinschaftlichen Betens u. bes. durch die Überzeugung von einem unmittelbaren Wirken des göttlichen Geistes in den Menschen einen neuen Zugang zum Glauben findet

¹Jet [dʒet, auch: jet] vgl. Jett ²Jet [dʒet] ⟨engl.⟩ der; -[s], -s: (ugs.) Flugzeug mit Strahlantrieb, Düsenflugzeug. Jet|lag [dʒetlɛk] der; -s, -s: Störung des biologischen Rhythmus aufgrund der mit weiten Flugreisen verbundenen Zeitunterschiede. Jet|li|ner [dʒetlainɐ] ⟨engl.⟩ der; -s, -: Düsenverkehrsflugzeug Je|ton [ʒǝ'tõ:] ⟨lat.-vulgärlat.-fr.⟩ der; -s, -s: a) Spielmünze, Spielmarke; b) einer Münze ähnliche Marke, mit deren Hilfe ein Automat o. Ä. bedient werden kann; c) Rechenpfennig Jet|pi|lot [dʒet...] der; -en, -en: Pilot eines ²Jets. Jet|schwung der; -[e]s, ...schwünge: Drehschwung beim Skifahren, der durch Vorschieben der Füße vor den Körper (beim Tiefgehen) eingeleitet wird u. fahrtbeschleunigend wirkt. Jet|set ⟨engl.⟩ der; -[s], -s: internationale Gesellschafts-

schicht, die über genügend Geld verfügt, um sich – unter Benutzung eines [Privat]jets – mehr od. weniger häufig an den verschiedensten exklusiven Urlaubsorten od. entsprechenden Treffpunkten zu vergnügen. Jet|stream [...stri:m] ⟨„Strahlstrom"⟩ der; -[s], -s: 1. starker Luftstrom in der Tropo- od. Stratosphäre (Meteor.). 2. Gegenstromanlage (z. B. in [Hallen]bädern) Jett [dʒɛt, auch: jɛt] ⟨gr.-lat.-fr.-engl.⟩, (fachspr.:) ¹Jet [dʒɛt, auch: jɛt] der od. das; -[e]s: als Schmuckstein verwendete Pechkohle, Gagat Jet|ta|to|re [dʒɛta...] ⟨lat.-it.⟩ der; -, ...ri: ital. Bez. für: Mensch mit dem bösen Blick jet|ten ['dʒɛtn] ⟨engl.⟩: a) mit einem ²Jet fliegen; b) mit dem ²Jet bringen [lassen]; c) (von einem ²Jet) einen Flug machen Jou [ʒoː] ⟨lat.-fr.⟩ das; -s, -s: Spiel, Kartenspiel. jeu|en: das Glücksspiel betreiben Jeu|nesse do|rée [ʒœnɛsdɔ're] ⟨lat.-fr.⟩ die; - -: (veraltet) zur begüterten Oberschicht gehörende Jugendliche, deren Leben durch Luxus u. Amüsement gekennzeichnet ist. Jeu|nesses Mu|si|cales [- myzi'kal] die (Plural): Organisation der an der Musik interessierten Jugend (1940 in Belgien entstanden) Jeux flo|raux [ʒøflɔ'ro] ⟨lat.-fr.; „Blumenspiele"⟩ die (Plural): jährlich in Toulouse (Frankreich) veranstaltete Dichterwettkämpfe (seit 1323) Jid|dist ⟨nlat.⟩ der; -en, -en: Wissenschaftler auf dem Gebiet der Jiddistik. Jid|di|stik die; -: jiddische Sprach- u. Literaturwissenschaft Jig|ger ['dʒigɐ] ⟨engl.⟩ der; -s, -s: 1. Golfschläger für den Annäherungsschlag. 2. Segel am hintersten Mast eines Viermasters Ji-Jit|su vgl. Jiu-Jitsu Ji|me|nes [çi'me:nɛs] ⟨span.⟩ der; -: likörähnlicher spanischer Süßwein Jin vgl. Yin Ji|na ['dʒaina] vgl. Jaina Jin|gle ['dʒiŋgl] ⟨engl.⟩ der; -[s], -[s]: kurze, einprägsame Melodie, Tonfolge (z. B. als Bestandteil eines Werbespots) Jin|go ['dʒiŋgo] ⟨engl.⟩ der; -s, -s: engl. Bez. für: Chauvinist, Nationalist. Jin|go|is|mus der; -: engl. Bez. für: Chauvinismus Ji|nis|mus [dʒi...] vgl. Jainismus. ji|nis|tisch vgl. jainistisch

Jir|mil|lik ⟨türk.⟩ der; -s, -s: (hist.) türkische Silbermünze Jit|ter|bug ['dʒɪtǝbʌg] ⟨amerik.⟩ der; -, -[s]: um 1920 in Amerika entstandener Jazztanz Jiu-Jit|su ['dʒi:u'dʒɪtsu]: ältere Bez. für: ↑Ju-Jutsu Jive [dʒaiv] ⟨amerik.⟩ der; -: 1. eine Art Swingmusik. 2. gemäßigte Form des Jitterbug als Turniertanz Job [dʒɔp] ⟨engl.-amerik.⟩ der; -s, -s: 1. (ugs.) a) [Gelegenheits]arbeit; vorübergehende einträgliche Beschäftigung, Verdienstmöglichkeit; b) Arbeitsplatz, Stellung. 2. bestimmte Aufgabenstellung für den Computer (EDV). job|ben ['dʒɔbn]: (ugs.) einen Job (1 a) haben. Job|ber der; -s, -: a) Händler an der Londoner Börse, der nur in eigenem Namen Geschäfte abschließen darf; b) Börsenspekulant. 2. (ugs. abwertend) skrupelloser Geschäftemacher. b. (ugs. abwertend) jmd., der jobbt. job|bern (ugs. abwertend): sich als Jobber (2) betätigen Jo|bel|jahr ⟨zu hebr. yôvel = „Widderhorn" (das zu Beginn geblasen wurde)⟩ das; -[e]s, -e: nach 3. Mose 25, 8 ff. alle 50 Jahre von den Juden zu feierndes Jahr mit Schuldenerlass, Freilassung der israelitischen Sklaven u. Rückgabe von verkauftem Boden; vgl. Jubeljahr Job|hop|ping ['dʒɔphɔpɪŋ] das; -s, -s: häufig u. in kürzeren Abständen vorgenommener Stellungs-, Firmenwechsel [um sich in höhere Positionen zu bringen] Job|kil|ler der; -s, -: (Jargon) etwas, was Arbeitsplätze überflüssig macht, beseitigt. Job|ro|ta|tion [...roteiʃǝn] die, -, -s: (von einem Mitarbeiter zum Zweck der Vorbereitung auf eine Führungsaufgabe) das Durchlaufen der verschiedenen Arbeitsbereiche eines Unternehmens. Job|sha|ring [...ʃeːrɪŋ] ⟨engl.⟩ das; -[s]: Aufteilung eines Vollzeitarbeitsplatzes unter zwei od. mehrere Personen. Job|ti|cket das; -s, -s: Fahrkarte für die tägliche Fahrt zur Arbeitsstätte mit öffentlichen Verkehrsmitteln, die ein kommunales Verkehrsunternehmen einem Betrieb zu einem günstigen Tarif überlässt u. für den Erwerb die Mitarbeiter des Betriebes einen ermäßigten Preis zahlen Jo|ckei: ↑Jockey. Jo|cket|te [dʒɔ'kɛtǝ, auch: jɔ...] ⟨engl.⟩ die;

-, -n: weiblicher Jockey. **Jo-ckey,** Jockei ['dʒɔke, 'dʒɔki, auch: 'dʒɔkai, 'jɔkai] ⟨engl.⟩ der; -s, -s: berufsmäßiger Rennreiter **Jod** ⟨gr.-fr.⟩, ⟨chem. fachspr.:⟩ Iod das; -[e]s: chemisches Element, das weiche, dunkelgraue, metallisch glänzende Kristalle bildet, die bei Raumtemperatur bereits ein wenig ↑sublimieren (Zeichen: I bzw. J). **Jo|dạt** ⟨gr.-fr.-nlat.⟩ das; -[e]s, -e: Salz der Jodsäure **Jodh|pur** ['dʒɔdpuə] ⟨engl.; nach der indischen Stadt⟩ die; -, -s u. **Jọdh|pur|ho|se** die; -, -n: oben weite, von den Knien an enge Reithose **Jo|dịd** das; -[e]s, -e: Salz der Jodwasserstoffsäure. **jo|die|ren:** a) Jodate, Jodide zusetzen (z. B. bei Speisesalz); b) mit Jod bestreichen (z. B. eine Operationsstelle; Med.). **Jo|dịs|mus** der; -: Jodvergiftung mit Auftreten von Reizerscheinungen (Fieber, Bindehautentzündung u. a.) nach längerem Gebrauch von Jod (Med.). **Jo|dịt** [auch: ...'dɪt] das; -s, -e: ein Mineral (Silberjodid) **Jọ|do** ⟨jap.⟩ das; -: ↑Dschodo **Jo|do|fọrm** ⟨Kunstw. aus ↑Jod u. ↑Formyl⟩ das; -s: früher verwendetes Mittel zur Wunddesinfektion (Med.). **Jo|do|met|rie*** ⟨gr.-fr.; gr.⟩ die; -: Bestimmung von Stoffen mithilfe von Jod **Jọ|ga** vgl. Yoga **jog|gen** ['dʒɔgn] ⟨engl.⟩: ↑Jogging betreiben. **Jọg|ger** der; -s, -: jmd., der joggt. **Jọg|ging** das; -s: Fitnesstraining, bei dem man entspannt in mäßigem Tempo läuft **Jọ|ghurt,** auch: Jogurt ⟨türk.⟩ das od. der; -[s] (österr. auch: die; -), -[s]: durch Zusetzen bestimmter Bakterien gewonnene Art Dickmilch **Jọ|gi, Jọ|gin** vgl. Yogi, Yogin **Jọ|gurt** vgl. Joghurt **Jo|hạn|ni|[s]** ⟨nach Johannes dem Täufer⟩ das (meist ohne Artikel); -: Johannistag (24. Juni). **Jo-hạn|nis|brot** das; -[e]s, -e: getrocknete Schotenfrucht des im Mittelmeergebiet heimischen Johannisbrotbaumes. **Jo|hạn|nis-trieb** der; -[e]s, -e: 1. der zweite Trieb vieler Holzgewächse im Juni/Juli (Bot.). 2. (ohne Plural; scherzh.) neuerliches, gesteigertes Bedürfnis nach Sex bei Männern im vorgerückten Alter. **Jo-hạn|ni|ter** der; -s, -: Angehöriger des Johanniterordens. **Jo|hạn-ni|ter|kreuz** das; -es, -e: acht-

spitziges [weißes Ordens]kreuz [der Johanniter]; vgl. Malteserkreuz. **Jo|han|ni|ter|or|den** der; -s: um 1100 in Jerusalem ursprünglich zur Pflege kranker Pilger gegründeter geistlicher Ritterorden **John Bull** ['dʒɔn 'bʊl] ⟨engl.; „Hans Stier"⟩: (scherzh.) Spitzname des typischen Engländers, des englischen Volkes **Joint** [dʒɔɪnt] ⟨engl.⟩ der; -s, -s: a) selbst gedrehte Zigarette, deren Tabak mit Haschisch od. Marihuana vermischt ist; b) (salopp, bes. Jugendsprache) Zigarette. **Joint|ven|ture** [...'ventʃə] ⟨engl.-amerik.⟩ das; -[s], -s, auch: **Joint Venture** das; - -[s], - -s: vorübergehender od. dauernder Zusammenschluss von Unternehmen zum Zweck der gemeinsamen Ausführung von Projekten (Wirtsch.) **Jo-Jo** ⟨amerik.⟩ das; -s, -s: Geschicklichkeitsspiel mit elastischer Schnur u. daran befestigter Holzscheibe **Jọ|jo|ba** ⟨mexikan.⟩ die; -, -s: ein Buchsbaumgewächs **Jọ|ker** ['jo:ke, auch: 'dʒo:kɐ] ⟨lat.-engl.⟩ der; -s, -: für jede andere Karte einsetzbare zusätzliche Spielkarte mit der Abbildung eines Narren. **jo|kọs** ⟨lat.⟩: (veraltet) scherzhaft, spaßig. **Jo-ku|lạ|tor** der; -s, ...ọren: ↑Jongleur (2). **Jạ|kus** der; -, -se: (ugs.) Scherz, Spaß **Jọm Kip|pur** ⟨hebr.⟩ der; - -: Versöhnungstag (höchstes jüdisches Fest) **Jo|na|than** ⟨nach dem amerikanischen Juristen Jonathan Hasbrouck⟩ der; -s, -: Winterapfel mit matt glänzender, gelb bis purpurrot gefleckter Schale **Jong|leur*** [ʒɔŋ'(g)løːɐ, auch: ʒɔ'gloːɐ] ⟨lat.-fr.⟩ der; -s, -e: 1. Artist, Geschicklichkeitskünstler im Jonglieren (1). 2. Spielmann u. Possenreißer des Mittelalters. 3. jmd., der die Sportart des Jonglierens (2) ausübt (Kunstkraftsport). **jong|lie|ren:** 1. mit artistischem Können mehrere Gegenstände gleichzeitig spielerisch werfen u. auffangen. 2. mit Gewichten o. Ä. bestimmte Geschicklichkeitsübungen ausführen (Kunstkraftsport). 3. [in verblüffender Weise] überaus geschickt mit jmdm., etw. umgehen **Jọ|ni|kus** vgl. Ionicus **Jọ|non** ⟨gr.-nlat.⟩ das; -s: nach Veilchen riechender Duftstoff

Jo|ru|ri ['dʒo:...] ⟨jap.⟩ das; -[s]: altes japanisches Puppenspiel **Jo|se|phi|nis|mus** ⟨nlat.; nach Kaiser Joseph II., † 1790⟩ der; -: aufgeklärte katholische Staatskirchenpolitik im Österreich des 18. u. 19. Jh.s, die auch noch die Staatsauffassung der österreichischen Beamten u. Offiziere des 19. Jh.s bestimmte **Jọt** ⟨semit.-gr.-lat.⟩ das; -, -: zehnter Buchstabe des deutschen Alphabets. **¹Jọ|ta** das; -[s], -s: neunter Buchstabe des griechischen Alphabets: I, ι; **kein Jo-ta:** nicht das Geringste **²Jọ|ta** ['xɔta] ⟨span.⟩ die; -, -s: schneller spanischer Tanz im ³/₈ od. ³/₄-Takt mit Kastagnettenbegleitung **Jo|ta|zịs|mus** ⟨gr.-nlat.⟩ der; -: ↑Itazismus **Joule** [von DIN u. anderen Organisationen festgelegte Aussprache nur: dʒu:l, sonst auch: dʒaul] ⟨nach dem englischen Physiker J. P. Joule⟩ das; -[s], -: Maßeinheit für die Energie (z. B. den Energieumsatz des Körpers; 1 cal = 4,186 Joule); Zeichen: J **Jour** [ʒu:ɐ] ⟨lat.-vulgärlat.-fr.⟩ der; -s, -s: (veraltend) [Wochen]tag, an dem regelmäßig Gäste empfangen werden; **Jour fixe:** 1. für ein regelmäßiges Treffen fest vereinbarter Tag. 2. (veraltet) Tag, an dem jmd. Dienst hat, mit Dienst an der Reihe ist; vgl. auch: du jour u. à jour. **Jour-nail|le** [ʒʊr'naljə, auch: ...'nai] die; -: verantwortungslose, verleumderische Presse u. ihre Journalisten. **Jour|nạl** das; -s, -e: 1. (veraltet) [Tages]zeitung. 2. (geh., veraltend) bebilderte Zeitschrift unterhaltenden od. informierenden Inhalts. 3. (veraltend) Tagebuch. 4. Schiffstagebuch. 5. in der Buchführung nach dem Hauptbuch zu führendes Tagebuch (Wirtsch.). **Jour|nạ|lis-mus** der; -: 1. a) Tätigkeit des Journalisten; b) (salopp, häufig abwertend) journalistische Berichterstattung. 2. Zeitungs-, Pressewesen; vgl. ...ismus/...istik. **Jour|nạ|list** der; -en, -en: jmd., der als freier Mitarbeiter, als Auslandskorrespondent od. Mitglied einer Redaktion Artikel o. Ä. für Zeitungen od. andere Medien verfasst bzw. redigiert od. der als Fotograf Bildberichte liefert. **Jour|nạ|lis|tik** der; -: 1. (neben Zeitungswissenschaft u. Publizistik) Studienfach für das Pressewesen. 2. (geh., selten) Bericht, Arbeit aus der Feder eines Journalisten. **jour|na|lis|tisch:** a) die Journalistik betreffend; b) in der Art des Journalismus (1) **jo|vi|al** ⟨lat. -mlat.⟩: (nur in Bezug auf Männer) betont wohlwollend; leutselig. **Jo|vi|a|li|tät** die; -: joviale Art, joviales Wesen, Leutseligkeit. **jo|vi|a|nisch** ⟨lat. -nlat.⟩: den Planeten Jupiter betreffend, zu ihm gehörend **Joy|stick** [ˈdʒɔɪstɪk] ⟨engl.⟩ der; -s, -s: [Vorrichtung mit] Steuerhebel für Computerspiele **Ju|an** vgl. Yuan **Ju|bel|jahr** ⟨hebr. -vulgärlat.; dt.⟩: 1. Jobeljahr; **alle Jubeljahre:** selten. 2. heiliges Jahr mit besonderen Ablässen in der katholischen Kirche (alle 25 Jahre). **Ju|bi|lar** ⟨(hebr.-)vulgärlat.-mlat.⟩ der; -s, -e: Gefeierter; jmd., der ein Jubiläum begeht. **Ju|bi|la|te** ⟨lat.-vulgärlat.; der von Introitus des Gottesdienstes, Psalm 66, 1, „Jauchzet (Gott, alle Lande)!“⟩: (ev. Kirche) dritter Sonntag nach Ostern. **Ju|bi|la|tio** u. **Ju|bi|la|ti|on** die; -: im gregorianischen Choral eine jubelnde, auf einem Vokal (z. B. auf der letzten Silbe des Alleluja) gesungene Tonfolge. **Ju|bi|lä|um** ⟨(hebr.-)lat.-vulgärlat.⟩ das; -s, ...äen: festlich begangener Jahrestag eines bestimmten Ereignisses. **Ju|bi|lee** [ˈdʒuːbiliː] ⟨lat.-vulgärlat.-fr.-engl.⟩ das; -[s], -s: religiöser Hymnengesang der nordamerikanischen Schwarzen. **ju|bi|lie|ren** ⟨lat.⟩: 1. jubeln, frohlocken. 2. ein Jubiläum feiern. **Ju|bi|lus** ⟨lat.-vulgärlat.-mlat.⟩ der; -: ↑ Jubilatio **juch|ten** ⟨russ.⟩: aus Juchtenleder, **Juch|ten** der od. das; -s: 1. feines [Kalbs]leder, das mit Birkenteeröl wasserdicht gemacht wird u. dadurch seinen besonderen Geruch erhält. 2. aus Birkenteeröl gewonnenes Parfüm mit dem charakteristischen Duft des Juchtenleders **Ju|da|i|ka** ⟨hebr.-gr.-lat.⟩ die (Plural): jüdische Schriften, Bücher über das Judentum. **ju|da|i|sie|ren:** jüdisch machen; unter jüdischen Einfluss bringen. **Ju|da|i|sie|rung** die; -, -en: das Judaisieren, Judaisiertwerden. **Ju|da|is|mus** der; -: judenchristliche gesetzestreue Richtung im Urchristentum; jüdische Religion, Judentum. **Ju|da|is|tik** ⟨nlat.⟩ die; -: Wissenschaft von der jüdischen Religion, Geschichte u. Kultur. **ju|da|is|tisch:** die Ju-

daistik betreffend. **Ju|das** ⟨nach Judas Ischariot im Neuen Testament⟩ der; -, -se: jmd., der treulos an jmdm. handelt, ihn verrät **Ju|di|ka** ⟨lat.; nach dem alten ↑ Introitus des Gottesdienstes, Psalm 43,1, „Richte (mich, Gott)!“⟩: (ev. Kirche) vorletzter Sonntag vor Ostern. **Ju|di|kat** das; -[e]s, -e: (veraltet) Rechtsspruch, richterlicher Entscheid. **Ju|di|ka|ti|on** die; -, -en: (veraltet) richterliche Untersuchung, Beurteilung, Aburteilung (Rechtsw.). **Ju|di|ka|ti|ve** ⟨lat.-nlat.⟩ die; -, -n: richterliche Gewalt im Staat; Ggs. ↑ Exekutive, ↑ Legislative. **ju|di|ka|to|risch** ⟨lat.⟩: (veraltend) richterlich (Rechtsw.). **Ju|di|ka|tur** ⟨lat.-nlat.⟩ die; -, -en: Rechtsprechung. **Ju|di|kum** ⟨eigentlich: Judicum liber „Buch der Richter“⟩ das; -s: siebentes Buch des Alten Testaments. **Ju|diz** das; -es, ...ien: ↑ Judizium. **ju|di|zi|ell:** die Rechtsprechung betreffend, richterlich. **ju|di|zie|ren** ⟨lat.⟩: (veraltet) Recht sprechen; gerichtlich urteilen, entscheiden. **Ju|di|zi|um** das; -s, ...ien: auf langjährige Gerichtspraxis gegründetes Vermögen der Rechtsfindung **Ju|do** ⟨jap.⟩ das; -[s]: sportliche Form des ↑ Jujutsu mit festen Regeln. **Ju|do|ka** der; -s, -s: Judosportler **Jug** [dʒʌg] ⟨engl.-amerik.⟩ der; -[s], -s: einfaches Blasinstrument der afroamerikanischen Folklore (irdener Krug mit engem Hals) **Ju|ga** ⟨sanskr.⟩ das; -[s]: in der indischen Lehre von den Weltzeitaltern einer der vier Zeitabschnitte der ↑ Kalpa **ju|gu|lar** ⟨lat.-nlat.⟩: das Jugulum betreffend. **Ju|gu|lum** ⟨lat.⟩ das; -s, ...la: Drosselgrube, natürliche Einsenkung an der Vorderseite des Halses zwischen den Halsmuskeln, der Schultermuskulatur u. dem Schlüsselbein (Med.) **Juice** [dʒuːs] ⟨lat.-fr.-engl.⟩ der od. das; -, -s [...sɪs, auch: ...sɪz]: Obst-, Gemüsesaft **Ju|ju|be** ⟨gr.-lat.-fr.⟩ die; -, -n: 1. Gattung der Kreuzdorngewächse, Sträucher u. Bäume mit dornigen Zweigen u. mit Steinfrüchten. 2. Brustbeere, Frucht der Kreuzdorngewächse **Ju-Jut|su** ⟨jap.⟩ das; -[s]: in Japan entwickelte Technik der Selbstverteidigung ohne Waffen od. Gewalt; vgl. Judo, Kendo

Juke|box [ˈdʒuːˈkbɔks] ⟨engl.⟩ die; -, -es [...sɪz, auch: ...sɪs]: Musikautomat, der nach Einwurf entsprechender Geldmünzen Schallplatten abspielt **Jul** ⟨altnord.⟩ das; -[s]: a) (hist.) germanisches Fest der Wintersonnenwende; b) (in Skandinavien) Weihnachtsfest. **Jul|bock** ⟨schwed.⟩ der; -[e]s, ...böcke: Skandinavien bei weihnachtlichen Umzügen auftretende, mit Fellen u. einem gehörnten Ziegenkopf maskierte Gestalt (oft als kleine Nachbildung aus Stroh od. in Form von Gebäck) **Ju|lep** [ˈdʒuːlep] ⟨pers.-arab.-fr.-engl.⟩ das od. der; -[s], -s: in England u. Amerika beliebtes [alkoholisches] Erfrischungsgetränk mit Pfefferminzgeschmack **Ju|li** ⟨lat.; nach Julius Cäsar⟩ der; -[s], -s: siebenter Monat im Jahr. **ju|li|a|nisch;** in der Fügung: **julianischer Kalender;** der von Julius Cäsar eingeführte Kalender **Ju|li|enne** [ʒyˈljɛn] ⟨fr.⟩ die; -: in schmale Streifen geschnittenes Gemüse (od. Fleisch) als Suppeneinlage **Ju|li|us|turm** ⟨nach einem Turm der früheren Zitadelle in Spandau, in dem sich bis 1914 ein Teil der von Frankreich an das Deutsche Reich gezahlten Kriegsentschädigung befand⟩ der; -[e]s: vom Staat angesparte, als Reserve zurückgelegte Gelder **Jull|klapp** ⟨altnord.⟩ der; -s: [scherzhaft mehrfach verpacktes] kleines Weihnachtsgeschenk, das man im Rahmen einer Feier von einem unbekannten Geber erhält **Jum|bo** der; -s, -s: kurz für: Jumbojet. **Jum|bo|jet** ⟨engl.-amerik.⟩ „Düsenriese“⟩ der; -s, -s: Großraumflugzeug **Ju|mel|lage** [ʒymaˈlaːʒ] ⟨fr.⟩ die; -, -n [...ʒn]: Städtepartnerschaft zwischen Städten verschiedener Länder **Jump** [dʒamp] ⟨engl.-amerik.⟩ der; -[s], -s: 1. dritter Sprung beim Dreisprung (Leichtathletik); vgl. ¹Hop, ¹Stepp. 2. (ohne Plural) in Harlem entwickelter Jazzstil. **Jum|pen** [ˈdʒampņ, auch: ˈjɔmpņ] ⟨engl.⟩: (ugs.) springen **Jum|per** [auch: ˈdʒampɐ u. südd., österr.: ˈdʒɛmpɐ] ⟨engl.⟩ der; -s, -: gestricktes, gewirktes, blusen-, pulloverähnliches Kleidungsstück [für Damen]. **Jump-suit** [ˈdʒampsuːt] ⟨engl.⟩ der; -[s], -s: einteiliger Hosenanzug

jun|gie|ren ⟨*lat.*⟩: (veraltet) verbinden, zusammenlegen

Jun|gle|stil ['dʒʌŋgl...] ⟨*engl.-amerik.*⟩ *der;* -[e]s: Spielweise mit Dämpfern o.Ä. zur Erzeugung von Groll- oder Brummeffekten (Growl) bei den Blasinstrumenten im Jazz (von Duke Ellington eingeführt)

Ju|ni ⟨*lat.;* nach der altrömischen Göttin Juno⟩ *der;* -[s], -s (Plural selten): der sechste Monat des Jahres

ju|ni|or ⟨*lat.;* „jünger"⟩ (nur unflektiert hinter dem Personennamen): ... der Jüngere (z.B. Krause junior; Abk.: jr. u. jun.); Ggs. ↑senior. **Ju|ni|or** *der;* -s, ...oren: 1. (ugs.) a) (ohne Plural) jüngerer Teilhaber, bes. Sohn eines Firmeninhabers; b) Sohn (im Verhältnis zum Vater). 2. junger Sportler im Alter von 18 (u. je nach Sportart) bis 20, 21 od. 23 Jahren. 3. Jugendlicher, Heranwachsender. **Ju|ni|o|rat** *das;* -[e]s, -e: ↑Minorat. **Ju|ni|or|chef** *der;* -s, -s: Sohn des Geschäftsinhabers. **Ju|ni|or|part|ner** *der;* -s, -: mit weniger Rechten ausgestatteter [jüngerer] Geschäftspartner (Wirtsch.)

Ju|ni|pe|rus ⟨*lat.*⟩ *der;* -, -: Wacholder (über die ganze Erde verbreitetes Zypressengewächs; Bot.)

Junk|art ['dʒʌŋk|aːɐt] ⟨*engl.*⟩ *die;* -: moderne Kunstrichtung, bei der vor allem Abfälle als Materialien für Bilder u. Plastiken verwendet werden. **Junk|food** [...'fuːd] *das;* -[s]: Nahrung von geringem Nährwert, aber von hoher Kalorienzahl (z.B. Süßigkeiten, Pommes frites). **Jun|kie** ['dʒʌŋki] ⟨*engl.*⟩ *der;* -s, -s: Drogenabhängiger, Rauschgiftsüchtiger

Junk|tim ⟨*lat.;* „vereinigt"⟩ *das;* -s, -s: wegen innerer Zusammengehörigkeit notwendige Verbindung zwischen zwei Verträgen od. Gesetzesvorlagen. **junk|ti|mie|ren:** (bes. österr.) in einem Junktim verknüpfen, festlegen. **Junk|tor** *der;* -s, ...oren: (durch bestimmte Zeichen wiedergegebene) logische Partikel, durch die bestimmte Aussagen zu einer neuen Aussage verbunden werden (z.B. *und, oder;* Logik, Sprachw.). **Junk|tur** *die;* -, -en: 1. (veraltet) Verbindung, Fuge. 2. Verbindung zwischen benachbarten Knochen des Skeletts (Med.). 3. Grenze zwischen aufeinander folgenden sprachlichen Einheiten, die sich als Sprechpause niederschlägt (z.B. bei ver-eisen statt verreisen; Sprachw.)

ju|no|nisch ⟨nach der altröm. Göttin Juno⟩: (geh.) wie eine Juno, von stattlicher, erhabener Schönheit

Jun|ta ['xʊnta, auch: 'jʊnta] ⟨*lat.-span.;* „Vereinigung; Versammlung"⟩ *die;* -, ...ten: 1. Regierungsausschuss, bes. in Spanien, Portugal u. Lateinamerika. 2. kurz für: Militärjunta

Jupe [ʒyːp] ⟨*arab.-it.-fr.*⟩ *die;* -, -s: 1. (auch: *der;* -s, -s) (schweiz.) Damenrock. 2. (veraltet) knöchellanger Damenunterrock; vgl. Jupon

Ju|pi|ter|lam|pe ® ⟨nach der Berliner Firma „Jupiterlicht"⟩ *die;* -, -n: sehr starke elektrische Bogenlampe für Film- u. Fernsehaufnahmen

Ju|pon [ʒy'põː] ⟨*arab.-it.-fr.*⟩ *der;* -[s], -s: 1. (früher) eleganter, knöchellanger Damenunterrock. 2. (schweiz.) Unterrock

¹Ju|ra ⟨*lat.;* „die Rechte"⟩ (ohne Artikel): Rechtswissenschaft; vgl. ¹Jus

²Ju|ra ⟨nach dem franz.-schweiz.-südd. Gebirge⟩ *der;* -s: erdgeschichtliche Formation des ↑Mesozoikums, die ↑Lias, ↑²Dogger u. ↑Malm umfasst; Geol.). **Ju|ra|for|ma|ti|on** *die;* -: ↑²Jura. **Ju|ra|ment** ⟨Kurzw. aus ²Jura u. Zement⟩ *der;* -s, -e: Kunststein aus Kalkzement u. Schlackenrückständen mit Ölschiefer

ju|ra no|vit cu|ria ⟨*lat.;* „das Gericht kennt das (anzuwendende) Recht"⟩: alte, im deutschen Zivilprozess gültige Rechtsformel, die besagt, dass das geltende Recht dem Gericht von den streitenden Parteien nicht vorgetragen werden muss, es sei denn, dass es sich um das Gericht unbekanntes fremdes (ausländisches) Recht handelt; **ju|ra|re in ver|ba ma|gis|t|ri*** ⟨„auf des Meisters Worte schwören"; nach Horaz⟩: die Meinung eines anderen nachbeten

ju|ras|sisch ⟨*fr.*⟩: a) zum ²Jura gehörend; b) aus dem Juragebirge stammend

ju|ri|disch: juristisch. **ju|ri|e|ren:** a) Werke für eine Ausstellung, Filmfestspiele o.Ä. zusammenstellen; b) in einer Jury (1) mitwirken. **Ju|rie|rung** *die;* -, -en: 1. weltliche u. geistliche Gerichtsbarkeit, Rechtsprechung. 2. Vollmacht, Recht des Klerus zur Leitung der Mitglieder der Kirche (mit den Funktionen Gesetzgebung, Rechtsprechung, Verwaltung). **Ju|ris|pru|denz** *die;* -: Rechtswissenschaft. **Ju|rist** ⟨*lat.-mlat.*⟩ *der;* -en, -en: jmd., der Jura studiert, das Jurastudium mit der staatlichen Referendar- u. Assessorprüfung abgeschlossen hat. **Ju|ris|te|rei** ⟨dt. Bildung zu ↑Jurist⟩ *die;* -: (ugs.) Rechtswissenschaft. **ju|ris|tisch** ⟨*lat.-mlat.*⟩: a) die Rechtswissenschaft, die Rechtsprechung betreffend; b) den Vorschriften der Rechtswissenschaft, Rechtsprechung genau entsprechend, ihre Mittel anwendend. **Ju|ror** ⟨*lat.-engl.*⟩ *der;* -s, ...oren: Mitglied einer Jury

Jur|te ⟨*türk.*⟩ *die;* -, -n: runde Filzhütte mittelasiatischer Nomaden

Jü|rük u. Yürük ⟨nach den Jürüken, einem kleinasiat. Nomadenvolk⟩ *der;* -[s], -s: langfloriger türkischer Teppich aus feiner, glänzender Wolle

Ju|ry [ʒy'riː, auch: 'ʒy:ri] ⟨*lat.-fr.-engl.(-fr.)*⟩ *die;* -, -s: 1. a) Kollegium von Sachverständigen als Preisrichter bei sportlichen, künstlerischen Wettbewerben, bei Quizveranstaltungen o.Ä.; b) Kollegium von Fachleuten, das Werke für eine Ausstellung, für Filmfestspiele o.Ä. auswählt. 2. Schwurgericht, ein bes. in England u. Amerika bei Kapitalverbrechen zur Urteilsfindung verpflichtetes Gremium von Laien. **ju|ry|frei:** nicht von Fachleuten zusammengestellt. **¹Jus** ⟨*lat.*⟩ *das;* - (österr. ↑¹Jura; **Jus di|vi|num:** göttliches Recht; auf menschliches Verhalten bezogener göttlicher Wille; **Jus gen|ti|um:** Völkerrecht; **Jus na|tu|ra|le:** Naturrecht; **Jus primae noctis:** im Mittelalter gelegentlich bezeugtes Recht des Grundherrn auf die erste Nacht mit der Frau eines neuvermählten Hörigen, Leibeigenen

²Jus [ʒyː] ⟨*lat.-fr.*⟩ *die;* - (auch, bes. südd. u. schweiz.: *das;* - u. bes. schweiz.: *der;* -): 1. Fleischsaft; Bratensaft. 2. (schweiz.) Fruchtsaft, Gemüsesaft

Jus|siv ⟨*lat.-nlat.*⟩ *der;* -s, -e: imperativisch gebrauchter Konjunktiv (z.B. er lebe hoch!; Sprachw.)

just ⟨*lat.*⟩: eben, gerade (in Bezug auf eine Situation in gewissem Sinne passend). **Jus|tal|ge** [ʒu'sta:ʒə] ⟨*fr.*⟩ *die;* -, -n: Justierung. **jus|ta|ment** ⟨lat.-fr.⟩: (veraltet) [nun] gerade. **Juste|mi|li|eu** [ʒystmi'ljø] ⟨fr.⟩ „die rechte Mitte"; nach 1830 Schlagwort für die den Ausgleich suchende, kompromissbereite Politik von Louis Philippe von Frankreich⟩ das; -: (selten) laue Gesinnung. **jus|tie|ren** ⟨lat.-mlat.; „berichtigen"⟩: 1. Geräte od. Maschinen, bei denen es auf genaue Einstellung ankommt, vor Gebrauch einstellen. 2. a) Druckstöcke auf Schrifthöhe u. Winkelständigkeit bringen; b) Fahnensatz auf Seitenhöhe bringen (umbrechen; Druckw.). 3. das gesetzlich vorgeschriebene Gewicht einer Münze kontrollieren. **Jus|tie|rer** der; -s, -: jmd., der beruflich mit dem Justieren von etw. beschäftigt ist. **Jus|tie|rung** die; -, -en: das Justieren (1, 2 u. 3). **Jus|tier|waa|ge** ⟨lat.-mlat.; dt.⟩ die; -, -n: Münzkontrollwaage. **Jus|ti|fi|ka|ti|on** ⟨lat.⟩ die; -, -en: 1. Rechtfertigung. 2. ↑Justifikatur. **Jus|ti|fi|ka|tur** ⟨lat.-nlat.⟩ die; -, -en: Rechnungsgenehmigung nach erfolgter Prüfung. **jus|ti|fi|zie|ren**: 1. rechtfertigen. 2. eine Rechnung nach Prüfung genehmigen. **just in time** [dʒʌst ɪn 'taɪm] ⟨engl.; „gerade zur Zeit, rechtzeitig"⟩: zeitlich aufeinander abgestimmt, gleichzeitig. **Just-in-time-Pro|duk|ti|on** ⟨engl.; dt.⟩ die; -: Organisationsprinzip der Produktion u. Materialwirtschaft, bei dem mithilfe der Informationsverarbeitung Zuliefer- u. Produktionstermine genau aufeinander abgestimmt werden. **Jus|ti|tia** ⟨lat.⟩ die; -: a) römischen Göttin der Gerechtigkeit; b) Verkörperung, Personifizierung, Sinnbild der Gerechtigkeit. **jus|ti|ti|a|bel** usw. vgl. justiziabel usw. **Jus|ti|ti|a|ri|us** der; -, ...ien: ↑Justiziar (1 u. 2). **Jus|tiz** die; -: 1. Rechtswesen, -pflege; Rechtsprechung. 2. Behörde, Gesamtheit der Behörden, die für die Ausübung der Justiz (1), für Einhaltung der Rechtsordnung verantwortlich ist, sie gewährleistet. **jus|ti|zi|a|bel**, auch: justitiabel ⟨lat.-mlat.⟩: vom Gericht abzuurteilen, richterlicher Entscheidung zu unterwerfen. **Jus|ti|zi|ar**, auch Justitiar der; -s, -e: 1. ständiger, für alle Rechtsangelegenheiten zuständiger Mitarbeiter eines Unternehmens, einer Behörde o. Ä. 2. (hist.) in der ↑Patrimonialgerichtsbarkeit Gerichtsherr, Ge-

richtsverwalter. **Jus|ti|zi|a|ri|at**, auch: Justitiariat das; -[e]s, -e: Amt des Justiziars (1 u. 2). **jus|ti|zi|ell**, auch justitiell: die Justiz betreffend. **Jus|ti|zi|um**, auch: Justitium ⟨lat.⟩ das; -s, ...ien: Unterbrechung der Rechtspflege durch Krieg od. höhere Gewalt. **Jus|tiz|mord** ⟨lat.; dt.⟩ der; -[e]s, -e: (emotional) Hinrichtung eines Unschuldigen aufgrund eines fehlerhaften Gerichtsurteils **Ju|te** ⟨bengal.-engl.⟩ die; -: 1. Gattung der Lindengewächse mit zahlreichen tropischen Arten. 2. Bastfaser der Jutepflanzen **ju|ve|na|lisch** ⟨nach dem römischen Satiriker Juvenal⟩: beißend, spöttisch, satirisch **ju|ve|na|li|sie|ren** ⟨lat.-nlat.⟩: am Stil, Geschmack der Jugend orientieren. **Ju|ve|na|li|sie|rung** die; -, -en: Orientierung am Stil, Geschmack der Jugend. **Ju|ve|nat** das; -[e]s, -e: (früher) katholisches Schülerheim; Internatsschule bes. für jmdn., der in einen Orden eintreten will. **ju|ve|nil** ⟨lat.⟩: 1. jugendlich, für junge Menschen charakteristisch. 2. direkt aus dem Erdinnern stammend, aufgestiegen; vgl. vados (Geol.). **Ju|ve|ni|lis|mus** ⟨lat.-nlat.⟩ der; -: 1. Entwicklungsstufe des Jugendstadiums. 2. Form seelischer Undifferenziertheit, bei der die seelische Entwicklung auf einer jugendlichen Stufe stehen geblieben ist (Psychol.). **Ju|ve|ni|li|tät** ⟨lat.⟩ die; -: Jugendlichkeit. **Ju|ve|ni|l|was|ser** ⟨lat.; dt.⟩ das; -s: ↑juveniles (2) Wasser **²Ju|wel** ⟨lat.-vulgärlat.-fr.-niederl.⟩ das (auch: der); -s, -en: Edelstein, Schmuckstück. **²Ju|wel** das; -s, -e: Person od. Sache, die für jmdn. besonders wertvoll ist. **Ju|we|lier** ⟨lat.-vulgärlat.-fr.-niederl.⟩ der; -s, -e: jmd., der [als ausgebildeter Goldschmied, Uhrmacher o. Ä.] mit Schmuckwaren u. Ä. handelt **Jux** ⟨durch Entstellung aus lat. iocus = „Scherz" entstanden⟩ der; -es, -e: (ugs.) Scherz, Spaß, Ulk. **ju|xen**: (ugs.) Spaß machen **Jux|ta** u. (österr.:) Juxte ⟨lat.-nlat.⟩ die; -, ...ten: meist an der linken Seite von kleinen Wertpapieren (Lottozetteln) befindlicher Kontrollstreifen. **Jux|ta|kom|po|si|tum** das; -s, ...ta: ↑Juxtapositum. **Jux|ta|po|si|ti|on** die; -, -en: 1. (Sprachw.) a) Zusammenrückung der Glieder einer syntaktischen Fügung als besondere Form der Wortbil-

dung; vgl. Juxtapositum; b) bloße Nebeneinanderstellung im Ggs. zur Komposition (z. B. engl. football game = „Fußballspiel"). 2. Ausbildung von zwei miteinander verwachsenen Kristallen, die eine Fläche gemeinsam haben. **Jux|ta|po|si|tum** das; -s, ...ta: durch ↑Juxtaposition (1a) entstandene Zusammensetzung (z. B. Dreikäsehoch; Sprachw.). **Jux|te** vgl. Juxta

Ka|al|ba ⟨arab.; „Würfel"⟩ die; -: Steinbau in der großen Moschee von Mekka, Hauptheiligtum des Islams, Ziel der Mekkapilger; vgl. Hadsch u. Hadschar **Ka|bac|ke** u. **Ka|back|e** ⟨russ.⟩ die; -, -n: a) primitive Hütte; b) anrüchige Kneipe **Ka|ba|le** ⟨hebr.-fr.⟩ die; -, -n: (veraltend) Intrige. **ka|ba|lie|ren** u. **ka|bal|li|sie|ren**: (veraltet) intrigieren. **Ka|ba|list** der; -en, -en: (veraltet) heimtückischer Gegner, ↑Intrigant; vgl. aber: Kabbalist **Ka|ban** vgl. Caban **Ka|ba|nos|si** ⟨Herkunft unsicher⟩ die; -, -: [fingerdicke] stark gewürzte, grobe, geräucherte Brühwurst **Ka|ba|rett** [kaba'rɛt, auch: 'ka..., ...'re:] ⟨fr.⟩ das; -s, -s u. (bei eingedeutschter Ausspr. auch:) -e, Cabaret [...'re:, auch: 'kabare] ⟨fr.-lat.⟩ das; -s, -s: 1. (ohne Plural) Kleinkunst in Form von Sketchs u. Chansons, die in parodistischer, witziger Weise politische Zustände od. aktuelle Ereignisse kritisieren. 2. a) Kleinkunstbühne; b) Ensemble, das Kabarett (1) macht. 3. [drehbare] mit kleinen Fächern od. Schüsselchen versehene Kaltspeiseplatte. **Ka|ba|ret|ti|er** der; -s, -s: Leiter eines Kabaretts (2). **Ka|ba|ret|tist** der; -en, -en: Künstler des Kabaretts (1). **ka|ba|ret|tis|tisch**: in der Art des Kabaretts (1) **Kab|ba|la** [auch: ...'la] ⟨hebr.⟩ „Überlieferung"⟩ die; -: a) stark mit Buchstaben- und Zahlendeu-

Kabbalist — 392

tung arbeitende jüdische Geheimlehre und Mystik vor allem im Mittelalter; b) esoterische u. theosophische Bewegung im Judentum. **Kab|bal|list** ⟨hebr.-nlat.⟩ der; -en, -en: Anhänger der Kabbala; vgl. aber: Kabalist. **Kab|ba|lis|tik** die; -: Lehre der Kabbala, bes. ↑Magie mit Buchstaben u. Zahlen. **kab|ba|lis|tisch:** a) auf die Kabbala bezüglich; b) [für Uneingeweihte] unverständlich **Ka|bel|jau** ⟨niederl.⟩ der; -s, -e u. -s: (bes. im Nordatlantik heimischer) großer, olivgrün gefleckter Raubfisch **Ka|bi|ne** ⟨lat.-provenzal.-fr.-engl. (-fr.)⟩ die; -, -n: 1. a) Wohn- u. Schlafraum für Passagiere auf größeren [Fahrgast]schiffen; b) Fahrgastraum eines Passagierflugzeugs. 2. a) kleiner, abgeteilter Raum zum Aus- u. Ankleiden; Bade-, Umkleidekabine; b) kleiner, abgeteilter Raum, kleines Häuschen für bestimmte Tätigkeiten, Verrichtungen einzelner Personen. 3. Gondel einer Seilbahn o. Ä. **Ka|bi|nett** ⟨fr.⟩ „kleines Gemach, Nebenzimmer") das; -s, -e: 1. a) (veraltet) abgeschlossener Beratungs- u. Arbeitsraum (bes. an Fürstenhöfen); b) kleinerer Museumsraum [für besonders wertvolle Objekte]; c) (österr.) kleines, einfenstriges Zimmer. 2. a) Kollegium der die Regierungsgeschäfte eines Staates führenden Minister; b) (veraltet) engster Beraterkreis eines Fürsten. 3. (regional) Lehr- u. Beratungszentrum; Fachunterrichtsraum. 4. (nach dem deutschen Weingesetz) Wein der ersten Kategorie der Qualitätsweine mit Prädikat. **Ka|bi|nett|for|mat** das; -[e]s: (früher) Format von fotografischen Platten. **Ka|bi|nett|ma|le|rei** ⟨fr.; dt.⟩ die; -: Verfahren der Glasmalerei, bei dem mit Schmelzfarbe gearbeitet wird. **Ka|bi|nett|schei|be** die; -, -n: in der Kabinettmalerei runde bzw. viereckige Glasscheibe mit Darstellung eines Wappens od. einer Szene. **Ka|bi|netts|fra|ge** die; -, -n: Vertrauensfrage, die das Kabinett an das Parlament richtet u. von deren positiver od. negativer Beantwortung das Verbleiben der Regierung im Amt abhängt. **Ka|bi|netts|jus|tiz** die; -: a) (hist.) Rechtsprechung od. Einflussnahme auf die Justiz durch einen Herrscher; b) [unzulässige] Einwirkung der Regie-

rung auf die Rechtsprechung; vgl. Amnestie. **Ka|bi|netts|or|der** die; -, -n: (veraltet) [unmittelbarer] Befehl des Fürsten. **Ka|bi|nett|stück** ⟨fr.; dt.⟩ das; -[e]s, -e: 1. (veraltet) besonders wertvoller, in seiner Art einmaliger Gegenstand; Prunkstück. 2. besonders geschicktes, erfolgreiches Vorgehen, Handeln. **Ka|bi|nett|wein** der; -s, -e: Kabinett (4) **Ka|bis** ⟨lat.-mlat.⟩ der; -: (südd., schweiz.) Kohl; vgl. Kappes **Ka|bo|ta|ge** [...'ta:ʒə] ⟨lat.-span.-fr.⟩ die; -: die meist den Bewohnern eines Landes vorbehaltene Beförderung von Gütern u. Personen innerhalb des Landes od. Hoheitsgebiets (z. B. Küstenschifffahrt, Binnenflugverkehr). **ka|bo|tie|ren:** (im Rahmen bestimmter Abkommen) Güter od. Personen innerhalb eines Landes od. Hoheitsgebiets befördern **Kab|rio*,** Cabrio das; -[s], -s: Kurzw. für: Kabriolett, Cabriolet. **Kab|ri|o|lett** [österr. ...'le:], Cabriolet [...'le:] ⟨lat.-it.-fr.⟩ das; -s, -s: 1. Auto mit aufklappbarem od. versenkbarem Verdeck. 2. (veraltet) leichter, zweirädriger Einspänner. **Kab|ri|o|li|mou|si|ne** ⟨Kurzw. aus: Kabriolett ↑Limousine⟩ die; -, -n: a) Auto mit aufrollbarem Verdeck; b) ↑Limousine mit abnehmbarem Verdeck **Ka|bu|ki** ⟨jap.⟩ das; -: im 17. Jh. aus Singtanzpantomimen entstandenes japanisches Volkstheater in übersteigert realistischem Stil **Ka|chek|ti|ker*** ⟨gr.-lat.⟩ der; -s, -: an Kachexie leidender, hinfälliger Mensch (Med.). **ka|chek|tisch:** an Kachexie leidend, hinfällig (Med.). **Ka|che|xie** die; -, ...ien: mit allgemeiner Schwäche u. Blutarmut verbundener starker Kräfteverfall [als Begleiterscheinung schwerer Krankheiten] (Med.) **Ka|da|ver** ⟨lat.⟩ „gefallener (tot daliegender) Körper") der; -s, -: toter, in Verwesung übergehender Tierkörper; Aas. **Ka|da|ver|ge|hor|sam** ⟨lat.; dt.⟩ der; -s: (abwertend) blinder, willenloser Gehorsam unter völliger Aufgabe der eigenen Persönlichkeit. **Ka|da|ve|rin** u. Cadaverin ⟨lat.-nlat.⟩ das; -s: zu den Leichengiften zählendes biogenes Amin, das von Bakterien im Darm u. bei der Eiweißzersetzung in Lei-

chen gebildet wird. **Ka|da|ver|mehl** ⟨lat.; dt.⟩ das; -[e]s: Knochen- od. Fleischrückstände verendeter Tiere, die als Futter od. Dünger verwendet werden **Kad|disch** ⟨aram.⟩ das; -s: jüdisches Gebet, das bes. um das Seelenheil Verstorbener während des Trauerjahres gesprochen wird **Ka|denz** ⟨lat.-vulgärlat.-it.⟩ die; -, -en: 1. Akkordfolge als Abschluss od. Gliederung eines Musikstücks (Mus.). 2. improvisierte od. [vom Komponisten] ausgeschriebene solistische Paraphrasierung eines Themas am Schluss [einzelner Sätze] eines Konzerts, die dem Künstler die Möglichkeit bietet, sein virtuoses Können zu zeigen (Mus.). 3. das Abfallen der Stimme (Sprachw.). 4. metrische Form des Versschlusses (Verslehre). 5. Feuergeschwindigkeit (Waffentechnik). **ka|den|zie|ren:** (Mus.) a) durch eine Kadenz (1) zu einem harmonischen Abschluss leiten; b) eine Kadenz (3) ausführen **¹Ka|der** ⟨lat.-it.-fr.⟩ der (schweiz.: das); -s, -: 1. aus Offizieren u. Unteroffizieren bestehende Kerngruppe eines Heeres. 2. Stamm von Sportlern, die für ein Spiel, einen Wettkampf infrage kommen. **²Ka|der** ⟨lat.-it.-fr.-russ.⟩ der; -s, -: 1. ehemals in der DDR Gruppe von [besonders ausgebildeten od. geschulten] Personen mit wichtigen Funktionen in Partei, Wirtschaft, Staat o. Ä. 2. Angehöriger, Mitglied eines Kaders (2). **Ka|der|ar|mee** die; -, -n: ↑Armee (a), die in Friedenszeiten nur aus Kadern (1a) besteht u. im Kriegsfalle mit Wehrpflichtigen aufgefüllt wird. **Ka|der|par|tie** die; -, -n: bestimmte Partie im ↑Billard **¹Ka|dett** ⟨lat.-provenzal.-fr.⟩ der; -en, -en: 1. (hist.) Zögling eines militärischen Internats für Offiziersanwärter. 2. (schweiz.) Mitglied einer [Schul]organisation für vormilitärischen Unterricht. 3. (ugs.) Bursche, Kerl. **²Ka|dett** der; -s, -es: blauweiß od. schwarzweiß gestreiftes Baumwollgewebe für Berufskleidung **³Ka|dett** ⟨russ.⟩: nach den Anfangsbuchstaben K u. D für russischen Konstitutionellen Demokratischen (Partei) der; -en, -n: (hist.) Mitglied einer russischen Partei (1905–1917) mit dem Ziel einer konstitutionellen Monarchie

Ka|dẹt|ten|korps [...koːg̣] *das;* -[...koːg̣s], -[...koːg̣s]: (hist.) Gesamtheit der Zöglinge der Kadettenanstalten eines Landes

Ka|di ‹arab.; „Richter"› *der;* -s, -s: 1. Richter in islamischen Ländern. 2. (ugs.) richterliche Instanz, Gericht

kad|mie|ren u. verkadmen ‹gr.-lat.-nlat.›: Metalle zum Schutz gegen ↑Korrosion auf ↑galvanischem Wege mit einer Kadmiumschicht überziehen. **Kad|mie-rung** *die;* -, -en: Vorgang des Kadmierens. **Kạd|mi|um**, chem. fachspr.: Cạdmium *das;* -s: chem. Element; ein Metall (Zeichen: Cd)

ka|dụk ‹lat.›: (veraltet) hinfällig, gebrechlich, verfallen. **ka|du-zie|ren** ‹lat.-nlat.›: geleistete Einlagen für verfallen erklären (Rechtsw.). **Ka|du|zie|rung** *die;* -, -en: Verfallserklärung hinsichtlich bereits geleisteter Einlagen eines Aktionärs od. Gesellschafters, der mit seinen satzungsgemäßen Einzahlungen im Verzug ist (Rechtsw.).

Kaf ‹arab.› *das* od. *der;* -[s]: nach islamischen Anschauungen legendäres Gebirge als Grenze der Erde u. Sitz der Götter u. Dämonen

Kaf|fee [auch: kaˈfeː] ‹arab.-türk.-it.-fr.› *der;* -s, -s: 1. Kaffeepflanze, Kaffeestrauch. 2. a) bohnenförmige Samen des Kaffeestrauchs; b) geröstete [gemahlene] Kaffeebohnen. 3. aus den Kaffeebohnen bereitetes, anregendes, leicht bitter schmeckendes Getränk. 4. a) kleine Zwischenmahlzeit am Nachmittag, bei der Kaffee getrunken wird; b) Morgenkaffee, Frühstück. 5. eindeutschende Schreibung für ↑Café. **Kaf|fee|ex|trakt*** *der;* -[e]s, -e: pulverisierter, [gefrier]getrockneter Auszug aus starkem Kaffeeaufguss. **Kaf|fee-sie|der** ‹arab.-türk.-it.-fr.; dt.› *der;* -s, -: (österr., oft abwertend) Besitzer eines Kaffeehauses. **Kaf|fe|in** vgl. Koffein

Kaf|fer ‹hebr.-jidd.; „Bauer"› *der;* -s, -: (ugs.) jmd., der (nach Ansicht des Sprechers) dumm, ungebildet o. Ä. ist

al|fil|ler ‹hebr.-jidd.› *der;* -s, -: (Gaunerspr.) Schinder, Abdecker. **Ka|fil|le|rei** *die;* -, -en: Abdeckerei

al|fir ‹arab.› *der;* -s, -n: (abwertend) (im Islam) jmd., der nicht

dem islamischen Glauben angehört

kaf|ka|ẹsk ‹nach dem österr. Schriftsteller F. Kafka, 1883 bis 1924›: in der Art der Schilderungen Kafkas; auf rätselvolle Weise unheimlich, bedrohlich

Kaf|tan ‹pers.-arab.-türk.-slaw.; „[militär.] Obergewand"› *der;* -s, -e: 1. langes [orientalisches] Obergewand mit langen [weiten] Ärmeln, das oft mit einer breiten Schärpe zusammengehalten od. mit kleinen Knöpfen über der Brust geschlossen wird. 2. (ugs.-abwertend) langes, weites Kleidungsstück

Ka|gu ‹polynes.› *der;* -s, -s: Kranichvogel mit hellschiefergrauem Gefieder, der in den Gebirgswäldern Neukaledoniens lebt

Kai, auch: Quai [keː, auch: kɛː] ‹gall.-fr.-niederl.› *der;* -s, -s: durch Mauern befestigtes Ufer im Bereich eines Hafens zum Beladen u. Löschen von Schiffen

Kai|man ‹indian.-span.› *der;* -s, -e: (bes. im tropischen Südamerika vorkommender) Alligator. **Kai-man|fisch** ‹indian.-span.; dt.› *der;* -[e]s, -e: hechtartiger Knochenfisch mit ↑Ganoidschuppen, dessen Kiefer zu einer Krokodilschnauze verlängert ist

Kai|nit [auch: ...ˈnɪt] ‹gr.-nlat.› *der;* -s, -e: weißliches, gelbliches od. rötliches, leicht wasserlösliches Mineral, das gemahlen als Kalidünger verwendet wird

Kains|mal [ˈkaɪns..., auch: ˈkaːɪns...] ‹nach 1. Mose 4, 15 Zeichen, das Kain nach dem Brudermord an Abel erhalten haben soll u. das ihn als von Gott zu Richtenden kennzeichnen sollte› *das;* -[e]s, -e: Schuld, die jmdm. gleichsam an der Stirn geschrieben steht. **Kains|zei-chen** *das;* -s, -: ↑Kainsmal

kai|ro|phob ‹gr.›: Situationsangst empfindend (Med.; Psychol.). **Kai|ro|pho|bie** *die;* -, ...ien: Situationsangst (Med.; Psychol.). **Kai|ros** *der;* -, ...roi [...ˈrɔy]: 1. günstiger Zeitpunkt, entscheidender Augenblick (Philos.). 2. Zeitpunkt der Entscheidung (z. B. zwischen Glauben u. Unglauben; Rel.)

Kai|zen [...zɛn] ‹jap.› *das;* -: (aus Japan stammendes) Unternehmensführungskonzept, das auf einer Philosophie der ewigen Veränderung beruht und als kontinuierlicher Verbesserungsprozess auch im Westen an Einfluss gewinnt

Ka|ljak ‹eskim.› *der* (selten: *das*); -s, -s: a) schmales, einsitziges Männerboot der Eskimos; vgl. Umiak; b) ein- od. mehrsitziges Sportpaddelboot, das mit Doppelpaddel vorwärts bewegt wird

Ka|jal ‹sanskr.› *das;* -[s]: als Kosmetikum zum Umranden der Augen verwendete [schwarze] Farbe

Ka|lje ‹niederl.› *die;* -, -n: (landsch.) [Schutz]deich, Uferbefestigung

Ka|lje|put|baum ‹malai.; dt.› *der;* -[e]s, ...bäume: ein Myrtengewächs in Indonesien u. Australien, dessen Öl in der Medizin und Parfümerie verwendet wird

Ka|jik vgl. Kaik

ka|jol|lie|ren [kaʒ...] ‹fr.›: (veraltet) schmeicheln, liebkosen

Ka|jü|te ‹niederd., weitere Herkunft unsicher› *die;* -, -n: Wohn- u. Schlafraum auf Booten u. Schiffen

Ka|kal|du [auch: ...ˈduː] ‹malai.-niederl.› *der;* -s, -s: (bes. in Australien heimischer) großer Papagei mit weißem, schwarzem od. rosenrotem Gefieder, einem kräftigen Schnabel u. einem Schopf aus Federn auf dem Kopf

Ka|kao [...kau, auch: ...kaːo] ‹mex.-span.› *der;* -s: 1. Kakaobaum, -pflanze. 2. Samen des Kakaobaumes. 3. aus gemahlenen Kakaobohnen hergestelltes Pulver. 4. aus Kakaopulver, Milch u. Zucker bereitetes Getränk; **jmdn. durch den Kakao ziehen:** (ugs.) spöttisch-abfällig über jmdn. reden

Ka|ke|mo|no ‹jap.› *das;* -s, -s: jap. Gemälde im Hochformat auf einer Rolle aus Seide od. Papier; vgl. Makimono

Ka|ker|lak ‹Herkunft unsicher› *der;* -s u. -en, -en: 1. Küchenschabe. 2. (von Tieren) lichtempfindlicher ↑Albino (1)

Ka|ki vgl. Khaki

Ka|ki|baum ‹jap.; dt.› *der;* -s, ...bäume: ein ostasiatisches Ebenholzgewächs mit tomatenähnlichen Früchten

Ka|ki|rit [auch: ...ˈrɪt] ‹nlat.› nach dem See Kakir in Nordschweden) *der;* -s, -e: durch Erdbewegungen stark zerklüftetes Gestein (Geol.)

Ka|ko|dyl|ver|bin|dung ‹gr.; dt.› *die;* -, -en (meist Plural): übel riechende organische Verbindung des Arsens (Chem.). **Ka|ko|ge-u|sie** ‹gr.-nlat.› *die;* -, ...ien: übler Geschmack im Mund (Med.). **Ka|ko|pho|nie**, auch: Kakofonie

⟨gr.⟩ die; -, ...jen: 1. Missklang, ↑Dissonanz (Mus.). 2. schlecht klingende Folge von Lauten (Sprachw.); Ggs. ↑Euphonie. **Ka|ko|pho|ni|ker**, auch: Kakofoniker der; -s, -: ein Komponist, der häufig die ↑Kakophonie (1) anwendet. **ka|ko|pho|nisch**, auch: kakofonisch: die Kakophonie betreffend, misstönend, schlecht klingend. **Ka|kos|mie** die; -: subjektive Empfindung eines tatsächlich [nicht] vorhandenen üblen Geruchs (Med.). **Ka|kos|to|mie*** ⟨gr.-nlat.⟩ die; -: übler Mundgeruch (Med.)

Kak|ta|ze|en ⟨gr.-lat.-nlat.⟩ die (Plural): Kaktusgewächse (Pflanzenfamilie). **Kak|tee** die; -, -n: ↑Kaktus (1). **Kak|tus** ⟨gr.-lat.⟩ der; - (ugs. u. österr. auch: -ses), ...teen (ugs. u. österr. auch: -se): (in vielen Arten in Trockengebieten vorkommende) meist säulen- od. kugelförmige Pflanze, die in ihrem verdickten Stamm Wasser speichert u. meist Dornen trägt

ka|ku|mi|nal ⟨lat.-nlat.⟩: (veraltet) ↑retroflex. **Ka|ku|mi|nal** der; -s, -e: ↑Retroflex

Ka|la-A|zar ⟨Hindi; „schwarze Krankheit"⟩ die; -: schwere tropische Infektionskrankheit, die mit Fieber, Schwellung von Leber u. Milz u. allgemeinem Kräfteverfall einhergeht

Ka|la|bas|se vgl. Kalebasse

Ka|lab|re|ser* ⟨nach der ital. Landschaft Kalabrien⟩ der; -s, -: Filzhut mit breiter Krempe u. nach oben spitz zulaufendem Kopfteil

Ka|la|mai|ka ⟨slaw.⟩ die; -, ...ken: slaw.-ungarischer Nationaltanz im ²/₄-Takt

Ka|la|ma|ri|en ⟨gr.-nlat.⟩ die (Plural): mit den ↑Kalamiten verwandte ↑fossile Schachtelhalme

Ka|la|min ⟨gr.-lat.-mlat.⟩ der; -s: Zinkspat

Ka|la|mit ⟨gr.-nlat.⟩ der; -en, -en (meist Plural): ausgestorbener baumhoher Schachtelhalm des ↑Karbons

Ka|la|mi|tät ⟨lat.⟩ die; -, -en: 1. [schlimme] Verlegenheit, missliche Lage. 2. durch Schädlinge, Hagel, Sturm o. Ä. hervorgerufener schwerer Schaden in Pflanzenkulturen (Biol.)

Ka|lan|choe [...çoe] ⟨chin.-fr.⟩ die; -, -n: zu den Dickblattgewächsen gehörende Pflanze mit weißen, gelben od. roten Blüten (Bot.)

Ka|lan|der ⟨fr.⟩ der; -s, -: Maschi-

ne mit verschiedenen Walzen zum Glätten od. Prägen von Stoff, Papier, Folie o. Ä. **ka|lan|dern** u. **ka|land|rie|ren*** ⟨fr.⟩: einen Werkstoff mit dem ↑Kalander bearbeiten

Ka|lands|brü|der ⟨lat.-mlat.; dt.; nach lat. calendae = „erster Tag eines Monats"⟩ die (Plural): religiös-soziale Bruderschaften des 13.–16.Jh.s, die sich am Monatsersten versammelten

Ka|lä|sche ⟨russ.⟩ die; -, -n: (landsch.) [Tracht] Prügel. **ka|lä-schen:** (landsch.) prügeln

Ka|lasch|ni|kow ⟨nach dem sowjetischen Konstrukteur M. T. Kalaschnikow, *1919⟩ die; -, -s: ein sowjetisches Sturmgewehr

Ka|la|si|ris ⟨ägypt.-gr.⟩ die; -, -: (im alten Ägypten u. in Griechenland getragenes) langes Gewand für Männer u. Frauen

Ka|la|thos ⟨gr.⟩ der; -, ...thoi [...tɔy]: 1. (im antiken Griechenland) aus Weiden geflochtener, an einen Lilienkelch erinnernder Korb. 2. Kopfschmuck bes. weiblicher griechischer Gottheiten. 3. Kernstück des korinthischen ↑Kapitells (Kunstw.)

Ka|lau|er ⟨aus franz. calembour = „Wortspiel", in Anlehnung an den Namen der Stadt Calau bei Cottbus umgebildet⟩ der; -s, -: nicht sehr geistreicher, meist auf einem Wortspiel beruhender Witz. **ka|lau|ern:** Kalauer erzählen

Kal|da|ri|um u. Caldarium ⟨lat.; „Warmzelle"⟩ das; -s, ...ien: 1. altröm. Warmwasserbad. 2. (veraltet) warmes Gewächshaus

Kal|dau|ne ⟨lat.-mlat.⟩ die; -, -n (meist Plural): a) (landsch.) Stück der Innereien bes. vom Rind; b) (salopp) Stück der Eingeweide des Menschen

Kal|de|ra vgl. Caldera

Ka|le|bas|se u. Kalabasse ⟨arab.-span.-fr.⟩ die; -, -n: dickbauchiges, aus einer Flaschenkürbisses od. der Frucht des Kalebassenbaumes hergestelltes Gefäß mit langem Hals. **Ka|le|bas|sen-baum** der; -[e]s, ...bäume: tropischer Baum mit sehr großen, hartschaligen Früchten

Ka|le|do|ni|den ⟨nlat.; nach dem lat. Namen Caledonia für Nordschottland⟩ die (Plural): die im älteren Paläozoikum entstandenen Gebirge, die sich innerhalb Europas vor allem vom Westen der Skandinavischen Halbinsel bis nach Schottland u. Irland erstrecken (Geol.). **ka|le|do-**

nisch: die Kaledoniden u. die Zeit ihrer Herausbildung betreffend (Geol.)

Ka|lei|do|skop* ⟨gr.-nlat.; eigtl. „Schönbildschauer"⟩ das; -s, -e: 1. fernrohrähnliches Spielzeug, bei dem sich beim Drehen bunte Glassteinchen zu verschiedenen Mustern u. Bildern anordnen. 2. lebendig-bunte [Bilder]folge, bunter Wechsel. **ka|lei|do|sko-pisch:** 1. das Kaleidoskop betreffend. 2. in bunter Folge, ständig wechselnd (z. B. von Bildern od. Eindrücken)

Ka|lei|ka ⟨poln.⟩ das; -s: (landsch.) Aufheben, Umstand

ka|len|da|risch ⟨lat.⟩: nach dem Kalender. **Ka|len|da|ri|um** das; -s, ...ien: 1. Verzeichnis kirchlicher Gedenk- u. Festtage. 2. [Termin]kalender. 3. altröm. Verzeichnis von Zinsen, die am Ersten des Monats fällig waren. **Ka|len|den** u. Calendae [k...dɛ] die (Plural): der erste Tag des altrömischen Monats

Ka|le|sche ⟨poln.⟩ die; -, -n: leicht gebaute Kutsche mit zusammenklappbarem Verdeck

Ka|le|val|la u. (eingedeutscht:) **Ka|le|wa|la** ⟨finn.⟩ die od. das; -: finnisches Nationalepos

Kal|fak|ter ⟨lat.-mlat.; „Einheizer"⟩ der; -s, - u. **Kal|fak|tor** der; -s, ...oren: 1. a) (veraltend, oft leicht abwertend) jmd., der für jmdn. verschiedenste untergeordnete Hilfsdienste verrichtet; b) (oft abwertend) Gefangener der in der Strafanstalt von Ge fängniswärtern Hilfsdienste leis tet. 2. (landsch. abwertend) jmd. der andere aushorcht

kal|fa|tern ⟨arab.-mgr.-roman. niederl.⟩: (die hölzernen Wände das Deck eines Schiffes) in de Fugen mit Werg u. Teer od. Kit abdichten (Seemannsspr.)

Ka|li ⟨arab.⟩ das; -s, -s: 1. bes. al Dünge- u. Ätzmittel verwende tes, natürlich vorkommende Kalisalz. 2. Kurzform von Kal um[verbindungen]

Ka|li|an u. Kalian ⟨pers.⟩ der od das; -s, -e: persische Wasserpfe fe

Ka|li|ban ⟨nach Caliban, eine Gestalt in Shakespeares Dram „Tempest" („Sturm")⟩ das; -s, -e roher, grobschlächtiger, primit ver Mensch

Ka|li|ber ⟨gr.-arab.-fr.⟩ das; -s, -: a) innerer Durchmesser vo Rohren u. Bohrungen; b) äuße rer Durchmesser eines Geschoe ses. 2. Gerät zum Messen des i

neren od. äußeren Durchmessers an Werkstücken. 3. a) Form eines Uhrwerks; b) Durchmesser eines Uhrgehäuses. 4. Aussparung, Abstand zwischen zwei Walzen bei einem Walzwerk. 5. (ugs.) Art, Schlag, Sorte. **Ka|li|ber|maß** ⟨gr.-arab.-fr.; dt.⟩ das; -es, -e: ↑ Kaliber (1 b). **Ka|lib|ra|ti|on*** die; -, -en: 1. Messung des Kalibers (1 a). 2. das Eichen von Messinstrumenten. 3. das Ausrichten von Werkstücken auf ein genaues Maß; vgl. ...[at]ion/...ierung. **Ka|lib|reur*** [...'brøːɐ̯] der; -s, -e: jmd., der eine Kalibration vornimmt. **ka|lib|rie|ren*:** 1. das Kaliber (1 a) bestimmen, messen. 2. Werkstücke auf ein genaues Maß bringen, ausrichten. 3. Messinstrumente eichen, prüfen u. mit der Norm in Übereinstimmung bringen. **Ka|lib|rie|rung*** die; -, -en: ↑ Kalibration; vgl. ...[at]ion/...ierung.
Ka|lif ⟨arab.; „Nachfolger, Stellvertreter"⟩ der; -en, -en (hist.): a) (ohne Plural) Bez. für den Nachfolger des Propheten Mohammed als Oberhaupt der muslimischen Gemeinschaft; b) Träger des Titels Kalif (a). **Ka|li|fat** ⟨arab.-nlat.⟩ das; -[e]s, -e: (hist.) Amt, Herrschaft, Reich eines Kalifen
Ka|li|ko ⟨fr.-niederl.; nach der ostindischen Stadt Kalikut = Kalukutta⟩ der; -s, -s: feines, dichtes Baumwollgewebe (bes. für Bucheinbände)
Ka|li|lau|ge ⟨arab.; dt.⟩ die; -, -n: durch Lösung von Kaliumhydroxid in Wasser entstehende farblose, ätzende Flüssigkeit, die bes. in der Waschmittel- u. Farbindustrie verwendet wird. **Ka|li|sal|pe|ter** der; -s: bes. als Düngemittel u. bei der Herstellung von Feuerwerkskörpern, Glas u. Porzellan verwendetes Salz der Salpetersäure. **Ka|li|salz** ⟨arab.; dt.⟩ das; -es, -e (meist Plural): Doppelsalz od. Gemisch von Verbindungen des Kaliums, Kalziums, Magnesiums u. Natriums, das bes. als Düngemittel u. als Rohstoff in der chemischen Industrie verwendet wird. **Ka|li|um** ⟨arab.-nlat.⟩ das; -s: chem. Element; ein Alkalimetall, das in der Natur nur in Verbindungen vorkommt (Zeichen: K). **Ka|li|um|bro|mid** das; -[e]s, -e: halogenhaltiges Kaliumsalz, das in der Pharmazie für Beruhigungsmittel u. in der Fototechnik als Zusatz zu Entwicklern (der die

Entwicklung verzögert) verwendet wird. **Ka|li|um|chlo|rat** das; -s, -e: aus Kalium und Chlorsäure entstehendes Salz, das bes. bei der Herstellung von Zündholzköpfen, Feuerwerkskörpern u. Ä. verwendet wird. **Ka|li|um|chlo|rid** das; -[e]s, -e: chem. Verbindung aus Kalium mit Chlor, die bes. zur Herstellung von Kalidüngemitteln verwendet wird. **Ka|li|um|hyd|ro|xid*,** chem. fachspr.: Kaliumhydroxyd das; -[e]s, -e: durch Elektrolyse der Lösung von Kaliumchlorid entstehendes Hydroxid, das eine stark weiße Masse bildet, die sich in Wasser zu Kalilauge löst. **Ka|li|um|kar|bo|nat** das; -[e]s, -e: aus Kalium u. Kohlensäure entstehendes Salz, das ein weißes, leicht in Wasser lösliches Pulver bildet u. u.a. zur Herstellung von Seifen u. Glas verwendet wird; Pottasche. **Ka|li|um|ni|t|rat*** das; -[e]s, -e: ↑ Kalisalpeter. **Ka|li|um|per|man|ga|nat** das; -[e]s, -e: dunkelviolett glänzende, Kristalle bildende chemische Verbindung, die bes. als Desinfektions- u. Bleichmittel, zum Beitzen von Holz u. Ä. verwendet wird. **Ka|li|um|sul|fat** das; -[e]s, -e: als Düngemittel verwendetes Salz aus Kalium u. Schwefelsäure. **Ka|li|um|zy|a|nid** das; -s: ↑ Zyankali
Ka|li|un vgl. Kalian
Ka|lix|t|i|ner ⟨lat.-nlat.⟩ der; -s, - (meist Plural): (hist.) Anhänger der gemäßigten Richtung der Hussiten, die 1420 den Laienkelch beim Abendmahl forderten; vgl. Utraquist
Ka|l|ka|nt ⟨lat.⟩ der; -en, -en (veraltet) jmd., der an der Orgel den Blasebalg tritt
Kal|ka|ri|u|rie ⟨lat.; gr.⟩ die; -, ...ien: vermehrte Ausscheidung von Kalksalzen im Urin (Med.). **Kalk|o|o|lith** [...li:t, auch: ...lɪt] der; -s u. -en, -e[n]: Gestein aus fischrogenartigem, körnigem Kalk u. kalkigem Bindemittel (Geol.). **Kalk|sal|pe|ter** ⟨lat.⟩ der; -s: durch Auflösen von Kalkstein in Salpetersäure gewonnenes Stickstoffdüngemittel (Chem.)
¹Kal|kül ⟨lat.-fr.⟩ das (auch: der); -s, -e: etw. im Voraus abschätzende, einschätzende Berechnung, Überlegung. **²Kal|kül** der; -s, -e: durch ein System von Regeln festgelegte Methode, mit deren Hilfe bestimmte mathematische Probleme systematisch

behandelt u. automatisch gelöst werden können (Math.). **Kal|ku|la|ti|on** ⟨lat.; „Berechnung"⟩ die; -, -en: 1. Kostenermittlung, [Kosten]voranschlag. 2. in Bezug auf etw. angestellte Überlegung; Schätzung. **Kal|ku|la|tor** der; -s, ...oren: Angestellter des betrieblichen Rechnungswesens. **kal|ku|la|to|risch:** rechnungsmäßig. **kal|ku|lie|ren:** 1. [be]rechnen, veranschlagen. 2. abschätzen, überlegen
Kal|la ⟨gr.-nlat.⟩ die; -, -s: ↑ Calla
Kal|le ⟨hebr.-jidd.⟩ die; -, -n: (Gaunerspr.) 1. a) Braut; b) Geliebte. 2. Prostituierte
Kal|li|graph, auch: ...graf ⟨gr.⟩ der; -en, -en: (veraltet) Schönschreiber. **Kal|li|gra|phie,** auch: ...grafie die; -: ↑ Schönschreibkunst. **kal|li|gra|phisch,** auch: ...grafisch: die Kalligraphie betreffend
kal|löse ⟨lat.-nlat.⟩: 1. von Kallus (1) überzogen. 2. schwielig (Med.). **Kal|lo|se** die; -: zelluloseähnlicher pflanzlicher Stoff, der den Stoffaustausch zwischen benachbarten Zellen od. zwischen Pflanze u. Außenwelt verhindert (Bot.). **Kal|lus** ⟨lat.⟩ der; -, -se: 1. an Wundrändern von Pflanzen durch vermehrte Teilung entstehendes Gewebe (Bot.). 2. (Med.) a) Schwiele; b) nach Knochenbrüchen neu gebildetes Gewebe
Kal|mar ⟨gr.-lat.-fr.⟩ der; -s, ...are: zehnarmiger Tintenfisch
Kal|me ⟨gr.-vulgärlat.-it.-fr.⟩ die; -, -n: völlige Windstille. **Kal|men|gür|tel** ⟨gr.-vulgärlat.-it.-fr.; dt.⟩ der; -s: Gebiet schwacher, veränderlicher Winde u. häufiger Windstillen [über den Meeren] (Meteor.). **Kal|men|zo|ne** die; -: Zone völliger Windstille in der Nähe des Äquators (Meteor.). **kal|mie|ren:** (veraltet) beruhigen, besänftigen
Kal|myck (nach dem westmongolischen Volk der Kalmücken) der; -[e]s, -e: beidseitig gerautes, tuchartiges [Baum]wollgewebe
Kal|mus ⟨gr.-lat.⟩ der; -, -se: ein Aronstabgewächs (Zierstaude u. Heilpflanze)
Kal|lo ⟨gr.-lat.-it.⟩ der; -s, -s: (veraltet) Schwund, Gewichtsverlust von Waren od. Material durch Auslaufen, Eintrocknen u. a.
Ka|lo|bi|o|tik ⟨gr.⟩ die; -: die im antiken Griechenland geübte Kunst, ein der sinnlichen u. geistigen Natur des Menschen entsprechendes harmonisches Le-

ben zu führen. **Ka|loi|ka|ga|thoi** *die* (Plural): die Angehörigen der Oberschicht im antiken Griechenland. **Ka|lo|ka|ga|thie** *die;* -: körperliche u. geistige Vollkommenheit als Bildungsideal im antiken Griechenland. **Ka|lomel** ⟨*gr.-fr.*⟩ *das;* -s: Quecksilber-I-Chlorid (ein Mineral) **Ka|lo|rie** ⟨*lat.-nlat.*⟩ u. Grammkalorie *die;* -, ...ien: 1. frühere physikalische Einheit der Wärme (Zeichen: cal). 2. (meist Plural) frühere Maßeinheit für den Energiewert (Nährwert) von Lebensmitteln (Zeichen: cal). **ka|lo|ri|en|re|du|ziert:** (von Lebensmitteln) einen deutlich geringeren physiologischen Brennwert besitzend als ihn Produkte derselben Art üblicherweise haben. **Ka|lo|ri|fer** („Wärmeträger") *der;* -s, -s u. -en: (veraltet) Heißluftofen. **Ka|lo|rik** *die;* -: Wärmelehre. **Ka|lo|ri|me|ter** ⟨*lat.; gr.*⟩ *das;* -s, -: Gerät zur Bestimmung von Wärmemengen, die durch chemische od. physikalische Veränderungen abgegeben od. aufgenommen werden. **Ka|lo|ri|met|rie*** *die;* -: Lehre von der Messung von Wärmemengen. **ka|lo|ri|met|risch*:** die Wärmemessung betreffend; **kalorimetrisches Gerät:** ↑Kalorimeter. **ka|lo|risch** ⟨*lat.-nlat.*⟩: die Wärme betreffend; **kalorische Maschine:** ↑Generator mit Wärmeantrieb. **ka|lo|ri|sie|ren:** auf Metallen eine Schutzschicht durch Glühen in Aluminiumpulver herstellen **Ka|lot|te** ⟨*fr.*⟩ *die;* -, -n: 1. gekrümmte Fläche eines Kugelabschnitts (Math.). 2. flache Kuppel (Archit.). 3. Schädeldach ohne Schädelbasis (Anthropol.; Med.). 4. Käppchen katholischer Geistlicher. 5. wattierte Kappe unter Helmen. 6. anliegende Kopfbedeckung der Frauen im 16. Jh. **Kal|pa** ⟨*sanskr.*⟩ *der;* -[s]: (in der indischen Lehre von den Weltzeitaltern die zusammenfassende Bez. für) eine große Zahl von ↑Perioden (1) **Kal|pak** u. Kolpak ⟨*türk.*⟩ *der;* -s, -s: 1. a) tatarische Lammfellmütze; b) Filzmütze der Armenier. 2. [Tuchzipfel an der] Husarenmütze **Kalt|kaus|tik** ⟨*dt; gr.*⟩ *die;* -: Verfahren in der Chirurgie zur ↑Elektrotomie u. ↑Elektrokoagulation von Geweben mittels hochfrequenter Ströme

Ka|lum|bin ⟨*bantuspr.-nlat.*⟩ *das;* -s: Bitterstoff der Kolombowurzel (Pharm.) **Ka|lu|met** [auch: kaly'mɛ] ⟨*gr.-lat.-fr.*⟩ *das;* -s, -s: Friedenspfeife der nordamerikanischen Indianer **Ka|lum|ni|ant** ⟨*lat.*⟩ *der;* -en, -en: (veraltet) Verleumder **Ka|lup|pe** ⟨*tschech.*⟩ *die;* -, -n: (landsch.) baufälliges, altes Haus **Kal|va** ⟨*lat.*⟩ *die;* -, ...ven: ↑Kalotte (3). **Kal|va|ri|en|berg** ⟨*lat.; dt.*⟩ *der;* -[e]s, -e: (bes. an katholischen Wallfahrtsorten als Nachbildung Golgathas) hügelartige Erhöhung mit plastischer Darstellung einer Kreuzigungsgruppe, zu der Kreuzwegstationen hinaufführen **Kal|vil** ⟨*fr.*⟩ *der;* -s, -en (fachspr.: -) u. **Kal|vil|le** *die;* -, -n: feiner Tafelapfel **kal|vi|nisch** ⟨*nlat.;* nach dem Genfer Reformator J. Calvin, 1509–64⟩: die Lehre Calvins betreffend; nach der Art Calvins. **Kal|vi|nis|mus** *der;* -: evangelisch-reformierter Glaube; Lehre Calvins. **Kal|vi|nist**, Calvinist *der;* -en, -en: Anhänger des Kalvinismus. **kal|vi|nis|tisch**, calvinistisch: zum Kalvinismus gehörend, ihn betreffend **Ka|lym** ⟨*turkotat.*⟩ *der;* -s, -s: Brautkaufpreis bei den Kirgisen **Ka|lypt|ra*** ⟨*gr.;* „Hülle, Decke"⟩ *die;* -, ...tren: (Bot.) 1. Wurzelhaube der Farn- u. Samenpflanzen. 2. Hülle der Sporenkapsel bei Laubmoosen. **Ka|lypt|ro|gen** ⟨*gr.-nlat.*⟩ *das;* -s: Gewebeschicht, aus der sich die Kalyptra (1) entwickelt (Bot.) **Kal|ze|o|la|rie** [...jə] ⟨*lat.-nlat.*⟩ u. Calceolaria *die;* -, ...rien: Pantoffelblume (Zimmerpflanze mit pantoffelförmigen Blüten) **kal|zi|fi|zie|ren** ⟨*nlat.*⟩: Kalke bilden, verkalken. **kal|zi|fug** ⟨*lat.-nlat.*⟩: kalkhaltigen Boden meidend (von Pflanzen); Ggs. ↑kalziphil. **Kal|zi|na|ti|on**, fachspr.: Calcination *die;* -: (Chem.) a) Zersetzung oder chem. Verbindung durch Erhitzen; b) das Austreiben von Wasser als Kristallen; c) Umwandlung in kalkähnliche Substanz. **kal|zi|nie|ren**, chem. fachspr.: calcinieren: aus einer chem. Verbindung durch Erhitzen Wasser od. Kohlendioxid austreiben. **Kal|zi|no|se** *die;* -, -n: Verkalkung von Ge-

webe infolge vermehrter Ablagerung von Kalksalzen (Med.). **kal|zi|phil** ⟨*lat.; gr.*⟩: kalkhaltigen Boden bevorzugend (von Pflanzen); Ggs. ↑kalzifug. **Kal|zit**, chem. fachspr.: Calcit [auch: ...'tsɪt] ⟨*lat.-nlat.*⟩ *der;* -s, -e: Kalkspat. **Kal|zi|um**, chem. fachspr.: Calcium *das;* -s: chem. Element; ein Metall (Zeichen: Ca). **Kal|zi|um|bro|mid**, chem. fachspr.: Calciumbromid *das;* -[e]s u. Bromkalzium *das;* -s: eine Bromverbindung. **Kal|zi|um|chlo|rid**, chem. fachspr.: Calciumchlorid *das;* -[e]s: u. a. als Trockenmittel, Frostschutzmittel, in der Medizin verwendete Verbindung aus Kalzium u. Chlor. **Kal|zi|um|hyd|ro|xid**, auch: **Kal|zi|um|hyd|ro|xyd**, chem. fachspr.: Calciumhydroxid *das;* -[e]s: gelöschter Kalk. **Kal|zi|um|kar|bid**, chem. fachspr.: Calciumcarbid: vgl. Karbid. **Kal|zi|um|kar|bo|nat**, chem. fachspr.: Calciumcarbonat *das;* -[e]s, -e: (kohlensaurer) Kalk. **Kal|zi|um|oxid**, auch: **Kal|zi|um|oxyd**, chem. fachspr.: Calciumoxid *das;* -[e]s: gebrannter Kalk, Ätzkalk. **Kal|zi|um|phos|phat**, chem. fachspr.: Calcium... *das;* -[e]s, -e: u. a. als Düngemittel verwendetes Kalziumsalz der Phosphorsäure. **Kal|zi|um|sul|fat**, chem. fachspr.: Calcium... *das;* -[e]s, -e: (in Form von Gips, Anhydrit, Alabaster vorkommendes) Kalziumsalz der Schwefelsäure **Ka|mal|du|len|ser** ⟨nach dem Kloster Camaldoli bei Arezzo⟩ *der;* -s, - (meist Plural): Angehöriger eines katholischen Ordens **Ka|man|gah** [...'dʒaː] ⟨*arab.*⟩ *die;* -, -s: in Vorderasien u. Nordafrika verbreitetes Streichinstrument; Kemantsche **Ka|ma|ra|de|rie** vgl. Kameraderie **Ka|ma|res|va|sen** ⟨nach dem Fundort Kamares auf der Insel Kreta⟩ *die* (Plural): schwarz- od. braungrundig glasierte, bunte Keramikgefäße aus minoischer Zeit (um 2000 v. Chr.) **Ka|ma|ril|la** [kama'rɪlja, auch: ...'rɪla] ⟨*lat.-span.*⟩ „Kämmerchen") *die;* -, ...llen: Hofpartei od. ↑Clique (a) in unmittelbarer Umgebung eines Herrschers, die auf diesen einen unkontrollierbaren Einfluss ausübt **kam|bi|al** ⟨*gall.-lat.-mlat.-it.*⟩: (veraltet) den Kambio betreffend, sich auf diesen beziehend. **kam|bie|ren:** (veraltet) Wechselgeschäfte betreiben. **Kam|bio** *der;* -s, ...bi od. -s: (veraltet) Wechsel (Geldw.). **Kam|bi|um** ⟨*gall.-lat.-mlat.-nlat.*⟩ *das;* -s, ...ien: ein teilungsfähig bleibendes Pflanzengewebe (Bot.) **Kamb|rik*** ['kambrık, auch: 'keımbrık] ⟨nach der franz. Stadt Cambrai⟩ *der;* -s: ein feinfädiges Zellwoll- od. Makogewebe **kamb|risch*** ⟨*nlat.;* nach dem *kelt.-mlat.* Namen Cambria für Nordwales⟩: das Kambrium betreffend. **Kamb|ri|um** *das;* -s: älteste Stufe des ↑Paläozoikums (Geol.) **Kal|mee** ⟨*it.-fr.*⟩ *die;* -, -n: [Edel]stein mit erhabener figürlicher Darstellung **Kal|mel** ⟨*semit.-gr.-lat.*⟩ *das;* -[e]s, -e: 1. a) (in Wüsten- u. Steppengebieten beheimatetes) großes Säugetier mit einem od. zwei Höckern, das als Last- u. Reittier verwendet u. dessen zottiges Haar für Wolle genutzt wird; b) Trampeltier. 2. (derb) jmd., der sich dumm verhalten hat **Kal|mel|lie** [...ɪə] ⟨*nlat.;* nach dem aus Mähren stammenden Jesuiten G. J. Camel, † 1706⟩ *die;* -, -n: eine Zierpflanze mit zartfarbigen Blüten **¹Kal|mel|lott** *der;* -s, -e: 1. feines Kammgarngewebe. 2. [Halb]seidengewebe in Taftbindung (Webart). **²Kal|mel|lott** *der;* -s, -s: französischer Zeitungsverkäufer **Kal|me|ra** (Kurzform von: Camera obscura) *die;* -, -s: 1. Aufnahmegerät für Filme u. Fernsehübertragungen; vgl. Camera obscura. 2. Fotoapparat. **Kal|me|ral|de|rie** ⟨*gr.-lat.-it.-fr.*⟩ *die;* -: (meist abwertend) in entsprechenden Verhaltensweisen anderen bewusst vor Augen geführte Kameradschaft, Cliquengeist. **Kal|me|ral|li|en** ⟨*gr.-lat.-nlat.*⟩ *die* (Plural): Staatswissenschaft, Staats- u. Volkswirtschaftslehre. **Kal|me|ral|lis|mus** *der;* -: Lehre von der ertragreichsten Gestaltung der Staatseinkünfte; vgl. ...ismus/...istik. **Kal|me|ral|list** *der;* -en, -en: 1. Fachmann auf dem Gebiet der Kameralistik (2). 2. (hist.) Beamter einer fürstlichen Kammer. **Kal|me|ral|lis|tik** *die;* -: 1. (veraltet) Finanzwissenschaft. 2. auf den Nachweis von Einnahmen u. Ausgaben sowie den Vergleich mit dem Haushaltsplan ausgerichtete Rechnungsführung; vgl. ...ismus/...istik. **kal|me|ral|lis|tisch:** staatswirtschaftlich, staatswissen-

schaftlich. **Kal|me|ral|wis|sen|schaft** *die;* -: ↑Kameralismus. **Kal|me|ra|re|cor|der** *der;* -s, -: Videoaufzeichnungsgerät, das Videokamera u. Videorecorder zusammen in einem Gehäuse enthält **¹Kal|me|ru|ner** [auch: ...'ru:...] ⟨nach dem afrikanischen Land Kamerun⟩: *die;* -, -: (landsch.) Erdnuss. **²Kal|me|ru|ner** [auch: ...'ru:...] *der;* -s, -: (landsch.) ein Fett gebackenes, auf einer Seite mit Zucker bestreutes Hefegebäck (in der Form einer Acht ähnlich) **Kal|mes** [auch: keımz] ⟨*engl.*⟩ *die* (Plural): Hügelgelände aus Sand u. Geröll von eiszeitlicher Herkunft (Geol.) **Kal|mi** ⟨*jap.;* „Gott"⟩ *der;* -, - (meist Plural): schintoistische Gottheit **kal|mie|ren** u. kaminieren ⟨*it.*⟩: die gegnerische Klinge umgehen (Fechten) **Kal|mil|kal|ze** ⟨*jap.*⟩ *der;* -, -: japanischer Flieger im 2. Weltkrieg, der sich mit seinem Bomber auf das feindliche Ziel stürzte u. dabei sein eigenes Leben opferte **Kal|mil|lav|ki|lon** [...'laf...] ⟨*gr.-ngr.*⟩ *das;* -s, ...ien [...ɪən]: randloser zylinderförmiger Hut der orthodoxen Geistlichen **Kal|mil|le** ⟨*gr.-lat.-mlat.*⟩ *die;* -, -n: eine Heilpflanze **Kal|mil|li|al|ner** ⟨nach dem Vornamen des Ordensgründers Camillo de Lellis (1550–1614)⟩ *der;* -s, -: Angehöriger des Kamillianerordens. **Kal|mil|li|al|ner|or|den** *der;* -s: 1582 gegründeter katholischer Krankenpflegeorden **Kal|min** ⟨*gr.-lat.*⟩ *der* (schweiz. meist: *das*); -s, -e: 1. offene Feuerstelle in Wohnräumen. 2. steile, enge Felsenspalte (Alpinistik). 3. (landsch.) Schornstein. **kal|mi|nie|ren:** 1. im Kamin, zwischen überhängenden Felsen klettern (Alpinistik). 2. vgl. kaminieren. **Kal|min|kleid** ⟨*gr.-lat.; dt.*⟩ *das;* -[e]s, -er: Kleid mit langem Wollrock **Kal|mil|sar|de** ⟨*fr.;* „Hemden-, Kittelträger"⟩ *der;* -n, -n: (hist.) Angehöriger einer Gruppe von hugenottischen Bauern in den franz. Cevennen, die sich gegen Ludwig XIV. erhoben. **Kal|mil|sol** ⟨*fr.*⟩ *das;* -s, -e: (veraltet) [Trachten]jacke; Unterjacke, Mieder **Kal|mö|ne** ⟨*lat.*⟩ *die;* -, -n: italische Quellnymphe, Muse **Kal|mor|ra**, Camorra ⟨*it.*⟩ *die;* -: Geheimbund in Süditalien, bes. in Neapel

Kamp ⟨*lat.*⟩ *der;* -[e]s, Kämpe: 1. (landsch.) eingefriedigtes Feld; Grasplatz; Feldstück. 2. Pflanzgarten zur Aufzucht von Forstpflanzen. **Kam|pag|ne*** [kam'panjə] ⟨*lat.-it.-fr.*⟩ *die;* -, -n: 1. (veraltet) militärischer Feldzug. 2. gemeinschaftliche, groß angelegte, aber 'zeitlich begrenzte ↑Aktion, Aktivität in Bezug auf jmdn., etw. **Kam|pa|nil|le** u. Campanile ⟨*lat.-It.*⟩ *der;* -, -: frei stehender Glockenturm [in Italien]. **Kam|pan|lje** ⟨*lat.-it.-fr.-nlederl.*⟩ *die;* -, -n: in früherer Zeit der hintere Aufbau auf dem Schiffsoberdeck. **Kam|pa|nul|la** vgl. Campanula **Kam|pe|sche|holz** ⟨nach dem Staat Campeche in Mexiko⟩ *das;* -es: Hämatoxilin lieferndes Blauholz (Holz eines tropischen Baumes) **Käm|pe|vi|se** ⟨*dän.;* „Heldengedicht"⟩ *die;* -, -r (meist Plural): epische, lyrische u. dramatische altdänische u. altschwedische Ballade in Dialog- u. Kehrreimform (13. u. 14. Jh.), Gattung der ↑Folkevise **Kamp|fer,** chem. fachspr.: Campher ⟨*sanskr.-arab.-mlat.*⟩ *der;* -s: aus dem Holz des in Japan, China u. auf Taiwan vorkommenden Kampferbaums destillierte, auch synthetisch hergestellte harzartige Verbindung, die bes. in Medizin u. chem. Industrie verwendet wird **kam|pie|ren** ⟨*lat.-it.-fr.*⟩: a) an einem bestimmten Ort (im Freien) für einige Zeit sein Lager aufschlagen, sich lagern; b) (ugs.) irgendwo behelfsmäßig untergebracht sein, wohnen, eine notdürftige Unterkunft haben **Kam|pong** ⟨*malat.*⟩ *der* od. *das;* -s, -s: malaiische Dorfsiedlung **kam|pyl|lo|trop*** ⟨*gr.-nlat.*⟩: im Verhältnis zum ↑Funiculus in verschiedener Weise gekrümmt (von der Achse einer Samenanlage; Bot.) **Kam|sin** u. Chamsin [ka...] ⟨*arab.*⟩ *der;* -s, -e: trockenheißer Sandwind in der ägyptischen Wüste (Meteor.); vgl. Gibli u. Schirokko **Ka|na|da|bal|sam** ⟨nach dem Staat in Nordamerika⟩ *der;* -s: farbloses Harz sordamerikan. Tannen, das zum Verkitten optischer Linsen u. als Einschlussmittel für mikroskopische Präparate dient. **Ka|na|di|er** *der;* -s, -: 1. offenes, [in halb kniender Haltung] mit einseitigem Paddel fortbewegtes Sportboot [mit gerundeten Steven]. 2. (österr.) Polstersessel

Ka|nail|le [ka'naljə, auch: ka'najə] ⟨lat.-it.-fr.⟩ die; -, -n: (abwertend) 1. schurkischer Mensch. 2. (ohne Plural; abwertend veraltend) Gesindel; Pack

Ka|na|ke ⟨polynes.; „Mensch“⟩ der; -n, -n u. -r: 1. (Plural: -n) Eingeborener in Polynesien u. der Südsee. 2. (Plural: -n) (ugs. abwertend) ungebildeter, ungehobelter Mensch. 3. [meist: ka-'nakə] Ausländer, bes. Türke (Schimpfwort)

Ka|nal ⟨gr.-lat.-it.⟩ der; -s, ...äle: 1. a) künstlicher Wasserlauf als Verbindungsweg für Schiffe zwischen Flüssen od. Meeren; b) [unterirdischer] Graben zum Ableiten von Abwässern. 2. röhrenförmiger Durchgang (Med.). 3. bestimmter Frequenzbereich eines Senders (Techn.). **Ka|na|li-sa|ti|on** die; -, -en: 1. a) System von [unterirdischen] Rohrleitungen u. Kanälen zum Abführen der Abwässer; b) der Bau von [unterirdischen] Rohrleitungen u. Kanälen zum Abführen der Abwässer. 2. Ausbau von Flüssen zu schiffbaren Wasserstraßen; vgl. ...[at]ion/...ierung. **ka-na|li|sie|ren**: 1. (eine Ortschaft, einen Betrieb o.Ä.) mit einer Kanalisation (1 a) versehen. 2. (einen Fluss) schiffbar machen. 3. gezielt lenken, in eine bestimmte Richtung leiten (z.B. von politischen od. geistigen Bewegungen). **Ka|na|li|sie|rung** die; -, -en: 1. ↑Kanalisation. 2. gezielte Lenkung (z.B. von politischen od. geistigen Bewegungen); vgl. ...[at]ion/...ierung

Ka|na|my|cin ® ⟨Kunstw.⟩ das; -s: ein ↑Antibiotikum

Ka|na|pee [österr. auch: ...'pe:] ⟨gr.-lat.-mlat.-fr.⟩ das; -s, -s: 1. (veraltet) Sofa mit Rücken- u. Seitenlehne. 2. (meist Plural) pikant belegtes u. garniertes [getoastetes] Weißbrothäppchen

Ka|na|ri ⟨fr.; nach den Kanarischen Inseln⟩ der; -s, -: (südd., österr.) Kanarienvogel. **Ka|na-rie** [...jə] die; -, -n: (fachspr.) Kanarienvogel

Ka|nas|ter ⟨gr.-span.⟩ der; -s, -: (veraltet) Knaster

Kan|da|har|ren|nen ⟨nach dem engl. Lord F. R. of Kandahar⟩ das; -s, -: ein jährlich stattfindendes alpines Skirennen

Kan|da|re ⟨ung.⟩ die; -, -n: Gebissstange im Maul des Pferdes

Kan|de|la|ber ⟨lat.-fr.⟩ der; -s, -: a) mehrarmiger Leuchter für Lampen od. Kerzen; b) mehrarmiger, säulenartiger Ständer für die Straßenbeleuchtung

Kan|del|zu|cker der; -s: (landsch.) Kandis[zucker]

Kan|di|dat ⟨lat.; „Weißgekleideter“⟩ der; -en, -en: 1. jmd., der sich um etw., z.B. um ein Amt, bewirbt. 2. a) Student höheren Semesters, der sich auf sein Examen vorbereitet; b) Prüfling. **Kan|di|da|ten|tur|nier** das; -s, -e: Turnier der im ↑Interzonenturnier bestplatzierten Spieler zur Ermittlung des Herausforderers des jeweiligen Schachweltmeisters. **Kan|di|da|tur** ⟨lat.-nlat.⟩ die; -, -en: Anwartschaft, das Kandidieren. **kan|di|die-ren**: sich (z.B. um ein Amt) bewerben

kan|die|ren ⟨arab.-it.-fr.⟩: (Früchte) mit einer Zuckerlösung überziehen u. dadurch haltbar machen. **Kan|dis** ⟨arab.-it.⟩ der; -s u. **Kan|dis|zu|cker** der; -s: in großen Stücken an Fäden auskristallisierter Zucker. **Kan|di|ten** die (Plural): (bes. österr.) kandierte Früchte

Kand|schar vgl. Handschar

Kand|schur* ⟨tibet.; „übersetztes Wort (Buddhas)“⟩ der; -[s]: die heilige Schrift des ↑Lamaismus; vgl. Tandschur

Ka|neel ⟨sumer.-babylon.-gr.-lat.-mlat.-fr.⟩ der; -s, -e: hochwertige Zimtsorte

Ka|ne|pho|re ⟨gr.-lat.⟩ die; -, -n (meist Plural): (im antiken Griechenland) aus vornehmer Familie stammende Jungfrau, die bei religiösen Festen u. Umzügen geweihtes Gerät im Korb auf dem Kopf trägt

Ka|ne|vas ⟨fr.⟩ der; - u. -ses, - u. -se: 1. leinwandbindiges, gitterartiges Gewebe für Handarbeiten. 2. (in der ital. Stegreifkomödie) Einteilung des Stoffs in Akte u. Szenenbilder. **ka|ne|vas|sen**: aus Kanevas (1)

Kang ⟨chin.⟩ der od. das; -s, -s: 1. altchinesisches Halsbrett zur Kennzeichnung u. Bestrafung eines Verbrechers. 2. gemauerte, von außen heizbare Schlafbank in nordchinesischen Häusern

Kän|gu|ru ⟨austr.⟩ das; -s, -s: australisches Springbeuteltier mit sehr langen Hinterbeinen

Ka|ni|den ⟨lat.-nlat.⟩ die (Plural): zusammenfassende Bez. für: Hunde u. hundeartige Tiere (z.B. Fuchs, Schakal, Wolf)

Ka|nin ⟨iber.-lat.-fr.⟩ das; -s, -e: Fell der Wild- u. Hauskaninchen

Ka|nis|ter ⟨sumer.-babylon.-gr.-lat.-engl.⟩ der; -s, -: tragbarer Behälter für Flüssigkeiten

Kank|ro|id* ⟨lat.; gr.⟩ das; -[e]s, -e: (veraltet) Spinaliom. **kank|rös**: ↑kanzerös

Kan|na vgl. Canna

Kan|nä, Cannae ⟨nach der Schlacht bei Cannae, in der Hannibal 216 v. Chr. ein Römerheer völlig vernichtete⟩ das; -, -: katastrophale Niederlage; vgl. kannensisch

Kan|na|bi|nol ⟨lat.-nlat.⟩ das; -s: wichtigster Bestandteil des ↑Haschischs (Chem.)

kan|nel|lie|ren ⟨sumer.-babylon.-gr.-lat.-fr.⟩: (eine Säule) mit senkrechten Rillen versehen. **Kan-nel|lie|rung** die; -, -en: 1. Rinnen- u. Furchenbildung auf der Oberfläche von Kalk- u. Sandsteinen (verursacht durch Wasser od. Wind; Geol.). 2. Gestaltung der Oberfläche einer Säule od. eines Pfeilers mit ↑Kannelüren

Kän|nel|koh|le u. Cannelkohle ⟨engl.; dt.⟩ die; -: eine Steinkohlenart

Kan|nel|lü|re ⟨sumer.-babylon.-gr.-lat.-fr.⟩ die; -, -n: senkrechte Rille am Säulenschaft

kan|nen|sisch ⟨zu ↑Kannä⟩: in der Fügung **kannensische Niederlage:** völlige Niederlage, Vernichtung; vgl. Kannä

Kan|ni|bal|le ⟨span.; nach dem Stammesnamen der Kariben⟩ der; -n, -n: 1. Menschenfresser. 2. roher, ungesitteter Mensch. **kan|ni|bal|lisch**: 1. in der Art eines Kannibalen. 2. roh, grausam, ungesittet. 3. (ugs.) ungemein, sehr groß, überaus. **Kan-ni|ba|lis|mus** ⟨span.-nlat.⟩ der; -: 1. Menschenfresserei. 2. das Fressen von Tieren der eigenen Art. 3. unmenschliche Rohheit

Kan|nu|schi ⟨jap.⟩ der; -, -: ↑schintoistischer Priester

¹Ka|non ⟨sumer.-babylon.-gr.-lat.⟩ der; -s, -s: 1. Richtschnur, Leitfaden. 2. Gesamtheit der für ein bestimmtes [Fach]gebiet geltenden Regeln u. Vereinbarungen. 3. Musikstück, bei dem verschiedene Stimmen in bestimmten Abständen nacheinander mit derselben Melodie einsetzen (Mus.). 4. [von den alexandrinischen Grammatikern aufgestelltes] Verzeichnis mustergültiger Schriftsteller [der Antike]. 5. a) unabänderliche Liste der von einer Religionsgemeinschaft anerkannten Schriften; b) die im Kanon (5 a) enthaltenen Schriften. 6. (Plural: -es [...e:s]) Einzelbestimmung des katholischen Kirchenrechts. 7. Hochgebet der Eucharistie in der kath. Liturgie. 8. (ohne Plural) kirchenamtliches Verzeichnis der Heiligen. 9. Regel von den [richtigen] Proportionen (z. B. in der bildenden Kunst) 10. (hist.) jährlicher Grundzins, Abgabe des Lehnsmannes an den Lehnsherrn. 11. allgemeine Lösung einer mathematischen Aufgabe, nach der dann besondere Probleme gelöst werden können (Math.). 12. (Astron.) a) Tafel für die Bewegungen der Himmelskörper; b) Zusammenstellung aller Mond- und Sonnenfinsternisse. ²**Ka**non *die;* -: (veraltet) ein Schriftgrad (Druckw.)

Ka|no|na|de *⟨sumer.-babylon.-gr.- lat.-it.-fr.⟩ die;* -, -n. [aufhalten-des] Geschützfeuer, Trommelfeuer. **Ka|no|ne** *⟨sumer.-baby-lon.-gr.-lat.-it.⟩ die;* -, -n: 1. [schweres] Geschütz. 2. (ugs.) jmd., der auf seinem Gebiet Bedeutendes leistet, [Sport]größe; **unter aller Kanone:** (ugs.) sehr schlecht, unter aller Kritik. 3. (salopp scherzh.) ↑Revolver (1). **Ka|no|nen|boot** *das;* -[e]s, -e: kleines Kriegsschiff im Küstendienst od. auf Binnengewässern. **Ka|no|nen|fut|ter** *das;* -s: (ugs. abwertend) im Krieg sinnlos u. gewissenlos geopferte Soldaten. **Ka|no|nes** [...no:ne:s] *Plural von* ↑Kanon (6). **Ka|no|nier** *⟨sumer.-babylon.-gr.-lat.-it.-fr.⟩ der;* -s, -e: Soldat, der ein Geschütz bedient. **ka|no|nie|ren:** 1. (veraltet) mit Kanonen [be]schießen. 2. (ugs.) einen kraftvollen Schuss auf das Tor abgeben (z. B. Fuß-, Handball). **Ka|no|nik** *⟨sumer.-babylon.-gr.-lat.⟩ die;* -: Name der Logik bei Epikur. **Ka|no-ni|kat** *⟨sumer.-babylon.-gr.-lat.-nlat.⟩ das;* -[e]s, -e: Amt u. Würde eines Kanonikers. **Ka|no|ni-ker** *der;* -s, - u. **Ka|no|ni|kus** *⟨sumer.-babylon.-gr.-lat.⟩ der;* -, ...ker: Mitglied eines ↑Kapitels (2), ↑Chorherr (1). **Ka|no|ni|sa-ti|on** *⟨sumer.-babylon.-gr.-lat.-mlat.⟩ die;* -, -en: Aufnahme in den Kanon (8), Heiligsprechung (kath. Rel.). **Ka|no|ni|sa|ti|ons-kon|gre|ga|ti|on** *die;* -: ↑Kurienkongregation für die Heilig- u. Seligsprechungsprozesse. **ka-no|nisch** *⟨sumer.-babylon.-gr.-lat.⟩:* 1. als Vorbild dienend. 2.

den kirchlichen [Rechts]bestimmungen gemäß (kath. Rel.). 3. den ↑Kanon (3) betreffend, ihm entsprechend, nach den musikalischen Gesetzen des Kanons gestaltet (Mus.). **ka|no|ni|sie-ren** *⟨sumer.-babylon.-gr.-lat.-mlat.⟩:* in den Kanon (8) aufnehmen, heilig sprechen. **Ka|no|nis-se** *die;* -, -n u. **Ka|no|nis|sin** *⟨sumer.-babylon.-gr.-lat.-mlat.⟩ die;* -, -nen: Stiftsdame; vgl. Chorfrau (1). **Ka|no|nist** *⟨sumer.-babylon.-gr.-lat.-nlat.⟩ der;* -en, -en: Lehrer des kanonischen (2) Rechts. **Ka|no|nis|tik** *die;* -: Lehre vom kanonischen (2) Recht. **Ka|non|ta|feln** *die* (Plural): 1. reich ausgemalte Tafeln mit Abschnittsnummern u. ↑Konkordanzen in Evangelienbüchern des Mittelalters. 2. (früher) drei auf dem Altar aufgestellte Tafeln mit bestimmten unveränderlichen Texten aus der Messe (kath. Rel.); vgl. Kanon (7)

Ka|no|pe ⟨nach der altägyptischen Stadt Kanobos⟩ *die;* -, -n: 1. dickbauchiger altägyptischer Krug mit Deckel in Form eines Menschen- od. Tierkopfes zur Bestattung von Eingeweiden mumifizierter Toter. 2. etruskische Urne

Kä|no|phy|ti|kum *⟨gr.-nlat.⟩ das;* -s: (Oberkreide, ↑Tertiär u. ↑Quartär umfassender) durch neuzeitliche Pflanzenentwicklung gekennzeichneter Abschnitt der Erdgeschichte (Geol.)

Ka|nos|sa, Canossa (nach Canossa, einer Burg in Norditalien, in der Papst Gregor VII. 1077 den dt. Kaiser Heinrich IV. auf dessen Bußgang hin vom Bann lossprach) *das;* -s, -s: tiefe Demütigung, Selbsterniedrigung; **nach Kanossa gehen:** sich demütigen, sich erniedrigen

Kä|no|zo|i|kum *⟨gr.-nlat.⟩ das;* -s: (↑Tertiär u. ↑Quartär umfassende) erdgeschichtliche Neuzeit (Geol.). **kä|no|zo|isch:** das Känozoikum betreffend

kan|ta|bel *⟨spätlat.-it.⟩:* gesanglich vorgetragen; sangbar (Mus.). **Kan|ta|bi|le** *das;* -, -: ernstes, getragenes Tonstück (Mus.). **Kan|ta|bi|li|tät** *⟨lat.-it.-nlat.⟩ die;* -: Sangbarkeit, gesanglicher Ausdruck, melodische Schönheit (Mus.).

Kan|ta|la *⟨nlat.;⟩ die;* -: Pflanzenfaser einer mexikanischen ↑Agave (für Taue u. Bindfäden verwendet)

Kan|tar *⟨lat.-mgr.-arab.⟩ der* od. *das;* -s, -e (aber: 2 Kantar): heute nicht mehr gebräuchliches Handelsgewicht Italiens u. der östlichen Mittelmeerländer; vgl. Cantaro

¹**Kan|ta|te** *⟨lat.;* nach dem alten ↑Introitus, Psalm 98,1, „Singet (dem Herrn ein neues Lied)"⟩: vierter Sonntag nach Ostern. ²**Kan|ta|te** *⟨lat.⟩ das;* -, -n: am Sonntag Kantate abgehaltene jährliche Zusammenkunft der dt. Buchhändler. ³**Kan|ta|te** *⟨lat.-it.⟩ die;* -, -n: mehrteiliges, vorwiegend lyrisches Gesangsstück im ↑monodischen Stil für Solisten od. Chor mit Instrumentalbegleitung (Mus.)

Kan|te|le *⟨finn.⟩ die;* -, -n: ein finnisches Zupfinstrument mit 5–30 Saiten

Kan|ter [auch: ˈkɛntɐ] *⟨engl.;* Kurzform vom Namen der engl. Stadt Canterbury⟩ *der;* -s, - u. - u. ...: zer, leichter Galopp (Reiten). **kan|tern:** kurz u. leicht galoppieren (Pferdesport). **Kan|ter-sieg** *der;* -s, -e: müheloser [hoher] Sieg (bei Sportwettkämpfen)

Kan|tha|ri|de *⟨gr.-lat.⟩ der;* -n, -n (meist Plural): Weichkäfer; Käfer mit weichen Flügeldecken (z. B. Spanische Fliege). **Kan-tha|ri|din,** chem. fachspr.: Cantharidin *⟨gr.-lat.-nlat.⟩ das;* -s: Drüsenabsonderung der Ölkäfer u. Spanischen Fliegen (früher zur Herstellung von Blasen ziehenden Pflastern verwendet)

Kan|tha|ros *⟨gr.-lat.⟩ der;* -, ...roi: altgriech. weitbauchiger, doppelhenkliger Becher

Kan|til|le|ne *⟨lat. it.⟩ die;* , n: gesangartige, meist getragene Melodie (Mus.)

Kan|til|le [auch: ...ˈtıljə] *⟨sumer.-babylon.-gr.-lat.-roman.⟩ die;* -, -n: schraubenförmig gedrehter, vergoldeter od. versilberter Draht zur Herstellung von Borten u. Tressen

Kan|ti|ne *⟨gall.-it.-fr.⟩ die;* -, -n: Speiseraum in Betrieben, Kasernen u. Ä. **Kan|ti|nier** [...ˈnje:] *der;* -s, -s: (scherzh.) Kantinenwirt

Kan|ton *⟨lat.-it.-fr.⟩ der;* -s, -e: 1. Bundesland der Schweiz; Abk.: Kt. 2. Bezirk, Kreis in Frankreich u. Belgien. 3. (hist.) Wehrverwaltungsbezirk (in Preußen). **kan|to|nal:** den Kanton betreffend, zu einem Kanton gehörend. **Kan|to|nal|ak|tu|ar** *der;* -s, -e: (schweiz.) am Kantonsgericht (höchstes ordentliches Gericht eines Kantons) angestellter Schriftführer. **Kan|to|ne|se** *der;* -n, -n: (schweiz.) ↑Partikularist. **Kan|to|ni|e|re** *⟨lat.-it.⟩ die;* -, -n: Straßenwärterhaus in den ital. Alpen. **kan|to|nie|ren** *⟨lat.-it.-fr.⟩:* (veraltet) Truppen unterbringen, in Standorte legen. **Kan|to|nist** *der;* -en, -en: (veraltet) ausgehobener Rekrut; **unsicherer Kantonist:** (ugs.) unzuverlässiger Mensch. **Kanton|ne|ment** [kantonə'mãː, schweiz.: ...'mɛnt] *das;* -s, -s u. (schweiz.:) -e: (veraltet) a) Bezirk, in dem Truppen ↑kantoniert werden; b) Truppenunterkunft. **Kan|ton|sys|tem** *das;* -s: (hist.) System der Heeresergänzung (Mil.)

Kan|tor *⟨lat.; „Sänger"⟩ der;* -s, ...oren: 1. Vorsänger u. Leiter der ↑Schola im ↑gregorianischen Choral. 2. Leiter des Kirchenchores, Organist, Dirigent der Kirchenmusik. **Kan|to|rat** *⟨lat.-mlat.⟩ das;* -[e]s, -e: Amt[szeit] eines Kantors. **Kan|to|rei** *die;* -, -en: 1. Singbruderschaft, Gesangschor [mit nur geistlichen Mitgliedern] im Mittelalter. 2. fürstliche Kapellinstitution im 15. u. 16. Jh. 3. kleine Singgemeinschaft, Schulchor. 4. ev. Kirchenchor

Kant|schu* *⟨türk.-slaw.⟩ der;* -s, -s: Riemenpeitsche **Kan|tus** *⟨lat.⟩ der;* -, -se: (Studentenspr.) Gesang; vgl. Cantus **Ka|nu** [auch, österr. nur: ka'nuː] *⟨karib.-span.-fr.-engl.⟩ das;* -s, -s: 1. als Boot benutzter ausgehöhlter Baumstamm. 2. ↑Kajak; ↑Kanadier (1) **Ka|nü|le** *⟨sumer.-babylon.-gr.-lat.-fr.⟩ die;* -, -n: (Med.) 1. Röhrchen zum Einführen od. Ableiten von Luft od. Flüssigkeiten. 2. Hohlnadel an einer Injektionsspritze **Ka|nut** u. **Knut** *⟨lat.⟩ der;* -s, -e: isländischer Strandläufer (eine Schnepfenart) **Ka|nu|te** *⟨karib.-span.-fr.-engl.⟩ der;* -n, -n: Kanufahrer (Sport) **Kan|zel|la|ri|at** *⟨lat.-mlat.⟩ das;* -[e]s, -e: (veraltet) 1. Kanzlerwürde. 2. Kanzleistube. **Kan|zel|le** *die;* -, -n: 1. Chorschranke in der altchristlichen Kirche. 2. der die Zunge enthaltende Kanal beim Harmonium, bei Hand- u. Mundharmonika. 3. die den Wind verteilende Abteilung der Windlade bei der Orgel. **kan|zel|lie|ren:** (veraltet) Geschriebenes mit gitterförmig sich kreuzenden Strichen (xxx) ungültig machen

kan|ze|ro|gen *⟨lat.; gr.⟩:* Krebs erzeugend (Med.). **Kan|ze|ro|lo|ge** *der;* -n, -n: Facharzt für Kanzerologie (Med.). **Kan|ze|ro|lo|gie** *die;* -: Lehre von der Erkennung u. Behandlung bösartiger ↑Tumoren (Med.). **Kan|ze|ro|pho|bie** *die;* -, ...ien: Furcht, an Krebs erkrankt zu sein (Med.). **kan|ze|rös** *⟨lat.⟩:* krebsartig (Med.)

Kanz|lei *⟨lat.-mlat.⟩ die;* -, -en: Büro [eines Rechtsanwalts od. einer Behörde]. **Kanz|lei|for|mat** *das;* -[e]s: ein früher übliches Papierformat (33 × 42 cm). **Kanz|lei|stil** *der;* -[e]s: die altertümliche u. schwerfällige Sprache der Kanzleien; Amtssprache. **Kanz|list** *der;* -en, -en: (veraltet) Schreiber, Angestellter in einer Kanzlei

Kan|zo|ne *⟨lat.-it.⟩ die;* -, -n: 1. eine romanische Gedichtform. 2. leichtes, heiteres, empfindungsvolles Lied. 3. kontrapunktisch gesetzter A-cappella-Chorgesang im 14. u. 15. Jh. (Mus.). 4. seit dem 16. Jh. liedartige Instrumentalkomposition für Orgel, Laute, Klavier u. kleine Streicherbesetzung (Mus.). **Kan|zo|net|ta** u. **Kan|zo|net|te** *die;* -, ...ten: kleines Gesangs- od. Instrumentalstück (Mus.)

Ka|o|lin *⟨chin.-fr.; nach dem chines. Berg Kaoling⟩ das* (fachspr.: *der*); -s, -e: weicher, formbarer Ton, der durch Zersetzung von Feldspaten entstanden ist (Porzellanerde). **ka|o|li|ni|sie|ren:** Kaolin bilden. **Ka|o|li|nit** [auch: ...'nɪt] *⟨nlat.⟩ der;* -s, -e: Hauptbestandteil des Kaolins

Kap *⟨lat.-vulgärlat.-provenzal.-fr.-niederl.⟩ das;* -s, -s: Vorgebirge; vorspringender Teil einer Felsenküste

ka|pa|bel *⟨lat.-fr.⟩:* (veraltet, aber noch mdal.) befähigt, fähig **Ka|paun** *⟨lat.-vulgärlat.-fr.⟩ der;* -s, -e: kastrierter Masthahn. **ka|pau|nen** u. **ka|pau|ni|sie|ren:** (einen Hahn) kastrieren **Ka|pa|zi|tanz** *⟨lat.⟩ die;* -, -en: Wechselstromwiderstand einer Kapazität (1b) (Elektrot.). **Ka|pa|zi|tät** *die;* -, -en: 1. (ohne Plural) a) Fassungs- od. Speicherungsvermögen eines technischen Geräts od. Bauteils; b) ↑Kondensator (1) od. ähnlich wirkendes Element einer elektrischen Schaltung. 2. a) Produktions- od. Leistungsvermögen einer Maschine od. Fabrik; b) (meist Plural) Produktionsstätte u. Gesamtheit aller Einrichtun-

gen, die zur Herstellung von Industriegütern nötig sind. 3. a) räumliches Fassungsvermögen [eines Gebäudes]; b) geistiges Leistungs- od. Fassungsvermögen. 4. hervorragender Fachmann. **ka|pa|zi|tal|tiv** *⟨lat.-nlat.⟩:* kapazitiv; **kapazitativer Widerstand:** Wechselstromwiderstand eines Kondensators (Elektrot.). **Ka|pa|zi|täts|re|ser|ve** *die;* -, -n: freie, unausgenutzte Betriebskapazität. **ka|pa|zi|tiv** *⟨lat.-engl.⟩:* die Kapazität eines Kondensators betreffend

Ka|pe|a|dor vgl. Capeador **Ka|pee** *⟨mit französierender Endung zu ↑kapieren gebildet⟩:* (ugs.) in der Redewendung **schwer von Kapee sein:** begriffsstutzig sein **Ka|pe|lan** *⟨lat.-mlat.-provenzal.-fr.⟩ der;* -s, -e: kleiner Lachsfisch des nördlichen Atlantischen Ozeans **[1]Ka|pel|le** *⟨lat.-mlat.⟩ die;* -, -n: 1. kleines [privates] Gotteshaus ohne Gemeinde. 2. abgeteilter Raum für Gottesdienste in einer Kirche od. einem Wohngebäude. **[2]Ka|pel|le** *⟨lat.-mlat.-it.⟩ die;* -, -n: a) (im Mittelalter) ein Sängerchor in der Kirche, der die reine Gesangsmusik pflegte; vgl. a cappella; b) Musikergruppe, Instrumentalorchester. **[3]Ka|pel|le,** auch: Kupelle *⟨lat.-mlat.-fr.⟩ die;* -, -n: Tiegel aus Knochenasche zum Untersuchen von silberhaltigem Blei, in dem das Silber nach dem Schmelzen des Bleis zurückbleibt. **ka|pel|lie|ren** u. kupellieren: Silber mithilfe der [3]Kapelle von Blei trennen **Ka|pell|meis|ter** *der;* -s, -: a) Leiter einer [2]Kapelle (b), eines Orchesters; b) nach dem ↑[General]musikdirektor rangierender Orchesterdirigent

[1]Ka|per *⟨gr.-lat.-roman.⟩ die;* -, -n (meist Plural): [in Essig eingemachte] Blütenknospe des Kapernstrauches (ein Gewürz) **[2]Ka|per** *⟨lat.-niederl.⟩ der;* -s, -: (hist.) 1. Schiff, das (im Seekrieg) feindliche Handelsschiffe erbeutet. 2. Freibeuter, Seeräuber. **Ka|per|brief** *der;* -s, -e: (hist.) staatliche Vollmacht, die einen privaten Unternehmer zur Erbeutung von feindlichen Handelsschiffen (im Seekrieg) ermächtigt. **Ka|pe|rei** *die;* -, -en: (hist.) das Erbeuten feindlicher Handelsschiffe durch private Unternehmer aufgrund des Kaperbriefes. **ka|pern:** 1. (hist.) als

Freibeuter ein Schiff aufbringen. 2. (ugs.) a) jmdn. [wider dessen Willen] für etwas gewinnen; b) sich einer Sache bemächtigen **ka|pie|ren** ⟨lat.⟩: (ugs.) begreifen, verstehen

ka|pil|lar ⟨lat.⟩: haarfein (z. B. von Blutgefäßen) (Med.). **Ka|pil|lar-analy|se** die; -, -n: chemische Analyse, bei der die Geschwindigkeiten u. Erscheinungen beim Aufsteigen von Lösungen in senkrecht aufgehängten Filterpapierstreifen zu Trennung u. Unterscheidung benutzt werden (Chem.). **Ka|pil|la|re** die; -, -n: 1. Haargefäß, kleinstes Blutgefäß (Biol.; Med.). 2. ein Röhrchen mit sehr kleinem Querschnitt (Phys.). **Ka|pil|la|ri|tät** ⟨lat.-nlat.⟩ die; -: das Verhalten von Flüssigkeiten in engen Röhren (Phys.). **Ka|pil|lar|mik|ro|sko-pie*** u. **Ka|pil|la|ro|sko|pie*** die; : mikroskopische Untersuchung der feinsten Blutgefäße der Haut am lebenden Menschen (Med.). **Ka|pil|lär|si|rup** der; -s: ein Stärkesirup, bes. zur Herstellung billiger Zuckerwaren. **Ka|pil|li|ti-um** ⟨lat.; „Haarwerk") das; -s, ...ien: röhren- od. fadenartiges Gerüstwerk in den Fruchtkörpern von Schleimpilzen (Bot.) **ka|pi|tal** ⟨lat.⟩: a) von solcher Art, dass die betreffende Person od. Sache alles Vergleichbare übersteigt; b) außerordentlich groß, stark (Jägerspr.). **Ka|pi|tal** ⟨lat.-it.⟩ das; -s, -e u. -ien [...jon] (österr. nur so): 1. a) (ohne Plural) alle Geld- u. Sachwerte, die zu einer Produktion verwendet werden, die Gewinn abwirft; b) Wert des Vermögens eines Unternehmens; Vermögen[sstamm]. 2. a) verfügbare Geldsumme, die bei entsprechendem Einsatz Gewinn erbringt; **Kapital aus etw. schlagen:** Nutzen, Gewinn aus etw. ziehen; b) verfügbarer kleinerer Betrag an Bargeld. 3. (ohne Plural) Gesamtheit der kapitalkräftigen Unternehmen [eines Landes]. 4. gewebtes [buntes] Band, das vom Buchbinder an die Ober- u. Unterkante des Buchblockrückens geklebt wird (Buchw.). **Ka|pi|täl** vgl. Kapitell. **Ka|pi|tal|band** u. Kaptalband das; -[e]s, ...bänder: Kapital (4). **Ka|pi|täl|chen** ⟨lat.; dt.⟩ das; -s, : Großbuchstabe in der Größe der kleinen Buchstaben (Druckw.). **Ka|pi|tal|le** ⟨lat.-fr.⟩ die; -, -n: 1. (veraltet) Hauptstadt. 2. Majuskelschrift. **Ka|pi-**

tal|ex|port der; -[e]s, -e: ↑ Export von Kapital (1) ins Ausland. **Ka-pi|tal|flucht** die; -: das Fortbringen von Kapital (1) ins Ausland bei politischer ↑ Instabilität, ungünstigen Steuergesetzen u. Ä. **Ka|pi|ta|lis** ⟨lat.⟩ die; -: altröm. Monumentalschrift [auf Bauwerken]. **Ka|pi|ta|li|sa|ti|on** ⟨lat.-nlat.⟩ die; -, -en: Umwandlung eines laufenden Ertrags od. einer Rente in einen einmaligen Kapitalbetrag; vgl. ...[at]ion/ ...ierung. **ka|pi|ta|li|sie|ren:** in eine Geldsumme umwandeln. **Ka|pi|ta|li|sie|rung** die; -, -en: ↑ Kapitalisation; vgl. ...[at]ion/ ...ierung. **Ka|pi|ta|lis|mus** der; -: Wirtschaftssystem, das auf dem freien Unternehmertum basiert u. dessen treibende Kraft das Gewinnstreben Einzelner ist, während die Arbeiter keinen Besitzanteil an den Produktionsmitteln haben. **Ka|pi|ta|list** der; -en, -en: 1. Kapitalbesitzer. 2. Person, deren Einkommen überwiegend aus Zinsen, Renten od. Gewinnen besteht 3. (ugs. abwertend) jmd., der über viel Geld verfügt. **ka|pi|ta|lis|tisch:** den Kapitalismus betreffend. **Ka|pi-tal|mag|nat*** der; -en, -en: Eigentümer großer Kapitalien. **Ka-pi|tal|ver|bre|chen** das; -s, -: besonders schwere Straftat (z. B. Mord). **Ka|pi|tän** ⟨lat.-it.(-fr.)⟩ der; -s, -e: 1. Kommandant eines Schiffs; **Kapitän zur See:** Seeoffizier im Range eines Obersten. 2. Kommandant eines Flugzeugs, Chefpilot. 3. Anführer, Spielführer einer Sportmannschaft. **Ka|pi|tän|leut|nant** der; -s, -e (selten: -e): Offizier der Bundesmarine im Range eines Hauptmanns. **Ka|pi|täns|pa-tent** das; -[e]s, -e: amtliches Zeugnis, das jmdn. zur Führung eines Schiffs berechtigt. **Ka|pi-tel** ⟨lat.; „Köpfchen; Hauptabschnitt") das; -s, -: 1. Hauptstück, Abschnitt in einem Schrift- od. Druckwerk; Abk.: Kap. 2. a) Körperschaft der Geistlichen einer Dom- od. Stiftskirche od. eines Kirchenbezirks (Landkapitel); b) Versammlung eines [geistlichen] Ordens. **ka|pi|tel|fest:** a) über genaue Kenntnisse in etw. verfügend u. daher bei entsprechenden Fragen o. Ä. ganz sicher; b) bibelfest. **Ka|pi|tell** ⟨lat.; „Köpfchen") das; -s, -e: oberer Abschluss einer Säule, eines Pfeilers od. ↑ Pilasters. **ka|pi|teln:**

(landsch.) jmdn. zurechtweisen, schelten. **Ka|pi|tel|saal** der; -[e]s, ...säle: Sitzungssaal im Kloster. **Ka|pi|tol** das; -s: 1. (hist.) Stadtburg im alten Rom, Sitz des ↑ Senats (1). 2. Sitz des amerik. ↑ Senats (2), Parlamentsgebäude der Vereinigten Staaten in Washington. **Ka|pi|tul|lant** ⟨lat.-mlat.⟩ der; -en, -en: 1. (veraltet) Soldat, der sich verpflichtet, über die gesetzliche Dienstzeit hinaus zu dienen. 2. jmd., der vor Schwierigkeiten [leicht, schnell] kapituliert (2). **Ka|pi|tu-lar** der; -s, -e: Mitglied eines Kapitels (2a) (z. B. ein Domherr). **Ka|pi|tu|la|ri|en** die (Plural): (hist.) Gesetze u. Verordnungen der fränkischen Könige. **Ka-pi|tu|la|ti|on** ⟨lat.-mlat.-fr.⟩ die; -, -en: 1. a) das Kapitulieren (1); b) Vertrag über die Kapitulation (1a). 2. resignierendes Nachgeben, Aufgeben. 3. (veraltet) Vertrag, der den Dienst eines Soldaten verlängert. **ka|pi|tu|lie|ren:** 1. sich dem Feind ergeben; sich für besiegt erklären u. sich dem Gegner unterwerfen. 2. (angesichts einer Sache) resignierend aufgeben, nachgeben, die Waffen strecken. 3. (veraltet) eine Kapitulation (3) abschließen **Kap|la|ken** u. Kapplaken ⟨niederl.-niederd.⟩ das; -s, -: (Seemannsspr.) Sondervergütung für den Schiffskapitän über das vertraglich vereinbarte Entgelt hinaus **Kap|lan*** ⟨lat.-mlat.; „Kapellengeistlicher") der; -s, ...läne: a) dem Pfarrer untergeordneter katholischer Geistlicher; b) Geistlicher mit besonderen Aufgaben (z. B. in einem Krankenhaus od. beim Heer) **Kap|lan|tur|bi|ne*** (nach dem österr. Ingenieur V. Kaplan, † 1934) die; -, -n: eine Überdruckwasserturbine (vgl. Turbine) mit verstellbaren Laufschaufeln (Techn.) **Ka|po** ⟨Kurzform von fr. caporal = „Hauptmann, Anführer; Korporal") der; -s, -s: 1. (Soldatenspr.) Unteroffizier. 2. (Jargon) Häftling eines Straf- od. Konzentrationslagers, der die Aufsicht über andere Häftlinge führt. 3. (südd.) Vorarbeiter **Ka|po|das|ter** ⟨it.⟩ der; -s, - : ein über alle Saiten reichender, auf dem Griffbrett sitzender verschiebbarer Bund bei Lauten u. Gitarren; vgl. Capotasto **Ka|pok** [auch: 'ka:...] ⟨malai.⟩ der;

-s: Samenfaser des Kapokbaums (ein Füllmaterial für Polster)

Ka|pon|ni|e|re ⟨lat.-span.-it.-fr.⟩ der; -, -n: (veraltet) bombensicherer Gang in einer Festung

ka|po|res ⟨hebr.-jidd.⟩: (ugs.) entzwei, kaputt

Ka|pott|e ⟨lat.-provenzal.-fr.⟩ die; -, -n u. **Ka|pott|hut** der; -s, ...hüte: im 19. Jh. u. um 1900 modischer, unter dem Kinn gebundener kleiner, hoch sitzender Damenhut

Kap|pa ⟨gr.⟩ das; -[s], -s: zehnter Buchstabe des griechischen Alphabets: K, κ

Kap|pes u. Kappus ⟨lat.-mlat.⟩ der; -: 1. (landsch.) Weißkohl. 2. (landsch. ugs.) a) dummes Zeug, törichtes Geschwätz; **Kappes/Kappus reden:** Unsinn reden; b) unbrauchbare Pfuscharbeit; vgl. Kabis

Kapp|la|ken vgl. Kaplaken

Kap|pus vgl. Kappes

Kap|ric|cio* vgl. Capriccio. **Kap|ri|ce** [ka'pri:sə] ⟨lat.-it.-fr.⟩ die; -, -n: Laune; vgl. Kaprize

Kap|ri|fi|ka|ti|on* ⟨lat.⟩ die; -: ein Verfahren zur Verbesserung der Befruchtungsbedingungen beim Feigenbaum. **Kap|ri|fo|li|a|ze|en** ⟨lat.-nlat.⟩ die (Plural): eine Pflanzenfamilie (Geißblattgewächse; z. B. Holunder, Schneeball). **Kap|ri|o|le** ⟨lat.-it.; „Bocksprung"⟩ die; -, -n: 1. Luftsprung. 2. launenhafter, toller Einfall: übermütiger Streich. 3. ein Sprung in der Reitkunst. **kap|ri|o|len:** Kapriolen machen **Kap|ri|ze*** (österr.) ↑Kaprice. **kap|ri|zie|ren** ⟨lat.-it.-fr.⟩: sich auf etw. kaprizieren: eigensinnig auf etw. bestehen. **kap|ri|zi|ös:** launenhaft, eigenwillig. **Kap|rizpols|ter** der; -s, -: (österr. ugs. veraltet) kleines Kissen

Kap|ro|lak|tam*, chem. fachspr.: Caprolactam ⟨lat.; gr.⟩ das; -s: fester, weißer Stoff, der als Ausgangsmaterial für Kunststoffe dient (Chem.). **Kap|ro|nat,** chem. fachspr.: Capronat ⟨lat.; gr.⟩ das; -[e]s, -e: (meist Plural) ↑Ester der ↑Kapronsäure, das zur Herstellung von Fruchtessenzen verwendet wird (Chem.). **Kap|ron|säu|re,** chem. fachspr.: Capronsäure ⟨lat.; gr.; dt.⟩ die; -, -n: gesättigte Fettsäure von ranzigem Geruch

Kap|ro|ti|nen|kalk* ⟨lat.⟩ der; -s: Kalkstein der alpinen Kreideformation mit Resten der Muschelgattung der Kaprotinen

Kap|si|kum ⟨lat.-nlat.⟩ das; -s: aus den Schoten eines mittelamerikanischen Strauchs gewonnenes scharfes Gewürz (span. Pfeffer)

Kap|tal das; -s, -e: ↑Kapitalband. **Kap|tal|band** vgl. Kapitalband. **kap|tal|len** ⟨lat.-nlat.⟩: ein ↑Kapitalband anbringen

Kap|ta|ti|on ⟨lat.⟩ die; -, -en: (veraltet) Erschleichung; Erbschleicherei. **kap|ta|tiv:** etwas besitzen, sich aneignen wollend; vgl. ...iv/...orisch. **kap|ta|to|risch:** (veraltet) erschleichend; **kaptatorische Verfügung:** auf eine Gegenleistung des Bedachten zielende testamentarische Verfügung (Rechtsw.); vgl. ...iv/...orisch. **Kap|ti|on** die; -, -en: (veraltet) verfängliche Art zu fragen; verfänglicher Trugschluss, Fehlschluss. **kap|ti|ös:** (veraltet) verfänglich. **Kap|ti|va|ti|on** die; -, -en: (veraltet) Gefangennahme. **kap|ti|vie|ren:** (veraltet) a) gefangen nehmen; b) für sich gewinnen. **Kap|ti|vi|tät** die; -: (veraltet) Gefangenschaft. **Kap|tur** die; -, -en: (veraltet) Beschlagnahme, Aneignung eines feindlichen Schiffes

Ka|pu ⟨türk.; „Pforte"⟩ das; -, -s: (früher) Amtsgebäude in der Türkei

Ka|pus|ta u. **Ka|pus|ter** ⟨slaw.⟩ der; -s: (ostdeutsch) Kohl

Ka|put ⟨lat.-roman.⟩ der; -s, -e: (schweiz.) [Soldaten]mantel

ka|putt ⟨fr.⟩: (ugs.) a) entzwei, zerbrochen; b) verloren, bankrott [im Spiel]; c) in Unordnung, aus der Ordnung gekommen; **kaputt sein:** a) matt, erschöpft sein; b) aufgrund körperlicher od. seelischer Zerrüttung od. wegen schlechter sozialer Bedingungen sich nicht mehr den gesellschaftlichen Anforderungen u. Zwängen unterwerfen können

Ka|pu|ze ⟨lat.-it.⟩ die; -, -n: an einen Mantel od. eine Jacke angearbeitete Kopfbedeckung, die sich ganz über den Kopf ziehen lässt. **Ka|pu|zi|na|de** ⟨lat.-it.-fr.⟩ die; -, -n: (veraltet) Kapuzinerpredigt, [derbe] Strafpredigt. **Ka|pu|zi|ner** ⟨lat.-it.⟩ der; -s, -: 1. Angehöriger eines katholischen Ordens; Abk.: O. F. M. Cap. 2. (österr.) ↑Kaffee mit etwas Milch. 3. Kapuzineraffe. 4. (landsch.) Birkenröhrling

Kap|wein der; -[e]s, -e: südafrikanischer Wein aus der Kapprovinz

Ka|ra|bach u. **Ka|ra|bagh** der; -[s], -s: handgeknüpfter, meist rot- od. blaugrundiger, vielfach gemusterter Orientteppich aus der gleichnamigen Landschaft in Aserbaidschan

Ka|ra|bi|ner ⟨fr.⟩ der; -s, -: 1. kurzes Gewehr. 2. (österr.) Kabinerhaken. **Ka|ra|bi|ner|ha|ken** der; -s, -: federnder Verschlusshaken. **Ka|ra|bi|ni|er** [...'nje:] der; -s, -s: 1. [mit einem Karabiner (1) ausgerüsteter] Reiter. 2. Jäger zu Fuß. **Ka|ra|bi|ni|e|re** ⟨fr.-it.⟩ der; -s, ...ri: italienischer Polizist

Ka|ra|bu|ran ⟨turkotat.⟩ der; -s: anhaltender Sommersandsturm in Turkestan (Meteor.)

Ka|ra|cho ⟨span.; „Penis"⟩ das; -s: (ugs.) große Geschwindigkeit, Rasanz; **mit Karacho:** mit großer Geschwindigkeit, mit Schwung

Ka|rä|er ⟨hebr.; „Schriftkundiger"⟩ der; -s, -: Angehöriger einer [ost]jüdischen Sekte (seit dem 8. Jh.), die den ↑Talmud verwirft

Ka|raf|fe ⟨arab.-span.-it.-fr.⟩ die; -, -n: geschliffene, bauchige Glasflasche [mit Glasstöpsel]. **Ka|raf|fi|ne** ⟨fr.⟩ die; -, -n: (veraltet) kleine Karaffe

Ka|ra|gös ⟨türk.⟩ der; -: a) Hanswurst im türk.-arab. Schattenspiel; b) das nach dem Karagös (a) benannte Schauspiel

Ka|ra|it ⟨hebr.-nlat.⟩ der; -en, -en: Karäer

Ka|ra|kal ⟨türk.-roman.⟩ der; -s: Wüstenluchs Afrikas u. Vorderasiens

ka|ra|kol|lie|ren ⟨span.-fr.⟩: (veraltet) sich herumtummeln (von Pferden)

Ka|ra|kul|schaf (nach einem See im Hochland von Pamir) das; -s, -e: Fettschwanzschaf, dessen Lämmer den wertvollen Persianerpelz liefern

Ka|ram|bol|la|ge [...ʒə] ⟨fr.⟩ die; -, -n: 1. Zusammenstoß, Zusammenprall. 2. das Anstoßen des Spielballes an die beiden anderen Bälle im Billardspiel. 3. Zusammenstoß zweier od. mehrerer Spieler beim Sportwettkämpfen. **Ka|ram|bol|la|ge|bil|lard** das; -s: besondere Art des Billardspiels. **Ka|ram|bol|le** die; -n: der Spielball (roter Ball) im Billardspiel. **ka|ram|bol|lie|ren:** 1. zusammenstoßen. 2. den Spielball die beiden anderen Bälle treffen (Billardspiel)

ka|ra|mell ⟨gr.-lat.-span.-fr.⟩ bräunlich gelb. **Ka|ra|mell** der; -s: gebrannter Zucker. **Ka|ra|mell|bon|bon** der od. das; -s, -s: aus Karamell u. Milch od. Sahne hergestellte bonbonartige weich-zähe Süßigkeit. **Ka|ra|me|l|le** *die;* -, -n (meist Plural): ↑Karamellbonbon. **ka|ra|mel|lie|ren:** (von Zucker) zu Karamell werden, sich bräunen. **ka|ra|mel|li|sie|ren:** 1. Zucker zu Karamell brennen. 2. Speisen (bes. Früchte) mit gebranntem Zucker übergießen od. in Zucker rösten.

Ka|ra|o|ke *⟨jap.;* „leeres Orchester"⟩ *das;* -[s]: 1. Veranstaltung, bei der zur (vom Band abgespielten) Instrumentalmusik eines Schlagers dessen Text (von nicht berufsmäßigen Sängern) gesungen wird. 2. für Karaoke (1) geeignete Musikaufnahme

Ka|rat *⟨gr.-arab.-mlat.-fr.;* nach dem Samen des Johannisbrotbaums⟩ *das;* -[e]s, -e (aber: 2 Karat): 1. Einheit für die Gewichtsbestimmung von Edelsteinen (1 Karat = etwa 205 mg, 1 metrisches Karat = 200 mg). 2. Maß der Feinheit einer Goldlegierung (reines Gold = 24 Karat)

Ka|ra|te *⟨jap.;* „leere Hand"⟩ *das;* -[s]: System waffenloser Selbstverteidigung. **Ka|ra|te|ka** *der;* -s, -s: Karatekämpfer

Ka|rau|sche *⟨russ.-lit.⟩ die;* -, -n: ein karpfenartiger Fisch

Ka|ra|vel|le *⟨gr.-lat.-port.-fr.-niederl.⟩ die;* -, -n: ein mittelalterliches Segelschiff (14. bis 16. Jh.)

Ka|ra|wa|ne *⟨pers.-it.⟩ die;* -, -n: 1. durch unbewohnte Gebiete [Asiens od. Afrikas] ziehende Gruppe von Reisenden, Kaufleuten, Forschern o. Ä. 2. größere Anzahl von Personen od. Fahrzeugen, die sich in einem langen Zug fortbewegen. **Ka|ra|wan|se|rei** *die;* -, -en: Unterkunft für Karawanen (1)

Kar|ba|mid* ⟨Kurzw. aus ↑Karbonyl u. ↑*Amid*⟩ *das;* -[e]s: Harnstoff

Kar|bat|sche *⟨türk.-ung.-tschech.⟩ die;* -, -n: Riemenpeitsche. **kar|bat|schen:** mit der Karbatsche schlagen

Kar|ba|zol*, chem. fachspr.: Carbazol *⟨lat.; gr.-fr.; arab.⟩ das;* -s: eine organische Verbindung, die als wichtiges Ausgangsmittel zur Herstellung von Kunststoffen dient. **Kar|bid** *⟨lat.-nlat.⟩ das;* -[e]s, -e: 1. (ohne Plural) Kalziumkarbid (ein wichtiger Rohstoff der chemischen Industrie). 2. (chem. fachspr.: Carbid) chemische Verbindung aus Kohlenstoff u. einem Metall od. Bor (Borkarbid) od. Silicium (Siliciumkarbid). **kar|bi|disch:** die Ei-

genschaften eines Karbids aufweisend. **Kar|bi|nol** *das;* -s: ↑Methylalkohol. **Kar|bo|hyd|ra|se** *⟨lat.; gr.⟩ die;* -, -n: Kohlenhydrat spaltendes Enzym. **Kar|bo|lid** *das;* -[e]s, -e: zusammengepresste u. scharf gebrannte Mischung aus Graphit und Speckstein (Techn.). **Kar|bol** *das;* -s: (ugs.) ↑Karbolsäure. **Kar|bo|li|ne|um** *⟨lat.-nlat.⟩ das;* -s: ein Imprägnierungs- u. Schädlingsbekämpfungsmittel für Holz u. Bäume. **Kar|bol|säu|re** *die;* -: ↑Phenol. **Kar|bon** *das;* -s: erdgeschichtliche Formation des ↑Paläozoikums (Geol.). **Kar|bo|na|de** *⟨lat.-it.-fr.⟩ die;* -, -n: 1. (landsch.) Kotelett, [gebratenes] Rippenstück. 2. (österr. veraltet) Frikadelle. **Kar|bo|na|do** *⟨lat.-span.⟩ der;* -s, -s: grauschwarze Abart des Diamanten. **Kar|bo|na|ro** *⟨lat.-it.;* „Köhler"⟩ *der;* -s, ...ri: Mitglied einer geheimen politischen Gesellschaft in Italien (Anfang des 19. Jh.s) mit dem Ziel der Befreiung von der franz. Herrschaft. [1]**Kar|bo|nat** *⟨lat.-nlat.⟩ der;* -[e]s, -e: ↑Karbonado. [2]**Kar|bo|nat,** chem. fachspr.: Carbonat *das;* -[e]s, -e: kohlensaures Salz. **kar|bo|na|tisch:** von [2]Karbonat abgeleitet, [2]Karbonat enthaltend. **Kar|bo|ni|sa|ti|on** *die;* -, -en: 1. Verbrennung vierten Grades, schwerster Grad eines Hitzeschadens (Med.). 2. Umwandlung in [2]Karbonat. **kar|bo|nisch:** das ↑Karbon betreffend. **kar|bo|ni|sie|ren:** 1. a) verkohlen lassen; b) in [2]Karbon umwandeln. 2. Zellulosereste in Wolle durch Schwefelsaure od. andere Chemikalien zerstören. **kar|bo|nit|rie|ren:** durch einen bestimmten chemischen Prozess härten. **Kar|bon|säu|re** *die;* -, -n: Säure, die eine bestimmte organische Gruppe mit einem leicht abzuspaltenden Wasserstoffatom enthält (Chem.). **Kar|bo|nyl** vgl. Carbonyl. **Kar|bo|rund** ⟨Kunstw. aus *lat.* carbo „Kohle" u. ↑*Korund*⟩ *das;* -[e]s u. Carborundum ® *das;* -s: ein Schleifmittel. **kar|bo|zyk|lisch,** chem. fachspr.: carbocyclisch [auch: ...'tsүk...]: Kohlenstoffringe enthaltend. **Kar|bun|kel** *⟨lat.⟩ der;* -s, -: Ansammlung dicht beieinander liegender ↑Furunkel (Med.). **Kar|bu|rie|ren** *⟨lat.-nlat.⟩:* die Leuchtkraft von Gasgemischen durch Zusatz von Öl-gas heraufsetzen

Kar|da|mom *⟨gr.-lat.⟩ der* od. *das;* -s, -e[n]: reife Samen indischer u. afrikanischer Ingwergewächse, die als Gewürz verwendet werden

Kar|dan|an|trieb ⟨nach dem ital. Erfinder Cardano, † 1576⟩ *der;* -s: Antrieb über ein Kardangelenk. **Kar|dan|ge|lenk** *das;* -s, -e: Verbindungsstück zweier Wellen, das durch wechselnde Knickung Kraftübertragung unter einem Winkel gestattet. **kar|da|nisch:** in den Fügungen **kardanische Aufhängung:** nach allen Seiten drehbare Aufhängung für Lampen, Kompasse u. a., die ein Schwanken der aufgehängten Körper ausschließt; **kardanische Formel:** math. Ausdruck zur Lösung kubischer Gleichungen (Math.). **Kar|dan|wel|le** *die;* -, -n: Antriebswelle mit Kardangelenk für Kraftfahrzeuge

Kar|dät|o|oho *⟨lat. vulgärlat.-it.⟩ der;* -, -n: 1. grobe Pferdebürste. 2. (Weberei veraltet) Wollkamm. **kar|dät|schen:** (Pferde) striegeln. **Kar|de** *⟨lat.-vulgärlat.⟩ die;* -, -n: 1. Maschine zum Auflösen von Faserbüscheln u. -flocken (Spinnerei). 2. eine distelähnliche, krautige Pflanze mit scharf zugespitzten Spreublättern

Kar|deel *⟨gr.-lat.-fr.-niederl.⟩ das;* -s, -e: (Seemannsspr.) Strang eines starken Taus, einer Trosse

kar|den u. kardieren *⟨lat.-nlat.⟩:* rauen, kämmen (von Wolle)

Kar|dia *⟨gr.⟩ die;* -: (Med.) 1. Herz. 2. Magenmund. **Kar|di|a|kum** *⟨gr.-nlat.⟩ das;* -s, ...ka: herzstärkendes Arzneimittel (Med.). **kar|di|al:** das Herz betreffend, vom Herzen ausgehend (Med.). **Kar|di|al|gie** *⟨gr.⟩ die;* -, ...ien: (Med.) 1. Schmerzen im Bereich des Herzens. 2. ↑Kardiospasmus **kar|die|ren** vgl. karden **kar|di|nal** *⟨lat.-mlat.⟩:* grundlegend wichtig; Haupt... **Kar|di|nal** *der;* -s, ...näle: 1. höchster katholischer Würdenträger nach dem Papst (kath. Rel.). 2. zu den ↑Tangaren gehörender, häufig als Stubenvogel gehaltener Singvogel. 3. eine Apfelsorte. 4. eine Art ↑Bowle, meist mit Pomeranzen[schalen] angesetzt. **Kar|di|na|lat** *das;* -[e]s, -e: Amt u. Würde eines Kardinals (kath. Rel.) **Kar|di|nal|ski|e** *⟨gr.⟩ die;* -, ...ien: (Med.) **Kar|di|na|le** *das;* -[s], ...lia: (veraltet) Kardinalzahl. **Kar|di|nal|pro|tek|tor** *der;* -s, -en: mit der geistlichen Schutzherrschaft über einen Orden od. eine katholische Einrichtung beauftragter Kardi-

Kardinalpunkt

nal (1). Kar|di|nạl|punkt der; -[e]s, -e: 1. Hauptpunkt. 2. (nur Plural) durch Temperatur, Nährstoffangebot u. a. bestimmtes Minimum, Maximum u. Optimum von Stoffwechsel, Wachstum o. Ä. von Organismen (Biol.). Kar|di|nạls|kol|le|gi|um das; -s, ...ien: Körperschaft der katholischen Kardinäle. Kar|di|nạls|kon|gre|ga|ti|on die; -: ↑Kurienkongregation. Kar|di|nal|staats|sek|re|tär* der; -s, -e: erster Berater des Papstes, bes. in politischen Fragen. Kar|di|nạl|tu|gend die; -, -en (meist Plural): eine der vier wichtigsten Tugenden der christlichen Sittenlehre u. der philosophischen Ethik (Weisheit, Gerechtigkeit, Besonnenheit, Tapferkeit). Kar|di|nạl|vi|kar der; -s, -e: Stellvertreter des Papstes als Bischof von Rom. Kar|di|nạl|zahl die; -, -en: Grundzahl, ganze Zahl (z. B. zwei, zehn). Kar|di|nạl|zeichen das; -s, -: wichtiges Zeichen innerhalb eines bestimmten Zeichensystems (z. B. innerhalb der Tierkreiszeichen) Kar|di|o|grạmm (gr.-nlat.) das; -s, -e: (Med.) 1. ↑Elektrokardiogramm. 2. grafische Darstellung der Herzbewegungen. Kar|di|o|grạf, auch: ...graf der; -en, -en: (Med.) 1. Elektrokardiograph. 2. Gerät zur Aufzeichnung eines Kardiogramms (2). Kar|di|o|lị̣de die; -, -n: eine Form der ↑Epizykloide (Herzlinie; Math.). Kar|di|o|lo|ge der; -n, -n: Facharzt auf dem Gebiet der Kardiologie, Herzspezialist (Med.). Kar|di|o|lo|gie die; -: Teilgebiet der Medizin, das sich mit der Funktion u. den Erkrankungen des Herzens befasst (Med.). Kar|di|o|ly|se die; -, -n: operative Ablösung der knöchernen Brustwand bei Herzbeutelverwachsungen (Med.). Kar|di|o|me|ga|lie die; -, ...ien: Herzvergrößerung (Med.). Kar|di|o|pa|thie die; -, ...ien: Herzleiden, Herzerkrankung (Med.). Kar|di|o|ple|gie die; -, ...ien: (Med.) 1. plötzliche Herzlähmung, Herzschlag. 2. künstliche Ruhigstellung des Herzens für Herzoperationen. Kar|di|op|to|se* die; -, -n: Senkung des Herzens ohne krankhaften organischen Befund (Wanderherz; Med.). Kar|di|o|spạs|mus* der; -, ...men: Krampf der Mageneingangsmuskulatur (Med.). Kar|di|o|thy|mie die; -, ...ien: funktionelle

Herzstörung ohne organische Veränderung des Herzens (Herzneurose; Med.). Kar|di|o|to|ko|grạph, auch: ...graf der; -en, -en: Gerät zum ↑Registrieren (1b) der kindlichen Herztöne u. der Wehen während des Geburtsvorgangs (Med.). kar|di|o|vas|ku|lär (gr.; lat.-nlat.): Herz u. Gefäße betreffend (Med.). Kar|dị|tis die; -, ...itịden: Entzündung des Herzens Kar|dọ|ne (lat.-spätlat.-it.) die; -, -n: (als Gemüse angebaute) der ↑Artischocke ähnliche Pflanze, deren Blattstiele u. Rippen gegessen werden Ka|rẹnz (lat.; „Nichthaben, Entbehren") die; -, -en: 1. Karenzzeit. 2. Enthaltsamkeit, Verzicht (z. B. auf bestimmte Nahrungsmittel; Med.). Ka|rẹnz|jahr das; -s, -e: Jahr, in dem ein neuer Pfründeninhaber auf seine Einkünfte ganz od. teilweise verzichten muss (kath. Kirchenrecht). Ka|rẹnz|zeit die; -, -en: Wartezeit, Sperrfrist, bes. in der Krankenversicherung ka|ress|sie|ren (lat.-it.-fr.): (veraltet, aber noch landsch.) a) liebkosen, schmeicheln; b) eine [geheime] Liebschaft haben Ka|rẹt|te (span.-fr.) u. Ka|rẹtt-schild|krö|te die; -, -n: eine Meeresschildkröte Ka|rẹz|za (lat.-it.) die; -: ↑Koitus, bei dem Orgasmus u. Samenerguss vermieden werden Kar|fi|ol (it.) der; -s: (südd., österr.) Blumenkohl Kar|fụn|kel der; -s, -: 1. feurig roter Edelstein (z. B. ↑¹Granat, ↑Rubin). 2. ↑Karbunkel Kar|ga|deur [...'døːɐ̯] (gall.-lat.-vulgärlat.-span.-fr.) u. Kar|ga-dọr (gall.-lat.-vulgärlat.-span.) der; -s, -e: Begleiter einer Schiffsladung, der den Transport der Ladung bis zur Übergabe an den Empfänger zu überwachen hat. Kar|go der; -s, -s: Ladung eines Schiffes Ka|rị|bu ['kar...] (indian.-fr.) das od. der; -s, -s: nordamerikanisches Ren ka|rie|ren (lat.-fr.): mit Würfelzeichnung mustern, kästeln. ka-riert: 1. gewürfelt, gekästelt. 2. (ugs. abwertend) wirr, ohne erkennbaren Sinn Ka|rị|es [auch: ...je:s] (lat.; „Morschheit, Fäulnis") die; -: 1. akuter od. chronischer Zerfall der harten Substanz der Zähne; Zahnkaries (Zahnmed.). 2. entzündliche Erkrankung des Kno-

chens mit Zerstörung von Knochengewebe, bes. bei Knochentuberkulose (Med.) ka|ri|ka|tịv (gall.-lat.-vulgärlat.-it.): in der Art einer Karikatur, verzerrt komisch. Ka|ri|ka|tụr („Überladung") die; -, -en: 1. a) komisch übertreibende Zeichnung o. Ä., die eine Person, eine Sache od. ein Ereignis ins humoristische od. satirische Hervorhebung u. Überbetonung bestimmter charakteristischer Merkmale der Lächerlichkeit preisgibt; b) das Karikieren; Kunst der Karikatur (1a). 2. Zerr-, Spottbild. Ka|ri|ka|tu|rịst der; -en, -en: Karikaturenzeichner. ka|ri|ka|tu|rịs|tisch: in der Art einer Karikatur. ka|ri|kie-ren: verzerren, zur Karikatur machen, als Karikatur darstellen Ka|rịnth vgl. Karn ka|ri|ọ|gen (lat.; gr.): Karies hervorrufend (Med.). ka|ri|ọs (lat.): von ↑Karies befallen, angefault (Med.) Ka|rị|tas (lat.) die; -: [christliche] Nächstenliebe, Wohltätigkeit; vgl. Fides, Caritas. ka|ri|tạ|tiv (lat.-nlat.): von Nächstenliebe bestimmt, mildtätig kar|jo|len vgl. karriolen Kar|kạs|se (fr.; „Gerippe") die; -, -n: 1. (früher) Geschoss mit einem Gerippe aus Eisenringen u. brennbarer Füllung zum Beschießen von Häusern. 2. Unterbau [eines Gummireifens]. 3. Rumpf von Geflügel, Wild, Fisch (Gastr.) Kar|lịst der; -en, -en: Anhänger einer ehemaligen spanischen Partei (seit 1833), die in den so genannten Karlistenkriegen (im 19. u. 20. Jh.) für die Thronansprüche der drei Prätendenten mit Namen Carlos verfocht Kạr|ma (sanskr.) das; -s: im Buddhismus das die Form der Wiedergeburten eines Menschen bestimmende Handeln bzw. das durch ein früheres Handeln bedingte gegenwärtige Schicksal (Rel.). Kar|ma|mạr|ga der; -s: im ↑Hinduismus der „Weg der Tat" zur glücklichen Wiedergeburt nach dem Tode. Kạr|man das; -s: ↑Karma Kar|mel|lit (nach dem Berg Karmel in Palästina) der; -en, -en u. (ugs.:) Kar|mel|lị|ter der; -s, -: Angehöriger eines katholischen Mönchsordens. Kar|mel|lị|ter-geist der; -[e]s, -er: ein Heilkräuterdestillat. Kar|mel|lị|te|rin (ugs.) u. Kar|mel|lị|tin die; -, -,

-nen: Angehörige des weiblichen Zweiges der Karmeliten
Kar|men vgl. Carmen
Kar|me|sin ⟨pers.-arab.-roman.⟩ u. **Kar|min** ⟨fr.⟩ das; -s: roter Farbstoff
kar|mi|na|tiv ⟨lat.-nlat.⟩: blähungstreibend (Med.). **Kar|mi-na|ti|vum** das; -s, ...va: Mittel gegen Blähungen aus pflanzlichen Stoffen (Med.)
kar|mo|sie|ren ⟨arab.⟩: einen Edelstein mit weiteren kleinen Steinen umranden
Karn u. Karinth ⟨nach dem nlat. Namen Carinthia für Kärnten⟩ das; -s: eine Stufe der alpinen ↑Trias (1) (Geol.)
Kar|nal|lit [auch: ...'lɪt] ⟨nlat., nach dem dt. Oberbergrat R. v. Carnall⟩ der; -s: ein Mineral
Kar|nat das; -[e]s u. **Kar|na|ti|on** die; -: vgl. Inkarnat
Kar|nau|bal|wachs ⟨indian.-port.; dt.⟩ das; -es: wertvolles Pflanzenwachs einer brasilianischen Palme (das für Kerzen, Bohnerwachs u. a. verwendet wird)
Kar|ne|ol ⟨lat.-it.⟩ der; -s, -e: ein Schmuckstein
Kar|ne|val ⟨it.⟩ der; -s, -e u. -s: Fastnacht, Fastnachtszeit. **Kar-ne|va|list** der; -en, -en: aktiver Teilnehmer am Karneval, bes. Vortragender (Büttenredner, Sänger usw.) bei Karnevalsveranstaltungen. **kar|ne|va|lis-tisch**: den Karneval betreffend
Kar|ni|es ⟨roman.⟩ das; -es, -e: Kranzleiste od. Gesims mit S-förmigem Querschnitt (Archit.). **Kar|nie|se** u. Karnische die; -, -n: (österr. mdal.) Vorhangstange
Kar|ni|fi|ka|ti|on ⟨lat.-nlat.⟩ die; -: Umwandlung von entzündlichem Lungengewebe in Bindegewebe anstelle einer normalerweise erfolgenden Rückbildung (Med.)
kar|ni|sch: zum Karn gehörend, im Karn entstanden; **karnische Stufe:** ↑ Karn
Kar|ni|sche vgl. Karniese
kar|ni|vor ⟨lat.⟩: Fleisch fressend (von bestimmten Tieren u. Pflanzen; Biol.). [1]**Kar|ni|vo|re** der; -n, -n: Fleisch fressendes Tier, vor allem Raubtier. [2]**Kar|ni-vo|re** die; -, -n: Fleisch fressende Pflanze
Ka|ro ⟨lat.-galloroman.-fr.⟩ das; -s, -s: 1. Raute, [auf der Spitze stehendes] Viereck. 2. durch ein rotes Karo (1) gekennzeichnete Spielkarte
Ka|ros|se ⟨gall.-lat.-it.-fr.⟩ die; -,

-n: von Pferden gezogener Prunkwagen; Staatskutsche. **Ka|ros|se|rie** die; -, ...ien: Wagenoberbau, -aufbau [von Kraftwagen]. **Ka|ros|si|er** [...'sie:] der; -s, -s: 1. (veraltet) Kutschpferd. 2. Karosseriebauer; Karosserieentwerfer. **ka|ros|sie|ren:** [ein Auto] mit einer Karosserie versehen
Ka|ro|ti|de vgl. Karotis
Ka|ro|tin, chem. fachspr.: Carotin ⟨gr.-lat.-nlat.⟩ das; -s: ein [pflanzlicher] Farbstoff als Vorstufe des Vitamins A. **Ka|ro|ti|no|id**, chem. fachspr.: Carotinoid ⟨gr.-lat.-nlat.; gr.⟩ das; -[e]s, -e (meist Plural): in organischen Fetten vorkommender gelbroter Farbstoff
Ka|ro|tis ⟨gr.⟩ die; -, ...tiden u. Karotide die; -, -n: Kopf-, Halsschlagader (Med.)
Ka|rot|te ⟨gr.-lat.-fr.-niederl.⟩ die; -, -n. 1. Mohrrübe. 2. (landsch.) Rote Rübe, Rote Bete. 3. Bündel von ausgerippten, gebeizten Tabakblättern. **Ka|rot|tie|ren** ⟨gr.-fr.⟩ das; -s: 1. das Entfernen der Rippen aus den Tabakblättern. 2. eine besondere Art des Verteidigungsspiels beim Billard
Kar|pell ⟨gr.-nlat.⟩ das; -s, ...pelle u. **Kar|pell|um** das; -s, ...pella: Fruchtblatt (Bot.)
Kar|pen|ter|brem|se ⟨nach dem amerik. Erfinder Carpenter (1852–1901)⟩ die; -, -n: eine Druckluftbremse für Eisenbahnzüge
Kar|po|gon ⟨gr.-nlat.⟩ das; -s, -e: weibliches Geschlechtsorgan der Rotalgen (Bot.). **Kar|po|lith** [auch: ...'lɪt] der; -s u. -en, -e[n]: (veraltet) Versteinerung von Früchten u. Samen **Kar|po|lo-gie** die; -: Teilgebiet der Botanik, das sich mit den Pflanzenfrüchten befasst. **Kar|po|pha|ge** der; -n, -n ↑ Fruktivore. **Kar|po|phor** der; -s, -e: Fruchtträger aus der Blütenstiel der Doldenblütler (Bot.). **Kar|po|so|ma** das; -s, ...men u. -ta: Fruchtkörper (Bot.)
Kar|ra|geen, **Kar|ra|gheen** ⟨nach dem irischen Ort Carragheen⟩ das; -[s]: irländisches Moos (getrocknete Rotalgen, die als Heilmittel verwendet werden)
Kar|ree ⟨lat.-fr.⟩ das; -s, -s: 1. Viereck. 2. gebratenes od. gedämpftes Rippenstück vom Kalb, Schwein od. Hammel (Gastr.). 3. eine Schliffform für ↑ [1]Diamanten
Kar|re|te ⟨gall.-lat.-mlat.-it.⟩ die;

-, -n: (landsch., bes. ostmitteld.) schlechter Wagen. **Kar|ret|te** die; -, -n: 1. (schweiz.) Schubkarren; zweirädriger Karren. 2. schmalspuriges, geländegängiges Transport- u. Zugmittel der Gebirgstruppen. 3. zweirädriger, kleiner Einkaufswagen. **Kar-ri|e|re** ⟨gall.-lat.-provenzal.-fr.; „Rennbahn; Laufbahn"⟩ die; -, -n: 1. schnellste Gangart des Pferdes. 2. [bedeutende, erfolgreiche] Laufbahn. **Kar|ri|e|re-frau** die; -, -en: Frau, die beruflich eine wichtige Stellung innehat u. auf eine erfolgreiche Laufbahn bedacht ist. **Kar|ri|e|ris-mus** der; -: (abwertend) rücksichtsloses Karrierestreben. **Kar|ri|e|rist** ⟨nlat.⟩ der; -en, -en: (abwertend) rücksichtsloser Karrieremacher. **kar|ri|e|ris-tisch**: nach Art eines Karrieristen. **Kar|ri|ol** ⟨gall.-lat.-mlat.-it.-fr.⟩ das; -s, -s u. **Kar|ri|ol|le** die; -, -n: 1. leichtes, zweirädriges Fuhrwerk mit Kasten. 2. (veraltet) Briefpostwagen. **kar|ri|o-len:** 1. (veraltet) mit dem Briefpost fahren. 2. (landsch. ugs.) herumfahren, unsinnig fahren
Kar|ru|for|ma|ti|on ⟨nach einer Steppenlandschaft in Südafrika⟩ die; -: mächtige Schichtenfolge in Südafrika vom Alter der oberen Karbon- bis unteren Juraformation (Geol.)
Karst ⟨nach der Hochfläche nordöstl. von Triest⟩ der; -[e]s, -e: durch die Wirkung von Oberflächen- u. Grundwasser in löslichen Gesteinen (Kalk, Gips) entstehende typische Oberflächenform (Geol.)
Kart ⟨engl.-amerik.⟩ der; [ɒ], ɒː: Kurzform von ↑ Gokart
Kar|tät|sche ⟨agypt.-gr.-lat.-it.[-fr.-engl.]⟩ die; -, -n: 1. (hist.) mit Bleikugeln gefülltes Artilleriegeschoss. 2. ein Brett zum Verreiben des Putzes (Bauw.). **kar|tät-schen:** 1. mit Kartätschen (1) schießen. 2. den Putz mit der Kartätsche (2) verreiben
Kar|tau|ne ⟨lat.-it.⟩ die; -, -n: ein schweres Geschütz des 16. u. 17. Jh.s
Kar|tau|se ⟨nach dem südfranz. Kloster Chartreuse⟩ die; -, -n: Kloster (mit Einzelhäusern) der Kartäusermönche. **Kar|täu|ser** der; -s, -: 1. Angehöriger eines katholischen Einsiedlerordens (Abk.: O. Cart.). 2. (ohne Plural) Kräuterlikör in der Art des [1]Chartreuse
Kar|tell ⟨ägypt.-gr.-lat.-it.-fr.⟩ das;

-s, -e: 1. Zusammenschluss bes. von wirtschaftlichen Unternehmen (die rechtlich u. wirtschaftlich weitgehend selbstständig bleiben). 2. Zusammenschluss von studentischen Verbindungen gleicher Zielsetzung. 3. befristetes Bündnis mehrerer Parteien [im Wahlkampf]. **kar|tel|lie|ren:** in Kartellen zusammenfassen. **Kar|tell|trä|ger** der; -s, -: (hist.) Überbringer einer Herausforderung zum ↑Duell mit Waffen **kar|te|si|a|nisch** u. kartesisch ⟨nlat.; nach dem latinisierten Namen des franz. Philosophen Descartes = Cartesius⟩: von Cartesius eingeführt, nach ihm benannt. **Kar|te|si|a|nis|mus** der; -: die Philosophie von Descartes u. seinen Nachfolgern, die durch Selbstgewissheit des Bewusstseins, Leib-Seele-Dualismus u. mathematischen Rationalismus gekennzeichnet ist. **kar|te|sisch:** ↑kartesianisch

Kar|tha|min, chem. fachspr.: Carthamin ⟨arab.-nlat.⟩ das; -s: roter Farbstoff, der aus der Färberdistel gewonnen wird

kar|tie|ren ⟨ägypt.-gr.-lat.-fr.⟩: 1. (ein vermessenes Gebiet o. Ä.) auf einer Karte darstellen (Geogr.). 2. in eine Kartei einordnen

kar|ti|la|gi|när ⟨lat.⟩: knorpelig (Med.)

Kar|ting ⟨engl.-amerik.⟩ das; -s: das Ausüben des Gokartsports **Kar|to|graf** usw. vgl. Kartograph usw. **Kar|to|gramm** ⟨ägypt.-gr.-lat.-fr.⟩ das; -s, -e: Darstellung ↑statistischer Daten auf Landkarten (Geogr.). **Kar|to|graph,** auch: Kartograf der; -en, -en: Zeichner od. wissenschaftlicher Bearbeiter einer Landkarte. **Kar|to|gra|phie,** auch: Kartografie die; -: Wissenschaft u. Technik von der Herstellung von Land- u. Seekarten. **kar|to|gra|phie|ren,** auch: kartografieren: auf Karten aufnehmen, kartographisch darstellen. **kar|to|gra|phisch,** auch: kartografisch: die Kartographie betreffend. **Kar|to|man|tie** die; -: das Kartenlegen. **Kar|to|me|ter** das; -s, -: Kurvenmesser. **Kar|to|met|rie*** die; -: das Übertragen geometrischer Größen (Längen, Flächen, Winkel) auf Karten. **kar|to|met|risch:** die Kartometrie betreffend. **Kar|ton** [...'tɔŋ, ...'tõ:, (auch, bes. südd., österr. u. schweiz.:) ...'to:n] ⟨ägypt.-gr.-lat.-it.-fr.⟩ der; -s, -s u. (bei nicht nasalierter Aussprache:) -e (aber: 5 - Seife): 1. [leichte] Pappe, Steifpapier. 2. Schachtel aus [leichter] Pappe. 3. Vorzeichnung zu einem [Wand]gemälde. 4. Ersatzblatt, das nachträglich für ein fehlerhaftes Blatt in ein Buch eingefügt wird. **Kar|to|na|ge** [...'na:ʒə] die; -, -n: 1. Pappverpackung. 2. Einbandart, bei der Deckel u. Rücken eines Buches nur aus starkem Karton bestehen. **kar|to|nie|ren:** [ein Buch] in Pappe [leicht] einbinden, steif heften. **kar|to|niert:** in Karton geheftet; Abk.: kart. **Kar|to|thek** ⟨ägypt.-gr.-lat.-fr.; gr.⟩ die; -, -en: Kartei, Zettelkasten. **Kar|tu|sche** ⟨ägypt.-gr.-lat.-it.-fr.⟩ die; -, -n: 1. (bes. in der Architektur, der Grafik, dem Kunstgewerbe der Renaissance u. des Barocks) aus einer schildartigen Fläche (zur Aufnahme von Inschriften, Wappen, ↑Initialen o. Ä.) u. einem ornamental geschmückten Rahmen bestehende Verzierung (Kunstw.). 2. Metallhülse für die Pulverladung, Hülse mit Pulver als Treibladung von Artilleriegeschossen. 3. Patronentasche berittener Truppen

Ka|ru|be ⟨arab.-mlat.-fr.⟩ die; -n: Johannisbrot

Ka|run|kel ⟨lat.⟩ "Stückchen Fleisch"⟩ die; -, -n: von der Haut od. Schleimhaut ausgehende kleine Warze aus gefäßreichem Bindegewebe (Med.)

Ka|rus|sell ⟨it.-fr.⟩ das; -s, -s u. -e: auf Jahrmärkten od. Volksfesten aufgestellte, sich im Kreis drehende große, runde Bahn mit verschiedenartigen Aufbauten, auf denen Personen, bes. Kinder im Kreis herumfahren können

Ka|ry|a|ti|de ⟨gr.-lat.⟩ die; -, -n: (in der Architektur der Antike) weibliche Statue mit langem Gewand, die anstelle einer Säule das Gebälk eines Bauwerks trägt; vgl. Atlant

Ka|ry|o|ga|mie ⟨gr.-nlat.⟩ die; -, ...ien: Verschmelzung zweier Zellkerne (Biol.). **Ka|ry|o|ki|ne|se** die; -, -n: ↑Mitose. **ka|ry|o|ki|ne|tisch:** ↑mitotisch. **Ka|ry|o|lo|gie** die; -: Wissenschaft vom Zellkern, bes. den in ihm enthaltenen ↑Chromosomen (Biol.). **Ka|ry|o|lym|phe** die; -, -n: Grundsubstanz des Zellkerns, Kernsaft (Biol.). **Ka|ry|o|ly|se** die; -, -n: 1. scheinbares Verschwinden des Zellkerns bei der Kernteilung (Biol.). 2. Auflö-

sung des Zellkerns (z. B. nach dem Absterben der Zelle; Biol.). **ka|ry|o|phag:** den Zellkern zerstörend (Med.). **Ka|ry|o|plas|ma** das; -s: Kernplasma (Biol.). **Ka|ry|op|se** die; -, -n: Frucht der Gräser (Bot.)

Kar|zer ⟨lat.⟩ der; -s, -: (hist.) 1. Arrestraum in Universitäten u. Gymnasien. 2. (ohne Plural) Haftstrafe an Universitäten u. Gymnasien; Arrest

kar|zi|no|gen ⟨gr.-nlat.⟩: ↑kanzerogen. **Kar|zi|no|gen** das; -s, -e: Substanz, Strahlung o. Ä., von der eine Krebs erzeugende Wirkung ausgeht (Med.). **Kar|zi|no|id** das; -[e]s, -e: (Med.) 1. gutartige Schleimhautgeschwulst im Magen-Darm-Bereich. 2. ↑abortiver Hautkrebs. **Kar|zi|no|lo|ge** der; -n, -n: Spezialist für Krebskrankheiten, Krebsforscher (Med.). **Kar|zi|no|lo|gie** die; -: 1. Wissenschaft von den Krebserkrankungen, ihrer Entstehung, Bekämpfung u. Behandlung (Med.). 2. Lehre von den Krebsen (Zool.). **kar|zi|no|lo|gisch:** die Karzinologie betreffend (Med.). **Kar|zi|nom** ⟨gr.-lat.⟩ das; -s, -e: bösartige Krebsgeschwulst, Krebs; Abk.: Ca. **kar|zi|no|ma|tös** ⟨gr.-lat.-nlat.⟩: krebsartig, von Krebs befallen (Med.). **Kar|zi|no|pho|bie** die; -, ...jen: krankhafte Angst, an Krebs zu erkranken bzw. erkrankt zu sein. **Kar|zi|no|sar|kom** ⟨aus ↑Karzinom u. ↑Sarkom⟩ das; -s, -e: Geschwulst aus karzinomatösem u. sarkomatösem Gewebe (Med.). **Kar|zi|no|se** ⟨gr.-nlat.⟩ die; -, -n: über den ganzen Körper verbreitete Krebsbildung (Med.)

Ka|sach u. Kasak ⟨nach dem mittelasiatischen Nomadenvolk der Kasachen⟩ der; -[s], -s: handgeknüpfter kaukasischer Gebrauchsteppich mit fast ausschließlich geometrischen Musterformen

Ka|sack ⟨fr.⟩ der; -s, -s: dreiviertellange Damenbluse, die über Rock od. langer Hose getragen wird

Ka|sak vgl. Kasach

Ka|sat|schok* ⟨russ.⟩ der; -s, -s: ein russischer Volkstanz

Kas|ba[h] ⟨arab.⟩ die; -, -s od. Ksabi: 1. Sultanschloss in Marokko. 2. arabisches Viertel in nordafrikanischen Städten

Kasch ⟨russ.⟩ der; -s u. **Ka|scha** die; -: [Buchweizen]grütze

Käsch ⟨Herkunft unsicher⟩ das;

-[s], **-[s] od. -e:** ostasiatische, bes. chinesische Nichtedelmetallmünze

Ka̱lschan vgl. Keschan

Ka̱lsche̱llott ⟨port.-fr.⟩ der; -s, -e: Pottwal

Ka̱lsche̱m|me ⟨Zigeunerspr.⟩ die; -, -n: (abwertend) zweifelhaftes, schlechtes Lokal mit fragwürdigen Gästen

Ka̱lscheur [...'ʃøːɐ̯] ⟨lat.-galloroman.-fr.⟩ der; -s, -e: jmd., der plastische Teile der Bühnendekoration (mithilfe von Holz, Pappe, Gips o. Ä.) herstellt (Berufsbez.; Theat.). **ka̱lschie̱|ren:** 1. so darstellen, verändern, dass eine positivere Wirkung erzielt wird, bestimmte Mängel nicht erkennbar, nicht sichtbar werden; verhüllen, verbergen, verheimlichen. 2. plastische Teile mithilfe von Leinwand, Papier u. Leim od. Gips herstellen (Theat.). 3. [Bucheinband]pappe mit buntem od. bedrucktem Papier überkleben (Druckw.). 4. zwei Gewebe mithilfe eines Klebstoffs miteinander verbinden

Ka̱lschi̱|ri ⟨indian.⟩ das; -: aus den Wurzelknollen des ↑ Manioks gewonnenes berauschendes Getränk der Indianer

Ka̱sch|mir ⟨fr.; nach der Himalajalandschaft⟩ der; -s, -e: feines Kammgarngewebe in Köper-od. Atlasbindung (Webart)

Ka̱lscho̱llong ⟨mong.-fr.⟩ der; -s, -s: ein Halbedelstein (Abart des ↑Opals 1)

Ka̱lscho̱tt vgl. Cachot

Ka̱lschu̱|be ⟨nach einem westslawischen Volksstamm⟩ der; -n, -n: (landsch.) bäurischer Mensch, Hinterwäldler

Ka̱lschu̱r|pa|pier ⟨lat.-galloroman.-fr.; gr.-lat.⟩ das; -s: Schmuckpapier zum Überkleben von Pappe, Karton usw.

Ka̱lse̱i̱n, chem. fachspr.: Casein ⟨lat.-nlat.⟩ das; -s: wichtigster Eiweißbestandteil der Milch

Ka̱lsel ⟨lat.-mlat.⟩ die; -, -n, auch: Casula die; -, ...lae [...lɛ]: seidenes Messgewand, das über den anderen Gewändern zu tragen ist

Ka̱lse|ma̱t|te ⟨gr.-mgr.-it.-fr.⟩ die; -, -n: 1. gegen feindlichen Beschuss gesicherter Raum in Festungen (Mil.). 2. durch Panzerwände geschützter Geschützraum eines Kriegsschiffes. **ka̱se|mat|tie̱|ren:** (veraltet) [eine Festung, ein Schiff] mit Kasematten versehen

Ka̱lse̱r|ne ⟨lat.-vulgärlat.-provenzal.-fr.⟩ die; -, -n: Gebäude zur ortsfesten u. ständigen Unterbringung von Soldaten, einer militärischen Einheit; Truppenunterkunft in Friedenszeiten. **Ka̱ser|ne|ment** [...'mãː] ⟨fr.⟩ das; -s, -s: 1. Gesamtheit der zum Bereich einer Kaserne gehörenden Gebäude. 2. (veraltet) das Kasernieren. **ka̱ser|nie̱|ren:** [Truppen] in Kasernen unterbringen

Ka̱lsha ® ['kaʃa] ⟨wahrscheinlich eine verstümmelte Wortbildung aus Kaschmir⟩ der; -[s], -s: weicher, dem ↑ Kaschmir ähnlicher Kleiderstoff

Ka̱lsi̱|no u. Casino ⟨lat.-it.⟩ das; -s, -s: 1. Gebäude mit Räumen für gesellige Zusammenkünfte. 2. Speiseraum in bestimmten Betrieben. 3. Spielkasino

Ka̱s|ka̱|de ⟨lat.-vulgärlat.-it.-fr.⟩ die; , -n: 1. [künstlicher] stufenförmiger Wasserfall. 2. wagemutiger Sprung in der Artistik (z. B. Salto mortale). 3. Anordnung hintereinander geschalteter, gleichartiger Gefäße (chemische Technik). 4. ↑ Kaskadenschaltung. **Kas|ka̱|den|bat|te|rie** die; -, -n: hintereinander geschaltete Batterien, die bes. für ↑ Kondensatoren verwendet werden. **Kas|ka̱|den|ge|ne|ra|tor** der; -s, -en: Gerät zur Erzeugung elektrischer Hochspannung durch eine Reihenschaltung von ↑ Kondensatoren (1) u. Gleichrichtern (Elektrot.). **Kas|ka̱|den|schal|tung** die; -, -en: Reihenschaltung gleich gearteter Teile, z. B. ↑ Generatoren (Elektrot.). **Kas|ka̱deur** [...'døːɐ̯] der; -s, -e: Artist, der eine Kaskade (2) ausführt

Kas|ka̱|ril|l|rin|de ⟨span.; dt.⟩ die; -: ein (angenehm riechendes) westindisches Gewürz

Kas|ke̱tt ⟨lat.-vulgärlat.-span.-fr.⟩ das; -s, -e: (veraltet) einfacher Sturzhelm, leichter Lederhelm

¹Ka̱s|ko ⟨lat.-vulgärlat.-span.⟩ der; -s, -s: 1. Schiffsrumpf. 2. Fahrzeug (im Unterschied zur Ladung). 3. Spielart des ↑ Lombers.

²Ka̱s|ko die; -, -s: Kurzform von ↑ Kaskoversicherung. **Ka̱s|ko|ver|si|che|rung** die; -, -en: Versicherung gegen Schäden an Beförderungsmitteln des Versicherungsnehmers

Ka̱s|sa ⟨lat.-it.⟩ die; -, ...ssen: (österr.) Kasse; vgl. per cassa. **Ka̱s|sa|ge|schäft** das; -s, -e: Geschäft, das sofort od. kurzfristig erfüllt werden soll (bes. im Bör-

senverkehr). **Ka̱s|sa|kurs** der; -es, -e: Kurs der ↑per cassa gehandelten Wertpapiere an der Börse

Ka̱s|sand|ra* [nach der Seherin Kassandra in der griech. Sage] die; -, ...dren: weibliche Person, die gegenüber etwas Bevorstehendem eine pessimistische Grundhaltung zeigt u. davor warnt. **Kas|sand|ra|ruf** der; -[e]s, -e: Unheil kundende Warnung

¹Kas|sa|ti̱on ⟨lat.-nlat.⟩ die; -, -en: 1. Ungültigkeitserklärung (von Urkunden). 2. Aufhebung eines Gerichtsurteils durch die nächsthöhere Instanz. 3. (veraltet) bedingungslose Entlassung aus dem Militärdienst od. aus dem Beamtenverhältnis; vgl. ...[at]ion/...ierung

²Kas|sa|ti̱on ⟨Herkunft unsicher⟩ die; -, -en: mehrsätziges Tonwerk für mehrere Instrumente in der Musik des 18. Jh.s

Kas|sa|ti̱ons|hof der; -[e]s, ...höfe: oberster Gerichtshof in manchen Ländern (z. B. Belgien, Frankreich). **kas|sa|to̱risch:** die ¹Kassation betreffend; **kassatorische Klausel:** a) Vertragsklausel, die das Recht des Gläubigers, vom Vertrag zurückzutreten, für den Fall gewährleistet, dass der Schuldner seine Verbindlichkeiten nicht erfüllt (Rechtsw.); b) die Vereinbarung der Fälligkeit der Gesamtschuld bei teilweisem Verzug (z. B. bei Teilzahlungsgeschäften)

Kas|sa̱|ve die; -, -n, **Kas|sa̱|wa** die; -, -s ⟨indian.-span.⟩: ↑Maniok

Ka̱s|sa|za̱h|lung ⟨lat. it.; dt.⟩ die; -, -en: Barzahlung. **Ka̱s|se** ⟨lat.-it.⟩ die; -, -n: 1. verschließbarer Behälter zur Aufbewahrung von Geld. 2. (ohne Plural) zur Verfügung stehendes Geld, Barmittel. 3. Zahlungsraum, Bankschalter, an dem Geld aus- od. einbezahlt wird. 4. (ugs.) a) Kurzform für Sparkasse; b) Kurzform für Krankenkasse; vgl. Kassa

Ka̱s|se|ro̱l|le ⟨vulgärlat.-provenzal.-fr.⟩ die; -, -n: flacher Topf mit Stiel od. Henkeln zum Kochen u. Schmoren

Kas|se̱t|te ⟨lat.-it.-fr.⟩ die; -, -n: 1. verschließbares Holz- od. Metallkästchen zur Aufbewahrung von Geld u. Wertsachen. 2. flache, feste Schutzhülle für Bücher, Schallplatten o. Ä. 3. lichtundurchlässiger Behälter in einem Fotoapparat od. in einer

Kamera, in den der Film od. die Fotoplatte eingelegt wird (Fotogr.). 4. vertieftes Feld [in der Zimmerdecke] (Archit.). 5. Magnetband u. zwei kleine Spulen, die fest in ein kleines, flaches, rechteckiges Gehäuse aus Kunststoff eingebaut sind. **Kas|set|ten|deck** *das;* -s, -s: Teil einer Stereoanlage, mit dem Kassetten (5) bespielt od. abgespielt werden können. **Kas|set|ten|de|cke** *die;* -, -n: in Kassetten (4) aufgeteilte Zimmerdecke. **Kas|set|ten|re|kor|der** *der;* -s, -: Tonbandgerät, bei dem für Aufnahme u. Wiedergabe Kassetten (5) verwendet werden. **kas|set|tie|ren:** die Decke eines Raums mit Kassetten (4) versehen, täfeln

Kas|sia ⟨*semit.-gr.-lat.*⟩ u. Kassie *die;* -, ...ien: eine Heil- u. Gewürzpflanze

Kas|si|ber ⟨*hebr.-jidd.*⟩ *der;* -s, -: (Gaunerspr.) heimliches Schreiben od. unerlaubte schriftliche Mitteilung eines Häftlings an einen anderen od. an Außenstehende. **kas|si|bern:** einen Kassiber abfassen

Kas|si|de ⟨*arab.*⟩ *die;* -, -n: arabische Gedichtgattung

Kas|sie vgl. Kassia

Kas|sier ⟨*lat.-it.*⟩ *der;* -s, -e: (österr., schweiz., südd.) ↑Kassierer. **¹kas|sie|ren** ⟨*lat.-it.*⟩: 1. Geld einnehmen, einziehen, einsammeln. 2. (ugs.) a) etwas an sich nehmen; b) etwas hinnehmen; c) jmdn. gefangen nehmen. **²kas|sie|ren** ⟨*lat.*⟩: a) jmdn. seines Amtes entheben, jmdn. aus seinem Dienst entlassen; b) etwas für ungültig erklären, ein Gerichtsurteil aufheben. **Kas|sie|rer** ⟨*lat.-it.*⟩ *der;* -s, -: Angestellter eines Unternehmens od. Vereins, der die Kasse führt. **Kas|sie|rung** *die;* -, -en: 1. ↑¹Kassation. 2. das Einziehen von Geldbeträgen; vgl. ...[at]ion/ ...ierung

Kas|si|nett vgl. Cassinet

Kas|si|o|pei|um vgl. Cassiopeium

Kas|si|te|rit [auch: ...'rɪt] ⟨*gr.-nlat.*⟩ *der;* -s,-e: Zinnerz

Kas|tag|net|te [...tan'jɛtə] ⟨*gr.-lat.-span.(-fr.)*⟩ *die;* -, -n: kleines Rhythmusinstrument aus zwei ausgehöhlten Hartholzschälchen, die durch ein über den Daumen od. die Mittelhand gestreiftes Band gehalten und mit den Fingern gegeneinander geschlagen werden

kas|ta|li|sch ⟨nach der griechischen Nymphe Kastalia⟩: in der Fügung **kastalische Quelle:** (bes. in hellenistischer Zeit) Sinnbild für dichterische Begeisterung

Kas|ta|nie [...jə] ⟨*gr.-lat.*⟩ *die;* -, -n: 1. Edelkastanie. 2. Rosskastanie. 3. Frucht von Edel- od. Rosskastanie. 4. Wulst von Haaren an den Hinterläufen des Wildes (Jägerspr.)

Kas|te ⟨*lat.-port.-fr.*⟩ *die;* -, -n: 1. Gruppe innerhalb der hinduistischen Gesellschaftsordnung. 2. (abwertend) sich gegenüber anderen Gruppen streng absondernde Gesellschaftsschicht [deren Angehörige ein übertriebenes Standesbewusstsein pflegen] **Kas|tell** ⟨*lat.*⟩ *das;* -s, -e: 1. (hist.) a) militärische Befestigungsanlage; b) Burg, Schloss. 2. (veraltet) Aufbau auf dem Vorder- und Hinterdeck eines Kriegsschiffes. **Kas|tel|lan** ⟨*lat.-mlat.*⟩ *der;* -s, -e: 1. (hist.) Burg-, Schlossvogt. 2. Aufsichtsbeamter in Schlössern u. öffentlichen Gebäuden. **Kas|tel|la|nei** *die;* -, -en: Schlossverwaltung

Kas|ti|ga|ti|on ⟨*lat.*⟩ *die;* -, -en: (veraltet) Züchtigung. **Kas|ti|ga|tor** *der;* -s, ...oren: (hist.) Korrektor in der Frühzeit des Buchdrucks. **kas|ti|gie|ren:** (veraltet) züchtigen

¹Kas|tor ⟨*gr.-lat.*⟩ *der;* -[s]: weiches, langhaariges, aus hochwertiger Wolle gewebtes Tuch

²Kas|tor ⟨einer der Zwillingsbrüder Kastor und Pollux, Helden der griech. Sage⟩: in der Wendung **wie Kastor und Pollux sein:** (veraltend) (von Männern) eng befreundet, unzertrennlich sein. **Kas|tor|öl** ⟨*gr.-lat.; dt.*⟩ *das;* -[e]s: Handelsbezeichnung für Rizinusöl

Kas|trat* ⟨*lat.-it.*⟩ *der;* -en, -en: 1. (veraltet) kastrierter Mann. 2. in der Jugend kastrierter Sänger mit hoher, umfangreicher Sopran- od. Altstimme (Musik; 17. u. 18. Jh.). **Kas|tra|ti|on** ⟨*lat.*⟩ *die;* -, -en: 1. Ausschaltung od. Entfernung der Keimdrüsen (Hoden od. Eierstöcke) bei Menschen u. Tieren; Verschneidung; **chemische Kastration:** Ausschaltung des Geschlechtstriebs durch Injektion bestimmter, den Geschlechtstrieb hemmender Präparate. 2. Entfernung der Staubblätter bei Pflanzen (aus züchterischen Gründen). **Kast|ra|ti|ons|angst** *die;* -, ...ängste: in der

Kindheit durch den Vergleich zwischen Jungen u. Mädchen auftretende Angst, das Geschlechtsorgan zu verlieren (Psychol.). **Kast|ra|ti|ons|kom|plex** *der;* -es, -e: Gesamtheit der Fantasien u. Ängste, die sich um den Begriff der Kastration (1) gruppieren (Psychol.). **kast|rie|ren:** eine Kastration vornehmen; **kastrierte Ausgabe:** (ugs. scherzh.) ↑Editio castigata. **Kast|rier|te** *die;* -n, -n: (ugs. scherzh.) Filterzigarette

ka|su|al ⟨*lat.*⟩: (veraltet) zufällig, nicht voraussehbar. **Ka|su|al|li|en** ⟨„Zufälligkeiten") *die* (Plural): 1. (selten) nicht vorhersehbare Ereignisse. 2. geistliche Amtshandlungen aus besonderem Anlass (Taufe, Trauung u.a.). **Ka|su|a|lis|mus** ⟨*lat.-nlat.*⟩ *der;* -: [altgriech.] philosophische Lehre, nach der die Welt durch Zufall entstanden ist u. sich zufällig entwickelt hat (Philos.)

Ka|su|ar ⟨*malai.-niederl.*⟩ *der;* -s, -e: Straußvogel Australiens. **Ka|su|a|ri|na** u. **Ka|su|a|ri|ne** ⟨*malai.-niederl.-nlat.*⟩ *die;* -, ...nen: Baum od. Strauch Indonesiens u. Australiens mit federartigen Zweigen, der Hartholz u. Gerbrinde liefert

ka|su|ell ⟨*lat.-fr.*⟩: den Kasus betreffend. **Ka|su|ist** ⟨*lat.-nlat.*⟩ *der;* -en, -en: 1. Vertreter der Kasuistik. 2. jmd., der spitzfindig argumentiert; Wortverdreher, Haarspalter. **Ka|su|is|tik** *die;* -: 1. Teil der Sittenlehre, der für mögliche Fälle des praktischen Lebens im Voraus anhand eines Systems von Geboten das rechte Verhalten bestimmt (bei den Stoikern u. in der katholischen Moraltheologie). 2. Versuch u. Methode einer Rechtsfindung, die nicht von allgemeinen, umfassenden, sondern spezifischen, für möglichst viele Einzelfälle gesetzlich geregelten Tatbeständen ausgeht (Rechtsw.). 3. Beschreibung von Krankheitsfällen (Med.). 4. spitzfindige Argumentation; Wortverdreherei, Haarspalterei. **ka|su|is|tisch:** 1. Grundsätze bzw. Methoden der Kasuistik (1, 2) befolgend. 2. spitzfindig argumentierend, haarspalterisch. **Ka|sus** ⟨*lat.*⟩ *der;* -, [...zu:s]: 1. Fall, Vorkommnis. 2. Fall, Beugungsfall (z.B. Dativ, Akkusativ; Sprachw.); vgl. Casus. **Ka|sus|gram|ma|tik** *die;* -: grammatische Theorie, die den einfacher

Satz als eine Verbindung von Verb u. einer od. mehreren Nominalphrasen interpretiert, von denen jede aufgrund bestimmter Relationen zwischen dem Kasus an das Verb gebunden ist (Sprachw.). **Ka|sus|syn|kre|tismus** *der; -:* Zusammenfall zweier od. mehrerer Fälle (Kasus) in einer Form, z. B. Patienten (Gen., Dat., Akk. Sing. u. in allen Fällen des Plurals; Sprachw.) **¹Kat** *⟨arab.⟩ das; -s:* aus den Blättern eines afrikanischen Baums gewonnenes Rauschgift **²Kat** *der; -s, -s:* 1. Kurzform von ↑Katalysator (2). 2. Kurzform von ↑Katalysatorauto **Ka|ta** *⟨jap.⟩ das; -[s]:* stilisierte Form der Vorführungstechnik von Übungen mit u. ohne Partner (Budo) **ka|ta|ba|tisch** *⟨gr.⟩:* absteigend, abfallend (von Winden; Meteor.); Ggs. ↑anabatisch **ka|ta|bol** *⟨gr.-nlat.⟩:* den Abbaustoffwechsel betreffend (Biol.; Med.). **Ka|ta|bo|lie** *die; -* u. **Kata|bo|lis|mus** *der; -:* Abbau der Stoffe im Körper durch den Stoffwechsel; Ggs. ↑Anabolismus **Ka|ta|both|re*** vgl. Katavothre **Ka|ta|chre|se*** *[...ç...]* u. **Ka|tachre|sis** *⟨gr.; „Missbrauch"⟩ die; -, ...chresen:* 1. verblasste Bildlichkeit, gelöschte ↑Metapher (z. B. Bein des Tisches; Rhet.; Stilk.). 2. Bildbruch, d.h. Vermengung von nicht zusammengehörenden ↑Metaphern (z. B.: Das schlägt dem Fass die Krone ins Gesicht; Rhet.; Stilk.). **ka|tachres|tisch:** in Form einer Katachrese **Ka|ta|dyn|vor|fah|ron** *⟨gr.; dt.⟩ das; -s:* Wasserentkeimung mithilfe fein verteilten Silbers **Ka|ta|falk** *⟨⟨gr.; lat.⟩ vulgärlat.-it.-fr.⟩ der; -s, -e:* schwarz verhängtes Gestell, auf dem der Sarg während der Trauerfeierlichkeit steht **Ka|ta|ka|na** *⟨jap.⟩ das; -[s]* od. *die; -:* japanische Silbenschrift, die auf bestimmte Anwendungsbereiche begrenzt ist; vgl. Hiragana **Ka|ta|kaus|tik** *⟨gr.-nlat.⟩ die; -:* die beim Einfall von parallelem Licht auf einen Hohlspiegel entstehende Brennfläche, die im Idealfall ein Brennpunkt ist (Optik). **ka|ta|kaus|tisch:** einbrennend; **katakaustische Fläche:** Brennfläche eines Hohlspiegels (Optik)

Ka|ta|kla|se* *⟨gr.⟩ die; -, -n:* das Zerbrechen u. Zerreiben einzelner Mineralkomponenten eines Gesteins durch ↑tektonische Kräfte (Geol.). **Ka|ta|klasstruk|tur** *⟨gr.; lat.⟩ die; -, -en:* kataklastische ↑Struktur (1) eines Gesteins (Geol.). **ka|ta|klastisch:** die Kataklase betreffend **Ka|ta|klys|men|the|o|rie*** *⟨gr.⟩ die; -:* geologische Theorie, die die Unterschiede der Tier- u. Pflanzenwelt der verschiedenen Erdzeitalter als Folge von Vernichtung u. Neuschöpfung erklärt (Geol.). **Ka|ta|klys|mus** *⟨gr.-lat.⟩ der; -, ...men:* erdgeschichtliche Katastrophe; plötzliche Vernichtung, Zerstörung (Geol.). **ka|ta|klys|tisch:** den Kataklysmus betreffend; vernichtend, zerstörend **Ka|ta|kom|be** *⟨lat.-it.⟩ die; -, -n* (meist Plural): (in frühchristlicher Zeit) unterirdische Anlage zur Beisetzung von Toten **ka|ta|krot*** *⟨gr.⟩:* mehrgipflig (vom Pulsschlag; Med.). **Ka|takro|tie** *die; -:* anormale Mehrgipfligkeit des Pulsschlags (Med.) **Kat|akus|tik** *⟨gr.-nlat.⟩ die; -:* Lehre vom ↑Echo (1) **Ka|ta|la|se** *⟨gr.-nlat.⟩ die; -, -n:* ↑Enzym, das das Zellgift Wasserstoffperoxid durch Spaltung in Wasser u. Sauerstoff unschädlich macht **Ka|ta|lek|ten** *⟨gr⟩ die* (Plural): (veraltet) ↑Fragmente alter Werke. **ka|ta|lek|tisch** *⟨gr.-lat.⟩:* mit einem unvollständigen Versfuß endend (von Versen; antike Metrik) **Ka|ta|lep|sie** *⟨gr.⟩ die; -, ...jen.* Starrkrampf der Muskeln (Med.). **ka|ta|lep|tisch** *⟨gr.-lat.⟩:* von Muskelstarre befallen; **kataleptische Totenstarre:** seltene Art der Totenstarre bereits bei Eintritt des Todes **Ka|ta|le|xe** *⟨gr.-lat.⟩ die; -, ...lexen:* Unvollständigkeit des letzten Versfußes (antike Metrik) **Ka|ta|log** *⟨gr.-lat.⟩ der; -[e]s, -e:* (nach einem bestimmten System angelegtes) Verzeichnis, z. B. für Bücher, für eine Ausstellung. **kata|lo|gi|sie|ren** *⟨gr.-lat.-nlat.⟩:* a) zu einem Katalog zusammenstellen; b) in einen Katalog aufnehmen **Ka|ta|lpa** u. **Ka|ta|lpe** *⟨indian.-nlat.⟩ die; -, ...pen:* Zierstrauch mit kastanienähnlichen Blättern (Trompetenbaum; Bot.)

Ka|ta|ly|sa|tor *⟨gr.-nlat.⟩ der; -s, ...oren:* 1. Stoff, der durch seine Anwesenheit chemische Reaktionen herbeiführt od. in ihrem Verlauf beeinflusst, selbst aber unverändert bleibt (Chem.). 2. Vorrichtung in Kraftfahrzeugen, mit deren Hilfe das Abgas von umweltschädlichen Stoffen gereinigt wird. **Ka|ta|ly|sa|tor|auto** *das; -s, -s:* mit einem ↑Katalysator (2) ausgestatteter Pkw. **Kata|ly|se** *⟨gr.-lat.⟩ die; -, -n:* Herbeiführung, Beschleunigung od. Verlangsamung einer Stoffumsetzung durch einen Katalysator (Chem.). **ka|ta|ly|sie|ren** *⟨gr.-nlat.⟩:* eine chemische Reaktion durch einen Katalysator herbeiführen, verlangsamen od. beschleunigen. **ka|ta|ly|tisch:** durch eine Katalyse od. einen ↑Katalysator (1) bewirkt. **Ka|talyt|ofen** *⟨gr.; dt.⟩ der; -s, ...öfen:* kleiner Sicherheitsofen für feuergefährdete Räume (Garagen usw.), in dem Benzin od. Öl katalytisch ohne Flamme verbrannt wird **Ka|ta|ma|ran** *⟨tamil.-engl.⟩ der; -s, -e:* a) schnelles, offenes Segelboot mit Doppelrumpf; b) Boot mit doppeltem Rumpf **Ka|ta|me|ni|en** *⟨gr.⟩ die* (Plural): ↑Menstruation **Ka|tam|ne|se*** *⟨gr.-nlat.⟩ die; -, -n:* abschließender Krankenbericht eines Arztes (Med.) **Ka|ta|pha|sie** *⟨gr.-nlat.⟩ die; -:* Sprachstörung mit mechanischer Wiederholung der gleichen Wörter od. Sätze (Med.) **Ka|ta|pher** *⟨gr.⟩ die; -, -n:* Wort, dessen Bezugswort erst an späterer Stelle im Text folgt (z. B. *Er erwachte; Karl* hatte schlecht geschlafen) **Ka|ta|pho|re|se** *⟨gr.-nlat.; Kurzw. aus: kata... u.* ↑Elektrophorese*⟩ die; -, -n:* ↑Elektrophorese positiv geladener Teilchen in Richtung der ↑Kathode. **kata|pho|risch:** vorauswiesend (von sprachlichen Formen) (Rhet.; Stilk.) **Ka|ta|phrakt*** *⟨gr.-lat.⟩ der; -en, -en:* schwer gepanzerter Reiter auf gepanzertem Pferd in den Reiterheeren der Antike **Ka|ta|pla|sie*** *⟨gr.-nlat.⟩ die; -, ...jen:* rückläufige Umbildung eines Körpergewebes unter gleichzeitiger Herabsetzung der Differenzierung (Med.). **Ka|ta|plasma** *⟨gr.-lat.⟩ das; -s, ...men:* heißer Breiumschlag zur Schmerzlinderung [bei ↑Koliken] (Med.)

ka|ta|plęk|tisch* ⟨gr.⟩: vor Schreck starr, gelähmt (Med.).
Ka|ta|ple|xie die; -, ...ien: [mit körperlichem Zusammensinken verbundene] Schrecklähmung, Schreckstarre (Med.)
Ka|ta|pult ⟨gr.-lat.⟩ das (auch: der); -[e]s, -e: 1. Wurf-, Schleudermaschine im Altertum. 2. gabelförmige Schleuder mit zwei Gummibändern, mit der Kinder Steine o. Ä. schleudern od. schießen. 3. Schleudervorrichtung zum Starten von Flugzeugen; Startschleuder. Ka|ta|pult|flug|zeug das; -[e]s, -e: für den Katapultstart geeignetes Flugzeug. ka|ta|pul|tie|ren ⟨gr.-lat.-nlat.⟩: [mit einem Katapult] wegschnellen, [weg]schleudern
¹Ka|ta|rakt ⟨gr.-lat.⟩ der; -[e]s, -e: a) Stromschnelle; b) Wasserfall.
²Ka|ta|rakt die; -, -e: Trübung der Augenlinse; grauer Star (Med.). Ka|ta|rak|ta u. Cataracta die; -, ...ten: ↑²Katarakt
Ka|tarr usw. vgl. Katarrh. Ka|tarrh, auch: Katarr ⟨gr.-lat.⟩ eigtl. „Herabfluss"⟩ der; -s, -e: Schleimhautentzündung [der Atmungsorgane] mit meist reichlichen Absonderungen (Med.). ka|tar|rha|lisch, auch: katarralisch ⟨gr.-lat.-nlat.⟩: zum Erscheinungsbild eines Katarrhs gehörend
Ka|tas|ta|se* u. Ka|tas|ta|sis ⟨gr.⟩ die; -, ...stasen: Höhepunkt, Vollendung der Verwicklung vor der ↑Katastrophe (2) im [antiken] Drama
Ka|tas|ter ⟨it.⟩ der (österr. nur so) od. das; -s, -: amtliches Grundstücksverzeichnis, als Unterlage für die Bemessung der Grundsteuer geführt wird
Ka|tas|te|ri|smus* ⟨gr.-nlat.⟩ der; -: alter Glaube, nach dem Tiere u. Menschen [nach dem Tode] in Sterne verwandelt werden können u. als neues Sternbild am Himmel erscheinen
Ka|tast|ral|ge|mein|de* ⟨it.; dt.⟩ die; -, -n: (österr.) in einem Grundbuch zusammengefasste Verwaltungseinheit, Steuergemeinde. Ka|tast|ral|joch das; -s, -e: (österr.) ein Feldmaß (= 5755 m²). ka|tast|rie|ren ⟨it.⟩: in ein ↑Kataster eintragen
ka|ta|stro|phal* ⟨gr.-lat.-nlat.⟩: einer Katastrophe gleichkommend; verhängnisvoll, entsetzlich, furchtbar, schlimm. Ka|ta|stro|phe ⟨gr.-lat.; „Umkehr, Wendung"⟩ die; -, -n: 1. Unglück

von großen Ausmaßen u. entsetzlichen Folgen. 2. entscheidende Wendung [zum Schlimmen] als Schlusshandlung im [antiken] Drama. Ka|ta|stro|phen|me|di|zin die; -: Einsatz von Ärzten, Geräten usw. im Falle einer [atomaren] Katastrophe. Ka|ta|stro|phen|the|o|rie die; -: 1. Theorie über die Entstehung der Planeten. 2. ↑Kataklysmentheorie. — ka|ta|stro|phisch: unheilvoll, verhängnisvoll
Ka|ta|syl|lo|gis|mus ⟨gr.-nlat.⟩ der; -, ...men: Gegenschluss, Gegenbeweis (Logik)
Ka|ta|ther|mo|me|ter ⟨gr.-nlat.⟩ das; -s, -: Gerät für raumklimatische Messungen
ka|ta|thym ⟨gr.-nlat.⟩: affektbedingt, wunschbedingt, durch Wahnvorstellungen entstanden (Psychol.; Med.). Ka|ta|thy|mie die; -, -n: Beeinflussung des Denkens, Wahrnehmens od. Erlebens durch affektbedingte u. gefühlsmäßige Einflüsse (Psychol.; Med.)
Ka|ta|to|nie ⟨gr.-nlat.⟩ die; -, ...ien: Form der Schizophrenie mit Krampfzuständen der Muskulatur u. mit Wahnideen (Spannungsirresein; Med.). Ka|ta|to|ni|ker der; -s, -: jmd., der an Katatonie leidet. ka|ta|to|nisch: die Katatonie betreffend
Ka|ta|voth|re* ⟨gr.-ngr.⟩ die; -, -n: Ponor
Ka|ta|wert ⟨gr.; dt.⟩ der; -[e]s, -e: Maß für die in der Temperatur eines Raumes auftretende Kühlwirkung, die sich aus Raumlufttemperatur u. Luftgeschwindigkeit ergibt (Techn.)
Ka|ta|zo|ne ⟨gr.-nlat.⟩ die; -, -n: unterste Tiefenzone bei der ↑Metamorphose (4) der Gesteine (Geol.)
Ka|te|che|se ⟨gr.-lat.; „mündlicher Unterricht"⟩ die; -, -n: a) die Vermittlung der christlichen Botschaft [an Ungetaufte]; b) Religionsunterricht. Ka|te|chet ⟨gr.-lat.⟩ der; -en, -en: Religionslehrer, bes. für die kirchliche Christenlehre außerhalb der Schule. Ka|te|che|tik der; -: die wissenschaftliche Theorie der Katechese. ka|te|che|tisch: die kirchliche Unterweisung betreffend. Ka|te|chi|sa|ti|on; -, -en: Katechese. ka|te|chi|sie|ren: [Religions]unterricht erteilen. Ka|te|chis|mus ⟨gr.-mlat.⟩ der; -, ...men: 1. Lehrbuch für den christlichen Glaubensunter-

richt. 2. Glaubensunterricht für die ↑Katechumenen (1). Ka|te|chist der; -en, -en: einheimischer Laienhelfer in der katholischen Heidenmission
Ka|te|chu ⟨malai.-port.⟩ das; -s, -s: ↑Gambir
Ka|te|chu|me|nat ⟨gr.-nlat.⟩ das (fachspr. auch: der); -[e]s: a) die Vorbereitung der [erwachsenen] Taufbewerber; b) kirchliche Stellung der Taufbewerber während des Katechumenats (a); c) kirchlicher Glaubensunterricht in Gemeinde, Schule u. Elternhaus. Ka|te|chu|me|ne [auch: ...çu...] ⟨gr.-mlat.⟩ der; -n, -n: 1. [erwachsener] Taufbewerber im Vorbereitungsunterricht. 2. Konfirmand, bes. im 1. Jahr des Konfirmandenunterrichts
ka|te|go|ri|al ⟨gr.-nlat.⟩: in Kategorienart; Kategorien betreffend; vgl. ...al/...ell. Ka|te|go|rie ⟨gr.-lat.; „Grundaussage" die; -, ...ien: 1. Gruppe, in die jmd. od. etwas eingeordnet wird; Klasse, Gattung. 2. eine der zehn möglichen Arten von Aussagen über einen realen Gegenstand; Aussageweise (nach Aristoteles; Philos.). 3. eines der ↑Prädikamente der scholastischen Logik u. Ontologie (Philos.). 4. einer der zwölf reinen Verstandesbegriffe Kants, die die Erkenntnis u. denkende Erfassung von Wahrnehmungsinhalten erst ermöglichen (Philos.). ka|te|go|ri|ell: 1. kategorial; vgl. ...al/...ell. 2. ↑kategorisch. ka|te|go|risch: 1. einfach aussagend, behauptend; kategorisches Urteil: einfache, nicht an Bedingungen geknüpfte Aussage (A ist B). 2. unbedingt gültig; kategorischer Imperativ: unbedingt gültiges ethisches Gesetz, Pflichtgebot; vgl. hypothetischer Imperativ. 3. keinen Widerspruch duldend; bestimmt, mit Nachdruck. ka|te|go|ri|sie|ren ⟨gr.-nlat.⟩: etwas nach Kategorien (1) ordnen, einordnen. Ka|te|go|ri|sie|rung die; -, -en: das Kategorisieren, Einordnen nach Kategorien (1)
Ka|te|ne ⟨lat.; „Kette, Reihe"⟩ die; -, -n (meist Plural): Sammlung von Auslegungen der Kirchenväter zu Bibelstellen. Ka|te|no|id ⟨lat.⟩ das; -[e]s, -e: Drehfläche, deren ↑Meridiane Kettenlinien (parabelähnliche Kurven) sind (Math.).
kat|e|xo|chen [...'xe:n] ⟨gr.⟩: vorzugsweise; schlechthin, im eigentlichen Sinne

Kat|fisch 〈engl.; dt.〉 der; -[e]s, -e: Seewolf. **Kat|gut** 〈engl.〉 das; -s: chirurgischer Nähfaden aus tierischen Darmsaiten (ursprünglich aus Katzendarm) od. aus synthetischen Fasern, der sich im Körper auflöst (Med.). **Ka|tha|rer** [auch: ˈkat...] 〈gr.-mlat.; „der Reine“〉 der; -s, - (meist Plural): Angehöriger verschiedener mittelalterlicher strenger Sekten, bes. der ↑Albigenser. **ka|tha|rob** 〈gr.-nlat.〉: nicht durch Abfallstoffe verunreinigt (z. B. von Gewässern; Biol.). **Ka|tha|ro|bie** [...i̯ə] die; -, -n u. **Ka|tha|ro|bi|ont** der; -en, -en (meist Plural): in sauberem, nicht schlammigem Wasser lebender Organismus; Ggs. ↑Saprobie. **Ka|thar|sis** [ˈkaˈ(ː)..., auch: ...kaˈtar...] 〈gr.; „(kultische) Reinigung“〉 die; -: 1. Läuterung der Seele von Leidenschaften als Wirkung des [antiken] Trauerspiels (Literaturw.). 2. das Sichbefreien von seelischen Konflikten u. inneren Spannungen durch eine emotionale Abreaktion (Psychol.). **ka|thar|tisch**: die Katharsis betreffend **Ka|the|der** 〈gr.-lat.(-mlat.)〉 das (auch: der); -s, -: 1. [Lehrer]pult, Podium. 2. (selten) Lehrstuhl [eines Hochschullehrers]; vgl. ex cathedra; b) ↑ˈDom, Münster. **Ka|the|der|so|zi|a|lis|mus** der; -: (hist.) Richtung innerhalb der deutschen Volkswirtschaftslehre am Ende des 19.Jh.s mit sozialreformerischen Zielen, die das Eingreifen des Staates in das soziale Leben forderte, um die Klassengegensätze abzubauen. **Ka|the|der|so|zi|a|list** der; -en, -en: Vertreter des Kathedersozialismus. **Ka|thed|ra|le** 〈gr.-lat.-mlat.〉 die; -, -n: a) [erz]bischöfliche Hauptkirche, bes. in Spanien, Frankreich u. England; b) ↑ˈDom, Münster. **Ka|thed|ral|ent|schei|dung** die; -, -en: eine Unfehlbarkeit beanspruchende Lehrentscheidung des Papstes; vgl. ex cathedra. **Ka|thed|ral|glas** das; -es: undurchsichtiges Schmuckglas **Ka|thep|sin*** 〈gr.-nlat.〉 das; -s: Eiweiß spaltendes ↑Enzym (Med.; Biol.) **Ka|the|te** 〈gr.-lat.〉 die; -, -n: eine der beiden Seiten, die die Schenkel des rechten Winkels eines Dreiecks bilden (Math.); **Ka|the|ter** der; -s, -: Röhrchen zur Einführung in Körperorgane (z. B. in die Harnblase) zu deren

Entleerung, Füllung, Spülung od. Untersuchung (Med.). **ka|the|te|ri|sie|ren** 〈gr.-nlat.〉: einen Katheter in Körperorgane einführen (Med.). **Ka|the|te|ris|mus** der; -, ...men: Einführung eines Katheters (Med.). **ka|the|tern**: ↑katheterisieren. **Ka|the|to|me|ter** das; -s, -: optisches Gerät zum Messen kleiner Höhenunterschiede **Ka|tho|de**, fachspr. auch: Katode 〈gr.-engl.〉 die; -, -n: ↑negative (4) ↑Elektrode; Ggs. ↑Anode. **Ka|tho|den|fall**, fachspr. auch: Katoden... der; -s, ...fälle: Spannungsabfall an der Kathode bei Gasentladungsröhren. **Ka|tho|den|strahl**, fachspr. auch: Katoden... der; -s, -en (meist Plural): Elektronenstrahl, der von der Kathode ausgeht. **Ka|tho|den|strahl|os|zil|lo|graph**, auch: ...graf, fachspr. auch: Katoden... der; -en, -en: Gerät, das auf einem Fluoreszenzschirm Formen von elektrischen Vorgängen anzeigt. **Ka|tho|den|zer|stäu|bung**, fachspr. auch: Katoden... die; -, -en: Bildung feinster Metallschichten auf der ↑Anode durch Zerstäuben des Kathodenmaterials im Hochvakuum. **ka|tho|disch**, fachspr. auch: katodisch: die Kathode betreffend, an ihr erfolgend. **Ka|tho|do|phon**, auch: Kathodofon 〈gr.-nlat.〉 das; -s, -e: veraltetes, heute durch das Mikrofon ersetztes Gerät zur Umwandlung von Schall in elektrischen Strom (Tonfilm) **Ka|tho|le** 〈gr.-nlat.〉 der; -n, -n: (ugs. abwertend) Katholik; vgl. Evangele. **Ka|tho|lik** 〈gr. mlat.〉 der; -en, -en: Angehöriger der katholischen Kirche. **Ka|tho|li|kos** 〈gr.-mgr.〉 der; -: Titel des Oberhauptes einer unabhängigen orientalischen Nationalkirche (z. B. der armenischen). **ka|tho|lisch** 〈gr.-mlat.; „das Ganze, alle betreffend; allgemein“〉: 1. zur katholischen Kirche gehörend; die katholische Kirche betreffend. 2. allgemein, [die ganze Erde] umfassend (von der Kirche Christi); **Katholische Aktion**: Laienbewegung in kirchlichem Auftrag, die katholisches Gedankengut im weltanschaulichen, sozialen u. politischen Bereich verbreitet; **katholische Briefe**: die nicht an bestimmte Empfänger gerichteten neutestamentlichen Briefe des Jakobus, Petrus, Johannes u. Judas.

ka|tho|lisch-apos|to|lisch: zur Sekte der ↑Irvingianer gehörend. **ka|tho|li|sie|ren** 〈gr.-mlat.-nlat.〉: a) für die katholische Kirche gewinnen; b) zum Katholizismus neigen. **Ka|tho|li|zis|mus** der; -: Geist u. Lehre des katholischen Glaubens. **Ka|tho|li|zi|tät** die; -: Rechtgläubigkeit im Sinne der katholischen Kirche **Ka|tho|lyt**, fachspr. auch: Katolyt 〈Kurzw. aus ↑Kathode u. ↑Elektrolyt〉 der; -s od. -en, -e[n]: der ↑Elektrolyt im Kathodenraum (bei Verwendung von zwei getrennten Elektrolyten; Phys.) **ka|ti|li|na|ri|sch** 〈lat.-nlat.〉 nach dem röm. Verschwörer Catilina, † 62 v. Ch.〉: in der Fügung **katilinarische Existenz**: heruntergekommener, zu verzweifelten Schritten neigender Mensch, der nichts mehr zu verlieren hat **Kat|ion*** 〈gr.-nlat.〉 das; -s, ...en: positiv geladenes Ion, das bei der ↑Elektrolyse zur Kathode wandert **Ka|to|de** usw. vgl. Kathode usw. **ka|to|gen** 〈gr.-nlat.〉: von oben nach unten entstanden (von der Ablagerung der Sedimentgesteine; Geol.) **ka|to|ha|l|in** 〈gr.-nlat.〉: im Salzgehalt nach der Tiefe zunehmend (von Meeren; Geogr.) **ka|to|lyt** vgl. Katholyt **ka|to|ni|sch** 〈nach dem für seine Sittenstrenge bekannten röm. Zensor Cato, † 46 v. Chr.〉: in der Fügung **katonische Strenge**: unnachsichtige Strenge **Ka|topt|rik*** 〈gr.〉 die; -: (veraltet) Lehre von der Lichtreflexion (vgl. Reflexion 1). **ka|topt|risch**: die Katoptrik betreffend **ka|to|therm** 〈gr.-nlat.〉: mit zunehmender Wassertiefe wärmer werdend; Ggs. ↑anotherm. **Ka|to|ther|mie** die; -: Zunahme der Wassertemperatur von den Tiefenzonen stehender Gewässer u. der Meere; Ggs. ↑Anothermie. **Kat|tun** 〈arab.-niederl.〉 der; -s, -e: einfarbiges od. buntes Baumwollgewebe in Leinwandbindung (Webart). **kat|tu|nen**: aus Kattun bestehend **Katz|off** u. **Katz|uff** 〈hebr.-jidd.〉 der; -s, -s: (landsch.) Fleischer **kau|dal** 〈lat.-mlat.〉: 1. nach dem unteren Körperende od. nach dem unteren Ende eines Organs zu gelegen (von Organen od. Körperteilen; Med.). 2. in der Schwanzregion gelegen (Biol.) **kau|di|ni|sch** 〈lat.; nach der alt-

italischen Stadt Caudium, die im 4. Jh. v. Chr. Ort einer demütigenden Behandlung eines röm. Heeres war: die Soldaten mussten waffenlos unter einem aus Speeren gebildeten Joch hindurchgehen): in der Fügung **kaudinisches Joch:** tiefe Demütigung, Erniedrigung
Kau|ka|sist ⟨gr.-lat.-nlat.⟩ der; -en, -en: jmd., der sich wissenschaftlich mit den kaukasischen Sprachen u. Literaturen befasst. **Kau|ka|sis|tik** die; -: Wissenschaft von den kaukasischen Sprachen u. Literaturen
kau|li|flor* ⟨lat.-nlat.⟩: unmittelbar am Stamm der Pflanze ansetzend (von Blüten; Bot.). **Kau|li|flo|rie** die; -: das Ansetzen der Blüten unmittelbar am Stamm (z. B. beim Kakaobaum; Bot.).
Kau|lom das; -s, -e: (veraltet) Sprossachse der Pflanzen (Bot.)
Kau|ma|zit [auch: ...'tsɪt] ⟨gr.-nlat.⟩ der; -s, -e: Braunkohlenkoks
Kau|ri ⟨Hindi⟩ der; -s, -s od. die; -, -s: Porzellanschnecke des Indischen Ozeans, die [in vorgeschichtlicher Zeit] als Schmuck od. Zahlungsmittel verwendet wurde
kau|sal ⟨lat.⟩: ursächlich, das Verhältnis Ursache – Wirkung betreffend, dem Kausalgesetz entsprechend; **kausale Konjunktion:** begründendes Bindewort (z. B. weil; Sprachw.). **Kau|sal|ad|verb** das; -s, -ien: ↑ Adverb, das eine Begründung bezeichnet (z. B. deshalb; Sprachw.). **Kau|sal|be|stim|mung** die; -, -en: Umstandsangabe des Grundes; Begründungsangabe (z. B. aus Liebe; Sprachw.). **Kau|sal|ge|setz** das; -es: Grundsatz, nach dem für jedes Geschehen notwendig eine Ursache angenommen werden muss
Kau|sal|gie* ⟨gr.-nlat.⟩ die; -, ...ien: durch Nervenverletzung hervorgerufener brennender Schmerz (Med.)
Kau|sa|lis ⟨lat.-spätlat.⟩ der; -, ...les [...le:s]: (Sprachw.) 1. (ohne Plural) Kasus in bestimmten Sprachen, der die Ursache od. den Grund einer Handlung angibt. 2. Wort, das im Kausalis (1) steht. **Kau|sa|li|tät** ⟨lat.-nlat.⟩ die; -, -en: Zusammenhang von Ursache und Wirkung; Ggs. ↑ Finalität. **Kau|sa|li|täts|ge|setz** das; -es u. **Kau|sa|li|täts|prin|zip** das; -s: ↑ Kausalgesetz. **Kau|sa|li|täts|the|o|rie** die; -: ↑ Adä-

quanztheorie, Äquivalenztheorie (1) (Rechtsw.). **Kau|sal|kon|junk|ti|on** die; -, -en: begründende ↑ Konjunktion (1) (z. B. weil; Sprachw.). **Kau|sal|ne|xus** der; -, - [...ksu:s]: ursächlicher Zusammenhang, Verknüpfung von Ursache u. Wirkung. **Kau|sal|prin|zip** das; -s: Forderung, dass jeder Vorgang genau durch seine Ursachen vorauszubestimmen ist (Phys.). **Kau|sal|satz** der; -es, ...sätze: Umstandssatz des Grundes (Sprachw.). **kau|sa|tiv:** das Veranlassen ausdrückend, bewirkend (Sprachw.). **Kau|sa|tiv** [auch: ...'ti:f] ⟨lat.⟩ das; -s, -e: Verb des Veranlassens (z. B. tränken = trinken lassen; Sprachw.). **Kau|sa|ti|vum** das; -s, ...va: (veraltet) ↑ Kausativ. **kau|sie|ren** ⟨lat.-fr.⟩: (veraltet) verursachen
kaus|ti|fi|zie|ren ⟨gr.; lat.⟩: milde Alkalien (vgl. Alkali) in ätzende überführen (Chem.). **Kaus|tik** ⟨gr.-nlat.⟩ die; -: 1. Brennfläche einer Linse (Optik); vgl. Katakaustik. 2. ↑ Kauterisation. **Kaus|ti|kum** ⟨gr.-lat.⟩ das; -s, ...ka: Ätzmittel zum Verschorfen schlecht heilender Wunden (Med.; Chem.). **kaus|tisch:** a) scharf, ätzend (Chem.); Ggs. ↑ akaustisch; **kaustische Alkalien:** Ätzalkalien (vgl. Alkali; Chem.); b) sarkastisch, spöttisch. **Kaus|to|bi|o|lith** [auch: ...'lɪt] ⟨gr.-nlat.⟩ der; -s u. -en, -e[n] (meist Plural): aus fossilen Organismen bestehendes brennbares Produkt (z. B. Torf, Kohle; Geol.)
Kau|tel ⟨lat.⟩ die; -, -en: 1. Vorkehrung, Absicherung, [vertraglicher] Vorbehalt (Rechtsw.). 2. (nur Plural) Vorsichtsmaßregeln (Med.)
Kau|ter ⟨gr.-lat.⟩ der; -s, -: chirurgisches Instrument zum Ausbrennen von Gewebeteilen (Med.). **Kau|te|ri|sa|ti|on** ⟨gr.-nlat.⟩ die; -, -en: Gewebszerstörung durch Brenn- od. Ätzmittel (Med.). **kau|te|ri|sie|ren:** durch Hitze od. Chemikalien zerstören od. verätzen (Med.). **Kau|te|ri|um** ⟨gr.-lat.⟩ das; -s, ...ien: 1. Ätzmittel (Chem.). 2. Brenneisen (Med.)
Kau|ti|on ⟨lat.; „Behutsamkeit, Vorsicht"⟩ die; -, -en: Bürgschaft; Sicherheitsleistung in Form einer Geldhinterlegung (z. B. beim Mieten einer Wohnung, od. bei der Freilassung von Untersuchungsgefangenen)

kaut|schie|ren* ⟨indian.-span.-fr.⟩: ↑ kautschutieren. **Kautschuk** der; -s, -e: Milchsaft des Kautschukbaumes (Rohstoff für die Gummiherstellung). **kaut|schu|tie|ren:** a) mit Kautschuk überziehen; b) aus Kautschuk herstellen
Kal|val ⟨lat.-it.⟩ der; -s, -s: eine Spielkarte im ↑ Tarock. **Kal|va|lett** das; -s, -s u. -en: (österr. veraltet, Soldatenspr.) einfaches Bettgestell. **Kal|val|lier** ⟨lat.-it.-fr.; „Reiter", „Ritter"⟩ der; -s, -e: 1. Mann, der bes. Frauen gegenüber höflich-hilfsbereit, zuvorkommend ist (u. auf diese Weise für sich einnimmt). 2. (ugs. scherzh.) Freund, Begleiter eines Mädchens od. einer Frau. 3. (hist.) Edelmann. **Kal|val|lier|per|spek|ti|ve*** die; -, -en: Form der schiefen ↑ Parallelprojektion. **Kal|val|liers|de|likt** ⟨lat.-it.; lat.⟩ das; -[e]s, -e [strafbare] Handlung, die von der Gesellschaft, von der Umwelt als nicht ehrenrührig, als nicht sehr schlimm angesehen wird. **Kal|val|lier[s]|start** der; -s, -s: scharfes, schnelles Anfahren mit Vollgas (z. B. an einer Verkehrsampel). **Kal|val|kal|de** die; -, -n: (veraltend) prachtvoller Reiteraufzug, Pferdeschau. **Kal|val|le|rie** [auch: 'ka...] die; -, ...i̯en: Reiterei; Reitertruppe. **Kal|val|le|rist** [auch: 'ka...] der; -en, -en: Angehöriger der Kavallerietruppe
Kal|va|ti|ne ⟨lat.-it.⟩ die; -, -n: (Mus.) a) Sologesangsstück in der Oper von einfachem, liedmäßigem Charakter; b) liedartiger Instrumentalsatz
Kal|ve|ling ⟨niederl.⟩ die; -, -en: Mindestmenge, die ein Käufer auf einer Auktion erwerben muss (Wirtsch.)
Kal|vent ⟨lat.⟩ der; -en, -en: (veraltet) Gewährsmann, Bürge. **Ka|vents|mann** ⟨lat.-mlat.; dt.⟩ der; -[e]s, ...männer: 1. (landsch.) durch seine Größe beeindruckendes Exemplar von etw. 2 (Seemannsspr.) sehr hoher Wellenberg
Kal|ver|ne ⟨lat.⟩ die; -, -n: 1 [künstlich angelegter] unterirdischer Hohlraum zur Unterbringung technischer od. militärischer Anlagen od. zur Müllablagerung. 2. durch Gewebsein schmelzung entstandener Hohl raum im Körpergewebe, bes. in tuberkulösen Lungen (Med.) **kal|ver|ni|kol** ⟨lat.-nlat.⟩: Höhle bewohnend (von Tieren; Zool.)

Ka|ver|nom *das;* -s, -e: Geschwulst aus Blutgefäßen (Blutschwamm; Med.). **ka|ver|nös:** 1. (Med.) a) Kavernen aufweisend, schwammig (von krankem Gewebe); b) zu einem Hohlraum gehörend (z. B. von Organen). 2. reich an Hohlräumen (von Gesteinsarten; Geol.)

Ka|vi|lar *⟨türk.-it.⟩ der;* -s, -e: mit Salz konservierter Rogen verschiedener Störarten

ka|vie|ren *⟨lat.⟩:* (veraltet) Bürgschaft leisten

Ka|vi|tät *⟨lat.⟩ die;* -, -en: Hohlraum (Anat.). **Ka|vi|ta|ti|on** *⟨lat.-nlat.⟩ die;* -, -en: Hohlraumbildung [in sehr rasch strömenden Flüssigkeiten] (Techn.)

Ka|wa *⟨polynes.⟩ die;* -: säuerlicherfrischendes, stark berauschendes Getränk der Polynesier, das aus der Wurzel eines Pfeffergewächses hergestellt wird

Ka|wass u. **Ka|was|se** *⟨arab.-türk.⟩ der;* ...ssen, ...ssen: 1. (hist.) Ehrenwächter (für Diplomaten) in der Türkei. 2. Wächter u. Bote einer Gesandtschaft im Orient vorderen Orient

Ka|wi *⟨sanskr.-jav.⟩ das;* -[s]: alte, stark vom ↑ Sanskrit beeinflusste Literatursprache Javas

Ka|wir u. Kewir *⟨pers.⟩ die;* -: Salzwüste im Iran

Kaw|ja *⟨sanskr.⟩ das;* -: literarisch anspruchsvolle Form der klassischen indischen Dichtung (v. a. Lyrik, Kunstroman und Kunstepos)

Kay|se|ri ['kaj...] ⟨nach der türkischen Stadt⟩ *der;* -[s], -s: einfacher, kleinformatiger Teppich mittlerer Qualität

Ka|zi|ke *⟨indian. span.⟩ der;* n, n: a) (hist.) Häuptling bei den Indianern Süd- u. Mittelamerikas; b) Titel eines indianischen Ortsvorstehers

Ka|zoo [kə'zu:] *⟨amerik.⟩ das;* -[s], -s: primitives Rohrblasinstrument

ea *⟨maorisch⟩ der;* -s, -s: neuseeländischer Papagei

e|bab *⟨arab.-türk.⟩ der;* -s, -s: [süd]osteuropäisches u. orientalisches Gericht aus kleinen, am Spieß gebratenen [Hammel]fleischstückchen

ee|per ['ki:pɐ] *⟨engl.⟩ der;* -s, -: ' Goalkeeper (Sport). **keep smi-iing** ['ki:p 'smaljtɲ] ⟨"höre nicht auf zu lächeln"⟩: nimms leicht; mmer nur lächeln. **Keep|smi-iing** *das;* -: auch unter widrigen Umständen optimistische Lebensanschauung

Ke|fi|je *⟨arab.⟩ die;* -, -s u. -n: ↑ Kufija

Ke|fir *⟨tatar.⟩ der;* -s: ein aus Kuhmilch (in Russland ursprünglich aus Stutenmilch) durch Gärung gewonnenes Getränk mit säuerlichem, prickelndem Geschmack u. geringem Alkoholgehalt

Keil|me|llie vgl. Zimelie

Keks *⟨engl.⟩ der* od. *das;* - u. -es, - u. -e (österr.: *das;* -, -[e]): 1. a) (ohne Plural) kleines trockenes Feingebäck; b) einzelner Keks (1a). 2. (salopp) Kopf

Kelch|kom|mu|ni|on *⟨dt.; lat.⟩ die;* -, -en: das Trinken von ↑ konsekriertem Wein bei Messe od. Abendmahl

Kel|lek *⟨pers.-türk.⟩ das;* -s, -s: im Orient verwendetes Floß, das von aufgeblasenen Tierbälgen getragen wird

Kel|lim *⟨türk.⟩ der;* -[s], -[s]: a) orientalischer Wandbehang od. Teppich mit gleichem Aussehen auf Vorder- u. Rückseite; b) der gewebte Teppichrand. **Kel|lim-stich** *der;* -[e]s, -e: schräger Flachstich, verwendet für Wandbehänge, Teppiche u. a.

Kel|lek vgl. Kelek

Kel|li|on *⟨lat.-mgr.⟩ das;* -s, Kellien: kleines Kloster der orthodoxen Kirche; vgl. Cella (2 b)

Kel|lo|id *⟨gr.-nlat.⟩ das;* -[e]s, -e: strang- od. plattenförmiger Hautwulst; Wulstnarbe (Med.). **Kel|lo|i|do|se** *die;* -: angeborene Neigung der Haut zur Bildung von Keloiden (Med.). **Kel|lo|to-mie** *die;* -, ...ien: (selten) Bruchoperation (Med.)

Kelp *⟨engl.⟩ das;* -s: zur Gewinnung von Jod verwendete Asche von Seetang

¹Kelt *⟨lat.⟩ der;* -[e]s, -e: vorgeschichtliches Beil aus der Bronzezeit

²Kelt *⟨gäl.-engl.⟩ der;* -s: grober, schwarzer Wollstoff aus Schottland

Kel|tist *⟨lat.-nlat.⟩ der;* -en, -en: ↑ Keltologe. **Kel|tis|tik** *die;* -: ↑ Keltologie. **Kel|to|lo|ge** *⟨lat.; gr.⟩ der;* -n, -n: jmd., der sich wissenschaftlich mit den keltischen Sprachen u. Literaturen befasst. **Kel|to|lo|gie** *die;* -: Wissenschaft von den keltischen Sprachen u. Literaturen. **kel|to|lo|gisch:** die Keltologie betreffend

Kel|vin ⟨engl. Physiker, 1824–1907⟩ *das;* -s, -: Gradeinheit auf der Kelvinskala (Zeichen: K). **Kel|vin|ska|la** *die;* -: Temperaturskala, deren Nullpunkt (0 K)

der absolute Nullpunkt (−273,16 °C) ist

Ke|ma|llis|mus *⟨nlat.;* nach dem türk. Präsidenten Kemal Atatürk, 1880–1938) *der;* -: von Kemal Atatürk begründete politische Richtung in der Türkei mit teilweise islamfeindlicher Tendenz u. dem Ziel der Europäisierung von Wirtschaft u. Technik. **Ke|ma|llist** *der;* -en, -en: Anhänger des Kemalismus. **ke|ma|lis-tisch:** den Kemalismus betreffend

Ke|mant|sche *⟨pers.⟩ die;* -, -n: ↑ Kamangah

Kem|po *⟨jap.⟩ das;* -: für den militärischen, waffenlosen Nahkampf weiterentwickelte Sonderform des ↑ Jujutsu

Ken *⟨jap.⟩ das;* -, -: Verwaltungsbezirk, ↑ Präfektur (a) in Japan

Ken|do *⟨jap.⟩ das;* -[s]: 1. (hist.) Fechtkunst der ↑ Samurais (2) (in der Feudalzeit Japans). 2. japanische Form des Schwertkampfs, die als sportliche Fechtkunst u. zugleich Selbstverteidigungskunst mit zusammengebundenen, elastischen Bambusstäben ausgeführt wird, wobei nur die geschützten Körperstellen des Gegners getroffen werden dürfen. **Ken|do|ka** *der;* -s, -s: jmd., der Kendo betreibt

Ke|nem *⟨gr.⟩ das;* -s, -e: kleinste Einheit auf der Ebene der Form des Ausdrucks (in der Kopenhagener Schule; Sprachw.)

Ken|nel *⟨lat.-vulgärlat.-fr.-engl.⟩ der;* -s, -: Hundezwinger [für die zur ↑ Parforcejagd dressierte Meute]

Ken|nel|ly-Hea|vi|side-Schicht ['kɛn(ə)li'hevisaid...] vgl. Heaviside-Schicht

Ken|ning *⟨altnord.⟩ die;* -, -ar (auch: -e): die bildliche Umschreibung eines Begriffes durch eine mehrgliedrige Benennung in der altgermanischen Dichtung (z. B. „Tosen der Pfeile" für „Kampf")

Ke|no|kar|pie *⟨gr.⟩ die;* -: das Ausbilden von Früchten ohne od. mit taubem Samen (Bot.). **Ke|no|sis** [auch: 'kɛn...] *⟨gr.-mlat.; „Entleerung"⟩ die;* -: theologische Auffassung, dass Christus bei der Menschwerdung auf die Ausübung seiner göttlichen Eigenschaften verzichtet habe (Philipper 2, 6 ff.). **Ke|no|taph** u. Zenotaph *⟨gr.-lat.⟩ das;* -s, -e: ein leeres Grabmal zur Erinnerung an einen Toten, der an anderer Stelle begraben ist. **Ke|no|ti|ker**

der; -s, -: theologischer Vertreter der Lehre von der Kenosis

Ken|taur vgl. Zentaur

Ken|tum|spra|che ‹lat.; dt.; nach der k-Aussprache des Anlauts in lat. centum = „hundert"› die; -, -n: Sprache aus der westindogermanischen Gruppe des ↑Indogermanischen, in denen sich bestimmte Verschlusslaute (bes. g u. k) erhalten haben (Sprachw.); Ggs. ↑Satemsprache

Ke|phal|al|gie* ‹gr.› die; -, ...ien: Kopfschmerz (Med.).

Ke|phal|hä|ma|tom das; -s, -e: durch die Geburt hervorgerufener Bluterguss am Schädel des Neugeborenen (Med.). **Ke|pha|lo|graph,** auch: Kephalograf ‹gr.-nlat.› der; -en, -en: Gerät zur Aufzeichnung der Schädelform. **Ke|pha|lo|met|rie** die; -: Schädelmessung. **Ke|phal|lon** das; -s, -s u. ...la: (veraltet) ↑Makrozephalie (Med.). **Ke|pha|lo|nie** die; -: ↑Makrozephalie. **Ke|pha|lo|po|de** der; -n, -n (meist Plural): Tintenfisch (eine Gruppe der Weichtiere; Zool.). **Ke|pha|lo|to|mie** die; -: geburtshilfliche Operation, ↑Kraniotomie (2) (Med.). **Ke|pha|lo|ze|lle** die; -, -n: ↑Enzephalozele

Ke|ra|bau ‹asiat.› der; -s, -s: indischer Wasserbüffel

Ke|ra|lo|gie ® ‹gr.› die; -: (Produktserie zur) Bekämpfung von Haar- u. Kopfhautschäden

Ke|ra|mik ‹gr.-fr.› die; -, -en: 1. (ohne Plural) a) Erzeugnisse aus gebranntem Ton (Steingut, Majoliken, Porzellan usw.); b) gebrannter Ton als Grundmaterial für die Herstellung von Steingut, Porzellan u. Majoliken; c) Technik der Keramikherstellung. 2. einzelnes Erzeugnis aus gebranntem Ton. **Ke|ra|mi|ker** der; -s, -: Angehöriger eines der Berufe, die sich mit der Herstellung u. Bearbeitung keramischer Erzeugnisse befassen. **ke|ra|misch:** zur Keramik gehörend, sie betreffend

Ke|ra|tin ‹gr.-nlat.› das; -s, -e: Hornstoff; schwefelhaltiger Eiweißkörper in Haut, Haar u. Nägeln. **Ke|ra|ti|tis** die; -, ...itiden: Hornhautentzündung des Auges (Med.). **Ke|ra|to|glo|bus** ‹gr.; lat.› der; -: kugelige Vorwölbung der Hornhaut (Med.). **Ke|ra|to|ko|nus** ‹gr.-nlat.› der; -: kegelförmige Vorwölbung der Hornhaut (Med.). **Ke|ra|tom** das; -s, -e: Horngeschwulst der Haut (Med.). **Ke|ra|to|ma|la|zie** die; -,

...ien: Entzündung der Augenhornhaut mit allmählicher Hornhauterweichung (Med.). **Ke|ra|to|me|ter** das; -s, -: optisches Messinstrument zur genauen Bestimmung des Durchmessers der Hornhaut des Auges (Med.). **Ke|ra|to|phyr** der; -s, -e: ein Ergussgestein (Geol.). **Ke|ra|to|plas|tik** die; -: operative Hornhautüberpflanzung zum Ersatz für erkrankte Hornhaut (Med.). **Ke|ra|to|se** die; -, -n: Verhornung (bes. der Haut; Med.). **Ke|ra|to|skop*** das; -s, -e: optisches Instrument zur Bestimmung der Krümmung der Augenhornhaut. **Ke|rek|ta|sie*** die; -: ↑Keratokonus

Ke|ren ‹gr.› die (Plural): dämonische Wesen der griech. Mythologie, die Verderben bringen

Ker|man u. Kirman ‹nach der iran. Stadt› der; -[s], -s: wertvoller handgeknüpfter Teppich, meist mit einem charakteristischen rautenförmig gegliederten Ranken- od. Blumenmuster

Ker|nit [auch: ...'nɪt] ‹nach dem Ort Kern in Kalifornien (USA)› der; -s, -e: borhaltiges Mineral

Kern|phy|sik ‹dt.; gr.-lat.› die; -: Teilgebiet der Physik, auf dem der Aufbau u. die Eigenschaften der Atomkerne untersucht werden. **Kern|re|ak|ti|on** ‹dt.; lat.-nlat.(-fr.)› die; -, -en: Umwandlung des Atomkerns durch Stöße von [Elementar]teilchen. **Kern|re|ak|tor** der; -s, -en: ↑Reaktor. **Kern|spin** ‹dt.; engl.› der; -s, -s: Drehimpuls (vgl. Spin) des Atomkerns. **Kern|spin|to|mo|gra|phie,** auch ...grafie die; -: ↑Tomographie mithilfe elektromagnetischer Wellen, die eine dreidimensionale Darstellung um Körperschichten ermöglicht (Med.). **Ke|ro|gen** ‹gr.-nlat.› das; -s, -e: organische Substanz der Ölschiefer (Mineral.). **Ke|ro|plas|tik** vgl. Zeroplastik. **Ke|ro|sin** das; -s: der im Erdöl vorkommende Petroleumanteil, der bes. als Treibstoff für Flugzeug- u. Raketentriebwerke verwendet wird

Ker|ref|fekt ‹nach dem engl. Physiker J. Kerr, 1824–1907› der; -[e]s: unter der Einwirkung eines elektrischen Feldes auftretende Doppelbrechung von Lichtstrahlen

Ker|rie […jə] ‹nlat.; nach dem engl. Botaniker W. Kerr, † 1814› die; -, -n: Ranunkelstrauch, Goldnessel (ein Zierstrauch der Rosengewächse)

Ker|san|tit [auch: ...'tɪt] ‹nlat.;

nach dem Fundort Kersanton in der Bretagne› der; -s, -e: ein Ergussgestein (Geol.)

Ke|ryg|ma ‹gr.› das; -s: Verkündigung, bes. des ↑Evangeliums (Rel.). **ke|ryg|ma|tisch:** zur Verkündigung gehörend; predigend. **Ke|ry|kei|on** das; -s, ...keia: Heroldsstab; vgl. Caduceus

Ke|schan u. Kaschan ‹nach der iran. Stadt› der; -[s], -s: fein geknüpfter Woll- od. Seidenteppich mit reicher Musterung

Ket|chup ['kɛtʃap, auch: 'kɛtʃəp] vgl. Ketschup

Ke|to|grup|pe die; -, -n: ↑Carbonylgruppe. **Ke|ton** ‹von Aceton hergeleitet› das; -s, -e: organische Verbindung mit einer od. mehreren CO-Gruppen, die an Kohlenwasserstoffreste gebunden sind. **Ke|ton|u|rie*** ‹lat.; gr.› die; -, ...ien: ↑Acetonurie. **Ke|to|se** (Kurzw. aus: Keton u. -ose) die; -, -n: 1. vermehrte Bildung von ↑Aceton im Blut (Med.); vgl. Acetonämie. 2. einfacher Zucker mit einer CO-Gruppe (Ketogruppe)

Ketsch ‹engl.› die; -, -en: zweimastiges Segelboot (Sport)

Ket|schua vgl. Quechua

Ket|schup ['kɛtʃap, auch: 'kɛtʃəp], auch: Ketchup ‹malai.-engl.› der od. das; -[s], -s: pikante, dickflüssige [Tomaten]soße

Kett|car ® ‹dt.; engl.› der od. das; -s, -s: mit ↑Pedalen (1) über eine Kette angetriebenes Kinderfahrzeug

Ke|tu|bim ‹hebr.› „Schriften") di‹ (Plural): hebr. Bez. für: Hagiographa

Kew|ir vgl. Kawir

Key-Ac|count-Ma|nage|ment ['kiːəkauntmɛnɪdʒmənt] ‹engl.› das; -s, -s: Management, das fü‹ den Kontakt zu Partnerunter nehmen u. Großkunden zuständig ist. **Key|board** ['kiːbɔːd] ‹engl.› das; -s, -s: Tasteninstru ment (z. B. elektronische Orge **Key|boar|de** ['kiːbɔːdɐ] der; -s, -: jmd., de Keyboard spielt

Keyne|si|a|nis|mus [keɪnz... ‹nach dem brit. Volkswirtschaft ler J. M. Keynes, 1883–1946) de‹ -: wirtschaftstheoretische u. -po litische Konzeption, die als ökc nomische Denken nach dem 2 Weltkrieg lange Zeit geprägt ha
¹Kha|ki, auch Kaki ‹pers.-Hinc engl.› das; -[s]: Erdfarbe, Er‹ braun. **²Kha|ki,** auch Kaki de -[s]: gelbbrauner Stoff [für Tr‹ penuniformen]

Khan ⟨mong.-türk.⟩ der; -s, -e: (hist.) 1. mongol.-türk. Herrschertitel. 2. Statthalter im 16. Jh. in Persien. **Kha|nat** ⟨türk.-nlat.⟩ das; -[e]s, -e: a) Amt eines Khans; b) Land eines Khans **Khe|di|ve** ⟨pers.-türk.; „Herr“⟩ der; -s u. -n, -n: (hist.) Titel des Vizekönigs von Ägypten (bis 1914) **Khi|pu** vgl. ↑ Quipu **Ki|ang** ⟨tibet.⟩ der; -s, -s: tibetischer Halbesel **Kib|buz** ⟨hebr.⟩ der; -, -im u. -e: Gemeinschaftssiedlung in Israel. **Kib|buz|nik** der; -s, -s: Mitglied eines Kibbuz **Ki|bit|ka** ⟨russ.⟩ die; -, -s u. **Ki|bit|ke** die; -, -n: 1. Filzzelt asiatischer Nomadenstämme. 2. russ. Bretterwagen. 3. russ. Schlitten mit einem Mattendach **Kib|la*** ⟨arab.⟩ die; -: die Richtung nach Mekka, in die sich die Muslime beim Gebet wenden **Kick** ⟨engl.⟩ der; -[s], -s: 1. a) (ugs.) Tritt, Stoß (beim Fußball); b) [An]stoß. 2. a) Hochstimmung, Erregung, rauschhafter Zustand; b) durch ↑ Drogen (1) hervorgerufene Hochstimmung. **Kick-and-Rush** [...ənd'rʌʃ] ⟨engl.; „schießen und stürmen“⟩ der od. das; -: planloses Nachvorn-Spielen des Balls (bes. im britischen u. irischen Fußball). **Kick-back,** auch: **Kick|back** [kɪk'bɛk] ⟨engl.-amerik.⟩ der; -[s], -s: (Jargon) Rabatt o. Ä., der offiziell gewährt wird, aber an den Auftraggeber od. den Auftragsvermittler fließt. **Kick|bo|xen** das; -s: Kampfsportart, bei der die Gegner sowohl boxen als auch mit bloßen Füßen treten. **Kick-down,** auch: **Kick|down** [...'daun] ⟨engl.⟩ der od. das; -s, -s. plötzliches kräftiges Durchtreten des Gaspedals (zum raschen Beschleunigen). **ki|cken:** (ugs.) Fußball spielen. **Ki|cker** der; -s, -[s]: (ugs.) Fußballspieler. **Kick-off,** auch: **Kick|off** der; -s, -s: (schweiz.) Beginn, Anstoß beim Fußballspiel. **Kick|star|ter** der; -s, -: Anlasser bei Motorrädern in Form eines Fußhebels **Kick|xia** ⟨nlat.; nach dem Botaniker J. Kickx, 1775–1831⟩ die; -, ...ien: baumartiges Hundsgiftgewächs der westafrikanischen Tropenwälder, das Kautschuk liefert **Kid** ⟨engl.⟩ das; -s, -s: 1. feines Kalb-, Ziegen-, Schafleder. 2. (Plural) Handschuhe aus Kid (1). 3. (meist Plural) Kind, Jugendlicher

Kid|dusch ⟨hebr.⟩ der; -, -im: jüdisches Gebet am Sabbat od. Feiertag **kid|nap|pen** ['kɪtnɛpn̩] ⟨engl.⟩: einen Menschen entführen [um Lösegeld zu erpressen]. **Kid|nap|per** der; -s, -: jmd., der kidnappt. **Kid|nap|ping** das; -s, -s: Entführung eines Menschen **Kie|sel|gal|mei** ⟨dt.; gr.-lat.-mlat.-fr.⟩ der; -s: ↑ Kalamin **Kie|se|rit** [auch: ...'rɪt] ⟨nlat.; nach dem dt. Naturforscher D. G. Kieser, 1779–1862⟩ der; -s, -e: ein Mineral (ein Kalisalz) **Kiez** ⟨slaw.⟩ der; -es, -e: 1. (landsch.) Fischersiedlung, -hütte. 2. a) (landsch.) abgesonderter Ortsteil; b) (Jargon) Stadtviertel, in dem ↑ Prostituierte u. Strichjungen ihrem Gewerbe nachgehen; Strich **Kif** ⟨arab.-amerik.⟩ der; -[s]: (Jargon) tabakähnliche Mischung von getrockneten Hanfblättern; ↑ Haschisch, ↑ Marihuana. **kif|fen:** (Jargon) Haschisch od. Marihuana rauchen. **Kif|fer** der; -s, -: (Jargon) jmd., der Haschisch od. Marihuana raucht **Ki|ku|mon** ⟨jap.; „Chrysanthemenwappen“⟩ das; -: das kaiserliche Wappen von Japan, eine 16-blättrige Chrysanthemenblüte **Ki|lim** vgl. Kelim **ki|llen** ⟨engl.⟩: 1. a) (ugs.) töten; b) (ugs.) verhindern, zunichte machen, vernichten. 2. (Seemannsspr.) leicht flattern (von Segeln). **Ki|ller** der; -s, -: (ugs.) jmd., der [im fremdem Auftrag] jmdn. tötet. **Ki|ller|sa|tel|lit** der; -en, -en: ↑ Satellit (3), der die Aufgabe hat, andere Flugkörper im All zu zerstören **Kiln** ⟨engl.⟩ der; -[e]s, -e: Schachtofen zur Holzverkohlung od. Metallgewinnung (Bergw.) **Ki|lo** ⟨gr.-fr.⟩ das; -s, -s (aber: 5 -): Kurzform von ↑ Kilogramm. **Ki|lo|bit,** das; -[s], -[s]: Einheit von 1024 ↑ Bit (EDV; Zeichen: Kbit). **Ki|lo|byte** [...bait, auch: 'ki:lo...] das; -[s], -[s] (aber: 5 -): Einheit von 1024 ↑ Byte (EDV; Zeichen: kByte). **Ki|lo|gramm** das; -s, -e (aber: 5 -): 1. Maßeinheit für Masse. 2. (veraltet) Maßeinheit für Gewicht u. Kraft; Zeichen: kg; vgl. Kilopond. **Ki|lo|gramm|ka|lo|rie** die; -, -n: (veraltet) Kilokalorie. **Ki|lo|hertz** ⟨nach dem dt. Physiker H. Hertz, 1857–1894⟩ das; -, -: Maßeinheit für die Frequenz (= 1 000 Hertz; Zeichen: kHz). **Ki|lo|joule**

[...'dʒuːl] das; -[s], -: 1 000 ↑ Joule (das Tausendfache der Einheit Joule; Phys.; Zeichen: kJ). **Ki|lo|ka|lo|rie** die; -, -n: 1 000 ↑ Kalorien (Zeichen: kcal). **Ki|lo|me|ter** der; -s, -: 1 000 ↑ Meter (das Tausendfache der Einheit Meter; Zeichen: km). **ki|lo|met|rie|ren*:** [Straßen, Flüsse usw.] mit Kilometersteinen versehen. **Ki|lo|pond** das; -s, - (veraltend) 1 000 ↑ Pond (Maßeinheit; frühere Einheit der Kraft; Zeichen: kp). **Ki|lo|pond|me|ter** das; -s, -: (früher) Maßeinheit für Arbeit u. Energie (Zeichen: kpm). **Ki|lo|volt** das; - u. -[e]s, -: 1 000 ↑ Volt (Zeichen: kV). **Ki|lo|volt|am|pere** [...'pɛːɐ] das; -[s], -: 1 000 ↑ Voltampere (das Tausendfache der Einheit Voltampere; Zeichen: kVA). **Ki|lo|watt** das; -s, -: 1 000 ↑ Watt (das Tausendfache der Einheit Watt; Zeichen: kW). **Ki|lo|watt|stun|de** die; -, -n: Leistung an elektrischer ↑ Energie (2) von einem Kilowatt während einer Stunde (Zeichen: kWh) **Kilt** ⟨skand.-engl.⟩ der; -[e]s, -s: a) bunt karierter schottischer Faltenrock für Männer; b) karierter Faltenrock für Damen **Kim|ber|lit** [auch: ...'lɪt] ⟨nlat.; nach der Stadt Kimberley in Südafrika⟩ der; -s, -e: diamantenhaltiger vulkanischer ↑ ¹Tuff (1) (Geol.) **Kim|me|ridge** [...rɪdʒ] ⟨nach dem Ort in Südengland⟩ das, -: Name für einen Teil des Oberen ↑ ²Juras (in Norddeutschland, England u. Frankreich; Geol.) **kim|me|risch** ⟨nach dem früher in Südrussland ansässigen Stamm der Kimmerier⟩: die beiden ältesten Faltungsphasen der Alpen u. anderer Hochgebirge betreffend (Geol.) **Ki|mo|no** [auch: 'ki:... od. 'kɪ...] ⟨jap.⟩ der; -s, -s: kaftanartiges japanisches Gewand für Männer u. Frauen mit angeschnittenen Ärmeln **Kin** ⟨chin.⟩ das; -, -: chines. Sammelbez. für 5- bis 25-saitige zitherartige Saiteninstrumente **Ki|nal|de** ⟨gr.-lat.⟩ der; -n, -n: ↑ Päderast **Kin|äs|the|sie*** ⟨gr.-nlat.⟩ die; -: Fähigkeit, Bewegungen der Körperteile unbewusst zu kontrollieren u. zu steuern (Med.; Zool.). **Ki|näs|the|tik** die; -: Lehre von der Kinästhesie (Med.; Zool.). **kin|äs|the|tisch:** die Kinästhesie betreffend. **Ki|ne|gramm** *das;* -s, -e: (zum Schutz vor Fälschung angebrachtes) siegelartiges Bild, dessen Größe u. Farbton sich je nach Lichteinfall ändert. **Ki|ne|ma|thek** *die;* -, -en: a) Sammlung wissenschaftlicher od. künstlerisch wertvoller Filme; b) Raum od. Gebäude, in dem eine Filmsammlung aufbewahrt wird. **Ki|ne|ma|tik** *die;* -: Teil der ↑Mechanik (1); Bewegungslehre; Phoronomie (1) (Phys.). **Ki|ne|ma|ti|ker** *der;* -s, -: Fachmann auf dem Gebiet der Kinematik (Phys.). **ki|ne|ma|tisch:** die Kinematik betreffend; sich aus der Bewegung ergebend. **Ki|ne|ma|to|graph,** auch: Kinematograf ⟨*gr.-fr.*⟩ *der;* -en, -es: der erste Apparat zur Aufnahme u. Wiedergabe bewegter Bilder. **Ki|ne|ma|to|gra|phie,** auch: Kinematografie *die;* -: 1. (hist.) Verfahren zur Aufnahme u. Wiedergabe von bewegten Bildern. 2. Filmkunst, Filmindustrie. **ki|ne|ma|to|gra|phisch,** auch: kinematografisch: die Kinematographie betreffend. **Ki|ne|si|at|rik** vgl. Kinesiotherapie. **Ki|ne|sik** *die;* -: Wissenschaft, die sich mit der Erforschung ↑nonverbaler Kommunikation befasst. **Ki|ne|si|o|lo|ge** *der;* -n, -n: Fachmann auf dem Gebiet der Kinesiologie. **Ki|ne|si|o|lo|gie** *die;* -: 1. Lehre von der ↑Physiologie der Bewegungsabläufe u. den damit zusammenhängenden Fragen (Med.). 2. Verfahren in der Naturheilkunde, dessen Untersuchungs- u. Behandlungsgegenstand die Muskulatur ist. **Ki|ne|si|o|the|ra|pie** ⟨*gr.-nlat.*⟩ u. Kinesiatrik *die;* -: Heilgymnastik, Bewegungstherapie (Med.). **ki|ne|sisch:** die Kinesik betreffend. **Ki|ne|tik** *die;* -: 1. Lehre von der Bewegung durch Kräfte (Phys.). 2. Richtung der modernen Kunst, in der mit beweglichen Objekten, Bewegungen, Spiegelungen von Licht o. Ä. optisch variable Erscheinungsbilder erzeugt werden (Kunstwiss.). **Ki|ne|tin** *das;* -s, -e: Umwandlungsprodukt von ↑Desoxyribonukleinsäuren, das starken Einfluss auf die Zellteilung hat (Biol.). **ki|ne|tisch:** bewegend, auf die Bewegung bezogen; **kinetische Energie:** Bewegungsenergie (Phys.); **kinetische Kunst:** ↑Kinetik (2). **Ki|ne|tit** [auch: ...'tɪt] *das;* -s: ein Sprengstoff. **Ki|ne|to|gra|phie,** auch: Kinetografie *die;* -: eine Art der

Choreographie. **Ki|ne|to|phon,** auch: Kinetofon *das;* -s, -e: erster Apparat zur gleichzeitigen Bild- u. Tonwiedergabe beim Vorführen eines Films. **Ki|ne|to|se** *die;* -, -n: durch Reizung des Gleichgewichtsorgans erregte Bewegungskrankheit (z. B. See- u. Luftkrankheit; Med.). **Ki|ne|to|skop** *das;* -s, -e: ein kinematographisches Aufnahme- u. Betrachtungsgerät

¹King ⟨*chin.*⟩ *der* od. *das;* -[s], -: aus 12 aufgehängten Klingsteinen bestehendes chinesisches Schlaginstrument

²King ⟨*engl.;* „König"⟩ *der;* -[s], -s: (Jargon) jmd., der in einer Gruppe, in seiner Umgebung als Anführer gilt, bei den anderen das größte Ansehen genießt. **King-size** [...saɪz] ⟨*engl.;* „Königsformat"⟩ *die* (auch: *das*); -: Großformat, Überlänge [von Zigaretten]

Ki|nin ⟨*gr.*⟩ *das;* -s, -e: (meist Plural) aus ↑Aminosäuren zusammengesetzte Substanz im pflanzlichen, tierischen u. menschlichen Organismus (Biochem.)

Ki|no ⟨Kurzw. für *↑Kinematograph*⟩ *das;* -s, -s: 1. Filmtheater, Lichtspielhaus. 2. Filmvorführung, Vorstellung im Kino. 3. (ohne Plural) Film als Massenmedium, als Kunstform

Ki|non|glas ⟨Kunstw.⟩ *das;* -es: nicht splitterndes Sicherheitsglas

Kin|topp ⟨Kurzw. für *Kinematograph*⟩ *der* od. *das;* -s, -s u. ...töppe: (ugs.) Kino

Ki|o|ni|tis ⟨*gr.-nlat.*⟩ *die;* -, ...iti|den: Entzündung des Gaumenzäpfchens (Med.)

Ki|osk [auch: kɪɔsk] ⟨*pers.-türk.-fr.*⟩ *der;* -[e]s, -e: 1. Verkaufshäuschen [für Zeitungen, Getränke usw.]. 2. orientalisches Gartenhäuschen. 3. erkerartiger Vorbau vor den oberen Räumen orientalischer Paläste

Kip|per ⟨*engl.*⟩ *der;* -[s], -[s]: gepökelter, geräucherter Hering

kip|pis! ⟨*finn.*⟩: prost!

Kips ⟨*engl.*⟩ *das;* -es, -e (meist Plural): getrocknete Haut des ↑Zebus

Kir ⟨nach dem Bürgermeister von Dijon, Felix Kir, 1876–1968⟩ *der;* -s, -s (aber: 3 -s): aus Johannisbeerlikör u. trockenem Weißwein bestehendes alkoholisches Getränk; **Kir royal:** aus Johannisbeerlikör u. Sekt bestehendes Getränk

Kir|chen|fab|rik* ⟨*gr.-dt.; lat.-fr.*⟩ *die;* -, -en: Stiftungsvermögen ei-

ner katholischen Kirche, das dem Bau u. der Erhaltung der Kirche dient

Kir|ke vgl. Circe

Kir|man vgl. Kerman

Kis|met ⟨*arab.-türk.;* „Zugeteiltes"⟩ *das;* -s: das dem Menschen von Allah zugeteilte Los (zentraler Begriff der islamischen Religion)

Kis|wa ⟨*arab.*⟩ *die;* -, -s: kostbares Tuch aus schwarzem Brokat, das während der großen Wallfahrt die ↑Kaaba in Mekka bedeckt

Kit ⟨*engl.*⟩ *das* od. *der;* -[s], -s: Satz bestimmter zusammengehöriger Dinge; Set

Kit|che|nette [kɪtʃə'nɛt] ⟨*engl.*⟩ *die;* -, -s: Kochnische, sehr kleine Küche

Kit|fuchs vgl. Kittfuchs

Kit|ha|ra ⟨*gr.-lat.*⟩ *die;* -, -s u. ...aren: bedeutendstes altgriechisches 4- bis 18-saitiges Zupfinstrument mit kastenförmigem ↑²Korpus (3). **Ki|tha|ris|tik** ⟨*gr.*⟩ *die;* -: Lehre des griech. Kitharaspiels. **Ki|tha|rö|de*** *der;* -n, -n: Kitharaspieler u. -sänger im antiken Griechenland. **Ki|tha|ro|die*** *die;* -: Kitharaspiel als Gesangsbegleitung im antiken Griechenland

Kit|ta ⟨*gr.*⟩ *die;* -, -s: Vertreter einer Gruppe elsterartiger Vögel

Kitt|fuchs ⟨*engl.; dt.*⟩ *der;* -es, ...füchse: kleiner, in den Wüsten Nordamerikas lebender Fuchs mit großen Ohren

¹Ki|wi ⟨*maorisch*⟩ *der;* -s, -s: 1. auf Neuseeland beheimateter flugunfähiger Vogel. 2. (ugs.) Neuseeländer. **²Ki|wi** ⟨*engl.*⟩ *die;* -, -s: länglich runde, behaarte Frucht mit saftigem, säuerlichem, glasigem Fruchtfleisch; chinesische Stachelbeere

Kjök|ken|möd|din|ger vgl. Kökkenmödding

Kla|ber|jasch *das;* -s u. **Kla|berjass** u. **Klab|ri|las*** ⟨*jidd.*⟩ *das;* -: ein altes Kartenspiel

Kla|do|die [...jə] ⟨*gr.-nlat.*⟩ *die;* -, -n (meist Plural): blattartig verbreitete Sprossachse, die der ↑Assimilation (2 b) dient; vgl. Phyllokladium. **Kla|do|nie** [...jə] *die;* -, -n: Rentierflechte. **Kla|do|ze|re** *die;* -, -n (meist Plural): Wasserfloh

Kla|mot|te ⟨*rotwelsch*⟩ *die;* -, -n: 1. (landsch.) größerer Stein. 2. (salopp) a) wertloser Gegenstand, minderwertiges Stück; b) (meist Plural) [altes] Kleidungsstück. 3. (Jargon) a) längst vergessenes u. wieder an die Öffentlichkeit gebrachtes Theaterstück, Lied, Buch o. Ä.; b) anspruchsloses Theaterstück

Klan ⟨*kelt.-engl.*⟩ *der;* -s, -e: 1. Gruppe eines Stammes, die sich von gleichen Vorfahren herleitet (Völkerk.). 2. ↑Clan (2)

klan|des|tin ⟨*lat.*⟩: (veraltet) heimlich; **klandestine Ehe:** eine nicht nach ↑kanonischer Vorschrift vor zwei Zeugen geschlossene u. daher kirchlich ungültige Ehe

Kla|rętt ⟨*lat.-mlat.-fr.*⟩ *der;* -s, -s: ein mit Gewürzen versetzter Rotwein. **kla|rie|ren** ⟨*lat.*⟩: (Seemannsspr.) 1. klarmachen, einsatzbereit machen. 2. beim Einu. Auslaufen eines Schiffes die Zollformalitäten erledigen. **Kla|ri|net|te** ⟨*lat.-it.(-fr.)*⟩ *die;* -, -n: ein Holzblasinstrument. **Kla|ri|net|tist** *der;* -en, -en: jmd., der [berufsmäßig] Klarinette spielt. **Kla|r|s|se** ⟨*lat.-fr.,* nach der hl. Klara v. Assisi⟩ *die;* -, -n u. **Kla|ris|sin** *die;* -, -nen: Angehörige des 1212 gegründeten Klarissenordens, des zweiten (weiblichen) Ordens der ↑Franziskaner

Klas|sem ⟨*lat.-nlat.*⟩ *das;* -s, -e: (Sprachw.) 1. semantisches Merkmal, durch das eine ganze Gruppe von Wörtern erfasst wird (z. B. bei Substantiven „Lebewesen" od. „Sachen"). 2. das Gemeinsame aller möglichen Positionseinnehmer einer Leerstelle (z. B. „Verb" in: Die Kinder ... im Garten). **Klas|se|ment** [...'mã:, schweiz. auch: ...'mεnt] ⟨*lat.-fr.*⟩ *das;* -s, -s: 1. Einteilung; Ordnung. 2. Rangliste, Reihenfolge (Sport). **klas|sie|ren:** 1. Fordergut (z. B. Steinkohle) nach der Größe aussortieren (Bergmannsspr.). 2. nach bestimmten Merkmalen einer Klasse zuordnen. **Klas|si|fi|ka|ti|on** ⟨*lat.-nlat.*⟩ *die;* -, -en: 1. das Klassifizieren. 2. das Klassifizierte; vgl. ...[at]ion/...ierung. **Klas|si|fi|ka|tor** *der;* -s, ...oren: Sachkatalogbearbeiter (Bibliotheksw.). **klas|si|fi|ka|to|risch:** die Klassifikation betreffend. **klas|si|fi|zie|ren:** 1. jmdn. od. etw. (z. B. Tiere, Pflanzen) in Klassen einteilen, einordnen. 2. jmdn. od. etw. als etwas abstempeln. **Klas|si|fi|zie|rung** *die;* -, -en: das Klassifizieren; Klassifikation; vgl. ...[at]ion/...ierung. **Klas|sik** *die;* -: 1. Kultur u. Kunst der griech.-röm. Antike. 2. Epoche, die sich Kultur u. Kunst der Antike zum Vorbild genommen

hat. 3. Epoche kultureller Höchstleistungen eines Volkes, die über ihre Zeit hinaus Maßstäbe setzt. **Klas|si|ker** ⟨*lat.*⟩ *der;* -s, -: 1. Vertreter der Klassik (1, 2). 2. Künstler, Schriftsteller, Wissenschaftler, der allgemein anerkannte, richtungsweisende Arbeit auf seinem Gebiet geleistet hat. 3. Sache, die ↑klassisch (3) ist. 4. Gegenstand, der ↑klassisch (4) ist. **klas|sisch:** 1. die [antike] Klassik betreffend, z. B. -e Sprachen (Griechisch u. Latein). 2. a) die Merkmale der Klassik tragend (z. B. von einem Kunstwerk, einem Bauwerk); b) vollkommen, ausgewogen in Form u. Inhalt, ausgereift, Maßstäbe setzend (von Kunstwerken, wissenschaftlichen Leistungen o. Ä.). 3. altbewährt, seit langem verwendet. 4. mustergültig, zeitlos (in Bezug auf Form od. Aussehen). 5. (ugs.) toll, großartig. **Klas|si|zis|mus** ⟨*lat.-nlat.*⟩ *der;* -: 1. Nachahmung eines klassischen [antiken] Vorbildes (bes. in der Literatur des 16. u. 17. Jh.s). 2. Baustil, der in Anlehnung an die Antike die Strenge der Gliederung u. die Gesetzmäßigkeit der Verhältnisse betont. 3. europäischer Kunststil etwa von 1770–1830. **klas|si|zis|tisch:** a) den Klassizismus betreffend, zum Klassizismus gehörend; b) die Antike [den Originalität] nachahmend. **Klas|si|zi|tät** *die;* -: (veraltet) Mustergültigkeit

klas|tisch ⟨*gr.-nlat.*⟩: aus den Trümmern anderer Gesteine stammend (von Sedimentgestein; Geol.)

Klau|se ⟨*lat.-mlat.*⟩ *die;* -, -n: 1. Klosterzelle; Einsiedelei; weltabgeschiedene Behausung. 2. enger Raum, kleines [Studier]zimmer. 3. a) Engpass, Schlucht (bes. in den Alpen); b) enger Taldurchbruch durch eine ↑Antiklinale; vgl. Klus. 4. Frucht der Windengewächse u. Lippenblütler. 5. Damm zum Aufstauen von Bach-, Flusswasser, das bei Bedarf abgelassen wird u. dadurch die Holzflößerei ermöglicht; Klausdamm. **Klau|sel** ⟨*lat.;* „Schluss; Schlusssatz, -formel; Gesetzesformel"⟩ *die;* -, -n: 1. vertraglicher Vorbehalt, Sondervereinbarung (Rechtsw.). 2. metrische Gestaltung des Satzschlusses [in der antiken Kunstprosa]. 3. formelhafter, melodischer Schluss (Mus.); vgl. Ka-

denz. **Klau|si|lie** [...jə] ⟨*lat.-nlat.*⟩ *die;* -, -n (meist Plural): Schnecke mit einem Verschlussmechanismus aus beweglichen Schließblättchen (Schließmundschnecke; Zool.). **Klaus|ner** ⟨*lat.-mlat.*⟩ *der;* -s, -: Bewohner einer Klause (1); Einsiedler. **Klaus|ra|ti|on*** ⟨*lat.*⟩ *die;* -, -en u. **Klaust|ro|phi|lie*** ⟨*lat.; gr.*⟩ *die;* -, ...ien: krankhafter Drang, sich einzuschließen, abzusondern; Hang zur Einsamkeit (Psychol.). **Klaust|ro|pho|bie*** ⟨*lat.*⟩ *die;* -, ...ien: krankhafte Angst vor Aufenthalt in geschlossenen Räumen (Psychol.). **klau|su|lie|ren:** in Klauseln fassen, bringen; verklausulieren. **Klau|sur** ⟨*lat.*⟩ *die;* -, -en: 1. (ohne Plural) Einsamkeit, Abgeschlossenheit. 2. Bereich eines Klosters, der nur für einen bestimmten Personenkreis zugänglich ist. 3. ↑Klausurarbeit. **Klau|sur|ar|beit** *die;* -, -en: unter Aufsicht zu schreibende schriftliche Prüfungsarbeit. **Klau|sur|ta|gung** *die;* -, -en: Tagung unter Ausschluss der Öffentlichkeit

Kla|vi|a|tur ⟨*lat.-mlat.-fr.-nlat.*⟩ *die;* -, -en: Gesamtheit der dem Spiel dienenden Tasten bei Klavier, Orgel u. Harmonium. **Kla|vi|chord** [...'kɔrt] ⟨*lat.; gr.-lat.*⟩ *das;* -[e]s, -e: im 12. Jh. entstandenes Tasteninstrument, dessen waagrecht liegende Saiten mit einem Metallplättchen angeschlagen werden (Vorläufer des Klaviers). **Kla|vi|ci|the|ri|um** ⟨*lat.; gr.-nlat.*⟩ *das;* -s, ...ien: ein Harfenklavier des 16. Jh.s (Vorläufer des ↑Pianinos). **Kla|vier** ⟨*lat.-mlat.-fr.*⟩ *das;* -s, -e: 1. Musikinstrument mit schwarzen u. weißen Tasten zum Anschlagen der senkrecht zur Tastatur gespannten Saiten. 2. (allgemein für) Tasteninstrument mit Klaviatur (z. B. Tafelklavier, Flügel; Fachspr.). **kla|vie|ren:** (ugs.) an etwas herumfingern. **kla|vie|ris|tisch** ⟨*lat.-fr.-nlat.*⟩: a) für das Klavier gedacht; b) die Technik des Klavierspiels betreffend, ihr gemäß. **Kla|vier|quar|tett** *das;* -[e]s, -e: a) Komposition für drei Streichinstrumente u. Klavier; b) die vier Ausführenden eines Klavierquartetts. **Kla|vier|quin|tett** *das;* -[e]s, -e: a) Komposition für vier Streichinstrumente u. Klavier; b) die fünf Ausführenden eines Klavierquintetts u. Klavier. **Kla|vier|trio** *das;* -s, -s: a) Komposition für zwei Streichinstrumente u. Klavier;

b) die drei Ausführenden eines Klaviertrios (a). **Kla|vi|kel** ⟨lat.⟩ das; -s, -: (veraltet) ↑Clavicula.) **Kla|vi|ku|la** vgl. Clavicula. **kla|vi|ku|lar:** die Clavicula betreffend. **Kla|vi|zim|bel** das; -s, -: ↑Clavicembalo. **Kla|vus** vgl. Clavus (2)

Kleck|so|gra|phie, auch: Klecksografie ⟨dt.; gr.⟩ die; -, ...ien: eines von mehreren aus Klecksen erzeugten, keinen Sinn enthaltenden Bildern einer Reihe, die bei bestimmten Persönlichkeitstests von der Testperson gedeutet werden müssen

Klein|kli|ma ⟨dt.; gr.-lat.⟩ das; -s, -s u. ...mate: ↑Mikroklima

kleis|to|gam ⟨gr.-nlat.⟩: sich in geschlossenem Zustand selbst bestäubend (von Blüten; Bot.); Ggs. ↑chasmogam. **Kleis|to|ga|mie** die; -: Selbstbestäubung geschlossener Blüten (Bot.); Ggs. ↑Chasmogamie

Kle|ma|tis, fachspr. auch: Clematis ⟨gr.-lat.⟩ die; -, -: Kletterpflanze mit stark duftenden Blüten (Waldrebe)

Kle|men|ti|ne vgl. Clementine

Kleph|te ⟨gr.-ngr.; „Räuber"⟩ der; -n, -n: griech. Freischärler im Kampf gegen die türk. Herrschaft. **Klephten|lie|der** die (Plural): die Abenteuer der Klephten behandelnde lyrisch-epische Gesänge. **Klep|syd|ra*** ⟨gr.-lat.⟩ die; -, ...ydren: (veraltet) Wasseruhr. **Klep|to|ma|ne** ⟨gr.-nlat.⟩ der; -n, -n: jmd., der an Kleptomanie leidet. **Klep|to|ma|nie** die; -, ...ien: zwanghafter Trieb zum Stehlen ohne Bereicherungsabsicht (Med.; Psychol.). **klep|to|ma|nisch:** die Kleptomanie betreffend. **Klep|to|pho|bie** die; -, ...ien: krankhafte Furcht, zu stehlen od. bestohlen zu werden (Med.; Psychol.)

kle|ri|kal ⟨gr.-lat.⟩: a) dem Stand der katholischen Geistlichen angehörend, zu ihm gehörend; Ggs. ↑laikal; b) in der Gesinnung konsequent den Standpunkt des katholischen Priesterstandes vertretend; Ansprüche des Klerus fördernd, unterstützend. **Kle|ri|kal|le** der u. die; -n, -n: jmd., der zur Anhängerschaft der katholischen Geistlichen gehört. **Kle|ri|ka|lis|mus** ⟨gr.-lat.-nlat.⟩ der; -: das Bestreben der [katholischen] Kirche, ihren Einflussbereich auf Staat u. Gesellschaft auszudehnen. **kle|ri|ka|lis|tisch:** (abwertend) ausge-

prägt klerikale (b) Tendenzen vertretend u. zeigend. **Kle|ri|ker** ⟨gr.-lat.⟩ der; -s, -: Angehöriger des Klerus. **Kle|ri|sei** ⟨gr.-lat.-mlat.⟩ die; -: (veraltet) Klerus. **Kle|rus** ⟨gr.-lat.⟩ der; -: katholische Geistlichkeit, Priesterschaft, -stand

¹**Klez|mer** [ˈklɛs...] ⟨hebr.-jidd.-amerik.⟩ die od. der; -: aus Osteuropa stammende traditionelle jüdische Instrumentalmusik. ²**Klez|mer** der; -s, -: Musiker, der ¹Klezmer spielt

Kli|ent ⟨lat.; „der Hörige"⟩ der; -en, -en: 1. Auftraggeber, Kunde bestimmter freiberuflich tätiger Personen od. bestimmter Einrichtungen. 2. Bürger mit wenigen Rechten im alten Rom, der einem ↑¹Patron (1) zu Dienst verpflichtet war. **Kli|en|tel** die; -, -en: 1. Gesamtheit der Klienten (1). 2. Gesamtheit der von einem ↑¹Patron (1) abhängigen Bürger. **kli|ent|zen|triert*, kli|en|tenzen|triert*** ⟨lat.-engl.⟩: (bes. in der Psychotherapie) auf den Klienten ausgerichtet, nach seinen Bedürfnissen; **klient[en]-zentrierte Therapie:** Gesprächstherapie; Therapieform, bei der sich der Therapeut sehr zurückhält um es dem Klienten zu ermöglichen seine Probleme selbst zu lösen

Kli|ma ⟨gr.-lat.⟩ das; -s, -s u. ...mate: 1. a) der für ein bestimmtes geographisches Gebiet charakteristische Ablauf der Witterung (Meteor.); b) künstlich hergestellte Luft-, Wärme- u. Feuchtigkeitsverhältnisse in einem Raum. 2. durch bestimmte Ereignisse od. Umstände hervorgerufene Atmosphäre od. Beziehungen zwischen Personen, Gruppen, Staaten o. Ä. **Kli|ma-an|la|ge** die; -: Vorrichtung zur automatischen Regulierung der Frischluftzufuhr, der Lufttemperatur u. -feuchtigkeit in abgeschlossenen Räumen. **Kli|maele|men|te** die (Plural): klimabestimmende Witterungsbedingungen (z. B. Temperatur, Luftfeuchtigkeit). **Kli|ma|fak|tor** der; -s, -en: die Klimaelemente bedingende geographische Beschaffenheit eines Ortes (z. B. Höhenlage, Lage zum Meer). **Kli|ma|geo|gra|phie,** auch: ...geografie die; -: Wissenschaft u. Lehre von den klimatischen Erscheinungen unter geographischen Gesichtspunkten. **kli-mak|te|risch** ⟨gr.-lat.⟩: durch die

Wechseljahre bedingt, sie betreffend (Med.); **klimakterische Zeit:** [durch eine bestimmte Stellung zweier Gestirne angezeigte] gefahrvolle Zeit (Astrol.). **Kli-mak|te|ri|um** ⟨gr.-nlat.⟩ das; -s: Wechseljahre [der Frau] (Med.); vgl. Klimax (2). **Kli|mak|te|rium** das; -s: *Plural* von ↑Klima. **Kli|ma|the|ra|pie** die; -, -n: eine Kurbehandlung, bei der die bestimmten klimatischen Verhältnisse einer Gegend für die Behandlung von Krankheiten eingesetzt werden (Med.). **kli|ma|tisch** ⟨gr.-lat.-nlat.⟩: das Klima betreffend. **kli|ma|ti|sie-ren:** a) in einen Raum od. ein Gebäude eine Klimaanlage einbauen; b) Temperatur, Luftzufuhr u. -feuchtigkeit [in geschlossenen Räumen] künstlich beeinflussen u. regeln. **Kli|ma|to|gra-phie,** auch: Klimatografie ⟨gr.-nlat.⟩ die; -: Beschreibung der klimatischen Verhältnisse auf der Erde. **Kli|ma|to|lo|gie** die; -: vergleichende Wissenschaft der klimatischen Verhältnisse auf der Erde. **Kli|ma|to|the|ra|pie** die; -, -n: ↑Klimatherapie. **Kli|max** ⟨gr.-lat.⟩ die; -, -e: 1. Steigerung des Ausdrucks, Übergang vom weniger Wichtigen zum Wichtigeren (Rhet.; Stilk.); Ggs. ↑Antiklimax; vgl. Gradation. 2. ↑Klimakterium. 3. Endzustand der Boden- u. Vegetationsentwicklung in einem bestimmten Gebiet (Bot.). 4. Höhepunkt. **Kli|nik** die; -, -en: 1. [großes] Krankenhaus [das auf die Behandlung bestimmter Krankheiten usw. spezialisiert ist]. 2. (ohne Plural) praktischer Unterricht im Krankenhaus [für Medizinstudenten] (Med.). **Kli|ni|ker** der; -s, -: 1. in einer Klinik tätiger u. lehrender Arzt. 2. Medizinstudent in den klinischen Semestern. **Kli|ni|kum** ⟨gr.-nlat.⟩ das; -s, ...ka u. ...ken: 1. (ohne Plural) Hauptteil der praktischen ärztlichen Ausbildung in einem Krankenhaus. 2. Zusammenschluss der [Universitäts]kliniken unter einheitlicher Leitung. **kli|nisch:** 1. a) die Klinik betreffend; b) die klinischen Semester betreffend. 2. durch ärztliche Untersuchung feststellbar od. festgestellt. **Kli-no|chlor** [...ˈkloːɐ̯] ⟨gr.-nlat.⟩ das; -s, -e: ein Mineral. **Kli|no|graph,** auch: Klinograf der; -en, -en: Messinstrument zur Neigungsvorgänge der Erdoberfläche (Geogr.). **Kli|no|ke|pha|lie** die; -, ...ien: eine angeborene Schädeldeformierung (Sattelkopf; Med.). **Kli|no|me|ter** *das;* -s, -: 1. Neigungsmesser für Schiffe u. Flugzeuge. 2. Neigungsmesser im Geologenkompass zur Messung des Einfallens von Gesteinen. **Kli|no|mo|bil** u. Clinomobil ⟨*gr.; lat.*⟩ *das;* -s, -e: Rettungswagen, in dem Operationen durchgeführt werden können. **Kli|nos-tat*** *der;* -[e]s u. -en, -e[n]: Apparat mit einer kreisenden Scheibe zur Ausschaltung einseitiger Schwerkraftwirkung für pflanzenphysiologische Untersuchungen

Klipp u. Clip ⟨*engl.*⟩ *der;* -s, -s: a) Klammer, Klemme; b) ↑Klips **Klip|per** ⟨*engl.*⟩ *der;* -s, -: (früher) schnelles Segelschiff für den Transport verderblicher Waren **Klips** ⟨*engl.*⟩ *der;* -es, -e: 1. Schmuckstück zum Festklemmen (z. B. Ohrklips). 2. Klammer zum Befestigen des Haares beim Eindrehen **Kli|schee** ⟨*fr.*⟩ *das;* -s, -s: 1. a) mittels ↑Stereotypie (1) od. ↑Galvanoplastik hergestellte Vervielfältigung eines Druckstockes; b) Druckstock. 2. a) unschöpferische Nachbildung, Abklatsch; b) eingefahrene, überkommene Vorstellung; c) abgedroschene Redewendung. **kli|schie|ren:** 1. ein Klischee (1 a) herstellen. 2. a) talentlos etwas nachahmen; b) etwas in ein Klischee zwängen, klischeehaft darstellen. **Kli-scho|graph,** auch: Klischograf ⟨*fr.; gr.*⟩ *der;* -en, -en: elektrische Graviermaschine für Druckstöcke (Druckw.) **Klis|ter** ⟨Kunstw.⟩ *der;* -s: weiches Skiwachs, das zum Fahren im Firnschnee aufgetragen wird **Klis|tier** ⟨*gr.-lat.;* „Spülung, Reinigung"⟩ *das;* -s, -e: Darmeinlauf, -spülung (meist mit warmem Wasser). **klis|tie|ren:** ein Klistier geben **kli|to|ral** ⟨*gr.*⟩: die Klitoris betreffend. **Kli|to|ris** *die;* -, - u. ...orides: schwellfähiges weibliches Geschlechtsorgan; Kitzler (Med.). **Kli|to|ris|mus** ⟨*gr.-nlat.*⟩ *der;* -: übermäßige Entwicklung der Klitoris (Med.) **Kli|vie** [...viə] vgl. Clivia **Klo|a|ke** ⟨*lat.*⟩ *die;* -, -n: 1. [unterirdischer] Abzugskanal für Abwässer; Senkgrube. 2. gemeinsamer Ausführungsgang für den Darm, die Harnblase u. die Geschlechtsorgane bei Reptilien u. einigen niederen Säugetieren (Zool.)

Klo|bas|se u. **Klo|bas|si** ⟨*slaw.*⟩ *die;* -, ...ssen: (österr.) eine grobe, gewürzte Wurst **Klon** ⟨*gr.-engl.*⟩ *der;* -s, -e: durch Klonen entstandenes Lebewesen (Biol.). **klo|nen:** durch künstlich herbeigeführte ungeschlechtliche Vermehrung genetisch identische Exemplare von Lebewesen erzeugen (Biol.). **Klo|ni:** *Plural* von ↑Klonus. **klo|nie|ren** vgl. klonen **klo|nisch** ⟨*gr.-nlat.*⟩: schüttelnd, krampfhaft zuckend (von Muskeln; Med.); Ggs. ↑tonisch (2). **Klo|nus** *der;* -, ...ni: krampfartige Zuckungen infolge rasch aufeinander folgender Muskelzusammenziehungen; Schüttelkrampf (Med.) **Klo|sett** ⟨*lat.-fr.-engl.*⟩ *das;* -s, -s (auch: -e): 1. Toilettenraum. 2. Toilettenbecken **Klo|tho|i|de** ⟨*gr.-nlat.*⟩ *die;* -, -n: a) Spiralkurve mit immer kleiner werdendem Krümmungsradius (Math.); b) der Übergangsbogen zwischen einer Geraden u. einer Krümmung im modernen Straßenbau **Klub,** auch: Club ⟨*altnord.-engl.*⟩ *der;* -s, -s: a) [geschlossene] Vereinigung mit politischen, geschäftlichen, sportlichen od. anderen Zielen; b) Gruppe von Leuten, die sich amüsieren; Clique; c) Gebäude, Räume eines Klubs (a). **Klub|gar|ni|tur** *die;* -, -en: Gruppe von [gepolsterten] Sitzmöbeln **Klu|ni|a|zen|ser** ⟨nach dem ostfranz. Kloster Cluny⟩ *der;* -s, -: (hist.) Mönch, der der ↑Kongregation (1) von Cluny, einer auf der Benediktinerregel fußenden [mönchisch-]kirchlichen Reformbewegung des 11./12. Jhs., angehört. **klu|ni|a|zen|sisch:** die Kluniazenser u. ihre Reformen betreffend **Klus** ⟨*lat.-mlat.*⟩ *die;* -, -en: (schweiz.) Engpass, Schlucht; vgl. Klause (3). **Klü|se** ⟨*lat.-niederl.*⟩ *die;* -, -n: (Seemannsspr.) Öffnung im Schiffsbug für [Anker]ketten u. Taue. **Klu|sil** ⟨*lat.*⟩ *der;* -s, -e: Verschlusslaut (Sprachw.) **Klü|ver** ⟨*niederl.*⟩ *der;* -s, -: ein dreieckiges Vorsegel **Klys|ma** ⟨*gr.-lat.*⟩ *das;* -s, ...men: ↑Klistier. **Kly|so|pomp|sprit|ze** ⟨*gr.; fr.; dt.*⟩ *die;* -, -n: Spritze zur Darm- u. Scheidenausspülung (Med.) **Klyst|ron*** ⟨*gr.-nlat.*⟩ *der;* -s, ...one, (auch:) -s: eine haupt-

sächlich als Senderöhre verwendete Elektronenröhre zur Erzeugung u. Verstärkung von Mikrowellen **Knas|ter** ⟨*gr.-span.-niederl.;* „Korb"⟩ *der;* -s, -: 1. (veraltet) guter Tabak, der in Körben gehandelt wurde. 2. (ugs.) schlechter Tabak **Knaus-O|gi|no-Me|tho|de** ⟨nach den Gynäkologen H. Knaus (1892–1970, Österreicher) u. K. Ogino (1882–1975, Japaner)⟩ *die;* -: für Empfängnisverhütung u. Familienplanung anwendbare, auf der Berechnung des Eisprungs basierende Methode zur Bestimmung der fruchtbaren u. unfruchtbaren Tage einer Frau (Med.) **Knau|tie** [...iə] ⟨*nlat.;* nach dem dt. Arzt u. Botaniker Chr. Knaut, 1654–1716⟩ *die;* -, -n: Witwenblume, ein violett blühendes, heilkräftiges Kraut (Kardengewächs) **Knes|set[h]** ⟨*hebr.;* „Versammlung"⟩ *die;* -: das Parlament in Israel **Kni|cker|bo|cker** [auch: 'nikə...] ⟨*engl.*⟩ *die* (Plural): unter dem Knie mit einem Bund geschlossene u. dadurch überfallende, halblange sportliche Hose **Knight** [nait] ⟨*engl.;* „Ritter"⟩ *der;* -s, -s: der nicht erbliche, unterste Stufe des engl. Adels. **Knights of La|bor** ['naits əv 'leibə] ⟨*engl.-amerik.;* „Ritter der Arbeit"⟩ *die* (Plural): (hist.) 1869 gegründeter Geheimbund der ersten Versuch einer Gewerkschaftsorganisation in Nordamerika darstellend **knock-down,** auch: **knock|down** [nɔk'daun] ⟨*engl.*⟩: niederge schlagen, aber nicht kampfunfähig (Boxen). **Knock-down,** auch: **Knock|down** *der;* -[s], -s: einfacher Niederschlag (Boxen). **knock-out,** auch: **knock|out** [...'aut]: kampfunfähig nach einem Niederschlag; Abk.: k. o. (Boxen). **Knock-out,** auch: **Knock|out** *der;* -[s], -s: Kampfunfähigkeit bewirkender Niederschlag; Abk.: K. o. (Boxen). **Knock|ou|ter** *der;* -s, -: ↑Boxer (1), der für seine Gegner durch einen K. o. besiegt **Know-how** [nou'hau] ⟨*engl.*⟩ *das;* -[s]: auf Forschung u. Erfahrung beruhendes Wissen, wie eine Sache praktisch verwirklicht, angewandt **Knut** vgl. Kanut **Knu|te** ⟨*germ.-russ.;* „Knoten-

peitsche"⟩ *die;* -, -n: Peitsche aus Lederriemen. **knu|ten:** knechten, unterdrücken, tyrannisieren **k.o.** [ka'o:]: ↑knock-out. **K.o.** *der;* -[s], -[s]: ↑Knock-out
Ko|a|dap|ta|ti|on* ⟨*lat.-nlat.*⟩ *die;* -, -en: 1. gesteigerte körperliche Anpassung eines Lebewesens an abgeänderte Umweltbedingungen aufgrund einer günstigen Genkombination (Genetik). 2. Mitveränderung von nicht unmittelbar betroffenen Organen bei der Veränderung von Umweltbedingungen (Psychol.). **Ko|ad|ju|tor** [auch: ...'ju:...] ⟨*lat.*⟩ *der;* -s, ...oren: katholischer ↑Vikar, der den durch Alter od. Krankheit behinderten Stelleninhaber mit dem Recht der Nachfolge vertritt
Ko|a|gu|lans ⟨*lat.*⟩ *das;* -, ...lantia u. ...lanzien (meist Plural): die Blutgerinnung förderndes od. beschleunigendes Mittel (Med.). **Ko|a|gu|la|se** *die;* -, -n: ↑Enzym, das die Blutgerinnung beschleunigt (Med.). **Ko|a|gu|lat** *das;* -[e]s, -e: aus einer ↑kolloidalen Lösung ausgeflockter Stoff (z. B. Eiweißgerinnsel; Chem.). **Ko|a|gu|la|ti|on** *die;* -, -en: Ausflockung, Gerinnung eines Stoffes aus einer ↑kolloidalen Lösung (Chem.). **ko|a|gu|lie|ren:** ausflocken, gerinnen [lassen] (Chem.). **Ko|a|gu|lum,** fachspr. auch: Coagulum *das;* -s, ...la: Blutgerinnsel (Med.)
Ko|a|la ⟨*austr.*⟩ *der;* -s, -s: in Australien auf Bäumen lebender kleiner Beutelbär (ein Beuteltier)
Ko|a|les|zenz ⟨*lat.*⟩ *die;* -, -en: (veraltet) innere Vereinigung, Verwachsung. **ko|a|lie|ren u. ko|a|li|sie|ren** ⟨*lat.-mlat.-engl.-fr.*⟩: a) verbinden; sich verbünden; b) mit jmdm. eine Koalition eingehen, bilden. **Ko|a|li|ti|on** *die;* -, -en: Vereinigung, Bündnis mehrerer Parteien od. Staaten zur Durchsetzung ihrer Ziele. **Ko|a|li|ti|o|när** *der;* -s, -e (meist Plural): Angehöriger einer Koalition. **Ko|a|li|ti|ons|krieg** *der;* -[e]s, -e: 1. die gemeinsame Kriegführung mehrerer Staaten mit einem od. mehreren anderen. 2. (nur Plural) (hist.) die Kriege der verbündeten europäischen Monarchien gegen das revolutionäre Frankreich von 1792 bis 1807. **Ko|a|li|ti|ons|par|tei** *die;* -, -en: die Partei, die zusammen mit einer anderen eine Koalition bildet. **Ko|a|li|ti|ons|recht** *das;* -[e]s: das den Bürgern eines

Staates verfassungsmäßig garantierte Recht, sich zur Wahrung ihrer Interessen mit anderen zusammenzuschließen. **Ko|a|li|ti|ons|re|gie|rung** *die;* -, -en: von mehreren Parteien gebildete Regierung
ko|äl|tan ⟨*lat.*⟩: (veraltet) gleichaltrig, gleichzeitig. **Ko|äl|tan** *der;* -en, -en: (veraltet) Alters-, Zeitgenosse, Schulkamerad
Ko|au|tor u. Konautor ⟨*lat.*⟩ *der;* -s, -en: Mitverfasser
ko|a|xi|al ⟨*lat.-nlat.*⟩: mit gleicher Achse. **Ko|a|xi|al|ka|bel** *das;* -s, -: aus einem zylindrischen inneren u. einem rohrförmigen äußeren Leiter bestehendes elektrisches Kabel
Ko|a|zer|vat ⟨*lat.*⟩ *das;* -[e]s, -e: ein im Schwebezustand zwischen ↑kolloidaler Lösung u. Ausfällung befindlicher Stoff, meist im Anfangsstadium bei der Bildung hochpolymerer (vgl. polymer) ↑Kolloide (Chem.)
Ko|balt ⟨*nlat.;* scherzhafte Umbildung aus dt. Kobold⟩ *das;* -[e]s: chem. Element; ein Metall (Zeichen: Co; von *nlat.* Cobaltum). **Ko|balt|glanz** *der;* -es u. **Ko|bal|tin** *der;* -s: Kobalterz. **Ko|balt|ka|no|ne** *die;* -, -n: Apparat zur Bestrahlung bösartiger Tumoren mit radioaktivem Kobalt
Kob|ra* ⟨*lat.-port.*⟩ *die;* -, -s: südasiatische Brillenschlange
Ko|chie [...xịə] ⟨*nlat.;* nach dem dt. Botaniker W. D. J. Koch, † 1849⟩ *die;* -, -n: Gattung der Gänsefußgewächse (darunter z. B. die Sommerzypresse)
Ko|da, auch: Coda ⟨*lat.-it.;* „Schwanz"⟩ *die;* -, -s: 1. Schluss od. Anhang eines musikalischen Satzes. 2. zusätzliche Verse beim ↑Sonett u. bei anderen romantischen Gedichtformen
Kode, fachspr.: Code [ko:t] ⟨*lat.-fr.-engl.*⟩ *der;* -s, -s: 1. System von Regeln u. Zeichen, das die Zuordnung von Zeichen[folgen] zweier verschiedener Zeichenvorräte erlaubt u. somit einen Schlüssel zur Übertragung verschlüsselter Texte darstellt. 2. Gesamtheit sprachlicher Zeichen u. Regeln u. ihre Verknüpfungen (Sprachw.). 3. durch die Zugehörigkeit zu einer bestimmten sozialen Schicht vorgegebene Verwendungsweise von Sprache (Soziolinguistik)
Ko|de|in ⟨*gr.-nlat.*⟩ *das;* -s: ein ↑Alkaloid des Opiums, das als hustenstillendes Mittel verwendet wird

Ko|dex ⟨*lat.*⟩ *der;* -es u. -, -e u. ...dizes: 1. Sammlung von Gesetzen, Handschriften usw. 2. eine mit Wachs überzogene hölzerne Schreibtafel der Antike, mit anderen zu einer Art Buch vereinigt
Ko|di|ak|bär ⟨nach Kodiak Island, einer Insel im Golf von Alaska⟩ *der;* -en, -en: (zu den Braunbären gehörender) in Alaska vorkommender großer Bär (Zool.)
ko|die|ren, fachspr.: codieren ⟨*lat.-fr.-engl.*⟩: 1. eine Nachricht mithilfe eines ↑Kodes (1) verschlüsseln; Ggs. ↑dekodieren. 2. etwas Mitzuteilendes mithilfe des ↑Kodes (2) in eine ugsprachliche Form bringen. **Ko|die|rung** *die;* -, -en: das Kodieren. **Ko|di|fi|ka|ti|on** ⟨*lat.-nlat.*⟩ *die;* -, -en: a) systematische Erfassung aller Fakten, Normen usw. eines bestimmten Gebietes, z. B. des Rechts; b) Gesetzessammlung; vgl. ...[at]ion/...ierung. **Ko|di|fi|ka|tor** *der;* -s, ...oren: jmd., der eine Kodifikation zusammenstellt. **ko|di|fi|zie|ren:** a) eine Kodifikation (a) zusammenstellen; b) systematisch erfassen. **Ko|di|fi|zie|rung** *die;* -, -en: das Kodifizieren; vgl. ...[at]ion/...ierung. **Ko|di|kol|lo|gie** ⟨*lat.-fr.-engl.*⟩ *die;* -: Handschriftenkunde. **Ko|di|zill** ⟨*lat.*⟩ *das;* -s, -e: 1. Handschreiben des röm. Kaisers. 2. (veraltet; Rechtsw.) a) privatschriftlicher Zusatz zu einem Testament; b) [vor Zeugen zustande gekommene] letzte Verfügung
Ko|d|öl ⟨*engl.;* dt.⟩ *das;* -s: Lebertran, der aus dem ↑Kabeljau gewonnen wird
Ko|d|schi|ki*, auch: Kojiki ⟨*jap.;* „Geschichte der Begebenheiten im Altertum"⟩ *der;* -: die wichtigste Quellenschrift des ↑Schintoismus, zugleich das älteste japanische Sprachdenkmal (712 n. Chr.)
Ko|e|di|ti|on [auch: ...'tsịo:n] ⟨*lat.*⟩ *die;* -, -en: a) ↑Edition (1 a) eines Werkes von zwei od. mehreren Herausgebern; b) gleichzeitige ↑Edition (1 a) eines Werkes von zwei od. mehreren Verlagen
Ko|e|du|ka|ti|on ⟨*lat.-engl.*⟩ *die;* -: Gemeinschaftserziehung von Jungen u. Mädchen in Schulen u. Internaten. **ko|e|du|ka|tiv:** zur Koedukation gehörend
Ko|ef|fi|zi|ent ⟨*lat.-nlat.*⟩ *der;* -en, -en: 1. Multiplikator einer veränderlichen Größe einer ↑Funktion (2) (Math.). 2. kennzeichnen

de Größe für bestimmte physikalische od. technische Verhaltensweisen

Ko|en|zym [auch: ...'tsy:m] ⟨lat.; gr.⟩ das; -s, -e: spezifische Wirkungsgruppe eines ↑Enzyms, die zusammen mit dem ↑Apoenzym das vollständige Enzym bildet **ko|er|zi|bel** ⟨lat.-nlat.⟩: verflüssigbar (von Gasen). **Ko|er|zi|tiv|feld|stär|ke** u. **Ko|er|zi|tiv|kraft** ⟨lat.-nlat.; dt.⟩ die; -: Fähigkeit eines Stoffes, der Magnetisierung zu widerstehen od. die einmal angenommene Magnetisierung zu behalten **ko|exis|tent** [auch: ...'tɛnt] ⟨lat.⟩: nebeneinander bestehend. **Ko-exis|tenz** [auch: ...'tɛnts] ⟨lat.-fr.⟩ die; -: das gleichzeitige Vorhandensein, das Nebeneinanderbestehen, z.B. von unterschiedlichen geistigen, religiösen, politischen od. gesellschaftlichen Systemen. **ko|oxis|tie|ren**: zusammen da sein, nebeneinander bestehen **Ko|fer|ment** [auch: ...'mɛnt] ⟨lat.-nlat.⟩ das; -s, -e: (veraltet) Koenzym

Kof|fe|in u. Kaffein ⟨arab.-türk.-engl.-nlat.⟩ das; -s: in Kaffee, Tee u. Kolanüssen (vgl. ¹Kola) enthaltenes ↑Alkaloid. **Kof|fe|i|nis|mus** der; -: 1. Koffeinsüchtigkeit. 2. Koffeinvergiftung

Kof|fin|na|gel vgl. Coffeynagel

Köf|te ⟨türk.⟩ die; -, - u. das; -[s], -: gegrilltes od. gebratenes Hackfleischbällchen

Kog|nak* ['kɔnjak] der; -s, -s (aber: 2 -): Weinbrand; vgl. Cognac

Kog|nat* ⟨lat.⟩ der; -en, -en (meist Plural). Blutsverwandter, der nicht ↑Agnat ist (Rechtsw.) **Kog|na|ti|on** die; -: Blutsverwandtschaft (Rechtsw.). **kog|na|tisch**: den od. die Kognaten betreffend (Rechtsw.); **kognatische Erbfolge**: Gleichberechtigung der Geschlechter bei der Thronfolge

Kog|ni|ti|on* ⟨lat.⟩ die; -, -en: (veraltet) gerichtliche Untersuchung. **kog|ni|tiv** [auch: 'kɔ...] ⟨lat.-nlat.⟩: die Erkenntnis betreffend; erkenntnismäßig. **kognitive Entwicklung**: Entwicklung all der Funktionen beim Kind, die zum Wahrnehmen eines Gegenstandes od. zum Wissen über ihn beitragen (Päd.; Psychol.)

Kog|no|men* ⟨lat.⟩ das; -s, - u. ...mina: dem röm. Vor- u. Geschlechtsnamen beigegebener Name (z.B. Gaius Iulius Cae-

sar); vgl. Nomen gentile u. Pränomen

Ko|go ⟨jap.⟩ das; -[s], -s: kunstvolle, kleine japanische Dose für Räucherwerk, meist Töpfer- od. Lackarbeit

Ko|ha|bi|ta|ti|on ⟨lat.(-fr.)⟩ die; -, -en: 1. Geschlechtsverkehr (Med.). 2. (in Frankreich) Zusammenarbeit des Staatspräsidenten mit einer Regierung einer anderen politischen Richtung (Pol.). **ko|ha|bi|tie|ren** ⟨lat.⟩: Geschlechtsverkehr ausüben (Med.)

ko|hä|rent ⟨lat.⟩: zusammenhängend; **kohärentes Licht**: Lichtbündel von gleicher Wellenlänge u. Schwingungsart (Phys.). **Ko|hä|renz** die; -: 1. Zusammenhang. 2. Eigenschaft von Lichtbündeln, die gleiche Wellenlänge u. Schwingungsart haben (Phys.). **Ko|hä|renz|fak|tor** der; -s, -en: die durch räumliche Nachbarschaft, Ähnlichkeit, Symmetrie o.Ä. Faktoren bewirkte Vereinigung von Einzelempfindungen zu einem Gestaltzusammenhang (Psychol.). **Ko|hä|renz|prin|zip** das; -s: Grundsatz von dem Zusammenhang alles Seienden (Philos.). **Ko|hä|rer** ⟨lat.-engl.⟩ der; -s: früher verwendeter Apparat zum Nachweis elektrischer Wellen. **ko|hä|rie|ren** ⟨lat.⟩: zusammenhängen, Kohäsion zeigen. **Ko|hä|si|on** ⟨lat.-nlat.⟩ die; -: der innere Zusammenhalt der Moleküle eines Körpers. **ko|hä|siv**: zusammenhaltend

Ko|he|leth ⟨hebr.⟩ der; -: hebr. Bez. für ↑Ekklesiastes

ko|hi|bie|ren ⟨lat.⟩: (veraltet) zurückhalten, mäßigen. **Ko|hi|bi|ti|on** die; -, -en: (veraltet) Zurückhaltung, Mäßigung

Koh|le|hy|d|rat* u. Kohlenhydrat ⟨dt.; gr.-nlat.⟩ das; -[e]s, -e: aus Kohlenstoff, Sauerstoff u. Wasserstoff zusammengesetzte organische Verbindung (z.B. Stärke, Zellulose, Zucker). **Koh|len|di|o|xid**, auch: **Koh|len|di|o|xyd** ⟨dt.; gr.-nlat.⟩ das; -s: farb- u. geruchloses, leicht in Wasser lösliches Gas, das u.a. bei der Atmung tierischer u. pflanzlicher Organismen u. bei der Verbrennung kohlenstoffhaltiger Stoffe entsteht (Zeichen: CO_2). **Koh|len|hy|d|rat** vgl. Kohlehydrat. **Koh|len|mo|no|xid**, auch: **Koh|len|mo|no|xyd** ⟨dt.; gr.-nlat.⟩ das; -s: farb- u. geruchloses, sehr giftiges Gas, das bei der

Verbrennung kohlenstoffhaltiger Stoffe entsteht (Zeichen: CO)

Ko|hor|ta|ti|on ⟨lat.⟩ die; -, -en: (veraltet) Ermahnung, Ermunterung. **ko|hor|ta|tiv** ⟨lat.-nlat.⟩: (veraltet) ermahnend. **Ko|hor|ta|tiv** der; -s, -e: Gebrauchsweise des ↑Konjunktivs zum Ausdruck einer Aufforderung an die eigene Person, z.B. lat. eamus = „gehen wir!" (Sprachw.). **Ko|hor|te** ⟨lat.⟩ die; -, -n: 1. (hist.) den zehnten Teil einer röm. Legion umfassende Einheit. 2. eine nach bestimmten Kriterien ausgewählte Personengruppe, deren Entwicklung u. Veränderung in einem bestimmten Zeitablauf soziologisch untersucht wird (Soziol.). 3. Schar, Gruppe (von gemeinsam auftretenden, agierenden Personen). **Ko|hor|ten|ana|ly|se** die; -, -n: Untersuchung [von Teilen] der Bevölkerung, bei der Entwicklungen u. Veränderungen von Gruppen, die dieselben zeitlichen Merkmale (z.B. gleiches Geburtsdatum) tragen, untersucht u. verglichen werden (Soziol.)

Ko|hy|pe|ro|nym* [auch: ...'ny:m] ⟨lat.; gr.-nlat.⟩ das; -s, -e: ein ↑Hyperonym, das anderen Hyperonymen auf einer ↑hierarchischen Stufe gleichgeordnet ist u. mit diesen gemeinsam ↑Hyponymen übergeordnet ist (z.B. 'Arzneimittel, Medikament zu Tablette, Kapsel, Pille) (Sprachw.). **Ko|hy|pe|ro|ny|mie** [auch: ...'mi:] die; -: in Nebengeordnetheit sich ausdrückende semantische Relation, wie sie zwischen Kohyperonymen besteht (Sprachw.). **Ko|hy|po|nym** [auch: ...'ny:m] ⟨lat.; gr.-nlat.⟩ das; -s, -e: ↑Hyponym, das anderen Hyponymen auf einer ↑hierarchischen Stufe gleichgeordnet u. mit diesen gemeinsam einem ↑Hyperonym untergeordnet ist (z.B. „Junge" u. „Mädchen" zu „Kind") (Sprachw.). **Ko|hy|po|ny|mie** [auch: ...'mi:] die; -: in Nebengeordnetheit sich ausdrückende semantische Relation, wie sie zwischen Kohyponymen besteht (Sprachw.)

Koj|me|sis ⟨gr.⟩ die; -, ...mesen: 1. (ohne Plural) [das Fest von] Mariä Tod u. Himmelsaufnahme in der orthodoxen Kirche. 2. Darstellung des Marientodes in der bildenden Kunst

Koi|ne ⟨gr.⟩ die; -, Koinai: 1. (ohne Plural) griechische Umgangssprache im Zeitalter des Hellenismus. 2. eine durch Einebnung von Dialektunterschieden entstandene Sprache (Sprachw.). **Koi|non** *das; -s, Koina:* (hist.) a) berufliche, politische od. sakrale Vereinigung im Griechenland der Antike; b) Bundesstaat, [Stadt]staatenbund in hellenistischer Zeit (z. B. der Äolische Bund) **ko|in|zi|dent** ⟨*lat.-nlat.*⟩: zusammenfallend; einander deckend. **Ko|in|zi|denz** *die; -, -en:* das Zusammentreffen, der Zusammenfall (z. B. zweier Ereignisse), gleichzeitiges Auftreten (z. B. mehrerer Krankheiten bei einer Person). **ko|in|zi|die|ren:** zusammenfallen, einander decken **ko|i|tie|ren** ⟨*lat.-nlat.*⟩: [mit jmdm.] den Geschlechtsverkehr vollziehen. **Ko|i|tus,** in lat. Fügungen: Coitus ⟨*lat.*⟩ *der; -, -* [...tu:s]: geschlechtliche, genitale Vereinigung; Geschlechtsakt; Beischlaf (Med.); vgl. Coitus usw.

Ko|je ⟨*lat.-niederl.*⟩ *die; -, -n:* 1. fest eingebautes Bett [auf Schiffen]. 2. Raum zur Aufbewahrung von Segeln. 3. Ausstellungsstand **Ko|ji|ki** ['ko:dʒiki] vgl. Kodschiki **Ko|jo|te** ⟨*mex.-span.*⟩ *der; -n, -n:* 1. nordamerik. Präriewolf. 2. Schuft (Schimpfwort) **Ko|ka** ⟨*indian.-span.*⟩ *die; -, -* u. Kokastrauch *der; -[e]s, ...sträucher:* in Peru u. Bolivien vorkommender Strauch, aus dessen Blättern Kokain gewonnen wird. **Ko|ka|in** ⟨*indian.-span.-nlat.*⟩ *das; -s:* aus den Blättern des Kokastrauches gewonnenes ↑Alkaloid (ein Rauschgift u. Betäubungsmittel). **Ko|ka|i|nis|mus** *der; -:* (Med.) 1. Kokainsucht. 2. Kokainvergiftung. **Ko|ka|i|nist** *der; -en, -en:* jmd., der an Kokainismus leidet **Ko|kar|de** ⟨*fr.*⟩ *die; -, -n:* rosettenförmiges u. rundes Hoheitszeichen in den Landes- od. Stadtfarben an Kopfbedeckungen von Uniformen od. an Militärflugzeugen **Ko|kar|zi|no|ge|ne** vgl. Cocarcinogene **Ko|ka|strauch** vgl. Koka **ko|ken** ⟨*engl.*⟩: Koks herstellen. **Ko|ker** *der; -s, -:* Koksarbeiter. **Ko|ke|rei** *die; -, -en:* Betrieb zur Herstellung von Koks **ko|kett** ⟨*fr.*⟩: [von eitel-selbstgefälligem Wesen u.] bestrebt, die Aufmerksamkeit anderer zu erregen u. ihnen zu gefallen. **Ko-**

ket|te *die; -, -n:* Frau, die darauf bedacht ist, auf Männer zu wirken. **Ko|ket|te|rie** *die; -, ...ien:* 1. kokette Art. 2. das Kokettieren. **ko|ket|tie|ren:** 1. sich als Frau einem Mann gegenüber kokett benehmen. 2. mit etwas nur spielen, sich nicht wirklich darauf einlassen. 3. auf etwas im Zusammenhang mit der eigenen Person hinweisen, um sich damit interessant zu machen, eine bestimmte Reaktion hervorzurufen **Ko|ki|lle** ⟨*fr.*⟩ *die; -, -n:* metallische, wiederholt verwendbare Gießform (Hüttentechnik) **Kok|ke** ⟨*gr.-lat.*⟩ *die; -, -n* u. Kokkus *der; -, ...ken* (meist Plural): Kugelbakterie (Med.) **Kok|kels|kör|ner** ⟨*gr.-lat.-nlat.; dt.*⟩ *die* (Plural): giftige Früchte eines südostasiatischen Schlingstrauchs (Bot.) **Kök|ken|möd|din|ger** u. Kjökkenmöddinger ⟨*dän.;* „Küchenabfälle"⟩ *die* (Plural): (in Dänemark) Abfallhaufen der Steinzeitmenschen aus Muschelschalen, Knochenresten u. a. **Kok|ko|lith** [auch: ...'lɪt] ⟨*gr.-nlat.*⟩ *der; -s* u. -en, -e[n]: in Sedimenten der Tiefsee vorkommendes kleines rundes Kalkplättchen aus dem Panzer einer Geißelalge (Geol.). **Kok|ko|sphä|re** *die; -:* kugelartig geformte Zusammenballung aus Kokkolithen (Geol.). **Kok|kus** vgl. Kokke **Ko|kon** [ko'kõ:, auch: ko'kɔŋ, österr.: ko'ko:n] ⟨*provenzal.-fr.*⟩ *der; -s, -s:* Hülle um die Eier od. die Puppen verschiedener Insekten (aus der z. B. beim Seidenspinner die Seide gewonnen wird) **Ko|ko|sette** [...'zɛt] ⟨*span.-fr.*⟩ *das; -s:* (österr.) geraspelte Kokosflocken. **Ko|kos|pal|me** ⟨*span.; lat.*⟩ *die; -, -n:* in Asien beheimatete Palme mit hohem Nutzwert, deren große, braune Früchte eine harte, mit einer Faserschicht bedeckte Schale besitzen und im Innern eine milchige Flüssigkeit sowie eine weiße, fleischige Schicht enthalten **Ko|kot|te** ⟨*fr.*⟩ *die; -, -n:* 1. (veraltet) Frau von einer gewissen Eleganz u. mit guten Umgangsformen, die mit Männern sexuell verkehrt u. sich von ihnen aushalten lässt. 2. Schmortopf aus Ton, Glas **¹Koks** ⟨*engl.*⟩ *der; -es, -e:* 1. durch

Erhitzen unter Luftabschluss gewonnener Brennstoff aus Steinod. Braunkohle. 2. (ohne Plural; salopp scherzh.) [zur Verfügung stehendes] Geld **²Koks** ⟨Kurzform von ↑Kokain⟩ *der; -es:* (Jargon) Kokain **³Koks** ⟨*jidd.*⟩ *der; -[es], -e:* (ugs.) steifer Hut, ↑Melone (2) **⁴Koks** ⟨Herkunft unsicher⟩ *der; -, -:* 1. (landsch.) ein Glas Rum mit Würfelzucker. 2. (ohne Plural; ugs.) Unsinn

Kok-Sa|ghys [...sa'gys] ⟨*turkotat.*⟩ *der; -, -:* russische Kautschukpflanze, Abart des Löwenzahns **Kok|se** *der; -, -n:* (Jargon) kokainsüchtige weibliche Person. **kok|sen:** (Jargon) Kokain nehmen. **Kok|ser** *der; -s, -:* (Jargon) jmd., der Kokain nimmt **Kok|zi|die** [...djǝ] ⟨*gr.-nlat.*⟩ *die; -, -n* (meist Plural): parasitisches Sporentierchen (Krankheitserreger bei Tieren u. Menschen). **Kok|zi|di|o|se** *die; -, -n:* durch Kokzidien hervorgerufene Krankheit (z. B. die Leberkokzidiose der Kaninchen) **¹Ko|la** ⟨*afrik.*⟩ *die; -:* der ↑Koffein enthaltende Samen des Kolastrauchs (Kolanuss) **²Ko|la** *Plural* von ↑Kolon **Ko|la|ni** ⟨Herkunft unsicher⟩ *der; -s, -s:* (bei der ↑Marine 1 getragenes) hüftlanges ↑Jacket aus dickem, dunkelblauem Wollstoff **Ko|lat|sche** ⟨*tschech.-poln.*⟩ *die; -, -n:* (österr.) kleiner, gefüllter Hefekuchen **Ko|la|tur** ⟨*lat.*⟩ *die; -, -en:* (veraltet) [durch ein Tuch] durchgeseihte Flüssigkeit; vgl. kolieren **Kol|chi|zin,** fachspr. auch: Colchicin ⟨*gr.-nlat.*⟩ *das; -s:* giftiges die Zellkernteilung hemmendes ↑Alkaloid der Herbstzeitlose (ein Gicht- u. Rheumamittel) **Kol|chos** ⟨*russ.;* Kurzw. aus *kollektivnoje chosjaistwo = Kollektivwirtschaft*⟩ *der* (auch: das) *-, ...ose* u. (österr. nur so) **Kol|cho|se** *die; -, -n:* landwirtschaftliche Produktionsgenossenschaft (in der Sowjetunion) **Kol|le|da** ⟨*lat.-slaw.*⟩ *die; -, -s:* in den slawischen Sprachen Bez. für: das Weihnachtsfest u. die dazugehörige Brauchtum **Kol|le|op|ter*** vgl. Coleopter. **Ko|le|op|te|re** ⟨*gr.-nlat.*⟩ *die; -* (meist Plural): Käfer (Zool.). **Ko|le|op|te|ro|lo|ge** *der; -n, -r* Wissenschaftler auf dem Gebiet der Koleopterologie. **Ko|le|op-te|ro|lo|gie** *die; -:* Teilgebiet de

Zoologie, auf dem man sich mit den Käfern befasst. **Kol|le|op|te|rol|lo|gisch:** die Koleopterologie betreffend, auf ihr beruhend. **Kol|le|op|ti|le** *die;* -, -n: Schutzorgan für das aufgehende erste Blatt eines Grases; Sprossscheide (Bot.). **Kol|le|op|to|se** *die;* -, -n: das Heraustreten der Scheide aus der ↑Vulva; Scheidenvorfall (Med.). **Kol|le|or|rhi|za** *die;* -, ...zen: Hülle um die Keimwurzel der Gräser; Wurzelscheide (Bot.) **Kol|li|bak|te|rie** ⟨*gr.*⟩ *die;* -, ...ien (meist Plural): Darmbakterie bei Mensch u. Tier, außerhalb des Darms Krankheitserreger (Med.) **Kol|lib|ri*** ⟨*karib.-fr.*⟩ *der;* -s, -s: in Amerika vorkommender kleiner Vogel mit buntem, metallisch glänzendem Gefieder **kol|lie|ren** ⟨*lat.*⟩: (veraltet) [durch]seihen; vgl. Kolatur **Kol|lik** [auch: ko'li:k] ⟨*gr. lat.*⟩ *die;* -, -en: krampfartig auftretender Schmerz im Leib u. seinen Organen (z. B. Magen-, Darm-, Nierenkolik; Med.) **Kol|lins|ki*** ⟨*russ.*⟩ *der;* -s, -s: Pelz des sibirischen Feuerwiesels **Kol|li|tis** ⟨*gr.-nlat.*⟩ *die;* -, ...itiden: Entzündung des Dickdarms (Med.). **Kol|li|u|rie** *die;* -, ...ien: Ausscheidung von Kolibakterien im Urin (Med.) **Kol|ko|thar** ⟨*arab.-span.-mlat.*⟩ *der;* -s, -e: rotes Eisenoxid **Kol|la** ⟨*gr.*⟩ *die;* -: Leim (Chem.; Med.) **kol|la|bes|zie|ren** ⟨*lat.*⟩: körperlich verfallen (Med.). **kol|la|bie|ren:** 1. einen Kollaps (1) erleiden, plötzlich schwach werden, verfallen (Med.). 2. in sich zusammenfallen (von Sternen in der Endphase ihrer Entwicklung; Astron.) **Kol|la|bo|ra|teur** [...'tøːg] ⟨*lat.-fr.*⟩ *der;* -s, -e: Angehöriger eines von feindlichen Truppen besetzten Gebiets, der mit dem Feind zusammenarbeitet. **Kol|la|bo|ra|ti|on** *die;* -, -en: aktive Unterstützung einer feindlichen Besatzungsmacht gegen die eigenen Landsleute. **Kol|la|bo|ra|tor** ⟨*lat.-nlat.*⟩ *der;* -s, ...oren: (veraltet) Hilfslehrer, -geistlicher. **Kol|la|bo|ra|tur** *der;* -, -en: (veraltet) Stelle, Amt eines Kollaborators. **kol|la|bo|rie|ren** ⟨*lat.-fr.*⟩: 1. mit einer feindlichen Besatzungsmacht gegen die eigenen Landsleute zusammenarbeiten. 2. zusammenarbeiten **kol|la|gen** ⟨*gr.-nlat.*⟩: aus Kollage-

nen bestehend (Biol.; Med.). **Kol|la|gen** *das;* -s, -e: leimartiger, stark quellender Eiweißkörper in Bindegewebe, Sehnen, Knorpeln, Knochen (Biol.; Med.). **Kol|la|ge|na|se** *die;* -, -n: ↑Enzym, das Kollagene u. deren Abbauprodukte angreift. **Kol|la|ge|no|se** *die;* -, -n: eine der Krankheiten, bei denen sich das kollagenhaltige Gewebe verändert (z. B. Rheumatismus; Med.) **Kol|la|ni** vgl. Kolani **Kol|laps** [auch: ...'laps] ⟨*lat.-mlat.;* „Zusammenbruch"⟩ *der;* -es, -e: 1. plötzlicher Schwächeanfall infolge Kreislaufversagens (Med.). 2. starkes Schwinden des Holzes senkrecht zur Faserrichtung während der Trocknung. 3. Endphase der Sternentwicklung, bei der der Stern unter dem Einfluss der eigenen Gravitation in sich zusammenfällt (Astron.). 4. [wirtschaftlicher] Zusammenbruch. **Kol|lap|sus** *der;* -, ...pse: (veraltet) Kollaps (1) **Kol|lar** ⟨*lat.-mlat.*⟩ *das;* -s, -e: steifer Halskragen, bes. des katholischen Geistlichen **Kol|lar|gol*** ⟨Kunstw. aus: ↑kolloidal, *Argentum* u. -*ol*⟩ *das;* -s: ↑kolloides, in Wasser lösliches Silber; vgl. Collargol **kol|la|te|ral** ⟨*lat.-nlat.*⟩: seitlich angeordnet (von den Leitbündeln, den strangartigen Gewebebündeln, in denen die Stoffleitung der Pflanzen vor sich geht; Bot.). **Kol|la|te|ra|le** *die;* -n, -n u. **Kol|la|te|ral|ge|fäß** *das;* -es, -e: Querverbindung zwischen Blutgefäßen; Umgehungsgefäß (Med.). **Kol|la|te|ral|ver|wand|te** *der u. die;* -n, -n: (veraltet) Verwandte[r] einer Seitenlinie **Kol|la|ti|on** ⟨*lat.*⟩ *die;* -, -en: 1. Vergleich einer Abschrift mit der Urschrift zur Prüfung der Richtigkeit. 2. a) Prüfung der Bogen im Buchbinderei auf Vollzähligkeit; b) Prüfung antiquarischer Bücher auf Vollständigkeit. 3. Übertragung eines frei gewordenen Kirchenamtes, bes. einer Pfarrei. 4. a) [erlaubte] kleine Erfrischung am katholischen Fasttagen od. für einen Gast im Kloster; b) (veraltet, aber noch landsch.) kleine Zwischenmahlzeit, Imbiss. 5. (veraltet) Hinzufügung der Vorausleistungen des Erblassers [an einen Erben] zu dem Gesamtnachlass (Rechtsw.). **kol|la|ti|o|nie|ren** ⟨*lat.-nlat.*⟩: 1. [eine Abschrift mit der Urschrift] vergleichen. 2. auf

seine Richtigkeit u. Vollständigkeit prüfen. 3. (veraltet) einen kleinen Imbiss einnehmen. **Kol|la|tor** ⟨*lat.*⟩ *der;* -s, ...oren: Inhaber der Kollatur (z. B. über den katholischen Bischof). **Kol|la|tur** ⟨*lat.-nlat.*⟩ *die;* -, -en: das Recht zur Verleihung eines Kirchenamtes **Kol|lau|da|ti|on** *die;* -, -en: (schweiz.) Kollaudierung; vgl. ...[at]ion/...ierung. **kol|lau|die|ren:** (schweiz.; österr.) [ein Gebäude] amtlich prüfen u. die Übergabe an seine Bestimmung genehmigen. **Kol|lau|die|rung** ⟨*lat.*⟩ *die;* -, -en: (schweiz.; österr.) amtliche Prüfung u. Schlussgenehmigung eines Bauwerks; vgl. ...[at]ion/...ierung **Kol|leg** ⟨*lat.*⟩ *das;* -s, -s u. (selten:) -ien [...jən]: 1. a) Vorlesung[sstunde] an einer Hochschule; b) Fernunterricht im Medienverbund (z. B. Telekolleg). 2. a) kirchliche Studienanstalt für katholische Theologen; b) Schule [mit ↑Internat] der Jesuiten. 3. Kollegium. **Kol|le|ga** *der;* -[s], -s: Kollege (1 a). **Kol|le|ge** ⟨„Mitabgeordneter"⟩ *der;* -n, -n: 1. a) jmd., der mit anderen zusammen im gleichen Betrieb od. im gleichen Beruf tätig ist; b) jmd., der mit anderen zusammen der gleichen Einrichtung, Organisation (z. B. der Gewerkschaft) angehört; c) Klassen-, Schulkamerad. 2. saloppe Anrede an einen Unbekannten, nicht mit Namen Bekannten. 3. (in der DDR) Genosse, Werktätiger. **kol|le|gi|al:** 1. freundschaftlich, hilfsbereit (wie ein guter Kollege). 2. a) durch ein Kollegium erfolgend; b) nach Art eines Kollegiums zusammengesetzt. **Kol|le|gi|al|ge|richt** *das;* -[e]s, -e: Gericht, dessen Entscheidungen von mehreren Richtern gemeinsam gefällt werden. **Kol|le|gi|a|li|tät** ⟨*lat.-nlat.*⟩ *die;* -: gutes Einvernehmen unter Kollegen, kollegiales Verhalten, kollegiale Einstellung. **Kol|le|gi|al|sys|tem** *das;* -s: gemeinsame Verwaltung u. Beschlussfassung [von gleichberechtigten Personen einer Behörde]. **Kol|le|gi|at** ⟨*lat.*⟩ *der;* -en, -en: 1. Teilnehmer an einem ↑Kolleg (2). 2. Stiftsgenosse. **Kol|le|gi|at|ka|pi|tel** *das;* -s, -: Körperschaft der Weltgeistlichen (↑Kanoniker) an einer Kollegiatkirche (Stiftskirche). **Kol|le|gi|um** *die;* -s, ...ien: Gruppe von Personen mit gleichem Amt od. Beruf

Kol|lek|ta|ne|en [auch: ...ta-
'ne:ən] ⟨lat.⟩ die (Plural): (veraltet) Sammlung von Auszügen
aus literarischen od. wissen-
schaftlichen Werken. **Kol|lek|te**
⟨lat.-mlat.⟩ die; -, -n: 1. Sammlung freiwilliger Spenden [wäh-
rend u. nach einem Gottes-
dienst]. 2. kurzes Altargebet.
Kol|lek|teur [...'tø:ɐ̯] ⟨lat.-fr.⟩
der; -s, -e: (veraltet) a) Lotterie-
einnehmer; b) jmd., der für
wohltätige Zwecke sammelt.
Kol|lek|ti|on die; -, -en: a) Mus-
tersammlung von Waren, bes.
der neuesten Modelle der Textil-
branche; b) für einen bestimmten Zweck zusammengestellte
Sammlung, Auswahl. **kol|lek|tiv**
⟨lat.⟩: a) gemeinschaftlich; b) alle
Beteiligten betreffend, erfas-
send, umfassend. **Kol|lek|tiv**
⟨lat.(-russ.)⟩ das; -s, -e (auch: -s):
1. a) Gruppe, in der Menschen
zusammen leben [u. in der die
Persönlichkeit des Einzelnen
von untergeordneter Bedeutung
ist]; b) Gruppe, in der die Menschen zusammen arbeiten;
Team. 2. in den sozialistischen
Staaten von gemeinsamen Ziel-
vorstellungen u. Überzeugungen
getragene [Arbeits- u. Produkti-
ons]gemeinschaft. 3. (Statistik)
beliebig große Gesamtheit von
Messwerten, Zähldaten, die an
eindeutig gegeneinander ab-
grenzbaren Exemplaren einer
statistischen Menge zu beobachten sind. 4. Gesamtheit von Teilchen, deren Bewegungen infolge
ihrer gegenseitigen Wechselwirkung mehr od. weniger stark kor-
reliert sind (Phys.). **kol|lek|ti-
vie|ren** ⟨lat.-russ.⟩: Privateigen-
tum in Gemeineigentum über-
führen. **Kol|lek|ti|vie|rung** die; -,
-en: Überführung privater Produktionsmittel in Gemeinwirt-
schaften. **Kol|lek|ti|vis|mus**
der; -: 1. An-
schauung, die mit Nachdruck
den Vorrang des gesellschaftlichen Ganzen vor dem Individu-
um betont u. Letzterem jedes Ei-
genrecht abspricht. 2. kollektive
Wirtschaftslenkung mit Verge-
sellschaftung des Privateigen-
tums. **Kol|lek|ti|vist** der; -en,
-en: Anhänger des Kollektivis-
mus. **kol|lek|ti|vis|tisch** den
Kollektivismus betreffend; im
Sinne des Kollektivismus. **Kol-
lek|ti|vi|tät** die; -: 1. Gemein-
schaftlichkeit. 2. Gemeinschaft.

Kol|lek|tiv|suf|fix das; -es, -e:
↑Suffix, das typisch für eine
Sammelbezeichnung ist (z. B.:
-schaft; Sprachw.). **Kol|lek|ti-
vum** ⟨lat.⟩ das; -s, ...va u. ...ven:
Sammelbezeichnung (z. B.: Her-
de, Gebirge; Sprachw.). **Kol|lek-
tiv|ver|trag** ⟨lat.; dt.⟩ der; -[e]s,
...verträge: 1. Vertrag zwischen
Gewerkschaften u. Arbeitgeber-
verbänden zur gemeinsamen Regelung der arbeitsrechtlichen
Probleme zwischen Arbeitgeber
u. Arbeitnehmer (Tarifvertrag).
2. Vertrag zwischen mehreren
Staaten (Völkerrecht). **Kol|lek-
tiv|wirt|schaft** die; -: (veraltet)
landwirtschaftliche Produkti-
onsgenossenschaft, bes. in der
Sowjetunion. **Kol|lek|tiv|zug**
der; -[e]s, ...züge: Registerzug
der Orgel zum gleichzeitigen Er-
klingenlassen mehrerer Stimmen
(Mus.). **Kol|lek|tor** ⟨lat.-nlat.⟩
der; -s, ...oren: 1. auf der Welle
einer elektrischen Maschine (1)
aufsitzendes Bauteil für die
Stromzufuhr od. -aufnahme
(Elektrot.). 2. Vorrichtung, in
der [unter Ausnutzung der Son-
nenstrahlung] Strahlungsenergie
gesammelt wird (Phys.). 3.
Sammler. **Kol|lek|tur** der; -s, -en:
(österr.) [Lotto]geschäftsstelle
Kol|lem|bo|le* ⟨gr.-nlat.⟩ der; -n,
-n (meist Plural): ein flügelloses
Insekt; Springschwanz (Zool.).
Kol|len|chym das; -s, -e: Festi-
gungsgewebe der Pflanzen
(Bot.). **Kol|le|te|re** die; -, -n:
pflanzliches Drüsenorgan auf
den Winterknospen vieler Holz-
gewächse (Bot.)
Kol|lett ⟨lat.-fr.⟩ das; -s, -e: (veral-
tet) Reitjacke
¹**Kol|li** Plural von ↑Kollo. ²**Kol|li**
⟨it.⟩ das; -s, - (auch: -s): (österr.)
Kollo
kol|li|die|ren ⟨lat.⟩: 1. (von Fahr-
zeugen) zusammenstoßen. 2.
(von Interessen, Ansprüchen,
Rechten, Pflichten o. Ä.) nicht
zu vereinbaren sein
Kol|lier [...'lje:] ⟨lat.-fr.⟩ das; -s, -s:
1. wertvolle, aus mehreren Rei-
hen Edelsteinen od. Perlen bestehende Halskette. 2. schmaler
Pelz, der um den Hals getragen
wird
Kol|li|ma|ti|on ⟨lat.-nlat.⟩ die; -,
-en: das Zusammenfallen von
zwei Linien an einem Messgerät
(z. B. beim Einstellen eines Fern-
rohrs). **Kol|li|ma|tor** der; -s,
...oren. 1. Vorrichtung mit opti-
schen Geräten, mit der ein un-
endlich entferntes Ziel in endli-

chem Abstand dargestellt wird.
2. Vorrichtung, mit der aus einem [Teilchen]strahl ein Bündel
mit bestimmtem Raumwinkel
ausgeblendet wird (Kernphysik).
kol|li|ne|ar: einander entspre-
chende gerade Linien zeigend
(bei der ↑Projektion 3 geometri-
scher Figuren). **Kol|li|ne|ar** das;
-s, -e: ein symmetrisches Objek-
tiv (Fotogr.). **Kol|li|ne|a|ti|on**
die; -, -en: ↑kollineare Abbildung
zweier geometrischer Figuren
aufeinander (Math.). **Kol|li|qua-
ti|on** ⟨lat.⟩ die; -, -en: Einschmel-
zung, Verflüssigung von Gewebe
(bes. des Gehirns) bei Entzün-
dungen u. Nekrosen (Med.)
Kol|li|si|on ⟨lat.⟩ die; -, -en: 1. Zu-
sammenstoß von Fahrzeugen. 2.
Widerstreit [nicht miteinander
vereinbarer Interessen, Rechte
u. Pflichten]
Kol|lo ⟨it.⟩ das; -s, -s (u. ...li):
Frachtstück, Warenballen; vgl.
Kolli
Kol|lo|di|um ⟨gr.-nlat.⟩ das; -s:
zähflüssige Lösung von ↑Nitro-
zellulose in Alkohol u. Äther
(z. B. zum Verschließen von
Wunden verwendet). **kol|lo|id,
kolloidal:** fein zerteilt (von Stof-
fen). **Kol|lo|id** das; -[e]s, -e: Stoff,
der sich in feinster, mikrosko-
pisch nicht mehr erkennbarer
Verteilung in einer Flüssigkeit
od. einem Gas befindet (Chem.).
kol|lo|i|dal vgl. kolloid. **Kol|lo-
id|che|mie** die; -: ↑physikalische
Chemie, die sich mit den besonderen Eigenschaften der Kolloi-
de befasst. **Kol|lo|id|re|ak|ti|on**
die; -, -en: der Diagnostik dienende Methode zur Untersuchung von Blut u. Rückenmarks-
flüssigkeit (Med.)
Kol|lo|ka|bi|li|tät ⟨lat.-nlat.⟩ die; -,
-en: Fähigkeit zur Kollokation
(2) (Sprachw.). **Kol|lo|ka|ti|on**
⟨lat.⟩ die; -, -en: 1. a) Ordnung
nach der Reihenfolge; b) Platz-
anweisung. 2. (Sprachw.) a)
inhaltliche Kombinierbarkeit
sprachlicher Einheiten miteinander (z. B.: Biene + summen;
dick + Buch; aber nicht: dick +
Haus); b) Zusammenfall, ge-
meinsames Vorkommen ver-
schiedener Inhalte in einer lexikalischen Einheit (z. B. engl. to
swim u. to float in deutsch
schwimmen). **Kol|lo|ka|tor** der;
-s, ...oren: Teil einer Kollokation
(2 a). **kol|lo|kie|ren** (Sprachw.):
a) inhaltlich zusammenpassende
sprachliche Einheiten miteinander verbinden; b) (zusammen

mit einem anderen sprachlichen Inhalt) in einer einzigen lexikalischen Einheit enthalten sein; vgl. Kollokation (2b)

Kol|lo|ne|ma ⟨gr.-nlat.⟩ das; -s, -ta: ↑Myxom

kol|lo|qui|al ⟨lat.-engl.⟩: wie im Gespräch üblich, für die Redeweise im Gespräch charakteristisch (Sprachw.). **Kol|lo|qui|a|lis|mus** der; -, ...men: kolloquialer Ausdruck (Sprachw.). **Kol|lo|qui|um** ⟨lat.⟩ das; -s, ...ien: 1. a) wissenschaftliches Gespräch [zwischen Fachleuten]; b) kleinere Einzelprüfung an einer Hochschule (bes. über eine einzelne Vorlesung). 2. Zusammenkunft, Beratung von Wissenschaftlern od. Politikern über spezielle Probleme

kol|lu|die|ren ⟨lat.⟩: sich zur Täuschung eines Dritten mit jmdm. absprechen

Kol|lum|kar|zi|nom ⟨lat.; gr.⟩ das, -s, -e: Krebs des Gebärmutterhalses

Kol|lu|si|on ⟨lat.⟩ die; -, -en: (Rechtsw.) a) geheime, betrügerische Verabredung, sittenwidrige Absprache; b) Verdunkelung, Verschleierung (z. B. wichtigen Beweismaterials einer Straftat)

Kol|ma|ta|ge [...'ta:ʒə] die; -, -n: ↑Kolmation. **kol|ma|tie|ren** ⟨lat.-it.-fr.⟩: Gelände mit sinkstoffhaltigem Wasser überfluten. **Kol|ma|ti|on** die; -, -en: künstliche Geländeerhöhung durch Überschwemmung des Gebiets mit sinkstoffhaltigem Wasser; Auflandung

Kol nid|re* ⟨hebr.; „alle Gelübde"⟩ das; - -: Name u. Anfangswort des jüdischen Synagogengebets am Vorabend des Versöhnungstages (↑Jom Kippur)

Kol|lo ⟨slaw.; „Rad"⟩ der; -s, -s: 1. Nationaltanz der Serben. 2. auf dem Balkan verbreiteter Kettenreigentanz in schnellem ²/₄-Takt

Kol|lo|bom ⟨gr.⟩ das; -s, -e: angeborene Spaltbildung, bes. im Bereich der Regenbogenhaut, der Augenlider od. des Gaumens (Med.)

Kol|lom|bi|ne ⟨lat.-it.; „Täubchen"⟩ die; -, -n: weibliche Hauptfigur der ↑Commedia dell' Arte

Kol|lom|bo|wur|zel ⟨nach Colombo, der Hauptstadt von Sri Lanka⟩ die; -, -n: die Wurzel eines in Ostasien vorkommenden Mondsamengewächses, ein Heilmittel gegen Verdauungsstörungen

Ko|lo|met|rie* ⟨gr.⟩ die; -: Zerlegung fortlaufend geschriebener Gedichte od. Texte in Kola (vgl. Kolon 2). **Ko|lon** ⟨gr.-lat.; „Körperglied; gliedartiges Gebilde; Satzglied"⟩ das; -s, -s (u. ...la): 1. (veraltet) Doppelpunkt. 2. auf der Atempause beruhende rhythmische Sprecheinheit in Vers u. Prosa (antike Metrik u. Rhet.). 3. ein Teil des Dickdarms; Grimmdarm (Med.)

Ko|lo|nat ⟨lat.⟩ das (auch: der); -[e]s, -e: 1. Gebundenheit des Pächter an ihr Land in der römischen Kaiserzeit; Grundhörigkeit. 2. Erbzinsgut. **Ko|lo|ne** der; -n, -n: 1. persönlich freier, aber [erblich] an seinen Landbesitz gebundener Pächter in der römischen Kaiserzeit. 2. Erbzinsbauer

Ko|lo|nel ⟨lat.-it.-fr.⟩ die; -: Schriftgrad von sieben Punkt (etwa 2,5 mm Schrifthöhe, Druckw.)

ko|lo|ni|al ⟨lat.-fr.⟩: 1. a) aus den Kolonien stammend; b) die Kolonien betreffend. 2. (von Tieren od. Pflanzen) in enger, natürlicher Gemeinschaft lebend (Biol.). **ko|lo|ni|a|li|sie|ren**: in koloniale Abhängigkeit bringen. **Ko|lo|ni|a|lis|mus** ⟨nlat.⟩ der; -: 1. (hist.) auf Erwerb u. Ausbau von [überseeischen] Besitzungen ausgerichtete Politik eines Staates. 2. (abwertend) System der politischen Unterdrückung u. wirtschaftlichen Ausbeutung unterentwickelter Völker [in Übersee] durch politisch u. wirtschaftlich einflussreiche Staaten. **Ko|lo|ni|a|list** der; -en, -en: Anhänger des Kolonialismus. **ko|lo|ni|a|lis|tisch**: dem Kolonialismus entsprechend, nach seinen ↑Prinzipien vorgehend. **Ko|lo|ni|al|stil** der; -[e]s: vom Stil des kolonisierenden Landes geprägter Wohn- u. Baustil des kolonisierten Landes. **Ko|lo|ni|al|wa|ren** die (Plural): (veraltet) Lebens- u. Genussmittel [aus Übersee]. **Ko|lo|nie** ⟨lat.⟩ die; -, ...ien: 1. auswärtige Besitzung eines Staates, die politisch u. wirtschaftlich von ihm abhängig ist. 2. Gruppe von Personen gleicher Nationalität, im Ausland [am gleichen Ort] lebt u. dort das Brauchtum u. die Traditionen des eigenen Landes pflegt. 3. häufig mit Arbeitsteilung verbundener Zusammenschluss ein- od. mehrzelliger pflanzlicher oder tierischer Individuen einer Art

zu mehr od. weniger lockeren Verbänden (Biol.). 4. a) Siedlung; b) (hist.) römische od. griechische Siedlung in eroberten Gebieten. 5. Lager (z. B. Ferienlager). **Ko|lo|ni|sa|ti|on** ⟨lat.-fr. u. engl.⟩ die; -, -en: 1. Gründung, Entwicklung [u. wirtschaftliche Ausbeutung] von Kolonien. 2. wirtschaftliche Entwicklung rückständiger Gebiete des eigenen Staates (innere Kolonisation); vgl. ...[at]ion/...ierung. **Ko|lo|ni|sa|tor** ⟨Substantivbildung zu ↑kolonisieren⟩ der; -s, ...oren: 1. jmd., der führend an der Gründung u. Entwicklung von Kolonien (1) beteiligt ist. 2. jmd., der kolonisiert (2). **ko|lo|ni|sa|to|risch**: die Kolonisation betreffend. **ko|lo|ni|sie|ren** ⟨lat.-fr. u. engl.⟩: 1. zu einer Kolonie (1) machen. 2. urbar machen, besiedeln u. wirtschaftlich erschließen. **Ko|lo|ni|sie|rung** die; -, -en: das Kolonisieren; vgl. ...[at]ion/...ierung. **Ko|lo|nist** ⟨lat.-engl.⟩ der; -en, -en: 1. a) europäischer Siedler in einer Kolonie (1); b) jmd., der in einer Kolonie wohnt; c) jmd., der kolonisiert. 2. ↑Adventivpflanze (Bot.)

Ko|lo|na|de ⟨lat.-it.-fr.⟩ die; -, -n: Säulengang, -halle. **Ko|lon|ne** ⟨lat.-fr.⟩ die; -, -n: 1. a) in langer Formation marschierende Truppe, sich fortbewegende Gruppe von Menschen; die fünfte Kolonne: ein Spionage- u. Sabotagetrupp; b) lange Formation in gleichmäßigen Abständen hintereinander fahrender [militärischer] Fahrzeuge; c) für bestimmte Arbeiten im Freien zusammengestellter Trupp. 2. senkrechte Reihe untereinander geschriebener Zahlen, Zeichen od. Wörter [einer Tabelle]. 3. Druckspalte, Kolumne (Druckw.). 4. zur Destillation von Stoffen verwendeter säulenartiger turmartiger Apparat (Chem.). 5. a) Wettkampfgemeinschaft im Kunstkraftsport; b) bestimmte Darbietung einer Kolonne (5 a)

Ko|lo|phon ⟨gr.⟩ der; -s, -e: 1. (veraltet) Gipfel, Abschluss; Schlussstein. 2. Schlussformel mittelalterlicher Handschriften u. Frühdrucke mit Angaben über Verfasser, Druckort u. Druckjahr; vgl. ↑Impressum. **Ko|lo|pho|ni|um** ⟨nach der griech. Stadt Kolophon in Kleinasien⟩ das; -s: ein Harzprodukt (z. B. als Geigenharz verwendet)

Kol|lop|to|se* ⟨gr.-nlat.⟩ die; -, -n: Senkung des Dickdarms (Med.)

Kol|lo|quin|te ⟨gr.-lat.-mlat.⟩ die; -, -n: Frucht einer subtropischen Kürbispflanze, die Öl liefert u. als Heilmittel verwendet wird

Kol|lo|ra|do|kä|fer ⟨nach dem US-Staat Colorado⟩ der; -s, -: der aus Nordamerika eingeschleppte Kartoffelkäfer

Kol|lo|ra|tur ⟨lat.-it.⟩ die; -, -en: Ausschmückung u. Verzierung einer Melodie mit einer Reihe umspielender Töne. **Kol|lo|ra|tur|sop|ran*** der; -s, -e: a) für hohe Sopranlage geeignete geschmeidige u. bewegliche Frauenstimme; b) Sängerin mit dieser Stimmlage. **kol|lo|rie|ren** ⟨lat.(-it.)⟩: 1. mit Farben ausmalen (z. B. Holzschnitte). 2. eine Komposition mit Verzierungen versehen (15. u. 16. Jh.). **Kol|lo|ri|me|ter** ⟨lat.; gr.⟩ das; -s, -: Gerät zur Bestimmung von Farbtönen. **Kol|lo|ri|met|rie*** die; -: 1. Bestimmung der Konzentration einer Lösung durch Messung ihrer Farbintensität (Chem.). 2. Temperaturbestimmung der Gestirne durch Vergleich von künstlich gefärbten Lichtquellen mit der Farbe der Gestirne (Astron.). **kol|lo|ri|met|risch:** a) das Verfahren der Kolorimetrie anwendend; b) die Kolorimetrie betreffend. **Kol|lo|ris|mus** ⟨lat.-nlat.⟩ der; -: die einseitige Betonung der Farbe in der Malerei (z. B. im Impressionismus; Kunstw.). **Kol|lo|rist** der; -en, -en: a) jmd., der Zeichnungen od. Drucke farbig ausmalt; b) Maler, der den Schwerpunkt auf das Kolorit (1) legt. **kol|lo|ris|tisch:** die Farbgebung betreffend. **Kol|lo|rit** [auch: ...'rɪt] ⟨lat.-it.⟩ das; -[e]s, -e: 1. a) farbige Gestaltung od. Wirkung eines Gemäldes; b) Farbgebung; Farbwirkung. 2. die durch Instrumentation u. Harmonik bedingte Klangfarbe (Mus.). 3. (ohne Plural) eigentümliche Atmosphäre, Stil

Kol|lo|skop* ⟨gr.⟩ das; -s, -e: Gerät zur direkten Untersuchung des Grimmdarms (Med.). **Kol|lo|sko|pie** die; -, ...ien: direkte Untersuchung des Grimmdarms mit dem Koloskop (Med.)

Kol|loss ⟨gr.-lat.⟩ der; -es, -e: a) (hist.) Riesenstandbild; b) etw., jmd. von gewaltigem Ausmaß; eine Person von außergewöhnlicher Körperfülle. **kol|los|sal** ⟨gr.-lat.-fr.⟩: a) riesig, gewaltig; Riesen...; b) (ugs.) sehr groß, von

---

ungewöhnlichem Ausmaß; c) (ugs.) äußerst, ungewöhnlich; vgl. ...isch/-. **kol|los|sa|lisch** (veraltet) kolossal; vgl. ...isch/-. **Kol|los|sa|li|tät** die; -: (selten) das Kolossale einer Person od. Sache; riesenhaftes Ausmaß. **Kol|los|sal|ord|nung** die; -, -en: mehrere (meist zwei) Geschosse einer Fassade übergreifende Säulenordnung (Archit.).

Kol|los|to|mie* ⟨gr.-nlat.⟩ die; -: das Anlegen einer Dickdarmfistel (vgl. Fistel; Med.)

Kol|lost|ral|milch* ⟨lat.-nlat.; dt.⟩ die; - u. **Kol|lost|rum** ⟨lat.⟩ das; -s: Sekret der weiblichen Brustdrüsen, das bereits vor u. noch unmittelbar nach der Geburt abgesondert wird u. sich von der eigentlichen Milch unterscheidet (Med.)

Kol|lo|tol|mie ⟨gr.-nlat.⟩ die; -, ...ien: operative Öffnung des Dickdarms [zur Anlegung eines künstl. Afters] (Med.)

Kol|pak vgl. Kalpak

Kol|pi|tis ⟨gr.-nlat.⟩ die; -, ...itiden: Entzündung der weiblichen Scheide (Med.). **Kol|pok|lei|sis*** die; -: operativer Verschluss der Scheide (Med.)

Kol|por|ta|ge [...'ta:ʒə, österr.: ...ta:ʒ] ⟨lat.-fr.⟩ die; -, -n: 1. literarisch minderwertiger, auf billige Wirkung abzielender Bericht. 2. Verbreitung von Gerüchten. 3. (veraltet) [Hausierer]handel mit Kolportageliteratur. **Kol|por|ta|ge|li|te|ra|tur** die; -: billige, literarisch wertlose [Unterhaltungs]literatur; Hintertreppen-, Schundliteratur. **Kol|por|teur** [...'tø:ɐ̯] der; -s, -e: 1. jmd., der Gerüchte verbreitet. 2. a) (veraltet) jmd., der mit Büchern od. Zeitschriften hausieren geht; b) (österr.) Zeitungsausträger. **kol|por|tie|ren:** 1. Gerüchte verbreiten. 2. (veraltet) von Haus zu Haus u. Waren anbieten

Kol|pos ⟨gr.⟩ der; -: über dem Gürtel des ↑Chitons entstehender Faltenbausch. **Kol|po|skop*** ⟨gr.-nlat.⟩ das; -s, -e: vergrößerndes Spiegelgerät zur Untersuchung des Scheideninneren (Med.). **Kol|po|sko|pie** die; -, ...ien: Untersuchung der Scheidenschleimhaut mit dem Kolposkop (Med.)

¹Kol|ter ⟨lat.-fr.⟩ das; -s, -: (landsch.) Messer vor der Pflugschar. **²Kol|ter** ⟨lat.-fr.⟩ der; -s, - od. die; -, -n: (landsch.) [gesteppte Bett]decke

Kol|lum|ba|ri|um ⟨lat. „Tauben-

---

haus"⟩ das; -s, ...ien: 1. (hist.) röm. Grabkammer der Kaiserzeit mit Wandnischen für Aschenurnen. 2. Urnenhalle eines Friedhofs. **Kol|lum|bi|ne** vgl. Kolombine

Kol|lum|bit [auch: ...'bɪt] ⟨nlat.⟩: nach dem Vorkommen im Gebiet von Columbia in den USA⟩ der; -s, -e: ein Mineral

Kol|lum|mel|la ⟨lat.; „kleine Säule"⟩ die; -, ...llen: 1. Säulchen steriler Zellen in den Sporen bildenden Organen einiger Pilze u. Moose (Bot.). 2. Kalksäule bei Korallentieren (Zool.). 3. säulenförmiger Knochen im Mittelohr vieler Wirbeltiere (Zool.). **Kol|lum|ne** ⟨„Säule"⟩ die; -, -n: 1. Satzspalte (Druckw.). 2. von stets demselben [prominenten] Journalisten verfasster, regelmäßig an bestimmter Stelle einer Zeitung od. Zeitschrift veröffentlichter Meinungsbeitrag. **Kol|lum|nen|ti|tel** der; -s, -: Überschrift über einer Buchseite. **Kol|lum|nist** ⟨lat.-nlat.⟩ der; -en, -en: jmd., der Kolumnen (2) schreibt

¹Ko|ma ⟨gr.; „tiefer Schlaf"⟩ das; -s, -s u. -ta: tiefste, durch keine äußeren Reize zu unterbrechende Bewusstlosigkeit (Med.). **²Ko|ma** ⟨gr.-lat.; „Haar"⟩ die; -, -s: 1. Nebelhülle um den Kern eines Kometen (Astron.). 2. Linsenfehler, durch den auf der Bildfläche eine kometenschweifähnliche Abbildung statt eines Punktes entsteht (Optik)

ko|ma|tös ⟨gr.-nlat.⟩: in tiefster Bewusstlosigkeit befindlich (Med.); vgl. ¹Koma

kom|bat|tant ⟨lat.-vulgärlat.-fr.⟩: kämpferisch. **Kom|bat|tant** der; -en, -en: 1. [Mit]kämpfer, Kampfteilnehmer. 2. Angehöriger der Kampftruppen, die nach dem Völkerrecht zur Durchführung von Kampfhandlungen allein berechtigt sind

Kom|bi der; -[s], -s: 1. Kurzform von ↑Kombiwagen. 2. (schweiz.) Kurzform von ↑Kombischrank.

Kom|bi|nat ⟨lat.-russ.⟩ das; -[e]s, -e: Zusammenschluss produktionsmäßig eng zusammengehörender Industrie- u. anderer Zweige zu einem Großbetrieb in sozialistischen Staaten. **¹Kom|bi|na|ti|on** ⟨lat.⟩ die; -, -en: 1. Verbindung, [geistige] Verknüpfung; Zusammenstellung. 2. Herrenanzug, der eine ↑Sakko u. Hose aus verschiedenen Stoffarten [u. in unterschiedlicher Farbe] gearbeitet sind. 3. a) planmäßiges Zusammenspiel [im Fußball]; b) aus mehreren Disziplinen bestehender Wettkampf; **nordische Kombination:** Sprunglauf u. 15-km-Langlauf als Skiwettbewerb. 4. Schlussfolgerung, Vermutung. 5. willkürliche Zusammenstellung einer bestimmten Anzahl aus gegebenen Dingen (Math.); vgl. Kombinatorik (2). **²Kom|bi|na|ti|on** [auch engl.: kɔmbɪˈneɪʃən] ⟨*lat.-fr.-engl.*⟩ *die;* -, -en u. (bei engl. Ausspr.:) -s: 1. einteiliger [Schutz]anzug, bes. der Flieger. 2. (veraltend) Wäschegarnitur, bei der Hemd u. Schlüpfer in einem Stück gearbeitet sind. **Kom|bi|na|ti|ons|leh|re** vgl. Kombinatorik. **Kom|bi|na|ti|ons|ton** *der;* -s, ...töne: schwach hörbarer Ton, der durch das gleichzeitige Erklingen zweier kräftiger Töne entsteht, deren Tonhöhen nicht zu nahe beisammenliegen (Mus.; Phys.). **kom|bi|na|tiv** ⟨*lat.-nlat.*⟩: gedanklich verbindend, verknüpfend. **Kom|bi|na|to|rik** u. Kombinationslehre *die;* -: 1. [Begriffs]aufbau nach bestimmten Regeln. 2. Teilgebiet der Mathematik, das sich mit den Anordnungsmöglichkeiten gegebener Dinge (Elemente) befasst (Math.). **kom|bi|na|to|risch:** die ¹Kombination (1) od. Kombinatorik betreffend; **kombinatorischer Lautwandel:** von einem Nachbarlaut abhängiger Lautwandel eines Lauts (z. B. beim Umlaut, der durch ein i od. j der folgenden Silbe hervorgerufen wird: althochdt. *gast* „Gast" – *gesti* „Gäste"). **Kom|bi|ne** [auch engl.: ...ˈbaɪn] ⟨*lat.-engl.-engl.;*-,-n u. (bei engl. Ausspr.:) -s u. Combine *die;* -, -s: landwirtschaftliche Maschine, die verschiedene Arbeitsgänge gleichzeitig ausführt (z. B. Mähdrescher). **kom|bi|nie|ren** ⟨*lat.*⟩: 1. zusammenstellen, [gedanklich] miteinander verknüpfen. 2. schlussfolgern, mutmaßen. 3. [im Fußball] planmäßig zusammenspielen. **Kom|bi|nier|te** *der;* -n, -n: jmd., der die nordische Kombination läuft. **Kom|bi|schrank** ⟨*lat.; dt.*⟩ *der;* -[e]s, ...schränke: Mehrzweckschrank. **Kom|bi|wa|gen** *der;* -s, -: kombinierter Liefer- u. Personenwagen

kom|bus|ti|bel ⟨*lat.-nlat.*⟩: (veraltet) leicht verbrennbar. **Kom|bus|ti|bi|li|en** *die* (Plural): Brennstoffe. **Kom|bus|ti|on** ⟨*spätlat.*⟩ *die;* -, -en: Verbrennung (Med.)

Ko|me|do* ⟨*lat.*⟩ *der;* -s, ...onen: 1. (veraltet) Fresser, Schlemmer. 2. (meist Plural): Mitesser (Med.). **ko|mes|ti|bel:** (veraltet) genießbar, essbar. **Ko|mes|ti|bi|li|en** *die* (Plural): Esswaren, Lebensmittel **Ko|met** ⟨*gr.-lat.*⟩ *der;* -en, -en: Schweif-, Haarstern mit ↑elliptischer od. ↑parabolischer Bahn im Sonnensystem (Astron.). **ko|me|tar:** von [einem] Kometen stammend, durch [einen] Kometen bedingt **Köl|me|te|ri|on** vgl. Zömeterium **Kom|fort** [...ˈfoːɐ̯] ⟨*lat.-fr.-engl.*⟩ *der;* -s: luxuriöse Ausstattung (z. B. einer Wohnung), behagliche Einrichtung; Annehmlichkeiten; Bequemlichkeit. **kom|for|ta|bel:** behaglich, wohnlich; mit allen Bequemlichkeiten des modernen Lebensstandards ausgestattet. **Kom|for|ta|bel** *der;* -s, -[s]: (veraltet) Einspänner-Droschke **Ko|mik** ⟨*gr.-lat.-fr.*⟩ *die;* -: die einer Situation od. Handlung innewohnende od. davon ausgehende erheiternde, belustigende Wirkung. **Ko|mi|ker** *der;* -s, -: 1. a) Vortragskünstler, der sein Publikum durch das, was er darstellt, u. durch die Art, wie er es darstellt, erheitert; b) Darsteller komischer Rollen auf der Bühne, im Film, im Fernsehen. 2. Schimpfwort **Ko|min|form*** ⟨Kurzw. aus: *kom*munistisches *Inform*ationsbüro⟩ *das;* -s: (hist.) zum Zwecke des Erfahrungsaustausches unter den kommunistischen Parteien u. zu deren Koordinierung eingerichtetes Informationsbüro in den Jahren 1947–1956. **Ko|min|tern** ⟨Kurzw. aus: *kom*munistische *Intern*ationale⟩ *die;* -: (hist.) Vereinigung aller kommunistischen Parteien in den Jahren 1919–1943 **ko|misch** ⟨*gr.-lat.-fr.*⟩: 1. zum Lachen reizend, belustigend. 2. eigenartig, sonderbar **Ko|mi|tat** ⟨*lat.-mlat.*⟩ *das* (auch: *der*); -[e]s, -e: 1. (hist.) Begleitung; [feierliches] Geleit [für einen die Universität verlassenden Studenten]. 2. (hist.) Grafschaft. 3. (hist.) Verwaltungsbezirk in Ungarn; vgl. Gespanschaft. **Ko|mi|ta|tiv** ⟨*lat.-nlat.*⟩ *der;* -s, -e: Kasus in den finnougrischen Sprachen, der die Begleitung durch eine Person od. Sache bezeichnet (Sprachw.) **Ko|mi|tee** ⟨*lat.-fr.-engl.-fr.*⟩ *das;*

-s, -s: a) [leitender] Ausschuss; b) Gruppe von Personen, die mit der Vorbereitung, Organisation u. Durchführung einer Veranstaltung betraut ist **Ko|mi|ti|en** ⟨*lat.*⟩ *die* (Plural): Bürgerschaftsversammlungen im alten Rom **Kom|ma** ⟨*gr.-lat.;* „Schlag; Abschnitt, Einschnitt"⟩ *das;* -s -s u. -ta: 1. a) Satzzeichen, das den Ablauf der Rede u. bes. den Satzbau kennzeichnet, indem es u. a. Haupt- u. Gliedsatz trennt, Einschübe u. Zusätze kenntlich macht u. Aufzählungen von Wörtern u. Wortgruppen unterteilt; b) Zeichen, das bei der Ziffernschreibung die Dezimalstellen abtrennt. 2. Untergliederung des ↑Kolons (2) (antike Metrik u. Rhet.). 3. über der fünften Notenlinie stehendes Phrasierungszeichen (Bogenende od. Atempause; Mus.). 4. kleiner Unterschied zwischen den Schwingungszahlen beinahe gleich hoher Töne (Phys.). **Kom|ma|ba|zil|lus** *der;* -, ...llen: Erreger der asiatischen ↑Cholera (Med.) **Kom|man|dant** ⟨*lat.-vulgärlat.-fr.*⟩ *der;* -en, -en: 1. Befehlshaber [einer Festung, eines Schiffs usw.]. 2. (schweiz.) Kommandeur. **Kom|man|dan|tur** ⟨*nlat.*⟩ *die;* -, -en: 1. Dienstgebäude eines Kommandanten. 2. Amt des Befehlshabers einer Truppenabteilung (vom Bataillon bis zur Division). **Kom|man|deur** [...ˈdøːɐ̯] ⟨*lat.-vulgärlat.-fr.*⟩ *der;* -s, -e: Befehlshaber eines größeren Truppenteils (vom Bataillon bis zur Division). **kom|man|die|ren:** 1. a) befehligen; b) an einen bestimmten Ort beordern, dienstlich versetzen; c) etwas [im Befehlston] anordnen, ein Kommando geben. 2. (ugs.) Befehle erteilen, den Befehlston anschlagen. **Kom|man|di|tär** ⟨*lat.-it.-fr.*⟩ *der;* -s, -e: (schweiz.) Kommanditist. **Kom|man|di|te** *die;* -, -n : 1. (veraltet) Kommanditgesellschaft. 2. Zweiggeschäft, Niederlassung. **Kom|man|dit|ge|sell|schaft** *die;* -, -en: Handelsgesellschaft, die unter gemeinschaftlicher Firma ein Handelsgewerbe betreibt u. bei der einer od. mehrere Gesellschafter persönlich haften u. mindestens einer der Gesellschafter nur mit seiner Einlage haftet (Abk.: KG). **Kom|man|di|tist** *der;* -en, -en: Gesellschafter einer ↑Kommanditgesellschaft, dessen Haftung auf seine Einlage beschränkt ist. **Kom|man|do** ⟨lat.-it.⟩ das; -s, -s (österr. auch: ...den): 1. (ohne Plural) Befehlsgewalt. 2. a) Befehl[swort]; b) befohlener Auftrag; c) vereinbarte Wortfolge, die als Startsignal dient. 3. [militärische] Abteilung, die zur Erledigung eines Sonderauftrags zusammengestellt wird **Kom|mas|sa|ti|on** ⟨lat.; gr.-lat.-nlat.⟩ die; -, -en: Flurbereinigung; Grundstückszusammenlegung. **kom|mas|sie|ren**: Grundstücke zusammenlegen **Kom|me|mo|ra|ti|on** ⟨lat.⟩ die; -, -en: 1. (veraltet) Erwähnung, Gedächtnis, Andenken. 2. Gedächtnis, Fürbitte in der katholischen Messe; kirchl. Gedächtnisfeier (z. B. Allerseelen). **komme|mo|rie|ren**: (veraltet) erwähnen, gedenken **Kom|men|de** ⟨lat.-mlat.⟩ die; -, -n: 1. ohne Amtsverpflichtung übertragene kirchliche Pfründe. 2. Verwaltungsbezirk u. Ordenshaus der ↑Johanniter od. des Deutschherrenordens **kom|men|sal** ⟨lat.-mlat.-nlat.⟩: als Kommensale lebend (Biol.). **Kom|men|sa|le** der; -n, -n (meist Plural): Organismus, der sich auf Kosten eines (artfremden) Wirtsorganismus ernährt, ohne ihm dabei zu schaden (Biol.). **Kom|men|sa|lis|mus** der; -: das Leben als Kommensale (Biol.) **kom|men|su|ra|bel** ⟨lat.⟩: mit gleichem Maß messbar; vergleichbar; Ggs. ↑inkommensurabel. **Kom|men|su|ra|bi|li|tät** ⟨lat.-nlat.⟩ die; -: Messbarkeit mit gleichem Maß; Vergleichbarkeit (Math.; Phys.); Ggs. ↑Inkommensurabilität **Kom|ment** [kɔˈmãː] ⟨lat.-vulgärlat.-fr.; „wie“⟩ der; -s, -s: Brauch, Sitte, Regel [des studentischen Lebens] (Verbindungsw.) **Kom|men|tar** ⟨lat.⟩ der; -s, -e: 1. a) mit Erläuterungen u. kritischen Anmerkungen versehenes Zusatzwerk zu einem Druckwerk (bes. zu einem Gesetzestext, einer Dichtung o. einer wissenschaftlichen Abhandlung); b) kritische Stellungnahme in Presse, Radio od. Fernsehen zu aktuellen Tagesereignissen. 2. (ugs.) Anmerkung, Erklärung, Stellungnahme. **kom|men|ta|risch**: in Form eines Kommentars (1 b) [abgefasst]. **Kom|men|ta|ti|on** die; -, -en: (veraltet) Sammlung von gelehrten Schriften meist

kritischen Inhalts. **Kom|men|ta|tor** der; -s, ...oren: 1. Verfasser eines Kommentars (1 b). 2. ↑Postglossator **Kom|ment|hand|lung** [kɔˈmãː...] ⟨lat.-vulgärlat.-fr.; dt.⟩ die; -, -en: angeborenen Trieben entsprechende Handlung (Verhaltensforschung) **kom|men|tie|ren**: a) ein Druckwerk (bes. einen Gesetzestext od. eine wissenschaftliche Abhandlung) mit erläuternden u. kritischen Anmerkungen versehen; b) in einem Kommentar (1 b) zu aktuellen Tagesereignissen Stellung nehmen; c) (ugs.) eine Anmerkung zu etwas machen **Kom|ment|kampf** [kɔˈmãː...] ⟨lat.-vulgärlat.-fr.; dt.⟩ der; -[e]s, ...kämpfe: (bei bestimmten Tierarten) nach festen Regeln ablaufende Art des Kampfes unter Artgenossen, die ernsthafte Verletzungen der Kampfpartner ausschließt (Verhaltensforschung) **Kom|mers** ⟨lat.-fr.⟩ der; -es, -e: Trinkabend in festlichem Rahmen (Verbindungsw.). **Kom|mers|buch** das; -[e]s, ...bücher: Sammlung festlicher u. geselliger Studentenlieder (Verbindungsw.). **kom|mer|sie|ren**: (veraltet) an einem Kommers teilnehmen (Verbindungsw.). **Kom|merz** der; -es: 1. Wirtschaft, Handel u. Verkehr. 2. wirtschaftliches, auf Gewinn bedachtes Interesse. **kom|mer|zi|a|li|sie|ren**: 1. öffentliche Schulden in privatwirtschaftliche umwandeln. 2. kulturelle Werte wirtschaftlichen Interessen unterordnen, dem Gewinnstreben dienstbar machen. **Kom|mer|zi|a|lis|mus** der; -: nur auf die Erzielung eines möglichst großen Gewinns gerichtetes wirtschaftliches Handeln. **Kom|mer|zi|al|rat** der; -[e]s, ...räte: (österr.) ↑Kommerzienrat. **kom|mer|zi|ell**: 1. Wirtschaft u. Handel betreffend, auf ihnen beruhend. 2. Geschäftsinteressen wahrnehmend, auf Gewinn bedacht. **Kom|mer|zi|en|rat** der; -[e]s, ...räte: (früher) a) Titel für Großkaufleute u. Industrielle; b) Träger dieses Titels **Kom|mi|li|to|ne** ⟨lat.; „Mitsoldat, Waffenbruder“⟩ der; -n, -n: (Studentenspr.) Studienkollege **Kom|mis** [kɔˈmiː] ⟨lat.-fr.⟩ der; - [...ˈmiː(s)], - [...ˈmiːs]: (veraltet) Handlungsgehilfe. **Kom|miss** ⟨lat.⟩ der; -es: (ugs.) Mili-

tär[dienst]. **Kom|mis|sar** ⟨lat.-mlat.⟩ der; -s, -e: a) [vom Staat] Beauftragter; b) Dienstrangbezeichnung [für Polizeibeamte]. **Kom|mis|sär** ⟨lat.-fr.⟩ der; -s, -e: (landsch.) Kommissar. **Kom|mis|sa|ri|at** ⟨lat.-mlat.-nlat.⟩ das; -[e]s, -e: 1. Amt[szimmer] eines Kommissars. 2. (österr.) Polizeidienststelle. **kom|mis|sa|risch**: vorübergehend, vertretungsweise [ein Amt verwaltend]. **Kom|mis|si|on** ⟨lat.-mlat.⟩ die; -, -en: 1. Ausschuss [von beauftragten Personen]. 2. (veraltet) Auftrag; **in Kommission**: im eigenen Namen für fremde Rechnung ausgeführt (von einem Auftrag). **Kom|mis|si|o|när** ⟨lat.-mlat.-fr.⟩ der; -s, -e: jmd., der gewerbsmäßig Waren od. Wertpapiere in eigenem Namen für fremde Rechnung ankauft od. verkauft. **kom|mis|si|o|nie|ren**: (österr.) [ein Gebäude] durch eine staatliche Kommission prüfen u. für die Übergabe an seine Bestimmung freigeben. **Kom|mis|si|ons|buch|han|del** der; -s: Zwischenbuchhandel [zwischen Verlag u. ↑Sortiment (2)]. **Kom|mis|siv|de|likt** ⟨lat.-nlat.; lat.⟩ das; -[e]s, -e: (veraltet) strafbare Handlung im Gegensatz zur strafbaren Unterlassung (Rechtsw.). **Kom|mis|so|ri|um** ⟨lat.⟩ das; -s, ...ien: (veraltet) 1. Geschäftsauftrag. 2. Sendung. 3. Vollmacht[sbrief]. **Kom|mis|sur** ⟨lat.⟩ die; -, -en: (Anat.) 1. Querverbindung zwischen ↑symmetrischen (3) Teilen des ↑Zentralnervensystems, bes. zwischen den beiden ↑Hemisphären (c) des Großhirns. 2. Verbindung zwischen Weichteilen im Bereich der Organe. **Kom|mit|tent** der; -en, -en: Auftraggeber eines Kommissionärs. **kom|mit|tie|ren**: 1. einen Kommissionär beauftragen, bevollmächtigen. **Kom|mit|tiv** ⟨lat.-nlat.⟩ das; -s, -e: (veraltet) Vollmachtschreiben (Rechtsw.). **kom|mod** ⟨lat.-fr.⟩: (veraltet, aber noch österr. u. landsch.) bequem, angenehm. **Kom|mo|de** die; -, -n: Möbelstück mit mehreren Schubladen. **Kom|mo|di|tät** die; -, -en: (veraltet, noch landsch.) 1. Bequemlichkeit. 2 Toilette

Kom|mo|do|re ⟨lat.-fr.-engl.⟩ der; -s, -n u. -s: 1. Geschwaderführer (bei Marine u. Luftwaffe). 2. er probter ältester Kapitän bei gro ßen Schifffahrtslinien **Ko̧m|moi**: Plural von ↑Kommo

Kom|mo|rạnt ⟨*lat.*⟩ *der;* -en, -en: ohne Ausübung der Seelsorge an einem Ort ansässiger Geistlicher **Kọm|mos** ⟨*gr.*⟩ *der;* -, ...moi: 1. im Wechselgesang vorgetragenes Klagelied in der altgriech. Tragödie. 2. Wechselrede zwischen Chor u. Schauspieler in der altgriech. Tragödie **Kom|mọl|tio** u. **Kom|mo|ti|ọn** ⟨*lat.*⟩ *die;* -, ...tiọnen: (Med.) 1. durch eine stumpfe Gewalteinwirkung hervorgerufene Erschütterung von Organen. 2. Gehirnerschütterung **kom|mụn** ⟨*lat.*⟩: gemeinschaftlich, gemein. **kom|mụ|nạl:** eine Gemeinde od. die Gemeinden betreffend, Gemeinde..., gemeindeeigen. **kom|mu|na|li|sie|ren** ⟨*lat.-nlat.*⟩: Privatunternehmen in Gemeindebesitz u. -verwaltung überführen. **Kom|mu|nạl|ob|li|ga|ti|ọn** *die;* -, -en: von einer Gemeinde aufgenommene öffentliche Anleihe. **Kom|mu|nạl|po|li|tik** *die;* -: die Belange einer Gemeinde betreffende Politik. **Kom|mu|nạl|wahl** *die;* -, -en: Wahl der Gemeindevertretungen (z. B. des Stadtrats). **Kom|mu|nạr|de** ⟨*lat.-fr.*⟩ *der;* -n, -n: 1. Mitglied einer Kommune (4). 2. Anhänger der Pariser Kommune. **Kom|mụ|ne** ⟨*lat.-vulgärlat.-fr.*⟩ *die;* -, -n: 1. Gemeinde als unterste Verwaltungseinheit. 2. (ohne Plural) (hist.) Pariser Gemeinderat während der Französischen Revolution u. von März bis Mai 1871. 3. (ohne Plural) (veraltet abwertend) Kommunisten. 4. Wohngemeinschaft, die bürgerliche Vorstellungen hinsichtlich Eigentum, Leistung, Konkurrenz und Moral ablehnt. **Kom|mu|ni|kạnt** ⟨*lat.*⟩ *der;* -en, -en: 1. jmd., der [zum ersten Mal] kommuniziert (3) (kath. Rel.). 2. Gesprächsteilnehmer, Teilhaber an einer ↑Kommunikation (1) (Sprachw.; Soziol.). **Kom|mu|ni|ka|ti|ọn** *die;* -, -en: 1. (ohne Plural) Verständigung untereinander, Umgang, Verkehr. 2. Verbindung, Zusammenhang. **Kom|mu|ni|ka|ti|ọns|for|schung** *die;* -: Forschungsrichtung, die Probleme der ↑Kommunikation (1) unter den verschiedensten wissenschaftlichen Gesichtspunkten (z. B. soziologischer od. linguistischer Art) untersucht. **Kom|mu|ni|ka|ti|ọns|sa|tel|lit** *der;* -en, -en: der Nachrichtenübermittlung dienender ↑Satellit

(3). **Kom|mu|ni|ka|ti|ọns|trai|ning** *das;* -s: das Erlernen u. Üben, mit anderen Menschen zu kommunizieren (1), umzugehen. **Kom|mu|ni|ka|ti|ọns|zent|rum*** *das;* -s, ...ren: zentraler Begegnungsort von Menschen u. Gruppen. **kom|mu|ni|ka|tiv** ⟨*lat.-nlat.*⟩: a) mitteilbar, mitteilsam; b) auf die Kommunikation bezogen, die Kommunikation betreffend; **kommunikative Kompetenz:** Fähigkeit eines Sprachteilhabers, [neue] Redesituationen zu bewältigen (Sprachw.). **Kom|mu|ni|kee** vgl. Kommuniqué. **Kom|mu|ni|ọn** ⟨*lat.*⟩ *die;* -, -en: (kath. Rel.) 1. das Abendmahl als Gemeinschaftsmahl der Gläubigen mit Christus. 2. der [erste] Empfang des Abendmahls. **Kom|mu|ni|qué** [kɔmyni'ke:, auch: kɔmu...], auch: Kommunikee ⟨*lat.-fr.*⟩ *das;* -s, -s: a) [regierungs]amtliche Mitteilung (z. B. über Sitzungen, Vertragsabschlüsse); b) Denkschrift. **Kom|mu|nịs|mus** ⟨*lat.-engl.-fr.*⟩ *der;* -: 1. nach Karl Marx die auf den Sozialismus folgende Entwicklungsstufe, in der alle Produktionsmittel u. Erzeugnisse in das gemeinsame Eigentum aller Staatsbürger übergehen u. in der alle sozialen Gegensätze aufgehoben sind. 2. politische Richtung, Bewegung, die sich gegen den ↑Kapitalismus wendet u. eine zentral gelenkte Wirtschafts- u. Sozialordnung verficht. **Kom|mu|nịst** *der;* -en, -en: a) Vertreter, Anhänger des Kommunismus; b) Mitglied einer kommunistischen Partei. **kom|mu|nịs|tisch:** a) den Kommunismus u. seine Grundsätze betreffend; b) auf den Grundsätzen des Kommunismus aufbauend, basierend. **Kom|mu|ni|ta|rịs|mus** ⟨*lat.-amerik.*⟩ *der;* -: (von den USA ausgehende auf bestimmten philosophischen u. soziologischen Theorien basierende) politische Bewegung, die bes. Gemeinsinn u. soziale Tugenden in den Vordergrund stellt u. eine gemeinwohlorientierte Erneuerung gesellschaftlicher Institutionen jenseits liberaler u. staatlicher Programme anstrebt. **Kom|mu|ni|tät** ⟨*lat.*⟩ *die;* -, -en: 1. Gemeinschaft, Gemeingut. 2. (veraltet) Ort, an dem sich bes. Studenten zum Speisen versammeln. 3. ordensähnliche evangelische Bruderschaft mit besonderem religiösen u. missionari-

schen Aufgaben. **kom|mu|ni|zie|ren:** 1. sich verständigen, miteinander sprechen. 2. zusammenhängen, in Verbindung stehen; **kommunizierende Röhren:** unten miteinander verbundene u. oben offene Röhren od. Gefäße, in denen eine Flüssigkeit gleich hoch steht (Phys.). 3. das Altarsakrament empfangen, zur Kommunion gehen (kath. Rel.) **kom|mu|tạ|bel** ⟨*lat.*⟩: veränderlich; vertauschbar. **Kom|mu|ta|ti|ọn** *die;* -, -en: 1. a) Umstellbarkeit, Vertauschbarkeit von Größen (Math.); b) Ersetzen einer sprachlichen Einheit (z. B. eines Buchstabens) durch eine andere u. Untersuchung der dadurch bewirkten Veränderung (z. B. der Bedeutung; Sprachw.). 2. Winkel zweier Geraden, der von der Sonne zur Erde u. zu einem anderen Planeten gehen (Astron.). 3. ↑Kommutierung. **kom|mu|ta|tiv** ⟨*lat.-nlat.*⟩: 1. umstellbar, vertauschbar (von mathematischen Größen u. sprachlichen Einheiten; Math.; Sprachw.); vgl. Kommutation (1 a, b). 2. a) die Kommutation (2) betreffend; b) die Kommutierung betreffend. **Kom|mu|tạ|tor** *der;* -s, ...ọren: Stromwender, ↑Kollektor (1) (Elektrot.). **kom|mu|tie|ren** ⟨*lat.*⟩: 1. Größen umstellen, miteinander vertauschen (Math.; Sprachw.). 2. die Richtung des elektrischen Stroms ändern. **Kom|mu|tie|rung** *die;* -: Umkehrung der Stromrichtung **Ko|mö|di|ạnt** ⟨*gr.-lat.-it.-(-engl.)*⟩ *der;* -en, -en: 1. Schauspieler. 2. (abwertend) jmd., der anderen etwas vorzumachen versucht; Heuchler. **ko|mö|di|ạn|tisch:** zum Wesen der Komödianten gehörend; schauspielerisch [begabt]. **Ko|mọl|die** [...jə] ⟨*gr.-lat.*⟩ *die;* -, -n: 1. a) (ohne Plural) dramatische Gattung, in der menschliche Schwächen dargestellt u. [scheinbare] Konflikte heiter-überlegen gelöst werden; b) Bühnenstück mit heiterem Inhalt; Ggs. ↑Tragödie (1). 2. kleines Theater, in dem vorwiegend Komödien gespielt werden. 3. (ohne Plural) unechtes, theatralisches Gebaren, Heuchelei, Verstellung **Kom|pag|nie*** [...pa'ni:] (schweiz.) ↑Kompanie. **Kom|pag|non** [...pa'jõ, 'kɔm...], auch: 'kɔmpanjɔŋ] ⟨*lat.-vulgärlat.-fr.*⟩ *der;* -s, -s: Gesellschafter, Teilhaber, Mitinhaber eines Geschäfts od. eines Handelsunternehmens **kom|p<u>a</u>kt** ⟨*lat.-fr.*⟩: 1. (ugs.) massig, gedrungen. 2. undurchdringlich, dicht, fest. 3. gedrängt, kurz gefasst, das Wesentliche zusammenfügend. **Kom|p<u>a</u>kt|an|la|ge** *die; -, -n:* fest zusammengebaute Stereoanlage mit dem nötigen Zubehör. **Kom|pak|t<u>a</u>t** ⟨*lat.-nlat.*⟩ *der* od. *das; -[e]s, -e[n]:* (veraltet) Vertrag (z. B. Prager Kompaktaten von 1433) **Kom|pa|n<u>ie</u>** ⟨*lat.-vulgärlat.-it.* u. *fr.*⟩ *die; -, ...<u>ie</u>n:* 1. (veraltet) Handelsgesellschaft; Abk.: Co., Cie. 2. Truppeneinheit von 100–250 Mann innerhalb eines ↑Bataillons; Abk.: Komp. **kom|pa|ra|bel** ⟨*lat.*⟩: vergleichbar. **Kom|pa|ra|bi|li|t<u>ä</u>t** ⟨*lat.-nlat.*⟩ *die; -:* Vergleichbarkeit. **Kom|pa|ra|ti|on** ⟨*lat.*⟩ *die; -, -en:* 1. das Vergleichen. 2. Steigerung des Adjektivs (Sprachw.). **Kom|pa|ra|t<u>i</u>st** ⟨*lat.-nlat.*⟩ *der; -en, -en:* vergleichender Literaturwissenschaftler. **Kom|pa|ra|t<u>i</u>s|tik** *die; -:* 1. ↑Komparativistik. 2. vergleichende Literatur- od. Sprachwissenschaft. **kom|pa|ra|t<u>i</u>s|tisch:** a) die Komparatistik betreffend; b) mit den Methoden der Komparatistik arbeitend. **k<u>o</u>m|pa|ra|t<u>i</u>v** [auch: ...'ti:f] ⟨*lat.*⟩: 1. auf Vergleichung beruhend (Philos.). 2. (Sprachw.) a) vergleichend (von der Untersuchung zweier od. mehrerer Sprachen); b) steigernd. **K<u>o</u>m|pa|ra|t<u>i</u>v** [auch: ...'ti:f] *der; -s, -e:* Steigerungsstufe, Höherstufe, Mehrstufe (Sprachw.). **Kom|pa|ra|t<u>i</u>v|s|tik** ⟨*lat.-nlat.*⟩ *die; -:* (seltener) Teilgebiet der Sprachwissenschaft, das sich mit der gegenüberstellend-vergleichenden Untersuchung von zwei od. mehreren Sprachen befasst. **K<u>o</u>m|pa|ra|t<u>i</u>v|satz** [auch: ...'ti:f...] ⟨*lat.-nlat.; dt.*⟩ *der; -es, ...sätze:* Vergleichssatz, Konjunktionalsatz, der einen Vergleich enthält (z. B. Eva ist größer, als ihre Schwester es im Jahr zuvor [der Vater war). **Kom|pa|ra|tor** ⟨*lat.*⟩ *der; -s, ...oren:* 1. Gerät zum Vergleich u. zur genauen Messung von Längenmaßen. 2. Gerät zur Feststellung von Lage- u. Helligkeitsveränderungen bestimmter Sterne (Astron.). 3. ein elektrischer ↑Kompensator (1) (Elektrot.) **Kom|pa|r<u>e</u>nt** ⟨*lat.*⟩ *der; -en, -en:* (veraltet) jmd., der vor einer Behörde, einem Gericht erscheint.

Kom|pa|r<u>e</u>nz ⟨*lat.-nlat.*⟩ *die; -:* (veraltet) das Erscheinen vor Gericht. **¹kom|pa|r<u>ie</u>ren** ⟨*lat.* comparere „erscheinen"⟩: (veraltet) vor Gericht erscheinen **²kom|pa|r<u>ie</u>ren** ⟨*lat.* comparare „vergleichen"⟩: a) (veraltet) vergleichen; b) die Komparation (2) anwenden; steigern (Sprachw.) **Kom|pa|ri|ti|on** ⟨*lat.-nlat.*⟩ *die; -:* ↑Komparenz. **Kom|p<u>a</u>r|se** ⟨*lat.-it.*⟩ *der; -n, -n:* jmd., der als stumme Figur bei einem Film od. auch einem Theaterstück mitwirkt. **Kom|par|se|r<u>ie</u>** *die; -, ...<u>ie</u>n:* Gesamtheit der Komparsen; ↑Statisterie **Kom|par|ti|m<u>e</u>nt** ⟨*lat.-mlat.*⟩ *das; -[e]s, -e:* (veraltet) 1. abgeteiltes Feld. 2. [Zug]abteil **K<u>o</u>m|pass** ⟨*lat.-vulgärlat.-it.*⟩ *der; -es, -e:* Gerät zur Feststellung der Himmelsrichtung **kom|pa|t<u>i</u>bel** ⟨*lat.-fr.(-engl.)*⟩: 1. syntaktisch-semantisch anschließbar (von ↑Lexemen [im Satz] (Sprachw.). 2. miteinander vereinbar, zusammenpassend. 3. (von Hard- u. Softwarekomponenten) austauschbar, zu einem System zusammensetzbar 4. (von Medikamenten od. Blutgruppen) miteinander vereinbar, verträglich (Med.). **Kom|pa|ti|bi|li|t<u>ä</u>t** *die; -, -en:* 1. Vereinbarkeit [zweier Ämter in einer Person]. 2. Austauschbarkeit, Vereinbarkeit verschiedener Systeme (z. B. das Benutzen eines Programms auf einem andern Computermodell). 3. syntaktisch-semantische Anschließbarkeit, Kombinierbarkeit von ↑Lexemen [im Satz] (Sprachw.). 4. Verträglichkeit verschiedener ↑Medikamente od. Blutgruppen (Med.). **Kom|pat|ri|l<u>o</u>t*** ⟨⟨*lat.; gr.-spätlat.-fr.*⟩ *nlat.*⟩ *der; -en, -en:* (veraltet) Landsmann. **Kom|pat|ro|n<u>a</u>t** ⟨*lat.-nlat.*⟩ *das; -[e]s, -e:* gemeinsames ↑Patronat (2) mehrerer Personen (Kirchenrecht) **kom|pen|di<u>a</u>|risch** ⟨*lat.*⟩: ↑kompendiös. **kom|pen|di|<u>ö</u>s:** (veraltet) das Kompendium betreffend, in der Art eines Kompendiums; zusammengefasst, gedrängt. **Kom|pen|di|um** ⟨„Ersparnis, Abkürzung"⟩ *das; -s, ...ien:* Abriss, kurz gefasstes Lehrbuch. **Kom|pen|sa|ti|on** *die; -, -en:* 1. Ausgleich, Aufhebung von Wirkungen einander entgegenwirkender Ursachen. 2. (Rechtsw.) a) Aufrechnung; b) Schuldaufwiegung im Falle

wechselseitiger Täterschaft (bei Beleidigung u. leichter Körperverletzung), meist als strafmildernd od. strafbefreiend gewertet. 3. das Streben nach Ersatzbefriedigung als Ausgleich von Minderwertigkeitsgefühlen (Psychol.). 4. Ausgleich einer durch krankhafte Organveränderungen gestörten Funktion eines Organs durch den Organismus selbst od. durch Medikamente (Med.). **Kom|pen|s<u>a</u>tor** ⟨*lat.-nlat.*⟩ *der; -s, ...oren* 1. Gerät zur Messung einer elektrischen Spannung od. einer Lichtintensität (Optik). 2. Vorrichtung zum Ausgleichen (z. B. Zwischenglied bei Rohrleitungen zum Ausgleich der durch Temperaturwechsel hervorgerufenen Längenänderung; Techn.). **Kom|pen|sa|to|rik** *die; -:* kompensatorische Erziehung. **kom|pen|sa|to|risch:** ausgleichend; **kompensatorische Erziehung:** [vor der Einschulung einsetzende] Förderungsmaßnahmen, die bei Kindern auftretende sprachliche, ↑kognitive, ↑emotionale od. soziale Entwicklungsrückstände ausgleichen od. mildern sollen (Päd.; Psychol.). **kom|pen|s<u>ie</u>ren** ⟨*lat.*⟩: 1. die Wirkungen einander entgegenstehender Ursachen ausgleichen. 2. bei wechselseitigem Verschulden die Strafe ausgleichen (Rechtsw.). 3. Minderwertigkeitsgefühle durch Vorstellungen od. Handlungen ausgleichen, die das Bewusstsein der Vollwertigkeit erzeugen (Psychol.). 4. Funktionsstörungen eines Organs od. ihre Folgen ausgleichen (Med.). **kom|pe|t<u>e</u>nt** ⟨*lat.*⟩: a) sachverständig, fähig; Ggs. ↑inkompetent (1 b); **kompetenter Sprecher:** Sprecher, der fähig ist, in seiner Muttersprache beliebig viele Sätze zu bilden u. zu verstehen (Sprachw.); b) zuständig, maßgebend, befugt; Ggs. ↑inkompetent (1 a). 2. tektonisch wenig verformbar (von Gesteinen; Geol.); Ggs. ↑inkompetent (2) **Kom|pe|t<u>e</u>nt** *der; -en, -en:* (veraltet) Mitbewerber. **Kom|pe|t<u>e</u>nz** *die; -, -en:* 1. a) Vermögen, Fähigkeit; Ggs. ↑Inkompetenz (b); b) Zuständigkeit, Befugnis Ggs. ↑Inkompetenz (a). 2. (ohne Plural) (idealisierte) Fähigkeit des Sprechers einer Sprache, mit einer begrenzten Anzahl von Elementen u. Regeln eine unbegrenzte Zahl von Äußerungen zu bilden u. zu verstehen sowie über die sprachliche Richtigkeit von Äußerungen zu entscheiden (Sprachw.). 3. zeitlich begrenzte Reaktionsbereitschaft von Zellen gegenüber einem bestimmten Entwicklungsreiz (Biol.). 4. zum Unterhalt eines Klerikers nötige, nicht pfändbare Mittel (kath. Kirchenrecht). **Kom|pe|tenzkom|pe|tenz** *die;* -, -en: (Rechtsw.) 1. (ohne Plural) das Recht eines Bundesstaates, seine Zuständigkeiten durch Verfassungsänderung auf Kosten der Gliedstaaten zu erweitern. 2. gerichtliche Entscheidung über die Zulässigkeit eines Rechtsstreites. **Kom|pe|tenz|kon|flikt** *der;* -[e]s, -e: Zuständigkeitsstreit zwischen Gerichten od. Verwaltungsbehörden (Rechtsw.). **kom|pe|tie|ren:** (veraltet) a) gebühren, zustehen; b) sich mitbewerben. **kom|po|ti|tiv** *‹lat.nlat.›:* 1. zuständig, maßgebend. 2. (veraltet) sich mitbewerbend. 3. eine notwendige Ergänzung fordernd (z. B. von Reaktionen, die zu ihrem Ablauf ein weiteres ↑Reagens erfordern; Med.). **Kom|pi|la|ti|on** *‹lat.› die;* -, -en: 1. Zusammenfassung, Zusammentragen mehrerer [wissenschaftlicher] Quellen. 2. a) unschöpferisches Abschreiben aus mehreren Schriften; b) durch Zusammentragen unverarbeiteten Stoffes entstandene Schrift (ohne wissenschaftlichen Wert). **Kom|pila|tor** *der;* -s, ...oren: Verfasser einer Kompilation. **kom|pi|lato|risch:** auf Kompilation beruhend, aus Teilen verschiedener Werke zusammengeschrieben. **kom|pi|lie|ren:** [unverarbeiteten] Stoff zu einer Schrift [ohne wissenschaftlichen Wert] zusammentragen

kom|pla|nar* *‹lat.›:* in der gleichen Ebene liegend (z. B. von ↑Vektoren; Math.). **Kom|plana|ti|on** *die;* -, -en: Berechnung des Flächeninhalts von [gekrümmten] Oberflächen (Math.). **Kom|ple|ment*** *‹lat.› das;* -[e]s, -e: 1. Ergänzung. 2. Komplementärmenge, Differenzmenge von zwei Mengen (Math.). 3. Serumbestandteil, der die spezifische Wirkung eines ↑Antikörpers ergänzt od. aktiviert (Med.). **kom|ple|men|tär** *‹lat.-fr.›:* sich gegenseitig ergänzend; **komplementäre Distribution:** das Vorkommen eines sprachlichen Elements in einer Umgebung, in der

ein anderes nicht erscheinen kann u. umgekehrt (Sprachw.). **Kom|ple|men|tär** *der;* -s, -e: 1. persönlich haftender Gesellschafter einer ↑Kommanditgesellschaft. 2. (früher in der DDR) Eigentümer einer privaten Firma, die mit Staatsbeteiligung arbeitet. **Kom|ple|mentär|far|be** *‹lat.-fr; dt.›* die; -, -n: Farbe, die eine andere Farbe, mit der sie gemischt wird, je nach Mischungsverhältnis zu Weiß od. fast zu Schwarz ergänzt; Ergänzungsfarbe. **Kom|ple|mentär|ge|ne** *die* (Plural): ↑Gene, die voneinander abhängen u. nur gemeinsam wirken (Genetik). **Kom|ple|men|ta|ri|tät** *‹lat.nlat.› die;* -, -en: 1. Beziehung zwischen Messgrößen im Bereich der Quantenmechanik, die besagt, dass diese Messgrößen nicht gleichzeitig gemessen werden können (Phys.). 2. wechselseitige Entsprechung der Struktur zweier Größen (Biol.; Chem.). 3. semantisches Gegensatzverhältnis (Sprachw.). **Komple|men|tär|win|kel** *‹lat.-fr.; dt.›* der; -s, -: ↑Komplementwinkel. **Kom|ple|men|ta|ti|on** *die;* -, -en: das Ausgleichen von Erbgutschäden durch Kombination von ↑Genomen (Genetik); vgl. ...[at]ion/...ierung. **kom|ple|men|tie|ren:** ergänzen. **Kom|ple|men|tie|rung** *die;* -, -en: a) das Komplementieren; b) ↑Komplementation; vgl. ...[at]ion/...ierung. **Kom|plement|win|kel** *‹lat.; dt.› der;* -s, -: Ergänzungswinkel, der einen gegebenen Winkel zu 90° ergänzt (Math.). **Kom|ple|nym** *das,* -s, -e: Gegensatzwort zu einem bestimmten Wort, das durch Hinzusetzen einer Negation zu diesem synonym wird (z. B. nicht verheiratet, ledig; Sprachw.). **Kom|ple|ny|mie** *die;* -: semantische Relation, wie sie zwischen Komplenymen besteht. **¹Komplet** *‹lat.-mlat.› die;* -, -e: Abendgebet als Schluss der katholischen kirchlichen Tageszeiten. **²Kom|plet** *‹lat.(-fr.)›* das; -[s], auch: kö'ple:] *‹lat.-fr.› das;* -[s], -s: Mantel (od. Jacke) u. Kleid aus gleichem Stoff. **kom|ple|tiv** *‹lat.›:* ergänzend (Sprachw.). **Kom|ple|to|ri|um** *‹lat.-mlat.› das;* -s, ...ien: 1. (veraltet) Ergänzungsvorschrift (zu einem Gesetz). 2. ↑ ¹Komplet. **kom|plett** *‹lat.-fr.›:* 1. a) vollständig, abgeschlossen; b) ganz, gesamt, vollzählig; c) (ugs.) ganz

u. gar, absolut. 2. (bes. österr.) voll, besetzt. **kom|plet|tie|ren:** etwas vervollständigen; auffüllen, ergänzen. **Kom|plex** *der;* -es, -e: 1. Zusammenfassung, Verknüpfung von verschiedenen Teilen zu einem geschlossenen Ganzen. 2. Gebiet, Bereich. 3. Gruppe, [Gebäude]block. 4. stark affektbesetzte Vorstellungsgruppe, die nach Verdrängung aus dem Bewusstsein vielfach Zwangshandlungen, -vorstellungen od. einfache Fehlleistungen auslöst (Psychol.). 5. chemische Vereinigung mehrerer Atome zu einer Gruppe, die freie ↑Valenzen (1) hat u. andere Reaktionen zeigen kann als das ihre Art bestimmende ↑Ion (Chem.). **kom|plex*** *‹lat.›:* a) vielschichtig; viele, sehr verschiedene Dinge umfassend; b) zusammenhängend; c) allseitig, alles umfassend; **komplexe Integration:** ↑Integration (4) einer Funktion längs eines Weges in der gaußschen Ebene (Math.); **komplexe Zahl:** Zahl, die nur als Summe einer ↑imaginären u. einer ↑reellen Zahl darstellbar ist (Math.). **Kom|plex|au|ge** *‹lat.; dt.› das;* -s, -en: ↑Facettenauge. **Kom|plex|bri|ga|de** *die;* -, -n: (früher in der DDR) Gruppe von Arbeitern unterschiedlicher Berufe, die gemeinsam an einem Produktionsauftrag arbeiten. **Kom|plex|che|mie** *die;* -: Chemie der Komplexe (5). **Kom|plexxi|on** *die;* -, -en: 1. zusammenfassende Bez. für Augen-, Haar- u. Hautfarbe eines Menschen (Anthropologie). 2. (veraltet) Zusammenfassung. **Kom|ple|xität** *‹lat.-nlat.› die;* -: 1. Gesamtheit aller Merkmale, Möglichkeiten (z. B. eines Begriffs, Zustandes). 2. Vielschichtigkeit. **Kom|plex|me|tho|de** *die;* -: Unterrichtsmethode, die den gesamten Unterricht von bestimmte Sachgebiete (Arbeit, Natur usw.) zu ordnen sucht. **Kom|plexo|met|rie** *‹lat.; gr.› die;* -, ...ien: maßanalytisches Verfahren zur mengenmäßigen Bestimmung von Metallionen durch Bildung von Komplexen (5) (Chem.). **Kom|ple|xo|ne** *die* (Plural): Verbindungen, die mit Metallionen Koordinationsverbindungen bilden (Chem.). **Kom|pli|ce** [...'pli:sə] vgl. Komplize. **Kom|pli|ka|ti|on** *‹lat.› die;* -, -en: 1. Schwierigkeit, Verwicklung; [plötzlich eintretende] Erschweschwerung. 2. ungünstige Beeinflussung od. Verschlimmerung eines normalerweise überschaubaren Krankheitszustandes, eines chirurgischen Eingriffs od. eines biologischen Prozesses durch einen unvorhergesehenen Umstand (Med.) **Kom|pli|ment*** ⟨lat.-span.-fr.⟩ das; -[e]s, -e: 1. höfliche Redensart, Schmeichelei. 2. (veraltet a) Gruß; b) Verbeugung. **kom|pli|men|tie|ren:** (veraltet) 1. jmdn. willkommen heißen. 2. jmdn. mit höflichen Gesten u. Redensarten irgendwohin geleiten **Kom|pli|ze*** u. Komplice ⟨lat.-fr.⟩ der; -n, -n: (abwertend) jmd., der an einer Straftat beteiligt ist; Mittäter, Helfershelfer. **kom|pli|zie|ren** ⟨lat.⟩: verwickeln; erschweren. **kom|pli|ziert:** schwierig, verwickelt; umständlich **Kom|plott*** ⟨fr.⟩ das (ugs. auch: der); -[e]s, -e: Verabredung zu einer gemeinsamen Straftat; Anschlag, Verschwörung. **kom|plot|tie|ren:** (veraltet) ein Komplott anzetteln **Kom|po|nen|te** ⟨lat.⟩ die; -, -n: a) Teilkraft; b) Bestandteil eines Ganzen. **Kom|po|nen|ten|ana|ly|se** die; -, -n: Beschreibung der Bestandteile einer sprachlichen Einheit u. des Aufbaus ihrer verschiedenen Kombinationen, bes. im Inhaltsbereich (Sprachw.). **kom|po|nie|ren:** 1. [ein Kunstwerk nach bestimmten Gesetzen] aufbauen, gestalten. 2. ein musikalisches Werk schaffen. 3. etwas aus Einzelteilen zusammensetzen, gliedern. **Kom|po|nist** ⟨lat.-nlat.⟩ der; -en, -en: jmd., der ein musikalisches Werk komponiert. **Kom|po|si|ta:** Plural von ↑Kompositum. **Kom|po|si|te** die; -, -n (meist Plural): Pflanze mit Blüten, die zu korbförmigen Blütenständen vereinigt sind (Korbblütler). **Kom|po|si|ten:** Plural von ↑Komposite u. ↑Kompositum. **Kom|po|si|teur** [...'tø:ɐ] ⟨lat.-fr.⟩ der; -s, -e: (veraltet) Komponist. **Kom|po|si|ti|on** ⟨lat.⟩ die; -, -en: 1. Zusammensetzung, -stellung [von Dingen] aus Einzelteilen. 2. a) (ohne Plural) das Komponieren eines Musikstücks; b) Musikwerk. 3. Aufbau eines Kunstwerks (z. B. eines Gemäldes, eines Romans). 4. (Sprachw.) a) das Zusammensetzen eines Wortes aus mehreren freien ↑Morphemen (als Art od. Vorgang der Wortbildung); b) Ergebnis der Komposition (4 a),

Kompositum. 5. (veraltet) gütliche Beilegung eines Rechtsstreites; Lösegeld, Sühnegeld. **kom|po|si|tio|nell:** ↑kompositorisch. **Kom|po|sit|ka|pi|tell** das; -s, -e: römische Form des ↑Kapitells (Archit.). **kom|po|si|to|risch** ⟨lat.-nlat.⟩: 1. die Komposition [eines Musikwerks] betreffend. 2. gestalterisch. **Kom|po|si|tum** ⟨lat.⟩ das; -s, ...ta u. ...siten: zusammengesetztes Wort, Zusammensetzung (Sprachw.); Ggs. ↑Simplex. **kom|pos|si|bel** ⟨lat.-mlat.⟩: zusammensetzbar, vereinbar (Philos.). **Kom|pos|si|bi|li|tät** die; -: Zusammensetzbarkeit, mögliche Vereinbarkeit zweier Dinge (Philos.) **Kom|post** [auch: 'kɔm...] ⟨lat.-mlat.-fr.⟩ der; -[e]s, -e: als Dünger verwendetes Produkt aus mit Erde vermischten pflanzlichen od. tierischen Abfällen. **kom|pos|tie|ren:** 1. zu Kompost verarbeiten. 2. mit Kompost düngen. **Kom|pott** ⟨lat.-vulgärlat.-fr.⟩ das; -[e]s, -e: gekochtes Obst, das als Nachtisch od. zu bestimmten Gerichten gegessen wird **kom|pre|hen|si|bel*** ⟨lat.⟩: (veraltet) begreifbar; Ggs. ↑inkomprehensibel. **Kom|pre|hen|si|on** die; -: Zusammenfassung, Vereinigung von Mannigfaltigem zu einer Einheit (Philos.) **kom|press*** ⟨lat.⟩: 1. (veraltet) eng, dicht, zusammengedrängt. 2. ohne Durchschuss (Druckw.). **Kom|pres|se** ⟨lat.-fr.⟩ die; -, -n: 1. feuchter Umschlag. 2. zusammengelegtes Mullstück für Druckverbände. **kom|pres|si|bel** ⟨lat.-nlat.⟩: zusammendrückbar, verdichtbar (z. B. von Flüssigkeiten, Gasen; Phys.). **Kom|pres|si|bi|li|tät** die; -: Zusammendrückbarkeit, Verdichtbarkeit (Phys.). **Kom|pres|si|on** ⟨lat.⟩ die; -, -en: 1. Zusammenpressung (z. B. von Gasen, Dämpfen; Phys.). 2. (Med.) a) Quetschung eines Körperorgans od. einer Körperstelle durch mechanische Einwirkung b) mechanische Abdrückung eines blutenden Gefäßes. 3. Teil einer Abfahrtsstrecke, bei dem der aus einem Steilhang kommende Fahrer in ein flaches Teilstück hineingepresst wird (Skisport). **Kom|pres|si|ons|di|a|gramm** ⟨lat.; gr.-lat.⟩ das; -s, -e: grafische Wiedergabe der in den einzelnen ↑Zylindern (2) eines Motors gemessenen Kompressi-

on (1). **Kom|pres|sor** ⟨lat.-nlat.⟩ der; -s, ...oren: Apparat zum Verdichten von Gasen od. Dämpfen (Techn.). **Kom|pres|so|ri|um** das; -s, ...ien: Gerät zur Kompression (2 b) eines blutenden Gefäßes (Med.). **kom|pri|mier|bar** ⟨lat.; dt.⟩: zusammenpressbar. **kom|pri|mie|ren** ⟨lat.⟩: a) zusammenpressen; b) verdichten. **kom|pri|miert:** in gedrängter Kürze dargestellt, nur das Wesentliche enthaltend **Kom|pro|miss*** ⟨lat.⟩ der (selten: das); -es, -e: Übereinkunft durch gegenseitige Zugeständnisse. **Kom|pro|miss|ler** der; -s, -: (abwertend) jmd., der zu schnell bereit ist, Kompromisse zu schließen. **kom|pro|mit|tie|ren** ⟨lat.-fr.⟩: seinem eigenen od. dem Ansehen eines anderen durch ein entsprechendes Verhalten empfindlich schaden; jmdn., sich bloßstellen. **Kom|pro|mit|tie|rung** die; -, -en: das Kompromittieren; Bloßstellung **kom|p|ta|bel** ⟨lat.-fr.⟩: (veraltet) verantwortlich, rechenschaftspflichtig (Rechtsw.). **Komp|ta|bi|li|tät** die; -: Verantwortlichkeit, Rechenschaftspflicht [in Bezug auf die Verwaltung öffentlicher Stellen]. **Komp|tant|ge|schäft** [kõ'tã:...] vgl. ↑Kontantgeschäft **Kom|pul|sa|ti|on** ⟨lat.⟩ die; -, -en: ↑Kompulsion. **Kom|pul|si|on** die; -, -en: (veraltet) Nötigung, Zwang (Rechtsw.). **kom|pul|siv** ⟨lat.-nlat.⟩: (veraltet) nötigend, zwingend (Rechtsw.). **Kom|pul|so|ri|um** ⟨lat.⟩ das; -s, ...ien: (veraltet) Mahnschreiben [eines übergeordneten Gerichts an ein untergeordnetes zur Beschleunigung einer Rechtssache] **Kom|pu|ta|ti|on** ⟨lat.⟩ die; -, -en: (veraltet) Überschlag, Berechnung. **Kom|pu|tis|tik** u. Computistik ⟨lat.-nlat.⟩ die; -: Wissenschaft von der Kalenderberechnung **Kom|so|mol** ⟨Kurzw. aus: kommunistitscheski Sojus Molodjoschi; russ.⟩ der; -: kommunistische Jugendorganisation in der ehem. UdSSR. **Kom|so|mol|ze** der; -n, -n: Mitglied des Komsomol **Kom|tess** u. **Kom|tes|se** [auch: kõ'tεs] ⟨lat.-fr.⟩ die; -, ...essen: unverheiratete Tochter eines Grafen **Kom|tur** ⟨lat.-mlat.-fr.⟩ der; -s, -e: 1. (hist.) Ordensritter als Leiter einer Komturei. 2. Inhaber eines

Komturkreuzes. **Kom|tu|rei** *die;* -, -en: (hist.) Verwaltungsbezirk od. Ordenshaus eines geistlichen Ritterordens. **Kom|tur|kreuz** ⟨*lat.-nlat.-fr.; dt.*⟩ *das;* -es, -e: Halskreuz eines Verdienstordens

Ko|nak ⟨*türk.*⟩ *der;* -s, -e: Palast, Amtsgebäude in der Türkei

Ko|na|ti|on ⟨*lat.-engl.*⟩ *die;* -, -en: zielgerichtete ↑Aktivität (1), Trieb, Antrieb, Streben (Psychol.). **ko|na|tiv:** strebend, antriebhaft

Kon|au|tor vgl. Koautor

kon|axi|al vgl. koaxial

Kon|cha ⟨*gr.-lat.*⟩ *die;* -, -s u. ...chen: 1. (in frühchristlichen u. mittelalterlichen Kirchen) halbkreisförmige ↑Apsis (1). 2. muschelähnlicher Teil eines Organs (Med.). **Kon|che** *die;* -, -n: 1. Koncha (1). 2. bei der Schokoladenherstellung verwendeter muschelförmiger Trog. **kon|chie|ren** ⟨*gr.-lat.-fr.*⟩: Schokoladenmasse in der Konche (2) einer Wärmebehandlung aussetzen. **Kon|chil|fe|re** ⟨*gr.-lat.; lat.*⟩ *die;* -, -n (meist Plural): Weichtier mit einheitlicher Schale. **kon|chi|form:** muschelförmig (Kunstw.). **Kon|cho|ji|de** ⟨*gr.-nlat.*⟩ *die;* -, -n: Muschellinie, Kurve vierter Ordnung (Math.). **Kon|cho|lo|ge** usw. ↑Konchyliologe usw. **Kon|cho|skop*** *das;* -s, -e: Spiegelinstrument zur Untersuchung der Nasenmuscheln; Nasenspiegel (Med.). **Kon|chy|lie** [...jə] ⟨*gr.-lat.*⟩ *die;* -, -n (meist Plural): Schale der Weichtiere. **Kon|chy|li|o|lo|ge** ⟨*gr.-nlat.*⟩ *der;* -n, -n: Wissenschaftler, der auf dem Gebiet der Konchyliologie arbeitet. **Kon|chy|li|o|lo|gie** *die;* -: Teilgebiet der ↑Malakologie, das sich mit der Untersuchung von Weichtierschalen befasst. **kon|chy|li|o|lo|gisch:** die Konchyliologie betreffend

Kon|dem|na|ti|on ⟨*lat.*⟩ *die;* -, -en: 1. (veraltet) Verurteilung, Verdammung. 2. Erklärung eines Sachverständigen, durch die festgestellt wird, dass ein durch ↑Kollision (1), Brand, Strandung o.Ä. beschädigtes Schiff nicht mehr repariert werden kann, sich eine Reparatur nicht mehr lohnt (Seerecht) **kon|dem|nie|ren:** 1. (veraltet) jmdn. verdammen, verurteilen. 2. eine Kondemnation (2) herausgeben (Seerecht)

Kon|den|sat ⟨*lat.*⟩ *das;* -[e]s, -e: bei der Kondensation (1) entstandene Flüssigkeit (Phys.).

Kon|den|sa|ti|on *die;* -, -en: 1. Verdichtung von Gas od. Dampf zu Flüssigkeit durch Druck od. Abkühlung (Phys.). 2. chemische Reaktion, bei der sich zwei Moleküle unter Austritt eines chemisch einfachen Stoffes (z.B. Wasser) zu einem größeren Molekül vereinigen (Chem.). **Kon|den|sa|ti|ons|kern** ⟨*lat.; dt.*⟩ *der;* -[e]s, -e: feinstes Teilchen, Ausgangspunkt für die Kondensation (1) von Wasserdampf in der Atmosphäre (Meteor.). **Kon|den|sa|ti|ons|ni|veau** *das;* -s: Höhenschicht, bei der die Kondensation (1) von Wasserdampf einsetzt (Meteor.). **Kon|den|sa|ti|ons|punkt** *der;* -[e]s: Temperatur, bei der sich Dampf verflüssigt (Taupunkt). **Kon|den|sa|tor** ⟨*lat.-nlat.;* „Verdichter"⟩ *der;* -s, ...oren: 1. Gerät zur Speicherung elektrischer Ladungen (Elektrot.). 2. Anlage zur Kondensation (1) von Dämpfen; Verflüssiger. **kon|den|sie|ren** ⟨*lat.*⟩: 1. a) Gase od. Dämpfe durch Druck od. Abkühlung verflüssigen; b) aus dem gas- od. dampfförmigen in einen flüssigen Zustand übergehen, sich verflüssigen. 2. eine Flüssigkeit durch Verdampfen eindicken; **kondensierte Ringe:** chemische Verbindungen, bei denen zwei od. mehrere Ringe gemeinsame Atome haben (Chem.); **kondensierte Systeme:** organische Stoffe, deren Moleküle mehrere Benzolringe enthalten, von denen je zwei zwei nebeneinander liegende Kohlenstoffatome gemeinsam haben. **Kon|dens|milch** ⟨*lat.; dt.*⟩ *die;* -: eingedickte, in Dosen abgefüllte [sterilisierte] Milch. **Kon|den|sor** ⟨*lat.-nlat.*⟩ *der;* -s, ...oren: ein System von Linsen in optischen Apparaten, mit dem ein Objekt möglichst hell ausgeleuchtet werden kann. **Kon|dens|strei|fen** *der;* -s, -: schmaler, weißer, wolkenähnlicher Streifen am Himmel, der sich durch Kondensation (1) von Wasserdampf in den Abgasen eines Flugzeugs bilden kann

Kon|des|zen|denz* ⟨*lat.*⟩ *die;* -, -en: a) Herablassung, Nachgiebigkeit; b) (im theologischen Sprachgebrauch) gnädige Herablassung Gottes zu den Menschen in der Gestalt Jesu Christi

Kon|dik|ti|on ⟨*lat.*⟩ *die;* -, -en: (veraltet) Klage auf Rückgabe einer nicht rechtmäßig erworbenen Sache (Rechtsw.)

kon|di|tern ⟨*lat.*⟩: 1. (landsch.) [häufig] Konditoreien besuchen. 2. (ugs.) Feinbackwaren herstellen

Kon|di|ti|on ⟨*lat.*⟩ *die;* -, -en: 1. (meist Plural) Geschäftsbedingung (Lieferungs- u. Zahlungsbedingung). 2. (ohne Plural) a) körperlich-seelische Gesamtverfassung eines Menschen; b) körperliche Leistungsfähigkeit; Ausdauer (bes. eines Sportlers). 3. (veraltet) Stellung, Dienst [eines Angestellten]. **kon|di|ti|o|nal:** eine Bedingung angebend; bedingend (z.B. von Konjunktionen: *falls* er kommt ...; Sprachw.); vgl. ...al/...ell. **Kon|di|ti|o|nal** *der;* -s, -e u. **Kon|di|ti|o|na|lis** *der;* -, ...les [...le:s]: Modus der Bedingung (z.B. ich *würde* kommen, wenn...; Sprachw.). **Kon|di|ti|o|na|lis|mus** ⟨*lat.-nlat.*⟩ u. Konditionismus *der;* -: philosophische Richtung, die den Begriff der Ursache durch den der Bedingung ersetzt (Philos.). **Kon|di|ti|o|nal|satz** *der;* -es, ...sätze: Umstandssatz der Bedingung (z.B. *wenn das wahr ist,* dann ...; Sprachw.). **kon|di|ti|o|nell:** die Kondition (2b) betreffend; vgl. ...al/...ell. **Kon|di|ti|o|nen|kar|tell** *das;* -s, -e: ↑Kartell, bei dem sich die Abmachungen zwischen den teilnehmenden Unternehmern auf die Verpflichtung zur Einhaltung gleicher Liefer- u. Zahlungsbedingungen beziehen (Wirtsch.). **kon|di|ti|o|nie|ren:** 1. (veraltet) in Stellung sein, in Diensten stehen. 2. gereinigtes Getreide für die Vermahlung vorbereiten. 3. den Feuchtigkeitsgrad von Textilrohstoffen ermitteln. 4. Ausgangsrohstoffen für die Verarbeitung bestimmte Eigenschaften verleihen. 5. bestimmte Reaktionen hervorrufen (von Reizen; Psychol.). **kon|di|ti|o|niert:** 1. beschaffen (von Waren). 2. bestimmte Reaktionen bedingend (von Reizen; Psychol.). **Kon|di|ti|o|nie|rung** *die;* -, -en: 1. das Ausbilden bedingter Reaktionen bei Mensch od. Tier, wobei eine Reaktion auch dann eintritt, wenn anstelle des ursprünglichen Auslösereizes ein zunächst neutraler Reiz tritt (Psychol.); vgl. Gegenkonditionierung. 2. Behandlung des Getreides vor dem Mahlen mit Feuchtigkeit u. Wärme. 3. Ermittlung des Feuchtigkeitsgrades von Textilrohstoffen. **Kon|di-**

ti|o|nis|mus vgl. Konditionalismus. Kon|di|ti|ons|trai|ning *das;* -s: auf die Verbesserung der ↑ Kondition (2 b) ausgerichtetes Training

Kon|di|tor ⟨lat.; „Hersteller würziger Speisen"⟩ *der;* -s, ...oren: Feinbäcker. Kon|di|to|rei *die;* -, -en: 1. Betrieb, der Feinbackwaren herstellt u. verkauft u. zu dem oft ein Café gehört 2. (ohne Plural) Feinbackwaren, Feingebäck

kon|di|zie|ren: (eine nicht rechtmäßig erworbene Sache) zurückfordern (Rechtsw.); vgl. Kondiktion

Kon|do ⟨*jap.*; „goldene Halle"⟩ *das;* -s, -s: zentrales Gebäude im japanischen buddhistischen Tempel, in dem Kultbilder oder -statuen stehen, die umschritten werden können

Kon|do|lenz ⟨lat.-nlat.⟩ *die;* -, -en: Beileid; Beileidsbezeigung. kon|do|lie|ren ⟨lat.⟩: sein Beileid aussprechen

Kon|dom ⟨engl.⟩ *das* od. *der;* -s, -e (selten: -s): ↑ Präservativ

Kon|do|mi|nat ⟨lat.-nlat.⟩ *das* od. *der;* -[e]s, -e u. Kon|do|mi|ni|um *das;* -s, ...ien a) Herrschaft mehrerer Staaten über dasselbe Gebiet; b) Gebiet, das unter der Herrschaft mehrerer Staaten steht

Kon|dor ⟨indian.-span.⟩ *der;* -s, -e: sehr großer in Südamerika heimischer Geier

Kon|dot|tie|re ⟨lat.-it.⟩ *der;* -s, ...ri: Söldnerführer im 14. u. 15. Jh. in Italien. Kon|du|i|te [auch: kõ'dyi̯:tə] ⟨lat.-fr.⟩ *die;* -: (veraltet) Führung, Betragen. Kon|dukt ⟨lat.⟩ *der;* -[e]s, -e: [feierliches] Geleit, Gefolge [bei Begräbnissen]. Kon|duk|tanz ⟨lat.-nlat.⟩ *die;* -: Wirkleitwert (Elektrot.). Kon|duk|teur [...'tø:ɐ, schweiz.: 'kon...] ⟨lat.-fr.⟩ *der;* -s, -e: (schweiz., sonst veraltet) [Straßen-, Eisenbahn]schaffner. Kon|duk|to|met|rie* ⟨lat.; gr.⟩ *die;* -: Verfahren zur Bestimmung der Zusammensetzung chemischer Verbindungen durch Messung der sich ändernden Leitfähigkeit (Chem.). kon|duk|to|met|risch*: den Konduktometrie betreffend, auf ihr beruhend. Kon|duk|tor ⟨lat.⟩ *der;* -s, ...oren: 1. Hauptleiter der Elektrisiermaschine. 2. selbst gesund bleibender Überträger einer Erbkrankheit (z. B. Frauen bei der Übertragung der Bluterkrankheit, an der nur Männer erkranken; Med.). Kon|duk|tus vgl. Conductus

Kon|du|ran|go [...ŋgo] ⟨indian.-span.⟩ *die;* -, -s: südamerik. Strauch, dessen Rinde ein bitteres Magenmittel liefert

Kon|dy|lom ⟨gr.-lat.⟩ *das;* -s, -e: nässende ↑ Papel in der Genitalgegend (Med.)

Ko|nen: *Plural* von ↑ Konus

Kon|fa|bu|la|ti|on ⟨lat.⟩ *die;* -, -en: auf Erinnerungstäuschung beruhender Bericht über vermeintlich erlebte Vorgänge (Psychol.). kon|fa|bu|lie|ren: erfundene Erlebnisse als selbst erlebt darstellen

Kon|fekt ⟨lat.-mlat.; „Zubereitetes"⟩ *das;* -[e]s, -e: 1. feine Zuckerwaren, Pralinen. 2. (südd., schweiz., österr.) Teegebäck. Kon|fek|ti|on ⟨lat.-fr.⟩ *die;* -, -en: 1. fabrikmäßige Serienherstellung von Kleidungsstücken. 2. in Konfektion (1) hergestellte Kleidung. 3. Bekleidungsindustrie. Kon|fek|ti|o|när *der;* -s, -e: jmd., der Konfektion (2) entwirft, herstellt. kon|fek|ti|o|nie|ren: serienmäßig herstellen

Kon|fe|renz ⟨lat.-mlat.⟩ *die;* -, -en: 1. Sitzung; Besprechung; Tagung. 2. beratschlagende Versammlung. 3. kartellartiger Zusammenschluss von Reedereien im Überseegeschäft. Kon|fe|renz|schal|tung ⟨lat.-mlat.⟩ *die;* -, -en: drahtlose od. telefonische Zusammenschaltung verschiedener Teilnehmer (an verschiedenen Orten) bei der jeder mit allen in Kontakt treten kann. kon|fe|rie|ren ⟨lat.-fr.⟩: 1. mit jmdm. verhandeln, über etwas [in größerem Kreis] beraten 2. bei einer Veranstaltung als ↑ Conférencier arbeiten

Kon|fes|si|on ⟨lat.⟩ *die;* -, -en: 1. [christliche] Glaubensgemeinschaft, Gesamtheit der Menschen, die zu der gleichen Glaubensgemeinschaft gehören. 2. literarische Zusammenfassung von Glaubenssätzen; vgl. Confessio (1 b). 2 a) christliches [Glaubens]bekenntnis; b) Geständnis, [Sünden]bekenntnis. kon|fes|si|o|nal|li|sie|ren: die Besonderheiten einer Konfession (1) in allen Bereichen des Lebens, der Kirche, der Theologie durchsetzen. Kon|fes|si|o|na|lis|mus; -: [übermäßige] Betonung der eigenen Konfession. kon|fes|si|o|na|lis|tisch: den Konfessionalismus betreffend; eng kirchlich denkend. kon|fes-

si|o|nell: zu einer Konfession gehörend. Kon|fes|si|ons|schu|le ⟨lat.; dt.⟩ *die;* -, -n: Bekenntnisschule, in der der Unterricht im Geiste einer bestimmten Konfession, bes. der katholischen, gestaltet wird; Ggs. ↑ Simultanschule

Kon|fet|ti ⟨lat.-mlat.-it.⟩ *das;* -[s]: 1. bunte Papierblättchen, die bes. bei Faschingsveranstaltungen geworfen werden. 2. (österr. veraltet) Zuckergebäck, Süßigkeiten. Kon|fet|ti|pa|ra|de *die;* -, -n: (bes. in Amerika) Umzug, bei dem eine Persönlichkeit des öffentlichen Lebens gefeiert wird u. bei dem große Mengen von Konfetti geworfen werden

Kon|fi|dent ⟨lat.-fr.⟩ *der;* -en, -en: 1. a) (veraltet) Vertrauter, Freund; b) jmd., der mit bestimmten Gegebenheiten vertraut ist. 2. (österr.) [Polizei]spitzel. kon|fi|den|ti|ell (veraltet) vertraulich (von Briefen, Mitteilungen). Kon|fi|denz *die;* -, -en: (veraltet) 1. Vertrauen. 2. vertrauliche Mitteilung

Kon|fi|gu|ra|ti|on ⟨lat.⟩ *die;* -, -en: 1. (veraltet) Gestaltung, Gestalt. 2. (Med.) a) äußere Form, Gestalt od. Aufbau eines Organs od. Körperteils; b) Verformung (z. B. des kindlichen Schädels bei der Geburt). 3. ↑ Aspekt (2). 4. die dreidimensionale, räumliche Anordnung der Atome um ein Zentralatom (Chem.). 5. Anordnung u. wechselseitige Beziehung verschiedener Einzelerlebnisse in einem zusammenhängenden Sachverhalt (Psychol.). 6. (Sprachw.) a) geordnete Menge bes. von semantischen Merkmalen; b) Gruppe syntaktisch verbundener Wörter. kon|fi|gu|rie|ren: 1. (veraltet) gestalten 2. verformen

Kon|fi|na|ti|on ⟨lat.-nlat.⟩ *die;* -en: (veraltet) 1. Einteilung in bestimmte Bezirke. 2. Hausarrest; gerichtliche Aufenthalts- bzw. Wohnbeschränkung auf einen bestimmten Bezirk. Kon|fi|nie|ren: (veraltet) 1. in bestimmte Bezirke einteilen. 2. den Aufenthalt einer Person durch gerichtliche Anordnung auf einen bestimmten Ort beschränken. Kon|fi|ni|tät *die;* -: (veraltet) Grenznachbarschaft. Kon|fi|ni|um ⟨lat.⟩ *das;* -s, ...ien (veraltet) 1. Grenze; Grenzland. 2. (hist.) die österr. Grenzgebiete in Südtirol

Kon|fir|mand ⟨lat.; „der zu Bestärkende") *der;* -en, -en: jmd., der konfirmiert wird. **Kon|fir|ma|ti|on** *die;* -, -en: feierliche Aufnahme junger evangelischer Christen in die Gemeinde der Erwachsenen. **kon|fir|mie|ren:** einen evangelischen Jugendlichen nach vorbereitendem Unterricht feierlich in die Gemeinde der Erwachsenen aufnehmen **Kon|fi|se|rie** [auch: ...], *⟨lat. fr.⟩ die;* -, ...ien: (schweiz.) Betrieb, der Süßwaren, Pralinen o. Ä. herstellt u. verkauft. **Kon|fi|seur** [...ˈzøːɐ̯] *der;* -s, -e: (schweiz.) jmd., der berufsmäßig Süßwaren, Pralinen o. Ä. herstellt **Kon|fis|kat** *⟨lat.⟩ das;* -[e]s, -e (meist Plural): (Tiermed.) 1. nicht zum Verzehr geeigneter Teil von Schlachttieren. 2. Geschlechtsteil eines ungeborenen Tieres. **Kon|fis|ka|ti|on** *die;* -, -en: entschädigungslose staatliche Enteignung einer Person od. Gruppe. **kon|fis|ka|to|risch:** eine Konfiskation betreffend, darauf beruhend; in der Art einer Konfiskation. **kon|fis|zie|ren:** etwas [von Staats wegen, gerichtlich] einziehen, beschlagnahmen **Kon|fi|tent** *⟨lat.⟩ der;* -en, -en: (veraltet) Beichtender, Beichtkind **Kon|fi|tü|re** *⟨lat.-fr.⟩ die;* -, -n: aus nur einer Obstsorte hergestellte Marmelade [mit ganzen Früchten od. Fruchtstücken] **Kon|flag|ra|ti|on** * *⟨lat.⟩ die;* -, -en: Feuersbrunst, Brand **kon|fli|gie|ren** * *⟨lat.⟩:* mit etwas in Konflikt geraten. **Kon|flikt** ⟨„Zusammenstoß"⟩ *der;* -[e]s, -e: 1. a) [bewaffnete, militärische] Auseinandersetzung zwischen Staaten; b) Streit, Zerwürfnis. 2. Widerstreit der Motive, Zwiespalt. **kon|flikt|är:** einen Konflikt enthaltend, voller Konflikte. **kon|flik|tiv:** einen Konflikt in sich bergend, Konflikte erzeugend. **Kon|flikt|kom|mis|si|on** *die;* -, -en: (früher in der DDR) Kommission in Betrieben u. staatlichen Verwaltungen, die über bestimmte Streitfälle eigenverantwortlich entschied **Kon|flu|enz** * *⟨lat.⟩ die;* -, -en: Zusammenfluss zweier Gletscher (Geol.); Ggs. ↑Diffluenz. **kon|flu|ie|ren:** zusammenfließen, sich vereinigen (z. B. von Blutgefäßen; Med.). **Kon|flux** *der;* -es, -e: ↑Konfluenz **Kon|fö|de|ra|ti|on** *⟨lat.;* „Bündnis"⟩ *die;* -, -en: Staatenbund.

kon|fö|de|rie|ren [sich]: sich verbünden; **die Konföderierten Staaten von Amerika:** (hist.) die 1861 von den USA abgefallenen u. dann wieder zur Rückkehr gezwungenen Südstaaten der USA. **Kon|fö|de|rier|te** *der u. die;* -n, -n: 1. Verbündete[r]. 2. (hist.) Anhänger[in] der Südstaaten im Sezessionskrieg **kon|fo|kal** *⟨lat.-nlat.⟩:* mit gleichen Brennpunkten (Phys.) **kon|form** *⟨lat.;* „gleichförmig, ähnlich"⟩:* 1. einig, übereinstimmend (in den Ansichten); **mit etwas konform gehen:** mit etwas einig gehen, übereinstimmen. 2. winkel-, maßstabgetreu (von Abbildungen; Math.). **Kon|for|ma|ti|on** *⟨lat.-engl.⟩ die;* -, -en: eine der verschiedenen räumlichen Anordnungsmöglichkeiten der ↑Atome eines ↑Moleküls, die sich durch Drehung um eine einfache Achse ergeben (Chem.). **kon|for|mie|ren:** (veraltet) anpassen, einfügen; übereinstimmend machen. **Kon|for|mis|mus** *⟨lat.-engl.⟩ der;* -: Haltung, die durch Angleichung der eigenen Einstellung an die herrschende Meinung gekennzeichnet ist; Ggs. ↑Nonkonformismus. **Kon|for|mist** *der;* -en, -en: 1. jmd., der seine eigene Einstellung der herrschenden Meinung angleicht; ↑Nonkonformist (1). 2. Anhänger der anglikanischen Staatskirche; Ggs. ↑Nonkonformist (2). **kon|for|mis|tisch:** 1. den Konformismus betreffend, ihm entsprechend; Ggs. ↑nonkonformistisch (1). 2. im Sinne der anglikanischen Staatskirche denkend od. handelnd; Ggs. ↑nonkonformistisch (2). **Kon|for|mi|tät** *⟨lat.-mlat.⟩ die;* -: 1. a) Übereinstimmung mit der Einstellung anderer; Ggs. ↑Nonkonformität; b) das Gleichgerichtetsein des Verhaltens einer Person mit einer Gruppe als Ergebnis der ↑Sozialisation (Soziol.). 2. Winkel- u. Maßstabtreue bei Abbildung (Math.). **Kon|fra|ter** *⟨lat.-mlat.;* „Mitbruder"⟩ *der;* -s, ...fratres [...re:s]: Amtsbruder innerhalb der katholischen Geistlichkeit. **Kon|fra|ter|ni|tät** *die;* -, -en: (veraltet) Bruderschaft innerhalb der katholischen Geistlichen **Kon|fron|ta|ti|on** * *⟨lat.-mlat.⟩ die;* -, -en: 1. das Gegenüberstellung von einander widersprechenden Meinungen, Sachverhalten od. Personengruppen. 2. [politische]

Auseinandersetzung zwischen Gegnern. 3. ↑synchronischer Vergleich von zwei Sprachzuständen , der das Ziel hat,die Unterschiede als auch die Gemeinsamkeiten von zwei untersuchten Sprachen im Hinblick auf den Fremdsprachenunterricht festzustellen (Sprachw.). **kon|fron|ta|tiv:** ↑komparativ (2 a), ↑kontrastiv. **kon|fron|tie|ren:** a) jmdn. anderen gegenüberstellen, bes. um etw. aufzuklären; b) jmdn. in eine Stuaton bringen, die ihn zur Auseinandersetzung mit etw. Unangenehmem zwingt; c) als ↑Kontrast (1), zum Vergleich einander gegenüberstellen **kon|fun|die|ren** *⟨lat.⟩:* (veraltet) vermengen, verwirren. **kon|fus** ⟨„ineinander gegossen"⟩: verwirrt, verworren; wirr (im Kopf), durcheinander. **Kon|fu|si|on** *die;* -, -en: 1. Verwirrung, Zerstreutheit; Unklarheit. 2. das Erlöschen eines Rechtes, wenn Berechtigung u. Verpflichtung in einer Person zusammenfallen (z. B. durch Kauf; Rechtsw.) **Kon|fu|ta|ti|on** *⟨lat.⟩ die;* -, -en: (veraltet) Widerlegung, Überführung (Rechtsw.) **Kon|fu|zi|a|ner** *⟨nlat.⟩* nach Konfuzius (etwa 551 bis etwa 470 v. Chr.), dem Gründer der chin. Staatsreligion) *der;* -s, -: Anhänger der Lehren des Konfuzius. **kon|fu|zi|a|nisch:** nach Art des Konfuzius. **Kon|fu|zi|a|nis|mus** *der;* -: auf dem Leben u. der Lehre des Konfuzius beruhende ethische, weltanschauliche u. staatspolitische Geisteshaltung in China u. Ostasien. **kon|fu|zi|a|nis|tisch:** den Konfuzianismus betreffend **kon|ge|ni|al** *⟨lat.-nlat.⟩:* hinsichtlich der Interpretation eines [genialen] Werks von entsprechendem [gleichen] Rang. **Kon|ge|ni|a|li|tät** *die;* -: Gleichrangigkeit hinsichtlich der Interpretation eines [genialen] Werks **kon|ge|ni|tal** *⟨lat.-nlat.⟩:* angeboren; aufgrund einer Erbanlage bei der Geburt vorhanden (z. B. von Erbkrankheiten; Med.) **Kon|ges|ti|on** *⟨lat.;* „Aufhäufung"⟩ *die;* -, -en: lokaler Blutandrang (z. B. bei Entzündungen; Med.). **kon|ges|tiv** *⟨lat.-nlat.⟩:* Blutandrang bewirkend (Med.) **Kon|glo|ba|ti|on** *⟨lat.⟩ die;* -, -en: Anhäufung von Individuen einer Art aufgrund bestimmter örtlicher Gegebenheiten (Zool.)

Kon|glo|me|rạt ⟨lat.-fr.⟩ das; -[e]s, -e: 1. Zusammenballung, Gemisch. 2. Sedimentgestein aus gerundeten, durch ein Bindemittel verfestigten Gesteinstrümmern (Geol.). kon|glo|me|rạtisch: das Gesteinsgefüge eines Konglomerats (2) betreffend (Geol.). Kon|glo|me|rạt|tu|mor der; -s, -en: durch eine entzündliche Verwachsung verschiedener Organe entstandene Geschwulst (Med.)

Kon|glu|ti|nạt ⟨lat.⟩ das; -[e]s, -e: (selten) ↑Konglomerat. Konglu|ti|na|ti|on die; -, -en: Verklebung [von roten Blutkörperchen] (Med.). kon|glu|ti|ni|eren: zusammenballen, verkleben (Med.)

Kon|go|rot ⟨nach dem Namen des afrikanischen Flusses⟩ das; -s: ↑Azofarbstoff, der als ↑Indikator (4) für Säuren u. Basen (früher auch als Textilfarbstoff) verwendet wird

Kon|gre|ga|ti|on ⟨lat.⟩ die; -, -en: 1. kirchliche Vereinigung [mit einfacher Mönchsregel] für bestimmte kirchliche Aufgaben. 2. engerer Verband vom Klöstern innerhalb eines Mönchsordens. 3. ↑Kardinalskongregation. 4. (veraltet) Vereinigung, Versammlung. Kon|gre|ga|ti|o|na|lis|mus ⟨lat.-engl.⟩ der; -: reformiert-kalvinistische religiöse Bewegung in England u. Nordamerika, die eine übergeordnete Kirchenstruktur ablehnt. Kon|gre|ga|ti|o|na|list der; -en, -en: Angehöriger einer englisch-nordamerikanischen Kirchengemeinschaft. kon|gre|ga|ti|o|na|lis|tisch: den Kongregationalismus betreffend. Kon|gre|ga|ti|o|nist ⟨lat.-nlat.⟩ der; -en, -en: Mitglied einer Kongregation. kon|gre|gie|ren: sich versammeln, vereinigen

Kon|grẹss ⟨lat.⟩ „Zusammenkunft; Gesellschaft") der; -es, -e: 1. [größere] fachliche od. politische Versammlung, Tagung. 2. (ohne Plural) das ↑Senat (2) u. ↑Repräsentantenhaus bestehendes Parlament in den USA

kon|gru|ent ⟨lat.⟩: 1. übereinstimmend (von Ansichten); Ggs. ↑disgruent. (Math.) a) deckungsgleich (von geometrischen Figuren); b) übereinstimmend (von zwei Zahlen, die, durch eine dritte geteilt, gleiche Reste liefern); Ggs. ↑inkongruent. Kon|gru|ẹnz die; -, -en: 1. Übereinstimmung. 2. (Math.) a)

Deckungsgleichheit; b) Übereinstimmung; vgl. kongruent (2 b). 3. (Sprachw.) a) formale Übereinstimmung zusammengehöriger Teile im Satz in ↑Kasus (2), ↑Numerus (3), ↑Genus (2) u. ↑Person (5); b) inhaltlich sinnvolle Vereinbarkeit des ↑Verbs mit anderen Satzgliedern. kongru|ie|ren: übereinstimmen, sich decken

Ko|ni|die [...i̯ə] ⟨gr.-nlat.⟩ die -, -n (meist Plural): durch Abschnürung entstehende Fortpflanzungszelle vieler Pilze

Ko|ni|fe|re ⟨lat.; „Zapfen tragend") die; -, -n (meist Plural): Nadelholzgewächs

Kö|nigs|bait ⟨dt.; arab.⟩ das; -[s], -s: erstes gereimtes Verspaar des ↑Gasels

Ko|ni|in ⟨gr.-nlat.⟩ das; -s: giftiges ↑Alkaloid aus den unreifen Früchten des Gefleckten Schierlings

Ko|ni|ma|harz ⟨indian.; dt.⟩ das; -es: weihrauchartiges Harz eines südamerik. Baumes

Ko|ni|me|ter ⟨gr.; gr.-lat.-fr.⟩ das; -s, -: Apparat zur Bestimmung des Staubgehalts in der Luft. Ko|ni|o|se ⟨gr.-nlat.⟩ die; -, -n: Staubkrankheit (Med.)

Ko|ni|o|to|mie ⟨gr.-lat.⟩ die; -, ...ien: operative Durchtrennung des Bandes zwischen Ring- u. Schildknorpel am Kehlkopf als Notoperation bei Erstickungsgefahr (Med.)

ko|nisch ⟨gr.-nlat.⟩: kegelförmig; konische Projektion: Kartenprojektion auf eine Kegeloberfläche (Math.). Ko|ni|zi|tät die; -, -en: Kegelförmigkeit, Kegelähnlichkeit (Math.)

Kon|jek|ta|ne|en [auch: ...'ne:ən] ⟨lat.⟩ die (Plural): [Sammlung von] Bemerkungen. Kon|jek|tur die; -, -en: 1. (veraltet) Vermutung. 2. mutmaßlich richtige Lesart; Textverbesserung bei schlecht überlieferten Texten. kon|jek|tu|ral: die Konjektur betreffend, auf einer Konjektur beruhend. Kon|jek|tu|ral|kri|tik die; -: philologische Kritik, die Konjekturen (2) anbringt u. prüft. kon|ji|zie|ren: 1. (veraltet) vermuten. 2. Konjekturen (2) anbringen

kon|ju|gal ⟨lat.⟩: (veraltet) ehelich. Kon|ju|ga|te die; -, -n (meist Plural): Jochalge (Biol.). Kon|ju|ga|ti|on ⟨„Verbindung; Beugung") die; -, -en: 1. Abwandlung, Beugung des Verbs nach ↑Person (5), ↑Numerus (3),

↑Tempus, ↑Modus (2) u. a. (Sprachw.); vgl. Deklination. 2. (Biol.) a) vorübergehende Vereinigung zweier Wimpertierchen, die mit Kernaustausch verbunden ist; b) Vereinigung der gleich gestalteten Geschlechtszellen von Konjugaten. kon|ju|gie|ren: 1. ein Verb beugen (Sprachw.); vgl. deklinieren. 2. (veraltet) verbinden. kon|ju|giert: 1. zusammengehörend, einander zugeordnet (z. B. von Zahlen, Punkten, Geraden; Math.); konjugierter Durchmesser: Durchmesser von Kegelschnitten, der durch die Halbierungspunkte aller Sehnen geht, die zu einem anderen Durchmesser parallel sind (Math.). 2. mit Doppelbindungen abwechselnd (von einfachen Bindungen; Chem.). Kon|junkt ⟨lat.⟩ das; -s, -e: Teil des Satzes, der mit anderen Satzelementen zusammen auftreten kann (Sprachw.); Ggs. ↑¹Adjunkt. Kon|junk|ti|on ⟨„Verbindung; Bindewort") die; -, -en: 1. nebenod. unterordnendes Bindewort (z. B. und, obwohl; Sprachw.). 2. das Zusammentreffen mehrerer Planeten im gleichen Tierkreiszeichen (Astrol.). 3. Stellung zweier Gestirne im gleichen Längengrad (Astron.). 4. Verknüpfung zweier od. mehrerer Aussagen durch den ↑Konjunktor „und" (Logik). kon|junk|ti|o|nal ⟨lat.-nlat.⟩: die Konjunktion (1) betreffend, durch sie ausgedrückt. Kon|junk|ti|o|nal|ad|verb das; -s, ...ien: ↑Adverb, das auch die Funktion einer ↑Konjunktion (1) erfüllen kann (z. B. trotzdem: er hat trotzdem [Adv.] gewartet; er kennt die Gefahr, trotzdem [Konj.] will er es tun). Kon|junk|ti|o|nal|satz der; -es, ...sätze: durch eine Konjunktion (1) eingeleiteter Gliedsatz (z. B. er weiß nicht, dass Maria u. Klaus verreist sind). kon|junk|tiv [auch: ...'ti:f] ⟨lat.⟩: verbindend; Ggs. ↑disjunktiv (a); konjunktives Urteil: Satz mit Subjekt u. mehreren Prädikaten (Formel: X = A + B; Philos.). Kon|junk|tiv [auch: ...'ti:f] der; -s, -e: Aussageweise der Vorstellung; Möglichkeitsform (sie sagte, sie sei verreist; Sprachw.); Abk.: Konj.; Ggs. ↑¹Indikativ. Kon|junk|ti|va die; -, ...vä: Bindehaut des Auges (Med.). kon|junk|ti|visch [auch: ...'ti:...]: den Konjunktiv betreffend, auf ihn bezogen. Kon|junk|ti|vi|tis ⟨lat.-

nlat.⟩ *die; -, ...it|den:* Bindehautentzündung des Auges (Med.).

Kon|junk|tor *der; -s:* die logische Partikel „und" (Zeichen: ∧) zur Herstellung einer ↑Konjunktion (4) (Logik). **Kon|junk|tur** *die; -, -en:* (Wirtsch.) a) Wirtschaftslage, -entwicklung; vgl. Depression (3) u. Prosperität; b) Wirtschaftsaufschwung (Hochkonjunktur). **kon|junk|tu|rell:** die wirtschaftliche Gesamtlage u. ihre Entwicklungstendenz betreffend **Kon|ju|rant** ⟨*lat.*⟩ *der; -en, -en:* (veraltet) Verschworener. **Kon|ju|ra|ti|on** *die; -, -en:* (veraltet) Verschwörung **kon|kav** ⟨*lat.;* „hohlrund, gewölbt"⟩: hohl, vertieft, nach innen gewölbt (z. B. von Linsen od. Spiegeln; Phys.); Ggs. ↑konvex. **Kon|ka|vi|tät** *die; -:* Wölbung nach innen; Ggs. ↑Konvexität. **Kon|kav|spie|gel** *der; -s, -:* Hohlspiegel **Kon|kla|ve*** ⟨*lat.*⟩ *das; -s, -n:* a) streng abgeschlossener Versammlungsort der Kardinäle bei einer Papstwahl; b) Kardinalsversammlung zur Papstwahl **kon|klu|dent*** ⟨*lat.*⟩: eine Schlussfolgerung zulassend; schlüssig (bes. Philos.); **konkludentes Verhalten:** eine ausdrückliche Willenserklärung rechtswirksam ersetzendes, schlüssiges Verhalten (Rechtsw.). **kon|klu|die|ren:** etwas aus etwas folgern, einen Schluss ziehen (Philos.). **Kon|klu|si|on** *die; -, -en:* Schluss, Folgerung, Schlusssatz im ↑Syllogismus (Philos.). **kon|klu|siv** ⟨*lat.-nlat.*⟩: 1. folgernd (Philos.). 2. (von Verben) den allmählichen Abschluss eines Geschehens kennzeichnend (z. B. verklingen, verblühen; Sprachw.) **kon|ko|mi|tant** ⟨*lat.*⟩: nicht relevant, nicht distinktiv; redundant. **Kon|ko|mi|tanz** ⟨*lat.-mlat.;* „Begleitung"⟩ *die; -:* 1. das gemeinsame Vorkommen von sprachlichen Elementen verschiedener Klassen, das obligatorisch (z. B. etw. bekommen), fakultativ (z. B. [etw.] rauchen) oder nie (z. B. kommen) stattfindet (Sprachw.). 2. Lehre, nach der Christus mit Fleisch u. Blut in jeder der beiden konsekrierten Gestalten Brot u. Wein zugegen ist **on|kor|dant** ⟨*lat.*⟩: 1. übereinstimmend. 2. gleichlaufend übereinander gelagert (von Gesteins-

schichten; Geol.). **Kon|kor|danz** ⟨*lat.mlat.*⟩ *die; -, -en:* 1. a) alphabetisches Verzeichnis von Wörtern od. Sachen zum Vergleich ihres Vorkommens u. Sinngehaltes an verschiedenen Stellen eines Buches (bes. als Bibelkonkordanz); b) Vergleichstabelle von Seitenzahlen verschiedener Ausgaben eines Werkes. 2. gleichlaufende Lagerung mehrerer Gesteinsschichten übereinander (Geol.). 3. die Übereinstimmung in Bezug auf ein bestimmtes Merkmal (z. B. von Zwillingen; Biol.). 4. ein Schriftgrad (Maßeinheit von 4↑Cicero; Druckw.). 5. (in bestimmten Sprachen) Ausdruck grammatischer Zusammenhänge durch formal gleiche Elemente, bes. durch ↑Präfixe (Sprachw.). **Kon|kor|dat** *das; -[e]s, -e:* 1. Vertrag zwischen einem Staat u. dem Vatikan. 2. (schweiz.) Vertrag zwischen Kantonen. **Kon|kor|dia** *die; -:* Eintracht, Einigkeit. **Kon|kor|di|en|buch** ⟨*lat.; dt.*⟩ *das; -[e]s:* am weitesten verbreitete Sammlung lutherischer Bekenntnisschriften. **Kon|kor|di|en|for|mel** *die; -:* letzte, allgemein anerkannte lutherische Bekenntnisschrift von 1577 **Kon|kre|ment*** ⟨*lat.;* „Zusammenhäufung"⟩ *das; -[e]s, -e:* vorwiegend aus Salzen bestehendes, krankhaftes, festes Gebilde, das in Körperhöhlen bzw. ableitenden Systemen entsteht (z. B. Nierensteine; Med.). **kon|kret** ⟨„zusammengewachsen"⟩: 1. als etw. sinnlich, anschaulich Gegebenes erfahrbar; **konkrete Kunst:** Richtung der modernen Kunst, bes. der Malerei, deren bildnerische Elemente nur sich selbst bedeuten wollen; **konkrete Literatur:** Richtung der modernen Literatur, die versucht, mit sprachlichen Mitteln, losgelöst von syntaktischen Zusammenhängen, rein visuell od. akustisch eine Aussage zu gestalten; **konkrete Musik:** Richtung der modernen Musik, bei der Geräusche aus dem täglichen Leben im elektronischer Verarbeitung im Vordergrund stehen. 2. im Einzelnen genau erklärt, genau dargelegt, tatsächlich. 3. gerade anstehend, im Augenblick so gegeben. **Kon|kre|ti|on** *die; -, -en:* 1. Vergegenständlichung. 2. Verklebung, Verwachsung (Med.). 3. knolliger, kugeliger mineralischer Körper in Gesteinen (Geol.).

kon|kre|ti|sie|ren ⟨*lat.-nlat.*⟩: im Einzelnen ausführen, näher bestimmen, deutlich machen. **Kon|kre|tum** ⟨*lat.*⟩ *das; -s, ...ta:* Substantiv, das etw. Gegenständliches bezeichnet (z. B. Tisch; Sprachw.); Ggs. ↑Abstraktum **Kon|ku|bi|nat** ⟨*lat.;* urspr. = gesetzlich erlaubte außereheliche Gemeinschaft für Personen, die nach röm. Recht eine bürgerliche Ehe nicht eingehen konnten⟩ *das; -[e]s, -e:* eheähnliche Gemeinschaft ohne Eheschließung (Rechtsw.). **Kon|ku|bi|ne** ⟨„Beischläferin"⟩ *die; -, -n:* 1. (veraltet) im Konkubinat lebende Frau. 2. (abwertend) Geliebte **Kon|ku|pis|zenz** ⟨*lat.⟩ die; -:* sinnliche Begehrlichkeit, Begehrlichkeit des Menschen (Philos.; Theol.) **Kon|kur|rent** ⟨*lat.⟩ der; -en, -en:* 1. jmd., der auf einem bestimmten Gebiet mit jmdm. konkurriert; Rivale in geschäftlichen Bereich, in einer sportlichen Disziplin o. Ä.). 2. (Plural) zwei Feste, die auf einander folgende Tage fallen (kath. Liturgie). **Kon|kur|renz** ⟨*lat.-mlat.⟩ die; -, -en:* 1. (ohne Plural) das Konkurrieren, bes. im wirtschaftlichen Bereich. 2. auf einem bestimmten Gebiet, bes. in einer sportlichen Disziplin stattfindender Wettkampf, Wettbewerb; **außer Konkurrenz:** außerhalb der offiziellen Wertung. 3. (ohne Plural) jmds. Konkurrent[en]. 4. (ohne Plural) das Zusammentreffen bestimmter Umstände. **kon|kur|ren|zie|ren** ⟨schweiz.⟩: mit jmdm. konkurrieren, jmdm. Konkurrenz machen, jmds, Konkurrent sein. **Kon|kur|renz|klau|sel** *die; -:* vertraglich vereinbartes Wettbewerbsverbot. **kon|kur|rie|ren** ⟨*lat.;* „zusammenlaufen, -treffen, aufeinander stoßen"⟩: mit anderen in Wettbewerb treten; sich gleichzeitig mit anderen um etw. bewerben. **Kon|kurs** *der; -es, -e:* 1. Zahlungsunfähigkeit, Zahlungseinstellung einer Firma. 2. gerichtliches Vollstreckungsverfahren zur gleichmäßigen Befriedigung aller Gläubiger eines Unternehmens, das die Zahlungen eingestellt hat **kon|na|tal** ⟨*lat.-nlat.*⟩: angeboren (von Krankheiten od. Schädigungen; Med.).

Kon|nek|tiv ⟨*lat.-nlat.⟩ das; -s, -e:* Verbindungsglied (z. B. zwischen Pflanzenteilen od. Nervensträngen; Biol.; Med.). **Kon-nęk|tor** ⟨lat.-engl.⟩ der; -s, -oren: 1. Symbol in Flussdiagrammen (grafische Darstellungen von Arbeitsabläufen), das auf die Stelle verweist, an der der Programmablauf fortgesetzt werden soll (EDV). 2. für den Textzusammenhang wichtiges Verknüpfungselement (Sprachw.) **Kon|ne|ta|bel** ⟨lat.-fr.⟩ der; -s, -s: (hist.) Oberfeldherr des französischen Königs **Kon|nex** ⟨lat.; „Verflechtung", Verknüpfung"⟩ der; -es, -e: 1. zwischen Dingen bestehende Zusammenhänge; Verbindung. 2. persönlicher Kontakt. **Kon-ne|xi|on** ⟨lat.-fr.⟩ die; -, -en: 1. (meist Plural) einflussreiche, vorteilhafte Bekanntschaft, Beziehung. 2. (in der ↑ Dependenzgrammatik) Beziehung zwischen regierendem u. regiertem Element eines Satzes (Sprachw.). **Kon|ne|xi|tät** ⟨lat.-nlat.⟩ die; -: (Rechtsw.) a) innerer Zusammenhang mehrerer [Straf]rechtsfälle als Voraussetzung für die Zusammenfassung in einem Gerichtsverfahren; b) innere Abhängigkeit der auf demselben Rechtsverhältnis beruhenden wechselseitigen Ansprüche von Gläubiger u. Schuldner **kon|ni|vent** ⟨lat.⟩: 1. nachsichtig, duldsam. 2. (von Vorgesetzten, Aufsichtsbeamten) Amtsdelikte untergebener od. beaufsichtigter Personen bewusst duldend od. dazu verleitend (Rechtsw.). **Kon|ni|venz** die; -, -en: 1. Nachsichtigkeit, Duldsamkeit. 2. ↑ konniventes (2) Verhalten, konnivente Handlung (Rechtsw.). **kon|ni-vie|ren:** (veraltet) dulden, Nachsicht üben **Kon|nos|se|mẹnt** ⟨lat.-it.⟩ das; -[e]s, -e: Frachtbrief **Kon|no|tat** ⟨lat.⟩ das; -s, -e: (Sprachw.) 1. vom Sprecher bezeichneter Begriffsinhalt (im Gegensatz zu den entsprechenden Gegenständen in der außersprachlichen Wirklichkeit); Ggs. ↑ Denotat (1). 2. konnotative [Neben]bedeutung; Ggs. ↑ Denotat (2). **Kon|no|ta|ti|on** die; -, -en: 1. (Logik) Begriffsinhalt (im Gegensatz zum Umfang). 2. a) (Sprachw.) assoziative, emotionale, stilistische, wertende [Neben]bedeutung; Ggs. ↑ Denotation (2 a); b) Beziehung zwischen Zeichen u. Zeichenbenutzer; ↑ Denotation (2 b). **kon|no|ta|tiv** [auch: ...'kɔn...]: die assoziative,

emotionale, stilistische, wertende [Neben]bedeutung, Begleitvorstellung eines sprachlichen Zeichens betreffend (Sprachw.); Ggs. ↑ denotativ **kon|nu|bi|al** ⟨lat.⟩: (veraltet) die Ehe betreffend (Rechtsw.). **Kon-nu|bi|um** das; -s, ...ien: (veraltet) Ehe[gemeinschaft] (Rechtsw.) **Ko|no|id** ⟨gr.-nlat.⟩ das; -[e]s, -e: kegelähnlicher Körper, der z. B. durch ↑ Rotation (1) einer Kurve um ihre Achse entsteht (Math.) **Ko|no|pe|um** ⟨gr.-nlat.⟩ das; -s, ...een: Vorhang zur Verhüllung des Altartabernakels **Kon|quis|ta|dor** ⟨lat.-span.⟩ der; -en, -en: (hist.) Teilnehmer an der span. Eroberung Südamerikas im 16. Jh. **Kon|rek|tor** ⟨lat.-nlat.⟩ der; -s, ...oren: Stellvertreter des Rektors [einer Grund-, Haupt- od. Realschule] **Kon|san|gu|i|ni|tät** ⟨lat.⟩ die; -: (veraltet) Blutsverwandtschaft **Kon|seil** [kõ'sɛj] ⟨lat.-fr.⟩ der; -s, -s: (veraltet) Staats-, Ministerrat, Ratsversammlung; Beratung; vgl. Conseil **Kon|sek|rant** ⟨lat.⟩ der; -en, -en: jmd., der eine Konsekration vornimmt (kath. Rel.). **Kon|sek|ra-ti|on** die; -, -en: 1. liturgische Weihe einer Person od. Sache (kath. Rel.). 2. liturgische Weihe von Brot u. Wein durch Verwandlung in Leib u. Blut Christi (kath. Rel.); vgl. Transsubstantiation. 3. (hist.) die Vergöttlichung des verstorbenen Kaisers in der röm. Kaiserzeit. **Kon|sek-ra|ti|ons|mün|ze** die; -, -en: (hist.) bei der Konsekration (3) eines röm. Kaisers geprägte Münze. **kon|sek|rie|ren:** (durch Konsekration 1, 2) liturgisch weihen **kon|se|ku|tiv** [auch: ...'ti:f] ⟨lat.-nlat.⟩: 1. zeitlich folgend; **konsekutives Dolmetschen:** zeitlich nachgetragenes Dolmetschen; Ggs. ↑ simultanes Dolmetschen. 2. aus einem konstitutiven Begriffsmerkmal folgend, abgeleitet (Philos.). 3. (Sprachw.) die Folge kennzeichnend; angebend. **Kon|se|ku|tiv|satz** der; -es, ...sätze: Nebensatz, der die Folge (Wirkung) des im übergeordneten Satz genannten Sachverhalts angibt (z. B. er ist so krank, dass er zum Arzt muss; Sprachw.) **Kon|se|mes|ter** ⟨lat.⟩ das; -s, -: Kommilitone, Kommilitonin (im gleichen Semester)

Kon|sẹns ⟨lat.⟩ der; -es, -e: a) (veraltet) Zustimmung, Einwilligung; b) Übereinstimmung der Meinungen; Ggs. ↑ Dissens; vgl. Consensus. **Kon|sen|su|al|kontrakt*** ⟨lat.-nlat.; lat.⟩ der; -[e]s, -e: der (allgemein übliche) durch beiderseitige Willenserklärungen rechtswirksam werdende Vertrag (Rechtsw.); Ggs. ↑ Realkontrakt. **kon|sen|su|ẹll** ⟨lat.-nlat.⟩: (veraltet) [sinngemäß] übereinstimmend. **Kon|sẹn|sus** der; -, - [...zu:s]: ↑ Konsens. **kon|sen|tie|ren** ⟨lat.⟩: (veraltet) 1. übereinstimmen; einig sein. 2. genehmigen (Rechtsw.) **kon|se|quẹnt** ⟨lat.⟩: 1. folgerichtig, logisch zwingend. 2. a) unbeirrbar, fest entschlossen; b) beharrlich, immer, jedes Mal. 3. der Abdachung eines Gebietes od. einer ↑ tektonischen Linie folgend (von Flüssen; Geol.); Ggs. ↑ insequent. **Kon|se|quẹnz** die; -, -en: 1. (ohne Plural) a) Folgerichtigkeit; b) Zielstrebigkeit, Beharrlichkeit. 2. (meist Plural) Folge, Aus-, Nachwirkung **Kon|ser|va|ti|on** ⟨lat.⟩ die; -, -en: (veraltet) Erhaltung, Instandhaltung. **Kon|ser|va|tis|mus** vgl. Konservativismus. **kon|ser|va-tiv** [auch: ˈkɔn...] ⟨lat.-mlat.-engl.⟩: 1. am Hergebrachten festhaltend, auf Überliefertem beharrend, bes. im politischen Leben. 2. althergebracht, bisher üblich. 3. erhaltend, bewahrend (im Sinne der Schonung u. Erhaltung eines verletzten Organs, im Gegensatz zu operativer Behandlung; Med.). 4. politisch dem Konservativismus zugehörend, ihm eigen. **Kon|ser|va|ti|ve** der u. die; -n, -n: Anhänger[in] des Konservativismus, einer konservativen Partei. **Kon|ser|va|ti-vis|mus** u. **Konservativismus** ⟨lat.-nlat.⟩ der; -, ...men: 1. a) (politische) Anschauung, die sich am Hergebrachten, Überlieferten orientiert; b) [politische] Anschauung, Grundhaltung, die auf weitgehende Erhaltung der bestehenden Ordnung gerichtet ist. 2. konservative politische Bewegung[en], Parteien o. Ä. **Kon|ser|va|ti|vi|tät** die; -: konservative (1) Haltung, Art, Beschaffenheit, konservativer Charakter. **Kon|ser|va|tor** ⟨lat.⟩ der; -s, ...oren: für die Erhaltung von Kunstwerken, Kunstdenkmälern o. Ä. betrauter Beamter, insbesondere beamteter Kunsthistoriker. **kon|ser|va|to|risch**

⟨lat.-nlat.⟩: 1. die Bewahrung u. Erhaltung von Kunstwerken betreffend. 2. das Konservatorium betreffend. **Kon|ser|va|to|rist** *der;* -en, -en: Schüler eines Konservatoriums. **kon|ser|va|to|ristisch:** ↑konservatorisch (2). **Kon|ser|va|to|ri|um** ⟨*lat.-it.*⟩ *das;* -s, ...ien: Musik[hoch]schule für die Ausbildung von Musikern. **Kon|ser|ve** ⟨*lat.-mlat.*⟩ *die,* -, -n: 1. a) Konservenbüchse od. -glas mit (durch Sterilisierung haltbar gemachten) Lebensmitteln o. Ä.; b) in einer Konservenbüchse od. einem -glas enthaltenes konserviertes Lebensmittel o. Ä. 2. Aufzeichnung auf Bild- u. Tonträger. 3. kurz für: Blutkonserve (steril abgefülltes, mit gerinnungshemmenden Flüssigkeiten versetztes Blut für Bluttübertragungen; Med.). **kon|servie|ren** ⟨*lat.*⟩: 1. (bes. Lebensmittel) durch spezielle Behandlung haltbar machen. 2. durch besondere Behandlung, Pflege erhalten, bewahren. **kon|si|de|ra|bel** ⟨*lat.-fr.*⟩: (veraltet) beachtlich, ansehnlich **Kon|sig|nant*** ⟨*lat.*⟩ *der;* -en, -en: Versender von Konsignationsgut. **Kon|sig|na|tar** u. **Kon|signa|tär** ⟨*lat.-nlat.*⟩ *der;* -s, -e: Empfänger [von Waren zum Weiterverkauf], bes. im Überseehandel. **Kon|sig|na|ti|on** ⟨*lat.*⟩ *die;* -, -en: 1. (bes. im Überseehandel) Kommissionsgeschäfte; Warenübergabe, -übersendung an einen ↑Kommissionär. 2. (veraltet) Niederschrift, Aufzeichnung. **kon|sig|nie|ren:** (bes. im Überseehandel) als Auftraggeber Waren an einen Konsignatar übergeben, überlsenden (Wirtsch.).

Kon|si|li|ar|arzt *der;* -es, ...ärzte u. **Kon|si|li|a|ri|us** ⟨*lat.*⟩ *der;* -, ...rii: vom behandelnden Arzt zur Beratung hinzugezogener zweiter Arzt. **Kon|si|li|um** *das;* -s, ...ien: Beratung [mehrerer Ärzte über einen Krankheitsfall] **kon|sis|tent** ⟨*lat.*⟩: 1. a) dicht, fest od. zäh zusammenhängend; b) dickflüssig, von festem Zusammenhalt, in sich ↑stabil (1), beständig. 2. widerspruchsfrei (Logik); Ggs. ↑inkonsistent. **Kon|sis|tenz** ⟨*lat.-nlat.*⟩ *die;* -: 1. a) Grad u. Art des Zusammenhalts eines Stoffes (Chem.); b) konsistente Beschaffenheit. 2. strenger, gedanklicher Zusammenhang, Widerspruchslosigkeit (Logik); Ggs. ↑Inkonsistenz (b). **kon|sis-**

to|ri|al: das Konsistorium betreffend. **Kon|sis|to|ri|al|rat** ⟨*lat.-mlat.; dt.*⟩ *der;* -[e]s, ...räte: [Amtstitel für ein] Mitglied des Konsistoriums (2) einer konsistorial verfassten evangelischen Landeskirche. **Kon|sis|to|ri|um** ⟨*lat.*⟩ *das;* -s, ...ien: 1. a) Plenarversammlung der Kardinäle unter Vorsitz des Papstes; b) Verwaltungsbehörde einer Diözese (in Österreich). 2. oberste Verwaltungsbehörde einer evangelischen Landeskirche **kon|skri|bie|ren*** ⟨*lat.;* „verzeichnen; in eine Liste eintragen"⟩: (früher) zum Wehrdienst einberufen. **Kon|skrip|ti|on** *die;* -, -en: (früher) das Konskribieren **¹Kon|sol** ⟨*lat.-engl.*⟩ *der;* -s, -s (meist Plural): englischer Staatsschuldschein **²Kon|sol** ⟨*lat.-fr.*⟩ *das;* -s, -e: (landsch.) Konsole (2) **Kon|so|la|ti|on** ⟨*lat.*⟩ *die;* -, -en: (veraltet) Trost, Beruhigung **Kon|so|le** ⟨*fr.*⟩ *die;* -, -n: 1. Vorsprung (als Teil einer Wand, Mauer), der etw. trägt od. auf dem etw. aufgestellt werden kann (Archit.). 2. Wandbord, -brett; an der Wand angebrachtes tischartiges Möbel mit zwei Beinen (für Vasen, Uhren o. Ä.) **Kon|so|li|da|ti|on** ⟨*lat.(-fr.)*⟩ *die;* -, -en: 1. Festigung, Sicherung. 2. (Wirtsch.) a) Umwandlung kurzfristiger Staatsschulden in Anleihen; b) Vereinigung unterschiedlicher Staatsanleihen zu einer einheitlichen Anleihe; c) Senkung der Nettoneuverschuldung (des Staates). 3. (Med.) a) Stillstand eines Krankheitsprozesses; b) Verknöcherung (die sich bei Knochenbrüchen neu bildenden Gewebes. 4. Verstellung von Teilen der Erdkruste durch Zusammenpressung u. Faltung sowie durch ↑magmatische ↑Intrusionen (Geol.); vgl. ...[at]ion/...ierung. **kon|so|li|die|ren:** 1. [sich] in seinem Bestand festigen. 2. durch ↑Konsolidation (2) umwandeln od. vereinigen (Wirtsch.). **Kon|so|li|die|rung** *die;* -, -en: ↑Konsolidation; vgl. ...[at]ion/...ierung **Kon|som|mee** vgl. Consommé **kon|so|nant** ⟨*lat.*⟩: 1. (veraltet) einstimmig, übereinstimmend. 2. harmonisch zusammenklingend (Mus.). 3. mitklingend, -schwingend (Akustik). **Kon|so|nant** *der;* -en, -en: Laut, bei dessen ↑Artikulation (1b) der Atemstrom gehemmt od. eingeengt

wird; Mitlaut (z. B. d, m; Sprachw.); Ggs. ↑Vokal. **kon|sonan|tisch:** [einen] Konsonanten betreffend, damit gebildet. **Kon|so|nan|tis|mus** ⟨*lat.-nlat.*⟩ *der;* -: System, Funktion der Konsonanten (Sprachw.). **Kon|so|nanz** ⟨*lat.*⟩ *die;* -, -en: 1. Konsonantenverbindung, -häufung. 2. konsonanter Gleichklang von Tönen (Mus.). **kon|so|nie|ren:** zusammen-, mitklingen; **konsonierende Geräusche:** durch Resonanz verstärkte Rasselgeräusche (Med.) **Kon|sor|te** ⟨*lat.;* „Genosse"⟩ *der;* -n, -n: 1. (Plural; abwertend) die Mitbeteiligten (bei Streichen, nicht einwandfreien Geschäften o. Ä.). 2. Mitglied eines Konsortiums. **Kon|sor|ti|al|bank** ⟨*lat.-nlat.; dt.*⟩ *die;* -, -en: Mitgliedsbank eines Konsortiums. **Kon|sor|ti|al|ge|schäft** *das;* -[e]s, -e: gemeinsames Finanz- od. Handelsgeschäft mehrerer Unternehmen. **Kon|sor|ti|al|quo|te** ⟨*lat.-nlat.; lat.-mlat.*⟩ *die;* -, -n: der dem einzelnen Mitglied eines Konsortiums zustehende Teil des Gesamtgewinns. **Kon|sor|tium** ⟨*lat.*⟩ *das;* -s, ...ien: vorübergehender Zusammenschluss von Unternehmen, bes. Banken, zur gemeinsamen Durchführung eines größeren Geschäfts **Kon|so|zi|a|ti|on** ⟨*lat.*⟩ *die;* -, -en: sprachlicher u. sachlicher Zusammenhang, in dem ein Wort üblicherweise erscheint (Sprachw.). **Kon|spekt*** ⟨*lat.*⟩ *der;* -[e]s, -e: Zusammenfassung, Inhaltsangabe, -übersicht. **kon|spek|tie|ren:** einen Konspekt anfertigen **kon|spe|zi|fisch*** ⟨*lat.*⟩: derselben Art angehörend (Biol.) **kon|spi|ku|li|tät*** ⟨*lat.-nlat.*⟩ *die;* -: (veraltet) Anschaulichkeit, Klarheit **Kon|spi|rant** ⟨*lat.*⟩ *der;* -en, -en: (veraltet) [politischer] Verschwörer. **Kon|spi|ra|teur** [...tø:ɐ̯] ⟨*lat.-fr.*⟩ *der;* -s, -e: (selten) [politischer] Verschwörer. **Kon|spi|ra|ti|on** ⟨*lat.*⟩ *die;* -, -en: Verschwörung. **kon|spi|ra|tiv** ⟨*lat.-nlat.*⟩: a) [politisch] einer Verschwörung bezweckend, anstrebend; b) zu einer Verschwörung gehörend. **Kon|spi|ra|tor** ⟨*lat.-mlat.*⟩ *der;* -...oren: (veraltet) [politischer] Verschwörer. **kon|spi|rie|ren** ⟨*lat.*⟩: sich verschwören (bes. zur Erreichung politischer Ziele) **¹Kon|sta|b|ler*** ⟨*lat.-mlat.*⟩ *der;* -s,

-: (hist.) Geschützmeister (auf Kriegsschiffen usw.), Unteroffiziersgrad der Artillerie. ²**Kons|tab|ler** ⟨*lat.-mlat.-engl.*⟩ *der;* -s, -: (veraltet) Polizist **kon|stant*** ⟨*lat.*⟩: unveränderlich; ständig gleich bleibend; beharrlich; **konstante Größe:** ↑ Konstante (2). **Kon|stan|te** ⟨*lat.*⟩ *die;* -[n], -n: 1. unveränderliche, feste Größe; fester Wert. 2. mathematische Größe, deren Wert sich nicht ändert (Math.); Ggs. ↑ Variable. **Kon|stanz** *die;* -: Unveränderlichkeit, Beständigkeit; das Konstantbleiben. **kon|sta|tie|ren** ⟨*lat.-fr.*⟩: [eine Tatsache] feststellen, bemerken **Kons|tel|la|ti|on*** ⟨*lat.*⟩ *die;* -, -en: 1. das Zusammentreffen bestimmter Umstände u. die daraus resultierende Lage. 2. Planetenstand, Stellung der Gestirne zueinander (Astron.) **Kons|ter|na|ti|on*** ⟨*lat.*⟩ *die;* -, -en: (veraltet) Bestürzung. **kons|ter|nie|ren:** bestürzt, fassungslos machen. **kons|ter|niert:** bestürzt, fassungslos **Kons|ti|pa|ti|on*** ⟨*lat.*⟩ *die;* -, -en: Verstopfung (Med.) **Kon|sti|tu|an|te*** vgl. Constituante. **Kon|sti|tu|ens** ⟨*lat.*⟩ *das;* -, ...enzien: konstitutiver (1), wesentlicher [Bestand]teil, Zug. **Kon|sti|tu|en|te** *die;* -, -n: sprachliche Einheit, die Teil einer größeren, komplexeren Einheit ist (Sprachw.). **Kon|sti|tu|en|ten|ana|ly|se** *die;* -, -n: Zerlegung in [syntaktische] Konstituenten (z.B. in Nominalphrase u. Verbalphrase; Sprachw.). **Kon|sti|tu|en|ten|struk|tur|gram|ma|tik** *die;* -, -: Grammatik, die die Struktur komplexer sprachlicher Einheiten mithilfe der Konstituentenanalyse beschreibt (Sprachw.); vgl. Phrasenstrukturgrammatik. **kon|sti|tu|ie|ren** ⟨*lat.-fr.*⟩: 1. a) gründen, ins Leben rufen; **konstituierende Versammlung:** verfassunggebende Versammlung; vgl. Constituante; b) für etw. konstitutiv, grundlegend sein.; etw. begründen. 2. sich konstituieren: [zur Gründung zusammentreten u.] die eigene Organisationsform, Geschäftsordnung o.Ä. festlegen; sich bilden, zusammenschließen u. festen Bestand gewinnen. **Kon|sti|tut** ⟨*lat.*⟩ *das;* -[e]s, -e: (veraltet) festgesetzter, erneuerter Vertrag (Rechtsw.). **Kon|sti|tu|ti|on** *die;* -, -en: 1. a) allgemeine, bes. kör-

perliche Verfassung; b) Körperbau (bes. Med.). 2. Verfassung; Satzung (Politik). 3. (kath. Kirche) a) Erlass eines Papstes bzw. Konzils; b) Statut, Satzung (eines klösterlichen Verbandes). 4. Aufbau, Struktur eines Moleküls (Chem.). **Kon|sti|tu|ti|o|na|lis|mus** ⟨*lat.-nlat.*⟩ *der;* -: (Pol.) 1. Staatsform, bei der Rechte u. Pflichten der Staatsgewalt u. der Bürger in einer Verfassung festgelegt sind. 2. für den Konstitutionalismus (1) eintretende Lehre. **kon|sti|tu|ti|o|nell** ⟨*lat.-fr.*⟩: 1. verfassungsmäßig; an die Verfassung gebunden (Rechtsw.). 2. anlagebedingt (Med.). **Kon|sti|tu|ti|ons|for|mel** *die;* -, -n: ↑ Strukturformel. **Kon|sti|tu|ti|ons|typ** *der;* -s, -en: eine der Grundformen des menschlichen Körperbaus [u. die ihm zuzuordnenden seelischen Eigenheiten]. **kon|sti|tu|tiv** ⟨*lat.-nlat.*⟩: als wesentliche Bedingung den Bestand von etw. ermöglichend, das Bild der Gesamterscheinung bestimmend **Kon|strik|ti|on*** ⟨*lat.*⟩ *die;* -, -en: 1. Zusammenziehung (eines Muskels; Med.). 2. Einschnürung an bestimmten Stellen der Chromosomen (Biol.). **Kon|strik|tor** ⟨*lat.-nlat.*⟩ *der;* -s, ...oren: Schließmuskel (Med.). **konstrin|gie|ren** ⟨*lat.*⟩: zusammenziehen (Med.) **kon|stru|ie|ren*** ⟨*lat.*⟩: 1. a) Form u. [Zusammen]bau eines technischen Objektes durch Ausarbeitung des Entwurfs, durch technische Berechnungen, Überlegungen usw. maßgebend gestalten; b) mithilfe vorgeschriebener Operationen herleiten (bes. Math., Logik); c) eine geometrische Figur mithilfe bestimmter Zeichengeräte zeichnen; d) nach den Regeln der Grammatik bilden (Sprachw.). 2. a) gedanklich, begrifflich, logisch aufbauen, herstellen; b) (abwertend) weitgehend gedanklich, theoretisch mithilfe von Annahmen u. daher künstlich, in gezwungener Weise aufbauen, herstellen. **Kon|strukt** *das;* -[e]s, -e u. -s: Arbeitshypothese od. gedankliche Hilfskonstruktion für die Beschreibung erschlossener Phänomene. **Kon|struk|teur** [...tø:ɐ̯] ⟨*lat.-fr.*⟩ *der;* -s, -e: Fachmann (bes. Ingenieur, Techniker), der technische Objekte konstruiert. **Kon|struk|ti|on** ⟨*lat.*⟩ *die;* -, -en: 1. Bauart (z.B. eines Gebäudes, einer Ma-

schine). 2. geometrische Darstellung einer Figur mithilfe gegebener Größen (Math.). 3. nach den syntaktischen Regeln vorgenommene Zusammenordnung von Wörtern od. Satzgliedern zu einem Satz od. einer Fügung (Sprachw.). 4. (Philos.) a) Darstellung von Begriffen in der Anschauung; b) Aufbau eines der Erfahrung vorausgehenden Begriffssystems. 5. wirklichkeitsfremder Gedankengang. 6. a) (ohne Plural) das Entwerfen, die Entwicklung; b) Entwurf, Plan. **Kon|struk|tiv** ⟨*lat.-nlat.*⟩: 1. die Konstruktion (1) betreffend. 2. auf die Erhaltung, Stärkung u. Erweiterung des Bestehenden gerichtet; aufbauend, einen brauchbaren Beitrag liefernd; **konstruktives Misstrauensvotum:** Misstrauensvotum gegen den Bundeskanzler, das nur durch die Wahl eines Nachfolgers wirksam wird. **Kon|struk|ti|vis|mus** *der;* -: 1. Kunst[richtung], bei der die geometrisch-technische Konstruktion wichtigstes Gestaltungsprinzip ist (Kunstw.). 2. Lehre, die den konstruktiven Aufbau bes. der Mathematik u. der Logik vertritt. **Kon|struk|ti|vist** *der;* -en, -en: Vertreter des Konstruktivismus. **kon|struk|ti|vis|tisch:** in der Art des Konstruktivismus **Kon|sub|stan|ti|a|ti|on*** ⟨*lat.-mlat.*⟩ *die;* -: (nach Luther) die Verbindung der realen Gegenwart Christi mit Brot u. Wein beim Abendmahl **Kon|sul** ⟨*lat.*⟩ *der;* -s, -n: 1. (hist.) einer der beiden auf Zeit gewählten obersten Beamten der römischen Republik. 2. mit der Wahrnehmung [wirtschaftlicher] Interessen u. der Interessen von Staatsbürgern des Heimatstaates beauftragter (halbdiplomatischer) offizieller Vertreter eines Staates im Ausland. **Kon|su|lar|agent** ⟨*lat.; lat.-it.*⟩ *der;* -en, -en: Bevollmächtigter eines Konsuls. **kon|su|la|risch** ⟨*lat.*⟩: a) den Konsul betreffend; b) das Konsulat betreffend **Kon|su|lat** ⟨*lat.*⟩ *das;* -[e]s, -e: a) (ohne Plural) Amt[szeit] eines Konsuls; b) Dienststelle eines Konsuls. **Kon|su|lent** *der;* -en, -en: (veraltet) [Rechts]berater, Anwalt. **Kon|sult** *das;* -[e]s, -e: (veraltet) Beschluss. **Kon|sultant** *der;* -en, -en: fachmännischer Berater, Gutachter. **Kon|sul|ta|ti|on** *die;* -, -en: 1. Untersuchung u. Beratung [durch einen Arzt]. 2. gemeinsame Beratung von Regierungen od. von Vertragspartnern. 3. (regional) Beratung durch einen Wissenschaftler od. Fachmann; vgl. ...[at]ion/...ierung. **kon|sul|ta-tiv** ⟨lat.-nlat.⟩: beratend. **kon-sul|tie|ren** ⟨lat.⟩: 1. bei jmdm. [wissenschaftlichen, bes. ärztlichen] Rat einholen, jmdn. zurate ziehen. 2. (mit Bündnispartnern) beratende Gespräche führen, sich besprechen, beratschlagen. **Kon|sul|tie|rung** die; -, -en: a) das Konsultieren; b) das Konsultiertwerden; vgl. ...[at]ion/...ierung. **Kon|sul|tor** der; -s, ...oren: 1. wissenschaftlicher Berater einer Kardinalskongregation. 2. Geistlicher, der von einem Bischof als Berater in die Verwaltung einer Diözese ohne Domkapitel berufen wird

¹Kon|sum ⟨lat.-it.⟩ der; -s: 1. Verbrauch (bes. von Nahrungs-, Genussmitteln); Verzehr, Genuss. 2. ↑Konsumtion (1). **²Kon|sum** ['kɔnzuːm, ...zʊm, auch: kɔn'zuːm] ⟨urspr. kurz für: Konsumverein⟩ der; -s, -s: 1. (veraltet) (ohne Plural) Konsumverein. 2. Laden einer Konsumgenossenschaft, eines Konsumvereins. **Kon|su|ma|ti|on** die; -, -en: (österr. u. schweiz.) Verzehr, Zeche. **Kon|su|ment** der; -en, -en: Käufer, Verbraucher. **Kon|su-me|ris|mus** ⟨lat.-amerik.⟩ der; -: organisierter Schutz der Verbraucherinteressen. **kon|su-mie|ren**: Konsumgüter, bes. Verbrauchsgüter verbrauchen. **Kon|sump|ti|on** vgl. Konsumtion. **kon|sump|tiv** vgl. konsumtiv. **Kon|sum|ter|ror** der; a: (emotional abwertend) durch der Werbung ausgeübter Druck, der den Verbraucher zur fortgesetzten Steigerung seines Konsums antreibt. **Kon|sum|ti|bi|li|en** ⟨lat.-nlat.⟩ die (Plural): (veraltet) Verbrauchsgüter. **Kon|sum|ti-on** ⟨lat.⟩ die; -, -en: 1. Verbrauch von Wirtschaftsgütern. 2. das Aufgehen eines einfachen [strafrechtlichen] Tatbestandes in einem übergeordneten, umfassenderen (Rechtsw.). 3. körperliche Auszehrung (Med.). **kon|sum-tiv** ⟨lat.-nlat.⟩: für den Verbrauch bestimmt; Ggs. ↑investiv

Kon|szi|en|ti|a|lis|mus* ⟨lat.-nlat.⟩ der; -: Lehre, auch bei der Gegenstände der Erkenntnis nur als Bewusstseinsinhalte existieren (Philos.)

Kon|ta|gi|on ⟨lat.⟩ die; -, -en: Ansteckung, Infektion (Med.). **kon-ta|gi|ös**: ansteckend (Med.). **Kon|ta|gi|o|si|tät** ⟨lat.-nlat.⟩ die; -: kontagiöse Beschaffenheit (Med.). **Kon|ta|gi|um** ⟨lat.⟩ das; -s, ...ien: 1. (Med.) der bei der Ansteckung durch Krankheitserreger wirksame Stoff. 2. (veraltet) Ansteckung

Kon|ta|ki|on ⟨gr.-mgr.⟩ das; -s, ...ien: frühe Form der byzantinischen Hymnendichtung **Kon|takt** ⟨lat.⟩ der; -[e]s, -e: 1. Verbindung, die man (einmal od. in bestimmten Abständen wieder) für eine kurze Dauer herstellt; Fühlung. 2. Berührung. 3. (Elektrot.) a) Berührung, durch die eine Strom führende Verbindung hergestellt wird; b) Übergangsstelle, Kontaktstelle für den Strom; Verbindungsteil zur Herstellung des elektrischen Kontakts. **Kon|takt|ad|res|se*** die; -, -n: Anschrift, über die man mit einer Person, Organisation, Gruppe o. Ä. Kontakt aufnehmen kann. **Kon|takt|der|ma|ti-tis** ⟨lat.-gr.⟩ die; -, ...itiden: krankhafte Hautreaktion durch Berührung mit hautschädigenden Stoffen (Med.). **kon|tak|ten** ⟨lat.-engl.-amerik.⟩: als Kontakter tätig sein, neue Geschäftsbeziehungen einleiten (Wirtsch.). **Kon|tak|ter** der; -s, -: Angestellter einer Werbeagentur, der den Kontakt zu den Auftraggebern hält. **kon|tak|tie|ren** ⟨lat.-nlat.⟩: (mit jmdm.) Kontakte aufnehmen, unterhalten. **Kon|takt|in-sek|ti|zid** das; -s, -e: gegen Insekten eingesetztes Kontaktgift. **Kon|takt|lin|se** die; -, -n (meist Plural): dünne, die Brille ersetzende, durchsichtige, kleine Kunststoffschale, die unmittelbar auf die Hornhaut des Auges gesetzt wird. **Kon|takt|mann** der; -[e]s, ...männer: Verbindungsmann, Kontakter. **Kon-takt|me|ta|mor|pho|se** die; -n: Umbildung des Nachbargesteins durch aufsteigendes Magma (Geol.). **Kon|takt|stu|di|um** das; -s, ...ien: weiterbildendes zusätzliches Studium, durch das bes. der Kontakt mit der Entwicklung der Wissenschaften hergestellt bzw. aufrechterhalten wird

keiten aus Gebäude und Baulichkeiten; Sprachw.). 2. Verschmutzung, Verunreinigung, Verseuchung. 3. Verunreinigung von Kernbrennstoff mit Neutronen absorbierenden Spaltprodukten; Ggs. ↑Dekontamination. **kon-ta|mi|nie|ren**: 1. eine Kontamination (1) vornehmen. 2. verschmutzen, verunreinigen, verseuchen. 3. Kernbrennstoff mit Neutronen absorbierenden Spaltprodukten verunreinigen; Ggs. ↑dekontaminieren **kon|tant** ⟨lat.-it.⟩: bar. **Kon|tan-ten** die (Plural): 1. ausländische Münzen, die nicht als Zahlungsmittel, sondern als Ware gehandelt werden. 2. Bargeld. **Kon-tant|ge|schäft** das; -[e]s, -e: Barkauf, bei dem Zug um Zug geleistet wird **Kon|temp|la|ti|on*** ⟨lat.⟩ die; -, -en: a) innere Sammlung u. religiöse Betrachtung, Versenkung (Rel.); b) beschauliches Nachdenken u. geistiges Sichversenken in etwas. **kon|temp|la|tiv**: beschaulich, besinnlich. **kon-temp|lie|ren**: sich der Kontemplation (b) hingeben **kon|tem|po|rär** ⟨lat.-nlat.⟩: zeitgenössisch **Kon|ten**: Plural von ↑Konto **Kon|te|nance** vgl. Contenance **Kon|ten|plan** der; -[e]s, ...pläne: systematische Gliederung der Konten der Buchführung eines Unternehmens **Kon|ten|ten** ⟨lat.⟩ die (Plural): Ladeverzeichnisse der Seeschiffe. **Kon|ten|tie|ren** ⟨lat.-fr.⟩: (veraltet) [einen Gläubiger] zufrieden stellen. **Kon|ten|tiv|ver-band** ⟨lat.-nlat.; dt.⟩ der; -[e]s, ...verbände: ruhig stellender Stützverband (Med.) **Kon|ter** ⟨lat.-fr.-engl.⟩ der; -s, -: 1. Griff, mit dem ein Ringer einen gegnerischen Angriff unterbindet. 2. schneller Gegenangriff (Ringen). 2. schneller Gegenangriff, nachdem ein Angriff des Gegners abgewehrt werden konnte (Ballspiele). 3. Pendelschwung zur Verlagerung des Körperschwerpunkts beim Griff- u. Positionswechsel am Stufenbarren (Turnen). 4. aus der Verteidigung heraus geführter Gegenschlag (Boxen). 5. Äußerung od. Handlung, mit der jmd. etwas kontert (2). **Kon|ter|ad|mi|ral** der; -s, -e (auch: ...äle): a) (ohne Plural) dritthöchster Offiziersdienstgrad der Marine; b) Offizier mit dem Dienstgrad Konteradmiral. **kon|ter|agie|ren:** gegen jmd. od. etwas agieren (a). **Kon|ter|ban|de** ⟨it.-fr.⟩ *die;* -: 1. für eine Krieg führende Macht bestimmte kriegswichtige Güter, die verbotenerweise von neutralen Schiffen mitgeführt werden. 2. Schmuggelware. **Kon|ter|fei** [auch: ...'faį] ⟨lat.-fr.⟩ *das;* -s, -s: (veraltet, aber noch scherzh.) Bild[nis], Abbild, Porträt. **kon|ter|fei|en** [auch: ...'faįən]: (veraltet, aber noch scherzh.) abbilden, porträtieren. **Kon|ter|ga|lopp** *der;* -, -s auch: -e: (Reiten) Außengalopp, d. h. beim Reiten auf der rechten Hand Linksgalopp und umgekehrt. **kon|ter|ka|rie|ren:** hintertreiben, durchkreuzen. **Kon|ter|mi|ne** *die;* -, -n: 1. a) durchkreuzende, hintertreibende Maßnahme; Gegenmaßnahme; b) Spekulation, bei der das Fallen der Kurse erwartet wird. 2. (hist.) Mine der Belagerten zur Abwehr der feindlichen Minen. **kon|ter|mi|nie|ren:** 1. a) hintertreiben; Gegenmaßnahmen ergreifen; b) auf das Fallen der Börsenkurse spekulieren. 2. (hist.) eine Gegenmine legen. **kon|tern** ⟨lat.-fr.-engl.⟩: 1. (Sport) a) den Gegner im Angriff abfangen u. aus der Verteidigung heraus selbst angreifen; b) einen Konter (3) ausführen. 2. sich aktiv zur Wehr setzen, schlagfertig erwidern, entgegnen. 3. ein Druckbild umkehren (Druckw.). 4. (eine Mutter auf einem Schraubengewinde) durch Aufschrauben einer Kontermutter im Gegensinn fest anziehen (Techn.). **Kon|ter|re|vo|lu|ti|on** *die;* -, -en: 1. Gegenrevolution. 2. (marxistisch) a) antikommunistische Revolution od. Opposition; b) (ohne Plural) Gesamtheit von Kräften, Personen, die die Konterrevolution (2 a) anstreben. **Kon|ter|re|vo|lu|ti|o|när** *der;* -s, -e: jmd., der auf [eine] Konterrevolution hinarbeitet od. an ihr beteiligt ist. **kon|ter|re|vo|lu|ti|o|när:** die Konterrevolution betreffend, bezweckend, anstrebend. **Kon|ter|tanz** vgl. Kontratanz. **kon|tes|ta|bel** ⟨lat.-nlat.⟩: (veraltet) strittig, umstritten, anfechtbar (Rechtsw.). **Kon|tes|ta|ti|on** ⟨lat.⟩ *die;* -, -en: 1. das Infragestellen von bestehenden Herrschafts- u. Gesellschaftsstrukturen. 2. (Rechtsw.) a) Bezeugung; b) Streit, Bestreitung, Anfechtung. **kon|tes|tie|**ren: (Rechtsw.) a) durch Zeugen, Zeugnis bestätigen; b) bestreiten, anfechten **Kon|text** [auch: ...'tɛkst] ⟨lat.⟩ *der;* -[e]s, -e: 1. (Sprachw.) a) der umgebende Text einer sprachlichen Einheit; b) (relativ selbstständiges) Text- od. Redestück; c) der inhaltliche (Gedanken-, Sinn)zusammenhang, in dem eine Äußerung steht, u. der Sach- u. Situationszusammenhang, aus dem heraus sie verstanden werden muss; vgl. Kotext. 2. Zusammenhang. **Kon|text|glos|se** *die;* -, -n: in den Text [einer Handschrift] eingefügte Glosse. **kon|tex|tu|al:** ↑ kontextuell; vgl. ...al/ ...ell. **Kon|tex|tu|a|lis|mus** *der;* -: Richtung innerhalb des Strukturalismus, die beim Beschreiben der Sprachverwendung außer dem sprachlichen bes. den situativen Kontext berücksichtigt (Sprachw.). **kon|tex|tu|ell** ⟨lat.-nlat.⟩: den Kontext betreffend; vgl. ...al/...ell. **Kon|tex|tur** *die;* -, -en: (veraltet) Verbindung, Zusammenhang **Kon|ti:** *Plural* von ↑ Konto. **kon|tie|ren** ⟨lat.-it.⟩: für die Verbuchung eines Belegs das entsprechende Konto bestimmen [u. ihn verbuchen]. **Kon|tie|rung** *die;* -, -en: das Kontieren **Kon|ti|gu|i|tät** ⟨lat.-mlat.;* „Berührung") *die;* -: 1. (veraltet) Angrenzung, Berührung. 2. zeitliches Zusammentreffen (z. B. von Reiz u. Reaktion; Psychol.) **Kon|ti|nent** [auch: 'kɔn...] ⟨lat.⟩ *der;* -[e]s, -e: 1. (ohne Plural) [europäisches] Festland. 2. Erdteil. **kon|ti|nen|tal** ⟨lat.-nlat.⟩: den Kontinent betreffend, zu ihm gehörend, ihm eigentümlich; festländisch. **Kon|ti|nen|tal|drift** ⟨lat.-nlat.;* *it.⟩ *die;* -: ↑ Epirogenese. **Kon|ti|nen|ta|li|tät** ⟨lat.-nlat.⟩ *die;* -: Einfluss einer größeren Festlandmasse auf das Klima (Meteor.). **Kon|ti|nen|tal|kli|ma** *das;* -s: typisches Klima im Innern großer Landmassen (im Gegensatz zum Seeklima charakterisiert durch größere Temperaturschwankungen u. weniger Niederschläge). **Kon|ti|nenz** ⟨lat.⟩ *die;* -: 1. (selten) Enthaltsamkeit. 2. Fähigkeit, Harn od. Stuhl zurückzuhalten (Med.); Ggs. ↑ Inkontinenz **kon|tin|gent** ⟨lat.⟩: zufällig; wirklich od. möglich, aber nicht [wesens]notwendig; Kontingenz (1) aufweisend, beinhaltend. **Kon|tin|gent** ⟨lat.(-fr.)⟩ *das;* -[e]s, -e:

1. anteilmäßig zu erbringende od. zu erwartende Leistung, Menge, Anzahl. 2. Truppenkontingent. **kon|tin|gen|tie|ren** ⟨lat.-nlat.⟩: durch Beschränkung auf Kontingente (1) einteilen, in Umfang od. Menge begrenzen. **Kon|tin|genz** *die;* -, -en: 1. a) (ohne Plural) das Kontingentsein; kontingente Beschaffenheit (Philos.); b) Möglichkeit u. gleichzeitige Nichtnotwendigkeit (einer Aussage; Logik). 2. die Häufigkeit bzw. Grad der Wahrscheinlichkeit des gemeinsamen Auftretens zweier Sachverhalte, Merkmale usw. (Statistik; Psychol.) **Kon|ti|nu|a|ti|on** ⟨lat.⟩ *die;* -, -en: (Verlagsw., sonst veraltet) Fortsetzung [einer Lieferung]. **kon|ti|nu|ie|ren:** (veraltet) 1. fortsetzen. 2. fortdauern. **kon|ti|nu|ier|lich:** stetig, fortdauernd, unaufhörlich, durchlaufend; Ggs. ↑ diskontinuierlich. **Kon|ti|nu|i|tät** *die;* -: lückenloser Zusammenhang, Stetigkeit, Fortdauer; ununterbrochener, gleichmäßiger Fortgang von etwas; Ggs. ↑ Diskontinuität (1). **Kon|ti|nuo** vgl. Continuo. ...**um:** kontinuierlich, lückenlos Zusammenhängendes **Kon|to** ⟨lat.-it.⟩ *das;* -s, ...ten (auch: -s u. ...ti): von einem Unternehmen, bes. einer Bank, für einen Kunden im Rahmen längerer gegenseitiger Geschäftsbeziehungen geführte laufende Gegenüberstellung u. Abrechnung von Ein- u. Ausgaben bzw. Gut- u. Lastschriften; vgl. a conto, per conto. **Kon|to|kor|rent** *das;* -s, -e: 1. im Rahmen einer dauernden Geschäftsverbindung vereinbarte periodische Abrechnung[sweise], bei der die beiderseitigen Leistungen laufend in Form eines Kontos verbucht werden. 2. (ohne Plural) die Personenkonten, d. h. die Konten der Debitoren u. der Kreditoren umfassende Bereich der Buchführung. 3. Hilfsbuch der doppelten Buchführung mit den Konten der Kunden u. Lieferanten. **Kon|tor** ⟨lat.-fr.-niederl.⟩ *das;* -s, -e: 1. Niederlassung eines Handelsunternehmens im Ausland. 2. Handelszentrale der früheren DDR als Mittler zwischen Industrie u. Einzelhandel tätig war. 3. (veraltet) Büro eines Kaufmanns, einer Firma. **Kon|to|rist** *der;* -en, -en: kauf-

männischer Angestellter, der einfachere Verwaltungsarbeiten erledigt

Kon|tor|si|on ⟨*lat.-nlat.*⟩ *die;* -, -en: Verdrehung eines Gliedes od. Gelenkes, die zu einer Zerrung od. Verstauchung führen kann (Med.). Kon|tor|si|o|nist *der;* -en, -en: Schlangenmensch. kontort ⟨*lat.*⟩: gedreht, geschraubt (von Blumenblättern; Bot.) kont|ra* ⟨*lat.*⟩: gegen, entgegengesetzt; vgl. contra. Kont|ra *das;* -s, -s: Aussage beim Kartenspiel, nach der das Spiel doppelt gezählt wird; jmdm. Kontra geben: jmdm. energisch widersprechen, gegen jmds. Meinung Stellung nehmen. Kont|ra|bass *der;* -es, ...bässe: einem Violoncello ähnliches, jedoch größeres u. tiefer gestimmtes Streichinstrument (Mus.). Kont|ra|dik|ti|on *die;* -, -en: Widerspruch (Philos.). kont|ra|dik|to|risch: sich widersprechend, sich gegenseitig aufhebend (von zwei Aussagen; Philos.). Kont|ra|fa|gott *das;* -s, -e: eine Oktave tiefer als das Fagott stehendes Holzblasinstrument (Mus.). kont|ra|fak|tisch: der Realität, Wirklichkeit nicht entsprechend, nicht wirklich gegeben. Kont|ra|fak|tur ⟨*lat.-nlat.*⟩ *die;* -, -en: geistliche Nachdichtung eines weltlichen Liedes (u. umgekehrt) unter Beibehaltung der Melodie Kon|tra|ha|ge* [...ˈhaːʒə] ⟨mit französischer Endung zu ↑kontrahieren (3) gebildet⟩ *die;* -, -n: (Studentenspr. hist.) Verabredung eines Duells. Kon|tra|hent ⟨*lat.*⟩ *der;* -en, -en: 1. Vertragspartner (Rechtsw.). 2. Gegner in einem Streit od. Wettkampf. kon|tra|hie|ren: 1. einen Vertrag schließen (Rechtsw.). 2. a) sich zusammenziehen (z.B. von einem Muskel; Med.); b) das Zusammenziehen von Muskeln bewirken. 3. (Studentenspr. hist.) jmdn. zum Duell fordern. 4. (beim Fechten) einen gegnerischen Stoß abwehren u. seinerseits angreifen. Kon|tra|hierungs|zwang *der;* -[e]s: besonders für gewisse Monopolgesellschaften (wie Eisenbahn usw.) bestehende gesetzliche Verpflichtung zum Abschluss eines Vertrages aufgrund ihrer gemeinnützigen Zweckbestimmung (Rechtsw.). Kont|ra|in|di|ka|ti|on* *die;* -, -en: Umstand, der die [fortgesetzte] Anwendung eines an sich zweck-

mäßigen od. notwendigen ärztlichen Maßnahme verbietet (Med.); Ggs. ↑Indikation. kontra|in|di|ziert: aus bestimmten Gründen nicht anwendbar (von therapeutischen Maßnahmen; Med.); Ggs. ↑indiziert (2) kont|ra|kon|flik|tär* ⟨*lat.-nlat.*⟩: einem Konflikt entgegenwirkend; problemlösend kon|trakt* ⟨*lat.*⟩: (veraltet) zusammengezogen, verkrümmt, gelähmt. Kon|trakt *der;* -[e]s, -e: Vertrag, Abmachung; Handelsabkommen. kon|trak|til ⟨*lat.-nlat.*⟩: fähig, sich zusammenzuziehen (Med.). Kon|trak|ti|li|tät *die;* -: Fähigkeit, sich zusammenzuziehen (Med.). Kon|trak|ti|on ⟨*lat.*⟩ *die;* -, -en: 1. das Sichzusammenziehen (bes. von Muskeln; Med.). 2. Verminderung der in einer Volkswirtschaft vorhandenen Geld- u. Kreditmenge (Wirtsch.). 3. Zusammenziehung zweier od. mehrerer Vokale zu einem Vokal od. Diphthong, oft unter Ausfall eines dazwischenstehenden Konsonanten (z.B. „nein“ aus: ni-ein; Sprachw.). 4. Schrumpfung der Erdkruste durch Abkühlung od. Austrocknung (Geol.). 5. Zusammenziehung, Verringerung des Volumens, der Länge od. des Querschnitts eines Körpers (z.B. durch Abkühlung; Phys.). 6. Abwehr eines gegnerischen Angriffs beim Fechten durch einen eigenen Angriff bei gleichzeitiger Deckung der Blöße. kon|trak|tiv: die Kontraktion (2) betreffend, auf ihr beruhend. Kon|trak|tur ⟨*lat.*⟩ *die;* -, -en: (Med.) 1. bleibende Einschränkung der Beweglichkeit eines Gelenks; Versteifung. 2. dauernde Verkürzung u. Schrumpfung von Weichteilen (z.B. der Haut nach Verbrennungen) Kont|ra|ok|ta|ve* ⟨*lat.; lat.-mlat.*⟩ *die;* -, -n: Oktave von C' bis H', die nur von bestimmten Instrumenten erreicht wird. Kont|ra|po|si|ti|on ⟨*lat.-mlat.*⟩ *die;* -, -en: (Logik) 1. Ableitung einer negativen Aussage aus einer positiven. 2. Formel der traditionellen Logik (alle A sind B, folglich: kein Nicht-B ist A). Kont|rapost ⟨*lat.-it.; „Gegenstück“⟩ *der;* -[e]s, -e: der harmonische Ausgleich in der künstlerischen Gestaltung des stehenden menschlichen Körpers durch Unterscheidung von tragenden Stand- u. Spielbein u. entsprechender He-

bung bzw. Senkung der Schulter. kont|ra|pro|duk|tiv: bestimmten Interessen zuwiderlaufend; ungut; negativ. Kont|ra|punkt ⟨*lat.-mlat.;* „Note gegen Note“⟩ *der;* -[e]s: 1. Technik des musikalischen Satzes, in der mehrere Stimmen gleichberechtigt nebeneinander her geführt werden (Mus.). 2. etw., was einen Gegenpol zu etw. anderem bildet. kont|ra|punk|tie|ren: eine Handlung begleiten, etwas parallel zu etwas anderem tun o.Ä. kont|ra|punk|tie|rend: den gegenüber anderen Stimmen selbstständigen Stimmverlauf betreffend (Mus.). Kont|rapunk|tik ⟨*lat.-mlat.-nlat.*⟩ *die;* -: die Lehre des Kontrapunktes; die Kunst kontrapunktischer Stimmführung (Mus.). Kont|rapunk|ti|ker *der;* -s, -: Komponist, der die Technik des Kontrapunkts (1) verwendet (Mus.). kont|ra|punk|tisch u. kont|rapunk|tis|tisch: den Kontrapunkt betreffend (Mus.). konträr ⟨*lat.-fr.*⟩: gegensätzlich; entgegengesetzt. Kont|ra|ri|e|tät ⟨*lat.*⟩ *die;* -, -en: (veraltet) Hindernis, Unannehmlichkeit. Kont|ra|ri|pos|te *vgl.* Kontririposte. Kont|ra|sig|na|tur *die;* -, -en: Gegenzeichnung. kont|rasig|nie|ren: gegenzeichnen. Kon|trast* ⟨*lat.-vulgärlat.-it.*⟩ *der;* -[e]s, -e: 1. starker, oft ins Auge springender Gegensatz. 2. ↑syntagmatische Relation von sprachlichen Einheiten (z.B. *die Studentin macht ihr Examen* zu: *die Studentinnen machen ihr Examen*); vgl. Opposition (5). 3. Unterschied in der Helligkeit der hellen u. dunklen Partien eines Bildes (Fotogr.). kon|tras|tieren ⟨*lat.-vulgärlat.-it.-fr.*⟩: 1. einen augenfälligen Kontrast zu etw. bilden; sich von etw. abheben. 2. (zu etw.) einen Kontrast schaffen. kon|tras|tiv: vergleichend, gegenüberstellend. Kontrast|mit|tel *das;* -s, -: Stoff, der vor einer Röntgenuntersuchung in den Körper eingebracht, auf dem Röntgenbild in Kontrast zu dem zu untersuchenden Gewebe erscheint (Med.). Kon|trastpro|gramm *das;* -s, -e: Rundfunk- od. Fernsehprogramm, das eine Alternative zu einem oder mehreren anderen bietet Kont|ra|sub|jekt* *das;* -[e]s, -e: die kontrapunktische Stimme, die bei der Fuge der erste Themeneinsatz mündet (Mus.).

Kont|ra|ve|ni|ent ⟨lat.⟩ der; -en, -en: (veraltet) jmd., der einer Verordnung od. Abmachung zuwiderhandelt (Rechtsw.). **kont|ra|ve|nie|ren:** (veraltet) ordnungs-, gesetz-, vertragswidrig handeln (Rechtsw.). **Kont|ra|ven|ti|on** ⟨lat.-nlat.⟩ die; -, -en: (veraltet) Gesetzes-, Vertragsbruch (Rechtsw.). **Kont|ra|zep|ti|on** die; -: Empfängnisverhütung (Med.). **kont|ra|zep|tiv:** empfängnisverhütend (Med.). **Kont|ra|zep|tiv** das; -s, -e u. **Kont|ra|zep|ti|vum** das; -s, ...va: empfängnisverhütendes Mittel (Med.)

Kont|re|ban|dist* [kɔntə...] ⟨it.-fr.⟩ der; -en, -en: (veraltet) jmd., der ↑Konterbande (2) einschmuggelt

Kon|trek|ta|ti|ons|trieb* ⟨lat.; dt.⟩ der; -[e]s: sexuelle Triebkomponente, die vor allem nach der körperlichen Berührung mit dem Partner strebt (Med.)

Kont|re|tanz* ⟨engl.-fr.; „Gegentanz"⟩, auch: Contretanz ⟨fr.⟩ der; -es, ...tänze: alter Gesellschaftstanz, bei dem jeweils vier Paare bestimmte Figuren miteinander ausführen; vgl. Contredanse

Kon|tri|bu|ent* ⟨lat.⟩ der; -en, -en: (veraltet) Steuerpflichtiger, Steuerzahler. **kon|tri|bu|ie|ren:** (veraltet) 1. Steuern entrichten. 2. beitragen, behilflich sein.

Kon|tri|bu|ti|on die; -, -en: 1. (veraltet) für den Unterhalt der Besatzungstruppen erhobener Beitrag im besetzten Gebiet. 2. von der Bevölkerung eines besetzten Gebietes erhobene Geldzahlung. 3. (veraltet) Beitrag (zu einer gemeinsamen Sache)

kont|rie|ren* ⟨lat.-nlat.⟩: beim Kartenspielen Kontra geben

Kon|tri|ti|on* ⟨lat.⟩ die; -, -en: vollkommene Reue als Voraussetzung für die Absolution. **Kon|tri|ti|o|nis|mus** ⟨lat.-nlat.⟩ der; -: katholische Lehre von der Notwendigkeit der echten Reue als Voraussetzung für die Gültigkeit des Bußsakramentes; vgl. Attritionismus

Kon|trol|le* ⟨lat.-fr.⟩ die; -, -n: 1. Aufsicht, Überwachung; Überprüfung. 2. Herrschaft, Gewalt. **Kon|trol|ler** ⟨lat.-fr.-engl.⟩ der; -s, -: Steuerschalter an Elektromotoren. **Kon|trol|leur** [...'lø:ɐ̯] ⟨lat.-fr.⟩ der; -s, -e: jmd., der eine Kontrollfunktion ausübt. **kon|trol|lie|ren:** 1. jmdn., etw. überwachen. 2. etwas unter seinem Einflussbereich haben, beherr-

schen (einen Markt u. a.). **Kon|trol|lor** ⟨lat.-fr.-it.⟩ der; -s, -e: (österr.) Kontrolleur

Kont|ro|ri|pos|te* u. Kontrariposte ⟨lat.; lat.-it.-fr.⟩ die; -, -n: Gegenschlag auf eine abgewehrte Riposte (Fechten)

kont|ro|vers* ⟨lat.⟩: a) [einander] entgegengesetzt; b) strittig; c) umstritten. **Kont|ro|ver|se** die; -, -n: Meinungsverschiedenheit, Auseinandersetzung (um eine Sachfrage)

Kon|tu|maz ⟨lat.⟩ die; -: 1. (veraltet) das Nichterscheinen vor Gericht (Rechtsw.); vgl. in contumaciam. 2. (veraltet österr.) Quarantäne. **Kon|tu|ma|zi|al|be|scheid** ⟨lat.; dt.⟩ der; -[e]s, -e: (veraltet) in Abwesenheit des Beklagten ergangener Bescheid (Rechtsw.). **kon|tu|ma|zie|ren** ⟨lat.-nlat.⟩: (veraltet) gegen jmdn. ein Versäumnisurteil fällen (Rechtsw.)

kon|tun|die|ren ⟨lat.⟩: quetschen (z. B. Gewebe; Med.); vgl. Kontusion

Kon|tur ⟨⟨lat.; gr.-lat.⟩ vulgärlat.-it.-fr.⟩ die; -, -en (fachsprachlich auch:) der; -s, -en (meist Plural): Umriss[linie]. andeutende Linie[nführung]. **kon|tu|rie|ren:** in Umrissen zeichnen

Kon|tu|si|on ⟨lat.⟩ die; -, -en: Quetschung (Med.); vgl. kontundieren

Kon|ur|ba|ti|on vgl. Conurbation

Ko|nus ⟨gr.-lat.; „Pinienzapfen; Kegel"⟩ der; -, -se (Technik auch: ...nen): 1. Körper von der Form eines Kegels od. Kegelstumpfs (Math.). 2. bei Drucktypen der Seitenflächen des das Schriftbild tragenden Oberteils (Druckw.)

Kon|va|les|zent ⟨lat.⟩ der; -en, -en: (selten) ↑Rekonvaleszent. **Kon|va|les|zenz** ⟨lat.⟩ die; -, -en (Plural selten): 1. (selten) ↑Rekonvaleszenz (Med.). 2. das nachträgliche Gültigwerden eines Rechtsgeschäfts (Rechtsw.). **kon|va|les|zie|ren:** (selten) ↑rekonvaleszieren

Kon|va|li|da|ti|on ⟨lat.⟩ die; -, -en: Gültigmachung einer [noch] nicht gültigen Ehe nach dem katholischen Kirchenrecht

Kon|va|ri|e|tät ⟨lat.-nlat.⟩ die; -, -en: Gruppe von Vertretern einer Tier-, Pflanzenart mit der ähnlichen, für die Züchtung bedeutsamen Merkmalen (Bot.)

Kon|vek|ti|on ⟨lat.⟩ die; -, -en: 1. Mitführung von Energie od. elektrischer Ladung durch die kleinsten Teilchen einer Strö-

mung (Phys.). 2. vertikale Luftbewegung (Meteor.); Ggs. ↑Advektion (1). 3. vertikale Bewegung von Wassermassen der Weltmeere; Ggs. ↑Advektion (2). 4. Strömungsbewegung in einem flüssigen od. gasförmigen Medium (Phys.). **kon|vek|tiv** ⟨lat.-nlat.⟩: durch Konvektion bewirkt; auf die Konvektion bezogen (Meteor.). **Kon|vek|tor** der; -s, ...oren: Heizkörper, der die Luft durch Bewegung erwärmt

kon|ve|na|bel ⟨lat.-fr.⟩: (veraltet) 1. schicklich. 2. gelegen, passend, bequem; Ggs. ↑inkonvenabel. **Kon|ve|ni|at** ⟨lat.; „er (der Klerus) komme zusammen"⟩ das; -s, -s: Zusammenkunft der katholischen Geistlichen eines ↑Dechanats. **Kon|ve|ni|enz** die; -, -en: 1. ↑Kompatibilität (3). 2. a) Bequemlichkeit, Annehmlichkeit; Ggs. ↑Inkonvenienz (2); b) das Schickliche, Erlaubte; Ggs. ↑Inkonvenienz (1). **kon|ve|nie|ren:** zusagen, gefallen, passen; annehmbar sein. **Kon|vent** der; -[e]s, -e: 1. a) Versammlung der stimmberechtigten Mitglieder eines Klosters; b) Gesamtheit der Mitglieder eines Klosters; Kloster[gemeinschaft]; c) Zusammenkunft von evangelischen Pfarrern zum Zweck der Weiterbildung, der Beratung u. Ä. 2. wöchentliche Zusammenkunft der [aktiven] Mitglieder einer Studentenverbindung. 3. (ohne Plural; hist.) Volksvertretung der Französischen Revolution. **Kon|ven|ti|kel** das; -s, -: a) [heimliche] Zusammenkunft; b) Zusammenkunft von Angehörigen außerkirchlicher religiöser Gemeinschaften. **Kon|ven|ti|on** ⟨lat.-fr.⟩ die; -, -en: 1. Übereinkunft, Abkommen, [völkerrechtlicher] Vertrag. 2. Regeln des Umgangs, die im gesellschaftlichen Verhaltens, die für die Gesellschaft als Verhaltensnorm gelten. 3. Regel (beim Fechten mit Florett od. Säbel). **Kon|ven|ti|o|nal** ⟨lat.-nlat.⟩: die Konvention (1) betreffend; vgl. konventionell; vgl. ...al/...ell. **kon|ven|ti|o|na|li|sie|ren:** zur Konvention (2) erheben. **kon|ven|ti|o|na|li|siert:** im Herkömmlichen verankert, sich in eingefahrenen Bahnen bewegend. **Kon|ven|ti|o|na|lis|mus** der; -: philosophische Richtung im 19. Jh., die den auf rein zweckmäßiger Vereinbarung beruhenden Charakter von geometrischen Axiomen, Begriffen, Definitionen betont (Philos.). **Kon|ven|ti|o|na|li|tät** *die;* -: 1. ↑Arbitrarität. 2. konventionelle Art. **Kon|ven|ti|o|nal|stra|fe** *die;* -, (bei Vertragsschluss vereinbarte) Geldsumme od. andersweitige Leistung, die ein Vertragspartner erbringen muss, wenn er die vertraglich vereinbarte Leistung nicht zum festgelegten Zeitpunkt od. in der festgelegten Weise erfüllt hat (Rechtsw.). **kon|ven|ti|o|nell** ⟨*lat.-fr.*⟩: 1. a) den gesellschaftlichen Konventionen entsprechend; b) förmlich, steif; 2. (bes. Technik, Mil.) herkömmlich, hergebracht (bes. im Gegensatz zu atomar, biologisch, chemisch). **Kon|vents|mes|se** ⟨*lat.-dt.*⟩ *die;* -, -n: Feier der Messe mit Chorgebet in einem Kloster od. Stift (kath. Kirche). **Kon|ven|tu|a|le** ⟨*lat.-mlat.*⟩ *der;* -n, -n: 1. stimmberechtigtes Klostermitglied. 2. Angehöriger eines Zweiges des Franziskanerordens. **Kon|ven|tu|a|lin** *die;* -, -nen: Angehörige eines Zweiges des Franziskanerordens **kon|ver|gent** ⟨*lat.-mlat.*⟩: sich einander annähernd, übereinstimmend; Ggs. ↑divergent; vgl. konvergierend. **Kon|ver|genz** *die;* -, -en: 1. Annäherung, Übereinstimmung von Meinungen, Zielen u. Ä.; Ggs. ↑Divergenz. 2. Ausbildung ähnlicher Merkmale hinsichtlich Gestalt u. Organen bei genetisch verschiedenen Lebewesen meist durch Anpassung an gleiche Umweltbedingungen (Biol.). 3. gleichsinnige Bewegung der Augen nach innen beim Sehen in unmittelbarer Nähe (Med.). 4. Vorhandensein einer Annäherung od. eines Grenzwertes konvergenter Linien u. Reihen (Math.); Ggs. ↑Divergenz. 5. das Sichschneiden von Lichtstrahlen (Phys.); Ggs. ↑Divergenz. 6. das Zusammenwirken von Anlage u. Umwelt als Prinzip der psychischen Entwicklung (Psychol.). 7. Zusammentreffen von verschiedenen Strömungen des Meerwassers. 8. das Auftreten von gleichen od. ähnlichen Oberflächenformen in unterschiedlichen Landschaften. **Kon|ver|genz|kri|te|ri|um** *das;* -s, ...rien: 1. (innerhalb der Europäischen Wirtschafts- u. Währungsunion EWWU) wirtschaftspolitisches Kriterium, bei dem Übereinstimmung zwischen den Mitgliedsstaaten herrschen soll. 2. Angabe von Bedingungen, unter denen vor allem eine Reihe einen Grenzwert besitzt; vgl. Konvergenz (4); (Math.). **Kon|ver|genz|the|o|rie** *die;* -: Theorie, die eine allmähliche Annäherung kapitalistischer u. sozialistischer Industriestaaten annimmt (Pol.). **kon|ver|gie|ren:** a) sich nähern, einander näher kommen, zusammenlaufen; b) demselben Ziel zustreben; übereinstimmen; Ggs. ↑divergieren. **kon|ver|gie|rend:** zusammenlaufend; Ggs. ↑divergierend; vgl. konvergent **kon|vers** ⟨*lat.-engl.*⟩: eine Konversion (2 b) darstellend; umgekehrt, gegenteilig (Sprachw.) **Kon|ver|sa|ti|on** ⟨*lat.-fr.*⟩ *die;* -, -en: [geselliges, leichtes] Gespräch, Plauderei. **Kon|ver|sa|ti|ons|le|xi|kon** *das;* -s, ...ka (auch: ...ken): alphabetisch geordnetes Nachschlagewerk zur raschen Information über alle Gebiete des Wissens; Enzyklopädie. **Kon|ver|sa|ti|ons|stück** *das;* -[e]s, -e: [in der höheren Gesellschaft spielendes] Unterhaltungsstück, dessen Wirkung bes. auf geistvollen Dialogen beruht. **¹Kon|ver|se** ⟨*lat.*⟩ *der;* -n, -n: Laienbruder eines katholischen Mönchsordens. **²Kon|ver|se** *die;* -, -n: Begriff, Satz, der zu einem anderen konvers ist (z. B. *der Lehrer gibt dem Schüler ein Buch* zu *der Schüler erhält vom Lehrer ein Buch;* Sprachw.). **kon|ver|sie|ren** ⟨*lat.-fr.*⟩: (veraltet) sich unterhalten. **Kon|ver|si|on** ⟨*lat.*⟩ *die;* -, -en: 1. der Übertritt von einer Konfession zu einer anderen, meist zur katholischen Kirche. 2. (Sprachw.) a) Übergang von einer Wortart in eine andere ohne formale Veränderung (z. B. *Dank - dank*); b) zwischen zwei ↑²Konversen bestehendes Bedeutungsverhältnis. 3. sinngemäße, der Absicht der Vertragspartner entsprechende Umdeutung eines nichtigen Rechtsgeschäftes (Rechtsw.). 4. Schuldumwandlung zur Erlangung günstigerer Bedingungen (Finanzw.). 5. (Psychol.) a) grundlegende Einstellungs- od. Meinungsänderung; b) Umwandlung unbewältigter starker Erlebnisse in körperliche Symptome. 6. Erzeugung neuer spaltbarer Stoffe in einem Reaktor (Kernphys.). 7. Veränderung einer Aussage durch Vertauschen von Subjekt u. Prädikat (Logik). 8. Umwandlung von militärischer in zivile Nutzung. 9. ↑Konvertierung (3). **Kon|ver|ter** ⟨*lat.-fr.-engl.*⟩ *der;* -s, -: 1. Gerät, mit dem Wechselspannungen bestimmter Frequenzen umgeformt werden können (Techn.). 2. Linsensystem, das zwischen Objektiv u. Kamera geschaltet wird, wodurch sich die Brennweite verlängert (Fotogr.). 3. ein kippbares birnen- od. kastenförmiges Gefäß für die Stahlerzeugung u. Kupfergewinnung (Hüttenw.). 4. Reaktor, in dem nicht spaltbares in spaltbares Material verwandelt wird (Kernphys.). 5. Gerät od. Programm zum Umwandeln von Daten (EDV). **kon|ver|ti|bel** ⟨*lat.-fr.*⟩: frei austauschbar; vgl. Konvertibilität. **Kon|ver|ti|bi|li|tät** u. **Kon|ver|tier|bar|keit** *die;* -: die freie Austauschbarkeit der Währungen verschiedener Länder zum jeweiligen Wechselkurs (Wirtsch.). **kon|ver|tie|ren** ⟨*lat.(-fr.)*⟩: 1. inländische gegen ausländische Währung tauschen u. umgekehrt. 2. zu einem anderen Glauben übertreten. 3. Informationen von einem Datenträger auf einen anderen übertragen; Daten umwandeln (EDV). **Kon|ver|tie|rung** *die;* -, -en: 1. ↑Konversion (3, 4). 2. das Konvertieren, Konvertiertwerden. 3. Verfahren zur Herstellung von Wasserstoff durch Umsetzung von Kohlenmonoxid mit Wasserdampf (Chem.). **Kon|ver|tit** ⟨*lat.-engl.*⟩ *der;* -en, -en: jmd., der zu einem anderen Glauben übergetreten ist **kon|vex** ⟨*lat.*⟩: erhaben, nach außen gewölbt (z. B. von Spiegeln od. Linsen; Phys.); Ggs. ↑konkav. **Kon|ve|xi|tät** *die;* -: Wölbung nach außen (z. B. von Linsen; Phys.); Ggs. ↑Konkavität **Kon|vikt** ⟨*lat.*⟩ *das;* -[e]s, -e: 1. Stift, Wohnheim für Theologiestudenten. 2. (österr.) Schülerheim, katholisches Internat **Kon|vik|ti|on** ⟨*lat.*⟩ *die;* -, -en: (veraltet) 1. Überführung eines Angeklagten. 2. Überzeugung **Kon|vik|tu|a|le** ⟨*lat.-nlat.*⟩ *der;* -n, -n: (veraltet) Angehöriger eines Konvikts **kon|vin|zie|ren** ⟨*lat.*⟩: (veraltet) 1. [eines Verbrechens] überführen. 2. überzeugen **Kon|vi|va** ⟨*lat.*⟩ *der;* -n, -... (veraltet) Gast, Tischgenosse. **kon|vi|vi|al** ⟨*lat.*⟩: (veraltet) gesellig, heiter. **Kon|vi|vi|a|li|tät** *die;* -: (veraltet)

Geselligkeit, Fröhlichkeit. **Kon|vi|vi|um** *das;* -s, ...ien: (veraltet) [Fest]gelage

Kon|voi [...'voy, auch: 'kɔn...] ⟨*lat.-vulgärlat.-fr.-engl.*⟩ *der;* -s, -s: Geleitzug (bes. von Autos od. Schiffen), Fahrzeugkolonne

Kon|vo|ka|ti|on ⟨*lat.*⟩ *die;* -, -en: (veraltet) (von Körperschaften) das Einberufen, Zusammenrufen der Mitglieder

Kon|vo|lut ⟨*lat.*⟩ *das;* -[e]s, -e: 1. a) Bündel von verschiedenen Schriftstücken od. Drucksachen; b) Sammelband, Sammelmappe. 2. Knäuel (z. B. von Darmschlingen; Med.). **Kon|vo|lu|te** *die;* -, -n: ↑ Volute

Kon|vul|si|on ⟨*lat.*⟩ *die;* -, -en: Schüttelkrampf (Med.). **kon|vul|siv** u. **kon|vul|si|visch** ⟨*lat.-nlat.*⟩: krampfhaft zuckend, krampfartig (Med.)

Kon|ya ⟨nach der türk. Stadt⟩ *der;* -[s], -s: Gebetsteppich mit streng stilisierter Musterung

kon|ze|die|ren ⟨*lat.*⟩: zugestehen; erlauben; einräumen

Kon|ze|le|b|rant* ⟨*lat.*⟩ *der;* -en, -en: Geistlicher, der mit anderen Geistlichen die Eucharistie feiert (kath. Kirche). **Kon|ze|le|b|ra|ti|on** ⟨*lat.-mlat.*⟩ *die;* -, -en u. Concelebratio *die;* -, ...nes: die Feier der Eucharistie durch mehrere Geistliche gemeinsam (kath. Kirche). **kon|ze|le|b|rie|ren**: gemeinsam mit anderen Geistlichen die Eucharistie feiern

Kon|zen|t|rat* ⟨*(lat.; gr.-lat.) fr.-nlat.*⟩ *das;* -[e]s, -e: 1. a) angereicherter Stoff, hochprozentige Lösung; b) hochprozentiger Pflanzen- od. Fruchtauszug. 2. Zusammenfassung. **Kon|zen|t|ra|ti|on** ⟨*(lat.; gr.-lat.) fr.*⟩ *die;* -, -en: 1. Zusammenballung [wirtschaftlicher od. militärischer Kräfte]; Ggs. ↑ Dekonzentration. 2. (ohne Plural) geistige Sammlung, Anspannung, höchste Aufmerksamkeit. 3. (ohne Plural) gezielte Lenkung auf etwas hin. 4. Gehalt einer Lösung an gelöstem Stoff (Chem.). **Kon|zen|t|ra|ti|ons|la|ger** *das;* -s, -: Internierungslager für politisch, rassisch od. religiös Verfolgte. **kon|zen|t|ra|tiv:** die Konzentration (2) betreffend (Fachspr.). **kon|zen|t|rie|ren:** 1. [wirtschaftliche od. militärische Kräfte] zusammenziehen, -ballen; Ggs. ↑ dekonzentrieren. 2. etwas verstärkt auf etwas od. jmdn. ausrichten, auf etwas konzentrieren: sich [geistig] sammeln, anspan-

nen. 4. anreichern, gehaltreich machen (Chem.). **kon|zen|t|riert:** 1. gesammelt, aufmerksam. 2. einen gelösten Stoff in großer Menge enthaltend; angereichert (Chem.). **kon|zen|t|risch** ⟨*(lat.; gr.-lat.-)mlat.*⟩: 1. einen gemeinsamen Mittelpunkt habend (von Kreisen; Math.). 2. um einen gemeinsamen Mittelpunkt herum angeordnet, auf einen [Mittel]punkt hinstrebend. **Kon|zen|t|ri|zi|tät** ⟨*nlat.*⟩ *die;* -: Gemeinsamkeit des Mittelpunkts

Kon|zept ⟨*lat.*⟩ *das;* -[e]s, -e: 1. [stichwortartiger] Entwurf einer Rede od. einer Schrift. 2. Plan, Programm. **Kon|zept|al|bum** *das;* -s, ...ben: Langspielplatte od. CD, die nicht eine bestimmte Anzahl verschiedener, jedes für sich abgeschlossener Lieder enthält, sondern ein Thema, eine Idee in voneinander abhängigen Kompositionen behandelt (Mus.). **kon|zep|ti|bel** ⟨*lat.-nlat.*⟩: (veraltet) begreiflich, fasslich. **Kon|zep|ti|on** ⟨*lat.*⟩ *die;* -, -en: 1. geistiger/künstlerischer Einfall; Entwurf eines Werkes. 2. klar umrissene Grundvorstellung, Leitprogramm, gedanklicher Entwurf. 3. Befruchtung der Eizelle; Schwangerschaftseintritt, Empfängnis (Biol.; Med.). **kon|zep|ti|o|nell:** die Konzeption betreffend. **Kon|zep|ti|o|nis|mus** ⟨*lat.-nlat.*⟩ *der;* -: literarische Stilrichtung des spanischen Barocks (Literaturw.); vgl. Konzetti. **kon|zep|tu|a|li|sie|ren:** ein Konzept (2) entwerfen, als Konzept (2) gestalten. **Kon|zep|tu|a|lis|mus** *der;* -: Lehre der Scholastik, nach der das Allgemeine (vgl. Universalien) nicht bloß Wort, sondern Begriff u. selbstständiges Denkgebilde sei (Philos.). **kon|zep|tu|ell:** ein Konzept (2) aufweisend **Kon|zern** ⟨*lat.-mlat.-fr.-engl.*⟩ *der;* -[e]s, -e: Zusammenschluss von Unternehmen, die eine wirtschaftliche Einheit bilden, ohne dabei ihre rechtliche Selbstständigkeit aufzugeben (Wirtsch.). **kon|zer|nie|ren:** zu einem Konzern zusammenschließen (Wirtsch.)

Kon|zert ⟨*lat.-it.*⟩ „Wettstreit (der Stimmen)" *das;* -[e]s, -e: 1. öffentliche Musikaufführung. 2. Komposition für Solo u. Orchester. 3. (ohne Plural) Zusammenwirken verschiedener Faktoren od. [politischer] Kräfte. **Kon|zert|agen|tur** ⟨*lat.-it.; nlat.*⟩ *die;*

-, -en: Agentur, die Künstlern Konzerte vermittelt. **kon|zer|tant:** konzertmäßig, in Konzertform; **konzertante Sinfonie:** Konzert mit mehreren solistisch auftretenden Instrumenten od. Instrumentengruppen. **Kon|zer|tan|te** vgl. Concertante. **Kon|zert|etü|de** *die;* -, -n: solistisches Musikstück mit technischen Schwierigkeiten. **kon|zer|tie|ren:** 1. ein Konzert geben. 2. (veraltet) etwas verabreden, besprechen. **kon|zer|tiert** ⟨*lat.-engl.*⟩: verabredet, aufeinander abgestimmt, übereinstimmend; **konzertierte Aktion:** das Zusammenwirken verschiedener Gruppen (Gewerkschaften, Unternehmerverbände u. Ä.) zur Erreichung eines bestimmten Zieles (Wirtsch.). **Kon|zer|ti|na** ⟨*lat.-it.-fr.-engl.*⟩ *die;* -, -s: Handharmonika mit sechseckigem od. quadratischem Gehäuse **Kon|zes|si|on** ⟨*lat.*⟩ *die;* -, -en: 1. (meist Plural) Zugeständnis, Entgegenkommen. 2. (Rechtsw.) a) befristete behördliche Genehmigung zur Ausübung eines konzessionspflichtigen Gewerbes; b) dem Staat vorbehaltenes Recht, ein Gebiet zu erschließen, dessen Bodenschätze auszubeuten. **Kon|zes|si|o|när** ⟨*lat.-nlat.*⟩ *der;* -s, -e: Inhaber einer Konzession. **kon|zes|si|o|nie|ren:** eine Konzession erteilen, behördlich genehmigen. **kon|zes|siv** ⟨*lat.*⟩: einräumend (Sprachw.); **konzessive Konjunktion:** einräumendes Bindewort (z. B. obgleich). **Kon|zes|siv|satz** *der;* -es, ...sätze: Umstandssatz der Einräumung (z. B. *obwohl es regnete*, ging er spazieren; Sprachw.) **Kon|zet|ti** ⟨*lat.-it.*⟩ *die* (Plural): witzige Einfälle in zugespitztem, gekünsteltem Stil, bes. in der Literatur der italienischen Spätrenaissance (Literaturw.); vgl. Konzeptismus **Kon|zil** ⟨*lat.*⟩ *das;* -s, -e u. -ien: 1. Versammlung von Bischöfen u. anderen hohen Vertretern der katholischen Kirche zur Erledigung wichtiger kirchlicher Angelegenheiten; vgl. ökumenisch. 2. aus Professoren, Vertretern von Studenten u. nichtakademischen Bediensteten einer Hochschule gebildetes Gremium, das bestimmte Entscheidungsbefugnisse hat. **kon|zi|li|ant** ⟨*lat.-fr.*⟩: umgänglich, ausgleichend, freundlich; versöhnlich. **Kon|zi|li|anz** *die;* -: Umgänglichkeit, Verbind-

lichkeit, freundliches Entgegen-
kommen. **kon|zi|li|ar,** **kon|zi|li|a-
risch:** a) zu einem Konzil gehörend; b) einem Konzil entspre-
chend; vgl. ...isch/-. **Kon|zi|li|a-
ris|mus** ⟨lat.-nlat.⟩ *der;* -: vom
↑Episkopalismus vertretene
Theorie, dass die Rechtmäßig-
keit u. Geltung der Beschlüsse
eines Konzils nicht von der Zustimmung des Papstes abhängig
seien (kath. Kirchenrecht). **Kon-
zi|li|a|ti|on** ⟨lat.⟩ *die;* -, -en: (ver-
altet) Versöhnung, Vereinigung
[verschiedener Meinungen].
Kon|zi|li|en: *Plural* von ↑Konzil.
kon|zi|li|ie|ren: (veraltet) [ver-
schiedene Meinungen] vereini-
gen; versöhnen
kon|zinn ⟨lat.⟩: 1. (veraltet) ange-
messen, gefällig; Ggs. ↑inkon-
zinn (1). 2. syntaktisch gleich gebaut, harmonisch zusammenge-
fügt, abgerundet (Rhet.; Stilk.);
Ggs. ↑inkonzinn (2). **Kon|zin|ni-
tät** *die;* -: 1. (veraltet) Gefällig-
keit; Ggs. ↑Inkonzinnität (1). 2.
gleichartige syntaktische Konstruktion gleichwertiger Sätze
(Rhet.; Stilk.); Ggs. ↑Inkonzin-
nität (2)
Kon|zi|pi|ent ⟨lat.⟩ *der;* -en, -en: 1.
(veraltet) Verfasser eines
Schriftstücks. 2. (österr.) Jurist
[zur Ausbildung] in einem An-
waltsbüro. **kon|zi|pie|ren:** 1. a)
ein schriftliches Konzept (1) für
etwas machen; b) (von einer bestimmten Vorstellung, Idee ausgehend) etwas planen, entwerfen, entwickeln. 2. schwanger
werden (Med.). **Kon|zi|pie|rung**
die; -, -en: das Konzipieren (1).
Kon|zi|pist ⟨lat.-nlat.⟩ *der;* -en,
-en: (österr. hist.) niederer Beamter, der ein Konzept (1) ent-
wirft; vgl. Konzipient
kon|zis ⟨lat.⟩: kurz, gedrängt
(Rhet.; Stilk.)
Ko|ok|kur|renz ⟨lat.⟩ *die;* -, -en:
das Miteinandervorkommen
sprachlicher Einheiten in derselben Umgebung (z.B. im Satz;
Sprachw.)
Ko|ope|ra|teur [...ˈtøːʀ] ⟨lat.-fr.⟩
der; -s, -e: Wirtschaftspartner,
Unternehmenspartner. **Ko|ope-
ra|ti|on** ⟨lat.⟩ *die;* -, -en: Zusam-
menarbeit verschiedener Part-
ner. **ko|ope|ra|tiv** ⟨lat.-nlat.⟩: zu-
sammenarbeitend, gemeinsam.
Ko|ope|ra|tiv *das;* -s, -e u. **Ko-
ope|ra|ti|ve** ⟨lat.-fr.-russ.⟩ *die;* -,
-n: Arbeitsgemeinschaft, Genos-
senschaft in der früheren DDR.
Ko|ope|ra|tor ⟨lat.⟩ *der;* -s,
...oren: 1. (veraltet) Mitarbeiter.

2. (landsch. u. österr.) katholi-
scher Hilfsgeistlicher. **ko|ope-
rie|ren:** [auf wirtschaftlichem
od. politischem Gebiet] zusam-
menarbeiten
Ko|op|ta|ti|on ⟨lat.⟩ *die;* -, -en:
nachträgliche Hinzuwahl neuer
Mitglieder in eine Körperschaft
durch die dieser Körperschaft
bereits angehörenden Mitglie-
der. **ko|op|ta|tiv:** die Kooptati-
on betreffend. **ko|op|tie|ren:**
jmdn. durch eine Nachwahl noch
in eine Körperschaft aufneh-
men. **Ko|op|ti|on** *die;* -, -en:
↑Kooptation
Ko|or|di|na|te ⟨lat.-nlat.⟩ *die;* -,
-n: 1. (meist Plural) Zahl, die die
Lage eines Punktes in der Ebene
u. im Raum angibt (Math.;
Geogr.). 2. (nur Plural) ↑Abszis-
se u. ↑Ordinate (Math.). **Ko|or-
di|na|ten|sys|tem** *das;* -s, -e:
mathematisches System, in dem
mithilfe von Koordinaten die Lage eines Punktes od. eines geo-
metrischen Gebildes in der Ebene od. im Raum festgelegt wird
(Math.). **Ko|or|di|na|ti|on** *die;* -,
-en: 1. gegenseitiges Abstimmen
verschiedener Dinge, Faktoren
od. Vorgänge. 2. Neben-, Beiord-
nung von Satzgliedern od. Sätzen (Sprachw.); Ggs. ↑Subordi-
nation (2). 3. das harmonische
Zusammenwirken der bei einer
Bewegung tätigen Muskeln
(Med.). 4. Zusammensetzung u.
Aufbau von chemischen Verbindungen höherer Ordnung
(Chem.). **Ko|or|di|na|tor** *der;* -s,
...oren: jmd., der etwas aufeinander abstimmt, etwas mit etwas in
Einklang bringt. **ko|or|di|nie-
ren** ⟨lat.-mlat.⟩: mehrere Dinge
od. Vorgänge aufeinander abstimmen; **koordinierende Kon-
junktion:** nebenordnendes Bin-
dewort (z.B. und; Sprachw.)
Ko|pa|i|va|bal|sam ⟨indian.-
span.-engl.; hebr.-gr.-lat.⟩ *der;* -s:
Harz des tropischen Kopaiva-
baumes, das in der Lackverar-
beitung u. als Heilmittel verwendet wird
Ko|pal ⟨indian.-span.⟩ *der;* -s, -e:
ein Harz verschiedener tropischer Bäume, das für Lacke verwendet wird
Ko|pe|ke ⟨russ.⟩ *die;* -, -n: russi-
sche Münze (= 0,01 Rubel);
Abk.: Kop.
Ko|pe|po|de ⟨gr.-nlat.⟩ *der;* -n, -n:
ein schalenloses Krebstier (Ru-
derfußkrebs; Zool.)
Kö|per ⟨niederl.⟩ *der;* -s, -: Gewe-
be in Köperbindung (Webart)

ko|per|ni|ka|nisch ⟨nach dem
Astronomen N. Kopernikus,
1473–1543⟩: die Lehre des Kopernikus betreffend, auf ihr beruhend; **kopernikanisches Welt-
system:** ↑heliozentrisches Welt-
system
Koph|o|sis ⟨gr.⟩ *die;* -: [völlige]
Taubheit (Med.)
Koph|ta ⟨Herkunft unsicher⟩ *der;*
-s, -s: (hist.) ägyptischer Magier;
vgl. Großkophta. **koph|tisch:**
den Kophta betreffend
Ko|pi|al|buch ⟨lat.-nlat.; dt.⟩ *das;*
-[e]s, ...bücher: (hist.) Sammlung
von Urkundenabschriften. **Ko-
pi|a|li|en** ⟨lat.-nlat.⟩ *die* (Plural):
(veraltet) Abschreibegebühren.
Ko|pi|a|tur *die;* -, -en: (veraltet)
das Abschreiben. **Ko|pie** [ös-
terr.: ˈkoːpi̯ə] ⟨lat.⟩ *die;* -, ...ien
[österr.: ˈkoː...]: 1. a) Abschrift,
Durchschrift, originalgetreue
Wiedergabe eines geschriebenen
Textes; b) ↑Fotokopie. 2. Nachbildung, Nachgestaltung [eines
Kunstwerks]. 3. a) durch Belich-
ten hergestelltes Bild vom einem
Negativ; b) fotografisch hergestelltes Doppel eines Films. **ko-
pie|ren** ⟨lat.-mlat.⟩: 1. a) etwas in
Zweitausfertigung, eine Kopie
(1 a) von etwas herstellen; b) eine
Fotokopie von etwas machen.
[ein Kunstwerk] nachbilden. 3.
a) eine Kopie (3 a) herstellen; b)
von einem Negativfilm einen Po-
sitivfilm herstellen. **Ko|pie|rer**
der; -s, -: (ugs.) Gerät, mit dem
Fotokopien gemacht werden.
Ko|pier|stift *der;* -[e]s, -e:
Schreibstift mit einer Mine, die
wasserlösliche Farbstoffe enthält u. nicht wegradiert werden
kann
Ko|pi|lot u. Copilot *der;* en, en:
a) zweiter Pilot in einem Flugzeug; b) zweiter Fahrer in einem
Rennwagen
Ko|pi|o|pie ⟨gr.-nlat.⟩ *die;* -: Seh-
schwäche, Erschöpfung der Au-
gen infolge Überanstrengung
(Med.)
ko|pi|ös ⟨lat.-fr.⟩: reichlich, mas-
senhaft (Med.)
Ko|pist ⟨lat.-mlat.⟩ *der;* -en, -en:
jmd., der eine Kopie anfertigt
Kop|pa ⟨gr.⟩ *das;* -[s], -s: Buchsta-
be im ältesten griechischen Al-
phabet (Ϙ, Ϙ, Ϛ)
Kop|ra* ⟨tamil.-port.⟩ *die;* -: zer-
kleinerte u. getrocknete Kokos-
nusskerne
Ko|prä|mie* ⟨gr.-nlat.⟩ *die;* -,
...ien: durch lang dauernde Ver-
stopfung verursachte Selbstver-
giftung des Körpers (Med.)

Ko|prä|senz ⟨*lat.-engl.*⟩ *die; -:* gemeinsames, gleichzeitiges Auftreten sprachlicher Elemente, z. B. das gleichzeitige Vorhandensein von veralteten u. veraltenden Wörtern neben Wörtern der modernen Gegenwartssprache (Sprachw.) **Kop|re|me|sis*** ⟨*gr.*⟩ *die; -:* Koterbrechen (bei Darmverschluss; Med.) **Ko|pro|duk|ti|on** ⟨*lat.; lat.-fr.*⟩ *die; -, -en:* Gemeinschaftsherstellung, bes. beim Film. **Ko|pro|du|zent** *der; -en, -en:* jmd., der mit jmd. anderem zusammen einen Film, eine Fernsehsendung o. Ä. produziert. **ko|pro|du|zie|ren:** mit jmd. anderem zusammen etwas herstellen (bes. einen Film) **kop|ro|gen*** ⟨*gr.-nlat.*⟩: vom Kot stammend, durch Kot verursacht (Med.). **Kop|ro|la|lie** *die; -:* krankhafte Neigung zum Aussprechen unanständiger, obszöner Wörter (meist aus dem analen Bereich). **Kop|ro|lith** [auch: ...'lɪt] *der; -s u. -en, -e[n]:* 1. ↑Konkrement aus verhärtetem Kot u. Mineralsalzen im unteren Verdauungstrakt (Med.). 2. versteinerter Kot urweltlicher Tiere (Geol.). **Kop|rom** *das; -s, -e:* Scheingeschwulst in Form einer Ansammlung verhärteten Kots im Darm (Med.). **kop|ro|phag:** Kot essend (Biol.). **Kop|ro|pha|ge** *der; -n, -n:* Tier, das sich von den Exkrementen anderer Tiere ernährt; Kotfresser (Biol.). **Kop|ro|phal|gie** *die; -:* das Essen von Kot bei bestimmten psychischen Erkrankungen (Med.). **kop|ro|phil:** (von Tieren und Pflanzen) vorzugsweise auf Kot (Dung) lebend (Biol.). **Kop|ro|pho|bie** *die; -:* [krankhafte] Angst vor der Berührung von Fäkalien, oft auch Angst vor Schmerz u. Ansteckung (Med.; Psychol.). **Kop|ros|ta|se** *die; -, -n:* Kotstauung, Verstopfung (Med.) **Kops** ⟨*engl.*⟩ *der; -es, -e:* Spinnhülse mit aufgewundenem Garn, Garnkörper, Kötzer (Spinnerei) **Kop|te** ⟨*gr.-arab.*⟩ *der; -n, -n:* Angehöriger der christlichen Kirche in Ägypten. **kop|tisch:** a) zur christlichen Kirche Ägyptens, zu den Kopten gehörend; b) die jüngste Stufe des Ägyptischen, die Sprache der Kopten betreffend. **Kop|to|lo|ge** *der; -n, -n:* Wissenschaftler auf dem Gebiet der Koptologie. **Kop|to|lo|gie** *die; -:* Wissenschaft von der koptischen Sprache u. Literatur

Ko|pu|la ⟨*lat.;* „Band"⟩ *die; -, -s u. ...lae* [...lɛ]: 1. ↑Kopulation (2). 2. a) Verbform, die die Verbindung zwischen Subjekt u. Prädikativ (Prädikatsnomen) herstellt (Sprachw.); b) das Glied, das Subjekt und Prädikat zu einer Aussage verbindet (Logik). **Ko|pu|la|ti|on** *die; -, -en:* 1. (veraltet) Trauung, eheliche Verbindung (Rechtsw.). 2. Verschmelzung der verschiedengeschlechtigen Geschlechtszellen bei der Befruchtung. 3. Veredlung von Pflanzen, bei der das schräg geschnittene Edelreis mit der schräg geschnittenen Unterlage genau aufeinander gepasst wird (Gartenbau). 4. ↑Koitus. **ko|pu|la|tiv:** verbindend, anreihend (Sprachw.); **kopulative Konjunktion:** anreihendes Bindewort (z. B. und, auch; Sprachw.). **Ko|pu|la|tiv|kom|po|si|tum** *das; -s, ...ta u.* **Ko|pu|la|ti|vum** *das; -s, ...va:* ↑Additionswort. **ko|pu|lie|ren:** 1. miteinander verschmelzen (von Geschlechtszellen bei der Befruchtung; Biol.). 2. Pflanzen veredeln. 3. (veraltet) jmdn. trauen (Rechtsw.). 4. ↑koitieren
Ko|rah (ökum.: Korach) ⟨nach dem in 4. Mos. 16, 1 ff. genannten Enkel des Levi Korah⟩: in der Fügung: **eine Rotte Korah:** eine zügellose Horde
Ko|ral|le ⟨*gr.-lat.-fr.*⟩ *die; -, -n:* 1. koloniebildendes Hohltier tropischer Meere. 2. das als Schmuck verwendete [rote] Kalkskelett der Koralle (1). **ko|ral|len:** a) aus Korallen bestehend; b) korallenrot. **Ko|ral|lin** ⟨*gr.-lat.-fr.-nlat.*⟩ *das; -s:* roter Farbstoff. **ko|ral|lo|gen** ⟨*gr.-lat.-fr.; gr.*⟩: aus Ablagerungen von Korallen (1) gebildet (von Gesteinsschichten; Geol.)
ko|ram ⟨*lat.;* „vor aller Augen, offen"⟩: öffentlich; **jmdn. koram nehmen:** (veraltet) jmdn. scharf tadeln; vgl. coram publico. **ko|ra|mie|ren** ⟨*lat.-nlat.*⟩: (veraltet) zur Rede stellen
Ko|ran [auch: 'ko:...] ⟨*arab;* „Lesung"⟩ *der; -s, -e:* Sammlung der Offenbarungen Mohammeds, das heilige Buch des Islams (7. Jh. n. Chr.)
ko|ran|zen vgl. kuranzen
Kord vgl. Cord
Kor|dax ⟨*gr.-lat.*⟩ *der; -:* grotesk-ausgelassener Verkleidungstanz des Männerchores in der antiken Komödie
Kor|de ⟨*gr.-lat.-fr.*⟩ *die; -, -n:* (veraltet) schnurartiger Besatz. **Kor-**

del *die; -, -n:* 1. (landsch.) Bindfaden. 2. (österr.) ↑Korde
Kor|de|latsch ⟨*it.*⟩ *der; -[e]s, -e:* kurzes italienisches Krummschwert im Mittelalter
kor|di|al ⟨*lat.-mlat.*⟩: (veraltet) herzlich; vertraulich. **Kor|di|a|li|tät** *die; -, -en:* Herzlichkeit, Freundlichkeit
kor|die|ren ⟨*gr.-lat.-fr.*⟩: 1. feine schraubenförmige Linien in Gold- u. Silberdraht einarbeiten. 2. Griffe an Werkzeugen zur besseren Handhabung aufrauen
Kor|di|e|rit [auch: ...'rɪt] ⟨*nlat.;* nach dem franz. Geologen Cordier, 1777-1861⟩ *der; -s, -e:* ein kristallines Mineral (ein Edelstein)
Kor|dit ⟨*gr.-lat.-fr.-engl.*⟩ *der; -s:* fadenförmiges, rauchschwaches Schießpulver. **Kor|don** [...'dõ:, österr.: ...'do:n] ⟨*gr.-lat.-fr.;* „Schnur, Seil; Reihe"⟩ *der; -s, -s u.* (österr.) *-e:* 1. Postenkette, polizeiliche od. militärische Absperrung. 2. Ordensband. 3. Spalierbaum. **Kor|do|nett|sei|de** ⟨*gr.-lat.-fr.; dt.*⟩ *die; -:* schnurartig gedrehte Handarbeits- u. Knopflochseide
Kor|du|an ⟨nach der span. Stadt Córdoba⟩ *das; -s:* weiches, saffianähnliches Leder
Ko|re ⟨*gr.;* „Mädchen"⟩ *die; -, -n:* bekleidete Mädchenfigur der [archaischen] griechischen Kunst
Ko|re|fe|rat usw. vgl. Korreferat usw.
Ko|ri|an|der ⟨*gr.-lat.*⟩ *der; -s, -:* a) Gewürzpflanze des Mittelmeerraums; b) aus den Samenkörnern des Korianders (a) gewonnenes Gewürz. **Ko|ri|an|do|li** ⟨*gr.-lat.-it.*⟩ *das; -[s], -:* (österr.) ↑Konfetti
Ko|rin|the ⟨nach der griech. Stadt Korinth⟩ *die; -, -n:* kleine, getrocknete, kernlose Weinbeere
Kor|mo|phyt ⟨*gr.-nlat.*⟩ *der; -en, -en* (meist Plural): in Wurzel, Stängel u. Blätter gegliederte Farn- od. Samenpflanze (Sprosspflanze)
Kor|mo|ran ⟨*lat.-fr.*⟩ *der; -s, -e:* großer, meist schwarzgrüner Schwimmvogel
Kor|mus ⟨*gr.-nlat.*⟩ *der; -:* in Wurzel, Sprossachse od. Stängel u. Blätter gegliederter Pflanzenkörper (Bot.); Ggs. ↑Thallus
Kor|nak ⟨*singhal.-port.-fr.*⟩ *der; -s, -s:* [indischer] Elefantenführer
Kor|nea vgl. Cornea. **kor|ne|al** ⟨*lat.-nlat.*⟩: die Kornea betreffend. **Kor|ne|al|kon|takt|scha-**

le *die;* -, -n: (regional) Kontaktlinse. **Kor|nel|kir|sche** *⟨lat.; dt.⟩* *die;* -, -n: ein Zier- u. Heckenstrauch mit gelben Doldenblüten u. essbaren Früchten. **Kor|ner** vgl. Corner (2). **¹Kor|nett** *⟨lat.- fr.⟩ der;* -[e]s, -e u. -s: (veraltet) Fähnrich [bei der Reiterei]. **²Kor|nett** *das;* -[e]s, -e u. -s: (Mus.) 1. Orgelregister. 2. ein kleines Horn mit Ventilen. **Kor|net|tist** *der;* -en, -en: jmd., der **²Kornett** (2) spielt **Ko|roi:** *Plural* von ↑Koros **Ko|rol|la** u. Korolle *⟨gr.-lat.⟩ die;* -, ...llen: Gesamtheit der Blütenblätter einer Blüte (Blumenkrone; Bot.). **Ko|rol|lar** („Kränzchen; Zugabe") *das;* -s, -e u. **Ko|rol|la|ri|um** *das;* -s, ...ien: Satz, der aus einem bewiesenen Satz folgt, von ihm abgeleitet wird (Logik). **Ko|rol|le** vgl. Korolla **Ko|ro|man|del|holz** (nach dem vorderindischen Küstenstrich Koromandel) *das;* -es: wertvolles Holz eines vorderindischen Baumes **Ko|ro|na** *⟨gr.-lat.⟩* „Kranz, Krone") *die;* -, ...nen: 1. Heiligenschein an einer Figur (bildende Kunst). 2. [bei totaler Sonnenfinsternis sichtbarer] Strahlenkranz der Sonne (Astron.). 3. a) (ugs.) [fröhliche] Runde, [Zuhörer]kreis; b) (ugs. abwertend) Horde. **ko|ro|nar:** zu den Herzkranzgefäßen gehörend, von ihnen ausgehend. **Ko|ro|nar|an|gi|o|gra|phie,** auch: ...grafie *die;* -, ...jen: ↑Angiographie der Herzkranzgefäße. **Ko|ro|nar|ge|fäß** *⟨gr.-lat.; dt.⟩ das;* -es, -e (meist Plural): Blutgefäß des Herzens (Kranzgefäß; Med.). **Ko|ro|nar|in|suf|fi|zi|enz** *⟨gr.-lat.; lat.⟩ die;* -, -en: mangelhafte Sauerstoffversorgung des Herzmuskels. **Ko|ro|nar|skle|ro|se** *die;* -: Verkalkung der am Herzmuskel versorgenden Koronargefäße (Med.). **Ko|ro|nis** *⟨gr.-lat.⟩* „Krümmung") *die;* -, ...ides: in altgriechischen Wörtern das Zeichen für ↑Krasis (') (z. B. griech. *tâmá* für *tà emá* „das Meine"). **Ko|ro|no|graph,** auch: Koronograf *⟨gr.-lat.⟩ der;* -en, -en: Fernrohr zum Beobachten u. Fotografieren der Korona (2) **Ko|ros** *⟨gr.⟩ der;* -, Koroi: Statue eines nackten Jünglings in der [archaischen] griechischen Kunst **Kor|po|ra:** *Plural* von ↑Korpus **Kor|po|ral** *⟨lat.-it.-fr.⟩ der;* -s, -e (auch: ...äle): 1. (veraltet) Führer einer Korporalschaft; Unteroffizier. 2. (schweiz.) niederster Unteroffiziersgrad **Kor|po|ra|le** *⟨lat.-mlat.;* „Leibtuch") *das;* -s, ...lien: quadratisches od. rechteckiges Leinentuch als Unterlage für Hostie u. Hostienteller in der katholischen Liturgie **Kor|po|ral|schaft** *⟨lat.-it.-fr.; dt.⟩ die;* -, -en: (veraltet) Unterabteilung der Kompanie im inneren Dienst **Kor|po|ra|ti|on** *⟨lat.-mlat.-engl.⟩ die;* -, -en: 1. Körperschaft, Innung, juristische Person. 2. Studentenverbindung. **kor|po|ra|tiv:** 1. körperschaftlich; geschlossen. 2. eine Studentenverbindung betreffend. **Kor|po|ra|ti|vis|mus** *⟨nlat.⟩ der;* -: politisches Bestreben, den Staat durch Schaffung von berufsständischen Korporationen (1) zu erneuern. **kor|po|riert** *⟨lat.⟩:* einer Korporation (2) angehörend **Korps** *⟨lat.-fr.⟩ das;* -, - [ko:ʁs]: 1. größerer Truppenverband. 2. studentische Verbindung. **Korps|geist** *der;* -[e]s: 1. Gemeinschafts-, Standesbewusstsein. 2. Standeshochmut. **Korps|stu|dent** *der;* -en, -en: Student, der einem Korps (2) angehört **kor|pu|lent** *⟨lat.⟩:* beleibt, wohlgenährt. **Kor|pu|lenz** *die;* -: Beleibtheit, Wohlgenährtheit **¹Kor|pus** *⟨lat.⟩ der;* -, -se: 1. (ugs., scherzh.) Körper. 2. der Leib Christi am Kreuz (bildende Kunst). 3. (ohne Plural) das massive, hinsichtlich Holz od. Farbe einheitliche Grundteil ohne die Einsatzteile [bei Möbeln]. 4. (schweiz.) Ladentisch; [Büro]möbel mit Fächern od. Schubladen, dessen Deckfläche als Ablage od. Arbeitstisch dient. 5. (auch: *das;* ohne Plural) Klangkörper eines Musikinstruments, bes. eines Saiteninstruments (Mus.). **²Kor|pus** *das;* -, ...pora: 1. Belegsammlung von Texten od. Schriften [aus dem Mittelalter u. der Antike]. 2. einer wissenschaftlichen [Sprach]analyse zugrunde liegendes Material, repräsentative Sprachprobe. **³Kor|pus** *die;* -: (veraltet) Schriftgrad von 10 Punkt (ungefähr 3,7 mm Schrifthöhe; Druckw.). **Kor|pus De|lik|ti** vgl. Corpus Delicti. **Kor|pus Ju|ris** vgl. Corpus Juris **Kor|pus|kel** *⟨lat.;* „Körperchen") *das;* -s, -n (fachspr. auch: *die;* -,

-n): kleinstes Teilchen der Materie; Elementarteilchen (Phys.). **kor|pus|ku|lar** *⟨lat.-nlat.⟩:* die Korpuskeln betreffend (Phys.). **Kor|pus|ku|lar|the|o|rie** *die;* -: (hist.) Theorie, die davon ausgeht, dass das Licht aus Korpuskeln besteht **Kor|ral** *⟨span.⟩ der;* -s, -e: [Fang]gehege für wilde Tiere **Kor|ra|si|on** *⟨lat.-nlat.⟩ die;* -, -en: Abschleifung von Gesteinen durch windbewegten Sand **kor|re|al** *⟨spätlat.⟩:* a) (veraltet) mitschuldig; b) zusammen mit einem anderen Schuldner zu einer Leistung verpflichtet (Rechtsw.). **Kor|re|fe|rat** [auch: ...'ra:t] *⟨lat.- nlat.⟩* u. (bes. österr.:) Koreferat *das;* -[e]s, -e: zweiter Bericht; Nebenbericht [zu dem gleichen wissenschaftlichen Thema]. **Kor|re|fe|rent** [auch: ...'rɛnt] u. (bes. österr.:) Korefent *der;* -en, -en: a) jmd., der ein Korreferat hält; b) zweiter Gutachter [bei der Beurteilung einer wissenschaftlichen Arbeit]. **Kor|re|fe|renz** [auch: ...'rɛnts] *die;* -, -en: 1 Referenzidentität. **kor|re|fe|rie|ren** [auch: ...'ri:...] u. (bes. österr.:) koreferieren: a) ein Korreferat halten; b) als zweiter Gutachter berichten, mitberichten **Kor|re|gi|dor** [...xi...] vgl. Corregidor. **kor|rekt** *⟨lat.⟩:* richtig, fehlerfrei; einwandfrei; Ggs. ↑inkorrekt. **Kor|rekt|heit** *die;* -: 1. Richtigkeit, Ggs. ↑Inkorrektheit (1 a). 2. einwandfreies Benehmen; Ggs. ↑Inkorrektheit (1 b). **Kor|rek|ti|on** *die;* -, -en: (veraltet) Besserung; Verbesserung; Regelung. **kor|rek|ti|o|nie|ren** (schweiz.) korrigieren: regulieren. **kor|rek|tiv** *⟨lat.- nlat.⟩:* (veraltet) bessernd; zurechtweisend. **Kor|rek|tiv** *das;* -s, -e: etwas, was dazu dienen kann, Missstände, Mängel, Gegensätzlichkeiten, Ungleichheiten o. Ä. auszugleichen. **Kor|rek|tor** *⟨lat.⟩ der;* -s, ...oren: 1. jmd., der beruflich Schriftsätze auf Fehler hin durchsieht. 2. (hist.) Aufsichtsbeamter der römischen Kaiserzeit. 3. jmd., der eine Prüfungsarbeit korrigiert und benotet. **Kor|rek|tur** *die;* -, -en: a) Verbesserung, [Druck]berichtigung; b) schriftliche Berichtigung **kor|re|lat** *⟨lat.- mlat.⟩:* sich gegenseitig bedingend. **Kor|re|lat** *das;* -[e]s, -e: 1. etwas, was etwas anderem als Ergänzung, ergänzende Entsprechung zugeordnet ist. 2. Wort, das mit einem anderen in bedeutungsmäßiger od. grammatischer Beziehung steht (z. B. Gatte–Gattin, Rechte–Pflichten; darauf [bestehen], dass...; Sprachw.). 3. eine bestimmte Art mathematischer Größen, die in der Ausgleichs- u. Fehlerrechnung auftreten (Math.). **Kor|re|la|ti|on** ‹„Wechselbeziehung“› *die;* -, -en: 1. wechselseitige Beziehung. 2. Zusammenhang zwischen statistischen Ergebnissen, die durch Wahrscheinlichkeitsrechnung ermittelt werden (Math.). 3. Wechselbeziehung zwischen verschiedenen Organen od. Organteilen (Med.). **Kor|re|la|ti|ons|ko|ef|fi|zi|ent** *der;* -en, -en: Maß für die wechselseitige Beziehung zwischen zwei zufälligen Größen (Statistik). **kor|re|la|tiv** vgl. korrelat. **Kor|re|la|ti|vis|mus** ‹nlat.› *der;* -: Erkenntnistheorie, nach der Subjekt u. Erkenntnisobjekt in Wechselbeziehung stehen (Philos.). **kor|re|lie|ren:** einander bedingen, miteinander in [Wechsel]beziehung stehen **kor|re|pe|tie|ren** ‹lat.-nlat.›: mit jmdm. eine Gesangspartie vom Klavier aus einüben (Mus.). **Kor|re|pe|ti|ti|on** *die;* -, -en: Einübung einer Gesangspartie vom Klavier aus (Mus.). **Kor|re|pe|ti|tor** *der;* -s, ...oren: Musiker, der korrepetiert (Mus.) **kor|res|pek|tiv*** ‹lat.-nlat.›: gemeinschaftlich. **Kor|res|pek|ti|vi|tät** *die;* -: (veraltet) Gemeinschaftlichkeit **Kor|res|pon|dent*** ‹lat.-mlat.› *der;* -en, -en: 1. Journalist, der [aus dem Ausland] regelmäßig aktuelle Berichte für Presse, Rundfunk od. Fernsehen liefert. 2. a) Angestellter eines Betriebs, der den kaufmännischen Schriftwechsel führt; b) (veraltet) Briefpartner. **Kor|res|pon|dent|ree|der** *der;* -s, -: Geschäftsführer einer Reederei mit beschränkter Vertretungsmacht. **Kor|res|pon|denz** *die;* -, -en: 1. Briefwechsel, -verkehr. 2. Beitrag eines Korrespondenten (1) einer Zeitung. 3. (veraltet) Übereinstimmung. **Kor|res|pon|denz|bü|ro** *das;* -s, -s: Agentur, die Berichte, Nachrichten, Bilder u. a. für die Presse sammelt. **Kor|res|pon|denz|kar|te** *die;* -, -n: (österr.) Postkarte. **Kor|res|pon|denz|trai|ning** *das;* -s: Schulungskurs für präzises Formulieren. **kor|res-**

pon|die|ren ‹lat.-mlat.-fr.›: 1. in Briefverkehr stehen. 2. übereinstimmen, entsprechen **Kor|ri|dor** ‹lat.-it.› *der;* -s, -e: 1. [Wohnungs]flur, Gang. 2. schmaler Gebietsstreifen, der durch das Hoheitsgebiet eines fremden Staates führt **Kor|ri|gend** ‹lat.› *der;* -en, -en: (veraltet) Sträfling. **Kor|ri|gen|da** *die* (Plural): Druckfehler, Fehlerverzeichnis. **Kor|ri|gens** *das;* -, ...gentia u. ...genzien (meist Plural): geschmackverbessernder Zusatz in Arzneien (Pharm.). **kor|ri|gi|bel** ‹lat.-nlat.›: (veraltet) korrigierbar. **kor|ri|gie|ren** ‹lat.›: etwas berichtigen; verbessern **Kor|ro|bo|ri** ‹austr.-engl.› *der;* -[s], -s: [Kriegs]tanz der australischen Ureinwohner mit Lied- u. Trommelbegleitung **Kor|ro|den|tia** u. **Kor|ro|den|zi|en** ‹lat.; „Zernager“› *die* (Plural): (veraltet) systematische Bezeichnung für die Termiten, Staubläuse u. Pelzfresser (Biol.). **kor|ro|die|ren:** angreifen, zerstören; der Korrosion unterliegen. **Kor|ro|si|on** ‹lat.-mlat.› *die;* -, -en: 1. chemische Veränderung im Material an der Oberfläche fester Körper (z. B. von Gesteinen u. Metallen). 2. Wiederauflösung von früh ausgeschiedenen Mineralien durch die Schmelze (Geol.). 3. durch Entzündung od. Ätzmittel hervorgerufene Zerstörung von Körpergewebe (Med.). **kor|ro|siv:** 1. angreifend, zerstörend. 2. durch Korrosion hervorgerufen **kor|rum|pie|ren** ‹lat.›: a) bestechen; b) moralisch verderben. **kor|rum|piert:** nur schwer od. nicht mehr zu entziffern (von Stellen in alten Texten u. Handschriften); verderbt. **kor|rupt:** a) bestechlich; b) moralisch verdorben. **Kor|rup|tel** *die;* -, -en: korrumpierte Textstelle. **Kor|rup|ti|on** *die;* -, -en: a) Bestechung, Bestechlichkeit; b) moralischer Verfall **Kor|sa|ge** [...ʒə] ‹lat.-fr.› *die;* -, -n: auf Figur gearbeitetes, versteiftes Oberteil eines Kleides **Kor|sak** ‹russ.› *der;* -s, -s: kleiner, kurzohriger Steppenfuchs **Kor|sar** ‹lat.-mlat.-it.› *der;* -en, -en: (hist.) 1. a) Seeräuber; b) Seeräuberschiff. 2. Zweimannjolle mit Vor- u. Großsegel **Kor|sett** ‹lat.-fr.› *das;* -s, -s (auch: -e): leichteres Korsett. **Kor|sett** *das;* -s, -s (auch: -e): 1.

mit Stäbchen versehenes u. mit Schnürung od. Gummieinsätzen ausgestattetes Mieder. 2. Stützvorrichtung für die Wirbelsäule (Med.) **Kor|so** ‹lat.-it.› *der;* -s, -s: 1. Umzug, festliche Demonstrationsfahrt. 2. große, breite Straße für Umzüge. 3. (hist.) Wettrennen von Pferden ohne Reiter **Kor|te|ge** [...'te:ʒ] ‹lat.-vulgärlat.-it.-fr.› *das;* -s, -s: (veraltet) Gefolge, Ehrengeleit **Kor|tex** ‹lat.› *der;* -[es], -e u. ...tizes [...titse:s]: (Med.) 1. äußere Zellschicht eines Organs. 2. Hirnrinde. **kor|ti|kal** ‹lat.-nlat.›: 1. von der Hirnrinde ausgehend, in der Hirnrinde sitzend; **kortikale Zentren:** wichtige Teile der Hirnrinde, in denen z. B. Hör- u. Sehzentrum liegen (Med.). 2. die äußere Zellschicht von Organen betreffend (Biol.; Med.). **Kor|ti|kos|te|ron*,** (fachspr.:) Corticosteron ‹Kunstw.› *das;* -s: Hormon der Nebennierenrinde (Med.). **kor|ti|ko|trop*:** auf die Nebennierenrinde einwirkend. **Kor|tin** ‹Kunstw.› *das;* -s, -e (meist Plural): in der Nebennierenrinde gebildetes Hormon (Med.). **Kor|ti|son,** (fachspr.:) Cortison ‹Kunstw.› *das;* -s: [Präparat aus dem] Hormon der der Nebennierenrinde (Med.) **Ko|rund** ‹tamil.-nlat.› *der;* -[e]s, -e: ein sehr hartes Mineral **Kor|vet|te** ‹fr.› *die;* -, -n: 1. a) leichtes Kriegsschiff; b) (veraltet) Segelkriegsschiff. 2. Sprung in den Handstand (Sport). **Kor|vet|ten|ka|pi|tän** *der;* -s, -e: Marineoffizier im Majorsrang **Ko|ry|bant** ‹gr.-lat.› *der;* -en, -en: (hist.) Priester der phrygischen Muttergöttin Kybele. **ko|ry|ban|tisch:** wild begeistert; ausgelassen tobend **Ko|ry|da|lis** ‹gr.-nlat.› *die;* -, -: Lerchensporn (Zierstaude). **Ko|ry|o|phyl|lie** *die;* -: abnorme Blattbildung (Bot.) **[1]Ko|ry|phäe** ‹gr.-lat.-fr.› *die;* „an der Spitze Stehender“) *der;* -, -n: 1. jmd., der auf seinem Gebiet durch außergewöhnliche Leistungen hervortritt. 2. (bes. österr.) erste Solotänzerin (Ballett). **[2]Ko|ry|phäe** ‹gr.› *der;* -n, -n: Chorführer im antiken Drama **Ko|ry|za** ‹gr.-lat.› *die;* -: Schnupfen, Entzündung der Nasenschleimhaut (Med.) **Ko|sak** ‹russ.› *der;* -en, -en: (hist.) Angehöriger der militärisch organisierten Grenzbevölkerung im zaristischen Russland

Ko|sche|ni|le [...'niljə] ⟨*span.-fr.*⟩ *die;* -, -n: 1. Weibchen der Scharlachschildlaus. 2. (ohne Plural) karminroter Farbstoff

ko|scher ⟨*hebr.-jidd.*⟩: 1. den jüdischen Speisegesetzen gemäß. 2. (ugs.) in Ordnung, einwandfrei

Ko|se|kans ⟨*lat.-nlat.*⟩ *der;* -, - (auch: ...nten): Kehrwert des ↑Sinus (1) (im rechtwinkligen Dreieck); Zeichen: cosec (Math.)

Ko|si|nus ⟨*lat.-nlat.*⟩ *der;* -, - u. -se: Verhältnis von Ankathete zu Hypotenuse (im rechtwinkligen Dreieck); Zeichen: cos (Math.)

Kos|me|tik ⟨*gr.-fr.*⟩ *die;* -: 1. Körper- u. Schönheitspflege. 2. nur oberflächlich vorgenommene Ausbesserung, die nicht den Kern der Sache trifft. **Kos|me|ti|ker** *der;* -s, -: Laborant für kosmetische Erzeugnisse. **Kos|me|ti|ke|rin** *die;* -, -nen: weibliche Fachkraft für Kosmetik (1). **Kos|me|ti|kum** ⟨*gr.-nlat.*⟩ *das;* -s, ...ka (meist Plural): Mittel zur Körper- u. Schönheitspflege.

kos|me|tisch ⟨*gr.-fr.*⟩: 1. a) die Kosmetik (1) betreffend; b) mithilfe der Kosmetik (1) [gepflegt]; c) der Verschönerung dienend, sie bewirkend; **kosmetische Chirurgie:** Teilgebiet der Chirurgie, bei dem [als entstellend empfundene] körperliche Mängel od. Verunstaltungen operativ behoben od. vermindert werden. 2. nur oberflächlich [vorgenommen] ohne den eigentlichen Missstand aufzuheben od. ohne etwas von Grund aus wirklich zu verändern. **Kos|me|to|lo|ge** ⟨*gr.-nlat.*⟩ *der;* -n, -n: Fachmann auf dem Gebiet der Kosmetologie. **Kos|me|to|lo|gie** *die;* -: Lehre von der Körper- u. Schönheitspflege

kos|misch ⟨*gr.-lat.*⟩: 1. das Weltall betreffend, aus ihm stammend. 2. weltumfassend, unermesslich, unendlich. **Kos|mo|bi|o|lo|ge** *der;* -n, -n: Wissenschaftler auf dem Gebiet der Kosmobiologie. **Kos|mo|bi|o|lo|gie** *die;* -: Wissenschaftsbereich, in dem die Lebensbedingungen im Weltraum sowie die Einflüsse des Weltraums auf irdische Lebenserscheinungen untersucht werden. **kos|mo|bi|o|lo|gisch:** die Kosmobiologie betreffend. **Kos|mo|che|mie** *die;* -: Wissenschaft, die das Vorkommen u. die Verteilung chemischer Ele-

mente im Weltraum untersucht. **Kos|mo|drom*** ⟨*gr.-russ.*⟩ *das;* -s, -e: (in Russland) Startplatz für Weltraumraketen. **Kos|mo|go|nie** ⟨*gr.*⟩ *die;* -, ...ien: 1. [mythische Lehre von der] Entstehung der Welt. 2. wissenschaftliche Theorienbildung über die Entstehung des Weltalls. **kos|mo|go|nisch:** die Kosmogonie betreffend. **Kos|mo|gramm** *das;* -s, -e: ↑Horoskop. **Kos|mo|graph,** auch: Kosmograf ⟨*gr.-lat.*⟩ *der;* -en, -en: Verfasser einer Kosmographie. **Kos|mo|gra|phie,** auch: Kosmografie *die;* -, ...ien: 1. (veraltet) Beschreibung der Entstehung u. Entwicklung des Kosmos. 2. (im Mittelalter) ↑Geographie. **kos|mo|gra|phisch,** auch: kosmografisch: die Kosmographie betreffend. **Kos|mo|kra|tor*** ⟨*gr.*⟩ *der;* -s: (in der Kunst) Christus als Weltbeherrscher, auf einer Weltkugel thronend. **Kos|mo|lo|gie** *die;* -, ...ien: Lehre von der Entstehung u. Entwicklung des Weltalls. **kos|mo|lo|gisch:** die Kosmologie betreffend. **Kos|mo|me|di|zin** *die;* -: Teilgebiet der Medizin, auf dem der Einfluss der veränderten Lebensbedingungen während eines Raumflugs auf den menschlichen Organismus untersucht wird. **Kos|mo|naut** ⟨*gr.-russ.*⟩ *der;* -en, -en: (bes. in Russland) Weltraumfahrer, Teilnehmer an einem Raumfahrtunternehmen; vgl. Astronaut. **Kos|mo|nau|tik** *die;* -: ↑Astronautik. **kos|mo|nau|tisch:** die Kosmonautik betreffend; vgl. astronautisch. **Kos|mo|po|lit** ⟨*gr.*⟩ *der;* -en, -en: 1. Weltbürger. 2. Vertreter des Kosmopolitismus (2). 3. Tier- od. Pflanzenart, die über die ganze Erde verbreitet ist. **kos|mo|po|li|tisch:** die Anschauung des Kosmopolitismus (1, 2) vertretend. **Kos|mo|po|li|tis|mus** ⟨*gr.-nlat.*⟩ *der;* -: 1. Weltbürgertum. 2. (kommunistisch abwertend) Weltanschauung, die das Streben der imperialistischen Großmächte nach Weltherrschaft mit dem Vorwand begründet, der Nationalstaat, der Patriotismus usw. sei in der gegenwärtigen Epoche historisch überholt. **Kos|mos** ⟨*gr.*⟩ *der;* -: a) Weltraum, Weltall; b) [die] Welt [als geordnetes Ganzes]. **Kos|mo|sophie** ⟨*gr.-nlat.*⟩ *die;* -: Weltweisheit (Philos.). **Kos|mo|the|is|mus** *der;* -: philosophische Anschauung, die Gott u.

Welt als Einheit begreift (Philos.). **Kos|mot|ron*** *das;* -s, ...trone (auch: -s): Gerät zur Erzeugung äußerst energiereicher Partikelstrahlungen (Teilchenbeschleuniger)

Ko|so|blü|ten ⟨*äthiopisch; dt.*⟩ *die* (Plural): Blüten des ostafrikanischen Kosobaums (Wurmmittel)

kos|tal ⟨*lat.-nlat.*⟩: zu den Rippen gehörend, sie betreffend (Med.). **Kos|tal|at|mung** *die;* -: Atmung, bei der sich beim Ein- u. Ausatmen der Brustkorb hebt u. senkt (Med.). **Kos|to|to|mie** ⟨*lat.; gr.*⟩ *die;* -, ...ien: Rippenresektion; operative Durchtrennung der Rippen (Med.)

Kos|tüm ⟨*lat.-it.-fr.*⟩ *das;* -s, -e: 1. [historische] Kleidung, Tracht. 2. aus Rock u. Jacke bestehende Damenkleidung. 3. a) zur Ausstattung eines Theaterstückes nötige Kleidung; b) Verkleidung für ein Maskenfest. **Kos|tü|mi|er** [...'mje:] *der;* -s, -s: Theaterschneider, Garderobenaufseher. **kos|tü|mie|ren:** [für ein Maskenfest] verkleiden

Ko|tan|gens ⟨*lat.-nlat.*⟩ *der;* -, -: Kehrwert des ↑Tangens (im rechtwinkligen Dreieck); Zeichen: cot, cotg, ctg (Math.)

Ko|tau ⟨*chin.*⟩ *der;* -s, -s: demütige Ehrerweisung, Verbeugung

¹Ko|te ⟨*lat.-fr.*⟩ *die;* -, -n: Geländepunkt [einer Karte], dessen Höhenlage genau vermessen ist

²Ko|te ⟨*finn.*⟩ *die;* -, -n: Lappenzelt

³Ko|te ⟨*niederd.*⟩ *die;* -, -n: (landsch.) Hütte

Ko|te|lett ⟨*lat.-fr.*⟩ *das;* -s, -s (selten: -e): Rippenstück vom Kalb, Schwein, Lamm od. Hammel. **Ko|te|let|ten** *die* (Plural): Haare an beiden Seiten des Gesichts vor den Ohren

Ko|te|rie ⟨*fr.*⟩ *die;* -, ...ien: (abwertend) Kaste; Klüngel; Sippschaft

Ko|text ⟨*lat.*⟩ *der;* -[e]s, -e: ↑Kontext (1) (Sprachw.)

Ko|thurn ⟨*gr.-lat.*⟩ *der;* -s, -e: 1. Bühnenschuh der Schauspieler mit hoher Sohle (im antiken Trauerspiel); vgl. Soccus. 2. erhabener, pathetischer Stil

ko|tie|ren ⟨*lat.-fr.*⟩: 1. ein Wertpapier zur Notierung an der Börse zulassen. 2. (veraltet) die Höhe eines Geländepunktes messen; vgl. nivellieren u. ¹Kote. **Ko|tie|rung** *die;* -, -en: Zulassung eines Wertpapiers zur amtlichen Notierung an der Börse

Ko|til|lon ['kɔtiljɔ, auch: ...'jɔ:]

⟨germ.-fr.⟩ der; -s, -s: (veraltet) Gesellschaftsspiel in Tanzform

Ko|tin|ga ⟨indian.-span.⟩ die; -, -s: farbenprächtiger, in Mittel- u. Südamerika beheimateter Vogel

Ko|to ⟨jap.⟩ das; -s, -s od. die; -, -s: 6- od. 13-saitiges zitherähnliches japanisches Musikinstrument

Ko|ton [ko'tō:] ⟨arab.-fr.⟩ der; -s, -s: Baumwolle; vgl. Cotton. **ko|to|ni|sie|ren:** Bastfasern durch chem. Behandlung die Beschaffenheit von Baumwolle geben

Ko|to|rin|de ⟨indian.-port.; dt.⟩ die; -: Rinde eines bolivianischen Baumes, die früher als Heilmittel verwendet wurde

Kot|schin|chi|na|huhn ⟨nach dem Südteil von Südvietnam, Kotschinchina⟩ das; -[e]s, ...hühner: [in England gezüchtetes] großes u. kräftiges Huhn

Ko|ty|le|do|ne ⟨gr.-lat.⟩ die; -, -n: (Biol.) 1. Keimblatt der Samenpflanze. 2. Zotte der tierischen Embryohülle. **Ko|ty|lo|sau|ri|er** ⟨gr.-nlat.⟩ der; -s, -, **Ko|ty|lo|sau|rus,** der; -s, ...rier: ausgestorbenes Reptil der Trias- u. Permzeit

Ko|va|ri|an|ten|phä|no|men ⟨lat.; gr.⟩ das; -s: Täuschung in der Wahrnehmung von Raum u. Tiefe (Psychol.). **Ko|va|ri|anz** [auch: ...'rjants] die; -, -en: 1. die Unveränderlichkeit der Form bestimmter physikalischer Gleichungen bei bestimmten Rechenvorgängen (Phys.). 2. Maß für die gegenseitige Abhängigkeit zweier Größen (Statistik)

Ko|xal|gie* ⟨lat.; gr.⟩ die; -, ...ien: Hüftgelenkschmerz (Med.). **Ko|xi|tis** ⟨lat.-nlat.⟩ die; -, ...itiden: Hüftgelenkentzündung (Med.)

Kraal vgl. Kral

kra|cken ['krɛkn] ⟨engl.⟩: in einem chem. Verfahren Schweröle in Leichtöle (Benzine) umwandeln. **Krä|cker** vgl. Cracker

Kra|ke ⟨norw.⟩ der; -n, -n: ein Riesentintenfisch

Kra|ke|lee vgl. Craquelé. **kra|ke|lie|ren** ⟨fr.⟩: die Glasur von Keramiken od. die Oberfläche von Gläsern mit ↑ Craquelés (2) versehen. **Kra|ke|lü|re** die; -, -n: feiner Riss, der durch Austrocknung der Farben u. des Firnisses auf Gemälden entsteht

Kra|ko|wi|ak ⟨poln.⟩: "Krakauer (Tanz)"⟩ der; -s, -s: polnischer Nationaltanz im ²/₄-Takt mit Betonungswechsel von Ferse u. Stiefelspitze. **Kra|ku|se** der; -n, -n: Angehöriger einer 1812 in Krakau gebildeten Truppe polnischer leichter Reiter

Kral ⟨port.-afrikaans⟩ der; -s, -e (auch: -s): Runddorf afrikanischer Stämme

¹Kram|pus ⟨dt.-mlat.⟩ der; -, ...pi: Muskelkrampf (Med.)

²Kram|pus ⟨Herkunft unsicher⟩ der; -[ses], -se: (bes. österr.) Begleiter des ↑ Nikolaus (1)

kra|ni|al ⟨gr.-nlat.⟩: (Med.) a) zum Kopf gehörend; b) kopfwärts gelegen. **Kra|ni|o|klast*** der; -en, -en: zangenartiges Instrument zur Schädelzertrümmerung bei der ↑ Embryotomie (Med.). **Kra|ni|o|lo|gie** die; -: Lehre vom Schädelbau (Med.). **kra|ni|o|lo|gisch:** zur Kraniologie gehörend (Med.). **Kra|ni|o|me|ter** das; -s, -: Instrument zur Schädelmessung (Med.). **Kra|ni|o|met|rie*** die; -, ...ien: Schädelmessung (Med.). **kra|ni|o|met|risch*:** die Kraniometrie betreffend (Med.). **Kra|ni|o|neu|ral|gie*** die; -, ...ien: ↑ Neuralgie der Kopfhautnerven (Med.). **Kra|ni|o|phor** der; -s, -e: Vorrichtung zum Festhalten des Schädels bei der Schädelmessung (Med.). **Kra|ni|o|skle|ro|se*** die; -, -n: Verformung des Schädels durch Verdickung der Knochen (Med.). **Kra|ni|o|stat*** der; -[e]s u. -en, -e u. -en: ↑ Kraniophor. **Kra|ni|o|ste|no|se*** die; -, -n: vermindertes Schädelwachstum (Med.). **Kra|ni|o|s|to|se** die; -, -n: Schädeldeformierung infolge einer vorzeitigen Nahtverknöcherung am Schädel (Med.). **Kra|ni|o|ta|bes** ⟨gr.; lat.⟩ die; -: rachitische Erweichung des Schädelbeins (Med.). **Kra|ni|o|te** ⟨gr.-nlat.⟩ der; -n, -n (meist Plural): Wirbeltier mit Schädel; vgl. Akranier.

kra|p|pen ⟨niederl.⟩: Geweben Glanz verleihen; vgl. appretieren

Kra|pü|le ⟨gr.-lat.-fr.⟩ die; -, -n: (veraltet) Gesindel

Kra|se ⟨gr.-lat.⟩ "Mischung"⟩ u. **Kra|sis** die; -, Krasen: in der altgriech. Grammatik die Zusammenziehung zweier aufeinander folgender Wörter, deren erstes auf einen Vokal ausgeht u. deren zweites mit einem Vokal beginnt, in ein einziges Wort; vgl. Koronis

Kras|pe|do|te ⟨gr.-nlat.⟩ die; -, -n (meist Plural): durch Knospung entstandene Quallenform

Kras|su|la|ze|en ⟨lat.-nlat.⟩ die (Plural): Dickblattgewächse (z. B. Fetthenne, Hauswurz)

¹Kra|ter ⟨gr.-lat.⟩ der; -s, -: 1. trichter- od. kesselförmige Öffnung eines Vulkans. 2. trichterod. kesselförmige Vertiefung im Erd- od. Mondboden. **²Kra|ter** ⟨gr.⟩ der; -s, -e: altgriech. Krug, in dem Wein mit Wasser gemischt wurde

kra|ti|ku|lie|ren ⟨lat.-nlat.⟩: eine Figur mithilfe eines darüber gelegten Gitters ausmessen, übertragen, verkleinern, vergrößern

Kra|to|gen u. **Kra|ton** ⟨gr.-nlat.⟩ das; -s: verfestigte Teile der Erdkruste, die auf tektonische Beanspruchung nur noch mit Bruchbildung u. nicht mit Faltung reagieren (Geol.)

Kraul ⟨altnord.-engl.⟩ das; -[s]: Schwimmstil, bei dem die Arme lang gezogene Schaufelbewegungen zu einem rhythmischen Wechselschlag der Beine ausführen. **krau|len:** im Kraulstil schwimmen. **Krau|ler** der; -s, -: jmd., der im Kraulstil schwimmt

Kra|wat|te ⟨dt.-fr.; nach einer Mundartform Krawat für "Kroate"⟩ die; -, -n: 1. a) Schlips; b) kleiner, schmaler Pelzkragen. 2. unerlaubter Würgegriff beim griech.-röm. Ringkampf (Sport)

Kra|yon [krɛ'jō:] ⟨lat.-fr.⟩ der; -s, -s: (veraltet) 1. [Dreh]bleistift. 2. Kreide. **Kra|yon|ma|nier** die; -: ein Radierverfahren nach Art einer Kreide- od. Rötelzeichnung. **kra|yon|nie|ren** [krɛjɔn...]: (veraltet) mit Kreide od. einem [Kohle]stift [ab]zeichnen

Kre|as ⟨bret.-altfr.-span.⟩ das; -: ungebleichte Leinwand

Kre|a|ti|a|nis|mus ⟨lat.-nlat.⟩ der; -: christliche Lehre, die besagt, dass Gott jede einzelne Menschenseele aus dem Nichts erschaffe

Kre|a|tin ⟨gr.-nlat.⟩ das; -s: Stoffwechselprodukt des Eiweißes im Blut u. in der Muskulatur der Wirbeltiere u. des Menschen (Biol.; Med.)

Kre|a|ti|on ⟨lat.-(fr.)⟩ die; -, -en: 1. Modeschöpfung, Modell[kleid]. 2. (veraltet) Schöpfung, Erschaffung. 3. (veraltet) Wahl, Ernennung. **Kre|a|ti|o|nis|mus** ⟨lat.-engl.⟩ der; -: (bes. in den USA verbreitetes) Festhalten an einer wortwörtlichen Auslegung des biblischen Schöpfungsberichts. **kre|a|tiv** ⟨lat.-nlat.⟩: schöpferisch, Ideen habend u. diese gestalterisch verwirklichend

Kre|a|ti|vi|tät *die; -:* 1. das Schöpferische; Schöpferkraft. 2. die ↑Kompetenz (2), neue, nie zuvor gehörte Sätze zu bilden u. zu verstehen (Sprachw.). **Kre|a|tor** ⟨*lat.*⟩ *der; -s, ...oren:* (veraltet) Schöpfer. **Kre|a|tur** ⟨*lat.-mlat.*⟩ *die; -, -en:* 1. [Lebe]wesen, Geschöpf. 2. a) bedauernswerter, verachtenswerter Mensch; b) Günstling, willenloses, ehrsames Werkzeug eines anderen. **kre|a|tür|lich:** dem Geschöpf eigen, für ein Lebewesen typisch **Kre|denz** ⟨*lat.-mlat.-it.*⟩ *die; -, -en:* (veraltet) Anrichte, Anrichteschrank. **kre|den|zen:** [ein Getränk] feierlich anbieten, darreichen, einschenken, auftischen. **¹Kre|dit** ⟨*lat.-it.-fr.*⟩ *der; -[e]s, -e:* 1. Vertrauen in die Fähigkeit und Bereitschaft einer Person od. eines Unternehmens, bestehende Verbindlichkeiten ordnungsgemäß u. zum richtigen Zeitpunkt zu begleichen. 2. a) die einer Person od. einem Unternehmen kurz- od. langfristig zur Verfügung stehenden fremden Geldmittel oder Sachgüter; b) (ohne Plural) (gewährter) Zahlungsaufschub; Stundung. **²Kre|dit** ⟨*lat.*⟩ *das; -s, -s:* Kontoseite (Habenseite), auf der das Guthaben verzeichnet ist; Ggs. ↑Debet. **kre|di|tär** ⟨*lat.-it.-fr.*⟩: das Kreditwesen, ¹Kredite (2) betreffend. **kre|di|tie|ren** ⟨*lat.-it.-fr.*⟩: a) ¹Kredit (2a) geben; b) gutschreiben. **Kre|di|tiv** *das; -s, -e:* ¹Kredit, Beglaubigungsschreiben. **Kre|di|tor** ⟨*lat.*⟩ *der; -s, ...oren:* Gläubiger. **Kre|di|to|ren|kon|to** *das; -s, ...ten* (auch: -s u. ...ti): Konto, auf dem die Verbindlichkeiten in Bezug auf Lieferungen u. Leistungen verbucht werden. **Kre|dit|pla|fond** [...fõ:] *der; -s, -s:* einem öffentlichen Schuldner eingeräumter Kreditbetrag. **Kre|do** u. **Credo** ⟨*lat.;* „ich glaube“⟩ *das; -s, -s:* 1. ↑Apostolikum (1). 2. Teil der katholischen Messe. 3. Leitsatz, Glaubensbekenntnis. **Kre|du|li|tät** *die; -:* (veraltet) Leichtgläubigkeit

kre|ie|ren ⟨*lat.(-fr.)*⟩: 1. eine neue Linie, einen neuen [Mode]stil schaffen, gestalten, erfinden. 2. als Eigenes, eigene, persönliche Prägung o. Ä. hervorbringen. 3. eine Rolle als Erste[r] spielen. 4. einen Kardinal ernennen **¹Krem** *die; -, -s:* ↑Creme (1, 3) **Kre|ma|ti|on** ⟨*lat.*⟩ *die; -, -en:* Einäscherung [von Leichen]. **Kre-ma|to|ri|um** ⟨*lat.-nlat.*⟩ *das; -s, ...ien:* Einäscherungs-, Verbrennungsanstalt. **kre|mie|ren** ⟨*lat.*⟩: einäschern, Leichen verbrennen **Kreml** [auch: 'krɛml] ⟨*russ.*⟩ *der; -[s], -:* 1. Stadtteil in russischen Städten. 2. (ohne Plural) a) Sitz der Regierung in Russland. b) die Regierung Russlands. **Kreml-Ast|ro|lo|ge*** [auch: 'krɛml...] *der; -n, -n:* (Jargon) jmd., der aufgrund seiner besonderen Kenntnisse russischer Verhältnisse am besten in der Lage ist, zu sagen, mit welchen Reaktionen, Entwicklungen in Russland in Zukunft zu rechnen ist **Kren** ⟨*slaw.*⟩ *der; -[e]s:* (südd., bes. österr.) Meerrettich **kre|ne|lie|ren** ⟨*galloroman.-fr.*⟩: (hist.) [eine Burg] mit Zinnen versehen **Kre|no|the|ra|pie** ⟨*gr.*⟩ *die; -:* ↑Balneotherapie **Kre|ol|don** ⟨*gr.-nlat.*⟩ *das; -s, ...on-ten:* ausgestorbenes Urraubtier **¹Kre|olle** ⟨*lat.-port.-span.-fr.*⟩ *der; -n, -n:* 1. Nachkomme weißer romanischer Einwanderer in Südamerika (weißer Kreole). 2. Nachkomme von Negersklaven (in Brasilien; schwarzer Kreole). **²Kre|olle** vgl. Creole. **Kre|ol|lin** ® ⟨*nlat.*⟩ *das; -s:* ein aus Teerölen gewonnenes Desinfektionsmittel **Kre|ol|pha|ge** ⟨*gr.*⟩ *der; -n, -n:* ↑Karnivore. **Kre|ol|sot** ⟨*gr.-nlat.*⟩ *das; -[e]s:* ein aus Holzteer destilliertes Räucher- u. Arzneimittel. **Kre|ol|so|tal** ⟨*gr.-nlat.*⟩ *das; -s:* Kohlensäureester des Kreosots (Arzneimittel) **Kre|pe|line** [krɛˈpliːn] ⟨*lat.-fr.*⟩ *die; -, -s:* leichtes wollenes Kreppgewebe **Kre|pi|dol|ma** ⟨*gr.*⟩ *das; -s:* Stufenunterbau des altgriech. Tempels **kre|pie|ren** ⟨*lat.-it.*⟩: 1. bersten, platzen, zerspringen (von Sprenggeschossen). 2. (ugs.) sterben; verenden **Kre|pis** ⟨*gr.*⟩ *die; -:* ↑Krepidoma **Kre|pi|ta|ti|on** ⟨*lat.;* „das Knarren“⟩ *der; -, -en:* (Med.) 1. Knisterrasseln, besondere Geräusche bei beginnender Lungenentzündung. 2. Knirschen, das durch das Aneinanderreiben von Knochenbruchenden sowie von Sehnen und Sehnenscheiden bei entzündlichen Veränderungen entsteht **Krep|lach** ⟨*jidd.*⟩ *der; -[s], -:* dreieckige, mit Gehacktem od. Käse gefüllte Teigtaschen (in der Suppe od. als Beilage)

Kre|pon [kre'põ:] ⟨*lat.-fr.*⟩ *der; -s, -s:* ein Kreppgewebe. **kre|po|nie|ren** vgl. krepponieren. **¹Krepp** *der; -s, -s u. -e:* Gewebe mit welliger od. gekräuselter Oberfläche. **²Krepp** vgl. ¹Crêpe. **krep|pen:** 1. (Textilfasergewebe) durch spezielle Behandlung zu Krepp verarbeiten. 2. (Papier) kräuseln. **krep|po|nie|ren:** ↑kreppen (1) **Kre|scen|do** [krɛˈʃɛndo] vgl. Crescendo **Kre|sol** ⟨*Kunstw.*⟩ *das; -s, -e:* ein aus Teer destilliertes Desinfektionsmittel **Kres|zenz** ⟨*lat.;* „Wachstum“⟩ *die; -, -en:* 1. a) Herkunft [edler Weine], Wachstum; b) Rebsorte; c) (früher) Qualitätsbezeichnung für naturreine, ungezuckerte Weine. 2. (veraltet) Ertrag **kre|ta|zelisch** u. **kre|ta|zisch** ⟨*lat.*⟩: zur Kreideformation gehörend, sie betreffend (Geol.) **Kre|te** ⟨*lat.-fr.*⟩ *die; -, -n:* (schweiz.) [Gelände]kamm, Grat **Kre|thi und Ple|thi** ⟨nach dem Kretern u. Philistern in der Söldnertruppe des biblischen Königs David⟩: (abwertend) jedermann, alle Welt, z. B. - - - war/waren dort versammelt. **Kre|ti|kus** ⟨*gr.-lat.*⟩ *der; -, ...izi:* ein antiker Versfuß (rhythmische Einheit: –.–) **Kre|tin** [kreˈtɛ̃] ⟨*gr.-lat.-fr.*⟩ *der; -s, -s:* 1. jmd., der an Kretinismus leidet (Med.). 2. (ugs. abwertend) Dummkopf. **Kre|ti|nis|mus** ⟨*gr.-lat.-fr.-nlat.*⟩ *der; -:* auf Unterfunktion der Schilddrüse beruhendes Zurückbleiben der körperlichen u. geistigen Entwicklung (Med.). **kre|ti|no|id** ⟨*gr.-lat.-fr.; gr.*⟩: kretinähnlich, wie ein Kretin (Med.) **Kre|ti|zi:** *Plural von* ↑Kretikus **Kre|ton** ⟨*fr.*⟩ *der; -s, -e:* (österr.) ↑Cretonne. **kre|ton|ne** vgl. Cretonne **Kret|scham** u. **Kret|schem** ⟨*slaw.*⟩ *der; -e:* (landsch.) Gastwirtschaft. **Kret|schmer** *der; -s, -:* (landsch.) Wirt **Kre|vet|te,** auch: **Crevette** ⟨*lat.-fr.*⟩ *die; -, -n:* Garnelenart (vgl. Garnele) **Kri|cket** ⟨*engl.*⟩ *das; -s:* englisches Schlagballspiel **Kri|da** ⟨*lat.-mlat.*⟩ *die; -:* (österr.) Konkursvergehen. **Kri|dar** ⟨*nlat.*⟩ *der; -s, -e:* (österr.) Konkursschuldner **Kri|ko|to|mie** ⟨*gr.-nlat.*⟩ *die; -, ...ien:* operative Spaltung des Ringknorpels od. der Luftröhre bei drohender Erstickung (Med.)

Krill ⟨norw.-engl.⟩ der; -[e]s: (bes. in den Polarmeeren auftretendes) eiweißreiches tierisches ↑Plankton (vor allem winzige Krebse u. Schnecken) **Kri|mi** [auch: 'krɪmi] ⟨Kurzform von Kriminalfilm od. Kriminalroman⟩ der; -s, -s: (ugs.) 1. Kriminalfilm. 2. Kriminalroman. **kri|mi|nal** ⟨lat.⟩: (veraltet) strafrechtlich; vgl. ...al/...ell. **Kri|minal** das; -s, -e: (österr. veraltend) Strafanstalt, Zuchthaus. **Kri|minal|le** der; -n, -n u. **Kri|mi|na|ler** der; -s, -: (ugs.) Kriminalbeamter. **Kri|mi|nal|film** der; -[e]s, -e: ein Film, der die Aufdeckung u. Aufklärung eines Verbrechens (meist eines Mordes) schildert. **Kri|mi|nal|ge|richt** ⟨lat.; dt.⟩ das; -[e]s, -e: (veraltet) Strafgericht, Strafkammer. **kri|mi|na|li|sie|ren:** 1. kriminell werden lassen, machen, in die Kriminalität (a) treiben. 2. als kriminell erscheinen lassen, hinstellen. **Kri|mi|na|li|sie|rung** ⟨lat.-nlat.⟩ die; -, -en: a) das Kriminalisieren; b) das Kriminalisiertwerden. **Kri|mi|nal|list** der; -en, -en: 1. Professor für Strafrecht an einer Universität; Strafrechtler. 2. Beamter, Sachverständiger der Kriminalpolizei. **Kri|mi|na|lis|tik** die; -: (als Teilbereich der Kriminologie) Wissenschaft, Lehre von der Aufklärung u. Verhinderung von Verbrechen. **kri|mi|na|lis|tisch:** die Kriminalistik betreffend, die Mittel der Kriminalistik anwendend. **Kri|mi|na|li|tät** die; -: a) Straffälligkeit; b) Umfang der strafbaren Handlungen, die in einem bestimmten Gebiet innerhalb eines bestimmten Zeitraums [von einer bestimmten Tätergruppe] begangen werden. **Kri|mi|nal|pä|da|go|gik*** die; -: ↑Pädagogik, die im Strafvollzug die ↑Resozialisierung in den Vordergrund stellt; forensische Pädagogik. **Kri|mi|nal|po|li|zei** die; -, -en (Plural selten): die mit der Verhütung, Aufklärung u. Bekämpfung von Verbrechen od. Vergehen beauftragte Polizei (Kurzw.: Kripo). **Kri|mi|nal|pro|zess** der; -es, -e: (veraltet) Strafprozess. **Kri|mi|nal|psy|cho|lo|gie** die; -: forensische Psychologie. **Kri|mi|nal|ro|man** der; -[e]s, -e: Roman, bei dem ein Verbrechen u. seine Aufklärung im Mittelpunkt stehen. **Kri|mi|nal|so|zi|o|lo|gie** die; -: Zweig der Kriminologie, der die Umweltbedingtheit von Tat u. Täter

erforscht. **kri|mi|nell** ⟨lat.-fr.⟩: 1. a) straffällig; b) strafbar, verbrecherisch. 2. (ugs.) sich an der Grenze des Erlaubten bewegend; rücksichtslos; unverantwortlich, schlimm; vgl. ...al/ ...ell. **Kri|mi|nel|le** der u. die; -n, -n: (abwertend) jmd., der ein Verbrechen begangen hat. **kri|mi|no|gen** ⟨lat.; gr.⟩: zu Verbrechen führend, sie hervorrufend. **Kri|mi|no|lo|ge** der; -n, -n: Wissenschaftler, Fachmann auf dem Gebiet der Kriminologie. **Kri|mi|no|lo|gie** die; -: Wissenschaft, die die Ursachen u. Erscheinungsformen von Verbrechen untersucht u. sich mit der Verhinderung, Aufklärung u. Bekämpfung von Verbrechen befasst. **kri|mi|no|lo|gisch:** a) die Kriminologie u. ihre Methoden betreffend; b) mit den Methoden, Mitteln der Kriminologie arbeitend

Krim|mer ⟨nach der Halbinsel Krim⟩ der; -s, -: 1. Fell des ↑Karakulschafs. 2. das Fell des ↑Karakulschafs nachahmendes Wollgewebe. **Krim|sekt** der; -[e]s: aus Weinen der Halbinsel Krim hergestellter Schaumwein. **Krim|ste|cher** ⟨nach dessen Aufkommen im Krimkrieg⟩ der; -s, -: (veraltet) Feldstecher

Kri|no|i|de ⟨gr.-nlat.⟩ der; -n, -n (meist Plural): Haarstern od. Seelilie (Zool.)

Kri|no|li|ne ⟨lat.-it.-fr.⟩ die; -, -n: um die Mitte des 19. Jh.s getragener Reifrock

Kri|po die; -, -s (Plural selten): Kurzw. für: Kriminalpolizei

Kris ⟨malai.⟩ der; -es, -e: Dolch der Malaien

Kri|se u. Krisis ⟨gr.-lat.(-fr.)⟩ die; -, ...sen: 1. Entscheidungssituation, Wende-, Höhepunkt einer gefährlichen Entwicklung. 2. gefährliche Situation. 3. (Med.) a) schneller Fieberabfall als Wendepunkt einer Infektionskrankheit; b) (meist Plural) plötzlich auftretende heftige Schmerzanfälle im Bereich verschiedener Körperorgane od. -regionen. **kri|seln:** nur unpersönlich: **es kriselt:** es gibt Anzeichen für eine bevorstehende Krise. **Kri|sis** vgl. Krise

¹Kris|tall ⟨gr.-lat.-mlat.⟩ der; -s, -e: fester, regelmäßig geformter, von ebenen Flächen begrenzter Körper. **²Kris|tall** das; -s: a) geschliffenes Glas; b) Gegenstände aus geschliffenem Glas. **kris|tal|len** ⟨gr.-lat.-mlat.⟩: 1. aus,

von Kristallglas. 2. kristallklar, wie Kristall. **kris|tal|lin** u. **kris|tal|li|nisch** ⟨gr.-lat.⟩: aus vielen kleinen, unvollkommen ausgebildeten ¹Kristallen bestehend (z. B. Granit); **kristalline/kristallinische Schiefer:** durch ↑Metamorphose (4) veränderte Erguss- u. Absatzgesteine (Geol.); vgl. ...isch/-. **Kris|tal|li|sa|ti|on** ⟨gr.-lat.-fr.⟩ die; -, -en: der Prozess, Zeitpunkt des Kristallisierens eines Stoffes (Chem.). **kris|tal|lisch:** ↑kristallin. **kris|tal|li|sie|ren:** ¹Kristalle bilden. **Kris|tal|lit** [auch: ...'lɪt] ⟨gr.-lat.-nlat.⟩ der; -s, -e: mikroskopisch kleiner Kristall ohne deutlich ausgeprägte Oberflächenformen. **Kris|tal|lo|blas|te|se*** ⟨gr.-nlat.⟩ die; -: Entstehung des typischen Gefüges der kristallinen Schiefer (Geol.). **kris|tal|lo|blas|tisch*:** durch Um- od. Neukristallisation der Minerale gebildet (von Gesteinsgefügen; Geol.). **Kris|tal|lo|gra|phie,** auch: ...grafie die; -: Wissenschaft von den chemischen u. physikalischen Eigenschaften der Kristalle. **kris|tal|lo|gra|phisch,** auch: ...grafisch: die Kristallographie betreffend. **Kris|tal|lo|id** das; -[e]s, -e: ein kristallähnlicher Körper od. ein Stoff mit kristallähnlicher Struktur. **Kris|tal|lo|man|tie** die; -: das Hervorrufen subjektiv wahrnehmbarer Bilder auf transparenten Flächen durch längeres Fixieren von Kristallen, glänzenden Gegenständen, Spiegelflächen zum Zweck des Hellsehens

Kris|ti|a|nia ⟨ehemaliger Name der norweg. Hauptstadt Oslo⟩ der; -s, -s: (veraltet) Querschwung beim Skilauf

Kris|to|bal|lit vgl. Cristobalit

Kri|te|ri|um ⟨gr.-nlat.⟩ das; -s, ...ien: 1. Prüfstein, unterscheidendes Merkmal, Kennzeichen. 2. (Sport) a) Wettrennen, bei dem keine Meisterschaft ausgetragen, sondern nur in der Sieger ermittelt wird; b) (beim Radsport) Straßenrennen auf einem Rundkurs, bei dem der Sieger durch die Ergebnisse einzelner Wertungen nach Punkten ermittelt wird. **Kri|tik** [auch: kri'tɪk] ⟨gr.-lat.-fr.⟩ die; -, -en: 1. [wissenschaftliche, künstlerische] Beurteilung, Begutachtung, Bewertung. 2. Beanstandung, Tadel. 3. a) kritische (1 a) Beurteilung, Besprechung einer künstlerischen Leistung, eines wissenschaftlichen, literarischen, künstlerischen Werkes (in einer Zeitung, im Rundfunk o.Ä.); b) (ohne Plural) Gesamtheit der kritischen Betrachter. **kri|ti|ka|bel**: der Kritik (1, 2) unterwerfen, zu unterwerfen. **Kri|ti|ka|li|tät** die; -, -en: das Kritischwerden eines ↑Reaktors, bei dem eine eingetretene Kettenreaktion nicht abreißt (Kernphys.). **Kri|ti|kas|ter** ⟨gr.-lat.-nlat.⟩ der; -s, -: (abwertend) Nörgler, kleinlicher Kritiker. **Kri|ti|ker** ⟨gr.-lat.⟩ der; -s, -: 1. Beurteiler. 2. jmd., der beruflich Besprechungen von neu herausgebrachten Büchern, Theaterstücken o.Ä. verfasst. 3. jmd., der eine Person tadelt od. etwas beanstandet. **Kri|ti|kus** der; -, -se: (abwertend) Kritiker. **kri|tisch** ⟨gr.-lat.(-fr.)⟩: 1. a) nach präzisen [wissenschaftlichen od. künstlerischen] Maßstäben prüfend u. beurteilend, genau abwägend; b) eine negative Beurteilung enthaltend, missbilligend. 2. schwierig, bedenklich, gefährlich. 3. entscheidend. 4. wissenschaftlich erläuternd; **kritische Ausgabe**: wissenschaftliche Ausgabe eines Originaltextes mit Angabe der Textvarianten u. der Textgeschichte; **kritischer Apparat**: Gesamtheit der einer Textausgabe beigegebenen textkritischen Anmerkungen (zu verschiedenen Lesarten, zur Textgeschichte usw.). 5. nicht abreißend (von einer Kettenreaktion im ↑Reaktor; Kernphys.). **kri|ti|sie|ren** ⟨gr.-lat.-fr.⟩: 1. beanstanden, bemängeln, tadeln. 2. als Kritiker beurteilen. **Kri|ti|zis|mus** ⟨gr.-lat.-nlat.⟩ der; -: 1. von Kant eingeführtes wissenschaftlich-philosophisches Verfahren, vor der Aufstellung eines philosophischen od. ideologischen Systems die Möglichkeit, Gültigkeit u. Gesetzmäßigkeit sowie die Grenzen die menschlichen Erkenntnisvermögens zu kennzeichnen (Philos.). 2. starker Hang zu kritisieren. **Kri|ti|zist** der; -en, -en: Vertreter des Kritizismus (1)

Kro|cket [auch: krɔ'ket] ⟨engl.⟩ das; -s, -s: englisches Rasenspiel. **kro|cket|tie|ren** u. **kro|ckie|ren**: Holzkugeln (im Krocketspiel) wegschlagen

Kro|kant ⟨fr.⟩ der; -s: a) aus zerkleinerten Mandeln od. Nüssen u. karamellisiertem Zucker hergestellte knusprige Masse; b) Konfekt, Pralinen aus Krokant

(a). **Kro|ket|te** die; -, -n (meist Plural): in Fett ausgebackenes Klößchen od. Röllchen aus Kartoffelbrei od. zerkleinertem Fleisch u.a. **Kro|ki** das; -s, -s: Plan, einfache Geländezeichnung. **kro|kie|ren**: ein Kroki zeichnen **Kro|ko** das; -[s], -s: Kurzform von Krokodilleder. **Kro|ko|dil** ⟨gr.-lat.⟩ das; -s, -e: im Wasser lebendes Kriechtier (zahlreiche, bis 10 m lange Arten) **Kro|kus** ⟨gr.-lat.⟩ der; -, - u. -se: früh blühende Gartenpflanze (Schwertliliengewächs) **Krom|lech** [...lɛk, auch: 'kro:m..., auch: ...lɛç] ⟨kelt.⟩ der; -s, -e u. -s: jungsteinzeitliche kreisförmige Steinsetzung (Kultstätte) **Kro|mo** ⟨jav.⟩ das; -[s]: Sprache der Oberschicht auf Java; Ggs. ↑Ngoko **Kro|ne** ⟨gr.-lat.⟩ die; -, -n: Währungseinheit in verschiedenen europäischen Ländern **Kro|ni|de** ⟨gr.; nach Kronos, dem Vater des Zeus⟩ der; -n, -n: 1. Nachkomme (Sohn) des Kronos. 2. (ohne Plural) Beiname des obersten griech. Gottes Zeus **Krö|sus** ⟨gr.-lat.; nach dem letzten König von Lydien im 6. Jh. v. Chr.⟩ der; - u. -ses, -se: sehr reicher Mann **Kro|ta|lin** ⟨lat.-nlat.⟩ das; -s: Gift bestimmter Klapperschlangen, das in der Medizin Anwendung findet **Kro|ton** ⟨gr.⟩ der; -s, -e: ostasiatisches Wolfsmilchgewächs. **Kro|ton|öl** ⟨gr.; lat.⟩ das; -[e]s: aus den Samen des ↑Krotons gewonnenes Abführmittel **Kro|zei|tin** ⟨gr.-lat.-nlat.⟩ das; -s: aus dem Krozin gewonnener ziegelroter Farbstoff. **Kro|zin** das; -s: gelber Safranfarbstoff **krud** u. **kru|de** ⟨lat.⟩: 1. a) roh (von Nahrungsmitteln); b) unverdaulich. 2. roh, grausam. **Kru|de|li|tät** die; -: Grausamkeit. **Kru|di|tät** die; -, -en: a) (ohne Plural) das Grob-, Derb-, Plumpsein; Rohheit; b) grober, derber Ausdruck; rohe, rücksichtslose Handlung; Grobheit **Krupp** ⟨engl.-fr.⟩ der; -s: akute Entzündung der Kehlkopfschleimhaut bei Diphtherie (Med.) **Krup|pa|de** ⟨germ.-it.-fr.⟩ die; -, -n: eine Reitfigur der hohen Schule **krup|pös** ⟨engl.-fr.⟩: kruppartig (von Husten; Med.); vgl. Krupp **kru|ral** ⟨lat.⟩: zum [Unter]schen-

kel gehörend, ihn betreffend; Schenkel... (Med.) **Krus|ka** ® ⟨schwed.⟩ die; -: aus verschiedenen Getreidesorten bestehende Grütze (Diätmittel) **Krus|ta|de** ⟨lat.-it.-fr.⟩ die; -, -n (meist Plural): eine Pastete. **Krus|tal|zee** ⟨lat.-nlat.⟩ die; -, ...een (meist Plural)· Krebstier (Krustentier) **Krux** vgl. Crux **Kru|zi|a|ner** ⟨lat.-nlat.⟩ der; -s, -: a) Schüler der Kreuzschule in Dresden; b) Mitglied des Dresdener Kreuzchors. **Kru|zi|fe|re** die; -, -n (meist Plural): Kreuzblütler (Bot.). **Kru|zi|fix** [auch: ...'fiks] ⟨lat.-mlat.⟩ das; -es, -e: plastische Darstellung des gekreuzigten Christus am Kreuz. **Kru|zi|fi|xus** der; -: die Figur des Gekreuzigten in der bildenden Kunst **Kry|al** ⟨gr.-nlat.⟩ das; -s: Lebensraum von Biozönosen im Bereich von Gletschern u. Gletscherabflüssen (Biol.). **Kry|äs|the|sie** die; -: Überempfindlichkeit gegen Kälte (Med.). **Kry|o|bi|o|lo|gie** die; -: Teilgebiet der Biologie, das sich mit der Einwirkung sehr tiefer Temperaturen auf Organismen o.Ä. befasst. **Kry|o|chi|rur|gie*** die; -: Anwendung der Kältetechnik in der Chirurgie (Med.). **Kry|o|ge|nik** ⟨gr.-engl.⟩ die; -: Forschungszweig, der sich mit den physikalischen Erscheinungen im Bereich tiefer Temperaturen befasst (Phys.). **Kry|o|gen|tank** der; -s, -s (seltener auch: -e): wärmeisolierter Behälter zum Transport verflüssigter, auf sehr niedrige Temperaturen gekühlter Gase. **Kry|o|ko|nit** [auch: ...'nit] der; -s, -e: auf Gletschern durch Wind abgelagerter dunkelfarbiger Staub, der infolge seiner größeren Wärmeabsorption das Gletschereis schmelzen lässt. **Kry|o|lith** [auch: ...'lɪt] der; -s u. -en, -e[n]: ein Mineral. **Kry|o|mag|net*** der; -[e]s u. -en, -e[n]: mit flüssigem Wasserstoff gekühlter ↑Elektromagnet (Phys.). **Kry|o|me|ter** das; -s, -: Thermometer für tiefe Temperaturen (Phys.). **Kry|on** das; -s: Biozönose im Bereich von Gletschern u. Gletscherabflüssen (Biol.). **Kry|o|skal|pell** das; -s, -e: in der Kryochirurgie verwendetes ↑Skalpell (Med.). **Kry|o|skop*** das; -s, -e: Messgerät zur Bestimmung des ↑Molekulargewichts. **Kry|o|sko|pie*** die; -: Bestimmung des ↑Molekulargewichts durch Messung der Gefrierpunktserniedrigung. **Kryos|tat*** *der; -[e]s u. -en, -e[n]* ↑Thermostat für tiefe Temperaturen. **Kry|o|tęch|nik** *die; -:* Tieftemperaturtechnik. **Kry|o|thera|pie** *die; -:* Anwendung von Kälte zur Zerstörung von krankem Gewebe durch Erfrieren (Med.). **Kry|ot|ron*** *das; -s, ...one (auch: -s):* Schaltelement [in ↑Computern] (EDV). **Kry|otur|ba|ti|on** *⟨gr.-lat.⟩ die; -, -en:* Bodenbewegung, die im Bereich des Frostbodens bei wechselndem Frost in der oberen Bodenschicht vor sich geht (Geol.). **Kry|o|zön** *das; -s:* ↑Kryon (Biol.) **Kryp|ta** *⟨gr.-lat.⟩ die; -, ...ten:* unterirdische Grabanlage unter dem Chor alter romanischer od. gotischer Kirchen. **Kryptästhe|sie*** *⟨gr.-nlat.;* „Wahrnehmung von Verborgenem"⟩ *die; -:* hochgradig verfeinerte Wahrnehmung; außersinnliche Wahrnehmung; vgl. Kryptoskopie. **Kryp|te** *die; -, -n (meist Plural):* Einbuchtung in Form einer Schleimhautsenkung (z. B. bei den Gaumenmandeln od. in der Dickdarmschleimhaut; Med.). **kryp|tisch:** unklar in seiner Ausdrucksweise oder Darstellung u. deshalb schwer zu deuten, dem Verständnis Schwierigkeiten bereitend. **Kryp|to|ga|me** *⟨gr.-nlat.⟩ die; -, -n (meist Plural):* blütenlose Pflanze, Sporenpflanze (z. B. Farn, Alge); Ggs. ↑Phanerogame. **kryp|to|gen** u. **kryp|toge|ne|tisch:** von unbekanntem Ursprung (von Krankheiten; Med.). **Kryp|to|gramm** *das; -s, -e:* l. ein Text, aus dessen Worten sich durch einige besonders gekennzeichnete Buchstaben eine neue Angabe entnehmen lässt (z. B. eine Jahreszahl, eine Nachricht). 2. (veraltet) Geheimtext. **Kryp|to|graph,** auch: ...graf *der; -en, -en:* (veraltet) Gerät zur Herstellung von Geheimschriften (für den telegrafischen Verkehr). **Kryp|to|gra|phie,** auch: ...grafie *die; -, ...ien:* 1. absichtslos entstandene Kritzelzeichnung bei Erwachsenen (Psychol.). 2. (veraltet) Geheimschrift. 3. Verschlüsselung u. Entschlüsselung von Information (Informatik). **Kryp|to|kal|vinist** *der; -en, -en:* (hist.) Anhänger der Theologie Melanchthons im 16. Jh., die in den Abendmahlslehre den ↑Kalvinisten zu

neigte. **kryp|to|kris|tal|lin** u. **kryp|to|kris|tal|li|nisch:** erst bei mikroskopischer Untersuchung als kristallinisch erkennbar (Geol.). **Kryp|to|lo|gie** *die; -:* wissenschaftliche Disziplin, deren Gegenstand die Kryptographie ist. **kryp|to|lo|gisch:** die Kryptologie betreffend. **kryp|to|mer:** ohne Vergrößerung nicht erkennbar (von den Bestandteilen eines Gesteins; Geol.); Ggs. ↑phaneromer. **¹Kryp|to|me|rie** *⟨gr.-nlat.⟩ die; -, ...ien:* das Verborgenbleiben einer Erbanlage (Biol.). **²Kryp|to|me|rie** [...ri̯ə] *die; -, -n:* japanische Zeder (Bot.). **Kryp|ton** [auch: ...'to:n] *⟨gr.-engl.⟩ das; -s:* chem. Element; ein Edelgas (Zeichen: Kr). **Kryp|tonlam|pe** *die; -, -n:* mit Krypton gefüllte Glühlampe mit starker Leuchtkraft. **Kryp|to|nym*** *das; -s, -e:* Verfassername, dessen Buchstaben in Wörtern bzw. Sätzen verborgen sind od. der nur aus den Anfangsbuchstaben bzw. -silben besteht. **kryptorch*:** an Kryptorchismus leidend. **Kryp|tor|chjs|mus*** *der; -, ...men:* das Verbleiben eines od. beider Hoden in der Bauchhöhle od. im Leistenkanal, das Ausbleiben der normalen Verlagerung der Hoden in den Hodensack (Med.). **Kryp|to|skop*** *das; -s, -e:* tragbarer Röntgenapparat für eine Behandlung außerhalb des Röntgenraums (z. B. im Krankenzimmer; Med.). **Krypto|sko|pie*** *die; -:* Wahrnehmung in der Nähe befindlicher verborgener Gegenstände; Ggs. ↑Teleskopie (2); vgl. Kryptästhesie. **Kryp|to|sper|mie** *die; -, ...ien:* das Vorhandensein einer extrem weit unter der Norm liegenden Anzahl von Spermien im Ejakulat (Med.). **Kryp|to|vulka|nis|mus** *der; -:* vulkanische Erscheinungen unterhalb der Erdoberfläche (Geol.). **Kryp|toxan|thin** *das; -s:* in verschiedenen pflanzlichen u. tierischen Substanzen vorkommender gelbroter Farbstoff, der eine Vorstufe des Vitamins A darstellt. **Kryp|to|zo|i|kum** *das; -s:* Präkambrium (Geol.) **Ksa|bi:** *Plural* von ↑Kasba[h] **Ksar** *⟨berberisch⟩ das; -s, Ksur:* rechteckig angelegte, mit einer Mauer umgebene Berbersiedlung **Kschat|ri|ja*** *⟨sanskr.⟩ das; -s, -s:* (hist.) Angehöriger der adligen Kriegerkaste in Indien

KS-Gram|ma|tik *die; -:* Kurzw. für: ↑Konstituentenstrukturgrammatik **Ksur:** *Plural* von ↑Ksar **Kte|ni|di|um** *⟨gr.-nlat.⟩ das; -s, ...ien:* Atmungsorgan vieler Weichtiere (Kammkieme; Zool.). **Kte|no|id|schup|pe** *⟨gr.nlat; dt.⟩ die; -, -n:* Kammschuppe vieler Fische (Zool.). **Kte|nopho|re** *⟨gr.-nlat.⟩ die; -, -n (meist Plural):* Rippenqualle (Gruppe der Hohltiere; Zool.) **Ku|ba|tur** *⟨gr.-lat.-nlat.⟩ die; -, -en:* (Math.) 1. Erhebung zur dritten ↑Potenz (4). 2. Berechnung des Rauminhalts von [Rotations]körpern **Kub|ba** *⟨arab.⟩ die; -, -s od. ...bben:* 1. Kuppel. 2. überwölbter Grabbau in der islamischen Baukunst **Ku|be|be** *⟨arab.-mlat.-fr.⟩ die; -, -n:* getrocknete Frucht eines indonesischen Pfeffergewächses **Ku|ben:** *Plural* von ↑Kubus. **kubie|ren** *⟨gr.-lat.-nlat.⟩:* 1. den Rauminhalt eines Baumstammes aus Länge u. Durchmesser ermitteln (Forstw.). 2. eine Zahl in die dritte Potenz erheben (Math.). **Ku|bik|de|zi|me|ter** *der (auch: das); -s, -:* dem Rauminhalt eines Würfels mit einer Kantenlänge von 1 Dezimeter entsprechendes Raummaß; Zeichen: dm³ (Math.). **Ku|bi|kel** *⟨lat.⟩ das; -s, -:* (veraltet) [Schlaf]zimmer. **Ku|bik|ki|lome|ter** *der (auch: das); -s, -:* dem Rauminhalt eines Würfels mit einer Kantenlänge von 1 Kilometer entsprechendes Raummaß; Zeichen: km³ (Math.). **Ku|bik|maß** *das; -es, -e:* Raummaß (Math.). **Ku|bik|me|ter** *der (auch: das); -s, -:* dem Rauminhalt eines Würfels mit einer Kantenlänge von 1 Meter entsprechende Raummaß; Zeichen: m³ (Math.). **Ku|bik|mil|li|me|ter** *der (auch: das); -s, -:* dem Rauminhalt eines Würfels mit einer Kantenlänge von 1 Millimeter entsprechende Raummaß; Zeichen: mm³ (Math.). **Ku|bik|wur|zel** *die; -, -n:* dritte Wurzel (Math.). **Kubik|zahl** *die; -, -en:* als dritte Potenz einer natürlichen Zahl darstellbare Zahl (Math.). **Ku|bikzen|ti|me|ter** *der (auch: das); -s, -:* dem Rauminhalt eines Würfels mit einer Kantenlänge von 1 Zentimeter entsprechende Raummaß; Zeichen: cm³ (Math.). **kubisch:** a) würfelförmig; b) in die dritte Potenz erhoben (Math.)

Ku|bjs|mus ⟨*gr.-lat.-nlat.*⟩ *der;* -: Kunstrichtung in der Malerei u. Plastik Anfang des 20. Jh.s, bei der die Landschaften u. Figuren in geometrische Formen (wie Zylinder, Kugel, Kegel) aufgelöst sind (Kunstw.). **Ku|bist** *der;* -en, -en: Vertreter des Kubismus. **ku|bjs|tisch:** a) im Stil des Kubismus [gemalt]; b) den Kubismus betreffend

ku|bi|tal ⟨*lat.*⟩: a) zum Ellbogen gehörend; b) den Ellbogen betreffend (Med.)

Ku|bus ⟨*gr.-lat.*⟩ *der;* -, ...ben: a) Würfel; b) dritte Potenz (Math.)

Ku|cker|sjt [auch: ...'zɪt] ⟨*nlat.;* nach dem Fundort Kuckers in Estland⟩ *der;* -s: stark bituminöser Schiefer im ↑Silur von Estland

Ku|du ⟨*afrik.*⟩ *der;* -s, -s: eine afrikanische ↑Antilope

Kuff ⟨*niederd.*⟩ *die;* -, -e: früher verbreitetes, ostfriesisches Küstenfahrzeug mit geringem Tiefgang

Ku|fi|ja ⟨*arab.*⟩ *die;* -, -s: quadratisches Kopftuch der Araber aus weißer, rot od. schwarz gemusterter Baumwolle; Palästinensertuch

Ku|gu|ar ⟨*indian.-port.-fr.*⟩ *der;* -s, -e: ↑Puma

Ku|ja|wi|ak ⟨*poln.;* nach dem poln. Landstrich Kujawien⟩ *der;* -s, -s: polnischer Tanz in langsamem $^3/_4$-Takt

Ku|jon ⟨*lat.-vulgärlat.-it.-fr.*⟩ *der;* -s, -e: (veraltend abwertend) Schuft, Quäler. **ku|jo|nie|ren:** (ugs. abwertend) [bei der Arbeit] unwürdig behandeln, schikanieren, böswillig peinigen

Ku-Klux-Klan [selten auch: 'kju:klʌksˈklœn] ⟨*engl.*⟩ *der;* ɡ: (1865 gegründeter) Geheimbund in den USA, der mit rücksichtslosem Terror gegen die Gleichberechtigung der Schwarzen u. gegen Minderheiten u. Ausländer kämpft

Ku|ku||le ⟨*lat.-mlat.*⟩ *die;* -, -n: a) kapuzenartige Kopfbedeckung bei Mönchen der orthodoxen Kirche; b) weites Obergewand der Benediktiner u. anderer katholischer Orden beim Chorgebet

Ku|ku|mer ⟨*lat.*⟩ *die;* -, -n: (landsch.) Gurke

Ku|ku|ruz [auch: 'ku:...] ⟨*slaw.*⟩ *der;* -[es]: (landsch., bes. österr.) Mais

Ku|lak ⟨*russ.*⟩ *der;* -en, -en: (hist.) Großbauer im zaristischen Russland

Ku|lan [ku'la(:)n] ⟨*kirg.*⟩ *der;* -s, -e: asiatischer Wildesel

Ku|la|ni vgl. Kolani

ku|lant ⟨*lat.-fr.*⟩: gefällig, entgegenkommend, großzügig (im Geschäftsverkehr). **Ku|lanz** *die;* -: Entgegenkommen, Großzügigkeit (im Geschäftsverkehr)

Kül|las|se ⟨*lat.-it.-fr.*⟩ *die;* -, -n: Unterseite von Brillanten

Kul|do|skop* ⟨*fr.; gr.*⟩ *das;* -s, -e: ↑Douglasskop. **Kul|do|sko|pie** *die;* -, ...ien: ↑Douglasskopie

Ku|li ⟨*Hindi-angloind.*⟩ *der;* -s, -s: a) Tagelöhner in [Süd]ostasien; b) ausgenutzter, ausgebeuteter Arbeiter

Kul|lier|wa|re ⟨*lat.-fr.; dt.*⟩ *die;* -, -n: Maschenware mit waagerecht laufendem Faden

ku|li|na|risch ⟨*lat.*⟩: a) auf die [feine] Küche, die Kochkunst bezogen; b) (leicht abwertend) ohne Anstrengung geistigen Genuss verschaffend, ausschließlich dem Genuss dienend

Kul|is|se ⟨*lat.-fr.*⟩ *die;* -, -n: 1. (meist Plural) bewegliche Dekorationswand auf einer Theaterbühne; Bühnendekoration. 2. a) Hintergrund; b) vorgetäuschte Wirklichkeit, Schein. 3. äußerer Rahmen einer Veranstaltung. 4. a) nichtamtlicher Börsenmarkt; b) Personen, die sich auf eigene Rechnung am Börsenverkehr beteiligen. 5. Hebel mit verschiebbarem Drehpunkt (Techn.)

Kul|la|ni vgl. Kolani

¹Kulm ⟨*slaw. u. roman.*⟩ *der od. das;* -[e]s, -e: abgerundete [Berg]kuppe

²Kulm ⟨*engl.*⟩ *das;* -s: sandigschiefrige ↑Fazies (1) des unteren ↑Karbons (Geol.)

Kul|mi|na|ti|on ⟨*lat. fr.*⟩ *die;* -en: 1. Erreichung des Höhe-, Gipfelpunktes [einer Laufbahn]. 2. Durchgang eines Gestirns durch den ↑Meridian (2) im höchsten od. tiefsten Punkt seiner Bahn (Astron.). **Kul|mi|na|ti|ons|punkt** *der;* -[e]s, -e: 1. Höhepunkt [einer Laufbahn der Entwicklung]. 2. höchster od. tiefster Stand eines Gestirns (beim Durchgang durch den ↑Meridian 2) (Astron.). **kul|mi|nie|ren:** seinen Höhepunkt erreichen

Kul|misch ⟨*engl.*⟩: das ²Kulm betreffend

Kult ⟨*lat.;* „Pflege")⟩ *der;* -[e]s, -e u. **Kultus** *der;* -, Kulte: 1. an feste Vollzugsformen gebundene Religionsausübung einer Gemeinschaft. 2. a) übertriebene Vereh-

rung für eine bestimmte Person; b) übertriebene Sorgfalt für einen Gegenstand. **Kul|te|ra|nist** ⟨*lat.-nlat.*⟩ *der;* -en, -en: Vertreter des Kultismus. **kul|tisch** ⟨*lat.*⟩: den Kult betreffend, zum Kult gehörend. **Kul|tis|mus** ⟨*lat.-nlat.*⟩ *der;* -: ↑Gongorismus. **Kul|ti|va|tor** *der;* -s, ...oren: ↑Grubber. **kul|ti|vie|ren** ⟨*lat.-fr.*⟩: 1. a) (Land) bearbeiten, urbar machen; b) Kulturpflanzen anbauen. 2. a) sorgsam pflegen; b) auf eine höhere Stufe bringen, verfeinern. 3. mit dem Kultivator bearbeiten. **kul|ti|viert:** gebildet; verfeinert, gepflegt; von vornehmer Lebensart. **Kul|tur** ⟨*lat.*⟩ *die;* -, -en: 1. (ohne Plural) Gesamtheit der geistigen u. künstlerischen Lebensäußerungen einer Gemeinschaft, eines Volkes. 2. (ohne Plural) feine Lebensart, Erziehung u. Bildung. 3. Zucht von Bakterien u. anderen Lebewesen auf Nährböden. 4. Nutzung, Pflege u. Bebauung von Ackerboden. 5. junger Bestand von Forstpflanzen. 6. (ohne Plural) das Kultivieren (1). **kul|tu|ral:** die Kultur (1) in ihrem Vorhandensein u. ihrem Sosein betreffend; vgl. ...al/...ell. **kul|tu|ra|lis|tisch:** auf die Kultur (1) ausgerichtet, abgestellt. **Kul|tu|ral|ver|fah|ren** ⟨*lat.-nlat.; dt.*⟩ *das;* -s: Verfahren zur unmittelbaren Bekämpfung der Reblaus in den Weinbergen. **Kul|tur|at|ta|ché** ⟨*lat.-fr.*⟩ *der;* -s, -s: für kulturelle Belange zuständiger ↑Attaché (2) einer Auslandsvertretung. **kul|tu|rell:** die Kultur (1) u. ihre Erscheinungsformen betreffend; vgl. ...al/...ell. **Kul|tur|en|sem|ble** [...'ɑ̃sɑ̃:bl] *das;* -s, -s: (regional veraltend) [Volksmusik u. Volkstanz pflegende] Gruppe von Laienkünstlern. **Kul|tur|film** ⟨*lat.; engl.*⟩ *der;* -[e]s, -e: der Allgemeinbildung dienender, kürzerer dokumentarischer od. künstlerischer Film. **Kul|tur|flüch|ter** ⟨*lat.; dt.*⟩ *der;* -s, -: Tier- od. Pflanzenart, die aus einer Kulturlandschaft verschwindet (Biol.); Ggs. ↑Kulturfolger. **Kul|tur|fol|ger** *der;* -s, -: Tier- od. Pflanzenart, die sich in einer Kulturlandschaft ansiedelt (Biol.); Ggs. ↑Kulturflüchter. **Kul|tur|fonds** [...fõ:] ⟨*lat.; lat.-fr.*⟩ *der;* - [...fõ:s], - [...fõ:s]: (früher in der DDR) Fonds zur Finanzierung kultureller Belange. **kul|tur|his|to|risch:** kulturgeschichtlich. **Kul|tu|ris|tik** *die;* -:

(selten) Bodybuilding. **kul|tür-lich:** der Kultur (1) entsprechend, gemäß. **Kul|tur|mor|pho-lo|gie** die; -: (von L. Frobenius begründete) völkerkundliche Richtung, die die eigengesetzliche Entwicklung der Völkerkulturen erforscht. **Kul|tur|phi|lo-so|phie** die; -: Zweig der Philosophie, der sich mit den allgemeinen Erscheinungen der Kultur u. den in ihr wirksamen Entwicklungs- u. Ordnungsgesetzen befasst. **Kul|tur|po|li|tik** die; -: Tätigkeit des Staates od. anderer Institutionen zur Förderung von Bildung, Wissenschaft u. Kunst. **Kul|tur|psy|cho|lo|gie** die; -: Teilgebiet der Psychologie, das sich mit den seelischen Kräften befasst, die der Entwicklung von Kulturen u. Kulturkreisen zugrunde liegen. **Kul|tur|re|vo|lu-ti|on** die; -, -en: sozialistische Revolution im kulturellen Bereich, deren Ziel die Herausbildung einer sozialistischen Kultur ist. **Kul|tur|schock** der; -[e]s, -s: (beim unmittelbaren Kontakt mit einer fremden Kultur) schreckhaftes Erleben der Andersartigkeit der durch die fremde Kultur erlebbaren Realität (Soziol.). **Kul|tur|spon|so|ring** das; -s: [meist] finanzielle Förderung von Kunst u. Kultur z.B. durch Unternehmen, die dafür werblichen o.ä. Zwecken dienenden Gegenleistungen erhalten. **Kul|tur|step|pe** die; -, -n: Landschaft, die zugunsten eines großflächigen Getreide- od. Hackfrüchteanbaus durch Abholzung des Waldes um ihren natürlichen Tier- u. Pflanzenbestand gebracht wurde. **Kul|tus** vgl. Kult. **Kul|tus|kon|gre|ga|ti-on** die; -: ↑Kurienkongregation für die Liturgie der römisch-katholischen Kirche. **Kul|tus|mi-nis|ter** der; -s, -: für den kulturellen Bereich zuständiger Fachminister. **Kul|tus|mi|nis|te|ri|um** das; -s, ...ien: für kulturelle Angelegenheiten zuständiges Ministerium

Ku|ma|rin ⟨indian.-port.-fr.⟩ das; -s: ein [pflanzlicher] Duftstoff. **Ku|ma|ron** ⟨indian.-port.-fr.-nlat.⟩ das; -s: eine chem. Verbindung

Kum|pan ⟨lat.-vulgärlat.-fr.; „Brotgenosse"⟩ der; -s, -e: a) (ugs.) Kamerad, Begleiter, Gefährte; b) (ugs. abwertend) Mittäter, Helfer. **Kum|pa|nei** die; -, -en: 1. (ugs. abwertend) Gruppe,

Zusammenschluss von Kumpanen. 2. (ohne Plural) kameradschaftliches Zusammengehörigkeitsgefühl, Freundschaft unter Kumpanen. **Kum|pel** der; -s, - (ugs.: -s): 1. Bergmann. 2. (ugs.) [Arbeits]kamerad, Freund

Kum|quat ⟨chin.⟩ die; -, -s: kleine, aus Ostasien stammende Orange

Ku|mu|la|ti|on ⟨lat.⟩ die; -, -en: 1. Anhäufung. 2. vergiftende Wirkung kleiner, aber fortgesetzt gegebener Dosen bestimmter Arzneimittel (Med.). **ku|mu|la|tiv** ⟨lat.-nlat.⟩: [an]häufend. **ku|mu-lie|ren** ⟨lat.⟩: a) [an]häufen; b) einem Wahlkandidaten mehrere Stimmen geben. **Ku|mu|lo|nim-bus** ⟨lat.-nlat.⟩ der; -, -se: Gewitterwolke, mächtig aufgetürmte Haufenwolke; Abk.: Cb (Meteor.). **Ku|mu|lus** der; -, ...li: Haufenwolke; Abk.: Cu (Meteor.)

Ku|mys u. **Ku|myss** ⟨russ.⟩ der; -: alkoholhaltiges Getränk aus vergorener Stutenmilch, das bes. in Innerasien verbreitet ist

ku|ne|i|form ⟨lat.-nlat.⟩: keilförmig, zugespitzt (Med.)

Kü|net|te ⟨lat.-it.-fr.⟩ die; -, -n: (hist.) Abzugsgraben auf der Sohle eines Festungsgrabens

Kung-Fu ⟨chin.⟩ das; -[s]: Form der Selbstverteidigung

Kunk|ta|tor ⟨lat.⟩ der; -s, ...oren: (veraltet) Zauderer

Kun|ni|lin|gus vgl. Cunnilingus

Ku|o|min|tang ⟨chin.⟩ die; -: demokratisch-nationale Partei Taiwans

Ku|pal ⟨Kurzw. aus Kupfer u. ↑Aluminium⟩ das; -s: kupferplattiertes Reinaluminium

Kü|pe ⟨lat.⟩ die; -, -n: 1. (landsch.) Färbebad, -kessel. 2. Lösung eines Küpenfarbstoffs

Ku|pee vgl. Coupé (1)

Ku|pel|le usw. vgl. ³Kapelle usw.

Ku|pfer|farb|stoff der; -[e]s, -e: wasch- u. lichtechter, auf Gewebefasern gut haftender Farbstoff

Kup|fer|vit|ri|ol* das; -s: Kupfersulfat (vgl. Sulfat) in Form blauer Kristalle

Ku|pi|di|tät ⟨lat.⟩ die; -: Begierde, Lüsternheit. **Ku|pi|do** die; -: sinnliche Begierde, Verlangen

ku|pie|ren ⟨fr.⟩: 1. (veraltet) a) abschneiden; b) lochen, knipsen. 2. durch Schneiden kürzen, stutzen (z.B. bei Pflanzen od. bei Hunden u. Pferden). 3. einen Krankheitsprozess aufhalten od. unterdrücken (Med.)

Ku|pol|ofen ⟨lat.-it.; dt.⟩ der; -s, ...öfen: Schmelzofen zur Herstellung von Gusseisen

Ku|pon, auch: Coupon [ku'pɔŋ, auch: ...'põː, österr.: 'po:n] ⟨gal-loroman.-fr.⟩ der; -s, -s: 1. abtrennbarer Zettel (z.B. als Gutschein, Beleg o.Ä.). 2. abgemessenes Stück Stoff, Stoffabschnitt. 3. Zinsschein bei festverzinslichen Wertpapieren (Bankw.)

Kup|pel ⟨lat.-it.⟩ die; -, -n: [halbkugelförmige] Überdachung eines größeren Raumes

Kup|ris|mus* ⟨lat.-nlat.⟩ der; -: Kupfervergiftung (Med.)

Ku|pu|la vgl. Cupula

Kur ⟨lat.; „Sorge, Pflege"⟩ die; -, -en: ein unter ärztlicher Aufsicht durchgeführte Heilverfahren; Heilbehandlung; Pflege. **ku|ra-bel:** heilbar (von Krankheiten; Med.). **Ku|rand** der; -en, -en: (Med. veraltet) a) der einem Arzt zur Behandlung anvertraute Patient; b) Pflegling

ku|rant: auch: courant ⟨lat.-fr.⟩: (veraltet) gangbar, gängig, umlaufend; Abk.: crt.

¹Ku|rant ⟨lat.-fr.⟩ der; -[e]s, -e, auch: Courant das; -s, -s: (veraltet) Währungsmünze, deren Materialwert dem aufgedruckten Geldwert entspricht. **²Ku|rant** ⟨lat.⟩ der; -en, -en: (schweiz.) Kurgast

ku|ran|zen u. koranzen ⟨lat.-mlat.⟩: (veraltet) quälen, plagen, prügeln, schelten

Ku|ra|re ⟨indian.-span.⟩ das; -[s]: zu [tödlichen] Lähmungen führendes indian. Pfeilgift, das in niedrigen Dosierungen als Narkosehilfsmittel verwendet wird. **Ku|ra|rin** die; -: Curarin

Kü|rass ⟨lat.-it.-fr.⟩ der; -es, -e: (hist.) Brustharnisch. **Kü|ras-sier** der; -s, -e: (hist.) Reiter mit Kürass; schwerer Reiter

Ku|rat ⟨lat.-mlat.⟩ der; -en, -en: a) Hilfsgeistlicher mit eigenem Seelsorgebezirk; b) geistlicher Betreuer von Pfadfindergruppen o.Ä. **Ku|ra|tel** die; -, -en: (veraltet) Pflegschaft, Vormundschaft; **unter Kuratel stehen:** (ugs.) unter [strenger] Aufsicht, Kontrolle stehen. **Ku|ra|tie** ⟨nlat.⟩ die; -, ...ien: mit der Pfarrei lose verbundener Seelsorgebezirk eines Kuraten. **ku|ra|tiv:** heilend (Med.). **Ku|ra|tor** ⟨lat.⟩ der; -s, ...oren: 1. (veraltet) Vormund, Pfleger. 2. Verwalter [einer Stiftung]. 3. Staatsbeamter der Universitätsverwaltung zur Wahrnehmung des Vermögens u. zur Wahrnehmung der Rechtsgeschäfte. **Ku|ra|to|ri|um** das; -s,

...ien 1. Aufsichtsbehörde (von öffentlichen Körperschaften od. privaten Institutionen). 2. Behörde eines Kurators (3). **Ku|ra|tus** ⟨*lat.-mlat.*⟩ *der;* -, ...ten u. ...ti: (veraltet) Kurat

Kur|bet|te ⟨*lat.-vulgärlat.-fr.*⟩ *die;* -, -n: Bogensprung, Aufeinanderfolge mehrerer rhythmischer Sprünge (von Pferden in der hohen Schule; Sport). **kur|bet|tie-ren:** eine Kurbette ausführen (Sport)

Kü|ret|ta|ge u. Curettage [...'ta:ʒə] ⟨*lat.-fr*⟩ *die;* -, -n: Ausschabung bzw. Auskratzung der Gebärmutter zu therapeutischen od. diagnostischen Zwecken (Med.). **Kü|ret|te** u. Curette *die;* -, -n: ein ärztliches Instrument zur Ausschabung der Gebärmutter (Med.). **kü|ret|tie|ren** u. curettieren (die Gebärmutter) mit der Kürette ausschaben, auskratzen (Med.)

Kur|gan ⟨*türk.-russ.*⟩ *der;* -s, -e: Hügelgrab in Osteuropa

ku|ri|al ⟨*lat.-mlat.*⟩: zur päpstlichen Kurie gehörend. **Ku|ri|a|le** *die;* -: Schreibschrift der ↑Kurie (1) im frühen Mittelalter. **Ku|ri-a|len** *die* (Plural): die geistlichen u. weltlichen Beamten der päpstlichen Kurie. **Ku|ri|a|li|en** *die* (Plural): (hist.) die im Kurialstil überlieferten Formeln von Titel, Anrede u. Schluss in den Briefen der ehemaligen Kanzleien. **Ku-ri|a|lis|mus** ⟨*lat.-nlat.*⟩ *der;* -: katholische kirchenrechtliche Richtung, die der päpstlichen Kurie die oberste Gewalt zuspricht; Ggs. ↑Episkopalismus; vgl. Papalismus. **Ku|ri|a|list** *der;* -en, -en: Vertreter des Kurialismus. **Ku|ri|gl|cti|l** *der;* -s: (veraltet) Kanzleicistil. **Ku|ri|at|stim-me** ⟨*lat.; dt.*⟩ *die;* -: (hist.) Gesamtstimme von mehreren Stimmberechtigten eines Kollegiums. **Ku|rie** [...i̯ə] ⟨*lat.*⟩ *die;* -, -n: 1. [Sitz der] päpstliche[n] Zentralbehörden; päpstlicher Hof. 2. (hist.) eine der 30 Körperschaften, in die die altrömische Bürgerschaft aufgeteilt war. **Ku|ri|en|kar|di|nal** *der;* -s, ...äle: an der Kurie (1) tätiger Kardinal als Mitglied od. Leiter einer ↑Kardinalskongregation od. einer päpstlichen Behörde. **Ku|ri-en|kon|gre|ga|ti|on** *die;* -: oberste Behörde der römischen ↑Kurie (1), in der seit 1967 außer Kardinälen auch Diözesanbischöfe Mitglieder sind; vgl. Kardinalskongregation

Ku|rier ⟨*lat.-it.-fr.*⟩ *der;* -s, -e: jmd., der im Auftrag, Dienst des Staates, beim Militär o. Ä. wichtige Nachrichten, Informationen überbringt; Eilbote [im diplomatischen Dienst]

ku|rie|ren ⟨*lat.*⟩: [durch ärztliche Behandlung] von einer Krankheit heilen, gesundheitlich wiederherstellen. **ku|ri|os** ⟨*lat.(-fr.)*⟩: auf unverständliche, ungereimte, fast spaßig anmutende Weise sonderbar, merkwürdig. **Ku|ri|o-si|tät** *die;* -, -en: 1. (ohne Plural) das Kuriossein; Sonderbarkeit, Merkwürdigkeit. 2. kuriose Sache; etwas, was merkwürdig ist, vom Normalen abweicht [u. deshalb selten ist u. besonderes Aufsehen erregt]. **Ku|ri|o|sum** ⟨*lat.*⟩ *das;* -s, ...sa: kuriose Sache, Angelegenheit, Situation

Kur|ku|ma u. Curcuma ⟨*arab.-nlat.*⟩ *die;* -, ...umen: Gelbwurzel, gelber Ingwer. **Kur|ku|ma|pa-pier** *das;* -s: mit Kurkumin getränktes Fließpapier zum Nachweis von Laugen. **Kur|ku|min** *das;* -s: aus der Kurkumawurzel gewonnener gelber Farbstoff

Ku|ros ⟨*gr.*⟩ *der;* -, ...roi: ↑Koros

Kur|ren|da|ner ⟨*lat.-nlat.*⟩ *der;* -s, -: Mitglied einer Kurrende (1). **Kur|ren|de** *die;* -, -n: 1. (hist.) Schülerchor, der vor den Häusern, bei Begräbnissen u. Ä. gegen eine Entlohnung geistliche Lieder singt; b) evangelischer Jugend- od. Studentenchor. 2. (veraltet) Umlaufschreiben. **kur-rent:** (österr.) in deutscher Schrift. **Kur|rent|schrift** ⟨*lat.; dt.*⟩ *die;* -: früher benutzte handschriftliche Form der so genannten deutschen Schrift. **Kur|ri|ku-lum** ⟨*lat.*⟩ *das;* -s, ...la: (veraltet) Laufbahn, Lebenslauf; vgl. Curriculum u. Curriculum Vitae.

Kurs ⟨*lat.(-it., fr.* u. *niederl.*)⟩ *der;* -es, -e: 1. a) Fahrtrichtung, Reiseroute; b) Rennstrecke. 2. a) zusammengehörende Folge von Unterrichtsstunden, Vorträgen o. Ä.; Lehrgang; b) Gesamtheit der Teilnehmer eines Kurses (2 a). 3. Preis der Wertpapiere, Devisen u. vertretbaren Sachen, die an der Börse gehandelt werden. **Kur|sant** *der;* -en, -en: (regional) Kursteilnehmer. **Kur|se:** *Plural* von ↑Kurs u. ↑Kursus. **kur|sie|ren** ⟨*lat.*⟩: umlaufen, im Umlauf sein, die Runde machen. **Kur|sist** ⟨*lat.-nlat.*⟩ *der;* -en, -en: (veraltet) Kursteilnehmer. **kur-siv** ⟨*lat.-mlat.*⟩: schräg (von Schreib- u. Druckschrift). **Kur-**

si|ve *die;* -, -n: schräg liegende Druckschrift. **Kurs|kor|rek|tur** *die;* -, -en: Änderung, Korrektur des Kurses (1 a). **kur|so|risch** ⟨*lat.*⟩: fortlaufend, nicht unterbrochen, hintereinander, rasch; **kursorische Lektüre:** schnelles Lesen eines Textes, das einen raschen Überblick verschaffen soll; Ggs. ↑statarisch. **Kur|sus** ⟨*lat.-mlat.*⟩ *der;* -, Kurse: ↑Kurs (2)

Kur|ta|ge [kur'ta:ʒə] vgl. Courtage

Kur|ta|xe *die;* -, -n: Gebuhr, die ein Gast in Erholungs- od. Kurorten zahlen muss

Kur|ti|ne ⟨*lat.-mlat.-fr.*⟩ *die;* -: 1. (hist.) Teil des Hauptwalls einer Festung. 2. (österr., sonst veraltet) Mittelvorhang auf der Bühne. **Kur|ti|san** ⟨*lat.-it.-fr.*⟩ *der;* -s, -e: (veraltet) Höfling, Liebhaber. **Kur|ti|sa|ne** *die;* -, -n: (hist.) Geliebte eines Adligen [am Hof]; Halbweltdame

Kurt|schal|to|vi|um* (nach dem russischen Atomphysiker Kurtschatow, 1903–1960) *das;* -s: ein ↑Transuran; Zeichen: Ku; vgl. Rutherfordium

ku|ru|li|sch ⟨*lat.; dt.*⟩ in der Fügung **kurulischer Stuhl:** Amtssessel der höchsten altrömischen Beamten

Ku|ruş [...uʃ] ⟨*türk.;* „Groschen"⟩ *der;* -, -: ↑Piaster (2)

Kur|va|tur ⟨*lat.*⟩ *die;* -, -en: 1. Krümmung, gekrümmter Teil eines Organs (Med.). 2. geringfügige Krümmung des Stufenbaus u. des Gebälks beim klassischen griechischen Tempel (Archit.). **Kur|ve** [auch: ...fə] *die;* -, -n: 1. [Straßen-, Fahrbahn]krümmung. 2. gekrümmte Linie als Darstellung mathematischer od. statistischer Größen. 3. Bogen, Bogenlinie; Wendung. **kur|ven** [auch: ...f...] (ugs.) in Kurven [kreuz u. quer] fahren. **Kur|ven|dis|kus-si|on** [auch: ...f...] *die;* -, -en: rechnerische Untersuchung mit grafischer Darstellung einer Kurve (2) u. ihren Eigenschaften (Math.). **Kur|ven|li|ne|al** [auch: ...f...] *das;* -s, -e: Zeichengerät mit vorgezeichneten Kurven (z. B. ↑Parabel, ↑Hyperbel) zum Kurventeilen (Math.). **kur|vig** [auch: ...f...] ⟨*lat.*⟩: 1. gekrümmt, gebogen (Math.). 2. kurvenreich. **kur|vi|li|ne|ar** ⟨*lat.*⟩: krummlinig. **Kur|vi|me|ter** ⟨*lat.; gr.*⟩ *das;* -s, -: a) Gerät zum Messen der Bogenlänge einer Kurve (Math.); b) Gerät zur Entfernungsmessung auf Landkarten

(Geogr.). **Kur|vi|met|rie*** *die; -:* Kurvenmessung, Entfernungsmessung mithilfe eines ↑ Kurvimeters (Math.; Geogr.). **kur|vi|met|risch*:** auf die Kurvimetrie bezogen (Math.; Geogr.)

Ku|si|ne vgl. Cousine

[1]Kus|kus ⟨Herkunft unsicher⟩ *der; -, -:* Gattung der Beuteltiere in Australien u. Indonesien

[2]Kus|kus, auch: Couscous ⟨*berberisch*⟩ *der u. das; -, -:* nordafrik. Gericht aus Hirse od. Hartweizengrieß mit Hammelfleisch, verschiedenen Gemüsen u. Kichererbsen

Kus|so|blü|ten ⟨*äthiopisch; dt.*⟩ *die* (Plural): ↑ Kosoblüten

[1]Kus|to|de ⟨*lat.*⟩ *die; -, -n:* 1. (hist.) Kennzeichen der einzelnen Lagen einer Handschrift. 2. ↑ Kustos (3). **[2]Kus|to|de** *der; -n, -n:* ↑ Kustos (1). **Kus|to|dia** *die; -, ...ien:* Behälter zur Aufbewahrung der Hostie (kath. Rel.). **Kus|to|die** *die; -, ...ien:* kleineres Ordensgebiet der ↑ Franziskaner. **Kus|tos** ⟨„Wächter, Aufseher"⟩ *der; -, ...oden:* 1. wissenschaftlicher Sachbearbeiter an Museen u. Bibliotheken. 2. (veraltet) Küster, Kirchendiener. 3. (meist Plural) (hist.) Zahl, Silbe od. Wort am Kopf od. am Fuß einer Buchseite zur Verbindung mit der kommenden Seite; vgl. [1]Kustode

ku|tan ⟨*lat.-nlat.*⟩: zur Haut gehörend, sie betreffend (Med.). **Ku|tan|re|ak|ti|on** *die; -, -en:* [mit Quaddelbildung verbundene] Rötung der Haut als Reaktion auf einen künstlichen Reiz (z. B. auf Einreibung od. Einspritzung zu diagnostischen Zwecken, bes. zur Feststellung von Tuberkulose) (Med.). **Ku|ti|ku|la** ⟨*lat.*⟩ *die; -, -s u. ...lä:* dünnes Häutchen über den äußeren Zellschicht bei Pflanzen u. Tieren (Biol.); vgl. Pellicula. **Ku|tin** *das; -s:* wachsartiger, wasserundurchlässiger Überzug auf Blättern u. Sprossen (Bot.). **Ku|tis** *die; -:* 1. Lederhaut der Wirbeltiere. 2. nachträglich verkorktes Pflanzengewebe (z. B. an Wurzeln). **Ku|tis|re|ak|ti|on** *die; -, -en:* ↑ Kutanreaktion

Kut|ter ⟨*engl.;* „(Wogen)schneider"⟩ *der; -s, -:* 1. a) einmastiges Segelfahrzeug; b) Jacht mit einer Kuttertakelung. 2. motorgetriebenes Fischereifahrzeug. 3. Rettungs-, Beiboot eines Kriegsschiffes

Kü|ve|la|ge [...'la:ʒə] ⟨*lat.-fr.*⟩ *die;* -, -n: Ausbau eines wasserdichten Schachts mit gusseisernen Ringen (Bergw.). **kü|vel|lie|ren:** einen wasserdichten Schacht mit gusseisernen Ringen ausbauen (Bergw.). **Kü|vel|lie|rung** *die; -, -en:* ↑ Küvelage

Ku|vert [ku've:ɐ̯, ku'vɛ:ɐ̯, landsch. auch eingedeutscht: ku'vert] ⟨*lat.-fr.*⟩ *das; -s u.* (bei dt. Ausspr.:) *-[e]s, -s u.* (bei dt. Ausspr.:) *-e:* 1. Briefumschlag. 2. [Tafel]gedeck für eine Person. **ku|ver|tie|ren:** mit einem [Brief]umschlag versehen. **Ku|ver|tü|re** *die; -, -n:* Überzugsmasse für Gebäck od. Pralinen aus Kakao, Kakaobutter u. Zucker

Kü|vet|te ⟨*lat.-fr.*⟩ *die; -, -n:* 1. (veraltet) kleines Gefäß. 2. ↑ Künette. 3. (veraltet) Innendeckel der Taschenuhr

ku|vrie|ren* ⟨*lat.-fr.*⟩: (veraltet) bedecken, verbergen

Kux ⟨*tschech.-mlat.*⟩ *der; -es, -e:* Wertpapier über den Anteil an einer bergrechtlichen Gewerkschaft

Kwass ⟨*russ.*⟩ *der; -es:* russisches alkoholisches Getränk aus gegorenem Brot, Mehl, Malz u. a.

Ky|a|ni|sa|ti|on ⟨*nlat.;* nach dem Namen des engl. Erfinders J. H. Kyan, † 1850⟩ *die; -, -en:* ein Verfahren zur Veredelung von Holz durch Imprägnieren mit einer Sublimatlösung. **ky|a|ni|sie|ren:** Holz durch Imprägnieren veredeln

Ky|a|thos ⟨*gr.*⟩ *der; -, -:* antikes Schöpfgefäß, mit dem der Mundschenk den Wein aus dem Mischkrug in den Becher schöpfte, ähnlich einer Tasse mit einem über den Rand hochgezogenen Henkel

Ky|ber|ne|tik ⟨*gr.*⟩ *die; -:* 1. wissenschaftliche Forschungsrichtung, die vergleichende Betrachtungen über Gesetzmäßigkeiten im Ablauf von Steuerungs- u. Regelungsvorgängen in Technik, Biologie u. Soziologie anstellt. 2. Lehre von der Kirchen- u. Gemeindeleitung (ev. Rel.). **Ky|ber|ne|ti|ker** *der; -s, -:* Wissenschaftler der Fachrichtung Kybernetik (1). **ky|ber|ne|tisch:** die Kybernetik betreffend

Ky|em ⟨*gr.*⟩ *das; -s, -e:* die befruchtete Eizelle im Gesamtverlauf ihrer Entwicklungsstadien vom ↑ Embryo bis zum ↑ Fetus (Med.). **Ky|e|ma|to|ge|ne|se** *die; -, -n:* Embryogenese. **Ky|e|ma|to|pa|thie** *die; -, ...ien:* Embryopathie

Kyk|li|ker* [auch: 'kyk...]: vgl. Zykliker. **Kyk|lop** vgl. Zyklop

Ky|ma *das; -s, -s u. Ky|ma|ti|on** ⟨*gr.-lat.*⟩ *das; -s, -s u. ...ien:* Zierleiste mit stilisierten Eiformen (bes. am Gesims griechischer Tempel). **Ky|mo|gramm** ⟨*gr.-nlat.*⟩ *das; -s, -e:* Röntgenbild von sich bewegenden Organen (Med.). **Ky|mo|graph,** auch: ...graf *der; -en, -en u.* Kymographion *das; -s, ...ien:* Gerät zur mechanischen Aufzeichnung von rhythmischen Bewegungen (z. B. des Pulsschlags; Med.). **Ky|mo|gra|phie** auch: ...grafie *die; -:* Röntgenverfahren zur Darstellung von Organbewegungen (Med.). **ky|mo|gra|phie|ren** auch: ...grafieren: eine Kymografie durchführen (Med.). **Ky|mo|gra|phi|on** vgl. Kymograph. **Ky|mo|skop*** *das; -s, -e:* Gerät zur Sichtbarmachung wellenförmig fortschreitender Organbewegungen (Med.)

Ky|ne|ge|tik* usw. vgl. Zynegetik usw. **Ky|ni|ker** ⟨*gr.*⟩ *der; -s, -:* (hist.) Angehöriger der antiken Philosophenschule, die Bedürfnislosigkeit u. Selbstgenügsamkeit forderte; vgl. Zyniker. **ky|nisch:** die [Philosophie der] Kyniker betreffend. **Ky|no|lo|ge** ⟨*gr.-nlat.*⟩ *der; -n, -n:* Hundezüchter; Hundekenner. **Ky|no|lo|gie** *die; -:* Lehre von Zucht, Dressur u. den Krankheiten der Hunde. **Ky|no|re|xia*** *die; -:* Heißhunger (Med.). **Ky|pho|se** ⟨*gr.*⟩ *die; -, -n:* Wirbelsäulenverkrümmung nach hinten (Med.). **ky|pho|tisch:** eine Kyphose aufweisend, an Kyphose leidend

Ky|re|na|i|ker ⟨nach der antiken Stadt Kyrene⟩ *der; -s, -:* (hist.) Angehöriger der von Aristipp von Kyrene um 380 v. Chr. gegründeten, den ↑ Hedonismus lehrenden Philosophenschule

Ky|rie ⟨*gr.*⟩ *das; -s, -:* Kurzform von: ↑ Kyrieeleison. **Ky|rie|e|lei|son** [auch: ...e'le:izɔn] *das; -s, -s:* Bittruf [als Teil der musikalischen Messe]. **Ky|rie e|lei|son!** [auch: ...e'le:izɔn] u. **Ky|ri|e|leis!** Herr, erbarme dich! (Bittruf in der Messe u. im lutherischen u. unierten Hauptgottesdienst; vgl. Leis). **Ky|ri|e|lei|son!** Kyrie eleison!

ky|ril|lisch (nach dem Slawenapostel Kyrill (826–869)) (in Bezug auf das Alphabet verschiedener slawischer Sprachen) das von Kyrill eingeführte, im Wesentlichen aus den griechischen Großbuchstaben entwickelte Form aufweisend. **Ky|ril|li|za** *die;* -: kyrillische Schrift

Kyu [kju:] ⟨*jap.;* „vorherig(e Stufe)"⟩ *der;* -s, -s: in sechs Leistungsgrade eingeteilte Rangstufe der Anfänger in den Budosportarten

KZ [ka(:)'tsɛt] *das;* -[s], -[s]: ↑ Konzentrationslager

L ⟨Abk. für *engl.* *l*arge⟩: groß (Kleidergröße)

la ⟨*it.*⟩: Silbe, auf die man beim Solmisieren den Ton a singt; vgl. Solmisation

La Bam|ba ⟨*port.*⟩ *die;* - -, - -s (ugs. auch: *der*); -, -s, - -s: ein Modetanz in lateinamerik. Rhythmus

La|ba|rum ⟨*lat.*⟩ *das;* -s: 1. die von Konstantin d. Gr. im Jahr 312 n. Chr. eingeführte spätröm. Kaiserstandarte mit dem ↑ Christusmonogramm. 2. Christusmonogramm

Lab|da|num ⟨*gr.-lat.*⟩ *das;* -s: ↑ Ladanum

La|bel ['le:bl, auch: leɪbl] ⟨*engl.*⟩ *das;* -s, -s: 1. [Klebe]etikett (z. B. zur Kennzeichnung von Waren). 2. a) Etikett einer Schallplatte; b) Schallplattenfirma. 3. Markierung eines Programmbeginns (EDV). **La|bel|oy|o|tom** *das;* -s: in den USA entstandene u. hauptsächlich dort angewendete Art des indirekten wirtschaftlichen Boykotts

La|ber|dan ⟨*niederl.*⟩ *der;* -s, -e: eingesalzener Kabeljau aus Norwegen

La|bia: *Plural* von ↑ Labium. **la|bial** ⟨*lat.-mlat.*⟩: 1. zu den Lippen gehörend, sie betreffend (Med.). 2. mit den Lippen gebildet (von Lauten; Sprachw.). **La|bi|al** *der;* -s, -e: mithilfe der Lippen gebildeter ↑ Konsonant (z. B. b); vgl. bilabial, labioapikal, labiodental, Labiovelar. **La|bi|a|lis** *die;* -, ...les [...le:s]: ↑ Labial. **la|bi|a|li|sie|ren** ⟨*lat.-mlat.-nlat.*⟩: (von Lauten) zusätzlich zur eigentlichen Artikulation mit Rundung der Lippen sprechen. **La|bi|al-**

laut *der;* -[e]s, -e: ↑ Labial. **La|bi|al|pfei|fe** *die;* -, -n: Orgelpfeife, bei der der Ton durch Reibung des Luftstroms an der scharfkantigen Schneide des Labiums erzeugt wird; Ggs. ↑ Lingualpfeife. **La|bi|al|te** ⟨*lat.-nlat.*⟩ *die;* -, -n (meist Plural): Lippenblütler (Bot.). **La|bi|on:** *Plural* von ↑ Labium

la|bil ⟨*lat.;* „leicht gleitend"⟩: 1. schwankend, leicht aus dem Gleichgewicht kommend, veränderlich (in Bezug auf eine Konstruktion, auf Wetter, Gesundheit; Ggs. ↑ stabil (1). 2. unsicher, schwach, leicht zu beeinflussen (von Menschen); Ggs. ↑ stabil (2). **la|bi|li|sie|ren:** labil machen, labil werden lassen. **La|bi|li|sie|rung** *die;* -: das Labilisieren, Labilmachen. **La|bi|li|tät** ⟨*lat.-nlat.*⟩ *die;* -, -en: 1. leichte Wandelbarkeit, Beeinflussbarkeit, Schwäche; Ggs. ↑ Stabilität (1). 2. uneinheitliche Luftbewegung (Meteor.)

la|bi|o|la|pi|kal ⟨*lat.-nlat.*⟩: mit Lippen u. Zungenspitze gebildet (von Lauten; Sprachw.). **la|bi|o|den|tal:** 1. mit der gegen die oberen Zähne gepressten Unterlippe gebildet (von Lauten; Sprachw.). 2. zu den Lippen u. den Zähnen gehörend (Med.). **La|bi|o|den|tal** *der;* -s, -e: Laut, der mithilfe der gegen die oberen Zähne gepressten Unterlippe gebildet wird; Lippenzahnlaut (z. B. f; Sprachw.). **La|bi|o|den|ta|lis** *die;* -, ...les [...le:s]: ↑ Labiodental. **la|bi|o|ve|lar:** (von Lauten) mit Lippen u. hinterem Gaumen gleichzeitig gebildet. **La|bi|o|ve|lar** *der;* -s, -e: Laut, der mit Lippen u. Gaumen zugleich gebildet wird; Lippengaumenlaut (z. B. in der afrikanischen Ewesprache; Sprachw.). **La|bi|um** ⟨*lat.*⟩ *das;* -s, ...ien u. ...ia: 1. Lippe (Med.). 2. (Med.) a) „Schamlippe", Hautfalte mit Fettgewebe am Eingang der Scheide; b) lippenförmiger Rand (z. B. eines Hohlorgans). 3. a) Unterlippe der Insektenmundwerkzeuge; b) Lippe der ↑ Labiaten (Biol.). 4. (bei ↑ Labialpfeifen u. [Block]flöten) Teil, der die Luftaustrittsspalte nach oben und unten begrenzt u. damit die Qualität des Tons entscheidend bestimmt

La|bor [österr. auch, schweiz. meist: 'la:boːɐ̯] ⟨Kurzform von *Labor*atorium⟩ *das;* -s, -s (auch: -e): Arbeitsstätte für naturwis-

senschaftliche, technische od. medizinische Arbeiten, Untersuchungen, Versuche o. Ä. **La|bo|rant** ⟨*lat.*⟩ *der;* -en, -en: Fachkraft in Labors u. Apotheken. **La|bo|ran|tin** *die;* -, -nen: weibliche Form zu ↑ Laborant. **La|bo|ra|to|ri|um** ⟨*lat.-mlat.*⟩ *das;* -s, ...ien: Labor. **la|bo|rie|ren** ⟨*lat.*⟩ (ugs.): 1. sich mit der Herstellung von etwas abmühen. 2. an einer Krankheit o. Ä. leiden u. sie ohne rechten Erfolg zu heilen suchen. **la|bo|ri|ös:** (veraltet) arbeitsam, fleißig

La Bos|tel|la ⟨Herkunft unsicher⟩ *die;* - -, - -s: in einer Gruppe getanzter Modetanz in lateinamerikanischem Rhythmus, bei dem man mit den Händen klatscht

La|bour Par|ty ['leɪbə 'pɑːtɪ] ⟨*lat.-engl.*⟩ *die;* - -: die engl. Arbeiterpartei; vgl. Independent Labour Party

Lab|ra|dor* ⟨*iilat.,* nach der nordamerik. Halbinsel⟩ *der;* -s, -e: 1. Labradorit. 2. eine Hunderasse. **Lab|ra|do|rit** [auch: ...'rɪt] *der;* -s, -e: Abart des Feldspats (Schmuckstein)

Lab|rum* ⟨*lat.*⟩ *das;* -s, ...bren u. ...bra: 1. Lippe (Med.). 2. Oberlippe der Insektenmundwerkzeuge (Biol.)

Labs|kaus ⟨*engl.*⟩ *das;* -: seemännisches Eintopfgericht aus Fleisch [u. Fisch] mit Kartoffeln u. Salzgurken

La|by|rinth ⟨*vorgr.-gr.-lat.*⟩ *das;* -[e]s, -e: 1. Irrgang, -garten. 2. undurchdringbares Wirrsal, Durcheinander. 3. Innenohr. **la|by|rin|thisch:** wie in einem Labyrinth; verschlungen gebaut. **La|by|rin|thi|tis** ⟨*nlat.*⟩ *die;* -, ...itiden: Entzündung des Innenohrs (Med.). **La|by|rin|tho|don*** *das;* -s, ...odonten: ausgestorbenes gepanzertes Kriechtier. **La|by|rinth|or|gan** *das;* -s: Kiemenhöhle oberhalb der blutgefäßreichen Kammer, die bei Labyrinthfischen als Atmungsorgan dient

Lac|ca|se vgl. Lakkase

La|cer|na [...ts...] ⟨*lat.*⟩ *die;* -, ...nen: über der ↑ Toga getragener Umhang der Römer

La|cet|band [la'se:...] ⟨*lat.-fr.; dt.*⟩ *das;* -[e]s, ...bänder: schmales Flechtband für Verzierungen. **la|cie|ren** [...s...] ⟨*lat.-fr.*⟩: a) schnüren, einschnüren; b) mit Band durchflechten. **La|cis** [la'si:] ⟨*fr.*⟩ *das;* -, -: netzartiges Gewebe

la|ckie|ren ⟨*sanskr.-pers.-arab.-it.*⟩: 1. mit Lack überziehen. 2.

(salopp) hintergehen, hereinlegen. **La|ckie|rer** *der; -s, -:* Facharbeiter, der lackiert, z. B. Autolackierer.

Lack|mus *(niederl.) das* od. *der; -:* aus einer Flechtenart (der Lackmusflechte) gewonnener blauer Farbstoff, der als chemischer ↑ Indikator (4) verwendbar ist (reagiert in Säuren rot, in Laugen blau). **Lack|mus|pa|pier** *das; -s:* mit Lackmustinktur getränktes Papier, das zur Erkennung von Säuren u. Laugen dient (Chem.)

Lac|ri|mae* Chris|ti *[...mɛ -] (lat.;* „Tränen Christi") *der; - -, - -:* alkoholreicher, goldfarbener od. roter, süßer Wein von den Hängen des Vesuvs. **Lac|ri|mo|sa** *(lat.) das; -:* Anfangswort u. Bezeichnung der in Molltonart komponierten 10. Strophe des ↑ Dies irae in der Totenmesse (Mus.). **lac|ri|mo|so:** klagend, traurig (Vortragsanweisung; Mus.)

Lac|rosse* *[laˈkrɔs] (fr.) das; -:* dem Hockey verwandtes amerikanisches Mannschaftsspiel, bei dem ein Gummiball mit Schlägern in die Tore geschleudert wird

Lac|tam *(lat.; gr.) das; -s, -e:* durch Wasserabspaltung aus bestimmten Aminosäuren entstehendes ↑ Amid. **Lac|tat** *(lat.-nlat.) das; -s, -e:* Salz der Milchsäure (Chem.). **Lac|to|se** vgl. Laktose

La|da|num *(gr.-lat.) das; -s:* aus Zistrosen gewonnene weiche Harzmasse (vor allem für Räucherpulver u. Parfüms)

lä|die|ren *(lat.):* in einer das Aussehen beeinträchtigenden Weise beschädigen, verletzen

La|dik (nach einem anatol. Ort) *der; -[s], -s:* rot- od. blaugrundiger Gebetsteppich

¹La|di|no *(lat.-span.) der; -s, -s* (meist Plural): Mischling von Weißen u. Indianern in Mexiko u. Mittelamerika. **²La|di|no** *das; -s:* jüdisch-spanische Sprache

La|dy *[ˈleɪdɪ] (engl.) die; -, -s:* 1. (ohne Plural) Titel der Frau des ↑ Peers. 2. Trägerin des Titels Lady (1). 3. Dame. 4. Kurzform von ↑ Lady Mary Jane. **La|dy|kil|ler** *(engl.-amerik.) der; -:* Frauenheld, Verführer. **la|dy-like** *[ˈleɪdɪlaɪk] (engl.):* nach Art einer Lady; damenhaft. **La|dy Ma|ry Jane** *[- ˈmɛərɪ ˈdʒeɪn] (engl.) die; - - -:* (verhüllend) Marihuana. **La|dy|shave** *[ˈleɪdɪʃeɪv]*

(engl.) der; -s, -s: Rasierapparat für Frauen

Lae|sio e|nor|mis *[ˈlɛ... -] (lat.;* „übermäßige Verletzung") *die; - -:* (österr.) Rechtsgrundsatz, nach dem ein Kauf rückgängig gemacht werden kann, wenn der Preis das Doppelte des Wertes einer Ware überschreitet (Rechtsw.)

Lae|te *[ˈlɛːtə] (lat.) der; -n, -n* od. *...ti:* (hist.) römischer Militärkolonist, meist germanischer Kriegsgefangener, der zum Kriegsdienst unter römischem Kommando verpflichtet war

La|fet|te *(lat.-fr.) die; -, -n:* [fahrbares] Untergestell eines Geschützes. **la|fet|tie|ren:** (veraltet) ein Geschütz auf eine Lafette bringen

Lag *[læg] (engl.;* „Verzögerung") *der; -s, -s:* zeitliche Verschiebung zwischen dem Beginn eines wirtschaftlichen Ereignisses und seinen Folgen, z. B. Lohnlag

La|gan *[ˈlægən] (engl.)* u. Ligan *das; -s, -s:* Schiffsgut, das versenkt, aber durch eine Boje gekennzeichnet wird, damit es später wieder geborgen werden kann

Lagg *(schwed.) der; -s:* grabenförmiger, der Entwässerung dienender Rand von Hochmooren

La|goph|thal|mus* *(gr.-nlat.) der; -:* unvollständiger Lidschluss, Hasenauge (Med.)

lag|ri|man|do* u. **lag|ri|mo|so** *(lat.-it.):* ↑ lacrimoso

Lag|ting *(norw.) das; -s:* das norwegische Oberhaus

La|gu|ne *(lat.-it.) die; -, -n:* 1. durch eine Reihe von Sandinseln od. durch eine Nehrung vom offenen Meer abgetrenntes Flachwassergebiet vor einer Küste. 2. von Korallenriffen umgebene Wasserfläche eines Atolls

La|har *(malai.) der; -s, -s:* bei Vulkanausbrüchen austretender Schlammstrom aus Asche u. Wasser (Geol.)

Lai *[lɛː] (gall.-fr.) das; -[s], -s:* 1. gereimte Kurzerzählung in der altfranzösischen Literatur. 2. Instrumentalstück in der altfranzösischen Musik. 3. (formal dem Leich entsprechendes) liedhaftes Gedicht in der altfranzösischen Literatur

Laie *(gr.-lat.-roman.;* „zum Volk gehörend") *der; -n, -n:* 1. Nichtgeistlicher") *der; -n, -n:* 1. Nichtfachmann; Außenstehender. 2. Nichtkleriker. **Lai|en|apos|to|lat** *das* (fachspr. auch: *der); -[e]s:*

Teilnahme von Laien an den Aufgaben der Kirche, ↑ Apostolat (b) der Laien (kath. Kirche). **Lai|en|kelch** *der; -[e]s:* dem Laien gewährtes Trinken von konsekrierten Wein beim Abendmahl. **Lai|en|pries|ter** *der; -s, -:* (veraltet) Weltpriester (katholischer Pfarrer im Unterschied zum katholischen Ordenspriester). **Lai|kal** *das; -:* Laien (2) betreffend Ggs. ↑ klerikal (a)

Lais: *Plural von* ↑ Lai

la|i|sie|ren *(gr.-lat.-roman.):* (einen Kleriker) in den Laienstand zurückführen (kath. Kirche). **La|i|sie|rung** *die; -, -en:* das Laisieren, Laisiertwerden

Laisse *[lɛːs] (lat.-fr.) die; -, -n* *[lɛːs]:* durch ↑ Assonanz verbundene Strophe des altfranzösischen Heldenepos. **Lais|ser-al|ler** *[lɛseaˈle]* u. **Lais|ser-faire** *[lɛseˈfɛːr] das; -: 1.* (veraltet) das Sichgehenlassen; Ungezwungenheit, Ungebundenheit. 2. das Gewährenlassen; Nichteinmischung. **¹Lais|ser-pas|ser** *[lɛsepaˈse] das; -:* ↑ Laisser-aller. **²Lais|ser-pas|ser** *der; -, -:* (veraltet) Passierschein. **lais|sez faire, lais|sez al|ler** *[lɛˈse fɛːr,* lɛse aˈle], auch: **lais|sez faire, lais|sez pas|ser** *[- -, - paˈse]:* 1. Schlagwort des wirtschaftlichen Liberalismus (bes. des 19. Jh.s), nach dem sich der von staatlichen Eingriffen freie Wirtschaft am besten entwickelt. 2. Schlagwort für das Gewährenlassen (z. B. in der Kindererziehung)

La|i|zis|mus *(gr.-nlat.) der; -:* weltanschauliche Richtung, die die radikale Trennung von Kirche und Staat fordert. **La|i|zist** *der; -en, -en:* Anhänger, Vertreter des Laizismus. **la|i|zis|tisch:** 1. den Laizismus betreffend. 2. das Laientum in der kath. Kirche betonend

La|kai *(fr.) der; -en, -en:* 1. (früher) herrschaftlicher, fürstlicher Diener [in Livree]. 2. (abwertend) Mensch, der sich willfährig für die Interessen anderer gebrauchen lässt; Kriecher

Lak|ka|se *(sanskr.-pers.-arab.-it.-nlat.) die; -, -n:* ein gelben Milchsaft der (zu den Wolfsmilchgewächsen zählenden) Lackbäume zum tiefschwarzen Japanlack oxidierendes ↑ Enzym, das den gelben Milchsaft der (zu den Wolfsmilchgewächsen zählenden)

Lak|ko|lith *[auch: ...lɪt] (gr.-nlat.) der; -s u. -en, -e[n]:* ein Tiefengesteinskörper, in relativ flachem Untergrund stecken gebliebenes ↑ Magma (1) (Geol.)

La|ko|da ⟨nach dem Gebiet auf einer Inselgruppe im Beringmeer⟩ *der;* -[s], -s: kostbarer, kurz geschorener Seal (Robbenfell).
La|ko|nik ⟨*gr.-lat.*⟩ *die;* -: lakonische Art des Ausdrucks. **la|ko-nisch:** kurz, einfach [u. treffend], ohne zusätzliche Erläuterungen. **La|ko|nis|mus** ⟨*gr.-nlat.*⟩ *der;* -, ...men: 1. (ohne Plural) Lakonik. 2. lakonischer Ausdruck, lakonische Aussage
Lak|rit̮z̮* *der* (auch: *das*); es, -e (landsch.) u. **Lak|rit̮|ze** ⟨*gr.-lat.-mlat.*⟩ *die;* -, -n: aus einer süß schmeckenden, schwarzen Masse bestehende Süßigkeit, die aus eingedicktem Saft von Süßholz hergestellt ist
Lak|ta|ci|dä|mie* ⟨*lat.; gr.*⟩ *die;* -, ...jen: Auftreten von Milchsäure im Blut. **Lak|ta|go|gum** *das;* -s, ...ga: ↑Galaktagogum. **Lak|tal-bu|min** ⟨*lat. nlat.*⟩ *das;* -s, -e: in Kuhmilch enthaltener, biologisch hochwertiger Eiweißstoff; Milcheiweiß. **Lak|tam** vgl. Lactam. **Lak|ta|se** *die;* -, -n: ↑Galaktosidase. **Lak|tat** vgl. Lactat. **Lak|ta|ti|on** ⟨*lat.*⟩ *die;* -, -en: a) Milchabsonderung aus der Brustdrüse (Med.; Biol.); b) das Stillen, Zeit des Stillens (Med.; Biol.). **lak|tie|ren:** a) Milch absondern (Med.; Biol.); b) stillen (Med.; Biol.). **Lak|ti|zi-ni|en** ⟨*lat.-mlat.*⟩ *die* (Plural): Milch u. Milchprodukte, deren Genuss an Fasttagen heute erlaubt ist. **Lak|to|den|si|me|ter** ⟨*lat.; gr.*⟩ *das;* -s, -: Gerät zur Bestimmung des spezifischen Gewichtes der Milch, woraus der Fettgehalt errechnet werden kann. **Lak|to|fla|vin** ⟨*lat.-nlat.*⟩ *das,* -s. Vitamin B₂. **Lak|to|glo-bu|lin** *das;* -s, -e: in Kuhmilch nur in geringen Mengen enthaltener Eiweißstoff. **Lak|to|me|ter** ⟨*lat.; gr.*⟩ *das;* -s, -: ↑Laktodensimeter. **Lak|to|se** ⟨*lat.-nlat.*⟩ *die;* -: Milchzucker (Zucker der Säugetier- u. Muttermilch). **Lak|to-skop** ⟨*lat.; gr.*⟩ *das;* -s, -e: Gerät zur Prüfung der Milch nach ihrer Durchsichtigkeit. **Lak|tos|u|rie** *die;* -, ...jen: (bei Schwangeren u. Wöchnerinnen nicht krankhaftes) Auftreten von Milchzucker im Harn (Med.). **lak|to|trop:** auf die Milchabsonderung gerichtet
a|ku|lna ⟨*lat.*⟩ *die;* -, ...nae [...nɛ]: ↑Lakune (1). **la|ku|när** ⟨*lat.-nlat.*⟩: Ausbuchtungen enthaltend, Gewebelücken bildend; höhlenartig, buchtig; schwammig (Med.; Biol.). **La|ku|ne** ⟨*lat.*⟩ *die;* -, -n: 1. Lücke in einem Text (Sprachw.). 2. Vertiefung, Ausbuchtung (z. B. an der Oberfläche von Organen); Muskel- od. Gefäßlücke (Med.). **la|kust-risch*** ⟨*lat.-nlat.*⟩: in Seen sich bildend od. vorkommend (von Gesteinen u. Lebewesen; Geol.; Biol.)
Lal|lem ⟨*gr.-nlat.*⟩ *das;* -s, -e: durch die ↑Artikulation (1) bestimmte Spracheinheit in der Lautlehre. **La|le|tik** *die;* -: Wissenschaft von den Lalemen; Sprechkunde, -lehre. **La|lo|pa|thie** *die;* -: Sprachstörung (Med.). **Lalo-pho|bie** *die;* -: Furcht vor dem Sprechen (z. B. bei Stotterern)
¹La|ma ⟨*peruan.-span.*⟩ *das;* -s, -s: 1. in Südamerika heimisches, als Haustier gehaltenes (aus dem ↑Guanako gezüchtetes) höckerloses Kamel. 2. flanellartiger Futter- od. Mantelstoff aus [Baum]wolle
²La|ma ⟨*tibet.;* „der Obere"⟩ *der;* -[s], -s: buddhistischer Priester, Mönch in Tibet u. der Mongolei. **La|ma|is|mus** ⟨*tibet.-nlat.*⟩ *der;* -: Form des ↑Buddhismus in Tibet u. der Mongolei. **La|ma|ist** *der;* -en, -en: Anhänger des Lamaismus. **la|ma|is|tisch:** den Lamaismus betreffend, auf ihm beruhend, ihm angehörend
La|mäng ⟨*lat.-fr.;* zusammengezogen aus *fr.* la main „die Hand"⟩ *die;* -: (scherzh.) Hand; **aus der Lamäng:** unvorbereitet u. mit Leichtigkeit
La|man|tin ⟨*indian.-span.-fr.*⟩ *der;* -s, -e: Seekuh im tropischen Amerika, deren Fleisch, Fett u. Fell wirtschaftlich verwertet werden
La|mar|ckis|mus ⟨*nlat.;* nach dem Begründer, dem franz. Naturforscher J. B. de Lamarck, 1744–1829⟩ *der;* -: Hypothese Lamarcks über die Entstehung neuer Arten durch funktionelle Anpassung, die vererbbar sein soll. **la|mar|ckis|tisch:** der Hypothese Lamarcks folgend
Lam|ba|da ⟨*port.*⟩ *die;* -, -s, auch: *der;* -[s], -s: aus Brasilien stammender Modetanz in lateinamerikanischem Rhythmus
Lamb|da ⟨*gr.*⟩ *das;* -[s], -s: elfter Buchstabe des griech. Alphabets: Λ, λ. **Lamb|da|naht** ⟨*gr.; dt.*⟩ *die;* -: Schädelnaht zwischen Hinterhauptsbein u. beiden Scheitelbeinen (Anat.). **Lamb-da|zis|mus** ⟨*gr.-nlat.*⟩ *der;* -: Sprachfehler mit erschwerter,
oft fehlerhafter Aussprache des r als l
Lam|beth|walk ['læmbəθwɔ:k] ⟨*engl.;* nach dem Londoner Stadtteil Lambeth⟩ *der;* -s: (etwa 1938 in Mode gekommener) englischer Gesellschaftstanz
Lam|bi|tus ⟨*lat.*⟩ *der;* -: [gegenseitiges] Belecken, Küssen o. Ä. der Genitalien, des Afters od. anderer Körperstellen
Lamb|li|a|sis* ⟨*nlat.;* nach tschech. Arzt W. Lambl, 1824–1895⟩ u. Lamblio|se *die;* -: durch Lamblien hervorgerufene Entzündung der Darmwand, der Gallenblase u. der Gallenwege (Med.). **Lamb|lie** [...ia] *die;* -, -n (meist Plural): im Zwölffingerdarm, im Dünndarm u. in den Gallenwegen schmarotzendes Geißeltierchen (Med.). **Lamb|li-o|se** vgl. Lambliasis
Lamb|re|quin* [lãbrə'kɛ̃:] ⟨*fr.*⟩ *der;* o, oi 1. (veraltet, noch österr.) drapierter Querbehang an Fenstern, Türen u. a. 2. im Barock übliche Nachbildung eines Vorhanges, Querbehanges o. Ä. aus Bronze, Holz, meist aus Stein od. Stuck als Zierde von Gebäudeteilen (Archit.)
Lamb|rie ⟨*fr.*⟩ *die;* -, ...jen (mdal.): ↑Lambris. **Lamb-ris** [lã'bri:] ⟨*lat.-roman.-fr.*⟩ *der;* - [lã'bri:(s)], - [lã'bri:s] (österr.: *die;* -, - u. ...jen): untere Wandverkleidung aus Holz, Marmor od. Stuck. **Lamb|rus|co** ⟨*lat.-it.*⟩ *der,* -: süßer, leicht schäumender italienischer Rotwein
Lamb|skin* [ˈlæmskɪn] ⟨*engl.;* „Lammfell"⟩ *das;* -s, -s: Lammfellimitation aus Plüsch. **Lambs-wool** [ˈlæmzwʊl] *das;* -: 1. weiche Lamm-, Schafwolle, 2. feine Strickware aus Lamm-, Schafwolle
la|mé, auch: **la|mee** [la'me:] ⟨*lat.-fr.*⟩: mit Lamé durchwirkt. **La-mé,** auch: **La|mee** *der;* -s, -s: Gewebe aus Metallfäden, die mit [Kunst]seide übersponnen sind. **la|mel|lar** ⟨*lat.-nlat.*⟩: streifig, schichtig, in Lamellen (1) angeordnet. **La|mel|le** ⟨*lat.-fr.*⟩ *die;* -, -n (meist Plural): 1. eines der strahlenförmig stehenden Blättchen an der Unterseite des Hutes der Blätterpilze. 2. a) schmale, dünne Platte, Scheibe (bes. als Glied einer Schicht, Reihe); b) Glied, Rippe eines Heizkörpers. **La|mel|li|bran|chi|a|ta*** ⟨*lat.; gr.*⟩ *die* (Plural): zusammenfassende systematische Bez. der Muscheln. **la|mel|lie|ren:** lamel-

lenartig formen, lamellenförmig gestalten. la|mel|lös ⟨*lat.-fr.*⟩: aus Lamellen bestehend (Med.; Biol.)

la|men|ta|bel ⟨*lat.*⟩: beklagenswert, kläglich, jämmerlich. la|men|ta|bi|le: ↑lamentoso. La|men|ta|ti|on *die;* -, -en: 1. Gejammer, weinerliches, jammerndes Klagen. 2. (nur Plural) a) Klagelieder Jeremias im Alten Testament; b) bei den katholischen Stundengebeten der Karwoche aus den Klageliedern Jeremias verlesene Abschnitte. la|men|tie|ren: (abwertend) 1. laut klagen, jammern. 2. (landsch.) jammernd um etwas betteln. La|men|to ⟨*lat.-it.*⟩ *das;* -s, -s: 1. (abwertend) Klage, Gejammer. 2. (Plural auch: ...ti) Musikstück von schmerzlich-leidenschaftlichem Charakter. la|men|to|so: wehklagend, traurig (Vortragsanweisung; Mus.)

La|met|ta ⟨*lat.-it.*⟩ *das;* -s: 1. aus schmalen, dünnen, glitzernden Metallstreifen bestehender Christbaumschmuck. 2. (ugs. abwertend) Orden, Uniformschnüre, Schulterstücke usw.

La|mia ⟨*gr.-lat.*⟩ *die;* -, ...ien: weibliches Schreckgespenst des [alt]griech. Volksglaubens, das Kinder raubt

La|mi|na ⟨*lat.*⟩ *die;* -, ...nae [...nɛ]: 1. Blattspreite, -fläche (Bot.). 2. (Plural auch: -s) plattenförmige Gewebsschicht, Knochenplatte (z. B. innere u. äußere Platte des Schädeldaches; Anat.). la|mi|nal ⟨*lat.-nlat.*⟩: auf der Innenfläche des Fruchtblattes entsprengend, flächenständig (in Bezug auf die Samenanlage; Bot.). la|mi|nar: gleichmäßig schichtweise gleitend. La|mi|na|ria *die;* -, ...ien: Blatttang (Braunalge, deren quellfähige Stängel früher in der Medizin verwendet wurden). La|mi|nat ⟨*lat.-nlat.*⟩ *das;* -[e]s, -e: Schichtpressstoff aus Kunstharz (z. B. für wetterfeste Verkleidungen, Isolierplatten o. Ä.). La|mi|nek|to|mie* ⟨*lat.; gr.*⟩ *die;* -, ...ien: operative Entfernung des hinteren Teiles eines Wirbelbogens (Med.). la|mi|nie|ren ⟨*lat.-fr.*⟩: 1. das Material strecken, um die Fasern längs zu richten (Spinnerei). 2. ein Buch mit Glanzfolie überziehen (Buchw.)

La|mi|um ⟨*gr.-lat.*⟩ *das;* -s: Taubnessel

¹Lam|pa|da|ri|us ⟨*gr.-lat.*⟩ *der;* -, ...ien: aus mehreren Armen be-

stehendes Lampengestell (im Rom der Antike). ²Lam|pa|da|ri|us *der;* -, ...rii: Sklave, der seinem Herrn nachts die Fackel vorantrug (in der Antike)

Lam|pas ⟨*fr.*⟩ *der;* -, -: schweres, dichtes, gemustertes Damastgewebe als Möbelbezug. Lam|pas|sen *die* (Plural): breite Streifen an [Uniform]hosen

Lam|pe|rie vgl. Lambrie

Lam|pi|on [lamˈpi̯oŋ, ...ˈpi̯ õ, auch: ˈlam..., österr. ...ˈpi̯o:n] ⟨*gr.-lat.-vulgärlat.-it.-fr.*⟩ *der* (seltener auch: *das*); -s, -s: Laterne aus Papier, dünnem Stoff o. Ä.

Lamp|re|te* ⟨*mlat.*⟩ *die;* -, -n: Meeresneunauge (beliebter Speisefisch)

Lam|pro|phyr* ⟨*gr.-nlat.*⟩ *der;* -s, -e: dunkles, häufig feinkörniges Ganggestein (↑Eruptivgestein) als Ausfüllung von Spalten in der Erdrinde; Geol.)

Län ⟨*schwed.*⟩ *das;* -, -[s]: schwed. Bez. für: Regierungsbezirk

La|na|me|ter u. Lanometer ⟨*lat.; gr.*⟩ *das;* -s, -: Gerät zur Bestimmung der Feinheit eines Wollhaares

Lan|ca|de [lãˈsadə] ⟨*lat.-fr.*⟩ *die;* -, -n: Sprung des Pferdes aus der ↑Levade nach vorn (Figur der hohen Schule). Lan|ci|er [...ˈsi̯e:] *der;* -s, -s: 1. (hist.) Lanzenreiter, Ulan. 2. ein alter Gesellschaftstanz. lan|cie|ren [lãˈsi:...]: 1. auf geschickte Weise bewirken, dass etwas in die Öffentlichkeit gelangt, dass etwas bekannt wird. 2. geschickt an eine gewünschte Stelle, auf einen vorteilhaften Posten bringen, zu Ansehen, Anerkennung verhelfen. Lan|cier|rohr *der;* -[e]s, -e: (veraltet) Abschussvorrichtung für Torpedos. lan|ciert: (von Stoffen, Geweben) so gemustert, dass die Figuren durch die ganze Stoffbreite hindurchgehen

Land-Art, auch: Land|art [ˈlænd-a:t] ⟨*amerik.*⟩ *die;* -: moderne Kunstrichtung, bei der Aktionen im Freien, die künstliche Veränderung von Landschaft (z. B. durch Ziehen von Furchen, Aufstellen von Gegenständen o. Ä.) im Mittelpunkt stehen. Land|rover ® [...roʊvɐ] ⟨*engl.*⟩ *der;* -s, -: geländegängiges Kraftfahrzeug mit Allradantrieb

Lands|mål [ˈlantsmo:l] ⟨*norw.;* „Landessprache"⟩ *das;* -s: (veraltet) ↑Nynorsk. Lands|ting ⟨*dän.*⟩ *das;* -s: bis 1953 der Senat des dänischen Reichstags

Lan|ga|ge [lãˈgaʒ(ə)] ⟨*fr.*⟩ *die;* -:

Vermögen der Menschen, Sprache zu lernen u. zu gebrauchen; Begriff der menschlichen Redetätigkeit schlechthin (nach F. de Saussure; Sprachw.).

Lan|get|te ⟨*lat.-fr.*⟩ *die;* -, -n: 1. dichter Schlingenstich als Randbefestigung von Zacken- u. Bogenkanten. 2. Trennungswand zwischen zwei Schornsteinen. lan|get|tie|ren: mit Langetten (1) festigen u. verzieren

Langue [ˈlãːgə] ⟨*lat.-fr.*⟩ *die;* -: die Sprache als grammatisches u. lexikalisches System (nach F. de Saussure; Sprachw.); Ggs. ↑¹Parole

lan|gu|en|do u. lan|gu|en|te u. languido ⟨*lat.-it.*⟩: schmachtend (Vortragsanweisung; Mus.)

Lan|guet|tes [lãˈgɛt] ⟨*lat.-fr.*⟩ *die* (Plural): (veraltet) Zungen (einseitig befestigte, dünne, elastische Blättchen) an den Rohrpfeifen der Orgel (Mus.)

lan|gui|do vgl. languendo

Lan|gus|te ⟨*lat.-vulgärlat.-provenzal.-fr.*⟩ *die;* -, -n: scherenloser Panzerkrebs des Mittelmeers u. des Atlantischen Ozeans

La|ni|tal|fa|ser ⟨*lat.-nlat.; dt.*⟩ *die;* -, -n: [in Italien) aus ↑Kasein hergestellter Spinnstoff. La|no|lin ⟨*lat.-nlat.*⟩ *das;* -s: in Schafwolle enthaltenes, gereinigtes Fett (Wollfett), das z. B. als Salbengrundlage dient. La|no|me|ter vgl. Lanameter

Lan|ta|na ⟨*nlat.*⟩ *die;* -: Wandelröschen

Lan|than ⟨*gr.-nlat.*⟩ *das;* -s: chem. Element; ein Metall (Zeichen: La). Lan|tha|nid *das;* -[e]s, -e: Lanthanoid. Lan|tha|nit [auch: ...ˈnɪt] *der;* -s, -e: ein Mineral. Lan|tha|no|id *das;* -[e]s, -e: zu den seltenen Erden gehörendes unedles Metall

La|nu|go ⟨*lat.*⟩ *die;* -: ...gines [...ne:s]: Wollhaarflaum des ↑Fetus in der zweiten Hälfte der Schwangerschaft, der kurz vor oder bald nach der Geburt verloren geht

Lan|zet|t|bo|gen ⟨*lat.-fr.; dt.*⟩ *der;* -s, -: sehr schmaler Spitzbogen bes. der engl. Gotik. Lan|zett|e ⟨*lat.-fr.*⟩ *die;* -, -n: zweischneidiges kleines Operationsmesser (Med.). Lan|zett|fens|ter ⟨*lat. fr; dt.*⟩ *das;* -s, -: langes, schmale Fenster der englischen Frühgotik. Lan|zett|fisch *der;* -[e]s, -e ↑Amphioxus

lan|zi|nie|ren ⟨*lat.-fr.*⟩: plötzlich u. heftig zu schmerzen beginnen (Med.)

La Ọ|la ⟨span.; „die Welle") die; -, - -s (meist ohne Artikel): durch abwechselndes Aufstehen und Sichniedersetzen der Zuschauer einer Sportveranstaltung in einem Stadion aus Begeisterung o. Ä. hervorgerufene Bewegung, die den Eindruck einer großen im Stadion umlaufenden Welle entstehen lässt

La|pa|ro|skọp* ⟨gr.-nlat.⟩ das; -s, -e: ↑Endoskop zur Untersuchung der Bauchhöhle (Med.). **La|pa|ro|sko|pie** die; -, ...ien: Untersuchung der Bauchhöhle mit dem Laparoskop (Med.). **La|pa|ro|to|mie** die; -, ...ien: operative Öffnung der Bauchhöhle; Bauchschnitt (Med.). **La|pa|ro|ze|le** die; -, -n: Bauchbruch (mit Hervortreten der Eingeweide; Med.)

la|pi|dạr ⟨lat.; „in Stein gehauen")': knapp [formuliert], ohne weitere Erläuterungen, kurz u. bündig. **La|pi|dạr** der; -s, -e: Schleif- u. Poliergerät (z. B. eines Uhrmachers). **La|pi|dạ|ri|um** das; -s, ...ien: Steinsammlung. **La|pi|dạr|schrift** die; -: ↑Versalschrift ohne Verzierung. **La|pides: Plural** von ↑Lapis. **La|pil|li,** auch: Rapilli ⟨lat.-it.⟩ die (Plural): hasel- bis walnussgroße Lavabröckchen, die bei einem Vulkanausbruch herausgeschleudert werden (Geol.)

La|pi|ne ⟨lat.-fr.⟩ die; -: Kaninchenpockenimpfstoff (Med.)

Lạ|pis ⟨lat.⟩ der; -, ...ides [...de:s] lat. Bez. für: Stein. **La|pis|la|zu|li** ⟨(lat.; pers.-arab.) nlat.⟩ der; -, -: ↑Lasurit, blauer Schmuckstein

Lap|pạ|lie [...jə] ⟨dt -nlat.⟩ die; -, -n: (abwertend) höchst unbedeutende Sache, Angelegenheit; Belanglosigkeit

Lap|so|lo|gie ⟨lat.; gr.⟩ die; -: Teilgebiet der angewandten ↑Linguistik, das sich mit Fehlerbeschreibung, -bewertung, -behebung hauptsächlich auf dem Gebiet der fremdsprachlichen ↑Didaktik (1) befasst. **Lạp|sus** ⟨lat.⟩ der; -, - [...su:s]: Fehlleistung, Versehen, Schnitzer; **Lapsus Calami:** Schreibfehler; **Lapsus Linguae:** das Sichversprechen; **Lapsus Memoriae:** Gedächtnisfehler

Lap|top ['lɛp...] ⟨engl.⟩ der; -s, -s: kleiner, tragbarer Personalcomputer

Lạr ⟨malai.⟩ der; -s, -en: hinterindischer Langarmaffe mit weißen Händen

la|ra|misch ⟨nach dem Laramie Mountains (Gebirge in den USA)⟩: die Laramie Mountains betreffend; **laramische Phase:** Alpenfaltung zwischen Kreide u. ↑Tertiär

La|ren ⟨lat.⟩ die (Plural): altrömische Schutzgeister, bes. von Haus u. Familie

lar|gan|do: ↑allargando

¹large [larʒ] ⟨lat.-fr.⟩: (bes. schweiz.) großzügig. **²large** [la:dʒ] ⟨lat.-fr.-engl.⟩: groß (als Kleidergröße; Abk.: L). **Largọcco** [lar'ʒɛs] ⟨lat.-fr⟩ die; -: Freigebigkeit, Weiterzigkeit **lar|ghẹt|to** ⟨lat.-it.⟩: etwas breit, etwas gedehnt, langsam (Vortragsanweisung; Mus.). **Larghẹt|to** das; -s, -s u. ...tti: larghetto gespieltes Musikstück. **Lạr|ghi:** Plural von ↑Largo. **largo:** breit, gedehnt, im langsamsten Zeitmaß (Vortragsanweisung; Mus.); **largo assai** od. **largo di molto:** sehr langsam, schleppend; **largo ma non troppo:** nicht allzu langsam; **un poco largo:** ein wenig breit. **Lạr|go** das; -s, -s (auch: ...ghi): largo gespieltes Musikstück

la|ri|fa|ri (scherzhafte Bildung aus den Solmisationssilben: la, re, fa): (ugs. abwertend) oberflächlich, nachlässig. **La|ri|fa|ri** das; -s: (ugs. abwertend) Geschwätz, Unsinn

lar|mo|yant [larmɔa'jant] ⟨lat.-fr.⟩: sentimental-weinerlich; mit allzu viel Gefühl [u. Selbstmitleid]. **Lar|mo|yanz** die; -: Weinerlichkeit, Rührseligkeit

Lạr|nax ⟨gr.⟩ die; -, ...nakes [...kɛs]: kleinerer ↑Sarkophag, Urne (Archäol.)

L'art pour l'art [larpur'la:r] ⟨fr.; „die Kunst für die Kunst") das; - : Kunst als Selbst[...]; Kunst, die keine bestimmte Absicht u. keinen gesellschaftlichen Zweck verfolgt

lar|val [lar'va:l] ⟨lat.⟩: die Tierlarve betreffend; im Larvenstadium befindlich (Biol.). **Lar|ve** ['larfə] die; -, -n: 1. Tierlarve; Jugendform vieler Tiere, die in Gestalt [u. Lebensweise] vom ausgewachsenen Tier stark abweicht (Zool.). 2. a) (veraltend) Gesichtsmaske; b) (iron. od. abwertend) Gesicht. 3. (veraltet) Gespenst; böser Geist eines Verstorbenen. **lar|vie|ren** [...'vi:...]: (veraltet) verstecken, verbergen. **lar|viert:** versteckt, verkappt, ohne typische Merkmale verlaufend (Med.)

La|ryn|gal ⟨gr.-nlat.⟩ der; -s, -e: Kehlkopflaut (Sprachw.). **La-**

ryn|gạllis die; -, ...les [...le:s]: (veraltet) ↑Laryngal. **La|ryn|gạlthe|o|rie** die; -: Theorie, die den Nachweis von Laryngalen im Indogermanischen zu erbringen versucht (Sprachw.). **la|ryn|ge|al:** den ↑Larynx betreffend, zu ihm gehörend (Med.). **La|ryn|gek|to|mie*** die; -, ...ien: operative Entfernung des Kehlkopfs (Med.). **La|ryn|gen:** Plural von ↑Larynx. **La|ryn|gi|tis** die; -, ...itjden: Kehlkopfentzündung (Med.). **La|ryn|gol|lo|ge** der; -n, -n: Facharzt für Kehlkopfleiden. **La|ryn|gol|lo|gie** die; -: Teilgebiet der Medizin, das sich mit dem Kehlkopf u. seinen Krankheiten befasst. **La|ryn|go|skop*** das; -s, -e: (Med.) a) ebener Spiegel an einem Stiel zur indirekten Betrachtung des Kehlkopfs; Kehlkopfspiegel; b) röhrenförmiges Instrument mit Lichtquelle zur direkten Betrachtung des Kehlkopfs; Kehlkopfspatel. **La|ryn|go|sko|pie*** die; -, ...ien: Untersuchung des Kehlkopfs mit dem Laryngoskop; Kehlkopfspiegelung (Med.). **la|ryn|go|sko|pisch*:** das Laryngoskop, die Laryngoskopie betreffend. **La|ryn|go|spạs|mus*** der; -, ...men: schmerzhafter Krampf im Bereich der ↑Glottis; Glottiskrampf, Stimmritzenkrampf (Med.). **La|ryn|go|ste|no|se*** die; -, -n: krankhafte Verengung des Kehlkopfs (Med.). **La|ryn|go|sto|mie*** die; -, ...ien: operatives Anlegen einer künstlichen Kehlkopffistel (eines röhrenförmigen Kanals) durch Spaltung des Kehlkopfs in der Mittellinie (Med.). **La|ryn|go|to|mie** ⟨gr.-lat.⟩ die; -, ...ien: operatives Öffnen des Kehlkopfs; Kehlkopfschnitt (Med.). **La|ryn|go|ze|le** ⟨gr.-nlat.⟩ die; -, -n: meist angeborene, lufthaltige Ausbuchtung der Kehlkopfwandung; Blähhals (Med.). **La|rynx** ⟨gr.⟩ der; -, La-ryngen: Kehlkopf (Med.). **La-rynx|kar|zi|nom** ⟨gr.; gr.-lat.⟩ das; -s, -e: Kehlkopfkrebs (Med.). **La|sag|ne** [la'zanjə] ⟨gr.-lat.-vulgärlat.-it.⟩ die (Plural): sehr breite Bandnudeln, die mit einer Hackfleischfüllung abwechselnd geschichtet u. mit Käse überbacken sind (Gastr.)

Lạser ['le:zɐ, engl.: 'leɪzə] ⟨engl.; Kurzw. aus: right amplification by stimulated emission of radiation = Lichtverstärkung durch angeregte Aussendung von Strahlung⟩ der; -s, -: 1. Gerät zur

Verstärkung von Licht einer bestimmten Wellenlänge bzw. zur Erzeugung eines scharf gebündelten Strahls ↑kohärenten Lichts (Phys.). 2. Einmannjolle für den Rennsegelsport (Kennzeichen: stilisierter Laserstrahl). **La|ser|disc** 〈engl.〉 die; -, -s: Bildplatte. **La|ser|drom*** 〈〈engl.; gr.〉 amerik.〉 das; -s, -e: Spielstätte, in der die Spieler aus Pistolen Laserstrahlen auf ihre jeweiligen Gegner abfeuern, um sie aktionsunfähig zu machen

la|sie|ren 〈pers.-arab.-mlat.〉: a) ein Bild mit durchsichtigen Farben übermalen; b) Holz mit einer durchsichtigen Schicht (z. B. farblosem Lack) überziehen **Lä|si|on** 〈lat.〉 die; -, -en: 1. Verletzung od. Störung der Funktion eines Organs od. Körperglieds (Med.). 2. ↑Laesio enormis

Las|kar 〈angloind.〉 der; -s, ... ka̲ren: (veraltet) ostindischer Matrose, Soldat

Las|sa|fie|ber 〈nach dem nigerianischen Dorf Lassa〉 das; -s: durch ein Virus hervorgerufene sehr ansteckende Erkrankung mit hohem Fieber, Gelenkschmerzen, Mund- u. Gaumengeschwüren u. anderen Symptomen (Med.)

Las|so 〈lat.-span.〉 das (österr. nur so) od. (seltener) der; -s, -s: Wurfschlinge zum [Ein]fangen von Tieren

Last|al|die [...jə, auch: ...ta'di:] 〈germ.-mlat.〉 die; -, -n [...jən, auch: ...'di:ən]: (hist.) Ladeplatz [für Schiffe]

last, but not least ['la:st bʌt nɔt 'li:st]: ↑last, not least

Las|tex ® 〈Kunstw.〉 das; -: elastisches Gewebe aus Gummifäden, die mit Kunstseiden- od. Chemiefasern umsponnen sind **Las|ting** 〈engl.〉 der; -s, -s: damastartiger Stoff, bes. für Möbel, Schuhe o. Ä.

last, not least ['la:st nɔt li:st] 〈engl.; „als Letzter (bzw. Letztes), nicht Geringster (bzw. Geringstes)"〉: in der Reihenfolge zuletzt, aber nicht in der Bedeutung; nicht zu vergessen

Last-Mi|nute-Rei|se [la:st-'mɪnɪt...] 〈engl.; dt.〉: verbilligt angebotene, kurzfristig anzutretende Reise

La|sur 〈pers.-arab.-mlat.〉 die; -, -en: Farb-, Lackschicht, die den Untergrund durchscheinen lässt. **La|sur|far|be** die; -, -n: durchsichtige Farbe über Übermalen

von Bildern. **La|su|rit** [auch: ...'rɪt] 〈pers.-arab.-mlat.-nlat.〉 der; -s, -e: tiefblaues, mitunter grünliches od. violettes, feinkörniges, an Kalkstein gebundenes Mineral; Lapislazuli. **La|sur|stein** der; -[e]s, -e: ↑Lapislazuli **las|ziv** 〈lat.〉: in einer an Anstößigkeit grenzenden Weise sinnlich, schwül-erotisch, schlüpfrig. **Las|zi|vi|tät** der; -: laszives Wesen, laszive Art **La|tah** 〈malai.〉 das; -: bes. bei Malaien auftretende Anfälle krankhafter Verhaltensstörung **Lä|ta|re** 〈lat.; nach dem alten ↑Introitus des Gottesdienstes, Jesaja 66, 10: „Freue dich (Jerusalem)!"〉: vierter Sonntag der Passionszeit

La-Tène-Stil [la'tɛːn...] 〈nach dem Schweizer Fundort La Tène〉 der; -[e]s: in der La-Tène-Zeit entstandene Stilrichtung der bildenden Kunst, deren durch stilisierte pflanzliche u. abstrakte Ornamentik, Tiergestalten u. menschliche Maskenköpfe gekennzeichnet ist (Archäologie). **La-Tène-Zeit** die; -: zweiter Abschnitt der europäischen Eisenzeit

la|tent 〈lat.(-fr.)〉: 1. versteckt, verborgen; [der Möglichkeit nach] vorhanden, aber [noch] nicht in Erscheinung tretend, nicht offenkundig. 2. ohne typische Merkmale vorhanden, aber nicht gleich erkennbar, kaum od. nicht in Erscheinung tretend (von Krankheiten od. Krankheitssymptomen; Med.). 3. unsichtbar, unentwickelt (Fotogr.). **La|tenz** 〈lat.-nlat.〉 die; -: 1. Verstecktheit, Verborgenheit. 2. zeitweiliges Verborgensein, unbemerktes Vorhandensein einer Krankheit (Med.). 3. durch die Nervenleitung bedingte Zeit zwischen Reizeinwirkung u. Reaktion (Psychol.). **La|tenz|ei** das; -[e]s, -er: Winterei vieler niederer Süßwassertiere (Würmer u. Krebse), das im Gegensatz zum Sommerei dotterreich u. durch eine Hülle geschützt ist. **La|tenz|pe|ri|o|de** die; -, -n: Ruhepause in der sexuellen Entwicklung des Menschen zwischen dem 6. u. 10. Lebensjahr. **La|tenz|zeit** die; -en: ↑Inkubationszeit

la|te|ral 〈lat.〉: 1. seitlich, seitwärts [gelegen]; **laterales Denken:** Denken, das alle Seiten eines Problems einzuschließen sucht, wobei auch unorthodoxe, beim logischen Denken oft unbeachtete oder ignorierte Methoden angewendet werden. 2. von der Mittellinie eines Organs abgewandt, an der Seite gelegen (Med.). **La|te|ral** der; -s, -e: Laut, bei dem die Luft nicht durch die Mitte, sondern auf einer od. auf beiden Seiten des Mundes entweicht (z. B. l; Sprachw.). **La|te|ral|in|farkt** der; -[e]s, -e: ↑Infarkt im Bereich der Vorder- u. Hinterwand der linken Herzkammer (Med.). **la|te|ra|li|sie|ren:** nach der Seite verlagern, verschieben (Med.). **La|te|ra|li|tät** die; -: das Vorherrschen, die Dominanz einer Körperseite (z. B. Rechts- od. Linkshändigkeit; Psychol.). **La|te|ral|laut** der; -[e]s, -e: ↑Lateral. **La|te|ral|plan** der; -[e]s, ...pläne: Fläche des Längsschnittes des Schiffsteils, der unter Wasser liegt (Seew.). **La|te|ral|skle|ro|se*** die; -, -n: ↑Sklerose der Seitenstränge des Rückenmarks (Med.)

La|te|ran 〈nach der Familie der Laterani aus der röm. Kaiserzeit〉 der; -s: außerhalb der Vatikanstadt gelegener ehemaliger päpstlicher Palast in Rom mit ↑Basilika u. Museum. **La|te|ran|kon|zi|li|en** u. **La|te|ran|sy|no|den*** der (die Plural): (hist.) die fünf im Mittelalter (1123–1512) im Lateran abgehaltenen allgemeinen Konzilien

la|te|ri|e|ren 〈lat.〉: (veraltet) seitenweise zusammenzählen **La|te|ri|sa|ti|on** 〈lat.-nlat.〉 die; -en: ↑Laterisierung; vgl. ...[at]ion/...ierung. **La|te|ri|sie|rung** die; -, -en: Entstehung von Laterit; vgl. ...[at]ion/...ierung.

La|te|rit [auch: ...'rɪt] der; -s, -e: roter Verwitterungsboden in den Tropen u. Subtropen

La|ter|na ma|gi|ca 〈gr.-lat.〉 „Zauberlaterne") die; - -, ...nae ...cae [...nɛ ...kɛ]: 1. einfachster (im 17. Jh. erfundener) Projektionsapparat. 2. Form der Bühnenaufführung (Ballettdarbietung) in Kombination mit vielfältiger Projektion von Filmen u. Diapositiven auf [variable] Bildwände. **La|ter|ne** 〈gr.-lat.-vulgärlat.〉 die; -, -n: 1. durch ein Gehäuse aus Glas, Papier o. Ä. geschützte [tragbare] Lampe. 2. auf die Scheitelöffnung einer Kuppel gesetztes, von Fenstern durchbrochenes Türmchen (Archit.)

La|tex 〈gr.-lat.〉 der; -, ...tizes [...tseːs]: Milchsaft einiger tropischer Pflanzen, aus dem ↑Kautschuk, Klebstoff u. a. hergestellt wird u. der zur Imprägnierung dient. la|te|xie|ren: mit einer aus Latex hergestellten Substanz beschichten, bestreichen

Lath|raea* [...'trɛa] ⟨gr.-nlat.⟩ die; -: Schuppenwurz, eine schmarotzende Pflanze auf Haselsträuchern u. Erlen

La|thy|r|s|mus ⟨gr.-nlat.⟩ der; -: Vergiftung durch die als Futterpflanze angebaute Erbsenart Lathyrus (Platterbse; Med.)

La|ti|fun|di|en|wirt|schaft ⟨lat.; dt.⟩ die; -: Bewirtschaftung eines Großgrundbesitzes durch abhängige Bauern in Abwesenheit des Besitzers (z. B. in Südamerika). La|ti|fun|di|um ⟨lat.⟩ das; -s, ...ien: 1. (hist.) von Sklaven bewirtschaftetes Landgut im Römischen Reich. 2. (nur Plural) Liegenschaften, großer Landod. Forstbesitz

La|ti|me|ria ⟨nlat.; nach der Entdeckerin Courtenay-Latimer⟩ die; -: einzige noch lebende, zu den Quastenflossern zählende Fischart (die als ausgestorben galt, aber 1938 wieder entdeckt wurde; sog. lebendes Fossil)

la|ti|ni|sie|ren ⟨lat.⟩: in lateinische Sprachform bringen; der lateinischen Sprachart angleichen. La|ti|nis|mus ⟨lat.-mlat.⟩ der; -, ...men: Entlehnung aus dem Lateinischen; dem Lateinischen eigentümlicher Ausdruck in einer nicht lateinischen Sprache. La|ti|nist der; -en, -en: jmd., der sich wissenschaftlich mit der lateinischen Sprache u. Literatur befasst. La|ti|ni|tät ⟨lat.⟩ die; -: a) klassische, mustergültige lateinische Schreibweise; b) klassische lateinisches Schrifttum. La|tin|lo|ver ['lætɪn lʌvɐ] ⟨engl.⟩ der; -[s], -s, auch: La|tin Lo|ver der; -[s], - -s: feuriger südländischer Liebhaber; Papagallo. La|ti|no ⟨lat.-span.-amerik.⟩ der; -s, -s: ↑ Hispanoamerikaner. La|ti|num das; -s: durch eine Prüfung nachgewiesene Kenntnisse in der lateinischen Sprache

La|ti|tü|de ⟨lat.-fr.⟩ die; -, -n: 1. geographische Breite. 2. (veraltet) Weite, Spielraum. la|ti|tu|di|nal ⟨lat.-nlat.⟩: die Breite betreffend. La|ti|tu|di|na|ri|er der; -s, -: 1. Anhänger des Latitudinarismus. 2. (veraltet) jmd., der nicht allzu strenge Grundsätze hat, der duldsam, tolerant ist. La|ti|tu|di|na|ris|mus der; - (im 17. Jh. entstandene) Richtung der anglikanischen Kirche, die durch ihre konfessionelle Toleranz u. ihre Offenheit gegenüber den Erkenntnissen der modernen Wissenschaft gekennzeichnet ist

La|ti|zes [...tse:s]: Plural von ↑ Latex

Lat|rie* ⟨gr.-lat.; „Dienst"⟩ die; -: Gott u. Christus allein zustehende Verehrung, Anbetung (kath. Rel.)

Lat|ri|ne* ⟨lat.⟩ die; -, -n: primitive Toilette; Senkgrube. Lat|ri|nen|pa|rol|le die; -, -n: (ugs. abwertend) Gerücht

Laf|tus ⟨lat.; „Seite"⟩ das; -, -: (veraltet) Gesamtbetrag einer Seite, der auf die folgende zu übertragen ist; Übertragssumme

Lau|da ⟨lat.-it.⟩ die; -, ...de: im Mittelalter in Italien ein volkstümlicher geistlicher Lobgesang. lau|da|bel ⟨lat.⟩: löblich, lobenswert

Lau|da|num ⟨semit.-gr.-lat.-nlat.⟩ das; -s: Lösung von Opium in Alkohol; Opiumtinktur (ein Beruhigungs- u. Schmerzmittel)

Lau|da|tio ⟨lat.⟩ die; -, ...ones [...ne:s] u. ...onen: anlässlich einer Preisverleihung o. Ä. gehaltene Rede, in der die Leistungen u. Verdienste des Preisträgers hervorgehoben werden. Lau|da|ti|on der; -s, -en: Lobrede. Lau|da|tor der; -s, ...oren: jmd., der eine Laudatio hält; Redner bei einer Preisverleihung. Lau|de ⟨lat.-it.⟩ 1. die; -, ...di: ↑ Lauda. 2. Plural von ↑ Lauda. Lau|de|mi|um ⟨lat.-mlat.⟩ das; -s, ...ien: (hist.) Abgabe an den Lehnsherrn. Lau|des [...de:s] („Lobgesänge") die (Plural): im katholischen ↑ Brevier enthaltenen Morgengebet. Lau|di ⟨lat.⟩ Plural von ↑ Laude. lau|die|ren ⟨lat.⟩: (veraltet) 1. loben. 2. [dem Gericht] einen Zeugen vorschlagen, benennen (Rechtsw.). Lau|dist ⟨lat.-nlat.⟩ der; -en, -en: Hymnen- u. Psalmensänger des 13.–16. Jh.s

Lau|ra u. Lawra ⟨gr.-mgr.; „enge Gasse"⟩ die; -, ...ren: 1. Eremitensiedlung der Ostkirche. 2. bedeutendes ↑ zönobitisches Kloster

Lau|rat ⟨lat.-nlat.⟩ das; -s, -e: Salz der Laurinsäure, einer Fettsäure (Chem.). Lau|re|at ⟨lat.⟩ der; -en, -en: a) jmd., dem der Lorbeerkranz gekrönter Dichter; vgl. Poeta laureatus; b) jmd., der einen Preis erhält, dem eine besondere Auszeichnung zuteil wird; Preisträger

Lau|ren|tia ⟨nlat.; vom latinisier-ten Namen des Sankt-Lorenz-Stromes) die; -: altes Festland in Kanada u. Grönland (Geol.). lau|ren|tisch: die Laurentia betreffend; laurentische Faltung, laurentische Gebirgsbildung, laurentische Revolution: Hochgebirgsbildung am Ende des ↑ Archaikums (Geol.)

lau|re|ta|nisch ⟨nlat.; nach einem ital. Wallfahrtsort Loreto⟩: aus Loreto; Lauretanische Litanei: im 16. Jh. in Loreto entstandene Marienlitanei

Lau|rus ⟨lat.⟩ der; - u. -ses, - u. -se: Lorbeerbaum

Lau|tal ⟨Kunstw.⟩ das; -s: Aluminium-Kupfer-Legierung von großer Festigkeit

Lau|te|nist ⟨mlat.⟩ der; -en, -en: jmd., der [als Berufsmusiker] Laute spielt; Lautenspieler

La|va ⟨it.⟩ die; -, Laven: bei Vulkanausbrüchen an der Erdoberfläche tretender Schmelzfluß u. das daraus durch Erstarrung hervorgehende Gestein (Geol.)

La|va|bel ⟨lat.-fr.⟩ der; -s: feinfädiges, waschbares Kreppgewebe in Leinwandbindung (Webart). La|va|bo ⟨lat.; „ich werde waschen"; Psalm 26,6⟩ das; -[s], -s: 1. Handwaschung des Priesters in der katholischen Liturgie. 2. vom Priester bei der Handwaschung verwendetes Waschbecken mit Kanne. 3. ['la:...] (schweiz.) Waschbecken

Lalven: Plural von ↑ Lava

la|ven|del ⟨lat.-mlat.-it.⟩: [blau]violett (wie die Blüte des Lavendels). ¹La|ven|del der; -s, -: Heil- u. Gewürzpflanze, die auch für Parfüms verwendet wird. ²La|ven|del das; -s: mit Lavendelöl hergestelltes Parfüm; Lavendelwasser. ³La|ven|del das; -s, -: (bei Schwarzweißfilmen lavendelblaue) Kopie vom Negativfilmstreifen des Originals, die zur Herstellung von weiteren Negativen dient

¹la|vie|ren ⟨lat.-it.⟩: a) die Konturen einer [farbigen] Tuschzeichnung mit wassergefülltem Pinsel verwischen; b) eine Zeichnung kolorieren, mit verlaufenden Farbflächen arbeiten

²la|vie|ren ⟨niederl.⟩: 1. (auch: sich lavieren) mit Geschick Schwierigkeiten überwinden, vorsichtig zu Werke gehen, sich durch Schwierigkeiten hindurchwinden. 2. (Seemannsspr. veraltet) gegen den Wind kreuzen

La|vi|pe|di|um ⟨lat.-nlat.⟩ das; -s, ...ien: Fußbad (Med.)

lä|vo|gyr ⟨gr.-lat.; gr.⟩: die Ebene ↑polarisierten Lichts nach links drehend (Phys.; Chem.); Zeichen: l; Ggs. ↑dextrogyr

La|voir [la'vǫaːɐ̯] ⟨lat.-fr.⟩ das; -s, -s: (österr., sonst veraltet) Waschbecken, -schüssel

Lä|vo|kar|die ⟨lat.; gr.⟩ die; -, ...ien: Lage eines mit seiner Spitze nach links zeigenden Herzens (Med.)

La|vor [auch: ...f...] ⟨lat.-fr.⟩ das; -s, -e: (südd.) Lavoir, Waschbecken

Lä|vu|lo|se ⟨gr.-lat.-nlat.⟩ die; -: (veraltet) Fruchtzucker. **Lä|vu|los|u|rie*** ⟨gr.-lat.-nlat.; gr.⟩ die; -: das Auftreten von Lävulose im Harn (Med.)

law and or|der ['lɔː ənd 'ɔːdə] ⟨engl.; „Gesetz und Ordnung"⟩: (oft abwertend) Schlagwort, das die Bekämpfung von Kriminalität u. Gewalt durch drastische Gesetze und harte Polizeimaßnahmen fordert

La|wi|ne ⟨lat.-mlat.-ladinisch⟩ die; -, -n: an Hängen niedergehende Schnee- od. Eismassen

Lawn|ten|nis ['lɔːn...] ⟨engl.⟩ das; -: Tennis auf Rasenplätzen

Law|ra vgl. Laura

Law|ren|ci|um [lɔˈrɛ...] ⟨nlat.; nach dem amerikanischen Physiker E. O. Lawrence, 1901–1958⟩ das; -s: künstlich hergestelltes chem. Element; ein Transuran (Zeichen: Lw)

lax ⟨lat.⟩: nachlässig, ohne feste Grundsätze, nicht streng auf etwas achtend. **La|xans** das; -, ...antia u. ...anzien, **La|xa|tiv** das; -s, -e u. **La|xa|ti|vum** das; -s, ...va: Abführmittel von verhältnismäßig milder Wirkung (Med.). **la|xie|ren:** abführen (Med.). **La|xis|mus** ⟨lat.-nlat.⟩ der; -: von der Kirche verurteilte Richtung der katholischen Moraltheologie, die Handlungen auch dann für erlaubt hält, wenn nur eine geringe Wahrscheinlichkeit für das Erlaubtsein dieser Handlungen spricht

Lay-out, auch: **Lay|out** [leˈʔaut, auch: 'le...] ⟨engl.⟩ das; -s, -s: 1. Text- u. Bildgestaltung einer Seite bzw. eines Buches. 2. skizzenhaft angelegter Entwurf von Text- u. Bildgestaltung eines Werbemittels (z. B. Anzeige, Plakat) od. einer Publikation (z. B. Zeitschrift, Buch). 3. Schema für die Anordnung der Bauelemente einer Schaltung (Elektronik). **Lay|ou|ter** der; -s, -: jmd., der Lay-outs (1) entwirft

La|za|rett ⟨venez.-it.-fr.; als Wortbildung beeinflusst von dem Namen der biblischen Gestalt des Lazarus⟩ das; -[e]s, -e: Krankenanstalt für verwundete od. erkrankte Soldaten; Militärkrankenhaus. **La|za|rist** ⟨nach dem Mutterhaus Saint-Lazare in Paris⟩ der; -en, -en: Angehöriger einer katholischen Kongregation von Missionspriestern; vgl. Vinzentiner. **La|za|rus** ⟨mlat.⟩ der; -[ses], -se: (ugs.) bedauernswerter Mensch

La|ze|ra|ti|on ⟨lat.⟩ die; -, -en: Einriss, Zerreißung [von Körpergewebe] (Med.). **la|ze|rie|ren:** einreißen (Med.)

La|zer|te ⟨lat.⟩ die; -, -n: Eidechse

La|zu|lith [auch: ...'lɪt] ⟨nlat.⟩ der; -s, -e: himmelblaues bis bläulich weißes Mineral; Blauspat

Laz|za|ro|ne ⟨mlat.-it.⟩ der; -[n] u. -s, -n u. ...ni: Armer, Bettler in Neapel

LCD = *l*iquid *c*rystal *d*isplay (Flüssigkristallanzeige)

Lead [liːd] ⟨engl.⟩ das; -[s]: 1. Führungsstimme in einer [Jazz]band (z. B. Trompete). 2. das Vorauseilen, der Vorsprung bestimmter Werte vor anderen im Konjunkturverlauf (Wirtsch.). 3. Anfang, Beginn, [kurz zusammenfassende] Einleitung zu einer Veröffentlichung od. Rede. **Lea|der** der; -s, -: 1. Bandleader. 2. Spitzenreiter (beim Sport). **Lead|gi|tar|re** der; -, -n: elektrische Gitarre, auf der die Melodie gespielt wird; vgl. Rhythmusgitarre. **Lead|gi|tar|rist** der; -en, -en: jmd., der die Leadgitarre spielt

Lean|ma|nage|ment ['liːn-mænɪdʒmənt] ⟨engl.⟩ das; -s, -s: Unternehmensführung nach einem Gestaltungskonzept, das auf den Abbau unnötiger Kostenbereiche u. die zielgerichtete Gestaltung wirtschaftlicher Aktivitäten ausgerichtet ist (Wirtsch.). **Lean|pro|duc|tion** ['liːnprədʌkʃn] ⟨engl.⟩ die; -: durch das ↑Leanmanagement eines Unternehmens gesteuerte Art der Produktion von Erzeugnissen, bei der möglichst weit gehende Einsparung von Arbeitskräften, Kosten u. Material angestrebt wird (Wirtsch.)

Lear|ning by Do|ing ['lɜːnɪŋ baɪ 'duːɪŋ] ⟨engl.; eigtl. = Lernen durch Tun⟩ das; - - -: Lernen durch selbstständiges Handeln, durch unmittelbares Anwenden, Praktizieren

lea|sen [liːzn] ⟨engl.⟩: mieten,

pachten. **Lea|sing** das; -s, -s: Vermietung von [Investitions]gütern, bes. von Industrieanlagen, wobei die Mietzahlungen bei einem eventuellen späteren Kauf angerechnet werden können (Wirtsch.)

Le|ci|thin vgl. Lezithin

Le|cka|ge [lɛˈkaːʒə] ⟨aus Leck u. fr. -age⟩ die; -, -n: 1. Gewichtsverlust durch Verdunsten od. Aussickern aufgrund einer undichten Stelle. 2. Leck

Le|clan|ché-Ele|ment [ləklãˈʃe:...] ⟨nach dem französischen Chemiker G. Leclanché, 1839–1882⟩ das; -[e]s, -e: ↑galvanisches Element (das in bestimmter Form z. B. auch in Taschenlampenbatterien verwendet wird)

Lec|tis|ter|ni|um* ⟨lat.⟩ das; -s, ...ien (hist.) Göttermahlzeit des altrömischen Kultes, bei der den auf Polstern ruhenden Götterbildern Speisen vorgesetzt wurden

lec|to|ri sa|lu|tem ⟨lat.; „dem Leser Heil!"⟩: Formel zur Begrüßung des Lesers in alten Schriften; Abk.: L. S.

le|ga|bi|le: ↑legato

le|gal ⟨lat.⟩: gesetzlich [erlaubt], dem Gesetz gemäß; Ggs. ↑illegal. **Le|gal|de|fi|ni|ti|on** die; -, -en: durch ein Gesetz gegebene Begriffsbestimmung. **Le|gal|in|ter|pre|ta|ti|on** die; -, -en: Erläuterung eines Rechtssatzes durch den Gesetzgeber selbst; im Gesetz formulierte Auslegung einer [anderen] gesetzlichen Vorschrift. **Le|ga|li|sa|ti|on** ⟨lat.-nlat.⟩ die; -, -en: Beglaubigung [von Urkunden]. **le|ga|li|sie|ren:** 1. [Urkunden] amtlich beglaubigen. 2. legal machen. **Le|ga|lis|mus** der; -: strikte Befolgung des Gesetzes, starres Festhalten an Paragraphen u. Vorschriften. **le|ga|lis|tisch:** a) auf Paragraphen u. Vorschriften kleinlich festhaltend; b) auf Legalismus beruhend. **Le|ga|li|tät** ⟨lat.-mlat.⟩ die; -: Gesetzmäßigkeit; die Bindung der Staatsbürger u. der Staatsgewalt an das geltende Recht. **Le|ga|li|täts|ma|xi|me** die; -: ↑Legalitätsprinzip. **Le|ga|li|täts|prin|zip** das; -s: die Pflicht der Staatsanwaltschaft zur Verfolgung aller strafbaren Handlungen

le|gas|the|n* ⟨lat.; gr.⟩: ↑legasthenisch. **Le|gas|the|nie** ⟨...,...⟩ die; -, ...ien: mangelhafte Fähigkeit, Wörter, zusammenhängende Texte zu lesen od. zu schreiben (Psychol.; Med.). Le|gas|the|ni|ker *der;* -s, -: jmd., der an Legasthenie leidet. le|gas|the|nisch: die Legasthenie betreffend, an Legasthenie leidend. ¹Le|gat ⟨*lat.*⟩ *der;* -en, -en: 1. (hist.) a) im alten Rom Gesandter [des Senats]; Gehilfe eines Feldherrn u. Statthalters; b) in der römischen Kaiserzeit Unterfeldherr u. Statthalter in kaiserlichen Provinzen. 2. päpstlicher Gesandter (meist ein Kardinal) bei besonderen Anlässen (kath. Rel.). ²Le|gat *das;* -[e]s, -e: Vermächtnis; Zuwendung einzelner Vermögensgegenstände durch letztwillige Verfügung. Le|ga|tar *der;* -s, -e: jmd., der ein Legat erhält; Vermächtnisnehmer. Le|ga|ti|on ⟨*lat.*⟩ *die;* -, -en: 1. [päpstliche] Gesandtschaft. 2. Provinz des früheren Kirchenstaates le|ga|tis|si|mo ⟨*lat.-it.*⟩: äußerst gebunden (Vortragsanweisung; Mus.). le|ga|to: gebunden; Abk.: leg. (Vortragsanweisung; Mus.); ben legato: gut, sehr gebunden (Vortragsanweisung; Musik). Le|ga|to *das;* -s, -s u. ...ti: gebundenes Spiel (Mus.) le|ge ar|tis ⟨*lat.*⟩: vorschriftsmäßig, nach den Regeln der [ärztlichen] Kunst; Abk.: l. a. Le|gen|da au|rea ⟨*lat.-mlat.*⟩ *die;* - -: Legendensammlung des Jacobus a Voragine, † 1298, ein Erbauungsbuch des Mittelalters. le|gen|där: (veraltet) legendär. Le|gen|dar *das;* -s, -e: Legendenbuch; Sammlung von Heiligenleben, bes. zur Lesung in der †Mette. le|gen|där: 1. legendenhaft, sagenhaft. 2. unwahrscheinlich, unglaublich, fantastisch. le|gen|da|risch: a) eine Legende betreffend, zur Legende gehörend; b) nach Art der Legenden; c) Legenden enthaltend (z. B. von einem Bericht mit historischem Kern). Le|gen|da|ri|um *das;* -s, ...ien: (veraltend) †Legendar. Le|gen|de ⟨„zu Lesendes") *die;* -, -n: 1. a) kurze, erbauliche religiöse Erzählung über Leben und Tod od. auch das Martyrium von Heiligen; b) Person od. Sache, die so bekannt geworden ist, dass sich bereits zahlreiche Legenden (2) um sie gebildet haben; Mythos (2). 2. sagenhafte, unglaubwürdige Geschichte od. Erzählung. 3. episch-lyrisches Tonstück, ursprünglich die Heiligenlegenden behandelnd (Mus.). 4. Erklärung

der (in einer Landkarte, einer Abbildung o. Ä. verwendeten Zeichen; Zeichenerklärung le|ger [le'ʒeːɐ̯, le'ʒɛːɐ̯] ⟨*lat.-vulgär-lat.-fr.*⟩: a) lässig, zwanglos (in Bezug auf Benehmen u. Haltung); b) bequem, leicht (in Bezug auf die Kleidung); c) nachlässig, oberflächlich (in Bezug auf die Ausführung von etwas). Le|ger|de|main [leʒedə'mɛ̃] ⟨*fr.*⟩ *das;* -s, -s: (veraltet) Taschenspielerstück, Trick Le|ges: *Plural* von †Lex leg|giad|ra|men|te* [lɛdʒa...] u. leg|giad|ro [lɛ'dʒa:...] ⟨*lat.-it.*⟩ u. leg|gie|ro [lɛ'dʒeːro] ⟨*lat.-fr.-it.*⟩: leicht, anmutig, spielerisch, ungezwungen, perlend (Vortragsanweisung; Mus.) Leg|gings, Leg|gins ⟨*engl.*⟩ *die* (*Plural*): 1. aus Leder hergestelltes, einer Hose ähnliches Kleidungsstück der nordamerikanischen Indianer. 2. einer Strumpfhose ohne Füßlinge ähnliches Kleidungsstück Leg|horn ⟨*engl.;* vom engl. Namen der ital. Stadt Livorno⟩ *das;* -s, -[s] (landsch. auch: ...hörner): Huhn einer weit verbreiteten weißen od. braunen Rasse mit hoher Legeleistung ¹le|gie|ren ⟨*lat.*⟩: (veraltet) mit hoher Legeleistung ²le|gie|ren ⟨*lat.-it.*⟩: 1. eine Legierung herstellen. 2. Suppen u. Soßen mit Ei od. Mehl eindicken. Le|gie|rung *die;* -, -en: durch Zusammenschmelzen mehrerer Metalle entstandene Mischmetall (z. B. Messing) Le|gi|on ⟨*lat.*⟩ *die;* -, -en: 1. (hist.) altrömische Heereseinheit. 2. (ohne Plural) [hist.] [deutsch-italienische] Freiwilligentruppe im Spanischen Bürgerkrieg (Kurzform von Legion Condor). 3. (ohne Plural) [französische] Fremdenlegion. 4. (ohne Plural) unbestimmt große Anzahl, Menge; etwas ist Legion: etwas ist in sehr großer Zahl vorhanden. Le|gi|o|när *der;* -s, -e: (hist.) Soldat einer römischen Legion. le|gio|när ⟨*lat.-fr.*⟩: die Legion betreffend, von ihr ausgehend. Le|gio|när *der;* -s, -e: Mitglied einer Legion (z. B. der französischen Fremdenlegion). Le|gio|närs|krank|heit (nach dem ersten Auftreten 1976 bei einem Legionärstreffen in den USA⟩ *die;* -: Infektionskrankheit mit starkem Fieber, Anzeichen einer Lungenentzündung od. schweren Grippe (Med.)

Le|gis|la|ti|on ⟨*lat.*⟩ *die;* -: †Legislatur. le|gis|la|tiv ⟨*lat.-nlat.*⟩: gesetzgebend; vgl. ...iv/...orisch. Le|gis|la|ti|ve *die;* -, -n: a) gesetzgebende Gewalt, Gesetzgebung; vgl. Exekutive; b) (veraltet) gesetzgebende Versammlung. le|gis|la|to|risch: gesetzgeberisch; vgl. ...iv/...orisch. Le|gis|la|tur *die;* -, -en: a) Gesetzgebung; b) (veraltet) gesetzgebende Versammlung. Le|gis|la|tur|pe|ri|o|de *die;* -, -n: Gesetzgebungsperiode, Wahlperiode; Amtsdauer einer [gesetzgebenden] Volksvertretung. Le|gis|mus *der;* -: (veraltet) starres Festhalten am Gesetz. le|gi|tim ⟨*lat.*⟩: 1. a) rechtmäßig, gesetzlich anerkannt; Ggs. †illegitim (a); b) ehelich (von Kindern); Ggs. †illegitim (b). 2. berechtigt, begründet; allgemein anerkannt, vertretbar. Le|gi|ti|ma|ti|on ⟨*lat.-fr.*⟩ *die;* -, -en. 1. Beglaubigung; [Rechts]ausweis. 2. Berechtigung. 3. Ehelichkeitserklärung (für ein vorher uneheliches Kind); vgl. ...[at]ion/...ierung. Le|gi|ti|ma|ti|ons|pa|pier *das;* -s, -e: dem Nachweis einer Berechtigung dienendes Papier, Dokument. le|gi|ti|mie|ren ⟨*lat.-mlat.(-fr.)*⟩: 1. a) beglaubigen; b) für gesetzmäßig erklären. 2. ein Kind für ehelich erklären. 3. sich legitimieren: sich ausweisen. 4. sich jmdn. berechtigen. Le|gi|ti|mie|rung *die;* -, -en: das Legitimieren; vgl. ...[at]ion/...ierung. Le|gi|ti|mis|mus ⟨*nlat.*⟩ *der;* -: Lehre von der Unabsetzbarkeit des angestammten Herrscherhauses. Le|gi|ti|mist *der;* -en, -en: 1. Anhänger des Legitimismus. 2. Vertreter des monarchischen Legitimitätsprinzips (z. B. in Frankreich um 1830 die Anhänger der Bourbonen). le|gi|ti|mis|tisch: a) den Legitimismus betreffend; b) den Legitimisten (2) betreffend. Le|gi|ti|mi|tät ⟨*lat.-fr.*⟩ *die;* -: Rechtmäßigkeit einer Staatsgewalt; Übereinstimmung mit der [demokratischen od. dynastischen] Verfassung, Gesetzmäßigkeit [eines Besitzes, Anspruchs]. Le|gi|ti|mi|täts|prin|zip *das;* -s: innere Rechtfertigung der Gesetzmäßigkeit einer monarchischen od. demokratischen Regierungsform Le|gu|an [auch: 'le:...] ⟨*karib.-span.*⟩ *der;* -s, -e: tropische Baumeidechse mit Rückenkamm Le|gu|men ⟨*lat.;* „Hülsenfrucht")

das; -s, -: Frucht der Hülsen-
früchte. **Le|gu|min** ⟨*lat.-nlat.*⟩
das; -s: Eiweiß der Hülsenfrüch-
te. **Le|gu|mi|no|se** *die;* -, -n
(meist Plural): Hülsenfrüchtler
(z. B. Mimose, Erbse, Bohne,
Erdnuss)

Leg|war|mer [ˈlɛgwɔːmə] ⟨*engl.;*
„Beinwärmer"⟩ *der;* -s, -[s]
(meist Plural): von den Knö-
cheln bis zu den Knien reichen-
der [Woll]strumpf ohne Füßling

Lei: *Plural* von ↑ Leu

Leicht|ath|let ⟨*dt.; gr.-lat.*⟩ *der;*
-en, -en: Sportler, der Leichtath-
letik treibt. **Leicht|ath|le|tik** *die;*
-: die Disziplinen Laufen, Ge-
hen, Springen, Werfen, Stoßen
umfassender Sport; vgl. Schwer-
athletik

lei|po|gram|ma|tisch ⟨*gr.*⟩: einen
bestimmten Buchstaben nicht
aufweisend (bezogen auf Texte,
bei denen der Dichter aus literarischer Spielerei einen Buchstaben, meist das r, vermieden hat)

Leis ⟨aus: ↑ Kyrieleis⟩ *der;* - u. -es,
-e[n]: geistliches Volkslied des
Mittelalters mit dem Kehrreim
„Kyrieleis"

Leish|ma|nia [laiʃ...] ⟨*nlat.;* nach
dem engl. Arzt Leishman,
1865–1926⟩ *die;* -, ...ien: verschiedene Krankheiten übertragendes Geißeltierchen. **Leish-
ma|ni|o|se** *die;* -, -n: durch
Leishmanien hervorgerufene
tropische Krankheit (Med.)

Leit|fos|sil ⟨*dt.; lat.*⟩ *das;* -s, -ien:
für einen bestimmten geologi-
schen Zeitabschnitt charakteris-
tisches ↑ Fossil (Geol.)

Lek ⟨*alban.*⟩ *der;* -, -: albanische
Währungseinheit

Lek|ti|on ⟨*lat.*⟩ *die;* -, -en: 1. Un-
terrichtsstunde. 2. Lernpensum,
-abschnitt. 3. Zurechtweisung,
Verweis. 4. liturgische [Bibel]le-
sung im christlichen Gottes-
dienst. **Lek|ti|o|nar** ⟨*lat.-mlat.*⟩
das; -s, -e u. -ien u. **Lek|ti|o|na-
ri|um** *das;* -s, ...ien: (Rel.) 1. li-
turgisches Buch mit den Bibelab-
schnitten für den christlichen
Gottesdienst. 2. Lesepult, an
dem die Verlesung der nach der
kirchlichen Ordnung vorge-
schriebenen Bibelabschnitte
vorgenommen wird. **Lek|tor**
⟨*lat.;* „Leser, Vorleser"⟩ *der;* -s,
...oren: 1. Sprachlehrer für praktische Übungen an einer Hochschule. 2. Mitarbeiter eines Ver-
lags, der Manuskripte prüft u.
bearbeitet, Autoren betreut,
Projekte vorschlägt u. a. 3. a)
(früher) zweiter Grad der katho-

lischen niederen Weihen; b) ka-
tholisches Gemeindemitglied,
das während der ↑ Messe (1) liturgische Texte vorliest; c) evan-
gelisches Gemeindemitglied, das
in Vertretung des Pfarrers Lese-
gottesdienste hält. **Lek|to|rat**
⟨*lat.-mlat.*⟩ *das;* -[e]s, -e: 1. Lehrauftrag eines Lektors (1)/einer
Lektorin. 2. [Verlags]abteilung,
in der Lektoren (2) u. Lektorin-
nen arbeiten. **lek|to|rie|ren** ⟨*lat.-
nlat.*⟩: als Lektor (2)/Lektorin
ein Manuskript prüfen. **Lek|tü-
re** ⟨*lat.-mlat.-fr.*⟩ *die;* -, -n: 1. Le-
sestoff. 2. (ohne Plural) das Le-
sen

Le|ky|thos ⟨*gr.-lat.*⟩ *die;* -,
...ythen: altgriechischer als Ölge-
fäß dienender Henkelkrug aus
Ton mit schlankem Hals

Le-Mans-Start [lə'mã...] ⟨nach
der franz. Stadt Le Mans⟩ *der;*
-[e]s, -s: (Motorsport früher)
Start bei Autorennen, bei dem
die Fahrer quer über die Fahrbahn zu ihrem Wagen (mit abge-
stelltem Motor) laufen

Lem|ma ⟨*gr.-lat.*⟩ *das;* -s, -ta: 1.
Stichwort in einem Nachschlagewerk (Wörterbuch, Lexikon). 2.
(veraltet) Überschrift, Motto als
Inhaltsanzeige eines Werkes. 3.
a) Hilfssatz, der im Verlaufe einer Beweisführung gebraucht
wird (Math.; Logik); b) Vorder-
satz eines Schlusses (altgriech.
Philos.). **lem|ma|ti|sie|ren** ⟨*gr.-
lat.-nlat.*⟩: 1. zum Stichwort (in
einem Nachschlagewerk) machen. 2. mit Stichwörtern versehen [u. entsprechend ordnen]

Lem|ming ⟨*dän.*⟩ *der;* -s, -e: zu den
Wühlmäusen gehörendes Nage-
tier

Lem|nis|ka|te ⟨*gr.-lat.*⟩ *die;* -, -n:
ebene algebraische Kurve vierter
Ordnung von der Form einer liegenden Acht

Lem|pi|ra ⟨*indian.-span.;* nach
dem Namen eines Indianer-
häuptlings⟩ *die;* -, -s (aber: 5 -):
Währungseinheit in Honduras

Le|mur ⟨*lat.*⟩ *der;* -en, -en u. **Le-
mu|re** ⟨*lat.*⟩ *der;* -n, -n (meist Plural):
1. (nach altröm. Glauben) Geist
eines Verstorbenen; Gespenst. 2.
(auf Madagaskar heimischer)
Halbaffe mit dichtem, weichem
Fell, langem Schwanz u. langen
Hinterbeinen. **le|mu|ren|haft:**
gespenstisch. **Le|mu|ria** ⟨*lat.-
nlat.*⟩ *die;* -: früher zur Deutung
der Verbreitung der Lemuren (2)
für die Triaszeit vermutete
Landmasse zwischen Vorderin-
dien u. Madagaskar (Geol.). **le-**

mu|risch: a) zu den Lemuren (1)
gehörend; b) ↑ lemurenhaft

Le|nä|en ⟨*gr.*⟩ *die* (Plural): Fest im
alten Athen zu Ehren des Gottes
Dionysos mit Aufführungen von
Tragödien u. Komödien

Le|nes: *Plural* von ↑ ¹Lenis. **Le-
nie|rung** ⟨„Milderung"⟩ *die;* -:
Schwächung von Konsonanten,
bes. in den keltischen Sprachen

Le|ni|nis|mus ⟨*nlat.*⟩ *der;* -: der
von Lenin (1870–1924) beeinflusste u. geprägte ↑ Marxismus.
Le|ni|nist *der;* -en, -en: Anhän-
ger, Vertreter des Leninismus.
le|ni|nis|tisch: den Leninismus
betreffend, im Sinne des Leninismus

¹Le|nis ⟨*lat.*⟩ *die;* -, Lenes [...ne:s]:
mit schwachem Druck u. unge-
spannten Artikulationsorganen
gebildeter Laut (z. B. *b, w*;
Sprachw.); Ggs. ↑ Fortis. **²Le|nis**
der; -, -: ↑ Spiritus lenis. **le|ni|sie-
ren** ⟨*lat.*⟩: weich, stimmhaft werden (von Konsonanten;
Sprachw.). **le|ni|tiv:** ↑ lenierns.
Le|ni|ti|vum ⟨*lat.-nlat.*⟩ *das;* -s,
...va: mildes Abführmittel
(Med.)

len|ta|men|te ⟨*lat.-it.*⟩: langsam
(Vortragsanweisung; Mus.). **len-
tan|do** u. slentando: nachlas-
send, zögernd. nach u. nach
langsamer (Vortragsanweisung;
Mus.). **len|tan|do** *das;* -s, -s u.
...di: nachlassendes, zögerndes,
nach u. nach langsamer werden-
des Zeitmaß. **len|te|ment** [lãt-
'mã] ⟨*lat.-fr.*⟩: langsam (Vortragsanweisung; Mus.)

Len|ti|go ⟨*lat.*⟩ *die;* -, ...tigines
[...ne:s]: kleines, rundliches,
braunes bis tiefschwarzes, etwas
vorspringendes Muttermal
(Med.). **len|ti|ku|lar** u. **len|ti|ku-
lär:** (Med.) 1. linsenförmig. 2.
zur Linse des Auges gehörend.
Len|ti|ku|la|ris|wol|ke ⟨*lat.; dt.*⟩
die; -, -n: linsenförmige Wolke
(Meteor.). **Len|ti|zel|len** ⟨*lat.-
nlat.*⟩ *die* (Plural): dem Gasaus-
tausch dienende, nach außen
warzenförmige Erhebungen bildende Kanäle in der Kork-
schicht von Holzgewächsen

len|to ⟨*lat.-it.*⟩: langsam; **lento as-
sai** od. **di molto:** sehr langsam;
non lento: nicht zu langsam,
nicht schleppend (Vortragsan-
weisungen; Mus.). **Len|to** *das;*
-s, -s u. ...ti: langsames, gedehn-
tes Zeitmaß. **Len|to|form** *die;* -,
-en: beim langsamen Sprechen
verwendete volle Form (z. B.: *ob*
es statt *ob's;* Sprachw.)

Le|o|ni|den ⟨*lat.-nlat.*⟩ *die* (Plural): im November sichtbarer periodischer Meteorstrom **¹le|o|ni|nisch** ‹nach einem mittelalterlichen Dichter namens Leo od. nach einem Papst Leo› in der Fügung **leoninische Vers:** Hexameter od. Pentameter, dessen Mitte u. Versende sich reimen **²le|o|ni|nisch** ‹„zum Löwen gehörend“, nach einer Fabel Äsops› in der Fügung **leoninischer Vertrag:** Vertrag, bei dem der eine Partner allen Nutzen hat **le|o|nisch** ‹nach der span. Stadt León›: mit Metallfäden umwickelt od. umsponnen **Le|on|to|po|di|um** ‹gr.-nlat.› das; -[s]: Edelweiß. **Le|o|pard** ‹lat.› der; -en, -en: asiat. u. afrik. Großkatze mit meist fahlgelbem bis rötlich gelbem Fell mit schwarzen Ringelflecken **Le|o|tard** [lɪə'ta:d] ‹engl.› das; -s, -s: (veraltet) einteiliges, eng anliegendes [ärmelloses] Trikot (für Artisten o. Ä.) **le|pi|do|blas|tisch*** ‹gr.›: (von Gesteinen) aus blättchen- od. schuppenförmigem Material aufgebaut. **Le|pi|do|den|d|ron** ‹gr.-nlat.› das; -s, ...ren: (ausgestorbener, bes. im Karbon häufiger) Baum; Schuppenbaum. **Le|pi|do|lith** [auch: ...'lɪt] der; -s u. -en, -e[n]: in schuppiger od. blättriger Form vorkommendes zartrotes, weißes od. graues Mineral **Le|pi|do|me|lan** der; -s, -e: tiefschwarzer, eisenreicher Glimmer. **Le|pi|dop|te|ren** die (Plural): Schmetterlinge. **Le|pi|dop|te|ro|lo|ge** der; -n, -n: Fachmann, Wissenschaftler auf dem Gebiet der Lepidopterologie. **Le|pi|dop|te|ro|lo|gie** die; -: Schmetterlingskunde **Le|po|rel|lo** ‹nach einer Operngestalt bei Mozart› das; auch: der; -s, -s: ↑Leporelloalbum. **Le|po|rel|lo|al|bum** das; -s, ...ben: harmonikaartig zusammengefaltete Bilderreihe (z. B. Ansichtskartenreihe, Bilderbuch) **Le|p|ra*** ‹gr.-lat.› die; -: in den Tropen u. Subtropen verbreitete Infektionskrankheit, die bes. zu entstellenden Veränderungen der Haut führt; Aussatz (Med.). **Le|p|rom** ‹gr.-nlat.› das; -s, -e: Knotenbildung bei Lepra; Lepraknoten (Med.). **le|p|rös** u. **le|p|rös** ‹gr.-lat.› an Lepra leidend, aussätzig (Med.). **Le|p|ro|so|ri|um** ‹gr.-vulgärlat.› das; -s, ...ien (veraltet): 1. Krankenhaus zur Pflege Leprakranker. 2. Sied-

lung, Dorf od. Kolonie, in der Leprakranke isoliert sind u. medizinisch versorgt werden **Lep|ta:** Plural von ↑ ¹Lepton. **lep|to|ke|phal** usw. vgl. leptozephal usw. **Lep|to|me|nin|gi|tis** die; -, ...iti|den: Entzündung der weichen Hirnhaut (Med.). **Lep|to|me|ninx** die; -: weiche Hirnbzw. Rückenmarkshaut (Med.). **lep|to|morph:** ↑leptosom. **¹Lep|ton** ‹gr.› das; -s, Lepta: 1. Währungseinheit in Griechenland. 2. a) sehr kleines altgriechisches Gewicht; b) kleine altgriechische Münze. **²Lep|ton** ‹gr.-nlat.› das; -s, ...onen: Elementarteilchen mit halbzahligem Spin (Phys.). **lep|to|som:** schmal-, schlankwüchsig (Med.). **Lep|to|so|me** der u. die; -n, -n: Mensch mit schlankem, Körperbau u. schmalen, längeren, zartknochigen Gliedmaßen (Med.). **Lep|to|spi|re*** die; -, -n: Krankheiten auslösende Schraubenbakterie (Med.). **Lep|to|spi|ro|se*** die; -, -n: durch Leptospiren hervorgerufene meldepflichtige Infektionskrankheit (Med.). **Les|be** die; -, -n: (Eigenbez.; ugs.) Lesbierin. **Les|bi|a|nis|mus** ‹nach der Insel Lesbos› der; -: ↑Homosexualität bei Frauen. **Les|bi|e|rin** die; -, -nen: lesbische Frau. **les|bisch:** (in Bezug auf Frauen) homosexuell **Les|gin|ka** ‹russ.› die; -, -s: kaukasischer Tanz **Les|ley** u. **Les|lie** ['lɛzlɪ] ‹engl.› das; -s, -s: (bes. bei moderner Unterhaltungsmusik verwendetes) hauptsächlich durch Schallumlenkung mithilfe rotierender Lautsprecher od. einer zwischen schnell u. langsam umschaltbaren rotierenden Trommel bewirktes Vibrato **Les|te** ‹span.› der; -: warmer Wüstenwind aus der Sahara in Richtung der Kanarischen Inseln **les|to** ‹it.›: flink, behänd (Vortragsanweisung; Mus.) **le|tal** ‹lat.›: zum Tode führend, tödlich, todbringend (Med.). **Le|tal|do|sis** die; -, ...sen: bestimmte Menge schädigender Substanzen, die tödlich ist (Med.). **Le|tal|fak|tor** der; -s, -en: Mutation, die zum Tod des Embryos, seltener auch des geborenen Kindes führt (Med.). **Le|ta|li|tät** ‹lat.-nlat.› die; -: Wahrscheinlichkeit, an einer Krankheit zu sterben **Le|t|har|gie** ‹gr.-lat.› die; -: 1. krankheitsbedingte Schlafsucht mit Bewusstseinsstörungen (z. B. bei Vergiftungen; Med.). 2.

körperliche u. seelische Trägheit; Gleichgültigkeit, Teilnahmslosigkeit. **le|t|har|gisch:** 1. schlafsüchtig. 2. körperlich u. seelisch träge; leidenschaftslos, teilnahmslos, gleichgültig. **Le|the** ‹Unterweltsfluss der griechischen Sage› die; -: (dichter.) Vergessenheitstrank, Vergessenheit **Let|kiss** ‹finn.-engl.› der; -, -: Modetanz der späten 60er-Jahre mit folkloristischem Charakter **Let|ter** ‹lat.-fr.› die; -, -n: 1. Druckbuchstabe. 2. Drucktype. **Let|ter|set|druck** der; -[e]s: Hochdruckverfahren, bei dem der Abdruck zunächst auf einem Gummizylinder u. von hier auf das Papier erfolgt (Druckw.) **Let|t|ris|me*** [lɛ'trɪsm(ə)] u. **Lett|ris|mus** ‹fr.› der; -: (1945 in Paris gegründete) literarische Bewegung, für die in Weiterführung des ↑Dadaismus u. des ↑Surrealismus Dichtung nur im Klang willkürlich aneinander gereihter Vokale u. Konsonanten bestand. **Let|t|rist** der; -en, -en: Vertreter, Anhänger des Lettrismus. **lett|ris|tisch:** den Lettrismus betreffend; in der Art des Lettrismus **Leu** ‹lat.-rumän.› „Löwe“› der; -, Lei: rumänische Währungseinheit **Leu|cit** [auch: ...'tsɪt] der; -s, -e: graues od. weißes, zu den Feldspatvertretern gehörendes Mineral. **Leu|kä|mie*** ‹gr.-nlat.› „Weißblütigkeit“› die; -, ...ien: bösartige Erkrankung mit Überproduktion von weißen Blutkörperchen; Blutkrebs (Med.). **leu|kä|misch:** (Med.) a) die Leukämie betreffend; b) an Leukämie leidend; c) an Leukämie leidend. **Leu|ko|ba|se** ‹gr.-nlat.› die; -, -n: chemische Verbindung zur Herstellung künstlicher Farbstoffe. **Leu|ko|derm** das; -s, ...men: das Auftreten rundlicher weißer Flecken in der Haut (Med.). **leu|ko|derm:** (von der Haut) pigmentarm, hellhäutig (Med.); Ggs. ↑melanoderm. **leu|ko|krat:** von bestimmten Erstarrungsgesteinen) überwiegend helle Bestandteile (wie Quarz, Feldspat u. a.) aufweisend u. deshalb hell erscheinend (Geol.); Ggs. ↑melanokrat. **Leu|ko|ly|sin** ‹gr.-nlat.› das; -s, -e (meist Plural): Substanz, die den Abbau u. die Auflösung der weißen Blutkörperchen bewirkt (Med.).

Leu|kom *das;* -s, -e: weiße Narbe auf der Hornhaut des Auges (Med.). **Leu|ko|me|lal|gie** *die;* -, ...ien: anfallsweises Auftreten von Kälte u. Blässe der Haut (Med.). **Leu|ko|me|ter** *das;* -s, -: Messgerät zur Bestimmung des Reflexionsgrades heller Objekte bzw. Stoffe (Techn.). **Leu|ko|ny|chie** *die;* -, ...ien: [teilweise] Weißfärbung der Nägel (Med.). **Leu|ko|pa|thie** *die;* -, ...ien: ↑Albinismus. **Leu|ko|pe|de|se** *die;* -, -n: ↑Diapedese. **Leu|ko|pe|nie** *die;* -, ...ien: krankhafte Verminderung der weißen Blutkörperchen (Med.). **Leu|ko|pla|kie** *die;* -, ...ien: das Auftreten weißlicher Flecke, Verdickungen an der Schleimhaut (Med.). **¹Leu|ko|plast*** *⟨gr.-nlat.⟩ der;* -en, -en: farbloser Bestandteil der pflanzlichen Zelle. **²Leu|ko|plast ®** *das;* -[e]s, -e: Zinkoxid enthaltendes Heftpflaster ohne Mullauflage.

Leu|ko|po|e|se *⟨gr.-nlat.⟩ die;* -: Bildung weißer Blutkörperchen (Med.). **leu|ko|po|e|tisch:** die Leukopoese betreffend; weiße Blutkörperchen bildend (Med.). **Leu|kor|rhö** *die;* -, -en u. **Leu|kor|rhöe** [...'rø:] *die;* -, -n [...'rø:ən]: Übermaß an weißlichem Scheidensekret (Med.). **leu|kor|rhö|isch:** die Leukorrhö betreffend. **Leu|ko|to|xin** *das;* -s, -e: beim Zerfall weißer Blutkörperchen entstehender giftiger Stoff (Med.). **Leu|ko|tri|cho|se** *die;* -: das Weißwerden der Haare (Med.). **Leu|ko|zyt** *der;* -en, -en (meist Plural): weißes Blutkörperchen (Med.). **Leu|ko|zy|to|se** *die;* -: krankhafte Vermehrung der weißen Blutkörperchen (Med.). **Leu|ko|zy|tu|rie*** *die;* -, ...ien: Ausscheidung weißer Blutkörperchen mit dem Harn

Leut|nant *⟨lat.-mlat.-fr.⟩ der;* -s, -s (selten: -e): Offizier der untersten Rangstufe; Abk.: Lt.

Leu|zis|mus *⟨gr.-nlat.⟩ der;* -: unerwünschte Weißfärbung des Haarkleides bei Hunden, wobei im Unterschied zum Albinismus die Augen normal gefärbt bleiben. **Leu|zi|to|e|der** *das;* -s, -: ↑Ikositetraeder

Le|va|de *⟨lat.-fr.⟩ die;* -, -n: das Sichaufrichten des Pferdes auf der Hinterhand als Figur der hohen Schule

Le|val|loi|si|en [ləvaloa'ʒjɛ̃:] *⟨fr.;* nach Levallois-Perret, einer Pariser Vorstadt⟩ *das;* -[s]: Stufe der Altsteinzeit

Le|van|te *⟨lat.-it.⟩ die;* -: (veraltet) die Mittelmeerländer östlich von Italien. **Le|van|ti|ne** *die;* -: dichtes Gewebe aus Chemiefasern in Köperbindung, bes. für Steppdeckenbezüge, als Futter- u. Kleiderstoff. **Le|van|ti|ner** *der;* -s, -: in der Levante geborener u. aufgewachsener Abkömmling eines Europäers u. einer Orientalin. **le|van|ti|nisch:** die Levante od. die Levantiner(innen) betreffend. **Le|va|tor** *⟨lat.⟩ der;* -s, ...oren: Muskel mit Hebefunktion; Hebemuskel (Anat., Med.).

Le|vee *⟨lat.-fr.⟩ die;* -, -s: (veraltet) Aushebung von Rekruten **Le|vel** ['lɛvl] *⟨lat.-engl.⟩ der;* -s, -s: erreichtes Niveau, Leistungsstand, Rang, Stufe. **Le|vel|ler** ['lɛvələ] *⟨„Gleichmacher"⟩ der;* -s, -s (meist Plural): Angehöriger einer radikalen demokratischen Gruppe (zur Zeit Cromwells) mit dem Streben nach völliger bürgerlicher u. religiöser Freiheit **Le|ver** [lə've:] *⟨lat.-fr.⟩ das;* -s, -s: (hist.) Audienz am Morgen, Morgenempfang bei einem Fürsten. **Le|ver|sze|ne** *die;* -, -n: das Erwachen u. Aufstehen am Morgen darstellende Szene in der Komödie

Le|vi|a|than, (ökum.) Leviatan [auch: ...'ta:n] *⟨hebr.-mlat.⟩ der;* -s, -e [...'ta:nə]: 1. (ohne Plural) Ungeheuer (Drache) der altoriental. Mythologie (auch im A. T.). 2. (ohne Plural) Symbol für den allmächtigen Staat bei dem englischen Philosophen Hobbes (17. Jh.). 3. Waschmaschine für die Entfettung u. Reinigung von Wolle (Textilw.) **Le|vi|rat** *das;* -[e]s, -e u. **Le|vi|rats|ehe** *⟨lat.-mlat.; dt.⟩ die;* -, -n: Ehe eines Mannes mit der Frau seines kinderlos verstorbenen Bruders (zum Zwecke der Zeugung eines Erben für den Verstorbenen; im A. T. u. bei Naturvölkern)

Le|vit *⟨hebr.-gr.-mlat.; nach dem jüd. Stamm Levi⟩ der;* -en, -en: 1. Tempeldiener im A. T. 2. (nur Plural) (kath. Kirche früher) Diakon u. Subdiakon als Assistenten des Priesters beim feierlichen Hochamt **Le|vi|ta|ti|on** *⟨lat.-nlat.⟩ die;* -, -en: freies Schweben eines Körpers im Raum (als Traumerlebnis od. als parapsychologische Erscheinung) **Le|vi|ten** *⟨hebr.-gr.-mlat.; nach dem jüd. Stamm Levi⟩* in der Wendung **jmdm. die Leviten le-**

sen: (ugs.) jmdn. wegen seines tadelnswerten Verhaltens zur Rede stellen u. ihn mit Nachdruck auf seine Pflichten usw. hinweisen (ursprünglich nach den Verhaltensvorschriften des Levitikus) **le|vi|tie|ren** *⟨lat.-nlat.⟩:* (Parapsychol.) a) sich erheben lassen, frei schweben lassen; b) sich erheben u. frei schweben **Le|vi|ti|kus** *der;* -: lat. Bezeichnung des 3. Buchs Mose im A. T. **le|vi|tisch:** auf die Leviten (1, 2) bezüglich **Le|vit|town** ['lɛvɪttaun] *⟨nach der nach A. S. Levitt benannten Stadt Levittown im Bundesstaat New York⟩ die;* -, -s (meist Plural): in den Außenbezirken amerikanischer Großstädte errichtete, große Wohnsiedlung aus einheitlichen Fertighäusern **Lev|koie** [lɛf'kɔyə] *⟨gr.-ngr.⟩ die;* -, -n: (älter für:) Levkoje. **Lev|ko|je** *die;* -, -n: Pflanze mit länglichen, blassgrünen Blättern u. weiß bis violett gefärbten, meist stark duftenden Blüten in Trauben u. frei schweben

Lew *⟨lat.-bulgar.⟩ der;* -[s], Lewa: bulgarische Währungseinheit **Le|wi|sit** [auch: lui...] *⟨nach dem amerik. Chemiker W. L. Lewis (1878–1943)⟩ das;* -s, -e: flüssiger chemischer Kampfstoff, der schmerzhafte Hautrötungen mit Blasenbildung verursacht

Lex *⟨lat.⟩ die;* -, Leges ['le:ge:s]: aus bestimmtem Anlass erlassenes Gesetz, das (unter Anspielung auf die römische Gesetzgebung) mit dem Namen des Antragstellers od. der betreffenden Sache versehen wird (z. B. Lex Heinze) **Lex.-8°:** ↑Lexikonoktav; ↑Lexikonformat. **Le|xem** *⟨gr.-russ.⟩ das;* -s, -e: Einheit des Wortschatzes, die die begriffliche Bedeutung trägt (Sprachw.). **Le|xe|ma|tik** *die;* -: Lehre von den Lexemen. **le|xe|ma|tisch:** die Lexematik betreffend **Lex ge|ne|ra|lis** *⟨lat.⟩ die;* -, Leges ...les [le:ge:s ...le:s]: allgemeines Gesetz; vgl. Lex specialis **le|xi|gra|phisch,** auch: lexigrafisch *⟨gr.-nlat.⟩* (selten): ↑lexikographisch. **Le|xik** *die;* -: Wortschatz einer Sprache. **Le|xi|ka** Plural von ↑Lexikon. **le|xi|kal** u. **le|xi|ka|lisch:** a) die Wörterbuch betreffend; b) die vom Kontext weitgehend unabhängige Bedeutung eines Wortes betreffend; vgl. ...isch/-. **le|xi|ka|li|sie**

ren: als ein neues Lexem festlegen, zum festen inhaltlich-begrifflichen Bestandteil der Sprache machen (Sprachw.). **Le|xi|ka|li|sie|rung** die; -en, -en (Sprachw.): a) das Lexikalisieren; b) lexikalisiertes Wort. **Le|xi|ken**: *Plural* von ↑Lexikon. **Le|xi|ko|graph,** auch: Lexikograf ⟨gr.⟩ der; -en, -en: Verfasser, Bearbeiter [einzelner Artikel] eines Wörterbuchs od. Lexikons. **Le|xi|ko|gra|phie,** auch: Lexikografie die; -: [Wissenschaft von der] Aufzeichnung u. Erklärung des Wortschatzes in Form eines Wörterbuchs. **le|xi|ko|gra|phisch,** auch: lexikografisch: die Lexikographie betreffend. **Le|xi|ko|lo|ge** ⟨gr.-nlat.⟩ der; -n, -n: Wissenschaftler auf dem Gebiet der Lexikologie. **Le|xi|ko|lo|gie** die; -: Bereich der Sprachwissenschaft, der sich mit der Erforschung des Wortschatzes (bes. mit der Struktur des Wortschatzes) befasst [u. die theoretischen Grundlagen für die Lexikographie schafft]. **le|xi|ko|lo|gisch**: die Lexikologie betreffend. **Le|xi|kon** ⟨gr.⟩ das; -s, ...ka u. ...ken: 1. nach Stichwörtern alphabetisch geordnetes Nachschlagewerk für alle Wissensgebiete od. für ein bestimmtes Sachgebiet. 2. (veraltet) Wörterbuch. 3. (Sprachw.) a) Gesamtheit der selbstständigen bedeutungstragenden Einheiten einer Sprache; Wortschatz im Unterschied zur Grammatik einer Sprache; b) (in der generativen Grammatik) Sammlung der Lexikoneinträge einer Sprache. **Le|xi|kon|for|mat** ⟨gr.-lat.⟩ das; -[e]s, -e u. **Le|xi|kon|ok|tav** a, o: bei Le xika übliches Buchformat von etwa 25 bis 30 cm; Abk.: Lex.-8°. **Le|xi|ko|sta|tis|tik** die; -: a) Erforschung der Sprache in Bezug auf die Häufigkeit des Gebrauchs einzelner Wörter u. Ä.; Sprachstatistik. b) (selten) ↑Glottochronologie. **Le|xi|ko|thek** die; -, -en: Sammlung von verschiedenen Lexika. **le|xisch**: die Lexik betreffend. **Le|xo|thek** die; -, -en: in Rechenanlagen gespeichertes, in Morpheme zerlegtes Wortmaterial, das nach verschiedenen Gesichtspunkten abgerufen, sortiert u. ausgedruckt werden kann **Lex spe|ci|a|lis** [- ...ts...] ⟨lat.⟩ die; - -, Leges ...les [ˈɛɡeːs ...leːs]: Sondergesetz (das Vorrang hat vor dem Lex generalis)

Le|zi|thin, fachspr.: Lecithin ⟨gr.-nlat.⟩ das; -s, -e: als Bestandteil aller Zellen wichtiger, phosphorhaltiger, fettähnlicher Stoff **L'homb|re*** [ˈlõːbrə] ⟨lat.-span.-fr.⟩: ↑Lomber **Li|ai|son** [liɛˈzõ:] ⟨lat.-fr.⟩ die; -, -s: 1. (veraltet) Liebesverhältnis, Liebschaft. 2. im Französischen das Aussprechen eines sonst stummen Konsonanten am Wortende vor einem vokalisch beginnenden Wort. 3. Mischung aus Ei, Sahne u. Butter od. Mehl, Fleischbrühe u. a. zur Herstellung von Soßen, Cremes o. Ä. (Gastr.) **Li|a|ne** ⟨fr.⟩ die; -, -n: bes. für tropische Regenwälder charakteristische Schlingpflanze, die an Bäumen o. Ä. emporklettert u. häufig herabhängende, sehr starke Ausläufer bildet **Li|as** ⟨fr.-engl.-fr.⟩ der od. die; -: älteste Abteilung des ↑²Jura (Geol.) **Li|ba|ti|on** ⟨lat.⟩ die; -, -en: (hist.) [altröm.] Trankspende für die Götter u. die Verstorbenen **Li|bell** ⟨lat.; „Büchlein"⟩ das; -s, -e: 1. (hist.) gerichtliche Klageschrift im alten Rom. 2. Schmähschrift, Streitschrift **Li|bel|le** ⟨lat.; „kleine Waage"⟩ die; -, -n: 1. am Wasser lebendes größeres Insekt mit schlankem Körper u. 2 Paar schillernden Flügeln. 2. Hilfseinrichtung in [Mess]instrumenten zur genauen Horizontal- od. Vertikalstellung. 3. Haarspange bestimmter Art. **¹li|bel|lie|ren** ⟨lat.-nlat.⟩: mit der Libelle (2) nachmessen **²li|bel|lie|ren** ⟨lat.-nlat.⟩: (veraltet) eine Klageschrift verfassen u. bei einer Behörde einreichen. **Li|bel|list** der; -en, -en: Verfasser eines Libells (2). **Li|ber** ⟨lat.⟩ der; -, Libri: lat. Bezeichnung für: Buch **li|be|ral** ⟨lat.(-fr.)⟩: 1. dem Einzelnen wenige Einschränkungen auferlegend, den Selbstverantwortung des Individuums unterstützend, freiheitlich. 2. die Weltanschauung des Liberalismus (1) betreffend, sie vertretend. 3. eine den Liberalismus (1) vertretende ↑Partei (1) betreffend, zu ihr gehörend. **Li|be|ra|le** der u. die; -n, -n: Anhänger(in) einer liberalen (3) Partei, des Liberalismus (1). **li|be|ra|li|sie|ren** ⟨lat.-nlat.⟩: 1. von Einschränkungen freimachen; liberal (1) gestalten. 2. stufenweise

Einfuhrverbote u. -kontingente im Außenhandel beseitigen (Wirtsch.). **Li|be|ra|lis|mus** der; -: 1. im Individualismus wurzelnde, im 19. Jh. in politischer, wirtschaftlicher u. gesellschaftlicher Hinsicht entscheidend prägende Denkrichtung u. Lebensform, die Freiheit, Autonomie, Verantwortung u. freie Entfaltung der Persönlichkeit vertritt u. staatliche Eingriffe auf ein Minimum beschränkt sehen will. 2. liberales (1) Wesen, liberaler Zustand. **Li|be|ra|list** der; -en, -en: Anhänger, Verfechter des Liberalismus (1). **li|be|ra|lis|tisch**: a) den Liberalismus betreffend, auf ihm beruhend; freiheitlich im Sinne des Liberalismus; b) extrem liberal. **Li|be|ra|li|tät** ⟨lat.⟩ die; -: liberales (1) Wesen, Denken; liberale Gesinnung. **Li|be|ra|li|um Ar|ti|um Ma|gis|ter** der; - - -: Magister der freien Künste (Titel mittelalterlicher Universitätslehrer). **Li|be|ra|ti|on** die; -, -en: (veraltet) Befreiung; Entlastung. **Li|be|ro** ⟨lat.-it.; „der Freie"⟩ der; -s, -s: Abwehrspieler ohne unmittelbaren Gegenspieler, der sich aber ins Angriffsspiel einschalten kann (Fußball) **Li|ber pon|ti|fi|ca|lis** ⟨lat.⟩ der; - -: Papstbuch (mittelalterliche Sammlung der ältesten Papstbiographien) **li|ber|tär** ⟨lat.-fr.⟩: extrem freiheitlich; anarchistisch. **Li|ber|tät** die; -s, -en u. 1. (hist.) ständische Freiheit. 2. Freiheit, [beschränkte] Bewegungs- u. Handlungsfreiheit. **Li|ber|té** [...'te:] die; -: Freiheit (Schlagwort der Französischen Revolution); vgl. Egalité, Fraternité. **li|ber|tin** ⟨lat. fr.⟩: (veraltet) zügellos, schrankenlos. **Li|ber|tin** [...'tɛ̃:] der; -s, -s: (veraltet) 1. Freigeist. 2. ausschweifend lebender Mensch, Wüstling. **Li|ber|ti|na|ge** [...ʒə] die; -, -n: Ausschweifung, Zügellosigkeit. **Li|ber|ti|nis|mus** ⟨lat.-nlat.⟩ der; -: Zügellosigkeit. **Li|ber|ty** ⟨lat.-fr.-engl.; „Freiheit"; nach dem Namen einer Londoner Textilfirma⟩ der; -[s]: feines atlasbindiges Gewebe aus Naturseide od. Chemiefasern. **Li|be|rum Ar|bit|ri|um*** ⟨lat.⟩ das; - -: Willens-u. Wahlfreiheit (Philos.) **li|bi|di|nie|ren** ⟨lat.-nlat.⟩: ganz auf die Libido (1) ausrichten (Med.; Psychol.). **Li|bi|di|nist** der; -en, -en: sexuell triebhafter Mensch (Med.; Psychol.). **li|bi|di|nös** ⟨lat.⟩: auf die Libido bezogen, die sexuelle Lust betreffend (Med.; Psychol.). **Li|bi|do** [auch: li'bi:do] *die;* -: auf sexuelle Befriedigung gerichteter Trieb (Med.; Psychol.). **Lib|ra*** ⟨*lat.*⟩ *die;* -, -[s]: 1. altrömisches Gewichtsmaß. 2. früheres Gewichtsmaß in Spanien, Portugal u. Brasilien **Lib|ra|ri|us*** ⟨*lat.*⟩ *der;* -, ...rii: (im alten Rom) Bücherabschreiber [u. Buchhändler] **Lib|ra|ti|on*** ⟨*lat.*⟩ *die;* -, -en: auf der Ungleichförmigkeit der Bahnbewegungen des Mondes, optischen Effekten o.Ä. beruhende, scheinbare teilweise Drehbewegung des Mondes um die eigene Achse nach beiden Seiten (Astron.) **Lib|res|so*** ⟨*lat.-it.*⟩ *das;* -[s], -s: in Österreich Kaffeehaus mit Büchern, Zeitungen u. Zeitschriften. **lib|ret|ti|sie|ren:** in die Form eines Librettos bringen. **Lib|ret|tist** *der;* -en, -en: Verfasser eines Librettos. **Lib|ret|to** *das;* -s, -s u. ...tti: Text[buch] von Opern, Operetten, Singspielen, Oratorien. **Lib|ri:** *Plural* von ↑ Liber

Li|chen [ˈliːçen] ⟨*gr.-lat.*⟩ *der;* -s: Hautflechte; Knötchenflechte (Med.). **Li|che|ni|fi|ka|ti|on** *die;* -, -en: Vergröberung u. Verdickung der Haut, Vertiefung der Hautfurchen mit teilweisem Auftreten von Knötchen (Med.). **Li|che|nin** ⟨*gr.-lat.-nlat.*⟩ *das;* -s, -e: zelluloseähnlicher Stoff in den Zellwänden der Flechten (Bot.). **Li|che|ni|sal|ti|on** *die;* -, -en: ↑ Lichenifikation. **li|che|no|id** ⟨*gr.-nlat.*⟩: flechtenartig, flechtenähnlich (Med.; Biol.). **Li|che|no|lo|ge** *der;* -n, -n: Wissenschaftler auf dem Gebiet der Lichenologie. **Li|che|no|lo|gie** *die;* -: Spezialgebiet der Botanik, das sich mit den Flechten befasst; Flechtenkunde. **Li|che|no|met|rie*** *die;* -: Verfahren zur Altersbestimmung von geologischen Ablagerungen (z.B. Moränen) sowie von vor- u. frühgeschichtlichen Steinbauwerken mithilfe von Flechten **Li|cker** ⟨*engl.*⟩ *der;* -s, -: Fettemulsion, mit der Leder nach dem Gerben eingefettet wird. **li|ckern:** Leder nach dem Gerben mit Licker einfetten **Li|do** ⟨*lat.-it.*⟩ *der;* -s, -s (auch: Lidi): schmaler, lang gestreckter Landstreifen vor einer Küste; Nehrung zwischen Lagune u. offenem Meer

Li|en [auch: liˈeːn] ⟨*lat.*⟩ *der;* -s, Lienes: Milz (Med.). **li|e|nal** ⟨*lat.-nlat.*⟩: die Milz betreffend, zu ihr gehörend (Med.). **Li|e|ni|tis** *die;* -, ...itiden: Milzentzündung (Med.) **Li|en|te|rie** [⟨*gr.-lat.*⟩ *die;* -: Durchfall mit Abgang unverdauter Speisereste (Med.) **Li|er|ne** ⟨*fr.*⟩ *die;* -, -n: Neben- od. Zwischenrippe zur Teilung der Laibungsfläche eines Kreuzgewölbes (Archit.) **Li|eue** [ljøː] ⟨*gall.-lat.-fr.*⟩ *die;* -, -s: altes französisches Längenmaß **Life|is|land,** auch: **Life-Is|land** [ˈlaɪfˌaɪlənd] ⟨*engl.;* „Lebensinsel"⟩ *das;* -[s], -s: steriles Plastikgehäuse, in dem Patient(inn)en für einige Zeit untergebracht werden, wenn ihre körpereigenen Abwehrreaktionen nicht mehr funktionieren; Patientenisolator (Med.). **Life|style** [ˈlaɪfstaɪl] ⟨*engl.*⟩ *der;* -s: Lebensstil; [moderne] charakteristische Art u. Weise, das Leben zu gestalten. **Life|time|sport** [ˈlaɪftaɪm...] ⟨*engl.*⟩ *der;* -s: Sportart, die von Menschen jeder Altersstufe ausgeübt werden kann **¹Lift** ⟨*altnord.-engl.*⟩ *der;* -[e]s -e u. -s: 1. Fahrstuhl, Aufzug. 2. (Plural nur: -e) Skilift, Sessellift. **²Lift** *der* od. *das;* -s, -s: kosmetische Operation zur Straffung der [Gesichts]haut. **Lift|boy** ⟨*engl.*⟩ *der;* -s, -s: junger Fahrstuhlführer. **lif|ten:** 1. einen ²Lift durchführen. 2. mit dem Skilift fahren, den Skilift benutzen. 3. in die Höhe heben, wuchten. **Lif|ter** *der;* -s, -: Person, Unternehmung, die einen ¹Lift (2) betreibt. **Lif|ting** *das;* -s, -s: ²Lift. **Lift|van** [...vɛn] ⟨*engl.-amerik.*⟩ *der;* -[s], -s: Spezialmöbelwagen für Umzüge nach Übersee ohne Umladung **Li|ga** ⟨*lat.-span.*⟩ *die;* -, ...gen: 1. Bund, Bündnis (bes. der kath. Fürsten im 16. u. 17. Jh.). 2. Wettkampfklasse, in der mehrere Vereinsmannschaften eines bestimmten Gebietes zusammengeschlossen sind (Sport). **Li|ga|de** ⟨*lat.-it.-span.*⟩ *die;* -, -n: das Zurseitedrücken der gegnerischen Klinge (Fechten). **Li|ga|ment** ⟨*lat.*⟩ *das;* -[e]s, -e u. **Li|ga|men|tum** *das;* -s, ...ta: festes, sehnenähnliches Band aus Bindegewebe zur Verbindung beweglicher Teile des Knochensystems, bes. an Gelenken (Anat.; Med.) **Li|gan** vgl. Lagan

Li|gand ⟨*lat.*⟩ *der;* -en, -en: Atom, Molekül od. Ion, das in einer chemischen Verbindung höherer Ordnung dem zentralen Atom od. Ion angelagert ist. **Li|ga|se** *die;* -, -n: Enzym, das eine Verknüpfung von zwei Molekülen katalysiert. **li|ga|to:** ↑ legato. **Li|ga|tur** *die;* -, -en: 1. a) Buchstabenverbindung auf einer Drucktype (z.B. ff, æ; Druckw.); b) das Zusammenziehen von Buchstaben in der Schrift (das ein flüssigeres Schreiben ermöglicht). 2. (Musik) a) Zusammenfassung mehrerer (auf einer Silbe gesungener) Noten zu Notengruppen in der Mensuralmusik des 13. bis 16. Jh.s; b) das Zusammenbinden zweier Noten gleicher Tonhöhe mit dem Haltebogen zu einem Ton über einen Takt od. einen betonten Taktteil hinweg (zur Darstellung einer Synkope 3) 3. Unterbindung von Blutgefäßen mithilfe einer Naht (z.B. bei einer Operation; Med.). **Li|gen:** *Plural* von ↑ Liga **Li|ger** ⟨Kunstw. aus *engl.* lion = Löwe u. tiger = Tiger⟩ *der;* -s, -: Bastard aus der Kreuzung eines Löwenmännchens mit einem Tigerweibchen (Zool.); vgl. Tigon **light** [laɪt] ⟨*engl.*⟩: (in Bezug auf Nahrungs- u. Genussmittel) weniger von dem Inhaltsstoff enthaltend, der gesundheitsschädlich od. -gefährdend sein kann; leicht **Light|show** [ˈlaɪtʃoʊ] ⟨*engl.*⟩ *die;* -, -s: a) Darbietung von Lichteffekten und anderen optischen Effekten zur Verstärkung der Wirkung von Popmusiktiteln (bei Konzerten, Tanzveranstaltungen, in Diskotheken usw.); b) Anlage, die eine Lightshow (a) liefert **li|gie|ren** ⟨*lat.-it.*⟩: die gegnerische Klinge zur Seite drücken (Fechten). **Li|gist** ⟨*lat.-span.-nlat.*⟩ *der;* -en, -en: Angehöriger einer Liga (2). **li|gis|tisch:** zur Liga gehörend **lig|ni|kol*** ⟨*lat.*⟩: in Holz lebend (z.B. von Holzwespen, Bockkäfern). **Lig|ni|kul|tur** ⟨*lat.-nlat.*⟩ *die;* -, -en: Holzanbau außerhalb des Waldes. **Lig|nin** *das;* -s, -e: Verholzung bewirkender, farbloser, fester Stoff, der neben der Zellulose wichtigster Bestandteil des Holzes ist; Holzstoff. **Lig|nit** [auch: ...ˈnɪt] *das;* -s, -e: 1. junge Braunkohle mit noch sichtbarer Holzstruktur. 2. ↑ Xylit (2). **lig|ni|vor:** Holz fressend; sich von

Holz ernährend. **Lig|ni|vo|re** *der;* -n, -n: zu den Pflanzenfressern gehörendes Tier, das an od. in Holz lebt u. sich von Holz ernährt; Xylophage. **Lig|no|se** *die;* -: 1. ↑Zellulose. 2. früher gebräuchlicher Sprengstoff aus Nitroglyzerin u. nitriertem Holzmehl **Lig|ro|in*** ⟨Kunstwort⟩ *das;* -s: als Verdünnungs od. Lösungsmittel verwendetes Leichtöl, das Bestandteil des Erdöls ist **Ligue** [lig] ⟨*lat.-it.-fr.*⟩ *die;* -, -s [lig]: ↑Liga (1) **Li|gu|la** ⟨*lat.*⟩ *die;* -, ...lae [...le]: 1. bei vielen Gräsern der Sprossachse eng anliegendes, dünnes, durchsichtiges Blättchen, Blatthäutchen. 2. Riemenwurm; Bandwurm bei Fischen u. Vögeln **Li|gu|o|ri|a|ner** ⟨nach dem hl. Alfons von Liguori⟩ *der;* -s, -: ↑Redemptorist **Li|gus|ter** ⟨*lat.*⟩ *der;* -s, -: häufig in Zierhecken angepflanzter Strauch mit weißen Blütenrispen u. schwarzen Beeren **li|ie|ren,** sich ⟨*lat.-fr.*⟩: a) ein Liebesverhältnis mit jmdm. beginnen; b) eine Geschäftsverbindung eingehen; mit jmdm. [geschäftlich] zusammenarbeiten. **Li|ier|te** *der* u. *die;* -n, -n: (veraltet) Vertraute[r]. **Li|ie|rung** *die;* -, -en: enge [geschäftliche] Verbindung **Like|li|hood** ['lɔɪklɪhʊd] ⟨*engl.;* „Wahrscheinlichkeit"⟩ *die;* -: Maß, das die Wahrscheinlichkeit verschiedener unbekannter Werte eines Parameters (1) angibt (Statistik) **Li|kör** ⟨*lat.-fr.*⟩ *der;* -s, -e: süßes alkoholisches Getränk aus Branntwein mit Zucker[lösung] u. aromatischen Geschmacksträgern **Lik|tor** ⟨*lat.*⟩ *der;* -s, ...oren: (hist.) Amtsdiener als Begleiter hoher Beamter im alten Rom, Träger der ↑Faszes. **Lik|to|ren|bün|del** *das;* -s, -: ↑Faszes **Li|kud|block** ⟨*hebr.;* „Einigung, Zusammenfassung"⟩ *der;* -[e]s: Bündnis von fünf Parteien in Israel **li|la** ⟨*sanskr.-pers.-arab.-span.-fr.*⟩: 1. fliederblau, hellviolett. 2. (ugs.) mittelmäßig. **Li|la** *das;* -s: lila Farbe. **Li|li|a|ze|en** ⟨*lat.*⟩ *die* (Plural): systematische Sammelbezeichnung für alle Liliengewächse. **Li|lie** *die;* -, -n: stark duftende Gartenpflanze mit schmalen Blättern u. trichterförmigen od. fast glocki-

gen Blüten in vielen Arten (z. B. Tigerlilie, Türkenbund) **Li|li|put** ⟨nach „Lilliput", dem Zwergenland in „Gullivers Reisen" von J. Swift, 1667-1745⟩ -s: Märchenland, dessen Bewohner winzig klein sind. **Li|li|pu|ta|ner** *der;* -s, -: (veraltend) kleinwüchsiger Mensch. **li|li|pu|ta|nisch:** winzig klein **Li|ma|ko|lo|gie** ⟨*gr.-nlat.*⟩ *die;* -: (veraltet) [Nackt]schneckenkunde **Li|man** ⟨*gr.-türk.-russ.*⟩ *der;* -s, -e: lagunenartiger Strandsee an der Küste des Schwarzen u. des Kaspischen Meeres **Lim|ba** ⟨*afrik.*⟩ *das;* -s: aus dem tropischen Westafrika stammendes gelb- bis grünlich braunes Holz, das häufig als Furnierholz verwendet wird **Lim|bi:** *Plural* von ↑Limbus. **Iim|bisch:** in der Fügung: **limbisches System:** Randgebiet zwischen Großhirn u. Gehirnstamm, das die hormonale Steuerung u. das vegetative Nervensystem beeinflusst u. von dem gefühlsmäßige Reaktionen auf Umweltreize ausgehen (Med.) **Lim|bo** ⟨*karib.*⟩ *der;* -s, -s: akrobatischer Tanz westindischer Herkunft, bei dem sich der/die Tanzende rückwärts beugt u. mit schiebenden Tanzschritten unter einer Querstange hindurchbewegt, die nach jedem gelungenen Durchgang niedriger gestellt wird **Lim|bus** ⟨*lat.;* „Rand"⟩ *der;* -, ...bi: 1. (ohne Plural) nach traditioneller, heute weitgehend aufgegebener katholischer Lehre der Vorhölle als Aufenthaltsort der vorchristlichen Gerechten u. der ungetauften gestorbenen Kinder. 2. oberer, nicht verwachsener Teil einer Blüte (Bot.). 3. Gradkreis, Teilkreis an Winkelmessinstrumenten (Techn.) **Li|me|rick** ⟨*engl.;* nach der gleichnamigen irischen Stadt⟩ *der;* -[s], -s: 1. nach festliegendem Reimschema verfasstes fünfzeiliges Gedicht von ironischem od. grotesk-komischem Inhalt. 2. in der Mode des 17. Jh.s Handschuh aus dem Fell ungeborener Kälber. **Li|me|ri|cken:** Limericks (1) verfassen **Li|mes** ⟨*lat.*⟩ *der;* -, -: 1. (ohne Plural) (hist.) von den Römern angelegter Grenzwall (vom Rhein bis zur Donau). 2. mathematischer Grenzwert, dem eine Zahlenfolge zustrebt; Abk.: lim

Li|met|ta vgl. Limette. **Li|met|te** ⟨*pers.-arab.-provenzal.-fr.-nlat.*⟩ *die;* -, -n: dünnschalige westindische Zitrone **li|mi|kol** ⟨*lat.*⟩: (von Tieren) im Schlamm lebend (Biol.) **Li|mit** ⟨*lat.-fr.-engl.*⟩ *das;* -s, -s, auch: -e: 1. Grenze, die räumlich, zeitlich, mengen- od. geschwindigkeitsmäßig nicht über- bzw. unterschritten werden darf. 2. (Wirtsch.) obere od. untere Preisgrenze (für ein Geschäft). 3. a) für die Qualifikation festgelegte Mindestleistung (Sport); b) Grenze der jeweiligen Gewichtsklasse (Boxen). **Li|mi|ta|ti|on** ⟨*lat.*⟩ *die;* -, -en: Begrenzung, Einschränkung. **li|mi|ta|tiv** ⟨*lat.-nlat.*⟩: begrenzend, einschränkend; **limitatives Urteil:** Satz, der der Form nach bejahend, dem Inhalt nach verneinend ist (Philos.). **Li|mi|te** ⟨*lat.-fr.*⟩ *die;* -, -n (schweiz.) Limit. **li|mi|ted** ['lɪmɪtɪd] ⟨*lat.-fr.-engl.*⟩: Zusatz bei Handelsgesellschaften mit beschränkter Haftung in Großbritannien (Wirtsch.); Abk.: Ltd., lim., Lim. od. Ld. **li|mi|tie|ren** ⟨*lat.*⟩: begrenzen, einschränken **lim|ni|kol** ⟨*gr.; lat.-nlat.*⟩: (von Organismen) im Süßwasser lebend (Biol.). **Lim|ni|me|ter** ⟨*gr.-nlat.*⟩ *das;* -s, -: Pegel zum Messen u. selbstständigen Aufzeichnen des Wasserstandes (z. B. eines Sees). **lim|nisch:** 1. (von Pflanzen u. Tieren) im Süßwasser lebend od. entstanden (Biol.); Ggs. ↑terrestrisch (2 a), marin (2). 2. in Süßwasser abgelagert (von Kohlenlagern; Geol.). **Lim|no|gramm** *das;* -s, -e: Aufzeichnung des Wasserstandes durch ein Limnimeter. **Lim|no|graph** auch: Limnograf *der;* -en, -en: ↑Limnimeter. **Lim|no|lo|ge** *der;* -n, -n: Wissenschaftler auf dem Gebiet der Limnologie. **Lim|no|lo|gie** *die;* -: Seenkunde. **lim|no|lo|gisch:** die Limnologie betreffend; auf Binnengewässer bezogen. **Lim|no|plank|ton** *das;* -s: das ↑Plankton des Süßwassers **Li|mo|na|de** ⟨*pers.-arab.(-it.-)fr.*⟩ *die;* -, -n: alkoholfreies Getränk aus Obstsaft, -sirup od. künstlicher Essenz, Zucker u. Wasser, meist mit Zusatz von Kohlensäure. **Li|mo|ne** ⟨*pers.-arab.-it.*⟩ *die;* -, -n: 1. (selten) Zitrone (Frucht). ↑Limette. **Li|mo|nen** ⟨*pers.-arab.-it.-nlat.*⟩ *die;* -s, -e: zitronenartig riechender flüssiger

Kohlenwasserstoff, der in vielen ätherischen Ölen enthalten ist

Li|mo|nit [auch: ...'nɪt] ⟨gr. -nlat.⟩ der; -s, -e: Brauneisenstein

li|mos u. **li|mös** ⟨lat.-nlat.⟩: schlammig, sumpfig (Biol.)

Li|mo|si|ner E|mail ⟨nach der franz. Stadt Limoges⟩ das; - -s: ein (bes. im 15. u. 16. Jh.) in Limoges hergestelltes Maleremail

Li|mou|si|ne [limu...] ⟨fr.; nach der franz. Landschaft Limousin⟩ die; -, -n: Personenwagen mit festem Verdeck

lim|pid ⟨lat.-fr.⟩: durchscheinend, hell, durchsichtig, klar

Li|na|lo|ol* ⟨engl.⟩ das; -s, -e: nach Maiglöckchen riechender Alkohol, der in zahlreichen ätherischen Ölen vorkommt

Lin|crus|ta* vgl. Linkrusta

Li|neage ['lɪnɪdʒ] ⟨lat.-engl.⟩ die od. das; -, -s: soziale Einheit, deren Angehörige alle von einem gemeinsamen Ahnen abstammen u. meist an einem Ort wohnen. **Li|ne|al** ⟨lat.-mlat.⟩ das; -s, -e: meist mit einer Messskala versehenes Gerät zum Ziehen von Geraden. **li|ne|al**: ↑linealisch. **li|ne|a|lisch**: (von Blättern) lang u. mit parallelen Rändern. **Li|ne|a|ment** ⟨lat.; „Federstrich"⟩ das; -[e]s, -e: 1. Linie in der Hand od. im Gesicht; Handlinie, Gesichtszug (Med.). 2. Gesamtheit von gezeichneten od. sich abzeichnenden Linien in ihrer besonderen Anordnung, in ihrem eigentümlichen Verlauf (bildende Kunst). 3. Erdnaht, tief greifende Bewegungsfläche der Erdkruste (Geol.). **li|ne|ar** ⟨lat.⟩ u. liniar: 1. geradlinig; linienförmig. 2. für alle in gleicher Weise erfolgend; gleichmäßig, gleich bleibend (z. B. Steuersenkung; Wirtsch.). 3. den gleichzeitigen Verlauf selbstständiger Melodien, Stimmen in den Vordergrund stellend (Mus.). **Li|ne|ar|erup|ti|on** die; -, -en: von Erdspalten ausgehende vulkanische Tätigkeit (Geol.). **Li|ne|a|ri|tät** ⟨lat.-nlat.⟩ die; -: lineare Beschaffenheit (Fachspr.). **Li|ne|ar|mo|tor** der; -s, -en: Elektromotor, bei dem sich der eine Motorteil gegenüber dem anderen unter dem Einfluss elektromagnetischer Kräfte geradlinig verschiebt, sodass eine geradlinige Bewegung bzw. ein Vortrieb erzeugt wird. **Li|ne|ar|or|na|men|tik** die; -: ausschließlich aus Linien bestehende Verzierung bes. der griech. Vasen in der Zeit der geo-

metrischen Kunst. **Li|ne|ar|per|spek|ti|ve*** die; -: geometrisch angelegte Perspektivenwirkung eines Bildes. **Li|ne|a|tur** die; -, -en: 1. Linierung (z. B. in einem Schulheft). 2. Linienführung (z. B. einer Zeichnung). **Li|ner** ['laɪnə] ⟨engl.⟩ der; -s, -: 1. Überseedampfer, Linienschiff. 2. Linien-, Passagierflugzeug **Li|net|te** ⟨lat.-fr.⟩ der; -: ↑merzerisierter ↑Linon

Lin|ga u. **Lin|gam** ⟨sanskr.⟩ das; -s: ↑Phallus als Sinnbild Schiwas, des ind. Gottes der Zeugungskraft. **Lin|gam|kult** der; -[e]s, -e: ↑Phalluskult

Linge [lɛ̃:ʒ] ⟨lat.-fr.⟩ die; -: (schweiz.) Wäsche. **Lin|ge|rie** [lɛ̃ʒə'ri:] die; -, ...ien: (schweiz.) a) Wäschekammer; b) betriebsinterne Wäscherei; c) Wäschegeschäft

Lin|gua fran|ca ⟨lat.-it.⟩ die; - - -: a) Verkehrssprache meist für Handel u. Seefahrt im Mittelmeerraum mit romanischem, vor allem italienischem Wortgut, das mit arabischen Bestandteilen vermischt ist; b) Verkehrssprache eines großen, verschiedene mehrsprachige Länder umfassenden Raumes (z. B. Englisch als internationale Verkehrssprache). **Lin|gua ge|ral** [- ʒe'ral] ⟨lat.-port.; „allgemeine Sprache"⟩ die; - - -: 1. portugiesische Schriftsprache. 2. Verkehrssprache zwischen den europäischen Siedlern Brasiliens u. den Indianerstämmen, bes. den Tupi. **lin|gu|al** ⟨lat.-mlat.⟩: (Med.) a) die Zunge betreffend; b) zur Zunge gehörend. **Lin|gu|al** der; -s, -e: mit der Zunge gebildeter Laut; Zungenlaut (z. B. das Zungen-r; Sprachw.). **Lin|gu|al|lis** die; -, ...les [...le:s]: (veraltet) lingual. **Lin|gu|al|laut** der; -[e]s, -e: ↑Lingual. **Lin|gu|al|pfei|fe** die; -, -n: Orgelpfeife, bei der der Ton mithilfe eines im Luftstrom schwingenden Metallblättchens erzeugt wird; Zungenpfeife; Ggs. ↑Labialpfeife. **Lin|gu|ist** ⟨lat.-nlat.⟩ der; -en, -en: Sprachwissenschaftler. **Lin|gu|is|tik** die; -: Sprachwissenschaft, bes. der modernen Prägung. **lin|gu|is|tisch**: sprachwissenschaftlich. **lin|gu|is|ti|sie|ren, linguistizieren**: zu stark unter linguistischen Gesichtspunkten betrachten, behandeln. **Lin|gu|is|ti|sie|rung, Lin|gu|is|ti|zie|rung** die; -: das Linguistisieren

Li|nie [...jə] ⟨lat.; „Leine, Schnur;

(mit einer Schnur gezogene gerade) Linie"⟩ die; -, -n: 1. a) längerer (gezeichneter od. sich abzeichnender) Strich; b) zusammenhängendes, eindimensionales geometrisches Gebilde ohne Querausdehnung (Math.); c) Markierungslinie, Begrenzungslinie (Sport); d) Metallstreifen mit Druckbild zum Drucken einer Linie (1 b; Druckw.); e) (früher) kleines Längenmaß (zwischen 2 u. 2¹/₄ mm). 2. Umriss[linie], Umrissform, -gestalt. 3. a) gedachte, angenommene Linie (1 a), die etwas verbindet (z. B. die Linie Freiburg – Basel); b) (ohne Plural) ↑Äquator (1) (Seemannsspr.); c) Fechtlinie; Klingenlage, bei der der gestreckte Waffenarm u. die Klinge eine gerade Linie (3 a) bilden u. die Klingenspitze auf die gültige Trefffläche zeigt; d) einer der acht senkrechten, in Feld breiten Abschnitte des Schachbretts. 4. Reihe. 5. a) Front (2), Kampfgebiet mit den Stellungen der auf einer Seite kämpfenden Truppen; b) die in gleichmäßigen Abständen nebeneinander aufgestellten Truppen; c) (ohne Plural; früher) die Truppen des stehenden Heeres. 6. a) von [öffentlichen] Verkehrsmitteln regelmäßig befahrene, beflogene Verkehrsstrecke zwischen bestimmten Orten, Punkten; b) die Verkehrsmittel, Fahrzeuge einer bestimmten Linie (6 a). 7. Verwandtschaftszweig. 8. allgemeine Richtung, die dem Vorhaben, Verhalten eines angeschlagen, befolgt wird. **li|ni|e|ren** (österr. nur so) u. **li|ni|ie|ren**: mit Linien versehen, Linien ziehen. **Li|ni|e|rung** (österr. nur so) u. **Li|ni|ie|rung** die; -, -en: das Linienziehen, das Versehen mit Linien **Li|ni|ment** ⟨lat.⟩ das; -[e]s, -e: [dick]flüssiges Einreibemittel (Med.)

Lin|ker ⟨engl.⟩ der; -s, -[s]: Programm, das mehrere Programme oder Programmteile zu einem arbeitsfähigen Programm verbindet (EDV)

Lin|krus|ta* ⟨Kunstwort⟩ die; -: dicke abwaschbare Papiertapete

Links|ext|re|mis|mus* ⟨lt.; lat.-nlat.⟩ der; -: extrem sozialistische od. kommunistische Haltung u. Richtung. **Links|ext|re|mist** der; -en, -en: Anhänger, Vertreter des Linksextremismus. **links|ext|re|mis|tisch**: den Linksextremismus betreffend

lin|nésch ⟨nach dem schwedischen Naturforscher C. von Linné (1707–1778)⟩ in der Fügung linnésches (auch: Linné'sches) System: System, worin das Pflanzenreich nach den Merkmalen der Blüte eingeteilt ist (Bot.). Li|no|fil ⟨lat.-nlat.⟩ das; -s: aus Flachsabfällen hergestelltes Garn. Li|no|le|um* [auch: ...'le:um] ⟨lat.-engl.⟩ das; -s: [Fußboden]belag aus starkem Jutegewebe, auf das eine Masse aus Leinöl, Kork, Harzen o. Ä. aufgepresst ist. Li|nol|säu|re* ⟨lat.-nlat.; dt.⟩ die; -, -n: (u. a. in Leinöl enthaltene) ungesättigte Fettsäure. Li|nol|schnitt* der; -[e]s, -e: 1. (ohne Plural) grafische Technik, bei der die Darstellung in Linolplatten geschnitten wird. 2. Abzug in der Technik des Linolschnitts (1). Li|non [li'nõ', auch: 'linɔn] ⟨lat.-fr.⟩ der; -[s], -s: Baumwollgewebe in Leinwandbindung mit Leinenausrüstung. Li|no|type ® ['lainotaip] ⟨engl.⟩ die; -, -s: Setz- u. Zeilengießmaschine (Druckw.). Lin|ters ⟨lat.-engl.⟩ die (Plural): (zum Verspinnen zu kurze) Fasern des Baumwollsamens Li|o|der|ma ⟨gr.-nlat.⟩ das; -s: angeborene od. als Folge einer Krankheit entstandene dünne, glänzende, trockene Haut mit Schwund des Unterhautgewebes; Glanzhaut (Med.) Li|on ['laiən] ⟨engl.⟩ der; -s, -s: Mitglied des Lions Clubs. Li|ons Club ['laiɔnz 'klʌb] ⟨engl.⟩ der; - -s, - -s: 1. (ohne Plural) Lions International. 2. zu Lions International gehörender örtlicher Klub. Li|ons In|ter|na|tio|nal [- intə'næʃnl] der; - -: karitativ tätige, um internationale Verständigung bemühte Vereinigung führender Persönlichkeiten des öffentlichen Lebens Li|pa|cid|ä|mie* ⟨gr.; lat.; gr.⟩ die; -, ...ien: krankhafte Erhöhung des Fettsäuregehaltes im Blut (Med.). Li|pa|cid|u|rie die; -, ...ien: vermehrte Ausscheidung von Fettsäuren mit dem Harn (Med.). Li|päl|mie ⟨gr.-nlat.⟩ die; -, ...ien: Vermehrung des Fettgehaltes im Blut (Med.). li|pä|misch: die Lipämie betreffend, mit einer Lipämie einhergehend; fettblütig (Med.) Li|pa|rit [auch: ...'rit] ⟨nlat.; vom Namen der Liparischen Inseln⟩ der; -s, -e: graues, gelblich grünes od. rötliches junges vulkanisches Gestein

Li|pa|se ⟨gr.-nlat.⟩ die; -, -n: Fett spaltendes ↑ Enzym. Li|pa|zid|ä|mie* vgl. Lipacidämie. Li|pa|zid|u|rie* vgl. Lipacidurie Lip|gloss ⟨engl.; „Lippenglanz"⟩ das; -, -: Kosmetikmittel, das den Lippen Glanz verleiht Li|pid ⟨gr.-nlat.⟩ das; -[e]s, -e (Chem.) a) (meist Plural) Fett od. fettähnliche Substanz; b) (nur Plural) Sammelbezeichnung für alle Fette u. ↑ Lipoide. Li|pi|do|se die; -: Störung des Fettstoffwechsels (Med.) Li|piz|za|ner ⟨nach dem (heute slowenischen) Gestüt Lipizza (Lipica) bei Triest⟩ der; -s, -: edles Warmblutpferd, meist Schimmel, mit etwas gedrungenem Körper, breiter Brust u. kurzen, starken Beinen Li|po|chrom ⟨gr.-nlat.⟩ das; -s, -e (meist Plural): organischer gelber od. roter Fettfarbstoff. Li|po|dys|tro|phie* die; -, ...ien: auf einer Störung des Fettstoffwechsels beruhende Abmagerung [mit Fettschwund am Oberkörper bei gleichzeitigem Fettansatz im Bereich der unteren Körperhälfte] li|po|gram|ma|tisch vgl. leipogrammatisch li|po|id ⟨gr.-nlat.⟩: fettähnlich. Li|po|id das; -s, -e: (Chem.; Biol.) a) (meist Plural) lebenswichtige, in tierischen u. pflanzlichen Zellen vorkommende fettähnliche Substanz; b) (nur Plural) Sammelbezeichnung für die uneinheitliche Gruppe fettlicher organischer Substanzen. Li|po|i|do|se die; -, -n: krankhafte Einlagerung von Lipoiden in den Geweben (Med.). Li|po|ly|se die; -, - n: Fettspaltung, Fettverdauung (Biochem.; Med.). Li|pom das; -s, -e u. -a: Fettgeschwulst, gutartige, geschwulstartige Neubildung aus Fettgewebe (Med.). Li|po|ma|to|se die; -, -n: Fettsucht, gutartige Fettgeschwulstbildungen, vor allem im Unterhautfettgewebe (Med.). li|po|phil: 1. in Fett löslich (Chem.); Ggs. ↑ lipophob. 2. zu übermäßigem Fettansatz neigend (Med.). Li|po|phi|lie die; -, ...ien: Neigung zu übermäßigem Fettansatz (Med.) li|po|phob: in Fett nicht löslich (Chem.); Ggs. ↑ lipophil (1). Li|po|plast* der; -en, -en (meist Plural): Fettgewebe bildende Zelle (Med.). Li|po|pro|te|id* das; -[e]s, -e: Verbindung aus Eiweißstoff u. Lipoid (hochmole-

kulare Substanz; Chem.). Li|po|zel|le die; -, -n: Fettbruch; Bruch, der Fett od. Fettgewebe enthält (Med.) Lip|sa|no|thek ⟨gr.-nlat.⟩ die; -, -en: ↑ Reliquiar Lip|si ⟨von Lipsia, dem nlat. Namen der Stadt Leipzig, dem Entstehungsort⟩ der; -s, -s: Gesellschaftstanz im ⁶/₄-Takt Li|p|u|rie* ⟨gr.-nlat.⟩ die; -, ...ien: krankhaftes Auftreten von Fett im Harn (Med.) Li|que|fak|ti|on ⟨lat.-mlat.⟩ die; -, -en: Verflüssigung; Überführung eines festen Stoffes in flüssige Form (Chem.). Li|ques|zenz ⟨lat.-nlat.⟩ die; -: das Flüssigsein (Chem.). li|ques|zie|ren ⟨lat.⟩: flüssig werden, schmelzen (Chem.). li|quet ⟨lat.⟩: es ist klar, erwiesen. li|quid (österr. nur so) u. liquide: 1. flüssig (Chem.). 2. (Wirtsch.) a) verfügbar; b) zahlungsfähig. 3. die Eigenschaften einer Liquida aufweisend (Phon.). Li|quid der; -s, -e: ↑ Liquida. Li|qui|da die; -, ...dä u. ...quiden: Fließlaut; Laut, der sowohl ↑ Konsonant wie ↑ Sonant sein kann (z. B. r, 1, [m, n]; Sprachw.). Li|qui|da|ti|on ⟨lat.-mlat.-roman.⟩ die; -, -en: 1. Abwicklung der Rechtsgeschäfte einer aufgelösten Handelsgesellschaft. 2. Abwicklung von Börsengeschäften. 3. Kostenrechnung freier Berufe (z. B. eines Arztes). 4. Beilegung eines Konflikts; Liquidierung. 5. a) Beseitigung, Liquidierung; b) Tötung, Ermordung, Hinrichtung eines Menschen; Liquidierung; vgl. ...[at]ion/...ierung. Li|qui|da|tor ⟨lat.-mlat.⟩ der; -s ...oren: 1. jmd., der eine Liquidation (1) durchführt. 2. jmd., der einen anderen umbringt, liquidiert (5 b). li|qui|de vgl. liquid. Li|qui|die|ren ⟨lat.-mlat.-it.⟩: 1. eine Gesellschaft, ein Geschäft auflösen. 2. eine Forderung in Rechnung stellen (von freien Berufen). 3. Sachwerte in Geld umwandeln. 4. einen Konflikt beilegen. 5. a) beseitigen, abschaffen; b) hinrichten lassen, beseitigen, umbringen. Li|qui|die|rung die; -, -en: das Liquidieren. Li|qui|di|tät ⟨lat.-roman.⟩ die; -: 1. durch Geld od. Tauschmittel vertretene Verfügungsmacht über Bedarfsgüter. 2. Möglichkeit, Sachgegenstände des Vermögens schnell in Geld umzuwandeln. 3. Fähigkeit eines Unternehmens, seine Zahlungsverpflichtungen fristgerecht zu erfüllen; Zahlungsfähigkeit. **Li|quis** die (Plural): Kurzform von: Liquidationsanteilscheine. **Li|quor** ⟨lat.⟩ der; -, ...ores: 1. seröse Körperflüssigkeit (Med.). 2. flüssiges Arzneimittel (Pharm.); Abk.: Liq.

¹**Li|ra** ⟨gr.-lat.-it.⟩ die; -, ...ren: birnenförmige, einsaitige Geige des Mittelalters; **Lira da Braccio** [- - 'brat∫o]: Vorgängerin der Geige mit fünf Griff- u. zwei Bordunsaiten (Armhaltung); **Lira da Gamba**: celloähnliches Streichinstrument mit 9 bis 13 Spiel- u. zwei Bordunsaiten (Kniehaltung)

²**Li|ra** ⟨lat.-it.⟩ die; -, Lire: italienische Währungseinheit (Abk.: L., Lit). ³**Li|ra** ⟨lat.-it.-türk.⟩ die; -, -: türkische Währungseinheit; Abk.: TL

li|ri|co ⟨gr.-lat.-it.⟩: lyrisch (Vortragsanweisung; Mus.)

Li|se|ne ⟨zu ↑ Lisiere⟩ die; -, -n: pfeilerartiger, wenig hervortretender Mauerstreifen ohne Kapitell u. Basis (bes. an roman. Gebäuden). **Li|si|e|re** ⟨fr.⟩ die; -, -n: (veraltet) 1. Waldrand, Feldrain. 2. Saum, Kante (an Kleidern u. a.)

Lis|seu|se [lı'sø:zə] ⟨fr.⟩ die; -, -n: in der Kammgarnspinnerei Maschine zum Strecken, Waschen u. Trocknen des Spinngutes. **lis|sie|ren**: Spinngut mithilfe der Lisseuse nachwaschen, trocknen u. glätten

Lis|te|ria ⟨nach dem brit. Chirurgen J. Lister, 1827–1912⟩ die; -, ...rien u. ...riae [...i̯ɛ]: in der Natur (z. B. in Fäkalien) weit verbreitete, krankheitserregende Bakterie (Med.)

l'is|tes|so tem|po u. lo stesso tempo ⟨it.⟩: dasselbe Zeitmaß, im selben Tempo wie zuvor (Mus.)

Li|ta|nei ⟨gr.-mlat.⟩ die; -, -en: 1. im Wechsel gesungenes Fürbitten- u. Anrufungsgebet des christlichen Gottesdienstes (z. B. die ↑ Lauretanische Litanei). 2. (abwertend) eintöniges Gerede; endlose Aufzählung

Li|ter [auch: 'li...] ⟨gr.-mlat.-fr.⟩ der (schweiz. nur: auch: das); -s, -: Hohlmaß; 1 Kubikdezimeter; Zeichen: l

Li|te|ra ⟨lat.⟩ die; -, -s u. ...rä: 1. Buchstabe; Abk.: Lit. od. lit. 2. auf Effekten, Banknoten, Kassenscheinen usw. aufgedruckter Buchstabe zur Kennzeichnung verschiedener ↑ Emissionen (1).

Li|te|ral|sinn ⟨lat.; dt.⟩ der; -[e]s: buchstäblicher Sinn einer Textstelle, bes. in der Bibel. **Li|te|rar|his|to|ri|ker** ⟨lat.; gr.-lat.⟩ der; -s, -: Wissenschaftler auf dem Gebiet der Schrifttumsgeschichte eines Volkes. **li|te|rar|his|to|risch**: die Schrifttumsgeschichte betreffend, auf ihr beruhend. **li|te|ra|risch** ⟨lat.⟩: 1. die Literatur (1) betreffend, schriftstellerisch. 2. [vordergründig] symbolisierend, mit allzu viel Bildungsgut befrachtet (z. B. von einem [modernen] Gemälde). **li|te|ra|ri|sie|ren** ⟨lat.-nlat.⟩: in [allzu] literarischer (2) Weise gestalten. **Li|te|rar|kri|tik** die; -, -en: a) literaturwissenschaftliches Verfahren bes. der biblischen ↑ Exegese, mit dem die verschiedenen Quellen eines Textes isoliert werden, um die Geschichte seiner Entstehung zu rekonstruieren; b) ↑ Literaturkritik. **li|te|rar|kri|tisch**: ↑ literaturkritisch. **Li|te|ra|rum Hu|ma|ni|o|rum Doc|tor** u. Litterarum Humaniorum Doctor ⟨lat.⟩: Doktor der Literaturwissenschaft in England; Abk.: L. H. D. **Li|te|rat** der; -s, ...oren: Schriftsteller, Gelehrter. **Li|te|ra|tur** die; -, -en: 1. schöngeistiges Schrifttum. 2. Gesamtbestand aller Schriftwerke eines Volkes. 3. (ohne Plural) Fachschrifttum eines bestimmten Bereichs; Schriftennachweise. **Li|te|ra|tur|his|to|ri|ker** der; -s, -: ↑ Literarhistoriker. **Li|te|ra|tur|kri|tik** die; -, -en: wissenschaftliche Beurteilung des Schrifttums. **li|te|ra|tur|kri|tisch**: die Literaturkritik betreffend, auf ihr beruhend. **Li|te|ra|tur|so|zi|o|lo|gie** die; -: Wissenschaft von der Wechselwirkung zwischen Literatur (1) u. Gesellschaft. **Li|te|ra|tur|spra|che** die; -: 1. in der Literatur (1) verwendete Sprache, die oft (z. B. durch Stilisierung) von der Gemeinsprache abweicht. 2. ↑ Standardsprache (Sprachw.)

Li|tew|ka ⟨poln.⟩ die; -, ...ken: bequemer, weicher Uniformrock (Mil.)

Li|thal|go|gum* ⟨gr.-nlat.⟩ das; -s, ...ga: Medikament, das das Ausschwemmung von Gallen-, Blasen- od. Nierensteinen herbeiführt (Med.). **Li|ther|gol** ⟨gr.; arab.⟩ das; -s, -e: Raketentreibstoff. **Li|thi|a|sis** die; -, ...iasen: Steinleiden; Steinbildung in inneren Organen wie Niere, Galle

od. Blase (Med.). **Li|thi|kum** das; -s, ...ka: ↑ Lithagogum. **Li|thi|um** das; -s: chem. Element; ein Metall (Zeichen: Li). **Li|tho** das; -s, -s: Kurzform von ↑ Lithographie (2). **li|tho|gen** ⟨gr.-nlat.⟩: 1. aus Gesteinen entstanden; **lithogene Schmelze**: Aufschmelzung aus der Granitschale der Erdkruste (Geol.). 2. zur Bildung von ↑ Konkrementen, Steinen führend; steinbildend (Med.). **Li|tho|ge|ne|se** die; -, -n: Gesamtheit der Vorgänge bei der Entstehung von Sedimentgesteinen wie Verwitterung, Abtragung, Umlagerung, ↑ Sedimentation u. ↑ Diagenese (Geol.). **Li|tho|gly|phik** vgl. Lithoglyptik. **Li|tho|glyp|tik** u. Lithoglyphik die; -: Steinschneidekunst. **Li|tho|graf** usw. vgl. Lithograph usw. **Li|tho|graph**, auch: Lithograf der; -en, -en: 1. in der Lithographie, im Flachdruckverfahren ausgebildeter Drucker. 2. jmd., der Steinzeichnungen, Lithographien (2) herstellt. **Li|tho|gra|phie**, auch: Lithografie die; -, ...ien: 1. a) (ohne Plural) [Verfahren zur] Herstellung von Platten für den Steindruck, für das Flachdruckverfahren; b) Originalplatte für Stein- od. Flachdruck. 2. grafisches Kunstblatt in Steindruck; Steinzeichnung; Kurzform: Litho. **li|tho|gra|phie|ren**, auch: lithografieren: 1. im Steindruck wiedergeben, im Flachdruckverfahren arbeiten. 2. Steinzeichnungen, Lithographien (2) herstellen, auf Stein zeichnen. **li|tho|gra|phisch**, auch: lithografisch: im Steindruckverfahren hergestellt, zum Steindruck gehörend. **Li|tho|klast** der; -, -en: Instrument zur Zertrümmerung von Blasensteinen (Med.). **Li|tho|la|pa|xie** die; -, ...ien: Beseitigung von Steintrümmern aus der Blase (Med.). **Li|tho|lo|ge** der; -n, -n: Wissenschaftler auf dem Gebiet der Lithologie. **Li|tho|lo|gie** die; -: Gesteinskunde, bes. in Bezug auf Sedimentgesteine (vgl. Petrographie). **li|tho|lo|gisch**: die Lithologie betreffend, auf ihr beruhend. **Li|tho|pä|di|on** („Steinkind") das; -s, ...ia u. ...ien: verkalkte Leibesfrucht bei Mensch u. Tier. **li|tho|phag**: sich [unter Abgabe von Gestein auflösender Säure] in Gestein einbohrend (von Tieren,

z. B. Bohrmuschel, Seeigel; Zool.). **Li|tho|pha|nie** *die; -, ...ien:* reliefartig in eine Platte aus dünnem Porzellan eingepresste bildliche Darstellung. **li|tho|phil:** 1. auf Gestein als Untergrund angewiesen (von Tieren; Zool.). 2. im Wesentlichen die Erdkruste bildend u. mit großer ↑Affinität zu Sauerstoff (von Elementen wie Natrium, Aluminium, Silicium, von Alkalien u. a.). **Li|tho|phy|sen** *die* (Plural): vulkanische Gesteine mit besonderer Struktur (oft mit Hohlräumen; Geol.). **Li|tho|phyt** *der; -en, -en* (meist Plural): Pflanze, die eine Felsoberfläche besiedelt. **Li|tho|po|ne** *die; -:* lichtechte, gut deckende weiße Anstrichfarbe. **Li|tho|sphä|re** *die; -:* bis in 1 200 km Tiefe reichende Gesteinshülle der Erde (Geol.). **Li|tho|to|mie** *die; -, ...ien:* operative Entfernung von Steinen (Med.). **Li|tho|trip|sie** *die; -, ...ien:* Zertrümmerung von Blasensteinen mit einem durch die Harnröhre eingeführten Lithoklasten (Med.). **Li|tho|trip|tor** *der; -s, ...oren:* ↑Lithoklast. **Li|thur|gik** *die; -:* Lehre von der Verwendung u. Verarbeitung von Gesteinen u. Mineralien **Li|ti|gant** ⟨*lat.*⟩ *der; -en, -en:* (veraltet) jmd., der vor Gericht einen Rechtsstreit führt. **Li|ti|ga|ti|on** *die; -, -en:* (veraltet) Rechtsstreit. **li|ti|gie|ren:** (veraltet) einen Rechtsstreit führen. **Li|tis|pen|denz** ⟨*lat.-nlat.*⟩ *die; -:* (veraltet) mit der Klageerhebung eintretende Zugehörigkeit eines Streitfalles zur Entscheidungsbefugnis eines bestimmten Gerichts, Rechtshängigkeit (eines Streitfalls)

li|to|ral ⟨*lat.*⟩: die Küsten-, Ufer-, Strandzone betreffend (Geogr.). **Li|to|ral** *das; -s, -e:* Küsten-, Ufer-, Strandzone (Geogr.). **Li|to|ral|le** ⟨*lat.-it.*⟩ *das; -s, -s:* Küstenland. **Li|to|ral|fau|na** *die; -, ...nen:* Tierwelt der Uferregion u. Gezeitenzone. **Li|to|ral|flo|ra** *die; -, ...ren:* Pflanzenwelt der Uferregion u. Gezeitenzone. **Li|to|ri|na** ⟨*lat.-nlat.*⟩ *die; -, ...nen:* Uferschnecke (am Strand der Nord- u. Ostsee häufig). **Li|to|ri|na|meer** *das; -[e]s:* geologisches Stadium der Ostsee in der Litorinazeit (Geol.). **Li|to|ri|na|zeit** *die; -:* Zeitraum zwischen 5500 u. 2000 v. Chr. (Geol.). **Li|to|ri|nel|len|kalk** ⟨*lat.-nlat.; dt.;* nach der darin vorkommenden Schne-

ckengattung Litorinella⟩ *der; -[e]s:* (veraltet) ↑Hydrobienschichten. **Li|to|ri|nen:** *Plural* von ↑Litorina **Li|to|tes** [auch: li'to...] ⟨*gr.-lat.*⟩ *die; -, -:* Redefigur, die durch doppelte Verneinung od. durch Verneinung des Gegenteils eine vorsichtige Behauptung ausdrückt u. die dadurch eine (oft ironisierende) Hervorhebung des Gesagten bewirkt (z. B. nicht der schlechteste [= ein guter] Lehrer; nicht unwahrscheinlich = ziemlich wahrscheinlich; er ist nicht ohne Talent = er hat Talent; Rhet.; Stilk.) **Lit|schi** *die; -, -s* u. **Lit|schi|pflau|me** ⟨*chin.; dt.*⟩ *die; -, -n:* pflaumengroße, wohlschmeckende Frucht (mit dünner rauer Schale u. weißem, saftigem Fleisch) eines in China beheimateten Baumes **Lit|te|ra|rum Hu|ma|ni|o|rum Doc|tor** vgl. Literarum Humaniorum Doctor **Lit|to|ri|na** vgl. Litorina **Litt|re|i|tis*** ⟨*nlat.;* nach dem franz. Arzt Alexis Littré, 1658–1725⟩ *die; -, ...itjden:* Entzündung der Schleimdrüsen der Harnröhre (Med.). **Li|tu|a|nist** ⟨*lat.-nlat.*⟩ *der; -en, -en:* Sprachwissenschaftler, der sich auf Lituanistik spezialisiert hat. **Li|tu|a|nis|tik** *die; -:* Wissenschaft von der litauischen Sprache u. Literatur. **li|tu|a|nis|tisch:** die Lituanistik betreffend, zu ihr gehörend **Li|tur|gy** ⟨*gr.-mlat.*⟩ *der; -en, -en* u. **Li|tur|ge** *der; -n, -n:* der den Gottesdienst, bes. die Liturgie haltende Geistliche (im Unterschied zum Prediger). **Li|tur|gie** ⟨"öffentlicher Dienst"⟩ *die; -, ...ien:* a) amtliche od. gewohnheitsrechtliche Form des Gottesdienstes; b) der evangelischen Kirche am Altar [im Wechselgesang] mit der Gemeinde gehaltener Teil des Gottesdienstes. **Li|tur|gik** *die; -:* Theorie u. Geschichte der Liturgie. **li|tur|gisch:** den Gottesdienst, die Liturgie betreffend, zu ihr gehörend; *liturgisches Jahr:* in bestimmte Festkreise (Fest mit seiner Vorbereitungszeit u. Ausklangszeit) eingeteiltes, am 1. Adventssonntag beginnendes Jahr; Kirchenjahr **Li|tu|lus** ⟨*lat.*⟩ *der; -, Litui:* (hist.) 1. Krummstab der ↑Auguren. 2. altrömisches Militär- u. Signalinstrument mit Kesselmund-

stück. 3. im 16. u. 17. Jh. Krummhorn (Blasinstrument) **live** [laif] ⟨*engl.*⟩: a) direkt, original (von Rundfunk- od. Fernsehübertragungen); b) unmittelbar, in realer Anwesenheit, persönlich. **Live|act** ['laiflɛkt] ⟨*engl.; lat.-engl.*⟩ *der; -s, -s:* (Jargon) musikalische Vorstellung, bei der die Sänger, Musiker live singen, spielen usw.; direkter, persönlicher Auftritt. **Live|fo|to|gra|fie** ['laif...] ⟨*engl.; gr.-engl.*⟩ *die; -:* bes. bei Bildjournalisten übliche Art des Fotografierens, bei der es weniger auf die technische Vollkommenheit als auf die Aussage des Bildes ankommt. **Live|sen|dung** ⟨*engl.; dt.*⟩ *die; -, -en:* Sendung, die unmittelbar vom Ort der Aufnahme aus gesendet wird; Originalübertragung, Direktsendung. **Live|show** ⟨*engl.*⟩ *die; -, -s:* 1. live (a) ausgestrahlte, revueartige Unterhaltungssendung mit ↑Jazz, ↑Pop (2) u. Humor. 2. a) ↑Peepshow; b) Vorführung sexueller Handlungen auf der Bühne z. B. eines Nachtlokals) **li|vid** u. **li|vi|de** ⟨*lat.*⟩: 1. bläulich, blassblau, fahl (bezogen auf die Färbung von Haut u. Schleimhäuten, bes. der Lippen; Med.). 2. (veraltet) neidisch **Liv|re*** ⟨*lat.-fr.*⟩ *der od. das; -[s], -s* (aber: 6 Livre): 1. französisches Gewichtsmaß. 2. frühere französische Währungseinheit, Rechnungsmünze (bis zum Ende des 18. Jh.s) **Liv|ree*** [li'vre:] ⟨*lat.-mlat.-fr.*⟩ *die; -, ...een:* uniformartige Dienerkleidung. **liv|riert:** Livree tragend **Li|wan** ⟨*pers.*⟩ *der; -s, -e:* 1. nach dem Hof zu offener, überwölbter Raum mit anschließenden kleinen, geschlossenen Zimmern (orientalische Bauform des arabischen Hauses). 2. ↑Moschee mit vier auf einen Hof sich öffnenden Hallen in der zur Schule dienenden persischen Sonderform der ↑Medresse (2) **Li|wan|ze** ⟨*tschech.*⟩ *die; -, -n* (meist Plural): beidseitig gebackenes Hefeplätzchen [das mit Pflaumenmus bestrichen u. mit Zucker bestreut wird] (Gastr.) [1,2] **Li|zen|ti|at** vgl. [1,2]Lizenziat. **Li|zenz** ⟨*lat.*⟩ *die; -, -en:* [behördliche] Erlaubnis, Genehmigung. [1] **Li|zen|zi|at** auch: Lizentiat ⟨*lat.-mlat.*⟩ *das; -[e]s, -e:* akademischer Grad (vor allem in der Schweiz, z. B. - der Theologie).

²**Li|zen|zi|at,** auch: Lizentiat *der;* -en, -en: Inhaber eines Lizenziatstitels; Abk.: Lic. [theol.], (in der Schweiz:) lic. phil. usw. **li|zen|zie|ren** ⟨*lat.-nlat.*⟩: Lizenz erteilen. **li|zen|zi|ös:** frei, ungebunden; zügellos. **Li|zenz|spieler** *der;* -s, -: Fußballspieler, der auf der Basis einer vom Deutschen Fußballbund erteilten Spielerlizenz als Angestellter seines Vereins gegen feste monatliche Vergütung (u. zusätzliche Prämien) in der Fußballbundesliga spielberechtigt ist. **Li|zi|tant** ⟨*lat.*⟩ *der;* -en, -en: jmd., der bei Versteigerungen bietet; Meistbietender. **Li|zi|ta|ti|on** *die;* -, -en: Versteigerung. **li|zi|tie|ren:** versteigern

Ljo|da|hattr ⟨*altnord.*⟩ *der;* -, -: Strophenform der Edda

Lla|ne|ro [lja...] ⟨*lat.-span.*⟩ *der;* -s, -s: Bewohner eines Llanos. **Lla|no** [lja:no] *der;* -s, -s (meist Plural): baumlose od. baumarme Ebene in den lateinamerik. Tropen u. Subtropen

Loa ⟨*lat.-span.;* „Lob“⟩ *die;* -, -s: (Literaturw.) 1. [mit einem Lob des Autors, des Publikums o. Ä.] verbundenes Vorspiel, kurze dramatische Dichtung vor dem eigentlichen Schauspiel in älteren spanischen Dramen. 2. kurzes spanisches Drama, das eine berühmte Person od. ein glückliches Ereignis feiert

Load [loud] ⟨*germ.-engl.*⟩ *die;* -, -s: 1. altes britisches Maß, bes. Hohlmaß unterschiedlicher Größe. 2. (Jargon) für einen Rauschzustand benötigte Dosis eines Rauschgiftes

Lob ⟨*engl.*⟩ *der;* -[s], -s: 1. hoch über den am Netz angreifenden Gegner hinweggeschlagener Ball (Tennis, Badminton). 2. angetäuschter Schmetterschlag, der an den am Netz verteidigenden Spielern vorbei od. hoch über sie hinwegfliegt (Volleyball). **lo|bär** ⟨*gr.-nlat.*⟩: einen Organlappen (z. B. der Lunge) betreffend (Med.)

lob|ben ⟨*engl.*⟩: einen ↑ Lob schlagen (Tennis, Badminton, Volleyball)

Lob|by ⟨*germ.-mlat.-engl.*⟩ *die;* -, -s: 1. Wandelhalle im [britischen, amerikanischen] Parlamentsgebäude, in der die Abgeordneten mit Wählern u. Interessengruppen zusammentreffen. 2. Interessengruppe, die [in der Lobby (1)] versucht, die Entscheidung von Abgeordneten zu beeinflus-

sen [u. die diese ihrerseits unterstützt]. 3. Vestibül, Hotelhalle. **Lob|by|ing** *das;* -s, -s: Beeinflussung von Abgeordneten durch Interessen[gruppen]. **Lob|by|is-mus** *der;* -: [ständiger] Versuch, Gepflogenheit, Zustand der Beeinflussung von Abgeordneten durch Interessengruppen. **Lob|by|ist** *der;* -en, -en: jmd., der Abgeordnete für seine Interessen zu gewinnen sucht

Lo|bek|to|mie* ⟨*gr.-nlat.*⟩ *die;* -, ...ien: operative Entfernung eines Organlappens, z. B. eines Lungenlappens (Med.)

Lo|be|lie [...jə] ⟨*nlat.;* nach dem flandrischen Botaniker M. de l'Obel, 1538–1616⟩ *die;* -, -n: niedrige, buschige Pflanze mit zahlreichen blauen, seltener violetten od. weißen Blüten. **Lo|be|lin** *das;* -s: aus der Lobelie gewonnenes ↑ Alkaloid, das die Atemtätigkeit anregt (Pharm.)

Lo|bi: *Plural* von Lobus. **Lo|bo|to|mie** ⟨*gr.-nlat.*⟩ *die;* -, ...ien: ↑ Leukotomie. **lo|bu|lär** ⟨*gr.-nlat.*⟩: einzelne Läppchen eines Lobus betreffend (Med.). **Lo|bu|lär|pneu|mo|nie** *die;* -, ...ien: ↑ fibrinöse Entzündung eines Lungenlappens (Med.). **Lo|bus** ⟨*gr.-lat.*⟩ *der;* -, Lobi: 1. Lappen eines Organs (Med.). 2. zungenartige Ausbuchtung des Eisrandes von Gletschern od. Inlandeismassen (Geol.)

Lo|can|da ⟨*lat.-it.*⟩ *die;* -, ...den: (veraltet) Gasthaus, Schenke; Herberge. **Lo|ca|tion** [lɔ'keɪʃən] ⟨*lat.-engl.*⟩ *die;* -, -s: (Jargon) 1. Örtlichkeit, Lokalität. 2. Drehort im Freien (Film)

Loch [engl.: lɔk] ⟨*schott.*⟩ *der;* -[s], -s: Binnensee, ↑ Fjord in Schottland

Lo|chi|en ⟨*gr.*⟩ *die* (Plural): Absonderung der Gebärmutter während der ersten Tage nach einer Entbindung; Wochenfluss (Med.). **Lo|chi|o|me|tra*** ⟨*gr.-nlat.*⟩ *die;* -, ...tren: Stauung der Lochien, des Wochenflusses in der Gebärmutter (Med.)

lo|co [auch: 'loko] ⟨*lat.*⟩: 1. (Kaufmannsspr.) am Ort, hier; greifbar, vorrätig. 2. (Musik) a) die Noten sind wieder in der gewöhnlichen Tonhöhe zu spielen (Aufhebung eines vorangegangenen Oktavenzeichens; vgl. ottava); b) wieder in gewöhnlichen Lagen zu spielen (bei Streichinstrumenten Aufhebung einer vorangegangenen abweichenden Lagenbezeichnung). **lo-**

co ci|ta|to: an der angeführten Stelle (eines Buches); Abk.: l. c.; vgl. citato loco. **lo|co lau|da|to:** (selten) loco citato; Abk.: l. l. **lo|co si|gil|li:** anstatt des Siegels (auf Abschriften); Abk.: l. s. od. L. S. **Lo|cus a|moe|nus** [-a'mø:..., auch: 'lɔ... -] *der;* - -, Loci a̱moeni: aus bestimmten Elementen zusammengesetztes Bild einer lieblichen Landschaft als literarischer ↑ Topos (2) (bes. der Idylle; Literaturw.). **Lo|cus com|mu|nis** *der;* - -, Loci communes [- ...ne:s]: Gemeinplatz, bekannte Tatsache, allgemein verständliche Redensart

Lodge [lɔdʒ] ⟨*germ.-mlat.-altfr.-engl.*⟩ *die;* -, -s [...dʒɪs]: 1. (veraltet) Hütte, Wohnung eines Pförtners. 2. Ferienhotel, Anlage mit Ferienwohnungen

Lo|di|cu|lae [...lɛ] ⟨*lat.;* „kleine gewebte Decken“⟩ *die* (Plural): zwei kleine Schuppen am Grund der Einzelblüten von Gräsern, die als Schwellkörper das Öffnen der Blüte regulieren (Bot.)

Loft ⟨*engl.*⟩ *der;* -[s], -s: 1. (ohne Plural) Neigungsgrad der Schlagfläche eines Golfschlägers. 2. aus einer Etage einer Fabrik o. Ä. umgebaute Wohnung. **Loft|jazz** *der;* -: in alten Industrieanlagen, Fabriken o. Ä. (ohne Konzertveranstalter) vor Gehör gebrachter [avantgardistischer] Jazz

Log ⟨*engl.*⟩ *das;* -s, -e u. Logge *die;* -, -n: Fahrgeschwindigkeitsmesser eines Schiffes (Seew.)

lo|ga|ö|disch* ⟨*gr.-mlat.*⟩: in der Fügung: **logaödische Verse:** (veraltet) ↑ äolische Versmaße

Lo|ga|rith|mand* ⟨*gr.-nlat.*⟩ *der;* -en, -en: zu logarithmierende Zahl; ↑ Numerus (2) zum Logarithmus (Math.). **Lo|ga|rith-men|ta|fel** ⟨*gr.-nlat.;* lat.-roman.-dt.*⟩ *die;* -, -n: tabellenartige Sammlung der ↑ Mantissen (2) der Logarithmen (Math.). **lo|ga-rith|mie|ren** ⟨*gr.-nlat.*⟩: (Math.) a) mit Logarithmen rechnen; b) den Logarithmus berechnen. **lo-ga|rith|misch:** den Logarithmus betreffend, auf einem Logarithmus beruhend, ihn anwendend (Math.); **logarithmisches Dekrement:** den Abklingvorgang gedämpfter freier Schwingungen kennzeichnende Größe (Math.; Phys.). **Lo|ga|rith|mus** *der;* -, ...men: Zahl, mit der man eine andere Zahl, die ↑ Basis (4 c), ↑ potenzieren (3) muss, um eine vorgegebene Zahl, den ↑ Nume-

rus (2), zu erhalten (Math.);
Abk.: log; **Logarithmus naturalis:** Logarithmus, bei dem die
Basis die Konstante e (e =
2,71828) ist; natürlicher Logarithmus; Abk.: ln; **dekadischer
Logarithmus:** Logarithmus mit
der Basis 10, briggsscher Logarithmus; Abk.: lg; **dyadischer
Logarithmus:** Logarithmus mit
der Basis 2; Zweierlogarithmus;
Abk.: ld
Lo|gas|the|nie* ⟨gr.-nlat.⟩ die; -,
...ien: Gedächtnisstörung, die
sich in Sprachstörungen, vor allem im Vergessen von Wörtern
äußert (Med.)
Log|buch ⟨engl.; dt.⟩ das; -[e]s,
...bücher: Schiffstagebuch
Lo|ge ['loːʒə]   ⟨germ.-mlat.-
fr.(-engl.)⟩ die; -, -n: 1. kleiner,
abgeteilter Raum mit mehreren
Sitzplätzen im Theater. 2. Pförtnerraum. 3. a) geheime Gesellschaft; Vereinigung von Freimaurern; b) Versammlungsort
einer geheimen Gesellschaft, einer Vereinigung von Freimaurern.   **Lo|ge|ment**   [loʒəˈmãː]
⟨germ.-fr.⟩ das; -s, -s: 1. (veraltet)
Wohnung, Bleibe. 2. (hist.) Verteidigungsanlage auf [noch nicht
ganz] genommenen Festungsanlagen (z. B. Breschen). **Lo|genbru|der**   ⟨germ.-fr.(-engl.); dt.⟩
der; -s, ...brüder: Mitglied einer
Freimaurerloge; Freimaurer
Log|gast ⟨engl.; dt.⟩ der; -[e]s, -en:
Matrose, der das ↑Log bedient
(Seew.). **Log|ge** vgl. Log. **loggen** ⟨engl.⟩: die Fahrgeschwindigkeit eines Schiffes mit dem
↑Log messen (Seew.)
Log|ger ⟨niederl.⟩ der; -s, -: kleineres Küsten[segel]fahrzeug zum
Fischfang
Log|gia ['lɔdʒa od. 'lɔdʒla] ⟨germ.-
fr.-it.⟩ „Laube“) die; -, -s od.
...ien: 1. Bogengang; gewölbte,
von Pfeilern od. Säulen getragene, ein- od. mehrseitig offene
Bogenhalle, die meist vor das
Erdgeschoss gebaut od. auch
selbstständiger Bau ist (Archit.).
2. nach einer Seite offener, überdeckter, kaum od. gar nicht vorspringender Raum im [Ober]geschoss eines Hauses
Log|glas ⟨engl.; dt.⟩ das; -es, ...gläser: Sanduhr zum Loggen
Lo|gi|cal ['lɔdʒɪkl] ⟨gr.-engl.⟩ das;
-s, -s: nach den Gesetzen der
↑Logik (1 b) aufgebautes Rätsel
lo|gie|ren [loˈʒiː...] ⟨germ.-fr.⟩: 1.
[vorübergehend] wohnen. 2.
(veraltet) beherbergen, unterbringen

Lo|gik ⟨gr.-lat.⟩ die; -: 1. a) Lehre,
Wissenschaft von der Struktur,
den Formen u. Gesetzen des
Denkens; Lehre vom folgerichtigen Denken, vom richtigen
Schließen aufgrund gegebener
Aussagen (Philos.); b) folgerichtiges, schlüssiges Denken, Folgerichtigkeit des Denkens. 2. a) Fähigkeit, folgerichtig zu denken;
b) Zwangsläufigkeit; zwingende,
notwendige   Folgerung.   **Lo|giker** der; -s, -: 1. Wissenschaftler
auf dem Gebiet der Logik (1 a).
2. Mensch mit scharfem, klarem
Verstand. **Lo|gi|on** ⟨gr.⟩ das; -[s],
...ien: überlieferter Ausspruch,
Wort Jesu Christi (Theol.)
Lo|gis [loˈʒiː] ⟨germ.-fr.⟩ das; -, -
[loˈʒiːs]: 1. Wohnung, Bleibe. 2.
(Seemannsspr.)   Mannschaftsraum auf Schiffen
lo|gisch ⟨gr.-lat.⟩: 1. die Logik
(1 a) betreffend. 2. denkrichtig,
folgerichtig, schlüssig. 3. (ugs.)
natürlich,   selbstverständlich,
klar. **lo|gi|sie|ren** ⟨gr.-lat.-nlat.⟩:
der Vernunft, der Erkenntnis zugänglich machen. **Lo|gis|ma**
⟨gr.⟩ das; -s, Logismata: (nach A.
von Pauler) eines der letzten Elemente, aus denen sich Wahrheiten zusammensetzen. **Lo|gismus** ⟨gr.-nlat.⟩ der; -, ...men:
(Philos.) 1. Vernunftschluss. 2.
(ohne Plural) Theorie, Lehre von
der logischen Ordnung der Welt.
¹**Lo|gis|tik** ⟨gr.⟩ die; -: mathematische Logik. ²**Lo|gis|tik** ⟨gr.-lat.-
fr. (-engl.)⟩ die; -: 1. Versorgung
der Truppe; militärisches Nachschubwesen. 2. Beschaffungswesen (Wirtsch.). **Lo|gis|ti|ker** ⟨gr.-
lat.-nlat.⟩ der; -s, -: Vertreter der
¹Logistik. **lo|gis|tisch:** die ¹ ²Logistik betreffend, auf ihr beruhend. **Lo|gi|zis|mus** ⟨gr.⟩ der; -: 1. Bevorzugung der logischen Argumentation gegenüber der psychologischen (z. B. innerhalb einer bestimmten wissenschaftlichen Richtung). 2. Rückführung
der mathematischen Begriffe u.
Methoden auf eine allgemeine
Logik. 3. (abwertend) Überbewertung der Logik. **Lo|gi|zis|tik**
die; -: (abwertend) Logizismus
(3). **lo|gi|zis|tisch:** den Logizismus (1) betreffend; auf der
Bevorzugung des Logischen gegenüber dem Psychologischen
beruhend. 2. den Logizismus (2)
betreffend, zu ihm gehörend; auf
Logizismus (2) beruhend. **lo|gizie|ren** ⟨gr.⟩: (abwertend)
überspitzt logisch, haarspalterisch. **Lo|gi|zi|tät** die; -: das Logische an einer Sache, an einem

Sachverhalt; der logische Charakter; Denkrichtigkeit; Ggs.
↑Faktizität (Philos.). **Lo|go**
⟨engl.; Kurzw. für: logotype) der
od. das; -s, -s: Marken-, Firmenzeichen, ↑Signet (4). **lo|go:** (salopp, bes. Jugendsprache) logisch (3). **Lo|go|gramm** das; -s,
-e: Schriftzeichen für eine bedeutungstragende Einheit eines
Wortes. **Lo|go|graph,** auch: Logograf der; -en, -en: frühgriechischer   Geschichtsschreiber;
Prosaschriftsteller der ältesten
griech. Literatur; **rhetorischer
Logograph:** im Athen der Antike
Person, die Reden zum Vortrag
bei Gericht für die Bürger entwarf (die ihre Sache stets selbst
vertreten mussten). **Lo|go|graphie,** auch: Logografie die; -:
aus   Logogrammen   gebildete
Schrift. **lo|go|gra|phisch,** auch:
logografisch: die Logographie
betreffend. **Lo|go|gryph*** ⟨gr.-
nlat.⟩ der; -s u. -en, -e[n]: Buchstabenrätsel, bei dem durch
Wegnehmen, Hinzufügen od.
Ändern eines Buchstabens ein
neues Wort entsteht. **Lo|goi:** Plural von ↑Logos. **Lo|go|klo|nie***
die; -: krankhaftes Wiederholen
von Wort- od. Satzenden (Psychol.; Med.). **Lo|go|kra|tie*** die;
-: Herrschaft der Vernunft in der
Gesellschaft.   **Lo|go|ma|chie**
⟨gr.⟩ die; -: Wortstreit, Haarspalterei (Philos.). **Lo|go|neu|ro|se**
⟨gr.-nlat.⟩: neurotisch bedingte
Sprachstörung (Med.). **Lo|gopä|de** der; -n, -n: Spezialist auf
dem Gebiet der Logopädie
(Med.; Psychol.). **Lo|go|pä|die**
die; -: Sprachheilkunde; Lehre
von den Sprachstörungen u. ihrer Heilung; Spracherziehung
von Sprachgestörten (Med.;
Psychol.). **lo|go|pä|disch:** die
Logopädie betreffend, auf ihr
beruhend (Med.; Psychol.). **Logo|pa|thie** die; -, ...ien: organische Sprachstörung, die zentralervöse Veränderungen zugrunde
liegen (Med.). **Lo|gor|rhö** die; -,
-en u. Lo|gor|rhöe [...ˈrøː] die; -,
-n [...ˈrøːən]: krankhafte Geschwätzigkeit (Med.). **lo|gorrhöisch:** die Logorrhöe betreffend, an ihr leidend. **Logos** ⟨gr.-
lat.⟩ der; -, (selten:) Logoi: 1.
menschliche Rede, sinnvolles
Wort (Philos.). 2. logisches Urteil; Begriff (Philos.). 3. menschliche Vernunft, umfassender
Sinn (Philos.). 4. (ohne Plural)
göttliche Vernunft, Weltvernunft (Philos.). 5. (ohne Plural)

Gott, Vernunft Gottes als Weltschöpfungskraft (Theol.). 6. (ohne Plural) Offenbarung, Wille Gottes u. Mensch gewordenes Wort Gottes in der Person Jesu (Theol.). **lo|go|the|ra|peu|tisch:** die Logotherapie betreffend, auf ihr beruhend. **Lo|go|the|ra|pie** ⟨gr.-nlat.⟩ die; -, ...ien: psychotherapeutische Behandlung von Neurosen durch methodische Einbeziehung des Geistigen u. Hinführung bzw. Ausrichtung des Kranken auf sein Selbst, seine personale Existenz. **Lo|go|ty|pe** die; -, -n: (früher in der Setzerei beim Handsatz verwendete) Drucktype mit häufig vorkommender Buchstabenverbindung. **lo|go|zen|trisch*:** dem Geist im Sinne der ordnenden Weltvernunft vor dem Leben den Vorrang gebend; Ggs. ↑biozentrisch **Lo|han** ⟨sanskr.-chin.⟩ der; -[s], -s: als Gott verehrter buddhistischer Heiliger der höchsten Stufe **Loi|pe** ⟨skand.⟩ die; -, -n: Langlaufbahn, -spur (Skisport) **Lok** der; -, -s: Kurzform von ↑Lokomotive. **lo|kal** ⟨lat.-fr.⟩: 1. örtlich. 2. örtlich beschränkt. **Lo|kal** das; -[e]s, -e: 1. Gaststätte, Restaurant, [Gast]wirtschaft. 2. Raum, in dem Zusammenkünfte, Versammlungen o. Ä. stattfinden. **Lo|kal|an|äs|the|sie** die; -, ...ien: örtliche Betäubung (Med.). **Lo|kal|der|by** das; -[s], -s: [Fußball]spiel zweier Ortsrivalen. **Lo|kal|far|be** die; -, -n: die einem Gegenstand eigentümliche Farbe, wenn sie auf dem Bild nicht durch Schattierungen u. Anpassung an die Farben der Umgebung verändert wird. **Lo|ka|lis** ⟨lat.⟩ der; -, ...les: (veraltet) Lokativ. **Lo|ka|li|sa|ti|on** ⟨lat.-fr.⟩ die; -, -en: 1. Ortsbestimmung, Zuordnung zu einer bestimmten Stelle. 2. Niederlassung, Ansammlung an einem bestimmten Ort, Platz. **lo|ka|li|sie|ren:** 1. örtlich beschränken, eingrenzen. 2. örtlich bestimmen, festlegen, zuordnen. **Lo|ka|li|tät** die; -, -en: Örtlichkeit; Raum. **Lo|kal|ko|lo|rit** das; -[e]s, -e: besondere ↑Atmosphäre (3) einer Stadt od. Landschaft. **Lo|kal|ma|ta|dor** der; -s, -e: örtliche Berühmtheit, erfolgreicher u. gefeierter Held in einem Ort, in einem begrenzten Gebiet (bes. Sport). **Lo|kal|pat|ri|o|tis|mus*** der; -: starke u. übertriebene Liebe zur engeren Heimat, zur Vater-

stadt o. Ä. **Lo|kal|re|dak|ti|on** die; -, -en: a) ↑Redaktion (2 a) einer Zeitung, die die Lokalnachrichten bearbeitet; b) Geschäftsstelle einer Zeitung, die für die Erstellung der Lokalseite verantwortlich ist. **Lo|kal|satz** der; -es, ...sätze: Umstandssatz des Ortes (z. B. ich gehe, wohin du gehst; Sprachw.). **Lo|kal|ter|min** der; -s, -e: Gerichtstermin, der am Tatort, am Ort des fraglichen Geschehens abgehalten wird. **Lo|ka|tar** ⟨lat.-nlat.⟩ der; -s, -e: (veraltet) Pächter, Mieter. **Lo|ka|ti|on** ⟨lat.⟩ die; -, -en: 1. (veraltet) Platz-, Rangbestimmung. 2. ↑Location. **Lo|ka|tiv** ⟨lat.-nlat.⟩ der; -s, -e: den Ort ausdrückender ↑Kasus; Ortsfall (z. B. griech. oikoi = „zu Hause"; Sprachw.). **Lo|ka|tor** ⟨lat.⟩ der; -s, ...oren: 1. (hist.) im Mittelalter ein im Auftrage seines Landesherrn [Kolonisations]land verteilender Ritter. 2. (veraltet) Vermieter, Verpächter. **lo|ko** vgl. loco. **Lo|ko|ge|schäft** ⟨lat.⟩ das; -[e]s, -e: Geschäft über sofort verfügbare Ware (Wirtsch.); Ggs. ↑Distanzgeschäft. **Lo|ko|mo|bil** das; -s, -e u. **Lo|ko|mo|bi|le** ⟨lat.-nlat.⟩ die; -, -n: (veraltet) fahrbare Dampf-, Kraftmaschine. **Lo|ko|mo|ti|on** die; -, -en: der menschliche Gang; Bewegung von einer Stelle zur anderen (Med.). **Lo|ko|mo|ti|ve** ⟨lat.-engl.⟩ die; -, -n: Fahrzeug auf Schienen zum Ziehen der Eisenbahnwagen (Kurzform: Lok). **lo|ko|mo|to|risch** ⟨lat.-nlat.⟩: die Fortbewegung, den Gang betreffend (Med.). **Lo|ko|wa|re** ⟨lat.; dt.⟩ die; -, -n: sofort verfügbare, am Ort befindliche Ware. **lo|ku|li|zid** ⟨lat.-nlat.⟩: entlang der Mittellinie der Fruchtblätter aufspringend (von Kapselfrüchten; Bot.). **¹Lo|kus** ⟨lat.⟩ der; -, Lozi: (veraltet) Platz, Ort, Stelle. **²Lo|kus** der; - u. -ses, -se: (ugs.) Toilette (2). **Lo|ku|ti|on** ⟨lat.⟩ die; -, -en: a) Redewendung, Redensart; b) Redestil, Ausdrucksweise. **lo|ku|ti|o|när:** die Lokution betreffend (Sprachw.); **lokutionärer Akt:** der Sprechakt im Hinblick auf Artikulation, Konstruktion u. Logik der Aussage; vgl. illokutionärer Akt, perlokutionäre Akt. **lo|ku|tiv:** ↑lokutionär; **lokutiver Akt:** ↑lokutionärer Akt **Lo|li|ta** (nach dem Vornamen der Heldin im gleichnamigen Roman von V. Nabokov (1899–

1977)⟩ die; -, -s: Mädchen, das seinem Alter nach noch fast ein Kind, körperlich aber schon entwickelt ist u. zugleich unschuldig u. raffiniert, naiv u. verführerisch wirkt; Kindfrau **Lol|lar|de** ⟨niederl.-engl.⟩ der; -n, -n: 1. Mitglied der Alexianer (Kongregation von Laienbrüdern). 2. Anhänger des engl. Vorreformators Wyclif (14. Jh.) **Lom|bard** ⟨it.-fr.; vom Namen der Lombardei⟩ der od. das; -[e]s, -e: Kredit gegen Verpfändung beweglicher Sachen (Wertpapiere, Waren; Wirtsch.). **Lom|bar|de** ⟨it.⟩ der; -n, -n (meist Plural): oberitalienischer Geldwechsler im ausgehenden Mittelalter. **Lom|bard|ge|schäft** ⟨it.-fr.; dt.⟩ das; -[e]s, -e: ↑Lombard. **lom|bar|die|ren** ⟨it.-fr.⟩: Wertpapiere od. Waren bankmäßig beleihen (Wirtsch.). **Lom|bard|satz** ⟨it.-fr.; dt.⟩ der; -es, ...sätze: von der Notenbank festgesetzter Zinsfuß für Lombardgeschäfte (Wirtsch.); vgl. Diskontsatz **Lom|ber** ⟨lat.-span.-fr.⟩ das; -s: Kartenspiel **Lon|ga** ⟨lat.⟩ die; -, ...gae [...gɛ] u. ...gen: zweitlängster Notenwert der ↑Ars nova des 14. Jh.s (Mus.). **Lon|gä|vi|tät** die; -: Langlebigkeit (Med.). **Long|drink** ⟨engl.⟩ der; -[s], -s: neben Alkohol vor allem Soda, Fruchtsaft o. Ä. enthaltendes Mixgetränk. **Lon|ge** ['lõːʒə] ⟨lat.-fr.⟩ die; -, -n: a) von einer Laufleine für Pferde (Reitsport); b) an einem Sicherheitsgurt befestigte Leine zum Abfangen von Stürzen beim Turnen od. beim Schwimmunterricht. **lon|gie|ren** [...ʒ...]: ein Pferd an der Longe laufen lassen. **Lon|gi|met|rie*** ⟨lat.; gr.⟩ die; -: Längenmessung. **lon|gi|tu|di|nal** ⟨lat.-nlat.⟩: a) in der Längsrichtung verlaufend, längs gerichtet; b) die geografische Länge betreffend. **Lon|gi|tu|di|nal|schwin|gung** die; -, -en u. **Lon|gi|tu|di|nal|wel|le** die; -, -n: Welle, bei der die Schwingungsrichtung der Teilchen übereinstimmt mit der Richtung, in der sie sich ausbreitet (Phys.). **long|line** [...laɪn] ⟨lat.-engl.-amerik.⟩: an der Seitenlinie entlang. **Long|line** der; -[s], -s: entlang der Seitenlinie gespielter Ball (Tennis). **Long|sel|ler** ⟨engl.⟩ der; -s, -: Buch, das über einen langen Zeitraum gut verkauft wird; vgl. Steadyseller. **Long|ton** [...tʌn]

die; -, -s: engl. Gewichtsmaß (=
1016,05 kg)

Look [lʊk] ⟨*engl.;* „Aussehen")
der; -s, -s: Modestil, Mode[er-
scheinung]; Aussehen, Note.

Look|a|like* ['lʊkəlaik] *der;* -s,
-s: Doppelgänger [einer promi-
nenten Person]

loo|pen ['lu:pŋ] ⟨*engl.*⟩: einen
Looping ausführen. **Loop|garn**
['lu:p...] ⟨*engl.; dt.*⟩ *das;* -[e]s, -e:
Garn mit Schlingen (die beim
Zwirnen von einem ohne Span-
nung laufenden Faden gebildet
werden). **Loo|ping** ['lu:pɪŋ] *der*
(auch: *das*); -s, -s: senkrechter
Schleifenflug, Überschlag (beim
Kunstflug)

lo|pho|dont* ⟨*gr.-nlat.*⟩: statt ein-
zelner Höcker zusammenhän-
gende, gekrümmte Kämme od.
Leisten tragend (von den Ba-
ckenzähnen vieler Pflanzen fres-
sender Säugetiere; Zool.)

Lo|qua|zi|tät ⟨*lat.*⟩ *die;* -: Ge-
schwätzigkeit (Med.)

Lor|bass ⟨*lit.-ostniederd.*⟩ *der;* -es,
-e: (landsch.) Lümmel, Tauge-
nichts

Lord ⟨*engl.*⟩ *der;* -s, -s: 1. (ohne
Plural) Titel für einen Vertreter
des hohen englischen Adels. 2.
Träger des Titels Lord (1). **Lord
Chan|cel|lor** [-'tʃɑ:nsələ] ⟨*engl.;
lat.-fr.-engl.*⟩ *der;* - -s, - -s u. **Lord-
kanz|ler** ⟨*engl.; lat.-spätlat.-dt.*⟩
der; -s, -s: höchster englischer
Staatsbeamter; Präsident des
Oberhauses u. des Obersten Ge-
richtshofes. **Lord May|or** [-'mɛɒ]
der; - -s, - -s: Oberbürgermeister
bestimmter Großstädte im briti-
schen Commonwealth

Lor|do|se ⟨*gr.*⟩ *die;* -, -n: Verkrüm-
mung der Wirbelsäule nach vorn
(Med.). **lor|do|tisch:** zur Lordo-
se gehörend, mit Lordose einher
gehend

Lord|ship [...ʃɪp] ⟨*engl.*⟩ *die;* -: 1.
Lordschaft (Rang bzw. Titel,
auch Anrede eines Lords). 2.
Herrschaftsgebiet eines Lords

Lo|ret|te ⟨*fr.*⟩ *die;* -, -n: (veraltet)
Lebedame; leichtfertiges Mäd-
chen (bes. im Paris des 19. Jh.s)

Lorg|net|te* [lɔrn'jɛtə] ⟨*fr.*⟩ *die;* -,
-n: bügellose, an einem Stiel vor
die Augen zu haltende Brille.

lorg|net|tie|ren: (veraltet)
durch die Lorgnette betrachten;
scharf mustern. **Lorg|non**
[lɔrn'jõ:] *das;* -s, -s: a) früher üb-
liches Stieleinglas; b) Lorgnette,
früher übliche Stielbrille

Lo|ri ⟨*malai.-engl.*⟩ *der;* -s, -s: far-
benprächtiger, langflügeliger
Papagei

²Lo|ri ⟨*fr.; Herkunft unsicher*⟩ *der;*
-s, -s: schwanzloser Halbaffe

Lo|ro|kon|to ⟨*it.*⟩ *das;* -s, ...ten
(auch: -s u. ...ti): das bei einer
Bank geführte Konto einer anderen Bank

Lo|sa|ment ⟨aus ↑Logement um-
gestaltet⟩ *das;* -[e]s, -e: (veraltet)
Wohnung, Unterkunft

Lo|ser ['lu:zɐ] ⟨*engl.*⟩ *der;* -s, -:
Verlierer, Versager

Lost ⟨Kunstw.⟩ *der;* -[e]s: chem.
Kampfstoff; Senfgas

lo stes|so tem|po vgl. l'istesso
tempo

Lost|ge|ne|ra|tion ['lɔstdʒɛnə-
'reɪʃən] ⟨*engl.;* „verlorene Generation"; von der amerikanischen
Schriftstellerin Gertrude Stein,
1874– 1946, geprägte Bezeich-
nung⟩ *die;* -: a) Gruppe der jungen, durch das Erlebnis des 1.
Weltkriegs desillusionierten und
pessimistisch gestimmten amerikanischen Schriftsteller der
Zwanzigerjahre; b) junge amerikanische u. europäische Generation nach dem 1. Weltkrieg

Lot ⟨*engl.*⟩ *das;* -s, -s: [vom Händ-
ler angebotene] Zusammenstel-
lung von Briefmarken

Lo|ti|on [auch: 'loʊʃən] ⟨*lat.-
fr.(-engl.)*⟩ *die;* -, -en u. (bei engl.
Ausspr.:) -s: flüssiges Kosmetikum zur Reinigung u. Pflege der
Haut

Lo|tos ⟨*gr.-lat.*⟩ *der;* -, - u. **Lo|tos-
blu|me** ⟨*gr.-lat.; dt.*⟩ *die;* -, -n:
Wasserrose mit weißen, rosa od.
hellblauen Blüten. **Lo|tos|säu|le**
die; -, -n: altägyptische Säule mit
einem stilisierten Pflanzenkapi-
tell. **Lo|tos|sitz** *der;* -es: Sitzhal-
tung, bei der die Oberschenkel
gegrätscht u. die Füße über
Kreuz auf den Oberschenkeln
liegen

Lot|te|rie ⟨*germ.-niederl.*⟩ *die;* -,
...ien: 1. Zahlenglücksspiel, bei
dem Lose gekauft od. gezogen
werden. 2. Verlosung. 3. Kartenglücksspiel. 4. Lotteriespiel, ris-
kantes Handeln mit Inkaufnah-
me aller Eventualitäten. **Lot|te-
rie|kol|lek|teur** [...tø:ɐ] ⟨*germ.-
niederl.; lat.-fr.*⟩ *der;* -s, -e: (veral-
tet) Lotterieeinnehmer. **Lot|te-
rie|kol|lek|ti|on** *die;* -, -en: (ver-
altet) Lotterieeinnahme. **Lot|to**
⟨*germ.-fr.-it.*⟩ *das;* -s, -s: 1.
Glücksspiel, bei dem man auf
ligen Ziehung als Gewinnzahlen
ausgelost werden; Zahlenlotte-
rie. 2. Gesellschaftsspiel, bei
dem Karten mit Zahlen od. Bildern durch dazugehörige Karten

bedeckt werden müssen. **Lot|to-
kol|lek|tur** *die;* -s, -en: (österr.)
Geschäftsstelle für das Lotto-
spiel

Lo|tus ⟨*gr.-lat.*⟩ *der;* -, -: 1. Horn-
klee. 2. ↑Lotos

Lou|is ['lu:i] ⟨franz. Name für
Ludwig⟩ *der;* -, - ['lu:is]: (ugs.)
Zuhälter. **Lou|is|dor** ⟨*fr.;* nach
Ludwig XIII., 1601–1643⟩ *der;*
-s, -e (aber: 5 Louisdor): französische Goldmünze, die zuerst unter Ludwig XIII. geprägt wurde.
Lou|il|sette [lʊi'zɛt] *die;* -, -n: ers-
te Bez. für die ↑Guillotine. **Lou-
is-qua|torze** [lʊika'tɔrz] *das;* -:
französischer Kunststil zur Zeit
Ludwigs XIV. (französisches Ba-
rock). **Lou|is-quinze** [lʊi'kɛ̃:z]
das; -: dem deutschen Rokoko
vergleichbarer französischer
Kunststil zur Zeit Ludwigs XV.
Lou|is-seize [...'sɛ:z] *das;* -:fran-
zösischer Kunststil zur Zeit Lud-
wigs XVI. **Lou|is troize** [...'trɛ.z]
das; -: französischer Kunststil
zur Zeit Ludwigs XIII.

Lounge [laʊndʒ] ⟨*engl.*⟩ *die;* -, -s
['laʊndʒɪs]: Gesellschaftsraum
in Hotels o. Ä.; Hotelhalle

Loup de Mer [lu:də'mɛ:ʁ] ⟨*fr.*⟩ *der;*
-s - - [lu:...], -s - - [lu:...]: Wolfs-
barsch

Loure [lu:ʁ] ⟨*fr.*⟩ *die;* -, -n: Tanz
mit merklicher Hervorhebung
des Taktanfangs im $^6/_4$-Takt od.
$^3/_8$-Takt

love [lʌv] ⟨*engl.*⟩: engl. Bez. im
Tennis für: null, zu null.
Love-in [lʌv-'ɪn] ⟨*engl.*⟩ *das;* -s, -s:
(vor allem in den 60er-Jahren)
aus einer Protesthaltung hervor-
gegangene Veranstaltung jugendlicher Gruppen, die es zu
zwanglichen erotisch-sexuel-
len Handlungen kommt **Love-
pa|rade** [...pə reɪd] *die;* -: (jähr-
lich in Berlin stattfindender)
Umzug der ↑Raver. **Lo|ver**
['lʌvɐ] *der;* -s, -[s]: Freund u.
Liebhaber; Liebespartner.
Love|sto|ry *die;* -: [sentimen-
tale] Liebesgeschichte

Low Church ['loʊ 'tʃɔ:tʃ] ⟨*engl.*⟩
die; -: vom ↑Methodismus beeinflusste Richtung in der
↑anglikanischen Kirche; vgl.
Broad Church, High Church.
Low|im|pact ['loʊ'ɪmpɛkt] *der;*
-s, -s: geringe Belastung, schwä-
chere Wirkung

lo|xo|drom* ⟨*gr.-nlat.*⟩: die Län-
genkreise (vgl. auch Meridian)
einer Kugel bzw. der Erdkugel
unter gleichem Winkel schnei-
dend (von gedachten Kurven auf
einer Kugel bzw. auf der Erdku-

gel; Math.). Lo|xo|dro|me *die;* -,
-n: Kurve, die loxodrom ist
(Math.). lo|xo|dro|misch: (veraltet) loxodrom. lo|xo|go|na̱l:
schiefwinklig. Lo|xoph|thaḻmus *der;* -: (selten) Strabismus;
das Schielen (Med.)

lo|ya̱l [lo̱a'ja:l] *⟨lat.-fr.⟩:* a) zur Regierung, zum Vorgesetzten stehend; die Gesetze, die Regierungsform respektierend; gesetzes-, regierungstreu; Ggs. ↑disloyal, ↑illoyal (a); b) die Interessen anderer achtend; vertragstreu; anständig, redlich; Ggs.
↑illoyal (b, c). Lo|ya|li̱st *der;* -en,
-en: jmd., der loyal (a) ist, regierungstreu, gesetzestreu handelt.
Lo|ya|li|tä̱t *die;* -, -en: a) Treue
gegenüber der herrschenden Gewalt, der Regierung, dem Vorgesetzten; Gesetzes-, Regierungstreue; b) Vertragstreue; Achtung
vor den Interessen anderer; Anständigkeit, Redlichkeit

lo|zie̱|ren *⟨lat.⟩:* (veraltet) 1. an einen Ort setzen od. stellen, einordnen. 2. verpachten

Lu|ci|do̱l ® *⟨lat.-nlat.⟩ das;* -s:
Bleichmittel für pflanzliche Öle
und Fette

Lu̱|ci|fer vgl. Luzifer.

Lud|di̱|ten *⟨engl.;* angeblich nach
einem englischen Arbeiter
Lud[d]› *die* (Plural): aufrührerische Arbeiter in England, die im
Anfang des 19. Jh.s aus Furcht
vor Arbeitslosigkeit [Textil]maschinen zerstörten

Lu̱|dus *⟨lat.⟩ der;* -, Ludi: 1. öffentliches Fest- u. Schauspiel im
Rom der Antike. 2. mittelalterliches geistliches Drama. 3. lat.
Bez. für Elementarschule

Lu̱|es *⟨lat.;* „Seuche, Pest"› *die;* -:
Syphilis (Med.). lu̱|e|tisch *⟨lat.-nlat.⟩:* syphilitisch (Med.)

Lu̱f|fa *⟨arab.-span.-nlat.⟩ die;* -, -s:
kürbisartige Pflanze, aus deren
schwammartiger Frucht die Luffaschwämme hergestellt werden

Lü|gen|de|tek|tor *⟨dt.; lat.-engl.⟩
der;* -s, ...o̱ren: Registriergerät
zur Feststellung unwillkürlicher
körperlicher Reaktionen, die
möglicherweise Rückschlüsse
auf den Wahrheitsgehalt von gemachten Aussagen zulassen

Lu̱g|ger vgl. Logger

lu|gu̱|ber *⟨lat.-fr.⟩:* traurig, düster.
lu|gu̱|bre* *⟨lat.-it.⟩:* klagend,
traurig (Mus.). Lu|gub|ri|tä̱t* *⟨lat.-nlat.⟩ die;* -: Traurigkeit,
Düsterkeit

Lu̱|i|ker *⟨lat.-nlat.⟩ der;* -s, -: an Syphilis Erkrankter (Med.). lu̱isch: ↑luetisch

Lu|i|si̱|ne *⟨fr.⟩ die;* -: weiches Gewebe aus reiner Seide in Taftbindung (Webart)

Lu|ka̱r|ne *⟨fr.⟩ die;* -, -n: 1. Dacherker mit verziertem Giebelfenster (bes. in der Schlossbaukunst
der französischen Spätgotik; Archit.). 2. (landsch.) Dachfenster,
-luke

luk|ra|ti̱v *⟨lat.⟩:* Gewinn bringend, einträglich. luk|rie̱|ren:
(veraltet) gewinnen, einen Gewinn bei etwas machen

Lu|kub|ra|ti|o̱n* *⟨lat.⟩ die;* -, -en:
(veraltet) [wissenschaftliches]
Arbeiten bei Nacht. lu|ku|le̱nt:
(veraltet) lichtvoll, klar

lu|ku̱l|lisch *⟨lat.;* nach dem römischen Feldherrn Lucullus›: üppig, erlesen (von Speisen). Lu̱kul|lus *der;* -, -se: Schlemmer

Lu̱l|la|by ['lʌləbaɪ] *⟨engl.⟩ das;* -s,
-s: engl. Bez. für: Wiegenlied,
Schlaflied

Lu|ma|che̱l|le *[...'ʃɛlə] ⟨gr.-lat.-it.-fr.⟩ die;* -, -n: aus Muschel- u.
Schneckenschalenresten zusammengesetzter Kalkstein mit großen Poren (Geol.)

Lum|ba̱|go *⟨lat.⟩ die;* -: Schmerzen im Bereich der Lendenwirbelsäule u. der angrenzenden
Körperteile; Hexenschuss
(Med.). lum|ba̱l *⟨lat.-nlat.⟩:* zu
den Lenden gehörend, sie betreffend; Lenden... (Med.). Lum|ba̱l|an|läs|the̱|sie *die;* -, -n: örtliche Betäubung durch Einspritzungen in den Wirbelkanal der
Lendengegend (Med.). Lum|ba̱ḻgie* *⟨lat.; gr.⟩ die;* -, ...ie̱n: Lendenschmerz (Med.). Lum|ba̱ḻpunk|ti|o̱n *die;* -, -en: ↑Punktion
des Lendenwirbelkanals (Med.)

Lum|ber ['lʌmbɐ] *der;* -s, -: Kurzform von ↑Lumberjack. Lum̱ber|jack *[...dʒɛk] ⟨engl.-amerik.;*
„Holzfäller"› *der;* -s, -: Jacke
aus Leder, Cord o. Ä., meist mit
Reißverschluss, mit engem Taillenschluss u. Bund an den Ärmeln

Lu̱|men *⟨lat.;* „Licht"› *das;* -s, - u.
Lumina: 1. (veraltet scherzh.)
kluger Mensch, Könner, hervorragender Kopf. 2. Hohlraum eines röhrenförmigen Körperorgans, z. B. eines Blutgefäßes od.
des Darms (Med.; Biol.). 3. innerer Durchmesser eines röhrenförmig hohlen Organs (Med.;
Biol.). 4. Maßeinheit für den
Lichtstrom; Abk. = lm (Phys.).
Lu̱|men na̱|tu|ra̱|le *das;* - - u. -- -: das
natürliche Licht der Vernunft im
Unterschied zum göttlichen; das
menschlich-endliche Erkennt-

nisvermögen mit seiner Abhängigkeit vom „übernatürlichen
Licht" der göttlichen Offenbarung (Philos.)

Lu̱|mie [...jə] *⟨pers.-arab.-it.⟩ die;* -,
-n: im Mittelmeergebiet beheimatete, meist nur noch als
Schmuckbaum angepflanzte Zitrusfrucht; süße Zitronenart

Lu|mi|na̱l ® *⟨Kunstw.⟩ das;* -s:
Schlafmittel; Mittel gegen Epilepsie u. andere Krankheiten.
Lu|mi|na̱nz|sig|nal* *das;* -s, -e:
das beim Farbfernsehen zur
Übertragung der Helligkeitswerte ausgestrahlte Signal. Lu|mi̱nes|zenz *⟨lat.-nlat.⟩ die;* -, -en:
das Leuchten eines Stoffes ohne
gleichzeitige Temperaturerhöhung; kaltes Leuchten (z. B. von
Phosphor im Dunkeln). lu|mi̱nes|zie̱|ren: ohne gleichzeitige
Temperaturerhöhung leuchten.
Lu|mi̱|neux [lymi'nø:] *⟨lat.-fr.⟩
der;* -: glanzreicher Kleider- od.
Futterstoff in Taftbindung
(Webart). Lu|mi|no|gra̱|phie,
auch: Luminografie *⟨lat.; gr.⟩
die;* -: Verfahren zur Herstellung
fotografischer Kopien mithilfe
von Leuchtstofffolien als Lichtquelle. Lu|mi|no|pho̱r *der;* -s, -e:
Masse, Substanz, die durch Bestrahlen mit Licht lange Zeit im
Dunkeln leuchtet. lu|mi|nö̱s
⟨lat.-fr.⟩: 1. hell, lichtvoll, leuchtend. 2. deutlich, vortrefflich

Lu̱m|me *⟨nord.⟩ die;* -, -n: auf steilen Felsen der Nordmeerinseln
lebender arktischer Seevogel mit
kurzen Flügeln

Lum|pa̱|zi|us *⟨mit latinisierender
Endung zu „Lump" gebildet⟩
der;* -, -se: (ugs. scherzh.) Lump.
Lum|pa̱|zi|va|ga|bu̱n|dus *⟨nach
der Titelgestalt einer Posse von
Nestroy⟩ der;* -, -se u. ...di: Landstreicher, Herumtreiber. Lum̱pen|pro|le|ta|ri|at *das;* -[e]s, -e:
(marxistische Theorie) im kapitalistischen Gesellschaftssystem) unterste Gesellschaftsschicht, die unfähig ist zum politischen Kampf, da sie kein Klassenbewusstsein entwickelt hat

Lu̱|na *⟨lat.⟩* (meist ohne Artikel)
-s; mit Artikel: *die;* -: (dichter.)
Mond. lu|na̱r: den Mond betreffend, zu ihm gehörend, von ihm
ausgehend (Astron.). lu|na̱risch: (veraltet) lunar. Lu|na̱rium *⟨lat.-nlat.⟩ das;* -s, ...ien: Gerät zur Veranschaulichung der
Mondbewegung (Astron.). Lu|na̱r|lor|bit *die;* -, -s: Umlaufbahn um den
Mond (Astron.). Lu|na̱|ti|ker
⟨lat.⟩ der; -s, -: Mondsüchtiger

(Med.). **Lu|na|ti|on** ⟨*lat. -nlat.*⟩ *die;* -, -en: Mondumlauf von Neumond zu Neumond. **lu|na|tisch** ⟨*lat.*⟩: mondsüchtig, ↑somnambul ⟨*lat.-nlat.*⟩ *der;* -: Mondsüchtigkeit, ↑Somnambulismus (Med.) **Lunch** [lanʃ, lantʃ] ⟨*engl.*⟩ *der;* -[e]s u. -, -[e]s u. -e: (in den angelsächsischen Ländern) kleinere, leichte Mahlzeit in der Mittagszeit. **lun|chen:** den Lunch einnehmen. **Lunch|pa|ket** *das;* -[e]s, -e: kleines Paket mit Verpflegung für die Teilnehmer an einem Ausflug o. Ä. **Lun|dist** [lœ'dıst] ⟨*lat.-vulgärlat.-fr.*⟩ *der;* -en, -en: (veraltet) Herausgeber einer Montagszeitung. **Lü|net|te** ⟨*lat.-fr.;* „Möndchen") *die;* -, -n: 1. Bogenfeld als Abschluss über Türen od. Fenstern od. als Bekrönung eines Rechtecks (Archit.). 2. (veraltet) Grundrissform im Festungsbau bei Schanzen u. Forts. 3. verstellbare Vorrichtung an Drehmaschinen, Setzstock bei der Metallverarbeitung zur Unterstützung langer Werkstücke **lun|go** ⟨*lat.-it.*⟩: lang gehalten (Vortragsanweisung; Mus.) **lu|ni|so|lar** ⟨*lat.-nlat.*⟩: den Mond- u. Sonnenlauf betreffend, von Mond u. Sonne ausgehend. **Lu|ni|so|lar|prä|zes|si|on** *die;* -: das durch die Anziehung von Sonne u. Mond bewirkte Fortschreiten der Tagundnachtgleiche-Punkte der Erde auf der ↑Ekliptik. **Lu|no|naut** ⟨*lat.-gr.*⟩ *der;* -en, -en: für einen Mondflug eingesetzter Astronaut. **Lu|nu|la** ⟨*lat.*⟩ *die;* -, ...lae [...lɛ] u. ...nulen: 1. halbmondförmiger [Hals]schmuck aus der Bronzezeit. 2. glasumschlossener Hostienbehälter in der Monstranz. 3. halbmondförmiges weißliches Feld am hinteren Nagelwall (Med.). **lu|nu|lar** ⟨*lat.-nlat.*⟩: halbmondförmig **Lu|pa|nar** ⟨*lat.*⟩ *das;* -s, -e: altrömisches Bordell. **Lu|per|ka|li|en** ⟨*lat.*⟩ *die* (Plural): altrömisches Fest, ursprünglich zu Ehren des Hirtengottes Faun, das später zur Reinigungs- u. Fruchtbarkeitsfeier wurde **Lu|pi|ne** ⟨*lat.-nlat.*⟩ *die;* -, -n: Pflanze mit meist gefingerten Blättern u. ährigen Blüten. **Lu|pi|no|se** *die;* -, -n: Futtermittelvergiftung mit schwerer Erkrankung der Leber bei Wiederkäuern [infolge Fütterung mit bitteren Lupinen] (Tiermed.) **lu|pös** ⟨*lat.-nlat.*⟩: an Lupus er-

krankt, leidend (Med.). **Lu|pu|lin** *das;* -s: bei der Bierbrauerei u. als Beruhigungsmittel in der Medizin verwendeter Bitterstoff der Hopfenpflanze. **Lu|pus** ⟨*lat.;* „Wolf") *der;* -, -[se]: meist chronisch verlaufende tuberkulöse Hautflechte mit entstellender Narbenbildung (meist im Gesicht; Med.). **Lu|pus in fa|bu|la!** ⟨„der Wolf in der Fabel"): wenn man vom Teufel spricht, ist er nicht weit! (Ausruf, wenn jemand kommt, von dem man gerade gesprochen hat) **Lu|re** ⟨*nord.*⟩ *die;* -, -n: altes nordisches hornähnliches Blasinstrument **Lu|rex** ® ⟨*Kunstw.*⟩ *das;* -: mit metallisierten Fasern hergestelltes Garn, Gewebe, Gewirk **lu|sin|gan|do** ⟨*germ.-provenzal.-it.*⟩: schmeichelnd, gefällig, gleitend, zart, spielerisch (Vortragsanweisung; Mus.) **Lu|si|ta|nis|mus** ⟨*lat.*⟩ *der;* -, ...men: (veraltet) Übertragung einer für das Portugiesische bzw. Brasilianische typischen Erscheinung auf eine nichtportugiesische bzw. nichtbrasilianische Sprache. **Lu|si|ta|nis|tik** *die;* -: (veraltet) Wissenschaft von der portugiesischen bzw. brasilianischen Sprache u. Literatur **Lüs|ter** ⟨*lat.-it.-fr.*⟩ *der;* -s, -: (österr.) ↑Lüster. **Lüs|ter** *der;* -s, -: 1. Kronleuchter. 2. Glanzüberzug auf Glas-, Ton-, Porzellanwaren. 3. in der Lederfabrikation (u. bei der Pelzveredlung) verwendetes Appreturmittel, das die Leuchtkraft der Farben erhöht u. einen leichten Glanz verleiht. 4. glänzendes, etwas steifes [Halb]wollgewebe. **Lüs|ter|far|be** *die;* -, -n: zur Herstellung des Lüsters (2) verwendete Farbe, die wenig Metall enthält. **Lust|ra***: Plural von ↑Lustrum. **Lust|ra|ti|on*** ⟨*lat.*⟩ *die;* -, -en: 1. feierliche kultische Reinigung [durch Sühneopfer] (Rel.). 2. (veraltet) Durchsicht, Musterung, Prüfung. **lust|ra|tiv*** ⟨*lat.-nlat.*⟩: kultische Reinheit bewirkend (Rel.). **Lust|ren***: Plural von ↑Lustrum. **lust|rie|ren*** ⟨*lat.*⟩: 1. feierlich reinigen (Rel.). 2. (veraltet) durchsehen, mustern, prüfen. **lust|rie|ren*** ⟨*lat.-it.-fr.*⟩: Baumwoll- u. Leinengarne fest u. glänzend machen. **Lüst|ri|ne*** ⟨*lat.*⟩ *die;* -: glänzendes Hutfutter in Taftbindung (Webart) [aus Chemiefasern]. **Lust|rum*** ⟨*lat.*⟩ *das;* -s, ...ren u. ...ra: 1. (hist.) altrö-

misches Reinigungs- u. Sühneopfer, das alle fünf Jahre stattfand. 2. Zeitraum von fünf Jahren **Lu|te|in** ⟨*lat.-nlat.*⟩ *das;* -s: gelber Farbstoff in Pflanzenblättern u. im Eidotter. **Lu|te|li|nom** vgl. Luteom. **Lu|te|o|lin** *das;* -s: gelber Pflanzenfarbstoff der Reseda u. des Fingerhuts. **Lu|te|om** u. Luteinom *das;* -s, -e: Eierstockgeschwulst (Med.). **Lu|te|o|tro|pin*** *das;* -s, -e: ↑Prolaktin **Lu|te|ti|um** ⟨*nlat.;* nach Lutetia, dem lat. Namen von Paris) *das;* -s: chemisches Element, Metall, Zeichen: Lu; vgl. Cassiopeium **Lut|ro|pho|ros*** ⟨*gr.*⟩ *der;* -, ...phoren: schlankes Kultgefäß der griechischen Antike mit zwei od. drei Henkeln **lut|tu|lo|so** ⟨*lat.-it.*⟩: schmerzvoll, traurig (Vortragsanweisung; Mus.) **Lux** ⟨*lat.*⟩ *das,* -, -. Einheit der Beleuchtungsstärke; Zeichen: lx (Phys.) **Lu|xa|ti|on** ⟨*lat.*⟩ *die;* -, -en: Verrenkung, Ausrenkung eines Gelenks (Med.); vgl. Distorsion (1). **lu|xie|ren:** verrenken, ausrenken (Med.) **Lux|me|ter** ⟨*lat.; gr.*⟩ *das;* -s, -: Messgerät für den Lichtstrom; Beleuchtungsmesser. **Lux|se|kun|de** *die;* -, -n: photometrische Einheit der Belichtung; Zeichen: lx s **lu|xu|rie|ren** ⟨*lat.-nlat.*⟩: 1. üppig, reichlich vorhanden sein; schwelgen. 2. sich in Wuchs od. Vitalität im Vergleich zur Elterngeneration steigern (von Pflanzenbastarden; Bot.). **lu|xu|ri|ös** ⟨*lat.*⟩: sehr komfortabel ausgestattet; üppig, verschwenderisch; kostbar, prunkvoll. **Lu|xus** *der;* -: Aufwand, der den normalen Rahmen [der Lebenshaltung] übersteigt; nicht notwendiger, nur zum Vergnügen betriebener Aufwand; Verschwendung; Prunk. **Lu|xus|li|ner** [...lainə] *der;* -s, -: im Liniendienst eingesetztes Luxusschiff; Schiff, das viel Komfort bietet **Lu|zer|ne** ⟨*lat.-vulgärlat.-provenzal.*⟩ *die;* -, -n: zur Familie der Schmetterlingsblütler zählende wichtige Futterpflanze mit blauen, violetten od. gelben traubenförmigen Blüten. **lu|zid** ⟨*lat.*⟩: 1. hell; durchsichtig. 2. klar, verständlich. **Lu|zi|di|tät** *die;* -: 1. Helle, Durchsichtigkeit. 2. Klarheit, Verständlichkeit. 3. Hellsehen (Psychol.). **Lu|zi|fer**, (kirchenlat.:) Lucifer *der; -s:* Teufel, Satan. **Lu|zi|fe|rin** *das; -s:* Leuchtstoff vieler Tiere u. Pflanzen. **lu|zi|fe|risch:** teuflisch. **Lu|zi|me|lter** *‹lat.; gr.› das; -s, -:* (veraltet) Gerät zur Messung der auf die Erde treffenden Sonnenstrahlen; Kugelpyranometer (Meteor.)

Ly|a|se *‹gr.-nlat.› die; -, -n:* Enzym, das organische Stoffe aufspaltet (Chem.)

Ly|chee ['lɪtʃi] vgl. Litschi

Ly|co|po|di|um *‹gr.› das; -s, ...ien:* ↑ Lykopodium

Lyc|ra* ® [auch: 'laikra] *‹Kunstw.› das; -s:* hochelastische Kunstfaser

Lyd|dit *‹engl.-nlat.; nach der engl. Stadt Lydd) das; -s:* Sprengstoff aus ↑ Pikrinsäure

ly|disch ‹nach der Landschaft Lydien›: die antike Landschaft Lydien in Kleinasien betreffend; **lydische Tonart:** 1. altgriechische Tonart. 2. zu den authentischen vier ersten Tonreihen gehörende, auf f stehende Tonleiter der Kirchentonarten des Mittelalters (Mus.). **Ly|di|sche** *das; -n:* (Mus.) 1. altgriechische Tonart. 2. Kirchentonart. **Ly|dit** *‹gr.-nlat.› der; -s, -e:* (dem Erkennen der Echtheit von Gold- u. Silberlegierungen dienender) schwarzer Kieselschiefer

Ly|kanth|ro|pie* *‹gr.›* u. **Ly|ko|ma|nie** *‹gr.-nlat.› die; -:* (im Mittelalter häufige) Wahnvorstellung, in einen Werwolf od. in ein anderes wildes Tier verwandelt zu sein (Med.; Psychol.). **Ly|ko|po|di|um** *das; -s, ...ien:* 1. Vertreter einer Klasse Farnpflanzen; Bärlapp. 2. aus den Sporen von Bärlapparten hergestelltes Pulver, das als Streupulver bei der Pillenherstellung u. technisch (als Blitzpulver bei Feuerwerkskörpern) verwendet wird. **Ly|ko|re|xie*** *die; -, ...ien:* krankhaft gesteigerter Appetit; Heißhunger (Med.)

Lyme|arth|ri|tis* ['laɪm...] ‹nach dem Ort Lyme in Connecticut, USA, wo die Krankheit zuerst diagnostiziert wurde) *die; -, ...itiden:* durch eine bestimmte Zeckenart übertragene Erkrankung der großen Gelenke, bes. des Kniegelenks (Med.)

Lymph|ade|nie* *‹gr.-nlat.› die; -, ...ien* u. Lymphadenose *die; -, -n:* Lymphknotenwucherung (Med.). **Lymph|ade|ni|tis** *die; -, ...itiden:* Lymphknotenentzündung (Med.). **Lymph|ade|nom,**

Lymphom *das; -s, -e* u. Lymphoma *das; -s, -ta:* Lymphknotengeschwulst (Med.). **Lymph|ade|no|se** vgl. Lymphadenie. **Lymph|an|gi|om** *das; -s, -e:* gutartige Lymphgefäßgeschwulst (Med.). **Lymph|an|gi|tis** *die; -, ...itiden:* Lymphgefäßentzündung (Med.). **lym|pha|tisch:** auf Lymphe, Lymphknötchen, -drüsen bezüglich, sie betreffend (Med.). **Lym|pha|tis|mus** *der; -, ...men:* auf besonders ausgeprägter Reaktionsbereitschaft des lymphatischen Systems beruhender krankhafter Zustand mit blassem Aussehen, träger Atmung, Neigung zu Drüsenu. Schleimhautentzündungen, Milzschwellung u. chronischen Schwellungen der lymphatischen Organe (Med.). **Lym|phe** *‹gr.-lat.› die; -, -n :* 1. hellgelbe, eiweißhaltige, für den Stoffaustausch der Gewebe wichtige Körperflüssigkeit in eigenem Gefäßsystem u. in Gewebsspalten. 2. Impfstoff gegen Pocken. **lym|pho|gen** *‹gr.-lat.; gr.›:* lymphatischen Ursprungs, auf dem Lymphwege entstanden (z. B. Lymphgefäße, Lymphknoten) (Med.). **Lym|pho|gra|nu|lo|ma|to|se*** *‹gr.-lat.; lat.-nlat.› die; -:* Auftreten von bösartigen Geschwulstbildungen des lymphatischen Gewebes (Med.). **Lym|pho|gra|phie,** auch: ...grafie *die; -, ...ien:* röntgenologische Darstellung von Lymphbahnen u. Lymphknoten (Med.). **Lym|pho|id** *‹gr.-nlat.›:* lymphartig, lymphähnlich (bezogen auf die Beschaffenheit von Zellen u. Flüssigkeiten; Med.). **Lym|pho|i|do|zyt** *der; -en, -en (meist Plural):* den Lymphozyten ähnliche Zelle im Blut, die eigentlich eine noch unausgereifte Knochenmarkzelle ist (z. B. bei Leukämie; Med.). **Lymphom** u. **Lym|pho|ma** vgl. Lymphadenom. **Lym|pho|pe|nie** *die; -, ...ien:* krankhafte Verminderung der Zahl der Lymphozyten im Blut (Med.). **Lym|pho|po|ese** *die; -:* (Med.) a) Bildung der zellarmen Lymphe in den Gewebsspalten; b) Ausbildung u. Entwicklung der Lymphozyten im lymphatischen Gewebe der Lymphknoten, der ↑ Tonsillen u. der Milz. **Lym|pho|sta|se** *die; -, -n:* Lymphstauung (Med.). **Lym|pho|zyt** *der; -en, -en (meist Plural):* im lymphatischen Gewebe entstehendes, außer im Blut auch in der Lymphe u. im Knochen-

mark vorkommendes weißes Blutkörperchen (Med.). **Lym|pho|zy|to|se** *die; -, -n:* [krankhafte] Vermehrung der Lymphozyten im Blut (Med.)

lyn|chen [auch: 'lɪnçn] ‹engl.; wahrscheinlich nach dem nordamerik. Pflanzer u. Friedensrichter Charles Lynch›: (jmdn.) für eine [als Unrecht empfundene] Tat ohne Urteil eines Gerichts grausam misshandeln od. töten. **Lynch|jus|tiz** *die; -:* das Lynchen; grausame Misshandlung od. Tötung eines Menschen [durch eine aufgebrachte Volksmenge]

Ly|o|ner [li...] ‹nach der franz. Stadt Lyon› *die; -, -* u. **Ly|o|ner Wurst** *die; - -, -* Würste: rosa Brühwurst von gehobener Qualität (aus Schweinefleisch)

ly|o|phil *‹gr.-nlat.›:* Lösungsmittel aufnehmend, leicht löslich (Chem.); Ggs. ↑lyophob. **Ly|o|phi|li|sa|ti|on** *die; -, -en:* Verfahren zur Haltbarmachung bestimmter Güter (Lebensmittel, Medikamente u. a.), die in gefrorenem Zustand im Vakuum getrocknet werden; Gefriertrocknung (Technik). **ly|o|phob:** kein Lösungsmittel aufnehmend, schwer löslich (Chem.); Ggs. ↑lyophil

Ly|pe|ma|nie *‹gr.-nlat.› die; -:* meist auf neurotischen Störungen beruhende anomale Traurigkeit, Melancholie (Psychol.)

Ly|ra *‹gr.-lat.› die; -, ...ren:* 1. altgriechisches, der ↑ Kithara ähnliches Zupfinstrument mit fünf bis sieben Saiten. 2. ↑ Viella (2), Drehleier (10. Jh.). 3. Streichinstrument, Vorgängerin der Violine (16. Jh.); vgl. Lira da Braccio. 4. dem Schellenbaum ähnliches Glockenspiel der Militärkapellen. 5. in Lyraform gebaute Gitarre mit sechs Saiten u. einem od. zwei Schalllöchern; Lyragitarre (frühes 19. Jh.). **Ly|ri|den** *‹gr.-lat.-nlat.› die (Plural):* im April regelmäßig zu beobachtender Sternschnuppenschwarm. **Ly|rik** *‹gr.-lat.-fr.› die; -:* Dichtungsgattung, in der subjektives Erleben, Gefühle, Stimmungen usw. od. Reflexionen mit den Formmitteln von Reim, Rhythmus, Metrik, Takt, Vers, Strophe u. a. ausgedrückt werden. **Ly|ri|ker** *der; -s, -:* Dichter, der Lyrik schreibt. **ly|risch:** 1. a) die Lyrik betreffend, zu ihr gehörend; b) in der Art von Lyrik, mit stimmungsvollem, gefühlsbetontem

Grundton. 2. weich, von schönem Schmelz u. daher für gefühlsbetonten Gesang geeignet (auf die Gesangsstimme bezogen; Mus.). 3. gefühl-, stimmungsvoll. **ly|ri|sie|ren** ⟨gr.-nlat.⟩: dichterisch od. musikalisch (übertrieben) stimmungsvoll gestalten. **Ly|ris|mus** der; -. ...men: [übertrieben] stimmungsvolle, gefühlsbetonte dichterische od. musikalische Gestaltung, Darbietung

Ly|se vgl. Lysis. **ly|si|gen** ⟨gr.-nlat.⟩: durch Auflösung entstanden (z. B. von Gewebslücken; Biol.). **Ly|si|me|ter** das; -s, -: Gerät für wasser- u. landwirtschaftswissenschaftliche Untersuchungen zur Messung des Niederschlags, zur Bestimmung von Boden- u. Pflanzenverdunstung. **Ly|sin** das; -s, -e (meist Plural): Antikörper, der fremde Zellen u. Krankheitserreger, die in den menschlichen Organismus eingedrungen sind, aufzulösen vermag (Med.). **Ly|sis** u. Lyse ⟨gr.; „Auflösung"⟩ die; -, ...sen: 1. allmählicher Fieberabfall (Med.). 2. Auflösung von Zellen (z. B. von Bakterien, Blutkörperchen; Med.). 3. Zerfall von Persönlichkeit (Psychol.). **Ly|so|form** ® ⟨Kunstw.⟩ das; -s: Desinfektionsmittel. **Ly|sol** ® das; -s: Kresolseifenlösung (Desinfektionsmittel); vgl. Kresol. **Ly|so|som** ⟨gr.-nlat.⟩ das; -s, -en (meist Plural): Zellbläschen mit Enzymen, die bei Freiwerden die Zelle auflösen (Biol.; Med.). **Ly|so|typ** ⟨gr.⟩ der; -s, -en: Bakterienstamm, der sich durch seine Reaktion auf bestimmte ↑ Bakteriophagen von anderen (des gleichen Typs) unterscheiden lässt (Med.). **Ly|so|ty|pie** die; -, ...ien: Testverfahren, Bakterienstämme in Lysotypen zu trennen (Med.). **Ly|so|zym** das; -s, -e: Bakterien tötender Stoff in Drüsenabsonderungen (Tränen, Speichel u. a.; Med.)

Lys|sa ⟨gr.-lat.⟩ die; -: Tollwut; auf Menschen übertragbare Viruskrankheit bei Tieren (Med.).

Lys|so|pho|bie ⟨gr.-nlat.⟩ die; -: krankhafte Angst, an Tollwut zu erkranken bzw. erkrankt zu sein (Med.; Psychol.)

ly|tisch ⟨gr.⟩: allmählich sinkend, abfallend (vom Fieber; Med.)

ly|ze|al ⟨gr.-nlat.⟩: (veraltet) zum Lyzeum gehörend; das Lyzeum betreffend. **Ly|ze|um** ⟨gr.-lat.⟩ das; -s, ...zen: (veraltet) höhere Lehranstalt für Mädchen

M ⟨Abk. für engl. medium⟩: mittelgroß (Kleidergröße)

M' vgl. Mac

Mä|an|der ⟨nach dem kleinasiatischen Fluss⟩ der; -s, -: 1. (meist Plural) [Reihe von] Windung[en] od. Schleife[n] (z. T. mit Gleit- u. Prallhängen) von Fluss- oder Bachläufen; Flussschlinge[n]. 2. rechtwinklig od. spiralenförmig geschwungenes Zierband (bes. auf Keramiken). **mä|an|dern** u. **mä|an|drie|ren***: 1. sich schlangenförmig bewegen (von Flüssen u. Bächen). 2. Mäander als Verzierung auf Gegenständen anbringen. **mä|an|drisch***: in Mäanderform

¹Mac der; -s, -s: Kurzform von ↑ Maquereau

²Mac... u. Mc... u. M'... [mə(k), mæk] ⟨schott.; „Sohn des ..."⟩: Präfix in schottischen (auch irischen) patronymischen Familiennamen (z. B.: MacGregor [mə'grɛgə], McIntosh ['mækintɔʃ], M'Donald [mək'dɔnəld])

mac|ca|ro|nisch vgl. makkaronisch

Mac|chia ['makja] u. **Mac|chie** ['makjə] ⟨lat.-it.⟩ die; -, ...ien: charakteristischer immergrüner Buschwald des Mittelmeergebietes; vgl. Maquis

Mac|che|te [auch: ma'tʃe:tə] ⟨span.⟩ die; -, -n: großes südamerikanisches Buschmesser

Mac|che|tik [...x...] ⟨gr.⟩ die; -: (veraltet) Gefechts-, Kampflehre (Sport)

Ma|chi|a|vel|lis|mus [makja...] ⟨nlat.; nach dem ital. Staatsmann Machiavelli, 1469–1527⟩ der; -: politische Lehre u. Praxis, die der Politik den Vorrang vor der Moral gibt; durch keine Bedenken gehemmte Machtpolitik. **Ma|chi|a|vel|list** der; -en, -en: Anhänger des Machiavellismus. **ma|chi|a|vel|lis|tisch**: nach der Lehre Machiavellis, im Sinne des Machiavellismus

Ma|chi|che [ma'tʃitʃə, bras.: ma'ʃiʃi] ⟨port.⟩ der; -s, -s: dem Twostepp ähnlicher, mäßig

schneller südamerikanischer Tanz im ⁴/₄-Takt (um 1890 vorübergehend Gesellschaftstanz)

Ma|chi|na|ti|on [...x...] ⟨lat.⟩ die; -, -en: 1. (veraltet) listiger Anschlag, Kniff. 2. (nur Plural) (geh.) Ränke, Machenschaften, Winkelzüge. **ma|chi|nie|ren** [...x...]: (veraltet) Intrigen spinnen

Ma|chis|mo [ma'tʃismo] ⟨lat.-span.⟩ der; -s: übersteigertes Männlichkeitsgefühl; Männlichkeitswahn, Betonung der männlichen Überlegenheit. **Ma|cho** ['matʃo] der; -s, -s: (ugs.) sich übertrieben männlich gebender Mann

¹Ma|chor|ka ⟨russ.⟩ der; -s, -s: russischer Tabak. **²Ma|chor|ka** die; -, -s: Zigarette aus ¹Machorka

Mach|sor ⟨hebr.⟩ der; -s, -s u. ...rim: jüdisches Gebetbuch für die Festtage

ma|chul|le ⟨hebr.-jidd.⟩: 1. (ugs. u. mdal.) bankrott, pleite. 2. (mdal.) ermüdet, erschöpft. 3. (mdal.) verrückt

Ma|cis ['matsis] vgl. Mazis

Ma|ckin|tosh ['mækintɔʃ] ⟨engl.; nach dem schott. Chemiker Ch. Macintosh, † 1843⟩ der; -[s], -s: 1. mit Kautschuk imprägnierter Baumwollstoff. 2. Regenmantel aus beschichtetem Baumwollstoff

Mac|lea|ya [mak'le:a, ...'laja] ⟨nlat.; nach dem englischen Entomologen A. MacLeay, † 1848⟩ die; -, ...eayen: ostasiatische Mohnpflanze (Zierstrauch)

Mac|ra|mé* vgl. Makramee

Ma|dam ⟨lat.-fr.⟩ die; -, -s u. -en: 1. (veraltet) Hausherrin, gnädige Frau. 2. (scherzh.) [dickliche, behäbige] Frau. 3. (landsch. scherzh.) Ehefrau. **Ma|dame** [ma'dam]: französische Anrede für eine Frau, etwa der deutschen „gnädige Frau" entsprechend; als Anrede ohne Artikel; Abk.: Mme. (schweiz.: Mme); Plural: Mesdames [me'dam]; Abk.: Mmes. (schweiz.: Mmes)

Ma|da|pol|lam [auch: ...'la:m] ⟨nach der ehemaligen ostind. Stadt⟩ der; -s, -s: glatter, weich ausgerüsteter Baumwollstoff für Wäsche

Ma|da|ro|se ⟨gr.⟩ die; -, -n: Lidrandentzündung mit Verlust der Wimpern (Med.)

made in ... [ˈmeɪd ɪn ...] ⟨engl.; „hergestellt in ..."⟩: Aufdruck auf Waren in Verbindung mit dem jeweiligen Herstellungsland

(z. B.: made in Italy = hergestellt in Italien)
Ma|dei|ra [...'de:ra] u. Madera ⟨nach der port. Insel⟩ *der;* -s, -s: ein Süßwein. **Ma|dei|ra|sti|cke|rei** u. **Maderastickerei** *die;* -, -en: auf der Insel Madeira hergestellte Durchbruchstickerei in Leinen od. Batist

Ma|de|moi|selle [madəmŏa'zɛl] ⟨*lat.-galloroman.-fr.*⟩: französische Anrede für: Fräulein; als Anrede ohne Artikel; Abk.: Mlle. (schweiz.: Mlle); Plural: Mesdemoiselles [medəmŏa'zɛl], Abk.: Mlles. (schweiz.: Mlles) **Ma|de|ra** usw. vgl. Madeira usw.

ma|des|zent u. **ma|di|dant** ⟨*lat.*⟩: nässend (von Geschwüren; Med.)

Ma|di|ljo ⟨*jav.*⟩ *das;* -[s]: aus Bestandteilen des ↑Kromo u. des ↑Ngoko gemischte Sprache des javanischen Bürgertums

Ma|di|son ['mædɪsn] ⟨*engl.*⟩ *der;* -s, -s: 1962 aufgekommener Modetanz im ⁴/₄-Takt

mad|ja|ri|sie|ren ⟨*ung.-nlat.*⟩: ungarisch machen, gestalten

Ma|don|na ⟨*lat.-it.;* „meine Herrin")⟩ *die;* -, ...nnen: a) (ohne Plural) die Gottesmutter Maria; b) die Darstellung der Gottesmutter [mit dem Kinde]

Mad|ras* ⟨nach der vorderindischen Stadt⟩ *der;* -: 1. feinfädiger, gitterartiger Gardinenstoff mit eingewebter Musterung. 2. Baumwollgewebe mit großzügiger Karomusterung (für Hemden, Blusen, Strandkleidung o. Ä.)

Mad|re|po|ra|rie* [...rĭə] u. **Madre|po|re** ⟨*lat.; gr.*⟩ *it.-fr.*⟩ *die;* -, -n: Löcherkoralle (Zool.). **Madre|po|ren|plat|te** *die;* -, -n: siebartige Kalkplatte auf der Rückenseite von Seesternen u. Seeigeln (Zool.)

Mad|ri|gal* ⟨*it.*⟩ *das;* -s, -e: 1. aus der italienischen Schäferdichtung entwickelte Gedicht in zunächst freier, dann festerer Form (Literaturw.). 2. (Mus.) a) meist zwei- bis dreistimmiger Gesang des 14. Jh.s. b) vier- od. mehrstimmiges weltliches Lied mit reichen Klangeffekten im 16. u. 17. Jh. **Mad|ri|gal|chor** *der;* -s, ...chöre: seit etwa 1920 übliche Bezeichnung für einen kleiner besetzten Chor (Mus.). **mad|ri|gal|esk:** ↑madrigalistisch. **Mad|ri|gal|et|to** ⟨*it.*⟩ *das;* -s, -s u. ...tti: kurzes, einfaches Madrigal (2 b). **Mad|ri|ga|lis|mus** ⟨*it.-nlat.*⟩ *der;* -s: ↑Madrigalstil. **Mad|ri|ga|list**

der; -en, -en: Komponist eines Madrigals (2 b), Vertreter des Madrigalstils. **Mad|ri|gal|is|tik** *die;* -: Kunst der Madrigalkomposition. **mad|ri|gal|is|tisch** u. madrigalesk ⟨*it.*⟩: das Madrigal betreffend, im Madrigalstil, nach der Art des Madrigals komponiert. **Mad|ri|gal|ko|mö|die** [...ĭə] *die;* -, -n: nach Inhalt u. Anlage der Komödie aufgebautes Madrigal (2 b). **Mad|ri|gal|lon** *das;* -s, -e: mehr als 15 Zeilen umfassendes Madrigal (1). **Mad|ri|gal|stil** *der;* -[e]s: mehrstimmiger, das Singstimme artikulierender Kompositionsstil (seit dem frühen 16. Jh.)

Ma|du|ra|fuß ⟨nach der indischen Stadt Madura⟩ *der;* -es: durch verschiedene Pilzarten hervorgerufene Fußkrankheit mit Knotenbildung u. chronischen Geschwüren (in Indien u. im Orient auftretend)

Ma|es|tà ⟨*lat.-it.*⟩ *die;* -: ital. Bez. für die Darstellung der inmitten von Engeln u. Heiligen thronenden Maria (bes. im 12. u. 13. Jh.).

ma|es|to|so: feierlich, würdevoll, gemessen (Vortragsanweisung; Mus.). **Ma|es|to|so** *das;* -s, -s u. ...si: feierliches, getragenes Musikstück. **Ma|est|ra|le*** *der;* -s: ↑Mistral. **Ma|est|ro*** ⟨„Meister")⟩ *der;* -s, -s u. ...stri: a) großer Musiker od. Komponist; b) Musiklehrer; **Maestro al Cembalo:** jmd., der vom Cembalo aus, Generalbass spielend, die Kapelle leitet

Mä|eu|tik ⟨*gr.;* „Hebammenkunst")⟩ *die;* -: die sokratische Methode, durch geschicktes Fragen die im Partner schlummernden, ihm darin nicht bewussten richtigen Antworten zu Einsichten heraufzuholen. **mä|eu|tisch:** die Mäeutik betreffend

Maf|fia usw. ↑Mafia usw. **Ma|fia,** auch: **Maffia** ⟨*arab.-it.*⟩ *die;* -, -s: erpresserische Geheimorganisation. **Ma|fi|o|so** *der;* -s, ...si: Angehöriger einer Mafia. **Ma|fi|o|te** *der;* -n, -n: ↑Mafioso

ma|fisch (Kunstw. aus ↑Magnesium u. lat. ferrum „Eisen"): ↑femisch

Ma|ga|zin ⟨*arab.-it.* (-fr. u. -engl.)⟩ *das;* -s, -e: 1. Vorratshaus. 2. Lagerraum [für Bücher]. 3. Laden. 4. periodisch erscheinende, reich bebilderte, unterhaltende Zeitschrift. 5. Rundfunk- od. Fernsehsendung, die über politische, wirtschaftliche, gesellschaftliche o. ä. Themen u. Ereignisse infor-

miert. 6. Aufbewahrungs- u. Vorführkasten für Diapositive, in dem die Diapositive einzeln eingesteckt sind. 7. abnehmbares, lichtfest verschließbares Rückteil einer Kamera, das den Film enthält u. schnellen Wechsel des Films ermöglicht. 8. Patronenkammer in [automatischen] Gewehren u. Pistolen. **Ma|ga|zin|balg** *der;* -[e]s, ...bälge: durch kleinere sog. Schöpfbälge gefüllter, der Speicherung der Luft dienender Balg bei Orgel u. Harmonium. **Ma|ga|zi|ner** *der;* -s, - : (schweiz.) Magazinarbeiter. **Ma|ga|zi|neur** [...'nø:ɐ̯] ⟨französierende Ableitung von Magazin⟩ *der;* -s, -e: (österr.) Lagerverwalter. **ma|ga|zi|nie|ren:** 1. einspeichern, lagern. 2. gedrängt zusammenstellen

Mag|da|lé|ni|en [...le'nĭɛ̃:] ⟨*fr.;* nach dem franz. Fundort, der Höhle La Madeleine⟩ *das;* -s: Stufe der jüngeren Altsteinzeit

Ma|gen|ta [...dʒ...] ⟨*it.;* nach einem Ort in Italien⟩ *das;* -: Anilinrot

Ma|gie ⟨*pers.-gr.-lat.*⟩ *die;* -: Zauberkunst, Geheimkunst, die sich übersinnliche Kräfte dienstbar zu machen sucht (in vielen Religionen). 2. Trickkunst des Zauberers im Varieté. 3. Zauberkraft, Zauber. **Ma|gi|er** *der;* -s, -: 1. [persischmedischer] Zauberpriester. 2. Zauberer, [berufsmäßiger] Zauberkünstler. **ma|gisch:** 1. die Magie (1) betreffend. 2. zauberhaft, geheimnisvoll bannend

Ma|gis|ter ⟨*lat.;* „Meister")⟩ *der;* -s, - : 1. a) in einigen Hochschulfächern verliehener akademischer Grad, gleichwertig mit einem Diplom; b) (hist.) zum Unterricht an Universitäten berechtigender akademischer Grad. 2. (veraltet, noch scherzh.) Lehrer.

Mag|le|thos* ⟨*gr.-nlat.*⟩ *das;* -: aus der Magie der kultischen Handlungen erwachsende ethische Haltung als Anfang der Religion

Mag|gio|la|ta [madʒo...] ⟨*lat.-it.*⟩ *die;* -, ...te: Mailied im Stil eines ↑Madrigals (16. Jh.). **mag|gio|re** [ma'dʒo:rə] *der;* - : die große Terz der Durtonart; Ggs. ↑minore. **Mag|gio|re** *das;* -s, -s: Durteil eines Molltonstückes

Magh|reb* ⟨*arab.;* „Westen")⟩ *der;* -[s]: Tunesien, Nordalgerien u. Marokko umfassender westlicher Teil der arabischen Welt. **magh|re|bi|nisch:** zum Maghreb gehörig

Ma|gis|ter Ar|ti|um ⟨lat.; „Meister der (freien) Künste"⟩ *der;* -s -, --: in den geisteswissenschaftlichen Hochschulfächern deutscher Universitäten verliehener Grad; Abkürzung: M. A.; vgl. Master of Arts. **Ma|gis|ter Phar|ma|ci|ae** ⟨lat.; „Meister der Pharmazie"⟩ *der;* -s -, --: akademischer Grad für Apotheker in Österreich; Abk.: Mag. Pharm. **ma|gist|ral***: nach ärztlicher Vorschrift bereitet (von Arzneien). **Ma|gist|ra|le*** ⟨lat.-nlat.⟩ *die;* -, -n: Hauptverkehrslinie, -straße [in einer Großstadt]. **¹Ma|gist|rat*** ⟨lat.⟩ *der;* -[e]s, -e: 1. im Rom der Antike a) hoher Beamter (z. B. Konsul, Prätor usw.); b) öffentliches Amt. 2. Stadtverwaltung (in einigen Städten). **²Ma|gist|rat*** *der;* -en, -en: (schweiz.) Mitglied der Regierung bzw. der ausführenden Behörde. **Ma|gist|ra|tur*** ⟨lat.-nlat.⟩ *die;* -, -en: (veraltet) behördliche Würde, obrigkeitliches Amt

Mag|ma ⟨gr.-lat.⟩ *das;* -s, ...men: 1. heiße natürliche Gesteinsschmelze im od. aus dem Erdinnern, aus der Erstarrungsgesteine entstehen (Geol.). 2. knetbare Masse, Brei (Med.). **magma-tisch** ⟨gr.-nlat.⟩: aus dem Magma (1) kommend (z. B. von Gasen bei Vulkanausbrüchen). **Magma|tis|mus** *der;* -: Bez. für alle mit dem Magma (1) zusammenhängenden Vorgänge (Geol.). **Mag|ma|tit** *der;* -s, -e: Erstarrungsgestein. **mag|ma|to|gen:** durch Anreicherung in einer Restschmelze entstanden (von Erzlagerstätten)

Mag|na* Char|ta ⟨lat.⟩ *die;* - -: 1. englisches [Grund]gesetz von 1215, in dem der König dem Adel grundlegende Freiheitsrechte garantiert. 2. Grundgesetz, Verfassung, Satzung. **mag-na cum lau|de** ⟨lat.; „mit großem Lob"⟩: sehr gut (zweitbestes Prädikat bei der Doktorprüfung). **Mag|na|li|um*** ⟨Kunstw.⟩ *das;* -s: eine Magnesium-Aluminium-Legierung **Mag|na* Ma|ter** ⟨lat.⟩ *die;* - -: Große Mutter, Muttergottheit (Beiname der phrygischen Göttin Kybele) **Mag|nat*** ⟨lat.-mlat.⟩ *der;* -en, -en: 1. Inhaber [Branchen beherrschender] wirtschaftlicher Macht (z. B. Zeitungsmagnat, Ölmagnat). 2. (hist.) hoher Adliger (bes. in Polen u. Ungarn)

Mag|ne|sia* ⟨gr.-mlat.; nach der altgriech. Landschaft⟩ *die;* -: Magnesiumoxid [in Form von weißem Pulver], das vor allem als Mittel gegen Magenübersäuerung u. zum Trockenhalten der Handflächen beim Geräteturnen gebraucht wird; vgl. biserierte Magnesia. **Mag|ne|sit** ⟨gr.-nlat.⟩ *der;* -s, -e: ein Mineral. **Mag|ne|sit|stein** *der;* -[e]s, -e: feuerfester Stein. **Mag|ne|si|um** *das;* -s: chemisches Element; ein Metall (Zeichen: Mg). **Mag|ne-si|um|chlo|rid** *das;* -s, -e: farbloses Salz, das im Meerwasser u. in Salzseen vorkommt. **Mag|net** ⟨gr.-lat.⟩ *der;* -[e]s u. -en, -e[n]: 1. a) Eisen- od. Stahlstück, das andere ↑ ferromagnetische Stoffe anzieht; b) Elektromagnet. 2. anziehende Person, reizvoller Gegenstand, Ort. **Mag|net|auf-zeich|nung** *die;* -, -en: Aufzeichnung von Rundfunksendungen od. Fernsehbildern auf magnetischem (2) Wege. **Mag|net|band** *das;* -[e]s, ...bänder: mit einer magnetisierbaren Schicht versehenes Band, auf dem Informationen in Form magnetischer Aufzeichnungen gespeichert werden. **Mag|ne|tik** *die;* -: Lehre vom Verhalten der Materie im magnetischen Feld. **mag|ne-tisch:** 1. die Eigenschaften eines Magneten (1) aufweisend; ↑ ferromagnetische Stoffe anziehend. 2. auf der Wirkung eines Magneten (1) beruhend, durch einen Magneten bewirkt. 3. unwiderstehlich, auf geheimnisvolle Weise anziehend. **Mag|ne|ti|seur** [...'zø:ɐ] *der;* -s, -e: ↑ Magnetopath. **mag|ne|ti|sie|ren:** magnetisch (1) machen. **Mag|ne|tis-mus** ⟨gr.-lat.-nlat.⟩ *der;* -: 1. Fähigkeit eines Stoffes, Eisen od. andere ↑ ferromagnetische Stoffe anzuziehen. 2. Wissenschaft von den magnetischen Erscheinungen. 3. ↑ Mesmerismus. **Mag|ne-tit** *der;* -s, -e: wichtiges Eisenerz. **Mag|net|kies** *der;* -es: Eisenerz, oft nickelhaltig. **Mag|ne|to-graph,** auch: ...graf *der;* -en, -en: Apparat zur selbsttätigen Aufzeichnung erdmagnetischer Schwankungen. **mag|ne|to|ka-lo|risch:** in der Wendung **magne-tokalorischer Effekt:** von magnetischen Zustandsänderungen der Materie herrührende Temperaturänderung. **Mag|ne|to|me|ter** *das;* -s, -: Instrument zur Messung magnetischer Feldstärke u. des Erdmagnetismus. **Mag|ne-**

ton *das;* -s, -s (aber: 2 -): Einheit des magnetischen Moments (Kernphys.). **Mag|ne|to|op|tik** *die;* -: Wissenschaft von den optischen Erscheinungen, die durch die Einwirkung eines magnetischen Feldes auf Licht entstehen. **Mag|ne|to|path** *der;* -en, -en: mit Magnetismus behandelnder Heilkundiger. **Mag|ne-to|pa|thie** ⟨gr.-nlat.⟩ *die;* -: Heilwirkung durch magnetische Kräfte. **Mag|ne|to|phon ®,** auch: ...fon *das;* -s, -e: ein Tonbandgerät. **Mag|ne|to|sphä|re** *die;* -: Teil der das Erde umgebenden Atmosphäre, in dem die ↑ ¹Elektronen u. ↑ Ionen durch das Magnetfeld der Erde beeinflusst werden. **Mag|net|ron** ⟨Kurzw. aus ↑ Magnet u. ↑ Elektron⟩ *das;* -s, ...one u. -s: eine Elektronenröhre, die magnetische Energie verwendet (für hohe Impulsleistungen). **Mag|net|ton|ge|rät** *das;* -[e]s, -e: Tonbandgerät

mag|ni|fik* [manji...] ⟨lat.-fr.⟩: (veraltet) herrlich, prächtig, großartig. **Mag|ni|fi|kat** ⟨lat.⟩ *das;* -s, -s: 1. a) (ohne Plural) Lobgesang Marias (Luk. 1, 46–55) nach seinem Anfangswort in der lateinischen Bibel (Teil der katholischen Vesper); b) auf den Text von a) komponiertes Chorwerk. 2. (landsch.) katholisches Gesangbuch. **Mag-ni|fi|kus** *der;* -, ...fizi: (veraltet) Rektor einer Hochschule; vgl. Rector magnificus. **Mag|ni|fi-zen|tis|si|mus** *der;* -, ...mi: ↑ Rector magnificentissimus. **Mag|ni|fi|zenz** *die;* -, -en: Titel für Hochschulrektoren u. a.; als Anrede: Euer, Eure (Abk.: Ew.) Magnifizenz. **Mag|ni|fi|zi:** *Plural* von ↑ Magnifikus. **Mag|ni|sia** vgl. Magnesia. **Mag|ni|tu|de** ⟨lat.⟩ *die;* -: Maß für die Stärke von Erdbeben. **Mag|ni|tu|do** *die;* -: Maß für die Helligkeit eines Gestirns

Mag|no|lie [...jə] ⟨nlat.; nach dem franz. Botaniker Pierre Magnol, 1638–1715⟩ *die;* -, -n: früh blühender Zierbaum (aus Japan u. China) mit tulpenförmigen Blüten

Mag|num* ⟨lat.⟩ *die;* -, ...gna: 1. Wein- od. Sektflasche mit doppeltem Fassungsvermögen (1,5 l) 2. spezielle Patrone mit verstärkter Ladung (Waffent.)

Ma|got ⟨hebr.-fr.⟩ *der;* -s, -s: in Nordafrika heimische Makakenart

Ma̱gus 〈*pers.-gr.-lat.*〉 *der; -, ...gi:* ↑Magier (2)

ma̱gyalri̱lsi̱elren* [madja...] vgl. madjarisieren

Ma̱lha̱lbha̱lra̱lta [...'baːrata] 〈*sanskr.*〉 *das; -:* altindisches Nationalepos, zugleich religiöses Gesetzbuch des Hinduismus; vgl. Bhagawadgita

Ma̱lha̱lgo̱lni 〈*indian.-engl.*〉 *das; -s:* wertvolles, rotbraunes, hartes Holz. **Ma̱lha̱lgo̱lni̱lbaum** *der; -[e]s, ...bäume:* westindische Balsampflanze (liefert das echte Mahagoniholz)

Ma̱lha̱lja̱lna, Ma̱lha̱lya̱lna 〈*sanskr.;* „großes Fahrzeug (der Erlösung)"〉 *das; -:* freie, durch Nächstenliebe auch den Laien Erlösung verheißende Richtung des Buddhismus; vgl. Hinajana, Wadschrajana

Ma̱lha̱l (nach dem iran. Ort Mahallat) *der; -s, -s:* Perserteppich minderer bis mittlerer Qualität aus dem Gebiet um Mahallat

Ma̱lha̱lra̱ḏlscha* 〈*sanskr.*〉 *der; -s, -s:* indischer Großfürst. **Ma̱lha̱lra̱lni** *die; -, -s:* Frau eines Maharadschas; indische Fürstin. **Ma̱lha̱lri̱lschi** 〈*Hindi*〉 *der; -[s], -s:* Ehrenbezeichnung für geistig-religiöse Führer in Indien. **Ma̱lha̱tlma** 〈*sanskr.;* „große Seele"〉 *der; -s, -s:* indischer Ehrentitel für geistig hoch stehende Männer (z. B. Gandhi), die oft göttlich verehrt werden

Maẖldi ['maxdi, auch: 'maːdi] 〈*arab.*〉 *der; -[s], -s:* von den Muslimen erwarteter letzter Prophet, Glaubens- u. Welterneuerer. **Maẖldist** *der; -en, -en:* Anhänger des sudanesischen Derwischs Muhammad Ahmad, der sich 1881 zum Mahdi erklärte u. den zur Beseitigung der britisch-ägyptischen Fremdherrschaft führenden „Mahdiaufstand" anführte

Mah-Jongg u. **Ma-Jongg** [ma'dʒɔŋ] 〈*chin.*〉 *das; -s, -s:* chinesisches Gesellschaftsspiel

Ma̱lhoîtlres [ma'ɡaːtrə] 〈*fr.*〉 *die* (Plural): Schulterpolster an der Männerkleidung des 15. Jh.s

Ma̱lho̱lnie [...i̱ə] 〈*nlat.;* nach dem amerik. Gärtner B. MacMahon, 1775–1816〉 *die; -, -n:* Zierstrauch mit gefiederten Blättern u. gelben Blüten

Ma̱lhut 〈*sanskr.-Hindi-engl.*〉 *der; -s, -s:* ostindischer Elefantenführer

Ma̱i 〈*lat.*〉 *der; -[e]s u. -* (dichterisch auch: -en), -e: fünfter Monat im Jahr

Ma̱ilden [meɪdn] 〈*engl.*〉 *das; -s, -s:* auf der Rennbahn unerprobtes Pferd (Sport)

Ma̱ilkong 〈*indian.-port.*〉 *der; -s, -s:* südamerikanischer Wildhund

Ma̱illbox ['meɪl...] 〈*engl.;* „Briefkasten"〉 *die; -, -en:* Datei zur Speicherung und zum Austausch von Nachrichten (EDV). **Ma̱iling** ['meɪlɪŋ] 〈*engl.*〉 *das; -[s]:* Versenden von Werbematerial durch die Post. **Ma̱illorlder** ['meɪl'ɔːdə] 〈*engl.*〉 *die; -:* auf dem Postweg erfolgende Bestellung von Waren [im Versandhandel]

Ma̱inlli̱lner ['meɪnlaɪnɐ] 〈*engl.*〉 *der; -s, -:* Drogensüchtiger, -abhängiger, der sich Rauschgift injiziert. **Ma̱inli̱lning** ['meɪnlaɪnɪŋ] *das; -s:* das Injizieren von Rauschgift. **Ma̱inlstream** ['meɪnstriːm] 〈*engl.;* „Hauptstrom"〉 *der; -s:* 1. stark vom Swing beeinflusste Form des modernen Jazz. 2. (oft abwertend) vorherrschende Richtung (z. B. in der Gesellschaftspolitik, im Kulturleben, in der Musik)

Ma̱ire [mɛːʁ] 〈*lat.-fr.*〉 *der; -s, -s:* Bürgermeister in Frankreich. **Ma̱ilri̱e** [mɛ...] 〈*fr.*〉 *die; -, ...i̱en:* Bürgermeisterei in Frankreich

Ma̱is 〈*indian.-span.*〉 *der; -es, -e:* wichtige Getreidepflanze

Ma̱islo̱lnette, auch: Ma̱ilsoṉlnette [mɛzɔ'nɛt] 〈*fr.*〉 *die; -, -s:* zweistöckige Wohnung in einem [Hoch]haus

Maîtlre* de Plai̱lsir ['mɛːtrə də plɛ'ziːʁ] 〈*fr.*〉 *der; - - -, -s* ['mɛːtrə] -: (veraltet, noch scherzh.) jmd., der bei einer Veranstaltung das Unterhaltungsprogramm arrangiert; leitet, der bei einem Fest für die Unterhaltung der Gäste sorgt. **Ma̱itlre̱slse** vgl. Mätresse

Ma̱izlelma ® 〈*Kunstw.*〉 *das; -s:* Maisstärkepuder

Ma̱lja 〈*sanskr.;* „Trugbild"〉 *die; -:* die als Blendwerk angesehene Erscheinungswelt (als verschleierte Schönheit dargestellt) in der ↑wedischen u. ↑brahmanischen Philosophie

Ma̱ljes̱ltas Do̱lmi̱lni 〈*lat.;* „Herrlichkeit des Herrn"〉 *die; - -:* [frontale] Darstellung des thronenden Christus (bildende Kunst). **Ma̱ljes̱ltät** *die; -, -en:* 1. (ohne Plural) Herrlichkeit, Erhabenheit. 2. Titel u. Anrede von Kaisern u. Königen. **ma̱ljes̱ltä̱tisch:** herrlich, erhaben; hoheitsvoll. **ma̱ljeur** [ma'ʒøːʁ] 〈*lat.-fr.*〉: franz. Bez. für: Dur (Mus.); Ggs. ↑mineur

Ma̱ljo̱lli̱lka 〈*it.;* nach der span. Insel Mallorca〉 *die; -, ...ken u. -s:* Töpferware mit Zinnglasur; vgl. Fayence

Ma̱ljo̱lnä̱lse, auch: Mayonnaise [majo'nɛːzə] 〈*fr.;* nach der Stadt Mahón auf Menorca〉 *die; -, -n:* kalte, dickliche Soße aus Eigelb, Öl u. Gewürzen

Ma-Jo̱ngg vgl. Mah-Jongg

¹Ma̱ljor 〈*lat.-span.*〉 *der; -s, -e:* Offizier, der im Rang über dem Hauptmann steht. **²Ma̱ljor** 〈eigtl. major terminus; *lat.*〉 *der; -s:* der größere, weitere Begriff im ↑Syllogismus (Logik)

Ma̱ljo̱lran [auch: ...ra̱n] 〈*mlat.*〉 *der; -s, -e:* a) Gewürz- u. Heilpflanze (Lippenblütler); b) als Gewürz verwendete, getrocknete Blätter des Majorans (a)

Ma̱ljo̱lrat 〈*lat.-mlat.*〉 *das; -[e]s, -e* (Rechtsw.) 1. Vorrecht des Ältesten auf das Erbgut; Ältestenrecht. 2. nach dem Ältestenrecht zu vererbendes Gut; vgl. Minorat u. Juniorat. **Ma̱ljoṟldo̱lmus** 〈„Hausmeier"〉 *der; -, -:* (hist.) oberster Hofbeamter, Befehlshaber des Heeres (unter den fränkischen Königen). **ma̱ljo̱lreṉn:** (veraltet) volljährig, mündig (Rechtsw.); Ggs. ↑minorenn. **Ma̱ljo̱lreni̱lta̱t** *der; -:* (veraltet) Volljährigkeit, Mündigkeit (Rechtsw.); Ggs. ↑Minorennität. **Ma̱ljo̱lrette** [...'rɛt] 〈*fr.*〉 *die; -, -s* u. -n [...tn]: junges Mädchen in Uniform, das bei festlichen Umzügen paradiert. **ma̱ljo̱lri̱lsi̱elren** 〈*lat.-nlat.*〉: überstimmen, durch Stimmenmehrheit zwingen. **Ma̱ljo̱lri̱st** *der; -en, -en:* Inhaber der höheren Weihen (vom Subdiakon aufwärts) im katholischen Klerus. **Ma̱ljo̱lri̱tät** 〈*lat.-mlat.-fr.*〉 *die; -, -en:* [Stimmen]mehrheit; Ggs. ↑Minorität. **Ma̱ljo̱lri̱tä̱ts̱lpriṉlzip** *das; -s:* Grundsatz, dass bei Abstimmungen u. Wahlen die Mehrheit der Stimmen entscheidet. **Ma̱ljo̱lri̱tä̱ts̱lwahl** *die; -, -en:* Mehrheitswahl, nach der die Mehrheit den Kandidaten wählt, die Stimmen der Minderheit[en] hingegen unberücksichtigt bleiben. **Ma̱ljo̱rz** (gebildet nach Proporz) *der; -es:* (schweiz.) ↑Majoritätswahl. **Ma̱jus̱lkel** 〈*lat.*〉 *die; -, -n:* Großbuchstabe; Ggs. ↑Minuskel; vgl. Versal

ma̱lka̱lber 〈*fr.*〉: a) (durch eine bestimmte Beziehung zum Tod) unheimlich, Grauen hervorrufend; b) mit Tod u. Vergänglichkeit Scherz treibend. **Ma̱lka̱lber-**

tanz *der;* -es, ...tänze: vgl. Danse macabre

Ma|kal|dạm ⟨nach dem schott. Straßenbauingenieur McAdam, 1756–1836⟩ *der* od. *das;* -s, -e: Straßenbelag, in dem sich zahlreiche Hohlräume befinden

Mạ|kak [auch: maˈka(:)k] ⟨*afrik.-port.-fr.*⟩ *der;* -s u. -en [maˈka(:)kn̩], -en [maˈka(:)kn̩]: meerkatzenartiger Affe (zahlreiche Arten in Asien, bes. in Japan)

Ma|kạ|me ⟨*arab.*⟩ *die;* -, -n: 1. kunstvolle alte arabische Stegreifdichtung. 2. (hist.) a) im Orient ein Podium, auf dem die höfischen Sänger standen; b) Gesang der höfischen Sänger im Orient; vgl. Maqam

[1]Ma|kạo ⟨*Hindi-port.*⟩ *der;* -s, -s: ein zu den Aras gehörender Papagei

[2]Ma|kạo [auch: maˈkau̯] ⟨nach der port. Kolonie⟩ *das;* -s: Glücksspiel mit Würfeln u. Karten

Ma|ka|rịs|mus ⟨*gr.-nlat.*⟩ *der;* -, ...men (meist Plural): Seligpreisung (altgriech. u. bibl. Stilform, bes. in der Bergpredigt)

Make-up [meɪkˈlap] ⟨*engl.;* „Aufmachung"⟩ *das;* -s, -s: 1. Verschönerung des Gesichts mit kosmetischen Mitteln. 2. kosmetisches Mittel; Creme zum Tönen u./od. Glätten der Haut. 3. Aufmachung, Verschönerung eines Gegenstandes mit künstlichen Mitteln

Mạ|ki ⟨*madagass.-fr.*⟩ *der;* -s, -s: ↑ Lemure (2)

Mạ|kie [...iə] ⟨*jap.*⟩ *die;* -: Dekorationsart der japanischen Lackkunst

Ma|ki|mọ|no ⟨*jap.*⟩ *das;* -s, -s: Bildrolle im Querformat (ostasiatische Kunst)

Mak|ka|bi ⟨*hebr.*⟩ *der;* -[s], -s: Name jüdischer Sportvereinigungen. **Mak|ka|bi|a|de** ⟨*hebr.-nlat.*⟩ *die;* -, -n: in vierjährigem Zyklus stattfindender jüdischer Sportwettkampf nach Art der Olympiade

Mak|ka|lụ|be ⟨*it.*⟩ *die;* -, -n: durch Erdgas aufgeworfener Schlammkegel (in Erdölgebieten)

Mak|ka|rọ|ni ⟨*it.*⟩ *die* (Plural): röhrenförmige Nudeln aus Hartweizengrieß. **mak|ka|rọ|ni|sch:** in der Fügung: **makkaronische Dichtung:** scherzhafte Dichtung, in die lateinisch deklinierte Wörter einer anderen Sprache eingestreut sind (z. B.: totschlago vos sofortissime, nisi vos benehmitis bene; B. von Münchhausen); *it.* poesia maccaronica, „Knödel-

dichtung"). **mak|ka|rọ|ni|si|e-ren:** lateinische u. lateinisch deklinierte Wörter innerhalb eines anderssprachigen Kontextes verwenden

Mạ|ko ⟨nach Mako Bey, Hauptförderer des ägypt. Baumwollanbaus⟩ *die;* -, -s, (auch: *der* od. *das;* -[s], -s): 1. ägyptische Baumwolle. 2. Gewebe aus Mako (1)

Ma|kọ|rẹ ⟨*fr.*⟩ *das;* -s: rotbraunes Hartholz des afrikanischen Birnbaums

Mak|ra|mee* ⟨*arab.-türk.-it.*⟩ *das;* -s, -s: a) (ohne Plural) ursprünglich arabische Knüpftechnik, bei der gedrehte Fäden mit Fransen zu kunstvollen Mustern miteinander verknüpft werden; b) Knüpfarbeit in Makramee (a)

Mak|rẹ|le* ⟨*niederl.*⟩ *die;* -, -n: bis 35 cm langer Speisefisch des Mittelmeergebiets, des Atlantiks u. nordischer Gewässer

Mak|ren|ze|pha|lie* ⟨*gr.;* *nlat.*⟩ *die;* -, ...ien: ↑ Megalenzephalie.

mak|ro-, Mak|ro-: bei Substantiven od. Adjektiven: groß, größer als normal. **Mạk|ro** *der* od. *das;* -s, -s: kurz für ↑ Makrobefehl (EDV). **Mak|ro|anal|ly|se** [auch: ˈmaˈkro...] *die;* -, -n: chemische Analyse, bei der Substanzmengen im Grammbereich (0,5–10 g) eingesetzt werden (Chem.); Ggs. ↑ Mikroanalyse. **Mak|ro|äs|the|si|e** *die;* -, ...ien: Empfindungsstörung, bei der Gegenstände größer wahrgenommen werden, als sie sind (z. B. bei Hysterie; Med.). **Mak|ro|auf|nah|me** *die;* -, -n: ↑ Makrofotografie (2). **Mak|ro|be|fehl** ⟨*engl.;* *dt.*⟩ *der;* -[e]s, -e: zu einer Einheit zusammengefasste Folge von Befehlen (EDV). **Mak|ro|bi|o|se** ⟨*gr.-nlat.*⟩ *die;* -: Langlebigkeit eines Organismus (Med.); vgl. Longavität. **Mak|ro|bi|ọ|tik** *die;* -: 1. Kunst, das Leben zu verlängern (Med.). 2. spezielle, hauptsächlich auf Getreide u. Gemüse basierende Ernährungsweise. **mak|ro|bi|ọ|tisch:** die Makrobiotik betreffend; **makrobiotische Kost:** Kost, die sich hauptsächlich aus Getreide u. Gemüse zusammensetzt. **Mak|ro|chei|lie** *die;* -, ...ien: abnorme Verdickung der Lippen (Med.). **Mak|ro|chei|rie** *die;* -, ...ien: abnorme Größe der Hände (Med.). **Mak|ro|dak|ty|lie** *die;* -, ...ien: abnorme Größe der Finger (Med.). **Mak|ro|evo|lu|ti|on** [auch: ˈmaˈkro...] *die;* -, -en:

bedeutsamer Evolutionsschritt, der einen neuen Zweig des Stammbaums entstehen lassen kann (Biol.); Ggs. ↑ Mikroevolution; vgl. Makromutation. **Mak|ro|fau|na** [auch: ˈmaˈkro...] *die;* -, ...nen: die Arten der Tierwelt, die mit bloßem Auge sichtbar sind (Biol.); Ggs. ↑ Mikrofauna. **Mak|ro|fo|to|gra|fie** *die;* -, ...ien: 1. (ohne Plural) fotografisches Aufnehmen im Nahbereich mit vergrößernder Abbildung. 2. Nahaufnahme; Aufnahme in natürlicher Größe. **Mak|ro|ga|met** u. **Mak|ro|ga|me|to|zyt** [auch: ˈmaˈkro...] *der;* -en, -en: größere u. unbewegliche weibliche Geschlechtszelle bei niederen Lebewesen (Biol.); Ggs. ↑ Mikrogamet. **Mak|ro|glos|si|e** *die;* -, ...ien: Vergrößerung der Zunge (Med.). **mak|ro|ke|phal** usw. vgl. makrozephal usw. **Mạk|ro|kli|ma** *das;* -s, -s u. ...mạte: Großklima. **mak|ro|kọs|misch** [auch: ˈmaˈkro...]: den Makrokosmos betreffend; Ggs. ↑ mikrokosmisch. **Mak|ro|kọs|mos** u. **Mak|ro|kọs|mus** [auch: ˈmaˈkro...] *der;* -: das Weltall; Ggs. ↑ Mikrokosmos. **mak|ro|kris|tal|lin:** grobkristallin (von Gesteinen). **Mak|ro|lin|gu|ịs|tik** [auch: ˈmaˈkro...] *die;* -: Gesamtbereich der Wissenschaft von der Sprache; vgl. Metalinguistik u. Mikrolinguistik. **Mak|ro|me|lie** *die;* -, ...ien: Riesenwuchs (Med.); Ggs. ↑ Mikromelie; vgl. Gigantismus (1). **Mak|ro|me|re** *die;* -, -n (meist Plural): dotterreiche, große Furchungszelle bei tierischen Embryonen; Ggs. ↑ Mikromere. **Mak|ro|mo|le|kül** [auch: ˈmaˈkro...] *das;* -s, -e: ein aus tausend od. mehr Atomen aufgebautes Molekül. **mak|ro|mo|le|ku|lar** [auch: ˈmaˈkro...]: aus Makromolekülen bestehend. **Mak|ro|mu|ta|ti|on** [auch: ˈmaˈkro...] *die;* -, -en: Erbänderung als Folge eines strukturellen Chromosomenumbaus, die sprunghaft zu neuen Arten führt; vgl. Makroevolution. **Mak|rọ|ne*** ⟨*gr.-fr.*⟩ *die;* -, -n: Gebäck aus Mandeln, Zucker u. Eiweiß

Mak|ro|nu|kle|us* ⟨*gr.;* *lat.*⟩ *der;* -, ...lei: Großkern (bei Wimpertierchen (regelt den Ablauf des Stoffwechsels; Biol.). **Mak|ro|öko|no|mie** [auch: ˈmaˈkro...] ⟨*gr.-nlat.*⟩ *die;* -: Teilgebiet der Wirtschaftstheorie, dessen Gegenstand die Untersuchung gesamtwirtschaftlicher Zusammenhänge ist (Wirtsch.); Ggs. ↑ Mikroökonomie. **mak|ro|öko|no|misch** [auch: 'ma:kro...]: die Makroökonomie betreffend (Wirtsch.); Ggs. ↑ mikroökonomisch. **Mak|ro|pha|ge** der; -n, -n: großer ↑ Phagozyt (Med.). **Mak|ro|phy|sik** [auch: 'ma:kro...] die; -: die Teilbereiche der Physik, die den atomaren Aufbau der Materie nicht in ihre Betrachtungen einbeziehen; Ggs. ↑ Mikrophysik. **Mak|ro|phyt** [auch: 'ma:kro...] der; -en, -en (meist Plural): mit dem bloßen Auge sichtbarer pflanzlicher Organismus (Biol.); Ggs. ↑ Mikrophyt. **Mak|ro|pla|sie** die; -: übermäßige Entwicklung von Körperteilen (Med.). **Mak|ro|po|de** der; -n, -n: Paradiesfisch, ein zu den Labyrinthfischen gehörender Aquarienfisch. **Mak|rop|sie** die; -, ...ien: Sehstörung, bei der die Gegenstände größer erscheinen, als sie in Wirklichkeit sind (Med.); Ggs. ↑ Mikropsie. **makro|seis|misch**: ohne Instrumente wahrnehmbar (von starken Erdbeben). **mak|ro|sko|pisch**: ohne optische Hilfsmittel, mit bloßem Auge erkennbar; Ggs. ↑ mikroskopisch (1). **Mak|ros|mat** der; -en, -en: gut witterndes Säugetier; Ggs. ↑ Mikrosmat. **Mak|ro|so|mie** die; -, ...ien: Riesenwuchs (Med.); vgl. Gigantismus (1); Ggs. ↑ Mikrosomie. **Mak|ro|so|zi|o|lo|gie** [auch: 'ma:kro...] die; -: Soziologie gesamtgesellschaftlicher Gebilde; Ggs. ↑ Mikrosoziologie. **Mak|ro|spo|re** die; -, -n (meist Plural): große weibliche Spore einiger Farnpflanzen. **Mak|ro|sto|ma** das; -s, -ta: angeborene Fehlbildung mit seitlicher Erweiterung der Mundspalte (Med.). **Mak|ro|struk|tur** die; -, -en: ohne optische Hilfsmittel erkennbare Struktur (z. B. von pflanzlichen Geweben). **Mak|ro|the|o|rie** die; -, -n: Teilbereich der wirtschaftswissenschaftlichen Theorie, dessen Erkenntnisobjekt die gesamte Volkswirtschaft darstellt; Ggs. ↑ Mikrotheorie. **Mak|ro|tie** die; -, ...ien: abnorme Größe der Ohren (Med.); Ggs. ↑ Mikrotie. **mak|ro|ze|phal:** großköpfig (Med.); Ggs. ↑ mikrozephal. **Mak|ro|ze|pha|le** der u. die; -n, -n: jmd., der einen abnorm großen Kopf hat; Großköpfige[r] (Med.); Ggs. ↑ Mikrozephale. **Mak|ro|ze|pha|lie** die; -, ...ien:

abnorme Vergrößerung des Kopfes (Med.); Ggs. ↑ Mikrozephalie. **Mak|ro|zyt** der; -en, -en: übergroße, unreife Form der roten Blutkörperchen. **Mak|ru|lie** die; -, ...ien: Wucherung des Zahnfleisches

Mak|su|ra ⟨arab.⟩ die; -, -s: abgeteilter Raum in einer Moschee **Ma|ku|ba** ⟨fr.; nach einem Bezirk der Insel Martinique⟩ der; -s: ein Schnupftabak **Ma|ku|la|tur** ⟨lat.-mlat.⟩ die; -, -en: a) beim Druck schadhaft gewordene u. fehlerhafte Bogen; Fehldruck; b) Altpapier; Abfall der Papierindustrie; **Makulatur reden:** (ugs.) Unsinn, dummes Zeug reden. **ma|ku|lie|ren** ⟨lat.⟩: zu Makulatur machen, einstampfen

Ma|la: Plural von ↑ Malum **Ma|la|chit** [...x..., auch: ...'xɪt] ⟨gr.-nlat.⟩ der; -s, -e: ein schwärzlich grünes Mineral, Schmuckstein **ma|lad** (seltener) u. **ma|la|de** ⟨lat.-vulgärlat.-fr.⟩: [leicht] krank u. sich entsprechend lustlos, unwohl, elend fühlend **ma|la fi|de** ⟨lat.⟩: in böser Absicht; trotz besseren Wissens; vgl. bona fide

Ma|la|ga (nach der span. Provinz) der; -s, -s: südspanischer brauner Süßwein. **Ma|la|gue|ña** [mala'genja] die; -, -s: spanischer Tanz im ³/₄-Takt mit einem ostinaten Thema, über dem der Sänger frei improvisieren kann (Mus.)

Ma|lai|se [ma'lɛ:zə] ⟨lat.-fr.⟩ die; -, -n (schweiz. das; -s, -): 1. Übelkeit, Übelbefinden; Unbehagen. 2. Unglück, Widrigkeit, ungünstiger Umstand, Misere **Ma|la|ja|lam** das; -[s]: Sprache in Südindien **Ma|la|kie** vgl. Malazie. **Ma|la|ko|lo|ge** ⟨gr.-nlat.⟩ der; -n, -n: Wissenschaftler, der sich auf Malakologie spezialisiert hat. **Ma|la|ko|lo|gie** die; -: Teilgebiet der Zoologie, das den Muscheln, Schnecken, Krebsen u. a. befasst; Weichtierkunde. **ma|la|ko|lo|gisch:** die Weichtierkunde betreffend. **Ma|la|ko|phi|le** die; -, -n (meist Plural): Pflanze, deren Blüten durch Schnecken bestäubt werden. **Ma|la|kost|ra|ke*** der; -n, -n: Ringelkrebs, ein hoch entwickelter Krebstier. **Ma|la|ko|zo|o|lo|gie** die; -: ↑ Malakologie. **Ma|la|ko|zo|on** das; -s, ...zoen (meist Plural): (veraltet) Weichtier

mal-à-pro|pos [malapro'po:] ⟨fr.⟩: (veraltet) ungelegen, zur Unzeit **Ma|la|ria** ⟨lat.-it.⟩ die; -: Sumpffieber, Wechselfieber. **Ma|la|ri|a|lo|gie** die; -: Erforschung der Malaria **Ma|la|ya|lam** vgl. Malajalam **Ma|la|zie** ⟨gr.-nlat.⟩ die; -, ...ien: Erweichung, Auflösung der Struktur eines Organs od. Gewebes (z. B. der Knochen; Med.) **mal|le|dei|en** ⟨lat.⟩: (veraltet) verwünschen; vgl. vermaledeien. **Mal|le|dik|ti|on** die; -, -en: (veraltet) Verleumdung, Schmähung **Mal|le|di|ven|nuss** ⟨nach den Inseln im Indischen Ozean⟩ die; -, ...nüsse: ↑ Seychellennuss **mal|le|di|zie|ren** ⟨lat.⟩: (veraltet) verwünschen. **Mal|le|fi|kant** ⟨lat.-nlat.⟩ der; -en, -en: (veraltet) Missetäter, Übeltäter. **Mal|le|fi|kus** ⟨lat.⟩ der; -, - u. ...fizi: 1. ↑ Malefikant. 2. ein Unheil bringender Planet (Astrol.). **Ma|le|fiz** das; -es, -e: 1. (veraltet) Missetat, Verbrechen. 2. (landsch.) Strafgericht. **Ma|le|fi|zer** der; -s - u. **Ma|le|fiz|kerl** der; -s, -e u. -s: (landsch.) 1. Draufgänger. 2. jmd., über den man sich ärgert, auf den man wütend ist. **Ma|le|par|tus** ⟨nlat.⟩ der; -: Wohnung des Fuchses in der Tierfabel **Ma|ler|email** ⟨dt.; germ.-fr.⟩ das; -s, -s: Schmelzmalerei, wobei eine mit einer Schmelzschicht überzogene Kupferplatte den Malgrund bildet **Ma|le|sche** ⟨fr. malaise; vgl. Malaise⟩ die; -, -n: (norddeutsch) Unannehmlichkeit **Mal|heur** [ma'lø:ɐ̯] ⟨lat.-fr.⟩ das; -s, -e u. -s: 1. (veraltet) Unglück, Unfall. 2. (ugs.) Pech; kleines Unglück, [peinliches] Missgeschick. **mal|ho|nett:** (veraltet) unfein, unredlich. **Ma|li|ce** [ma'li:sə] die; -, -n: (veraltet) 1. Bosheit. 2. boshafte Äußerung. **ma|lig|ne*** ⟨lat.⟩: bösartig (z. B. von Gewebsveränderungen) (Med.); Ggs. ↑ benigne. **Ma|lig|ni|tät*** die; -: Bösartigkeit (z. B. einer Geschwulst; Med.); Ggs. ↑ Benignität. **Ma|lig|nom*** das; -s, -e: bösartige Geschwulst (Med.) **Ma|lines** [ma'lin] ⟨nach dem französischen Namen für die niederländische Stadt Mecheln⟩ die (Plural): Klöppelspitzen mit Blumenmuster **mal|li|zi|ös** ⟨lat.-fr.⟩: arglistig, hämisch, boshaft. **mal|kon|tent** (veraltet, noch landsch.) unzufrieden, missvergnügt

mall ⟨*niederl.*⟩: 1. gedreht, verdreht (vom Wind; Seew.). 2. (ugs. landsch.) töricht, von Sinnen, verrückt

¹Mall ⟨*niederl.*⟩ *das;* -[e]s, -e: Muster, Modell für Schiffsteile, Spantenschablone (Seew.)

²Mall ⟨*engl.*⟩ ⟨*maːl*⟩ *die;* -, -s: (bes. in den USA) Einkaufszentrum

¹mallen ⟨*niederl.*⟩: nach dem ¹Mall behauen; messen (Seew.)

²mallen ⟨*niederl.*⟩: umlaufen, umspringen (vom Wind) (Seew.)

malleolar ⟨*lat.*⟩: zum Knöchel gehörend (Med.). **Malleolus** *der;* --, ...lei: 1. (ohne Plural) auf den Menschen übertragbare ↑Zoonose, Rotzkrankheit. 2. Hammer, eines der drei Gehörknöchelchen (Med.)

Malm ⟨*engl.*⟩ *der;* -[e]s: die obere Abteilung des Juras (in Süddeutschland: Weißer Jura; Geol.)

Malmignatte* [...min'jatə] ⟨*it.*⟩ *die;* -, -n: Giftspinne der Mittelmeerländer

Malocchio* [ma'lɔkjo] ⟨*lat.-it.*⟩ *der;* -s, -s u. Malocchi [ma'lɔki]: böser Blick; vgl. Jettatore

Malojche [...xə, auch: ma'lo...] ⟨*hebr.-jidd.*⟩ *die;* -: (ugs.) [schwere] Arbeit. **malojchen** [...x..., auch: ma'lo...]: (ugs.) schwer arbeiten, schuften. **Malojcher** [...x..., auch: ma'lo...] *der;* -s, -: (ugs.) Arbeiter

Malonsäure ⟨*gr.-lat.-nlat.; dt.*⟩ *die;* -: organische Säure, die bei der Oxidation von Apfelsäure entsteht (Chem.)

Malossol ⟨*russ.*⟩ *der;* -s: schwach gesalzener Kaviar

malpropre ⟨*lat.-fr.*⟩: (veraltet, noch landsch.) unsauber, unordentlich

Maltose ⟨*germ.-nlat.*⟩ *die;* , n: Enzym, das Malzzucker in Traubenzucker spaltet

Maltese ⟨nach der Mittelmeerinsel Malta⟩ *der;* -s, -: 1. Angehöriger des katholischen Zweigs der Johanniter, deren Sitz 1530 bis 1799 Malta war. 2. weißer Schoßhund mit langhaarigem Fell. **Malteserkreuz** *das;* -es, -e: 1. ↑Johanniterkreuz. 2. Schaltteil in der Form eines achtspitzigen Kreuzes am Projektor zur ruckweisen Fortbewegung des Films

Malthusianer ⟨*nlat.;* nach dem engl. Nationalökonomen Malthus, 1766–1834⟩ *der;* -s, -: Anhänger des Malthusianismus. **Malthusianismus** *der;* -: (hist.) wirtschaftspolitische Bewegung, die die theoretischen Erkenntnisse des Engländers Malthus, besonders das malthussche Bevölkerungsgesetz (die Bevölkerung wächst tendenziell schneller als der Bodenertrag) auf die Wirklichkeit anzuwenden suchte. **malthusianistisch:** den Malthusianismus betreffend

Maltin ⟨*germ.-nlat.*⟩ *das;* -s: (veraltet) ↑Amylase. **Maltose** *die;* -: Malzzucker

maltraitieren* ⟨*lat.-fr.*⟩: misshandeln, quälen

Maltwhisky ['mɔːlt...] ⟨*engl.*⟩ *der;* -s, -s: Malzwhisky

Malum ⟨*lat.;* „das Schlechte"⟩ *das;* -s, ...la: Krankheit, Übel (Med.). **Malus** *der;* - u. -ses, - u. -se: 1. nachträglicher Prämienzuschlag bei Häufung von Schadensfällen in der Kraftfahrzeugversicherung. 2. zum Ausgleich für eine bessere Ausgangsposition erteilter Punktnachteil (z. B. beim Vergleich der Abiturnoten aus verschiedenen Bundesländern); Ggs. ↑Bonus (2)

Malvasier ⟨nach dem *it.* Namen Malvasia für die griech. Stadt Monemvasia⟩ *der;* -s: likörartig süßer u. schwerer Weißwein

Malve ⟨*lat.-it.*⟩ *die;* -, -n: Käsepappel, eine krautige Heil- u. Zierpflanze

Malma [auch: 'mama] ⟨*fr.*⟩ *die;* -, -s: (ugs.) Mutter

Mamba ⟨*Zulu*⟩ *die;* -, -s: eine afrikanische Giftschlange

Mambo ⟨*kreol.*⟩ *der;* -s, -s (auch: *die;* -, -s): mäßig schneller lateinamerikanischer Tanz im ⁴/₄-Takt

¹Mameluck ⟨*arab.-it.*⟩ *der;* -en, -en: Sklave; Leibwächter orientalischer Herrscher. **²Mameluck** *der;* -en, -en: (hist.) 1. Angehöriger eines ägyptischen Herrschergeschlechts (13. bis 16. Jh.). 2. Söldner islamischer Herrscher.

Mamilla ⟨*lat.*⟩ *die;* -, ...lae [...lɛ]: ↑Mamille. **Mamillaria** und Mammillaria ⟨*lat.-nlat.*⟩ *die;* -, ...ien: Warzenkaktus (mexikanische Kakteengattung). **Mamille** *die;* -, -n: Brustwarze (Anat.; Med.). **Mamma** ⟨*lat.*⟩ *die;* -, ...mae [...me]: 1. weibliche Brust, Brustdrüse (Med.). 2. Zitze der Säugetiere (Biol.). **Mammalia** ⟨*lat.-nlat.*⟩ *die* (Plural): Säugetiere. **Mammalogie** *die;* --: Teilgebiet der Zoologie, auf dem man sich mit den Säugetieren befasst. **Mamma-**

tuswolke ⟨*lat.; dt.*⟩ *die;* -, -n: während od. nach Gewittern auftretende Wolke mit abwärts gerichteten, beutelförmigen Quellungen (Meteor.). **Mammillaria** vgl. Mamillaria. **Mammografie**, auch: ...grafie ⟨*lat.; gr.*⟩ *die;* -, ...ien: röntgendiagnostische Methode zur Untersuchung der weiblichen Brust (vor allem zur Feststellung bösartiger Geschwülste; Med.)

Mammon ⟨*aram.-gr.-lat.*⟩ *der;* -s (meist abwertend) Geld als etwas, was begehrt, wonach gestrebt wird. **Mammonismus** ⟨*aram.-gr.-nlat.*⟩ *der;* -: Geldgier, Geldherrschaft

Mammoplastik ⟨*gr.-lat.*⟩ *die;* -, -en: plastische Operation der weiblichen Brust (Med.)

Mammut ⟨*russ.-fr.*⟩ *das;* -s, -e u. -s: ausgestorbene Elefantenart der Eiszeit mit langhaarigem Fell u. langen gebogenen Stoßzähnen. **Mammutbaum** *der;* -[e]s, ...bäume: ↑Sequoia

Mamsell ⟨*lat.-galloroman.-fr.*⟩ *die;* -, -en u. -s: 1. Angestellte im Gaststättengewerbe. 2. a) (veraltet, noch spöttisch-scherzh.) Fräulein; b) (veraltend) Hausgehilfin. 3. (veraltend) Hauswirtschafterin auf einem Gutshof

Man ⟨*pers.*⟩ *der* od. *das;* -s, -s (aber: 2 -): altes persisches Gewicht

Mana ⟨*polynes.*⟩ *das;* -s: (nach der Vorstellung der Südseeinsulaner) eine geheimnisvolle, übernatürliche Kraft in Menschen, Tieren u. Dingen, die Außergewöhnliches bewirkt; vgl. Orenda

Mänade ⟨*gr.-lat.*⟩ *die;* -, -n: sich wild gebärdende, rasende weibliche Person

Management ['mænɪdʒmənt] ⟨*lat.-it.-engl.*⟩ *das;* -s, -s: 1. Leitung, Führung eines Unternehmens, die Planung, Grundsatzentscheidungen o. Ä. umfasst; Betriebsführung. 2. Gesamtheit der Führungskräfte in einem Großunternehmen o. Ä. **Management-Buy-out** *das;* -s, -s: Übernahme einer Firma durch die eigene Geschäftsleitung (Wirtsch.). **managen** ['mænɪdʒn]: 1. (ugs.) leiten, zustande bringen, geschickt bewerkstelligen, organisieren. 2. (einen Berufssportler, Künstler o. Ä.) betreuen. **Manager** ['mænɪdʒɐ] *der;* -s, -: 1. mit weit gehender Verfügungsgewalt, Entscheidungsbefugnis ausgestattete leitende Persönlichkeit [eines großen Unternehmens]. 2. Betreuer (eines Berufssportlers, Künstlers o.Ä.). **Ma|na|ger|krank|heit** die; -: Erkrankung des Herz-Kreislauf-Systems infolge dauernder körperlicher u. seelischer Überbeanspruchung u. dadurch verursachter vegetativer Störungen (bes. bei Menschen in verantwortlicher Stellung) **Ma|na|ti** ⟨karib.-span.⟩ der; -s, -s: ↑ Lamantin **man|can|do** ⟨lat.-it.⟩: abnehmend, die Lautstärke zurücknehmend (Vortragsanweisung; Mus.) **Man|ches|ter** ['mɛntʃɛstɐ, auch: man'ʃɛstɐ] ⟨nach der engl. Stadt⟩ der; -s: kräftiger Cordsamt. **Man|ches|ter|dokt|rin*** die; -: wirtschaftspolitische Theorie, nach der der Egoismus des Einzelnen allein die treibende Kraft in der Wirtschaft darstellt. **Man|ches|ter|tum** das; -s: Richtung des extremen wirtschaftspolitischen Liberalismus mit der Forderung nach völliger Freiheit der Wirtschaft **Man|chon** [mã'ʃõ:] ⟨lat.-fr.⟩ der; -s, -s: Filzüberzug der Quetschwalze bei Papiermaschinen **Man|dä|er** ⟨aram.⟩ die (Plural): alte ↑ gnostische Täufersekte, die einen Erlöser aus dem Lichtreich erwartet (im Irak u. im Iran heute noch verbreitet). **man|dä|isch:** die [Lehre u. Sprache der] Mandäer betreffend **Man|da|la** ⟨sanskr.⟩ das; -s, -s: 1. mystisches Kreis- od. Vieleckbild in den indischen Religionen, ein Hilfsmittel zur Meditation. 2. Traumbild od. von Patienten angefertigte bildliche Darstellung als Symbol der Selbstfindung (nach C. G. Jung; Psychol.) **Man|dant** ⟨lat.⟩ der; -en, -en: Klient eines Rechtsanwalts **¹Man|da|rin** ⟨sanskr.-malai.-port.⟩ der; -s, -e: (hist.) europäischer Name für hohe Beamte des ehemaligen chinesischen Kaiserreichs **²Man|da|rin** das; -[s]: Hochchinesisch (Nordchinesisch, Dialekt von Peking) **Man|da|ri|ne** ⟨sanskr.-malai.-port.-span.-fr.⟩ die; -, -n: kleine apfelsinenähnliche Zitrusfrucht von süßem Geschmack **Man|dat** ⟨lat.⟩ das; -[e]s, -e: 1. Auftrag, jmdn. juristisch zu vertreten (Rechtsw.). 2. Amt eines gewählten Abgeordneten mit Sitz u. Stimme im Parlament

(Pol.). 3. in Treuhand von einem Staat verwaltetes Gebiet (Pol.). 4. (hist.) Erlass, Auftrag an einen Untergebenen. **Man|da|tar** ⟨lat.-mlat.⟩ der; -s, -e: 1. jmd., der im Auftrag, kraft Vollmacht eines anderen handelt (z.B. ein Rechtsanwalt). 2. (österr.) Abgeordneter. **man|da|tie|ren** ⟨lat.-nlat.⟩: (veraltet) jmdn. beauftragen, bevollmächtigen (Rechtsw.). **Man|da|tor** der; -s, ...oren: (hist.) Reichsbote im Byzantinischen Reich. **Man|dats|ge|biet** das; -[e]s, -e: durch einen fremden Staat verwaltetes Gebiet. **Man|da|tum** das; -s, ...ta: Zeremonie der Fußwaschung in der Gründonnerstagsliturgie (kath. Rel.) **Man|di|bel** ⟨lat.⟩ die; -, -n (meist Plural): Oberkiefer, erstes Mundgliedmaßenteil der Gliederfüßer (Biol.). **Man|di|bu|la** die; -, ...lae [...lɛ]: Unterkiefer (Med.). **man|di|bu|lar** u. **man|di|bu|lär** ⟨lat.-nlat.⟩: zum Unterkiefer gehörend (Med.). **Man|di|bu|la|re** die; -, -n: 1. knorpeliger Unterkiefer der Haifische. 2. Unterkiefer der Wirbeltiere **Man|di|o|ka** ⟨indian.-span.⟩ die; -: ↑ Maniok **Man|dol|la** ⟨gr.-lat.-it.⟩ die; -, ...len: eine Oktave tiefer als die Mandoline klingendes Zupfinstrument. **Man|do|li|ne** ⟨gr.-lat.-it.-fr.⟩ die; -, -n: kleine Mandola; lautenähnliches Zupfinstrument mit stark gewölbtem, kürbisähnlichem Schallkörper u. 4 Doppelsaiten, das mit einem ↑ Plektron gespielt wird. **Man|do|lon|cel|lo** [...'tʃɛlo] das; -s u. ...lli: Tenormandoline. **Man|do|lo|ne** ⟨gr.-lat.-it.⟩ der; -s, -su ...ni: Bassmandoline. **Man|do|ra** die; -, ...ren: 1. ↑ Mandola. 2. kleine Laute mit 4 bis 24 Saiten (bis zum 19. Jh.) **Man|dor|la** ⟨gr.-lat.-it.⟩ die; -, ...dorlen: mandelförmiger Heiligenschein um die ganze Figur (bei Christus- u. Mariendarstellungen; bildende Kunst) **Mand|rill*** ⟨engl.⟩ der; -s, -e: meerkatzenartiger Affe Westafrikas mit meist buntfarbigem Gesicht **Mand|rin*** [mã'drɛ̃] ⟨fr.⟩ der; -s, -s: 1. Einlagedraht oder -stab in Kanülen zur Verhinderung von Verstopfungen (Med.). 2. fester

Führungsstab zum Einführen für biegsame Katheter (Med.) **Ma|nège** [...ʒə] ⟨lat.-it.-fr.⟩ die; -, -n: runde Fläche für Darbietungen im Zirkus, in einer Reitschule **Ma|nen** ⟨lat.⟩ die (Plural): gute Geister der Toten im altrömischen Glauben **Man|ga** ⟨jap.⟩ das od. der; -s, -s: aus Japan stammender handlungsreicher Comic, der durch besondere grafische Effekte gekennzeichnet ist **Man|ga|lbe** ⟨afrik.⟩ die; -, -n: langschwänzige, meerkatzenartige Affenart Afrikas **Man|gan** ⟨gr.-lat.-mlat.-it.-fr.⟩ das; -s: chemisches Element; ein Metall (Zeichen: Mn). **Man|ga|nat** das; -s, -e: Salz der Mangansäure. **Man|ga|nin** ® das; -s: für elektrische Widerstände verwendete Kupfer-Mangan-Nickel-Legierung. **Man|ga|nit** [auch: ...'nit] der; -s, -e: ein Mineral **Mạng|lle|baum*** ⟨indian.-span.; dt.⟩ der; -[e]s, ...bäume: dauerhaftes Holz liefernder Baum der amerikanischen u. westafrikanischen ↑ Mangroven **Man|go** ⟨tamil.-port.⟩ die; -, ...omen od. -s: längliche, grüne bis rotgelbe, saftige, wohlschmeckende Frucht des Mangobaumes. **Man|go|baum** der; -[e]s, ...bäume: tropischer Obstbaum mit wohlschmeckenden Früchten **Man|gos|tan|baum*** ⟨malai.; dt.⟩ der; -[e]s, ...bäume: tropischer Obstbaum mit apfelgroßen Früchten, von denen nur die Samenschale essbar ist **Mang|ro|ve*** ⟨indian.-span.; engl.⟩ engl.⟩ die; -, -n: immergrüner Laubwald in Meeresbuchten u. Flussmündungen tropischer Gebiete. **Mang|ro|ve[n]|küs|te** die; -, -n: wegen der Mangrovenwurzeln u. des Schlicks, der in ihnen verfängt, schwer durchdringbare tropische Küste **Man|gus|te** ⟨Marathi-port.-fr.⟩ die; -, -n: südostasiatische Schleichkatze **ma|ni|a|bel** ⟨lat.-fr.⟩: leicht zu handhaben, manövrierbar **Ma|ni|ac** ['me:niɛk] ⟨gr.-mlat.-engl.⟩ der; -s, -s: Person mit einer besonders starken Leidenschaft für eine Sache, die bis zur krankhaften Besessenheit reichen kann. **ma|ni|a|kal|lisch** ⟨gr.-nlat.⟩: (veraltet) manisch **Ma|ni|chä|er** ⟨nach dem pers. Religionsstifter Mani (3. Jh. n.

Chr.)⟩ *der;* -s, -: 1. Anhänger des Manichäismus. 2. (veraltet) drängender Gläubiger. **Ma|ni|chä|is|mus** ⟨*nlat.*⟩ *der;* -: von Mani gestiftete, dualistische Weltreligion

Ma|nie ⟨*gr.-lat.*⟩ *die;* -, ...ien: 1. Besessenheit; Sucht; krankhafte Leidenschaft. 2. Phase der manisch-depressiven Psychose mit abnorm heiterem Gemütszustand, Enthemmung u. Triebsteigerung (Psychol.)

Ma|nier ⟨*lat.-galloroman.-fr.*⟩ *die;* -, -en: 1. (ohne Plural) a) Art u. Weise, Eigenart; Stil [eines Künstlers]; b) (abwertend) Künstelei, Manieriertheit; 2. (meist Plural) Umgangsform, Sitte, Benehmen. 3. Verzierung (Mus.). **Ma|nie|ra gre|ca** ⟨*it.,* „griechischer Kunststil"⟩ *die;* - -: byzantinisch geprägte italienische Malerei, bes. des 13. Jh.s. **ma|nie|riert** ⟨*lat.-galloroman.-fr.*⟩: (abwertend) gekünstelt, unnatürlich. **Ma|nie|riert|heit** *die;* -, -en: (abwertend) Geziertheit, Künstelei, unnatürliches Ausdrucksverhalten. **Ma|nie|ris|mus** ⟨*lat.-galloroman.-fr.-nlat.*⟩ *der;* -, ...men: 1. (ohne Plural) Stilbegriff für die Kunst der Zeit zwischen Renaissance u. Barock (Kunstw.). 2. (ohne Plural) Stil der Übergangsphase zwischen Renaissance u. Barock (Literaturw.). 3. (ohne Plural) Epoche des Manierismus (1, 2) von etwa 1520 bis 1580. 4. (ohne Plural) in verschiedenen Epochen (z. B. Hellenismus, Romantik, Jugendstil) dominierender gegenklassischer Stil. 5. manieriertes Verhalten, manierierte Ausdrucksweise. **Ma|nie|rist** *der;* -en, -en: Vertreter des Manierismus. **ma|nie|ris|tisch:** in der Art des Manierismus. **ma|nier|lich** ⟨*lat.-galloroman.-fr.; dt.*⟩: 1. den guten Manieren entsprechend, wohlerzogen; sich als Kind od. Jugendlicher so benehmend, wie es die Erwachsenen im Allgemeinen erwarten. 2. (ugs.) so beschaffen, dass sich daran eigentlich nichts aussetzen lässt; ganz gut, recht akzeptabel

ma|ni|fest ⟨*lat.*⟩: 1. offenbar, offenkundig. 2. im Laufe der Zeit deutlich erkennbar (von Krankheiten u. Ä.; Med.). **Ma|ni|fest** ⟨*lat.-mlat.*⟩ *das;* -[e]s, -e: 1. Grundsatzerklärung, Programm [einer Partei, einer Kunst- od. Literaturrichtung, einer politischen Organisation]; Kommunis-

tisches Manifest: von K. Marx u. F. Engels verfasstes Grundsatzprogramm für den „Bund der Kommunisten" (1848). 2. Verzeichnis der Güter auf einem Schiff. **Ma|ni|fes|tant** ⟨*lat.*⟩ *der;* -en, -en: (veraltet) 1. Teilnehmer an einer Kundgebung. 2. jmd., der den Offenbarungseid leistet (Rechtsw.). **Ma|ni|fes|ta|ti|on** *die;* -, -en: 1. das Offenbar-, Sichtbarwerden. 2. Offenlegung, Darlegung; Bekundung (Rechtsw.). 3. das Erkennbarwerden (von latenten Krankheiten, Erbanlagen u. Ä.; Med.). **Ma|ni|fes|ta|ti|ons|eid** *der;* -[e]s, -e: (veraltet) Offenbarungseid (Rechtsw.). **ma|ni|fes|tie|ren:** 1. a) offenbaren; kundgeben, bekunden; b) sich manifestieren: offenbar, sichtbar werden. 2. (veraltet) den Offenbarungseid leisten

Ma|ni|hot ⟨*indian.-fr.*⟩ *der;* -s, -s: zu den tropischen Wolfsmilchgewächsen gehörende Pflanze (z. B. Kautschukpflanzen u. bes. ↑Maniok)

Ma|ni|kü|re ⟨*lat.-fr.*⟩ *die;* -, -n: 1. (ohne Plural) Hand-, bes. Nagelpflege. 2. Kosmetikerin od. Friseuse mit einer Zusatzausbildung in Maniküre (1). 3. Necessaire für die Geräte zur Nagelpflege. **ma|ni|kü|ren:** die Hände, bes. die Nägel pflegen

Ma|ni|la|hanf ⟨nach der Hafenstadt Manila⟩ *der;* -[e]s: Spinnfaser der philippinischen Faserbananane; Abaka

¹Ma|nil|le [ma'nɪljə] ⟨*lat.-span.-fr.*⟩ *die;* -, -n: zweithöchste Trumpfkarte in verschiedenen Kartenspielen **²Ma|nil|lu** ⟨*lat.-span.*⟩ *die;* -, -n: (veraltet) Armband

Ma|ni|ok ⟨*indian.-span.-fr.*⟩ *der;* -s, -s: tropische Kulturpflanze, aus deren Wurzelknollen die ↑Tapioka gewonnen wird

Ma|ni|pel ⟨*lat.*⟩ *der;* -s, -: 1. (hist.) Unterabteilung der römischen ↑Kohorte. 2. (auch: *die;* -, -n) am linken Unterarm getragenes gesticktes Band des katholischen Messgewandes. **Ma|ni|pu|lant** ⟨*lat.-fr.*⟩ *der;* -en, -en: 1. Manipulator (1); Person od. Einrichtung, die durch direkte od. unterschwellige Beeinflussung bestimmte [soziale] Verhaltensweisen auslöst od. steuert. 2. (österr. Amtsspr. veraltend) Hilfskraft, Amtshelfer. **Ma|ni|pu|la|ti|on** *die;* -, -en: 1. bewusster u. gezielter Einfluss auf Menschen ohne

deren Wissen u. oft gegen deren Willen (z. B. mithilfe der Werbung). 2. absichtliche Verfälschung von Informationen durch Auswahl, Zusätze od. Auslassungen. 3. (meist Plural) Machenschaft, undurchsichtiger Kniff. 4. Handhabung, Verfahren (Techn.). 5. das Anpassen der Ware an die Bedürfnisse des Verbrauchers durch Sortieren, Mischen, Veredeln (z. B. bei Tabak). 6. a) (veraltet) Handbewegung, Hantierung; b) kunstgerechter u. geschickter Handgriff (Med.); vgl. ...[at]ion/...ierung. **ma|ni|pu|la|tiv:** auf Manipulation beruhend; durch Manipulation entstanden. **Ma|ni|pu|la|tor** *der;* -s, ...oren: 1. jemand, der andere zu seinem eigenen Vorteil lenkt oder beeinflusst. 2. Vorrichtung zur Handhabung glühender, staubempfindlicher od. radioaktiver Substanzen aus größerem Abstand od. hinter [Strahlen]schutzwänden. 3. Zauberkünstler, Jongleur, Taschenspieler. **ma|ni|pu|la|to|risch:** beeinflussend, lenkend. **ma|ni|pu|lier|bar:** sich manipulieren lassend. **ma|ni|pu|lie|ren:** 1. Menschen bewusst u. gezielt beeinflussen od. lenken. 2. Informationen verfälschen od. bewusst ungenau wiedergeben. 3. a) (veraltet) etwas handhaben, betasten, sich an etwas zu schaffen machen; b) etwas geschickt handhaben, kunstgerecht damit umgehen. 4. mit etwas hantieren; **manipulierte Währung:** staatlich gesteuerte Währung, bei der die ausgegebene Geldmenge nach den jeweiligen wirtschaftlichen Erfordernissen reguliert wird u. an keine Deckung durch Gold, Silber u. a. gebunden ist (Geldw.). **Ma|ni|pu|lie|rer** *der;* -s, -: ↑Manipulator (1). **Ma|ni|pu|lie|rung** *die;* -, -en: ↑Manipulation (1, 2); vgl. ...[at]ion/...ierung

Ma|nis ⟨*lat.-nlat.*⟩ *die;* -, -: chinesisches Schuppentier

ma|nisch ⟨*gr.*⟩: 1. für die ↑Manie (2) kennzeichnend; krankhaft heiter; erregt (Psychol.). 2. einer ↑Manie (1) entspringend; krankhaft übersteigert. **ma|nisch-de|pres|siv*** ⟨*lat.*⟩: abwechselnd krankhaft heiter u. schwermütig (Psychol.)

Ma|nis|mus ⟨*lat.-nlat.*⟩ *der;* -: Ahnenkult, Totenverehrung (Völkerk.)

Ma|ni|tu ⟨*indian.*⟩ *der;* -s: die allem innewohnende, unpersönliche, auch als Geist personifizierte Macht des indianischen Glaubens **Man|ka|la** u. **Man|kal|la** ⟨arab.⟩ das; -s, -s: afrikanisches und asiatisches Brettspiel **man|kie|ren** ⟨lat.-it.-fr.⟩: (veraltet, noch landsch.) fehlen, mangeln; verfehlen. **Man|ko** ⟨lat.-it.⟩ das; -s, -s: 1. Fehlbetrag. 2. Fehler, Unzulänglichkeit, Mangel **Man|na** ⟨hebr.-gr.-lat.⟩ das; -[s] od. die; -: 1. vom Himmel gefallene Nahrung für die Israeliten in der Wüste nach ihrem Auszug aus Ägypten (Altes Testament). 2. bestimmter essbarer Stoff (z. B. der süße Saft der Mannaesche, die Ausscheidung der Mannaschildlaus auf Tamarisken). 3. Nahrung, die jmdm. auf wundersame Weise zuteil wird **Man|ne|quin** [ˈmanəkɛ̃, auch: ...kɛ̃ː] ⟨niederl.-fr.; „Männchen"⟩ das (selten: der); -s, -s: 1. weibliche Person, die Kleider vorführt. 2. lebensechte Schaufensterpuppe. 3. (veraltet) Gliederpuppe **Man|nit** ⟨hebr.-gr.-lat.-nlat.⟩ der; -s, -e: in der Natur weit verbreiteter sechswertiger, kristalliner Alkohol, der für Kunstharze u. Heilmittel verwendet wird. **Man|no|se** die; -: in Apfelsinenschalen vorkommender Zucker **ma|no dest|ra*** u. destra mano ⟨lat.-it.⟩: mit der rechten Hand (zu spielen); Abk.: m.d., d.m. (Mus.) **Ma|no|me|ter** ⟨gr.-fr.⟩ das; -s, -: 1. Druckmesser für Gase u. Flüssigkeiten (Phys.). 2. (salopp) (als Ausruf des Erstaunens, des Unwillens) Mann!; Menschenskind! **Ma|no|met|rie*** die; -: Druckmesstechnik. **ma|no|met|risch***: mit dem Manometer gemessen **ma non tan|to** ⟨it.⟩: aber nicht so sehr (Vortragsanweisung; Mus.). **ma non trop|po**: aber nicht zu sehr (Vortragsanweisung; Mus.). **ma|no si|nist|ra*** u. sinistra mano ⟨lat.-it.⟩ mit der linken Hand (zu spielen); Abk.: m.s., s.m. (Mus.) **Ma|nos|tat*** ⟨gr.⟩ der; -[e]s u. -en, -e[n]: Druckregler **Ma|nö|ver** ⟨lat.-vulgärlat.-fr.⟩ das; -s, -: 1. (Mil.) a) größere Truppen-, Flottenübung unter kriegsmäßigen Bedingungen; b) taktische Truppenbewegung. 2. Bewegung, die mit einem Schiff, Flugzeug, Auto o. Ä. ausgeführt wird. 3. Scheinmaßnahme, Kniff, Ablenkungs-, Täu-

schungsversuch. **Ma|nö|ver|kri|tik** die; -, -en: kritische Besprechung der Erfahrungen und Ergebnisse [nach einem Manöver]. **ma|nö|v|rie|ren*** 1. ein Manöver (1b) durchführen. 2. eine Sache od. ein Fahrzeug (Schiff, Flugzeug, Raumschiff, Auto) geschickt lenken od. bewegen. 3. Kunstgriffe anwenden, um sich od. jmdn. in eine bestimmte Situation zu bringen **manque** [mãːk] ⟨lat.-it.-fr.⟩: die Zahlen 1 bis 18 betreffend (in Bezug auf eine Gewinnmöglichkeit beim Roulett). **Manque** die; -: depressiver Zustand, der durch Drogenmangel hervorgerufen wird **Man|sar|de** ⟨fr.; nach dem franz. Baumeister J. Hardouin-Mansart, 1646–1708⟩ die; -, -n: 1. für Wohnzwecke ausgebautes Dachgeschoss, -zimmer. 2. (in der Stoffdruckerei) mit Heißluft beheizte Vorrichtung zum Trocknen bedruckter Gewebe **Man|sches|ter** vgl. Manchester **Man|schet|te** ⟨lat.-fr.; „Ärmelchen"⟩ die; -, -n: 1. [steifer] Ärmelabschluss an Herrenhemden od. langärmeligen Damenblusen; **Manschetten haben:** (ugs.) Angst haben. 2. Papierkrause für Blumentöpfe. 3. unerlaubter Würgegriff beim Ringkampf. 4. Dichtungsring aus Gummi, Leder od. Kunststoff mit eingestülptem Rand (Techn.) **Man|sy|be** ⟨arab.⟩ die; -, -n: in Arabien geschaffene, im Mittelalter u. in der frühen Neuzeit besonders in Europa weiterentwickelte Vorform des modernen Schachproblems **Man|teau** [mã'toː] ⟨lat.-fr.⟩ der; -s, -s: franz. Bez. für Mantel. **Man|tel|let|ta** ⟨lat.-it.⟩ die; -, ...tten: vorn offenes, knielanges Gewand katholischer Prälaten, das nach dem Rang in Farbe u. Stoff verschieden ist. **Man|tel|lo|ne** der; -s, -s: langer, ärmelloser Mantel der päpstlichen Geheim- u. Ehrenkämmerer mit herabhängendem langem Streifen an beiden Schultern **Man|til|le** ⟨lat.-span.⟩ die; -, -n: 1. [man'tɪl(j)ə] Schleier- od. Spitzentuch der traditionellen Festkleidung der Spanierin. 2. [mã'tiːjə] a) ↑Fichu; b) halblanger Damenmantel **Man|ti|nell** ⟨lat.-it.⟩ das; -s, -s: Bande des Billardtisches

Man|tis ⟨gr.⟩ die; -, -: Gattung der Fangheuschrecken, zu der u. a. die Gottesanbeterin gehört **man|tisch** ⟨gr.⟩: die Mantik betreffend **Man|tis|se** ⟨lat.⟩ die; -, -n: 1. (veraltet) Zugabe, Anhängsel. 2. Ziffern des ↑Logarithmus hinter dem Komma **Mant|ra*** ⟨sanskr.⟩ das; -s, -s: wirkungskräftig geltender religiöser Spruch, magische Formel der Inder. **Mant|ra|ja|na** ⟨„Spruchfahrzeug"⟩ das; -: buddhistische Richtung, die die Erlösung durch ständige Wiederholung der Mantras sucht (z. B. im Lamaismus) **¹Ma|nu|al** [ˈmɛnjuəl] ⟨engl.⟩ das; -s, -s: ausführliche Bedienungsanleitung; Handbuch (bes. EDV). **²Ma|nu|al** ⟨lat.⟩ das; -s, -e, (auch:) **Ma|nu|a|le** das; -[s], -[n]: 1. Handklaviatur der Orgel. 2. (veraltet) Handbuch, Tagebuch. **ma|nu|a|li|ter**: auf dem ²Manual zu spielen (bei der Orgel). **Ma|nub|ri|um** ⟨„Handhabe, Griff"⟩ das; -s, ...ien [...iˀn]: Knopf od. Griff in den Registerzügen der Orgel. **ma|nu|ell** ⟨lat.-fr.⟩: die Hände, die Tätigkeit der Hände betreffend; mit der Hand, von Hand. **Ma|nu|fakt** ⟨lat.-nlat.⟩ das; -[e]s, -e: (veraltet) Erzeugnis menschlicher Handarbeit. **Ma|nu|fak|tur** ⟨lat.-fr.(-engl.)⟩ die; -, -en: 1. (veraltet) Handarbeit. 2. vorindustrieller gewerblicher Großbetrieb mit Handarbeit. 3. (veraltet) Web- u. Wirkwaren. 4. in Handarbeit hergestelltes Industrieerzeugnis. **ma|nu|fak|tu|rie|ren** (veraltet) anfertigen; verarbeiten. **Ma|nu|fak|tu|rist** der; -en, -en: 1. (früher) Leiter einer ↑Manufaktur (2). 2. (früher) Händler mit Manufakturwaren. **Ma|nu|fak|tur|wa|ren** die (Plural): Meterwaren, Textilwaren, die nach der Maßangabe des Käufers geschnitten u. verkauft werden. **ma|nu prop|ria*** ⟨lat.⟩: eigenhändig; Abk.: m. p. **Ma|nus** das; -, -: (österr.; schweiz.) Kurzform von ↑Manuskript. **Ma|nu|skript*** ⟨lat.-mlat.⟩ das; -[e]s, -e; 1. Handschrift, handschriftliches Buch der Antike und des Mittelalters. 2. hand- od. maschinenschriftlich angefertigte Niederschrift eines literarischen od. wissenschaftlichen Textes als Vorlage für den Setzer; Abk.: Ms. od. Mskr.; Plural: Mss. 3. vollständige od. stichwortartige

Ausarbeitung eines Vortrags, einer Vorlesung, Rede u.Ä. **ma̱|nus ma̱|num la̱vat** ⟨*lat.*⟩: eine Hand wäscht die andere. **Ma̱|nus mo̱r|tua** *die;* - -: (veraltet) tote Hand (Bezeichnung der Kirche im Vermögensrecht, da sie erworbenes Vermögen nicht veräußern durfte) **Man|za̱|ni̱l|la** [mantsa'nɪlja, auch: mansa...] ⟨*span.*⟩ *der;* -s: südspanischer Weißwein. **Man|za̱|ni̱l|lo|baum** [...'nɪljo...] ⟨*span.; dt.*⟩ *der;* -[e]s u. **Man|zi̱|ne̱l|la** [...'nɛlja] ⟨*span.*⟩ *die;* -: mittelamerikanisches Wolfsmilchgewächs mit giftigem Milchsaft **Ma|o̱|is|mus** ⟨nach dem chin. Staatsmann Mao Tse-tung, 1893–1976⟩ *der;* -: politische Ideologie, die streng dem Konzept des chinesichen Kommunismus folgt. **Ma|o̱|ist** *der;* -en, -en: jmd., der die Ideologie des Maoismus vertritt. **ma|o̱|is̱|tisch:** den Maoismus betreffend, zum Maoismus gehörend. **Ma̱|o|look** [...luːk] *der;* -s: aus einem halbmilitärischen Anzug mit hochgeschlossener, einfacher [blauer] Jacke bestehende Kleidung **¹Ma|o̱|ri** [auch: 'ma̱uri] ⟨*polynes.*⟩ *der;* -[s], -[s]: Angehöriger eines polynesischen Volkes auf Neuseeland. **²Ma|o̱|ri** *das;* -: Sprache der ¹Maoris **Ma|pai̱** ⟨*hebr.;* Kurzw. aus: Mifgeth *P*oale *E*rez *J*israel⟩ *die;* -: gemäßigte sozialistische Partei Israels. **Ma|pam̱** ⟨Kurzw. aus: *M*iflegeth *P*oalim *M*euhede̱t⟩ *die;* -: vereinigte Arbeiterpartei Israels **Ma|pho̱|ri|on** ⟨*ngr.*⟩ *das;* -s, ...ien: blaues od. purpurfarbenes, Kopf u. Oberkörper bedeckendes Umschlagtuch in byzantinischen Darstellungen der Madonna **Ma̱p|pa** ⟨*lat.;* „Vortuch"⟩ *die;* -: (veraltet) 1. Altartuch in der katholischen Kirche. 2. Schultertuch des †Akolythen. 3. Landkarte. **Map|peur** [...'pøːɐ̯] ⟨*lat.-fr.*⟩ *der;* -s, -e: (veraltet) Landkartenzeichner. **map|pie̱|ren:** topographisch-kartographisch aufnehmen **Ma|qam̱** [ma'kaːm] ⟨*arab.*⟩ *der;* -, -en od. ...ama̱t: (Mus.) a) Melodiemodell auf 17 Stufen im arabischen Tonsystem; vgl. Makame; b) liedartiger Zyklus, der das Maqam (a) variiert **Ma|que|reau** [makə'roː] ⟨*lat.-fr.*⟩ *der;* -s, -s: (Jargon) Zuhälter; Kurzw.: †²Mac **Ma|quet|te** [ma'kɛtə] ⟨*fr.*⟩ *die;* -, -n: Skizze, Entwurf, Modell

Ma|quil|la|ge [maki'jaːʒə] ⟨*fr.*⟩ *die;* -: 1. franz. Bez. für †Makeup (1, 2). 2. ertastbares Kenntlichmachen von Spielkarten durch Falschspieler **Ma|quis** [ma'kiː] ⟨*lat.-it.-fr.;* „Gestrüpp, Unterholz"⟩ *der;* -: 1. französische Widerstandsorganisation im Zweiten Weltkrieg. 2. franz. Bez. für: †Macchia. **Ma|qui|sard** [maki'zaːɐ̯] *der;* -, -s u. -en [...'zardn̩]: Angehöriger des Maquis (1) **Ma̱|ra** ⟨*indian. span.*⟩ *die;* -, -s: hasengroße Meerschweinchenart der Pampas in Argentinien **Ma̱|ra|bu** ⟨*arab.-port.-fr.*⟩ *der;* -s, -s: tropische Storchenart mit kropfartigem Kehlsack. **Ma̱|ra|but** ⟨*arab.-port.*⟩ *der;* - u. -[e]s, -[s]: moslemischer Einsiedler od. Heiliger **Ma̱|ra|cu̱|ja** ⟨*indian.-port.*⟩ *die;* -, -s: essbare Frucht der Passionsblume **Ma̱|ra̱e** ⟨*polynes.*⟩ *die;* -, -[s]: polynesische Kultstätte in Form einer Stufenpyramide mit Plattform für Götterbilder **Ma̱|ral** ⟨*pers.*⟩ *der;* -s, Mara̱le: kaukasische Hirschart **Ma̱|ra|na̱|tha!** ⟨*aram.*⟩: unser Herr, komm! (1. Kor. 16, 22; liturgischer Bekenntnisruf in der urchristlichen Abendmahlsfeier) **Ma̱|ra|ne** vgl. Marrane **Ma̱|rä̱ne** ⟨*slaw.*⟩ *die;* -, -n: in den Seen Nordostdeutschlands lebender Lachsfisch **Ma̱|raṉ|ta** u. **Ma̱|ra̱n|te** ⟨*nlat.;* nach dem venezian. Botaniker B. Maranta, 1500–1571⟩ *die;* -, ...ten: Pfeilwurz (Bananengewächs; die Wurzeln der westindischen Art liefern †Arrowroot; Zimmerpflanze) **ma̱|raṉ|tisch** u. **ma̱ras̱tisch** ⟨*gr.*⟩: verfallend, schwindend (von körperlichen u. geistigen Kräften; Med.) **Ma̱|ras|chi̱|no** [...'kiːno] ⟨*lat.-it.*⟩ *der;* -s, -s: aus [dalmatinischen Maraska]kirschen hergestellter farbloser Likör **Ma̱|ras̱|mus** ⟨*gr.-nlat.*⟩ *der;* -, ...men: allgemeiner geistig-körperlicher Kräfteverfall (Med.); **Marasmus senilis:** Kräfteverfall im Greisenalter; Altersschwäche. **ma̱|ras̱|tisch** vgl. marantisch **Ma̱|ra̱|thi** ⟨*sanskr.*⟩ *das;* -: westindische Sprache **¹Ma̱|ra̱|thon** [auch: 'ma...] ⟨*nach dem griech. Ort, von dem aus ein Läufer die Nachricht vom Sieg der Griechen über die Perser

(490 v. Chr.) nach Athen brachte u. dort tot zusammenbrach⟩ *der;* -s, -s: †Marathonlauf. **²Ma̱|ra̱thon** [auch: 'ma...] *das;* -s, -s: (ugs.) etwas übermäßig lange Dauerndes u. dadurch Anstrengendes. **Ma̱|ra|thon|lauf** [auch: 'ma...] ⟨*gr.; dt.*⟩ *der;* -[e]s, ...läufe: Langstreckenlauf über 42,2 km (olympische Disziplin) **Ma̱|ra|ve̱|di** ⟨*span.*⟩ *der;* -, -s: alte spanische [Gold]münze **Maṟ|ble|wood** ['maːblwʊd] ⟨*engl.*⟩ *das;* -[s]: Handelsbezeichnung für Ebenholz **Marc** [maːr] ⟨*fr.*⟩ *der;* -s [maːr]: starker Branntwein aus den Rückständen der Weintrauben beim Keltern **mar|caṉ|do** ⟨*germ.-it.*⟩: †marcato. **mar|ca̱|tis|si|mo;** in verstärktem Maße †marcato. **mar|ca̱|to:** markiert, scharf hervorgehoben, betont (Vortragsanweisung; Mus.) **Mar|che|sa** [...'keːza] ⟨*germ.-it.*⟩ *die;* -, -s od. ...sen: a) (ohne Plural) hoher italienischer Adelstitel; b) Trägerin dieses Titels. **Mar|che̱|se** [...ke:zə] ⟨*germ.-it.*⟩ *der;* -, -n: a) (ohne Plural) hoher italienischer Adelstitel; b) Träger dieses Titels **Mar|ching|band** ['maːtʃɪŋ'bænd] ⟨*engl.*⟩ *die;* -, -s, auch: **Mar|ching Band** *die;* - -, - -s: Marschkapelle **Mar|cia** ['martʃa] ⟨*germ.-it.*⟩ *die;* -, -s: Marsch (Mus.); **Marcia funebre:** Trauermarsch (Mus.). **mar|cia̱|le:** marschmäßig (Vortragsanweisung; Mus.) **Mar|ci|o|ni̱|te** ⟨nach dem Sektengründer Marcion⟩ *der;* -n, -n: Anhänger einer bedeutenden gnostischen Sekte (2.–4. Jh.), die das Alte Testament verwarf **Mar|co|ni|an|ten|ne** ⟨nach dem Erfinder G. Marconi, 1874 bis 1937⟩ *die;* -, -n: einfachste Form einer geerdeten Sendeantenne **Mar|de̱ll** (Herkunft unsicher) *der;* -s, -e u. **Mar|de̱l|le** *die;* -, -n: 1. durch den Tagebau von Erz entstandene kleinere Mulde. 2. Unterbau von prähistorischen Wohnungen, Aufbewahrungsraum für Vorräte **Ma̱|re** ⟨*lat.*⟩ *das;* -, - od. ...ria: als dunkle Fläche erscheinende große Ebene auf dem Mond u. auf dem Mars **Ma̱|rel|le** vgl. Morelle u. Marille **Ma̱|rem̱|men** ⟨*lat.-it.*⟩ *die* (Plural): sumpfige, heute zum Teil in Kulturland umgewandelte Küstengegend in Mittelitalien **Ma̱|rend** ⟨*lat.-it.-rätoroman.*⟩ *das;*

-s, -i: (schweiz.) Zwischenmahlzeit **ma|ren|go** ⟨nach dem oberitalienischen Ort Marengo⟩: grau od. braun mit weißen Pünktchen (von Stoff). **Ma|ren|go** *der;* -s: grau melierter Kammgarnstoff für Mäntel u. Kostüme **Ma|re|o|graph**, auch: ...graf ⟨*lat.; gr.*⟩ *der;* -en, -en: selbstregistrierender Flutmesser, Schreibpegel **Mar|ga|ri|ne** ⟨*gr.-fr.*⟩ *die;* -: streichfähiges, butterähnliches Speisefett aus tierischen u. pflanzlichen od. rein pflanzlichen Fetten **Mar|ge** [ˈmarʒə] ⟨*lat.-fr.*⟩ *die;* -, -n: 1. Abstand, Spielraum, Spanne. 2. Unterschied zwischen Selbstkosten u. Verkaufspreisen; Handelsspanne (Wirtsch.). 3. Preisunterschied für dieselbe Ware od. dasselbe Wertpapier an verschiedenen Orten (Wirtsch.). 4. Abstand zwischen Ausgabekurs u. Tageskurs eines Wertpapiers (Wirtsch.). 5. Bareinzahlung bei Wertpapierkäufen auf Kredit, die an verschiedenen Börsen zur Sicherung der Forderungen aus Termingeschäften zu hinterlegen ist (Wirtsch.). 6. Risikospanne; Unterschied zwischen dem Wert eines Pfandes u. dem darauf gewährten Vorschuss **Mar|ge|ri|te** ⟨*gr.-lat.-fr.*⟩ *die;* -, -n: [Wiesen]blume mit sternförmigem weißem Blütenstand (Bot.) **mar|gi|nal** ⟨*lat.-mlat.*⟩: 1. am Rande, auf der Grenze liegend; in den unsicheren Bereich zwischen zwei Entscheidungsmöglichkeiten fallend. 2. auf dem Rand stehend. 3. randständig, am Rande eines Fruchtblattes gelegen (von Samenanlagen; Bot.). **Mar|gi|nal|analy|se** *die;* -, -n: Untersuchung der Auswirkung einer geringfügigen Veränderung einer od. mehrerer Variablen auf bestimmte ökonomische Größen mithilfe der Differenzialrechnung; Grenzanalyse. **Mar|gi|na|lie** *das;* -s, ...lien (meist Plural): ↑Marginalie (1). **Mar|gi|nal|exis|tenz** *die;* -, -en: Übergangszustand, in dem jmd. der einen von zwei sozialen Gruppen od. Gesellschaftsformen nicht mehr ganz, der anderen hingegen noch nicht angehört; Randpersönlichkeit (Soziol.). **Mar|gi|nal|glos|se** *die;* -, -n: an den Rand der Seite geschriebene ↑Glosse (1). **Mar|gi|na|lie** [...jə] *die;* -, -n (meist Plural): 1. Anmerkung am Rande einer Hand-

schrift od. eines Buches. 2. Randtitel bei Gesetzerlassen (Rechtsw.). **mar|gi|na|li|sie|ren:** 1. mit Marginalien versehen. 2. [politisch] ins Abseits schieben. **Mar|gi|na|lis|mus** *der;* -: volkswirtschaftliche Theorie, die mit Grenzwerten u. nicht mit absoluten Größen arbeitet. **Mar|gi|na|li|tät** *die;* -: Existenz am Rande einer sozialen Gruppe, Klasse od. Schicht (Soziol.) **Ma|ri|a|ge** [...ʒə] ⟨*lat.-fr.*⟩ *die;* -, -n: 1. (veraltet) Heirat, Ehe. 2. das Zusammentreffen von König u. Dame in der Hand eines Spielers (bei verschiedenen Kartenspielen). 3. Kartenspiel, das mit 32 Karten gespielt wird **ma|ri|a|nisch** ⟨*hebr.-gr.-mlat.*⟩: die Gottesmutter Maria betreffend; **marianische Theologie:** ↑Mariologie; **marianische Antiphon:** in der katholischen Liturgie Lobgesang zu Ehren Marias; **Marianische Kongregation:** nach Geschlecht, Alter u. Berufsständen gegliederte katholische Vereinigung mit besonderer Verehrung Marias. **Ma|ri|a|nis|ten** ⟨*hebr.-gr.-nlat.*⟩ *die* (Plural): Schul- u. Missionsbrüder einer (1817 in Frankreich gegründeten) ↑Kongregation Mariä (Abk.: SM). **Ma|ri|a|lvit** ⟨*hebr.-gr.-lat.-poln.*⟩ *der;* -en, -en: Angehöriger einer romfreien katholischen Sekte in Polen, die in sozialer Arbeit dem Leben Marias nacheifern will **Ma|ri|hu|a|na** ⟨*mex.-span.*⟩ *das;* -s: aus getrockneten Blättern, Stängeln u. Blüten des indischen Hanfs hergestelltes Rauschgift **Ma|ril|le** u. Marelle ⟨*roman.*⟩ *die;* -, -n: (landsch., bes. österr.) Aprikose **Ma|rim|ba** ⟨*afrik.-span.*⟩ *die;* -, -s: (bes. in Guatemala beliebtes) dem Xylophon ähnliches, ursprünglich aus Afrika stammendes Musikinstrument. **Ma|rim|ba|phon**, auch: ...fon ⟨*afrik.-span.; gr.*⟩ *das;* -s, -e: Großxylophon mit Resonatoren **ma|rin** ⟨*lat.*⟩: 1. zum Meer gehörend. 2. aus dem Meer stammend, im Meer lebend; Ggs. ↑limnisch (1), ↑terrestrisch (2 b). **Ma|ri|na** ⟨*lat.-it.-engl.*⟩ *die;* -, -s: Jachthafen, Motorboothafen. **Ma|ri|na|de** ⟨*lat.-fr.*⟩ *die;* -, -n: 1. aus Öl, Essig u. Gewürzen hergestellte Beize zum Einlegen von Fleisch u. Fisch od. für Salate. 2. in eine gewürzte Soße eingelegte Fische od. Fischteile. **Ma|ri|ne**

die; -, -n: 1. Seewesen eines Staates; Flottenwesen. 2. Kriegsflotte, Flotte. 3. bildliche Darstellung des Meeres, der Küste od. des Hafens; Seestück (Kunstw.). **ma|ri|ne|blau:** dunkelblau. **Ma|ri|ner** *der;* -s, -: (ugs. scherzh.) Matrose, Marinesoldat. **Ma|ri|ni|è|re** [...ˈnjɛːrə] ⟨*lat.-fr.*⟩ *die;* -, -n: locker fallende Damenbluse, Matrosenbluse. **ma|ri|nie|ren:** in eine Marinade (1) einlegen od. damit beträufeln. **[1]Ma|ri|nis|mus** ⟨*lat.-nlat.*⟩ *der;* -: (selten) das Streben eines Staates, eine starke Seemacht zu werden **[2]Ma|ri|nis|mus** ⟨*nlat.;* nach dem italien. Dichter Marino, 1569–1625⟩ *der;* -: literarische Ausprägung des Manierismus (2) in Italien. **Ma|ri|nist** *der;* -en, -en: Vertreter des [2]Marinismus **ma|rin|mar|gi|nal** ⟨*lat.-nlat.*⟩: in Meeresbuchten sich absetzend (von Salzlagern; Geol.) **Ma|ri|o|lat|rie*** ⟨*hebr.-gr.-lat.; gr.*⟩ *die;* -: Marienverehrung. **Ma|ri|o|lo|ge** *der;* -n, -n: Vertreter der Mariologie. **Ma|ri|o|lo|gie** *die;* -: katholisch-theologische Lehre von der Gottesmutter. **ma|ri|o|lo|gisch:** die Mariologie betreffend. **Ma|ri|o|ne|tte** ⟨*hebr.-gr.-lat.-fr.;* „Mariechen") *die;* -, -n: 1. an Fäden od. Drähten aufgehängte u. dadurch bewegliche Gliederpuppe. 2. willenloses Geschöpf, ein Mensch, der einem anderen als Werkzeug dient. **Ma|ris|ten** ⟨*hebr.-gr.-lat.-nlat.*⟩ *die* (Plural): Priester einer [1824 in Frankreich gegründeten] ↑Kongregation zur Mission in der Südsee; Abk.: SM **ma|ri|tim** ⟨*lat.*⟩: 1. das Meer betreffend; **maritimes Klima:** Seeklima. 2. das Seewesen betreffend **Mar|jell** ⟨*lit.*⟩ *die;* -, -en u. **Mar|jell|chen** *das;* -s, -: (ostpreußisch) Mädchen **mar|kant** ⟨*germ.-it.-fr.*⟩: stark ausgeprägt **Mar|ka|sit** [auch: ...ˈzɪt] ⟨*arab.-mlat.*⟩ *der;* -s, -e: metallisch glänzendes, gelbes, oft bunt anlaufendes Mineral **Mar|ker** [auch: ˈmaːkɐ] ⟨*engl.*⟩ *der;* -s, -[s]: 1. (Sprachw.) a) Merkmal eines sprachlichen Elements, dessen Vorhandensein mit +, dessen Fehlen mit – gekennzeichnet wird; b) Darstellung der Konstituentenstruktur in einem ↑Stemma; c) Darstellung der Reihenfolge von Transformationsregeln. 2. genetisches Merkmal von Viren (Biol.). 3. Stift zum Markieren (1)

Mar|ke|ten|der ⟨lat.-it.⟩ der; -s, -: (früher) die Truppe bei Manövern u. im Krieg begleitender Händler. Mar|ke|ten|de|rei die; -, -en: (früher) a) (ohne Plural) Verkauf von Marketenderware; b) [mobile] Verkaufsstelle für Marketenderwaren. Mar|ke|ten|de|rin die; -, -nen: (hist.) die Truppe bei Manövern u. im Krieg begleitende Händlerin. mar|ke|ten|dern: (veraltet, noch scherzh.) Marketenderware zum Verkauf anbieten, weniger wertvolle Dinge des Alltagsgebrauchs verkaufen. Mar|ke|ten|der|wa|re ⟨lat.-it.; dt.⟩ die; -, -n: (veraltend) für den Bedarf der Soldaten zum Verkauf stehende Lebens- u. Genussmittel, Gebrauchsgegenstände Mar|ke|te|rie ⟨germ.-it.-fr.⟩ die; -, ...ien: Einlegearbeit, bei der figurliche Darstellungen od. Ornamente aus Furnierblättern zusammengesetzt u. auf eine Grundfläche aufgeleimt werden Mar|ke|ting [auch: 'ma:kıtıŋ] ⟨lat.-fr.-engl.⟩ das; -[s]: Ausrichtung der Teilbereiche eines Unternehmens auf die Förderung des Absatzes durch Werbung, durch Steuerung der eigenen Produktion u.a. (Wirtsch.). Mar|ke|ting|mix der; -: Kombination verschiedener Maßnahmen zur Absatzförderung im Hinblick auf eine bestimmte Zielsetzung (Wirtsch.). Mar|ke|ting|re|search das; -[s], -s: Absatzforschung (Wirtsch.) Mar|keur [...'køːɐ̯] vgl. Markör. mar|kie|ren ⟨germ.-it.-fr.⟩: 1. bezeichnen, kennzeichnen, kenntlich machen. 2. a) hervorheben, betonen; b) sich markieren: sich deutlich abzeichnen. 3. (österr.) entwerten (von Fahrkarten). 4. ein Gericht vorbereiten (Gastr.). 5. etwas [nur] andeuten (z. B. auf einer [Theater]probe). 6. einen Treffer erzielen (Sport). 7. in einer bestimmten Art u. Weise decken (Sport). 8. (ugs.) vortäuschen; so tun, als ob. mar|kiert: mit einem Marker (1 a) versehen. Mar|kie|rung die; -, -en: Kennzeichnung; [Kenn]zeichen; Einkerbung

Mar|ki|se ⟨germ.-fr.⟩ die; -, -n: 1. Sonnendach, Schutzdach, -vorhang aus festem Stoff. 2. länglicher Diamantenschliff

Mar|ki|set|te vgl. Marquisette

Mark|ka ⟨germ.-finn.⟩ die; -, -

(aber: 10 Markkaa [...ka]): finnische Währungseinheit; Abk.: mk; vgl. Finnmark

Mar|kör, auch: Markeur ⟨germ.-it.-fr.⟩ der; -s, -e: 1. Schiedsrichter, Punktezähler beim Billardspiel. 2. (österr. veraltet) Kellner. 3. Furchenzieher (Gerät zur Anzeichnung der Reihen, in denen angepflanzt od. ausgesät wird; Landw.)

Mar|ly ⟨nach der franz. Stadt Marly-le-Roi⟩ der; -: gazeartiges [Baumwoll]gewebe

Mar|me|la|de ⟨gr.-lat.-port.; „Quittenmus"⟩ die; -, n: 1. Brotaufstrich aus mit Zucker eingekochten Fruchtmark bzw. eingekochten reifen Früchten. 2. (nach einer Verordnung der Europäischen Gemeinschaft) süßer Brotaufstrich aus Zitrusfrüchten

Mar|mor ⟨gr.-lat.⟩ der; -s, -e: weißes od. farbiges, häufig geädertes, sehr hartes Kalkgestein, das bes. in der Bildhauerei u. als Baumaterial verwendet wird. mar|mo|rie|ren: marmorartig bemalen, ädern. mar|morn: aus Marmor

Mar|mot|te ⟨fr.⟩ die; -, -n: Murmeltier der Alpen u. Karpaten

Ma|ro|cain [...'kɛ̃] der od. das; -s, -s: ↑Crêpe marocain

ma|rod ⟨fr.⟩: (österr. ugs.) leicht krank. ma|ro|de: 1. (Soldatenspr. veraltet) marschunfähig, wegmüde. 2. (veraltend, aber noch landsch.) erschöpft, ermattet, von großer Anstrengung müde. Ma|ro|deur [...'døːɐ̯] der; -s, -e: plündernder Nachzügler einer Truppe. ma|ro|die|ren: [als Marodeur einer Truppe] plündern

Ma|ron ⟨it.-fr.⟩ das; -s: Kastanienbraun. ¹Ma|ro|ne ⟨it.⟩ die; -, -n u. (bes. österr.) ...ni: [geröstete] essbare Edelkastanie. ²Ma|ro|ne die; -, -n: essbarer Röhrenpilz mit dunkelbraunem Hut. Ma|ro|nen|pilz ⟨it.; dt.⟩ der; -es, -e: ↑²Marone. Ma|ro|ni: Plural von ↑¹Marone

Ma|ro|nit ⟨nach dem hl. Maro, † vor 423⟩ der; -en, -en (meist Plural): Angehöriger der im Rom unierten syrisch-christlichen Kirche im Libanon. ma|ro|ni|tisch: die Maroniten betreffend

Ma|ro|quin [...'kɛ̃] ⟨fr.; „marokkanisch"⟩ der; -s: feines, genarbtes Ziegenleder

Ma|rot|te ⟨hebr.-gr.-lat.-fr.⟩ die; -, -n: Schrulle, wunderliche Neigung, merkwürdige Idee

Mar|quess ['markvıs] ⟨germ.-fr.-engl.⟩ der; -, -: 1. (ohne Plural) englischer Adelstitel. 2. Träger dieses Titels. Mar|que|te|rie [marke...] ⟨germ.-it.-fr.⟩ vgl. Marketerie. Mar|quis [...'kiː] ⟨germ.-fr.; „Markgraf"⟩ der; - [...ki:(s)], - [...ki:s]: 1. (ohne Plural) französischer Adelstitel. 2. Träger dieses Titels. Mar|qui|sat das; -[e]s, -e: 1. Würde eines Marquis. 2. Gebiet eines Marquis. Mar|qui|se ⟨„Markgräfin"⟩ die; -, -n: 1. (ohne Plural) weibl. Form zu ↑Marquis. 2. Ehefrau eines Marquis. Mar|qui|set|te, auch: Marksette die; - (auch: der; -s): gazeartiges Gardinengewebe

Mar|ra|ne u. Marane ⟨arab.-span.⟩ der; -n, -n (meist Plural): Schimpfname für die im 15. Jh. zwangsweise getauften, z. T. heimlich mosaisch gebliebenen spanischen Juden

Mar|ris|mus ⟨nach dem russ. Sprachwissenschaftler N. J. Marr, 1865–1934⟩ der; -: Richtung in der Sprachwissenschaft vgl. Japhetitologie

Mars ⟨niederd.⟩ der; -, -e (auch: die); -, -en: (Seemannsspr.) Plattform zur Führung u. Befestigung der Marsstenge

Mar|sa|la ⟨nach der sizilianischen Stadt⟩ der; -s, -s: goldgelber Süßwein

Mar|seil|lai|se [...sɛ'jɛːz(ə)] die; -: französische Nationalhymne (1792 entstandenes Marschlied der Französischen Revolution)

Mar|shall|plan ['marʃal..., auch: 'ma:ʃəl...] ⟨nach dem früheren amerikanischen Außenminister Marshall, 1880–1959⟩ der; -[e]s: amerikanisches [wirtschaftliches] Hilfsprogramm für die westeuropäischen Staaten nach dem Zweiten Weltkrieg

Marsh|mal|low ['ma:ʃmɛlo] ⟨engl.⟩ das; -s, -s: weiche Süßigkeit aus Zucker, Eiweiß, Gelatine u.a.

Mar|su|pi|a|li|er ⟨gr.-lat.-nlat.⟩ der; -s, - (meist Plural): Beuteltier (Zool.)

mar|tel|lé [...'leː] vgl. martellando. Mar|tel|lé die; -: Martellato. mar|tel|lan|do, auch: martellato ⟨lat.-vulgärlat.-it.⟩ u. martelé ⟨lat.-vulgärlat.-fr.; „hämmernd, gehämmert"⟩: mit fest gestrichenem, an der Bogenspitze drückendem Bogen (Vortragsanweisung für Streichinstrumente; Mus.). Mar|tel|la|to ⟨lat.-vulgärlat.-it.⟩

das; -s, -s u. ...ti u. Martelé *‹lat.-vulgärlat.-fr.› das; -s, -s:* gehämmertes, scharf akzentuiertes od. fest gestrichenes Spiel (Mus.). **Mar|tel|le|ment** [...'mã:] *das; -s, -s:* 1. (veraltet) ↑Mordent. 2. Tonwiederholung auf der Harfe (Mus.). **mar|ti|a|lisch** *‹lat.›:* kriegerisch; grimmig, wild, verwegen **Mar|tin|gal** *‹fr.› das; -s, -e:* zwischen den Vorderbeinen des Pferdes durchlaufender Hilfszügel (Reiten) **Mär|ty|rer** *‹gr.-lat.› der; -s, -:* jmd., der wegen seines Glaubens oder seiner Überzeugung Verfolgungen, körperliche Leiden, den Tod auf sich nimmt. **Mar|ty|ri|um** *das; -s, ...ien [...iⁿn]:* 1. Opfertod, schweres Leiden [um des Glaubens oder der Überzeugung willen]. 2. Grab[kirche] eines christlichen Märtyrers. **Mar|ty|ro|lo|gi|um** *‹gr.-mlat.› das; -s, ...ien:* liturgisches Buch mit Verzeichnis der Märtyrer u. Heiligen u. ihrer Feste mit beigefügter Lebensbeschreibung; **Martyrium Romanum:** amtliches Märtyrerbuch der römisch-katholischen Kirche (seit 1584) **Ma|run|ke** *‹lat.-slaw.› die; -, -n:* (ostmitteldt.) gelbe Pflaume, Eierpflaume **Ma|ruts** *‹sanskr.› die* (Plural): Sturmgeister der wedischen Religion, Begleiter des Gottes Indra **Mar|xis|mus** *‹nlat.› der; -, ...men:* 1. (ohne Plural) von Karl Marx, Friedrich Engels u. deren Schülern entwickeltes System von politischen, ökonomischen u. sozialen Theorien, das auf dem historischen u. dialektischen Materialismus u. dem wissenschaftlichen Sozialismus basiert. 2. aus dem marxistischen Jargon stammendes sprachliches od. stilistisches Element in gesprochenen od. geschriebenen Texten. **Mar|xis|mus-Le|ni|nis|mus** *der; -:* von Lenin weiterentwickelter Marxismus (1). **Mar|xist** *der; -en, -en:* Vertreter u. Anhänger des Marxismus (1). **mar|xis|tisch:** a) den Marxismus (1) betreffend; b) im Sinne des Marxismus (1). **mar|xis|tisch-le|ni|nis|tisch:** den Marxismus-Leninismus betreffend. **Mar|xist-Le|ni|nist** *der;* des Marxisten-Leninisten, die Marxisten-Leninisten: Vertreter, Anhänger des Marxismus-Leninismus. **Mar|xo|lo|ge** *der; -n, -n:* (meist scherzh. od.

abwertend) jmd., der sich wissenschaftlich mit dem Marxismus beschäftigt [ohne selbst Marxist zu sein]. **Mar|xo|lo|gie** *die; -:* Wissenschaft, die sich mit dem Marxismus beschäftigt **Ma|ry Jane** ['mɛərɪ 'dʒeɪn] *‹engl.› die; - -:* (ugs. verhüllend) Marihuana **März** *‹lat.› der; -[es]* (dichterisch auch: -en), -e: dritter Monat im Jahr **Mar|zi|pan** [auch: 'mar...] *‹it.› das* (selten: der); -s, -e: weiche Masse aus Mandeln, Aromastoffen u. Zucker **¹Mas|ca|ra** *‹span.-engl.› die; -, -s:* pastenförmige Wimperntusche. **²Mas|ca|ra** *der; -, -s:* Stift od. Bürste zum Auftragen von Wimperntusche **Mas|car|po|ne** *‹it.› der; -s:* unter Verwendung von süßer Sahne hergestellter italienischer Weichkäse **Ma|schad** [mæʃ'æd] vgl. Maschhad **ma|schal|lah!** *‹arab.›:* bewundernder od. zustimmender Ausruf der Moslems **Ma|schans|ker** *‹tschech.› der; -s, -:* (österr.) Borsdorfer ↑Renette **Masch|had** [mæʃ'hæd], Maschad u. Mesch[h]ed *der; -[s], -s:* handgeknüpfter Orientteppich aus der Gegend um die iranische Provinzhauptstadt Maschhad **Ma|schi|ne** *‹gr.-lat.-fr.› die; -, -n:* 1. Gerät mit beweglichen Teilen, das Arbeitsgänge selbstständig verrichtet u. damit menschliche od. tierische Arbeitskraft einspart. 2. a) Motorrad; b) Flugzeug; c) Rennwagen; d) Schreibmaschine. 3. (ugs. scherzh.) große, dicke [weibliche] Person. **ma|schi|nell** *‹französierende Ableitung von ↑Maschine›:* maschinenmäßig; mit einer Maschine [hergestellt]. **Ma|schi|nen-mo|dell** *das; -s, -e:* Vorstellung vom maschinenartigen psychophysischen Funktionieren des Menschen. **Ma|schi|nen|re|vi|si|on** *die; -:* Überprüfung der Druckbogen vor Druckbeginn auf die richtige Ausführung der letzten Korrektur (Druckw.). **Ma|schi|nen|te|le|graf,** auch: ...graph *der; -en, -en:* Signalapparat, bes. auf Schiffen, zur Befehlsübermittlung von der Kommandostelle zum Maschinenraum. **Ma|schi|nen|the|o|rie** *die; -:* auf Descartes zurückgehende Auffassung von den Lebewesen als seelenlosen Auto-

maten (Philos.). **Ma|schi|ne|rie** *die; -, ...ien:* 1. maschinelle Einrichtung. 2. System von automatisch ablaufenden Vorgängen, in die einzugreifen schwer od. unmöglich ist. **ma|schi|nie|ren:** bei der Pelzveredelung die zarten Grannen des Fells abscheren. **Ma|schi|nis|mus** *der; -:* auf ↑Maschinentheorie beruhender, alle Lebewesen als Maschine auffassender Materialismus (Philos.). **Ma|schi|nist** *der; -en, -en:* 1. jmd., der fachkundig Maschinen bedient u. überwacht. 2. auf Schiffen der für Inbetriebsetzung, Instandhaltung u. Reparaturen an der Maschine Verantwortliche. 3. Vertreter des Maschinismus **Ma|ser** ['meɪzə] *‹engl.; Kurzw. aus: microwave amplification by stimulated emission of radiation = Kurzwellenverstärkung durch angeregte Aussendung von Strahlung› der; -s, -:* Gerät zur Verstärkung bzw. Erzeugung von Mikrowellen (Phys.) **Ma|set|te** *‹it.› die; -, -n:* (österr.) Eintrittskartenblock, aus dem die perforierten Eintrittskarten herausgerissen werden **Ma|shie** ['mæʃi, 'mæʃɪ] *‹engl.› der; -s, -s:* mit Eisenkopf versehener Golfschläger (für Annäherungsschläge) **Mas|ka|ril** *‹arab.-span.› der; -[s], -e:* typisierte Figur der älteren spanischen Komödie (Bedienter, der sich als Marquis verkleidet). **Mas|ka|ron** *‹arab.-it.-fr.› der; -s, -e:* Menschen- od. Fratzengesicht als Ornament in der Baukunst (bes. im Barock). **Mas|ke** *die; -, -n:* 1. a) Gesichtsform aus Holz, Leder, Pappe, Metall als Requisit des Theaters, Tanzes, der Magie zur Veränderung des Gesichts; b) beim Fechten u. Eishockey Gesichtsschutz aus festem, unzerbrechlichem Material (Sport); c) das vor der Narkose ein Mund u. Nase bedeckendes Gerät, mit dem Gase eingeatmet werden (Med.). 2. verkleidete, vermummte Person. 3. a) einer bestimmten Rolle entsprechende Verkleidung u. entsprechendes Geschminktsein eines Schauspielers; b) Schminkraum des Fernsehens). 4. Schablone zum Abdecken eines Negativs beim Belichten od. Kopieren (Fotogr.). 5. halbdurchlässiger, selektiver Filter zur Farb- u. Tonwertkorrektur bei der Reproduktion von Fotografien (Fo togr.). 6. Verstellung, Vortäuschung. 7. eine Art Schablone, die auf den Computerbildschirm abgerufen werden kann und in die Daten eingetragen werden. **Mas|ke|ra|de** ⟨arab.-span.⟩ die; -, -n: 1. Verkleidung. 2. Maskenfest, Mummenschanz. 3. Heuchelei, Vortäuschung. **mas|kie-ren** ⟨arab.-it.-fr.⟩: 1. verkleiden, eine Maske umbinden. 2. verdecken, verbergen. 3. angerichtete Speisen mit einer Soße, Glasur o. Ä. überziehen (Gastr.). **Mas|kie|rung** die; -, -en: 1. Bildung von chemischen Komplexen, um eine Ionenart quantitativ bestimmen zu können (Chem.). 2. Ton- u. Farbwertkorrektur mithilfe von Masken (5). 3. Tarnung, Schutztracht mithilfe von Steinchen, Schmutz od. Pflanzenteilen bei Tieren (Zool.). 4. Unterdrückung einer Aufforderung zur Unterbrechung eines Programms mithilfe einer Maske (7) (EDV)

Mas|kott|chen ⟨provenzal.-fr.⟩ das; -s, - u. **Mas|kot|te** die; -, -n: Glück bringender Talisman (Anhänger, Puppe u. a.)

mas|ku|lin [auch: 'ma...] ⟨lat.⟩: a) für den Mann charakteristisch; männlich (in Bezug auf Menschen); b) das Männliche betonend, hervorhebend (in Bezug auf die äußere Erscheinung); c) als Frau männliche Züge habend, nicht weiblich; d) mit männlichem Geschlecht; Abk.: m (Sprachw.); vgl. ...isch/-. **mas|ku|li|nisch:** (veraltend) männlichen Geschlechts (Biol.; Med.; Sprachw.); Abk.: m; vgl. ...isch/-. **Mas|ku|li|ni|sie|rung** die; -, -en: 1. Vermännlichung der Frau im äußeren Erscheinungsbild (Med.). 2. Vermännlichung weiblicher Tiere (Biol.). **Mas|ku|li|num** das; -s, ...na: männliches Substantiv (z. B. der Wagen); Abk.: M., Mask.

Ma|so|chis|mus ⟨nlat.; nach dem österr. Schriftsteller Sacher-Masoch, 1836–1895⟩ der; -, ...men: 1. (ohne Plural) das Empfinden von sexueller Erregung durch Erleiden von körperlichen od. seelischen Misshandlungen. 2. masochistische Handlung; vgl. Sadismus. **Ma|so|chist** der; -en, -en: jmd., der durch Erleiden von Misshandlungen sexuelle Erregung empfindet. **ma|so|chis-tisch:** den Masochismus betreffend

Ma|so|ra usw. vgl. Massora usw.

Mas|sa ⟨verstümmelt aus engl. Master⟩ der; -s, -s: früher von den schwarzen Sklaven Nordamerikas verwendete Bez. für: Herr

Mass|ac|tion ['mæsækʃən] ⟨engl.-amerik.⟩ u. **Massreaction** die; -: unspezifische Reaktion eines Säuglings (od. tierischen Organismus) auf irgendwelche Reize (Psychol.)

Mas|sa|ge [...ʒə] ⟨arab.-fr.⟩ die; -, -n: Behandlung des Körpergewebes mit den Händen (durch Kneten, Klopfen, Streichen u. Ä.) od. mit mechanischen Apparaten zur Lockerung u. Kräftigung der Muskeln sowie zur Förderung der Durchblutung o. Ä. **Mas|sa|ge|sa|lon** der; -s, -s: 1. (veraltend) Arbeitsraum eines ↑Masseurs. 2. (verhüllend) einem Bordell ähnliche, meist nicht offiziell geführte Einrichtung, in der bes. masturbatorische Praktiken geübt werden **Mas|sa|ker** ⟨fr.⟩ das; -s, -: Gemetzel, Blutbad, Massenmord. **mas-sak|rie|ren***: 1. niedermetzeln, grausam umbringen. 2. (ugs. scherzhaft) quälen, misshandeln

Maß|ana|ly|se ⟨dt.; gr.-mlat.⟩ die; -, -n: Verfahren, durch ↑Titration die Zusammensetzung von Lösungen zu ermitteln (Chem.)

Mas|se|be ⟨hebr.⟩ die; -, ...n: aufgerichteter Malstein (ursprünglich als Behausung einer kanaanischen Gottheit) im Jordanland **¹Mas|sel** ⟨hebr.-jidd.-Gaunerspr.⟩ der (österr.: das); -s: Glück **²Mas|sel** ⟨lat.-it.⟩ die; -, -n: durch Gießen in einer entsprechenden Form hergestellter, plattenförmiger Metallblock

Mas|sen|de|fekt der; -[e]s, -e: Betrag, um den die Masse eines Atomkerns kleiner ist als die Summe der Massen seiner Bausteine (Physik). **Mas|sen|kom-mu|ni|ka|ti|ons|mit|tel** das; -s, - u. ...dien (meist Plural): auf große Massen ausgerichteter Vermittler von Information u. Kulturgut (z. B. Presse, Film, Funk, Fernsehen). **Mas|sen|psy|cho|lo|gie** die; -: Teilgebiet der Psychologie, das sich mit den Reaktionen des Einzelnen auf die Masse u. dem Verhaltensweisen der Masse beschäftigt. **Mas|sen-spekt|ro|graph,*** auch: ...graf der; -en, -en: Gerät zur Zerlegung eines Isotopengemischs in die der Masse nach sich unterscheidenden Bestandteile u. zur

Bestimmung der Massen selbst (Physik) **Mas|se|ter** ⟨gr.⟩ der; -s, -: Kaumuskel (Med.) **Mas|seur** [...'søːɐ̯] ⟨arab.-fr.⟩ der; -s, -e: jmd., der berufsmäßig Massagen verabreicht. **Mas-seu|rin** [...'søːrɪn] die; -, -nen: weibliche Form zu ↑Masseur. **Mas|seu|se** [...'søːzə] die; -, -n: Prostituierte bes. in einem Massagesalon (2). **¹mas|sie|ren** ⟨arab.-fr.⟩: jmdn. mit einer Massage behandeln **²mas|sie|ren** ⟨gr.-lat.-fr.⟩: 1. Truppen zusammenziehen. 2. verstärken. **mas|siv:** 1. ganz aus ein u. demselben Material, nicht hohl. 2. fest, wuchtig. 3. stark, grob, heftig; in bedrohlicher u. unangenehmer Weise erfolgend; z. B. massiven Druck auf jmdn. ausüben. **Mas|siv** das; -s, -e: 1. Gebirgsstock, geschlossene Gebirgseinheit. 2. durch Hebung u. Abtragung freigelegte Masse alter Gesteine (Geol.). **Mas|siv-bau** der; -[e]s: Bauweise, bei der fast ausschließlich Naturstein, Ziegelstein od. Beton verwendet wird. **Mas|si|vi|tät** die; -: Wucht, Nachdruck; Derbheit

Mas|so|ra ⟨hebr.; „Überlieferung"⟩ die; -: [jüdische] Textkritik des Alten Testaments; Gesamtheit textkritischer Randod. Schlussbemerkungen in alttestamentlichen Handschriften. **Mas|so|ret** der; -en, -en: mit der Massora befasster jüdischer Schriftgelehrter u. Textkritiker. **mas|so|re|tisch:** die Massoreten betreffend; **massoretischer Text:** von den Massoreten festgelegter alttestamentlicher Text

Mas|sre|ac|tion ['mæsrɪækʃən] vgl. Massaction

Mas|ta|ba ⟨arab.⟩ die; -, -s u. ...taben: altägyptischer Grabbau (Schachtgrab mit flachem Lehm- od. Steinhügel u. Kammern)

Mas|tal|gie* die; -, ...ien: Mastodynie

Mas|ter ⟨lat.-fr.-engl.⟩ der; -s, -: 1. englische Anrede für: junger Herr. 2. in den Vereinigten Staaten u. in England akademischer Grad; **Master of Arts:** englischer u. amerikanischer akademischer Grad (etwa dem Dr. phil. entsprechend); Abk.: M. A.; vgl. Magister Artium. 3. englisch-amerikanische Bez. für: Schallplattenmatrize. 4. Anführer bei Parforcejagden

Mas|tiff ⟨lat.-vulgärlat.-fr.-engl.⟩

Mas|ti|go|pho|ren ⟨gr.-nlat.⟩ die (Plural): Geißeltierchen

Mas|tik ⟨gr.-lat.-fr.⟩ der; -s: eine Art Kitt (Seew.). **Mas|ti|ka|tor** ⟨gr.-lat.-nlat.⟩ der; -s, ...oren: Knetmaschine. **mas|ti|ka|to-risch:** den Kauakt betreffend (Med.)

Mas|ti|tis ⟨gr.-nlat.⟩ die; -, ...iti-den: Brustdrüsenentzündung (Med.)

Mas|tix ⟨gr.-lat.⟩ der; -[es]: 1. Harz des Mastixbaumes, das für Pflaster, Kaumittel, Lacke u. a. verwendet wird. 2. Gemisch aus Bitumen u. Gesteinsmehl, das als Straßenbelag verwendet wird **Mas|to|don*** ⟨gr.-nlat.⟩ das; -s, ...donten: ausgestorbene Elefantenart des Tertiärs. **Mas|to|dy-nie** die; -, ...ien: Schwellung u. Schmerzhaftigkeit der weiblichen Brüste vor der Monatsblutung (Med.). **mas|to|id:** von der Form einer Brustwarze; einer Brustwarze ähnlich (Med.). **Mas|to|i|di|tis** die; -, ...iti-den: Entzündung der Schleimhäute am Warzenfortsatz des Schläfenbeins (Med.). **Mas|to|mys** ⟨gr.⟩ die; -, -: afrikanische Ratte (wichtiges Versuchstier in der Krebsforschung). **Mas|to|pa-thie** die; -: Bildung von Knötchen u. Zysten an den Brüsten (Med.). **Mas|top|to|se*** die; -, -n: Hängebrust (Med.)

Mas|tur|ba|ti|on ⟨lat.-nlat.⟩ die; -, -en: 1. geschlechtliche Selbstbefriedigung; Onanie. 2. geschlechtliche Befriedigung eines anderen durch manuelle Reizung der Geschlechtsorgane. **mas|tur|ba|to|risch:** die Masturbation betreffend, auf ihr beruhend. **mas|tur|bie|ren** ⟨lat.⟩: 1. sich selbst geschlechtlich befriedigen; onanieren. 2. bei jmdm. die Masturbation (2) ausüben

Ma|sur|ka vgl. Mazurka

Ma|sut ⟨turkotat.-russ.⟩ das; -[es]: bei der Destillation von russischem Erdöl entstehender Rückstand, der u. a. als Schmiermittel u. zur Beheizung industrieller Anlagen o. Ä. verwendet wird

Ma|ta|dor ⟨lat.-span.⟩ der; -s (auch: -en), -e (auch: -en): 1. Stierkämpfer, der dem Stier den Todesstoß versetzt. 2. wichtigster Mann, Hauptperson

Ma|ta|mal|ta ⟨indian.-port.⟩ die; -, -s: langhalsige südamerikanische Süßwasserschildkröte

Ma|ta|pan ⟨venez.⟩ der; -, -e:

(hist.) venezianische Groschenmünze aus Silber

Match [mɛtʃ] ⟨engl.⟩ das (auch: der); -[e]s, -s (auch: -e): sportlicher Wettkampf in Form eines Spiels. **Match|ball** der; -[e]s, ...bälle: über den Sieg entscheidender Ball ([Tisch]tennis, Badminton). **Match|beu|tel** der; -s, -: ein größerer, für Sport u. Wanderung geeigneter Beutel, den man über die Schulter hängen kann. **Matched|groups** [ˈmætʃtˈɡruːps] ⟨zugeordnete Gruppen"⟩ die (Plural): jeweils in bestimmten Punkten (Alter, Ausbildung, Intelligenz) übereinstimmende Gruppen von Individuen (psychologische Testmethode). **Match|sack** der; -[e]s, ...säcke: ↑ Matchbeutel. **Match|stra|fe** die; -, -n: Feldverweis für die gesamte Spieldauer (Eishockey)

¹Ma|te ⟨indian.-span.⟩ der; -: aus den gerösteten, koffeinhaltigen Blättern der Matepflanze zubereiteter Tee. **²Ma|te** die; -, -n: südamerikanisches Stechpalmengewächs; Matepflanze

Ma|tel|las|sé [...'se:] ⟨arab.-it.-fr.; „gepolstert"⟩ der; -[s], -s: Gewebe mit plastischer, reliefartiger Musterung

Ma|tel|lot [...'lo:] ⟨niederl.-fr.⟩ der; -s, -s: zum Matrosenanzug getragener runder Hut mit Band u. gerollter Krempe. **Ma|tel|lote** [...'lot] die; -, -s: Fischragout mit scharfer Weißweinsoße

Ma|ter ⟨lat.; „Mutter"⟩ die; -, -n: (Druckw.) 1. eine Art Papptafel, in die der Satz zum nachfolgenden Guss der Druckplatte abgeformt ist. 2. ↑ Matrize. **Ma|ter do|lo|ro|sa** ⟨„schmerzenreiche Mutter"⟩ die; - -: Darstellung Marias in ihrem Schmerz über die Leiden ihres Sohnes (Kunstw.; Rel.); vgl. Pieta **ma|te|ri|al** ⟨lat.⟩: 1. stofflich, sich auf einen Stoff beziehend, als Material gegeben; vgl. materiell (1). 2. inhaltlich, sich auf den Inhalt beziehend (Philos.); vgl. ...al/...ell. **Ma|te|ri|al** ⟨lat.-mlat.; „zur Materie Gehörendes; Rohstoff"⟩ das; -s, -ien: 1. Stoff, Werkstoff, Rohstoff, aus dem etw. besteht, gefertigt wird. 2. Hilfsmittel, Gegenstände, die für eine bestimmte Arbeit, für die Herstellung von etw., als Ausrüstung o. Ä. benötigt werden. 3. [schriftliche] Angaben, Unterlagen, Belege, Nachweise o. Ä. **Ma|te|ri|a|li|sa|ti|on** ⟨lat.-nlat.⟩

die; -, -en: 1. Umwandlung von [Strahlungs]energie in materielle Teilchen mit Ruhemasse (Phys.). 2. Bildung körperhafter Gebilde in Abhängigkeit von einem ¹Medium (4) (Parapsychol.). **ma|te|ri|a|li|sie|ren:** verstofflichen, verwirklichen. **Ma|te|ri|a|lis|mus** ⟨lat.-fr.⟩ der; -: 1. philosophische Lehre, die die ganze Wirklichkeit (einschließlich Seele, Geist, Denken) auf Kräfte od. Bedingungen der Materie zurückführt; Ggs. ↑ Idealismus (1); vgl. dialektischer Materialismus. 2. Streben nach bloßem Lebensgenuss ohne ethische Ziele u. Ideale. **Ma|te|ri|a|list** der; -en, -en: 1. Vertreter u. Anhänger des philos. Materialismus; Ggs. ↑ Idealist (1). 2. für höhere geistige Dinge wenig interessierter, nur auf eigenen Nutzen u. Vorteil bedachter Mensch. **ma|te|ri|a|lis|tisch:** 1. den Materialismus betreffend; Ggs. ↑ idealistisch (1). 2. nur auf eigenen Nutzen u. Vorteil bedacht. **Ma|te|ri|a|li|tät** die; -: Stofflichkeit, Körperlichkeit, das Bestehen aus Materie; Ggs. ↑ Spiritualität. **Ma|te|ri|al|kon|stan|te** die; -, -n: feste Größe, die vom Material (1) eines untersuchten Körpers abhängt (z. B. die Dichte; Phys.). **Ma|te-rie** ⟨lat.⟩ die; -, -n: 1. (ohne Plural) Stoff, Substanz, unabhängig vom Aggregatzustand (Phys.). 2. Gegenstand, Gebiet [einer Untersuchung]. 3. Urstoff, Ungeformtes. 4. die außerhalb unseres Bewusstseins vorhandene Wirklichkeit im Gegensatz zum Geist (Philos.). 5. Inhalt, Substanz im Gegensatz zur Form. **ma|te|ri|ell** ⟨lat.-fr.⟩: 1. stofflich, körperlich greifbar; die Materie betreffend; Ggs. ↑ immateriell. 2. auf Besitz, auf Gewinn bedacht. 3. finanziell, wirtschaftlich; vgl. ...al/...ell

¹Ma|tern ⟨lat.⟩: von einem Satz Matern herstellen (Druckw.). **²ma|tern:** zur Mutter gehörend, mütterlich (Med.). **ma|ter|ni|siert** ⟨lat.-fr.⟩: dem Mütterlichen angeglichen; **maternisierte Milch:** Milch, die in ihrer Zusammensetzung der Muttermilch gleicht. **Ma|ter|ni|tät** ⟨lat.-nlat.⟩ die; -: Mutterschaft (Med.). **Ma|te|tee** der; -s ↑ ¹Mate

Ma|the|ma|tik [auch: ...'tık, österr.: ...'matık] ⟨gr.-lat.⟩ die; -: Wissenschaft von den Raum- u. Zahlengrößen. **Ma|the|ma|ti-ker** der; -s, -: Wissenschaftler auf dem Gebiet der Mathematik. **ma|the|ma|tisch:** die Mathematik betreffend; **mathematische Logik:** Behandlung der logischen Gesetze mithilfe von mathematischen Symbolen u. Methoden; vgl. ¹Logistik. **ma|the-ma|ti|sie|ren:** [in verstärktem Maß] mit mathematischen Methoden behandeln od. untersuchen. **Ma|the|ma|ti|sie|rung** *die; -, -en:* [verstärkte] Anwendung mathematischer Methoden in wissenschaftlichen Untersuchungen. **Ma|the|ma|ti|zis|mus** ⟨*gr.-nlat.*⟩ *der; -:* Tendenz, alle Vorgänge der Wirklichkeit, die Wissenschaft u. besonders die Logik in mathematischen Formeln wiederzugeben **Ma|thu|ra|kunst** ['mæθʊra:...] ⟨nach der Bildhauerschule der nordindischen Stadt Mathura⟩ *die; -:* eine Richtung der indischen Plastik in den ersten Jahrhunderten n. Chr. mit Skulpturen u. Terrakotten verschiedener religiöser Bestimmung, die frühe indische Kunst entscheidend prägte **Ma|ti|nee** ⟨*lat.-fr.*⟩ *die; -, ...gen:* 1. am Vormittag stattfindende künstlerische Veranstaltung. 2. (veraltet) eleganter Morgenrock **Mat|jes|he|ring** ⟨*niederl.;* „Mädchenhering"⟩ *der; -s, -e:* gesalzener, junger Hering (ohne Milch od. Rogen) **Mat|rat|ze*** ⟨*arab.-roman.*⟩ *die; -, -n:* Bettpolster aus Rosshaar, Seegras, Wolle od. Schaumstoff; federnder Betteinsatz **Mät|res|se*** ⟨*lat.-fr.*⟩ *die; -, -n:* 1. (hist.) Geliebte eines Fürsten. 2. (abwertend) Geliebte eines Ehemannes **mat|ri|lar|chal*** u. **mat|ri|lar|cha-lisch** ⟨*lat.; gr.*⟩ *nlat.*⟩: das Matriarchat betreffend, darauf beruhend. **Mat|ri|ar|chat** *das; -[e]s, -e:* Gesellschaftsordnung, bei der die Frau eine bevorzugte Stellung in Staat u. Familie innehat u. bei der in der Erbfolge u. sozialer Stellung die weibliche Linie ausschlaggebend ist; Ggs. ↑Patriarchat (2); vgl. Avunkulat, Matrilokalität. **Mat|ri|ca|ria** ⟨*lat.-nlat.*⟩ *die; -:* wissenschaftliche Bez. der ↑Kamille. **Mat|rik** ⟨*lat.*⟩ *die; -, -en:* (österr.) Matrikel. **Mat|ri|kel** *die; -, -n:* 1. Verzeichnis von Personen (z. B. der Studenten an einer Universität); vgl. Immatrikulation. 2. (österr.) Personenstandsregister. **mat|ri-li|ne|al** u. **mat|ri|li|ne|ar:** in der

Erbfolge der mütterlichen Linie folgend; Ggs. ↑patrilineal, patrilinear. **Mat|ri|lo|ka|li|tät** ⟨*lat.-nlat.*⟩ *die; -:* Übersiedlung des Mannes mit der Heirat an den Wohnort seiner Frau. **mat|ri-mo|ni|al** u. **mat|ri|mo|ni|ell** ⟨*lat.*⟩: (veraltend) zur Ehe gehörig; ehelich (Rechtsw.). **mat|ri-sie|ren** ⟨*lat.-fr.*⟩: Papier anfeuchten (Buchw.). **Mat|rix** ⟨*lat.; „Muttertier; Gebärmutter; Quelle, Ursache"*⟩ *die; -, Matrizes* [...tse:s] u. *Mațr̦izen:* 1. a) Keimschicht der Haarzwiebel; b) Krallen- u. Nagelbett (bei Wirbeltieren); c) Hülle der ↑Chromosomen (Biol.). 2. a) rechteckiges Schema von Zahlen, für das bestimmte Rechenregeln gelten (Math.); b) System, das zusammengehörende Einzelfaktoren darstellt (EDV). 3. das natürliche Material (Gestein), in dem Mineralien eingebettet sind (Min.). **Mat|rix|or-ga|ni|sa|ti|on** ⟨*lat.; gr.-lat.*⟩ *die; -, -en:* Strukturform, bei der sich eine nach Fachabteilungen gegliederte u. eine nach Objekten bzw. Projekten gegliederte Organisation überlappen (betriebliche Organisationslehre). **Mat-rix|satz** ⟨*lat.; dt.*⟩ *der; -es, ...sät-ze:* übergeordneter Satz in einem komplexen Satz. **Mat|ri|ze** ⟨*lat.-fr.*⟩ *die; -, -n:* 1. (Druckw.) a) bei der Setzmaschine die in einem Metallkörper befindliche Hohlform zur Aufnahme der ↑Patrize; b) die von einem Druckstock zur Anfertigung eines ↑Galvanos hergestellte [Wachs]form. 2. bei der Formung eines Werkstücks derjenige Teil des Werkzeugs, in dessen Hohlform der Stempel eindringt. **Mat|ri|zes.** *Plur.* von Matrix. **Mat|rjosch|ka** ⟨*russ.*⟩ *die; -, -s:* ↑Matroschka. **Mat|ro-ne** ⟨*lat.*⟩ *die; -, -n:* a) ältere, gesetzteil u. Würde ausstrahlende Frau; b) (abwertend) ältere, fülllige Frau. **Mat|ro|ny|mi|kon** vgl. Metronymikon. **Mat|rosch|ka** u. (seltener:) Matrjoschka ⟨*russ.*⟩ *die; -, -s:* aus zwei Teilen zusammengesetzte Figur mit aufgemalter Darstellung einer weiblichen Person, die in ihrem hohlen Inneren mehrere kleinere Exemplare der gleichen Form in Größenabstufungen enthält; Puppe in der Puppe **Mat|ro|se*** ⟨*niederl.-fr.-niederl.*⟩ *der; -n, -n:* Seemann **Matt** ⟨*arab.-roman.*⟩ *das; -s, -s:* das Ende einer Schachpartie be-

deutende Stellung, bei der die Bedrohung des Königs durch keinen Zug mehr abgewendet werden kann (Schachspiel). **matt|tie|ren** ⟨*arab.-roman.-fr.*⟩: matt, glanzlos machen. **Mat|toir** [ma'toa:ɐ̯] *das; -s, -s:* Stahlstab mit gerauter u. mit kleinen Spitzen besetzter Aufsatzfläche (für den Kupferstich) **Ma|tur** u. Maturum ⟨*lat.*⟩ *das; -s:* (veraltet) ↑Abitur, Reifeprüfung; vgl. Matura. **Ma|tu|ra** *die; -:* (österr., schweiz.) Reifeprüfung. **Ma-tu|rand** *der; -en, -en:* (schweiz.) Maturant. **Ma|tu|rant** *der; -en, -en:* (österr.) jmd., der die Reifeprüfung gemacht hat od. in der Reifeprüfung steht. **ma|tu|rie-ren:** (veraltet) das Matur ablegen. **Ma|tu|ri|tas prae|cox** [-'prɛ:...] *die; - -:* [sexuelle] Frühreife (Med.; Psychol.). **Ma|tu|ri|tät** *die; -:* 1. (veraltet) Reife[zustand]. 2. (schweiz.) Abitur; Hochschulreife. **Ma|tu|rum** vgl. Matur **Ma|tu|tin** ⟨*lat.*⟩ *die; -, -e[n]:* nächtliches Stundengebet; vgl. Mette. **ma|tu|ti|nal:** (veraltet) früh, morgendlich **Mat|ze** ⟨*hebr.*⟩ *die; -, -n* u. **Mat|zen** *der; -s, -:* ungesäuerter Fladenbrot, wie es die Juden während der Passahzeit essen **¹Mau-Mau** ⟨*afrik.*⟩ *die* (Plural): Geheimbund in Kenia **²Mau-Mau** ⟨*Herkunft unsicher*⟩ *das; -[s]:* Kartenspiel, bei dem die Farbe od. im Kartenwert bedient werden muss u. derjenige gewonnen hat, der als Erster alle Karten ausgespielt hat **Mau|res|ke** vgl. Moreske **Mau|ri|ner** ⟨nach dem hl. Maurus von Subiaco⟩ *der; -s, -* (meist Plural): Angehöriger der französischen benediktinischen ↑Kongregation im 17./18. Jh., deren Mitglieder bedeutende Leistungen in der ↑Patristik und katholischen Kirchengeschichte vollbrachten **Mau|schel** ⟨*hebr.-jidd.;* „Moses"⟩ *der; -s, -:* (veraltet spöttisch) [armer] Jude. **Mau|schel|bei|te** [...be:tǝ] ⟨*hebr.-jidd.; lat.-vulgär-lat.-fr.*⟩ *die; -, -n:* doppelter Strafeinsatz beim Mauscheln; vgl. bête. **mau|scheln** ⟨*hebr.-jidd.*⟩: 1. a) unter der Hand in undurchsichtiger Weise Vorteile aushandeln, begünstigende Vereinbarungen treffen, Geschäfte machen; b) beim [Karten]spiel betrügen. 2. Mauscheln spielen. 3. a) Jiddisch sprechen; b) undeutlich sprechen. **Mau|scheln** *das;*

-s: Kartenspiel für drei bis sechs Personen

Maus|klick ⟨dt.; engl.⟩ der; -s, -s: das Anklicken mit der Maus, mit dem ein Prozess aktiviert wird (EDV)

Mau|so|le|um ⟨gr.-lat.; nach dem altkarischen König Mausolos, †um 353 v. Chr.⟩ das; -s, ...een: monumentales Grabmal in Form eines Bauwerks

Maus|pad [...'pɛd] ⟨dt.; engl.⟩ das; -s, -s: Unterlage, auf der die Maus bewegt wird (EDV)

maus|sade [mo'sad] ⟨lat.-fr.⟩: (veraltet) 1. abgeschmackt, schal. 2. mürrisch, verdrießlich

mauve [mo:v] ⟨lat.-fr.⟩: malvenfarbig. **Mau|ve|lin** [move'i:n] ⟨lat.-fr.-nlat.⟩ das; -s: ein Anilinfarbstoff

ma|xi ⟨lat.; Analogiebildung zu ↑mini⟩: knöchellang (von Röcken, Kleidern od. Mänteln); Ggs. ↑mini. **¹Ma|xi** das; -s, -s: 1. (ohne Plural) a) knöchellange Kleidung; b) (von Röcken, Kleidern, Mänteln) Länge bis zu den Knöcheln. 2. (ugs.) knöchellanges Kleid. **²Ma|xi** der; -s, -s: (ugs.) knöchellanger Rock. **³Ma|xi** die; -, -s: ↑Maxisingle

Ma|xi|l|la ⟨lat.⟩ die; -, ...llae [...lɛ]: Oberkiefer[knochen] (Med.). **ma|xil|lar** u. **ma|xil|lär**: zum Oberkiefer gehörend (Med.). **Ma|xil|len** die (Plural): als Unterkiefer dienende Mundwerkzeuge der Gliederfüßer (Zool.)

Ma|xi|ma ⟨lat.⟩ die; -, ...mae [...mɛ] u. ...men: längste gebräuchliche Note der Mensuralmusik (im Zeitwert von 8 ganzen Noten). **ma|xi|mal** ⟨lat.-nlat.⟩: a) sehr groß, größte, ..., höchst...; b) höchstens. **ma|xi|ma|li|sie|ren**: bis zum Höchstmöglichen, aufs Äußerste steigern. **Ma|xi|ma|list** der; -en, -en: jmd., der das Äußerste fordert. 2. Sozialist, der die sofortige Machtübernahme der revolutionären Kräfte fordert. **Ma|xi|mal|pro|fit** der; -[e]s, -e: der höchste Gewinn, der erreichbar ist. **Ma|xi|me** ⟨lat.-mlat.(-fr.)⟩ die; -, -n: Leitsatz. **ma|xi|mie|ren**: systematisch bis zum Höchstwert steigern. **Ma|xi|mie|rung** die; -, -en: das Maximieren. **Ma|xi|mum** ⟨lat.⟩ das; -s, ...ma: 1. (Plural selten) größtes Maß, Höchstmaß; Ggs. ↑Minimum (1). 2. a) oberer Extremwert (Math.); Ggs. ↑Minimum (2 a); b) höchster Wert (bes. der Temperatur) eines Tages, einer Woche usw. od. einer Beobach-

tungsreihe (Meteor.); Ggs. ↑Minimum (2 b). 3. Kern eines Hochdruckgebiets (Meteor.); Ggs. ↑Minimum (3). 4. (ugs.) etwas Unüberbietbares. **Ma|xi-mum-Mi|ni|mum-Ther|mo|meter** das; -s, -: Thermometer, das die tiefste u. die höchste gemessene Temperatur festhält. **Ma|xi-sin|gle*** die; -, -[s]: ↑²Single in der Größe einer Langspielplatte

Max|well ['mækswəl] ⟨nach dem britischen Physiker, 1831–1879⟩ das; -, -: (nicht gesetzliche) Einheit des magnetischen Flusses im elektromagnetischen ↑CGS-System (Zeichen: M; Phys.)

Ma|ya ⟨sanskr.⟩ die; -: ↑Maja

May|day ['meɪdeɪ] ⟨verkürzt aus franz. venez m'aider: helfen Sie mir⟩: internationaler Notruf im Funksprechverkehr

Ma|yon|nai|se vgl. Majonäse

May|or [mɛə, auch: 'mɛːɐ] ⟨lat.-fr.-engl.⟩ der; -s, -s: Bürgermeister in Großbritannien u. in den USA

MAZ ⟨Kurzw. für Magnetbildaufzeichnung⟩ die; -: Vorrichtung zur Aufzeichnung von Fernsehbildern auf Magnetband

ma|za|rin|blau [maza'rɛ̃:...] ⟨fr.; dt.⟩: hellblau mit leichtem Rotstich

Maz|da|is|mus [mas...] ⟨awest.-nlat.; nach dem persischen Gottesnamen Ahura Mazda⟩ der; -: von Zarathustra gestiftete altpersische Religion. **Maz|da|ist** der; -en, -en: Anhänger des Mazdaismus. **Maz|daz|nan** [masdas-'na:n] ⟨awest.⟩ das (auch: der); -s: (von O. Hanisch um 1900 begründete) auf der Lehre Zarathustras bildende Heilsbewegung

Mä|zen ⟨lat.; nach Maecenas (dem Vertrauten des Kaisers Augustus), einem besonderen Gönner der Dichter Horaz u. Vergil⟩ der; -s, -e: vermögender Privatmann, der [einen] Künstler od. Sportler bzw. Kunst, Kultur od. Sport mit finanziellen Mitteln fördert. **Mä|ze|na|ten|tum** das; -[e]s: freigebige, gönnerhafte Kunstpflege, -freundschaft. **mä|ze|na|tisch**: nach Art eines Mäzens, als Mäzen gebend

Ma|ze|ral ⟨lat.-nlat.⟩ das; -s, -e (meist Plural): Gefügebestandteil der Kohle. **Ma|ze|rat** ⟨lat.⟩ das; -[e]s, -e: Auszug aus Kräutern od. Gewürzen. **Ma|ze|ra|ti|on** die; -, -en: 1. Aufweichung pflanzlicher od. tierischer Gewebe bei längerem Kontakt mit Flüssigkeiten (Med.; Biol.). 2.

mikroskopisches Präparationsverfahren zur Isolierung von Gewebsanteilen (z. B. von einzelnen Zellen) unter Erhaltung der Zellstruktur (Biol.). 3. Gewinnung von Drogenextrakten durch Ziehenlassen von Pflanzenteilen in Wasser od. Alkohol bei Normaltemperatur (Biol.; Chem.). **ma|ze|rie|ren**: eine Mazeration (2, 3) durchführen

Ma|zis ⟨lat.-fr.⟩ der; - u. **Ma|zis-blüte** die; -, -n: getrocknete Samenhülle der Muskatnuss (als Gewürz u. Heilmittel verwendet)

Ma|zu|rek [ma'zu:rɛk] der; -s, -s: ↑Mazurka. **Ma|zur|ka** [ma'zʊrka] ⟨poln.⟩ die; -, ...ken u. -s: polnischer Nationaltanz im ³/₄- od. ³/₈-Takt

Maz|ze, Maz|zen: fachspr. Schreibung für: Matze, Matzen

Mc vgl. Mac

mea cul|pa! ⟨lat.⟩: „[durch] meine Schuld!" (Ausruf aus dem lat. Sündenbekenntnis ↑Confiteor)

Me|a|to|mie ⟨lat.; gr.⟩ die; -, ...ien: operative Erweiterung eines Körperkanals, -gangs (Med.)

Me|cha|ni|ker ⟨gr.-lat.⟩ die; -, -; vgl. 1. (ohne Plural) Zweig der Physik, Wissenschaft vom Gleichgewicht u. von der Bewegung der Körper unter den Einfluss äußerer Kräfte od. Wechselwirkungen. 2. Getriebe, Triebwerk, Räderwerk. 3. automatisch ablaufender, selbsttätiger Prozess. **Me|cha|ni|ker** der; -s, -: Handwerker od. Facharbeiter, der Maschinen, technische Geräte o. Ä. zusammenbaut, prüft, instand hält u. repariert. **Me|cha|ni|sa|tor** der; -s, ...oren: technische Fachkraft in der sozialistischen Land- u. Forstwirtschaft. **me|cha|nisch**: 1. den Gesetzen der Mechanik entsprechend. 2. maschinenmäßig, von Maschinen angetrieben. 3. gewohnheitsmäßig, unwillkürlich, unbewusst [ablaufend]. 4. ohne Nachdenken [ablaufend], kein Nachdenken erfordernd. **me|cha|ni|sie|ren** ⟨gr.-lat.-fr.⟩: auf mechanischen Ablauf, Betrieb umstellen. **Me|cha|nis|mus** der; -, ...men: 1. Getriebe, Triebwerk, sich bewegende Einrichtung zur Kraftübertragung. 2. [selbsttätiger] Ablauf (z. B. von ineinander greifenden Vorgängen in einer Behörde od. Körperschaft): Zusammenhang od. Geschehen, das gesetzmäßig u. wie selbstverständlich abläuft. 3. Richtung der Naturphilosophie, die Natur-

Naturgeschehen od. auch Leben u. Verhalten rein mechanisch bzw. kausal erklärt (Philos.). **Me|cha|nist** *der;* -en, -en: Vertreter des Mechanismus (3). **me-cha|nis|tisch:** 1. den Mechanismus (3) betreffend. 2. [nur] auf mechanischen Ursachen beruhend. **Me|cha|ni|zis|mus** *der;* -: ↑Mechanismus (3). **Me|cha|ni-zist** *der;* -en, -en: ↑Mechanist. **me|cha|ni|zis|tisch:** ↑mechanistisch (1). **Me|cha|no|re|zep to|ren** *die* (Plural): mechanische Sinne (Biol.). **Me|cha|no|the-ra|pie** *die;* -: Therapie mithilfe mechanischer Einwirkung auf den Körper (bes. Massage, Krankengymnastik o.Ä.; Med.) **Me|chi|ta|rist** ⟨*nlat.;* nach dem armenischen Priester Mechitar, 1676–1749⟩ *der;* -en, -en (meist Plural): armenische ↑Kongregation von Benediktinern (heute in Venedig u. Wien) **me|chul|le** vgl. machulle **Me|dail|le** [me'daljə] ⟨*gr.-lat.-vulgärlat.-it.-fr.*⟩ *die;* -, -n: (nicht als Zahlungsmittel bestimmte) Münze mit Inschrift od. figürlicher Darstellung zur Erinnerung an eine Persönlichkeit, ein Geschehen, zur Auszeichnung für besondere Leistungen. **Me|dail-leur** [...'jø:ɐ̯] *der;* -s, -e: a) Künstler, der Medaillen vom Entwurf bis zur Vollendung herstellt; b) Handwerker, der Medaillen nach künstlerischem Modell gießt od. prägt. **me|dail|lie|ren** [...'ji:...]: (selten) mit einer Medaille auszeichnen. **Me|dail|lon** [...medal'jõ:] *das;* -s, -s: 1. (an einem Kettchen getragene) kleine, flache Kapsel, die ein Bild od. ein Andenken enthält. 2. rundes, ovales [in etw. eingearbeitetes] Relief od. Bild[nis] (Kunstw.). 3. kleine, runde od. ovale kurz gebratene Fleisch-, Fischscheibe (bes. vom Filetstück; Gastr.) **Me|dia** ⟨*lat.*⟩ *die;* -, ...diä u. ...dien: 1. stimmhafter ↑Explosivlaut (z.B. b; Sprachw.); Ggs. ↑Tenuis. 2. mittlere Schicht der Gefäßwand (von Arterien, Venen u. Lymphgefäßen; Med.). 3. *Plur.* von ↑Medium. **Me|di|a|ana|ly-se** *die;* -, -n: Untersuchung von Werbeträgern in Bezug auf deren gezielte Anwendung. **Me-di|a|kom|bi|na|ti|on** *die;* -, -en: Heranziehung verschiedener Medien für eine Werbung. **Me-di|al** *das;* -s, -e: Spiegellinsenfernrohr zum Beobachten astronomischer Objekte. **me|di|al:** 1.

das ¹Medium (2) betreffend. 2. in der Mitte liegend, die Mitte bildend (Med.). 3. den Kräften u. Fähigkeiten eines ¹Mediums (4) entsprechend. 4. von den ¹Medien (5) ausgehend, zu ihnen gehörend. **Me|di|a|man** ['mi:dɪɔmæn] ⟨*engl.-amerik.*⟩ *der;* -, ...men [...mən] u. **Me|di|a-mann** *der;* -[e]s, ...männer: Fachmann für Auswahl u. Einsatz von Werbemitteln. **me|di-an:** in der Mitte[llinie] eines Körpers od. Organs gelegen (Anat.). **Me|di|a|ne** *die;* -, -n: 1. Seitenhalbierende eines Dreiecks. 2. Verbindungslinie von einer Ecke eines Tetraeders zum Schwerpunkt der gegenüberliegenden Seite. **Me|di|an|ebe|ne** *die;* -, -n: durch die Körpermitte verlaufende Symmetrieebene des menschlichen Körpers. **Me-di|an|te** ⟨*lat.-it.*⟩ *die;* -, -n: (Mus.) 1. dritte Stufe einer Tonleiter ? über der Mediante (1) errichteter Dreiklang. **me|di|at** ⟨*lat.-fr.*⟩: (veraltet) mittelbar. **Me|di|a-teur** [...'tø:ɐ̯] *der;* -s, -e: (veraltet) in einem Streit zwischen zwei od. mehreren Mächten vermittelnder Staat. **Me|di|a|ti|on** *die;* -, -en: 1. Vermittlung eines Staates in einem Streit zwischen anderen Mächten. 2. [auch: mi:dɪ'eɪʃn̩] Vermittlung, bes. zwischen Scheidungswilligen. **me|di|a|ti-sie|ren** (hist.) „mittelbar" machen; bisher unmittelbar dem Reich unterstehende Herrschaften od. Besitzungen (z.B. Reichsstädte) der Landeshoheit unterwerfen. **Me|di|a|tor** ⟨*lat.-mlat.*⟩ *der;* -s, ...oren: 1. Transmitter (?), der bes. bei einer Allergie u. beim Schock freigesetzt od. gebildet wird u. die jeweils charakteristischen Symptome hervorruft. 2. Vermittler, bes. zwischen Scheidungswilligen. **me|di|a|to|risch:** (veraltet) vermittelnd. **me|di|ä|val** ⟨*lat.-nlat.*⟩: mittelalterlich. **Me|di|ä|val** *die;* -: Antiqua, bei der die einzelnen Letternteile nahezu gleich sind. **Me|di|ä|vist** *der;* -en, -en: Wissenschaftler auf dem Gebiet der Mediävistik. **Me|di|ä|vis|tik** *die;* -: Wissenschaft von der Geschichte, Kunst, Literatur usw. des europäischen Mittelalters. **Me|di|en:** *Plural* von ↑Medium u. ↑Media. **Me|di|en|di|dak|tik** *die;* -: Didaktik des als Unterrichtshilfsmittel eingesetzten Mediens, innerhalb des Mediums im Rahmen der Me-

diendidaktik. **Me|di|en|pä|da-go|ge*** *der;* -n, -n: Wissenschaftler auf dem Gebiet der Medienpädagogik. **Me|di|en|pä|da|go-gik*** *die;* -: Pädagogik der Massenmedien, ihres Einsatzes als Bildungsmittel u. des kritischen Verhaltens ihnen gegenüber. **Me|di|en|ver|bund** *der;* -[e]s: Kombination verschiedener Kommunikationsmittel unter einer Organisation **Me|di|ka|ment** ⟨*lat.*⟩ *das;* -[e]s, -e: Mittel, das in bestimmter Dosierung der Heilung von Krankheiten, der Vorbeugung od. der Diagnose dient; Arzneimittel. **me-di|ka|men|tös:** mithilfe von Medikamenten. **Me|di|kas|ter** ⟨*lat.-nlat.*⟩ *der;* -s, -: (veraltet abwertend) Kurpfuscher, Quacksalber. **Me|di|ka|ti|on** ⟨*lat.*⟩ *die;* -, -en: Verordnung, Verabreichung, Anwendung eines Medikaments (einschließlich Auswahl u. Dosierung). **Me|di|kus** *der;* -, Mdizi: (scherzhaft) Arzt **me|dio** ⟨*lat.-it.*⟩: zum [Zeitpunkt des] Medio. **Me|dio** *der;* -[s], -s: Monatsmitte (15. des Monats oder, falls dieser ein Samstag, Sonntag oder Feiertag ist, der nachfolgende Werktag; Wirtsch.). **Me|di|o|garn** *das;* -[e]s, -e: mittelfest gedrehtes Baumwollgarn. **me|di|o|ker** ⟨*lat.-fr.*⟩: mittelmäßig. **Me|di|ok-ri|tät*** *die;* -, -en: Mittelmäßigkeit. **Me|di|o|thek** ⟨*lat.; gr.*⟩ *die;* -, -en: meist als Abteilung in öffentlichen Büchereien bereitgestellte Sammlung audiovisueller ¹Medien (5) zur Weiterbildung. **Me|di|o|wech|sel** *der;* -s, -: in der Mitte eines Monats fälliger Wechsel **Me|di|san|ce** [...'zã:sə] ⟨*lat.-fr.*⟩ *die;* -, -n: boshafte Bemerkung. **me|di|sant:** sarkastisch, boshaft. **me|di|sie|ren:** (veraltet) schmähen, lästern **Me|di|ta|ti|on** ⟨*lat.*⟩ *die;* -, -en: 1. [sinnende] Betrachtung. 2. mystische, kontemplative Versenkung. **me|di|ta|tiv:** die Meditation betreffend **me|di|ter|ran** ⟨*lat.*⟩: dem Mittelmeerraum angehörend, eigen **me|di|tie|ren** ⟨*lat.*⟩: 1. nachsinnen, nachdenken; Betrachtungen anstellen. 2. sich der Meditation (2) hingeben **Me|di|um** ['mi:djəm] ⟨*lat.-engl.*⟩: 1. mittelgroß (als Kleidergröße; Abk.: M). 2. [auch: 'me:djʊm] (von Fleisch) nicht ganz durchgebraten (Gastr.). **¹Me|di|um**

⟨lat.; „Mitte"⟩ das; -s, ...ien u. ...ia: 1. (Plural selten auch: ...ia) vermittelndes Element. 2. (Plural ...ia; selten) Mittelform zwischen ¹Aktiv u. Passiv (bes. im Griechischen; im Deutschen reflexiv ausgedrückt; Sprachw.). 3. (Plural ...ien) Träger bestimmter physikalischer od. chemischer Vorgänge (Phys.; Chem.). 4. (Plural ...ien) a) jmd., der für Verbindungen zum übersinnlichen Bereich besonders befähigt ist (Parapsychol.); b) jmd., an dem sich aufgrund seiner körperlichen, seelischen Beschaffenheit Experimente, bes. Hypnoseversuche, durchführen lassen. 5. (meist Plural) a) (Plural selten auch: ...ia) Einrichtung, organisatorischer u. technischer Apparat für die Vermittlung von Meinungen, Informationen od. Kulturgütern; eines der Massenmedien Film, Funk, Fernsehen, Presse; b) (Plural selten auch: ...ia) Unterrichts[hilfs]mittel, das der Vermittlung von Information u. Bildung dient; c) (Plural meist ...ia) für die Werbung benutztes Kommunikationsmittel, Werbeträger. ²Me|di|um ⟨lat.-engl.-amerik.⟩ das; -: genormter Schriftgrad für die Schreibmaschine. Me|di|um Coe|li ⟨lat.⟩ das; - -: Himmelsmitte, Zenit, Spitze des X. Hauses; der Punkt der ↑Ekliptik, der in dem zu untersuchenden Zeitpunkt der Geburt o. Ä. kulminiert (Astrol.); Abk.: M. C. Me|di|u|mis|mus ⟨lat.-nlat.⟩ der; -: Bez. aller mit einem Medium (4) zusammenhängenden Erscheinungen. me|di|u|mis|tisch: den Mediumismus betreffend. Me|di|us ⟨eigtl.: medius terminus; lat.⟩ der; -: Begriff, der die Prämissen des ↑Syllogismus verknüpft u. nicht in den Schlusssatz des Syllogismus eingeht Me|di|zi: Plur. von ↑Medikus. Me|di|zin ⟨lat.⟩ die; -, -en: 1. (ohne Plural) Wissenschaft vom gesunden u. kranken Menschen u. Tier, von den Krankheiten, ihrer Verhütung u. Heilung. 2. [flüssiges] Medikament. me|di|zi|nal: zur Medizin gehörend, die Medizin betreffend; medizinisch verwendet. Me|di|zin|ball der; -[e]s, ...bälle: großer, schwerer, nicht elastischer Lederball (Sport). Me|di|zin|bün|del das; -s, -: (bei nordamerikanischen Indianern gebräuchliches) Bündel mit Gegenständen, die Zauberkraft be-

sitzen. Me|di|zi|ner der; -s, -: jmd., der Medizin studiert [hat]. me|di|zi|nie|ren: ärztlich behandeln. me|di|zi|nisch: a) die Medizin betreffend, dazu gehörend; b) nach den Gesichtspunkten der Medizin [hergestellt]. me|di|zi-nisch-tech|nisch: die Medizin (1) in Verbindung mit der Technik betreffend; medizinisch-technische Assistentin: weibliche Person, die durch praktisch-wissenschaftliche Arbeit (z. B. im Labor) die Tätigkeit eines Arztes o. Ä. unterstützt (Berufsbez.; Abk.: MTA). Me|di|zin|mann der; -[e]s, ...männer: (bei vielen Naturvölkern) eine Art Arzt u. Priester, der sich der Magie bedient

Med|ley ⟨'mɛdlɪ⟩ ⟨lat.-mlat.-altfr.-engl.⟩ das; -s, -s: Potpourri

Me|doc ⟨nach der franz. Landschaft⟩ der; -s, -s: französischer Rotwein

Med|re|se* u. Med|res|se ⟨arab.-türk.⟩ die; -, -n: 1. islamische juristisch-theologische Hochschule. 2. Koranschule einer Moschee; vgl. Liwan (2)

Me|dul|la ⟨lat.⟩ die; -: Mark (z. B. Knochenmark; Med.); Medulla oblongata: verlängertes Rückenmark. me|dul|lär: auf das Mark bezüglich, zu ihm gehörend (Med.)

Me|du|se ⟨gr.-lat.; nach der Medusa, einem weiblichen Ungeheuer der griechischen Sage⟩ die; -, -n: Qualle. Me|du|sen|blick der; -[e]s, -e: fürchterlicher, Schrecken erregender Blick. Me|du|sen|haupt das; -[e]s: 1. vgl. Medusenblick. 2. Geflecht von Krampfadern im Bereich des Nabels (Med.). me|du|sisch: von, in der Art der Medusa

Mee|ting ⟨'mi:tɪŋ⟩ ⟨engl.⟩ das; -s, -s: 1. offizielle Zusammenkunft zweier od. mehrerer Personen zur Erörterung von Problemen u. Fachfragen. 2. Sportveranstaltung [in kleinerem Rahmen]. meets ⟨mi:ts⟩ ⟨engl.⟩: trifft auf, vermischt sich mit

me|fi|tisch ⟨nach der altitalischen Göttin Mephitis, der Beherrscherin erstickender Dünste⟩: verpestend, stinkend

Me|ga|bit [auch: 'me:...] das; -[s], -[s]: 1 048 576 ↑Bit; Zeichen: MBit. Me|ga|byte [...'baɪt, auch: 'me:...] das; -[s], -[s]: 1 048 576 ↑Byte; Zeichen: Mbyte. Me|ga|elekt|ron|volt* das; -s, -: 1 Million ↑Elektronvolt; Zeichen: MeV. Me|ga|hertz ⟨nach dem dt.

Physiker H. Hertz, 1857–1894⟩ das; -, -: 1 Million Hertz; Zeichen: MHz. me|ga-in ⟨gr.; engl.⟩: in der Verbindung: mega-in sein: besonders, sehr gefragt, begehrt sein; Ggs. ↑mega-out (sein). Me|ga||len|ze|pha|lie* ⟨gr.-nlat.⟩ die; -, ...ien: abnorme Vergrößerung des Gehirns (Med.). Me|ga|lith [auch: ...'lɪt] („großer Stein") der; -s u. -en, -e[n]: großer, roher Steinblock vorgeschichtlicher Grabbauten. Me|ga|lith|grab das; -[e]s, ...gräber: vorgeschichtliches Großsteingrab. Me|ga|lli|thi|ker [auch: ...'lɪt...] der; -s, -: Träger der Megalithkultur. me|ga|li-thisch [auch: ...'lɪtʃ]: aus großen Steinen bestehend. Me|ga|lith|kul|tur die; -: Kultur der Jungsteinzeit, für die Megalithgräber u. der Ornamentstil der Keramik typisch sind. Me|ga|lo|blast* der; -en, -en (meist Plural): abnorm große, kernhaltige Vorstufe der roten Blutkörperchen (Med.). Me|ga|lo|ma|nie die; -, ...ien: Größenwahn (Psychol.). Me|ga|lo|po|le u. Me|ga-lo|po|lis ⟨gr.-engl.-amerik.⟩ die; -, ...polen: Zusammenballung von benachbarten Großstädten; Riesenstadt. Me|ga|lop|sie* die; -, ...ien: ↑Makropsie. Me|ga-lith|kul... Me|ga|lo|ze-pha|lie die; -, ...ien: ↑Makrozephalie. Me|ga|lo|zyt der; -en, -en (auch:) Me|ga|lo|zy|te die; -, -n: abnorm großes rotes Blutkörperchen (Med.). Me|ganth-ro|pus* der; -, ...pi: Lebewesen an der Übergangsstufe von Tier u. Mensch. Me|ga|ohm [auch: 'me:...] u. Megohm ⟨nach dem dt. Physiker G. S. Ohm, 1789–1854⟩ das; -, -: 1 Million Ohm; Zeichen: M . me|ga-out [...aʊt] ⟨gr.; engl.⟩: in der Verbindung: mega-out sein: überhaupt, absolut nicht mehr gefragt, begehrt sein; Ggs. ↑mega-in (sein). Me|ga-phon, auch: Megafon das; -s, -e: Sprachrohr [mit elektrischem Verstärker]

Me|gä|re ⟨gr.-lat.⟩ die; -, -n: wütende, böse Frau

Me|ga|ri|ker ⟨gr.-lat.⟩ der; -s, -: (hist.) Angehöriger der von dem Sokratesschüler Eukleides von Megara (450–380 v. Chr.) gegründeten Philosophenschule

Me|ga|ron ⟨gr.⟩ das; -s, ...ra: mit einer Vorhalle verbundener Hauptraum des altgriechischen Hauses (mit Herd als Mittelpunkt)

Me|ga|star ⟨gr.; engl.⟩ der; -s, -s:

überaus beliebter, bekannter Star

Me̱ga̱lthe̱ri̱um ⟨gr.-nlat.⟩ das; -s, ...ien: ausgestorbenes Riesenfaultier.

me̱ga̱lthe̱rm: warme Standorte bevorzugend (von Pflanzen; Bot.).

Me̱ga̱lto̱n|ne [auch: 'me:...] die; -, -n: 1 Million Tonnen; Zeichen: Mt.

Me̱ga̱ure̱|tor der; -s, -: stark erweiterter Harnleiter (Med.).

Me̱ga̱volt [auch: 'me:...] ⟨nach dem italienischen Physiker A. Volta, 1745–1827⟩ das; - u. -[e]s, -: 1 Million ↑ Volt; Zeichen: MV.

Me̱ga̱watt [auch: 'me:...] ⟨nach dem engl. Ingenieur J. Watt, 1736–1819⟩ das; -, -: 1 Million Watt; Zeichen: MW

Me̱gil|lo̱th ⟨hebr.; „Rollen") die (Plural): Sammelbez. der 5 alttestamentlichen Schriften Hohes Lied, Ruth, Klagelieder, Prediger Salomo, Esther, die an jüdischen Festen verlesen werden

Me̱go̱hm: ↑ Megaohm

Me̱ha̱ri ⟨arab.-fr.⟩ das; -s, -s: schnelles Reitdromedar in Nordafrika

Mei̱o̱se ⟨gr.; „Verringern, Verkleinern") die; -, -n: (bei der Zellteilung) in zwei unterschiedlichen Prozessen verlaufende Reduktion des bei der Befruchtung verdoppelten Bestandes an Chromosomen um die Hälfte, um so ihre Zahl pro Zelle konstant zu halten; Reduktionsteilung; Reifeteilung (Biol.).

Mei̱o̱sis die; -: ↑ Litotes

Mei̱ran ⟨mlat.⟩ der; -s, -e: ↑ Majoran

Mei̱sje ⟨niederl.⟩ Verkleinerung von: meid = Mädchen⟩ das; -s, -s: holländisches Mädchen

Mei̱u̱los ⟨gr.⟩ der; -, ...roi [...reu] u, **Mei̱ulus** ⟨gr.-nlat.⟩ der; -, ...ri: ↑ Hexameter mit gekürzter vorletzter Silbe

Me̱k|ka ⟨arab.; nach der heiligen Stadt des Islams⟩ das; -s, -s: Stelle, Ort, der ein Zentrum für etw. Bestimmtes ist u. darum eine große Anziehungskraft ausübt

Me̱ko̱ni̱um ⟨gr.-lat.⟩ das; -s: 1. erste Darmentleerungen des Neugeborenen; Kindspech (Med.). 2. erste Darmausscheidung des aus der Puppe geschlüpften Insekts (Zool.). 3. (veraltet) Opium

Me̱laju̱|ku̱|na ⟨malai.⟩ das; -[s]: die klassische malaiische Schriftsprache

Me̱la̱min (Kunstw.) das; -s: technisch vielfach verwertbares Kunstharz

Me̱llä̱|na ⟨gr.-nlat.⟩ die; -: Blutstuhl; Ausscheidung von Blut aus dem Darm (z. B. bei Neugeborenen; Med.).

Me̱lla̱inä̱|mie̱* die; -, ...ien: das Auftreten von dunklen Pigmentkörperchen in Leber, Milz, Nieren, Knochenmark u. Hirnrinde (Med.).

Me̱lan|cho̱|lie [...ko'li:] ⟨gr.-lat.⟩ die; -, ...ien: von großer Niedergeschlagenheit, Traurigkeit od. Depressivität gekennzeichneter Gemütszustand.

Me̱lan|cho̱|liker der; -s, -: (nach dem von Hippokrates aufgestellten Temperamentstyp) jmd., der zu Depressivität u. Schwermütigkeit neigt.

me̱lan|cho̱|lisch: schwermütig, niedergedrückt, trübsinnig; vgl. cholerisch, phlegmatisch, sanguinisch

Me̱lan|ge [me'lä:ʒə] ⟨lat.-vulgär-lat.-fr.⟩ die; -, -n: 1. Mischung, Gemisch. 2. (österr.) Milchkaffee, der zur Hälfte aus Milch besteht. 3. aus verschiedenfarbigen Fasern hergestelltes Garn

Me̱la̱nin ⟨gr.-nlat.⟩ das; -s, -e: vom Organismus gebildeter gelblicher bis brauner od. schwarzer Farbstoff (Biol.).

Me̱la̱nis|mus der; -, ...men: ↑ Melanose. **Me̱la̱nit** [auch: ...'nɪt] der; -s, -e: bräunlich schwarzer Granat.

Me̱la̱no ⟨gr.-nlat.; „Schwärzling"; Analogiebildung nach ↑ Albino⟩ der; -s, -s: Tier mit stark ausgebildeter schwärzlicher Pigmentierung (Zool.).

me̱la̱no|de̱rm: dunkelhäutig, dunkle Flecken bildend (von Hautveränderungen; Med.); Ggs. ↑ leukoderm.

Me̱la̱no|der|mie̱ die; -, ...ien: krankhafte Dunkelfärbung der Haut (Med.).

Me̱la̱no|glos|sie̱ die; -, ...ien; krankhafte Schwarzfärbung der Zunge (Med.).

me̱la̱no|kra̱t*: überwiegend dunkle Bestandteile aufweisend u. daher dunkel erscheinend (von Erstarrungsgesteinen, z. B. Basalt; Geol.); Ggs. ↑ leukokrat.

Me̱la̱no̱m das; -s, -e: bösartige braune bis schwärzliche, an Haut u. Schleimhäuten auftretende Geschwulst (Med.).

Me̱la̱no|pho̱re die; -, -n (meist Plural): Melanin enthaltende Zelle in der Haut von Kaltblütern (Med.).

Me̱la̱no̱se die; -, -n: [im Zusammenhang mit inneren Krankheiten] an Haut u. Schleimhäuten auftretende Dunkelfärbung der Haut (Med.).

Me̱la̱no̱|tro̱|pin das; -s: Hormon des Hypophysenmittellappens, das bei Fischen u. Amphibien Verdunkelung der Haut bewirkt (Gegenspieler des ↑ Melatonins).

Me̱la̱no|zy̱t der; -en, -en (meist Plural): Zelle, in der Melanin gebildet wird (Med.).

me̱la̱no|zy̱tär: einen Melanozyten betreffend, in der Art von Melanozyten (Med.).

Me̱lan|u̱|rie̱* die; -, ...ien: Ausscheidung melaninhaltigen Harns

Me̱la̱lphyr ⟨gr.-fr.⟩ der; -s, -e: [grünlich] schwarzes Ergussgestein (Geol.)

Me̱las ⟨nach der Stadt Milas in Anatolien⟩ der; -, -: in Kleinasien hergestellter [Gebets]teppich

Me̱la̱s|ma ⟨gr.⟩ das; -s, ...men u. -ta: Hautkrankheit mit Bildung schwärzlicher Flecken (Med.)

Me̱la̱s|se ⟨lat.-span.-fr.⟩ die; -, -n: bei der Zuckergewinnung anfallender, zähflüssiger brauner Rückstand

Me̱la̱to̱|nin ⟨gr. nlat.⟩ das, -s. a) Hormon, das bei Säugetieren (einschließlich des Menschen) die Schilddrüsenfunktion hemmt u. den Stoffwechsel senkt; b) Hormon der Zirbeldrüse, das bei Amphibien Aufhellung der Haut bewirkt (Gegenspieler des ↑ Melanotropins)

Me̱l|chit ⟨syr.⟩ der; -en, -en (meist Plural): Angehöriger der syrischen, ägyptischen u. palästinensischen Christenheit mit byzantinischer Liturgie

me̱li̱e|ren ⟨lat.-vulgärlat.-fr.⟩: mischen, mengen. **me̱li̱ert:** a) aus verschiedenen Farben gemischt (z. B. von Wolle od. Stoffen); b) (vom Haar) leicht ergraut

Me̱lik ⟨gr.⟩ die; -: gesungene Lyrik

Me̱li̱li̱th [auch: ...'lɪt] ⟨gr.-nlat.⟩ der; -s, -e: gelbes, braunes od. graues Mineral

Me̱li̱nit [auch: ...'nɪt] ⟨gr.-nlat.⟩ der; -s: Pikrinsäure enthaltender Explosivstoff

Me̱li̱o̱|ra̱|ti̱on ⟨lat.⟩ die; -, -en: 1. (veraltet) Verbesserung. 2. Verbesserung des Bodens. **me̱li̱o̱|ra̱|tiv** ⟨lat.-nlat.⟩: einen positiven Bedeutungswandel erfahrend (von Wörtern; Sprachw.). **Me̱li̱o̱|ra̱|ti̱vum** das; -s, ...va: Wort, das einen positiven Bedeutungswandel erfahren hat (z. B. mhd. marschalc „Pferdeknecht" zu nhd. Marschall „hoher militärischer Rang"; Sprachw.); vgl. Pejorativum. **me̱li̱o̱|ri̱e|ren:** [Ackerland] verbessern

Me̱lis ⟨gr.-nlat.⟩ der; -: weißer Zucker verschiedener Zuckersorten

me̱l̠lisch ⟨gr.⟩: liedhaft (Mus.). **Me̱l̠lis̠lma** das; -s, ...men: melodische Verzierung, Koloratur (Mus.). **Me̱l̠lis̠lma̱l̠tik** ⟨gr.-nlat.⟩ die; -: Kunst der melodischen Verzierung (beim Gesang; Mus.). **me̱l̠lis̠lma̱l̠tisch**: koloraturhaft ausgeziert (Mus.). **me̱lis̠lmisch**: ↑ melodisch (Mus.). **Me̱l̠lis̠lse** ⟨gr.-lat.-mlat.⟩ die; -, -n: (zu den Lippenblütlern gehörende) Pflanze mit unscheinbaren weißen Blüten u. zitronenähnlich duftenden Blättern, die als Heilu. Gewürzpflanze verwendet wird. **Me̱l̠lit** [auch: ...lɪt] ⟨lat.-nlat.⟩ der; -s, -e: ein honigfarbenes, körniges Mineral (ein Aluminiumsalz) **Me̱l̠lo̱l̠die** ⟨gr.-lat.⟩ die; -, ...ien: a) singbare, sich nach Höhe od. Tiefe ändernde, abgeschlossene u. geordnete Tonfolge; b) Weise; Vertonung (eines Liedes); c) einzelnes [in einen größeren Rahmen gehörendes] Musikstück, Gesangsstück. **Me̱l̠lo̱l̠die̱l̠instru̱lment*** das; -s, -e: (in einer Jazzband) Instrument, das die Melodie führt. **Me̱l̠lo̱l̠dik** ⟨gr.-nlat.⟩ die; -: 1. Lehre von der Melodie. 2. die melodischen Merkmale eines Musikstücks. **Me̱l̠lo̱l̠di̱l̠ker** der; -s, -: Schöpfer melodischer Tonfolgen. **Me̱l̠lo̱l̠di̱l̠on** das; -s, -s: Tasteninstrument mit harmonikaartigem Ton. **me̱l̠lo̱l̠di̱l̠ös** ⟨gr.-lat.-fr.⟩: wohlklingend; reich an klanglichen Nuancen. **me̱l̠lo̱l̠disch** ⟨gr.-lat.⟩: von einem dem Ohr angenehmen Klang; harmonisch klingend. **Me̱l̠lo̱l̠dist** ⟨gr.-nlat.⟩ der; -en, -en: Verfasser von Melodien für Kirchenlieder. **Me̱l̠lo̱l̠dram** das; -s, -en: 1. einzelner melodramatischer Teil einer Bühnenmusik od. Oper. 2. ↑ Melodrama. **Me̱l̠lo̱l̠dra̱l̠ma** ⟨gr.-fr.⟩ das; -s, ...men: 1. (mit Pathos deklamiertes) Schauspiel mit untermalender Musik (Literaturw., Mus.). 2. Schauspiel mit rührenden od. schaurigen Effekten, oft mittelalterlichen od. orientalischen Schauplätzen in pathetischer Inszenierung; Theater, Film; oft abwertend). **Me̱l̠lo̱l̠dra̱l̠ma̱l̠tik** die; -: das Theatralische, (übertrieben) Pathetische (in einem Verhalten, in einer Situation). **me̱l̠lo̱l̠dra̱l̠ma̱l̠tisch**: in der Art eines Melodramas. **Me̱l̠lo̱l̠ma̱l̠nie** die; -: Musikbesessenheit. **Me̱l̠lo̱l̠mi̱l̠mik** die; -: Versuch, den Inhalt eines Musikstücks durch Mimik (od. Tanz) wiederzugeben

Me̱l̠lo̱l̠ne ⟨gr.-lat.-it.(-fr.)⟩ die; -, -n: 1. a) (zu den Kürbisgewächsen gehörende) Pflanze mit großen kugeligen, saftreichen Früchten; b) Frucht der Melone (1 a). 2. (ugs. scherzh.) runder steifer Hut; vgl. Bowler. **Me̱l̠lo̱l̠neṉl̠baum** der; -[e]s, ...bäume: (in tropischen Ländern kultivierter) Baum, an dessen Spitze, um den Baum gewickelt, die ↑ Papayas (2) wachsen **Me̱l̠lo̱l̠phon**, auch: Melofon ⟨gr.-nlat.⟩ das; -s, -e: sehr großes Akkordeon mit chromatischer Skala für jede Hand. **Me̱l̠lo̱l̠pö̱l̠ie** ⟨gr.⟩ die; -: 1. im antiken Griechenland die Kunst, ein ↑ Melos (1) zu verfertigen. 2. Lehre vom Bau der Melodien (Mus.). **Me̱los** ⟨gr.-lat.⟩ das; -: 1. gesangliches Element in der Musik; Melodie (im Unterschied zum Rhythmus). 2. a) Sprachmelodie (Sprachw.); b) klangliche Gestalt einer Dichtung

Me̱l̠lo̱l̠schi̱l̠se ⟨gr.-nlat.⟩ die; -, -n: angeborene Spaltbildung des Gesichts; Wangenspalte **Me̱l̠lo̱l̠ty̱l̠pie** ⟨gr.-nlat.⟩ die; -: Notendruck in Buchdrucklettern **Me̱l̠lton** [ˈmɛltən] ⟨nach der engl. Stadt Melton Mowbray⟩ der; -[s], -s: weicher Kammgarnstoff in Köperbindung (Webart) mit leicht verfilzter Oberfläche **Me̱m̠lber of Par̠li̱l̠a̱lment** [-əv ˈpɑːləmənt] ⟨engl.⟩ das; - - -, -s - -: Mitglied des englischen Unterhauses; Abk.: M. P. **Me̱m̠lbra***: Plur. von ↑ Membrum. **Me̱m̠lbra̱n*** u. **Me̱m̠lbra̱l̠ne*** ⟨lat.⟩ die; -, ...nen: 1. dünnes Blättchen aus Metall, Papier o. Ä., das durch seine Schwingungsfähigkeit geeignet ist, Schallwellen zu übertragen (Techn.). 2. dünnes, feines Häutchen, das trennende od. abgrenzende Funktion hat (Biol.). 3. dünne Haut, die Funktion eines Filters hat (Chem.; Physik). **Me̱m̠lbra̱l̠no̱phon***, auch: ...fon ⟨lat.; gr.⟩ das; -s, -e: jedes Musikinstrument, dessen Töne durch Erregung einer gespannten Membran erzeugt werden (z. B. Trommel). **Me̱m̠lbrum*** ⟨lat.⟩ das; -s, ...bra: [Körper]glied, Extremität (Med.). **Me̱l̠me̱n̠lto** ⟨lat.⟩ das; -s, -s: 1. Fürbitte, Bitte um Fürsprache in der katholischen Messe. 2. Mahnung. **Me̱l̠me̱n̠lto mo̱l̠ri** ⟨„gedenke des Sterbens!"⟩ das; - -, - -: etw., was an den Tod gemahnt. **Me̱l̠mo** ⟨lat.⟩ das; -s, -s: 1. Kurzform

von ↑ Memorandum. 2. Merkzettel. **Me̱l̠moi̱l̠ren** [meˈmo̯aːrən] die (Plural): Denkwürdigkeiten; Lebenserinnerungen [in denen neben der Mitteilung des persönlichen Entwicklungsganges ein besonderes Gewicht auf die Darstellung der zeitgeschichtlichen Ereignisse gelegt wird]; vgl. Autobiographie. **me̱l̠mo̱l̠ra̱l̠bel** ⟨lat.⟩: (veraltet) denkwürdig. **Me̱l̠mo̱l̠ra̱l̠bi̱l̠li̱l̠en** die (Plural): Denkwürdigkeiten, Erinnerungen. **Me̱l̠mo̱l̠raṉl̠dum** das; -s, ...den u. ...da: Denkschrift. **¹Me̱l̠mo̱l̠ri̱l̠al** ⟨lat.⟩ das; -s, -e u. -ien: (veraltet) Tagebuch, Merkbuch. **²Me̱l̠mo̱l̠ri̱l̠al** [mɪˈmɔːrɪəl] ⟨lat.-engl.⟩ das; -s, -s: 1. [sportliche] Veranstaltung zum Gedenken an einen Verstorbenen. 2. Denkmal. **me̱l̠mo̱l̠rie̱l̠ren**: a) auswendig lernen, b) (selten) wieder ins Gedächtnis rufen, an etw. erinnern. **Me̱l̠mo̱l̠rieṟl̠stoff** der; -[e]s, -e: Lernstoff. **Me̱l̠mo̱l̠ry** ® [...rɪ] das; -s, -s: Gesellschaftsspiel, bei dem man mit Bildern, Symbolen o. Ä. bedruckte, jeweils doppelt vorhandene Karten zunächst einzeln aufdeckt, um dann später aus der Erinnerung das Gegenstück wieder zu finden

¹Me̱m̠lphis ⟨nach der altägyptischen Stadt⟩ die; -: eine Druckschrift. **²Me̱m̠lphis** ⟨nach der nordamerikanischen Stadt⟩ der; -, -: 1. Modetanz der 60er-Jahre, bei dem die Tanzenden in einer Reihe stehen u. gemeinsam verschiedene Figuren tanzen. 2. Designstilrichtung der 80er-Jahre **Me̱l̠na̱l̠ge** [...ˈnaːʒə] ⟨lat.-galloroman.-fr.; „Haushaltung"⟩ die; -, -n: 1. Tischgestell für Essig, Öl, Pfeffer u. a. 2. (veraltet) Haushalt, [sparsame] Wirtschaft. 3. (österr.) [militärische] Verpflegung. **Me̱l̠na̱l̠ge̱l̠rie** die; -, ...jen: Tierschau, Tiergehege. **me̱l̠na̱l̠gie̱l̠ren** [...ˈʒiːrən]: 1. (veraltet) sich selbst verköstigen. 2. (österr.) Essen in Empfang nehmen (beim Militär). **sich menagieren**: sich mäßigen **Me̱l̠naṟl̠che*** ⟨gr.-nlat.⟩ die; -: Zeitpunkt des ersten Eintritts der Regelblutung (Med.); vgl. Menopause. **Me̱l̠nä̱l̠um** ⟨gr.-nlat.⟩ das; -s, ...äen: liturgisches Monatsbuch der orthodoxen Kirche mit den Texten für jeden Tag des unveränderlichen Festzyklus **Meṉl̠de̱l̠le̱l̠vi̱l̠um** ⟨nlat.; nach dem russischen Chemiker D. Mendelejew, 1834–1907⟩ das; -s: chem. Element; ein Transuran (Zeichen: Md)

Men|de|lis|mus ⟨nlat.; nach dem Augustinerabt u. Biologen J. G. Mendel, 1822–1884⟩ der; -: Richtung der Vererbungslehre, die sich auf die mendelschen Gesetze beruft

Men|di|kant ⟨lat.⟩ der; -en, -en: Angehöriger eines Bettelordens

Me|nest|rel* ⟨lat.-provenzal.-fr.⟩ der; -s, -s: altprovenzalischer u. altfranzösischer Spielmann, fahrender Musikant; vgl. Minstrel

Me|ne|te|kel ⟨aram.; nach der Geisterschrift für den babylonischen König Belsazar (Daniel 5, 25:) „mene, mene tekel upharsin", gedeutet als: „gezählt, gezählt, gewogen u. zerteilt"⟩ das; -s, -: geheimnisvolles Anzeichen eines drohenden Unheils. **me|ne|te|keln:** (ugs.) sich in düsteren Prophezeiungen ergehen; unken

Men|ha|den [mɛnˈheːdn̩] ⟨indian.-engl.⟩ der; -s, -s: heringsähnlicher Speisefisch Nordamerikas

Men|hir ⟨bret.-fr.⟩ der; -s, -e: aufrecht stehender [unbehauener] Stein aus vorgeschichtlicher Zeit

me|nin|ge|al ⟨gr.-nlat.⟩: die Hirnhäute betreffend (Med.). **Me|nin|gen:** Plural von ↑Meninx. **Me|nin|ge|om** vgl. Meningiom. **Me|nin|ges:** Plural von ↑Meninx. **Me|nin|gi|om** u. Meningeom u. Meningiom die; -s, -e: langsam wachsende Geschwulst der Hirnhäute. **Me|nin|gis|mus** der; -, ...men: in den Symptomen der Meningitis ähnelnde Krankheit ohne nachweisbare Entzündung der Hirnhaut. **Me|nin|gi|tis** die; -, ...itiden: Hirnhautentzündung. **Me|nin|go|en|ze|pha|li|tis** die; -, ...itiden: Form der Meningitis, bei der die Gehirnsubstanz in Mitleidenschaft gezogen ist (Med.). **Me|nin|go|kok|ke** die; -, -n (meist Plural): Erreger der epidemischen Meningitis (Med.). **Me|nin|gom** vgl. Meningiom. **Me|nin|go|my|e|li|tis** die; -, ...itiden: Entzündung des Rückenmarks u. seiner Häute (Med.). **Me|nin|go|ze|le** die; -, -n: Hirn[haut]bruch (Med.).

Me|ninx ⟨gr.⟩ die; -, ...ninges u. ...ningen: Hirn- bzw. Rückenmarkshaut (Med.)

Me|nis|ken|glas das; -es, ...gläser: sichelförmig (im Querschnitt) geschliffenes Brillenglas. **Me|nis|kus** ⟨gr.-nlat.; „Möndchen"⟩ der; -, ...ken: 1. knorpelige Scheibe, bes. im

Kniegelenk (Med.). 2. gekrümmte Oberfläche einer Flüssigkeit in einer Röhre. 3. Linse mit zwei nach derselben Seite gekrümmten Linsenflächen (Phys.)

Men|jou|bart ['mɛnʒu...] ⟨nach dem amerik.-franz. Filmschauspieler A. Menjou, 1890–1963⟩ der; -[e]s, ...bärte u. **Men|jou|bärt|chen** das; -s, -: schmaler, gestutzter Schnurrbart

Men|ni|go ⟨iber.-lat.⟩ die; -: rote Malerfarbe aus Bleioxid, die als Schutzanstrich gegen Rost verwendet wird

Men|no|nit ⟨nach dem Westfriesen Menno Simons, 1496–1561⟩ der; -en, -en: Anhänger einer evangelischen Freikirche, die die Erwachsenentaufe pflegt u. Wehrdienst u. Eidesleistung ablehnt

me|no ⟨lat.-it.⟩: weniger (Vortragsanweisung; Mus.)

Me|no|lo|gi|on ⟨gr.-mgr.⟩ das; -s, ...ien: nach Monaten geordnetes liturgisches Buch der orthodoxen Kirche mit Lebensbeschreibungen der Heiligen jedes Monats. **Me|no|pau|se** ⟨gr.-nlat.⟩ die; -, -n: das Aufhören der Monatsblutung in den Wechseljahren der Frau (Med.); vgl. Menarche

Me|no|ra ⟨hebr.⟩ die; -, -: siebenarmiger kultischer Leuchter der jüdischen Liturgie

Me|nor|rha|gie ⟨gr.-nlat.⟩ die; -, ...ien: abnorm starke u. lang anhaltende Monatsblutung (Med.). **Me|nor|rhö,** die; -, -en u. **Me|nor|rhöe** [...'rø:] die; -, -n [...'rø:ən] ↑Menstruation. **me|nor|rhö|isch:** die Monatsblutung betreffend (Med.). **Me|nos|ta|se*** die; -, -n: das Ausbleiben der Monatsblutung (Med.).

Men|sa ⟨lat.⟩ die; -, -s u. ...sen: 1. Altartisch (kath. Kirche). 2. kantinenähnliche Einrichtung in einer Hochschule od. Universität, wo Studenten verbilligt essen können. **Men|sa a|ca|de|mi|ca** die; - -, ...sae ...cae [...ze ...tse] (veraltet) Mensa (2). **Men|sal|gut** ⟨lat.; dt.⟩ die; -[e]s, ...güter: Kirchenvermögen eines katholischen Bischofs od. ↑Kapitels (2a) zur persönlichen Nutzung

Men|sche|wik ⟨russ.⟩ der; -en, -en u. -i: Vertreter des Menschewismus. **Men|sche|wis|mus** ⟨russ.-nlat.⟩ der; -: (hist.) gemäßigter russischer Sozialismus. **Men|sche|wist** der; -en, -en: ↑Menschewik. **men|sche|wis|tisch:** den Menschewismus betreffend

Men|sel u. Mensul ⟨lat.; „kleiner

Tisch"⟩ die; -, -n: Messtisch (Geogr.)

men|sen|die|cken ⟨nach der amerik. Ärztin B. Mensendieck, 1864–1957⟩: eine bestimmte, bes. dem Körper der Frau angepasste Gymnastik betreiben

Men|ses [...ze:s] ⟨lat.⟩ die (Plural): Monatsblutung (Med.). **men|sis cur|ren|tis:** (veraltet) [des] laufenden Monats; Abk.: m. c.

mens sa|na in cor|po|re sa|no ⟨lat.; Zitat aus den Satiren des altröm. Dichters Juvenal⟩: in einem gesunden Körper [möge auch] ein gesunder Geist [wohnen]

Mens|t|rua* : Plural von ↑Menstruum. **mens|t|ru|al** ⟨lat.⟩: zur Menstruation gehörend (Med.). **Mens|t|ru|a|ti|on** ⟨lat.-nlat.⟩ die; -, -en: Monatsblutung, Regel (Med.). **mens|t|ru|ell:** die Monatsblutung betreffend (Med.). **mens|t|ru|ie|ren** ⟨lat.⟩: die Monatsblutung haben (Med.). **Mens|t|ru|um** das; -s, ...strua: pharmazeutisches Lösungs- u. Extraktionsmittel. **men|su|al:** (veraltet) monatlich

Men|sur ⟨lat.⟩ vgl. Mensel

Men|sur ⟨lat.⟩ die; -, -en: 1. (Fechten) Abstand der beiden Fechter. 2. (Verbindungswesen) studentischer Zweikampf mit Schlägern od. Säbel. 3. (Mus.) a) Maß, das (in der ↑Mensuralnotation) die Geltungsdauer der einzelnen Notenwerte untereinander bestimmt; b) Maßverhältnis bei Musikinstrumenten (z. B. Anordnung der Löcher bei Blasinstrumenten). 4. (Chem.) Messzylinder. Messglas. **men|su|ra|bel:** messbar. **Men|su|ra|bi|li|tät** ⟨lat.-nlat.⟩ die; -: Messbarkeit. **men|su|ral** ⟨lat.⟩: a) zum Messen gehörend; b) zum Messen (bei der Mensuralnotation) aufgezeichnete mehrstimmige Musik des 13. bis 16. Jh.s (Mus.). **Men|su|ral|no|ta|ti|on** die; -: im 13. Jh. entwickelte Notenschrift, im Gegensatz zur älteren Notenschrift auch die Tondauer mit rhythmisch differenzierten Noten- u. Pausenzeichen angibt; Ggs. ↑Choralnotation. **Men|su|riert:** abgemessen, in Maßverhältnissen bestehend (Mus.)

¹men|tal ⟨lat.-nlat.⟩: zum Kinn gehörend (Med.)

²men|tal ⟨lat.-mlat.⟩: 1. den Bereich des Verstandes betreffend;

geistig. 2. (veraltet) in Gedanken, heimlich

Men|tal|is|mus ⟨lat.-mlat.-nlat.⟩ der; -: psychologisch-philosophische Richtung, die theoretische Modelle des Denkvorgangs erstellt u. so die Prinzipien der Organisation des menschlichen Geistes zu erklären versucht, Handlungen als das Ergebnis ²mentaler (1) Vorgänge ansieht. **men|ta|lis|tisch:** den Mentalismus betreffend, zu ihm gehörend. **Men|ta|li|tät** ⟨lat.-mlat.-engl.⟩ die; -, -en: Geistes- u. Gemütsart; besondere Art des Denkens u. Fühlens. **Men|tal|re|ser|va|ti|on** die; -, -en: Gedankenvorbehalt (Rechtsw.). **Men|tal|sug|ges|ti|on** die; -, -en: Gedankenübertragung auf außersinnlichem Weg (Parapsychol.). **men|te cap|tus** ⟨lat.⟩: 1. begriffsstutzig. 2. nicht bei Verstand, unzurechnungsfähig

Men|thol ⟨lat.-nlat.⟩ das; -s: aus dem ätherischen Öl der Pfefferminze gewonnene, weiße kristalline Substanz

Men|ti|zid der (auch: das); -[e]s, -e: Gehirnwäsche

Men|tor ⟨gr.; nach dem Lehrer des Telemach, des Sohnes des Odysseus⟩ der; -s, ...oren: a) Fürsprecher, Förderer, erfahrener Berater; b) (veraltet) [Haus]lehrer, [Prinzen]erzieher; c) erfahrener Pädagoge, der Studenten, Lehramtskandidaten während ihres Schulpraktikums betreut

Men|tum ⟨lat.⟩ das; -s, ...ta: 1. Kinn des Menschen (Med.). 2. Teil der Unterlippe der Insekten (Zool.)

Me|nu [me'ny:] ⟨lat.-fr.⟩: (schweiz.) Menü. **Me|nü** das; -s, -s: 1. Speisenfolge; aus mehreren Gängen bestehende Mahlzeit. 2. auf der Benutzeroberfläche angezeigte Liste der Funktionen eines Programms, die dem Anwender zur Festlegung der nächsten Arbeitsschritte zur Verfügung stehen (EDV). **Me|nu|ett** das; -s, -e (auch: -s): 1. aus Frankreich stammender, mäßig schneller Tanz im ³/₄-Takt. 2. meist der dritte Satz in einer Sonate od. Sinfonie. **Me|nü|la|den** der; -s, ...läden: Verkaufsstelle in der früheren DDR für Fertiggerichte, halbfertige Speisen u. a.

Me|phis|to ⟨nach der Gestalt in Goethes Faust⟩ der; -[s], das; -: jmd., der seine geistige Überlegenheit in zynisch-teuflischer Weise zeigt u. zur Geltung bringt. **me-phis|to|phe|lisch:** teuflisch, voll boshafter List

me|phi|tisch vgl. mefitisch

Mer|cal|li|ska|la ⟨nach dem italienischen Vulkanologen G. Mercalli, 1850–1914⟩ die; -: zwölfstufige Skala, mit der die Stärke eines Erdbebens nach seinen Auswirkungen an der Erdoberfläche gemessen wird

Mer|ca|tor|pro|jek|ti|on ⟨nach dem niederländischen Geographen G. Mercator, 1512–1594⟩ die; -, -en: winkeltreuer Kartennetzentwurf mit rechtwinklig sich schneidenden Längen- u. Breitenkreisen (Geogr.)

Mer|ce|rie [mɛrsə...] ⟨lat.-fr.⟩ die; -, ...ien: (schweiz.) 1. (ohne Plural) Kurzwaren. 2. Kurzwarenhandlung

Mer|ce|ri|sa|ti|on usw. vgl. Merzerisation usw.

Mer|chan|di|ser ['mə:tʃəndaizə] ⟨lat.-fr.-engl.-amerik.⟩ der; -s, -: Angestellter eines Unternehmens, der für die Verkaufsförderung zuständig ist (Wirtsch.). **Mer|chan|di|sing** [...zɪŋ] das; -: a) Gesamtheit der verkaufsfördernden Maßnahmen des Herstellers einer Ware; b) Vermarktung aller mit einem bestimmten Film in Zusammenhang stehenden Produkte. **Mer|chant Ad|ven|tu|rers** ['mə:tʃənt əd'vɛnt-ʃərəz] ⟨engl.⟩ die (Plural): (hist.) im 14. Jh. entstandene englische Kaufmannsgilde. **Mer|chant-bank** [...'bæŋk] die; -, -s: engl. Bez. für: Handelsbank

mer|ci! [mɛr'si:] ⟨lat.-fr.⟩: danke! **mer|de!** ⟨lat.-fr.⟩: Scheiße! (Ausruf der Enttäuschung o. Ä.)

Me|ri|di|an ⟨lat.⟩ der; -s, -e: 1. Längenkreis (von Pol zu Pol; Geogr.). 2. durch Zenit, Südpunkt, Nadir u. Nordpunkt gehender größter Kreis an der Himmelskugel; Mittagskreis (Astron.). **Me|ri|di|an|kreis** der; -es, -e: astronomisches Messinstrument zur Ortsbestimmung von Gestirnen. **me|ri|di|o|nal:** den Längenkreis betreffend. **Me|ri|di|o|na|li|tät** ⟨lat.-nlat.⟩ die; -: südliche Lage od. Richtung (Geogr.)

Me|rin|ge ⟨fr.⟩ die; -, -n, **Me|rin|gel** das; -s, - u. **Me|rin|gue** [mə'rɛ:g] die; -, -s: Gebäck aus Eischnee u. Zucker

Me|ri|no ⟨span.⟩ der; -s, -s: 1. Merinoschaf, krauswolliges Schaf (eine Kreuzung nordafrikanischer u. spanischer Rassen). 2. Kleiderstoff in Köperbindung aus Merinowolle. 3. fein gekräuselte, weiche Wolle des Merinoschafs **Me|ris|tem** ⟨gr.-nlat.⟩ das; -s, -e: pflanzliches Bildungsgewebe, das durch fortgesetzte Zweiteilungen neue Gewebe liefert (Bot.). **me|ris|te|ma|tisch:** teilungsfähig (von pflanzlichem Gewebe; Bot.). **Me|ris|tom** das; -s, -e: ↑ Zytoblastom

Me|ri|ten: Plural von ↑ Meritum. **me|ri|tie|ren** ⟨lat.-fr.⟩: (veraltet) verdienen, sich verdient machen. **Me|ri|to|kra|tie*** ⟨lat.; gr.⟩ die; -, ...ien: Verdienstadel; gesellschaftliche Vorherrschaft einer durch Leistung u. Wissen ausgezeichneten Bevölkerungsschicht. **me|ri|to|kra|tisch*:** die Meritokratie betreffend. **me|ri|to|risch** ⟨lat.⟩: (veraltet) verdienstlich. **Me|ri|tum** das; -s, ...iten (meist Plural): das Verdienst

mer|kan|til u. **mer|kan|ti|lisch** ⟨lat.-it.-fr.⟩: kaufmännisch, den Handel betreffend. **Mer|kan|ti|lis|mus** der; -: (hist.) Wirtschaftspolitik im Zeitalter des ↑ Absolutismus, die den Außenhandel u. damit die Industrie förderte, um den nationalen Reichtum u. die Macht des Staates zu vergrößern. **Mer|kan|ti|list** der; -en, -en: Vertreter des Merkantilismus. **mer|kan|ti|lis|tisch:** dem Merkantilismus entsprechend, auf seinem System beruhend. **Mer|kan|til|sys|tem** das; -s: ↑ Merkantilismus

Mer|kap|tan ⟨mlat.-nlat.⟩ das; -s, -e: alkoholartige chemische Verbindung, die u. a. zur Arzneiherstellung verwendet wird

Mer|kur ⟨lat.⟩ nach dem Planeten, der seinerseits nach dem altrömischen Gott der Handels benannt ist⟩ der od. das; -s: [alchimistische] Bez. für: Quecksilber. **mer|ku|ri|al** ⟨lat.-nlat.; nach dem altrömischen Handelsgott Merkur⟩: kaufmännisch; geschäftstüchtig. **Mer|ku|ri|a|lis|mus** ⟨lat.-nlat.; dor.; ⟩: Quecksilbervergiftung. **mer|ku|risch:** ↑ merkurial. **Mer|kur|stab** der; -[e]s, ...stäbe: geflügelter, schlangenumwundener Stab des Merkur als Sinnbild des Handels

Mer|lan ⟨lat.-fr.⟩ der; -s, -e: Schellfischart (ein Speisefisch)

¹Mer|lin ⟨germ.-fr.-engl.⟩ der; -s, -e: Zwergfalke in Nord- u. Osteuropa

²Mer|lin [auch: 'mɛr...] ⟨fr.⟩ nach dem Seher u. Zauberer der Artussage⟩ der; -s, -e: Zauberer melro|blas|tisch* ⟨gr.⟩: nur teilweise gefurcht (von Eizellen, ihrer Plasmamasse). Melro|ga-mie die; -: Befruchtung durch Verschmelzung von Keimzellen, die aus der Vielfachteilung eines Individuums hervorgegangen sind (Biol.). Melro|go|nie die; -, ...ien: experimentell erreichbare Besamung kernloser Eiteilstücke mit einem Spermium (Biol.). melro|krin: einen Teil des Zellinhaltes als Sekret abgebend; teilsezernierend (von Drüsen; Biol.; Med.); Ggs. ↑holokrin Melro|zel|le ⟨gr.-nlat.⟩ die; -, -n: Schenkelbruch (Med.) Melro|zo|jit ⟨gr.⟩ der; -en, -en: (Biol.; Med.) a) im Verlauf des Entwicklungszyklus vieler Sporentierchen entstehender ↑Agamet; b) Agamet der Malariaerreger, die ins Blut des Menschen geschwemmt werden u. die roten Blutkörperchen befallen Mer|veil|leuse [mɛrvɛ'jøːz] ⟨lat.-fr.; „die Wunderbare"⟩ die; -, -s [...'jøːz]: (hist.) scherzhaft-spöttische Bezeichnung für eine allzu modisch gekleidete Dame des ↑Directoire. Mer|veil|leux [...vɛ'jøː] der; -: glänzender [Futter]stoff aus [Kunst]seide in Atlasbindung (Webart) Melry|zis|mus ⟨gr.-nlat.⟩ der; -, ...men: erneutes Verschlucken von Speisen, die sich bereits im Magen befinden u. infolge einer Magenfunktionsstörung durch die Speiseröhre in den Mund zurückbefördert wurden (bes. bei Säuglingen; Med.) Mer|ze|ri|sa|ti|on ⟨engl.-lat.; nach dem engl. Erfinder J. Mercer, 1791–1866⟩ die; -, -en: das Veredeln und Glanzendmachen von Baumwolle. mer|ze|ri|sie-ren: Baumwolle veredeln Me|sal|li|ance [meza'ljãːs] ⟨fr.⟩ die; -, -n [...sn]: 1. nicht standesgemäße Ehe; Ehe zwischen Partnern ungleicher sozialer Herkunft. 2. unglückliche, unebenbürtige Verbindung u. Freundschaft Mes|ca|lin vgl. Meskalin melschant ⟨fr.⟩: (landsch.) boshaft, ungezogen, niederträchtig Melsched u. Meschlhed vgl. Maschhad melschug|ge ⟨hebr.-jidd.⟩: (ugs.) verrückt Mes|dames [me'dam]: Plural von ↑Madame. Mes|de|moi|selles [medəmoa'zɛl]: Plural von ↑Mademoiselle Melsemb|ri|an|the|mum* ⟨gr.-

nlat.⟩ das; -s: Mittagsblume (eine Zierpflanze aus Südafrika). Melsen|ce|pha|lon das; -s: Mittelhirn; Hirnabschnitt zwischen Hinterhirn und Zwischenhirn (Med.). Melsen|chym das; -s, -e: einzelliges Gewebe, aus dem sich die Formen des Stützgewebes entwickeln; embryonales Bindegewebe (Med.; Biol.). me-sen|chy|mal: das Mesenchym betreffend (Med.; Biol.). Melsen|te|ri|um das; -s: Dünndarmgekröse (Med.). melsen|ze-phal: das Mittelhirn betreffend (Med.). Melsen|ze|pha|li|tis die; -, ...itiden: Entzündung des Mittelhirns (Med.) Melse|ta ⟨span.⟩ die; -, ...ten: span. Bez. für: Hochebene Mes|kal ⟨indian.-span.⟩ der; -s: Agavenbranntwein. Mes|ka|lin ⟨indian.-span.-nlat.⟩ das; -s: Alkaloid einer mexikanischen Kaktee, Rauschmittel Mes|mer ⟨mlat.⟩ der; -s, -: (schweiz.) ↑Mesner Mes|me|ris|mus ⟨nlat.; nach dem deutschen Arzt F. Mesmer, 1734–1815⟩ der; -: Lehre von der Heilkraft des Magnetismus, aus der die Hypnosetherapie entwickelt wurde Mes|ner, auch: Messner ⟨mlat.⟩ der; -s, -: [katholischer] Kirchendiener Melso|derm ⟨gr.-nlat.⟩ das; -s, -e: mittleres Keimblatt in der menschlichen u. tierischen Embryonalentwicklung (Med.; Biol.). melso|der|mal: das Mesoderm betreffend; aus dem Mesoderm hervorgehend (von Organen u. Geweben; Med.; Biol.). Melso|eu|rol|pa: der nach der ↑variskischen Gebirgsbildung verstelfte Teil Europas (Geol.). Melso|gas|tri|um* das; -s: 1. Mittelbauchgegend (Med.; Biol.). 2. Gekröse des Magens (Med.). Melso|karp das; -s, -e u. -en: Mittelschicht der Fruchtwand bei Pflanzen (z. B. das fleischige Gewebe der Steinfrüchte; Bot.); vgl. Endokarp u. Exokarp. me-so|kel|phal usw. vgl. mesozephal usw. Melso|kli|ma das; -s, -u. ...mate: Klima eines kleineren Landschaftsausschnittes (z. B. eines Hanges, Waldrandes); Kleinklima. Melso|kol|lon das; -s, ...la: Dickdarmgekröse (Med.). Melso|li|thi|kum [auch: ...'lɪt...] das; -s: die Mittlere Steinzeit. melso|li|thisch [auch: ...'lɪt...]: die Mittlere Steinzeit

betreffend. Melso|me|rie die; -: Erscheinung, dass die in einem organischen Molekül vorliegenden Bindungsverhältnisse nicht durch eine einzige Strukturformel dargestellt werden können (Chem.). Melso|met|ri|um* das; -s: 1. breites Mutterband beiderseits der Gebärmutter (Med.). 2. (selten) mittlere muskuläre Wandschicht der Gebärmutter. melso|morph: der Mesomorphie entsprechend. Melso|mor|phie ⟨gr.-nlat.⟩ die; -: Konstitution eines bestimmten Menschentyps, der ungefähr dem Athletiker entspricht; vgl. Ektomorphie u. Endomorphie. Melson das; -s, ...onen (meist Plural): unstabiles Elementarteilchen, dessen Masse geringer ist als die eines ↑Protons, jedoch größer als die eines ↑Leptons (Phys.). Melso|neph|ros* der; -: Urniere (bei Säugetier u. Mensch als Embryonalniere in Funktion). Melso|nyk|ti|kon ⟨gr.⟩ das; -s, ...ka: mitternächtlicher Gottesdienst in der Ostkirche. Melso|pau|se die; -: obere Grenze der Mesosphäre. Melso-phyll das; -s, -en: zwischen der oberen u. unteren ↑Epidermis gelegenes Gewebe des Pflanzenblattes. Melso|phyt der; -s, -en, -en: Pflanze, die Böden mittleren Feuchtigkeitsgrades bevorzugt. Melso|phy|ti|kum das; -s: das Mittelalter der Entwicklung der Pflanzenwelt im Verlauf der Erdgeschichte. Melso|si|de|rit [auch: ...'rɪt] ⟨gr.-nlat.⟩ der; -s, -e: Meteorstein aus Silikaten u. Nickeleisen. Melso|sphä|re* die; -' in etwa 50 bis 80 Kilometer Höhe liegende Schicht der Erdatmosphäre (Meteor.). Melsos-te|ni|um* das; -s: ↑Mesenterium. Melsos|ti|chon* das; -s, ...chen u. ...cha: Gedicht, bei dem die an bestimmter Stelle in der Versmitte stehenden Buchstaben, von oben nach unten gelesen, ein Wort od. einen Satz ergeben; vgl. Akrostichon, Telestichon. Melso|tes ⟨gr.; „die Mitte"⟩ die; -: vernünftige Mitte zwischen zwei Extremen menschlichen Verhaltens (z. B. Tapferkeit zwischen Feigheit u. Tollkühnheit; Philos.). Melso|thel das; -s, -e u. -ien u. Melso|the|li|um das; -s, ...lien: aus dem Mesoderm hervorgehende Deckzellenschicht, die bes. Brust- u. Bauchhöhle auskleidet. Melso|tho|ri|um ⟨(gr.; altnord.) nlat.⟩ das; -s:

Zerfallsprodukt des ↑Thoriums; Abk.: MsTh (Phys.). **Me̱|sot-ron*** ⟨gr.-nlat.⟩ das; -s, ...o̱nen: ↑Meson. **me|so|typ:** weder sehr hell noch sehr dunkel aussehend (von Erstarrungsgesteinen; Geol.). **me|so|ze|pha̱l:** mittelköpfig; eine Kopfform besitzend, die zwischen dem so genannten Kurzkopf u. dem Langkopf steht (Med.). **Me|so|ze|pha̱|le** der u. die; -n, -n: Mensch mit mittelhoher Kopfform (Med.). **Me|so|ze-pha̱l|lie** die; -: mittelhohe Kopfform (Med.). **Me|so|zo̱|en:** Plural von ↑Mesozoon. **Me|so|zo̱|ikum** das; -s: das erdgeschichtliche Mittelalter (umfasst ↑Trias, ↑²Jura, Kreide). **me|so|zo̱|isch:** das erdgeschichtliche Mittelalter betreffend. **Me̱|so|zo̱|ne** die; -: die mittlere Tiefenzone bei der ↑Metamorphose (4) der Gesteine (Geol.). **Me|so|zo̱|on** das; -s, ...zo̱en (meist Plural): einfach gebautes mehrzelliges Tier, das in Körper- u. Fortpflanzungszellen differenziert ist (meist als Parasit lebend) **mes|quin** [mɛs'kɛ̃:] ⟨arab.-it.-fr.⟩: (veraltet) karg, knauserig; armselig. **Mes|qui|ne|ri̱e** [mɛskin...] die; -, ...i̱en: (veraltet) Kärglichkeit, Knauserei, Armseligkeit **Me̱s|sa di Vo̱|ce** [- - 'vo:tʃə] ⟨lat.-it.⟩ das; - - : ↑Messa Voce **Mes|sage** ['mɛsidʒ] ⟨lat.-mlat.-engl.⟩ die; -, -s [...dʒɪz]: 1. Mitteilung, Nachricht, Information, die durch die Verbindung von Zeichen ausgedrückt u. vom Sender zum Empfänger übertragen wird. 2. Gehalt, Aussage, Botschaft **Mes|sa|li̱|na** ⟨lat.⟩ nach der wegen ihrer Sittenlosigkeit u. Grausamkeit berüchtigten Frau des röm. Kaisers Claudius⟩ die; -, ...nen: genusssüchtige, zügellose Frau. **Mes|sa|li̱|ne** ⟨lat.-fr.⟩ die; -: glänzender [Kunst]seidenatlas für Futter u. Besatz **Me̱s|sa Vo̱|ce** [- 'vo:tʃə] ⟨lat.-it.⟩ das; - - : allmähliches An- u. Abschwellen des Tones; Zeichen: < > (Mus.) **¹Me̱s|se** ⟨lat.-mlat.; nach der Schlussformel ↑ite, missa est⟩ die; -, -n: 1. nach einer bestimmten Messordnung abgehaltener katholischer Gottesdienst mit der Feier der Eucharistie. 2. geistliche Komposition als Vertonung der [unveränderlichen] liturgischen Bestandteile der ¹Messe (1). 3. a) in bestimmten Zeitabständen stattfindende

Ausstellung, bei der das Warenangebot eines größeren Gebietes od. Wirtschaftsbereiches in besonderen Ausstellungsräumen dem Handel u. der Industrie in Form von Mustern gezeigt wird (was dem Abschluss von Kaufverträgen dienen soll); b) (landsch.) Jahrmarkt, Kirmes. **²Me̱s|se** ⟨lat.-vulgärlat.-fr.-engl.⟩ die; -, -n: 1. Tischgenossenschaft von [Unter]offizieren auf [Kriegs]schiffen. 2. Speise- u. Aufenthaltsraum der Besatzung eines [Kriegs]schiffs; Schiffskantine **Mes|si̱a̱|de** ⟨hebr.-gr.-mlat.-nlat.⟩ die; -, -n: geistliche Dichtung, die das Leben u. Leiden Jesu Christi (des Messias) schildert. **mes|si̱a̱|nisch:** 1. auf den Messias bezüglich. 2. auf den Messianismus bezüglich. **Mes|si̱a̱|nis|mus** der; -: geistige Bewegung, die die (religiöse od. politische) Erlösung von einem Messias erwartet. **Mes|si̱a̱|nist** der; -en, -en: Anhänger des Messianismus. **Mes|si̱as** ⟨hebr.-gr.-mlat.⟩ „der Gesalbte") der; -, -se: 1. (ohne Plural) der im Alten Testament verheißene Heilskönig, in der christlichen Religion auf Jesus von Nazareth bezogen. 2. Befreier, Erlöser aus religiöser, sozialer o. ä. Unterdrückung **Mes|si̱|dor** ⟨lat.; gr.) fr.; „Erntemonat") der; -[s], -s: der zehnte Monat (19. Juni bis 18. Juli) im Kalender der Französischen Revolution **Mes|si̱eurs** [mɛ'sjø:]: Plural von ↑Monsieur **Me̱s|sing** ⟨Herkunft unsicher⟩ das; -s: Kupfer-Zink-Legierung. **me̱s|sin|gen:** aus Messing [bestehend] **Me̱ss|ka|non** der; -s, -s: ↑¹Kanon (7) **Me̱ss|ner** vgl. Mesner **Mes|su|lan** u. Mesulan ⟨it.⟩ der; -s: (veraltet) Stoff aus Leinengarn u. Schafwolle **Me̱ss|sti|pen|di|um** das; -s, ...dien: Geldspende od. Stiftung, die den katholischen Priester verpflichtet, für ein Anliegen des Spenders ¹Messen (1) zu lesen **Mes|ti̱|ze** ⟨lat.-span.⟩ der; -n, -n: Nachkomme eines weißen u. eines indianischen Elternteils **me̱s|to** ⟨lat.-it.⟩: traurig, betrübt (Vortragsanweisung; Mus.) **Me|su̱|sa** ⟨hebr.; „Pfosten") die; -: kleine Schriftrolle in einer Kapsel am Türpfosten jüdischer

Häuser mit den Schriftworten 5. Mose 6, 4–9 und 11, 13–21 **Me|ta̱|ba|sis** ⟨gr.-nlat.⟩ die; -, ...ba̱sen: Gedankensprung, [unzulässiger] Denkschritt [im Beweis] auf ein fremdes Gebiet (Logik) **Me|ta|bi|o̱|se** ⟨gr.-nlat.⟩ die; -, -n: Form der ↑Symbiose; Zusammenleben zweier Organismen, bei dem nur ein Teil Vorteile hat **Me|ta|blas|te̱|se*** ⟨gr.-nlat.⟩ die; -: Vorgang bei der Metamorphose (4), bei dem eine Neu- u. Umkristallisation eines Gesteinskomplexes stattfindet, wobei die schieferartige Ausgangsmaterial ein granitartiges Gefüge erhält (Geol.) **me|ta|bo̱l** vgl. metabolisch. **Me-ta|bo|li̱e** ⟨gr.; „Veränderung") die; -, ...i̱en: 1. Formveränderung bei Einzellern. 2. Gestaltveränderung bei Insekten während der Embryonalentwicklung; vgl. ↑Metamorphose (2); vgl. Holometabolie u. Hemimetabolie. 3. Veränderung eines Organismus, die auf Stoffwechsel beruht (Biol.). **me|ta|bo̱|lisch** u. metabol: 1. veränderlich (z. B. in Bezug auf die Gestalt von Einzellern). 2. im Stoffwechselprozess entstanden (Med.; Biol.). **Me|ta-bo̱|lis|mus** ⟨gr.-nlat.⟩ der; -: 1. Umwandlung, Veränderung. 2. Stoffwechsel (Med.; Biol.). **Me-ta|bo̱|lit** [auch: ...'lɪt] der; -en, -en: Substanz, deren Vorhandensein für den normalen Ablauf der Stoffwechselprozesse unentbehrlich ist (z. B. Vitamine, Enzyme, Hormone; Biol.; Med.) **Me|ta|chro̱|nis|mus** [...kro...] ⟨gr.-nlat.⟩ der; -, ...men: irrtümliche Einordnung eines Ereignisses in eine zu späte Zeit; vgl. Anachronismus **Me|ta|druck** ⟨gr.; dt.⟩ der; -[e]s: Verfahren zur Herstellung von Abziehbildern **Me|ta|dy̱|ne** ⟨gr.-nlat.⟩ die; -, -n: Gleichstromgenerator in Sonderbauweise für Konstantstromerzeugung **Me|ta|gala̱xis** ⟨gr.⟩ die; -: hypothetisches System, dem das Milchstraßensystem u. viele andere Sternsysteme angehören (Astron.) **Me|ta|gam** ⟨gr.-nlat.⟩: nach der Befruchtung erfolgend (z. B. von der Festlegung des Geschlechts Med.; Biol.) **Me|ta|ge|ne̱|se** ⟨gr.-nlat.⟩ die; -n: ↑Generationswechsel bei Tieren u. Pflanzen. **me|ta|ge̱ne̱** tisch: die Metagenese betreffend

Me|ta|ge|schäft ⟨*lat.-it.; dt.*⟩ *das;* -[e]s, -e: vertragliche Vereinbarung zwischen zwei Partnern, nach der Gewinn u. Verlust aus Geschäften, die die Vertragspartner abschließen, aufgeteilt werden

Me|tag|nom* ⟨*gr.-nlat.*⟩ *der;* -en, -en: Mittler bei okkulten Phänomenen (Parapsychol.). **Me|tag|no|mie** *die;* -: Fähigkeit zur Wahrnehmung von Phänomenen, die der normalen sinnlichen Wahrnehmung nicht zugänglich sind; Gedankenlesekunst (Parapsychol.)

Me|ta|gy|nie ⟨*gr.-nlat.*⟩ *die;* -: das frühere Geschlechtsreifwerden der männlichen Blüten bei einer eingeschlechtigen Pflanze (Bot.); Ggs. ↑Metandrie

me|tal|kar|pal ⟨*gr.-nlat.*⟩: zur Mittelhand gehörend, sie betreffend (Med.)

Me|ta|kom|mu|ni|ka|ti|on ⟨*gr.-nlat.*⟩ *die;* -: a) über die verbale Verständigung hinausgehende Kommunikation (z.B. Gesten, Mimik); b) Kommunikation über einzelne Ausdrücke, Aussagen od. die Kommunikation selbst

Me|ta|kri|tik ⟨*gr.-nlat.*⟩ *die;* -: auf die Kritik folgende u. sachlich über sie hinausgehende Kritik; Kritik der Kritik (Philos.)

Me|tal ⟨*fr.*⟩ [ˈmetl] *das;* -[s]: Kurzform von ↑Heavymetal

Me|ta|lep|se u. **Me|ta|lep|sis** ⟨*gr.*⟩ *die;* -, ...epsen: rhetorische Figur (Art der ↑Metonymie), bei der das Nachfolgende mit dem Vorhergehenden vertauscht wird (z.B. „Grab" statt „Tod") od. ein mehrdeutiges Wort durch das Synonym (1) zu einer im Kontext (1) nicht gemeinten Bedeutung ersetzt wird (z.B. „Geschickter" [zu „geschickt, gewandt, fähig"] statt „Gesandter" [zu „senden"]; Rhet.)

Me|ta|lim|ni|on ⟨*gr.-nlat.*⟩ *das;* -s, ...ien: Wasserschicht, in der die Temperatur sprunghaft absinkt (von Seen; Geogr.)

Me|ta|lin|gu|is|tik ⟨*gr.-nlat.*⟩ *die;* -: Teil der Linguistik, der sich mit den Beziehungen der Sprache zu außersprachlichen Phänomenen (z.B. zur Kultur, Gesellschaft) beschäftigt u. der untersucht, inwieweit die Muttersprache die Art des Erfassens der Wirklichkeit bestimmt; vgl. Linguistik

Me|tall ⟨*gr.-lat.*⟩ *das;* -s, -e: chemischer Grundstoff, der sich durch charakteristischen Glanz, Undurchsichtigkeit, Legierbarkeit u. gute Fähigkeit, Wärme u. Elektrizität zu leiten, auszeichnet. **me|tal|len:** aus Metall [bestehend]. **Me|tal|ler** *der;* -s, - (ugs.) kurz für: Metallarbeiter [als Gewerkschaftsangehöriger]. **me|tal|lic:** metallisch schimmernd u. dabei von einem stumpfen, nicht leuchtenden Glanz. **Me|tal|li|sa|ti|on** ⟨*gr.-lat.*⟩ *die;* -, -en: 1. Vererzung (beim Vorgang der Gesteinsbildung). 2. ↑Metallisierung; vgl. ...[at]ion/...ierung. **Me|tal|li|sa|tor** *der;* -s, ...oren: Spritzpistole zum Aufbringen von Metallüberzügen. **me|tal|lisch:** 1. aus Metall bestehend, die Eigenschaften eines Metalls besitzend. 2. a) hart klingend, im Klang hell u. durchdringend; b) in seinem optischen Eindruck wie Metall, metallartig. **mé|tal|li|sé** [metali'ze:] ⟨*fr.*⟩: ↑metallic. **me|tal|li|sie|ren:** einen Gegenstand mit einer widerstandsfähigen metallischen Schicht überziehen. **Me|tal|li|sie|rung** *die;* -, -en: das Überziehen eines Gegenstandes mit Metall; vgl. ...[at]ion/...ierung. **Me|tal|lis|mus** *der;* -: Theorie, die den Geldwert aus dem Stoff- od. Metallwert des Geldes zu erklären versucht. **Me|tal|lo|chro|mie** [...kro...] ⟨*gr. nlat.*⟩ *die;* -: Färbung von Metallen im galvanischen Verfahren. **Me|tal|lo|ge** *der;* -n, -n: Fachwissenschaftler auf dem Gebiet der Metallogie. **Me|tal|lo|ge|no|lo|gie** *die;* -: Bildung von Erzlagerstätten in bestimmten Räumen der Erdkruste. **Me|tal|lo|gie** *die;* -: Wissenschaft vom Aufbau von den Eigenschaften u. Verarbeitungsmöglichkeiten der Metalle. **Me|tal|lo|graph,** auch: ...graf *der;* -en, -en: Spezialist auf dem Gebiet der ...graphie. **Me|tal|lo|gra|phie,** auch: Metallografie *die;* -: Teilgebiet der Metallogie, auf dem mit mikroskopischen Methoden Aufbau, Struktur u. Eigenschaften der Metalle untersucht werden. **Me|tal|lo|id** *das;* -[e]s, -e: (veraltet) chemisches Element, das kein Metall ist. **Me|tal|lo|phon,** auch: ...fon *das;* -s, -e: mit einem Hammer geschlagenes, aus aufeinander abgestimmten Metallplatten bestehendes Glockenspiel. **Me|tall-**oxid*, auch: **Me|tall|oxyd*** *das;* -s, -e: Verbindung eines Metalls mit Sauerstoff. **Me|tall|ur|gie*** *die;* -: Hüttenkunde; Wissenschaft vom Ausschmelzen der Metalle aus Erzen, von der Metallreinigung, -veredlung u. (im weiteren Sinne) -verarbeitung. **me|tall|ur|gisch*:** die Metallurgie betreffend; Hütten.... **Me|tall|urg,*** **Me|tall|ur|ge*** *der;* ...gen, ...gen: Fachwissenschaftler der Metallurgie.

Me|ta|ma|the|ma|tik ⟨*gr.-nlat.*⟩ *die;* -: mathematische Theorie, mit der die Mathematik selbst untersucht wird

me|ta|mer ⟨*gr.-nlat.*⟩: in hintereinander liegende, gleichartige Abschnitte gegliedert; die Metamerie betreffend (Biol.). **Me|ta|me|ren** *die* (Plural): gleichartige Körperabschnitte in der Längsachse des Körpers. **Me|ta|me|rie** *die;* -: 1. Gliederung des Tierkörpers in hintereinander liegende Abschnitte mit sich wiederholenden Organen. 2. Eigenschaft spektral unterschiedlicher Farbreize, die gleiche Farbempfindung auszulösen

Me|ta|me|ta|spra|che ⟨*gr.; dt.*⟩ *die;* -, -n: Sprache, in der eine ↑Metasprache (als ↑Objektsprache) beschrieben wird. **me|ta|morph** u. **me|ta|mor|phisch** ⟨*gr.-nlat.*⟩: die Gestalt, den Zustand wandelnd. **Me|ta|mor|phis|mus** *der;* -, ...men: ↑Metamorphose. **Me|ta|mor|phit** *das;* [auch: ...'fit] *der;* -s, -e (meist Plural): durch Metamorphose (4) entstandenes Gestein (Geol.). **Me|ta|mor|phop|sie*** *die;* -, ...ien: Sehstörung, bei der die Gegenstände verzerrt gesehen werden (Med.). **Me|ta|mor|pho|se** ⟨*gr.-lat.*⟩ *die;* -, -n: 1. Umgestaltung, Verwandlung. 2. Entwicklung vom Ei zum geschlechtsreifen Tier durch Umschaltung gesonderter selbstständiger Larvenstadien (vor allem bei Insekten; Zool.). 3. Umwandlung der Grundform pflanzlicher Organe in Anpassung an die Funktion (Bot.). 4. Umwandlung, die ein Gestein durch Druck, Temperatur u. Bewegung in der Erdkruste erleidet (Geol.). 5. (nur Plural) Variationen (Mus.). 6. Verwandlung von Menschen in Tiere, Pflanzen, Steine o. Ä. (griech. Mythologie). **me|ta|mor|pho|sie|ren** ⟨*gr.-lat.-nlat.*⟩: verwandeln, umwandeln; die Gestalt ändern

Me|tand|rie* ⟨gr.-nlat.⟩ die; -: das spätere Geschlechtsreifwerden der männlichen Blüten bei einer eingeschlechtigen Pflanze (Bot.); Ggs. ↑Metagynie

Me|ta|neph|ros* ⟨gr.-nlat.⟩ der; -: Nachniere od. Dauerniere (entsteht aus dem ↑Mesonephros u. bildet die dritte u. letzte Stufe im Entwicklungsgang des Harnapparates; Med.; Biol.)

me|ta|no|ei|te! ⟨gr.⟩: Kehrt (euern Sinn) um! Tut Buße! (nach der Predigt Johannes' des Täufers u. Jesu, Matth. 3, 2; 4, 17).

me|ta|no|e|tisch: das Denken übersteigend, nicht mehr denkbar (Philos.). Me|ta|noia [...nɔya] („das Umdenken") die; -: 1. innere Umkehr, Buße (Rel.). 2. Änderung der eigenen Lebensauffassung, Gewinnung einer neuen Weltsicht (Philos.). 3. in der orthodoxen Kirche Kniebeugung mit Verneigung bis zur Erde

me|ta|öko|no|misch ⟨gr.-nlat.⟩: außerwirtschaftlich

Me|ta|or|ga|nis|mus ⟨gr.-nlat.⟩ der; -, ...men: Verkörperung von Seelenkräften (Parapsychol.)

Me|ta|pel|let ⟨hebr.⟩ die; -, ...plɔt: Erzieherin u. Kindergärtnerin in einem ↑Kibbuz

Me|ta|pha|se ⟨gr.-nlat.⟩ die; -, -n: Stadium der Kernteilung mit Anordnung der Chromosomen zu einer Kernplatte (Biol.)

Me|ta|pher ⟨gr.-lat.⟩ die; -, -n: sprachlicher Ausdruck, bei dem ein Wort, eine Wortgruppe aus seinem eigentlichen Bedeutungszusammenhang in einen anderen übertragen wird, ohne dass ein direkter Vergleich zwischen Bezeichnendem u. Bezeichnetem vorliegt; bildhafte Übertragung (z. B. das Haupt der Familie). Me|ta|pho|rik die; -: das Vorkommen, der Gebrauch von Metaphern [als Stilmittel]. me|ta|pho|risch: a) die Metapher betreffend; b) bildlich, übertragen [gebraucht]

Me|ta|phra|se ⟨gr.-lat.⟩ die; -, -n: 1. umschreibende Übertragung einer Versdichtung in Prosa (Literaturw.). 2. erläuternde Wiederholung eines Wortes durch ein ↑Synonym (Stilk.). Me|ta|phrast ⟨gr.⟩ der; -en, -en: Verfasser einer Metaphrase. me|ta|phras|tisch: 1. die Metaphrase betreffend. 2. umschreibend

Me|ta|phyl|la|xe ⟨gr.-nlat.; Analogiebildung zu ↑Prophylaxe⟩ die; -, -n: Nachbehandlung eines Pa-

tienten nach überstandener Krankheit als vorbeugende Maßnahme gegen mögliche Rückfallerkrankungen der gleichen Art (Med.)

Me|ta|phy|se ⟨gr.-nlat.⟩ die; -, -n: Wachstumszone der Röhrenknochen (Med.). Me|ta|phy|sik die; -: 1. (Philos.) a) philosophische Disziplin od. Lehre, die das hinter der sinnlich erfahrbaren, natürlichen Welt Liegende, die letzten Gründe u. Zusammenhänge des Seins behandelt; b) die Metaphysik (1 a) darstellendes Werk. 2. (im Marxismus) der ↑Dialektik entgegengesetzte Denkweise, die die Erscheinungen als isoliert u. als unveränderlich betrachtet (Philos.). Me|ta|phy|si|ker der; -s, -: Vertreter der Metaphysik. me|ta|phy|sisch: 1. zur Metaphysik (1 a) gehörend; überempirisch, alle mögliche Erfahrung überschreitend (Philos.). 2. die Metaphysik (2) betreffend; undialektisch

Me|ta|pla|sie* ⟨gr.-nlat.⟩ die; -, ...jen: Umwandlung eines Gewebes in ein anderes, das dem gleichen Mutterboden entstammt (z. B. als Folge von Gewebsreizungen; Med.; Biol.). Me|ta|plas|mus ⟨gr.-lat.⟩ der; -, ...men: Umbildung von Wortformen aus Gründen des Wohlklangs, der Metrik u. a. (z. B. durch ↑Apokope). me|ta|plas|tisch: den Metaplasmus betreffend

Me|ta|psy|chik ⟨gr.-nlat.⟩ die; -: ↑Parapsychologie. me|ta|psy|chisch: die Metapsychik betreffend. Me|ta|psy|cho|lo|gie die; -: 1. (von S. Freud gewählte Bezeichnung für die von ihm begründete) psychologische Lehre in ihrer ausschließlich theoretischen Dimension. 2. ↑Parapsychologie

Me|ta|säu|re ⟨gr.; dt.⟩ die; -, -n: wasserärmste Form einer Säure

Me|ta|se|quo|ia u. Me|ta|se|quo|ie ⟨gr.; indian.-nlat.⟩ die; -, ...oien: chinesischer Mammutbaum

Me|ta|som ⟨gr.-nlat.⟩ das; -s, -e: fester Bestandteil eines Gesteins (bei seiner Zerlegung durch Hitze; Geol.). me|ta|so|ma|tisch: durch Metasomatose entstehend (Geol.). Me|ta|so|ma|to|se die; -: Umwandlung eines Gesteins durch Austausch von Bestandteilen (bei Zufuhr von Lösungen und Dämpfen; Geol.)

Me|ta|spra|che ⟨gr.; dt.⟩ die; -, -n: wissenschaftliche, terminologi-

sche Beschreibung der natürlichen Sprache; Sprache od. Symbolsystem, das dazu dient, Sprache od. ein Symbolsystem zu beschreiben od. zu analysieren (Sprachw.; Math.; Kybern.); vgl. Metametasprache, Objektsprache

me|ta|sta|bil ⟨gr.; lat⟩: durch Verzögerungserscheinung noch in einem Zustand befindlich, der den äußeren Bedingungen nicht mehr entspricht (Phys.)

Me|tas|ta|se* ⟨gr.; „Umstellung; Veränderung"⟩ die; -, -n: 1. Tochtergeschwulst; durch Verschleppung von Geschwulstkeimen an vom Ursprungsort entfernt gelegene Körperstellen entstandener Tumor (z. B. bei Krebs; Med.). 2. Redefigur, mit der der Redner die Verantwortung für eine Sache auf eine andere Person überträgt (antike Rhet.). me|tas|ta|sie|ren ⟨gr.-nlat.⟩: Tochtergeschwülste bilden (Med.). me|tas|ta|tisch: über die Blutbahn od. die Lymphgefäße an eine andere Körperstelle verschleppt (von Tumoren o. Ä.; Med.)

Me|ta|tekt ⟨gr.-nlat.⟩ das; -[e]s, -e: flüssiger Bestandteil eines Gesteins (bei seiner Zerlegung durch hohe Temperatur; Geol.)

Me|ta|te|xis die; -: Vorgang der Zerlegung eines Gesteins in feste u. flüssige Teile (bei hohen Temperaturen; Geol.)

Me|ta|the|o|rie ⟨gr.⟩ die; -, -n: wissenschaftliche Theorie, die ihrerseits eine Theorie zum Gegenstand hat; vgl. Metasprache

Me|ta|the|se u. Me|ta|the|sis ⟨gr.-lat.⟩ die; -, ...gsen: Lautumstellung bei der Entlehnung in eine andere Sprache (z. B. Wepse–Wespe, Born–Bronn; Sprachw.)

Me|ta|to|nie ⟨gr.-nlat.⟩ die; -, ...jen: Wechsel der Intonation (z. B. in slawischen Sprachen)

Me|ta|tro|pis|mus* ⟨gr.-nlat.; „Umkehrung"⟩ der; -: anderes geschlechtliches Empfinden u. Gefühlsleben, d. h. Verschiebung od. Vertauschung der Rollen von Mann u. Frau, wobei die Frau den aktiveren, der Mann den passiveren Teil übernimmt (Psychol.)

Me|ta|xa ® ⟨gr.⟩ der; -[s], -s (aber: 2 Metaxa): milder, aromatischer Branntwein aus Griechenland

me|ta|zen|t|risch* ⟨gr.-nlat.⟩: das Metazentrum betreffend; sich auf das Metazentrum beziehend; schwankend. Me|ta|zen|trum das; -s, ...ren: der für die Stabilität wichtige Schnittpunkt der Auftriebsrichtung mit der vertikalen Symmetrieachse eines geneigten Schiffes (Schiffbau)

Me|ta|zo|on ⟨gr.-nlat.⟩ das; -s, ...zoen (meist Plural): vielzelliges Tier, das echte Gewebe bildet; Ggs. ↑ Protozoon

Me|tem|psy|cho|se* ⟨gr.-lat.⟩ die; -, -n: Seelenwanderung

Me|te|or ⟨gr.; „Himmels-, Lufterscheinung"⟩ der (selten: das); -s, ...ore: Lichterscheinung (Feuerkugel), die durch in die Erdatmosphäre eindringende kosmische Partikeln hervorgerufen wird. **me|te|o|risch:** die Lufterscheinungen u. Luftverhältnisse betreffend (Meteor.); **meteorische Blüte:** Blüte, deren Öffnung von den Wetterverhältnissen abhängt. **Me|te|o|ris|mus** ⟨gr.-nlat.⟩ der; -, ...men: Darmblähungen, Blähsucht (Med.). **Me-te|o|rit** [auch: ...'rit] der; -en u. -s, -e[n]: in die Erdatmosphäre eindringender kosmischer Körper. **me|te|o|ri|tisch** [auch: ...'rit...]: 1. von einem Meteor stammend. 2. von einem Meteoriten stammend. **Me|te|or|kra-ter** der; -s, -: großes, rundes Loch an der Erdoberfläche, das durch Einschlag eines großen Meteoriten entstanden ist. **Me-te|o|ro|gramm** das; -s, -e: Messergebnis eines Meteorographen. **Me|te|o|ro|graph,** auch: **Meteorograf** der; -en, -en: Gerät zur gleichzeitigen Messung mehrerer Witterungselemente (Meteor.). **Me|te|o|ro|lo|ge** der; -n, -n: Wissenschaftler, zu dessen Arbeitsbereich die Erforschung des Wetters u. des Klimas gehört. **Me|te|o|ro|lo|gie** ⟨gr.⟩ die; -: Wetterkunde über die Erdatmosphäre u. dem sich in ihr abspielenden Wettergeschehen. **me|te|o|ro|lo|gisch:** die Meteorologie betreffend. **Me|te|o|ro|path** der; -en, -en: jmd., dessen körperliches Befinden in abnormer Weise von Witterungseinflüssen bestimmt wird. **Me|te|o|ro|pa|tho|lo|gie** die; -: Zweig der ↑ Pathologie, der sich mit den Einflüssen des Wetters auf die Funktionen des kranken Organismus befasst (Med.). **Me|te|o|ro|phy|si|o|lo|gie** die; -: Wissenschaft, die die Einflüsse des Wettergeschehens auf die Funktionen des pflanzlichen, tierischen u. menschlichen Organismus erforscht. **me|te|o|ro-**

trop* ⟨gr.-nlat.⟩: wetter-, klimabedingt. **Me|te|o|ro|tro|pis-mus*** der; -: durch Wetterfühligkeit bedingter Krankheitszustand

Me|ter ⟨gr.-lat.-fr.⟩ der (schweiz. nur so) od. das; -s, -: Längenmaß (Zeichen: m). **Me|ter|ki|lo|pond** das; -s, -: ↑ Kilopondmeter. **Me|ter|se|kun|de** die; -, -n: Geschwindigkeit in Metern je Sekunde (Zeichen: m/s, älter auch: m/sec)

Mo|tha|l|don ⟨Kurzw. aus engl. dimethylamino- u. diphenyl u. heptanone⟩ das; -s: synthetisches ↑ Derivat (3) des Morphins (als Ersatzdroge für Heroinabhängige)

Met|hä|mo|glo|bin* ⟨gr.; lat.⟩ das; -s: Oxidationsform des roten Blutfarbstoffs, bei der sich der Sauerstoff, statt dass er an die Körperzellen abgegeben wird, fest mit dem Eisen des Blutfarbstoffs verbindet (Med.; Biol.). **Met|hä|mo|glo|bi|nä-mie** ⟨gr.; lat.; gr.⟩ die; -: Methämoglobinvergiftung infolge Sauerstoffmangels (innere Erstickung; Med.)

Me|than ⟨gr.-nlat.⟩ das; -s: farbloses, geruchloses u. brennbares Gas, einfachster gesättigter Kohlenwasserstoff (bes. als Heizgas verwendet). **Me|tha|nol** ⟨Kurzw. aus: Methan u. ↑ Alkohol⟩ das; -s: ↑ Methylalkohol

Me|the|xis* ⟨gr.; „Teilnahme"⟩ die; -: Verhältnis der Einzeldinge der Sinnenwelt (Abbild) zu ihren Ideen (Urbild) (Zentralbegriff bei Plato; Philos.)

Me|thi|o|nin ⟨Kunstw.⟩ das; -s: schwefelhaltige Aminosäure von vielfacher Heilwirkung

Me|thod Ac|ting ['mεθəd'εktıŋ] ⟨amerik.⟩ das; -s: Art der Schauspielerei, die darin besteht, dass der Schauspieler sich auf sich selbst konzentriert, auf eigene Erfahrungen zurückgreift, sich selbst (u. nicht andere) beobachtet. **Me|tho|de** ⟨gr.-lat.⟩ die; -, -n: 1. auf einem Regelsystem aufbauendes Verfahren, das zur Erlangung von [wissenschaftlichen] Erkenntnissen od. praktischen Ergebnissen dient. 2. Art u. Weise eines Vorgehens. **Me-tho|dik** die; , -en: 1. Wissenschaft von den Verfahrensweisen der Wissenschaften. 2. (ohne Plural) Unterrichtsmethode; Wissenschaft vom planmäßigen Vorgehen beim Unterrichten. 3. in der Art des Vorgehens festge-

legte Arbeitsweise. **Me|tho|di-ker** der; -s, -: 1. planmäßig Verfahrender. 2. Begründer einer Forschungsrichtung. **me|tho-disch:** 1. die Methode (1) betreffend. 2. planmäßig, überlegt, durchdacht, schrittweise. **me-tho|di|sie|ren:** eine Methode in etwas hineinbringen. **Me|tho-dis|mus** ⟨gr.-lat.-engl.⟩ der; -: aus dem Anglikanismus im 18. Jh. hervorgegangene ev. Erweckungsbewegung mit religiösen Übungen u. bedeutender Sozialarbeit. **Me|tho|dist** der; -en, -en: Mitglied einer Methodistenkirche; vgl. Wesleyaner. **me|tho-dis|tisch:** a) den Methodismus betreffend; b) in der Art des Methodismus. **Me|tho|do-lo|gie** ⟨gr.-nlat.⟩ die; -, ...ien: Methodenlehre, Theorie der wissenschaftlichen Methoden; vgl. Methodik (1). **me|tho|do|lo|gisch:** zur Methodenlehre gehörend

Me|thu|sa|lem ⟨nach der bibl. Gestalt in 1. Mose 5, 25ff.⟩ der; -[s], -s: 1. sehr alter Mann. 2. sehr große Champagnerflasche [mit 6 l Inhalt]

Me|thyl ⟨gr.-nlat.⟩ das; -s: einwertiger Methanrest in zahlreichen organ.-chem. Verbindungen. **Me|thyl|al|ko|hol** der; -s: Methanol, Holzgeist, einfachster Alkohol; farblose, brennend schmeckende, sehr giftige Flüssigkeit. **Me|thyl|a|min*** das; -s, -e: einfachste organische ↑ Base, ein brennbares Gas. **Me|thyl|en** das; -s: eine frei nicht vorkommende, zweiwertige Atomgruppe (CH_2). **Me|thyl|en|blau** ⟨gr.-nlat.; dt.⟩ das; -s: ein synthetischer Farbstoff

Me|ti|er [me'tje:] ⟨lat. fr.⟩ das; -s, -s: bestimmte berufliche o. ä. Tätigkeit als jmds. Aufgabe, die er durch die Beherrschung der dabei erforderlichen Fertigkeiten erfüllt

Me|tist ⟨lat.-it.⟩ der; -en, -en: Teilnehmer an einem ↑ Metageschäft

Me|tö|ke* ⟨gr.-lat.⟩ der; -n, -n: ortsansässiger Fremder ohne politische Rechte (in den Städten des alten Griechenlands)

me|to|nisch ⟨nach dem griech. Mathematiker Meton (von Athen)⟩: in der Fügung: **metonischer Zyklus:** alter Kalenderzyklus (Zeitraum von 19 Jahren), der für Berechnung des christl. Osterdatums zugrunde liegt

Me|to|no|ma|sie* ⟨gr.; „Umbenennung"⟩ die; -, ...ien: Veränderung eines Eigennamens durch

Übersetzung in eine fremde Sprache (z. B. Schwarz|erd, griech. = Melan|chthon). **Me·to|ny|mie** ⟨„Namensvertauschung"⟩ *die; -, ...jen*: übertragener Gebrauch eines Wortes od. einer Fügung für einen verwandten Begriff (z. B. Stahl für „Dolch", Jung u. Alt für „alle"). **me|to|ny|misch**: die Metonymie betreffend; nach Art der Metonymie **Me|to|pe*** ⟨*gr.-lat.*⟩ *die; -, -n*: abgeteilte, fast quadratische, bemalte od. mit Reliefs verzierte Platte od. aus gebranntem Ton od. Stein als Teil des Gebälks beim dorischen Tempel **Met|ra*** u. **Met|ren**: *Plural* von ↑ Metrum. **Met|rik** ⟨*gr.-lat.*⟩ *die; -, -en*: 1. Verslehre; Lehre von den Gesetzmäßigkeiten des Versbaus u. den Versmaßen; b) Verskunst. 2. Lehre vom Takt u. von der Taktbetonung (Mus.). **Met|ri|ker** *der; -s, -*: Fachmann auf dem Gebiet der Metrik. **met·risch**: 1. die Metrik betreffend. 2. auf den ↑ Meter als Maßeinheit bezogen; **metrisches System**: urspr. auf dem Meter, dann auf Meter u. Kilogramm beruhendes Maß- u. Gewichtssystem **Met|ri|tis*** ⟨*gr.-nlat.*⟩ *die; -, ...iti·den*: Entzündung der Muskulatur der Gebärmutter (Med.). **Met|ro*** ⟨*gr.-lat.-fr.*⟩ *die; -, -s*: Untergrundbahn (bes. in Paris u. Moskau) **Met|ro|lo|gie*** ⟨*gr.*⟩ *die; -*: Maß- u. Gewichtskunde **Met|ro|ma|nie*** ⟨*gr.-nlat.*⟩ *die; -*: ↑ Nymphomanie **met|ro|morph*** ⟨*gr.-nlat.*⟩: von ausgeglichener [Körper]konstitution **Met|ro|nom*** ⟨*gr.*⟩ *das; -s, -e*: Gerät mit einer Skala, das im eingestellten Tempo zur Kontrolle mechanisch den Takt schlägt; Taktmesser (Mus.) **Met|ro|ny|mi|kon*** u. Matronymikon ⟨*gr.*⟩ *das; -s, ...ka*: vom Namen der Mutter abgeleiteter Name (z. B. Niobide: Sohn der Niobe); Ggs. ↑ Patronymikon. **me·tro|ny|misch**: nach der Mutter benannt. **Met|ro|po|le** ⟨*gr.-lat.;* „Mutterstadt"⟩ *die; -, -n*: a) Hauptstadt mit weltstädtischem Charakter; Weltstadt; b) Stadt, die als Zentrum für etwas gilt. **Met|ro|po|lis** *die; -, ...polen*: ↑ Metropole. **Met|ro|po|lit** *der; -en, -en*: kath. Erzbischof; in der orthodoxen Kirche Bischof als Leiter einer Kirchenprovinz.

Met|ro|po|li|tan: dem Metropoliten zustehend. **Met|ro|po|li·tan|kir|che** ⟨*gr.-lat.; gr.-dt.*⟩ *die; -, -n*: Hauptkirche eines Metropoliten. **Met|rop|to|se** ⟨*gr.-nlat.*⟩ *die; -, -n*: Gebärmuttervorfall (Med.). **Met|ror|rha|gie** *die; -, ...jen*: Blutung aus der Gebärmutter außerhalb der Menstruation (Med.) **Met|rum*** ⟨*gr.-lat.*⟩ *das; -s, ...tren* u. (älter:) ...tra: 1. Versmaß, metrisches Schema. 2. (Mus.) a) Zeitmaß, ↑ Tempo (2 c); b) Taktart (z. B. $^3/_4$, $^4/_4$) **Met|ta|ge** [...ʒə] ⟨*lat.-fr.*⟩ *die; -, -n*: Umbruch (Anordnung des Drucksatzes zu Seiten) [in einer Zeitungsdruckerei] **Met|te** ⟨*lat.-roman.*⟩ *die; -, -n*: Nacht- od. Frühgottesdienst; nächtliches Gebet (Teil des ↑ Breviers); vgl. Matutin **Met|teur** [...'tø:ɐ] ⟨*lat.-fr.*⟩ *der; -s, -e*: Schriftsetzer, der den Satz zu Seiten umbricht u. druckfertig macht (Druckw.) **Meub|le|ment*** [møblə'mã:] ⟨*lat.-mlat.-fr.*⟩ *das; -s, -s*: (veraltet) Zimmer-, Wohnungseinrichtung **Mez|za|ma|jo|li|ka** ⟨*it.*⟩ *die; -, ...ken* u. -s: eine Art ↑ Fayence, bei der Bemalung u. Glasur in verschiedenen Arbeitsgängen angebracht werden; Halbmajolika. **Mez|za|nin** ⟨*lat.-it.-fr.*⟩ *der* od. *das; -s, -e*: niedriges Zwischengeschoss, meist zwischen Erdgeschoss u. erstem Obergeschoss od. unmittelbar unter dem Dach (bes. in der Baukunst der Renaissance u. des Barock) **mez|za vo|ce** [-'vo:tʃə] ⟨*lat.-it.*⟩: mit halber Stimme; Abk.: m. v. (Vortragsanweisung; Mus.). **mez|zo|for|te**: halblaut, mittelstark, mit halber Tonstärke (Vortragsanweisung; Mus.). **Mez|zo·for|te** *das; -s, -s* u. ...ti: halblautes Spiel (Mus.). **Mez|zo|gior|no** [...'dʒorno] ⟨*it.;* „Mittag"⟩ *der; -*: der Teil Italiens südlich von Rom, einschließlich Siziliens. **mez|zo|pia|no**: halbleise; Abk.: mp (Vortragsanweisung; Mus.). **Mez|zo·pia|no** *das; -s, -s* u. ...ni: halbleises Spiel (Mus.). **Mez|zo·so|pran*** *der; -s, -e*: a) Stimmlage zwischen Sopran u. Alt; b) Mezzosopransängerin. **Mez|zo·tin|to** *das; -[s], -s* u. ...ti a) Schabkunst, Technik des Kupferstichs (bes. im 17. Jh.); b) Produkt dieser Technik **mi** ⟨*it.*⟩: Silbe, auf die beim Solmisieren der Ton e gesungen wird; vgl. Solmisation

mi|a|rol|li|tisch [auch: ...'li:...] ⟨*it.; gr.*⟩: drusigen (d. h. mit kleinen Hohlräumen durchsetzten) Granit betreffend (Geol.) **Mi|as|ma** ⟨*gr.;* „Besudelung, Verunreinigung"⟩ *das; -s, ...men*: (nach überholter Anschauung) Krankheiten auslösender Stoff in der Luft od. in der Erde; [aus dem Boden ausdünstender] Gift-, Pesthauch. **mi|as|ma·tisch**: giftig, ansteckend (Med.) **Mic|ro...*** vgl. Mikro... **Mic|ro·burst** ['maikroubœst] ⟨*engl.-amerik.*⟩ *der; -[s], -s*: den Startod. Landevorgang von Flugzeugen gefährdende Fallbö (Luftf.). **Mic|ro|fa|ser** ⓇＲ *die; -, -n*: aus Polyester u. Polyamid bestehende, extrem leichte Faser **Mi|das|oh|ren** ⟨nach dem griech. Sagenkönig Midas⟩ *die* (Plural): Eselsohren **Mid|gard** ⟨*altnord.*⟩ *der; -*: von den Menschen bewohnte Welt; die Erde (nord. Mythologie). **Mid·gard|schlan|ge** *die; -*: im Weltmeer lebendes Ungeheuer, das Midgard umschlingt (Sinnbild für das die Erde umgebende Meer) **mi|di** ⟨vermutlich Fantasiebildung zu *engl.* middle = „Mitte" in Analogie zu ↑ mini⟩: halblang, wadenlang (auf Kleider, Röcke od. Mäntel bezogen). **¹Mi|di** *das; -s, -s*: a) halblange Kleidung; b) (von Mänteln, Kleidern, Röcken) Länge, die bis zur Mitte der Waden reicht. **²Mi|di** *das; -s*: Rock, der bis zur Mitte der Waden reicht **Mi|di|nette** [...'nɛt] ⟨*fr.*⟩ *die; -, -n*: 1. Pariser Modistin, Näherin. 2. (veraltet) leichtlebiges Mädchen **Mid|life·cri|sis**, auch: **Midlife-Crisis** ['midlaifkraisis] ⟨*engl.-amerik.*⟩ *die; -*: Phase in der Lebensmitte [des Mannes], in der der Betroffene sein bisheriges Leben kritisch überdenkt, gefühlsmäßig in Zweifel zieht; Krise des Übergangs vom verbrauchten zum verbleibenden Leben **Mid|rasch*** ⟨*hebr.;* „Forschung"⟩ *der; -, ...schim*: 1. Auslegung des Alten Testaments nach den Regeln der jüdischen Schriftgelehrten. 2. Sammlung von Auslegungen der Hl. Schrift **Mid|ship|man** [...ʃipmən] ⟨*engl.*⟩ *der; -s, ...men*: a) in der britischen Marine unterster Rang eines Seeoffiziers; b) in der amerikanischen Marine Seeoffiziersanwärter **Mig|ma|tit** [auch: ...'tɪt] ⟨*gr.-nlat.*⟩

der; -s, -e: ein Mischgestein (Geol.)

Mig|non* [mɪn'jõ:, 'mɪnjõ] ⟨fr.⟩ der; -s, -s: (veraltet) 1. Liebling, Günstling. 2. Kolonel. **Mig|no-nette** [...jo'nɛt] die; -, -s: 1. klein gemusterter Kattun. 2. schmale, feine Spitze aus Zwirn. **Mig-non|fas|sung** die; -, -en: Fassung für kleine Glühlampen. **Mig|non|zel|le** die; -, -n: dünne, kleine längliche Batterie **Mig|rä|ne*** ⟨gr.-lat.-fr.⟩ die; -, -n: anfallsweise auftretender, meist einseitiger, u.a. mit Sehstörungen u. Erbrechen verbundener, heftiger Kopfschmerz **Mig|rant*** ⟨lat.⟩ der; -en, -en: 1. ab- od. eingewandertes Tier (Zool.). 2. jmd., der eine Migration (2) vornimmt (Soziol.). **Mig-ra|ti|on** die; -, -en: 1. (Zool.) a) dauerhafte Abwanderung od. dauerhafte Einwanderung einzelner Tiere od. einer Population in eine andere Population der gleichen Art; b) Wirtswechsel bei verschiedenen niederen Tieren, die von einer Pflanzenart auf eine andere überwandern. 2. Wanderung, Bewegung von Individuen od. Gruppen im geographischen od. sozialen Raum, die mit einem Wechsel des Wohnsitzes verbunden ist (Soziol.). 3. das Wandern von Erdöl u. Erdgas vom Mutter- zum Speichergestein. **Mig|ra|ti|ons|the|o|rie** die; -, ...ien: biologische Theorie, die die Entstehung neuer Arten durch Auswanderung u. Verschleppung in neue Lebensräume erklären will (nach M. Wagner, 1868). **mig|ra|to|risch** ⟨lat.-nlat.⟩: wandernd, durch Wanderung übertragen. **mig|rie|ren** ⟨lat.⟩ wandern (z.B. von tierischen ↑Parasiten)

Mih|rab [mɪ'xra:p] ⟨arab.⟩ der; -[s], -s: die nach Mekka weisende Gebetsnische in der Moschee

Mijn|heer [məˈneːɐ̯] ⟨niederl.; „mein Herr"⟩ der; -s, -s: a) niederländische Bez. für: Herr; b) (scherzh.) Niederländer

Mi|ka ⟨lat.⟩ die (auch: der); -: Glimmer (Geol.)

¹Mi|ka|do ⟨jap.; „erhabene Pforte"⟩ der; -s, -s: 1. (hist.) Bezeichnung für den Kaiser von Japan; vgl. Tenno. 2. das Hauptstäbchen im Mikadospiel. **²Mi|ka|do** das; -s, -s: Geschicklichkeitsspiel mit dünnen, langen Holzstäbchen

Mik|rat* ⟨Kunstw.⟩ das; -[e]s, -e: sehr stark verkleinerter Wieder-

gabe eines Schriftstücks (etwa im Verhältnis 1:200). **Mik|ren-ze|pha|lie** ⟨gr.-nlat.⟩ die; -, ...ien: abnorm geringe Größe des Gehirns (Med.). **¹Mik|ro** ⟨gr.⟩ das; -s, -s: kurz für ↑Mikrofon. **²Mik|ro** die; -: genormter kleinster Schriftgrad für Schreibmaschinen. **mik|ro-, Mik|ro-:** 1. bei Substantiven od. Adjektiven: sehr klein, kleiner als normal. 2. bei Maßeinheiten: ein millionstel ... **Mik|ro|ana|ly|se** [auch: 'mi:kro...] die; -, -n: chemische Untersuchung mit kleinsten Stoffmengen; Ggs. ↑Makroanalyse. **Mik|ro|auf|nah|me** die; -, -n: ↑Mikrofotografie. **Mik|ro|be** ⟨gr.-fr.⟩ die; -, -n (meist Plural): Mikroorganismus. **mik|ro|bi|ell** ⟨gr.-nlat.⟩: durch Mikroben hervorgerufen od. erzeugt. **Mik|ro-bi|o|lo|ge** der; -n, -n: Wissenschaftler auf dem Gebiet der Mikrobiologie. **Mik|ro|bi|o|lo-gie** die; -: Wissenschaftszweig, der mikroskopisch kleine Lebewesen erforscht. **Mik|ro|bi|on** das; -s, ...ien (meist Plural): ↑Mikrobe. **mik|ro|bi|zid:** Mikroben abtötend; entkeimend. **Mik-ro|bi|zid** das; -[e]s, -e: Mittel zur Abtötung von Mikroben. **Mik-ro|blast** der; -en, -en: ↑Mikrozyt. **Mik|ro|chei|lie** die; -, ...ien: abnorm geringe Größe der Lippen. **Mik|ro|che|mie** die; -: Zweig der Chemie, der mit mikroanalytischen Methoden arbeitet; vgl. Mikroanalyse, **Mik|ro-chip** der; -s, -s: ↑Chip (3). **Mik-ro|chi|rur|gie** die; -: Spezialgebiet der Chirurgie, das sich mit Operationen (z.B. Augenoperationen) unter dem Mikroskop befasst. **Mik|ro|com|pu|ter** der; -s, -: in extrem miniaturisierter Bauweise hergestellter Computer. **Mik|ro|do|ku|men|ta|ti|on** die; -, -en: Verfahren zur raumsparenden Archivierung von Schrift- od. Bilddokumenten durch ihre fotografische Reproduktion im stark verkleinerten Maßstab. **Mik|ro|elekt|ro|nik** die; -: Zweig der ↑Elektronik, der den Entwurf u. die Herstellung von integrierten elektronischen Schaltungen mit hoher Dichte zum Gegenstand hat. **mik|ro-elekt|ro|nisch:** die Mikroelektronik betreffend, zu ihr gehörend. **Mik|ro|evo|lu|ti|on** die; -, -en: Evolution, die kurzzeitig u. in kleinen Schritten vor sich geht (Biol.); Ggs. ↑Makroevolution.

vgl. Mikromutation. **Mik|ro|fa-rad** das; -[s], -: ein millionstel Farad; Zeichen: μF (Phys.). **Mik-ro|fau|na** die; -, ...nen: Kleintierwelt (Biol.); Ggs. ↑Makrofauna. **Mik|ro|fiche** [...fi:ʃ] ⟨fr.⟩ das od. der; -s, -s: Mikrofilm mit reihenweise angeordneten Mikrokopien. **Mik|ro|film** ⟨gr.-nlat.⟩ der; -[e]s, -e: Film mit Mikrokopien. **Mik|ro|fon,** auch: Mikrophon ⟨gr.-nlat.⟩ das; -s, -e: Gerät, durch das Akustisches auf ein Tonband, eine Kassette od. über einen Lautsprecher übertragen werden kann. **mik|ro|fo-nisch,** auch: mikrophonisch: 1. schwach-, feinstimmig. 2. zum Mikrofon gehörend, das Mikrofon betreffend. **Mik|ro|fo|to-gra|fie** die; -, -n: 1. (ohne Plural) fotografisches Aufnehmen mithilfe eines Mikroskops. 2. fotografisch aufgenommenes Bild eines kleinen Objekts mithilfe eines Mikroskops. **Mik|ro|fo|to-ko|pie** die; -, -n: ↑Mikrokopie. **Mik|ro|ga|met** der; -en, -en: die kleinere und beweglichere männliche Geschlechtszelle bei niederen Lebewesen; Ggs. ↑Makroga-met (Biol.). **Mi|kro|ge|nie** die; -, ...ien: abnorm geringe Größe des Unterkiefers (Med.). **Mik|ro-gramm** das; -s, -e: ein millionstel Gramm; Zeichen: μg. **Mik|ro-kar|te** die; -, -n: Karte als Fotopapier, auf der Mikrokopien reihenweise angeordnet sind; vgl. Mikrofiche. **mik|ro|kep|hal** usw. vgl. mikrozephal usw. **Mik|ro-kli|ma** das; -s, -s u. ...ma|te (Plural selten): 1. ↑Mesoklima. 2. Klima der bodennahen Luftschicht. **Mik|ro|kli|ma|to|lo-gie** die; -: Wissenschaft des Mikro klimas. **Mik|ro|kok|kus** der; -, ...ken (meist Plural): kugelförmige Bakterie. **Mik|ro|kol|pie** die; -, ...ien: stark verkleinerte, nur mit Lupe o.Ä. lesbare fotografische Reproduktion von Schrift- od. Bilddokumenten. **Mik|ro|kol|pie|ren:** Mikrokopie anfertigen. **mik|ro|kos-misch:** zum Mikrokosmos gehörend; Ggs. ↑makrokosmisch. **Mik|ro|kos|mos** ⟨gr.-mlat.⟩ u. **Mik|ro|kos|mus** der -: 1. die Welt der Kleinlebewesen (Biol.). 2. die kleine Welt des Menschen als verkleinertes Abbild des Universums; Ggs. ↑Makrokosmos. **Mik|ro|lin|gu|is|tik** die; -: Teil der ↑Makrolinguistik, der sich mit der Beschreibung des Sprachsystems selbst befasst;

vgl. Makrolinguistik, Metalinguistik. Mik|ro|lith [auch: ...'lɪt] ⟨gr.-nlat.⟩ der; -s u. -en, -e[n]: 1. mit dem bloßen Auge nicht erkennbarer, winziger Kristall. 2. Feuersteingerät der Jungsteinzeit. Mik|ro|lo|ge der; -n, -n: (veraltet) Kleinigkeitskrämer. Mik|ro|lo|gie die; -: (veraltet) Kleinigkeitskrämerei. mik|ro|lo|gisch: (veraltet) kleinlich denkend. Mik|ro|ma|nie die; -, ...ien: übertriebenes Minderwertigkeitsgefühl (Med.). Mik|ro|ma|ni|pu|la|tor ⟨gr.; lat.-nlat.⟩ der; -s, ...oren: Gerät zur Ausführung von Feinstbewegungen [bei Operationen]. Mik|ro|me|lie ⟨gr.-nlat.⟩ die; -, ...ien: abnorm geringe Größe der Gliedmaßen (Med.); Ggs. ↑Makromelie. Mik|ro|me|re die -, -n (meist Plural): kleine Furchungszelle (ohne Dotter) bei tierischen Embryonen; Ggs. ↑Makromere. Mik|ro|me|te|o|rit der; -s u. -en, -e[n]: sehr kleiner ↑Meteorit ($^1/_{1000}$ mm Durchmesser). Mik|ro|me|ter das; -s, -: 1. Feinmessgerät. 2. = $^1/_{1000000}$ m; Zeichen: μm. mik|ro|me|trisch*: das Mikrometer (1) betreffend. Mik|ro|mu|ta|ti|on die; -, -en: ↑Mutation, die nur ein ↑Gen betrifft; Kleinmutation. Mik|ron das; -s, -: (veraltet) Mikrometer (2); Kurzform: My; Zeichen: μ. Mik|ro|nuk|le|us ⟨gr.; lat.⟩ der; -, ...klei [...ei]: Klein- od. Geschlechtskern der Wimpertierchen (regelt die geschlechtliche Fortpflanzung; Biol.). Mik|ro|öko|no|mie die; -: wirtschaftstheoretisches Konzept, das die einzelnen wirtschaftlichen Erscheinungen untersucht (Wirtsch.); Ggs. ↑Makroökonomie. mik|ro|öko|no|misch: die Mikroökonomie betreffend; Ggs. ↑makroökonomisch. Mik|ro|or|ga|nis|mus der; -, ...men (meist Plural): pflanzlicher u. tierischer Organismus des mikroskopisch sichtbaren Bereiches (Biol.). Mik|ro|pa|lä|o|bo|ta|nik die; -: Zweig der ↑Paläontologie, der mikroskopisch kleine pflanzliche ↑Fossilien (z.B. Pollen) untersucht. Mik|ro|pa|lä|on|to|lo|gie die; -: Zweig der ↑Paläontologie, der mikroskopisch kleine pflanzliche u. tierische ↑Fossilien untersucht. Mik|ro|pha|ge der; -n, -n: ↑Mikrozyt. Mik|ro|phon vgl. Mikrofon. mik|ro|pho|nisch vgl. mikrofonisch. Mik|ro|pho|to|gra|phie vgl.

Mikrofotografie. Mik|roph|thal|mus der; -, ...mi: angeborene krankhafte Kleinheit des Auges (Med.). Mik|ro|phyll das; -s, -en: kleines, ungegliedertes Blättchen (Bot.). Mik|ro|phy|sik die; -: Physik der Moleküle u. Atome; Ggs. ↑Makrophysik. mik|ro|phy|si|ka|lisch: die Mikrophysik betreffend. Mik|ro|phyt der; -en, -en (meist Plural): pflanzlicher Mikroorganismus (z.B. Pilze, Algen, Bakterien; Biol.; Med.); Ggs. ↑Makrophyt. Mik|ro|pol|ly|pho|nie, auch: ...fonie ⟨von G. Ligeti geprägt⟩ die; -: das Erzeugen von sehr feinen ↑polyphonen (2) Klangfeldern (in einem Zwischenbereich zwischen Klang u. Geräusch; Mus.). Mik|ro|prä|pa|rat das; -[e]s, -e: zur mikroskopischen Untersuchung angefertigtes botanisches od. zoologisches Präparat (Bot.; Zool.). Mik|ro|pro|zes|sor der; -s, -en: ↑standardisierter Baustein eines Mikrocomputers, der Rechen- u. Steuerfunktion in sich vereint (Techn.). Mik|rop|sie die; -, ...ien: Sehstörung, bei der die Gegenstände kleiner wahrgenommen werden, als sie sind (Med.); Ggs. ↑Makropsie. Mik|ro|py|le die; -, -n: 1. kleiner Kanal der Samenanlage, durch den der Pollenschlauch zur Befruchtung eindringt (Bot.). 2. kleine Öffnung in der Eihülle, durch die bei der Befruchtung der Samenfaden eindringt u./od. die der Ernährung dient. Mik|ro|ra|di|o|me|ter das; -s, -: Messgerät für kleinste Strahlungsmengen. mik|ro|seis|misch: nur mit Messinstrumenten wahrnehmbar (von Erdbeben). Mik|ro|skop das; -s, -e: optisches Vergrößerungsgerät; Gerät, mit dem man sehr kleine Objekte vergrößert sehen kann. Mik|ro|sko|pie die; -: Verwendung des Mikroskops zu wissenschaftlichen Untersuchungen; mik|ro|sko|pie|ren: mit dem Mikroskop arbeiten. mik|ro|sko|pisch: 1. nur mithilfe des Mikroskop erkennbar. 2. verschwindend klein, winzig. 3. die Mikroskopie betreffend, mithilfe des Mikroskops. Mik|ros|mat der; -en, -en: schlecht witternder Säugetier; Ggs. ↑Makrosmat. Mik|ro|som das; -s, -en (meist Plural): kleinstes lichtbrechendes Körnchen im Zellplasma (↑Ribosom u. ↑Lysosom; Biol.). Mik|ro|so|mie die; -: Zwerg-

wuchs (Med.); Ggs. ↑Makrosomie. Mik|ro|so|zi|o|lo|gie die; -: Teilbereich der ↑Soziologie, in dem kleinste ↑soziologische Gebilde unabhängig von gesamtgesellschaftlichen Zusammenhängen untersucht, analysiert werden; Ggs. ↑Makrosoziologie. Mik|ro|spo|re die; -, -n (meist Plural): a) kleine männliche Spore einiger Farnpflanzen; b) Pollenkorn der Blütenpflanzen. Mik|ro|spo|rie die; -, ...ien: Kopfhautflechte (Med.). Mik|ro|sto|mie die; -, ...ien: angeborene Kleinheit des Mundes (Med.). Mik|ro|tal|si|me|ter das; -s, -: Gerät zur Registrierung von Längen- u. Druckänderungen u. der damit bewirkten Änderung des elektrischen Widerstandes (Elektrot.; Phys.). Mik|ro|the|lo|rie die; -, -n: Teilbereich der wirtschaftswissenschaftlichen Theorie, dessen Erkenntnisobjekt die Einzelgebiete der Volkswirtschaft od. einzelne Wirtschaftseinheiten sind; Ggs. ↑Makrotheorie. Mik|ro|tie die; -, ...ien: abnorme Kleinheit der Ohrmuschel (Med.); Ggs. ↑Makrotie. Mik|ro|tom der od. das; -s, -e: Präzisionsgerät zur Herstellung feinster Schnitte für mikroskopische Untersuchungen (bes. Biol.; Med.). Mik|ro|to|po|nym das; -s, -e: Flurname. Mik|ro|to|po|ny|mie die; -: Gesamtheit der Flurnamen [eines bestimmten Gebietes]. Mik|rot|ron* das; -s, -s od. ...one: Kreisbeschleuniger für ↑[1]Elektronen. Mik|ro|wel|le die; -, -n: 1. (meist Plural) elektromagnetische Welle mit einer Länge zwischen 10 cm u. 1 mm, die bes. in der Radartechnik, zur Wärmeerzeugung u.a. eingesetzt wird (Elektrot.). 2. (ohne Plural) Bestrahlung mit Mikrowellen. 3. (ugs.) kurz für ↑Mikrowellenherd. Mik|ro|wel|len|herd der; -[e]s, -e: Gerät bes. zum Auftauen u. Erwärmen von Speisen in wenigen Minuten mithilfe von Mikrowellen. Mik|ro|zen|sus ⟨gr.; lat.⟩ der; - [...zu:s]: statistische Repräsentativerhebung der Bevölkerung u. des Erwerbslebens. Mik|ro|ze|phal ⟨gr.-nlat.⟩: kleinköpfig (Med.); vgl. makrozephal. Mik|ro|ze|pha|le der u. die; -n, -n: jmd., der einen abnorm kleinen Kopf hat; Kleinköpfige[r] (Med.); Ggs. ↑Makrozephale. Mik|ro|ze|pha|lie die; -, ...ien: abnorme Kleinheit des

Kopfes (Abflachung des Hinterschädels u. fliehende Stirn) (Med.); Ggs. ↑Makrozephalie.

Mik|ro|zyt *der;* -en, -en (meist Plural): abnorm kleines rotes Blutkörperchen (z.B. bei ↑Anämie; Med.)

Mik|ti|on *⟨lat.⟩ die;* -, -en: Harnlassen (Med.)

Mik|we *⟨hebr.⟩ die;* -, Mikwaot u. -n: Ritualbad der Juden

Mi|lan [auch: ...la:n] *⟨lat.-vulgär-lat.-provenzal.-fr.⟩ der;* -s, -e: weit verbreitete Greifvogelgattung mit gegabeltem Schwanz

Mi|la|ne|se ⟨nach der ital. Stadt Milano (Mailand)⟩ *der;* -s, -n: maschenfeste, sehr feine Wirkware

Mi|las *der;* -, -: handgeknüpfter, sehr bunter Gebetsteppich aus der südwesttürk. Stadt Milâs

Mi|les glo|ri|o|sus *⟨lat.;* „ruhmrediger Soldat" (Titelheld eines Lustspiels von Plautus)⟩ *der;* - -: Aufschneider, Prahlhans

mi|li|ar *⟨lat.⟩:* hirsekorngroß (z.B. von ↑Tuberkeln 2; Med.). **Mi|li|a|ria** *⟨lat.-nlat.⟩ die* (Plural): mit Flüssigkeit gefüllte Hautbläschen, die bei starkem Schwitzen im Gefolge von fieberhaften Erkrankungen auftreten; Frieselausschlag (Med.). **Mi|li|ar|tu|ber|ku|lo|se** *die;* -,-n: meist rasch tödlich verlaufende Allgemeininfektion des Körpers mit kleinsten Herden in fast allen Organen (Med.)

Mi|li|eu [mi'ljø:] *⟨lat.-fr.⟩ das;* -s, -s: 1. [soziales] Umfeld, Umgebung. 2. Lebensraum von Pflanzen, Tieren, Kleinstlebewesen u.Ä. 3. (österr. veraltend) kleine Tischdecke. 4. a) (bes. schweiz.) Dirnenwelt; b) Stadtteil, Straße, in der Dirnen ihren Wirkungskreis haben. **Mi|li|eu|the|o|rie** *die;* -: Theorie, nach der das Milieu im Gegensatz zum Ererbten der allein entscheidende Faktor für die seelische u. charakterliche Entwicklung des Menschen sei (Psychol.)

mi|li|tant *⟨lat.⟩:* mit kriegerischen Mitteln für eine Überzeugung kämpfend; streitbar. **Mi|li|tanz** *die;* -: militantes Verhalten, militante Einstellung. **¹Mi|li|tär** *⟨lat.-fr.⟩ das;* -s: 1. Heer[wesen], Gesamtheit der Soldaten eines Landes. 2. (eine bestimmte Anzahl von) Soldaten. **²Mi|li|tär** *der;* -s, -s: (meist Plural) hoher Offizier. **Mi|li|tär|aka|de|mie** *die;* -, -n: ↑Akademie (2) zur Aus- u. Weiterbildung von Soldaten u. Be-

amten der Militärverwaltung. **Mi|li|tär|at|ta|ché** [...ʃe:] *⟨lat.-fr.; fr.⟩ der;* -s, -s: einer diplomatischen Vertretung zugeteilter Offizier. **Mi|li|tär|ba|sis** *die;* -, ...basen: Ort od. Gelände als Stützpunkt militärischer Operationen. **Mi|li|tär|dik|ta|tur** *die;* -, -en: ↑Diktatur, in der ²Militärs die Herrschaft innehaben. **Mi|li|tär|es|kor|te** *die;* -, -n: von ¹Militär (2) gebildete ↑Eskorte. **Mi|li|tär|ge|o|gra|phie***, auch: ...grafie *die;* -: Zweig der Geographie u. der Militärwissenschaft, der sich mit der Verwendung geographischer Kenntnisse für militärische Zwecke befasst. **Mi|li|tär|ge|o|gra|phie**

Mi|li|ta|ria *⟨lat.⟩ die* (Plural): 1. (veraltet) Heeresangelegenheiten. 2. Gegenstände, die mit dem Militär zusammenhängen. Bücher über das Militär.

mi|li|tä|risch *⟨lat.-fr.⟩:* 1. das ¹Militär betreffend; vgl. zivil (1). 2. a) schneidig, forsch, soldatisch; b) streng geordnet. **mi|li|ta|ri|sie|ren**: militärische Anlagen errichten, Truppen aufstellen, das Heerwesen [eines Landes] organisieren. **Mi|li|ta|ris|mus** *der;* -: Zustand des Übergewichts militärischer Grundsätze, Ziele u. Wertvorstellungen in der Politik eines Staates u. die Übertragung militärischer Prinzipien auf alle Lebensbereiche. **Mi|li|ta|rist** *der;* -en, -en: Anhänger des Militarismus. **mi|li|ta|ris|tisch**: a) im Geist des Militarismus; b) den Militarismus betreffend. **Mi|li|tär|jun|ta** [...xunta, auch: ...junta] *⟨lat.-fr.; lat.-span.⟩ die;* -, ...ten: Regierung von Offizieren, die meist durch einen militärischen Handstreich, durch Putsch an die Macht gekommen sind; vgl. Junta. **Mi|li|tär|kon|ven|ti|on** *⟨lat.-fr.⟩ die;* -, -en: militärische zwischenstaatliche Vereinbarung. **Mi|li|tär|mis|si|on** *die;* -, -en: a) ins Ausland entsandte Gruppe von Offizieren, die andere Staaten in militärischen Fragen beraten; b) Gebäude, in dem eine Militärmission (a) befindet. **Mi|li|tär|per|spek|ti|ve*** *die;* -: Form der ↑Axonometrie, bei der die Grundrissebene unverzerrt dargestellt wird. **Mi|li|tär|po|li|zei** *die;* -: militärischer Verband mit polizeilicher Funktion. **Mi|li|tär|tri|bu|nal** *das;* -s, -e: Militärgericht zur Aburteilung militärischer Straftaten. **Mi|li|tär|ry** ['mılıtərı] *⟨lat.-fr.-engl.⟩ die;* -, -s:

reitsportliche Vielseitigkeitsprüfung (bestehend aus Dressurprüfung, Geländeritt u. Jagdspringen). **Mi|li|ta|ry Po|lice** ['mılıtərı pə'li:s] *⟨engl.⟩ die;* - -: Militärpolizei (der britischen od. der US-Streitkräfte; Abk.: MP)

Mi|li|um *⟨lat.⟩ das;* -s, ...ien (meist Plural): Hautgrieß (Med.)

Mi|liz *⟨lat.⟩ die;* -, -en: 1. a) (hist.) Heer; b) Streitkräfte, deren Angehörige eine nur kurzfristige militärische Ausbildung haben u. erst im Kriegsfall einberufen werden. 2. (bes. in kommunistisch regierten Ländern) Polizei mit halbmilitärischem Charakter. 3. (schweiz.) Streitkräfte der Schweiz, denen nur Wehrpflichtige angehören. **Mi|li|zi|o|när** *der;* -s, -e: Angehöriger einer Miliz

Milk|shake *⟨engl.⟩ der;* -s, -s: Milchmixgetränk

Mil|le *⟨lat.⟩ das;* , : Tausend (Abk.: M). **Mil|le|fi|o|ri|glas** *⟨lat.-it.; dt.⟩ das;* -es: vielfarbiges, blumenartig gemustertes Kunstglas. **¹Mil|le|fleurs** [mil'flœ:r] *⟨lat.-fr.;* „tausend Blumen") *der;* -: Stoff mit Streublumenmusterung. **²Mil|le|fleurs** *das;* -: Streublumenmuster. **mil|le|nar** *⟨lat.⟩:* (selten) tausendfach,-fältig. **Mil|le|na|ris|mus** *⟨lat.-nlat.⟩ der;* -: ↑Chiliasmus. **Mil|len|ni|um*** *das;* -s, ...ien: 1. (selten) Jahrtausend. 2. das Tausendjährige Reich der Offenbarung Johannis (20, 2ff.); vgl. Chiliasmus. **Mille-points** [mil'poɛ̃:] *⟨lat.-fr.;* „tausend Punkte") *der* od. *das;* -: mit regelmäßig angeordneten Punkten gemusterter Stoff. **Mil|li|am|pere** [...ampɛ:ʁ] *das,* -s, -: Maßeinheit kleiner elektrischer Stromstärken (Zeichen: mA). **Mil|li|am|pere|me|ter** *das;* -s,-: Gerät zur Messung geringer Stromstärken. **Mil|li|ar|där** *⟨lat.-fr.⟩ der;* -s, -e: Besitzer eines Vermögens von einer Milliarde od. mehr. **Mil|li|ar|de** *der;* -, -n: 1000 Millionen (Abk.: Md., Mrd.). **Mil|li|ards|tel** *das;* -s, -: der milliardste Teil. **Mil|li|bar** *das;* -s, -s (aber: 2 Millibar): (nicht gesetzliche) Maßeinheit des Luftdrucks, ¹/₁₀₀₀ Bar (Zeichen: mbar u. in der Meteorologie: mb). **Mil|li|gramm** *das;* -s, -e (aber: 2 Milligramm): ¹/₁₀₀₀ Gramm (Zeichen: mg). **Mil|li|li|ter** *der* (auch: *das*); -s, -: ¹/₁₀₀₀ Liter (Zeichen: ml). **Mil|li|me** [mi'li:m] *⟨fr.-arab.⟩ der;* -[s], -s (aber: 5 Millime): Untereinheit der Währungseinheit von Tunesien (1 000 Millime = 1 Dinar). **Mil|li|me|ter** [auch: ...'me:tɐ] *der od. das;* -s, -: ¹/₁₀₀₀ Meter (Zeichen: mm). **Mil|li|on** ⟨*lat.-it.*⟩ *die;* -, -en: 1 000 mal 1 000 (Abk.: Mill. u. Mio.). **Mil|li|o|när** ⟨*lat.-it.-fr.*⟩ *der;* -s, -e: Besitzer eines Vermögens von einer Million od. mehr. **Mil|li|on[s]|tel** *das* (schweiz. meist: *der*); -s, -: der millionste Teil. **Mil|li|se|kun|de** *die;* -, -n: ¹/₁₀₀₀ Sekunde (Abk. ms). **Mil|reis** ⟨*lat.-port.*⟩ *das;* -, - (hist.) Währungseinheit in Portugal u. Brasilien (= 1 000 Reis) **Mim|bar** ⟨*arab.*⟩ *der;* -: Predigtkanzel in der Moschee **Mi|me** ⟨*gr.-lat.*⟩ *der;* -n, -n: Schauspieler; vgl. Mimus. **mi|men:** (ugs.) a) ein Gefühl o. Ä. zeigen, das in Wirklichkeit nicht vorhanden ist; vortäuschen; b) so tun, als ob man jmd., etwas sei. **Mi|men:** *Plural* von ↑Mime u. ↑Mimus. **Mi|me|o|graph**, auch: ...graf *der;* -en, -en: (von Edison erfundener) Vervielfältigungsapparat, mit dem man von einer Schrift über 2 000 Abzüge herstellen kann. **Mi|me|se** u. Mimesis *die;* -, ...esen: 1. nachahmende Darstellung der Natur im Bereich der Kunst (Plato, Aristoteles). 2. (in der antiken Rhet.) a) spottende Wiederholung der Rede eines andern; b) Nachahmung eines Charakters dadurch, dass der betreffenden Person Worte in den Mund legt, die den Charakter besonders gut kennzeichnen. 3. (nur Mimese) Schutztracht mancher Tiere, die sich vor allem in der Färbung ihrer Umgebung anpassen können (Biol.); vgl. Mimikry. **Mi|me|sie** ⟨*gr.-nlat.*⟩ *die;* -, ...ien: Nachahmung einer höheren Symmetrie (bei Kristallzwillingen). **Mi|me|sis** vgl. Mimese. **Mi|me|sis** [auch: ...'zɪt] *der;* -s, -e: ein Mineral. **mi|me|tisch** ⟨*gr.-lat.*⟩: 1. die Mimese betreffend, nachahmend, nachäffend. 2. die Mimesie betreffend, durch Mimesie ausgezeichnet. **Mim|iam|ben*** *die* (Plural): [dialogische] in Choliamben geschriebene komische od. satirische Gedichte. **Mi|mik** *die;* -: Gebärden- u. Mienenspiel des Gesichts [des Schauspielers] als Nachahmung fremden od. als Ausdruck eigenen seelischen Erlebens. **Mi|mi|ker** *der;* -s, -: ↑Mimus (1). **Mi|mik-ry*** [...kri] ⟨*gr.-lat.-engl.;* „Nachahmung"⟩ *die;* -: 1. Selbstschutz von Tieren, der dadurch erreicht

wird, dass das Tier die Gestalt, die Färbung, Zeichnung wehrhafter od. nicht genießbarer Tiere täuschend nachahmt. 2. der Täuschung u. dem Selbstschutz dienende Anpassung[sgabe]. **mi|misch** ⟨*gr.-lat.*⟩: a) die Mimik betreffend; b) den Mimen betreffend; c) schauspielerisch, von Gebärden begleitet. **Mi|mo|dram*** u. **Mi|mo|dra|ma** ⟨*gr.-nlat.*⟩ *das;* -s, ...men: 1. ohne Worte, nur mithilfe der Mimik aufgeführtes Drama (Literaturw.). 2. (veraltet) Schauspiel aus Kunstreitern usw. **Mi|mo|se** ⟨*gr.-lat.-nlat.*⟩ *die;* -, -n: 1. hoher Baum mit gefiederten Blättern, dessen gelbe Blüten wie kleine Kugeln an Rispen hängen; Silberakazie. 2. (im tropischen Brasilien) als großer Strauch wachsende, rosaviolett blühende Pflanze, die ihre gefiederten Blätter bei der geringsten Erschütterung abwärts klappt; Sinnpflanze. 3. überempfindlicher, leicht zu kränkender Mensch. **mi|mo|sen|haft:** überaus empfindlich, verletzlich; verschüchtert. **Mi|mus** ⟨*gr.-lat.*⟩ *der;* -, ...men: 1. Darsteller in Mimen (vgl. Mimus 2). 2. in der Antike [improvisierte] derb-komische Szene aus dem täglichen Leben auf der Bühne. 3. (ohne Plural) ↑Mimik

Mi|na|rett ⟨*arab.-türk.-fr.*⟩ *das;* -s, -e u. -s: schlanker Turm einer Moschee (zum Ausrufen der Gebetsstunden) **Mi|nau|d|rie*** [mino'dri:] ⟨*fr.*⟩ *die;* -: (veraltet) geziertes Benehmen **Min|cha** ⟨*hebr.;* „Gabe"⟩ *die;* -: 1. unblutiges Opfer im Alten Testament. 2. jüd. Nachmittagsgebet **¹Mi|ne** ⟨*kelt.-mlat.-fr.*⟩ *die;* -, -n: 1. unterirdischer Gang. 2. Bergwerk; unterirdische Erzvorkommen. 3. stäbchenförmige Bleistift-, Kugelschreibereinlage. 4. gegen Personen, Landfahrzeuge u. Schiffe einsetzbarer Sprengkörper, der meist massenweise im Gelände bzw. im Wasser verlegt wird **²Mi|ne** ⟨*gr.-lat.*⟩ *die;* -, -n: 1. altgriechische Gewichtseinheit. 2. altgriechische Münze **Mi|ne|ral** ⟨*kelt.-mlat.*⟩ *das;* -s, -e u. -ien [...jən]: geol. u. chemisch u. physikalisch einheitliche, natürlich gebildete Stoff der Erdkruste. **Mi|ne|ral|fa|zi-es** *die;* -, - [...e:s]: gleichförmige Ausbildung von Gesteinen verschiedener Herkunft (Geol.).

Mi|ne|ra|li|sa|ti|on ⟨*kelt.-mlat.-fr.-nlat.*⟩ *die;* -, -en: Vorgang der Mineralbildung (Geol.); vgl. Mineralisierung; vgl. ...[at]ion/...ierung. **Mi|ne|ra|li|sa|tor** *der;* ...toren: verdunstender Bestandteil einer Gesteinsschmelze (Geol.). **mi|ne|ra|lisch:** a) aus Mineralien entstehend; b) Mineralien enthaltend. **mi|ne|ra|li|sie|ren:** Mineralbildung bewirken; zum Mineral werden. **Mi|ne|ra|li|sie|rung** *die;* -, -en: Umwandlung von organischer in anorganische Substanz; vgl. Mineralisation: vgl. ...[at]ion/...ierung. **Mi|ne|ral|ma|le|rei** *die;* -, -en: Herstellung von wetterfesten Fresken u. Ölgemälden mit Mineralfarben. **Mi|ne|ra|lo|ge** ⟨*kelt.-mlat.-fr.; gr.*⟩ *der;* -n, -n: Kenner u. Erforscher der Mineralien u. Gesteine. **Mi|ne|ra|lo|gie** *die;* -: Wissenschaft von der Zusammensetzung der Mineralien u. Gesteine, ihrem Vorkommen u. ihren Lagerstätten. **mi|ne|ra|lo|gisch:** die Mineralogie betreffend. **Mi|ne|ral|öl** *das;* -s, -e: durch ↑Destillation von Erdöl erzeuger Kohlenwasserstoff (z. B. Heizöl, Benzin, Bitumen). **Mi|ne|ral|quel|le** *die;* -, -n: Quelle, in deren Wasser eine bestimmte Menge an Mineralsalz od. Kohlensäure gelöst ist. **Mi|ne|ral|salz** *das;* -es, -e: ↑anorganisches Salz, das sowohl in der Natur vorkommt als auch künstlich hergestellt wird. **Mi|ne|ral|säu|re** *die;* -, -en: anorganische Säure (z. B. Phosphor-, Schwefelsäure; Chem.). **Mi|ne|ral|was|ser** *das;* -s, ...wässer: 1. Wasser, dem Mineralsalze u./od. Kohlensäure zugesetzt wurden. 2. Wasser einer Mineralquelle. **mi|ne|ro|gen** ⟨*lat.-mlat.-fr.; gr.*⟩: aus anorganischen Bestandteilen entstanden **Mi|nest|ra*** ⟨*it.*⟩ *die;* -, ...ren u. 1. ↑Minestrone. 2. (österr.) Kohlsuppe. **Mi|nest|ro|ne** *die;* -, -n: italienische Gemüsesuppe mit Reis und Parmesankäse **Mi|ne|tte** ⟨*kelt.-mlat.-fr.*⟩ *die;* -, -n: 1. dunkelgraues, in gangförmiger Lagerung auftretendes Gestein. 2. eisenhaltige, ausbauwürdige Schichten des mittleren ↑²Juras in Lothringen u. Luxemburg **mi|neur** [mi'nø:ɐ] ⟨*lat.-fr.*⟩: franz Bez. für ↑¹Moll ; Ggs. ↑majeur **Mi|neur** [mi'nø:ɐ] *der;* -s, -e: im Minenbau ausgebildeter Pionier (Mil.) **mi|ni** ⟨*lat.-it.-fr.-engl.;* Kurzform von *engl.* miniature): sehr kurz, [weit] oberhalb des Knies endend (auf Kleider, Röcke od. Mäntel bezogen); Ggs. ↑maxi, ↑midi. **¹Mi̱|ni** *das;* -s, -s: 1. (ohne Plural) a) [weit] oberhalb des Knies endende, sehr kurze Kleidung; b) (von Röcken, Kleidern, Mänteln) Länge, die [weit] oberhalb des Knies endet. 2. (ugs.) Kleid, das [weit] oberhalb des Knies endet; Minikleid. **²Mi̱|ni** *der;* -s, -s: (ugs.) Rock, der [weit] oberhalb des Knies endet; Minirock. **Mi̱|ni|a̱|tor** *⟨lat.-it.-nlat.⟩ der;* -s, ...oren: Handschriften-, Buchmaler. **Mi̱|ni|a̱|tur** *⟨lat.-it.⟩ die;* -, -en: 1. a) Bild od. Zeichnung als Illustration einer [alten] Handschrift od. eines Buches; b) zierliche Kleinmalerei, kleines Bild[nis]. 2. Schachproblem, das aus höchstens 7 Figuren gefügt ist. **mi̱|ni|a|tu̱|ri|sie̱|ren:** verkleinern (von elektronischen Elementen). **Mi̱|ni|a|tu̱|ri|sie̱|rung** *die;* -, -en: Verkleinerung, Kleinbauweise (z. B. von elektronischen Anlagen, Kameras u. Ä.). **Mi̱|ni|bi|ki̱|ni** *der;* -s, -s: äußerst knapper, den Körper nur so wenig wie möglich bedeckender ↑Bikini. **Mi̱|ni|break** [...breɪk] *der od. das;* -s, -s: Gewinn eines Punkts im Tiebreak gegen den aufschlagenden Spieler. **Mi̱|ni|car** *⟨engl.; „Kleinstwagen"⟩ der;* -s,-s: 1. Kleintaxi. 2. selbst gebasteltes Fahrzeug ohne Motor [mit dem Wettbewerbe ausgetragen werden] **mi̱|ni|ie̱|ren** *⟨kelt.-mlat.-fr.⟩:* unterirdische Gänge, Stollen anlegen; vgl. ¹Mine (1) **Mi̱|ni|golf** *⟨lat.; schott.⟩ das;* -s: Kleingolf, Bahnengolf (Sport). **Mi̱|ni|ki̱|ni** *der;* -s, -s: Badebekleidung für Damen, die nur aus einer Art ↑Slip (3) besteht. **mi̱nim** *⟨lat.⟩:* (veraltet) geringfügig, minimal. **Mi̱|ni|ma** *die;* -, ...ae [...ɛ] u. ...men: kleiner Notenwert der Mensuralmusik (entspricht der halben Taktnote). **mi̱|ni|mal** *⟨lat.-nlat.⟩:* a) sehr klein, sehr wenig, niedrigst; b) mindestens. **Mi̱|ni|mal** *das;* -s, -e: ↑Minimalproblem. **Mi̱|ni|mal|art** ['mɪnɪmɐl'ɑːt] *⟨engl.⟩ die;* -, auch: **Mi̱|ni|mal Art** *die;* - -: amerik. Kunstrichtung, die Formen u. Farbe auf die einfachsten Elemente reduziert. **mi̱|ni|ma̱|li|sie̱|ren:** a) so klein wie möglich machen, stark reduzieren, vereinfachen; b) abwerten, geringschätzen. **Mi̱|ni|ma̱|li|sie̱|rung**

die; -, -en: Vereinfachung; Reduzierung auf die elementaren Bestandteile. **Mi̱|ni|ma̱|li̱st** *der;* -en, -en: Vertreter der Minimal art (Kunstw.). **Mi̱|ni|ma̱l|mu̱|sic** ['mɪnɪməl 'mjuːzɪk] *⟨engl.⟩ die;* -, auch: **Mi̱|ni|mal Mu̱|sic** *die;* - -: Musikrichtung, die mit unaufhörlicher Wiederholung u. geringster ↑Variation einfachster Klänge arbeitet. **Mi̱|ni|ma̱l|paar** *das;* -[e]s, -e: zwei sonst gleiche sprachliche Einheiten, die durch ein einziges, den Bedeutungsunterschied bewirkendes Merkmal unterschieden sind (z. B. *tot/rot*) (Sprachw.). **Mi̱|ni|ma̱l|problem*** *das;* -s, -e: Schachproblem, bei dem eine Seite außer dem König nur noch eine Figur zur Verfügung hat. **Mi̱|ni|ma̱x|prinzip** *das;* -s: spieltheoretisches Prinzip der Vorsicht, das dem Spieler denjenigen Gewinn garantiert, den er unter Berücksichtigung der für ihn ungünstigsten Reaktionen des Gegners in jedem Fall erzielen kann. **Mi̱|ni|ma̱x|the̱o|rem** *das;* -s: math. Lehrsatz der Spieltheorie, nach dem der Spieler nur dann ihren eigenen Anteil am Gesamtergebnis maximieren können, wenn sie den des Gegners zu minimieren vermögen. **mi̱|ni|mie̱|ren:** so weit wie möglich verringern, verkleinern. **Mi̱|ni|mie̱|rung** *die;* -, -en: Verringerung, Verkleinerung. **Mi̱|ni|mum** *⟨lat.; „das Geringste, Mindeste"⟩ das;* -s, ...ma: 1. geringstes, niedrigstes Maß; Mindestmaß; Ggs. ↑Maximum (1). 2. a) unterer Extremwert (Math.); Ggs. ↑Maximum (2 a); b) niedrigster Wert (bes. der Temperatur) eines Tages, einer Woche usw. od. einer Beobachtungsreihe (Meteor.); Ggs. ↑Maximum (2 b). 3. Kern eines Tiefdruckgebiets (Meteor.); Ggs. ↑Maximum (3). **Mi̱|ni|mum|ther|mo|me̱|ter** *das;* -s, -: ↑Thermometer, mit dem der niedrigste Wert zwischen zwei Messungen festgestellt wird. **Mi̱|ni|mum vi|si̱|bi̱|le** *das;* - -, Minima visibilia : kleinster, gerade noch empfindbarer Sehreiz (Psychol.). **Mi̱|ni|pi̱l|le** *die;* -, -n: ↑Antibabypille mit sehr geringer Hormonmenge. **Mi̱|ni|rock** *der;* -[e]s, ...röcke: sehr kurzer Rock. **Mi̱|ni|ski** *der;* -s, - u. -er: äußerst kurzer ↑Ski für Anfänger im Skilaufen. **Mi̱|ni|spi̱|lon** *der;* -[e]s, -e: Kleinstabhörgerät **Mi̱|ni|ster** *⟨lat.-fr.; „Diener"⟩ der;*

-s, -: Mitglied der Regierung eines Staates od. Landes, das einen bestimmten Geschäftsbereich verwaltet. **mi̱|nis|te̱|ri|al:** von einem Ministerium ausgehend, zu ihm gehörend; vgl. ...al/ ...ell. **Mi̱|nis|te̱|ri|al|di̱|rek|tor** *der;* -s, -en: Abteilungsleiter in einem Ministerium. **Mi̱|nis|te̱|ri|al|di̱|ri|gent** *der;* -en, -en: Unterabteilungsleiter, Referatsleiter in einem Ministerium. **Mi̱|nis|te̱|ri|a̱l|le** *der;* -n, -n: Angehöriger des mittelalterlichen Dienstadels. **Mi̱|nis|te̱|ri|a|li̱|tät** *⟨lat.-nlat.⟩ die;* -: mittelalterliche Dienstadel. **mi̱|nis|te̱|ri|e̱ll** *⟨lat.- mlat.-fr.⟩:* a) einen Minister betreffend; b) ein Ministerium betreffend; vgl. ...al/...ell. **Mi̱|nis|te̱|ri|um** *⟨lat.-fr.⟩ das;* -s, ...ien: höchste Verwaltungsbehörde eines Staates od. Landes mit einem bestimmten Aufgabenbereich (Wirtschaft, Justiz u. a.). **Mi̱|nis|ter|prä̱|si|dent** *der;* -en, -en: 1. Leiter einer Landesregierung. 2. Leiter der Regierung in bestimmten Staaten. **mi̱|nist|ra̱|bel*** *⟨lat.-nlat.⟩:* befähigt, Minister zu werden. **Mi̱|nist|ra̱nt** *der;* -en, -en: katholischer Messdiener. **mi̱|nist|rie̱|ren*:** bei der Messe dienen **Mi̱|ni|um** *⟨lat.⟩ das;* -s: Mennige **Mi̱nk** *⟨engl.⟩ der;* -s, -e: nordamerikanische Marderart, Nerz **mi̱|no̱isch** ⟨nach dem kretischen Sagenkönig Minos): die Kultur Kretas von etwa 3000 bis 1200 v. Chr. (vor der Besiedlung durch griechische Stämme) betreffend **Mi̱|nor** (eigtl.: minor terminus; *lat.*⟩ *der;* -: der „kleinere, engere Begriff" im ↑Syllogismus (Logik) **Mi̱|no̱|rat** *⟨lat.-nlat.⟩ das;* -[e]s, -e: 1. Vorrecht des Jüngsten auf das Erbgut; Jüngstenrecht. 2. nach dem Jüngstenrecht zu vererbendes Gut; vgl. Majorat (Rechtsw.). **mi̱|no̱|re** *⟨lat.-it.⟩:* (veraltet) minderjährig, unmündig; Ggs. ↑majoren. **Mi̱|no̱|re** *das;* -s, -s: Molltonart; Mittelteil in Moll eines Tonsatzes in Dur. **mi̱|no̱|re̱nn** *⟨lat.-mlat.⟩:* (veraltet) minderjährig, unmündig; Ggs. ↑majorenn. **Mi̱|no̱|re̱n|ni̱|tät** *die;* -: (veraltet) Minderjährigkeit, Unmündigkeit (Rechtsw.); Ggs. ↑Majorennität. **Mi̱|no̱|ri̱st** *⟨lat.-nlat.⟩ der;* -en, -en: katholischer Kleriker der niederen Weihegrade. **Mi̱|no̱|ri̱t** *⟨„Geringerer"⟩ der;* -en, -en: ↑Franziskaner, insbesondere Angehöriger des Zweigs der

↑ Konventualen (2). **Mi|no|ri|tät** ⟨*lat.-mlat.-fr.*⟩ *die;* -, -en: Minderzahl, Minderheit; Ggs. ↑ Majorität

Mi|nor|ka ⟨nach der Insel Menorca⟩ *das;* -[s], -s: engl. Hühnerrasse spanischen Ursprungs

Mi|nst|rel* ⟨*lat.-fr.-engl.*⟩ *der;* -s, -s: 1. mittelalterlicher Spielmann u. Sänger in England im Dienste eines Adligen; vgl. Menestrel. 2. fahrender Musiker od. Sänger im 18. u. 19. Jh. in den USA

Mint|so|ße ⟨*engl.*⟩ *die;* -, -n: (bes. in England beliebte) würzige Soße aus Grüner Minze (Gastr.)

Mi|nu|end ⟨*lat.*⟩ *der;* -en, -en: Zahl, von der etwas abgezogen werden soll. **Mi|nu|et|to** ⟨*lat.-it.*⟩ *das;* -s, -s u. ...tti: ital. Bezeichnung für ↑ Menuett. **mi|nus** ⟨*lat.*⟩: 1. weniger (Math.) (Zeichen: −). 2. unter dem Gefrierpunkt liegend. 3. negativ (Elektrot.). 4. abzüglich (Wirtsch.). **Mi|nus** *das;* -, -: 1. Verlust, Fehlbetrag. 2. Mangel, Nachteil. **Mi|nus|kel** *die;* -, -n: Kleinbuchstabe; Ggs. ↑ Majuskel. **Mi|nus-mann** *der;* -[e]s, ...männer: Mann mit dominant negativen Eigenschaften. **Mi|nus|typ** *der;* -s, -en: Person mit dominant negativen Eigenschaften. **Mi|nu|te** ⟨*lat.-mlat.*⟩ *die;* -, -n: 1. 160 Stunde; Zeichen: min (für die Uhrzeit: ᵐⁱⁿ od. ᵐ, veraltet: m) (Abk.: Min.). 2. 160 Grad; (Zeichen: ') (Math.). **mi|nu|ti|ös** [minu-'tsjø:s] vgl. minuziös. **mi|nüt|lich** (seltener) u. **mi|nüt|lich**: jede Minute. **Mi|nu|zi|en** ⟨*lat.*⟩ *die* (Plural): (veraltet) Kleinigkeiten, Nichtigkeiten. **Mi|nu|zi|en-stift** *der;* -[e]s, -e: Aufstecknadel für Insektensammlungen. **mi-nu|zi|ös** ⟨*lat.-fr.*⟩: 1. peinlich genau, äußerst gründlich. 2. (veraltet) kleinlich

Mi|o|sis ⟨*gr.-nlat.*⟩ *die;* -, ...sen: Pupillenverengung (Med.). **Mi-o|ti|kum** *das;* -s, ...ka: pupillenverengendes Mittel. **mi|o|tisch**: pupillenverengend (Med.)

mi|o|zän ⟨*gr.-nlat.*⟩: das Miozän betreffend. **Mi|o|zän** *das;* -s: zweitjüngste Abteilung des ↑ Tertiärs (Geol.)

Mi-par|ti ⟨*lat.-fr.;* „halb geteilt"⟩ *das;* -: „geteilte Tracht"; [Männer]kleidung des Mittelalters mit in Farbe u. Form verschiedener rechter u. linker Seite

¹Mir ⟨*russ.*⟩ *der;* -s: (bis 1917) russische Dorfgemeinschaft; Gemeinschaftsbesitz einer Dorfgemeinde

²Mir ⟨*russ.;* „Frieden"⟩: Name einer russischen Raumstation

³Mir ⟨*pers.*⟩ *der;* -[s], -s: kostbarer persischer Teppich mit dem Palmwedelmuster ↑ Miri

Mi|ra|bel|le ⟨*fr.*⟩ *die;* -, -n: gelbe, kleinfruchtige, süße Pflaume[nart]

mi|ra|bi|le dic|tu ⟨*lat.;* „wundersam zu sagen"⟩: kaum zu glauben. **Mi|ra|bi|li|en** ⟨*lat.*⟩ *die* (Plural): (veraltet) Wunderdinge. **Mi|ra-bi|lit** *der;* -s: Glaubersalz; kristallisiertes Natriumsulfat. **Mirage** [mi'ra:ʒ] ⟨*lat.-fr.*⟩ *die;* -, -n: 1. a) Luftspiegelung (Meteor.); b) (veraltet) leichter Selbstbetrug, Selbsttäuschung. 2. Name einer Reihe französischer Kampfflugzeuge. **Mi|ra|kel** ⟨*lat.*⟩ *das;* -s, -: 1. Wunder, wunderbare Begebenheit; Gebetserhörung (an Wallfahrtsorten). 2. mittelalterliches Drama über Marien- u. Heiligenwunder; Mirakelspiel. **mi|ra|ku|lös**: (veraltet) durch ein Wunder bewirkt. **Mi|ra|stern** ⟨nach dem Stern Mira⟩ *der;* -[e]s, -e: Stern, dessen Helligkeitsperiode zwischen 80 und 1000 Tagen liegt

Mir|ban|öl ⟨*fr; dt.*⟩ *das;* -[e]s: nach Bittermandelöl riechende sehr giftige aromatische Nitroverbindung

Mi|re ⟨*lat.-fr.*⟩ *die;* -, -n: Meridianmarke zur Einstellung des Fernrohrs in Meridianrichtung

Mi|ri ⟨*pers.*⟩ *das;* -[s]: [Teppich]muster, bestehend aus regelmäßig angeordneten, an der Spitze geknickten Palmblättern

Mir|za ⟨*pers.;* „Fürstensohn"⟩ *der;* -s, -s: persischer Ehrentitel (vor dem Namen: „Herr"; hinter dem Namen: „Prinz")

Mi|sand|rie* ⟨*gr.*⟩ *die;* -: krankhafter Männerhass (von Frauen) (Psychol.; Med.). **Mi|santh|rop** *der;* -en, -en: Menschenfeind, -hasser; Ggs. ↑ Philanthrop. **Mi-santh|ro|pie** *die;* -: Menschenhass, -scheu; Ggs. ↑ Philanthropie. **mi|santh|ro|pisch**: menschenfeindlich, menschenscheu; Ggs. ↑ philanthropisch

Mis|cel|la|nea ⟨*lat.*⟩ *die* (Plural): ↑ Miszellaneen

Misch|na ⟨*hebr.;* „Unterweisung"⟩ *die;* -: Sammlung der jüd. Gesetzeslehre aus dem 2. Jh. n. Chr. (Grundlage des ↑ Talmuds)

Misch|po|che u. **Misch|po|ke** ⟨*hebr.-jidd.*⟩ *die;* -: (ugs. abschätzig) a) jmds. Familie, Verwandtschaft; b) üble Gesellschaft;

Gruppe von unangenehmen Leuten

Mi|se ⟨*lat.-fr.*⟩ *die;* -, -n: 1. einmalige Prämie bei der Lebensversicherung. 2. Spieleinsatz beim Glücksspiel. **Mise en scène** [mizã'sɛn] ⟨*fr.*⟩ *die;* - - -, -s - - [mizã'sɛn]: (selten) Inszenierung

mi|se|ra|bel ⟨*lat.-fr.*⟩: (ugs.) a) auf ärgerliche Weise sehr schlecht; b) erbärmlich; c) moralisch minderwertig, niederträchtig, gemein. **Mi|se|re** *die;* -, -n: Elend, Unglück, Notsituation, -lage. **Mi|se|re|or** ⟨*lat.;* „ich erbarme mich"⟩ *das;* -[s]: katholische Organisation, die mit einem jährlichen Fastenopfer der deutschen Katholiken den Menschen in den Entwicklungsländern helfen will (seit 1959). **Mi|se|re|re** („erbarme dich!"⟩ *das;* -s: 1. Anfang und Bezeichnung des 51. Psalms (Bußpsalm) in der ↑ Vulgata. 2. Koterbrechen bei Darmverschluss (Med.). **Mi|se|ri|cor|di-as Do|mi|ni** ⟨nach dem alten ↑ Introitus des Gottesdienstes, Psalm 89,2: „die Barmherzigkeit des Herrn"⟩: zweiter Sonntag nach Ostern. **Mi|se|ri|kor|die** [...djə] *die;* -, -n: [mit Schnitzereien versehener] Vorsprung an den Klappsitzen des Chorgestühls als Stütze während des Stehens. **Mi|se|ri|kor|di|en|bild** *das;* -[e]s, -er: Darstellung Christi als Schmerzensmann (bildende Kunst)

Mi|so ⟨*jap.*⟩ *das;* -s, -s: Paste aus fermentierten ↑ Sojabohnen

Mi|so|gam ⟨*gr.*⟩ *der;* -s u. -en, -e[n]: Ehefeind. **Mi|so|ga|mie** *die;* -: Ehescheu (Med.; Psychol.). **Mi|so|gyn** *der;* -s u. -en, -e[n]: Frauenfeind (Med.; Psychol.). **Mi|so|gy|nie** *die;* -: 1. krankhafter Hass von Männern gegenüber Frauen (Med.; Psychol.). 2. Frauen entgegengebrachte Verachtung, Geringschätzung; Frauenfeindlichkeit. **Mi|so|lo|gie** *die;* -: Hass gegen ↑ Logos; Abneigung gegen vernünftige, sachliche Auseinandersetzung (Philos.). **Mi|so|pä-die** ⟨*gr.-nlat.*⟩ *die;* -, ...ien: krankhafter Hass gegen [die eigenen] Kinder (Med.; Psychol.)

Mis|ra|chi ⟨*hebr.*⟩ *die;* -: besonders im 19. und frühen 20. Jahrhundert verbreitete Organisation orthodoxer Zionisten

Miss ⟨*lat.-fr.-engl.*⟩ *die;* -, -es: 1. (ohne Artikel) englische Anrede für eine (meist unverheiratete) Frau. 2. (veraltet) aus England stammende Erzieherin. 3.

Schönheitskönigin, häufig in Verbindung mit einem Länderod. Ortsnamen (z. B.: Miss Germany)

Mis|sa ⟨lat.-mlat.⟩ die; -, ...ae [...ɛ]: kirchenlat. Bezeichnung der ↑ ¹Messe (1). **¹Mis|sal** ⟨lat.-mlat.⟩ das; -s, -e u. Missale das; -s, -n u. ...alien: Messbuch. **²Mis|sal** die; -: Schriftgrad von 48 Punkt (ungefähr 20 mm Schrifthöhe; Druckw.). **Mis|sa|le** vgl. ¹Missal. **Mis|sa lec|ta** die; --, ...ae [...ɛ] ...ae [...ɛ]: stille od. Lesemesse. **Mis|sa|le Ro|ma|num** das; --: amtliches Messbuch der römisch-katholischen Kirche. **Mis|sa pon|ti|fi|ca|lis** die; --, ...ae [...ɛ] -: ↑ Pontifikalamt. **Mis|sa so|lem|nis** die; --, ...ae [...ɛ] -: feierliches Hochamt

Mis|ses: Plural von Miss

Mis|sile ['mɪsaɪl, auch: 'mɪsl] ⟨engl.⟩ das; -s, -s: Flugkörpergeschoss (Mil.)

Mis|sing|link ⟨engl.; „fehlendes Glied"⟩ das; -s, auch: **Missing Link** das; - -s: 1. fehlende Übergangsform zwischen Mensch u. Affe. 2. fehlende Übergangsform in tierischen u. pflanzlichen Stammbäumen (Biol.)

Mis|sio ca|no|ni|ca ⟨mlat.⟩ die; - -: kirchliche Ermächtigung zur Erteilung des Religionsunterrichts (kath. Kirchenrecht). **Mis|si|on** ⟨lat.-mlat.⟩ die; -, -en: 1. Sendung, [ehrenvoller] Auftrag, innere Aufgabe. 2. Verbreitung einer religiösen Lehre unter Andersgläubigen; **innere Mission:** religiöse Erneuerung u. Sozialarbeit im eigenen Volk. 3. [ins Ausland] entsandte Person[engruppe] mit besonderem Auftrag (z. B. Abschluss eines Vertrages). 4. diplomatische Vertretung eines Staates im Ausland. **Mis|si|o|nar** u. (österr. nur so:) **Mis|si|o|när** ⟨lat.-nlat.⟩ der; -s, -e: in der Mission (2) tätiger Priester od. Prediger; Glaubensbote. **mis|si|o|na|risch:** die Mission (2) betreffend; auf Bekehrung hinzielend. **mis|si|o|nie|ren:** eine (bes. die christliche) Glaubenslehre verbreiten. **Mis|si|ons|chef** der; -s, -s: ↑ Chef der Mission. **Mis|siv** das; -s, -e u. **Mis|si|ve** die; -, -n: (veraltet) 1. Sendschreiben. 2. verschließbare Aktentasche

Mis|sou|ri|sy|no|de* [...'su:...] ⟨nach dem nordamerik. Bundesstaat Missouri⟩ die; -: streng lutherische Freikirche deutscher Herkunft in den USA

Mist ⟨engl.⟩ der; -s, -e: leichter Nebel (Seew.)

Mis|ter ⟨lat.-fr.-engl.⟩: englische Anrede für einen Mann

mis|te|ri|o|sa|men|te u. **mis|te|ri|o|so** ⟨gr.-lat.-it.⟩: geheimnisvoll (Vortragsanweisung; Mus.)

mis|tig ⟨engl.⟩: neblig (Seew.).

Mist|puf|fers [...pafəz] ⟨engl.⟩ die (Plural): scheinbar aus großer Entfernung kommende dumpfe Knallgeräusche unbekannter Herkunft, die man an Küsten wahrnimmt

Mist|ral* ⟨lat.-provenzal.-fr.⟩ der; -s, -e: kalter Nord[west]wind im Rhonetal, in der Provence u. an der französischen Mittelmeerküste

mi|su|ra|to ⟨lat.-it.⟩: gemessen, wieder streng im Takt (Vortragsanweisung; Mus.)

Mis|zel|la|ne|en [auch: ...'la:-neən] ⟨lat.⟩ u. **Mis|zel|len** die (Plural): kleine Aufsätze verschiedenen Inhalts; Vermischtes, bes. in wissenschaftlichen Zeitschriften

Mith|rä|um* ⟨pers.-gr.-nlat.⟩ das; -s, ...räen: unterirdischer Kultraum des altpersischen Rechts- u. Lichtgotts Mithra[s] (vielfach im römischen Heeresgebiet am Rhein u. Donau). **Mith|ri|da|tis|mus** ⟨nach König Mithridates VI., um 132–63 v. Chr.⟩ der; -: durch Gewöhnung erworbene Immunität gegen Gifte (Med.)

Mi|ti|gans ⟨lat.⟩ das; -, ...anzien u. ...antia [...tsia]: 1. Linderungs-, Beruhigungsmittel (Med.). 2. (nur Plural): (veraltet) mildernde Umstände (Rechtsw.). **Mi|ti|ga|ti|on** die; -, -en: 1. Abschwächung, Milderung (Med.). 2. (veraltet) Strafminderung (Rechtsw.)

Mi|to|chon|dri|um* [...x...] ⟨gr.-nlat.⟩ das; -s, ...ien: faden- od. kugelförmiges Gebilde in menschlichen, tierischen u. pflanzlichen Zellen, das dem Atmung u. dem Stoffwechsel der Zelle dient (Biol.)

mi|ton|nie|ren ⟨fr.⟩: langsam in einer Flüssigkeit kochen lassen **Mi|to|se** ⟨gr.-nlat.⟩ die; -, -n: Zellkernteilung mit Längsspaltung der Chromosomen; indirekte Zellkernteilung (Biol.); Ggs. ↑ Amitose. **Mi|to|se|gift** das; -[e]s, -e: Stoff, der den normalen

Verlauf der Kernteilung stört (z. B. ↑ Kolchizin; Biol.). **mi|to|tisch:** die Zellkernteilung betreffend (Biol.)

Mit|ra* ⟨gr.-lat.⟩ die; -, ...ren: 1. Kopfbedeckung hoher katholischer Geistlicher; Bischofsmütze. 2. mützenartige Kopfbedeckung altorientalischer Herrscher. 3. a) bei den Griechen u. Römern Stirnbinde der Frauen; b) metallener Leibgurt der Krieger. 4. haubenartiger Kopfverband (Med.)

Mit|rail|leu|se* [mitra(l)'jøːzə] ⟨fr.⟩ die; -, -n: französisches Salvengeschütz (1870–71), Vorläufer des Maschinengewehrs **mit|ral*** ⟨gr.-lat.-nlat.⟩: 1. sich auf die Mitralklappe beziehend (Med.). 2. von haubenförmiger Gestalt. **Mit|ral|klap|pe** die; -, -n: zweizipfelige Herzklappe zwischen linkem Vorhof u. linker Kammer (Med.)

Mit|ro|pa ⟨Kunstw.⟩ die; -: Mitteleuropäische Schlaf- und Speisewagen-Aktiengesellschaft

Mitz|wa ⟨hebr.⟩ die; -, ...woth od. -s: gute, gottgefällige Tat

Mix ⟨lat.-fr.-engl.⟩ der; -, -e: (Jargon) Gemisch, spezielle Mischung. **Mixed** [mɪkst] ⟨lat.-fr.-engl.⟩ das; -[s], -[s]: gemischtes Doppel (aus je einem Spieler u. einer Spielerin auf jeder Seite) im Tennis, Tischtennis u. Badminton. **Mixed|drink** [mɪkst...] ⟨engl.⟩ der; -[s], -s, auch: **Mixed Drink** der; - -[s], - -s: alkoholisches Mischgetränk. **Mixed|grill** [mɪkst...] ⟨engl.⟩ der; -[s] -s, auch: **Mixed Grill** der; - -[s], - -s: Gericht aus verschiedenen gegrillten Fleischstücken [u. kleinen Würstchen] (Gastr.). **Mixed|me|dia** ['mɪkst'miːdjo], auch: **Mixed Media** ⟨engl.⟩ die (Plural): Kombination verschiedener Medien in künstlerischer Absicht. **Mixed|pi|ckles** ['mɪkst'pɪkls], auch: **Mixed Pickles** ⟨engl.⟩ die (Plural): in Essig eingelegte Stückchen verschiedener Gemüsesorten, bes. Gurken. **mi|xen** ⟨lat.-fr.-engl.⟩: 1. (bes. Getränke) mischen. 2. die auf verschiedene Bänder aufgenommenen akustischen Elemente eines Films (Sprache, Musik, Geräusche) aufeinander abstimmen u. auf eine Tonspur überspielen. 3. Speisen mit einem elektrischen Küchengerät zerkleinern u. mischen. 4. (beim Eishockey) den

Puck mit dem Schläger schnell hin u. her schieben. **Mi|xer** *der;* -s, -: 1. jmd., der [in einer Bar] alkoholische Getränke mischt. 2. a) Tontechniker, der getrennt aufgenommene akustische Elemente eines Films auf eine Tonspur überspielt; b) Gerät zum Mixen (2). 3. (bei der Zubereitung von Getränken, Speisen gebrauchtes) elektrisches Gerät zum Zerkleinern u. Vermischen **Mi|xo|ly|disch** u. **Mi|xo|ly|dische** *‹gr.;* nach der kleinasiat. Landschaft Lydien› *das;* ...schen: (Mus.) a) altgriechische Tonart; b) 7. Kirchentonart (g-g') des Mittelalters **Mi|xo|sko|pie*** *die; -:* sexuelle Lust u. Befriedigung beim Betrachten des Koitus anderer; vgl. Voyeur **Mix|pi|ckles** ['mɪkspɪk|s] vgl. Mixedpickles. **Mix|ti|on** *‹lat.›die;* -, -en: (veraltet) Mischung. **Mix|tum com|po|si|tum** *das;* - -, ...ta ...ta: Durcheinander, buntes Gemisch. **Mix|tur** *die;* -, -en: 1. Mischung; flüssige Arzneimischung. 2. Orgelregister, das auf jeder Taste mehrere Pfeifen in Oktaven, Terzen, Quinten, auch Septimen ertönen lässt (Mus.) **Mi|zell** vgl. Mizelle. **Mi|zel|le** *‹lat.-nlat.› die;* -, -n u. seltener: Mizell *das;* -s, -e: aus vielen Molekülen aufgebautes Kolloidteilchen (Chem.)

Mne|me *‹gr.› die;* -: Gedächtnis; Erinnerung, Fähigkeit lebender Substanz, für die Lebensvorgänge wichtige Information zu speichern (Med.; Psychol.). **Mne|mis|mus** *‹gr.-nlat.› der;* -: Lehre, dass alle lebende Substanz eine Mneme habe, die die vitalen Funktionen steuere. **Mne|mo|nik** *‹gr.› die;* -: ↑ Mnemotechnik. **Mne|mo|ni|ker** *der;* -s, -: ↑ Mnemotechniker. **mne|mo|nisch** ↑ mnemotechnisch. **Mne|mo|tech|nik** *die;* -, -en: Technik, Verfahren, sich etwas leichter einzuprägen, seine Gedächtnisleistung zu steigern, z. B. durch systematische Übung od. Lernhilfen (wie z. B. Merkverse). **Mne|mo|tech|ni|ker** *der;* -s, -: jmd., der die Mnemotechnik beherrscht. **mne|mo|tech|nisch:** die Mnemotechnik betreffend. **mnes|tisch:** die Mneme betreffend

Moa *‹maorisch› der;* -[s], -s: ausgestorbener, sehr großer, straußenähnlicher neuseeländischer Laufvogel (bis 3,50 m hoch).

Mo|a|holz *das;* -es: aus Neuseeland eingeführtes, sehr hartes Holz

Mob *‹lat.-engl.› der;* -s: 1. Pöbel. 2. kriminelle Bande, organisiertes Verbrechertum. **mob|ben** *‹engl.›:* (einen Kollegen) ständig schikanieren, quälen, verletzen [mit der Absicht, ihn zur Aufgabe seines Arbeitsplatzes zu veranlassen]. **Mob|bing** *das;* -s: das Mobben

Mö|bel *‹lat.-mlat.-fr.;* „bewegliches Gut"› *das;* -s, -: 1. a) Einrichtungsgegenstand für Wohnu. Arbeitsräume; b) (nur Plural) Einrichtung, Mobiliar. 2. (ohne Plural): (ugs.) ungefüger Gegenstand. **mo|bil** *‹lat.-fr.›:* 1. a) beweglich, nicht an einen festen Standort gebunden; Ggs. ↑ immobil (1); b) den Wohnsitz u. Arbeitsplatz häufig wechselnd. 2. für den Krieg bestimmt od. ausgerüstet; einsatzbereit; Ggs. ↑ immobil (2). 3. (ugs.) wohlauf, gesund; lebendig, munter; **mobiles Buch:** Loseblattsammlung; **mobil machen:** das Militär u. das ganze Land in den Kriegszustand versetzen; **Mo|bil** *das;* -s, -e: Fahrzeug, Auto. **mo|bi|le** [...le] *‹lat.-it.›:* beweglich, nicht stetig (Vortragsanweisung; Mus.). **Mo|bi|le** *‹lat.-mlat.-engl.› das;* -s, -s: hängend befestigtes Gebilde aus [Metall]plättchen, Stäben, Figuren u. Drähten, das durch Luftzug, Warmluft od. Anstoßen in Bewegung gerät. **Mo|bi|li|ar** *‹lat.-mlat.-nlat.› das;* -s, -e: Gesamtheit der Möbel u. sonstigen Einrichtungsgegenstände [einer Wohnung]. **Mo|bi|li|ar|kre|dit** *der;* -[e]s, -e: Kredit gegen Verpfändung beweglicher Sachen. **Mo|bi|li|en** *‹lat.-mlat.› die* (Plural): 1. (veraltet) Hausrat, Möbel. 2. bewegliche Güter (Wirtsch.); Ggs. ↑ Immobilien. **Mo|bi|li|sa|ti|on** *‹lat.-fr.› die;* -, -en: 1. das Mobilisieren (3) (Med.). 2. ↑ Mobilmachung; Ggs. ↑ Demobilisation (4); vgl. ...[at]ion/ ...ierung. **Mo|bi|li|sa|tor** *der;* -s, ...oren: Faktor, der eine mobilisierende Wirkung auf jemanden, etwas ausübt. **mo|bi|li|sie|ren:** 1. mobil machen (Mil.); Ggs. ↑ demobilisieren (1). 2. beweglich, zu Geld machen (Wirtsch.). 3. auf operativem Weg ein Organ [wieder] beweglich machen (Med.). 4. a) in Bewegung versetzen, zum Handeln veranlassen; b) rege, wirksam machen; aktivieren.

Mo|bi|li|sie|rung *die;* -, -en: 1. Aktivierung von Lebensvorgängen (Biol.). 2. Umwandlung von in Aktien o. Ä. gebundenem Kapital in Geldvermögen. 3. ↑ Mobilmachung; Ggs. ↑ Demobilisierung. 4. das Mobilisieren (3, 4); vgl. ...[at]ion/...ierung. **Mo|bi|lis|mus** *der;* -: Theorie, dass die Erdkruste auf den sie unterlagernden Untergrund frei beweglich ist (Geol.); Ggs. ↑ Fixismus. **Mo|bi|list** *der;* -en, -en: (ugs. scherzh.) Autofahrer. **Mo|bi|li|tät** *‹lat.› die;* -: 1. (geistige) Beweglichkeit. 2. Beweglichkeit von Individuen od. Gruppen innerhalb der Gesellschaft. 3. die Häufigkeit des Wohnsitzwechsels einer Person (Bevölkerungsstatistik). **Mo|bil|ma|chung** *die;* -, -en: Vorbereitung auf einen bevorstehenden Krieg durch Einberufung der Reserve u. Aufstellung neuer Truppenteile. **Mo|bil|sta|ti|on** *die;* -, -en: Sprechfunkanlage im Auto, mobile (1 a) Station beim Funksprech- bzw. Funktelefonverkehr. **Mo|bil|te|le|fon** *das;* -s, -e: (innerhalb eines bestimmten Gebiets) von praktisch jedem beliebigen Ort aus benutzbares Funktelefon. **möb|lie|ren*** *‹lat.-mlat.-fr.›:* mit Hausrat einrichten, ausstatten **Mobs|ter** *‹lat.-engl.› der;* -s, -: Gangster, Bandit **Moc|ca dou|ble** [... 'du:bl] *‹fr.› der;* - -, -s -s ['mɔka 'du:bl]: doppelter Mokka (Gastr.) **¹Mo|cha** [...xa, auch: ...ka] *‹nach der jemenitischen Hafenstadt Mokka (Mocha) am Roten Meer› der;* -: Abart des Quarzes. **²Mo|cha** [...xa, auch: ...ka] *das;* -[s], -s: feine od. der Narbenseite abgeschliffenes, samtartiges Glacéleder **Mock|tur|tle|sup|pe** [...tœrtl...] *‹engl.› die;* -, -n: unechte Schildkrötensuppe (aus Kalbskopf hergestellt) **Mod** *‹engl.› der;* -s, -s (meist Plural): Angehöriger einer Gruppe männlicher Jugendlicher, die den Musikstil der 60er-Jahre u. als Kleidung Anzug u. Krawatte bevorzugen. **mo|dal** *‹lat.-mlat.›:* 1. den Modus (1) betreffend, die Art u. Weise bezeichnend (Philos.; Sprachw.); **modale Konjunktion:** die Art und Weise bestimmendes Bindewort (z. B. wie, indem; Sprachw.); **modale Persönlichkeit:** Persönlichkeit mit Verhaltensweisen, die typisch für den Kulturkreis sind, dem sie angehört (Soziol.). 2. in Modalnotation notiert, sie betreffend (Mus.). **Mo|dal|ad|verb** *das; -s, -ien* [...jən]: Adverb der Art u. Weise (z. B.: kopfüber; Sprachw.). **Mo|dal|be|stimmung** *die; -, -en*: Umstandsbestimmung der Art u. Weise (z. B. sie malt *ausdrucksvoll*) (Sprachw.). **Mo|da|lis|mus** *⟨lat.- mlat.-nlat.⟩ der; -*: altkirchliche, der Lehre von der †Trinität widersprechende Anschauung, die Christus nur als Erscheinungsform Gottes sieht (Zweig des †Monarchianismus). **Mo|da|li|tät** *die; -, -en*: 1. Art u. Weise [des Seins, des Denkens] (Philos.; Sprachw.). 2. (meist Plural) Art u. Weise der Aus- u. Durchführung eines Vertrages, Beschlusses o. Ä. **Mo|da|li|tä|ten|lo|gik** *die; -*: †Modallogik. **Mo|dal|logik** *die; -*: Zweig der formalen Logik. **Mo|dal|no|ta|ti|on** *die; -*: Notenschrift des 12. u. 13. Jh.s, Vorstufe der †Mensuralnotation (Mus.). **Mo|dal|satz** *der; -es, ...sätze*: Adverbialsatz der Art u. Weise (z. B. ich half ihm, *indem ich ihm Geld schickte*) (Sprachw.). **Mo|dal|verb** *das; -s, -en*: Verb, das in Verbindung mit einem reinen Infinitiv ein anderes Sein od. Geschehen modifiziert (z. B. er *will* kommen; Sprachw.). **mode** [moːt] *⟨lat.-fr.-engl.⟩*: bräunlich. **¹Mo|de** *⟨lat.- fr.⟩ die; -, -n*: 1. a) Brauch, Sitte zu einem bestimmten Zeitpunkt; b) Tages-, Zeitgeschmack. 2. die zu einem bestimmten Zeitpunkt bevorzugte Art, sich zu kleiden od. zu frisieren. 3. (meist Plural) dem herrschenden Zeitgeschmack entsprechende od. ihn bestimmende Kleidung. **²Mo|de** *⟨lat.-engl.⟩ der; -s, -n od. die; -, -n*: Schwingungsform elektromagnetischer Wellen insbesondere in Hohlleitern (Elektrot.). **¹Mo|del** *⟨lat.⟩ der; -s, - u.* Modul *der; -s, -n*: 1. Halbmesser des unteren Teils einer antiken Säule (Maßeinheit zur Bestimmung architektonischer Verhältnisse, bes. in der Antike u. a. Renaissance). 2. Hohlform für die Herstellung von Gebäck od. zum Formen von Butter. 3. erhabene Druckform für Stoff- u. Tapetendruck. 4. Stick- u. Wirkmuster. **²Mo|del** *⟨lat.-vulgärlat.-it.- engl.⟩ das; -s, -s*: Mannequin, Fotomodell

Mo|dell *⟨lat.-vulgärlat.-it.⟩ das; -s,*

-e: 1. Muster, Vorbild. 2. Entwurf od. Nachbildung in kleinerem Maßstab (z. B. eines Bauwerks). 3. [Holz]form zur Herstellung der Gussform. 4. Kleidungsstück, das eine Einzelanfertigung ist. 5. Mensch od. Gegenstand als Vorbild für ein Werk der bildenden Kunst. 6. Typ, Ausführungsart eines Fabrikats. 7. vereinfachte Darstellung der Funktion eines Gegenstands od. des Ablaufs eines Sachverhalts, die eine Untersuchung od. Erforschung erleichtert od. erst möglich macht. 8. Mannequin; vgl. ²Model. 9. (verhüllend) †Callgirl. **Mo|dell|leur** [...'løːɐ̯] *⟨lat.-vulgärlat.-it.-fr.⟩ der; -s, -e*: †Modellierer. **mo|dell|ie|ren** *⟨lat.-vulgärlat.-it.⟩*: [eine Plastik] formen, ein Modell herstellen. **Mo|dell|ie|rer** *der; -s, -:* Former, Musterformer. **mo|dell|ig**: in der Art eines Modells (von Kleidungsstücken). **Mo|dell|list** *der; -en, -en*: †Modellierer. **¹mo|deln** *⟨lat.⟩*: gestalten, in eine Form bringen. **²mo|deln** *⟨engl.⟩*: als ²Model arbeiten. **Mo|dem** *⟨Kurzw. aus engl. mo*dulator (vgl. Modulator) u. de*modulator (vgl. Demodulator)⟩ der* (auch: *das*); -s, -s: Gerät zur Übertragung von Daten über Fernsprechleitungen. **Mo|de|ra|men** *das; -s, - u. ...mina*: 1. (veraltet) Mäßigung. 2. gewähltes Vorstandskollegium einer reformierten †Synode. **mo|de|rat**: gemäßigt, maßvoll. **Mo|de|ra|ti|on** *die; -, -en*: 1. (veraltet) Mäßigung; Gleichmut. 2. Leitung und Redaktion einer Rundfunk- oder Fernsehsendung. **mo|de|ra|to** *⟨lat.-it.⟩*: gemäßigt, mäßig schnell; Abk.: mod. (Vortragsanweisung; Mus.). **Mo|de|ra|to** *das; -s, -s u. ...ti*: Musikstück in mäßig schnellem Zeitmaß (Mus.). **Mo|de|ra|tor** *⟨lat.⟩ der; -s, ...oren*: 1. [leitender] Redakteur einer Rundfunk- od. Fernsehanstalt, der durch eine Sendung führt u. dabei die einzelnen Programmpunkte ankündigt, erläutert u. kommentiert. 2. Stoff, der Neutronen hoher Energie abbremst (Kernphys.). 3. Vorsteher eines Moderamens (2). **mo|de|rie|ren** *⟨lat.⟩*: 1. (eine Rundfunk- od. Fernsehsendung) mit einleitenden u. verbindenden Worten versehen. 2. (veraltet, aber noch landsch.) mäßigen. **mo|dern** *⟨lat.-fr.⟩*: 1. der ¹Mode entsprechend. 2. neuzeitlich, -artig. **Mo-**

der|ne *die; -:* 1. moderne Richtung in Literatur, Musik u. Kunst. 2. die jetzige Zeit u. ihr Geist. **mo|der|ni|sie|ren**: 1. der gegenwärtigen ¹Mode entsprechend umgestalten, umändern (von Kleidungsstücken o. Ä.). 2. nach neuesten technischen oder wissenschaftlichen Erkenntnissen ausstatten od. verändern. **Mo|der|nis|mus** *der; -, ...men*: 1. (ohne Plural) Bejahung des Modernen; Streben nach Modernität [in Kunst u. Literatur]. 2. (ohne Plural) liberal-wissenschaftliche Reformbewegung in der katholischen Kirche (1907 von Pius X. verurteilt). 3. modernes Stilelement. **Mo|der|nist** *der; -en, -en*: Anhänger des Modernismus (1, 2). **mo|der|nis|tisch**: zum Modernismus gehörend; sich modern gebend. **Mo|der|ni|tät** *die; -, -en*: 1. (ohne Plural) neuzeitliches Verhalten, Gepräge. 2. Neuheit. **Mo|dern|jazz** ['mɔdən 'dʒæz] *⟨engl.⟩ der; -,* auch: **Mo|dern Jazz** *der; - -*: Stilrichtung des Jazz, etwa seit 1945. **mo|dest** *⟨lat.⟩*: (veraltet) bescheiden, sittsam. **Mo|di**: *Plural von* †Modus. **Mo|di|fi|ka|ti|on** *die; -, -en*: 1. Abwandlung, Veränderung, Einschränkung. 2. das Abgewandelte, Veränderte, die durch äußere Faktoren bedingte nicht erbliche Änderung bei Pflanzen, Tieren od. Menschen (Biol.). 3. durch die Kristallstruktur bedingte Zustandsform, in der ein Stoff vorkommt (Chem.). **Mo|di|fi|ka|tor** *der; -s, ...oren*: 1. etwas, das abschwächende od. verstärkende Wirkung hat. 2. Gen, das nur modifizierend (verstärkend od. abschwächend) auf die Wirkung anderer Gene Einfluss nimmt (Biol.). **mo|di|fi|zie|ren**: einschränken, abwandeln; **modifizierendes Verb:** Verb, das ein reines Verb mit einem Infinitiv mit "zu" ausgedrücktes Sein od. Geschehen modifiziert (z. B. er *pflegt* lange zu schlafen; Sprachw.). **mo|disch** *⟨lat.-fr.⟩*: nach der ¹Mode. **Mo|dist** *der; -en, -en*: 1. Schreibkünstler des Spätmittelalters. 2. (veraltet) Modewarenhändler. **Mo|dis|tin** *die; -*, -nen: Hutmacherin

¹Mo|dul *⟨lat.⟩ der; -s, -n*: 1. †¹Model. 2. (Math.) a) (in verschiedenen Zusammenhängen) zugrunde liegendes Verhältnis, zugrunde liegende Verhältniszahl; b) †Divisor (natürliche Zahl) in Bezug auf die zwei ganze Zahlen

↑ kongruent (2 b) sind, d. h. bei der ↑ Division (1) den gleichen Rest ergeben; c) absoluter Betrag einer komplexen Zahl. 3. a) (Phys., Techn.) (in verschiedenen Zusammenhängen) ↑ Materialkonstante (z. B. Elastizitätsmodul); b) (Techn.) Maß für die Berechnung der Zahngröße bei Zahnrädern. **²Moldul** ⟨lat.-engl.⟩ das; -s, -e: 1. austauschbares, komplexes Teil eines Geräts od. einer Maschine, das eine geschlossene Funktionseinheit bildet (bes. Elektrot.). 2. eine sich aus mehreren Elementen zusammensetzende Einheit innerhalb eines Gesamtsystems, die jederzeit ausgetauscht werden kann (Informatik). **moldullar** ⟨lat.-engl.⟩: 1. in der Art eines ²Moduls; wie ein Bauelement beschaffen. 2. das ²Modul betreffend. **Moldullaltilon** ⟨lat.⟩ die; -, -en: 1. Beeinflussung einer Trägerfrequenz zum Zwecke der Übertragung von Nachrichten auf Drahtleitungen od. auf drahtlosem Weg. 2. Übergang von einer Tonart in die andere (Mus.). 3. das Abstimmen von Tonstärke u. Klangfarbe im Musikvortrag (z. B. beim Gesang; Mus.). **Moldullaltor** der; -s, ...oren: Gerät zur Modulation (1). **moldullaltolrisch**: die Modulation betreffend. **moldullielren**: 1. abwandeln. 2. (eine Frequenz) zum Zwecke der Nachrichtenübermittlung beeinflussen. 3. in eine andere Tonart übergehen. **Moldullor** der; -s: von Le Corbusier entwickeltes Proportionsschema, das die Proportionen des menschlichen Körpers auf Bauten überträgt. **Moldulltechlnik** die; -: Methode der Miniaturisierung elektronischer Geräte mithilfe von ²Modulen (1) (Elektrot.). **Moldus** [auch: 'mo...] der; -, ...di: 1. Art u. Weise [des Geschehens od. Seins]. 2. Aussageweise des Verbs (z. B. Konjunktiv; Sprachw.). 3. (Mus.) a) Kirchentonart; b) eine von sechs rhythmischen Grundformen (in Modalnotation aufgezeichneter) mehrstimmiger Musik des 13. Jh.s; c) (in der Mensuralnotation) Verhältnis zwischen Maxima u. Longa od. zwischen Longa u. Brevis. 4. statistischer Mittelwert, in einer Reihe am häufigsten vorkommender Wert (Statistik) **Moldus Olpelranldi** der; - -, ...di -: Art u. Weise des Han-

delns, Tätigwerdens. **Moldus Prolceldenldi** der; - -, ...di -: Verfahrens-, Vorgehensweise. **Moldus Vilvenldi** der; - -, ...di -: Form eines erträglichen Zusammenlebens zweier od. mehrerer Parteien ohne Rechtsgrundlage od. völlige Übereinstimmung **¹Moelllon** [mǫa'lõ:] ⟨fr.⟩ der; -s, -s: (selten) quaderartig behauener Bruchstein **²Moelllon** [mǫa'lõ:] ⟨fr.⟩ das; -s: ↑ Degras **Molfa** (Kurzw. aus: Motorfahrrad) das; -s, -s: Kleinkraftrad mit geringer Höchstgeschwindigkeit. **molfeln:** (ugs.) mit dem Mofa fahren **Molfetlte** ⟨germ.-it.-fr.⟩ die; -, -n: Stelle der Erdoberfläche, an der Kohlensäure vulkanischen Ursprungs ausströmt (Geol.) **Molgilgralphie**, auch: ...grafie ⟨gr.-nlat.⟩ die; -, ...ien: Schreibkrampf (Med.). **Molgillallie** die; -, ...ien: erschwertes Aussprechen bestimmter Laute (Med.). **Molgilpholnie**, auch: ...fonie die; -, ...ien: Schwäche bzw. Versagen der Stimme bei gewohnheitsmäßiger Überanstrengung (Med.) **Molgul** [auch: ...'gu:l] ⟨pers.⟩ der; -s, -n: (hist.) muslimische Herrscherdynastie mongolischer Herkunft in Indien (1526–1857) **Molhair** [mo'hɛːɐ̯] vgl. Mohär **Molhallim:** Plural von ↑ Mohel **Molhamlmeldalner** (nach dem Stifter des Islams, Mohammed, um 570–632 n. Chr.) der; -s, -: veraltende Bez. für: ↑ Moslem. **molhamlmeldalnisch:** 1. Mohammed u. seiner Lehre gehörend. 2. veraltende Bez. für: ↑ islamisch. **Molhamlmeldalnislmus** der; -: veraltete Bez. für: ↑ Islam **Molhär**, auch: Mohair ⟨arab.-it.-engl.⟩ der; -s, -e: 1. Wolle der Angoraziege. 2. Stoff aus der Wolle der Angoraziege **Molhel** ⟨hebr.⟩ der; -s, ...halim: (im jüdischen Ritus) jmd., der die Beschneidung vornimmt **Molhilkalner:** in der Fügung: **der letzte Mohikaner** od. **der Letzte der Mohikaner:** (ugs. scherzh.) derjenige, der von vielen übrig geblieben ist; das jenige, was von vielem übrig geblieben ist ⟨nach dem 1826 erschienenen Roman "The last of the Mohicans" von J. F. Cooper⟩ **Molira** ⟨gr.⟩ die; -, ...ren: 1. (ohne Plural) das nach griechischem Glauben Göttern u. Menschen

zugeteilte Schicksal. 2. griechische Schicksalsgöttin **Moilré** [mǫa're:] ⟨arab.-it.-engl.-fr.⟩ das; -s, -s: 1. (auch: der) Stoff mit Wasserlinienmusterung (hervorgerufen durch Lichtreflexe). 2. fehlerhafte Musterung beim Mehrfarbendruck, wenn mehrere Rasterplatten übereinander gedruckt werden od. wenn von einem Autotypiedruck eine neue Autotypie angefertigt wird (Druckw.). 3. bei der Überlagerung von Streifengittern auftretende [unruhige] Bildmusterung (z. B. auf dem Fernsehbildschirm) **Moilren:** Plural von ↑ Moira **moilrielren** [mǫa...] ⟨arab.-it.-engl.-fr.⟩: Geweben ein schillerndes Aussehen geben; flammen; vgl. Moiré (1) **Mois|tu|ri|zer** ['mɔɪstʃəraɪzɐ] ⟨lat.-fr.-engl.⟩ der; -s, - u. **Mois|tu|ri|zing|cream** ['mɔɪstʃəraɪzɪŋ'kriːm] die; -, -s, auch: **Mois|tu|ri|zing Cream** die; - -, - -s: Feuchtigkeitscreme **molkant** ⟨fr.⟩: spöttisch **Molkaslsin** [auch: 'mɔk...] ⟨indian.-engl.⟩ der; -s, -s u -e: 1. [farbig gestickter] absatzloser Wildlederschuh der nordamerikanischen Indianer. 2. modischer [Haus]schuh in der Art eines indianischen Mokassins **Molkelrie** ⟨fr.⟩ die; -, ...ien: (veraltet) Spottlust **Molkett** ⟨fr.⟩ der; -s: Möbelplüsch aus [Baum]wolle **Molkick** (Kurzw. aus: Moped u. Kickstarter) das; -s, -s: Kleinkraftrad mit Kickstarter anstelle von Tretkurbeln; vgl. Moped **molkielren, sich** ⟨fr.⟩: sich abfällig äußern, sich lustig machen **Molklka** ⟨engl.; nach dem jemenitischen Hafen Mokka) der; -s, -s: 1. eine Kaffeesorte. 2. starkes Kaffeegetränk **Mol** das; -s, -e (aber: 1000 Mol): Menge eines chemisch einheitlichen Stoffes, die seinem relativen ↑ Molekulargewicht in Gramm entspricht (gesetzliche Einheit der molaren Masse; Chem.). **Mollalliltät** die; -: Maßangabe der Konzentration von Lösungen in Mol je Kilogramm (Chem.). **mollar** ⟨lat.-nlat.⟩: das Mol betreffend; je 1 Mol; **molare Lösung:** ↑ Molarlösung **Mollar** ⟨lat.⟩ der; -s (auch: -en), -en: Mahlzahn, Backenzahn (Med.) **Mollalriltät** ⟨lat.-nlat.⟩ die; -: Gehalt einer Lösung an chemisch

wirksamer Substanz in Mol je Liter (Chem.). **Mol|ar|lö|sung** *die;* -, -en: Lösung, die 1 Mol einer chemischen Substanz in 1 Liter enthält
Mol|las|se *⟨lat.-fr.⟩ die;* -: (Geol.) 1. weicher, lockerer Sandstein im Alpenrandgebiet, bes. in der Schweiz. 2. Sandstein u. Konglomeratschichten ↑ tertiären Alters im nördlichen Alpenvorland
Mol|da|vit [auch: ...'vɪt] *⟨nlat.;* nach den Fundorten an der Moldau⟩ *der;* -s, -e: ein glasiges Gestein (wahrscheinlich ein Glasmeteorit); vgl. Tektit
Mo|le|kel *die;* -, -n ⟨österr. auch: *das;* -s, -): ↑ Molekül. **Mo|lektro|nik*** ⟨Kunstw. aus: *molek*ular u. Elek*tronik*⟩ *die;* -: ↑ Molekularelektronik. **Mo|le|kül** *⟨lat.-fr.⟩ das;* -s, -e: kleinste Einheit einer chemischen Verbindung, die noch die charakteristischen Eigenschaften dieser Verbindung aufweist. **mo|le|ku|lar:** die Moleküle betreffend. **Mo|le|ku|lar-bi|o|lo|gie** *die;* -: Forschungszweig der Biologie, der sich mit den chemisch-physikalischen Eigenschaften organischer Verbindungen im lebenden Organismus beschäftigt. **Mo|le|ku|lar|elektro|nik*** *die;* -: Teilgebiet der Elektronik, das mit Halbleitern kleiner Größe arbeitet (Elektrot.). **Mo|le|ku|lar|ge|ne|tik** *die;* -: Teilgebiet der Genetik u. der Molekularbiologie, das sich mit den Zusammenhängen zwischen der Vererbung u. den chemisch-physikalischen Eigenschaften der Gene beschäftigt. **Mo|le|kular|ge|wicht** *das;* -[e]s, -e: Summe der Atomgewichte der in einem Molekül vorhandenen Atome
Mole|skin ['mo:lskɪn, auch: 'moʊl...] *⟨engl.;* „Maulwurfsfell"⟩ *der od. das;* -s, -s: ein dichtes Baumwollgewebe in Atlasbindung; Englischleder
Mo|les|ten *⟨lat.⟩ die* (Plural) (landsch., sonst veraltet) Beschwerden; Belästigungen. **mo|les|tie|ren:** (landsch., sonst veraltet) belästigen
Mo|le|tro|nik* ⟨Kurzwort aus *molek*ular u. Elek*tronik*⟩ *die;* -: ↑ Molekularelektronik
Mo||let|te *⟨lat.-fr.⟩ die;* -, -n: kleine Stahlwalze, deren erhabene Mustergravur in die eigentliche Kupferdruckwelle eingepresst wird; Rändelrad; Prägewalze
Mo|li *Plural von* ↑ Molo
Mo|li|nis|mus *⟨nlat.;* nach dem

span. Jesuiten Luis de Molina, 1535–1600⟩ *der;* -: katholisch-theologische Richtung, nach der göttliche Gnade u. menschliche Willensfreiheit sich nicht ausschließen, sondern zusammenwirken sollen
¹Moll *⟨lat.-mlat.⟩ das;* -, -: Tongeschlecht aller Tonarten mit einem Halbton zwischen der zweiten u. dritten Stufe, sodass der Dreiklang der Tonika mit einer kleinen Terz beginnt (Mus.); Ggs. ↑ Dur
²Moll *der;* -[e]s, -e u. -s: ↑ Molton
Mol|la vgl. Mulla[h]
Mol|lus|ke *⟨lat.-nlat.⟩ der;* -, -n (meist Plural): Weichtier (Muscheln, Schnecken, Tintenfische u. Käferschnecken). **Mol|lus|ki-zid** *das;* -s, -e: Schnecken tötendes Pestizid
Mol|lo *⟨lat.-it.⟩ der;* -s, Moli: (österr.) Mole, Hafendamm
Mol|loch [auch: 'mɔ...] *⟨hebr.-gr.⟩ der;* -s, -e: grausame Macht, die immer wieder Opfer fordert und alles zu verschlingen droht
Mol|lo|ka|ne *⟨russ.⟩ der;* -n, -n: (hist.) Angehöriger einer weit verzweigten christlichen Sekte des 18. Jh.s in Russland
Mol|los|ser *⟨gr.-lat.;* nach dem alten illyrischen Volksstamm⟩ *der;* -s, -: griechische Hunderasse des Altertums. **Mol|los|sus** *der;* -, ...ssi: antiker Versfuß
Mol|lo|tow|cock|tail [...tɔf...] ⟨nach dem ehemaligen sowjetischen Außenminister W. M. Molotow, 1890–1986⟩ *der;* -s, -s: mit Phosphor gefüllte Flasche, die als einfache Handgranate verwendet wird
mol|to u. al molto *⟨lat.-it.⟩:* viel, sehr (Vortragsanweisung; Mus.); z. B. **molto adagio** od. **adagio [di] molto:** sehr langsam
Mol|ton *⟨fr.⟩ der;* -s, -s: weiche, doppelseitig geraute Baumwollware in Köperbindung
Mol|to|pren* ® ⟨Kunstwort⟩ *das;* -s: sehr leichter, druckfester, schaumartiger Kunststoff
mol|lum *⟨hebr.-Gaunersprache⟩* (landsch.) in der Fügung: **molum sein:** betrunken sein
Mol|vo|lu|men *⟨lat.-nlat.⟩ das;* -s, - u. ...mina: Volumen, das von einem Mol eines Stoffes eingenommen wird (Chem.)
Mol|yb|dän *⟨gr.-lat.-nlat.⟩ das;* -s: chemisches Element; ein Metall (Zeichen: Mo). **Mol|yb|dän-glanz** *der;* -es u. **Mol|yb|dä|nit** [auch: ...'nɪt] *der;* -s, -e: ein Mineral. **Mol|yb|dän|kar|bid,**

auch: ...carbid *das;* -[e]s, -e: Verbindung aus Molybdän u. Kohlenstoff, die in geringem Umfang zur Herstellung gesinterter Hartmetalle verwendet wird
¹Mo|ment *⟨lat.-fr.⟩ der;* -[e]s, -e: 1. Augenblick, Zeitpunkt. 2. kurze Zeitspanne. **²Mo|ment** *⟨lat.;* „Bewegung, Bewegkraft"⟩ *das;* -[e]s, -e: 1. ausschlaggebender Umstand; Merkmal; Gesichtspunkt; **erregendes Moment:** Szene im Drama, die zum Höhepunkt des Konflikts hinleitet. 2. Produkt aus zwei physikalischen Größen, deren eine meist eine Kraft ist (Phys.). **mo|men|tan:** augenblicklich, vorübergehend. **Mo|men|tan|laut** *der;* -[e]s, -e: Verschlusslaut mit nur ganz kurz während der Sprengung (z. B. *p*; Sprachw.). **Mo|ment mu|si|cal** [mɔmãmyzi'kal] *⟨fr.⟩ das;* - -, - -, -s ...caux [- ...'ko]: kleineres, lyrisches [Klavier]stück ohne festgelegte Form; liedhaftes Charakterstück (Mus.)
Mom|me *⟨jap.⟩ die;* -, -n: japanisches [Seiden]gewicht
Mo|na|de *⟨gr.-lat.⟩ die;* -, -n: 1. (ohne Plural) das Einfache, Nichtzusammengesetzte, Unteilbare (Philos.). 2. (meist Plural) eine der letzten, in sich geschlossenen, vollendeten, nicht mehr auflösbaren Ureinheiten, aus denen die Weltsubstanz zusammengesetzt ist (Philos.). **Mo|na|dis|mus** *⟨gr.-lat.-nlat.⟩ der;* -: ↑ Monadologie
Mo|nad|nock [mɔ'nædnɔk] ⟨nach einem Berg in den USA⟩ *der;* -s, -s: Gesteinskomplex, der der Verwitterung gegenüber widerstandsfähig ist, Härtling (Geol.). **Mo|na|do|lo|gie** *⟨gr.-nlat.⟩ die;* -: Lehre von den ↑ Monaden. **mo|na|do|lo|gisch:** die Monadologie betreffend. **Mo|narch*** *⟨gr.-mlat.⟩ der;* -en, -en: legitimer [Allein]herrscher (z. B. Kaiser od. König) in einem Staat mit sprechender Verfassung. **Mo|nar|chi|a|ner*** *der;* -s, -: Anhänger des Monarchianismus. **Mo|nar|chi|a|nis|mus*** *⟨gr.-mlat.-nlat.⟩ der;* -: altkirchliche Lehre, die die Einheit Gottes vertrat und Christus als vergöttlichten Menschen od. als bloße Erscheinungsform Gottes ansah. **Mo|nar|chie*** *⟨gr.-lat.⟩* „Alleinherrschaft"⟩ *die;* -, ...ien: a) (ohne Plural) Staatsform mit einer/einem durch Herkunft legitimierten Herrscher(in) an der Spitze; b) Staat mit der Monarchie (a)

als Staatsform. **mo|nar|chisch*** ⟨*gr.-mlat.*⟩: a) eine Monarchin/ einen Monarchen betreffend; b) die Monarchie betreffend. **Mo|nar|chis|mus*** ⟨*gr.-nlat.*⟩ *der;* -: ideologische Rechtfertigung der Monarchie. **Mo|nar|chist*** *der;* -en, -en: Anhänger des Monarchismus, der Monarchie. **mo|nar|chis|tisch***: den Monarchismus betreffend. **Mo|narth|ri|tis*** ⟨*gr.-nlat.*⟩ *die;* -, ...it|den: eine auf ein einzelnes Gelenk beschränkte Entzündung (Med.). **mo|nar|ti|ku|lär***: nur ein Gelenk betreffend (Med.). **Mo|nas|te|ri|um** ⟨*gr.-lat.*⟩ *das;* -s, ...ien: lateinische Bezeichnung für: Kloster, Klosterkirche, Münster. **mo|nas|tisch**: mönchisch, klösterlich. **mo|nau|ral*** ⟨*gr.; lat.*⟩: 1. ein Ohr bzw. das Gehör auf einer Seite betreffend. 2. einkanalig (von der Tonaufnahme u. Tonwiedergabe auf Tonbändern u. Schallplatten); Ggs. ↑binaural, ↑stereophonisch. **Mo|na|xo|ni|er*** ⟨*gr.-nlat.*⟩ *die* (Plural): Kieselschwämme mit einachsigen Kieselnadeln (Biol.). **Mo|na|zit*** [auch: ...'tsɪt] *der;* -s, -e: glänzendes, hellgelbes bis dunkelbraunes Mineral **Mon|da|min** ® ⟨*indian.-engl.*⟩ *das;* -s: zum Kochen u. Backen verwendeter Puder aus Maisstärke **mon|dän** ⟨*lat.-fr.*⟩: eine extravagante Eleganz zeigend, zur Schau tragend. **mon|di|al**: weltweit, weltumspannend. **Mon|di|al** ⟨*lat.-nlat.*⟩ *das;* -s: künstliche Weltsprache **mon dieu!** [mõ'djø:] ⟨*fr.*⟩: mein Gott! (Ausruf der Bestürzung o. Ä.) **Mo|nem** ⟨*gr.*⟩ *das;* -s, -e: kleinste bedeutungstragende Spracheinheit (Sprachw.) **mo|ne|pi|gra|phisch***, auch: ...grafisch ⟨*gr.*⟩: (von Münzen) nur Schrift aufweisend **Mo|ne|re** ⟨*gr.-nlat.*⟩ *die;* -, -n (meist Plural): 1. (veraltet) Organismus ohne Zellkern. 2. Entwicklungsstadium bei Einzellern, in dem kein Zellkern erkennbar ist (Biol.) **Mo|ner|gol*** ⟨*Kunstwort*⟩ *das;* -s, -e: fester od. flüssiger Raketentreibstoff, der aus Brennstoff u. Oxidator besteht u. zur Reaktion keiner weiteren Partner bedarf **mo|ne|tär** ⟨*lat.*⟩: geldlich; die Finanzen betreffend. **Mo|ne|ta|ris|mus** *der;* -: Theorie von der Wirtschaftswissenschaften, die

besagt, dass in einer Volkswirtschaft der Geldmenge (d. h. der Menge des umlaufenden Bar- u. ↑Giralgeldes) überragende Bedeutung beigemessen werden muss u. deshalb die Wirtschaft primär über die Geldmenge zu steuern ist. **Mo|ne|ta|rist** *der;* -en, -en: Vertreter, Anhänger des Monetarismus. **mo|ne|ta|ris|tisch**: den Monetarismus betreffend. **Mo|ne|tar|sys|tem** *das;* -s, -e: Währungssystem. **mo|ne|ti|sie|ren** ⟨*lat.-nlat.*⟩: in Geld umwandeln. **Mo|ne|ti|sie|rung** *die;* -: Umwandlung in Geld. **Mo|ney|ma|ker** ['mʌnɪmeɪkə] ⟨*engl.;* „Geldmacher"⟩ *der;* -s, -: (ugs. abwertend) cleverer Geschäftsmann, Großverdiener **mon|go|lid** ⟨*mong.; gr.*⟩: zu dem hauptsächlich in Asien, Indonesien, Ozeanien u. der Arktis verbreiteten Rassenkreis gehörend. **Mon|go|li|de** *die u. die;* -n, -n: Angehörige(r) des mongoliden Rassenkreises. **mon|go|lisch**: die Völkergruppe der Mongolen betreffend, zu ihr gehörend. **Mon|go|lis|mus** ⟨*mong.-nlat.*⟩ *der;* -: ↑Down-Syndrom. **Mon|go|lis|tik** *die;* -: wissenschaftliche Erforschung der mongolischen Sprachen u. Kulturen. **mon|go|lo|id** ⟨*mong.; gr.*⟩: 1. den Mongolen ähnlich. 2. Symptome des Down-Syndroms aufweisend (Med.) **Mo|nier|bau|wei|se** (nach dem Erfinder des Stahlbetons, dem franz. Gärtner J. Monier, 1823–1906) *die;* -: Bauweise mit Stahlbeton **mo|nie|ren** ⟨*lat.*⟩: etwas bemängeln, beanstanden **Mo|ni|lia** ⟨*lat.-nlat.*⟩ *die;* -: Schlauchpilz, der als Erreger verschiedener Pflanzenkrankheiten gilt **Mo|nis|mus** ⟨*lat.-nlat.*⟩ *der;* -: philosophisch-religiöse Lehre von der Existenz nur eines einheitlichen Grundprinzips des Seins (Philos.); Ggs. ↑Dualismus (2). **Mo|nist** *der;* -en, -en: Vertreter des Monismus. **mo|nis|tisch**: den Monismus betreffend **Mo|ni|ta**: Plural von ↑Monitum. **Mo|ni|teur** [...'tø:ɐ̯] ⟨*lat.-fr.;* „Ratgeber"⟩ *der;* -s, -: Anzeiger (Titel französischer Zeitungen). **Mo|ni|tor** ⟨*lat.-engl.*⟩ *der;* -s, ...oren (auch: -e): 1. Kontrollbildschirm beim Fernsehen für Redakteure, Sprecher u. Kommentatoren zur Bild kommentieren. 2. a) Kontrollgerät

zur Überwachung elektronischer Anlagen; b) Kontrollgerät zur Überwachung der Herztätigkeit o. Ä. bei gefährdeten Patienten; c) Bildschirm eines Personalcomputers o. Ä. 3. einfaches Strahlennachweis- u. -messgerät (Kernphys.). 4. Gerät zur Gewinnung von lockerem Gestein mittels Druckwasserspülung (Bergw.). 5. (veraltet) Aufseher. 6. veralteter Panzerschiffstyp. **Mo|ni|to|ring** ['mɔnɪtərɪŋ] ⟨*engl.*⟩ *das;* -s, -s: [Dauer]beobachtung [eines bestimmten Systems]. **Mo|ni|to|ri|um** ⟨*lat.-mlat.*⟩ *das;* -s, ...ien: (veraltet) Mahnschreiben (Rechtsw.). **Mo|ni|tum** ⟨*lat.-nlat.*⟩ *das;* -s, ...ta: Mahnung, Rüge, Beanstandung **mo|no** ⟨*gr.*⟩: Kurzform von ↑mononophon. **Mo|no** *das;* -s: Kurzform von ↑Monophonie. **Mo|no|cha|si|um** [...'ça:... od. ...'xa:...] ⟨*gr.-nlat.*⟩ *das;* -s, ...ien: Form der Verzweigung des Pflanzensprosses, bei der ein einziger Seitenzweig jeweils die Verzweigung fortsetzt (Bot.). **Mo|no|chla|my|de|en** [...ç...] *die* (Plural): zusammenfassende systematische Bezeichnung für zweikeimblättrige Blütenpflanzen ohne Blütenblätter od. mit unscheinbaren kelchblattartigen Blütenblättern (Bot.). **Mo|no|chord** [...'kɔrt] ⟨*gr.-lat.*⟩ *das;* -s, -e: Instrument zur Ton- u. Intervallmessung, das aus einer über einen Resonanzkasten gespannten Saite besteht (Mus.) **mo|no|chrom** ⟨*gr.-nlat.*⟩: einfarbig. **Mo|no|chrom** *das;* -s, -e: einfarbiges Gemälde. **Mo|no|chro|ma|sie** *die;* -: völlige Farbenblindheit (Med.). **¹Mo|no|chro|mat** ⟨*gr.-nlat.*⟩ *das;* -s, *od. der;* -[e]s, -e: Objektiv, das nur mit Licht einer bestimmten Wellenlänge verwendet werden kann. (Phys.). **²Mo|no|chro|mat** *der;* -en, -en: jmd., der völlig farbenblind ist (Med.). **mo|no|chro|ma|tisch** ⟨*gr.-nlat.*⟩: einfarbig, zu nur einer Spektrallinie gehörend (Phys.). **Mo|no|chro|ma|tor** *der;* -s, ...oren: Gerät zur Gewinnung einfarbigen Lichtes (Phys.). **Mo|no|chro|mie** *die;* -: Einfarbigkeit **mo|no|col|lor:** (österr.) von einer Partei gebildet. **Mo|no|coque** [...'kɔk] ⟨*engl.*⟩ *das;* -[s], -s: bestimmte Schalenkonstruktion bes. in Rennwagen, die das Chassis u. den Rahmen ersetzt. **mo|no|cyc|lisch*** vgl. monozyk-

lisch. **Mo|no|die*** ⟨*gr.-lat.*⟩ *die;* -: (Mus.). 1. einstimmiger Gesang. 2. Sologesang mit Generalbassbegleitung. **mo|no|disch***: a) die Monodie betreffend; b) im Stil der Monodie; einstimmig. **Mono|dis|ti|chon** ⟨*gr.-nlat.*⟩: *das;* -s, ...chen: aus einem einzigen Distichon bestehendes Gedicht. **Mo|no|dra|ma** *das;* -s, ...men: Einpersonenstück. **mo|no|fil** ⟨*gr.; lat.*⟩: aus einer einzigen [langen] Faser bestehend; Ggs. ↑multifil. **Mo|no|fil** *das,* -[s]. aus einer einzigen Faser bestehender vollsynthetischer Faden **mo|no|gam** ⟨*gr.-nlat.*⟩: a) von der Anlage her auf nur einen Geschlechtspartner bezogen; b) nur die Einehe kennend (Völkerk.). **Mo|no|ga|mie** *die;* -: Zusammenleben mit nur einem Partner; Ggs. ↑Polygamie (1 b). **mo|no|ga|misch**: a) die Monogamie betreffend; b) ↑monogam; vgl, ...isch/-**mo|no|gen**: 1. durch nur ein Gen bestimmt (von einem Erbvorgang); Ggs. ↑polygen (1). 2. aus einer einmaligen Ursache entstanden; Ggs. ↑polygen (2); **monogener Vulkan**: durch einen einzigen Ausbruch entstandener Vulkan. **Mo|no|ge|ne|se** u. **Mo|no|ge|ne|sis** *die;* -, ...ne̱sen: 1. (ohne Plural) biologische Theorie von der Herleitung jeder gegebenen Gruppe von Lebewesen aus je einer gemeinsamen Urform (Stammform); Ggs. ↑Polygenese. 2. ungeschlechtliche Fortpflanzung (Biol.). **Mo|no|ge|ne|ti|ker** *der;* -s, -: Vertreter u. Anhänger der Monogenese (1). **mo|no|ge|ne|tisch**: aus einer Urform entstanden. **Mo|no|ge|nie** *die;* -, ...ien: (Biol.) 1. (bei bestimmten Tieren als Sonderfall) Hervorbringung nur männlicher od. nur weiblicher Nachkommen. 2. die Erscheinung, dass an der Ausbildung eines Merkmals eines Phänotypus nur ein Gen beteiligt ist; Ggs. ↑Polygenie. **Mo|no|ge|nis|mus** *der;* -: 1. ↑Monogenese (1). 2. Lehre der katholischen Theologie, nach der alle Menschen auf einen gemeinsamen Stammvater (Adam) zurückgehen; Ggs. ↑Polygenismus (2)
mo|no|glott*: nur eine Sprache sprechend. **Mo|no|glo|nie** *die;* -, ...ien: ↑Monogenese (2)
Mo|no|gramm ⟨*gr.-lat.*⟩ *das;* -s, -e: Namenszeichen, meist aus den Anfangsbuchstaben von

Vor- u. Familiennamen bestehend. **mo|no|gram|mie|ren**: als Signatur nur mit einem Monogramm versehen. **Mo|no|gram|mist** ⟨*gr.-nlat.*⟩ *der;* -en, -en: Künstler, von dem man nur die Anfangsbuchstaben des Namens bekannt sind **Mo|no|gra|phie**, auch: Monografie *die;* -, ...ien: größere, wissenschaftliche Einzeldarstellung. **mo|no|gra|phisch**, auch: monografisch: ein einzelnes Problem od. eine einzelne Persönlichkeit untersuchend od. darstellend. **mo|no|hyb|rid*** ⟨*gr.; lat.*⟩: (von tierischen od. pflanzlichen Kreuzungsprodukten) von Eltern abstammend, die sich nur in einem Merkmal unterscheiden (Biol.); Ggs. ↑polyhybrid. **Mo|no|hyb|ri|de*** *die;* -, -n, auch: *der;* -n, -n: Bastard, dessen Eltern sich nur in einem Merkmal unterscheiden (Biol.); Ggs. ↑Polyhybride. **Mo|no|il|de|is|mus** ⟨*gr.-nlat.;* „Einideenherrschaft") *der;* -: 1. Beherrschtsein von einem einzigen Gedankenkomplex (Psychol.); Ggs. ↑Polyideismus. 2. halluzinatorische Einengung des Bewusstseins in der Hypnose (Psychol.). **mo|no|kau|sal**: auf nur eine Grundlage stützend; auf nur einen Grund zurückgehend **Mo|no|kel*** ⟨*gr.; lat.*⟩ *lat.-fr.*⟩ *das;* -s, -: Einglas; Korrekturlinse für ein Auge, die durch die Muskulatur der Augenlider gehalten wird **mo|no|klin*** ⟨*gr.-nlat.*⟩: 1. die Kristallform eines Kristallsystems betreffend, bei dem eine Kristallachse schiefwinklig zu den beiden anderen, zueinander senkrechten Achsen steht. 2. (von Blüten) zweigeschlechtig (Bot.). **Mo|no|kli|ne** *die;* -n, -n: nach einer Richtung geneigtes Gesteinspaket (Geol.). **Mo|no|ko|ty|le|do|ne** *die;* -, -n: einkeimblättrige Pflanze (Bot.). **Mo|no|kra|tie*** *die;* -, ...ien: Alleinherrschaft; Herrschaft einer/eines Einzelnen. **mo|no|kra|tisch**: die Monokratie betreffend; **monokratisches System**: die Leitung eines Amtes durch eine(n) Einzelne(n), die/der mit alleinigem Entscheidungsrecht ausgestattet ist **mo|no|kul|lar*** ⟨*gr.; lat.*⟩ *lat.-nlat.*⟩: (Med.) a) mit [nur] einem Auge; b) für [nur] ein Auge. **Mo|no|kul|tur** ⟨*gr.; lat.*⟩ *die;* -, -en: Form der landwirtschaftlichen

Bodennutzung, bei der nur eine Nutzpflanze angebaut wird. **mo|no|la|te|ral**: einseitig (Med.). **Mo|no|lat|rie*** ⟨*gr.-nlat.*⟩ *die;* -: Verehrung nur eines Gottes. **mo|no|lin|gu|al**: nur eine Sprache sprechend; ↑monoglott **Mo|no|lith** *der;* -s od. -en, -e[n]: Säule, Denkmal aus einem einzigen Steinblock. **mo|no|lith**: ↑monolithisch. **mo|no|li|thisch**: 1. aus nur einem Stein bestehend; **monolithische Bauweise**: fugenlose Bauweise (z. B. Betonguss- od. Ziegelbauweise) im Ggs. zur Montagebauweise. 2. aus sehr kleinen elektronischen Bauelementen untrennbar zusammengesetzt **Mo|no|log** ⟨*gr.-fr.*⟩ *der;* -[e]s, -e: a) laut geführtes Selbstgespräch einer Figur auf der Bühne; b) [längere] Rede, die jmd. während eines Gesprächs hält; Ggs. ↑Dialog (a). **mo|no|lo|gisch**: in der Form eines Monologs. **mo|no|lo|gi|sie|ren**: innerhalb eines Gesprächs für längere Zeit allein reden. **Mo|no|lo|gist** ⟨*gr.-fr.-nlat.*⟩ *der;* -en, -en: Monologsprecher (Theat.) **Mo|nom** ⟨*gr.-nlat.*⟩ *das;* -s, -e: eingliedrige Zahlengröße (Math.). **mo|no|man** ⟨*gr.-nlat.*⟩ *der;* -n, -n: jmd., der an Monomanie leidet. **Mo|no|ma|nie** *die;* -, ...ien: krankhaftes Geprägtsein von einer Zwangsvorstellung oder einer Wahnidee (Psychol.). **mo|no|ma|nisch**: ↑monoman **mo|no|mer**: aus einzelnen, voneinander getrennten, selbstständig Molekülen bestehend (Chem.); Ggs. ↑polymer. **Mo|no|mer** *das;* -s, -e u. **Mo|no|me|re** *das;* -n, -n (meist Plural): Stoff, dessen Moleküle monomer sind (Chem.). **Mo|no|me|tal|lis|mus** *der;* -: Währungssystem, in dem nur ein Währungsmetall als gesetzliches Zahlungsmittel anerkannt ist. **Mo|no|me|ter** ⟨*gr.-lat.*⟩ *der;* -: aus nur einem Metrum (1) bestehende metrische Einheit, die selbstständig nur als Satzschluss verwendet wird (antike Metrik). **mo|no|misch** ⟨*gr.-nlat.*⟩: eingliedrig (Math.). **mo|no|morph**: gleichartig, gleich gestaltet (in Bezug auf Blüten u. Gewebe; Bot.). **Mo|no|nom** *das;* -s, -e: ↑Monom. **mo|no|misch**: ↑monomisch
mo|no|phag: (Biol.) 1. (von Tie-

ren) hinsichtlich der Ernährung auf nur eine Pflanzen- od. Tierart spezialisiert; Ggs. ↑polyphag. 2. (von schmarotzenden Pflanzen) auf nur eine Wirtspflanze spezialisiert. Mo|no|pha|ge der; -n, -n (meist Plural): Tier, das in seiner Ernährung monophag (1) ist (Biol.); Ggs. ↑Polyphage (1). Mo|no|pha|gie die; -: Beschränkung in der Nahrungswahl auf eine Pflanzen- od. Tierart (Biol.)

Mo|no|phar|ma|kon das; -s, ...ka: aus einem einzigen Wirkstoff hergestelltes Arzneimittel (Med.). Mo|no|pha|sie die; -: Sprachstörung mit Beschränkung des Wortschatzes auf eine Silbe, einen Satz od. ein Wort (Psychol.). Mo|no|pho|bie die; -: Angst vor dem Alleinsein (Psychol.)

mo|no|phon, auch: monofon: einkanalig (in Bezug auf die Schallübertragung). Mo|no|pho|nie, auch: Monofonie die; -: einkanalige Schallübertragung Mo|no|phthal|mie* die; -: Einäugigkeit (Med.)

Mo|no|phthong* ⟨gr.⟩ der; -s, -e: einfacher Vokal (z. B. a, i); Ggs. ↑Diphthong. Mo|no|phthongie|ren ⟨gr.-nlat.⟩: a) einen Diphthong in einen Monophthong umbilden; b) (von Diphthongen) zum Monophthong werden; Ggs. ↑diphthongieren. mo|noph|thon|gisch: a) einen Monophthong enthaltend; b) als Monophthong [gesprochen]; Ggs. ↑diphthongisch. mo|noph|thon|gi|sie|ren: ↑monophthongieren

mo|no|phyl|le|tisch: einstämmig; von einer Urform abstammend (Biol.); Ggs. ↑polyphyletisch. Mo|no|phyl|le|tis|mus der; - u. Mo|no|phyl|lie die; -: ↑Monogenese (1)

Mo|no|phy|o|dont der; -en, -en: Säugetier, bei dem kein Zahnwechsel stattfindet (Biol.). Mo|no|phy|o|don|tie die; -: einmalige Zahnung (Med.)

Mo|no|phy|sit der; -en, -en (meist Plural): Anhänger des Monophysitismus. mo|no|phy|sitisch: den Monophysitismus betreffend, ihm entsprechend. Mo|no|phy|si|tis|mus der; -: altkirchliche Lehre, nach der die zwei Naturen Christi zu einer neuen gottmenschlichen Natur verbunden sind

Mo|no|plan* der; -s, -e: (veraltet) Eindecker (Flugw.). Mo|no|ple-

gie die; -, ...ien: Lähmung eines einzelnen Gliedes od. Gliedabschnittes

Mo|no|po|die ⟨gr.⟩ die; -, ...ien: aus nur einem Versfuß bestehender Takt in einem Vers. mo|no|po|disch ⟨gr.-lat.⟩: aus nur einem Versfuß bestehend; monopodischer Vers: Vers, dessen Monopodien gleichmäßiges Gewicht der Hebungen haben. Mo|no|po|di|um ⟨gr.-nlat.⟩ das; -s: einheitliche echte Hauptachse bei pflanzlichen Verzweigungen (Bot.); Ggs. ↑Sympodium

Mo|no|pol ⟨gr.-lat.⟩ das; -s, -e: 1. Vorrecht, alleiniger Anspruch, alleiniges Recht, bes. auf Herstellung u. Verkauf eines bestimmten Produktes. 2. marktbeherrschendes Unternehmen od. Unternehmensgruppe, die auf einem Markt als alleiniger Anbieter od. Nachfrager auftritt u. damit die Preise diktieren kann. mo|no|po|li|sie|ren ⟨gr.-lat.-nlat.⟩: ein Monopol aufbauen, die Entwicklung zu Monopolen vorantreiben. Mo|no|po|lis|mus der; -: auf Marktbeherrschung gerichtetes wirtschaftspolitisches Streben. Mo|no|po|list der; -en, -en: ↑Monopolkapitalist. mo|no|po|lis|tisch: auf Marktbeherrschung und Höchstgewinnerzielung ausgehend. Mo|no|pol|ka|pi|tal das; -s: Gesamtheit monopolistischer Unternehmungen. Mo|no|pol|ka|pi|ta|lis|mus der; -: Entwicklungsepoche des Kapitalismus, die durch Unternehmungszusammenschlüsse mit monopolähnlichen Merkmalen gekennzeichnet ist. Mo|no|pol|ka|pi|ta|list der; -en, -en: Eigentümer eines marktbeherrschenden [Industrie]unternehmens. mo|no|pol|ka|pi|ta|lis|tisch: den Monopolkapitalismus betreffend. Mo|no|pol|ly ® das; -: Gesellschaftsspiel, bei dem mithilfe von Würfeln, Spielgeld, Anteilscheinen u. Ä. Grundstücksspekulation simuliert wird

Mo|no|pos|to ⟨gr.; lat.⟩ it.⟩ der; -s, -s: Einsitzer mit freilaufenden Rädern (Automobilrennsport). Mo|nop|son* ⟨gr.-nlat.⟩ das; -s, -e: Marktform, bei der ein Nachfrager vielen Anbietern gegenübersteht. Mo|no|psy|chismus* ⟨gr.-nlat.; „Einseelenlehre"⟩ der; -: Lehre von Averroes, nach der es nur eine einzige überindividuelle Seele gibt (Philos.). Mo|nop|te|ros* ⟨gr.-lat.⟩ der; -,

...eren: von einer Säulenreihe umgebener, kleiner, runder Tempel [der Antike]. Mo|no|saccha|rid u. Mo|no|sa|cha|rid das; -[e]s, -e: einfach gebauter Zucker (z. B. ↑Glucose). Mo|no|se ⟨gr.-nlat.⟩ die; -, -n: ↑Monosaccharid mo|no|sem: nur eine Bedeutung habend (von Wörtern; Sprachw.); Ggs. ↑polysem. mo|no|se|man|tisch: ↑monosem. Mo|no|se|mie die; -: 1. das Vorhandensein nur einer Bedeutung bei einem Wort; Ggs. ↑Polysemie. 2. durch Monosemierung [im Kontext] erreichte Eindeutigkeit zwischen einem sprachlichen Zeichen (Wort) u. einer zugehörigen Bedeutung. mo|no|se|mie|ren: (durch den sprachlichen od. situativen Kontext) monosem machen

Mo|no|skop* das; -s, -e: Fernsehprüfrohr. Mo|no|som das; -s, -en: einzeln bleibendes Chromosom im diploiden Zellkern. Mo|no|sper|mie die; -, ...ien: Besamung einer Eizelle durch nur eine männliche Geschlechtszelle; Ggs. ↑Polyspermie. mo|no|sta|bil: (von elektronischen Schaltungen) einen stabilen Zustand besitzend

Mo|no|sti|cha* : Plural von ↑Monostichon. mo|no|sti|chisch: das Monostichon betreffend; aus metrisch gleichen Einzelversen bestehend (in Bezug auf Gedichte); Ggs. ↑distichisch. mo|no|sti|chi|tisch * : ↑monostichisch. Mo|no|sti|chon ⟨gr.⟩ das; -s, ...cha: einzelner Vers (Metrik)

mo|no|syl|la|bisch: einsilbig (von Wörtern). Mo|no|syl|la|bum ⟨gr.-nlat.⟩ das; -s, ...ba: einsilbiges Wort (Sprachw.)

Mo|no|syn|de|ta: Plural von ↑Monosyndeton. mo|no|syn|de|tisch: in der Art eines Monosyndetons (Sprachw.). Mo|no|syn|de|ton das; -s, ...ta: Reihe von Satzteilen, bei der vor dem letzten eine Konjunktion steht (Sprachw.)

Mo|no|the|is|mus der; -: Glaube an einen einzigen Gott. Mo|no|the|ist der; -en, -en: Bekenner des Monotheismus; jmd., der nur an einen Gott glaubt. mo|no|the|is|tisch: an einen einzigen Gott glaubend. Mo|no|the|let ⟨gr.-mlat.⟩ der; -en, -en: Vertreter des Monotheletismus. Mo|no|the|le|tis|mus ⟨gr.-nlat.⟩ der; -: altchristliche Sektenlehre, die in Christus zwei unvereinigte

Naturen, aber nur einen gottmenschlichen Willen wirksam glaubte

mo|no|ton ⟨gr.-lat.-fr.⟩: gleichförmig, ermüdend-eintönig; **monotone Funktion:** eine entweder dauernd steigende od. dauernd fallende Funktion (Math.). **Mono|to|nie** die; -, ...ien: Gleichförmigkeit, Eintönigkeit. **Mo|noto|no|me|ter** ⟨gr.-nlat.⟩ das; -s, -: Gerät zur Untersuchung der Auswirkung eintöniger, ermüdend wirkender Arbeit (Psychol.)

Mo|no|tre|men* die (Plural): ↑Kloakentiere. **mo|no|trop** ⟨gr.-lat.⟩: beschränkt anpassungsfähig (Biol.). **Mo|no|tro|pie** ⟨gr.-nlat.⟩ die; -: nur in einer Richtung mögliche Umwandelbarkeit der Zustandsform eines Stoffes in eine andere (Chem.). **Mo|no|type** ® [...tai̯p] ⟨gr.-engl.⟩ die; -, -s: Gieß- u. Setzmaschine für Einzelbuchstaben (Druckw.). **Mo|no|ty|pie** ⟨gr.-nlat.⟩ die; -, ...ien: 1. grafisches Verfahren, das nur einen Abdruck gestattet (Kunstw.). 2. im Monotypieverfahren hergestellte Reproduktion. **mo|no|va|lent** ⟨gr.; lat.⟩: einwertig (Chem.). **Mo|no|xid,** auch: **Mo|no|xyd** das; -[e]s, -e: Oxid, das ein Sauerstoffatom enthält. **Mo|no|zie** ⟨gr.-nlat.⟩ die; -: das Vorkommen männlicher u. weiblicher Blüten auf einem Pflanzenindividuum; Einhäusigkeit (Bot.). **mo|no|zisch:** männliche u. weibliche Blüten auf einem Pflanzenindividuum aufweisend; einhäusig (Bot.). **mo|no|zy|got:** aus einer einzigen befruchteten Eizelle stammend; eineiig (von Mehrlingen). **mo|no|zyk|lisch, auch:** monocyclisch: (von organischen chemischen Verbindungen) nur einen Ring im Molekül aufweisend; Ggs. ↑polyzyklisch. **Mo|no|zyt** der; -en, -en (meist Plural): größtes weißes Blutkörperchen (Med.). **Mo|no|zy|to|se** die; -, -n: krankhafte Vermehrung der Monozyte (z. B. bei Malaria)

Mon|roe|dokt|rin* [mən'rou..., 'mɔnro...] ⟨amerik.; nach dem amerikanischen Präsidenten Monroe (1758–1831)⟩ die; -: in der amerikanischen Außenpolitik des 19. u. frühen 20. Jh.s geltender Grundsatz der gegenseitigen Nichteinmischung

Mon|seig|neur* [mõsɛn'jøːɐ̯] ⟨lat.-fr.⟩ der; -s, -e u. -s: 1. (ohne Plural) Titel u. Anrede hoher Geistlicher, Adliger u. hoch gestellter Personen (in Frankreich); Abk.: Mgr. 2. Träger dieses Titels. **Mon|sieur** [mə'sjøː] ⟨„mein Herr“⟩ der; -[s], Messieurs [me'sjø:]: französische Bezeichnung für: Herr; als Anrede ohne Artikel; Abk.: M., Plural: MM. **Mon|sig|no|re** [mɔnzin-'joːrə] ⟨lat.-it.; „mein Herr“⟩ der; -[s], ...ri: 1. (ohne Plural) Titel u. Anrede von Prälaten der katholischen Kirche; Abk.: Mgr., Msgr. 2. Träger dieses Titels

Mons|ter ⟨lat.-fr.-engl.⟩ das; -s, -: Ungeheuer

Mons|te|ra ⟨nlat.; Herkunft unsicher⟩ die; -, ...rae [...rɛ]: ↑Philodendron

Mon|stra*: Plural von ↑Monstrum. **Monst|ranz** ⟨lat.-mlat.⟩ die; -, -en: kostbares Behältnis zum Tragen u. Zeigen der geweihten Hostie. **Mon|st|ron:** Plural von ↑Monstrum. **monströs** ⟨lat.(-fr.)⟩: ungeheuerlich. **Monst|ro|si|tät** ⟨lat.⟩ die; -, -en: Ungeheuerlichkeit. **Monst|rum** das; -s, ...ren u. ...ra: 1. Monster, Ungeheuer. 2. großer, unförmiger Gegenstand; Ungetüm

Mon|sun ⟨arab.-port.-engl.⟩ der; -s, -e: a) jahreszeitlich wechselnder Wind in Asien; b) die Sommerregenzeit [in Süd- u. Ostasien]. **mon|su|nisch:** den Monsun betreffend, vom Monsun beeinflusst

Mon|ta|ge [...ʒə, auch: mõ..., österr.: ...'taːʒ] ⟨lat.-vulgärlat.-fr.⟩ die; -, -n: 1. a) Zusammensetzen [einer Maschine, technischen Anlage] aus vorgefertigten Teilen zum fertigen Produkt; b) Aufstellen u. Anschließen [einer Maschine] zur Inbetriebnahme. 2. Kunstwerk (Literatur, Musik, bildende Kunst), das aus ursprünglich nicht zusammengehörenden Einzelteilen zu einer neuen Einheit zusammengesetzt ist. 3. a) künstlerischer Aufbau eines Films aus einzelnen Bild- u. Handlungseinheiten; b) aus der letzten bildwirksamen Gestaltung eines Films notwendige Feinschnitt mit den technischen Mitteln der Ein- u. Überblendung und der Mehrfachbelichtung. **Mon|tag|nard*** [mõta-'nja:r] ⟨nach den höher gelegenen Plätzen in der verfassunggebenden Versammlung⟩ der; -s, -s: Mitglied der Bergpartei während der Französischen Revolution

Mon|ta|gue-Gram|ma|tik ['mɔntəgju...] ⟨nach dem Sprachwissenschaftler R. Montague⟩ die; -: grammatisches Modell zur Beschreibung natürlicher Sprachen auf mathematisch-logischer Basis **mon|tan** ⟨lat.⟩: Bergbau und Hüttenwesen betreffend. **Mon|tan|ge|sell|schaft** die; -, -en: Handelsgesellschaft, die den Bergbau betreibt. **Mon|tan|in|dust|rie*** die; -, -n: Gesamtheit der bergbaulichen Industrieunternehmen

Mon|ta|nis|mus ⟨lat.-nlat.; nach dem Begründer Montanus, † vor 179⟩ der; -: schwärmerische, sittenstrenge christliche Sekte in Kleinasien (2.-8. Jh.) **[1]Mon|ta|nist** ⟨lat.-nlat.⟩ der; -en, -en: Fachmann im Bergbau u. Hüttenwesen **[2]Mon|ta|nist** Anhänger des Montanismus **mon|ta|nis|tisch** ⟨lat.-nlat.⟩: ↑montan. **Mon|tan|uni|on** die; -: Europäische Gemeinschaft für Kohle und Stahl. **Mon|tan|wachs** ⟨lat.; dt.⟩ das; -es: ↑Bitumen der Braunkohle

Mont|bre|tie [mõ'bre:tsiə] ⟨nlat.; nach dem franz. Naturforscher A. F. E. C. de Montbret, † 1801⟩ die; -, -n: (zu den Schwertlilien gehörende) in Südafrika heimische Pflanze mit ährenförmigem Blütenstand

Mon|teur [...'tø:ɐ̯, auch: mõ...] ⟨lat.-vulgärlat.-fr.⟩ der; -s, -e: Montagefacharbeiter

Mont|gol|fi|e|re [mõgɔl...] ⟨fr.; nach den Erfindern, den Brüdern Montgolfier, 18. Jh.⟩ die; -, -n: Heißluftballon

mon|tie|ren ⟨lat.-vulgärlat.-fr.⟩: 1. eine Maschine o. Ä. aus Einzelteilen zusammensetzen u. betriebsbereit machen. 2. etwas an einer bestimmten Stelle mit technischen Hilfsmitteln anbringen; installieren. 3. etwas aus nicht zusammengehörenden Einzelteilen zusammensetzen, um einen künstlerischen Effekt zu erzielen. 4. einen Edelstein fassen. **Mon|tie|rung** die; -, -en: (veraltet) Uniform. **Mon|tur** ⟨lat.-fr.⟩ die; -, -en: 1. (veraltet) Uniform, Dienstkleidung. 2. (ugs., oft scherzh.) Kleidung, bes. als Ausrüstung für einen bestimmten Zweck. 3. Unterbau für eine Perücke. 4. Fassung für Edelsteine

Mo|nu|ment ⟨lat.⟩ das; -[e]s, -e: 1. [großes] Denkmal. 2. [wichtiges] Zeichen aus der Vergangenheit; Erinnerungszeichen. **mo|nu|men|tal**: 1. denkmalartig. 2. gewaltig, großartig. **Mo|nu|men|ta|li|tät** ⟨*lat.-nlat.*⟩ *die; -*: eindrucksvolle Größe, Großartigkeit

Moon|boot [ˈmuːnbuːt] ⟨*engl.*⟩ *der; -s, -s* (meist Plural): dick gefütterter Winterstiefel [aus synthetischem Material]

Mop: frühere Schreibung für: *Mopp*

Mo|ped ⟨Kurzw. aus: *Mo*torvelo*ziped* od. *Mo*tor u. *Pe*dal⟩ *das; -s, -s*: a) Fahrrad mit Hilfsmotor; b) Kleinkraftrad mit höchstens 50 cm³ Hubraum und einer gesetzlich festgelegten Höchstgeschwindigkeit von 40 km/h

Mopp ⟨*engl.*⟩ *der; -s, -s*: Staubbesen mit [ölgetränkten] Fransen.

mop|pen ⟨*engl.*⟩: mit dem Mopp sauber machen

Mo|quette [mɔˈkɛt] vgl. Mokett

¹Mo|ra ⟨*it.*⟩ *die; -*: italienisches Fingerspiel

²Mo|ra, (auch:) More ⟨*lat.*; „das Verweilen; Verzögerung"⟩ *die; -, Moren*: 1. kleinste Zeiteinheit im Verstakt, der Dauer einer kurzen Silbe entsprechend. 2. (veraltet) [Zahlungs-, Weisungs]verzug

Mo|ral ⟨*lat.-fr.*⟩ *die; -, -en* (Plural selten): 1. Gesamtheit von ethisch-sittlichen Normen, Grundsätzen, Werten, die das zwischenmenschliche Verhalten in einer Gesellschaft regulieren, die von ihr als verbindlich akzeptiert werden. 2. (ohne Plural) Stimmung, Kampfgeist. 3. philosophische Lehre vom Sittlichen; Sittlichkeit. 4. das sittliche Verhalten eines Einzelnen od. einer Gruppe. 5. (ohne Plural) lehrreiche Nutzanwendung. **Mo|ral|in** ⟨*nlat.*⟩ *das; -s*: heuchlerische Entrüstung in moralischen Dingen; enge, spießbürgerliche Sittlichkeitsauffassung. **mo|ra|lin|[sau|er]** ⟨*nlat.*; *dt.*⟩: heuchlerisch moralisch (3). **mo|ra|lisch** ⟨*lat.-fr.*⟩: 1. der Moral (1) entsprechend, sie befolgend; in Einklang mit den [eigenen] Moralgesetzen stehend. 2. die Moral (3) betreffend. 3. sittenstreng, tugendhaft. 4. eine Moral (5) enthaltend. 5. (veraltet) geistig, nur gedanklich, nicht körperlich. **mo|ra|li|sie|ren**: 1. moralische (1) Überlegungen anstellen. 2. die Moral (2, 4) verbessern. 3. sich für sittliche Dinge ereifern. **Mo|ra|lis|mus** ⟨*nlat.*⟩ *der; -*: 1. Haltung, die die Moral (1) als verbindliche Grundlage des zwischenmenschlichen Verhaltens aner-

kennt. 2. [übertreibende] Beurteilung der Moral (1) als alleiniger Maßstab für das zwischenmenschliche Verhalten. **Mo|ra|list** *der; -en, -en*: 1. Vertreter des Moralismus (1); Moralphilosoph. 2. (oft abwertend) jmd., der alle Dinge in übertriebener Weise moralisierend beurteilt. **mo|ra|lis|tisch**: den Moralismus betreffend, ihm gemäß handelnd. **Mo|ra|li|tät** ⟨*lat.-fr.*⟩ *die; -, -en*: 1. (ohne Plural) moralische Haltung, moralisches Bewusstsein; sittliches Empfinden, Verhalten; Sittlichkeit. 2. mittelalterliches Drama von ausgeprägt lehrhafter Tendenz mit Personifizierung u. Allegorisierung abstrakter Begriffe wie Tugend, Laster, Leben, Tod o. Ä. (Literaturw.). **Mo|ral|ko|dex** *der; -[e], -e u. ...dizes*: Kodex moralischen Verhaltens. **Mo|ral|phi|lo|so|phie** *die; -*: philosophische Lehre von den Grundlagen u. dem Wesen der Sittlichkeit; Ethik

Mo|rä|ne ⟨*fr.*⟩ *die; -, -n*: von einem Gletscher bewegte u. abgelagerte Masse von Gestein, Geröll

Mo|rast ⟨*germ.-fr.-niederd.*⟩ *der; -[e]s, -e u.* Moräste: a) schlammiges Stück Land, Sumpfland; b) (ohne Plural) schlammiger Boden; Schlamm

Mo|ra|to|ri|um ⟨*lat.-mlat.*⟩ *das; -s, ...ien*: gesetzlich angeordneter od. [vertraglich] vereinbarter Aufschub

Mor|bi: Plural von ↑Morbus.

mor|bid ⟨*lat.-fr.*⟩: 1. (in Bezug auf den körperlichen Zustand) kränklich, krankhaft (Med.). 2. (im Hinblick auf den inneren, moralischen Zustand) im Verfall begriffen; brüchig. **Mor|bi|dez|za** ⟨*lat.-it.*⟩ *die; -*: (veraltet) Weichheit, Weichlichkeit (in der Malerei). **Mor|bi|di|tät** ⟨*lat.-nlat.*⟩ *die; -*: 1. morbider Zustand. 2. Häufigkeit der Erkrankungen innerhalb einer bestimmten Bevölkerungsgruppe (Med.). **Mor|bil|li** ⟨*lat.*⟩ *die* (Plural): Masern. **mor|bi|phor** ⟨*lat.; gr.*⟩: ansteckend; Krankheiten übertragend (Med.). **Mor|bo|si|tät** ⟨*lat.*⟩ *die; -*: Kränklichkeit (Med.). **Mor|bus** *der; -, ...bi*: Krankheit (Med.); **Morbus Crohn:** chronische, in Schüben verlaufende Entzündung des Dünndarms. **Morbus sacer** ⟨„heilige Krankheit"⟩: ↑Epilepsie

Mor|cel|le|ment [...səlɔˈmã:] ⟨*lat.-fr.*⟩ *das; -s*: Zerstückelung sehr großer Tumoren (Med.)

Mor|dant [...ˈdã:] ⟨*lat.-fr.*⟩ *der; -s, -s u. die; -s* (meist Plural): Ätzmittel, ätzende Paste, die mit dem Pinsel auf die Platte aufgetragen wird (Grafik). **Mor|da|zi|tät** ⟨*lat.; „*Bissigkeit"⟩ *die; -*: Ätzkraft (Chem.). **Mor|dent** ⟨*lat.-it.*; „Beißer"⟩ *der; -s, -e*: musikalische Verzierung, die aus einfachem od. mehrfachem Wechsel einer Note mit ihrer unteren Nebennote besteht; Pralltriller (Mus.)

Mo|re: vgl. ²Mora

mo|re ge|o|me|tri|co* ⟨*lat.; gr.-lat.*; „nach der Art der Geometrie"⟩ *die; - -*: philosophische Methode der Deduktion von Sätzen aus Prinzipien u. Axiomen nach Art der Mathematik (Philos.)

Mo|rel|le u. Marelle ⟨*roman.*⟩ *die; -, -n*: eine besonders in Südosteuropa angepflanzte Sauerkirschenart; Süßweichsel

Mo|ren: Plural von ↑²Mora u. ↑²More

mo|ren|do ⟨*lat.-it.*⟩: verhauchend (Vortragsanweisung; Mus.). **Mo|ren|do** *das; -s, -s u. ...di*: leise werdendes, verhauchendes Spiel (Mus.)

Mo|res [...reːs] ⟨*lat.*⟩ *die* (Plural): in der Wendung: **jmdn. Mores lehren:** (ugs.) jmdn. energisch zurechtweisen

Mo|res|ca vgl. Morisca. **Mo|res|ke** u. Maureske ⟨*gr.-lat.-span.-fr.*⟩ *die; -, -n*: aus dem islamischen Kunst übernommenes Flächenornament aus schematischen Linien u. stilisierten Pflanzen

mor|ga|na|tisch ⟨*mlat.*⟩: in der Fügung: **morganatische Ehe:** (hist.) nicht standesgemäße Ehe (Rechtsw.)

Morgue [mɔrg] ⟨*germ.-fr.*⟩ *die; -, -n* [...gn]: Leichenschauhaus [in Paris]

Mo|ria ⟨*gr.*⟩ *die; -*: heitere Geschwätzigkeit (Psychol.)

mo|ri|bund ⟨*lat.*⟩: im Sterben liegend; sterbend; dem Tode geweiht (Med.)

Mo|ri|nell ⟨*span.*⟩ *der; -s, -e*: Schnepfenvogel in Schottland u. Skandinavien

Mo|rio-Mus|kat ⟨nach dem dt. Züchter P. Morio⟩ *der; -, -s: a)* (ohne Plural) Rebsorte aus einer Kreuzung zwischen Silvaner u. weißem Burgunder, die einen Wein mit intensivem muskatähnlichen Bukett liefert; b) Wein dieser Rebsorte

Mo|ri|on ⟨*gr.-lat.*⟩ *der; -s*: dunkelbrauner bis fast schwarzer Bergkristall

Mo|ris|ca u. Moresca ⟨gr.-lat.-span.; „Maurentanz"⟩ die; -: (vom 15. bis 17. Jh. in Europa verbreiteter) maurischer, Sarazenenkämpfe schildernder, mäßig schneller, mit Schellen an den Füßen getanzter Tanz. **Mo|ris|ke** der; -n, -n (meist Plural): nach der arabischen Herrschaft in Spanien zurückgebliebener Maure, der [nach außen hin] Christ war **Mor|mo|ne** ⟨nach dem Buch Mormon des Stifters Joseph Smith, 1805–1844⟩ der; -n, -n: Angehöriger einer chiliastischen Sekte in Nordamerika (Kirche Jesu Christi der Heiligen der letzten Tage) **mo|ros** ⟨lat.⟩: (veraltet) mürrisch, verdrießlich. **Mo|ro|si|tät** die; -: (veraltet) Grämlichkeit, Verdrießlichkeit **Morph** das; -s, -e: kleinstes bedeutungstragendes Bauelement der gesprochenen Sprache (Sprachw.). **Mor|phal|la|xis*** ⟨gr.-nlat.⟩ die; -: Ersatz verloren gegangener Körperteile durch Umbildung u. Verlagerung bereits vorhandener Teile (Biol.). **Mor|phe** ⟨gr.⟩ die; -: Gestalt, Form, Aussehen, ↑Eidos (1). **Mor|phem** ⟨gr.-nlat.⟩ das; -s, -e: kleinste bedeutungstragende Gestalteinheit in der Sprache, kleinstes sprachliches Zeichen (Sprachw.); **freies Morphem**: isoliert auftretendes Morphem als eigenes Wort (z. B. Tür, gut); **gebundenes Morphem**: Morphem, das nur zusammen mit anderen Morphemen auftritt (z. B. aus- in ausfahren, -en in Frauen). **Mor|phe|mal|tik** die; -: Wissenschaft von den Morphemen. **mor|pho|mo|tisch** das Morphem betreffend. **Mor|phe|mik** die; -: ↑Morphematik. **Mor|pheus** ⟨gr.-lat.⟩: griechischer Gott des Schlafes; in der Wendung: **in Morpheus' Armen**: in wohltuendem Schlaf. **Mor|phin** ⟨gr.-nlat.; nach dem griech. Gott Morpheus⟩ das; -s: (Med., Chem.) ↑Morphium. **Mor|phin** ⟨engl.⟩ das; -s: (bes. in der Werbung angewandtes) computergestütztes Verfahren, eine Gestalt, ein Bild o. Ä. übergangslos in ein anderes wechseln zu lassen. **Mor|phi|nis|mus** der; -: Morphiumsucht. **Mor|phi|nist** der; -en, -en: Morphiumsüchtiger. **Mor|phi|um** das; -s: aus Opium gewonnene Droge, die in der Medizin bes. als schmerzlinderndes

Mittel eingesetzt wird. **Mor|pho|ge|ne|se** u. **Mor|pho|ge|ne|sis** die; -, ...nesen: Ausgestaltung und Entwicklung von Organen od. Geweben eines pflanzlichen od. tierischen Organismus (Biol.). **mor|pho|ge|ne|tisch**: die Morphogenese betreffend (Biol.). **Mor|pho|ge|nie** die; -, ...ien: ↑Morphogenese. **Mor|pho|gra|phie**, auch: ...grafie die; -: (veraltet) Gestaltenbeschreibung und -wissenschaft, bes. von der Erdoberfläche. **mor|pho|gra|phisch**, auch: ...grafisch: (veraltet) gestaltbeschreibend. **Mor|pho|lo|ge** der; -n, -n: 1. Wissenschaftler auf dem Gebiet der Morphologie. 2. ↑Geomorphologe. **Mor|pho|lo|gie** die; -: 1. Wissenschaft von den Gestalten und Formen (bes. Philos.). 2. Wissenschaft von der Gestalt u. dem Bau des Menschen, der Tiere u. Pflanzen (Med., Biol.). 3. Wissenschaft von den Formveränderungen, denen die Wörter durch Deklination (1) u. Konjugation (1) unterliegen; Formenlehre (Sprachw.). 4. ↑Geomorphologie. 5. Teilgebiet der Soziologie, das sich mit der Struktur der Gesellschaft (z. B. Bevölkerungsdichte, Geschlecht, Alter, Berufe u. Ä.) befasst. **mor|pho|lo|gisch**: die Morphologie betreffend, auf ihr beruhend, zu ihr gehörend; die äußere Gestalt, Form, den Bau betreffend; der Form nach. **Mor|pho|met|rie*** die; -, ...ien: 1. Ausmessung der äußeren Form (z. B. von Körpern, Organen). 2. Teilgebiet der Geomorphologie mit der Aufgabe, die Formen der Erdoberfläche durch genaue Messungen zu erfassen. **mor|pho|met|risch***: (von Geröllen) durch Messungen erfasst (Geol.). **Mor|pho|nem** u. Morphophonem das; -s, -e: Variation eines Phonems, das in gleichem Morphem bei unterschiedlicher Umgebung auftaucht (z. B. i/a/u in binden, band, gebunden). **Mor|pho|no|lo|gie** u. Morphophonologie die; -: Teilgebiet der Linguistik, das sich mit den Beziehungen zwischen Phonologie u. Morphologie befasst. **Mor|pho|pho|nem** vgl. Morphonem. **Mor|pho|pho|no|lo|gie** vgl. Morphonologie. **mor|pho|syn|tak|tisch** die Morphosyntax betreffend. **Mor|pho|syn|tax** die; -: Syntax der äußeren Form eines Satzes (Sprachw.); Ggs. ↑Nomosyntax

Mor|se|al|pha|bet ⟨nach dem nordamerik. Erfinder S. Morse, 1791–1872⟩ das; -[e]s: dem Alphabet entsprechende Folge von Zeichen, die beim Morsen verwendet werden u. aus Kombinationen von Punkten u. Strichen bzw. kurzen u. langen Stromimpulsen bestehen. **Mor|se|ap|pa|rat** der; -[e]s, -e: Gerät zur telegrafischen Übermittlung von Nachrichten mithilfe von Zeichen des Morsealphabets **Mor|sel|le** ⟨lat.-fr.⟩ die; -, -n: (veraltet) aus Zuckermasse gegossenes Täfelchen mit Schokolade, Mandeln u. a. **mor|sen** ⟨nach dem amerik. Erfinder S. Morse, 1791–1872⟩: 1. den Morseapparat bedienen. 2. unter Verwendung des Morsealphabets hörbare od. sichtbare Zeichen geben **Mor|ta|del|la** ⟨lat.-it.⟩ die; -, -s: dickere Brühwurst aus Schweine- u. Kalbfleisch **Mor|ta|li|tät** ⟨lat.⟩ die; -: Sterblichkeit, Sterblichkeitsziffer; Verhältnis der Zahl der Todesfälle zur Gesamtzahl der berücksichtigten Personen (Med.). **Mor|ti|fi|ka|ti|on** die; -, -en: 1. (veraltet) Kränkung. 2. Abtötung [der Begierden in der Askese]. 3. Absterben von Organen od. Geweben (Med.). 4. (veraltet) Ungültigkeitserklärung; Tilgung (Rechtsw.). **mor|ti|fi|zie|ren**: 1. (veraltet) demütigen, beleidigen. 2. kasteien. 3. absterben [lassen], abtöten. 4. (veraltet) tilgen, für ungültig erklären **Mor|tu|a|ri|um** das; -s, ...rien: 1. im Mittelalter beim Tod eines Hörigen von dem Erben zu entrichtender Betrag. 2. Bestattungsort **Mo|rul|la** ⟨lat.-nlat.⟩ die; -, ...lae [...lɛ]: maulbeerähnlicher, kugeliger Zellhaufen, der nach mehreren Furchungsteilungen aus der befruchteten Eizelle entsteht (Biol.) **Mo|sa|ik** ⟨gr.-lat.-mlat.-it.-fr.⟩ das; -s, -en (auch: -e): 1. aus kleinen, bunten Steinen od. Glassplittern zusammengesetztes Bild, Ornament zur Verzierung von Fußböden, Wänden, Gewölben. 2. eine aus vielen kleinen Teilen zusammengesetzte Einheit. **Mo|sa|ik|glas** das; -es: antikes ↑Millefioriglas. **Mo|sa|ik|gold** das; -es: ↑Musivgold **mo|sa|isch** ⟨hebr.-gr.-nlat.⟩: nach Moses, dem Stifter der israelitischen Religion⟩: jüdisch, israelitisch (in Bezug auf die Religion des A. T.). **Mo|sa|is|mus** *der; -:* (veraltet) Judentum **Mo|sa|ist** *der; -en, -en:* (veraltet) ↑Mosaizist. **mo|sa|is|tisch:** Mosaiken betreffend. **Mo|sa|i|zist** ⟨*gr.-lat.-mlat.-it.-fr.-nlat.*⟩ *der; -en, -en:* Künstler, der mit Musivgold arbeitet od. Mosaiken herstellt

Mo|schaw ⟨*hebr.*⟩ *der; -s, ...wim:* Genossenschaftssiedlung von Kleinbauern mit Privatbesitz in Israel

Mo|schee ⟨*arab.-span.-it.-fr.*⟩ *die; -, ...scheen:* islamisches Gotteshaus, das ein Zentrum des religiösen u. politischen Lebens der Muslime darstellt

Mo|schus ⟨*sanskr.-pers.-gr.-lat.*⟩ *der; -:* Duftstoff aus der Moschusdrüse der männlichen Moschustiere. **Mo|schus|tier** *das; -[e]s, -e:* geweihlose, kleine Hirschart Zentralasiens

Mo|ses ⟨*hebr.-gr.-lat.;* nach dem Stifter der israelitischen Religion⟩ *der; -, -:* 1. (seemännisch spöttisch) jüngstes Besatzungsmitglied an Bord; Schiffsjunge. 2. Beiboot einer Jacht, kleinstes Boot

Mos|ki|to ⟨*lat.-span.*⟩ *der; -s, -s* (meist Plural): 1. tropische Stechmücke, die gefährliche Krankheiten (z. B. Malaria) übertragen kann. 2. Stechmücke (Fachspr., sonst selten)

Mos|lem ⟨*arab.*⟩ *der; -s, -s* u. Muslim *der; -[s], -e* u. *-s:* Anhänger des Islams. **mos|le|mi|nisch** (veraltet) u. **mos|le|misch** u. muslimisch: die Moslems, ihren Glauben, ihren Herrschaftsbereich betreffend. **Mos||li|me** u. Muslime *die; -, -n:* Anhängerin des Islams

mos|so ⟨*lat.-it.*⟩: bewegt, lebhaft (Vortragsanweisung; Mus.); **molto mosso:** sehr viel schneller; **più mosso:** etwas schneller

Mo|tel [auch: mo'tel] ⟨*amerik.* Kurzw. für *motorists hotel*⟩ *das; -s, -s:* an Autobahnen o. Ä. gelegenes Hotel [für Autoreisende]

Mo|tet|te ⟨*lat.-vulgärlat.-it.*⟩ *-, -n:* in mehrere Teile gegliederter mehrstimmiger Chorgesang [ohne Instrumentalbegleitung]. **Mo|tet|ten|pas|si|on** *die; -, -en:* im Motettenstil vertonte Passionserzählung

Mo|ti|li|tät ⟨*lat.-nlat.*⟩ *die; -:* 1. Gesamtheit der nicht bewusst gesteuerten Bewegungen des menschlichen Körpers u. seiner Organe; Ggs. ↑Motorik (1 a;

Med.). 2. Bewegungsvermögen von Organismen u. Zellorganellen (Biol.). **Mo|ti|on** ⟨*lat.-fr.*⟩ *die; -, -en:* 1. (veraltet) [Leibes]bewegung. 2. (schweiz.) schriftlicher Antrag in einem Parlament. 3. (Sprachw.) a) Bildung einer weiblichen Personen- od. Berufsbezeichnung o. Ä. mit einem Suffix von einer männlichen Form (z. B. *Ministerin* von *Minister*); b) Beugung des Adjektivs nach dem Geschlecht des zugehörigen Substantivs. 4. Faustlage (Fechten). **Mo|ti|o|när** *der; -s, -e:* (schweiz.) jmd., der eine Motion (2) einreicht. **Mo|tion|pic|ture** ['mouʃən'pɪktʃə] ⟨*lat.-fr.-engl.*⟩ *das; -[s], -s:* englische Bezeichnung für: Film, Spielfilm. **Mo|tiv** ⟨*lat.-mlat. (-fr.)*⟩ *das; -s, -e* [...və]: 1. Beweggrund, Antrieb, Ursache; Leitgedanke. 2. Gegenstand einer künstlerischen Darstellung; Vorlage (bild. Kunst; Literaturw.). 3. kleinste, gestaltbildende musikalische Einheit [innerhalb eines Themas] (Mus.). **Mo|ti|va|ti|on** ⟨*lat.-mlat.-nlat.*⟩ *die; -, -en:* 1. Summe der Beweggründe, die jmds. Entscheidung, Handlung beeinflussen. 2. Durchschaubarkeit einer Wortbildung in Bezug auf die Teile, aus denen sie zusammengesetzt ist (Sprachw.). 3. das Motiviertsein; Ggs. ↑Demotivation (2); vgl. ...[at]ion/...ierung. **mo|ti|va|ti|o|nal:** das Motiv (1) betreffend (Psychol., Päd.). **Mo|tiv|for|schung** *die; -, -en:* Teil der Marktforschung, der die Motive für das Verhalten u. Handeln [der Käufer] untersucht. **mo|ti|vie|ren** ⟨*lat.-mlat.-fr.*⟩: 1. begründen. 2. zu etwas anregen, veranlassen; Ggs. ↑demotivieren. **mo|ti|viert:** 1. starken Antrieb zu etw. habend; großes Interesse zeigend, etw. zu tun. 2. (von Wörtern) in formalen od. inhaltlichen Beschaffenheit durchschaubar, aus sich selbst heraus verständlich; Ggs. ↑arbiträr (2). **Mo|ti|vie|rung** *die; -, -en:* das Motivieren; vgl. ...[at]ion/...ierung. **Mo|ti|vik** ⟨*lat.-mlat.-nlat.*⟩ *die; -:* Kunst der Motivverarbeitung in einem Tonwerk (Mus.). **mo|ti|visch:** a) das Motiv betreffend; b) die Motivik betreffend **Mo|to|ball** ⟨*fr.*⟩ *das; -s:* Fußballspiel auf Motorrädern; Motorradfußball. **Mo|to|cross**, auch: **Mo|to-Cross** ⟨*engl.*⟩ *das; -, -e:* Gelände-, Vielseitigkeitsprüfung für Motorradsportler; vgl. Auto-

---

cross. **Mo|to|drom*** ⟨*lat.; gr.*⟩ *fr.*⟩ *das; -s, -e:* Rennstrecke (Rundkurs) für Motorsportveranstaltungen. **Mo|to|lo|ge** ⟨*lat.; gr.-nlat.*⟩ *der; -n, -n:* Fachmann auf dem Gebiet der ↑Motologie (Med.). **Mo|to|lo|gie** *die; -:* Lehre von der menschlichen ↑Motorik u. deren Anwendung in Erziehung u. Therapie (Med.). **Mo|tor** ⟨*lat.;* „Beweger"⟩ *der; -s, ...oren, 1.* [auch: mo'to:ɐ̯] (auch: ...ore) Maschine, die Kraft erzeugt u. etwas in Bewegung setzt. 2. Kraft, die etwas antreibt; jmd., der etwas voranbringt. **Mo|to|rik** ⟨*lat.-nlat.*⟩ *die; -:* 1. Gesamtheit der aktiven, vom Gehirn aus gesteuerten, koordinierten Bewegungen des menschlichen Körpers (Med.); Ggs. ↑Motilität. 2. Lehre von den Funktionen der Bewegung des menschlichen Körpers u. seiner Organe (Med.). 3. die Gesamtheit von [gleichförmigen, regelmäßigen] Bewegungsabläufen. **Mo|to|ri|ker** *der; -s, -:* jmd., dessen Persönlichkeit von einer auffallenden Motorik geprägt ist (Psychol.). **mo|to|risch** ⟨*lat.*⟩: a) den Motor betreffend, im Hinblick auf den Motor; b) von einem Motor angetrieben. 2. die Motorik (1) betreffend, auf ihr beruhend, ihr dienend. 3. (von Bewegungsabläufen, Rhythmen o. Ä.) gleichförmig, mit nur geringen Schwankungen ablaufend. **mo|to|ri|sie|ren** ⟨*lat.-fr.*⟩: 1. auf Maschinen od. Motorfahrzeuge umstellen; mit Maschinen od. Motorfahrzeugen ausrüsten. 2. sich motorisieren (ugs.) sich ein Kraftfahrzeug anschaffen. 3. in etw. einen Motor einbauen, mit einem Motor versehen. **Mo|to|ri|sie|rung** *die; -, -en:* das Motorisieren (1, 3)

Mot|to ⟨*lat.-vulgärlat.-it.*⟩ *das; -s, -s:* Denk-, Wahl-, Leitspruch; Kennwort

Mo|tu|prop|rio* ⟨*lat.;* „aus eigenem Antrieb"⟩ *das; -s, -s:* (nicht auf Eingaben beruhender) päpstlicher Erlass

Mouche [muʃ] ⟨*fr.;* „Fliege"⟩ *die; -, -s* [muʃ]: 1. Schönheitspflästerchen. 2. Treffer in den absoluten Mittelpunkt der Zielscheibe beim Schießen. **Mouches volantes** [muʃvɔ'lã:t] ⟨*fr.;* „fliegende Mücken"⟩ *die* (Plural): Sehstörung, bei der gegen einen hellen Hintergrund kleine schwarze Flecken gesehen werden (Med.). **mouil|lie|ren** [mu'ji:...] ⟨*lat.-vul-

gärlat. -*fr.*⟩: bestimmte Konsonanten mithilfe von j erweichen (z. B. l in brillant [= brıl'jant])

Mouil|lie|rung *die;* -, -en: das Mouillieren, Mouilliertwerden

Mou|la|ge [muˈlaːʒə] ⟨*lat.*-*fr.*⟩ *der;* -, -s (auch: *die;* -, -n): aus Wachs, Gips o. Ä. hergestelltes [farbiges] Modell eines Organs, des Körpers od. eines Körperteils

Mou|li|na|ge [muliˈnaːʒə] ⟨*lat.*-*fr.*⟩ *die;* -: (veraltet) Zwirnen der Seide. **Mou|li|né** [...ˈneː] *der;* -s, -s: 1. Zwirn aus verschiedenfarbigen Garnen. 2. gesprenkeltes Gewebe aus Mouliné (1). **mou|li|nie|ren:** Seidenfäden zwirnen

Mound [maʊnd] ⟨*engl.*⟩ *der;* -s, -s: vorgeschichtlicher indianischer Erdwall als Grabhügel, Verteidigungsanlage od. Kultstätte in Nordamerika

Mount [maʊnt] ⟨*engl.*⟩ *der;* -s, -s: engl. Bez. für: Berg. **Mountain|bike** [ˈmaʊntɪnbaɪk] ⟨*engl.*⟩ „Bergfahrrad“⟩ *das;* -s, -s: Fahrrad für Gelände- bzw. Gebirgsfahrten. **moun|tain|bi|ken:** mit dem Mountainbike fahren. **Moun|tain|bi|ker** *der;* -s, -[s]: jmd., der Mountainbike fährt

Mous|sa|ka [mu...] ⟨*ngr.*⟩ *das;* -s, -s u. *die;* -, -s: Auflauf aus Hackfleisch, Auberginen u. a.

Mousse [mʊs] ⟨*fr.;* „Schaum“⟩ *die;* -, -s [mʊs]: a) kalte Vorspeise aus püriertem Fleisch o. Ä.; b) schaumartige Süßspeise. **Mousse au Cho|co|lat** [musʃokoˈla] *die;* - - -, -s - - [mʊs - -]: mit Schokolade hergestellte Mousse (b)

Mous|se|line [mʊs(ə)ˈliːn] vgl. Musselin

Mous|se|ron [mʊsəˈrõː] vgl. Musseron

Mous|seux [muˈsø] ⟨*fr.*⟩ *der;* -, -: Schaumwein. **mous|sie|ren:** (von Wein, Sekt) perlen, in Bläschen schäumen

Mous|té|ri|en [mʊsteˈrjɛ̃] ⟨*fr.;* nach dem franz. Fundort Le Moustiers⟩ *das;* -[s]: Kulturstufe der Älteren Altsteinzeit (Anthropol.)

Mo|vens ⟨*lat.*⟩ *das;* -: Beweggrund. **Mo|vie** [ˈmuːvi] ⟨*lat.*-*fr.*-*engl.*-*amerik.*⟩ *das;* -[s], -s (meist Plural): amerik. Bez. für: Unterhaltungsfilm, Kino. **mo|vie|ren** ⟨*lat.*⟩: (Sprachw.) zu einer weiblichen Personenbezeichnung od. Ä. von einer männlichen Form bilden; b) ein Adjektiv nach dem Geschlecht des zugehörigen Substantivs beugen. **Mo|vierung** *die;* -, -en: das Movieren.

Mo|vi|men|to ⟨*lat.*-*it.*⟩ *das;* -s ...ti: ital. Bez. für: Zeitmaß, Tempo (Mus.)

Mo|xa ⟨*jap.*-*engl.* u. *fr.* u. *span.*⟩ *die;* -, ...xen: 1. (in Ostasien, bes. in Japan) als Brennkraut verwendete Beifußwolle. 2. ↑ Moxibustion. **Mo|xi|bus|ti|on** ⟨*jap.; lat.*⟩ *die;* -: ostasiatische Heilmethode, die durch Einbrennen von Moxa (1) in bestimmte Hautstellen eine Erhöhung der allgemeinen Abwehrreaktion bewirkt

Moz|ara|ber* ⟨*arab.*-*span.*⟩ *die* (Plural): die unter arabischer Herrschaft lebenden spanischen Christen der Maurenzeit (711–1492). **moz|ara|bisch:** die Mozaraber betreffend

Mo|zet|ta u. **Moz|zet|ta** ⟨*it.*⟩ *die;* -, ...tten: vorn geknöpfter Schulterkragen mit kleiner Kapuze für hohe katholische Geistliche

Moz|za|rel|la ⟨*it.*⟩ *der;* -s, -s: ein italienischer Frischkäse

MS-DOS ® ⟨Kurzw. aus: *Micro*-*S*oft *D*isc *O*perating *S*ystem; *engl.*⟩ *das;* -: auf Personalcomputern mit Mikroprozessoren weit verbreitetes Betriebssystem (EDV)

Much|tar ⟨*arab.*-*türk.*⟩ *der;* -s, -s: türkischer Gemeinde-, Ortsvorsteher

Muck|ra|ker [ˈmʌkreɪkə] ⟨*engl.*-*amerik.*⟩ *der;* -s, -[s]: Journalist od. Schriftsteller (bes. in den USA zu Beginn dieses Jh.s), der soziale, politische, ökonomische Missstände aufdeckt u. an die Öffentlichkeit bringt

Mul|cor ⟨*lat.*⟩ *der;* -: ein Schimmelpilz (z. B. auf Brot)

Mu|de|jar|stil [muˈdexar...] ⟨nach den Mudejaren, arabischen Künstlern u. Handwerkern⟩ *der;* -[e]s: auf maurischem u. gotischem Formengut basierender spanischer Kunststil (12.–16. Jh.)

Mu|dir ⟨*arab.*-(*türk.*)⟩ *der;* -s, -e: 1. Leiter eines Verwaltungsbezirks (in Ägypten). 2. Beamtentitel in der Türkei. **Mu|di|ri|je** *die;* - u. -s: Verwaltungsgebiet, Provinz (in Ägypten)

Mud|lumps [ˈmʌdlʌmps] ⟨*engl.*⟩ *die* (Plural): Schlammvulkane im Mississippidelta

Mud|ra* ⟨*sanskr.*⟩ *die;* -, -s: magisch-symbolische Finger- u. Handstellung in buddhistischen u. hinduistischen Kulten

Mu|ez|zin ⟨*arab.*⟩ *der;* -s, -s: Ausrufer, der vom Minarett die Zeiten zum Gebet verkündet (islam. Rel.)

Muf|fin [ˈmafın] ⟨*engl.*⟩ *der;* -s, -s: in einem kleinen Förmchen gebackenes Kleingebäck

Muff|lon ⟨*it.*-*fr.*⟩ *der;* -s, -s: braunes Wildschaf mit großen, quer geringelten, nach hinten gebogenen od. kurzen, nach oben gerichteten Hörnern (auf Sardinien, Korsika)

Muf|ti ⟨*arab.*⟩ *der;* -s, -s: islamischer Rechtsgelehrter und Gutachter; vgl. par ordre du mufti

Mu|ko|li|de ⟨*lat.; gr.*⟩ *die* (Plural): den ↑ Muzinen ähnliche Schleimstoffe. **mu|ko|pu|ru|lent** ⟨*lat.*-*nlat.*⟩: schleimig-eitrig (Med.). **mu|kös** ⟨*lat.*⟩: schleimig (Med.). **Mu|ko|sa** ⟨*lat.*⟩ *die;* -, ...sen: Schleimhaut (Med.). **Mu|ko|vis|zi|do|se** ⟨*lat.*-*nlat.*⟩ *die;* -, -n: Erbkrankheit mit Funktionsstörungen der Sekrete produzierenden Drüsen (Med.). **Mu|ko|ze|le** ⟨*lat.; gr.*⟩ *die;* -, -, -n: Schleimansammlung in einer Zyste (Med.)

Mu|lat|te ⟨*lat.*-*span.*⟩ *der;* -n, -n: Nachkomme eines weißen u. eines schwarzen Elternteils

Mu|le|ta ⟨*lat.*-*span.*⟩ *die;* -, -s: rotes Tuch der Stierkämpfer. **Mu|li** ⟨*lat.*⟩ *das* (auch: *der*); -s, -[s]: (südd. u. österr.) Kreuzung zwischen Esel u. Pferd; Maultier, -esel; vgl. Mulus (1)

Mul|la[h] ⟨*arab.*-*pers.*-*türk.*⟩ *der;* -s, -s: 1. a) (ohne Plural) Titel der untersten Stufe der ↑ schiitischen Geistlichen; b) Angehöriger dieses Titels. 2. a) (ohne Plural) von ↑ Sunniten für schiitische Würdenträger u. Gelehrte gebrauchte Ehrenbezeichnung; b) Träger dieser Ehrenbezeichnung

Mul|lat|schag, **Mul|lat|schak** ⟨*ung.*⟩ *der;* -s, -s: (österr.) ausgelassenes Fest [bei dem am Schluss Geschirr zertrümmert wird]

Mul|ti (zu ↑ *multi*national) ⟨*engl.*⟩ *der;* -s, -s: (ugs.) multinationaler Konzern. **mul|ti|di|men|sio|nal:** mehrere Dimensionen umfassend; vielschichtig. **Mul|ti|dimen|sio|na|li|tät** *die;* -: Vielschichtigkeit (Psychol.; Soziol.). **mul|ti|dis|zip|li|när*:** sehr viele Disziplinen (2) umfassend, die Zusammenarbeit vieler Disziplinen betreffend; vgl. interdisziplinär. **mul|ti|fak|to|ri|ell:** durch viele Faktoren, Einflüsse bedingt. **mul|ti|fil:** aus mehreren [miteinander verseilten] einzelnen Fasern bestehend; vgl. monofil. **Mul|ti|fil** *das;* -[s]: aus mehreren Fasern bestehender vollsynthetischer Faden; vgl.

Monofil. **mul|ti|funk|ti|o|nal:** vielen Funktionen gerecht werdend. **Mul|ti|funk|ti|ons|dis-play** *das;* -s, -s: multifunktionales Display (2). **Mul|tik|lon*** ⟨Kurzw. aus *multi...* u. ²*Zyklon*⟩ *der;* -s, -e: aus mehreren nebeneinander angeordneten ²Zyklonen bestehendes Gerät zur Entstaubung von Gasen (Techn.). **mul|ti|kul|tu|rell:** viele Kulturen umfassend, beinhaltend. **mul|ti-la|te|ral** ⟨*lat.-nlat.*⟩: mehrseitig, mehrere Seiten betreffend; Ggs. ↑ bilateral. **Mul|ti|la|te|ra-lis|mus** *der;* -: System einer vielfach verknüpften Weltwirtschaft mit allseitig geöffneten Märkten **mul|ti|lin|gu|al:** a) mehrsprachig. b) mehrsprachige Äußerungen, Mehrsprachigkeit betreffend, darauf bezogen. **Mul|ti|lin|gu|a-lis|mus** u. **Mul|ti|lin|gu|is|mus** *der;* -: Mehrsprachigkeit, Vielsprachigkeit (von Personengruppen, Büchern u. Ä.); vgl. Bilinguismus **Mul|ti|me|dia** *das;* -[s] (meist ohne Art.): das Zusammenwirken, die Anwendung von verschiedenen Medien zur gleichen Zeit. **mul|ti|me|di|al:** a) viele Medien betreffend, berücksichtigend; für viele Medien bestimmt; aus vielen Medien bestehend, zusammengesetzt. b) den Bereich, die Technik o. Ä. von Multimedia betreffend. **Mul|ti|me|di|a-show** *die;* -, -s: Veranstaltung, Vorstellung, bei der verschiedene Kunstarten u. ihre Mischformen unter Einbeziehung der verschiedensten Medien in Abfolge od. auch gleichzeitig dargeboten werden. **Mul|ti|me|di|a|sys|tem** *das;* -s, -e: Informations- u. Unterrichtssystem, das mehrere Medien (z. B. Fernsehen, Dias, Bücher) gleichzeitig verwendet **Mul|ti|me|ter** *das;* -s, -: Messgerät mit mehreren Messbereichen. **Mul|ti|mil|li|o|när** *der;* -s, -e: mehrfacher Millionär. **mul|ti-na|ti|o|nal:** a) aus vielen Nationen bestehend (von Vereinigungen); b) in vielen Staaten vertreten (z. B. von einem Industrieunternehmen). **mul|ti|nuk|le|ar*:** vielkernig, viele Kerne enthaltend (z. B. von Zellen; Biol.). **Mul|ti|pack** ⟨*lat.-engl.*⟩ *das* (auch: *der*); -s, -s: Verpackung, die mehrere Waren der gleichen Art enthält u. als Einheit verkauft wird. **Mul|ti|pa|ra** ⟨*lat.-nlat.*⟩ *die;* -, ...paren: ↑ Pluripara

mul|ti|pel ⟨*lat.*⟩: 1. vielfältig; **multiple Persönlichkeit:** Persönlichkeit, in der anscheinend Erlebnis- u. Verhaltenssysteme mehrfach vorhanden sind (Psychol.). 2. an vielen Stellen am od. im Körper auftretend (Med.); **multiple Sklerose:** Erkrankung des Gehirns u. Rückenmarks unter Bildung zahlreicher Verhärtungsherde in den Nervenbahnen. **Mul|tip|le*** ⟨*fr.*⟩ *das;* -s, -s: ein modernes Kunstwerk (Plastik, Grafik), das auf industriellem Wege serienmäßig hergestellt wird. **Mul|ti|ple-choice|ver|fah|ren,** auch: **Mul-ti|ple-Choice-Ver|fah|ren** [ˈmaltɪplˈtʃɔys...] ⟨*engl.; dt.*⟩ *das;* -s: Prüfungsmethode od. Test, bei dem der Prüfling unter mehreren vorgegebenen Antworten die richtige erkennen muss **Mul|ti|plett*** *das;* -s, -e: Folge eng benachbarter Werte einer messbaren physikalischen Größe (z. B. in der Spektroskopie eine Gruppe dicht beieinander liegender Spektrallinien). **mul|ti-plex:** (veraltet) vielfältig. **Mul|ti-plex** *das;* -[es], -e: großes Kinozentrum. **Mul|ti|plex|ver-fah|ren** ⟨*lat.; dt.*⟩ *das;* -s, -: gleichzeitige Übertragung von mehreren Nachrichten über denselben Sender. **Mul|ti|pli|er** [ˈmaltɪplaɪɐ] ⟨*lat.-engl.*⟩ *der;* -s, -: Sekundärelektronenvervielfacher, ein Gerät zur Verstärkung schwacher, durch Lichteinfall ausgelöster Elektronenströme (Phys.). **Mul|ti|pli|kand*** ⟨*lat.*⟩ *der;* -en, -en: Zahl, die mit einer anderen multipliziert werden soll. **Mul|ti-pli|ka|ti|on** *die;* -, -en: a) Vervielfachung einer Zahl um eine andere; Ggs. ↑ Division (1); b) Vervielfältigung. **mul|ti|pli|ka-tiv:** die Multiplikation betreffend. **Mul|ti|pli|ka|ti|vum** *das;* -s, ...va: Zahlwort, das angibt, wievielmal etwas vorkommt; Wiederholungszahlwort, Vervielfältigungszahlwort (z. B. dreifach, zweimal). **Mul|ti|pli|ka|tor** *der;* -s, ...oren: 1. Zahl, mit der eine vorgegebene Zahl multipliziert werden soll. 2. Person, Einrichtung, die Wissen od. Informationen weitergibt u. dadurch zu deren Verbreitung beiträgt. **Mul|ti|pli|ka|tor|ana|ly|se** *die;* -, -n: Untersuchung der durch eine Investition hervorgerufenen Zunahme des Gesamteinkommens einer Volkswirtschaft. **mul|ti|pli-**

zie|ren: 1. um eine bestimmte Zahl vervielfachen, malnehmen (Math.); Ggs. ↑ dividieren. 2. a) vervielfältigen, [steigernd] zunehmen lassen, vermehren; b) sich -: sich steigern; zunehmen. **Mul|ti|pli|zi|tät** *die;* -, -en: mehrfaches Vorkommen, Vorhandensein. **Mul|ti|plum** *das;* -s, ...pla: (veraltet) Vielfaches, Mehrfaches **Mul|ti|pol** *der;* -s, -e: aus mehreren ↑ Dipolen bestehende Anordnung elektrischer od. magnetischer Ladungen. **mul|ti|po|lar:** mehrpolig. **Mul|ti|pro|gram-ming** [ˈmaltɪˈprʊɡrɛmɪŋ] *das;* -[s]: Betrieb von elektronischen Datenverarbeitungsanlagen in der Weise, dass gleichzeitig mehrere Programme in zeitlicher Verzahnung ablaufen (EDV). **mul|ti|va|lent** ⟨*lat.-nlat.*⟩: mehr-, vielwertig (von Tests, die mehrere Lösungen zulassen; Psychol.). **Mul|ti|va|lenz** *die;* -, -en: Mehrwertigkeit von psychischen Eigenschaften, Schriftmerkmalen, Tests (Psychol.). **mul|ti|va|ri|at:** mehrere Variablen (1) betreffend. **Mul|ti|ver|sum** *das;* -s: das Weltall, sofern es als eine nicht auf eine Einheit zurückführbare Vielheit betrachtet wird. **Mul|ti-vib|ra|tor*** *der;* -s, ...oren: elektrische Schaltung mit zwei steuerbaren Schaltelementen, die nen jeweils einen Strom führt. **Mul|ti|vi|si|on** *die;* -: Technik der gleichzeitigen Projektion (1) von Dias auf eine Leinwand, wobei jedes Dia entweder ein eigenes Motiv (2) od. einen Bildausschnitt darstellen kann. **Mul|ti-zet** ® *das;* -[e]s, -e: Vielfachmessgerät (Elektrot.). **mul|tum, non mul|ta** ⟨*lat.*⟩: „viel (= ein Gesamtes), nicht vielerlei (viele Einzelheiten)“, d. h. Gründlichkeit, nicht Oberflächlichkeit **Mu|lun|gu** ⟨*Bantuspr.;* „der da oben“⟩ *der;* -: ostafrikanische Gottesbezeichnung (urspr. ↑ Mana) **My|lus** ⟨*lat.*⟩ *der;* -, Muli: 1. lat. Bez. für: Maulesel, -tier; vgl. Muli. 2. (scherzh. veraltet) Abiturient vor Beginn des Studiums **Mu|mie** ⟨*pers.-arab.-it.*⟩ *die;* -, -n: durch Einbalsamieren usw. vor Verwesung geschützter Leichnam. **My|mi|en|port|rät** *das;* -s, -s: (bes. vom 1. bis 4. Jh. in Ägypten) das Gesicht der Mumie bedeckendes, auf Holz od. Leinwand gemaltes Porträt. **Mu|mi-fi|ka|ti|on** ⟨*pers.-arab.-it.;* lat.⟩

nlat.⟩ die; -, -en: 1. ↑Mumifizierung. 2. Austrocknung abgestorbener Gewebeteile an der Luft (Med.); vgl. ...[at]ion/...ierung. **mu|mi|fi|zie|ren**: 1. einbalsamieren. 2. eintrocknen lassen, absterben lassen (bes. Gewebe; Med.). **Mu|mi|fi|zie|rung** die; -, -en: Einbalsamierung; vgl. ...[at]ion/...ierung. **Mum|my** ['mamɪ] ⟨engl.; „Mumie"⟩ der; -s, -s: Auftraggeber eines ↑Ghostwriters

Mumps ⟨engl.⟩ der ⟨landsch. auch: die⟩; -: Ziegenpeter; Entzündung der Ohrspeicheldrüse mit schmerzhaften Schwellungen (Med.). **Mun|da**: Plural von ↑Mundum. **mun|dan** ⟨lat.⟩: (veraltet) weltlich, auf das Weltganze bezüglich. **Mun|dan|ast|ro|lo|gie*** die; -: Zweig der Astrologie, der sich mit dem Schicksal von Völkern, Nationen o.Ä. befasst u. Prognosen sowohl politischer od. sozialpsychologischer als auch natur- u. umweltbezogener Art fällt. **Mun|da|ti|on** die; -, -en: (veraltet) Reinigung, Säuberung. **mun|die|ren**: (veraltet) ins Reine schreiben; reinigen **Mun|di|um** ⟨germ.-mlat.⟩ das; -s, ...ien u. ...ia: Schutzverpflichtung, -gewalt im frühen deutschen Recht **Mun|do|lin|gue** ⟨Kunstw.⟩ die; -: von Lott 1890 aufgestellte Welthilfssprache. **Mun|dum** ⟨lat.⟩ das; -s, Munda: (veraltet) Reinschrift. **Mun|dus** der; -: Welt, Weltall, Weltordnung; **Mundus archetypus**: urbildliche Welt; **Mundus intelligibilis**: die geistige, nur mit der Vernunft erfassbare Welt (der Ideen); **Mundus sensibilis**: die sinnlich wahrnehmbare Welt (Philos.). **mundus vult de|ci|pi**: „die Welt will betrogen sein" (nach Sebastian Brant)

¹Mun|go ⟨angloind.⟩ der; -[s], -s: bräunliche, silbergrau gesprenkelte Schleichkatze in Afrika u. Asien
²Mun|go ⟨engl.⟩ der; -[s], -s: Garn, Gewebe aus Reißwolle
Mu|ni|fi|zenz ⟨lat.⟩ die; -, -en: (veraltet) Freigebigkeit **Mu|ni|ti|on** ⟨lat.-fr.⟩ die; -: das aus Geschossen, Sprengladungen, Zünd- u. Leuchtpursätzen bestehende Schießmaterial für Feuerwaffen. **mu|ni|tio|nie|ren**: mit Munition versehen, ausrüsten
mu|ni|zi|pal ⟨lat.⟩: städtisch. **mu-ni|zi|pa|li|sie|ren** ⟨lat.-nlat.⟩: (veraltet) einer Stadt od. Gemeinde eine Verfassung geben. **Mu|ni|zi|pa|li|tät** die; -, -en: (veraltet) Stadtobrigkeit. **Mu|ni|zi|pi|um** ⟨lat.⟩ das; -s, ...ien: 1. (hist.) altrömische Landstadt. 2. (veraltet) Stadtverwaltung **Munt|jak** ⟨jav.-engl.⟩ der; -s, -s: im tropischen Südasien lebender Hirsch mit rotbraunem Rücken, weißem Bauch u. kleinem Geweih (Zool.) **Mu|rä|ne** ⟨gr.-lat.⟩ die; -, -n: aalartiger Knochenfisch, bes. in [sub]tropischen Meeren **mu|ri|a|tisch** ⟨lat.⟩: kochsalzhaltig (von Quellen) **Mu|ring** ⟨engl.⟩ die; -, -e: Vorrichtung zum Verankern mit zwei Ankern (Seew.) **Mur|ky|bäs|se** ⟨engl.; lat.-it.⟩ die (Plural): Akkordbrechungen in der Bassstimme, meist in Oktavschritten (Brillen- od Trommelbässe; Mus.) **Mu|sa** ⟨arab.-nlat.⟩ die; -: Banane (z. B. die philippinische Faserbanane). **Mu|sa|fa|ser** die; -, -n: ↑Manilahanf **Mu|sa|get*** ⟨gr.-lat.; „Musen[an]führer", Beiname des griechischen Gottes Apollo) der; -en, -en: (veraltet) Musenfreund; Gönner der Künste u. Wissenschaft **Mus|ca|det** [myska'dɛ] ⟨fr.⟩ der; -[s], -s [myska'dɛ(s)]: leichter, trockener, würziger Weißwein aus der Gegend um die französische Stadt Nantes **Mu|sche** vgl. Mouche (1) **Mu|schik** [auch: mu'ʃɪk] ⟨russ.⟩ der; -s, -s: Bauer im zaristischen Russland **Mu|schir** u. **Mü|schir** ⟨arab.-türk.⟩ der; -s, -e: 1. (hist.) hoher türkischer Beamter. 2. türkischer Feldmarschall **Musch|ko|te** ⟨entstellt aus ↑Musketier⟩ der; -n, -n: (Soldatenspr. abwertend) Fußsoldat **Mu|se** ⟨gr.-lat.⟩ die; -, -n: eine von neun Schwestern als Schutzgöttinnen der Künste (griech. Mythologie). **mu|se|al** ⟨gr.-lat.-nlat.⟩: 1. zum, ins Museum gehörend, Museums... 2. (ugs.) veraltet, verstaubt, unzeitgemäß. **Mu|se|en**: Plural von ↑Museum **Mu|sel|man** ⟨arab.-pers.-türk.-it.⟩ der; -en, -en: (veraltet) ↑Moslem **Mu|sen|all|ma|nach** ⟨gr.-lat.; mlat.-niederl.⟩ der; -s, -e: im 18. u. 19. Jh. jährlich erscheinende Sammlung bisher ungedruckter Gedichte usw.

Mu|sette [my'zɛt] ⟨fr.⟩ die; -, -s: (Mus.) 1. franz. Bez. für: Dudelsack. 2. mäßig schneller Tanz im Dreiertakt mit liegendem Bass (den Dudelsack nachahmend). 3. Zwischensatz der Gavotte. 4. kleines Tanz- u. Unterhaltungsorchester mit Akkordeon **Mu|se|um** ⟨gr.-lat.⟩ das; -s, Museen: Ausstellungsgebäude für Kunstgegenstände u. wissenschaftliche od. technische Sammlungen. **Mu|se|ums|pä|da|go|ge*** ⟨gr.-lat.; gr.-lat.⟩ der; -n, -n: jmd., der in der Museumspädagogik tätig ist. **Mu|se|ums|pä|da|go|gik*** ⟨gr.-lat.; gr.-lat.⟩ die; -: auf Kinder u. Erwachsene bezogene pädagogische Arbeit im Museum. **Mu|si|ca** ⟨gr.-lat.⟩ die; -: Musik, Tonkunst; **Musica antiqua**: alte Musik; **Musica mensurata**: ↑Mensuralmusik; **Musica mundana** od. **celestis**: himmlische, sphärische Musik; **Musica nova**: neue Musik; **Musica sacra**: Kirchenmusik; **Musica viva**: moderne Musik. **Mu|si|cal** ['mju:zɪk!] ⟨gr.-lat.-mlat.-fr.-engl.-amerik.⟩ das; -s, -s: populäres Musiktheater, das Elemente des Dramas, der Operette, Revue u. des Varietees miteinander verbindet. **Mu|si|cal|clown** der; -s, -s: Clown, der vorwiegend mit grotesken Musikdarbietungen unterhält. **Mu|sic|box** ['mju:zɪk...] ⟨amerik.⟩ die; -, -en u. -es [...ɪs]: ↑Musikbox. **mu|siert** ⟨gr.-lat.-nlat.⟩: ↑musivisch. **Mu|sik** ⟨gr.-lat.-fr.⟩ die; -, -en: 1. (ohne Plural) die Kunst, Töne in melodischer, harmonischer u. rhythmischer Ordnung zu einem Ganzen zu fügen; Tonkunst. 2. Kunstwerk, bei dem Töne u. Rhythmus eine Einheit bilden. **Mu|sik|aka|de|mie** die; -, ...ien: Musikhochschule. **Mu|si|ka|li|en** ⟨gr.-lat.-mlat.⟩ die (Plural): (urspr. in Kupfer gestochene, seit 1755 gedruckte) Musikwerke. **mu|si|ka|lisch**: 1. die Musik betreffend; tonkünstlerisch. 2. musikbegabt, Musik liebend. 3. klangvoll; wie Musik wirkend. **Mu|si|ka|li|tät** die; -: 1. a) musikalisches Empfinden; b) Musikbegabung. 2. Wirkung von Musik (2). **Mu|si|kant** ⟨mit latinisierender Endung zu ↑Musik gebildet⟩ der; -en, -en: Musiker, der zum Tanz, zu Umzügen u. Ä. aufspielt. **mu|si|kan|tisch**: musizierfreudig, musikliebhaberisch. **Mu|sik|au|to|mat** der; -en, -en: a) Apparat, der mit mechanischer Antriebsvorrichtung ein od. mehrere Musikstücke abspielt; b) ↑Musikbox. **Mu|sik|box** ⟨*amerik.*⟩ *die;* -, -en: Schallplattenapparat (bes. in Gaststätten), der gegen Geldeinwurf nach freier Wahl Musikstücke (meist Schlager) abspielt. **Mu|sik|di|rek|tor** *der;* -s, -en: staatlicher od. städtischer Dirigent u. Betreuer musikalischer Aufführungen u. des Musikwesens; Abk.: MD. **Mu|sik|dra|ma** *das;* -s, ...men: Oper mit besonderem Akzent auf dem Dramatischen (bes. die Opern Richard Wagners). **Mu|si|ker** ⟨*gr.-lat.*⟩ *der;* -s, -: a) jmd., der beruflich Musik, eine Tätigkeit im musikalischen Bereich ausübt; b) Mitglied eines Orchesters; Orchestermusiker. **Mu|sik|in|stru|ment*** *das;* -[e]s, -e: Gerät zum Hervorbringen von Tönen u. Klängen, zum Musikmachen. **Mu|sik|kas|sette** *die;* -,-n: Kassette (5), auf der Musik aufgenommen ist. **Mu|sik|korps** [...ko:ɐ̯] *das;* - [...ko:ɐ̯(s)], - [...ko:ɐ̯s]: Blasorchester als militärische Einheit. **Mu|si|ko|lo|ge** ⟨*gr.-nlat.*⟩ *der;* -n, -n: Musikgelehrter, Musikwissenschaftler. **Mu|si|ko|lo|gie** *die;* -: Musikwissenschaft. **mu|si|ko|lo|gisch:** musikwissenschaftlich. **Mu|sik|ko|ma|ne** *der* u. *die;* -n, -n: Musikbesessene[r]. **Mu|sik|pä|da|go|ge*** *der;* -n, -n: a) Pädagoge (a), der Musikunterricht erteilt; b) Wissenschaftler auf dem Gebiet der Musikpädagogik. **Mu|sik|pä|da|go|gik*** *die;* -: Wissenschaft von der Erziehung im Bereich der Musik. **Mu|sik|the|o|rie** *die;* -: a) begriffliche Erfassung u. systematische Darstellung musikalischer Sachverhalte; b) Musiktheorie (a) als Lehrfach, das allgemeine Musiklehre, Harmonielehre, Kontrapunkt und Formenlehre umfasst. **Mu|sik|the|ra|pie** *die;* -, -n: Anwendung musikalischer Mittel zu psychotherapeutischen Zwecken. **Mu|si|kus** ⟨*gr.-lat.*⟩ *der;* -, ...sizi: (veraltet, noch scherzh. od. iron.) Musiker. **Mu|sique con|crète** [myzikɔ̃ˈkrɛt] ⟨*fr.*⟩ *die;* - -: konkrete Musik; vgl. konkret (3). **mu|sisch** ⟨*gr.-lat.*⟩: 1. die schönen Künste betreffend. 2. künstlerisch [begabt], kunstempfänglich **Mu|si|var|beit** ⟨*gr.-lat.; dt.*⟩ *die;* -, -en: ↑Mosaik. **Mu|si|v|gold** *das;* -es: goldglänzende Schuppen aus Zinndisulfid (früher zu Ver-

goldungen verwendet). **mu|si|visch** ⟨*gr.-lat.*⟩: eingelegt (von Glassplittern od. Steinen). **Mu|si|v|sil|ber** ⟨*gr.-lat.; dt.*⟩ *das;* -s: Legierung aus Zinn, Wismut u. Quecksilber zum Bronzieren **Mu|si|zi:** *Plural* von ↑Musikus. **mu|si|zie|ren** ⟨*gr.-lat.*⟩: [mit jemandem zusammen] Musik machen, spielen, zu Gehör bringen; eine Musik darbieten **Mus|ka|rin** ⟨*lat.-nlat.*⟩ *das;* -s: Gift des Fliegenpilzes **Mus|kat** ⟨*sanskr.-pers.-gr.-lat.-mlat.-fr.*⟩ *der;* -[e]s, -e: als Gewürz verwendeter Samenkern der Muskatfrucht. **Mus|kat|blü|te** *die;* -, -n: als Gewürz verwendete Samenhülle der Muskatfrucht. **Mus|ka|te** *die;* -, -n: (veraltet) ↑Muskatnuss. **Mus|ka|teller** ⟨*sanskr.-pers.-gr.-lat.-mlat.-it.*⟩ *der;* -s, -: 1. (ohne Plural) Traubensorte mit Muskatgeschmack. 2. [süßer] Wein aus der Muskatellertraube. **Mus|kat|nuss** *der;* -, ...nüsse: getrockneter [als Gewürz verwendeter] Samenkern der Muskatfrucht **Mus|ke|te** ⟨*lat.-it.-fr.*⟩ *die;* -, -n: (hist.) schwere Handfeuerwaffe. **Mus|ke|tier** ⟨"Musketenschütze"⟩ *der;* -s, -e: (hist.) [mit einer Muskete bewaffneter] Fußsoldat; vgl. Muschkote **Mus|ko|vit** [auch: ...ˈvɪt], auch: **Mus|ko|wit** [auch: ...ˈvɪt] ⟨von *nlat.* Moscovia = Russland⟩ *der;* -s, -e: heller Glimmer **mus|ku|lär** ⟨*lat.-nlat.*⟩: zu den Muskeln gehörend, die Muskulatur betreffend. **Mus|ku|la|tur** *die;* -, -en: Muskelgefüge, Gesamtheit der Muskeln eines Körpers od. Organs. **mus|ku|lös** ⟨*lat.; fr.*⟩: mit starken Muskeln versehen, äußerst kräftig **Mus|lim:** ↑Moslem. **Mus|li|me:** ↑Moslime. **mus|li|misch:** ↑moslemisch **Mus|se|lin** u. Mousseline ⟨*it.-fr.;* vom ital. Namen der Stadt Mossul am Tigris⟩ *der;* -s, -e: feines, locker gewebtes [Baum]wollgewebe. **mus|se|li|nen:** aus Musselin **Mus|se|ron** [...ˈrõ:] ⟨*vulgärlat.-fr.*⟩ *der;* -s, -s: nach Knoblauch riechender Pilz zum Würzen von Soßen **Mus|tang** ⟨*span.-engl.*⟩ *der;* -s, -s: wild lebendes Präriepferd in Nordamerika **Mus|tio** [...jo] ⟨*span.*⟩ *die;* -, -n: Tochter eines Weißen u. einer Mulattin; **Mus|tio** *der;* -s, -s: Sohn eines Weißen u. einer Mulattin

mu|ta ⟨*lat.;* „verändere!"⟩: Anweisung für das Umstimmen bei den transponierenden Blasinstrumenten u. Pauken (Mus.) **Mu|ta** ⟨*lat.*⟩ *die;* -, ...tä: (veraltet) Explosiv-, Verschlusslaut; vgl. Explosiv u. Klusil (Sprachw.); **Muta cum Liquida:** Verbindung von Verschluss- u. Fließlaut (Sprachw.) **mu|ta|bel** ⟨*lat.*⟩: veränderlich; wandelbar. **Mu|ta|bi|li|tät** *die;* -: Unbeständigkeit, Veränderlichkeit. **mu|ta|gen** ⟨*lat.; gr.*⟩: Mutationen auslösend. **Mu|ta|gen** *das;* -s, -e (meist Plural): chemischer od. physikalischer Faktor, der Mutationen (1) auslöst (Biol.). **Mu|ta|ge|ni|tät** *die;* -: die Fähigkeit [eines chemischen od. physikalischen Stoffes], Mutationen (1) auszulösen. **Mu|tant** ⟨*lat.*⟩ *der;* -en, -en: 1. (österr.) Junge, der mutiert (2). 2. ↑Mutante. **Mu|tan|te** *die;* -, -n: durch Mutation (1) verändertes Individuum. **Mu|ta|ti|on** *die;* -, -en: 1. spontane od. künstlich erzeugte Veränderung im Erbgefüge (Biol.). 2. Stimmbruch (der Eintritt der Pubertät; Med.). 3. (veraltet) Änderung, Wandlung. **mu|ta|tis mu|tan|dis:** mit den nötigen Abänderungen; Abk.: m. m. **mu|ta|tiv** ⟨*lat.-nlat.*⟩: sich spontan ändernd (Biol.) **Mu|ta|zi|li|ten** ⟨*arab.-nlat.*⟩ *die* (Plural): Anhänger einer philosophischen Richtung des Islams im 8. Jh. **Mu|ta|zis|mus** ⟨*lat.-nlat.*⟩ *der;* -: ↑Mutismus **mu|tie|ren** ⟨*lat.*⟩: 1. sich spontan im Erbgefüge ändern (Biol.). 2. sich im Stimmwechsel befinden (Med.) **Mu|ti|la|ti|on** ⟨*lat.*⟩ *die;* -, -en: Verstümmelung; das Absterben von Geweben u. Körperteilen [im Bereich der Extremitäten] (Med.). **mu|ti|lie|ren:** verstümmeln (Med.) **Mu|tis|mus** ⟨*lat.-nlat.*⟩ *der;* -: absichtliche od. psychisch bedingte Stummheit; Stummheit ohne organischen Defekt (Med.). **Mu|tist** *der;* -en, -en: jmd., der an Mutismus leidet (Med.). **Mu|ti|tät** *die;* -: Stummheit (Med.) **Mu|ton** ⟨*lat.; gr.*⟩ *das;* -s, -s: kleinster Chromosomenabschnitt, der durch eine Mutation verändert werden kann (Biol.). **Mu|to|skop*** ⟨*lat.; gr.*⟩ *das;* -s, -e: Guckkasten, in dem durch eine bestimmte Bildanordnung Bewegungsvorgänge vorgetäuscht werden. mul|tu|al u. mutuell ⟨lat.-nlat.⟩: gegenseitig, wechselseitig. Mul|tu|a|l|is|mus der; -: 1. Form der Lebensgemeinschaft zwischen Tieren od. zwischen Pflanzen mit gegenseitigem Nutzen (Biol.). 2. System des utopischen Sozialismus von Proudhon. 3. finanzwissenschaftliche Hypothese, nach der bei relativ gleicher steuerlicher Belastung jeder Steuerzahler auch solche Geldopfer auf sich nehmen würde, von denen andere einen Nutzen haben (Wirtsch.). Mul|tu|a|li|tät die; -, -en: Gegenseitigkeit, Wechselseitigkeit. mul|tu|ell vgl. mutual

Mul|tu|lus ⟨lat.⟩ der; -, ...li: Dielenkopf; plattenförmige Verzierung an der Unterseite des Kranzgesimses dorischer Tempel

Mul|zin ⟨lat.-nlat.⟩ das; -s, -e (meist Plural): Schleimstoff, der von Hautdrüsen od. Schleimhäuten abgesondert wird (Med., Biol.)

My ⟨gr.⟩ das; -[s], -s: 1. zwölfter Buchstabe des griechischen Alphabets; M, μ. 2. Kurzform von ↑Mikron

My|al|gie ⟨gr.-nlat.⟩ die; -, ...ien: Muskelschmerz (Med.). My|as|the|nie* die; -, ...ien: krankhafte Muskelschwäche (Med.). My|a|to|nie die; -, ...ien: [angeborene] Muskelerschlaffung (Med.)

Myd|ri|a|se* ⟨gr.⟩ die; -, -n: Pupillenerweiterung (Med.). Myd|ri|a|ti|kum ⟨gr.-nlat.⟩ das; -s, ...ka: Arzneimittel, das die Pupillen erweitert (Med.)

My|e|l|as|the|nie* ⟨gr.-nlat.⟩ die; -, ...ien: vom Rückenmark ausgehende Nervenschwäche (Med.). My|e|l|en|ze|pha|l|i|tis die; -, ...iti|den: Entzündung des Gehirns u. des Rückenmarks (Med.). My|e|l|in das; -s: Gemisch fettähnlicher Stoffe (Med.). My|e|li|tis die; -, ...iti|den: Rückenmarksentzündung (Med.). my|e|lo|gen: vom Knochenmark ausgehend (Med.). My|e|lo|gra|phie, auch: Myelografie die; -, ...ien: röntgenologische Darstellung des Wirbelkanals (Med.). my|e|lo|id u. my|e|lo|isch: das Knochenmark betreffend, von ihm ausgehend (Med.). My|e|lom das; -s, -e: Knochenmarksgeschwulst (Med.). My|e|lo|mal|a|zie die; -, ...ien: Rückenmarkserweichung (Med.). My|e|lo|ma|to|se die; -, -n: zahlreiches Auftreten bösartiger Myelome (Med.). My|e|lo|me|nin|gi|tis die; -, ...iti|den:

Entzündung des Rückenmarks u. seiner Häute (Med.). My|e|lo|pa|thie die; -, ...ien: (Med.) 1. Rückenmarkserkrankung. 2. Knochenmarkserkrankung. My|e|lo|se die; -, -n: Wucherung des Markgewebes, bes. bei Leukämie

My|i|a|se ⟨gr.-nlat.⟩ die; -, -n: Madenkrankheit, Madenfraß; durch Fliegenmaden verursachte Krankheit (Med.)

My|i|tis ⟨gr.-nlat.⟩ die; -, ...iti|den: ↑Myositis

my|ke|nisch ⟨nach der altgriech. Ruinenstätte Mykenä⟩: die griechische Kultur der Bronzezeit betreffend

My|ke|tis|mus ⟨gr.-nlat.⟩ der; -: ↑Myzetismus. My|ko|ii|ne die (Plural): aus Pilzen gewonnene Antibiotika. My|ko|lo|ge der; -n, -n: Wissenschaftler, der auf dem Gebiet der Mykologie arbeitet. My|ko|lo|gie die; -; 1. Pilzkunde (Biol.). 2. Wissenschaft von den Mykosen (Med.). my|ko|lo|gisch: die Mykologie od. die Pilzkrankheiten betreffend. My|ko|plas|men die (Plural): kleinste frei lebende Bakterien ohne Zellwand (und ohne feste Gestalt). My|kor|rhi|za die; -, ...zen: Lebensgemeinschaft zwischen den Wurzeln von Blütenpflanzen u. Pilzen (Bot.). My|ko|se die; -, -n: jede durch [niedere] Pilze hervorgerufene Krankheit (Med.). My|ko|to|xin das; -s, -e: von Schimmelpilzen erzeugter Giftstoff

My|la|dy [mi'le:di, mɪ'leɪdɪ] ⟨engl.⟩: (in Großbritannien, veraltend) Anrede an eine Trägerin des Titels Lady (1)

My|lo|nit [auch: ...'nɪt] ⟨gr.-nlat.⟩ der; 0, e: durch Druck an tektonischen Bewegungsflächen zerriebenes u. wieder verfestigtes Gestein (Geol.). my|lo|ni|tisch [auch: ...'nɪt...]: die Struktur des zerriebenen Gesteins betreffend (Geol.). my|lo|ni|ti|sie|ren: durch ↑tektonische Kräfte zu feinen Bruchstücken zerreiben (von Gesteinen; Geol.)

My|lord [mi'lɔrt, mɪ'lɔ:d] ⟨engl.⟩: 1. (in Großbritannien, veraltend) Anrede an einen Träger des Titels Lord (1). 2. (in Großbritannien) Anrede an einen Richter

Myn|heer [mə'ne:ɐ̯] vgl. Mijnheer

My|o|blast* ⟨gr.-nlat.⟩ der; -en, -en (meist Plural): Bildungszelle der Muskelfasern (Med.). My|o|car|di|um vgl. Myokard. Myo-

chrom das; -s: ↑Myoglobin. My|o|dy|nie die; -, ...ien: Muskelschmerz (Med.). my|o|e|lekt|risch*: (von Prothesen) mit einer Batterie betrieben und durch die Kontraktion eines Muskels in Bewegung gesetzt. My|o|fib|ril|le* ⟨gr.-lat.-fr.⟩ die; -, -n: zusammenziehbare Faser des Muskelgewebes (Med.). My|o|ge|lo|se ⟨gr.-lat.-nlat.⟩ die; -, -n: das Auftreten von Verhärtungen in den Muskeln (Med.). my|o|gen ⟨gr.-nlat.⟩: vom Muskel ausgehend (Med.). My|o|glo|bin* ⟨gr.; lat.-nlat.⟩ das; -s: roter Muskelfarbstoff (Med.). My|o|gramm das; -s, -e: mithilfe eines Myographen aufgezeichnetes Kurvenbild der Muskelzuckungen. My|o|graph, auch: Myograf der; -en, -en: Gerät, das die Zuckungen eines Muskels in Kurvenform aufzeichnet. My|o|kard ⟨gr.-nlat.⟩ das; -s, 0: [mittlere] Muskelschicht, Wandschicht des Herzens, Herzmuskel (Med.). My|o|kar|die die; -, ...ien u. Myokardose die; -, -n: Kreislaufstörungen mit Beteiligung des Herzmuskels (Med.). My|o|kard|in|farkt der; -[e]s, -e: Herzinfarkt (Med.). My|o|kar|di|tis die; -, ...iti|den: Herzmuskelentzündung (Med.). My|o|kar|di|um vgl. Myokard. My|o|kar|do|se die; -, -n: ↑Myokardie. My|o|klo|nie* die; -, ...ien: (bes. bei Kleinkindern) Schüttelkrampf (Med.). My|o|kly|mie ⟨„Muskelwogen"⟩ die; -, ...ien: langsam verlaufende Muskelzuckungen (Med.). My|ol|o|gie die; -: Wissenschaft von den Muskeln, ihren Krankheiten und deren Behandlung (Med.). My|om das; -s, -e: gutartige Geschwulst des Muskelgewebes (Med.). My|o|me|re die; -, -n: Muskelabschnitt (Med.). My|o|met|ri|um* das; -s, ...ien: Muskelschicht der Gebärmutterwand (Med.). my|o|morph: muskelfaserig (Med.). My|on ⟨gr.⟩ das; -s, ...onen: 1. zur Klasse der ↑Leptonen gehörendes Elementarteilchen (Phys.). 2. kleinste Funktionseinheit eines Muskels, bestehend aus einer Nervenfaser mit Muskelfasern (Med.). my|o|ni|um das; -s: Atom, das aus einem positiven Myon (als Kern) u. einem Elektron besteht (Phys.)

my|op u. my|o|pisch ⟨gr.⟩: kurzsichtig (Med.); Ggs. ↑hypermetropisch

My|o|pa|ra|ly|se ⟨gr.-nlat.⟩ die; -,

-n: Muskellähmung (Med.). **My|o|pa|thie** *die;* -, ...ien: Muskelerkrankung (Med.). **my|o|pa|thisch:** auf Myopathie beruhend **My|o|pe** *(gr.) der* od. *die;* -n, -n: Kurzsichtige[r]. **My|o|pie** *die;* -, ...ien: Kurzsichtigkeit (Med.); Ggs. ↑Hypermetropie. **my|o|pisch** vgl. myop **My|or|rhe|xis** *(gr.-nlat.) die;* -: Muskelzerreißung (Med.). **My|o|sin** *das;* -s: Muskeleiweiß (Med.). **My|o|si|tis** *die;* -, ...itiden: Muskelentzündung (Med.). **My|o|skle|ro|se*** *die;* -, -n: Muskelverhärtung (Med.). **My|o|so|tis*** („Mäuseohr") *die;* -: Vergissmeinnicht (Bot.). **My|o|spas|mus*** *der;* -, ...men: Muskelkrampf. **My|o|to|mie** *die;* -, ...ien: operative Muskeldurchtrennung (Med.). **My|o|to|nie** *die;* -, ...ien: lang dauernde Muskelspannung; Muskelkrampf (Med.). **my|o|trop*:** auf Muskeln einwirkend (Med.) **My|ri|a|de** *(gr.-lat.) die;* -, -n: 1. Anzahl von 10 000. 2. (nur Plural) Unzahl, unzählig große Menge. **My|ri|a|gramm** *das;* -s, -e (aber: 2 -): 10 000 Gramm. **My|ri|a|me|ter** *der;* -s, -: Zehnkilometerstein, der alle zehntausend Meter rechts u. links des Rheins zwischen Basel u. Rotterdam angebracht ist. **My|ri|a|po|de** vgl. Myriopode **My|ring|ek|to|mie*** *(gr.-nlat.) die;* -, ...ien: operative Entfernung [eines Teiles] des Trommelfells (Med.). **My|rin|gi|tis** *die;* -, ...itiden: Trommelfellentzündung (Med.). **My|rin|go|to|mie** *die;* -, ...ien: ↑Parazentese **My|ri|o|phyl|lum** *(gr.-nlat.) das;* -s, ...llen: Tausendblatt (Wasserpflanze Mitteleuropas, bekannte Aquarienpflanze). **My|ri|o|po|de** u. Myriapode *der;* -n, -n (meist Plural): Tausendfüßer (Zool.) **My|ris|tin|säu|re** *(gr.-nlat.; dt.) die;* -, -n: organische Säure, die in verschiedenen tierischen u. pflanzlichen Fetten vorkommt (Chem.) **Myr|me|kia** *(gr.-nlat.) die* (Plural): meist schmerzhaft-entzündliche Warzen an Handfläche u. Fußsohlen (Med.). **Myr|me|ko|cho|rie** [...ko'ri:] *die;* -: Ausbreitung von Pflanzensamen durch Ameisen (z.B. bei der Wolfsmilch; Bot.). **Myr|me|ko|lo|ge** *der;* -n, -n: Wissenschaftler, der sich mit der Myrmekologie befasst. **Myr|me|ko|lo|gie**

die; -: Teilgebiet der Zoologie, das sich mit den Ameisen befasst. **myr|me|ko|lo|gisch:** ameisenkundlich. **Myr|me|ko|phi|le** *der;* -n, -n (meist Plural): Ameisengast; Gliederfüßer, der in Ameisennestern lebt (z.B. Wurzellaus). **Myr|me|ko|phi|lie** *die;* -: das Zusammenleben (vgl. Symbiose) mit Ameisen (z.B. bei Myrmekophilen u. Myrmekophyten). **Myr|me|ko|phyt** *der;* -en, -en (meist Plural): Pflanze, die Ameisen zu gegenseitigem Nutzen aufnimmt (Biol.) **My|ro|bal|a|ne** *(gr.-lat.) die;* -, -n: gerbstoffreiche Frucht vorderindischer Holzgewächse **Myr|re** usw.: ↑Myrrhe usw. **Myr|rhe,** auch: Myrre *(semit.-gr.-lat.) die;* -, -n: aus nordafrikanischen Bäumen gewonnenes Harz, das als Räuchermittel u. für Arzneien verwendet wird. **Myr|rhen|öl,** auch: Myrrenöl *(semit.-gr.-lat.; dt.) das;* -s: aus Myrrhe gewonnenes aromatisches Öl. **Myr|rhen|tink|tur,** auch: Myrrentinktur *die;* -: alkoholischer Auszug aus Myrrhe zur Zahnfleischbehandlung **Myr|te** *(semit.-gr.-lat.) die;* -, -n: immergrüner Baum od. Strauch des Mittelmeergebietes u. Südamerikas, dessen weiß blühende Zweige oft als Brautschmuck verwendet werden **My|so|pho|bie** *(gr.-nlat.) die;* -: krankhafte Angst vor Beschmutzung bzw. vor Berührung mit vermeintlich beschmutzenden Gegenständen (Med.) **Mys|ta|gog** u. **Mys|ta|go|ge** *(gr.-lat.) der;* ...gen, ...gen: Priester der Antike, der in die Mysterien einführte. **Mys|te** *der;* -n, -n: Eingeweihter eines Mysterienkults. **Mys|te|ri|en** *die* (Plural): griechische u. römische Geheimkulte der Antike, die nur Eingeweihten zugänglich waren u. ein persönliches Verhältnis zu der verehrten Gottheit vermitteln wollten. **Mys|te|ri|en|spiel** *das;* -s, -e: mittelalterliches geistliches Drama. **mys|te|ri|ös** *(gr.-lat.-fr.):* geheimnisvoll; rätselhaft, dunkel. **Mys|te|ri|um** *(gr.-lat.) das;* -s, ...ien: 1. [religiöses] Geheimnis; Geheimlehre (vgl. Mysterien); **Mysterium tremendum:** die erschauern machende Wirkung des Göttlichen (↑Numen) in der Religion. 2. ↑Mysterienspiel. **Mys|ti|fi|ka|ti|on** *((gr.; lat.) fr.) die;* -, -en: Täuschung, Vorspiegelung. **mys|ti|fi|zie-**

ren: 1. ein geheimnisvolles Gepräge geben, mystisch machen. 2. (veraltet) täuschen, vorspiegeln. **Mys|tik** *(gr.-lat.-mlat.;* „Geheimlehre") *die;* -: besondere Form der Religiosität, bei der der Mensch durch Hingabe u. Versenkung zur persönlichen Vereinigung mit Gott zu gelangen sucht; vgl. Unio mystica. **Mys|ti|ker** *der;* -s, -: Vertreter, Anhänger der Mystik. **mys|tisch:** 1. geheimnisvoll, dunkel. 2. zur Mystik gehörend; **mysthische Partizipation:** ↑Sympathie (2). **Mys|ti|zis|mus** *(gr.-lat.-nlat.) der;* -, ...men: 1. (ohne Plural) Wunderglaube; [Glaubens]schwärmerei. 2. schwärmerischer Gedanke. **mys|ti|zis|tisch:** wundergläubig; schwärmerisch **My|the** *(gr.-lat.) die;* -, -n: ↑Mythos (1). **my|thisch** *(gr.):* dem Mythos angehörend; sagenhaft, erdichtet. **My|tho|graph,** auch: Mythograf *der;* -en, -en: jmd., der Mythen aufschreibt und sammelt. **My|tho|lo|gem** *das;* -s, -e: mythologisches Element innerhalb einer Mythologie; abgrenzbare, in sich abgeschlossene mythologische Aussage. **My|tho|lo|gie** *die;* -, ...ien: 1. [systematisch verknüpfte] Gesamtheit der mythischen Überlieferungen eines Volkes. 2. wissenschaftliche Erforschung u. Darstellung der Mythen. **my|tho|lo|gisch:** auf die Mythen bezogen, sie betreffend. **my|tho|lo|gi|sie|ren** *(gr.-nlat.):* in mythischer Form darstellen od. mythologisch erklären. **My|tho|ma|nie** *die;* -, ...ien: krankhafte Lügensucht (z.B. bei Psychopathen; Med.). **My|thos** *(gr.-lat.)* u. **My|thus** *der;* -, ...then: 1. überlieferte Dichtung, Sage, Erzählung o.Ä. aus der Vorzeit eines Volkes (die sich bes. mit Göttern, Dämonen, Entstehung der Welt, Erschaffung des Menschen befasst). 2. Person, Sache, Begebenheit, die (aus meist verschwommenen, irrationalen Vorstellungen heraus) glorifiziert wird, legendären Charakter hat. 3. falsche Vorstellung **My|ti|lus** *(gr.-lat.) die;* -: Miesmuschel; essbare Muschel der nordeuropäischen Meere **My|xo|bak|te|ri|en** *(gr.-nlat.) die* (Plural): kleine, zellwand- u. geißellose Stäbchen, die sich gleitend bewegen können; koloniebildende Bakterien auf Erdboden u. Mist; Schleimbakterien.

Myx|ödem* *das;* -s, -e: auf Unterfunktion der Schilddrüse beruhende körperliche u. geistige Erkrankung mit heftigen Hautanschwellungen u. anderen Symptomen (Med.). **myx|ödemalt̲ös:** ein Myxödem betreffend, mit einem Myxödem zusammenhängend (Med.). **My|x̲om** *das;* -s, -e: gutartige Geschwulst aus Schleimgewebe (Med.). **my|xo|malt̲ös:** myxomartig (Med.). **My|xo|malt̲o|se** *die;* -, -n: seuchenhaft auftretende, tödlich verlaufende Viruskrankheit bei Hasen u. Kaninchen. **My|xo|my|z̲et** *der;* -en, -en: Schleimpilz; niederer Pilz. **My|xo|sar|k̲om** *das;* -s, -e: bösartige Schleimgewebsgeschwulst (Med.)

My|z̲el *(gr.-nlat.)* u. **My|z̲e|li|um** *das;* -s, ...lien: Gesamtheit der Pilzfäden eines höheren Pilzes. **My|z̲et** *der;* -en, -en: (selten) Pilz. **My|ze|t̲is|mus** *der;* -, ...men: Pilzvergiftung (Med.). **My|ze|to|lo|gie** *die;* -: ↑ Mykologie. **My|ze|t̲om** *das;* -s, -e: 1. Organ (od. Zellgruppe) bei Tieren, das Mikroorganismen als ↑ Symbionten aufnimmt (Biol.). 2. durch Pilze hervorgerufene Geschwulstartige Infektion (Med.)

N

Na|bob *(Hindi-engl.)* *der;* -s, -s: 1. Provinzgouverneur in Indien. 2. reicher Mann
Nach|mo|der|ne *(dt.; lat.-fr.)* *die;* -: ↑ Postmoderne
Na|dir [auch: 'na:...] *(arab.)* *der;* -s: Fußpunkt; dem Zenit genau gegenüberliegender Punkt an der Himmelskugel (Astron.)
Nae|vus ['nɛ:vʊs] *(lat.)* *der;* -, Naevi: Mal, Muttermal (Med.)
NAFTA *(Kurzw. aus engl. North American Free Trade Agreement)* *die;* -: Freihandelsabkommen zwischen den USA, Kanada u. Mexiko
Na|gai|ka *(russ.)* *die;* -, -s: aus Lederstreifen geflochtene Peitsche der Kosaken u. Tataren
Na|ga|na *(Zuluspr.)* *die;* -: durch die Tsetsefliege übertragene, oft

seuchenartige, fiebrige Krankheit bei Haustieren (bes. Rindern u. anderen Huftieren) in Afrika
Na|gu|al|l̲is|mus *(aztek.; gr.-lat.-nlat.)* *der;* -: (bes. in Zentralamerika verbreiteter) Glaube an einen meist als Tier od. Pflanze vorgestellten persönlichen Schutzgeist, den sich ein Individuum während der Pubertätsweihen in der Einsamkeit durch Fasten u. Gebete erwirbt u. mit dem es sich in schicksalhafter Simultanexistenz verbunden fühlt
Na|hie u. **Na̲|hi|je** *(arab.-türk.)* *die;* -, -s: untergeordneter Verwaltungsbezirk in der Türkei
Na̲|hur *(Hindi)* *der;* -s, -s: (in der zoologischen Systematik zwischen Schaf u. Ziege stehendes) Halbschaf aus den Hochländern Zentralasiens mit in der Jugend blaugrauem, später graubraunem Fell; Blauschaf
na|iv *(lat.-fr.)*: 1. a) von kindlich unbefangener, direkter u. unkritischer Gemüts-, Denkart [zeugend]; treuherzige Arglosigkeit beweisend; b) wenig Erfahrung, Sachkenntnis od. Urteilsvermögen erkennen lassend u. entsprechend einfältig, töricht [wirkend]. 2. in vollem Einklang mit Natur u. Wirklichkeit stehend (Literaturw.); Ggs. ↑ sentimentalisch (b). **Na|i|ve** *die;* -n, -n (aber: 2 Naive): Darstellerin jugendlich-naiver Mädchengestalten (Rollenfach beim Theater). **Na|i|vi|t̲ät** *die;* -: 1. Natürlichkeit, Unbefangenheit, Offenheit; Treuherzigkeit, Kindlichkeit, Arglosigkeit. 2. Einfalt; Leichtgläubigkeit.
Na̲|ja *(sanskr.-Hindi-nlat.)* *die;* -, -s: Giftnatter (Kobra, Königshutschlange u. a.)
Na|ja|de *(gr.-lat.)* *die;* -, -n: 1. in Quellen u. Gewässern wohnende Nymphe des altgriechischen Volksglaubens. 2. Flussmuschel (z. B. Teichmuschel, Flussperlmuschel; Zool.)
Na|la|na|ne *(Bantuspr.)* *die;* -: Schlafkrankheit, ↑ Trypanosomiasis (Med.)
Na|liw|ka *(russ.)* *die;* -, ...ki: leichter russischer Fruchtbranntwein
Na|m̲as *(sanskr.-pers.-türk.)* u. **Na|maz** [na'ma:s] *das;* -: täglich fünfmal zu verrichtendes Stundengebet der Moslems; vgl. ²Salat
Name|drop|ping ['neɪm...] *(engl.)* *das;* -s, -s: das Erwähnen bekannter Persönlichkeiten, um

den Anschein zu erwecken, sie zu kennen
Na|mur [na'my:r] *(nach der belgischen Provinz)* *das;* -s: untere Stufe des Oberkarbons (Geol.)
Na̲n|du *(indian.-span.)* *der;* -s, -s: straußenähnlicher flugunfähiger Laufvogel, der in den Steppen u. Savannen Südamerikas lebt
Nä̲|nie [...jə] *(lat.)* *die;* -, -n: altrömische Totenklage; Trauergesang
Na|nis|mus *(gr.-lat.-nlat.)* *der;* -: Zwergwuchs (Med., Biol.)
Nan|king *(nach der chin. Stadt)* *der;* -s, -e u. -s: glattes, dichtes, meist als Futter verwendetes Baumwollgewebe
Nan|no|plank|ton *(gr.-nlat.)* *das;* -s: durch Zentrifugieren des Wassers gewonnenes feinstes Plankton (Biol.). **Na|no|fa|rad** *das;* -[s], -: ein milliardstel ↑ Farad (Zeichen: nF). **Na|no|me|ter** *der* od. *das;* -s, -: ein milliardstel Meter (Zeichen: nm). **Na|no|so|mie** *(gr.-nlat.)* *die;* -: ↑ Nanismus
Na|os *(gr.)* *der;* -: 1. Hauptraum im altgriechischen Tempel, in dem das Götter- od. Kultbild stand; vgl. Cella. 2. Hauptraum für die Gläubigen in der orthodoxen Kirche; vgl. Pronaos
Na|palm ® *(Kurzw. aus amerik. Naphth*ensäure u. ↑ *Palm*itinsäure*) das;* -s: hochwirksamer Füllstoff für Benzinbrandbomben. **Na|palm|bom|be** *die;* -, -n: mit Napalm gefüllte Brandbombe, die bei der Explosion extrem hohe Temperaturen (über 2000 °C) erzeugt u. dadurch große zerstörerische Wirkung hat. **Naph|tha** *(pers.-gr.-lat.)* *das;* -s od. *die;* -: 1. (veraltet) Roherdöl. 2. Schwerbenzin als wichtiger Rohstoff für die petrochemische Industrie. **Naph|tha|lin** *(pers.-gr.-lat.-nlat.)* *das;* -s: aus Steinkohlenteer gewonnener bizyklischer, aromatischer Kohlenwasserstoff, der als Ausgangsmaterial für Lösungsmittel, Farb-, Kunststoffe, Weichmacher u.a. sowie als stark riechendes Mottenvernichtungs- u. Desinfektionsmittel dient. **Naph|the|ne** *die* (Plural): Kohlenwasserstoffe, die Hauptbestandteil des galizischen u. kaukasischen Erdöls sind. **Naph|tho|le** *die* (Plural): aromatische Alkohole zur Herstellung künstlicher Farb- u. Riechstoffe
Na|po|le|on|dor *(fr.)* *der;* -s, -e (aber: 5 -): 20-Franc-Stück in Gold, das unter Napoleon I. u.

Napoleon III. geprägt wurde. **Na|po|le|o|ni|de** *der;* -n, -n: Abkömmling der Familie Napoleons. **na|po|le|o|nisch:** a) Napoleon betreffend, wie Napoleon (beschaffen, handelnd); b) auf die Zeit Napoleons bezogen **Na|po|li|tain** [...'tɛ̃:] *⟨fr.;* nach der italien. Stadt Napoli (Neapel)⟩ *das;* -s, -s: Schokoladentäfelchen. **Na|po|li|taine** [...'tɛ:n] *die;* -: feinfädiges, dem Flanell ähnliches Wollgewebe **Nap|pa** ⟨nach der kaliforn. Stadt Napa⟩ *die;* -[s], -s u. **Nap|pa|le|der** *das;* -s, -: durch Nachgerbung mit pflanzlichen Gerbstoffen od. mit Chromsalz waschbar gemachtes u. immer durchgefärbtes Glacéleder vor allem aus Schaf- u. Ziegenfellen **nap|pie|ren** ⟨fr.⟩: ↑maskieren (3) **Nar|co|tin** vgl. Narkotin **Nar|de** ⟨semit.-gr.-lat.⟩ *die;* -, -n: a) eine der wohlriechenden Pflanzen, Pflanzenwurzeln o. Ä., die schon im Altertum für Salböle verwendet wurden, z. B. Indische Narde; b) Öl od. Salbe aus der Narde (a) **Nar|gi|leh** [auch: ...'gi:le] ⟨pers.⟩ *die;* -, -[s] od. *das;* -s, -s: orientalische Wasserpfeife zum Rauchen **Na|ris** ⟨lat.⟩ *die;* -, Nares (meist Plural): eine der beiden Nasenöffnungen, die den Eingang zur Nasenhöhle bilden; Nasenloch (Anat.). **Nar|ko|ana|ly|se** ⟨gr.-nlat.⟩ *die;* -, -n: unter Narkose des Patienten durchgeführte Psychoanalyse. **Nar|ko|lep|sie** *die;* -, ...ien: meist kurz dauernder, unvermittelt u. anfallartig auftretender Schlafdrang, der häufig auf Störungen des Zentralnervensystems beruht (Med.). **Nar|ko|lo|gie** *die;* -: Lehre von der Schmerzbetäubung; ↑Anästhesiologie (Med.). **Nar|ko|ma|ne** *der* u. *die;* -n, -n: jmd., der an Narkomanie leidet (Med.). **Nar|ko|ma|nie** *die;* -: krankhaftes Verlangen nach Schlaf- od. Betäubungsmitteln; Rauschgiftsucht (Med.). **Nar|ko|se** ⟨gr.; „Erstarrung"⟩ *die;* -, -n: allgemeine Betäubung des Organismus mit zentraler Schmerz- u. Bewusstseinsausschaltung durch Zufuhr von Betäubungsmitteln (Med.). **Nar|ko|ti|kum** ⟨gr.-nlat.⟩ *das;* -s, ...ka: Betäubungsmittel; Rauschmittel. **Nar|ko|tin** u. Narcotin *das;* -s: den Hustenreiz stillendes Mittel mit nur geringer

narkotischer Wirkung, ein Hauptalkaloid des Opiums. **nar|ko|tisch** ⟨gr.⟩: betäubend; berauschend (Med.). **Nar|ko|ti|seur** [...'zø:ɐ̯] ⟨mit französierender Endung zu narkotisieren gebildet⟩ *der;* -s, -e: jmd., bes. ein Arzt, der eine Narkose durchführt. **nar|ko|ti|sie|ren** ⟨gr.-nlat.⟩: betäuben, unter Narkose setzen. **Nar|ko|tis|mus** *der;* -: Sucht nach Narkosemitteln **Na|rod|na|ja Wol|ja** ⟨russ.⟩ *die;* -: russische Geheimorganisation, die um 1880 im Geiste der Narodniki den Agrarsozialismus vertrat. **Na|rod|ni|ki** *die* (Plural): Anhänger einer russischen Bewegung in der zweiten Hälfte des 19. Jh.s, die eine soziale Erneuerung Russlands durch das Bauerntum u. den Übergang zum Agrarkommunismus (vgl. ¹Mir) erhoffte **Nar|ra|ti|on** ⟨lat.⟩ *die;* -, -en: (veraltet) Erzählung, Bericht. **nar|ra|tiv:** erzählend, in erzählender Form darstellend (Sprachw.). **Nar|ra|ti|vik** *die;* -: Forschungsbereich, bei dem man sich mit der Kunst des Erzählens (als Darstellungsform) der Struktur von (literarischen) Erzählungen befasst. **Nar|ra|tor** *der;* -s, ...oren: Erzähler (Literaturw.). **nar|ra|to|risch:** den Erzähler, die Erzählung betreffend; erzählerisch (Literaturw.) **Nar|thex** ⟨gr.⟩ *der;* -, ...thizes: schmale Binnenvorhalle der altchristlichen u. byzantinischen ¹Basiliken **Nar|wal** ⟨nord.⟩ *der;* -[e]s, -e: bis sechs Meter langer, grauweißer, dunkelbraun gefleckter Einhornwal der Arktis **Nar|ziss** ⟨gr.-lat.; schöner Jüngling der griech. Sage, der sich in sein Spiegelbild verliebte⟩ *der;* - u. -es, -e: ganz auf sich selbst bezogener Mensch; jmd., der sich selbst bewundert u. liebt. **Nar|zis|se** *die;* -, -n: als Zier- u. Schnittpflanze beliebte, in etwa 30 Arten vorkommende, meist stark duftende Zwiebelpflanze. **Nar|ziss|mus** ⟨gr.-lat.-nlat.⟩ *der;* -: [krankhafte] Selbstliebe, Selbstbewunderung, Ichbezogenheit; vgl. Autoerotik. **Nar|zisst** *der;* -en, -en: jmd., der [erotisch] nur auf sich selbst bezogen, zu sich hingewandt ist. **nar|ziss|tisch:** a) eigensüchtig, voller Eigenliebe; b) den Narzissmus betreffend, auf ihm beruhend

NASA ⟨Kurzw. aus *amerik.* National *A*eronautics and *S*pace *A*dministration⟩ *die;* -: Nationale Luft- u. Raumfahrtbehörde der USA **na|sal** ⟨lat.-nlat.⟩: 1. zur Nase gehörend, die Nase betreffend (Med.). 2. a) als Nasal ausgesprochen (Sprachw.); b) [unbeabsichtigt] näselnd (z. B. von jmds. Aussprache, Stimme). **Na|sal** *der;* -s, -e: Konsonant od. Vokal, bei dessen Aussprache die Luft [zum Teil] durch die Nase entweicht; Nasenlaut (z. B. m, ng; franz. on [õ]). **na|sa|lie|ren:** einen Laut durch die Nase, nasal aussprechen (Sprachw.). **Na|sa|lie|rung** *die;* -, -en: Aussprache eines Lautes durch die Nase, als Nasal (Sprachw.). **Na|sal|laut** *der.;* -[e]s, -e: ↑Nasal. **Na|sal|vo|kal** *der;* -s, -e: nasalierter Vokal (z. B. o in Bon [bõ:]; Sprachw.) **Na|si|go|reng** ⟨malai.⟩ *das;* -[s], -s: indonesisches Reisgericht **Na|si|rä|er** ⟨hebr.-gr.⟩ *der;* -s, -: (im Alten Testament) Israelit, der ein besonderes Gelübde der Enthaltsamkeit abgelegt hat (4. Mose 6) **Na|so|bem** ⟨aus nasus = latinisierte Form von „Nase" u. *gr.* bema = Schritt, Gang⟩ *das;* -s, -e: (von Christian Morgenstern erdachtes) Fabeltier (in den „Galgenliedern"), das auf seinen Nasen schreitet **Nas|tie** ⟨gr.-nlat.⟩ *die;* -: durch Reiz ausgelöste Bewegung von Organen festgewachsener Pflanzen ohne Beziehung zur Richtung des Reizes (Bot.); vgl. Chemonastie **nas|zie|rend** ⟨lat.⟩: entstehend, im Werden begriffen (bes. von chemischen Stoffen). **Nas|zi|tu|rus** *der;* -, ...ri: die grundsätzlich noch nicht rechtsfähige, aber bereits erbfähige ungeborene Leibesfrucht (Rechtsw.). **Na|ta|li|ci|um** („Geburtstag") *das;* -s, ...ien: Heiligenfest, Todestag eines Märtyrers (als Tag seiner Geburt zum ewigen Leben). **Na|ta|li|tät** ⟨lat.-nlat.⟩ *die;* -: Geburtenhäufigkeit (Zahl der lebend Geborenen auf je 1000 Einwohner im Jahr) **Na|ti|on** ⟨lat.(-fr.)⟩ *die;* -, -en: 1. große, meist geschlossen siedelnde Gemeinschaft von Menschen mit gleicher Abstammung, Geschichte, Sprache, Kultur. 2. Staat, Staatswesen. **na|ti|o|nal** ⟨lat.-fr.⟩: a) zur Nation gehörend, sie betreffend, für sie charakteristisch; b) überwiegend die Interessen der eigenen Nation vertretend; vaterländisch. **Na|ti|o|na̱|le** das; -s, -: (österr.) a) Personalangaben (Name, Alter, Wohnort u.a.); b) Formular, Fragebogen für die Personalangaben. **Na|ti|o|na̱l|epos** das; -, ...epen: Heldenepos eines Volkes, dessen Grundhaltung ihm besonders wesensgemäß zu sein scheint. **Na|ti|o|na̱l|gar|de** die; -, -n: 1. (ohne Plural) die 1789 gegründete, nach dem Krieg 1870/71 wieder aufgelöste französische Bürgerwehr. 2. die Miliz der US-Einzelstaaten (zugleich Reserve der US-Streitkräfte). **Na|ti|o|na̱l|hym|ne** die; -, -n : [meist bei feierlichen Anlässen gespieltes oder gesungenes] Lied als Ausdruck des Nationalbewusstseins eines Volkes. **na|ti|o|na|li|sie|ren:** 1 [einen Wirtschaftszweig] verstaatlichen, zum Nationaleigentum erklären. 2. die Staatsangehörigkeit verleihen, ↑ naturalisieren (1), einbürgern. **Na|ti|o|na|li|sie̱|rung** die; -, -en: 1. Verstaatlichung. 2. Verleihung der Staatsangehörigkeit, ↑ Naturalisation (1). **Na|ti|o|na|li̱s|mus** der; -: a) (abwertend) starkes, meist intolerantes, übersteigertes Nationalbewusstsein, das Macht u. Größe der eigenen Nation als höchsten Wert erachtet; b) erwachendes Selbstbewusstsein einer Nation mit dem Bestreben, einen eigenen Staat zu bilden. **Na|ti|o|na|li̱st** der; -en, -en: jemand, der nationalistisch eingestellt ist; Verfechter des Nationalismus. **na|ti|o|na|li̱s|tisch:** (abwertend) den Nationalismus (a) betreffend, aus ihm erwachsend, für ihn charakteristisch, im Sinne des Nationalismus. **Na|ti|o|na|li̱tät** die; -, -en: 1. Volks- od. Staatszugehörigkeit. 2. Volksgruppe in einem Staat; nationale Minderheit. **Na|ti|o|na|li|tä̱ten|staat** der; -[e]s, -en: Vielvölkerstaat; Staat, dessen Bevölkerung aus mehreren (weitgehend eigenständigen) nationalen Gruppen besteht; vgl. Nationalstaat. **Na|ti|o|na|li|tä̱ts|prin|zip** das; -s: (bes. im 19. Jh. erhobene) Forderung, dass jede Nation in einem Staat vereint sein solle. **Na|ti|o|na̱l|kir|che** (lat.-fr.; gr.-dt.) die; -, -n: auf den Bereich einer Nation begrenzte, rechtlich selbstständige Kirche (z. B. die ↑ autoke-

phalen Kirchen des Ostens). **Na|ti|o|na̱l|kom|mu|nis|mus** der; -: Ausprägung kommunistischer Ideologie, Politik und Herrschaft, bei der die nationalen Interessen und Besonderheiten im Vordergrund stehen. **Na|ti|o|na̱l|kon|vent** der; -[e]s: die 1792 in Frankreich gewählte Volksvertretung. **na|ti|o|na̱l|li|be|ral:** der Nationalliberalen Partei (von 1867 bis 1918) angehörend, sie betreffend, ihr Gedankengut vertretend. **Na|ti|o|na̱l|öko|no|mie** die; -: Volkswirtschaftslehre. **Na|ti|o|na̱l|rat** (lat.-fr.; dt.) der; -[e]s, ...räte: 1. in Österreich u. in der Schweiz Volksvertretung, Abgeordnetenhaus des Parlaments. 2. in Österreich u. in der Schweiz Mitglied der Volksvertretung. **Na|ti|o|na̱l|so|zia|lis|mus** der; -: (nach dem 1. Weltkrieg in Deutschland aufgekommene) extrem nationalistische, imperialistische u. rassistische Bewegung [u. die darauf basierende faschistische Herrschaft in Deutschland von 1933 bis 1945]. **Na|ti|o|na̱l|so|zia|li̱st** der; -en, -en: a) Anhänger des Nationalsozialismus; b) Mitglied der Nationalsozialistischen Deutschen Arbeiterpartei. **na|ti|o|na̱l|so|zia|li̱s|tisch:** den Nationalsozialismus betreffend, für ihn charakteristisch, auf ihm beruhend. **Na|ti|o|na̱l|staat** der; -[e]s, -en: Staat, dessen Bürger einem einzigen Volk angehören; vgl. Nationalitätenstaat

Na̱|tis (lat.) die; -, Nates ['na:te:s] (meist Plural): Gesäßbacke (Anat.)

na̱|tiv (lat.): 1. natürlich, unverändert, im natürlichen Zustand befindlich (z. B. von Eiweißstoffen; Chemie; Med.). 2. angeboren (Med.). 3. einheimisch, nicht entlehnt (Sprachw.). **¹Na̱tive** ['nertiv] (lat.-engl.) der; -s, -s: Eingeborener in den britischen Kolonien. **²Na̱tive** die; -, -s: nicht in Austernbänken gezüchtete Auster. **Na̱tive|spea|ker** [...'spi:kɐ] (engl.) der; -s, -: jmd., der eine Sprache als Muttersprache spricht; Muttersprachler. **Na|ti|vi̱s|mus** (lat.-nlat.) der; -: 1. Theorie, nach der dem Menschen Vorstellungen, Begriffe, Grundeinsichten, bes. Raum- u. Zeitvorstellungen angeboren sind (Psychol.). 2. betontes Festhalten an bestimmten Elementen der eigenen Kultur infolge ihrer Bedrohung durch eine überlege-

ne fremde Kultur. **Na|ti|vi̱st** der; -en, -en: Vertreter des Nativismus. **na|ti|vi̱s|tisch:** 1. den Nativismus betreffend, zu ihm gehörend, auf ihm beruhend. 2. angeboren; auf Vererbung beruhend (Med.; Biol.). **Na|ti|vi̱|tät** (lat.) die; -, -en: 1. (veraltet) Geburtsstunde, Geburt. 2. Stand der Gestirne bei der Geburt u. das angeblich dadurch vorbestimmte Schicksal (Astrol.). **Na|ti|vi̱|täts|stil** der; -[e]s: mittelalterliche Zeitbestimmung mit dem Jahresanfang am 25. Dezember (Geburtsfest Christi)

NA̱TO, auch: **Na̱to** ⟨Kurzw. aus: *North Atlantic Treaty Organization;* engl.⟩ die; -: westliches Verteidigungsbündnis

Na̱t|ri|um* ⟨ägypt.-arab.-nlat.⟩ das; -s: chemisches Element; ein Alkalimetall (Zeichen: Na). **Na̱t|ri|um|chlo|rid** das; -[e]s: Kochsalz. **Na̱t|ri|um|kar|bo|nat,** chem. fachspr.: Natriumcarbonat das; -[e]s: ↑Soda. **Na̱t|ri|um|salz** das; -es, -e: Salz des Natriums. **Na̱t|ro|lith** [auch: ...'lɪt] ⟨ägypt.-arab.; gr.⟩ der; -s u. -[e]n: häufig vorkommendes Mineral aus der Gruppe der ↑Zeolithe. **Na̱t|ron** ⟨ägypt.-arab.⟩ das; -s: in Back-u. Brausepulver u. als Mittel gegen Übersäuerung des Magens verwendetes Natriumsalz der Kohlensäure

Na̱t|schal|nik (russ.) der; -s, -s: russ. Bez. für: Chef, Vorgesetzter, Leiter

Na̱t|té [...'te:] (lat.-fr.: „geflochten") das; -[s], -s: poröses Gewebe aus [Baum]wolle mit flechtwerkartiger Musterung

Na̱|tur (lat.) die; -, -en: 1. (ohne Plural) Gesamtheit dessen, was an organischen u. anorganischen Erscheinungen ohne Zutun des Menschen existiert od. sich entwickelt; Stoff, Substanz, Materie in allen Erscheinungsformen. 2. (ohne Plural) [Gesamtheit der] Pflanzen, Tiere, Gewässer u. Gesteine als Teil der Erdoberfläche od. eines bestimmten Gebietes [das nicht od. nur wenig von Menschen besiedelt od. umgestaltet ist]. 3. a) [auf Veranlagung beruhende] geistige, seelische, körperliche od. biologische Eigentümlichkeit, Besonderheit, Eigenart [von bestimmten] Menschen od. Tieren, die ihr spontanes Verhalten o. Ä. entscheidend prägt; b) Mensch im Hinblick auf eine bestimmte, typische Eigenschaft, Eigenart. **4.** (ohne Plural) einer Sache o. Ä. eigentümliche Beschaffenheit. **5.** (ohne Plural) natürliche, ursprüngliche Beschaffenheit, natürlicher Zustand von etw. na|tu|ral: (selten) ↑naturell. Na|tu|ra|li|en die (Plural): **1.** Naturprodukte; Lebensmittel, Waren, Rohstoffe (meist im Hinblick auf ihre Verwendbarkeit als Zahlungsmittel). **2.** (selten) Gegenstände einer naturwissenschaftlichen Sammlung. Na|tu|ra|li|en|ka|bi|nett das; -s, -e: (veraltet) naturwissenschaftliche Sammlung von Gesteinen, Versteinerungen, Tierpräparaten usw. Na|tu|ra|li|sa|ti|on ⟨lat.-fr.⟩ die; -, -en: **1.** Einbürgerung eines Ausländers in einen Staatsverband (Rechtsw.). **2.** allmähliche Anpassung von Pflanzen u. Tieren in ihnen ursprünglich fremden Lebensräumen (Biol.). **3.** (seltener) das Naturalisieren (3); vgl. ...[at]ion/...ierung. na|tu|ra|li|sie|ren: **1.** einen Ausländer einbürgern, ihm die Staatsbürgerrechte verleihen. **2.** sich in ursprünglich fremden Lebensräumen anpassen (von Pflanzen u. Tieren; Biol.). **3.** (seltener) naturgetreu präparieren (z. B. die Tierköpfe bei Fellen). Na|tu|ra|li|sie|rung die; -, -en: ↑Naturalisation; vgl. ...[at]ion/...ierung. Na|tu|ra|lis|mus ⟨lat.-nlat.⟩ der; -, ...men: **1.** a) (ohne Plural) (bes. in Literatur u. Kunst) Wirklichkeitstreue, -nähe in der Darstellung; b) Wirklichkeitstreue aufweisender, naturalistischer Zug (z. B. eines Kunstwerks). **2.** (ohne Plural) philosophische, religiöse Weltanschauung, nach der alles aus der Natur u. diese allein aus sich selbst erklärbar ist. **3.** eine möglichst genaue Wiedergabe der Wirklichkeit (bes. auch des Hässlichen u. des Elends) anstrebender, naturgetreu abbildender u. auf jegliche Stilisierung verzichtender Kunststil, bes. die gesamteuropäische literarische Richtung von etwa 1880 bis 1900. Na|tu|ra|list der; -en, -en: Vertreter des Naturalismus (3). Na|tu|ra|lis|tik die; -: ↑Naturalismus (1 a). na|tu|ra|lis|tisch: a) den Naturalismus (3) betreffend; b) (bes. von künstlerischen Darstellungen) naturgetreu, wirklichkeitsnah. Na|tu|ra|l|lohn ⟨lat.; dt.⟩ der; -[e]s, ...löhne: Arbeitsentgelt in Form von Naturalien. Na|tu|ral|ob|li|ga|ti|on die;

-, -en: nicht [mehr] einklagbarer Rechtsanspruch (z. B. Spiel-, Wettschuld, verjährte Forderung). Na|tu|ral|re|gis|ter das; -s, -: in der landwirtschaftlichen Buchführung das Buch zur Eintragung der Hofvorräte u. des Viehstandes. Na|tu|ral|res|ti|tu|ti|on die; -, -en: Wiederherstellung des vor Eintritt eines Schadens bestehenden Zustandes (grundsätzliche Form des Schadenersatzes; Rechtsw.). Na|tu|ra na|tu|rans die; - -: schaffende Natur (oft gleichbedeutend mit Gott, bes. bei Spinoza; Philos.); Ggs. ↑Natura naturata. Na|tu|ra na|tu|ra|ta die; - -: geschaffene Natur (oft gleichbedeutend mit der Welt, bes. bei Spinoza; Philos.); Ggs. ↑Natura naturans. na|tu|rell ⟨lat.-fr.⟩: **1.** natürlich; ungefärbt, unbearbeitet. **2.** ohne besondere Zutaten zubereitet (Gastr.). Na|tu|rell das; -s, -e: Veranlagung, Wesensart. Na|tu|ris|mus ⟨lat.-nlat.⟩ der; -: ↑Nudismus. Na|tu|rist der; -en, -en: ↑Nudist. na|tu|ris|tisch: ↑nudistisch. Na|tur|phi|lo|so|phie die; -: Gesamtheit der philosophischen, erkenntniskritischen, metaphysischen Versuche u. Bemühungen, die Natur zu interpretieren u. zu einem Gesamtbild ihres Wesens zu kommen. Na|tur|recht das; -[e]s: Auffassung vom Recht als einem in der Vernunft des Menschen begründeten Prinzip, unabhängig von der gesetzlich fixierten Rechtsauffassung eines bestimmten Staates o. Ä. Na|tur|the|a|ter das; -s, -: Freilichtbühne, Theater mit den natürlichen Kulissen einer meist eindrucksvollen Landschaft. Na|tur|ton der; -[e]s, ...töne (meist Plural): Oberton; ohne Verkürzung od. Verlängerung (durch Klappen, Ventile od. Schalllöcher) des Schallrohrs hervorgebrachter Ton bei Blasinstrumenten (Mus.)

Nau|arch ⟨gr.-lat.⟩ der; -en, -en: Flottenführer im alten Griechenland. Nau|ma|chie die; -, ...ien: (hist.) **1.** Seeschlacht im alten Griechenland. **2.** Darstellung einer Seeschlacht in den altrömischen Amphitheatern. Naup|li|us* der; -, ...ien: Larve im ursprünglichen Stadium der Krebstiere (Zool.). Nau|ra ⟨arab.⟩ die; -, -s: in Mesopotamien verwendetes Wasserschöpfrad. Nau|sea ⟨gr.-lat.⟩ die; -: Übelkeit,

Brechreiz, vor allem im Zusammenhang mit einer ↑Kinetose; Seekrankheit (Med.). Nau|te ⟨hebr.-jidd.⟩ die; -: in jüdischen Familien am Purimfest gegessenes Konfekt aus Mohn, Nüssen u. Honig

Nau|tik ⟨gr.-lat.⟩ die; -: **1.** Schifffahrtskunde. **2.** Kunst, Fähigkeit, ein Schiff zu führen u. zu navigieren. Nau|ti|ker der; -s, -: Seemann, der in der Führung eines Schiffes u. in dessen Nautik Erfahrung besitzt. Nau|ti|lus der; -, - u. ...se: im Indischen u. Pazifischen Ozean in 60 bis 600 Meter Tiefe am Boden lebender Tintenfisch mit schneckenähnlichem Gehäuse. Nau|ti|lus|be|cher der; -s, - u. ...becher: Becher od. Pokal der; -s, -e: Becher oder Schale aus dem Gehäuse des Nautilus in Gold- od. Silberfassung (bes. in der Renaissance). nau|tisch: die Nautik betreffend, zu ihr gehörend

Na|vel [auch: 'neıvəl] ⟨Kurzform von Navelorange; engl.; „Nabel", nach der nabelförmigen Nebenfrucht⟩ die; -, -s: Orange einer kernlosen Sorte Na|vi|cert ['nævısə:t] ⟨lat.-engl.⟩ das; -s, -s: von Konsulaten einer [Krieg führenden] Nation ausgestelltes Unbedenklichkeitszeugnis für neutrale [Handels]schiffe. Na|vi|cu|la ⟨lat.⟩ die; -, ...lae [...lɛ]: Gefäß zur Aufbewahrung des Weihrauchs (kath. Kirche). Na|vi|ga|teur [...'tø:ʀ] ⟨lat.-fr.⟩ der; -s, -e: Seemann, der die Navigation beherrscht. Na|vi|ga|ti|on ⟨lat.; „Schifffahrt"⟩ die; -: bei Schiffen, Luft- u. Raumfahrzeugen Gesamtheit der Maßnahmen zur Bestimmung des Standorts u. zur Einhaltung des gewählten Kurses. Na|vi|ga|ti|ons|ak|te die; -: Gesetze zum Schutz der eigenen Schifffahrt in England (17. Jh.). Na|vi|ga|tor („Schiffer, Seemann") der; -s, ...oren: Mitglied der Flugzeugbesatzung, das für die Navigation verantwortlich ist. na|vi|ga|to|risch: die Navigation betreffend, mit ihr zusammenhängend. na|vi|gie|ren: bei einem Schiff od. Flugzeug die Navigation durchführen

Na|vus vgl. Naevus. Nay [naɪ] ⟨pers.-arab.⟩ der; -s, -s: in Persien u. in den arabischen Ländern gespieltes flötenähnliches Blasinstrument Na|za|rä|er u. Nazoräer ⟨hebr.-gr.-lat.⟩ der; -s, -: **1.** (ohne Plural) Beiname Jesu (Matth. 2, 23 u.a.); vgl. Nazarener (1). 2. zu den ersten Christen Gehörender (Apostelgesch. 24, 5); vgl. Nazarener (2). 3. zu den syrischen Judenchristen Gehörender. **Na|za|re|ner** ⟨nach der Stadt Nazareth in Galiläa⟩ *der;* -s, -: 1. (ohne Plural) Beiname Jesu (Markus 1, 24); vgl. Nazaräer (1). 2. Nazaräer, Anhänger Jesu (Apostelgesch. 24, 5); vgl. Nazaräer (2). 3. Angehöriger einer adventistischen Sekte des 19. Jh.s in Südwestdeutschland u. der Schweiz. 4. Angehöriger einer Gruppe deutscher romantischer Künstler, die eine Erneuerung christlicher Kunst im Sinne der Kunst des Mittelalters anstrebte. **na|za|re|nisch:** a) in der Art der Nazarener (4); b) die Nazarener (4) betreffend, zu ihnen gehörend **Na|zi** *der;* -s, -s ⟨abwertend⟩ Kurzform von Nationalsozialist. **Na|zis|mus** ⟨*nlat.*⟩ *der;* -: (abwertend) Nationalsozialismus. **na|zis|tisch:** (abwertend) nationalsozialistisch **Na|zo|rä|er** vgl. Nazaräer **n-di|men|si|o|nal** ⟨*lat.-nlat.*⟩: mehr als drei Dimensionen betreffend (Math.) **Ne|ark|tis** ⟨*gr.-nlat.*⟩ *die;* -: tiergeographisches Gebiet, das Nordamerika u. Mexiko umfasst. **ne|ark|tisch:** die Nearktis betreffend; **nearktische Region:** ↑Nearktis. **Ne|arth|ro|se** *die;* -, -n: (Med.) 1. krankhafte Neubildung eines falschen Gelenks (z. B. zwischen den Bruchenden eines gebrochenen Knochens. 2. operative Neubildung eines Gelenks **neb|blich** ⟨Herkunft unsicher⟩: 1. (Gaunerspr.) leider, schade. 2. (ugs.) nun wenn schon!, was macht das! **Neb|bich** ⟨*jidd.*⟩ *der;* -s, -e: (abwertend) jmd., der als unbedeutend, unwichtig o. Ä. angesehen wird **Ne|bi|im** ⟨*hebr.;* „Propheten"⟩ *die* (Plural): 1. alttestamentliche Propheten, z. T. mit ↑ekstatischen Zügen (vgl. 1. Samuelis 10). 2. im hebräischen ↑Kanon zweiter Teil des Alten Testaments **ne bis in idem** ⟨*lat.;* „nicht zweimal gegen dasselbe"⟩: in einer Strafsache, die materiell rechtskräftig abgeurteilt ist, darf kein neues Verfahren eröffnet werden (Verfahrensgrundsatz des Strafrechts; Rechtsw.)

Ne|bu|lar|hy|po|the|se ⟨*lat.- nlat.; gr.*⟩ *die;* -: von Kant aufgestellte Hypothese über die Entstehung des Sonnensystems aus einem Urnebel. **ne|bu|los** u. **ne-bu|lös** ⟨*lat.*⟩: unklar, undurchsichtig, dunkel, verworren, geheimnisvoll **Ne|ces|saire** [nesε'sε:ɐ̯], auch: Nessessär ⟨*lat.-fr.;* „Notwendiges"⟩ *das;* -s, -s: Täschchen, Beutel o. Ä. für Toiletten-, Nähutensilien u. a. **Neck** ⟨*engl.*⟩ *der;* -s, -s: durch Abtragung freigelegter vulkanischer Schlot (Durchschlagsröhre; Geol.). **Ne|cking** ⟨*engl.-amerik.*⟩ *das;* -[s], -s: Austausch von Zärtlichkeiten, Liebkosungen (Vorstufe des ↑Pettings, bes. bei heranwachsenden Jugendlichen) **Need** [ni:d] ⟨*engl.*⟩ *das;* -s: Gesamtheit der auf die Umwelt bezogenen inneren Spannungslagen von Bedürfnissen, Strebungen, subjektiven Wünschen u. Haltungen (Psychol.) **Ne|fas** ⟨*lat.*⟩ *das;* -: in der römischen Antike das von den Göttern Verbotene; Ggs. ↑Fas; vgl. per nefas **Ne|ga|ti|on** ⟨*lat.*⟩ *die;* -, -en: 1. Verneinung, Ablehnung einer Aussage; Ggs. ↑Affirmation. 2. Verneinungswort (z. B. nicht). **ne|ga|tiv** [auch: nega'ti:f]: 1. a) verneinend, ablehnend; Ggs. ↑positiv (1 a); b) ergebnislos; ungünstig, schlecht; Ggs. ↑positiv (1 b). 2. kleiner als Null; Zeichen: − (Math.); Ggs. ↑positiv (4). 3. das Negativ betreffend; in der Helligkeit, in den Farben gegenüber dem Original vertauscht (Fotogr.), Ggs. ↑positiv (3). 4. eine der beiden Formen elektrischer Ladung betreffend, bezeichnend (Phys.); Ggs. ↑positiv (4). 5. nicht für das Bestehen einer Krankheit sprechend, keinen krankhaften Befund zeigend (Med.); Ggs. ↑positiv (5). **Ne|ga|tiv** [auch: nega'ti:f] *das;* -s, -e: fotografisches Bild, das gegenüber der Vorlage od. dem Aufnahmeobjekt umgekehrte Helligkeits- od. Farbenverhältnisse aufweist u. aus dem das ↑²Positiv (2) entsteht (Fotogr.). **Ne|ga|tiv|druck** *der;* -[e]s, -e: 1. (ohne Plural) Druckverfahren, bei dem Schrift od. Zeichnung dadurch sichtbar wird, ihre Umgebung mit Farbe bedruckt wird, sie selbst jedoch ausgespart bleibt. 2. im Hochdruck hergestelltes gedrucktes Werk, Bild.

Ne|ga|ti|ve *die;* -, -n: (veraltet) Verneinung, Ablehnung. **Ne|ga-tiv|image** [...ɪmɪt̮ʃ] *das;* -[s], -s: durch negativ auffallendes Verhalten entstandenes Image. **Ne-ga|ti|vis|mus** ⟨*lat.-nlat.*⟩ *der;* -: 1. ablehnende Haltung, negative Einstellung, Grundhaltung, meist als Trotzverhalten Jugendlicher in einer bestimmten Entwicklungsphase (Psychol.). 2. Widerstand Geisteskranker gegen jede äußere Einwirkung u. a. gegen die eigenen Triebe; Antriebsanomalie (z. B. bei Schizophrenie; Med.). **ne|ga|ti|vis-tisch:** aus Grundsatz ablehnend. **Ne|ga|ti|vi|tät** *die;* -: (selten) verneinendes, ablehnendes Verhalten. **Ne|ga|tiv|steu|er** *die;* -, -n: Zahlung des Staates an Bürger [mit geringem Einkommen] (Wirtsch.). **Ne|ga|ti|vum** *das;* -s, ...va: etwas, was an einer Sache als negativ (1 b), als ungünstig, schlecht empfunden wird; etwas Negatives; Ggs. ↑Positivum. **Ne-ga|tor** *der;* -s, ...oren: logischer ↑Junktor, durch den das Ergebnis der Negation symbolisiert werden kann; Zeichen: ¬ (auch:) ∼ (Logik). **Ne|gen|tro-pie*** ⟨*lat.; gr.-nlat.*⟩ *die;* -, ...ien: mittlerer Informationsgehalt einer Informationsquelle; negative ↑Entropie (2) (Informationstheorie). **ne|gie|ren** ⟨*lat.*⟩: 1. a) ablehnen, verneinen; b) bestreiten. 2. mit einer Negation (2) versehen **Ne|glek|ti|on*** ⟨*lat.*⟩ *die;* -, -en: (veraltet) Vernachlässigung. **Neg|li|gé*** [...ʒe:] *das;* -s: Negligee. **neg|li|geant** [...'ʒant]: unachtsam, sorglos, nachlässig. **Neg|li-gee** [´ʒe:], auch: Negligé ⟨*lat. fr.*⟩ *das;* -s, -s: zarter, oft durchsichtiger Überwurfmantel, meist passend zur Damennachtwäsche. **neg|li|gen|te** [...'dʒɛnta] ⟨*lat.-it.*⟩: nachlässig, flüchtig, darüber hinhuschend (Vortragsanweisung; Mus.). **Neg|li|genz,** [auch: ...'ʒɛnts] ⟨*lat.-fr.*⟩ *die;* -, -en: Unachtsamkeit, Nachlässigkeit, Sorglosigkeit. **neg|li|gie-ren** [...'ʒi:...]: vernachlässigen **ne|go|zi|a|bel** ⟨*lat.-roman.*⟩: handelsfähig (von Waren, Wertpapieren; Wirtsch.). **Ne|go|zi|ant** *der;* -en, -en: Kaufmann, Geschäftsmann. **Ne|go|zi|a|ti|on** *die;* -, -en: (Wirtsch.) 1. Verkauf von Wertpapieren durch feste Übernahme dieser Wertpapiere durch eine Bank od. ein Bankenkonsortium. 2. Begebung, Verkauf, Verwertung eines Wechsels durch Weitergabe. **ne|go|zi|ie|ren:** Handel treiben, Wechsel begeben (Wirtsch.)

neg|rid* ⟨*lat.-span.-nlat.*⟩: zur Rasse der Negriden gehörend; **negrider Rassenkreis:** Rasse der in Afrika beheimateten dunkelhäutigen, kraushaarigen Menschen. **Neg|ri|de** *der* u. *die;* -n, -n: Angehörige[r] des negriden Rassenkreises. **Neg|ri|lle** ⟨*lat.-span.*⟩ *der;* -n, -n: ↑Pygmäe. **Neg|ri|to** *der;* -[s], -[s]: Angehöriger einer aussterbenden zwergwüchsigen Rasse auf den Philippinen, Andamanen u. auf Malakka. **Neg|ri|tude** [...'tyd] ⟨*lat.-fr.*⟩ *die;* -: aus der Rückbesinnung der Afrikaner u. Afroamerikaner auf afrikanische Kulturtraditionen erwachsene philosophische u. politische Ideologie, die mit der Forderung nach [kultureller] Eigenständigkeit vor allem der Französisch sprechenden Länder Afrikas verbunden ist. **neg|ro|id** ⟨*lat.-span.; gr.*⟩: zur Rasse der Negroiden gehörend. **Neg|ro|i|de** *der* u. *die;* -n, -n: jmd., der einer Rasse angehört, die den Negriden ähnliche Rassenmerkmale aufweist. **Neg|ro|spi|ri|tu|al** ['ni:grou'spɪrɪtjʊəl] ⟨*lat.-engl.-amerik.*⟩ *das* (auch: *der*); -s, -s: geistliches Volkslied der im Süden Nordamerikas lebenden Schwarzen mit schwermütiger, synkopierter Melodie

¹Ne|gus ⟨*amharisch*⟩ *der;* -, - u. -se: a) (ohne Plural) abessinischer Herrschertitel; b) Herrscher, Kaiser von Äthiopien

²Ne|gus ['ni:gəs] ⟨nach dem Namen eines englischen Obersten⟩ *der;* -: in England beliebtes punschartiges Getränk

Nek|ro|bi|o|se* ⟨*gr.-nlat.*⟩ *die;* -: allmähliches Absterben von Geweben, von Zellen im Organismus (als natürlicher od. pathologischer Vorgang; Med.; Biol.). **Nek|ro|kaus|tie** *die;* -, ...ien: Leichenverbrennung. **Nek|ro|log** *der;* -[e]s, -e: mit einem kurzen Lebensabriss verbundener Nachruf auf einen Verstorbenen. **Nek|ro|lo|gie** *die;* -: Lehre u. statistische Erfassung der Todesursachen; Todesstatistik. **Nek|ro|lo|gi|um** *das;* -s, ...ien [...jən]: kalenderartiges Verzeichnis der Toten einer mittelalterlichen kirchlichen Gemeinschaft zur Verwendung in der liturgischen Fürbitte, für die jährliche Gedächtnisfeier o. Ä. **Nek|ro|ma-**

nie *die;* -, ...ien: ↑Nekrophilie. **Nek|ro|mant** ⟨*gr.-lat.*⟩ *der;* -en, -en: Toten-, Geisterbeschwörer (bes. des Altertums). **Nek|ro|man|tie** *die;* -: Weissagung durch Geister- u. Totenbeschwörung. **Nek|ro|phi|lie** ⟨*gr.-nlat.*⟩ *die;* -, ...ien: auf Leichen gerichtetes sexuelles Verlangen (Psychol.; Med.). **Nek|ro|pho|bie** *die;* -: krankhafte Angst vor dem Tod od. vor Toten (Psychol.; Med.). **Nek|ro|pie** vgl. Nekropsie. **Nek|ro|po|le** u. **Nek|ro|po|lis** ⟨*gr.;* „Totenstadt"⟩ *die;* -, ...polen: großes Gräberfeld des Altertums, der vorgeschichtlichen Zeit. **Nek|rop|sie** ⟨*gr.-nlat.*⟩ *die;* -, ...ien: Totenschau, Leichenöffnung. **Nek|ro|se** ⟨*gr.-lat.*⟩ *die;* -, -n: örtlicher Gewebstod, Absterben von Zellen, Gewebsod. Organbezirken als pathologische Reaktion auf bestimmte Einwirkungen (Med.). **Nek|ro|sko|pie** ⟨*gr.-nlat.*⟩ *die;* -, ...ien: ↑Nekropsie. **Nek|ro|sper|mie** *die;* -: Zeugungsunfähigkeit infolge von Abgestorbensein od. Funktionsunfähigkeit der männlichen Samenzellen. **nek|ro|tisch:** abgestorben, brandig. **Nek|ro|to|mie** *die;* -, ...ien: ↑Sequestrotomie

Nek|tar ⟨*gr.-lat.*⟩ *der;* -s, -e: 1. (ohne Plural) ewige Jugend spendender Göttertrank der griechischen Sage. 2. von einem ↑Nektarium ausgeschiedene Zuckerlösung zur Anlockung von Insekten (Biol.). 3. Getränk aus zu Mus zerdrücktem, gezuckertem u. mit Wasser [u. Säure] verdünntem Fruchtfleisch (Fachspr.). **Nek|ta|ri|en:** *Plural* von ↑Nektarium. **Nek|ta|ri|ne** ⟨*gr.-lat.-nlat.*⟩ *die;* -, -n: glatthäutiger Pfirsich mit leicht herauslösbarem Stein (eine Varietät des Pfirsichs). **Nek|ta|ri|ni|en** *die* (Plural): bunte u. schillernde, bis 20 cm große tropische Singvögel Afrikas und Asiens, deren Zunge zum Saugorgan umgewandelt ist, mit dem Nektar u. Insekten vom Grund der Blüten aufgesammelt werden können; Nektarvögel, Honigsauger. **nek|ta|risch** ⟨*gr.-lat.*⟩: (dichter. veraltet) süß wie Nektar; göttlich. **Nek|ta|ri|um** ⟨*gr.-lat.-nlat.*⟩ *das;* -s, ...ien: Honigdrüse im Bereich der Blüte, seltener der Blätter, die der Anlockung von Insekten und anderen Tieren für die Bestäubung dient (Biol.). **nek|tarn** ⟨*gr.-lat.*⟩: ↑nektarisch

nek|tie|ren ⟨*lat.*⟩: verbinden, verknüpfen. **Nek|ti|on** *die;* -, -en: Verbindung, Verknüpfung mehrerer gleichartiger, ↑kommutierender Satzteile od. Sätze (z. B. Hund und Katze [sind Haustiere]; Sprachw.). **Nek|tiv** *das;* -s, -e: koordinierende Konjunktion (z. B. in: Hund *und* Katze; Sprachw.)

Nek|ton ⟨*gr.;* „Schwimmendes"⟩ *das;* -s: das ↑Pelagial (2) bewohnende Organismen mit großer Eigenbewegung; Gesamtheit der sich im Wasser aktiv bewegenden Tiere (Biol.). **nek|to|nisch:** das Nekton betreffend, zu ihm gehörend (Biol.)

Ne|ky|ia ⟨*gr.*⟩ *die;* -, ...yien [ne-'ky:jən]: Totenbeschwörung, Totenopfer (Untertitel des 11. Gesangs der homerischen Odyssee nach dem Besuch des Odysseus im Hades). **Ne|ky|man|tie** ⟨*gr.-lat.*⟩ *die;* -: ↑Nekromantie

Ne|la|na|ne ⟨*Bantuspr.*⟩ *die;* -: ↑Nalanane

Nel|son ⟨*engl.,* vielleicht nach einem Personennamen⟩ *der;* -[s], -[s]: Nackenhebel beim Ringen (Sport)

Ne|ma|thel|min|then ⟨*gr.-nlat.*⟩ *die* (Plural): (veraltet) Schlauchwürmer, Rundwürmer, Hohlwürmer (z. B. Rädertiere, Fadenwürmer, Igelwürmer; Zool.). **Ne|ma|ti|zid,** Nematozid *das;* -[e]s, -e: Bekämpfungsmittel für Fadenwürmer. **Ne|ma|to|de** *der;* -n, -n (meist Plural): Fadenwurm (z. B. Spulwurm, Trichine; Zool.). **Ne|ma|to|zid** vgl. Nematizid

Ne|mect|ro|dyn* ⟨nach dem Konstrukteur Nemec⟩ *das;* -s, -e: Gerät für die therapeutische Anwendung von Interferenzströmen (gekreuzte Wechselströme mittlerer, gering unterschiedlicher Frequenz), wobei die zu behandelnde Körperstelle in zwei getrennte Stromkreise gebracht wird (Med.)

Ne|me|sis [auch: 'ne:...] ⟨*gr.-lat.*⟩ *die;* -: griech. Göttin) *die;* -: ausgleichende, vergeltende, strafende Gerechtigkeit

Ne|o||dar|wi|nis|mus ⟨*gr.; nlat.*⟩ *der;* -: 1. (auf Weismann zurückgehende) Abstammungslehre, die sich im Wesentlichen auf die darwinistische Theorie stützt. 2. moderne Abstammungslehre, die das Auftreten neuer Arten durch Mutationen in Verbindung mit natürlicher Auslese zu erklären versucht (Biol.). **Ne|o-**

dym ⟨gr.-nlat.⟩ das; -s: chemisches Element; ein Metall der seltenen Erden (Zeichen: Nd).

Ne|o|dy|na|tor der; -s, ...oren: Gerät für die therapeutische Anwendung diadynamischer Ströme (Wechselströme, die in modulierbarer Form einem in seiner Intensität frei einstellbaren Gleichstrom überlagert sind; Med.). **Ne|o|fa|schis|mus** der; -: rechtsradikale Bewegung, die in Zielsetzung u. Ideologie an die Epoche des Faschismus anknüpft. **Ne|o|fa|schist** der; -en, -en: Vertreter des Neofaschismus. **ne|o|fa|schis|tisch:** den Neofaschismus betreffend, zu ihm gehörend. **Ne|o|gen** das; -s: Jungtertiär (umfasst ↑ Miozän u. ↑ Pliozän; Geol.). **Ne|o|klas|si|zis|mus** der; -: sich bes. in kolossalen Säulenordnungen ausdrückende formalistische u. historisierende Tendenzen in der Architektur des 20. Jh.s. **ne|o|klas|si|zis|tisch:** den Neoklassizismus betreffend. **Ne|o|ko|lo|ni|a|lis|mus** der; -: Politik entwickelter Industrienationen, ehemalige Kolonien, Entwicklungsländer wirtschaftlich u. politisch abhängig zu halten. **Ne|o|kom** u. **Ne|o|ko|mi|um** (nach dem nlat. Namen Neocom(i)um für Neuenburg i. d. Schweiz) das; -s: älterer Teil der unteren Kreideformation (Geol.). **Ne|o|la|mar|ckis|mus** der; -: Abstammungslehre, die sich auf die unbewiesene Annahme der Vererbung erworbener Eigenschaften stützt. **Ne|o|lin|gu|is|tik** die; -: (von dem italienischen Sprachwissenschaftler Bartoli begründete) linguistische Richtung, die sich gegen die starren, ausnahmslosen Gesetze der junggrammatischen Schule richtet. **Ne|o|lin|gu|is|ti|ker** der; -s, -: Vertreter der Neolinguistik. **Ne|o|li|thi|ker** [auch: ...'li...] der; -s, -: Mensch des Neolithikums. **Ne|o|li|thi|kum** [auch: ...'li...] das; -s: Jungsteinzeit; Epoche des vorgeschichtlichen Menschen, deren Beginn meist mit dem Beginn produktiver Nahrungserzeugung (Haustiere, Kulturpflanzen) gleichgesetzt wird. **ne|o|li|thisch** [auch: ...'li...]: das Neolithikum betreffend, zu ihm gehörend. **Ne|o|lo|ge** der; -n, -n: jmd., der Neologismen (2) prägt; Sprachneuerer. **Ne|o|lo|gie** die; -, ...ien: 1. Neuerung, bes. auf religiösem od. sprachlichem Gebiet. 2. (oh-

ne Plural) aufklärerische Richtung der evangelischen Theologie des 18. Jh.s, die die kirchliche Überlieferung rein historisch deutet, ohne die Offenbarung selbst zu leugnen. **ne|o|lo|gisch:** 1. a) Neuerungen, bes. auf religiösem od. sprachlichem Gebiet betreffend; b) neuerungssüchtig. 2. aufklärerisch im Sinne der Neologie (2). **Ne|o|lo|gis|mus** der; -, ...men: 1. (ohne Plural) Neuerungssucht, bes. auf religiösem od. sprachlichem Gebiet. 2. sprachliche Neubildung. **Ne|o|mar|xis|mus** der; -: Gesamtheit der wissenschaftlichen u. literarischen Versuche, die marxistische Theorie angesichts der veränderten wirtschaftlichen u. politischen Gegebenheiten neu zu überdenken. **Ne|o|mor|ta|li|tät** die; -: Frühsterblichkeit der Säuglinge (in den ersten zehn Lebenstagen). **Ne|o|myst** ⟨gr.⟩ „neu eingeweiht") der; -en, -en: (veraltet) neu geweihter katholischer Priester. **Ne|on** („das Neue") das; -s: chemisches Element; ein Edelgas (Zeichen: Ne). **Ne|o|na|tol|o|ge** der; -n, -n: Kinderarzt, der bes. Neugeborene behandelt u. medizinisch betreut. **Ne|o|na|tol|o|gie** die; -: Zweig der Medizin, der sich bes. mit der Physiologie u. Pathologie Neugeborener befasst. **Ne|o|na|zi** der; -s, -s: ↑ Neonazist. **Ne|o|na|zis|mus** der; -: rechtsradikale Bewegung (nach 1945) zur Wiederbelebung des Nationalsozialismus. **Ne|o|na|zist** der; -en, -en: Anhänger des Neonazismus. **ne|o|na|zis|tisch:** den Neonazismus betreffend, zu ihm gehörend. **Ne|on|fisch** der; -[e]s, -e: sehr kleiner Fisch mit einem schillernden Streifen auf beiden Körperseiten (beliebter Aquarienfisch; Zool.). **Ne|on|röh|re** die; -, -n: mit Neon gefüllte Leuchtröhre. **Ne|o|phyt** ⟨gr.-lat.⟩ „neu gepflanzt") der; -en, -en: 1. a) in der alten Kirche durch die Taufe in die christliche Gemeinschaft neu Aufgenommener; b) in bestimmte Geheimbünde neu Aufgenommener. 2. Pflanze, die sich in historischer Zeit in bestimmten, ihr ursprünglich fremden Gebieten eingebürgert hat (Bot.). **Ne|o|phy|ti|kum** die; -: Neozoikum ⟨gr.-nlat.⟩ das; -s: ↑ Känozoikum. **Ne|o|plas|ma** das; -s, ...men: Neubildung von Gewebe in Form einer [bösartigen] Geschwulst (Med.).

zis|mus der; -: (von dem niederländischen Maler P. Mondrian [1872–1944] entwickelte) Stilrichtung in der modernen Malerei, die Formen u. Farben auf eine Horizontal-vertikal-Beziehung reduziert. **Ne|o|psy|cho|ana|ly|se** die; -: von H. Schultz-Hencke unter Verwendung jungscher u. adlerscher Thesen in Abwandlung der freudschen Lehre entwickeltes tiefenpsychologisches System, das neben den biologischen Antrieben bes. die kulturellen u. sozialen Komponenten als Konflikt- u. Neurosestoffe betont. **Ne|o|re|a|lis|mus** der; -: ↑ Neoverismus. **Ne|o|sto|mie*** die; -, ...ien: Herstellung einer künstlichen Verbindung zwischen zwei Organen od. zwischen einem Organ u. der Körperoberfläche (Med.). **Ne|o|te|nie** ⟨gr.-nlat.⟩ die; -: 1. unvollkommener Entwicklungszustand eines Organs (Med.). 2. Eintritt der Geschlechtsreife im Larvenstadium (Biol.). **Ne|o|te|ri|ker** ⟨gr.-lat.⟩ der; -s, -: Angehöriger eines Dichterkreises im alten Rom (1. Jh. v. Chr.), der einen neuen literarischen Stil vertrat. **ne|o|te|risch** (veraltet) a) neuartig; b) neuerungssüchtig. **Ne|o|tro|pis*** ⟨gr.-nlat.⟩ die; - : tier- u. pflanzengeographisches Gebiet, das Zentral- u. Südamerika (ausgenommen die zentralen Hochflächen) umfasst. **ne|o|tro|pisch^:** zu den Tropen der Neuen Welt gehörend, die Neotropis betreffend; **neotropische Region:** ↑ Neotropis. **Ne|ot|tia** ⟨gr.⟩ „Nest") die; -: Nestwurz (Orchideenart in schattigen Wäldern) **Ne|o|ve|ris|mus** ⟨gr.; lat.-nlat.⟩ der; -: nach dem 2. Weltkrieg besonders von Italien ausgehende Stilrichtung des modernen Films u. der Literatur mit der Tendenz zur sachlichen u. formal-realistischen Erneuerung der vom ↑ Verismo vorgezeichneten Gegebenheiten u. Ausdrucksmöglichkeiten. **Ne|o|vi|ta|lis|mus** der; -: auf den Biologen Hans Driesch zurückgehende Lehre von der Eigengesetzlichkeit des Lebendigen (Biol.). **Ne|o|zo|i|kum** u. Neophytikum u. ↑ Känozoikum. **ne|o|zo|isch:** ↑ känozoisch

Ne|pen|thes ⟨gr.-lat.⟩ die; -, -: Kannenpflanze (Fleisch fressende Pflanze des tropischen Regenwaldes)

Ne|per ⟨nach dem schottischen

Mathematiker John Napier, 1550–1617⟩ *das;* -, -: Maßeinheit für die Dämpfung bei elektrischen u. akustischen Schwingungen (Phys.); Zeichen: N **Ne|phe|lin** ⟨*gr.-nlat.*⟩ *der;* -s, -e: farblos-durchsichtiges bis weißes od. graues Mineral. **Ne|phe|li|nit** [auch: ...'nıt] *der;* -s, -e: basaltähnliches Ergussgestein. **Ne|phe|li|um** *das;* -s, ...ien: javanischer Baum, der Nutzholz und essbare Früchte liefert. **Ne|phe|lo|me|ter** *das;* -s, -: optisches Gerät zur Messung der Trübung von Flüssigkeiten od. Gasen (Chem.). **Ne|phe|lo|met|rie*** *die;* -: Messung der Trübung von Flüssigkeiten od. Gasen (Chem.). **Ne|phe|lop|sie*** *die;* -: Sehstörung mit Wahrnehmung verschwommener, nebliger Bilder infolge Trübung der Hornhaut, der Linse od. des Glaskörpers im Auge; Nebelschleier (Med.). **ne|phisch:** Wolken betreffend (Meteor.). **Ne|pho|graph,** auch: ...graf *der;* -en, -en: Gerät, das die verschiedenen Arten u. die Dichte der Bewölkung fotografisch aufzeichnet (Meteor.). **Ne|pho|me|ter** *das;* -s, -: Gerät zur unmittelbaren Bestimmung der Wolkendichte u. -geschwindigkeit (Meteor.). **Ne|pho|skop*** *das;* -s, -e: Gerät zur Bestimmung der Zugrichtung u. -geschwindigkeit von Wolken (Meteor.)

Neph|ral|gie* ⟨*gr.-nlat.*⟩ *die;* -, ...ien: Nierenschmerz (Med.). **Neph|rek|to|mie** *die;* -, ...ien: operative Entfernung einer Niere (Med.). **Neph|ri|di|um** *das;* -s, ...ien: Ausscheidungsorgan in Form einer gewundenen Röhre mit einer Mündung nach außen, das mit der Leibeshöhle durch einen Flimmertrichter verbunden ist (bei vielen wirbellosen Tieren, bes. bei Ringelwürmern, Weichtieren u. im ↑ Mesonephros der Wirbeltiere). **Neph|rit** [auch: ...'frıt] *der;* -s, -e: lauchgrüner bis graugrüner, durchscheinender, aus wirr durcheinander geflochtenen Mineralfasern zusammengesetzter Stein, der zu Schmuck- u. kleinen Kunstgegenständen verarbeitet wird u. in vorgeschichtlicher Zeit als Material für Waffen u. Geräte diente. **Neph|ri|tis** ⟨*gr.-lat.*⟩ *die;* -, ...itiden: Nierenentzündung (Med.). **neph|ro|gen** ⟨*gr.-nlat.*⟩: von den Nieren ausgehend (Med.). **Neph|ro|le|pis** *die;* -: als

Zierpflanze beliebter tropischer und subtropischer Tüpfelfarn; Nierenschuppenfarn. **Neph|ro|lith** [auch: ...'lıt] *der;* -s od. -en, -e[n]: Nierenstein. **Neph|ro|li|thi|a|se** u. **Neph|ro|li|thi|a|sis** *die;* -, ...iasen: Bildung von Nierensteinen u. dadurch verursachte Erkrankung (Med.). **Neph|ro|li|tho|to|mie** *die;* -, ...ien: operative Entfernung von Nierensteinen (Med.). **Neph|ro|lo|ge** *der;* -n, -n: Facharzt für Nierenkrankheiten (Med.). **Neph|ro|lo|gie** *die;* -: Wissenschaft von den Nierenkrankheiten (Med.). **neph|ro|lo|gisch:** die Nierenkrankheiten betreffend, für sie charakteristisch (Med.). **Neph|rom** *das;* -s, -e: [bösartige] Nierengeschwulst (Med.). **Neph|ro|pa|thie** *die;* -, ...ien: Nierenleiden (Med.). **Neph|roph|thi|se** u. **Neph|roph|thi|sis** *die;* -, ...sen: Nierentuberkulose (Med.). **Neph|rop|to|se** *die;* -, -n: abnorme Beweglichkeit u. Abwärtsverlagerung der Nieren; Nierensenkung, Senkniere, Wanderniere (Med.). **Neph|ro|py|e|li|tis** *die;* -, ...itiden: Nierenbeckenentzündung (Med.). **Neph|ror|rha|gie** *die;* -, ...ien: Blutung in der Niere, Nierenbluten (Med.). **Neph|ro|se** *die;* -, -n: nichtentzündliche Nierenerkrankung mit Gewebeschädigung (Med.). **Neph|ro|skle|ro|se*** *die;* -, -n: von den kleinen Nierengefäßen ausgehende Erkrankung der Nieren mit nachfolgender Verhärtung u. Schrumpfung des Nierengewebes; Nierenschrumpfung, Schrumpfniere (Med.). **Neph|ro|sto|mie** *die;* -, ...ien: Anlegung einer Nierenfistel zur Ableitung des Urins nach außen (Med.). **Neph|ro|to|mie** *die;* -, ...ien: operative Öffnung der Niere (Med.)

Ne|po|te ⟨*lat.*⟩ *der;* -n, -n: (veraltet) 1. Neffe. 2. Enkel. 3. Vetter. 4. Verwandter. **ne|po|ti|sie|ren** ⟨*lat.-nlat.*⟩: (veraltet) Verwandte begünstigen. **Ne|po|tis|mus** *der;* -: Vetternwirtschaft, bes. bei den Päpsten der Renaissancezeit. **ne|po|tis|tisch:** den Nepotismus betreffend; durch Nepotismus begünstigt

nep|tu|nisch ⟨*lat.;* nach dem röm. Meeresgott Neptun⟩: den Meeresgott Neptun betreffend; **neptunisches Gestein:** (veraltet) Sedimentgestein (Geol.). **Nep|tu|nis|mus** ⟨*lat.-nlat.*⟩ *der;* -: wider-

legte geologische Hypothese, die sämtliche Gesteine (auch die vulkanischen) als Ablagerungen im Wasser erklärt (Geol.). **Nep|tu|nist** *der;* -en, -en: Verfechter des Neptunismus. **Nep|tu|ni|um** *das;* -s: radioaktives chemisches Element, ein ↑ Transuran (Zeichen: Np)

Ne|re|i|de ⟨*gr.-lat.;* „Tochter des (Meeresgottes) Nereus"⟩ *die;* -, -n (meist Plural): 1. Meernymphe der griechischen Sage. 2. Vertreter der Familie der vielborstigen Würmer (Zool.). **Ne|ri|til|de** ⟨*gr.-nlat.*⟩ *die;* -, -n (meist Plural): Vertreter der Familie der Süßwasserschnecken; Schwimmschnecke (Zool.). **ne|ri|tisch:** 1. in erwachsenem Zustand auf dem Meeresboden u. im Larvenstadium im freien Wasser lebend (von Tieren der Küstenregion). 2. den Raum u. die Absatzgesteine der Flachmeere betreffend

Ne|ro|li|öl ⟨*it.; dt.*⟩ *das;* -[e]s, -e: angenehm riechendes, für Parfums, Liköre, Feinbackwaren verwendetes Blütenöl der Pomeranze

Ner ta|mid ⟨*hebr.*⟩ *das;* - -: in jeder Synagoge ununterbrochen brennende Lampe (Rel.)

Nerv ⟨*lat.(-engl.)*⟩ *der;* -s, -en: 1. Blattader oder -rippe. 2. rippenartige Versteifung, Ader bei Insektenflügel. 3. aus parallel angeordneten Fasern bestehender, in einer Bindegewebshülle liegender Strang, der die Reizleitung zwischen Gehirn, Rückenmark u. Körperorgan od. -teil dient (Med.). 4. (nur Plural) nervliche Konstitution, psychische Verfassung. 5. Kernpunkt; kritische Stelle. **ner|val:** die Nerventätigkeit betreffend, durch die Nervenfunktion bewirkt; nervlich (Med.). **Ner|va|tur** ⟨*lat.-nlat.*⟩ *die;* -, -en: 1. Blattaderung. 2. Aderung der Insektenflügel. **ner|ven** [...f·n]: (ugs.) a) jmdm. auf die Nerven gehen; b) nervlich strapazieren, anstrengen; an die Nerven gehen; c) hartnäckig bedrängen; jmdm. in zermürbender Weise zusetzen. **ner|vig** [...fıç, auch: ...vıç]: 1. sehnig, kraftvoll. 2. (ugs.) äußerst lästig werdend, aufreibend, unangenehm. **Ner|vi|num** [...'vi:...] *das;* -s, ...na: Arzneimittel, das auf das Nervensystem einwirkt (Med.; Pharm.). **ner|vös** [...'vø:s] ⟨*lat.(-fr.* u. *engl.)*⟩: 1. ↑ nerval. 2. a) unruhig, leicht reizbar, aufgeregt; b) fahrig, zerfahren. **Ner|vo|si|tät** *die; -, -en:* 1. (ohne Plural) nervöser (2) Zustand, nervöse Art. 2. einzelne nervöse Äußerung, Handlung. 3. (veraltend) ↑Neurasthenie. **Nervus** [...vus] *⟨lat.⟩ der; -, ...vi:* Nerv (Med.). **Ner|vus ab|du|cens** *der; - -:* sechster Gehirnnerv; vgl. Abduzens. **Ner|vus Pro|ban|di** *der; - -:* (selten) eigentlicher entscheidender Beweisgrund. **Nervus Re|rum** *der; - -:* 1. Triebfeder, Hauptsache. 2. (scherzh.) Geld als Zielpunkt allen Strebens, als wichtige Grundlage **Nes|ca|fé** ® ⟨Kurzw. für den Namen der Schweizer Firma *Nestlé* u. *fr. café* = Kaffee⟩ *der; -s, -s:* löslicher Kaffeeextrakt in Pulverform **Nes|chi** [ˈnɛski] *⟨arab.⟩ das* od. *die; -:* arabische Schreibschrift **Nes|ses|sär** vgl. Necessaire **Nes|sus|ge|wand** ⟨nach dem vergifteten Gewand des Herakles in der griech. Sage⟩ *das; -[e]s, ...gewänder:* Verderben bringende Gabe **Nes|tor** *⟨gr.-lat.; kluger u. redegewandter griech. Held der Ilias u. der Odyssee, der drei Menschenalter gelebt haben soll⟩ der; -s, ...oren:* herausragender ältester Vertreter einer Wissenschaft, eines [künstlerischen] Faches; Ältester eines bestimmten Kreises **Nes|to|ri|a|ner** *⟨nlat.⟩ der; -s, -:* Anhänger der Lehre des Patriarchen Nestorius v. Konstantinopel († um 451) u. einer von dieser Lehre bestimmten Kirche. **Nes|to|ri|a|nis|mus** *der; -:* von der Kirche verworfene Lehre des Nestorius, die die göttliche u. menschliche Natur in Christus für unverbunden hielt u. in Maria die Christusgebärerin, nicht aber die Gottesgebärerin sah **Net|su|ke** [auch: ˈnɛtske] *⟨jap.⟩ die; -, -[s],* (auch:) *das; -[s], -[s]:* in Japan am Gürtel getragene kleine, knopfartige Holz-, Jade- od. Elfenbeinplastik zum Befestigen kleiner Gegenstände (die als Kunstgegenstand gesammelt wird) **net|sur|fen** [ˈnɛtsəːfn] ⟨dt. Bildung aus engl. *net* u. *surfen*⟩: (Jargon) im Internet wahllos Informationen abrufen od. gezielt nach Informationen suchen **net|to** *⟨lat.-it.⟩:* rein, nach Abzug, ohne Verpackung (Wirtsch.; Handel). **net|to à point** [- - ˈpo̯ɛ̃:] *⟨lat.-it.; lat.-fr.⟩:* 1. in Form von

Bezahlung (einer geschuldeten Summe) durch mehrere nach dem Wunsch des Gläubigers auszustellende Teilwechsel od. andere Schuldurkunden, die zusammen der geschuldeten Summe entsprechen. 2. unter Einberechnung der Spesen in eine Hauptsumme (im Gegensatz zur Erhöhung der Hauptsumme um die Spesen). **net|to cas|sa** *⟨lat.-it.⟩:* bar u. ohne Abzug. **Net|to|ge|wicht** *das; -[e]s, -e:* Reingewicht einer Ware ohne Verpackung. **Net|to|preis** *der; -es, -e:* Endpreis einer Ware, von dem keinerlei Abzug mehr möglich ist. **Net|to|re|gis|ter|ton|ne** *die; -, -n:* Raummaß im Seewesen zur Bestimmung des Schiffsraumes, der für die Ladung zur Verfügung steht; Zeichen: NRT. **Net|to|so|zi|al|pro|dukt** *das; -[e]s, -e:* Bruttosozialprodukt abzüglich der Abschreibungen **neu|apos|to|lisch:** einer aus den katholisch-apostolischen Gemeinden hervorgegangenen Religionsgemeinschaft angehörend, deren Bekenntnis entsprechend **Neu|me** *⟨gr.-mlat.⟩ die; -, -n* (meist Plural): vor der Erfindung der Notenschrift im Mittelalter übliches Notenhilfszeichen. **neu|mie|ren** *⟨gr.-mlat.-nlat.⟩:* eine Musik in Neumen niederschreiben; einen Text mit Neumen versehen **Neu|mi|nu|te** *⟨dt.; lat.⟩ die; -, -n:* hundertster Teil eines ↑Gons (Mathematik) **neu|ral** *⟨gr.-nlat.⟩:* einen Nerv, die Nerven betreffend, vom Nervensystem ausgehend (Med.) **Neu|ral|gie*** *⟨gr.-nlat.⟩ die; -, ...ien:* in Anfällen auftretender Schmerz im Ausbreitungsgebiet bestimmter Nerven ohne nachweisbare entzündliche Veränderungen od. Störung der Sensibilität (2) (Med.). **Neu|ral|gi|ker** *der; -s, -:* an Neuralgie Leidender (Med.). **neu|ral|gisch:** 1. auf Neuralgie beruhend, für sie charakteristisch (Med.). 2. sehr problematisch, kritisch **Neu|ral|leis|te** *die; -, -n:* embryonales Gewebe, aus dem sich u.a. ↑Neuronen entwickeln. **Neu|ral|pa|tho|lo|gie** *die; -:* wissenschaftliche Theorie, nach der die krankhaften Veränderungen im Organismus vom Nervensystem ausgehen (Med.). **Neu|ral|the|ra|peut** *der; -en, -en:* jmd., der Neuraltherapie anwendet. **Neu-**

ral|the|ra|pie *die; -:* Behandlungsmethode zur Beeinflussung von Krankheiten bzw. zur Ausschaltung von Störherden durch Einwirkung auf das örtliche Nervensystem (Med.) **Neu|ras|the|nie*** *die; -, ien:* (Med.) 1. (ohne Plural) Zustand nervöser Erschöpfung, Nervenschwäche. 2. Erschöpfung nervöser Art. **Neu|ras|the|ni|ker** *der; -s, -:* an Neurasthenie Leidender (Med.). **neu|ras|the|nisch:** (Med.) 1. die Neurasthenie betreffend, auf ihr beruhend. 2. nervenschwach **Neu|rek|to|mie*** *die; -, ...ien:* operative Entfernung (Herausschneiden) eines Nervs od. Nervenstücks zur Heilung einer Neuralgie (Med.). **Neu|re|xai|re|se** *die; -, -n:* operative Entfernung (Herausreißen od. Herausdrehen) eines schmerzüberempfindlichen, erkrankten Nervs (Med.). **Neu|ri|lem** *das; -s, -en:* ↑Neurilemm. **Neu|ri|lemm** u. **Neu|ri|lem|ma** *das; -s, ...lemmen:* aus Bindegewebe bestehende Hülle der Nervenfasern; Nervenscheide (Med., Biol.). **Neu|rin** *das; -s:* starkes Fäulnisgift. **Neu|ri|nom** *das; -s, -e:* von den Zellen der Nervenscheide ausgehende, meist gutartige Nervenfasergeschwulst (Med.) **Neu|rit** *der; -en -en:* oft lang ausgezogener, der Reizleitung dienender Fortsatz der Nervenzellen (Med.; Biol.). **Neu|ri|tis** *die; -, ...itiden:* akute od. chronische Erkrankung der peripheren Nerven mit entzündlichen Veränderungen, häufig auch mit degenerativen Veränderungen des betroffenen Gewebes u. Ausfallserscheinungen (wie partiellen Lähmungen); Nervenentzündung (Med.). **neu|ri|tisch:** auf einer Neuritis beruhend, das Krankheitsbild einer Neuritis zeigend (Med.) **Neu|ro|ana|to|mie** *die; -:* Anatomie der Nerven bzw. des Nervensystems (Med.). **Neu|ro|bio|lo|gie** *die; -:* interdisziplinäre Forschungsrichtung, die sich die Aufklärung von Struktur u. Funktion des Nervensystems zum Ziel gesetzt hat. **Neu|ro|blast*** *⟨gr.-nlat.⟩ der; -en, -en:* unausgereifte Nervenzelle (Vorstufe der Nervenzelle; Biol.). **Neu|ro|blas|tom*** *das; -s, -e:* 1. Geschwulst aus Neuroblasten (Med.). 2. ↑Neurom (Med.).

Neu|ro|che|mie *die; -:* Wissenschaft von den chemischen Vorgängen, die in Nervenzellen ablaufen u. die Erregungsleitung auslösen (Med.). **Neu|ro|chi|rurg*** *der; -en, -en:* Facharzt auf dem Gebiet der Neurochirurgie. **Neu|ro|chi|rur|gie** *die; -:* Spezialgebiet der Chirurgie, das alle operativen Eingriffe am Zentralnervensystem umfasst. **neu|ro|chi|rur|gisch:** die Neurochirurgie betreffend, mit den Mitteln der Neurochirurgie **Neu|ro|cra|ni|um*** u. Neurokranium *das; -s, ...ia:* Teil des Schädels, der das Gehirn umschließt (Med.; Biol.). **Neu|ro|der|ma|to|se** *die; -, -n:* nervöse Hauterkrankung (Med.). **Neu|ro|der|mi|tis** *die; -, ...iti|den:* zu den Ekzemen zählende entzündliche, auf nervalen Störungen beruhende chronische Hauterkrankung mit Bläschenbildung u. ↑Lichenifikation; Juckflechte (Med.). **neu|ro|en|do|krin*:** durch nervale Störungen u. Störungen der inneren Sekretion bedingt (Med.). **Neu|ro|epi|thel** *das; -s, -e:* ↑epithelialer Zellverband aus Sinneszellen (Med.). **Neu|ro|fi|bril|le*** *die; -, -n* (meist Plural): feinste Nervenfaser (Med.; Biol.). **neu|ro|gen:** von den Nerven ausgehend (Med.). **Neu|rog|lia*** *die; -:* bindegewebige Stützsubstanz des Zentralnervensystems (Med.; Biol.). **Neu|ro|hor|mon** *das; -s, -e:* hormonartiger, körpereigener Wirkstoff (Gewebshormon) des vegetativen Nervensystems, der für die Reizweiterleitung von Bedeutung ist (z. B. Adrenalin; Med.). **Neu|ro|kra|ni|um*** vgl. Neurocranium. **Neu|ro|lemm** u. **Neu|ro|lem|ma** *das; -s, ...lemmen:* ↑Neurilemm. **Neu|ro|lep|ti|kum** *das; -s, ...ka* (meist Plural): zur Behandlung von Psychosen angewandtes Arzneimittel, das die motorische Aktivität hemmt, Erregung u. Aggressivität dämpft u. das vegetative Nervensystem beeinflusst (Med.; Pharm.). **Neu|ro|lin|gu|is|tik** *die; -:* Wissenschaft von den Wechselbeziehungen, die zwischen der klinisch-anatomischen und der linguistischen ↑Typologie (1) der ↑Aphasie (1) bestehen; Sprachpathologie. **neu|ro|lin|gu|is|tisch:** in der Fügung: **neurolinguistisches Programmieren:** Form der Psychothera-

pie, die sich auf verschiedene Techniken stützt mit dem Ziel, positives Empfinden und Fähigkeiten zu mobilisieren, und die gelegentlich auch noch in anderen Bereichen, in denen Kommunikation[sveränderung] wichtig ist (z. B. Pädagogik, Verkauf), angewandt wird; Abk.: NLP **Neu|ro|lo|ge** *der; -n, -n:* Facharzt auf dem Gebiet der Neurologie (2); Nervenarzt. **Neu|ro|lo|gie** *die; -:* 1. Wissenschaft von Aufbau u. Funktion des Nervensystems. 2. Wissenschaft von den Nervenkrankheiten, ihrer Entstehung u. Behandlung. **neu|ro|lo|gisch:** 1. Aufbau u. Funktion des Nervensystems betreffend, zur Neurologie (1) gehörend, auf ihr beruhend. 2. die Nervenkrankheiten betreffend; zur Neurologie (2) gehörend, auf ihr beruhend **Neu|rom** *das; -s, -e:* aus einer Wucherung der Nervenfasern u. -zellen entstandene Geschwulst (Med.). **Neu|ron** *das; -s, ...one* (auch: ...onen): Nerveneinheit, Nervenzelle mit Fortsätzen (Med.; Biol.). **Neu|ro|pä|di|at|rie*** *die; -:* Teilgebiet der ↑Pädiatrie, das sich mit nervalen Vorgängen u. Nervenkrankheiten befasst **Neu|ro|pa|thie** *die; -, ...ien:* Nervenleiden, -krankheit, bes. anlagebedingte Anfälligkeit des Organismus für Störungen im Bereich des vegetativen Nervensystems (Med.). **Neu|ro|pa|tho|lo|ge** *der; -n, -n:* Arzt mit Spezialkenntnissen auf dem Gebiet der Neuropathologie; Nervenarzt. **Neu|ro|pa|tho|lo|gie** *die; -:* Teilgebiet der ↑Pathologie, das sich mit den krankhaften Vorgängen u. Veränderungen des Nervensystems u. mit den Nervenkrankheiten befasst. **neu|ro|pa|tho|lo|gisch:** die Neuropathologie betreffend, zu ihr gehörend **Neu|ro|phy|si|o|lo|ge** *der; -n, -n:* Wissenschaftler auf dem Gebiet der Neurophysiologie. **Neu|ro|phy|si|o|lo|gie** *die; -:* ↑Physiologie des Nervensystems. **neu|ro|phy|si|o|lo|gisch:** die Neurophysiologie betreffend, zu ihr gehörend **Neu|ro|ple|gi|kum*** *das; -s, ...ka* (meist Plural): (veraltet) ↑Neuroleptikum **neu|ro|psy|chisch:** den Zusammenhang zwischen nervalen u. psychischen Vorgängen betreffend; für seelisch gehalten (von

Nervenvorgängen; Psychol.). **Neu|ro|psy|cho|lo|ge** *der; -n, -n:* Wissenschaftler auf dem Gebiet der Neuropsychologie. **Neu|ro|psy|cho|lo|gie** *die; -:* Teilgebiet der Psychologie, das sich mit den Zusammenhängen von Nervensystem u. psychischen Vorgängen befasst. **Neu|rop|te|ren*** *die* (Plural): Netzflügler (Zool.). **Neu|ro|re|ti|ni|tis** *‹gr.; lat.-nlat.›* *die; -, ...iti|den:* Entzündung der Sehnerven und der Netzhaut des Auges (Med.) **Neu|ro|se** *‹gr.-nlat.›* *die; -, -n:* hauptsächlich durch Fehlentwicklung des Trieblebens u. durch unverarbeitete seelische Konflikte mit der Umwelt entstandene krankhafte, aber heilbare Verhaltensanomalie mit seelischen Ausnahmezuständen u. verschiedenen körperlichen Funktionsstörungen ohne organische Ursachen (Med.). **Neu|ro|sek|ret*** *das; -[e]s, -e:* hormonales Sekret von Nervenzellen (Biol.). **Neu|ro|sek|re|ti|on*** *die; -, -en:* Absonderung hormonaler Stoffe aus Nervenzellen (bei den meisten Wirbeltiergruppen u. beim Menschen; Biol.). **Neu|ro|ti|ker** *der; -s:* jmd., der an einer Neurose leidet (Med.). **Neu|ro|ti|sa|ti|on** *die; -:* (Med.) 1. operative Einpflanzung eines Nervs in einen gelähmten Muskel. 2. Regeneration, Neubildung eines durchtrennten Nervs. **neu|ro|tisch:** a) auf einer Neurose beruhend, im Zusammenhang mit ihr stehend; b) an einer Neurose leidend. **neu|ro|ti|sie|ren:** eine Neurose hervorrufen **Neu|ro|to|mie** *die; -, ...ien:* Nervendurchtrennung (zur Schmerzausschaltung; Med.). **Neu|ro|to|nie** *die; -, ...ien:* Nervendehnung, -lockerung (bes. zur Schmerzlinderung, z.B. bei Ischias; Med.) **Neu|ro|to|xi|ko|se** *die; -, -n:* auf Gifteinwirkung beruhende Schädigung des Nervensystems (Med.). **Neu|ro|to|xin** *das; -s, -e:* Stoff (z. B. Bakteriengift), der eine schädigende Wirkung auf das Nervensystem hat; Nervengift (Med.). **neu|ro|to|xisch:** das Nervensystem schädigend (von bestimmten Stoffen; Med.) **Neu|ro|trip|sie*** *die; -, ...ien:* Nervenquetschung, Druckschädigung eines Nervs durch Unfall, Prothesen o. Ä. (Med.). **neu|ro|trop:** auf Nerven gerichtet, das

Nervensystem beeinflussend (Med.)

Neus|ton ⟨gr.; „das Schwimmende") das; -s: Gesamtheit mikroskopisch kleiner Lebewesen auf dem Oberflächenhäutchen stehender Gewässer (z. B. die so genannten Wasserblüten; Biol.)

Neut|ra*: Plural ↑Neutrum.

neut|ral ⟨lat.-mlat.⟩: 1. a) unparteiisch, unabhängig, nicht an eine Interessengruppe, Partei o. Ä. gebunden; b) keinem Staatenbundnis angehörend; nicht an einem Krieg, Konflikt o. Ä. zwischen anderen Staaten teilnehmend. 2. sächlich, sächlichen Geschlechts (Sprachw.). 3. [nicht auffällig u. daher] zu allem passend, nicht einseitig festgelegt (z. B. von einer Farbe). 4. (Chemie) a) weder basisch noch sauer reagierend (z. B. von einer Lösung); b) weder positiv noch negativ reagierend (z. B. von Elementarteilchen). **Neut|ra|li|sa|ti|on** ⟨lat.-fr.⟩ die; -, -en: 1. ↑Neutralisierung (1). 2. Aufhebung der Säurewirkung durch Zugabe von Basen u. umgekehrt (Chem.). 3. Aufhebung, gegenseitige Auslöschung von Spannungen, Kräften, Ladungen u. a. (Phys.). 4. vorübergehende Unterbrechung eines Wettkampfs während deren die Wertung ausgesetzt wird (Sport); vgl. ...[at]ion/...ierung. **neut|ra|li|sie|ren**: 1. unwirksam machen, eine Wirkung, einen Einfluss aufheben, ausschalten. 2. einen Staat durch Vertrag zur Neutralität verpflichten (Rechtsw.). 3. ein [Grenz]gebiet von militärischen Anlagen u. Truppen räumen, frei machen (Mil.) 4 bewirken, dass eine Lösung weder basisch noch sauer reagiert (Chem.). 5. Spannungen, Kräfte, Ladungen u. a. aufheben, gegenseitig auslöschen (Phys.). 6. einen Wettkampf unterbrechen u. die Wertung aussetzen (Sport). **Neut|ra|li|sie|rung** die; -, -en: 1. Aufhebung einer Wirkung, eines Einflusses. 2. einem Staat durch Vertrag auferlegte Verpflichtung zur Neutralität bei kriegerischen Auseinandersetzungen (Rechtsw.). 3. Räumung bestimmter [Grenz]gebiete von militärischen Anlagen u. Truppen (Mil.); vgl. ...[at]ion/...ierung. **Neut|ra|lis|mus** ⟨lat.-nlat.⟩ der; -: Grundsatz der Nichteinmischung in fremde Angelegenheiten (vor allem in der Politik).

Neut|ra|list der; -en, -en: Verfechter und Vertreter des Neutralismus. **neut|ra|lis|tisch**: zum Neutralismus gehörend, den Grundsätzen des Neutralismus folgend. **Neut|ra|li|tät** ⟨lat.-mlat.⟩ die; -: a) unparteiische Haltung, Nichteinmischung, Nichtbeteiligung; b) Nichtbeteiligung eines Staates an einem Krieg od. Konflikt. **Neut|ren**: Plural von ↑Neutrum. **Neut|ri|no** ⟨lat.-it.⟩: das; -s, -s: masseloses Elementarteilchen ohne elektrische Ladung (Phys.). **Neut|ron** ⟨lat.-nlat.⟩ das; -s, ...onen: Elementarteilchen ohne elektrische Ladung u. mit der Masse des Wasserstoffkernes; Zeichen: n (Phys.). **Neut|ro|nen|bom|be** vgl. Neutronenwaffe. **Neut|ro|nen|waf|fe** die; -, -n: Kernwaffe, die bei verhältnismäßig geringer Sprengwirkung eine extrem starke Neutronenstrahlung auslöst u. dadurch bes. Lebewesen schädigt od. tötet, Objekte dagegen weit gehend unbeschädigt lässt. **neut|ro|phil** ⟨lat.; gr.⟩: mit chemisch neutralen Stoffen leicht färbbar, besonders empfänglich für neutrale Farbstoffe (z. B. von Leukozyten; Med.). **Neut|ro|phi|lie** die; -, ...ien: übermäßige Vermehrung der neutrophilen weißen Blutkörperchen (Med.). **Neut|rum** ⟨lat.; „keines von beiden") das; -s, ...tra (auch: ...tren): sächliches Substantiv (z. B. das Kind); Abk.: n., N., Neutr.

Ne|vus [nə'vo:] ⟨lat.-fr.⟩ der; -s -: (veraltet, noch scherzh.) Neffe

New|age ['nju·eɪdʒ] ⟨engl.⟩ das; -, auch: **New Age** das; - -: neues Zeitalter als Inbegriff eines von verschiedenen Forschungsrichtungen u. alternativen Bewegungen vertretenen neuen integralen Weltbildes. **New|co|mer** ['nju·kʌmə] der; -[s], -[s]: jmd., der noch nicht lange bekannt, etwas, was noch neu ist [aber schon einen gewissen Erfolg hat]; Neuling. **New Deal** [nju·di:l] der; - -: wirtschafts- u. sozialpolitisches Reformprogramm des ehemaligen amerikanischen Präsidenten F. D. Roosevelt. **New|look** [nju·'luk] ⟨„neues Aussehen") der od. das; -[s], auch: **New Look** der od. das; - -[s]: neue Linie, neuer Stil (z. B. in der Mode). **New-Orleans-Jazz** [nju·ɔ:lɪənzdʒæz, auch: ...ɔ:'li:nz...] der; -: frühester, improvisierender Jazzstil der nordamerikanischen Schwarzen

in u. um New Orleans; vgl. Chicagojazz. **News** [nju:z] die (Plural): [sensationelle] Neuigkeiten, Nachrichten, Meldungen (häufig als Name englischer Zeitungen)

New|ton ['nju:t(ə)n] ⟨nach dem engl. Physiker, 1643–1727⟩ das; -s, -: physikalische Krafteinheit; Zeichen: N

New|wave ['nju·'weɪv] ⟨engl.⟩ der; -, auch: **New Wave** der; - -: neue Richtung in der Rockmusik, die durch einfachere Formen (z. B. in der Instrumentierung, im Arrangement), durch Verzicht auf Perfektion u. durch zeitgemäße Texte gekennzeichnet ist

Ne|xus ⟨lat.⟩ der; -, - ['nɛksu:s]: Zusammenhang, Verbindung, Verflechtung

Ne|zes|si|tät ⟨lat.⟩ die; -, -en: (veraltet) Notwendigkeit

NGO [endʒi:'ou] ⟨Kurzw. für Non-governmental organization; engl.⟩ die; -: Nichtregierungsorganisation, nichtstaatliche Organisation in den unterschiedlichsten Politikbereichen

Ngo|ko ⟨jav.⟩ das; -[s]: Sprache der Unterschicht auf Java; Ggs. ↑Kromo

Ni|ai|se|rie [njɛzə'ri:] ⟨lat.-vulgär-lat.-fr.⟩ die; -, ...ien: (veraltet) Albernheit, Dummheit, Einfältigkeit

Nib|lick* ⟨engl.⟩ der; -s, -s: schwerer Golfschläger mit Eisenkopf

Ni|cae|num [ni'tsɛ:...] vgl. Nizänum

nicht|euk|li|disch*: in der Fügung: **nichteuklidische Geometrie**: Geometrie, die sich in ihrem axiomatischen Aufbau von der Geometrie des Euklid bes. dadurch unterscheidet, dass sie das ↑Parallelenaxiom nicht anerkennt (Math.); Ggs. ↑euklidische Geometrie

Ni|cki ⟨nach der Kurzform für Nikolaus⟩ der; -[s], -s: Pullover aus plüschartigem [Baumwoll]material

Ni|col ['nɪkəl] ⟨nach dem engl. Physiker, 1768–1851⟩ das; -s, -s: aus zwei geeignet geschliffenen Teilprismen aus Kalkspat zusammengesetzter ↑Polarisator des Lichts; Polarisationsprisma (Optik)

Ni|co|tin vgl. Nikotin

Ni|da|men|tal|drü|se ⟨lat.-nlat.: dt.⟩ die; -, -n (meist Plural): Drüse bei den weiblichen Tieren vieler Kopffüßer, deren klebriges Sekret zur Umhüllung u. Befestigung der Eier dient (Zool.). Ni-

da|ti|on *die;* -: das Sicheinbetten eines befruchteten Eis in der Gebärmutterschleimhaut (Med.; Biol.). **Ni|da|ti|ons|hemmer** *der;* -s, -: Empfängnisverhütungsmittel, dessen Wirkung darin besteht, eine Nidation zu verhindern (Med.)

Nie|der|fre|quenz *die;* -, -en: Bereich der elektrischen Schwingungen unterhalb der Mittelfrequenz (5 000 bis 10 000 Hertz) **ni|el|lie|ren** [niɛ...] ⟨*lat.-it.*⟩: in Metall (meist Silber od. Gold) gravierte Zeichnungen mit Niello (1) ausfüllen (Kunstw.). **Ni|el-lo** *das;* -[s], -s u. ...llen (bei Kunstwerken auch: ...lli): (Kunstw.) 1. Masse u. a. aus Blei, Kupfer u. Schwefel, die zum Ausfüllen einer in Metall eingravierten Zeichnung dient u. die sich als schwarze od. schwärzliche Verzierung von dem Metall abhebt. 2. mit Niello (1) bearbeitete Metallzeichnung, mit Niello (1) verzierter Metallgegenstand (meist aus Silber od. Gold). 3. Abdruck einer zur Aufnahme von Niello (1) bestimmten gravierten Platte auf Papier

Niels|boh|ri|um ⟨*nlat.;* von der ehem. Sowjetunion vorgeschlagene Bez. nach dem dän. Physiker Niels Bohr, 1885–1962⟩ *das;* -s: ↑Hahnium

Ni|fe [ˈniːfə, auch: ...fe] ⟨Kurzw. aus *Ni*ckel u. lat. *ferrum* „Eisen"⟩ *das;* -: wahrscheinlich aus Eisen u. Nickel bestehender Erdkern (Geol.). **Ni|fe|kern** *der;* -[e]s: ↑Nife (Geol.)

Nig|ger ⟨*lat.-span.-fr.-engl.-amerik.*⟩ *der;* -s, -: (Schimpfwort) Schwarzer

Night|club [ˈnaɪtklʌb] ⟨*engl.*⟩ *der;* -s, -s: Nachtbar, Nachtlokal

Nig|ro|mạnt* ⟨*lat.; gr.*⟩ *der;* -en, -en: Zauberer, Wahrsager, Magier. **Nig|ro|man|tie** *die;* -: schwarze Kunst, Magie, Zauberei. **Nig|ro|sin** ⟨*lat.-nlat.*⟩ *das;* -s, -e: violetter bis blauschwarzer synthetischer Farbstoff zum Färben von Papier, Leder, Kunststoffen u. a.

Ni|hi|lis|mus ⟨*lat.-nlat.*⟩ *der;* -: a) [philosophische] Anschauung, Überzeugung von der Nichtigkeit alles Bestehenden, Seienden; b) weltanschauliche Haltung, die alle positiven Zielsetzungen, Ideale, Werte ablehnt; völlige Verneinung aller Normen, Werte, Ziele. **Ni|hi|list** *der;* -en, -en: Vertreter des Nihilismus; jmd., der nihilistisch eingestellt ist. **ni|hi|lis|tisch:** a) in der Art des Nihilismus; b) alle positiven Zielsetzungen, Ideale, Werte, Normen bedingungslos ablehnend. **ni|hil ọbs|tat*** ⟨*lat.;* „es steht nichts im Wege"⟩: Unbedenklichkeitsformel der katholischen Kirche für die Erteilung der Druckerlaubnis od. der ↑Missio canonica; vgl. Imprimatur (2)

Ni|hon|gi ⟨*jap.;* „Annalen von Nihon (= Japan)"⟩ *der;* -: erste japanische Reichsgeschichte, Quellenschrift des ↑Schintoismus (720 n. Chr.); vgl. Kodschiki

Ni|kol vgl. Nicol

Ni|ko|laus [auch: ˈniːko...] ⟨nach einem als Heiliger verehrten Bischof von Myra⟩ *der;* -, -e u. ...läuse): 1. als hl. Nikolaus verkleidete Person. 2. (ohne Plural) mit bestimmten Bräuchen verbundener Tag des hl. Nikolaus (6. Dezember); Nikolaustag. 3. Geschenk [für Kinder] zum Nikolaustag. **Ni|ko|llo** ⟨*gr.-it.*⟩ *der;* -s, -s: (österr.) Nikolaus (1–3)

Ni|ko|tin, chem. fachspr.: Nicotin ⟨*fr.*, nach dem französischen Gelehrten J. Nicot, um 1530–1600⟩ *das;* -s: in den Wurzeln der Tabakpflanze gebildetes ↑Alkaloid, das sich in den Blättern ablagert u. beim Tabakrauchen als [anregendes] Genussmittel dient. **Ni|ko|ti|nis|mus** ⟨*fr.-nlat.*⟩ *der;* -: durch übermäßige Aufnahme von Nikotin hervorgerufene Erkrankung des Nervensystems; Nikotinvergiftung

Nik|ta|ti|on ⟨*lat.*⟩ u. **Nik|ti|ta|ti-ọn** ⟨*lat.-nlat.*⟩ *die;* -: durch eine schnelle Folge von Zuckungen gekennzeichnetet Krampf am Augenlid (Med.)

Ni|l|gau ⟨*Hindi*⟩ *der;* -[e]s, -e: in der heimischen Antilope

Nim|bo|stra|tus* ⟨*lat.-nlat.*⟩ *der;* -, ...ti: sehr große, tief hängende Regenwolke (Meteor.). **Nim|bus** ⟨*lat.-mlat.*⟩ *der;* -, -se: 1. Heiligenschein, Gloriole. 2. besonderes Ansehen, glanzvoller Ruhm. 3. (veraltet) ↑Nimbostratus

Nim|rod ⟨*hebr.;* nach der biblischen Gestalt⟩ *der;* -s, -e: großer, leidenschaftlicher Jäger

Nin|ja ⟨*jap.;* „Spion, Kundschafter"⟩ *der;* -[s], -[s]: (im feudalen Japan) in Geheimbünden organisierter Krieger, der sich spezieller Waffen und eines besonderen Kampfstils bedient

Ni|ob u. Niobium ⟨*nlat.;* nach der griech. Sagengestalt Niobe⟩ *das;*

-s: chemisches Element; hellgraues, glänzendes Metall, das sich gut walzen u. schmieden lässt (Zeichen: Nb). **Ni|o|bi|de** *der;* -n, -n u. *die;* -, -n: Abkömmling der Niobe. **Ni|o|bit** [auch: ...ˈbɪt] *der;* -s, -e: ein Niob enthaltendes Mineral, schwarz glänzendes Metall. **Ni|o|bi|um** vgl. Niob

Ni|phab|lep|sie* ⟨*gr.-nlat.*⟩ *die;* -, ...ien: Schneeblindheit (Med.)

Nip|pes [auch: nɪps, nɪp] ⟨*fr.*⟩ *die* (Plural): kleine Gegenstände, Figuren [aus Porzellan], die zur Zierde aufgestellt werden

Nir|wa|na ⟨*sanskr.;* „Erlöschen, Verwehen"⟩ *das;* -[s]: (im Buddhismus) Endziel des Lebens als Zustand völliger Ruhe

Ni|san ⟨*hebr.*⟩ *der;* -: siebter Monat im jüdischen Kalender (März/April)

Ni|sus ⟨*lat.;* „Ansatz; Anstrengung; Schwung"⟩ *der;* -, - [ˈniːzuːs]: Trieb (Med.)

Ni|ton ⟨*lat.-nlat.*⟩ *das;* -s: (veraltet) ↑Radon

Nit|rạt* ⟨*ägypt.-gr.-lat.-nlat.*⟩ *das;* -[e]s, -e: häufig als Oxidations-u. Düngemittel verwendetes Salz der Salpetersäure. **Nit|rid** *das;* -s, -e: chemische Verbindung von Stickstoff mit einem Metall. **nit|rie|ren:** organische Substanzen mit Salpetersäure od. Gemischen aus konzentrierter Salpeter-u. Schwefelsäure behandeln, bes. zur Gewinnung von Sprengstoffen, Farbstoffen, Heilmitteln (Chem., Technik). **Nit|ri|fi|ka|ti-ọn** ⟨*ägypt.-gr.-lat.; lat.-nlat.*⟩ *die;* -, -en: Bildung von Salpeter durch Oxidation, die von Bakterien im Boden bewirkt wird. **nit|ri|fi|zie|ren:** durch Oxidation Salpeter im Boden bilden. **Nit|ril** ⟨*ägypt.-gr.-lat.-nlat.*⟩ *das;* -s, -e: organische Verbindung mit einer Cyangruppe. **Nit|rit** [auch: niˈtrɪt] *das;* -s, -e: farbloses, in Wasser meist leicht lösliches Salz der salpetrigen Säure. **Nit|ro|bak|te|rie** ⟨*ägypt.-gr.-lat.-nlat.; gr.-lat.*⟩ *die;* -, -n (meist Plural): Bakterie, die das Amoniak des Ackerbodens in Nitrit bzw. in Nitrat verwandelt (Chem.; Landw.). **Nit|ro|ge|la|ti|ne** [auch: ...ˈtiːnə] *die;* -: Sprenggelatine, brisanter Sprengstoff (wirksamer Bestandteil des Dynamits). **Nit|ro|gen** u. **Nit|ro|ge-ni|um** ⟨*ägypt.-gr.-lat.-nlat.; gr.-nlat.*⟩ *das;* -s: chemisches Element; Stickstoff (Zeichen: N). **Nit|ro|gly|ze|rin** [auch: ...ˈriːn] *das; -s:* ölige, farblose bis gelbliche, geruchlose Flüssigkeit, die als brisanter Sprengstoff in Sprenggelatine und Dynamit verarbeitet und in der Medizin als gefäßerweiterndes Arzneimittel verwendet wird. **Nit|ro|grup|pe** *die; -:* als Bestandteil zahlreicher organischer Verbindungen auftretende einwertige Gruppe, die ein Stickstoff- und zwei Sauerstoffatome enthält. **Nit|ro|pen|ta** ⟨Kunstw.⟩ *das; -[s]:* brisanter Explosivstoff mit extrem hoher Detonationsgeschwindigkeit. **nit|ro|phil** ⟨ägypt.-gr.-lat.-nlat.; gr.⟩: Nitrate speichernd u. auf nitratreichem Boden besonders gut wachsend (von bestimmten Pflanzen; Bot.). **Nit|ro|phoska** ® ⟨Kunstw.⟩ *die; -:* Stickstoff, Phosphor u. Kalium enthaltendes Düngemittel. **Nit|ro|phos|phat** *das, -[e]s, -e.* Stickstoff, Phosphor, Kali u. Kalk enthaltendes Düngemittel. **nit|ros** ⟨ägypt.-gr.-lat.⟩: Stickoxid enthaltend. **Nit|ro|sa|min** *das; -s, -e:* bestimmte Stickstoffverbindung, die u.a. beim Räuchern, Rösten entsteht u. Krebs erregend sein kann. **Nit|ro|se** *die; -:* nitrose Schwefelsäure. **Nit|ro|zel|lu|lo|se** ⟨ägypt.-gr.-lat.; lat.-nlat.⟩ *die;-:* durch Nitrieren von Zellulose hergestellte, weiße, faserige Masse, die beim Entzünden sehr rasch verbrennt u. für die Herstellung von Lacken u. Zelluloid od. für Sprengstoffe verwendet wird. **Nit|rum** ⟨ägypt.-gr.-lat.⟩ *das; -s:* (veraltet) ↑ Salpeter

nit|sche|wo* ⟨russ.⟩: (ugs. scherzh.) macht nichts!; hat nichts zu bedeuten

ni|val ⟨lat.⟩: (von Niederschlägen) in fester Form von Schnee, Eis, Eisregen geprägt (Meteor.). **Ni|val** *das; -s, -:* Gebiet mit dauernder od. langfristiger Schnee- od. Eisdecke. **Ni|val|or|ga|nis|mus** *der; -, ...men* (meist Plural): Tier od. Pflanze aus Gebieten mit ständiger Schnee- od. Eisdecke (Biol.)

Ni|veau [ni'vo:] ⟨lat.-vulgärlat.-fr.⟩ *das; -s, -s:* 1. waagerechte, ebene Fläche in bestimmter Höhe. 2. Stufe in einer Skala bestimmter Werte, auf der sich etw. bewegt. 3. geistiger Rang; Stand, Grad, Stufe der bildungsmäßigen, künstlerischen o.ä. Ausprägung. 4. feine Wasserwaage an geodätischen u. astronomischen Instrumenten. 5. Gesamtbild einer persönlich gestalteten, ausdruckskräftigen Handschrift (Graphologie). **Ni|veau|flä|che** *die; -, -:n:* Fläche, die auf gleicher Höhe liegende Punkte verbindet (Math.). **ni|veau|frei:** sich nicht auf dem gleichen Niveau (1) befindend, kreuzend (Verkehrsw.). **Ni|veau|li|nie** *die; -, -n:* ↑ Isohypse, Höhenlinie (Geogr.). **ni|veau|los:** sich auf einem niedrigen Niveau (3) bewegend; geistig anspruchslos. **Ni|vel|le|ment** [nivɛlə'mã:] *das; -s, -s:* 1. Einebnung, Ausgleichung. 2. (Geodäsie) a) Messung u. Bestimmung von Höhenunterschieden im Gelände mithilfe des Nivelliergeräts; b) Ergebnis des Nivellements. **ni|vel|lie|ren:** 1. (Unterschiede) durch Ausgleichung aufheben, mildern. 2. Höhenunterschiede mithilfe des Nivellements (2) bestimmen. 3. (selten) ebnen, planieren. **Ni|vel|lier|in|stru|ment*** *das; -[e]s, -e:* Gerät für die nivellitische Höhenmessung. **ni|vel|li|tisch:** das Nivellement (2) betreffend

Ni|vo|me|ter ⟨lat.; gr.⟩ *das; -s, -:* Gerät zur Messung der Dichte gefallenen Schnees (Meteor.). **Ni|vose** [ni'vo:z] ⟨lat.-fr.; "Schneemonat"⟩ *der; -, -s:* (im Kalender der Französischen Revolution) vierter Monat des Jahres (21. Dez. bis 19. Jan.)

Ni|zä|num u. **Ni|zä|um** u. Nicaenum [ni'tʃɛ:...] ⟨nlat.⟩ nach der kleinasiat. Stadt Nizäa, heute İsnik) *das; -s:* auf dem ersten allgemeinen Konzil zu Nizäa 325 n. Chr. angenommenes und 381 in Konstantinopel fortgebildetes zweites ↑ ökumenisches Glaubensbekenntnis

NLP = neurolinguistisches Programmieren; ↑ neurolinguistisch **No** ⟨jap.⟩ *das; -:* ↑ No-Spiel

no|bel ⟨lat.-fr.⟩: 1. in bewundernswerter Weise großmütig, edel [gesinnt]; menschlich vornehm. 2. elegant [wirkend]; luxuriös. 3. (ugs.) freigebig, großzügig. **No|bel|gar|de** *die; -:* (hist.) aus Adligen gebildete päpstliche Ehrenwache

No|bel|li|um ⟨nlat.; nach dem schwed. Chemiker A. Nobel, 1833–1896⟩ *das; -s:* chem. Element, ↑ Transuran; Zeichen: No. **No|bel|preis** *der; -es, -e:* von dem schwed. Chemiker A. Nobel gestifteter, jährlich für hervorragende kulturelle, wissenschaftliche Leistungen auf verschiedenen Gebieten verliehener Geldpreis

No|bi|les [...le:s] ⟨lat.⟩ *die* (Plural): (hist.) Angehörige der Nobilität im alten Rom. **No|bi|li** ⟨lat.-it.⟩ *die* (Plural): (hist.) Angehörige der adligen Geschlechter in den ehemaligen ital. Freistaaten. **No|bi|li|tät** ⟨lat.⟩ *die; -:* Amtsadel im alten Rom. **No|bi|li|ta|ti|on** ⟨lat.-nlat.⟩ *die; -, -en:* Adelung. **no|bi|li|tie|ren** ⟨lat.⟩: adeln. **No|bi|li|tie|rung** *die; -, -en:* ↑ Nobilitation; vgl. ...[at]ion/ ...ierung. **No|bi|li|ty** [nou'bılıtı] ⟨lat.-engl.⟩ *die; -:* Hochadel Großbritanniens. **Nob|les|se*** [auch: nɔ'blɛs] ⟨lat.-fr.⟩ *die; -, -n:* 1. (veraltet) Adel; adelige, vornehme Gesellschaft. 2. (ohne Plural) edle Gesinnung, Vornehmheit, vornehmes Benehmen. **nob|lesse*** **ob|lige** [nɔblɛsə'bli:ʒ] ("Adel verpflichtet"): eine höhere geschäftliche Stellung verpflichtet zu Verhaltensweisen, die von anderen nicht unbedingt erwartet werden **No|bo|dy** ['noʊbədı] ⟨engl.⟩ *der; -[s], -s:* jmd., der unbedeutend, [noch] ein Niemand ist

Nock ⟨niederl.⟩ *das; -[e]s, -e* (auch: *die; -, -en):* (Seew.) 1. äußerstes Ende eines Rundholzes, einer Spiere. 2. seitlich hervorragender Teil einer Schiffsbrücke **Noc|ti|lu|ca** ⟨lat.⟩ *die; -:* im Oberflächenwasser der Meere lebende, das Meeresleuchten verursachende, 1–2 mm große Geißeltierchen mit rundem, ungepanzertem Körper. **Noc|turne** [nɔk'tʏrn] ⟨lat.-fr.⟩ *das; -s, -s od. die; -, -s:* (Mus.) 1. elegisches od. träumerisches Charakterstück in einem Satz (für Klavier). 2. (selten) ↑ Notturno.

No|di: Plural von ↑ Nodus. **no|dös** ⟨lat.⟩: knotig, mit Knötchenbildung (Med.). **No|dus** *der; -, No-di:* 1. Knoten (z.B. Lymphknoten; Med.). 2. oft knotig verdickte Ansatzstelle des Blattes (Bot.). 3. Knauf am Schaft eines Gerätes (z.B. eines Kelchs)

No|ël [nɔ'ɛl] ⟨lat.-fr.; "Weihnachten"⟩ *der; -:* franz. mundartliches Weihnachtslied, -spiel

No|em ⟨gr.; "Gedanke, Sinn"⟩ *das; -s, -e:* kleinste begriffliche Einheit; kleinstes Bedeutungselement eines Semems (Sprachw.). **No|e|ma** *das; -s, Noemata:* 1. Gegenstand des Denkens; Gedanke. 2. (in der Phänomenologie) Inhalt eines Gedankens im Unterschied zum

Denkvorgang. **No|e|ma|tik** ⟨gr.-nlat.⟩ die; -: Theorie, die die Beziehungen der Noeme untereinander sowie ihre Kombinationsmöglichkeiten zum Gegenstand hat. **No|e|sis** die; -: 1. geistige Tätigkeit, das Denken. 2. (in der Phänomenologie) Denkvorgang im Unterschied zum Inhalt eines Gedankens. **No|e|tik** ⟨gr.-nlat.⟩ die; -: Lehre vom Denken, vom Erkennen geistiger Gegenstände. **no|e|tisch:** 1. die Noetik betreffend. 2. die Noesis betreffend

no fu|ture ['nou 'fju:tʃə] ⟨engl.; „keine Zukunft"⟩: Schlagwort meist arbeitsloser Jugendlicher als Ausdruck der Hoffnungslosigkeit

Noir [nŏa:ɐ̯] ⟨lat.-fr.; „schwarz"⟩ das; -s: Schwarz als Farbe u. Gewinnmöglichkeit beim ↑ Roulett

no iron ['nou'aıən] ⟨engl.; „nicht bügeln"⟩: bügelfrei (als Hinweis in Kleidungsstücken). **No-iron-Blu|se** die; -, -n: bügelfreie Bluse. **No-iron-Hemd** das; -[e]s, -en: bügelfreies Hemd

Noi|sette [nŏa'zɛt] ⟨lat.-fr.⟩ die; -, -s: 1. kurz für ↑ Noisetteschokolade. 2. (meist Plural) rundes Fleischstück aus der Keule von bestimmten Schlachttieren. **Noi|sette|scho|ko|la|de** die; -, -n: Milchschokolade mit fein gemahlenen Haselnüssen

Nok|tam|bu|lis|mus* ⟨lat.-nlat.⟩ der; -: ↑ Somnambulismus (Med.). **Nok|turn** ⟨lat.-mlat.⟩ die; -, -en: Teil der ↑ Matutin im katholischen Breviergebet. **Nok|tur|ne** ⟨lat.-fr.⟩ die; -, -n: ↑ Nocturne

no|lens vo|lens ⟨lat.; „nicht wollend wollend"⟩: wohl od. übel **No|li|me|tan|ge|re** ⟨lat.; „rühr mich nicht an"⟩ das; -, -: 1. Darstellung der biblischen Szene, in der der auferstandene Jesus Maria Magdalena erscheint. 2. Springkraut, dessen Früchte den Samen bei Berührung ausschleudern

No|ma ⟨gr.⟩ das; -s, -s u. die; -, Nomae [...mɛ]: brandiges Absterben der Wangen bei unterernährten od. durch Krankheit geschwächten Kindern (Med.)

No|ma|de ⟨gr.-lat.; „Viehherden weidend u. mit ihnen umherziehend"⟩ der; -n, -n: Angehöriger eines [Hirten]volkes, das innerhalb eines begrenzten Gebietes umherzieht. **no|ma|disch:** den Nomaden betreffend; zu den Nomaden gehörend. **no|ma|di|sie|ren** ⟨gr.-lat.-nlat.⟩: a) als No-

made leben, umherziehen; b) zu Nomaden machen. **No|ma|dis|mus** der; -: 1. nomadische Wirtschafts-, Gesellschafts- und Lebensform. 2. [durch Nahrungssuche u. arteigenen Bewegungstrieb bedingte] ständige [Gruppen]wanderungen von Tierarten

No-Mas|ke die; -, -n: Maske der Schauspieler im ↑ No-Spiel

Nom de Guerre [nŏd'gɛ:r] ⟨fr.; „Kriegsname"⟩ der; - - -, -s - - [nŏ...]: franz. Bez. für: Deck-, Künstler-, auch Spottname. **Nom de Plume** [nŏd'plym] ⟨„(Schreib)federname"⟩ der; - - -, -s - - [nŏ...]: franz. Bez. für: Schriftstellerdeckname

No|men ⟨lat.⟩ das; -s, - u. Nomina: 1. Substantiv. 2. deklinierbares Wort, das weder Pronomen noch Artikel ist (zusammenfassende Bez. für Substantiv u. Adjektiv). **No|men Ac|ti** das; - -, Nomina -: von einem Verb abgeleitetes Substantiv, das das Ergebnis eines Geschehens bezeichnet (z. B. Bruch zu brechen). **No|men Ac|ti|o|nis** das; - -, Nomina -: von einem Verb abgeleitetes Substantiv, das ein Geschehen bezeichnet (z. B. Schlaf zu schlafen). **No|men A|gen|tis** das; - -, Nomina -: von einem Verb abgeleitetes Substantiv, das das [handelnde] Subjekt eines Geschehens bezeichnet (z. B. Läufer zu laufen). **no|men est o|men** ⟨lat.⟩: der Name deutet schon darauf hin. **No|men gen|ti|le** das; - -, Nomina gentilia: (in der Antike) [an zweiter Stelle stehender] Geschlechtsname der Römer (z. B. Gaius Julius Caesar). **No|men In|stru|men|ti*** das; - -, Nomina -: von einem Verb abgeleitetes Substantiv, das ein Gerät od. Werkzeug, das Mittel einer Tätigkeit bezeichnet (z. B. Bohrer zu bohren). **No|men|kla|tor** ⟨(lat.; gr.) lat.⟩ der; -s, ...oren: 1. (hist.) altröm. Sklave, der seinem Herrn die Namen seiner Sklaven, Besucher usw. anzugeben hatte. 2. Verzeichnis der für ein bestimmtes Fachgebiet, einen bestimmten Wissenschaftszweig gültigen Namen u. Bezeichnungen. **no|men|kla|to|risch:** den Nomenklator (2) u. die Nomenklatur betreffend. **No|men|kla|tur** ⟨„Namenverzeichnis"⟩ die; -, -en: System der Namen u. Fachbezeichnungen, die für ein bestimmtes Fachgebiet, einen bestimmten Wissenschaftszweig o. Ä. [allgemeine] Gültigkeit ha-

ben. **No|men|kla|tu|ra** ⟨(lat.-gr.; lat.) russ.⟩ die; -: 1. (in der ehem. UdSSR) Verzeichnis der wichtigsten Führungspositionen. 2. herrschende Klasse. **No|men Pa|ti|en|tis** das; - -, Nomina -: Substantiv mit passivischer Bedeutung (z. B. Hammer = Werkzeug, mit dem gehämmert wird). **No|men post|ver|ba|le** das; - -, Nomina postverbalia: Substantiv, das von einem Verb [rück]gebildet ist (z. B. Kauf von kaufen). **No|men pro|pri|um*** das; - -, Nomina propria: Eigenname. **No|men Qua|li|ta|tis** das; - -, Nomina -: Substantiv, das einen Zustand od. eine Eigenschaft bezeichnet (z. B. Hitze). **No|men|na** Plural von ↑ Nomen. **no|mi|na** ⟨lat.-fr.⟩: 1. das Nomen (2) betreffend, mit einem Nomen (2) gebildet (Sprachw.). 2. zum Nennwert (Wirtschaft); vgl. ...al/...ell. **No|mi|nal|abs|trak|tum*** das; -s, ...ta: ↑ Abstraktum, das von einem Nomen (2) abgeleitet ist (z. B. Schwärze zu schwarz). **No|mi|nal|de|fi|ni|ti|on** die; -, -en: Angabe der Bedeutung eines Wortes, einer Bezeichnung (Philos.); Ggs. ↑ Realdefinition. **No|mi|na|le** die; -, -en: Nominalwert [einer Münze] (Wirtsch.). **No|mi|nal|ein|kom|men** das; -s, -: (in Form eines bestimmten Summe angegebenes) Einkommen, dessen Höhe allein nichts über seine Kaufkraft aussagt (Wirtsch.); Ggs. ↑ Realeinkommen. **No|mi|nal|form** die; -, -en: ↑ infinite Form eines Verbs (z. B. erwachend). **no|mi|na|li|sie|ren:** 1. ↑ substantivieren. 2. einen ganzen Satz in eine Nominalphrase verwandeln. **No|mi|na|lis|mus** ⟨lat.-nlat.⟩ der; -: 1. (Philos.) Denkrichtung, nach der die Begriffe nur als Namen, Bezeichnungen für einzelne Erscheinungen der Wirklichkeit fungieren, d. h. als Allgemeinbegriffe nur im Denken existieren u. keine Entsprechungen in der Realität haben. 2. (Wirtsch.) volkswirtschaftliche Theorie, nach der das Geld einen Wert nur symbolisiert. **No|mi|na|list** der; -en, -en: Vertreter des Nominalismus. **no|mi|na|lis|tisch:** den Nominalismus betreffend, auf ihm beruhend, zu ihm gehörend. **No|mi|nal|ka|pi|tal** das; -s, -e u. ...pitale (Wirtsch.) a) Grundkapital einer Aktiengesellschaft; b) Stammkapital einer Gesellschaft mit beschränkter Haftung. No|mi|nạl-ka|ta|llog der; -[e]s, -e: alphabetischer Namenkatalog einer Bibliothek; Ggs. ↑Realkatalog. No|mi|nạl|kom|po|si|tum das; -s, ...ta u. ...ten: Kompositum, dessen Glieder aus Nomina (vgl. Nomen 2) bestehen (z. B. Wassereimer, wasserarm). No|mi-nạl|phra|se der; -, -n: Wortgruppe in einem Satz mit einem Nomen (2) als Kernglied. No|mi-nạl|prä|fix das; -es, -e: ↑Präfix, das vor ein Nomen (2) tritt (z. B. Ur-, ur- in: Urbild, uralt). No-mi|nạl|satz der; -es, ...sätze: a) aus einem od. mehreren Nomina bestehender Satz ohne Verb (z. B. Viel Feind', viel Ehr'!); b) Satz, dessen Prädikat aus Kopula u. Prädikatsnomen besteht (z. B. er ist Bäcker). No|mi|nạl-stil der; -[e]s: Stil, der durch Häufung von Substantiven gekennzeichnet ist; Ggs. ↑Verbalstil. No|mi|nạl|wert der; -[e]s, -e: der auf Münzen, Banknoten, Wertpapieren usw. in Zahlen od. Worten angegebene Nennwert (Wirtsch.). no|mi|nạl|tim ⟨lat.⟩: (veraltet) namentlich. No|mi|na-ti|on die; -, -en: 1. a) Ernennung der bischöflichen Beamten (kath. Kirchenrecht); b) (hist.) Benennung eines Bewerbers für das Bischofsamt durch die Landesregierung. 2. (veraltet) Nominierung; vgl. ...[at]ion/...ierung. No|mi|na|tiv der; -s -e: 1. (ohne Plural) Kasus, in dem vor allem die den Kern eines grammatischen Subjekts bildenden deklinierbaren Wörter stehen u. dessen [singularische] Formen als Grundformen der deklinierbaren Wörter gelten, Werfall, erster Fall; Abk.: Nom. 2. Wort, das im Nominativ (1) steht. no|mi-na|ti|visch: den Nominativ betreffend; im Nominativ stehend. no|mi|nẹll: 1. [nur] dem Namen nach [bestehend], vorgeblich. 2. ↑nominal (2); vgl. ...al/...ell. no-mi|nie|ren ⟨lat.⟩: zur Wahl, für ein Amt, für die Teilnahme an etwas namentlich vorschlagen, ernennen. No|mi|nie|rung die; -, -en: das Vorschlagen eines Kandidaten, Ernennung; vgl. ...[at]ion/...ierung

No|mịs|mus ⟨gr.-nlat.⟩ der; -: Bindung an Gesetze, Gesetzlichkeit, bes. die vom alttestamentlichen Gesetz bestimmte Haltung der strengen Juden u. mancher christlicher Gemeinschaften. No-mo|grạmm ⟨gr.-nlat.⟩ das; -s, -e:

Schaubild, Zeichnung als Hilfsmittel zum grafischen Rechnen (Math.). No|mo|gra|phie, auch: Nomografie die; -: Teilgebiet der Mathematik, das die verschiedenen Verfahren zur Aufstellung von Nomogrammen u. deren Anwendung zu Gegenstand hat. no-mo|gra|phisch, auch: nomografisch: die Nomographie betreffend, zu ihr gehörend, auf ihr beruhend. No|mo|kra|tie* die; -, ...ien: Ausübung der Herrschaft nach [geschriebenen] Gesetzen (Rechtsw.); Ggs. ↑Autokratie. No|mo|lo|gie die; -: 1. (veraltet) Lehre von den Gesetzen, der Gesetzgebung. 2. Lehre von den Denkgesetzen (Philos.). No|mos ⟨gr.⟩ der; -, Nomoi: 1. (Philos.) menschliche Ordnung, von Menschen gesetztes Recht (im Unterschied zum Naturrecht, göttlichen Recht). 2. (Mus.) nach festen, ursprünglich für kultische Zwecke entwickelten Modellen, Regeln komponierte [gesungene] Weise der altgriechischen Musik. no|mo|syn|tạk|tisch: die Nomosyntax betreffend. No|mo-syn|tax die; -: Syntax des Inhalts eines Satzes (Sprachw.); Ggs. ↑Morphosyntax. No|mo|the|sie die; -, ...ien: (veraltet) Gesetzgebung (Rechtsw.). No|mo|thẹt der; -en, -en: (veraltet) Gesetzgeber (Rechtsw.). no|mo|the-tisch: 1. (veraltet) gesetzgebend (Rechtsw.). 2. (von wissenschaftlichen Aussagen) auf die Aufstellung von Gesetzen, auf die Auffindung von Gesetzmäßigkeiten zielend

Nọn ⟨lat -mlat.⟩ die; -, -en: ↑None (1). No|na|gon ⟨lat.; gr.⟩ das; -s, -e: Neuneck. no|na|go|nạl: von der Form eines Nonagons

No-Name-Pro|dukt ['nou-'neɪm...] ⟨engl.; lat.⟩ das; -[e]s, -e: neutral verpackte Ware ohne Marken- od. Firmenzeichen.

No|na|e|r|me ⟨⟨lat; germ.-fr.⟩ it.⟩ die; -, -n: neunzeilige, u. i. m eine Zeile erweiterte ↑Stanze

Non-Book ['nɔn'buk] ⟨engl.-amerik.⟩ das; -[s], -s: ↑Non-Book-Artikel. Non-Book-Ab|tei|lung die; -, -en: einer Buchhandlung angeschlossene Abteilung, in der Schallplatten, Spiele, Kunstblätter o. Ä. verkauft werden. Non-Book-Ar|ti|kel der; -s, - (meist Plural) in einer Buchhandlung angebotener Artikel, der kein Buch ist

Non|chạllance [nõʃa'lã:s] ⟨lat.-fr.⟩ die; -: Nachlässigkeit; form-

lose Ungezwungenheit, Lässigkeit, Unbekümmertheit. non-chạllant [...lã:, bei attributivem Gebrauch: ...lant]: nachlässig; formlos ungezwungen, lässig Non-Co|ope|ra|tion ['nɔnkouɔ-pə'reɪʃən] ⟨engl.; „Nichtzusammenarbeit"⟩ die; -: Kampfesweise Gandhis, mit der er durch Verweigerung der Zusammenarbeit mit den britischen Behörden u. durch Boykott britischer Einrichtungen die Unabhängigkeit Indiens zu erreichen suchte Nọ|ne ⟨lat.-mlat.⟩ die; -, -n: 1. Teil des katholischen Stundengebets (zur neunten Tagesstunde = 15 Uhr). 2. a) (Mus.) neunter Ton einer diatonischen Tonleiter; b) Intervall von neun diatonischen Tonstufen. Nọ|nen ⟨lat.⟩ die (Plural): im altröm. Kalender der neunte Tag vor den ↑Iden. Nọ|nen|ak|kord der; -[e]s, -e: aus vier Terzen bestehender Akkord (Mus.). Non-Es|sen|tials [nɔnɪ'sɛnʃlz] ⟨engl.⟩ die (Plural): nicht lebensnotwendige Güter (Wirtsch.) Nọ|nẹtt ⟨lat.-it.⟩ das; -[e]s, -e: (Mus.) a) Komposition für neun Instrumente; b) aus neun Instrumentalsolisten bestehendes Ensemble Non-Fic|tion ['nɔn'fɪkʃən] ⟨engl.-amerik.⟩ das; -[s], -s: Sach- od. Fachbuch non|fi|gu|ra|tiv ⟨lat.-nlat.⟩: nicht gegenständlich; gegenstandslos (z. B. von Malerei; bildende Kunst) Non-Food-Ab|tei|lung ['nɔn-'fu:d...] ⟨engl.; dt.⟩ die; -, -en: Abteilung in einem Supermarkt, in der Artikel, die keine Lebensmittel sind, angeboten werden. Non-Food-Ar|ti|kel der; -s, - (meist Plural): Artikel, der nicht zur Kategorie der Lebensmittel gehört (z. B. Elektrogerät). Non-Foods die (Plural): ↑Non-Food-Artikel Nọ|ni|us ⟨nlat.; latinisierter Name des port. Mathematikers Nuñez, 1492–1577⟩ der; -, ...sse u. -se: verschiebbarer Maßstabzusatz, der die Ablesung von Zehnteln der Einheiten des eigentlichen Messstabes ermöglicht Non|kon|for|mịs|mus ⟨lat.-engl.⟩ der; -: individualistische Haltung in politischen, weltanschaulichen, religiösen u. sozialen Fragen; Ggs. ↑Konformismus. Non-kon|for|mịst der; -en, -en: 1. jmd., der sich in seiner politischen, weltanschaulichen, religiösen, sozialen Einstellung nicht nach der herrschenden Meinung richtet; Ggs. ↑Konformist (1). 2. Anhänger britischer protestantischer Kirchen (die die Staatskirche ablehnen); Ggs. ↑Konformist (2). **non|kon|for|mis|tisch:** 1. auf Nonkonformismus (1) beruhend; seine eigene Einstellung nicht nach der herrschenden Meinung richtend; Ggs. ↑konformistisch (1). 2. im Sinne eines Nonkonformisten (2) denkend od. handelnd; Ggs. ↑konformistisch (2). **Non|kon|for|mi|tät** *die; -:* 1. Nichtübereinstimmung; mangelnde Anpassung; Ggs. ↑Konformität (1 a). 2. ↑Nonkonformismus

non li|quet *⟨lat.;* „es ist nicht klar"⟩: Feststellung, dass eine Behauptung od. ein Sachverhalt unklar u. nicht durch Beweis od. Gegenbeweis erhellt ist (Rechtsw.)

non mul|ta, sed mul|tum *⟨lat.⟩:* ↑multum, non multa

No|no|de* *⟨lat.; gr.⟩ die; -, -n:* Elektronenröhre mit neun Elektroden

non olet *⟨lat.;* „es (das Geld) stinkt nicht"⟩: man sieht es dem Geld nicht an, auf welche [unsaubere] Weise es verdient wird

Non-Pa|per [nɔnˈpeɪpə] *⟨engl.⟩ das; -s, -:* nicht sanktionierte u. daher offiziell nicht zitierfähige Veröffentlichung (Pol.)

Non|pa|reille [nõpaˈrɛːj] *⟨lat.-fr.⟩ die; -:* 1. Schriftgrad von 6 Punkt (Druckw.). 2. kleine, farbige Zuckerkörner zum Bestreuen von Backwerk o. Ä. 3. (veraltet) leichtes Wollgewebe

Non|plus|ult|ra* *⟨lat.⟩ das; -:* Unübertreffbares, Unvergleichliches

non pos|su|mus *⟨lat.:* „wir können nicht"⟩: Weigerungsformel der röm. Kurie (1) gegenüber den weltlichen Macht

Non|pro|li|fe|ra|tion [ˈnɔnproʊlɪfəˈreɪʃən] *⟨engl.-amerik.⟩ die; -:* Nichtweitergabe von Atomwaffen

non scho|lae, sed vi|tae dis|ci|mus [- ˈsçoːlɛ ---, auch: - ˈskoːlɛ ---] *⟨lat.;* „nicht für die Schule, sondern für das Leben lernen wir"⟩ (meist so umgekehrt zitiert nach einer Briefstelle des Seneca; vgl. non vitae, sed scholae discimus)

Non|sens *⟨lat.-engl.⟩ der; - u. -es:* Unsinn; absurde, unlogische Gedankenverbindung

non|stop *⟨engl.⟩:* ohne Unterbre-

chung, ohne Pause. **Non|stop|flug**, auch: **Non-Stop-Flug** *⟨engl.; dt.⟩ der; -[e]s, ...flüge:* Flug ohne Zwischenlandung. **Non|stop|ki|no**, auch: **Non-Stop-Kino** *das; -s, -s:* Kino mit fortlaufenden Vorführungen und durchgehendem Einlass

non tan|to *⟨it.⟩:* ↑ma non tanto.
non trop|po: ↑ma non troppo
Non|usus *⟨lat.-nlat.⟩ der; -:* (veraltet) Verzicht auf die Inanspruchnahme eines Rechts (Rechtsw.)
Non|va|leur [nõvaˈløːɐ̯] *⟨lat.-fr.⟩ der; -s, -s:* 1. (Wirtsch.) a) [fast] wertloses Wertpapier; b) Investition, die keine Rendite abwirft. 2. a) (Plural auch -e) unfähiger Mensch; Versager; b) etwas Wertloses, Unnützes
non|ver|bal *⟨lat.⟩:* nicht mithilfe der Sprache; **nonverbale Kommunikation:** zwischenmenschliche Verbindung, Verständigung durch Gestik, Mimik od. andere optische Zeichen
non vi|tae, sed scho|lae dis|ci|mus [- - - ˈsçoːlɛ, auch: ˈskoːlɛ -] *⟨lat.;* „nicht für das Leben, sondern für die Schule lernen wir (leider)"⟩: (originaler Wortlaut der meist belehrend ↑„non scholae, sed vitae discimus" zitierten Briefstelle bei Seneca)
no|o|gen *⟨gr.-nlat.⟩:* (von Neurosen) ein geistiges Problem, eine existenzielle Krise o. Ä. zur Ursache habend (Psychol.). **No|o|lo|gie** *⟨gr.-nlat.⟩ die; -:* philosophische Lehre, die eine selbstständige, von materiellen u. psychischen Momenten unabhängige Existenz des Geistes annimmt (Philos.). **no|o|lo|gisch:** die Noologie, die selbstständige Existenz des Geistes betreffend (Philos.). **No|o|lo|gist** *der; -en, -en:* Philosoph, der die Vernunft als Quelle der Erkenntnis annimmt (Philos.). **No|o|psy|che** *die; -:* intellektuelle Seite der Seelenlebens (Psychol.). a) Ggs. ↑Thymopsyche

Noor *⟨dän.⟩ das; -[e]s, -e:* (landsch.) Haff; flaches Gewässer, das durch einen Kanal mit dem Meer verbunden ist
Nor *⟨Kurzform von Noricum, dem lat. Namen für das Ostalpenland⟩ das; -s:* mittlere Stufe der alpinen ↑Trias (1) (Geol.)
Nord|at|lan|tik|pakt *⟨dt.; gr.-lat.; lat.⟩ der; -[e]s:* ↑NATO
Norm *⟨gr.-etrusk.-lat.;* „Winkelmaß; Richtschnur, Regel"⟩ *die; -, -en:* 1. (meist Plural) allgemein anerkannte, als verbindlich gel-

tende Regel für das Zusammenleben der Menschen. 2. eigentlich übliche, den Erwartungen entsprechende Beschaffenheit, Größe o. Ä.; Durchschnitt. 3. a) festgesetzte, vom Arbeitnehmer geforderte Arbeitsleistung; b) in der ehemaligen DDR als Richtwert geltendes Maß des für die Produktion von Gütern notwendigen Aufwands an Arbeit, Material u. Arbeitsmitteln. 4. (von einem Sportverband) als Voraussetzung zur Teilnahme an einem Wettkampf vorgeschriebene Mindestleistung (Sport). 5. (in Wirtschaft, Industrie, Technik, Wissenschaft) Vorschrift, Regel, Richtlinien o. Ä. für die Herstellung von Produkten, die Durchführung von Verfahren, die Anwendung von Fachtermini o. Ä. 6. klein auf den unteren Rand der ersten Seite eines Druckbogens gedruckter Titel [u. Verfassername] eines Buches [in verkürzter od. verschlüsselter Form] (Druckw.). **norm|acid*** *⟨gr.-etrusk.-lat.; lat.⟩:* einen normalen Säuregehalt aufweisend (bes. vom Magensaft; Med.). **Norm|aci|di|tät*** *die; -:* normaler Säurewert einer Lösung (bes. des Magensaftes; Med.). **Nor|mal** *das; -s, -e:* 1. mit besonderer Genauigkeit hergestellter Maßstab, der zur Kontrolle für andere verwendet wird. 2. (meist ohne Art.; ohne Plural) kurz für ↑Normalbenzin. **nor|mal:** 1. a) der Norm entsprechend; vorschriftsmäßig; b) [beschaffen, geartet], wie es sich die allgemeine Meinung als das Übliche, Richtige vorstellt; c) (ugs.) normalerweise. 2. in [geistiger] Entwicklung u. Wachstum keine ins Auge fallenden Abweichungen aufweisend; geistig [u. körperlich] gesund. **Nor|mal|ben|zin** *das; -s:* Benzin mit geringerer Klopffestigkeit, mit niedrigerer Oktanzahl. **Nor|mal|le** *die; -[n], -n* (fachspr.: zwei -): auf einer Ebene od. Kurve in einem vorgegebenen Punkt errichtete Senkrechte; Tangentenlot (Math.). **Nor|mal|li|en** *die* (Plural): 1. Grundformen; Regeln, Vorschriften. 2. nach bestimmten Systemen vereinheitlichte Bauelemente für den Bau von Formen u. Werkzeugen (Techn.). **nor|ma|li|sie|ren** *⟨gr.-etrusk.-lat.-fr.⟩:* 1. wieder normal gestalten, auf ein normales Maß zurückführen. 2. sich normalisieren: wieder normal (1 b) werden, wieder in einen normalen Zustand zurückkehren. **Nor|ma|li|tät** *die;* -: 1. normale Beschaffenheit, normaler Zustand. 2. (selten) Vorschriftsmäßigkeit. **Nor|mal|null** *das;* -s: (in der Höhe, auf die sich die Höhenmessungen beziehen; Abk.: N. N. od. NN. **Nor|mal|ton** *der;* -[e]s: Kammerton, Stimmton a (Mus.). **nor|ma|tiv:** als Norm (1 a) geltend, maßgebend, als Richtschnur dienend. **Nor|ma|tiv** *das;* -s, -e: (regional) aufgrund von Erfahrung gewonnene, besonderen Erfordernissen entsprechende Regel, Anweisung, Vorschrift. **Nor|ma|ti|ve** *die;* -, -n: Grundbestimmung, grundlegende Festsetzung. **Nor|ma|ti|vis|mus** ⟨*nlat.*⟩ *der;* -: Theorie vom Vorrang des als Norm (1 a) Geltenden, der Sollens vor dem Sein, der praktischen Vernunft vor der theoretischen (Philos.). **Norm|blatt** *das;* -[e]s, ...blätter: (vom Deutschen Institut für Normung herausgegebenes) Verzeichnis mit normativen Festlegungen. **nor|men:** (zur Vereinheitlichung) für etw. eine Norm aufstellen. **Nor|men|kon|troll|kla|ge** *die;* -, -n: Klage der Bundes- od. einer Landesregierung od. eines Drittels der Mitglieder des Bundestages beim Bundesverfassungsgericht zur grundsätzlichen Klärung der Vereinbarkeit von Bundes- od. Landesrecht mit dem Grundgesetz einerseits od. von Bundesrecht mit Landesrecht anderseits (Rechtsw.). **nor|mie|ren** ⟨*gr.-etrusk.-lat.-fr.*⟩: a) vereinheitlichen, nach einem einheitlichen Schema, in einer bestimmten Weise festlegen, regeln; b) normen. **Nor|mie|rung** *die;* -, -en: das Normieren. **nor|mig:** ↑ normativ (selten). **Nor|mo|blast*** ⟨*gr.-etrusk.-lat.; gr.*⟩ *der;* -en, -en (meist Plural): kernhaltige Vorstufe eines roten Blutkörperchens von der ungefähren Größe u. Reife eines normalen roten Blutkörperchens (Med.). **nor|mo|som:** von normalem Körperwuchs (Med.). **Nor|mo|sper|mie** *die;* -: normaler Gehalt der Samenflüssigkeit an funktionstüchtigen Spermien (Med.). **Nor|mo|zyt** *der;* -en, -en: hinsichtlich Gestalt, Größe u. Farbe normales rotes Blutkörperchen (Med.). **Nor|mung** *die;* -, -en: einheitliche Gestaltung, Festsetzung [als Norm (1 a)]

Nor|ne ⟨*altnord.*⟩ *die;* -, -n (meist

Plural): eine der drei Schicksalsgöttinnen in der nordischen Mythologie

North [nɔ:θ] ⟨*engl.*⟩: engl. Bezeichnung für: Norden; Abk.: N.

Nor|ther [ˈnɔːðə] *der;* -s, - : 1. heftiger, kalter Nordwind in Nord- u. Mittelamerika. 2. heißer, trockener Wüstenwind an der Südküste Australiens

Nor|ton|ge|trie|be ⟨nach dem britischen Erfinder W. P. Norton (19. Jh.)⟩ *das;* -s, -: bes. bei Werkzeugmaschinen verwendetes Zahnradstufengetriebe; Leitspindelgetriebe (Techn.)

No|se|lan ⟨*nlat.;* nach dem dt. Geologen K. W. Nose, † 1835⟩ *der;* -s, -e: zu den Feldspaten gehörendes Mineral

No|se|ma|seu|che ⟨*gr.; dt.*⟩ *die;* -: durch das Sporentierchen Nosema hervorgerufene seuchenartige Insektenkrankheit (bes. der Bienen)

No|so|de ⟨*gr.*⟩ *die;* -, -n: Arzneimittel, das aus erkrankten Organen, Eiter o. Ä. hergestellt u. in Verdünnungen zur Behandlung des jeweils gleichen Leidens als Impfung od. zur homöopathischen Therapie angewendet wird. **No|so|gra|phie,** auch: Nosografie ⟨*gr.-nlat.*⟩ *die;* -: Krankheitsbeschreibung (Med.). **No|so|lo|gie** *die;* -: Krankheitslehre; systematische Einordnung u. Beschreibung der Krankheiten. **no|so|lo|gisch:** die Nosologie betreffend; Krankheiten systematisch beschreibend (Med.). **No|so|ma|nie** *die;* -, ...ien: wahnhafte Einbildung, an einer Krankheit zu leiden (Med.; Psychol.). **No|so|pho|bie** *die;* -, ...ien: krankhafte Angst, krank zu sein od. zu werden (Med.; Psychol.)

No-Spiel ⟨*jap.; dt.*⟩ *das;* -[e]s, -e: streng stilisiertes japanisches Bühnenspiel mit Musik, Tanz, Gesang u. Pantomime

nos|tal|gi|co [nɔsˈtaldʒiko] ⟨*gr.- it.*⟩: sehnsüchtig (Mus.). **Nos|tal|gie** ⟨*gr.-nlat.*⟩ *die;* -, ...ien: 1. von unbestimmter Sehnsucht erfüllte Gestimmtheit, die sich in der Rückwendung zu früheren, in der Erinnerung sich verklärenden Zeiten, Erlebnissen, Erscheinungen in Kunst, Musik, Mode u.a. äußert. 2. (veraltet) [krank machendes] Heimweh (Med.). **Nos|tal|gi|ker** *der;* -s, -: jmd., der sich der Nostalgie überlässt, der nostalgisch gestimmt ist. **nos|tal|gisch:** 1. die

Nostalgie (1) betreffend, zu ihr gehörend; verklärend vergangenheitsbezogen. 2. (veraltet) an Nostalgie (2) leidend (Med.)

Nost|ri|fi|ka|ti|on* ⟨*lat.-nlat.*⟩ *die;* -, -en: 1. Einbürgerung, Erteilung der [Bürger]rechte (Rechtsw.). 2. Anerkennung eines ausländischen Examens, Diploms. **nost|ri|fi|zie|ren:** 1. einbürgern. 2. ein ausländisches Examen, Diplom anerkennen. **Nost|ro|kon|to** ⟨*lat.-it.*⟩ *das;* -s, ...ten (auch: -s od. ...ti): Konto, das eine Bank bei einer anderen Bank als Kunde unterhält

No|ta ⟨*lat.*⟩ *die;* -, -s: (veraltet) 1. Rechnung. 2. Auftrag (Wirtsch.). 3. Zeichen, Anmerkung, Notiz. **no|ta|bel** ⟨*lat.-fr.*⟩: (veraltet) bemerkenswert, merkwürdig. **No|ta|beln** *die* (Plural): (hist.) die durch Bildung, Rang u. Vermögen ausgezeichneten Mitglieder der bürgerlichen Oberschicht in Frankreich. **no|ta|be|ne** ⟨*lat.;* „merke wohl!“⟩: übrigens; Abk.: NB. **No|ta|be|ne** *das;* -[s], -[s]: Merkzeichen, Vermerk. **No|ta|bi|li|tät** ⟨*lat.-fr.*⟩ *die;* -, -en: (veraltet) 1. (ohne Plural) Vornehmheit. 2. (meist Plural) vornehme, berühmte Persönlichkeit

No|tal|gie* ⟨*gr.-nlat.*⟩ *die;* -, ...ien: Rückenschmerz (Med.)

No|ta pun|ta|ta ⟨*lat.-it.*⟩ *die;* - -, ...tae ...tae [...tɛ ...tɛ]: punktierte Note. **No|ta quad|ra|ta*** u. **No|ta quad|ri|quar|ta*** ⟨*lat.-mlat.*⟩ *die;* - -, ...tae ...tae [...tɛ ...tɛ]: viereckiges Notenzeichen der ↑ Choralnotation (Mus.). **No|tar** ⟨*lat.*⟩ *der;* -s, -e: staatlich vereidigter Volljurist, zu dessen Aufgabenkreis die Beglaubigung u. Beurkundung von Rechtsgeschäften gehört. **No|ta|ri|at** *das;* -[e]s, -e: a) Amt einer Notarin/eines Notars; b) Büro einer Notarin/eines Notars. **no|ta|ri|ell** u. **no|ta|risch:** von einem Notar ausgefertigt u. beglaubigt (Rechtsw.). **No|ta Ro|ma|na** ⟨*lat.-mlat.*⟩ *die;* - -, ...tae ...nae [...tɛ ...nɛ]: ↑ Nota quadrata. **No|tat** *das;* -[e]s, -e: niedergeschriebene Bemerkung; Aufzeichnung, Notiz (1). **No|ta|ti|on** *die;* -, -en: 1. das Aufzeichnen von Musik in Notenschrift (Mus.). 2. das Aufzeichnen der einzelnen Züge einer Schachpartie. 3. System von Zeichen od. Symbolen einer Metasprache

Note|book [ˈnoutbʊk] ⟨*engl.;* „Notizbuch“⟩ *das;* -s, -s: kleiner

Computer vom Format eines Buches. **Note|pad** [noutpæd] ⟨engl.; „Notizblock") das; -s, -s: kleiner Computer vom Format eines Notizblocks **Note sen|sible** [notsãˈsibl] ⟨lat.-fr.; „empfindliche Note") die; - -, -s -s [notsãˈsibl]: Leitton (Mus.) **No|tho|sau|ri|er** ⟨gr.-nlat.⟩ der; -s, - u. **No|tho|sau|rus** der; -, ...rier: Meeresreptil der Trias (1) **no|tie|ren** ⟨lat.(-mlat.)⟩: 1. a) aufzeichnen, schriftlich vermerken, aufschreiben; b) vormerken. 2. in Notenschrift schreiben (Mus.). 3. (Wirtsch.) a) den offiziellen Kurs eines Wertpapiers an der Börse, den Preis einer Ware feststellen bzw. festsetzen; b) einen bestimmten Börsenkurs haben, erhalten. **No|tie|rung** die; -, -en: 1. a) das Aufzeichnen, schriftliche Vermerken; b) das Vormerken. 2. Aufzeichnen von Musik in Notenschrift (Mus.). 3. Feststellung bzw. Festsetzung von Kursen od. Warenpreisen [an der Börse] (Wirtsch.). **No|ti|fi|ka|ti|on** ⟨lat.-mlat.⟩ die; -, -en: 1. (veraltet) Anzeige, Benachrichtigung. 2. Übergabe einer diplomatischen Note. **no|ti|fi|zie|ren** ⟨lat.⟩: (veraltet) anzeigen, benachrichtigen. **No|tio** ⟨lat.; „das Kennenlernen; Kenntnis; Begriff") die; -, ...iones [...ˈoːneːs] u. **No|ti|on** die; -, -en: Begriff, Gedanke (Philos.). **No|ti|o|nes com|mu|nes** [...ˈneːs ...neːs] die (Plural): dem Menschen angeborene u. daher allen Menschen gemeinsame Begriffe u. Vorstellungen (im Stoizismus; Philos.). **no|ti|o|nie|ren** ⟨lat.-nlat.⟩: (österr.) einer Behörde zur Kenntnis bringen. **No|tiz** ⟨lat.⟩ die; -, -en: 1. Aufzeichnung, Vermerk. 2. Nachricht, Meldung, Anzeige. 3. (Kaufmannsspr.) Notierung (3), Preisfeststellung; **Notiz von jmdm., etwas nehmen:** jmdm., einer Sache Beachtung schenken **No|to|gäa** u. **No|to|gä|is** ⟨gr.-nlat.⟩ die; -: Tierwelt der australischen Region **No|to|ri|e|tät** ⟨lat.-mlat.⟩ die; -: (veraltet) das Offenkundigsein. **no|to|risch** ⟨lat.⟩: 1. offenkundig, allbekannt. 2. für eine negative Eigenschaft, Gewohnheit bekannt **Not|re-Dame*** [nɔtrəˈdam] ⟨fr.; „unsere Herrin") die; - -: 1. französische Bezeichnung für: Jungfrau Maria. 2. Name französischer Kirchen

Not|tur|no ⟨lat.-it.⟩ das; -s, -s u. ...ni: (Mus.) 1. a) stimmungsvolles Musikstück in mehreren Sätzen (für eine nächtliche Aufführung im Freien); b) einem Ständchen ähnliches Musikstück für eine od. mehrere Singstimmen [mit Begleitung]. 2. (selten) ↑ Nocturne (1) **Nou|gat** [ˈnu...] vgl. Nugat **Nou|veau Ro|man** [nuvoˈmã] ⟨fr.; „neuer Roman") der; - -: (nach 1945 in Frankreich entstandene) experimentelle Form des Romans (a), die unter Verzicht auf den allwissenden Erzähler die distanzierte Beschreibung einer eigengesetzlichen Welt in den Vordergrund stellt (Literaturw.). **Nou|veau|té** [nuvoˈte:] ⟨lat.-fr.⟩ die; -, -s: Neuheit, Neuigkeit [in der Mode]. **Nouvelle Cui|sine** [nuvɛlkÿiˈzin] ⟨fr.⟩ die; - -: moderne Richtung der Kochkunst, die bes. die Verwendung frischer Ware bei kurzen Garzeiten vorsieht (Gastr.) **¹No|va** ⟨lat.⟩ die; -, ...vä: Stern, der kurzfristig durch innere Explosionen hell aufleuchtet (Astron.). **²No|va:** 1. Plural von ↑ Novum. 2. die (Plural): Neuerscheinungen des Buchhandels **No|va|ti|a|ner** ⟨nach dem röm. Presbyter Novatian (3. Jh.)⟩ die (Plural): Anhänger einer sittenstrengen, rechtgläubigen altchristlichen Sekte **No|va|ti|on** ⟨lat.; „Erneuerung") die; -, -en: Schuldumwandlung, Aufhebung eines bestehenden Schuldverhältnisses durch Schaffung eines neuen (Rechtsw.) **No|ve|cen|to** [noveˈtʃɛnto] ⟨lat.-it.⟩ das; -[s]: 1. ital. Bezeichnung für: 20. Jh. (bes. in der Kunstwissenschaft). 2. 1923 hervorgetretene, in Mailand gegründete italienische Künstlergruppe **No|vel|food** [ˈnɔvlfuːd] ⟨engl.; „neuartige Nahrung") das; -s, u. -: Bezeichnung für Lebensmittel, die aus gentechnisch veränderten Organismen stammen, mit deren Hilfe hergestellt werden od. gentechnisch hergestellte Zusätze enthalten **No|vel|le** ⟨lat.(-it.)⟩ die; -, -n: 1. (ohne Plural) Erzählung kürzeren od. mittleren Umfangs, die von einem einzelnen Ereignis handelt u. deren geradliniger Handlungsablauf auf ein Ziel hinführt. 2. abändernder od. ergänzender Nachtrag zu einem Gesetz (Rechtsw.). **¹No|vel|let-**

te ⟨lat.-it.⟩ die; -, -n: kleine Novelle (1) **²No|vel|let|te** ⟨von R. Schumann 1838 nach dem Namen der engl. Sängerin C. Novello geprägt⟩ die; -, -n: Charakterstück mit mehreren aneinander gereihten [heiteren] Themen (Mus.) **no|vel|lie|ren** ⟨lat.-it.⟩: ein Gesetz[buch] mit Novellen (2) versehen (Rechtsw.). **No|vel|list** der; -en, -en: Schriftsteller, der Novellen verfasst. **No|vel|lis|tik** die; -: 1. Kunst der Novelle (1). 2. Gesamtheit der novellistischen Dichtung. **no|vel|lis|tisch:** die Novelle (1), die Novellistik betreffend; in der Art der Novelle (1), der Novellistik **No|vem|ber** ⟨lat.⟩ der; -[s], -: elfter Monat im Jahr; Abk.: Nov. **No|ven|di|a|le** ⟨lat.-it.; „neuntägig") das; -, -n: die neuntägige Trauerfeier (im Petersdom in Rom) für einen verstorbenen Papst. **No|ve|ne** ⟨lat.mlat.⟩ die; -, -n: neuntägige katholische Andacht (als Vorbereitung auf ein Fest od. für ein besonderes Anliegen od. des Gläubigen) **No|vi|al** ⟨Kunstwort⟩ das; -[s]: (1928 von den dän. Sprachwissenschaftler Jespersen ausgearbeitete) Welthilfssprache. **No|vi|lu|ni|um** ⟨lat.; „Neumond") das; -s, ...ien: das erste Sichtbarwerden der Mondsichel nach Neumond; Neulicht (Astron.). **No|vi|tät** die; -, -en: 1. Neuerscheinung; Neuheit (von Büchern, Theaterstücken, von Modeerscheinungen u. a.). 2. (veraltet) Neuigkeit. **¹No|vi|ze** ⟨„Neuling") der; -n, -n: Mann, der in einem Kloster eine Vorbereitungszeit verbringt, bevor er die Gelübde ablegt (kath. Kirche). **²No|vi|ze** die; -, -n: ↑ Novizin. **No|vi|zi|at** ⟨lat.-nlat.⟩ das; -[e]s, -e: 1. Vorbereitungs-, Probezeit der Noviz[inn]en; Dienst, den Noviz[inn]en versehen. 2. Novu. Ausbildungsstätte für die Noviz[inn]en. **No|vi|zin** ⟨lat.⟩ die; -, -nen u. ²Novize: Frau, die in einem Kloster eine Vorbereitungszeit verbringt, bevor sie die Gelübde ablegt. **No|vo|cain** ® ⟨Kunstw. aus lat. novus „neu" u. Cocain⟩ das; -s: ältere Bezeichnung für ↑ Procain. **No|vum** ⟨lat.; „Neues") das; -s, Nova: Neuheit; neu hinzukommende Tatsache; etw. nie Dagewesene **No|xe** ⟨lat.; „Schaden") die; -, -n: Stoff od. „Umstand, der eine schädigende Wirkung auf den

Organismus ausübt (Med.). **No-xin** ⟨*lat.-nlat.*⟩ *das;* -s, -e (meist Plural): im Organismus zugrunde gegangener körpereigener Eiweißstoff, der eine starke Toxizität entwickelt (Med.) **Nu|an|ce** ['nyã:sə] ⟨*lat.-fr.*⟩ *die;* -, -n: 1. feiner gradueller Unterschied. 2. ein wenig, eine Kleinigkeit [von etw. abweichend]. 3. (innerhalb eines Kunstwerks o.Ä.) besonders fein gestaltete Einzelheit; Feinheit. **nu|an|cie-ren:** a) sehr fein graduell abstufen; b) in seinen Feinheiten, feinen Unterschieden erfassen, darstellen. **nu|an|ciert:** 1. äußerst differenziert, subtil. 2. pointiert **Nu|be|ku|la** ⟨*lat.;* „kleine Wolke"⟩ *die;* -, ...lä: (Med.) 1. leichte Hornhauttrübung. 2. zu Boden sinkende wolkige Trübung in stehendem Harn **Nu|buk** ⟨*engl.*⟩ *das;* -: (bes. Kalbod. Rind)leder, das aufgrund entsprechender Bearbeitung eine samtartige Oberfläche hat **Nu|cel|lus** ⟨*lat.-nlat.*⟩ *der;* -, ...lli: Gewebekern der Samenanlage bei Blütenpflanzen (Bot.) **Nu|dis|mus** ⟨*lat.-nlat.*⟩ *der;* -: Freikörperkultur; Lebensanschauung, nach der der gemeinsame Aufenthalt von Angehörigen beider Geschlechter im Freien mit nacktem Körper der physischen u. psychischen Gesundung dient. **Nu|dist** *der;* -en, -en: Anhänger des Nudismus. **nu-dis|tisch:** den Nudismus betreffend, zum Nudismus gehörend. **nu|dis ver|bis** ⟨*lat.*⟩: mit nackten, dürren Worten **Nu|di|tät** *die;* -, -en: 1. (ohne Plural) Nacktheit. 2. (meist Plural) Darstellung eines nackten Körpers (als sexueller Anreiz) **Nu|gat,** auch: Nougat ⟨*lat.-galloroman.-provenzal.-fr.*⟩ *der* od. *das;* -s, -s: aus fein zerkleinerten gerösteten Nüssen, Zucker u. Kakao zubereitete Masse (als Süßware bzw. als Füllung von Süßwaren) **Nug|get** ['nagɪt] ⟨*engl.*⟩ *das;* -[s], -s: natürlicher Goldklumpen **nuk|le|ar*** ⟨*lat.-nlat.*⟩: a) den Atomkern betreffend, Kern...; b) mit der Kernenergie zusammenhängend, durch Kernenergie erfolgend; c) Atom-, Kernwaffen betreffend; **nukleare Waffen:** Waffen, deren Wirkung auf Kernspaltung od. Kernverschmelzung beruht. **Nuk|le|ar-me|di|zin** *die;* -: Teilgebiet der

Medizin, das sich mit der Anwendung radioaktiver Stoffe für die Erkennung u. Behandlung von Krankheiten befasst. **Nuk-lea|se** *die;* -, -n: Nukleinsäuren spaltendes Enzym (Chem.). **Nuk|le|in** *das;* -s, -e: ↑Nukleoproteid. **Nuk|le|in|säu|re** *die;* -, -n: (bes. im Zellkern u. in den Ribosomen vorkommende) aus Nukleotiden aufgebaute polymere (2) Verbindung, die als Grundsubstanz der Vererbung fungiert (Biochem.). **Nuk|le|o|lid** ⟨*lat.; gr.*⟩ *das;* -[e]s, -e (meist Plural): dem Zellkern entsprechendes Äquivalent bei einfachen Bakterienzellen. **Nuk|le|o|le** ⟨*lat.;* „kleiner Kern"⟩ *die;* -, -n u. **Nuk|le|o|lus** *der;* -, ...li u. ...olen: Kernkörperchen des Zellkerns. **Nuk|le|on** ⟨*lat.-nlat.*⟩ *das;* -s, ...onen: Baustein des Atomkerns (Proton od. Neutron). **Nuk|le|o-nik** *die;* -: Wissenschaft von den Atomkernen. **Nuk|le|o|pro|te|id** ⟨*lat.; gr.*⟩ *das;* -[e]s, -e: Eiweißverbindung des Zellkerns. **Nuk|le-o|tid** *das;* -[e]s, -e (meist Plural): aus einem Phosphatrest, [Desoxy]ribose u. einer basischen Bestandteil zusammengesetzte chemische Verbindung. **Nuk|le-us** ⟨*lat.;* „[Frucht]kern"⟩ *der;* -, ...ei [...e-i]: 1. Zellkern (Biol.). 2. Nervenkern (Anat.; Physiol.). 3. steinzeitlicher [Feuer]steinblock, von dem Stücke zur Herstellung von Werkzeugen abgeschlagen wurden. 4. Kern, Kernglied einer sprachlich zusammengehörenden Einheit (Sprachw.). **Nuk|lid** *das;* -[e]s, -e: durch bestimmte Ordnungs- u. Massenzahl gekennzeichnete Art von Atomen

nul|la poe|na si|ne le|ge [- 'pø:na - -] ⟨*lat.;* „keine Strafe ohne Gesetz"⟩: Grundsatz des Strafrechts, nach dem eine Tat nur dann bestraft werden kann, wenn ihre Strafbarkeit bereits gesetzlich zur Tatzeit geltendes Gesetz angewendet werden darf. **Null|li|fi-ka|ti|on** ⟨*lat.(-engl.)*⟩ *die;* -, -en: (Rechtsw.) gesetzliche Aufhebung, Ungültigkeitserklärung. **nul|li|fi|zie|ren:** für ungültig erklären, aufheben (Rechtsw.). **Null|in|stru|ment*** *das;* -[e]s, -e: elektrisches Messgerät, bei dem der Wert null auf der Mitte der Skala liegt (Elektrot.). **Null|li|pa-ra** ⟨*lat.-nlat.*⟩ *die;* -, ...aren: Frau, die noch kein Kind geboren hat (Med.). **Null|li|tät** ⟨*lat.-mlat.*⟩ *die;* -, -en) a) Nichtigkeit; Ungültigkeit; b) Wertlosigkeit. **Null|me-**

ri|di|an *der;* -s: durch Greenwich verlaufender Meridian, von dem aus die Meridiane nach Ost u. West von 0° bis 180° gezählt werden. **Null|mor|phem** *das;* -s, -e: inhaltlich vorhandenes, aber lautlich nicht ausgedrücktes Morphem (z. B. bei der Bildung des Genitiv Singular Femininum). **Null|ni|veau** [...vo:] *das;* -s, -s: Höhenlage, von der aus kartographische Messungen vorgenommen werden. **Null|lo-de*** ⟨*lat.-it.; gr.*⟩ *die;* -, -n: elektrodenlose Röhre (Elektrot.). **Null ou|vert** [- u'vɛ:ɐ̯] *der* (selten: *das*); - -[s] [- u'vɛ:ɐ̯(s)], - -s [- u'vɛ:ɐ̯s]: (beim Skat) Spiel, bei dem der od. die Spielende keinen Stich machen darf und ihre Karten nach der ersten Runde offen auf den Tisch legen muss. **Null-ta|rif** *der;* -[e]s, -e: kostenlose Gewährung bestimmter, üblicherweise nicht unentgeltlicher Leistungen. **Null|lum** ⟨*lat.*⟩ *das;* -s: etwas Gegenstandsloses, Wirkungsloses (Rechtsw.). **nul|lum cri|men si|ne le|ge** ⟨*lat.;* „kein Verbrechen ohne Gesetz"⟩: strafrechtlicher Grundsatz, nach dem eine Tat nur dann bestraft werden kann, wenn ihre Strafbarkeit bereits gesetzlich bestimmt war **Nu|men** ⟨*lat.*⟩ *das;* -s: göttliches Wesen als wirkende Kraft **Nu|me|ra|le** ⟨*lat.*⟩ *das;* -s, ...lien u. ...lia: Zahlwort (Sprachw.). **Nu-me|ri:** 1. *Plural* von ↑Numerus. 2. *die* (Plural) viertes Buch Mose (nach der zu Anfang beschriebenen Volkszählung). **nu|me|risch** ⟨*lat.-nlat.*⟩: a) zahlenmäßig, der Zahl nach, b) unter Verwendung von [bestimmten] Zahlen, Ziffern erfolgend; c) sich nur aus Ziffern zusammensetzend (EDV). **Nu|me|ro** ⟨*lat.-it.*⟩ *das;* -s, -s: (veraltet) Nummer (in Verbindung mit einer Zahl); Abk.: No., N°; vgl. Nummer (1). **Nu-me|ro|lo|gie** *die;* -: meist mystische Zahlenlehre (im Bereich des Aberglaubens). **Nu|me|rus** ⟨*lat.*⟩ *der;* -, ...ri: 1. Zahl; **Numerus clausus:** zahlenmäßig beschränkte Zulassung (bes. zum Studium). **Numerus currens:** (veraltet) laufende Nummer, mit der ein neu eingehendes Buch in der Bibliothek versehen wird. 2. Zahl, zu der der Logarithmus gesucht wird (Math.). 3. Zahlform des Nomens (2) od. Verbs (Singular, Plural, Dual). 4. Bau eines Satzes in Bezug auf Gliederung,

Länge od. Kürze der Wörter, Verteilung der betonten od. unbetonten Wörter, in Bezug auf die Klausel (2) u. die Pausen, d. h. die Verteilung des gesamten Sprachstoffes im Satz (Rhet.; Stilk.) **nu|mi|nos** ⟨lat.-nlat.⟩: göttlich, in der Art des Numinosen. **Nu|mi|no|se** das; -n: das Göttliche als unbegreifliche, zugleich Vertrauen u. Schauer erweckende Macht **Nu|mis|ma|tik** ⟨gr.-lat.-nlat.⟩ die; -: Münzkunde. **Nu|mis|ma|ti|ker** der; -s, -: jmd., der sich [wissenschaftlich] mit der Numismatik beschäftigt; Münzkundiger; Münzsammler. **nu|mis|ma|tisch:** die Numismatik betreffend, zu ihr gehörend; münzkundlich **Num|mer** ⟨lat.-it.⟩ die; -, -n: 1. zur Kennzeichnung dienende Ziffer, Zahl; Kennzahl (z. B. für das Telefon, für die Schuhgröße, für das Heft einer Zeitschrift); Abk.: Nr., Plural: Nrn.; vgl. Numero. 2. spaßige, unbekümmertdreiste Person, Witzbold. 3. a) einzelne Darbietung im Zirkus, Kabarett, Varietee; b) (ugs.) einzelnes Musikstück der Unterhaltungsmusik. 4. (ugs.) Geschlechtsakt. **num|me|rie|ren:** beziffern, mit fortlaufenden Ziffern versehen. **num|me|risch:** ↑numerisch. **Num|mern|girl** [...gœrl] das; -s, -s: Mädchen, das im Zirkus, Varietee eine Tafel trägt, auf der die jeweilige nächste Nummer angekündigt wird. **Num|mern|kon|to** das; -s, ...ten, (auch:) -s, ...ti: Konto, das nicht auf den Namen des Inhabers lautet, sondern nur durch eine Nummer gekennzeichnet ist. **Num|mern|oper** die; -, -n: Oper mit durchnummerierten Arien, Ensemblesätzen, Chören, Rezitativen **Num|mu|lit** [auch: ...'lɪt] ⟨lat.-nlat.⟩ der; -s u. -en, -e[n]: versteinerter Wurzelfüßer im ↑Eozän mit Kalkgehäuse (Geol.) **Nu|na|tak** ⟨eskim.⟩ der; -s, -s u. -[e]r: Bergspitze, die aus dem Inlandeis, aus Gletschern hervorragt (Geogr.) **Nun|cha|ku** [...'tʃaku] ⟨jap.⟩ das; -s, -s: asiatische Waffe aus zwei mit einer Schnur od. Kette verbundenen Holzstäben **Nun|ti|ant** ⟨lat.⟩ der; -en, -en: (veraltet) jmd., der eine Anzeige erstattet; vgl. Denunziant. **Nun|ti|at** der; -en, -en: (veraltet) [vor

Gericht] Angezeigter; vgl. Denunziat. **Nun|ti|a|ti|on** die; -, -en: (veraltet) Anklage, Anzeige; vgl. Denunziation. **Nun|ti|a|tur** ⟨lat.-nlat.⟩ die; -, -en: a) Amt eines Nuntius; b) Sitz eines Nuntius. **Nun|ti|us** ⟨lat.; „Bote"⟩ der; -, ...ien: ständiger diplomatischer Vertreter des Papstes bei einer Staatsregierung (im Botschafterrang) **nup|ti|al** ⟨lat.⟩: (veraltet) ehelich, hochzeitlich. **Nup|tu|ri|en|ten** die (Plural): (veraltet) Brautleute **Nu|ra|ge** u. **Nu|ra|ghe** ⟨it.⟩ die; -, -n: turmartiger, aus großen Steinblöcken ohne Mörtel errichteter Rundbau aus der Jungsteinzeit u. der Bronzezeit, bes. auf Sardinien **Nurse** [nœrs, nɔːs] ⟨lat.-fr.-engl.⟩ die; -, -s [...sɪz] u. -n [...sn]: (veraltet) Kinderpflegerin **Nu|ta|ti|on** ⟨lat.; „das Schwanken"⟩ die; -, -en: 1. selbsttätige, ohne äußeren Reiz ausgeführte Wachstumsbewegung der Pflanze (Bot.). 2. Schwankung der Erdachse gegen den Himmelspol (Astron.) **Nut|ra|min*** ⟨Kunstw. aus lat. nutrix „nährend" u. ↑Amin⟩ das; -s, -e: (veraltet) Vitamin **¹Nut|ria** ⟨lat.-span.⟩ die; -, -s in Südamerika heimische, bis zu einem halben Meter lange Biberratte mit braunem Fell; Sumpfbiber. **²Nut|ria** der; -s, -s: a) Fell der Biberratte; b) aus dem Fell der Biberratte gearbeiteter Pelz **nut|rie|ren*** ⟨lat.⟩: (veraltet) ernähren. **Nut|ri|ment** das; -[e]s, -e: Nahrungsmittel (Med.). **Nut|ri|ti|on** die; -: Ernährung (Med.). **nut|ri|tiv** ⟨lat.-nlat.⟩: der Ernährung dienend, die Ernährung betreffend; nährend, nahrhaft (Med.)

Ny ⟨gr.⟩ das; -[s], -s: dreizehnter Buchstabe des griechischen Alphabets: N, ν

Nyk|tal|gie* ⟨gr.-nlat.⟩ die; -, ...ien: körperlicher Schmerz, der nur zur Nachtzeit auftritt: Nachtschmerz (Med.). **Nyk|ta|lo|pie** die; -: Sehschwäche der Augen bei hellem Tageslicht; Tagblindheit (Med.). **Nyk|ti|nas|tie** die; -, ...ien: Schlafbewegung der Pflanzen (z. B. das Sichsenken der Bohnenblätter am Abend; Bot.). **Nyk|to|me|ter** das; -s, -: Instrument zur Erkennung der Nachtblindheit (Med.). **Nyk|to|pho|bie** die; -, ...ien: Nachtangst; krankhafte Angst

vor der Dunkelheit (Med.). **Nykt|u|rie** die; -, ...ien: vermehrte nächtliche Harnabsonderung bei bestimmten Krankheiten (Med.). **Ny|lon** ® ['naɪlɔn] ⟨engl.-amerik.⟩ das; -s: haltbare synthetische Textilfaser. **Ny|lons** die (Plural): (ugs. veraltend) Damenstrümpfe aus Nylon **Nym|pha** ⟨gr.-lat.⟩ die; -, ...phae [...fɛ] u. ...phen: kleine Schamlippe (Med.). **Nym|phäa** u. **Nym|phäe** die; -, ...äen: See- od. Wasserrose. **Nym|phä|um** das; -s, ...äen: den Nymphen geweihtes Brunnenhaus, geweihte Brunnenanlage der Antike. **Nymph|chen** das; -s, -: junges u. unschuldig-verführerisches Mädchen; Kindfrau; vgl. Lolita. **Nym|phe** ⟨„Braut, Jungfrau"⟩ die; -, -n: 1. weibliche Naturgottheit des griechischen Volksglaubens. 2. Larve der Insekten, die bereits Anlagen zu Flügeln besitzt (Zool.). 3. ↑Nymphchen. **Nym|phi|tis** ⟨gr.-nlat.⟩ die; -, ...itiden: Entzündung der kleinen Schamlippen (Med.). **nym|pho|man** u. nymphomanisch: an Nymphomanie leidend. **Nym|pho|ma|nie** die; -: [krankhaft] gesteigerter Geschlechtstrieb bei Frauen. **Nym|pho|ma|nin** die; -, -nen: an Nymphomanie Leidende (Med.). **nym|pho|ma|nisch** vgl. nymphoman **Ny|norsk** ⟨norw.; „Neunorwegisch"⟩ das; -: mit dem ↑Bokmål gleichberechtigte norw. Schriftsprache, die im Gegensatz zum Bokmål auf den norw. Dialekten beruht; vgl. Landsmål **Nys|tag|mus** ⟨gr.-nlat.⟩ der; -: unwillkürliches Zittern des Augapfels (Med.)

O|a|se ⟨ägypt.-gr.-lat.⟩ die; -, -n: 1. fruchtbare Stelle mit Wasser u. Pflanzen in der Wüste. 2. [stiller] Ort der Erholung **ob|dip|lo|ste|mon*** ⟨lat.; gr.⟩: (von Blüten) zwei Kreise von Staubgefäßen tragend, von denen der innere vor den Kelchblättern, der äußere vor den Kronblättern (den Blütenblättern im engeren Sinne) steht (Bot.)

Ob|duk|ti|on ⟨lat.⟩ die; -, -en: [gerichtlich angeordnete] Leichenöffnung [zur Klärung der Todesursache] (Med.)

Ob|du|ra|ti|on ⟨lat.⟩ die; -, -en: Verhärtung von Körpergewebe (Med.). **ob|du|rie|ren:** sich verhärten (Med.)

Ob|du|zent ⟨lat.⟩ der; -en, -en: Arzt, der eine Obduktion vornimmt. **ob|du|zie|ren:** eine Obduktion vornehmen

O|be|di|enz* u. Obödienz ⟨lat.⟩ die; -: 1. Gehorsamspflicht der Kleriker gegenüber den geistlichen Oberen. 2. Anhängerschaft eines Papstes während eines ↑ Schismas

O|be|lisk ⟨gr.-lat.⟩ der; -en, -en: frei stehende, rechteckige, spitz zulaufende Säule (meist ↑ Monolith)

O|ber|li|ga ⟨dt.; lat.-span.⟩ die; -, ...gen: Spielklasse in zahlreichen Sportarten. **O|ber|li|gist** der; -en, -en: Mitglied[sverein] einer Oberliga

O|ber|pro|ku|ror ⟨dt.; lat.-russ.⟩ der; -s, ...oren: (hist.) vor 1917 der Vertreter des Zaren in der Leitung des ↑ Synods; vgl. Prokuror

O|be|si|tas* ⟨lat.⟩ die; -: ↑ Obesität. **O|be|si|tät** die; -: Fettleibigkeit [infolge zu reichlicher Ernährung] (Med.)

O|bi ⟨jap.⟩ der od. das; -[s], -s: 1. breiter steifer Seidengürtel, der um den japanischen Kimono geschlungen wird. 2. Gürtel der Kampfbekleidung beim Judo

o|bi|it* ⟨lat.⟩: ist gestorben (Inschrift auf alten Grabmälern); Abk.: ob

O|bi|ter Dic|tum ⟨lat.; „beiläufige Bemerkung"⟩ das; - -, - - ...ta: Rechtsausführung (in einem Urteil eines obersten Gerichts) zur Urteilsfindung, auf der das Urteil jedoch nicht beruht (Rechtsw.)

O|bi|tu|a|ri|um* ⟨lat.-mlat.⟩ das; -s, ...ia od. ...ien: kalender- od. annalenartiges Verzeichnis für die jährliche Gedächtnisfeier] der verstorbenen Mitglieder, Wohltäter u. Stifter einer mittelalterlichen kirchlichen Gemeinschaft

Ob|jekt ⟨lat.; „das Entgegengeworfene"⟩ das; -[e]s, -e: 1. a) Gegenstand, auf den das Interesse, das Denken, das Handeln ge-

richtet ist; b) unabhängig vom Bewusstsein existierende Erscheinung der materiellen Welt, auf die sich das Erkennen, die Wahrnehmung richtet (Philos.); Ggs. ↑ Subjekt (1); c) aus verschiedenen Materialien zusammengestelltes plastisches Werk der modernen Kunst (Kunstwiss.). 2. [auch: 'op...] Satzglied, das von einem Verb als Ergänzung gefordert wird (z. B. ich kaufe *ein Buch;* Sprachw.); vgl. Prädikat, Subjekt (2). 3. a) Grundstück, Wertgegenstand, Vertrags-, Geschäftsgegenstand (Wirtsch.); b) (österr.) Gebäude. **Ob|jek|te|ma|cher** ⟨lat.; dt.⟩ der; -s, -: moderner Künstler, der aus verschiedenen Materialien Objekte (1 c) komponiert, aufstellt. **Ob|jekt|ero|tik** ⟨lat.; gr.-fr.⟩ die; -: Befriedigung des Sexualtriebes an einem Objekt (1a). **Ob|jek|ti|on** ⟨lat.⟩ die; -, -en: Übertragung einer seelischen Erlebnisqualität auf einen Gegenstand, Vorstellungsinhalt od. auf Sachverhalte (Psychol.). **objek|tiv** ⟨lat.-nlat.⟩: 1. außerhalb des subjektiven Bewusstseins bestehend. 2. sachlich, nicht von Gefühlen u. Vorurteilen bestimmt; unvoreingenommen, unparteiisch; Ggs. ↑ subjektiv (2). **Ob|jek|tiv** das; -s, -e: die dem zu beobachtenden Gegenstand zugewandte Linse[nkombination] eines optischen Gerätes. **Ob|jek|ti|va|ti|on** die; -, -en: Vergegenständlichung; vom rein Subjektiven abgelöste Darstellung; vgl. ...[at]ion/...ierung. **Ob|jek|ti|ve** das; -n: das von allem Subjektiven Unabhängige, das an sich Seiende (Philos.). **ob|jek|ti|vie|ren:** 1. etwas in eine bestimmte, der objektiven Betrachtung zugängliche Form bringen; etwas von subjektiven, emotionalen Einflüssen befreien. 2. etwas so darstellen, wie es wirklich ist, unbeeinflusst vom Messinstrument oder vom Beobachter (Phys.). **Ob|jek|ti|vie|rung** die; -, -en: das Objektivieren; vgl. ...[at]ion/ ...ierung. **Ob|jek|ti|vis|mus** der; -: 1. Annahme, dass es subjektunabhängige, objektive Wahrheiten u. Werte gibt. 2. erkenntnistheoretische Lehre, wonach die Erfahrungsinhalte objektiv Gegebenes sind (Philos.). 3. (marxistisch abwertend) wissenschaftliches Prinzip, das davon ausgeht, dass wissenschaftliche Objektivität unabhängig von den

Wertvorstellungen des Betrachters, von gesellschaftlichen Realitäten existieren kann **Ob|jek|ti|vist** der; -en, -en: Anhänger des Objektivismus. **ob|jek|ti|vis|tisch:** a) den Objektivismus (1, 2) betreffend, in der Art des Objektivismus; b) nach den Prinzipien des Objektivismus (3) verfahrend, ihn betreffend. **Ob|jek|ti|vi|tät** die; -: strenge Sachlichkeit; objektive (2) Darstellung unter größtmöglicher Ausschaltung des Subjektiven (Ideal wissenschaftlicher Arbeit); Ggs. ↑ Subjektivität **Ob|jekt|kunst** die; -: moderne Kunstrichtung, die sich mit der Gestaltung von Objekten (1 c) befasst (Kunstwiss.). **Ob|jekt|li|bi|do** der; -: auf Personen u. Gegenstände, nicht auf das eigene Ich gerichtete ↑ Libido (Psychol.). **Ob|jekt|psy|cho|tech|nik** die; -: Anpassung der objektiven Forderungen des Berufslebens an die subjektiven Erfordernisse der Berufsmenschen (z. B. Wahl der Beleuchtung, Gestaltung des Arbeitsplatzes usw.). **Ob|jekt|satz** ⟨lat.; dt.⟩ der; -es, ...sätze: Gliedsatz in der Rolle eines Objekts (z. B. Klaus weiß, *was Tim macht;* Brunhilde hilft, *wem sie helfen kann;* Sprachw.). **Ob|jekt|schutz** der; -es: polizeilicher, militärischer o. ä. Schutz für Gebäude, Anlagen usw. **Ob|jekt|spra|che** die; -: Sprache als Gegenstand der Betrachtung, die mit der ↑ Metasprache beschrieben wird (Sprachw.). **ob|ji|zie|ren** ⟨lat.⟩: (veraltet) einwenden, entgegnen

Ob|last ⟨russ.⟩ die; -, -e: größeres Verwaltungsgebiet in der ehemaligen Sowjetunion

¹Ob|la|te ⟨lat.-mlat.; „(als Opfer) Dargebrachtes"⟩ die; -, -n: 1. a) noch nicht ↑ konsekrierte Hostie (kath. Rel.); b) Abendmahlsbrot (ev. Rel.). 2. a) eine Art Waffel; b) sehr dünne Scheibe aus einem Teig aus Mehl u. Wasser (als Gebäckunterlage). 3. (landsch.) kleines Bildchen, das in ein Poesiealbum o. Ä. eingeklebt wird.

²Ob|la|te der; -n, -n (meist Plural): 1. im Mittelalter im Kloster erzogenes, für den Ordensstand bestimmtes Kind. 2. Laie, der sich in stets widerruflichem Gehorsamsversprechen einem geistlichen Orden angeschlossen hat. 3. Angehöriger katholischer religiöser Genossenschaften. **Ob|la|ti|on** die; -, -en: 1. ↑ Offertorium. 2. von den Gläubigen in der Eucharistie dargebrachte Gabe (heute meist durch die ↑Kollekte 1 ersetzt) **ob|li|gat*** ⟨lat.⟩ „verbunden, verpflichtet"⟩: 1. a) unerlässlich, erforderlich, unentbehrlich; b) (meist spöttisch) regelmäßig dazugehörend, üblich, unvermeidlich. 2. als selbstständig geführte Stimme für eine Komposition unentbehrlich (Mus.); Ggs. ↑ad libitum (2 b). **Ob|li|ga|ti|on** die; -, -en: 1. Verpflichtung; persönliche Verbindlichkeit (Rechtsw.). 2. Schuldverschreibung eines Unternehmers (Wirtsch.). **Ob|li|ga|ti|o|när** ⟨lat.-fr.⟩ der; -s, -e: (schweiz.) Besitzer von Obligationen (2). **ob|li|ga|to|risch** ⟨lat.⟩: verpflichtend, bindend, verbindlich; Zwangs...; Ggs. ↑fakultativ. **Ob|li|ga|to|ri|um** das; -s, ...ien: (schweiz.) Verpflichtung, Pflichtfach, -leistung. **ob|li|geant** [...'ʒant] ⟨lat.-fr.⟩: (veraltet) gefällig, verbindlich. **ob|li|gie|ren** [auch: ...'ʒi:...]: (veraltet) [zu Dank] verpflichten. **Ob|li|go** [auch: 'ɔb...] ⟨lat.-it.⟩ das; -s, -s: 1. Verbindlichkeit, Verpflichtung (Wirtsch.); **ohne Obligo:** ohne Gewähr; Abk.: o. O. 2. Wechselkonto im Obligobuch. **Ob|li|go|buch** ⟨lat.-it.; dt.⟩ das; -[e]s, ...bücher: bei Kreditinstituten geführtes Buch, in das alle eingereichten Wechsel eingetragen werden

ob|lique* [o'bli:k] ⟨lat.⟩: (veraltet) schräg, schief; **obliquer** [...kvɐ] **Kasus:** ↑Casus obliquus. **Ob|li|qui|tät** die; -: 1. Unregelmäßigkeit. 2. Abhängigkeit (Sprachw.). 3. Schrägstellung (des kindl. Schädels bei der Geburt; Med.) **Ob|li|te|ra|ti|on** ⟨lat.⟩ die; -, -en: 1. Tilgung (Wirtsch.). 2. Verstopfung von Hohlräumen, Kanälen od. Gefäßen des Körpers durch entzündliche Veränderungen o. Ä. (Med.). **ob|li|te|rie|ren:** 1. tilgen (Wirtsch.). 2. verstopfen (in Bezug auf Gefäße, Körperhohlräume u. Körperkanäle; Med.)

Ob|lo|mo|we|rei* ⟨nach dem Titelhelden Oblomow des Romans des russischen Schriftstellers I. A. Gontscharow, 1812–1891⟩ die; -, -en: lethargische (2) Grundhaltung, tatenloses Träumen

ob|long* ⟨lat.⟩: (veraltet) länglich, rechteckig

O|bo ⟨mong.⟩ der; -[s], -s: kultischer, mit Gebetsfahnen besteckter Steinhaufen auf Passhöhen in Tibet u. der Mongolei **O|bö|di|enz*** vgl. Obedienz

O|boe ⟨fr.-it.; „hohes (nämlich: hoch klingendes) Holz"⟩ die; -, -n: 1. (Mus.) Holzblasinstrument mit Löchern, Klappen, engem Mundstück. 2. im Klang der Oboe ähnelndes Orgelregister. **O|boe da Cac|cia** [- - 'katʃa] ⟨it.; „Jagdoboe"⟩ die; - - -, - - -: eine Quint tiefer stehende Oboe. **O|boe d'A|mo|re** ⟨it.; „Liebesoboe"⟩ die; - -, - -: 1. eine Terz tiefer stehende Oboe mit zartem, mildem Ton. 2. ein Orgelregister. **O|bo|er** der; -s, -: ↑Oboist. **O|bo|ist** der; -en, -en: Musiker, der Oboe spielt

O|bo|lus ⟨gr.-lat.⟩ der; -, - u. -se: 1. kleine Münze im alten Griechenland. 2. kleine Geldspende, kleiner Beitrag. 3. (Plural: -) primitiver, versteinerter Armfüßer (↑Brachiopode), der vom ↑Kambrium bis zum ↑Ordovizium bestandbildend war (Geol.) **Ob|rep|ti|on** ⟨lat.⟩ die; -: (veraltet) Erschleichung [eines Vorteils durch unzutreffende Angaben] (Rechtsw.)

ob|ru|ie|ren ⟨lat.⟩: (veraltet) überladen, überhäufen, belasten **Ob|sek|ra|ti|on*** ⟨lat.⟩ die; -, -en: (veraltet) Beschwörung durch eindringliche Bitten. **ob|sek|rie|ren:** (veraltet) beschwören, dringend bitten

ob|se|quent ⟨lat.⟩: (von Flüssen) der Fallrichtung der Gesteinsschichten entgegengesetzt fließend (Geogr.). **ob|se|qui|al|le** ⟨lat.-mlat.⟩ das; -[s], ...ien: liturgisches Buch für die ↑Exequien. **Ob|se|qui|en** die (Plural): ↑Exequien

ob|ser|va|bel ⟨lat.⟩: (veraltet) bemerkenswert. **ob|ser|vant:** sich streng an die Regeln haltend. **Ob|ser|vant** der; -en, -en: Angehöriger der strengeren Richtung eines Mönchsordens, bes. den Franziskanern. **Ob|ser|vanz** die; -, -en: 1. Ausprägung, Form. 2. Gewohnheitsrecht [in unwesentlicheren Sachgebieten] (Rechtsw.). 3. Befolgung der eingeführten Regel [eines Mönchsordens]. **Ob|ser|va|ti|on** ⟨lat.⟩ die; -, -en: 1. wissenschaftliche Beobachtung [in einem Observatorium]. 2. das Observieren (2). **Ob|ser|va|tor** der; -s, ...oren: jmd., der in einem Observatorium tätig ist. **Ob|ser|va|to|ri|um** ⟨lat.-nlat.⟩ das; -s, ...ien: [astronomische, meteorologische, geophy-

sikalische] Beobachtungsstation; Stern-, Wetterwarte. **ob|ser|vie|ren** ⟨lat.⟩: 1. wissenschaftlich beobachten. 2. polizeilich überwachen **Ob|ses|si|on** ⟨lat.; „das Besetztsein"⟩ die; -, -en: Zwangsvorstellung (Psychol.). **ob|ses|siv** ⟨lat.-nlat.⟩: in der Art einer Zwangsvorstellung (Psychol.) **Ob|si|di|an** ⟨lat.-nlat.⟩ der; -s, -e: kieselsäurereiches, glasiges Gestein

Ob|sig|na|ti|on* ⟨lat.⟩ die; -, -en: (veraltet) Versiegelung [durch das Gericht]; Bestätigung, Genehmigung (Rechtsw.). **ob|sig|nie|ren:** (veraltet) bestätigen **obs|kur*** ⟨lat.⟩: a) dunkel; verdächtig; zweifelhafter Herkunft; b) unbekannt; vgl. Clair-obscur. **Obs|ku|rant** der; -en, -en: (veraltet) Dunkelmann. **Obs|ku|ran|tis|mus** ⟨lat.-nlat.⟩ der; -: Bestreben, die Menschen bewusst in Unwissenheit zu halten, ihr selbstständiges Denken zu verhindern u. sie an Übernatürliches glauben zu lassen. **obs|ku|ran|tis|tisch:** dem Obskurantismus entsprechend. **Obs|ku|ri|tät** ⟨lat.⟩ die; -, -en: a) Dunkelheit, zweifelhafte Herkunft; b) Unbekanntheit

Obs|so|les|zenz ⟨lat.-nlat.⟩ die; -: das Veralten. **ob|so|les|zie|ren** ⟨lat.⟩: (veraltet) veralten, ungebräuchlich werden. **ob|so|let:** ungebräuchlich, veraltet. **Obs|ta|kel*** ⟨lat.⟩ das; -s, -: (veraltet) Hindernis. **Obs|tet|rik** die; -: Wissenschaft von der Geburtshilfe (Med.) **obs|ti|nat** ⟨lat.⟩: starrsinnig, widerspenstig, unbelehrbar. **Obs|ti|na|ti|on** die; -: (veraltet) Halsstarrigkeit, Eigensinn **Obs|ti|pa|ti|on*** ⟨lat.-nlat.⟩ die; -, -en: Stuhlverstopfung (Med.). **obs|ti|pie|ren** (Med.) 1. zu Stuhlverstopfung führen. 2. an Stuhlverstopfung leiden **Ob|struc|tion|box*** [əb'strʌkʃənbɔks] ⟨(lat.-)engl.⟩ die; -, -en: Apparatur (1926 von Warden konstruiert), die mittels einer Blockierung des Weges zum Futter die Intensität der Antriebe bei Tieren misst (Psychol.). **Obs|tru|ent** ⟨lat.-engl.⟩ der; -en, -en: Konsonant, bei dessen Erzeugung der Atemstrom zu einem Teil (Frikativ, Spirant) od. völlig (Verschlusslaut) gehindert ist (Sprachw.). **ob|stru|ie|ren** ⟨lat.⟩: 1. hindern; entgegenarbeiten; Widerstand leisten. 2. verstopfen (z. B. einen Kanal durch entzündliche Veränderungen; Med.). **Ob|struk|ti|on** *die;* -, -en: 1. Widerstand; parlamentarische Verzögerungstaktik (z. B. durch sehr lange Reden, Fernbleiben von Sitzungen). 2. Verstopfung (z. B. von Körperkanälen o. Ä. durch entzündliche Prozesse; Med.). **ob|struk|tiv** ⟨*lat.-nlat.*⟩: 1. hemmend. 2. Gefäße od. Körperkanäle verstopfend (z. B. von entzündlichen Prozessen; Med.)

obs|zön* ⟨*lat.*⟩: 1. in das Schamgefühl verletzender Weise auf den Sexual-, Fäkalbereich bezogen; unanständig, schlüpfrig. 2. [sittliche] Entrüstung hervorrufend. **Obs|zö|ni|tät** *die;* -, -en: Schamlosigkeit, Schlüpfrigkeit **Ob|tu|ra|ti|on** ⟨*lat.-mlat.*⟩ *die;* -, -en: Verstopfung von Hohlräumen u. Gefäßen (z. B. durch einen ↑Embolus; Med.). **Ob|tu|ra|tor** ⟨*lat.-nlat.*⟩ *der;* -s, ...oren: Apparat zum Verschluss von Körperöffnungen, bes. Verschlussplatte für Gaumenspalten (Med.). **ob|tu|rie|ren** ⟨*lat.*⟩: Körperlücken verschließen (z. B. bei Muskeln, Nerven u. Venen, die durch Öffnungen von Knochen hindurchtreten; Med.)

O|bus *der;* -ses, -se: Kurzw. für: Oberleitungsomnibus **Oc|ca|mis|mus** vgl. Ockhamismus **Oc|ca|si|on** ⟨*lat.-fr.*⟩ *die;* -, -en: (österr., schweiz.) ↑Okkasion (2) **Oc|chi** ['ɔki] usw. vgl. Okki usw. **Oc|ci|den|tal** [ɔktsi...] ⟨*lat.*⟩ *das;* -[s]: Welthilfssprache des Estländers E. von Wahl (1922); vgl. Interlingue **O|cean|li|ner** ['ouʃənlainɐ] ⟨*engl.*⟩ *der;* -s, -: ↑Liner (1) **Och|lo|kra|tie*** ⟨*gr.*⟩ *die;* -, ...ien: (in der Antike abwertend) Herrschaft der Massen (als entartete Form der Demokratie); Pöbelherrschaft. **och|lo|kra|tisch**: die Ochlokratie betreffend **Och|ra|na** [ɔx'ra:na] ⟨*russ.;* „Schutz"⟩ *die;* -: politische Geheimpolizei im zaristischen Russland **Och|rea** ['o:krea] ⟨*lat.-nlat.*⟩ *die;* -, Ochreae [...eɛ]: den Pflanzenstängel wie eine Manschette umhüllendes, tütenförmiges Nebenblatt (Bot.) **Och|ro|no|se** [ɔx...] ⟨*gr.-nlat.*⟩ *die;* -, -n: Schwarzverfärbung von Knorpelgewebe u. Sehnen bei chronischer Karbolvergiftung (Med.)

o|cker ⟨*gr.-lat.-roman.*⟩: von der Farbe des Ockers; gelbbraun. **O|cker** *der od. das;* -s, -: a) zur Farbenherstellung verwendete, ihres Eisenoxidgehalts wegen an gelben Farbtönen reiche Tonerde; b) gelbbraune Malerfarbe; c) gelbbraune Farbe **Ock|ha|mis|mus** [ɔka..., auch: ɔkɛ...] ⟨*engl.-nlat.*⟩ *der;* -: Lehre des englischen ↑Scholastikers Wilhelm von Ockham **O|cki** usw. vgl. Okki usw. **OCR** ⟨Kurzw. für: Optical Character Recognition; *engl.*⟩ *die;* -: Vorgang des Umsetzens von [Schrift]zeichen aus der optischen (bildhaften) Darstellung in eine Darstellung der Bedeutung (bes. im ↑ASCII-Code); maschinelle Zeichenerkennung (EDV) **Oc|tan** vgl. Oktan **oc|ta|va** vgl. ottava. **Oc|tu|or** [ɔk'tyo:ɐ] ⟨*lat.-fr.*⟩ *das;* -s, -s. franz. Bez. für: Oktett (1) **Qd** ⟨zu altnord. ôôr = Gefühl; geprägt von dem dt. Chemiker u. Naturphilosophen C. L. v. Reichenbach, 1780–1869⟩ *das;* -[e]s: angeblich vom menschlichen Körper ausgestrahlte, das Leben lenkende Kraft **O|dal** ⟨*altnord.*⟩ *das;* -s, -e: Sippeneigentum eines adligen germanischen Geschlechts an Grund u. Boden **O|da|lis|ke** ⟨*türk.-fr.*⟩ *die;* -, -n: (hist.) europäische od. kaukasische Sklavin in einem türkischen Harem **Odd Fel|low** [...lou] ⟨*engl.*⟩ *der;* -s, - -s u. **O|dd|fel|low** *der;* -s, -s: Mitglied einer (ursprünglich englischen) ordensähnlichen Gemeinschaft, die in Verfassung u. Bräuchen der Freimaurern verwandt ist **Odds** ⟨*engl.*⟩ *die* (Plural) a) engl. Bez. für: Vorgaben (Sport); b) (bei Pferdewetten) das vom Buchmacher festgelegte Verhältnis des Einsatzes zum Gewinn **O|de** ⟨*gr.-lat.*⟩ *die;* -, -n: 1. a) Chorgesangsstück der griechischen Tragödie; b) lyrisches Strophengedicht der Antike. 2. erhabene, meist reimlose lyrische Dichtung in kunstvollem Stil. 3. Odenkomposition nach antiken Versmaßen (15. u. 16. Jh.; Mus.). **O|de|on** ⟨*gr.*⟩ *das;* -s, Odeia: ↑Odeum **Ö|dem** ⟨*gr.;* „Schwellung"; Geschwulst"⟩ *das;* -s, -e: Gewebewassersucht; krankhafte Ansammlung von Flüssigkeit im Gewebe infolge von Eiweißman-

gel, Durchblutungsstörungen u. a. (Med.). **ö|de|ma|tös** ⟨*gr.-nlat.*⟩: ödematig verändert, ein Ödem aufweisend **O|de|on** ⟨*gr.-lat.-fr.*⟩ *das;* -s, -s: ↑Odeum; Name für größere Bauten, in denen Filmvorführungen, Tanzveranstaltungen o. Ä. stattfinden. **O|de|um** ⟨*gr.-lat.*⟩ *das;* -s, Odeen: im Altertum rundes, theaterähnliches Gebäude für musikalische u. schauspielerische Aufführungen **O|deur** [o'dø:ɐ] ⟨*lat.-fr.*⟩ *das;* -s, -s u. -e: a) wohlriechender Stoff, Duft; b) seltsamer Geruch **o|di|ös** u. **o|di|ös** ⟨*lat.*⟩: gehässig, unausstehlich, widerwärtig. **O|di|o|si|tät** *die;* -, -en: Gehässigkeit, Widerwärtigkeit **ö|di|pal** ⟨*gr.-nlat.*⟩: vom Ödipuskomplex bestimmt. **Ö|di|pus|kom|plex*** ⟨nach dem thebanischen König Ödipus, der, ohne es zu wissen, seine Mutter geheiratet hatte⟩ *der;* -es: zu starke Bindung eines Kindes zum gegengeschlechtlichen Elternteil, bes. des Knaben an die Mutter (Psychol.) **O|di|um** ⟨*lat.*⟩ *das;* -s: (geh.) hassenswerter Makel; übler Beigeschmack, der einer Sache anhaftet **O|don|tal|gie*** ⟨*gr.*⟩ *die;* -, ...ien: Zahnschmerz (Med.). **O|don|ti|tis** *die;* -, ...itiden: Entzündung des Zahns od. des Zahnfleischs. **O|don|to|blast** ⟨*gr.-nlat.*⟩: Bildungszelle des Zahnbeins (Med.). **o|don|to|gen**: (von den Zähnen ausgehend (von Krankheiten; Med.). **O|don|to|glos|sum** *das;* -s: tropische Orchidee mit Blüten an meist aufrechten Trauben od. Rispen (Gewächshaus- u. Zierpflanze). **O|don|to|lo|ge** *der;* -n, -n: Wissenschaftler auf dem Gebiet der Odontologie; in der Forschung tätiger Zahnarzt. **O|don|to|lo|gie** *die;* -: Zahnheilkunde. **O|don|tom** *das;* -s, -e: meist am Unterkiefer auftretende Geschwulst am Zahngewebe (Med.). **O|don|to|me|ter** *der;* -s, -: Hilfsmittel zur Ausmessung der Zähnung von Briefmarken; Zähnungsschlüssel. **O|don|to|met|rie** *die;* -: Verfahren zur Identifizierung [unbekannter] Toter durch Abnehmen eines Kieferabdrucks. **O|don|tor|ni|then** *die* (Plural): ausgestorbene Vögel der Kreidezeit mit bezahntem Kiefer **O|dor** ⟨*lat.*⟩ *der;* -s, ...ores: Geruch

(Med.). **o|do|rie|ren:** [fast] geruchsfreie Gase mit intensiv riechenden Substanzen anreichern. **O|do|rie|rung** die; -, -en: das Odorieren

O|dys|see ⟨gr.-lat.-fr.; nach dem Epos Homers, in dem die abenteuerlichen Irrfahrten des Odysseus geschildert werden⟩ die; -, ...seen: 1. lange Irrfahrt; lange, mit Schwierigkeiten verbundene Reise. 2. langer, mit Schwierigkeiten verbundener Prozess, mühevolle Aktion

OECD ⟨Kurzw. für: Organization for Economic Cooperation and Development; engl.⟩ die; -: Organisation für wirtschaftliche Zusammenarbeit und Entwicklung

Oe|co|tro|pho|lo|gie usw. vgl. Ökotrophologe usw.

Oe|no|the|ra ⟨gr.-lat.⟩ die; -, ...ren: Nachtkerze; krautige Pflanze mit größeren gelben Blüten (wild wachsend, aber auch als Gartenstaude)

Oers|ted* ⟨nach dem dän. Physiker H. Chr. Ørsted, 1777–1851⟩ das; -s, -: (nicht gesetzliche) Einheit der magnetischen Feldstärke im ↑CGS-System (Phys.); Zeichen: Oe

Oe|so|pha|gus vgl. Ösophagus

Œuv|re* ['ø:vrə, fr.: œ:vr] ⟨lat.-fr.⟩ das; -, -s ['ø:vrə, œ:vr]: Gesamtwerk eines Künstlers

off ⟨engl.⟩: a) hinter der Bühne sprechend; b) außerhalb der Kameraeinstellung zu hören; Ggs. ↑on. **Off** das; -: unsichtbar bleibender Bereich, Hintergrund (einer Bühne, der Kameraeinstellung o. Ä.). Ggs. ↑On. **Offbeat** ['ɔfbi:t, auch: ɔf'bi:t] ⟨engl.⟩ der; -: Technik der Rhythmik im Jazz, die die melodischen Akzente zwischen den einzelnen betonten Taktteilen setzt. **Offbrands** ['ɔfbrɛnds] ⟨engl.⟩ die (Plural): Produkte ohne Markennamen; vgl. No-Name-Produkt

of|fen|siv ⟨lat.-nlat.⟩: angreifend, den Angriff bevorzugend; Ggs. ↑defensiv (a). **Of|fen|siv|al|li|anz** die; -, -en: zum Zwecke eines Angriffs geschlossenes Bündnis. **Of|fen|si|ve** die; -, -n: a) [planmäßig vorbereiteter] Angriff [einer Heeresgruppe]; Ggs. ↑Defensive; b) (ohne Plural) auf Angriff (Stürmen) eingestellte Spielweise (Sport)

Of|fe|rent ⟨lat.⟩ der; -en, -en: jmd., der etw. anbietet, der eine Offerte macht. **of|fe|rie|ren:** anbieten, darbieten. **Of|fert** ⟨lat.-

fr.⟩ das; -[e]s, -e: (österr.) ↑Offerte. **Of|fer|te** die; -, -n: schriftliches [Waren]angebot; Anerbieten. **Of|fert|in|ge|ni|eur** [...ɪnʒeniø:ɐ̯] der; -s, -e: Sachbearbeiter für den Entwurf von detaillierten Angeboten bei großen Objekten, insbesondere in der Elektro- u. Werkzeugmaschinenbranche. **Of|fer|to|ri|um** ⟨lat.-mlat.⟩ das; -s, ...ien: Darbringung von Brot u. Wein mit den dazugehörigen gesungenen Messgebeten, die die Konsekration (2) vorbereiten

¹**Of|fice** ['ɔfɪs] ⟨lat.-fr.⟩ das; -, -s ['ɔfɪs]: (schweiz.) a) (selten) Büro; b) Anrichteraum [im Gasthaus]. ²**Of|fice** ⟨lat.-fr.-engl.⟩ das; -, -s [...sɪz, auch: ...sɪs]: engl. Bez. für: Büro. **Of|fi|ci|um** ⟨lat.⟩ das; -s, ...cia: ↑Offizium (1, 2). **Of|fi|ci|um di|vi|num** ⟨„Gottesdienst"⟩ das; - -: ↑Offizium (2). **Of|fiz** das; -es, -e: (veraltet) ↑Offizium (1). **Of|fi|zi|al** ⟨lat.-mlat.⟩ der; -s, -e: 1. Vertreter des [Erz]bischofs als Vorsteher des Offizialats. 2. (österr.) ein Beamtentitel. **Of|fi|zi|al|at** ⟨lat.-nlat.⟩ das; -[e]s, -e: [erz]bischöfliche kirchliche Gerichtsbehörde. **Of|fi|zi|al|de|likt** das; -[e]s, -e: Straftat, deren Verfolgung von Amts wegen eintritt (Rechtsw.). **Of|fi|zi|al|ma|xi|me** die; -: ↑Offizialprinzip. **Of|fi|zi|al|prin|zip** das; -s: Verpflichtung des Gerichts, Ermittlungen in einer Sache über die von den Beteiligten vorgebrachten Tatsachen hinaus von Amts wegen anzustellen (Rechtsw.). **Of|fi|zi|al|ver|tei|di|ger** ⟨lat.-mlat.; dt.⟩ der; -s, -: Pflichtverteidiger in Strafsachen, der vom Gericht in besonderen Fällen bestellt werden muss (Rechtsw.). **Of|fi|zi|ant** ⟨lat.-mlat.⟩ der; -en, -en: 1. (veraltet) Unterbeamter; Bediensteter. 2. einen Gottesdienst haltender katholischer Geistlicher. **of|fi|zi|ell** ⟨lat.-fr.⟩: 1. amtlich, von einer Behörde, Dienststelle ausgehend, bestätigt; Ggs. ↑inoffiziell (1). 2. feierlich, förmlich; Ggs. ↑inoffiziell (2). **Of|fi|zier** ⟨lat.-mlat.⟩ der; -s, -e: 1. a) (ohne Plural) militärische Rangstufe, die die Dienstgrade vom Leutnant bis zum General umfasst; b) Träger eines Dienstgrades innerhalb der Rangstufe der Offiziere. 2. Schachfigur, die größere Beweglichkeit als die Bauern hat (z. B. Turm, Läufer, Springer; Schach). **Of|fi|zier[s]-**

korps [...ko:ɐ̯] ⟨lat.-mlat.-fr.; lat.-fr.⟩ das; -, - [...ko:ɐ̯s]: Gesamtheit der Offiziere [einer Armee]. **Of|fi|zin** ⟨lat.-mlat.⟩ die; -, -en: 1. (veraltet) [größere] Buchdruckerei. 2. a) (veraltet) Apotheke; b) Arbeitsräume einer Apotheke. **of|fi|zi|nal** u. **of|fi|zi|nell** (französierende Bildung): arzneilich; als Heilmittel durch Aufnahme in das amtliche Arzneibuch anerkannt; vgl. ...al/...ell. **of|fi|zi|ös** ⟨lat.-fr.⟩: halbamtlich; nicht verbürgt. **Of|fi|zi|o|si|tät** die; -, -en: 1. (ohne Plural) Anschein der Amtlichkeit, des Offiziellen. 2. (veraltet) Dienstfertigkeit. **Of|fi|zi|um** ⟨lat.⟩ das; -s, ...ien: 1. (veraltet) [Dienst]pflicht, Obliegenheit. 2. a) offizieller Gottesdienst der katholischen Kirche, im engeren Sinne das Stundengebet (auch als Chorgebet); b) katholisches Kirchenamt u. die damit verbundenen Pflichten eines Geistlichen

off limits ⟨engl.⟩: Zutritt verboten. **off|line** ['ɔflaɪn] ⟨engl.⟩: getrennt von der Datenverarbeitungsanlage arbeitend, indirekt mit dieser gekoppelt; Ggs. ↑online. **Off-off-Büh|ne** ⟨engl.; dt.⟩ die; -, -n: kleines Theater außerhalb des üblichen etablierten Theaterbetriebes, in dem mit meist jungen, aufgeschlossenen u. experimentierfreudigen Schauspielern Stücke meist unbekannter Autoren fantasiereich u. zu niedrigen Kosten gespielt werden. **Off|roa|der** ['ɔfroʊdɐ̯] der; -s, -: 1. ↑Offroadfahrzeug. 2. jmd., der sich gern [in einem Offroadfahrzeug] im freien Gelände, in der Natur aufhält. **Offroad|fahr|zeug** das; -[e]s, -e: Geländefahrzeug. **Offset-druck** ⟨engl.; dt.⟩ der; -[e]s: Flachdruckverfahren, bei dem der Druck von einer Druckplatte über ein Gummituch (indirekter Druck) auf das Papier erfolgt. **off|shore** ['ɔfʃo:ɐ̯] ⟨engl.⟩: in einiger Entfernung von der Küste. **Off|shore|auf|trag** ⟨engl.; dt.⟩ der; -[e]s, ...träge (meist Plural): Auftrag der USA (zur Lieferung an andere Länder), der zwar von den Vereinigten Staaten finanziert, jedoch außerhalb der USA vergeben wird. **Off|shore|bohrung,** die; -, -en: von Plattformen aus durchgeführte Bohrung nach Erdöl od. Erdgas in Küstennähe. **Off|shore|tech|nik** die; -: Maßnahmen, Einrichtungen u. Verfahren, die der Exploration u.

Gewinnung von Erdöl, Erdgas aus dem Meeresboden dienen.

Off|shore|zent|rum* *das;* -s, ...tren: internationaler Finanzplatz für internationale Finanzgeschäfte von Banken u. Unternehmen (Wirtsch.). **off|side** [...said] ⟨*engl.*⟩: (bes. schweiz.) abseits (beim Fußball). **Off|side** *das;* -s, -s: (bes. schweiz.) Abseits (beim Fußball). **Off|side** *die;* -, -n: [kommentierende] Stimme aus dem Off. **off|white** [...wait]: weiß mit leicht grauem od. gelbem Schimmer

O|fir vgl. Ophir

O|ger ⟨*lat.-fr.*⟩ *der;* -s, -: Menschen fressendes Ungeheuer (im Märchen)

o|gi|val [auch: oʒi...] ⟨*fr.*⟩: (selten) spitzbogig. **O|gi|val|stil** ⟨*fr.; lat.*⟩ *der;* -[e]s: Baustil der [französischen] Gotik. **O|gi|ven** [auch: o'ʒi:,,,] *die* (Plural): bogenartige Texturformen (vgl. Textur 2) im Bereich der Gletscherzunge

o|gy|gisch ⟨*gr.-lat.;* nach dem sehr alten sagenhaften König von Theben, Ogygos⟩: (veraltet) sehr alt

O|i|di|um ⟨*gr.-nlat.*⟩ *das;* -[s], ...ien: 1. Schimmelpilzgattung (z. B. Milchschimmel). 2. Entwicklungsform der Rebenmehltaus bei Ausbildung der ↑ Konidien. 3. (meist Plural) sporenartige Dauerzelle bestimmter Pilze (Bot.).

oi|ko|ty|pisch [ɔy...] ⟨*gr.-nlat.*⟩: der grammatischen Struktur gemäß, im grammatischen Bau entsprechend (z. B. jmdm. geht ein Licht auf/jmdm. geht ein Seifensieder auf; Sprachw.)

Oil|dag ⟨'ɔɪldæg⟩ ⟨*engl.*⟩ *das;* -s: graphithaltiges Schmieröl

Oi|no|choe [ɔyno'çoːə, auch: ...'xoːə] ⟨*gr.*⟩ *die;* -, -n: altgriechische Weinkanne mit Henkel

Oire|ach|tas* ['ɛrəktɪs] ⟨*ir.*⟩ *das;* -: das Parlament der irischen Republik

o. k., O. K.: ↑ okay

O|ka vgl. Okka

O|ka|pi ⟨*afrik.*⟩ *das;* -s, -s: kurzhalsige, dunkelbraune Giraffe mit weißen Querstreifen an den Oberschenkeln

O|ka|ri|na ⟨*lat.-vulgärlat.-it.;* „Gänschen") *die;* -, -s u. ...nen: kurze Flöte aus Ton od. Porzellan in Form eines Gänseeis (acht Grifflöcher)

o|kay [o'keː, od. ou'keɪ] ⟨*engl.*⟩: (ugs.) 1. abgemacht, einverstanden. 2. in Ordnung, gut; Abk.: o. k. od. O. K. **O|kay** *das;* -[s], -s:

(ugs.) Einverständnis, Zustimmung

O|ke|a|ni|de ⟨*gr.-lat.*⟩ *die;* -, -n: Meernymphe (Tochter des griechischen Meergottes Okeanos); vgl. Nereide

Ok|ka ⟨*türk.*⟩ *die;* -, -: früheres türkisches Handels- u. Münzgewicht

Ok|ka|si|on ⟨*lat.(-fr.)*⟩ *die;* -, -en: 1. (veraltet) Gelegenheit, Anlass. 2. Gelegenheitskauf (Wirtsch.). **Ok|ka|si|o|na|lis|mus** ⟨*lat.-nlat.*⟩ *der;* -, ...men: 1. (ohne Plural) (von dem französischen Philosophen R. Descartes [1596–1650] ausgehende) Theorie, nach der die Wechselwirkung zwischen Leib u. Seele auf direkte Eingriffe Gottes „bei Gelegenheit" zurückgeführt wird (Philos.). 2. (veraltend) bei einer bestimmten Gelegenheit, in einer bestimmten Situation gebildetes (nicht lexikalisiertes) Wort (Sprachw.). **ok|ka|si|o|nell** ⟨*lat.-fr.*⟩: gelegentlich, Gelegenheits...

Ok|ki ⟨*it.*⟩ *das;* -[s], -s: Kurzform von ↑ Okkispitze. **Ok|ki|ar|beit** ⟨*it.; dt.*⟩ *die;* -, -en: mit Schiffchen ausgeführte Handarbeit. **Ok|ki-spit|ze** *die;* -, -n: mit einem Schiffchen hergestellte Knüpfspitze

ok|klu|die|ren* ⟨*lat.*⟩: verschließen. **Ok|klu|si|on** *die;* -, -en: 1. a) Verschließung, Verschluss; b) normale Schlussbissstellung der Zähne (Med.). 2. das Zusammentreffen von Kalt- u. Warmfront (Meteor.). **ok|klu|siv** ⟨*lat.-nlat.*⟩: die Okklusion betreffend. **Ok|klu|siv** *der;* -s, -e: Verschlusslaut (z. B. p; Sprachw.)

ok|kult ⟨*lat.*⟩ verborgen, geheim (von übersinnlichen Dingen). **Ok|kul|tis|mus** ⟨*lat.-nlat.*⟩ *der;* -: Geheimwissenschaft; Lehren u. Praktiken, die sich mit der Wahrnehmung übersinnlicher Kräfte (z. B. Telepathie, Hellsehen, Materialisation) beschäftigen. **Ok|kul|tist** *der;* -en, -en: Anhänger des Okkultismus. **ok|kul|tis|tisch**: zum Okkultismus gehörend. **Ok|kul|to|lo|ge** ⟨*lat.; gr.*⟩ *der;* -n, -n: Wissenschaftler auf dem Gebiet des Okkultismus. **Ok|kul|tä|ter** ⟨*lat.; dt.*⟩ *der;* -s, -: von abergläubischen Ideen geleitete Person, die sich als Wundertäter, Hellseher, Hexenbanner us. dgl. betätigt u. dabei gegen strafrechtliche Vorschriften verstößt **Ok|ku|pant** ⟨*lat.*⟩ *der;* -en, -en (meist Plural): (abwertend) jmd.,

der fremdes Gebiet okkupiert; Angehöriger einer Besatzungsmacht. **Ok|ku|pa|ti|on** *die;* -, -en: 1. (abwertend) [militärische] Besetzung eines fremden Gebietes. 2. Aneignung herrenlosen Gutes (Rechtsw.); vgl. ...[at]ion/...ierung. **Ok|ku|pa|tiv** ⟨*lat.-nlat.*⟩ *das;* -s, -e: Verb des Beschäftigtseins (z. B. lesen, tanzen; Sprachw.). **ok|ku|pa|to|risch** ⟨*lat.*⟩: die Okkupation betreffend. **ok|ku|pie|ren**: (abwertend) ein fremdes Gebiet [militärisch] besetzen. **Ok|ku|pie|rung** *die;* -, -en: (abwertend) das Okkupieren; vgl. ...[at]ion/...ierung

Ok|kur|renz ⟨*lat.-engl.*⟩ *die;* -, -en: das Vorkommen einer sprachlichen Einheit in einem ²Korpus (2), einem Text, einem Sprechakt (Sprachw.)

ok|no|phil ⟨*gr.*⟩: aus Angst, verlassen zu werden, jmdn. mit seiner Liebe erdrückend (Psychol.); Ggs. ↑ philobat

Ö|ko ⟨Kurzw.⟩ *der;* -s, -s: (ugs. scherzh.) Anhänger der Ökologiebewegung. **Ö|ko|ar|chi|tek|tur** ⟨*gr.*⟩ *die;* -: Architektur, die sich ökologisches (2) Bauen zur Aufgabe gemacht hat. **Ö|ko|au|dit** ⟨²:dɪt] ⟨*gr.; lat.-engl.*⟩ *der* od. *das;* -s, -s: aufgrund einer Verordnung der Europäischen Union [unverhofft durchgeführte] Betriebsprüfung von Industrieunternehmen, die deren Umweltverträglichkeit betreffen soll; Umweltaudit. **Ö|ko|bi|lanz** *die;* -, -en: Bilanz (2) aller Auswirkungen eines Produktes od. Verfahrens auf die Umwelt. **Ö|ko|ka|ta|stro|phe*** *die;* -, -en: Umweltkatastrophe. **Ö|ko|lo|ge** ⟨*gr.-nlat.*⟩ *der;* -n, -n: Wissenschaftler, Fachmann auf dem Gebiet der Ökologie. **Ö|ko|lo|gie** *die;* -: 1. Wissenschaft von den Beziehungen der Lebewesen zu ihrer Umwelt. 2. Wechselbeziehungen zwischen den Lebewesen u. ihrer Umwelt; ungestörter Haushalt der Natur. **ö|ko|lo|gisch**: 1. die Ökologie (1) betreffend. 2. die Wechselbeziehungen zwischen den Lebewesen u. ihrer Umwelt betreffend. **Ö|ko|nom** ⟨*gr.-lat.;* „Haushalter, Verwalter") *der;* -en, -en: (veraltend) a) Landwirt, Verwalter [landwirtschaftlicher Güter]; b) Wirtschaftswissenschaftler. **Ö|ko|no|me|t|rie*** ⟨*gr.-nlat.*⟩ *die;* -: Teilgebiet der Wirtschaftswissenschaft, auf dem mithilfe mathematisch-statistischer Methoden wirtschaftstheoretische Modelle u. Hypothesen auf ihren Realitätsgehalt, ihre Verifikation untersucht werden. **Ö|ko|no|met|ri|ker*** *der;* -s, -: Wissenschaftler auf dem Gebiet der Ökonometrie. **ö|ko|no|met|risch*:** die Ökonometrie betreffend. **Ö|ko|no|mie** *(gr.-lat.) die;* -, ...ien: 1. a) Wirtschaftswissenschaft; b) Wirtschaft; c) (ohne Plural) Wirtschaftlichkeit, sparsames Umgehen mit etwas, rationelle Verwendung od. Einsatz von etwas. 2. (veraltet) Landwirtschaft[sbetrieb]. **Ö|ko|no|mie|rat** *der;* -[e]s, ...räte: (österr.) a) (ohne Plural) Ehrentitel für einen verdienten Landwirt; b) Träger dieses Titels. **Ö|ko|no|mik** *die;* -: 1. Wirtschaftswissenschaft, Wirtschaftstheorie. 2. (regional veraltend) Produktionsweise od. ökonomische Struktur einer Gesellschaftsordnung. 3. Wirtschaftsverhältnisse eines Landes od. eines Sektors der Volkswirtschaft. 4. wissenschaftliche Analyse eines Wirtschaftszweiges in der DDR. **ö|ko|no|misch:** a) die Wirtschaft betreffend; b) wirtschaftlich; c) sparsam. **ö|ko|no|mi|sie|ren:** ökonomisch gestalten, auf eine ökonomische Basis stellen. **Ö|ko|no|mi|sie|rung** *die;* -, -en: das Ökonomisieren. **Ö|ko|no|mis|mus** *(gr.-nlat.) der;* -: Betrachtung der Gesellschaft allein unter ökonomischen (a) Gesichtspunkten. **Ö|ko|no|mist** *der;* -en, -en: (veraltet) Wirtschaftssachverständiger. **ö|ko|no|mis|tisch:** den Ökonomismus betreffend. **Ö|ko|pax** (Kunstw. aus *Ökologie* u. lat. *pax* = Frieden) *der;* -, -e: (ugs.) Mitglied, Anhänger der Ökopaxbewegung. **Ö|ko|pax|be|we|gung** *die;* -: (ugs.) gemeinsames Vorgehen, loser Zusammenschluss von ²Alternativen, Mitgliedern von Bürgerinitiativen für Umweltschutz, Parteien, Friedensgruppen, Kirche u. kirchlichen Organisationen zur Bewahrung des Friedens u. Erhaltung der Umwelt. **Ö|ko|sko|pie*** *die;* -: Methode der Marktforschung, mit der in empirischen Untersuchungen objektive Marktgrößen (z. B. Güterqualität, -menge, -preis, Zahl u. Struktur der Anbieter, der Käufer usw.) erfasst werden. **ö|ko|so|zi|al:** eine Verbindung aus Umweltpolitik u. Sozialdemokratie darstellend.

ö|ko|so|zi|a|lis|tisch: eine Verbindung aus Umweltpolitik u. Sozialismus darstellend. **Ö|ko|so|zi|al|pro|dukt** *das;* -[e]s, -e: Gesamtheit aller Leistungen und Belastungen für die Umwelt, die in einem bestimmten Zeitraum erbracht bzw. verursacht werden. **Ö|ko|spon|so|ring** *das;* -s: das Sponsern von Umweltprojekten. **Ö|ko|sys|tem** *das;* -s, -e: aus Organismen und unbelebter Umwelt bestehende natürliche Einheit, die durch deren Wechselwirkung ein gleich bleibendes System bildet (z. B. See). **Ö|ko|top** *das;* -s, -e: kleinste ökologische Einheit einer Landschaft. **Ö|ko|tro|pho|lo|ge** *der;* -n, -n: Wissenschaftler auf dem Gebiet der Ökotrophologie. **Ö|ko|tro|pho|lo|gie** *die;* -: Hauswirtschafts- u. Ernährungswissenschaft. **Ö|ko|ty|pus** [auch: ...'ty:...] *der;* -, ...pen: Standortrasse (an einen bestimmten Standort angepasste Population von Pflanzen od. Tieren; Biol.). **Ö|ko|zid** *(gr.-nlat.; lat.) der* (auch: *das*); -[e]s, -e: Störung des ökologischen Gleichgewichts durch Umweltverschmutzung

Ok|ra* (*westafrik.*) *die;* -, -s: längliche Frucht einer Eibischart
Ok|rosch|ka* (*russ.*) *die;* -: in Russland eine kalte Suppe aus Fleisch, Eiern u. saurer Sahne
Ok|ta|chord [...'kɔrt] (*gr.-lat.*) *das;* -[e]s, -e: achtsaitiges Instrument (Mus.). **Ok|ta|e|der** (*gr.*) *das;* -s, -: Achtflächner (meist regelmäßig). **ok|ta|ed|risch*:** das Oktaeder betreffend. **Ok|ta|gon** vgl. Oktogon. **Ok|tan,** chem. fachspr.: Octan *(lat.-nlat.) das;* -s: gesättigter Kohlenwasserstoff mit acht Kohlenstoffatomen (in Erdöl und Benzin). **Ok|ta|na** *die;* -: jeden achten Tag wiederkehrender Fieberanfall (Med.). **Ok|tant** (*lat.*) *der;* -en, -en: 1. Achtelkreis. 2. nautisches Winkelmessgerät. **Ok|tan|zahl** *(lat.-nlat.; dt.) die;* -, -en: Maßzahl für die Klopffestigkeit der Motorkraftstoffe (Abk.: OZ). **Ok|ta|teuch** (*gr.-mlat.*) *der;* -s: (in der griechischen Kirche) die acht ersten Bücher des A. T. (1.–5. Mose, Josua, Richter, Ruth). **¹Ok|tav** (*lat.*) *das;* -s: Achtelbogengröße (Buchformat); Zeichen: 8°, z. B. Lex.-8° **²Ok|tav** *die;* -, -en: 1. (österr.) †Oktave (1). 2. in der katholischen Liturgie die Nachfeier der

Hochfeste Weihnachten, Ostern u. Pfingsten mit Abschluss am achten Tag. **Ok|ta|va** (*lat.*) *die;* -, ...ven: (österr.) achte Klasse eines Gymnasiums. **Ok|ta|va|ner** *der;* -s, -: (österr.) Schüler einer Oktava. **Ok|ta|ve** (*lat.-mlat.*) *die;* -, -n: 1. achter Ton einer diatonischen Tonleiter vom Grundton an, wobei der Zusammenklang als Konsonanz (2) empfunden wird (Mus.). 2. †Ottaverime. **Ok|tav|for|mat** *das;* -[e]s: †¹Oktav. **ok|ta|vie|ren** (*lat.-nlat.*): auf Blasinstrumenten beim Überblasen in die Oktave überschlagen. **Ok|tett** (*lat.-it.*) *das;* -[e]s, -e: 1. a) Komposition für acht solistische Instrumente od. (selten) für acht Solostimmen; b) Vereinigung von acht Instrumentalsolisten. 2. Achtergruppe von Elektronen in der Außenschale der Atomhülle. **Ok|to|ber** (*lat.*) *der;* -[s], -: zehnter Monat im Jahr (Abk.: Okt.). **Ok|to|brist*** (*lat.-russ.*) *der;* -en, -en: Mitglied des „Verbandes des 17. Oktober", einer 1905 gegründeten russischen konstitutionellen Partei. **Ok|to|de*** (*gr.-nlat.*) *die;* -, -n: Elektronenröhre mit 8 Elektroden. **Ok|to|de|kal|gon** *das;* -s, -e: Achtzehneck. **Ok|to|dez** (*lat.-nlat.*) *das;* -es, -e: Buchformat von Achtzehntelbogengröße. **Ok|to|gon** *(gr.-nlat.) das;* -s, -e: a) Achteck; b) Gebäude mit achteckigem Grundriss. **ok|to|go|nal:** achteckig. **Ok|to|nar** *(lat.) der;* -s, -e: aus acht Versfüßen (rhythmischen Einheiten) bestehender Vers (antike Metrik). **ok|to|plo|id*** (*gr.-nlat.*): einen achtfachen Chromosomensatz enthaltend (von Zellen; Biol.). **Ok|to|po|de** (*gr.*) *der;* -n, -n: achtarmiger Tintenfisch (z. B. Krake)
Okt|roi* [ɔk'trɔa] *(lat.-mlat.-fr.) der* od. *das;* -s, -s: (hist.) a) an Handelsgesellschaften verliehenes Privileg; b) Steuer auf eingeführte Lebensmittel. **okt|ro|yie|ren** [...trɔaji:...]: 1. (veraltet a) verleihen; b) (ein Gesetz) kraft landesherrlicher Machtvollkommenheit ohne die verfassungsgemäße Zustimmung der Landesvertretung erlassen. 2. aufdrängen, aufzwingen, aufoktroyieren **o|ku|lar** (*lat.*): 1. das Auge betreffend. 2. mit dem, für das Auge; dem Auge zugewandt. **O|ku|lar** *das;* -s, -e: dem Auge zugewandte Linse od. Linsenkombination eines optischen Gerätes. **O|ku|lar|in|spek|ti|on** *die;* -, -en: Besich-

tigung mit bloßem Auge (Med.).

O|ku|la|ti|on ⟨*lat.-nlat.*⟩ *die; -,
-en:* Veredlung einer Pflanze
durch Anbringen von Augen
(noch fest geschlossenen Pflan-
zenknospen) einer hochwertigen
Sorte, die mit Rindenstückchen
unter die angeschnittene Rinde
der zu veredelnden Pflanze ge-
schoben werden. **O|ku|li** ⟨*lat.;*
„Augen"⟩: Name des dritten
Fastensonntags nach dem alten
Introitus des Gottesdienstes,
Psalm 25, 15: „Meine Augen se-
hen stets zu dem Herrn". **o|ku-
lie|ren:** durch Okulation ver-
edeln. **O|ku|list** ⟨*lat.-nlat.*⟩ *der;
-en, -en:* (veraltet) Augenarzt

Ö|ku|me|ne ⟨*gr.-mlat.*⟩ *die; -:* a)
die bewohnte Erde als menschlicher Lebens- u. Siedlungsraum;
b) Gesamtheit der Christen; c)
ökumenische Bewegung. **öku-
me|nisch:** allgemein, die ganze
bewohnte Erde betreffend,
Welt...; **ökumenische Bewegung:**
allgemeines Zusammenwirken
der christlichen Kirchen u. Kon-
fessionen zur Einigung in Fragen
des Glaubens u. der religiösen
Arbeit. **Ö|ku|me|nis|mus** ⟨*gr.-
nlat.*⟩ *der; -:* Streben nach Einigung aller christlichen Konfes-
sionen

Ok|zi|dent [auch: ...'dɛnt] ⟨*lat.*⟩
der; -s: 1. Abendland (Europa).
2. (veraltet) Westen. **ok|zi|den-
tal** u. **ok|zi|den|ta|lisch:** 1.
abendländisch. 2. (veraltet)
westlich

ok|zi|pi|tal ⟨*lat.-nlat.*⟩: zum Hin-
terhaupt gehörend, es betreffend
(Med.)

O|la *die; -, -s:* ↑ La Ola

O|la|di ⟨*russ.*⟩ *die* (Plural): Hefe-
pfannkuchen in Russland

Öl|dag [...dɛk] ⟨*dt.; engl.*⟩ *das; -s:*
↑ Oildag

Ol|die ['ʊldɪ] ⟨*engl.*⟩ *der; -s, -s:* a)
alter, beliebt gebliebener Schla-
ger, Song (1); b) (ugs.) jmd., der
einer älteren Generation angehört; c) etwas, was einer vergan-
genen Zeit angehört

Old|red ['ʊuld'rɛd] ⟨*engl.*⟩ *der; -s:*
roter Sandstein des ↑ Devons
(Geol.)

Old|ti|mer ['ʊuldtaɪmɐ] ⟨*engl.*⟩
der; -s, -: (scherzh.) 1. altes, gut
gepflegtes Modell eines Fahr-
zeugs (bes. Auto, aber auch
Flugzeug, Schiff, Eisenbahn). 2.
(scherzh.) jmd., der über lange
Jahre bei einer Sache dabei war
u. daher das nötige Wissen, die
nötige Erfahrung hat

»lé! [o'lɛ] ⟨*span.;* aus arab. *Allah*

= „der Gott"⟩: spanischer Aus-
ruf mit der Bedeutung: los!, auf!,
hurra!

O|lea: Plural von ↑ Oleum

O|le|an|der ⟨*mlat.-it.*⟩ *der; -s, -:*
Rosenlorbeer; immergrüner
Strauch od. Baum aus dem Mittelmeergebiet mit rosa, weißen u.
gelben Blüten

O|le|as|ter ⟨*gr.-lat.*⟩ *der; -:* strau-
chige Wildform des Ölbaums.
O|le|at ⟨*gr.-lat.-nlat.*⟩ *das; -[e]s,
-e:* Salz der Ölsäure

O|le|cra|non*, auch: Olekranon
⟨*gr.*⟩ *das; -[s], ...na:* Ellbogen, Ell-
bogenhöcker (Anat.)

O|le|fin ⟨Kunstw.⟩ *das; -s, -e:* un-
gesättigter Kohlenwasserstoff
mit einer od. mehreren Doppel-
bindungen im Molekül. **O|le|in**
⟨*gr.-lat.-nlat.*⟩ *das; -s, -e:* ungerei-
nigte Ölsäure

O|le|kra|non* vgl. Olecranon

O|le|om ⟨*gr.-lat.-nlat.*⟩ *das; -s, -e:*
↑ Oleosklerom. **O|le|o|sa** ⟨*gr.-
lat.*⟩ *die* (Plural): ölige Arznei-
mittel (Med.). **O|le|o|skle|rom***
⟨*gr.-lat.; gr.*⟩ *das; -s, -e:* Öltumor;
Geschwulst in der Haut infolge
Bindegewebsreizung nach Ein-
spritzung ölhaltiger Arzneimit-
tel. **O|le|o|tho|rax** ⟨*gr.-lat.; gr.*⟩
der; -[es], -e: Ersatz der Luft
durch Ölfüllung beim künstli-
chen ↑ Pneumothorax. **O|le|um**
⟨*gr.-lat.*⟩ *das; -s, Olea:* ölige Flüssigkeit, die sich u. a. zum Ätzen
eignet; rauchende Schwefelsäure

Ol|fak|to|me|ter ⟨*lat.; gr.*⟩ *das; -s,
-:* Gerät zur Prüfung des Ge-
ruchssinns (Med.). **Ol|fak|to-
met|rie*** *die; -:* Messung der Ge-
ruchsempfindlichkeit (Med.).
ol|fak|to|risch ⟨*lat.*⟩: den Riech-
nerv betreffend (Med.). **Ol|fak-
to|ri|um** ⟨*lat.*⟩ *das; -s, ...ien:* Riechmit-
tel (Med.). **Ol|fak|to|ri|us** ⟨*lat.;*
„riechend", Kurzbezeichnung
für: Nervus olfactorius⟩ *der; -,
...rii* od. *...rien:* Riechnerv
(Med.)

Oli|ba|num ⟨*arab.-mlat.*⟩ *das; -s:*
Gummiharz der Weihrauch-
baumarten an der Küste des Roten Meeres, in Südarabien u. So-
malia; Weihrauch

Oli|fant [auch: ...'fant] ⟨*gr.-lat.-
fr.*⟩: Name des elfenbeinernen
Hifthorns Rolands in der Karls-
sage) *der; -[e]s, -e:* im Mittelalter
reich verziertes Signalhorn

Oli|ga|kis|u|rie* ⟨*gr.-nlat.*⟩ *die; -:*
seltenes Urinlassen (Med.). **Oli-
gä|mie** *die; -, ...ien:* Blutarmut
infolge Verminderung der Ge-
samtblutmenge des Körpers
(Med.). **Oli|g|arch** ⟨*gr.*⟩ *der; -en,*

-en: a) Anhänger der Oligarchie;
b) jmd., der mit wenigen anderen
zusammen eine Herrschaft aus-
übt. **Oli|gar|chie** ⟨*gr.*⟩ *-, ...ien:*
Herrschaft einer kleinen Grup-
pe. **oli|gar|chisch:** die Oligar-
chie betreffend. **Oli|gal|se** ⟨*gr.-
nlat.*⟩ *die; -, -n:* Zucker spalten-
des Enzym (Chem.). **Oli|go-
chä|ten** ⟨*gr.-nlat.*⟩ *die* (Plural):
Borstenwürmer (z. B. Regen-
wurm; Zool.). **Oli|go|cho|lie**
[...ç...] *die; -:* Gallenmangel (z. B.
bei Leber und Gallenblasen-
krankheiten; Med.). **Oli|go-
chro|mä|mie** [...kro...] *die; -,
...ien:* Bleichsucht (Med.). **Oli-
go|dak|ty|lie** *die; -, ...ien:* ↑ Ek-
trodaktylie. **Oli|go|dip|sie** *die;
-:* abnorm herabgesetztes Durst-
gefühl (Med.); vgl. Polydipsie.
Oli|go|don|tie *die; -:* angebore-
ne Fehlentwicklung der Gebis-
ses, bei der weit weniger als (normalerweise) 32 Zähne ausgebil-
det werden (Med.). **Oli|gol|dy-
na|mie** *die; -:* entkeimende Wir-
kung von Metallionen (z. B. des
Silbers) in Flüssigkeiten
(Chem.). **Oli|go|dy|na|misch:**
in kleinsten Mengen wirksam
(Chem.). **Oli|go|glo|bu|lie** ⟨*gr.-
lat.-nlat.*⟩ *die; -, ...ien:* ↑ Oligozythämie.
Oli|go|hy|drä|mie *die; -, ...ien:*
Verminderung der Wasserge-
halts des Blutes (Med.). **Oli|go-
klas** *der; -[es], -e:* ein Feldspat.
Oli|go|me|nor|rhö *die; -, -en u.*
Oli|go|me|nor|rhöe [...'rø:] *die;
-, -n* [...'rø:ɔn]: zu seltene Mo-
natsblutung (Med.). **oli|go|mer:**
eine geringere als die normale
Gliederzahl aufweisend (von
Blütenkreisen; Bot.). **oli|go-
phag** ⟨*gr.*⟩: in der Ernährung auf
einige Futterpflanzen od. Beute-
tiere spezialisiert (von bestimm-
ten Tieren; Zool.). **Oli|go|pha-
gie** *die; -:* Ernährungsweise oli-
gophager Tiere (Zool.). **Oli|go-
phre|nie** *die; -, ...ien:* auf erbli-
cher Grundlage beruhender od.
im frühen Kindesalter erworbener Intelligenzdefekt (Med.).
Oli|go|pnoe ⟨*gr.-nlat.*⟩ *die; -:*
verminderte Atmungsfrequenz
(Med.). **Oli|go|pol** *das; -s, -e:*
Form des Monopols, bei der der
Markt von einigen wenigen
Großunternehmen beherrscht
wird (Wirtsch.). **Oli|go|po|list**
der; -en, -en: jmd., der einem Oli-
gopol angehört. **oli|go|po|lis-
tisch:** die Marktform des Oligo-
pols betreffend. **Oli|go|pson**
das; -s, -e: das Vorhandensein
nur weniger Nachfrager auf ei-

nem Markt (Wirtsch.). **o|li|go-se|man|tisch:** nur wenige Bedeutungen habend (Sprachw.); vgl. polysemantisch. **O|li|go|si|al|lie** *die;* -, ...ien: verminderte Speichelabsonderung (Med.). **O|li|go|sper|mie** *die;* -, ...ien: starke Verminderung der Spermien im Ejakulat (Med.). **O|li|go|tri|chie** *die;* -, ...ien: mangelnder Haarwuchs (Med.). **o|li-go|troph:** nährstoffarm (von Seen od. Ackerböden; Biol.; Landw.). **O|li|go|tro|phie** *die;* -: Nährstoffmangel. **o|li|go|zän:** das Oligozän betreffend (Geol.). **O|li|go|zän** *das;* -s: mittlere Abteilung des ↑Tertiärs (Geol.). **O|li|go|zyt|hä|mie** *(gr.; lat.-nlat.)* *die;* -, ...ien: starke Verminderung der roten Blutkörperchen im Blut (Med.). **O|lig|u|rie** *(gr.-nlat.) die;* -, ...ien: mengenmäßig stark verminderte Harnausscheidung (Med.)

O|lim *(lat.;* „ehemals"): nur in der Wendung: **seit, zu Olims Zeiten:** (scherzh.) seit, vor undenklicher Zeit

o|liv *(gr.-lat.):* von dunklem, bräunlichem Gelbgrün. **O|li|ve** *die;* -, -n: 1. a) Frucht des Ölbaumes, die das Olivenöl liefert; b) Olivenbaum, Ölbaum. 2. olivenförmige Erhabenheit im verlängerten Mark (Anat.). 3. Handgriff für die Verschlussvorrichtung an Fenstern, Türen o. Ä. 4. eine länglich raute Bernsteinperle. 5. olivenförmiges Endstück verschiedener ärztlicher Instrumente od. Laborgeräte (z. B. eines Katheters; Med.). **O|li|vet|te** *(gr.-lat.-fr.) die;* -, -n: Koralle od. Glasperle, die früher in Afrika zum Tauschhandel verwendet wurde. **O|li|vin** *(gr.-lat.-nlat.) der;* -s, -e: in ↑prismatischen bis dicktafligen Kristallen auftretendes glasig glänzendes, flaschengrün bis gelblich durchscheinendes Mineral

Ol|la pod|ri|da* *(span.) die;* - -, -s -s: spanisches Gericht aus gekochtem Fleisch, Kichererbsen u. geräucherter Wurst

O|lymp *(gr.-lat.;* nach dem Wohnsitz der Götter auf dem nordgriech. Berg Olympos im alten Griechenland) *der;* -s: 1. geistiger Standort, an dem sich jmd. weit über anderen zu befinden glaubt. 2. (ugs. scherzh.) oberster Rang, Galerieplätze im Theater od. in der Oper. **O|lym|pia** *(gr.;* altgriech. Kultstätte in Olympia (Elis) auf dem Peloponnes) *das;*

-[s] (meist ohne Artikel): Olympische Spiele. **O|lym|pi|a|de** *(gr.-lat.) die;* -, -n: 1. Zeitspanne von 4 Jahren, nach deren jeweiligem Ablauf im Griechenland der Antike die Olympischen Spiele gefeiert wurden. 2. a) Olympische Spiele; b) Wettbewerb (häufig in Zusammensetzungen wie z. B. Schlagerolympiade). **O|lym|pi-er** *(gr.-lat.;* nach dem Wohnsitz der Götter des alten Griechenlands auf dem nordgriech. Berg Olympos) *der;* -s, -: 1. Beiname der griechischen Götter, bes. des Zeus. 2. erhabene Persönlichkeit; Gewaltiger, Herrscher in seinem Reich. **O|lym|pi|o|ni|ke** *(gr.-lat.;* nach der altgriech. Kultstätte in Olympia (Elis) auf dem Peloponnes) *der;* -n, -n: 1. Sieger bei den Olympischen Spielen. 2. Teilnehmer an den Olympischen Spielen. **o|lym|pisch:** 1. göttergleich, hoheitsvoll, erhaben. 2. die Olympiade betreffend; **Olympische Spiele:** alle 4 Jahre stattfindende Wettkämpfe der Sportler aus aller Welt

om *(sanskr.):* magische Silbe des Brahmanismus, die als Hilfe zur Befreiung in der Meditation gesprochen wird

O|ma|gra* *(gr.-nlat.) das;* -: Gichterkrankung eines Schultergelenks (Med.). **O|mal|gie** *die;* -, ...ien: [rheumatischer] Schulterschmerz (Med.). **O|marth|ri|tis** *die;* -, ...itiden: Entzündung des Schultergelenks (Med.)

O|ma|sus *(gall.-lat.) der;* -: Blättermagen, Teil des Wiederkäuermagens, der den Nahrungsbrei nach dem Wiederkäuen aufnimmt (Zool.)

Om|bra|ge* [õ'bra:ʒə] *(lat.-fr.) die;* -: (veraltet) 1. Schatten. 2. Argwohn, Misstrauen, Verdacht. **Om|bré** [õ'bre:] *(„schattiert") der;* -[s], -s: Gewebe mit schattierender Farbstellung. **om|briert:** schattiert (in Bezug auf verschwommene Farben in Textilien o. Ä.)

Om|bro|graph*, auch: **Ombrograf** *(gr.-nlat.) der;* -en, -en: Regenschreiber; Gerät zum Aufzeichnen der Niederschlagsmenge (Meteor.). **Om|bro|me|ter** *das;* -s, -: Regenmesser (Meteor.). **om|bro|phil:** Regen bzw. Feuchtigkeit liebend (von Tieren u. Pflanzen; Biol.); Ggs. ↑ombrophob. **om|bro|phob:** trockene Gebiete bevorzugend (von Tieren u. Pflanzen; Biol.); Ggs. ↑ombrophil

Om|buds|frau *die;* -, -en: Frau, die die Rechte des Bürgers gegenüber den Behörden wahrnimmt. **Om|buds|mann** *(schwed.) der;* -[e]s, ...männer (selten: ...leute): Mann, der die Rechte des Bürgers gegenüber den Behörden wahrnimmt

O|me|ga *(gr.) das;* -[s], -s: vierundzwanzigster (und letzter) Buchstabe des griechischen Alphabets (langes O): Ω, ω

O|me|lett [ɔm(ə)'lɛt] *(fr.) das;* -[e]s, -e u. -s, auch (österr. u. schweiz. nur): **O|me|lette** [...'lɛt] *die;* -, -n: Eierkuchen. **Omelette aux confitures:** mit eingemachten Früchten od. Marmelade gefüllter Eierkuchen; **Omelette aux fines herbes:** Eierkuchen mit Kräutern; **Omelette soufflée:** Auflaufomelette

O|men *(lat.) das;* -s, - u. Omina: (gutes od. schlechtes) Vorzeichen; Vorbedeutung

O|men|tum *(lat.) das;* -s, ...ta: Teil des Bauchfells, das aus der schürzenartig vor dem Darm hängenden Bauchfellfalte (großes Netz) u. der Bauchfellfalte zwischen Magen u. unterem Leberrand (kleines Netz) besteht (Anat.)

O|mer|tà [...'ta] *(ital.) die;* -: Gesetz des Schweigens, Schweigepflicht, solidarisches Schweigen (in der Mafia)

O|mik|ron* *(gr.) das;* -[s], -s: fünfzehnter Buchstabe des griechischen Alphabets (kurzes O): O, o

O|mi|na: *Plural* von ↑Omen. **o|mi-nös** *(lat.):* a) von schlimmer Vorbedeutung, unheilvoll; b) bedenklich, verdächtig, anrüchig

O|mis|sa *(lat.) die* (Plural): (veraltet) Fehlendes, Lücken, Ausgelassenes. **O|mis|si|on** *die;* -, -en: (veraltet) Aus-, Unterlassung, Versäumnis (z. B. der Annahmefrist einer Erbschaft). **O|mis|siv|de|likt** *(lat.-nlat.; lat.) das;* -[e]s, -e: Begehung einer Straftat durch Unterlassung eines gebotenen Verhaltens (Rechtsw.). **o|mit|tie|ren** *(lat.):* (veraltet) aus-, unterlassen

Om|la|di|na *(serb.) die;* -: (1848 gegründete) serbischer Geheimbund zum Kampf für die Unabhängigkeit Serbiens

om ma|ni pad|me hum *(sanskr.):* magisch-religiöse Formel des ↑lamaistischen Buddhismus, die z. B. in Gebetsmühlen als unaufhörliches Gebet wirken soll

Om|mal|ti|di|um *(gr.-nlat.) das;* -s,

...ien: Einzelauge eines Facettenauges (Zool.). **Om|ma|topho|ren** die (Plural): hinteres, längeres Fühlerpaar der Schnecken (Zool.)

om|nia ad malio|rem Dei glo|ri-am ⟨lat.⟩: „alles zur größeren Ehre Gottes!" (Wahlspruch der Jesuiten, meist gekürzt zu: ad maiorem Dei gloriam); Abk.: O. A. M. D. G.

om|nia mea me|cum por|to ⟨lat.⟩: „all meinen Besitz trage ich bei mir!" (lateinische Übersetzung eines Ausspruchs von Bias, einem der Sieben Weisen Griechenlands, 625–540 v. Chr.)

Om|ni|bus ⟨lat.-fr.; „(Wagen) für alle") der; -ses, -se: großer Kraftwagen mit vielen Sitzen zur Beförderung einer größeren Anzahl von Personen; Kurzform: Bus

Om|ni|en: Plural von ↑Omnium.

om|ni|po|tent ⟨lat.⟩: allmächtig, einflussreich. **Om|ni|po|tenz** die; -: a) göttliche Allmacht; b) absolute Machtstellung. **om|ni|prä|sent:** allgegenwärtig. **Om|ni|prä|senz** ⟨lat.-nlat.⟩ die; -: Allgegenwart (Gottes). **Om|nis|zi-enz*** die; -: Allwissenheit (Gottes). **Om|ni|um** das; -s, ...ien: aus mehreren Bahnwettbewerben bestehender Wettkampf (Radsport). **Om|ni|um|ver|si|che-rung** ⟨lat.; dt.⟩ die; -, -en: einheitliche Versicherung verschiedener Risiken. **om|ni|vor** ⟨lat.; „alles verschlingend"): sowohl pflanzliche wie tierische Nahrungsstoffe verdauend (von bestimmten Tieren; Zool.). **Om|ni-vo|re** der; -n, -n (meist Plural): Allesfresser, von Pflanzen u. Tiernahrung lebendes Tier. **Om-ni|zid** der od. das; -[e]s, -e: das Sich-selbst-Töten der Menschheit, das Auslöschen der eigenen Art, Vernichtung allen menschlichen Lebens [durch Atomwaffen]

O|mo|dy|nie* ⟨gr.-nlat.⟩ die; -, ...ien: ↑Omalgie

O|mo|pha|gie ⟨gr.-lat.⟩ die; -: Verzehr des rohen Fleisches eines Opfertieres (um sich die Kraft des darin verkörperten Gottes anzueignen; z. B. im antiken Dionysoskult)

O|mo|pho|ri|on ⟨gr.⟩ das; -s, ...ien: ↑Pallium (3) der Bischöfe in der orthodoxen Kirche

Om|pha|cit vgl. Omphazit

Om|pha|li|tis ⟨gr.-nlat.⟩ die; -, ...iti|den: Nabelentzündung

(Med.). **Om|phal|o|sko|pie*** die; -: meditative Betrachtung des eigenen Nabels (vor allem im ↑Hesychasmus)

Om|pha|zit ⟨gr.⟩ der; -s, -e: ein Mineral, Teil des Gemenges bestimmter kristalliner Schiefer

Om|rah ⟨arab.⟩ die; -: kleine Pilgerfahrt nach Mekka

O|mul ⟨russ.⟩ der; -s, -e [o'mu:lə]: Renke, Felchenart des Baikalsees

on ⟨engl.⟩: auf der Bühne, im Fernsehbild beim Sprechen sichtbar; Ggs. ↑off. **On** das; -: das Sichtbarsein eines Sprechers, Kommentators im Fernsehen, auf der Bühne; Ggs. ↑Off

O|na|ger ⟨gr.-lat.⟩ der; -s, -: 1. in Südwestasien heimischer Halbesel. 2. (hist.) römische Wurfmaschine

O|na|nie ⟨engl.; Neubildung zum Namen der biblischen Gestalt Onan) die; -: geschlechtliche Selbstbefriedigung durch manuelles Reizen der Geschlechtsorgane; ↑Masturbation. **o|na|nie-ren:** durch Manipulationen an den Geschlechtsorganen [sich selbst] sexuell erregen, zum Orgasmus bringen; ↑masturbieren. **O|na|nist** der; -en, -en: jmd., der onaniert. **o|na|nis|tisch:** die Onanie betreffend

On|cho|zer|ko|se [ɔnço...] ⟨gr.-nlat.⟩ die; -, -n: durch einen Wurm ausgelöste Krankheit, der durch den Stich einer infizierten afrikanischen Kriebelmücke in den Unterschenkel übertragen wird u. dann ins Auge wandert, was zur Erblindung u. später meist zum Tode führt; Flussblindheit (Med.).

on|deg|gian|do [ɔndɛdʒa...] ⟨lat.-it.; „wogend") u. **on|deg-gian|do:** auf Streichinstrumenten durch regelmäßige Druckverstärkung u. -verminderung des Bogens den Ton rhythmisch an- u. abschwellen lassend (Mus.). **Ondes Mar|te|not** [õd-marte'no] ⟨fr.; nach dem Franzosen M. Martenot) die (Plural): (1928 konstruiertes) hochfrequentes, elektroakustisches Musikinstrument

On|dit [õ'di:] ⟨fr.; „man sagt") das; -[s], -s: Gerücht

On|du|la|ti|on ⟨lat.-fr.⟩ die; -, -en: das Wellen der Haare mit einer Brennschere. **On|du|lé** [õdy'le:] der; -[s], -s: Gewebe mit wellig gestalteter Oberfläche. **on|du-lie|ren:** (Haare) [mit einer Brennschere] wellen

O|nei|ro|dy|nia* ⟨gr.-nlat.⟩ die; -: Albdrücken, nächtliche Unruhe (Med.). **O|nei|ro|man|tie** die; -: (veraltet) Traumdeutung

One-Man-Show ['wʌn'mænʃou] ⟨engl.⟩ die; -, -s: Show, die ein Unterhaltungskünstler allein bestreitet

One-Night-Stand ['wʌn'naitstænd] ⟨engl.⟩ der; -, -s: flüchtiges sexuelles Abenteuer

O|ne|ra: Plural von ↑Onus. **o|ne-rie|ren** ⟨lat.⟩: (veraltet) belasten, aufbürden. **o|ne|ros** u. **o|ne|rös:** (veraltet) beschwerlich, mühevoll

One|step ['wʌnstɛp] ⟨engl.⟩ der; -s, -s: aus Nordamerika stammender schneller Tanz im $^2/_4$ od. $^6/_8$-Takt (seit 1900)

on|ga|rel|se u. **on|gha|rel|se** ⟨it.⟩: ungarisch (Mus.)

O|ni|o|mal|nie ⟨gr.-nlat.⟩ die; -: krankhafter Kauftrieb (Med.)

on|ko|gen ⟨gr.-nlat.⟩: eine bösartige Geschwulst erzeugend (Med.). **On|ko|gen** das; -s, -e: Gen, das die Entstehung von bösartigen Geschwülsten bewirken kann. **On|ko|ge|ne|se** die; -, -n: Entstehung von [bösartigen] Geschwülsten (Med.). **On|ko|lo-ge** der; -n, -n: Arzt mit speziellen Kenntnissen auf dem Gebiet der Geschwulstkrankheiten (Med.). **On|ko|lo|gie** die; -: Teilgebiet der Medizin, das sich mit den Geschwülsten befasst. **on|ko|lo-gisch:** die Onkologie betreffend. **On|ko|ly|se** die; -, -n: Auflösung von Geschwulstzellen durch Injektionen spezifischer Substanzen. **on|ko|ly|tisch:** die Onkolyse betreffend. **On|kor|na|vi|rus** ⟨Kurzw. aus Onko..., RNA = engl. Abk. für Ribonukleinsäure u. Virus) der (fachspr.: das); -, ...ren (meist Plural): geschwulstbildender Ribonukleinsäurevirus. **On|ko|sphae|ra*** [...'sfɛːra] die; -, ...ren: Hakenlarve der Bandwürmer

on|line ['ɔnlain] ⟨engl.⟩: in direkter Verbindung mit den Datenverarbeitungsanlage arbeitend (EDV); Ggs. ↑offline. **On|line-be|trieb** der; -[e]s, -e: Betriebsart von Geräten, die direkt mit einer Datenverarbeitungsanlage verbunden sind (EDV). **On|line-dienst** der; -[e]s, -e: Telekommunikationsdienst, bei dem Text-, Ton-, Bild- u. Videoinformationen im Onlinebetrieb über Datennetze (bes. über das Telefonnetz) übertragen werden

O|no|lo|ge ⟨gr.-nlat.⟩ der; -n, -n:

Fachmann auf dem Gebiet der Önologie. **Ö|no|lo|lgie** die; -: Wein[bau]kunde. **ö|no|lo|gisch:** die Önologie betreffend. **Ö|no|ma|nie** die; -, ...ien: ↑ Delirium tremens

O|no|man|tie ⟨gr.-nlat.⟩ die; -: früher übliche Wahrsagerei aus Namen. **O|no|ma|si|o|lo|gie** die; -: Teilgebiet der Sprachwissenschaft, das sich damit befasst, wie Dinge, Wesen u. Geschehnisse sprachlich bezeichnet werden; Bezeichnungslehre. **o|no|ma|si|o|lo|gisch:** die Onomasiologie betreffend. **O|no|mas|tik** ⟨gr.⟩ die; -: Wissenschaft von den Eigennamen, Namenkunde (Sprachw.). **O|no|mas|ti|kon** das; -s, ...ken u. ...ka: 1. in der Antike od. im Mittelalter erschienenes Namen- od. Wörterverzeichnis. 2. [kürzeres] Gedicht auf den Namenstag einer Person. **O|no|ma|to|lo|gie** die; -: ↑ Onomastik. **O|no|ma|to|ma|nie** ⟨gr.-nlat.⟩ die; -: (Med.) a) krankhafter Zwang zur Erinnerung an bestimmte Wörter od. Begriffe; b) krankhafter Zwang zum Aussprechen bestimmter [obszöner] Wörter. **O|no|ma|to|po|e|sie** [...po-e...] die; -: ↑ Onomatopöie. **O|no|ma|to|po|e|ti|kon** das; -s, ...ka u. **O|no|ma|to|po|e|ti|kum** das; -s, ...ka: Klänge nachahmendes, lautmalendes Wort. **o|no|ma|to|po|e|tisch:** die Onomatopöie betreffend; lautmalend. **o|no|ma|to|pö|e|tisch:** ↑ onomatopoetisch. **O|no|ma|to|pö|ie** ⟨gr.-lat.⟩ die; -, ...ien: a) Laut-, Schallnachahmung, Lautmalerei bei der Bildung von Wörtern (z. B. grunzen, bauz); b) Wortbildung des Kleinkindes durch Lautnachahmung (z. B. Wauwau).

Ö|no|me|ter ⟨gr.-nlat.⟩ das; -s, -: Messinstrument zur Bestimmung des Alkoholgehaltes des Weins

Ö|norm ⟨Kurzw. aus: Österreichische Norm⟩ die; -: österreichische Industrienorm

on parle fran|çais [õparlfrãˈsɛ] ⟨fr.; „man spricht Französisch"⟩: hier wird Französisch gesprochen, hier spricht man Französisch (als Hinweis z. B. für Kunden in einem Geschäft)

on the road [ɔn ðə ˈroud] ⟨engl.⟩: unterwegs

on the rocks [ɔn ðə ˈrɔks] ⟨engl.; „auf den Felsblöcken"⟩: mit Eiswürfeln (von Getränken)

on|tisch ⟨gr.⟩: als seiend, unab-

hängig vom Bewusstsein existierend verstanden, dem Sein nach (Philos.). **On|to|ge|ne|se** ⟨gr.-nlat.⟩ die; -: die Entwicklung des Individuums von der Eizelle zum geschlechtsreifen Zustand (Biol.). **on|to|ge|ne|tisch:** die Entwicklung des Individuums betreffend. **On|to|ge|nie** die; -: ↑ Ontogenese. **on|to|ge|nisch:** ↑ ontogenetisch. **On|to|lo|ge** der; -n, -n: Vertreter ontologischer Denkweise (Philos.). **On|to|lo|gie** die; -: Lehre vom Sein, von den Ordnungs-, Begriffs- u. Wesensbestimmungen des Seienden. **on|to|lo|gisch:** die Ontologie betreffend. **On|to|lo|gis|mus** der; -: von Malebranche (17. Jh.) u. bes. von italienischen katholischen Philosophen im 19. Jh. wieder aufgenommene Anschauung der Erkenntnislehre des Descartes u. des ↑ Okkasionalismus, wonach alles endliche Seiende, auch Bewusstsein u. menschlicher Geist, als nur scheinbare Ursächlichkeit verstanden wird u. seine eigentliche Ursache in Gott als dem ersten Sein hat (Philos.). **On|to|so|phie** die; -: Bezeichnung von J. Clauberg für ↑ Ontologie

O|nus ⟨lat.⟩ das; -, Onera: (veraltet) Last, Bürde, Auflage, Verbindlichkeit (Rechtsw.)

O|nych|at|ro|phie* ⟨gr.-nlat.⟩ die; -: Verkümmerung der Nägel (Med.). **O|ny|chie** die; -, ...ien: Nagelbettentzündung (Med.). **O|ny|chog|ry|po|se*** die; -, ...sen: krallenartige Verbildung der Nägel (Med.). **O|ny|cho|ly|se** die; -: Ablösung des Nagels vom Nagelbett (Med.). **O|ny|cho|ma|de|se** die; -: Ausfall aller Nägel (Med.). **O|ny|cho|my|ko|se** die; -, -n: Pilzerkrankung der Nägel (Med.). **O|ny|cho|pha|gie** die; -, ...ien: Nägelkauen (Med.). **O|ny|cho|se** die; -, -n: Nagelkrankheit (Med.). **O|nyx** ⟨gr.-lat.⟩ der; -[es], -e: 1. Halbedelstein, Abart des Quarzes. 2. Hornhautabszess von der Form eines Nagels (Med.). **O|nyx|glas** ⟨gr.-lat.; dt.⟩ das; -es: unregelmäßig geädertes, farbiges Kunstglas

Onze et de|mi [õzed(ə)ˈmi] ⟨fr.; „elfeinhalb"⟩ das; - - -: französisches Kartenglücksspiel

O|o|gla|mie ⟨gr.-nlat.⟩ die; -: Vereinigung einer großen unbeweglichen Eizelle mit einer kleinen, meist beweglichen männlichen Geschlechtszelle (Biol.). **O|o|ge|ne|se** die; -, -n: Entwicklung des

Eis vom Keimepithel bis zum reifen Ei (Med.; Biol.). **o|o|ge|ne|tisch:** die Oogenese betreffend. **O|o|go|ni|um** das; -s, ...ien: Bildungsstelle der Eizelle niederer Pflanzen (Bot.). **O|o|id** das; -[e]s, -e: kleines rundes Gebilde aus Kalk od. Eisenverbindungen, das sich schwebend in bewegtem Wasser bilden kann (Geol.). **O|o|ki|net** der; -en, -en: parasitisches Sporentierchen (z. B. Malariaerreger) in einem bestimmten Entwicklungsstadium. **O|o|lem|ma** das; -s, ...mmen od. -ta: die Eizelle umhüllende Zellmembran (Biol.; Med.). **O|o|lith** [auch: ...ˈlɪt] der; -s u. -en, -e[n]: ein aus Ooiden zusammengesetztes Gestein. **o|o|li|thisch:** in Oolithen abgelagert. **O|o|lo|gie** die; -: Eierkunde (Zweig der Vogelkunde). **O|o|my|ze|ten** die (Plural): Ordnung der Algenpilze mit zahlreichen Pflanzenschädlingen (Bot.). **O|o|pho|rek|to|mie*** die; -, ...ien: ↑ Ovariektomie. **O|o|pho|ri|tis** der; -, ...itiden (Med.). **o|o|pho|ro|gen:** von den Eierstöcken ausgehend (z. B. von Unterleibserkrankungen; Med.). **O|o|pho|ron** das; -s: Eierstock (Med.). **O|o|plas|ma** das; -: Plasma (1) der Eizelle (Biol.). **O|o|ze|pha|lie** die; -, ...ien: ↑ Sphenozephalie. **O|o|zo|id** das; -[e]s, -e: aus einem Ei entstandenes Individuum (bes. bei den ↑ Tunikaten; Biol.). **O|o|zyt** der; -en, -en u. **O|o|zy|te** die; -: unreife Eizelle (Biol.)

OP [oˈpeː] der; -[s], -[s]: Kurzw. für: Operationssaal

opak ⟨lat.⟩: undurchsichtig, lichtundurchlässig

O|pal ⟨sanskr.-gr.-lat.⟩ der; -s, -e: 1. glasig bis wächsern glänzendes, milchig weißes od. verschiedenfarbiges Mineral, das in einigen farbenprächtigen Spielarten auch als Schmuckstein verwendet wird. 2. (ohne Plural) feines Baumwollgewebe von milchigem Aussehen. **o|pal|len:** a) aus Opal bestehend; b) durchscheinend wie Opal. **o|pa|les|zent:** Opaleszenz aufweisend, opalisierend. **O|pa|les|zenz** ⟨sanskr.-gr.-lat.-nlat.⟩ die; -: opalartiges, rötlich bläuliches Schillern. **o|pa|les|zie|ren:** Opaleszenz zeigen. **O|pal|glas** ⟨sanskr.-gr.-lat.-nlat.; dt.⟩ das; -es: schwach milchiges, opalisierendes Glas. **o|pa|li|sie|ren** ⟨sanskr.-gr.-lat.-nlat.⟩: in Farben schillern wie ein Opal

O|pan|ke ⟨serb.⟩ die; -, -n: sandalenartiger Schuh mit am Unterschenkel kreuzweise gebundenem Lederriemen

Op-Art ['ɔp|aːɐ̯t] ⟨engl.; Kurzw. aus: optical art ⟩ die; -: moderne illusionistisch dekorative Kunstrichtung (mit starkem Einfluss auf die Mode), die durch geometrische Abstraktionen (in hart konturierten Farben) charakterisiert ist. Op-Ar|tist der; -en, -en: (Jargon) Vertreter der Op-Art

O|pa|zi|tät ⟨lat.⟩ die; -: Undurchsichtigkeit (Optik)

O|pen ['oʊp(ə)n] ⟨engl.⟩ das; -s, -: (Jargon) offener Wettbewerb, offene Meisterschaft. O|pen|air|fes|ti|val, auch: O|pen-Air-Festi|val ['oʊp(ə)n'ɛəfestivəl] das; -s, -s: im Freien stattfindende kulturelle Großveranstaltung (für Folklore, Popmusik o. Ä.). o|pen end ['oʊp(ə)n 'ɛnd]: ohne ein vorher auf einen bestimmten Zeitpunkt festgesetztes Ende. O|pen-End-Dis|kus|si|on ⟨engl.; lat.⟩ die; -, -en: Diskussion, deren Ende nicht durch einen vorher festgesetzten Zeitpunkt festgelegt ist. O|pe|ning ⟨engl.⟩ das; -s, -s: (Jargon) einleitender Teil, Anfangs-, Eröffnungsszene. O|pen|shop ['oʊp(ə)n'ʃɔp] ⟨engl.⟩ der; -[s], -s: 1. Betriebsart eines Rechenzentrums, bei der der Benutzer, der die Daten anliefert u. die Resultate abholt, zur Datenverarbeitungsanlage selbst Zutritt hat (EDV); Ggs. ↑Closedshop (1). 2. in England u. in den USA ein Unternehmen, für dessen Betriebsangehörige kein Gewerkschaftszwang besteht; Ggs. ↑Closedshop (2)

O|per ⟨lat.-it.⟩ die; -, -n: 1. a) (ohne Plural) Gattung von musikalischen Bühnenwerken mit Darstellung einer Handlung durch Gesang (Soli, Ensembles, Chöre) u. Instrumentalmusik; b) einzelnes Werk dieser Gattung. 2. (ohne Plural) a) Opernhaus; b) Opernhaus als kulturelle Institution; c) Mitglieder, Personal eines Opernhauses. ¹O|pe|ra: Plural von ↑Opus. ²O|pe|ra ⟨lat.-it.⟩ die; -, ...re: italien. Bez. für: Oper; Opera buffa: heitere, komische Oper (als Gattung); Opera eroica: Heldenoper (als Gattung); Opera semiseria: teils ernste, teils heitere Oper (als Gattung); Opera seria: ernste, große Oper (als Gattung)

o|pe|ra|bel ⟨lat.-fr.⟩: 1. operierbar (Med.). 2. so beschaffen, dass damit gearbeitet, operiert werden kann. O|pe|ra|bi|li|tät die; -: operable (1) Beschaffenheit; Operierbarkeit (Med.)

O|pé|ra co|mique [ɔperakɔ'mik] ⟨lat.-it.-fr.⟩ die; - -, -s -s [ɔperakɔ'mik]: 1. a) (ohne Plural) Gattung der mit gesprochenen Dialogen durchsetzten Spieloper; b) einzelnes Werk dieser Gattung. 2. a) Haus, Institut, in dem solche Opern gespielt werden; b) Mitglieder, Personal dieses Instituts

O|pe|rand ⟨lat.⟩ der; -en, -en: Information, die der Computer mit andern zu einer bestimmten Operation (4 b) verknüpft. o|pe|rant ⟨lat.-engl.⟩: eine bestimmte Wirkungsweise in sich habend; operante Konditionierung: Veränderung bestimmter Verhaltensweisen durch Verknüpfung von Situationsgegebenheiten mit Verhaltensweisen, die Belohnungen od. Bestrafungen nach sich ziehen (Psychol.; Soziol.); operantes Verhalten: Reaktion, die nicht von einem auslösenden Reiz abhängt, sondern von den Auswirkungen dieser Reaktion (Psychol.; Soziol.). O|pe|ra|teur [...'tøːɐ̯] ⟨lat.-fr.⟩ der; -s, -e: 1. Arzt, der eine Operation vornimmt. 2. a) Kameramann (bei Filmaufnahmen); b) Vorführer (in Lichtspieltheatern); c) Toningenieur. 3. jmd., dessen Aufgabe die Kontrolle u. Bedienung maschineller Anlagen ist. O|pe|ra|ting ['ɔpəreɪtɪŋ] ⟨engl.⟩ das; -s: das Bedienen (von Maschinen, Computern o. Ä.). O|pe|ra|ti|on ⟨lat.⟩ die; -, -en: 1. chirurgischer Eingriff (Med.). 2. zielgerichtete Bewegung eines [größeren] Truppen- od. Schiffsverbandes mit genauer Abstimmung der Aufgabe der einzelnen Truppenteile od. Schiffe. 3. a) Lösungsverfahren (Math.); b) wissenschaftlich nachkontrollierbares Verfahren, nach bestimmten Grundsätzen vorgenommene Prozedur. 4. a) Handlung, Unternehmung, Verrichtung; Arbeits-, Denkvorgang; b) (von Computern) Durchführung eines Befehls einer Datenverarbeitungsanlage (EDV). o|pe|ra|ti|o|na|bel: operationalisierbar. o|pe|ra|ti|o|nal ⟨lat.-nlat.⟩: sich durch Operationen (4 a) vollziehend, verfahrensbedingt; vgl. ...al/...ell. o|pe|ra|ti|o|na|li|sie|ren: 1. Begriffe präzisieren,

standardisieren durch Angabe der Operationen (4 a), mit denen der durch den Begriff bezeichnete Sachverhalt erfasst werden kann, od. durch Angabe der Indikatoren (der messbaren Ereignisse), die den betreffenden Sachverhalt anzeigen (Soziol.). 2. in der Curriculumforschung (vgl. Curriculum) Lernziele durch einen Ausbildungsgang in Verhaltensänderungen der Lernenden übersetzen, die durch Tests o. Ä. zu überprüfen sind. O|pe|ra|ti|o|na|lis|mus der; -: Wissenschaftstheorie, nach der wissenschaftliche Aussagen nur dann Gültigkeit haben, wenn sie sich auf physikalische Operationen (4 a) zurückführen lassen; vgl. Operativismus. o|pe|ra|ti|o|nell: ↑operational; vgl. ...al/...ell. O|pe|ra|ti|o|nis|mus der; -: ↑Operativismus. O|pe|ra|ti|ons|ba|sis die; -: Ausgangs-, Nachschubgebiet einer Operation (2). O|pe|ra|tions|re|search [ɔpə'reɪʃənriːsəːtʃ] ⟨engl.⟩ das; -s, u. die; -: Unternehmensforschung (Wirtsch.). o|pe|ra|tiv ⟨lat.-nlat.⟩: 1. die Operation (1) betreffend, chirurgisch eingreifend (Med.). 2. strategisch (Mil.). 3. konkrete Maßnahmen treffend, sie unmittelbar wirksam werden lassend (bes. Wirtsch.). O|pe|ra|ti|vis|mus der; -: Lehre der modernen Naturphilosophie, wonach die Grundlage der Physik nicht die Erfahrung, sondern menschliches Handeln (Herstellung von Apparaturen u. a.) sei. O|pe|ra|ti|vi|tät die; -: operative (3) Beschaffenheit, unmittelbare Wirksamkeit. O|pe|ra|tor ⟨lat.(engl.)⟩ der; -s, ...oren u [bei engl. Aussprache:] -[s]: 1. [auch: 'ɔpəreɪtə] Fachkraft für die selbstständige Bedienung von elektronischen Datenverarbeitungsanlagen (EDV). 2. in Wissenschaft und Technik etwas Materielles oder Ideelles, was auf etwas anderes verändernd einwirkt; Mittel oder Verfahren zur Durchführung einer Operation (3 u. 4) (Fachspr., bes. Math., Linguistik)

O|pe|re: Plural von ↑²Opera. O|pe|ret|te ⟨lat.-it.; „kleine Oper") die; -, -n: a) (ohne Plural) Gattung von leichten, unterhaltenden musikalischen Bühnenwerken mit gesprochenen Dialogen, (strophenliedartigen) Soli, Ensembles, Chören u. Balletteinlagen; b) einzelnes Werk dieser Gattung. O|pe|ret|ten|staat *der;* -[e]s, -en: (scherzh.) kleiner, unbedeutender Staat (wie er z. B. als Fantasiegebilde oft als Schauplatz einer Operette vorkommt) o|pe|rie|ren ⟨*lat.*⟩: eine Operation (1–4) durchführen; **mit etwas operieren:** (ugs.) etwas benutzen, mit etwas umgehen, arbeiten O|per|ment ⟨*lat.*⟩ *das;* -[e]s, -e: ein Mineral O|phe|li|mi|tät ⟨*gr.-nlat.*⟩ *die;* -: das Nutzen der Güter, die der Befriedigung von Bedürfnissen dienen O|phi|klei|i|de* ⟨*gr.-nlat.*⟩ *die;* -, -n: tiefes Blechblasinstrument der Romantik (1817 von Halary konstruiert). O|phi|o|lat|rie* *die;* -: religiöse Verehrung von Schlangen O|phir, ökum.: Ofir ⟨*hebr.-gr.-mlat.*⟩ *das;* -s (meist ohne Artikel): fernes, sagenhaftes Goldland im Alten Testament ¹O|phit ⟨*gr.-lat.*⟩ *der;* -en, -en (meist Plural): Schlangenanbeter; Angehöriger einer ↑gnostischen Sekte, die die Schlange des Paradieses als Vermittlerin der Erkenntnis verehrte. ²O|phit *der;* -[e]s, -e: ein Mineral. o|phi|tisch ⟨*gr.*⟩: zur Sekte der Ophiten gehörend (z. B. in Bezug auf gnostische Offenbarungsschriften). O|phi|u|ro|i|den ⟨*gr.-nlat.*⟩ *die* (Plural): Schlangensterne (Stachelhäuter mit schlangenartigen Armen; Biol.) Oph|thal|mi|lat|rie* ⟨*gr.-nlat.*⟩ u. Oph|thal|mi|lat|rik *die;* -: Augenheilkunde (Med.). Oph|thal|mie *die;* -, ...ien: Augenentzündung (Med.). Oph|thal|mi|kum ⟨*gr.-lat.*⟩ *das;* -s, ...ka: Augenheilmittel (Med.). oph|thal|misch: zum Auge gehörend (Med.). Oph|thal|mo|blen|nor|rhö ⟨*gr.-nlat.*⟩ *die;* -, -en u. Oph|thal|mo|blen|nor|rhöe [...rø:] *die;* -, -n [...'rø:ən]: Augentripper; akute eitrige Augenbindehautentzündung als Folge einer Gonokokkeninfektion (Med.). Oph|thal|mo|di|ag|nos|tik *die;* -: Feststellung gewisser Krankheiten an Reaktionen der Augenbindehaut (Med.). Oph|thal|mo|lo|ge *der;* -n, -n: Augenarzt. Oph|thal|mo|lo|gie *die;* -: Augenheilkunde. oph|thal|mo|lo|gisch: die Augenheilkunde betreffend. Oph|thal|moph|thi|sis *die;* -, ...isen: Augapfelschwund (Med.). Oph|thal|mo|ple|gie *die;* -, ...ien: Augenmuskelläh-

mung (Med.). Oph|thal|mo|re|ak|ti|on ⟨*gr.; lat.-nlat.*⟩ *die;* -, -en: Reaktion der Augenbindehaut auf gewisse Krankheiten. Oph|thal|mo|skop ⟨*gr.-nlat.*⟩ *das;* -s, -e: Augenspiegel (Med.). Oph|thal|mo|sko|pie *die;* -, ...ien: Ausspiegelung des Augenhintergrundes (Med.). oph|thal|mo|sko|pisch: die Ophthalmoskopie betreffend, unter Anwendung des Augenspiegels (Med.) Oph|ti|o|le ® ⟨Kunstwort⟩ *die;* -, -n: Behältnis, aus dem Augentropfen ohne Pipette eingeträufelt werden O|pi|at ⟨*gr.-lat.-nlat.*⟩ *das;* -[e]s, -e: a) Arzneimittel, das Opium enthält; b) (im weiteren Sinne) Arzneimittel, das dem Betäubungsmittelgesetz unterliegt O|pi|nio com|mu|nis ⟨*lat.*⟩ *die;* - -: allgemeine Meinung O|pi|ni|on|lea|der [ɔ'pɪnjənli:dɐ] ⟨*engl.*⟩ *der;* -s, -: jmd., der die öffentliche Meinung zu einem bestimmten Thema beeinflussen will O|pis|tho|do|mos* ⟨*gr.*⟩ *der;* -, ...domoi: Raum hinter der Cella (1) eines griechischen Tempels. O|pis|tho|gle|nie u. O|pis|tho|gna|thie ⟨*gr.-nlat.*⟩ *die;* -, ...ien: das Zurückstehen des Unterkiefers; Vogelgesicht (Med.). O|pis|tho|graph, auch: Opisthograf ⟨*gr.-lat.*⟩ *das;* -s, -e: auf beiden Seiten beschriebene Handschrift od. Papyrusrolle. o|pis|tho|gra|phisch, auch: opisthografisch: auf beiden Seiten beschrieben (in Bezug auf Papyrushandschriften) od. bedruckt; Ggs. ↑anopisthographisch. O|pis|tho|to|nus ⟨*gr.-nlat.*⟩ *der;* -: Starrkrampf im Bereich der Rückenmuskulatur, wobei der Rumpf bogenförmig nach hinten überstreckt ist (Med.). o|pis|tho|zöl: hinten ausgehöhlt (von Wirbelknochen) O|pi|um ⟨*gr.-lat.*⟩ *das;* -s: aus dem Milchsaft des Schlafmohns gewonnenes schmerzstillendes Arzneimittel u. Rauschgift O|po|del|dok ⟨von Paracelsus gebildetes Kunstw.⟩ *der* od. *das;* -s: Einreibungsmittel gegen Rheumatismus. O|po|pa|nax ⟨*gr.-lat.*⟩ u. O|po|po|nax *der;* -[es] als Heilmittel verwendetes Harz einer mittelmeerischen Pflanze O|pos|sum ⟨*indian.-engl.*⟩ *das;* -s, -s: nordamerikanische Beutelratte mit wertvollem Fell O|po|the|ra|pie ⟨*gr.-nlat.*⟩ *die;* -: ↑Organtherapie

Op|po|nent ⟨*lat.*⟩ *der;* -en, -en: jmd., der eine gegenteilige Anschauung vertritt. op|po|nie|ren: 1. widersprechen, sich widersetzen. 2. gegenüberstellen (Med.). op|po|niert: gegenständig, gegenüberstehend, entgegengestellt (z. B. in Bezug auf Pflanzenblätter; Bot.) op|por|tun ⟨*lat.*⟩: in der gegenwärtigen Situation von Vorteil, angebracht; Ggs. ↑inopportun. Op|por|tu|nis|mus ⟨*lat.-fr.*⟩ *der;* -: 1. allzu bereitwillige Anpassung an die jeweilige Lage (um persönlicher Vorteile willen). 2. (im Marxismus) bürgerliche ideologische Strömung, die dazu benutzt wird, die Arbeiterbewegung zu spalten u. Teile der Arbeiterklasse an das kapitalistische System zu binden. Op|por|tu|nist *der;* -en, -en: 1. jmd., der sich aus Nützlichkeitserwägungen schnell u. bedenkenlos der jeweiligen Lage anpasst. 2. (im Marxismus) Anhänger, Vertreter des Opportunismus (2). op|por|tu|nis|tisch: 1. a) den Opportunismus betreffend; b) in der Art eines Opportunisten handelnd. 2. (im Hinblick auf Keime, Erreger) nur unter bestimmten Bedingungen ↑pathogen werdend. Op|por|tu|ni|tät ⟨*lat.*⟩ *die;* -, -en: Zweckmäßigkeit in der gegenwärtigen Situation; Ggs. ↑Inopportunität. Op|por|tu|ni|täts|prin|zip ⟨*lat.*⟩ *das;* -s: strafrechtlicher Grundsatz, der besagt, dass die Strafverfolgung in den gesetzlich gekennzeichneten Ausnahmefällen dem Ermessen der Staatsanwaltschaft überlassen ist (Einschränkung des ↑Legalitätsprinzips; Rechtsw.) Op|po|si|tär ⟨*lat.-nlat.*⟩: gegensätzlich, eine Opposition ausdrückend. Op|po|si|ti|on ⟨*lat. (-fr.)*⟩ *die;* -, -en: 1. Widerstand, Widerspruch. 2. Gesamtheit der an der Regierung nicht beteiligten u. mit der Regierungspolitik nicht einverstandenen Parteien u. Gruppen. 3. Stellung eines Planeten od. des Mondes, bei der Sonne, Erde u. Planet auf einer Geraden liegen; 180° Winkelabstand zwischen zwei Planeten (Astron.). 4. Gegensätzlichkeit sprachlicher Gebilde, z. B. zwischen Wörtern (kalt/warm) od. in rhetorischen Figuren (er ist nicht dumm, er ist gescheit; Sprachw.). 5. paradigmatische Relation einer sprachlichen Einheit zu einer anderen, gegen die sie in gleicher Umgebung ausgetauscht werden kann (z. B. die Studentin macht eine Prüfung/ der Student macht eine Prüfung; *grünes* Tuch/*rotes* Tuch; Sprachw.); vgl. Kontrast (2). 6. Gegenüberstellung des Daumens zu den anderen Fingern (Med.). 7. (Schach) a) Gegenüberstellung zweier gleichartiger, aber verschiedenfarbiger Figuren auf der gleichen Linie, Reihe od. Diagonalen zum Zwecke der Sperrung; b) [unmittelbare] Gegenüberstellung beider Könige auf einer Linie od. Reihe. 8. (beim Fechten) auf die gegnerische Klinge ausgeübter Gegendruck. **op|po|si|ti|o|nell** ⟨*lat.-fr.*⟩: a) gegensätzlich; gegnerisch; b) widersetzlich, zum Widerspruch neigend. **op|po|sitiv:** gegensätzlich, einen Gegensatz bildend

Op|pres|si|on ⟨*lat.*⟩ *die; -, -en:* 1. Bedrückung, Unterdrückung. 2. Beklemmung (Med.). **op|pressiv** ⟨*lat.-nlat.*⟩: unterdrückend, drückend. **op|pri|mie|ren** ⟨*lat.*⟩: bedrücken, überwältigen

Op|prob|ra|ti|on* ⟨*lat.*⟩ *die; -, -en:* (veraltet) Beschimpfung, Tadel **Op|so|nin** ⟨*gr.-nlat.*⟩ *das; -s, -e:* Stoff im Blutserum, der eingedrungene Bakterien so verändern, dass sie von den Leukozyten unschädlich gemacht werden können (Med.)

Op|tant ⟨*lat.*⟩ *der; -en, -en:* jmd., der (für etwas) optiert, eine Option ausübt. **op|ta|tiv:** den Optativ betreffend; einen Wunsch ausdrückend (Sprachw.). **Op|tativ** *der; -s, -e:* Modus (?) des Verbs, der einen Wunsch, eine Möglichkeit eines Geschehens bezeichnet (z. B. im Altgriechischen)

Op|ti|cal|art ['ɔptɪkl'aːɐ̯t] ⟨*engl.*⟩ *die; -,* auch: **Op|ti|cal Art** *die; - -:* ↑ Op-Art

op|tie|ren ⟨*lat.*⟩: vom Recht der Option (1-3) Gebrauch machen

Op|tik ⟨*gr.-lat.*⟩ *die; -:* 1. Wissenschaft vom Licht, seiner Entstehung, Ausbreitung u. seiner Wahrnehmung. 2. die Linsen enthaltender Teil eines optischen Gerätes. 3. optischer Eindruck, optische Wirkung, äußeres Erscheinungsbild. **Op|ti|ker** ⟨*gr.-lat.-nlat.*⟩ *der; -s, -:* Fachmann für Herstellung, Wartung u. Verkauf von optischen Geräten. **Opti|kus** ⟨*gr.-nlat.*, Kurzbez. für: *Nervus opticus*⟩ *der; -, ...izi:* Sehnerv (Med.)

Op|ti|ma: *Plural* von ↑ Optimum. **op|ti|ma fi|de** ⟨*lat.*⟩: im besten Glauben. **op|ti|ma for|ma:** in bester Form. **op|ti|mal** ⟨*lat.-nlat.*⟩: sehr gut, bestmöglich. **op|ti|mal|i|sie|ren:** ↑ optimieren (1 a). **Op|ti|mat** ⟨*lat.*⟩ *der; -en, -en:* Angehöriger der herrschenden Geschlechter u. Mitglied der Senatspartei im alten Rom. **opti|me** (veraltet): am besten, sehr gut, vorzüglich **Op|ti|me|tor** ⟨*gr.-nlat.*⟩ *das; -s, -:* Feinmessgerät für Länge u. Dicke (Technik)

op|ti|mie|ren ⟨*lat.-nlat.*⟩: 1. a) optimal gestalten; b) sich -: sich optimal gestalten. 2. günstigste Lösungen für bestimmte Zielstellungen ermitteln (Math.). **Op|timie|rung** *der; -en:* 1. das Optimieren. 2. Teilgebiet der numerischen Mathematik, das sich mit der optimalen Festlegung von Größen, Eigenschaften, zeitlichen Abläufen u. a. eines Systems unter gleichzeitiger Berücksichtigung von Nebenbedingungen befasst. **Op|ti|mis|mus** ⟨*lat.-fr.*⟩ *der; -:* 1. Lebensauffassung, die alles von der besten Seite betrachtet; heitere, zuversichtliche, lebensbejahende Grundhaltung; Ggs. ↑ Pessimismus (1). 2. philosophische Auffassung, wonach diese Welt die beste von allen möglichen und das geschichtliche Geschehen ein Fortschritt zum Guten und Vernünftigen sei (Philos.); Ggs. ↑ Pessimismus (2). 3. heiter-zuversichtliche, durch positive Erwartung bestimmte Haltung; Ggs. ↑ Pessimismus (3). **Op|timist** *der; -en, -en:* a) lebensbejahender, zuversichtlicher Mensch; Ggs. ↑ Pessimist; b) (scherzh.) jmd., der die sich ergebenden Schwierigkeiten o. Ä. unterschätzt, sie für nicht so groß ansieht, wie sie in Wirklichkeit sind. **op|ti|mis|tisch:** lebensbejahend, zuversichtlich; Ggs. ↑ pessimistisch. **Op|ti|mum** ⟨*lat.*⟩ *das; -s, Optima:* 1. das Beste, das Wirksamste; höchster erreichbarer Wert, Höchstmaß. 2. günstigste Umweltbedingungen für ein Lebewesen (z. B. die günstigste Temperatur; Biol.)

Op|ti|on ⟨*lat.;* „freier Wille, freie Wahl, Belieben"⟩ *die; -, -en:* 1. freie Entscheidung, bes. für eine bestimmte Staatsangehörigkeit (in Bezug auf Bewohner abgetretener Gebiete). 2. Voranwartschaft auf Erwerb einer Sache

od. das Recht zur zukünftigen Lieferung einer Sache (Rechtsw.). 3. [Wahl]möglichkeit. 4. Recht der Kardinäle u. der ↑ Kanoniker, in eine frei werdende Würde aufzurücken (kath. Kirche). **op|ti|o|nal:** (fachspr.) nicht zwingend; fakultativ **op|tisch** ⟨*gr.*⟩: die Optik (1-3), die Augen, das Sehen betreffend; vom äußeren Eindruck her; **optisch aktiv:** die Schwingungsebene polarisierten Lichtes drehend. **Op|ti|zi:** *Plural* von ↑ Optikus. **Op|to|elekt|ro|nik*** *die; -:* modernes Teilgebiet der Elektronik, das die auf der Wechselwirkung von Optik u. Elektronik beruhenden physikalischen Effekte zur Herstellung besonderer elektronischer Schaltungen ausnutzt. **op|to|elekt|ro|nisch*** die Optoelektronik betreffend, auf ihren Prinzipien beruhend. **Opto|me|ter** ⟨*gr.-nlat.*⟩ *das, -s, -:* Instrument zur Bestimmung der Sehweite (Med.). **Op|to|metrie*** *die; -:* Sehkraftbestimmung (Med.). **Opt|ro|nik*** *die; -:* Kurzform von ↑ Optoelektronik. **optro|nisch*:** Kurzform von ↑ optoelektronisch

o|pu|lent ⟨*lat.*⟩: üppig, reichlich. **O|pu|lenz** *die; -:* Üppigkeit, Überfluss

O|pun|tie [...tsi̯ə] ⟨*gr.-nlat.;* vom Namen der altgriech. Stadt Opus⟩ *die; -, -n:* (in vielen Arten verbreiteter) Feigenkaktus (mit essbaren Früchten)

O|pus [auch: 'ɔ...] ⟨*lat.;* „Arbeit; erarbeitetes Werk"⟩ *das; -, Opera:* künstlerisches, literarisches, bes. musikalisches Werk; Abk. (in der Musik): op. **O|pus allexand|ri|num*** *das; - -:* [vielleicht nach Alexandria benanntes] zweifarbiges, geometrisch angeordnetes Fußbodenmosaik. **O|pus|cu|lum** vgl. Opuskulum. **O|pus|e|xi|mi|um** *das; - -:* herausragendes, außerordentliches Werk. **O|pus in|cer|tum** *das; - -:* römisches Mauerwerk aus Bruchsteinen mit Mörtelguss. **O|pus|ku|lum** u. Opusculum *das; -s, ...la:* kleines Opus, kleine Schrift. **O|pus o|pe|ra|tum** ⟨„gewirktes, getanes Werk"⟩ *das; - -:* vollzogene sakramentale Handlung, deren Gnadenwirksamkeit unabhängig von der sittlichen Disposition des vollziehenden Priesters gilt (kath. Theol.). **O|pus pos|tu|mum**, auch: **O|pus post|hu|mum** *das; - -:* nachgelassenes [Musik]werk;

Abk.: op. posth. O|pus re|ti|cu|la|tum *das; - -*: römisches Mauerwerk aus netzförmig angeordneten Steinen. O|pus sec|ti|le *das; - -*: ↑Opus alexandrinum. O|pus spi|ca|tum *das; - -*: römisches Mauerwerk, dessen Steine im Ähren- od. Fischgrätenmuster gefügt sind. O|pus tes|sel|la|tum *das; - -*: farbiges Fußbodenmosaik

O|ra ⟨*gr.-lat.-it.*⟩ *die; -*: Südwind auf der Nordseite des Gardasees

o|ra et la|bo|ra! ⟨*lat.*⟩: bete und arbeite! (alte Mönchsregel). O|ra|kel ⟨„Sprechstätte"⟩ *das; -s, -*: a) Stätte (bes. im Griechenland der Antike), wo Priester[innen], Seher[innen] o. Ä. Weissagungen verkündeten oder [rätselhafte, mehrdeutige] Aussagen in Bezug auf gebotene Handlungen, rechtliche Entscheidungen o. Ä. machten; b) durch das Orakel (a) erhaltene Weissagung, [rätselhafte, mehrdeutige] Aussage. o|ra|kel|haft ⟨*lat.; dt.*⟩: dunkel, undurchschaubar, rätselhaft (in Bezug auf Äußerungen, Aussprüche). o|ra|keln: in dunklen Andeutungen sprechen

o|ral ⟨*lat.-nlat.*⟩: a) den Mund betreffend, am Mund gelegen, durch den Mund (Med.); b) mündlich (im Unterschied zu schriftlich überliefert, weitergegeben). O|ral *der; -s, -e*: im Unterschied zum Nasal mit dem Mund gesprochener Laut. O|ra|le *das; -s, ...lien*: ↑Fanon. O|ral|ero|tik ⟨*lat.-nlat.; gr.-fr.*⟩ *die; -*: Lustgewinnung im Bereich der Mundzone (bes. von der Geburt bis zum Ende des 1. Lebensjahres; Psychol.). o|ral-ge|ni|tal: die Berührung u. Stimulierung der Genitalien mit dem Mund betreffend. O|ral|his|to|ry [ˈɔːrəlˌhɪstərɪ] ⟨*engl.*⟩ *die; -*: Geschichte, die sich mit der Befragung lebender Zeugen befasst

o|ran|ge [oˈrãːʒ(ə), auch: oˈraŋʒ(ə)] ⟨*pers.-arab.-span.-fr.*⟩: rötlich gelb, orangenfarbig. ¹O|ran|ge ⟨*pers.-arab.-fr.-niederl.*⟩ *die; -, -n*: ↑Apfelsine. ²O|ran|ge *das; -, -, (ugs.:) -s*: orange Farbe. O|ran|gea|de ⟨*fr.*⟩ [orã'ʒaːdə, auch: oraŋ'ʒaːdə] *die; -, -n*: Getränk aus Orangen-, Zitronensaft, Wasser u. Zucker. O|ran|geat [...'ʒaːt] *das; -s, -e*: kandierte Orangenschale. o|ran|gen [o'rãːʒn, auch: o'raŋʒn]: orange. O|ran|gen|re|net|te *die; -, -n*: ↑Cox' Orange. O|range Pe|koe [ˈɔrɪndʒˈpiːkoʊ] ⟨*engl.*⟩ *der; -*

-: indische Teesorte aus den größeren, von der Zweigspitze aus gesehen zweiten u. dritten Blättern der Teepflanze. O|ran|ge|rie [orã:ʒəˈriː, auch: oraŋʒəˈriː] ⟨*pers.-arab.-span.-fr.*⟩ *die; -, ...ien*: [in die Anlage barocker Schlösser einbezogenes] Gewächshaus zum Überwintern von exotischen Gewächsen, bes. von Orangenbäumen (in Parkanlagen des 17. u. 18. Jh.s)

O|rang-U|tan ⟨*malai.*; „Waldmensch"⟩ *der; -s, -s*: Menschenaffe auf Borneo u. Sumatra

O|rans, O|rant ⟨*lat.*; „Betender"⟩ *der*; Oranten, Oranten u. O|ran|te *die; -, -n*: Gestalt der frühchristlichen Kunst in antiker Gebethaltung mit erhobenen Armen [u. nach oben gewendeten Handflächen] (in Verbindung mit dem Totenkult in Reliefdarstellung auf Sarkophagen, in der Wandmalerei der Katakomben). o|ra pro no|bis!: bitte für uns! (in der katholischen Liturgie formelhafte Bitte in Litaneien). O|ra|ri|on ⟨*lat.-kirchenlat.-mgr.*⟩ *das;* -[s], ...ia: Stola des Diakons im orthodoxen Gottesdienst. O|ra|tio ⟨*lat.*⟩ *die; -*: lateinische Form von Oration; **Oratio dominica:** Gebet des Herrn, Vaterunser. O|ra|ti|on *die; -, -en*: liturgisches Gebet, bes. in der katholischen Messe. O|ra|tio ob|li|qua *die; - -*: indirekte Rede. O|ra|tio rec|ta *die; - -*: direkte Rede. O|ra|tor *der; -s, ...oren*: Redner (in der Antike). O|ra|to|ri|a|ner ⟨*lat.-nlat.*⟩ *der; -s, -*: Mitglied einer Gemeinschaft von Weltpriestern, bes. der vom hl. Philipp Neri (16. Jh.) in Rom gegründeten. o|ra|to|risch ⟨*lat.*⟩: 1. rednerisch, schwungvoll, hinreißend. 2. in der Art eines Oratoriums (2). O|ra|to|ri|um ⟨*lat.-mlat.*⟩ *das; -s, ...ien*: 1. a) Betsaal, Hauskapelle in Klöstern u. a. kirchlichen Gebäuden; b) Versammlungsstätte der Oratorianer. 2. a) (ohne Plural) Gattung von opernartigen Musikwerken ohne szenische Handlung u. meist religiösen od. episch-dramatischen Stoffen; b) einzelnes Werk dieser Gattung

or|bi|ku|lar ⟨*lat.*⟩: kreis-, ringförmig (Med.). O|r|bis *der; -*: 1. lat. Bez. für Kreis. 2. Umkreis od. Wirkungsbereich, der sich aus der Stellung der Planeten zueinander u. zur Erde ergibt (Astrol.); **Orbis pictus** ⟨„gemalte Welt"⟩: im 17. u. 18. Jh. beliebtes

Unterrichtsbuch des Pädagogen Comenius; **Orbis terrarum:** Erdkreis. Or|bi|skop* ⟨*lat.-gr.*⟩ *das; -s, -e*: Röntgengerät, bei dem die Lagerung des Patienten u. der Strahlengang unabhängig voneinander variabel eingestellt werden können (Med.). O|r|bit ⟨*lat.-engl.*⟩ *der; -s, -s*: Umlaufbahn (eines Satelliten, einer Rakete) um die Erde od. um den Mond. O|r|bi|ta ⟨*lat.*⟩ *die; -, ...tae [...tɛ]*: Augenhöhle (Med.). or|bi|tal ⟨*lat.-nlat.*⟩: 1. den Orbit betreffend, zum Orbit gehörend. 2. zur Augenhöhle gehörend (Med.). O|r|bi|tal *das; -s, -e*: a) Bereich, Umlaufbahn um den Atomkern (Atomorbital) oder die Atomkerne eines Moleküls (Molekülorbital); b) energetischer Zustand eines Elektrons innerhalb der Atomhülle (Phys.; Quantenchem.). O|r|bi|tal|ra|ke|te *die; -, -n*: ↑Interkontinentalrakete, die einen Teil ihrer Flugstrecke auf einem Abschnitt der Erdumlaufbahn zurücklegt. O|r|bi|tal|sta|ti|on *die; -, -en*: Forschungsstation in einem Orbit. O|r|bi|ter ⟨*lat.-engl.*⟩ *der; -s, -*: Teil eines Raumfahrtsystems, der in einen Orbit gebracht wird

Or|che|so|gra|phie, auch: Orchesografie ⟨*gr.-nlat.*⟩ *die; -, ...ien*: ↑Choreographie. Or|ches|ter [...'kɛ..., auch, bes. österr.: ...çɛ...] ⟨*gr.-lat.-roman.*⟩ *das; -s, -*: 1. größeres Ensemble von Instrumentalmusikern, in dem bestimmte Instrumente mehrfach besetzt sind u. das unter der Leitung eines Dirigenten spielt. 2. Orchestergraben. **Or|ches|tik** [...ç...] ⟨*gr.*⟩ *die; -*: Tanzkunst, Lehre vom pantomimischen Tanz. Or|ches|tra* ⟨*gr.-lat.*⟩ *die; -, ...ren*: a) runder Raum im altgriechischen Theater, in dem sich der Chor bewegte; b) (im Theater des 15. u. 16. Jh.s) Raum zwischen Bühne u. Zuschauerreihen als Platz für die Hofgesellschaft; c) (im Theater des 17. Jh.s) Raum zwischen Bühne u. Zuschauerreihen als Platz für die Instrumentalisten. or|ches|tral* [...k..., auch: ...ç...] ⟨*gr.-lat.-roman.*⟩: das Orchester betreffend, von orchesterhafter Klangfülle, orchestermäßig. Or|ches|tra|ti|on* *die; -, -en: a)* ↑Instrumentation; b) Umarbeitung einer Komposition für Orchesterbesetzung; vgl. ...[at]ion/ ...ierung. Or|ches|t|ren* [...ç...]: *Plural* von ↑Orchestra. **or-**

chest|rie|ren* [...k..., auch: ...ç...]: a) ↑instrumentieren (1); b) eine Komposition für Orchesterbesetzung umarbeiten. Orchest|rie|rung* die; -, -en: das Orchestrieren; vgl. ...[at]ion/...ierung. Or|chest|ri|on* [...ç...] ⟨gr.-nlat.⟩ das; -s, -s u. ...ien: 1. tragbare Orgel (1769 von Abt Vogler konstruiert). 2. Orgelklavier (1791 von Th. A. Kunz zuerst gebaut). 3. mechanisches Musikwerk (1828 von den Gebr. Bauer konstruiert). 4. Drehorgel (1851 von Fr. Th. Kaufmann zuerst gebaut)

Or|chi|da|ze|en ⟨gr.-nlat.⟩ die (Plural): Pflanzenordnung der Einkeimblättrigen mit Nutzpflanzen (z. B. Vanille) u. wertvollen Zierpflanzen (z. B. Orchidee). Or|chi|dee [...'de:(ə)] ⟨gr.-lat.-fr.⟩ die; -, -n: zu den Orchidazeen gehörende, in den Tropen und Subtropen in vielen Arten vorkommende, in Gewächshäusern als Zierpflanze gezüchtete Pflanze mit farbenprächtigen Blüten. Or|chi|de|en|fach das; -s, ...fächer: (Jargon) ausgefallenes, ungewöhnliches u. deshalb nur von wenigen gewähltes Studienfach. ¹Or|chis ⟨gr.-lat.⟩ der; -, ...ches [...çe:s]: Hoden (Med.). ²Or|chis die; -, -: Knabenkraut (Pflanzengattung der ↑Orchidazeen). Or|chi|tis ⟨gr.-nlat.⟩ die; -, ...itiden: Hodenentzündung (Med.). Or|chi|to|mie die; -, ...ien: operative Entfernung des Hodens (Med.)

Or|dal ⟨angels.-mlat.⟩ das; -s, -ien: Gottesurteil (im mittelalterlichen Recht)

Or|der ⟨lat.-fr.⟩ die; -, -s u. -n: 1. (veraltet) Befehl, Anweisung; Order parieren: einen Befehl ausführen; gehorchen. 2. (Plural: -s) Bestellung, Auftrag (Kaufmannsspr.). or|dern ⟨lat.-fr.⟩: einen Auftrag erteilen; eine Ware bestellen (Wirtsch.). Or|der|pa|pier ⟨lat.-fr.; dt.⟩ das; -s, -e: Wertpapier, das durch ↑Indossament der im Papier bezeichneten Person übertragen werden kann (Wirtsch.). Or|der|scheck ⟨lat.-fr.; engl.⟩ der; -s, -s: Scheck, der durch ↑Indossament übertragen werden kann (Wirtsch.). Or|di|na|le ⟨lat.⟩ das; -[s], ...lia: ↑(selten) Ordinalzahl. Or|di|nal|zahl ⟨lat.; dt.⟩ die; -, -en: Ordnungszahl (z. B. zweite, zehnte). or|di|när ⟨lat.-fr.⟩: 1. (abwertend) unfein, vulgär. 2. alltäglich, gewöhnlich; ordinärer

Preis: ↑Ordinärpreis. Or|di|na|ri|at ⟨lat.-nlat.⟩ das; -[e]s, -e: 1. oberste Verwaltungsstelle eines katholischen Bistums od. eines ihm entsprechenden geistlichen Bezirks. 2. Amt eines ordentlichen Hochschulprofessors. Or|di|na|ri|um ⟨lat.; „das Regelmäßige"⟩ das; -s, ...ien: 1. katholische [handschriftliche] Gottesdienstordnung; Ordinarium Missae: im ganzen Kirchenjahr gleich bleibende Gesänge der Messe. 2. so genannter ordentlicher Haushalt [eines Staates, Landes, einer Gemeinde] mit den regelmäßig wiederkehrenden Ausgaben u. Einnahmen. Or|di|na|ri|us der; -, ...ien: 1. ordentlicher Professor an einer Hochschule. 2. Inhaber einer katholischen Oberhirtengewalt (z. B. Papst, Diözesanbischof, Abt u. a.). 3. (veraltet) Klassenlehrer an einer höheren Schule. Or|di|när|preis ⟨lat.-fr.; dt.⟩ der; -es, -e: 1. im Buchhandel vom Verleger festgesetzter Verkaufspreis. 2. Marktpreis im Warenhandel. Or|di|na|te ⟨lat.-nlat.⟩ die; -, -n: Größe des Abstandes von der horizontalen Achse (Abszisse) auf der vertikalen Achse des rechtwinkligen Koordinatensystems (Math.). Or|di|na|ten|ach|se ⟨lat.-nlat.; dt.⟩ die; -, -n: vertikale Achse im rechtwinkligen Koordinatensystems (Math.). Or|di|na|ti|on ⟨lat.(-mlat.)⟩ die; -, -en: 1. a) feierliche Einsetzung in ein evangelisches Pfarramt; b) katholische Priesterweihe. 2. a) ärztliche Verordnung; b) ärztliche Sprechstunde; c) (österr.) ärztliches Untersuchungszimmer. Or|di|nes: Plural von ↑Ordo. or|di|nie|ren: 1. a) in das geistliche Amt einsetzen (ev. Kirche) u. zum Priester weihen (kath. Kirche). 2. (Med.) a) [eine Arznei] verordnen; b) Sprechstunde halten. Or|do der; -, Ordines [...ne:s]: 1. (ohne Plural) Hinordnung alles Weltlichen auf Gott (im Mittelalter); Ordo Amoris ⟨„Rangordnung der Liebe"⟩: Rangordnung der ethischen Werten, durch die ein Mensch sich in seinem Verhalten bestimmen lässt (stärkste individuelles Persönlichkeitsmerkmal M. Scheler). 2. Stand des Klerikers, des Priesters; Ordines maiores: die drei höheren Weihegrade (vgl. Subdiakon, Diakon u. Presbyter); Ordines minores: die vier

niederen Weihegrade (vgl. Ostiarius, Lektor 3, Exorzist u. Akoluth); Ordo Missae: Messordnung der katholischen Kirche für die unveränderlichen Teile der Messe. 3. (ohne Plural) verwandte Familien zusammenfassende systematische Einheit in der Biologie. or|do|li|be|ral ⟨lat.-nlat.⟩: einen durch straffe Ordnung gezügelten Liberalismus vertretend. Or|don|nanz ⟨lat.-fr.⟩ die; -, -en: 1. (veraltet) Befehl, Anordnung. 2. Soldat, der einem Offizier zur Befehlsübermittlung zugeteilt ist. 3. (nur Plural) die königlichen Erlasse in Frankreich vor der Französischen Revolution. Or|don|nanz|of|fi|zier der; -s, -e: meist jüngerer Offizier, der in höheren Stäben den Stabsoffizieren zugeordnet ist

Or doub|lé* [ɔrdu'ble] ⟨lat.-fr.⟩ das; - -: mit Gold plattierte Kupferlegierung (für Schmucksachen)

or|do|vi|zisch ⟨nach dem britannischen Volksstamm der Ordovices⟩: das Ordovizium betreffend. Or|do|vi|zi|um ⟨nlat.⟩ das; -s: erdgeschichtliche Formation; Unterabteilung des ↑Silurs (Untersilur; Geol.)

Ord|re* ['ɔrdrə, 'ɔrdr] ⟨lat.-fr.⟩ die; -, -s: französische Form von Order. Ordre du Cœur [ɔrdrədy'kœ:r] ⟨„Ordnung (od. Logik) des Herzens"⟩ die; - - -: 1. eine Art des Erkennens (Pascal). 2. Sinn für die Höhe von Werten, Werthöhengefühl (M. Scheler, N. Hartmann)

Ọ̈|re ⟨skand.⟩ die; -s, - (auch: die; -, -): dänische, norwegische u. schwedische Münze (100 Öre = 1 Krone)

Ọ|re|al|de ⟨gr.-lat.⟩ die; -, -n: Bergnymphe der griechischen Sage. o|re|al ⟨gr.-nlat.⟩: zum Gebirgswald gehörend (Geogr.)

O|re|ga|no ⟨span.⟩ u. Origano der; -: als Gewürz verwendete getrocknete Blätter u. Zweigspitzen des ↑Origanums

o|rek|tisch ⟨gr.⟩: die Aspekte der Erfahrung wie Impuls, Haltung, Wunsch, Emotion betreffend (Päd.)

o|re|mus ⟨lat.⟩: lasst uns beten! (Gebetsaufforderung des katholischen Priesters in der Messe)

O|ren|da ⟨indian.⟩ das; -s: übernatürlich wirkende Kraft in Menschen, Tieren u. Dingen (↑dynamistischer Glaube von Naturvölkern)

Or|fe ⟨gr.-lat.⟩ die; -, -n: amerikanischer Karpfenfisch mit zahlreichen Arten (auch Aquarienfisch)

Or|gan ⟨gr.-lat.(-fr.);⟩ „Werkzeug"⟩ das; -s, -e: 1. Stimme. 2. Zeitung, Zeitschrift einer politischen od. gesellschaftlichen Vereinigung. 3. a) Institution od. Behörde, die bestimmte Aufgaben ausführt; b) Beauftragter. 4. Sinn, Empfindung, Empfänglichkeit. 5. Körperteil mit einheitlicher Funktion (Med.). **Or|ga|na:** Plural von ↑Organum. **or|ga|nal:** 1. das Organum betreffend. 2. orgelartig. **Or|gan|bank** die; -, -en: Einrichtung, die der Aufbewahrung von Organen (5) od. Teilen davon für Transplantationen dient

Or|gan|din der; -s: (selten) ↑Organdy. **Or|gan|dy** ⟨fr.-engl.⟩ der; -s: fast durchsichtiges, wie Glasbatist ausgerüstetes Baumwollgewebe in zarten Pastellfarben **Or|ga|nell** ⟨gr.-lat.-nlat.⟩ das; -s, -en u. **Or|ga|nel|le** die; -, -n: organartige Bildung des Zellplasmas von Einzellern (Biol.). **Or|ga|ni|gramm** ⟨gr.; Kunstw.⟩ das; -s, -e: 1. Stammbaumschema, das den Aufbau einer [wirtschaftlichen] Organisation erkennen lässt u. über Arbeitseinteilung od. über die Zuweisung bestimmter Aufgabenbereiche an bestimmte Personen Auskunft gibt. 2. ↑Organogramm. **Or|ga|nik** ⟨gr.-lat.⟩ die; -: Bezeichnung Hegels für die Lehre vom geologischen, vegetabilischen und animalischen Organismus. **Or|ga|ni|ker** der; -s, -: Chemiker mit speziellen Kenntnissen und Interessen auf dem Gebiet der organischen Chemie. **or|ga|ni|sa|bel** ⟨gr.-lat.-fr.⟩: organisierbar, beschaffbar; sich verwirklichen lassend. **Or|ga|ni|sa|ti|on** die; -, -en: 1. (ohne Plural) a) das Organisieren; b) Aufbau, Gliederung, planmäßige Gestaltung. 2. Gruppe, Verband mit [sozial]politischen Zielen (z. B. Partei, Gewerkschaft). 3. Bauplan eines Organismus, Gestalt u. Anordnung seiner Organe (Biol.). 4. Umwandlung abgestorbenen Körpergewebes in gefäßhaltiges Bindegewebe (Med.). **Or|ga|ni|sa|tor** ⟨gr.-lat.-fr.-nlat.⟩ der; -s, ...oren: 1. a) jmd., der etw. organisiert, eine Unternehmung nach einem bestimmten Plan vorbereitet; b) jmd., der organisatorische Fähigkeiten besitzt. 2. Keimbezirk, der auf die Differenzierung der Gewebe Einfluss nimmt (Biol.). **or|ga|ni|sa|to|risch:** die Organisation betreffend. **or|ga|nisch** ⟨gr.-lat.⟩: 1. a) ein Organ od. den Organismus betreffend (Biol.); b) der belebten Natur angehörend; Ggs. ↑anorganisch (1 a); c) die Verbindungen des Kohlenstoffs betreffend; **organische Chemie:** Teilgebiet der Chemie, das sich mit den Verbindungen des Kohlenstoffs beschäftigt; Ggs. ↑anorganische Chemie. 2. einer inneren Ordnung gemäß in einen Zusammenhang hineinwachsend, mit etwas eine Einheit bildend. **or|ga|ni|sie|ren** ⟨gr.-lat.-fr.⟩: 1. a) etwas sorgfältig u. systematisch vorbereiten [u. für einen reibungslosen, planmäßigen Ablauf sorgen]; b) etwas sorgfältig u. systematisch aufbauen, für einen bestimmten Zweck einheitlich gestalten. 2. (ugs. verhüllend) sich etwas [auf nicht ganz rechtmäßige Weise] beschaffen. 3. a) in einer Organisation (2), einem Verband o. Ä. od. zu einem bestimmten Zweck zusammenschließen; b) sich -: sich zu einem Verband zusammenschließen. 4. totes Gewebe in gefäßführendes Bindegewebe umwandeln (Med.). 5. auf der Orgel zum Cantus firmus frei fantasieren (Mus.). **or|ga|ni|siert:** einer Organisation (2) angehörend. **or|ga|nis|misch:** zu einem Organismus gehörend, sich auf einen Organismus beziehend. **Or|ga|nis|mus** der; -, ...men: 1. a) gesamtes System der Organe (5); b) (meist Plural) tierisches pflanzliches Lebewesen (Biol.). 2. (Plural selten) größeres Ganzes, Gebilde, dessen Teile, Kräfte o. Ä. zusammenpassen, zusammenwirken. **Or|ga|nist** ⟨gr.-lat.-mlat.⟩ der; -en, -en: Musiker, der Orgel spielt. **Or|ga|nistrum*** ⟨gr.-lat.-nlat.⟩ das; -s, ...stren: Drehleier. **Or|gan|kla|ge** ⟨gr.-lat.-nlat.; dt.⟩ die; -, -n: Klage eines Verfassungsorgans des Bundes od. eines Landes gegen ein anderes vor dem Bundesverfassungsgericht (Rechtsw.). **Or|gan|man|dat** das; -[e]s, -e: (österr. Amtsspr.) Strafe, die von der Polizei ohne Anzeige u. Verfahren verhängt wird. **or|ga|no|gen** ⟨gr.-nlat.⟩: 1. am Aufbau der organischen Verbindungen beteiligt (Chem.). 2. Organe bildend; organischen Ursprungs (Biol.). **Or|ga|no|ge|ne|se** die; -:

Prozess der Organbildung (Biol.). **Or|ga|ni|gramm** ⟨gr.⟩ das; -s, -e: 1. schaubildliche Wiedergabe der Verarbeitung von Informationen im Organismus (Psychol.). 2. ↑Organigramm. **Or|ga|no|gra|phie,** auch: Organografie die; -, ...ien: 1. Beschreibung der Organe (Med.; Biol.). 2. Teilgebiet der Botanik, auf dem der Aufbau der Pflanzenorgane erforscht wird. 3. Beschreibung der Musikinstrumente. **or|ga|no|gra|phisch,** auch: organografisch: Lage u. Bau der Organe beschreibend (Med.; Biol.). **or|ga|no|id:** organähnlich (Med.; Biol.). **Or|ga|no|id** das; -[e]s, -e: ↑Organell[e]. **or|ga|no|lep|tisch:** Lebensmittel nach einem bestimmten Bewertungsschema in Bezug auf Eigenschaften wie Geschmack, Aussehen, Geruch, Farbe ohne Hilfsmittel, nur mit den Sinnen prüfend. **Or|ga|no|lo|ge** der; -n, -n: Wissenschaftler auf dem Gebiet der Orgelbaus. **Or|ga|no|lo|gie** die; -: 1. Organlehre (Med.; Biol.). 2. Orgel[bau]kunde. **or|ga|no|lo|gisch:** die Organologie betreffend, zu ihr gehörend. **Or|ga|non** ⟨gr.; „Werkzeug"⟩ das; -s, ...na: a) (ohne Plural) zusammenfassende Bez. für die logischen Schriften des Aristoteles als Hilfsmittel zur Wahrheitserkenntnis; b) [logische] Schrift zur Grundlegung der Erkenntnis. **or|ga|no ple|no:** ↑pleno organo. **Or|ga|no|sol** ⟨gr.; lat.⟩ das; -s, -e: Lösung eines Kolloids in einem organischen Lösungsmittel (Chem.). **Or|ga|no|the|ra|pie** ⟨gr.-nlat.⟩ die; -: ↑Organtherapie. **or|ga|no|trop*:** auf Organe gerichtet, auf sie wirkend (Med.). **Or|ga|no|zo|on** das; -s, ...zoen: im Innern eines Organs lebender Parasit. **Or|gan|psy|cho|se** die; -, -n: körperliche Erkrankung mit psychotischem Hintergrund (H. Meng). **Or|gan|schaft** die; -en: finanzielle, wirtschaftliche u. organisatorische Abhängigkeit einer rechtlich selbstständigen Handelsgesellschaft von einem Unternehmen, in dem sie als Organ (3 a) aufgeht **Or|gan|sin** ⟨it.-fr.⟩ der od. das; -s: beste Naturseide, die gezwirnt als Kettgarn verwendet wird **Or|gan|the|ra|pie** ⟨gr.-nlat.⟩ die; -: Verwendung von aus tierischen Organen od. Sekreten gewonnenen Arzneimitteln zur Behandlung von Krankheiten

Or|gan|tin der od. das; -s: (österr.) ↑Organdin

Or|ga|num ⟨gr.-lat.⟩ das; -s, ...gana: 1. älteste Art der Mehrstimmigkeit, Parallelgänge zu den Weisen des gregorianischen Gesanges. 2. Musikinstrument, bes. Orgel

Or|gan|za ⟨it.⟩ der; -s: sehr dünnes Gewebe [aus nicht entbasteter Naturseide]

Or|gas|mus ⟨gr.-nlat.⟩ der; -, ...men: Höhepunkt der geschlechtlichen Erregung. **or|gas|tisch:** den Orgasmus betreffend; wollüstig

Or|gel ⟨gr.-lat.-mlat.⟩ die; -, -n: größtes Tasteninstrument mit Manualen, Pedalen, Registern, Gebläse, Windladen, Pfeifenwerk, Schweller u. Walze. **Or|gel|pros|pekt*** der; - [e]s, -e: künstlerisch ausgestaltetes Pfeifengehäuse der Orgel, meist mit tragenden Teilen aus Holz, die reich mit Schnitzwerk verziert sind

Or|gi|as|mus ⟨gr.-nlat.⟩ der; -, ...men: ausschweifende kultische Feier in antiken ↑Mysterien. **Or|gi|ast** der; -en, -en: zügelloser Schwärmer. **or|gi|as|tisch:** schwärmerisch; wild, zügellos. **Or|gie** [...i̯ə] ⟨gr.-lat.⟩ die; -, -n: 1. geheimer, wild verzückter Gottesdienst [in altgriechischen ↑Mysterien]. 2. a) ausschweifendes Gelage; b) keine Grenzen kennendes Ausmaß von etwas; **Orgien feiern:** in aller Deutlichkeit hervorbrechen u. sich austoben

Org|ware [...wɛə] ⟨Kunstw. aus engl. *organisation* u. ...*ware*⟩ die; -, -s: zusammenfassende Bezeichnung für sämtliche Programme, die den Ablauf von Programme, die den Ablauf von Datenverarbeitungsanlage regeln; Betriebssystem

Ori|ent [auch: o'ri̯ɛnt] ⟨lat.⟩ der; -s: 1. vorder- u. mittelasiatische Länder; östliche Welt; Ggs. ↑Okzident. 2. (veraltet) Osten. **Ori|en|ta|le** der; -n, -n: Bewohner des Orients. **Ori|en|ta|lia** die (Plural): Werke über den Orient. **ori|en|ta|lisch:** den Orient betreffend; östlich, morgenländisch; **orientalische Region:** tiergeographische Region (Vorder-, Hinterindien, Südchina, die Großen Sundainseln u. die Philippinen); **orientalischer Ritus:** Sammelbez. für die Riten der mit Rom unierten Ostkirchen. **ori|en|ta|li|sie|ren:** a) orientalische Einflüsse aufnehmen (in Bezug

auf eine frühe Phase der griechischen Kunst); b) (z. B. eine Gegend) mit einem orientalischen Gepräge versehen. **Ori|en|ta|list** ⟨lat.-nlat.⟩ der; -en, -en: Wissenschaftler auf dem Gebiet der Orientalistik. **Ori|en|ta|lis|tik** die; -: Wissenschaft von den orientalischen Sprachen u. Kulturen. **ori|en|ta|lis|tisch:** die Orientalistik betreffend.

Ori|ent|beu|le ⟨lat.; dt.⟩ die; -, -n: tropische Beulenkrankheit der Haut (Med.). **ori|en|tie|ren** ⟨lat.-fr.⟩: 1. a) sich -: eine Richtung suchen, sich zurechtfinden; b) ein Kultgebäude, eine Kirche in der West-Ost-Richtung anlegen. 2. (bes. schweiz.) informieren, unterrichten. 3. auf etwas einstellen, nach etwas ausrichten (z. B.: sich, seine Politik an bestimmten Leitbildern orientieren). 4. (regional) a) auf etwas hinlenken; b) sich -: seine Aufmerksamkeit auf etwas, jmdn. konzentrieren. **Ori|en|tie|rung** die; -, -en: 1. Anlage eines Kultgebäudes, einer Kirche in der West-Ost-Richtung. 2. das Sichzurechtfinden im Raum. 3. geistige Einstellung, Ausrichtung. 4. Informierung, Unterrichtung. 5. (regional) Hinlenkung auf etwas. **Ori|en|tie|rungs|stu|fe** ⟨lat.-fr.; dt.⟩ die; -, -n: Zwischenstufe von zwei Jahren zwischen Grundschule u. weiterführender Schule

Ori|fi|ci|um ⟨lat.; „Mündung"⟩ das; -s, ...cia: Öffnung, Mund der Orgelpfeifen

Ori|flam|me ⟨lat.-fr.⟩ die; -: Kriegsfahne der französischen Könige

Ori|ga|mi ⟨jap.⟩ das; [s]: (in Japan beliebte) Kunst des Papierfaltens

Ori|ga|no ⟨it.⟩: ↑Oregano. **Ori|ga|num** ⟨lat.⟩ das; -[s]: Gewürzpflanze, wilder Majoran

ori|gi|nal ⟨lat.⟩: 1. ursprünglich, echt; urschriftlich; eine Sendung original (direkt) übertragen. 2. von besonderer, einmaliger Art, urwüchsig. ↑originell (1); vgl. ...al/...ell. **Ori|gi|nal** ⟨lat.-mlat.⟩ das; -s, -e: 1. Urschrift, Urfassung; Urbild, Vorlage; Urtext, ursprünglicher, unübersetzter fremdsprachiger Text; vom Künstler eigenhändig geschaffenes Werk der bildenden Kunst. 2. eigentümlicher, durch seine besondere Eigenart auffallender Mensch. **Ori|gi|na|li|en** ⟨lat.⟩ die (Plural): Originalaufsätze,

-schriften. **Ori|gi|na|li|tät** ⟨lat.-fr.⟩ die; -, -en: 1. (ohne Plural): Ursprünglichkeit, Echtheit, Selbstständigkeit. 2. Besonderheit, wesenhafte Eigentümlichkeit. **Ori|gi|nal|ton** der; -[e]s: im Rahmen einer Hörfunk-, Fernsehsendung verwendeter Ton einer Direktaufnahme, d. h. mit direkt sprechenden Personen, mit echter Geräuschkulisse o. Ä.; Abk.: O-Ton. **ori|gi|när** ⟨lat.-fr.⟩: 1. ursprünglich, in seiner Art neu, schöpferisch; original (1). 2. eigenartig, eigentümlich, urwüchsig u. gelegentlich komisch; vgl. ...al/...ell

Ori|o|ni|den ⟨gr.-nlat.⟩ die (Plural): ein (in der zweiten Oktoberhälfte zu beobachtender) Meteorstrom

Or|kan ⟨karib.-span.-niederl.⟩ der; -[e]s, -e: äußerst starker Sturm

Or|kus ⟨lat.⟩ der; -: altröm. Gott der Unterwelt) der; -: Unterwelt, Totenreich

Or|le|an ⟨nach der franz. Namensform des Spaniers Fr. Orellana⟩ der; -s: orangeroter pflanzlicher Farbstoff zum Färben von Nahrungs- u. Genussmitteln

Or|le|a|nist ⟨fr.; nach den Herzögen von Orléans⟩ der; -en, -en: (hist.) Anhänger des Hauses Orléans u. Gegner des französischen Königsgeschlechts der Bourbonen. **Or|le|ans** [...leã] ⟨nach der franz. Stadt Orléans⟩ der; - [...leãs]: leichter, glänzender Baumwollstoff, ähnlich dem Lüster (4)

Or|log ⟨niederl.⟩ der; -s, -e u. -s: (veraltet) Krieg. **Or|log|schiff** ⟨niederl.; dt.⟩ das; -[e]s, -e: (veraltet) Kriegsschiff

Or|low|tra|ber ⟨russ.; dt.; nach einem russ. Züchter⟩ der; -s, -: eine Pferderasse

Or|na|ment ⟨lat.⟩ das; -[e]s, -e: Verzierung; Verzierungsmotiv. **or|na|men|tal** ⟨lat.-nlat.⟩: mit einem Ornament versehen, durch Ornamente wirkend; schmückend, zierend. **or|na|men|tie|ren:** mit Verzierungen versehen. **Or|na|men|tik** die; -: 1. Gesamtheit der Ornamente im Hinblick auf ihre innerhalb einer bestimmten Stilepoche o. Ä. od. für einen bestimmten Kunstgegenstand typischen Formen. 2. Verzierungskunst. **Or|nat** ⟨lat.⟩ der (auch: das); -[e]s, -e: feierliche [kirchliche] Amtstracht. **or|nativ:** den Ornativ betreffend, darauf bezüglich. **Or|na|tiv** das; -s,

-e: Verb, das ein Versehen mit etwas oder ein Zuwenden von etwas ausdrückt (z. B.: kleiden = mit Kleidern versehen). or|nie|ren: (veraltet) schmücken Or|nis ⟨gr.⟩ die; -: die Vogelwelt einer Landschaft. Or|ni|tho|ga|mie ⟨gr.-nlat.⟩ die; -: Vogelblütigkeit, Befruchtung von Blüten durch Vögel. Or|ni|tho|lo|ge der; -n, -n: Wissenschaftler auf dem Gebiet der Vogelkunde. Or|ni|tho|lo|gie die; -: Vogelkunde. or|ni|tho|lo|gisch: vogelkundlich. or|ni|tho|phil: den Blütenstaub durch Vögel übertragen lassend (in Bezug auf bestimmte Pflanzen). Or|ni|tho|phi|lie die; -: ↑Ornithogamie. Or|ni|thop|ter* ⟨gr.-engl.⟩ der; -s, -: Schwingenflügler; Experimentierflugzeug, dessen Antriebsprinzip dem des Vogelflugs gleicht. Or|ni|tho|rhyn|chus ⟨gr.-nlat.⟩ der; -: australisches Schnabeltier. Or|ni|thg|se die; -, -n: von Vögeln übertragene Infektionskrankheit (Med.)

O|ro|ban|che ⟨gr.-lat.⟩ die; -, -n: Sommerwurz (Pflanzenschmarotzer auf Nachtschattengewächsen u. a.)

o|ro|gen ⟨gr.-nlat.⟩: gebirgsbildend (Geol.). O|ro|gen das; -s: Gebirge mit Falten- od. Deckentektonik (Geol.). O|ro|ge|ne|se die; -, -n: Gebirgsbildung, die eine ↑Geosynklinale ausfaltet (Geol.). o|ro|ge|ne|tisch: ↑orogen. O|ro|ge|nie die; -: (veraltet) Lehre von der Entstehung der Gebirge (Geol.). O|ro|gno|sie* die; -, ...jen: (veraltet) Gebirgsforschung u. -beschreibung. O|ro|gra|phie, auch: Orografie die; -, ...jen: Beschreibung der Reliefformen des Landes (Geogr.). o|ro|gra|phisch, auch: orografisch: die Ebenheiten u. Unebenheiten des Landes betreffend (Geogr.). O|ro|hy|dro|gra|phie*, auch: ...grafie die; -, ...jen: Gebirgs- u. Wasserlaufbeschreibung (Geogr.). o|ro|hy|dro|gra|phisch*, auch: ...grafisch: die Orohydrographie betreffend. O|ro|lo|gie die; -: (veraltet) vergleichende Gebirgskunde. O|ro|met|rie* die; -: Methode, die alle charakteristischen Größen- u. Formenverhältnisse der Gebirge durch Mittelwerte ziffernmäßig erfasst (z. B. mittlere Kammhöhe; Geogr.). o|ro|met|risch*: die Orometrie betreffend. O|ro|plas|tik die; -: Lehre von der äu-

ßeren Form der Gebirge. o|ro|plas|tisch: die Oroplastik betreffend

Or|phe|um ⟨gr.-nlat.; nach Orpheus, dem mythischen Sänger Griechenlands⟩ das; -s, ...een: Tonhalle, Konzertsaal. Or|phik ⟨gr.-lat.⟩ die; -: aus Thrakien stammende religiös-philosophische Geheimlehre der Antike, bes. im alten Griechenland, die Erbsünde u. Seelenwanderung lehrte. Or|phi|ker der; -s, -: Anhänger der Orphik. or|phisch: zur Orphik gehörend; geheimnisvoll. Or|phis|mus u. Or|phizis|mus ⟨gr.-nlat.⟩ der; -: ↑Orphik

¹Or|ping|ton ['ɔ:pɪŋtən] ⟨nach der engl. Stadt⟩ die; -, -s: eine Mastenrasse. ²Or|ping|ton das; -s, -s: Huhn mit schwerem Körper

Orp|lid* [auch: 'ɔrpli:t] das; -s: (von Mörike u. seinen Freunden erfundener Name einer) Wunsch- u. Märcheninsel

Or|sat|ap|pa|rat ⟨nach dem Erfinder M. H. Orsat⟩ der; -[e]s, -e: physikalisch-chemisches Gasanalysengerät

Or|the|se ⟨Kurzw. aus: ↑orthopädisch u. ↑Prothese⟩ die; -, -n: Prothese (1), der eine Stützfunktion zum Ausgleich von Funktionsausfällen der Extremitäten (1) od. der Wirbelsäule zukommt (z. B. bei spinaler Kinderlähmung). Or|the|tik die; -: medizinisch-technischer Wissenschaftszweig, bei dem man sich mit der Konstruktion von Orthesen befasst (Med.). Or|the|tisch: a) die Orthetik betreffend; b) die Orthese betreffend. Or|thi|kon ⟨gr.-engl.⟩ das; -s, -s, (auch: -s): Speicherröhre zur Aufnahme von Fernsehbildern. Or|tho|chro|ma|sie [...kro...] ⟨gr.-nlat.⟩ die; -: Fähigkeit einer fotografischen Schicht, für alle Farben außer Rot empfindlich zu sein. or|tho|chro|ma|tisch: die Orthochromasie betreffend. Or|tho|don|tie die; -, ...jen: Behandlung angeborener Gebissanomalien durch kieferorthopädische Maßnahmen (z. B. die Beseitigung von Zahnfehlstellungen; Med.)

or|tho|dox ⟨gr.-lat.⟩: 1. rechtgläubig, strenggläubig. 2. ↑griechisch-orthodox od. ↑orthodoxe Kirche: seit 1054 von Rom getrennte morgenländische od. Ostkirche. 3. a) der strengen Lehrmeinung gemäß; der her-

kömmlichen Anschauung entsprechend; b) starr, unnachgiebig. or|tho|dox-a|na|to|lisch: (veraltet) ↑griechisch-orthodox; vgl. orthodox (2). Or|tho|do|xie ⟨gr.⟩ die; -: 1. Rechtgläubigkeit; theologische Richtung, die das Erbe der reinen Lehre (z. B. Luthers od. Calvins) zu wahren sucht (bes. in der Zeit nach der Reformation). 2. [engstirniges] Festhalten an Lehrmeinungen or|tho|drom* ⟨gr.-nlat.⟩: die Orthodrome betreffend. Or|tho|dro|me die; -, -n: (auf einem Großkreis verlaufende) kürzeste Verbindung zwischen zwei Punkten auf der Erdoberfläche (Nautik). or|tho|dro|misch: auf der Orthodrome gemessen Or|tho|e|pie u. Or|tho|epik ⟨gr.⟩ die; -: Lehre von der richtigen Aussprache der Wörter. or|tho|episch: die Orthoepie betreffend. Or|tho|ge|ne|se ⟨gr.-nlat.⟩ die; -, -n: Form einer stammesgeschichtlichen Entwicklung bei einigen Tiergruppen od. auch Organen, die in gerader Linie von einer Ursprungsform bis zu einer höheren Entwicklungsstufe verläuft (Biol.). Or|tho|ge|stein ⟨gr.; dt.⟩ das; -[e]s, -e: Sammelbez. für kristalline Schiefer, die aus Erstarrungsgesteinen entstanden sind (Geol.). or|tho|gnath*: einen normalen Biss bei gerader Stellung beider Kiefer aufweisend (Med.). Or|tho|gna|thie* die; -: gerade Kieferstellung (Med.). Or|tho|gneis* der; -es, -e: aus magmatischen Gesteinen hervorgegangener Gneis (Geol.). Or|tho|gon ⟨gr.-lat.⟩ das; -s, -e: Rechteck. or|tho|go|nal ⟨gr.-nlat.⟩: rechtwinklig Or|tho|gra|phie, auch: ...grafie ⟨gr.-lat.⟩ die; -, ...jen: nach bestimmten Regeln festgelegte Schreibung der Wörter; Rechtschreibung. or|tho|gra|phisch, auch: ...grafisch: die Orthographie betreffend, rechtschreiblich. or|tho|ke|phal usw. vgl. orthozephal usw. Or|tho|klas* ⟨gr.-nlat.⟩ der; -es, -e: ein Feldspat. Or|tho|lo|gie die; -: Wissenschaft vom Normalzustand u. von der normalen Funktion des Organismus od. von Teilen desselben (Med.). or|tho|nym*: unter dem richtigen Namen des Autors veröffentlicht; Ggs. ↑anonym, ↑pseudonym Or|tho|pä|de der; -n, -n: Facharzt für Orthopädie. Or|tho|pä|die ⟨gr.-fr.⟩ die; -: Wissenschaft von der Erkennung u. Behandlung angeborener od. erworbener Fehler der Haltungs- u. Bewegungsorgane. Or|tho|pä|die|me|cha|ni|ker *der;* -s, -: Handwerker, der künstliche Gliedmaßen, Korsetts u. a. für Körperbehinderte herstellt (Berufsbez.). or|tho|pä|disch: die Orthopädie betreffend. Or|tho|pä|dist *der;* -en, -en: Hersteller orthopädischer Geräte. or|tho|pan|chro|ma|tisch [...kro...]: ↑panchromatisch mit nur schwacher Rotempfindlichkeit. Or|tho|pho|nie, auch: Orthofonie *die;* -, ...ien: nach bestimmten Regeln festgelegte Aussprache der Wörter. Or|thop|noe* *⟨gr.⟩ die;* -: Zustand höchster Atemnot, in dem nur bei aufgerichtetem Oberkörper genügend Atemluft in die Lunge gelangt (Med.). Or|thop|te|re* *⟨gr.-nlat.⟩ die;* -, -n u. Or|thop|te|ron* *die,* -s, ...teren. Geradflügler (z. B. Heuschrecke, Ohrwurm, Schabe) Or|thop|tik* *⟨gr.⟩ die;* -: Übungsbehandlung zur Förderung der beidäugigen Sehens. Or|thop|tist *der;* -en, -en u. Or|thop|tis|tin *die;* -, -nen: Helfer, Helferin des Augenarztes, der bzw. die Sehprüfungen, Schielwinkelmessungen o. Ä. vornimmt u. bei der Behandlung durch entsprechendes Muskeltraining hilft Or|tho|skop* *⟨gr.⟩ das;* -s, -e: Gerät für kristallographische Beobachtungen. Or|tho|sko|pie *die;* -: winkeltreue Abbildung durch Linsen. or|tho|sko|pisch: a) die Orthoskopie betreffend; b) das Orthoskop betreffend Or|thos Lo|gos *⟨gr.;* „rechte Vernunft"⟩ *der;* - -: stoische Bez. für ein allgemeines Weltgesetz, das Göttern u. Menschen gemeinsam ist (Philos.) Or|thos|ta|se* *⟨gr.-nlat.⟩ die;* -, -n: aufrechte Körperhaltung (Med.). Or|thos|ta|ten *die* (Plural): hochkant stehende Quader od. starke stehende Platten als unterste Steinlage bei antiken Gebäuden. or|thos|ta|tisch: 1. die Orthostase betreffend, 2. die Orthostaten betreffend Or|thos|tig|mat* *der* od. *das;* -[e]s, -e: Objektiv, bes. für winkeltreue Abbildungen (Optik). Or|tho|to|nie *die;* -: richtige Betonung (Mus.). or|tho|to|nie|ren: sonst ↑enklitische Wörter mit einem Ton versehen (griech. Betonungslehre)

¹or|tho|trop* *⟨gr.⟩:* senkrecht aufwärts od. abwärts wachsend (in Bezug auf Pflanzen od. Pflanzenteile; Bot.). ²or|tho|trop *⟨Kurzw. aus orthogonal u. anisotrop⟩:* in der Fügung: ortho|trope Platten: im Stahlbau, bes. im Brückenbau verwendetes Flächentragwerk (od. Fahrbahnplatten) mit verschiedenen elastischen Eigenschaften in zwei zueinander senkrecht verlaufenden Richtungen Or|tho|zent|rum* *das;* -s, ...ren: Schnittpunkt der Höhen eines Dreiecks (Geom.). or|tho|ze|phal: von mittelhoher Kopfform (Med.). Or|tho|ze|pha|lie *der* od. *die;* -n, -n: Mensch mit mittelhoher Kopfform (Med.). Or|tho|ze|pha|lie *die;* -: mittelhohe Kopfform (Med.). Or|tho|ze|ras *der;* -, ...zeren: versteinerter Tintenfisch

Or|to|lan *⟨lat.-it.⟩ der;* -s, -e: Gartenammer (europ. Finkenvogel) O|ryk|to|ge|ne|se u. O|ryk|to|ge|nie *⟨gr.-nlat.⟩ die;* -: (veraltet) Gesteinsbildung. O|ryk|tog|no|sie* *die;* -: (veraltet) Mineralogie. O|ryk|to|gra|phie, auch: ...grafie *die;* -: (veraltet) ↑Petrographie. O|ryx|an|ti|lo|pe *⟨gr.; mgr.⟩ die;* -, -n: Antilopenart in den offenen Landschaften südlich der Sahara u. Südarabiens mit langem, spießartigem Gehörn (Zool.) ¹Os *⟨schwed.⟩ der* (auch: *das)*; -[es], -er (meist Plural): mit Sand u. Schotter ausgefüllte ↑subglaziale Schmelzwasserrinne (Geol.) ²Os *⟨lat.⟩ das;* -, Ossa: Knochen (Anat.) ³Us *⟨lat.⟩ das;* -, Ora: (Anat.) 1. Mund. 2. (veraltet) Öffnung eines Organs; vgl. Ostium Os|car *⟨engl.⟩ der;* -[s], -s: volkstümlicher Name der Statuette, die als ↑Academy award verliehen wird (Film) Os|ce|do *vgl. Oszedo* Os|ku|la|ti|on *⟨lat.;* „das Küssen"⟩ *die;* -, -en: Berührung zweier Kurven (Math.). Os|ku|la|ti|ons|kreis *⟨lat.; dt.⟩ der;* -es, -e: Krümmungskreis, der eine Kurve zweiter Ordnung (im betrachteten Punkt) berührt (Math.). os|ku|lie|ren: eine Oskulation bilden Os|mi|um *⟨gr.-nlat.⟩ das;* -s: chemisches Element; ein Metall (Zeichen: Os). Os|mo|lo|gie *die;* -: ↑Osphresiologie os|mo|phil *⟨gr.-nlat.⟩:* zur Osmose neigend (Bot.)

os|mo|phor *⟨gr.-nlat.⟩:* Geruchsempfindungen hervorrufend Os|mo|se *⟨gr.-nlat.⟩ die;* -: Übergang des Lösungsmittels (z. B. von Wasser) einer Lösung in eine stärker konzentrierte Lösung durch eine feinporige (semipermeable) Scheidewand, die zwar für das Lösungsmittel selbst, nicht aber für den gelösten Stoff durchlässig ist (Chem.). Os|mo|the|ra|pie *die;* -, ...ien: therapeutisches Verfahren zur günstigen Beeinflussung gewisser Krankheiten durch Erhöhung des osmotischen Drucks des Blutes (durch Einspritzung hochkonzentrierter Salz- u. Zuckerlösungen ins Blut; Med.). os|mo|tisch: auf Osmose beruhend ö|so|pha|gisch *⟨gr.⟩:* zum Ösophagus gehörend (Med.). Ö|so|pha|gis|mus *⟨gr.-nlat.⟩ der;* -, ...men: Speiseröhrenkrampf (Med.). Ö|so|pha|gi|tis *die;* -, ...itiden: Entzündung der Speiseröhre (Med.). Ö|so|pha|go|skop* *das;* -s, -e: Speiseröhrenspiegel (Med.). Ö|so|pha|go|spas|mus* *der;* -, ...men: ↑Ösophagismus. Ö|so|pha|go|sto|mie *die;* -, ...ien: Speiseröhrenschnitt (Med.). Ö|so|pha|gus, (in der anatomischen Nomenklatur nur:) Oesophagus *der;* -, ...gi: Speiseröhre (Anat.) Os|phra|di|um *⟨gr.-nlat.⟩ das;* -s, ...ien: Sinnesorgan der Weichtiere, das vermutlich als Geruchsorgan dient (Zool.). Os|phre|si|o|lo|gie *die;* -: Wissenschaft vom Geruchssinn os|sal u. os|sär *⟨lat.⟩:* die Knochen betreffend. Os|sa|ri|um *das;* -s, ...ien: 1. Beinhaus (auf Friedhöfen). 2. Gebeinurne der Antike. Os|se|in *⟨lat.-nlat.⟩ das;* -s: Bindegewebsleim der Wirbeltierknochen (zur Herstellung von Leimen u. Gelatine verwendet) os|si|a *⟨it.⟩:* oder, auch (in der Musik zur Bezeichnung einer abweichenden Lesart od. einer leichteren Ausführung) Os|si|fi|ka|ti|on *⟨lat.-nlat.⟩ die;* -, -en: Knochenbildung; Verknöcherung (Med.). os|si|fi|zie|ren: Knorpelgewebe in Knochen umwandeln, verknöchern (Med.). Os|su|a|ri|um *⟨lat.⟩ das;* -s, ...ien: ↑Ossarium Os|te|al|gie *⟨gr.-nlat.⟩ die;* -, ...ien: Knochenschmerz (Med.) os|ten|si|bel *⟨lat.-nlat.⟩:* zum Vorzeigen berechnet, zur Schau gestellt, auffällig. os|ten|siv: a)

13*

augenscheinlich, handgreiflich, offensichtlich; b) zeigend; anschaulich machend, dartuend; c) ↑ostentativ. Os|ten|so|ri|um ⟨lat.-mlat.⟩ das; -s, ...ien: ↑ Monstranz. Os|ten|ta|ti|on ⟨lat.⟩ die; -, -en: (veraltet) Schaustellung, Prahlerei. os|ten|ta|tiv ⟨lat.-nlat.⟩: zur Schau gestellt, betont, herausfordernd. os|ten|ti|ös: prahlerisch Os|te|o|blast* ⟨gr.-nlat.⟩ der; -en, -en (meist Plural): Knochen bildende Zelle (Med.). Os|te|o|blas|tom das; -s, -e: ↑ Osteom. Os|te|o|dy|nie die; -, ...ien: ↑ Ostealgie. Os|te|o|ek|to|mie die; -, ...ien: Ausmeißelung eines Knochenstücks (Med.). Os|te|o|fib|rom ⟨gr.; lat.-nlat.⟩ das; -s, -e: Knochenbindegewebsgeschwulst (Med.). os|te|o|gen ⟨gr.-nlat.⟩: a) Knochen bildend; b) aus Knochen entstanden (Med.). Os|te|o|ge|ne|se die; -, -n: Knochenbildung (Med.). os|te|o|id: knochenähnlich (Med.). Os|te|o|kla|sie die; -, ...ien: operatives Zerbrechen verkrümmter Knochen, um sie gerade zu richten (Med.). Os|te|o|klast der; -en, -en: 1. (meist Plural) mehrkernige, das Knochengewebe zerstörende Riesenzelle (Med.; Biol.). 2. (auch: das; -s, -en) Instrument zur Vornahme einer Osteoklasie (Med.). Os|te|o|kol|le die; -, -n: durch Kalk od. Limonit versteinerte Wurzel von knochenähnlicher Gestalt (Geol.). Os|te|o|lo|ge der; -n, -n: Fachanatom der Osteologie. Os|te|o|lo|gie die; -: Wissenschaft von den Knochen (Med.). os|te|o|lo|gisch: die Osteologie betreffend. Os|te|o|ly|se die; -, -n: Auflösung von Knochengewebe (Med.). Os|te|om das; -s, -e: Knochengewebsgeschwulst. os|te|o|mal|la|kisch vgl. osteomalazisch. Os|te|o|mal|la|zie die; -, ...ien: Knochenerweichung (Med.). os|te|o|mal|la|zisch u. osteomalakisch: Knochen erweichend (Med.). Os|te|o|my|el|li|tis die; -, ...iti|den: Knochenmarkentzündung (Med.). Os|te|on ⟨gr.⟩ das; -s, ...onen: Baustein des Knochengewebes (Med.). Os|te|o|pa|thie ⟨gr.-nlat.⟩ die; -, ...ien: Knochenleiden (Med.). Os|te|o|pha|lge der; -n, -n : ↑ Osteoklast (1). Os|te|o|plas|tik die; -, -en: Schließung von Knochenlücken durch osteoplastische Operationen; vgl. ¹Plastik (2). os|te|o|plas-

tisch: Knochenlücken schließend. Os|te|o|po|ro|se die; -, -n: Schwund des festen Knochengewebes bei Zunahme der Markräume (Med.). Os|te|o|psa|thy|ro|se die; -, -n: angeborene Knochenbrüchigkeit (Med.). Os|te|o|ta|xis die; -, ...xen: Einrenkung von Knochenbrüchen (Med.). Os|te|o|to|mie die; -, ...ien: Durchtrennung eines Knochens (Med.) Os|te|ria ⟨lat.-it.⟩ die; -, -s u. Os|te|rie die; -, ...ien: volkstümliche Gaststätte (in Italien) Os|ti|a|ri|er ⟨lat.; „Türhüter“⟩ der; -s, - u. Os|ti|a|ri|us der; -, ...ier: (veraltet) in der katholischen Kirche Kleriker des untersten Grades der niederen Weihen os|ti|nat, os|ti|na|to ⟨lat.-it.⟩: beharrlich, ständig wiederholt (zur Bezeichnung eines immer wiederkehrenden Bassthemas) (Mus.). Os|ti|na|to der od. das; -s, -s u. ...ti: ↑ Basso ostinato Os|ti|tis ⟨gr.-nlat.⟩ die; -, ...itiden: Knochenentzündung (Med.). Os|ti|um ⟨lat.⟩ das; -s, ...tia u. ...ien: Öffnung, Eingang, Mündung an einem Körperhohlraum od. Hohlorgan (Med.) Ost|ra|ka* : Plural von ↑ Ostrakon. Ost|ra|kis|mos ⟨gr.⟩ der; -: ↑ Ostrazismus. Ost|ra|ko|de ⟨gr.-nlat.⟩ der; -n, -n: Muschelkrebs. Ost|ra|kon ⟨gr.⟩ das; -s, ...ka: Scherbe (von zerbrochenen Gefäßen), die in der Antike als Schreibmaterial verwendet wurde. Ost|ra|zis|mus ⟨gr.-nlat.; „Scherbengericht“⟩ der; -: (hist.) altathenisches Volksgericht, das die Verbannung eines Bürgers beschließen konnte (bei der Abstimmung wurde dessen Name von jedem ihn verurteilenden Bürger auf ein Ostrakon, eine Tonscherbe, geschrieben) Öst|ro|gen* ⟨gr.-nlat.⟩ das; -s, -e: weibliches Sexualhormon mit der Wirkung des ↑ Follikelhormons (Med.). Öst|ro|ma|nie die; -: ↑ Nymphomanie. Öst|ron das; -s: Follikelhormon (Med.). Öst|ron|grup|pe ⟨gr.-nlat.; dt.⟩ die; -: Gruppe der Follikelhormone (Med.). Öst|rus ⟨gr.-lat.⟩ „Rossbremse; Raserei“⟩ der; -: Zustand gesteigerter geschlechtlicher Erregung u. Paarungsbereitschaft bei Tieren; Brunst (Zool.) Os|ze|do ⟨lat.⟩ die; -: Gähnkrampf (Med.). Os|zil|la|ti|on ⟨lat.; „das Schaukeln“⟩ die; -, -en: Schwingung

Os|zil|la|tor ⟨lat.-nlat.⟩ der; -s, ...oren: Schwingungserzeuger (Phys.). Os|zil|la|to|ria die; -, ...ien: Blaualge. os|zil|la|to|risch: die Oszillation betreffend, zitternd, schwankend. os|zil|lie|ren ⟨lat.⟩: 1. a) schwingen (Phys.); b) schwanken, pendeln. 2. a) sich durch Tektonik auf- od. abwärts bewegen (von Teilen der Erdkruste); b) hin u. her schwanken (von Eisrändern u. Gletscherenden; Geogr.). Os|zil|lo|gramm ⟨lat.; gr.⟩ das; -s, -e: von einem Oszillographen aufgezeichnetes Schwingungsbild (Phys.). Os|zil|lo|graph, auch: ...graf der; -en, -en: Apparatur zum Aufzeichnen [schnell] veränderlicher [elektrischer] Vorgänge, bes. Schwingungen (Phys.)

O|tag|ra* [auch: o'ta:gra] ⟨gr.⟩ das; -s, - u. O|tal|gie ⟨gr.-nlat.⟩ die; -, ...ien: Ohrenschmerz (Med.)

OTC-Prä|pa|rat ⟨aus der Abk. von engl. (to sell) over the counter „über den Ladentisch verkaufen“⟩ das; -[e]s, -e: nicht rezeptpflichtiges Präparat

Ot|häl|ma|tom ⟨gr.-nlat.⟩ das; -s, -e: Ohrblutgeschwulst (Med.). O|ti|a|ter* der; -s, -: ↑ Otologe. O|ti|at|rie* ⟨gr.-nlat.⟩ die; -: Ohrenheilkunde (Med.). o|ti|at|risch*: die Ohrenheilkunde betreffend (Med.). O|ti|tis ⟨gr.-nlat.⟩ die; -, ...itiden: Erkrankung des inneren Ohrs; Ohrenentzündung. o|ti|tisch: mit einer Ohrenerkrankung zusammenhängend. O|ti|tis me|dia die; - -, Otitides mediae [...'ti:de:s ...ε]: Mittelohrentzündung (Med.) O|to|dy|nie die; -, ...ien: ↑ Otagra. o|to|gen ⟨gr.-nlat.⟩: von Ohr ausgehend (Med.). O|to|lith [auch: ...'lıt] das; -s u. -en, -e[n]: kleiner prismatischer Kristall aus kohlensaurem Kalk im Gleichgewichtsorgan des Ohres (Med.). O|to|lo|ge der; -n, -n: Ohrenarzt. O|to|lo|gie die; -: Ohrenheilkunde. o|to|lo|gisch: ↑ otiatrisch (Med.)

Q-Ton vgl. Originalton

O|to|phon, auch: Otofon ⟨gr.-nlat.⟩ das; -s, -e: Hörrohr, Schallverstärker für Schwerhörige. O|to|plas|tik die; -, -en: Ohrstück eines Hörgeräts. O|tor|rha|gie die; -, -n: Ohrenbluten (Med.). O|to|skle|ro|se* die; -, -n: zur Schwerhörigkeit führende Erkrankung (Verknöcherung) des Mittelohrs (Med.). o|to|skle|ro|tisch*: die Otosklerose betreffend (Med.). O|to·skop* das; -s, -e: Ohrenspiegel (Med.). O|to|sko|pie* die; -, ...ien: Ausspiegelung des Ohres (Med.). O|to|zy|lon der; -s, -s: Löffelfuchs, afrikanischer Fuchs mit großen Ohren

ot|ta|va ⟨lat.-it.⟩: in der Oktave [zu spielen] (Mus.). Ot|ta|va die; -, ...ve: ↑Ottaverime; vgl. Oktave (2). ot|ta|va al|ta: ↑all'ottava (Mus.). ot|ta|va bas|sa: eine Oktave tiefer [zu spielen] (Zeichen: 8⁻ od. 8ᵛᵃ⁻ unter den betreffenden Noten; Mus.). Ot|ta·ve|ri|me ⟨„acht Verse"⟩ die (Plural): ↑Stanze; vgl. Oktave (2). Ot|ta|vi|no der od. das; -s, -s u. ...ni: (Mus.) 1. Oktav-, Pikkoloflöte. 2. Oktavklarinette

Ot|to|man cüih ›fi nuih Os-man, dem Begründer des türk. Herrscherhauses der Ottomanen⟩ der; -s, -e: Ripsgewebe mit breiten, stark ausgeprägten Rippen. Ot|to|ma|ne die; -, -n: niedriges Liegesofa

Oub|li|et|ten* [ub...] ⟨lat.-vulgär-lat.-fr.⟩ die (Plural): (hist.) Burgverliese für die zu lebenslänglichem Kerker Verurteilten

Ounce [auns] ⟨lat.-fr.-engl.⟩ die; -, -s ['aunsız]: englische Gewichtseinheit (28,35 g); Abk.: oz.

out [aut] ⟨engl.⟩: 1. (österr.) aus, außerhalb des Spielfeldes (bei Ballspielen). 2. in der Verbindung out sein (ugs.): a) (bes. von Personen im Showgeschäft o.Ä.) nicht mehr im Brennpunkt des Interesses stehen, nicht mehr gefragt sein; Ggs. ↑in (sein) (1); b) nicht mehr in Mode sein; Ggs. ↑in (sein) (2). Out das; -[s], -[s]: (österr.) Aus (wenn der Ball das Spielfeld verlässt; bei Ballspielen). Out|back ['autbæk] ⟨engl.⟩ das; -s: kaum besiedeltes australisches Landesinneres. Out·board ['autbɔːd] der; -s, -s: Außenbordmotor. Out|cast ['autka:st] der; -s, -s: a) von der Gesellschaft Ausgestoßener, Paria (2); b) außerhalb der Kasten stehender Inder, Paria (1). Out·door|be|klei|dung ['autdɔː...] ⟨engl.; dt.⟩ die; -, -en: für Freizeitaktivitäten im Freien (wie Wandern u. dergl.) bestimmte Kleidung. ou|ten ['autn] ⟨engl.⟩: (Jargon) 1. die homosexuelle Veranlagung eines Prominenten ohne dessen Zustimmung bekannt machen. 2. sich -: sich öffent-

lich zu seiner homosexuellen Veranlagung bekennen. Ou|ter·space|for|schung, auch: Ou·ter-Space-For|schung ['autə 'speıs...] ⟨engl.; dt.⟩ die; -: Weltraumforschung; vgl. Innerspaceforschung. Out|fit ['autfit] das; -s, -s: Ausstattung, Ausrüstung. Out|fit|ter der; -s, -: Ausstatter, Ausrüster. Out|group ['autgru:p] die; -, -s: Gruppe, der man sich nicht zugehörig fühlt u. von der man sich distanziert; Fremdgruppe, Außengruppe (Soziol.); Ggs. ↑Ingroup. Ou|ting ['autıŋ] das; -s, -s [das 'Sich]outen. Out·law ['autlɔ:] der; -s, -s: 1. Geächteter, Verfemter. 2. jmd., der sich nicht an die bestehende Rechtsordnung hält, Verbrecher. Out|place|ment ['autpleısmənt] ⟨engl.⟩ das; -s, -s: Entlassung einer Führungskraft unter gleichzeitiger Vermittlung an ein anderes Unternehmen. Out|put ['autput] ⟨engl.; „Ausstoß"⟩ der (auch: das); -s, -s: 1. die von einem Unternehmen produzierten Güter; Güterausstoß (Wirtsch.); Ggs. ↑Input (1). 2. a) Ausgangsleistung einer Antenne oder eines Niederfrequenzverstärkers (Elektrot.); b) Ausgabe von Daten aus einer Datenverarbeitungsanlage (EDV); Ggs. ↑Input (2)

out|rie|ren* [ut...] ⟨lat.-fr.⟩: übertrieben darstellen. Out|si|der ['autsaıdə] ⟨engl.⟩ der; -s, -: Außenseiter. Out|sour·cing ['autsɔ:sıŋ] ⟨engl.⟩ das; -s: Übergabe von Firmenbereichen, die nicht zum Kernbereich gehören, an spezialisierte Dienstleistungsunternehmen (Wirtsch.). Ou|ver|tü|re [uve...] ⟨lat.-vulgär-lat.-fr.⟩ die; -, -n: 1. a) einleitendes Instrumentalstück am Anfang einer Oper, eines Oratoriums, Schauspiels, einer Suite; b) einsätziges Konzertstück für Orchester (bes. im 19. Jh.). 2. Einleitung, Eröffnung, Auftakt

Ouv|rée* [u'vre:] ⟨lat.-fr.⟩ die; -: gezwirnte Rohseide

Ou|zo [u:zo] ⟨gr.⟩ der; -s, -s: griechischer Anisbranntwein

ov|al ⟨lat.-mlat.⟩: eirund, länglich rund. O|val das; -s, -e: ovale Fläche, ovale Anlage, ovale Form. O|val|bu|min* ⟨lat.-nlat.⟩ das; -s, -e: Eiweißkörper des Eiklars. O|val|zir|kel ⟨lat.-mlat.; gr.-lat.⟩ der; -s, -: Gerät zum Zeichnen von Ellipsen. o|va|ri|al: das Ovarium betreffend (Med.). O|va|ri-

al|gra|vi|di|tät die; -, -en: Schwangerschaft, bei der sich der Fetus im Eierstock entwickelt; Eierstockschwangerschaft (Med.). O|va|ri|al|hor|mon das; -s: das im Eierstock gebildete Geschlechtshormon (Med.). O|va|ri|ek|to|mie ⟨lat.; gr.⟩ die; -, ...ien: operative Entfernung eines Eierstocks (Med.). o|va|ri|ell ⟨lat.-nlat.⟩: ↑ovarial. O|va|ri|o·to|mie die; -, ...ien: ↑Ovariktomie. O|va|ri|um ⟨lat.⟩ das; -s, ...ien: Gewebe od. Organ, in dem bei Tieren u. beim Menschen Eizellen gebildet werden, Eierstock (Biol.; Med.)

O|va|ti|on ⟨lat.; „kleiner Triumph"⟩ die; -, -en: Huldigung, Beifall

O|ver|all* ['ouvɔ:l] ⟨engl.; „Überalles"⟩ der; -s, -s: a) einteiliger, den ganzen Körper bekleidender Schutzanzug (für Mechaniker, Sportler u. a.); b) modischer, den ganzen Körper bedeckender einteiliger Anzug (für Frauen). o|ver|dressed ['ouvə-drest] ⟨engl.⟩: (für einen bestimmten Anlass zu) vornehm angezogen, zu feierlich gekleidet. O|ver|drive ['ouvədraıv] ⟨engl.⟩ der; -s, -s: zusätzlicher Gang im Getriebe von Kraftfahrzeugen, der nach Erreichen einer bestimmten Fahrgeschwindigkeit die Herabsetzung der Motordrehzahl ermöglicht (Techn.). O|ver|flow ['ouvəflou] ⟨engl.⟩ das; -s: Überschreitung der Speicherkapazität von Computern (EDV). O|ver|head|pro|jek|tor ['ouvəhed...] der; -s, -en: Projektor, durch den eine auf einer horizontalen Glasfläche sich befindende Vorlage von unten beleuchtet u. über ein optisches System mit um 90° abgewinkeltem Strahlengang über den Kopf des Vortragenden rückseitig von ihm projiziert wird (Techn.). O|ver|kill ['ouvəkıl] ⟨engl.; „Übertöten"⟩ das, auch: der; -s: Situation, in der gegnerische Staaten mehr Waffen, bes. Atomwaffen, besitzen, als nötig sind, um den Gegner zu vernichten. o|ver|sized ['ouvəsaızd] ⟨engl.⟩: (von Kleidungsstücken) größer als tatsächlich nötig. O|ver|state·ment ['ouvəsteıtmənt] ⟨engl.⟩ das; -s, -s: Übertreibung, Überspielung. o|ver|styled ['ouvə-staıld] ⟨engl.⟩: (für einen bestimmten Anlass) zu perfekt gestylt. O|ver-the-Coun|ter-Mar|ket ['ouvəðə'kauntəma:kıt]

⟨engl.⟩ der; -s: (Bankwesen) a) (in
den USA) der über den Telefon-
verkehr zwischen den Banken
sich vollziehende Handel in nicht
zum offiziellen Handel zugelas-
senen Wertpapieren; b) (in
Großbritannien) Wertpapierge-
schäft am Bankschalter, Tafelge-
schäft

O|vi|dukt ⟨lat.-nlat.⟩ der; -[e]s, -e:
Eileiter (Med.; Biol.)

O|vi|ne ⟨lat.⟩ die (Plural): Schafs-
pocken (Med.)

o|vi|par ⟨lat.⟩: Eier legend (Biol.).
O|vi|pa|rie ⟨lat.-nlat.⟩ die; -:
Fortpflanzung durch Eiablage
(Biol.). **O|vi|zid** das; -[e]s, -e: in
der Landwirtschaft gebräuchliches Mittel zur Abtötung von
[Insekten]eiern. **O|vo|ge|ne|se**
⟨lat.; gr.⟩ die; -, -n: ↑ Oogenese.
o|vo|id u. **o|vo|i|disch**: eiförmig
(Biol.). **O|vo|plas|ma** das; -s:
↑ Ooplasma. **o|vo|vi|vi|par** ⟨lat.-
nlat.⟩: Eier mit mehr od. weniger
entwickelten Embryonen able-
gend (in Bezug auf Tiere, z. B.
Feuersalamander, Kreuzotter;
Biol.). **O|vo|vi|vi|pa|rie** die; -,
...ien: Fortpflanzung durch Ab-
lage von Eiern, in denen die
Embryonen sich bereits in einem
fortgeschrittenen Entwicklungs-
stadium befinden (sodass bei
manchen Tieren die Embryonen
unmittelbar nach der Eiablage
ausschlüpfen; Biol.). **O|vu|la|ti-
on** die; -, -en: Eisprung (Biol.;
Med.). **O|vu|lum** das; -s, ...la:
↑ Ovum. **O|vum** ⟨lat.⟩ das; -s,
Ova: Ei, Eizelle (Med.; Biol.)

Ow|rag* ⟨russ.⟩ der; -s, -i: tief
eingeschnittene, junge Ero-
sionsform im Steppenklima
(Geogr.)

O|xal|at ⟨gr.-lat.-nlat.⟩ das; -[e]s,
-e: Salz der Oxalsäure. **O|xal|at-
stein** ⟨gr.-lat.-nlat.; dt.⟩ der; -[e]s,
-e: Nierenstein aus oxalsaurem
Kalk (Med.). **O|xal|is** ⟨gr.-lat.⟩
die; -: Sauerklee. **O|xal|it** [auch:
...'lit] ⟨gr.-lat.-nlat.⟩ der; -s, -e: ein
Mineral. **O|xal|säu|re** ⟨gr.-
nlat.⟩ die; -: Kleesäure, giftige, technisch vielfach verwendete orga-
nische Säure. **O|xal|u|rie*** ⟨gr.-
nlat.⟩ die; -...ien: vermehrte Ausscheidung von Oxalsäure im
Harn (Med.)

O|xer ⟨engl.⟩ der; -s, -: a) Absper-
rung zwischen Viehweiden; b)
Hindernis beim Springreiten,
das aus zwei Stangen besteht,
zwischen den Buschwerk gestellt
wird

¹O|x|ford ⟨nach der engl. Stadt⟩
das; -s, -s: bunter Baum-

woll[hemden]stoff. **²O|x|ford** das;
-s: unterste Stufe des ↑ Malms
(Geol.). **O|x|ford|be|we|gung**
⟨engl.; dt.⟩ die; -: 1. hochkirchli-
che Bewegung in der anglikani-
schen Kirche; ↑ Traktarianis-
mus. 2. Oxfordgruppenbewe-
gung; eine 1921 von F. N. D.
Buchman begründete religiöse
Gemeinschaftsbewegung. **Ox-
ford|ein|heit** die; -, -en: interna-
tionales Maß für wirksame Peni-
zillinmengen; Abk.: OE (Med.).
Ox|for|di|en [...'djɛ̃:] ⟨engl.-fr.⟩
das; -s: ↑ ²Oxford

O|xid, auch: **Oxyd** ⟨gr.-fr.⟩ das;
-[e]s, -e: Verbindung eines chemischen Elements mit Sauer-
stoff. **O|xi|da|se**, auch: Oxydase
⟨gr.-fr.-nlat.⟩ die; -, -n: Sauerstoff
übertragendes Enzym (Chem.).
O|xi|da|ti|on, auch: Oxydation
⟨gr.-fr.⟩ die; -, -en: 1. chemische
Vereinigung eines Stoffs mit
Sauerstoff; vgl. Desoxidation. 2.
Entzug von Elektronen aus den
Atomen eines chemischen Ele-
ments. **O|xi|da|ti|ons|zo|ne**,
auch: Oxydationszone ⟨gr.-fr.;
gr.-lat.⟩ die; -, -n: „eiserner" Hut
eines Erzkörpers (Zersetzungs-
u. Auslaugungszone nahe der
Erdoberfläche; Geol.). **o|xi|da-
tiv**, auch: oxydativ ⟨gr.-nlat.⟩:
durch eine Oxidation erfolgend,
bewirkt. **O|xi|da|tor**, auch: Oxy-
dator der; -s, ...oren: Sauerstoffträger als Bestandteil von [Ra-
keten]treibstoffen. **o|xi|die|ren**,
auch: oxydieren ⟨gr.-fr.⟩: 1. a)
(ugs.) sich mit Sauerstoff verbinden, Sauerstoff aufnehmen; b)
bewirken, dass sich eine Substanz mit Sauerstoff verbindet.
2. Elektronen abgeben, die von
einer anderen Substanz aufgenommen werden; vgl. desoxidie-
ren. **O|xi|di|me|ter**, auch: Oxy-
dimeter das; -s, -: Gerät zur
Maßanalyse bei der Vornahme
einer Oxidimetrie (Chem.). **O|xi-
di|met|rie***, auch: Oxydimetrie
⟨gr.⟩ die; -: Bestimmung von Mengen
eines Stoffs durch bestimmte
Oxidationsvorgänge (Chem.).
o|xi|disch, auch: oxydisch: Oxid
enthaltend. **O|xi|dul**, auch:
Oxydul der; -s, -e: (veraltet)
sauerstoffärmeres
Oxid (Chem.)

Ox|tail|sup|pe ['ɔksteɪl...] ⟨engl.;
dt.⟩ die; -, -n: Ochsenschwanz-
suppe

O|xy|bi|o|se ⟨gr.-nlat.⟩ die; -: ↑ Ae-
robiose. **O|xyd** usw. vgl. Oxid
usw. **O|xy|es|sig|säu|re** ⟨gr.; dt.⟩
die; -: ↑ Glykolsäure. **O|xy|gen**

⟨gr.-fr.-nlat.⟩ das; -s: chem. Element; Sauerstoff (Zeichen: O).
O|xy|ge|na|ti|on die; -, -en: Sät-
tigung des Gewebes mit Sauerstoff (Med.); vgl. ...[at]ion/ ...ie-
rung. **O|xy|ge|nie|rung** die; -,
-en: ↑ Oxygenation; vgl.
...[at]ion/...ierung. **O|xy|ge|ni-
um** das; -s: ↑ Oxygen. **O|xy|hä-
mo|glo|bin*** ⟨gr.; lat.-nlat.⟩
das; -s: sauerstoffhaltiges Blut-
farbstoff. **O|xy|li|quit** das; -s:
Sprengstoff aus einem brennba-
ren Stoff u. flüssigem Sauerstoff.
O|xy|mo|ron ⟨gr.; ...das Scharf-
dumme") das; -s, ...ra: Zusam-
menstellung zweier sich wider-
sprechender Begriffe in einem
Additionswort od. als rhetori-
sche Figur (z. B. „bittersüß",
„Eile mit Weile!"; Rhet.; Stilk.).
o|xy|phil ⟨gr.-nlat.⟩: saure Farb-
stoffe bindend. **O|xy|pro|pi|on-
säu|re** ⟨gr.; dt.⟩ die; -: Milchsäu-
re. **O|xy|säu|re** die; -: Säure, die
die Eigenschaften einer Säure u.
eines Alkohols zugleich hat.
O|xy|to|non ⟨gr.⟩ das; -s, ...na:
ein Wort, das einen ↑ Akut auf
der betonten Endsilbe trägt
(z. B. gr. ἀγρόσ = Acker;
griech. Betonungslehre); vgl.
Paroxytonon u. Proparoxyto-
non. **O|xy|u|re** ⟨gr.-nlat.⟩ die; -,
-n: Madenwurm des Menschen.
O|xy|u|ri|a|sis die; -, ...riasen:
Erkrankung an Madenwürmern
(Med.)

O|za|lid ® ⟨Kunstw.⟩ das; -s:
Markenbezeichnung für Papier,
Gewebe, Filme mit lichtempfindlichen Emulsionen (2)
O|zä|na ⟨gr.-lat.⟩ die; -, ...nen: mit
Absonderung eines übel riechen-
den Sekrets einhergehende chro-
nische Erkrankung der Nasen-
schleimhaut (Med.)

O|ze|an ⟨gr.-lat.⟩ der; -s, -e: große
zusammenhängende Wasserflä-
che zwischen den Kontinenten.
O|ze|a|na|ri|um ⟨gr.-lat.-nlat.⟩
das; -s, ...ien: größeres Meerwas-
seraquarium. **O|ze|a|naut** ⟨gr.-
lat.⟩ der; -en, -en: ↑ Aqua-
naut. **O|ze|a|ner** ⟨gr.-lat.-nlat.⟩ der; -s,
-: (scherzh.) großer Ozeandamp-
fer. **o|ze|a|nisch**: 1. den Ozean
betreffend, durch ihn beeinflusst; Meeres...: **ozeanisches
Klima**: vom Meer beeinflusstes
Klima mit hoher Luftfeuchtig-
keit, hohen Niederschlägen u.
geringer Temperaturschwan-
kung. 2. Ozeanien (die Inseln des
Stillen Ozeans) betreffend. **O|ze-
a|nist** ⟨gr.-lat.-nlat.⟩ der; -en, -en:
Kenner u. Erforscher der Kultu-

ren der ozeanischen Völker. O|ze|a|nis|tik *die;* -: Wissenschaft von der Kultur der ozeanischen Völker. O|ze|a|ni|tät *die;* -: Abhängigkeit des Küstenklimas von den großen Meeresflächen (Geogr.). O|ze|a|no|graph, auch: ...graf ⟨*gr.-nlat.*⟩ *der;* -en, -en: Meereskundler. O|ze|a|no|gra|phie, auch: ...grafie *die;* -: Meereskunde. o|ze|a|no|gra|phisch, auch: ...grafisch: meereskundlich. O|ze|a|no|lo|ge *der;* -n, -n: ↑Ozeanograph. O|ze|a|no|lo|gie *die;* -: ↑Ozeanographie. o|ze|a|no|lo|gisch: ↑ozeanographisch O|zel|le ⟨*lat.;* „kleines Auge"⟩ *die;* -, -n: einfaches Lichtsinnesorgan niederer Tiere (Zool.) O|ze|lot [auch: 'ɔts...] ⟨*aztekisch-span.-fr.*⟩ *der;* -s, -e u. -s: 1. katzenartiges Raubtier Mittel- u. Südamerikas (auch im südlichen Nordamerika) mit wertvollem Fell. 2. a) Fell dieses Tieres; b) aus diesem Fell gearbeiteter Pelz O|zo|ke|rit [auch: ...'rɪt] ⟨*gr.-nlat.*⟩ *der;* -s: Erdwachs (natürlich vorkommendes mineralisches Wachs) O|zon ⟨*gr.;* „das Duftende"⟩ *der,* auch: *das;* -s: besondere Form des Sauerstoffs (O₃); starkes Oxidations-, Desinfektions- u. Bleichmittel. O|zo|nid ⟨*gr.-nlat.*⟩ *das;* -[e]s, -e: dickes, stark oxidierendes Öl. o|zo|ni|sie|ren: mit Ozon behandeln, keimfrei machen. O|zo|no|sphä|re* *die;* -: durch höheren Ozongehalt gekennzeichnete Schicht der Erdatmosphäre (Meteor.)

Pä|an ⟨*gr.-lat.*⟩ *der;* -s, -e: 1. feierliches altgriechisches [Dank-, Preis]lied. 2. ↑Päon **Pace** [peɪs] ⟨*lat.-fr.-engl.;* „Schritt"⟩ *die;* -: Tempo eines Rennens, auch eines Jagd, eines Geländerittes (Sport). **Pace|ma|cher** ['peɪs...] ⟨*engl.; dt.*⟩ *der;* -s, -: ↑Pacemaker (1). **Pace|ma|ker** ['peɪsmeɪkɐ] ⟨*engl.;* „Schrittmacher"⟩ *der;* -s, -: 1. in einem Rennen führendes Pferd, das (meist

zugunsten eines anderen Pferdes, eines Stallgefährten) das Tempo des Rennens bestimmt (Pferdesport). 2. Schrittmacherzelle der glatten Muskulatur, die Aktionsströme zu erzeugen u. weiterzuleiten vermag (Med.). 3. elektrisches Gerät zur künstlichen Anregung der Herztätigkeit nach Ausfall der physiologischen Reizbildungszentren (Med.). **Pa|cer** ['peɪsɐ] *der;* -s, -: Pferd, das im Schritt u. Trab beide Beine einer Seite gleichzeitig aufsetzt; Passgänger (Pferdesport) **Pa|chul|ke** ⟨*poln.*⟩ *der;* -n, -n: 1. (landsch.) ungehobelter Bursche, Tölpel. 2. (veraltet) Setzergehilfe (Druckw.) **Pa|chy|ak|rie*** [...x...] ⟨*gr.-nlat.*⟩ *die;* -, ...ien: 1. Verdickung der Finger u. Zehen; vgl. Pachydaktylie (Med.). 2. ↑Akromegalie (Med.), **Pa|chy|chei|lie** [...xy-çaɪ...] *die;* -, ...ien: ↑Makrocheilie. **Pa|chy|dak|ty|lie** *die;* -, ...ien: ↑Pachyakrie (1). **Pa|chy|der|men** *die* (Plural): (veraltet) Dickhäuter (Sammelbezeichnung für Elefanten, Nashörner, Flusspferde, ↑Tapire u. Schweine). **Pa|chy|der|mie** *die;* -, ...ien: ↑Elefantiasis. **Pa|chy|me|nin|gi|tis** *die;* -, ...itiden: Entzündung der harten Haut des Gehirns u. des Rückenmarks (Med.). **Pa|chy|me|ninx** *die;* -, ...meningen: ↑Dura. **Pa|chy|me|ter** *das;* -s, -: Dickenmesser (Techn.). **Pa|chy|o|ny|chie** *die;* -, ...ien: Verdickung der Nagelplatten an Fingern u. Zehen (Med.). **Pa|chy|ze|pha|lie** *die;* -, ...ien: verkürzte Schädelform mit gleichzeitiger abnormer Verdickung der Schädelknochen (Med.) **Pa|ci|fi|cal|le** ⟨*lat.-mlat.*⟩ *das;* -[s]: lat. Bez. für: ↑Paxtafel **Pack** [pæk] ⟨*engl.*⟩ *das;* -, -s: engl. Gewicht für Wolle, Leinen u. Hanfgarn. **Pa|ckage|tour** ['pækɪʧ..., auch: 'pækɪdʒ...] ⟨*engl.*⟩ *die;* -, -en: durch ein Reisebüro bis ins Einzelne organisierte Reise im eigenen Auto **Pack|fong** ⟨*chin.*⟩ *das;* -s: (im 18. Jh. aus China eingeführte) Kupfer-Nickel-Zink-Legierung **Pä|da|go|ge*** ⟨*gr.-lat.;* „Kinder-, Knabenführer"⟩ *der;* -n, -n: a) Erzieher, Lehrer; b) Erziehungswissenschaftler. **Pä|da|go|gik** ⟨*gr.*⟩ *die;* -: Theorie u. Praxis der Erziehungswissenschaft. **Pä|da|go|gi|kum** *das;* -s, ...ka: (in mehreren Bundesländern) im Rahmen des

1. Staatsexamens abzulegende Prüfung in Erziehungswissenschaften für Lehramtskandidaten. **pä|da|go|gisch:** a) die Pädagogik betreffend; zu ihr gehörend; b) der [richtige] Erziehung betreffend; erzieherisch. **pä|da|go|gi|sie|ren:** unter pädagogischen Aspekten sehen, für pädagogische Zwecke auswerten. **Pä|da|go|gi|um** ⟨*gr.-lat.*⟩ *das;* -s, ...ien: (veraltet) 1. Erziehungsanstalt. 2. Vorbereitungsschule für das Studium an einer pädagogischen Hochschule. **Pä|da|tro|phie** ⟨*gr.-nlat.*⟩ *die;* -: schwerste Form der Ernährungsstörung bei Kleinkindern (Med.) **Pa|dauk** vgl. Padouk **Pad|dock** ['pɛdɔk] ⟨*engl.*⟩ *der;* -s, -s: Gehege, umzäunter Laufgang für Pferde **¹Pad|dy** ['pɛdɪ] ⟨*malai.-engl.*⟩ *der;* -s: ungeschälter, noch mit Spelzen umgebener Reis **²Pad|dy** ['pædɪ] ⟨*engl.* Koseform von Patrick, dem Schutzpatron der Iren⟩ *der;* -s, -s: (scherzh.) Ire (Spitzname) **Pä|de|rast*** ⟨*gr.*⟩ *der;* -en, -en: Homosexueller mit bes. auf männliche Jugendliche gerichtetem Sexualempfinden. **Pä|de|ras|tie** *die;* -: Sexualempfinden der Päderasten. **Pä|di|a|ter** ⟨*gr.-nlat.*⟩ *der;* -s, -: Facharzt für Krankheiten des Säuglings- u. Kindesalters; Kinderarzt. **Pä|di|at|rie** *die;* -: Teilgebiet der Medizin, auf dem man sich mit den Krankheiten des Säuglings- u. Kindesalters befasst; Kinderheilkunde. **pä|di|at|risch:** die Kinderheilkunde betreffend, zu ihr gehörend, auf ihr beruhend **Pa|di|schah** ⟨*pers.*⟩ *der;* -s, -s: (hist.). 1. (ohne Plural) Titel islamischer Fürsten. 2. islamischer Fürst als Träger dieses Titels **Pä|do** ⟨*gr.*⟩ *der;* -s, -s: Kurzform von ↑Pädosexueller, ↑Pädophiler. **Pä|do|au|di|o|lo|ge** ⟨*gr.; lat.;* gr.⟩ *der;* -n, -n: Spezialist auf dem Gebiet der Pädoaudiologie (Med.). **Pä|do|au|di|o|lo|gie** *die;* -: (Med.) 1. Wissenschaft vom Hören u. von den Hörstörungen im Kindesalter. 2. Hörerziehung des Kindes. **pä|do|au|di|o|lo|gisch:** die Pädoaudiologie betreffend, auf ihr beruhend (Med.). **Pä|do|don|tie*** ⟨*gr.-nlat.*⟩ *die;* -: Kinderzahnheilkunde (Med.). **Pä|do|ge|ne|se** u. **Pä|do|ge|ne|sis** *die;* -: Fortpflanzung im Larvenstadium (Sonderfall der Jungfernzeu-

gung; Biol.). pä|do|ge|ne|tisch: sich im Larvenstadium fortpflanzend (Biol.). Pä|do|lin|gu|is|tik [auch: ...'guːs...] *die;* -: Teilgebiet der angewandten Sprachwissenschaft, auf dem man sich mit den Stadien des Spracherwerbs und der systematischen Entwicklung der Kindersprache beschäftigt (Sprachw.). **Pä|do|lo|ge** *der;* -n, -n: Wissenschaftler auf dem Gebiet der Pädologie. **Pä|do|lo|gie** *die;* -: Wissenschaft vom gesunden Kind unter Berücksichtigung von Wachstum u. Entwicklung. **pä|do|lo|gisch:** die Pädologie betreffend. **pä|do|phil:** a) die Pädophilie betreffend; b) zur Pädophilie neigend. **Pä|do|phi|le** *der;* -n, -n: pädophil empfindender Mann. **Pä|do|phi|lie** *die;* -: sexuelle Neigung Erwachsener zu Kindern od. Jugendlichen beiderlei Geschlechts. **Pä|do|se|xu|el|le** *der;* -n, -n: ↑ Pädophile

Pa|douk [pa'dauk] *‹birmanisch-engl.›* *das;* -s: hell- bis dunkelbraunrotes [farbig gestreiftes] hartes Edelholz eines in Afrika u. Asien beheimateten Baumes **Pad|re*** *‹lat.-it.;* „Vater"› *der;* -, **Pa|dri:** 1. (ohne Plural) Titel der Ordenspriester in Italien. 2. Ordenspriester in Italien als Träger dieses Titels. **Pad|ro|na** *die;* -, ...ne: ital. Bez. für: Gebieterin; Wirtin; Hausfrau. **Pad|ro|ne** *der;* -[s], ...ni: 1. ital. Bez. für: Herr, Chef. 2. Schutzheiliger. 3. *Plural* von ↑ Padrona **Pa|du|a|na** *die;* -, ...nen: 1. im 16. Jh. verbreiteter schneller Tanz im Dreiertakt. 2. ↑ Pavane (2) **Pa|el|la** [pa'ɛlja] *‹span.›* *die;* -, -s: 1. spanisches Reisgericht mit verschiedenen Fleisch- u. Fischsorten, Muscheln, Krebsen u. a. 2. zur Zubereitung der Paella (1) verwendete eiserne Pfanne **Pa|fel** vgl. Bafel **Pal|fe|se,** Pofese, Povese u. Bofese *‹it.›* *die;* -, -n (meist Plural): (bayr., österr.) gefüllte, in Fett gebackene Weißbrotschnitte **Pa|gaie** *‹malai.-span.›* *die;* -, -n: Stechpaddel mit breitem Blatt für den ↑ Kanadier (1) **pa|gan** *‹lat.-nlat.›:* heidnisch. **pa|ga|ni|sie|ren:** dem Heidentum zuführen. **Pa|ga|nis|mus** *der;* -, ...men: a) (ohne Plural) Heidentum; b) heidnisches Element im christlichen Glauben u. Brauch **Pa|gat** *‹it.›* *der;* -[e]s, -e: Karte im Tarockspiel

pa|gal|to|risch *‹lat.-it.›:* Zahlungen, verrechnungsmäßige Buchungen betreffend, auf ihnen beruhend **Pa|ge** ['paːʒə] *‹fr.›* *der;* -n, -n: 1. (hist.) junger Adliger als Diener am Hof eines Fürsten. 2. junger, uniformierter Diener, Laufbursche [eines Hotels]. **Pa|ger** ['peɪdʒɐ] *‹engl.›* *der;* -s, -: Funkempfangsgerät, das einen eintreffenden Ruf akustisch od. optisch signalisiert (z. B. als Endgerät einer Personensuchanlage; Funkw.). **Pa|ge|rie** [paʒə...] *die;* -, ...jen: (hist.) Pagenbildungsanstalt **Pa|gi|na** *‹lat.›* *die;* -, -s u. ...nä: (veraltet) Buchseite, Blattseite (Abk.: p., pag.). **pa|gi|nie|ren:** mit Seitenzahlen versehen **Päg|ni|um*** *‹gr.-nlat.›* *das;* -s, ...nia: in der altgriechischen Dichtung kleines lyrisches Gedicht meist scherzhaften Inhalts **Pa|go|de** *‹drawid.-port.›* *die;* -, -n: 1. in Ostasien entwickelter, turmartiger Tempel-, Reliquienbau mit vielen Stockwerken, die alle ein eigenes Vordach haben; vgl. Stupa. 2. (auch: *der;* -n, -n) (veraltet, noch österr.) ostasiatisches Götterbild, meist als kleine sitzende Porzellanfigur mit beweglichem Kopf **Pai|deia** *‹gr.›* *die;* -: altgriechisches Erziehungsideal, das vor allem die musische, gymnastische u. politische Erziehung umfasst. **Pai|deu|ma** *das;* -s: Kulturseele (in der Bereich der ↑ Kulturmorphologie gehörender Begriff von L. Frobenius). **Pai|di|bett** ® *‹gr.; dt.›* *das;* -[e]s, -en: Kinderbett, dessen Boden höhenverstellbar ist **Pai|gni|on*:** griech. Form von: Pägnium **paille** [paːjə, auch: paj] *‹lat.-fr.›:* strohfarben, strohgelb. **Pail|let|te** [paj'jɛtə] *die;* -, -n (meist Plural): glitzerndes Metallblättchen zum Aufnähen **Pain** ['pɛ̃:] *‹lat.-fr.›* *der* od. *das;* -[s], -s: Fleischkäse (Gastr.). **pair** [pɛːɐ] *‹lat.-fr.›:* gerade (von den Zahlen beim Roulettspiel; Gewinnmöglichkeit); Ggs. ↑ impair. **Pair** *der;* -s, -s: (hist.) Mitglied der franz. Hochadels. **Pai|rie** [pɛ...] *die;* -, ...jen: Würde eines Pairs **Pai|ring** ['pɛːrɪŋ] *‹engl.›* *das;* -: partnerschaftliches Verhalten; Partnerschaft **Pa|ka** *‹indian.-span.›* *das;* -s, -s: südamerikanisches Nagetier

Pa|ket *‹fr.›* *das;* -[e]s, -e: 1. a) mit Papier o. Ä. umhüllter [u. verschnürter] Packen; b) etwas in einen Karton, eine Schachtel o. Ä. Eingepacktes; vgl. Lunchpaket; c) größere Packung, die eine bestimmte größere Menge einer Ware enthält (z. B. ein Paket Waschpulver). 2. größeres Päckchen als Postsendung in bestimmten Maßen u. mit einer Höchstgewichtsgrenze. 3. zu einer Sammlung, einem Bündel zusammengefasste Anzahl politischer Pläne, Vorschläge, Forderungen. 4. (beim ↑ Rugby) dichte Gruppierung von Spielern beider Mannschaften um den Spieler, der den Ball hält. **pa|ke|tie|ren** *‹niederl.-fr.›:* einwickeln, verpacken, zu einem Paket machen **Pa|ko** *‹indian.-span.›* *der;* -s, -s: ↑ ¹Alpaka (1) **Pa|ko|til|le** [...'tiljə] *‹niederl.-fr.-span.-fr.›* *die;* -, -n: auf einem Schiff frachtfreies Gepäck, das den Seeleuten gehört **Pakt** *‹lat.›* *der;* -[e]s, -e: Vertrag, Übereinkommen; politisches od. militärisches Bündnis. **pak|tie|ren** *‹lat.-nlat.›:* einen Vertrag, ein Bündnis schließen; ein Abkommen treffen, gemeinsame Sache machen. **Pak|tum** *‹lat.›* *das;* -s, ...ten: (veraltet) Pakt **Pal|lä|anth|ro|po|lo|ge*** *‹gr.-nlat.›* *der;* -n, -n: Wissenschaftler auf dem Gebiet der Paläanthropologie. **Pal|lä|anth|ro|po|lo|gie** *die;* -: auf fossile Funde gegründete Wissenschaft vom vorgeschichtlichen Menschen u. seinen Vorgängern. **pal|lä|anth|ro|po|lo|gisch:** die Paläanthropologie betreffend, zu ihr gehörend, auf ihr beruhend. **pal|lä|ark|tisch:** altarktisch **Pa|la|din** [auch: 'paːl...] *‹lat.-mlat.-it.-fr.›* *der;* -s, -e: 1. Angehöriger des Heldenkreises am Hofe Karls des Großen. 2. Hofritter, Berater eines Fürsten. 3. treuer Gefolgsmann **Pal|la|don** ® *‹Kunstw.›* *das;* -s: Kunststoff für Zahnersatz **Pal|lais** [pa'lɛ:] *‹lat.-fr.›* *das;* -[...ɛ:(s)], - [...ɛ:s]: Palast, Schloss. **Pal|lais de l'E|ly|sée** [palɛdleli'ze:] *das;* - - -: ↑ Elysee **pal|lä|neg|rid*** *‹gr.; lat.-span.›:* die Merkmale eines bestimmten afrikanischen Rassentyps aufweisend **Pal|lan|kin** *‹Hindi-port.-fr.›* *der;* -s, -e u. -s: indischer Tragsessel; Sänfte

Pa|lä|o|anth|ro|po|lo|gie* ⟨gr.-nlat.⟩ die; -: ↑ Paläanthropologie. **pa|lä|o|ark|tisch:** ↑ paläarktisch. **Pa|lä|o|bi|o|lo|gie** die; -: Teilgebiet der Paläontologie, das sich mit den ↑ fossilen Organismen, ihren Lebensumständen u. ihren Beziehungen zur Umwelt befasst. **Pa|lä|o|bo|ta|nik** die; -: Wissenschaft von den ↑ fossilen Pflanzen. **Pa|lä|o|bo|ta|ni|ker** der; -s, -: Wissenschaftler auf dem Gebiet der Paläobotanik. **pa|lä|o|bo|ta|nisch:** die Paläobotanik betreffend, zu ihr gehörend, auf ihr beruhend. **Pa|lä|o|de|mo|gra|phie,** auch: ...grafie die; -: Teilgebiet der prähistorisch-historischen ↑ Anthropologie, das sich (aufgrund von Alters- u. Geschlechtsdiagnosen an Skelettüberresten) mit den Sterblichkeitsverhältnissen, mit Umfang u. Altersgliederungen menschlicher ↑ Populationen (2) befasst. **Pa|lä|o|gen** das; -s: Alttertiär, untere Abteilung des Tertiärs, die ↑ Paleozän, ↑ Eozän u. ↑ Oligozän umfasst (Geol.). **Pa|lä|o|geo|gra|phie,** auch: ...grafie die; -: Teilgebiet der Geologie, das sich mit der geographischen Gestaltung der Erdoberfläche in früheren geologischen Zeiten befasst. **Pa|lä|o|graph,** auch: Paläograf der; -en, -en: Wissenschaftler auf dem Gebiet der Paläographie. **Pa|lä|o|gra|phie,** auch: Paläografie die; -: Wissenschaft von den Formen u. Mitteln der Schrift im Altertum u. in der Neuzeit; Handschriftenkunde. **pa|lä|o|gra|phisch,** auch: paläografisch: die Paläographie betreffend, auf ihr beruhend; handschriftenkundlich. **Pa|lä|o|his|to|lo|gie** die; -: Wissenschaft von den Geweben der ↑ fossilen Lebewesen. **Pa|lä|o|kli|ma|tol|o|gie** die; -: Wissenschaft von den ↑ Klimaten der Erdgeschichte. **pa|lä|o|krys|tisch:** die Aufeinanderhäufung gestauter Eismassen betreffend (Geogr.). **Pa|lä|o|lin|gu|is|tik** die; -: Wissenschaft, die sich mit einer (angenommenen) allen Völkern gemeinsamen Ursprache befasst. **pa|lä|o|lin|gu|is|tisch:** die Paläolinguistik betreffend, auf ihr beruhend. **Pa|lä|o|lith** [auch: ...'lɪt] der; -s u. -en, -en[n]: Steinwerkzeug des Paläolithikums. **Pa|lä|o|li|thi|ker** [auch: ...'lɪ...] der; -s, -: Mensch der Altsteinzeit. **Pa|lä|o|li|thi|kum** [auch: ...'lɪ...] das; -s: älterer Abschnitt der Steinzeit; Altsteinzeit. **pa|lä|o|li|thisch** [auch: ...'lɪ...]: zum Paläolithikum gehörend; altsteinzeitlich. **pa|lä|o|mag|ne|tisch:** die ↑ Induktion (2) des erdmagnetischen Feldes während des Auskristallisierens von Mineralien betreffend (Geol.). **Pa|lä|on|tol|o|ge** der; -n, -n: Wissenschaftler, der sich mit den Lebewesen vergangener Erdperioden befasst. **Pa|lä|on|tol|o|gie** die; -: Wissenschaft von den Lebewesen vergangener Erdperioden. **pa|lä|on|tol|o|gisch:** die Paläontologie betreffend, zu ihr gehörend, auf ihr beruhend. **Pa|lä|o|phy|to|lo|gie** die; -s: Altertum der Entwicklung der Pflanzenwelt im Verlauf der Erdgeschichte. **Pa|lä|o|phy|to|lo|gie** die; -: ↑ Paläobotanik. **Pa|lä|o|psy|cho|lo|gie** die; -: Psychologie von den Urzuständen des Seelischen. **Pa|lä|o|tro|pis** die; -: pflanzengeographisches Gebiet, das die altweltlichen Tropen u. einen Teil der altweltlichen Subtropen umfasst. **Pa|lä|o|ty|pe** die; -, -n: (selten) Inkunabel. **Pa|lä|o|ty|pie** die; -: Lehre von den Formen der gedruckten Buchstaben. **pa|lä|o|zän:** das Paläozän betreffend. **Pa|lä|o|zän** das; -s: älteste Abteilung des ↑ Tertiärs (Geol.). **Pa|lä|o|zo|i|kum** das; -s: erdgeschichtliches Altertum, Erdaltertum (Geol.). **pa|lä|o|zo|isch:** das Paläozoikum betreffend. **Pa|lä|o|zo|o|lo|ge** der; -n, -n: Wissenschaftler auf dem Gebiet der Paläozoologie. **Pa|lä|o|zo|o|lo|gie** die; -: Wissenschaft von den ↑ fossilen Tieren. **pa|lä|o|zo|o|lo|gisch:** die Paläozoologie betreffend, zu ihr gehörend, auf ihr beruhend

Pal|las ⟨lat.-fr.⟩ der; -, -se: Hauptgebäude einer Ritterburg. **Pa|last** der; -[e]s, Paläste: schlossartiges Gebäude.

Pa|läst|ra* ⟨gr.-lat.⟩ die; -, ...stren: (im Griechenland der Antike) Übungsplatz der Ringer

Pa|last|re|vo|lu|ti|on die; -, -en: a) Umsturzversuch von Personen der nächsten Umgebung eines Herrschers, Staatsoberhaupts; b) Empörung in der Umgebung eines Vorgesetzten, höher Gestellten

pa|la|tal ⟨lat.-nlat.⟩: a) das ↑ Palatum betreffend; b) im vorderen Mund am harten Gaumen gebildet (von Lauten; Sprachw.). **Pa|la|tal** der; -s, -e: im vorderen Mundraum gebildeter Laut, Gaumenlaut (z. B. k; Sprachw.). **Pa|la|ta|lis** die; -, ...les [...le:s] (veraltet) Palatal. **pa|la|ta|li|sie|ren:** 1. ↑ Konsonanten durch Anhebung des vorderen Zungenrückens gegen den vorderen Gaumen erweichen (Sprachw.). 2. einen nicht palatalen Laut in einen palatalen umwandeln (Sprachw.). **Pa|la|tal|laut** der; -[e]s, -e: ↑ Palatal

Pa|la|tin ⟨lat.-mlat.-fr.⟩ der; -s, -e: (hist.) 1. Pfalzgraf (im Mittelalter). 2. der Stellvertreter des Königs von Ungarn (bis 1848). **Pa|la|ti|nat** der; -[e]s, -e: (hist.) Würde eines Pfalzgrafen. **Pa|la|ti|ne** ⟨nach der Pfalzgräfin Elisabeth Charlotte⟩ die; -, -n: (veraltet) 1. Ausschnittumrandung aus Pelz, leichtem Stoff od. Spitze. 2. Hals- u. Brusttuch. **pa|la|ti|nisch** ⟨lat.-mlat.-fr.⟩: 1. den Palatin betreffend. 2. pfälzisch

Pa|la|to|dy|nie* ⟨lat.; gr.⟩ die; -, ...ien: (bei Trigeminusneuralgie auftretender) Schmerz im Bereich des Gaumens (Med.). **Pa|la|to|gramm** das; -s, -e: Abbildung mit dem Palatographen. **Pa|la|to|graph,** auch: Palatograf der; -en, -en: Instrument zur Durchführung der Palatographie. **Pa|la|to|gra|phie,** auch: Palatografie die; -, ...ien: Methode zur Ermittlung u. Aufzeichnung der Berührungsstellen zwischen Zunge u. Gaumen beim Sprechen eines Lautes (Phonetik). **Pa|la|tos|chi|sis** [...ç...] die; -: angeborene Spaltung des harten Gaumens (Med.)

Pa|lat|schin|ke* ⟨gr.-lat.-rumän.-ung.⟩ die; -, -n (meist Plural): (österr.) dünner, zusammengerollter [mit Marmelade o. Ä. gefüllter] Eierkuchen

Pa|la|tum ⟨lat.⟩ das; -s, ...ta: obere Wölbung der Mundhöhle; Gaumen (Med.)

Pa|la|ver ⟨gr.-lat.-port.-engl.⟩ urspr.: Ratsversammlung afrik. Stämme⟩ das; -s, -: (ugs. abwertend) endloses, wortreiches, meist überflüssiges Gerede, Verhandeln, Hinundhergerede. **pa|la|vern** (ugs. abwertend) sich lange in wortreichem, meist überflüssigem Gerede ergeben, lange, oft fruchtlose Verhandlungen führen

Pa|laz|zo ⟨lat.-it.⟩ der; -[s] ...zzi: ital. Bez. für: Palast

Pa|lea ⟨lat.⟩ die; -, Pa|leen (Bot.) 1. Spreuschuppe od. Spreublatt bei Korbblütlern u. Farnen. 2. Blütenspelze der Gräser

Pale Ale ['peɪl 'eɪl] ⟨engl.⟩ das; - -: helles Bier

pal|le|o|zän usw. vgl. paläozän usw.

Pal|le|tot ['paləto, auch, österr. nur: pal'to:, palə'to:] ⟨engl.-fr.⟩ der; -s, -s: 1. (veraltet) doppelreihiger, leicht tailierter Herrenmantel mit Samtkragen, meist aus schwarzem Tuch. 2. dreiviertellanger Damen- od. Herrenmantel

Pal|let|te ⟨lat.-fr.⟩ die; -, -n: 1. meist ovales, mit Daumenloch versehenes Mischbrett für Farben. 2. reiche Auswahl, viele Möglichkeiten bietende Menge. 3. genormte hölzerne od. metallene Hubplatte zum Stapeln von Waren mit dem Gabelstapler

pal|let|ti ⟨Herkunft unsicher⟩: in der Wendung: **[es ist] alles paletti:** (ugs.) es ist alles in Ordnung

pal|let|tie|ren, (auch:) **pal|let|tisie|ren:** Versandgut auf einer Palette (3) stapeln [u. so verladen]

Pal|leu|ro|pa ⟨gr.-nlat.⟩, ohne Artikel; -s (in Verbindung mit Attributen: das; -[s]): Alteuropa, der vor dem ↑Devon versteifte Teil Europas (Geol.)

Pa|lil|la|lie ⟨gr.-nlat.⟩ die; -: krankhafte Wiederholung desselben Wortes od. Satzes (Med.). **Pa|lim|ne|se*** die; -: Wiedererinnerung; Erinnerung an etwas, was bereits dem Gedächtnis entfallen war (Med.; Psychol.). **Pa|limp|sest*** ⟨gr.-lat.⟩ der od. das; -[e]s, -e: 1. antikes oder mittelalterliches Schriftstück, von dem der ursprüngliche Text aus Sparsamkeitsgründen getilgt und das danach neu beschriftet wurde. 2. Rest des alten Ausgangsgesteins in umgewandeltem Gestein (Geol.). **Pa|lin|drom*** ⟨gr.⟩ das; -s, -e: Wort[folge] od. Satz, die vorwärts wie rückwärts gelesen [den gleichen] Sinn ergeben (z. B. Reliefpfeiler; Nebel-Leben; die Liebe ist Sieger-rege ist sie bei Leid). **pa|lin|gen:** die Palingenese (3) betreffend, durch sie entstanden, z. B. palingenes Gestein (Geol.). **Pa|lin|ge|ne|se** ⟨gr.-nlat.⟩ die; -, -n: 1. Wiedergeburt der Seele (durch Seelenwanderung). 2. das Auftreten von Merkmalen stammesgeschichtlicher Vorfahren während der Keimesentwicklung (z. B. die Anlage von Kiemenspalten beim Menschen; Biol.). 3. Aufschmelzung eines Gesteins u. Bildung einer neuen Gesteinsschmelze

(Geol.). **Pa|lin|ge|ne|sie** ⟨gr.-lat.⟩ die; -, ...ien u. **Pa|lin|ge|ne|sis** ⟨gr.-nlat.⟩ die; -, ...esen: ↑Palingenese (2). **pa|lin|ge|netisch:** die Palingenese (1, 2) betreffend. **Pa|li|no|die*** ⟨gr.; „Widerruf⟩ die; -, ...ien: bes. in der Zeit des Humanismus u. des Barocks gepflegte Dichtungsart, bei der vom selben Verfasser die in einem früheren Werk aufgestellten Behauptungen mit denselben formalen Mitteln widerrufen werden

Pa|li|sa|de ⟨lat.-provenzal.-fr.⟩ die; -, -n: 1. zur Befestigung dienender Pfahl; Schanzpfahl. 2. Hindernis aus dicht nebeneinander in die Erde gerammten Pfählen; Pfahlzaun. **Pa|li|sa|den|ge|we|be** das; -s, -: an der Oberseite von Blättern gelegene Schicht pfahlförmig lang gestreckter Zellen, die viel Blattgrün enthalten

Pa|li|san|der ⟨indian.-fr.⟩ der; -s, -: violettbraunes, von dunklen Adern durchzogenes, wertvolles brasilianisches Nutzholz, ²Jakaranda. **pa|li|san|dern:** aus Palisanderholz

pa|li|sie|ren ⟨lat.-provenzal.-fr.⟩: junge Bäume so anbinden, dass sie in einer bestimmten Richtung wachsen

Pal|la ⟨lat.⟩ die; -, -s: 1. altrömischer Frauenmantel. 2. gesticktes Leinentuch über dem Messkelch; vgl. Velum (2)

Pal|la|dia|nis|mus ⟨nlat.⟩ nach dem italienischen Architekten Palladio, 1508–1580⟩ der; -: der von Palladio beeinflusste Architekturstil (17. u. 18. Jh.), bes. in Westeuropa und England

¹**Pal|la|di|um** ⟨gr.-lat.⟩ das; -s, ...ien: Bild der griechischen Göttin Pallas Athene als Schutzbild, schützendes Heiligtum.

²**Pal|la|di|um** ⟨nlat.;⟩ nach dem Planetoiden Pallas⟩ das; -s: chem. Element; dehnbares, silberweißes Edelmetall; Zeichen: Pd

Pal|lasch ⟨türk.-ung.⟩ der; -[e]s, -e: schwerer [Korb]säbel

Pal|la|watsch u. Ballawatsch ⟨it.⟩ der; -s, -e: (österr. ugs.) 1. (ohne Plural) Durcheinander, Blödsinn. 2. Versager, Niete

pal|le|ti: ↑paletti

Pal|li|a|ta ⟨lat.⟩ die; -, ...ten: altröm. Komödie mit griech. Stoff u. Kostüm im Gegensatz zur ↑Togata. **pal|li|a|tiv** ⟨lat.-nlat.⟩: die Beschwerden einer Krankheit lindernd, aber nicht die Ursachen bekämpfend; schmerzlin-

dernd (Med.). **Pal|li|a|tiv** das; -s, -e u. **Pal|li|a|ti|vum** das; -s, ...va: die Krankheitsbeschwerden linderndes, aber nicht die Krankheit selbst beseitigendes Arzneimittel; Linderungsmittel (Med.). **Pal|li|en|gel|der** die (Plural): an den Papst zu zahlende Abgabe beim Empfang des Palliums (3). **Pal|li|um** ⟨lat.⟩ das; -s, ...ien: 1. im antiken Rom mantelartiger Überwurf. 2. Krönungsmantel der [mittelalterlichen] Kaiser. 3. weiße Schulterbinde mit sechs schwarzen Kreuzen als persönliches Amtszeichen der katholischen Erzbischöfe

Pall-mall [pɛl'mɛl] ⟨engl.⟩ das; -: schottisches Ballspiel

Pal|lo|graph, auch: Pallograf ⟨gr.⟩ der; -en, -en: (veraltet) Vibrograph

Pal|lot|ti|ner ⟨nach dem italienischen Priester V. Pallotti, 1795–1850⟩ der; -s, -: Mitglied einer katholischen Vereinigung zur Förderung des ↑Laienapostolats u. der Mission (2). **Pal|lot|ti|ne|rin** die; -, -nen: Schwester einer katholischen Missionskongregation

Palm ⟨lat.-roman.; „flache Hand"⟩ der; -s, -e (aber: 5 Palm): altes Maß zum Messen von Rundhölzern. **Pal|ma|rès** [...'rɛs] ⟨lat.-fr.⟩ der; -, -: (schweiz.) a) Liste der Siege, die jmd. bes. in einem sportlichen Wettbewerb errungen hat; b) Siegerliste. **Pal|ma|rum** ⟨lat.⟩ „(Sonntag) der Palmen"; nach der ↑Perikope (1) vom Einzug Christi in Jerusalem, Matth. 21, 1–11): Sonntag vor Ostern. **Pal|me** die; -, -n: tropischer od. subtropischer Baum mit großen gefiederten od. fächerförmigen Blättern

Pal|mers|ton ['pɑːməstən] ⟨engl.⟩ der; -[s]: schwerer, doppelt gewebter, gewalkter Mantelstoff

Pal|met|te ⟨lat.-fr.⟩ die; -, -n: 1. palmblattähnliches, streng symmetrisches Ornament der griechischen Kunst. 2. an Wänden od. frei stehendem Gerüst gezogene Spalierbaumform. **pal|mie|ren:** 1. beide Augen mit den Handflächen bedecken (Med.). 2. etwas hinter der Hand verschwinden lassen (bei einem Zaubertrick). **Pal|mi|tat** das; -[e]s: Salz der Palmitinsäure. **Pal|mi|tin** das; -s: Hauptbestandteil der meisten Fette. **Pal|mi|tin|säu|re** die; -: feste, gesättigte Fettsäure, die in zahlreichen pflanzlichen u. tierischen Fetten vorkommt

Pal|lo|lo|wurm ⟨polynes.; dt.⟩ der; -[e]s, ...würmer: Borstenwurm der Südsee, dessen frei im Meer schwärmende, die Geschlechtsorgane enthaltende Hinterabschnitte essbar sind

pal|pa|bel ⟨lat.⟩: 1. unter der Haut fühlbar (z. B. von Organen), greifbar, tastbar (z. B. vom Puls; Med.). 2. (veraltet) offenbar, deutlich. **Pal|pa|ti|on** die; , -en: Untersuchung durch Abtasten u. Befühlen von dicht unter der Körperoberfläche liegenden inneren Organen (Med.). **pal|pa|to|risch** ⟨lat.-nlat.⟩: durch Palpation; abtastend, befühlend (Med.). **Pal|pe** die; -, -n: Taster der Borstenwürmer u. Gliedertiere (Zool.). **pal|pie|ren** ⟨lat.⟩: abtasten, betastend untersuchen (Med.). **Pal|pi|ta|ti|on** die; -, -en: verstärkter u. beschleunigter Puls; Herzklopfen (Med.). **pal|pi|tie|ren:** schlagen, klopfen (Med.)

PAL-Sys|tem ⟨Kurzw. aus engl. Phase Alternating Line „phasenverändernde Zeile"; gr.⟩ das; -s: 1967 in Deutschland eingeführtes Farbfernsehsystem, bei dem die auf dem Übertragungsweg entstehenden störenden Einflüsse, die bei der Wiedergabe Farbfehler verursachen würden, durch Kompensation behoben werden; vgl. SECAM-System

Pal|lu|da|ri|um ⟨lat.-nlat.⟩ das; -s, ...ien: Behälter, Anlage zur Haltung von Pflanzen u. Tieren, die in Moor u. Sumpf heimisch sind

Pal|ly|no|lo|gie ⟨gr.-nlat.⟩ die; -: Zweig der Botanik, der sich mit der Erforschung des Blütenpollens befasst

Pa|mir|schaf ⟨nach dem zentralasiat. Hochgebirge⟩ das; -[e]s, -e: im Hochland von Pamir beheimatetes Wildschaf

Pam|pa ⟨indian.-span.⟩ die; -, -s (meist Plural): ebene, baumarme Grassteppe in Südamerika

Pam|pel|mu|se ⟨niederl.⟩ die; -, -n: große, gelbe Zitrusfrucht von säuerlich-bitterem Geschmack

Pam|pe|ro ⟨indian.-span.⟩ der; -[s], -s: kalter, stürmischer Süd- bis Südwestwind in der argentinischen Pampa

Pamph|let* ⟨engl.-fr.⟩ das; -[e]s, -e: [politische] Streit- u. Schmähschrift, verunglimpfende Flugschrift. **Pamph|le|tist** der; -en, -en: Verfasser von Pamphleten. **pamph|le|tis|tisch:** in der Art eines Pamphlets

---

Pam|pu|sche [auch: ...'pu:ʃə] vgl. Babusche

¹Pan ⟨poln.⟩ der; -s, -s: 1. (hist.) (in Polen) Besitzer eines kleineren Landgutes. 2. Herr (poln. Anrede)

²Pan ® ⟨Kurzwort aus Polyacrylnitril⟩ das; -s: synthetische Faser, die in den USA als ↑ Orlon hergestellt wird

Pa|na|ché [...ʃeˑ] usw vgl. Panaschee usw.

Pa|na|de ⟨lat.-provenzal.-fr.⟩ die; -, -n: (Kochkunst) a) Brei aus Semmelbröseln bzw. Mehl u. geschlagenem Eigelb zum ↑ Panieren; b) breiige Mischung (z. B. aus Mehl, Eiern, Fett mit Gewürzen) als Streck- u. Bindemittel für ↑ Farcen (3). **Pa|na|del|sup|pe** die; -, -n: (südd., österr.) Suppe mit Weißbroteinlage u. Ei

pan|af|ri|ka|nisch* ⟨gr.-nlat.⟩: den Panafrikanismus, alle afrikanischen Staaten betreffend. **Pan|af|ri|ka|nis|mus** der; -: Bestreben, die wirtschaftliche u. politische Zusammenarbeit aller afrikanischen Staaten zu verstärken

Pa|na|gia* ⟨gr.; „Allheilige"⟩ die; -, ...ien: in der orthodoxen Kirche: 1. (ohne Plural) Beiname Marias. 2. liturgisches Marienmedaillon des Bischofs. 3. Marienbild in der ↑ Ikonostase. 4. Brotsegnung zu Ehren Marias

Pa|na|ma ⟨nach der mittelamerikan. Stadt⟩ der; -s, -s: Gewebe in Würfelbindung, sog. Panamabindung (Webart). **Pa|na|ma-hut** der; -[e]s, ...hüte: aus den Blattfasern einer bestimmten Palmenart geflochtener Hut

pan|ame|ri|ka|nisch ⟨gr.-nlat.⟩: den Panamerikanismus, alle amerikanischen Staaten betreffend. **Pan|ame|ri|ka|nis|mus** der; -: das Bestreben, die wirtschaftliche u. politische Zusammenarbeit aller amerikanischen Staaten zu verstärken

Pa|na|ri|ti|um ⟨gr.-lat.⟩ das; -s, ...ien: Nagelgeschwür, eitrige Entzündung an den Fingern (Med.)

Pa|nasch ⟨lat.-it.-fr.⟩ der; -[e]s, -e: Helmbusch, Federbusch. **Pa|na|schee** das; -s, -s: (veraltet) 1. mehrfarbiges Speiseeis. 2. aus verschiedenen Obstsorten bereitetes Kompott, Gelee. 3. ↑ Panaschierung. **pa|na|schie|ren** ⟨„buntstreifig machen"⟩: bei einer Wahl seine Stimme für Kandidaten verschiedener Parteien abgeben (z. B. in bestimmten

---

Bundesländern bei Gemeindewahlen). **Pa|na|schie|rung** die; -, -en: weiße Musterung auf Pflanzenblättern durch Mangel an Blattgrün in den Farbstoffträgern (Bot.). **Pa|na|schü|re** die; -, -n: ↑ Panaschierung

Pan|athe|nä|en* ⟨gr.⟩ die (Plural): jährlich, bes. aber alle vier Jahre gefeiertes Fest zu Ehren der Athene im alten Athen

Pa|nax ⟨gr.-lat.⟩ der; -, -: Araliengewächs, dessen Wurzel als ↑ Ginseng in der Heilkunde bekannt ist. **Pa|na|zee*** [auch: ...'tse:] die; -, -n: Allheilmittel, Wundermittel

pan|chro|ma|tisch ⟨gr.-nlat.⟩: empfindlich für alle Farben u. Spektralbereiche (von Filmmaterial; Fotogr.)

Pan|cre|as* Pankreas

Pan|da ⟨Herkunft unsicher⟩ der; -s, -s: a) vorwiegend im Himalaja heimisches Raubtier mit fuchsrotem, an Bauch u. Beinen schwarzbraunem Pelz; Katzenbär; b) scheuer Kleinbär, weiß mit schwarzem Gürtel, schwarzen Ohren u. Augenringen, der von Bambus lebt; Bambusbär

Pan|dai|mo|ni|on ⟨gr.⟩ u. **Pan|dä|mo|ni|um** ⟨gr.-nlat.⟩ das; -s, ...ien: a) Aufenthalt aller ↑ Dämonen; b) Gesamtheit aller ↑ Dämonen

Pan|da|ne ⟨malai.⟩ die; -, -n u. **Pan|da|nus** ⟨malai.-lat.⟩ der; -, -: Schraubenbaum (Zierpflanze mit langen, schmalen Blättern)

Pan|dek|ten ⟨gr.-lat.; „allumfassend"⟩ die (Plural): Sammlung altröm. Privatrechts im ↑ Corpus Juris Civilis; vgl. Digesten. **Pan|dek|tist** ⟨gr.-lat.-nlat.⟩ der; -en, -en: deutscher Zivilrechtler für römisches Recht bes. im 19. Jh.

Pan|de|mie ⟨gr.-nlat.⟩ die; -, ...ien: sich weit verbreitende, ganze Länder u. Landstriche erfassende Seuche; Epidemie großen Ausmaßes (Med.). **pan|de|misch** ⟨gr.⟩: sich über mehrere Länder od. Landstriche ausbreitend (von Seuchen; Med.)

Pan|der|ma ⟨nach der türk. Hafenstadt, heute: Bandirma⟩ der; -s, -s: vielfarbiger türk. [Gebets]teppich ohne charakteristisches Muster u. meist von geringerer Qualität. **Pan|der|mit** [auch: ...'mit] ⟨nlat.⟩ der; -s, -e: in feinkörnigen Knollen vorkommendes seltenes Mineral

Pan|de|ro ⟨span.⟩ der; -s, -s: baskische Schellentrommel; vgl. Tamburin

Pan|dit ⟨sanskr.-Hindi⟩ der; -s, -e u. -s: 1. (ohne Plural) Titel brahmanischer Gelehrter. 2. Träger dieses Titels

Pan|do|ra ⟨gr.-lat.; die erste Frau in der griech. Mythologie; sie trägt alles Unheil in einem Gefäß, um es auf Zeus' Befehl unter die Menschen zu bringen⟩: in der Fügung: **die Büchse der Pandora:** Unheilsquell

Pan|dur ⟨ung.⟩ der; -en, -en: (hist.) a) ungarischer [bewaffneter] Leibdiener; b) leichter ungarischer Fußsoldat

Pan|du|ra vgl. Bandura

Pa|neel ⟨lat.-mlat.-fr.-niederl.⟩ das; -s, -e: 1. a) das vertieft liegende Feld einer Holztäfelung; b) gesamte Holztäfelung. 2. Holztafel der Gemälde. **pa|neelie|ren:** [eine Wand] mit Holz vertäfeln

Pa|ne|gy|ri|ker* ⟨gr.-lat.⟩ der; -s, -: Verfasser von Panegyriken.

Pa|ne|gy|ri|kon ⟨gr.⟩ das; -[s], ...ka: liturgisches Buch der orthodoxen Kirche mit predigtartigen Lobreden auf die Heiligen. **Pa|ne|gy|ri|kos** ⟨gr.⟩ der; -, ...koi u. **Pa|ne|gy|ri|kus** ⟨gr.-lat.⟩ der; -, ...ken u. ...zi: Fest-, Lobrede, Lobgedicht im Altertum. **pa|negy|risch:** den Panegyrikus betreffend, lobrednerisch

Pa|nel ['pɛnl] ⟨engl.⟩ das; -s, -s: repräsentative Personengruppe für die Meinungsforschung. **Pa|neltech|nik** ⟨engl.; gr.⟩ die; -: Methode der Meinungsforschung, die gleiche Gruppe von Personen innerhalb eines bestimmten Zeitraums mehrfach zu ein u. derselben Sache zu befragen

pa|nem et cir|cen|ses [- - ...ze:s] ⟨lat.; „Brot und Zirkusspiele"⟩: Lebensunterhalt u. Vergnügungen als Mittel zur Zufriedenstellung des Volkes (ursprünglich Anspruch des röm. Volkes während der Kaiserzeit, den die Herrscher zu erfüllen hatten, wenn sie sich die Gunst des Volkes erhalten wollten)

Pan|en|the|is|mus ⟨gr.-nlat.⟩ der; -: religiös-philosophische Lehre, nach der die Welt in Gott eingeschlossen ist, ihren Halt hat; vgl. Pantheismus. **pan|en|the|istisch:** den Panentheismus betreffend, auf ihm beruhend; in der Art des Panentheismus

Pa|net|to|ne ⟨it.⟩ der; -[s], ...ni: italienischer Hefekuchen mit kandierten Früchten

Pan|eu|ro|pa ⟨gr.-nlat.⟩, ohne Artikel; -s (in Verbindung mit Attri-

buten: das; -[s]): [von vielen Seiten erstrebte] künftige Gemeinschaft aller europäischen Staaten. **pan|eu|ro|pä|isch:** gesamteuropäisch

Pan|film ⟨Kurzw. aus: ↑panchromatischer Film⟩ der; -[e]s, -e: Film mit ↑panchromatischer Schicht

Pan|flö|te ⟨nach dem altgriech. Hirtengott Pan⟩ die; -, -n: aus verschieden langen, grifflochlosen, floßartig aneinander gereihten Pfeifen bestehendes Holzblasinstrument; Faunflöte, Faunpfeife, Papagenopfeife; vgl. Syrinx

Pan|ge|lin|gua ⟨lat.; „erklinge, Zunge"⟩ das; - -: oft vertonter, Thomas v. Aquin zugeschriebener Fronleichnamshymnus

Pan|ge|ne ⟨gr.-nlat.⟩ die (Plural): kleinste Zellteilchen, die eine Vererbung erworbener Eigenschaften ermöglichen sollen (nach Darwin; Biol.). **Pan|ge|ne|sis|the|o|rie** die; -: von Darwin aufgestellte Vererbungstheorie, nach der die Vererbung erworbener Eigenschaften durch kleinste Zellteilchen vonstatten gehen soll (Biol.)

Pan|ger|ma|nis|mus ⟨gr.-nlat.⟩ der; -: politische Haltung, die die Gemeinsamkeiten der Völker germanischen Ursprungs betont u. eine Vereinigung aller Deutsch Sprechenden anstrebt; Alldeutschtum

Pan|go|lin ['paŋgoli:n] ⟨malai.⟩ der; -s, -e: Schuppentier

Pan|ha|gia vgl. Panagia

pan|hel|le|nisch ⟨gr.-nlat.⟩: alle Griechen betreffend. **Pan|helle|nis|mus** der; -: Bestrebungen, alle griechischen Länder in einem großen griechischen Reich zu vereinigen; Allgriechentum

Pa|ni ⟨poln.⟩ die; -, -s: poln. Bezeichnung für: Herrin, Frau

¹Pa|nier ⟨germ.-fr.⟩ das; -s, -e: 1. (veraltet) Banner, Fahne. 2. Wahlspruch; etwas, dem man sich zur Treue verpflichtet fühlt

²Pa|nier ⟨lat.-fr.⟩ die; -: (österr.) Panade (a). **pa|nie|ren** ⟨lat.-fr.⟩: (Fleisch, Fisch u.a.) vor dem Braten in geschlagenes Eigelb, Mehl o.Ä. tauchen u. mit Semmelbröseln bestreuen od. in Mehl wälzen

Pa|nik ⟨gr.-fr.; nach dem altgriech. Hirtengott Pan⟩ die; -, -en: durch eine plötzliche Bedrohung, Gefahr hervorgerufene existenzielle Angst, die das Denken lähmt, sodass man nicht

mehr sinnvoll u. überlegt handelt. **pa|nisch:** von Panik bestimmt [u. wie gelähmt]

Pan|is|la|mis|mus ⟨gr.-nlat.⟩ der; -: Streben nach Vereinigung aller islamischen Völker

Pan|je ⟨slaw.⟩ der; -s, -s: (veraltet, noch scherzh.) polnischer od. russischer Bauer; vgl. ¹Pan. **Pan|je|pferd** das; -[e]s, -e: polnisches od. russisches Landpferd

Pan|kar|di|tis ⟨gr.-nlat.⟩ die; -, ...itiden: Entzündung aller Schichten der Herzwand (Med.); vgl. Karditis

Pank|ra|ti|on* ⟨gr.; „Allkampf"⟩ das; -s, -s: altgriechischer Zweikampf, der Freistilringen u. Faustkampf in sich vereinigte

Pank|re|as* ⟨gr.⟩ das; -, ...aten u. ...eata: Bauchspeicheldrüse (Med.). **Pank|re|at|ek|to|mie** die; -, ...ien: operative Entfernung der Bauchspeicheldrüse (Med.). **Pank|re|a|tin** ⟨gr.-nlat.⟩ das; -s: aus tierischen Bauchspeicheldrüsen hergestelltes ↑Enzym. **Pank|re|a|ti|tis** die; -, ...itiden: Entzündung der Bauchspeicheldrüse (Med.)

Pan|lo|gis|mus ⟨gr.-nlat.⟩ der; -: Lehre von der logischen Struktur des Universums, nach der das ganze Weltall als Verwirklichung der Vernunft aufzufassen sei (Philos.)

Pan|mi|xie ⟨gr.-nlat.; „Allmischung"⟩ die; -, ...ien: (Biol.) 1. Mischung guter u. schlechter Erbanlagen. 2. das Zustandekommen rein zufallsbedingter Paarungen zwischen Angehörigen der gleichen Art, ohne dass Selektionsfaktoren od. bestimmte (z.B. geographische) Isolierungsfaktoren wirksam werden; Ggs. ↑Amixie

Pan|my|e|lo|pa|thie ⟨gr.-nlat.⟩ die; -, ...ien u. **Pan|my|e|loph|thi|se*** die; -, -n: völliger Schwund bzw. Versagen aller Blut bildenden Zellen des Knochenmarks (Med.)

¹Pan|ne ⟨fr.⟩ die; -, -n: (ugs.) a) Unfall, Schaden, Betriebsstörung (bes. bei Fahrzeugen); b) Störung, Missgeschick, Fehler (Med.). **²Pan|ne** ⟨lat.-fr.⟩ der; -[s], -s: Seidensamt mit gepresstem Flor; Spiegelsamt

Pan|neau [pa'no:] ⟨fr.⟩ der; -s, -s: 1. Holzplatte, -täfelchen zum Bemalen. 2. Sattelkissen für Kunstreiter

Pan|ni|ku|li|tis ⟨lat.-nlat.⟩ die; -, ...itiden: Entzündung des Unterhautfettgewebes (Med.). **Pan|ni-**

se̱l|lus der; -, ...lli: kleiner Leinenstreifen als Handhabe am Abtsstab. Pa̱n|nus ⟨lat.⟩ der; -: Hornhauttrübung durch einwachsendes Bindehautgewebe als Folge von Binde- od. Hornhautentzündungen (Med.) Pan|ny|chis ⟨gr.⟩ die; -: Nachtfeier; [ganz]nächtliche Vorfeier höherer Feste in der Ostkirche Pa|noph|thal|mie* ⟨gr.-nlat.⟩ u. Pantophthalmie die; -, ...i̱en: eitrige Augenentzündung (Med.). Pa̱|nop|ti|kum ⟨gr.-nlat.⟩ das; -s, ...ken: Sammlung von Sehenswürdigkeiten, meist Kuriositäten, od. von Wachsfiguren. pa̱nop|tisch: von überall einsehbar; panoptisches System: im Interesse einer zentralen Überwachung angewandte strahlenförmige Anordnung der Zellen mancher Strafanstalten (Rechtsw.) Pa|no|ra̱|ma* ⟨gr.-nlat.; „Allschau"⟩ das; -s, ...men: 1. Rundblick, Ausblick. 2. a) Rundgemälde; b) fotografische Rundaufnahme. Pa|no|ra̱|ma|bus der; -ses, -se: doppelstöckiger Bus für Stadtrundfahrten o. Ä., von dessen oberer Etage ein freier Rundblick möglich ist. Pa|no|ra̱|ma|fern|rohr das; -[e]s, -e: Fernrohr mit beweglichen ↑ Prismen u. feststehendem ↑ Okular zum Beobachten des ganzen Horizonts. Pa|no|ra̱|ma|kopf der; -[e]s, ...köpfe: drehbarer Stativkopf für Rundaufnahmen (Fotogr.). Pa|no|ra̱|ma|ver|fah|ren das; -s, -: Breitwand- u. Raumtonverfahren (Film); vgl. Cinemascope u. Cinerama. pa|no|ra̱|mie̱|ren: ein Gesamtbild (Rundblick) durch Drehen der Kamera herstellen (Film) Pan|pho|bie ⟨gr.-nlat.⟩ die; -, ...i̱en: krankhafte Furcht vor allen Vorgängen der Außenwelt (Med.; Psychol.) Pan|ple|gie ⟨gr.-nlat.⟩ die; -, ...i̱en: allgemeine, vollständige Lähmung der Muskulatur (Med.) Pan|psy|chis|mus ⟨gr.-nlat.⟩ der; -: Vorstellung der Allbeseelung der Natur, auch der nicht belebten (Philos.) Pan|ro|man ⟨Kunstw.⟩ das; -[s]: eine Welthilfssprache, Vorläuferin des ↑ Universal Pan|se|xu|a|lis|mus ⟨gr; lat.-nlat.⟩ der; -: von nur sexuellen Trieben ausgehende frühe Richtung der ↑ Psychoanalyse S. Freuds Pa̱ns|flö|te vgl. Panflöte

Pan|si|nu|si̱|tis ⟨gr.; lat.-nlat.⟩ die; -, ...iti̱den: Entzündung der Nasennebenhöhlen (Med.) Pan|sla|vis|mus usw. vgl. Panslawismus usw. Pan|sla|wis|mus ⟨nlat.⟩ der; -: Bestrebungen, alle slawischen Völker in einem Großreich zu vereinigen; Allslawentum. Pan|sla|wist der; -en, -en: Anhänger des Panslawismus. pan|sla|wis|tisch: den Panslawismus betreffend Pan|so|phie ⟨gr.-nlat.⟩ die; -: religiös-philosophische Bewegung des 16.–18. Jh.s, die eine Zusammenfassung aller Wissenschaften u. ein weltweites Gelehrten- u. Friedensreich anstrebte. pan|so|phisch: die Pansophie betreffend, auf ihr beruhend; in der Art der Pansophie Pan|sper|mie ⟨gr.-nlat.⟩ die; -: Theorie von der Entstehung des Lebens auf der Erde durch Keime von anderen Planeten (Biol.) pan|tag|ru|e̱|lisch* ⟨nach der Romanfigur Pantagruel von Rabelais⟩: derb, deftig; lebensvoll Pan|ta|le|on ⟨nach dem Erfinder Pantaleon Hebenstreit⟩ das; -s, -s: Hackbrett mit doppeltem Resonanzboden u. Darm- od. Drahtsaiten (Vorläufer des Hammerklaviers). ¹Pa̱n|ta|lon das; -s, -s: ↑ Pantaleon ²Pan|ta|lon [pãta'lõ:] ⟨it.-fr.⟩ das; -s, -s: erster Teil der ↑ Contredanse Pan|ta|lo̱|ne ⟨it.⟩ der; -[s], -s u. ...ni: Maske, Figur des dummen, oft verliebten u. stets geprellten Alten im ital. Volkslustspiel. Pan|ta|lons [pãta'lõ:s, auch: pantã'lõ:s] ⟨it.-fr.⟩ die (Plural)· während der Französischen Revolution aufgekommene lange Männerhose pan|ta rhei ⟨gr.; „alles fließt"⟩: es gibt kein bleibendes Sein (fälschlich Heraklit zugeschriebener Grundsatz, nach dem das Sein als ewiges Werden, ewige Bewegung gedacht wird) Pan|te|is|mus ⟨gr.-nlat.⟩ der; -: Anschauung, nach der das gesamte Seiende ↑ teleologisch erklärbar ist (Philos.) Pa̱n|ter vgl. Panther Pan|the|is|mus ⟨gr.-nlat.⟩ der; -: Allgottlehre; Lehre, in der Gott u. Welt identisch sind; Anschauung, nach der Gott das Leben des Weltalls selbst ist (Philos.). Pan|the|ist der; -en, -en: Vertreter des Pantheismus. pan|the|is|tisch: den Pantheismus betreffend; in der Art des Pantheismus

Pan|the|lis|mus ⟨gr.-nlat.⟩ der; -: Lehre, nach der der Wille das innerste Wesen der Welt, aller Dinge ist (Philos.) Pa̱n|the|on ⟨gr.⟩ das; -s, -s: 1. antiker Tempel (bes. in Rom) für alle Götter. 2. Ehrentempel (z. B. in Paris). 3. Gesamtheit der Götter eines Volkes Pa̱n|ther, auch: Panter ⟨gr.-lat.⟩ der; -s, -: ↑ Leopard Pan|ti|ne ⟨fr.-niederl.⟩ die; -, -n (meist Plural): Holzschuh, Holzpantoffel Pan|tof|fel ⟨fr.⟩ der; -s, -n (ugs.: -) (meist Plural): leichter Hausschuh [ohne Fersenteil]. pan|tof|feln: [mit einem pantoffelförmigen Holz] Leder geschmeidig, weich machen Pan|to|graph, auch: Pantograf ⟨gr.-nlat.⟩ der; -en, -en: Storchschnabel (Instrument zum Übertragen von Zeichnungen im gleichen, größeren od. kleineren Maßstab). Pan|to|gra|phie, auch: Pantografie die; -, ...i̱en: mit dem Pantographen hergestelltes Bild Pan|to|kra̱|tor* ⟨gr.; „Allherrscher"⟩ der; -s, ...o̱ren: 1. (ohne Plural) Ehrentitel für [den höchsten] Gott, auch für den auferstandenen Christus (nach Offenb. 1, 8). 2. Darstellung des thronenden Christus in der christlichen, bes. in der byzantinischen Kunst Pan|to|le̱t|te ⟨Kunstw. aus: Pantoffel u. Sandalette⟩ die; -, -n (meist Plural): leichter Sommerschuh ohne Fersenteil Pan|to|me̱|ter ⟨gr.-nlat.⟩ das; -s, -: Instrument zur Messung von Längen, Horizontal- u. Vertikalwinkeln (Techn.) ¹Pan|to|mi̱|me ⟨gr.-lat.(-fr.)⟩ die; -, -n: Darstellung einer Szene, Handlung nur mit Gebärden, Mienenspiel u. Tanz. ²Pan|to|mi̱|me der; -n, -n: Darsteller einer Pantomime (1). Pan|to|mi̱|mik ⟨gr.-lat.⟩ die; -: 1. Kunst der Pantomime. 2. Gesamtheit der Ausdrucksbewegungen des Körpers; Gebärdenspiel, Körperhaltung u. Gang (Psychol.). pan|to|mi̱|misch: 1. die Pantomime betreffend, mit den Mitteln, in der Art der Pantomime. 2. die Pantomimik (2), die Ausdrucksbewegungen des Körpers betreffend (Psychol.) pan|to|phag ⟨gr.-nlat.; „alles fressend"⟩: sowohl pflanzliche als auch tierische Nahrung fressend, verdauend (in Bezug auf bestimmte Tiere; Zool.). **Pan|to-pha|ge** *der;* -n, -n: pantophages Tier; Allesfresser (Zool.); vgl. Omnivore. **Pan|to|pha|gie** *die;* -: Allesfresserei (Zool.); vgl. Monophagie

Pan|toph|thal|mie* vgl. Panophthalmie

Pan|to|po|de ⟨*gr.-nlat.*⟩ *der;* -n, -n: Asselspinne (räuberischer, aber auch parasitischer Meeresbewohner)

Pan|to|then|säu|re ⟨*gr.; dt.*⟩ *die;* -, -n: zur B₂-Gruppe gehörendes ↑Vitamin

Pan|toun ['pantʊn] vgl. Pantun

Pant|ra|gis|mus* ⟨*gr.-nlat.*⟩ *der;* -: das tragische, nicht überwindbare Weltgesetz über dem menschlichen Leben, das vom Kampf zwischen dem Einzelnen u. dem Universum beherrscht wird (nach Hebbel)

Pant|ry* ['pɛntri] ⟨*lat.-fr.-engl.*⟩ *die;* -, -s: Speisekammer, Raum zum Anrichten [auf Schiffen od. in Flugzeugen]

Pant|schen-La|ma ⟨*tibet.*⟩ *der;* -[s], -s: ↑Taschi-Lama

Pan|tun ⟨*malai.*⟩ u. Pantoun *das;* -[s], -s: malaiische Gedichtform mit vierzeiligen, kreuzweise gereimten Strophen

Pan|ty ['pɛnti] ⟨*engl.*⟩ *die;* -, -s [...ti:s]: 1. Miederhöschen. 2. Strumpfhose

Pä|nu|la ⟨*gr.-lat.*⟩ *die;* -, ...len: rund geschnittenes römisches Übergewand

Pä|nul|ti|ma* ⟨*lat.*⟩ *die;* -, ...mä u. ...men: vorletzte Silbe in einem Wort (lat. Grammatik)

pa|nur|gisch* ⟨*gr.*⟩: (veraltet) listig, verschmitzt

Pan|vi|ta|lis|mus ⟨*gr.; lat.-nlat.*⟩ *der;* -: naturphilosophische Lehre, nach der das ganze Weltall lebendig ist

Pä|on ⟨*gr.-lat.*⟩ *der;* -s, -e: im ↑Päan (1) verwendeter antiker Versfuß mit drei kurzen Silben u. einer beliebig einsetzbaren langen Silbe (antike Metrik)

Pä|o|nie [...jə] ⟨*gr.-lat.*⟩ *die;* -, -n: Pfingstrose (eine Zierstaude)

¹Pa|pa [veraltend, geh.: pa'pa:] ⟨*fr.*⟩ *der;* -s, -s: (ugs.) Vater. **²Pa|pa** ⟨*gr.-mlat.;* „Vater"⟩ *der;* -s: 1. kirchliche Bezeichnung des Papstes. 2. in der orthodoxen Kirche Titel höherer Geistlicher; Abk.: P.; vgl. Papas, Pope.

Pal|pal|bil|li ⟨*lat.-it.*⟩ *die* (Plural): ital. Bez. für: als Papstkandidaten infrage kommende Kardinäle

Pal|pal|gal|lo ⟨*it.*⟩ *der;* -[s], -s u.

...lli: auf erotische Abenteuer bei Touristinnen ausgehender [südländischer, bes. ital. junger] Mann. **Pal|pal|gal|yos*** [...'ga:jɔs] ⟨*span.*⟩ *die* (Plural): kalte Fallwinde in den Anden. **Pal|pal|gei** [auch: 'pa...] ⟨*fr.*⟩ *der;* -s u. -en, -e[n]: bunt gefiederter tropischer Vogel mit kurzem, abwärts gebogenem Oberschnabel, der die Fähigkeit hat, Wörter nachzusprechen. **Pal|pal|gei|en|krank|heit** *die;* -: ↑Psittakose (Med.)

Pal|pa|jin ⟨*karib.-span.-nlat.*⟩ *das;* -s: Eiweiß spaltendes pflanzliches Enzym

pal|pal ⟨*gr.-mlat.*⟩: päpstlich. **Pa|pal|lis|mus** ⟨*gr.-mlat.-nlat.*⟩ *der;* -: kirchenrechtliche Anschauung, nach der dem Papst die volle Kirchengewalt zusteht; Ggs. ↑Episkopalismus; vgl. Kurialismus. **Pal|pal|list** *der;* -en, -en: Anhänger des Papalismus. **pa|pa|lis|tisch:** im Sinne des Papalismus [denkend]. **Pal|pal|sys|tem** *das;* -s: katholisches System der päpstlichen Kirchenhoheit

Pal|pal|raz|zo ⟨*it.*⟩ *der;* -s, ...zzi: scherzh. ital. Bez. für: [aufdringlicher] Pressefotograf, Skandalreporter

Pal|pas ⟨*ngr.*⟩ *der;* -, -: Weltgeistlicher in der orthodoxen Kirche

Pal|pat ⟨*gr.-mlat.-nlat.*⟩ *der* (auch: *das*); -[e]s: Amt u. Würde des Papstes

Pal|pa|ve|ra|zee ⟨*lat.-nlat.*⟩ *die;* -, -n (meist Plural): Mohngewächs (Bot.). **Pal|pa|ve|rin** *das;* -s: krampflösendes ↑Alkaloid des Opiums

Pal|pa|ya [...ja] ⟨*karib.-span.*⟩ *die;* -, -s u. **Pal|pa|ye** [...jə] *die;* -, -n: 1. Melonenbaum. 2. Frucht des Melonenbaums, Baummelone

Pal|pel ⟨*lat.*⟩ *die;* -, -n u. Papula *die;* -, ...lae [...lɛ]: Hautknötchen, kleine, bis linsengroße Hauterhebung (Med.)

Pal|per ['peɪpɐ] ⟨*engl.*⟩ *das;* -s, -s: schriftliche Unterlage, Schriftstück; vgl. Papier (2). **Pal|per-back** [...bæk] („Papierrücken") *das;* -s, -s: kartoniertes, meist in Klebebindung hergestelltes [Taschen]buch; Ggs. ↑Hardcover. **Pal|pe|te|rie** [...ri] ⟨*gr.-lat.-fr.*⟩ *die;* -, ...jen: (schweiz.) Papierwaren, Papierwarenhandlung. **Pal|pe-te|rist** *der;* -en, -en: (schweiz.) Schreibwarenhändler. **Pal|pier** ⟨*gr.-lat.*⟩ *das;* -s, -e: 1. aus Fasern hergestelltes, blattartig gepresstes, zum Beschreiben, Bedrucken, zur Verpackung o. Ä. dienendes Material. 2. Schriftstück,

Dokument, schriftliche Unterlage; vgl. Paper. 3. (meist Plural) Ausweis, Personaldokument, Unterlagen. 4. Wertpapier, Urkunde über Vermögensrechte. **Pal|pier|ma|ché** [papjema'ʃe; auch: pa'pi:ʂ...] u. **Pal|pier|ma-schee** ⟨*fr.*⟩ *das;* -s, -s: verformbares Hartpapier

Pal|pil|li|o|na|zee ⟨*lat.-nlat.*⟩ *die;* -, -n (meist Plural): Schmetterlingsblütler (Bot.)

Pal|pil|la vgl. Papille. **pal|pil|lar** ⟨*lat.-nlat.*⟩: warzenartig, -förmig (Med.). **Pal|pil|lar|schicht** *die;* -, -en: die mit Papillen versehene obere Schicht der Lederhaut (Med.). **Pal|pil|le** ⟨*lat.;* „Warze; Bläschen"⟩ *die;* -, -n u. Papilla *die;* -, ...llae [...lɛ]: 1. (Med.) a) Brustwarze; b) warzenartige Erhebung an der Oberfläche von Organen (z. B. Haarpapille, Sehnervenpapille). 2. (meist Plural) haarähnliche Ausstülpung der Pflanzenoberhaut (Bot.). **Pal|pil|lom** ⟨*lat.-nlat.*⟩ *das;* -s, -e: Warzen-, Zottengeschwulst aus gefäßhaltigem Bindegewebe (Med.)

Pal|pil|lon [papi'jõ:] ⟨*lat.-fr.*⟩ *der;* -s, -s: 1. franz. Bez. für: Schmetterling. 2. (veraltet) flatterhafter Mensch. 3. feinfädiges Woll- od. Mischgewebe von ripsähnlichem Aussehen

pal|pil|lös ⟨*lat.-nlat.*⟩: warzig (Biol.; Med.)

Pal|pil|lo|te [...'jo:tə] ⟨*lat.-fr.*⟩ *die;* -, -n: 1. Hülle aus herzförmig zugeschnittenem Pergamentpapier, das (mit Öl bestrichen) um kurz zu bratende od. grillende Fleisch- od. Fischstücke geschlagen wird. 2. Haarwickel in Form einer biegsamen Rolle aus Schaumstoff, die an den aufgerollten Haarsträhnen befestigt wird, indem man die Enden u-förmig einbiegt. **pal|pil|lo|tie-ren** [...jo'ti:rən]: die einzelnen [wie eine Kordel um sich selbst gedrehten] Haarsträhnen auf Papilloten wickeln, um das Haar zu wellen

Pal|pil|ros|sa ⟨*gr.-mlat.-dt.-poln.-russ.*⟩ *die;* -, ...ossy [...si]: russische Zigarette mit langem Hohlmundstück aus Pappe

Pal|pis|mus ⟨*gr.-mlat.-nlat.*⟩ *der;* -: (abwertend) Papsttum. **Pal|pist** *der;* -en, -en: (abwertend) Anhänger des Papsttums. **pal|pis-tisch:** (abwertend) den Papismus betreffend, auf ihm beruhend

Pap|pa|ta|ci|fie|ber [papa'ta:-

tʃi...] ⟨it.; lat.-dt.⟩ das; -s: in den Tropen u. in Südeuropa auftretende, durch ↑Moskitos übertragene Krankheit mit Fieber u. grippeartigen Symptomen (Med.)

Papplmalché [...maʃe:], auch: **Papplmalschee** ⟨dt.; fr.⟩ das; -s, -s: Papiermaché

Paplpus ⟨gr.-lat.⟩ der; -, - u. -se: Haarkrone der Frucht von Korbblütlern (Bot.)

Paplrilka* ⟨sanskr.-pers -gr -lat -serb.-ung.⟩ der; -s, -[s]: 1. in Südeuropa u. Amerika angebaute Gemüse-, Gewürzpflanze mit kleinen weißen Blüten u. hohlen Beerenfrüchten. 2. (auch: die; -[s]) grüne, gelbe, orange od. rote Frucht des Paprika, die als Gemüse od. als Gewürz verwendet wird; Paprikaschote. 3. (ohne Plural) leicht scharfes rotes Gewürz in Pulverform aus der getrockneten reifen Frucht der Paprikapflanze. **paplrilzielren:** (bes. österr.) mit Paprika würzen

Palpulla vgl. Papel. **palpullös** ⟨lat.-nlat.⟩: mit der Bildung von Papeln einhergehend; papelartig (Med.)

Palpylri: Plural von ↑Papyrus. **Papylrin** ⟨gr.-lat.-nlat.⟩ das; -s: Pergamentpapier. **Palpylrollolge** ⟨gr.-nlat.⟩ der; -n, -n: Wissenschaftler auf dem Gebiet der Papyrologie. **Palpylrollolgie** die; -: Wissenschaft, die Papyri (3) erforscht, konserviert, entziffert u. zeitlich bestimmt; Papyruskunde. **palpylrollolgisch:** die Papyrologie betreffend. **Palpylrus** ⟨gr.-lat.⟩ der; -, ...ri: 1. Papierstaude. 2. in der Antike gebräuchliches, aus der Papyrusstaude gewonnenes Schreibmaterial in Blatt- u. Rollenform. 3. aus der Antike u. bes. aus dem alten Ägypten stammendes beschriftetes Papyrusblatt; Papyrusrolle; Papyrustext

Par ⟨engl.⟩ das; -[s], -s: für jedes Loch des Golfplatzes festgesetzte Anzahl von Schlägen, die sich nach dem Abstand des Abschlags vom Loch richtet (Golf)

¹**Palra** ⟨pers.-türk.⟩ der; -, -: 1. (hist.) kleinste türkische Münzrechnungseinheit (vom 17. Jh. bis 1924). 2. in Jugoslawien 0,01 Dinar

²**Palra** ⟨Kurzform von franz. parachutiste; fr.⟩ der; -s, -s: franz. Bez. für: Fallschirmjäger

Palralbalse ⟨gr.⟩ die; -, -n: in der attischen Komödie Einschub in

Gestalt einer satirisch-politischen Aussprache, gemischt aus Gesang u. Rezitation des Chorführers u. des Chors

Palralbel ⟨gr.-lat.⟩ die; -, -n: 1. lehrhafte Dichtung, die eine allgemein gültige sittliche Wahrheit an einem Beispiel (indirekt) veranschaulicht; lehrhafte Erzählung, Lehrstück; Gleichnis. 2. eine symmetrisch ins Unendliche verlaufende Kurve der Kegelschnitte, deren Punkte von einer festen Geraden u. einem festen Punkt gleichen Abstand haben (Math.). 3. Wurfbahn in einem ↑Vakuum (Phys.)

Palralbelllum ® ⟨Kunstw.⟩ die; -, -s u. **Palralbelllumlpisltolle** die; -, -n: Selbstladepistole

Palralbilont ⟨gr.-nlat.⟩ der; -en, -en: Lebewesen, das mit einem anderen gleicher Art zusammengewachsen ist, in Parabiose lebender Organismus (Biol.); vgl. siamesische Zwillinge. **Palralbilolse** die; -, -n: das Zusammenleben u. Aufeinandereinwirken zweier Lebewesen der gleichen Art, die miteinander verwachsen sind (Biol.)

Palralblacks* [auch: ...blɛks] ⟨engl.⟩ die (Plural): auf den Skiern (zwischen Skispitze u. Bindung) angebrachte [Kunststoff]klötze, die das Überkreuzen der Skier verhindern sollen

Palralbleplsie* ⟨gr.-nlat.⟩ die; ...ien: Schstörung (Med.)

Palralbollanltenlne ⟨gr.-lat.; lat.-it.⟩ die; -, -n: Antenne in der Form eines Parabolspiegels, mit deren Hilfe Ultrakurzwellen gebündelt werden (Techn.). **palralbolllisch** ⟨gr.-lat.-nlat.⟩: 1. die Parabel (1) betreffend, in der Art einer Parabel (1); gleichnishaft, sinnbildlich. 2. parabelförmig gekrümmt. **Palralbolllolid** ⟨gr.-nlat.⟩ das; -[e]s, -e: gekrümmte Fläche ohne Mittelpunkt (Math.). **Palralbollspielgel** der; -s, -: Hohlspiegel der von der Form eines Paraboloids, das durch die Drehung einer Parabel um ihre Achse entstanden ist (Rotationsparaboloid)

Palralchulte [...ʃy...] ⟨fr.⟩ der; -en, -en: ↑ ²Para

¹**Palralde** ⟨lat.-fr.⟩ die; -, -n: Truppenschau, Vorbeimarsch militärischer Verbände; prunkvoller Aufmarsch. ²**Palralde** ⟨lat.-span.-fr.⟩ die; -, -n: das Anhalten eines Pferdes od. Gespanns bzw. der Wechsel des Tempos od. der Dressurlektionen (im Pferde-

sport). ³**Palralde** ⟨lat.-it.-fr.⟩ die; -, -n: a) Abwehr eines Angriffs (bes. beim Fechten u. Boxen); b) Abwehr durch den Torhüter (bei Ballspielen)

Palraldeilser ⟨pers.-gr.-mlat.⟩ der; -s, -: (österr.) Tomate

Palraldenltiltis ⟨gr.; lat.-nlat.⟩ die; -, ...itiden: (veraltet) ↑Parodontitis. **Palraldenltolse** die; -, -n: (veraltet) ↑ Parodontose

palraldielren ⟨lat.-fr.⟩: 1. [anlässlich einer Parade] vorbeimarschieren; feierlich vorbeiziehen. 2. sich mit etwas brüsten; mit etwas prunken

Palraldies ⟨pers.-gr.-mlat.⟩ das; -es, -e: 1. (ohne Plural) a) Garten Eden, Garten Gottes; b) Himmel; Ort der Seligkeit. 2. a) ein Ort od. eine Gegend, die durch ihre Gegebenheiten, ihre Schönheit, ihre guten Lebensbedingungen o. Ä. alle Voraussetzungen für ein schönes, glückliches o. ä. Dasein erfüllt, z. B. diese Südseeinsel ist ein Paradies; b) Ort, Bereich, der für einen Personenkreis oder für eine Gruppe von Lebewesen ideale Gegebenheiten, Voraussetzungen bietet, z. B. ein Paradies für Angler, ein Paradies für Vögel. 3. Portalvorbau an mittelalterlichen Kirchen. **palraldielsisch:** 1. das Paradies (1) betreffend. 2. herrlich, wunderbar schön; himmlisch, wunderbar

Palraldiglma ⟨gr.-lat.⟩ das; -s, ...men (auch: -ta): 1. Beispiel, Muster; Erzählung, Geschichte mit beispielhaftem, modellhaftem Charakter. 2. Muster aller bestimmten Deklinations- od. Konjugationsklasse, das beispielhaft für alle gleich gebeugten Wörter steht; Flexionsmuster (Sprachw.). 3. Anzahl von sprachlichen Einheiten, zwischen denen in einem gegebenen Kontext zu wählen ist (z. B. steht hier/dort/oben/unten), im Unterschied zu Einheiten, die zusammen vorkommen, ein Syntagma bilden (z. B. in Eile sein; Eile kann mit nicht ausgetauscht werden). 4. Denkmuster, das das wissenschaftliche Weltbild, die Weltsicht einer Zeit prägt. **palraldiglmaltisch:** 1. das Paradigma betreffend, als Paradigma dienend. 2. das Paradigma (2) betreffend (Sprachw.). 3. Beziehungen zwischen sprachlichen Elementen betreffend, die an einer Stelle eines Satzes austauschbar sind u. sich dort gegenseitig ausschließen (z. B. ich sehe einen Stuhl/Tisch/Mann;

Sprachw.); Ggs. ↑syntagmatisch (2). Pa|ra|dig|men|wech|sel *der;* -s, -: 1. Wechsel von einer wissenschaftlichen Grundauffassung zu einer anderen. 2. Wechsel von einer rationalistischen zu einer ganzheitlichen Weltsicht (im Newage) Pa|ra|dor ⟨span.⟩ *der,* auch: *das;* -s, -e: staatliches spanisches Luxushotel für Touristen pa|ra|dox ⟨*gr.-lat.*⟩: widersinnig, einen Widerspruch in sich enthaltend. Pa|ra|dox vgl. Paradoxon. Pa|ra|do|xa: *Plural* von ↑Paradoxon. pa|ra|do|xal ⟨*gr.-nlat.*⟩: paradox. Pa|ra|do|xie ⟨*gr.*⟩ *die;* -, ...ien: paradoxer Sachverhalt; etw. Widersinniges, Widersprüchliches. Pa|ra|do|xi|tät *die;* -, -en: (selten) Paradoxie, das Paradoxsein. Pa|ra|do|xon ⟨*gr.-lat.*⟩ *das;* -s, ...xa u. Paradox *das;* -es, -e: scheinbar falsche Aussage (oft in Form einer Sentenz od. eines Aphorismus), die aber bei genauerer Analyse auf eine höhere Wahrheit hinweist Pa|raf|fin* ⟨*lat.-nlat.*⟩ *das;* -s, -e: 1. festes, wachsähnliches od. flüssiges, farbloses Gemisch wasserunlöslicher gesättigter Kohlenwasserstoffe, das bes. zur Herstellung von Kerzen, Bohnerwachs o. Ä. dient. 2. (meist Plural) Sammelbez. für die gesättigten, aliphatischen Kohlenwasserstoffe (z. B. Methan, Propan, Butan). pa|raf|fi|nie|ren: mit Paraffin (1) behandeln. pa|raf|fi|nisch: vorwiegend aus Paraffinen (2) bestehend; Eigenschaften der Paraffine aufweisend Pa|ra|gam|ma|zis|mus ⟨*gr.-nlat.*⟩ *der;* -, ...men: Sprechstörung, bei der anstelle der Kehllaute g u. k die Laute d u. t ausgesprochen werden (Med.; Psychol.) Pa|ra|ge|ne|se ⟨*gr.-nlat.*⟩ u. Pa|ra|ge|ne|sis *die;* -: gesetzmäßiges Vorkommen bestimmter Mineralien bei der Bildung von Gesteinen u. Lagerstätten (Geol.). pa|ra|ge|ne|tisch: die Paragenese betreffend Pa|ra|geu|sie ⟨*gr.-nlat.*⟩ *die;* -, ...ien: schlechter Geschmack im Mund; abnorme Geschmacksempfindung (Med.) Pa|ra|gi|tats|li|nie* ⟨*lat.-nlat.*⟩ *die;* -, -ni: (hist.) mit einem Paragium abgefundene Nebenlinie eines regierenden Hauses. Pa|ra|gi|um ⟨*lat.-nlat.*⟩ *das;* -s, ...ien: (hist.) Abfindung nachgeborener Prinzen (mit Liegenschaften, Landbesitz)

Pa|ra|gli|ding* [...glaɪdɪŋ] ⟨*engl.*⟩ *das;* -s: das Fliegen von Berghängen mit einem fallschirmähnlichen Gleitsegel Pa|ra|gneis* ⟨*gr.; dt.*⟩ *der;* -es, -e: aus Sedimentgesteinen hervorgegangener Gneis (Geol.) Pa|ra|gno|sie* ⟨*gr.-nlat.*⟩ *die;* -, ...ien: außersinnliche Wahrnehmung (Psychol.). Pa|ra|gnost *der;* -en, -en: Medium mit hellseherischen Fähigkeiten (Parapsychol.) Pa|ra|graf usw. vgl. Paragraph usw. Pa|ra|gramm ⟨*gr.-lat.*⟩ *das;* -s, -e: Buchstabenänderung in einem Wort od. Namen (wodurch ein scherzhaft-komischer Sinn entstehen kann, z. B. *Biberius* [= Trunkenbold von lat. bibere = trinken] statt *Tiberius*). Pa|ra|gram|ma|tis|mus ⟨*gr.-nlat.*⟩ *der;* -, ...men: Sprechstörung, die den Zerfall des Satzbaues (z. B. Telegrammstil) zur Folge hat (Med.; Psychol.). Pa|ra|graph, auch: Paragraf ⟨*gr.-lat.*⟩ *der;* -en, -en: a) in Gesetzbüchern, wissenschaftlichen Werken u. a. ein fortlaufend nummerierter kleiner Abschnitt; b) das Zeichen für einen solchen Abschnitt; Zeichen: § (Plural: §§). Pa|ra|gra|phie, auch: Paragrafie ⟨*gr.-nlat.*⟩ *die;* -, ...ien: Störung des Schreibvermögens, bei der Buchstaben, Silben od. Wörter vertauscht werden (Med.). pa|ra|gra|phie|ren, auch: paragrafieren ⟨*gr.-nlat.*⟩: in Paragraphen einteilen Pa|ra|hid|ro|se* ⟨*gr.-nlat.*⟩ *die;* -, -n: Absonderung eines nicht normal beschaffenen Schweißes (Med.) pa|ra|karp ⟨*gr.-nlat.*⟩: nicht durch echte Scheidewände gefächert (bezogen auf den Fruchtknoten bzw. das ↑Gynäzeum 2 einer Pflanze); vgl. synkarp Pa|ra|ke|ra|to|se ⟨*gr.-nlat.*⟩ *die;* -, -n: zu Schuppenbildung führende Verhornungsstörung der Haut Pa|ra|ki|ne|se ⟨*gr.-nlat.*⟩ *die;* -, -n: Störung in der Muskelkoordination, die zu irregulären Bewegungsabläufen führt (Med.) Pa|ra|kla|se* ⟨*gr.-nlat.*⟩ *die;* -, -n: Verwerfung (Geol.) Pa|ra|klet* ⟨*gr.-lat.*⟩ *der;* -[e]s u. -en, -e[n]: Helfer, Fürsprecher vor Gott, bes. der Heilige Geist (Joh. 14, 16 u. a.) Pa|rak|me* ⟨*gr.*⟩ *die;* -, ...ien: ein in der Stammesgeschichte das Ende der Entwicklung einer Orga-

nismengruppe (z. B. der Saurier; Zool.); Ggs. ↑Epakme Pa|ra|ko|ni|kon ⟨*gr.-mgr.*⟩ *das;* -[s], ...ka: Nordtür der ↑Ikonostase in der orthodoxen Kirche; vgl. Diakonikon (2) Pa|ra|ko|rol|le ⟨*gr.; gr.-lat.*⟩ *die;* -, -n: Nebenkrone der Blüte (Bot.) Pa|ra|ku|sie* ⟨*gr.-nlat.*⟩ *die;* -, ...ien u. Pa|ra|ku|sis ⟨*gr.-nlat.*⟩ *die;* -, ...uses [...ze:s]: Störung der akustischen Wahrnehmung, falsches Hören (Med.; Psychol.) Pa|ra|la|lie ⟨*gr.-nlat.*⟩ *die;* -, ...ien: Sprachstörung, bei der es zu Lautverwechslungen u. -entstellungen kommt (Med.; Psychol.) Pa|ra|le|xie ⟨*gr.-nlat.*⟩ *die;* -, ...ien: Lesestörung mit Verwechslung der gelesenen Wörter (Med.; Psychol.) Pa|ra|ge|sie* ⟨*gr.-nlat.*⟩ u. Pa|ra|gie *die;* -; ...ien: Störung der Schmerzempfindung, bei der Schmerzreize als angenehm empfunden werden (Med.) pa|ra|lin|gu|al ⟨*gr.-nlat.*⟩: durch Artikulationsorgane hervorgebracht, aber keine sprachliche Funktion ausübend (Sprachw.); vgl. Paralinguistik. Pa|ra|lin|gu|is|tik ⟨*gr.-lat.-nlat.*⟩ *die;* -: Teilbereich der Linguistik, in dem man sich mit Erscheinungen befasst, die das menschliche Sprachverhalten begleiten oder mit ihm verbunden sind, ohne im engeren Sinne sprachlich zu sein (z. B. Sprechintensität, Mimik; Sprachw.). pa|ra|lin|gu|is|tisch: die Paralinguistik betreffend, auf ihr beruhend Pa|ra|li|po|me|non ⟨*gr.*⟩ *das;* -s, ...mena: 1. (meist Plural) Randbemerkung, Ergänzung, Nachtrag zu einem literarischen Werk. 2. (nur Plural) die Bücher der Chronik im Alten Testament. Pa|ra|li|po|pho|bie ⟨*gr.-nlat.*⟩ *die;* -: Zwangsvorstellung, dass die Unterlassung bestimmter Handlungen Unheil bringe (Psychol.). Pa|ra|lip|se ⟨*gr.*⟩ *die;* -: rhetorische Figur, die darin besteht, dass man etwas durch die Erklärung, es übergehen zu wollen, nachdrücklich hervorhebt pa|ra|lisch* ⟨*gr.-lat.*⟩: die marine Entstehung in Küstennähe betreffend (von Kohlenlagern; Geol.) pa|ral|lak|tisch* ⟨*gr.*⟩: die Parallaxe betreffend, auf ihr beruhend, durch sie bedingt. Pa|ral|la|xe ⟨„Vertauschung"; Abweichung"⟩ *die;* -, -n: 1. Winkel, den zwei Gerade bilden, die von verschiedenen Standorten auf einen Punkt gerichtet sind (Phys.). 2. Entfernung eines Sterns, die mithilfe zweier von verschiedenen Standorten ausgehender Geraden bestimmt wird (Astron.). 3. Unterschied zwischen dem Bildausschnitt im Sucher u. auf dem Film (Fotogr.). **pa|ral|lel** ⟨gr.-lat.⟩: 1. in gleichem Abstand ohne gemeinsamen Schnittpunkt nebeneinander verlaufend (Math.). 2. im gleichen Intervallabstand (z. B. in Quinten od. Oktaven), in gleicher Richtung fortschreitend (Mus.). 3. gleichlaufend, gleichgeschaltet, nebeneinander geschaltet. **Pa|ral|le|le** ⟨gr.-lat.(-fr.)⟩ die; -, -n (drei Parallele[n]): 1. Gerade, die zu einer anderen Geraden in gleichem Abstand u. ohne Schnittpunkt im Endlichen verläuft (Math.). 2. (Im strengen mehrstimmigen Satz verbotenes) gleichlaufendes Fortschreiten im Quint- od. Oktavabstand (Mus.). 3. Entsprechung; Vergleich; vergleichbarer Fall. **Pa|ral|le|len|axi|om** das; -s: geometrischer Grundsatz des Euklid, dass es zu einer gegebenen Geraden durch einen nicht auf ihr gelegenen Punkt nur eine Parallele gibt (Math.). **Pa|ral|lel|e|pi|ped** [...pe:t] ⟨gr.⟩ das; -[e]s, -e u. **Pa|ral|lel|e|pi|pe|don** das; -s, ...da u. ...pe|den: ↑ Parallelflach. **Pa|ral|lel|flach** ⟨gr.-lat.; dt.⟩ das; -[e]s, -e: von drei Paaren paralleler Ebenen begrenzter Körper (z. B. Rhomboeder, Würfel; Math.). **pa|ral|le|li|sie|ren** ⟨gr.-lat.-nlat.⟩: vergleichend nebeneinander stellen, zusammenstellen. **Pa|ral|le|lis|mus** der; -, ...men: 1. [formale] Übereinstimmung verschiedener Dinge od. Vorgänge. 2. inhaltlich u. grammatisch gleichmäßiger Bau von Satzgliedern od. Sätzen (Sprachw.; Stilk.); Ggs. ↑ Chiasmus. **Pa|ral|le|li|tät** die; -, -en: 1. (ohne Plural) Eigenschaft zweier paralleler Geraden (Math.). 2. Gleichlauf, Gleichheit, Ähnlichkeit (von Geschehnissen, Erscheinungen o. Ä.). **Pa|ral|lel|kreis** ⟨gr.-lat.; dt.⟩ der; -es, -e: Breitenkreis (Geogr.). **Pa|ral|le|lo** ⟨gr.-lat.-it.⟩ der; -[s], -s: (veraltet) längs gestrickter Pullover [mit durchgehend quer verlaufenden Rippen]. **Pa|ral|le|lo|gramm** ⟨gr.⟩ das; -s, -e: Viereck mit parallelen gegenüberliegenden Seiten (Math.). **Pa|ral|lel|pro|jek|ti|on** die; -, -en: durch

parallele Strahlen auf einer Ebene dargestelltes Raumgebilde (Math.). **Pa|ral|lel|ton|art** ⟨gr.-lat.; dt.⟩ die; -, -en: mit einer Molltonart die gleichen Vorzeichen aufweisende Durtonart bzw. mit einer Durtonart die gleichen Vorzeichen aufweisende Molltonart (z. B. C-Dur u. a-Moll)

Pa|ra|lo|gie ⟨gr.-nlat.⟩ die; -, ...ien: 1. Vernunftwidrigkeit, Widervernünftigkeit (Logik). 2. Gebrauch falscher Wörter beim Bezeichnen von Gegenständen, das Vorbeireden an einer Sache, Verfehlen eines Problems aus Konzentrationsmangel (z. B. bei Hirnschädigungen; Med.; Psychol.). **Pa|ra|lo|gis|mus** der; -, ...men: auf Denkfehlern beruhender Fehlschluss (Logik). **Pa|ra|lo|gis|tik** die; -: Verwendung von Trugschlüssen (Logik)

Pa|r|a|lym|pics ⟨[gr.; gr.-lat.]-engl.⟩ die (Plural): Olympiade für Behindertensportler **Pa|r|a|ly|se** ⟨gr.-lat.⟩ die; -, -n: vollständige Bewegungslähmung; **progressive Paralyse:** fortschreitende Gehirnerweichung, chronische Entzündung u. ↑ Atrophie vorwiegend der grauen Substanz des Gehirns als Spätfolge der Syphilis (Med.). **pa|r|a|ly|sie|ren** ⟨gr.-nlat.⟩: 1. lähmen, schwächen (Med.). 2. unwirksam machen, aufheben, entkräften. **Pa|r|a|ly|sis** ⟨gr.-lat.⟩ die; -, ...lysen: (fachspr.) ↑ Paralyse; **Paralysis agitans:** Schüttellähmung (Med.). **Pa|r|a|ly|ti|ker** ⟨gr.-lat.⟩ der; -s, -: 1. Patient, der an Kinderlähmung od. an Halbseitenlähmung leidet; Gelähmter. 2. an progressiver Paralyse Leidender. **pa|r|a|ly|tisch:** die progressive Paralyse betreffend; gelähmt (Med.)

Pa|ra|mae|ci|um [...'metsjom] u. **Paramecium** ⟨gr.-nlat.⟩ das; -s, ...ien: Pantoffeltierchen (Wimpertierchen)

pa|ra|mag|ne|tisch* ⟨gr.-nlat.⟩: den Paramagnetismus betreffend; in einem Stoff durch größere Dichte der magnetischen Kraftlinien den Magnetismus verstärkend (Phys.). **Pa|ra|mag|ne|tis|mus** der; -: Verstärkung des ↑ Magnetismus durch Stoffe mit (von den Drehimpulsen der Elementarteilchen erzeugten) atomarem magnetischen Moment (Phys.)

Pa|ra|me|ci|um [...tsjom] vgl. Paramaecium

Pa|ra|me|di|zin ⟨gr.; lat.⟩ die; -: alle von der Schulmedizin abweichenden Auffassungen in Bezug auf Erkennung u. Behandlung von Krankheiten **Pa|ra|ment** ⟨lat.-mlat.⟩ das; -[e]s, -e (meist Plural): im christlichen Gottesdienst übliche, oft kostbar ausgeführte liturgische Bekleidung; für Altar, Kanzel u. liturgische Geräte verwendetes Tuch (Rel.). **Pa|ra|men|tik** ⟨lat.-mlat.-nlat.⟩ die; -: 1. wissenschaftliche Paramentenkunde. 2. Kunst der Paramentenherstellung **Pa|ra|me|ren** ⟨gr.-nlat.⟩ die (Plural): die spiegelbildlich gleichen Hälften ↑ bilateralsymmetrischer Tiere (Zool.) **Pa|ra|me|ter** ⟨gr.-nlat.⟩ der; -s, -: 1. in Funktionen u. Gleichungen eine neben den eigentlichen ↑ Variablen auftretende, entweder unbestimmt gelassene od. konstant gehaltene Hilfsgröße (Math.). 2. bei Kegelschnitten die im Brennpunkt der Hauptachse senkrecht schneidende Sehne (Math.). 3. kennzeichnende Größe in technischen Prozessen o. Ä., mit deren Hilfe Aussagen über Aufbau, Leistungsfähigkeit einer Maschine, eines Gerätes, Werkzeugs o. Ä. gewonnen werden. 4. veränderliche Größe (z. B. Materialkosten, Zeit), durch die ein ökonomischer Prozess beeinflusst wird (Wirtsch.). 5. Klangeigenschaft der Musik, eine der Dimensionen des musikalische Wahrnehmungsbereichs **pa|ra|me|t|ran*** ⟨gr.-nlat.⟩: im Parametrium gelegen (Med.) **pa|ra|me|t|ri|sie|ren*** ⟨gr.-nlat.⟩: mit einem Parameter versehen **Pa|ra|me|t|ri|tis*** ⟨gr.⟩ die; -, ...iti|den: Entzündung des Beckenzellgewebes (Med.). **Pa|ra|me|t|ri|um** das; -s: die Gebärmutter umgebendes Bindegewebe im Becken (Med.) **pa|ra|mi|li|tä|risch** ⟨gr.; lat.-fr.⟩: halbmilitärisch, militärähnlich **Pa|ra|mi|mie** ⟨gr.-nlat.⟩ die; -: Missverhältnis zwischen einem seelischen Affekt u. der entsprechenden Mimik (Psychol.) **Pa|ram|ne|sie*** ⟨gr.-nlat.⟩ die; -, ...ien: Erinnerungstäuschung, -fälschung; Gedächtnisstörung, bei der der Patient glaubt, sich an Ereignisse zu erinnern, die überhaupt nicht stattgefunden haben (Psychol.; Med.) **Pa|ra|mo** ⟨span.⟩ der; -[s], -s: durch Grasfluren gekennzeichneter Vegetationstyp über der Baumgrenze der tropischen Hochgebirge Süd- u. Mittelamerikas

Pa|ra|my|thie ⟨gr.⟩ „Ermunterung; Ermahnung"⟩ die; -, ...jen: (durch Herder eingeführte) Dichtungsart, die mit Darstellungen aus alten Mythen eine ethische od. religiöse Wahrheit ausspricht

Pa|rä|ne|se* ⟨gr.-lat.⟩ die; -, -n: Ermahnungsschrift od. -rede, Mahnpredigt; Nutzanwendung einer Predigt. **pa|rä|ne|tisch** ⟨gr.⟩: 1. die Paränese betreffend, in der Art einer Paränese. 2. ermahnend

Pa|rang ⟨malai.⟩ der; -s, -s: schwert- od. dolchartige malaiische Waffe

Pa|ra|noia [...ˈnɔya] ⟨gr.⟩ „Wahn"⟩ die; -: Form der Psychose, die durch das Auftreten von Wahnvorstellungen gekennzeichnet ist (Med.; Psychol.). **pa|ra|no|id** ⟨gr.-nlat.⟩: der Paranoia ähnlich; wahnhaft (Med.). **Pa|ra|no|i|ker** der; -s, -: an Paranoia Leidender. **pa|ra|no|isch**: (Med.) 1. die Paranoia betreffend, zu ihrem Erscheinungsbild gehörend. 2. geistesgestört. **Pa|ra|no|is|mus** der; -: eine Form des Verfolgungswahns (Med.)

Pa|ra|no|mie ⟨gr.⟩ die; -, ...jen: (veraltet) Gesetzwidrigkeit **pa|ra|nor|mal** ⟨gr.; lat.⟩: nicht auf natürliche Weise erklärbar; übersinnlich (Parapsychol.)

Pa|ranth|ro|pus* ⟨gr.-nlat.⟩ der; -, ...pi: dem ↑ Plesianthropus ähnlicher südafrikanischer Frühmensch des Pliozäns

Pa|ra|nuss ⟨nach der brasilianischen Stadt Parà (Ausfuhrhafen)⟩ die; -, ...nüsse: dreikantige, dick- u. hartschalige Nuss des Paranussbaums. **Pa|ra|nuss|baum** der; -[e]s, ...bäume: sehr hoher südamerikanischer Baum

Pa|ra|pett ⟨lat.-it.⟩ das; -s, -s: (hist.) Brustwehr eines Walles

Pa|raph ⟨gr.-lat.-fr.⟩ der; -s, -e: (selten) ↑ Paraphe

Pa|ra|phalge ⟨gr.-nlat.⟩ der; -n, -n: Tier, das auf einem anderen Tier (Wirtstier) od. in dessen nächster Umgebung lebt, ohne diesem zu nützen od. zu schaden (Zool.)

Pa|ra|pha|sie ⟨gr.-nlat.⟩ die; -, ...jen: Sprechstörung, bei der es zum Versprechen, zur Vertauschung von Wörtern u. Lauten od. zur Verstümmelung von Wörtern kommt (Med.)

Pa|ra|phe ⟨gr.-lat.-fr.⟩ die; -, -n: Namenszug, Namenszeichen, Namensstempel

¹Pa|ra|pher|na|li|en ⟨gr.⟩ die; (Plural): (veraltet) das außer der Mitgift eingebrachte Sondervermögen einer Frau (Rechtsw.).

²Pa|ra|pher|na|li|en ⟨gr.-engl.⟩ die; (Plural): 1. persönlicher Besitz. 2. Zubehör, Ausrüstung

pa|ra|phie|ren: mit der Paraphe versehen, abzeichnen; bes. einen Vertrag[sentwurf], ein Verhandlungsprotokoll als Bevollmächtigter unterzeichnen

pa|ra|phil ⟨gr.⟩: die Paraphilie betreffend, für sie charakteristisch. **Pa|ra|phi|lie** die; -, ...jen: Verhaltensweise, die von der Form der von einer bestimmten Gesellschaft als normal angesehenen sexuellen Beziehung od. Betätigung abweicht (Psychol.)

Pa|ra|phi|mo|se ⟨gr.-nlat.⟩ die; -, -n: Einklemmung der zu engen Vorhaut in der Eichelkranzfurche (Med.)

Pa|ra|pho|nie, auch: Parafonie ⟨gr.⟩ die; -, ...jen: 1. (Med.) a) das Umschlagen, Überschnappen der Stimme, bes. bei Erregung u. im Stimmbruch; b) [krankhafte] Veränderung des Stimmklangs (z. B. durch Nebengeräusche). (Mus.) a) in der antiken Musiklehre das Zusammenklingen eines Tones mit seiner Quinte od. Quarte; b) Parallelbewegung in Quinten od. Quarten im mittelalterlichen ↑ Organum (1); c) Nebenklang, Missklang

Pa|ra|pho|ne die; -, -n (meist Plural): weite Seitenverschiebung großer Schollen der Erdkruste (Geol.)

Pa|ra|phra|se ⟨gr.-lat.⟩ die; -, -n: 1. a) Umschreibung eines sprachlichen Ausdrucks mit anderen Wörtern oder Ausdrücken; b) freie, nur sinngemäße Übertragung, Übersetzung in eine andere Sprache (Sprachw.). 2. Ausschmückung; ausschmückende Bearbeitung einer Melodie o. Ä. (Mus.). **Pa|ra|phra|sie** ⟨gr.-nlat.⟩ die; -, ...jen: 1. ↑ Paraphasie. 2. bei Geisteskrankheiten vorkommende Sprachstörung, die sich bes. in Wortneubildungen u. -abwandlungen äußert (Med.). **pa|ra|phra|sie|ren**: 1. eine Paraphrase (1) von etwas geben; etwas verdeutlichend umschreiben (Sprachw.). 2. eine Melodie frei umspielen, ausschmücken (Mus.). **Pa|ra|phra|sis** die; -, ...asen: (veraltet) ↑ Paraphrase. **Pa|ra|phrast** ⟨gr.-lat.⟩ der; -en, -en: (veraltet) jmd., der einen Text paraphrasiert; Verfasser einer Paraphrase (1). **pa|ra|phrạs|tisch**: in der Art einer Paraphrase ausgedrückt

Pa|ra|phre|nie ⟨gr.-nlat.⟩ die; -, ...jen: leichtere Form der ↑ Schizophrenie, die durch das Auftreten von ↑ paranoiden Wahnvorstellungen gekennzeichnet ist

Pa|ra|phro|sy|ne ⟨gr.⟩ die; -: geistige Verwirrtheit im Fieber; Fieberwahn (Med.)

Pa|ra|phy|se ⟨gr.⟩ die; -, -n (meist Plural): (Bot.) 1. sterile Zelle in den Fruchtkörpern vieler Pilze. 2. haarähnliche Zelle bei Farnen u. Moosen

Pa|ra|pla|sie* ⟨gr.-nlat.⟩ die; -, ...jen: krankhafte Bildung, Missbildung (Med.). **Pa|ra|plas|ma** das; -s, ...men: ↑ Deutoplasma

Pa|ra|ple|gie* ⟨gr.-nlat.⟩ die; -, ...jen: doppelseitige Lähmung; auf beiden Körperseiten gleichmäßig auftretende Lähmung der oberen u. unteren Extremitäten (Med.). **pa|ra|ple|gisch**: an Paraplegie leidend; auf Paraplegie beruhend, mit ihr zusammenhängend (Med.)

Pa|ra|pluie* [...ˈply:] ⟨lat.-fr.⟩ der (auch: das); -s, -s: (veraltet) Regenschirm

pa|ra|pneu|mo|nisch ⟨gr.-nlat.⟩: im Verlauf einer Lungenentzündung als Begleitkrankheit auftretend (z. B. von einer Rippenfellentzündung; Med.)

Pa|ra|po|di|um ⟨gr.-nlat.⟩ das; -s, ...ien (Zool.). 1. Stummelfuß der Borstenwürmer. 2. Seitenlappen der Flossenfüßer

Pa|ra|prok|ti|tis vgl. Periproktitis **Pa|ra|pro|te|in** ⟨gr.-lat.⟩ das; -s, -e (meist Plural): entarteter Eiweißkörper im Blut, der sich bei bestimmten Blutkrankheiten bildet (Med.)

Pa|rạp|sis* ⟨gr.-nlat.⟩ die; -: Tastsinnstörung; Unvermögen, Gegenstände durch Betasten zu erkennen (Med.)

pa|ra|psy|chisch ⟨gr.-nlat.⟩: die von der Parapsychologie erforschten Phänomene betreffend, zu ihnen gehörend. 2. übersinnlich. **Pa|ra|psy|cho|lo|gie** die; -: Wissenschaft von den okkulten, außerhalb der normalen Wahrnehmbarkeit liegenden, übersinnlichen Erscheinungen (z. B. Telepathie, Telekinese). **pa|ra|psy|cho|lo|gisch**: die Parapsychologie betreffend

Par|arth|rie* ⟨gr.-nlat.⟩ die; -,

...jen: durch fehlerhafte Artikulation von Lauten u. Silben gekennzeichnete Sprachstörung (Med.); vgl. Anarthrie

Pa|ra|san|ge ⟨pers.-gr.-lat.⟩ die; -, -n: altpersisches Wegemaß

Pa|rạ|sche ⟨hebr.; „Erklärung"⟩ die; -, -n: 1. einer der 54 Abschnitte der ↑Thora. 2. die aus diesem Abschnitt im jüdischen Gottesdienst gehaltene Gesetzeslesung; vgl. Sidra

pa|ra|sem ⟨gr.-nlat.⟩: im Hinblick auf die Semantik (2) nebengeordnet (z. B. Hengst/Stute; Sprachw.). **Pa|ra|sem** das; -s, -e: im Hinblick auf die Semantik (2) nebengeordneter Begriff (Sprachw.)

Pa|ra|sig|ma|tis|mus ⟨gr.-nlat.⟩ der; -: ↑Sigmatismus, bei dem die Zischlaute durch andere Laute (z. B. d, t, w) ersetzt werden (Med.)

Pa|ra|sit ⟨gr.-lat.; „Tischgenosse; Schmarotzer"⟩ der; -en, -en: 1. Lebewesen, das aus dem Zusammenleben mit anderen Lebewesen einseitig Nutzen zieht, die es oft auch schädigt u. bei denen es Krankheiten hervorrufen kann; tierischer od. pflanzlicher Schmarotzer (Biol.). 2. Figur des hungernden, gefräßigen u. kriecherischen Schmarotzers im antiken Lustspiel. 3. am Hang eines Vulkans entstandener kleiner Schmarotzerkrater (Geol.). **pa|ra|si|tär** ⟨gr.-lat.-fr.⟩: 1. Parasiten (1) betreffend, durch sie hervorgerufen. 2. in der Art eines Parasiten; parasitenähnlich, schmarotzerhaft. **pa|ra|si|tie|ren**: als Parasit (1) leben; schmarotzen. **pa|ra|si|tisch** ⟨gr.-lat.⟩: parasitär, schmarotzerartig; **parasitischer Laut**: eingeschobener Laut (Sprachw.). **Pa|ra|si|tis|mus** ⟨gr.-lat.-nlat.⟩ der; -: Schmarotzertum. **Pa|ra|si|to|lo|ge** ⟨gr.-nlat.⟩ der; -n, -n: Wissenschaftler auf dem Gebiet der Parasitologie. **Pa|ra|si|to|lo|gie** die; -: Wissenschaft von den pflanzlichen u. tierischen Schmarotzern, besonders den krankheitserregenden. **pa|ra|si|to|lo|gisch**: die Parasitologie betreffend, zu ihr gehörend. **pa|ra|si|to|trop***: gegen Parasiten (1) wirkend (Med.)

Pa|ra|ski der; -: Kombination aus Fallschirm-Zielspringen u. Riesenslalom als Disziplin beim Wintersport

¹**Pa|ra|sol** ⟨lat.-it.-fr.⟩ der od. das; -s, -s: (veraltet) Sonnenschirm

²**Pa|ra|sol** der; -s, -e u. -s: großer,

wohlschmeckender Blätterpilz. **Pa|ra|sol|pilz** der; -es, -e: ↑²Parasol

Pa|ras|pa|die ⟨gr.-nlat.⟩ die; -, ...ien: Harnröhrenmissbildung, bei der die Harnröhre seitlich am Penis ausmündet (Med.)

Par|äs|the|sie* ⟨gr.-nlat.⟩ die; -, ...jen: anormale Körperempfindung (z. B. Kribbeln, Einschlafen der Glieder; Med.)

Pa|ra|stru|ma* ⟨gr.; lat.⟩ die; -, ...men: Geschwulst der Nebenschilddrüse (Med.)

Pa|ra|sym|pa|thi|kus ⟨gr.-nlat.⟩ der; -, ...thizi: dem Sympathikus entgegengesetzt wirkender Teil des vegetativen (3) Nervensystems (Med.). **pa|ra|sym|pa|thisch**: den Parasympathikus betreffend, durch ihn bedingt (Med.)

Pa|ra|syn|the|tum ⟨gr.-nlat.⟩ das; -s, ...ta: ↑Dekompositum

pa|rat ⟨lat.⟩: (für den Gebrauch, Bedarfsfall) zur Verfügung [stehend], bereit

pa|ra|tak|tisch ⟨gr.⟩: der Parataxe unterliegend, nebenordnend (Sprachw.); Ggs. ↑hypotaktisch. **Pa|ra|ta|xe** die; -, -n: Nebenordnung, Koordination (2) von Satzgliedern od. Sätzen (Sprachw.); Ggs. ↑Hypotaxe. **Pa|ra|ta|xie** ⟨gr.-nlat.⟩ die; -, ...jen: (Psychol.) 1. Störung sozialer, zwischenmenschlicher Beziehungen durch Übertragung falscher subjektiver Vorstellungen u. Wertungen auf den Partner (nach Sullivan). 2. nichtperspektivische Wiedergabe (z. B. in Kinderzeichnungen). **Pa|ra|ta|xis** die; -, ...taxen: (veraltet) ↑Parataxe

pa|ra|to|nisch ⟨gr.-nlat.⟩: durch Reize der Umwelt ausgelöst (von bestimmten Pflanzenbewegungen)

Pa|ra|ty|phus ⟨gr.-nlat.⟩ der; -: dem Typhus ähnliche, aber leichter verlaufende u. von anderen Erregern hervorgerufene Infektionskrankheit (Med.)

pa|ra|ty|pisch ⟨gr.-nlat.⟩: nicht erblich (Med.)

Pa|ra|va|ri|al|ti|on ⟨gr.; lat.⟩ die; -, -en: durch Umwelteinflüsse erworbene Eigenschaft, die nicht erblich ist (Biol.)

pa|ra|ve|nös ⟨gr.; lat.⟩: neben einer Vene gelegen; in die Umgebung einer Vene (z. B. bei Injektionen; Med.)

Pa|ra|vent [...'vã:] ⟨lat.-it.-fr.; „den Wind Abhaltender"⟩ der od. das; -s, -s: (österr., sonst ver-

altet) spanische Wand, Ofenschirm

pa|ra|ver|teb|ral* ⟨gr.; lat.⟩: neben einem Wirbel, der Wirbelsäule liegend; neben einen Wirbel, in die Umgebung eines Wirbels (z. B. von Injektionen; Med.)

par a|vion [para'vjõ] ⟨fr.⟩: durch Luftpost (Vermerk auf Luftpost im Auslandsverkehr)

Pa|ra|zen|te|se ⟨gr.-lat.⟩ die; -, -n: das Durchstoßen des Trommelfells bei Mittelohrvereiterung (zur Schaffung einer Abflussmöglichkeit für den Eiter; Med.)

pa|ra|zen|tral* ⟨gr.-nlat.⟩: neben den Zentralwindungen des Gehirns liegend (Med.). **pa|ra|zen|trisch**: um den Mittelpunkt liegend od. beweglich (Math.)

par|bleu! [par'blø:] ⟨fr.⟩: (veraltet) nanu!; Donnerwetter!

par|boiled ['pa:bɔylt] ⟨lat.-fr.-engl.⟩: (von Reis) in bestimmter Weise vorbehandelt, damit die Vitamine erhalten bleiben

Par|ce|ria [...se...] ⟨lat.-port.⟩ die; -, ...ien: in Brasilien übliche Form der Halbpacht (Bewirtschaftung eines Landgutes durch zwei gleichberechtigte Teilhaber)

Par|cours [...'ku:ʀ] ⟨lat.-fr.⟩ die; -, - [...s]: 1. abgesteckte Hindernisbahn für Jagdspringen od. Jagdrennen (Pferdesport). 2. (bes. schweiz.) Lauf-, Rennstrecke (Sport)

Pard ⟨gr.-lat.⟩ der; -en, -en, **Par|del** u. **Par|der** der; -s, -: (veraltet) ↑Leopard

par dis|tance [pardis'tã:s] ⟨lat.-fr.⟩: mit [dem nötigen] Abstand; aus der Ferne

Par|don [par'dõ:, österr.: ...'do:n] ⟨lat.-vulgärlat.-fr.⟩ der; auch: das; -s: (veraltet) Verzeihung; Nachsicht; **Pardon!**: Verzeihung!; **kein[en] Pardon kennen**: keine Rücksicht kennen; schonungslos vorgehen. **par|do|na|bel**: (veraltet) verzeihlich. **par|do|nie|ren**: (veraltet) verzeihen; begnadigen

Par|dun ⟨niederl.⟩ das; -[e]s, -s u. **Par|du|ne** die; -, -n: (Seemannsspr.) Tau, das die Masten od. Stengen nach hinten stützt

Pa|re|chse* ⟨gr.; „Lautnachahmung"⟩ die; -, -n: Zusammenstellung lautlich gleicher od. ähnlicher Wörter mit verschiedener Herkunft (Rhet.); vgl. Paronomasie

Pa|ren|chym* ⟨gr.⟩ das; -s, -e: pflanzliches u. tierisches Grundgewebe, Organgewebe im Unterschied zum Binde- u. Stützgewebe (Med.; Biol.). **pa|ren|chy|ma|tös** ⟨gr.-nlat.⟩: reich an Parenchym; zum Parenchym gehörend, das Parenchym betreffend (Med.; Biol.)

pa|ren|tal ⟨lat.⟩: a) den Eltern, der Parentalgeneration zugehörend; b) von der Parentalgeneration stammend. **Pa|ren|tal|ge|ne|ra|ti|on** die; -, -en: Elterngeneration; Zeichen: P (Biol.). **Pa|ren|ta|li|en** die (Plural): altrömisches Totenfest im Februar; vgl. Feralien. **Pa|ren|ta|ti|on** die; -, -en: (veraltet) Totenfeier, Trauerrede. **Pa|ren|tel** die; -, -en: Gesamtheit der Abkömmlinge eines Stammvaters (Rechtsw.). **Pa|ren|tel|sys|tem** das; -s: für die 1.–3. Ordnung gültige Erbfolge nach Stämmen, bei der die Abkömmlinge eines wegfallenden Erben gleichberechtigt an dessen Stelle nachrücken (Rechtsw.); vgl. Gradualsystem

pa|ren|te|ral* ⟨gr.-nlat.⟩: unter Umgehung des Verdauungsweges (z. B. von Medikamenten, die injiziert u. nicht oral verabreicht werden; Med.)

Pa|ren|the|se* ⟨gr.-lat.⟩ die; -, -n: (Sprachw.) 1. Redeteil, der außerhalb des eigentlichen Satzverbandes steht (z. B. Interjektion, Vokativ, absoluter Nominativ). 2. Gedankenstriche od. Klammern, die einen außerhalb des eigentlichen Satzverbandes stehenden Redeteil vom übrigen Satz abheben. **pa|ren|the|tisch** ⟨gr.⟩: 1. die Parenthese betreffend. 2. eingeschaltet, nebenbei [gesagt]

Pa|reo ⟨polynes.⟩ der; -s, -s: großes Wickeltuch, das um die Hüften geschlungen wird

Pa|re|re ⟨lat.-it.⟩ das; -[s], -[s]: 1. (veraltet) Gutachten unparteiischer Kaufleute od. Handelskammern über kaufmännische Streitsachen. 2. (österr.) ärztliches Gutachten, das die Einlieferung in eine psychiatrische Klinik erlaubt

Par|er|ga* ⟨Plural von ↑ Parergon.⟩

Par|er|ga|sie ⟨gr.-nlat.⟩ die; -: Falschlenkung von Impulsen bei Geisteskrankheiten u. Psychosen (z. B. Augenschließen statt Mundöffnen; Psychol.). **Par|er|gon** ⟨gr.-lat.⟩ das; -s, ...ga (meist Plural): (veraltet) Beiwerk, Anhang; gesammelte kleine Schriften

Pa|re|se ⟨gr.; „das Vorbeilassen; die Erschlaffung"⟩ die; -, -n:

leichte, unvollständige Lähmung; Schwäche eines Muskels, einer Muskelgruppe (Med.). **pa|re|tisch:** teilweise gelähmt, geschwächt (Med.)

Pa|re|to-Ef|fi|zi|enz ⟨nach dem it. Volkswirtschaftler V. Pareto, 1848–1923⟩ die; - u. **Pa|re|to-Op|ti|mum** das; -s: Verteilung der Güter, bei der durch Umverteilung ein Individuum den Nutzen nur dadurch erhöhen kann, dass ein anderes schlechter gestellt wird (Wirtsch.)

par ex|cel|lence [parεksə'lā:s] ⟨lat.-fr.⟩: in typischer Ausprägung, in höchster Vollendung, schlechthin (immer nachgestellt)

par e|xem|ple* [parεk'sã:pl] ⟨lat.-fr.⟩: (veraltet) zum Beispiel; Abk.: p. e.

Par|fait [...'fɛ] ⟨fr.⟩ das; -s, -s: 1. Pastete aus Fleisch od. Fisch. 2. Halbgefrorenes

par force [par'fɔrs] ⟨lat.-fr.⟩: (veraltet) 1. mit Gewalt, heftig. 2. unbedingt. **Par|force|jagd** ⟨lat.-fr.; dt.⟩ die; -, -en: Hetzjagd mit Pferden u. Hunden. **Par|force|ritt** der; -[e]s, -e: mit großer Anstrengung, unter Aufbietung aller Kräfte bewältigte Leistung

Par|fum [...'fœ:] ⟨lat.-it.-fr.⟩ das; -s, -s: ↑ Parfüm. **Par|füm** das; -s, -e u. -s: 1. Flüssigkeit mit intensivem [länger anhaltendem] Duft (als Kosmetikartikel). 2. Duft, Wohlgeruch. **Par|fü|me|rie** ⟨französierende Ableitung von ↑ Parfum⟩ die; -, ...jen: 1. Geschäft, in dem Parfüms, Kosmetikartikel o. Ä. verkauft werden. 2. Betrieb, in dem Parfüms hergestellt werden. **Par|fü|meur** [...'mø:ɐ] ⟨lat.-it.-fr.⟩ der; -s, -e: Fachkraft für die Herstellung von Parfüms. **par|fü|mie|ren:** mit Parfüm besprengen; wohlriechend machen

Par|ga|sit [auch: ...'zɪt] ⟨nlat.; nach dem finnischen Ort Pargas⟩ der; -s, -e: ein Mineral

pa|ri ⟨it.⟩: ↑ al pari

Pa|ria ⟨tamil.-angloind.⟩ der; -s, -s: 1. außerhalb der Kasten stehender bzw. der niedersten Kaste angehörender Inder, ↑ Outcast (b); vgl. Haridschan. 2. von der menschlichen Gesellschaft Ausgestoßener, Entrechteter; Unterprivilegierter, ↑ Outcast (a)

Pa|rid|ro|se* ⟨gr.-nlat.⟩ die; -, -n: ↑ Parahidrose

¹pa|rie|ren ⟨lat.-it.⟩: einen Angriff abwehren (Sport). **²pa|rie|ren** ⟨lat.-span.-fr.⟩: ein Pferd (durch reiterliche Hilfen) in eine mäßi-

gere Gangart od. zum Stehen bringen (Sport). **³pa|rie|ren** ⟨lat.-fr.⟩: (veraltet) Fleischstücke sauber zuschneiden, von Haut u. Fett befreien

⁴pa|rie|ren ⟨lat.⟩: (ugs.) ohne Widerspruch gehorchen

pa|rie|tal ⟨lat.⟩: 1. nach der Körperwand hin gelegen; zur Wand (eines Organs, einer Körperhöhle) gehörend, eine Wand bildend; wandständig, seitlich (Biol.; Med.). 2. zum Scheitelbein gehörend (Med.). **Pa|rie|tal|au|ge** ⟨lat.; dt.⟩ das; -s, -n: vom Zwischenhirn gebildetes, lichtempfindliches Sinnesorgan niederer Wirbeltiere (Biol.). **Pa|rie|tal|or|gan** das; -s, -e: ↑ Parietalauge

Pa|ri|fi|ka|ti|on ⟨lat.-nlat.⟩ die; -, -en: (veraltet) Gleichstellung, Ausgleichung. **Pa|ri|kurs** der; -es, -e: dem Nennwert eines Wertpapiers entsprechender Kurs (Wirtsch.). **Pa|ri|sei|de** ⟨lat.; dt.⟩ die; -: entbastete (von den bei der Rohseide noch vorhandenen Bestandteilen befreite) Naturseide, die auf ihr ursprüngliches Gewicht beschwert wurde

Pa|ri|ser (im Sinne von „Verhütungsmittel aus Paris") der; -s, -: (salopp) ↑ Präservativ. **Pa|ri|si|enne** [...'zjɛn] ⟨fr.⟩ die; -: 1. klein gemustertes, von Metallfäden durchzogenes Seidengewebe. 2. französisches Freiheitslied zur Verherrlichung der Julirevolution von 1830. 3. veraltete Schriftgattung. **Pa|ri|sis|mus** ⟨nlat.⟩ der; -, ...men: der Pariser Umgangssprache eigentümlicher Ausdruck (od. Redewendung). **Pa|ri|son*** ⟨gr.⟩ das; -s, ...sa: nur annähernd gleiches ↑ Isokolon (antike Rhet.)

pa|ri|syl|la|bisch ⟨lat.; gr.⟩: in allen Beugungsfällen des Singulars u. des Plurals die gleiche Anzahl von Silben aufweisend (auf griech. u. lat. Substantive bezogen). **Pa|ri|syl|la|bum** das; -s, ...ba: parisyllabisches Substantiv. **Pa|ri|tät** ⟨lat.; „Gleichheit"⟩ die; -, -en (Plural selten): 1. Gleichstellung, Gleichsetzung, [zahlenmäßige] Gleichheit. 2. im Wechselkurs zum Ausdruck kommendes Austauschverhältnis zwischen verschiedenen Währungen (Wirtsch.). **pa|ri|tä|tisch:** gleichgestellt, gleichberechtigt

Par|ka ⟨russ.-eskim.-engl.⟩ der; -s, -s od. die; -, -s: knielanger, oft mit

Pelz gefütterter, warmer Anorak mit Kapuze **Park-and-ride-Sys|tem** ['pɑːk‑ənd'raid...] ⟨*engl.-amerik.*⟩ *das;* -s, -e: Regelung, nach der Kraftfahrer ihre Autos auf Parkplätzen am Stadtrand abstellen u. von dort [unentgeltlich] mit öffentlichen Verkehrsmitteln in das Stadtzentrum weiterfahren **par|ke|ri|sie|ren, p*a*r|kern** ⟨nach dem Erfinder Parker⟩: Eisen durch einen Phosphatüberzug rostsicher machen; ↑ phosphatieren **Par|k*e*tt** ⟨*mlat.-fr.*⟩ *das;* -[e]s, -e u. -s: 1. Fußboden aus schmalen, kurzen Holzbrettern, die in einem bestimmten Muster zusammengesetzt sind. 2. im Theater od. Kino meist vorderer Zuschauerraum zu ebener Erde. 3. amtlicher Börsenverkehr. 4. Schauplatz des großen gesellschaftlichen Lebens. **Par|k*e*tt|te** *die;* -, -n: (österr.) Einzelbrett des Parkettfußbodens. **par|ket|tie|ren:** mit Parkettfußboden versehen. **par|kie|ren:** (schweiz.) parken. **P*a*r|king|me|ter** ⟨*engl.*⟩ *der;* -s, -: (schweiz.) ↑ Parkometer **Par|kin|so|nis|mus** *der;* -, ...men: (veraltet) ↑ Parkinson-Syndrom. **P*a*r|kin|son-Syn|dr*o*m*** ⟨nach dem engl. Arzt J. Parkinson, 1755–1824⟩ *das;* -s, -e: Schüttellähmung u. andere ihr ähnliche, jedoch auf verschiedenen Ursachen beruhende Erscheinungen (Med.) **Par|ko|me|ter** ⟨*mlat.-fr.-engl.- amerik.; gr.*⟩ *das* (ugs. auch: *der*); -s, -: Parkuhr. **P*a*rk|stu|di|um** *das;* -s; (ugs.) (seit Einführung des Numerus clausus) bis zum Erhalt eines Studienplatzes im gewünschten Fach vorläufig aufgenommenes Studium in einem anderen [ähnlichen] Studienfach **Par|la|m*e*nt** ⟨*gr.-lat.-vulgärlat.- fr.-engl.*⟩ *das;* -[e]s, -e: 1. gewählte Volksvertretung mit beratender od. gesetzgebender Funktion. 2. Parlamentsgebäude. **Par|la|men|t*ä*r** ⟨*gr.-lat.-vulgärlat.-fr.*⟩ *der;* -s, -e: Unterhändler zwischen feindlichen Heeren. **Par|la|men|t*a*|ri|er** ⟨*gr.-lat.-vulgärlat.-fr.-engl.*⟩ *der;* -s, -: Abgeordneter, Mitglied eines Parlaments. **par|la|men|t*a*|risch:** das Parlament betreffend, vom Parlament ausgehend. **par|la|men|ta|ri|sie|ren:** (selten) den Parlamentarismus einführen. **Par|la|men|ta|r*i*s|mus** ⟨*gr.-lat.-vulgär-*

lat.-fr.-engl.-nlat.⟩ *der;* -: demokratische Regierungsform, in der die Regierung dem Parlament verantwortlich ist. **par|la|men|t*ie*|ren** ⟨*gr.-lat.-vulgärlat.- fr.*⟩: 1. (veraltet) unterhandeln. 2. (landsch.) eifrig hin und her reden, verhandeln. **par|l*a*n|do** ⟨*gr.- lat.-vulgärlat.-it.*⟩: rhythmisch exakt u. mit nur leichter Tongebung, dem Sprechen nahe kommend (von einer bestimmten Gesangsweise bes. in Arien der komischen Oper; Mus.). **Par|l*a*n- do** *das;* -s, -s u. ...di: parlando vorgetragener Gesang; Sprechgesang (Mus.). **par|l*a*n|te:** ↑ parlando. **par|l*ie*|ren** ⟨*gr.-lat.-vulgärlat.-fr.*⟩: a) reden, plaudern; sich miteinander unterhalten, leichte Konversation machen; b) in einer fremden Sprache sprechen, sich unterhalten **Par|m*ä*|ne** ⟨*fr.*⟩ *die;* -, -n: Apfel einer zu den Renetten gehörenden Sorte **Par|m*e*l|lia** ⟨*gr.-lat.-nlat.*⟩ *die;* -, ...ien: Schüsselflechte (dunkelgraue Flechte auf Rinde u. Steinen) **Par|me|s*a*n** ⟨nach der ital. Stadt Parma⟩ *der;* -[s]: sehr fester, vollfetter italienischer [Reib]käse **Par|n*a*ss** ⟨*gr.-lat.*⟩ *der;* nach dem mittelgriech. Gebirgszug⟩ *der;* - u. -es: Musenberg, Reich der Dichtkunst. **Par|nas|si|ens** [...'sjɛ̃] ⟨*gr.-lat.-fr.;* nach Buchtitel „Le Parnasse contemporain"⟩ *die* (Plural): Gruppe französischer Dichter in der 2. Hälfte des 19. Jh.s, die im Gegensatz zur gefühlsbetonten Romantik stand. **par|nas|sisch** ⟨*gr.-lat.*⟩: den Parnass betreffend. **P*a*r|nas|ooo** u. **Par|nas- sus** *der;* -: ↑ Parnass **P*a*r|nes** ⟨*hebr.*⟩ *der;* -, -: jüdischer Gemeindevorsteher **Pa|ro|chi*:** *Plural* von ↑ Parochus. **pa|ro|chi|al** ⟨*gr.-lat.-mlat.*⟩: zum Kirchspiel, zur Pfarrei gehörend. **Pa|ro|chi|al|kir|che** ⟨*gr.- lat.-mlat.*⟩ *die;* -, ...ien: Kirchspiel, Amtsbezirk eines Pfarrers. **P*a*|ro|chus** ⟨*gr.*⟩ *der;* -, ...ochi: (selten) Pfarrer als Inhaber einer Parochie **Pa|ro|d*ie**** ⟨*gr.-lat.-fr.*⟩ *die;* -, ...ien: 1. komisch-satirische Umbildung od. Nachahmung eines meist künstlerischen, oft literarischen Werkes od. des Stils eines Künstlers; vgl. Travestie. 2. [komisch-spöttische] Unterlegung eines anderen Textes unter eine

Komposition. 3. (Mus.) a) Verwendung von Teilen einer eigenen od. fremden Komposition für eine andere Komposition (bes. im 15. u. 16. Jh.); b) Vertauschung geistlicher u. weltlicher Texte u. Kompositionen (Bachzeit). **Pa|ro|d*ie*|mes|se** *die;* -, -n: Messenkomposition unter Verwendung eines schon vorhandenen Musikstücks. **pa|ro|d*ie*|ren:** in einer Parodie (1) nachahmen, verspotten. **pa|r*o*|disch:** die Parodie (2, 3) betreffend, anwendend, mit ihren Mitteln umwandelnd. **Pa|ro|d*i*st** *der;* -en, -en: jmd., der Parodien (1) verfasst od. [im Varietee, Zirkus od. Kabarett] vorträgt. **Pa|ro|d*i*s|tik** *die;* -: Kunst, Art, Anwendung der Parodie (1). **pa|ro|d*i*s|tisch:** die Parodie (1), den Parodisten betreffend; in Form, in der Art einer Parodie (1); komisch-satirisch nachahmend, verspottend **Pa|ro|don|t*i*|tis*** ⟨*gr.-nlat.*⟩ *die;* -, ...it|den: Entzündung des Zahnfleischsaumes mit Ablagerung von Zahnstein, Bildung eitriger Zahnfleischtaschen u. Lockerung der Zähne (Med.). **Pa|ro- don|t*o*|se** *die;* -, -n: ohne Entzündung verlaufende Erkrankung des Zahnbettes mit Lockerung der Zähne; Zahnfleischschwund (Med.). **Pa|ro|dos*** ⟨*gr.*⟩ *der;* -, -: Einzugslied des Chores im altgriechischen Drama; Ggs. ↑ Exodos (2) **Pa|r*ö*|ke*** ⟨*gr.;* „Nachbar"⟩ *der;* -n, -n: Einwohner ohne od. mit geringerem Bürgerrecht im Byzantinischen Reich **¹Pa|r*o*le** [pa'rɔl] ⟨*gr.-lat.-vulgärlat.-fr.*⟩ *die;* -: die gesprochene (aktualisierte) Sprache, Rede (nach F. de Saussure; Sprachw.); Ggs. ↑ Langue. **²Pa|r*o*|le** *die;* -, -n: 1. [militärisches] Kennwort; Losung. 2. Leit-, Wahlspruch. 3. [unwahre] Meldung, Behauptung. **Pa|role d'Hon|neur** [parɔldɔ'nœːr] ⟨*fr.*⟩ *das;* - -: (veraltet) Ehrenwort **Pa|r*o*|li** ⟨*lat.-it.-fr.*⟩ *das;* -s, -s: Verdoppelung des ersten Einsatzes im Pharaospiel (vgl. ²Pharao). **Pa|r*o*|li:** in der Fügung: **Paroli bieten:** Widerstand entgegensetzen, sich widersetzen, dagegenhalten **Pa|rö|mi|a|kus*** ⟨*gr.-lat.*⟩ *der;* -, ...zi: altgriechischer Vers, Sprichwortvers. **Pa|rö|m*ie*** *die;* -, ...ien: altgriechisches Sprichwort, Denkspruch. **Pa|rö|mi|o- gr*a*ph,** auch: Parömiograf ⟨*gr.*⟩

der; -en, -en (meist Plural): alt-griechischer Gelehrter, der die Parömien des griechischen Volkes zusammenstellte. **Pa|rö|mi|o|lo|gie** ⟨gr.-nlat.⟩ die; -: Wissenschaft von den Parömien; Sprichwortkunde **Pa|ro|no|ma|sie*** ⟨gr.-lat.⟩ die; -, ...ien: Zusammenstellung lautlich gleicher od. ähnlicher Wörter [von gleicher Herkunft] (Rhet.); vgl. Parechese, Annomination. **pa|ro|no|mas|tisch**: die Paronomasie betreffend, ihr zugehörend; **paronomastischer Intensitätsgenitiv**: Genitiv der Steigerung (z.B.: Buch der Bücher, die Frage aller Fragen; Sprachw.) **Pa|ro|ny|chie*** ⟨gr.-nlat.⟩ die; -, ...ien: eitrige Entzündung des Nagelbetts (Med.) **Pa|ro|ny|ma** u. **Pa|ro|ny|me**: Plural von ↑Paronymon. **Pa|ro|ny|mie** ⟨gr.⟩ die; -: (veraltet) das Ableiten von einem Stammwort (Sprachw.). **Pa|ro|ny|mik** ⟨gr.-nlat.⟩ die; -: (veraltet) die Paronymie betreffendes Teilgebiet der Sprachwissenschaft. **pa|ro|ny|misch**: (veraltet) die Paronymie betreffend, vom gleichen Wortstamm abgeleitet. **Pa|ro|ny|mon** ⟨gr.-lat.⟩ das; -s, ...ma u. ...nyme: (veraltet) stammverwandtes, mit einem od. mit mehreren anderen Wörtern vom gleichen Stamm abgeleitetes Wort (z.B. Rede–reden–Redner–redlich–beredt; Sprachw.) **par ord|re*** [pa'rordr(ə)] ⟨lat.-fr.⟩: auf Befehl. **par ord|re du muf|ti** [-dy-] ⟨fr.⟩: a) durch Erlass, auf Anordnung von vorgesetzter Stelle, auf fremden Befehl; b) notgedrungen **Pa|ro|re|xie*** ⟨gr.-nlat.⟩ die; -, ...ien: krankhaftes Verlangen nach ungewöhnlichen, auch unverdaulichen Speisen (z.B. in der Schwangerschaft od. bei Hysterie; Med.) **Pa|ros|mie*** ⟨gr.-nlat.⟩ u. **Pa|ros|phre|sie** die; -, ...ien: Geruchstäuschung; Störung der Geruchswahrnehmung (z.B. in der Schwangerschaft; Med.) **Pa|ro|tis*** ⟨gr.-lat.⟩ die; -, ...ti|den: Ohrspeicheldrüse (Med.). **Pa|ro|ti|tis** ⟨gr.-nlat.⟩ die; -, ...iti|den: virale Entzündung der Ohrspeicheldrüse; Ziegenpeter, Mumps (Med.) **pa|ro|xys|mal** ⟨gr.-nlat.⟩: anfallsweise auftretend, sich in der Art eines Anfalls steigernd (Med.). **Pa|ro|xys|mus** ⟨gr.⟩ der;

-, ...men: 1. anfallartiges Auftreten einer Krankheitserscheinung; anfallartige starke Steigerung bestehender Beschwerden (Med.). 2. aufs Höchste gesteigerte Tätigkeit eines Vulkans (Geogr.). **Pa|ro|xy|to|non** das; -s, ...tona: in der griechischen Betonungslehre ein Wort, das den ↑Akut auf der vorletzten Silbe trägt (z.B. gr. μανία = Manie); vgl. Oxytonon u. Proparoxytonon **par pis|to|let** [parpistɔ'lɛ] ⟨fr.; „wie mit der Pistole"): aus freier Hand (ohne Auflegen der Hand) spielen (Billard) **par pré|fé|rence** [parprefe'rã:s] ⟨lat.-fr.⟩: (veraltet) vorzugsweise; vgl. Präferenz (1) **par re|nom|mée** [parrənɔ'me] ⟨lat.-fr.⟩: (veraltet) dem Ruf nach; vgl. Renommee **Par|rhe|sie** ⟨gr.⟩ die; -: (veraltet) Freimütigkeit im Reden **Par|ri|ci|da** u. **Par|ri|zi|da** ⟨lat.⟩ der; -s, -s: (selten) Verwandten-, bes. Vatermörder **Par|se** ⟨pers.⟩ der; -n, -n: Anhänger des Parsismus [in Indien] **Par|sec** (Kurzw. für Parallaxensekunde) das; -, -: Maß der Entfernung von Sternen (1 Parsec = 3,257 Lichtjahre; Astron.); Abk.: pc **par|sen** [...s...] ⟨engl.⟩: (maschinenlesbare Daten) analysieren, segmentieren u. kodieren (EDV). **Par|ser** der; -s, -: Programm zum Parsen (EDV) **pars|isch** ⟨pers.-nlat.⟩: die Parsen betreffend. **Par|sis|mus** der; -: von Zarathustra gestiftete altpersische Religion, bes. in ihrer heutigen indischen Form **Pars pro To|to** ⟨lat.⟩ das; - - -: Redefigur, die einen Teilbegriff an die Stelle eines Gesamtbegriffs setzt (z.B. unter einem Dach = in einem Haus; Sprachw.) **Part** ⟨lat.-fr.; „[An]teil") der; -s, -s, auch: -e: 1. Anteil des Miteigentums an einem Schiff (Kaufmannsspr.). 2. a) Stimme eines Instrumental- od. Gesangsstücks; b) Rolle in einem Theaterstück, einem Film. **par|ta|gie|ren** [...'ʒi:...] ⟨lat.-fr.⟩: teilen, verteilen. ¹**Par|te** ⟨lat.-fr.⟩ die; -, -n: 1. Familie, Wohnpartei in einem [Miets]haus. 2. ↑Part (2a); vgl. auch: colla parte. ²**Par|te** ⟨lat.-it.⟩ die; -, -n: (österr.) Todesanzeige, ↑Parerezettel **Par|tei|sek|re|tär*** ⟨lat.-fr.; lat.-mlat.(-fr.)⟩ der; -s, -e: für die Verwaltung der Parteiangelegenhei-

ten bestelltes (meist leitendes) Parteimitglied **Par|te|lke** ⟨gr.-mgr.-mlat.⟩ die; -, -n: (veraltet) Stückchen, Stück [Almosen]brot **Par|ten|ree|de|rei** ⟨lat.-fr.; dt.⟩ die; -, -en: Reederei, deren Schiffe mehreren Eigentümern gehören **par|terre** [...'tɛr] ⟨lat.-fr.⟩: zu ebener Erde (Abk.: part.). **Par|terre** [...'tɛr(ə)] das; -s, -s: 1. Erdgeschoss (Abk.: Part.). 2. Sitzreihen zu ebener Erde in Theater od. Kino. **Par|terre|ak|ro|ba|tik*** [...'tɛr...] die; -: artistisches Bodenturnen **Par|tes** ⟨lat.⟩ die (Plural): Stimmen, Stimmhefte (Mus.). **Par|te|zet|tel** der; -s, -: (österr.) Todesanzeige, ↑²Parte **Par|the|ni|en** ⟨gr.⟩ die (Plural): altgriechische Hymnen für Jungfrauenchöre. **Par|the|no|ge|ne|se** ⟨gr.-nlat.⟩ die; -: 1. Jungfrauengeburt; Geburt eines Gottes od. Helden durch eine Jungfrau (Rel.). 2. Jungfernzeugung; Fortpflanzung durch unbefruchtete Keimzellen (z.B. bei Insekten; Biol.). **par|the|no|ge|ne|tisch**: die Parthenogenese (2) betreffend; aus unbefruchteten Keimzellen entstehend (Biol.). **par|the|no|kar|p**: die Parthenokarpie betreffend, ohne Befruchtung entstanden (Biol.). **Par|the|no|kar|pie** die; -: Entstehung von samenlosen Früchten ohne Befruchtung (Biol.) **par|ti|al** ⟨lat.⟩: ↑partiell; vgl. ...al/...ell. **Par|ti|al|bruch** der; -[e]s, ...brüche: Teilbruch eines Bruches mit zusammengesetztem Nenner (Math.). **Par|ti|al|ge|fühl** das; -[e]s, -e: Teilgefühl; Einzelausprägung von Gefühlen, die sich zum Totalgefühl zusammenschließen können (nach S. Freud; Psychol.). **Par|ti|al|ob|li|ga|ti|on*** die; -, -en: Teilschuldverschreibung (Wirtsch.). **Par|ti|al|ton** der; -[e]s, ...töne (meist Plural): Teilton eines Klanges (Mus.). **Par|ti|al|trieb** der; -[e]s, -e: einer der als Komponenten des Sexualtriebs angesehenen und verschiedenen Entwicklungsstadien nacheinander sich entwickelnden Triebe, z.B. oraler, analer, genitaler Trieb (nach S. Freud; Psychol.). **par|ti|al|risch**: mit Gewinnbeteiligung (Wirtsch., Rechtsw.). **Par|ti|cell** ⟨lat.-it.⟩ das; -s, -e u. **Par|ti|cel|la** [...'tʃɛla] die; -, ...lle: ausführlicher Kompositionsentwurf, Entwurf zu einer Partitur (Mus.). **Par|ti|cul|la pen|dens** ⟨lat.⟩ die; -: ohne Entsprechung bleibende Partikel (1) beim ↑Anantapodoton (Rhet.; Stilk.). **Par|tie** ⟨lat.-fr.⟩ die; -, ...ien: 1. Abschnitt, Ausschnitt, Teil. 2. Durchgang, Runde bei bestimmten Spielen. 3. Rolle in einem gesungenen [Bühnen]werk. 4. (veraltet) [gemeinsamer] Ausflug. 5. Warenposten (Kaufmannsspr.); **eine gute Partie sein:** viel Geld mit in die Ehe bringen; **eine gute Partie machen:** einen vermögenden Ehepartner heiraten. **Par|tie-füh|rer** der; -s, -: (österr.) Vorarbeiter; Führer einer Gruppe von Arbeitern. **par|ti|ell:** teilweise [vorhanden]; einseitig; anteilig; vgl. ...al/...ell. **par|tie|ren:** 1. teilen. 2. die einzelnen Stimmen in Partiturform anordnen (Mus.). **Par|tie|wa|re** die; -, -n: unmoderne od. unansehnliche Ware, die billiger verkauft wird. **Par|ti-kel** [auch: ...'tɪk]] ⟨lat.⟩ die; -, -n: 1. (Sprachw.) a) Wort, das nicht flektiert werden kann (Adverb, Präposition, Konjunktion); b) die Bedeutung nur modifizierendes Wörtchen ohne syntaktische Funktion (z. B. doch, etwa). 2. (auch: das; -s, -) [sehr] kleiner materieller Körper; Elementarteilchen (Phys.; Techn.). 3. (kath. Kirche) a) Teilchen der Hostie; b) als Reliquie verehrter Span des Kreuzes Christi. **par|ti-ku|lar u. par|ti|ku|lär:** einen Teil, eine Minderheit betreffend; einzeln. **Par|ti|ku|lar** der; -s, -e: (schweiz. veraltet) Privatmann; Rentner; ↑Partikulier. **Par|ti|ku-la|ris|mus** ⟨lat.-nlat.⟩ der; -: (meist abwertend) das Streben staatlicher Teilgebiete, ihre besonderen Interessen gegen die allgemeinen Interessen der übergeordneten staatlichen Gemeinschaft durchzusetzen. **Par|ti|ku-la|rist** der; -en, -en: Anhänger des Partikularismus. **par|ti|ku-la|ris|tisch:** den Partikularismus betreffend. **Par|ti|ku|lier** ⟨lat.-fr.⟩ der; -s, -e: selbstständiger Schiffseigentümer, Selbstfahrer in der Binnenschifffahrt. **Par|ti-kül|lier** [...'lje:] der; -s, -s: (veraltet) Privatmann; Rentner; vgl. Privatier. **Par|ti|men** ⟨lat.-provenzal.⟩ das; -[s], -[s]: altprovenzalisches Streitgedicht; vgl. Tenzone. **Par|ti|men|to** ⟨lat.-it.⟩ der; -[s], ...ti: Generalbassstimme (Mus.). **Par|ti|san** ⟨lat.-it.-fr.;

„Parteigänger, Anhänger"⟩ der; -s u. -en, -en: jmd., der nicht als regulärer Soldat, sondern als Angehöriger bewaffneter, aus dem Hinterhalt operierender Gruppen od. Verbände gegen den in sein Land eingedrungenen Feind kämpft. **Par|ti|sa|ne** die; -, -n: spießartige Stoßwaffe (des 15.–18. Jh.s). **Par|ti|ta** ⟨lat.-it.⟩ die; -, ...ten: Folge von mehreren in der gleichen Tonart stehenden Stücken (Mus.); vgl. Suite (4). **Par|ti|te** die; -, -n: 1. Geldsumme, die in Rechnung gebracht wird. 2. (veraltet) Schelmenstreich. **Par|ti|ten|ma-cher** der; -s, -: (veraltet) listiger Betrüger. **Par|ti|ti|on** ⟨lat.⟩ die; -, -en: Zerlegung des Begriffsinhaltes in seine Teile od. Merkmale (Logik). **par|ti|tiv** ⟨lat.-mlat.⟩: die Teilung ausdrückend (Sprachw.); **partitiver Genitiv:** ↑Genitivus partitivus. **Par|ti|ti|v-zahl** die; -, -en: (selten) Bruchzahl. **Par|ti|tur** ⟨lat.-mlat.-it.⟩ die; -, -en: übersichtliche, Takt für Takt in Notenschrift auf einzelnen übereinander liegenden Liniensystemen angeordnete Zusammenstellung aller zu einer vielstimmigen Komposition gehörenden Stimmen. **Par|ti|zip** ⟨lat.⟩ das; -s, -ien: Mittelwort (Sprachw.); **Partizip Perfekt:** 2. Mittelwort; Mittelwort der Vergangenheit (z. B. geschlagen); **Partizip Präsens:** 1. Mittelwort; Mittelwort der Gegenwart (z. B. schlafend). **Par|ti|zi|pa|ti|on** die; -, -en: das Teilnehmen. **Par|ti-zi|pa|ti|ons|ge|schäft** das; -[e]s, -e: ein auf einer Basis vorübergehenden Zusammenschlusses von mehreren Personen getätigtes Handelsgeschäft (Wirtsch.). **Par|ti|zi|pa|ti|ons|kon|to** das; -s, ...ten (auch: -s u. ...ti): das gemeinsame Konto der Teilhaber eines Partizipationsgeschäftes (Wirtsch.). **par|ti|zi|pi|al:** a) das Partizip betreffend; b) mittelwörtlich. **Par|ti|zi|pi|al|grup|pe** die; -, -n u. **Par|ti|zi|pi|al|satz** der; -es, ...sätze: Partizip, das durch das Hinzutreten anderer [von ihm abhängender] Glieder aus dem eigentlichen Satz herausgelöst ist, dessen Wirkungsbereich sich aber deutlich vom verbalen Wirkungsbereich des eigentlichen Satzes abhebt; satzwertiges Partizip (z. B. gestützt auf seine Erfahrungen[,] konnte er die Arbeit in Angriff nehmen; Sprachw.). **par|ti|zi|pie|ren:** von

etw., was ein anderer hat, etwas abbekommen; teilhaben. **Par|ti-zi|pi|um** das; -s, ...pia: (veraltet) Partizip; **Partizipium Perfekti,** **Partizipium Präsentis:** ↑Partizip Perfekt, ↑Partizip Präsens (vgl. Partizip); **Partizipium Präteriti:** ↑Partizip Perfekt. **Par|t|ner|look** [...lʊk] ⟨engl.⟩ der; -s: [modische] Kleidung, die der des Partners in Farbe, Schnitt o. Ä. gleicht. **Par-ton** ⟨lat.-nlat.⟩ das; -s, ...onen (meist Plural): hypothetischer Bestandteil von Atomkernbausteinen (Nukleonen) u. anderen Elementarteilchen **par|tout** [par'tu:] ⟨fr.⟩: (ugs.) durchaus, unbedingt, um jeden Preis **Par|tus** ⟨lat.⟩ der; -, - [...tu:s]: Geburt, Entbindung (Med.) **Part|work** ['pɑːtwəːk] ⟨engl.⟩ das; -s, -s: in Lieferungen od. Einzelbänden erscheinendes Buch bzw. Buchreihe (Buchw.) **Par|ty** ['pɑːɡti, 'pɑːtɪ] ⟨lat.-fr.-engl.-amerik.⟩ die; -, -s: zwangloses Fest, gesellige Feier [im Bekanntenkreis, mit Musik u. Tanz]. **Par|ty|ser|vice** [...sœːvɪs] der; -, -s [...vɪs, ...vɪsɪs]: Unternehmen, das auf Bestellung Speisen, Getränke u. a. für Festlichkeiten ins Haus liefert **Pa|ru|lis*** ⟨gr.⟩ die; -: Zahnfleischabszess (Med.) **Pa|ru|sie*** ⟨gr.; „Anwesenheit"⟩ die; -: 1. die Wiederkunft Christi beim Jüngsten Gericht (Theol.). 2. Anwesenheit, Gegenwart, Dasein der Ideen in den Dingen (Plato; Philos.) **Par|ve|nü** ⟨lat.-fr.⟩ der; -s, -s: Emporkömmling, Neureicher **Par|ze** ⟨lat.⟩ die; -, -n (meist Plural): eine der drei altrömischen Schicksalsgöttinnen (Klotho, Lachesis, Atropos) **Par|zel|le** ⟨lat.-vulgärlat.-fr.⟩ die; -, -n: vermessenes Grundstück (als Bauland od. zur landwirtschaftlichen Nutzung). **par|zel|lie|ren:** Großflächen in Parzellen zerlegen **Pas** [pa] ⟨lat.-fr.⟩ der; - [pa(s)], - [pas]: franz. Bez. für: Schritt, Tanzbewegung **pa|sa|de|nisch** ⟨nach der kalifornischen Stadt Pasadena⟩: die alpidische (vgl. Alpiden) Faltungsphase zu Ende des ↑Pliozäns betreffend, zu ihr gehörend (Geol.) **Pas|cal** ⟨nach dem franz. Philosophen u. Physiker Blaise Pascal, 1623–1662⟩ das; -s, -: Maßeinheit für den Luftdruck; Zeichen: Pa **Pasch** ⟨lat.-fr.⟩ der; -[e]s, -e u. Päsche: 1. Wurf mit gleicher Augenzahl auf mehreren Würfeln. 2. Dominostein mit Doppelzahl ¹**Pa̯scha** ⟨türk.⟩ der; -s, -s: 1. (hist.) a) Titel hoher orientalischer Offiziere od. Beamter; b) Träger dieses Titels. 2. (ugs.) a) rücksichtsloser, herrischer Mensch; b) Mann, der sich gern [von Frauen] bedienen, verwöhnen lässt ²**Pas̯cha** ['pasça] ⟨hebr.-gr.-kirchenlat.⟩ das; -s: ökumenische Form von: Passah **Pa̯scha̯llik** ⟨türk.⟩ das; -s, -e u. -s: (hist.) Würde od. Amtsbezirk eines ¹Paschas (1 b) **Pas̯cha̯lstil** [...ç...] ⟨hebr.-gr.-kirchenlat.; lat.⟩ der; -[e]s: mittelalterliche Zeitbestimmung mit dem Jahresanfang zu Ostern ¹**pa̯schen** ⟨hebr.⟩: (ugs.) schmuggeln ²**pa̯schen** ⟨lat.-fr.⟩: würfeln **Pa̯scher** ⟨hebr.⟩ der; -s, -: (ugs.) Schmuggler **pa̯scho̯ll!** ⟨russ.⟩: los!, vorwärts! **Pas de deux** [padə'dø:] ⟨lat.-fr.⟩ der; - - -, - - -: Balletttanz für eine Solotänzerin u. einen Solotänzer. **Pas de quat̯re*** [padə'katr(ə)] der; - - -, - - -: Balletttanz für vier Tänzer. **Pas de trois** [padə'trwa] der; - - -, - - -: Balletttanz für drei Tänzer. **Pa̯seo** ⟨lat.-span.⟩ der; -s, -s: span. Bez. für: Promenade, Spazierweg **Pa̯si̯lgra̯lphi̯e,** auch: Pasigrafie ⟨gr.-nlat.⟩ die; -, ...jen: [theoretisch] allen Völkern verständliche „Allgemeinschrift" ohne Hilfe der Laute; Begriffsschrift, ↑Ideographie. **Pa̯si̯lla̯lli̯e** u. Pasilogie die; -: (veraltet) Wissenschaft von den künstlichen Welthilfssprachen. **Pa̯si̯lli̯n̯gua** ⟨gr.; lat.⟩ die; -: von Steiner 1885 aufgestellte Welthilfssprache. **Pa̯si̯lo̯lgi̯e** vgl. Pasilalie **Pa̯slack** ⟨slaw.⟩ der; -s, -s: (landsch.) jmd., der für andere schwer arbeiten muss **Pa̯so** ⟨lat.-span.⟩ der; -s, -s: 1. [Gebirgs]pass. 2. (auch: das) komisches Zwischenspiel auf der klassischen spanischen Bühne. **Pa̯so do̯b̯le*** („Doppelschritt") der; - -, - - : Gesellschaftstanz in schnellem ²/₄-Takt **Pa̯spel** [...f...] die; -, -n (selten: der; -s, -) u. (bes. österr. :) Passepoil der; -s, -s: schmaler Nahtbesatz bei Kleidungsstücken. **pa̯spe̯li̯e̯ren** u. (bes. österr.:) passepoilieren: mit Paspeln (Passepoils) versehen

Pas̯lqui̯ll ⟨it.⟩ das; -s, -e: anonyme Schmäh-, Spottschrift, schriftlich verbreitete Beleidigung. **Pas̯lqui̯lli̯a̯nt** der; -en, -en: Verfasser od. Verbreiter eines Pasquills. **Pas̯lqui̯lna̯lde** [paski...] ⟨it.-fr.⟩ die; -, -n: (selten) ↑Pasquill **pas̯lsa̯lbel** ⟨lat.-vulgärlat.-fr.⟩: annehmbar, leidlich. **Pas̯lsa̯lcagli̯a*** [...'kalja] ⟨lat.-span.-it.⟩ die; -, ...ien: langsames Instrumentalstück mit Variationen in den Oberstimmen über einem ↑Ostinato, meist im ³/₄-Takt. **Pas̯lsacai̯l̯le** [...'ka:jə] ⟨lat.-span.-fr.⟩ die; -, -n: ↑Passacaglia. **Pas̯lsa̯lge** [...ʒə] ⟨lat.-vulgärlat.-fr.⟩ die; -, -n: 1. Durchfahrt, Durchgang; das Durchfahren, Passieren. 2. überdachte Ladenstraße. 3. Reise mit Schiff od. Flugzeug, bes. übers Meer. 4. Durchgang eines Gestirns durch den Meridian (2) (Astron.). 5. aus melodischen Figuren zusammengesetzter Teil eines Musikwerks. 6. fortlaufender, zusammenhängender Teil einer Rede od. eines Textes. 7. Gangart der hohen Schule, bei der das Pferd im Trab die abfedernden Beine länger in der Beugung hält (Reiten). **Pas̯lsa̯lge̯in̯lstru̯lment*** das; -[e]s, -e: Messinstrument (einfache Form des Meridiankreises) zur Bestimmung der Durchgangszeiten der Sterne durch den Meridian (Astron.). **pa̯s̯lsa̯lger** [...'ʒe:ɐ] ⟨lat.-fr.⟩: nur vorübergehend auftretend (von Krankheitszeichen, Krankheiten o.Ä.; Med.). **Pas̯salgi̯er** [...'ʒi:ɐ] ⟨lat.-vulgärlat.-it.(-fr.)⟩ der; -s, -e: Schiffsreisender; Flug-, Fahrgast **Pa̯s̯lsa̯lme̯lter** ⟨lat.; gr.⟩ das; -s, -: Feinmessgerät für Außenmessung an Werkstücken (Techn.). **Pa̯s̯lsa̯lme̯lzo** ⟨lat.-it.⟩ der; -s, ...zzi: 1. alter italienischer Tanz, eine Art schnelle Pavane. 2. Teil der Suite (4). **Pa̯s̯lsa̯nt** ⟨lat.-vulgärlat.-fr.⟩ der; -en, -en: Fußgänger; Vorübergehender **Pa̯s̯lsa̯t** ⟨niederl.⟩ der; -[e]s, -e: beständig in Richtung Äquator wehender Ostwind in den Tropen **pa̯sse** [pas] ⟨lat.-fr.⟩: von 19 bis 36 (in Bezug auf eine Gewinnmöglichkeit beim Roulett). **pa̯s̯lsé** [pa'se:] vgl. passee. **Pa̯s̯lse** ⟨lat.-fr.⟩ die; -, -n: maßgerecht geschnittener Stoffteil, der bei Kleidungsstücken im Bereich der Schultern angesetzt wird. **pas̯lsee,** auch: passé ⟨lat.-vulgärlat.-fr.⟩: (ugs.) vorbei, vergangen, abgetan, überlebt. **Pas̯lse̯men̯lte̯lri̯e** [pasəmɛtə'ri:] die; -, ...jen: ↑Posamentierarbeit. **Pa̯sse̯lpar̯ltout** [paspar'tu:] ⟨fr.⟩ das (schweiz.: der); -s, -s: 1. Umrahmung aus leichter Pappe für Grafiken, Aquarelle, Zeichnungen u.a. 2. (schweiz., sonst veraltet) Freipass; Dauerkarte. 3. (selten, noch schweiz.) Hauptschlüssel. **Pa̯sse̯lpi̯led** [pas'pje:] der; -s, -s: 1. alter französischer Rundtanz aus der Bretagne in schnellem, ungeradem Takt (z.B. ³/₄-Takt). 2. Einlage in der Suite (4). **Pa̯sse̯lpoi̯l** [pas'po̯al] vgl. Paspel. **pa̯sse̯lpoi̯lli̯e̯ren** vgl. paspelieren. **Pa̯sse̯lport** [pas'po:ɐ̯] der; -s, -s: franz. Bez. für: Reisepass. **Pas̯lse̯lre̯l̯le** die; -, -n: (schweiz.) Fußgängerüberweg, kleiner Viadukt. **pa̯s̯lsi̯e̯ren** ⟨lat.-vulgärlat.-fr.⟩: 1. a) durchreisen, durch-, überqueren; vorüber-, durchgehen; b) durchlaufen (z.B. von einem Schriftstück). 2. a) geschehen, sich ereignen, sich zutragen; b) widerfahren, zustoßen. 3. (veraltet) noch angehen, gerade noch erträglich sein. 4. a) durchsieben; durch ein Sieb rühren (Gastr.); b) durch eine Passiermaschine rühren (Techn.). **Pas̯lsi̯er̯lma̯lschi̯ne** die; -, -n: Gefäß mit verschiedenen Siebeinsätzen u. Rührwerk (z.B. bei der Schokoladenherstellung). **Pas̯lsi̯er̯lschlag** der; -[e]s, ...schläge: meist hart geschlagener Ball, der an dem ans Netz vorgerückten Gegner vorbeigeschlagen wird (Tennis) **Pas̯lsi̯lflo̯lra** ⟨lat.-nlat.⟩ die; -, ...ren: Passionsblume **pa̯s̯lsim** ⟨lat.⟩: da und dort, zerstreut, allenthalben (Abk.: pass.). **Pas̯lsi̯lme̯lter** ⟨lat.; gr.⟩ das; -s, -: Feinmessgerät für Innenmessungen an Werkstücken (Techn.). **Pa̯s̯lsio** ⟨lat.⟩ die; -: das Erleiden, Erdulden (Philos.); Ggs. ↑Actio (2). **Pa̯s̯lsi̯lon** ⟨lat.(-fr.)⟩ die; -, -en: 1. a) Leidenschaft, leidenschaftliche Hingabe; b) Vorliebe, Liebhaberei. 2. a) das Leiden u. die Leidensgeschichte Jesu Christi; b) die Darstellung der Leidensgeschichte Jesu Christi in der bildenden Kunst, die Vertonung der ↑Leidensgeschichte

Jesu Christi als Chorwerk od. Oratorium (2). **Pas|si|o|na|** ⟨lat.-mlat.⟩ u. **Pas|si|o|nar** das; -s, -e: 1. mittelalterliches liturgisches Buch mit Heiligengeschichten. 2. größte Legendensammlung des deutschen Mittelalters (um 1300). **pas|si|o|na|to** ⟨lat.-it.⟩: ↑appassionato. **Pas|si|o|na|to** das; -s, -s u. ...ti: leidenschaftlicher Vortrag (Mus.). **pas|si|o-nie|ren**, sich ⟨lat.-fr.⟩: (veraltet) sich leidenschaftlich für etwas einsetzen, begeistern. **pas|si|o-niert**: leidenschaftlich [für etwas begeistert]. **Pas|si|ons|sonn-tag** der; -[e]s, -e: katholische Bezeichnung für: Sonntag Judika. **Pas|si|ons|spiel** das; -[e]s, -e: volkstümliche dramatische Darstellung der Passion Christi. **pas|siv** [auch: ...'si:f] ⟨lat.(-fr.)⟩: 1. a) untätig, nicht zielstrebig, (eine Sache) nicht ausübend (aber davon betroffen); Ggs. ↑aktiv (1 a); b) teilnahmslos; still, duldend. 2. ↑passivisch; **passive Bestechung:** das Annehmen von Geschenken, Geld od. anderen Vorteilen durch einen Beamten für eine Handlung, die in seinen Amtsbereich fällt (Rechtsw.); Ggs. ↑aktive Bestechung; **passive Handelsbilanz:** Handelsbilanz eines Landes, bei der die Ausfuhren hinter den Einfuhren zurückbleiben (Wirtsch.); Ggs. ↑aktive Handelsbilanz; **passives Wahlrecht:** das Recht, gewählt zu werden (Pol.); Ggs. ↑aktives Wahlrecht; **passiver Wortschatz:** Gesamtheit aller Wörter, die ein Sprecher in seiner Muttersprache kennt, ohne sie jedoch in einer konkreten Sprechsituation zu gebrauchen (Sprachw.); Ggs. ↑aktiver Wortschatz. **Pas|siv** das; -s, -e: Leideform; Verhaltensrichtung des Verbs, die vom „leidenden" Subjekt her gesehen ist (z.B. der Hund wird [von Fritz] geschlagen; Sprachw.); Ggs. ↑↑Aktiv. **Pas|si|va** ⟨lat.⟩ u. **Pas|si|ven** die (Plural): das auf der rechten Bilanzseite verzeichnete Eigen- u. Fremdkapital eines Unternehmens; Schulden, Verbindlichkeiten; Ggs. ↑Aktiva. **Pas|siv|ge|schäft** das; -[e]s, -e: Bankgeschäft, bei dem sich die Bank Geld beschafft, um ¹Kredite (2 a) gewähren zu können; Ggs. ↑Aktivgeschäft. **pas|si|vie-ren** ⟨lat.-nlat.⟩: 1. Verbindlichkeiten aller Art in der Bilanz erfassen u. ausweisen; Ggs. ↑akti-vieren (2). 2. unedle Metalle in den Zustand der Passivität (2) überführen (Chem.). **pas|si-visch** [auch: 'pa...]: das Passiv betreffend, zum Passiv gehörend, im Passiv stehend (Sprachw.); Ggs. ↑aktivisch. **Pas|si|vis|mus** der; -: Verzicht auf Aktivität, bes. in sexueller Hinsicht. **Pas|si|vi|tät** ⟨lat.-fr.⟩ die; -: 1. Untätigkeit, Teilnahmslosigkeit, Inaktivität; Ggs. ↑Aktivität. 2. herabgesetzte Reaktionsfähigkeit bei unedlen Metallen (Chem.). **Pas|siv|le|gi|ti|ma-ti|on** die; -, -en: im Zivilprozess die sachliche Berechtigung (bzw. Verpflichtung) des Beklagten, seine Rechte geltend zu machen (Rechtsw.); Ggs. ↑Aktivlegitimation. **Pas|siv|pro|zess** der; -es, -e: Prozess, in dem jmd. als Beklagter auftritt (Rechtsw.); Ggs. ↑Aktivprozess. **Pas|siv-rau|chen** das; -s: unfreiwilliges Einatmen von Tabakrauch beim Aufenthalt in Räumen, in denen geraucht wird. **Pas|siv|vum** ⟨lat.⟩ das; -s, ...va: (veraltet) Passiv. **Pas|siv|zin|sen** die (Plural): Zinsen, die ein Unternehmen zu zahlen hat; Ggs. ↑Aktivzinsen **Pas|so|me|ter** ⟨lat.; gr.⟩ das; -s, -: Schrittzähler. **Pas|sus** ⟨lat.⟩ „Schritt") der; -, -[...su:s]: 1. Abschnitt in einem Text, Textstelle. 2. (selten) Angelegenheit, Fall **Pas|ta** ⟨gr.-mlat.-it.⟩ die; -, Pasten: 1. ↑Paste. 2. (ohne Plural) ital. Bez. für: Teigwaren. **Pas|ta a|sciut|ta** [-a'ʃuta] ⟨it.⟩ die; - -, ...te ...tte: italienisches Spaghettigericht mit Hackfleisch, Tomaten, geriebenem Käse u.a. **Pas|te** ⟨gr.-mlat.-it.⟩ die; -, -n: 1. streichbare Masse [aus Fisch, Gänseleber o. Ä.]. 2. streichbare Masse als Grundlage für Arzneien u. kosmetische Mittel. 3. a) Abdruck von Gemmen od. Medaillen in einer weichen Masse aus feinem Gips od. Schwefel; b) [antike] Nachbildung von Gemmen in Glas. **Pas|tell** ⟨gr.-lat.-it.(-fr.)⟩ das; -[e]s, -e: 1. Technik des Malens mit Pastellfarben (1). 2. mit Pastellfarben (1) gemaltes Bild (von heller, samtartiger Wirkung). 3. Kurzform von ↑Pastellfarbe (2). **pas|tel|len:** [wie] mit Pastellfarben (1) gemalt; von heller, samtartiger Wirkung. **Pas|tell|far|be** die; -, -n: 1. aus einer Mischung von Kreide u. Ton mit einem Farbstoff u. einem Bindemittel hergestellte trockene Malfarbe mit Stiftform. 2. (meist Plural) zarter, heller Farbton. **Pas|te|te** ⟨gr.-mlat.-roman.⟩ die; -, -n: a) meist zylinderförmige Hülle aus Blätterteig für die Füllung mit Ragout; b) mit fein gewürztem Ragout gefüllte Pastete (a); c) Speise aus gehacktem Fleisch, Wild, Geflügel od. Fisch, die in einer Hülle aus Teig gebacken od. in einer Terrine o. Ä. serviert wird **Pas|teu|ri|sa|ti|on** [pastø...] ⟨fr.; nach dem franz. Chemiker Pasteur, 1822–1895) die; -, -en: Entkeimung u. Haltbarmachung von Nahrungsmitteln (z. B. Milch) durch schonendes Erhitzen; vgl. ...[at]ion/...ierung. **pas|teu|ri-sie|ren:** durch Pasteurisation entkeimen, haltbar machen. **Pas|teu|ri|sie|rung** die; -, -en: das Pasteurisieren **Pas|tic|cio** [pas'tɪtʃo] ⟨gr.-lat.-vulgärlat.-it.⟩, „Pastete") das; -s, -s od. ...cci [...tʃi]: 1. Bild, das in betrügerischer Absicht in der Manier eines großen Meisters gemalt wurde. 2. aus Stücken verschiedener Komponisten mit einem neuen Text zusammengesetzte Oper. **Pas|ti|che** [pas'ti:ʃ] ⟨gr.-lat.-vulgärlat.-it.-fr.⟩ der; -s, -s: 1. französische Form von: Pasticcio. 2. (veraltet) Nachahmung des Stiles u. der eines Autors **Pas|til|le** ⟨lat.⟩ die; -, -n: Plättchen zum Lutschen, dem Heilmittel od. Geschmacksstoffe zugesetzt sind **Pas|ti|nak** ⟨lat.⟩ der; -s, -e u. **Pas|ti|na|ke** die; -, -n: 1. hoch wachsende Pflanze mit Pfahlwurzel, gefiederten Blättern u. in Dolde wachsenden Blüten ? Wurzel der Pastinake (1) die als Gemüse u. Viehfutter verwendet wird **Pas|tor** [auch: ...'to:ɐ] ⟨lat.-mlat.⟩ „(Seelen)hirte") der; -s, ...oren: Pfarrer (Abk.: P.). **pas|to|ral:** 1. ländlich, idyllisch. 2. den Pastor, sein Amt betreffend, ihm zustehend; pfarramtlich, seelsorgerisch. 3. a) feierlich, würdig; b) (abwertend) salbungsvoll. **Pas|to|ral** die; -: ¹Pastoraltheologie. **Pas|to|ral|brief** der; -[e]s, -e (meist Plural): einer der dem Apostel Paulus zugeschriebenen, an Timotheus und Titus gerichteten Briefe mit der Abwehr der Gnosis durch die frühe Kirche zum Gegenstand hat. ¹**Pas|to|ra|le** ⟨lat.-it.⟩ das; -s, -s, auch: die; -, -n: 1. (Musik) Instrumentalstück (im Sechsachteltakt), bes. für Schalmei- u. Oboegruppen; b) kleines, ländlich-idyllisches Singspiel, das Stoffe aus dem idealisierten Hirtenleben zum Thema hat; musikalisches Schäferspiel. 2. Schäferspiel (Literaturw.). 3. idyllische Darstellung des Hirtenlebens (Malerei). ²**Pas|to|ra|le** *das; -s, -s:* Hirtenstab eines katholischen Bischofs. **Pas|to|ra|li|en** ⟨*lat.-mlat.*⟩ *die* (Plural): Pfarramtsangelegenheiten. **Pas|to|ra|l|me|di|zin** *die; -:* Grenzwissenschaft zwischen Medizin u. Theologie, die sich um ein Zusammenwirken von ärztlichem und seelsorgerischer Betreuung Kranker bemüht. **Pas|to|ral|the|o|lo|gie** *die; -:* in der katholischen Kirche die praktische Theologie. **Pas|to|rat** *das; -[e]s, -e:* 1. Pfarramt. 2. Wohnung des Pastors. **Pas|to|ra|ti|on** ⟨*lat.-mlat.-nlat.*⟩ *die; -, -en:* seelsorgerische Betreuung einer Gemeinde od. Institution. **Pas|to|rel|le** ⟨*lat.-it.*⟩ *die; -, -n:* mittelalterliche Gedichtform, die das Werben eines Ritters um eine Schäferin, ein Landmädchen zum Gegenstand hat

pas|tos ⟨*gr.-lat.-it.;* „teigig"⟩: 1. dick aufgetragen (bes. von Ölfarben auf Gemälden, sodass eine reliefartige Fläche entsteht). 2. dickflüssig, teigartig (Gastr.). **pas|tös** ⟨*gr.-lat.-it.-fr.*⟩: 1. gedunsen, aufgeschwemmt (Med.). 2. pastenartig, teigig (Techn.). **Pas|to|si|tät** ⟨*gr.-lat.-it.-nlat.*⟩ *die; -:* Aussehen einer Schrift, Schriftbild mit dicken, teigigen Strichen **Pa|ta|vi|ni|tät** ⟨*lat.*⟩ *die; -:* die (an dem altrömischen Geschichtsschreiber Livius getadelte) lateinische Mundart der Bewohner der Stadt Patavium (heute Padua)

Patch [pætʃ] ⟨*engl.*⟩ *das; -[s], -s:* Hautstück, das als Implantat od. Transplantat zur Abdeckung von Weichteil- od. Blutgefäßdefekten dient (Med.). **Patch|work** ['pætʃwɔ:k] ⟨*engl.*⟩ *das; -s, -s:* 1. (ohne Plural) Technik zur Herstellung von Kleiderstoffen, Decken, Wandbehängen o. Ä., bei der Stoff- od. Lederflicken in den verschiedensten Formen, Farben u. Mustern harmonisch zusammengesetzt werden. 2. Arbeit in der Technik des Patchworks (1)

Pa|tel|la ⟨*lat.*⟩ *die; -, ...llen:* Kniescheibe (Med.). **pa|tel|lar:** zur Kniescheibe gehörend (Med.)

Pa|tei|ne ⟨*gr.-lat.-mlat.*⟩ *die; -, -n:* flacher goldener Teller für die Hostien od. das Abendmahlsbrot **pa|tent** ⟨*lat.-mlat.*⟩: 1. (ugs.) praktisch, tüchtig; brauchbar. 2. (landsch.) elegant gekleidet. **Pa|tent** *das; -[e]s, -e:* 1. a) amtlich verliehenes Recht zur alleinigen Benutzung u. gewerblichen Verwertung einer Erfindung; b) Urkunde über ein Patent (1 a); c) Erfindung, die durch das Patentrecht geschützt ist. 2. Ernennungs-, Bestallungsurkunde bes. eines [Schiffs]offiziers. 3. (schweiz.) Erlaubnis[urkunde] für die Ausübung bestimmter Berufe, Tätigkeiten. **pa|ten|tie|ren:** 1. eine Erfindung durch Patent schützen. 2. stark erhitzte Stahldrähte durch Abkühlen im Bleibad veredeln (Techn.). **Pa|tent|re|zept** *das; -[e]s, -e:* erwünschte, einfache Lösung, die alle Schwierigkeiten behebt **Pa|ter** ⟨*lat.;* „Vater"⟩ *der; -s, - u.* Patres [...re:s]: katholischer Ordensgeistlicher; Abk.: P. (Plural PP.). **Pa|ter|fa|mi|li|as** („Vater der Familie") *der; -, -:* (scherzh.) Familienoberhaupt, Familienvater. **Pa|ter|nal|is|mus** *der; -:* das Bestreben [eines Staates], andere [Staaten] zu bevormunden. **pa|ter|na|lis|tisch:** den Paternalismus betreffend, für ihn charakteristisch; bevormundend. **pa|ter|ni|tär:** (veraltet) 1. die Paternität betreffend. 2. von einer vaterrechtlichen Gesellschaftsform bestimmt; vgl. Patriarchat (2). **Pa|ter|ni|tät** *die; -:* (veraltet) Vaterschaft. ¹**Pa|ter|nos|ter** ⟨*lat.-mlat.*⟩ *das; -s, -:* das Vaterunser, Gebet des Herrn. ²**Pa|ter|nos|ter** *der; -s, -:* ständig umlaufender Aufzug ohne Tür zur ununterbrochenen Beförderung von Personen od. Gütern; Umlaufaufzug. **Pa|ter Pat|ri|a|e*** [- ...riɛ] ⟨*lat.*⟩ *der; - -:* Vater des Vaterlandes (Ehrentitel römischer Kaiser u. verdienter hoher Staatsbeamter). **pa|ter, pec|ca|vi:** Vater, ich habe gesündigt! (Luk. 15, 18); **pater peccavi sagen:** flehentlich um Verzeihung bitten. **Pa|ter|pec|ca|vi** *das; -, -:* reuiges Geständnis **Pâte sur Pâte** [patsyr'pa:t] ⟨*fr.;* „Masse auf Masse"⟩ *das; - - -:* Porzellan- od. Steingutverzierung, bei der dünne, weiße Flachreliefs auf den farbigen Untergrund von Porzellan od. Steingut angebracht werden

pa|te|ti|co ⟨*gr.-lat.-it.*⟩: leidenschaftlich, pathetisch, erhaben, feierlich (Mus.). **Pa|ther|gie*** ⟨*gr.-nlat.*⟩ *die; -, ...ien:* Gesamtheit aller krankhaften Gewebsreaktionen (z. B. Entzündungen, Allergien; Med.). **Pa|the|tik** *die; -:* unnatürliche, übertriebene, gespreizte Feierlichkeit. **pa|thé|tique** [pate'tik] ⟨*gr.-lat.-fr.*⟩: pathetisch, leidenschaftlich (Mus.). **pa|the|tisch** ⟨*gr.-lat.*⟩: 1. ausdrucksvoll, feierlich. 2. (abwertend) übertrieben gefühlvoll, empfindungsvoll, salbungsvoll, affektiert. **pa|tho|gen** ⟨*gr.-nlat.*⟩: Krankheiten erregend, verursachend (z. B. von Bakterien im menschlichen Organismus; Med.); Ggs. ↑apathogen. **Pa|tho|ge|ne|se** *die; -:* Gesamtheit der an Entstehung u. Entwicklung einer Krankheit beteiligten Faktoren (Med.). **pa|tho|ge|ne|tisch:** die Pathogenese betreffend, zu ihr gehörend. **Pa|tho|ge|ni|tät** *die; -:* Fähigkeit bestimmter Substanzen u. Organismen, krankhafte Veränderungen im Organismus hervorzurufen (Med.). **Pa|tho|gno|mik*** *die; -:* 1. ↑Pathognostik. 2. Deutung des aktuellen seelischen Zustandes aus Gesichts- u. Körperbewegungen (nach J. K. Lavater, 18. Jh.). **pa|tho|gno|mo|nisch*:** für eine Krankheit, ein Krankheitsbild charakteristisch, kennzeichnend (Med.). **Pa|tho|gnos|tik*** *die; -:* Erkennung einer Krankheit anhand charakteristischer Symptome (Med.). **pa|tho|gnos|tisch*:** ↑pathognomonisch. **Pa|tho|gra|phie,** auch: **Pathografie** *die; -, ...ien:* der Biographie entsprechende Schilderung der Entwicklung u. Leistung eines Menschen mit Beschreibung der Krankheiten bzw. der krankheitsbedingten Einflüsse (Med.; Psychol.). **Pa|tho|lin|gu|is|tik** *die; -:* Teilgebiet der angewandten Sprachwissenschaft, das sich mit der Diagnostik, Erklärung u. Therapie von Sprachstörungen beschäftigt. **Pa|tho|lo|ge** *der; -n, -n:* Wissenschaftler auf dem Gebiet der Pathologie. **Pa|tho|lo|gie** *die; -, ...ien:* 1. (ohne Plural) Wissenschaft von den Krankheiten, bes. von ihrer Entstehung u. den durch sie hervorgerufenen organisch-anatomischen Veränderungen. 2. pathologische Abteilung, pathologisches Institut. **pa|tho|lo|gisch:** (Med.) 1. die

Pathologie betreffend, zu ihr gehörend. 2. krankhaft [verändert]. **Pa|tho|pho|bie** die; -, ...ien: ↑ Nosophobie. **Pa|tho|phy|sio|lo|ge** der; -n, -n: Wissenschaftler auf dem Gebiet der Pathophysiologie. **Pa|tho|phy|sio|lo|lo|gie** die; -: Teilgebiet der Medizin, das sich mit den Krankheitsvorgängen u. Funktionsstörungen des menschlichen Organismus befasst (Med.). **pa|tho|plas|tisch:** 1. den Wandel eines Krankheitsbildes bewirkend. 2. die Symptome einer Krankheit formend. **Pa|tho|psy|cho|lo|gie** die; -: 1. ↑ Psychopathologie. 2. Lehre von den durch Krankheiten bedingten psychischen Veränderungen. **Pa|thos** ⟨gr.; „Leiden"⟩ das; -: 1. leidenschaftlich-bewegter Ausdruck, feierliche Ergriffenheit. 2. (abwertend) Gefühlsüberschwang, übertriebene Gefühlsäußerung **Pa|ti|ence** [pa'sĭã:s] ⟨lat.-fr.; „Geduld"⟩ die; -, -n [...sn]: 1. Kartenspiel, bei dem die Karten so gelegt werden, dass Sequenzen in einer bestimmten Reihenfolge entstehen. 2. Gebäck in Form von Figuren. **Pa|ti|ence|bä|cke|rei** ⟨lat.-fr.; dt.⟩ die; -, -en: (österr.) ↑ Patience (2). **Pa|ti|ens** ...tsiens] ⟨lat.⟩ das; -, -: Ziel eines durch ein Verbum ausgedrückten Verhaltens; ↑ Akkusativobjekt (Sprachw.). **Pa|ti|ent** der; -en, -en: vom Arzt od. einem Angehörigen anderer Heilberufe behandelte Person. **Pa|ti|en|ten|iso|la|tor** der; -s, -en: ↑ Lifeisland. **Pa|ti|en|ten|tes|ta|ment** das; -[e]s, -e: schriftliche Erklärung, in der jmd festlegt, dass er für den Fall einer unheilbaren Krankheit od. eines schweren Unfalls nicht künstlich am Leben erhalten werden möchte. **pa|ti|en|ten|zent|riert*:** ↑ klientzentriert **¹Pa|ti|na** ⟨it.⟩ die; -: grünliche Schicht, die sich unter dem Einfluss der Witterung auf Kupfer od. Kupferlegierungen bildet; Edelrost **²Pa|ti|na** u. **Pa|ti|ne** ⟨gr.-lat.⟩ die; -, ...inen: (veraltet) Schüssel **pa|ti|nie|ren** ⟨it.⟩: eine Patina (1) chemisch erzeugen; mit Patina (1) überziehen **Pa|tio** ⟨vulgärlat.-span.⟩ der; -s, -s: (bes. in Spanien u. Lateinamerika) Innenhof eines Hauses, zu dem hin sich die Wohnräume öffnen **Pa|tis|se|rie** ⟨gr.-lat.-vulgärlat.-

fr.⟩ die; -, ...ien: 1. (schweiz.) a) feines Backwerk, Konditoreierzeugnisse; b) Feinbäckerei. 2. [in Hotels] Raum zur Herstellung von Backwaren. **Pa|tis|si|er** [...'sĭe:] der; -s, -s: [Hotel]konditor **Pa|t|na|reis** ⟨nach der ind. Stadt Patna⟩ der; -es, -e: langkörniger Reis **Pa|tois** [pa'toa] ⟨fr.⟩ das; -, -: Mundart, Sprechweise der Landbevölkerung [Frankreichs] **Pa|t|res*** [...re:s]: Plural von ↑ Pater. **Pa|t|ri|arch** ⟨gr.-lat.⟩ der; -en, -en: 1. biblischer Erzvater. 2. a) (ohne Plural) Amts- od. Ehrentitel einiger römisch-katholischer [Erz]bischöfe; b) römisch-katholischer [Erz]bischof, der diesen Titel trägt. 3. a) (ohne Plural) Titel der obersten orthodoxen Geistlichen (in Jerusalem, Moskau u. Konstantinopel) u. der leitenden Bischöfe in einzelnen autokephalen Ostkirchen; b) Träger dieses Titels. 4. (oft abwertend) ältestes männliches Familienmitglied od. Mitglied eines Familienverbandes, das sich als Familienoberhaupt mit größter Autorität versteht. **Pa|t|ri|ar|cha|de** ⟨gr.-nlat.⟩ die; -, -n: epische Dichtung des 18. Jh.s über biblische Ereignisse, bes. aus der Zeit der Urväter. **pa|t|ri|ar|chal:** ↑ patriarchisch. **pa|t|ri|ar|cha|lisch** ⟨gr.-lat.⟩: 1. a) das Patriarchat (2) betreffend; vaterrechtlich; b) den Patriarchen betreffend. 2. als Mann seine Autorität bes. im familiären Bereich geltend machend; bestimmend. **Pa|t|ri|ar|chal|kir|che** die; -, -n: dem Papst unmittelbar unterstehende Kirche in Rom (z. B. Peterskirche, Lateranbasilika). **Pa|t|ri|ar|chat** ⟨gr.-mlat.⟩ das; -[e]s, -e: 1. (auch: der) Würde u. Amtsbereich eines kirchlichen Patriarchen (2). Gesellschaftsform, in der der Mann eine bevorzugte Stellung in Staat u. Familie innehat u. die der männliche Linie bei Erbfolge u. sozialer Stellung ausschlaggebend ist; Ggs. ↑ Matriarchat. **pa|t|ri|ar|chisch** ⟨gr.-lat.⟩: a) das Patriarchat (2) betreffend; b) durch das Patriarchat (2) geprägt. **pa|t|ri|li|ne|al** u. **pa|t|ri|li|ne|ar:** in der Erbfolge der väterlichen Linie folgend; vaterrechtlich; Ggs. ↑ matrilineal, matrilinear. **Pa|t|ri|mo|ni|al** ⟨lat.⟩: das Patrimonium betreffend; erbherrlich. **Pa|t|ri|mo|ni|um** das; -s, ...ien: a) (im

römischen Recht) Privatvermögen des Herrschers im Gegensatz zum Staatsvermögen; b) väterliches Erbgut. **Pa|t|ri|mo|ni|um Pe|t|ri** ⟨„Erbteil des hl. Petrus"⟩ das; - -: (hist.) alter Grundbesitz der römischen Kirche als Grundlage des späteren Kirchenstaates. **Pa|t|ri|ot** ⟨gr.-spätlat.-fr.⟩ der; -en, -en: jmd., der von Patriotismus erfüllt, patriotisch gesinnt ist. **pa|t|ri|o|tisch:** auf Patriotismus beruhend, von ihm erfüllt, zeugend; vaterländisch. **Pa|t|ri|o|tis|mus** der; -: durch eine gefühlsmäßige Bindung an die Werte, Traditionen o. Ä. des eigenen Landes geprägte, oft mit Überheblichkeit, mit unkritisch übertriebenem Stolz verbundene [politische] Haltung, Einstellung; vaterländische Gesinnung. **Pa|t|ris|tik** ⟨gr.-nlat.⟩ die; -: Wissenschaft von den Schriften u. Lehren der Kirchenväter; altchristliche Literaturgeschichte. **Pa|t|ris|ti|ker** der; -s, -: Wissenschaftler auf dem Gebiet der Patristik. **pa|t|ris|tisch:** die Patristik u. das philosophisch-theologische Denken der Kirchenväter betreffend. **Pa|t|ri|ze** die; -, -n: in Stahl geschnittener, erhabener Stempel einer Schrifttype, mit der das negative Bild zur Vervielfältigung geprägt wird (Druckw.). **pa|t|ri|zi|al:** ↑ patrizisch. **Pa|t|ri|zi|at** ⟨lat.⟩ das; -[e]s, -e: (hist.) 1. Gesamtheit der altrömischen adligen Geschlechter. 2. (selten) Gesamtheit der Patrizier (2). **Pa|t|ri|zi|er** der; -s, -: 1. Mitglied des altrömischen Adels. 2. vornehmer, wohlhabender Bürger (bes. im Mittelalter). **pa|t|ri|zisch:** 1. die Patrizier (1), den altrömischen Adel betreffend, zu ihm gehörend. 2. die Patrizier (2) betreffend, für sie, ihre Lebensweise charakteristisch; wohlhabend, vornehm. **Pa|t|ro|lo|ge** ⟨gr.-nlat.⟩ der; -n, -n: ↑ Patristiker. **Pa|t|ro|lo|gisch:** ↑ patristisch. **¹Pa|t|ron** ⟨lat.⟩ der; -s, -e: 1. (hist.) Schutzherr einer Freigelassenen od. Klienten (2) (im alten Rom). 2. Schutzheiliger einer Kirche od. einer Berufs- od. Standesgruppe. 3. Inhaber eines kirchlichen Patronats (1). 4. (veraltet) a) Schutzherr, Gönner; b) Schiffs-, Handelsherr. 5. (ugs. abwertend) Bursche, Kerl. **²Pa|t|ron** [pa'trõ:] ⟨lat.-fr.⟩ der; -s, -s: (schweiz.) 1. Inhaber eines Geschäfts, einer Gaststätte o. Ä. ³**Pat|ron** [pa'trõ:] ⟨lat.-fr.⟩ das; -s, -s: Modell, äußere Form eines Saiteninstruments (Mus.). **Patro|na** ⟨lat.⟩ die; -, ... nä: [heilige] Beschützerin. **Pat|ro|na|ge** [...ʒə] ⟨lat.-fr.⟩ die; -, -n: Günstlingswirtschaft, Protektion. **Patro|nanz** ⟨lat.-nlat.⟩ die; -: 1. (veraltet) Patronage. 2. (österr.) Patronat (3). **Pat|ro|nat** ⟨lat.⟩ das; -[e]s, -e: 1. Würde u. Amt eines Schutzherrn (im alten Rom). 2. Rechtsstellung des Stifters einer Kirche od. seines Nachfolgers, mit der bestimmte Rechte u. Pflichten verbunden sind. 3. Schirmherrschaft. **Pat|ro|ne** ⟨lat.-mlat.-fr.⟩ die; -, -n: 1. als Munition gewöhnlich für Handfeuerwaffen dienende, Treibsatz, Zündung u. Geschoss bzw. Geschossvorlage enthaltende [Metall]hülse. 2. wasserdicht abgepackter Sprengstoff zum Einführen in Bohrlöcher bei Sprengungen. 3. Zeichnung auf kariertem Papier für das Muster in der Bindung eines textilen Gewebes. 4. a) kleiner, fast zylindrischer Behälter aus Kunststoff für Tinte od. Tusche zum Einlegen in einen Füllfederhalter; b) fest schließende, lichtundurchlässige Kapsel mit einem Kleinbildfilm, die in die Kamera eingelegt wird. 5. (veraltet) [gefettetes] Papier, das man zum Schutz vor zu starker Hitze über Speisen deckt (Gastr.). **pat|ro|nie|ren** ⟨österr. ugs.⟩ Zimmerwände mit einer Schablone bemalen, schablonieren. **Pat|ro|nin** ⟨lat.⟩ die; -, -nen: Schutzherrin; Schutzheilige. **pat|ro|ni|sie|ren** ⟨lat.-fr.⟩ (veraltet) beschützen, begünstigen. **Pat|ro|ny|mi|kon** ⟨gr.⟩ u. **Pat|rony|mi|kum** ⟨gr.-lat.⟩ das; -s, ...ka: vom Namen des Vaters abgeleiteter Name (z. B. Petersen = Peters Sohn); Ggs. ↑Metronymikon. **pat|ro|ny|misch**: das Patronymikon betreffend, vom Namen des Vaters abgeleitet **Pat|rouil|le*** [pa'truljə] ⟨fr.⟩ die; -, -n: 1. von (einer Gruppe) Soldaten durchgeführte Erkundung, durchgeführter Kontrollgang. 2. Gruppe von Soldaten, die etw. erkundet, einen Kontrollgang durchführt. **pat|rouil|lie|ren** [patrʊl'ji:...]: als Posten od. Wache auf u. ab gehen, auf Patrouille gehen, fahren, fliegen **Pat|ro|zi|ni|um*** ⟨lat.⟩ das; -s, ...ien: 1. (hist.) im alten Rom die Vertretung durch einen ¹Patron

(1) vor Gericht. 2. (hist.) im Mittelalter der Rechtsschutz, den der Gutsherr seinen Untergebenen gegen Staat u. Stadt gewährte. 3. [himmlische] Schutzherrschaft eines Heiligen über eine Kirche. 4. Festtag zu Ehren des od. der jeweiligen Heiligen od. der jeweiligen Ortsheiligen **Pạt|schu|li** ⟨tamil.-engl.-fr.⟩ das; -s, -s: a) (ohne Plural) Duftstoff aus der Patschulipflanze; b) zur Herstellung von Parfüm aus den Blättern der Patschulipflanze gewonnenes Öl **pạtt** ⟨fr.⟩: (beim Schachspiel) nicht mehr in der Lage, einen Zug zu machen, ohne seinen König ins Schach zu bringen. **Pạtt** das; -s, -s: 1. als unentschieden gewertete Stellung im Schachspiel, bei der eine Partei patt ist. 2. Situation, in der keine Partei einen Vorteil erringen, den Gegner schlagen kann **Pat|tern** ['pɛtn] ⟨lat.-fr.-engl.⟩ das; -s, -s: 1. [Verhaltens]muster, [Denk]schema, Modell (bes. Psychol.; Soziol.). 2. charakteristisches Sprachmuster, nach dem sprachliche Einheiten nachgeahmt u. weitergebildet werden (Sprachw.). **Pat|tern|pra|xis** die; -: Verfahren in der modernen Fremdsprachendidaktik, das bei den Lernenden durch systematisches Einprägen bestimmter wichtiger fremdsprachlicher Satzstrukturmuster die mechanischen Tätigkeiten beim Sprachgebrauch zu Sprachgewohnheiten verfestigen soll (Sprachw.). **pat|tie|ren** ⟨fr.⟩: rastern, mit Notenlinien versehen **Pat|til|nan|do** ⟨it.⟩ das; -s, -s u. ...di: mit einem Schritt verwandte, verbundene Angriffsbewegung (beim Fechten) **Pau|kal** ⟨lat.-nlat.⟩ der; -s, -e: Numerus (z. B. der arabischen Sprache), der eine geringe, überschaubare Anzahl ausdrückt (Sprachw.) **pau|kant** ⟨dt.-nlat.⟩ der; -en, -en: (Studentenspr.) Teilnehmer einer Mensur (2) **pau|li|nisch** ⟨nlat.; nach dem Apostel Paulus⟩: der Lehre des Apostels Paulus entsprechend, auf ihr beruhend, von Paulus stammend. **Pau|li|nis|mus** der; -: die in den Paulusbriefen des N. T. niedergelegte Lehre des Apostels Paulus **Pau|low|nia** ⟨nlat.; nach einer russ. Prinzessin Anna Paulowna⟩ die; -, ...ien: schnellwüch-

siger Zierbaum aus Ostasien; Kaiserbaum **Paume|spiel** ['po:m...] ⟨lat.-fr.; dt.⟩ das; -[e]s, -e: dem Tennis verwandtes altes französisches Ballspiel **pau|pe|rie|ren** ⟨lat.⟩: (z. B. von durch Kreuzung entstandenen Pflanzen) sich kümmerlich entwickeln (Biol.). **Pau|pe|ris|mus** ⟨lat.-nlat.⟩ der; -: (bes. im 19. Jh.) Verarmung, Verelendung breiter Bevölkerungsschichten, bes. auch in intellektueller u. psychischer Hinsicht. **Pau|pe|ri|tät** ⟨lat.⟩ die; -: (veraltet) Armut, Dürftigkeit **pau|schal** ⟨nlat.⟩: a) im Ganzen, ohne Spezifizierung o. Ä.; b) sehr allgemein [beurteilt], ohne näher zu differenzieren. **Pauscha|le** ⟨latinisierende Bildung zu Pausche „Sattelpolsterung"⟩ die; -, -n: Geldbetrag, durch den eine Leistung, die sich aus verschiedenen einzelnen Posten zusammensetzt, ohne Spezifizierung abgegolten wird. **pauscha|lie|ren**: Teilsummen od. -leistungen zu einer einzigen Summe od. Leistung zusammenlegen. **pau|scha|li|sie|ren**: etwas pauschal (b) behandeln, sehr stark verallgemeinern. **Pauschal|tou|ris|mus** der; -: Form des Tourismus, bei der das Reisebüro die jeweilige Reise vermittelt u. Flug, Hotel usw. pauschal berechnet. **Pausch|quantum** das; -s, ...ten: ↑Pauschale ¹**Pau|se** ⟨gr.-lat.-roman.⟩ die; -, -n: 1. a) Unterbrechung [einer Tätigkeit], die der Erholung dienen soll; b) kurze Unterbrechung, vorübergehendes Aufhören von etw. 2. (Mus.) a) Taktteil innerhalb eines Musikwerks, der nicht durch Töne ausgefüllt ist; b) grafisches Zeichen für die Pause. 3. vom metrischen Schema geforderte Takteinheit, die nicht durch Sprache ausgefüllt wird (Verslehre) ²**Pau|se** ⟨fr.⟩ die; -, -n: mithilfe von Pauspapier od. auf fotochemischem Wege hergestellte Kopie (eines Schriftstücks o. Ä.). **pausen**: eine ²Pause anfertigen; durchpausen **pau|sie|ren** ⟨gr.-lat.-roman.⟩: a) eine Tätigkeit [für kurze Zeit] unterbrechen; mit etwas vorübergehend aufhören; b) ausruhen, entspannen **Pal|va|ne** ⟨it.-fr.⟩ die; -, -n: (Mus.) 1. langsamer höfischer Schreittanz. 2. Einleitungssatz der Suite

Pa|ve|se ⟨it.⟩ die; -, -n: (hist.) im Mittelalter gebräuchlicher großer Schild mit einem am unteren Ende befestigten Stachel zum Einsetzen in die Erde

Pa|vi|an ⟨fr.-niederl.⟩ der; -s, -e: (in Afrika heimischer) großer, vorwiegend am Boden lebender Affe mit vorspringender Schnauze, meist langer Mähne an Kopf u. Rücken u. einem unbehaarten (roten) Hinterteil

Pa|vil|lon ['pavɪljɔŋ, auch: ...jõ, ...jõ:] ⟨lat.-fr.⟩ der; -s, -s: 1. großes viereckiges [Fest]zelt. 2. kleines rundes od. mehreckiges, [teilweise] offenes, frei stehendes Gebäude (z. B. Gartenhaus). 3. Einzelbau auf einem Ausstellungsgelände. 4. vorspringender Eckteil des Hauptbaus eines [Barock]schlosses (Archit.). 5. zu einem größeren Komplex gehörender selbstständiger Bau (Archit.). **Pa|vil|lon|sys|tem** das; -s: System von mehreren, einem Hauptbau zugeordneten Pavillons (5) (Archit.)

Pa|vo|naz|zo ⟨lat.-it.⟩ der; -: Abart des carrarischen Marmors

Pa|vor noc|tur|nus ⟨lat.; „nächtliche Angst"⟩ der; - -: während des Nachtschlafs plötzlich auftretender Angstanfall, der zum Aufwachen unter lautem Schreien führt; Nachtangst (Med.)

Paw|lat|sche ⟨tschech.⟩ die; -, -n: (österr.) 1. offener Gang an der Hofseite eines [Wiener] Hauses. 2. baufälliges Haus. 3. Bretterbühne. **Paw|lat|schen|the|a|ter** das; -s, -: (österr.) [Vorstadt]theater, das auf einer einfachen Bretterbühne spielt

¹Pax ⟨lat.; „Friede"⟩ der; -: Friedensgruß, bes. der Friedenskuss in der katholischen Messe

²Pax ⟨aus: Passagier⟩ der; -es, -e: (Jargon) Passagier, Fluggast

Pax Chris|ti die; - -: (1944 in Frankreich gegründete) katholische Weltfriedensbewegung.

Pax Ro|ma|na ⟨„römischer Friede"⟩ die; - -: 1. (in der römischen Kaiserzeit) befriedeter Bereich römisch-griechischer Kultur. 2. (1921 gegründete) internationale katholische Studentenbewegung. **Pax|ta|fel** die; -, -n: mit Darstellungen Christi, Mariens od. Heiliger verzierte Täfelchen, das früher zur Weitergabe des liturgischen Friedenskusses in der Messe diente. **Pax vo|bis|cum** Friede (sei) mit euch! (Gruß in der kath. Messliturgie).

Pay-back ['peɪbæk] ⟨engl.⟩ das; -s: ↑ Pay-out. **Pay|card** ['peɪka:d] die; -, -s: aufladbare Chipkarte zum bargeldlosen Bezahlen.

Pay|ing|guest ['peɪŋgɛst] der; -s, -s, auch: **Pay|ing Guest** der; - -s, - -s: im Ausland bei einer Familie mit vollem Familienanschluss wohnender Gast, der für Unterkunft u. Verpflegung bezahlt. **Pay-out** ['peɪaʊt] das; -s: Rückgewinnung investierten Kapitals (Wirtsch.). **Pay-per-View** [peɪpə'vju:] das; - (meist ohne Artikel): a) ↑ Pay-TV; b) Übertragung gewünschter Informationen durch digitales Fernsehen mit einem Gebührensystem, bei dem nur die abgerufenen Einheiten bezahlt werden müssen

Pay|sage in|time [peɪza:ʒɛ'ti:m] ⟨fr.⟩ das; - -: (bes. im Frankreich des 19. Jh.s vertretene) Richtung der Landschaftsmalerei, die die stimmungshafte Darstellung bevorzugte

Pay-TV ['peɪti:vi:] ⟨engl.⟩ das; -[s]: privates Fernsehprogramm, das gegen eine Gebühr u. mithilfe eines Decoders empfangen werden kann

Pa|zi|fik ⟨lat.-engl.⟩ der; -s: Pazifischer Ozean. **Pa|zi|fi|ka|ti|on** ⟨lat.⟩ die; -, -en: Beruhigung, Befriedung. **pa|zi|fisch** ⟨lat.-engl.⟩: den Raum, den Küstentyp u. die Inseln des Pazifischen Ozeans betreffend. ↑ Pazifik. **Pa|zi|fis|mus** ⟨lat.-fr.⟩ der; -: a) weltanschauliche Strömung, die jeden Krieg als Mittel der Auseinandersetzung ablehnt und den Verzicht auf Rüstung und militärische Ausbildung fordert; b) Haltung, Einstellung eines Menschen, die durch den Pazifismus (a) bestimmt ist. **Pa|zi|fist** der; -en, -en: Anhänger des Pazifismus. **pa|zi|fis|tisch**: den Pazifismus betreffend. **pa|zi|fi|zie|ren** ⟨lat.⟩: [ein Land] befrieden. **Pa|zis|zent** der; -en, -en: (veraltet) jmd., der einen Vertrag schließt od. einen Vergleich mit einem anderen eingeht (Rechtsw.). **pa|zis|zie|ren**: (veraltet) einen Vertrag schließen bzw. einen Vergleich mit einem anderen eingehen (Rechtsw.)

PC ⟨Abk. für engl. Personalcomputer⟩ der; -[s], -[s]: ↑ Personalcomputer

Peak [pi:k] ⟨engl.⟩ der; -[s], -s: 1. engl. Bez. für: Berggipfel, -spitze. 2. relativ spitzes Maximum (2 a) im Verlauf einer Kurve (2; bes. Chem.). 3. fachspr. für: Signal (1)

Pea|nuts ['pi:nats] ⟨engl.; „Erdnüsse"⟩ die (Plural; meist ohne Artikel): (Jargon) Kleinigkeit; bes. als unbedeutend erachtete Geldsumme

Peau d'An|ge [po'dã:ʒ(ə)] ⟨fr.; „Engelshaut"⟩ die; - -: weicher Crêpe Satin

Pe|can|nuss vgl. Pekannuss

Pe-Ce-Fa|ser ⟨Kurzw. aus: Polyvinylchlorid u. Faser⟩ die; -, -n: sehr beständige Kunstfaser

Pe|da: Plural von ↑ Pedum

Pe|dal ⟨lat.-nlat.⟩ das; -s, -e: 1. mit dem Fuß zu bedienender Teil an der Tretkurbel des Fahrrads. 2. mit dem Fuß zu bedienender Hebel für Bremse, Gas u. Kupplung in Kraftfahrzeugen. 3. a) Fußhebel am Klavier zum Dämpfen der Töne od. zum Nachschwingenlassen der Saiten; b) Fußhebel am Cembalo zum Mitschwingenlassen anderer Saiten; c) Fußklotz an der Harfe zum chromatischen Umstimmen. 4. a) Tastatur an der Orgel, die mit den Füßen bedient wird; b) einzelne mit dem Fuß zu bedienende Taste an der Orgel. **Pe|da|le** die; -, -n: ↑ Pedal (1). **pe|da|len:** (bes. schweiz.) Rad fahren. **Pe|da|le|rie** die; -, ...ien: Gesamtheit der Pedale (in einem Kraftfahrzeug). **Pe|da|leur** [...'lø:ɐ] der; -s, -s u. -e: (scherzh.) Radfahrer, Radsportler. **Pe|dal|kla|vi|a|tur** die; -, -en: in Fußhöhe angebrachte, mit den Füßen zu spielende Klaviatur

pe|dant ⟨gr.-it.-fr.⟩: (österr.) pedantisch. **Pe|dant** der; -en, -en: jmd., der die Dinge übertrieben genau nimmt. **Pe|dan|te|rie** die; -, ...ien: übertriebene Genauigkeit, Ordnungsliebe, Gewissenhaftigkeit. **pe|dan|tisch:** übertrieben genau, ordnungsliebend, gewissenhaft. **Pe|dan|tis|mus** der; -: (veraltet) Pedanterie

Pe|dell ⟨lat.-mlat.⟩ der; -s, -e: (veraltet) Hausmeister einer [Hoch]schule

Pe|dest ⟨lat.-nlat.⟩ das od. der; -[e]s, -e: (veraltet) Podest. **pe|dest|risch*** ⟨lat.⟩: (veraltet) niedrig, gewöhnlich, prosaisch

Pe|di|ca|ti|o ⟨lat.⟩ die; -, -nes: ↑ Analverkehr (Med.)

Pe|di|gree* [...] ⟨engl.⟩ der; -s: (Pflanzen- u. Tierzucht) Stammbaum (Biol.)

Pe|di|ku|lo|se ⟨lat.-nlat.⟩ die; -, -n: Läusebefall beim Menschen u. die damit zusammenhängenden krankhaften Erscheinungen

Pe|di|kü|re ⟨lat.-fr.⟩ die; -, -n: 1.

(ohne Plural) Fußpflege. 2. Fußpflegerin. **pe|di|kü|ren:** die Füße, bes. die Fußnägel, pflegen. **Pe|di|ment** ⟨*lat.-nlat.*⟩ *das;* -s, -e: mit Sandmaterial bedeckte Fläche am Fuß von Gebirgen in Trockengebieten (Geogr.). **Pe|di|zel|la|rie** *die;* -, -n: zangenartiges Greiforgan der Stachelhäuter. **Pe|do|graph,** auch: Pedograf ⟨*lat.; gr.*⟩ *der;* -en, -en: Wegmesser **Pe|do|lo|gie** ⟨*gr.-nlat.*⟩ *die;* -: Bodenkunde. **pe|do|lo|gisch:** die Bodenkunde betreffend **Pe|do|me|ter** ⟨*lat.; gr.*⟩ *das;* -s, -: Schrittzähler **Ped|ro* Xi|mé|nez** [ˈpeðro xiˈmeneθ] ⟨*span.*⟩ *der;* - -: likörähnlicher spanischer Süßwein **Pe|dum** ⟨*lat.*⟩ *das;* -s, Peda: bischöflicher Krummstab **Pee|ling** [ˈpiː...] ⟨*engl.*⟩ *das;* -s, -s: kosmetische Schälung der [Gesichts]haut zur Beseitigung von Hautunreinheiten u. abgestorbenen Hautschüppchen **Peep|show** [ˈpiːpʃou] ⟨*engl.*⟩ *die;* -, -s: auf sexuelle Stimulation zielendes Sich-zur-Schau-Stellen einer nackten [weiblichen] Person, die gegen Geldeinwurf durch das Guckfenster einer Kabine betrachtet werden kann **Peer** [piːɐ̯, auch: pɪə] ⟨*lat.-fr.-engl.*⟩ *der;* -s, -s: 1. Angehöriger des hohen Adels in Großbritannien. 2. Mitglied des britischen Oberhauses. **Pee|rage** [ˈpɪərɪdʒ] *die;* -: 1. Würde eines Peers. 2. Gesamtheit der Peers. **Pee|ress** [ˈpiːrɛs, auch: ˈpɪərɪs] *die;* -, ...resses [...sɪs, auch: ...sɪz]: Frau eines Peers. **Peer|group** [ˈpiːɐ̯ˈgruːp] *die;* -, -s: Gruppe von etwa gleichaltrigen Jugendlichen, die als Orientierung für den Übergang von familienorientierter Kindheit zum Erwachsenendasein fungiert (Psychol.; Soziol.) **Pe|ga|sos** ⟨*gr.-lat.*⟩ geflügeltes Ross der griech. Sage) u. **Pe|ga|sus** *der;* -: geflügeltes Pferd als Sinnbild dichterischer Fantasie; **den Pegasus besteigen:** (scherzh.) dichten **Pe|ge** ⟨*gr.*⟩ *die;* -, -n: kalte Quelle mit einer Wassertemperatur unter 20° **Peg|ma|tit** [auch: ...ˈtɪt] ⟨*gr.-nlat.*⟩ *der;* -s, -e: aus gasreichen Resten von Tiefengesteinsschmelzflüssen entstandenes grobkörniges Ganggestein (Geol.). **Pe|jes** ⟨*hebr.*⟩ *die* (Plural): lange Schläfenlocken orthodoxer Juden

Peig|neur* [pɛnjøːɐ̯] ⟨*lat.-fr.*⟩ *der;* -s, -e: Kammwalze od. Abnehmer an der Krempelmaschine in der Spinnerei. **Peig|noir** [pɛnjo̯aːɐ̯] *der;* -s, -s: (veraltet) Frisiermantel **Peint|re|gra|veur*** [pɛ̃trəgraˈvœːr] ⟨*fr.*⟩ *der;* -s, -e: nach eigener Erfindung stechender od. radierender Künstler. **Pein|ture** [pɛ̃ˈtyːɐ̯] ⟨*lat.-vulgärlat.-fr.*⟩ *die;* -: kultivierte, meist zarte Farbgebung, Malweise **Pei|res|kia*** u. Pereskia ⟨*nlat.;* nach dem franz. Gelehrten N. C. F. de Peiresc (1580–1637)⟩ *die;* -, ...ien: (im tropischen Amerika u. in Westindien heimische) Kakteenpflanze mit laubartigen Blättern u. langen Dornen **Pe|jo|ra|ti|on** ⟨*lat.-nlat.*⟩ *die;* -, -en: (bei einem Wort) das Abgleiten in eine abwertende, negative Bedeutung (Sprachw.). **pe|jo|ra|tiv:** die Pejoration betreffend; bedeutungsverschlechternd; abwertend (Sprachw.). **Pe|jo|ra|ti|vum** *das;* -s, ...va: pejoratives Wort (z. B. Jüngelchen, frömmeln; Sprachw.) **Pe|kan|nuss** u. Pecannuss ⟨*indian.;* dt.⟩ *die;* -, ...nüsse: Frucht des Pekannussbaums. **Pe|kan|nuss|baum** *der;* -[e]s, ...bäume: in Nordamerika heimischer, wegen seiner essbaren Nüsse kultivierter Baum mit gefiederten Blättern und langen, dünnschaligen Samen **Pe|ke|sche** ⟨*poln.*⟩ *die;* -, -n: 1. (hist.) (in der polnischen Tracht) mit Knebeln geschlossener, oft mit Pelz verarbeiteter Überrock. 2. geschnürte Festjacke der Verbindungsstudenten **Pe|ki|ne|se** (nach der chinesischen Hauptstadt Peking, dem früheren alleinigen Züchtungsort) *der;* -n, -n: kleiner, kurzbeiniger Hund mit großem Kopf, Hängeohren u. langem, seidigem Haar **Pe|koe** [ˈpiːkou] ⟨*chin.-engl.*⟩ *der;* -[s]: gute, aus bestimmten Blättern des Teestrauchs hergestellte Teesorte **pek|tan|gi|nös*** ⟨*lat.-nlat.*⟩: die Angina pectoris betreffend, ihr ähnlich; brust- u. herzbeklemmend (Med.) **Pek|ta|se** ⟨*gr.-nlat.*⟩ *die;* -: in Mohrrüben, Früchten u. Pilzen vorkommendes Enzym **Pek|ten|mu|schel** ⟨*lat.; dt.*⟩ *die;* -, -n: auf Sandgrund lebende Kammmuschel mit tief gerippten Schalen (Zool.)

Pek|tin ⟨*gr.-nlat.*⟩ *das;* -s, -e (meist Plural): gelierender Pflanzenstoff in Früchten, Wurzeln u. Blättern. **Pek|ti|na|se** *die;* -: in Malz u. Pollenkörnern vorkommendes Enzym **pek|to|ral** ⟨*lat.*⟩: die Brust betreffend, zu ihr gehörend (Med.). **Pek|to|ra|le** ⟨*lat.-mlat.*⟩ *das;* -[s], -s u. ...lien: 1. Brustkreuz katholischer geistlicher Würdenträger. 2. mittelalterlicher Brustschmuck (z. B. Schließe des prächtigen Chormantels) **Pe|ku|li|ar|be|we|gung** ⟨*lat.;* dt.⟩ *die;* -, -en: die bei den gegenseitigen Bewegungen der Fixsterne beobachtete unsystematische Eigenbewegung innerhalb großer Sterngruppen (Astron.) **pe|ku|ni|är** ⟨*lat.-fr.*⟩: das Geld betreffend; finanziell, geldlich **pek|zie|ren** u. pexieren ⟨*lat.*⟩: (landsch.) etwas anstellen, eine Dummheit machen **Pel|la|de** ⟨*lat.-fr.*⟩ *die;* -, -n: krankhafter Haarausfall (Med.) **pe|la|gi|al** ⟨*gr.-nlat.*⟩: ↑ pelagisch. **Pe|la|gi|al** *das;* -s: 1. freies Wasser der Meere u. Binnengewässer von der Oberfläche bis zur größten Tiefe (Geol.). 2. Gesamtheit der im freien Wasser lebenden Organismen (Biol.) **Pe|la|gi|a|nis|mus** ⟨*nlat.;* nach dem engl. Mönch Pelagius, 5. Jh.⟩ *der;* -s, -: Anhänger des Pelagianismus. **Pe|la|gi|a|nis|mus** *der;* -: kirchlich verurteilte Lehre des Pelagius, die gegen Augustins Gnadenlehre die menschliche Willensfreiheit vertrat **pe|la|gisch** ⟨*gr.-lat.*⟩: 1. (von Tieren u. Pflanzen) im freien Meer u. in weiträumigen Binnenseen lebend (Biol.). 2. (von Sedimenten) dem Meeresboden der Tiefsee angehörend (Geol.) **Pe|lar|go|nie** ⟨*gr.-nlat.*⟩ *die;* -, -n: zur Gattung der Storchschnabelgewächse gehörende Pflanze mit meist leuchtenden Blüten; Geranie **pêle-mêle** [pɛlˈmɛl] ⟨*fr.*⟩: bunt gemischt, durcheinander. **Pele-mele** [pɛlˈmɛl] *das;* -: 1. Mischmasch, Durcheinander. 2. Süßspeise aus Vanillecreme u. Fruchtgelee **Pel|le|ri|ne** ⟨*lat.-fr.*⟩ *die;* -, -n: a) über dem Mantel zu tragender, einem Cape ähnlicher Umhang, der etwa bis zur Taille reicht; b) (veraltet) Regencape **Pel|ham** [ˈpɛləm] ⟨*engl.*⟩ *der;* -s, -s: Kandare mit beweglichem Trensenmundstück (Reiten)

Pel|li|kan [auch: ...'ka:n] ⟨gr.-mlat.⟩ der; -s, -e: tropischer u. subtropischer Schwimmvogel mit mächtigem Körper u. langem, am unteren Teil mit einem dehnbaren Kehlsack versehenen Schnabel

Pel|it [auch: ...'lɪt] ⟨gr.-nlat.⟩ der; -s, -e (meist Plural): Sedimentgestein aus staubfeinen Bestandteilen (z. B. Tonschiefer; Geol.). **pe|li|tisch** [auch: ...'lɪ...]: die Pelite betreffend

Pel|lag|ra* ⟨lat.-it.⟩ das; -s: (vor allem in südlichen Ländern auftretende) Vitaminmangelkrankheit, die sich in Müdigkeit, Schwäche, Gedächtnis-, Schlafstörungen, Verdauungsstörungen u. Hautveränderungen äußert (Med.)

Pel|let das; -s, -s (meist Plural): 1. beim Pelletieren entstehende kleinere Kugel (Techn.). 2. durch Pelletieren von gehäckseltem od. gemahlenem Trockenfutter hergestellter, meist zylinderförmiger Presskörper zur Verfütterung an Pferde, Schweine, Rinder u. Geflügel. **pel|le|tie|ren**: feinkörnige Stoffe durch besondere Verfahren zu kleinen kugel- od. walzenförmigen Stücken zusammenfügen, granulieren (1) (Techn.)

Pel|li|cu|la ⟨lat.⟩ die; -, ...lae [...lɛ]: äußerste, dünne, elastische Plasmaschicht des Zellkörpers vieler Einzeller (Biol.); vgl. Kutikula **pel|lu|zid** ⟨lat.⟩: lichtdurchlässig (von Mineralien). **Pel|lu|zi|di|tät** die; -: Lichtdurchlässigkeit (von Mineralien)

Pe|log u. **Pé|lok** ⟨jav.⟩ das; -[s]: javanisches siebentöniges Tonsystem (Mus.)

Pel|o|rie [...i̯ə] ⟨gr.-nlat.⟩ die; -, -n: strahlige Blüte bei einer Pflanze, die normalerweise zygomorph ausgebildete Blüten trägt (Bot.)

Pe|lo|ta ⟨lat.-vulgärlat.-fr.-span.⟩ die; -: baskisches, tennisartiges Rückschlagspiel, bei dem der Ball von zwei Spielern od. Mannschaften mit der Faust od. einem Lederhandschuh an eine Wand geschlagen wird. **Pe|lo|ton** [...tõ:] ⟨lat.-vulgärlat.-fr.⟩ das; -s, -s: 1. (hist.) Schützenzug (militärische Untereinheit). 2. Exekutionskommando. 3. geschlossenes Feld, Hauptfeld im Straßenrennen (Radsport). **Pe|lot|te** die; -, -n: Druckpolster in der Form eines Ballons (z. B. an einem Bruchband; Med.)

Pel|sei|de ⟨lat.-it.; dt.⟩ die; -: Rohseidefäden aus geringwertigen Kokons

Pel|tast ⟨gr.-lat.⟩ der; -en, -en: leicht bewaffneter Fußsoldat im antiken Griechenland

Pel|lusch|ke ⟨slaw.⟩ die; -, -n: (landsch.) als Futterpflanze angebaute Erbse mit etwas kantigen, graugrünen Samen mit braunen Punkten

Pem|mi|kan ⟨indian.⟩ der; -s: haltbares Nahrungsmittel der Indianer Nordamerikas aus getrocknetem u. zerstampftem [Bison]fleisch, das mit heißem Fett übergossen [u. mit Beeren vermischt] ist

Pem|phi|gus ⟨gr.-nlat.⟩ der; -: Hautkrankheit, bei der Blasen auftreten, die mit einer gelblichen Flüssigkeit gefüllt sind (Med.)

Pe|nal|ty ['pɛnlti] ⟨lat.-mlat.-engl.⟩ der; -[s], -s: nach bestimmten schweren Regelverstößen verhängte Strafe, bei der der Ball od. Puck direkt u. ungehindert auf das Tor geschossen werden darf; Strafstoß (besonders im Eishockey)

Pe|na|ten ⟨lat.⟩ die (Plural): altrömische Schutzgötter des Hauses u. der Familie

Pence: Plural von ↑ Penny

Pen|chant [pã'ʃã:] ⟨lat.-vulgärlat.-fr.⟩ der; -s, -s: (veraltet) Hang, Neigung, Vorliebe

PEN-Club, **P.E.N.-Club** ⟨Kurzw. aus engl. poets, essayists, novelists u. Club (zugleich anklingend an engl. pen = Feder)⟩ der; -s: 1921 gegründete internationale Dichter- u. Schriftstellervereinigung (mit nationalen Sektionen)

Pen|dant [pã'dã:] ⟨lat.-fr.⟩ das; -s, -s: 1. ergänzendes Gegenstück; Entsprechung. 2. (veraltet) Ohrgehänge. **pen|dent** ⟨lat.-it.⟩: (schweiz.) unerledigt, schwebend, anhängig. **Pen|den|tif** [pã-dã...] ⟨lat.-fr.⟩ das; -s, -s: Konstruktion in Form eines sphärischen Dreiecks, die den Übergang von einem quadratischen od. mehreckigen Grundriss in die Rundung einer Kuppel ermöglicht (Archit.). **Pen|denz** ⟨lat.⟩ die; -, -en: (schweiz.) noch unerledigte Sache, Angelegenheit

Pen|do|li|no ⟨it.⟩ der; -[s], -[s]: Eisenbahnzug mit computerunterstützter, gleisbogenabhängiger Wagenkastensteuerung (die mittels eines Fliehkraftausgleichs

(Neigung der Reisezugwagen zur Innenseite von bis zu 8°) auf kurvenreichen Strecken Reisegeschwindigkeiten von bis zu 160 km/h ermöglicht

Pen|dul|le [pã'dy:lə] ⟨lat.-fr.⟩ die; -, -n: franz. Schreibung für: Pendüle. **Pen|dü|le** die; -, -n: (veraltet) größere Uhr, die durch ein Pendel in Gang gehalten wird; Pendeluhr

Pe|ne|plain* ['pi:nɪpleɪn] ⟨lat.-engl.⟩ die; -, -s: fast ebene Landoberfläche in geringer Höhe über dem Meeresspiegel, die nur von breiten Muldentälern o. niederen Bodenwellen in ihrer Ebenheit unterbrochen wird; Fastebene (Geogr.)

Pe|nes: Plural von ↑ Penis

pe|ne|seis|misch ⟨lat.; gr.⟩: öfter von schwachen Erdbeben heimgesucht (Geol.)

pe|net|ra|bel* ⟨lat.-fr.⟩: (veraltet) durchdringbar, durchdringend, **pe|net|rant**: a) in störender Weise durchdringend; b) in störender Weise aufdringlich. **Pe|net|ranz** die; -, -en: 1. a) durchdringende Schärfe, penetrante (a) Beschaffenheit; b) Aufdringlichkeit. 2. die prozentuale Häufigkeit, mit der ein Erbfaktor bei Individuen gleichen Erbgutes im äußeren Erscheinungsbild wirksam wird (Biol.). **Pe|net|ra|ti|on** ⟨lat.⟩ die; -, -en: 1. Durchdringung, Durchsetzung, das Penetrieren. 2. Eindringtiefe (bei der Prüfung der ↑ Viskosität bei Schmierfetten; Techn.). 3. das Eindringen (in etwas, z. B. des Penis in die weibliche Scheide). **pe|net|rie|ren** ⟨lat.-fr.⟩: 1. durchsetzen, durchdringen. 2. mit dem Penis [in die weibliche Scheide] eindringen. **Pe|net|ro|me|ter** ⟨lat.; gr.⟩ das; -s, -: Gerät zum Messen der ↑ Penetration (2) (Techn.)

Pen|hol|der ['penhould̬ə] ⟨engl.⟩ der; -s, -s u. **Pen|hol|der|griff** der; -[e]s: Haltung des Schlägers, bei der nach oben zeigende Griff zwischen Daumen u. Zeigefinger liegt; Federhaltergriff (Tischtennis)

pe|ni|bel ⟨gr.-lat.-fr.⟩: 1. bis ins Einzelne so genau, dass es schon übertrieben od. kleinlich ist. 2. (landsch.) peinlich, **Pe|ni|bi|li|tät** die; -: [ängstliche] Genauigkeit; Empfindlichkeit

Pe|ni|cil|lin|ase vgl. Penicillinase. **Pe|ni|cil|lin** das; -: von manchen Bakterien gebildetes, Penizillin zerstörendes Enzym. **Pe|ni|cil|li-**

um *das;* -s: Schimmelpilz, der das Penizillin liefert
Pen|in|su|la ⟨*lat.*⟩ *die;* -, ...sul(e)n: Halbinsel. **pen|in|su|lar** u. **pen|in|su|la|risch** ⟨*lat.-nlat.*⟩: zu einer Halbinsel gehörend, halbinselartig
Pe|nis ⟨*lat.*⟩ *der;* -, -se u. Penes [...ne:s]: Teil der äußeren Geschlechtsorgane des Mannes u. verschiedener männlicher Tiere, der mit Schwellkörpern versehen ist, die ein Steifwerden u. Aufrichten zum Zweck des Geschlechtsverkehrs möglich machen (Med.)
Pe|ni|ten|tes ⟨*lat.-span.;* „die Büßer"⟩ *die* (Plural): durch Verdunsten u. Abschmelzen entstandene Eisfiguren auf Schneeod. Firnflächen; Büßerschnee
Pe|ni|zil|lin, fachspr. u. österr.: Penicillin ⟨*lat.-nlat.*⟩ *das;* -s, -e: besonders wirksames Antibiotikum; vgl. Penicillium
Pen|nal ⟨*lat.-mlat.*⟩ *das;* -s, -e: 1. (veraltet) Federbüchse. 2. (Schülerspr. veraltet) höhere Schule.
Pen|nä|ler *der;* -s, -: (ugs.) Schüler [einer höheren Schule]. **Pen|na|lis|mus** ⟨*lat.-mlat.-nlat.*⟩ *der;* -: im 16. u. 17. Jh. Dienstverhältnis zwischen jüngeren u. älteren Studierenden an deutschen Universitäten
Pen|ni ⟨*dt.-finn.*⟩ *der;* -[s], -[s] (aber: 10 Penni): finnische Münzeinheit (0,01 Markka).
Pen|ny ['pɛni] ⟨*engl.*⟩ *der;* -s, (einzelne Stücke:) Pennys [...ni:s] u. (als Wertangabe:) Pence [pɛns]: engl. Münze; Abk. [für Singular u. Plural beim neuen Penny im Dezimalsystem]: p, vor 1971: d ⟨lat. *denarius;* vgl. Denar).
Pen|ny|weight ['pɛnɪweɪt] *das;* -[s], -s: engl. Feingewicht (1,5552 g); Abk.: dwt.; pwt.
Pen|sa: *Plural* von ↑ Pensum. **pen-see** [pã'se:] ⟨*lat.-fr.*⟩: dunkelviolett. **Pen|see** *das;* -s: frz. Bez. für: Stiefmütterchen. **Pen|sen:** *Plural* von ↑ Pensum. **pen|si|le-ro|lso** ⟨*lat.-it.*⟩: gedankenvoll, tiefsinnig (Vortragsanweisung; Mus.). **Pen|si|on** [pã'zi̯o:n, auch: pã'si̯o:n, pan͡ˌzi̯o:n u. pɛn'zi̯o:n] ⟨*lat.-fr.*⟩ *die;* -, -en: 1. a) (ohne Plural; meist ohne Artikel) Ruhestand der Beamten; b) Bezüge für Beamte im Ruhestand. 2. Fremdenheim zur Beherbergung u. Verpflegung von Gästen. 3. (ohne Plural) [Preis für die] Unterbringung u. Verpflegung in einer Pension (2). **Pen|si|o|när**

der; -s, -e: 1. a) Beamter im Ruhestand; b) (landsch.) Rentner. 2. (schweiz., sonst veraltet) jmd., der in einer Pension (2) wohnt. **Pen|si|o|nat** *das;* -[e]s, -e: (veraltend) Internat, bes. für Mädchen. **pen|si|o|nie|ren:** jmdn., bes. einen Beamten, in den Ruhestand versetzen. **Pen|si|o|nist** *der;* -en, -en: (österr., schweiz.) Pensionär. **Pen|sum** ⟨*lat.*⟩ *das;* -s, Pensen u. Pensa: a) Aufgabe, Arbeit, die innerhalb einer bestimmten Zeit zu erledigen ist; b) Lehrstoff
Pen|ta|chord ⟨*gr.-lat.*⟩ *das;* -[e]s, -e: fünfsaitiges Streich- od. Zupfinstrument. **Pen|ta|de** *die;* -, -n: Zeitraum von fünf aufeinander folgenden Tagen (Meteor.). **Pen|ta|dik** ⟨*gr.-nlat.*⟩ *die;* -: Zahlensystem mit der Grundzahl 5 (Math.). **Pen|ta|e|der** *das;* -s, -: von fünf Flächen begrenzter Vielflächner; Fünfflächner. **Pen|ta|e|te|ris** ⟨*gr.-lat.*⟩ *die;* -, ...ren: altgriech. Zeitraum von fünf Jahren. **Pen|ta|glot|te** ⟨*gr.-nlat.*⟩ *die;* -, -n: in fünf Sprachen abgefasstes Buch, bes. fünfsprachige Bibel. **Pen|ta|gon** ⟨*gr.-lat.*⟩ *das;* -s, -e: 1. [pɛnta'go:n] Fünfeck. 2. [...ɡɔn] (ohne Plural): auf einem fünfeckigen Grundriss errichtetes amerikanisches Verteidigungsministerium. **pen|ta|go|nal** ⟨*gr.-nlat.*⟩: fünfeckig. **Pen|ta|gon|do|de|ka|e|der** ⟨*gr.-nlat.*⟩ *das;* -s, -: von zwölf fünfeckigen Flächen begrenzter Körper. **Pen|ta|goni-ko|si|tet|ra|e|der*** *das;* -s, -: aus untereinander kongruenten Fünfecken bestehender vierundzwanzigflächiger [Kristall]körper. **Pen|ta|gramm** *das;* -s, -e: fünfeckiger Stern, der in einem Zug mit fünf gleich langen Linien gezeichnet werden kann; Drudenfuß. **Pent|al|pha*** *das;* -, -s: ↑ Pentagramm. **pen|ta|mer** ⟨*gr.-lat.*⟩: fünfgliedrig, fünfteilig. **Pen|ta|me|ron*** ⟨*gr.-it.*⟩ *das;* -s: Sammlung neapolitanischer Märchen, die der Herausgeber Basile in fünf Tagen erzählen lässt. **Pen|ta|me|ter** ⟨*gr.-lat.*⟩ *der;* -s, -: aus sechs Versfüßen bestehender epischer Vers, der durch Zäsur in zwei Hälften geteilt ist. **Pen|tan** ⟨*gr.-nlat.*⟩ *das;* -s, -e: sehr flüchtiger (gesättigter) Kohlenwasserstoff mit fünf Kohlenstoffatomen. **Pen|ta|nol** *das;* -s: ein ↑ Amylalkohol. **Pen|tap|la*** ⟨*gr.-nlat.*⟩ *die;* -, ...aplen: ↑ Pentaglotte. **Pen|ta|pris|ma**

das; -s, ...men: in optischen Geräten verwendetes Fünfkantprisma, Reflexionsprisma. **Pen-tar|chie*** *die;* -, ...ien: Herrschaft von fünf Mächten, Fünfherrschaft (z. B. die Großmächteherrschaft Englands, Frankreichs, Russlands, Österreichs u. Preußens 1815 bis 1860). **Pen-tas|to|mi|den*** *die* (Plural): Zungenwürmer (parasitische Gliedertiere in der Lunge von Reptilien, Vögeln u. Säugetieren). **Pen|tas|ty|los*** ⟨*gr.*⟩ *der;* -, ...ylen: antiker Tempel mit je fünf Säulen an den Schmalseiten. **Pen|ta|teuch** ⟨*gr.-lat.;* „Fünfrollenbuch"⟩ *der;* -s: die fünf Bücher Mose in A. T. **Pen|tath|lon*** [auch: pɛnt'|a:tlɔn] ⟨*gr.*⟩ *das;* -s: bei den Olympischen Spielen im Griechenland der Antike ausgetragener Fünfkampf (Diskuswerfen, Wettlauf, Weitsprung, Ringen, Speerwerfen). **Pen|ta|to|nik** ⟨*gr.-nlat.*⟩ *die;* -: fünfstufiges, halbtonloses Tonsystem. **pen|ta|to|nisch:** die Pentatonik betreffend. **pen|ta-zyk|lisch*:** fünf Blütenkreise aufweisend (von bestimmten Zwitterblüten; Bot.). **pen|te-kos|tal** ⟨*gr.-mlat.*⟩: a) die Pentekoste betreffend, pfingstlich, Pfingst...; b) pfingstlerisch; die Pfingstbewegung betreffend. **Pen|te|kos|te** *die;* -: (Religion) a) Pfingsten als der fünfzigste Tag nach Ostern; b) Zeitraum zwischen Ostern u. Pfingsten. **Pen|ten** ⟨*gr.-nlat.*⟩ *das;* -s, -e: ein ungesättigter Kohlenwasserstoff der Olefinreihe (vgl. Olefin; Chem.). **Pen|te|re** ⟨*gr.-lat.;* „Fünfruderer"⟩ *die;* -, -n: antikes Kriegsschiff, das von in fünf Reihen übereinander sitzenden Ruderern bewegt wurde
Pent|haus ⟨*engl.-amerik.;* dt.⟩ *das;* -es, ...häuser: ↑ Penthouse
Pen|the|mi|me|res* ⟨*gr.*⟩ *die;* -, -: Zäsur nach dem fünften Halbfuß, bes. im Hexameter u. jambischen Trimeter (antike Metrik)
Pent|house ['pɛnthaʊs] ⟨*engl.-amerik.*⟩ *das;* -, -s [...zɪz]: exklusives Apartment auf dem Flachdach eines Etagen- od. Hochhauses
Pen|ti|men|ti ⟨*lat.-it.;* „Reuezüge"⟩ *die* (Plural): Linien od. Untermalungen auf Gemälden od. Zeichnungen, die vom Künstler abgeändert, aber [später] wieder sichtbar wurden
Pen|ti|um ℗ *der;* -s: besonders schneller Mikroprozessor

Pent|lan|dit [auch: ...'dɪt] ⟨nlat.; nach dem Entdecker J. B. Pentland, 1797–1873⟩ *der;* -s, -e: Eisennickelkies, wichtiges Nickelerz (Mineral.)

Pen|to|de* ⟨gr.-nlat.⟩ *die;* -, -n: Fünfpolröhre (Schirmgitterröhre mit Anode, Kathode u. drei Gittern; Elektrot.). **Pen|to|se** *die;* -, -n: in der Natur weit verbreitetes Monosaccharid mit fünf Kohlenstoffatomen; Einfachzucker. **Pen|tos|u|rie** *die;* -: das Auftreten von Pentosen im Harn (Med.)

Pen|to|thal ⑧ ⟨Kunstw.⟩ *das;* -s: ein Narkosemittel

Pe|numb|ra* ⟨lat.-nlat.⟩ *die;* -: nicht ganz dunkles Randgebiet eines Sonnenflecks (Astron.)

Pe|nun|se vgl. Penunze. **Pe|nun|ze** ⟨poln.⟩ *die;* -, -n (meist Plural): (ugs.) Geld, Geldmittel

Pe|nu|ria* ⟨lat.⟩ *die;* ı (veraltet) drückender Mangel

Pe|on ⟨lat.-vulgärlat.-span.⟩ *der;* -en, -en: 1. (hist.) südamerikanischer [indianischer] Tagelöhner. 2. (in Argentinien, Mexiko) Pferdeknecht, Viehhirte. **Pe|o|nage** [peo'na:ʒə, engl.: 'pi:ɔnɪdʒ] ⟨lat.-span.-amerik.⟩ *die;* -: (hist.) (bes. in Mexiko) System der Entlohnung, das zur Verschuldung der Peonen führte

Pep ⟨amerik.⟩ *der;* -[s]: mitreißender Schwung

Pe|pe|rin ⟨sanskr.-pers.-gr.-lat.-it.⟩ *der;* -s, -e: vulkanische Tuffgestein mit Auswürflingen in der Masse (im Albanergebirge; Geol.). **Pe|pe|ro|ne** *der;* -, ...oni, häufiger: **Pe|pe|ro|ni** *die;* -, - (meist Plural): kleine, sehr scharfe [in Essig eingelegte] Paprikaschote

Pe|pi|ni|e|re ⟨fr.⟩ *die;* -, -n: (veraltet) Baumschule

Pe|pi|ta ⟨span.; span. Tänzerin der Biedermeierzeit⟩ *der* od. *das;* -s, -s: a) klein karierte [schwarzweiße] Hahnentrittmusterung; b) [Woll- od. Baumwoll]gewebe mit dieser Musterung

Pep|lon ⟨gr.⟩ *das;* -s, ...plen u. -s u. Peplos *der;* -, ...plen u. -: altgriechisches faltenreiches, gegürtetes Obergewand bes. der Frauen. **Pep|lo|pau|se** ⟨gr.-nlat.⟩ *die;* -: Obergrenze der untersten Luftschicht der ↑ Atmosphäre (1 perb) (Meteor.). **Pep|los** vgl. Peplon

Pep|sin ⟨gr.-nlat.⟩ *das;* -s, -e: 1. bestimmtes Enzym des Magensaftes. 2. aus Pepsin (1) hergestelltes Arzneimittel. **Pep|sin|wein**

der; -[e]s, -e: Dessertwein, der die Magentätigkeit anregt. **Pep|tid** *das;* -[e]s, -e: bestimmtes Produkt des Eiweißabbaus. **Pep|ti|da|se** *die;* -, -n: Enzym, das Peptidbindungen spaltet. **Pep|tid|hor|mon** ⟨gr.-nlat.⟩ *das;* -s, -e: ↑ Proteohormon. **Pep|ti|sa|ti|on** *die;* -: das Peptisieren. **pep|tisch**: das Pepsin betreffend, verdauungsfördernd. **pep|ti|sie|ren**: ein Gel in ein ²Sol zurückverwandeln; **Pep|ton** *das;* -s, -e: Abbaustoff des Eiweißes. **Pep|ton|u|rie*** *die;* -: Ausscheidung von Peptonen mit dem Harn (Med.)

per ⟨lat.⟩: 1. mit, mittels, durch, z. B. per Bahn, per Telefon. 2. (Amts-, Kaufmannsspr.) a) je, pro, z. B. etwas per Kilo verkaufen; b) bis zum, am, z. B. per ersten Januar liefern

Per *der;* -s: (Jargon) als Lösungsmittel bes. bei der chem. Reinigung verwendetes Perchloräthylen

per ab|u|sum ⟨lat.⟩: (veraltet) durch Missbrauch

per ac|ci|dens ⟨lat.⟩: (veraltet) durch Zufall

per ac|cla|ma|ti|o|nem* ⟨lat.⟩: durch Zuruf

per Ad|res|se*: bei; über die Anschrift von (bei Postsendungen); Abk.: p. A.

per an|num ⟨lat.⟩: (veraltet) jährlich, für das Jahr; Abk.: p. a.

per anum ⟨lat.⟩: rektal, durch den After, den Mastdarm [eingeführt] (Med.)

per as|pe|ra ad as|t|ra ⟨lat.; „auf rauen Wegen zu den Sternen"⟩: nach vielen Mühen zum Erfolg; durch Nacht zum Licht

Per|bo|rat ⟨lat.; pers.-arab.-mlat.⟩ *das;* -[e]s, -e (meist Plural): Sauerstoff abgebende Verbindung aus Wasserstoffperoxid u. Borate n

Per|bu|nan ⟨Kunstw.⟩ *der;* -s: künstlicher Kautschuk, der von Benzin u. Ölen nicht angegriffen wird

per cas|sa ⟨lat.-it.⟩: (Kaufmannsspr.) gegen Barzahlung; vgl. Kassa

Perche|lakt ['pɛrʃ...] ⟨lat.-fr.; lat.⟩ *der;* -[e]s, -e: Darbietung artistischer Nummern an einer langen, biegsamen [Bambus]stange

Per|che|ron [pɛrʃə'rõ:] ⟨fr.; nach der ehem. Grafschaft Perche in Nordfrankreich⟩ *der;* -[s], -s: französisches Kaltblutpferd

Per|chlo|rat ⟨lat.; gr.-nlat.⟩ *das;* -[e]s, -e: Salz der Perchlorsäure.

Per|chlor|äthy|len ⟨lat.; gr.-nlat.⟩ *das;* -, -s: ein Lösungsmittel bes. für Fette u. Öle. **Per|chlor|säu|re** ⟨lat.; gr.; dt.⟩ *die;* -: Überchlorsäure

per con|to ⟨lat.-it.⟩: (Kaufmannsspr.) auf Rechnung; vgl. Konto

Per|cus|sion [ð'kʌʃn] ⟨lat.-engl.⟩ *die;* -, -s: (Mus.) 1. in der Jazzkapelle o. Ä. Gruppe der Schlaginstrumente. 2. kurzer od. langer Abklingeffekt bei den elektronischen Orgel; vgl. Perkussion

per de|fi|ni|ti|o|nem ⟨lat.⟩: wie in der Aussage enthalten; erklärtermaßen

per|den|do|si ⟨lat.-it.⟩: abnehmend, allmählich schwächer, sehr leise werdend (Vortragsanweisung; Mus.). **per|du** [...'dy:] ⟨lat.-fr.⟩: (ugs.) verloren, weg, auf und davon

per|le|ant! ⟨lat.; „sie mögen zugrunde gehen!"⟩: (Studentenspr.) nieder mit ihnen! **Per|le|at** *das;* -s, -s: (Studentenspr.) der Ruf „nieder!" **per|le|at!** („er gehe zugrunde!"⟩: (Studentenspr.) nieder mit ihm!

Pe|red|wisch|ni|ki* ⟨russ.⟩ *die* (Plural): Gruppe russischer Künstler, die im 19. Jh. auf Wanderausstellungen hervortraten

Pe|re|gri|na|ti|on ⟨lat.⟩ *die;* -: (veraltet) Wanderung u. Reise im Ausland

Pe|remp|ti|on* u. **Pe|rem|ti|on** ⟨lat.⟩ *die;* -, -en: (veraltet) Verfall, Verjährung (Rechtsw.). **pe|remp|to|risch** u. **pe|rem|to|risch**: aufhebend; peremptorische Einrede: Klageeinsprüche vernichtende Einrede bei Gericht (Rechtsw.); Ggs. ↑ dilatorische Einrede

Pe|ren|ne* ⟨lat.-nlat.⟩ *die;* -, -n: mehrjährige, unterirdisch ausdauernde, krautige Pflanze. **pe|ren|nie|rend**: 1. ausdauernd; hartnäckig. 2. mehrjährig (von Stauden- u. Holzgewächsen; Bot.). 3. mit dauernder, auch jahreszeitlich schwankender Wasserführung, Schüttung (von Wasserläufen, Quellen).

pe|ren|nis (veraltet) das Jahr hindurch, beständig

Pe|res|kia* vgl. Peireskia

Pe|rest|roi|ka ⟨russ.; „Umbau"⟩ *die;* -: Umbildung, Neugestaltung [ursprünglich des sowjetischen politischen Systems, bes. im innen- u. wirtschaftspolitischen Bereich]

per e|xem|plum* ⟨lat.⟩: (veraltet) zum Beispiel

per fas ⟨lat.⟩: (veraltet) auf rechtliche Weise. **per fas et nefas:** (veraltet) auf jede [erlaubte od. unerlaubte] Weise **perlfekt** ⟨lat.⟩: 1. vollendet, vollkommen [ausgebildet]. 2. abgemacht, gültig. **Perlfekt** das; -s, -e: (Sprachw.) 1. (ohne Plural) Zeitform, mit der ein verbales Geschehen od. Sein aus der Sicht des Sprechers als vollendet charakterisiert wird. 2. Verbform des Perfekts (1). **Perlfeklta:** Plural von ↑Perfektum. **perlfekltilbel** ⟨lat.-nlat.⟩: vervollkommnungsfähig (im Sinne des Perfektibilismus). **Perlfekltilbilllislmus** der; -: Anschauung, Lehre aufklärerischen Geschichtsdenkens, nach der der Sinn der Geschichte im Fortschritt zu immer größerer Vervollkommnung der Menschheit liegt. **Perlfekltilbillist** der; -en, -en: Anhänger des Perfektibilismus. **Perlfekltilbilliltät** die; -: Fähigkeit zur Vervollkommnung. **Perlfekltilon** ⟨lat.-fr.⟩ die; -, -en: 1. Vollendung, Vollkommenheit, vollendete Meisterschaft. 2. (veraltet) das Zustandekommen eines Rechtsgeschäftes. **perlfekltilonielren** ⟨lat.-nlat.⟩: etw., jmdn. in einen Zustand bringen, der [technisch] perfekt (1) ist. **Perlfekltiolnielrung** die; -: das Vervollkommnen, Perfektionieren. **Perfekltilolnislmus** der; -: 1. (abwertend) übertriebenes Streben nach Vervollkommnung. 2. Lehre innerhalb der Aufklärung, nach der der Sinn der Geschichte sich in einer fortschreitenden ethischen Vervollkommnung der Menschheit verwirklicht (Philos.). **Perlfekltilolnist** der; -en, -en: 1. (abwertend) jmd., der in übertriebener Weise nach Perfektion (1) strebt. 2. (Plural) Vertreter, Anhänger des Perfektionismus (2). **perlfekltilolnisltisch:** (abwertend) a) in übertriebener Weise Perfektion (1) anstrebend; b) bis in alle Einzelheiten vollständig, umfassend. **perlfekltisch** ⟨lat.⟩: das Perfekt betreffend, im Perfekt [gebraucht]. **perlfektiv** [auch: ...tif]: die zeitliche Begrenzung eines Geschehens ausdrückend (Sprachw.); **perfektiver Aspekt:** zeitlich begrenzte Verlaufsweise eines verbalen Geschehens, z. B. verblühen. **perlfekltilvielren** ⟨lat.-nlat.⟩: ein Verb mithilfe sprachlicher Mittel, bes. von Partikeln, in die perfektive Aktionsart überführen. **perlfekltilvisch** ⟨lat.⟩: 1. ↑perfek-

tisch. 2. (veraltet) ↑perfektiv. **Perlfekltlparltilzip** das; -s, -ien: Partizip Perfekt vgl. Partizip. **Perlfekltum** das; -s, ...ta: (veraltet) Perfekt **perlfid** u. **perlfilde** ⟨lat.-fr.⟩: hinterhältig, hinterlistig, tückisch. **Perlfildie** die; -, ...ien: a) (ohne Plural) Hinterhältigkeit, Hinterlist, Falschheit; b) perfide Handlung, Äußerung. **Perlfildiltät** die; -, -en: ↑Perfidie **perlfolrat** ⟨lat.⟩: durchlöchert. **Perlfolraltilon** die; -, -en: 1. (Med.) a) Durchbruch eines Abszesses od. Geschwürs durch die Hautoberfläche od. in eine Körperhöhle; b) unbeabsichtigte Durchstoßung der Wand eines Organs o. Ä. bei einer Operation. c) operative Zerstückelung des Kopfes eines abgestorbenen Kindes im Mutterleib bei bestimmten Komplikationen. 2. a) Reiß-, Trennlinie an einem Papierblatt; Zähnung; b) zum Transportieren erforderliche Lochung am Rande eines Films. **Perlfolraltor** der; -s, ...oren: 1. Gerät zum Herstellen einer Perforation (2 a) (Techn.). 2. (früher) Schriftsetzer, der mithilfe einer entsprechenden Maschinen den Drucksatz auf Papierstreifen locht (Druckw.). **perlfolrielren:** 1. bei einer Operation unbeabsichtigt die Wand eines Organs o. Ä. durchstoßen (Med.). 2. a) durchlöchern; b) eine ↑Perforation (2 a) herstellen, lochen **Perlforlmance** [pə'fɔ:məns] ⟨engl.; "Vorführung„⟩ die; -, -s [...sız]: 1. dem ↑Happening ähnliche, meist von einem einzelnen Künstler dargebotene künstlerische Aktion. 2. prozentualer Wertzuwachs des Vermögens einer Investmentgesellschaft od. auch eines einzelnen Wertpapiers (Bankw.). 3. Leistungsniveau, -stärke eines Rechners (EDV). **Perlforlmanz** ⟨lat.-engl.⟩ die; -, -en: Gebrauch der Sprache, konkrete Realisierung von Ausdrücken in einer bestimmten Situation durch einen individuellen Sprecher (Sprachw.). **perlforlmaltorisch:** eine mit einer sprachlichen Äußerung zugleich vollziehend Handlung zugleich vollziehend (z. B. ich gratuliere dir...; Sprachw.); vgl. ...iv/...orisch. **Perlforlmer** [pə'fɔ:mə] ⟨engl.⟩ der; -s, -: Künstler, der Performances darbietet

perlfunldielren ⟨lat.⟩: auf dem Wege der Perfusion in einen Organismus einführen (Med.). **Perlfulsilon** die; -, -en: der Ernährung u. der Reinigung des Gewebes dienende [künstliche] Durchströmung eines Hohlorgans od. Gefäßes (Med.) **Perlgalmen** ⟨gr.-lat.-mlat.; vom Namen der antiken kleinasiatischen Stadt Pergamon⟩ das; -s, -e: (veraltet) Pergament. **perlgamelnen:** (veraltet) pergamenten. **Perlgalment** das; -[e]s, -e: 1. enthaarte, geglättete, zum Beschreiben zubereitete Tierhaut, die bes. vor der Erfindung des Papiers als Schreibmaterial diente. 2. Handschrift auf Pergament (1). **perlgalmenlten:** aus Pergament (1). **Perlgalmenlter** der; -s, -: Pergamentmacher. **perlgalmenltielren:** 1. ein dem Pergament ähnliches Papier herstellen. 2. Baumwollgewebe durch Behandlung mit Schwefelsäure pergamentähnlich machen. **Perlgalmin** u. **Perlgalmyn** ⟨gr.-lat.-mlat.-nlat.⟩ das; -s: pergamentartiges, durchscheinendes Papier **Perlgolla** ⟨lat.-it.⟩ die; -, ...len: Laube od. Laubengang aus Pfeilern od. Säulen als Stützen für eine Holzkonstruktion, an der sich Pflanzen [empor]ranken **perlhorlreslzielren** ⟨lat.⟩: mit Abscheu zurückweisen; verabscheuen, entschieden ablehnen **Pelri** ⟨pers.⟩ der; -s, -s od. die; -, -s (meist Plural): [ursprünglich böses, aber] zum Licht des Guten strebendes feenhaftes Wesen der altpersischen Sage **Pelrilaldelnitis** ⟨gr.-nlat.⟩ die; -, ...tiden: Entzündung des Gewebes um eine Drüse (Med.) **Pelrilanth** ⟨gr.-nlat.⟩ das; -s, -e u. **Pelrilanthilum** das; -s, ...ien: Blütenhülle der Blütenpflanzen (Bot.) **Pelrilarthriltis*** ⟨gr.-nlat.⟩ die; -, ...tiden: Entzündung in der Umgebung von Gelenken **Pelrilastlron*** u. **Pelrilastlrum** ⟨gr.-nlat.⟩ das; -s, ...astren: bei Doppelsternen der dem Hauptstern am nächsten liegende Punkt der Bahn des Begleitsterns (Astron.) **Pelriblem*** ⟨gr.; "Umhüllung, Bedeckung"⟩ das; -s, -e: unter dem ↑Dermatogen gelegene, das ↑Plerom umhüllende Schicht teilungsfähigen Gewebes, die später zur Rinde wird (Bot.). **Pelribollos** ⟨"Umfriedigung"⟩ der; -,

...loi [...lɔy]: heiliger Bezirk um den antiken Tempel

Pe|ri|car|di|um vgl. Perikard

Pe|ri|chond|ri|tis* [...çon...] ⟨gr.-nlat.⟩ die; -, ...iti|den: Knorpelhautentzündung (Med.). **Pe|ri|chon|d|ri|um** das; -s, ...ien: den Knorpel umgebendes, aufbauendes u. ernährendes Bindegewebe; Knorpelhaut (Med.)

Pe|ri|cho|re|se [...ço...] ⟨gr.⟩ die; -: (Rel.) 1 Einheit u. wechselseitige Durchdringung der drei göttlichen Personen in der ↑ Trinität. 2. Einheit der göttlichen u. der menschlichen Natur in Christus

Pe|ri|cra|ni|um* u. Perikranium ⟨gr.-nlat.⟩ das; -[s], ...ia: Knochenhaut des Schädeldaches (Med.)

pe|ri|cul|lum in mo|ra ⟨lat.⟩ „Gefahr besteht im Zögern"⟩: Gefahr ist im Verzug

Pe|ri|derm ⟨gr.-nlat.⟩ das; -s, -e: Pflanzengewebe, dessen äußere Schicht verkorkte Zellen bildet, während die innere unverkorkte blattgrünreiche Zellen aufbaut

Pe|ri|di|ni|um ⟨gr.-nlat⟩ das; -s, ...ien: Vertreter einer Gattung meerbewohnender Einzeller (Geißeltierchen) mit Zellulosepanzer

Pe|ri|dot ⟨fr.⟩ der; -s, -e: ein Mineral. **Pe|ri|do|tit** [auch: ...'tit] der; -s, -e: körniges, grünes, oft schwarzes Tiefengestein

Pe|ri|e|ge|se ⟨gr.-lat.⟩ die; -, -n: Orts- u. Länderbeschreibung (speziell im alten Griechenland). **Pe|ri|e|get** der; -en, -en: Verfasser einer Periegese od. einer Beschreibung der Bau- u. Kunstdenkmäler einzelner Städte (speziell im alten Griechenland). **pe|ri|e|ge|tisch**: die Periegese, die Periegeten betreffend

Pe|ri|en|ze|phal|li|tis ⟨gr.-nlat.⟩ die; -, ...iti|den: Entzündung der Hirnrinde (Med.)

pe|ri|fo|kal ⟨gr.; lat.-nlat.⟩: um einen Krankheitsherd herum (Med.)

Pe|ri|gal|um ⟨gr.-nlat.⟩ das; -s, ...äen: erdnächster Punkt der Bahn eines Körpers um die Erde (Astron.); Ggs. ↑ Apogäum

pe|ri|gla|zi|al ⟨gr.; lat.⟩: Erscheinungen, Zustände, Prozesse in Eisrandgebieten, in der Umgebung vergletscherter Gebiete betreffend (Geogr.)

Pe|ri|gon ⟨gr.-nlat.⟩ das; -s, -e u. **Pe|ri|go|ni|um** das; -s, ...ien: Blütenhülle aus gleichartigen, meist auffällig gefärbten Blättern (z. B. bei Tulpen, Lilien, Orchideen; Bot.); Zeichen: P

Pe|ri|gour|di|ne [...gur...] ⟨fr.⟩ die; -, -n: dem ↑ Passepied (1) ähnelnder alter französicher Tanz im $^3/_8$- od. $^6/_8$-Takt

Pe|ri|gramm ⟨gr.⟩ das; -s, -e: durch Kreisausschnitte od. mehrere Kreise bewirkte diagrammartige Darstellung statistischer Größenverhältnisse

pe|ri|gyn ⟨gr.-nlat.⟩: halbhoch stehend, mittelständig (von Blüten mit schüssel- od. becherförmigem Blütenboden, der den Fruchtknoten umfasst, nicht mit ihm verwachsen ist; Bot.)

Pe|ri|hel das; -s, -e u. **Pe|ri|he|li|um** ⟨gr.-nlat.⟩ das; -s, ...ien: Punkt einer Planeten- od. Kometenbahn, der der Sonne am nächsten liegt (Astron.); Ggs. ↑ Aphel

Pe|ri|he|pa|ti|tis ⟨gr.-nlat.⟩ die; -, ...iti|den: Entzündung des Bauchfellüberzuges der Leber (Med.)

Pe|ri|kam|bi|um das; -s, ...ien: Perizykel

Pe|ri|kard ⟨gr.-nlat.⟩ das; -s, -e, (fachspr.:) Perikardium u. Pericardium das; -s, ...ien: aus zwei ↑ epithelialen Schichten (↑ Myokard u. ↑ Epikard) bestehende äußerste Umhüllung des Herzens; Herzbeutel (Med.). **Pe|ri|kard|ek|to|mie*** die; -, ...ien: operative Entfernung des Herzbeutels (Med.). **pe|ri|kar|di|al**: zum Herzbeutel gehörend, ihn betreffend (Med.). **Pe|ri|kar|di|o|to|mie** die; -, ...ien: operative Öffnung des Herzbeutels (Med.). **Pe|ri|kar|di|tis** die; -, ...iti|den: Herzbeutelentzündung (Med.). **Pe|ri|kar|di|um** vgl. Perikard

Pe|ri|karp ⟨gr.-nlat.⟩ das; -s, -e: Fruchtwand der Früchte von Samenpflanzen (Bot.)

Pe|ri|klas* ⟨gr.-nlat.⟩ der; - u. -es, -e: ein Mineral

pe|ri|klin* ⟨gr.-nlat.⟩: parallel zur Organoberfläche verlaufend (von Zellteilungen, z. B. im Bildungsgewebe der Pflanzensprossen; Biol.). **Pe|ri|klin** der; -s, -e: ein Mineral. **Pe|ri|kli|nal|chi|mä|re** die; -, -n: Chimäre (2 a); Pfropfbastard mit übereinander geschichteten, genetisch verschiedenen Gewebearten (Biol.)

pe|ri|kli|tie|ren* ⟨lat.⟩: (veraltet) sich einer Gefahr aussetzen, Ge-

fahr laufen; wagen, unternehmen

Pe|ri|ko|pe ⟨gr.-mlat.⟩ die; -, -n: 1. zur gottesdienstlichen Verlesung als ↑ Evangelium (2 b) u. ↑ Epistel (2) vorgeschriebener Bibelabschnitt. 2. Strophengruppe, metrischer Abschnitt (Metrik)

Pe|ri|kra|ni|um* vgl. Pericranium

pe|ri|kul|lös ⟨lat.⟩: (veraltet) misslich; gefährlich

Pe|ri|l|la ⟨ind.; lat.⟩ die; -: Gattung von Lippenblütlern, deren Samen technisch verwertbare Öle liefern

Pe|ri|lun ⟨gr.-lat.⟩ das; -s, -e: mondnächster Punkt der Umlaufbahn eines Raumflugkörpers

Pe|ri|mag|ma|tisch ⟨gr.-nlat.⟩: um die Schmelze herum entstanden (von Erzlagerstätten; Geol.)

¹Pe|ri|me|ter ⟨gr.⟩ der; -s, -: (veraltet) Umfang einer Figur (Math.). **²Pe|ri|me|ter** das; -s, -: Gerät zur Bestimmung des Gesichtsfeldumfangs (Med.).

Pe|ri|me|ter|gel|büh|ren ⟨gr.; dt.⟩ die (Plural): (schweiz.) Anliegergebühren. **Pe|ri|met|rie*** die; -, -: Bestimmung der Grenzen des Gesichtsfeldes (Med.). **pe|ri|met|rie|ren*** ⟨gr.-nlat.⟩: das Gesichtsfeld ausmessen, bestimmen (Med.). **pe|ri|met|risch***: den Umfang des Gesichtsfeldes betreffend (Med.)

Pe|ri|met|ri|tis* ⟨gr.-nlat.⟩ die; -, ...iti|den: Entzündung des Perimetriums (Med.). **Pe|ri|met|ri|um** das; -s, ...tria u. ...trien: Bauchfellüberzug der Gebärmutter (Med.)

pe|ri|na|tal ⟨gr.-nlat.⟩: den Zeitraum kurz vor, während und nach der Entbindung betreffend, während dieser Zeit eintretend, in diesen Zeitraum fallend (Med.). **Pe|ri|na|to|lo|ge** der; -n, -n: Wissenschaftler auf dem Gebiet der Perinatologie (Med.). **Pe|ri|na|to|lo|gie** die; -: Teilgebiet der Medizin, dessen Schwerpunkt in der Erforschung des Lebens u. der Lebensgefährdung von Mutter u. Kind vor, während u. nach der Geburt liegt (Med.). **Pe|ri|ne|en:** Plural von ↑ Perineum

Pe|ri|noph|ri|tis* ⟨gr.⟩ die; -, ...iti|den: Entzündung des Bauchfellüberzuges der Niere (Nierenkapsel; Med.)

Pe|ri|ne|um ⟨gr.⟩ das; -s, ...nea u. ...neen: Damm, Weichteilbrücke zwischen After u. äußeren Geschlechtsteilen (Med.).

Pe|ri|neu|ri|tis ⟨gr.-nlat.⟩ die; -, ...iti|den: Entzündung des die Nerven umgebenden Bindegewebes (Med.). Pe|ri|neu|ri|um das; -s, ...ria u. ...rien: Nervenscheide, Nervenhülle (Med.) Pe|ri|o|de ⟨gr.-lat.(-mlat.)⟩ die; -, -n: 1. durch etwas Bestimmtes (z. B. Ereignisse, Persönlichkeiten) charakterisierter Zeitabschnitt, -raum. 2. etwas periodisch Auftretendes, regelmäßig Wiederkehrendes. 3. Umlaufzeit eines Sternes (Astron.). 4. Zeitabschnitt einer ↑ Formation (5 a) der Erdgeschichte (Geol.). 5. Schwingungsdauer (Elektrot.). 6. Zahl od. Zahlengruppe einer unendlichen Dezimalzahl, die sich ständig wiederholt (z. B. 0,646464; Math.). 7. Verbindung von zwei od. mehreren Kola (vgl. Kolon 2) zu einer Einheit (Metrik). 8. meist mehrfach zusammengesetzter, kunstvoll gebauter längerer Satz; Satzgefüge, Satzgebilde (Sprachw.; Stilk.). 9. in sich geschlossene, meist aus acht Takten bestehende musikalische Grundform (Mus.). 10. Monatsblutung, Regel, ↑ Menstruation (Med.). Pe|ri|o|den|system* das; -s: ↑ periodisches System. Pe|ri|o|di|cum vgl. Periodikum. Pe|ri|o|dik ⟨gr.⟩ die; -: Periodizität. Pe|ri|o|di|kum u. Periodicum ⟨gr.-lat.⟩ das; -s, ...ka (meist Plural): periodisch erscheinende Schrift (z. B. Zeitung, Zeitschrift). pe|ri|o|disch: regelmäßig auftretend, wiederkehrend; periodisches System: natürliche Anordnung der chemischen Elemente nach steigenden Atomgewichten u. entsprechenden, periodisch wiederkehrenden Eigenschaften (Chem.). pe|ri|o|di|sie|ren ⟨gr.-nlat.⟩: in Zeitabschnitte einteilen. Pe|ri|o|di|zi|tät die; -: regelmäßige Wiederkehr. Pe|ri|o|do|gramm das; -s, -e: Aufzeichnung, grafische Darstellung eines periodisch verlaufenden od. periodische Bestandteile enthaltenden Vorgangs, Ablaufs, Geschehens (Wirtsch.; Techn.). Pe|ri|o|do|lo|gie die; -: Lehre vom Bau musikalischer Sätze (Mus.). Pe|ri|o|don|ti|tis ⟨gr.-nlat.⟩ die; -, ...iti|den: Wurzelhautentzündung (Med.). Pe|ri|ö|ke ⟨gr.; „Umwohner"⟩ der; -n, -n: freier u. grundeigentumsberechtigter, aber politisch rechtloser Bewohner des antiken Sparta

pe|ri|o|ral ⟨gr.; lat.-nlat.⟩: um den Mund herum [liegend] (Med.) Pe|ri|or|chi|tis ⟨gr.-nlat.⟩ die; -, ...iti|den: Hodenscheidenhautentzündung (Med.) Pe|ri|ost ⟨gr.⟩ das; -[e]s, -e: Knochenhaut (Med.). pe|ri|os|tal ⟨gr.-nlat.⟩: die Knochenhaut betreffend (Med.). Pe|ri|os|ti|tis die; -, ...iti|den: Knochenhautentzündung (Med.) Pe|ri|pa|te|ti|ker ⟨gr.-lat.⟩ der; -s, - (meist Plural): Schüler des Aristoteles (nach dem Wandelgang der Schule, dem Peripatos; Philos.). pe|ri|pa|te|tisch: die Peripatetiker betreffend. Pe|ri|pa|tos ⟨gr.⟩ der; -: Wandelgang, Teil der Schule in Athen, wo Aristoteles lehrte Pe|ri|pe|tie ⟨gr.⟩ die; -, ...ien: entscheidender Wendepunkt, Umschwung, bes. im Drama pe|ri|pher ⟨gr.-lat.⟩: 1. am Rande befindlich, an der ↑ Peripherie (2) liegend. 2. an der zentrale Einheit einer elektronischen Rechenanlage angeschlossen od. anschließbar (EDV). Pe|ri|phe|rie die; -, ...ien: 1. Umfangslinie, bes. des Kreises (Math.). 2. Rand, Randgebiet (z. B. Stadtrand). pe|ri|phe|risch: (veraltet) peripher Pe|ri|phra|se ⟨gr.-lat.⟩ die; -, -n: 1. Umschreibung eines Begriffs, einer Person od. Sache durch kennzeichnende Eigenschaften (z. B. der Allmächtige für Gott). 2. ↑ Paraphrase (2). pe|ri|phra|sie|ren ⟨gr.-nlat.⟩: eine Periphrase (1) von etwas geben. pe|ri|phras|tisch: die Periphrase (1) betreffend, umschreibend; periphrastische Konjugation: Konjugation des Verbs, die sich umschreibender Formen bedient (z. B. ich werde schreiben; Sprachw.) Pe|ri|plas|ma ⟨gr.-nlat.⟩ das; -s: der Zellwand anliegendes ↑ Plasma (1) (Biol.) Pe|ri|pleu|ri|tis* ⟨gr.-nlat.⟩ die; -, ...iti|den: Entzündung des zwischen Rippenfell u. Brustwand gelegenen Bindegewebes (Med.) Pe|ri|po|ri|tis* ⟨gr.-nlat.⟩ die; -, ...iti|den: durch Eiterreger hervorgerufene pustulöse Entzündung der Schweißdrüsen der Haut; Porenschwären (bei Säuglingen; Med.) Pe|ri|prok|ti|tis ⟨gr.-nlat.⟩ u. Paraproktitis die; -, ...iti|den: Entzün-

dung des den After u. den Mastdarm umgebenden Bindegewebes (Med.) Pe|rip|te|ral|tem|pel* ⟨gr.-nlat.; lat.⟩ der; -s, -: Peripteros. Pe|rip|te|ros ⟨gr.-lat.⟩ der; -, - od. ...te|ren: griechischer Tempel mit einem umlaufenden Säulengang pe|ri|re|nal ⟨gr.; lat.⟩: die Umgebung der Nieren betreffend, in der Umgebung der Niere [liegend] (Med.) Pe|ri|sal|pin|gi|tis ⟨gr.-nlat.⟩ die; -, ...iti|den: Entzündung des Bauchfellüberzuges der Eileiter (Med.) Pe|ri|skop* ⟨gr.-nlat.⟩ das; -s, -e: [ausfahrbares, drehbares] Fernrohr mit geknicktem Strahlengang (z. B. Sehrohr für Unterseeboote). pe|ri|sko|pisch: die Art, mithilfe eines Periskops Pe|ri|sperm ⟨gr.-nlat.⟩ das; -s, -e: vom Gewebekern der Samenanlage gebildetes Nährgewebe vieler Samen (Bot.) Pe|ri|sple|ni|tis* ⟨gr.-nlat.⟩ die; -, ...iti|den: Entzündung des Bauchfellüberzuges der Milz (Med.) Pe|ris|po|me|non* ⟨gr.-lat.⟩ das; -s, ...na: im der griechischen Betonungslehre Wort mit einem ↑ Zirkumflex auf der letzten Silbe (z. B. griech. φιλῶ = „ich liebe"); vgl. Properispomenon Pe|ris|tal|tik* ⟨gr.⟩ die; -: von den Wänden der muskulösen Hohlorgane (z. B. des Magens, Darms u. Harnleiters) ausgeführte Bewegung, bei der sich die einzelnen Organabschnitte nacheinander zusammenziehen u. so den Inhalt des Hohlorgans transportieren (Med.). pe|ris|tal|tisch: die Peristaltik betreffend (Med.) Pe|ris|ta|se* ⟨gr.⟩ die; -, -n: neben den ↑ Genen auf die Entwicklung des Organismus einwirkende Umwelt (Vererbungslehre). pe|ris|ta|tisch: 1. (veraltet) ausführlich, umständlich. 2. die Peristase betreffend; umweltbedingt (Vererbungslehre) Pe|ris|te|ri|um* ⟨gr.-mlat.⟩ das; -s, ...ien: mittelalterliches Hostiengefäß in Gestalt einer Taube Pe|ris|tom* ⟨gr.-nlat.⟩ das; -s: 1. besonders ausgeprägtes Mundfeld bei niederen Tieren (z. B. bei Wimpertierchen, Seeigeln; Zool.). 2. aus Zähnen gebildeter Mundbesatz an der Sporenkapsel von Laubmoosen (Bot.) Pe|ris|tyl* ⟨gr.-lat.⟩ das; -s, -e u. Pe|ris|ty|li|um das; -s, ...ien von Säulen umgebener Innenhof eines antiken Hauses

Pe|ri|the|zi|um ⟨gr.-nlat.⟩ das; -s, ...ien: kugel- bis flaschenförmiger Fruchtkörper der Schlauchpilze (Bot.)

pe|ri|to|ne|al ⟨gr.-nlat.⟩: zum Bauchfell gehörend, das Bauchfell betreffend (Med.). Pe|ri|to|ne|um ⟨gr.-lat.⟩ das; -s, ...neen: die Bauchhöhle auskleidende Haut; Bauchfell (Med.). Pe|ri|to|ni|tis ⟨gr.-nlat.⟩ die; -, ...itiden: Bauchfellentzündung (Med.)

pe|rit|rich* ⟨gr.-nlat.⟩: auf der ganzen Oberfläche mit Geißeln besetzt (von Mikroorganismen, z. B. Typhusbakterien; Med.; Biol.)

Pe|ri|zy|kel ⟨gr.-nlat.⟩ der; -s, -: äußerste Zellschicht des Zentralzylinders der Wurzel (Bot.)

Per|jo|dat ⟨lat.; gr.-fr.-nlat.⟩ das; -[e]s, -e: Salz der Überjodsäure (Chem.)

Per|ju|rant ⟨lat.-nlat.⟩ der; -en, -en: (veraltet) Meineidiger (Rechtsw.). Per|ju|ra|ti|on die; -, -en: (veraltet) Meineid (Rechtsw.)

Per|kal ⟨pers.-türk.-fr.⟩ der; -s, -e: feinfädiger [bedruckter] Baumwollstoff in Leinwandbindung (Webart). Per|ka|lin ⟨pers.-türk.-fr.-nlat.⟩ das; -s, -e: stark appretiertes Baumwollgewebe für Bucheinbände

Per|ko|lat ⟨lat.⟩ das; -[e]s, -e: durch Perkolation gewonnener Pflanzenauszug. Per|ko|la|ti|on ⟨„das Durchseihen“⟩ die; -, -en: Verfahren zur Gewinnung von Pflanzenauszügen aus gepulverten Pflanzenteilen durch Kaltextraktion. Per|ko|la|tor ⟨lat.-nlat.⟩ der; -s, ...oren: Apparat zur Herstellung von Pflanzenauszügen. per|ko|lie|ren ⟨lat.⟩: Pflanzenauszüge durch Perkolation gewinnen

Per|kus|si|on ⟨lat.⟩ die; -, -en: 1. Organuntersuchung durch Beklopfen der Körperoberfläche u. Deutung des Klopfschalles (Med.). 2. Zündung durch Stoß od. Schlag (z. B. beim Perkussionsgewehr im 19. Jh.). 3. Anschlagvorrichtung beim Harmonium, die bewirkt, dass zum klareren Toneinsatz zuerst Hämmerchen gegen die Zungen schlagen; vgl. Percussion. per|kus|siv ⟨lat.-nlat.⟩: vorwiegend vom [außerhalb des melodischen u. tonalen Bereichs liegenden] Rhythmus geprägt, bestimmt; durch rhythmische Geräusche erzeugt, hervorgebracht (Mus.).

per|kus|so|risch: die Perkussion (1) betreffend, durch sie nachweisbar (Med.)

per|ku|tan ⟨lat.-nlat.⟩: durch die Haut hindurch (z. B. bei der Anwendung einer Salbe; Med.)

per|ku|tie|ren ⟨lat.⟩: eine Perkussion (1) durchführen, Körperhohlräume zur Untersuchung abklopfen, beklopfen (Med.).

per|ku|to|risch: ↑ perkussorisch

Per|lé [...'le:] ⟨lat.-vulgärlat.-fr.⟩ der; -[s], -s: weicher, flauschartiger Mantelstoff mit perlartigen Flocken auf der rechten Seite

Per|lèche [...'lɛʃ] ⟨fr.⟩ die; -, -s: Entzündung der Mundwinkel mit Bildung von ↑ Rhagaden

per|lin|gu|al ⟨lat.-nlat.⟩: durch die Zungenschleimhaut wirkend (bezogen auf Arzneimittel, die von der Oberfläche der Zunge aus resorbiert werden; Med.)

Per|lit [auch: ...'lɪt] ⟨lat.-vulgärlat.-fr.-nlat.⟩ der; -s, -e: 1. Gefügebestandteil des Stahls (Gemenge von Ferrit u. Zementit). 2. ein glasig erstarrtes Gestein.

per|li|tisch [auch: ...'lɪt...]: 1. aus Perlit (1) bestehend. 2. perlenartig (von der Struktur glasiger Gesteine)

Per|lo|ku|ti|on ⟨lat.-nlat.⟩ die; -, -en: Sprechhandlung, die eine Wirkung auf den Hörer ausübt, Konsequenzen für ihn, sein Verhalten hat. per|lo|ku|ti|o|när: die Perlokution betreffend (Sprachw.); perlokutionärer Akt: Sprechakt im Hinblick auf die Konsequenzen der Aussage (z. B. die Wirkung auf die Gefühle, Gedanken u. Handlungen des Hörers); illokutionärer Akt, lokutionärer Akt. per|lo|ku|tiv: perlokutionär, perlokutiver Akt: ↑ perlokutionärer Akt

Per|lon ® ⟨Kunstw.⟩ das; -s: sehr haltbare Kunstfaser

per|lu|die|ren ⟨lat.-vulgärlat.⟩: (veraltet) vortäuschen, vorspiegeln. Per|lu|si|on die; -, -en: (veraltet) Vortäuschung, Vorspiegelung. per|lu|so|risch (veraltet) vorspiegelnd; scherzend

Per|lust|ra|ti|on* ⟨lat.-nlat.⟩ die; -, -en: (österr.) das Anhalten u. Durchsuchen [eines Verdächtigen] zur Feststellung der Identität o. Ä.; vgl. ...[at]ion/...ierung. per|lust|rie|ren ⟨lat.⟩: (österr.) [einen Verdächtigen] anhalten u. genau durchsuchen; jmdn. zur Feststellung der Identität anhalten. Per|lust|rie|rung die; -, -en: das Perlustrieren; vgl. ...[at]ion/ ...ierung

¹Perm ⟨nach dem alten Königreich Permia (dem ehemaligen russ. Gouvernement Perm)⟩ das; -s: jüngste erdgeschichtliche Formation des ↑ Paläozoikums (umfasst Rotliegendes u. Zechstein; Geol.)

²Perm ⟨Kurzform von ↑ permeabel⟩ das; -s, -: frühere Einheit für die spezifische Gasdurchlässigkeit fester Stoffe; Abk.: Pm

Per|mal|loy [...'lɔy, auch: ...'lɔa] ⟨engl.⟩ das; -s: magnetisch stark ansprechbare Nickel-Eisen-Legierung

per|ma|nent ⟨lat.⟩: dauernd, anhaltend, ununterbrochen, ständig. per|ma|nent press ['pɔːmənənt -] ⟨engl.⟩: formbeständig, bügelfrei (Hinweis an Kleidungsstücken). Per|manent|weiß das; -[es]: ↑ Barytweiß. Per|ma|nenz ⟨lat.-nlat.⟩ die; -: ununterbrochene, permanente Dauer. Per|ma|nen|z|the|o|rie die; -: Annahme, nach der Kontinente u. Ozeane während der Erdgeschichte eine der heutigen Verteilung weitgehend gleichende Anordnung hatten (Geol.)

Per|man|ga|nat ⟨lat.; gr.-lat.-nlat.⟩ das; -s, -e: hauptsächlich als Oxidations- u. Desinfektionsmittel verwendetes, als wässrige Lösung stark violett gefärbtes Salz der Übermangansäure. Per|man|gan|säu|re ⟨lat.; gr.-lat.; dt.⟩ die; -: Übermangansäure

per|me|a|bel ⟨lat.⟩: durchdringbar, durchlässig. Per|me|a|bi|li|tät ⟨lat.-nlat.⟩ die; -: 1. Durchlässigkeit von bestimmten Materialien für bestimmte Stoffe, bes. Durchlässigkeit von Scheidewänden (Fachspr.). 2. im magnetischen Feld das Verhältnis zwischen magnetischer Induktion u. magnetischer Feldstärke. 3. Verhältnis der tatsächlich im Leckfall in die Schiffsräume eindringenden Wassermenge zum theoretischen Rauminhalt (Schiffsbau)

per mil|le: ↑ pro mille

per|misch: das ¹Perm betreffend

Per|miss ⟨lat.⟩ der; -es, -e: (veraltet) Erlaubnis, Erlaubnisschein. Per|mis|si|on die; -, -en: (veraltet) Erlaubnis. Per|mis|siv ⟨lat.-nlat.⟩ die; -: Einhaltung bestimmter Verhaltensnormen nur locker kontrollierend; in nicht ↑ autoritärer (2 b) Weise gewähren lassend (Soziol.). Per|mis|si|vi|tät die; -: freies, permissives Gewährenlassen (Soziol.). Per|mit ['pɔ:mɪt] ⟨*lat.-fr.-engl.*⟩ *das;* -s, -s: engl. Bez. für: Erlaubnis, Erlaubnisschein. **per|mit|tie|ren** ⟨*lat.*⟩: (veraltet) erlauben, zulassen

Per|mo|kar|bon *das;* -s: die als Einheit gesehenen geologischen Zeiten ↑¹Perm u. ↑Karbon **per|mu|ta|bel** ⟨*lat.*⟩: aus-, vertauschbar (Math.). **Per|mu|ta|ti|on** *die;* -, -en: 1. Vertauschung, Umstellung. 2. Umstellung in der Reihenfolge bei einer Zusammenstellung einer bestimmten Anzahl geordneter Größen, Elemente (Math.). 3. Umstellung aufeinander folgender sprachlicher Elemente einer ↑linearen Redekette bei Wahrung der Funktion dieser Elemente; Umstellprobe, Verschiebeprobe (Sprachw.). **per|mu|tie|ren:** 1. vertauschen, umstellen. 2. die Reihenfolge in einer Zusammenstellung einer bestimmten Anzahl geordneter Größen, Elemente ändern (Math.). 3. eine Permutation (3), Umstellprobe vornehmen (Sprachw.). **Per|mu|tit** [auch: ...'tɪt] ⟨*lat.-nlat.*⟩ *das;* -s, -e: Ionenaustauscher vom Typ der ↑Zeolithe, der zur Wasserenthärtung dient (Chem.) **Per|nam|buk|holz** ⟨nach dem bras. Staat Pernambuko⟩ *das;* -es: ↑Brasilholz **per|na|sal** ⟨*lat.-nlat.*⟩: durch die Nase (z.B. von der Anwendung eines Arzneimittels; Med.) **per ne|fas** ⟨*lat.*⟩: (veraltet) auf widerrechtliche Weise; vgl. Nefas **per|ne|gie|ren** ⟨*lat.-nlat.*⟩: (veraltet) vollkommen verneinen, rundweg abschlagen **Per|nio** ⟨*lat.*⟩ *der;* -, ...iones u. ...ionen (meist Plural): Frostbeule (Med.). **Per|ni|o|se** u. **Per|ni|o|sis** ⟨*lat.-nlat.*⟩ *die;* -, ...sen: 1. Auftreten von Frostbeulen. 2. auf Gewebsschädigung durch Kälte beruhende Hautkrankheit, Frostschäden der Haut **per|ni|zi|ös** ⟨*lat.-fr.*⟩: bösartig, unheilbar (Med.); **perniziöse Anämie:** schwere Blutkrankheit, die durch den Mangel an einem in der Magenwand produzierten Enzym hervorgerufen wird (Med.) **Per|no** ⟨*lat.-it.*⟩ *der;* -s, -s: Stachel des Violoncellos **Per|nod** ® [...'no:] ⟨*fr.*⟩ *der;* -[s], -[s]: aus echtem Wermut, Anis u. anderen Kräutern hergestelltes alkoholisches Getränk **Pe|ro|nis|mus** ⟨*nlat.;* nach dem argentinischen Staatspräsidenten Perón, 1895–1974⟩ *der;* -: Bewegung mit politisch-sozialen [u. diktatorischen] Zielen in Argentinien. **Pe|ro|nist** *der;* -en, -en: Anhänger Peróns. **pe|ro|nis|tisch:** den Peronismus betreffend, auf ihm beruhend, in der Art des Peronismus **Pe|ro|nos|po|ra*** ⟨*gr.-nlat.*⟩ *die;* -: Pflanzenkrankheiten hervorrufende Gattung von Algenpilzen **per|oral** ⟨*lat.-nlat.*⟩: durch den Mund, über den Verdauungsweg (z.B. von der Anwendung eines Arzneimittels; Med.); vgl. per os. **Per|o|ra|ti|on** ⟨*lat.*⟩ *die;* -, -en: (veraltet) 1. mit besonderem Nachdruck vorgetragene Rede. 2. zusammenfassender Schluss einer Rede. **pe|ro|rie|ren:** (veraltet) 1. laut u. mit Nachdruck sprechen. 2. eine Rede zum Ende bringen. **per os** ⟨*lat.*⟩: durch den Mund (Anweisung für die Form der Einnahme von Medikamenten; Med.); vgl. peroral **Per|oxid,** auch: Peroxyd, (seltener:) Superoxid, auch: Superoxyd ⟨*lat.; gr.*⟩ *das;* -[e]s, -e: sauerstoffreiche chemische Verbindung. **Per|oxi|da|se,** auch: **Per|oxy|da|se** *die;* -, -n: Enzym, das die Spaltung von Peroxiden beschleunigt **per pe|des [a|pos|to|lo|rum]** [- ...de:s (-)] ⟨*lat.*⟩: (ugs. scherzh.) zu Fuß [wie die Apostel] **Per|pen|di|kel** ⟨*lat.;* „Richtblei, Senkblei"⟩ *der od. das;* -s, -: 1. Uhrpendel. 2. durch Vorder- u. Hintersteven gehende gedachte Senkrechte, deren Abstand voneinander die Länge des Schiffes angibt. **per|pen|di|ku|lar** u. **per|pen|di|ku|lär:** senkrecht, lotrecht. **Per|pen|di|ku|lar|stil** *der;* -[e]s: durch das Vorherrschen der senkrechten Linien gekennzeichneter Baustil der englischen Spätgotik (14.–16. Jh.) **per|pe|trie|ren*** ⟨*lat.*⟩: (veraltet) ausüben; begehen, verüben **per|pe|tu|ell** ⟨*lat.-fr.*⟩: (veraltet) beständig, fortwährend. **per|pe|tu|ie|ren:** ständig [in gleicher Weise] fortfahren, weitermachen; fortdauern. **per|pe|tu|ier|lich** ⟨*lat.; dt.*⟩: ↑perpetuell. **Per|pe|tu|um mo|bi|le** ⟨*lat.;* „das sich ständig Bewegende"⟩ *das;* -, - u. ...tua ...bilia: 1. utopische Maschine, die ohne Energiezufuhr dauernd Arbeit leistet. 2. Musikstück, das von Anfang bis Ende in gleichmäßig raschem Tempo verläuft (Mus.)

per|plex ⟨*lat.-fr.;* „verflochten, verworren"⟩: (ugs.) verwirrt, verblüfft, überrascht, bestürzt, betroffen. **Per|ple|xi|tät** *die;* -: Bestürzung, Verwirrung, Verlegenheit, Ratlosigkeit **per pro|cu|ra** ⟨*lat.-it.*⟩: in Vollmacht; Abk.: pp., ppa.; vgl. Prokura **per rec|tum** ⟨*lat.*⟩: durch den Mastdarm (von der Anwendung eines Medikaments, z.B. eines Zäpfchens; Med.); vgl. Rektum **Per|ron** [pe'rõ:, österr.: ...ro:n, schweiz.: 'pɛrõ] ⟨*gr.-lat.-vulgärlat.-fr.*⟩ *der;* -s, -s: (veraltet, aber noch schweiz.) Bahnsteig; Plattform **per sal|do** ⟨*it.*⟩: 1. aufgrund eines ↑Saldos; als Rest zum Ausgleich (auf einem Konto; Kaufmannsspr.). 2. (ugs.) überschlägig, alles in allem **per se** ⟨*lat.;* „durch sich"⟩: an sich, von selbst **Per|se|i|den** ⟨*gr.-nlat.*⟩ *die* (Plural): regelmäßig in der ersten Augusthälfte zu beobachtender Meteorstrom **Per|se|i|tät** ⟨*lat.-mlat.*⟩ *die;* -: das Durch-sich-selbst-Sein, das nur von sich abhängt (Aussage der Scholastiker über die erste Ursache, die Substanz od. Gott; Philos.) **Per|se|ku|ti|on** ⟨*lat.*⟩ *die;* -, -en: (veraltet) Verfolgung. **Per|se|ku|ti|ons|de|li|ri|um** *das;* -s, ...rien: Verfolgungswahn (Med.) **Per|sen|ning** u. Presenning ⟨*lat.-fr.-niederl.*⟩ *die;* -, -e[n] u. -s: 1. (ohne Plural) starkfädiges, wasserdichtes Gewebe für Segel, Zelte u.a. 2. Schutzbezug aus wasserdichtem Segeltuch **Per|se|ve|ranz** ⟨*lat.*⟩ *die;* -: Ausdauer, Beharrlichkeit. **Per|se|ve|ra|ti|on** *die;* -, -en: 1. Tendenz seelischer Erlebnisse u. Inhalte, im Bewusstsein zu verharren (Psychol.). 2. krankhaftes Verweilen bei ein u. demselben Denkinhalt; Hängenbleiben an einem Gedanken od. einer sprachlichen Äußerung ohne Rücksicht auf den Fortgang des Gesprächs (Med.; Psychol.). **Per|se|ve|rie|ren:** 1. bei etwas beharren; etwas ständig wiederholen. 2. hartnäckig immer wieder auftauchen (von Gedanken, Redewendungen, Melodien; Psychol.) **Per|shing** ['pɔ:ʃɪŋ] ⟨nach dem amerik. General J. J. Pershing, 1860–1948⟩ *die;* -, -s: Rakete, die in der Lage ist, ein Sprengmittel bis zu zirka 900 km Entfernung zu transportieren (Mil.)

Per|si|a|ner ⟨nach Persien⟩ *der;* -s, -: a) klein gelocktes Fell von Lämmern des Karakulschafes; b) Pelz aus Persianer (a)

Per|sif|la|ge [...ʒə] ⟨*vulgärlat.-fr.*⟩ *die;* -, -n: feine, geistreiche Verspottung durch übertreibende od. ironisierende Darstellung bzw. Nachahmung. **per|sif|lie|ren:** durch Persiflage auf geistreiche Art verspotten

Per|si|ko ⟨*gr.-lat.-vulgärlat.-fr.*⟩ *der;* -s, -s: Likör aus Pfirsich- od. Bittermandelkernen

Per|si|mo|ne ⟨*indian.-engl.-fr.*⟩ *die;* -, -n: essbare Frucht einer nordamerikanischen Dattelpflaumenart

Per|si|pan [auch: 'pɛr...] ⟨Kunstwort⟩ *das;* -s, -e: mithilfe von Pfirsich- od. Aprikosenkernen bereiteter Marzipanersatz

per|sis|tent* ⟨*lat.*⟩: anhaltend, dauernd, hartnäckig (Med.; Biol.). **Per|sis|tenz** ⟨*lat.-nlat.*⟩ *die;* -, -en: 1. (veraltet) Beharrlichkeit, Ausdauer; Eigensinn. 2. Bestehenbleiben eines Zustandes über längere Zeiträume (Med.; Biol.). **per|sis|tie|ren** ⟨*lat.*⟩: 1. (veraltet) auf etwas beharren, bestehen. 2. bestehen bleiben, fortdauern (von krankhaften Zuständen; Med.)

per|sol|vie|ren ⟨*lat.*⟩: 1. eine Schuld restlos zurückbezahlen (Wirtsch.). 2. (veraltet) Gebete sprechen; eine Messe lesen

Per|son ⟨*etrusk.-lat.*⟩ *die;* -, -en: 1. a) Mensch, menschliches Wesen; b) Mensch als individuelles geistiges Wesen, in seiner spezifischen Eigenart als Träger eines einheitlichen, bewussten Ichs; c) Mensch hinsichtlich seiner äußeren Eigenschaften. 2. Figur in einem Drama, Film o. Ä. 3. Frau, junges Mädchen. 4. (Rechtsw.) a) Mensch im Gefüge rechtlicher u. staatlicher Ordnung, als Träger von Rechten u. Pflichten; b) ↑ juristische Person. 5. (ohne Plural) Träger eines durch ein Verb gekennzeichneten Geschehens (z. B. ich gehe; Sprachw.); vgl. Personalform. **Per|so|na gra|ta** *die;* - -: Angehöriger des diplomatischen Dienstes, gegen dessen Aufenthalt in einem fremden Staat vonseiten der Regierung dieses Staates keine Einwände erhoben werden. **Per|so|na in-gra|ta** *die;* - -: Angehöriger des diplomatischen Dienstes, dessen [vorher genehmigter] Aufenthalt

in einem fremden Staat von der Regierung des betreffenden Staates nicht [mehr] gewünscht wird. **per|so|nal:** 1. die Person (1), den Einzelmenschen betreffend; von einer Einzelperson ausgehend; vgl. personell; vgl. ...al/...ell. 2. die Person (5) betreffend (Sprachw.). **Per|so|nal** ⟨*etrusk.-lat.-mlat.*⟩ *das;* -s: 1. Gesamtheit der Hausangestellten. 2. Gesamtheit der Angestellten, Beschäftigten in einem Betrieb o. Ä., Belegschaft. **Per|so|nal|ak|te** *die;*-, -n (meist Plural): Schriftstück, das persönliche Angaben über einen Menschen enthält. **Per|so|nal|com|pu|ter** ⟨*(lat.-)engl.*⟩ *der;* -s, -: kleinerer, aber leistungsfähiger Computer, der bes. im kaufmännischen Bereich u. in der Textverarbeitung eingesetzt wird; Abk.: PC. **Per|so|nal|le** *das;* -s, ...lia u. ...lien: 1. persönliches Verb, das in allen drei Personen (5) gebraucht wird (Sprachw.); Ggs. ↑Impersonale. 2. (veraltet) Personalie (1 a). **Per|so|nal|form** *die;* -, -en: ↑ finite Form, Form des Verbs, die die Person (5) kennzeichnet (z. B. er geht; Sprachw.). **Per|so|na|lie** [...jə] ⟨*etrusk.-lat.*⟩ *die;* -, -n: 1. (Plural) a) Angaben zur Person (wie Name, Lebensdaten usw.); b) [Ausweis]papiere, die Angaben zur Person enthalten. 2. Einzelheit, die jmds. persönliche Verhältnisse betrifft. **Per|so|nal|in|spi|ra|ti|on*** *die;* -: Einwirkung des Heiligen Geistes auf das persönlich bestimmte Glaubenszeugnis der Verfasser biblischer Schriften (theologische Lehre); vgl. Realinspiration, Verbalinspiration. **per|so|nal|in|ten|siv:** viele Arbeitskräfte erfordernd (Wirtsch.). **per|so|na|li|sie|ren:** auf Einzelpersonen ausrichten. **Per|so|nal|is|mus** ⟨*etrusk.-lat.-nlat.*⟩ *der;* -: 1. (im philosophisch-theologischen Sprachgebrauch) Glaube an einen persönlichen Gott. 2. Richtung der modernen Philosophie, die den Menschen als eine in ständigen Erkenntnisprozessen stehende, handelnde, wertende, von der Umwelt beeinflusste u. ihre Umwelt selbst beeinflussende Person (1 b) sieht. 3. psychologische Lehre, die der erlebende u. erlebnisfähige Person (1 b) u. deren Beziehung zu ihrer Umwelt in den Mittelpunkt ihrer Forschung stellt. **Per|so|na|list** *der;* -en, -en: Vertreter des Per-

sonalismus (2 b u. 3). **per|so|na|lis|tisch:** den Personalismus (2 b u. 3) betreffend. **Per|so|na|li|tät** *die;* -, -en: Persönlichkeit; Gesamtheit der das Wesen einer Person ausmachenden Eigenschaften. **Per|so|na|li|täts|prin|zip** *das;* -s: Grundsatz des internationalen Strafrechts, bestimmte Straftaten nach den im Heimatrecht des Täters gültigen Gesetzen abzuurteilen (Rechtsw.); Ggs. ↑Territorialitätsprinzip. **per|so|na|li|ter** ⟨*etrusk.-lat.*⟩: in Person, persönlich, selbst. **Per|so|na|li|ty|show** [pɔːsə'nælɪtɪʃou] ⟨*engl.-amerik.*⟩ *die;* -, -s: Show, Unterhaltungssendung im Fernsehen, in der die Fähigkeiten eines Künstlers [u. besonders dessen Vielseitigkeit] demonstriert werden sollen. **Per|so|nal|kre|dit** *der;* -[e]s, -e: Kredit, der ohne Sicherung im Vertrauen auf die Fähigkeit des Schuldners zur Rückzahlung gewährt wird (Wirtsch.). **Per|so|nal|pro|no|men** *das;* -s, - u. ...mina: persönliches Fürwort (z. B. er, wir; Sprachw.). **Per|so|nal|uni|on** *die;* -: 1. Vereinigung von Ämtern in der Hand einer Person. 2. (hist.) [durch Erbfolge bedingte] zufällige Vereinigung selbstständiger Staaten unter einem Monarchen. **Per|so|na non gra|ta** *die;* - - -: ↑ Persona ingrata. **Per|so|nal|kult** *der;* -[e]s, -e (Plural selten): (abwertend) übertriebene persönliche Verehrung einer politischen Führungspersönlichkeit. **Per|so|ni|fi|ka|ti|on** ⟨*etrusk.-lat.; gr.*⟩ *die;* -, -en: Vermenschlichung von Göttern, Begriffen od. leblosen Dingen (z. B. die Sonne lacht); vgl. ...[at]ion/...ierung. **per|so|ni|fi|zie|ren:** vermenschlichen. **Per|so|ni|fi|zie|rung** *die;* -, -en: das Personifizieren; vgl. ...[at]ion/...ierung. **Per|so|no|id** ⟨*etrusk.-lat.; gr.*⟩ *der;* -n, -n: Vorform der Person bei noch fehlender Ausbildung der einheitstiftenden Ichfunktion (bes. beim Kleinkind; Psychol.)

per|spek|tiv: ↑perspektivisch. **Per|spek|tiv** ⟨lat.-mlat.⟩ das; -s, -e: kleines Fernrohr. **Per|spek|ti|ve** die; -, -n: 1. a) Betrachtungsweise, -möglichkeit von einem bestimmten Standpunkt aus; Sicht, Blickwinkel; b) Aussicht für die Zukunft. 2. dem Augenschein entsprechende ebene Darstellung räumlicher Verhältnisse u. Gegenstände. **per|spek|ti|visch** 1. die Perspektive (1 b) betreffend; in die Zukunft gerichtet, planend. 2. die Perspektive (2) betreffend, ihren Regeln entsprechend. **Per|spek|ti|vis|mus** ⟨lat.-mlat.-nlat.⟩ der; -: Prinzip, wonach die Erkenntnis der Welt durch die jeweilige Perspektive des Betrachters bedingt ist (Philos.). **Per|spek|ti|vi|tät** die; -: besondere projektive Abbildung, bei der alle Geraden eines Punktes zu seinem Bildpunkt durch einen festen Punkt gehen (Math.). **Per|spek|to|graph**, auch: ...graf ⟨lat.; gr.⟩ der; -en, -en: Zeicheninstrument, mit dessen Hilfe ein perspektivisches Bild als Grund- u. Aufriss eines Gegenstandes mechanisch gezeichnet werden kann. **Per|spi|ku|li|tät** ⟨lat.⟩ die; -: (veraltet) Durchsichtigkeit; Deutlichkeit, Klarheit

Per|spi|ra|ti|on ⟨lat.-nlat.⟩ die; -: Hautatmung (Med.). **per|spi|ra|to|risch**: die Perspiration betreffend, auf ihr beruhend

per|sua|die|ren ⟨lat.⟩: überreden. **Per|sua|si|on** die; -, -en: Überredung. **Per|sua|si|ons|the|ra|pie** die; -, -n: seelische Behandlung durch Belehrung des Patienten über die ursächlichen Zusammenhänge seines Leidens u. durch Zureden zur eigenen Mithilfe bei der Heilung (Psychol.). **per|sua|siv** u. **per|sua|so|risch**: überredend, zum Überzeugen, Überreden geeignet; vgl. ...iv/...orisch

Per|sul|fat ⟨lat.-nlat.⟩ das; -[e]s, -e: Salz der Überschwefelsäure

Per|thit [auch: ...'tıt] ⟨nlat.; nach der kanadischen Stadt Perth⟩ der; -s, -e: ein Mineral

Per|ti|nens ⟨lat.⟩ das; -, ...nenzien u. **Per|ti|nenz** ⟨lat.-mlat.⟩ die; -, -en: Zugehörigkeit. **Per|ti|nenz|da|tiv** der; -s, -e: Dativ, der die Zugehörigkeit angibt u. durch ein Genitivattribut od. Possessivpronomen ersetzt werden kann; Zugehörigkeitsdativ (z. B. der Regen tropfte *mir* auf den Hut = auf meinen Hut; Sprachw.)

Per|tu|ba|ti|on ⟨lat.⟩ die; -, -en: Eileiterdurchblasung (Med.) **Per|tur|ba|ti|on** ⟨lat.⟩ die; -, -en: 1. Verwirrung, Störung. 2. Störung in den Bewegungen eines Sterns (Astron.)

Per|tus|sis ⟨lat.-nlat.⟩ die; -, ...sses [...se:s]: Keuchhusten (Med.)

Pe|rul|bal|sam ⟨nach dem südamerik. Staat Peru⟩ der; -s: von einem mittelamerikanischen Baum gewonnener Wundbalsam **Pe|rü|cke** ⟨fr.⟩ die; -, -n: 1. zu einer bestimmten Frisur gearbeiteter Haarersatz aus echten od. künstlichen Haaren. 2. krankhafte Gehörn-, seltener Geweihwucherung (Jagdw.)

per ul|ti|mo ⟨lat.-it.; „am letzten"⟩: am Monatsende [ist Zahlung zu leisten]

Pe|ru|rin|de ⟨nach dem südamerik. Staat Peru⟩ die; -: (veraltet) Chinarinde

per|vers ⟨lat.(-fr.); „verdreht"⟩: andersartig veranlagt, empfindend; von der Norm abweichend, bes. in sexueller Hinsicht. **Per|ver|si|on** die; -, -en: krankhafte Abweichung vom Normalen, bes. in sexueller Hinsicht. **Per|ver|si|tät** die; -, -en: 1. (ohne Plural) das Perverssein. 2. Erscheinungsform der Perversion; perverse Verhaltensweise. **per|ver|tie|ren**: 1. vom Normalen abweichen, entarten. 2. verdrehen, verfälschen; ins Abnormale verkehren. **Per|ver|tiert|heit** die; -, -en: 1. (ohne Plural) das Pervertiertsein. 2. das Pervertieren, Verkehrung ins Abnormale. 2. das Pervertiertsein, Entartung

Per|ves|ti|gal|ti|on ⟨lat.⟩ die; -, -en: (veraltet) Durchsuchung

Per|vi|gi|li|en ⟨lat.⟩ die (Plural): 1. altrömische religiöse Nachtfeier. 2. (veraltet) Vigil

Per|vi|tin ® ⟨lat.-nlat.⟩ das; -s: Weckamin, stark belebendes, psychisch anregendes Kreislaufmittel (Med.)

Per|zent ⟨nlat.⟩ das; -[e]s, -e: (österr.) Prozent. **per|zen|tu|ell**: (österr.) prozentual

per|zep|ti|bel ⟨lat.⟩: wahrnehmbar, fassbar (Philos.). **Per|zep|ti|bi|li|tät** ⟨lat.-nlat.⟩ die; -: Wahrnehmbarkeit, Fasslichkeit, Wahrnehmungsfähigkeit (Philos.). **Per|zep|ti|on** ⟨lat.⟩ die; -, -en: 1. sinnliche Wahrnehmung als erste Stufe der Erkenntnis im Unterschied zur ↑Apperzeption (1) (Philos.). 2. Reizaufnahme durch Sinneszellen od. -organe (Med.; Biol.). **Per|zep|ti|o|na|lis|mus** ⟨lat.-nlat.⟩ der; -: philosophische Lehre, nach der die Wahrnehmung allein die Grundlage des Denkens u. Wissens bildet (Philos.). **per|zep|tiv**: ↑perzeptorisch; vgl. ...iv/...orisch. **Per|zep|ti|vi|tät** die; -: Aufnahmefähigkeit. **per|zep|to|risch**: die Perzeption betreffend; vgl. ...iv/...orisch. **Per|zi|pi|ent** ⟨lat.⟩ der; -en, -en: Empfänger. **per|zi|pie|ren**: 1. sinnlich wahrnehmen im Unterschied zum ↑apperzipieren (Philos.). 2. durch Sinneszellen od. -organe Reize aufnehmen (Med.; Biol.). 3. (veraltet) [Geld] einnehmen

Pe|sa|de ⟨gr.-lat.-it.-fr.⟩ die; -, -n: Figur der hohen Schule, bei der sich das Pferd, auf die Hinterhand gestützt, mit eingeschlagener Vorderhand kurz aufbäumt (Reitsport)

pe|san|te ⟨lat.-it.⟩: schwerfällig, schleppend, wuchtig, gedrungen (Vortragsanweisung; Mus.). **Pe|san|te** das; -s, -s: wuchtiger Vortrag (Mus.)

Pe|schit|ta ⟨syr.; „die Einfache"⟩ die; -: kirchlich anerkannte Übersetzung der Bibel ins Syrische (4.–5. Jh.)

Pe|se|ta, auch: **Pe|se|te** ⟨lat.-span.⟩ die; -, ...ten: spanische Währungseinheit. **Pe|so** der; -[s], -[s]: Währungseinheit in Süd-, Mittelamerika u. auf den Philippinen

Pes|sar ⟨gr.-lat.-mlat.⟩ das; -s, -e: länglich runder, ring- od. schalenförmiger Körper aus Kunststoff od. Metall, der um den äußeren Muttermund gelegt wird als Stützvorrichtung für Gebärmutter u. Scheide od. zur Empfängnisverhütung; Mutterring (Med.)

Pes|si|mis|mus ⟨lat.-nlat.⟩ der; -: 1. Lebensauffassung, bei der alles von der negativen Seite betrachtet wird; negative Grundhaltung; Schwarzseherei; Ggs. ↑Optimismus (1). 2. philosophische Auffassung, wonach die bestehende Welt schlecht ist, keinen Sinn enthält u. eine Entwicklung zum Besseren nicht zu erwarten ist; Ggs. ↑Optimismus (2). 3. durch negative Erwartung bestimmte Haltung; Ggs. ↑Optimismus (3). **Pes|si|mist** der; -en, -en: negativ eingestellter Mensch, der immer die schlechten Seiten des Lebens sieht; Schwarzseher; Ggs. ↑Optimist.

pes|si|mis|tisch: lebensunfroh, niedergedrückt, schwarzseherisch; Ggs. ↑optimistisch. Pes|si|mum ⟨lat.⟩ das; -s, ...ma: schlechteste Umweltbedingungen für Tier u. Pflanze (Biol.) Pes|ti|lenz ⟨lat.⟩ die; -, -en: Pest; schwere Seuche. pes|ti|len|zi|a|lisch ⟨lat.-nlat.⟩: verpestet; stinkend. Pes|ti|zid das; -s, -e: chemisches Mittel zur Vernichtung von pflanzlichen u. tierischen Schädlingen aller Art; Schädlingsbekämpfungsmittel Pe|tal od. Petalum ⟨gr.⟩ das; -s, ...talen (meist Plural): Kron- od. Blumenblatt (Bot.). pe|ta|lo|id ⟨gr.-nlat.⟩: die Petaloidie betreffend; kronblattartig (Bot.). Pe|ta|lo|i|die die; -: kronblattartiges Aussehen von Hoch-, Kelch-, Staub- od. Fruchtblättern (Bot.). Pe|ta|lum vgl. Petal Pe|tar|de ⟨lat.-fr.⟩ die; -, -n. (hist.) [zur Sprengung von Festungstoren u. a. benutztes] mit Sprengpulver gefülltes Gefäß, das mit einer Zündschnur zur Explosion gebracht wurde Pe|tal|sos ⟨gr.⟩ der; -, -: (hist.) breitkrempiger Hut mit flachem Kopf u. Kinnriemen im antiken Griechenland (mit einem Flügelpaar versehen als ↑Attribut des Hermes) Pe|te|chi|en ⟨lat.-it.⟩ die (Plural): punktförmige Hautblutungen aus den ↑Kapillaren (1) Pe|tent ⟨lat.⟩ der; -en, -en: Bittsteller Pe|ter|sil ⟨gr.-lat.-mlat.⟩ der; -s: (österr. neben) Petersilie. Pe|ter|si|lie [...jə] die; -, -n: zweijährige Gewürz- u. Gemüsepflanze, die sehr reich an Vitamin C ist u deren Blätter als Küchenkraut dienen Pe|ti|o|lus ⟨lat.; "Füßchen"⟩ der; -, ...li: Blattstiel (Bot.) Pe|tit [pə'ti:] ⟨fr.⟩ die; -: Schriftgrad von 8 Punkt (ungefähr 3 mm; Druckw.) Pe|ti|ta: Plural von ↑Petitum Pe|ti|tes|se ⟨vulgärlat.-fr.⟩ die; -, -n: Kleinigkeit, Geringfügigkeit, unbedeutende Sache, Bagatelle. Pe|tit Four [pəti'fu:ɐ] das; -s [pəti'fu:ɐ], -s [pəti'fu:ɐ]: feines, meist gefülltes u. mit bunter Zuckerglasur überzogenes Gebäckstück. Pe|tit|grain|öl [pəti-'grɛ̃:...] ⟨fr.; dt.⟩ das; -[e]s, -e: ätherisches Öl aus den Zweigen, Blüten u. grünen Früchten bestimmter Zitrusarten, das bei der Herstellung von Parfums, Seifen o. Ä. verwendet wird

Pe|ti|ti|on ⟨lat.⟩ die; -, -en: Bittschrift, Eingabe. pe|ti|ti|o|nie|ren ⟨lat.-nlat.⟩: eine Bittschrift einreichen. Pe|ti|ti|ons|recht das; -[e]s, -e: verfassungsmäßig garantiertes Recht eines jeden, sich einzeln od. in Gemeinschaft mit anderen mit Bitten od. Beschwerden an die zuständigen Stellen u. die Volksvertretung zu wenden; Bittrecht, Beschwerderecht. Pe|ti|tio Prin|ci|pii ⟨lat.⟩ die; - -: Verwendung eines unbewiesenen, erst noch zu beweisenden Satzes als Beweisgrund für einen anderen Satz (Philos.) Pe|tit-Maî|tre [pəti'mɛtr] ⟨fr.⟩ der; -, -s [pəti'mɛtr]: (veraltet) eitler [junger] Mann mit auffallend modischer Kleidung u. auffälligem Benehmen; Stutzer, Geck. Pe|tit Mal [pəti'mal] das; - -: kleiner epileptischer Anfall, kurzzeitige Trübung des Bewusstseins (ohne eigentliche Krämpfe; Med.) Pe|ti|tor ⟨lat.⟩ der; -s, ...oren: 1. (veraltet) [Amts]bewerber. 2. Privatkläger (Rechtsw.). pe|ti|to|risch: in der Fügung: petitorische Ansprüche: Ansprüche auf ein Besitzrecht (Rechtsw.) Pe|tit Point [pəti'poɛ̃] ⟨fr.⟩ das, auch: der; - -: sehr feine Nadelarbeit, bei der mit Perlstich bunte Stickereien [auf Taschen, Etuis o. Ä.] hergestellt werden; Wiener Arbeit. Pe|tit|satz [pə'ti...] ⟨fr.; dt.⟩ der; -es: (Druckw.) a) das Setzen in ↑Petit; b) in ↑Petit Gesetztes. Pe|tit|schrift die; -, -en: Druckschrift in ↑Petit (Druckw.) Pe|ti|tum ⟨lat.⟩ das; -s, Petita · Gesuch, Antrag Pe|tong ⟨chin.⟩ das; -s: sehr harte chinesische Kupferlegierung Pet|rar|kis|mus* ⟨nlat.⟩ der; -: 1. europäische Liebesdichtung in der Nachfolge des italienischen Dichters Petrarca. 2. (abwertend) gezierte, unglaubhafte Liebeslyrik. Pet|rar|kist der; -en, -en: Vertreter des Petrarkismus (1) Pet|re|fakt* ⟨gr.; lat.⟩ das; -[e]s, -e[n]: Versteinerung von Pflanzen od. Tieren (Geol.; Biol.). Pet|ri|fi|ka|ti|on die; -, -en: Vorgang des Versteinerns (Geol.; Biol.). pet|ri|fi|zie|ren: versteinern (Geol.; Biol.). Pet|ro|che|mie die; -: 1. Wissenschaft von der chemischen Zusammensetzung der Gesteine. 2. ↑Petrolchemie. pet|ro|che|misch: 1. a) die Petrochemie betreffend; b)

die chemische Zusammensetzung der Gesteine betreffend. 2. petrolchemisch. Pet|ro|dol|lar [auch: 'pɛ...] ⟨Kunstwort aus Petroleum u. Dollar⟩ der; -[s], -s (meist Plural): amerikanische Währung im Besitz der Erdöl produzierenden Staaten, die auf dem internationalen Markt angelegt wird. Pet|ro|ge|ne|se ⟨gr. nlat.⟩ die; -, -n: Entstehungsgeschichte der Gesteine. pet|ro|go|ne|tisch: die Gesteinsbildung betreffend. Pet|ro|gly|phe die; -, -n: vorgeschichtliche Felszeichnung. Pet|ro|gno|sie die; -: (veraltet) Gesteinskunde. Pet|ro|graph, auch: Petrograf der; -en, -en: Wissenschaftler auf dem Gebiet der Petrographie. Pet|ro|gra|phie, auch: Petrografie die; -: Wissenschaft von den mineralogischen u. chemischen Zusammensetzung der Gesteine, ihrer Gefüge, ihrer ↑Nomenklatur u. ↑Klassifikation; beschreibende Gesteinskunde. pet|ro|gra|phisch, auch: petrografisch: die Petrographie betreffend. Pet|rol ⟨gr.; lat.⟩ mlat.: "Steinöl") das; -s: (schweiz.) Petroleum. Pet|rol|äther der; -s: Leichtbenzin, das u.a. als Lösungsmittel verwendet wird. Pet|rol|che|mie die; -: Zweig der technischen Chemie, dessen Aufgabe bes. in der Gewinnung von chemischen Rohstoffen aus Erdöl u. Erdgas besteht. pet|rol|che|misch: die Petrolchemie, die Gewinnung von chemischen Rohstoffen aus Erdöl u. Erdgas betreffend. Pet|ro|le|um das; -: 1, Erdöl. 2. Destillationsprodukt des Erdöls. Pet|rol|ge der; -n, n: Wissenschaftler auf dem Gebiet der Petrologie u. Petrographie. Pet|ro|lo|gie ⟨gr.-nlat.⟩ die; -: Wissenschaft von der Bildung u. Umwandlung der Gesteine, von den physikalisch-chemischen Bedingungen bei der Gesteinsbildung. pet|ro|phil: steinigen Untergrund bevorzugend (von bestimmten Organismen, z. B. Flechten; Biol.) Pet|schaft ⟨tschech.⟩ das; -s, -e: Siegelstempel mit eingraviertem Namenszug, Wappen od. Bild. pet|schie|ren: mit einem Petschaft schließen; pet|schiert: in der Fügung: petschiert sein: (österr. ugs.) in einer schwierigen, peinlichen Situation sein, ruiniert sein Pet|ti|coat ['pɛtikout] ⟨fr.-engl.; "kleiner Rock"⟩ der; -s, -s: versteifter, weiter, in der Taille ansetzender Unterrock

Pet|ting ⟨*engl.-amerik.*⟩ *das;* -s, -s: [bis zum Orgasmus betriebene] Stimulierung durch Berühren und Reizen der Genitalien ohne Ausübung des eigentlichen Geschlechtsverkehrs

pet|to vgl. in petto

Pe|tu|lanz ⟨*lat.*⟩ *die;* -: (veraltet) Ausgelassenheit; Heftigkeit

Pe|tum ⟨*indian.-port.*⟩ *das;* -s: ursprüngliche Bezeichnung für den Tabak in Europa. **Pe|tu|nie** [...jə] ⟨*indian.-port.-fr.-nlat.*⟩ *die;* -, -n: Balkonpflanze mit violetten, roten od. weißen Trichterblüten (Nachtschattengewächs)

peu à peu [pøa'pø:] ⟨*fr.*⟩: allmählich, nach u. nach

Pew|ter ['pju:tɐ] ⟨*vulgärlat.-fr.-engl.*⟩ *der;* -s: Zinn-Antimon-Kupfer-Legierung (für Tafelgeräte, Notendruckplatten)

pe|xie|ren vgl. pekzieren

Pey|o|te u. **Pey|otl** ⟨*aztek.*⟩ *der;* -: aus einer mexikanischen Kakteenart gewonnenes Rauschmittel, das gekaut wird

Pfef|fe|ro|ne ⟨*sanskr.-pers.-gr.-lat.; it.*⟩ *der;* -, ...ni, selten: -n u. **Pfef|fe|ro|ni** *der;* -, -: (österr.) Peperone

Pfund Ster|ling [- stɛrlɪŋ od. 'stɔ:...] *das;* - -, - -: Währungseinheit in Großbritannien; Abk.: L. ST., Lstr. (eigtl.: Livre Sterling), Pfd. St.; Zeichen: £

Phä|a|ke ⟨nach dem als besonders glücklich geltenden Volk der Phäaken in der griech. Sage⟩ *der;* -n, -n: sorgloser Genießer

pha|e|tho|nisch u. **pha|e|thon|tisch** ⟨*gr.-lat.;* nach Phaethon, dem Sohn des Sonnengottes in der griech. Sage⟩: kühn, verwegen

Pha|ge ⟨*gr.-lat.*⟩ *der;* -n, -n: ↑Bakteriophage. **Pha|ge|dä|na** *die;* -, ...nen: fortschreitendes, sich ausbreitendes [Syphilis]geschwür (Med.). **pha|ge|dä|nisch:** sich ausbreitend (von Geschwüren; Med.). **Pha|go|zyt** ⟨*gr.-nlat.*⟩ *der;* -en, -en (meist Plural): weißes Blutkörperchen, das eingedrungene Fremdstoffe, bes. Bakterien, aufnehmen, durch ↑Enzyme auflösen u. unschädlich machen kann (Med.). **pha|go|zy|tie|ren:** Fremdstoffe, Mikroorganismen, Gewebetrümmer in sich aufnehmen u. durch ↑Enzyme auflösen (von Blutzellen; Med.). **Pha|go|zy|to|se** *die;* -: 1. durch Phagozyten bewirkte Auflösung u. Unschäd-

lichmachung von Fremdstoffen im Organismus (Med.). 2. Aufnahme geformter Nahrung durch einzellige Lebewesen

Phal|kom ⟨*gr.-nlat.*⟩ *das;* -s, -e: Tumor der Augenlinse (Med.). **Pha|ko|skle|ro|se*** *die;* -, -n: Altersstar (Med.)

Phal|lan|gen: *Plural* von ↑Phalanx. **Pha|llanx** ⟨*gr.-lat.*⟩ *die;* -, ...langen: 1. (hist.) tief gestaffelte, geschlossene Schlachtreihe des schweren Fußvolks im Griechenland der Antike. 2. geschlossene Front (z. B. des Widerstands). 3. Finger- od. Zehenglied

phal|lisch ⟨*gr.-lat.*⟩: den Phallus betreffend. **Phal|lo|graph,** auch: Phallograf ⟨*gr.-nlat.*⟩ *der;* -en, -en: Gerät zur Durchführung einer Phallographie. **Phal|lo|gra|phie,** auch: Phallografie *die;* -, ...ien: Aufzeichnung der Penisreaktion mittels eines ↑Erektometers. **Phal|lo|krat*** *der;* -en, -en: (abwertend) phallokratischer Mann. **Phal|lo|kra|tie*** *die;* -: (abwertend) gesellschaftliche Unterdrückung der Frau durch den Mann. **phal|lo|kra|tisch*:** die Phallokratie betreffend. **Phal|lo|met|rie*** *die;* -, ...ien: Verfahren zum Messen der Penisreaktion bei sexualpsychologischen Untersuchungen. **Phal|lo|plas|tik** *die;* -, -en: operative Neu- od. Nachbildung des Penis. **Phal|los** ⟨*gr.*⟩ *der;* -, ...lloi [...ɔy] u. ...llen u. **Phal|lus** ⟨*gr.-lat.*⟩ *der;* -, ...lli u. ...llen, auch: -se: [erigiertes] männliches Glied (meist als Symbol der Kraft und Fruchtbarkeit). **Phal|lus|kult** *der;* -[e]s: religiöse Verehrung des männlichen Gliedes als Sinnbild der Naturkraft, der Fruchtbarkeit (Völkerk.)

Phän ⟨*gr.-nlat.*⟩ *das;* -s, -e: deutlich in Erscheinung tretendes [Erb]merkmal eines Lebewesens, das mit anderen zusammen den ↑Phänotypus ausbildet (Biol.). **Pha|ne|ro|ga|me** *die;* -, -n (meist Plural): Blütenpflanze; Ggs. ↑Kryptogame. **pha|ne|ro|mer:** ohne Vergrößerung erkennbar (von den Bestandteilen eines Gesteins; Geol.); Ggs. ↑kryptomer. **Pha|ne|ro|phyt** *der;* -en, -en (meist Plural): Pflanze, die ungünstige Jahreszeiten durch oberirdische Sprosse überdauert, wobei sich die Erneuerungsknospen beträchtlich über dem Erdboden befinden (meist Bäume u.

Sträucher; Bot.). **Pha|ne|ro|se** ⟨*gr.-nlat.*⟩ *die;* -: das Sichtbarwerden, Sichtbarmachen von sonst nicht erkennbaren Einzelheiten, krankhaften Veränderungen, Ablagerungen o. Ä. mithilfe besonderer Techniken (Med.). **Phä|no|lo|gie** *die;* -: Wissenschaft von den jahreszeitlich bedingten Erscheinungsformen bei Tier u. Pflanze (z. B. die Laubverfärbung der Bäume; Biol.). **phä|no|lo|gisch:** die Phänologie betreffend. **Phä|no|men** ⟨*gr.-lat.*⟩ *das;* -s, -e: 1. etwas, was als Erscheinungsform auffällt, ungewöhnlich ist; Erscheinung. 2. das Erscheinende, sich den Sinnen Zeigende; der sich der Erkenntnis darbietende Bewusstseinsinhalt (Philos.). 3. Mensch mit außergewöhnlichen Fähigkeiten. **Phä|no|me|na** [auch: ...'nɔm...] *Plural* von ↑Phänomen. **phä|no|me|nal** ⟨*gr.-lat.-fr.*⟩: 1. das ↑Phänomen (1) betreffend; sich den Sinnen, der Erkenntnis darbietend (Philos.; Psychol.). 2. außergewöhnlich, einzigartig, erstaunlich, unglaublich. **Phä|no|me|na|lis|mus** ⟨*nlat.*⟩ *der;* -: philosophische Richtung, nach der die Gegenstände nur so erkannt werden können, wie sie uns erscheinen, nicht wie sie an sich sind. **phä|no|me|na|lis|tisch:** den Phänomenalismus betreffend. **Phä|no|me|no|lo|gie** ⟨*gr.-nlat.*⟩ *die;* -: (Philos.) 1. Wissenschaft von den sich dialektisch entwickelnden Erscheinungen der Gestalten des [absoluten] Geistes u. Wissenschaft der Erfahrung des Bewusstseins (Hegel). 2. streng objektive Aufzeigung u. Beschreibung der Gegebenen, der Phänomene (nach N. Hartmann). 3. Wissenschaft, Lehre, die von der geistigen Anschauung des Wesens der Gegenstände od. Sachverhalte ausgeht u. die geistig-intuitive Wesensschau (anstelle rationaler Erkenntnis) vertritt (Husserl). **phä|no|me|no|lo|gisch:** die Phänomenologie betreffend. **Phä|no|me|non** [auch: ...'nɔm...] ⟨*gr.-lat.*⟩ *das;* -s, ...na: ↑Phänomen (1). **Phä|no|typ** [auch: ...'ty:p] ⟨*gr.-nlat.*⟩ *der;* -s, -en: ↑Phänotypus. **phä|no|ty|pisch** [auch: ...'ty:...]: das Erscheinungsbild eines Organismus betreffend (Biol.). **Phä|no|ty|pus** [auch: ...'ty:...] *der;* -, ...pen: das Erscheinungsbild ei-

nes Organismus, das durch Erbanlagen u. Umwelteinflüsse geprägt wird (Biol.); vgl. Genotypus
Phan|ta|sie vgl. Fantasie. **phantasieren** vgl. fantasieren. **Phantas|ma** ⟨gr.-lat.⟩ das; -s, ...men: Sinnestäuschung, Trugbild (Psychol.). **Phan|tas|ma|go|rie** ⟨gr.⟩ die; -, ...jen: 1. Zauber, Truggebilde, Wahngebilde. 2. künstliche Darstellung von Trugbildern, Gespenstern u. a. auf der Bühne. **phan|tas|ma|go|risch:** traumhaft, bizarr, gespenstisch, trügerisch. **Phan|tast** vgl. Fantast. **Phan|tas|te|rei** vgl. Fantasterei. **Phan|tas|tik** vgl. Fantastik. **Phan|tas|ti|ka** vgl. Fantastika. **phan|tas|tisch** vgl. fantastisch. **Phan|tom** ⟨gr.-vulgärlat.-fr.⟩ das; -s, -e: 1. gespenstische Erscheinung, Trugbild. 2. Nachbildung von Körperteilen u. Organen für den Unterricht (Med.). **Phan|tom|bild** das; -[e]s, -er: nach Zeugenaussagen gezeichnetes Bild eines gesuchten Täters. **Phan|tom|schmerz** der; -es, -en: Schmerzen, die man in einem bereits amputierten Körperglied empfindet (Med.)
Phä|o|derm ⟨gr.-nlat.⟩ das; -s: durch Austrocknung entstehende graubraune bis schwärzliche Verfärbung der Haut (Med.).
Phä|o|phy|zee die; -, -n: Braunalge, Tang (Biol.)
¹**Pha|rao** ⟨ägypt.-gr.⟩ der; -s, ...onen: a) (ohne Plural) (hist.) Titel der altägyptischen Könige; b) Träger dieses Titels. ²**Pha|rao** ⟨ägypt.-gr.-fr.⟩ das; -s: altes franz. Kartenglücksspiel. **pha|ra|o|nisch** ⟨ägypt.-gr.⟩ den ¹Pharao betreffend
Pha|ri|sä|er ⟨hebr.-gr.-lat.⟩ der; -s, -: 1. (hist.) Angehöriger einer altjüdischen, streng gesetzesfrommen religiös-politischen Partei. 2. selbstgerechter Mensch; Heuchler. 3. heißer Kaffee mit Rum und geschlagener Sahne. **pha|ri|sä|isch:** 1. die Pharisäer (1) betreffend. 2. selbstgerecht; heuchlerisch. **Pha|ri|sä|is|mus** ⟨hebr.-gr.-lat.-nlat.⟩ der; -: 1. (hist.) religiös-politische Lehre der Pharisäer (1). 2. Selbstgerechtigkeit; Heuchelei
Phar|ma|in|dust|rie* der; -, -n: Arzneimittelindustrie. **Phar|ma|ka:** Plural von ↑Pharmakon. **Phar|ma|kant** der; -en, -en: Facharbeiter für die Herstellung pharmazeutischer Erzeugnisse. **Phar|ma|keu|le** ⟨gr.; dt.⟩ die; -,

-n: (ugs.) übermäßig große Menge von Pharmaka, die für eine Behandlung eingesetzt wird. **Phar|ma|ko|dy|na|mik** ⟨gr.-nlat.⟩ die; -: Teilgebiet der Medizin u. Pharmazie, auf dem man sich mit den spezifischen Wirkungen der Arzneimittel u. Gifte befasst (Med.; Pharm.). **phar|ma|ko|dy|na|misch:** die spezifische Wirkung von Arzneimitteln u. Giften betreffend. **Phar|ma|ko|ge|ne|tik** die; -: Teilgebiet der Medizin, auf dem man sich mit den möglichen Einwirkungen der Arzneimittel auf die Erbbeschaffenheit des Menschen befasst (Med.). **Phar|ma|ko|gno|sie*** die; -: Lehre von der Erkennung u. Bestimmung der als Arznei verwendeten Drogen (offizielle Bez. seit 1971: pharmazeutische Biologie). **phar|ma|ko|gnos|tisch*:** die Pharmakognosie betreffend, **Phar|ma|ko|ki|ne|tik** die; -: Wissenschaft vom Verlauf der Konzentration eines Arzneimittels im Organismus (Med.). **Phar|ma|ko|lo|ge** der; -n, -n: Wissenschaftler auf dem Gebiet der Pharmakologie. **Phar|ma|ko|lo|gie** die; -: Wissenschaft von Art u. Aufbau der Heilmittel, ihren Wirkungen u. Anwendungsgebieten; Arzneimittelkunde, Arzneiverordnungslehre. **phar|ma|ko|lo|gisch:** die Pharmakologie, Arzneimittel betreffend. **Phar|ma|kon** ⟨gr.⟩ das; -s, ...ka: 1. Arzneimittel. 2. (veraltet) Zauber-, Liebestrank. **Phar|ma|ko|pöe** [...'pø:, selten: ...'pø:ə] die; -, -n [... pø:ən]: amtliches Arzneibuch, Verzeichnis der offiziellen Arzneimittel mit Vorschriften über ihre Zubereitung, Beschaffenheit, Anwendung o. Ä. **Phar|ma|ko|psy|chi|at|rie*** die; -: Teilgebiet der Psychiatrie, auf dem man sich mit der Behandlung bestimmter Geisteskrankheiten mit ↑Psychopharmaka befasst. **Phar|ma|ko|psy|cho|lo|gie** die; -: Teilgebiet der Psychologie, das die Wirkung von Arzneimitteln u. Drogen auf die seelischen Vorgänge umfasst. **Phar|ma|re|fe|rent** der; -en, -en: Vertreter, der bei Ärzten für die Arzneimittel o. Ä. einer Firma wirbt. **Phar|ma|zeut** ⟨gr.⟩ der; -en, -en: Fachmann, Wissenschaftler auf dem Gebiet der Pharmazie; Arzneimittelhersteller (z. B. Apotheker). **Phar|ma|zeu|tik** die; -: Arzneimittelkunde. **Phar|ma-**

zeu|ti|kum ⟨gr.-lat.⟩ das; -s, ...ka: Arzneimittel. **phar|ma|zeu|tisch:** zur Pharmazie gehörend; die Herstellung von Arzneimitteln betreffend. **Phar|ma|zie** ⟨gr.-mlat.⟩ die; -: Wissenschaft von den Arzneimitteln, ihrer Zusammensetzung, Herstellung usw.
Pha|ro ⟨verkürzt aus Pharao⟩ das; -s: ↑²Pharao
Pha|rus ⟨gr.-lat.; nach der Insel bei Alexandria, auf der im Altertum ein berühmter Leuchtturm stand⟩ der; -, -u. -se: (veraltet) Leuchtturm
pha|ryn|gal ⟨gr.-nlat.⟩: auf den Pharynx bezüglich, dort artikuliert (Sprachw.). **pha|ryn|ga|li|sie|ren:** mit verengtem Rachenraum artikulieren. **Pha|ryn|gen:** Plural von ↑Pharynx. **Pha|ryn|gis|mus** der; -, ...men: Verkrampfung der Schlundmuskulatur, Schlundkrampf (Med.). **Pha|ryn|gi|tis** die; -, ...itjden: Rachenentzündung (Med.). **Pha|ryn|go|lo|ge** der; -n, -n: Facharzt auf dem Gebiet der Pharyngologie (Med.). **Pha|ryn|go|lo|gie** die; -: Teilgebiet der Medizin, auf dem man sich mit den Krankheiten des Rachens befasst. **pha|ryn|go|lo|gisch:** die Pharyngologie, die Rachenkrankheiten betreffend (Med.). **Pha|ryn|go|skop*** das; -s, -e: Instrument zur Untersuchung des Rachens, Rachenspiegel (Med.). **Pha|ryn|go|sko|pie*** die; -, ...jen: Untersuchung des Rachens mithilfe des Pharyngoskops, Ausspiegelung des Rachens (Med.). **pha|ryn|go|sko|pisch*:** die Pharyngoskopie betreffend, unter Anwendung des Pharyngoskops. **Pha|ryn|go|spas|mus*** der; -, ...men: ↑Pharyngismus. **Pha|ryn|go|to|mie** die; -, ...jen: operative Öffnung des Schlundes von Halse aus (Med.). **Pha|rynx** ⟨gr.⟩ der; -, ...ryngen: zwischen Speiseröhre u. Mund- bzw. Nasenhöhle liegender Abschnitt der oberen Luftwege; Schlund, Rachen (Med.)
Pha|se ⟨gr.-fr.⟩ die; -, -n: 1. Abschnitt einer [stetigen] Entwicklung; Zustandsform, Stufe. 2. (Astron.) a) bei nicht selbst leuchtenden Monden od. Planeten die Zeit, in der die Himmelskörper nur z. T. erleuchtet sind; b) daraus resultierende jeweilige Erscheinungsform der Himmelskörper. 3. Aggregatzustand

eines chemischen Stoffes, z. B.: feste, flüssige Phase (Chem.). 4. Größe, die den Schwingungszustand einer Welle an einer bestimmten Stelle, bezogen auf den Anfangszustand, charakterisiert (Phys.). 5. (Elektrot.) a) Schwingungszustand beim Wechselstrom; b) (nur Plural) die drei Wechselströme des Drehstromes; c) (nur Plural) die drei Leitungen des Drehstromnetzes **Pha|sin** ⟨gr.-nlat.⟩ das; -s: durch längeres Kochen zerstörbarer giftiger Eiweißbestandteil der Bohnen **pha|sisch** ⟨gr.⟩: die Phase (1) betreffend; in bestimmten Abständen regelmäßig wiederkehrend. **Pha|so|pa|thie** ⟨gr.-nlat.⟩ die; -, ...ien: vorübergehende charakterliche Abnormität (Psychol.). **Pha|so|phre|nie** die; -, ...ien: in Phasen verlaufende ↑ Psychose **pha|tisch** ⟨gr.-nlat.⟩: Kontakt knüpfend u. erhaltend (z. B.: die phatische Funktion eines Textes; Sprachw.) **Pha|ze|lie** [...lĭə] ⟨gr.-nlat.⟩ die; -, -n: Büschelschön (Wasserblattgewächs, das als Bienenweide angepflanzt wird) **Phel|lo|den|dron*** ⟨gr.-nlat.⟩ der, auch: das; -s, ...dren: Korkbaum (ein ostasiatischer Zierbaum). **Phel|lo|derm** das; -s, -e: unverkorktes, blattgrünreiches Rindengewebe (Bot.). **Phel|lo|gen** das; -s, -e: Korkzellen bildendes Pflanzengewebe (Bot.). **Phel|lo|id** das; -[e]s, -e: unverkorkte tote Zellschicht im Korkgewebe (Bot.). **Phel|lo|plas|tik** die; -, -en: 1. (ohne Plural) bes. im 18. u. 19. Jh. übliche Korkschnitzkunst. 2. aus Kork geschnitzte Figur. **phel|lo|plas|tisch**: die Korkschnitzkunst betreffend **Phel|lo|ni|um** ⟨gr.-mgr.⟩ das; -s, ...ien: mantelartiges Messgewand des orthodoxen Priesters **Phe|nal|ce|tin*** ⟨gr.; lat.-nlat.⟩ das; -s: ein Schmerz- u. Fiebermittel. **Phe|na|kit** [auch: ...'kıt] ⟨gr.-nlat.⟩ der; -s, -e: ein Mineral, Schmuckstein. **Phe|nanth|ren** ⟨Kunstw.⟩ das; -s: aromatischer Kohlenwasserstoff im Steinkohlenteer mit vielen wichtigen Abkömmlingen. **Phe|nol** ⟨gr.; arab.⟩ das; -s: Karbolsäure, eine aus dem Steinkohlenteer gewonnene, technisch vielfach verwendete organische Verbindung. **Phe|no|le** die (Plural): wichtige organische Verbindungen im Teer (z. B. Phenol, Kresol). **Phe|nol-**

harz das; -es, -e: aus Phenolen u. Formaldehyd synthetisch hergestelltes Harz. **Phe|nol|phtha|le|in** ⟨Kunstw.⟩ das; -s: als ↑ Indikator (3) dienende chemische Verbindung. **Phe|no|plast** der; -[e]s, -e: ↑ Phenolharz. **Phe|nyl** das; -s, -e u. **Phe|nyl|grup|pe** die; -, -n: bestimmte, in vielen aromatischen Kohlenwasserstoffen enthaltene einwertige Atomgruppe. **Phe|nyl|ke|ton|u|rie** die; -, ...ien: [bei Babys auftretende] Stoffwechselkrankheit, die durch das Fehlen bestimmter ↑ Aminosäuren bedingt ist **Phe|rek|ra|te|us*** ⟨gr.-lat.; nach dem Namen des altattischen Dichters Pherekrates⟩ der; -, ...teen: 1. antiker Vers in der Form eines ↑ katalektischen ↑ Glykoneus. 2. ↑ Aristophaneus **Phe|ro|mon** ⟨gr.-nlat.⟩ das; -s, -e (meist Plural): Wirkstoff, der nach außen abgegeben wird u. auf andere Individuen der gleichen Art Einfluss hat (z. B. Lockstoffe von Insekten; Biol.) **Phi** ⟨gr.⟩ das; -[s], -s: einundzwanzigster Buchstabe des griechischen Alphabets: Φ, φ **Phi|a|le** ⟨gr.-lat.⟩ die; -, -n: altgriechische flache [Opfer]schale **Phi|la|leth*** ⟨gr.⟩ der; -en, -en: (veraltet) Wahrheitsfreund. **Phi|lanth|rop** der; -en, -en: Menschenfreund; Ggs. ↑ Misanthrop. **Phi|lanth|ro|pie** die; -: Menschenliebe; Ggs. ↑ Misanthropie. **Phi|lanth|ro|pin** ⟨gr.-nlat.⟩ das; -s, -e u. Philanthropinum das; -s, ...na: (veraltet) nach den Grundsätzen des Philanthropinismus arbeitende Erziehungsanstalt. **Phi|lanth|ro|pi|nis|mus** u. Philanthropismus der; -: eine am Ende des 18. Jh.s einsetzende, von Basedow begründete Erziehungsbewegung, die eine naturu. vernunftgemäße Erziehung anstrebte. **Phi|lanth|ro|pi|nist** der; -en, -en: Anhänger des Philanthropinismus. **Phi|lanth|ro|pi|num** vgl. Philanthropin. **phi|lanth|ro|pisch**: menschenfreundlich, menschlich [gesinnt]; Ggs. ↑ misanthropisch. **Phi|lanth|ro|pis|mus** vgl. Philanthropinismus. **Phi|la|te|lie** ⟨gr.-fr.⟩ die; -: [wissenschaftliche] Beschäftigung mit Briefmarken, das Sammeln von Briefmarken. **Phi|la|te|list** der; -en, -en: jmd., der sich [wissenschaftlich] mit Briefmarken beschäftigt; Briefmarkensammler. **Phil|har|mo-**

nie die; -, ...ien: 1. Name philharmonischer Orchester od. musikalischer Gesellschaften. 2. (Gebäude mit einem) Konzertsaal eines philharmonischen Orchesters. **Phil|har|mo|ni|ker** der; -s, -: a) Mitglied eines philharmonischen Orchesters; b) (nur Plural) Name eines Sinfonieorchesters mit großer Besetzung (z. B. Berliner Philharmoniker, Wiener Philharmoniker). **phil|har|mo|nisch**: die Musikliebe, -pflege betreffend; Musik pflegend; **philharmonisches Orchester:** Sinfonieorchester mit großer Besetzung (als Name). **Phil|hel|le|ne** ⟨gr.⟩ der; -n, -n: Anhänger, Vertreter des Philhellenismus. **Phil|hel|le|nis|mus** ⟨gr.-nlat.⟩ der; -: (hist.) politisch-romantische Bewegung, die den Befreiungskampf der Griechen gegen die Türken unterstützte. **Phi|lip|pi|ka** ⟨gr.-lat.; nach den Kampfreden des Demosthenes gegen König Philipp von Mazedonien⟩ die; -, ...ken: Straf-, Kampfrede **Phi|lis|ter** (nach dem Volk an der Küste Südpalästinas, in der Bibel als ärgster Feind der Israeliten dargestellt) der; -s, -: 1. kleinbürgerlicher Mensch; Spießbürger. 2. im Berufsleben stehender Alter Herr (Verbindungsw.). 3. (Studentenspr. veraltend) Nichtakademiker. **Phi|lis|te|ri|um** ⟨nlat.⟩ das; -s: das spätere Berufsleben eines Studenten (Verbindungsw.). **phi|lis|t|rie|ren*:** einen ↑ Inaktiven in die Altherrenschaft aufnehmen (Verbindungsw.). **phi|lis|t|rös*** (französierende Bildung): spießig; engstirnig **Phil|lu|me|nie** ⟨gr.; lat.⟩ die; -: das Sammeln von Streichholzschachteln od. Streichholzschachteletiketten. **Phil|lu|me|nist** der; -en, -en: Sammler von Streichholzschachteln od. Etiketten von Streichholzschachteln. **phi|lo|bat** ⟨gr.⟩: ein Gebundensein meidend, Distanz liebend (Psychol.); Ggs. ↑ oknophil. **Phi|lo|den|dron*** ⟨gr.⟩ der; -s, ...ren: zu den Aronstabgewächsen gehörende Blattpflanze mit Luftwurzeln u. gelappten Blättern; vgl. Monstera. **Phi|lo|gyn** ⟨gr.⟩ der; -en, -en: (veraltet) Frauenfreund. **Phi|lo|kal|lia** u. **Phi|lo|ka|lie** ⟨„Liebe zum Schönen“⟩ die; -: viel gelesenes Erbauungsbuch der orthodoxen Kirche mit Auszügen aus dem mittelalterlichen mystischen Schrifttum. **Phi|lo|lo|ge** ⟨*gr.-lat.;* „Freund der Wissenschaften") *der;* -n, -n: jmd., der sich wissenschaftlich mit Philologie befasst (z. B. Hochschullehrer, Student). **Phi|lo|lo|gie** *die;* -: Sprach- u. Literaturwissenschaft. **phi|lo|lo|gisch:** die Philologie betreffend, auf ihr beruhend, zu ihr gehörend. **Phi|lo-ma|thie** ⟨*gr.*⟩ *die;* -: (veraltet) Wissensdrang. **Phi|lo|me|la** ⟨*gr.-lat.*⟩ u. **Phi|lo|me|le** *die;* -, ...len: (veraltet) Nachtigall. **Phi|lo|se-mit** ⟨*nlat.*⟩ *der;* -en, -en: Vertreter des Philosemitismus. **Phi|lo|se-mi|tis|mus** *der;* -: a) (bes. im 17. u. 18. Jh.) geistige Bewegung, die gegenüber Juden und ihrer Religion eine sehr tolerante Haltung einnimmt; b) (abwertend) unkritische Haltung, die die Politik des Staates Israel vorbehaltlos unterstützt. **Phi|lo|soph** ⟨*gr.-lat.;* „Freund der Weisheit") *der;* -en, -en: 1. a) jmd., der nach dem letzten Sinn, den Ursprüngen des Denkens u. Seins, dem Wesen der Welt, der Stellung des Menschen im Universum fragt; b) Begründer einer Denkmethode, einer Philosophie (1). 2. Wissenschaftler auf dem Gebiet der Philosophie (2). 3. jmd., der gern philosophiert (2), über etwas nachdenkt, grübelt. **Phi|lo|so-phas|ter** *der;* -s, -: philosophisch unzuverlässiger Schwätzer, Scheinphilosoph. **Phi|lo|so-phem** ⟨*gr.*⟩ *das;* -s, -e: Ergebnis philosophischer Nachforschung od. Lehre; philosophisches Ergebnis. **Phi|lo|so|phia per|en-nis*** ⟨*lat.;* „immer während Philosophie") *die;* - -: Philosophie (1) im Hinblick auf die in ihr enthaltenen, überall u. zu allen Zeiten bleibenden Grundwahrheiten (A. Steuco). **Phi|lo|so|phia pri|ma** ⟨„erste Philosophie") *die;* - -: die ↑Metaphysik bei Aristoteles. **Phi|lo|so|phie** ⟨*gr.-lat.;* „Weisheitsliebe") *die;* -, ...jen: 1. forschendes Fragen u. Streben nach Erkenntnis des letzten Sinnes, der Ursprünge des Denkens u. Seins, der Stellung des Menschen im Universum, des Zusammenhanges der Dinge in der Welt. 2. (ohne Plural) Wissenschaft von den verschiedenen philosophischen Systemen, Denkgebäuden. **phi|lo|so|phie-ren:** 1. Philosophie (1) betreiben, sich philosophisch über einen Gegenstand verbreiten. 2. über etwas nachdenken, grübeln;

nachdenklich über etwas reden. **Phi|lo|so|phi|kum** *das;* -s: 1. im Rahmen des 1. Staatsexamens abzulegende Prüfung in Philosophie für Lehramtskandidaten. 2. Zwischenexamen bei Kandidaten für das Priesteramt. **phi|lo-so|phisch:** 1. a) die Philosophie (1) betreffend; b) auf einen Philosophen (1) bezogen. 2. durchdenkend, überlegend, weise. 3. (abwertend) weltfremd, verstiegen. **Phi|lo|xe|nie** ⟨*gr.*⟩ *die;* -: (veraltet) Gastfreundschaft **Phil|t|rum*** ⟨*gr.-nlat.*⟩ *das;* -s, ...tren: Einbuchtung an der Mitte der Oberlippe (Med.). **Phi|mo|se** ⟨*gr.;* „das Verschließen, die Verengung") *die;* -, -n: angeborene od. erworbene Vorhautverengung des Penis (Med.) **Phi|o|le** ⟨*gr.-lat.-mlat.*⟩ *die;* -, -n: kugelförmige Glasflasche mit langem Hals **Phle|bek|ta|sie*** ⟨*gr.-nlat.*⟩ *die;* -, ...jen: meist durch Bindegewebsschäden bedingte Bildung von Ausbuchtungen in der Venenwand; Venenerweiterung (Med.). **Phle|bi|tis** *die;* -, ...iti-den: Venenentzündung (Med.). **phle|bo|gen:** von den Venen ausgehend (z. B. von krankhaften Veränderungen) **Phle|bo|gramm** *das;* -s, -e: Röntgenbild kontrastmittelgefüllter Venen (Med.). **Phle|bo-gra|phie,** auch: Phlebografie *die;* -: röntgenologische Darstellung der Venen mithilfe von Kontrastmitteln (Med.). **Phle-bo|lith** [auch: ...'lit] *der;* -s u. -en, -e[n]: Venenstein, verkalkter ↑Thrombus (Med.). **Phle|bo|lo-ge** *der;* -n, -n: Arzt mit Spezialkenntnissen auf dem Gebiet der Venenerkrankungen (Med.). **Phle|bo|lo|gie** *die;* -: die Venen u. ihre Erkrankungen umfassendes Teilgebiet der Medizin **Phleg|ma** ⟨*gr.-lat.*⟩ *das;* -s (österr. meist: -): a) [Geistes]trägheit, Schwerfälligkeit; b) Gleichgültigkeit, Dickfelligkeit. **Phleg|ma-sie** ⟨*gr.-nlat.*⟩ *die;* -, ...jen: Entzündung (Med.). **Phleg|ma|ti|ker** ⟨*gr.-lat.*⟩ *der;* -s, -: a) (nach dem von Hippokrates aufgestellten Temperamentstyp) ruhiger, langsamer, schwerfälliger Mensch; vgl. Choleriker, Melancholiker, Sanguiniker; b) Vertreter dieses Temperamentstyps. **Phleg|ma-ti|kus** *der;* -, -se: (ugs. scherzh.) träger, schwerfälliger Mensch. **phleg|ma|tisch:** träg, schwerfällig; gleichgültig; vgl. cholerisch,

melancholisch, sanguinisch. **Phleg|mo|ne** *die;* -, -n: eitrige Zellgewebsentzündung (Med.). **phleg|mo|nös:** mit Phlegmonen einhergehend (Med.) **Phlo|em** ⟨*gr.-nlat.*⟩ *das;* -s, -e: Siebteil der pflanzlichen Leitbündel (Bot.) **phlo|gis|tisch** ⟨*gr.-nlat.*⟩: eine Entzündung betreffend, zu ihr gehörend. **Phlo|gis|ton** ⟨*gr.*⟩ *das;* -s: nach einer wissenschaftlichen Theorie des 18. Jh.s ein Stoff, der allen brennbaren Körpern beim Verbrennungsvorgang entweichen sollte. **phlo|go|gen** ⟨*gr.-nlat.*⟩: Entzündungen erregend (Med.). **Phlo|go|se** u. **Phlo|go-sis** ⟨*gr.*⟩ *die;* -, ...osen: Entzündung (Med.). **Phlox** ⟨*gr.-lat.;* „Flamme") *der;* -es, -e (auch: *die;* -, -e): Zierpflanze mit rispenartigen, farbenprächtigen Blütenständen. **Phlo|xin** ⟨*gr.-nlat.*⟩ *das;* -s: nicht lichtechter roter Säurefarbstoff **Phly|a|ke** ⟨*gr.;* „Schwätzer") *der;* -n, -n (meist Plural): Spaßmacher der altgriechischen Volkskomödie. **Phlyk|tä|ne** ⟨*gr.*⟩ *die;* -, -n: Bläschen an der Bindehaut des Auges (Med.). **Pho|bie** ⟨*gr.-nlat.*⟩ *die;* -, ...jen: krankhafte Angst (Med.). **pho-bisch:** die Phobie betreffend, auf ihr beruhend; in der Art einer Phobie (Med.). **Pho|bo|pho|bie** *die;* -, ...jen: Angst vor Angstanfällen (Med.). **Pho|ko|me|lie** ⟨*gr.-nlat.*⟩ „Robbengliedrigkeit") *die;* -, ...jen: angeborene körperliche Fehlbildung, bei der Hände u. Füße fast am Rumpf ansetzen (Med.) **Phon, auch:** Fon ⟨*gr.*⟩ *das;* -s, -s (aber: 50 Phon): Maß der Lautstärke (Zeichen: phon). **Pho-nas|the|nie*** ⟨*gr.-nlat.*⟩ *die;* -, ...jen: Versagen der Stimme (Med.). **Pho|na|ti|on** *die;* -: Laut- u. Stimmbildung; Art u. Weise der Entstehung von Stimmlauten (Med.). **pho|na|to-risch:** die Phonation, die Stimme betreffend; stimmlich. **Pho-nem** ⟨*gr.*⟩ *das;* -s, -e: 1. kleinste bedeutungsunterscheidende, aber nicht selbst bedeutungstragende sprachliche Einheit (z. B. b in Bein im Unterschied zu p in Pein) (Sprachw.). 2. (nur Plural) Gehörhalluzinationen in Form von Stimmen (z. B. bei Schizophrenie; Med.). **Pho|ne|ma|tik** ⟨*gr.-nlat.*⟩ *die;* -, : ↑Phonologie. **pho|ne|ma|tisch:** das Phonem betreffend. **Pho|ne|mik** *die; -:* ↑Phonologie. **pho|ne|misch:** ↑phonematisch. **Phon|en|do-skop*** ⟨*gr.-nlat.*⟩ *das; -s, -e:* ↑Stethoskop, das den Schall über eine Membran u. einen veränderlichen Resonanzraum weiterleitet, Schlauchhörrohr (Med.). **Pho|ne|tik** *die; -:* Teilgebiet der Sprachwissenschaft, das die Vorgänge im Sprechen untersucht; Lautlehre, Stimmbildungslehre. **Pho|ne|ti|ker** *der; -s, -:* Wissenschaftler auf dem Gebiet der Phonetik. **pho|ne-tisch:** die Phonetik betreffend, lautlich. **Pho|ne|to|graph,** auch: **...graf** *der; -en, -en:* Gerät, das gesprochene Worte direkt in Schrift od. andere Zeichen überführt (Techn.). **Pho|ni|a|ter*** *der; -s, -:* Spezialist auf dem Gebiet der Phoniatrie (Med.; Psychol.). **Pho|ni|a|trie*** *die; -:* Teilgebiet der Medizin, auf dem man sich mit krankhaften Erscheinungen bei der Sprach- u. Stimmbildung befasst; Stimm-, Sprachheilkunde. **Pho|nik** *die; -:* (veraltet) Lehre vom Schall, Tonlehre. **pho|nisch:** die Stimme, die Stimmbildung betreffend. **Pho|nis|mus** *der; -, ...men* (meist Plural): nicht auf Gehörwahrnehmungen beruhende Tonempfindung bei Reizung anderer Sinnesnerven (z. B. des Auges; Med.)

Phö|nix ⟨*gr.-lat.*⟩ *der; -[es], -e:* sich im Feuer verjüngender Vogel der altägyptischen Sage, der zum Symbol der ewigen Erneuerung u. zum christlichen Sinnbild der Auferstehung wurde **Pho|no|dik|tat,** auch: **Fonodiktat** *das; -[e]s, -e:* auf Tonband gesprochenes ↑Diktat (1 b). **pho-no|gen** ⟨*gr.-nlat.*⟩: bühnenwirksam, zum Vortrag geeignet (von der menschlichen Stimme). **Pho-nog|no|mik*** *die; -:* Lehre vom seelischen Ausdrucksgehalt der Sprechstimme (Psychol.). **Pho-no|gramm** *das; -s, -e:* jede Aufzeichnung von Schallwellen (z. B. Sprache, Musik) auf Schallplatten, Tonbändern usw. **Pho|no|graph,** auch: Fonograf *der; -en, -en:* 1877 von Edison erfundenes Tonaufnahmegerät (Techn.). **Pho|no|gra-phie,** auch: Fonografie („Lautschrift") *die; -, ...ien:* 1. (veraltet) Aufzeichnung von Lauten in lautgetreuer Schrift. 2. Verzeichnis von Tonaufnahmen. **pho|no-gra|phisch,** auch: fonografisch:

die Phonographie betreffend, lautgetreu. **Pho|no|kof|fer** *der; -s, -:* tragbarer Schallplattenspieler mit eigenem Lautsprecher- und Tonreglersystem. **Pho-no|la** ® ⟨Kunstwort⟩ *das; -s, -s* od. *die; -, -s:* mechanisches, mit Tretpedalen zu bedienendes Klavier, bei dem die Notenreihenfolge auf einem durchlaufenden Band festgelegt ist; vgl. Pianola. **Pho|no|lith** [auch: ...'lɪt] ⟨*gr.-nlat.*⟩ *der; -s u. -en, -e[n]:* graues oder grünliches, meist in Platten oder Säulen vorkommendes, beim Anschlagen hell klingendes Ergussgestein, das als Baustein od. für Düngemittel verwendet wird. **Pho|no|lo|ge** *der; -n, -n:* jmd., der sich wissenschaftlich mit der Phonologie befasst. **Pho|no|lo|gie** *die; -:* Teilgebiet der Sprachwissenschaft, das sich mit der Funktion der Laute in einem Sprachsystem beschäftigt. **pho|no|lo|gisch:** die Phonologie betreffend **Pho|no|ma|nie** ⟨*gr.-nlat.*⟩ *die; -, ...ien:* Mordsucht (Med.) **Pho|no|me|ter** ⟨*gr.-nlat.*; „Tonmesser"⟩ *das; -s, -:* Apparat zur Prüfung u. Messung von Klang, Ton u. Schall od. zur Prüfung der Hörschärfe. **Pho|no|met|rie*** *die; -:* 1. Teilgebiet der ↑Akustik, auf dem man sich mit akustischen Reizen u. ihrer Wirkung auf den Gehörsinn befasst. 2. für die Entwicklung der modernen Phonetik wichtiger, auf experimenteller Vergleichung von Gesprochenem durch Maß u. Zahl beruhender Forschungszweig (nach Zwirner). **pho|no|met-risch*:** die Phonometrie betreffend. **Pho|no|pho|bie** („Lautangst, Stimmangst") *die; -, ...ien:* (Med.) 1. Sprechangst, krankhafte Angst vor dem Sprechen bei Stotterern. 2. krankhafte Angst vor Geräuschen od. lauter Sprache. **Pho|no|ta|xie** *die; -, ...ien* u. **Pho|no|ta|xis** *die; -, ...taxen:* die sich nach Schallwellen richtende Ortsbewegung bestimmter Tiere (z. B. die Ultraschallortung bei Fledermäusen). **Pho|no|thek** *die; -, -en:* Tonarchiv mit Beständen an Schallplatten, Tonbändern u. a. **Pho-no|ty|pis|tin** *die; -, -nen:* weibliche Schreibkraft, die vorwiegend nach einem Diktiergerät schreibt **Pho|re|sie** ⟨*gr.*⟩ *die; -:* Beziehung zwischen zwei Tieren verschiedener Arten, bei der das eine Tier das andere vorübergehend

zum Transport benutzt, ohne es zu schädigen (Zool.) **Phor|minx** ⟨*gr.*⟩ *die; -, ...mingen* [...'mɪŋən]: der ↑Kithara ähnliches Saiteninstrument aus der Zeit Homers (auf Abbildungen seit dem 9. Jh. v. Chr. bezeugt) **Phor|mi|um** ⟨*gr.-nlat.*⟩ *das; -s, ...ien:* Neuseeländischer Flachs (Liliengewächs, Faserpflanze) **Pho|ro|no|mie** ⟨*gr.-nlat.*⟩ *die; -:* 1. ↑Kinematik. 2. Wissenschaft, Lehre vom Arbeits- u. Energieaufwand bei bestimmten körperlichen Tätigkeiten (Psychol.) **Phos|gen** ⟨*gr.-nlat.*⟩ *das; -s:* zur Herstellung von Farbstoffen und Arzneimitteln, im 1. Weltkrieg als Kampfgas verwendete Verbindung von Kohlenmonoxid u. Chlor (Carbonylchlorid). **Phos-phat** *das; -[e]s, -e:* Salz der Phosphorsäure, dessen verschiedene Arten wichtige technische Rohstoffe sind (z. B. für Düngemittel). **Phos|pha|ta|se** *die; -, -n:* bei den meisten Stoffwechselvorgängen wirksames ↑Enzym, das Phosphorsäureester zu spalten vermag. **Phos|pha|tid** *das; -[e]s, -e:* zu den ↑Lipoiden gehörende organische Verbindung (Chem.). **phos|pha|tie|ren:** 1. ↑parkerisieren. 2. (Seide) mit Dinatriumphosphat behandeln. **Phos|phen** *das; -s, -e:* bei ↑Phototopsie auftretende, subjektiv wahrgenommene Lichterscheinung (Med.). **Phos|phid** *das; -[e]s, -e:* Verbindung des Phosphors mit einem elektropositiven Element. **Phos|phin** *das; -s:* Phosphorwasserstoff. **Phos|phit** *das; -s, -e:* Salz der phosphorigen Säure. **Phos|phor** ⟨*gr.-nlat.*⟩ *der; -s:* 1. chem. Element; ein Nichtmetall (Zeichen: P). 2. phosphoreszierender Stoff. **Phos|pho|res-zenz** *die; -:* vorübergehendes Aussenden von Licht, Nachleuchten bestimmter, vorher mit Licht o. Ä. bestrahlter Stoffe. **phos|pho|res|zie|ren:** nach vorheriger Bestrahlung nachleuchten. **phos|pho|rig:** Phosphor enthaltend. **Phos|pho|ris|mus** *der; -, ...men:* Phosphorvergiftung. **Phos|pho|rit** *der; -s, -e:* durch Verwitterung von ↑Apatit od. durch Umwandlung von phosphathaltigen tierischen Substanzen entstandenes Mineral (wichtiger Ausgangsstoff für die Phosphorgewinnung). **Phos-pho|ry|lie|rung** *die; -, -en:* Übertragung einer Phosphatgruppe

auf ein organisches Molekül (Biochem.)
pho|to..., **Pho|to...** vgl. auch foto..., Foto... **Pho|to|bi|o|lo|gie**, auch: Foto... [auch: ...'gi:] *die;* -: Teilgebiet der Biologie, auf dem man sich mit der Wirkung des Lichts auf tierische u. pflanzliche Organismen befaßt. **pho|to|bi|o|lo|gisch**, auch: foto... [auch: ...'lo:...]: die Photobiologie betreffend. **Pho|to|che|mie**, auch: Foto... [auch: ...'mi:] *die;* -: Teilgebiet der Chemie, das die chemischen Wirkungen des Lichtes erforscht. **Pho|to|che|mi|gra|phie**, auch: Fotochemigrafie [auch: ...'fi:] *die;* -: Herstellung von Ätzungen aller Art im Lichtbildverfahren. **pho|to|che|misch**, auch: foto... [auch: ...'çe:...]: chemische Reaktionen betreffend, die durch Licht bewirkt werden. **pho|to|chrom**, auch: foto... [...kr...]: ↑ fototrop. **Pho|to|ef|fekt**, auch: Foto... *der;* -[e]s, -e: Austritt von Elektronen aus bestimmten Stoffen durch deren Bestrahlung mit Licht (Elektrot.). **Pho|to|elek|tri|zi|tät***, auch: Foto... [...'tɛːt] *die;* -: durch Licht hervorgerufene Elektrizität (beim Photoeffekt). **Pho|to|elekt|ron***, auch: Foto... *das;* -s, ...onen: durch Licht ausgelöstes Elektron; vgl. Photoeffekt. **Pho|to|ele|ment**, auch: Foto... *das;* -[e]s, -e: elektrisches Element, Halbleiterelement, das (durch Ausnutzung des Photoeffekts) Lichtenergie in elektrische Energie umwandelt. **pho|to|gen** vgl. fotogen. **Pho|to|ge|ni|tät** vgl. Fotogenität. **Pho|to|gramm**, auch: Foto... ⟨gr.-nlat.⟩ *das,* -s, -e: nach fotografischem Verfahren gewonnenes Bild für Messzwecke, Messbild. **Pho|to|gramm|met|rie***, auch: Foto... *die;* -: a) Verfahren zum Konstruieren von Grund- u. Aufrissen aus fotografischen Bildern von Gegenständen; b) in der Messtechnik u. Kartographie das Herstellen von Karten aus der Fotografie des darzustellenden Gebietes. **pho|to|gramm|met|risch**, auch: foto...: durch Photogrammetrie gewonnen. **Pho|to|graph** vgl. Fotograf. **Pho|to|gra|phie** vgl. Fotografie. **pho|to|gra|phisch** vgl. fotografisch. **Pho|to|gra|vü|re**, auch: Foto... *die;* -, -n: ↑ Heliogravüre. **Pho|to|kol|pie** vgl. Fotokopie. **pho|to|ko|pie|ren** vgl. fotokopieren. **Pho|to|ly|se**,

auch: Foto... ⟨gr.-nlat.⟩ *die;* -, -n: mit der Photosynthese einhergehende Zersetzung chemischer Verbindungen durch Licht. **Pho|tom**, auch: Fotom ⟨gr.-nlat.⟩ *das;* -s, -e (meist Plural): subjektive Wahrnehmung nicht vorhandener Licht- od. Farberscheinungen in Gestalt von Wolken, Wellen, Schatten (Med.). **Pho|to|ma|ton ®** ⟨Kunstw.⟩ *das;* -s, -e: Fotografierautomat, der nach kurzer Zeit Aufnahmen fertig auswirft. **pho|to|me|cha|nisch**, auch: foto... unter Einsatz von Fotografie und Ätztechnik arbeitend. **Pho|to|me|ter**, auch: Foto... *das;* -s, -: Gerät, mit dem (durch Vergleich zweier Lichtquellen) die Lichtstärke gemessen wird. **Pho|to|met|rie***, auch: Foto... *die;* -: Verfahren zur Messung der Lichtstärke. **pho|to|met|risch***, auch: foto...: die Lichtstärkemessung betreffend; mithilfe der Photometrie erfolgend. **Pho|to|mo|dell** vgl. Fotomodell. **Pho|to|mon|ta|ge** vgl. Fotomontage. **Pho|ton** *das;* -s, ...onen: in der Quantentheorie das kleinste Energieteilchen einer elektromagnetischen Strahlung. **Pho|to|ob|jek|tiv** vgl. Fotoobjektiv. **Pho|to|op|tik** vgl. Fotooptik. **Pho|to|pe|ri|o|dis|mus**, auch: Foto... *der;* -: Abhängigkeit der Pflanzen in der Blütenausbildung von der täglichen Licht-Dunkel-Periode (Bot.). **pho|to|phil**, auch: foto...: das Leben im Licht bevorzugend (von Tieren u. Pflanzen; Biol.); Ggs. ↑ photophob. **pho|to|phob**, auch: foto...; 1. lichtscheu, -empfindlich (bei gesteigerter Reizbarkeit der Augen; Med.). 2. das Licht meidend (von Tieren u. Pflanzen; Biol.); Ggs. ↑ photophil. **Pho|to|pho|bie**, auch: Foto... *die;* -: gesteigerte, schmerzhafte Lichtempfindlichkeit der Augen (z. B. bei Entzündungen, Migräne; Med.). **Pho|to|phy|si|o|lo|gie**, auch: Foto... *die;* -: die Wirkung des Lichts auf Entwicklung u. Lebensfunktionen der Pflanzen behandelndes Teilgebiet der ↑ Physiologie. **Pho|top|sie***, auch: Fotopsie *die;* -: Auftreten von subjektiven Lichtempfindungen (in Gestalt von Blitzen, Funken o. Ä., z. B. bei Reizung der Augen od. Störung der Sehbahnen; Med.); vgl. Phosphen. **Pho|to|re|a|lis|mus** vgl. Fotorealismus. **Pho|to|re|a|list** vgl. Fotorealist. **Pho|to-**

sphä|re*, auch: Foto... *die;* -: strahlende Gashülle der Sonne (Astron.). **Pho|to|syn|the|se**, auch: Foto... *die;* -: Aufbau organischer Substanzen aus anorganischen Stoffen in Pflanzen unter Mitwirkung von Sonnenlicht; vgl. Assimilation (2 b). **pho|to|tak|tisch**, auch: foto...: die Phototaxis betreffend, auf ihr beruhend; sich durch einen Lichtreiz bewegend (Bot.). **Pho|to|ta|xis**, auch: Foto... *die;* -, ...xen: durch Lichtreize ausgelöste ↑²Taxis (Biol.). **Pho|to|thek*** vgl. Fotothek. **Pho|to|the|ra|pie**, auch: Foto... *die;* -, -n: Behandlung von Krankheiten mit natürlicher od. künstlicher Lichtstrahlung; Lichtheilverfahren (Med.). **Pho|to|to|po|gra|phie**, auch: Foto... *die;* -: Fototopografie; vgl. ↑ Photogrammetrie. **pho|to|trop***, auch: foto... 1. phototropisch (Biol.). 2. vgl. fototrop. **Pho|to|tro|pie*** 'vgl. Fototropie. **pho|to|tro|pisch***, auch: foto...: den Phototropismus betreffend; lichtwendig (Biol.). **Pho|to|tro|pis|mus***, auch: Foto... *der;* -, ...men: durch Lichtreize ausgelöster Tropismus bei Pflanzen u. anderen Chlorophyll enthaltenden Organismen; Lichtwendigkeit (Biol.). **Pho|to|ty|pie**, auch: Foto... *die;* -, ...ien: 1. (ohne Plural) Verfahren zur photomechanischen Herstellung von Druckplatten. 2. photomechanisch hergestellte Druckplatte. **Pho|to|vol|ta|ik**, auch: Foto... ⟨↑ Volt⟩ *die;* -: Teilgebiet der Elektronik bzw. der Energietechnik, das sich mit der Gewinnung von elektrischer Energie bes. aus Sonnenenergie befasst. **pho|to|vol|ta|isch**, auch: foto...: die Photovoltaik betreffend. **Pho|to|zel|le**, auch: Foto... *die;* -, -n: Vorrichtung, die unter Ausnutzung des ↑ Photoeffektes Lichtschwankungen in Stromschwankungen umwandelt bzw. Strahlungsenergie in elektrische Energie (Phys.). **Pho|to|zin|ko|gra|phie**, auch: Fotozinkografie ⟨gr.; dt.; gr.⟩ *die;* -, ...ien: Herstellung von Strichätzungen im Lichtbildverfahren. **Phrag|mo|ba|si|di|o|my|zet** ⟨gr.-nlat.⟩ *der;* -en, -en: Ständerpilz mit vierteiliger ↑ Basidie (z. B. Getreiderostpilz)

'Phra|se ⟨gr.-lat.⟩: 1. (Sprachw.) a) Satz; typische Wortverbindung, Redensart, Redewendung; b) aus einem Einzelwort od. aus mehreren, eine Einheit bildenden Wörtern bestehender Satzteil. 2. selbstständiger Abschnitt eines musikalischen Gedankens (Mus.). ²Phra̱se ‹gr.-lat.-fr.›: abgegriffene, leere Redensart; Geschwätz. Phra̱sen|struk|tur|gram|ma|tik ‹gr.-lat.-nlat.› die; -: Grammatik, die durch Einteilung u. Abgrenzung der einzelnen ¹Phrasen (1 b) Sätze, komplexe sprachliche Einheiten analysiert, Satzbaupläne ermittelt (Sprachw.); vgl. Konstituentenstrukturgrammatik. Phra|se|o|le|xem das; -s, -e: phraseologische Einheit, die durch Idiomatizität, Stabilität u. Lexikalisierung gekennzeichnet ist (z. B.: jmdm. platzt der Kragen). Phra|se|o|lo|gie die; -, ...ien (Sprachw.) a) Gesamtheit typischer Wortverbindungen, charakteristischer Redensarten, Redewendungen einer Sprache; b) Zusammenstellung, Sammlung solcher Redewendungen. phra|se|o|lo̱gisch: die Phraseologie betreffend. Phra|se|o|lo|gis|mus der; -, ...men: ↑Idiom (2). Phra|se|o|nym das; -s, -e: Deckname, Verfassername, der aus einer Redewendung besteht (z. B. „von einem, der das Lachen verlernt hat"). Phra|seur [...'zø:ɐ̯] ‹gr.-lat.-fr.› der; -s, -e: (veraltet) Phrasenmacher; Schwätzer. phra|sie̱|ren: (Mus.) a) in das Notenbild Phrasierungszeichen eintragen; ein Tonstück in melodisch-rhythmische Abschnitte einteilen; b) beim Vortrag eines Tonstücks die entsprechenden Phrasierungszeichen beachten, die Gliederung in melodisch-rhythmische Abschnitte zum Ausdruck bringen. Phra|sie̱rung die; -, -en: (Mus.) a) melodisch-rhythmische Einteilung eines Tonstücks; b) Gliederung der Motive, Themen, Sätze u. Perioden beim musikal. Vortrag. Phrat|rie̱* ‹gr.› die; -, ...ien: altgriechische Sippengemeinschaft. Phre|nal|gie̱* ‹gr.› die; -, ...ien: Schmerz im Zwerchfell (Med.). Phre|nek|to|mie̱ die; -, ...ien: operative Entfernung eines Teils des Zwerchfells (bes. bei bösartigen Tumoren). Phre|ni|kus ‹gr.-nlat.› der; -: Zwerchfellnerv (Med.). Phre|ni|tis ‹gr.-lat.› die; -, ...itiden: Zwerchfellentzündung (Med.). Phre|no|kar|die̱ ‹gr.-nlat.› die; -, ...ien: Herzneurose mit Herzklopfen, Herzsti-

chen, Atemnot (Med.). Phre|no|lep|sie die; -, ...ien: Zwangsvorstellung, -zustand (Med.). Phre|no|lo̱|ge der; -n, -n: Anhänger der Phrenologie. Phre|no|lo|gie̱ die; -: (als irrig erwiesene) Anschauung, dass aus den Schädelformen auf bestimmte geistig-seelische Veranlagungen zu schließen sei. phre|no|lo̱|gisch: die Phrenologie betreffend. Phre|no|nym das; -s, -e: Deckname, der aus der Bezeichnung einer Charaktereigenschaft besteht (z. B.: „ein Vernünftiger"). Phre|no|pa|thie̱ die; -: ↑Psychose Phri|llon® (Kunstwort) das; -s: vollsynthetische Faser Phry|ga̱|na ‹gr.-nlat.› die; -, -s: Felsenheide; der ↑Garigue entsprechender Vegetationstyp im Mittelmeergebiet. Phry|ga|ni|de die; -, -n: Köcherfliege phry|gisch: 1. Phrygien, die Phrygier betreffend. 2. in der Fügung: phrygische Mütze: (in der Französischen Revolution) Sinnbild der Freiheit, ↑Jakobinermütze. 3. in der Fügung: phrygische Tonart: zu den authentischen Tonreihen gehörende, auf e stehende Tonleiter der Kirchentonarten des Mittelalters. Phry̱|gische das; -n: (Mus.) 1. altgriechische Tonart. 2. Kirchentonart Phtha|la̱t ‹pers.-gr.-lat.-nlat.› das; -[e]s, -e: Salz der Phthalsäure. Phtha|le|i̱n das; -s, -e: synthetischer Farbstoff (z. B. Eosin). Phtha̱l|säu|re ‹pers.-gr.-lat.-nlat.; dt.› die; -, -n: Säure, die in großen Mengen bei der Herstellung von Farbstoffen, Weichmachern u. Ä. verarbeitet wird Phthi|ri|a̱|se ‹gr.-lat.› die; -, -n u. Phthi|ri|a|sis die; -, ...iasen: Läuse-, bes. Filzlausbefall (Med.) Phthi̱|se ‹gr.-lat.› u. Phthi̱sis die; -, ...sen: (Med.) 1. allgemeiner Verfall des Körpers od. einzelner Organe. 2. Lungentuberkulose die mit Schrumpfung u. Einschmelzung des Lungengewebes verbunden ist. Phthi|se|o|pho̱|bie ‹gr.-nlat.› die; -: krankhafte Angst vor der Ansteckung mit Lungentuberkulose (Med.). Phthi̱|sil|ker ‹gr.-lat.› der; -es, -: Schwindsüchtiger (Med.). Phthi̱|sis vgl. Phthise. phthi̱|sisch u. phthi̱|tisch: die Phthise betreffend; schwindsüchtig (Med.)

Phyl|ko|den|schie̱|fer ‹gr.; dt.› der; -s: Schichten mit der Versteinerung algenähnlicher Gebilde im Frankenwald u. in Ostthü-

ringen (Geol.). Phy|ko|eryth|ri̱n* ‹gr.-nlat.› das; -s: roter Farbstoff bei Blau- u. Rotalgen. Phy|ko|lo|gie̱ die; -: auf die Algen spezialisiertes Teilgebiet der Botanik; Algenkunde. Phy|ko|my|ze̱t der; -en, -en: Algenpilz Phyl|lak|te|ri|on ‹gr.› das; -s, ...ien (meist Plural): 1. als ↑Amulett benutzter [geweihter] Gegenstand. 2. jüdischer Gebetsriemen, ↑Tefillin Phy̱l|le ‹gr.› die; -, -n: altgriech. Stammesverband der Landnahmezeit, in Athen als politischer Verband des Stadtstaates organisiert; vgl. Tribus (1). phyl|le̱tisch: die Abstammung, die Stammesgeschichte betreffend (Biol.) Phyl|li̱t [auch: ...'lɪt] ‹gr.-nlat.› der; -s, -e: feinblättriger kristalliner Schiefer (Geol.). phyl|li|tisch [auch: ...'lɪt...] (von Gesteinen) feinblättrig (Geol.). Phyl|lo|bi|o|lo|gie̱ die; -: (veraltet) das Leben der Blätter untersuchendes Teilgebiet der Botanik. Phyl|lo|chi|no̱n [...çi...] ‹gr.; indian.› das; -s: in grünen Blättern enthaltenes, für die Blutgerinnung wichtiges Vitamin K. Phyl|lo|di|um ‹gr.-nlat.› das; -s, ...ien [...iən]: blattartig verbreiterter Blattstiel (Bot.). Phyl|lo|kak|tus der; ...een: amerikanischer Kaktus mit blattartigen Sprossen u. großen Blüten, der in zahlreichen Zuchtsorten vorkommt. Phyl|lo|kla̱|di|um* das; -s, ...ien: blattähnlicher Pflanzenspross (Bot.). Phyl|lo|pha̱|ge der; -n, -n: Pflanzen-, Blattfresser (Biol.). Phyl|lo|po̱|de der; -n, -n (meist Plural): Blattfüßer (niederer Krebs, z. B. Wasserfloh). Phyl|lo|ta̱|xis die; -, ...xen: Blattstellung (Bot.). Phyl|lo|xe̱|ra die; -, ...ren: Reblaus Phy|lo|ge|ne̱|se ‹gr.-nlat.› die; -, -n: ↑Phylogenie. phy|lo|ge|ne̱tisch: die Stammesgeschichte betreffend (Biol.). Phy|lo|ge|nie̱ die; -, ...ien: Stammesgeschichte der Lebewesen (Biol.). Phy|lo|go|ni̱e die; -, ...ien: (veraltet) Phylogenie. Phy̱l|lum ‹gr.-nlat.› das; -s, ...la: systematische Bezeichnung für: Tier- od. Pflanzenstamm (Biol.) Phy̱|ma ‹gr.› die; -s, -ta: knolliger Auswuchs (Med.) Phy̱|sa|lis ‹gr.› die; -, - u. ...alen: Lampionblume; Blasen- od. Judenkirsche (Nachtschattengewächs mit essbaren Beeren) Phy̱|si|al|ter* ‹gr.-nlat.› der; -s, -:

Naturheilarzt. **Phy|si|at|ri̯e** *die;* -: Naturheilkunde. **Phy|si̯k** *(gr.-nlat.)* *die;* -: der Mathematik u. Chemie nahe stehende Naturwissenschaft, die vor allem durch experimentelle Erforschung u. messende Erfassung die Grundgesetze der Natur, bes. Bewegung u. Aufbau der unbelebten Materie u. die Eigenschaften der Strahlung u. der Kraftfelder, untersucht. **phy|si|ka̯l|lisch** *(gr.-nlat.)*: die Physik betreffend, zu ihr gehörend, auf ihr beruhend; **physikalische Chemie**: Gebiet der Chemie, in dem Stoffe u. Vorgänge durch exakte Messungen mittels physikalischer Methoden untersucht werden; **physikalische Geographie**: Gebiet der Geographie, das ↑Geomorphologie, ↑Klimatologie u. ↑Hydrologie umfasst; **physikalische Therapie**: arzneilose, nur mit physikalischen Mitteln (Wärme, Licht u. a.) arbeitende Heilmethode. **Phy|si|ka̯l|lis|mus** *der;* -: grundsätzlich nach den Methoden der Physik ausgerichtete Betrachtung der biologischen Prozesse u. der Lebensvorgänge (Philos.). **phy|si|ka̯l|is|tisch**: den Physikalismus betreffend, zu ihm gehörend, auf ihm beruhend, für ihn charakteristisch. **Phy|si|ka̯t** *das;* -[e]s, -e: (veraltet) Amt eines Physikus. **Phy|si̯l|ker** *(gr.-lat.)* *der;* -s, -: Wissenschaftler auf dem Gebiet der Physik. **Phy|si̯l|ko|che̯|mi̯e** *die;* -: physikalische Chemie. **phy|si̯l|ko|che̯|misch**: die physikalische Chemie betreffend, zu ihr gehörend, auf ihr beruhend, für sie charakteristisch. **Phy|si̯l|ko|tech|ni|ker** *der;* -s, -: (selten) handwerklich begabter Techniker auf physikalischem Gebiet. **Phy|si̯l|ko|the|o|lo̯|gi̯e** *die;* -: Schluss von der zweckmäßigen u. sinnvollen Einrichtung dieser Welt auf das Dasein Gottes. **Phy|si̯l|ko|the̯|ra|pi̯e** *die;* -: ↑Physiotherapie. **Phy|si̯l|kum** *das;* -s, ...ka: ärztliches Vorexamen, bei dem die Kenntnisse auf dem Gebiet der allgemeinen naturwissenschaftlichen u. anatomischen Grundlagen der Medizin geprüft werden. **Phy|si̯l|kus** *der;* -, -se: (veraltet) Kreis-, Bezirksarzt. **phy|si̯l|o|gen** *(gr.-nlat.)*: körperlich bedingt, verursacht (Psychol.). **Phy|si̯l|o|ge̯|o|gra̯|phi̯e**, auch: ...grafie *die;* -: physikalische Geographie. **phy|si̯l|o|ge̯|o|gra̯|phisch**, auch:

...grafisch: die physikalische Geographie betreffend, zu ihr gehörend, auf ihr beruhend. **Phy|si̯l|og|no̯m** *(gr.-lat.)* *der;* -en, -en u. Physiognomiker *der;* -s, -: jmd., der sich [wissenschaftlich] mit der Physiognomik beschäftigt, der die äußere Erscheinung eines Menschen deutet. **Phy|si̯l|og|no̯|mi̯e** *(gr.-mlat.)* *die;* -, ...i̯en: äußere Erscheinung, bes. der Gesichtsausdruck eines Menschen, auch eines Tieres. **Phy|si̯l|og|no̯|mik** *(gr.-nlat.)* *die;* -: 1. Ausdruck, Form, Gestalt des menschlichen Körpers, bes. des Gesichtes, von denen aus auf innere Eigenschaften geschlossen werden kann. 2. Teilgebiet der Ausdruckspsychologie, das sich mit der Möglichkeit befasst, aus der Physiognomie auf charakterliche Eigenschaften zu schließen. **Phy|si̯l|og|no̯|mi|ker** vgl. Physiognom. **phy|si̯l|og|no̯|misch** *(gr.-lat.)*: die Physiognomie betreffend. **Phy|si̯l|o|gra̯|phi̯e**, auch: ...grafie *(gr.-nlat.)* *die;* -: (veraltet) 1. Naturbeschreibung; Landschaftskunde. 2. ↑Physiogeographie. **phy|si̯l|o|gra̯|phisch**, auch: ...grafisch: die Physiographie betreffend, zu ihr gehörend. **Phy|si̯l|o|kli̯|ma|tol|lo̯|gi̯e** *die;* -: erklärende Klimabeschreibung (Meteor.). **Phy|si̯l|o|kra̯t** *der;* -en, -en: Vertreter des Physiokratismus. **Phy|si̯l|o|kra̯|ti̯e** *die;* -: (veraltet) Herrschaft der Natur. **phy|si̯l|o|kra̯|tisch**: 1. (veraltet) die Physiokratie betreffend. 2. den Physiokratismus betreffend. **Phy|si̯l|o|kra̯|tis|mus** *der;* -: volkswirtschaftliche Theorie des 18. Jh.s, nach der Boden u. Landwirtschaft die alleinigen Quellen des Reichtums sind. **Phy|si̯l|o|lo̯|ge** *(gr.-lat.)* *der;* -n, -n: Wissenschaftler auf dem Gebiet der Physiologie. **Phy|si̯l|o|lo̯|gi̯e** *(gr.-lat.)* *die;* -: Wissenschaft von den Grundlagen des allgemeinen Lebensgeschehens, bes. von den normalen Lebensvorgängen u. Funktionen des menschlichen Organismus. **phy|si̯l|o|lo̯|gisch**: die Physiologie betreffend; die Lebensvorgänge im Organismus betreffend; **physiologische Chemie**: Teilgebiet der Physiologie, in dem die Lebensvorgänge mit physikalischen u. chemischen Methoden erforscht werden. **Phy|si̯l|o|lo̯|gus** *der;* -: Titel eines im Mittelalter weit verbreiteten Buches, das christliche Glaubenssätze in allegori-

scher Auslegung an (oft fabelhafte) Eigenschaften der Tiere knüpfte. **Phy|si̯l|o|no̯|mi̯e** *(gr.-nlat.)* *die;* -: (veraltet) Lehre von den Naturgesetzen. **Phy|si̯l|o|the̯|ra|pe̯ut** *der;* -en, -en: Masseur, Krankengymnast, der nach ärztlicher Verordnung Behandlungen mit den Mitteln der Physiotherapie durchführt. **Phy|si̯l|o|the̯|ra|pi̯e** *die;* -: Behandlung von Krankheiten mit naturgegebenen Mitteln wie Wasser, Wärme, Licht, Luft. **Phy|si̯l|o|top** *der;* -[e]s, -e: kleinste Landschaftseinheit (z. B. Delle, Quellschlucht, Schwemmkegel u. a.; Geogr.). **Phy|sis** *(gr.-lat.)* *die;* -: 1. die Natur, das Reale, Wirkliche, Gewachsene, Erfahrbare im Gegensatz zum Unerfahrbaren der ↑Metaphysik (Philos.). 2. körperliche Beschaffenheit [des Menschen]. **phy|sisch**: 1. in der Natur begründet, natürlich. 2. die körperliche Beschaffenheit betreffend; körperlich; vgl. psychisch; **physische Geographie**: physikalische Geographie

Phy|so|me̯t|ra* *(gr.-nlat.)* *die;* -: Gasbildung in der Gebärmutter (Med.). **Phy|sos|ti̯g|min** *das;* -s: Heilmittel aus dem Samen einer afrikanischen Bohnenart. **Phy|to|fla|gel|la̯t** *(gr.; lat.)* *der;* -en, -en (meist Plural): pflanzlicher ↑Flagellat. **phy|to|gen** *(gr.-nlat.)*: 1. aus [Pflanzen|resten] entstanden (z. B. Torf, Kohle). 2. durch Pflanzen od. pflanzliche Stoffe verursacht (z. B. von Hautkrankheiten; Med.). **Phy|to|ge|o|gra̯|phi̯e**, auch: ...grafie *die;* -: Pflanzengeographie. **Phy|to|gno̯|si̯e*** *die;* -, ...i̯en: (veraltet) auf äußeren Merkmalen aufbauende Pflanzenlehre. **Phy|to|hor|mon** *das;* -s, -e: pflanzliches ↑Hormon. **Phy|to|lith** [auch: ...'lit] *der;* -s u. -en, -e[n] (meist Plural): Sedimentgestein, das ausschließlich od. größtenteils aus Pflanzenresten entstanden ist (z. B. Kohle; Geol.). **Phy|to|lo̯|gi̯e** *die;* -: Pflanzenkunde, Botanik. **Phy|tom** *das;* -s, -e: pflanzlicher Bestand innerhalb eines ↑Bioms; vgl. ²Zoom. **Phy|to|me|di̯|zin** *(gr.; lat.)* *die;* -: Pflanzenmedizin; pflanzenpathologische Wissenschaft, die sich mit der Erforschung der Pflanzenkrankheiten u. -schädlinge sowie mit deren Verhütung bzw. Bekämpfung befasst. **Phy|to|no̯|se** *(gr.-nlat.)* *die;* -, -n:

durch Pflanzengiftstoffe entstandene Hautkrankheit (Med.). **Phy|to|pa|lä|on|to|lo|gie** *die;* -: ↑Paläobotanik. **phy|to|pa|tho|gen:** Pflanzenkrankheiten hervorrufend (Biol.). **Phy|to|pa|tho|lo|gie** *die;* -: Wissenschaft von den Pflanzenkrankheiten u. -schädlingen (Bot.). **phy|to|pa|tho|lo|gisch:** die Phytopathologie betreffend, zu ihr gehörend, auf ihr beruhend. **phy|to|phag:** Pflanzen fressend (Biol.). **Phy|to|pha|ge** *der;* -n, -n (meist Plural): Pflanzenfresser (Biol.). **Phy|toph|tho|ra*** *die;* -: Gattung der Eipilze (z. B. der Kartoffelpilz, Erreger der Kartoffelfäule). **Phy|to|plank|ton** *das;* -s: Gesamtheit der im Wasser schwebenden pflanzlichen Organismen. **Phy|to|so|zi|o|lo|gie** *die;* -: Teilgebiet der ↑Ökologie, auf dem man sich mit den Pflanzengesellschaften befasst; Pflanzensoziologie. **Phy|to|the|ra|pie** *die;* -: Wissenschaft von der Heilbehandlung mit pflanzlichen Substanzen. **Phy|to|to|mie** *die;* -: Gewebelehre der Pflanzen; Pflanzenanatomie. **Phy|to|tron*** *das;* -s, -e: als Laboratorium zur Untersuchung von Pflanzen dienende Klimakammer. **Phy|to|zo|on** *das;* -s, ...zoen: (veraltet) Meerestier von pflanzenähnlichem Aussehen (z. B. Nesseltier).

Pi ⟨*gr.*⟩ *das;* -[s], -s: 1. sechzehnter Buchstabe des griechischen Alphabets: Π, π. 2. Ludolfsche Zahl, die das Verhältnis von Kreisumfang zu Kreisdurchmesser angibt (π = 3,1415...) (Math.).

Pi|a|ce|re [pia'tʃe:rə] ⟨*lat.-it.*⟩ *das;* -: Belieben, Willkür (beim musikalischen Vortrag). **pi|a|ce|vo|le** [pia'tʃe:volə]: gefällig, lieblich (Vortragsanweisung; Mus.) **Pi|af|fe** ⟨*fr.*⟩ *die;* -, -n: trabähnliche Bewegung auf der Stelle (aus der hohen Schule übernommene Übung moderner Dressurprüfungen; Reitsport). **pi|af|fie|ren:** (selten) die Piaffe ausführen **Pia Ma|ter** ⟨*lat.*⟩ *die;* - -: weiche Hirnhaut (Med.). **Pia Ma|ter Spi|na|lis** *die;* - - -: weiche Haut des Rückenmarks (Med.) **pi|an|gen|do** [pian'dʒɛndo] ⟨*lat.-it.*⟩: weinend, klagend (Vortragsanweisung; Mus.). **Pi|a|ni|no** ⟨*lat.-it.*⟩ *das;* -s, -s: kleines Klavier. **Pi|a|nis|si|mo** *das;* -s, -s u. ...mi: sehr leises Spielen od. Singen (Mus.). **pi|a|nis|si-**

mo: sehr leise (Vortragsanweisung; Mus.; Abk.: pp). **pi|a|nis|si|mo quan|to pos|si|bi|le:** so leise wie möglich (Vortragsanweisung; Mus.). **Pi|a|nist** ⟨*lat.-it.-fr.*⟩ *der;* -en, -en: Musiker, der Klavier spielt. **pi|a|nis|tisch:** die Technik, Kunst des Klavierspielens betreffend. **pi|a|no** ⟨*lat.-it.*⟩: schwach, leise (Vortragsanweisung; Mus.; Abk.: p). **Pi|a|no** ⟨Kurzform von Pianoforte⟩ *das;* -s, -s: 1. (veraltend, noch scherzh.) Klavier. 2. (Plural auch: ...ni) schwaches, leises Spielen od. Singen (Mus.). **Pi|a|no|la|(kor|de|l)on** *das;* -s, -s: ↑Akkordeon mit Klaviertastatur auf der Melodieseite. **Pi|a|no|chord** [...'kɔrt] ⟨*lat.-it.; gr.-lat.*⟩ *das;* -[e]s, -e: kleines, 6²/₃ Oktaven umfassendes Klavier als Hausu. Übungsinstrument. **Pi|a|no|for|te** ⟨*lat.-it.*⟩ *das;* -s, -s: (veraltet) Klavier. **Pi|a|no|la** *die;* -s, -s: selbsttätig spielendes Klavier; vgl. auch: Phonola **Pi|a|rist** ⟨*lat.-nlat.*⟩ *der;* -en, -en: Mitglied eines priesterlichen katholischen Lehrordens **Pi|as|sa|va** ⟨*indian.-port.*⟩ u. **Pi|as|sa|ve** *die;* -, ...ven: für Besen u. Bürsten verwendete Blattfaser verschiedener Palmen **Pi|as|ter** ⟨*gr.-lat.-roman.*⟩ *der;* -s, -: 1. span. u. südamerik. ↑Peso im europäischen Handelsverkehr. 2. seit dem 17. Jh. die türkische Münzeinheit zu 40 Para (heutige Bezeichnung: Kurus). 3. Münzeinheit in Ägypten, Libanon, Sudan, Syrien **Pi|at|ti** ⟨*gr.-vulgärlat.-it.*⟩ *die* (Plural): Schlaginstrument aus zwei Becken (Mus.). **Pi|az|za** ⟨*gr.-lat.-vulgärlat.-it.*⟩ *die;* -, -s u. Piazze: ital. Bez. für: Markt[platz. **Pi|az|zet|ta** *der;* -, ...tte: kleine Piazza **Pi|broch** ⟨*schott.-engl.*⟩ „Pfeifenmelodie") *das;* -s, -s: altschottisches Musikstück mit Variationen für den Dudelsack **Pi|ca** ⟨*lat.-mlat.*⟩ *die;* -: 1. genormte Schriftgröße bei der Schreibmaschine mit 2,6 mm Schrifthöhe. 2. ↑Pikazismus **Pi|ca|dor,** auch: Pikador ⟨*span.*⟩ *der;* -s, -s: Lanzenreiter, der beim Stierkampf den auf den Kampfplatz gelassenen Stier durch Stiche in den Nacken zu reizen hat **Pi|ca|ro** ⟨*span.*⟩ *der;* -s, -s: span. Bez. für: Schelm, Spitzbube **Pic|ca|lil|li** ⟨*engl.*⟩ *die* (Plural): eine Art ↑Mixedpickles

Pic|cio|li|ni [pɪtʃo...] ⟨*it.*⟩ *die* (Plural): eingemachte Oliven. **pic|co|lo:** ital. Bez. für: klein (in Verbindung mit Instrumentennamen (z. B.: Flauto piccolo = Pikkoloflöte). **Pic|co|lo** (österr.) vgl. Pikkolo **Pick** vgl. ³Pik **Pi|ckel|flö|te** *die;* -, -n: ↑Pikkoloflöte **Pi|cker** ⟨*engl.*⟩ *der;* -s, -: Teil am mechanischen Webstuhl, das den Schützen durch das Fach schlägt **Pick|les** ['pɪkļs] *die* (Plural): ↑Mixedpickles **Pick|nick** ⟨*fr.*⟩ *das;* -s, -e u. -s: Mahlzeit, Imbiss im Freien. **pick|ni|cken:** ein Picknick abhalten **Pick-up** [pɪk'ap] ⟨*engl.*⟩ *der;* -s, -s: 1. Tonabnehmer für Schallplatten. 2. Aufsammelvorrichtung an landwirtschaftlichen Geräten. **Pick-up-Shop** [pɪk'ap...] ⟨*engl.*⟩ *der;* -s, -s: Laden, der den Kunden auch für große, sperrige Artikel keinen Lieferservice bietet **pi|co|bel|lo** ⟨*niederd.* (italianisiert); *it.*⟩: (ugs.) tadellos [in Ordnung], vorzüglich **Pi|col|fa|rad** vgl. Pikofarad **Pi|cot** [pi'ko:] ⟨*fr.*⟩ *der;* -s, -s: Muster, bei dem mehrere Luftmaschen u. eine feste Masche gehäkelt werden **Pid|gin** ['pɪdʒɪn] ⟨*engl.,* nach der chines. Aussprache des engl. Wortes business = Geschäft⟩ *das;* -: aus Elementen der Ausgangs- u. der Zielsprache bestehende Mischsprache, deren Kennzeichen vor allem eine stark reduzierte Morphologie der Zielsprache ist (Sprachw.). **Pid|gin|eng|lisch,** auch: Pidgin-Englisch u. **Pid|gin|eng-lish,** auch: **Pid|gin-Eng|lish** ['pɪdʒɪn'ɪŋglɪʃ] *das;* -: Mischsprache aus einem grammatisch sehr vereinfachten, im Vokabular stark begrenzten Englisch u. einer od. mehreren anderen [ostasiatischen, afrikanischen] Sprachen. **pid|gi|ni|sie|ren:** eine Sprache durch eingeschränkten Gebrauch ihrer Mischform zum Pidgin machen **Pie** [paɪ] ⟨*engl.*⟩ *die;* -, -s: (in England u. Amerika beliebte) warme Pastete aus Fleisch od. Obst **Pi|e|ce** ['piɛ:s(ə)] ⟨*gall.-mlat.-fr.*⟩ *die;* -, -n: Stück, Tonstück, musikalisches Zwischenspiel. **Pièce de Ré|sis|tance** [pjɛsdərezis-'tã:s] ⟨*fr.*⟩ *die;* - - -, -s - - :(veraltet)

Hauptgericht, großes Fleischstück. **pièce tou|chée, pièce joulée** [pjɛstuˈʃe, pjɛsˈʒ̣ue]: Grundsatz beim Schach, nach dem eine berührte Figur auch gezogen werden muss **Pie|des|tal** ⟨it.-fr.⟩ das; -s, -e: 1. a) [gegliederter] Sockel (Archit.); b) sockelartiger Ständer für bestimmte Zier-, Kunstgegenstände. 2. hohes Gestell mit schräg gestellten Beinen für Vorführungen (bes. von Tieren) im Zirkus **pie|no** ⟨lat.-it.⟩; voll, vollstimmig (Vortragsanweisung; Mus.) **Pier** ⟨mlat.-engl.⟩ der; -s, -e u. -s (Seemannsspr.: die; -, -s): Anlegestelle, Landungsbrücke, an der die Schiffe beiderseits anlegen können **Pier|cing** ⟨engl.⟩ das; -s: das Durchbohren od. Durchstechen der Haut zur Anbringung von Körperschmuck **Pi|er|ret|te** [pie...] ⟨gr.-lat.-fr.⟩ die; -, -n: weibliche Lustspielfigur, vor allem der französischen Pantomime. **Pi|er|rot** [pie'ro:] ⟨„Peterchen"⟩ der; -s, -s: männliche Lustspielfigur, vor allem der französischen Pantomime **Pie|ta** u. (bei ital. Schreibung:) **Pie|tà** ⟨lat.-it.⟩ die; -, -s: Darstellung Marias mit dem Leichnam Christi auf dem Schoß; Vesperbild. **Pie|tät** ⟨lat.⟩ die; -: 1. (bes. in Bezug auf die Gefühle, die sittlichen, religiösen Wertvorstellungen anderer) ehrfürchtiger Respekt, taktvolle Rücksichtnahme. 2. (landsch.) Beerdigungsinstitut. **Pie|tis|mus** ⟨lat.-nlat.⟩ der; -: protestantische Bewegung des 17. u. 18. Jh.s, die durch vertiefte Frömmigkeit u tätige Nächstenliebe die ↑ Orthodoxie (1) zu überwinden suchte. **Pie|tist** der; -en, -en: Anhänger, Vertreter des Pietismus. **pie|tis|tisch:** a) den Pietismus betreffend, dazu gehörend; b) für die Pietisten charakteristisch, in der Art der Pietisten. **pie|to|so** ⟨lat.-it.⟩: mitleidsvoll, andächtig (Mus.) **Pie|tra* du|ra** ⟨it.; „harter Stein"⟩ die; - -: ital. Bez. für: Florentiner Mosaik **Pie|zo|che|mie** ⟨gr.; arab.-roman.⟩ die; -: Erforschung chemischer Wirkungen unter hohem Druck. **pie|zo|elekt|risch*** ⟨gr.-nlat.⟩: elektrisch durch Druck; **piezoelektrischer Effekt:** von P. Curie entdeckte Aufladung mancher Kristalle unter Druck-

einwirkung. **Pie|zo|elekt|ri|zi|tät*** die; -: durch Druck entstandene Elektrizität bei manchen Kristallen. **Pie|zo|me|ter** ⟨gr.-nlat.⟩ das; -s, -: Instrument zur Messung des Grades der Zusammendrückbarkeit von Flüssigkeiten, Gasen u. festen Stoffen (Techn.) **Pif|fe|ra|ri** ⟨it.⟩ die (Plural): zur Weihnachtszeit in Rom den Pifferaro blasende Hirten. **Pif|fe|ra|ro** u. **Pif|fe|ro** der; -s, ...ri: Querpfeife, Schalmei **Pig** ⟨engl.; „Schwein"⟩ der od. das; -s, -s: (ugs. abwertend) Polizist **Pig|ment** ⟨lat.; „Färbestoff"⟩ das; -[e]s, -e: 1. die Färbung der Gewebe bestimmender Farbstoff (Med.; Biol.). 2. im Binde- od. Lösungsmittel unlöslicher, aber feinstverteilter Farbstoff. **Pig|men|ta|ti|on** ⟨lat.-nlat.⟩ die; -, -en: Einlagerung von Pigment, Färbung. **Pig|ment|druck** der; -[e]s, -e: 1. (Technik) (ohne Plural) Verfahren zum Bedrucken bes. von Mischgeweben, bei dem Pigmente (2) verwendet werden. 2. (Fotogr. früher) a) (ohne Plural) fotografisches Verfahren, bei dem das Negativ auf eine mit Pigmenten (2) versehene lichtempfindliche Schicht übertragen wird; b) durch Pigmentdruck (2 a) hergestelltes, reliefartiges Bild. **pig|men|tie|ren:** 1. körpereigenes Pigment bilden. 2. als körperfremdes Pigment sich einlagern u. etw einfärben **Pig|no|le*** ⟨lat.-it.⟩, (österr.:) **Pig|no|lie** [pɪnˈjoː|l(i)ə] die; -, -n: Pinienkern **Pi|ja|cke** ⟨engl.; dt.⟩ die; -, -n: (landsch.) blaue Seemannsüberjacke **Pi|ji|ki** ⟨lapp.⟩ die (Plural): Felle der Rentierkälber **¹Pik** ⟨vulgärlat.-fr.⟩ das; -[s], -[s]: a) schwarzfarbige Figur in Form der stilisierten Spitze eines Spießes; b) (meist ohne Artikel; ohne Plural) durch ¹Pik (a) gekennzeichnete [zweithöchste] Farbe im Kartenspiel; c) (Plural Pik) Spiel mit Karten, bei dem ¹Pik (b) Trumpf ist; d) (Plural Pik) Spielkarte mit ¹Pik (b) als Farbe. **²Pik** ⟨vulgärlat.-fr.⟩ der; -s, -e u. -s: 1. Piz. 2. heimlicher Groll **Pi|ka|de** ⟨vulgärlat.-span.⟩ die; -, -n: Durchhau, Pfad im Urwald (bes. in Argentinien u. Brasilien). **Pi|ka|dor** vgl. Picador. **pi|kant** ⟨vulgärlat.-fr.⟩: 1. angenehm scharf durch verschiedene, fein aufeinander abgestimmte

Gewürze [u. Wein, Essig o. Ä.]. 2. (veraltend) reizvoll. 3. zweideutig, leicht frivol schlüpfrig. **Pi|kan|te|rie** die; -, ...ien: 1. (ohne Plural) reizvolle Note, Reiz. 2. Zweideutigkeit, Anzüglichkeit. 3. (ohne Plural; selten) feine Würzigkeit **pi|ka|resk** u. **pi|ka|risch** ⟨span.⟩: schelmenhaft **Pi|ka|zis|mus** ⟨lat.⟩ der; -, ...men: Heißhunger nach ausgefallenen Speisen bei Schwangeren (Med.) **¹Pike** ⟨vulgärlat.-fr.⟩ die; -, -n: (hist.) (im späten Mittelalter) aus langem hölzernem Schaft u. Eisenspitze bestehende Stoßwaffe des Fußvolkes; **von der Pike auf:** von Grund auf, von der untersten Stufe an. **¹Pi|kee** der (österr. auch: das); -s, -s: Doppelgewebe mit erhabenem Waben- od. Waffelmuster. **²Pi|kee:** ↑ ²Piqué. **Pi|ke|nier** der; -s, -e: (hist.) mit der Pike kämpfender Landsknecht. **Pi|kett** das; -[e]s, -e: 1. Kartenspiel für zwei Personen, in dem es keine Trumpffarbe gibt. 2. (schweiz.) a) (im Heer u. bei der Feuerwehr) einsatzbereite Einheit; b) Bereitschaft. **Pi|kett|stel|lung** die; -, -en: (schweiz.) Bereitstellung. **pi|kie|ren:** 1. zu dicht stehende junge Pflanzen ausziehen u. in größerem Abstand verpflanzen. 2. festen Stoff auf die Innenseite eines Stoffes mit von außen nicht sichtbaren Stichen nähen. **pi|kiert:** gekränkt, ein wenig beleidigt **¹Pik|ko|lo** ⟨it.; „Kleiner"⟩ der; -s, -s: Kellner, der sich noch in der Ausbildung befindet. **²Pik|ko|lo** das; -s, -s: ↑ Pikkoloflöte. **³Pik|ko|lo** die; -, -[s]: (ugs.) kleine Sektflasche für eine Person; Pikkoloflasche. **Pik|ko|lo|flö|te** die; -, -n: kleine Querflöte **Pi|ko|fa|rad** das; -[s], -: ein Billionstel ↑ Farad; Abk.: pF (Phys.) **Pi|kör** ⟨vulgärlat.-fr.⟩ der; -s, -e: Aufseher der Hundemeute bei einer Parforcejagd (Sport) **Pik|rat*** ⟨gr.-nlat.⟩ das; -[e]s, -e: Salz der Pikrinsäure (Chem.). **Pik|rin|säu|re** ⟨gr.-nlat.; dt.⟩ die; -, -n: Trinitrophenol, explosible organische Verbindung (Chem.). **Pik|rit** [auch: ...'krɪt] ⟨gr.-nlat.⟩ der; -s, -e: grünlich schwarzes, körniges Ergussgestein. **Pik|ro|pei|ge** der; -, -n: Quelle mit Bitterwasser. **Pik|ro|to|xin** das; -s: Gift der Kokkelskörner, das auch als Erregungsmittel in der Heilkunde verwendet wird

Pik|to|gramm ⟨*lat.; gr.*⟩ *das;* -s, -e: stilisierte Darstellung von etw., die eine bestimmte Information, Orientierungshilfe vermittelt. **Pik|to|gra|phie**, auch: Piktografie *die; -*: Bilderschrift. **pik|to|gra|phisch**, auch: piktografisch: die Piktographie betreffend

Pi|kul ⟨*malai.*⟩ *der od. das;* -s, -: Gewicht in Ostasien

Pi|lar ⟨*lat.-span.*⟩ *der;* -en, -en: einer der beiden [Holz]pfosten, zwischen denen das mit den Zügeln angebundene Schulpferd Übungen der hohen Schule erlernt. **Pi|las|ter** ⟨*lat.-it.-fr.*⟩ *der;* -s, -: flach aus der Wand hervortretender, in Fuß, Schaft u. Kapitell gegliederter Pfeiler

Pi|la|tus vgl. Pontius

Pi|lau u. **Pi|law** ⟨*pers. u. türk.*⟩ *der;* -s: Reisgericht mit Hammel- od. Hühnerfleisch

Pil|chard [ˈpɪltʃət] ⟨*engl.*⟩ *der;* -s, -s: Sardine

Pile [paɪl] ⟨*engl.*⟩ *der od. das;* -s, -s: engl. Bez. für: Reaktor

Pi|lea ⟨*lat.-nlat.*⟩ *die;* -, -s: südamerik. Kanonierblume (rankende Zimmerpflanze). **Pi|le|o|lus** ⟨*lat.-mlat.*⟩ *der;* -, ...li u. ...olen: Scheitelkäppchen der kath. Geistlichen (verschiedenfarbig nach dem Rang)

pil|lie|ren ⟨*lat.-fr.*⟩: stampfen, zerstoßen, schnitzeln (bes. Rohseife zur Verarbeitung in Feinseife)

pil|lie|ren ⟨zu „Pille“ mit französierender Endung⟩: (Samen für die Aussaat) mit einer nährstoffreichen Masse umhüllen u. zu Kügelchen formen (Landw.).

Pil|ling ⟨*engl.*⟩ *das;* -s: unerwünschte Knötchenbildung an der Oberfläche von Textilien

Pil|low|la|va [ˈpɪlou...] ⟨*engl.; it.*⟩ *die;* -: untermeerisch entstandene Lava von kissenartiger Form

Pi|lo|kar|pin ⟨*gr.-nlat.*⟩ *das;* -s: Alkaloid, das für medizinische u. kosmetische Zwecke (bes. in Augentropfen u. Haarwuchsmitteln) verwendet wird

Pi|lo|se u. **Pi|lo|sis** ⟨*lat.-nlat.*⟩ *die;* -, ...osen: übermäßiger Haarwuchs (Med.)

Pi|lot ⟨*gr.-mgr.-it.-fr.*⟩ *der;* -en, -en: 1. a) jmd., der aufgrund einer bestimmten Ausbildung [berufsmäßig] ein Flugzeug steuert; Flugzeugführer; b) Rennfahrer. 2. (veraltet) Lotse. 3. Lotsenfisch (zu den Stachelflossern zählender räuberischer Knochenfisch im Atlantik u. Mittelmeer, Begleitfisch der Haie). 4.

(Textilindustrie) Moleskin. **Pi|lot|bal|lon** *der;* -s, -s u. (bei nicht nasalierter Ausspr.:) -e: unbemannter kleiner Ballon, der aufgelassen wird, um Windrichtung u. -stärke anzuzeigen (Meteor.). **Pi|lot|charts** [ˈpaɪlətˈtʃaːts] ⟨*engl.*⟩ *die* (Plural): engl. Bez. für von Seeleuten verwendete Karten, die wichtige meteorologische u. geographische Aufzeichnungen enthalten **Pi|lo|te** ⟨*lat.-roman.*⟩ *die;* -, -n: im Bauwesen Stütze; einzurammender Pfahl

Pi|lot|film ⟨*gr.-mgr.-it.-fr.; engl.*⟩ *der;* -[e]s, -e: einer Fernsehserie od. -sendung vorausgehender Film, mit dem man das Interesse der Zuschauer zu wecken u. die Breitenwirkung zu testen versucht. **¹pi|lot|tie|ren** ⟨*gr.-ngr.-it.-fr.*⟩: ein Flugzeug, einen Sportod. Rennwagen (bei Autorennen) steuern

²pi|lo|tie|ren ⟨*lat.-roman.*⟩ Grund-, Rammpfähle einrammen

Pi|lot|stu|die ⟨*gr.-mgr.-it.-fr.; lat.-nlat.*⟩ *die;* -, -n: einem Projekt vorausgehende Untersuchung, in der alle in Betracht kommenden, wichtigen Faktoren zusammengetragen werden. **Pi|lot|ton** *der;* -[e]s, ...töne: 1. zusätzlich aufgezeichneter hochfrequenter Ton, der bei getrennter Wiedergabe von Bild u. Ton zur synchronen Steuerung von Filmprojektor u. Tonbandgerät dient. 2. hochfrequentes Signal, das der Sender bei Stereoprogrammen zusätzlich ausstrahlt u. das im ↑ Decoder die Entschlüsselung der insgesamt übertragenen Signale bewirkt

Pi|ment ⟨*lat.-roman.*⟩ *der od. das;* -[e]s, -e: Nelkenpfeffer, englisches Gewürz

Pim|per|nell ⟨*sanskr.-pers.-gr.-lat.-mlat.*⟩ *der;* -s, -e u. **Pim|pi|nel|le** *die;* -, -n: (zu den Doldengewächsen gehörende) Pflanze mit Fiederblättern u. weißen bis gelblichen od. rosafarbenen Blüten

Pin ⟨*engl.*⟩ *der;* -s, -s: 1. getroffener Kegel als Wertungseinheit beim Bowling (2). 2. a) (zum Nageln von Knochen dienender) langer, dünner Stift (Med.); b) Stecknadel. 3. kleine bunte [metallene] Plakette, die als Anstecknadel getragen wird

PIN (Kurzw. aus engl. *Personal Identification Number*): zusätzlich zur Ausweiskarte benötigte Geheimnummer, die beim Geld-

abheben am Bankautomaten eingegeben werden muss

Pi|na|kes: *Plural* von ↑ Pinax. **Pi|na|ko|id** ⟨*gr.-nlat.*⟩ *das;* -[e]s, -e: Form eines Kristalls, bei der zwei (von mehreren) Flächen [spiegelbildlich] parallel zueinander liegen. **Pi|na|ko|thek** ⟨*gr.-lat.*⟩ *die;* -, -en: Bilder-, Gemäldesammlung

Pi|nas|se ⟨*lat.-span.-fr.-niederl.*⟩ *die;* -, -n: größeres Beiboot (von Kriegsschiffen)

Pi|nax ⟨*gr.-lat.*⟩ *der;* -, Pinakes: altgriech. Tafel aus Holz, Ton od. Marmor, die beschriftet od. [als Weihgeschenk] bemalt wurde

Pin|board [ˈpɪnbɔːd] ⟨*engl.*⟩ *das;* -s, -s: an der Wand zu befestigende Tafel aus Kunststoff, Kork o. Ä., an die man mit Stecknadeln o. Ä. bes. Merkzettel anheftet; Pinnwand

pin|cé [pɛ̃ˈse] ⟨*fr.*⟩: ↑ pizzicato.

Pin|ce|nez [pɛ̃s(ə)ˈneː] *das;* - [...'neː(s)], - [...'neːs]: (veraltet) Klemmer, Kneifer

Pinch|ef|fekt ⟨*engl.; lat.*⟩ *der;* -[e]s, -e: bei einer Starkstromgasentladung auftretende Erscheinung der Art, dass das ↑ Plasma (3) durch das eigene Magnetfeld zusammengedrückt wird (Phys.)

Pin|cop ⟨*engl.*⟩ *der;* -s, -s: auf dem ↑ Selfaktor bewickelte Schussspule in der Baumwollspinnerei

Pi|ne|al|or|gan ⟨*lat.-nlat.; gr.-lat.*⟩ *das;* -s, -e: als Anhang des Zwischenhirns gebildetes, lichtempfindliches Sinnesorgan, aus dem die Zirbeldrüse hervorgeht (Biol.)

Pine|ap|ple [ˈpaɪnæpl] ⟨*engl.*⟩ *der;* -[s], -s: engl. Bez. für Ananas

Pi|nen ⟨*lat.-nlat.*⟩ *das;* -s, -e: technisch wichtiger Hauptbestandteil der Terpentinöle

Ping|pong ⟨*engl.*⟩ *das;* -s: (gelegentlich scherzh., oft leicht abwertend) (nicht turniermäßig betriebenes) Tischtennis

Pin|gu|in ⟨*engl.*⟩ *der;* -s, -e: flugunfähiger, aufrecht gehender, im Wasser geschickt schwimmender Vogel mit flossenähnlichen Flügeln u. meist schwarzem, auf dem Bauch weißem Gefieder

Pin|holes [ˈpɪnhoulz] ⟨*engl.;* „Nadellöcher“⟩ *die* (Plural): kleine, lang gestreckte Gasblasen unmittelbar unter der Oberfläche von Gussstücken (Techn.)

Pi|nie ⟨*lat.*⟩ *die;* -, -n: Kiefer des Mittelmeerraumes mit schirmförmiger Krone. **Pi|ni|o|le** ⟨*lat.-it.*⟩ *die;* -, -n: ↑ Pignole

pink ⟨engl.⟩: von kräftigem, grellem Rosa. **Pink** das; -s, -s: kräftiges, grelles Rosa. **Pink|co|lour** [...kʌlər] das; -s: zur Porzellanod. Fayencemalerei benutzter roter Farbstoff

Pin|na ⟨lat.⟩ die; -: Vogelmuschel des Mittelmeeres

Pi|no|le ⟨lat.-it.⟩ die; -, -n: Maschinenteil der Spitzendrehbank, in dem die Spitze gelagert ist

Pi|not [pi'no] ⟨fr.⟩: Bestandteil von Namen meist franz. u. ital. Burgunderreben; **Pinot blanc** [...'blã]: Weißburgunder; **Pinot noir** [...'nwar]: Spätburgunder

Pi|no|zy|to|se ⟨gr.-nlat.⟩ die; -, -n: tröpfchenweise erfolgende Aufnahme flüssiger Stoffe in das Zellinnere (Biol.)

Pint [paint] ⟨fr.-engl.⟩ das; -s, -s: englisches u. amerikanisches Hohlmaß, das etwas mehr als einem halben Liter entspricht (Abk.: pt). **Pin|te** ⟨fr.⟩ die; -, -n: 1. (schweiz.) [Blech]kanne. 2. (ugs.) kleines Wirtshaus, Kneipe. 3. früheres Flüssigkeitsmaß

Pin-up-Girl [pɪn'lap...] ⟨engl.-amerik.; „Anheftmädchen") das; -s, -s: 1. Bild einer erotisch anziehenden, leicht bekleideten Frau, bes. auf dem Titelblatt von Illustrierten [das ausgeschnitten u. an die Wand geheftet wird]. 2. Frau, die einem solchen Bild gleicht, dafür posiert

pin|xit ⟨lat.; „hat [es] gemalt"): gemalt von (Zusatz zur Signatur eines Künstlers auf Gemälden); Abk.: p. od. pinx.

Pin|za ⟨it.⟩ die; -, -s (auch: ...ze): Osterbrot aus Hefeteig, mit einem tiefen Kreuzeinschnitt

Pin|zet|te ⟨fr.⟩ die; -, -n: kleines Instrument mit federnden, an einem Ende zusammenlaufenden Schenkeln zum Fassen von kleinen, empfindlichen Gegenständen. **pin|zie|ren**: entspitzen, den Kopftrieb einer Pflanze abschneiden (Obstbau)

Pi|om|bi ⟨lat.-it.; „Bleidächer") die (Plural): (hist.) Staatsgefängnisse im Dogenpalast von Venedig

Pi|on ['pi:ɔn, auch: pi:o:n] ⟨gr.⟩ das; -s, -en (meist Plural): zu den ↑Mesonen gehörendes Elementarteilchen

Pi|o|nier ⟨lat.-vulgärlat.-fr.⟩ der; -s, -e: 1. Soldat der technischen Truppe. 2. jmd., der auf einem bestimmten Gebiet bahnbrechend ist; Wegbereiter. 3. Mitglied einer kommunistischen Organisation für Kinder

Pi|pa ⟨chin.⟩ die; -, -s: chinesische Laute

Pipe [paip] ⟨lat.-vulgärlat.-engl.⟩ die; -, -s: 1. (auch: das) engl. u. amerik. Hohlmaß von unterschiedlicher Größe für Wein u. Branntwein. 2. runde od. ovale vulkanische Durchschlagsröhre.

Pipe|line ['paiplain] ⟨engl.⟩ die; -, -s: (über weite Strecken verlegte) Rohrleitung für den Transport von Erdöl, Erdgas o.Ä. **Pipe|line|pi|lo|nier** der; -s, -e: 1. (Plural) Teil der Pioniertruppen, der für die Verlegung u. Instandhaltung von Versorgungsleitungen ausgebildet wird. 2. Angehöriger der Pipelinepioniere (1)

Pi|pe|rin ⟨sanskr.-pers.-gr.-lat.-nlat.⟩ das; -s: organische Verbindung, die den scharfen Geschmack von Pfeffer verursacht

Pi|pet|te ⟨lat.-vulgärlat.-fr.⟩ die; -, -n: kleines Glasröhrchen mit verengter Spitze zum Entnehmen, Abmessen u. Übertragen kleiner Flüssigkeitsmengen

Pique [pi:k] ⟨vulgärlat.-fr.⟩ das; -, -s [pi:k]: franz. Form von ↑'Pik **'Pi|qué** [pi:ke:] der ⟨österr. auch: das); -s, -s: franz. Form von ↑'Pikee. **'Pi|qué** das; -s, -s: Maßeinheit für die mit bloßem Auge zu erkennenden Einschlüsse bei ↑'Diamanten

Pi|ra|nha [pi'ranja] ⟨indian.-port.⟩ der; -[s], -s: in südamerikanischen Flüssen lebender kleiner Raubfisch mit sehr scharfen Zähnen, der in einem Schwarm jagt u. seine Beute in kürzester Zeit bis auf das Skelett abfrisst

Pi|rat ⟨gr.-lat.-it.⟩ der; -en, -en: Seeräuber. **Pi|ra|te|rie** ⟨gr.-lat.-fr.⟩ die; -, ...ien: Seeräuberei

Pi|ra|ya ⟨indian.-port.⟩ der; -[s], -s: ↑Piranha

Pi|ro|ge ⟨karib.-span.-fr.⟩ die; -, -n: Einbaum der Indianer mit auf die Bordwand aufgesetzten Planken

Pi|rog|ge ⟨russ.⟩ die; -, -n: russische Pastete aus Hefeteig, die mit Fleisch, Fisch o.Ä. gefüllt ist

Pi|ro|plas|mo|se ⟨lat.; gr.⟩ die; -, -n: durch Zecken übertragene malariaartige Rinderkrankheit

Pi|rou|et|te [pi'rueta] ⟨fr.⟩ die; -, -n: 1. Drehschwung (Ringkampf). 2. Drehen auf der Hinterhand (Figur der hohen Schule; Reiten). 3. Standwirbel um die eigene Körperachse (Eiskunst-, Rollschuhlauf, Tanz). **pi|rou|et|tie|ren**: eine Pirouette ausführen

Pi|sang ⟨malai.-niederl.⟩ der; -s, -e: malaiische Bez. für: Banane.

Pi|sang|fres|ser ⟨malai.-niederl.; dt.⟩ der; -s, -: tropischer, metallisch blau od. violett schimmernder Waldvogel mit einem langen Schwanz. **Pi|sang|hanf** der; -[e]s: ↑Manilahanf

Pis|ci|na ⟨lat.⟩ die; -, ...nen: 1. Taufstein im altchristlichen Baptisterium. 2. Ausgussbecken in mittelalterlichen Kirchen für das zur liturgischen Waschung der Hände u. Gefäße bei der Messe benutzte Wasser

Pi|see|bau ⟨lat.-fr.; dt.⟩ der; -[e]s: Bauweise, bei der die Mauern durch Einstampfen von Lehm o.Ä. zwischen Schalungen hergestellt werden

Pis|soir [pɪ'soa:ɐ̯] ⟨fr.⟩ das; -s, -e u. -s: Toilette für Männer

Pis|ta|zie ⟨pers.-gr.-lat.⟩ die; -, -n: 1. (im Mittelmeerraum wachsender) Strauch od. Baum mit gefiederten Blättern u. ölreichen, essbaren Samenkernen. 2. Samenkern der Pistazie (1)

Pis|te ⟨lat.-it.-fr.⟩ die; -, -n: 1. (Skisport) Strecke für Abfahrten. 2. Rennstrecke bes. für Rad- u. Autorennen. 3. Rollbahn auf Flugplätzen. 4. Verkehrsweg ohne feste Fahrbahndecke. 5. Umrandung der Manege im Zirkus. **Pis|till** ⟨lat.⟩ das; -s, -e: 1. Stößel, Stampfer, Mörserkeule. 2. Blütenstempel (Bot.)

Pis|tol ⟨tschech.⟩ das; -s, -en: (veraltet) ↑'Pistole. **'Pis|to|le** ⟨tschech.⟩ die; -, -n: kleinere Faustfeuerwaffe mit kurzem Lauf. **'Pis|to|le** ⟨tschech.-roman.⟩ die: (hist.) frühere, urspr. spanische Goldmünze. **Pis|to|le|ro** ⟨span.⟩ der; -s, -s: Revolverheld

Pis|ton [pɪs'tõ:] ⟨lat.-it.-fr.⟩ das; -s, -s: 1. Pumpenventil der Blechinstrumente (Mus.). 2. Pumpenkolben. 3. Zündstift bei Perkussionsgewehren; vgl. ↑'Perkussion (2)

Pi|ta ⟨indian.-span.⟩ die; -: vor allem zur Herstellung von Stricken u. Säcken verwendete Blattfaser aus zentral- u. südamerikanischen Agaven

Pi|ta|val ⟨nach dem franz. Rechtsgelehrten, 1673–1743⟩ der; -[s], -s: Sammlung berühmter Rechtsfälle u. Kriminalgeschichten (Rechtsw.)

Pit|bull ⟨engl.⟩ der; -s, -s: mit Bulldogge u. Terrier verwandter, als Kampfhund gezüchteter Hund

pit|chen ⟨engl.⟩: einen ↑Pitchshot schlagen (Golf). **Pit|cher** der; -s, -: Werfer (Baseball)

Pitch|pine ['pɪtʃpaɪn] ⟨engl.⟩ *die;* -, -s: (in Nordamerika wachsende) Kiefer mit schwarzbrauner Rinde

Pitch|shot ['pɪtʃʃɔt] ⟨engl.⟩ *der;* -s, -s: (Golf) Schlag, bei dem der Ball zunächst steil ansteigt u. nach dem Auffallen kaum noch rollt

Pi|the|kạnth|ro|pus*, fachspr.: Pithecạnthropus ⟨gr.-nlat.⟩ *der;* -, ...pi: javanischer u. chinesischer Frühmensch des Pleistozäns. **pi|the|ko|id:** affenähnlich

Pi|tot|rohr [pi'to:...] ⟨nach dem franz. Physiker Pitot⟩ *das;* -[e]s, -e: Sonde zum Messen des Drucks von strömenden Flüssigkeiten u. zur Bestimmung der Strömungsgeschwindigkeit

pi|to|ya|bel [pɪto̯a'ja:bl̩] ⟨lat.-fr.⟩: (veraltet) erbärmlich, kläglich

Pịt|ting ⟨engl.⟩ *das;* -s, -s (meist Plural): kleine, an Maschinenteilen usw. durch Rost o. Ä. entstandene Vertiefung (Seew.)

pit|to|resk ⟨lat.-it.-fr.⟩: malerisch

Pi|ty|ri|a|sis ⟨gr.-lat.⟩ *die;* -, ...iạsen: Hautkrankheit, die zur Bildung kleieförmiger Schuppen führt (Med.)

più [pju:] ⟨lat.-it.⟩: mehr (Vortragsanweisung, die in vielen Verbindungen vorkommt). **più fọr|te:** lauter, stärker; Abk.: pf (Mus.)

Pị|va ⟨lat.-vulgärlat.-it.⟩ *die;* -, Piven: schneller italienischer Tanz

Pị|vot [pi'vo:] ⟨fr.⟩ *der* od. *das;* -s, -s: Schwenkzapfen an Drehkränen u. a.

Pị|xel ⟨engl.; Kunstw. aus: picture element „Bildelement"⟩ *das;* -[s], -: kleinstes Element bei der gerasterten, digitalisierten Darstellung eines Bildes auf einem Bildschirm od. mithilfe eines Druckers; Bildpunkt (EDV)

Pịz ⟨ladin.⟩ *der;* -es, -e: Bergspitze (meist als Teil von Bergnamen)

Pịz|za ⟨it.⟩ *die;* -, -s (auch: ...zzen): (meist heiß servierte) aus dünn ausgerolltem u. mit Tomatenscheiben, Käse u. a. belegtem Hefeteig gebackene pikante italienische Spezialität (meist in runder Form). **Piz|ze|rị|a** *die;* -, -s (auch: ...rịen): Restaurant, in dem es neben anderen italienischen Spezialitäten hauptsächlich Pizzas gibt

piz|zi|cạ|to ⟨it.⟩: mit den Fingern gezupft (Vortragsanweisung bei Streichinstrumenten; Mus.); Abk.: pizz. **Piz|zi|kạ|to** *das;* -s, -s u. ...ti: gezupftes Spiel (bei Streichinstrumenten; Mus.)

Pla|cẹ|bo ⟨lat.; „ich werde gefallen"⟩ *das;* -s, -s: Medikament, das einem echten Medikament in Aussehen u. Geschmack gleicht, ohne dessen Wirkung zu enthalten (Med.)

Pla|ce|ment [plasə'mã:] ⟨gr.-lat.-vulgärlat.-fr.⟩ *das;* -s, -s: (Wirtsch.) a) Anlage, Unterbringung von Kapitalien; b) Absatz von Waren

plạ|cet ⟨lat.⟩: (veraltet) es gefällt, wird genehmigt; vgl. Plazet. **placi|do** ['pla:tʃido] ⟨lat.-it.⟩: ruhig, still, gemessen (Vortragsanweisung; Mus.)

pla|cie|ren [pla'tʃi:rən, selten: pla'si:rən]: frühere Schreibung für ↑platzieren

Plạ|ci|tum ⟨lat.⟩ *das;* -s, ...ta: (veraltet) Gutachten, Beschluss, Verordnung (Rechtsw.). **Plädeur** [plɛ,døːɐ̯] ⟨lat.-fr.⟩ *der;* -s, -e: (veraltet) Strafverteidiger. **pläldie|ren:** 1. ein Plädoyer halten, in einem Plädoyer beantragen (Rechtsw.). 2. sich für etwas aussprechen. **Plä|do|yer** [...dọa'je:] *das;* -s, -s: 1. zusammenfassende Rede eines Rechtsanwalts od. Staatsanwalts vor Gericht (Rechtsw.). 2. Äußerung, Rede o. Ä., mit der jmd. entschieden für od. gegen etwas eintritt

Pla|fond [...'fõ:] ⟨fr.⟩ *der;* -s, -s: 1. [flache] Decke eines Raumes. 2. oberer Grenzbetrag bei der Kreditgewährung (Wirtsch.). **pla|fonie|ren:** (bes. schweiz.) nach oben hin begrenzen

pla|gạl ⟨gr.-mlat.⟩: Neben..., Seiten..., abgeleitet (Mus.) **plagale Kadenz:** Kadenz mit der Klangfarbe Subdominante-Tonika

Pla|gi|ạr ⟨lat.⟩ *der;* -s, -e u. **Pla|gi|ạ|ri|us** ⟨lat.⟩ *der;* -, ... rii: (veraltet) Plagiator. **Pla|gi|ạt** ⟨lat.-fr.⟩ *das;* -[e]s, -e: a) unrechtmäßige Aneignung von Gedanken, Ideen o. Ä. eines anderen auf künstlerischem od. wissenschaftlichem Gebiet u. ihre Veröffentlichung; Diebstahl geistigen Eigentums; b) durch unrechtmäßiges Nachahmen entstandenes künstlerisches od. wissenschaftliches Werk. **Pla|gi|ạ|tor** ⟨nlat.⟩ *der;* -s, ...ọren: jmd., der ein Plagiat begeht. **pla|gi|ạ|tọ|risch:** in der Weise eines Plagiators **Pla|gi|ẹl|der** ⟨gr.-nlat.⟩ *das;* -s, -: ↑Pentagonikositetraeder **pla|gi|ie|ren** ⟨lat.-fr.-nlat.⟩: ein Plagiat begehen **pla|gi|ol|ge|o|trop*** ⟨gr.-nlat.⟩: schräg zur Richtung der Schwerkraft orientiert (von Pflanzentei-

len; Bot.). **Pla|gi|o|klạs** *der;* -es, -e: zu den Feldspaten gehörendes Mineral. **pla|gi|o|trop** ↑plagiogeotrop. **Pla|gi|o|ze|pha|lie** *die;* -: angeborene Fehlbildung des Schädels, bei der der Schädel eine unsymmetrische Form hat (Med.)

Plaid [ple:t, engl.: pleɪd] ⟨schott.-engl.⟩ *das* (auch: *der*); -s, -s: 1. [Reise]decke im Schottenmuster. 2. großes Umhangtuch aus Wolle

Pla|kạt ⟨niederl.-fr.⟩ *das;* -[e]s, -e: a) großformatiges Stück festes Papier mit einem Text [u. Bildern], das zum Zwecke der Information, Werbung, politischen Propaganda o. Ä. öffentlich u. an gut sichtbaren Stellen befestigt wird; b) öffentlicher Anschlag. **pla|ka|tie|ren:** a) Plakate an etw. anbringen; b) durch Plakate öffentlich bekannt machen. **Pla|ka|tie|rung** u. **Pla|ka|ti|on** *die;* -, -en: das Plakatieren; öffentliche Bekanntmachung durch Plakate; vgl. ...[at]ion/...ierung. **pla|ka|tịv:** 1. wie ein Plakat wirkend. 2. bewusst herausgestellt; betont auffällig; einprägsam. **Pla|kẹt|te** ⟨niederl.-fr.⟩ *die;* -, -n: 1. kleines, flaches, meist rundes od. eckiges Schildchen zum Anstecken od. Aufkleben, das mit einer Inschrift od. figürlichen Darstellung versehen ist. 2. (dem Gedanken an jmdn., etw. gewidmete) kleine Tafel aus Metall mit einer reliefartigen Darstellung (Kunst)

Pla|ko|dẹr|men ⟨gr.-nlat.⟩ *die* (Plural): ausgestorbene Panzerfische der Obersilur- u. Unterdevonzeit mit kieferlosen u. kiefertragenden Formen (älteste Wirbeltiere). **Pla|ko|dọnt*** *der;* -en, -en: Vertreter einer ausgestorbenen Echsenart der Trias. **Pla|ko|id|schup|pe** ⟨gr.-nlat.; dt.⟩ *die;* -, -n: Schuppe des Hais

plạn ⟨lat.-nlat.⟩: flach, eben, platt. **Pla|nạ|rie** ⟨lat.-nlat.⟩ *die;* -, -n: stark abgeplatteter Strudelwurm mit einer halsartigen Einschnürung u. einem deutlich sichtbaren Kopf

Planche [plã:ʃ] ⟨vulgärlat.-fr.⟩ *die;* -, -n: Fechtbahn. **Plan|chet|te** [plã'ʃɛtə] *die;* -, -n: Vorrichtung zum automatischen Schreiben für ein Medium im Spiritismus **Pla|nẹt** ⟨gr.-lat.⟩ *der;* -en, -en: Wandelstern; nicht selbst leuchtender, sich um eine Sonne bewegender Himmelskörper. **pla|ne|tạr** ⟨gr.-lat.-nlat.⟩: ↑planetarisch.

Pla|ne|ta|ri|en: *Plural* von ↑ Planetarium. **pla|ne|ta|risch:** die Planeten betreffend, auf sie bezüglich. **Pla|ne|ta|ri|um** *das;* -s, ...ien: 1. Vorrichtung, Gerät zur Darstellung der Bewegung, Lage u. Größe der Gestirne. 2. Gebäude, auf dessen halbkugelförmiger Kuppel durch Projektion aus einem Planetarium (1) die Erscheinungen am Sternenhimmel sichtbar gemacht werden. **Pla|ne|ten|sys|tem** *das;* -s -e: Gesamtheit der die Sonne od. einen entsprechenden Stern umkreisenden Planeten. **Pla|ne|to|id** *⟨gr.-nlat.⟩ der;* -en, -en: sich in elliptischer Bahn um die Sonne bewegender kleiner Planet. **Pla|ne|to|lo|gie** *die;* -: geologische Erforschung u. Deutung der Oberflächenformationen der Planeten u. ihrer Satelliten

Plan|film *der;* -[e]s, -e: aus einzelnen Blättern bestehendes Filmmaterial (für Großbildkameras). **Pla|ni|er|bank** *⟨lat.-fr.; dt.⟩ die;* -, ...bänke: Maschine zur Herstellung runder, hohler Metallgegenstände. **pla|nie|ren** *⟨lat.-fr.⟩:* etw. [ein]ebnen. **Pla|nier|rau|pe** *⟨lat.-fr.; dt.⟩ die;* -, -n: Raupenschlepper mit verstellbarem Brustschild, der bei Erd- u. Straßenarbeiten die Unebenheiten beseitigt u. den Aushub transportiert u. verteilt

Pla|ni|fi|ka|teur *[...'tø:ɐ] ⟨lat.-fr.⟩ der;* -s, -e: (in Frankreich) Fachmann für die Gesamtplanung der Volkswirtschaft. **Pla|ni|fi|ka|ti|on** *die;* -, -en: (in Frankreich) staatlich organisierte Planung der Volkswirtschaft auf der Grundlage der Marktwirtschaft **Pla|ni|glob*** *⟨lat.-nlat.⟩ das;* -s, -en u. **Pla|ni|glo|bi|um** *das;* -s, ...ien: kreisförmige Karte einer Halbkugel der Erde. **Pla|ni|me|ter** *⟨lat.; gr.⟩ das;* -s, -: Instrument zum mechanischen Ausmessen krummlinig begrenzter ebener Flächen. **Pla|ni|me|trie** *die;* -: 1. Messung u. Berechnung von Flächeninhalten. 2. Lehre von den geometrischen Gebilden in einer Ebene. **pla|ni|met|rie|ren:** [krummlinig begrenzte] Flächen mit einem Planimeter ausmessen. **pla|ni|met|risch:** die Planimetrie betreffend. **Pla|ni|sphä|re** *die;* -, -n: 1. altes astronomisches Instrument. 2. ↑ Planiglob. **plan|kon|kav:** auf einer Seite eben u. auf der anderen Seite nach innen gekrümmt (von Linsen). **plan|kon|vex:** auf einer Seite eben u. auf der anderen Seite nach außen gekrümmt (von Linsen)

Plank|ter *⟨gr.⟩ der;* -s, -: ↑ Planktont. **Plank|ton** *⟨„Umherirrendes, Umhertreibendes“⟩ das;* -s: Gesamtheit der (größtenteils sehr kleinen) im Wasser lebenden Lebewesen, die sich nicht selbst fortbewegen, sondern durch das Wasser bewegt werden (Biol.). **plank|to|nisch** u. **plank|tontisch:** das Plankton, den Planktonten betreffend (Biol.). **Plank|tont** *der;* -en, -en: zum Plankton zählendes Lebewesen (Biol.). **plank|ton|tisch** vgl. **pla|no** *⟨lat.⟩:* glatt, ohne Falz (von Druckbogen u. [Land]karten) **Pla|no|ga|met** *⟨gr.-nlat.⟩ der;* -en, -en (meist Plural): Geschlechtszelle, die sich mit Geißeln fortbewegt (Biol.) **plan|pa|ral|lel*:** (von Flächen) genau parallel angeordnet **Plan|ta|ge** *[...'ta:ʒə] ⟨lat.-fr.⟩ die;* -, -n: landwirtschaftlicher Großbetrieb in tropischen Ländern **plan|tar** *⟨lat.⟩:* zur Fußsohle gehörend, sie betreffend (Med.) **Plan|ta|tion|song**, auch: **Planta|tion-Song** *[plæn'teɪʃən...] ⟨amerik.⟩ der;* -s, -s: Arbeitslied der schwarzen Sklaven auf den Baumwollplantagen in den Südstaaten der USA. **Plan|to|wol|le** *⟨lat.; dt.⟩ die;* -: veredelte Jutefaser **Pla|nu|la** *⟨lat.-nlat.⟩ die;* -, -s: platte, ovale, bewimperte, frei schwimmende Larve der Nesseltiere. **Pla|num** *⟨lat.⟩ das;* -s: eingeebnete Fläche für den Unterod. Oberbau einer Straße o. Ä. **Pla|que** *[plak] ⟨fr.⟩:* „Platte, Fleck“) *die;* -, -s *[plak]:* 1. deutlich abgegrenzter, etwas erhöhter Fleck auf der Haut (Med.). 2. Zahnbelag (Zahnmed.). 3. durch Auflösung einer Gruppe benachbarter Bakterienzellen entstandenes rundes Loch in einem Nährboden (Biol.). **Pla|qué** *[...ke:] ⟨niederl.-fr.⟩ das;* -s, -s: plattierte (vgl. plattieren 1) Arbeit

Plä|san|te|rie *⟨lat.-fr.⟩ die;* -, ...ien: (veraltet) Scherz, Belustigung. **Plä|sier** *das;* -s, -e: Vergnügen, Spaß; Unterhaltung. **plä|sier|lich:** (veraltet) heiter, vergnüglich, angenehm, freundlich

Plas|ma *⟨gr.-lat.⟩:* „Gebildetes, Geformtes, Gebilde“) *das;* -s, ...men: 1. ↑ Protoplasma. 2. flüs-

siger Teil des Blutes; Blutplasma (Med.). 3. leuchtendes, elektrisch leitendes Gasgemisch, das u.a. in elektrischen Entladungen von Gas, in heißen Flammen u. bei der Explosion von Wasserstoffbomben entsteht (Phys.). 4. dunkelgrüne Abart des Chalzedons. **Plas|ma|phe|re|se** *die;* -, -n: Gewinnung von Blutplasma mit Wiederzuführung der roten [u. weißen] Blutkörperchen an den Blutspender (Med.). **Plas|ma|phy|sik** *die;* -: modernes Teilgebiet der Physik, auf dem die Eigenschaften u. das Verhalten der Materie im Zustand des Plasmas (3) untersucht werden. **plas|ma|tisch** *⟨gr.-nlat.⟩:* Plasma od. Protoplasma betreffend. **Plas|mo|des|men** *⟨gr.-nlat.⟩ die* (Plural): vom Protoplasma gebildete feinste Verbindungen zwischen benachbarten Zellen (Biol.). **Plas|mo|di|um** *das;* -s, ...ien: 1. Masse aus vielkernigem Protoplasma, die durch Kernteilung ohne nachfolgende Zellteilung entsteht. 2. Protoplasmakörper der Schleimpilze. 3. Malariaerreger. **Plas|mo|go|nie** *die;* -: Hypothese, nach der es eine Urzeugung aus toten organischen Stoffen gibt. **Plas|mo|ly|se** *die;* -: Loslösung des Protoplasmas einer pflanzlichen Zelle von der Zellwand u. Zusammenziehung ihn den Kern durch das Entziehen von Wasser (Bot.). **Plas|mon** *das;* -s: Gesamtheit der Erbfaktoren des Protoplasmas (Biol.) **Plast** *der;* -[e]s, -e: makromolekularer Kunststoff. **Plas|te** *die;* , -n. (regional ugs.) ↑ Plast. **Plas|tics** *['plæstɪks] ⟨gr.-lat.-engl.⟩ die* (Plural): engl. Bez. für: Kunststoffe, Plaste. **Plas|ti|de** *⟨gr.-nlat.⟩ die;* -, -n (meist Plural): der Gesamtheit der Chromatophoren (1) u. ¹Leukoplasten der Pflanzenzelle. **Plas|ti|fi|ka|tor** *⟨gr.; lat.⟩ der;* -s, ...oren: Weichmacher (Techn.). **plas|ti|fi|zie|ren:** (spröde Kunststoffe) weich u. geschmeidig machen. **¹Plas|tik** *⟨gr.-lat.-fr.⟩ die;* -, -en: 1. a) (ohne Plural) Bildhauerkunst; b) Werk der Bildhauerkunst; Bildwerk. 2. operative Formung, Wiederherstellung von zerstörten Gewebsu. Organteilen (Med.). 3. (ohne Plural) körperhafte Anschaulichkeit, Ausdruckskraft. **²Plastik** *das;* -s (auch: *die*); -, -en: Kunststoff. **Plas|tik|bom|be** *die;* -, -n: mit einem Zeitod. Aufschlagzünder versehener Sprengkörper mit plastischen Sprengstoffen. **Plas|ti|ker** *der;* -s, -: Bildhauer. **Plas|til|lin** *‹gr.-nlat.› das;* -s u. **Plas|til|li|na** *die;* -: kittartige, oft farbige Knetmasse zum Modellieren. **Plas|ti|naut** *‹gr.-engl.› der;* -en, -en: Nachbildung eines Menschen aus Kunststoff als Versuchsobjekt in der Weltraumfahrt. **plas|tisch** *‹gr.-lat.-fr.›:* 1. bildhauerisch. 2. Plastizität (2) aufweisend; modellierfähig, knetbar, formbar. 3. a) räumlich [herausgearbeitet], körperhaft, nicht flächenhaft [wirkend]; b) anschaulich; bildhaft einprägsam. 4. die operative Plastik betreffend, auf ihr beruhend. **plas|ti|zie|ren:** ↑ plastifizieren. **Plas|ti|zi|tät** *‹gr.-nlat.› die;* -: 1. räumliche, körperhafte Anschaulichkeit. 2. Formbarkeit (eines Materials). **Plas|tom** *das;* -s: Gesamtheit der in den Plastiden angenommenen Erbfaktoren (Biol.). **Plas|to|pal** *‹Kunstw.› das;* -s, -e: in verschiedenen Typen herstellbares Kunstharz für die Lackbereitung. **Plas|to|po|nik** *die;* -: Verfahren zur Kultivierung unfruchtbarer Böden mithilfe von Schaumstoffen, die Nährsalze u. Spurenelemente enthalten (Landw.). **Plast|ron*** [plas'trõ:, österr.: ...'tro:n] *‹gr.-lat.-it.-fr.› der* od. *das;* -s, -s: 1. a) breite Seidenkrawatte (zur festlichen Kleidung des Herrn); b) breite weiße Krawatte, die zum Reitanzug gehört; c) mit Biesen od. Plissees versehener, eingenähter Einsatz im Oberteil von Kleidern. 2. (hist.) stählerner Brust- od. Armschutz im Mittelalter. 3. (Fechten) a) Stoßkissen zum Training der Genauigkeit der Treffer; b) Schutzpolster für Brust u. Arme beim Training. 4. Bauchpanzer der Schildkröten (Zool.) **Pla|ta|ne** *‹gr.-lat.› die;* -, -n: hoch wachsender Laubbaum mit großen, gelappten Blättern u. kugeligen Früchten sowie heller, glatter, sich in größeren Teilen ablösender Borke. **Pla|teau** [...'to:] *‹gr.-vulgärlat.-fr.› das;* -s, -s: 1. Hochebene. 2. obere ebene Fläche eines Berges. **pla|te|resk** *‹gr.-vulgärlat.-span.›:* (veraltet) eigenartig verziert. **Pla|te|resk** *das;* -[e]s: (Kunstw.) Baustil der spanischen Spätgotik u. der italienischen Frührenaissance mit

reich verzierten Fassaden. **Pla|tin** [.pla:ti:n, auch: pla'ti:n] *das;* -s: chemisches Element; silbergrau glänzendes Edelmetall (Zeichen: Pt). **Pla|ti|ne** *‹gr.-vulgärlat.-fr.› die;* -, -n: 1. der Montage einzelner elektrischer Bauelemente dienende, meist mit Kupfer od. Silber beschichtete dünne Platte mit Löchern, durch die die Anschlüsse der Bauelemente zum weiteren Verlöten gesteckt werden. 2. flacher Metallblock, aus dem dünne Bleche gewalzt werden (Techn.). 3. bei der Jacquardmaschine Haken zum Anheben der Kettfäden (Weberei). 4. Stahlblättchen, das gerade Fäden zu Schleifen umlegt (Wirktechnik). **pla|ti|nie|ren** *‹gr.-vulgärlat.-span.-nlat.›:* mit Platin überziehen. **Pla|ti|nit** ® *das;* -s: Eisen-Nickel-Legierung als Ersatzstoff für Platin in der Technik. **Pla|tin|mohr** *‹gr.-vulgärlat.-span.; dt.› das;* -s: tiefschwarzes feinstverteiltes Platin in Pulverform. **Pla|ti|no|id** *‹span.; gr.› das;* -[e]s, -e: Legierung aus Kupfer, Nickel u. a. **Pla|tit|tü|de:** frühere Schreibung für: ↑ Plattitüde **Pla|to|ni|ker** *‹gr.-lat.› der;* -s, -: Kenner od. Vertreter der Philosophie Platons. **pla|to|nisch:** 1. die Philosophie Platons betreffend, zu ihr gehörend, auf ihr beruhend. 2. nicht sinnlich, rein seelisch-geistig. **Pla|to|nis|mus** *‹gr.-lat.-nlat.› der;* -: Gesamtheit der philosophischen Richtungen in Fortführung der Philosophie Platons **Pla|to|ny|chie*** *‹gr.-nlat.› die;* -: abnorme Abflachung der Nägel (Med.). **plat|tie|ren** *‹gr.-vulgärlat.-fr.›:* 1. (unedle Metalle) mit einer Schicht edleren Metalls überziehen (Techn.). 2. (bei der Herstellung von Wirk- od. Strickwaren) unterschiedliche Garne so verarbeiten, dass der eine Faden auf die rechte, der andere auf die linke Seite aller Maschen kommt (Textil.). **Plat|ti|tü|de** *‹gr.-vulgärlat.-fr.› die;* -, -n: nichts sagende, abgedroschene Redewendung; Plattheit. **Pla|tyr|rhi|na** *die* (Plural): zusammenfassende systematische Bez. für: Breitnasenaffen **plat|zie|ren** *‹gr.-lat.-vulgärlat.-fr.›:* 1. an einen bestimmten Platz bringen, setzen, stellen; jmdm., einer Sache einen bestimmten Platz zuweisen. 2. (schweiz.) jmdn. unterbringen. 3. a) gezielt

schießen, schlagen (Ballspiele); b) (einen Treffer) anbringen (Fechten, Boxen); c) so schlagen, dass der Gegner den Ball nicht od. kaum erreichen kann (Tennis). 4. sich platzieren: einen bestimmten Platz erreichen, belegen (Sport). 5. (Kapital) anlegen (Wirtsch.). **plau|si|bel** *‹lat.-fr.›:* so beschaffen, dass es einleuchtet; verständlich, begreiflich. **plau|si|bi|lie|ren:** ↑ plausibilisieren. **plau|si|bi|li|sie|ren:** plausibel machen. **Plau|si|bi|li|tät** *die;* -: das Plausibelsein. **plau|si|bi|li|tie|ren:** ↑ plausibilisieren **Play** [pleı] *‹engl.›:* (in Verbindung mit nachfolgendem Namen) spiel[t], spielen wir (etwas von od. über ..., in der Art, in Nachahmung von ...)! **Pla|ya** *‹span.› die;* -, -s: 1. span. Bez. für: Strand. 2. ↑ Playe **Play-Back,** auch: **Play|back** ['pleıbæk] *‹engl.› das;* -[s], -s: (Film u. Fernsehen) Verfahren der synchronen Bild- u. Tonaufnahme zu einer bereits vorliegenden Tonaufzeichnung; Bandaufzeichnung. **Play|boy** [...bɔı] *‹engl.-amerik.; "Spieljunge"› der;* -s, -s: [jüngerer] Mann, der aufgrund seiner wirtschaftlichen Unabhängigkeit vor allem seinem Vergnügen lebt u. sich in Kleidung sowie Benehmen entsprechend darstellt **Pla|ye** *‹span.› die;* -, -n: Salztonebene, die manchmal in See ausfüllt (z. B. in Trockengebieten Mexikos) **Play|girl** ['pleıgə:l] *‹engl.-amerik.; "Spielmädchen"› das;* -s, -s: 1. dem Vergnügen u. dem Luxus lebende, bes. in Kreisen von Playboys verkehrende, leichtlebige, attraktive junge Frau. 2. ↑ Hostess (2). **Play|mate** [...meıt] *‹engl.› das;* -s, -s: 1. a) (ohne Plural) titelähnliche Bez. für diejenigen jungen Frauen, die jeweils in der Mitte des Herrenmagazins "Playboy" nackt abgebildet sind; b) Trägerin dieser titelähnlichen Bez. 2. Nacktmodell. **Play-off** *‹engl.› das;* -[s], -s: (Sport) System von Ausscheidungsspielen in verschiedenen Sportarten, bei dem die Endrunde erreicht haben, in Hin-, Rück- u. eventuell in Entscheidungsspielen gegeneinander spielen u. der Verlierer jeweils aus dem Turnier ausscheidet **Pla|zen|ta** *‹gr.-lat.; "breiter, flacher Kuchen"› die;* -, -s u. ...zenten: 1. schwammiges, dem Stoffaustausch zwischen Mutter u. Embryo dienendes Organ, das sich während der Schwangerschaft ausbildet u. nach der Geburt ausgestoßen wird; Mutterkuchen (Med.; Biol.). 2. Verdickung auf dem Fruchtblatt, aus der die Samenanlage hervorgeht (Bot.). pla|zen|tal: ↑plazentar. **Pla|zen|ta|li|er** ⟨gr.-lat.-nlat.⟩ der; -s, - (meist Plural): Säugetier, dessen Embryonalentwicklung mit Ausbildung einer Plazenta (1) erfolgt; Ggs. ↑Aplazentalier. pla|zen|tar: die Plazenta betreffend, zu ihr gehörend. **Pla|zen|ta|ti|on** die; -, -en: Bildung der Plazenta (Med.). **Pla|zen|ti|tis** die; -, ...iti|den: Entzündung der Plazenta (1)

Pla|zet ⟨lat.; „es gefällt"⟩ das; -s, -s: Zustimmung, Einwilligung (durch [mit]entscheidende Personen od. Behörden); vgl. placet

Pla|zi|di|tät die; -: (veraltet) Ruhe, Sanftheit

pla|zie|ren: frühere Schreibung für: ↑platzieren

Ple|ban ⟨lat.-mlat.⟩ der; -s, -e u. **Ple|ba|nus** der; -, ...ni: (veraltet) [stellvertretender] Seelsorger einer Pfarrei. **Ple|be|jer** ⟨lat.⟩ der; -s, -: 1. (hist.) Angehöriger der ¹Plebs im alten Rom. 2. gewöhnlicher, ungehobelter Mensch. ple|be|jisch: 1. zur ¹Plebs gehörend. 2. (abwertend) ungebildet, ungehobelt. **Ple|bis|zit** das; -[e]s, -e: Volksbeschluss, Volksabstimmung; Volksbefragung. ple|bis|zi|tär ⟨lat.-nlat.⟩: das Plebiszit betreffend, auf ihm beruhend. **¹Plebs** [auch: ple:ps] ⟨lat.⟩ die; -: (im antiken Rom) das gemeine Volk. **²Plebs** der; -es, österr.: die; : (abwertend) die Masse ungebildeter, niedrig u. gemein denkender, roher Menschen

Plé|ia|de [ple'jad] ⟨gr.-lat.-fr.⟩ nach der Pleias⟩ die; -: Kreis von sieben französischen Dichtern im 16. Jh., die eine Reinigung u. Bereicherung der Dichtung u. der dichterischen Sprache nach klassischem Vorbild erstrebten. **Ple|ias** ⟨gr.; „Siebengestirn"⟩ die; -: Gruppe von sieben Tragikern im alten Alexandria

Plein|air [plɛˈnɛːɐ̯] ⟨fr.⟩ das; -s, -s: a) (ohne Plural) Freilichtmalerei; b) nach dem Verfahren der Freilichtmalerei gemaltes Bild. **Plein|ai|ris|mus** ⟨fr.-nlat.⟩ der; -: Freilichtmalerei. **Plein|ai|rist** der; -en, -en: Maler, der Pleinairs (2) malt. **Plein|pou|voir** [plɛ̃pu-

'vǫaːɐ̯] ⟨fr.⟩ das; -s: uneingeschränkte Vollmacht

Plei|o|cha|si|um [...ç...] ⟨gr.-nlat.⟩ das; -s, ...ien: geschlossener, vielästiger Blütenstand, Trugdolde (Bot.)

pleis|to|zän ⟨gr.-nlat.⟩: das Pleistozän betreffend. **Pleis|to|zän** das; -s: vor dem Holozän liegende ältere Abteilung des Quartärs; Eiszeit[alter] (Geol.)

Plek|ten|chym* ⟨gr.-nlat.⟩ das; -s, -e: dichtes Geflecht von Pilzfäden (Bot.)

Plek|tron* u. **Plek|trum** ⟨gr.-lat.⟩ das; -s, ...tren u. ...tra: Plättchen od. Stäbchen (aus Holz, Elfenbein, Metall o. Ä.), mit dem die Saiten von Zupfinstrumenten geschlagen od. angerissen werden

Ple|na|ri|um ⟨lat.-mlat.; „Vollbuch"⟩ das; -s, ...ien: mittelalterliches liturgisches Buch, das alle Texte der Messe enthält. **Ple|nar|kon|zil** das; -s, -e u. -ien: (kath. Kirche) Konzil für mehrere Kirchenprovinzen, die zur Gesetzgebung befugt sind. **Ple|ni|lu|ni|um** ⟨lat.⟩ das; -s: Vollmond (Astron.). ple|ni|po|tent: (veraltet) Plenipotenz habend. **Ple|ni|po|tenz** ⟨lat.-mlat.⟩ die; -: (veraltet) 1. unbeschränkte Vollmacht. 2. Allmächtigkeit. ple|no or|ga|no ⟨lat.; gr.-lat.⟩: mit allen Registern (bei der Orgel; Mus.). ple|no ti|tu|lo ⟨lat.⟩: (österr.) ↑titulo pleno; Abk.: P. T. (vor Namen od. Anreden) drückt aus, dass man auf die Angabe der Titel verzichtet. **Ple|num** ⟨lat.-engl.⟩ das; -s, ...nen: Vollversammlung einer Körperschaft, bes. der Mitglieder eines Parlaments

Ple|o|chro|is|mus ⟨gr.-nlat.⟩ der; -: Eigenschaft gewisser Kristalle, Licht nach mehreren Richtungen in verschiedene Farben zu zerlegen. ple|o|morph usw.: ↑polymorph usw. **Ple|o|nas|mus** ⟨gr.-lat.; „Überfluss, Übermaß"⟩ der; -, ...men: Häufung sinngleicher od. sinnähnlicher Wörter, Ausdrücke (z. B. weißer Schimmel, schwarzer Rappe; Rhet.; Stilk.). ple|o|nas|tisch ⟨gr.-nlat.⟩: einen Pleonasmus darstellend. **Ple|o|ne|xie*** ⟨gr.⟩ die; -: 1. (veraltet) Habsucht. 2. Drang, trotz mangelnder Sachkenntnis überall mitzureden (Psychol.). **Ple|op|tik** die; -: aktive Übungsbehandlung zur Verbesserung des Sehvermögens eines schwachsichtigen Auges

Ple|rem ⟨gr.-nlat.⟩ das; -s, -e: (nach der Kopenhagener Schule) kleinste sprachliche Einheit auf inhaltlicher Ebene, die zusammen mit dem Kenem das Glossem bildet (Sprachw.). **Ple|re|ma|tik, Ple|re|mik** die; -: Teilgebiet der Sprachwissenschaft, das sich mit der Bildung der Formen, mit der Bildung der Sprachzeichen als Basis für die Wort-, Satz- u. Textbildung einer Gruppen- od. Einzelsprache beschäftigt (Sprachw.)

Ple|rom ⟨gr.-lat.-nlat.; „Fülle"⟩ das; -s, -e: in Bildung begriffener Zentralzylinder der Wurzel (Bot.)

Ple|si|anth|ro|pus* ⟨gr.-nlat.⟩ der; -, ...pi: südafrikanischer Frühmensch des Pliozäns. **Ple|si|o|pie** die; -, ...ien: ↑Pseudomyopie. **Ple|si|o|sau|ri|er** der; -s - u. **Ple|si|o|sau|rus** der; -, ...ri|er: langhälsiges Kriechtier des Lias mit paddelförmigen Gliedmaßen

Ples|si|me|ter ⟨gr.-nlat.⟩ das; -s, -: (Med.) Klopfplättchen aus Hartgummi, Holz u. a. als Unterlage für eine Perkussion (1)

Ple|thi vgl. Krethi

Ple|tho|ra ⟨gr.⟩ die; -, ...ren: vermehrter Blutandrang (Med.)

Ple|thys|mo|graph, auch: ...graf ⟨gr.-nlat.⟩ der; -en, -en: Apparat zur Messung von Umfangsveränderungen eines Gliedes am Organs (Med.)

Pleu|ra ⟨gr.⟩ die; -, ...ren: inneren Wände des Brustkorbs auskleidende Haut; Brust-, Rippenfell (Med.). pleu|ral ⟨gr.-nlat.⟩: die Pleura betreffend, zu ihr gehörend

Pleu|reu|se [plø'røːzə] ⟨lat. fr.⟩ die; -, -n: (veraltet) lange Straußenfeder als Schmuck auf Damenhüten

Pleu|ri|tis ⟨gr.⟩ die; -, ...iti|den: Rippenfellentzündung (Med.). **Pleu|ro|dy|nie*** ⟨gr.-nlat.⟩ die; -, ...ien: von der Pleura ausgehende Schmerzen (Med.). pleu|ro|karp: (von Moosen) die Frucht auf einem Seitenzweig tragend (Bot.). **Pleu|rol|ly|se** die; -, -n: operative Lösung von Verwachsungen der Pleura (Med.). **Pleu|ro|pneu|mo|nie** die; -, ...ien: Rippenfell- und Lungenentzündung (Med.). **Pleu|ror|rha|gie*** die; -, -n: Flüssigkeitsansammlung im Brustfellraum

Pleus|ton ⟨gr.-nlat.; „Segelndes"⟩ das; -s: Gesamtheit der Organismen, die an der Wasseroberfläche treiben (Biol.). **ple|xi|form** ⟨lat. -nlat.⟩: geflechtartig (Med.). **Ple|xi|glas** ® ⟨lat.; dt.⟩ das; -es: nicht splitternder, glasartiger Kunststoff. **Ple|xus** ⟨lat. -nlat.⟩ der; -, - [...u:s]: netzartige Verknüpfung von Nerven, Blutgefäßen (Med.)

Pli ⟨lat. -fr.; „Falte"⟩ der; -s: (landsch.) [Welt]gewandtheit, Schliff [im Benehmen], Geschick. **pli|ie|ren**: (veraltet) falten, biegen. **pli|ka|tiv** ⟨lat. -nlat.⟩: gefaltet (von Knospenanlagen; Bot.)

Plin|the ⟨gr. -lat.⟩ die; -, -n: quadratische od. rechteckige [Stein]platte, auf der die Basis einer Säule o. Ä. ruht

pli|o|zän ⟨gr. -nlat.⟩: das Pliozän betreffend. **Pli|o|zän** das; -s: gegenüber dem Miozän die jüngere Abteilung des Neogens (Geol.)

Plis|see ⟨lat. -fr.⟩ das; -s, -s: a) Gesamtheit der Plisseefalten (eines Stoffes, Kleidungsstückes); b) plissiertes Gewebe, plissierter Stoff. **plis|sie|ren**: mit einer [großen] Anzahl dauerhafter [aufspringender] Falten versehen

Plom|bage [...'ba:ʒə] ⟨lat. -fr.⟩ die; -, -n: (veraltet) Plombe. **Plom|be** ⟨„Blei; Blei-, Metallverschluss"⟩ die; -, -n: 1. Klümpchen aus Blei o. Ä., durch das hindurch die beiden Enden eines Drahtes o. Ä. laufen, sodass dieser eine geschlossene Schlaufe bildet, die nur durch Beschädigung des Bleiklumpens od. des Drahtes geöffnet werden kann. 2. (Med.) Zahnfüllung (veraltend). **plom-bie|ren**: 1. mit einer Plombe (1) versehen. 2. (Med.) mit einer Zahnfüllung versehen (veraltend)

plo|siv ⟨lat. -nlat.⟩: als Verschlusslaut artikuliert (Sprachw.). **Plo-siv** der; -s, -e u. **Plo|siv|laut** der; -[e]s, -e: Verschlusslaut (Sprachw.)

Plot ⟨engl.⟩ der (auch: das); -s, -s: 1. Handlung einer epischen od. dramatischen Dichtung, eines Films o. Ä. 2. mithilfe eines Plotters hergestellte grafische Darstellung (EDV). **plot|ten**: mithilfe eines Plotters arbeiten. **Plot-ter** der; -s, -: meist als Zusatz zu einer Datenverarbeitungsanlage arbeitendes Zeichengerät, das automatisch eine grafische Darstellung der Ergebnisse liefert (EDV). 2. (Navigation) Gerät zum Aufzeichnen u. Auswer-

ten der auf dem Radarschirm erscheinenden relativen Bewegung eines Objekts sowie der Eigenbewegung des Schiffes od. Flugkörpers

Plum|ban ⟨lat. -nlat.⟩ das; -s: Bleiwasserstoff. **Plum|bat** das; -[e]s, -e: Salz der Bleisäure. **Plum-bum** ⟨lat.⟩ das; -s: chemisches Element; Blei (Zeichen: Pb)

Plu|meau [ply'mo:] ⟨lat. -fr.⟩ das; -s, -s: halblanges, dickeres Federbett

Plum|pud|ding ['plʌ...] ⟨engl.⟩ der; -s, -s: kuchenartige, schwere Süßspeise, die im Wasserbad gegart u. in England bes. zur Weihnachtszeit gegessen wird

Plu|mu|la ⟨lat.⟩ die; -, ...lae [...lɛ]: Knospe des Pflanzenkeimlings (Bot.)

Plun|ger ['plʌndʒə] ⟨engl.⟩ u. **Plun|scher** der; -s, -: Kolben mit langem Kolbenkörper u. Dichtungsmanschetten zwischen Kolben u. Zylinder (Techn.)

plu|ral ⟨lat.⟩: ↑pluralistisch. **Plural** der; -s, -e: 1. (ohne Plural) Numerus, der beim Nomen u. Pronomen anzeigt, dass dieses sich auf mehrere gleichartige Dinge o. Ä. bezieht, u. der beim Verb anzeigt, dass mehrere Subjekte zu dem Verb gehören; Mehrzahl. 2. Wort, das im Plural steht; Pluralform. **Plu|ra|le|tan-tum** das; -s, -s u. Pluraliatantum: Substantiv, das nur als Plural vorkommt (z. B. Ferien, Leute). **Plu|ra|lis** der; -, ...les [...le:s]: (veraltet) Plural. **plu|ra|lisch**: im Plural stehend, durch den Plural ausgedrückt, zum Plural gehörend. **Plu|ra|lis Ma|jes|ta|tis** ⟨lat.⟩ der; --, ...les -: Plural, mit dem eine einzelne Person, gewöhnlich ein regierender Herrscher, bezeichnet wird u. sich selbst bezeichnet (z. B. Wir, Wilhelm, von Gottes Gnaden deutscher Kaiser). **Plu|ra|lis Mo-des|ti|ae** [- ...iɛ] ⟨lat.⟩ der; --, ...les -: Plural, mit dem eine einzelne Person, bes. ein Autor, ein Redner o. Ä., sich selbst bezeichnet, um – als Geste der Bescheidenheit – die eigene Person zurücktreten zu lassen (z. B. Wir kommen damit zu einer Frage ...). **Plu|ra|lis|mus** ⟨lat. -nlat.⟩ der; -: 1. philosophische Anschauung, Theorie, nach der die Wirklichkeit aus vielen selbstständigen Prinzipien besteht, denen kein gemeinsames Grundprinzip zugrunde liegt. (Philos.); Ggs. ↑Singularismus. 2. a) inner-

halb einer Gesellschaft, eines Staates [in allen Bereichen] vorhandene Vielfalt gleichberechtigt nebeneinander bestehender u. miteinander um Einfluss, Macht konkurrierender Gruppen, Organisationen, Institutionen, Meinungen, Werte, Weltanschauungen usw.; b) politische Anschauung, Grundeinstellung, nach der ein Pluralismus (2 a) erstrebenswert ist. **Plu|ra|list** der; -en, -en: Vertreter des Pluralismus (1). **plu|ra|lis|tisch**: den Pluralismus betreffend, auf ihm basierend. **Plu|ra|li|tät** ⟨lat.⟩ die; -, -en: 1. mehrfaches, vielfaches, vielfältiges Vorhandensein, Nebeneinanderbestehen; Vielzahl. 2. (selten) ↑Pluralismus (2 a). 3. ↑Majorität. **plu|ri|lin|gue**: in mehreren Sprachen abgefasst; vielsprachig. **Plu|ri|pa|ra** ⟨lat. -nlat.⟩ die; -, ...paren: Frau, die mehrmals geboren hat (Med.). **plus** ⟨lat.⟩: 1. zuzüglich, und; Zeichen: +. 2. über dem Gefrierpunkt liegend. 3. ↑positiv (4) (Phys., Elektrotechn.). **Plus** das; -, -: 1. etw., was sich bei einer [End]abrechnung über den zu erwartenden Betrag hinaus ergibt; Mehrbetrag; Überschuss. 2. a) Vorteil, Vorzug, Positivum; b) positives Urteil über eine Leistung, Eigenschaft (im Rahmen einer umfassenderen Beurteilung).

Plus|quam|per|fekt ⟨lat.⟩ das; -s, -e: 1. Zeitform, mit der bes. die Vorzeitigkeit (im Verhältnis zu etw. Vergangenem) ausgedrückt wird; Vorvergangenheit, vollendete Vergangenheit, dritte Vergangenheit. 2. Verbform des Plusquamperfekts (1; z. B. ich hatte gegessen). **Plus|quam|per-fek|tum** das; -s, ...ta: (veraltet) ↑Plusquamperfekt

Plu|te|us ⟨lat.⟩ „Schutzgerüst, Schirmdach"⟩ der; -: Larvenform der Seeigel u. Schlangensterne (Biol.)

Plu|to|krat* ⟨gr.⟩ der; -en, -en: jmd., der aufgrund seines Reichtums politische Macht ausübt. **Plu|to|kra|tie** der; -, ...ien: 1. (ohne Plural) Staatsform, in der die Besitzenden, die Reichen die politische Herrschaft ausüben; Geldherrschaft. 2. Staat, Gemeinwesen, in dem eine Plutokratie (1) besteht. **plu|to|kra-tisch**: zur Plutokratie gehörend, durch sie gekennzeichnet

Plu|ton ⟨gr. -nlat.; nach Pluto (Hades), dem griech. Gott der Unterwelt⟩ *der;* -s, -e: magmatischer Tiefengesteinskörper, der innerhalb der Erdkruste erstarrt ist (Geol.). **plu|to|nisch:** 1. der Unterwelt zugehörig (Rel.). 2. (von magmatischen Gesteinen) in größerer Tiefe innerhalb der Erdkruste entstanden (Geol.). **Plu|to|nis|mus** *der;* -: (Geol.) 1. Gesamtheit der Vorgänge innerhalb der Erdkruste, die durch Bewegungen u. das Erstarren von Magma hervorgerufen werden. 2. widerlegte Hypothese u. Lehre, nach der das geologische Geschehen im Wesentlichen von den Kräften im Erdinnern bestimmt wird, alle Gesteine einen feuerflüssigen Ursprung haben. **Plu|to|nist** *der;* -en, -en: Anhänger des Plutonismus (2). **Plu|to-nit** *der;* -s, -e: plutonisches Gestein. **Plu|to|ni|um** ⟨nach dem Planeten Pluto⟩ *das;* -s: radioaktives, metallisches, durch Kernumwandlung hergestelltes Transuran (Zeichen: Pu)

plu|vi|al ⟨*lat.*⟩: (von Niederschlägen) als Regen fallend. **Plu|vi|a-le** ⟨*lat.-mlat.;* „Regenmantel"⟩ *das;* -s, -[s]: 1. liturgisches Obergewand des katholischen Geistlichen für feierliche Gottesdienste außerhalb der Messe (z. B. bei Prozessionen). 2. kaiserlicher od. königlicher Krönungsmantel. **Plu|vi|al|zeit** ⟨*lat.; dt.*⟩ *die;* -: (in den heute trockenen subtropischen Gebieten) Periode mit kühlerem Klima u. stärkeren Niederschlägen (Geogr.). **Plu|vi-o|graph,** auch: Pluviograf ⟨*lat.; gr.*⟩ *der;* -en, -en: Gerät zum Messen u. automatischen Registrieren von Niederschlagsmengen (Meteor.). **Plu|vi|o|me|ter** *das;* -s, -: Niederschlagsmesser (Meteor.). **Plu|vi|o|ni|vo|me|ter** *das;* -s, -: auf Regen od. Schnee ansprechender Niederschlagsmesser (Meteor.). **Plu|vi|o|se** [ply-ˈvjoːz] ⟨„Regenmonat"⟩ *der;* -, -s [plyˈvjoːz]: der fünfte Monat des französischen Revolutionskalenders (vom 20., 21. oder 22. Januar bis 18., 19. oder 20. Februar) **Ply|mouth|brü|der** [ˈplɪmθə...] ⟨nach der engl. Stadt Plymouth⟩ *die* (Plural): pietistische englische Sekte des 19. Jh.s ohne äußere Organisation

Ply|mouth Rocks [ˈplɪmθə -] ⟨nach der Landungsstelle der Pilgerväter (1620) in Massachusetts, USA⟩ *die* (Plural): dunkelgrau u. weiß gestreifte Hühnerrasse

p. m. [piː ˈɛm] ⟨Abk. für *lat.* post meridiem „nach Mittag"⟩: nachmittags (engl. Uhrzeitangabe); Ggs. ↑ a. m.

p. m. = postmortem

P-Mar|ker [ˈpiː...] ⟨P = *engl.* phrase⟩ *der;* -s, -[s]: (in der generativen Grammatik) Marker (1 b), dessen Knoten im Stemma durch syntaktische Kategorien (NP = Nominalphrase, VP = Verbalphrase usw.) bezeichnet sind (Sprachw.)

Pneu *der;* -s, -s: 1. aus Gummi hergestellter Luftreifen an Fahrzeugrädern; ↑ ¹Pneumatik. 2. ↑ Pneumothorax. **Pneu|ma** ⟨*gr.;* „Hauch, Atem"⟩ *das;* -s: 1. in der Stoa ätherische, luftartige Substanz, die als Lebensprinzip angesehen wurde (Philos.). 2. Geist Gottes, Heiliger Geist (Theol.). **Pneu|ma|tho|de** ⟨*gr.-nlat.;* „Atemweg, Atemgang"⟩ *die;* -, -n: Öffnung in der Atemwurzel der Mangrovenpflanzen zur Aufnahme von Sauerstoff (Bot.). **¹Pneu|ma|tik** *der;* -s, -s ⟨österr.: *die;* -, -en): ↑ Pneu (1). **²Pneu-ma|tik** *die;* -, -en: 1. (ohne Plural) Teilgebiet der Mechanik (1), das sich mit dem Verhalten der Gase beschäftigt. 2. (ohne Plural) philosophische Lehre vom Pneuma (1); Pneumatologie (2). 3. Luftdruckmechanik bei der Orgel. **Pneu|ma|ti|ker** ⟨*gr.-lat.*⟩ *der;* -s, -: 1. Vertreter, Anhänger einer ärztlichen Richtung der Antike, die im Atem (Pneuma) den Träger des Lebens u. in seinem Versagen das Wesen der Krankheit sah. 2. vom Geist Gottes Getriebener. **Pneu|ma|ti|sa|ti|on** ⟨*gr.-nlat.*⟩ *die;* , -en: Bildung lufthaltiger Zellen od. Hohlräume in Geweben, vor allem in Knochen (z. B. die Bildung der Nasennebenhöhlen in den Schädelknochen; Med.). **pneu|ma|tisch** ⟨*gr.-lat.*⟩: 1. das Pneuma (1) betreffend (Philos.). 2. geistgewirkt, vom Geist Gottes erfüllt (Theol.); **pneumatische Exegese:** altchristliche Bibelauslegung, die mithilfe des Heiligen Geistes den übergeschichtlichen Sinn der Schrift erforschen will. 3. die Luft, das Atmen betreffend (Med.). 4. luftgefüllt, mit Luft... (Techn.); **pneumatische Knochen:** Knochen mit luftgefüllten Räumen zur Verminderung des Körpergewichts (z. B. bei Vögeln; Biol.). **Pneu|ma|tis|mus** ⟨*gr.-nlat.*⟩ *der;* -: Lehre von der

Wirklichkeit als Erscheinungsform des Geistes (Philos.); vgl. Spiritualismus. **Pneu|ma|to-chord** [...ˈkɔrt] ⟨*gr.*⟩ *das;* -[e]s, -e: altgriechische Windharfe; ↑ Äolsharfe. **Pneu|ma|to|lo|gie** ⟨*gr.-nlat.*⟩ *die;* -: 1. (veraltet) Psychologie. 2. ↑ ²Pneumatik (2). 3. (Theol.) a) Lehre vom Heiligen Geist; b) Lehre von den Engeln u. Dämonen. **Pneu|ma|tol|ly|se** *die;* -, -n: Wirkung der Gase einer Schmelze auf das Nebengestein u. die erstarrende Schmelze selbst (Geol.). **pneu|ma|tol|ly-tisch:** durch Pneumatolyse entstanden (von Erzlagerstätten; Geol.). **Pneu|ma|to|me|ter** *das;* -s, -: Gerät zur Messung des Luftdrucks beim Aus- u. Einatmen (Med.). **Pneu|ma|to|met-rie*** *die;* -: Messung des Luftdrucks beim Aus- u. Einatmen mithilfe des Pneumatometers (Med.). **Pneu|ma|to|phor** *das;* -s, -e: Atemwurzel der Mangrovenpflanzen (Biol.). **Pneu|ma-to|se** *die;* -, -n: Bildung von Gasod. Luftzysten (Med.). **Pneu|ma|to|zel|le** *die;* -, -n: (Med.) 1. bruchartige Vorwölbung od. Ausbuchtung von Lungengewebe durch einen Defekt in der Brustkorbwand; Lungenvorfall. 2. krankhafte Luftansammlung in Geweben. **Pneu|mat|u|rie*** *die;* -, ...ien: Ausscheidung von Gasen im Harn (Med.). **Pneu-mek|to|mie*** *die;* -, ...ien: ↑ Pneumonektomie. **Pneu|men-ze|phal|o|gramm*** *das;* -s, -e: Röntgenbild des Schädels nach Füllung der Hirnkammern mit Luft (Med.). **Pneu|mo|at|mo|se** *die;* -, -n: Gasvergiftung der Lunge (Med.). **Pneu|mo|graph,** auch: Pneumograf *der;* -en, -en: Apparat zur Aufzeichnung der Atembewegungen des Brustkorbs (Med.). **Pneu|mo|kok|ke** *die;* -, -n u. **Pneu|mo|kok|kus** *der;* -, ...kken (meist Plural): Krankheitserreger des, Erreger der Lungenentzündung (Med.). **Pneu|mo|ko|ni|o|se** *der;* -, -n: durch Einatmen von Staub hervorgerufene Lungenkrankheit; Staublunge (Med.). **Pneu|mo-lith** [auch: ...ˈlɪt] *der;* s u. -en, -e[n]: durch Kalkablagerung entstandener Lungenstein (Med.). **Pneu|mo|lo|gie** vgl. ↑ Pneumonologie. **Pneu|mo|ly-se** *die;* -, -n: operative Lösung der Lunge von der Brustwand (Med.). **Pneu|mo|nek|to|mie*** *die;* -, ...ien: operative Entfernung eines Lungenflügels (Med.). **Pneu|mo|nie** *die;* -, ...ien: Lungenentzündung (Med.). **Pneu|mo|nik** *die;* -: pneumatische (4) Steuerungstechnik mithilfe von Schaltelementen, die keine mechanisch beweglichen Teile haben (Techn.). **pneu|mo|nisch:** die Lungenentzündung betreffend, zu ihrem Krankheitsbild gehörend, durch sie bedingt (Med.). **Pneu|mo|no|ko|ni|o|se** *die;* -, -n: ↑ Pneumokoniose. **Pneu|mo|no|lo|gie** u. Pneumologie *die;* -: Lungenheilkunde. **Pneu|mo|no|se** *die;* -: Verminderung des Gasaustausches in den Lungenbläschen (Med.). **Pneu|mo|pe|ri|kard** *das;* -[e]s: Luftansammlung im Herzbeutel (Med.). **Pneu|mo|pleu|ri|tis*** *die;* -, ...itjden: heftige Rippenfellentzündung bei leichter Lungenentzündung (Med.). **Pneu|mo|tho|rax** *der;* -[es], -e: krankhafte od. künstlich therapeutisch geschaffene Luftansammlung im Brustfellraum (Med.). **pneu|mo|trop*:** auf die Lunge einwirkend, vorwiegend die Lunge befallend (z. B. von Krankheitserregern; Med.). **Pneu|mo|ze|le** *die;* -, -n: ↑ Pneumatozele. **Pneu|mo|zys|to|gra|phie,** auch: ...grafie *die;* -, ...ien: Röntgenuntersuchung der Harnblase nach vorheriger Einblasung von Luft als Kontrastmittel (Med.). **Pni|gos** *(gr.) der;* -: in schnellem Tempo gesprochener Abschluss des ↑ Epirrhems; vgl. Antipnigos **Poc|cet|ta** [pɔ'tʃɛta] *(germ.-it.)* u. **Pol|chet|te** [pɔ'ʃɛta] *(germ.-fr.) die;* -, ...tten: eine Quart höher als die normale Geige stehende Taschengeige der alten Tanzmeister **po|chet|ti|no** [pɔkɛ...] *(lat.-it.):* ein klein wenig (Mus.). **po|chie|ren** [pɔ'ʃiː...] *(germ.-fr.):* Speisen, bes. aufgeschlagene Eier, in kochendem Wasser, einer Brühe o. Ä. gar werden lassen **Po|cket|book** [...bʊk] *(engl.) das;* -s, -s: Taschenbuch. **Po|cke|ting** *der;* -[s]: stark appretiertes, als Taschenfutter verwendetes Gewebe. **Po|cket|ka|me|ra** *die;* -, -s: kleiner, handlicher, einfach zu bedienender Fotoapparat **po|co** *(lat.-it.):* ein wenig, etwas (in vielen Verbindungen vorkommende Vortragsbezeichnung; Mus.); **poco forte:** nicht sehr laut; **poco a poco:** nach u. nach, allmählich; Abk.: p. a. p.

Pod *(russ.) der;* -s, -s: periodisch mit Wasser gefüllte Hohlform im Löss der Ukraine (Geol.) **Po|dag|ra*** *(gr.-lat.) das;* -s: Fußgicht, bes. Gicht der großen Zehe (Med.). **po|dag|risch:** an Podagra leidend, mit Podagra behaftet (Med.). **Po|dag|rist** *der;* -en, -en: (veraltet) an Podagra Leidender. **Po|dal|gie** *(gr.-nlat.) die;* -, ...ien: Fußschmerzen (Med.). **Po|dest** *das* (auch: *der*); -[e]s, -e: 1. Treppenabsatz. 2. schmales Podium **Po|des|ta,** (ital. Schreibung:) **Po|des|tà** *(lat.-it.) der;* -[s], -s: ital. Bez. für: Ortsvorsteher, Bürgermeister **Po|dex** *(lat.) der;* -[es], -e: (scherzh.) Gesäß **Po|di|um** *(gr.-lat.;* „Füßchen") *das;* -s, Podien: 1. trittartige, breitere Erhöhung (z. B. für Redner); Rednerpult. 2. erhöhte hölzerne Plattform. 3. erhöhter Unterbau für ein Bauwerk (Archit.). **Po|di|ums|dis|kus|si|on** *die;* -en u. **Po|di|ums|ge|spräch** *(gr.-lat.; dt.) das;* -[e]s, -e: Diskussion, Gespräch mehrerer kompetenter Teilnehmer über ein bestimmtes Thema vor (gelegentlich auch unter Einbeziehung) einer Zuhörerschaft. **Po|do|me|ter** *(gr.-nlat.) das;* -s, -: Schrittzähler (Med.). **Po|do|phyl|lin** *(gr.-nlat.) das;* -s: sehr starkes Abführmittel. **Po|do|skop*** *das;* -s, -e: (früher) Gerät in Schuhgeschäften, mit dem die Füße (in Schuhen) durchleuchtet wurden, um die korrekte Schuhgröße zu ermitteln **Pod|sol** *(russ.) der;* -s: graue bis weiße Bleicherde (durch Mineralsalzverlust verarmter, holzaschefarbener, unter Nadel- u. Mischwäldern vorkommender Oberboden in feuchten Klimabereichen). **Pod|so|lie|rung** *die;* -, -en: der Prozess, durch den ein Podsol entsteht **Po|em** *(gr.-lat.) das;* -s, -e: (oft abwertend) [größeres] Gedicht. **Po|le|sie** *(gr.-lat.-fr.;* „das Machen, das Verfertigen") *die;* -, ...ien: 1. Dichtkunst; Dichtung, bes. in Versen geschriebene Dichtung im Gegensatz zur Prosa (1). 2. [dichterischer] Stimmungsgehalt, Zauber. **Po|e|sie|al|bum** *das;* -s, ...ben: (bes. bei Kindern u. jungen Mädchen) Album, in das Verwandte, Freunde, Lehrer o. Ä. zur Erinnerung Verse u. Sprüche schrei-

ben. **Po|é|sie en|ga|gée** [pɔezi̯äˈʒe] *(fr.) die;* - -: Tendenzdichtung. **Po|et** *(gr.-lat.) der;* -en, -en: (meist scherzh. od. leicht abwertend) Dichter. **Po|e|ta doc|tus** *der;* - -, ...tae [...ti] ...ti: gelehrter, gebildeter Dichter, der Wissen, Zitaten o. Ä. durchscheinen lässt u. somit ein gebildetes Publikum voraussetzt. **Po|e|ta lau|re|a|tus** *(lat.) der;* - -, ...tae [...tɛ] ...ti: (hist.) ein mit dem Lorbeerkranz gekrönter Dichter; vgl. Laureat. **Po|e|tas|ter** *(gr.-lat.-nlat.) der;* -s, -: (abwertend) Dichterling, Verseschmied. **Po|e|tik** *(gr.-lat.) die;* -, -en: 1. (ohne Plural) wissenschaftliche Beschreibung, Deutung, Wertung der Dichtkunst; Theorie der Dichtung als Teil der Literaturwissenschaft. 2. Lehr-, Regelbuch der Dichtkunst. **po|e|tisch** *(gr.-lat.-fr.):* a) die Poesie betreffend, dichterisch: b) bilderreich, ausdrucksvoll, stimmungsvoll. **po|e|ti|sie|ren:** dichterisch ausschmücken; dichtend erfassen u. durchdringen. **po|e|to|lo|gisch:** die Poetik betreffend, auf ihr basierend **Pol|fe|se** vgl. Pafese **Po|gat|sche** *(ung.) die;* -, -n: (österr.) kleiner, flacher, süßer Eierkuchen mit Grieben **Po|go** *(engl.) der;* -s, -s: (in den 70er-Jahren unter Jugendlichen aufgekommener) Tanz zu Punkmusik o. Ä., bei dem die Tänzer wild u. heftig in die Höhe springen **Po|g|rom*** *(russ.) der* (auch: *das*); -s, -e: Hetze, Ausschreitungen gegen nationale, religiöse, rassische Gruppen **poi|e|tisch** *(gr.):* bildend, das Schaffen betreffend; **poietische Philosophie:** bei Plato die dem Herstellen von etwas dienende Wissenschaft (z B. Architektur) **Poi|ki|lo|der|mie** *(gr.-nlat.) die;* -, ...ien: ungleichmäßige Ablagerung von Pigmenten in der Haut; buntscheckig gefleckte Haut (Med.). **poi|ki|lo|therm:** wechselwarm; Ggs. ↑ homöotherm (Biol.). **Poi|ki|lo|ther|mie** *die;* -, ...ien: Inkonstanz der Körpertemperatur infolge mangelhafter Wärmeregulation des Organismus (z. B. bei Frühgeburten; Med.). **Poi|ki|lo|zy|to|se** *die;* -, -n: Auftreten nicht runder Formen der roten Blutkörperchen (Med.)

Poil [pɔal] *(lat.-fr.) der;* -s, -e:

↑²Pol. **Poi|lu** [pɔa'ly:] *der;* -s, -s: Spitzname für die französischen Soldaten **Poin|set|tie** [pɔyn'zɛtjə] ⟨*nlat.;* nach dem nordamerik. Entdecker J. R. Poinsett⟩ *die;* -, -n: Weihnachtsstern (Wolfsmilchgewächs, eine Zimmerpflanze) **Point** [pɔɛ̃:] ⟨*lat.-fr.*⟩ *der;* -s, -s: 1. a) Stich (bei Kartenspielen); b) Auge (bei Würfelspielen). 2. Notierungseinheit von Warenpreisen an Produktenbörsen (Wirtsch.). **Point d'Hon|neur** [pɔɛ̃dɔ'nœːʀ] ⟨„Ehrenpunkt"⟩ *der;* - -: (veraltet) Ehrenstandpunkt. **Poin|te** ['pɔɛ̃:tə] ⟨*lat.-vulgärlat.-fr.;* „Spitze, Schärfe"⟩ *die;* -, -n: geistreicher, überraschender Schlusseffekt (z. B. bei einem Witz). **Poin|ter** ['pɔyn...] ⟨*lat.-fr.-engl.*⟩ *der;* -s, -: gescheckter Vorsteh- od. Hühnerhund. **poin|tie|ren** ['pɔɛ̃...] ⟨*lat.-fr.*⟩: betonen, unterstreichen, hervorheben. **poin|tiert:** betont, zugespitzt. **poin|til|lie|ren** [...ti'ji:...]: in der Art des Pointillismus malen. **Poin|til|lis|mus** [...ti'jɪs...] ⟨*lat.-fr.-nlat.*⟩ *der;* -: spätimpressionistische Stilrichtung in der Malerei, in der ungemischte Farben punktförmig nebeneinander gesetzt wurden. **Poin|til|list** *der;* -en, -en: Vertreter des Pointillismus. **poin|til|lis|tisch:** den Pointillismus betreffend, in der Art des Pointillismus [gemalt]. **Point|lace** ['pɔyntleɪs] ⟨*engl.*⟩ *die;* -: Bandspitze, genähte Spitze **Point of no Re|turn** ['pɔynt əv nou rɪ'tøːɐ̯n] ⟨*engl.*⟩ *der;* - - - -, - - - -: Grenzpunkt, an dem man nicht mehr zurückkann, **Point of Sale** ['pɔynt əv 'seɪl] *der;* - - -, - -s - -: für die Werbung zu nutzender Ort, an dem ein Produkt verkauft wird (z. B. die Verkaufstheke; Werbespr.) **Poise** [pɔa:z] ⟨*fr.;* nach dem franz. Arzt J. L. M. Poiseuille, 1799–1869⟩ *das;* -, -: Einheit der Viskosität von Flüssigkeiten u. Gasen; Zeichen: P **Po|kal** ⟨*gr.-lat.-it.*⟩ *der;* -s, -e: 1. a) [kostbares] kelchartiges Trinkgefäß aus Glas od. [Edel]metall mit Fuß [u. Deckel]; b) Siegestrophäe in Form eines Pokals (1 a) bei sportlichen Wettkämpfen. 2. (ohne Plural) kurz für: Pokalwettbewerb; Wettbewerb um einen Pokal **Po|ker** ⟨*amerik.*⟩ *das;* -s: amerikanisches Kartenglücksspiel. **Po|ker|face** [...feɪs] ⟨„Pokerge-

sicht"⟩ *das;* -, -s [...feɪsɪz]: 1. Mensch, dessen Gesicht u. Haltung keine Gefühlsregung widerspiegeln. 2. unbewegter, gleichgültig wirkender, sturer Gesichtsausdruck. **po|kern:** 1. Poker spielen. 2. bei Geschäften, Verhandlungen o. Ä. ein Risiko eingehen, einen hohen Einsatz wagen **po|ku|lie|ren** ⟨*lat.-mlat.*⟩: (veraltet) zechen, stark trinken **¹Pol** ⟨*gr.-lat.*⟩ *der;* -s, -e: 1. Drehpunkt, Mittelpunkt, Zielpunkt. 2. Endpunkt der Erdachse u. seine Umgebung; Nordpol, Südpol. 3. Schnittpunkt der verlängerten Erdachse mit dem Himmelsgewölbe, Himmelspol (Astron.). 4. Punkt, der eine besondere Bedeutung hat; Bezugspunkt (Math.). 5. der Aus- u. Eintrittspunkt des Stroms bei einer elektrischen Stromquelle (Phys.). 6. Aus- u. Eintrittspunkt magnetischer Kraftlinien beim Magneten **²Pol** (eindeutschend für: ↑Poil) *der;* -s, -e: bei Samt u. Teppichen die rechte Seite mit dem ²Flor (2) **Po|lac|ca** ⟨*it.*⟩ *die;* -, -s: ↑Polonäse; vgl. alla polacca **¹Po|la|cke** ⟨*poln.*⟩ *der;* -n, -n: (ugs. abwertend) a) Pole; b) dummer, blöder Kerl **²Po|la|cke** ⟨*it.*⟩ *die;* -, -n u. **Po|la|cker** *der;* -s, -: dreimastiges Segelschiff im Mittelmeer **po|lar** ⟨*gr.-lat.-nlat.*⟩: 1. die Erdpolarbete betreffend, aus den Polargebieten gehörend, zu ihnen stammend; arktisch. 2. gegensätzlich bei wesenhafter Zusammengehörigkeit; nicht vereinbar. **Po|la|re** *die;* , n: Verbindungslinie der Berührungspunkte zweier von einem Pol an einen Kegelschnitt gezogener Tangenten (Math.). **Po|lar|front** *die;* -, -en: Front zwischen polarer Kaltluft u. tropischer Warmluft (Meteor.). **Po|la|ri|me|ter** ⟨*gr.-lat.-nlat.; gr.*⟩ *das;* -s, -: Instrument zur Messung der Drehung der Polarisationsebene des Lichtes in optisch aktiven Substanzen (Phys.). **Po|la|ri|met|rie*** *die;* -, ...ien: Messung der optischen Aktivität von Substanzen (Phys.). **po|la|ri|met|risch*:** mit dem Polarimeter gemessen. **Po|la|ri|sa|ti|on** ⟨*gr.-lat.-nlat.*⟩ *die;* -, -en: 1. das deutliche Hervortreten von Gegensätzen; Herausbildung einer Gegensätzlichkeit; Polarisierung. 2. a) Herausbildung einer Gegenspannung (bei der Elekt-

rolyse; Chem.); b) das Herstellen einer festen Schwingungsrichtung aus sonst regellosen ↑Transversalschwingungen des natürlichen Lichtes (Phys.); vgl. ...[at]ion/...ierung. **Po|la|ri|sa|tor** *der;* -s, ...oren: Vorrichtung, die linear polarisiertes Licht aus natürlichem erzeugt. **po|la|ri|sie|ren:** 1. a) spalten, trennen, Gegensätze schaffen; b) sich -: in seiner Gegensätzlichkeit immer deutlicher hervortreten, sich immer mehr zu Gegensätzen entwickeln; 2. a) elektrische od. magnetische Pole hervorrufen (Chem.); b) bei natürlichem Licht eine feste Schwingungsrichtung aus sonst regellosen ↑Transversalschwingungen herstellen (Phys.). **Po|la|ri|sie|rung** *die;* -, -en: ↑Polarisation (1); vgl. ...[at]ion/...ierung. **Po|la|ri|tät** *die;* -, -en: 1. Vorhandensein zweier ↑Pole (1, 3, 5, 6) (Geogr.; Astron.; Phys.). 2. Gegensätzlichkeit bei wesenhafter Zusammengehörigkeit. 3. verschiedenartige Ausbildung zweier entgegengesetzter Pole eines Zelle, eines Gewebes, Organs od. Organismus (z. B. Spross u. Wurzel einer Pflanze; Biol.). **Po|la|ri|um** *das;* -s, ...ien: Abteilung eines Zoos, in der Tiere aus den Polargebieten gehalten werden (Zool.). **Po|lar|ko|or|di|na|ten** *die* (Plural): im Polarkoordinatensystem Bestimmungsgrößen eines Punktes (Math.). **Po|lar|kreis** *der;* -es, -e: Breitenkreis von etwa 66,5° nördlicher bzw. südlicher Breite, der die Polarzone von der gemäßigten Zone trennt. **Po|la|ro|graph,** auch: Polarograf ⟨*gr.-lat.-nlat.; gr.*⟩ *der;* -en, -en: Apparat (meist mit Quecksilbertropfkathode u. Quecksilberanode) zur Ausführung elektrochemischer Analysen durch [fotografische] Aufzeichnung von Stromspannungskurven (Techn.; Chem.). **Po|la|ro|gra|phie,** auch: Polarografie *die;* -, ...ien: elektrochemische Analyse mittels Polarographen zur qualitativen u. quantitativen Untersuchung von bestimmten gelösten Stoffen (Techn.; Chem.). **po|la|ro|gra|phisch,** auch: polarografisch: durch Polarographie erfolgend (Techn.; Chem.). **Po|la|ro|id** [auch: '...rɔyt] *das;* -s, -s: mit einer Polaroidkamera aufgenommenes Foto (Jargon). **Po|la|ro|id|ka|me|ra** ® [auch: '...rɔyt...] *die;* -, -s:

Fotoapparat, der in Sekunden ein fertiges ²Positiv (2) produziert. **Po|lar|stern** *der;* -[e]s: hellster Stern im Sternbild des Kleinen Bären, nach dem wegen seiner Nähe zum nördlichen Himmelspol die Nordrichtung bestimmt wird; Nord[polar]stern (Astron.) **Po|lei** ⟨*lat.*⟩ *der;* -[e]s, -e: Arznei- u. Gewürzpflanze verschiedener Art **Po|leis:** *Plural* von ↑ Polis **Pol|le|mik** ⟨*gr.-fr.*⟩ *die;* -, -en: 1. literarische od. wissenschaftliche Auseinandersetzung; wissenschaftlicher Meinungsstreit, literarische Fehde. 2. unsachlicher Angriff, scharfe Kritik. **Pol|le|mi|ker** *der;* -s, -: 1. jmd., der in einer Polemik (1) steht. 2. jmd., der zur Polemik (2) neigt, gern scharfe, unsachliche Kritik übt. **po|le|misch:** 1. die Polemik (1) betreffend; streitbar. 2. scharf u. unsachlich (von kritischen Äußerungen). **po|le|mi|sie|ren** ⟨französierende Bildung⟩: 1. eine Polemik (1) ausfechten, gegen eine andere literarische od. wissenschaftliche Meinung kämpfen. 2. scharfe, unsachliche Kritik üben; jmdn. mit unsachlichen Argumenten scharf angreifen **Pol|len|ta** ⟨*lat.-it.*⟩ *die;* -, ...ten u. -s: italienisches Maisgericht [mit Käse] **Pol|len|te** ⟨*jidd.*⟩ *die;* -: (ugs.) Polizei **Pole|po|si|tion** [ˈpoulpəˈzɪʃən] ⟨*engl.-amerik.*⟩ *die;* -: bei Autorennen bester (vorderster) Startplatz für den Fahrer mit der schnellsten Zeit im Training **Po|li|ce** [poˈliːsə] ⟨*gr.-mlat.-it.-fr.*⟩ *die;* -, -n: Urkunde über einen Versicherungsvertrag, die vom Versicherer ausgefertigt wird; vgl. Polizze **Po|li|chi|nelle** [...ʃiˈnɛl] ⟨*neapolitan.-fr.*⟩ *der;* -s, -s: französische Form von: Pulcinella. **Po|li|ci|nel|lo** [...tʃi...] ⟨*neapolitan.-it.*⟩ *der;* -s, ...lli: (veraltet) ↑ Pulcinella **Po|li|en|ze|pha|li|tis** vgl. Polioenzephalitis **Po|lier** ⟨*gr.-lat.-vulgärlat.-fr.*⟩ *der;* -s, -e: Vorarbeiter der Maurer u. Zimmerleute; [Maurer]facharbeiter, der die Arbeitskräfte auf einer Baustelle beaufsichtigt; Bauführer **po|lie|ren** ⟨*lat.-fr.*⟩: a) glätten, schleifen; b) glänzend machen, blank reiben; putzen **Po|li|kli|nik** ⟨*gr.-nlat.*⟩ *die;* -, -en:

Krankenhaus od. -abteilung für ambulante Krankenbehandlung. **po|li|kli|nisch:** die Poliklinik betreffend; in der Poliklinik erfolgend **Po|li|ment** ⟨*lat.-fr.*⟩ *das;* -[e]s, -e: 1. zum Polieren, Glänzendmachen geeigneter Stoff. 2. aus einer fettigen Substanz bestehende Unterlage für Blattgold **Po|lio** (Kurzform) *die;* -: ↑ Poliomyelitis. **Po|li|o|en|ze|pha|li|tis** u. Polienzephalitis ⟨*gr.-nlat.*⟩ *die;* -, ...itjden: Entzündung der grauen Hirnsubstanz (Med.). **Po|li|o|my|e|li|tis** *die;* -, ...itjden: Entzündung der grauen Rückenmarksubstanz; spinale Kinderlähmung (Med.). **Po|li|o|lsis** ⟨*gr.*⟩ *die;* -, ...osen: das Ergrauen der Haare (Med.) **Po|lis** ⟨*gr.*⟩ *die;* -, Po|leis: altgriechischer Stadtstaat (z. B. Athen) **Po|lis|son|ne|rie** ⟨*lat.-fr.*⟩ *die;* -, ...ien: (veraltet) Ungezogenheit, Streich **Po|lit|bü|ro** ⟨⟨*gr.-fr.; lat.-vulgärlat.-fr.⟩ russ.*⟩ *das;* -s, -s: zentraler [Lenkungs]ausschuss einer kommunistischen Partei **¹Po|li|tes|se** ⟨*lat.-it.-fr.*⟩ *die;* -, -n: 1. Höflichkeit, Artigkeit. 2. (landsch.) Kniff, Schlauheit **²Po|li|tes|se** ⟨Kunstw. aus: *Polizei* u. ↑ Hostess⟩ *die;* -, -n: Angestellte bei einer Gemeinde für bestimmte Aufgaben (z. B. für die Kontrolle der Einhaltung des Parkverbots) **Po|li|ti|cal Cor|rect|ness** [...kl -] ⟨*engl.*⟩ *die;* - -: von einer bestimmten Öffentlichkeit als richtig eingestufte Gesinnung, Haltung (die zum Ziel hat, alles zu vermeiden, was andere als diskriminierend empfinden könnten; Abk.: PC, p. c.) **po|li|tie|ren** ⟨*lat.-fr.*⟩: (österr.) glänzend reiben, polieren, mit Politur einreiben **Po|li|tik** [auch: ...'tik] ⟨*gr.-fr.*⟩ *die;* -, -en: 1. auf die Durchsetzung bestimmter Ziele bes. im staatlichen Bereich u. auf die Gestaltung des öffentlichen Lebens gerichtetes Handeln von Regierungen, Parlamenten, Parteien, Organisationen o. Ä. 2. berechnendes, zielgerichtetes Verhalten, Vorgehen. **Po|li|ti|ka:** *Plural* von ↑ Politikum. **Po|li|ti|kas|ter** ⟨*gr.-fr.-lat.-nlat.*⟩ *der;* -s, -: (abwertend) jmd., der viel über Politik spricht, ohne viel davon zu verstehen. **Po|li|ti|ker** [auch: po'li...] ⟨*gr.-mlat.*⟩ *der;* -s, -: jmd., der aktiv in der Politik (1), an der Füh-

rung eines Gemeinwesens teilnimmt; Staatsmann. **Po|li|ti|kum** [auch: po'li...] ⟨*gr.-nlat.*⟩ *das;* -s, ...ka: Tatsache, Vorgang von politischer Bedeutung. **Po|li|ti|kus** [auch: po'li...] *der;* -, -se: (scherzh.) jmd., der sich eifrig mit Politik (1) beschäftigt. **po|li|tisch** [auch: po'li...] ⟨*gr.-lat.-fr.*⟩: die Politik (1) betreffend, zu ihr gehörend; staatsmännisch; **politischer Gefangener, Häftling:** aus politischen Gründen gefangen gehaltene Person; **politischer Vers:** fünfzehnsilbiger, akzentuierender Vers der byzantinischen u. neugriechischen volkstümlichen Dichtung; **politisches Asyl:** Zufluchts- u. Aufenthaltsrecht in einem fremden Land für jemanden, der aus politischen Gründen geflüchtet ist. **po|li|ti|sie|ren** ⟨*gr.-nlat.*⟩: 1. [laienhaft] von Politik reden. 2. bei jmdm. Anteilnahme, Interesse an der Politik (1) erwecken; jmdn. zu politischer Aktivität bringen. 3. etwas, was nicht unmittelbar den politischen Bereich gehört, unter politischen Gesichtspunkten behandeln, betrachten. 1. das Erwecken politischer Interessen, Erziehung zu politischer Aktivität. 2. politische Behandlung, Betrachtung von Dingen, die nicht unmittelbar in den politischen Bereich gehören. **Po|li|to|lo|ge** *der;* -n, -n: Wissenschaftler auf dem Gebiet der Politologie. **Po|li|to|lo|gie** *die;* -: Wissenschaft von der Politik. **po|li|to|lo|gisch:** die Politologie betreffend, zu ihr gehörend, auf ihr basierend. **Po|lit|pro|mi|nenz** *die;* -: Prominenz (1) aus dem Bereich der Politik. **Po|lit|ruk** ⟨*gr.-russ.*⟩ *der;* -s, -s: politischer Offizier einer sowjetischen Truppeneinheit. **Po|lit|thril|ler** *der;* -s, -: 1. Thriller mit politischer Thematik. 2. Vorgang im Bereich der Politik, der die Züge eines Thrillers aufweist **Po|li|tur** ⟨*lat.*⟩ *die;* -, -en: 1. durch Polieren hervorgebrachte Glätte, Glanz. 2. Mittel zum Glänzendmachen; Poliermittel. 3. (ohne Plural; veraltet) Lebensart; gutes Benehmen **Po|li|zei** ⟨*gr.-lat.-mlat.-lat.;* „Bürgerrecht; Staatsverwaltung; Staatsverfassung"⟩ *die;* -, -en: 1. Sicherheitsbehörde, die über die Wahrung der öffentlichen Ordnung zu wachen hat. 2. (ohne Plural) Angehörige der Polizei.

3. (ohne Plural) Dienststelle der Polizei. Po|li|zei|staat *der;* -[e]s, -en: (abwertend) totalitärer Staat, in dem die Bürger durch einen staatlichen Kontrollapparat unterdrückt werden. Po|li|zist *(gr.-lat.-mlat.-nlat.) der;* -en, -en: Angehöriger der Polizei; Schutzmann

Po|li|z|ze *(gr.-mlat.-it.) die;* -, -n: (österr.) ↑Police

Pol|je *(slaw.) die;* -, -n (auch: *das;* -[s], -n): großes Wannen- od. kesselartiges Becken mit ebenem Boden in Karstgebieten (Geogr.)

Polk *der;* -s, -s (selten auch: -e): ↑¹Pulk

Pol|ka *(poln.-tschech.;* „Polin") *die;* -, -s: böhmischer Rundtanz im lebhaften bis raschen $^2/_4$-Takt (etwa seit 1835)

Poll [poʊl] *(engl.-amerik.) der;* -s, -s: 1. Meinungsumfrage, -befragung (Fachspr.). 2. (in den USA) Liste der Wähler od. Befragten

pol|la|kanth* *(gr.-nlat.;* „häufig blühend"): mehrjährig u. immer wieder blühend (bezogen auf bestimmte Pflanzen, z. B. Apfelbaum; Bot.); Ggs. ↑hapaxanth.

Pol|la|kis|u|rie* *die;* -, ...ien: häufiger Harndrang

Pol|li|ni|um *(lat.-nlat.) das;* -s, ...ien: regelmäßig zu einem Klümpchen verklebender Blütenstaub, der als Ganzes von Insekten übertragen wird (z. B. bei Orchideen; Bot.). Pol|li|nose *die;* -, -n: durch Pollen hervorgerufene Allergie (Med.)

Pol|lu|ti|on *(lat.;* „Besudelung") *die;* -, -en: unwillkürlicher Samenerguss im Schlaf (z. B. in der Pubertät; Med.)

Pol|lux vgl. ²Kastor

Po|lo *(engl.) das;* -s, -s: zu Pferde gespieltes Treibballspiel. Po|lo|hemd *das;* -[e]s, -en: kurzärmeliges, enges Trikothemd mit offenem Kragen

Po|lo|nai|se [...'nɛ:zə], Po|lo|nä|se *(fr.;* „Polnischer" (= polnischer Tanz)) *die;* -, -n: festlicher Schreittanz im $^3/_4$-Takt; vgl. Polacca

Po|lon|ceau|trä|ger [polõ'so:...] (nach dem franz. Erfinder Polonceau) *der;* -s, -: Tragkonstruktion aus Holz od. Stahl für größere Spannweiten

po|lo|ni|sie|ren *(mlat.-nlat.):* polnisch machen. Po|lo|nist *der;* -en, -en: Wissenschaftler auf dem Gebiet der Polonistik. Po|lo|nis|tik *die;* -: Wissenschaft von der polnischen Sprache u. Literatur. po|lo|nis|tisch: die

Polonistik betreffend, zu ihr gehörend. Po|lo|ni|um *(nlat.; nach Polonia,* dem nlat. Namen für Polen) *das;* -s: radioaktives chemisches Element (Zeichen: Po)

Polt|ron* [pɔl'trõ:] *(it.-fr.) der;* -s, -s: (veraltet) Feigling; Maulheld

Po|ly|ac|ryl* *(gr.-nlat.) das;* -s: Kunststoff aus Acrylsäure. Po|ly|ac|ryl|lat *das;* -[e]s, -e: Kunststoff aus Acrylsäure. Po|ly|ac|ryl|nit|ril *(Kunstw.) das;* -s: polymerisiertes Acrylsäurenitril (Ausgangsstoff wichtiger Kunstfasern)

Po|ly|ad|di|ti|on *die;* -, -en: chemisches Verfahren zur Herstellung hochmolekularer Kunststoffe (Chem.). Po|ly|ad|dukt *(gr.; lat.) das;* -[e]s, -e: durch Polyaddition entstandener hochmolekularer Kunststoff (Chem.).

Po|ly|a|mid *das;* -[e]s, -e: hochmolekularer elastischer Kunststoff (z. B. Perlon, Nylon) Po|ly|ä|mie *(gr.-nlat.) die;* -, ...ien: krankhafte Vermehrung der zirkulierenden Blutmenge; Vollblütigkeit (Med.). Po|ly|and|rie* *(gr.) die;* -: Vielmännerei; Ehegemeinschaft einer Frau mit mehreren Männern (vereinzelt bei Naturvölkern [mit Mutterrecht]; Völkerk.); Ggs. ↑Polygynie; vgl. Polygamie (1 a). po|ly|and|risch*: die Vielmännerei betreffend. Po|ly|an|tha|ro|se *(gr.; dt.) die;* -, -n: Gartenrose von meist niedrigem, buschigem Wuchs (Bot.). Po|ly|ar|chie *die;* -, ...ien: (selten) Herrschaft mehrerer in einem Staat, im Unterschied zur Monarchie. Po|ly|arth|ri|tis* *(gr.-nlat.) die;* -, ...itiden: an mehreren Gelenken gleichzeitig auftretende Arthritis. Po|ly|a|se *die;* -, -n: hochmolekulare Kohlenhydrate spaltendes Enzym. Po|ly|äs|the|sie *die;* -, ...ien: subjektive Wahrnehmung einer Hautreizung an mehreren Stellen (Med.). Po|ly|äthy|len, (fachspr.:) Polyethylen *das;* -s, -e: ein thermoplastischer Kunststoff. Po|ly|chä|ten *die* (Plural): im Meer lebende Borstenwürmer (z. B. ↑Palolowurm). Po|ly|chord [...'kɔrt] *(„Vielsaiter") das;* -[e]s, -e: 10-saitiges Streichinstrument in Kontrabassform mit mehrgliedrigem Griffbrett

po|ly|chrom [...'kro:m]: vielfarbig, bunt. Po|ly|chro|mie *die;* -, ...ien: Vielfarbigkeit; [dekorative] bunte Bemalung einen einheitlichen Gesamtton mit kräftig voneinander abgesetzten Farben

(z. B. bei Keramiken, Glasgemälden, Bauwerken). po|ly|chro|mie|ren: (selten) bunt ausstatten (z. B. die Innenwände eines Gebäudes mit Mosaik od. verschiedenfarbigem Marmor).

Po|ly|chro|mo|gra|phie, auch: Polychromografie *die;* -, ...ien: (veraltet) Vielfarbendruck

po|ly|cyc|lisch* vgl. polyzyklisch. Po|ly|dak|ty|lie *die;* -, ...ien: angeborene Missbildung der Hand od. des Fußes mit Bildung überzähliger Finger od. Zehen (Med.; Biol.). Po|ly|dä|mo|nis|mus *der;* -: Glaube um die religiöse Verehrung einer Vielheit von [nicht persönlich ausgeprägten] Geistern als Vorstufe des Polytheismus. Po|ly|dip|sie *die;* -: krankhaft gesteigerter Durst (Med.); vgl. Oligodipsie

Po|ly|e|der *(gr.) das;* -s, -: Vielflächner; von Vielecken begrenzter Körper (Math.). Po|ly|e|der|krank|heit *die;* -: Krankheit der Seidenspinnerraupen. po|ly|ed|risch*: vielflächig (Math.)

Po|ly|emb|ry|o|nie* *(gr.-nlat.) die;* -, ...ien: Bildung mehrerer Embryonen aus einer pflanzlichen Samenanlage od. einer tierischen Keimanlage (z. B. bei Moostierchen; Biol.). Po|ly|es|ter *(Kunstw.) der;* -s, -: aus Säuren u. Alkoholen gebildete Verbindung mit hohem Molekulargewichts, die als wichtiger Rohstoff zur Herstellung synthetischer Fasern u. Harze dient. po|ly|fon usw. vgl. polyphon usw.

Po|ly|gal|la *die;* -, -s: Kreuzblumengewächs. Po|ly|gal|lak|tie *die;* -: übermäßige Milchabsonderung während des Stillens (Med.)

po|ly|gam *(gr.):* 1. a) von der Anlage her auf mehrere Geschlechtspartner bezogen (von Tieren u. Menschen); b) die Polygamie (1) betreffend, in Mehrehe lebend; mit mehreren Partnern geschlechtlich verkehrend; Ggs. ↑monogam. 2. zwittrige u. eingeschlechtige Blüten gleichzeitig tragend (bezogen auf bestimmte Pflanzen; Bot.). Po|ly|ga|mie *die;* -: 1. a) Mehrehe, Vielehe, bes. Vielweiberei (meist in vaterrechtlichen Kulturen; Völkerk.); vgl. Polyandrie, Polygynie; b) geschlechtlicher Verkehr mit mehreren Partnern; Ggs. ↑Monogamie. 2. das Auftreten von zwittrigen u. eingeschlechtigen Blüten auf einer

Pflanze (Bot.). **Po|ly|ga|mist** ⟨gr.-nlat.⟩ der; -en, -en: in Vielehe lebender Mann **po|ly|gen:** 1. durch mehrere Erbfaktoren bedingt (Biol.); Ggs. ↑monogen (1). 2. vielfachen Ursprung habend (z. B. von einem durch mehrere Ausbrüche entstandenen Vulkan; Geol.); Ggs. ↑monogen (2). **Po|ly|ge|ne|se u. Po|ly|ge|ne|sis** die; -: biologische Theorie von der stammesgeschichtlichen Herleitung jeder gegebenen Gruppe von Lebewesen aus jeweils mehreren Stammformen; Ggs. ↑Monogenese (1). **Po|ly|ge|nie** die; -, ...ien: die Erscheinung, dass an der Ausbildung eines Merkmals eines ↑Phänotypus mehrere Gene beteiligt sind (Biol.); Ggs. ↑Monogenie (2). **Po|ly|ge|nis|mus** der; -: 1. ↑Polygenese. 2. von der katholischen Kirche verworfene Lehre, nach der das Menschengeschlecht auf mehrere Stammpaare zurückgeht **Po|ly|glo|bu|lie*** ⟨gr.; lat.-nlat.⟩ die; -: ↑Polyzythämie **po|ly|glott*** ⟨gr.⟩: 1. in mehreren Sprachen abgefasst, mehr-, vielsprachig (von Buchausgaben). 2. viele Sprachen sprechend. **¹Po|ly|glot|te** ⟨gr.⟩ der od. die; -n, -n: jmd., der viele Sprachen beherrscht. **²Po|ly|glot|te** die; -, -n: 1. (veraltet) mehrsprachiges Wörterbuch. 2. Buch (bes. Bibel) mit Textfassung in verschiedenen Sprachen. **po|ly|glot|tisch:** (veraltet) polyglott **Po|ly|gon** das; -s, -e: Vieleck mit meist mehr als drei Seiten (Math.). **po|ly|go|nal** ⟨gr.-nlat.⟩: vieleckig (Math.). **Po|ly|gon|boden** der; -s, ...böden: durch wechselndes Frieren u. Auftauen verursachte Sortierung der Bestandteile eines Bodens, die ein Muster hervorruft (Geol.). **Po|ly|go|num** das; -s: Knöterich (verbreitete Unkraut- u. Heilpflanze) **Po|ly|gramm** das; -s, -e: bei der Polygraphie (1) gewonnenes Röntgenbild (Med.) **Po|ly|graph,** auch: Polygraf ⟨gr.-russ.⟩ der; -en, -en: 1. Gerät zur gleichzeitigen Registrierung mehrerer Vorgänge u. Erscheinungen, das z. B. in der Medizin bei der ↑Elektrokardiographie u. der ↑Elektroenzephalographie od. in der Kriminologie als Lügendetektor verwendet wird. 2. (regional) Angehöriger des grafischen Gewerbes. **Po|ly|gra-**

phie, auch: Polygrafie die; -: 1. röntgenologische Darstellung von Organbewegungen durch mehrfaches Belichten eines Films (Med.). 2. (regional) alle Zweige des grafischen Gewerbes umfassendes Gebiet. **po|ly|gra|phisch,** auch: polygrafisch: die Polygraphie (2) betreffend **po|ly|gyn** ⟨gr.⟩: die Polygynie betreffend; in Vielweiberei lebend. **Po|ly|gy|nie** die; -: Vielweiberei; Ehegemeinschaft eines Mannes mit mehreren Frauen (in den unterschiedlichsten Kulturen vorkommend; Völkerk.); Ggs. ↑Polyandrie; vgl. Polygamie (1a). **Po|ly|ha|lit** [auch: ...'lıt] ⟨gr.-nlat.⟩ der; -s, -e: fettig glänzendes, weißes, graues, gelbes od. rotes Mineral, komplexes Kalimagnesiumsalz, das als Düngemittel verwendet wird (Chem.). **Po|ly|his|tor** ⟨gr.; „viel wissend"⟩ der; -s, ...oren: (veraltet) in vielen Fächern bewanderter Gelehrter. **po|ly|hyb|rid*** ⟨gr.; lat.⟩: von Eltern abstammend, die sich in mehreren Merkmalen unterscheiden (von tierischen od. pflanzlichen Kreuzungsprodukten; Biol.); Ggs. ↑monohybrid. **Po|ly|hyb|ri|de*** die; -, -n (auch: der; -n, -n): Nachkomme von Eltern, die sich in mehreren Erbmerkmalen unterscheiden (Biol.); Ggs. ↑Monohybride. **Po|ly|ide|is|mus** ⟨gr.-nlat.⟩ der; -: Vielfalt der Gedanken, Ideenfülle; Horizontbreite des Bewusstseins (Psychol.); Ggs. ↑Monoideismus (1). **po|ly|karp u. po|ly|kar|pisch:** in einem bestimmten Zeitraum mehrmals Blüten u. Früchte ausbildend (von bestimmten Pflanzen; Bot.). **Po|ly|kla|die*** die; -: nach Verletzung einer Pflanze entstehende Seitensprosse (Bot.). **Po|ly|kon|den|sa|ti|on** die; -: Zusammenfügen einfachster Moleküle zu größeren (unter Austritt kleinerer Spaltprodukte wie Wasser, Ammoniak o. Ä.) zur Herstellung von Chemiefasern, Kunstharzen u. Kunststoffen (Chem.). **po|ly|kon|den|sie|ren:** den Prozess der Polykondensation bewirken; durch Polykondensation gewinnen (Chem.). **Po|ly|ko|rie** die; -, ...ien: angeborene abnorme Ausbildung mehrerer Pupillen in einem Auge (Med.). **Po|ly|lin|gu|a|lis|mus** der; -: ↑Multilingualismus, Multilinguismus. **Po|ly|mas|tie** die; -, ...ien: abnorme Ausbildung überzähliger

Brustdrüsen bei Frauen (als ↑atavistische (1) Fehlbildung; Med.); vgl. Hyperthelie. **Po|ly|ma|thie** ⟨gr.⟩ die; -: (veraltet) vielseitiges Wissen. **Po|ly|me|lie** ⟨gr.-nlat.⟩ die; -, ...ien: angeborene Fehlbildung, bei der bestimmte Gliedmaßen doppelt ausgebildet sind (Med.). **Po|ly|me|nor|rhö** die; -, -en u. **Po|ly|me|nor|rhöe** [...'rø:] die; -, -n [...'rø:ən]: zu häufige, nach zu kurzen Abständen eintretende Regelblutung (Med.) **po|ly|mer** ⟨gr.⟩: 1. vielteilig, vielzählig. 2. aus größeren Molekülen bestehend, die durch Verknüpfung kleinerer entstanden sind (Chem.); Ggs. ↑monomer. **Po|ly|mer** das; -s, -e u. **Po|ly|me|re** das; -n, -n (meist Plural): Verbindung aus Riesenmolekülen (Chem.). **Po|ly|me|rie** die; -, ...ien: 1. Zusammenwirken mehrerer gleichartiger Erbfaktoren bei der Ausbildung eines erblichen Merkmals (Biol.). 2. Verbundensein, Zusammenschluss vieler gleicher u. gleichartiger Moleküle in einer chemischen Verbindung. **Po|ly|me|ri|sat** ⟨gr.-nlat.⟩ das; -[e]s, -e: durch Polymerisation entstandener neuer Stoff (Chem.). **Po|ly|me|ri|sa|ti|on** die; -, -en: auf Polymerie (2) beruhendes chemisches Verfahren zur Herstellung von Kunststoffen. **po|ly|me|ri|sie|ren:** den Prozess der Polymerisation bewirken; einfache Moleküle zu größeren Molekülen vereinigen (Chem.). **po|ly|me|ta|morph:** Gesteine u. Gegenden betreffend, die mehrmals ↑metamorph verändert wurden (Geol.). **Po|ly|me|ter** ⟨gr.⟩ das; -s, -: vorwiegend in der Klimatologie verwendetes, aus einer Kombination von ↑Hygrometer u. ↑Thermometer bestehendes Vielzweckmessgerät (Meteor.). **Po|ly|met|rie** der; -, ...ien: 1. Anwendung verschiedener Metren (1) in einem Gedicht. 2. (Mus.) a) gleichzeitiges Auftreten verschiedener Taktarten in mehrstimmiger Musik; b) häufiger Taktwechsel innerhalb eines Tonstückes **po|ly|morph:** viel-, verschiedengestaltig (bes. Mineral.; Biol.). **Po|ly|mor|phie** die; -: 1. Vielgestaltigkeit, Verschiedengestaltigkeit. 2. das Vorkommen mancher Mineralien in verschiedener Form, mit verschiedenen Eigenschaften, aber mit gleicher chemischer Zusammensetzung (Mineral.; Chem.). 3. (Bot.) a) Vielgestaltigkeit der Blätter od. der Blüte einer Pflanze; b) die Aufeinanderfolge mehrerer verschieden gestalteter ungeschlechtlicher Generationen bei Algen u. Pilzen. 4. (Zool.) a) Vielgestaltigkeit in Tierstöcken u. Tierstaaten; b) jahreszeitlich bedingte Vielgestaltigkeit der Zeichnungsmuster bei Schmetterlingen. 5. das Vorhandensein mehrerer sprachlicher Formen für den gleichen Inhalt, die gleiche Funktion (z. B. die verschiedenartigen Pluralbildungen in: die Wiesen, die Felder, die Schafe; Sprachw.). Po|ly|mor|phis|mus *der; -:* ↑ Polymorphie (1, 2, 3, 4)

Po|ly|neu|ri|tis *die; -, ...iti̱den:* in mehreren Nervengebieten gleichzeitig auftretende Entzündung (Med.). Po|ly|nom *das; -s, -e: aus mehr als zwei Gliedern* bestehender, durch Plus- od. Minuszeichen verbundener mathematischer Ausdruck. po|ly|no|mi|ell, selten: po|ly|no|misch: (Math.) a) das Polynom betreffend; b) vielgliedrig. po|ly|nuk|le|är* *(gr.; lat.-nlat.):* vielkernig (z. B. von Zellen; Med.). Po|ly|o|pie *(gr.-nlat.) die; -, ...i̱en:* Sehstörung, bei der ein Gegenstand mehrfach gesehen wird; Vielfachsehen (Med.). Po|lyp *(gr.-lat.; „vielfüßig") der; -en, -en:* 1. auf einem Untergrund fest sitzendes Nesseltier, das oft große Stöcke bildet. 2. (veraltet, noch ugs.) Tintenfisch, bes. Krake. 3. gutartige, oft gestielte Geschwulst der Schleimhäute (Med.). 4. (salopp) Polizist, Polizeibeamter. Po|ly|pep|tid *(gr.-nlat.) das; -[e]s, -e: aus verschiedenen Aminosäuren aufgebautes* Zwischenprodukt beim Ab- od. Aufbau der Eiweißkörper (Biochem.)

po|ly|phag *(gr.; „viel fressend"):* Nahrung verschiedenster Herkunft aufnehmend (Biol.); Ggs. ↑ monophag. Po|ly|pha|ge *der; -n, -n (meist Plural):* (Zool.) 1. ein Tier, das Nahrung verschiedenster Herkunft aufnimmt; Ggs. ↑ Monophage. 2. (nur Plural) bestimmte Käfer. Po|ly|pha|gie *die; -, ...i̱en:* 1. krankhaft gesteigerter Appetit, Gefräßigkeit (Med.). 2. polyphage Ernährungsweise von Tieren bzw. von Parasiten, die auf vielen verschiedenen Wirtsorganismen schmarotzen (Biol.)

po|ly|phän *(gr.-nlat.):* an der Ausbildung mehrerer Merkmale eines Organismus beteiligt (von Genen; Biol.)

po|ly|phon, auch: polyfon *(gr.; „vielstimmig"):* (Mus.) 1. die Polyphonie betreffend. 2. nach den Gesetzen der Polyphonie komponiert; mehrstimmig; Ggs. ↑ homophon (1). Po|ly|pho|nie, auch: Polyfonie *die; -:* Mehrstimmigkeit mit selbstständigem linearem (3) Verlauf jeder Stimme ohne akkordische Bindung (Mus.); Ggs. ↑ Homophonie. Po|ly|pho|ni|ker, auch: Polyfoniker *der; -s, -:* Komponist der polyphonen Satzweise. po|ly|pho|nisch, auch: polyfonisch: (veraltet) ↑ polyphon

Po|ly|phra|sie *(gr.-nlat.; „Vielreden") die; -:* krankhafte Geschwätzigkeit (Med.). po|ly|phy|le|tisch: mehrstämmig in Bezug auf die Stammesgeschichte; Ggs. ↑ monophyletisch. Po|ly|phy|le|tis|mus *der; -* u. Po|ly|phy|lie *die; -:* ↑ Polygenese. Po|ly|phyl|lie *(„Vielblättrigkeit") die; -:* Überzähligkeit in der Gliederzahl eines Blattwirbels (Bot.). Po|ly|pi|o|nie *die; -, ...i̱en:* Fettsucht, Fettleibigkeit (Med.). po|ly|plo|id*: mehr als zwei Chromosomensätze aufweisend (von Zellen, Geweben, Organismen; Biol.). Po|ly|plo|i|die* *die; -:* das Vorhandensein von mehr als zwei Chromosomensätzen; Vervielfachung des Chromosomensatzes (Biol.). Po|ly|pnoe* *die; -:* ↑ Tachypnoe. Po|ly|po|di|um *(gr.-nlat.) das; -s, ...ien:* Tüpfelfarn (Bot.). po|ly|po|id: polypenähnlich (z. B. von Schleimhautwucherungen; Med.). Po|ly|pol *das; -s, -e:* Marktform, bei der auf der Angebots- od. Nachfrageseite jeweils viele kleine Anbieter bzw. Nachfrager stehen (Wirtsch.). po|ly|pös: polypenartig, mit Polypenbildung einhergehend (Med.). Po|ly|po|se *die; -, -n:* ausgebreitete Polypenbildung (Med.). Po|ly|prag|ma|sie *die; -, ...i̱en:* das Ausprobieren vieler Behandlungsmethoden u. Arzneien (Med.). Po|ly|prag|mo|sy|ne *(gr.) die; -:* (veraltet) Vielgeschäftigkeit. Po|lyp|to|ton* *(gr.-lat.) das; -s, ...ta:* Wiederholung desselben Wortes in einem Satz in verschiedenen Kasus (z. B. der alte Urstand der Natur kehrt wieder, wo *Mensch* dem *Menschen* gegenübersteht; Rhet.). Po|lyp|ty|chon* *(gr.)*

das; -s, ...chen u. ...cha: 1. aus mehr als drei Teilen bestehende, zusammenklappbare Schreibtafel des Altertums. 2. Flügelaltar mit mehr als zwei Flügeln; vgl. Diptychon, Triptychon. Po|ly|re|ak|ti|on *die; -, -en:* Bildung hochmolekularer Verbindungen (Chem.)

Po|ly|rhyth|mik *(gr.-nlat.) die; -:* das Auftreten verschiedenartiger, aber gleichzeitig ablaufender Rhythmen in einer Komposition (im Jazz bes. in den afroamerikanischen Formen; Mus.). Po|ly|rhyth|mi|ker *der; -s, -:* Komponist polyrhythmischer Tonstücke (Mus.). po|ly|rhyth|misch: (Mus.) a) die Polyrhythmik betreffend; b) nach den Gesetzen der Polyrhythmik komponiert

Po|ly|sac|cha|rid u. Po|ly|sa|cha|rid *das; -[e]s, -e:* Vielfachzucker, der in seinen Großmolekülen aus zahlreichen Molekülen einfacher Zucker aufgebaut ist (z. B. Glykogen). po|ly|sap|rob*: stark mit organischen Abwässern belastet, mit Polysaprobien durchsetzt (von Gewässern). Po|ly|sap|ro|be* *[...bjə] die; -, -n (meist Plural):* Organismus, der in faulendem Wasser lebt. po|ly|sem u. po|ly|se|man|tisch: Polysemie besitzend, mehrere Bedeutungen habend (von Wörtern; Sprachw.); Ggs. ↑ monosem. Po|ly|se|mie *die; -, ...i̱en:* das Vorhandensein mehrerer Bedeutungen zu einem Wort (z. B. Pferd: 1. Tier. 2. Turngerät. 3. Schachfigur; Sprachw.); Ggs. ↑ Monosemie. Po|ly|si|al|lie *die; -:* krankhaft vermehrter Speichelfluss (Med.); vgl. Ptyalismus. Po|ly|sper|mie *die; -, ...i̱en:* 1. Eindringen mehrerer Samenfäden in ein Ei (Biol.); Ggs. ↑ Monospermie. 2. ↑ Spermatorrhö. Po|ly|sty|rol *(gr.; lat.) das; -s, -e:* in zahlreichen Formen gehandelter, vielseitig polymerisierter Kunststoff aus polymerisiertem ↑ Styrol. Po|ly|syl|la|bum *(gr.-nlat.) das; -s, ...ba:* vielsilbiges Wort (Sprachw.). Po|ly|syl|lo|gis|mus *der; -, ...men:* aus vielen ↑ Syllogismen zusammengesetzte Schlusskette, bei der der vorangehende Schlusssatz zur Prämisse für den folgenden wird (Philos.). po|ly|syn|de|tisch *(gr.; „vielfach verbunden"):* a) das Polysyndeton betreffend; b) durch mehrere Bindewörter verbunden (Sprachw.). Po|ly|syn|de|ton *das;* -s, ...ta: Wort- od. Satzreihe, deren Glieder durch Konjunktionen (1) miteinander verbunden sind (z. B. *Und* es wallet *und* siedet *und* brauset *und* zischt; Schiller); vgl. Asyndeton. po|ly|syn|the|tisch: vielfach zusammengesetzt; **polysynthetische Sprachen:** Sprachen, die die Bestandteile des Satzes durch Einschachtelung zu einem großen Satzwort verschmelzen (Sprachw.); vgl. inkorporierende Sprachen. Po|ly|syn|the|tismus *(gr.-nlat.) der;* -: Erscheinung des polysynthetischen Sprachbaus (Sprachw.) Po|ly|tech|nik *die;* -: Fachgebiet, das mehrere Zweige der Technik, auch der Wirtschaft, der Gesellschaftspolitik o. Ä. umfasst. Po|ly|tech|ni|ker *der;* -s, -: (veraltet) Student am Polytechnikum. Po|ly|tech|ni|kum *das;* -s, ...ka (auch: ...ken): a) (früher) technische Hochschule, Ingenieurschule; b) höhere technische Lehranstalt; vgl. Technikum. po|ly|tech|nisch: mehrere Zweige der Technik, auch der Wirtschaft o. Ä. umfassend Po|ly|the|is|mus *der;* -: Vielgötterei; Verehrung einer Vielzahl persönlich gedachter Götter; vgl. Polydämonismus. Po|ly|the|ist *der;* -en, -en: Anhänger des Polytheismus. po|ly|the|istisch: den Polytheismus betreffend, zu ihm gehörend, auf ihm beruhend Po|ly|the|lie *die;* -, ...ien: ↑ Polymastie. Po|ly|to|mie *die;* -: Vielfachverzweigung der Sprossspitzen (Bot.). po|ly|to|nal: verschiedenen Tonarten angehörende Melodien od. Klangfolgen gleichzeitig aufweisend (Mus.). Po|ly|to|na|li|tät *die;* -: Vieltonart; gleichzeitiges Durchführen mehrerer Tonarten in den verschiedenen Stimmen eines Tonstücks (Mus.). Po|ly|tri|chie* *die;* -, ...ien: abnorm starke Körperbehaarung (Med.). po|ly|trop* *(gr.):* sehr anpassungsfähig (von Organismen; Biol.). Po|ly|tro|pis|mus* *(gr.-nlat.) der;* -: große Anpassungsfähigkeit bestimmter Organismen (Biol.). Po|ly|ty|pe *die;* -, -n: Drucktype mit mehreren Buchstaben. Po|ly|ure|than *das;* -s, -e (meist Plural): Kunststoff aus einer Gruppe wichtiger, vielseitig verwendbarer Kunststoffe. Po|ly|u|rie *die;* -, ...ien: krankhafte Vermeh-

rung der Harnmenge (Med.). po|ly|va|lent *(gr.; lat.):* in mehrfacher Beziehung wirksam, gegen verschiedene Erreger od. Giftstoffe gerichtet (z. B. von Seren; Med.). Po|ly|vi|nyl|ace|tat *das;* -s, -e (meist Plural): durch ↑ Polymerisation von Vinylacetat gewonnener, vielseitig verwendbarer Kunststoff. Po|ly|vi|nylchlo|rid *das;* -[e]s, -e: durch ↑ Polymerisation von Vinylchlorid hergestellter Kunststoff, der durch Zusatz von Weichmachern biegsam gemacht u. hauptsächlich für Fußbodenbeläge, Folien usw. verwendet wird (Abk.: PVC). Po|ly|zen|trismus* *der;* -: 1. Zustand eines [kommunistischen] Machtbereiches, in dem die [ideologische] Vorherrschaft nicht mehr nur von einer Stelle (Partei, Staat) ausgeübt wird, sondern von mehreren Machtzentren ausgeht (Pol.). 2. städtebauliche Anlage einer Stadt mit nicht nur einem Mittelpunkt, sondern mehreren Zentren. po|ly|zyk|lisch*, chem. fachspr.: polycyclisch: aus mehreren Benzolringen zusammengesetzt (Chem.). Po|ly|zythä|mie *die;* -, ...ien: Rotblütigkeit; Erkrankung durch starke Vermehrung vor allem der ↑ Erythrozyten, auch der ↑ Leukozyten u. der ↑ Thrombozyten (Med.)

po|ma|de *‹slaw.;* unter Einfluss von „Pomade"›: (landsch. veraltend) langsam, träge; gemächlich, in aller Ruhe; **jmdm. pomade sein:** jmdm. gleichgültig sein. Po|ma|de *‹lat.-it.-fr.) die;* -, -n: (veraltet) parfümierte salbenähnliche Substanz zur Haarpflege. po|ma|dig: 1. mit Pomade eingerieben. 2. (ugs.) a) langsam, träge; b) blasiert, anmaßend, dünkelhaft. po|ma|di|sie|ren: mit Pomade einreiben Po|me|ran|ze *‹(lat.; pers.) it.-mlat.) die;* -, -n: 1. kleiner Baum mit stark duftenden weißen Blüten u. runden orangefarbenen Früchten. 2. der Apfelsine ähnliche, aber kleinere Zitrusfrucht; Frucht der Pomeranze (1) Po|mescht|schik* *‹russ.) der;* -s, -s od. -i: (hist.) Besitzer eines Pomestje. Po|mest|je *das;* -: Land-, Lehngut im zarist. Russland Pom|mes *‹lat.-fr.) die* (Plural): kurz für: ↑ Pommes frites. Pommes Cro|quettes *[pɔmkroˈkɛt] die* (Plural): in Fett gebackene Klößchen aus Kartoffel-

brei (Gastr.); vgl. Krokette. Pommes Dau|phine *[...doˈfin] die* (Plural): eine Art Kartoffelkroketten. Pommes frites *[...ˈfrit] die* (Plural): roh in Fett gebackene Kartoffelstäbchen. Pommes ma|caire *[pɔmaˈkɛr] die* (Plural): kurz in Fett gebackene Klößchen aus Kartoffelbrei mit bestimmten Zutaten. Po|mo|lo|ge *‹lat.; gr.) der;* -n, -n: Fachmann auf dem Gebiet der Pomologie. Po|mo|lo|gie *die;* -: den Obstbau umfassendes Teilgebiet der Botanik. po|mo|lo|gisch: die Pomologie, den Obstbau betreffend Pomp *‹gr.-lat.-fr.;* „Sendung, Geleit; festlicher Aufzug"› *der;* -[e]s: [übertriebener] Prunk, Schaugepränge; glanzvoller Aufzug, großartiges Auftreten Pom|pa|dour *[...duːɐ] die* (Plural) ⟨nach der franz. Adligen, Mätresse Ludwigs XV., 1721–1764) *der;* -s, -e u. -s: (veraltet) beutelartige Damenhandtasche Pom|pon *[pɔˈpõː, auch: pɔmˈpõː] ⟨fr.) der;* -s, -s: knäuelartige Quaste aus Wolle od. Seide pom|pös *‹gr.-lat.-fr.):* [übertrieben] prunkhaft, prächtig. pom|po|so *‹gr.-lat.-it.):* feierlich, prächtig (Vortragsanweisung; Mus.)

Po|mu|chel ⟨Herkunft unsicher; vielleicht über das Lit. aus dem Slaw.) *der;* -s, -: (landsch.) Dorsch. Po|mu|chels|kopp *der;* -s, ...köppe: (landsch. abwertend) dummer Mensch, Dummkopf, Trottel Pön *‹gr.-lat.) die;* -, -en: (veraltet) Strafe, Buße (Rechtsw.). pö|nal: die Strafe, das Strafrecht betreffend (Rechtsw.). Pö|na|le *das;* -s, ...lien u. -: (österr.) ↑ Pön. pö|na|li|sie|ren *‹gr.-lat.-nlat.):* 1. unter Strafe stellen, bestrafen. 2. einem Pferd eine Pönalität auferlegen. Pö|na|li|sie|rung *die;* -, -en: 1. das Pönalisieren (1). 2. das Pönalisieren (2). Pö|na|li|tät ⟨„Bestrafung") *die;* -, -en: Beschwerung leistungsstärkerer Pferde zum Ausgleich der Wettbewerbschancen bei Galopp- od. Trabrennen (Sport) pon|ceau *[põˈsoː] ‹lat.-fr.):* leuchtend orangerot. Pon|ceau *das;* -s: leuchtendes Orangerot Pon|cette *[põˈsɛt] ‹lat.-vulgärlat.-fr.) die;* -, -n [...tn]: Kohlenstaubbeutel zum Durchpausen perforierter Zeichnungen Pon|cho *[ˈpɔntʃo] ‹indian.-span.) der;* -s, -s: 1. von den Indianern

Mittel- u. Südamerikas getragene Schulterdecke mit Kopfschlitz. 2. ärmelloser, nach unten radförmig ausfallender, mantelartiger Umhang, bes. für Frauen

pon|cie|ren [põˈsiː...] ⟨*lat.-vulgär-lat.-fr.*⟩: 1. mit Bimsstein abreiben, schleifen. 2. mit der ↑Poncette durchpausen

Pond ⟨*lat.*; „Gewicht"⟩ *das;* -s, -: (veraltend) Maßeinheit der Kraft (tausendster Teil eines ↑Kiloponds; Phys.; Zeichen: p).

pon|de|ra|bel: (veraltet) wägbar. **Pon|de|ra|bi|li|en** *die* (Plural): kalkulierbare, fassbare, wägbare Dinge; Ggs. ↑Imponderabilien. **Pon|de|ra|ti|on** ⟨„das Wägen, das Abwägen"⟩ *die;* -, -en: gleichmäßige Verteilung des Gewichts der Körpermassen auf die stützenden Gliedmaßen (Bildhauerei)

Pon|gé [põˈʒeː] ⟨*chin.-engl.-fr.*⟩ *der;* -[s], -s: 1. leichtes, glattes Gewebe aus Naturseide. 2. feiner Seidenfaden einer chinesischen Schmetterlingsart

po|nie|ren ⟨*lat.*⟩: (veraltet) 1. bewirten, spendieren, zahlen. 2. als gegeben annehmen, den Fall setzen

Pö|ni|tent ⟨*lat.*⟩ *der;* -en, -en: Büßender; Beichtender (kath. Kirche). **Pö|ni|ten|ti|ar** ⟨*lat.-mlat.*⟩ *der;* -s, -e: Beichtvater, bes. der Bevollmächtigte des Bischofs für die ↑Absolution in ↑Reservatfällen. **Pö|ni|ten|ti|a|rie** *die;* -: päpstliche Behörde für Ablassfragen. **Pö|ni|tenz** ⟨*lat.*⟩ *die;* -, -en: [kirchliche] Buße, Bußübung

Pö|no|lo|ge ⟨*gr.-lat.; gr.*⟩ *der;* -n, -n: Psychologe, der sich bes. mit der Pönologie befasst. **Pö|no|lo|gie** *die;* -: Erforschung der seelischen Wirkung der Strafe, bes. der Freiheitsstrafe (Psychol.)

Po|nor ⟨*serbokroat.*⟩ *der;* -s, Ponore: Schluckloch in Karstgebieten, in dem Flüsse u. Seen versickern (Geogr.)

Pons ⟨*mlat.* pons asinorum: „Eselsbrücke"⟩ *der;* -es, -e: (landsch. Schülerspr.) gedruckte Übersetzung eines altsprachlichen Textes, die bes. bei Klassenarbeiten heimlich benutzt wird. **pon|sen:** (landsch. Schülerspr.) einen Pons benutzen

Pont ⟨nach Pontus Euxinus, dem griech. Namen des Schwarzen Meers⟩ *das;* -s: älteste Stufe des ↑Pliozäns (Geol.)

Pon|te ⟨*lat.-fr.*⟩ *die;* -, -n: (landsch.) breite Fähre

Pon|te|de|rie [...riə] ⟨*nlat.;* nach dem italienischen Botaniker G. Pontedera, †1757⟩ *die;* -, -n: Hechtkraut (nordamerikanische Wasserpflanze)

Pon|ti|cel|lo [...ˈtʃɛlo] ⟨*lat.-it.;* „Brückchen"⟩ *der;* -s, -s u. ...lli: Steg bei Geigeninstrumenten; vgl. sul ponticello

Pon|ti|en [põˈtiɛ̃:] ⟨*gr.-lat.-fr.*⟩ *das;* -[s]: ↑Pont

Pon|ti|fex ⟨*lat.*⟩ *der;* , ...tifizes [...tse:s]: Oberpriester im alten Rom. **Pon|ti|fex ma|xi|mus** *der;* - -, ...ifices [...tse:s] ...mi: 1. (hist.) oberster Priester im alten Rom. 2. (ohne Plural) (hist.) Titel der römischen Kaiser. 3. (ohne Plural) Titel des Papstes. **Pon|ti|fi|ca|le Ro|ma|num** *das;* - -: amtliches katholisches Formelbuch für die Amtshandlungen des Bischofs außerhalb der Messe. **pon|ti|fi|kal:** bischöflich. **Pon|ti|fi|kal|amt** *das;* -[e]s, ...ämter: vom Bischof (od. einem Prälaten) gehaltene feierliche Messe. **Pon|ti|fi|ka|le** ⟨*lat.-mlat.*⟩ *das;* -[s], ...lien: liturgisches Buch für die bischöflichen Amtshandlungen. **Pon|ti|fi|ka|li|en** *die* (Plural): 1. liturgische Gewänder u. Abzeichen des katholischen Bischofs. 2. Amtshandlungen des Bischofs, bei denen er seine Abzeichen trägt. **Pon|ti|fi|kat** ⟨*lat.*⟩ *das* od. *der;* -[e]s, -e: Amtsdauer u. Würde des Papstes od. eines Bischofs. **Pon|ti|fi|zes:** *Plural* von ↑Pontifex

pon|tisch ⟨*gr.-lat.*⟩: 1. das ↑Pont betreffend (Geol.). 2. steppenhaft (Geogr.)

Pon|ti|us ⟨nach dem röm. Statthalter Pontius Pilatus, †39 n Chr.⟩: in der Fügung: (emotional) von Pontius zu Pilatus: (im Bezug auf eine Angelegenheit) von einer Stelle zur andern, immer wieder woandershin (um an die richtige Stelle zu gelangen)

Pon|ton [põˈtõ:, auch: pɔnˈtõ: od. põ̃ˈtõːn] ⟨*lat.-fr.*⟩ *der;* -s, -s: Tragschiff, Brückenschiff (Seew.; Mil.)

¹Po|ny ⟨*engl.*⟩ *das;* -s, -s: Pferd einer kleinen Rasse. **²Po|ny** *der;* -s, -s: fransenartig in die Stirn gekämmtes, glattes Haar

¹Pool [puːl] ⟨*germ.-engl.*⟩ *der;* -s, -s: Kurzform von ↑Swimmingpool

²Pool [puːl] ⟨*lat.-fr.-engl.-amerik.*⟩ *der;* -s, -s: (Wirtsch.) 1. Vereinbarung zwischen verschiedenen Unternehmungen über die Zusammenlegung der Gewinne u.

die Gewinnverteilung untereinander. 2. Zusammenfassung von Beteiligungen am gleichen Objekt. 3. (Jargon) Zusammenschluss, Vereinigung. **³Pool** *das;* -s: Kurzform von ↑Poolbillard.

Pool|bil|lard [ˈpuːl...] ⟨*engl.-amerik.; fr.*⟩ *das;* -s, -e: Billard, bei dem eine Anzahl Kugeln, die unterschiedlich nach Punkten bewertet werden, in die an den vier Ecken u. in der Mitte der Längsseiten des Billardtisches befindlichen Löcher gespielt werden müssen. **poo|len** [ˈpuːlən]: (Wirtsch.) 1. Gewinne zusammenlegen u. verteilen. 2. Beteiligungen am gleichen Objekt zusammenfassen. **Poo|lung** [ˈpuː...] *das;* -, -en: ↑²Pool

Poop [puːp] ⟨*lat.-fr.-engl.*⟩ *die;* -, -s: (Seemannsspr.) Hütte, hinterer Aufbau bei einem Handelsschiff

Pop ⟨*engl. amerik.*⟩ *der;* -[s]: 1. Popkunst, -literatur o. Ä. 2. ↑Popmusik

Po|panz ⟨*slaw.*⟩ *der;* -es, -e: 1. a) etw., was aufgrund vermeintlicher Bedeutung, Wichtigkeit einschüchtert, Furcht o. Ä. hervorruft; b) (veraltet) Schreckgestalt, Vogelscheuche. 2. (abwertend) willenloses Geschöpf; unselbstständiger, von anderen abhängiger Mensch

Pop-Art [pɔpˈaʀt] ⟨*amerik.;* „populäre Kunst"⟩ *die;* -: moderne Kunstrichtung, die einen neuen Realismus propagiert u. Dinge des alltäglichen Lebens in bewusster Hinwendung zum Populären darstellt, als darstellens- u. ausstellungswert erachtet, mit Aus ihrer Isolation herauszuführen u. mit der mo dernen Lebenswirklichkeit zu verbinden

Pop|corn ⟨*engl.*⟩ *das;* -s: Puffmais, Röstmais

Po|pe ⟨*gr.-russ.*⟩ *der;* -n, -n: [Welt]priester im slawischen Sprachraum der orthodoxen Kirche

Po|pe|lin [auch: pɔpˈliːn] ⟨*fr.*⟩ *der;* -s, -e u. **Po|pe|line** [...ˈliːn] *der;* -s, - [...nə], auch: *die;* -, - [...nə]: feinerer ripsartiger Stoff in Leinenbindung (eine Webart)

Pop|far|be ⟨*engl.-amerik.; dt.*⟩ *die;* -, -n: poppige, auffallende Farbe, Farbzusammenstellung. **Pop|mu|sik** ⟨*engl.-amerik.; gr.-lat.-fr.*⟩ *die;* -: von ↑Beat u. ↑Rockmusik beeinflusste moderne [Schlager]musik. **pop|pen:** (regional ugs.) hervorragend u. effektvoll, wirkungsvoll od. beeindruckend sein. **¹Pop|per** *der;* -s, -: Jugendlicher, der sich durch gepflegtes Äußeres u. modische Kleidung bewusst [von einem Punk (2)] abheben will **²Pop|per** ⟨*engl.*⟩ *der;* -s, -s: Fläschchen, Hülse mit Poppers. **Poppers** *das;* -: (Jargon) Rauschmittel, dessen Dämpfe eingeatmet werden **pop|pig:** [Stil]elemente der Pop-Art enthaltend, modern-auffallend. **Pop|star** *der;* -s, -s: erfolgreicher Künstler auf dem Gebiet der Popmusik. **Po|pu|lar** ⟨*lat.*⟩ *der;* -s, -en u. -es [...re:s]: Mitglied der altrömischen Volkspartei, die in Opposition zu den ↑ Optimaten stand. **po|pu|lär** ⟨*lat.-fr.*⟩: 1. gemeinverständlich, volkstümlich. 2. a) beliebt, allgemein bekannt; b) Anklang, Beifall, Zustimmung findend. **Po|pu|la|ri|sa|tor** *der;* -s, ...oren: jmd., der etwas gemeinverständlich darstellt u. verbreitet, in die Öffentlichkeit bringt. **po|pu|la|ri|sie|ren:** 1. gemeinverständlich darstellen. 2. verbreiten, in die Öffentlichkeit bringen. **Po|pu|la|ri|tät** *die;* -: Volkstümlichkeit, Beliebtheit. **Po|pu|lar|phi|lo|so|phie** *die;* -: die von einer Schriftstellergruppe des 18. Jh.s verbreitete volkstümliche, auf Allgemeinverständlichkeit ausgehende [Aufklärungs]philosophie. **po|pu|lär|wis|sen|schaft|lich:** in populärer, gemeinverständlicher Form wissenschaftlich. **Po|pu|la|ti|on** ⟨*lat.*⟩ *die;* -, -en: 1. Bevölkerung. 2. Gesamtheit der Individuen einer Art od. Rasse in einem engeren Bereich (Biol.). 3. Gruppe von Fixsternen mit bestimmten astrophysikalischen Eigenheiten (Astron.). **Po|pu|la|ti|o|nis|tik** ⟨*lat.-nlat.*⟩ *die;* -: Bevölkerungslehre, Bevölkerungsstatistik. **Po|pu|lis|mus** *der;* -: 1. von ↑ Opportunismus geprägte, volksnahe, oft demagogische Politik, deren Vertreter durch Dramatisierung der politischen Lage die Gunst der Massen zu gewinnen suchen (Pol.). 2. literarische Richtung des 20. Jh.s, die bestrebt ist, das Leben des einfachen Volkes in natürlichem, realistischem Stil für das einfache Volk zu schildern. **Po|pu|list** *der;* -en, -en: Vertreter des Populismus. **po|pu|lis|tisch:** den Populismus betreffend **Por|fi|do** ⟨*gr.-it.*⟩ *der;* -: eine Abart des ↑ Porphyrits

Po|ri: *Plural* von ↑ Porus **Po|ri|o|ma|nie** ⟨*gr.-nlat.*⟩ *die;* -, ...ien: krankhafter Reise- u. Wandertrieb (Med.) **Pör|kel[t]** u. **Pör|költ** ⟨*ung.*⟩ *das;* -s: dem Gulasch ähnliches Fleischgericht mit Paprika **Por|no** ⟨*gr.*⟩ *der;* -s, -s: (ugs.) pornographischer Film, Roman o. Ä. **Por|no|graf** usw. vgl. Pornograph usw. **Por|no|graph,** auch: Pornograf ⟨„von Huren schreibend"⟩ *der;* -en, -en: Verfasser pornographischer Werke. **Por|no|gra|phie,** auch: Pornografie ⟨*gr.-nlat.*⟩ *die;* -, ...ien: a) Darstellung geschlechtlicher Vorgänge unter einseitiger Betonung des genitalen Bereichs u. unter Ausklammerung der psychischen u. partnerschaftlichen Gesichtspunkte der Sexualität; b) pornographisches Erzeugnis. **por|no|gra|phisch,** auch: pornografisch: die Pornographie (a) betreffend, in ihrer Art, ihr eigentümlich. **por|no|phil:** eine Vorliebe für Pornographie habend **po|ro|din** ⟨*gr.-nlat.*⟩: glasig, erstarrt (Geol.). **Po|ro|me|re** (Plural): poröse, luftdurchlässige Kunststoffe, die anstelle von Leder verwendet werden. **po|rös** ⟨*gr.-lat.-fr.*⟩: durchlässig, porig; mit kleinen Löchern versehen. **Po|ro|si|tät** ⟨*gr.*⟩ *die;* -: poröse Beschaffenheit **Por|phyr** [auch: ...'fy:ɐ̯] ⟨*gr.*⟩ *der;* -s, -e: dichtes, feinkörniges Ergussgestein mit eingestreuten Kristalleinsprenlingen. **Por|phy|rie** ⟨*gr.-nlat.*⟩ *die;* -, ...ien: vermehrte Bildung u. Ausscheidung von Porphyrinen (im Urin; Med.). **Por|phy|rin** *das;* -s, -e (meist Plural): biologisch wichtiges, eisen- od. magnesiumfreies Abbauprodukt der Blut- u. Blattfarbstoffe (Med.; Biol.). **por|phy|risch:** eine Strukturart aufweisend, bei der große Kristalle in der dichten Grundmasse eingelagert sind (Geol.). **Por|phy|rit** [auch: ...'rɪt] *der;* -s, -e: dunkelgraues, oft auch grünliches od. braunes Ergussgestein mit Einsprenglingen (Geol.). **Por|phy|ro|blas|ten*** *die* (Plural): große Kristallneubildungen in dichter Grundmasse (bei ↑ metamorphen Gesteinen; Geol.). **Por|phy|ro|id** *der;* -[e]s, -e: ↑ dynamometamorph geschieferter Porphyr (Geol.).

Por|ridge ['pɔrɪtʃ] ⟨*engl.*⟩ *das* u. *der;* -s: [Frühstücks]haferbrei (bes. in den angelsächsischen Ländern) **¹Port** ⟨*lat.-fr.:* „Hafen"⟩ *der;* -[e]s, -e: Ziel, Ort der Geborgenheit, Sicherheit. **²Port** [pɔːt] ⟨*lat.-engl.*⟩ *das;* -s, -s: anschließbare Geräte an den ↑ Bus (2) (EDV) **por|ta|bel** ⟨*lat.-fr.*⟩: leicht transportierbar, tragbar. **Por|ta|bi|li|tät** *die;* -: Übertragbarkeit von Programmen auf unterschiedliche Datenverarbeitungsanlagen. **Por|ta|ble** ['pɔrtəbl] ⟨*lat.-engl.;* „tragbar"⟩ *der* (auch: *das*); -s, -s: tragbares, nicht an einen festen Standplatz gebundenes Kleinfernsehgerät o. Ä. **Por|ta|ge** [...ʒə] ⟨*lat.-fr.*⟩ *die;* -, -n: 1. Warenladung an Bord eines Schiffes. 2. ↑ Pakotille **Por|tal** ⟨*lat.-mlat.*⟩: die zur Leber führende Pfortader betreffend, durch sie bewirkt (Med.). **Por|tal** ⟨„Vorhalle"⟩ *das;* -s, -e: 1. [prunkvolles] Tor, Pforte, großer Eingang. 2. torartige feststehende od. fahrbare Tragkonstruktion für einen Kran **Por|ta|ment** ⟨*lat.-it.*⟩ *das;* -[e]s, -e **Por|ta|men|to** *das;* -s, -s u. ...ti u. **Por|tan|do la Vo|ce** [- - 'vo:tʃə] *das;* - - -, ...di – -: das Hinüberziehen eines Tones zu dem darauf folgenden, aber abgehobener als ↑ legato (Mus.). **Por|ta|ti|le** ⟨*lat.-mlat.*⟩ *das;* -[s], ...tilien: [mittelalterlicher] Tragaltar (Steinplatte mit Reliquiar zum Messelesen auf Reisen). **Por|ta|tiv** *das;* -s, -e: kleine tragbare Orgel. **por|ta|to** ⟨*lat.-it.*⟩: getragen, abgehoben, ohne Bindung (Vortragsanweisung; Mus.). **Por|ta|to** *das;* -s, -s u. ...ti: getragene, den Ton bindende Vortragsweise (Mus.). **Por|te|chaise** [pɔrt'ʃɛ:zə] ⟨*fr.*⟩ *die;* -, -n: (hist.) Tragsessel, Sänfte. **Por|tées** [pɔr'te:] ⟨*lat.-fr.*⟩ *die* (Plural): die zinkten d. h. zu betrügerischen Zwecken mit Zeichen versehene Spielkarten. **Por|te|feuille** [pɔrt'fœːj] ⟨*fr.*⟩ *das;* -s, -s: 1. (veraltet) Brieftasche, Aktenmappe. 2. Geschäftsbereich eines Ministers. 3. Wertpapierbestand eines Anlegers, Investors (Wirtsch.). **Por|te|mon|naie** [...mɔ'ne:, auch: 'pɔrtmɔne] *das;* -s: Geldbeutel, -börse. **Por|te|pa|gen** [...'pa:ʒn̩] *der* (Plural): Kartons als Zwischenlage bei der Aufbewahrung von Stehsatz (Druckw.). **Por|te|pee**

das; -s, -s: (früher) [silberne od. goldene] Quaste am Degen, Säbel od. Dolch (eines Offiziers od. Unteroffiziers vom Feldwebel an); **jmdm. beim Portepee fassen:** jmdm. nahe legen zu tun, was das Ehr- od. Pflichtgefühl verlangt bzw., was eigentlich selbstverständlich sein sollte. **Por̲|ter** ⟨lat.-fr.-engl.⟩ der (auch: das); -s, -: starkes [englisches] Bier. **Por̲|ter|house|steak** ['pɔ:tǝhaʊsteːk], auch: **Por̲|terhouse-Stoak** das; -s, -s: (meist auf dem Rost gebratene) dicke Scheibe aus dem Rippenstück des Rinds mit [Knochen u.] Filet. **Por̲|teur** [pɔr'tøːɐ̯] ⟨lat.-fr.⟩ der; -s, -e: Inhaber, Überbringer eines Inhaberpapiers (Wertpapier, das nicht auf den Namen des Besitzers lautet; Wirtsch.). **Port|fo̲|lio** ⟨it.⟩ das; -s, -s: 1. a) mit Fotografien ausgestatteter Bildband (Buchw.); b) Mappe mit einer Serie von Druckgrafiken od. Fotografien eines od. mehrerer Künstler (Kunstwiss.). 2. (seltener) Portefeuille. 3. (Jargon) schematische Abbildung zusammenhängender Faktoren im Bereich der strategischen Unternehmensplanung (Wirtsch.). **Por̲|ti:** Plural von ↑ Porto. **Por̲|ti-er** [...'tjeː, österr. auch: ...'tiːɐ̯] ⟨lat.-fr.⟩ der; -s, -s ⟨österr. meist: -e⟩: 1. Pförtner. 2. Hauswart. **Por̲|ti|e̲|re** die; -, -n: schwerer Türvorhang **por̲|ti|e̲|ren** ⟨lat.-fr.⟩: (schweiz.) zur Wahl vorschlagen **Por̲|ti|kus** ⟨lat.⟩ der ⟨fachspr. auch: die⟩; -, - [...kuːs] u. ...ken: Säulenhalle als Vorbau an der Eingangsseite eines Gebäudes **Por̲|ti|o̲|kap|pe** ⟨lat.; dt.⟩ die; -, -n: aus Kunststoff hergestellte Kappe, die dem in die Scheide ragenden Teil der Gebärmutter als mechanisches Verhütungsmittel aufgestülpt wird (Med.). **Por̲|ti-on** ⟨lat.⟩ die; -, -en: [An]teil, abgemessene Menge (bes. bei Speisen). **por̲|ti|o̲|nie̲|ren** ⟨lat.-fr.⟩: in Portionen teilen. **Por̲|ti|o̲|nie̲|rer** der; -s, -: Gerät zum Einteilen von Portionen (z. B. bei Speiseeis) **Por̲|ti|un|ku|la|ab|lass** ⟨nach der Marienkapelle Porziuncola bei Assisi⟩ der; -es: vollkommener ↑ Toties-quoties-Ablass, der am 2. August (Weihe der Portiunkula) vor allem in Franziskanerkirchen gewonnen werden kann (kath. Kirche) **Por̲t|land|ze|ment** ⟨nach der brit.

Insel Portland⟩ der; -[e]s: Zement mit bestimmten genormten Eigenschaften **Por̲t|mo|nee** vgl. Portemonnaie **Por̲|to** ⟨lat.-it.⟩ das; -s, -s u. ...ti: Gebühr für die Beförderung von Postsendungen **Por̲|to|lan** vgl. Portulan **Por̲t|rait*** [...'trɛː] ⟨lat.-fr.⟩ das; -s, -s: ältere Schreibung für ↑ Porträt. **Por̲t|rät** [...'trɛː] das; -s, -s: Bild (bes. Brustbild) eines Menschen; Bildnis. **por̲t|rä|tie̲|ren:** jmds. Porträt anfertigen. **Por̲t|rä|tist** ⟨lat.-fr.-nlat.⟩ der; -en, -en: Künstler, der Porträts anfertigt **Por̲|tu|gie̲|ser** ⟨nach Portugal⟩ der; -s, -: a) (ohne Plural) schwarzblaue Rebsorte; b) Rotwein der Rebsorte Portugieser (a) **Por̲|tu|lak** ⟨lat.⟩ der; -s, -e u. -s: in vielen Arten verbreitete Pflanze **Por̲|tu|lan** u. Portolan ⟨lat.-it.⟩ der; -s, -e: mittelalterliches Segelhandbuch **Por̲t|wein** ⟨nach der portugies. Stadt Porto⟩ der; -[e]s, -e: dunkelroter od. weißer Wein aus den portugiesischen Gebieten des Douro **Po̲|rus** ⟨gr.-lat.⟩ der; -, Pori: Ausgang eines Körperkanals; Körperöffnung (Med.; Biol.) **Por̲|zel|lan** ⟨lat.-it.⟩ das; -s, -e: feinste Tonware, die durch Brennen eines aus Kaolin, Feldspat u. Quarz bestehenden Masse hergestellt wird. **por̲|zel|la|nen:** aus Porzellan **Po̲s|a̲|da** ⟨gr.-lat.-span.⟩ die; -, ...den: span. Bez. für: Wirtshaus **Po̲|sa|ment** ⟨lat.-fr.⟩ das; -[e]s, -en ⟨meist Plural⟩: textiler Besatzartikel (Borte, Schnur, Quaste o. Ä.). **Po̲|sa|men|ter** der; -s, -: (selten) Posamentenhersteller und -händler. **Po̲|sa|men|te|rie** die; -, ...ien: (veraltet) Besatzartikelhandlung. **Po̲|sa|men|tier** der; -s, -e: Posamenter. **po̲|sa|men|tie|ren:** Posamenten herstellen. **Po̲|sa|men|tie̲|rer** der; -s, -: ↑ Posamenter **Po̲|sau|ne** ⟨lat.-vulgärlat.-fr.⟩ „Jagdhorn, Signalhorn"⟩ die; -, -n: zur Trompetenfamilie gehörendes Blechblasinstrument. **po̲|sau|nen** (s. (meist saus.) die Posaune blasen. 2. (ugs. abwertend) a) [etwas, was nicht bekannt werden sollte] überall herumerzählen; b) lautstark verkünden, ausposaunen. **Po̲|sau|nist** der; -en, -en: Musiker, der Posaune spielt

Po̲sch|ti u. Puschti ⟨pers.⟩ der; -[s], -s: sehr kleiner, handgeknüpfter Vorlegeteppich, bes. aus der Gegend um die iranische Stadt Schiras **Po̲|se** ⟨gr.-lat.-fr.⟩ die; -, -n: 1. gekünstelte Stellung; gesuchte, unnatürliche, affektierte Haltung. 2. Schwimmkörper an der Angelleine, Schwimmer. **Po̲|seur** [pɔ'zøːɐ̯] der; -s, -e: (abwertend) Blender, Wichtigtuer; jmd., der sich ständig in Szene setzt **Po̲|si|do|ni|en|schie|fer** ⟨gr.-lat.; dt.⟩ der; -s: versteinerungsreicher, ↑ bituminöser schwarzer Schieferhorizont im ↑ Lias (Geol.) **po|sie|ren** ⟨gr.-lat.-fr.⟩: 1. aus einem bestimmten Anlass eine Pose, eine besonders wirkungsvolle Stellung einnehmen. 2. sich gekünstelt benehmen **Po|si|ti|on** ⟨lat.⟩ die; -, -en; 1. a) Stellung, Stelle [im Beruf]; b) Situation, Lage, die jmd. im Verhältnis zu einem andern befindet; c) Einstellung, Standpunkt. 2. bestimmte Stellung, Haltung. 3. Platz, Stelle in einer Wertungsskala (Sport). 4. Einzelposten einer [Waren]liste, eines Planes (Abk.: Pos.). 5. a) Standort eines Schiffes od. Flugzeugs; b) Standort eines Gestirns (Astron.). 6. militärische Stellung. 7. a) metrische Länge, Positionslänge eines an sich kurzen Vokals vor zwei od. mehr folgenden Konsonanten (antike Metrik); b) jede geordnete Einheit in einer sprachlichen Konstruktion (nach Bloomfield; Sprachw.). 8. (Philos.) a) Setzung, Annahme, Aufstellung einer Thegg; b) Bejahung eines Urteils; c) Behauptung des Daseins einer Sache. **po|si|ti|o|nell** (französische Ableitung von ↑ Position): 1. stellungsmäßig. 2. in der Stellung (im strategischen Aufbau) einer Schachpartie begründet. **po|si|ti|o|nie̲|ren:** in eine bestimmte Position (2), Stellung bringen; einordnen. **Po|si|ti|o̲|nie̲|rung** die; -, -en: das Positionieren. **Po|si|ti|ons|ast|ro|no|mie*** der; -: ↑ Astrometrie. **Po|si|ti|ons|win|kel** der; -s, -: Winkel zwischen der Richtung zum Himmelsnordpol u. der Richtung der Verbindungslinie zweier Sterne (Astron.). **po|si|tiv** [auch: pozi'ti:f] ⟨lat.(-fr.)⟩: 1. a) bejahend, zustimmend; Ggs. ↑ negativ (1 a); b) ein Ergebnis bringend; vorteilhaft, günstig, gut; Ggs. ↑negativ (1 b); c) sicher, genau, tatsächlich. 2. größer als Null; Zeichen: + (Math.); Ggs. ↑negativ (2). 3. das ²Positiv (2) betreffend; der Natur entsprechende Licht- u. Schattenverteilung habend (Fotogr.); Ggs. ↑negativ (3). 4. im ungeladenen Zustand mehr Elektronen enthaltend als im geladenen (Phys.); Ggs. ↑negativ (4). 5. für das Bestehen einer Krankheit sprechend, einen krankhaften Befund zeigend (Med.); Ggs. ↑negativ (5). **¹Po|si|tiv** [auch: pozi'ti:f] ⟨lat.⟩ der; -s -e: ungesteigerte Form des Adjektivs, Grundstufe (z. B. schön; Sprachw.). **²Po|si|tiv** das; -s, -e: 1. kleine Standorgel, meist ohne Pedal. 2. über das ↑Negativ gewonnenes, seitenrichtiges, der Natur entsprechendes Bild. **Po|si|ti|va:** Plural von ↑Positivum. **Po|si|ti|vis|mus** ⟨lat.-nlat.⟩ der; -: Philosophie, die ihre Forschung auf das Positive, Tatsächliche, Wirkliche u. Zweifellose beschränkt, sich allein auf Erfahrung beruft u. jegliche Metaphysik als theoretisch unmöglich u. praktisch nutzlos ablehnt. **Po|si|ti|vist** der; -en, -en: Vertreter, Anhänger des Positivismus. **po|si|ti|vis|tisch:** 1. den Positivismus betreffend, zu ihm gehörend, auf ihm beruhend. 2. (abwertend) vordergründig; sich bei einer wissenschaftlichen Arbeit nur auf das Sammeln o. Ä. beschränkend u. keine eigene Gedankenarbeit aufweisend. **Po|si|tiv|pro|zess** der; -es, -e: chemischer Vorgang zur Herstellung von ²Positiven (2) (Fotogr.). **Po|si|ti|vum** das; -s, ...va: etw., was an einer Sache als positiv (1 b), vorteilhaft, gut empfunden wird; etwas Positives; Ggs. ↑Negativum. **po|si|to** ⟨lat.⟩: (veraltet) angenommen, gesetzt den Fall. **Po|sit|ron*** (Kurzw. aus: positiv u. Elektron) das; -s, ...onen: positiv geladenes Elementarteilchen, dessen Masse gleich der Elektronenmasse ist (Zeichen: e^+). **Po|si|tur** ⟨lat.; „Stellung, Lage"⟩ die; -, -en: 1. bewusst eingenommene Stellung, Haltung des Körpers. 2. (landsch.) Gestalt, Figur, Statur **Pos|ses|si|on** ⟨lat.⟩ die; -, -en: Besitz (Rechtsw.). **pos|ses|siv** [auch: ...'si:f]: 1. (seltener) sehr dazu neigend, von jmd., etw. Besitz zu ergreifen. 2. besitzanzeigend (Sprachw.). **Pos|ses|siv**

[auch: ...'si:f] das; -s, -e: ↑Possessivpronomen. **Pos|ses|si|va** Plural von ↑Possessivum. **Pos|ses|siv|kom|po|si|tum** [auch: ...'si:f...] das; -s, ...ta u. ...siten: ↑Bahuwrihi. **Pos|ses|siv|pro|no|men** [auch: ...'si:f...] das; -s, - u. ...mina: besitzanzeigendes Fürwort (z. B. mein; Sprachw.). **Pos|ses|si|vum** das; -s, ...va: ↑Possessiv. **pos|ses|so|risch:** den Besitz betreffend (Rechtsw.). **Pos|sest** das; -: das Zusammenfallen von Möglichkeit (Können) u. Wirklichkeit (Sein) im Göttlichen (N. v. Kues; Philos.). **pos|si|bel** ⟨lat.-fr.⟩: (veraltet) möglich. **Pos|si|bi|lis|mus** der; -: (1882 entstandene) Bewegung innerhalb des französischen Sozialismus, die sich mit erreichbaren sozialistischen Zielen begnügen wollte. **Pos|si|bi|list** der; -en, -en: Vertreter, Anhänger des Possibilismus. **Pos|si|bi|li|tät** die; -, -en: (veraltet) Möglichkeit **pos|sier|lich** ⟨fr.; dt.⟩: klein, niedlich u. dabei drollig **pos|ta|lisch** ⟨lat.-it.-nlat.⟩: die Post betreffend, von der Post ausgehend. **Pos|ta|ment** ⟨lat.-it.⟩ das; -[e]s, -e: Unterbau, Sockel einer Säule od. Statue. **Post|ar|beit** der; -, -en: (österr. ugs. veraltend) eilige, dringende Arbeit. **Post|car** der; -s, -s: (schweiz.) Linienbus der Post **post Chris|tum [na|tum]** ⟨lat.⟩: nach Christi [Geburt], nach Christus (Abk.: p. Chr. [n.]). **post|da|tie|ren** ⟨lat.-nlat.⟩: (veraltet a) zurückdatieren; b) vorausdatieren **Post|de|bit** ⟨lat.-it.; lat.-fr.⟩ der; -s: Zeitungsvertrieb durch die Post; vgl. Debit **post|emb|ry|o|nal*** ⟨lat.; gr.-nlat.⟩: nach der Embryonalzeit (Med.) **Pos|ter** [auch: 'poustə] ⟨engl.; „Plakat"⟩ das (auch: der); -s, - (bei engl. Ausspr.: -s): plakatartig aufgemachtes, in seinen Motiven der modernen Kunst od. Fotografie folgendes Bild **poste res|tante** ['post rɛstã:t] ⟨lat.-it.-fr.; ⟩: franz. Bez. für: postlagernd **Pos|te|ri|o|ra** ⟨lat.; „Nachfolgendes"⟩ die (Plural): (scherzh.) Gesäß. **Pos|te|ri|o|ri|tät** ⟨lat.-mlat.⟩ die; -: (veraltet) das Zurückstehen in Amt od. Rang; niedrigere Stellung. **Pos|te|ri|tät** ⟨lat.⟩ die; -, -en: (veraltet) a) Nachkommenschaft; b) Nachwelt. **Post-**

exis|tenz ⟨lat.-nlat.⟩ die; -: das Fortbestehen der Seele nach dem Tod (Philos.); Ggs. ↑Präexistenz (2). **post fes|tum** ⟨lat.; „nach dem Fest"⟩: hinterher, im Nachhinein; zu einem Zeitpunkt, wo es eigentlich zu spät ist, keinen Zweck od. Sinn mehr hat **Post|gi|ro|kon|to** das; -s, ...ten: von der Post geführtes Girokonto **post|gla|zi|al** ⟨lat.-nlat.⟩: nacheiszeitlich (Geol.). **Post|gla|zi|al** das; -s: Nacheiszeit (Geol.). **Post|glos|sa|tor** ⟨lat.-it.⟩ der; -s, ...oren (meist Plural): (hist.) Vertreter einer Gruppe italienischer Rechtslehrer des 13./14. Jh.s, die durch die Kommentierung des ↑Corpus Juris Civilis die praktische Grundlage der modernen Rechtswissenschaft schufen. **post|gra|du|al:** (früher im Ausbildungswesen der DDR) nach Abschluss eines [Hochschul]studiums stattfindend. **post|gra|du|ell:** nach der Graduierung, dem Erwerb eines akademischen Grades erfolgend **Pos|thi|tis** ⟨gr.-nlat.⟩ die; -, ...iti-den: Vorhautentzündung (Med.). **post|hum** usw. vgl. postum usw. **Pos|ti|che** [pɔs'ti:ʃə] ⟨it.-fr.⟩ die; -, -s: Haarteil. **Pos|ti|cheur** [...'ʃø:ɐ] ⟨fr.⟩ der; -s, -e: Fachkraft für die Anfertigung u. Pflege von Perücken u. Haarteilen; Perückenmacher. **Pos|ti|cheu|se** [...'ʃø:zə] die; -, -n: weibliche Fachkraft für die Anfertigung u. Pflege von Perücken u. Haarteilen **pos|tie|ren** ⟨lat.-it.-fr.⟩: a) jmdn., sich an einen bestimmten Platz stellen, aufstellen; b) etwas an eine bestimmte Stelle stellen, dort aufbauen, errichten; aufstellen **Pos|til|le** ⟨lat.-mlat.⟩ die; -, -n: 1. religiöses Erbauungsbuch. 2. Predigtbuch, -sammlung **Pos|til|li|on** [auch: ...'jo:n] ⟨lat.-it.(-fr.)⟩ der; -s, -e: 1. (hist.) Postkutscher. 2. heimischer Tagfalter mit orangegelben, schwarz gesäumten Flügeln. **Po|stil|lon d'Amour** [pɔstijõda'mu:r] ⟨fr.⟩ der; - -s -, -s [...jõ:] -: (scherzh.) Überbringer eines Liebesbriefes **post|in|dust|ri|ell*** ⟨lat.; lat.-fr.⟩: die Stufe der gesellschaftlichen Entwicklung betreffend, der Industrialisierung folgt (Soziol.). **post|ka|pi|ta|lis|tisch** ⟨lat.-nlat.⟩: die Stufe der gesellschaftlichen Entwicklung betreffend, die dem Kapitalismus folgt

(Soziol.). **Post|kom|mu|ni|on** ⟨*lat.-mlat.*⟩ *die;* -, -en: Schlussgebet der katholischen Messe nach der ↑Kommunion. **Post|lu|di|um** ⟨*lat.-nlat.*⟩ *das;* -s, ...ien: musikalisches Nachspiel. **Post|ma|te|ri|a|lis|mus** *der;* -: Lebenseinstellung, die keinen Wert mehr auf das Materielle legt, sondern immaterielle Bedürfnisse (z. B. nach einer intakten, natürlichen u. sozialen Umwelt) für dringlicher hält. **post|ma|te|ri|a|lis-tisch:** den Postmaterialismus betreffend. **post|ma|te|ri|ell:** ↑postmaterialistisch. **post me|ri|di|em** ⟨*lat.*⟩: vgl. p. m. (1); Ggs. ↑ante meridiem. **post|mo-dern:** die Postmoderne betreffend. **Post|mo|der|ne** *die;* -: 1. Stilrichtung der modernen Architektur, die gekennzeichnet ist durch eine Abkehr vom Funktionalismus u. eine Hinwendung zu freierem, spielerischem Umgang mit unterschiedlichen Bauformen auch aus früheren Epochen. 2. der Moderne (2) folgende Zeit, für die Pluralität (1) in Kunst u. Kultur, in Wirtschaft u. Wissenschaft sowie demokratisch mitgestaltete Kontrolle der Machtzentren charakteristisch sind. **Post|mo|lar** ⟨*lat.-nlat.*⟩ *der;* -en, -en: hinterer Backenzahn, Mahlzahn (Med.). **post|mor|tal:** nach dem Tode [auftretend] (z. B. von Organveränderungen; Med.). **post mor-tem** ⟨*lat.*⟩: nach dem Tode (Abk.: p. m.). **post|na|tal:** nach der Geburt [auftretend] (z. B. von Schädigungen des Kindes; Med.). **post|nu|me|ran|do** ⟨*lat.-nlat.*⟩: nachträglich (zahlbar); Ggs. ↑pränumerando. **Post|nu|me-ra|ti|on** *die;* -, -en: Nachzahlung; Ggs. ↑Pränumeration. **Pos|to** ⟨*lat.-it.*⟩: in der Wendung: **Posto fassen:** (veraltet) sich aufstellen, eine Stellung einnehmen. **post|ope|ra|tiv** ⟨*lat.-nlat.*⟩: nach der Operation auftretend, einer Operation folgend (Med.). **post-pa|la|tal:** hinter dem Gaumen gesprochen (von Lauten; Sprachw.); Ggs. ↑präpalatal. **post par|tum** ⟨*lat.*⟩: nach der Geburt bzw. Entbindung [auftretend] (Med.). **post|pneu|mo-nisch** ⟨*lat.; gr.-nlat.*⟩: nach einer Lungenentzündung [auftretend] (Med.). **post|po|nie|ren** ⟨*lat.*⟩: (veraltet) dahinter setzen. **post-po|nie|rend:** verspätet eintretend (z. B. von Krankheitssymptomen; Med.). **Post|po|si|ti|on**

⟨*lat.-nlat.*⟩ *die;* -, -en: 1. dem Substantiv nachgestellte Präposition (Sprachw.). 2. (Med.) a) Verlagerung eines Organs nach hinten; b) verspätetes Auftreten (z. B. von Krankheitssymptomen). **post|po|si|tiv:** die Postposition (1) betreffend, dem Substantiv nachgestellt (von Präpositionen; Sprachw.). **Post|prä|di|ka|ment** *das;* -[e]s, -e (meist Plural): aus den ↑Prädikamenten bzw. ↑Kategorien (3) abgeleiteter Begriff der scholastischen Philosophie (Philos.). **Post|re|gal** *das;* -s: Recht des Staates, das gesamte Postwesen in eigener Regie zu führen. **Post-scheck** *der;* -s, -s: Scheck für den Postgiroverkehr **Post|skript** ⟨*lat.*⟩ *das;* -[e]s, -e u. **Post|skrip|tum** *das;* -s, ...ta: Nachschrift (Abk.: PS). **Post-sze|ni|um** ⟨*lat.; gr.-nlat.*⟩ *das;* -s, ...ien: Raum hinter der Bühne; Ggs. ↑Proszenium (2). **post|tek-to|nisch:** sich nach tektonischen Bewegungen ergebend (von Veränderungen in Gesteinen; Geol.). **post|ter|ti|är** ⟨*lat.-nlat.*⟩: einen Zeitabschnitt nach dem ↑Tertiär betreffend (Geol.). **post|trau|ma|tisch** ⟨*lat.; gr.-nlat.*⟩: nach einer Verletzung auftretend (Med.) **Pos|tu|lant** ⟨*lat.*⟩ *der;* -en, -en: 1. Bewerber. 2. Kandidat eines katholischen Ordens während der Probezeit. **Pos|tu|lat** *das;* -[e]s, -e: 1. unbedingte [sittliche] Forderung. 2. sachlich od. denkerisch notwendige Annahme, These, die unbeweisbar od. noch nicht bewiesen, aber durchaus glaubhaft u. einsichtig ist (Philos.). 3. Probezeit für die Kandidaten eines katholischen Ordens. **Pos|tu|la|ti|on** *die;* -, -en: Benennung eines Bewerbers für ein hohes katholisches Kirchenamt, der erst von einem ↑kanonischen Hindernis befreit werden muss. **pos|tu|lie|ren:** 1. fordern, zur Bedingung machen. 2. feststellen. 3. ein Postulat (2) aufstellen **pos|tum** ⟨*lat.*⟩: a) nach jmds. Tod erfolgend (z. B. eine Ehrung); b) zum künstlerischen o. ä. Nachlass gehörend, nach dem Tod eines Autors veröffentlicht, nachgelassen (z. B. ein Roman), c) nach dem Tod des Vaters geboren, nachgeboren. **Pos|tu|lmus** *der;* -, ...mi: Spät-, Nachgeborener (Rechtsw.). **Pos|tur** ⟨*lat.-it.*⟩ *die;* -: (schweiz.) Positur

post ur|bem con|di|tam ⟨*lat.*⟩: nach der Gründung der Stadt (Rom); vgl. ab urbe condita (Abk.: p. u. c.). **Post|ven|ti|on** ⟨*lat.-nlat.*⟩ *die;* -, -en: Betreuung eines Patienten durch einen Arzt nach einer Krankheit, einer Operation; Nachsorge (Med.). **Post|ver|ba|le** ⟨*lat.-nlat.*⟩ *das;* -[s], ...lia: ↑Nomen postverbale **[1]Pot** ⟨*engl.-amerik.*⟩ *das;* -s: (Jargon) ↑Haschisch, ↑Marihuana **[2]Pot** ⟨*engl.-amerik.*⟩ *der;* -s: (beim ↑Poker) Summe aller Einsätze, Kasse **Po|ta|ge** [...ʒə] ⟨*fr.*⟩ *die;* -, -n: (veraltet) Suppe **po|ta|misch** ⟨*gr.-nlat.*⟩: die ↑Potamologie betreffend (Geogr.). **po-ta|mo|gen:** durch Flüsse entstanden (Geogr.). **Po|ta|mo|lo-gie** *die;* -: Forschungszweig der ↑Hydrologie u. Geographie zur Erforschung von Flüssen **Po|tas|si|um** ⟨*dt.-nlat.*⟩ *das;* -s: engl. u. franz. Bez. für ↑Kalium **Po|ta|tor** ⟨*lat.*⟩ *der;* -s, ...oren: Trinker (Med.). **Po|ta|to|ri|um** *das;* -s: Trunksucht (Med.) **Pot|au|feu*** [poto'fø:] ⟨*fr.*; „Topf auf dem Feuer"⟩ *der* od. *das;* -[s], -s: Eintopf aus Fleisch u. Gemüse, dessen Brühe, über Weißbrot gegossen, vorweg gegessen wird **po|tem|kinsch** [auch: pa'tjɔm-kɪnʃ] (nach dem russ. Fürsten Potemkin): in der Fügung: **po-temkinsche Dörfer:** Trugbilder, Vorspiegelungen **po|tent** ⟨*lat.*⟩: 1. a) leistungsfähig; b) mächtig, einflussreich; c) zahlungskräftig, vermögend. 2. (Med.) a) (vom Mann) fähig zum Geschlechtsverkehr; b) zeugungsfähig; Ggs. ↑impotent (1). **Po|ten|tat** *der;* -en, -en: 1. jmd., der die Macht u. Macht zu seinem Vorteil ausübt. 2. (veraltet) souveräner, regierender Fürst. **po|ten|ti|al** usw. potenzial usw. **po|ten|ti|ell** vgl. potenziell. **Po-ten|til|la** ⟨*lat.-nlat.*⟩ *die;* -, ...llen: Fingerkraut (gelb od. weiß blühendes Rosengewächs mit vielen Arten, bes. auf Wiesen). **Po|ten-ti|o|me|ter** usw. vgl. Potenziometer usw. **Po|tenz** ⟨*lat.*⟩ *die;* -, -en: 1. Fähigkeit, Leistungsvermögen. 2. (Med.) a) Fähigkeit des Mannes zum Geschlechtsverkehr; b) Zeugungsfähigkeit. 3. Grad der Verdünnung einer Arznei in der ↑Homöopathie (Med.). 4. Produkt mehrerer gleicher Faktoren, dargestellt durch die ↑Basis (4 c) u. den ↑Exponenten (2) (Math.). **Po|tenz|ex|po|nent**

der; -en, -en: Hochzahl einer Potenz (Math.). **po|ten|zi|al,** auch: potential ⟨*lat.-mlat.*⟩: 1. die bloße Möglichkeit betreffend (Philos.); Ggs. ↑aktual (1). 2. die Möglichkeit ausdrückend (Sprachw.). **Po|ten|zi|al,** auch: Potential *das;* -s, -e: 1. Leistungsfähigkeit. 2. (Phys.) a) Maß für die Stärke eines Kraftfeldes in einem Punkt des Raumes; b) potenzielle Energie. **Po|ten|zi|al|dif|fe|renz,** auch: Potentialdifferenz *die;* -: Unterschied elektrischer Kräfte bei aufgeladenen Körpern (Phys.). **Po|ten|zi|al|ge|fäl|le,** auch: Potentialgefälle ⟨*lat.-mlat.; dt.*⟩ *das;* -s: ↑Potenzialdifferenz. **Po|ten|zi|a|lis,** auch: Potentialis ⟨*lat.-mlat.*⟩ *der;* -, ...les [...le:s]: ↑Modus (2) der Möglichkeit, Möglichkeitsform (Sprachw.). **Po|ten|zi|a|li|tät,** auch: Potentialität *die;* -: Möglichkeit, die zur Wirklichkeit werden kann; Ggs. ↑Aktualität (3) (Philos.). **po|ten|zi|ell,** auch: potentiell ⟨*lat.-mlat.-fr.*⟩: möglich (im Unterschied zu wirklich), denkbar; der Anlage, Möglichkeit nach; Ggs. ↑aktual (2, 3), ↑aktuell (2); **potenzielle Energie:** Energie, die ein Körper aufgrund seiner Lage in einem Kraftfeld besitzt (Phys.). **po|ten|zie|ren:** 1. erhöhen, steigern. 2. (Med.) a) die Wirkung eines Arznei- od. Narkosemittels verstärken; b) eine Arznei homöopathisch verdünnen. 3. eine Zahl mit sich selbst multiplizieren (Math.). **Po|ten|zio|me|ter,** auch: Potentiometer ⟨*lat.; gr.*⟩ *das;* -s, -: Gerät zur Abnahme od. Herstellung von Teilspannungen, Spannungsteiler (Elektrot.). **Po|ten|zio|met|rie*,** auch: Potentiometrie *die;* -, ...ien: maßanalytisches Verfahren, bei dem der Verlauf der ↑Titration durch Potenzialmessung an der zu bestimmenden Lösung verfolgt wird (Chem.). **po|ten|zio|met|risch*:** das Potenziometer betreffend, mit ihm durchgeführt (Elektrot.). **Po|te|rie** ⟨*fr.*⟩ *die;* -, -s: (veraltet) a) Töpferware; b) Töpferwerkstatt. **Po|ter|ne** ⟨*lat.-fr.*⟩ *die;* -, -n: (veraltet) unterirdischer, bombensicherer Festungsgang. **Pot|lach** [ˈpɔtlætʃ], **Pot|latsch** ⟨*indian.-engl.*⟩ *der* u. *das;* -[e]s: Fest der nordamerikanischen Indianer, bei dem Geschenke verteilt u. Wertgegenstände zerstört

werden, um durch Zurschaustellung des eigenen Reichtums seinen sozialen Rang zu sichern, sein Ansehen zu erhöhen **Po|to|ma|nie** ⟨*gr.-nlat.*⟩ *die;* -: ↑Potatorium **Pot|pour|ri** [...puri, auch: ...puˈri:] ⟨*fr.*⟩ *das;* -s, -s: 1. Zusammenstellung verschiedenartiger, durch Übergänge verbundener (meist bekannter u. beliebter) Melodien. 2. Allerlei, Kunterbunt. **Pot|pour|ri|va|se** *die;* -, -n: (veraltet) [mit Blumen od. Figuren verzierte] Porzellanvase mit durchbrochenem Deckel (durch den der Duft der darin aufbewahrten Kräuter herausströmen kann) **Poud|ret|te*** [pu...] ⟨*lat.-fr.*⟩ *die;* -: (selten) Fäkaldünger **Pou|ja|dis|mus** [puʒa...] ⟨*fr.-nlat.*⟩ nach dem franz. Politiker Poujade, geb. 1920⟩ *der;* -: aus der wirtschaftlichen Unzufriedenheit der Bauern u. kleinen Kaufleute entstandene radikale politische Bewegung in Frankreich. **Pou|ja|dist** *der;* -en, -en: Anhänger des Poujadismus. **pou|ja|dis|tisch:** den Poujadismus betreffend **Pou|lard** [puˈlaːr] ⟨*lat.-fr.*⟩ *das;* -s, -s u. **Pou|lar|de** [puˈlardə] *die;* -, -n: junges [verschnittenes] Masthuhn. **Poule** [puːl] *die;* -, -n [...lŋ]: 1. Spiel- od. Wetteinsatz. 2. bestimmtes Spiel beim Billard u. Kegeln. **Pou|let** [puˈleː] *das;* -s, -s: junges, zartes Masthuhn od. -hähnchen **Pound** [paʊnt] ⟨*lat.-engl.* „Pfund"⟩ *das;* -, -s: englische Gewichtseinheit (453,60 g; Abk.: Singular: lb., Plural: lbs.). **pour ac|quit** [pura'ki] ⟨*fr.*⟩: (selten) als Quittung; vgl. Acquit. **pour fé|li|ci|ter** [...siˈte:]: (veraltet) um Glück zu wünschen (meist als Abkürzung auf Visitenkarten; Abk.: p. f.). **Pour le Mé|rite** [...ləmeˈrit] ⟨„für das Verdienst"⟩ *der;* - : hoher Verdienstorden, von dem seit 1918 nur noch die Friedensklasse für Wissenschaften u. Künste verliehen wird. **Pour|par|ler** [...parˈle:] ⟨*fr.*⟩ *das;* -s, -s: (veraltet) diplomatische Besprechung, Unterredung; Meinungsaustausch **Pous|sa|de** [puˈsaːdə] ⟨*lat.-fr.*⟩ *die;* -, -n: (veraltet) Poussage. **Pous|sa|ge** [...ʒə] *die;* -, -n: (veraltet) 1. Flirt, Liebschaft. 2. (veraltet oft abwertend) Geliebte. **pous|sé** u. **pous|sez!** [puˈse:]:

mit Bogenaufstrich (Anweisung für Streichinstrumente; Mus.). **pous|sie|ren:** 1. (ugs. veraltend, noch landsch.) flirten, anbändeln; mit jmdm. in einem Liebesverhältnis stehen. 2. (veraltet) jmdm. schmeicheln; jmdn. gut behandeln u. verwöhnen, um etwas zu erreichen. **Pous|sier|stän|gel** *der;* -s, -: (ugs. veraltend scherzh.) junger Mann, der gern, viel mit Mädchen flirtet, poussiert (1) **Pou|voir** [puˈvoa:ʀ] ⟨*lat.-vulgärlat.-fr.*⟩ *das;* -s, -s: (österr.) Handlungs-, Verhandlungsvollmacht (Wirtsch.) **Po|ve|se** vgl. Pafese **po|wer** ⟨*lat.-fr.*⟩: (landsch.) armselig, ärmlich, dürftig, minderwertig **Pow|er** [ˈpaʊɐ] ⟨*engl.*⟩ *die;* -: (Jargon) Kraft, Stärke, Leistung. **pow|ern** [ˈpaʊɐn] ⟨*engl.*⟩: (Jargon) a) große Leistung entfalten; b) mit großem Aufwand fördern, unterstützen. **Power|play** [ˈpaʊɐpleɪ] ⟨*engl.-amerik.; „Kraftspiel"*⟩ *das;* -[s]: gemeinsames, anhaltendes Anstürmen auf das gegnerische Tor (bes. Eishockey). **Pow|er|slide** [ˈpaʊɐslaɪd] ⟨*engl.; „Kraftrutschen"*⟩ *das;* -[s]: Kurventechnik, bei der der Fahrer das Fahrzeug, ohne die Geschwindigkeit zu vermindern, seitlich in die Kurve rutschen lässt, um es mit möglichst hoher Geschwindigkeit geradeaus aus der Kurve herausfahren zu können (Motorsport). **Po|wi|del** u. **Po|widl** ⟨*tschech.*⟩ *der;* -s, -: (österr.) Pflaumenmus. **Po|widl|ko|lat|sche** *die;* -, -n: (österr.) mit Pflaumenmus gefülltes Hefegebäckstück. **Po|widl|tatsch|kerl** *das;* -s, -n: (österr.) mit Pflaumenmus gefüllte u. in Salzwasser gekochte, flache, halbkreisförmige Speise aus Kartoffelteig **Poz|zo|lan, Poz|zu|o|lan** vgl. Puzzolan **Prä** ⟨*lat.;* „Vor"⟩ *das;* -s: jmdm. zum Vorteil gereichender Vorrang **Prä|am|bel** ⟨*lat.-mlat.*⟩ *die;* -, -n: 1. Einleitung, feierliche Erklärung als Einleitung einer [Verfassungs-]urkunde od. eines Staatsvertrages. 2. Vorspiel in der Lauten- u. Orgelliteratur des 15. u. 16. Jahrhunderts **Prä|ani|mis|mus** ⟨*lat.-nlat.*⟩ *der;* -: angenommene Vorstufe des ↑Animismus (1) (z. B. der ↑Dynamismus 2; Völkerk.)

Prä|ben|dar ⟨*lat.-mlat.*⟩ *der;* -s, -e u. **Prä|ben|da|ri|us** *der;* -, ...ien: Inhaber einer Präbende. **Prä|ben|de** *die;* -, -n: kirchliche Pfründe

Prä|chel|lé|en [prɛʃɛlɛẽ:] ⟨*lat.; fr.;* nach dem franz. Fundort Chelles⟩ *das;* -[s]: (veraltet) Abbevillien

prä|de|is|tisch ⟨*lat.-nlat.*⟩: noch nicht auf göttliche Wesen bezogen (von magischen Bräuchen u. Vorstellungen bei Naturvölkern) **Prä|des|ti|na|ti|on** ⟨*lat.-mlat.*⟩ *die;* -: 1. göttliche Vorherbestimmung, bes. die Bestimmung des einzelnen Menschen zur Seligkeit oder Verdammnis durch Gottes Gnadenwahl (Lehre Augustins u. vor allem Calvins; auch im Islam); Ggs. ↑Universalismus (2). 2. das Geeignetsein, Vorherbestimmtsein durch Fähigkeiten, charakterliche Anlagen für ein bestimmtes Lebensziel, einen Beruf o. Ä. **prä|des|ti|nie|ren:** vorherbestimmen. **prä|des|ti|niert:** vorherbestimmt; wie geschaffen **Prä|de|ter|mi|na|ti|on** ⟨*lat.-nlat.*⟩ *die;* -: das Festgelegtsein bestimmter Entwicklungsvorgänge im Keim bzw. der Eizelle (Biol.). **prä|de|ter|mi|nie|ren:** durch Prädetermination bestimmen, lenken. **Prä|de|ter|mi|nis|mus** *der;* -: Lehre des Thomas v. Aquin von der göttlichen Vorherbestimmtheit menschlichen Handelns **Prä|de|zes|sor** ⟨*lat.*⟩ *der;* -s, ...oren: (veraltet) Amtsvorgänger **prä|di|ka|bel** ⟨*lat.*⟩: (veraltet) lobenswert, rühmlich. **Prä|di|ka|bi|li|en** *die* (Plural)· 1. nach Porphyrius die fünf logischen Begriffe des Aristoteles (Gattung, Art, Unterschied, wesentliches u. unwesentliches Merkmal). 2. die aus den ↑Kategorien (4) abgeleiteten reinen Verstandesbegriffe (Kant; Philos.). **Prä|di|ka|ment** *das;* -[e]s, -e: eine der sechs nach Platon u. Aristoteles in der Scholastik weiter gelehrten Kategorien (Philos.). **Prä|di|kant** ⟨*lat.-mlat.*⟩ *der;* -en, -en: [Hilfs]prediger in der evangelischen Kirche. **Prä|di|kan|ten|or|den** ⟨*lat.-mlat.; dt.*⟩ *der;* -s: katholischer Predigerorden (der ↑Dominikaner). **prä|di|kan|tisch** ⟨*lat.-mlat.*⟩: predigtartig. **Prä|di|kat** ⟨*lat.*⟩ *das;* -[e]s, -e: 1. Note, Bewertung, Zensur. 2. Rangbezeichnung, Titel (beim

Adel). 3. grammatischer Kern einer Aussage, Satzaussage (z. B. der Bauer *pflügt* den Acker; Sprachw.); vgl. Objekt (2), Subjekt (2). 4. in der Logik der Aussage enthaltender Teil des Urteils (Philos.). **Prä|di|ka|ten|lo|gik** *die;* -: Teilgebiet der Logik, auf dem die innere logische Struktur der Aussage untersucht wird. **prä|di|ka|tie|ren** vgl. prädikatisieren. **Prä|di|ka|ti|on** *die;* -, -en: Bestimmung eines Begriffs durch ein Prädikat (4) (Philos.). **prä|di|ka|ti|sie|ren** u. **prädikatieren** ⟨*lat.-nlat.*⟩: mit einem Prädikat (1) versehen (z. B. Filme). **prä|di|ka|tiv** ⟨*lat.*⟩: das Prädikat (3) betreffend, zu ihm gehörend; aussagend (Sprachw.). **Prä|di|ka|tiv** *das;* -s, -e: auf das Subjekt od. Objekt bezogener Teil der Satzaussage (z. B. Karl ist *Lehrer;* er ist *krank;* ich nenne ihn *feige;* ich nenne ihn *meinen Freund;* Sprachw.). **Prä|di|ka|tiv|satz** ⟨*lat.; dt.*⟩ *der;* -es, ...sätze: Prädikativ in der Form eines Gliedsatzes (z. B. er bleibt, *was er immer war;* Sprachw.). **Prä|di|ka|ti|vum** ⟨*lat.*⟩ *das;* -s, ...va: (veraltet) Prädikativ. **Prä|di|ka|tor** ⟨*lat.-nlat.*⟩ *der;* -s, ...oren: ↑Prädikat (4) als sprachlicher Ausdruck (Logik; Philos.). **Prä|di|kats|no|men** *das;* -s, - u. ...mina: Prädikativ, das aus einem ↑Nomen (2) (Substantiv od. Adjektiv) besteht (z. B. Klaus ist *Lehrer;* Tim ist *groß*). **Prä|di|kats|wein** *der;* -[e]s, -e: Wein aus der obersten Güteklasse der deutschen Weine. **prä|dik|ta|bel:** durch wissenschaftliche Verallgemeinerung vorhersagbar. **Prä|dik|ta|bi|li|tät** *die;* -: Vorhersagbarkeit durch wissenschaftliche Verallgemeinerung (Philos.). **Prä|dik|ti|on** ⟨*lat.*⟩ *die;* -, -en: Vorhersage, Voraussage. **prä|dik|tiv** ⟨*lat.-nlat.*⟩: die Möglichkeit einer Prädiktion enthaltend; vorhersagbar. **Prä|dik|tor** *der;* -s, ...oren: (in der Statistik) zur Vorhersage eines Merkmals herangezogene Variable

Prä|di|lek|ti|on ⟨*lat.-nlat.*⟩ *die;* -, -en: (veraltet) Vorliebe. **Prä|di|lek|ti|ons|stel|le** ⟨*lat.-nlat.; dt.*⟩ *die;* -, -n: bevorzugte Stelle für ↑Auftreten einer bestimmten Krankheit **prä|dis|po|nie|ren** ⟨*lat.*⟩: 1. vorher bestimmen. 2. empfänglich machen (z. B. für eine Krankheit). **Prä|dis|po|si|ti|on** *die;* -, -en: Anlage, Empfänglichkeit für bestimmte Krankheiten

prä|di|zie|ren ⟨*lat.*⟩: ein ↑Prädikat (4) beilegen, einen Begriff durch ein Prädikat bestimmen (Philos.); **prädizierendes Verb:** mit einem ↑Prädikatsnomen verbundenes ↑Verb (z. B. *sein* in dem Satz: er *ist* Lehrer; Sprachw.)

Prä|do|mi|na|ti|on ⟨*lat.-nlat.*⟩ *die;* -: das Vorherrschen. **prä|do|mi|nie|ren:** vorherrschen, überwiegen

Prae|cep|tor Ger|ma|ni|ae [- ...ɛ] ⟨*lat.*⟩: Lehrmeister, Lehrer Deutschlands (Beiname für Hrabanus Maurus u. Melanchthon); vgl. Präzeptor **prae|cox** [ˈprɛːkɔks] ⟨*lat.*⟩: vorzeitig, frühzeitig, zu früh auftretend (Med.)

Prä|emi|nenz ⟨*lat.*⟩ *die;* -: (veraltet) Vorrang

prae|mis|sis prae|mit|ten|dis [- ...diːs] ⟨*lat.*⟩: (veraltet) man nehme an, der gebührende Titel sei vorausgeschickt (Abk.: P. P.). **prae|mis|so ti|tu|lo:** (veraltet) nach vorausgeschicktem gebührendem Titel (Abk.: P. T.)

Prae|sens his|to|ri|cum ⟨*lat.*⟩ *das;* - -, ...sentia ...ca: Gegenwartsform des Verbs, die längst Vergangenes ausdrückt; historisches Präsens

prae|ter le|gem ⟨*lat.*⟩: außerhalb des Gesetzes

Prae|tex|ta ⟨*lat.*⟩ *die;* -, ...ten: altrömisches ernstes Nationaldrama

Prä|exis|tenz ⟨*lat.-nlat.*⟩ *die;* -: 1. das Existieren, Vorhandensein der Welt als Idee im Gedanken Gottes vor ihrer stofflichen Erschaffung (Philos.). 2. das Bestehen der Seele vor ihrem Eintritt in den Leib (Plato; Philos.); Ggs. ↑Postexistenz. 3. Dasein Christi als ↑Logos (6) bei Gott vor seiner Menschwerdung (Theol.). **Prä|exis|ten|zia|nis|mus** *der;* -: philosophisch-religiöse Lehre, die besagt, dass die Seelen (aller Menschen) vorher bestehen. **Prä|exis|tie|ren:** Präexistenz haben, vorher bestehen

prä|fab|ri|zie|ren* ⟨*lat.-nlat.*⟩: im Voraus in einer festen Form, Art festlegen

Prä|fa|ti|on ⟨*lat.:* „Vorrede"⟩ *die;* -, -en: liturgische Einleitung der ↑Eucharistie

Prä|fekt ⟨*lat.*⟩ *der;* -en, -en: 1. hoher Zivil- od. Militärbeamter im alten Rom. 2. oberster Verwaltungsbeamter eines Departements (in Frankreich) od. einer

Provinz (in Italien). 3. mit besonderen Aufgaben betrauter leitender katholischer Geistlicher, bes. in Missionsgebieten (so genannter Apostolischer Präfekt) u. im katholischen Vereinswesen. 4. [ältester] Schüler in einem ↑Internat (1), der jüngere beaufsichtigt. **Prä|fek|tur** *die;* -, -en: a) Amt, Amtsbezirk eines Präfekten (2); b) Amtsräume eines Präfekten (2) **Prä|fe|ren|ti|al|zoll** vgl. Präferenzzoll. **prä|fe|ren|ti|ell** vgl. präferenziell. **Prä|fe|renz** ⟨*lat.-fr.*⟩ *die;* -, -en: 1. Vorrang, Vorzug; Vergünstigung. 2. Trumpffarbe (bei Kartenspielen). **Prä|fe|ren|zi|al|zoll** vgl. Präferenzzoll. **prä|fe|ren|zi|ell,** auch: präferentiell: Präferenzen betreffend. **Prä|fe|renz|zoll** u. Präferenzialzoll, auch: Präferentialzoll ⟨*lat.-fr.; dt.*⟩ *der;* -[e]s, ...zölle: Zoll, der einen Handelspartner begünstigt. **prä|fe|rie|ren:** vorziehen, den Vorzug geben **prä|fi|gie|ren** ⟨*lat.*⟩: mit Präfix versehen (Sprachw.) **Prä|fi|gu|ra|ti|on** ⟨*lat.*⟩ *die;* -, -en: 1. vorausdeutende Darstellung, Vorgestaltung, Vorverkörperung (z. B. im mittelalterlichen Drama). 2. Urbild. **prä|fi|gu|rie|ren:** vorausweisen **Prä|fix** ⟨*lat.*⟩ *das;* -es, -e: (Sprachw.) 1. vor den Wortstamm oder vor ein Wort tretende Silbe, Vorsilbe (z. B. *un*schön, *be*steigen). 2. Präverb. **prä|fi|xo|id** ⟨*lat.-nlat.*⟩: in der Art eines Präfixes, einem Präfix ähnlich gestaltet, sich verhaltend (Sprachw.). **Prä|fi|xo|id** ⟨*lat.-nlat.*⟩ *das;* -[e]s, -e: [expressives] Halbpräfix, präfixähnlicher Wortbestandteil (z. B. sau-, *Sau-* in *saub*löd, *Sau*wetter; Sprachw.). **Prä|fix|verb** *das;* -s, -en: präfigiertes Verb (z. B. *ent*sorgen) **Prä|for|ma|ti|on** ⟨*lat.-nlat.*⟩ *die;* -, -en: angenommene Vorherbildung des fertigen Organismus im Keim (Biol.). **Prä|for|ma|ti|ons|the|o|rie** *die;* -: im 18. Jh. vertretene Entwicklungstheorie, nach der jeder Organismus durch Entfaltung bereits in der Ei- od. Samenzelle vorgebildeter Teile entsteht (Biol.). **prä|for|mie|ren** ⟨*lat.*⟩: im Keim vorbilden (Biol.). **Prä|for|mist** ⟨*lat.-nlat.*⟩ *der;* -en, -en: Anhänger der Präformationstheorie **prä|ge|ni|tal** ⟨*lat.-nlat.*⟩: die noch nicht im Bereich der ↑Genitali-

en, sondern im Bereich des Afters u. des Mundes erfolgende Lustgewinnung betreffend (von frühkindlichen Entwicklungsphasen des Sexuallebens; Psychol.) **prä|gla|zi|al** ⟨*lat.-nlat.*⟩: voreiszeitlich (Geol.). **Prä|gla|zi|al** *das;* -s: die zum ↑Pleistozän gehörende Voreiszeit (Geol.) **Prag|ma|lin|gu|is|tik** *die;* -: Pragmatik (3) als Teil der ↑Soziolinguistik (Sprachw.). **prag|ma|lin|gu|is|tisch:** die Pragmalinguistik betreffend, zu ihr gehörend (Sprachw.). **Prag|ma|tik** ⟨*gr.-lat.*⟩ *die;* -, -en: 1. Orientierung auf das Nützliche, Sinn für Tatsachen, Sachbezogenheit. 2. (österr.) Ordnung des Staatsdienstes, Dienstordnung. 3. das Sprachverhalten, das Verhältnis zwischen sprachlichen Zeichen u. interpretierendem Menschen untersuchende linguistische Disziplin (Sprachw.). **Prag|ma|ti|ker** *der;* -s, -: 1. Vertreter der pragmatischen Geschichtsschreibung. 2. Vertreter des Pragmatismus, Pragmatist. **prag|ma|tisch:** 1. anwendungs-, handlungs-, sachbezogen: sachlich, auf Tatsachen beruhend; **pragmatische Geschichtsschreibung:** Geschichtsschreibung, die aus der Untersuchung von Ursache u. Wirkung historischer Ereignisse Erkenntnisse für künftige Entwicklungen zu gewinnen sucht; **Pragmatische Sanktion:** 1713 erlassenes Grundgesetz des Hauses Habsburg über die Unteilbarkeit der habsburgischen Länder u. die Erbfolge. 2. fach-, geschäftskundig. 3. das Sprachverhalten, die Pragmatik (3) betreffend (Sprachw.). **prag|ma|ti|sie|ren** ⟨*gr.-lat.-nlat.*⟩: (österr.) [auf Lebenszeit] fest anstellen. **Prag|ma|tis|mus** *der;* -: philosophische Lehre, die im Handeln das Wesen des Menschen erblickt u. Wert u. Unwert des Denkens danach bemisst. **Prag|ma|tist** *der;* -en, -en: Vertreter des Pragmatismus, ↑Pragmatiker (2) **präg|nant*** ⟨*lat.-fr.*⟩ „schwanger, trächtig; voll, strotzend"): etw. in knapper Form genau, treffend darstellend. **Präg|nanz** *die;* -: Schärfe, Eindringlichkeit, Knappheit des Ausdrucks **Prä|gra|va|ti|on** ⟨*lat.*⟩ *die;* -, -: (veraltet) Überbürdung (z. B. mit Steuern). **prä|gra|vie|ren** (veraltet) überlasten, mehr als andere belasten

Prä|his|to|rie [auch: ʹprɛː...] *die;* -: Vorgeschichte. **Prä|his|to|ri|ker** [auch: ʹprɛ:...] *der;* -s, -: Wissenschaftler auf dem Gebiet der Prähistorie. **prä|his|to|risch** [auch: ʹprɛ:...]: vorgeschichtlich **Prahm** ⟨*tschech.*⟩ *der;* -[e]s, -e: kastenförmiges, flaches Wasserfahrzeug für Arbeitszwecke **Prä|ho|mi|ni|ne** ⟨*lat.-nlat.*⟩ *der;* -n, -n: Vormensch, Übergangsform vom Menschenaffen zum Menschen (Biol.) **Prai|ri|al** [prɛ...] ⟨*lat.-fr.;* „Wiesenmonat") *der;* -[s], -s: der 9. Monat des französischen Revolutionskalenders (20. Mai bis 18. Juni) **Prä|ju|diz** ⟨*lat.*⟩ *das;* -es, -e: 1. vorgefasste Meinung, Vorentscheidung. 2. (Rechtsw.) a) [Vor]entscheidung eines oberen Gerichts in einem anderen Rechtsstreit erneut stellt; b) (veraltet) durch Nichtbefolgung einer Verordnung entstehender Schaden. 3. vorgreifende Entscheidung (Pol.). **prä|ju|di|zi|al** ⟨*lat.-fr.*⟩: präjudiziell; vgl. ...al/...ell. **prä|ju|di|zi|ell:** bedeutsam für die Beurteilung eines späteren Sachverhalts (Rechtsw.); vgl. ...al/...ell. **prä|ju|di|zie|ren** (eine [richterliche] Vorentscheidung über etw. treffen, ein Präjudiz schaffen (Rechtsw.; Pol.) **prä|kamb|risch*:** die vor dem ↑Kambrium liegenden Zeiten betreffend (Geol.). **Prä|kamb|ri|um:** ↑Archaikum u. ↑Algonkium umfassender Zeitraum der erdgeschichtlichen Frühzeit (Geol.) **prä|kan|ze|rös** ⟨*lat.-nlat.*⟩: ↑präkarzinomatös. **Prä|kan|ze|ro|se** *die;* -, -n: Gewebsveränderung, die zu ↑präkarzinomatöser Entartung neigt, als Vorstadium eines Krebses aufzufassen ist **prä|kar|bo|nisch** ⟨*lat.-nlat.*⟩ vor dem ↑Karbon [liegend] (Geol.) **prä|kar|di|al** ⟨*lat.-nlat.*⟩: präkordial: vor dem Herzen liegend, die Gegend vor dem Herzen betreffend (Med.). **Prä|kar|di|al|gie** ⟨*lat.; gr.*⟩ *die;* -, ...ien: Schmerzen in der Herzgegend (Med.) **prä|kar|zi|no|ma|tös:** die Entstehung eines Krebses vorbereitend od. begünstigend (Med.) **Prä|kau|ti|on** ⟨*lat.*⟩ *die;* -: Vorsicht, Vorkehrung. **prä|kau|vie|ren** sich vorsehen, Vorkehrungen treffen **prä|klu|die|ren** ⟨*lat.;* „verschließen, versperren"): jmdm. die

(verspätete) Geltendmachung eines Rechts[mittels, -anspruchs] wegen Versäumnis einer ↑ Präklusivfrist gerichtlich verweigern (Rechtsw.). **Präklu|si|on** *die; -, -en: das Präkludieren; Rechtsverwirkung (Rechtsw.).* **prä|klu|siv** *⟨lat.-nlat.⟩ u.* präklusivisch: ausschließend; rechtsverwirkend infolge versäumter Geltendmachung eines Rechts (Rechtsw.). **Prä|klusiv|frist** *⟨lat.-nlat.; dt.⟩ die; -, -en:* gerichtlich festgelegte Frist, nach deren Ablauf ein Recht infolge Versäumung nicht mehr geltend gemacht werden kann (Rechtsw.). **prä|klu|si|visch** vgl. präklusiv
Prä|kog|ni|ti|on* *⟨lat.-nlat.⟩ die; -:* außersinnliche Wahrnehmung, bei der zukünftige Ereignisse vorausgesagt werden (Parapsychol.)
prä|ko|lum|bisch: (in Bezug auf Amerika) den Zeitraum vor der Entdeckung durch Kolumbus betreffend
Prä|ko|ma *⟨lat.; gr.⟩ das; -s, -s:* beginnende Bewusstseinsstörung, Vorstadium eines ↑¹Komas (Med.)
Prä|ko|ni|sa|ti|on *⟨lat.-mlat.⟩ die; -, -en:* feierliche Bekanntgabe einer Bischofsernennung durch den Papst vor den Kardinälen. **prä|ko|ni|sie|ren:** feierlich zum Bischof ernennen
prä|kor|di|al vgl. präkardial. **Präkor|di|al|angst** *⟨lat.; lat.-mlat.; dt.⟩ die; -:* mit Angstgefühl verbundene Beklemmung in der Herzgegend (Med.)
prak|ti|fi|zie|ren *⟨gr.-lat.⟩:* in die Praxis umsetzen, verwirklichen. **Prak|tik** *⟨gr.-lat.-mlat.(-fr.)⟩ die; -, -en* 1 [Art der] Ausübung von etw.; Handhabung, Verfahren[sart]. 2. (meist Plural) nicht ganz korrekter Kunstgriff, Kniff. 3. vom 15. bis 17. Jh. Kalenderanhang od. selbstständige Schrift mit Wettervorhersagen, astrologischen Prophezeiungen, Gesundheitslehren, Ratschlägen u. a. **Prak|ti|ka:** *Plural von* ↑Praktikum. **prak|ti|ka|bel:** 1. brauchbar, benutzbar, zweckmäßig; durch-, ausführbar. 2. begehbar, benutzbar, nicht gemalt od. nur angedeutet (von Teilen der Theaterdekoration). **Prak|tika|bel** *das; -s, -:* begehbarer, benutzbarer Teil der Theaterdekoration (z. B. ein Podium). **Prakti|ka|bi|li|tät** *die; -:* Brauchbarkeit, Zweckmäßigkeit; Durch-

führbarkeit. **Prak|ti|kant** *⟨gr.-lat.-mlat.⟩ der; -en, -en:* in praktischer Ausbildung Stehender. **Prak|ti|ken:** *Plural von* ↑Praktik. **Prak|ti|ker** *⟨gr.-lat.⟩ der; -s, -:* 1. Mann der [praktischen] Erfahrung; Ggs. ↑Theoretiker (1). 2. (Fachjargon) praktischer Arzt. **Prak|ti|kum** *⟨nlat.⟩ das; -s, ...ka:* 1. zur praktischen Anwendung des Erlernten eingerichtete Übungsstunde, Übung (bes. an den naturwissenschaftlichen Fakultäten einer Hochschule). 2. im Rahmen einer Ausbildung außerhalb der [Hoch]schule abzuleistende praktische Tätigkeit. **Prak|ti|kus** *der; -, -se:* (scherzh.) jmd., der immer u. überall Rat weiß. **prak|tisch** *⟨gr.-lat.⟩:* 1. a) die Praxis, das Tun, das Handeln betreffend; ausübend; b) in der Wirklichkeit auftretend; wirklich, tatsächlich. 2. zweckmäßig, gut zu handhaben ↑ geschickt; [durch stetige Übung] erfahren; findig. 4. (ugs.) fast, so gut wie, in der Tat; **praktischer Arzt:** nicht spezialisierter Arzt, Arzt für Allgemeinmedizin. **prak|tizie|ren** *⟨gr.-lat.-mlat.(-fr.)⟩:* 1. a) eine Sache betreiben, ins Werk setzen; [Methoden] anwenden; b) etw. aktiv ausüben, in die Praxis umsetzen (z. B. praktizierender Katholik). 2. a) seinen Beruf ausüben (bes. als Arzt); b) ein Praktikum durchmachen. 3. (österr.) seine praktische berufliche Ausbildung beginnen od. vervollkommnen. 4. (ugs.) etw. geschickt irgendwohin bringen, befördern. **Prak|ti|zis|mus** *⟨gr.-lat.-nlat.⟩ der; -:* Neigung, bei der praktischen Arbeit die theoretisch-ideologischen Grundlagen zu vernachlässigen
prä|ku|li|misch *⟨lat.; engl.⟩:* vor dem ↑²Kulm [liegend] (Geol.)
Prä|lat *⟨lat.-mlat.⟩ der; -en, -en:* 1. katholischer geistlicher Würdenträger [mit bestimmter oberhirtlicher Gewalt]. 2. leitender evangelischer Geistlicher in einigen deutschen Landeskirchen. **Präla|tur** *⟨lat.-mlat.-nlat.⟩ die; -, -en:* Amt od. Wohnung eines Prälaten
Präl|le|gat *⟨lat.-nlat.⟩ das; -[e]s, -e:* (veraltet) Vorausvermächtnis
Prä|li|mi|na|re *das; -s, ...rien* (meist Plural): 1. diplomatische Vorverhandlung (bes. zu einem Friedensvertrag). 2. Vorbereitung, Einleitung, Vorspiel. **Präli|mi|nar|frie|den** *⟨lat.-mlat.; dt.⟩ der; -s, -:* vorläufiger, proviso-

risch abgeschlossener Frieden (Völkerrecht). **prä|li|mi|nie|ren:** vorläufig feststellen, -legen
Pra|li|ne *⟨fr.; angeblich nach dem franz. Marschall du Plessis-Praslin⟩ die; -, -n:* kleines Stück Schokoladenkonfekt mit einer Füllung. **Pra|li|né** *[...n'e:, auch:* 'pra...] *(*ältere Schreibung), **Prali|nee** *[auch:* 'pra...] *das; -s, -s:* (österr. u. schweiz., sonst veraltend) Praline
prä|lo|gisch *⟨lat.; gr.-lat.⟩:* vorlogisch; das primitive, natürliche, gefühlsmäßige, einfallsmäßige Denken betreffend (Philos.). **Prä|lo|gis|mus** *der; -:* Lehre von den natürlichen, vorlogischen Denkformen (Philos.)
prä|lu|die|ren *⟨lat.⟩:* durch ein musikalisches Vorspiel einleiten. **Prä|lu|di|um** *⟨lat.-nlat.⟩ das; -s, ...ien:* a) oft improvisiertes musikalisches Vorspiel (z. B. auf der Orgel vor dem Gemeindegesang in der Kirche); b) Einleitung der Suite u. Fuge; c) fantasieartiges, selbstständiges Instrumentalstück
prä|ma|tur *⟨lat.⟩:* vorzeitig, frühzeitig, verfrüht auftretend (z. B. vom Einsetzen der Geschlechtsreife; Med.). **Prä|ma|tu|ri|tät** *⟨lat.-nlat.⟩ die; -:* Frühreife, vorzeitige Pubertät (Med.)
Prä|me|di|ta|ti|on *⟨lat.⟩ die; -, -en:* Vorüberlegung, das Vorausdenken (Philos.)
Prä|mie *[...i̯ə] ⟨lat.⟩ die; -, -n:* 1. Belohnung, Preis. 2. bes. in der Wirtschaft für besondere Leistungen zusätzlich zur normalen Vergütung gezahlter Betrag. 3. Zugabe beim Warenkauf. 4. Leistung, die der Versicherungsnehmer dem Versicherer für Übernahme des Versicherungsschutzes schuldet. 5. Gewinn in der Lotterie, im Lotto o. Ä. **Prämi|en|de|pot** *[...po:] das; -s, -s:* Guthaben, das ein Versicherter durch vorzeitige Zahlung bei einer [Lebens]versicherung hat. **prä|mi|en|fonds** *[...fö:] der; -, -:* ↑Fonds (1 a), aus dem Prämien gezahlt werden. **prä|mie|ren u. prä|mi|ie|ren:** mit einem Preis auszeichnen
Prä|mis|se *⟨lat.⟩ die; -, -n:* 1. Vordersatz im ↑Syllogismus (Philos.). 2. Voraussetzung
Prä|mo|lar *⟨lat.-nlat.⟩ der; -en, -en:* vorderer zweihöckeriger Backenzahn (Med.)
prä|mo|ni|to|risch *lat.⟩:* (veraltet) warnend
Prä|monst|ra|ten|ser* *⟨mlat.;*

nach dem franz. Kloster Pré-montré; -s, -: 1120 gegründeter Orden ↑regulierter Chorherren; Abk.: O. Praem.

prä|mor|bid ⟨lat.-nlat.⟩: die Prämorbidität betreffend, zu ihr gehörend, durch sie geprägt (Med.). **Prä|mor|bi|di|tät** ⟨lat.-nlat.⟩ die; -: Gesamtheit der Krankheitserscheinungen, die sich bereits vor dem eigentlichen Ausbruch einer Krankheit zeigen (bes. bei ↑Psychopathien; Med.)

prä|mor|tal ⟨lat.-nlat.⟩: vor dem Tode [auftretend], dem Tode vorausgehend (Med.)

prä|mun|dan ⟨lat.-nlat.⟩: vorweltlich, vor der Entstehung der Welt vorhanden (Philos.)

Prä|mul|ta|ti|on ⟨lat.-nlat.⟩ die; -, -en: Vorstufe einer ↑Mutation (1)

prä|na|tal ⟨lat.-nlat.⟩: vor der Geburt, der Geburt vorausgehend (Med.)

Prä|no|men ⟨lat.⟩ das; -s, - u. ...mina: der an erster Stelle stehende altrömische Vorname (z.B.: Marcus Tullius Cicero); vgl. Kognomen u. Nomen gentile

prä|no|tie|ren ⟨lat.⟩: (veraltet) vor[be]merken

Prä|no|va ⟨lat.-nlat.⟩ die; -, ...vä: Zustand vor dem Helligkeitsausbruch eines temporär veränderlichen Sterns (Astron.)

prä|nu|me|ran|do ⟨lat.-nlat.⟩: im Voraus (zu zahlen); Ggs. ↑postnumerando. **Prä|nu|me|ra|ti|on** die; -, -en: Vorauszahlung; Ggs. ↑Postnumeration. **prä|nu|me|rie|ren**: vorausbezahlen

Prä|nun|ti|a|ti|on ⟨lat.⟩ die; -, -en: (veraltet) Vorherverkündigung

Prä|ok|ku|pa|ti|on ⟨lat.⟩ die; -, -en: a) Vorwegnahme; b) Voreingenommenheit, Vorurteil, Befangenheit. **prä|ok|ku|pie|ren**: a) zuvorkommen; b) befangen machen

prä|ope|ra|tiv ⟨lat.-nlat.⟩: vor einer Operation [stattfindend] (z.B. von Behandlungen; Med.)

prä|pa|la|tal ⟨lat.-nlat.⟩: vor dem Gaumen gesprochen (von Lauten; Sprachw.); Ggs. ↑postpalatal; vgl. Palatum

Prä|pa|rand ⟨lat.⟩ der; -en, -en: 1. (hist.) Vorbereitungsschüler (bei der Lehrerausbildung). 2. Kind, das den Vorkonfirmandenunterricht besucht. **Prä|pa|ran|de** die; -, -n: (ugs. früher) ↑Präparandenanstalt. **Prä|pa|ran|den|an|stalt** die; -, -en: (früher) Unterstufe der Lehrerbildungsanstalt.

Prä|pa|rat das; -[e]s, -e: 1. etwas kunstgerecht Zubereitetes (z.B. Arzneimittel, chem. Mittel). 2. a) konservierte Pflanze od. konservierter Tierkörper [zu Lehrzwecken]; b) Gewebsschnitt zum Mikroskopieren. **Prä|pa|ra|ti|on** die; -, -en: 1. (veraltet) Vorbereitung; häusliche Aufgabe. 2. Herstellung eines Präparats (2 a, b). **prä|pa|ra|tiv** ⟨lat.-nlat.⟩: die Herstellung von Präparaten (2 a, b) betreffend. **Prä|pa|ra|tor** ⟨lat.⟩ der; -s, ...oren: jmd., der (bes. an biologischen od. medizinischen Instituten, Museen o. Ä.) naturwissenschaftliche Präparate (2 a, b) herstellt u. pflegt. **prä|pa|ra|to|risch**: (veraltet) vorbereitend; vorläufig. **prä|pa|rie|ren**: 1. a) (zu einem bestimmten Zweck) vorbereitend bearbeiten, vorbereiten; b) sich -: sich vorbereiten. 2. tote menschliche od. tierische Körper od. Pflanzen [für Lehrzwecke] zerlegen [u. konservieren, dauerhaft, haltbar machen]

Prä|pon|de|ranz ⟨lat.-fr.⟩ die; -: Übergewicht (z.B. eines Staates). **prä|pon|de|rie|ren**: überwiegen

prä|po|nie|ren ⟨lat.⟩: voranstellen, vorsetzen. **Prä|po|si|ti** Plural von ↑Präpositus. **Prä|po|si|ti|on** ("das Voransetzen") die; -, -en: Verhältniswort (z.B. auf, in). **prä|po|si|ti|o|nal** ⟨lat.-nlat.⟩: die Präposition betreffend, verhältniswörtlich; **präpositionales Attribut**: ↑Präpositionalattribut. **Prä|po|si|ti|o|nal|at|tri|but** das; -[e]s, -e: mit einer Präposition angeschlossenes Attribut (2) (z.B.: das Haus am Markt; Sprachw.). **Prä|po|si|ti|o|nal|ka|sus** der; -, - [...zu:s]: von einer Präposition bestimmter ↑Kasus (z.B.: für dich, vor Jahren; Sprachw.). **Prä|po|si|ti|o|nal|ob|jekt** das; -[e]s, -e: mit einer Präposition angeschlossenes ↑Objekt; Verhältnisergänzung (z.B.: Ich denke an dich; Sprachw.). **Prä|po|si|ti|on** ⟨lat.⟩ der; -s, -e: bes. im Russischen ein ↑Kasus, der von einer Präposition abhängig ist, bes. der ↑Lokativ (z.B. w gorode = in der Stadt; Sprachw.). **Prä|po|si|tur** ⟨lat.-mlat.⟩ die; -, -en: Stelle eines Präpositus. **Prä|po|si|tus** ⟨lat.⟩ der; -, ...ti: lat. Bez. für: Vorgesetzter, Propst

prä|po|tent ⟨lat.⟩: 1. (veraltet) überlegen, übermächtig. 2. (österr., abwertend) aufdringlich,

frech, überheblich. **Prä|po|tenz** die; -, -en: (veraltet) Übermacht, Überlegenheit

Prä|pu|ti|um ⟨lat.⟩ das; -s, ...ien: Vorhaut des Penis (Med.)

Prä|raf|fa|el|lis|mus u. Präraffaelitismus ⟨lat.⟩ it.-nlat.⟩ der; -: Theorie, Ziele, Ausprägung der Kunst der Präraffaeliten. **Prä|raf|fa|e|lit** der; -en, -en: Angehöriger einer (1848 gegründeten) Gruppe von englischen Malern, die im Sinne [der Vorläufer] Raffaels die Kunst durch seelische Vertiefung zu erneuern suchten. **Prä|raf|fa|e|li|tis|mus** vgl. Präraffaelismus

Prä|rie ⟨lat.-fr.: „Wiese, Wiesenlandschaft"⟩ die; -, ...ien: Grasland im mittleren Westen Nordamerikas. **Prä|rie|aus|ter** die; -, -n: je zur Hälfte aus Weinbrand u. einem mit Öl übergossenen Eigelb bestehendes, scharf gewürztes Mixgetränk

Prä|ro|ga|tiv das; -s, -e u. **Prä|ro|ga|ti|ve** ⟨lat.⟩ die; -, -n: Vorrecht, früher bes. des Herrschers bei der Auflösung des Parlaments, dem Erlass von Gesetzen u.a.

Prä|sa|pi|ens|mensch ⟨lat.-nlat.: dt.⟩ der; -en, -en: Vorläufer des ↑Homo sapiens (Anthropol.)

Pra|sem ⟨gr.-lat.⟩ der; -s: lauchgrüner Quarz, Schmuckstein

Prä|sens ⟨lat.⟩ das; -, ...sentia [...zia] od. ...senzien: 1. Zeitform, mit der ein verbales Geschehen oder Sein aus der Sicht des Sprechers als gegenwärtig charakterisiert wird; Gegenwart. 2. Verbform des Präsens (1) (z.B. ich esse); vgl. Praesens historicum. **Prä|sens|par|ti|zip** das; -s, -ien: ↑Partizip Präsens. **prä|sent**: anwesend; gegenwärtig; mit dabei; vertreten. **Prä|sent** ⟨lat.-fr.⟩ das; -[e]s, -e: Geschenk, kleine Aufmerksamkeit. **prä|sen|ta|bel**: ansehnlich, vorzeigbar. **Prä|sen|tant** der; -en, -en: jmd., der einen Wechsel zur Annahme oder Bezahlung vorlegt (Wirtsch.). **Prä|sen|ta|ta**: Plural von ↑Präsentatum. **Prä|sen|ta|ti|on** ⟨lat.-mlat.⟩ die; -, -en: 1. Präsentierung. 2. Vorlage, bes. das Vorlegen eines Wechsels; vgl. ...[at]ion/...ierung. **Prä|sen|ta|ti|ons|recht** ⟨lat.-mlat.; dt.⟩ das; -[e]s: Vorschlagsrecht (z.B. des ↑¹Patrons 3 einer Pfarrkirche) für die Besetzung einer freien Stelle. **Prä|sen|ta|tor** der; -s, ...oren: jmd., der etwas (z.B. eine Sendung in Funk od. Fernsehen) vorstellt, darbietet, kommentiert. **Prä|sen|ta|tum** ⟨lat.⟩ das; -s, -s od. ...ta: (veraltet) Tag der Vorlage, Einreichung (eines Schriftstückes). **Prä|sen|tia:** Plural von ↑Präsens. **prä|sen-tie|ren** ⟨lat.-fr.⟩: 1. überreichen, darbieten. 2. vorlegen, vorzeigen, vorweisen (z. B. einen Wechsel zur Annahme od. Bezahlung). 3. sich -: sich zeigen, vorstellen. 4. mit der Waffe eine militärische Ehrenbezeigung machen. **Prä|sen|tie|rung** die; -, -en: Vorstellung, Vorzeigung, Überreichung; vgl. Präsentation; vgl. ...[at]ion/...ierung. **prä-sen|tisch:** das Präsens betreffend. **Prä|senz** die; -: 1. Gegenwart; Anwesenheit; das Dabeisein; das Vertretensein. 2. körperliche Ausstrahlung[skraft]. **Prä|senz|bib|li|o|thek*** die; -, -en: Bibliothek, deren Bücher nicht entliehen, sondern nur an Ort und Stelle benutzt werden dürfen. **Prä|senz|die|ner** der; -s, -: (österr. Amtsspr.) Soldat im Grundwehrdienst des österreichischen Bundesheeres. **Prä-senz|dienst** der; -[e]s, -e: (österr. Amtsspr.) Grundwehrdienst beim österreichischen Bundesheer. **Prä|senz|lis|te** die; -, -n: Anwesenheitsliste. **Prä-senz|zeit** ⟨lat.; dt.⟩ die; -, -en: Zeitspanne, in der erlebte Inhalte noch im Bewusstsein sind, ohne als Nacheinander erlebt oder als Erinnerung von neuem reproduziert zu werden (W. Stern; Psychol.)

Pra|se|o|dym ⟨gr.-nlat.⟩ das; -s: chemisches Element (seltene Erde; Zeichen: Pr)

Prä|ser ⟨spätlat.-fr.⟩ der; -s, - (salopp) Kurzform von ↑Präservativ. **prä|ser|va|tiv:** vorbeugend, verhütend. **Prä|ser|va|tiv** das; -s, -e: ↑Kondom. **Prä|ser|ve** die; -, -n (meist Plural): nicht vollständig keimfreie Konserve; Halbkonserve. **prä|ser|vie|ren:** 1. schützen, vor einem Übel bewahren. 2. erhalten, haltbar machen

Prä|ses ⟨lat.⟩ der; -, Präsides [...de:s] u. Präsiden: 1. geistlicher Vorstand eines katholischen kirchlichen Vereins. 2. Vorsitzender einer evangelischen Synode. **Prä|si|de** der; -n, -n: 1. (ugs.) Mitglied eines Präsidiums (1 a). 2. Vorsitzender, Leiter einer studentischen Kneipe, eines Kommerses (Verbindungsw.). **Prä|si-den:** Plural von ↑Präses u. ↑Präside. **Prä|si|dent** ⟨lat.-fr.⟩ der; -en, -en: 1. Vorsitzender (einer

Versammlung o. Ä.). 2. Leiter (einer Behörde, einer Organisation o. Ä.). 3. Staatsoberhaupt einer Republik. **Prä|si|des** [...de:s]: Plural von ↑Präses. **prä|si|di|a-bel:** befähigt, ein Präsidentenamt zu übernehmen. **prä|si|di|al** ⟨lat.⟩: den Präsidenten od. das Präsidium (1) betreffend. **Prä|si-di|al|sys|tem** das; -s: Regierungsform, bei der der Staatspräsident aufgrund eigener Autorität und unabhängig vom Vertrauen des Parlaments zugleich Chef der Regierung ist. **prä|si|die|ren** ⟨lat.-fr.⟩: 1. (einem Gremium o. Ä.) vorsitzen. 2. (eine Versammlung o. Ä.) leiten. **Prä|si|di-um** ⟨lat.⟩ das; -s, ...ien: 1. a) leitendes ↑Gremium (a) einer Versammlung, einer Organisation o. Ä.; b) Vorsitz, Leitung. 2. Amtsgebäude eines [Polizei]präsidenten

prä|si|ly|risch ⟨nlat.⟩: vor dem ↑Silur [liegend] (Geol.) **Prä|skle|ro|se*** ⟨lat.; gr.⟩ die; -,-n: (Med.) 1. Vorstadium einer Arterienverkalkung. 2. im Verhältnis zum ↑Lebensalter zu früh eintretende Arterienverkalkung **prä|skri|bie|ren*** ⟨lat.⟩: 1. vorschreiben, verordnen. 2. für verjährt erklären (Rechtsw.). **Prä-skrip|ti|on** die; -, -en: 1. Vorschrift, Verordnung. 2. Verjährung (Rechtsw.). **prä|skrip|tiv:** vorschreibend, Normen setzend (Sprachw.); Ggs. ↑deskriptiv **prä|sta|bi|lie|ren*** ⟨lat.-nlat.⟩: vorher festsetzen; **prästabilierte Harmonie:** von Gott im Voraus festgelegte harmonische Übereinstimmung von Körper u. Seele (nach Leibniz, Philos.) **Prä|stan|dum*** ⟨lat.⟩ das; -s, ...da: (veraltet) pflichtmäßige Leistung; Abgabe. **Prä|stant** der; -en, -en: große, sichtbar im ↑Prospekt (3) stehende Orgelpfeife. **Prä|stanz** die; -, -en: (veraltet) Leistungsfähigkeit. **Prä-sta|ti|on** die; -, -en: (veraltet) Abgabe; Leistung. **prä|stie|ren:** (veraltet) a) entrichten, leisten; b) für etw. haften

prä|su|mie|ren ⟨lat.⟩: 1. voraussetzen, annehmen, vermuten (Philos.; Rechtsw.). 2. (landsch.) argwöhnen. **Prä|sump|ti|on** usw. vgl. Präsumtion usw. **Prä|sum|ti-on** die; -, -en: Voraussetzung, Vermutung, Annahme (Philos.; Rechtsw.). **prä|sum|tiv:** voraussetzend, wahrscheinlich, vermutlich (Philos.; Rechtsw.). **prä|sup|po|nie|ren** ⟨lat.-nlat.⟩:

stillschweigend voraussetzen. **Prä|sup|po|si|ti|on** die; -, -en: 1. stillschweigende Voraussetzung. 2. einem Satz, einer Aussage zugrunde liegende, als gegeben angenommene Voraussetzung, die zwar nicht unmittelbar ausgesprochen ist, aber meist gefolgert werden kann (Sprachw.) **prä|tek|to|nisch:** vor tektonischen Bewegungen eingetreten (von Veränderungen in Gesteinen; Geol.) **Prä|ten|dent** ⟨lat.-fr.⟩ der; -en, -en: jmd., der Ansprüche auf ein Amt, eine Stellung, bes. auf den Thron, erhebt. **prä|ten|die|ren:** 1. Anspruch erheben, fordern, beanspruchen. 2. behaupten, vorgeben. **Prä|ten|ti|on** die; -, -en: Anspruch, Anmaßung. **prä-ten|ti|ös:** anspruchsvoll; anmaßend, selbstgefällig **prä|te|rie|ren*** ⟨lat.⟩: auslassen, übergehen. **Prä|te|ri|ta*:** Plural von ↑Präteritum. **prä|te|ri|tal*** ⟨lat.-nlat.⟩: das Präteritum betreffend. **Prä|te|ri|tio* u. Prä|te|ri-ti|on*** ⟨lat.⟩ die; -, ...onen: ↑Paralipse. **Prä|to|ri|to|prä|sens*** ⟨lat.-nlat.⟩ das; -, ...sentia od. ...senzien: Verb, dessen Präsens ein früheres starkes Präteritum ist (z. B. kann als Präteritum zu ahd. kunnan, das „wissen, verstehen" bedeutete). **Prä|te|ri-tum*** ⟨lat.⟩ das; -s, ...ta: 1. Zeitform, die die verbale Geschehen od. Sein aus der Sicht des Sprechers als vergangen charakterisiert, bes. in literarischen erzählenden od. beschreibenden Texten, in denen etw. als abgeschlossen u. als ohne Bezug zur Gegenwart – im Unterschied zum Perfekt - dargestellt wird; Imperfekt. 2. Verbform des Präteritums (1). **prä|ter|prop|ter:** etwa, ungefähr

Prä|text [auch: 'prɛ:...] ⟨lat.-fr.⟩ der; -[e]s, -e: Vorwand, Scheingrund; vgl. Praetexta

Prä|tor ⟨lat.⟩ der; -s, ...oren: höchster [Justiz]beamter im Rom der Antike. **Prä|to|ri|a|ner** der; -s, -: Angehöriger der Leibwache römischer Feldherren od. Kaiser. **Prä|to|ri|a|ner|prä|fekt** der; -en, -en: Kommandant der Prätorianer. **prä|to|risch:** das Amt, die Person des Prätors betreffend. **Prä|tur** die; -, -en: Amt, Amtszeit eines Prätors

Prau ⟨malai.⟩ die; -, -e: Boot der Malaien

prä|va|lent ⟨lat.⟩: überlegen; vorherrschend, überwiegend. **Prä-**

vallenz *die;* -: Überlegenheit; das Vorherrschen. **prälvallieren:** vorherrschen, vorwiegen, überwiegen **Prälvalrilkaltilon** *⟨lat.⟩ die;* -, -en: Amtsuntreue, Parteiverrat (bes. von einem Anwalt, der beiden Prozessparteien dient; Rechtsw.) **prälvelnielren** *⟨lat.⟩:* zuvorkommen. **Prälvelnilre** *das;* -[s]: (veraltet) das Zuvorkommen. **Prävenltilon** *⟨lat.-mlat.⟩ die;* -, -en: Vorbeugung, Verhütung (bes. im Gesundheitswesen, in der Verbrechensbekämpfung, im Rechtswesen). **prälvenltiv** *⟨lat.-nlat.⟩:* vorbeugend, verhütend. **Prälvenltivlkrieg** *⟨lat.-nlat.; dt.⟩ der;* -[e]s, -e: Angriffskrieg, der dem voraussichtlichen Angriff des Gegners zuvorkommt. **Prävenltivlmeldilzin** *die;* -: Teilgebiet der Medizin, auf dem man sich mit vorbeugender Gesundheitsfürsorge befasst. **Prälventivlmitltel** *das;* -s, -: (Med.) 1. zur Vorbeugung gegen eine Erkrankung angewandtes Mittel. 2. ↑ Präservativ. **Prälvenltivlverkehr** *der;* -[e]s, -e: Geschlechtsverkehr mit empfängnisverhütenden Mitteln **Prälverb** *⟨lat.-nlat.⟩ das;* -s, -ien: mit dem Wortstamm nicht fest verbundener Teil eines zusammengesetzten ↑ Verbs (z. B. *teilnehmen* – ich nehme *teil*) **Pralxelollolgie** *⟨gr.-nlat.⟩ die;* -: Wissenschaft vom (rationalen) Handeln, Entscheidungslogik. **pralxelollolgisch:** die Praxeologie betreffend. **Pralxis** *⟨gr.-lat.⟩ die;* -, ...xen: 1. (ohne Plural) Anwendung von Gedanken, Vorstellungen, Theorien o. Ä. in der Wirklichkeit; Ausübung, Tätigsein, Erfahrung; Ggs ↑ Theorie (2 a); vgl. in praxi. 2. (ohne Plural) durch praktische Tätigkeit gewonnene Erfahrung, Berufserfahrung. 3. Handhabung, Verfahrensart, ↑ Praktik (1). 4. a) gewerbliches Unternehmen, Tätigkeitsbereich, bes. eines Arztes od. Anwalts; b) Arbeitsräume eines Arztes od. Anwalts **Prälzeldens** *⟨lat.⟩ das;* -, ...denzien: früherer Fall, früheres Beispiel. **Prälzeldenz** *die;* -, -en: Rangfolge, Vortritt bei Prozessionen u. Versammlungen der katholischen Kirche. **Prälzedenzlfall** *⟨lat.; dt.⟩ der;* -[e]s, ...fälle: Musterfall, der für zukünftige, ähnlich gelagerte Situationen richtungweisend ist;

vgl. Präjudiz. **prälzeldielren:** in ↑ Präzession sein **Prälzenltor** *⟨lat.-mlat.⟩ der;* -s, ...oren: Vorsänger in Kirchenchören **Prälzepltilon** *⟨lat.⟩ die;* -, -en: Unterweisung; Vorschrift, Verfügung. **Prälzepltor** *der;* -s, ...oren: (veraltet) Lehrer, Erzieher; vgl. Praeceptor Germaniae **prälzeslsielren** *⟨lat.-nlat.⟩:* ↑ präzedieren. **Prälzeslsilon** *die;* -, -en: 1. durch Kreiselbewegung der Erdachse (in etwa 26000 Jahren) verursachte Rücklaufbewegung des Schnittpunktes (Frühlingspunktes) zwischen Himmelsäquator u. Ekliptik (Astron.). 2. ausweichende Bewegung der Rotationsachse eines Kreisels bei Krafteinwirkung **Prälzilpiltat** *⟨lat.⟩ das;* -[e]s, -e: 1. [chemischer] Niederschlag, Bodensatz; Produkt einer Ausfällung od. Ausflockung (Med.; Chem.). 2. Dünger, der leicht aufgenommen wird (Landw.). **Prälzilpiltaltilon** *⟨lat.⟩ die;* -: Ausfällung od. Ausflockung (z. B. von Eiweißkörpern; Med.; Chem.). **Prälzilpiltatlsallbe** *⟨lat.; dt.⟩ die;* -: eine antiseptische Augensalbe. **prälzilpiltielren** *⟨lat.⟩:* ausfällen, ausflocken (Med.; Chem.). **Präzilpiltin** *⟨lat.-nlat.⟩ das;* -s, -e: Antikörper, der Fremdstoffe im Blut ausfällt **Prälzilpulum** *⟨lat.; „das Besondere, das besondere Recht, Sonderteil"⟩ das;* -s, ...pua: Geldbetrag, der vor Aufteilung des Gesellschaftsgewinns einem Gesellschafter für besondere Leistungen aus dem Gewinn gezahlt wird (Wirtsch.) **prälzis** (österr. nur so) u. **prälzise** *⟨lat.-fr.; „vorn abgeschnitten⟩:* abgekürzt; zusammengefasst"): bis ins Einzelne gehend genau [umrissen, angegeben]; nicht nur vage. **prälzilsielren:** genauer bestimmen, eindeutig beschreiben, angeben. **Prälzilsilon** *die;* -: Genauigkeit; Feinheit **Prelcanlcel** *[priːˈkɛntsl] ⟨engl.⟩ das;* -s, -s: a) im Voraus vom Absender entwertete Briefmarke (bei Massensendungen; Philatelie); b) (bes. in den USA) Entwertung einer Briefmarke im Voraus durch den Absender **Prélcilleuses** *[preˈsjøːz] ⟨lat.-fr.⟩ die* (Plural): literarischer Kreis von Frauen im Paris des 17. Jh.s, die sich um die Pflege der gesellschaftlichen Sitten u. der franzö

sischen Sprache verdient machten; vgl. preziös **prelcilpiltanldo** *[pretʃi...] ⟨lat.it.⟩:* plötzlich beschleunigend, eilend, stürzend (Vortragsanweisung; Mus.) **Prélcis** *[preˈsiː] ⟨fr.⟩ der;* -, - *[...siˈs(s)]:* kurz u. präzise abgefasste Inhaltsangabe (Aufsatzform) **Preldellla** *⟨germ.-it.⟩ die;* -, -s u. ...llen, auch: **Preldellle** *die;* -, -n: 1. oberste Altarstufe. 2. Staffel eines [spätgotischen] Altars mit gemaltem od. geschnitztem Bildwerk **Prelemlphalsis** *⟨lat.; gr.⟩ engl.⟩ die;* -: im Funkwesen Vorverzerrung (Verstärkung) der hohen Töne, um sie von Störungen zu unterscheiden (im Empfänger erfolgt die Nachentzerrung); vgl. Deemphasis **Prelfelrence** *[prefeˈraːs] ⟨lat.-fr.⟩ die;* -, -n *[...sn]:* französisches Kartenspiel **Prelslinldex** *⟨dt.; lat.⟩ der;* -[es], -e u. ...dizes, auch: ...dices *[...ditseːs]:* statistische Messzahl für die Höhe bestimmter Preise zu einem bestimmten Zeitpunkt (Wirtsch.) **prelkär** *⟨lat.-fr.; „durch Bitten erlangt; widerruflich"⟩:* misslich, schwierig, heikel **Prelkalreilhanldel** *⟨lat.-mlat.; dt.⟩ der;* -s: Handel zwischen Angehörigen gegeneinander Krieg führender Staaten unter neutraler Flagge. **Prelkalria:** Plural von ↑ Prekarium. **Prelkalrie** *[...jə] ⟨lat.-mlat.⟩ die;* -, -n (hist.) 1. im Mittelalter auf Widerruf verliehenes Gut (z. B. eine Pfründe). 2. Schenkung eines Grundstücks o. Ä. an die Kirche, das der Schenkende als Lehen zurückerhält. **Prelkalrilum** *⟨lat.⟩ das;* -s, ...ia: (hist.) widerrufbare, auf Bitten hin erfolgende Einräumung eines Rechts, das keinen Rechtsanspruch begründet (röm. Recht) **Préllude** *[preˈlyd] ⟨lat.-fr.⟩ das;* -s: 1. fantasieartiges Musikstück für Klavier od. Orchester. 2. franz. Bez. für ↑ Präludium **Prelmiler** *[prəˈmjeː, pre...] ⟨lat.-fr.;* „erster"⟩ *der;* -s, -s: Kurzform von: ↑ Premierminister. **Prelmielre** *die;* -, -n: Erst-, Uraufführung. **Prelmier Jus** *[prəmjeˈʒy] ⟨fr.⟩ das;* - -: mit Salzwasser ausgeschmolzenes u. gereinigtes Rinderfett. **Prelmielerlleutlnant** *[prəˈmjeː..., preˈmjeː...] der;* -s, -s (selten: -e): (veraltet) Oberleut nant. Pre|mi|er|mi|nis|ter *der;* -s, -: Ministerpräsident. pre|mi-um *‹lat.-engl.›:* von besonderer, bester Qualität Pre|no|nym* *‹lat.-fr.; gr.› das;* -s, -e: Deckname, der aus einem Vornamen besteht od. gebildet ist (z. B. *Heinrich George* aus: Georg Heinrich [Schulz]) Pre|per|cep|tion ['priːpəˈsɛpʃən] *‹lat.-engl.› die;* -, -s: primitivste Art der Vorstellung, in der eine Beeinflussung der sinnlichen durch die intellektuelle Aufmerksamkeit stattfindet (McDougall; Psychol.) Pre|print ['priːprɪnt] *‹engl.› das;* -s, -s: Vorausdruck, Vorabdruck (z. B. eines wissenschaftlichen Werks, eines Tagungsreferates o. Ä.; Buchw.); vgl. Reprint Pres|by|a|ku|sis *‹gr.-nlat.› die;* -: Altersschwerhörigkeit (Med.). Pres|by|o|pie *die;* -: Altersweitsichtigkeit (Med.). Pres|by|ter *‹gr.-lat.› der;* o, : 1. Gemeindeältester im Urchristentum. 2. Mitglied eines evangelischen Kirchenvorstands. 3. lat. Bez. für: Priester (dritter Grad der katholischen höheren Weihen). pres|by|te|ri|al *‹gr.-nlat.›:* das Presbyterium (1) betreffend, zu ihm gehörend, von ihm ausgehend. Pres|by|te|ri|al|ver|fas-sung *‹gr.-nlat.; dt.› die;* -: evangelische [reformierte] Kirchenordnung, nach der sich die Einzelgemeinde durch ein Presbyterium (1) selbst verwaltet. Pres-by|te|ri|a|ner *‹gr.-nlat.› der;* -s, -: Angehöriger protestantischer Kirchen mit Presbyterialverfassung in England u. Amerika. pres|by|te|ri|a|nisch: die Presbyterialverfassung, Kirchen mit Presbyterialverfassung betreffend. Pres|by|te|ri|um *‹gr.-lat.› das;* -s, ...ien: 1. aus dem Pfarrer u. den Presbytern bestehender evangelischer Kirchenvorstand. 2. Versammlungsraum eines evangelischen Kirchenvorstands. 3. katholisches Priesterkollegium. 4. Chorraum einer Kirche Pre|sen|ning vgl. Persenning Pre|sen|ter [priˈzɛntə] *‹engl.› der;* -s, -: jmd., der eine Ware vorstellt, anpreist Pre|shave ['priːʃeɪv] *‹engl.› das;* -s, -s u. Pre|shave|lo|tion, auch: Pre-Shave-Lo|tion ['priːʃeɪvlouʃən] *das;* -, -s: vor der Rasur zu verwendendes Gesichtswasser; vgl. Aftershave pres|sant *‹lat.-fr.›:* (landsch.) ei-

lig, dringend. pres|san|te *‹lat.-it.›* drängend, treibend (Vortragsanweisung; Mus.). Pres|se *‹lat.-mlat.(-fr.)› die;* -, -n: 1. a) Vorrichtung, Maschine, die durch Druck Rohstoffe, Werkstücke o. Ä. formt; b) Gerät zum Auspressen von Obst; c) Druckmaschine, Druckpresse. 2. (ohne Plural) a) Gesamtheit der periodischen Druckschriften, der Zeitungen u. Zeitschriften; b) Beurteilung in Zeitungen u. Zeitschriften, Presseecho. 3. (ugs. abwertend) Privatschule zur intensiven Vorbereitung von [schwachen] Schülern auf bestimmte Prüfungen. Pres|se-kon|fe|renz *die;* -, -en: Zusammenkunft prominenter Persönlichkeiten od. ihrer Beauftragten mit Vertretern von Publikationsorganen zur Beantwortung gezielter Fragen Pres|sen|ti|ment [prɛ̃ãtiˈmã] *‹lat.-fr.› das;* -s, -s: (veraltet) Ahnung, Vorgefühl Pres|seur [...ˈsøːɐ̯] *‹lat.-fr.› der;* -s, -e: mit Gummi überzogene Stahlwalze der Tiefdruckmaschine, die das Papier an den Schriftträger presst. pres|sie-ren: (landsch., bes. südd., sonst veraltend) eilig, dringend sein; drängen. Pres|sing *‹engl.› das;* -s: Spieltaktik, bei der der Gegner u. a. durch konsequente u. enge Manndeckung bereits in seiner eigenen Spielfeldhälfte unter Druck gesetzt u. gestört wird, um den Ziel, dass er seinerseits keine Gelegenheit zum Angriff findet (bes. Fußball). Pres|si|on *‹lat.› die;* -, -en: Druck, Nötigung, Zwang Pres-sure|group ['prɛʃəgruːp] *‹engl.› die; -, -s:* Interessenverband, der (oft mit Druckmitteln) auf Parteien, Parlament, Regierung, Verwaltung u. a. Einfluss zu gewinnen sucht; vgl. Lobbyismus Pres|ti *Plural* von ↑ Presto. Pres-ti|di|gi|ta|teur [...diʒitaˈtøːɐ̯] *‹(lat.-it.-fr.; lat.) fr.› der;* -s, -e: (veraltet) Gaukler, Taschenspieler Pres|ti|ge [...ˈtiːʒə] *‹lat.-fr.›* "Blendwerk, Zauber") *das;* -s: [positives] Ansehen, Geltung Pres|tis|si|mi *Plural* von ↑ Prestissimo. pres|tis|si|mo *‹lat.-it.›:* sehr schnell, in schnellstem Tempo (Vortragsanweisung; Mus.). Pres|tis|si|mo *das;* -s, -s u. ...mi: 1. äußerst schnelles Tempo (Mus.). 2. Musikstück in schnellstem Zeitmaß. pres|to:

schnell (Vortragsanweisung; Mus.). Pres|to *das;* -s, -s u. ...ti: 1. schnelles Tempo (Mus.). 2. Musikstück in schnellem Zeitmaß Prêt-à-por|ter [prɛtapɔrˈteː] *‹fr.› das;* -s, -s: a) (ohne Plural) von einem Modeschöpfer entworfene Konfektionskleidung; b) von einem Modeschöpfer entworfenes Konfektionskleid Pre|test ['priː...] *‹lat.-engl.› der;* -s, -s: Erprobung eines Mittels fur Untersuchungen o. Ä. (z. B. eines Fragebogens) vor der Durchführung der eigentlichen Erhebung; Vortest (Soziol.) pre|ti|al *‹lat.›:* vom Preis her erfolgend, geldmäßig (Wirtsch.). pre|ti|ös vgl. preziös. Pre|ti|o-sen vgl. Preziosen. Pre|ti|o|si-tät vgl. Preziosität Pre|view ['priːwjuː] *‹engl.› die;* -, -s: Voraufführung (bes. eines Films) pre|zi|ös, auch: pretiös *‹lat.-fr.›:* geziert, geschraubt, gekünstelt. Pre|zi|o|sen, auch: Pretiosen *die* (Plural): Kostbarkeiten, Geschmeide. Pre|zi|o|si|tät, auch: Pretiosität *die;* -: geziertes Benehmen, Ziererei Pri|a|mel *‹lat.-mlat.› die;* -, -n (auch: *das;* -s, -): 1. kurzes volkstümliches Spruchgedicht, bes. des deutschen Spätmittelalters. 2. ↑ Präambel (2) Pri|a|pea *‹gr.-lat.;* nach dem spätgr.-röm. Fruchtbarkeitsgott Priapus) *die* (Plural): kurze, geistreiche, obszöne lateinische Gedichte aus dem 1. Jh. n. Chr. pri|a|pe|isch u. priapisch: unzüchtig. Pri|a|pe|us *der;* -, ...pei: antiker Vers. pri|a|pisch vgl. priapeisch. Pri|a|pis|mus *‹gr.-lat.-nlat.› der;* -: krankhaft anhaltende, schmerzhafte Erektion des Penis prim *‹lat.›:* (von Zahlen) nur durch 1 u. sich selbst teilbar (Math.). Prim *die;* -, -en: 1. bestimmte Klingenhaltung beim Fechten. 2. Morgengebet (bei Sonnenaufgang) im katholischen Brevier. 3. ↑ Prime (1). pri-ma *‹lat.-it.›:* a) vom Besten klassig; Abk.: pa., Ia; b) (ugs.) vorzüglich, prächtig, wunderbar, sehr gut, ausgezeichnet. ¹Pri|ma ("erste (Klasse)") *die;* -, Primen: (veraltend) in Unter- u. Oberprima geteilte letzte Klasse einer höheren Lehranstalt. ²Pri|ma *der;* -s, -s: Kurzform von ↑ Primawechsel. Pri|ma|bal|le|ri|na *‹it.› die;* -, ...nen: die erste u. Vortänzerin einer Ballettgruppe; vgl. Ballerina. **Pri|ma|bal|le|ri|na as|so|lu|ta** *die; - -:* Spitzentänzerin, außer Konkurrenz stehende Meisterin im Kunsttanz. **Pri|ma|don|na** ‹„erste Dame") *die; -, ...nnen:* 1. Darstellerin der weiblichen Hauptpartie in der Oper, erste Sängerin. 2. verwöhnter u. empfindlicher Mensch, der eine entsprechende Behandlung u. Sonderstellung für sich beansprucht. **pri|ma fa|cie** [- ...tsi̯ə] ‹*lat.*): auf den ersten Blick, dem ersten Anschein nach. **Pri-ma-fa|cie-Be|weis** [...tsi̯ə...] ‹*lat.; dt.*› *der; -es, -e:* Beweis aufgrund des ersten Anscheins; Anscheinsbeweis (Rechtsw.) **Pri|ma|ge** [pri'ma:ʒə] ‹*lat.-engl.-fr.*› *die; -, -n:* Prämie (2), die ein Ladungsinteressent unter bestimmten Bedingungen an den Schiffer zu zahlen bereit ist (Seew.) **Pri|ma|li|tä|ten** ‹*lat.-nlat.*› *die* (Plural): Grundbestimmungen des Seins u. der Dinge in der Scholastik (Philos.). **Pri|ma|ma|le|rei** *die; -:* Malerei ↑alla prima. **Pri|ma|nen** ‹*lat.*› *die* (Plural): die zuerst ausgebildeten Dauergewebszellen einer Pflanze. **Pri-ma|ner** *der; -s, -:* (veraltend) Schüler einer ¹Prima. **Pri-ma|no|ta** ‹*lat.-it.*› *die; -:* Grundbuch in der Bankbuchhaltung. **Pri|ma Phi|lo|so|phia** ‹*lat.;* „erste Philosophie") *die; - -:* ↑Philosophia prima. **pri|mär** ‹*lat.-fr.*›: 1. a) zuerst vorhanden, ursprünglich; b) an erster Stelle stehend, erst-, vorrangig; grundlegend, wesentlich. 2. (von bestimmten chemischen Verbindungen o. Ä.) nur eines von mehreren gleichartigen Atomen durch nur ein bestimmtes anderes Atom ersetzend; vgl. sekundär (2), tertiär (2). 3. den Teil eines Netzgeräts betreffend, der unmittelbar an das Stromnetz angeschlossen ist u. in den die umzuformende Spannung einfließt (Elektrot.); vgl. sekundär (3). **Pri|mär** ‹*lat.*› *der; -s, -e:* (österr.) ↑Primararzt. **Pri|mär|af|fekt** *der; -[e]s, -e:* erstes Anzeichen, erstes Stadium einer Infektionskrankheit, bes. der Syphilis (Med.). **Pri|mär|arzt** ‹*lat.; dt.*› *der; -es, ...ärzte:* (österr.) leitender Arzt eines Krankenhauses; Chefarzt, Oberarzt. **Pri|mär|ener|gie** *die; -, -n:* von natürlichen, noch nicht weiterbearbeiteten Energieträgern (wie Kohle, Erdöl, Erdgas) stammende Energie (Techn.). **Pri-mär|ge|stein** *das; -s:* (veraltet) Erstarrungsgestein (Geol.). **Pri-ma|ri|us** *der; -, ...ien:* 1. ↑Pastor primarius. 2. ↑Primararzt. 3. ↑Primgeiger, erster Geiger im Streichquartett. **Pri|mär|li|te|ra-tur** *die; -:* Literatur, die Gegenstand einer wissenschaftlichen Untersuchung ist; die Quellen, bes. der Sprach- u. Literaturwissenschaft; vgl. Sekundärliteratur. **Pri|mär|schu|le** ‹*lat.; dt.*› *die; -, -n:* (schweiz.) allgemeine Volksschule. **Pri|mär|sta|tis|tik** *die; -:* direkte, gezielt für statistische Zwecke durchgeführte Erhebungen u. deren Auswertung (z. B. Volkszählung); vgl. Sekundärstatistik. **Pri|mär|stu|fe** ‹*lat.; dt.*› *die; -, -n:* Grundschule (1.–4. Schuljahr); vgl. Sekundarstufe. **Pri|mär|tek|to|ge|ne|se** *die; -, -n:* Verbiegung der Erdrinde in großräumige Schwellen u. Senken (Geol.); vgl. Sekundärtektogenese. **Pri|mär|tu|mor** *der; -s, -en:* Tumor, von dem Metastasen ausgehen (Med.). **Pri|mär|vor-gän|ge** ‹*lat.; dt.*› *die* (Plural): alle aus dem Unbewussten erwachsenden Gedanken, Gefühle, Handlungen (S. Freud; Psychol.). **Pri|ma|ry** ['praɪmərɪ] ‹*engl.*› *die; -, ...ries* [...rɪz] (meist Plural): Vorwahl (im Wahlsystem der USA). **Pri|mas** ‹*lat.*› „der Erste, Vornehmste") *der; -, -se:* 1. (Plural auch: Primaten) [Ehren]titel des würdehöchsten Erzbischofs eines Landes. 2. Solist und Vorgeiger einer Zigeunerkapelle. ¹**Pri|mat** *der od. das; -[e]s, -e:* 1. Vorrang, bevorzugte Stellung. 2. Stellung des Papstes als Inhaber der obersten Kirchengewalt. ²**Pri|mat** *der; -en, -en* (meist Plural): Herrentier (Halbaffen, Affen u. Menschen umfassende Ordnung der Säugetiere; Biol.). **Pri|ma|to|lo|ge** *die; -, -n, -n:* Wissenschaftler auf dem Gebiet der Primatologie. **Pri-ma|to|lo|gie** *die; -:* Wissenschaft, bei der man sich mit der Erforschung der ²Primaten befasst. **pri|ma vis|ta** ‹*lat.-it.*›: 1. bei Sicht (z. B.: einen Wechsel prima vista bezahlen; Wirtsch.). 2. vom Blatt (z. B. prima vista spielen, singen; Mus.). **Pri-ma-vis|ta|di|ag|no|se*** *die; -:* Diagnose aufgrund der typischen, sichtbaren körperlich-seelischen Veränderungen, die durch bestimmte Krankheiten beim Patienten eintreten (Med.). **pri|ma vol|ta:** das erste Mal (Anweisung für die erste Form des Schlusses eines zu wiederholenden Teils, der bei der Wiederholung eine zweite Form erhält; Mus.); vgl. seconda volta. **Pri-ma|wech|sel** ‹*lat.; dt.*› *der; -s, -:* Erstausfertigung eines Wechsels (Wirtsch.). **Pri|me** ‹*lat.-mlat.*› *die; -, -n:* 1. die erste Tonstufe einer diatonischen Tonleiter; der Einklang zweier auf derselben Stufe stehender Noten (Mus.). 2. erste, die Norm (5) erfüllende Seite eines Druckbogens (Druckw.; Buchbinderei). **Pri-mel** ‹*lat.-nlat.;* „Erste") *die; -, -n:* Vertreter einer Pflanzenfamilie mit zahlreichen einheimischen Arten (z. B. Schlüsselblume, Aurikel). **Pri|men:** *Plural* von ↑Prim, ↑¹Prima, ↑Prime. **Prime-rate** ['praɪm'reɪt] ‹*lat.-engl.*› *die; -, auch: Prime Rate die; - -:* (in den USA) Diskontsatz für Großbanken, dem Leitzinsfunktion zukommt (Wirtsch.). **Prime-time** ['praɪm'taɪm] ‹*engl.*› *die; -, -s, auch: Prime Time die; - -, - -s:* (Jargon) abendliche Hauptsendezeit (beim Fernsehen). **Pri-meur** [...'møːɐ̯] ‹*fr.*› *der; -[s], -s:* 1. junger, kurz nach der Gärung abgefüllter französischer Rotwein. 2. (Plural) junges Frühgemüse, junges Frühobst. **Prim-gei|ger** ‹*lat.; dt.*› *der; -s, -:* erster Geiger in der Kammermusik, bes. im Streichquartett. **Prim-geld** *das; -[e]s, -er:* ↑Primage, ↑Kaplaken. **Pri|mi:** *Plural* von ↑Primus. **Pri|mi|pa|ra** ‹*lat.*› *die; -, ...paren:* Erstgebärende; Frau, die ihr erstes Kind gebiert, geboren hat (Med.). **pri|mis|si|ma** (ugs.) ganz prima, ausgezeichnet. **Pri|mi|ti|al|op|fer** ‹*lat.-mlat.; dt.*› *das; -s, -:* der Gottheit dargebrachte Gabe aus der ersten Beute bzw. Ernte; Erstlingsopfer. **pri|mi|tiv** ‹*lat.-fr.*›: 1. auf niedriger Kultur-, Entwicklungsstufe stehend; urzuständlich, urtümlich. 2. (abwertend) von geringem geistig-kulturellem Niveau. 3. einfach; dürftig, behelfsmäßig. **primitives Sym-bol:** Zeichen der mathematischen Logik, dessen Bedeutung als bekannt vorausgesetzt wird. **Pri|mi|ti|va:** *Plural* von ↑Primitivum. **Pri|mi|ti|ven** *die* (Plural): auf niedriger Kultur-, Entwicklungsstufe stehende Völker. **pri-mi|ti|vie|ren. pri|mi|ti|vi|sie-ren:** in unzulässiger Weise vereinfachen, vereinfacht darstellen, wiedergeben. **Pri|mi|ti|vismus** ⟨*lat.-fr.-nlat.*⟩ *der;* -: moderne Kunstrichtung, die sich von der Kunst der primitiven (1) Kulturen anregen lässt. **Pri|miti|vi|tät** *die;* -: (abwertend) 1. geistig-seelische Unentwickeltheit. 2. Einfachheit, Behelfsmäßigkeit, Dürftigkeit. **Pri|mi|tivum** ⟨*lat.*⟩ *das;* -s, ...va: Stammwort (im Unterschied zur Zusammensetzung; z. B. *geben* gegenüber *ausgeben, zugeben*; Sprachw.). **Pri|mi U|o|mi|ni:** *Plural* von ↑ Primo Uomo. **Pri|miz** ⟨*lat.-mlat.*⟩ *die;* -, -en: erste [feierliche] Messe eines neu geweihten katholischen Priesters. **Pri|mi|ziant** ⟨*lat.-nlat.*⟩ *der;* -en, -en: neu geweihter katholischer Priester. **Pri|mi|zi|en** ⟨*lat.*⟩ *die* (Plural): ↑ Primitialopfer. **pri|mo** ⟨*lat.-it.*⟩: erster, erste, erstes, z. B. violino primo (= erste Geige; Mus.). **Pri|mo** *das;* -s; beim vierhändigen Klavierspiel der Diskantpart (vgl. Diskant 3; Mus.); Ggs. ↑ Secondo (2). **Pri|mo|ge|ni|tur** ⟨*lat.-mlat.*⟩ *die;* -, -en: Erstgeburtsrecht; Vorzugsrecht des [fürstlichen] Erstgeborenen u. seiner Linie bei der Erbfolge; vgl. Sekundogenitur. **pri|mor|di|al*** ⟨*lat.*⟩: von erster Ordnung, uranfänglich, ursprünglich seiend, das Ur-Ich betreffend (Husserl; Philos.). **Pri|mo U|o|mo** ⟨*lat.-it.*⟩ *der;* - -, ...mi ...mini: erster Tenor in der Barockoper. **Pri|m|ton** ⟨*lat.; dt.*⟩ *der;* -[e]s, ...töne: Grundton (Mus.). **Pri|mum Mobi|le** ⟨*lat.*⟩ *das;* - -: der erste [unbewegte] Beweger (bei Aristoteles; Philos.). **Pri|mus** *der;* -, Primi u. ...mus: Klassenbester, bes. einer höheren Schule. **Pri|mus inter Pa|res** *der;* - - -, Primi - -: Erster unter Ranggleichen. **Pri|m|zahl** ⟨*lat.; dt.*⟩ *die;* -, -en: Zahl größer als 1, die nur durch 1 und sich selbst teilbar ist (z. B. 7, 13, 67; Math.). **Prince of Wales** [ˈprɪns ɔv ˈweɪlz] ⟨*engl.*⟩ *der;* - - -: Prinz von Wales (Titel des englischen Thronfolgers). **prin|ci|pa|li|ter** vgl. prinzipaliter. **prin|ci|pi|is ob|sta*** ⟨*lat.*⟩: wehre den Anfängen [einer gefährlichen Entwicklung]. **Princi|pi|um Cont|ra|dic|ti|o|nis*** *das;* - -: Satz vom Widerspruch (Logik). **Prin|ci|pi|um ex|clu|si Ter|tii** *das;* - - -: Satz vom ausgeschlossenen Dritten (Logik). **Prin|ci|pi|um I|den|ti|ta|tis** *das;* - -: Satz der Identität (Logik). **Prin|ci|pi|um Ra|ti|o|nis suf|fi-**

ci|en|tis *das;* - - -: Satz vom hinreichenden Grund (Logik) **Prin|te** ⟨*lat.-fr.-niederl.*⟩; „Aufdruck, Abdruck") *die;* -, -n (meist Plural): lebkuchenähnliches Gebäck. **Prin|ted in ...** [ˈprɪntɪd ɪn] ⟨*engl.*⟩: (mit nachfolgendem Namen eines Landes) gedruckt in ... (Vermerk in Büchern). **Prin|ter** *der;* -s, -: Gerät zur Herstellung von Abzügen (von Fotos) in großen Stückzahlen. **Prin|ters** *die* (Plural): ungebleichter Kattun für die Zeugdruckerei. **Prin|t|me|di|um** ⟨*(lat.-)engl.*⟩ *das;* -s, ...ien, selten auch: ...ia (meist Plural): ¹Medium (5 a), bei dem die Informationen durch bedrucktes Papier vermittelt werden (z. B. Zeitung, Zeitschrift, Buch) **Prin|zeps** ⟨*lat.*⟩ „der Erste (im Rang), Vornehmster") *der;* -, Prinzipes [...ˈtsipeːs]: 1. altrömischer Senator von großem politischem Einfluss. 2. Titel römischer Kaiser. **Prin|zip** ⟨*lat.*⟩ *das;* -s, -ien (seltener, im naturwissenschaftlichen Bereich meist: -e): a) Regel, Richtschnur; b) Grundlage, Grundsatz; c) Gesetzmäßigkeit, Idee, die einer Sache zugrunde liegt, nach der etw. wirkt; Schema, nach dem etw. aufgebaut ist. **¹Prin|zi|pal** ⟨*lat.*⟩ *der;* -s, -e: 1. Leiter eines Theaters, einer Theatertruppe. 2. Lehrherr; Geschäftsinhaber. **²Prin|zi|pal** *das;* -s, -e: (Mus.) 1. Hauptregister der Orgel (Labialstimme mit weichem Ton). 2. tiefe Trompete, bes. im 17. u. 18. Jh. **prin|zi|pa|li|ter** ⟨*lat.*⟩: vor allem, in erster Linie. **Prin|zi|pal|stimme** ⟨*lat.; dt.*⟩ *die;* -, ... (meist Plural): eine der im Prospekt (3) der Orgel aufgestellten, besonders sorgfältig gearbeiteten Pfeifen (Mus.). **Prin|zi|pat** *das* (auch: *der*); -[e]s, -e: 1. (veraltet) Vorrang. 2. das ältere römische Kaisertum; vgl. Dominat. **Prin|zipes:** *Plural* von ↑ Prinzeps. **prinzi|pi|ell** ⟨französierende Bildung⟩: 1. im Prinzip, grundsätzlich. 2. einem Prinzip, Grundsatz entsprechend aus Prinzip. **Prin|zi|pi|en:** *Plural* von ↑ Prinzip **Prinz|re|gent** *der;* -en, -en: Vertreter eines (z. B. durch schwere Krankheit) an der Ausübung der Herrschaft gehinderten Monarchen **Pri|on** ⟨*engl.*⟩ *das;* -s, -en: Eiweißpartikel, das bei bestimmten Gehirnerkrankungen (z. B.

BSE Creutzfeld-Jakob-Krankheit) gefunden wird u. möglicherweise Erreger dieser Krankheiten ist **Pri|or** ⟨*lat.-mlat.*; „der Erstere, der dem Rang nach höher Stehende") *der;* -s, Prioren: a) katholischer Klosteroberer, -vorsteher (z. B. bei den Dominikanern); Vorsteher eines Priorats (2); Stellvertreter eines Abtes. **Pri|orat** *das;* -[e]s, -e: 1. Amt, Würde eines Priors. 2. meist von einer Abtei abhängiges [kleineres] Kloster eines Konvents (1 a). **Pri|o|ri|tät** ⟨*lat.-mlat.-fr.*⟩ *die;* -, -en: 1. a) Vorrecht, Vorrang eines Rechts, bes. eines älteren Rechts gegenüber einem später entstandenen; b) Rangfolge, Stellenwert, den etwas innerhalb einer Rangfolge einnimmt; c) (ohne Plural) höherer Rang, größere Bedeutung, Vorrangigkeit. 2. (ohne Plural) zeitliches Vorhergehen. 3. (Plural) Aktien, Obligationen, die mit bestimmten Vorrechten ausgestattet sind (Wirtsch.). **Pri|o|ri|täts|ak|tie** [...aktsie] *die;* -, -n: Aktie, die mit einem Vorzugsrecht ausgestattet ist **Pri|se** ⟨*lat.-fr.*⟩ „das Genommene; das Nehmen, Ergreifen") *die;* -, -n: 1. a) aufgebrachtes feindliches od. Konterbande führendes neutrales Schiff; b) beschlagnahmte Ladung eines solchen Schiffes. 2. kleine Menge eines pulverigen od. feinkörnigen Stoffes (die man zwischen zwei Fingern greifen kann, z. B. Salz, Pfeffer, Schnupftabak) **Pris|ma** ⟨*gr.-lat.;* „dreiseitige Säule") *das;* -s, ...men: 1. von ebenen Flächen begrenzter Körper mit paralleler, kongruenter Grund- u. Deckfläche (Math.). 2. Kristallfläche mit zwei Achsen schneidet u. zur dritten parallel ist (Mineral.). **pris|ma|tisch** ⟨*gr.-nlat.*⟩: von der Gestalt eines Prismas, prismenförmig; **prismatische Absonderung:** säulenförmige Ausbildung senkrecht zur Abkühlungsfläche (von Basalten; Mineral.). **Pris|ma|to|id** *das;* -[e]s, -e: Körper mit gradlinigen Kanten, beliebigen Begrenzungsflächen u. zwei parallelen Grundflächen, auf denen sämtliche Ecken liegen (Math.). **Pris|men:** *Plural* von ↑ Prisma. **Pris|men|bril|le** *die;* -, -n: Brille, durch die mithilfe von Prismen in bestimmter Anordnung das Schielen korrigiert wird. **Pris-**

men|glas *das;* -es, ...gläser: Feldstecher, Fernglas. **Pris|mo-id** ⟨*gr.-nlat.*⟩ *das;* -[e]s, -e: ↑ Prismatoid

Pri|son [pri'zõ:] ⟨*lat.-fr.*⟩ *die;* -, -s od. *das;* -s, -s: (veraltet) Gefängnis. **Pri|so|ner of War** ['prɪznə əv 'wɔ:] ⟨*engl.*⟩ *der;* - - -, -s - -: engl. Bez. für: Kriegsgefangener; (Abk.: POW). **Pri|son|ni|er de Guerre** [prizɔnjed'gɛ:r] ⟨*fr.*⟩ *der;* - - -, -s - - [prizɔnjed'gɛ:r] franz. Bez. für: Kriegsgefangener; (Abk.: PG)

Prits|ta|bel ⟨*slaw.*⟩ *der;* -s, -: (hist.) Wasservogt, Fischereiaufseher in der Mark Brandenburg

pri|vat ⟨*lat.;* „(der Herrschaft) beraubt; gesondert, für sich stehend; nicht öffentlich"⟩: 1. die eigene Person angehend, persönlich. 2. vertraulich. 3. familiär, häuslich, vertraut. 4. nicht offiziell, nicht öffentlich, außeramtlich. **Pri|vat|au|di|enz** *die;* -, -en: private (4), nicht dienstliche Angelegenheiten dienende Audienz. **Pri|vat|de|tek|tiv** *der;* -s, -e: freiberuflich tätiger od. bei einer Detektei angestellter Detektiv, der in privatem (2) Auftrag handelt. **Pri|vat|dis|kont** *der;* -s, -e: Diskontsatz, zu dem Akzepte (2) besonders kreditwürdiger Banken abgerechnet werden. **Pri|vat|do|zent** *der;* -en, -en: 1. (ohne Plural) Titel eines Hochschullehrers, der [noch] nicht Professor ist u. nicht im Beamtenverhältnis steht. 2. Träger dieses Titels. **Pri|va|ti|er** [priva'tie:] *der;* -s, -s: jmd., der keiner Erwerbstätigkeit nachgeht, privatisiert. **Pri|va|ti|e|re** [...'tie:rə] *die;* -, -n: (veraltet) Rentnerin. **pri|va|tim** ⟨*lat.*⟩: in ganz persönlicher, vertraulicher Weise; unter vier Augen. **Pri|va|ti|on** *die;* -, -en: 1. (veraltet) Beraubung; Entziehung. 2. Negation, bei der das negierende Prädikat dem Subjekt nicht nur eine Eigenschaft, sondern auch sein Wesen abspricht (Philos.). **pri|va|ti|sie-ren** ⟨französierende Bildung⟩: 1. staatliches Vermögen in Privatvermögen umwandeln. 2. als Rentner[in] od. als Privatperson vom eigenen Vermögen leben. **Pri|va|ti|sie|rung** *die;* -: Umwandlung von staatlichem Vermögen in privates Vermögen. **Pri|va|tis|mus** *der;* -: Hang zur Privatheit, Rückzug ins Private. **pri|va|tis|si|me** ⟨*lat.*⟩: im engs-

ten Kreise; streng vertraulich, ganz allein. **Pri|va|tis|si|mum** *das;* -s, ...ma: 1. Vorlesung für einen ausgewählten Kreis. 2. Ermahnung. **Pri|va|tist** ⟨*lat.-nlat.*⟩ *der;* -en, -en: (österr.) Schüler, der sich, ohne die Schule zu besuchen, auf eine Schulprüfung vorbereitet. **pri|va|tis|tisch:** ins Private zurückgezogen. **pri|va-tiv** ⟨*lat.*⟩: 1. das Privativ betreffend (Sprachw.). 2. das Fehlen, die Ausschließung (z. B. eines bestimmten Merkmals) kennzeichnend (z. B. durch die privativen Affixe *ent-, -los;* Sprachw.). **Pri|va|tiv** *das;* -s, -e : Verb, das inhaltlich ein Entfernen, Wegnehmen des im Grundwort Angesprochenen zum Ausdruck bringt (z. B. *abstielen, ausbeinen, entfetten, köpfen, häuten;* Sprachw.). **Pri|vat|pa|ti|ent** *der;* -en, -en: Patient, der nicht bei einer gesetzlichen Krankenkasse versichert ist, sondern sich auf eigene Rechnung od. als Versicherter einer privaten (4) Krankenkasse in [ärztliche] Behandlung begibt. **Pri|vat|per|son** *die;* -, -en: jmd., der in privater (4) Eigenschaft, nicht im Auftrag einer Firma, Behörde o. Ä. handelt. **Pri|vi|leg** ⟨„besondere Verordnung, Ausnahmegesetz; Vorrecht"⟩ *das;* -[e]s, -ien (auch: -e): Vorrecht, Sonderrecht. **pri-vi|le|gie|ren** ⟨*lat.-mlat.*⟩: jmdm. eine Sonderstellung, ein Vorrecht einräumen. **Pri|vi|le|gi|um** ⟨*lat.*⟩ *das;* -s, ...ien: (veraltet) ↑ Privileg

Prix [pri:] ⟨*lat.-fr.*⟩ *der;* -, -: franz. Bez. für: Preis

pro ⟨*lat.;* „für"⟩: je. **¹Pro** ⟨*lat.*⟩ *das;* -s: das Für; das **Pro und [das] Kontra:** das Für und [das] Wider **²Pro** *die;* -, -s: (Jargon) kurz für: Prostituierte

pro an|no ⟨*lat.*⟩: aufs Jahr, jährlich (Abk.: p. a.)

Pro|an|the|sis ⟨*gr.;* „Vorblüte"⟩ *die;* -: anomales Blühen der Bäume im Herbst (Bot.). **Pro|ai|re|se** ⟨*gr.;* „Vornehmen; Entschluss"⟩ *die;* -: der freie, aber mit Überlegung u. Nachdenken vollzogene Entschluss, der sich nur auf das in unserer Macht Stehende bezieht (Aristoteles; Philos.) **pro|ba|bel** ⟨*lat.*⟩: wahrscheinlich, glaubwürdig; billigenswert (Philos.). **Pro|ba|bi|lis|mus** ⟨*lat.-nlat.*⟩ *der;* -: 1. Auffassung, dass es in Wissenschaft u. Philosophie keine absoluten Wahrhei-

ten, sondern nur Wahrscheinlichkeiten gibt (Philos.). 2. Lehre der katholischen Moraltheologie, nach der in Zweifelsfällen eine Handlung erlaubt ist, wenn gute Gründe dafür sprechen. **Pro|ba|bi|li|tät** ⟨*lat.*⟩ *die;* -, -en: Wahrscheinlichkeit, Glaubwürdigkeit (Philos.). **Pro|band** *der;* -en, -en: 1. Versuchsperson, Testperson (z. B. bei psychologischen Tests; Psychol.; Med.). 2. jmd., für den zu erbbiologischen Forschungen innerhalb eines größeren verwandtschaftlichen Personenkreises eine Ahnentafel aufgestellt wird (Geneal.). 3. Verurteilter, dessen Strafe zur Bewährung ausgesetzt ist, während der Bewährungsfrist. **pro-bat:** erprobt, bewährt, wirksam. **Pro|ba|ti|on** *die;* -, -en: (veraltet) a) Prüfung, Untersuchung; b) Nachweis, Beweis; c) Erprobung, Bewährung (Rechtsw.). **pro|bie|ren:** 1. einen Versuch machen, ausprobieren, versuchen. 2. kosten, abschmecken. 3. proben, eine Probe abhalten (Theater). 4. anprobieren (z. B. ein Kleidungsstück). **Pro|bie|rer** *der;* -s, -: Prüfer im Bergbau, Hüttenwerk od. in der Edelmetallindustrie, der nach bestimmten Verfahren schnell Zusammensetzungen feststellen kann **Pro|bi|ont** ⟨*gr.-nlat.*⟩ *der;* -en, -en (meist Plural): primitiver Vorläufer höherer Lebensformen **Pro|bi|tät** ⟨*lat.*⟩ *die;* -: (veraltet) Rechtschaffenheit

Prob|lem* ⟨*gr.-lat.;* „der Vorwurf, das Vorgelegte" usw.⟩ *das;* -s, -e: 1. schwierige, zu lösende Aufgabe; Fragestellung; unentschiedene Frage; Schwierigkeit. 2. schwierige, geistvolle Aufgabe im Kunstschach (mit der Forderung: Matt, Hilfsmatt usw. in n Zügen). **Pro|ble|ma|tik** *die;* -: aus einer Frage, Aufgabe, Situation sich ergebende Schwierigkeit. **pro|ble|ma|tisch:** ungewiss u. schwierig, voller Problematik. **pro|ble|ma|ti|sie|ren:** a) die Problematik von etwas darlegen, diskutieren, sichtbar machen; b) zum Problem (1) machen. **pro-blem|ori|en|tiert:** a) auf ein bestimmtes Problem, auf bestimmte Probleme ausgerichtet; b) auf die Lösung bestimmter Aufgaben bezogen (EDV). **Prob|lem-schach** *das;* -s: Teilgebiet des Schachspiels, auf dem man sich mit dem Bauen von Schachaufgaben befasst

Pro|ca|in ® ⟨Kunstw.⟩ *das;* -s: Mittel zur örtlichen Betäubung, z. B. bei der Infiltrationsanästhesie; ↑Novocain (Pharm.; Med.)

Pro|ce|de|re, auch: Prozedere ⟨lat.⟩ *das;* -, -: Verfahrensordnung, -weise

pro cen|tum ⟨lat.⟩: für hundert, für das Hundert; Abk.: p. c.; Zeichen: %

Pro|ces|sus ⟨lat.⟩ *der;* -: Fortsatz, Vorsprung, kleiner, hervorragender Teil eines Knochens (Med.)

Pro|cheil|lie [...çai...] ⟨gr.-nlat.⟩ *die;* -, ...jen: starkes Vorspringen der Lippen (Med.)

pro co|pia ⟨lat.;⟩ „für die Abschrift"): (veraltet) die Richtigkeit der Abschrift wird bestätigt

Proc|tor [ˈprɔktə] ⟨engl.⟩ *der;* -s, -s: engl. Bez. für: Prokurator (Rechtsw.)

Pro|de|kan ⟨lat.-nlat.⟩ *der;* -s, -e: Vertreter des Dekans (an einer Hochschule)

pro die ⟨lat.⟩: je Tag, täglich

Pro|di|gal|li|tät ⟨lat.⟩ *die;* -: (veraltet) Verschwendung[ssucht]

Pro|di|gi|um ⟨lat.⟩ *das;* -s, ...ien: im altrömischen Glauben wunderbares Zeichen göttlichen Zorns (dem man durch kultische Sühnemaßnahmen zu begegnen suchte)

pro do|mo ⟨lat.; ⟩ „für das (eigene) Haus"): in eigener Sache, zum eigenen Nutzen, für sich selbst

pro do|si ⟨lat.⟩: als Einzelgabe verabreicht (von Arzneien)

Pro|drom* ⟨gr.-lat.⟩ u. **Pro|dro|mal|symp|tom** ⟨gr.-nlat.; gr.⟩ *das;* -s, -e: Frühsymptom einer Krankheit (Med.). **Pro|dro|mus** ⟨gr.-lat.; ⟩ „Vorläufer") *der;* -, ...omen: (veraltet) Vorwort, Vorrede

Pro|du|cer [proˈdjuːsɐ] ⟨lat.-engl.⟩ *der;* -s, -: 1. engl. Bez. für: Hersteller, Fabrikant. 2. a) Film-, Musikproduzent; b) (im Hörfunk) jmd., der eine Sendung technisch vorbereitet u. ihren Ablauf überwacht [u. für die Auswahl der Musik zuständig ist]. **Pro|duct|place|ment**, auch: **Pro|duct-Place|ment** [ˈprɔdʌkt-ˈpleɪsmənt] ⟨engl.⟩ *das;* -s, -s: in Film u. Fernsehen eingesetzte Werbemaßnahme, bei der das jeweilige Produkt wie beiläufig, aber erkennbar ins Bild gebracht wird. **Pro|dukt** ⟨lat.⟩ *das;* -[e]s, -e: 1. Erzeugnis, Ertrag. 2. Folge, Ergebnis [z. B. der Erziehung]. 3. Ergebnis einer Multiplikation (Math.). 4. der Teil ei-

ner Zeitung od. Zeitschrift, der in einem Arbeitsgang gedruckt wird (z. B. besteht eine Zeitung aus meist zwei bis vier Produkten, die lose ineinander gelegt sind). **Pro|duk|ti|on** ⟨lat.-fr.⟩ *die;* -, -en: 1. Herstellung von Waren u. Gütern. 2. Herstellung eines Films, einer Schallplatte, einer Hörfunk-, Fernsehsendung o. Ä. **Pro|duk|ti|ons|bri|ga|de** *die;* -, -n: ↑Brigade (3). **pro|duk|tiv:** 1. ergiebig, viel hervorbringend. 2. leistungsstark, schöpferisch, fruchtbar. **Pro|duk|ti|vi|tät** *die;* -: 1. Ergiebigkeit, Leistungsfähigkeit. 2. schöpferische Leistung, Schaffenskraft. **Pro|duk|tiv|kraft** ⟨lat.; dt.⟩ *die;* -, ...kräfte: Faktor des Produktionsprozesses (z. B. menschliche Arbeitskraft, Maschine, Rohstoff, Forschung). **Pro|dukt|ma|nage|ment** *das;* -s, -s: vor allem in der Konsumgüterindustrie übliche Betreuung der Produkte von der Entwicklung über die Produktion bis zur Einführung im Markt (Wirtsch.). **Pro|dukt|ma|na|ger** *der;* -s, -: jmd., der im Produktmanagement arbeitet. **Pro|dukt|men|ge** *die;* -, -n: Menge aller geordneten Paare, deren erstes Glied Element einer Menge *A* u. deren zweites Glied Element einer Menge *B* ist (Math.). **Pro|duk|to|graph**, auch: Produktograf *der;* -en, -en: Apparatur, Gerät, das (wie ein Fahrtenschreiber im Auto) die Produktivität (1) des Einzelnen am Arbeitsplatz misst. **Pro|dukt|pi|ra|te|rie** *die;* -: das Nachahmen von Markenprodukten, die unter dem jeweiligen Markennamen auf den Markt gebracht werden. **Pro|du|zent** ⟨lat.⟩ *der;* -en, -en: 1. jmd., der etwas produziert (1). 2. a) Leiter einer Produktion (2); b) Beschaffer u. Verwalter der Geldmittel, die für eine Produktion (2) nötig sind. 3. (in der Nahrungskette) Lebewesen, das organische Nahrung aufbaut (Biol.). **pro|du|zie|ren:** 1. [Güter] hervorbringen, erzeugen, schaffen. 2. a) die Herstellung eines Films, einer Schallplatte, einer Hörfunk-, Fernsehsendung o. Ä. leiten; b) Geldmittel zur Verfügung stellen u. verwalten. 3. (oft iron.) sich -: mit etwas die Aufmerksamkeit auf sich lenken. 4. (schweiz., sonst veraltet) [herausnehmen u.] vorzeigen, vorlegen, präsentieren

Pro|en|zym ⟨gr.-nlat.⟩ *das;* -s, -e: Vorstufe eines Enzyms

Prof ⟨lat.⟩ *der;* -s, -s: (Jargon) Kurzform von ↑Professor

pro|fan ⟨lat.; ⟩ „vor dem heiligen Bezirk liegend, ungeheiligt; gewöhnlich"): 1. weltlich, unkirchlich; ungeweiht, unheilig (Rel.); Ggs. ↑sakral (1). 2. alltäglich. **Pro|fa|na|ti|on** *die;* -, -en: ↑Profanierung; vgl. ...[at]ion/...ierung. **Pro|fan|bau** *der;* -[e]s, -ten: nicht kirchliches Bauwerk (Archit.; Kunstw.); Ggs. ↑Sakralbau. **pro|fa|nie|ren:** entweihen, entwürdigen. **Pro|fa|nie|rung** *die;* -, -en: Entweihung, Entwürdigung; vgl. ...[at]ion/ ...ierung. **Pro|fa|ni|tät** *die;* -: 1. Weltlichkeit. 2. Alltäglichkeit

pro|fa|schis|tisch ⟨lat.-nlat.⟩: sich für den Faschismus einsetzend

Pro|fer|ment ⟨lat.-nlat.⟩ *das;* -[e]s, -e: (veraltet) Vorstufe eines Ferments

¹Pro|fess ⟨lat.-mlat.⟩ *der;* -en, -en: jmd., der die ²Profess ablegt u. Mitglied eines geistlichen Ordens od. einer Kongregation wird; vgl. Novize. **²Pro|fess** *die;* -, -e: Ablegung der [Ordens]gelübde. **Pro|fes|se** ⟨lat.-mlat.⟩ *der* u. *die;* -n -n: ↑¹Profess. **Pro|fes|si|o|gramm** ⟨lat.; gr.⟩ *das;* -s, -e: durch Testreihen gewonnenes Persönlichkeitsbild als Grundlage für die Ermittlung von Berufsmöglichkeiten (speziell bei Versehrten im Zuge der Wiedereingliederung in den Arbeitsprozess; Sozialpsychol.). **Pro|fes|si|on** ⟨lat.-fr.⟩ *die;* -, -en: Beruf, Gewerbe. **pro|fes|si|o|nal:** ↑professionell. **Pro|fes|si|o|nal** [proˈfɛʃənəl] ⟨lat.-fr.-engl.⟩ *der;* -s, -s: Berufssportler; Kurzw.: Profi. **pro|fes|si|o|na|li|sie|ren:** 1. zum Beruf, zur Erwerbsquelle machen. 2. zum Beruf erheben, als Beruf anerkennen. **Pro|fes|si|o|na|lis|mus** ⟨lat.-fr.-engl.-nlat.⟩ *der;* -: Ausübung des Berufssports. **pro|fes|si|o|nell** ⟨lat.-fr.⟩: 1. (eine Tätigkeit) als Beruf ausübend, als Beruf betrieben. 2. fachmännisch, von Fachleuten zu benutzen. **pro|fes|si|o|niert:** gewerbsmäßig. **Pro|fes|si|o|nist** ⟨lat.-fr.-nlat.⟩ *der;* -en, -en: (bes. österr.) Fachmann, [gelernter] Handwerker. **Pro|fes|sor** ⟨lat.⟩ *der;* -s, ...oren: a) (ohne Plural) akademischer Titel für Hochschullehrer, Forscher, Künstler; b) Träger dieses Titels (Abk.: Prof.). **pro|fes|so-**

ral ⟨lat.-nlat.⟩: professorenhaft, würdevoll. Pro|fes|sur die; -, -en: Lehrstuhl, -amt. Pro|fi ⟨Kurzw. für: Professional⟩ der; -s, -s: 1. Berufssportler; Ggs. ↑Amateur (b). 2. jmd., der etw. professionell betreibt pro|fi|ci|a!t ⟨lat.⟩: (veraltet) wohl bekomms!; es möge nützen! Pro|fil ⟨lat.-it.(-fr.)⟩ das; -s, -e: 1. Seitenansicht [eines Gesichts]; Umriss. 2. zeichnerisch dargestellter senkrechter Schnitt durch ein Stück der Erdkruste (Geol.). 3. a) Schnitt in od. senkrecht zu einer Achse; b) Walzprofil bei Stahlerzeugung; c) Riffelung bei Gummireifen od. Schuhsohlen; d) festgelegter Querschnitt bei der Eisenbahn (Techn.). 4. a) stark ausgeprägte persönliche Eigenart, Charakter; 4. b) (Jargon) Gesamtheit von [positiven] Eigenschaften, die typisch für jmdn. od. etw. sind. 5. aus einem Gebäude hervorspringender Teil eines architektonischen Elements (z. B. eines Gesimses; Archit.). 6. (veraltend) Höhe u./od. Breite einer Durchfahrt. Pro|fil|ei|sen das; -s, -: gewalzte Stahlstangen mit besonderem Querschnitt (Walztechn.). pro|fi|lie|ren ⟨lat.-it.-fr.⟩: 1. im Profil, im Querschnitt darstellen. 2. a) einer Sache, jmdm. eine besondere, charakteristische, markante Prägung geben; b) sich -: seine Fähigkeiten [für einen bestimmten Aufgabenbereich] entwickeln u. dabei Anerkennung finden, sich einen Namen machen. 3. sich -: sich im Profil (1) abzeichnen. pro|fi-liert: 1. mit Profil (3 c) versehen, gerillt. 2. in bestimmtem Querschnitt hergestellt. 3. scharf umrissen, markant, von ausgeprägter Art. Pro|fi|lie|rung die; -: 1. Umrisse eines Gebäudeteils. 2. Entwicklung der Fähigkeiten [für einen bestimmten Aufgabenbereich], das Sichprofilieren. Pro|fil|neu|ro|se die; -, -n: Befürchtung, Angst, zu wenig zu gelten [u. die daraus resultierenden größeren Bemühungen, sich zu profilieren]. Pro|fi|lo|graph, auch: Profilograf ⟨lat.-it.; gr.⟩ der; -en, -en: Instrument zur grafischen Aufzeichnung des Profils einer Straßenoberfläche Pro|fit [auch: ...'fit] ⟨lat.-fr.-niederl.⟩ der; -[e]s, -e: 1. Nutzen, [materieller] Gewinn, den jmd. aus einer Sache od. Tätigkeit zieht. 2. Kapitalertrag (Fach-

spr.). pro|fi|ta|bel ⟨lat.-fr.⟩: Gewinn bringend. Pro|fit|cen|ter, auch: Pro|fit-Cen|ter ⟨engl.-amerik.⟩ das; -s, -: Bereich eines Unternehmens mit eigener Verantwortung für den wirtschaftlichen Erfolg. Pro|fi|teur ⟨lat.-fr.⟩ [...'tø:ɐ] der; -s, -e: (abwertend) jmd., der Profit (1) aus etwas schlägt; Nutznießer. pro|fi|tie-ren: Nutzen ziehen, Vorteil haben Pro|form ⟨lat.⟩ die; -, -en: Form, die im fortlaufenden Text für einen anderen, meist vorangehenden Ausdruck steht (z. B. „es" od. „das Fahrzeug" für „das Auto"; Sprachw.). pro for|ma: der Form wegen, zum Schein Pro|fos ⟨lat.-fr.-niederl.⟩ der; -es u. -en, -e[n]: (hist.) Verwalter der Militärgerichtsbarkeit. Pro|foss der; -en, -e[n]: ↑Profos pro|fund ⟨lat.-fr.⟩: 1. tief, tiefgründig, gründlich. 2. tief liegend, in den tieferen Körperregionen liegend, verlaufend (Med.). Pro-fun|dal ⟨gr.⟩ das; -s, -e: a) Tiefenregion der Seen unterhalb der lichtdurchfluteten Zone; b) Gesamtheit der im Profundal (a) lebenden Organismen. Pro|fun|dal-zo|ne ⟨lat.-nlat.; gr.-lat.⟩ die; -, -n: ↑Profundal (a). Pro|fun|di-tät die; -: Gründlichkeit, Tiefe pro|fus ⟨lat.⟩: reichlich, sehr stark [fließend] (Med.) pro|gam ⟨gr.-nlat.⟩: vor der Befruchtung stattfindend (z. B. von der Festlegung des Geschlechts; Med.; Biol.) Pro|ge|ne|se ⟨gr.⟩ die; -, -n: vorzeitige Geschlechtsentwicklung (Med.) Pro|ge|nie ⟨gr.-nlat.⟩ die; -, ...ien: starkes Vorspringen des Kinns, Vorstehen des Unterkiefers (Med.) Pro|ge|ni|tur ⟨lat.-nlat.⟩ die; -, -en: Nachkommenschaft Pro|ge|rie ⟨gr.-nlat.⟩ die; -: vorzeitige Vergreisung (Med.) Pro|ges|te|ron ⟨Kunstw.⟩ das; -s: Gelbkörperhormon, das die Schwangerschaftsvorgänge reguliert Pro|glot|tid* ⟨gr.-nlat.⟩ der; -en, -en: Bandwurmglied (Med.) Pro|gnath* ⟨gr.-nlat.⟩ der; -en, -en: jmd., der an Prognathie leidet (Med.). Pro|gna|thie die; -, ...ien: Vorstehen des Oberkiefers (Med.). pro|gna|thisch: die Prognathie betreffend Prog|no|se* ⟨gr.-lat.⟩ „das Vorherwissen") die; -, -n: Vorhersage einer zukünftigen Entwicklung

(z. B. eines Krankheitsverlaufes) aufgrund kritischer Beurteilung des Gegenwärtigen. Prog|nos-tik die; -: Wissenschaft, Lehre von der Prognose. Prog|nos|ti-ker ⟨gr.-lat.-engl.⟩ der; -s, -: jmd., der sich [wissenschaftlich] mit Prognosen beschäftigt, Prognosen stellt; Zukunftsdeuter. Prog-nos|ti|kon ⟨gr.⟩ u. Prog|nos|ti-kum ⟨gr.-lat.⟩ das; -s, ...ken u. ...ka: Vorzeichen, Anzeichen, das etw. über den voraussichtlichen Verlauf einer zukünftigen Entwicklung (z. B. einer Krankheit) aussagt. prog|nos|tisch: die Prognose betreffend; vorhersagend (z. B. den Verlauf einer Krankheit). prog|nos|ti|zie|ren ⟨gr.-nlat.⟩: eine Prognose über etw. stellen, den voraussichtlichen Verlauf einer zukünftigen Entwicklung vorhersagen Pro|go|no|ta|xis ⟨gr.-nlat.⟩ die; -, ...xen: (veraltet) Stammbaum einer Tierart (Zool.) Pro|gramm ⟨gr.-lat.; „schriftliche Bekanntmachung; Tagesordnung") das; -s, -e: 1. a) Gesamtheit der Veranstaltungen, Darbietungen eines Theaters, Kinos, des Fernsehens, Rundfunks o. Ä.; b) [vorgesehener] Ablauf [einer Reihe] von Darbietungen (bei einer Aufführung, einer Veranstaltung, einem Fest o. Ä.); c) vorgesehener Ablauf, nach einem Plan genau festgelegte Einzelheiten eines Vorhabens; d) festzulegende Folge, programmierbarer Ablauf von Arbeitsgängen einer Maschine (z. B. einer Waschmaschine). 2. Blatt, Heft, das über eine Darbietung (z. B. Theateraufführung, Konzert) informiert. 3. Konzeptionen, Grundsätze, die zur Erreichung eines bestimmten Zieles dienen. 4. Arbeitsanweisung od. Folge von Anweisungen für eine Anlage der elektronischen Datenverarbeitung zur Lösung einer bestimmten Aufgabe (EDV). 5. Sortiment eines bestimmten Artikels in verschiedenen Ausführungen. Pro|gramm|a|tik die; -, -en: Zielsetzung, Zielvorstellung. Pro|gramm|a|ti|ker ⟨gr.-nlat.⟩ der; -s, -: jmd., der ein Programm (3) aufstellt od. erläutert. pro|gramm|a|tisch: 1. einem Programm (3), einem Grundsatz entsprechend. 2. zielsetzend, richtungsweisend; vorbildlich. pro|gram|mie|ren: 1. nach einem Programm (3) ansetzen, im Ablauf festlegen; programmierter Unterricht: durch Programme in Form von Lehrbüchern, Karteien o.Ä. od. durch Lehrmaschinen bestimmtes Unterrichtsverfahren ohne direkte Beteiligung einer Lehrperson. 2. für elektronische Rechenanlagen ein Programm (4) aufstellen; einen Computer mit Instruktionen versehen (EDV). 3. jmdn. auf ein bestimmtes Verhalten von vornherein festlegen. **Pro|gram|mie|rer** der; -s, -: Fachmann für die Erarbeitung u. Aufstellung von Schaltungen u. Ablaufplänen elektronischer Datenverarbeitungsmaschinen. **Pro|gram|mier|sprache** die; -, -n: Symbole, die zur Formulierung von Programmen (4) für die elektronische Datenverarbeitung verwendet werden; Maschinensprache (EDV). **Program|mie|rung** die; -, -en: das Programmieren **Pro|gramm|ki|no** das; -s, -s: Kino, in dem nach bestimmten Gesichtspunkten ausgewählte Filme gezeigt werden, die in den üblichen, kommerziell geführten Kinos meist nicht od. nicht mehr zu sehen sind. **Pro|gramm|mu|sik** die; -: durch Darstellung literarischer Inhalte, seelischer, dramatischer, lyrischer od. äußerer [Natur]vorgänge die Fantasie des Hörers zu konkreten Vorstellungen anregende Instrumentalmusik; Ggs. ↑absolute (5) Musik **pro|gre|di|ent***: ↑progressiv. **Pro gre|di|enz** ⟨lat.-nlat.⟩ die; -: das Fortschreiten, zunehmende Verschlimmerung einer Krankheit. **Pro|gress** der; -es, -e: 1. Fortschritt. 2. Fortschreiten des Denkens von der Ursache zur Wirkung (Logik). **Pro|gres|si|on** die; -, -en: 1. Steigerung, Fortschreiten, Stufenfolge. 2. mathematische Reihe. 3. stufenweise Steigerung der Steuersätze. **Pro|gres|sis|mus** ⟨lat.-nlat.⟩ u. Progressivismus ⟨lat.-fr.-nlat.⟩ der; -: Fortschrittsdenken; Fortschrittlertum. **Pro|gres|sist** ⟨lat.-nlat.⟩ u. Progressivist ⟨lat.-fr.-nlat.⟩ der; -en, -en: Fortschrittler; Anhänger einer Fortschrittspartei. **pro|gres|sis|tisch:** [übertrieben] fortschrittlich. **pro|gres|siv** ⟨lat.-fr.⟩: 1. stufenweise fortschreitend, sich entwickelnd. 2. fortschrittlich; progressive Paralyse: fortschreitende, sich verschlimmernde Gehirnerweichung als Spätfolge der Syphilis (Med.). **Pro|gres-**

sive|jazz [prə'grɛsɪv'dʒæz], ⟨amerik.⟩ „fortschrittlicher Jazz"⟩ der; -, auch: **Pro|gressive Jazz** der; - -: stark effektbetonte, konzertante Entwicklungsphase des klassischen Swing, in betonter Anlehnung an tonale u. harmonische Charakteristika der gegenwärtigen europäischen Musik. **Pro|gres|si|vis|mus** vgl. Progressismus. **Pro|gres|si|vist** vgl. Progressist. **Pro|gres|siv|steu|er** die; -, -n: Steuer mit steigenden Belastungssätzen **Pro|gym|na|si|um** ⟨gr.-nlat.⟩ das; -s, ...ien: (früher) meist sechsklassiges Gymnasium ohne Oberstufe **pro|hi|bie|ren** ⟨lat.⟩: (veraltet) verhindern, verbieten. **Pro|hi|bi|ti|on** ⟨lat.⟩ die; -, -en: 1. (veraltet) Verbot, Verhinderung. 2. ⟨lat.-fr.-engl.⟩ staatliches Verbot von Alkoholherstellung u. -abgabe. **Pro|hi|bi|ti|o|nist** der; -en, -en: Anhänger der Prohibition (2). **pro|hi|bi|tiv** ⟨lat.-nlat.⟩: verhindernd, abhaltend, vorbeugend; vgl. ...iv/...orisch. **Pro|hi|bi|tiv** der; -s, -e: Modus (2) des Verbots, des. verneinte Befehlsform (Sprachw.). **Pro|hi|bi|tiv|system** das; -s, -e: Maßnahmen des Staates, durch die er die persönliche u. wirtschaftliche Freiheit beschränkt, um Missstände zu vermeiden. **Pro|hi|bi|tiv|zoll** der; -[e]s, ...zölle: besonders hoher Zoll zur Beschränkung der Einfuhr. **pro|hi|bi|to|risch** ⟨lat.⟩: ↑prohibitiv; vgl. ...iv/...orisch. **Pro|hi|bi|to|ri|um** ⟨lat.-nlat.⟩ das; -s, ...ien: (veraltet) Aus- u. Einfuhrverbot für bestimmte Waren

Pro|jekt ⟨lat.⟩ das; -[e]s, -e: Plan, Unternehmung, Entwurf, Vorhaben. **Pro|jek|tant** der; -en, -en: jmd., der neue Projekte vorbereitet; Planer. **Pro|jek|teur** [...'tø:ɐ̯] der; -s, -e: Vorplaner (Technik). **pro|jek|tie|ren** ⟨lat.⟩: entwerfen, planen, vorhaben. **Pro|jek|til** ⟨lat.-fr.⟩ das; -s, -e: Geschoss. **Pro|jek|ti|on** ⟨lat.⟩ die; -, -en: 1. Wiedergabe eines Bildes auf einen Schirm mithilfe eines Projektors (Optik). 2. Abbildung von Teilen der Erdoberfläche auf einer Ebene mithilfe von verschiedenen Gradnetzen (Geogr.). 3. bestimmtes Verfahren zur Abbildung von Körpern mithilfe paralleler od. zentraler Strahlen auf einer Ebene (Math.). 4. das

Übertragen von eigenen Gefühlen, Wünschen, Vorstellungen o.Ä. auf andere als Abwehrmechanismus (Psychol.). **Pro|jek|ti|ons|ap|pa|rat** der; -[e]s, -e: ↑Projektor. **pro|jek|tiv** ⟨lat.-nlat.⟩: die Projektion betreffend; projektive Geometrie: Geometrie der Lage von geometrischen Gebilden zueinander ohne Rücksicht auf ihre Abmessungen (Math.). **Pro|jek|tor** der; -s, ...oren: Lichtbildwerfer. **pro|ji|zie|ren** ⟨lat.⟩: 1. ein geometrisches Gebilde auf einer Fläche gesetzmäßig mithilfe von Strahlen darstellen (Math.). 2. Bilder mit einem Projektor auf einen Bildschirm werfen (Optik). 3. a) etw. auf etw. übertragen; b) Gedanken, Vorstellungen o.Ä. auf einen anderen Menschen übertragen, in diesen hineinsehen **Pro|ka|ry|on|ten** u. **Pro|ka|ry|o|ten** ⟨gr.⟩ die (Plural): Organismen, deren Zellen keinen durch eine Membran getrennten Zellkern aufweisen (Biol.); Ggs. ↑Eukaryonten **Pro|ka|tal|lep|sis** ⟨gr., „Vorwegnahme"⟩ die; -, ...lepsen: Kunstgriff der antiken Redner, die Einwendungen eines möglichen Gegners vorwegzunehmen u. zu widerlegen **Pro|kleu|s|ma|ti|kus** ⟨gr.-lat.⟩ der; -, ...zi: aus vier Kürzen bestehender antiker Versfuß **Pro|kla|ma|ti|on*** ⟨lat.-fr.⟩ die; -, -en: a) amtliche Verkündigung (z.B. einer Verfassung); b) Aufruf an die Bevölkerung; c) gemeinsame Erklärung mehrerer Staaten; vgl. ...[at]ion/...ierung. **pro|kla|mie|ren:** [durch eine Proklamation] verkündigen, erklären; aufrufen; kundgeben. **Pro|kla|mie|rung** die; -, -en: das Proklamieren; vgl. ...[at]ion/...ierung **Pro|kli|se*** ⟨gr.-nlat.⟩ u. **Pro|kli|sis** ⟨gr.⟩ die; -, ...klisen: Anlehnung eines unbetonten Wortes an ein folgendes betontes (z.B. der Tisch, am Ende); Ggs. ↑Enklise. **Pro|kli|ti|kon** das; -s, ...ka: unbetontes Wort, das sich an das folgende betonte anlehnt (z.B. B. und 's = und das Mädchen sprach; Sprachw.); Ggs. ↑Enklitikon. **pro|kli|tisch:** sich an ein folgendes betontes Wort anlehnend (Sprachw.); Ggs. ↑enklitisch **Pro|kon|sul** ⟨lat.-lat.⟩ der; -s, -n: (hist.) ehemaliger Konsul als Statthalter einer Provinz (im Römischen Reich). **Pro|kon|su|lat** das; -[e]s,

-e: Amt, Statthalterschaft eines Prokonsuls **Pro|krus|tes|bett*** ⟨nach dem Räuber der altgriech. Sage, der arglose Wanderer in ein Bett presste, indem er überstehende Gliedmaßen abhieb od. zu kurze mit Gewalt streckte⟩ *das; -[e]s:* 1. unangenehme Lage, in die jmd. mit Gewalt gezwungen wird. 2. Schema, in das etw. gezwängt wird **Prok|tal|gie*** ⟨*gr.-nlat.*⟩ *die; -,* ...ien: neuralgische Schmerzen in After u. Mastdarm (Med.). **Prok|ti|tis** *die; -,* ...iti|den: Mastdarmentzündung (Med.). **prok|to|gen:** vom Mastdarm ausgehend (Med.). **Prok|to|lo|ge** *der; -n, -n:* Facharzt auf dem Gebiet der Proktologie. **Prok|to|lo|gie** *die; -:* Wissenschaft und Lehre von den Erkrankungen des Mastdarms. **prok|to|lo|gisch:** die Proktologie betreffend, auf ihr beruhend. **Prok|to|plas|tik** *die; -, -en:* operative Bildung eines künstlichen Afters (Med.). **Prok|tor|rha|gie** *die; -,* ...ien: Mastdarmblutung (Med.). **Prok|to|spas|mus** *der; -,* ...men: Krampf in After u. Mastdarm (Med.). **Prok|tos|ta|se** *die; -, -n:* Kotstauung u. -zurückhaltung im Mastdarm (Med.). **Prok|to|to|mie** *die; -,* ...ien: operative Öffnung des Mastdarms; Mastdarmschnitt (Med.). **Prok|to|ze|le** *die; -, -n:* Mastdarmvorfall; Ausstülpung des Mastdarms aus dem After (Med.). **Pro|ku|ra** ⟨*lat.-it.*⟩ *die; -,* ...ren: Handlungsvollmacht von gesetzlich bestimmtem Umfang, die ein Vollkaufmann erteilen kann. **Pro|ku|ra|ti|on** ⟨*lat.-it.-nlat.*⟩ *die; -, -en:* 1. Stellvertretung durch Bevollmächtigte. 2. Vollmacht. **Pro|ku|ra|tor** ⟨*lat.*⟩ *der; -s,* ...oren: 1. (hist.) Statthalter einer Provinz des Römischen Reiches. 2. ⟨*lat.-it.*⟩: (hist.) einer der neun höchsten Staatsbeamten der Republik Venedig, aus denen der Doge gewählt wurde. 3. bevollmächtigter Vertreter einer Person im katholischen kirchlichen Prozess. 4. Vermögensverwalter eines Klosters. **Pro|ku|ra|zi|en** ⟨*lat.-it.*⟩ *die* (Plural): Palastbauten der Prokuratoren in Venedig. **Pro|ku|ren:** *Plural* von ↑ Prokura. **Pro|ku|rist** ⟨*lat.-it.-nlat.*⟩ *der; -en, -en:* Bevollmächtigter mit Prokura. **Pro|ku|ror** ⟨*lat.-russ.*⟩ *der; -s,* ...oren: (hist.) Staatsanwalt im zaristischen Russland

pro|la|bie|ren ⟨*lat.-nlat.*⟩: aus einer natürlichen Körperöffnung heraustreten (von Teilen innerer Organe; Med.) **Pro|lak|tin** ⟨*lat.-nlat.*⟩ *das; -s, -e:* Hormon des Hirnanhanges, das die Milchabsonderung während der Stillzeit anregt (Med.; Biol.) **Pro|la|min*** ⟨Kunstw.⟩ *das; -s, -e* (meist Plural): Eiweiß des Getreidekorns **Pro|lan** ⟨*lat.-nlat.*⟩ *das; -s, -e:* Geschlechtshormon (Med.) **Pro|laps** ⟨*lat.*⟩ *der; -es, -e* u. **Pro|lap|sus** *der; -, - [*...su:s] Vorfall, Heraustreten von Teilen eines inneren Organs aus einer natürlichen Körperöffnung infolge Bindegewebsschwäche (Med.) **Pro|le|go|me|non** [auch: ...'go...] ⟨*gr.*⟩ *das; -s,* ...mena (meist Plural): Vorwort, Einleitung, Vorbemerkung **Pro|le|p|se** ⟨*gr.-lat.*⟩ u. **Pro|le|p|sis** *die; -,* Prolepsen: 1. ↑ Prokatalepsis. 2. Vorwegnahme eines Satzgliedes, bes. des Satzgegenstandes eines Gliedsatzes (z. B.: Hast du *den Jungen* gesehen, wie er aussah?, statt: Hast du gesehen, wie *der Junge* aussah?); vgl. proleptischer Akkusativ. 3. (Philos.) a) natürlicher, durch angeborene Fähigkeit unmittelbar aus der Wahrnehmung gebildeter Begriff (Stoiker); b) Allgemeinvorstellung als Gedächtnisbild, das die Erinnerung gleichartiger Wahrnehmungen desselben Gegenstandes in sich schließt (Epikureer). **pro|le|p|tisch** ⟨*gr.*⟩: vorgreifend, vorwegnehmend; **proleptischer Akkusativ:** als Akkusativ in den Hauptsatz gezogener Satzgegenstand eines Gliedsatzes; vgl. Prolepse (2) **Pro|let** ⟨*lat.*; Kurzform von: *Prole-tarier*⟩ *der; -en, -en:* 1. (ugs. veraltet) ↑ Proletarier. 2. (ugs. abwertend) roher, ungehobelter, ungebildeter Mensch. **Pro|le|ta|ri|at** ⟨*lat.-fr.*⟩ *das; -[e]s, -e:* wirtschaftlich abhängige, besitzlose [Arbeiter]klasse. **Pro|le|ta|ri|er** ⟨*lat.*⟩ *der; -s, -:* Angehöriger des Proletariats. **pro|le|ta|risch:** den Proletarier, das Proletariat betreffend. **pro|le|ta|ri|sie|ren** ⟨*lat.-nlat.*⟩: zu Proletariern machen. **Pro|let|kult** ⟨*lat.-russ.*⟩ *der; -[e]s:* kulturrevolutionäre Bewegung im Russland der Oktoberrevolution mit dem Ziel, eine proletarische Kultur zu entwickeln **[1]Pro|li|fe|ra|ti|on** ⟨*lat.-nlat.*⟩ *die; -, -en:* Wucherung des Gewebes

durch Zellvermehrung (bei Entzündungen, Geschwülsten; Med.). **[2]Pro|li|fe|ra|tion** [prou-lıfə'reı∫ən] ⟨*lat.-fr.-engl.-amerik.*⟩ *die; -:* Weitergabe von Atomwaffen od. Mitteln zu deren Herstellung an Länder, die selbst keine Atomwaffen entwickelt haben. **pro|li|fe|ra|tiv** ⟨*lat.-nlat.*⟩: wuchernd (Med.). **pro|li|fe|rie|ren:** wuchern (Med.) **pro|lix** ⟨*lat.*⟩: (veraltet) ausführlich, weitschweifig **pro lo|co** ⟨*lat.*⟩: (veraltet) für den Platz, für die Stelle **Pro|log** ⟨*gr.-lat.*⟩ *der; -[e]s, -e:* 1. a) einleitender Teil des Dramas; Ggs. ↑ Epilog (a); b) Vorrede, Vorwort, Einleitung eines literarischen Werkes; Ggs. ↑ Epilog (b). 2. Rennen (meist Zeitfahren), das den Auftakt eines über mehrere Etappen (1 a) gehenden Radrennens bildet u. dessen Sieger bei der folgenden ersten Etappe das Trikot des Spitzenreiters trägt **Pro|lon|ga|ti|on** ⟨*lat.-nlat.*⟩ *die; -, -en:* Stundung, Verlängerung einer Kreditfrist (Wirtsch.). **Pro|lon|ge|ment** [...lõჳə'mã:] ⟨*lat.-fr.*⟩ *das; -s, -s:* dem Weiterklingen der Töne od. Akkorde (nach dem Loslassen der Tasten) dienendes Pedal bei Tasteninstrumenten (Mus.). **pro|lon|gie|ren** ⟨*lat.*⟩: stunden, eine Kreditfrist verlängern (Wirtsch.) **pro me|mo|ria** ⟨*lat.*⟩: zum Gedächtnis; Abk.: p. m. **Pro|me|mo|ria** *das; -s,* ...ien u. -s: (veraltet) Denkschrift; Merkzettel **Pro|me|na|de** ⟨*lat.-fr.*⟩ *die; -, -n:* 1. Spaziergang. 2. Spazierweg. **pro|me|nie|ren:** spazieren gehen, sich ergehen **Pro|mes|se** ⟨*lat.-fr.*⟩ „Versprechen") *die; -, -n:* Schuldverschreibung; Urkunde, in der eine Leistung versprochen wird (Rechtsw.) **pro|me|the|isch** ⟨nach Prometheus, dem Titanensohn der griech. Sage⟩: himmelstürmend; an Kraft, Gewalt, Größe alles übertreffend. **Pro|me|thi|um** ⟨*gr.-nlat.*⟩ *das; -s:* chemisches Element; Metall (Zeichen: Pm) **pro mil|le** ⟨*lat.*⟩: a) für tausend (z. B. Mark); b) vom Tausend; Abk. p. m.; Zeichen: ‰. **Pro|mil|le** *das; -[s], -:* 1. ein Teil vom Tausend, Tausendstel. 2. in Tausendstein gemessener Alkoholanteil im Blut **pro|mi|nent** ⟨*lat.*⟩: a) hervorragend, bedeutend, maßgebend; b) weithin bekannt, berühmt. **Promi|ne̱nz** *die;* -, -en: 1. (ohne Plural) Gesamtheit der prominenten Persönlichkeiten. 2. (ohne Plural) das Prominentsein; b) [hervorragende] Bedeutung. 3. (Plural) prominente Persönlichkeiten

pro|mi̱s|cue [...kuə] ⟨*lat.*⟩: vermengt, durcheinander. **promi̱sk:** ↑promiskuitiv. **Pro|misku|i|tä̱t** ⟨*lat.-nlat.*⟩ *die;* -: Geschlechtsverkehr mit verschiedenen, häufig wechselnden Partnern. **pro|mis|ku|i|ti̱v:** a) in Promiskuität lebend; b) durch Promiskuität gekennzeichnet. **pro|mis|ku|o̱s** u. **pro|mis|ku|ö̱s:** ↑promiskuitiv

Pro|mis|si̱|on ⟨*lat.*⟩ *die;* -, -en: (veraltet) Zusage, Versprechen. **pro|mis|so̱|risch** ⟨*lat.-mlat.*⟩: (veraltet) versprechend; **promissorischer Eid:** vor der Aussage geleisteter Eid (Rechtsw.). **Promis|so̱|ri|um** *das;* -s, ...ien: (veraltet) schriftliches Versprechen (Rechtsw.). **Pro|mit|te̱nt** ⟨*lat.*⟩ *der;* -en, -en: (veraltet) Versprechender (Rechtsw.). **pro|mit|ti̱eren:** (veraltet) versprechen, verheißen (Rechtsw.)

pro|mo̱|ten ⟨*engl.*⟩: für jmdn., etw. Werbung machen. **Pro|mo̱ter** [auch: prə'moʊtə] ⟨*lat.-fr.-engl.*⟩ *der;* -s, -: 1. Veranstalter (z. B. von Berufssportwettkämpfen, bes. Boxen, von Konzerten, Tourneen, Popfestivals). 2. ↑Salespromoter. **¹Pro|mo̱|ti|on** ⟨*lat.; „Beförderung"*⟩ *die;* -, -en: 1. Erlangung, Verleihung der Doktorwürde. 2. (österr.) offizielle Feier, bei der die Doktorwürde verliehen wird. **²Pro|mo̱tion** [prə'moʊʃən] ⟨*lat.-engl.*⟩ *die;* -; Absatzförderung, Werbung [durch besondere Werbemaßnahmen]. **Pro|mo̱|tor** ⟨*lat.*⟩ *der;* -s, -en: 1. Förderer, Manager. 2. (österr.) Professor, der die formelle Verleihung der Doktorwürde vornimmt. **Pro|mo|ve̱nd** *der;* -en, -en: jmd., der kurz vor seiner ↑Promotion (1) steht. **promo|vie̱|ren:** 1. a) eine Dissertation schreiben; b) die Doktorwürde erlangen. 2. die Doktorwürde verleihen

pro̱mpt ⟨*lat.-fr.*⟩: 1. unverzüglich, unmittelbar (als Reaktion auf etw.) erfolgend; umgehend, sofortig. 2. (ugs.) einer Befürchtung, Erwartung seltsamerweise genau entsprechend; tatsächlich. 3. bereit, verfügbar, lieferbar (Kaufmannsspr.). **Prompt|tu|la**

ri|um ⟨*lat.*⟩ *das;* -s, ...ien: (veraltet) Nachschlagewerk, wissenschaftlicher Abriss
Pro|mul|ga|ti|o̱n ⟨*lat.*⟩ *die;* -, -en: öffentliche Bekanntmachung, Veröffentlichung, Bekanntgabe (z. B. eines Gesetzes). **pro|mulgie̱|ren:** bekannt geben, veröffentlichen, verbreiten
Pro̱|na|os ⟨*gr.-lat.*⟩ *der;* -, ...naoi: 1. Vorhalle des altgriechischen Tempels. 2. Vorraum in der orthodoxen Kirche; vgl. Naos
Pro|na|ti|o̱n ⟨*lat.-nlat.*⟩ *die;* -, -en: Einwärtsdrehung von Hand od. Fuß (Med.)
pro ni̱|hi|lo ⟨*lat.*⟩: (veraltet) um nichts, vergeblich
Pro|no̱|men ⟨*lat.*⟩ *das;* -s, - u. ...mina: Wort, das für ein Nomen, anstelle eines Nomens steht; Fürwort (z. B. er, mein, welcher; Sprachw.). **pro|no̱mina̱l:** das Pronomen betreffend, fürwörtlich (Sprachw.). **Pro|no̱mi|na̱l|ad|jek|ti̱v** *das;* -s, -e: Adjektiv, das die Beugung eines nachfolgenden [substantivierten] Adjektivs teils wie ein Adjektiv, teils wie ein Pronomen beeinflusst (z. B. kein, viel, beide, manch; Sprachw.). **Pro|no̱mina̱l|ad|verb** *das;* -s, -ien: (aus einem alten pronominalen Stamm u. einer Präposition gebildetes) Adverb, das eine Fügung aus Präposition u. Pronomen vertritt; Umstandsfürwort (z. B. darüber für über es, über das; Sprachw.). **Pro|no̱mina̱l|satz** *der;* -es, -"-e: Satz, der die Qualität od. Quantität bezeichnet (z. B. lat. qualis = wie beschaffen; Sprachw.)
pro|non|cie|ren [pronõ'si:rən] ⟨*lat.-fr.*⟩: (veraltet) a) offen aussprechen, erklären; b) mit Nachdruck aussprechen, stark betonen. **pro|non|cie̱rt:** a) eindeutig, entschieden; b) deutlich ausgeprägt
Pro|nun|ci|a|mi̱en|to ⟨*lat.-span.*⟩ *das;* -s, -s: ↑Pronunziamento. **Pro|nun|zi|ami̱en|to** ⟨*lat.-nlat.*⟩ *der;* -, ...ien: päpstlicher Nuntius mit Kardinalswürde. **Pro|nun|zi|ame̱n|to** ⟨*lat.-it.*⟩ u. **Pro|nun|zi|ami̱en|to** ⟨*lat.-span.*⟩ *das;* -s, -s: a) Aufruf zum Sturz der Regierung; b) Militärputsch. **pro|nunzi̱g|to** ⟨*lat.-it.*⟩: deutlich markiert, hervorgehoben (Vortragsanweisung; Mus.)
Pro|ö̱|mi|on ⟨*gr.*⟩ *das;* -s, ...ia u. **Pro|ö̱|mi|um** ⟨*gr.-lat.*⟩ *das;* -s, ...ien: 1. kleinere Hymne von den altgriechischen Rhapsoden

vor einem großen Epos vorgetragen wurde. 2. in der Antike Einleitung, Vorrede zu einer Schrift
Pro|pä|de̱u|tik ⟨*gr.-nlat.*⟩ *die;* -, -en: Einführung in die Vorkenntnisse zu einem wissenschaftlichen Studium. **Pro|pä|de̱utikum** *das;* -s, ...ka: (schweiz.) medizinische Vorprüfung. **pro|päde̱u|tisch:** vorbereitend, in ein Studienfach einführend; **propädeutische Philosophie:** 1. ↑Logik (1). 2. in die Grundprobleme der Logik, Psychologie, Erkenntnistheorie u. Ethik einführender Unterricht an höheren Schulen des frühen 19. Jh.s
Pro|pa|ga̱n|da ⟨*lat.*⟩ *die;* -: 1. systematische Verbreitung politischer, weltanschaulicher o. ä. Ideen u. Meinungen [mit massiven (publizistischen) Mitteln] mit dem Ziel, das allgemeine [politische] Bewusstsein in bestimmter Weise zu beeinflussen. 2. Werbung, Reklame (bes. Wirtsch.). **Pro|pa|ga̱n|da|kongre|ga|ti|on** *die;* -: römische Kardinalskongregation zur Ausbreitung des Glaubens, die das katholische Missionswesen leitet. **Pro|pa|ga̱n|di̱st** ⟨*lat.-nlat.*⟩ *der;* -en, -en: 1. jmd., der Propaganda treibt. 2. Werbefachmann. **pro|pa| gan|di̱s|tisch:** die Propaganda betreffend, auf Propaganda beruhend. **Pro|pa|ga̱tion** ⟨*lat.*⟩ *die;* -, -en: Vermehrung, Fortpflanzung der Lebewesen (Biol.). **Pro|pa|ga̱tor** ⟨*lat.*⟩ *der;* -s, ...oren: jmd., der etw. propagiert, sich für etw. einsetzt. **propa|gie̱|ren:** verbreiten, für etwas Propaganda treiben, werben
Pro̱|pan ⟨*gr.-nlat.*⟩ *das;* -s: gesättigter Kohlenwasserstoff, der bes. als Brenngas verwendet wird. **Pro̱|pa|non** *das;* -s: ↑Aceton
Pro|pa|ro|xy|to̱no̱n* ⟨*gr.*⟩ *das;* -s, ...tona: in der griechischen Betonungslehre Wort, das den Akut auf der drittletzten Silbe trägt (z. B. gr. ἀνάλυσις = Analyse)
pro pa̱tria* ⟨*lat.*⟩: für das Vaterland
Pro|pe̱l|ler ⟨*lat.-engl.*; „Antreiber"⟩ *der;* -s, -: Antriebsschraube bei Schiffen, Flugzeugen u. Ä.
Pro|pe̱m|pti|kon ⟨*gr.*⟩ *das;* -s, ...ka: in der Antike Geleitgedicht für einen Abreisenden im Unterschied zum ↑Apopemptikon
Pro̱|pen ⟨*gr.-nlat.*⟩ *das;* -s: ↑Propylen
pro̱|per ⟨*lat.-fr.*⟩: a) durch eine

saubere, gepflegte, ordentliche äußere Erscheinung ansprechend, einen erfreulichen Anblick bietend; b) ordentlich u. sauber [gehalten]; c) sorgfältig, solide ausgeführt, gearbeitet **Pro|per|din** ⟨Kunstw.⟩ *das;* -s: Bakterien auflösender Bestandteil des Blutserums **Pro|per|ge|schäft** *das;* -[e]s, -e: Geschäft, Handel auf eigene Rechnung u. Gefahr; Eigengeschäft (Wirtsch.) **Pro|pe|ris|po|me|non*** ⟨*gr.*⟩ *das;* -s, ...mena: in der griechischen Betonungslehre Wort mit dem Zirkumflex auf der vorletzten Silbe (z. B. *gr.* δῶρον Geschenk); vgl. Perispomenon **Pro|pha|se** ⟨*gr.;* „das Vorscheinenlassen"⟩ *die;* -, -n: erste Phase der Kernteilung, in der die Chromosomen sichtbar werden (Biol.) **Pro|phet** ⟨*gr.-lat.*⟩ *der;* -en, -en: 1. jmd., der sich von Gott berufen fühlt als Mahner u. Weissager die göttliche Wahrheit zu verkünden (bes. im A. T. u. als Bezeichnung Mohammeds). 2. (meist Plural) prophetisches Buch des Alten Testaments. **Pro|phe|tie** *die;* -, ...ien: Weissagung, Prophezeiung; Voraussage (durch einen Propheten). **pro|phe|tisch:** 1. von einem Propheten (1) stammend, zu ihm gehörend. 2. eine intuitive Prophezeiung enthaltend. **pro|phe|zei|en:** weissagen; voraussagen **Pro|phy|lak|ti|kum** ⟨*gr.-nlat.*⟩ *das;* -s, ...ka: vorbeugendes Mittel (Med.). **pro|phy|lak|tisch** ⟨„verwahrend, schützend"⟩: vorbeugend, verhütend, vor einer Erkrankung (z. B. Erkältung, Grippe) schützend (Med.). **Pro|phy|la|xe** ⟨*gr.*⟩ *die;* -, -n u. **Pro|phy|la|xis** *die;* -, ...laxen: Vorbeugung, vorbeugende Maßnahme; Verhütung von Krankheiten (Med.) **Pro|pi|on|säu|re** ⟨*gr.;* dt.⟩ *die;* -: farblose, stechend riechende organische Säure, die z. B. zur Herstellung von Arzneimitteln verwendet wird **Pro|po|lis** ⟨*gr.*⟩ *die;* -: Vorwachs (Baustoff der Bienenwaben) **Pro|po|nent** ⟨*lat.*⟩ *der;* -en, -en: Antragsteller. **pro|po|nie|ren:** vorschlagen, beantragen **Pro|por|ti|on** ⟨*lat.*⟩ *die;* -, -en: 1. Größenverhältnis; rechtes Maß; Eben-, Gleichmaß. 2. Takt- u. Zeitmaßbestimmung der Mensuralmusik (Mus.). 3. Verhältnisgleichung (Math.). **pro|por|ti|o-**

nal: verhältnisgleich, in gleichem Verhältnis stehend; angemessen, entsprechend; **proportionale Konjunktion:** Bindewort, das in Verbindung mit einem anderen ein gleich bleibendes Verhältnis ausdrückt (z. B. je [desto]). **Pro|por|ti|o|na|le** *die;* -, -n: Glied einer Verhältnisgleichung (Math.). **Pro|por|ti|o|na|li|tät** *die;* -, -en: Verhältnismäßigkeit, richtiges Verhältnis. **Pro|por|ti|o|nal|satz** *der;* -es, ...sätze: zusammengesetzter Satz, in dem sich der Grad od. die Intensität des Verhaltens im Hauptsatz mit der im Gliedsatz gleichmäßig ändert (z. B. je älter er wird, desto bescheidener wird er; Sprachw.). **Pro|por|ti|o|nal|wahl** *die;* -, -en: Verhältniswahl. **pro|por|ti|o-niert** ⟨*lat.-mlat.*⟩: in einem bestimmten Maßverhältnis stehend; ebenmäßig, wohlgebaut. **Pro|porz** (Kurzw. aus: Proportionalwahl) *der;* -es, -e: 1. Verteilung von Sitzen u. Ämtern nach dem Verhältnis der abgegebenen Stimmen bzw. der Partei-, Konfessionszugehörigkeit o. Ä. 2. (österr. u. schweiz.) Verhältniswahl[system] **Pro|po|si|ta:** *Plural* von ↑ Propositum. **Pro|po|si|tio** ⟨*lat.*⟩ *die;* -, ...iones [...ne:s]: Satz, Urteil (Philos.); **Propositio maior:** Obersatz (im ↑ Syllogismus); **Propositio minor:** Untersatz (im ↑ Syllogismus). **Pro|po|si|ti|on** *die;* -, -en: 1. (veraltet) Vorschlag, Antrag. 2. Ankündigung des Themas (antike Rhet.; Stilk.). 3. Satz als Informationseinheit (nicht im Hinblick auf seine grammatische Form; Sprachw.). 4. Ausschreibung bei Pferderennen. **pro|po|si|ti|o-nal:** den Satz als Informationseinheit, die Proposition (3) betreffend (Sprachw.). **Pro|po|situm** *das;* -s, ...ta: (veraltet) Äußerung, Rede. **Pro|pos|ta** ⟨*lat.-it.*⟩ *die;* -, ...sten: Vordersatz, die beginnende Stimme eines Kanons (Mus.); Ggs. ↑ Risposta **Pro|prä|tor** ⟨*lat.*⟩ *der;* -s, ...oren (hist.) ehemaliger Prätor als Statthalter einer Provinz (im Römischen Reich) **pro|pre*:** ↑ proper. **Prop|re|geschäft** *das;* -[e]s, -e: ↑ Propergeschäft. **Prop|re|tät** ⟨*lat.-fr.*⟩ *die;* -: (landsch.) Sauberkeit, Reinlichkeit. **zum Eigennamen machen** (Sprachw.). **prop|rie** [...prie] ⟨*lat.*⟩: (veraltet) eigentlich. **Prop-**

ri|e|tär ⟨*lat.-fr.*⟩ *der;* -s, -e: Eigentümer. **Prop|ri|e|tät** *die;* -, -en: (veraltet) Eigentum[srecht] (Rechtsw.) **pro pri|mo** ⟨*lat.*⟩: (veraltet) zuerst **prop|rio mo|tu*** ⟨*lat.*⟩: aus eigenem Antrieb. **prop|ri|o|zep|tiv:** Wahrnehmungen aus dem eigenen Körper vermittelnd (z. B. aus Muskeln, Sehnen, Gelenken; Psychol.; Med.); Ggs. ↑ exterozeptiv. **Prop|ri|um** („das Eigene") *das;* -s: 1. das Selbst, das Ich; Identität, Selbstgefühl (Psychol.). 2. wechselnde Texte u. Gesänge der katholischen Messe; **Proprium de Tempore:** nach den Erfordernissen des Kirchenjahres wechselnde Teile der Messliturgie u. des Breviers (1 a); **Proprium Sanctorum:** nach den Heiligenfesten wechselnde Texte **Pro|pul|si|on** ⟨*lat.-nlat.*⟩ *die;* -, -en: 1. (veraltet) das Vorwärts-, Forttreiben. 2. Gehstörung mit Neigung zum Vorwärtsfallen bzw. Verlust der Fähigkeit, die Bewegung innezuhalten (bei ↑ Paralysis agitans; Med.). **pro|pul|siv:** 1. (veraltet) vorwärts-, forttreibend. 2. die Propulsion (2) betreffend, auf ihr beruhend, für sie charakteristisch (Med.) **Pro|pusk** [auch: 'pro..., pro'pusk] ⟨*russ.*⟩ *der;* -s, -e: russ. Bez. für: Passierschein, Ausweis **Pro|py|lä|en** ⟨*gr.-lat.*⟩ *die* (Plural): 1. Vorhalle griechischer Tempel. 2. Zugang, Eingang **Pro|py|len** ⟨*gr.-nlat.*⟩ *das;* -s: gasförmiger, ungesättigter Kohlenwasserstoff, technisch wichtiger Ausgangsstoff für andere Stoffe **Pro|py|lit** [auch: ...'lɪt] *der;* -s, -e: durch Thermalwässer umgewandelter ↑ Andesit in der Nähe von Erzlagerstätten **pro ra|ta [par|te]** ⟨*lat.*⟩: verhältnismäßig, dem vereinbarten Anteil entsprechend; Abk.: p. r. (Wirtsch.). **pro ra|ta tem|po|ris:** anteilmäßig auf einen bestimmten Zeitablauf bezogen; Abk.: p. r. t. (Wirtsch.) **Pro|rek|tor** ⟨*lat.-nlat.*⟩ *der;* -s, -en (auch: ...oren): Stellvertreter des amtierenden Rektors an Hochschulen. **Pro|rek|to|rat** *das;* -[e]s, -e: 1. Amt u. Würde eines Prorektors. 2. Dienstzimmer eines Prorektors **Pro|ro|ga|ti|on** ⟨*lat.*⟩ *die;* -, -en: 1. (veraltet) Aufschub, Vertagung. 2. stillschweigende od. ausdrückliche Anerkennung (von Seiten beider Prozessparteien) eines für eine Rechtssache an sich nicht zuständige Gerichts erster Instanz (Rechtsw.). pro|rogaltiv: (veraltet) aufschiebend, vertagend. pro|rolgie|ren: 1. (veraltet) aufschieben, vertagen. 2. eine Prorogation (2) vereinbaren (Rechtsw.). Pro|sa ⟨lat.; „geradeaus gerichtete (= schlichte) Rede“⟩ die; -: 1. Rede od. Schrift in ungebundener Form im Gegensatz zur Poesie (1). 2. Nüchternheit, nüchterne Sachlichkeit. 3. geistliches Lied des frühen Mittelalters. Pro|sa|i|ker der; -s, -: 1. ↑ Prosaist. 2. Mensch von nüchterner Geistesart. pro|sa|isch: 1. in Prosa (1) [abgefasst]. 2. sachlichnüchtern, trocken, ohne Fantasie. Pro|sa|ist ⟨lat.-nlat.⟩ der; -en, -en: Prosa schreibender Schriftsteller. pro|sa|is|tisch: frei von romantischen Gefühlswerten, sachlich-nüchtern be richtend

Pro|sec|co ⟨it.⟩ der; -[s], -s (aber: 3 -): italienischer Schaum-, Perlod. Weißwein

Pro|sek|tor ⟨lat.⟩ der; -s, ...oren: (Med.) 1. Arzt, der Sektionen (2) durchführt. 2. Leiter der pathologischen Abteilung eines Krankenhauses. Pro|sek|tur ⟨lat.-nlat.⟩ die; -, -en: Abteilung eines Krankenhauses, in der Sektionen (2) durchgeführt werden (Med.)

Pro|se|ku|ti|on ⟨lat.⟩ die; -, -en: gerichtliche Verfolgung, Belangung (Rechtsw.). Pro|se|ku|tiv ⟨lat.-nlat.⟩ der; -s, -e: Kasus der räumlichen od. zeitlichen Erstreckung, bes. in den finnisch-ugrischen Sprachen (Sprachw.). Pro|se|ku|tor ⟨lat.-mlat.⟩ der; -s, ...oren: Verfolger, Ankläger (Rechtsw.)

Pro|se|lyt ⟨lat.-lat.; „hinzugekommen“⟩ der; -en, -en: Neubekehrter, im Altertum bes. zur Religion Israels übergetretener Heide; Proselyten machen: (abwertend) Personen für einen Glauben od. eine Anschauung durch aufdringliche Werbung gewinnen. Pro|se|ly|ten|ma|che|rei die; -: (abwertend) aufdringliche Werbung für einen Glauben od. eine Anschauung

Pro|se|mi|nar ⟨lat.-nlat.⟩ das; -s, -e: einführende Übung [für Studienanfänger] an der Hochschule

Pro|sen|chym* ⟨gr.-nlat.⟩ das; -s, -e: Verband aus stark gestreckten, zugespitzten faserähnlichen

Zellen des ↑ Parenchyms (1), eine Grundform des pflanzlichen Gewebes (Biol.). pro|sen|chy|ma|tisch: aus Prosenchym bestehend; in die Länge gestreckt, zugespitzt u. faserähnlich (von Zellen, die hauptsächlich in den Grundgeweben der Pflanzen vorkommen; Biol.)

Pro|si|met|rum* ⟨lat.; gr.-lat.⟩ das; -s, ...tra: Mischung von Prosa u. Vers in literarischen Werken der Antike

pro|sit! u. prost! ⟨lat.⟩: wohl bekomms!; zum Wohl! Pro|sit das; -s, -s u. Prost das; -[e]s, -e: Zutrunk

Pro|ske|ni|on⟨gr.⟩ das; -, ...nia: griechische Form von: Proszenium

pro|skri|bie|ren* ⟨lat.⟩: ächten, verbannen. Pro|skrip|ti|on die; -, -en: 1. Ächtung [politischer Gegner]. 2. (hist.) öffentliche Bekanntmachung der Namen der Geächteten im alten Rom

Pros|ky|ne|se ⟨gr.⟩ u. Pros|ky|ne|sis die; -, ...nesen: demütige Kniebeugung, Fußfall vor einem Herrscher od. vor einem religiösen Weihegegenstand, auch bei bestimmten kirchlichen Handlungen

Pro|so|dem* ⟨gr.-nlat.⟩ das; -s, -e: prosodisches (suprasegmentales) Merkmal (Sprachw.). Pro|so|dia*: Plural von ↑ Prosodion. Pro|so|di|a|kus ⟨gr.-lat.⟩ der; -, ...zi: bes. in der Prosodia gebrauchter altgriechischer Vers Pro|so|die* ⟨gr.-lat.⟩ die; -, ...ien u. Pro|so|dik ⟨gr.⟩ die; -, -en: 1. in der antiken Metrik die Lehre von der Tonhöhe u. der Quantität der Silben, Silbenmessungslehre. 2. Lehre von der metrisch rhythmischen Behandlung der Sprache Pro|so|di|on* ⟨gr.⟩ das; -s, ...dia: im Chor gesungenes altgriechisches Prozessionslied pro|so|disch* ⟨gr.-lat.⟩: die Prosodie betreffend, die Silben messend

Pro|so|don|tie* ⟨gr.-nlat.⟩ die; -, ...ien: schräges Vorstehen der Zähne (Med.)

Pro|so|pal|gie* ⟨gr.-nlat.⟩ die; -, ...ien: Gesichtsschmerzen im Bereich des ↑ Trigeminus (Med.).

Pro|so|po|gra|phie, auch: Prosopographie die; -, ...ien: nach der Buchstabenfolge geordnetes Verzeichnis aller einem bestimmten Lebensstatus angehörenden Personen mit Quellenangaben. Pro|so|po|lep|sie die; -: Charakterdeutung aus dem Ge

sichtszügen. Pro|so|po|ple|gie die; -, ...jen: Lähmung der mimischen Muskulatur des Gesichts; Fazialislähmung (Med.). Pro|so|po|pö|ie die; -, ...jen: ↑ Personifikation. Pro|so|pos|chi|sis [...sçi:...] die; -, ...isen: angeborene Missbildung, bei der die beiden Gesichtshälften durch einen Spalt getrennt sind (Med.)

Pros|pekt* ⟨lat.; „Hinblick; Aussicht“⟩ der; -[e]s, -e: 1. meist mit Bildern ausgestattete Werbeschrift. 2. Preisliste. 3. Vorderansicht der Orgel. 4. [gemalter] Bühnenhintergrund, Bühnenhimmel, Rundhorizont (Theater). 5. perspektivisch stark verkürzte Ansicht einer Stadt od. Landschaft als Gemälde, Zeichnung od. Kupferstich (Kunst). 6. russ. Bez. für: große, lang gestreckte Straße. 7. allgemeine Darlegung der Lage eines Unternehmens bei geplanter Inanspruchnahme des Kapitalmarktes (Wirtsch.). pros|pek|tie|ren: Lagerstätten nutzbarer Mineralien durch geologische Beobachtung o. Ä. ausfindig machen, erkunden, untersuchen (Bergwesen). Pros|pek|tie|rung ⟨lat.-nlat.⟩ die; -, -en: 1. Erkundung nutzbarer Bodenschätze (Bergwesen). 2. ↑ Prospektion (2). 3. Herausgabe des Lageberichts einer Unternehmung einer Wertpapieremission (Wirtsch.); vgl. ...[at]ion/...ierung. Prospek|ti|on die; -, -en: 1. das Erkunden (Bergwesen). 2. Drucksachenwerbung mit Prospekten (1); vgl. ...[at]ion/...ierung. pros|pek|tiv ⟨lat.⟩: a) der Aussicht, Möglichkeit nach; vorausschauend; b) die Weiterentwicklung betreffend; prospektive Konjunktiv: in der griechischen Sprache Konjunktiv der möglichen od. erwogenen Verwirklichung (Sprachw.). Pros|pek|tor ⟨lat.-engl.⟩ der; -s, ...oren: Gold-, Erzschürfer (Bergw.)

pros|pe|rie|ren* ⟨lat.-fr.⟩: gedeihen, vorankommen, gut gehen. Pros|pe|ri|tät die; -: Wohlstand, Blüte, Periode allgemeinen wirtschaftlichen Aufschwungs

Pro|sper|mie ⟨gr.-nlat.⟩ die; -, ...jen: vorzeitiger Samenerguss (Med.)

pro|spi|zie|ren* ⟨lat.⟩: voraussehen, Vorsichtsmaßregeln treffen prost! usw. vgl. prosit! usw.

Pros|tag|lan|di|ne* ⟨Kunstw. aus Prostata u. Glans⟩ die (Plural): hormonähnliche Stoffe mit gefäßerweiternder u. die Wehen auslösender Wirkung (Pharm.; Med.). **Pros|ta|ta** ⟨gr.-nlat.⟩ die; -, ...tae [...te]: walnussgroßes Anhangsorgan der männlichen Geschlechtsorgane, das den Anfangsteil der Harnröhre umgibt, Vorsteherdrüse (Med.). **Pros|ta|ta|hy|per|tro|phie** die; -, -n: (altersbedingte) übermäßige Vergrößerung der Prostata. **Pros|ta|tek|to|mie** die; -, ...ien: operative Entfernung von Prostatawucherungen od. der Prostata selbst (Med.). **Pros|ta|ti|ker** der; -s, -: jmd., der an einer Vergrößerung der Prostata leidet (Med.). **Pros|ta|ti|tis** die; -, ...iti|den: Entzündung der Prostata (Med.)

Pros|ter|na|ti|on* ⟨lat.-mlat.⟩ die; -, -en: lat. Bez. für ↑ Proskynese.

pros|ter|nie|ren ⟨lat.⟩: sich (zum Fußfall) niederwerfen

Pros|the|se u. **Pros|the|sis** ⟨gr.-lat.⟩ die; -, ...thesen: ↑ Prothese (2). **pros|the|tisch**: angesetzt, angefügt

pros|ti|tu|ie|ren* ⟨lat.(-fr.)⟩: 1. herabwürdigen, öffentlich preisgeben, bloßstellen. 2. sich -: sich gewerbsmäßig für sexuelle Zwecke zur Verfügung stellen. **Pros|ti|tu|ier|te** die; -n, -n: weibliche Person, die sich prostituiert. **Pros|ti|tu|ti|on** ⟨lat.-fr.⟩ die; -: 1. gewerbsmäßige Ausübung sexueller Handlungen. 2. (selten) Herabwürdigung, öffentliche Preisgabe, Bloßstellung. **pros|ti|tu|tiv**: die Prostitution betreffend

Prost|ra|ti|on* ⟨lat.⟩ die; -, -en: 1. liturgisches Sichhinstrecken auf den Boden (z. B. bei den katholischen höheren Weihen u. bei der Einkleidung in eine geistliche Ordenstracht). 2. hochgradige Erschöpfung im Verlauf einer schweren Krankheit (Med.)

Pros|ty|los* ⟨gr.-lat.⟩ der; -, ...oi: griechischer Tempel mit einer Säulenvorhalle

Pro|syl|lo|gis|mus ⟨gr.-nlat.⟩ der; -, ...men: Schluss einer Schlusskette, dessen Schlusssatz die ↑ Prämisse des folgenden Schlusses ist; Vorschluss (Logik). **pro|syl|lo|gis|tisch**: von einem Schluss zum Vorschluss zurückgehend (Logik)

Pro|sze|ni|um* ⟨gr.-lat.⟩ das; -s, ...ien: 1. im antiken Theater Platz vor der ↑ Skene. 2. Raum zwischen Vorhang u. Rampe einer Bühne; Ggs. ↑ Postszenium

Pro|tac|ti|ni|um* ⟨gr.-nlat.⟩ das; -s: radioaktives chem. Element;

ein Metall (Zeichen: Pa). **Pro|ta|go|nist** ⟨gr.⟩ der; -en, -en: 1. Hauptdarsteller, erster Schauspieler im altgriechischen Drama; vgl. Deuteragonist u. Tritagonist. 2. a) zentrale Gestalt, wichtigste Person; b) Vorkämpfer. **Pro|tal|min** ⟨gr.-nlat.⟩ das; -s, -e: einfacher, schwefelfreier Eiweißkörper (Chem.). **Pro|tand|rie** die; -: das Reifwerden der männlichen Geschlechtsprodukte zwittriger Tiere od. Pflanzen vor den weiblichen (zur Verhinderung von Selbstbefruchtung; Bot.); Ggs. ↑ Protogynie. **pro|tand|risch**: die Protandrie betreffend. **Pro|ta|no|pie** die; -, ...ien: Form der Farbenblindheit, bei der rote Farben nicht wahrgenommen werden können; Rotblindheit (Med.)

Pro|ta|sis ⟨gr.-lat.⟩ die; -, ...tasen: 1. Vordersatz, bes. bedingender Gliedsatz eines Konditionalsatzes (Sprachw.); Ggs. ↑ Apodosis. 2. der ↑ Epitasis vorangehende Einleitung eines dreiaktigen Dramas

Pro|te|a|se ⟨gr.-nlat.⟩ die; -: Eiweiß spaltendes ↑ Enzym

Pro|te|gé [...te'ʒe:] ⟨lat.-fr.⟩ der; -s, -s: jmd., der protegiert wird; Günstling, Schützling. **pro|te|gie|ren** [...'ʒi:...]: begünstigen, fördern, bevorzugen

Pro|te|id ⟨gr.-nlat.⟩ das; -[e]s, -e: mit anderen chemischen Verbindungen zusammengesetzter Eiweißkörper (Chem.). **Pro|te|in** das; -s, -e: nur aus Aminosäuren aufgebauter einfacher Eiweißkörper (Chem.). **Pro|te|i|na|se** die; -, -n: im Verdauungstrakt vorkommendes Enzym, das Proteine bis zu ↑ Polypeptiden abbaut (Chem.)

pro|te|isch ⟨gr.-nlat.⟩: in der Art eines ↑ Proteus (1), wandelbar, unzuverlässig

Pro|tek|ti|on ⟨lat.-fr.⟩ die; -, -en: Gönnerschaft, Förderung, Begünstigung, Bevorzugung. **Pro|tek|ti|o|nis|mus** ⟨lat.-fr.-nlat.⟩ der; -: Schutz der einheimischen Produktion gegen die Konkurrenz des Auslandes durch Maßnahmen der Außenhandelspolitik (Wirtsch.). **Pro|tek|ti|o|nist** der; -en, -en: Anhänger des Protektionismus. **pro|tek|ti|o|nis|tisch**: den Protektionismus betreffend, in der Art des Protektionismus. **Pro|tek|tor** ⟨lat.⟩ der; -s, ...oren: 1. a) Beschützer, Förderer; b) Schutz-, Schirmherr; Ehrenvorsitzender. 2. mit Profil

versehene Lauffläche des Autoreifens. **Pro|tek|to|rat** ⟨lat.-nlat.⟩ das; -[e]s, -e: 1. Schirmherrschaft. 2. a) Schutzherrschaft eines Staates über ein fremdes Gebiet; b) unter Schutzherrschaft eines anderen Staates stehendes Gebiet

pro tem|po|re ⟨lat.⟩: vorläufig, für jetzt; Abk.: p. t.

Pro|te|o|hor|mon ⟨gr.-nlat.⟩ das; -s, -e: Hormon vom Charakter eines Proteins od. Proteids (Biol.). **Pro|te|o|ly|se** die; -: Aufspaltung von Eiweißkörpern in Aminosäuren (Chem.). **pro|te|o|ly|tisch**: Eiweiß verdauend (Med.). **Pro|ter|and|rie*** usw. vgl. Protandrie usw. **pro|te|ro|gyn** usw. vgl. protogyn usw. **Pro|te|ro|zo|i|kum** das; -s: ↑ Archäozoikum

Pro|test ⟨lat.-it.⟩ der; -[e]s, -e: 1. meist spontane u. temperamentvolle Bekundung des Missfallens, des Nichteinverstandenseins. 2. (Rechtsw.) a) amtliche Beurkundung über Annahmeverweigerung bei Wechseln, über Zahlungsverweigerung bei Wechseln od. Schecks; b) früher in der DDR Rechtsmittel des Staatsanwalts gegen ein Urteil des Kreisgerichts od. ein durch die erste Instanz ergangenes Urteil des Bezirksgerichts; c) bestimmte Art der ↑ Demarche als Mittel zur Wahrung u. Einhaltung von Rechten im zwischenstaatlichen Bereich (Völkerrecht). **Pro|tes|tant** ⟨lat.⟩ der; -en, -en: 1. Angehöriger einer den Protestantismus vertretenden Kirche. 2. jmd., der gegen etwas protestiert (1). **pro|tes|tan|tisch**: zum Protestantismus gehörend, ihn vertretend (Abk.: prot.). **pro|tes|tan|ti|sie|ren**: (früher) protestantisch machen, für die protestantische Kirche gewinnen. **Pro|tes|tan|tis|mus** ⟨nlat.⟩: nach der feierlichen Protestation der evangelischen Reichsstände auf dem Reichstag zu Speyer 1529) der -: aus der kirchlichen Reformation des 16. Jh.s hervorgegangene Glaubensbewegung, der die verschiedenen evangelischen Kirchengemeinschaften umfasst. **Pro|tes|ta|ti|on** die; -, -en: Missfallensbekundung, Protest. **pro|tes|tie|ren** ⟨lat.-fr.⟩: 1. a) Protest (1) einlegen; b) eine Behauptung, Forderung, einen Vorschlag o. Ä. als unzutreffend, unpassend zurückweisen; widersprechen. 2. die Annahme, Zahlung eines Wechsels verweigern (Rechtsw.). **Pro|test|no|te** *die;* -, -n: offizielle Beschwerde, schriftlicher Einspruch einer Regierung bei der Regierung eines anderen Staates gegen einen Übergriff (Pol.). **Pro|test|song** *der;* -s, -s: soziale, gesellschaftliche, politische Verhältnisse kritisierender ↑ Song (1) **Pro|teus** ⟨*gr.-lat.;* nach dem griech. Meergott⟩ *der;* -, -: 1. wandelbarer, wetterwendischer Mensch. 2. Olm (Schwanzlurch) **Prot|evan|ge|li|um** u. Protoevangelium ⟨*gr.-lat.*⟩ *das;* -s: als erste Verkündigung des Erlösers aufgefasste Stelle im A. T. (1. Mose 3, 15) **Pro|thal|li|um** ⟨*gr.-nlat.*⟩ *das;* -s, ...ien: Vorkeim der Farnpflanzen (Bot.) **Pro|the|se** ⟨*gr.*⟩ *die;* -, -n: 1. künstlicher Ersatz eines amputierten, fehlenden Körperteils, bes. der Gliedmaßen od. der Zähne. 2. Bildung eines neuen Lautes (bes. eines Vokals) od. einer neuen Silbe am Wortanfang (z. B. lat. stella: span. estella; Sprachw.). **Pro|the|tik** *die;* -: Wissenschaft, Lehre vom Kunstgliederbau (Med.). **pro|the|tisch:** 1. die Prothetik betreffend (Med.). 2. die Prothese (2) betreffend, auf ihr beruhend **Pro|tist** ⟨*gr.-nlat.*⟩ *der;* -en, -en (meist Plural): einzelliges Lebewesen (Biol.). **Pro|ti|um** *das;* -s: leichter Wasserstoff, Wasserstoffisotop; vgl. Isotop. **Pro|to|bi|ont** ⟨*gr.-nlat.*⟩ *der;* -en, -en (meist Plural): erste im Verlauf der Evolution entstandene Zelle mit der Fähigkeit zur Selbstvermehrung. **Pro|to|evan|ge|li|um** vgl. Protevangelium. **pro|to|gen** ⟨*gr.-nlat.*⟩: am Fundort entstanden (von Erzlagerstätten; Geol.). **pro|to|gyn:** die Protogynie betreffend. **Pro|to|gy|nie** *die;* -: das Reifwerden der weiblichen Geschlechtsprodukte zwittriger Tiere u. Pflanzen vor den männlichen Geschlechtsprodukten (Bot.); Ggs. ↑ Protandrie. **Pro|to|koll** ⟨*gr.-mgr.-mlat.*⟩ *das;* -s, -e: 1. a) förmliche Niederschrift, Beurkundung einer Aussage, Verhandlung o. Ä.; b) schriftliche Zusammenfassung der wesentlichen Ergebnisse einer Sitzung; c) genauer schriftlicher Bericht über Verlauf u. Ergebnis eines Versuchs, Heilverfahrens

o. Ä. 2. die Gesamtheit der im diplomatischen Verkehr gebräuchlichen Formen. **Pro|to|kol|lant** *der;* -en, -en: jmd., der etwas protokolliert; Schriftführer. **pro|to|kol|la|risch** ⟨*gr.-mgr.-mlat.-nlat.*⟩: 1. a) in der Form eines Protokolls (1); b) im Protokoll (1) festgehalten, aufgrund des Protokolls. 2. dem Protokoll (2) entsprechend. **pro|to|kol|lie|ren** ⟨*gr.-mgr.-mlat.*⟩: bei einer Sitzung o. Ä. die wesentlichen Punkte schriftlich festhalten; ein Protokoll aufnehmen; beurkunden. **Pro|ton** ⟨*gr.-nlat.*⟩ *das;* -s, ...onen: positiv geladenes, schweres Elementarteilchen, das den Wasserstoffatomkern bildet u. mit dem Neutron zusammen Baustein aller Atomkerne ist (Zeichen: p). **Pro|to|nen|syn|chrot|ron*** *das;* -s, -e: Beschleuniger für Protonen; Protonenbeschleuniger **Pro|to|no|tar** ⟨*gr.; lat.*⟩ *der;* -s, -e: 1. Notar der päpstlichen Kanzlei. 2. (ohne Plural) Ehrentitel geistlicher Würdenträger. **Pro|ton Pseu|dos** ⟨*gr.;* „die erste Lüge"⟩ *das;* -, -: 1. erste falsche ↑ Prämisse eines ↑ Syllogismus, durch die der ganze Schluss falsch wird (Philos.). 2. falsche Voraussetzung, aus der andere Irrtümer gefolgert werden. **Pro|to|phy|te** ⟨*gr.-nlat.*⟩ *die;* -, -n u. **Pro|to|phy|ton** *das;* -s, ...yten (meist Plural): einzellige Pflanze. **Pro|to|plas|ma** ⟨*gr.-nlat.*⟩ *das;* -s: Lebenssubstanz aller pflanzlichen, tierischen u. menschlichen Zellen. **pro|to|plas|ma|tisch:** aus Protoplasma bestehend, zum Protoplasma gehörend. **Pro|to|plast** *der;* -en, -en: 1. Zellleib der Pflanzenzelle mit Zellkern, Zellplasma u. ↑ Plastiden (im Gegensatz zur unbelebten Zellwand). 2. (nur Plural) Adam u. Eva als die erstgeschaffenen Menschenwesen (Theol.). **Pro|to|re|nais|sance** *die;* -: Vorrenaissance (in Bezug auf die Übernahme antiker [Bau]formen im 12. u. 13. Jh. in Italien u. Südfrankreich). **Pro|tos** ⟨*gr.*⟩ *der;* -: erster (dorischer) Kirchenton (Mus.). **Pro|to|typ** ⟨*gr.-lat.*⟩ *der;* -s, -en: 1. Urbild, Muster, Inbegriff; Ggs. ↑ Ektypus. 2. erster Abdruck. 3. erste Ausführung eines Flugzeugs, Autos, einer Maschine nach den Entwürfen zur praktischen Erprobung und Weiterentwicklung. 4. Rennwagen einer bestimmten Kategorie und Grup-

pe, der nur in Einzelstücken gefertigt wird. **pro|to|ty|pisch** ⟨*gr.-nlat.*⟩: den ↑ Prototyp (1) betreffend, in der Art eines Prototyps; urbildlich. **Pro|to|zo|en** ⟨*gr.*⟩: *Plural* von ↑ Protozoon. **Pro|to|zo|o|lo|ge** *der;* -n, -n: Wissenschaftler auf dem Gebiet der Protozoologie. **Pro|to|zo|o|lo|gie** *die;* -. Wissenschaft von den Einzellern. **Pro|to|zo|on** *das;* -s, ...zoen (meist Plural): einzelliges Tier; Ggs. ↑ Metazoon

pro|tra|hie|ren* ⟨*lat.*⟩: die Wirkung (z. B. eines Medikaments, einer Bestrahlung) verzögern od. verlängern (z. B. durch geringe Dosierung; Med.). **pro|tra|hiert:** verzögert od. über eine längere Zeit hinweg [wirkend] (z. B. von Medikamenten; Med.). **Pro|trak|ti|on** *die;* -, -en: absichtliche Verzögerung der Wirkung eines Arzneimittels od. einer therapeutischen Maßnahme

Prot|rep|tik* ⟨*gr.*⟩ *die;* -: Aufmunterung, Ermahnung [zum Studium der Philosophie] als Bestandteil antiker didaktischer Schriften. **prot|rep|tisch:** die Protreptik betreffend, ermahnend, aufmunternd

Prot|ru|si|on* ⟨*lat.-nlat.*⟩ *die;* -, -en: das Hervortreten, Verlagern nach außen (z. B. eines Organs aus seiner normalen Lage; Med.)

Pro|tu|be|ranz ⟨*lat.-nlat.*⟩ *die;* -, -en: 1. teils ruhende, teils aus dem Sonneninnern aufschießende, glühende Gasmasse (Astron.). 2. Vorsprung (an Organen, Knochen; Med.)

pro|ty|pisch ⟨*gr.-nlat.*⟩: (veraltet) vorbildlich. **Pro|ty|pon** ⟨*gr.*⟩ *das;* -s, ...typen u. **Pro|ty|pus** *der;* -, ...pen: (veraltet) Vorbild

pro usu me|di|ci vgl. ad usum medici

Pro|ven|cer|öl [...vã:se...] ⟨nach der franz. Landschaft Provence⟩ *das;* -[e]s, -e: Öl der zweiten Pressung der Oliven

Pro|ve|ni|enz ⟨*lat.-nlat.*⟩ *die;* -, -en: Herkunft, Ursprung

Pro|verb ⟨*lat.*⟩ *das;* -s, -en u. **Pro|ver|bi|um** ⟨*lat.*⟩ *das;* -s, ...ien: Sprichwort. **Pro|ver|be dra|ma|tique** [...'vɛrb ...'tik] ⟨*lat.-fr.*⟩ *das;* -[s] -, -s -s [...'vɛrb ...'tik]: kleines, spritziges Dialoglustspiel um eine Sprichwortweisheit in Frankreich im 18. u. 19. Jh.). **pro|ver|bi|al** ⟨*lat.*⟩ u. **pro|ver|bi|a|lisch** u. **pro|ver|bi|ell** ⟨*lat.-fr.*⟩: sprichwörtlich. **Pro|ver|bi|um** vgl. Proverb

Pro|vi|ant ⟨lat. -vulgärlat. -it. u. fr.⟩ der; -s, -e: als Verpflegung auf eine Wanderung, Expedition o. Ä. mitgenommener Vorrat an Nahrungsmitteln für die vorgesehene Zeit; Wegzehrung, Verpflegung, Ration. pro|vi|an|tie|ren: (selten) mit Proviant versorgen, ↑ verproviantieren pro|vi|den|ti|ell vgl. providenziell. Pro|vi|denz ⟨lat. -fr.⟩ die; -, -en: Vorsehung. pro|vi|den|zi|ell, auch: providentiell: von der Vorsehung bestimmt Pro|vi|der [pro'vaide] ⟨engl.⟩: Anbieter von Kommunikationsdiensten (wie z. B. einem Zugang zum Internet)

Pro|vinz ⟨lat.⟩ die; -, -en: 1. größeres Gebiet, das eine staatliche od. kirchliche Verwaltungseinheit bildet (Abk.: Prov.). 2. (ohne Plural) (oft abwertend) Gegend, in der (mit großstädtischem Maßstab gemessen) in kultureller, gesellschaftlicher Hinsicht, für das Vergnügungsleben o. Ä. nur sehr wenig od. nichts geboten wird. Pro|vin|zi|al ⟨lat. -mlat.⟩ der; -s, -e: Vorsteher einer (mehrere Klöster umfassenden) Ordensprovinz. Pro|vin|zi|a|le der; -n, -n: Provinzbewohner. Pro|vin|zi|a|lis|mus ⟨lat. -mlat.⟩ der; -, ...men: 1. in der Hochsprache auftretende, vom hochsprachlichen Wortschatz od. Sprachgebrauch abweichende, landschaftlich gebundene Spracheigentümlichkeit (z. B. Topfen für Quark). 2. kleinbürgerliche, spießige Einstellung, Engstirnigkeit. 3. (österr.) Lokalpatriotismus. Pro|vin|zi|a|list der; -en, -en: Provinzler, jmd., der eine kleinbürgerliche Denkungsart besitzt. Pro|vin|zi|al|sy|no|de* die; -, -n: ↑ Synode einer Kirchenprovinz. pro|vin|zi|ell ⟨lat. -fr.⟩: 1. (meist abwertend) zur Provinz (2) gehörend, ihr entsprechend, für sie, das Leben in ihr charakteristisch; von geringem geistigem, kulturellem Niveau zeugend; engstirnig. 2. landschaftlich, mundartlich. Pro|vinz|ler ⟨lat.; dt.⟩ der; -s, -: (abwertend) Provinzbewohner, [kulturell] rückständiger Mensch. pro|vinz|le|risch: 1. (abwertend) wie ein Provinzler. 2. ländlich

Pro|vi|si|on ⟨lat. -it.⟩ die; -, -en: 1. vorwiegend im Handel übliche Form der Vergütung, die meist in Prozenten vom Umsatz berechnet wird; Vermittlungsgebühr. 2.

rechtmäßige Verleihung eines Kirchenamtes (kath. Kirche). Pro|vi|sor ⟨lat.⟩ der; -s, ...oren: 1. (veraltet) Verwalter, Verweser. 2. (österr.) Geistlicher, der vertretungsweise eine Pfarrei o. Ä. betreut. 3. (veraltet) ↑ approbierter, in einer Apotheke angestellter Apotheker. pro|vi|so|risch ⟨lat. -mlat.⟩: nur als einstweiliger Notbehelf, nur zur Überbrückung eines noch nicht endgültigen Zustands dienend; nur vorläufig, behelfsmäßig. Pro|vi|so|ri|um das; -s, ...ien: 1. etw., was provisorisch ist; Übergangslösung. 2. Aushilfsausgabe (Philatelie)

Pro|vi|ta|min* das; -s, -e: Vorstufe eines Vitamins (Chem.)

Pro|vo ⟨lat. -niederl.⟩ der; -s, -s: Anhänger einer 1965 in Amsterdam entstandenen antibürgerlichen Protestbewegung von Jugendlichen u. Studenten, die sich durch äußere Erscheinung, Verhalten u. Ablehnung von Konventionen bewusst in Gegensatz zu ihrer Umgebung setzen. pro|vo|kant ⟨lat.⟩: herausfordernd, provozierend. Pro|vo|kant der; -en, -en: (veraltet) Herausforderer, Kläger; Provokateur (Rechtsw.; Pol.). Pro|vo|ka|teur [...'tø:ɐ̯] ⟨lat. -fr.⟩ der; -s, -e: jmd., der andere provoziert od. zu etwas aufwiegelt. Pro|vo|ka|ti|on ⟨lat.⟩ die; -, -en: 1. Herausforderung, durch die jmd. zu [unbedachten] Handlungen veranlasst wird od. werden soll. 2. künstliches Hervorrufen von Krankheitserscheinungen (z. B. um den Grad einer Ausheilung zu prüfen; Med.). pro|vo|ka|tiv ⟨lat. -nlat.⟩: herausfordernd, eine Provokation (1) enthaltend; vgl. ...iv/...orisch. pro|vo|ka|to|risch ⟨lat.⟩: herausfordernd, eine Provokation (1) bezweckend; vgl. ...iv/...orisch. pro|vo|zie|ren: 1. a) jmdn. herausfordern, aufreizen; b) bewirken, dass etw. ausgelöst wird. 2. zu diagnostischen od. therapeutischen Zwecken bestimmte Reaktionen, Krankheitserscheinungen künstlich hervorrufen (Med.)

pro|xi|mal ⟨lat. -nlat.⟩: dem zentralen Teil eines Körpergliedes, der Körpermitte zu gelegen (Med.)

Pro|ze|de|re vgl. Procedere. pro|ze|die|ren ⟨lat.⟩: nach einer bestimmten Methode verfahren. Pro|ze|dur ⟨lat. -nlat.⟩ die; -, -en: 1. Verfahren, [schwierige, unan-

genehme] Behandlungsweise. 2. Zusammenfassung mehrerer Befehle zu einem kleinen, selbstständigen Programm (EDV). pro|ze|du|ral: verfahrensmäßig, den äußeren Ablauf einer Sache betreffend Pro|zent ⟨lat. -it.⟩ das; -[e]s, -e (aber: 5 -): 1. vom Hundert, Hundertstel; Abk.: p. c. (Zeichen: %). 2. (Plural; ugs.) in Prozenten (1) berechneter Gewinn-, Verdienstanteil, z. B. jmdm. Prozente gewähren. pro|zen|tisch: ↑ prozentual. Pro|zent|punkt der; -[e]s, -e (meist Plural): Differenz zwischen zwei Prozentzahlen. Pro|zent|satz der; -es, ...sätze: bestimmte Anzahl von Prozenten. pro|zen|tu|al ⟨lat. -it. -nlat.⟩, (österr.) prozentuell u. perzentuell: im Verhältnis zum Hundert, in Prozenten ausgedrückt. pro|zen|tu|a|li|ter: prozentual (nur als Adverb gebraucht, z. B. prozentualiter gesehen). pro|zen|tu|ell vgl. prozentual. pro|zen|tu|ie|ren: in Prozenten (1) ausdrücken Pro|zess ⟨lat. (-mlat.)⟩ der; -es, -e: 1. Verlauf, Ablauf, Hergang, Entwicklung. 2. vor einem Gericht ausgetragener Rechtsstreit. pro|zes|sie|ren ⟨lat. -nlat.⟩: zur Klärung eines Rechtsstreits gegen jmdn. gerichtlich vorgehen; einen Prozess (2) [durch]führen. Pro|zes|si|on ⟨lat.⟩ die; -, -en: feierlicher [kirchlicher] Umzug (kath. u. orthodoxe Kirche). Pro|zes|sor der; -s, ...oren: aus Leit- u. Rechenwerk bestehende Funktionseinheit in digitalen Rechenanlagen (EDV). pro|zes|su|al ⟨lat. -nlat.⟩: 1. einen Prozess (1) betreffend. 2. einen Prozess (2) betreffend, gemäß den Grundsätzen des Verfahrensrechtes (Rechtsw.). Pro|zes|su|a|list der; -en, -en: Wissenschaftler auf dem Gebiet des Verfahrensrechts pro|zöl ⟨gr. -nlat.⟩: vorn ausgehöhlt (Biol.) pro|zyk|lisch* [auch: ...'tsy̆k...] ⟨lat.; gr.⟩: einem bestehenden Konjunkturzustand entsprechend (Wirtsch.); Ggs. ↑ antizyklisch (2)

prü|de ⟨lat. -vulgärlat. -fr.⟩: in Bezug auf Sexuelles unfrei u. sich peinlich davon berührt fühlend. Prü|de|rie die; -, ...ien: prüde [Wesens]art, prüdes Verhalten Prü|nel|le ⟨gr. -lat. -vulgärlat. -fr.⟩ die; -, -n: entsteinte, getrocknete u. gepresste Pflaume. Prunus ⟨gr.-lat.⟩ die; -: Steinobstgewächs mit vielen einheimischen Obstbäumen (Kirsche, Pfirsich, Pflaume usw.) **pru|ri|gi|nös** ⟨lat.⟩: juckend, mit Hautjucken bzw. mit der Bildung von juckenden Hautknötchen einhergehend (Med.). **Pru|ri|go** die; -, ...gines [...ne:s] od. der; -s, -s: mit der Bildung juckender Hautknötchen einhergehende Hautkrankheit (Med.). **Pru|ri|tus** der; -: Hautjucken, Juckreiz **Pru|ta** ⟨hebr.⟩ die; -, Prutot: frühere Währungseinheit in Israel (1 000 Prutot = 1 israelisches Pfund) **Pry|ta|ne** ⟨gr.-lat.⟩ der; -n, -n: (hist.) Mitglied der regierenden Behörde in altgriechischen Staaten. **Pry|ta|nei|on** ⟨gr.⟩ das; -s, ...ejen u. **Pry|ta|ne|um** ⟨gr.-lat.⟩ das; -s, ...een: Versammlungshaus der Prytanen **Psa|li|qra|phie,** auch: Psaligrafie ⟨gr.-nlat.⟩ die; -: Kunst des Scherenschnittes. **psa|li|gra|phisch,** auch: psaligrafisch: die Psaligraphie betreffend **Psalm** ⟨gr.-lat.⟩ der; -s, -en: eines der im Alten Testament gesammelten Lieder des jüdischen Volkes. **Psall|mist** der; -en, -en: Psalmendichter od. -sänger. **Psal-mo|die** die; -, ...ien: rezitativisches Singen, bes. als vorwiegend auf einem bestimmten Ton ausgeführter liturgischer Sprechgesang, dessen Gliederung durch festliegende melodische Formeln markiert wird. **psal|mo|die|ren*** ⟨gr.-nlat.⟩: in der Art der Psalmodie singen. **psal|mo|disch*:** in der Art der Psalmodie **Psal|ter** ⟨gr.-lat.⟩ der; -s, -: 1. a) Buch der Psalmen im A. T.; b) (im Mittelalter) für den liturgischen Gebrauch eingerichtetes Psalmenbuch. 2. (im Mittelalter) trapezförmige od. dreieckige Zither ohne Griffbrett. 3. Blättermagen der Wiederkäuer (mit blattartigen Falten; Zool.). **Psal|te|ri|um** das; -s, ...ien: † Psalter (1, 2) **Psam|mit** [auch: ...'mit] ⟨gr.-nlat.⟩ der; -s, -e: Sandstein (Geol.). **psam|mo|phil:** (von Pflanzen u. Tieren) Sand liebend (Biol.). **Psam|mo|phyt** der; -en, -en (meist Plural): Sandpflanze (Bot.). **Psam|mo|the|ra|pie** die; -, ...ien: Behandlung mit Sand[bädern] (Med.). **Pse|phit** [auch: ...'fit] ⟨gr.-nlat.⟩ der; -s, -e: grobkörniges Trümmergestein (Geol.). **Pse|pho|lo-**

ge der; -n, -n: jmd., der wissenschaftliche Untersuchungen über das Wählen, das Abstimmen anstellt **Pseu|dand|ro|nym*** ⟨gr.-nlat.⟩ das; -s, -e: aus einem männlichen Namen bestehendes Pseudonym einer Frau (z. B. George Eliot = Mary Ann Evans); Ggs. † Pseudogynym. **Pseu|dan|thi|um*** das; -s, ...ien: aus dicht gedrängten Einzelblüten bestehender Blütenstand; Scheinblüte (z. B. bei Korbblütlern; Bot.). **Pseu-darth|ro|se*** die; -, -n: bei ausbleibender Heilung sich an Bruchstellen von Knochen bildendes falsches Gelenk; Scheingelenk (Med.). **Pseu|de|pi-graph*,** auch: ...graf ⟨gr.⟩ das; -s, -en (meist Plural): 1. Schrift aus der Antike, die einem Autor fälschlich zugeschrieben wurde. 2. † Apokryph. **pseu|do:** (ugs.) nicht echt, nur nachgemacht, nachgeahmt. **pseu|do|gla|zi|al:** eiszeitlichen Formen u. Erscheinungen täuschend ähnlich, aber anderen Ursprungs (Geol.). **Pseu|do|gy|nym** ⟨gr.-nlat.⟩ das; -s, -e: aus einem weiblichen Namen bestehendes Pseudonym eines Mannes (z. B. Clara Gazul = Prosper Mérimée); Ggs. † Pseudandronym. **pseu|do|i|si|do-risch:** in der Fügung: **pseudoisidorische Dekretalen:** Sammlung kirchenrechtlicher Fälschungen aus dem 9. Jh., die man irrtümlich auf den Bischof Isidor von Sevilla zurückführte. **Pseu|do|krupp** der; -s: bei Kindern auftretende Krankheit, deren Symptome (Kehlkopfentzündung, Atemnot, Husten) dem † Krupp gleichen (Med.). **Pseu|do|le|gie|rung** die; -, -en: Legierung, die nicht durch Schmelzprozesse, sondern durch Sintern hergestellt wird (Fachspr.). **Pseu|do|lis-mus,** Pseudologismus der; -: (bes. auf Sexuelles bezogene) Lügensucht (Psychol.; Med.). **Pseu-do|list** der; -en, -en: jmd., der einen Hang zum Pseudolismus hat (Psychol.; Med.). **pseu|do|lo-gisch:** krankhaft lügnerisch (Psychol.; Med.). **Pseu|do|lo-gis|mus** vgl. Pseudolismus. **Pseu|do|lys|sa** die; -: bei vielen Haustieren auftretende Viruserkrankung; Juckseuche (Med.). **Pseu|do|mne|sie*** die; -, ...ien: Erinnerungstäuschung; vermeintliche Erinnerung an Vorgänge, die sich nicht ereignet haben (Med.). **Pseu|do|mo|nas**

die; -, ...naden: im Boden u. in Gewässern vorkommende Bakterie mit Geißel (Biol.; Med.). **pseu|do|morph:** Pseudomorphose zeigend. **Pseu|do|mor-pho|se** die; -, -n: [Auftreten eines] Mineral[s] in der Kristallform eines anderen Minerals. **Pseu|do|my|o|pie** die; -, ...ien: durch Krampf des (die Scharfstellung des Auges bewirkenden) Akkommodationsmuskels bedingte scheinbare Kurzsichtigkeit (Med.). **pseu|do|nym** ⟨gr.⟩: unter einem Decknamen [verfasst]. **Pseu|do|nym*** das; -s, -e: angenommener, nicht richtiger Name; Deckname [einer Autorin/eines Autors]. **Pseu|do|or-ga|nis|mus** ⟨gr.-nlat.⟩ der; -, ...men u. Pseu|do|pet|re|fakt* ⟨gr.; lat.⟩ das; -[e]s, -e[n]: fälschlich als Versteinerung gedeutetes anorganisches Gebilde (Geol.; Biol.). **Pseu|do|pu|di|um** ⟨gr.-nlat.⟩ das; -s, ...ien: Scheinfüßchen mancher Einzeller (Biol.). **Pseu|do|säu|re** die; -, -n: organische Verbindung, die in neutraler u. saurer Form auftreten kann (Chem.).

PS-Gram|ma|tik die; -: Kurzwort für: Phrasenstrukturgrammatik (Sprachw.) **Psi** ⟨gr.⟩ das; -[s], -s: 1. dreiundzwanzigster (u. vorletzter) Buchstabe des griechischen Alphabets: Ψ, ψ. 2. (ohne Plural, meist ohne Artikel) das bestimmten de Element parapsychologischer Vorgänge (Parapsychol.) **Psil|lo|mel|lan** ⟨gr.-nlat.⟩ der; -s, -e: wirtschaftlich wichtiges Manganerz. **Psil|lo|se** ⟨gr.⟩ die; -, -n u. **Psil|lo|sis** die; -, ...ses [...ze:s]: 1. Fehlen der Wimpern (Med.). 2. Schwund des Hauchlautes im Altgriechischen (Sprachw.) **Psi|phä|no|men** das; -s, -e: durch Psi (2) bewirkter Vorgang, durch Psi (2) hervorgerufene Wirkung, Erscheinung o. Ä. (Parapsychol.) **Psit|ta|ci** [...tsi] ⟨gr.-lat.⟩ die (Plural): Papageien. **Psit|ta|ko|se** ⟨gr.-nlat.⟩ die; -, -n: auf den Menschen übertragbare Viruserkrankung der Papageienvögel, die unter dem Bild einer schweren grippeartigen Allgemeinerkrankung verläuft; Papageienkrankheit (Med.) **Pso|ri|a|sis** ⟨gr.⟩ die; -, ...iasen: Schuppenflechte (Med.). **Pso|ri-a|ti|ker** der; -s, -: jmd., der an Psoriasis leidet (Med.) **Psy|cha|go|ge*** ⟨gr.-nlat.⟩ der; -n,

-n: Kinder-und-Jugendlichen-Psychotherapeut. **Psy|cha|go|gik** *die; -:* Kinder-und-Jugendlichen-Psychotherapie. **psy|cha|go|gisch:** die Psychagogik betreffend. **Psy|chal|gie** *die; -,* ...ien: psychisch bedingter Schmerzzustand (Med.; Psychol.). **Psy|chas|the|nie** *die; -,* ...ien: Bez. für psychische Kraftlosigkeit mit Neigung zu Depressionen, Ermüdbarkeit u. Selbstunsicherheit **Psy|che** *(gr.) die; -, -n:* 1. Gesamtheit bewusster u. unbewusster seelischer Vorgänge u. geistiger bzw. intellektueller Funktionen im Gegensatz zum körperlichen Sein. 2. (österr.) mit Spiegel versehene Frisiertoilette. **psy|che|del|lisch** *(gr.-engl.):* a) das Bewusstsein verändernd; einen euphorischen, tranceartigen Gemütszustand hervorrufend; b) in einem (bes. durch Drogen hervorgerufenen) euphorischen, tranceartigen Gemütszustand befindlich. **Psy|chi|a|ter** *(gr.-nlat.) der; -s, -:* Facharzt für Psychiatrie. **Psy|chi|at|rie*** *die; -:* Teilgebiet der Medizin, das sich mit der Erkennung, den Ursachen, der Systematik u. der Behandlung psychischer Störungen befasst. **psy|chi|at|ri|e|ren*:** (österr.) psychiatrisch untersuchen. **psy|chi|at|risch*:** die Psychiatrie betreffend, zu ihr gehörend, auf ihr beruhend. **psy|chisch:** die Psyche betreffend. **Psy|chis|mus** *(gr.-nlat.) der; -, ...men:* (ohne Plural) idealistische Auffassung, nach der das Psychische das Zentrum alles Wirklichen ist (Philos.)

Psy|cho|ana|ly|se *(gr.-nlat.) die; -, -n:* 1. (ohne Plural) Ende des 19. Jh.s geschaffenes Verfahren zur Untersuchung u. Behandlung psychischer Fehlleistungen, das von S. Freud zu einer tiefenpsychologischen Lehre ausgebildet wurde. 2. psychoanalytische Behandlung. **psy|cho|ana|ly|sie|ren:** jmdn. psychoanalytisch behandeln. **Psy|cho|ana|ly|ti|ker** *der; -s, -:* ein die Psychoanalyse vertretender od. anwendender Arzt. **psy|cho|ana|ly|tisch:** die Psychoanalyse betreffend, mit den Mitteln der Psychoanalyse erfolgend. **Psy|cho|bi|o|lo|gie** *die; -:* Theorie, die psychische Abläufe biologisch erklärt. **psy|cho|de|llisch** vgl. psychedelisch. **Psy|cho|dra|ma** *das; -s, ...men:* 1. Einpersonenstück,

das psychische Vorgänge als dramatische Handlung gestaltet (Literaturwiss.). 2. psychotherapeutische Methode, bei der durch szenische Darstellung Erlebtes od. Gedachtes bewusst wird u. verarbeitet werden kann. **psy|cho|gal|va|nisch:** in der Fügung: **psychogalvanische Reaktion:** beobachtbare Veränderung der Leitfähigkeit bzw. des Widerstands der Haut durch Reize od. bestimmte psychische Prozesse; Abk.: PGR (Psychol.) **psy|cho|gen** *(gr.):* (von körperlichen Störungen) psychisch bedingt, verursacht (Med.; Psychol.). **Psy|cho|ge|ne|se** u. **Psy|cho|ge|ne|sis** *die; -, ...nesen:* Entstehung u. Entwicklung der Seele od. des Seelenlebens als Forschungsgebiet der Entwicklungspsychologie. **Psy|cho|gno|sie*** *die; -:* (hist.) vorwissenschaftliche Seelenkunde, die vor allem durch Beobachtung u. Selbstbesinnung eine wachsende Menschenkenntnis erreichte. **Psy|cho|gnos|tik*** *die; -:* Menschenkenntnis aufgrund psychologischer Untersuchungen. **psy|cho|gnos|tisch*:** die Psychognostik betreffend. **Psy|cho|gramm** *das; -s, -e:* grafische Darstellung aller psychischen sowie der wichtigsten körperlichen Daten, die an einer Person erhebbar sind (Psychol.). **Psy|cho|gra|phie,** auch: Psychographie *die; -:* psychologische Forschungsrichtung, die von der Darstellbarkeit individueller psychischer Eigenschaften in Psychogrammen ausgeht (Psychol.). **Psy|cho|hy|gi|e|ne** *die; -:* (im 19. Jh. begründete) Lehre von den gesellschaftlichen Erhaltung der seelischen u. geistigen Gesundheit. **Psy|cho|id** *das; -[e]s:* (nach C. G. Jung) das zur unanschaulichen Tiefenschicht des kollektiven Unbewussten gehörende, bewusstseinsunfähige u. instinktgebundene seelische (Psychol.). **Psy|cho|ki|ne|se** *die; -:* physikalisch nicht erklärbare, unmittelbare Einwirkung eines Menschen auf die Körperwelt (z. B. das Bewegen eines Gegenstandes, ohne ihn zu berühren; Parapsychol.). **psy|cho|ki|ne|tisch:** die Psychokinese betreffend, zu ihr gehörend, auf ihr beruhend. **Psy|cho|kri|mi** *der; -[s], -s:* (ugs.) psychologischer Kriminalfilm, -roman; psychologisches Kriminalstück.

Psy|cho|lin|gu|is|tik *die; -:* Wissenschaftszweig der Linguistik mit den Gegenstandsbereichen Sprachverstehen, Sprache u. Denken, Spracherwerb, Sprachstörungen u. a. **psy|cho|lin|gu|is|tisch:** die Psycholinguistik betreffend **Psy|cho|lo|ge** *(gr.) der; -n, -n:* 1. wissenschaftlich ausgebildeter Theoretiker od. Praktiker auf dem Gebiet der Psychologie. 2. jmd., der ohne entsprechende wissenschaftliche Ausbildung psychologisches Verständnis erkennen lässt. **Psy|cho|lo|gie** ("Lehre von der Seele") *die; -:* 1. Wissenschaft von den bewussten u. unbewussten seelischen Vorgängen u. Zuständen sowie deren Ursachen u. Wirkungen. 2. Verständnis für, Eingehen auf die menschliche Psyche. 3. psychische Verhaltens-, Reaktionsweise; psychisches Denken u. Fühlen. **psy|cho|lo|gisch:** die Psychologie betreffend, zu ihr gehörend, auf ihr beruhend. **psy|cho|lo|gi|sie|ren:** (abwertend) etw. in übersteigerter Weise psychologisch gestalten. **Psy|cho|lo|gis|mus** *der; -:* Überbewertung der Psychologie [als Grundlage aller wissenschaftlichen Disziplinen]. **psycho|lo|gis|tisch:** den Psychologismus betreffend, zu ihm gehörend, auf ihm beruhend. **Psy|cho|ly|se** *die; -, -n:* aus psychoanalytischer Behandlung und Anwendung halluzinogener Drogen kombiniertes Verfahren. **Psy|cho|man|tie** *die; -:* ↑Nekromantie. **Psy|cho|met|rie*** *die; -:* 1. [Wissenschaft von der] Messung psychischer Erscheinungen. 2. außersinnliche Wahrnehmung, die über ein bestimmtes Objekt ermöglicht wird (Parapsychol.). **psy|cho|met|risch*:** die Psychometrie betreffend, zu ihr gehörend, auf ihr beruhend. **Psy|cho|mo|nis|mus** *der; -:* Weltanschauung, nach der alles Sein seelischer Natur ist (Philos.). **Psy|cho|mo|to|rik** *die; -:* Gesamtheit der willkürlichen, durch psychische Vorgänge beeinflussten Bewegungen (z. B. Gehen, Sprechen, Mimik; Psychol.). **psy|cho|mo|to|risch:** die Psychomotorik betreffend. **Psy|cho|neu|ro|im|mu|no|lo|gie** *die; -:* interdisziplinäres Forschungsgebiet, das von einer wechselseitigen Abhängigkeit von Nerven-, Immun- u. endokrinem System ausgeht u. eine ganzheitliche Betrachtung von Krankheitsverläufen ermöglicht (Med.; Psychol.). **Psy|cho|neu|ro|se** ⟨gr.-nlat.⟩ die; -, -n: (veraltet) a) Neurose, die weniger zu körperlichen als zu psychischen Symptomen führt; b) (nach S. Freud) Neurose, die als Ausdruck eines frühkindlichen Konflikts entsteht. **Psy|cho|on|ko|lo|gie** die; -: Forschungsgebiet, das sich mit den psychologischen Fragen zur Krebsneigung, den psychosozialen Auswirkungen der Krebserkrankung u. der Psychologie der Krebsvorsorge befasst u. psychotherapeutische Betreuung der Betroffenen u. ihrer Familien bereitstellt. **Psy|cho|path** ⟨„seelisch Leidender"⟩ der; -en, -en: jmd., der an Psychopathie leidet (Psychol.). **Psy|cho|pa|thie** die; -: Abnormität des Gefühls- und Gemütslebens, die sich in Verhaltensstörungen äußert. **psy|cho|pa|thisch**: a) an Psychopathie leidend; b) die Psychopathie betreffend (Med.; Psychol.). **Psy|cho|pa|tho|lo|gie** die; -: Wissenschaft von den als krankhaft eingestuften psychischen Erscheinungsformen **Psy|cho|phar|ma|ko|lo|gie** ⟨gr.⟩ die; -: Teilgebiet der Pharmakologie, das sich mit der psychotropen Wirkung von Arzneimitteln und deren möglichen Nebenwirkungen beschäftigt. **Psy|cho|phar|ma|kon** das; -s, ...ka (meist Plural): Arzneimittel, das eine steuernde (dämpfende, beruhigende, stimulierende) Wirkung auf psychische Funktionen hat. **Psy|cho|phy|sik** die; -: viele von den Wechselwirkungen zwischen Körper u. Seele, insbesondere zwischen physischen Reizen u. den ihnen entsprechenden Erlebnissen. **psy|cho|phy|sisch**: die Psychophysik betreffend, auf ihr beruhend; **psychophysischer Parallelismus:** Hypothese, dass körperliche u. psychische Vorgänge parallel u. ohne kausalen Zusammenhang verlaufen. **Psy|cho|se** ⟨gr.-nlat.⟩ die; -, -n: krankhafter Zustand mit erheblicher Beeinträchtigung der psychischen Funktionen u. gestörtem Realitätsbezug. **Psy|cho|so|ma|tik** die; -: medizinisch-psychologische Krankheitslehre, die psychischen Prozessen bei der Entstehung körperlicher Leiden wesentliche Bedeutung bemisst (Med.). **Psy-**

cho|so|ma|ti|ker der; -s, -: Wissenschaftler, Therapeut auf dem Gebiet der Psychosomatik. **psy|cho|so|ma|tisch:** die Psychosomatik betreffend, auf psychischkörperlichen Wechselwirkungen beruhend. **psy|cho|so|zi|al:** (von psychischen Faktoren o. Ä.) durch soziale Gegebenheiten bedingt. **Psy|cho|synd|rom*** das; -s, -e: organisch bedingte Störung der psychischen Funktion. **Psy|cho|ter|ror** der; -s: (bes. in der politischen Auseinandersetzung angewandte) Methode, einen Gegner mit psychologischen Mitteln (wie z. B. Verunsicherung, Bedrohung) einzuschüchtern u. gefügig zu machen. **Psy|cho|test** der; -[e]s, -s (auch: -e): psychologischer Test **Psy|cho|the|ra|peut** ⟨gr.⟩ der; -en, -en: die Psychotherapie anwendender Arzt od. Psychologe. **Psy|cho|the|ra|peu|tik** die; -: praktische Anwendung der Psychotherapie (Med.). **psy|cho|the|ra|peu|tisch:** die Psychotherapeutik, die Psychotherapie betreffend (Med.). **Psy|cho|the|ra|pie** die; -, -n: psychotherapeutische Behandlung. **Psy|cho|thril|ler** der; -s, -: Thriller, dessen Spannung psychologisch motiviert ist. **Psy|cho|ti|ker** der; -s, -: jmd., der an einer Psychose leidet (Psychol.; Med.). **psy|cho|tisch:** zum Erscheinungsbild einer Psychose gehörend; an einer Psychose leidend (Med.). **Psy|cho|top** das; -s, -e: Landschaftstyp, der Tieren (bzw. Menschen) durch Gewöhnung vertraut ist. **psy|cho|trop*:** (von Arzneimitteln) anregend od. dämpfend auf die Psyche einwirkend (Med.). **Psy|cho|vi|tra|lis|mus** ⟨gr.; lat.-nlat.⟩ der; -: philosophische Lehre, die zur Erklärung des organischen Geschehens ein besonderes psychisches Prinzip annimmt. **Psych|ro|me|ter*** [...çro...] das; -s, -: Luftfeuchtigkeitsmesser (Meteor.). **psych|ro|phil:** (von bestimmten Bakterien) kältefreundlich, Kälte liebend (Biol.). **Psych|ro|phyt** der; -en, -en (meist Plural): Pflanze, die niedrige Temperaturen bevorzugt **Ptar|mi|kum** ⟨gr.-lat.⟩ das; -s, ...ka: den Niesreflex auslösendes Mittel; Niesmittel (Med.). **Ptar|mus** ⟨gr.-nlat.⟩ der; -: krampfartiger Niesanfall, Nieskrampf (Med.) **Pte|ra|no|don** ⟨gr.-nlat.⟩ das; -s,

...donten: Flugsaurier der Kreidezeit. **Pte|ri|do|phyt** der; -en, -en (meist Plural): Farnpflanze (zusammenfassende systematische Bezeichnung). **Pte|ri|do|sper|me** die; -, -n: ausgestorbene Samenfarnpflanze. **Pte|ri|ne** die (Plural): Gruppe purinähnlicher Farbstoffe, die in Schmetterlingsflügeln vorkommen. **Pte|ro|dak|ty|lus** der; -, ...ylen: Flugsaurier des †Juras mit rückgebildetem Schwanz. **Pte|ro|po|de** der; -n, -n (meist Plural): Meeresschnecke mit ruderartigem Fuß; Ruderschnecke. **Pte|ro|sau|ri|er** der -s, -: urzeitliche Flugechse. **Pte|ry|gi|um** ⟨gr.-lat.; „Flügelfell"⟩ das; -s, ...ia: (Med.) 1. dreieckige Bindehautwucherung, die sich über die Hornhaut schiebt. 2. häutige Verbindung zwischen Fingern u. Zehen bzw. im Gelenkbereich. 3. Hautfalte am Hals. 4. Wachstum eines Nagelhäutchens über die Nagelplatte. **pte|ry|got** ⟨gr.⟩: (von Insekten) geflügelt (Zool.). **Pti|sa|ne** ⟨gr.-lat.⟩ die; -, -n: [schleimiger] Arzneitrank **Pto|ma|in** ⟨gr.-nlat.⟩ das; -s, -e: Leichengift. **Pto|se** u. **Pto|sis** ⟨gr.⟩ die; -, ...sen: Herabsinken des [gelähmten] Oberlides (Med.)

Pty|a|lin ⟨gr.-nlat.⟩ das; -s: Stärke spaltendes Enzym im Speichel. **Pty|a|lis|mus** der; -: abnorme Vermehrung des Speichels, Speichelfluss (Med.). **Pty|a|lo|lith** der; -s u. -en, -e[n]: Konkrement der Speicheldrüsen; Speichelstein (Med.)

Pub [pap, pʌb] ⟨engl.⟩ das (auch: der), -s, -s: Lokal, Bar im englischen Stil

pu|be|ral ⟨lat.-nlat.⟩ u. **pu|ber|tär:** a) mit der Pubertät zusammenhängend; für die Pubertät typisch; b) in der Pubertät befindlich, begriffen. **Pu|ber|tät** ⟨lat.⟩ die; -: Zeit der eintretenden Geschlechtsreife. **pu|ber|tie|ren** ⟨lat.-nlat.⟩: in die Pubertät eintreten, sich darin befinden. **Pu|bes** ⟨lat.⟩ die; -, - [...be:s]: (Med.) 1. Schambehaarung. 2. Bereich der äußeren Genitalien, Schamgegend. **pu|bes|zent:** heranwachsend, geschlechtsreif (Med.). **Pu|bes|zenz** ⟨lat.-nlat.⟩ die; -: Geschlechtsreifung (Med.). **pu|bisch:** die Schambehaarung, die Schamgegend betreffend (Med.)

pub|li|ce* [...tse] ⟨lat.⟩: (veraltend) öffentlich. **Pub|li|ci|ty**

[pa'blısıtı] ⟨lat.-fr.-engl.⟩ die; -: 1. jmds. öffentliches Bekanntsein od. -werden. 2. Propaganda, [Bemühung um] öffentliches Aufsehen; öffentliche Verbreitung. **Pub|lic|re|la|tions**, auch: **Public Re|la|tions** ['pʌblıkrı'leıʃənz] ⟨amerik.; „öffentliche Beziehungen"⟩ die (Plural): Öffentlichkeitsarbeit (Abk.: PR). **pub|lik** ⟨lat.-fr.⟩: öffentlich; offenkundig; allgemein bekannt. **Pub|li|kan|dum** ⟨lat.⟩ das; -s, ...da: (veraltet) etwas Bekanntzumachendes, öffentliche Anzeige. **Pub|li|ka|ti|on** ⟨lat.-fr.⟩ die; -, -en: 1. publiziertes, im Druck erschienenes Werk. 2. Veröffentlichung, Publizierung; vgl. ...[at]ion/...ierung. **Pub|li|kum** ⟨lat.-mlat.(-fr.-engl.)⟩ das; -s, ...ka: 1. (ohne Plural) a) Gesamtheit von Zuhörern, Zuschauern (z. B. einer Veranstaltung, Aufführung); b) als Einheit gesehene, an Kunst, Wissenschaft o. Ä. interessierte Menschen; c) als Einheit gesehene Gäste, Besucher in einem Lokal, Ferienort o. Ä. 2. (veraltet) unentgeltliche öffentliche Vorlesung. **pub|li|zie|ren** ⟨lat.⟩: 1. ein (literarisches u. wissenschaftliches) Werk im Druck erscheinen lassen, veröffentlichen. 2. publik machen, bekannt machen. **Pub|li|zie|rung** die; -, -en: Veröffentlichung (eines literarischen od. wissenschaftlichen Werkes); vgl. ...[at]ion/...ierung. **Pub|li|zist** ⟨lat.-nlat.⟩ der; -en, -en: Journalist, Schriftsteller, der mit Analysen u. Kommentaren zum aktuellen [politischen] Geschehen aktiv an der Bildung der öffentlichen Meinung teilnimmt. **Pub|li|zis|tik** die; -: a) Bereich der Beschäftigung mit allen die Öffentlichkeit interessierenden Angelegenheiten in Buch, Presse, Rundfunk, Film, Fernsehen; b) Wissenschaft von den Massenmedien u. ihrer Wirkung auf die Öffentlichkeit. **pub|li|zis|tisch**: a) die Publizistik (a) betreffend, ihr entsprechend, mit ihren Mitteln; b) die Publizistik (b) betreffend; vom Standpunkt der Publizistik aus. **Pub|li|zi|tät** die; -: 1. das Bekanntsein. 2. a) allgemeine Zugänglichkeit der Massenmedien u. ihrer Inhalte; b) öffentliche Darlegung der Geschäftsvorfälle u. der Entwicklung eines Unternehmens.

Puck ⟨engl.⟩ der; -s, -s: 1. Kobold, schalkhafter Elf (in Shakespeares „Sommernachtstraum"). 2. Hartgummischeibe beim Eishockey

Pud ⟨russ.⟩ das; -, -: früheres russisches Gewicht (16,38 kg)

Pud|ding ⟨fr.-engl.⟩ der; -s, -e u. -s: 1. kalte Süßspeise aus in Milch aufgekochtem Puddingpulver od. Grieß. 2. im Wasserbad gekochte Mehl-, Fleisch- od. Gemüsespeise

pu|den|dal ⟨lat.-nlat.⟩: die Schamgegend betreffend, zur Schamgegend gehörend (Med.)

Pu|du ⟨indian.-span.⟩ der; -s, -s: südamerikanischer Zwerghirsch

Pu|eb|lo* ⟨span.⟩ der; -[s], -s: aus mehrstöckig zusammenhängenden terrassenartig angelegten Wohneinheiten bestehende Wohnanlage der Puebloindianer

pu|e|ril ⟨lat.⟩: kindlich, im Kindesalter vorkommend, dafür typisch (Med.). **Pu|e|ri|lis|mus** ⟨lat.-nlat.⟩ der; -: kindliches Verhalten als Form des ↑ Infantilismus (Psychol.; Med.). **pu|er|pe|ral** ⟨lat.-nlat.⟩: das Wochenbett betreffend, zu ihm gehörend (Med.). **Pu|er|pe|ral|fie|ber** das; -s: Infektionskrankheit bei Wöchnerinnen; Kindbettfieber (Med.). **Pu|er|pe|ri|um** ⟨lat.⟩ das; -s, ...ien: Zeitraum von 6–8 Wochen nach der Entbindung (Med.)

Pu|gi|lis|mus ⟨lat.-nlat.⟩ der; -: (veraltet) Boxsport. **Pu|gi|list** der; -en, -en: (veraltet) Faust-, Boxkämpfer

Pul ⟨pers.⟩ der; -, -s (aber: 5 Pul): 0,01 Afghani (Währungseinheit in Afghanistan)

Pul|ci|nell [pultʃi...] ⟨it.⟩ der; -s, -e u. **Pul|ci|nel|la** der; -[s], ...elle: komischer Diener, Hanswurst in der neapolitanischen Commedia dell'Arte

¹Pulk ⟨slaw.⟩ der; -[e]s, -s, seltener: -e): 1. Heeresabteilung. 2. [loser] Verband von Kampfflugzeugen od. militärischen Kraftfahrzeugen. 3. Anhäufung [von Fahrzeugen]; Haufen, Schar; Schwarm.

²Pulk ⟨lappisch⟩ der; -[e]s u. **Pul|ka** der; -s, -s: bootförmiger Schlitten, der von einem Lappen zu Transporten benutzt wird

Pull ⟨engl.⟩ der; -s, -s: Golfschlag, der dem Ball einen Linksdrall gibt. **pul|len**: 1. (Seemannsspr.) rudern. 2. einen Pull ausführen (Golf). 3. (vom Pferd) mit vorgestrecktem Kopf stark vorwärts drängen

Pull|man ⟨engl.⟩ der; -s -s: Kurzform von ↑ Pullmanwagen. **Pull|man|kap|pe** die; -, -n: (österr.)

Baskenmütze. **Pull|man|wa|gen** ⟨nach dem amerik. Konstrukteur Pullman, 1831–1897⟩ der; -s, -: komfortabel ausgestatteter Schnellzugwagen

Pull|o|ver* ⟨engl.⟩ der; -s, -: gestricktes od. gewirktes Kleidungsstück für den Oberkörper, das über den Kopf gezogen wird. **Pull|un|der** der; -s, -: meist kurzer, ärmelloser Pullover, der über einem Oberhemd, einer Bluse getragen wird

Pul|mo ⟨lat.⟩ der; -[s], ...mones [...ne:s]: Lunge (Med.). **Pul|mo|lo|gie** u. Pulmonologie die; -: ↑ Pneumonologie. **pul|mo|nal** ⟨lat.-nlat.⟩: die Lunge betreffend, zu ihr gehörend (Med.). **Pul|mo|nes**: Plural von ↑ Pulmo

Pulp ⟨lat.-fr.-engl.⟩ der; -s, -en: 1. breiige Masse mit größeren od. kleineren Fruchtstücken zur Marmeladeherstellung. 2. bei der Gewinnung von Stärke aus Kartoffeln anfallender, als Futtermittel verwendeter Rückstand.

Pul|pa ⟨lat.⟩ die; -, ...pae [...pɛ]: 1. (Med.) a) Zahnmark; b) weiche Gewebemasse in der Milz. 2. bei manchen Früchten (z. B. Bananen) ausgebildetes fleischiges Gewebe. **Pul|pe** u. **Pül|pe** die; -, -n: ↑ Pulp. **Pul|per** ⟨lat.-fr.-engl.⟩ der; -s, -: 1. Fachkraft in der Zuckerraffinerie. 2. Maschine zur Aufbereitung von Kaffeekirschen. 3. Apparat zur Herstellung einer breiigen Masse. **Pul|pi|tis** ⟨lat.-nlat.⟩ die; -, ...itiden: Entzündung des Zahnmarks (Med.). **pul|pös** ⟨lat.⟩: fleischig, markig; aus weicher Masse bestehend

Pul|que ['pulkə] ⟨indian.-span.⟩ der; -[s]: (in Mexiko beliebtes) süßes, stark berauschendes Getränk aus gegorenem Agavensaft

Puls ⟨lat.-mlat.⟩ der; -es, -e: 1. a) das Anschlagen der durch den Herzschlag fortgeleiteten Blutwelle an den Gefäßwänden; b) Stelle am inneren Handgelenk, an der der Puls (a) zu fühlen ist. 2. gleichmäßige Folge gleichartiger Impulse (z. B. in der Schwachstrom- u. Nachrichtentechnik elektrische Strom- u. Spannungsstöße). **Pul|sar** der; -s, -e: kosmische Strahlungsquelle mit Strahlungspulsen von höchster periodischer Konstanz (Astron.). **Pul|sa|til|la** ⟨lat.-nlat.⟩ die; -: Kuhschelle (Bot.). **Pul|sa|ti|on** ⟨lat.⟩ die; -, -en: 1. rhythmische Zu- u. Abnahme des Gefäßvolumens; Pulsschlag (Med.).). 2. Veränderung eines Sterndurchmessers (Astron.). **Pul|sa|tor** *der; -s, ... oren* u. **Pul|sa|tor|ma|schi|ne** *die; -, -n:* Gerät zur Erzeugung pulsierender Bewegungen od. periodischer Druckänderungen (z. B. bei der Melkmaschine). **pul|sen:** ↑pulsieren. **pul|sie|ren:** 1. rhythmisch dem Pulsschlag entsprechend an- u. abschwellen; schlagen, klopfen. 2. sich lebhaft regen, fließen, strömen. **Pul|si|on** *die; -, -en:* Stoß, Schlag. **Pul|so|me|ter** *⟨lat.; gr.⟩ das; -s, -:* kolbenlose Dampfpumpe, die durch Dampfkondensation arbeitet (Techn.)

Pul|ver [...fɐ, auch: ...vɐ] *⟨lat.; „Staub"⟩ das; -s, -:* a) fester Stoff in sehr feiner Zerteilung; b) Schießpulver; c) Medikament, Gift in Pulverform. **Pul|ve|ri|sa|tor** *⟨lat.-nlat.⟩ der; -s, ...oren:* Maschine zur Pulverherstellung durch Stampfen od. Mahlen. **pul|ve|ri|sie|ren:** feste Stoffe zu Pulver (1 a) zerreiben, zerstäuben

Pul|ma *⟨indian.⟩ der; -s, -s:* in Amerika heimisches Raubtier mit langem Schwanz, kleinem Kopf u. dichtem braunem bis [silber]grauem Fell.

Pump|gun ['pʌmpɡʌn] *⟨engl.⟩ die; -, -s:* großkalibriges mehrschüssiges Gewehr, bei dem das Repetieren durch Zurückziehen des mit den Verschlussteilen in Verbindung stehenden Vorderschaftes erfolgt

Pumps [pœmps] *⟨engl.⟩ der; -, -:* ausgeschnittener, nicht durch Riemen od. Schnürung gehaltener Damenschuh

Pul|na *⟨indian. span.⟩ die; -:* Hochfläche der südamerikanischen Anden mit Steppennatur

Punch [pantʃ] *⟨engl.⟩ der; -s, -s:* 1. (Boxen) Faustschlag, Boxhieb (von erheblicher Durchschlagskraft). 2. Hanswurst des historischen englischen Theaters u. des englischen Puppenspiels. **Pun|cher** *der; -s, -:* (Boxen) 1. Boxer, der über einen kraftvollen Schlag verfügt. 2. Boxer, der mit dem Punchingball trainiert. **Pun|ching|ball** *der; -[e]s, ...bälle* u. **Pun|ching|bir|ne** *die; -, -n:* oben u. unten befestigter, frei beweglicher Lederball als Übungsgerät für Boxer

Punc|tum Punc|ti *⟨lat.⟩ das; - -:* Hauptpunkt (bes. von Geld in Bezug auf finanzielle Planun-

gen). **Punc|tum sa|li|ens** *das; - -:* der springende Punkt, Kernpunkt; Entscheidendes **pu|ni|tiv** *⟨lat.⟩:* strafend

Punk [paŋk] *⟨engl.-amerik.; „Abfall, Mist"⟩ der; -[s], -s:* 1. a) (ohne Plural, meist ohne Artikel) Protestbewegung von Jugendlichen mit bewusst rüdem, exaltiertem Auftreten u. bewusst auffallender Aufmachung (grelle Haare, zerrissene Kleidung, Metallketten o. Ä.); b) ↑Punker (2). 2. (ohne Plural) ↑Punkrock. **Pun|ker** *der; -s, -:* 1. Musiker des Punkrock. 2. Anhänger des Punk (1 a). **pun|kig:** den Punk (1 a) betreffend, ihm entsprechend, für ihn charakteristisch. **Punk|rock** *der; -[s]:* Rockmusik, die durch einfache Harmonik, harte Akkorde, hektisch-aggressive Spielweise u. meist zynisch-resignative Texte gekennzeichnet ist **Punk|ro|ker** *der, -s, -.* Punker (1)

Punkt *⟨lat.; „Gestochenes; eingestochenes Zeichen"⟩ der; -[e]s, -e:* 1. geometrisches Gebilde ohne Ausdehnung; bestimmte Stelle im Raum, die durch Koordinaten festgelegt ist (Math.). 2. kleines schriftliches Zeichen als Schlusszeichen eines Satzes od. einer im vollen Wortlaut gesprochenen Abkürzung, als Kennzeichen für eine Ordnungszahl, als Verlängerungszeichen hinter einer Note, als Morsezeichen u. a. 3. sehr kleiner Fleck. 4. kleinste Einheit (0,376 mm) des typographischen Maßsystems für Schriftgrößen (z. B. eine Schrift von 8 Punkt; Druckw.). 5. bestimmte Stelle, bestimmter Ort. 6. Stelle, Abschnitt (z. B. eines Textes, einer Rede); einzelner Teil aus einem zusammenhängenden Ganzen. 7. Thema, Verhandlungsgegenstand innerhalb eines größeren Fragen-, Themenkomplexes. 8. bestimmter Zeitpunkt, Augenblick. 9. Wertungseinheit im Sport, bei bestimmten Spielen; bei bestimmten Leistungen. **Punk|tal|glas** ® *⟨lat.-nlat.; dt.⟩ das; -es, ...gläser:* zur Vermeidung von Verzerrungen besonders geschliffenes Brillenglas. **Punk|tat** *⟨lat.-nlat.⟩ das; -[e]s, -e:* durch Punktion gewonnene Körperflüssigkeit (Med.). **Punk|ta|ti|on** *die; -, -en:* 1. nicht bindender Vorvertrag (Rechtsw.). 2. [vorläufige] Festlegung der Hauptpunkte eines künftigen Staatsvertrages. 3.

Kennzeichnung der Vokale im Hebräischen durch Punkte u. Striche unter u. über den Konsonanten. **Punk|ta|tor** *der; -s, -en* (meist Plural): Angehöriger einer Gruppe spätjüdischer Schriftgelehrter (4–6 Jh.), die durch Punktation (3) der alttestamentlichen Schriften den massoretischen Text festlegten. **punk|tie|ren** *⟨lat.-mlat.; „Einstiche machen; Punkte setzen"⟩:* 1. mit Punkten versehen, tüpfeln. 2. (Mus.) a) eine Note mit einem Punkt versehen u. sie dadurch um die Hälfte ihres Wertes verlängern; b) die Töne einer Gesangspartie um eine Oktave (od. Terz) niedriger od. höher versetzen. 3. die wichtigsten Punkte eines Modells auf den zu bearbeitenden Holz- od. Steinblock maßstabgerecht übertragen (Bildhauerkunst). 4. eine Punktion durchführen (Med.). **Punk|tier|kunst** *die; -:* Kunst des Wahrsagens aus zufällig in Sand od. Erde markierten od. auf Papier verteilten Punkten u. Strichen. **Punk|ti|on** *die; -, -en:* Entnahme von Flüssigkeit od. Gewebe aus einer Körperhöhle durch Einstich mit Hohlnadeln (Med.). **Punk|tu|a|li|tät** *⟨lat.-nlat.⟩ die; -:* Genauigkeit, Strenge. **punk|tu|ell:** einen od. mehrere Punkte betreffend, Punkt für Punkt, punktweise; **punktuelle Aktionsart:** Aktionsart des Zeitwortes, die einen bestimmten Punkt eines Geschehens herausgreift (Sprachw.). **Punk|tum** *⟨lat.⟩:* basta!, genug damit!, Schluss! **Punk|tur** *die; -, -en:* ↑Punktion

pun|ta d'ar|co *⟨lat.-it.⟩:* mit der Spitze des Geigenbogens (zu spielen; Mus.)

Pun|ze *⟨it.⟩ die; -, -n:* 1. Stempel, Stahlgriffel mit einer od. mehreren Spitzen zum Herstellen bestimmter Treib-, Ziselierarbeiten. 2. (österr., schweiz.) in Metalle eingestanzter Garantiestempel. **pun|zen** u. **pun|zie|ren:** 1. Zeichen, Muster in Metall, Leder u. a. einschlagen; ziselieren, Metall treiben. 2. den Feingehalt von Gold u. Silberwaren kennzeichnen

Pu|pill *⟨lat.⟩ der; -en, -en:* (veraltet) Mündel, Pflegebefohlener. **pu|pil|lar:** 1. die Pupille (1) betreffend, zu ihr gehörend (Med.). 2. ↑pupillarisch. **pu|pil|la|risch:** (veraltet) das Mündel betreffend (Rechtsw.). **Pu|pil|le** *⟨„kleines

Mädchen"⟩ *die;* -, -n: 1. schwarze Öffnung im Auge, durch die das Licht eindringt; Sehloch. 2. (veraltet) weibl. Form zu ↑Pupill (Rechtsw.)

pu|pi|ni|sie|ren ⟨nach dem amerik. Elektrotechniker Pupin, 1858–1935⟩: Pupinspulen einbauen. **Pu|pin|spu|le** *die;* -, -n: mit pulverisiertem Eisen gefüllte Spule zur Verbesserung der Übertragungsqualität (bes. bei Telefonkabeln)

pu|pi|par ⟨*lat.-nlat.*⟩: (von Larven bestimmter Insekten) sich gleich nach der Geburt verpuppend (Zool.). **Pu|pi|pa|rie** *die;* -: bestimmte Form der Viviparie (1) bei Insekten, deren Larven sich sofort nach der Geburt verpuppen (Zool.). **Pup|pet** ['pʌpɪt] ⟨*lat.-fr.-engl.*⟩ *das;* -[s], -s: engl. Bezeichnung für: Drahtpuppe, Marionette.

pur ⟨*lat.*⟩: 1. rein, unverfälscht, lauter; unvermischt. 2. nur, bloß, nichts als; glatt

Pu|ra|na ⟨*sanskr.;* „alte (Erzählung)"⟩ *das;* -s, -s (meist Plural): eine der umfangreichen mythisch-religiösen Einzelschriften des Hinduismus aus den ersten nachchristlichen Jahrhunderten

Pü|ree ⟨*lat.-fr.*⟩ *das;* -s, -s: breiartige Speise aus Kartoffeln, Gemüse, Hülsenfrüchten, Fleisch, Obst o. Ä.

Pur|ga ⟨*russ.*⟩ *die;* -, Purgi: Schneesturm in Nordrussland u. Sibirien

Pur|gans ⟨*lat.*⟩ *das;* -, ...anzien u. ...antia [...tsia]: Abführmittel mittlerer Stärke (Med.). **Pur|ga|ti|on** *die;* -, -en: (veraltet) 1. das Abführen; Reinigung des Darms (Med.). 2. [gerichtliche] Rechtfertigung (Rechtsw.). **Pur|ga|tiv** *das;* -s, -e u. **Pur|ga|ti|vum** *das;* -s, ...va: stark wirkendes Abführmittel (Med.). **pur|ga|tiv:** abführend (Med.). **Pur|ga|to|ri|um** *das;* -s: in katholischem Glaubensverständnis Läuterungsort der Seelen Verstorbener; Fegefeuer

Pur|gi: *Plural* von ↑Purga

pur|gie|ren ⟨*lat.*⟩: 1. reinigen, läutern. 2. abführen und Abführmittel anwenden (Med.). **pü|rie|ren** ⟨*lat.-fr.*⟩: zu Püree machen, ein Püree herstellen (Gastr.). **Pu|ri|fi|ka|ti|on** ⟨*lat.*⟩ *die;* -, -en: a) liturgische Reinigung der Altargefäße in der katholischen Messe; b) ↑Ablution (2). **Pu|ri|fi|ka|ti|ons|eid** ⟨*lat.; dt.*⟩ *der;* -[e]s, -e: (hist.) Reinigungseid (Rechtsw.).

Pu|ri|fi|ka|to|ri|um *das;* -s, ...ien: Kelchtuch zum Reinigen des Messkelches. **pu|ri|fi|zie|ren:** reinigen, läutern

Pu|rim [auch: 'puː...] ⟨*hebr.*⟩ *das;* -s: im Februar/ März gefeiertes jüdisches Fest zur Erinnerung an die im Buch Esther des A. T. beschriebene Rettung der persischen Juden

Pu|rin ⟨*lat.-nlat.*⟩ *das;* -s, -e (meist Plural): aus der Nukleinsäure der Zellkerne entstehende organische Verbindung (Chem.). **Pu|ris|mus** *der;* -: 1. (als übertrieben empfundenes) Streben nach Sprachreinheit, Kampf gegen Fremdwörter (Sprachw.). 2. Bewegung in der Denkmalpflege, ein Kunstwerk um der Stilreinheit willen von stilfremden Elementen zu befreien. 3. Kunstrichtung im 20. Jh., die eine klare, strenge Kunst auf der Basis rein architektonischer u. geometrischer Form fordert. **Pu|rist** *der;* -en, -en: Vertreter des Purismus. **pu|ris|tisch:** den Purismus betreffend. **Pu|ri|ta|ner** ⟨*lat.-engl.*⟩ *der;* -s, -: a) Anhänger des Puritanismus; b) sittenstrenger Mensch. **pu|ri|ta|nisch:** a) den Puritanismus betreffend; b) sittenstreng; c) bewusst einfach, spartanisch [in der Lebensführung]. **Pu|ri|ta|nis|mus** *der;* -: streng kalvinistische Richtung im England des 16. u. 17. Jahrhunderts. **Pu|ri|tät** ⟨*lat.*⟩ *die;* -: [Sitten]reinheit

Pu|ro|hi|ta ⟨*sanskr.*⟩ *der;* -s, -s: indischer Hauptpriester u. Berater des Königs in der Zeit der wedischen Religion

Pur|pur ⟨*gr.-lat.*⟩ *der;* -s: 1. a) satt-roter, violetter Farbstoff; b) satt-roter Farbton mit mehr od. weniger starkem Anteil von Blau. 2. (von Herrschern, Kardinälen bei offiziellem Anlass getragenes) purpurfarbenes, prächtiges Gewand

Pur|ser ['pɜːsə] ⟨*engl.*⟩ *der;* -s, -: a) Zahlmeister auf einem Schiff; b) Chefsteward im Flugzeug

pu|ru|lent ⟨*lat.*⟩: eitrig (Med.). **Pu|ru|lenz** u. **Pu|ru|les|zenz** *die;* -, -en: (veraltet) [Ver]eiterung (Med.)

pu|schen ⟨*engl.-amerik.*⟩: antreiben, in Schwung bringen

Pusch|ti vgl. Poschti

Push [pʊʃ] ⟨*engl.*⟩ *der;* -[e]s, -es [...ɪs, auch: ...ɪz]: 1. (Jargon) forcierte Förderung (z. B. von jmds. Bekanntheit) mit Mitteln der Werbung. 2. Schlag mit der rech-

ten Hand, der den Ball zu weit nach rechts, oder mit der linken, der ihn zu weit nach links bringt (Golf). **Push|ball** [...bɔːl] ⟨*amerik.*⟩ *der;* -s: amerikanisches Mannschaftsspiel, bei dem ein sehr großer Ball über eine Linie od. ins Tor geschoben, gedrückt werden muss. **pu|shen** ⟨*engl.*⟩: 1. (Jargon) durch forcierte Werbung jmds. Aufmerksamkeit auf jmdn., etw. lenken. 2. einen Push (2) schlagen, spielen (Golf). 3. (Jargon) mit harten Drogen handeln. **Pu|sher** *der;* -s, -: (Jargon) Rauschgifthändler, der mit Drogen handelt

Pus|tel ⟨*lat.*⟩ *die;* -, -n: Eiterbläschen; Pickel (Med.). **pus|tu|lös:** (Med.) a) Pusteln aufweisend; zur Bildung von Pusteln neigend; b) mit Pusteln einhergehend

Pusz|ta ⟨*ung.*⟩ *die;* -, ...ten: Grassteppe, Weideland in Ungarn

pu|ta|tiv ⟨*lat.*⟩: vermeintlich, auf einem Rechtsirrtum beruhend (Rechtsw.). **Pu|ta|tiv|ehe** *die;* -n: ungültige Ehe, die aber mindestens von einem Partner in Unkenntnis des bestehenden Ehehindernisses für gültig gehalten wird (kath. Kirchenrecht). **Pu|ta|tiv|not|wehr** *die;* -: Abwehrhandlung in der irrtümlichen Annahme, die Voraussetzungen der Notwehr seien gegeben (Rechtsw.)

Put|re|fak|ti|on* ⟨*lat.*⟩ u. **Put|res|zenz** ⟨*lat.-nlat.*⟩ *die;* -, -en: 1. Verwesung, Fäulnis (Biol.; Med.). 2. faulige Nekrose (Med.). **put|res|zie|ren** ⟨*lat.*⟩: verwesen (Med.). **put|rid:** faulig, übel riechend (Med.)

Putt ⟨*engl.*⟩ *der;* -[s], -s: Schlag auf dem Grün (Rasenfläche am Ende der Spielbahn mit dem Loch; Golf)

Put|te ⟨*lat.-it.;* „Knäblein"⟩ *die;* -, -n u. **Putto** *der;* -s, ...tti u. ...tten: (bes. im Barock u. Rokoko) Figur eines kleinen nackten Knaben, Kindes [mit Flügeln]

put|ten ⟨*engl.*⟩: den Ball mit dem Putter schlagen (Golf). **Put|ter** ⟨*engl.*⟩ *der;* -s, -: Spezialgolfschläger, mit dem der Ball ins Loch getrieben wird (Golf)

Put|to vgl. Putte

puz|zeln ['pʊzl̩n, 'pʊsl̩n, auch: 'paz|n, 'pasl̩n] ⟨*engl.*⟩: ein Puzzle zusammensetzen. **Puz|zle** ['pʊzl, 'pʊsl, auch: 'pazl, 'pasl] *das;* -s, -s: aus vielen Einzelteilen in einem Geduldsspiel zusammenzusetzendes Bild. **Puzz|ler** *der;* -s,

-: jmd., der ein Puzzle zusammensetzt **Puz|zo|lan** ‹nach dem ursprünglichen Fundort Pozzuoli am Vesuv› *das;* -s, -e: a) aus Italien stammender, poröser vulkanischer Tuff; b) hydraulisches Bindemittel für Zement aus Puzzolan (a), Schlacken, Ton o. Ä. **Py|ä|mie** ‹gr.-nlat.› *die;* -, ...ien: Vorkommen zahlreicher Eitererreger im Blut (Med.). **Py|arth|ro|se*** *die;* -, -n: eitrige Gelenkentzündung **Py|e|lek|ta|sie*** ‹gr.-nlat.› *die;* -, ...ien: krankhafte Erweiterung des Nierenbeckens (Med.). **Py|e|li|tis** *die;* -, ...itiden: Nierenbeckenentzündung (Med.). **Py|e|lo|gramm** *das;* -s, -e: Röntgenbild des Nierenbeckens (Med.). **Py|e|lo|gra|phie,** auch: Pyelografie *die;* -, ...ien: röntgenologische Darstellung des Nierenbeckens (Med.). **Py|e|lo|neph|ri|tis** *die;* -, ...itiden: gleichzeitige Entzündung von Nierenbecken u. Nieren (Med.). **Py|e|lo|to|mie** *die;* -, ...ien: operativer Einschnitt in das Nierenbecken (Med.). **Py|e|lo|zys|ti|tis** *die;* -, ...itiden: gleichzeitige Entzündung von Nierenbecken u. Blase (Med.)

Pyg|mäe ‹gr.-lat.; „Fäustling"› *der;* -n, -n: Angehöriger einer kleinwüchsigen Rasse in Afrika. **pyg|mä|isch:** kleinwüchsig **Pyg|ma|li|on|ef|fekt** ‹nach der Gestalt der griechischen Mythologie› *der;* -[e]s: Effekt, dass Schüler, die ihr Lehrer für intelligent hält, während der Schulzeit eine bessere Intelligenzentwicklung zeigen als Kinder, die dem Lehrer weniger intelligent zu sein scheinen (Psychol.). **Pyg|ma|li|o|nis|mus** *der;* -, ...men: sexuelle Erregung beim Anblick nackter Statuen **pyg|mid** ‹gr.-nlat.›: zu den Pygmiden gehörend. **Pyg|mi|de** *der* u. *die;* -n, -n: Angehörige[r] einer kleinwüchsigen Menschenrasse mit Merkmalen der Pygmäen **Py|ja|ma** [py'dʒa:ma, auch: py'ʒa:ma u. ‹österr. nur:› pi'dʒa:ma, pi'ʒa:ma, selten: py-'ja:ma, pi'ja:ma] ‹Hindi-engl.; „Beinkleid"› *der* ‹österr., schweiz. auch: *das*›, -s, -s: Schlafanzug **Pyk|ni|di|e*** ‹gr.-nlat.› *die;* -, -n: Fruchtkörper der Rostpilze. **Pyk|ni|ker** *der;* -s, -: Mensch von pyknischem Körperbau. **pyknisch:** (in Bezug auf den Kör-

perbautyp) kräftig, gedrungen u. zu Fettansatz neigend. **Pyk|no|me|ter** *das;* -s, -: Glasgefäß mit genau bestimmtem Volumen zur Ermittlung der Dichte von Flüssigkeiten od. Pulvern. **Pyk|no|se** *die;* -, -n: natürliche od. künstlich verursachte Zellkerndegeneration in Form einer Zusammenballung der Zellkernmasse (Med.). **pyk|no|tisch:** verdichtet, dicht zusammengedrängt (von der Zellkernmasse) **Py|le|phle|bi|tis*** ‹gr.-nlat.› *die;* -, ...itiden: Entzündung der Pfortader (Med.). **Py|lon** ‹gr.› *der;* -en, -en u. **Py|lo|ne** *die;* -, -n: 1. von festungsartigen Türmen flankiertes Eingangstor ägyptischer Tempel. 2. turm- od. portalartiger Teil von Hängebrücken o. Ä., der die Seile an den höchsten Punkten trägt. 3. kegelförmige, bewegliche, der Absperrung dienende Markierung auf Straßen. 4. an der Tragfläche od. am Rumpf eines Flugzeugs angebrachter, verkleideter Träger zur Befestigung einer Last. **Py|lo|rus** ‹gr.-lat.; „Türhüter"› *der;* -, ...ren: [Magen]pförtner, Schließmuskel am Magenausgang (Med.). **Py|o|der|mie** ‹gr.-nlat.› *die;* -, ...ien: durch Eitererreger verursachte Erkrankung der Haut (Med.). **py|o|gen:** Eiterungen verursachend (von bestimmten Bakterien; Med.). **Py|o|kok|ke** *die;* -, -n (meist Plural): Eiterungen verursachende Kokke. **Py|o|met|ra*** *die;* -: Eiteransammlung in der Gebärmutter (Med.). **Py|o|neph|ro|se*** *die;* -, -n: Nierenvereiterung als Endstadium einer Nephrose (Med.). **Py|or|rhö** u. **Py|or|rhöe** [...'rø:] *die;* -, ...rrhöen [...'rø:ən]: eitriger Ausfluss (Med.). **py|or|rho|isch:** die Pyorrhö betreffend, in der Art einer Pyorrhö. **Py|o|tho|rax** *der;* -[es], -e: Eiteransammlung im Brustkorb (Med.) **py|ra|mi|dal** ‹ägypt.-gr.-lat.›: 1. pyramidenförmig. 2. (ugs.) gewaltig, riesenhaft. **Py|ra|mi|de** ‹ägypt.-gr.-lat.› *die;* -, -n: 1. monumentaler Grab- od. Tempelbau verschiedener Kulturen, bes. im alten Ägypten. 2. geometrischer Körper mit einem ebenen Vieleck als Grundfläche u. einer entsprechenden Anzahl von gleichschenkligen Dreiecken, die in einer gemeinsamen Spitze enden, als Seitenflächen (Math.). 3. Kristallfläche, die al-

le drei Kristallachsen schneidet (Mineral.). 4. pyramidenförmige Bildung an der Vorderseite des verlängerten Marks (Med.). 5. Figur im Kunstkraftsport **Py|ra|no|me|ter*** ‹gr.-nlat.› *das;* -s, -: Gerät zur Messung der Sonnen- u. Himmelsstrahlung (Meteor.). **Py|re|no|id** *das;* -[e]s, -e (meist Plural): eiweißreiches Körnchen, das den Farbstoffträgern der Algen eingelagert ist. **Py|reth|rum*** ‹gr.-lat.› *das;* -s, ...ra: 1. (veraltend) Chrysanthemum. 2. Insektizid aus den getrockneten Blüten verschiedener Chrysanthemen. **Py|re|ti|kum** ‹gr.-nlat.› *das;* -s, ...ka: Fiebermittel, Fieber erzeugendes Mittel (Med.). **py|re|tisch:** Fieber erzeugend (von Medikamenten; Med.). **Py|re|xie*** *die;* -, ...ien: Fieber[anfall] (Med.). **Py|r|ge|o|me|ter** *das;* -s, -: Gerät zur PyroMessung der Erdstrahlung (Meteor.) **Pyr|go|ze|pha|lie** ‹gr.-nlat.› *die;* -, ...ien: ↑ Turrizephalie (Med.). **Pyr|he|li|o|me|ter** ‹gr.-nlat.› *das;* -, -s, -: Gerät zur Messung der direkten Sonnenstrahlung (Meteor.). **Py|ri|din** *das;* -s: heterozyklische Verbindung mit aromatischen Eigenschaften; unangenehm riechende, giftige, mit Wasser mischbare, basisch reagierende Flüssigkeit (Chem.). **Py|ri|mi|din** *das;* -s, -e: heterozyklische Verbindung mit zwei Stickstoffatomen; farblose, charakteristisch riechende, kristalline Substanz. **Py|rit** ‹auch: ...'rıt] ‹gr.-lat.›: -e: metallisch glänzendes, meist hellgelbes, oft braun od. bunt angelaufenes Mineral, das bes. für die Gewinnung von Schwefel[verbindungen] dient; Eisenkies, Schwefelkies. **py|ro|elek|trisch*** ‹gr.-nlat.›: die Pyroelektrizität betreffend. **Py|ro|elek|tri|zi|tät*** *die;* -: bei manchen Kristallen an entgegengesetzten Seiten zu schneller Erwärmung auftretende elektrische Ladungen. **Py|ro|gal|lol** ‹gr.; lat.; arab.› *das;* -s: dreiwertiges aromatisches Phenol, das u. a. als fotografischer Entwickler verwendet wird. **Py|ro|gal|lus|säu|re** *die;* -: ↑ Pyrogallol. **py|ro|gen** ‹gr.-nlat.›: 1. Fieber erzeugend (z. B. von Medikamenten; Med.). 2. aus Schmelze entstanden (von Mineralien; Geol.). **Py|ro|gen** *das;* -s, -e: aus bestimmten Bakterien gewonnener Eiweißstoff,

15*

der Fieber erzeugende Wirkung hat (Med.). **Py|ro|lu|sịt** [auch: ...'zıt] *der;* -s, -e: Braunstein (ein Mineral). **Py|ro|ly|se** *die;* -, -n: Zersetzung chemischer Verbindungen durch sehr große Wärmeeinwirkung. **py|ro|ly|tisch:** die Pyrolyse betreffend, auf ihr beruhend. **Py|ro|ma|ne** *der u. die;* -n, -n: jmd., der an Pyromanie leidet (Med.). **Py|ro|ma|nie** *die;* -: zwanghafter Trieb, Brände zu legen [u. sich beim Anblick des Feuers bes. sexuell zu erregen] (Med.). **py|ro|ma|nisch:** die Pyromanie betreffend, auf ihr beruhend. **Py|ro|man|tie** *(gr.) die;* -: im Altertum die Wahrsagung aus dem [Opfer]feuer. **Py|ro|me|ter** *(gr.-nlat.) das;* -s, -: Gerät zur Messung der Temperatur glühender Stoffe. **Py|ro|met|rie*** *die;* -: Messung der [Oberflächen]temperatur glühender Körper u. Stoffe. **Py|ro|mor|phịt** [auch: ...'fıt] *der;* -s, -e: durchscheinendes bis undurchsichtiges, meist grünes od. braunes Mineral. **Py|ron** *der;* -s, -e: organische Verbindung, die in verschiedenen Pflanzenfarbstoffen enthalten ist (Chem.). **Py|rop** *(gr.-lat.; „feueräugig")* *der;* -[e]s, -e: blutroter bis schwarzer Granat, der als Schmuckstein verarbeitet wird (Mineral.). **Py|ro|pa|pier** *(gr.; dt.) das;* -s: leicht brennbares Papier (für Feuerwerkskörper). **Py|ro|pho|bie** *(gr.-nlat.) die;* -, ...jen: krankhafte Furcht vor dem Umgang mit Feuer (Med.). **py|ro|phor** *(gr.):* [in feinster Verteilung] sich an der Luft bei gewöhnlicher Temperatur selbst entzündend. **Py|ro|phor** *der;* -s, -e: Stoff mit pyrophoren Eigenschaften (z. B. Phosphor, Eisen, Blei). **Py|ro|phyt** *der;* -en, -en (meist Plural): Pflanze, die durch bestimmte Baumerkmale (z. B. die Borke) gegen Brände weitgehend resistent ist (Bot.). **Py|rop|to*** *(gr.-nlat.) das;* -s, -s: Strahlungspyrometer zur Messung der Stärke von Lichtstrahlen. **Py|ro|sis** *(gr.; „das Brennen; die Entzündung") die;* -: Sodbrennen (Med.). **Py|ro|sphä|re** *(gr.-nlat.) die;* -: (veraltet) Erdinneres (Erdmantel u. Erdkern). **Py|ro|tech|nik** *die;* -: Herstellung u. Gebrauch von Feuerwerkskörpern; Feuerwerkerei. **Py|ro|tech|ni|ker** *der;* -s, -: Fachmann auf dem Gebiet der Pyrotechnik; Feuerwerker. **py-**
ro|tech|nisch: die Pyrotechnik betreffend. **Py|ro|xen** *der;* -s, -e: gesteinsbildendes Mineral. **Py|ro|xe|nịt** [auch: ...'nıt] *der;* -s, -e: dunkles Tiefengestein

Pyr|rhị|che *(gr.) die;* -, -n: altgriechischer Waffentanz, meist mit Flötenspiel. **Pyr|rhị|chi|us** *(gr.-lat.) der;* -, ...chii: aus zwei Kürzen bestehender antiker Versfuß (..)

Pyr|rho|nịs|mus *(gr.-nlat.) der;* -: der von dem griechischen Philosophen Pyrrhon (360–270 v. Chr.) ausgehende Skeptizismus (2)

Pyr|rhus|sieg ‹nach den verlustreichen Siegen des Königs Pyrrhus von Epirus über die Römer› *der;* -[e]s, -e: Scheinsieg; Erfolg, der mit hohem Einsatz, mit großen Opfern verbunden ist u. daher eher einem Fehlschlag gleichkommt

Pyr|rol *(gr.-nlat.) das;* -s: stickstoffhaltige organische Verbindung mit vielen Abkömmlingen von biochemischer Bedeutung (z. B. Blutfarbstoff)

Py|tha|go|rä|er vgl. Pythagoreer. **py|tha|go|rä|isch** vgl. pythagoreisch. **Py|tha|go|ras** ‹nach dem altgriech. Philosophen› *der;* -: pythagoreischer Lehrsatz. **Py|tha|go|re|er,** (österr.:) Pythagoräer *der;* -s, -: Anhänger der Lehre des altgriechischen Philosophen Pythagoras. **py|tha|go|re|isch,** (österr.:) pythagoräisch: die Lehre des Pythagoras betreffend, nach der Lehre des Pythagoras; **pythagoreischer Lehrsatz:** Lehrsatz der Geometrie, nach dem im rechtwinkligen Dreieck das Quadrat über der Hypotenuse gleich der Summe der Quadrate über den Katheten ist (Math.). **Py|thia** ‹nach der Priesterin des Orakels von Delphi› *die;* -, ...jen: Frau, die in rätselhafter Weise Zukünftiges voraussagt. **py|thisch:** dunkel, orakelhaft. **Py|thon** *(gr.-lat.; von Apollo getötetes Ungeheuer der griech. Sage) der;* -s, -s, **Py|thon|schlan|ge** *die;* -, -n: in Afrika, Südasien u. Nordaustralien lebende Riesenschlange

Py|u|rie *(gr.-nlat.) die;* -, ...jen: Ausscheidung von Eiter im Harn (Med.)

Py|xis *(gr.-lat.) die;* -, ...jden (auch: ...ides ['pykside:s]): Behältnis für liturgische Gegenstände, Hostienbehälter im Tabernakel

Qat [kat] vgl. Kat

Qi|gong [tʃiˈgʊŋ] ‹chin.› *das;* (meist ohne Artikel) -[s]: eine der chinesischen Tradition entstammende Heil- u. Selbstheilmethode, bei der Atem, Bewegung u. Vorstellungskraft methodisch eingesetzt werden, um Herz-, Kreislauf- u. Nervenerkrankungen zu behandeln. **Qi|gong|ku|gel** ‹chin.; dt.› *die;* -, -n: Hohlkugel (mit einer inneren, rotierenden Kugel), von denen jeweils zwei nach bestimmten Regeln in der Hand bewegt werden, um durch die Vibration die Hand- u. Armmuskulatur zu bewegen u. den Kreislauf zu aktivieren

Qin|dar [k...] ‹alban.› *der;* -[s], -ka: Münzeinheit in Albanien (= 0,01 Lek)

qua ‹lat.›: 1. a) mittels, durch, auf dem Wege über (z. B. etwas qua Amt festsetzen); b) gemäß, entsprechend (z. B.: den Schaden qua Verdienstausfall bemessen). 2. in der Eigenschaft[] als (z. B. qua Beamter)

Quad|ra|ge|se* ‹lat.-mlat.› *die;* -: ↑Quadragesima. **Quad|ra|ge|si|ma** *die;* -: die vierzigtägige christliche Fastenzeit vor Ostern. **Quad|ral** ‹lat.-nlat.› *der;* -s, -e: eigener ↑Numerus (3) für vier Dinge od. Wesen (Sprachw.). **Quad|ran|gel** ‹lat.› *das;* -s, -: Viereck. **quad|ran|gu|lär** ‹lat.-nlat.›: viereckig. **Quad|rant** ‹lat.; „den vierte Teil") *der;* -en, -en: 1. (Math.) a) Viertelkreis; b) beim ebenen Koordinatensystem die zwischen zwei Achsen liegende Viertelebene. 2. a) ein Viertel des Äquators od. eines Meridians; b) (hist.) Instrument zur Messung der Durchgangshöhe der Sterne (Vorläufer des ↑Meridiankreises; Astron.). 3. (hist.) Instrument zum Einstellen der Höhenrichtung eines Geschützes beim Schuss ohne Sicht auf das Ziel (Mil.). **Quad|rat** *das;* -[e]s, -e[n]: 1. (Plural nur: -e) (Math.) a) Viereck mit vier rechten Winkeln

u. vier gleichen Seiten; b) zweite ↑Potenz einer Zahl. 2. längeres, rechteckiges, nicht druckendes Stück Blei, das zum Auffüllen von Zeilen beim Schriftsatz verwendet wird (Druckw.). 3. 90° Winkelabstand zwischen Planeten (Astrol.). Quad|ra|ta *die; -:* die Buchschriftform der ↑Kapitalis. Quad|rat|de|zi|me|ter *der* (auch: *das); -s, -:* Fläche von 1 dm Länge u. 1 dm Breite (Zeichen: dm²). quad|ra|tisch: 1. in der Form eines Quadrats. 2. in die zweite Potenz erhoben (Math.). Quad|rat|ki|lo|me|ter *der; -s, -:* Fläche von 1 km Länge u. 1 km Breite (Zeichen: km²). Quad|rat|me|ter, *der* (auch: *das); -s, -:* Fläche von 1 m Breite u. 1 m Länge (Zeichen: m²). Quad|rat|mil|li|me|ter *der* (auch: *das); -s, -:* Fläche von 1 mm Breite u. 1 mm Länge (Zeichen: mm²). Quad|rat|no|te *die; -, -n:* Nota quadrata. Quad|ra|tur *die; -, -en:* 1. (Math.) a) Umwandlung einer beliebigen, ebenen Fläche in ein Quadrat gleichen Flächeninhalts durch geometrische Konstruktion; **die Quadratur des Kreises:** Aufgabe, mit Zirkel u. Lineal ein zu einem gegebenen Kreis flächengleiches Quadrat zu konstruieren (aus bestimmten mathematischen Gründen nicht möglich); **etw. ist die Quadratur des Kreises:** etw. ist unmöglich; b) Inhaltsberechnung einer beliebigen Fläche durch ↑Planimeter od. ↑Integralrechnung. 2. zur Verbindungsachse Erde–Sonne rechtwinklige Planetenstellung (Astron.). 3. architektonische Konstruktionsform, bei der ein Quadrat zur Bestimmung konstruktiv wichtiger Punkte verwendet wird, bes. in der romanischen Baukunst. Quad|ra|tur|ma|le|rei *(lat.; dt.) die; -, -en:* 1. (ohne Plural) perspektivische Ausmalung von Innenräumen mit dem Zweck, die Größenverhältnisse optisch zu verändern. 2. Beispiel für die perspektivische Ausmalung von Innenräumen. Quad|rat|wur|zel *die; -, -n:* zweite Wurzel einer Zahl od. mathematische Größe; Zeichen: √, ²√. Quad|rat|zahl *die; -, -en:* Zahl, die die zweite ↑Potenz (4) einer anderen ist (Math.). Quad|rat|zen|ti|me|ter *der* (auch: *das); -s, -:* Fläche von 1 cm Länge u. 1 cm Breite; (Zeichen: cm²). Quad|ri|du|um *das; -s, ...uen:* (veraltet) Zeit-

raum von vier Tagen. Quad|ri|en|na|le *(lat.-it.) die; -, -n:* alle vier Jahre stattfindende Ausstellung od. repräsentative Vorführung (auf dem Gebiet der bildenden Kunst u. des Films). Quad|ri|en|ni|um *(lat.) das; -s, ...ien:* (veraltet) Zeitraum von vier Jahren. quad|rie|ren: in die zweite ↑Potenz (4) erheben, d. h. mit sich selbst multiplizieren (Math.). Quad|rie|rung *die; -, -en:* Nachahmung von Quadersteinen durch Aufmalung von Scheinfugen auf dem Putz (Baukunst). Quad|ri|ga *die; -, ...gen:* von einem offenen Streit-, Rennod. Triumphwagen [der Antike] aus gelenktes Viergespann (Darstellung in der Kunst [als Siegesdenkmal]). Quad|ri|ga [kva'dri:ɡə, auch: ka... u. österr.: ka'dri:ɡa] *(lat.-span.-fr.) die; -, -n:* von je vier Personen in einem Karree getanzter Kontertanz im ³/₈ od. ⁶/₄-Takt. Quad|ril|lé [kadri'je:] *der; -:* kariertes Seidengewebe. Quad|ril|li|ar|de *(lat.; fr.) die; -, -n:* 1000 Quadrillionen = dritte Potenz einer Milliarde = 10^{27}. Quad|ril|li|on *(lat.-fr.) die; -, -en:* eine Million ↑Trillionen = vierte Potenz einer Million = 10^{24}. Quad|ri|nom *(lat.; gr.) das; -s, -e:* Summe aus vier Gliedern (Math.). Quad|ri|re|me *(lat.) die; -, -n:* Vierruderer (antikes Kriegsschiff mit vier übereinander liegenden Ruderbänken). Quad|ri|vi|um *(„Vierweg") das; -s:* im mittelalterlichen Universitätsunterricht die vier höheren Fächer: Arithmetik, Geometrie, Astronomie, Musik; vgl. Trivium. Quad|ro|nal ® *(Kunstw.) das; -s:* schmerzlinderndes Mittel quad|ro|phon, auch: quadrofon: (in Bezug auf die Übertragung von Musik, Sprache o. Ä.) über vier Kanäle laufend; vgl. stereophon. Quad|ro|pho|nie, auch: Quadrofonie *(lat.; gr.) die; -:* quadrophone Übertragungstechnik, durch die ein gegenüber der ↑Stereophonie erhöhtes Maß an räumlicher Klangwirkung erreicht wird; vgl. Stereophonie. quad|ro|pho|nisch, auch: quadrofonisch: die Quadrophonie betreffend; vgl. binaural (2). Quad|ro|phon|uhr, auch: Quadrofonuhr *die; -, -en:* Uhr, die je nach Einstellung auf verschiedene Art u. Weise schlagen kann. Quad|ro|sound [...saund] *(lat.; engl.) der; -s:* durch Quadrophonie erzeugte Klangwirkung.

Quad|ru|ma|ne *(lat.; „Vierhänder") der; -n, -n* (meist Plural): (veraltet) Affe (im Unterschied zum Menschen). Quad|ru|pe|de *der; -n, -n* (meist Plural): (veraltet) a) Vierfüßer; b) Säugetier (nach Linné). ¹Quad|ru|pel *(lat.-fr.) das; -s, -:* vier zusammengehörende mathematische Größen. ²Quad|ru|pel *(span.) der; -s, -:* frühere spanische Goldmünze. Quad|ru|pel|al|li|anz *(lat.; lat.-fr.) die; -, -en:* Bündnis von vier Staaten. Quad|ru|pel|fu|ge *die; -, -n:* 1 Fuge mit vier verschiedenen Themen (Mus.). Quad|ru|pol *(lat.-nlat.) der; -s, -e:* Anordnung von zwei elektrischen ↑Dipolen od. zwei Magnetspulen

Quaes|tio *(lat.) die; -, ...iones* [...nes]: ↑Quästion. Quaes|tio Fac|ti *(„Frage nach dem Geschehen") die; -, ...ones - [...nes -]:* die Untersuchung des Sachverhalts, der tatsächlichen Geschehensabfolge einer Straftat im Unterschied zur Quaestio Juris (Rechtsw.). Quaes|tio Ju|ris *(„Frage nach dem Recht") die; - ..., ...ones - [...nes -]:* Untersuchung einer Straftat hinsichtlich ihrer Strafwürdigkeit u. tatbestandsmäßigen Erfassbarkeit. Quaes|ti|o|nes *[...nes]: Plural* von ↑Quaestio

Quag|ga *(hottentott.) das; -s, -s:* ausgerottetes zebraartiges Wildpferd

Quai [ke:, auch: kɛ] *(gall.-fr.) der; -s, -s:* franz. Schreibung für: Kai. Quai d'Or|say [kedɔr'sɛ] *(fr.) der; - -:* das an der gleichnamigen Straße in Paris gelegene französische Außenministerium

Quä|ker *(engl.; „Zitterer"; urspr. Spottname) der; -s, -:* Mitglied der im 17. Jh. gegründeten englisch-amerikanischen Society of Friends (= Gesellschaft der Freunde), einer sittenstrengen, pazifistischen Sekte mit betonter Sozialethik. quä|kerisch: nach Art der Quäker. Quali|fi|ka|ti|on *(lat.-mlat.-fr.(-engl.)) die; -, -en:* 1. das Sichqualifizieren. 2. a) Befähigung, Eignung; b) Befähigungsnachweis. 3. durch vorausgegangene sportliche Erfolge erworbene Berechtigung, an sportlichen Wettbewerben teilzunehmen. 4. Beurteilung, Kennzeichnung; vgl. ...[at]ion/...ierung. qua|li|fi|zie|ren: 1. sich - a) sich weiterbilden u. einen Befähigungsnachweis erbringen, eine Qualifikation (2b) erwerben; b) die für die Teilnahme an einem sportlichen Wettbewerb erforderliche Leistung erbringen. 2. etw. qualifiziert jmdn. als/für/zu etw.; etw. stellt die Voraussetzung für jmds. Eignung, Befähigung für etw. dar. 3. als etwas beurteilen, einstufen, kennzeichnen, bezeichnen. **qua|li|fi|ziert:** tauglich, besonders geeignet. **Qua|li|fi|zie|rung** die; -, -en: das Qualifizieren (1–3); vgl. ...[at]ion/...ierung. **Qua|li|tät** ⟨lat.⟩ die; -, -en: 1. a) Beschaffenheit; b) Güte, Wert. 2. Klangfarbe eines Vokals (Sprachw.). 3. im Schachspiel der Turm hinsichtlich seiner relativen Überlegenheit gegenüber Läufer od. Springer; die **Qualität gewinnen:** Läufer od. Springer gegen einen Turm eintauschen. **qua|li|ta|tiv** ⟨lat.-mlat.⟩: hinsichtlich der Qualität (1). **Qua|li|ta|tiv** das; -s, -e: ↑Adjektiv (Sprachw.) **Quant** ⟨lat.⟩ das; -s, -en: nicht weiter teilbares Energieteilchen, das verschieden groß sein kann (Phys.). **quan|teln:** eine Energiemenge in Quanten darstellen. **Quan|te|lung** die; -: das Aufteilen der bei physikalischen Vorgängen erscheinenden Energie u. anderer atomarer Größen in bestimmte Stufen od. als Vielfaches von bestimmten Einheiten. **Quan|ten:** Plural von ↑Quant u. ↑Quantum. **Quan|ten|bi|o|lo|gie** die; -: Teilgebiet der Biophysik, auf dem man sich mit der Quantentheorie bei biologischen Vorgängen befasst. **Quan|ten|me|cha|nik** die; -: erweiterte elementare Mechanik, die es ermöglicht, das Geschehen im Mikrokosmos zu erfassen. **Quan|ten|phy|sik** die; -: Teilbereich der Physik, dessen Gegenstand die mit den Quanten zusammenhängenden Erscheinungen sind. **quan|ten|phy|si|ka|lisch:** die Quantenphysik betreffend. **Quan|ten|the|o|rie** die; -: Theorie über die mikrophysikalischen Erscheinungen, die das Auftreten von Quanten in diesem Bereich berücksichtigt. **Quan|ti|fi|ka|ti|on** ⟨lat.-nlat.⟩ die; -, -en: Umformung der Qualitäten in Quantitäten, d. h. der Eigenschaften von etwas in Zahlen u. messbare Größen (z. B. Farben u. Töne in Schwingungszahlen u. Wellenlängen); vgl. ...[at]ion/...ierung. **Quan|ti|fi|ka|tor** der; -s, ...oren: ↑Quantor.

quan|ti|fi|zie|ren: in Mengenbegriffen, Zahlen o. Ä. beschreiben. **Quan|ti|fi|zie|rung** die; -, -en: das Quantifizieren; vgl. ...[at]ion/...ierung. **quan|ti|sie|ren:** 1. eine Quantisierung (2, 3) vornehmen (Fachspr.). 2. ↑quanteln. **Quan|ti|sie|rung** die; -: 1. ↑Quantelung. 2. Übergang von der klassischen, d. h. mit kontinuierlich veränderlichen physikalischen Größen erfolgenden Beschreibung eines physikalischen Systems zur quantentheoretischen Beschreibung durch Aufstellung von Vertauschungsrelationen für die nunmehr im Allgemeinen als nicht vertauschbar anzusehenden physikalischen Größen (Phys.). 3. Unterteilung des Amplitudenbereichs eines kontinuierlich verlaufenden Signals in eine endliche Anzahl kleiner Teilbereiche. **Quan|ti|tät** ⟨lat.⟩ die; -, -en: 1. Menge, Anzahl. 2. Dauer einer Silbe (Länge od. Kürze des Vokals) ohne Rücksicht auf die Betonung (antike Metrik; Sprachw.). **quan|ti|ta|tiv** ⟨lat.-nlat.⟩: der Quantität (1) nach, mengenmäßig. **Quan|ti|té nég|li|gea|ble*** [kãtite neglʒ'ʒab(ə)l] ⟨lat.-fr.⟩ die; - -: wegen ihrer Kleinheit außer Acht zu lassende Größe, Belanglosigkeit. **quan|ti|tie|ren** ⟨lat.-nlat.⟩: Silben im Vers nach der Quantität (2) messen. **Quan|tor** ⟨lat.⟩ der; -s, ...oren: logische Partikel (z. B. „für alle gilt") für quantifizierte Aussagen. **Quan|tum** ⟨lat.; „wie groß, wie viel; so groß wie") das; -s, ...ten: jmdm. zukommende, einer Sache angemessene Menge von etw. (bes. Nahrungsmittel o. Ä.). **quan|tum sa|tis:** in ausreichender Menge; Abk.: q. s. (Med.). **quan|tum vis:** so viel du nehmen willst, nach Belieben (Hinweis auf Rezepten); Abk.: q. v. (Med.)

Qua|ran|tä|ne [ka...] ⟨lat.-vulgärlat.-fr.; „Anzahl von 40 (Tagen)") die; -, -n: räumliche Absonderung, Isolierung Ansteckungsverdächtiger od. Absperrung eines Infektionsherdes (z. B. Wohnung, Ortsteil, Schiff) von der Umgebung als Schutzmaßregel gegen Ausbreitung von ansteckenden Krankheiten. Verschleppung von Seuchen **Quark** [kwɑːk] ⟨engl.; Fantasiename aus „Finnegan's Wake" von James Joyce⟩ das; -s, -s: hypothetisches Elementarteilchen (Phys.) **¹Quart** ⟨lat.(-mlat.)⟩ die; -, -en: 1.

(Mus.) a) vierte Stufe einer diatonischen Tonleiter vom Grundton an; b) Intervall von vier Tönen. 2. bestimmte Klingenhaltung beim Fechten. **²Quart** ⟨lat.⟩ das; -s, -e (aber: 2 Quart): 1. (ohne Plural) Viertelbogengröße; Zeichen: 4° (Buchformat). 2. früheres Flüssigkeitsmaß in Preußen u. Bayern. **³Quart** [kwɔːt] ⟨lat.-engl.⟩ das; -s, -s (aber: 2 Quart): a) englisches Hohlmaß (1,136l) (Zeichen: qt); b) amerikanisches Hohlmaß (für Flüssigkeiten: 0,946l) (Zeichen: liq qt); c) amerikanisches Hohlmaß (für trockene Substanzen: 1,101 dm³); (Zeichen: dry qt). **Quar|ta** ⟨lat.⟩ die; -, ...ten: (veraltend) dritte, in Österreich vierte Klasse eines Gymnasiums. **Quar|tal** ⟨lat.-mlat.⟩ das; -s, -e: Vierteljahr. **quar|ta|li|ter:** (veraltet) vierteljährlich. **Quar|tals|säu|fer** ⟨lat.-mlat.; dt.⟩ der; -s, -: (ugs.) Dipsomane; vgl. Dipsomanie. **Quar|tal|na** ⟨lat.⟩ die; -: (veraltend) Viertagewechselfieber (Verlaufsform der Malaria; Med.). **Quar|ta|ner** der; -s, -: (veraltend) Schüler der Quarta. **Quar|ta|ner|in** die; -, -nen: ↑Quartana. **Quar|tant** ⟨lat.-mlat.⟩ der; -en, -en: (selten) Buch in Viertelbogengröße. **quar|tär** ⟨lat.⟩: 1. das Quartär betreffend (Geol.). 2. an vierter Stelle in einer Reihe, [Rang]folge stehend; viertrangig. 3. (Chem.) a) von Atomen in Molekülen) das zentrale Atom bildend, an vier organische Reste gebunden und die je ein Wasserstoffatom ersetzen; b) (von chem. Verbindungen) aus Molekülen bestehend, die ein quartäres (3 a) Atom als Zentrum haben. **Quar|tär** das; -s: erdgeschichtliche Formation des ↑Känozoikums (umfasst ↑Pleistozän u. ↑Alluvium; Geol.). **Quar|te** die; -, -n vgl. ↑¹Quart (1). **Quar|tel** das; -s, -: (bayr.) kleines Biermaß. **Quar|ten:** Plural von ↑Quarta u. ↑¹Quart. **¹Quar|ter** [kwɔːtə] ⟨lat.-fr.-engl.⟩ der; -s, -: 1. engl. Gewicht (= 12,7 kg). 2. engl. Hohlmaß (= 290,95l). 3. Getreidemaß in den USA (= 21,75 kg). **²Quar|ter** ['kwɔːtə] ⟨lat.-fr.-engl.⟩ der; -s, -s: (in den USA) Vierteldollarmünze. **Quar|ter|back** ['kwɔːtəbæk] ⟨engl.⟩ der; -s, -s: (im amerikanischen Football) Spieler, der aus der Verteidigung heraus Angriffe einleitet u. führt; Spielmacher. **Quar|ter|deck** das; -s, -s: leicht erhöhtes hinteres Deck eines Schiffes (Seew.).

Quar|ter|meis|ter der; -s, -: Matrose, der insbesondere als Rudergänger eingesetzt wird (Seew.). **Quar|te|ron** ⟨lat.-span.⟩ der; -en, -en: (veraltet) männlicher Nachkomme eines Weißen u. einer Terzeronin (vgl. Terzeron). **Quar|tett** ⟨lat.-it.⟩ das; -[e]s, -e: 1. a) Komposition für vier solistische Instrumente od. vier Solostimmen; b) Vereinigung von vier Instrumental- od. Vokalsolisten; c) (iron.) Gruppe von vier Personen, die gemeinsam etwas tun. 2. die erste od. zweite der beiden vierzeiligen Strophen des ↑Sonetts im Unterschied zum ↑Terzett (2). 3. Kartenspiel, bes. für Kinder, bei dem jeweils vier zusammengehörende Karten abgelegt werden, nachdem man die fehlenden durch Fragen von den Mitspielern erhalten hat. **Quar|tier** ⟨lat.-fr.⟩ das; -s, -e: 1. Unterkunft. 2. (schweiz., österr.) Stadtviertel. **quar|tie|ren:** (veraltet) unterbringen; einquartieren. **Quar|ti|er la|tin** [kartjela'tɛ̃] ⟨„lateinisches Viertel"⟩ das; - -: Pariser Hochschulviertel. **Quart|ma|jor** die; -: bestimmte Reihenfolge von [Spiel]karten. **Quar|to** ⟨lat.-it.⟩ das; -: ital. Bez. für: ²Quart (1). **Quar|to|le** die; -, -n: Figur von vier Noten, die anstelle des Taktwertes von drei od. sechs Noten stehen (Mus.). **Quart|sext|ak|kord** der; -[e]s, -e: Akkord von Quart u. Sext über der Quint des Grundtons (Mus.).

quar|zen ⟨slaw.⟩: (ugs.) rauchen. **Qua|sar** (Kurzw. aus: quasistellare Radioquelle) der; -s, -e: Sternsystem, Objekt im Kosmos mit extrem starker Radiofrequenzstrahlung (Astron.).

qua|si ⟨lat.⟩: gewissermaßen, gleichsam, sozusagen. **Qua|simo|do|ge|ni|ti** ⟨nach dem alten ↑Introitus des Gottesdienstes, 1. Petr. 2, 2: „Wie die eben geborenen (Kinder)"⟩: erster Sonntag nach Ostern (Weißer Sonntag). **qua|si|op|tisch:** sich ähnlich den Lichtwellen, also fast geradlinig ausbreitend (in Bezug auf Ultrakurzwellen; Phys.). **qua|sistel|lar:** sternartig. **Quas|sie** [...jə] ⟨nlat.; angeblich vom Namen eines südamerikanischen eingeborenen Mediziners (Quassy)⟩ die; -, -n: südamerikanischer Baum, dessen Holz einen früher als Magenmit-

tel verwendeten Bitterstoff liefert

Quäs|ti|on ⟨lat.⟩ die; -, -en: in einer mündlichen ↑Diskussion entwickelte u. gelöste wissenschaftliche Streitfrage (Scholastik). **quäs|ti|o|niert** ⟨lat.-nlat.⟩: (veraltet) fraglich, in Rede stehend; Abk.: qu. (Rechtsw.). **Quäs|tor** ⟨lat.⟩ der; -s, ...oren: 1. (hist.) hoher Finanz- u. Archivbeamter in der röm. Republik. 2. Leiter einer Quästur (2). 3. (schweiz.) Kassenwart (eines Vereins). **Quäs|tur** ⟨lat.⟩ die; -, -en: 1. a) Amt eines Quästors (1); b) Amtsbereich eines Quästors (1). 2. Universitätskasse, die die Hochschulgebühren einzieht

Qua|tem|ber ⟨lat.-mlat.⟩ der; -s, -: liturgisch begangener katholischer Fasttag (am Mittwoch, Freitag u. Samstag nach Pfingsten, nach dem dritten Advents- u. ersten Fastensonntag). **quater|när** ⟨lat.⟩: aus vier Bestandteilen zusammengesetzt, aus vier Teilen bestehend (Chem.). **Quater|ne** die; -, -n: Gewinn von vier Nummern in der Zahlenlotterie od. im Lotto. **Qua|ter|nio** der; -s, ...onen: aus vier Einheiten zusammengesetztes Ganzes od. zusammengesetzte Zahl. **Qua|terni|on** die; -, -en: Zahlensystem mit vier komplexen Einheiten (Math.). **Quat|rain*** [kat'trɛ̃] ⟨lat.-vulgärlat.-fr.⟩ das od.der; -s, -s od. -en [kat'trɛnən]: 1. vierzeiliges Gedicht. 2. ↑Quartett (2). **Quat|ri|du|lum*** ⟨lat.⟩ das; -s: (veraltet) Zeitraum von vier Tagen. **Quatt|ro|cen|tist*** [...tʃen...] ⟨lat.-it.⟩ der; -en, -en: Künstler des Quattrocento. **Quatt|ro|cen|to*** das; das 15. Jahrhundert als Stilbegriff der italienischen Kunst. **Qua|tuor** ⟨lat.-fr.⟩ das; -, -s: (veraltet) Instrumentalquartett.

Queb|ra|cho* [ke'bratʃo] ⟨span.⟩ das; -s: bes. hartes Holz südamerikanischer Baumarten

Que|chua ['kɛtʃua] ⟨indian.-span.⟩ das; -[s]: südamerikanische Indianersprache

Queen [kwi:n] ⟨engl.⟩ die; -, -s: 1. englische Königin. 2. (ugs.) weibliche Person, die in einer Gruppe, in ihrer Umgebung im Mittelpunkt steht, am beliebtesten, begehrtesten o. Ä. ist. 3. femininer Homosexueller

Quel|lea ⟨afrik.-nlat.⟩ die; -, -s: Blutschnabelweber, Gattung der Webervögel

Quem|pas ⟨lat.; Kurzw. aus den

beiden Anfangssilben von: Quem pastores laudavere „Den die Hirten lobeten sehre"⟩ der; -: alter volkstümlicher Wechselgesang der Jugend in der Christmette od. -vesper

Quent ⟨lat.-mlat.⟩ das; -[e]s, -e (aber: 5 Quent): ehemaliges kleines deutsches Gewicht unterschiedlicher Größe

Que|rel|le [auch: ke...] ⟨lat.⟩ die; -, -n (meist Plural): auf gegensätzlichen Bestrebungen, Interessen, Meinungen beruhende [kleinere] Streiterei. **Que|ru|lant** ⟨lat.-nlat.⟩ der; -en, -en: jmd., der immer etwas zu nörgeln hat u. sich über jede Kleinigkeit beschwert. **Que|ru|lanz** der; -: querulatorisches Verhalten mit krankhafter Steigerung des Rechtsgefühls. **Que|ru|la|ti|on** die; -, -en: (veraltet) Beschwerde, Klage. **que|ru|la|to|risch:** nörglerisch, streitsüchtig. **que|ru|lie|ren:** nörgeln, ohne Grund klagen

Quer|ze|tin ⟨lat.-nlat.⟩ das; -s: gelber Farb- u. Arzneistoff in der Rinde der Färbereiche, den Blüten des Goldlacks, des Stiefmütterchens u. anderer Pflanzen (früher als Farbstoff gebraucht, heute als antibakterielles Mittel verwendet)

Que|sal [ke...] vgl. ¹Quetzal.**¹Quet|zal** [ke...] u. Quesal ⟨indian.-span.⟩ der; -s, -s: bunter Urwaldvogel (Wappenvogel von Guatemala). **²Quet|zal** der; -[s], -[s] (aber: 5 Quetzal): Münzeinheit in Guatemala

¹Queue [kø:] ⟨lat.-fr.; „Schwanz"⟩ das (österr., ugs. auch: der); -s, -s: Billardstock. **²Queue** die; -, -s: 1. lange Reihe, Schlange (↑ R eine - bilden). 2. (veraltet) Ende einer ↑Kolonne (1 a) oder reitenden Abteilung; Ggs. ↑Tete. **Quib|ble** [kwibl] ⟨engl.⟩ das; -s, -s: (veraltet) a) spitzfindige Ausflucht; b) [sophistisches, witziges] Wortspiel

Quiche [kiʃ] ⟨germ.-fr.⟩ die; -, -s [kiʃ]: Speckkuchen aus ungezuckertem Mürbe- od. Blätterteig (Gastr.). **Quiche Lor|raine** [kiʃlɔ'rɛn] ⟨fr.; „Lothringer Speckkuchen"⟩ die; - -, -s -s [kiʃlɔ'rɛn]: Quiche aus Mürbeteig, Speckscheiben, Käse u. einer Eier-Sahne-Soße (Gastr.)

Qui|ckie ⟨engl.⟩ der; -s, -s: (ugs.) 1. rasch vollzogene Handlung. 2. rasch vollzogener Geschlechtsakt. **Quick|step** [...stɛp] ⟨engl.⟩ der; -s, -s: Standardtanz in schnellem Marschtempo u.

stampfendem Rhythmus, der durch Fußspitzen- u. Fersenschläge ausgedrückt wird **Qui̱ldam** ⟨*lat.*⟩ *der;* -: ein gewisser Jemand. **Quid̲|di̱|tät** ⟨*lat.-mlat.*⟩ *die;* -, -en: die „Washeit", das Wesen eines Dinges (Scholastik). **Quid̲|pro̲|quo̲** ⟨*lat.;* „etwas für etwas"⟩ *das;* -s, -s: Verwechslung einer Sache mit einer anderen; Ersatz **Qui̲e** ⟨*altnord.*⟩ *die;* -, Qui̲en: (landsch.) a) junges weibliches Rind, das noch nicht gekalbt hat; b) gemästete junge Kuh **Qui̲|es̲|zenz** ⟨*lat.*⟩ *die;* -: (veraltet) 1. Ruhe. 2. Ruhestand. **qui̲|es̲|zi̲e̲|ren:** (veraltet) 1. in den Ruhestand versetzen. 2. ruhen. **Qui̲|e̲|ti̲s̲|mus** ⟨*lat.-nlat.*⟩ *der;* -: passive Geisteshaltung, die bes. durch das Streben nach einer gottergebenen Frömmigkeit u. Ruhe des Gemüts gekennzeichnet ist. **Qui̲|e̲|ti̲st** *der;* -en, -en: Anhänger des Quietismus. **qui̲|e̲|ti̲s̲|tisch:** den Quietismus betreffend. **Qui̲|e̲|ti̲v** *das;* -s, -e u. **Qui̲|e̲|ti̲|vum** *das;* -s, ...va: Beruhigungsmittel (Med.). **qui̲|e̲|to** ⟨*lat.-it.*⟩: ruhig, gelassen (Vortragsanweisung; Mus.) **Quil̲|la̲|ja** ⟨*indian.-span.*⟩ *die;* -, -s: chilenischer Seifenbaum (liefert die als Reinigungsmittel verwendete Panamarinde) **Qui̲lt** ⟨*engl.*⟩ *der;* -s, -s: eine Art Steppdecke. **qui̲l̲ten:** einen Quilt herstellen **Qui̲|na̲r** ⟨*lat.;* „Fünfer"⟩ *der;* -s, -e: römische Silbermünze der Antike. **Qui̲n̲|cunx** ⟨*lat.*⟩ *der;* -: 1. Bau- od. Säulenordnung in der Stellung der Fünf eines Würfels (∴⁙∴): 2. 150° Winkelabstand zwischen den Planeten (Astrol.). **quin̲|ke̲|li̲e̲|ren** ⟨*lat.-mlat.*⟩: 1. (landsch.) trällern, zwitschern; mit schwacher, dünner Stimme singen. 2. (landsch.) Winkelzüge, Ausflüchte machen. **Quin̲|qua̲|ge̲|si̲|ma** *die;* -, bei artikellosem Gebrauch auch: ...mä: 1. kath. Bez. des Fastnachtsonntags ↑Estomihi als des ungefähr 50. Tages vor Ostern. 2. früher der 50-tägige Zeitraum zwischen Ostern u. Pfingsten. **Quin̲|quen̲|na̲l̲|fa̲|kul̲|tä̲|ten** *die* (Plural): auf fünf Jahre begrenzte Vollmachten für Bischöfe, † Dispense zu erteilen, die sonst dem Papst vorbehalten sind. **Quin̲|quen̲|ni̲|um** ⟨*lat.*⟩ *das;* -s, ...ien: (veraltet) Zeitraum von fünf Jahren. **quin̲|qui̲|li̲e̲|ren:** ↑quinkelieren. **Quin̲|quil̲|li̲|lon** ⟨*lat.-nlat.*⟩

die; -, -en: ↑Quintillion. **Qui̲nt** ⟨*lat.(-mlat.)*⟩ *die;* -, -en: 1. (Mus.) a) fünfte Stufe einer diatonischen Tonleiter vom Grundton an; b) Intervall von fünf Tönen. 2. bestimmte Klingenhaltung beim Fechten. **Qui̲n̲|ta** *die;* -, ...ten: (veraltend) zweite, in Österreich fünfte Klasse einer höheren Schule **Quin̲|tal** [franz: kɛ̃'tal, span. u. portug.: kin'tal] ⟨*lat.-mgr.-arab.- mlat.-roman.*⟩ *der;* -s, -e (aber: 5 Quintal): Gewichtsmaß (Zentner) in Frankreich, Spanien u. in mittel- u. südamerikanischen Staaten; Zeichen: q **Quin̲|ta̲|na** ⟨*lat.*⟩ *die;* -: Infektionskrankheit mit periodischen Fieberanfällen im Abstand von meist fünf Tagen (Med.). **Quin̲|ta̲|ner** *der;* -s, -: (veraltend) Schüler einer Quinta. **Qui̲n̲|te** *die;* -, -n: ↑Quint (1). **Qui̲n̲|ten:** *Plural* von ↑Quinta u. ↑Quint. **Qui̲n̲|ten̲|zir̲|kel** *der;* -s: Kreis, in dem alle Tonarten in Dur u. Moll in Quintenschritten dargestellt werden (Mus.). **Quin̲|ter̲|ne** ⟨*lat.*⟩ *die;* -, -n: Fünfgewinn (5 Nummern in einer Reihe beim Lottospiel). **Quin̲|ter̲|nio** ⟨*lat.- nlat.*⟩ *der;* -, ...onen: (veraltet) aus fünf Stücken zusammengesetztes Ganzes. **Quin̲|te̲|ron** ⟨*lat.-span.*⟩ *der;* -s, -en: (veraltet) männlicher Nachkomme eines Weißen u. einer Quarteronin (vgl. Quarteron). **Quin̲|tes̲|senz*** ⟨*lat.-mlat.;* „fünftes Seiendes"⟩ *die;* -, -en: Endergebnis, Hauptgedanke, -inhalt, Wesen einer Sache. **Quin̲|tett** ⟨*lat.-it.*⟩ *das;* -[e]s, -e: (Mus.) a) Komposition für fünf solistische Instrumente od. fünf Solostimmen; b) Vereinigung von fünf Instrumental- od. Vokalsolisten. **quin̲|ti̲e̲|ren** ⟨*lat.-fr.*⟩: auf Blasinstrumenten, bes. der Klarinette, beim Überblasen statt in die Oktave in die ↑Duodezime überschlagen. **Quin̲|til̲|la** [kɪn'tɪlja] ⟨*lat.-span.*⟩ *die;* -, -s: seit dem 15. Jh. in Spanien übliche fünfzeilige Strophe aus achtsilbigen Versen. **Quin̲|til̲|li̲|ar̲|de** ⟨*lat.; fr.*⟩ *die;* -, -n: 1000 Quintillionen = 10³³. **Quin̲|til̲|li̲|on** ⟨*lat.-nlat.*⟩ *die;* -, -en: 10³⁰, Zahl mit 30 Nullen. **Quin̲|to̲|le** *die;* -, -n: Gruppe von fünf Tönen, die einen Zeitraum von drei, vier od. sechs Tönen gleichen Taktwertes in Anspruch nehmen (Mus.). **Quint̲|sext̲|ak̲|kord** *der;* -[e]s, -e: erste Umkehrung des Septimenakkordes, bei

der die ursprüngliche Terz den Basston abgibt (Mus.). **Quin̲|tu̲|or** ⟨*lat.-fr.*⟩ *das;* -s, -s: (veraltet) Instrumentalquintett. **quin̲|tu̲|pel** ⟨*lat.*⟩: (veraltet) fünffach. **Qui̲n̲|tus** *der;* -: die fünfte Stimme in den mehrstimmigen Kompositionen des 16. Jh.s (Mus.) **Quip̲|pu** ['kɪpu] vgl. Quipu **Qui̲|pro̲|quo̲*** ⟨*lat.*⟩ *das;* -s, -s: Verwechslung einer Person mit einer anderen **Qui̲|pu** u. Quippu ⟨*indian.-span.*⟩ *das;* -[s], -[s]: Knotenschnur der Inkas, die als Schriftsatz diente **qui̲|ri̲|li̲e̲|ren:** ↑quinkelieren **Qui̲|ri̲|nal** ⟨*lat.;* einer der sieben Hügel Roms) *der;* -s: seit 1948 Sitz des italienischen Staatspräsidenten (früher des Königs) **Qui̲|ri̲|te** ⟨*lat.*⟩ *der;* -n, -n: (hist.) römischer Vollbürger zur Zeit der Antike **Qui̲s̲|ling** ⟨nach einem norweg. Faschistenführer⟩ *der;* -s, -e: (abwertend) ↑Kollaborateur **Quis̲|qui̲|li̲|en** ⟨*lat.*⟩ *die* (Plural): etwas, dem man keinen Wert, keine Bedeutung beimisst; Belanglosigkeiten **quit̲|ti̲e̲|ren** ⟨*lat.-mlat.-fr.*⟩: 1. Empfang einer Leistung, einer Lieferung durch Quittung bescheinigen, bestätigen. 2. auf etwas reagieren, etwas mit etwas beantworten; **etwas quittieren [müssen]:** etwas hinnehmen [müssen]. **Qui̲t̲|tung** *die;* -, -en 1: Empfangsbescheinigung, -bestätigung (für eine Bezahlung). 2. (iron.) unangenehme Folgen (z. B. einer Tat, eines Verhaltens); Vergeltung **Qui̲|vive** [ki'vi:f] ⟨*lat.-fr.*⟩: in der Wendung: **auf dem Quivive sein:** auf der Hut sein. **qui vi̲|ra, ver̲|ra** [kivi'vra ve'ra] ⟨„wer leben wird, wird [es] sehen"⟩: die Zukunft wird es zeigen **Qui̲z** [kvɪs] ⟨*engl.;* „schrulliger Kauz; Neckerei, Ulk"⟩ *das;* -, -: Frage-und-Antwort-Spiel (bes. im Rundfunk u. Fernsehen), bei dem die Antworten innerhalb einer vorgeschriebenen Zeit gegeben werden müssen. **Qui̲z̲|mas̲|ter** ['kvɪsmaːstɐ] *der;* -s, -: Frageleiter [u. Conférencier] bei einer Quizveranstaltung. **qui̲z̲|zen** ['kvɪsn]: Quiz spielen **quod e̲rat de̲|mon̲|stra̲n̲|dum*** ⟨*lat.,* „was zu beweisen war"⟩: durch diese Ausführung ist das klar, deutlich geworden; Abk.: q. e. d. **Quo̲d̲|li̲bet** ⟨„was beliebt"⟩ *das;* -s, -s: 1. humoristische musikalische Form, in der verschiedene Lieder unter Beachtung kontrapunktischer Regeln gleichzeitig od. [in Teilen] aneinander gereiht gesungen werden. 2. ein Kartenspiel. 3. (veraltet) Durcheinander, Mischmasch. **quod li|cet lo|vi, non li|cet bo|vi** ⟨„was Jupiter darf, darf der Ochse nicht“⟩: was dem höher Gestellten zugebilligt, nachgesehen wird, wird bei dem niedriger Stehenden beanstandet. **Quo|rum** *das;* -s: (bes. südd., schweiz.) die zur Beschlussfähigkeit einer [parlamentarischen] Vereinigung, Körperschaft o. Ä. vorgeschriebene Zahl anwesender stimmberechtigter Mitglieder od. abgegebener Stimmen. **quos e|go!** ⟨Einhalt gebietender Zuruf Neptuns an die tobenden Winde in Vergils „Äneis“⟩: euch will ich helfen!, euch will ichs zeigen! **Quo|ta|ti|on** ⟨*lat.-mlat.-nlat.*⟩ *die;* -, -en: Kursnotierung an der Börse; vgl. ...[at]ion/...ierung. **Quo|te** ⟨*lat.-mlat.*⟩ *die;* -, -n: Anteil (von Sachen od. auch Personen), der bei Aufteilung eines Ganzen auf den Einzelnen od. eine Einheit entfällt (Beziehungszahlen in der Statistik, Kartellquoten, Konkursquoten). **Quo|ten|me|tho|de** *die;* -: Stichprobenverfahren der Meinungsforschung nach statistisch aufgeschlüsselten Quoten hinsichtl. der Personenzahl u. des Personenkreises der zu Befragenden. **quo|ti|di|an** ⟨*lat.*⟩: täglich (Med.). **Quo|ti|di|a|na** *die;* -, ...nen od. ...nä: Form der Malaria mit unregelmäßigem Fieberverlauf, schwerem Krankheitsbild u. Neigung zu Komplikationen (Med.) **Quo|ti|ent** ⟨„wie oft?, wievielmal?“⟩ *der;* -en, en: a) Zähler u. Nenner eines Bruchs, die durch Bruchstrich voneinander getrennt sind; b) Ergebnis einer Division. **quo|tie|ren** ⟨*lat.-mlat.*⟩: den Preis (Kurs) angeben od. mitteilen, notieren (Wirtsch.). **Quo|tie|rung** *die;* -, -en: das Quotieren; vgl. ...[at]ion/...ierung. **quo|ti|sie|ren:** eine Gesamtmenge od. einen Gesamtwert in ↑ Quoten aufteilen (Wirtsch.). **quo va|dis?** ⟨*lat.;* „wohin gehst du?“ (nach: Domine, quo vadis? = Herr, wohin gehst du?; legendäre Frage des aus Rom flüchtenden Petrus an den ihm erscheinenden Christus)⟩: (meist als Ausdruck der Besorgnis) wohin wird das führen? wer weiß, wie das noch enden wird?

Ra|bab vgl. Rebab
Ra|batt ⟨*lat.-vulgärlat.-it.*⟩ *der;* -[e]s, -e: Preisnachlass, der aus bestimmten Gründen (z. B. Bezug größerer Mengen od. Dauerbezug) gewährt wird. **Ra|bat|te** ⟨*lat.-vulgärlat.-fr.-niederl.*⟩ *die;* -, -n: 1. schmales Beet [an Wegen, um Rasenflächen]. 2. (veraltet) Umschlag an Kragen od. Ärmeln (bes. bei Uniformen). **ra|bat|tie|ren** ⟨*lat.-vulgärlat.-it.*⟩: Rabatt gewähren
Ra|batz ⟨vermutlich zu der Wortfamilie von „Rabauke“ gehörend⟩ *der;* -es: (ugs.) 1. lärmendes Treiben, Geschrei, Krach. 2. laut vorgebrachter Protest. **Ra|bau** ⟨*dt.-fr.-niederl.*⟩ *der;* -s u. -en, -e[n]: (landsch.) 1. Rabauke. 2. kleine graue ↑ Renette. **Ra|bau|ke** *der;* -n, -n: (ugs.) grober, gewalttätiger junger Mensch, Rohling
Rab|bi ⟨*hebr.-gr.-mlat.;* „mein Herr“⟩ *der;* -s, ...inen (auch : -s): 1. (ohne Plural) Ehrentitel jüdischer Gesetzeslehrer. 2. Träger dieses Titels. **Rab|bi|nat** ⟨*hebr.-gr.-mlat.-mlat.*⟩ *das;* -[e]s, -e: Amt, Würde eines Rabbiners. **Rab|bi|ner** ⟨*hebr.-gr.-mlat.*⟩ *der;* -s, -: jüdischer Gesetzes- u. Religionslehrer, Prediger u. Seelsorger. **rab|bi|nisch:** die Rabbiner betreffend
Rab|bit|punch, auch: **Rabbit-Punch** ⟨*engl.;* „Hasenschlag“⟩ *der;* -s, -s: [unerlaubter] kurz angesetzter Schlag ins Genick od. an den Unterteil des Schädels (Boxsport)
ra|bi|at ⟨*lat.-mlat.*⟩: a) rücksichtslos u. roh; b) wütend. **Ra|bies** ⟨*lat.*⟩ *die;* -: Tollwut (Med.). **Ra|bu|list** ⟨*lat.-nlat.*⟩ *der;* -en, -en: jmd., der in geschickter Weise beredt-spitzfindig argumentiert, um damit einen Sachverhalt in einer von ihm gewünschten, aber nicht der Wahrheit entsprechenden Weise darzustellen; Wortverdreher. **Ra|bu|lis|tik** *die;* -en: Argumentations-, Redeweise eines Rabulisten. **ra|bu|lis-**

-tisch: in der Argumentations-, Redeweise eines Rabulisten [vorgetragen]
Ra|bu|se vgl. Rapuse
Ra|ce|mat usw. vgl. Razemat usw.
Ra|chi|tis [...x...] ⟨*gr.-nlat.*⟩ *die;* -, ...itiden: Vitamin-D-Mangel-Krankheit bes. im frühen Kindkindalter mit mangelhafter Verkalkung des Knochengewebes (Med.). **ra|chi|tisch:** a) an Rachitis leidend, die charakteristischen Symptome einer Rachitis zeigend; b) die Rachitis betreffend (Med.)
Ra|cing|rei|fen [ˈreɪsɪŋ...] ⟨*engl.; dt.*⟩ *der;* -s, -: für starke Beanspruchung geeigneter, bes. bei Autorennen verwendeter Reifen
Rack [rɛk, ræk] ⟨*engl.*⟩ *das;* -s, -s: regalartiges Gestell zur Unterbringung einer Stereoanlage
¹Ra|cket [ˈrɛkət, auch: ˈrækɪt] ⟨*arab.-fr.-engl.*⟩ *das;* -s, -s: Tennisschläger
²Ra|cket [ˈrɛkət] *das;* -s, -s: ⟨*engl.*⟩ *das;* -s, -s: Verbrecherbande in Amerika
³Ra|cket vgl. Rackett
Ra|cke|teer [rækəˈtiə] ⟨*engl.*⟩ *der;* -s, -s: Gangster, Erpresser
Ra|ckett u. Racket (Herkunft unsicher) *das;* -s, -e: Holzblasinstrument (vom 15. bis 17. Jh.) mit doppeltem Rohrblatt u. langer, in neun Windungen in einer bis zu 35 cm hohen Holzbüchse eingepasster Röhre mit elf Grifflöchern
Rack|job|ber, auch: **Rack-Jobber** [ˈrækˈdʒɔbɐ] ⟨*engl.*⟩ *der;* -s, -: Großhändler od. Hersteller, der die Vertriebsform des Rackjobbings anwendet. **Rack|job|bing**, auch: **Rack-Job|bing** [ˈrækˈdʒɔbɪŋ] ⟨*engl.*⟩ *das;* -s: Vertriebsform, bei der eine Herstellerfirma od. ein Großhändler beim Einzelhändler eine Verkaufs- od. Ausstellungsfläche mietet, um sich das alleinige Belieferungsrecht für neue Produkte zu sichern u. dem Einzelhändler gleichzeitig das Verkaufsrisiko zu nehmen
¹Ra|clette* [raklɛt, raˈklɛt] ⟨*fr.*⟩ *der;* -[s]: eine schweizerische Käsesorte. **²Ra|clette** *die;* -, -s (auch: *das;* -s, -s) 1. schweizerisches Gericht, bei dem man ¹Raclette schmelzen lässt u. die weich gewordene Masse nach u. nach auf einen Teller abstreift. 2. kleines Grillgerät zum Zubereiten von ²Raclette (1)
Rad ⟨*engl.;* Kurzw. aus: radiation

absorbed dosis⟩ das; -s, -: Einheit der Strahlungsdosis von Röntgen- od. Korpuskularstrahlen; Zeichen: rad (Phys.). **Ra|dar** [auch: 'ra:...] ⟨engl. Kurzwort aus: radio detecting and ranging⟩ *das* (auch: *der*); *-s:* Verfahren zur Ortung von Gegenständen im Raum mithilfe gebündelter elektromagnetischer Wellen, die von einem Sender ausgehen, reflektiert werden u. über einen Empfänger auf einem Anzeigegerät sichtbar gemacht werden. **Ra|dar|ast|ro|no|mie*** [auch: 'ra:...] *die; -:* Untersuchung astronomischer Objekte mithilfe der Radartechnik. **Ra|dar|tech|nik** [auch: 'ra:...] *die; -:* Verfahren, mithilfe von Radar die Entfernung, Flughöhe, Wassertiefe o. Ä. von Objekten zu bestimmen **Rad|dop|pio** ⟨lat.-it.⟩ *der; -s, -s:* eine Figur beim Fechten **ra|di|al** ⟨lat.-mlat.⟩: den Radius betreffend, in Radiusrichtung; strahlenförmig, von einem Mittelpunkt ausgehend, auf einen Mittelpunkt hinzielend. **Ra|di|a|li|tät** *die; -:* radiale Anordnung. **Ra|di|al|li|nie** [...nie] *die; -, -n:* (österr.) von der Stadtmitte zum Stadtrand führende Linie, Straßenbahnlinie o. Ä. **Ra|di|al|rei|fen** *der; -s, -:* Gürtelreifen. **Ra|di|al|sym|met|rie*** *die; -:* Grundform des Körpers bestimmter Lebewesen, bei der neben einer Hauptachse mehrere untereinander gleiche Nebenachsen senkrecht verlaufen (z. B. bei Hohltieren; Zool.). **ra|di|al|sym|met|risch*:** die Radialsymmetrie betreffend; vgl. bilateralsymmetrisch. **Ra|di|al|tur|bi|ne** *die; -, -n:* Dampf- od. Wasserturbine. **Ra|di|ant** ⟨lat.⟩ *der; -en, -en:* 1. scheinbarer Ausstrahlungspunkt eines Meteorschwarms an der Himmelssphäre (Astron.). 2. Einheit des Winkels im Bogenmaß; ebener Winkel, für den das Längenverhältnis Kreisbogen zu Kreisradius den Zahlenwert 1 besitzt (Zeichen: rad). **ra|di|är** ⟨lat.-fr.⟩: strahlig. **ra|di|är|sym|met|risch*:** ↑ radialsymmetrisch. **Ra|di|äs|the|sie** ⟨lat.; gr.⟩ *die; -:* wissenschaftlich umstrittene Fähigkeit von Personen, mithilfe von Pendeln u. Wünschelruten so genannte Erdstrahlen wahrzunehmen u. so z. B. Wasser- u. Metallvorkommen aufzuspüren (Parapsychol.). **ra|di|äs|the|tisch:** die Radiästhesie betref-

fend, auf ihr beruhend. **Ra|di|a|ta** ⟨lat.⟩ *die* (Plural): (veraltet) Tiere mit strahligem Bau (Hohltiere u. Stachelhäuter). **Ra|di|a|ti|on** *die; -, -en:* 1. stammesgeschichtliche Ausstrahlung, d.h. aufgrund von Fossilfunden festgestellte Entwicklungsexplosion, die während eines relativ kurzen geologischen Zeitabschnitts aus einer Stammform zahlreiche neue Formen entstehen lässt (z. B. zu Anfang des ↑ Tertiärs aus der Stammform Urinsektenfresser zahlreiche genetisch neue Formen mit neuen Möglichkeiten der Anpassung an die verschiedensten Umweltbedingungen; Biol.). 2. Strahlung, scheinbar von einem Punkt ausgehende Bewegung der Einzelteile eines Meteorschwarms (Astron.). **Ra|di|a|tor** ⟨lat.-nlat.⟩ *der; -s, ...oren:* Heizkörper bei Dampf-, Wasser-, Gaszentralheizungen **Ra|dic|chio** [ra'dikjo] ⟨lat.-it.⟩ *der; -s:* bes. in Italien angebaute Art der ↑ Zichorie (3) mit rotweißen Blättern, die als Salat zubereitet werden **Ra|di|en** ⟨lat.⟩ *die* (Plural): 1. Plural von ↑ Radius. 2. Flossenstrahlen der Fische. 3. Strahlen der Vogelfeder. 4. Strahlen (Achsen) ↑ radialsymmetrischer Tiere **ra|die|ren** ⟨lat.; „kratzen, schaben, auskratzen; reinigen"⟩: 1. etwas Geschriebenes od. Gezeichnetes mit einem Radiergummi od. Messer entfernen, tilgen. 2. eine Zeichnung in eine Kupferplatte einritzen. **Ra|die|rer** *der; -s, -:* Künstler, der Radierungen herstellt. **Ra|die|rung** *die; -, -en:* 1. (ohne Plural) Tiefdruckverfahren, bei dem die Zeichnung in eine Wachs-Harz-Schicht, die sich auf einer Kupferplatte befindet, eingeritzt wird, von der [nach der Ätzung durch ein Säurebad] Abzüge gemacht werden. 2. durch das Radierverfahren hergestelltes grafisches Blatt **ra|di|kal** ⟨lat.-fr.; „an die Wurzel gehend"⟩: 1. a) bis auf die Wurzel gehend, vollständig, gründlich u. ohne Rücksichtnahme; b) hart, rücksichtslos. 2. einen politischen od. weltanschaulichen Radikalismus vertretend. 3. die Wurzel betreffend (Math.). **Ra|di|kal** *das; -s, -e:* 1. (in der Strukturpsychologie) Grundeigenschaften einer Person, die ihren Charakteraufbau bestimmen

(Psychol.). 2. (Sprachw.) a) das sinnbildliche Wurzelelement des chinesischen Schriftzeichens; b) wurzelbildender Konsonant in den semitischen Sprachen. 3. Gruppe von Atomen, die wie ein Element als Ganzes reagieren, eine begrenzte Lebensdauer besitzen u. chemisch sehr reaktionsfähig sind (Chem.). **Ra|di|ka|lins|ki*** *der; -s, -s:* (ugs. abwertend) politisch Radikaler. **ra|di|ka|li|sie|ren** ⟨lat.-fr.-nlat.⟩: radikal machen. **Ra|di|ka|li|sie|rung** *die; -, -en:* Entwicklung zu einer radikalen (2) Form. **Ra|di|ka|lis|mus** *der; -, ...men:* 1. rücksichtslos bis zum Äußersten gehende [politische, religiöse usw.] Richtung. 2. unerbittliches, unnachgiebiges Vorgehen. **Ra|di|ka|list** *der; -en, -en:* Vertreter des Radikalismus. **ra|di|ka|lis|tisch:** den Radikalismus (1 u. 2) betreffend, im Sinne des Radikalismus. **Ra|di|kand** ⟨lat.⟩ *der; -en, -en:* mathematische Größe od. Zahl, deren Wurzel gezogen werden soll (Math.). **Ra|di|ku|la** *die; -:* Keimwurzel der Samenpflanzen (Bot.)

Ra|dio ⟨lat.-engl.; Kurzform von engl. radiotelegraphy = Übermittlung von Nachrichten durch Ausstrahlung elektromagnetischer Wellen⟩ *das; -s, -s:* 1. (ugs., bes. schweiz. auch: *der*) Rundfunkgerät. 2. (ohne Plural) Rundfunk. **ra|di|o|ak|tiv** ⟨lat.-nlat.⟩: durch Kernzerfall od. -umwandlung bestimmte Elementarteilchen aussendend (Phys.). **Ra|di|o|ak|ti|vi|tät** *die; -:* Eigenschaft der Atomkerne gewisser ↑ Isotope, sich ohne äußere Einflüsse umzuwandeln und dabei bestimmte Strahlen auszusenden (Phys.). **Ra|di|o|ast|ro|no|mie*** *die; -:* Teilgebiet der Astronomie auf dem die von den Gestirnen u. kosmischen Objekten sowie aus dem interstellaren Raum kommende Radiofrequenzstrahlung untersucht wird. **Ra|di|o|au|to|gra|phie,** auch: ...grafie *die; -:* ↑ Autoradiographie. **Ra|di|o|bi|o|che|mie** *die; -:* Teilgebiet der Radiochemie, auf dem vorwiegend biochemische Vorgänge u. Stoffe mit radiochemischen Methoden untersucht werden. **Ra|di|o|bi|o|lo|gie** *der; -n, -n:* Wissenschaftler auf dem Gebiet der Radiobiologie. **Ra|di|o|bi|o|lo|gie** *die; -:* Strahlenbiologie; Teilgebiet der Biologie, auf dem die Wirkung von Strahlen, u. a. Lichtstrahlen, auf die lebenden Organismus erforscht wird. **Ra|di|o|che|mie** *die; -:* Teilgebiet der Kernchemie, auf dem man sich mit den radioaktiven Elementen, ihren chemischen Eigenschaften u. Reaktionen sowie ihrer praktischen Anwendung befasst. **ra|di|o|chemisch:** die Radiochemie betreffend. **Ra|di|o|ele|ment** *das;* -[e]s, -e: chemisches Element mit natürlicher Radioaktivität. **Ra|di|o|fre|quenz|strah|lung** *die;* -, -en: elektromagnetische Strahlung aus dem Weltraum im Meter- u. Dezimeterwellenbereich. **ra|di|o|gen** *⟨lat.; gr.⟩:* durch radioaktiven Zerfall entstanden (z. B.: radiogenes Blei). **Ra|di|o|gen** *das;* -s, -e: durch Zerfall eines radioaktiven Stoffes entstandenes Element. **Ra|di|o|go|ni|o|me|ter** *das;* -s, -: Winkelmesser für Funkpeilung. **Ra|di|o|go|ni|o|met|rie*** *die;* -: Winkelmessung für Funkpeilung. **Ra|di|o|gramm** *das;* -s, -e: 1. (veraltet) Funktelegramm (Postw.). 2. ↑ Röntgenogramm. **Ra|di|o|gra|phie,** auch: ...grafie *die;* -: 1. ↑ Röntgenographie. 2. ↑ Autoradiographie. **Ra|di|o|in|di|ka|tor** *der;* -s, ...oren: künstlich radioaktiv gemachtes ↑ Isotop. **Ra|di|o|in|ter|fe|ro|me|ter** *das;* -s, -: beim Radioteleskop Anlage zum Erhöhen des Auflösungsvermögens (Phys.). **Ra|di|o|jod|test** *der;* -[e]s, -s (auch: -e): Prüfung der Schilddrüsenfunktion durch orale Gabe von radioaktiv angereichertem Jod u. anschließender Radioaktivitätsmessung (Med.). **Ra|di|o|kar|bon|me|tho|de,** chem. fachspr.: ...carbon... *die;* -: Verfahren zur Altersbestimmung ehemals organischer Stoffe durch Ermittlung ihres Gehalts an radioaktivem Kohlenstoff (Chem.; Geol.). **Ra|di|o|la|rie** [...jə] *⟨lat.-nlat.⟩ die;* -, -n (meist Plural): Strahlentierchen (meerbewohnender Wurzelfüßer). **Ra|di|o|la|ri|en|schlamm** *der;* -[e]s, (selten:) -e u. ...schlämme: Ablagerungen der Skelete abgestorbener Radiolarien. **Ra|di|o|la|rit** [auch: ...'rɪt] *der;* -s: aus Skeletten der Radiolarien entstandenes, rotes od. braunes, sehr hartes Gestein (Geol.). **Ra|di|o|lo|ge** *⟨lat.; gr.⟩ der;* -n, -n: Facharzt für Röntgenologie u. Strahlenheilkunde (Med.). **Ra|di|o|lo|gie** *die;* -: Wissenschaft von den Röntgenstrahlen u. den Strahlen radioak-

tiver Stoffe u. ihrer Anwendung; Strahlenkunde. **ra|di|o|lo|gisch:** die Radiologie betreffend. **Ra|di|o|ly|se** *die;* -, -n: Veränderung in einem chemischen System, die durch ionisierende Strahlen hervorgerufen wird (Chem.). **Ra|di|o|me|ter** *das;* -s, -: Gerät zur Strahlungsmessung (bes. von Wärmestrahlung), das die Kraft nutzt, die infolge eines Temperaturunterschieds zwischen bestrahlter u. unbestrahlter Seite auf ein dünnes [Glimmer]plättchen ausgeübt wird. **Ra|di|o|met|rie*** *die;* -: 1. Messung von [Wärme]strahlung. 2. Messung radioaktiver Strahlung. **Ra|di|o|nuk|lid*** *⟨lat.⟩ das;* -[e]s, -e: künstlich od. natürlich radioaktives ↑ Nuklid, dessen Atomkerne nicht nur gleiche Kernladungs- u. Massenzahl haben, sondern sich auch, im Unterschied zu Isomeren, im gleichen Energiezustand befinden u. daher stets in der gleichen Weise radioaktiv zerfallen. **ra|di|o|phon,** auch: ...fon *⟨lat.; gr.⟩:* die Radiophonie betreffend, auf Radiophonie beruhend. **Ra|di|o|pho|nie** auch: ...fonie *die;* -: drahtlose ↑ Telefonie. **Ra|di|o|re|kor|der,** auch: ...recorder *der;* -s, -: [tragbares] Rundfunkgerät mit eingebautem ↑ Kassettenrekorder. **Ra|di|o|sko|pie*** *die;* -, ...ien: ↑ Röntgenoskopie (Med.). **Ra|di|o|son|de** *die;* -, -n: aus einem Kurzwellensender u. verschiedenen Messgeräten bestehendes Gerät, das an einem Ballon aufgelassen, die Verhältnisse der Erdatmosphäre erforscht (Meteor.). **Ra|di|o|te|le|fo|nie** *die;* -: drahtlose ↑ Telefonie. **Ra|di|o|te|le|gra|fie** *die;* -: drahtlose Telegrafie. **Ra|di|o|te|le|skop*** *das;* -s, -e: ↑ parabolisch gekrümmtes Gerät aus Metall für den Empfang von Radiofrequenzstrahlung aus dem Weltraum. **Ra|di|o|the|ra|pie** *die;* -, ...ien: Strahlenbehandlung, Behandlung von Krankheiten mit radioaktiven od. Röntgenstrahlen. **Ra|di|o|th|o|ri|um** *das;* -s: Element aus der radioaktiven Zerfallsreihe des Thoriums. **Ra|di|um** *⟨lat.-nlat.⟩ das;* -s: radioaktives chemisches Element; ein Metall; Zeichen: Ra. **Ra|di|um|ema|na|ti|on** *die;* -: (veraltet) ↑ Radon. **Ra|di|us** *⟨lat.⟩* "Stab", Speiche; Strahl"⟩ *die;* -, ...ien: 1. Halbmesser des Kreises (Zeichen: r; Math.). 2. auf der Dau-

menseite liegender Knochen des Unterarms (Med.) **Ra|dix** *⟨lat.;* „Wurzel"⟩ *die;* -, ...izes (fachspr. auch: ...ices) [ra'di:tse:s]: 1. Pflanzenwurzel. 2. Basisteil eines Organs, Nervs od. sonstigen Körperteils (Anat.). **Ra|dix|ho|ro|skop*** *das;* -s, -e: Geburtshoroskop (Astrol.). **ra|di|zie|ren** *⟨lat.-nlat.⟩:* die Wurzel (aus einer Zahl) ziehen (Math.). **Ra|dom** *⟨engl.;* Kurzwort aus: *ra*dar *dome* = Radarkuppel⟩ *das;* -s, -s: für elektromagnetische Strahlen durchlässige, kugelförmige Hülle als Wetterschutz für Radar- od. Satellitenbodenantennen **Ra|don** [auch: ra'do:n] *⟨lat.-nlat.⟩ das;* -s: radioaktives chemisches Element; ein Edelgas (Zeichen: Rn) **Ra|do|ta|ge** [...'ta:ʒə] *⟨fr.⟩ die;* -, -n: leeres Geschwätz. **Ra|do|teur** [...'tø:ɐ̯] *der;* -s, -e: Schwätzer. **ra|do|tie|ren:** ungehemmt schwatzen **Rad|scha** [auch: 'radʒa] *⟨sanskr.-Hindi⟩ der;* -s, -s: indischer Fürstentitel **Ra|dul|la** *⟨lat.;* „Schab-, Kratzeisen"⟩ *die;* -, ...lae [...lɛ]: 1. mit Zähnchen besetzte Chitinmembran am Boden des Schlundkopfes von Weichtieren (außer Muscheln). 2. Kratzmoos (hellgrünes Lebermoos auf der Rinde von Waldbäumen) **Raf|fi|al|bast** vgl. Raphiabast **Raf|fi|na|de** *⟨lat.-fr.⟩ die;* -, -n: fein gemahlener, gereinigter Zucker. **Raf|fi|na|ge** [...'na:ʒə] *die;* -, -n: Verfeinerung, Veredlung. **Raf|fi|nat** *das;* -[e]s, -e: Raffinationsprodukt. **Raf|fi|na|ti|on** *die;* -, -en: Reinigung u. Veredlung von Naturstoffen u. technischen Produkten. **Raf|fi|ne|ment** [rafinə'mã:] *das;* -s, -s: 1. durch intellektuelle Geschicklichkeit erreichte höchste Verfeinerung (in einem kunstvollen Arrangement). 2. mit einer gewissen Durchtriebenheit u. Gerissenheit klug berechnendes Handeln, um etwas unmerklich zu beeinflussen. **Raf|fi|ne|rie** *die;* -, ...ien: Betrieb zur Raffination von Zucker, Ölen u. anderen [Natur]produkten. **Raf|fi|nes|se** *die;* -, -n: 1. besondere künstlerische, technische Vervollkommnung, Feinheit. 2. schlau und gerissen ausgeklügelte Vorgehensweise. **Raf|fi|neur** [...'nø:ɐ̯] *⟨lat.-fr.⟩ der;* -s, -e: Maschine zum Feinmahlen von Holzschliff, der beim Schleifen des Holzes entstehenden Splitter. raf|fi|nie|ren: Zucker, Öle u. andere [Natur]-produkte reinigen. raf|fi|niert: 1. durchtrieben, gerissen, schlau, abgefeimt. 2. von Raffinement (1) zeugend, mit Raffinement (1) od. Raffinesse (1) erdacht, ausgeführt. 3. gereinigt (Techn.). Raf|fi|niert|heit die; -, -en: Durchtriebenheit, Gerissenheit. Raf|fi|no|se ⟨lat.-fr.-nlat.⟩ die; -: ein Kohlehydrat, das vor allem in Zuckerrübenmelasse vorkommt

raf|rai|chie|ren* [...frɛʃ...] ⟨fr.⟩: kochendes Fleisch o. Ä. mit kaltem Wasser abschrecken

Raf|ting ⟨altnord.-engl.⟩ das; -s: Wildwasserfahren einer Gruppe im Schlauchboot

Rag [ræg] ⟨engl.⟩ der; -s: Kurzform von ↑Ragtime

Ra|ga ⟨sanskr.-Hindi⟩ der; -s, -s: Melodietyp (zu bestimmten Anlässen) in der indischen Musik, der auf einer Tonleiter beruht, deren Intervalle in einem bestimmten Schwingungsverhältnis zu einem festen Modus mit relativer, jeweils frei gewählter Tonhöhe stehen

Ra|ge ['ra:ʒə] ⟨lat.-vulgärlat.-fr.⟩ die; -: Wut, Raserei; in der Rage: in der Aufregung, Eile

Ra|gio|ne [ra'dʒo:nə] ⟨lat.-it.⟩ die; -, -n: (schweiz.) im Handelsregister eingetragene Firma

Rag|lan* ⟨nach dem englischen Lord Raglan, 1788–1855⟩ der; -s, -s: Mantel mit Raglanärmeln

Rag|lan|är|mel ⟨engl.; dt.⟩ der; -s, -: angeschnittener langer Ärmel

Rag|na|rök ⟨altnord.; „Götterschicksal"⟩ die; -: Weltuntergang in der nordischen Mythologie

Ra|gout [...gu:] ⟨lat.-fr.⟩ das; -s, -s: Mischgericht aus Fleisch, Wild, Geflügel od. Fisch in pikanter Soße. Ra|gout fin, fachspr.: Ragoût fin [ragu'fɛ̃] der; - -, - -s -s [ragufɛ̃]: Ragout aus hellem Fleisch (z. B. Kalbfleisch, Geflügel) mit [Worcester]soße

Rag|time ['rægtaɪm] ⟨engl.; „zerrissener Takt"⟩ der; -: 1. nordamerikanische Musik-, bes. Pianospielform mit melodischer Synkopierung bei regelmäßigem Beat (2). 2. auf dieser Form beruhender Gesellschaftstanz

Raid [reɪd] ⟨engl.⟩ der; -s, -s: militärischer Streifzug, begrenzte offensive militärische Operation

Rai|gras ⟨engl.; dt.⟩ das; -es: 1. Glatthafer (über 1 m hohe Fut-

terpflanze). 2. Gattung von Futter- u. Rasengräsern in Eurasien u. Nordafrika

Rail|le|rie [rajə'ri:] ⟨lat.-galloroman.-provenzal.-fr.⟩ die; -, ...ien: (veraltet) Scherz, Spöttelei. rail|lie|ren [ra'ji:rən]: (veraltet) scherzen, spotten

Ra|is ⟨arab.⟩ der; -, -e u. Ruasa: a) (ohne Plural) in arab. Ländern Titel einer führenden Persönlichkeit, bes. des Präsidenten; b) Träger dieses Titels

Rai|son [rɛ'zõ:] usw. vgl. Räson usw.

Ra|jah ⟨arab.-türk.⟩ der; -, -: (im Osmanischen Reich) nichtislamischer Untertan

ra|jo|len ⟨niederl.-fr.-niederd.⟩: ↑rigolen

Ra|kan ⟨sanskr.-jap.⟩ der; -[s], -s: japanische Bez. für: Lohan

Ra|ke|te ⟨germ.-it.⟩ die; -, -n: 1. Feuerwerkskörper. 2. a) als militärische Waffe verwendeter, lang gestreckter, zylindrischer, vorn spitz zulaufender [mit einem Sprengkopf versehener] Flugkörper, der eine sehr hohe Geschwindigkeit erreicht; b) in der Raumfahrt verwendeter Flugkörper in der Form einer überdimensionalen Rakete (2 a), der dem Transport von Satelliten, Raumkapseln o. Ä. dient. 3. begeistertes, das Heulen einer Rakete (1) nachahmendes Pfeifen bei [Karnevals]veranstaltungen. Ra|ke|ten|ap|pa|rat der; -[e]s, -e: bei der Rettung Schiffbrüchiger verwendetes Gerät zum Abschießen einer Rettungsleine zum gestrandeten Schiff. Ra|ke|ten|ba|sis die; -, ...sen: (oft unterirdische) militärische Anlage, von der aus Raketen (2 a) eingesetzt werden können

Ra|kett ⟨arab.-fr.-engl.⟩ das; -s, -e u. -s: ↑ ↑Racket

Ra|ki ⟨türk.⟩ der; -s, -s: in der Türkei u. in Balkanländern hergestellter Branntwein aus Rosinen (gelegentlich auch aus Datteln od. Feigen) u. Anis

Ra|ku [nach einer jap. Töpferfamilie] das; -[s]: japanische Keramikart

ral|len|tan|do ⟨lat.-it.⟩: langsamer werdend (Vortragsanweisung; Mus.); Abk.: rall.

Ral|lie|ment [rali'mã:] ⟨lat.-fr.⟩ das; -s, -s: 1. (veraltet) Sammlung von verstreuten Truppen. 2. (hist.) Annäherung der katholischen Kirche an die Französische Republik am Ende des 19. Jh.s. ral|li|ie|ren: verstreute

Truppen sammeln. Ral|ly ['rælɪ] ⟨engl.⟩ die; -, -s: meist kurzer, starker Kursanstieg (Börsenw.). Ral|lye ['rali, auch: 'rɛli] ⟨lat.-fr.-engl.-fr.⟩ die; -, -s (schweiz.: das; -s): Automobilwettbewerb [in mehreren Etappen] mit Sonderprüfungen; Sternfahrt (Sport). Ral|lye-cross, auch: Ral|lye-Cross das; -, -e: dem Motocross ähnliches, jedoch mit Autos gefahrenes Rennen im Gelände

RAM ⟨engl.; Kurzw. aus: random access memory⟩ das; -[s], -[s]: Schreib-Lese-Speicher mit direktem Zugriff (EDV)

Ra|ma|dan ⟨arab.⟩ der; -[s]: islamischer Fastenmonat (9. Monat des Mondjahrs)

Ra|ma|gé [...ma'ʒe] ⟨lat.-fr.⟩ der; -, -s: Gewebe mit rankenartiger Jacquardmusterung

Ra|ma|ja|na ⟨sanskr.⟩ das; -: indisches religiöses Nationalepos von den Taten des göttlichen Helden Rama; vgl. Mahabharata

Ra|man|ef|fekt [nach dem indischen Physiker Raman, 1888–1970⟩ der; -[e]s: Auftreten von Spektrallinien kleinerer u. größeren Frequenz im Streulicht beim Durchgang von Licht durch Flüssigkeiten, Gase u. Kristalle

Ra|ma|san ⟨arab.-türk. u. pers.⟩ der; -[s]: türk. u. pers. Bez. für ↑Ramadan

ra|mas|sie|ren ⟨fr.⟩: 1. (veraltet) anhäufen, zusammenfassen. 2. (landsch.) unordentlich u. polternd arbeiten. ra|mas|siert: (landsch.) dick, gedrungen, untersetzt

Ra|ma|su|ri, auch: Remasuri ⟨rumän.⟩ die; -: (österr. ugs.) großes Durcheinander, Wirbel

Ramb|la* ⟨arab.-span.⟩ die; -, -s: 1. a) ausgetrocknetes Flussbett in Spanien; b) breite Straße, Promenade (bes. in Katalonien). 2. Boden auf jungen, jedoch bereits dürftig bewachsenen Sedimenten eines Flusses

Ram|bouil|let|schaf [rãbu'je:...] ⟨nach der nordfranzösischen Stadt⟩ das; -[e]s, -e: feinwollige französische Schafrasse

Ram|bur ⟨fr.⟩ der; -s, -e: säuerliche Apfelsorte

ra|men|tern ⟨niederd.⟩: (landsch.) rumoren, lärmen

Ra|mi ⟨lat.⟩ die (Plural): 1. Plural von ↑Ramus. 2. Äste der Vogelfeder (Zool.)

Ra|mie ⟨malai.-engl.⟩ die; -, ...ien: Chinagras (kochfeste, gut färbbare Faser einer ostasiatischen Nesselpflanze)

Ra|mi|fi|ka|ti|on ⟨lat.-nlat.⟩ die; -, -en: Verzweigung bei Pflanzen (Bot.). **ra|mi|fi|zie|ren:** (von Pflanzen) sich verzweigen

Ram|ming ⟨engl.⟩ die; -, -s: (Seemannsspr.) Kollision, Zusammenstoß

ram|po|nie|ren ⟨germ.-it.⟩: (ugs.) stark beschädigen

Ra|mus ⟨lat.⟩ der; -, Rami: (Med.) a) Zweig eines Nervs, einer Arterie od. einer Vene; b) astartiger Teil eines Knochens

Ranch [rɛntʃ, auch: ra:ntʃ] ⟨span.-engl.⟩ die; -, -s, auch: -es: nordamerikanische Viehwirtschaft, Farm. **Ran|cher** ['rɛntʃɐ, auch: 'ra:ntʃɐ] der; -s, -: nordamerikanischer Viehzüchter, Farmer. **Ran|che|ria** [rantʃ...] ⟨span.⟩ die; -, -s: Viehhof, kleine Siedlung (in Südamerika). **Ran|che|ro** [ran'tʃ...] der; -s, -s: (im spanischsprachigen Amerika) jmd., der auf einem Landgut lebt. **Ran-cho** ['rantʃo] der; -s, -s: kleiner Wohnplatz, Hütte im spanischsprachigen Amerika

Rand [rænd] ⟨engl.⟩ der; -s, -s (aber: 5 -): Währungseinheit der Republik Südafrika

Ran|dal (vermutlich Kontamination aus landsch. Rand „Possen" u. Skandal) der; -s: Lärm, Gejohle. **Ran|da|le** die; -: (ugs.) heftiger u. lautstarker Protest; Krawall; **Randale machen:** randalieren. **ran|da|lie|ren:** in einer Gruppe mutwillig lärmend durch die Straßen ziehen. **Ran-da|lie|rer** der; -s, -: jmd., der randaliert

ran|do|mi|sie|ren ⟨engl.-amerik.⟩: (aus einer Gesamtheit von Elementen) eine zufällige Auswahl treffen (Statistik)

Ran|ger ['reɪndʒə] ⟨germ.-fr.-engl.-amerik.⟩ der; -s, -s: (in den USA): 1. Angehöriger einer [Polizei]truppe, z. B. die Texas Rangers. 2. Aufseher in den Nationalparks. 3. besonders ausgebildeter Soldat, der innerhalb kleiner Gruppen Überraschungsangriffe im feindlichen Gebiet macht. **ran|gie|ren** [raŋ'ʒi..., auch: rã'ʒi:...] ⟨germ.-fr.⟩: 1. einen Rang innehaben [vor, hinter jmdm.]. 2. Eisenbahnwagen durch entsprechende Fahrmanöver verschieben, auf ein anderes Gleis fahren. 3. (landsch.) in Ordnung bringen, ordnen

Ran|kett ⟨Herkunft unsicher⟩ das; -s, -e: ↑ Rackett

Ran|king ['rɛŋkɪŋ] ⟨engl.⟩ das; -s, -s: Rangliste, Bewertung

Ran|kü|ne ⟨lat.-vulgärlat.-fr.⟩ die; -, -n: Groll, heimliche Feindschaft; Rachsucht

Ra|nu|la ⟨lat.⟩ die; -, ...lä: Froschgeschwulst, Zyste neben dem Zungenbändchen (Med.). **Ra-nun|kel** die; -, -n: (zur Gattung Hahnenfuß gehörende) in einer meist leuchtenden Farbe blühende Pflanze. **Ra|nun|ku|la|zee** ⟨lat.-nlat.⟩ die; -, -n (meist Plural): Hahnenfußgewächs

Ranz des Vaches [rãde'vaʃ] ⟨fr.⟩ der; - - -: Kuhreigen der Greyerzer Sennen (Schweizer Volkslied)

Ran|zi|on ⟨lat.-fr.⟩ die; -, -en: (hist.) Lösegeld für Kriegsgefangene od. für gekaperte Schiffe. **ran|zi|o|nie|ren:** (hist.) Kriegsgefangene durch Loskauf od. Austausch befreien

Rap [rɛp] ⟨engl.⟩ der; -[s], -s: schneller, rhythmischer Sprechgesang (in der Popmusik)

Ra|pa|ki|wi ⟨finn.⟩ der; -s: eine Abart des ↑ Granits

Ra|pa|zi|tät ⟨lat.⟩ die; -: (veraltet) Raubgier

Ra|phe ⟨gr.⟩ die; -, -n: 1. strangförmige Verwachsungsnaht der Pflanzensamen u. -samenanlagen. 2. Spalt im Panzer stabförmiger Kieselalgen

Ra|phia ⟨madagassisch-nlat.⟩ die; -, ...ien: afrikan. Nadelpalme mit tannenzapfenähnlichen Früchten. **Ra|phia|bast** ⟨madagassisch-nlat.; dt.⟩ der; -[e]s: aus den Blättern der Raphia gewonnene Bast

Ra|phi|den ⟨gr.-nlat.⟩ die (Plural): Kristallnadeln in Pflanzenzellen

ra|pid u. rapide ⟨lat.-fr.⟩: (bes. von Entwicklungen, Veränderungen o. Ä.) sehr, überaus, erstaunlich schnell [vor sich gehend]. **ra|pi-da|men|te** ⟨lat.-it.⟩: sehr schnell, rasend (Vortragsanweisung; Mus.). **ra|pi|de** vgl. rapid. **Ra|pi-di|tät** ⟨lat.-fr.⟩ die; -: Blitzesschnelle, Ungestüm. **ra|pi|do** ⟨lat.-it.⟩: sehr schnell, rasch (Vortragsanweisung; Mus.)

Ra|pier ⟨germ.-galloroman.-fr.⟩ das; -s, -e: Fechtwaffe, Degen (Sport). **ra|pie|ren:** 1. Fleisch von Haut u. Sehnen abschaben. 2. Tabakblätter zerstoßen (zur Herstellung von Schnupftabak)

Ra|pil|li ⟨lat.-it.⟩ die (Plural): ↑ Lapilli

Rap|pell ⟨lat.-fr.⟩ der; -s: (veraltet) Abruf, Schreiben zur Rückberufung eines Gesandten

rap|pen [rɛpn̩] ⟨engl.⟩: einen ↑ Rap singen, spielen (Mus.). **Rap|per** ['rɛpɐ] der; -s, -: jmd., der rappt. **Rap|ping** ['rɛpɪŋ] das; -s: das Rappen (Mus.). **Rap|po|mai|cher** ⟨it.; dt.⟩ der; -s, -: Händler, der auf Messen u. Märkten seine Waren zu einem Preis anbietet, den er später stark herabsetzt

Rap|port ⟨lat.-mlat.-fr.⟩ der; -[e]s, -e: 1. a) Bericht; b) (veraltet) dienstliche Meldung (Mil.). 2. a) regelmäßige Meldung an zentrale Verwaltungsstellen eines Unternehmens über Vorgänge, die für die Lenkung des Unternehmens von Bedeutung sind; b) Bericht eines Unternehmens an Behörden od. Wirtschaftsverbände für Zwecke der Statistik u. des Betriebsvergleichs (Wirtsch.). 3. unmittelbarer Kontakt zwischen zwei Personen, bes. zwischen Hypnotiseur u. Hypnotisiertem, zwischen Analytiker u. Analysand, Versuchsleiter u. Medium (Psychol.). 4. sich [auf Geweben usw.] ständig wiederholendes Muster od. Motiv. 5. Beziehung, Zusammenhang. **rap|por|tie|ren:** 1. berichten, Meldung machen. 2. sich als Muster od. Motiv ständig wiederholen

Rap|pro|che|ment [raprɔʃə'mã:] ⟨lat.-fr.⟩ das; -s, -s: (veraltet) [politische] Wiederversöhnung

Rap|tus ⟨lat.⟩ der; -, - u. [...tu:s] u. -se: 1. (Plural: Raptusse) (scherzh.) a) plötzlicher Zorn; b) Verrücktheit, plötzliche Besessenheit von einer merkwürdigen Idee. 2. (Plural: Raptus) plötzlich einsetzender Wutanfall (Med.). 3. (Plural: Raptus) (veraltet) Raub, Entführung (Rechtsw.)

Ra|pu|se ⟨tschech.⟩ die; -: 1. (ugs. landsch.) a) Plünderung, Raub; b) Verlust; Wirrwarr; **in die Rapuse kommen/gehen:** [im Durcheinander] verloren gehen; **in die Rapuse geben:** preisgeben; 2. ein Kartenspiel

rar ⟨lat.-fr.⟩: nur in [zu] geringer Menge, Anzahl vorhanden; selten, aber gesucht. **Ra|ra A|vis** ⟨lat.; „seltener Vogel"⟩ die; - -: etwas Seltenes. **Ra|re|fi|ka|ti|on** ⟨lat.-nlat.⟩ die; -, -en: Gewebsschwund (bes. der Knochen; Med.). **ra|re|fi|zie|ren:** a) verdünnen, auflockern; b) schwinden (von [Knochen]gewebe; Med.). **Ra|ri|tät** ⟨lat.⟩ die; -, -en: etwas Rares

Ras ⟨arab.; „Kopf"⟩ der; -, -: 1. abessinischer Titel. 2. arab. Bez. für: Vorgebirge, Berggipfel **ra|sant** ⟨lat.-vulgärlat.-fr.; „bestreichend, den Erdboden streifend", volksetymologisch an dt. rasen angelehnt⟩: 1. (ugs.) auffallend schnell; den Eindruck von Schnelligkeit vermittelnd; stürmisch. 2. (ugs.) durch Schwung, Spannung o. Ä. begeisternd, imponierend. 3. sehr flach gestreckt (von der Flugbahn eines Geschosses; Ballistik). **Ra|sanz** die; -: 1. (ugs.) rasende Geschwindigkeit; erstaunliche Schnelligkeit; stürmische Bewegtheit. 2. (ugs.) durch Schwung, Spannung o. Ä. bewirkte Faszination, Großartigkeit. 3. rasante (3) Flugbahn eines Geschosses (Ballistik) **Ra|ser** ['reɪzɐ] ⟨Kurzw. aus engl.-amerik. ratio amplification by stimulated emission of radiation⟩ der; -s, -: Gerät zur Erzeugung u. Verstärkung kohärenter Röntgenstrahlen (Phys.) **Ra|seur** [ra'zøːɐ̯] ⟨lat.-vulgärlat.-fr.⟩ der; -s, -e: (veraltet) Barbier. **Rash** [rɛʃ] ⟨lat.-vulgärlat.-fr.-engl.⟩ der; -[es], -s: masern- od. scharlachartiger Hautausschlag (Med.). **ra|sie|ren** ⟨lat.-vulgärlat.-fr.-niederl.⟩: 1. mit einem Rasiermesser od. -apparat die [Bart]haare entfernen. 2. (ugs.) übertölpeln, betrügen **Ras|kol** ⟨russ.⟩ der; -s: [Kirchen]spaltung, ↑Schisma. **Ras|kol|nik** der; -[s], -i (auch: -en): Angehöriger einer der zahlreichen russischen Sekten, bes. der so genannten Altgläubigen **Rä|son** [rɛ'zõː] ⟨lat.-fr.⟩ die; -: (veraltend) Vernunft, Einsicht; **jmdn. zur Räson bringen:** durch sein Eingreifen dafür sorgen, dass sich jmd. ordentlich u. angemessen verhält; vgl. aber: Staatsräson. **rä|so|na|bel:** (veraltet landsch.) a) vernünftig; b) heftig; c) gehörig. **Rä|so|neur** [...'nøːɐ̯] der; -s, -e: a) Schwätzer, Klugredner; b) Nörgler. **rä|so|nie|ren:** 1. (veraltet) vernünftig reden, Schlüsse ziehen. 2. (abwertend) viel und laut reden; b) seiner Unzufriedenheit Luft machen, schimpfen. **Rä|son|ne|ment** [...'mãː] das; -s, -s: 1. vernünftige Beurteilung, Überlegung, Erwägung. 2. Vernünftelei **Ras|pa** ⟨span.⟩ der; -s (ugs. auch: der; -s, -s): um 1950 eingeführter lateinamerikan. Gesellschaftstanz (meist im ⁶/₈-Takt)

Ras|sis|mus ⟨it.-fr.-nlat.⟩ der; -: übersteigertes Rassenbewusstsein, Rassendenken; Rassenhetze. **Ras|sist** der; -en, -en: Anhänger des Rassismus. **ras|sis|tisch:** den Rassismus betreffend **Ras|ta** der; -s, -s: Kurzform von ↑Rastafari. **Ras|ta|fa|ri** ⟨engl.; nach Ras (=Herr) Tafari, dem späteren äthiop. Kaiser Haile Selassie I.⟩ der; -s, -s: Anhänger einer religiösen Bewegung in Jamaika, die Ras, den äthiopischen Kaiser Haile Selassie I., als Gott verehrt **Ras|ter|mik|ro|skop*** ⟨lat.; gr.⟩ das; -s, -e: ↑Elektronenmikroskop, bei dem das Objekt zeilenweise von einem Elektronenstrahl abgetastet wird u. das besonders plastisch wirkende Bilder liefert. **Rast|ral** ⟨lat.-nlat.⟩ das; -s, -e: Gerät mit fünf Zinken zum Ziehen von Notenlinien. **rast|rie|ren:** Notenlinien mit dem Rastral ziehen **Ra|sul Al|lah** ⟨arab.⟩ der; - -: der Gesandte, Prophet Gottes (Bezeichnung Mohammeds) **Ra|sur** ⟨lat.⟩ die; -, -en: 1. das Rasieren; Entfernung der [Bart]haare. 2. das Radieren; Schrifttilgung (z. B. in Geschäftsbüchern) **Rät** u. **Rhät** ⟨nach den Rätischen Alpen⟩ das; -s: jüngste Stufe des Keupers; vgl. Trias **Ra|ta|fia** ⟨kreol.-fr.(-it.)⟩ der; -s, -s: Frucht[saft]likör **Ra|tan|hia|wur|zel** [ra'tanja...] ⟨indian.-port.; dt.⟩ die; -, -n: als Heilmittel verwendete Wurzel eines peruanischen Strauches **Ra|ta|touille** [...'tuj] ⟨lat.-fr.⟩ die; -, -s u. das; -s, -s: Gemüse aus Auberginen, Zucchini, Tomaten u. a. **Ra|te|ro** ⟨span.⟩ der; -[s], -s: span. Bez. für: Gauner, Taschendieb **ra|tier|lich** ⟨lat.-mlat.-it.-dt.⟩: (Kaufmannsspr.) in Raten **Ra|ti|fi|ka|ti|on** ⟨lat.-mlat.⟩ die; -, -en: Genehmigung, Bestätigung eines von der Regierung abgeschlossenen völkerrechtlichen Vertrages durch die gesetzgebende Körperschaft; vgl. ...[at]ion/...ierung. **ra|ti|fi|zie|ren:** als gesetzgebende Körperschaft einen völkerrechtlichen Vertrag in Kraft setzen. **Ra|ti|fi|zie|rung** die; -, -en: das Ratifizieren; vgl. ...[at]ion/...ierung **Ra|ti|né** [...'ne:] ⟨fr.; „gekräuselt"⟩ der; -[s], -s: flauschiger Mantelstoff mit noppenähnlicher Musterung

Ra|ting ['reɪtɪŋ] ⟨engl.⟩ das; -[s]: Verfahren zur Einschätzung, Beurteilung von Personen, Situationen o. Ä. mithilfe von Ratingskalen (Psychol.; Soziol.). **Ra|ting|ska|la** die; -, ...len u. -s: in regelmäßige Intervalle aufgeteilte Strecke, die den Ausprägungsgrad (z. B. stark - mittel - gering) eines Merkmals (z. B. Ängstlichkeit) zeigt (Psychol.; Soziol.) **ra|ti|nie|ren** ⟨fr.⟩: aufgerautem [Woll]gewebe mit der Ratiniermaschine eine noppenähnliche Musterung geben **Ra|tio** ⟨lat.⟩ die; -: Vernunft, Verstand. **Ra|ti|o|de|tek|tor** der; -s, ...oren: Schaltanordnung zur ↑Demodulation frequenzmodulierter (vgl. Frequenzmodulation) Schwingungen in der Nachrichtentechnik. **Ra|ti|o|dis|kri|mi|na|tor** der; -s, ...oren: ↑Ratiodetektor. **Ra|ti|on** ⟨lat.-mlat.-fr.; „berechneter Anteil"⟩ die; -, -en: zugeteilte Menge an Lebens- u. Genussmitteln; [täglicher] Verpflegungssatz (bes. für Soldaten); **eiserne Ration:** Proviant, der nur in einem bestimmten Notfall angegriffen werden darf (Soldatensprache). **ra|ti|o|nal** ⟨lat.⟩: die Ratio betreffend; vernünftig, aus der Vernunft stammend, von der Vernunft bestimmt; Ggs. ↑irrational; vgl. ...al/...ell. **Ra|ti|o|na|le** das; -: auszeichnender liturgischer Schulterschmuck einiger katholischer Bischöfe (z. B. Paderborn, Eichstätt) nach dem Vorbild des Brustschildes der israelitischen Hohen Priester. **Ra|ti|o|na|li|sa|tor** ⟨lat.-nlat.⟩ der; -s, ...oren: Angestellter eines Unternehmens, der mit der Durchführung einer Rationalisierung (1) betraut ist. **ra|ti|o|na|li|sie|ren** ⟨lat.-fr.⟩: 1. vereinheitlichen, straffen, [das Zusammenwirken der Produktionsfaktoren] zweckmäßiger gestalten. 2. rationalistisch denken, vernunftgemäß gestalten; durch Denken erfassen, erklären, 3. ein [emotionales] Verhalten nachträglich verstandesmäßig begründen (Psychol.). **Ra|ti|o|na|li|sie|rung** die; -, -en: 1. Ersatz überkommener Verfahren durch zweckmäßigere u. besser durchdachte; Vereinheitlichung, Straffung (Wirtsch.). 2. nachträgliche verstandesmäßige Rechtfertigung eines aus irrationalen od. triebhaften Motiven erwachsenen Verhaltens (Psychol.). **Ra-ti|o|na|lis|mus** ⟨*lat.-nlat.*⟩ *der; -:* Geisteshaltung, die das rationale Denken als einzige Erkenntnisquelle ansieht. **Ra|ti|o|na|list** *der;* -en, -en: Vertreter des Rationalismus; einseitiger Verstandesmensch. **ra|ti|o|na|lis|tisch:** im Sinne des Rationalismus; einer Anschauung entsprechend, die die Vernunft in den Mittelpunkt stellt u. alles Denken u. Handeln von ihr bestimmen lässt. **Ra|ti|o|na|li|tät** ⟨*lat.*⟩ *die; -:* 1. das Rationalsein; rationales, von der Vernunft bestimmtes Wesen. 2. Eigenschaft von Zahlen, sich als Bruch schreiben zu lassen (Math.). **ra|ti|o|nell** ⟨*lat.-fr.*⟩: vernünftig, zweckmäßig, sparsam; vgl. ...al/...ell. **ra|ti|o-nie|ren** in festgelegten, relativ kleinen Rationen zuteilen, haushälterisch einteilen **Ra|ton|ku|chen** ⟨*fr.; dt.*⟩ *der;* -s, -: (landsch.) Napfkuchen **Rat|tan** ⟨*malai.-engl.*⟩ *das;* -s, -e: aus den Stängeln bestimmter Rotangpalmen gewonnenes Rohr, das bes. zur Herstellung von Korbwaren verwendet wird **ra|va|gie|ren** [...'ʒi:...] ⟨*lat.-fr.*⟩: (veraltet) verheeren, verwüsten **Rave** [reɪv] ⟨*engl.*⟩ *der* (auch: *das*); -s, -s: große Fete, Tanzparty, bei der die ganze Nacht über bes. zu Technomusik getanzt wird **Ra|ve|lin** [ravə'lɛ̃:] ⟨*it.-fr.*⟩ *der;* -s, -s: Außenwerk vor den ↑Kurtinen (1) älterer Festungen **ra|ven** ['reɪvn] ⟨*engl.*⟩: (Jargon) an einem ↑Rave teilnehmen. **Ra|ver** ['reɪvɐ] *der;* -s, -: (Jargon) Teilnehmer, Mitwirkender an einem ↑Rave **Ra|vi|o|li** ⟨*it.*⟩ *die* (Plural): mit Fleisch od. Gemüse gefüllte Nudelteigtaschen (Gastr.) **rav|vi|van|do** ⟨*lat.-it.*⟩: wieder schneller werdend (Vortragsanweisung; Mus.) **Ra|yé** [rɛ'je:] ⟨*fr.;* „gestreift"⟩ *der;* -s, -s: Gewebe mit feinen Längsstreifen **Ray|gras** vgl. Raigras **Ra|yon** [rɛ'jõ:; österr. meist: ra-'jo:n] ⟨*lat.-fr.*⟩ *der;* -s, -s: 1. (schweiz., sonst selten) Warenhausabteilung. 2. (österr., sonst veraltet) Bezirk, [Dienst]bereich. 3. (hist.) Vorfeld von Festungen. 4. engl. Schreibung für ↑Reyon. **Ra|yon|chef** *der;* -s, -s: (selten) Abteilungsleiter [im Warenhaus]. **ra|yo|nie|ren:** (österr., sonst veraltet) nach Bezirken einteilen; zuweisen

Ra|ze|mat, chem. fachspr.: Racemat ⟨*lat.-nlat.*⟩ *das;* -[e]s, -e: zu gleichen Teilen aus rechts- u. linksdrehenden Molekülen einer ↑optisch aktiven Substanz bestehendes Gemisch, das nach außen keine optische Aktivität aufweist (Chem.). **ra|ze|misch,** chem. fachspr.: racemisch: die Eigenschaften eines Razemats aufweisend (Chem.). **ra|ze|mos** u. **ra|ze|mös:** traubenförmig (von Verzweigungen bestimmter Pflanzen) **Raz|zia** ⟨*arab.-algerisch-fr.*⟩ *die;* -, ...ien (seltener: -s): groß angelegte, überraschende Fahndungsaktion der Polizei **re** ⟨*lat.-it.*⟩: Silbe, auf die man den Ton d singen kann; vgl. Solmisation **Re** ⟨*lat.*⟩ *das;* -s, -s: Erwiderung auf ein ↑Kontra **Re|al|der** ['ri:dɐ] ⟨*engl.*⟩: [Lese]buch mit Auszügen aus der [wissenschaftlichen] Literatur u. verbindendem Text **Rea|dy|made** ['rɛdɪmeɪd] ⟨*engl.*⟩ *das;* -, -s: beliebiger, serienmäßig hergestellter Gegenstand, der als Kunstwerk ausgestellt wird **Re|af|fe|renz** ⟨*lat.*⟩ *die;* -: über die Nervenbahnen erfolgende Rückmeldung über eine ausgeführte Bewegung (Physiol.) **Re|a|gens** ⟨*lat.-nlat.*⟩ *das;* -, ...genzien u. **Re|a|genz** *das;* -, ...genzien: Stoff, der mit einem anderen eine bestimmte chem. Reaktion herbeiführt u. ihn so identifiziert (Chem.). **Re|a|genz|glas** *das;* -es, ...gläser: zylindrisches Prüf-, Probierglas. **Re|a|gen|zi-en:** *Plural* von ↑Reagens u. ↑Reagenz **re|a|gi|bel:** sensibel bei kleinsten Anlässen reagierend **Re|a|gi|bi|li|tät** *die;* -: Eigenschaft, Fähigkeit, sehr sensibel zu reagieren. **re|a|gie|ren:** 1. auf etwas ansprechen, antworten, eingehen; eine Gegenwirkung zeigen. 2. eine chem. Reaktion eingehen, auf etwas einwirken (Chem.). **Re|akt** *der;* -[e]s, -e: Antworthandlung auf Verhaltensweisen der Mitmenschen als Erwiderung, Ablehnung, Mitmachen o. Ä. (Psychol.). **Re|ak-tant** *der;* -en, -en: Stoff, der mit einem andern eine ↑Reaktion (2) eingeht (Chem.). **Re|ak|tanz** *die;* -, -en: Blindwiderstand, elektrischer Wechselstrom, der nur durch ↑induktiven u. ↑kapazitativen Widerstand bewirkt wird (Elektrot.). **Re-ak|tanz|re|lais** [...rəlɛ:]

[...lɛ:s], - [...lɛ:s]: Blindwiderstandsschaltung (Elektrot.); vgl. Reaktanz. **Re|ak|ti|on** ⟨*lat.-nlat.(-fr.)*⟩ *die;* -, -en: 1. a) das Reagieren; durch etwas hervorgerufene Wirkung; Gegenwirkung; b) ↑Response. 2. unter stofflichen Veränderungen ablaufender Vorgang (Chem.). 3. (ohne Plural) a) fortschrittsfeindliches politisches Verhalten; b) Gesamtheit aller nicht fortschrittlichen politischen Kräfte. **re|ak|ti|o|när** ⟨*lat.-fr.*⟩: (abwertend) an nicht mehr zeitgemäßen [politischen] Inhalten, Verhältnissen festhaltend; rückschrittlich. **Re|ak|ti|o|när** *der;* -s, -e: (abwertend) jmd., der reaktionäre Ansichten vertritt, reaktionäre Ziele verfolgt. **Re|ak|ti-ons|ge|schwin|dig|keit** *die;* -, -en: die Zeit, in der ein [chem.] Vorgang abläuft. **Re|ak|ti|ons-norm** *die;* -, -en: die [meist] angeborene Art u. Weise, wie ein Organismus auf Reize der Umwelt reagiert. **re|ak|tiv** ⟨*lat.-nlat.*⟩: 1. als Reaktion auf einen Reiz, bes. auf eine außergewöhnliche Belastung (Krankheit od. unbewältigte Lebenssituation), auftretend von körperlichen od. seelischen Vorgängen). 2. gegenwirkung ausübend od. erstrebend. **Re|ak|tiv** *das;* -s, -e: psychisches Verhalten, das unmittelbar durch Umweltreize bedingt ist (Psychol.). **re|ak|ti|vie-ren:** 1. a) wieder in Tätigkeit setzen, in Gebrauch nehmen, wirksam machen; b) wieder anstellen, in Dienst nehmen. 2. chemisch wieder umsetzungsfähig machen. **Re|ak|ti|vie|rung** *die;* -, -en: 1. Rück-, Gegenwirkung, erneute Aktivität. 2. das Maß des Reagierens als Norm der Vitalität (Psychol.). **Re|ak|tor** *der;* -s, ...oren: 1. Anlage, in der die geregelte Kernkettenreaktion zur Gewinnung von Energie od. von bestimmten radioaktiven Stoffen genutzt wird; Kernreaktor. 2. Vorrichtung, in der eine physikalische od. chemische Reaktion abläuft (Phys.). **Re|ak|tor|phy-sik** *die;* -: Teilgebiet der Kernphysik, das die Vorgänge in Reaktoren behandelt **re|al** ⟨*lat.-mlat.*⟩: 1. dinglich, sachlich; Ggs. ↑imaginär. 2. wirklich, tatsächlich; der Realität entsprechend; Ggs. ↑irreal **¹Re|al** ⟨Herkunft unsicher⟩ *das;* -[e]s, -e: (landsch.) ↑¹Regal **²Re|al** ⟨*lat.-span.* u. *port.*⟩ *der;* -s,

(span.:) -es u. (port.:) Reis [rɛiʃ]: alte spanische u. portugiesische Münze
Re|al|akt *der; -[e]s, -e:* tatsächliche, nicht rechtsgeschäftliche Handlung, die lediglich auf einen äußeren Erfolg gerichtet ist, an den jedoch vom Gesetz Rechtsfolgen geknüpft sind (z. B. der Erwerb eines Besitzes; Rechtsw.). **Re|al|de|fi|ni|ti|on** *die; -, -en:* Sachbestimmung, die sich auf den Wirklichkeitsgehalt des zu bestimmenden Gegenstandes bezieht (Philos.); Ggs. ↑ Nominaldefinition. **Re|al|ein|kom|men** *das; -s, -:* (in Form einer bestimmten Summe angegebenes) Einkommen unter dem Aspekt der Kaufkraft (Wirtsch.); Ggs. ↑ Nominaleinkommen. **Re|al|len** ⟨*lat.-mlat.*⟩ *die* (Plural): die letzten wirklichen Bestandteile des Seins (Philos.). **Re|al|en|zyk|lo|pä|die*** *die; -, -n:* ↑ Reallexikon
Re|al|gar ⟨*arab.-span.-fr.*⟩ *der; -s, -e:* durchscheinend rotes Mineral, Arsenerz
Re|al|gym|na|si|um *das; -s, ...ien:* (früher) höhere Schule mit besonderer Betonung der Naturwissenschaften u. der modernen Sprachen. **Re|a|li|en** ⟨*lat.-mlat.*⟩ *die* (Plural): 1. wirkliche Dinge, Tatsachen. 2. Naturwissenschaften als Grundlage der Bildung u. als Lehr- u. Prüfungsfächer. 3. Sachkenntnisse (Päd.); Ggs. ↑ Verbalien (vgl. Verbale 3)
Re|a|lign|ment [riːəˈlaɪnmənt] ⟨*engl.*⟩ *das; -s:* Neufestsetzung von Wechselkursen nach einer Zeit des ↑ Floatings
Re|al|in|dex *der; -es, -e u. ...dizes,* auch: *...dices:* (veraltet) Sachverzeichnis, -register. **Re|al|in|ju|rie** [...rjə] *die; -, -n:* Beleidigung durch Tätlichkeiten (Rechtsw.). **Re|al|in|spi|ra|ti|on*** *die; -, -en:* Eingebung des sachlichen Inhalts der Heiligen Schrift durch den Heiligen Geist (aus der Verbalinspiration entwickelte theologische Lehre); vgl. Personalinspiration. **Re|a|li|sat** ⟨*lat.-mlat.-nlat.*⟩ *das; -s, -e:* künstlerisches Erzeugnis. **Re|a|li|sa|ti|on** ⟨*lat.-mlat.-fr.*⟩ *die; -, -en:* 1. Verwirklichung. 2. Herstellung, Inszenierung eines Films od. einer Fernsehsendung. 3. Umsetzung einer abstrakten Einheit der ↑ Langue in eine konkrete Einheit der ↑ Parole (Sprachw.). 4. Umwandlung in Geld (Wirtsch.); vgl. ...[at]ion/

...ierung. **Re|a|li|sa|tor** ⟨*lat.-mlat.-nlat.*⟩ *der; -s, ...oren:* 1. geschlechtsbestimmender Faktor in den Fortpflanzungszellen vieler Pflanzen, Tiere u. des Menschen (z. B. das Geschlechtschromosom des Menschen). 2. Hersteller, Autor, Regisseur eines Films od. einer Fernsehsendung. **re|a|li|sie|ren** ⟨*lat.-mlat.-fr.*⟩: 1. verwirklichen, in die Tat umsetzen. 2. in Geld umwandeln. 3. ⟨*lat.-mlat.-fr.-engl.*⟩: klar erkennen, einsehen, begreifen, indem man sich die betreffende Sache bewusst macht. 4. eine Realisation (3) vornehmen. **Re|a|li|sie|rung** *die; -, -en:* das Realisieren (1, 2, 3); vgl. ...[at]ion/ ...ierung. **Re|a|lis|mus** ⟨*lat.-mlat.-nlat.*⟩ *der; -, ...men:* 1. (ohne Plural) a) Wirklichkeitssinn, wirklichkeitsnahe Einstellung; auf Nutzen bedachte Grundhaltung; b) ungeschminkte Wirklichkeit. 2. (ohne Plural) philosophische Denkrichtung, nach der eine außerhalb unseres Bewusstseins liegende Wirklichkeit angenommen wird, zu deren Erkenntnis man durch Wahrnehmung u. Denken kommt. 3. a) (ohne Plural) der Wirklichkeit nachahmende, mit der Wirklichkeit übereinstimmende künstlerische Darstellung[sweise] in Literatur u. bildender Kunst; b) (ohne Plural) Stilrichtung in Literatur u. bildender Kunst, die sich des Realismus (3 a), der wirklichkeitsgetreuen Darstellung bedient; **sozialistischer Realismus:** realistische künstlerische Darstellung unter dem Aspekt des Sozialismus (bes. in der sowjetischen Kunst u. Literatur). **Re|a|list** *der; -s, -en:* 1. jmd., der die Gegebenheiten des täglichen Lebens nüchtern u. sachlich betrachtet u. sich in seinen Handlungen danach richtet; Ggs. ↑ Idealist (2). 2. Vertreter des Realismus (3). **Re|a|lis|tik** *die; -:* ungeschminkte Wirklichkeitsdarstellung. **re|a|lis|tisch:** 1. a) wirklichkeitsnah, lebensecht; b) ohne Illusion, sachlich-nüchtern; Ggs. ↑ idealistisch (2). 2. zum Realismus (3) gehörend. **Re|a|li|tät** ⟨*lat.-mlat.(-fr.)*⟩ *die; -, -en:* Wirklichkeit, tatsächliche Lage, Gegebenheit; Ggs. ↑ Irrealität. **Re|a|li|tä|ten** ⟨*lat.-mlat.*⟩ *die* (Plural): Grundstücke, Grundeigentum (Wirtsch.). **re|a|li|ter:** in Wirklichkeit. **Re|a|li|ty|show** [riˈɛlitiʃoʊ] ⟨*engl.*⟩ *die; -, -s:* Unterhal-

tungssendung im Fernsehen, die Unglücksfälle live zeigt bzw. nachgestellt darbietet. **Re|a|li|ty-TV** *das; -[s]:* Sparte des Fernsehens, in der Realityshows produziert werden. **Re|al|ka|ta|log** *der; -[e]s, -e:* nach dem sachlichen Inhalt des betreffenden Werkes geordnetes Bücherverzeichnis; Sachkatalog; Ggs. ↑ Nominalkatalog. **Re|al|kon|kor|danz** *die; -, -en:* ↑ Konkordanz (1 a), die ein alphabetisches Verzeichnis von Sachen enthält; vgl. Verbalkonkordanz. **Re|al|kon|kur|renz** *die; -:* Tatmehrheit; Verletzung mehrerer strafrechtlicher Tatbestände nacheinander durch den gleichen Täter; vgl. Idealkonkurrenz (Rechtsw.). **Re|al|le|xi|kon** *das; -s, ...ka* (auch: ...ken): ↑ Lexikon, das die Sachbegriffe einer Wissenschaft od. eines Wissenschaftsgebietes enthält. **Re|al|lo** *die; -s, -s:* (ugs.) jmd., der Realpolitik betreibt, sich an den realen Gegebenheiten orientiert. **Re|al|po|li|tik** *die; -:* Politik, die moralische Grundsätze od. nationale ↑ Ressentiments nicht berücksichtigt, sondern auf der nüchternen Erkenntnis der Gegebenheiten u. des wirklich Erreichbaren beruht. **Re|al|prä|senz** *die; -:* die wirkliche Gegenwart Christi in Brot u. Wein beim heiligen Abendmahl; vgl. Konsubstantiation. **Re|al|re|pug|nanz*** *die; -:* der in der Sache liegende Widerspruch im Gegensatz zu dem im Begriff liegenden (Kant). **Re|al|sa|ti|re** *die; -, -n:* reales Geschehen, das satirische Züge trägt. **Re|al|schu|le** ⟨*lat.; dt.*⟩ *die; -, -n:* sechsklassige, auf der Grundschule aufbauende Lehranstalt, die bis zur mittleren Reife führt; Mittelschule. **Real-Time-Sys|tem** [ˈriːaltaɪm...] *das; -s:* Betriebsart einer elektronischen Rechenanlage, bei der eine Verarbeitung von Daten sofort u. unmittelbar erfolgt (EDV). **Re|al|uni|on** *die; -, -en:* die Verbindung völkerrechtlich selbstständiger Staaten durch eine [verfassungsrechtlich verankerte] Gemeinsamkeit von Institutionen (z. B. gemeinsamer Präsident)

re|ama|teu|ri|sie|ren [...tø...] ⟨*lat.-fr.*⟩: einen Berufssportler wieder zum Amateur machen. **Re|ama|teu|ri|sie|rung** *die; -, -en:* das Reamateurisieren, Reamateurisiertwerden

Re|ani|ma|ti|on ⟨lat. -nlat.⟩ die; -: Wiederbelebung; das In-Gang-Bringen erloschener Lebensfunktionen durch künstliche Beatmung, Herzmassage o. Ä. (Med.). Re|ani|ma|ti|ons|zentrum* das; -s, ...tren: klinische Einrichtung speziell für lebensbedrohlich Erkrankte, in der eine Reanimation versucht wird (Med.). re|ani|mie|ren: wieder beleben (Med.)

re|ar|mie|ren ⟨lat.-nlat.⟩: (veraltet) wieder bewaffnen; ein [Kriegs]schiff von neuem ausrüsten

Re|as|se|ku|ranz ⟨lat.⟩ die; -, -en: Rückversicherung

re|as|su|mie|ren ⟨lat.-nlat.⟩: (veraltet) ein Verfahren wieder aufnehmen (Rechtsw.). Re|as|sump|ti|on die; -, -en: (veraltet) Wiederaufnahme eines Verfahrens

Re|at ⟨lat.⟩ das (auch; der); -[e]s, -e. (veraltet a) Schuld, Straftat; b) Anklagezustand (Rechtsw.)

Re|au|mur ['re:omy:ɐ̯] ⟨nach dem franz. Physiker Réaumur, 1683–1757⟩: Gradeinteilung beim heute veralteten 80-teiligen Thermometer; Zeichen: R

Re|bab ⟨pers.-arab.⟩ der; -, -s: arab. Streichinstrument

Reb|bach vgl. Reibach

Re|bec ⟨pers.-arab.-span.-fr.⟩ der (auch: das); -s, -s: kleine Geige des Mittelalters in Form einer halben Birne mit zwei bis drei Saiten

Re|bell ⟨lat.-fr.; „den Krieg erneuernd"⟩ der; -en, -en: Aufrührer, Aufständischer; jmd., der sich auflehnt, widersetzt, empört. re|bel|lie|ren: sich auflehnen, sich widersetzen, sich empören. Re|bel|li|on die; -, -en: Aufruhr, Aufstand, Widerstand, Empörung. re|bel|lisch: widersetzlich, aufsässig, aufrührerisch

Re|bir|thing ['ri'bɔ:θɪŋ] ⟨engl.⟩ das; -s, -s: psychologische Therapie, die versucht, durch das Bewusstmachen von Vorgängen vor od. bei der Geburt hierbei entstandene Traumen aufzulösen

Re|bound [ri'baʊnt] ⟨engl.⟩ der; -s, -s: vom Brett od. Korbring abprallender Ball (Basketball)

Re|break ['ribreɪk] ⟨engl.⟩ der od. das; -s, -s: ¹Break (1 b), das man nach einem gegnerischen Break erzielt

Re|bus ⟨lat.-fr.; „durch Sachen"⟩ der od. das; -, -se: Bilderrätsel. re|bus sic stan|ti|bus: ↑clausula rebus sic stantibus

Re|call|test [ri'kɔ:l...] ⟨engl.⟩ der; -s, -s (auch: -e): Verfahren, durch das geprüft wird, welche Werbeappelle, -aussagen o. Ä. bei der Versuchsperson im Gedächtnis geblieben sind

Ré|ca|mie|re [reka'mjɛ:rə] ⟨nach der franz. Schriftstellerin J. Récamier, 1777–1849⟩ die; -, -n: Sofa ohne Rückenlehne, aber mit hoch geschwungenen Armlehnen

Ro|cei|ver [ri'si:vɐ] ⟨lat.-fr.-engl.; „Empfänger"⟩ der; -s, -: 1. Hochfrequenzteil für den Satellitenempfang. 2. Spieler, der den Ball, bes. den Aufschlag, in die gegnerische Spielhälfte zurückschlägt; Rückschläger (Sport). 3. Kombination von Rundfunkempfänger u. Verstärker für Hi-Fi-Wiedergabe

re|cen|ter pa|ra|tum ⟨lat.⟩: frisch bereitet (Vorschrift auf ärztlichen Rezepten)

Re|cep|ta|cul|lum ⟨lat.; „Behälter"⟩ das; -s, ...la: 1. Blütenboden der bedecktsamigen Pflanzen. 2. Blattgewebshöcker bestimmter Farnpflanzen, auf dem die Sporen bildenden Organe entspringen. 3. bei Braunalgen besondere Äste in Einsenkungen, auf denen die Fortpflanzungsorgane stehen. 4. bei Würmern, Weich-u. Gliedertieren ein blasenförmiges weibliches Geschlechtsorgan, in dem die Samenzellen gespeichert werden (Biol.)

Re|cha|bit ⟨hebr.; nach dem Gründer Jonadab ben Rechab, Jeremia 35⟩ der; -en, -en: Angehöriger einer altisraelitischen religiösen Gemeinschaft, die am Nomadentum festhielt

Re|chaud [re'ʃo:] ⟨lat.-vulgärlat.-fr.; der od. das; e, oi 1. (oudd., österr., schweiz.) [Gas]kocher. 2. durch Kerze od. Spiritusbrenner beheiztes Gerät od. elektrisch beheizbare Platte zum Warmhalten von Speisen u. zum Anwärmen von Tellern (Gastr.)

Re|cher|che [re'ʃɛrʃə] ⟨lat.-vulgärlat.-fr.⟩ die; -, -n: Nachforschung, Ermittlung. Re|cher|cheur [...'ʃø:ɐ̯] der; -s, -e: jmd., der die [berufliche] Aufgabe hat zu recherchieren. re|cher|chie|ren: ermitteln, untersuchen, nachforschen, erkunden, sich genau über etw. informieren, um Bescheid zu wissen, Hintergründe u. Umstände kennen zu lernen, sich ein Bild machen zu können

re|ci|pe! ⟨lat.⟩: auf ärztlichen Re-

zepten: nimm!; Abk.: Rec. u. Rp.

Re|ci|tal [ri'sajtl] ⟨engl.⟩ das; -s, -s u. Rezital das; -s, -e od. -s: Solistenkonzert. re|ci|tan|do [retʃi...] ⟨lat.-it.⟩: frei, d.h. ohne strikte Einhaltung des Taktes, rezitierend (Vortragsanweisung; Mus.). Re|ci|ta|ti|vo ac|com|pag|na|to* [...'ti:vo ...pan'ja:to] ⟨it.⟩ das; - -, ...vi ...ti: ↑Accompagnato; vgl. Rezitativ

re|com|man|dé [...mã'de:] ⟨lat.-fr.⟩: franz. Bez. für: eingeschrieben (Postw.); Abk.: R

Re|con|quis|ta [...'kɪsta] ⟨lat.-span.⟩ die; -: der Kampf der [christlichen] Bevölkerung Spaniens gegen die arabische Herrschaft (im Mittelalter)

Re|cor|der [auch: ri'kɔrdɐ] vgl. Rekorder

rec|te ⟨lat.⟩: richtig, recht. Rek|to vgl. Rekto. Rec|tor magni|fi|**r·en|t|v|e||mua*** („erhabenster Leiter") der; - -, ...ores ...mi: früher der Titel des Landesherrn als Rektor der Hochschule. Rec|tor magni|fi|cus* ⟨„erhabener Leiter") der; - -, ...fici: Titel des Hochschulrektors

re|cy|celn [ri'sajk|n] ⟨engl.⟩: einem Recycling zuführen. Re|cyc|ling* [ri'sajk...] ⟨engl.⟩ das; -s, -s: 1. Aufbereitung u. Wiederverwendung [bereits benutzter Rohstoffe, von Abfällen, Nebenprodukten]. 2. Wiedereinschleusung der (stark gestiegenen) Erlöse Erdöl exportierender Staaten in die Wirtschaft der Erdöl importierenden Staaten, um deren Zahlungsbilanzdefizite zu verringern. Re|cyc|ling|pa|pier* das; -s: Papier, das aus Altpapier hergestellt ist; Umweltschutzpapier

Re|dak|teur [...'tø:ɐ̯] ⟨lat.-fr.⟩ der; -s, -e: jmd., der für eine Zeitung, Zeitschrift, für Rundfunk od. Fernsehen, für ein [wissenschaftliches] Sammelwerk o. Ä. Beiträge auswählt, bearbeitet od. auch selbst schreibt. Re|dak|ti|on die; -, -en: 1. Tätigkeit des Redakteurs; das Redigieren. 2. a) Gesamtheit der Redakteure; b) Raum, Abteilung, Büro, in dem Redakteure arbeiten. 3. Veröffentlichung, [bestimmte] Ausgabe eines Textes (Fachspr.). re|dak|ti|o|nell: die Redaktion betreffend. Re|dak|tor ⟨lat.-nlat.⟩ der; -s, ...oren: 1. wissenschaftlicher Herausgeber. 2. (schweiz.) Redakteur

Red|di|ti|on ⟨lat.⟩ die; -, -en: (veraltet) 1. Rückgabe. 2. Vorbringung eines [Rechts]grundes

Re|demp|to|rịst* ⟨*lat.-nlat.*⟩ *der;* -en, -en: Mitglied einer 1732 gegründeten, speziell in der Missionsarbeit tätigen katholischen Kongregation

Re|de|rij|ker [...rɛi̯kər] ⟨*niederl.*⟩ *der;* -s, -s: Mitglied der Kamers van Rhetorica, literarische Vereinigungen in den Niederlanden des 15./16. Jh.s

Red|gum|holz [rɛdgam...] ⟨*engl.; dt.*⟩ *das;* -es: rotes Holz des australischen Rotgummibaums (rotes Mahagoni)

red|hi|bie|ren ⟨*lat.*⟩: eine Sache gegen Erstattung des Kaufpreises wegen eines verborgenen Fehlers (zur Zeit des Kaufes) zurückgeben (Rechtsw.; Kaufmannsspr.). **Red|hi|bi|ti|on** [...zi̯on] *die;* -: Rückgabe einer gekauften Sache gegen Erstattung des Kaufpreises wegen eines verborgenen Fehlers zurzeit des Kaufes (Rechtsw.; Kaufmannsspr.). **red|hi|bi|to|risch:** a) die Redhibition betreffend; b) die Redhibition zum Ziel habend; **redhibitorische Klage:** Klage auf Wandlung, auf Rückgängigmachen des Kaufvertrages wegen mangelhafter Beschaffenheit des Vertragsgegenstandes (Rechtsw.).

re|di|gie|ren ⟨*lat.-fr.*⟩: [als Redakteur] einen Text bearbeiten, druckfertig machen

re|di|men|si|o|nie|ren ⟨*lat.-nlat.*⟩: (schweiz.) verringern, reduzieren, in seinem Umfang, seiner Größe einschränken

re|di|mie|ren* ⟨*lat.*⟩: (veraltet) [Kriegsgefangene] los-, freikaufen

Re|din|gote [redɛ̃'gɔt] ⟨*engl.-fr.*⟩ *die;* -, -n od. *der;* -s, -s: taillierter Damenmantel mit Reverskragen

Red|in|teg|ra|ti|on* ⟨*lat.*⟩ *die;* -, -en: 1. (veraltet) ↑Reintegration. 2. die durch einen Krieg eingeschränkte, nach dessen Beendigung wieder volle Rechtswirksamkeit eines völkerrechtlichen Vertrages

Re|dis|kont *der;* -s, -e: Wiederverkauf diskontierter Wechsel durch eine Geschäftsbank an die Notenbank (Geldw.). **re|dis|kon|tie|ren:** diskontierte Wechsel ankaufen u. weiterverkaufen

Re|dis|tri|bu|ti|on ⟨*lat.*⟩ *die;* -, -en: Korrektur der [marktwirtschaftlichen] Einkommensverteilung mithilfe finanzwirtschaftlicher Maßnahmen (Wirtsch.)

re|di|vi|vus ⟨*lat.*⟩: wieder erstanden

Red|neck ⟨*engl.*⟩ *der;* -s, -s: der Arbeiterklasse angehörender weißer Amerikaner aus den ländlichen Gebieten der Südstaaten

Re|don ® ⟨*Kunstw.*⟩ *das;* -s: eine synthetische Faser aus ↑Polyacrylnitril

Re|don|dil|la [auch: ...'diːlja] ⟨*lat.-span.*⟩ *die;* -, -s u. [bei dt. Aussprache:] ...dillen: in ↑Romanze (1) u. Drama verwendete spanische Strophe aus vier achtsilbigen Versen (Reimfolge: a b b a)

Re|dopp ⟨*lat.-it.*⟩ *der;* -s: kürzester Galopp in der hohen Schule (Reiten)

Re|doute [re'duːtə] ⟨*lat.-it.-fr.*⟩ *die;* -, -n: 1. (veraltet) Saal für festliche od. Tanzveranstaltungen. 2. (österr., sonst veraltet) Maskenball. 3. (hist.) Festungswerk in Form einer trapezförmigen geschlossenen Schanze

Re|dox|sys|tem* ⟨Kurzwort aus: *Reduktions-Oxidations-System*⟩ *das* -s: System, bei dem ein Stoff oxidiert u. ein zweiter gleichzeitig reduziert wird (Chem.)

Red|pow|er ['rɛd'pauə(r)] ⟨*engl.-amerik.*⟩: „rote Macht"⟩ *die;* -, auch: **Red Pow|er** *die;* - -: Bewegung nordamerikanischer Indianer, die sich gegen Überfremdung u. Bevormundung durch die weißen Amerikaner wendet u. sich für mehr politische Rechte, für Autonomie u. kulturelle Eigenständigkeit einsetzt

Re|dres|se|ment* [...'mã:] ⟨*lat.-vulgärlat.-fr.*⟩ *das;* -s, -s: a) Wiedereinrenkung von Knochenbrüchen u. Verrenkungen; b) orthopädische Behandlung von Körperfehlern (bes. der Beine u. Füße). **re|dres|sie|ren:** 1. (veraltet) wieder gutmachen; rückgängig machen. 2. (Med.) a) eine körperliche Deformierung durch orthopädische Behandlung korrigieren; b) einen gebrochenen Knochen wieder einrenken; c) einen schiefen Zahn mit der Zange gerade richten

re|dub|lie|ren* ⟨*lat.-fr.*⟩: (veraltet) verdoppeln, verstärken

Re|du|it [re'dỹi:] ⟨*lat.-fr.*⟩ *das;* -s, -s: (hist.) beschusssichere Verteidigungsanlage im Kern einer Festung. **Re|duk|ta|se** ⟨*lat.-nlat.*⟩ *die;* -, -n: reduzierendes ↑Enzym in roher Milch. **Re|duk-**

ti|on ⟨*lat.*⟩ *die;* -, -en: 1. a) Zurückführung; b) Verringerung, Herabsetzung. 2. Zurückführung des Komplizierten auf etwas Einfaches (Logik). 3. (Sprachw.) a) Verlust der ↑Qualität (2) u. ↑Quantität (2) bis zum Schwund des Vokals (z. B. *Nachbar* aus mittelhochdt. *nachgebur*); b) Sonderform der sprachlichen ↑Substitution (4), durch deren Anwendung sich die Zahl der sprachlichen Einheiten verringert (z. B. ich fliege nach London, ich fliege dorthin). 4. a) Laisierung; b) (meist Plural) (hist.) christliche Indianersiedlung unter Missionarsleitung, z. B. den Jesuiten in Paraguay; vgl. Reservation. 5. a) chemischer Vorgang, bei dem Elektronen von einem Stoff auf einen anderen übertragen u. von diesem aufgenommen werden (im Zusammenhang mit einer gleichzeitig stattfindenden ↑Oxidation); b) Entzug von Sauerstoff aus einer chemischen Verbindung od. Einführung von Wasserstoff in eine chemische Verbindung; c) Verarbeitung eines Erzes zu Metall. 6. Verminderung der Chromosomenzahl während der ↑Reduktionsteilung. 7. Umrechnung eines physikalischen Messwertes auf den Normalwert (z. B. Reduktion des Luftdrucks an einem beliebigen Ort auf das Meeresniveau; Phys., Meteor.); vgl. ...[at]ion/...ierung. **Re|duk|ti|o|nịs|mus** ⟨*lat.-nlat.*⟩ *der;* -: isolierte Betrachtung von Einzelelementen ohne ihre Verflechtung in einem Ganzen od. von einem Ganzen als einfacher Summe aus Einzelteilen unter Überbetonung der Einzelteile, von denen aus generalisiert wird. **Re|duk|ti|o|nịs|tisch:** dem Reduktionismus entsprechend. **Re|duk|ti|ons|di|ät** *die;* -: kalorienarme Nahrung für die Abmagerungskur. **Re|duk|ti|ons|ofen** ⟨*lat.; dt.*⟩ *der;* -s, ...öfen: Schmelzofen zur Läuterung der Metalle. **Re|duk|ti|ons|tei|lung** *die;* -, -en: Zellteilung, durch die der doppelte Chromosomensatz auf einen einfachen reduziert wird (Biol.). **Re|duk|ti|ons|zir|kel** *der;* -s, -: verstellbarer Zirkel zum Übertragen von vergrößerten od. verkleinerten Strecken. **re|duk|tịv** ⟨*lat.-nlat.*⟩: mit den Mitteln der Reduktion arbeitend, durch Reduktion bewirkt. **Re|duk|tor** ⟨*lat.*⟩ *der;* -s, ...oren:

1. Klingeltransformator. 2. Glimmlampe im Gleichstromkreis zur Minderung der Netzspannung (Elektrot.) **re|dun|dạnt*** ⟨*lat.*⟩: Redundanz (1, 2, 3) aufweisend; vgl. abundant. **Re|dun|dạnz** *die;* -, -en: 1. Überreichlichkeit, Überfluss, Üppigkeit. 2. (Sprachw.) a) im Sprachsystem angelegte mehrfache Kennzeichnung derselben Information (z. B. den *Kälbern:* mehrfach bezeichneter Dativ Plural; *die* großen Wörterbücher *sind* teuer: der Plural wird auf komplexe Weise ausgedrückt); b) stilistisch bedingte Überladung einer Aussage mit überflüssigen sprachinhaltlichen Elementen; vgl. Pleonasmus, Tautologie. 3. (in der Informationstheorie bzw. Nachrichtentechnik) das Vorhandensein von weglassbaren Elementen in einer Nachricht, die keine zusätzliche Information liefern, sondern lediglich die beabsichtigte Grundinformation stützen **Re|dup|li|ka|ti|on*** ⟨*lat.*⟩ *die;* -, -en: Verdoppelung eines Wortes od. einer Anlautsilbe (z. B. *Bonbon, Wirrwarr*). **re|dup|li|zie|ren:** der Reduplikation unterworfen sein; **reduplizierendes Verb:** Verb, das bestimmte Formen mithilfe der Reduplikation bildet (z. B. lat. *cucu*rri = ich bin gelaufen) **Re|du|zẹnt** ⟨*lat.*⟩ *der;* -en, -en: ein Lebewesen (z. B. Bakterie, Pilz), das organische Stoffe wieder in anorganische überführt, sie ↑mineralisiert (Biol.). **re|du|zi|bel** ⟨*lat.-nlat.*⟩: sich ableiten, auf eine Grundform zurückführen lassend (Philos., Math.); Ggs. ↑irreduzibel **re|du|zie|ren** ⟨*lat.*⟩: 1. a) auf etwas Einfacheres, das Wesentliche zurückführen; b) verringern, herabsetzen, beeinträchtigen. 2. einen Vokal an ↑Qualität (2) u. ↑Quantität (2) abschwächen (Sprachw.). 3. a) einer chemischen Verbindung Elektronen zuführen; b) einer chemischen Verbindung Sauerstoff entziehen od. Wasserstoff in eine chemische Verbindung einführen. 4. Erz zu Metall verarbeiten. 5. einen physikalischen Messwert auf den Normalwert umrechnen (z. B. den Luftdruck an einem beliebigen Ort auf das Meeresniveau). **Re|du|zie|rung** *die;* -, -en: das Reduzieren; vgl. ...[at]ion/...ierung

Red|wood [ˈrɛdwʊd] ⟨*engl.*⟩ *das;*

-s, -s: Rotholz eines kalifornischen Mammutbaums
Reel [riːl] ⟨*engl.*⟩ *der;* -s, -s: schottischer u. irischer, ursprünglich kreolischer schneller [Paar]tanz in geradem Takt
re|ẹll ⟨*lat.-mlat.-fr.*⟩: 1. a) anständig, ehrlich, redlich; b) (ugs.) ordentlich, den Erwartungen entsprechend. 2. wirklich, tatsächlich [vorhanden]. **Re|el|li|tät** *die;* -: (selten) Ehrlichkeit, Redlichkeit, [geschäftliche] Anständigkeit
Re|en|ga|ge|ment [reãɡaʒəˈmãː] ⟨*fr.*⟩ *das;* -s, -s: Wiederverpflichtung. **re|en|ga|gie|ren** [...ˈʒiː...]: wieder verpflichten
ree|sen ⟨*engl.*⟩: (Seemannsspr.) eifrig erzählen; übertreiben
Re|evo|lu|ti|on ⟨*lat.-nlat.*⟩ *die;* -: allmähliche Wiederkehr der geistigen Funktionen nach epileptischem Anfall (Med.)
Re|ex|port ⟨*lat.-nlat.*⟩ *der;* -[e]s, -e u. **Re|ex|pör|ta|ti|on** *die;* -, -en: Ausfuhr importierter Waren
Re|fait [rəˈfɛː] ⟨*lat.-vulgärlat.-fr.*⟩ *das;* -s, -s: unentschiedenes Kartenspiel. **Re|fak|tie** [...tsjə] ⟨*lat.-niederl.*⟩ *die;* -, -n: Gewichts- od. Preisabzug wegen beschädigter od. fehlerhafter Waren; Nachlass, Rückvergütung. **Re|fek|to|ri|um** ⟨*lat.-mlat.*⟩ *das;* -s, ...ien: Speisesaal im Kloster
Re|fe|rạt ⟨*lat.;* „er möge berichten...“⟩ *das;* -[e]s, -e: 1. a) Vortrag über ein bestimmtes Thema; b) eine Beurteilung enthaltender schriftlicher Bericht; Kurzbesprechung [eines Buches]. 2. Sachgebiet eines ↑Referenten (2). **Re|fe|ree** [...ˈriː, auch: ˈrɛtəri] ⟨*engl.*⟩ *der;* -s, -s: Schiedsrichter, Ringrichter (Sport). **Re|fe|rẹn|da:** *Plural* von ↑Referendum. **Re|fe|rẹn|dar** ⟨*lat.-mlat.;* „(aus den Akten) Bericht Erstattender“⟩ *der;* -s, -e: Anwärter auf die höhere Beamtenlaufbahn nach der ersten Staatsprüfung. **Re|fe|rẹn|da|ri|ạt** ⟨*lat.-mlat.-nlat.*⟩ *das;* -[e]s, -e: Vorbereitungsdienst für Referendare. **Re|fe|rẹn|dum** ⟨*lat.;* „zu Berichtendes“⟩ *das;* -s, ...den u. ...da: 1. Volksabstimmung, Volksentscheid; vgl. ad referendum. 2. ↑Referent (3). **Re|fe|rẹnt** ⟨*lat.*⟩ *der;* -en, -en: 1. a) jmd., der ein Referat (1 a) hält; Redner; b) Gutachter [bei der Beurteilung einer wissenschaftlichen Arbeit]. 2. Sachbearbeiter in einer Dienststelle. 3. ↑Denotat (1)

(Sprachw.). **re|fe|ren|ti|ẹll** vgl. referenziell. **Re|fe|rẹnz** ⟨*lat.-fr.;* „Bericht, Auskunft“⟩ *die;* -, -en: 1. (meist Plural) von einer Vertrauensperson gegebene Auskunft, die man als Empfehlung vorweisen kann; vgl. aber Reverenz. 2. Vertrauensperson, die über jmdn. eine positive Auskunft geben kann. 3. Beziehung zwischen sprachlichen Zeichen u. ihren Referenten (3) in der außersprachlichen Wirklichkeit (Sprachw.). **Re|fe|rẹnz|iden|ti|tät** *die;* -, -en: Bezeichnung derselben Person durch zwei Nominalphrasen (Sprachw.). **re|fe|ren|zi|ẹll,** auch: referentiell ⟨*lat.-fr.*⟩: die Referenz (3) betreffend. **re|fe|rie|ren:** a) einen kurzen [beurteilenden] Bericht von etwas geben; b) ein Referat (1 a) halten
re|fi|nan|zie|ren, sich ⟨*lat.;* *lat.-fr.*⟩: fremde Mittel aufnehmen, um damit selbst Kredit zu geben. **Re|fi|nan|zie|rung** *die;* -, -en: das Refinanzieren
Re|fi|na|ti|on* ⟨*lat.-engl.*⟩ *die;* -, -en: finanzpolitische Maßnahme zur Erhöhung der im Umlauf befindlichen Geldmenge u. damit zur Überwindung einer ↑Depression (3). **re|fla|ti|o|när** ⟨*lat.-nlat.*⟩: die Reflation betreffend
Re|flek|tạnt* ⟨*lat.-nlat.*⟩ *der;* -en, -en: (veraltet) Bewerber, Interessent, Bieter. **re|flek|tie|ren** ⟨*lat.*⟩: 1. zurückstrahlen, spiegeln. 2. nachdenken; erwägen. 3. (ugs.) an jmdm./etwas sehr interessiert sein, etwas erhalten wollen. **Re|flẹk|tor** ⟨*lat.-nlat.*⟩ *der;* -s, ...oren: 1. Hohlspiegel hinter einer Lichtquelle zur Bündelung des Lichtes. 2. Teil einer Richtantenne, der einfallende elektromagnetische Strahlen zur Bündelung nach einem Brennpunkt zurückwirft. 3. Fernrohr mit Parabolspiegel. 4. Umhüllung eines Atomreaktors mit Material von kleinem Absorptionsvermögen u. großer Neutronenreflexion zur Erhöhung des Neutronenflusses im Reaktor. 5. Gegenstand, Vorrichtung aus einem reflektierenden Material; Rückstrahler. **re|flek|to|risch:** durch einen Reflex bedingt. **Re|flẹx** ⟨*lat. fr.*⟩ *der;* -es, -e: 1. Widerschein, Rückstrahlung. 2. Reaktion des Organismus auf eine Reizung seines Nervensystems; durch äußere Reize ausgelöste unwillkürliche Muskelkontraktion; **bedingter Reflex:** erworbene

Reaktion des Organismus bei höher entwickelten Tieren u. beim Menschen auf einen [biologisch] neutralen Reiz; **unbedingter Reflex**: angeborene, immer auftretende Reaktion auf äußere Reize (Med.). **Re|fle|xi|on** ⟨*lat.(fr.)*⟩ *die; -, -en*: 1. das Zurückwerfen von Licht, elektromagnetischen Wellen, Schallwellen, Gaswellen und Verdichtungsstößen an Körperoberflächen. 2. das Nachdenken; Überlegung, Betrachtung, vergleichendes u. prüfendes Denken; Vertiefung in einen Gedankengang. **Re|fle|xi|ons|go|ni|o|meter** *das; -s, -*: Instrument zum Messen von Neigungswinkeln der Flächen bei Kristallen. **Re|fle|xi|ons|win|kel** ⟨*lat.(-fr.); dt.*⟩ *der; -s, -*: Winkel zwischen reflektiertem Strahl u. Einfallslot (Phys.). **re|fle|xiv** ⟨*lat.-mlat.*⟩: 1. sich (auf das Subjekt) rückbeziehend; rückbezüglich (Sprachw.); **reflexives Verb**: rückbezügliches Verb (z. B. sich schämen). 2. die Reflexion (2) betreffend, reflektiert. **Re|fle|xiv** *das; -s, -e*: ↑Reflexivpronomen. **Re|fle|xi|va** *Plural von* ↑Reflexivum. **Re|flexi|vi|tät** ⟨*lat.-mlat.-nlat.*⟩ *die; -*: reflexible Eigenschaft, Möglichkeit des [Sich]rückbeziehens (Sprachw.; Philos.). **Re|fle|xivpro|no|men** *das; -s, - u. ...mina*: rückbezügliches Fürwort (z. B. *sich*). **Re|fle|xi|vum** ⟨*lat.-mlat.*⟩ *das; -s, ...va*: ↑Reflexivpronomen. **Re|fle|xo|lo|ge** ⟨*lat.; gr.*⟩ *der; -n, -n*: Wissenschaftler auf dem Gebiet der Reflexologie. **Re|fle|xo|lo|gie** *die; -*: Wissenschaft von den unbedingten u. den bedingten Reflexen (2). **Refle|xo|nen|mas|sa|ge** *die; -, -n*: ↑Reflexzonentherapie. **Re|flexzo|nen|the|ra|pie** *die; -, -n*: ↑Therapie, bei der eine Stelle am Fuß massiert wird, wodurch an anderer Stelle Einfluss auf eine entsprechende Zone (z. B. im Magen) ausgeübt wird **Re|flux*** ⟨*lat.-mlat.*⟩ *der; -es*: Rückfluss (z. B. bei Erbrechen; Med.) **Re|form** ⟨*lat.-fr.*⟩ *die; -, -en*: Umgestaltung, Neuordnung; Verbesserung des Bestehenden. **Refor|ma|tio in Pe|lius** ⟨*lat.*⟩ *die; - - -, ...iones - -*: Abänderung eines angefochtenen Urteils in höherer Instanz zum Nachteil des Anfechtenden (Rechtsw.). **Re|forma|ti|on** *die; -*: 1. durch Luther ausgelöste Bewegung zur Er-

neuerung der Kirche im 16. Jh., die zur Bildung der protestantischen Kirchen führte. 2. **Erneuerung, geistige Umgestaltung, Verbesserung**. **Re|for|ma|tor** *der; -s, ...oren*: 1. Begründer der Reformation (Luther, Zwingli, Calvin u. a.). 2. Umgestalter, Erneuerer. **re|for|ma|to|risch** ⟨*lat.-nlat.*⟩: 1. in der Art eines Reformators (1); umgestaltend, erneuernd. 2. die Reformation betreffend, im Sinne der Reformation, der Reformatoren (2). **Refor|mer** ⟨*lat.-fr.-engl.*⟩ *der; -s, -*: Umgestalter, Verbesserer, Erneuerer. **re|for|me|risch**: Reformen betreibend; nach Verbesserung, Erneuerung strebend. **Reform|haus** ⟨*lat.-fr.; dt.*⟩ *das; -es, ...häuser*: Fachgeschäft für gesunde, an vollwertigen Nährstoffen reiche Kost. **re|for|mie|ren** ⟨*lat.*⟩: 1. verbessern, [geistig, sittlich] erneuern; neu gestalten. 2. die ↑Oktanzahl von Benzinen durch Druck- u. Hochtemperaturbehandlung erhöhen (Techn.). **re|for|miert**: ↑evangelisch-reformiert; **reformierte Kirche**: die von Zwingli u. Calvin ausgegangenen ev. Bekenntnisgemeinschaften. **Re|for|mierte** *der u. die; -n, -n*: Angehörige[r] der reformierten Kirche. **Re|formie|rung** *die; -, -en* (Plural selten): Neugestaltung u. Verbesserung. **Re|for|mis|mus** ⟨*lat.-nlat.*⟩ *der; -*: 1. Bewegung zur Verbesserung eines [sozialen] Zustandes od. [politischen] Programms. 2. (abwertend) Bewegung innerhalb der Arbeiterklasse, die soziale Verbesserungen durch Reformen, nicht durch Revolutionen erreichen will (Marxismus). **Re|for|mist** *der; -en, -en*: Anhänger des Reformismus (1, 2). **re|for|mis|tisch**: den Reformismus (2) betreffend. **Re|formkom|mu|nis|mus** *der; -*: Richtung des Kommunismus, die diktatorisch-bürokratische Ausprägungen des Kommunismus ablehnt. **Re|form|kon|zil** *das; -s, -e u. -ien*: Kirchenversammlung des 15. [u. 16.] Jh.s, die den spätmittelalterliche katholische Kirche reformieren sollte. **Re|formpä|da|go|gik*** *die; -*: pädagogische Bewegung, die die Aktivität u. Kreativität des Kindes fördern will u. sich gegen eine Schule wendet, in der hauptsächlich auf das Lernen Wert gelegt wird **Re|fos|co** ⟨*it.*⟩ *der; -[s], -s*: dunkelroter dalmatinischer Süßwein

ref|rai|chie|ren* [refrɛ̄'ʃi:...] ⟨*fr.*⟩: ↑rafraichieren **Re|frain*** [rə'frɛ̄:] ⟨*lat.-vulgärlat.-fr.*; „Rückprall (der Wogen von den Klippen)“⟩ *der; -s, -s*: in regelmäßigen Abständen wiederkehrende gleiche Laut- od. Wortfolge in einem Gedicht od. Lied; Kehrreim **re|frak|tär*** ⟨*lat.*; „widerspenstig“⟩: nicht beeinflussbar, unempfindlich (bes. gegenüber Reizen; Med.) **Re|frak|ti|on*** ⟨*lat.-nlat.*⟩ *die; -, -en*: (Phys.) a) Brechung von Lichtwellen u. anderen an Grenzflächen zweier Medien (vgl. ¹Medium 3); b) Brechungswert. **Re|frak|to|me|ter** ⟨*lat.; gr.*⟩ *das; -s, -*: Instrument zur Bestimmung des Brechungsvermögens eines Stoffes. **Re|frak|tome|trie** *die; -*: Lehre von der Bestimmung der Brechungsgrößen (Phys.). **re|frak|to|me|trisch**: mithilfe eines Refraktometers durchgeführt. **Re|frak|tor** ⟨*lat.-nlat.*⟩ *der; -s, ...oren*: Linsenfernrohr mit mehreren Sammellinsen als Objektiv. **Re|frak|tu|rie|rung** *die; -, -en*: operatives Wiederbrechen eines Knochens (bei schlecht od. in ungünstiger Stellung verheiltem Knochenbruch; Med.) **Re|fri|ge|ran|tia*** u. **Re|fri|geran|zi|en** ⟨*lat.*⟩ *die* (Plural): abkühlende, erfrischende Mittel (Med.). **Re|fri|ge|ra|ti|on** *die; -, -en*: Erkältung (Med.). **Re|frige|ra|tor** ⟨*lat.-nlat.*⟩ *der; -s, ...oren*: Gefrieranlage **Re|fuge** [rəˈfyːʃ] ⟨*lat.-fr.*⟩ *das; -s, -s*: Schutzhütte, Notquartier (Alpinistik). **Re|fu|gi|al|ge|biet** ⟨*lat.-nlat.; dt.*⟩ *das; -[e]s, -e*: Rückzugs- u. Erhaltungsgebiet von in ihrem Lebensraum bedrohten Arten. **Re|fu|gié** [rəˈfyˈʒie:] ⟨*lat.-fr.*⟩ *der; -s, -s*: Flüchtling, bes. aus Frankreich geflüchteter Protestant (17. Jh.). **Re|fu|gi|um** ⟨*lat.*⟩ *das; -s, ...ien*: Zufluchtsort, -stätte **re|fun|die|ren** ⟨*lat.*; „zurückgießen“⟩: (veraltet) zurückzahlen; ersetzen. **Re|fus** u. **Re|füs** [rəˈfyː, re...] ⟨*lat.-vulgärlat.-fr.*⟩ *der; - [...'fy:(s)], - [...'fy:s]*: (veraltet) abschlägige Antwort, Ablehnung, Weigerung. **re|fü|sie|ren**: (veraltet) ablehnen, abschlagen, verweigern. **Re|ful|si|on** ⟨*lat.*⟩ *die; -, -en*: (veraltet) Rückgabe, Rückerstattung **Re|fu|ta|ti|on** ⟨*lat.*⟩ *die; -, -en*: 1. (veraltet) Widerlegung. 2. (hist.)

Lehnsaufkündigung durch den Vasallen

Reg ⟨hamitisch⟩ die; -, -: Geröllwüste

re|gal ⟨lat.⟩: (selten) königlich, fürstlich

¹**Re|gal** ⟨Herkunft unsicher⟩ das; -s, -e: 1. [Bücher-, Waren]gestell mit Fächern; vgl. ¹Real. 2. Schriftkastengestell (Druckw.)

²**Re|gal** ⟨fr.⟩ das; -s, -e: 1. kleine, tragbare, nur mit Zungenstimmen besetzte Orgel; vgl. Portativ. 2. Zungenregister der Orgel

³**Re|gal** ⟨lat.-mlat.⟩ das; -s, -ien (meist Plural): [wirtschaftlich nutzbares] Hoheitsrecht (z.B. Zoll-, Münz-, Postrecht). **Re|ga|le** ⟨lat.-mlat.⟩ das; -s, ...lien: ↑³Regal

re|gal|lie|ren ⟨fr.⟩: (veraltet, noch landsch.) 1. unentgeltlich bewirten, freihalten. 2. sich an etwas satt essen, gütlich tun

Re|gal|li|tät ⟨lat.-mlat.⟩ die; -, -en: (veraltet) Anspruch einer Regierung auf den Besitz von Hoheitsrechten

Re|gat|ta ⟨venez.⟩ die; -, ...tten: 1. Bootswettkampf (Wassersport). 2. schmal gestreiftes Baumwollgewebe in Köperbindung (Webart)

Re|ge|la|ti|on ⟨lat.-nlat.⟩ die; -: bei Druckentlastung das Wiedergefrieren von Wasser zu Eis, das vorher bei Druckzunahme geschmolzen war (bei der Entstehung von Gletschereis u. der Bewegung u. Erosionsarbeit von Gletschern)

Re|gel|det|ri* ⟨lat.-mlat.⟩ die; -: (veraltet) Dreisatz; Rechnung zum Aufsuchen einer Größe, die sich zu einer zweiten ebenso verhält wie eine dritte Größe zu einer vierten (Math.). **Régence** [re'ʒã:s] ⟨lat.-fr.⟩ die; - u. **Régence|stil** der; -[e]s: nach der Regentschaft Philipps von Orleans benannter franz. Kunststil (frühes 18. Jh.)

Re|ge|ne|rat ⟨lat.⟩ das; -[e]s, -e: durch chemische Aufarbeitung gewonnenes Material (z.B. Kautschuk aus Altgummi). **Re|ge|ne|ra|ti|on** ⟨lat. (-fr.)⟩ die; -, -en: 1. Wiederauffrischung, Erneuerung, Zurückversetzung in den ursprünglichen Zustand. 2. a) Wiederherstellung bestimmter chemischer od. physikalischer Eigenschaften; b) Rückgewinnung chemischer Stoffe. 3. Ersatz verloren gegangener Organe od. Organteile bei Tieren u. Pflanzen. **re|ge|ne|ra|tiv** ⟨lat.-

nlat.⟩: 1. wiedergewinnend od. wiedergewonnen (z.B. in der Chemie aus Abfällen). 2. durch Regeneration (3) entstanden; vgl. ...iv/...orisch. **Re|ge|ne|ra|tiv|ver|fah|ren** das; -s: Verfahren zur Rückgewinnung von Wärme. **Re|ge|ne|ra|tor** der; -s, ...oren: der Wärmeaufnahme dienendes Mauerwerk beim Regenerativverfahren (Techn.). **re|ge|ne|ra|to|risch**: ↑regenerativ. **re|ge|ne|rie|ren** ⟨lat.(-fr.)⟩: a) erneuern, auffrischen, wiederherstellen; b) wiedergewinnen [von wertvollen Rohstoffen o.Ä. aus verbrauchten, verschmutzten Materialien] (Chem.); c) sich neu bilden (Biol.)

Re|gens ⟨lat.⟩ der; -, Regentes u. ...enten: Vorsteher, Leiter (bes. eines katholischen Priesterseminars). **Re|gens Cho|ri** [-'ko:ri] der; - -, Regentes - u. ...enten: 1. (österr.:) der; - -, Regentes - u. (österr.:) rigent der katholischen Kirche. **Re|gent** der; -en, -en: 1. [fürstliches] Staatsoberhaupt. 2. verfassungsmäßiger Vertreter des Monarchen; Landesverweser. **Re|gen|ten|stück** ⟨lat.; dt.⟩ das; -[e]s, -e: Gruppenbildnis von den Vorstehern (Regenten) einer Gilde (holländische Malerei des 17. Jh.s). **Re|gen|tes** [...te:s]: Plural von ↑Regens. **Re|gent|schaft** ⟨lat.; dt.⟩ die; -, -en: Herrschaft od. Amtszeit eines Regenten. **Re|ges** [...ge:s] Plural von ↑¹Rex

Re|gest ⟨lat.⟩ das; -[e]s, -en (meist Plural): zusammenfassende Inhaltsangabe einer Urkunde, Teil eines zeitlich geordneten Verzeichnisses von Urkunden, Urkundenverzeichnis

Reg|gao ['rɛgɛ] ⟨engl.⟩ westind. Slangwort) der; -[s]: aus Jamaika stammende Stilrichtung der Popmusik, deren Rhythmus durch die Hervorhebung unbetonter Taktteile gekennzeichnet ist (Mus.)

Re|gie [re'ʒi:] ⟨lat.-fr.⟩ die; -, ...ien: 1. verantwortliche Führung, [künstlerische] Leitung bei der Gestaltung einer Aufführung, eines Spielgeschehens, eines bestimmten Vorhabens. 2. (Plural) (österr.) Regie-, Verwaltungskosten. **Re|gie|as|sis|tent** [re'ʒi:...] der; -en, -en: Assistent eines Regisseurs. **re|gie|ren** ⟨lat.⟩: 1. [be]herrschen; die Verwaltung, die Politik eines [Staats]gebietes leiten. 2. einen bestimmten Fall fordern

(Sprachw.). 3. in der Gewalt haben; bedienen, handhaben, führen, lenken. **Re|gie|rung** die; -, -en: 1. das Regieren; Ausübung der Regierungs-, Herrschaftsgewalt. 2. oberstes Organ eines Staates, eines Landes; Gesamtheit der Personen, die einen Staat, ein Land regieren (1). **Re|gier|werk** ⟨lat.; dt.⟩ das; -[e]s, -e: die Einzelpfeifen der Orgel, Manuale u. Pedale, Traktur, Registratur (3). **Re|gie|spe|sen** [re'ʒi:...] die (Plural): (veraltet) allgemeine Geschäftsunkosten

Re|gime [re'ʒi:m] ⟨lat.-fr.⟩ das; -s, - [re'ʒi:mə], auch: -s: 1. einem bestimmten politischen System entsprechende, von ihm geprägte [volksfeindliche] Regierung, Regierungs-, Herrschaftsform. 2. (selten) a) System, Schema, Ordnung; b) Lebensweise, -ordnung, Diätvorschrift (z.B.: Patient musste sich einem strengen Regime unterziehen). **Re|gime|kri|ti|ker** [re'ʒi:m...] der; -s, -: jmd., der dem [totalitären] Regime seines Landes kritisch gegenübersteht; Abk.: R., Reg., Regt., Rgt. **Re|gi|na Coe|li** der; - -: Himmelskönigin (kath. Bez. Marias nach einem Marienhymnus). **re|gi|na re|git co|lo|ren** („die Dame regiert die Farbe"): Grundsatz, nach dem bei der Ausgangsstellung einer Schachpartie die weiße Dame auf Weiß u. die schwarze Dame auf Schwarz steht

Re|gi|ol|lekt der; -[e]s, -e: Dialekt in rein geographischer (u. nicht in soziologischer) Hinsicht. **Re|gi|on** die; -, -en: 1. a) Gebiet, Gegend; b) Bereich, Sphäre. 2. Bezirk, Abschnitt (z.B. eines Organs od. Körperteils), Körpergegend (Anat.). **re|gi|o|nal**: 1. sich auf einen bestimmten Bereich erstreckend; gebietsmäßig, -weise, Gebiets... 2. ↑regionär. **Re|gi|o|na|lis|mus** ⟨lat.-nlat.⟩ der; -: 1. Ausprägung landschaftlicher Eigeninteressen. 2. Heimatkunst, bodenständige Literatur um 1900. **Re|gi|o|na|list** der; -en, -en: Vertreter des Regionalismus (1, 2). **Re|gi|o|nal|li|ga** die; -, ...ligen: (früher) zweithöchste deutsche Spielklasse in verschiedenen Sportarten. **Re|gi|o|nal|pro|gramm** das; -s, -e: Rundfunk-, Fernsehprogramm für ein bestimmtes Sendegebiet. re|gi|o|när: einen bestimmten Körperbereich betreffend (Med.)

Re|gis|seur [reʒɪˈsøːɐ̯] ‹lat.-fr.› der; -s, -e: jmd., der [berufsmäßig] Regie (1) führt, die Regie hat

Re|gis|ter ‹lat.-mlat.› das; -s, -: 1. a) alphabetisches Namen- od. Sachverzeichnis; ↑Index (1); b) stufenförmig eingeschnittener u. mit den Buchstaben des Alphabets versehener Seitenrand in Telefon-, Wörter-, Notizbüchern o. Ä. 2. a) meist den ganzen Umfang einer Klaviatur deckende Orgelpfeifengruppe mit charakteristischer Klangfärbung; b) im Klangcharakter von anderen unterschiedene Lage der menschlichen Stimme (Brust-, Kopf-, Falsettstimme) od. von Holzblasinstrumenten. 3. amtliches Verzeichnis rechtlicher Vorgänge (z. B. Standesregister). 4. genaues Aufeinanderpassen der Farben beim Mehrfarbendruck u. der auf dem Druckbogen gegenständigen Buchseiten u. Seitenzahlen. 5. spezieller Speicher einer digitalen Rechenanlage mit besonders kleiner Zugriffszeit für vorübergehende Aufnahme von Daten (EDV). re|gis|tered [ˈrɛdʒɪstəd] ‹lat.-mlat.-fr.-engl.›: 1. in ein Register eingetragen, patentiert, gesetzlich geschützt; Abk.: reg.; Zeichen: ®. 2. eingeschrieben (auf Postsendungen). Re|gis|ter|ton|ne die; -, -n: Maß zur Angabe des Rauminhalts von Schiffen; Abk.: RT (1 RT = 2,8316 m³)

Re|gis|t|ran|de* ‹lat.-mlat.› die; -, -n: (veraltet) Buch, in dem Eingänge registriert werden. Re|gist|ra|tor der; -s, ...oren: (veraltet) 1. Register führender Beamter. 2. Ordner[mappe]. re|gist|ra|to|risch: das Registrieren betreffend. Re|gist|ra|tur die; -, -en: 1. das Registrieren (1 a), Eintragen; Buchung. 2. a) Aufbewahrungsstelle für Karteien, Akten o. Ä.; b) Regal, Gestell, Schrank zum Aufbewahren von Akten o. Ä. 3. die Register (2 a) und Koppeln auslösende Schaltvorrichtung bei Orgel u. Harmonium. re|gist|rie|ren: 1. a) [in ein Register] eintragen; b) selbsttätig aufzeichnen; einordnen. 2. a) bewusst wahrnehmen, ins Bewusstsein aufnehmen; b) sachlich feststellen; ohne urteilenden Kommentar feststellen,

zur Kenntnis bringen. 3. die geeigneten Registerstimmen verbinden u. mischen (bei Orgel u. Harmonium)

Reg|le|ment* [...ˈmãː, schweiz.: ...ˈmɛnt] ‹lat.-fr.› das; -s, -s u. (schweiz.:) -e: Gesamtheit von Vorschriften, Bestimmungen, die für einen bestimmten Bereich, für bestimmte Tätigkeiten gelten; ↑Statuten, Satzungen. reg|le|men|ta|risch: der [Dienst]vorschrift, Geschäftsordnung gemäß, bestimmungsgemäß. reg|le|men|tie|ren: durch Vorschriften regeln, einschränken. Reg|le|men|tie|rung die; -, -en: a) das Reglementieren; b) Unterstellung (bes. von Prostituierten) unter behördliche Aufsicht. Reg|let|te die; -, -n: schmaler Bleistreifen für den Zeilendurchschuss (Druckw.)

Re|gra|nu|lat ‹lat.-nlat.› das; -[e]s, -e: durch Regranulieren entstandenes Produkt (Techn.). re|gra|nu|lie|ren: (von Abfällen, die bei der Herstellung von Kunststoffen anfallen) durch spezielle Aufbereitungsverfahren wieder zu Granulat umformen (Techn.)

Re|gre|di|ent ‹lat.› der; -en, -en: jmd., der Regress (1) nimmt (Rechtsw.). re|gre|die|ren: 1. auf Früheres zurückgehen, zurückgreifen. 2. Regress (1) nehmen (Rechtsw.). Re|gress ‹„Rückkehr“, Rückhalt, Zuflucht“› der; -es, -e: 1. Rückgriff eines ersatzweise haftenden Schuldners auf den Hauptschuldner (Rechtsw.). 2. das Zurückschreiten des Denkens vom Besonderen zum Allgemeinen, vom Bedingten zur Bedingung, von der Wirkung zur Ursache (Logik). Re|gres|sand ‹lat.-mlat.› der; -en,-en: abhängige Variable einer Regression (4) (Statistik). Re|gres|sat der; -en, -en: Rückgriffsschuldner, der dem vom Gläubiger in Anspruch genommenen Ersatzschuldner für dessen Haftung einstehen muss (Rechtsw.). Re|gres|si|on ‹lat.› die; -, -en: 1. langsamer Rückzug des Meeres (Geogr.). 2. (Psychol.) a) Reaktivierung entwicklungsgeschichtlich älterer Verhaltensweisen bei Abbau od. Verlust des höheren Niveaus; b) das Zurückfallen auf frühere, kindliche Stufen der Triebvorgänge. 3. (Rhet.) a) ↑Epanodos; b) nachträgliche, erläuternde

Wiederaufnahme. 4. Aufteilung einer Variablen in einen systematischen u. einen zufälligen Teil zur näherungsweisen Beschreibung einer Variablen als Funktion anderer (Statistik). 5. das Schrumpfen des Ausbreitungsgebietes einer Art o. Ä. von Lebewesen (Biol.). re|gres|siv ‹lat.-nlat.›: 1. zurückschreitend in der Art des Regresses (2), zurückgehend vom Bedingten zur Bedingung (Logik). 2. a) sich zurückbildend (von Krankheiten; Med.); b) auf einer Regression (2 b) beruhend. 3. nicht progressiv, rückschrittlich; rückläufig. 4. einen Regress (1) betreffend (Rechtsw.). 5. in der Fügung: **regressive Assimilation:** Angleichung eines Lauts an den vorangehenden (Sprachw.). Re|gres|si|vi|tät die; -: regressives Verhalten. Re|gres|sor der; -s, ...oren: unabhängige Variable einer Regression (4) (Statistik)

Re|gu|la Fal|si ‹lat.› die; - -: Verfahren zur Verbesserung vorhandener Näherungslösungen von Gleichungen (Math.). Re|gu|la Fi|dei [- ...dei] („Glaubensregel“) die; - -, ...lae [...lɛ] -: kurze Zusammenfassung der [früh]christlichen Glaubenslehre, bes. das Glaubensbekenntnis. Re|gu|lar der; -s, -e: Mitglied eines katholischen Ordens mit feierlichen Gelübden; vorschriftsmäßig. re|gu|lär: 1. der Regel gemäß; üblich, gewöhnlich; Ggs. ↑irregulär; **reguläres System:** Kristallsystem mit drei gleichen, aufeinander senkrecht stehenden Achsen (Min.); **reguläre Truppen:** gemäß dem Wehrgesetz eines Staates aufgestellte Truppen. 2. (ugs.) regelrecht. Re|gu|la|ri|en die; Plural): bei Aktionärs-, Vereinsversammlungen o. Ä. auf der Tagesordnung stehende, regelmäßig abzuwickelnde Geschäftsangelegenheiten (Wirtsch.). Re|gu|la|ri|tät ‹lat.-nlat.› die; -, -en: a) Gesetzmäßigkeit, Richtigkeit; Ggs. ↑Irregularität (1 a); b) (meist Plural) sprachübliche Erscheinung (Sprachw.); Ggs. ↑Irregularität (1 b). Re|gu|lar|ka|no|ni|ker der; -s, -: in mönchsähnlicher Gemeinschaft lebender Chorherr. Re|gu|lar|kle|ri|ker der; -s, -: Ordensgeistlicher, bes. Mitglied einer jüngeren katholischen Ordensgenossenschaft ohne Klöster u. Chorgebet (z. B. der Jesuiten); Ggs. ↑Säkularkleriker. Re-

gu|la|ti|on *die;* -, -en: 1. Regelung der Organsysteme eines lebenden Organismus durch verschiedene Steuerungseinrichtungen (z. B. Hormone, Nerven; Biol.). 2. selbsttätige Anpassung eines Lebewesens an wechselnde Umweltbedingungen unter Aufrechterhaltung eines physiologischen Gleichgewichtszustandes im Organismus (Biol.). 3. ↑ Regulierung. **Re|gu|la|tiv** *das;* -s, -e : a) regelnde Verfügung, Vorschrift, Verordnung; b) steuerndes, ausgleichendes Element. **re|gu|la|tiv:** regulierend, regelnd; als Norm dienend. **Re|gu|la|tor** *der;* -s, ...oren: 1. Apparatur zur Einstellung des gleichmäßigen Ganges einer Maschine. 2. Pendeluhr, bei der das Pendel reguliert werden kann. 3. (hist.) a) Angehöriger einer 1767 gegründeten revolutionären Gruppe von Farmern in den amerikanischen Südstaaten; b) im 19. Jahrhundert im Kampf gegen Viehräuber zur Selbsthilfe greifender amerikanischer Farmer. 4. steuernde, ausgleichende, regulierende Kraft. **re|gu|la|to|risch:** regulierend, steuernd. **Re|gu|li:** *Plural* von ↑ Regulus. **re|gu|lie|ren** *(lat.):* 1. a) regeln, ordnen; b) sich -: in ordnungsgemäßen Bahnen verlaufen; einen festen, geordneten Ablauf haben; sich regeln. 2. in Ordnung bringen, gleichmäßigen, richtigen Gang einer Maschine, Uhr o. Ä. einstellen. 3. (einen Fluss) begradigen; **regulierter Kanoniker:** ↑ Regularkanoniker; vgl. Augustiner (a). **Re|gu|lie|rung** *die;* -, -en: 1. Regelung. 2. Herstellung des gleichmäßigen, richtigen Ganges einer Maschine, Uhr o. Ä. 3. Begradigung eines Flusslaufs. **re|gu|li|nisch** *(lat.-nlat.):* aus reinem Metall bestehend. **Re|gu|lus** *(lat.) der;* -, ...li u. -se: 1. (veraltet) aus Erzen ausgeschmolzener Metallklumpen. 2. Singvogelgattung, zu der das Winter- u. das Sommergoldhähnchen gehören

Re|gur *(Hindi) der;* -s: Schwarzerde in Südindien
Re|ha|bi|li|tand *(lat.-nlat.) der;* -en, -en: jmd., dem die Wiedereingliederung in das berufliche u. gesellschaftliche Leben ermöglicht werden soll. **Re|ha|bi|li|ta|ti|on** *die;* -, -en: 1. [Wieder]eingliederung eines Kranken, körperlich od. geistig Behinderten in das berufliche u. ge-

sellschaftliche Leben. 2. ↑ Rehabilitierung (1); vgl. ...[at]ion/ ...ierung. **Re|ha|bi|li|ta|ti|ons|zent|rum*** *das;* -s, ...ren: der Rehabilitation (1) dienende Anstalt. **re|ha|bi|li|ta|tiv:** die Rehabilitation betreffend, ihr dienend. **re|ha|bi|li|tie|ren:** 1. jmdn. od. sein eigenes soziales Ansehen wiederherstellen, jmdn. in frühere [Ehren]rechte wieder einsetzen. 2. (einen durch Krankheit od. Unfall Geschädigten) durch geeignete Maßnahmen wieder in die Gesellschaft eingliedern. **Re|ha|bi|li|tie|rung** *die;* -, -en: 1. Wiederherstellung des sozialen Ansehens, Wiedereinsetzung in frühere [Ehren]rechte. 2. ↑ Rehabilitation (1) **Re|haut** [rə'o:] *(lat.-vulgärlat.-fr.) der;* -s, -s: Erhöhung, lichte Stelle auf Gemälden
Rei|bach *(jidd.) der;* -s: unverhältnismäßig hoher Gewinn
Re|i|fi|ka|ti|on *(lat.-engl.) die;* -, -en: Vergegenständlichung, Konkretisierung. **re|i|fi|zie|ren** eine Reifikation vornehmen
Re|im|plan|ta|ti|on* *(lat.-nlat.) die;* -, -en: Wiedereinheilung, Wiedereinpflanzung (z. B. von gezogenen Zähnen; Med.)
Re|im|port *(lat.-nlat.) der;* -[e]s, -e u. **Re|im|por|ta|ti|on** *die;* -, -en: Wiedereinfuhr ausgeführter Güter. **re|im|por|tie|ren:** (ausgeführte Güter) wieder einführen
Rei|ne|clau|de [rɛːnəˈkloːdə] *der;* vgl. Reneklode. **Rei|net|te** [rɛˈnɛtə] *der;* vgl. Renette
Re|in|fek|ti|on *(lat.-nlat.) die;* -, -en: Wiederansteckung [mit dem gleichen Erreger] (Med.)
Re|in|force|ment [riːənˈfɔːsmənt] *(engl.) das;* -s: das neu ²Habit schafft, stärkt od. bekräftigt (z. B. Lob; Psychol.)
Re|in|fu|si|on *(lat.-nlat.) die;* -, -en: intravenöse Wiederzuführung von verlorenem od. vorher dem Organismus entnommenem, noch nicht geronnenem Blut in den Blutkreislauf (Med.)
Re|in|kar|na|ti|on *(lat.-nlat.) die;* -, -en: Übergang der Seele eines Menschen in einen neuen Körper u. eine neue Existenz (in der buddhistischen Lehre von der Seelenwanderung)
re|in|stal|lie|ren* *(nlat.):* (in ein Amt) wieder einsetzen
Re|in|teg|ra|ti|on* *(lat.-nlat.) die;* -, -en: 1. ↑ Redintegration (2). 2. Wiedereingliederung. 3. (veraltet) Wiederherstellung. **re|in|teg|rie|ren:** wieder eingliedern

re|in|ves|tie|ren *(lat.-nlat.):* (frei werdende Kapitalbeträge) erneut anlegen (Wirtsch.)
Reis: *Plural* von ↑ ²Real
re|i|te|re|tur *(lat.):* auf Rezepten: es werde erneuert; Abk.: reit.
Rei|zi|a|gnum *(nlat.; nach dem dt. Gelehrten F. W. Reiz, 1733–1790) das;* -s,...na: antikes lyrisches Versmaß (Kurzvers)
Re|jek|ti|on *(lat.) die;* -, -en: 1. Abstoßung transplantierter Organe durch den Organismus des Empfängers (Med.). 2. selten für: Abweisung, Verwerfung (eines Antrags, einer Klage; Rechtsw.). **Re|jek|ti|ons|ur|teil** *(lat.-nlat.) das;* -s, ...ien : abweisendes Revisionsurteil (Rechtsw.). **re|ji|zie|ren** *(lat.):* (einen Antrag, eine Klage o. Ä.) verwerfen, abweisen (Rechtsw.)
Ré|jouis|sance [reʒuiˈsãs] *(lat.-galloroman.-fr.) die;* -, -n: scherzoartiger, heiterer Satz einer Suite (17. u. 18. Jh.)
Re|ka|les|zenz *(lat.-nlat.) die;* -: Wiedererwärmung, -erhitzung (Chem.)
Re|ka|pi|tu|la|ti|on *(lat.) die;* -, -en: 1. das Rekapitulieren. 2. das Rekapitulierte. 3. (von der vorgeburtlichen Entwicklung der Einzelwesen) gedrängte Wiederholung der Stammesentwicklung (Biol.). **re|ka|pi|tu|lie|ren:** a) wiederholen, noch einmal zusammenfassen; b) in Gedanken durchgehen, noch einmal vergegenwärtigen
Re|kla|mant* *(lat.) der;* -en, -en: jmd., der Einspruch erhebt, Beschwerde führt (Rechtsw.). **Re|kla|man|te** *die;* -, -n: ↑ ¹Kustode (1). **Re|kla|ma|ti|on** *die;* -, -en: Beanstandung, Beschwerde. **Re|kla|me** *die;* -, -n (Plural selten): Werbung; Anpreisung (von Waren zum Verkauf). **re|kla|mie|ren** *(lat.;* „dagegenschreien, widersprechen"): 1. [zurück]fordern, für sich beanspruchen. 2. wegen irgendwelcher Mängel beanstanden, Einspruch erheben, Beschwerde führen
Re|kli|na|ti|on* *(lat.) die;* -, -en: das Zurückbiegen der verkrümmten Wirbelsäule, das darauf ein Gipsbett in dieser Stellung fixiert wird (Med.)
Re|klu|sen *(lat.;* „Eingeschlossene") *die* (Plural): ↑ Inklusen
Re|ko|die|rung *(lat.) die;* -, -en: (beim Übersetzen) nach der Dekodierung erfolgende Umsetzung in die Kode der Zielsprache (Sprachw.)

Re|kog|ni|ti|on* ⟨lat.⟩ die; -, -en: (veraltet) [gerichtliche od. amtliche] Anerkennung der Echtheit einer Person, Sache od. Urkunde (Rechtsw.). re|kog|nos|zie|ren: 1. die Echtheit einer Person, Sache od. Urkunde [gerichtlich od. amtlich] anerkennen. 2. (scherzh.) auskundschaften. 3. (schweiz., sonst veraltet) [Stärke od. Stellung des Feindes] erkunden, aufklären (Mil.). Re|kognos|zie|rung die; -, -en: 1. Erkundung. 2. Identifizierung Re|kom|bi|na|ti|on ⟨lat.⟩ die; -, -en: 1. Wiedervereinigung der durch Dissoziation od. Ionisation gebildeten, entgegengesetzt elektrisch geladenen Teile eines Moleküls bzw. eines positiven Ions mit einem Elektron zu einem neutralen Gebilde (Chem.; Phys.). 2. Bildung einer neuen Kombination der Gene im Verlauf der ↑Meiose (Biol.) Re|kom|man|da|ti|on ⟨lat.-fr.⟩ die; -, -en: (veraltet) 1. Empfehlung. 2. Einschreiben (Postw.). re|kom|man|die|ren: 1. (veraltet, landsch.) empfehlen; einschärfen. 2. (österr.) einschreiben lassen (Postw.); vgl. recommandé Re|kom|pa|ra|ti|on ⟨lat.-nlat.⟩ die; -, -en: Wiedererwerbung, -kauf Re|kom|pens ⟨spätlat.-fr.-engl.⟩ die; -, -en: das Rekompensieren (1). Re|kom|pen|sa|ti|on ⟨spätlat.⟩ die; -, -en: 1. ↑Rekompens (Wirtsch.). 2. Wiederherstellung des Zustands der Kompensation (Med.). re|kom|pen|sie|ren: 1. entschädigen (Wirtsch.). 2. den Zustand der Kompensation wiederherstellen (Med.) Re|kom|po|si|ti|on ⟨lat.-nlat.; „Wiederzusammensetzung"⟩ die; -, -en: Vorgang der Neubildung eines zusammengesetzten Wortes, bei der auf die ursprüngliche Form eines Kompositionsglieds zurückgegriffen wird (z. B. lat. commendare, aber franz. commander zu lat. mandare; Sprachw.). Re|kom|po|si|tum das; -s, ...ta: durch Rekomposition gebildetes zusammengesetztes Wort (Sprachw.) Re|kon|sti|tu|ti|on* ⟨lat.-nlat.⟩ die; -, -en: (veraltet) Wiederherstellung re|kon|stru|ie|ren* ⟨lat.-nlat.⟩: 1. den ursprünglichen Zustand wiederherstellen od. nachbilden. 2. den Ablauf eines früheren Vorgangs od. Erlebnisses in den

Einzelheiten darstellen, wiedergeben. 3. (regional) zu größerem [wirtschaftlichem] Nutzen umgestalten u. ausbauen, modernisieren. re|kon|struk|ta|bel: nachvollziehbar (z. B. vom Ablauf von Ereignissen); darstellbar. Re|kon|struk|ti|on die; -, -en: 1. a) das Wiederherstellen, Wiederaufbauen, Nachbilden; b) das Wiederhergestellte, Wiederaufgebaute, Nachgebildete. 2. a) das Wiedergeben, Darstellen eines Vorgangs in seinen Einzelteilen; b) detaillierte Wiedergabe, Darstellung. 3. (regional) wirtschaftliche Umgestaltung, Modernisierung re|kon|va|les|zent ⟨lat.⟩: sich im Stadium der Genesung befindend. Re|kon|va|les|zent der; -en, -en: Genesender. Re|kon|va|les|zen|ten|se|rum das; -s, ...sera u. ...seren: aus dem Blut Genesender gewonnenes, Antikörper gegen die überwundene Krankheit enthaltendes Serum. Re|kon|va|les|zenz ⟨lat.-nlat.⟩ die; -: a) Genesung; b) Genesungszeit. re|kon|va|les|zie|ren ⟨lat.⟩: genesen Re|kon|zi|li|a|ti|on ⟨lat.; „Aussöhnung"⟩ die; -, -en: 1. Wiederaufnahme eines aus der katholischen Kirchengemeinschaft od. einer ihrer Ordnungen Ausgeschlossenen. 2. erneute Weihe einer entweihten katholischen Kirche Re|kord ⟨lat.-fr.-engl.⟩ der; -[e]s, -e: [anerkannte] sportliche Höchstleistung. Re|kor|der, auch: Recorder ⟨lat.-fr.-engl.⟩ der; -s, -: 1. Gerät zur elektromagnetischen Aufzeichnung u. Wiedergabe von Bild- u./od. Tonsignalen. 2. Drehspulschnellschreiber im Funkdienst, ↑Undulator Re|kre|a|ti|on* ⟨lat.⟩ die; -, -en: (veraltet) a) Erfrischung; b) Erholung Re|kre|di|tiv* ⟨lat.-nlat.⟩ das; -s, -e: schriftliche Bestätigung des Empfangs eines diplomatischen Abberufungsschreibens durch das Staatsoberhaupt re|kre|ie|ren* ⟨lat.⟩: (veraltet) erfrischen, erquicken, Erholung verschaffen Re|kret* ⟨lat.⟩ das; das; -[e]s, -e (meist Plural): von der Pflanze aufgenommener mineralischer Ballaststoff, der nicht in den pflanzlichen Stoffwechsel eingeht, sondern unverändert in den Zellwänden abgelagert wird (Biol.).

Re|kre|ti|on die; -, -en: das Wiederausscheiden von Rekreten (Biol.) Re|kri|mi|na|ti|on* ⟨lat.-nlat.⟩ die; -, -en: (veraltet) Gegenbeschuldigung, Gegenklage (Rechtsw.). re|kri|mi|nie|ren: den Kläger beklagen, Gegenklage erheben (Rechtsw.) Re|kru|des|zenz* ⟨lat.-nlat.⟩ die; -: Wiederverschlimmerung [einer Krankheit] (Med.) Rek|rut* ⟨lat.-fr.; „Nachwuchs (an Soldaten)"⟩ der; -en, -en: Soldat in der ersten Ausbildungszeit. rek|ru|tie|ren: 1. (veraltet) Rekruten ausheben, mustern. 2. a) zusammenstellen, zahlenmäßig aus etwas ergänzen, beschaffen; b) sich -: sich zusammensetzen, sich bilden [aus etwas] Rek|ta: Plural von ↑Rektum. Rek|ta|in|dos|sa|ment das; -[e]s, -e u. Rek|ta|klau|sel ⟨lat.-nlat.⟩ die; -, -n: Vermerk auf einem Wertpapier, der die Übertragung des Papiers durch Indossament ausschließt („negative Orderklausel"). rek|tal: (Med.) a) den Mastdarm betreffend; b) durch den, im Mastdarm erfolgend. Rek|tal|gie* ⟨lat.; gr.⟩ die; -, ...ien: Schmerz im Mastdarm (Med.). Rek|tal|nar|ko|se die; -, -n: Allgemeinbetäubung durch einen Darmeinlauf (Med.). Rek|tan|gel* ⟨lat.⟩ das; -s, -: (veraltet) Rechteck. rek|tan|gu|lär ⟨lat.-nlat.⟩: (veraltet) rechtwinklig. Rek|ta|pa|pier ⟨lat.; gr.-lat.⟩ das; -s, -e: auf den Namen einer bestimmten Person ausgestelltes u. nicht übertragbares Wertpapier. Rek|ta|scheck ⟨lat.; dt.⟩ der; -s, -s: Scheck, der eine Rektaklausel enthält. Rek|tas|zen|si|on* ⟨lat.-nlat.⟩ die; -, -en: gerade Aufsteigung, eine der beiden Koordinaten im äquatorialen astronomischen Koordinatensystem. Rek|ta|wech|sel ⟨lat.; dt.⟩ der; -s, -: Wechsel, der eine Rektaklausel enthält. recte. Rek|ti|fi|kat ⟨lat.-nlat.⟩ das; -[e]s, -e: durch Rektifikation (3) gewonnene Fraktion (2) (Chem.). Rek|ti|fi|ka|ti|on die; -, -en: 1. (veraltet) Berichtigung, Zurechtweisung. 2. Bestimmung der Länge einer Kurve (Math.). 3. Trennung von Flüssigkeitsgemischen durch wiederholte Destillation (z. B. zur Reinigung von Benzin, Spiritus o. Ä.; Chem.). rek|ti|fi|zie|ren: 1. (veraltet) berichtigen, zurechtweisen. 2. die

Länge einer Kurve bestimmen (Math.). 3. ein Flüssigkeitsgemisch durch wiederholte Destillation trennen (z. B. zur Reinigung von Benzin, Spiritus o. Ä.; Chem.). **Rek|ti|on** ⟨lat.⟩ die; -, -en: Eigenschaft eines Verbs, Adjektivs od. einer Präposition, den Kasus (2) eines abhängigen Wortes im Satz zu bestimmen. **Rek|to** das; -s, -s: Vorderseite eines Blattes in einem Papyrus, einer Handschrift, einem Buch; Ggs. ↑ Verso. **Rek|tor** ⟨lat.-mlat.⟩ der; -s, ...oren: 1. Leiter einer Hochschule. 2. Leiter einer Grund-, Haupt-, Sonder- od. Realschule. 3. katholischer Geistlicher an einer Nebenkirche, einem Seminar o. Ä. **Rek|to|rat** das; -[e]s, -e: 1. a) Amt eines Rektors; b) Amtszimmer eines Rektors; c) Amtszeit eines Rektors. 2. Verwaltungsgremium, dem der Rektor, die Prorektoren u. der Kanzler angehören. **Rek|to-skop*** ⟨lat.; gr.⟩ das; -s, -e: Mastdarmspiegel (Med.). **Rek|to-sko|pie*** die; -, ...ien: Untersuchung des Mastdarms mit dem Rektoskop (Med.). **rek|to|sko-pisch***: a) die Rektoskopie betreffend; b) mithilfe von Rektoskopie erfolgend. **Rek|to|ze|lle** die; -, -n: Mastdarmvorfall (Med.). **Rek|tum** ⟨lat.-nlat.⟩ das; -s, ...ta: Mastdarm (Med.) **re|kul|ti|vie|ren** ⟨lat.-fr.⟩: [durch Bergbau] unfruchtbar gewordenen Boden wieder kultivieren, als Kulturland nutzen **Re|ku|pe|ra|ti|on** ⟨lat.⟩ die; -: 1. Verfahren zur Vorwärmung von Luft durch heiße Abgase (Techn.). 2. Rückgewinnung von Territorien aufgrund verbriefter Rechte (Gesch.). **Re|ku|pe|ra-tor** der; -s, ...oren: Vorwärmer (in technischen Feuerungsanlagen) **Re|kur|rens|fie|ber** ⟨lat.⟩ das; -s: Rückfallfieber. **re|kur|rent** ⟨lat.⟩: ↑ rekursiv. **Re|kur|renz** die; -: ↑ Rekursivität. **re|kur|rie-ren**: 1. Bezug nehmen, auf etwas zurückgreifen. 2. (österr., sonst veraltet) Beschwerde, Einspruch einlegen gegen gerichtliche Urteile od. Verwaltungsakte (Rechtsw.). **Re|kurs** der; -es, -e: 1. Rückgriff auf etwas, Bezug[nahme]. 2. Einspruch, Beschwerde gegen gerichtliche Entscheidungen od. Verwaltungsakte (Rechtsw.). **Re|kur|si|on** die; -: ↑ Rekursivität. **re|kur|siv** ⟨lat.-nlat.⟩: 1. zurückgehend (bis zu

bekannten Werten; Math.). 2. Rekursivität zeigend. **Re|kur|si-vi|tät** die; -: Eigenschaft einer Grammatik, mit der nach bestimmten Formationsregeln unendlich viele Sätze gebildet werden können (d. h., die Konstituenten eines jeden Satzes entsprechen jeweils neuen Sätzen, u. ihre Zahl kann beliebig erweitert werden; Sprachw.) **Re|ku|sa|ti|on** ⟨lat.⟩ die; -, -en: (veraltet) Weigerung, Ablehnung (z. B. gegenüber einem als befangen erachteten Richter in einem Rechtsstreit; Rechtsw.) **Re|lais** [rə'lɛ:] ⟨fr.⟩ das; - [rə'lɛ:(s)], - [rə'lɛ:s]: 1. zum Ein-, Ausschalten eines stärkeren Stroms benutzter Apparat, der durch Steuerimpulse von geringer Leistung betätigt wird (Elektrot.). 2. (hist.) a) Pferdewechsel im Postverkehr; b) Station für den Postpferdewechsel. 3. (hist.) an bestimmten Orten aufgestellte kleinere Reiterabteilung zur Überbringung von Befehlen u. Meldungen. 4. Weg zwischen Wall u. Graben einer Festung. **Re|lais-dia|gramm** [rə'lɛ:...] das; -[e]s, -e: zeichnerische Darstellung der zeitlichen Vorgänge bei einem Relais (1). **Re|lais|sta|ti|on** [rə'lɛ:...] die; -, -en: 1. (hist.) Station für den Pferdewechsel im Postverkehr u. beim Militär. 2. bei Wellen mit geradliniger Fortpflanzung Zwischenstelle zur Weiterleitung von Fernseh- u. UKW-Tonsendungen vom Sender zum Empfänger **Re|lance** [rə'lã:s] ⟨fr.⟩ die; -, -n: (schweiz.) das Wiederaufgreifen einer politischen Idee **Re|laps** ⟨lat.-nlat.⟩ der; -es, -e: Rückfall, das Wiederausbrechen einer Krankheit nach vermeintlicher Heilung (Med.) **Re|la|ti|on** ⟨lat.⟩ die; -, -en: 1. a) Beziehung, Verhältnis; b) Beziehung zwischen den Elementen einer Menge (Math.); c) (veraltend) gesellschaftliche, geschäftliche o. ä. Verbindung. 2. (veraltet) Bericht, Mitteilung. 3. Rechtsgutachten. 4. (hist.) Zurückschiebung eines zugeschobenen Eides im Zivilprozess an den Gegner; Ggs. ↑ Delation (3). 5. regelmäßig befahrene [Schifffahrts]linie. **re|la|ti|o|nal** ⟨lat.-nlat.⟩: a) die Relation betreffend; b) in Beziehung stehend, eine Beziehung darstellend. **Re|la|ti-o|na|lis|mus** u. **Re|la|ti|o|nis|mus** der; -: ↑ Relativismus (1). **Re|la-**

ti|ons|ad|jek|tiv das; -s, -e: ↑ Relativadjektiv (Sprachw.). **rela-tiv** [auch: 're:...] 1. verhältnismäßig, vergleichsweise. 2. bezüglich; **relatives Tempus:** auf das Tempus eines anderen Geschehens im zusammengesetzten Satz bezogenes Tempus (Sprachw.). **Re|la|tiv** das; -s, -e: a) Oberbegriff für Relativpronomen u. Relativadverb; b) ↑ Relativpronomen. **Re|la|tiv|va:** *Plural* von ↑ Relativum. **Re|la|tiv|ad-jek|tiv** das; -s, -e: Adjektiv, das eine Beziehung ausdrückt (z. B.: das *väterliche* Haus; Sprachw.). **Re|la|tiv|ad|verb** das; -s, -ien: bezügliches Umstandswort (z. B.: dort, *wo* er lebt; Sprachw.). **re|la|ti|vie|ren** ⟨lat.-nlat.⟩: mit etwas anderem in eine Beziehung bringen u. dadurch in seiner Gültigkeit einschränken. **re|la|ti|visch:** a) das Relativ betreffend; b) als Relativ gebraucht. **Re|la|ti|vis|mus** der; -: 1. erkenntnistheoretische Lehre, nach der nur die Verhältnisse der Dinge zueinander, nicht diese selbst erkennbar sind. 2. Anschauung, nach der jede Erkenntnis nur relativ (bedingt durch den Standpunkt des Erkennenden) richtig ist, nicht allgemein gültig (Philos.). **Re|la|ti-vist** der; -en, -en: a) Vertreter des Relativismus; b) jmd., für den alle Erkenntnis subjektiv ist. **re|la-ti|vis|tisch:** 1. den Relativismus betreffend (Philos.). 2. die Relativitätstheorie betreffend, auf ihr beruhend (Phys.). 3. die Relativität (2) betreffend. **Re|la|ti|vi|tät** die; -, -en: 1. Bezogenheit, Bedingtheit. 2. relative (2) Gültigkeit. **Re|la|ti|vi|täts|the|o|rie** die; -: von A. Einstein begründete physikalische Theorie, nach der Raum, Zeit u. Masse vom Bewegungszustand eines Beobachters abhängig u. deshalb relative (1) Größen sind (Phys.). **Re-la|tiv|pro|no|men** das; -s, - u. ...mina: bezügliches Fürwort (z. B.: der Mann, *der* dort sitzt). **Re|la|tiv|satz** ⟨lat.-nlat.; dt.⟩ der; -es, ...sätze: durch ein Relativ eingeleiteter Attributsatz (z. B.: die Zeit, *die* dafür noch bleibt ...; kennst du ein Land, *wo* das noch gibt?). **Re|la|ti|vum** ⟨lat.⟩ das; -s, ...va: ↑ Relativ. **Re|la|tor** der; -s, ...oren: mehrstelliger Prädikator (Logik; Philos.) **Re|launch** ['ri:lɔ:ntʃ] ⟨engl.⟩ der u. das; -[e]s, -[e]s: verstärkter Werbeeinsatz für ein schon länger auf dem Markt befindliches Produkt (Werbespr.)

Re|la|xans ⟨lat.⟩ das; -, ...xạnzien [...jən] u. ...xạntia: Arzneimittel, das eine Erschlaffung [der Muskeln] bewirkt. **Re|la|xa|ti|on** die; -: 1. Erschlaffung, Entspannung (bes. der Muskulatur; Med.). 2. Minderung der Elastizität (Phys.). 3. Wiederherstellung eines chemischen Gleichgewichts nach einer Störung (Chem.). **re|laxed** [ri'lɛkst] ⟨lat.-engl.⟩: gelöst, zwanglos. **re|la|xen** [ri'lɛksn̩]: sich körperlich entspannen, sich nach einer Anspannung, Anstrengung erholen. **Re|la|xing** [ri'lɛksɪŋ] das; -s: das Relaxen. **Re|la|xi|ons|me|tho|de** die; -: 1. Näherungsverfahren zur Auflösung einer Gleichung (Math.). 2. Verfahren zur Erreichung eines stabilen seelischen Gleichgewichts (z. B. autogenes Training; Psychol.)

Re|lease [ri'liːs] ⟨lat.-engl.⟩ das; -, -s [...sɪs] u. **Re|lease|cen|ter** [ri-'liːssɛntɐ] das; -s, -: Zentrale zur Heilung Rauschgiftsüchtiger. **Re|lea|ser** [ri'liːzɐ] der; -s, -: (Jargon) Psychotherapeut, Sozialarbeiter o. Ä., der bei der Behandlung Rauschgiftsüchtiger mitwirkt. **Re|lease|zent|rum*** das; -s, ...ren: ↑ Releasecenter **Re|le|ga|ti|on** ⟨lat.⟩ die; -, -en: Verweisung von der [Hoch]schule. **Re|le|ga|ti|ons|spiel** ⟨lat.; dt.⟩ das; -[e]s, -e: Qualifikationsspiel zwischen [einer] der schlechtesten Mannschaft[en] der höheren u. [einer] der besten der tieferen Spielklasse um den Verbleiben in der bzw. den Aufstieg in die höhere Spielklasse (Sport). **re|le|gie|ren**: von der [Hoch]schule verweisen **re|le|vant** ⟨lat.-fr.⟩: bedeutsam, wichtig; Ggs. ↑ irrelevant. **Re|le|vanz** die; -, -en: Wichtigkeit, Erheblichkeit; Ggs. ↑ Irrelevanz. **Re|le|va|ti|on** ⟨lat.; „Erleichterung"⟩ die; -, -en: (veraltet) Befreiung von einer Verbindlichkeit (Rechtsw.) **re|li|a|bel** ⟨lat.-fr.-engl.⟩: verlässlich. **Re|li|a|bi|li|tät** die; -, -en: Zuverlässigkeit eines wissenschaftlichen Versuchs (Psychol.) **Re|li|ef** ⟨lat.-fr.⟩ das; -s, -s u. -e: 1. Geländeoberfläche od. deren plastische Nachbildung. 2. plastisches Bildwerk auf einer Fläche. **re|li|e|fie|ren** mit einem Relief versehen. **Re|li|e|fie|rung** die; -, -en: das Reliefieren, Herausarbeiten eines Reliefs. **Re|li-**

e|f|in|tar|sia u. **Re|li|e|f|in|tar|sie** [...zjə] die; -, ...ien: Verbindung von Einlegearbeit u. Schnitzerei. **Re|li|e|f|kli|schee** das; -s, -s: ↑ Autotypie mit reliefartiger Prägung auf der Rückseite, durch die die entsprechenden Stellen auf der Vorderseite besser zum Druck kommen **Re|li|gio** ⟨lat.⟩ die; -, ...ọnes [...neːs]: katholische religiöse Vereinigung mit eigener Regel u. öffentlichen Gelübden; vgl. Religiose. **Re|li|gi|on** die; -, -en: 1. Glaube[nsbekenntnis]. 2. a) Gottesverehrung; b) innerliche Frömmigkeit. **Re|li|gi|ons|phi|lo|so|phie** die; -: Wissenschaft vom Ursprung, Wesen u. Wahrheitsgehalt der Religion u. ihrer Beziehung zur Philosophie, **re|li|gi|ös** ⟨lat.-fr.⟩: 1. die Religion betreffend. 2. gottesfürchtig, fromm; Ggs. ↑ irreligiös. **Re|li|gi|o|se** ⟨lat.⟩ der u. die; -n, -n (meist Plural): im katholischen Kirchenrecht Mitglied religiöser Genossenschaften; vgl. Religio. **Re|li|gi|o|si|tät** die; -: [innere] Frömmigkeit, Gläubigkeit; Ggs. ↑ Irreligiosität. **re|li|gi|o|so** [...li'dʒoːzo] ⟨lat.-it.⟩: feierlich, andächtig (Vortragsanweisung; Mus.)

re|likt ⟨lat.⟩: in Resten vorkommend (von Tieren u. Pflanzen). **Re|likt** das; -[e]s, -e: 1. Überrest, Überbleibsel. 2. vereinzelter Restbestand von Pflanzen od. Tieren, die in früheren Erdperioden weit verbreitet waren (Biol.). 3. ursprünglich gebliebener Gesteinsteil in einem umgewandelten Gestein (Geol.). 4. Boden, der vor einem Klimaänderung kaum beeinflusst wurde (Geogr.). 5. mundartliche Restform, deren geographische Streuung in einer Sprachlandschaft ihre frühere weitere Verbreitung erkennen lässt (Sprachw.). **Re|likt|en** die (Plural): (veraltet) a) Hinterbliebene; b) Hinterlassenschaft. **Re|li|qui|ar** ⟨lat.-mlat.⟩ das; -s, -e: [künstlerisch gestalteter] Reliquienbehälter. **Re|li|quie** [...iə] ⟨„Zurückgelassenes, Überrest"⟩ die; -, -n: 1. körperlicher Überrest eines Heiligen, Überrest seiner Kleidung, seiner Gebrauchsgegenstände od. Marterwerkzeuge als Gegenstand religiöser Verehrung. 2. (selten) kostbares Andenken **Re|lish** ['rɛlɪʃ] ⟨engl.⟩ das; -s, -n, -n: aus pikant [...ʃɪs]: würzige Soße aus

eingelegten, zerkleinerten Gemüsestückchen, z. B. als Beigabe zu gegrilltem Fleisch **Re|luk|tanz** ⟨lat.-engl.⟩ die; -, -en: der magnetische Widerstand **Re|lu|xa|ti|on** ⟨lat.-nlat.⟩ die; -, -en: wiederholte Ausrenkung eines Gelenks (z. B. bei angeborener Schwäche der Gelenkkapsel; Med.)

Re|make ['riːmeɪk] ⟨engl.; „wieder machen"⟩ das; -s, -s: 1. Neuverfilmung eines älteren Spielfilmstoffes. 2. Neufassung, Zweitfassung, Wiederholung einer künstlerischen Produktion **re|ma|nent** ⟨lat.⟩: zurückbleibend. **Re|ma|nenz** ⟨lat.-nlat.⟩ die; -: 1. remanenter Magnetismus. 2. Rückstand, Weiterbestehen eines Reizes, ↑ Engramm **re|mar|ka|bel** ⟨fr.⟩: (veraltet) bemerkenswert. **Re|mar|que|druck** [rə'mark...] ⟨fr.; dt.⟩ der; -[e]s, -e: erster Druck von Kupferstichen, Lithographien u. Radierungen, der neben der eigentlichen Zeichnung auf dem Rande eine Anmerkung (= franz. remarque) in Form einer kleinen Skizze od. Ätzprobe aufweist, die vor dem endgültigen Druck abgeschliffen wird **Re|ma|su|ri** vgl. Ramasuri **Re|ma|te|ri|a|li|sa|ti|on** ⟨lat.-nlat.⟩ die; -, -en: Rückführung eines dematerialisierten (unsichtbaren) Gegenstands in seinen ursprünglichen materiellen Zustand (Parapsychol.); Ggs. ↑ Dematerialisation

Rem|bours [rã'buːɐ̯] ⟨fr.⟩ der; -[...ɐ̯(s)], - [...ɐ̯s]: Begleichung einer Forderung aus einem Geschäft im Überseehandel durch Vermittlung einer Bank. **rem|bour|sie|ren** [rãbur...]: eine Forderung aus einem Geschäft im Überseehandel durch Vermittlung einer Bank begleichen **Re|me|di|um** ⟨lat.⟩ das; -s, ...ia: 1. Heilmittel (Med.). 2. bei Münzen die zulässige Abweichung vom gesetzlich geforderten Gewicht u. Feingehalt. **Re|me|dur** ⟨lat.-nlat.⟩ die; -, -en: (veraltet) [gerichtliche] Abhilfe; Abstellung eines Missbrauchs **Re|mi|grant*** ⟨lat.⟩ der; -en, -en: jmd., der in das Land zurückkehrt, aus dem er zuvor emigriert ist. **Re|mi|grier|te** der u. die; -n, -n: aus der Emigration (1) Zurückgekehrte[r] re|mi|li|ta|ri|sie|ren ⟨lat.-fr.⟩: wieder bewaffnen, wieder mit eigenen Truppen besetzen; das [aufgelöste] Heerwesen eines Landes von neuem organisieren **Re|mi|nis|zenz** ⟨lat.⟩ die; -, -en: Erinnerung, die etwas für jmdn. bedeutet; Anklang; Überbleibsel. **Re|mi|nis|ze|re** ⟨lat.; nach dem alten Introitus (2) des Gottesdienstes, Psalm 25,6, „Gedenke (Herr, an deine Barmherzigkeit)!"⟩: zweiter Fastensonntag

re|mis [rə'mi:] ⟨lat.-fr.; „zurückgestellt (als ob nicht stattgefunden)"⟩: unentschieden (bes. in Bezug auf Schachpartien u. Sportwettkämpfe). **Re|mis** [rə'mi:] das; - [rə'mi:(s)], - [rə'mi:s] u. (bes. Schach:) -en [rə'mi:zn]: Schachpartie, Sportwettkampf mit unentschiedenem Ausgang. **Re|mi|se** die; -, -n: 1. (veraltend) Geräte-, Wagenschuppen. 2. [künstlich angelegtes] dichtes Schutzgehölz für Wild (Forstw.). **Re|mi|sier** [rəmi'zie:] der; -s, -s: Vermittler von Wertpapiergeschäften zwischen Publikum u. Börsenmakler od. Banken. **re|mi|sie|ren** [rə...]: eine Schachpartie oder einen sportlichen Wettkampf unentschieden gestalten. **Re|mis|si|on** ⟨lat.⟩ die; -, -en: 1. (veraltet) Erlass, Nachsicht. 2. Rückgang von Krankheitserscheinungen; vorübergehendes Abklingen, bes. des Fiebers (Med.). 3. diffuse Reflexion (1). 4. Rücksendung von Remittenden. **Re|mit|ten|de** ⟨lat.; „Zurückzusendendes"⟩ die; -, -n: beschädigtes od. fehlerhaftes Buch o. Ä., das an den Verlag zum Umtausch zurückgeschickt wird. **Re|mit|tent** der; -en, -en: Wechselnehmer, an den od. an dessen Order die Wechselsumme gezahlt werden soll (Wirtsch.). **re|mit|tie|ren**: 1. (Bücher o. Ä.) als Remittenden zurücksenden. 2. Zahlung für empfangene Leistung einsenden (Wirtsch.). 3. (von Krankheitserscheinungen) zeitweilig nachlassen, zurückgehen (Med.) **re|mo|ne|ti|sie|ren** ⟨lat.-nlat.⟩: 1. (von Münzen) wieder in Umlauf setzen (Geldw.). 2. in Geld zurückverwandeln (Wirtsch.) **Re|monst|ran|ten*** ⟨lat.-mlat.⟩ die (Plural): häufige Bezeichnung der Arminianer nach ihrer Bekenntnisschrift (Remonstration). **Re|monst|ra|ti|on** die; -, -en: (veraltet) Gegenvorstellung,

Einspruch, Einwand (Rechtsw.). **re|monst|rie|ren**: (veraltet) Einwände erheben, Gegenvorstellungen machen (Rechtsw.) **re|mon|tant** [auch: remõ'tant] ⟨lat.-fr.⟩: remontierend (1) (Bot.). **Re|mon|te** [auch: re-'mõ:tə] die; -, -n: (früher) 1. ↑ Remontierung. 2. junges Militärpferd. **re|mon|tie|ren** [auch: remõ...]: 1. (nach der Hauptblüte) noch einmal blühen (Bot.). 2. (früher) den militärischen Pferdebestand durch Jungpferde ergänzen. **Re|mon|tie|rung** [auch: remõ...]: die; -, -en: (früher) die Ergänzung des militärischen Pferdebestandes durch Jungpferde. **Re|mon|toir|uhr** [remõ'tŏa:ɐ̯|...] ⟨lat.-fr.; dt.⟩ die; -, -en: (veraltet) Taschenuhr mit einer Vorrichtung zum Aufziehen des Uhrwerks u. Stellen des Zeigers durch Kronenaufzug (gezahntes Rädchen) **Re|mor|queur** [remɔr'kø:ɐ̯] ⟨lat.-it.-fr.⟩ der; -s, -e: (landsch.) kleiner Schleppdampfer. **re|mor|quie|ren** [remɔr'ki...]: (landsch.) ins Schlepptau nehmen **Re|mo|te|sen|sing** [ri'moʊt'sɛnsɪŋ] ⟨engl.; „Fernfühlen"⟩ das; -s, auch: Re|mote Sen|sing das; - -s: Forschungsrichtung, die unter Einsatz verschiedener Mittel (z. B. Luft- u. Raumfahrzeuge, EDV-Anlagen) Phänomene aus großer Entfernung untersucht (z. B. Oberfläche u. Gashülle von Weltraumobjekten). **Re|mo|ti|on** ⟨lat.⟩ die; -, -en: (veraltet) Entfernung, Absetzung. **re|mo|tiv** ⟨lat.-nlat.⟩: (von Urteilen) entfernend, ausschließend, verneinend (Philos.) **Re|mou|la|de** [remu...] ⟨fr.⟩ die; -, -n: eine Art Kräutermajonäse **re|mo|vie|ren** ⟨lat.⟩: (veraltet) entfernen, absetzen **REM-Pha|se** ⟨Abk. für engl. rapid eye movements⟩ die; -, -n: während des Schlafs [mehrmals] auftretende Traumphase, die an den schnellen Augenbewegungen des Schläfers erkennbar ist **Remp|la|çant*** [rãpla'sã:] ⟨fr.⟩ der; -s, -s: (hist.) Stellvertreter, Ersatzmann, den ein Wehrpflichtiger stellen kann. **remp|la|cie|ren** [rãpla...] (hist.) einen Ersatzmann zur Ableistung des Wehrdienstes stellen **Re|mu|ne|ra|ti|on** ⟨lat.⟩ die; -, -en: (veraltet) Vergütung, Entschädigung. **re|mu|ne|rie|ren** ⟨lat.⟩: (veraltet) vergüten, entschädigen

¹Ren [auch: rɛn] ⟨nord.⟩ das; -s, Rene u. Rens u. fachspr.: Rener: Kälte liebende Hirschart nördlicher Gebiete, deren Weibchen ebenfalls Geweihe tragen (Lappenhaustier) **²Ren** ⟨lat.⟩ der; -s, Renes [...ne:s]: Niere (Med.) **Re|nais|sance** [rənɛ'sã:s] ⟨lat.-fr.; „Wiedergeburt"⟩ die; -, -n: 1. a) (ohne Plural) Stil, kulturelle Bewegung in Europa im Übergang vom Mittelalter zur Neuzeit, von Italien ausgehend u. gekennzeichnet durch eine Rückbesinnung auf Werte u. Formen der griechisch-römischen Antike in Literatur, Philosophie, Wissenschaft u. bes. in Kunst u. Architektur; b) Epoche der Renaissance (1 a) vom 14. bis 16. Jh. 2. geistige u. künstlerische Bewegung, die bewusst an ältere Traditionen, bes. an die griechisch-römische Antike, anzuknüpfen versucht (z. B. die karolingische Renaissance). 3. Wiederaufleben, neue Blüte. **re|nais|san|cis|tisch** [...'sɪstɪʃ]: für die Renaissance (1) typisch, im Stil der Renaissance **re|nal** ⟨lat.⟩: die Nieren betreffend (Med.) **re|na|tu|rie|ren** ⟨lat.-nlat.⟩: in einen naturnäheren Zustand zurückführen. **Re|na|tu|rie|rung** die; -, -en: Zurückführung in einen naturnäheren Zustand **Ren|con|tre*** vgl. Renkontre **Ren|dant** ⟨lat.-vulgärlat.-fr.⟩ der; -en, -en: Rechnungsführer in größeren Kirchengemeinden od. Gemeindeverbänden. **Ren|dan|tur** ⟨lat.-vulgärlat.-fr.-nlat.⟩ die; -, -en: (veraltet) Gelder einnehmende u. auszahlende Behörde. **Ren|de|ment** [rãdə'mã:] ⟨lat.-vulgärlat.-fr.⟩ das; -s, -s: Gehalt eines Rohstoffs an reinen Bestandteilen, der Gehalt an reiner [Schaf]wolle nach Abzug des Feuchtigkeitszuschlags. **Ren|dez|vous**, schweiz. auch: **Ren|dez|vous** [rãde'vu..., auch: 'rã:devu] das; - [...'vu:(s), auch: 'rã:devu:(s)], - [...'vu:s, auch: 'rã:devu:s] a) Stelldichein, Verabredung; b) Annäherung u. Ankopplung von Raumfahrzeugen im Weltraum. **Ren|dez|vous|ma|nö|ver** ⟨lat.-vulgärlat.-fr.⟩ das; -, -: gesteuerte Flugbewegung zur Annäherung u. Ankopplung von Raumfahrzeugen. **Ren|di|te** ⟨lat.-vulgärlat.-it.⟩ die; -, -n: Jahresertrag eines angelegten Kapitals. **Ren|di|ten|haus** ⟨lat.-vulgärlat.-it.; dt.⟩

das; -es, ...häuser: (schweiz.) Mietshaus

Rend|zi|na ⟨*poln.*⟩ *die;* -: Boden mit einem meist flachgründigen, dem kalkhaltigen Gesteinsuntergrund unmittelbar aufliegenden schwarzen bis schwarzbraunen, stark humosen Oberboden

Re|ne|gat ⟨*lat.-mlat.*⟩ *der;* -en, -en: [Glaubens]abtrünniger. **Re|ne|ga|ti|on** *die;* -, -en: Ableugnung; Abfall vom Glauben

Re|nek|lo|de* u. Reineclaude [rə:nə...] ⟨*fr.;* „Königin Claude" (Gemahlin Franz' I.)⟩ *die;* -, -n: Pflaumenart mit grünen Früchten; vgl. Ringlotte. **Re|net|te** ⟨*fr.*⟩ *die;* -, -n: saftige, süße Apfelsorte

Ren|for|cé [rãfɔr'se:] ⟨*lat.-fr.;* „verstärkt"⟩ *der* od. *das;* -s, -s: feinfädiger, gebleichter Baumwollstoff in Leinenbindung (eine Webart); kräftiges Taftband

re|ni|tent ⟨*lat.*⟩: widerspenstig, widersetzlich. **Re|ni|tenz** ⟨*lat.-mlat.*⟩ *die;* -: Widersetzlichkeit

Ren|kont|re* [rã'kõ:tɐ, auch: ...trə] ⟨*lat.-fr.*⟩ *das;* -s, -s: (veraltend) Zusammenstoß; feindliche Begegnung

Ren|min|bi [rɛn...] ⟨*chin.*⟩ *der;* -s, -s: Währungseinheit der Volksrepublik China (1 Renminbi = 10 Jiao = 100 Fen)

Re|no|gra|phie, auch: ...grafie ⟨*lat.; gr.*⟩ *die;* -, ...ien: Röntgendarstellung der Nieren (Med.)

Re|nom|ma|ge [rənɔm'ma:ʒə] ⟨*lat.-fr.*⟩ *die;* -, -n: (veraltet) Prahlerei. **Re|nom|mee** [...nɔm...] *das;* -s, -s: guter Ruf, Leumund, Ansehen; vgl. par renommé. **re|nom|mie|ren** [...nɔm...]: angeben, prahlen, protzen. **re|nom|miert** [...nɔm...]: berühmt, angesehen, namhaft. **Re|nom|mist** [...nɔm...] ⟨*lat.-fr.-nlat.*⟩ *der;* -en, -en: Prahlhans, Aufschneider

Re|non|ce [rə'nõ:s(ə), auch: re...] ⟨*lat.-fr.*⟩ *die;* -, -n: Fehlfarbe (Kartenspiel). **re|non|cie|ren** [rənõ:'s..., auch: re...] (veraltet) verzichten

Re|no|va|ti|on ⟨*lat.*⟩ *die;* -, -en: (schweiz., sonst veraltet) ↑Renovierung; vgl. ...[at]ion/...ierung. **re|no|vie|ren:** erneuern, instand setzen, wiederherstellen. **Re|no|vie|rung** *die;* -, -en: Erneuerung, Instandsetzung; vgl. ...[at]ion/ ...ierung

Ren|seig|ne|ment* [rãsɛnjə'mã:] ⟨*lat.-fr.*⟩ *das;* -s, -s: (veraltet) Auskunft, Nachweis

ren|ta|bel ⟨französierende Bildung zu ↑rentieren⟩: einträglich,

lohnend; Gewinn bringend. **Ren|ta|bi|li|tät** *die;* -: Verhältnis des Gewinns einer Unternehmung zu dem eingesetzten Kapital in einem Rechnungszeitraum. **Ren|te** ⟨*lat.-vulgärlat.-fr.*⟩ *die;* -, -n: regelmäßiges Einkommen aus angelegtem Kapital od. Beträgen, die aufgrund von Rechtsansprüchen gezahlt werden

[1]**Ren|ti|er** ⟨*nord.; dt.*⟩ *das;* -[e]s, -e: ↑¹Ren

[2]**Ren|ti|er** [rɛn'tje:] ⟨*lat.-vulgärlat.-fr.*⟩ *der;* -s, -s: (veraltend) Rentner. **Ren|ti|e|re** ⟨*lat.-fr.*⟩ *die;* -, -n: (veraltet) Rentnerin. **ren|tie|ren:** Zins, Gewinn, Rendite bringen, einträglich sein; sich -: sich lohnen. **ren|tier|lich** ⟨*lat.-vulgärlat.-fr.; dt.*⟩: ertragreich

ren|toi|lie|ren [rãtQa'li:rən] ⟨*lat.-fr.*⟩: die beschädigte Leinwand eines Gemäldes erneuern

Rent|rant* [rã'trã:] ⟨*lat.-fr.*⟩ *der;* -s, -s: einspringender Winkel in Festungswerken

Re|nu|me|ra|ti|on ⟨*lat.*⟩ *die;* -, -en: Rückzahlung, Rückgabe (Wirtsch.). **re|nu|me|rie|ren:** zurückzahlen, zurückgeben

Re|nun|zi|a|ti|on ⟨*lat.*⟩ *die;* -, -en: Renunziation. **Re|nun|zi|a|ti|on** *vgl.* Renunziation. **re|nun|zie|ren:** [als Monarch] abdanken

Ren|vers [rã'vɛ:ɐ, auch: ...'vɛrs] ⟨*lat.-fr.*⟩ *der;* - [rã'vɛ:ɐ(s), auch: ...'vɛrs]: Seitengang des Pferdes, bei dem das Pferd in die Richtung der Bewegung gestellt ist, die Hinterhand auf dem Hufschlag geht u. die Vorhand mindestens einen halben Schritt vom Hufschlag des inneren Hinterfußes entfernt in die Bahn gestellt ist (Dressurreiten); vgl. Travers.

ren|ver|sie|ren [rãvɛr'zi:rən] (veraltet) umstürzen, in Unordnung bringen

Ren|voi [rã'voa] ⟨*lat.-fr.*⟩ *der;* -: Rücksendung (Wirtsch.)

Re|ok|ku|pa|ti|on ⟨*lat.-nlat.*⟩ *die;* -, -en: [militärische] Wiederbesetzung eines Gebietes. **re|ok|ku|pie|ren:** [militärisch] wieder besetzen

Re|or|ga|ni|sa|ti|on ⟨*lat.; gr.-lat.-fr.*⟩ *die;* -, -en: 1. Neugestaltung, Neuordnung. 2. Neubildung zerstörten Gewebes im Rahmen von Heilungsvorgängen im Organismus (Med.). **Re|or|ga|ni|sa|tor** *der;* -s, ...oren: Neugestalter. **re|or|ga|ni|sie|ren:** neu gestalten, neu ordnen, wieder einrichten

Rep *der;* -s, -s: (ugs.) kurz für: Republikaner (3)

re|pa|ra|bel ⟨*lat.*⟩: wiederherstellbar; Ggs. ↑irreparabel. **Re|pa|ra|teur** [...'tø:ɐ] *der;* -s, -e: jmd., der [berufsmäßig] repariert. **Re|pa|ra|ti|on** *die;* -, -en: 1. (selten) Reparatur, Reparierung. 2. eine Form der Regeneration, bei der durch Verletzung verloren gegangene Organe ersetzt werden; vgl. Restitution (3). 3. (nur Plural) Kriegsentschädigungen, Wiedergutmachungsleistungen; vgl. ...[at]ion/...ierung. **Re|pa|ra|tur** ⟨*lat.-nlat.*⟩ *die;* -, -en: Wiederherstellung, Ausbesserung, Instandsetzung. **re|pa|rie|ren** ⟨*lat.*⟩: in Ordnung bringen, ausbessern, wiederherstellen. **Re|pa|rie|rung** *die;* -, -en: Wiederherstellung; vgl. ...[at]ion/ ...ierung

re|par|tie|ren ⟨*lat.-fr.*⟩: (im Börsenhandel) Wertpapiere zuteilen, Teilbeträge auf einzelne Börsenaufträge zur Erledigung zuweisen, wenn Nachfrage u. Angebot nicht im Gleichgewicht sind od. wenn durch große Käufe bzw. Verkäufe zu starke Kursausschläge eintreten würden. **re|par|tiert:** zugeteilt (vgl. repartieren); Abk.: rep. **Re|par|tie|rung** *die;* -, -en: das Repartieren; vgl. ...[at]ion/...ierung. **Re|par|ti|ti|on** *der;* -, -en: Verteilung im Verhältnis der Beteiligten; vgl. repartieren; vgl. ...[at]ion/...ierung

Re|pas|sa|ge [...ʒə] ⟨*lat.-fr.*⟩ *die;* -n, -n: (veraltet) das Nachprüfen u. Instandsetzen neuer Uhren in der Uhrmacherei. **re|pas|sie|ren:** 1. (veraltet) zurückweisen. 2. (Rechnungen) wieder durchsehen. 3. Laufmaschen aufnehmen (Wirkerei, Strickerei). 4. in der Färberei eine Behandlung wiederholen. 5. bei der Metallbearbeitung ein Werkstück durch Kaltformung nachglätten. **Re|pas|sie|re|rin** *die;* -, -nen: Arbeiterin, die Laufmaschen aufnimmt

Re|pat|ri|ant* ⟨*lat.*⟩ *der;* -en, -en: in die Heimat zurückgeführter Kriegs- od. Zivilgefangener, Heimkehrer. **re|pat|ri|ie|ren:** 1. die Staatsangehörigkeit wiederverleihen. 2. (einen Kriegs- od. Zivilgefangenen) in die Heimat entlassen

Re|peat [ri'pi:t] ⟨*engl.;* „Wiederholung"⟩ *das;* -s, -s: ↑Repeatperkussion. **Re|peat|per|kus|si|on** ⟨*engl.; lat.*⟩ *die;* -, -en: Wiederholung des angeschlagenen Tones od. Akkordes in rascher Folge (bei der elektronischen Orgel) **Re|pel|lents** [ri'pɛlənts] ⟨lat.-engl.⟩ *die* (Plural): (Chem.) a) Stoffe, die abstoßend wirken, ohne zu schädigen (z. B. Räuchermittel, Schutzanstriche o. Ä.); b) Wasser abstoßende Zusätze in Stoffgeweben **Re|per|kus|si|on** ⟨lat.⟩ *die;* -, -en: 1. Sprechton beim Psalmenvortrag. 2. (Mus.) a) einmaliger Durchgang des Themas durch alle Stimmen bei der Fuge; b) Tonwiederholung bei einem Instrumentalthema. **Re|per|kus|si|ons|ton** ⟨lat.; gr.-lat.-dt.⟩ *der;* -[e]s, ...töne: Zentralton in der Kirchentonart **Re|per|toire** [...'to̯a:ɐ̯] ⟨lat.-fr.; „Verzeichnis", eigtl. „Fundstätte") *das;* -s, -s: Vorrat einstudierter Theaterstücke, Bühnenrollen, Partien, Kompositionen o. Ä. **Re|per|toire|stück** ⟨lat.-fr.; dt.⟩ *das;* -[e]s, -e: sich über längere Zeit im Spielplan haltendes Bühnenwerk. **Re|per|to|ri|um** ⟨lat.⟩ *das;* -s, ...ien: wissenschaftliches Nachschlagewerk (oft als Bibliographie verschiedener Erscheinungen eines bestimmten Fachgebietes) **re|pe|ta|tur** ⟨lat.⟩: soll erneuert werden (auf ärztlichen Rezepten); Abk.: rep. **Re|pe|tent** *das;* -en, -en: 1. (veraltet) Repetitor. 2. Schüler, der repetiert (2). **re|pe|tie|ren:** 1. durch Wiederholen einüben, lernen. 2. eine Klasse noch einmal durchlaufen (weil man das Klassenziel nicht erreicht hat). 3. (fachspr., meist verneint) a) (von Uhren) auf Druck od. Zug die Stunde nochmals angeben, die zuletzt durch Schlagen angezeigt worden ist; b) (beim Klavier) als Ton richtig zu hören sein, richtig anschlagen. **Re|pe|tier|ge|wehr** ⟨lat.; dt.⟩ *das;* -[e]s, -e: Mehrladegewehr mit Patronenmagazin. **Re|pe|tier|uhr** *die;* -, -en: Taschenuhr mit Schlagwerk. **Re|pe|ti|ti|on** ⟨lat.⟩ *die;* -, -en: Wiederholung. **re|pe|ti|tiv:** wiederholend. **Re|pe|ti|tor** *der;* -s, ...oren: Akademiker, der Studierende [der juristischen Fakultät] durch Wiederholung des Lehrstoffes auf das Examen vorbereitet. **Re|pe|ti|to|ri|um** ⟨lat.⟩ *das;* -s, ...ien: 1. Wiederholungsunterricht. 2. Wiederholungsbuch **Re|plan|ta|ti|on*** ⟨lat.-nlat.⟩ *die;* -, -en: ↑ Reimplantation

Re|plik* ⟨lat.-fr.⟩ *die;* -, -en: 1. a) Entgegnung, Erwiderung; b) Gegeneinrede; Erwiderung des Klägers auf das Vorbringen des Beklagten (Rechtsw.). 2. Nachbildung eines Kunstwerkes durch den Künstler selbst (Kunstw.). **Rep|li|kat** *das;* -[e]s, -e: originalgetreue Nachbildung eines Kunstwerks (Kunstw.). **Rep|li|ka|ti|on** *die;* -, -en: Bildung einer exakten Kopie bes. von Genen oder Chromosomen durch Selbstverdopplung genetischen Materials (Biol.). **rep|li|zie|ren** ⟨lat.⟩: 1. a) entgegnen, erwidern; b) eine Replik (1 b) vorbringen (Rechtsw.). 2. eine Replik (2) herstellen (Kunstw.) **re|po|nie|ren** ⟨lat.-nlat.⟩: 1. (veraltet) (Akten) zurücklegen, einordnen. 2. (Med.) a) gebrochene Knochen od. verrenkte Glieder wieder einrichten; b) einen Eingeweidebruch in die Bauchhöhle zurückgeschoben werden kann; Med.); Ggs ↑irreponibel **Re|port** ⟨1: lat.-engl.; 2: lat.-fr.⟩ *der;* -[e]s, -e: 1. [Dokumentar]bericht. 2. an der Wertpapierbörse Kursaufschlag bei der Prolongation von Termingeschäften; Ggs. ↑ Deport. **Re|por|ta|ge** [...ʒə] ⟨lat.-fr.-engl.-fr.⟩ *die;* -, -n: von einem Reporter hergestellter von Presse, Funk od. Fernsehen verbreiteter Bericht vom Ort des Geschehens über ein aktuelles Ereignis; Berichterstattung. **Re|por|tor** ⟨lat.-fr. engl.⟩ *der;* -ε, - Zeitungs-, Fernseh-, Rundfunkberichterstatter **Re|po|si|ti|on** ⟨lat.⟩ *die;* -, -en: (Med.) a) Wiedereinrichtung von gebrochenen Knochen od. verrenkten Gliedern; b) Zurückschiebung von Eingeweidebrüchen in die Bauchhöhle. **Re|po|si|to|ri|um** *das;* -s, ...ien: (veraltet) Büchergestell, Aktenschrank **Re|pous|soir** [repu'sọa:ɐ̯] ⟨fr.⟩: Gegenstand im Vordergrund eines Bildes zur Steigerung der Tiefenwirkung **re|prä|sen|ta|bel*** ⟨lat.-fr.⟩: würdig, stattlich; wirkungsvoll. **Re|prä|sen|tant** *der;* -en, -en: 1. [offizieller] Vertreter (z. B. eines Volkes, einer Gruppe). 2. Vertreter einer Firma. 3. Abgeordneter. **Re|prä|sen|tan|ten|haus**

⟨lat.-fr.; dt.⟩ *das;* -es, ...häuser: deutsche Form des Namens der ersten Kammer bestimmter Parlamente, bes. des Kongresses der USA. **Re|prä|sen|tanz** ⟨lat.-fr.⟩ *die;* -, -en: 1. Vertretung. 2. ständige Vertretung eines größeren Bank-, Makler- od. Industrieunternehmens im Ausland. 3. (ohne Plural) das Repräsentativsein, repräsentative (3 a) Art. **Re|prä|sen|ta|ti|on** *die;* -, -en: 1. Vertretung einer Gesamtheit von Personen durch eine einzelne Person od. eine Gruppe von Personen. 2. (ohne Plural) das Repräsentativsein, Repräsentativität. 3. a) Vertretung eines Staates, einer öffentlichen Einrichtung o. Ä. auf gesellschaftlicher Ebene u. der damit verbundene Aufwand; b) an einem gehobenen gesellschaftlichen Status orientierter, auf Wirkung nach außen bedachter, aufwendiger [Lebens]stil. **re|prä|sen|ta|tiv:** 1. vom Prinzip der Repräsentation (1) bestimmt; **repräsentative Demokratie:** ↑ Repräsentativsystem (a). 2. a) als Einzelner, Einzelnes so typisch für etwas, eine Gruppe o. Ä., dass es das Wesen, die spezifische Eigenart der gesamten Erscheinung, Richtung o. Ä. ausdrückt; b) verschiedene [Interessen]gruppen in ihrer Besonderheit, typischen Zusammensetzung berücksichtigend, z. B. repräsentative Querschnitt, repräsentative Umfrage. 3. a) in seiner Art, Anlage, Ausstattung wirkungs-, eindrucksvoll; b) der Repräsentation (3) dienend. **Re|prä|sen|ta|ti|vi|tät** *die;* -: das Repräsentativsein. **Re|prä|sen|ta|tiv|sys|tem** *das;* -s, -e: a) Regierungssystem, in dem das Volk nicht selbst, durch die staatliche Gewalt ausübt, sondern durch bestimmte Körperschaften vertreten wird, repräsentative Demokratie; b) System, in dem die verschiedenen [Interessen]gruppen in einer Gesellschaft durch Organisationen bes. Parteien u. Verbände vertreten werden. **re|prä|sen|tie|ren:** 1. etw., eine Gesamtheit von Personen nach außen vertreten. 2. repräsentativ (2) sein. 3. Repräsentation (3) betreiben. 4. wert sein; etw. darstellen **Re|pres|sa|lie*** [...iə] ⟨lat.-mlat.⟩ *die;* -, -n (meist Plural): Druckmittel, Vergeltungsmaßnahme. **Re|pres|si|on** ⟨lat.⟩ *die;* -, -en: 1. Unterdrückung von Triebregungen (Psychol.). 2. (Soziol.) a) Unterdrückung individueller Entfaltung u. individueller Triebäußerungen durch gesellschaftliche Strukturen u. Autoritätsverhältnisse; b) politische Gewaltanwendung. 3. Unterdrückung, Hemmung der genetischen Informationsübergabe (Med.; Biol.). re|pres|siv ⟨lat.-nlat.⟩: hemmend, unterdrückend, Repression (1, 2) ausübend (bes. in Bezug auf Gesetze, die im Interesse des Staates gegen allgemein gefährliche Umtriebe erlassen werden). Re|pri|man|de ⟨lat.-fr.⟩ die; -, -n: (landsch. veraltet) Tadel. re|pri|mie|ren ⟨lat.⟩: unterdrücken, hemmen (von genetischen Informationen)

Re|print* [auch: ˈriː...] ⟨engl.⟩ der; -s, -s: unveränderter Nachdruck, Neudruck (Buchw.); vgl. Preprint

Re|pri|se* ⟨lat.-fr.⟩ die; -, -n: 1. a) Wiederaufnahme eines lange nicht gespielten Theaterstücks od. Films in den Spielplan; Neuauflage einer vergriffenen Schallplatte; b) in einem Sonatensatz Wiederaufnahme des 1. Teiles nach der Durchführung. 2. dem Feind wieder abgenommene Prise (1). 3. Normalfeuchtigkeitszuschlag auf das Trockengewicht der Wolle (Textilindustrie). 4. Kurserholung, die vorhergegangene Kursverluste kompensiert (Börsenw.)

Re|pris|ti|na|ti|on* ⟨lat.-nlat.⟩ die; -, -en: a) Wiederherstellung von etwas Früherem; b) Wiederbelebung einer wissenschaftlichen Theorie; c) jährliche Erneuerung u. Darstellung im Kult (Rel.). re|pris|ti|nie|ren: a) etw. Früheres wieder herstellen, auffrischen; b) eine wissenschaftliche Theorie wieder beleben; c) im Kult jährlich erneuern, darstellen (Rel.)

re|pri|va|ti|sie|ren* ⟨lat.⟩: ein verstaatlichtes Unternehmen in Privateigentum zurückführen; Ggs. ↑ sozialisieren. Re|pri|va|ti|sie|rung die; -: das Reprivatisieren; Ggs. ↑ Sozialisierung (1)

Re|pro* ⟨Kurzform von Reproduktion⟩ die; -, -s, auch: das; -s, -s: fotografische Reproduktion nach einer Bildvorlage (Druckw.)

Re|pro|ba|ti|on* ⟨lat.⟩ die; -, -en: 1. in der Lehre von der Prädestination Verwerfung der Seele (Ausschluss von der ewigen Se-

ligkeit). 2. (veraltet) Zurückweisung, Missbilligung (Rechtsw.). re|pro|bie|ren: (veraltet) etw. missbilligen, verwerfen

Re|pro|duk|ti|on* ⟨lat.-nlat.⟩ die; -, -en: 1. Wiedergabe. 2. (bes. Druckw.) a) das Abbilden u. Vervielfältigen von Büchern, Karten, Bildern, Notenschriften o. Ä., bes. durch Druck; b) einzelnes Exemplar einer Reproduktion (2 a). 3. stetige Wiederholung des gesellschaftlichen Produktionsprozesses. 4. Fortpflanzung (Biol.). 5. das Sichern einer früher erlebte Bewusstseinsinhalte (Psychol.). **Re|pro|duk|ti|ons|me|di|zin** die; -: Spezialgebiet der Medizin, das sich mit der Erforschung der medizinischen Grundlagen der menschlichen Fortpflanzung beschäftigt. re|pro|duk|tiv: nachbildend, nachahmend. re|pro|du|zie|ren: 1. etwas genauso hervorbringen, [wieder]herstellen (wie das Genannte). 2. eine Reproduktion (2 b) herstellen. 3. a) ständig neu erzeugen, herstellen; b) die Reproduktion (3) bewirken. 4. sich -: sich fortpflanzen (Biol.). **Re|pro|gra|phie**, auch: Reprografie ⟨lat.; gr.⟩ die; -, ...ien (Plural selten) a) Gesamtheit der Kopierverfahren, mit denen mithilfe elektromagnetischer Strahlung Reproduktionen (2 b) hergestellt werden; b) Produkt der Reprographie (a). re|pro|gra|phie|ren, auch: reprografieren: eine Reprographie (a) anfertigen. re|pro|gra|phisch, auch: reprografisch: a) die Reprographie betreffend, auf Reprographie beruhend; b) durch Reprographie hergestellt

Reps* Plural von ↑ Rep

Rep|til ⟨lat.-fr.⟩ das; -s, -ien, selten -e: Kriechtier (z. B. Krokodil, Schildkröte, Eidechse, Schlange). **Rep|ti|li|en|fonds** der; -, -: 1. (hist.) Fonds Bismarcks zur Bekämpfung geheimer Staatsfeinde (die Bismarck 1869 „bösartige Reptilien" nannte) mithilfe staatsfreundlicher Zeitungen. 2. (iron.) Fonds, über dessen Verwendung hohe Regierungsstellen keine Rechenschaft abzulegen brauchen; geheimer Dispositionsfonds

Re|pub|lik* ⟨lat.-fr.⟩ die; -, -en: Staatsform, bei der die Regierenden für eine bestimmte Zeit vom Volk od. Repräsentanten des Volkes gewählt werden. **Re|pub|li|ka|ner** ⟨lat.-fr. (-engl.)⟩

der; -s, -: 1. Anhänger der republikanischen Staatsform. 2. in den USA Mitglied od. Anhänger der Republikanischen Partei. 3. in Deutschland Mitglied einer rechtsgerichteten Partei. re|pub|li|ka|nisch: 1. die Republik betreffend. 2. die Republikanische Partei (der USA) betreffend. 3. die Republikaner (3) betreffend. **Re|pub|li|ka|nis|mus** ⟨lat.-fr.-nlat.⟩ der; -: (veraltend) das Eintreten für die republikanische Verfassung

Re|pu|di|a|ti|on ⟨lat.⟩ die; -, -en: 1. (veraltet) Verwerfung, Verschmähung, Ausschlagung (z. B. eines Vermächtnisses; Rechtsw.). 2. Verweigerung der Annahme von Geld wegen geringer Kaufkraft (Wirtsch.). 3. ständige Ablehnung eines Staates, seine Anleiheverpflichtungen zu erfüllen (Wirtsch.)

Re|pug|nanz* ⟨lat.⟩ die; -, -en: Widerspruch, Gegensatz (Philos.)

Re|puls ⟨lat.⟩ der; -es, -e: (veraltet) Ab-, Zurückweisung [eines Gesuches]. **Re|pul|si|on** ⟨lat.⟩ die; -, -en: Ab-, Zurückstoßung (Techn.). **Re|pul|si|ons|mo|tor** der; -s, -en: für kleine Leistungen verwendeter Einphasenwechselstrommotor mit einfacher Drehzahl o. einem Anker, der über einen ↑ Kommutator kurzgeschlossen wird. re|pul|siv ⟨lat.-nlat.⟩: zurückstoßend, abstoßend (bei elektrisch u. magnetisch geladenen Körpern)

Re|pun|ze ⟨lat.-it.⟩ die; -, -en: Feingehaltsstempel für Waren aus Edelmetallen. re|pun|zie|ren: mit einem Feingehaltsstempel versehen

re|pu|ta|bel ⟨lat.-fr.⟩: 1 reputierlich. **Re|pu|ta|ti|on** der; -: [guter] Ruf, Ansehen. re|pu|tier|lich: ansehnlich; achtbar; ordentlich

re|qui|em [reˈkvieːt] ⟨span.⟩ der; -, -s: 1. (ohne Plural) Bund der Anhänger des spanischen Thronprätendenten Carlos u. seiner Nachfolger. 2. Mitglied dieses Bundes

Re|qui|em ⟨lat.; nach dem Eingangswort „requiem aeternam dona eis, Domine" = „Herr, gib ihnen die ewige Ruhe"⟩ das; -s, -s (österr. auch: ...quien): a) katholische Toten- od. Seelenmesse; b) komponierte Totenmesse. **re|qui|es|cat in pa|ce**!: er, sie ruhe in Frieden! (Schlussformel der Totenmesse; Grabinschrift); Abk.: R. I. P.

Re|qui|rent ⟨lat.⟩ der; -en, -en: (veraltet) Nachforscher, Untersuchender (Rechtsw.). re|qui|rie|ren ⟨„aufsuchen; nachforschen; verlangen"⟩: 1. für Heereszwecke beschlagnahmen. 2. (scherzh.) [auf nicht ganz rechtmäßige Weise] beschaffen, herbeischaffen. 3. Nachforschungen anstellen, untersuchen. 4. (veraltet) ein anderes Gericht od. eine andere Behörde um Rechtshilfe in einer Sache ersuchen (Rechtsw.)
Re|qui|sit das; -[e]s, -en: 1. (meist Plural) Zubehör für eine Bühnenaufführung od. Filmszene. 2. für etwas benötigtes Gerät, Zubehörteil. Re|qui|si|te die; -, -n: (Jargon) a) Raum für Requisiten (1); b) für die Requisiten (1) zuständige Stelle. Re|qui|si|teur [...'tø:ɐ̯] ⟨lat.-fr.⟩ der; -s, -e: Verwalter der Requisiten (Theater u. Film). Re|qui|si|ti|on ⟨lat.⟩ die; -, -en: 1. Beschlagnahme für Heereszwecke. 2. Nachforschung, Untersuchung. 3. Rechtshilfeersuchen
Res ⟨lat.⟩ die; -, -: Sache, Ding, Gegenstand (Philos.); Res cogitans: denkendes Wesen, Geist, Seele; Res extensa: ausgedehntes Wesen, Materie, Körper (Philos.)
Re|search [rɪ'sə:tʃ] ⟨engl.⟩ das; -[s], -s: Marktforschung; Meinungsforschung (Soziol.). Re|searcher der; -s, -: jmd., der für die Markt- u. Meinungsforschung Untersuchungen durchführt (Soziol.)
Re|se|da ⟨lat.⟩ die; -, ...den, selten: -s, seltener auch: Re|se|de die; -, -n: aus dem Mittelmeergebiet stammende krautige Zierpflanze mit grünlichen, wohlriechenden Blüten
Re|sek|ti|on ⟨lat.; „das Abschneiden"⟩ die; -, -en: operative Entfernung kranker Organteile im Unterschied zur Ektomie (Med.)
Re|se|ne ⟨gr.-lat.-nlat.⟩ die (Plural): neutrale, unverseifbare organische Bestandteile der natürlichen Harze
re|se|quent ⟨lat.; „nachfolgend"⟩: in der Fallrichtung der geologischen Schichten fließend (in Bezug auf Nebenflüsse; Geogr.)
Re|ser|pin ⟨Kunstw.⟩ das; -s: den Blutdruck senkender Wirkstoff
Re|ser|va|ge [...'va:ʒə] ⟨lat.-fr.⟩ die; -: beim Färben von Stoffen mustergemäß aufgetragene Schutzbeize, die das Aufnehmen der Farbe verhindert. Re|ser|vat ⟨lat.⟩ das; -[e]s, -e: 1. Vorbehalt, Sonderrecht. 2. ↑Reservation (1). 3. natürliches Großraumgehege zum Schutz bestimmter, in freier Wildbahn lebender Tierarten. Re|ser|vat|fall ⟨lat.; dt.⟩ der; -[e]s, ...fälle: bestimmte Sünde, deren Vergebung einem Oberhirten (Papst, Bischof) vorbehalten ist. Re|ser|va|tio men|ta|lis ⟨lat.-nlat.⟩ die; - -, ...tiones ...tales [...ne:s ...le:s]: ↑Mentalreservation (Rechtsw.). Re|ser|val|ti|on ⟨lat.-nlat.(-engl.)⟩ die; -, -en: 1. den Indianern in Nordamerika vorbehaltenes Gebiet. 2. ↑Reservat (1). Re|ser|ve ⟨lat.-mlat.-fr.⟩ die; -, -n: 1. (ohne Plural) Zurückhaltung, Verschlossenheit, zurückhaltendes Wesen. 2. Vorrat; Rücklage für den Bedarfsod. Notfall. 3. Gesamtheit der ausgebildeten, aber nicht aktiven (2 a) Soldaten; [Offizier, Leutnant] der Reserve (Abk.: d. R.). 4. [Gesamtheit der] Ersatzspieler einer Mannschaft (Sport). Re|ser|ve|ar|mee die; -, -n: größere Anzahl von Personen, die für den Bedarfsfall zur Verfügung stehen. Re|ser|ve|fonds ⟨lat.⟩ der; -, -: Rücklage. re|ser|vie|ren ⟨lat.⟩: a) für jmdn. bis zur Inanspruchnahme freihalten od. zurücklegen; b) für einen bestimmten Anlass, Fall aufbewahren. re|ser|viert: zurückhaltend, kühl, abweisend. Re|ser|vist ⟨lat.-mlat.-fr.-nlat.⟩ der; -en, -en: 1. Soldat der Reserve (3). 2. Auswechselspieler, Ersatzspieler (Fußball). Re|ser|voir [...'vŏa:ɐ̯] ⟨lat.-fr.⟩ das; -s, -e: 1. Sammelbecken, Wasserspeicher, Behälter für Vorräte. 2. Reservebestand, -fonds
re|se|zie|ren ⟨lat.⟩: eine Resektion vornehmen; operativ entfernen (Med.)
Re|si|dent ⟨lat.-fr.⟩ der; -en, -en: a) Regierungsvertreter; Geschäftsträger; b) (veraltet) Statthalter. Re|si|denz ⟨lat.-mlat.⟩ die; -, -en: Wohnsitz eines Staatsoberhauptes, eines Fürsten, eines hohen Geistlichen; Hauptstadt. re|si|die|ren ⟨lat.⟩: seinen Wohnsitz haben (in Bezug auf [regierende] Fürsten). re|si|du|al ⟨lat.-nlat.⟩: (Med.) a) als Reserve zurückbleibend (z. B. in Bezug auf das nicht ausgeatmete Reserveluft); b) als Rest zurückbleibend (z. B. in Bezug auf Urin, der in der Harnblase zurückbleibt); c) als [Dauer]folge einer Krankheit zurückbleibend (in Bezug auf körperliche, geistige od. psychische Schäden, z. B. Dauerlähmung bestimmter Muskeln nach einem Schlaganfall). Re|si|du|at das; -[e]s, -e: Rückstandsgestein (z. B. Bauxit, Kaolin; Geol.). Re|si|du|um ⟨lat.⟩ das; -s, ...duen: [als Folge einer Krankheit o. Ä.] Rückstand, Rest
Re|sig|nant* ⟨lat.⟩ der; -en, -en: (veraltet) Verzichtender. Re|sig|na|ti|on ⟨lat.-mlat.⟩ die; -, -en: 1. das Resignieren, das Sichfügen in das unabänderlich Scheinende. 2. (Amtsspr. veraltet) freiwillige Niederlegung eines Amtes. re|sig|na|tiv ⟨lat.-nlat.⟩: resignierend, durch Resignation (1) gekennzeichnet. re|sig|nie|ren ⟨lat.; „entsiegeln; ungültig machen; verzichten"⟩: entsagen, verzichten; sich widerspruchslos fügen, sich in eine Lage schicken. re|sig|niert: durch Resignation (1) gekennzeichnet
Re|si|nat ⟨gr.-lat.-nlat.⟩ das; -[e]s, -e: Salz der Harzsäure
Re|si|no|id ⟨lat.⟩ das; -[e]s, -e: aus Harzen, Balsamen o. Ä. extrahierter Stoff, der bei der Parfümherstellung als Fixatur (1) verwendet wird
Re|si|pis|zenz ⟨lat.⟩ die; -, -en: 1. (veraltet) Sinnesänderung, Bekehrung. 2. das Wiedererwachen aus einer Ohnmacht (Med.)
Re|sis|tance [...'tã:s] ⟨lat.-fr.⟩ die; -: 1. Gruppe der konservativen französischen Parteien im 19. Jh. 2. französische Widerstandsbewegung gegen die deutsche Besatzung im 2. Weltkrieg. re|sis|tent ⟨lat.⟩: widerstandsfähig gegen äußere Einflüsse (in Bezug auf einen Organismus; Biol.; Med.). Re|sis|tenz die; -, -en: 1. Widerstand, Gegenwehr. 2. Widerstandsfähigkeit eines Organismus gegenüber äußeren Einflüssen (Biol.; Med.). Re|sis|ten|za ⟨lat.-it.⟩ die; -: italienische Widerstandsbewegung gegen die deutsche Besatzung während des 2. Weltkriegs. re|sis|tie|ren ⟨lat.⟩: äußeren Einwirkungen widerstehen; ausdauern (Biol.; Med.). re|sis|tiv ⟨lat.-nlat.⟩: widerstandsfähig (Biol.; Med.). Re|sis|ti|vi|tät die; -: Widerstandsfähigkeit, ↑Resistenz (2)
Res ju|di|ca|ta ⟨lat.⟩ die; - -, - -...tae [...tɛ]: rechtskräftig entschiedene Sache (Rechtsw.)
re|skri|bie|ren* ⟨lat.⟩: (veraltet)

schriftlich antworten, zurück-
schreiben. **Re|skript** *das;* -[e]s,
-e: 1. (veraltet) amtlicher Be-
scheid, Verfügung, Erlass. 2. feierliche Rechtsentscheidung des
Papstes od. eines Bischofs in
Einzelfällen **re|so|lut** ⟨*lat.-fr.*⟩: betont ent-
schlossen u. mit dem Willen, sich
durchzusetzen; in einer Weise
sich darstellend, sich äußernd,
die Entschlossenheit, Bestimmt-
heit zum Ausdruck bringt. **Re-
so|lu|ti|on** ⟨*lat. (-fr.)*⟩ *die;* -, -en:
1. Beschluss, Entschließung, 2.
Rückgang von Krankheitser-
scheinungen (Med.). **Re|sol-
ven|te** ⟨*lat.*⟩ *die;* -, -n: zur Auflö-
sung einer algebraischen Glei-
chung benötigte Hilfsgleichung
(Math.). **re|sol|vie|ren** 1. (veral-
tet) beschließen. 2. eine be-
nannte Zahl durch eine kleinere
Einheit darstellen (z. B. 1 km =
1 000 m) **Re|so|nanz** ⟨*lat.*⟩ *die;* -, -en: 1. a)
durch Schallwellen gleicher
Schwingungszahl angeregtes
Mitschwingen, Mittönen eines
anderen Körpers od. schwin-
gungsfähigen Systems (Phys.);
b) Klangverstärkung u. -verfei-
nerung durch Mitschwingung in
den Obertönen (Mus.). 2. Wider-
hall, Anklang, Verständnis, Wir-
kung. **Re|so|na|tor** ⟨*lat.-nlat.*⟩
der; -s, ...oren: bei der Resonanz
mitschwingender Körper (z. B.
Luftsäule bei Blasinstrumenten,
Holzgehäuse bei Saiteninstru-
menten). **re|so|na|to|risch:** die
Resonanz betreffend, auf ihr be-
ruhend. **re|so|nie|ren** ⟨*lat.*⟩: mit-
schwingen (Mus.)
Re|so|pal ® ⟨*Kunstw.*⟩ *das;* -s: wi-
derstandsfähiger Kunststoff, der
als Schicht für Tischplatten o. Ä.
verwendet wird
Re|sor|bens ⟨*lat.*⟩ *das;* -, ...bentia
od. ...benzien (meist Plural):
Mittel zur Anregung der Resorp-
tion (1). **re|sor|bie|ren:** be-
stimmte Stoffe aufnehmen, auf-
saugen
Re|sor|cin, auch: Resorzin ⟨*nlat.*⟩
das; -s, -e: zweiwertiges Phenol,
das als Ausgangsprodukt für
Phenolharze u. Farbstoffe dient
u. in der Medizin gegen Erbrechen u. als Antiseptikum verwendet wird
Re|sorp|ti|on ⟨*lat.-nlat.*⟩ *die;* -,
-en: 1. das Aufnehmen flüssiger
od. gelöster Stoffe in die Blut- u.
Lymphbahn. 2. Wiederauflö-
sung eines Kristalls beim Erstar-
ren einer Gesteinsschmelze

Re|sor|zin vgl. Resorcin
re|so|zi|a|li|sie|ren ⟨*lat.-engl.*⟩:
[nach Verbüßung einer längeren
Haftstrafe] schrittweise wieder
in die Gesellschaft eingliedern
(Rechtsw.). **Re|so|zi|a|li|sie-
rung** *die;* -, -en: [nach Verbüßung einer längeren Haftstrafe]
schrittweise Wiedereingliede-
rung in die Gesellschaft mit den
Mitteln der Pädagogik, Medizin
u. Psychotherapie (Rechtsw.)
Res|pekt* ⟨*lat.-fr.*⟩: „das Zurück-
blicken, das Sichumsehen;
Rücksicht") *der;* -[e]s: 1. a) Ehr-
erbietung; schuldige Achtung; b)
Scheu. 2. leerer Rand [bei Seiten,
Kupferstichen]. **res|pek|ta|bel:**
ansehnlich; angesehen. **Res-
pek|ta|bi|li|tät** *die;* -: (veraltet)
Achtbarkeit, Ansehen. **Res-
pekt|blatt** ⟨*lat.-fr.; dt.*⟩ *das;* -[e]s,
...blätter: leeres Blatt am Anfang
eines Buches; freie Seite eines
mehrseitigen Schriftstücks. **res-
pek|tie|ren** ⟨*lat.-fr.*⟩: 1. achten;
anerkennen, gelten lassen. 2.
einen Wechsel bezahlen
(Wirtsch.). **res|pek|tier|lich:**
(veraltet) ansehnlich, achtbar.
res|pek|tiv ⟨*lat.-mlat.*⟩: (veral-
tet) jedesmalig, jeweils. **res|pek-
ti|ve:** beziehungsweise; oder;
Abk.: resp. **Res|pekts|per|son**
die; -, -en: jmd., dem aufgrund
seiner übergeordneten, hohen
Stellung gemeinhin Respekt ent-
gegengebracht wird. **Res|pekt-
tag** ⟨*lat.-fr.; dt.*⟩ *der;* -[e]s, -e:
(hist.) Zahlungsfrist nach dem
Verfallstag eines Wechsels
re|spi|ra|bel* ⟨*lat.-mlat.*⟩: atem-
bar (in Bezug auf Gase od. Luft;
Med.). **Re|spi|ra|ti|on** ⟨*lat.*⟩ *die;*
-: Atmung (Med.). **Re|spi|ra|tor**
⟨*lat.-nlat.*⟩ *der;* -s, ...oren: At-
mungsgerät, Atemfilter. **re|spi-
ra|to|risch:** die Atmung betref-
fend, auf ihr beruhend, zu ihr ge-
hörend (Med.). **re|spi|rie|ren**
⟨*lat.*⟩: atmen (Med.). **Re|spi|ro-
tag** ⟨*lat.-it.; dt.*⟩ *der;* -[e]s, -e:
↑ Respekttag
Re|spit* ⟨*lat.-fr.-engl.*⟩ *der;* -s:
(veraltet) Stundung (Wirtsch.).
Re|spit|tag ⟨*lat.-fr.-engl.; dt.*⟩
der; -[e]s, -e: ↑ Respekttag. **Re-
spi|zi|ent** ⟨*lat.*⟩ *der;* -en, -en:
(veraltet) Berichterstatter. **re-
spi|zie|ren:** (veraltet) berück-
sichtigen
res|pon|die|ren* ⟨*lat.*⟩: 1. (veral-
tend) antworten. 2. (veraltet)
entsprechen. 3. (veraltet) wider-
legen. **Res|pons** *der;* -es, -e: Re-
aktion (1a) auf bestimmte Bemü-
hungen. **res|pon|sa|bel** ⟨*lat.-*

mlat.⟩: (veraltet) verantwortlich.
Res|ponse* [rɪ'spɔns] ⟨*engl.*⟩
die; -, -s [...sɪs, auch: ...sɪz]: durch
einen Reiz ausgelöstes u. bestimmtes Verhalten (Psychol.;
Sprachw.). **Res|pon|si|on** ⟨*lat.;*
„Antwort") *die;* -, -en: 1. antithe-
tisch angelegte Antwort auf eine
selbst gestellte Frage (Rhet.). 2.
Entsprechung in Sinn od. Form
zwischen einzelnen Teilen einer
Dichtung (Literaturw.). **Res-
pon|so|ri|a|lle** ⟨*lat.-mlat.*⟩ *das;*
-[s], ...lien: 1. (veraltet) Sammlung der Responsorien für das
nächtliche katholische Chorge-
bet. 2. ↑Antiphonar. **Res|pon-
so|ri|um** *das;* -s, ...ien: kirchli-
cher Wechselgesang
Res|sen|ti|ment [rɛsãti'mã:, rə...]
⟨*lat.-fr.*⟩ *das;* -s, -s: 1. auf Vorur-
teilen, Unterlegenheitsgefühlen,
Neid o. Ä. beruhende gefühlsmä-
ßige Abneigung. 2. das Wieder-
erleben eines (durch das Wieder-
beleben verstärkten) meist
schmerzlichen Gefühls (Psychol.)
Res|sort [rɛ'soːɐ̯] ⟨*fr.*⟩ *das;* -s, -s:
Geschäfts-, Amtsbereich; Ar-
beits-, Aufgabengebiet. **res|sor-
tie|ren:** zugehören, unterstehen
Res|sour|ce [rɛ'sʊrsə] ⟨*fr.*⟩
die; -, -n (meist Plural): a) natür-
liches Produktionsmittel für die
Wirtschaft; b) Hilfsmittel; Hilfs-
quelle, Reserve; Geldmittel
Res|tant ⟨*lat.(-it.)*⟩ *der;* -en, -en: 1.
zahlungsrückständiger Schuld-
ner. 2. ausgelostes od. gekündig-
tes, aber nicht abgeholtes Wertpapier. 3. Ladenhüter
Res|tau|rant [rɛsto'rã:] ⟨*lat.-fr.*⟩
das; -s, -s: Speisegaststätte. **Res-
tau|ra|teur** [...ra'tøːɐ̯] *der;* -s, -e:
(veraltet) Restaurant. **¹Res|tau-
ra|ti|on** [...tau...] ⟨*spätlat.*⟩ *die;*
-en: 1. das Restaurieren (1). 2.
Wiedereinrichtung der alten politischen u. sozialen Ordnung
nach einem Umsturz. **²Res|tau-
ra|ti|on** [...to...] ⟨*lat.-fr.*⟩ *die;* -,
-en: (österr., sonst veraltet)
Gastwirtschaft. **res|tau|ra|tiv**
[...tau...] ⟨*lat.-nlat.*⟩: (veraltet) ¹Restaura-
tion (2) betreffend, sich auf die
Restauration stützend. **Res|tau-
ra|tor** ⟨*lat.*⟩ *der;* -s, ...oren:
Fachmann, der die Kunstwerke
wiederherstellt. **res|tau|rie|ren**
⟨*lat.(-fr.)*⟩: 1. (ein Kunst-, Bau-
werk, ein Kunstgegenstand,
ein Gemälde o. Ä.) in seinen ursprünglichen Zustand bringen,
wiederherstellen, ausbessern. 2.
eine frühere, überwundene po'li-
tische, gesellschaftliche Ord-

nung wiederherstellen. 3. sich -: (veraltend) sich erholen, sich erfrischen. Res|tau|rie|rung *die;* -, -en: 1. das Restaurieren. 2. (veraltend) das Sichrestaurieren res|tez! [rɛs'te] ⟨*lat.-fr.*⟩: bleiben Sie! (Anweisung für Instrumentalisten, in derselben Lage od. auf derselben Saite zu bleiben; Mus.). res|tie|ren ⟨*lat.-roman.*⟩: 1. (veraltet) übrig sein. 2. (veraltet) a) (von Zahlungen) noch ausstehen; b) schulden; c) (mit einer Zahlung) im Rückstand sein
re|sti|tu|ie|ren* ⟨*lat.*⟩: 1. wiederherstellen. 2. zurückerstatten. 3. ersetzen. Re|sti|tu|tio ad in|tegrum* od. Re|sti|tu|tio in in|tegrum *die;* - - -: 1. Wiedereinsetzung in den vorigen Stand; gerichtliche Aufhebung einer zum Nachteil des Betroffenen erfolgten Entscheidung aus Gründen der Billigkeit (Rechtsw.). 2. völlige Wiederherstellung der normalen Körperfunktionen nach einer überstandenen Krankheit od. Verletzung (Med.). Re|stitu|ti|on *die;* -, -en: 1. Wiederherstellung, Wiedererrichtung. 2. a) Wiedergutmachung od. Schadensersatzleistung für alle einem anderen Staat widerrechtlich zugefügten Schäden; b) im römischen Recht Wiederaufhebung einer Entscheidung, die einen unbilligen Rechtserfolg begründete. 3. eine Form der Regeneration, bei der die auf normalem Wege verloren gegangenen Organteile (z. B. Geweih, Federn, Haare) ersetzt werden (Biol.); vgl. Reparation (2). Re|sti|tu|ti|ons|kla|ge ⟨*lat.; dt.*⟩ *die;* -, -n: Klage auf Wiederaufnahme eines mit einem rechtskräftigen Urteil abgeschlossenen gerichtlichen Verfahrens wegen schwerwiegender Verfahrensmängel (Rechtsw.)
Rest|ric|tio* men|ta|lis ⟨*lat.*⟩ *die;* - -, ...tiones ...tales [...ne:s ...le:s]: ↑Mentalreservation (Rechtsw.). Rest|rik|ti|on *die;* -, -en: a) Einschränkung, Beschränkung von jmds. Rechten, Befugnissen, Möglichkeiten); b) für den Gebrauch eines Wortes, einer Wendung o. Ä. geltende, im System der Sprache liegende Einschränkung (Sprachw.). rest|rik|tiv ⟨*lat.-nlat.*⟩: einschränkend, einengend; restriktive Konjunktion: einschränkendes Bindewort (z. B. insofern); restriktiver Code: ↑restringierter Code.

Rest|rik|tiv|satz ⟨*lat.-nlat.; dt.*⟩ *der;* -es, ...sätze: restriktiver, einschränkender Modalsatz (z. B. hilf ihm, *soweit es deine Zeit erlaubt!;* Sprachw.). rest|rin|gie-ren ⟨*lat.*⟩: (veraltet) 1. einschränken. 2. zusammenziehen (Med.). rest|rin|giert: eingeschränkt; restringierter Code: individuell nicht stark differenzierter sprachlicher Code (1) eines Sprachteilhabers (Sprachw.); Ggs ↑elaborierter Code re|struk|tu|rie|ren ⟨*lat.-nlat.*⟩: durch bestimmte Maßnahmen neu gestalten, neu ordnen, neu strukturieren. Re|struk|tu|rie-rung *die;* -, -en: das Versehen mit einer neuen Struktur; Umgestaltung, Neuordnung
Re|sul|tan|te ⟨*lat.-mlat.-fr.*⟩ *die;* -, -n: Ergebnisvektor von verschieden gerichteten Bewegungs- od. Kraftvektoren. Re|sul|tat *das;* -[e]s, -e: 1. (in Zahlen ausdrückbares) Ergebnis [einer Rechnung]. 2. Erfolg, Ergebnis. re-sul|ta|tiv ⟨*lat.-mlat.-nlat.*⟩: ein Resultat bewirkend; resultative Aktionsart: Aktionsart eines Verbs, die das Resultat, das Ende eines Geschehens ausdrückt (z. B. finden). re|sul|tie|ren ⟨*lat.-mlat.-fr.;* „zurückspringen; entspringen; entstehen"⟩: sich herleiten, sich [als Resultat] ergeben, die Folge von etw. sein. Re|sul|tie|ren|de *die;* -n, -n: ↑Resultante Re|sü|mee ⟨*lat.-fr.;* „das Wieder[vor]genommene"⟩ *das;* -s, -s: 1. Zusammenfassung. 2. Fazit. re|sü|mie-ren: zusammenfassen Re|sul|pi|na|ti|on ⟨*lat.-nlat.*⟩ *die;* -, -en: Drehung der Blütenglieder während der Entwicklung um 180° (z. B. bei Orchideen; Bot.) Re|sur|rek|ti|on ⟨*lat.*⟩ *die;* - (selten) Auferstehung Re|sus|zi|ta|ti|on ⟨*lat.*⟩ *die;* -, -en: ↑Reanimation res|zin|die|ren* ⟨*lat.*⟩: (veraltet) vernichten, aufheben, für nichtig erklären (Rechtsw.). res|zis|sibel ⟨*lat.-nlat.*⟩: (veraltet) anfechtbar (Rechtsw.). Res|zis|si-bi|li|tät *die;* -: (veraltet) Anfechtbarkeit (Rechtsw.). Res|zis|si-on ⟨*lat.-mlat.*⟩ *die;* -, -en: (veraltet) Ungültigkeitserklärung, gerichtliche Verwerfung (z. B. eines Testaments). Re|ta|bel ⟨*lat.-span.-fr.*⟩ *das;* -s, -: Altaraufsatz (mit dem Altar fest verbundene, künstlerisch gestaltete Rückwand)

re|tab|lie|ren* ⟨*lat.-fr.*⟩: (veraltet) wiederherstellen. Re|tab|lis|se-ment [...'mã:] *das;* -s, -s: (veraltet) Wiederherstellung Re|take [ri'teɪk] ⟨*engl.*⟩ *das;* -s, -s (meist Plural): Wiederholung einer missglückten Aufnahme (Film) Re|ta|li|a|ti|on ⟨*lat.-nlat.*⟩ *die;* -, -en: (veraltet) [Wieder]vergeltung Re|tard [rə'ta:ʁ] ⟨*lat.-fr.*⟩ *der;* -s: Hebelstellung zur Verringerung der Ganggeschwindigkeit von Uhren. Re|tar|dat ⟨*lat.*⟩ *das;* -[e]s, -e: (veraltet) Rückstand. Re|tar|da|ti|on *die;* -, -en: Verzögerung, Verlangsamung eines Ablaufs, einer Entwicklung; Entwicklungsverzögerung; vgl. ...[at]ion/...ierung. re|tar|die-ren: 1. verzögern, hemmen; retardierendes Moment: Szene im Drama, die zum Höhepunkt des Konflikts hinleitet od. durch absichtliche Verzögerung des Handlungsablaufs die Spannung erhöht (Literaturw.). 2. (veraltet) nachgehen (in Bezug auf Uhren). re|tar|diert: in der geistigen od. körperlichen Entwicklung zurückgeblieben Re|tent ⟨*lat.*⟩ *das;* -[e]s, -e: zurückgehaltenes Aktenstück. Re-ten|ti|on *die;* -, -en: 1. (Med.) a) Funktionsstörung, die darin besteht, dass zur Ausscheidung bestimmte Körperflüssigkeiten od. andere Stoffe (bes. Urin) in [in ausreichendem Maße] ausgeschieden werden; b) Abflussbehinderung seröser Flüssigkeit, die sich in einer Zyste angesammelt hat; c) unvollständige od. fehlende Entwicklung eines Organs od. Körperteils aus seinem Ausgangsbereich (z. B. der Zähne od. der Hoden); d) Verankerung, Befestigung der Kunststoffzähne in einer Prothese). 2. Leistung des Gedächtnisses in Bezug auf Lernen, Reproduzieren (1) und Wiedererkennen (Psychol.). Re|ten|ti|ons|recht ⟨*lat.; dt.*⟩ *das;* -[e]s: Zurückbehaltungsrecht; Recht des Schuldners, eine fällige Leistung zu verweigern, solange ein Gegenanspruch nicht erfüllt ist (Rechtsw.)
Re|ti|cel|la ⟨*lat.-it.;* „Netzchen"⟩ *die;* -, -s: ursprünglich genähte, später geklöppelte italienische Spitze. Re|ti|kül ⟨*lat.-fr.*⟩ *der* od. *das;* -s, -e u. -s: ↑Ridikül. re|ti|ku|lar u. re|ti|ku-lär ⟨*lat.-nlat.*⟩: netzartig; retiku-

lares od. **retikuläres Gewebe**: Bindegewebe (Med.). **re|ti|ku-liert**: netzartig; **retikuliertes Glas**: Glas mit einem netzartigen Muster aus eingeschmolzenen Milchglasfäden. **Re|ti|ku|lom** *das;* -s, -e: gutartige knotige Wucherung (bes. im Bereich des Knochenmarks, der Lymphknoten u. der Milz; Med.). **Re|ti|ku-lo|se** *die;* -, -n: Sammelbez. für ursächlich u. erscheinungsmäßig verschiedenartige Wucherungen im Bereich von Knochenmark, Milz, Lymphknoten u. Leber (Med.). **Re|ti|ku|lum** ⟨*lat.;* „kleines Netz"⟩ *das;* -s, ...la: 1. Netzmagen der Wiederkäuer (Zool.). 2. im Ruhekern der teilungsbereiten Zelle nach Fixierung u. Färbung sichtbares Netzwerk aus Teilen von entspiralisierten Chromosomen (Biol.). **Re|ti|na** ⟨*lat.-mlat.*⟩ *die;* -, ...nae [...nɛ]: Netzhaut des Auges (Med.) **re|ti|nie|ren**: eine Retention (1 a) aufweisen (Med.) **Re|ti|ni|tis** ⟨*lat.-mlat.-nlat.*⟩ *die;* -, ...iti|den: Netzhautentzündung (Med.). **Re|ti|no|blas|tom*** ⟨*lat.-mlat.; gr.*⟩ *das;* -s, -e: bösartige Netzhautgeschwulst (Med.). **Re-ti|no|sko|pie*** *die;* -, ...ien: ↑ Skiaskopie **Re|ti|ra|de** ⟨*fr.*⟩ *die;* -, -n: 1. (veraltend verhüllend) Toilette (2 b). 2. [militärischer] Rückzug. **re|ti-rie|ren**: sich [fluchtähnlich, eilig] zurückziehen **Re|tor|si|on** ⟨*lat.-nlat.*⟩ *die;* -, -en: Erwiderung einer Beleidigung; vor allem im zwischenstaatlichen [diplomatischen] Verkehr die einer unbilligen Maßnahme eines anderen Staates entsprechende Gegenmaßnahme (z. B. Ausweisung von Ausländern als Antwort auf ebensolche Vorkommnisse im Ausland). **Re|tor-te** ⟨*lat.-mlat.-fr.*⟩ *die;* -, -n: a) rundliches Labordestillationsgefäß aus Glas mit umgebogenem, verjüngtem Hals; **aus der Retor-te**: (ugs.) auf künstliche Weise hergestellt, geschaffen; b) in der chemischen Industrie zylindrischer od. flacher langer Behälter, der innen mit feuerfestem Material ausgekleidet ist. **Re-tor|ten|ba|by** *das;* -s, -s: Baby, das sich aus einem außerhalb des Mutterleibs befruchteten u. dann wieder in die Gebärmutter zurückversetzten Ei entwickelt hat **re|tour** [re'tu:ɐ̯] ⟨*lat.-vulgärlat.-fr.*⟩: (landsch., sonst veraltend)

zurück. **Re|tour** *die;* -, -en: (österr. ugs.) Rückfahrkarte. **Re-tour|bil|lett** *das;* -[e]s, -e u. -s: (schweiz., sonst veraltet) Rückfahrkarte. **Re|tou|re** [re'tu:rə] *die;* -, -n (meist Plural): 1. a) an den Verkäufer zurückgesandte Ware; b) nicht ausgezahlter, an den Überbringer zurückgegebener Scheck od. Wechsel. 2. (österr. Amtsspr. veraltend) Rücksendung. **Re|tour|kut|sche** *die;* -, -n: (ugs.) das Zurückgeben eines Vorwurfs, einer Beleidigung o. Ä. [bei passender Gelegenheit] mit einem entsprechenden Vorwurf, einer entsprechenden Beleidigung. **re|tour|nie|ren**: 1. a) Waren zurücksenden (an den Verkäufer); b) (österr.) zurückgeben, -bringen. 2. den gegnerischen Aufschlag zurückschlagen (Tennis) **Re|trai|te*** [rə'trɛ:tə] ⟨*lat.-fr.*⟩ *die;* -, -n: 1. (veraltet) Zapfenstreich der Kavallerie. 2. Rückzug. **Re-trakt** ⟨*lat.*⟩ *der;* -[e]s, -e: (veraltet) Befugnis, eine fremde, von einem Eigentümer an einen Dritten verkaufte Sache von diesem u. jedem weiteren Besitzer zum ursprünglichen Kaufpreis an sich zu ziehen; Näherrecht (Rechtsw.). **Re|trak|ti|on** *die;* -, -en: Zusammenziehung, Verkürzung, Schrumpfung (Med.) **Re|tran|che|ment*** [rɑtrɑ̃ʃə'mã:] ⟨*lat.-fr.*⟩ *das;* -s, -s: (veraltet) Verschanzung; verschanzte Linie **Re|trans|fu|si|on** ⟨*lat.-nlat.*⟩ *die;* -, -en; ↑ Reinfusion **Re|tri|bu|ti|on*** ⟨*lat.*⟩ *die;* -, -en: 1. Rückgabe, Wiedererstattung (z. B. eines Geldbetrages). 2. Vergeltung. **re|tri|bu|tiv** ⟨*lat.-nlat.*⟩: die Retribution betreffend, auf Retribution beruhend **Re|trie|val*** [rɪ'tri:vl] ⟨*engl.*⟩ *das;* -s: das Suchen und Auffinden gespeicherter Daten in einer Datenbank (EDV) **ret|ro|ak|tiv*** ⟨*lat.-nlat.*⟩: rückwirkend; **retroaktive Hemmung**: Beeinträchtigung des Behaltens von etwas Gelerntem, wenn unmittelbar darauf etwas Neues eingeprägt wird; **retroaktive Suggestion**: nachträgliche frühere Bewusstseinsinhalte u. Erinnerungen aktivierter (Psychol.). **ret|ro|bul|bär**: hinter dem Augapfel gelegen (Med.). **ret|ro|da-tie|ren**: (veraltet) zurückdatieren. **ret|ro|flex**: auf rückgebogener Zungenspitze gebildet (in Bezug auf Laute; Sprachw.). **Ret|ro|flex** *der;* -es, -e: mit zu-

rückgebogener Zungenspitze gebildeter Laut (Sprachw.); vgl. Zerebral. **Ret|ro|fle|xi|on** *die;* -, -en: Abknickung von Organen (bes. der Gebärmutter) nach hinten (Med.). **ret|ro|grad** ⟨*lat.*⟩: rückläufig, rückwirkend, in zurückliegende Situationen zurückreichend (z. B. in Bezug auf eine Amnesie; Med.); **retrograde Bildung**: Rückbildung; Wort (bes. Substantiv), das aus einem [meist abgeleiteten] Verb od. Adjektiv gebildet ist, aber den Eindruck erweckt, die Grundlage des betreffenden Verbs od. Adjektivs zu sein (z. B. Kauf aus kaufen, Blödsinn aus blödsinnig; Sprachw.). **ret|ro|len|tal** ⟨*lat.-nlat.*⟩: hinter der Augenlinse gelegen (Med.). **ret|ro|na|sal**: im Nasen-Rachen-Raum gelegen (Med.). **Ret|ro|pe|ri|to|ne|al**: hinter dem Bauchfell gelegen (Med.). **Ret|ro|spek|ti|on** *die;* -, -en: Rückschau, Rückblick. **ret|ro|spek|tiv**: rückschauend, rückblickend. **Ret|ro|spek|ti|ve** *die;* -, -n: a) Rückschau, Rückblick; b) Kunstausstellung od. Filmserie, die das Gesamtwerk eines Künstlers od. Filmregisseurs od. einer Epoche in einer Rückschau vorstellt. **Ret|ro-spiel** *das;* -[e]s, -e: schrittweises Zurücknehmen einer bestimmten Folge von Zügen bis zu einer bestimmten Ausgangsstellung (Schach). **ret|ro|ster|nal**: hinter dem Brustbein gelegen (Med.). **Re|tro|ver|si|on** *die;* -, -en: Rückwärtsneigung, bes. der Gebärmutter (Med.). **ret|ro|ver-tie|ren** ⟨*lat.*⟩: zurückneigen, zurückwenden. **Re|tro|vi|sor** ⟨*lat.-nlat.*⟩ *der;* -s, ...oren: Spiegelsystem, mit dem der Fahrer über das eigene Auto u. durch die Fenster eines offenen Wohnwagens sehen kann. **ret-ro|ze|die|ren**: 1. (veraltet) a) zurückweichen; b) [etwas] wieder abtreten. 2. rückversichern (Wirtsch.). **Ret|ro|zes|si|on** *die;* -, -en: 1. (veraltet) Wiederabtretung. 2. besondere Form der Rückversicherung (Wirtsch.) **Ret|si|na** ⟨*gr.-lat.-mlat.-ngr.*⟩ *der;* -[s], -s (aber: 3 Retsina): mit Harz versetzter griechischer Weißwein **Re|turn** [rɪ'tø:ɐ̯n, ri'tœrn] ⟨*engl.*⟩ *der;* -s, -s: Rückschlag; zurückgeschlagener Ball [nach einem gegnerischen Aufschlag] ([Tisch]tennis; Badminton) **Re|tu|sche** ⟨*fr.*⟩ *die;* -, -n: a) das

Retuschieren; b) Stelle, an der retuschiert worden ist. **Re|tu|scheur** [...'ʃøːɐ̯] *der;* -s, -e: jmd., der Retuschen ausführt. **re|tu|schie|ren**: an einem Foto, einer Druckvorlage) nachträglich Veränderungen anbringen (um Fehler zu korrigieren, Details hinzuzufügen od. zu entfernen) **re|unie|ren** [rey'niːrən] ⟨*lat.-fr.*⟩: 1. (veraltet) wieder vereinigen, versöhnen. 2. sich -. sich versammeln. **¹Re|uni|on** ⟨*lat.-fr.*⟩ *die; -,* -en: (veraltet) Wiedervereinigung. **²Re|uni|on** [rey'njõː] *die; -,* -s: (veraltet) bes. in Kurorten veranstalteter Gesellschaftsball. **Re|uni|o|nen** ⟨*lat.-fr.*⟩ *die* (Plural): territoriale Annexionen Ludwigs XIV. im Elsass, in Lothringen, der Pfalz u. anderen angrenzenden Gebieten. **Re|uni|ons|kam|mern** ⟨*lat.-fr.; dt.*⟩ *die* (Plural): durch Ludwig XIV. eingesetzte französische Gerichte zur Durchsetzung territorialer Annexionen **re|üs|sie|ren** ⟨*lat.-it.-fr.*⟩: Erfolg haben; ein Ziel erreichen **Re|vak|zi|na|ti|on** ⟨*lat.-nlat.*⟩ *die;* -, -en: Wiederimpfung (Med.). **re|vak|zi|nie|ren**: wieder impfen (Med.) **re|va|li|die|ren** ⟨*lat.-nlat.*⟩: wieder gültig machen. **re|va|lie|ren**: sich für eine Auslage schadlos halten. **Re|va|lie|rung** *die;* -, -en: Deckung [einer Schuld]. **Re|va|lo|ri|sa|ti|on** *die;* -, -en: ↑ Revalorisierung; vgl. ...[at]ion/...ierung. **re|va|lo|ri|sie|ren**: eine Währung auf den ursprünglichen Wert erhöhen. **Re|va|lo|ri|sie|rung** *die;* -, -en: Erhöhung einer Währung auf den ursprünglichen Wert; vgl. ...[at]ion/...ierung. **Re|val|va|ti|on** *die;* -, -en: Aufwertung einer Währung durch Korrektur des Wechselkurses. **re|val|vie|ren**: eine Währung (durch Korrektur des Wechselkurses) aufwerten **Re|van|che** [re'vã:ʃ(ə), ugs. auch: re'vaŋʃə] ⟨*lat.-fr.*⟩ *die; -,* -n [...ʃn]: 1. (veraltend) Vergeltung [eines Landes] für eine erlittene militärische Niederlage. 2. das Sichrevanchieren, Sichrächen. 3. Gegendienst, Gegenleistung. 4. a) Chance, eine erlittene Niederlage bei einem Wettkampf in einer Wiederholung wettzumachen; b) Rückkampf, Rückspiel eines Hinspiels, das verloren wurde (Sport). **re|van|chie|ren, sich**: 1. vergelten, sich rächen. 2. sich er-

kenntlich zeigen, durch eine Gegenleistung ausgleichen, einen Gegendienst erweisen. 3. eine erlittene Niederlage durch einen Sieg in einem zweiten Spiel gegen denselben Gegner ausgleichen, wettmachen (Sport). **Re|van|chis|mus** ⟨*lat.-fr.-russ.*⟩ *der;* -: (bes. im kommunistischen Sprachgebrauch) Politik, die auf Rückgewinnung in einem Krieg verlorener Gebiete mit militärischen Mitteln gerichtet ist. **Re|van|chist** *der;* -en, -en: (bes. im kommunistischen Sprachgebrauch) Vertreter des Revanchismus. **re|van|chis|tisch**: (bes. im kommunistischen Sprachgebrauch) den Revanchismus betreffend **Re|veil|le** [re'vɛ(ː)jə, auch: re'vɛljə] ⟨*lat.-vulgärlat.-fr.*⟩ *die; -,* -n: (veraltet) militärischer Weckruf **Re|ve|la|ti|on** ⟨*lat.*⟩ *die; -,* -en: Enthüllung, Offenbarung. **re|ve|la|to|risch** ⟨*lat.-nlat.*⟩: enthüllend, offenbarend **Re|ve|nant** [rəvə'nã:] ⟨*lat.-fr.*⟩ *der;* -s, -s: Gespenst; Geist, der aus einer anderen Welt wiederkehrt. **Re|ve|nue** [...'ny:] *die; -,* -n [...'ny:ən] (meist Plural): Einkommen, Einkünfte **re ve|ra** ⟨*lat.*⟩: (veraltet) in der Tat, in Wahrheit **Re|ve|rend** ['rɛvərənd] ⟨*lat.-engl.*⟩ *der;* -s, -s: a) (ohne Plural) Titel der Geistlichen in englischsprachigen Ländern; Abk.: Rev.; b) Träger dieses Titels. **Re|ve|ren|dis|si|mus** ⟨*lat.*⟩ *der;* -: Titel der katholischen Prälaten. **Re|ve|ren|dus** *der;* -: Ehrwürden, Hochwürden (Titel der katholischen Geistlichen); Abk.: Rev.; **Reverendus Pater**: ehrwürdiger Vater (Titel der Ordensgeistlichen); Abk.: R. P. **Re|ve|renz** ⟨„Scheu, Ehrfurcht"⟩ *die; -,* -en: a) Ehrerbietung; b) Verbeugung; vgl. aber Referenz **Re|ve|rie** ⟨*lat.-vulgärlat.-fr.*⟩ *die; -,* ...jen: franz. Bez. für: Träumerei (elegisch-träumerisches Instrumentalstück, bes. Klavierstück der Romantik) **¹Re|vers** [rə'vɛːɐ̯] ⟨*lat.-frz.*⟩ *das* od. (österr. nur:) *der;* - [...ɐ̯s)], [...ɐ̯s]: Umschlag od. Aufschlag an Kleidungsstücken. **²Re|vers** [franz. auch: rə'vɛːɐ̯] ⟨*lat.-frz.*⟩ *der;* -es u. (bei franz. Aussp.:) [rə'vɛːɐ̯(s)], - (bei franz. Aussp.:) - [rə'vɛːɐ̯s]: Rückseite [einer Münze]; Ggs. ↑Avers. **³Re|vers** ⟨*lat.-mlat.*⟩ *der;* -es, -e:

Erklärung, Verpflichtungsschein. **Re|ver|sa|le** ⟨*lat.-nlat.*⟩ *das; -,* ...lien: offizielle Versicherung eines Staates, seine Verträge mit anderen Staaten einzuhalten u. den bestehenden Zustand nicht einseitig zu ändern. **Re|verse** [rɪ'vəːs] ⟨*engl.*⟩ *das; -:* Umschaltautomatik für den Rücklauf (bes. bei Kassettenrekordern). **re|ver|si|bel**: 1. umkehrbar (z. B. von technischen, chemischen, biologischen Vorgängen); Ggs. ↑irreversibel. 2. heilbar (Med.). **Re|ver|si|bi|li|tät** *die; -:* Umkehrbarkeit; Ggs. ↑Irreversibilität. **¹Re|ver|si|ble** [...'ziːbl] ⟨*lat.-fr.-engl.*⟩ *der;* -s, -s: Gewebe, Stoff, bei dem beide Seiten als Außenseite verwendet werden können. **²Re|ver|si|ble** [...'ziːbl] *das; -,* -s: Kleidungsstück, das beidseitig getragen werden kann; Wendemantel, Wendejacke. **re|ver|sie|ren** ⟨*lat.-fr.*⟩: 1. (veraltet) sich schriftlich verpflichten. 2. [bei Maschinen] den Gang umschalten. **Re|ver|sing** [rɪ'vəːsɪŋ] ⟨*lat.-fr.-engl.*⟩ *das; -:* Form der Geschäftsabwicklung im englischen Baumwollterminhandel. **Re|ver|si|on** ⟨*lat.*⟩ *die; -,* -en: Umkehrung, Umdrehung. **Re|ver|si|ons|pen|del** *das;* -s, -: Instrument zur Messung der Erdbeschleunigung (Phys.). **Re|vi|dent** ⟨*lat.*⟩ *der;* -en, -en: 1. jmd., der die Revision (3) einlegt. 2. (veraltet) Revisor. 3. (österr.) a) (ohne Plural) Beamtentitel; b) Träger dieses Titels. **re|vi|die|ren** ⟨„wieder hinsehen"⟩: 1. überprüfen, prüfen, kontrollieren, durchsuchen. 2. formal abändern, korrigieren; nach eingehender Prüfung ändern **Re|vier** ⟨*lat.-vulgärlat.-fr.-niederl.*⟩ „Ufergegend entlang einem Wasserlauf"⟩ *das; -s,* -e: 1. Bezirk, Gebiet; Tätigkeitsbereich (z. B. eines Kellners). 2. kleinere Polizeidienststelle [eines Stadtbezirks]. 3. (Mil.) a) von einem Truppenteil belegte Räume in einer Kaserne od. in einem Lager; b) Krankenstube eines Truppenteils. 4. (Forstw.) a) Teilbezirk eines Forstamts; b) begrenzter Jagdbezirk. 5. Abbaugebiet (Bergw.). 6. Lebensraum, Wohngebiet bestimmter Tiere. **re|vie|ren**: ein Jagdgelände nach Wild absuchen lassen (Forstw.) **Re|view** [rɪ'vjuː] ⟨*lat.-fr.-engl.*⟩ *der;* -s, -s, auch: *die; -,* -s: Titel od. Bestandteil des Titels englischer u. amerikanischer Zeitschriften; vgl. Revue (1)

Re|vin|di|ka|ti|on ⟨*lat.-nlat.*⟩ *die;* -, -en: (veraltet) Rückforderung, Geltendmachung eines Herausgabeanspruchs (Rechtsw.). **re|vin|di|zie|ren:** einen Herausgabeanspruch geltend machen (Rechtsw.)

Re|vi|re|ment [...'mã:] ⟨*galloroman.-fr.*⟩ *das;* -s, -s: 1. Wechsel in der Besetzung von Ämtern. 2. Form der Abrechnung zwischen Schuldnern u. Gläubigern

re|vi|si|bel ⟨*lat.-nlat.*⟩: (selten) auf dem Wege der Revision (3) anfechtbar (Rechtsw.); Ggs. ↑irrevisibel. **Re|vi|si|bi|li|tät** *die;* -: (selten) Anfechtbarkeit eines Urteils auf dem Wege der Revision (Rechtsw.). **Re|vi|si|on** ⟨*lat.-mlat.;* „prüfende Wiederdurchsicht"⟩ *die;* -, -en: 1. [nochmalige] Durchsicht, Nachprüfung; besonders die Korrektur des bereits umbrochenen (zu Druckseiten zusammengestellten) Satzes (Druckw.). 2. Änderung nach eingehender Prüfung (z. B. in Bezug auf eine Ansicht). 3. bei einem Gericht mit grundsätzlicher Entscheidungsvollmacht (Bundesgerichtshof, Oberlandesgericht) gegen ein [Berufungs]urteil einzulegendes Rechtsmittel, das die Überprüfung dieses Urteils fordert (Rechtsw.). **Re|vi|si|o|nis|mus** ⟨*lat.-mlat.-nlat.*⟩ *der;* -: 1. das Streben nach Änderung eines bestehenden [völkerrechtlichen] Zustandes od. eines [politischen] Programms. 2. im 19. Jh. eine Richtung innerhalb der deutschen Sozialdemokratie mit der Tendenz, den orthodoxen Marxismus durch Sozialreformen abzulösen. **Re|vi|si|o|nist** *der;* -en, -en: Verfechter des Revisionismus. **re|vi|si|o|nis|tisch:** den Revisionismus betreffend. **Re|vi|sor** ⟨*lat.-nlat.*⟩ *der;* -s, ...oren: 1. [Wirtschafts]prüfer. 2. Korrektor, dem die Überprüfung der letzten Korrekturen im druckfertigen Bogen obliegt

re|vi|ta|li|sie|ren ⟨*lat.-nlat.*⟩: 1. wieder kräftigen, wieder funktionsfähig machen (Med.). 2. wieder in ein natürliches Gleichgewicht bringen (Biol.). **Re|vi|ta|li|sie|rung** *die;* -, -en: das Revitalisieren

Re|vi|val [rɪ'vaɪvəl] ⟨*engl.*⟩ *das;* -s, -s: Wiederbelebung, Erneuerung

Re|vo|ka|ti|on ⟨*lat.*⟩ *die;* -, -en: Widerruf (z. B. eines wirtschaft-

lichen Auftrages). **Re|vo|ka|to|ri|um** *das;* -s, ...ien: Abberufungs-, Rückberufungsschreiben (Rechtsw.). **Re|voke** [rɪ'voʊk] ⟨*lat.-fr.-engl.*⟩ *die;* -, -s: versehentlich falsches Bedienen (Kartenspiele)

Re|vol|te ⟨*lat.-vulgärlat.-it.-fr.;* „Umwälzung"⟩ *die;* -, -n: Aufruhr, Aufstand (einer kleinen Gruppe). **Re|vol|teur** [...'tøːɐ̯] *der;* -s, -e: jmd., der sich an einer Revolte beteiligt. **re|vol|tie|ren:** an einer Revolte teilnehmen; sich empören, sich auflehnen, meutern. **Re|vo|lu|ti|on** ⟨*lat.-(-fr.)*⟩ *die;* -, -en: 1. [gewaltsamer] Umsturz der bestehenden politischen u. sozialen Ordnung. 2. Aufhebung, Umwälzung der bisher als gültig anerkannten Gesetze od. der bisher geübten Praxis durch neue Erkenntnisse u. Methoden (z. B. in der Wissenschaft). 3. Gebirgsbildung (Geol.). 4. Umlauf eines Himmelskörpers um ein Hauptgestirn (Astron.). 5. Solospiel im Skat. **re|vo|lu|ti|o|när** ⟨*lat.-fr.*⟩: 1. die Revolution (1) betreffend, zum Ziele habend; für die Revolution eintretend. 2. eine Revolution (2) bewirkend, umwälzend. **Re|vo|lu|ti|o|när** *der;* -s, -e: 1. jmd., der auf eine Revolution (1) hinarbeitet od. an ihr beteiligt ist. 2. jmd., der sich gegen Überkommenes auflehnt u. grundlegende Veränderungen auf einem Gebiet herbeiführt. **re|vo|lu|ti|o|nie|ren:** 1. a) in Aufruhr bringen, für seine revolutionären (1) Ziele gewinnen; b) (selten) revoltieren. 2. grundlegend verändern. **Re|vo|luz|zer** ⟨*lat.-it.*⟩ *der;* -s, -: (abwertend) jmd., der sich [bes. mit Worten, in nicht ernst zu nehmender Weise] als Revolutionär gebärdet. **Re|vol|ver** ⟨*lat.-fr.-engl.*⟩ *der;* -s, -: 1. kurze Handfeuerwaffe mit einer drehbaren Trommel als Magazin. 2. drehbare Vorrichtung an Werkzeugmaschinen zum Einspannen mehrerer Werkzeuge. **Re|vol|ver|dreh|bank** ⟨*lat.-fr.-engl.; dt.*⟩ *die;* -, ...bänke: Drehbank mit Revolver (2) zur schnelleren Werkstückbearbeitung (Techn.). **Re|vol|ver|pres|se** *die;* -: reißerisch aufgemachte Sensationspresse. **re|vol|vie|ren** ⟨*lat.*⟩: zurückdrehen (Techn.). **Re|vol|ving|kre|dit** [rɪ'vɔlvɪŋ...] ⟨*lat.-fr.-engl.; lat.-it.-fr.*⟩ *der;* -[e]s, -e: 1. Kredit, dem das Leistungsumschlag des Unternehmens ent-

sprechend von diesem beglichen u. erneut beansprucht werden kann. 2. zur Finanzierung langfristiger Projekte dienender Kredit in Form von immer wieder prolongierten od. durch verschiedene Gläubiger gewährten formal kurzfristigen Krediten. **Re|vol|ving|sys|tem** ⟨*lat.-fr.-engl.; gr.-lat.*⟩ *das;* -s: Finanzierung langfristiger Projekte über fortlaufende kurzfristige Anschlussfinanzierungen

re|vo|zie|ren ⟨*lat.*⟩: 1. [sein Wort] zurücknehmen; widerrufen. 2. vor Gericht einen mündlichen Antrag sofort zurückziehen, wenn der Prozessgegner durch Beweise die im Antrag aufgestellte Behauptung widerlegt

Re|vue [rəˈvyː] ⟨*lat.-fr.;* „Übersicht, Überblick"⟩ *die;* -, -n [...'vyːən]: 1. Titel od. Bestandteil des Titels von Zeitschriften; vgl. Review. 2. musikalisches Ausstattungsstück mit einer Programmfolge von sängerischen, tänzerischen u. artistischen Darbietungen, die oft durch eine Handlung verbunden sind. 3. (veraltet) Truppenschau

Re|wach ⟨*jidd.*⟩ *der;* -s: ↑Reibach **Re|wri|ter** [riˈraɪtə] ⟨*engl.-amerik.*⟩ *der;* -s, -: jmd., der Nachrichten, Berichte, politische Reden, Aufsätze o. Ä. für die Veröffentlichung bearbeitet

¹Rex ⟨*lat.*⟩ *der;* -, Reges [ˈreːɡeːs]: [altrömischer] Königstitel **²Rex** *der;* -, -e: (Schülerspr.) ↑Direx

Rex|ap|pa|rat ® *der;* -[e]s, -e: (österr.) Einwecktopf

Rey|on [rɛˈjõː] ⟨*engl.-fr.;* deutsche Schreibung für: ↑Rayon (4)⟩ *der* od. *das;* -: (veraltet) ↑Viskose

Rez-de-chaus|sée [redʃoˈseː] ⟨*fr.*⟩ *das;* -s, -: (veraltet) Erdgeschoss

Re|zen|sent ⟨*lat.*⟩ *der;* -en, -en: Verfasser einer Rezension, [Literatur]kritiker. **re|zen|sie|ren:** eine künstlerische, wissenschaftliche o. ä. Arbeit kritisch besprechen. **Re|zen|si|on** *die;* -, -en: 1. kritische Besprechung einer künstlerischen, wissenschaftlichen o. ä. Arbeit bes. in einer Zeitung od. Zeitschrift. 2. berichtigende Durchsicht eines alten, oft mehrfach überlieferten Textes

re|zent ⟨*lat.*⟩: 1. gegenwärtig noch lebend (von Tier- u. Pflanzenarten; Biol.); Ggs. ↑fossil. 2. (landsch.) herzhaft, pikant, säuerlich

Re|ze|pis|se [österr.: ...'pıs] ⟨lat.; „erhalten zu haben") das; -[s], - (österr.: die; -, -n): Empfangsbescheinigung (Postw.). **Re|zept** das; -[e]s, -e: 1. schriftliche Anweisung des Arztes an den Apotheker für die Abgabe von Heilmitteln. 2. Back-, Kochanweisung. **re|zep|ti|bel**: (veraltet) aufnehmbar, empfänglich. **Re-zep|ti|bi|li|tät** ⟨lat.-nlat.⟩ die; -: (veraltet) Empfänglichkeit. **re-zep|tie|ren** ⟨lat.⟩: ein Rezept ausschreiben (Med.). **Re|zep-ti|on** die; -, -en: 1. a) Aufnahme, Übernahme fremder Gedanken-, Kulturgutes, bes. die Übernahme des römischen Rechts; b) Aufnahme eines Textes, eines Werks der bildenden Kunst o. Ä. durch den Hörer, Leser, Betrachter. 2. (veraltet) Aufnahme in eine Gemeinschaft. 3. ⟨lat.-fr.⟩: Aufnahme[raum], Empfangsbüro im Foyer eines Hotels. **Re|zep|ti|ons|äs|the|tik** die; -: Richtung in der modernen Literatur-, Kunst- u. Musikwissenschaft, die sich mit der Wechselwirkung zwischen dem, was ein Kunstwerk an Gehalt, Bedeutung usw. anbietet, u. dem Erwartungshorizont sowie der Verständnisbereitschaft des Rezipienten (1) befasst. **re|zep|ti-ons|äs|the|tisch**: die Rezeptionsästhetik betreffend. **re|zep-tiv** ⟨lat.-nlat.⟩: [nur] aufnehmend, empfangend; empfänglich. **Re|zep|ti|vi|tät** die; -: Aufnahmefähigkeit; bes. in der Psychologie die Empfänglichkeit für Sinneseindrücke. **Re|zep|tor** ⟨lat.⟩ der; -s, ...oren: 1. (veraltet) Empfänger; Steuereinnehmer. 2. (meist Plural) Ende einer Nervenfaser od. spezialisierte Zelle in der Haut u. in inneren Organen zur Aufnahme von Reizen (Med.). **re|zep|to|risch**: von Rezeptoren (2) aufgenommen (Med.). **Re|zep|tur** ⟨lat.-nlat.⟩ die; -, -en: 1. a) Zubereitung von Arzneimitteln in kleinen Mengen nach Rezept (1); b) Zusammenstellung, Zubereitung nach einem bestimmten Rezept (2). 2. (hist.) Steuereinnehmerei **Re|zess** ⟨lat.; „Rückzug") der; -es,-e: Auseinandersetzung, Vergleich (Rechtsw.). **Re|zes|si|on** ⟨"das Zurückgehen") die; -, -en: Verminderung der wirtschaftlichen Wachstumsgeschwindigkeit, leichter Rückgang der Konjunktur; vgl. Depression (3). **re-zes|siv** ⟨lat.-nlat.⟩: 1. zurücktre-

tend, nicht in Erscheinung tretend (in Bezug auf Erbfaktoren; Biol.); Ggs. † dominant (1). 2. die Rezession betreffend. **Re|zes|si-vi|tät** die; -: Eigenschaft eines Gens bzw. des entsprechenden Merkmals, gegenüber seinem † allelen Partner nicht in Erscheinung zu treten (Biol.); Ggs. † Dominanz **re|zi|div** ⟨lat.⟩: wiederkehrend, wieder auflebend; rückfällig (von einer Krankheit od. von Krankheitssymptomen; Med.). **Re|zi|div** das; -s, -e: Rückfall (von einer gerade überstandenen Krankheit; Med.). **re|zi|di|vie-ren** ⟨lat.-nlat.⟩: in Abständen wiederkehren (von einer Krankheit; Med.) **Re|zi|pi|ent** ⟨lat.⟩ der; -en, -en: 1. jmd., der einen Text, ein Werk der bildenden Kunst, ein Musikstück o. Ä. aufnimmt; Hörer, Leser, Betrachter. 2. Glasglocke mit Ansatzrohr für eine Vakuumpumpe zum Herstellen eines luftleeren Raumes (Phys.). **re|zi-pie|ren**: a) fremdes Gedanken-, Kulturgut aufnehmen, übernehmen; b) einen Text, ein Werk der bildenden Kunst o. Ä. als Hörer, Leser, Betrachter aufnehmen **re|zi|prok*** ⟨lat.⟩: wechsel-, gegenseitig; **reziproker Wert:** Kehrwert (Vertauschung von Zähler u. Nenner eines Bruches; Math.); **reziprokes Pronomen:** wechselbezügliches Fürwort (z. B. sich [gegenseitig]). **Re|zip-ro|zi|tät** ⟨lat.-nlat.⟩ die; -: Gegen-, Wechselseitigkeit **Re|zi|tal** vgl. Recital. **re|zi|tan|do** vgl. recitando. **Re|zi|ta|ti|on** ⟨lat.⟩ die; -, -en: künstlerischer Vortrag einer Dichtung, eines literarischen Werks. **Re|zi|ta|tiv** ⟨lat.-it.⟩ das; -s, -e: dramatischer Sprechgesang, eine in Tönen deklamierte u. vom Wort bestimmte Gesangsart (in Oper, Operette, Kantate, Oratorium). **re|zi-ta|ti|visch**: in der Art des Rezitativs vorgetragen (Mus.). **Re|zi-ta|tor** ⟨lat.⟩ der; -s, ...oren: jmd., der rezitiert; Vortragskünstler. **re|zi|ta|to|risch** ⟨lat.-nlat.⟩: a) den Rezitator betreffend; b) die Rezitation betreffend. **re|zi|tie-ren** ⟨lat.⟩: eine Dichtung, ein literarisches Werk künstlerisch vortragen **Re|zy|k|lat*** das; -[e]s, -e: etw., was rezykliert worden ist, Produkt eines Recyclingprozesses. **re|zyk-lie|ren** (zu Zyklus mit französischer Endung): † recyceln

Rha|bar|ber ⟨gr.-mlat.-it.⟩ der; -s: Knöterichgewächs mit großen Blättern, dessen fleischige, grüne od. rote Stiele zu Kompott o. Ä. verarbeitet werden **rhab|do|ĳ|disch** ⟨gr.-nlat.⟩: stabförmig (Med.; Biol.). **Rhab|dom** das; -s, -e: Sehstäbchen in der Netzhaut des Auges (Med.). **Rhab|do|man|tie** ⟨gr.⟩ die; -: das Wahrsagen mit geworfenen Stäben od. mit der Wünschelrute **Rha|chis** ⟨gr.⟩ die; -: 1. Spindel od. Hauptachse eines gefiederten Blattes od. eines Blütenstandes. 2. Schaft der Vogelfeder **Rha|ga|de** ⟨gr.-lat.⟩ die; -, -n (meist Plural): Hautriss, Schrunde (Med.) **Rham|nus** ⟨gr.-nlat.⟩ der; -: Kreuzdorn, Faulbaum, dessen Rinde u. Früchte als Abführmittel dienen **Rhap|so|de** ⟨gr.⟩ der; -n, -n: (im antiken Griechenland) fahrender Sänger, der eigene od. fremde [epische] Dichtungen z. T. mit Kitharabegleitung vortrug. **Rhap|so|die** ⟨gr.⟩ die; -, ...jen: 1. a) von einem Rhapsoden vorgetragene epische Dichtung; b) Gedicht in freien Rhythmen. 2. a) Instrumentalfantasie [für Orchester] (seit dem 19. Jh.); b) romantisches Klavierstück freien, balladesken Charakters; c) kantatenartige Vokalkomposition mit Instrumentalbegleitung (z. B. bei Brahms). **Rhap|so|dik** die; -: Kunst der Rhapsodendichtung. **rhap|so|disch:** a) die Rhapsodie betreffend (in freier [Rhapsodie]form); b) bruchstückartig, unzusammenhängend (von Rhapsoden betreffend, charakterisierend **Rhät** vgl. Rät **Rhe|ma** ⟨gr.; „Rede, Aussage") das; -s, -ta: (Sprachw.) a) Aussage eines Satzes, die formal in Opposition zur Subjektgruppe steht; b) Teil des Satzes, der die neue Information des Sprechers für den Hörer enthält; vgl. Thema-Rhema; Ggs. † Thema (2). **rhe|ma|tisch:** das Rhema betreffend. **Rhe|ma|ti|sie|rung** ⟨gr.-nlat.⟩ die; -: das Übertragen einer thematischen Funktion auf ein thematisches Element, wobei das Rhema eines Satzes zum Thema des nächsten wird (z. B. sie trägt ein Baumwollkleid. Es ist bunt gemustert.) (Sprachw.) **rhe|na|nisch** ⟨von lat. Rhenus „Rhein"): rheinisch

Rhen|cho|spas|mus* ⟨gr.-nlat.⟩ der; -: Schnarchkrampf (Med.). **Rhe|ni|um** ⟨nlat.⟩ das; -s: metallisches chemisches Element (Zeichen: Re) **rhe|o|bi|ont** ⟨gr.-nlat.⟩: (von Fischen) nur in strömenden [Süß]gewässern lebend (Biol.). **Rhe|o|gra|phie,** auch: Rheografie die; -, ...ien: Verfahren zur Beurteilung peripherer Gefäße (Med.). **Rhe|o|kar|di|o|gra|phie,** auch: ...grafie die; -, ...ien: der Erfassung der Herztätigkeit dienende Registrierung des Widerstandes, der einem elektrischen Strom beim Durchfließen des Brustkorbs geleistet wird. **Rhe|o|kre|ne*** die; -, -n: Sturzquelle. **Rhe|o|lo|ge** der; -n, -n: Wissenschaftler auf dem Gebiet der Rheologie. **Rhe|o|lo|gie** die; -: Teilgebiet der Mechanik, auf dem die Erscheinungen des Fließens u. der Relaxation (2) von flüssigen, ↑kolloidalen u. festen Systemen unter der Einwirkung äußerer Kräfte untersucht werden. **Rhe|o|me|ter** das; -s, -: 1. (veraltet) Strommesser. 2. ein bestimmtes Viskosimeter. **Rhe|o|met|rie*** die; -: Messtechnik der Rheologie. **rhe|o|phil:** vorzugsweise in strömendem Wasser lebend (Biol.). **Rhe|o|stat*** der; -[e]s u. -en, -e[n]: mit veränderlichen Kontakten ausgerüsteter Apparat zur Regelung des elektrischen Widerstandes. **Rhe|o|tan** ® ⟨Kunstw.⟩ das; -s: als elektrisches Widerstandsmaterial verwendete Nickelbronze. **Rhe|o|ta|xis** ⟨gr.-nlat.⟩ die; -, ...xen: Fähigkeit eines Tieres, seine Körperachse in Richtung der Wasserströmung einzustellen (Biol.). **Rhe|ot|ron*** das; -s, ...one (auch: -s): ↑Betatron. **Rhe|o|tro|pis|mus*** der; -, ...men: durch strömendes Wasser beeinflusste Wachstumsrichtung von Pflanzenteilen (Bot.). **Rhe|sus** ⟨nlat.⟩ der; -, - u. **Rhe|sus|af|fe** ⟨nlat.; dt.⟩ der; -n, -n: indischer meerkatzenartiger Affe. **Rhe|sus|fak|tor** ⟨nach seiner Entdeckung beim Rhesusaffen⟩ der; -s: von den Blutgruppen unabhängiger Faktor der roten Blutkörperchen, dessen Vorhandensein od. Fehlen ein entscheidendes Bestimmungsmerkmal ist, um Komplikationen bei Schwangerschaften u. Transfusionen vorzubeugen; Zeichen: Rh (= Rhesusfaktor positiv), rh (= Rhesusfaktor negativ)

Rhe|tor ⟨gr.-lat.⟩ der; -s, ...oren: Redner der Antike. **Rhe|to|rik** die; -, -en: a) (ohne Plural) Wissenschaft von der wirkungsvollen Gestaltung öffentlicher Reden; vgl. Stilistik (1); b) (ohne Plural) Redebegabung, Redekunst; c) Lehrbuch der Redekunst. **Rhe|to|ri|ker** der; -s, -: jmd., der die Rhetorik (a) beherrscht; guter Redner. **rhe|to|risch:** a) die Rhetorik (a) betreffend, den Regeln der Rhetorik entsprechend; **rhetorische Figur:** Redefigur (z. B. Figura etymologica, Anapher); **rhetorische Frage:** nur zum Schein [aus Gründen der Rhetorik (a)] gestellte Frage, auf die keine Antwort erwartet wird; b) die Rhetorik (b) betreffend, rednerisch; c) phrasenhaft, schönrednerisch **Rheu|ma** (Kurzform) das; -s: (ugs.) ↑Rheumatismus. **Rheu|marth|ri|tis*** ⟨gr.-nlat.⟩ die; -, ...itiden: Gelenkrheumatismus (Med.). **Rheu|ma|ti|ker** der; -s, -: an Rheumatismus Leidender. **rheu|ma|tisch:** durch Rheumatismus bedingt, auf ihn bezüglich. **Rheu|ma|tis|mus** ⟨gr.-lat.; „das Fließen"⟩ der; -, ...men: schmerzhafte Erkrankung der Gelenke, Muskeln, Nerven, Sehnen. **rheu|ma|to|id** ⟨gr.-nlat.⟩: rheumatismusähnlich **Rheu|ma|to|id** das; -[e]s, -e: im Gefolge schwerer allgemeiner od. Infektionskrankheiten auftretende rheumatismusähnliche Erkrankung (Med.). **Rheu|ma|to|lo|ge** der; -n, -n: Arzt mit speziellen Kenntnissen auf dem Gebiet rheumatischer Krankheiten (Med.) **Rhe|xis** ⟨gr.⟩ die; -: Zerreißung (z. B. eines Blutgefäßes; Med.) **Rh-Fak|tor** vgl. Rhesusfaktor **Rhi|nal|gie*** ⟨gr.-nlat.⟩ die; -, ...ien: Nasenschmerz (Med.). **Rhi|nal|ler|go|se** die; -, -en: Heuschnupfen (Med.). **Rhi|ni|tis** die; -, ...itiden: Nasenkatarrh, Schnupfen, Nasenschleimhautentzündung (Med.). **Rhi|no|blen|nor|rhö** ⟨gr.-nlat.⟩ die; -, -en die; -, -n [...'rø:ən]: eitrig-schleimiger Nasenkatarrh (Med.). **rhi|no|gen:** in der Nase entstanden, von ihr ausgehend (Med.). **Rhi|no|la|lie** die; -: das Näseln (Med.). **Rhi|no|lo|ge** der; -n, -n: Nasenarzt. **Rhi|no|lo|gie** die; -: Nasenheilkunde. **Rhi|no|pho|nie,** auch: Rhinofonie die; -: ↑Rhinolalie. **Rhi|no|phym** das;

-s, -e: knollige Verdickung der Nase; Knollennase (Med.). **Rhi|no|plas|tik** die; -, -en: operative Bildung einer künstlichen Nase (Med.). **Rhi|nor|rha|gie** die; -, ...ien: heftiges Nasenbluten (Med.). **Rhi|no|skle|rom** das; -s, -e: Nasenverhärtung (Med.). **Rhi|no|skop** das; -s, -e: zangenähnliches Instrument zur Untersuchung der Nase von vorn; Nasenspiegel (Med.). **Rhi|no|sko|pie** die; -, ...ien: Untersuchung der Nase mit dem Rhinoskop (Med.). **Rhi|no|ze|ros** ⟨gr.-lat.⟩ das; - u. -ses, -se: 1. Nashorn. 2. (ugs. abwertend) Dummkopf, Trottel **Rhi|zo|der|mis** ⟨gr.-nlat.⟩ die; -, ...men: das die Wurzel der höheren Pflanze umgebende Gewebe, das zur Aufnahme von Wasser und Nährsalzen aus dem Boden dient (Bot.). **rhi|zo|id:** wurzelartig (Biol.). **Rhi|zo|id** das; -[e]s, -e: wurzelähnliches Gebilde bei Algen u. Moosen (Biol.). **Rhi|zom** das; -s, -e: Wurzelstock, Erdspross mit Speicherfunktion (Bot.). **Rhi|zo|pho|re** die; -, -n: Mangrovebaum; Mangrovegewächs mit kurzem Stamm, abstehenden dicken Ästen u. lederartigen Blättern, mit Atem- u. Stelzwurzeln. **Rhi|zo|phyt** der; -en, -en: Pflanze mit echten Wurzeln (Farn- od. Samenpflanze) im Unterschied zu den Lager- od. Moospflanzen. **Rhi|zo|po|de** die; -n, -n (meist Plural): Wurzelfüßer (Einzeller, der durch formveränderliche, kurzseitige, der Fortbewegung u. Nahrungsaufnahme dienende Protoplasmafortsätze gekennzeichnet ist; Biol.). **Rhi|zo|po|di|um** das; -s, ...ien (meist Plural): Protoplasmafortsatz der Rhizopoden. **Rhi|zo|sphä|re*** das; -, -n: die von Pflanzenwurzeln beeinflusste Bodenschicht **Rh-ne|ga|tiv:** den Rhesusfaktor nicht aufweisend; Ggs. ↑Rh-positiv. **Rho** ⟨gr.⟩ das; -[s], -s: siebzehnter Buchstabe des griechischen Alphabets: P, ρ **Rho|da|min*** ⟨Kunstw. aus gr. rhodon = „Rose" u. ↑Amin⟩ das; -s, -e (meist Plural): stark fluoreszierender roter Farbstoff (Chem.). **Rho|dan** ⟨gr.-nlat.⟩ das; -s: einwertige Schwefel-Kohlenstoff-Stickstoff-Gruppe in chemischen Verbindungen (Chem.). **Rho|da|nid** das; -[e]s, -e: Salz der Rhodanwasserstoffsäure, einer flüchtigen, stechend riechenden Flüssigkeit (Chem.). **Rhodan|zahl** *die;* -: Kennzahl für den Grad der Ungesättigtheit von Fetten u. Ölen (Chem.) **Rho|de|län|der** ⟨nach dem US-amerik. Staat Rhode Island⟩ *das;* -s, -: Huhn einer amerikanischen Rasse mit guter Legeleistung **rho|di|nie|ren** ⟨*gr.-nlat.*⟩: mit Rhodium überziehen. **Rho|dium** *das;* -s: chemisches Element; ein Edelmetall (Zeichen: Rh). **Rho|do|dend|ron*** ⟨*gr.-lat.*⟩ *der* (auch: *das*); -s, ...dren: als Zierstrauch kultivierte Pflanze mit ledrigen Blättern. **Rho|do|phyze|en** ⟨*gr.-nlat.*⟩ *die* (Plural): Rotalgen **Rhom|ben:** *Plural* von ↑ Rhombus. **rhom|bisch** ⟨*gr.-nlat.*⟩: von der Form eines Rhombus. **Rhom|bo-e|der** ⟨*gr.-nlat.*⟩ *das;* -s, -: von sechs Rhomben begrenzte Kristallform. **rhom|bo|id** ⟨*gr.-lat.*⟩: rautenähnlich. **Rhom|bo|id** *das;* -[e]s, -e: Parallelogramm mit paarweise ungleichen Seiten. **Rhom|bus** *der;* -, ...ben: Parallelogramm mit gleichen Seiten **Rhon|chus** u. Ronchus ⟨*gr.-lat.*⟩ *der;* -: Rasselgeräusch (Med.) **rho|pa|lisch** ⟨*gr.-lat.;* „keulenförmig"⟩: in der Fügung: **rhopalischer Vers:** Vers, in dem jedes folgende Wort eine Silbe mehr hat als das vorangehende (spätantike Metrik) **Rho|po|gra|phie,** auch: Rhopografie ⟨*gr.-nlat.*⟩ *die;* -: antike naturalistische Kleinmalerei **Rho|ta|zis|mus** ⟨*gr.-nlat.*⟩ *der;* -, ...men: Übergang eines zwischen Vokalen stehenden stimmhaften s zu r (z. B. griech. geneseos genüber lat. generis) **Rh-po|si|tiv** ⟨den Rhesusfaktor aufweisend; Ggs. ↑ Rh-negativ **Rhus** ⟨*gr.-lat.*⟩ *der;* -: tropischer u. subtropischer, sommer- od. immergrüner Baum od. [Zier]strauch mit gefiederten od. dreizähligen Blättern, Blüten in Rispen u. kleinen trockenen Steinfrüchten; Essigbaum; vgl. Sumach **Rhyn|cho|te** [...'ço:...] ⟨*gr.-nlat.*⟩ *der;* -n, -n (meist Plural): Schnabelkerf (z. B. Wanze) **Rhy|o|lith** [auch: ...'lɪt] ⟨*gr.-nlat.*⟩ *der;* -s u. -en, -e[n]: ein Ergussgestein **Rhy|pia** vgl. Rupia **Rhythm and Blues** ['rɪðəm ənd 'blu:z] ⟨*engl.-amerik.*⟩ *der;* - - -: Musikstil der Schwarzen Nordamerika, der durch die Verbin-

dung der Melodik des Blues (1 b) mit einem stark akzentuierten, aufrüttelnden Beatrhythmus gekennzeichnet ist. **Rhyth|mik** ⟨*gr.-lat.*⟩ *die;* -: 1. rhythmischer Charakter, Art des Rhythmus (1–4). 2. a) Kunst der rhythmischen (1, 2) Gestaltung; b) Lehre vom Rhythmus, von rhythmischer (1, 2) Gestaltung. 3. rhythmische Erziehung; Anleitung zum Umsetzen von Melodie, Rhythmus, Dynamik der Musik in Bewegung (Päd.). **Rhyth|mi|ker** *der;* -s, -: Komponist, der die Rhythmik (2) besonders gut beherrscht u. das rhythmische Element in seiner Musik herausstellt. **rhythmisch:** 1. den Rhythmus (1–4) betreffend; 2. nach, in einem bestimmten Rhythmus (1–4) erfolgend; **rhythmische Travée:** in einem bestimmten Rhythmus (4) gegliederter Wandabschnitt (z. B. durch den Wechsel von Pfeiler u. Säule). **rhyth|mi|sie|ren** ⟨*gr.-nlat.*⟩: in einen bestimmten Rhythmus versetzen. **Rhythmus** ⟨*gr.-lat.;* „das Fließen"⟩ *der;* -, ...men: 1. Gleichmaß, gleichmäßig gegliederte Bewegung; periodischer Wechsel, regelmäßige Wiederkehr natürlicher Vorgänge (z. B. Ebbe u. Flut). 2. einer musikalischen Komposition zugrunde liegende Gliederung des Zeitmaßes, die sich aus dem Metrum der thematischen Materials, aus Tondauer u. Wechsel der Tonstärke ergibt. 3. Gliederung des Sprachablaufs, bes. in der Versdichtung durch den geregelten, harmonischen Wechsel von langen u. kurzen, betonten u. unbetonten Silben, durch Pausen u. Sprachmelodie. 4. Gliederung eines Werks der bildenden Kunst, bes. eines Bauwerks durch regelmäßigen Wechsel bestimmter Formen. **Rhyth|mus|gi|tar|re** *die;* -, -n: elektrische Gitarre zur Erzeugung od. Unterstützung der Beats (2) vgl. Leadgitarre. **Rhyth|mus|grup|pe** *die;* -, -n: zur Erzeugung des Beats (2) benötigte Schlagzeuggruppe [mit zusätzlichen Zupfinstrumenten] **Rhy|ti|dek|to|mie*** ⟨*gr.-nlat.*⟩ *die;* -, ...ien: operative Beseitigung von Hautfalten (Med.) **Ria** ⟨*span.*⟩ *die;* -, -s: Meeresbucht, die durch Eindringen des Meeres in ein Flusstal u. dessen Nebentäler entstanden ist **Ri|al** ⟨*pers.* u. *arab.*⟩ *der;* -[s], -s (aber: 100 -): Währungseinheit

im Iran u. einigen arabischen Staaten; Abk.: Rl; vgl. Riyal **Ri|bat|tu|ta** ⟨*lat.-it.*⟩ *die;* -, ...ten: langsam beginnender, allmählich schneller werdender Triller **Ri|bi|sel** ⟨*arab.-mlat.-it.*⟩ *die;* -, -n: (österr.) Johannisbeere **Ri|bo|fla|vin*** ⟨Kunstw.⟩ *das;* -s, -e: ↑ Laktoflavin. **Ri|bo|nuk|le-in|säu|re** *die;* -, -n: ↑ Ribosenukleinsäure. **Ri|bo|se** ⟨Kunstw. aus verstümmeltem ↑ Arabinose⟩ *die;* -, -n: eine ↑ Pentose im Zellplasma. **Ri|bo|se|nuk|le|in|säu-re** *die;* -, -n: wichtiger Bestandteil des Kerneiweißes der Zelle (Abk.: RNS). **Ri|bo|som** ⟨Kunstw.⟩ *das;* -s, -en (meist Plural): hauptsächlich aus Ribosenukleinsäuren u. Protein bestehendes, das Eiweißaufbau wichtiges, submikroskopisch kleines Körnchen am ↑endoplasmatischen Retikulum (Biol.) **Ri|cam|bio** vgl. Rikambio **Ri|cer|car** [rɪtʃer'kaːɐ̯] ⟨*lat.-it.*⟩ *das;* -s, -e u. Ricercare *das;* -[s], ...ri: frei erfundene Instrumentalkomposition mit nacheinander einsetzenden, imitativ durchgeführten Themengruppen (Vorform der Fuge, 16./17. Jh.; Mus.). **ri|cer|ca|re** vgl. Ricercar. **Ri|cer-ca|re** vgl. Ricercar. **Ri|cer|ca|ta** *die;* -, ...ten: ↑ Ricercar **Ri|che|li|eu|sti|cke|rei** [rɪʃə-'ljøː...] ⟨nach dem franz. Staatsmann u. Kardinal Richelieu, 1585–1642⟩ *die;* -, -en: Weißstickerei mit ausgeschnittenen Mustern **Ri|cin** vgl. Rizin **Ri|ckett|si|en** ⟨*nlat.,* nach dem amerikanischen Pathologen Ricketts, 1871–1910⟩ *die* (Plural): zwischen Viren u. Bakterien stehende Krankheitserreger (bes. des Fleckfiebers; Med.). **Ri|ckett|si|o|se** *die;* -, -n: durch Rickettsien hervorgerufene Krankheit **Ri|deau** [...'doː] ⟨*fr.*⟩ *das;* -s, -s: (südwestdt., schweiz.) [Fenster]vorhang, Gardine **ri|di|kül** ⟨*lat.-fr.*⟩: (veraltend) lächerlich **Ri|di|kül** ⟨*lat.-fr.*⟩ *der* od. *das;* -s, -e u. -s: [gehäkelte] Handtasche, Handarbeitsbeutel (bes. 18./19. Jh.) **rien ne va plus** [rjɛ̃vaˈply] ⟨*fr.;* „nichts geht mehr"⟩: beim Roulettspiel die Ansage des Croupiers, dass nicht mehr gesetzt werden kann

Rie|sen|sla|lom ⟨dt.; norw.⟩ der; -s, -s: Slalom, bei dem die durch Flaggen gekennzeichneten Tore in größerem Abstand stehen, sodass er dem Abfahrtslauf ähnlicher ist (Skisport)

Riff ⟨engl.-amerik.⟩ der; -[s], -s: melodische [1]Phrase (2) in Jazz, Rock- u. Popmusik, die von einem Instrument fast unverändert wiederholt wird

Ri|fi|fi ⟨nach dem gleichnamigen franz. Spielfilm (1955)⟩ das; -s: raffiniert ausgeklügeltes, in aller Heimlichkeit durchgeführtes Verbrechen

Ri|gau|don [rigo'dõ:] ⟨fr.; wahrscheinlich abgeleitet von dem Namen eines alten Tanzlehrers Rigaud⟩ der; -s, -s: provenzalischer Sing- u. Spieltanz in schnellem $^2/_4$- od. $^4/_4$-Takt, Satz der Suite

Rigg ⟨engl.⟩ das; -s, -s: gesamte Takelung eines Schiffs. **Rig-gung** die; -, -en: ↑ Rigg

Rig|heit ⟨dt.; dt.⟩ die; -: elastische Widerstandsfähigkeit fester Körper gegen Formveränderungen (Geol.).

right or wrong, my count|ry* ['raɪt ɔ: 'rɔŋ 'maɪ 'kʌntrɪ] ⟨engl.; „Recht oder Unrecht, (es geht um) mein Vaterland"; politisches Schlagwort frei nach dem Ausspruch des amerik. Admirals Decatur, 1779–1820⟩: ganz gleich, ob ich die Maßnahmen [der Regierung] für falsch od. richtig halte, meinem Vaterland schulde ich Loyalität

ri|gid, ri|gi|de ⟨lat.⟩: 1. streng, unnachgiebig. 2. starr, steif, fest (z. B. bezogen auf die Beschaffenheit der Arterien bei Arteriosklerose). **Ri|gi|di|tät** die; -: 1. a) Unnachgiebigkeit; b) Unfähigkeit, sich wechselnden Bedingungen schnell anzupassen (Psychol.). 2. Versteifung, [Muskel]starre

Ri|go|le ⟨niederl.-fr.⟩ die; -, -n: tiefe Rinne, Entwässerungsgraben. **ri|go|len:** tief pflügen od. umgraben (z. B. bei der Anlage eines Weinbergs)

Ri|gor ⟨lat.⟩ der; -s: ↑ Rigidität (1). **Ri|go|ris|mus** ⟨lat.-nlat.⟩ der; -: unbeugsames, starres Festhalten an Grundsätzen (bes. in der Moral). **Ri|go|rist** der; -en, -en: Vertreter des Rigorismus. **ri|go|ris-tisch:** den Rigorismus betreffend. **ri|go|ros** ⟨lat.-mlat.⟩: sehr streng, unerbittlich, hart, rücksichtslos. **Ri|go|ro|sa:** Plural von ↑ Rigorosum. **Ri|go|ro|si|tät** die;

-: Strenge, Rücksichtslosigkeit. **ri|go|ro|so** ⟨lat.-it.⟩: genau, streng im Takt (Vortragsanweisung; Mus.). **Ri|go|ro|sum** ⟨lat.-mlat.⟩ das; -s, ...sa: mündliche Prüfung bei der [1]Promotion (1)

Rig|we|da ⟨sanskr.⟩ der; -[s]: Sammlung der ältesten indischen Opferhymnen (Teil der Weden)

Ri|kam|bio ⟨lat.-it.⟩ der; -s, ...ien: Rückwechsel, den ein rückgriffsberechtigter Inhaber eines protestierten Wechsels auf einen seiner Vormänner zieht

Ri|kors|wech|sel ⟨lat.-it.; dt.⟩: ↑ Rikambio

ri|ko|schet|tie|ren ⟨fr.⟩: (veraltet) aufschlagen, abprallen (von Kugeln; Mil.). **Ri|ko|schett-schuss** ⟨fr.; dt.⟩ der; -es, ...schüsse: (veraltet) Kugel, die rikoschettiert

Rik|scha ⟨jap.-engl.⟩ die; -, -s: zweirädriger Wagen in Ostasien, der von einem Menschen gezogen wird u. zur Beförderung von Personen dient

Riks|mål [...mo:l] ⟨norw.; „Reichssprache"⟩ das; -[s]: ältere Bezeichnung für ↑ Bokmål

ri|la|scian|do [...'ʃando] ⟨lat.-it.⟩: nachlassend im Takt, langsamer werdend (Vortragsanweisung; Mus.)

Ril|mes|sa ⟨lat.-it.⟩ die; -, ...ssen: Angriffsverlängerung (Fortsetzung des Angriffs nach einer parierten ↑ Riposte; Fechten). **Ri-mes|se** die; -, -n: (Wirtsch.) 1. a) auf einen Dritten ausgestellter Wechsel; b) Wechsel, der vom Aussteller seinem Warenlieferanten in Zahlung gegeben wird. 2. Wechsel od. Scheck, den der Bankkunde seiner Bank zur Gutschrift auf sein Konto einreicht. 3. Geldüberweisung ins Ausland (z. B. von Gastarbeitern, Auswanderern in ihr Heimatland)

Ri|na|sci|men|to [...ʃi...] ⟨lat.-it.⟩ das; -[s]: ital. Bez. für ↑ Renaissance

rin|for|zan|do ⟨lat.-it.⟩: plötzlich deutlich stärker werdend; Abk.: rf., rfz. (Vortragsanweisung; Mus.). **Rin|for|zan|do** das; -s, -s u. ...di: plötzliche Verstärkung des Klanges auf einem Ton od. einer kurzen Tonfolge (Mus.). **rin|for|za|to:** plötzlich merklich verstärkt; Abk.: rf., rfz. (Vortragsanweisung; Mus.). **Rin|for-za|to** das; -s, -s u. ...ti: ↑ Rinforzando

Rin|glot|te die; -, -n: (landsch.) Reneklode

Ri|pi|e|nist ⟨lat.-it.⟩ der; -en, -en: (im 17./18. Jh. u. bes. beim ↑ Concerto grosso [2]) Orchestergeiger od. Chorsänger (Mus.). **ri|pi|e-no:** mit vollem Orchester; Abk.: rip. (Mus.). **Ri|pi|e|no** das; -s, -s u. ...ni: das ganze, volle Orchester (im 17./18. Jh.); vgl. Concertino (2). **Ri|pi|en|stim|me** ⟨lat.-it.; dt.⟩ die; -, -n: die zur Verstärkung der Solostimme dienende Instrumental- od. Singstimme (18. Jh.; Mus.)

Ri|pos|te ⟨lat.-it.-fr.⟩ die; -, -n: unmittelbarer Gegenstoß nach einem parierten Angriff (Fechten). **ri|pos|tie|ren:** eine Riposte ausführen

Rip|per ⟨engl.; „Aufreißer, Aufschlitzer"; nach der im Volksmund „Jack the Ripper" genannten, nicht identifizierten Person, die in London vor der Jahrhundertwende mehrere Morde an Prostituierten beging⟩ der; -s, -: jmd., der [auf grausame Weise] Frauen getötet hat

Ri|pre|sa* ⟨lat.-it.⟩ die; -, ...sen: (Mus.) a) Wiederholung; b) Wiederholungszeichen. **Ri|pre|sa d'At|tac|co** [-da'tako] ⟨it.⟩ die; -: Rückgang in die Fechtstellung zur Erneuerung eines Angriffs (Fechten)

Rips ⟨engl.⟩ der; -es, -e: Gewebe mit Längs- od. Querrippen

Ri|sa|lit ⟨lat.-it.⟩ der; -s, -e: in ganzer Höhe des Bauwerks vorspringender Gebäudeteil (Mittel-, Eck- od. Seitenrisalit) zur Aufgliederung der Fassade (bes. im Barock)

Ri|schi, auch: **Ri|shi** ⟨sanskr.⟩ der; -s, -s: einer der Seher u. Weisen der Vorzeit, denen man die Abfassung der Hymnen des ↑ Rigweda zuschreibt

Ri|si|ko ⟨it.⟩ das; -s, -s u. ...ken (österr. auch: Risken): Wagnis; Gefahr, Verlustmöglichkeit bei einer unsicheren Unternehmung. **Ri|si|ko|pa|ti|ent** der; -en, -en: Patient, der aufgrund früherer od. bestehender Krankheiten bes. gefährdet ist (Med.). **Ri|si-ko|prä|mie** die; -, -n: 1. Zuschlag bei der Kalkulation für erwartete Risiken. 2. Gewinnanteil als Vergütung für die Übernahme des allgemeinen Unternehmerrisikos

Ri|si-Pi|si u. (bes. österr.) **Ri|si|pi|si** ⟨it.; zusammengezogen aus it. riso con piselli = „Reis mit Erbsen"⟩ das; -[s], -: Gericht aus Reis u. Erbsen

ris|kant ⟨it.-fr.⟩: gefährlich, gewagt. **ris|kie|ren:** a) aufs Spiel setzen; b) wagen; c) sich einer bestimmten Gefahr aussetzen

Ri|skont|ro* vgl. Skontro

ri|sol|u|to ⟨*lat.-it.*⟩: entschlossen u. kraftvoll (Vortragsanweisung; Mus.)

Ri|sor|gi|men|to [...dʒi...] ⟨*lat.-it.;* „Wiedererstehung"⟩ *das;* -[s]: italienische Einigungsbestrebungen im 19. Jh.

Ri|sot|to ⟨*sanskr.-pers.-gr.-lat.-mlat.-it.*⟩ *der;* -[s], -s od. *das;* -s, -[s]: italienisches Reisgericht

Ris|pet|to* ⟨*lat.-it.;* „Verehrung (der Geliebten)"⟩ *das;* -s, ...tti: aus 6 od. 10 Versen bestehende Gedichtform, toskanische Abart des ↑ Strambotto

Ris|pos|ta* ⟨*lat.-it.*⟩ *die;* -, ...sten: Antwortstimme in der Fuge, nachahmende Stimme im Kanon; Ggs. ↑ Proposta (Mus.)

ris|so|lé [...'le:] ⟨*lat.-vulgärlat.-fr.*⟩: braun, knusprig gebraten. **Ris|so|le** *die;* -, -n: kleine Pastete. **Ris|sol|let|te** *die;* -, -n: geröstete Brotschnitte, die mit gehacktem Fleisch belegt ist

Ris|to|ran|te ⟨*lat.-fr.-it.*⟩ *das;* -, ...ti: ital. Bez. für: Restaurant

ri|stor|nie|ren* ⟨*lat.-it.*⟩: eine falsche Buchung rückgängig machen (Wirtsch.). **Ri|stor|no** *der* od. *das;* -s, -s: 1. Ab- u. Zuschreibung eines Postens in der Buchhaltung (Wirtsch.). 2. Rücknahme einer Seeversicherung gegen Vergütung (Wirtsch.)

ris|veg|li|an|do* [risvɛl'jando] ⟨*lat.-it.*⟩: [wieder] munter, lebhaft werdend (Vortragsanweisung; Mus.). **ris|veg|li|a|to** [ˈjaˑto] [wieder] munter, lebhaft (Vortragsanweisung; Mus.)

Ri|ta ⟨*sanskr.*⟩ *das;* -: Wahrheit, Recht als höchstes, alles durchwirkendes Prinzip der wedischen Religion

ri|tar|dan|do ⟨*lat.-it.*⟩: das Tempo verzögernd, langsamer werdend (Vortragsanweisung; Mus.; Abk.: rit., ritard.). **Ri|tar|dan|do** *das;* -s, -s u. ...di: allmähliches Langsamerwerden (Mus.)

ri|te ⟨*lat.*⟩: 1. genügend (geringstes Prädikat bei Doktorprüfungen). 2. ordnungsgemäß, in ordnungsgemäßer Weise

Ri|ten: *Plural* von ↑ Ritus

ri|te|nen|te ⟨*lat.-it.*⟩: im Tempo zurückhaltend, zögernd (Vortragsanweisung; Mus.)

Ri|ten|kon|gre|ga|ti|on *die;* -: Kardinalskongregation für die Liturgie der römisch-katholischen Kirche u. die Selig- u. Heiligsprechungsprozesse (1969 aufgelöst in die Kultuskongregation u. die Kanonisationskongregation)

ri|te|nu|to ⟨*lat.-it.*⟩: im Tempo zurückgehalten, verzögert (Vortragsanweisung; Mus.; Abk.: rit., riten.). **Ri|te|nu|to** *das;* -s, -s u. ...ti: Verlangsamung des Tempos

Ri|tes de Pas|sage [ritdpa'saːʒ] ⟨*fr.*⟩ *die* (Plural): Übergangsriten, magische Reinigungsbräuche beim Eintritt in einen neuen Lebensabschnitt (Völkerk.)

ri|tor|nan|do al tem|po ⟨*it.*⟩: zum [Haupt]zeitmaß zurückkehrend (Vortragsanweisung; Mus.). **ri|tor|na|re al se|gno*** [-- 'zɛnjo]: zum Zeichen zurückkehren, vom Zeichen an wiederholen (Vortragsanweisung; Mus.). **Ri|tor|nell** *das;* -s, -e: 1. instrumentales Vor-, Zwischen- od. Nachspiel im Concerto grosso u. beim Gesangssatz mit instrumentaler Begleitung (17. u. 18. Jh.; Mus.). 2. aus der volkstümlichen italienischen Dichtung stammende dreizeilige Einzelstrophe (im 14./15. Jh. als Refrain verwendet)

Ri|trat|te* ⟨*lat.-it.*⟩ *die;* -, -n: ↑ Rikambio

ri|tu|al ⟨*lat.*⟩: den Ritus betreffend. **Ri|tu|al** *das;* -s, -e u. -ien: 1. a) Ordnung für gottesdienstliches Brauchtum; b) religiöser [Fest]brauch in Worten, Gesten u. Handlungen; Ritus (1). 2. a) das Vorgehen nach festgelegter Ordnung; Zeremoniell; b) Verhalten in bestimmten Grundsituationen, bes. bei Tieren (z. B. Droh-, Fluchtverhalten). **Ri|tu|a|le** *das;* -: liturgisches Buch für die Amtshandlungen des katholischen Priesters; **Rituale Romanum:** die kirchlich empfohlene Form des Rituale (1614 herausgegeben). **ri|tu|a|li|sie|ren** ⟨*lat.-nlat.*⟩: zum Ritual (2 b) formalisieren. **Ri|tu|a|li|sie|rung** *die;* -, -en: Verselbständigung einer Verhaltensform zum Ritual (2 b) mit Signalwirkung für artgleiche Tiere (Verhaltensforschung). **Ri|tu|a|lis|mus** *der;* -: Richtung des 19. Jh.s in der anglikanischen Kirche u. den Kultus katholisierend umgestalten wollte. **Ri|tu|a|list** *der;* -en, -en: Anhänger des Ritualismus. **ri|tu|a|lis|tisch:** 1. im Sinne des Rituals (1, 2), das Ritual streng befolgend. 2. den Ritualismus betreffend. **ri|tu|ell** ⟨*lat.-fr.*⟩: 1. dem Ritus (1) entsprechend. 2. in der Art eines Ritus (2), zeremoniell. **Ri|tus** ⟨*lat.*⟩ *der;* -, Riten: 1. religiöser [Fest]brauch in Worten, Gesten u. Handlungen. 2. das Vorgehen nach festgelegter Ordnung; Zeremoniell

Ri|val|le ⟨*lat.-fr.;* „Bachnachbar" (zur Nutzung eines Wasserlaufs Mitberechtigter)⟩ *der;* -n, -n: Nebenbuhler, Mitbewerber, Konkurrent; Gegenspieler. **ri|val|li|sie|ren:** um den Vorrang kämpfen. **Ri|val|li|tät** *die;* -, -en: Nebenbuhlerschaft, Kampf um den Vorrang. **Ri|ver** ['rɪvɐ] ⟨*engl.;* „Fluss"⟩ (ohne Artikel): weiß mit blauem Schimmer (zur Bezeichnung der feinsten Farbqualität bei Brillanten). **Ri|ver|boat|par|ty** ['rɪvɐbout...] ⟨*engl.-amerik.*⟩ *die;* -, -s: ↑ Riverboatshuffle. **Ri|ver|boat|shuf|fle** ['rɪvɐbout-ʃəfl] ⟨*engl.-amerik.*⟩ *die;* -, -s: zwanglose Geselligkeit mit Jazzband auf einem Schiff (bei einer Fahrt auf einem Fluss od. einem See)

ri|ver|so ⟨*lat.-it.*⟩: in umgekehrter Reihenfolge der Töne, rückwärts zu spielen (Vortragsanweisung; Mus.)

Ri|vol|gi|men|to [rivoldʒi...] ⟨*lat.-it.*⟩ *das;* -[s]: Umkehrung der Stimmen im doppelten Kontrapunkt, wobei die Linien so angelegt sind, dass z. B. die höhere Stimme zur tieferen wird (Mus.)

Ri|yal [ri'jaːl] ⟨*arab.*⟩ *der;* -, -s (aber: 100 -): Währungseinheit in Saudi-Arabien; Abk.: SRl, Rl; vgl. Rial

Ri|zin ⟨*lat.-nlat.*⟩ *das;* -s: in den Samen des Rizinus vorkommender hochgiftiger Eiweißstoff. **Ri|zi|nus** ⟨*lat.*⟩ *der;* -, - u. -se: strauchiges Wolfsmilchgewächs mit fettreichem, sehr giftigem Samen

Roa|die ['roʊdɪ] ⟨*engl.-amerik.*⟩ *der;* -s, -s: jmd., der gegen Bezahlung beim Transport, Auf- u. Abbau der Ausrüstung einer Rockgruppe o. Ä. hilft. **Road|ma|na|ger** ['roʊdmɛnɪdʒɐ] *der;* -s, -: für die Bühnentechnik, den Transport der benötigten Ausrüstung u. Ä. verantwortlicher Begleiter einer Rockgruppe. **Road|mo|vie** ['roʊdmuːvi] *das;* -s, -s: Spielfilm, dessen Handlung sich unterwegs, auf einer Fahrt mit dem Auto abspielt. **Roads|ter** ['roʊdstɐ] *der;* -s, -: meist zweisitziger Sportwagen mit zurückklappbarem Verdeck

Roa|ring Twen|ties ['rɔːrɪŋ 'twɛntɪz] ⟨*amerik.;* „brüllende Zwanziger"⟩ *die* (Plural): die

20er-Jahre des 20. Jh.s in den USA u. in Westeuropa, die durch die Folgeerscheinungen der Wirtschaftsblüte nach dem 1. Weltkrieg, durch Vergnügungssucht und Gangstertum gekennzeichnet waren

Roast|beef ['ro:stbi:f, 'rɔst...] ⟨engl.⟩ *das;* -s, -s: [Braten aus einem] Rippenstück vom Rind

Rob|ber vgl. ²Rubber

Ro|be|ron|de [rɔbə'rõ:də] ⟨fr.⟩ *die;* -, -n: im 18. Jh. Kleid mit runder Schleppe

Ro|bi|nie [...i̯ə] ⟨nlat.; nach dem franz. Botaniker J. Robin, † 1629⟩ *die;* -, -n: falsche Akazie (Zierbaum od. -strauch)

Ro|bin|son ⟨nach der Titelfigur des Romans „Robinson Crusoe" des engl. Schriftstellers D. Defoe, 1659–1731⟩ *der;* -s, -e: jmd., der fern von der Zivilisation [auf einer einsamen Insel], in der freien Natur lebt. ¹**Ro|bin|so|na|de** *die;* -, -n: a) Abenteuerroman, der das Motiv des „Robinson Crusoe" (↑ Robinson) aufgreift; b) Erlebnis, Abenteuer ähnlich dem des Robinson Crusoe. ²**Ro|bin|so|na|de** ⟨nach dem engl. Torhüter John Robinson, 1878–1949⟩ *die;* -, -n: im Sprung erfolgende, gekonnte Abwehrreaktion des Torwarts, bei der er sich einem Gegenspieler entgegenwirft (Fußball)

Ro|bin|son|lis|te ⟨zu „Robinson Crusoe" (↑ Robinson)⟩ *die;* -, -n: (Jargon) Liste, in die sich jmd. eintragen lassen kann, der keine auf dem Postweg verschickten Werbesendungen haben möchte

Ro|bo|rans ⟨lat.⟩ *das;* -, ...rạnzien u. ...rạntia: Stärkungsmittel (Med.). **ro|bo|rie|rend:** stärkend, kräftigend (Med.)

Ro|bot ⟨tschech.⟩ *die;* -, -en: (veraltet) Frondienst (in slawischen Ländern). **ro|bo|ten:** (ugs.) schwer arbeiten. **Ro|bo|ter** *der;* -s, -: 1. (ugs.) Schwerarbeiter. 2. a) äußerlich wie ein Mensch gestaltete Apparat, die manuelle Funktionen eines Menschen ausführen kann; Maschinenmensch; b) elektronisch gesteuertes Gerät mit beweglichen Gliedern. **ro|bo|te|ri|sie|ren:** ↑ automatisieren, durch Roboter ausführen lassen. **ro|bo|ti|sie|ren:** ↑ roboterisieren

ro|bust ⟨lat.; „aus Hart-, Eichenholz"⟩: stark, kräftig, derb, widerstandsfähig, unempfindlich. **ro|bus|to** ⟨lat.-it.⟩: kraftvoll (Vortragsanweisung; Mus.)

Ro|caille [rɔ'ka:j] ⟨galloroman.-fr.⟩ *das* od. *die;* -, -s: Muschelwerk (wichtigstes Dekorationselement des Rokokos)

Roch ⟨pers.-arab.⟩ *der;* -: im arabischen Märchen ein Riesenvogel von besonderer Stärke

Ro|cha|de [rɔ'xa:də, auch: rɔ'ʃa:də] ⟨pers.-arab.-span.-fr.⟩ *die;* -, -n: unter bestimmten Voraussetzungen zulässiger Doppelzug von König u. Turm (Schach)

Ro|cher der Bronze [rɔ'ʃe:də 'brõ:s] ⟨fr.; „eherner Fels"; nach einem Ausspruch Friedrich Wilhelms I. von Preußen⟩ *der;* - - -, -s [rɔ'ʃe:] - -: jmd., der (in einer schwierigen Lage o. Ä.) nicht leicht zu erschüttern ist

Ro|chett [rɔ'ʃɛt] ⟨germ.-fr.⟩ *das;* -s, -s: spitzenbesetztes Chorhemd der höheren katholischen Geistlichen

ro|chie|ren [rɔ'xi:..., auch: rɔ'ʃi:...] ⟨pers.-arab.-span.-fr.⟩: 1. eine Rochade ausführen. 2. die Position auf dem Spielfeld wechseln (u. a. beim Fußball)

Ro|chus ⟨hebr.-jidd.⟩: in der Fügung: **einen Rochus auf jmdn. haben:** (landsch.) über jmdn. sehr verärgert, wütend sein

¹**Rock** vgl. ↑ Roch

²**Rock** ⟨Kurzform⟩ *der;* -[s], -[s]: 1. (ohne Plural) ↑ Rockmusik. 2. ↑ Rock und Roll. **Rock|a|bil|ly*** ['rɔkəbɪli] ⟨amerik.⟩ *der;* -s: (in den 50er-Jahren entstandener) Musikstil, der eine Verbindung aus Rhythm and Blues u. Hillbillymusic darstellt. **Rock and Roll** ['rɔk ɛnt 'rɔl, --'ro:l, 'rɔk ənd 'roul] u. **Rock 'n' Roll** ⟨amerik.⟩ *der;* - - -, - - -[s]: 1. (ohne Plural) (Anfang der 50er-Jahre in Amerika entstandene Form der) Musik, die den Rhythm and Blues mit Elementen der Countrymusic u. des Dixielandjazz verbindet. 2. stark synkopierter Tanz in flottem ⁴/₄-Takt

Ro|cke|lor ⟨nach dem franz. Herzog von Roquelaure⟩ *der;* -s, -e: im 18. Jh. Herrenreisemantel mit kleinem Schulterkragen

ro|cken ⟨amerik.⟩: stark synkopiert, im Rhythmus des Rock and Roll spielen, tanzen, sich bewegen. **Rock|er** *der;* -s, -: zu aggressivem Verhalten neigender Angehöriger einer lose organisierten Clique von männlichen Jugendlichen, meist in schwarzer Lederkleidung u. mit schwerem Motorrad. **Rock|mu|si|cal** *das;* -s, -: Musical mit Rockmusik als

Bühnenmusik. **Rock|mu|sik** *die;* -: von Bands gespielte, aus einer Vermischung von Rock and Roll (1) mit verschiedenen anderen Musikstilen entstandene Form der Unterhaltungs- u. Tanzmusik. **Rock 'n' Roll** vgl. Rock and Roll

Rocks ⟨engl.⟩ *die* (Plural): säuerlich-süße englische Fruchtbonbons

rol|dens ⟨lat.⟩: nagend, fressend (z. B. von Geschwüren; Med.)

Ro|deo ⟨lat.-span.-engl.⟩ *der* od. *das;* -s, -s: mit Geschicklichkeitsübungen u. Wildwestvorführungen verbundene Reiterschau der Cowboys in den USA

Ro|do|mon|ta|de ⟨it.-fr.; nach der Gestalt des heldenhaften u. stolzen Rodomonte („Bergroller") in Werken der ital. Dichter Boiardo u. Ariost⟩ *die;* -, -n: (selten) Aufschneiderei, Großsprecherei. **ro|do|mon|tie|ren:** (veraltet) prahlen

Ro|don|ku|chen [ro'dõ:...] ⟨fr.; dt.⟩ *der;* -s, -: (landsch.) ↑ Ratonkuchen

Ro|ga|te ⟨lat.; nach dem Introitus des Gottesdienstes, Joh. 16, 24: „Bittet (so werdet ihr nehmen)!"⟩: fünfter Sonntag nach Ostern. **Ro|ga|ti|on** *die;* -, -en: (veraltet) Bitte, Fürbitte. **Ro|ga|ti|o|nes** *die* (Plural): (hist.) in der katholischen Kirche der drei Bitttage vor Christi Himmelfahrt, an denen Bittprozessionen abgehalten wurden

ro|ger ['rɔdʒə] ⟨engl.⟩: 1. verstanden! (Funkw.). 2. (ugs.) in Ordnung!; einverstanden!

Ro|kam|bo|le ⟨dt.-fr.⟩ *die;* -, -n: Perlzwiebel (perlartig schimmernde kleine Brutzwiebel mehrerer Laucharten)

Ro|ko|ko [auch: ro'kɔko, ...'ko:] ⟨galloroman.-fr.⟩ *das;* -[s]: 1. durch zierliche, beschwingte Formen u. eine weltzugewandte, heitere od. empfindsame Grundhaltung gekennzeichneter Stil der europäischen Kunst des 18. Jh.s. 2. Zeit des Rokokos

Roll-back, auch: **Roll|back** ['roulbɛk] ⟨engl.-amerik.⟩ *das;* -s, -s: [erzwungenes] Zurückstecken, das Sichzurückziehen. **Rol|ler|blade ®** ['rouləbleɪt] ⟨engl.⟩ *der;* -s, -s (meist Plural): bestimmter Inliner. **Rol|ler|dis|co** *die;* -, -s: Rollerdisko. **Rol|ler|dis|ko** *die;* -, -s: Halle für Rollerskating zu Popmusik u. besonderen Licht- u. Beleuchtungseffekten. **Rol|ler|skate** ['rouləskeɪt] *der;* -s, -s (meist Plural): ↑Diskoroller. **Rol|ler|ska|ting** *das;* -s: das Rollschuhlaufen mit Rollerskates. **rol|lie|ren** ⟨*lat.-mlat.-fr.-dt.*⟩: 1. einen dünnen Stoff am Rand od. Saum zur Befestigung einrollen, rollend umlegen. 2. nach einem bestimmten System turnusmäßig abwechseln, auswechseln. 3. die Oberfläche eines zylindrischen Werkstücks glätten, indem man eine Rolle sich unter hohem Druck auf dem sich drehenden Werkstück abrollen lässt. **Rol|lo** [auch: rɔ'lo:] *das;* -s, -s: eindeutschend für: Rouleau. **Roll-on-roll-off-Schiff** [roul...] ⟨*engl.; dt.*⟩ *das;* -[e]s, -e: Frachtschiff, das von Lastwagen mit Anhängern direkt befahren wird u. so unmittelbar be- u. entladen werden kann

Rom ⟨*sanskr.-zigeunerspr.;* „Mann, Ehemann"⟩ *der;* -, -a: Angehöriger einer v. a. in Südosteuropa beheimateten Gruppe eines ursprünglich aus Indien stammenden Volks (das vielfach als diskriminierend empfundene *Zigeuner* ersetzende Selbstbezeichnung); vgl. Romani; Sinto

ROM ⟨*Abk. für engl. read only memory*⟩ *das;* -s, -s: Datenspeicher, dessen Daten nach dem Einprogrammieren nur noch abgerufen, aber nicht mehr verändert werden können; Festwertspeicher

Rol|ma|dur [auch: ...'du:ɐ̯] ⟨*fr.*⟩ *der;* -s, -s: ein Weichkäse

Rol|man ⟨*lat.-vulgärlat.-fr.*⟩ *der;* -s, -e: a) (ohne Plural) literarische Gattung einer epischen Großform in Prosa, die in großen Zusammenhängen Zeit u. Gesellschaft widerspiegelt u. das Schicksal einer Einzelpersönlichkeit od. einer Gruppe von Individuen in ihrer Auseinandersetzung mit ihrer Umwelt darstellt; b) ein Exemplar dieser Gattung; **galanter Roman:** auf spätantike u. französische Vorbilder zurückgehender Roman des Barocks mit Anspielungen auf höher gestellte Personen, die unter der Schäfermaske auftreten. **Rol|man|ce|ro** [...s..., ...θ...] vgl. Romanzero. **Rol|man|ci|er** [romã'sje:] *der;* -s, -s: Verfasser von Romanen; Romanschriftsteller. **Rol|ma|ne** ⟨*lat.*⟩ *der;* -n, -n: Angehöriger eines Volkes mit romanischer Sprache. **Rol|ma|nes|ca** ⟨*lat.-it.*⟩ *die;* -: alter italienischer Sprungtanz im Tripeltakt. **rol|ma|nesk:** a) breit ausgeführt, in der Art eines Romans

gehalten; b) nicht ganz real od. glaubhaft
Rol|ma|ni [auch: 'rɔ:...] ⟨*sanskr.-Zigeunerspr.*⟩ *das;* -: Sprache der Sinti und Roma; Zigeunersprache
Rol|ma|nik ⟨*lat.*⟩ *die;* -: der Gotik vorausgehende europäische Stilepoche des frühen Mittelalters, die sich bes. in der [Sakral]architektur, der [Architektur]plastik und der Wand- u. Buchmalerei ausprägte. **rol|ma|nisch:** 1. a) aus dem Vulgärlatein entwickelt (zusammenfassend in Bezug auf Sprachen, z. B. Französisch, Italienisch, Spanisch u. a.); b) die Romanen u. ihre Kultur betreffend, kennzeichnend; zu den Romanen gehörend. 2. die Kunst der Romanik betreffend, für die Romanik charakteristisch. **rol|ma|ni|sie|ren** ⟨*lat.-nlat.*⟩: 1. (veraltet) römisch machen. 2. romanisch machen. 3. in lateinische Schriftzeichen umsetzen (Sprachw.). **Rol|ma|nis|mus** *der;* -, ...men: 1. eine für eine romanische Sprache charakteristische Erscheinung in einer nicht romanischen Sprache (Sprachw.). 2. (veraltend) papst-, kirchenfreundliche Einstellung. 3. an die italienische Renaissancekunst angelehnte Richtung [der niederländische Malerei] des 16. Jh.s. **Rol|ma|nist** *der;* -en, -en: 1. jmd., der sich wissenschaftlich mit der mehreren romanischen (1 a) Sprachen u. Literaturen (besonders mit der Französisch) befasst. 2. Wissenschaftler auf dem Gebiet des römischen Rechts. 3. Vertreter des Romanismus (3). 4. (veraltet) Anhänger des katholischen Roms. **Rol|ma|nis|tik** *die;* -: 1. Wissenschaft von den romanischen (1 a) Sprachen u. Literaturen. 2. Wissenschaft vom römischen Recht. **rol|ma|nis|tisch:** die Romanistik betreffend. **Rol|ma|ni|tät** *die;* -: romanisches (1 b) Kulturbewusstsein. **Rol|man|tik** ⟨*lat.-vulgärlat.-fr.-engl.*⟩ *die;* -: 1. Epoche des europäischen, bes. des deutschen Geisteslebens, der Literatur u. Kunst vom Ende des 18. bis zur Mitte (in der Musik bis zum Ende) des 19.Jh.s. 2. a) durch eine schwärmerische od. träumerische Idealisierung der Wirklichkeit gekennzeichnete romantische (2) Art; b) romantischer (2) Reiz, romantische Stimmung. **Rol|man|ti|ker** *der;* -s, -: 1. Vertreter,

Künstler der Romantik (1). 2. Fantast, Gefühlsschwärmer. **rol|man|tisch:** 1. die Romantik (1) betreffend, im Stil der Romantik. 2. a) fantastisch, gefühlsschwärmerisch, die Wirklichkeit idealisierend; b) stimmungsvoll, malerisch-reizvoll; geheimnisvoll. **Rol|man|ti|zis|mus** *der;* -, ...men: 1. (ohne Plural) sich auf die Romantik (1) beziehende Geisteshaltung. 2. romantisches (1) Element. **rol|man|ti|zis|tisch:** dem Romantizismus (1) entsprechend. **Rol|mantsch** *das;* -: rätoromanische Sprache (in Graubünden). **Rol|man|ze** ⟨*lat.-vulgärlat.-span.-fr.*⟩ *die;* -, -n: 1. [spanisches] volksliedhaftes episches Gedicht mit balladenhaften Zügen, das hauptsächlich Heldentaten u. Liebesabenteuer sehr farbig schildert. 2. lied- u. balladenartiges, gefühlsgesättigtes Gesangs- od. Instrumentalstück erzählenden Inhalts (Mus.). 3. episodenhaftes Liebesverhältnis [das durch die äußeren Umstände als romantisch erscheint]. **Rol|man|ze|ro** ⟨*lat.-vulgärlat.-provenzal.-span.*⟩ *der;* -s, -s: Sammlung von [spanischen] Romanzen
Rol|meo ⟨nach der Titelfigur von Shakespeares Drama „Romeo und Julia"⟩ *der;* -s, -s: 1. (ugs.) Liebhaber, Geliebter. 2. (Jargon) Agent (2), der sich über ein Liebesverhältnis zu einer an geeigneter Position tätigen Frau Zugang zu bestimmten geheimen Informationen verschafft
rö|misch-ka|tho|lisch: die vom Papst in Rom geleitete katholische Kirche betreffend, ihr angehörend (Abk.: rk; r.-k.; röm.-kath.)
Rom|mé, auch: **Rom|mee** ['rɔme:, auch: rɔ'me:] ⟨*engl.-fr.*⟩ *das;* -s, -s: Kartenspiel, bei dem jeder Spieler versucht, seine Karten möglichst schnell nach bestimmten Regeln abzulegen
Ron|chus vgl. Rhonchus
Ron|dat ⟨*lat.-it.*⟩ *der;* -s, -s: Überschlag mit Drehung auf ebener Fläche (Turnen). **Ron|de** [auch: 'rõ:də] ⟨*lat.-fr.*⟩ *die;* -, -n: 1. (veraltet a) Rundgang, Streifwache (Mil.); b) Wachen u. Posten kontrollierender Offizier. 2. (ohne Plural) Schriftart. 3. ebenes Formteil aus Blech, das durch Umformen weiterverarbeitet wird (Techn.). **Ron|deau** [rõ'do:, auch: rɔn'do:] *das;* -s, -s: 1. a)

mittelalterliches französisches Tanzlied beim Rundtanz; b) im 13. Jh. Gedicht mit zweireimigem Refrain, später bes. eine 12- bis 15-zeilige zweireimige Strophe, deren erste Wörter nach dem 6. u. 12. bzw. nach dem 8. u. 14. Vers als verkürzter Refrain wiederkehren. 2. (österr.) a) rundes Beet; b) runder Platz. **Ron|del** [rö'dɛl] das; -s, -s: ↑Rondeau (1). **Ron|dẹll** u. **Rundell** das; -s, -e: 1. Rundteil (an einer Bastei). 2. Rundbeet. 3. Rückteil des Überschlags bei einer Überschlag[hand]tasche. **Rọn|do** (lat.-it.) das; -s, -s: 1. mittelalterliches Tanzlied, Rundgesang, der zwischen Soloteil u. Chorantwort wechselt. 2. Satz (meist Schlusssatz in Sonate u. Sinfonie), in dem das Hauptthema nach mehreren in Tonart u. Charakter entgegengesetzten Zwischensätzen [als Refrain] immer wiederkehrt. **Rọnd|schrift** (lat.-fr.; dt.) die; -: (österr.) eine Zierschrift

Rọ|nin (chin.-jap.) der; -, -s: (veraltet) [verarmter] japanischer Lehnsmann, der seinen Lehnsherrn verlassen hat

Rọ̈nt|gen|ast|ro|no|mie* (dt.; gr.; nach dem dt. Physiker W. C. Röntgen, 1845–1923) die; -: Teilgebiet der Astronomie, auf dem man sich mit der Erforschung der von Gestirnen kommenden Röntgen-, Gamma- u. Ultraviolettstrahlung befasst; Gammaastronomie. **rọ̈nt|gen|ast|ro|no|misch:** die Röntgenastronomie betreffend. **rọ̈nt|ge|ni|sie|ren:** (österr.) röntgen. **Rọ̈nt|ge|no|gramm** das; -s, -e: Röntgenbild. **Rọ̈nt|ge|no|gra|phie,** auch: **Röntgenografie** die; -, ...jen: Untersuchung u. Bildaufnahme mit Röntgenstrahlen. **rọ̈nt|ge|no|gra|phisch,** auch: **röntgenografisch:** durch Röntgenographie erfolgend. **Rọ̈nt|ge|no|lo|ge** der; -n, -n: Facharzt für Röntgenologie. **Rọ̈nt|ge|no|lo|gie** die; -: von W. C. Röntgen begründetes Teilgebiet der Physik, auf dem die Eigenschaften, Wirkungen u. Möglichkeiten der Röntgenstrahlen untersucht werden. **rọ̈nt|ge|no|lo|gisch:** in das Gebiet der Röntgenologie gehörend. **rọ̈nt|ge|no|mẹt|risch:** die Messung der Wellenlänge der Röntgenstrahlung betreffend. **Rọ̈nt|ge|no|sko|pie** die; -, ...jen: Durchleuchtung mit Röntgenstrahlen (Med.)

Roo|ming-in [ru:mɪŋ'ɪn] (engl.) das; -s, -s: (im Krankenhaus) gemeinsame Unterbringung in einem Zimmer von Mutter u. Kind nach der Geburt od. bei Krankheit des Kindes

Root[s]|ge|blä|se ['ru:t...] (nach dem amerik. Erfinder Root) das; -s, -: Kapselgebläse, in dem zwei 8-förmige Drehkolben ein abgegrenztes [Gas]volumen von der Saug- auf die Druckseite fördern

Roque|fort ['rɔkfo:ɐ̯, auch: rɔk'fo:ɐ̯] (fr.; nach der franz. Ortschaft Roquefort-sur-Soulzon) der; -s, -s: französischer Edelpilzkäse aus reiner Schafmilch

Ro|ra|te (lat.; nach dem Introitus der Messe, Jesaja 45, 8: „Tauet [Himmel, aus den Höhen]!") das; -, -: Votivmesse im Advent zu Ehren Marias

Ro-ro-Schiff das; -[e]s, -e: Kurzform von ↑Roll-on-roll-off-Schiff

rọ|sa (lat.): 1. blassrot. 2. (Jargon) sich auf Homosexualität, Homosexuelle beziehend. **Ro|sa** das; -s, - (ugs.: -s): rosa Farbe. **Ro|sa|lie** [...jə] (it.) die; -, -n: kleiner, in gekünstelten Sequenzfolgen wiederkehrender Satz (Mus.). **Ro|sa|nil|lin*** (Kunstw.) das; -s: Farbstoff aus einer bestimmten chemischen Verbindung zum Rotfärben. **Ro|sa|ri|um** (lat.) das; -s, ...ien: 1. Rosenpflanzung. 2. katholisches Rosenkranzgebet. **Ro|sa|zea** (lat.-nlat.) die; -: Kupfer-, Rotfinnen; [entzündliche] Rötung des Gesichts [mit Wucherungen] (Med.). **Ro|sal|zee** die; -, -n (meist Plural): zur Familie der Rosen gehörende Pflanze; Rosengewächs (Bot.)

Rosch ha-Scha|na (hebr.; „Anfang des Jahres") der; - -: jüdisches Neujahrsfest

ro|sé [ro'ze:] (lat.-fr.): rosig, zartrosa. **Ro|sé** der; -s, -s: ↑Roséwein. **Ro|sel|la** (nlat.) der; -s: prächtig gelb u. rot gefärbter Sittich Südaustraliens. **Ro|se|no|bel** [auch: ...'no:bl] (engl.) der; -s, -: Goldmünze Eduards III. von England. **Ro|se|o|la** (lat.-nlat.) u. **Ro|se|o|le** die; -, ...olen: rotfleckiger Hautausschlag (Med.). **Ro|set|te** (lat.-fr.; „Röschen") die; -, -n: 1. kreisförmiges Ornamentmotiv in Form einer stilisierten Rose (Baukunst). 2. Schliffform für flache u. dünne Diamanten. 3. aus Bändern geschlungene od. genähte Verzie-

rung (Mode). 4. rundes, auch als „Rose" bezeichnetes Schallloch der Laute (Mus.). 5. Blattanordnung der Rosetten- od. grundständigen Blätter, die dicht gedrängt an der Sprossbasis einer Pflanze stehen (z. B. Tausendschön). 6. (scherzh. verhüllend) After. **Ro|sé|wein** [ro'ze:...] (fr.; dt.) der; -[e]s, -e: blassroter Wein aus hell gekelterten Rotweintrauben

Ro|si|nan|te (span.; Don Quichottes Pferd) die (eigtl.: der); -, -n: (selten) minderwertiges Pferd

Ro|si|ne (lat.-vulgärlat.-fr.) die; -, -n: getrocknete Weinbeere

Ros|ma|rin [auch: ...'ri:n] (lat.) der; -s: immergrüner Strauch des Mittelmeergebietes, aus dessen Blättern u. Blüten das Rosmarinöl für Heil- u. kosmetische Mittel gewonnen wird u. der als Gewürz verwendet wird. **Ro|so|lio** (lat.-it.) der; -s, -s: italienischer Likör aus [Orangen]blüten u. Früchten

Ros|tẹl|lum (lat.; „Schnäbelchen, Schnäuzchen") das; -s, ...lla: als Haftorgan für die ↑Pollinien umgebildete Narbe der Orchideenblüte (Bot.)

Ros|tic|ce|ri|a [...ttʃə...] (it.) die; -, -s: 1. Imbissstube in Italien. 2. Grillrestaurant in Italien

Rọst|ra* (lat.; „Schnäbel; Schiffsschnäbel; mit erbeuteten Schiffsschnäbeln verzierte Rednerbühne") die; -, -ren: Rednertribüne [im alten Rom]. **rost|ral:** am Kopfende, zum oberen Körperende hin gelegen (Biol.; Anat.). **Rọst|rum** das; -s, ...ren: über das Vorderende des Tierkörpers hinausragender Fortsatz (z. B. der Vogelschnabel od. der schnabelförmige Fortsatz am Schädel der Haie u. anderer Fische; Biol.)

Rọ|ta (lat.-it.) die; - u. **Rota Romana** die; - -: höchster (päpstlicher) Gerichtshof der katholischen Kirche

Ro|ta|print ® (lat.; engl.) die; -, -s: Offsetdruck- u. Vervielfältigungsmaschine. **Ro|ta|ri|er** (lat.-engl.) der; -s, -: Angehöriger des Rotary Clubs. **ro|ta|risch:** a) den Rotary Club betreffend; b) zum Rotary Club gehörend. **Rọ|ta Ro|ma|na** vgl. Rota. **Ro|ta|ry** ['ro:təri] die; -, -s: Bogenanlegeapparat für Druck- u. Falzmaschinen (Druckw.). **Ro|ta|ry Club** [auch in engl. Aussprache: 'routəri 'klʌb] (engl.) der; - -s, - -s: 1. (ohne Plural) ↑Rotary International. 2. zu Rotary International gehörender örtlicher Klub. **Ro|ta|ry In|ter|na|tio|nal** [auch in engl. Ausspr.: ˈroutərɪ ɪntɐˈnæʃənəl] *der; - -s:* internationale Vereinigung führender Persönlichkeiten unter dem Gedanken des Dienstes am Nächsten. **Ro|ta|ti|on** ⟨*lat.;* „kreisförmige Umdrehung"⟩ *die; -, -en:* 1. Drehung (z. B. eines Körpers od. einer Kurve) um eine feste Achse, wobei jeder Punkt eine Kreisbahn beschreibt (Phys.); Ggs. ↑Translation (3). 2. geregelte Aufeinanderfolge der Kulturpflanzen beim Ackerbau unter Berücksichtigung größtmöglicher Vielseitigkeit, der Trennung des Anbaus unverträglicher Pflanzen durch längere Zeitspannen, kürzestmöglicher Brachezeiten usw. (Landw.). 3. Regelung der Bewässerung in der Landwirtschaft. 4. das Mitdrehen des Oberkörpers im Schwung (Skisport). 5. im Uhrzeigersinn erfolgender Wechsel der Positionen aller Spieler einer Mannschaft (beim Volleyball). 6. Wechsel in der Besetzung eines Amtes in bestimmten Zeitabständen (Pol.). **Ro|ta|ti|ons|druck** *der; -[e]s:* Druckverfahren, bei dem das Papier zwischen zwei gegeneinander rotierenden Walzen hindurchläuft u. von einer zylindrisch gebogenen, einer der Walzen anliegenden Druckform bedruckt wird. **Ro|ta|ti|ons|el|lip|so|id** *das; -[e]s, -e:* a) durch Rotation einer Ellipse um eine ihrer Achsen gebildeter Körper in der Form eines Ellipsoids; b) durch Rotation einer Ellipse gebildete Fläche. **Ro|ta|ti|ons|hy|per|bo|lo|id** *das; -[e]s, -e:* ↑Hyperboloid. **Ro|ta|ti|ons|laut|spre|cher** *der; -s, -:* ↑Leslie. **Ro|ta|ti|ons|ma|schi|ne** *die; -, -n:* im Verfahren des Rotationsdrucks arbeitende Druckmaschine. **Ro|ta|ti|ons|prin|zip** *das; -s:* Prinzip, ein [politisches] Amt nur einer bestimmten Zeit an einen anderen abzugeben. **Ro|ta|to|ri|en** ⟨*lat.-nlat.*⟩ *die* (Plural) Rädertierchen (mikroskopisch kleine, wasserbewohnende Tiere mit charakteristischem Strudelapparat). **ro|tie|ren** ⟨*lat.*⟩: 1. umlaufen, sich um die eigene Achse drehen. 2. (ugs.) aus der Fassung geraten, sich in Aufregung u. Unruhe befinden. 3. die Position[en] wechseln (Volleyball)

Ro|tis|se|rie ⟨*germ.-fr.*⟩ *die; -, ...ien:* Fleischbraterei, Fleischgrill; Restaurant, in dem bestimmte Fleischgerichte auf einem Grill vor den Augen des Gastes zubereitet werden **Ro|tor** ⟨*lat.-engl.*⟩ *der; -s, ...oren:* 1. sich drehender Teil einer elektrischen Maschine; Ggs. ↑Stator (1). 2. sich drehender Zylinder, der als Schiffsantrieb ähnlich wie ein Segel im Wind wirkt. 3. Drehflügel des Hubschraubers. 4. zylindrischer, kippbarer Drehofen zur Herstellung von Stahl aus flüssigem Roheisen im Sauerstoffaufblasverfahren. 5. (in automatischen Armbanduhren) auf einer Welle sitzendes Teil, durch dessen Pendelbewegungen sich die Uhr automatisch aufzieht **Rot|ta u. Rot|te** ⟨*kelt.-mlat.*⟩ *die; -, Rotten:* altes Zupfinstrument (9. Jh.) **Ro|tu|lus** ⟨*lat.-mlat.;* „Rädchen; Rolle"⟩ *der; -, ...li:* 1. a) (veraltet) Stoß Urkunden; b) [Akten]verzeichnis. 2. (veraltet) Theaterrolle. **Ro|tun|da** ⟨*lat.-it.*⟩ *die; -:* gerundete italienische Art der gotischen Schrift (13. u. 14. Jh.). **Ro|tun|de** ⟨*lat.*⟩ *die; -, -n:* 1. Rundbau; runder Saal. 2. (veraltend) rund gebaute öffentliche Toilette **Ro|tü|re** ⟨*lat.-fr.*⟩ *die; -:* (veraltet abwertend) Schicht der Nichtadligen, Bürgerlichen. **Ro|tü|ri|er** [...ˈrie:] *der; -s, -:* (veraltet abwertend) Angehöriger der Rotüre **Roué** [rue:] ⟨*lat.-fr.*⟩ *der; -s, -s:* 1. vornehmer Lebemann. 2. durchtriebener, gewissenloser Mensch **Rou|en-En|te** [ˈruã:...] ⟨*fr.;* nach der nordfranz. Stadt Rouen⟩ *die; -, -n:* Ente einer französischen Entenrasse **Rouge** [ru:ʒ] ⟨*lat.-fr.;* „rot"⟩ *das; -s, -s:* 1. Make-up (2) in roten Farbtönen, mit dem die Wangen u. Lippen geschminkt werden. 2. (ohne Plural) Rot als Farbe (u. Gewinnmöglichkeit) beim Roulett. **Rouge et noir** [ruʒe'nǫa:r] ⟨„rot u. schwarz"⟩ *das; - - -:* ein Glücksspiel **Rou|la|de** [ru...] ⟨*lat.-mlat.-fr.*⟩ *die; -, -n:* 1. Fleischscheibe, die mit Speck, Zwiebeln o. A. belegt, gerollt u. dann geschmort wird. 2. in der Gesangskunst (vor allem in der Oper des 17. u. 18. Jh.s) der rollende Lauf, mit dem Melodie ausgeschmückt wird. **Rou|leau** [ru'lo:] *das; -s, -s:*

aufrollbarer Vorhang; vgl. Rollo. **Rou|lett** [ru...] *das; -[e]s, -e u. -s u.* **Rou|lette** [ru'lɛt] ⟨*lat.-fr.*⟩ *das; -s, -s:* 1. Glücksspiel, bei dem auf Zahl u./od. Farbe gesetzt wird u. der Gewinner durch eine Kugel ermittelt wird, die, auf eine sich drehende Scheibe mit rot u. schwarz nummerierten Fächern geworfen, in eines der Fächer liegen bleibt; **amerikanisches Roulett[e]:** ein Glücksspiel mit Kettenbriefen; **russisches Roulett[e]:** eine auf Glück od. Zufall abzielende, selbst herbeigeführte Schicksalsentscheidung, die darauf beruht, dass jmd. einen nur mit einer Patrone geladenen Trommelrevolver auf sich selbst abdrückt, ohne vorher zu wissen, ob die Revolverkammer leer ist oder nicht. 2. drehbare Scheibe, mit der Roulett (1) gespielt wird. 3. in der Kupferstichkunst verwendetes Rädchen, das mit fei besetzten Zähnen besetzt ist. **rou|lie|ren** = a) (veraltet) umlaufen; b) ↑rollieren (2) **Round|head** [ˈraʊndhɛd] ⟨*engl.;* „Rundkopf"⟩ *der; -[s], -s:* Spottname für einen Anhänger des Parlaments im englischen Bürgerkrieg 1644–49 (wegen der kurzen Haarschnitts). **Round|ta|ble|kon|fe|renz,** auch: **Round-Ta|ble-Kon|fe|renz** [raʊnd'tɛɪbl...] *die; -, -en:* Konferenz am runden Tisch, d. h. eine Konferenz, bei der die Teilnehmer gleichberechtigt sind. **Round-up** [raʊnd'ʌp] *das; -[s]:* alljährliches Zusammentreiben des Viehs durch die Cowboys, um den Kälbern die Zeichen der Ranch aufzubrennen **Rout** [raʊt] ⟨*lat -mlat -fr -engl*⟩ *der; -s, -s:* (veraltet) Abendgesellschaft, -empfang. **Route** [ˈruːtə] ⟨*lat.-vulgärlat.-fr.;* „gebrochener (= gebahnter) Weg"⟩ *die; -, -n:* a) [vorgeschriebener Reise]weg; b) geplanter Reiseweg; Weg[strecke] in bestimmter [Marsch]richtung; b) Kurs, Richtung (in Bezug auf ein Handeln, Vorgehen) **Rou|ter** [ˈraʊ...] ⟨*engl.*⟩ *der; -s, -:* Fräser, der bei Druckplatten diejenigen Stellen ausschneidet, die nicht mitdrucken sollen **Rou|ti|ne** [ru...] ⟨*lat.-vulgärlat.-fr.;* „Wegerfahrung"⟩ *die; -:* 1. a) durch längere Erfahrung erworbene Fähigkeit, eine bestimmte Tätigkeit sehr sicher, schnell u. überlegen auszuführen; b) [technisch perfekte] Ausführung einer Tätigkeit, die zur Gewohnheit geworden ist u. jedes Engagement vermissen lässt. 2. Dienstplan auf einem Kriegsschiff. 3. zu einem größeren Programmkomplex gehörendes Teilprogramm (vgl. Programm 4), das eine bestimmte Aufgabe löst u. ein Rechenergebnis erstellt (EDV). **Rou|ti|ni|er** [...ni̯e:] *der;* -s, -s: routinierter Praktiker. **rou|ti|niert:** [durch Erfahrung, Übung] gewandt, geschickt, gekonnt, überlegen **Roux** [ru:] ⟨*lat.-fr.*⟩ *der;* -, -: franz. Bez. für: Mehlschwitze (Gastr.) **Row|dy** [ˈrau̯di] ⟨*engl.-amerik.*⟩ *der;* -s, -s: jüngerer Mann, der sich in der Öffentlichkeit flegelhaft benimmt, gewalttätig wird **ro|yal** [roa̯ˈja:l] ⟨*lat.-fr.*⟩: 1. königlich. 2. königstreu. **[1]Ro|yal** *das;* -: ein Papierformat. **[2]Ro|yal** *der;* -[s]: Kunstseidenstoff in versetzter Kettripsbindung. (Webart). **Roy|al Air Force** [ˈrɔi̯əlˈɛəfɔ:s] ⟨*engl.*⟩ *die;* - - -: die [königliche] britische Luftwaffe; Abk.: R. A. F. **Ro|yal|lis|mus** [roa̯ja...] ⟨*lat.-fr.-nlat.*⟩ *der;* -: Königstreue. **Ro|yal|list** *der;* -en, -en: Anhänger des Königshauses. **ro|yal|lis|tisch:** den Royalismus betreffend. **Roy|al|ty** [ˈrɔi̯əlti] ⟨*lat.-fr.-engl.*⟩ *das;* -, -s: 1. Vergütung, die dem Besitzer eines Verlagsrechtes für die Überlassung dieses Rechtes gezahlt wird. 2. Abgabe, Steuer, die eine ausländische Erdölgesellschaft an Land zahlt, in dem das Erdöl gewonnen wird **Ru|a|sa:** *Plural* von ↑ Rais **ru|ba|to** ⟨*germ.-it.*; Kurzform von: tempo rubato⟩ in musikalischen Vortrag kleine Tempoabweichungen u. Ausdrucksschwankungen erlaubend, nicht im strengen Zeitmaß. **Ru|ba|to** *das;* -s, -s u. ...ti: in Tempo u. Ausdruck freier Vortrag (Mus.) **[1]Rub|ber** [ˈrʌbə, ˈrabɐ] ⟨*engl.*⟩ *der;* -s: engl. Bez. für: Kautschuk, Gummi **[2]Rub|ber** [ˈrabɐ] ⟨*engl.;* Herkunft unsicher⟩ *der;* -s, -: Doppelpartie im Whist- od. Bridgespiel **Ru|be|be** ⟨*pers.-arab.-fr.*⟩ *die;* -, -n: ↑ Rebec **Ru|be|ol|la** ⟨*lat.-nlat.*⟩ *die;* -: Röteln (Med.). **Ru|bia** *die;* -: Gattung der Rötegewächse, die früher zum Teil zur Farbstoffgewinnung verwendet wurden (Bot.). **Ru|bi|di|um** *das;* -s: chemisches Element; ein Alkalimetall (Zeichen: Rb)

Ru|bi|kon ⟨nach dem Grenzfluss zwischen Italien u. Gallia cisalpina, mit dessen Überschreitung Cäsar den Bürgerkrieg begann⟩: in der Fügung: **den Rubikon überschreiten:** den entscheidenden Schritt tun **Ru|bin** ⟨*lat.-mlat.*⟩ *der;* -s, -e: kostbarer roter Edelstein. **Ru|bi|zell** ⟨*lat.-nlat.*⟩ *der;* -s, -e: ein Mineral (orange- od. rosafarbener Spinell). **Ru|bor** ⟨*lat.*⟩ *der;* -s: entzündliche Rötung der Haut (Med.). **Ru|bra*** u. **Ru|bren:** *Plural* von ↑ Rubrum. **Rub|rik*** *die;* -, -en: 1. a) Spalte, in die etwas nach einer bestimmten Ordnung [unter einer Überschrift] eingetragen wird; b) Kategorie, in die man jmdn./etwas gedanklich einordnet. 2. rot gehaltene Überschrift od. Initiale, die in mittelalterlichen Handschriften u. Frühdrucken die einzelnen Abschnitte trennte. 3. rot gedruckte Anweisung für rituelle Handlungen in [katholischen] liturgischen Büchern. **Rub|ri|ka|tor*** ⟨*lat.-mlat.*⟩ *der;* -s, ...oren: Maler von Rubriken (2) im Mittelalter. **rub|ri|zie|ren*** ⟨*lat.-mlat.*⟩: 1. a) in eine bestimmte Rubrik (1 a) einordnen; b) kategorisieren, klassifizieren. 2. mit einer roten Überschrift, mit roten Initialen versehen (in Bezug auf den Rubrikator) (im Buchdruck). **Rub|rum*** *das;* -s, ...bra u. ...bren: a) kurze Inhaltsangabe als Aufschrift auf Akten; b) Kopf eines amtlichen Schreibens **Ru|col|la,** auch: Rukola ⟨*lat.; it.*⟩ *die;* -: einjähriges Kraut, dessen junge Blätter als Salat gegessen werden **Rud|be|ckia** u. **Rud|be|ckie** [...i̯ə] ⟨*nlat.;* nach dem schwed. Naturforscher Olof Rudbeck, 1630–1702⟩ *die;* -, ...ien: einjährige od. ausdauernde hohe Gartenpflanze mit gelben Blüten; Sonnenhut (Korbblütler) **Ru|de|ra** ⟨*lat.*⟩ *die* (Plural): (veraltet) Schutthaufen, Trümmer. **Ru|de|ral|pflan|ze** ⟨*lat.-nlat.; dt.*⟩ *die;* -, -n: Pflanze, die auf Schuttplätzen und an Wegrändern gedeiht. **Ru|di|ment** ⟨*lat.*⟩ *das;* -[e]s, -e: 1. etw., was sich aus einer früheren Epoche, einem früheren Lebensabschnitt noch als Rest erhalten hat; Rest, Überbleibsel; Bruchstück. 2. (Biol.) verkümmertes, teilweise od. gänzlich funktionslos gewordenes Organ (z. B. die Flügel des Straußes). **ru|di|men|tär** ⟨*lat.-nlat.*⟩: 1. a) nur noch als Rudi-

ment (1) [vorhanden]; b) unvollständig, unvollkommen, nur in Ansätzen [vorhanden], unzureichend. 2. (Biol.) nur [noch] als Anlage, im Ansatz, andeutungsweise vorhanden, unvollständig [entwickelt]. **Ru|dis|ten** *die* (Plural): fossile Familie der Muscheln (wichtige Versteinerungen der Kreidezeit). **Ru|di|tät** ⟨*lat.*⟩ *die;* -, -en: (veraltet) rüdes Betragen, Grobheit, Rohheit **Ru|el|da** ⟨*lat.-span.*⟩ *die;* -, -s: spanischer Tanz im ⁵/₈-Takt **Rug|by** [ˈrakbi, engl.: ˈrʌgbi] ⟨*engl.*⟩ *das;* -[s]: (Sport) Kampfspiel, bei dem der eiförmige Ball nach bestimmten Regeln mit den Füßen od. Händen in die Torzone des Gegners zu spielen ist **Ru|in** ⟨*lat.-fr.*⟩ *der;* -s: Zustand, in dem die betreffende Person, Institution o. Ä. wirtschaftlich, moralisch am Ende od. sonst in ihrer Existenz getroffen, vernichtet ist. **Ru|i|ne** *die;* -, -n: a) stehen gebliebene Reste eines zum [größeren] Teil zerstörten od. verfallenen [historischen] Bauwerkes; b) (nur Plural) Trümmer von Ruinen (a). **ru|i|nie|ren** ⟨*lat.-mlat.-fr.*⟩: a) eine Person, Sache in ihrer Existenz radikal schädigen, zugrunde richten, vernichten; b) aufgrund von Unachtsamkeit stark beschädigen, unbrauchbar, unansehnlich machen. **ru|i|nös** ⟨*lat.-fr.*⟩: 1. zum Ruin führend, beitragend. 2. (veraltend) in baulichem Verfall begriffen, davon bedroht; baufällig, verfallen **Ru|kol|la** vgl. Rucola **Rum** ⟨*engl.*⟩ *der;* -s, -s: Edelbranntwein aus Rohrzuckermelasse od. Zuckerrohrsaft **Rum|ba** ⟨*kuban.-span.*⟩ *die;* -, -s (ugs. auch: *der;* -s, -s): aus Kuba stammender Tanz in mäßig schnellem ⁴/₄- od. ²/₄-Takt (seit etwa 1930) **Rum|ford|sup|pe** [ˈramfɔrt...] ⟨nach Graf Benjamin Rumford, 1753–1814⟩ *die;* -, -n: Suppe aus getrockneten gelben Erbsen, Gewürzen, durchwachsenem Speck u. a. **Ru|mi|na|ti|on** ⟨*lat.;* „das Wiederkäuen"⟩ *die;* -, -en: 1. (Zool.) das Wiederkäuen. 2. ↑ Meryzismus. 3. reifliche Überlegung. **ru|mi|nie|ren:** 1. wiederkäuen. 2. (veraltet) wieder erwägen, nachsinnen. **ru|mi|niert:** gefurcht, zernagt (von Pflanzensamen) **Rum|my** [ˈrœmi, ˈrami] ⟨*engl.*⟩ *das;* -s, -s: (österr.) Rommé

Ru|mor ⟨lat.⟩ der; -s: (landsch., sonst veraltet) Lärm, Unruhe. ru|mo|ren: 1. durch Bewegung dumpfen Lärm machen; geräuschvoll hantieren. 2. jmdm. im Magen kollern. 3. in jmdm. Unruhe hervorrufen

Rump|steak ⟨engl.; „Rumpfstück"⟩ das; -s, -s: Scheibe [mit Fettrand] aus dem Rückenstück des Rindes, die kurz gebraten od. gegrillt wird

Run [ran, engl.: rʌn] ⟨engl.⟩ der; -s, -s: großer Ansturm auf etwas wegen drohender Knappheit [in einer krisenhaften Situation]. Run-about, auch Run|about* ['ranəbaut] ⟨engl.⟩ das; -s, -s (meist Plural): Rennboot mit innen liegendem serienmäßigem Motor u. bestimmten vorgeschriebenen Maßen

Run|da|low ['rundalo] ⟨dt.-Hindiengl.⟩ der; -s: strohgedeckter, aus dem afrikanischen Kral entwickelter runder Bungalow [als Ferienhaus]

Run|dell vgl. Rondell

Run|ning|gag ['raniŋgɛk] ⟨engl.⟩ der; -s, -s: Gag, der sich immer wiederholt, der oft verwendet wird

Ru|no|lo|ge ⟨altnord.; gr.⟩ der; -n, -n: Wissenschaftler auf dem Gebiet der Runologie. Ru|no|lo|gie die; -: Runenforschung

Run|way ['rʌnweɪ] ⟨engl.⟩ die, od. der; -, -s: Start-und-Lande-Bahn

Ru|pel ['ry:pl] ⟨nach dem Nebenfluss der Schelde in Belgien⟩ u. Ru|pe|li|en [...peˈlĭɛ̃:] das; -[s]: mittlere Stufe des Oligozäns

Ru|pia ⟨gr.-nlat.⟩ u. Rhypia die; -, ...ien: große, borkige Hautpustel (Med.)

Ru|pi|ah ⟨Hindi⟩ die; -, -: Währungseinheit in Indonesien (= 100 Sen). Ru|pie [...ĭə] die; -, -n: Währungseinheit in Indien u. anderen Staaten. Ru|pi|en: Plural von ↑Rupia u. ↑Rupie

Rup|tur ⟨lat.⟩ die; -, -en: 1. Zerreißung (eines Gefäßes od. Organs), Durchbruch (Med.). 2. Riss, durch tektonische Bewegungen hervorgerufene Spalte im Gestein (Geol.)

ru|ral ⟨lat.⟩: (veraltet) ländlich, bäuerlich. Ru|ral|ka|pi|tel das; -s, -: (veraltet) Gesamtheit der zu einem Dechanat gehörenden Geistlichen

Rush [rʌʃ] ⟨engl.⟩ der; -s, -s: 1. plötzlicher Vorstoß (eines Läufers, eines Pferdes) beim Rennen. 2. [wirtschaftlicher] Aufschwung; Ansturm. Rush|hour

[...|auə] die; -, -s (meist ohne Plural): Hauptverkehrszeit

rus|si|fi|zie|ren ⟨russ.-nlat.⟩: an die Sprache, die Sitten u. das Wesen der Russen angleichen. rus|sisch-or|tho|dox: der orthodoxen Kirche in ihrer russischen Ausprägung angehörend. Rus|sist der; -en, -en: Wissenschaftler auf dem Gebiet der Russistik. Rus|sis|tik die; -: Wissenschaft von der russischen Sprache u. Literatur. Russ|ki der; -[s], -[s]: (salopp) Russe; russischer [Besatzungs]soldat

rus|tik ⟨lat.⟩: ↑rustikal. Rus|ti|ka die; -: Mauerwerk aus rohen, nur an den Rändern gleichmäßig behauenen Quadern. rus|ti|kal ⟨lat.-nlat.⟩: 1. a) ländlich-schlicht, bäuerlich; b) eine ländlich-gediegene Note habend. 2. a) von bäuerlich-robuster, unkomplizierter Wesensart; b) (abwertend) bäurisch, grob, ungehobelt. Rus|ti|ka|li|tät die; -: rustikale Art, rustikales Wesen. Rus|ti|ka|li|on ⟨lat.-nlat.⟩ die; -: (veraltet) Landleben. Rus|ti|kus der; -, -se u. Rustizi: (veraltet) plumper, derber Mensch. Rus|ti|zi|tät die; -: (veraltet) plumpes, derbes Wesen

Ru|the|ni|um ⟨nlat.; nach Ruthenien, dem alten Namen der Ukraine⟩ das; -s: mattgraues od. silberweiß glänzendes, sehr hartes, sprödes Edelmetall (Zeichen: Ru)

Ru|ther|for|di|um [rʌðə...] ⟨nach dem engl. Physiker Ernest Rutherford, 1871–1937⟩ das; -s: Transuran-Element 104; Zeichen: Rf

Ru|til ⟨lat.; „rötlich"⟩ der; -s, -e: zu den Titanerzen gehörendes, metallisch glänzendes, meist rötliches Mineral (das auch als Schmuckstein verwendet wird)

Ru|til|is|mus ⟨lat.-nlat.⟩ der; -: 1. Rothaarigkeit (Anthropol.). 2. krankhafte Neigung zu erröten (Med.; Psychol.)

Ru|tin ⟨gr.-lat.-nlat.⟩ das; -s: in vielen Pflanzen enthaltene kristalline Substanz, die gegen Schäden an den Blutgefäßen u. gegen Brüchigkeit der Kapillaren eingesetzt wird

Rya ⟨schwed.⟩ die; -, Ryor: langfloriger, geknüpfter schwedischer Teppich

Rye [raɪ] ⟨engl.-amerik.⟩ der; -: amerikanischer Whiskey, dessen Getreidemaische überwiegend aus Roggen bereitet ist

Ryor: Plural von ↑Rya

S

S ⟨Abk. für engl. small⟩: klein (Kleidergröße)

Sa|ba|dil|le ⟨mex.-span.⟩ die; -, -n: in Südamerika heimisches Liliengewächs, aus dessen Samen ein Mittel zur Bekämpfung von Läusen hergestellt wird

Sa|ba|oth ⟨hebr.-gr.-mlat.⟩: ↑Zebaoth

Sa|ba|yon [...'jõ:] ⟨fr.⟩ das; -s, -s: Weinschaumcreme

Sab|bat ⟨hebr.-gr.-lat.⟩ der; -s, -e: nach jüdischem Glauben geheiligter, von Freitag- bis Samstagabend dauernder Ruhetag, der mit bestimmten Ritualen begangen wird. Sab|ba|ta|ri|er ⟨hebr.-gr.-lat.-nlat.⟩ der; -s, -u. Sab|ba|tist der; -en, -en: Anhänger einer christlichen Sekte, die nach jüdischer Weise den Sabbat einhält. Sab|bat|jahr ⟨hebr.-gr.-lat.; dt.⟩ das; -[e]s, -e: 1. (im A. T.) alle sieben Jahre wiederkehrendes Ruhejahr, in dem der Boden brachliegt, Schulden erlassen u. Sklaven freigelassen werden (jüd. Rel.). 2. einjährige Freistellung von beruflicher Tätigkeit

Sa|bi|nis|mus ⟨lat.-nlat.⟩ der; -: Vergiftung durch das stark abortiv (2) wirkende Sabinaöl des Sadebaums

Sa|bot [sa'bo:] ⟨fr.⟩ der; [s], s: hochhackiger, hinten offener Damenschuh. Sa|bo|ta|ge [...'ta:ʒə] ⟨fr.⟩ die; -, -n: absichtliche [planmäßige] Beeinträchtigung der Leistungsfähigkeit politischer, militärischer od. wirtschaftlicher Einrichtungen durch [passiven] Widerstand, Störung des Arbeitsablaufs od. Beschädigung u. Zerstörung von Anlagen, Maschinen o. Ä. Sa|bo|teur [...'tø:ɐ̯] der; -s, -e: jmd., der Sabotage treibt. sa|bo|tie|ren: a) etw. durch Sabotage stören, vereiteln; b) hintertreiben, zu vereiteln suchen

Sab|re* ⟨hebr.⟩ der; -s, -s (meist Plural): in Israel geborener u. ansässiger Jude

Sac|cha|ra|se [zaxa...] ⟨sanskr.-Pali-gr.-lat.-nlat.⟩ u. Sacharase

Saccharat

die; -: Enzym, das Rohrzucker in Traubenzucker u. Fruchtzucker spaltet. **Sac|cha|rạt** u. Sacharat *das;* -[e]s, -e: für die Zuckergewinnung wichtige Verbindung des Rohrzuckers mit [1]Basen (bes. Kalziumsaccharat). **Sac|cha|rịd** u. Sacharid *das;* -s, -e (meist Plural): Kohlehydrat (Zuckerstoff; Chem.). **Sac|cha|rịn** *‹sanskr.-Pali-gr.-lat.-nlat.›* u. Sacharin *das;* -s: (künstlich hergestellter) Süßstoff. **Sac|cha|rọ|se** *‹sanskr.-Pali-gr.-lat.-nlat.›* u. Sacharose *die;* -: Zucker (Chemie). **Sạc|cha|rum** *‹sanskr.-Pali-gr.-lat.›* u. Sacharum *das;* -s, ...ra: lat. Bez. für: Zucker **sa|cer|do|tạl** usw. vgl. sazerdotal usw.

Sa|cha|rạ|se usw. vgl. Saccharase usw.

Sa|chet [zaˈʃeː] *‹fr.›* *das;* -s, -s: (veraltet) kleines, mit duftenden Kräutern o. Ä. gefülltes Säckchen (zumEinlegen in Wäscheschränke o. Ä.)

sa|cker|lọt! *‹zu fr.* sacre nom (de Dieu) = heiliger Name (Gottes)›: (veraltet) Ausruf des Erstaunens od. der Verwünschung. **sa|cker|mẹnt!** *‹zu* Sakrament›: (veraltet) ↑ sackerlot

Sac|ra* **Con|ver|sa|zi|ọ|ne** u. Santa Conversazione *‹lat.-it.;* „heilige Unterhaltung") *die;* - -: Darstellung Marias mit Heiligen (bes. in der italienischen Renaissancemalerei). **Sac|ri|fi|ci|um In|tel|lẹc|tus** *‹lat.;* „Opfer des Verstandes")*› das;* - -: 1. von katholischen Gläubigen geforderte Unterordnung des eigenen Erkennens unter die kirchliche Lehrmeinung. 2. Aufgeben der eigenen Überzeugung angesichts einer fremden Meinung

Sad|du|zä|er *‹hebr.-gr.-lat.›* *der;* -s, -: (hist.) Angehöriger einer altjüdischen konservativen Partei (Gegner der Pharisäer)

Sạ|de|baum *‹lat.; dt.›* *der;* -s, ...bäume: (im Gebirge wachsender) Wacholder mit schuppenförmigen, an den jungen Trieben nadelförmigen Blättern

Sạd|hu *‹sanskr.;* „guter Mann, Heiliger")*› der;* -[s], -s: als Eremit u. bettelnder Asket lebender Hindu

Sa|dịs|mus *‹fr.-nlat.;* nach dem franz. Schriftsteller de Sade, 1740–1814› *der;* -, ...men: a) (ohne Plural) Veranlagung, beim Quälen anderer zu sexueller Erregung, Lust zu gelangen; b) (ohne Plural) Lust am Quälen, an

Grausamkeiten; c) sadistische Handlung; vgl. Masochismus. **Sa|dịst** *der;* -en, -en: a) jmd., der sich durch Quälen anderer sexuell zu befriedigen sucht; b) jmd., der Freude daran hat, andere zu quälen. **sa|dịs|tisch:** a) den Sadismus (a) betreffend, darauf beruhend; sexuelle Erregung, Lust bei Quälereien empfindend; b) in grausamer Weise von Sadismus (b) bestimmt, geprägt. **Sa|do|ma|so** *der;* -: (ugs.) ↑ Sadomasochismus. **Sa|do|ma|so|chịs|mus** *der;* -, ...men: a) (ohne Plural) Veranlagung, beim Ausführen u. Erdulden von Quälereien zu sexueller Erregung, Lust zu gelangen; b) sadomasochistische Handlung. **sa|do|ma|so|chịs|tisch:** den Sadomasochismus betreffend, auf ihm beruhend, zu ihm gehörend. **Sạ|do|wes|tern** *der;* -[s], -: bes. grausamer Italowestern

Sa|fạ|ri *‹arab.›* *die;* -, -s: a) (bes. in Ostafrika) längerer Fußmarsch [mit Trägern u. Lasttieren]; b) [Gesellschafts]reise (nach Afrika) mit der Möglichkeit, Großwild zu beobachten u. zu jagen. **Sa|fạ|ri|park** *der;* -s, -s: Wildpark mit exotischen Tieren

Safe [seɪf] *‹lat.-fr.-engl.;* „der Sichere")*› der* (auch: *das*)*;* -s, -s: a) Geldschrank; b) Schließfach im Tresor [eines Geldinstituts] zur sicheren Aufbewahrung von Geld, kostbarem Schmuck, Wertpapieren o. Ä. **Sa|fer|sex** [ˈseɪfəsɛks] *der;* -es, auch: **Sa|fer Sex** *der;* - -es *‹engl.;* „sichererer Sex")*›*: die Gefahr einer Aidsinfektion minderndes Sexualverhalten

Saf|fi|an *‹pers.-türk.-slaw.›* *der;* -s: feines, weiches (oft leuchtend eingefärbtes) Ziegenleder

Saf|lor* *‹arab.-it.›* *der;* -s, -e: Färberdistel

Saf|ran* *‹pers.-arab.-mlat.-fr.›* *der;* -s, -e: 1. (zu den Krokussen gehörende) im Herbst blühende Pflanze mit schmalen Blättern u. purpurfarbenen Blüten, die bes. im Mittelmeerraum als Gewürz- u. Heilpflanze u. zur Gewinnung von Farbstoff angebaut wird. 2. (ohne Plural) aus Teilen des getrockneten Fruchtknotens des Safrans (1) gewonnenes Gewürz, Heil- u. Färbemittel

Sạ|ga [ˈza(ː)ga] *‹altnord.›* *die;* -, -s: altisländische, meist von den Kämpfen heldenhafter Bauerngeschlechter handelnde Prosaerzählung

Sa|ga|zi|tặt *‹lat.›* *die;* -: (veraltet) Scharfsinn

sa|git|tạl *‹lat.›*: parallel zur Mittelachse des Körpers, zur Pfeilnaht des Schädels gerichtet (Biol.; Anat.). **Sa|git|tạl|ebe|ne** *die;* -, -n: zur Mittelachse des Körpers od. zur Pfeilnaht des Schädels parallele Ebene (Biol.; Anat.)

Sạ|go *‹indones.-engl.-niederl.›* *der* (österr. meist: *das*)*;* -s: aus dem Mark bes. der Sagopalme gewonnenes feinkörniges Stärkemehl, das in heißer Flüssigkeit aufquillt u. glasig wird, beim Erkalten starrt bindend wirkt u. deshalb bei der Zubereitung von Pudding, Grütze, Kaltschale o. Ä., aber auch als Einlage in Suppen u. Brühen verwendet wird

Sạ|gum *‹kelt.-lat.›* *das;* -s, ...ga: (hist.) auf der Schulter zu schließender Mantel der römischen Soldaten aus dickem Wollstoff

Sạ|hib *‹arab.-Hindi;* „Herr")*› der;* -[s], -s: in Indien u. Pakistan titelähnliche Bez. für: Europäer

Sại|ga *‹russ.›* *die;* -, -s: in den Steppen Südrusslands lebende, schafähnliche Antilope

Sail|lant [saˈjã:] *‹lat.-fr.›* *der;* -, -s: vorspringende Ecke an einer alten Festung

Sai|nẹ|te [zaɪ...] *‹lat.-vulgärlat.-span.;* „Leckerbissen")*› der;* -, -s: a) kurzes, derbkomisches Zwischen- od. Nachspiel mit Musik u. Tanz im spanischen Theater; b) selbstständige Posse im spanischen Theater, die die Entremés verdrängte

Saint-Si|mo|nịs|mus [sɛ̃si...] *‹nlat.›* nach dem franz. Sozialtheoretiker C. H. de Saint-Simon, 1760–1825› *der;* -: (in der ersten Hälfte des 19. Jahrhunderts entstandene) frühsozialistische Bewegung, die das Prinzip der Assoziation (1) an die Stelle des Prinzips der Konkurrenz setzte, u.a. verknüpft mit der Forderung einer Abschaffung des Privateigentums an Produktionsmitteln u. deren Überführung in Gemeineigentum. **Saint-Si|mo|nịst** *der;* -en, -en: Anhänger, Vertreter des Saint-Simonismus

Sai|son [zɛˈzõ:, auch: zɛˈzɔŋ] *‹lat.-fr.›* *die;* -, -s (bes. südd. u. österr. auch: ...ọnen): a) für etw. wichtigster Zeitabschnitt innerhalb eines Jahres, in dem best. Bestimmtes am meisten vorhanden ist, stattfindet; b) Zeitabschnitt im Hinblick auf Aktuelles (z. B.

in der Mode). **sai|so|nal** ⟨*lat.-fr.-nlat.*⟩: die [wirtschaftliche] Saison betreffend, von ihr bedingt. **Sai|son|di|mor|phis|mus** *der;* -: eine Form der Polymorphie (4 b) mit jahreszeitlich bedingten Zeichnungs- und Farbmustern bei Tieren (z. B. Schmetterlingen; Biol.). **Sai|son morte** [sɛzõ'mɔrt] ⟨*lat.-fr.;* „tote Jahreszeit"⟩ *die;* - -: Zeitabschnitt innerhalb eines Jahres mit geringem wirtschaftlichem Betrieb. **Sai|son|ni|er** [...'nie:] *der;* -s, -s: (schweiz.) Arbeiter, der nur zu bestimmten Jahreszeiten, z. B. zur Ernte, beschäftigt wird; Saisonarbeiter

Sa|ke ⟨*jap.*⟩ *der;* -: Reiswein

Sa|ki ⟨*arab.-türk.* u. *pers.;* „Schenk"⟩ *der;* -, -: Figur des Mundschenks in orientalischen Dichtungen. **Sa|ki|je** *die;* -, -n: von Büffeln od. Kamelen bewegtes Schöpfwerk zur Bewässerung der Felder in Ägypten

Sak|ko [österr.: za'ko:] ⟨italienisierende Bildung zu dt. „Sack"⟩ *der* (auch, österr. nur: *das*); -s, -s: Jackett [als Teil einer Kombination (2)]

sa|kra!* ⟨zu Sakrament⟩: (südd. salopp) verdammt! (Ausruf des Erstaunens, der Verwünschung). **sa|kral** ⟨*lat.-nlat.*⟩: 1. a) [geweiht u. daher] heilig; religiösen Zwecken dienend; b) Heiliges, Religiöses betreffend. 2. das Kreuzbein betreffend (Med.). **Sak|ral|bau** *der;* -[e]s, -ten: religiösen Zwecken dienendes Bauwerk (Archit.; Kunstwiss.). **Sak|ra|ment** ⟨*lat.*⟩ *das;* -[e]s, -e: a) (christl., bes. kath. Kirche) in Jesus Christus eingesetzte zeichenhafte Handlung, in der traditionellen Formen vollzogen wird u. nach christlichem Glauben dem Menschen in sinnlich wahrnehmbarer Weise die Gnade Gottes übermittelt; b) Mittel (z. B. Hostie), mit dem das Sakrament (a) gespendet wird. **sa|kra|men|tal** ⟨*lat.-mlat.*⟩: ein Sakrament betreffend u. ihm angehörend. **Sak|ra|men|ta|li|en** *die* (Plural): a) den Sakramenten ähnliche Zeichen od. Handlungen, die jedoch von der Kirche eingesetzt sind; b) durch Sakramentalien (a) geweihte Dinge (z. B. Weihwasser). **Sak|ra|men|tar** *das;* -s, -e: altchristliche u. frühmittelalterliche Form des Messbuchs. **Sak|ra|men|ter** *der;* -s, -: (salopp, oft scherzh.) jmd., über den man sich ärgert oder

um den man sich sorgt, weil er zu leichtsinnig-unbekümmert ist. **Sak|ra|men|tie|rer** *der;* -s, -: (hist.) Schimpfwort der Reformationszeit für jmdn., der die Anerkennung der Sakramente verweigert (z. B. die Wiedertäufer). **Sak|ra|ments|häus|chen** *das;* -s, -: zur Aufbewahrung der geweihten Hostie dienendes, meist turmartig geformtes Behältnis [aus Stein], das sich im Chor von Kirchen befindet. **Sak|ra|ri|um** *das;* -s, ...ien: in od. neben katholischen Kirchen im Boden angebrachter verschließbarer Behälter zur Aufnahme gebrauchten Taufwassers u. der Asche unbrauchbar gewordener geweihter Gegenstände. **sak|rie|ren** ⟨*lat.*⟩: (veraltet) weihen, heiligen. **Sak|ri|fi|zi|um** *das;* -s, ...ien: [Mess]opfer (kath. Kirche). **Sak|ri|leg** *das;* -s, -e u. Sakrilegium *das,* -s, ...ien: Vergehen, Frevel gegen Personen, Gegenstände, Stätten usw., denen religiöse Verehrung entgegengebracht wird. **sak|ri|le|gisch:** frevelhaft, gotteslästerlich. **Sak|ri|le|gi|um** vgl. Sakrileg. **sak|risch:** (südd.) a) böse, verdammt; b) sehr, gewaltig, ungeheuer. **Sak|ris|tan** ⟨*lat.-mlat.*⟩ *der;* -s, -e: [katholischer] Kirchendiener; Küster, Mesner. **Sak|ris|tei** *die;* -, -en: Nebenraum in der Kirche für den Geistlichen u. die für den Gottesdienst benötigten Gegenstände. **Sak|ro|dy|nie** ⟨*lat.; gr.*⟩ *die;* -, ...ien: Schmerz in der Kreuzbeingegend (Med.). **sak|ro|sankt** ⟨*lat.*⟩: unantastbar, hochheilig, unverletzlich

Sä|ku|la: Plural von ↑Säkulum

sä|ku|lar ⟨*lat.*⟩: 1. a) alle hundert Jahre wiederkehrend; b) hundert Jahre dauernd; c) ein Jahrhundert betreffend. 2. außergewöhnlich, herausragend, einmalig. 3. weltlich, der Welt (der kirchlichen) Laien angehörend. 4. (von Bewegungen von Himmelskörpern, Veränderungen der Erdoberfläche) in langen Zeiträumen ablaufend od. entstanden (Astron.; Geol.). **Sä|ku|lar|fei|er** *die;* -, -n: Hundertjahrfeier. **Sä|ku|la|ri|sa|ti|on** ⟨*lat.-nlat.*⟩ *die;* -en: 1. Einziehung od. Nutzung kirchlichen Besitzes durch weltliche Hoheitsträger. 2. ↑Säkularisierung (1, 2); vgl. ...[at]ion/ ...ierung. **sä|ku|la|ri|sie|ren:** 1. kirchlichen Besitz einziehen u. verstaatlichen. 2. aus kirchlicher

Bindung, Abhängigkeit lösen, unter weltlichem Gesichtspunkt betrachten, beurteilen. **Sä|ku|la|ri|sie|rung** *die;* -: 1. Loslösung des Einzelnen, des Staates u. gesellschaftlicher Gruppen aus den Bindungen an die Kirche (seit Ausgang des Mittelalters); Verweltlichung. 2. Erlaubnis für Angehörige eines Ordens, das Kloster zu verlassen u. ohne Bindung an die Gelübde zu leben (kath. Kirche). 3. Säkularisation (1); vgl. ...[at]ion/...ierung. **Sä|ku|lar|kle|ri|ker** *der;* -s, -: Geistlicher, der nicht in einem Kloster lebt. **Sä|ku|lum** ⟨*lat.*⟩ *das;* -s, ...la: 1. Zeitraum von hundert Jahren; Jahrhundert. 2. Zeitalter

Sal ⟨Kurzw. aus: Silicium u. Aluminium⟩ *das;* -s: ↑Sial

Sa|lam u. Selam ⟨*arab.*⟩ *der;* -s: Wohlbefinden, Heil, Friede (arab. Grußwort); **Salam alei-kum:** Heil, Friede mit euch! (arab. Gru0formel)

Sa|la|man|der ⟨*gr.-lat.*⟩ *der;* -s, -: Schwanzlurch mit rundem, langem Schwanz u. teilweise auffallender Zeichnung des Körpers

Sa|la|mi ⟨*lat.-it.;* „Salzfleisch; Schlackwurst"⟩ *die;* -, -[s]: kräftig gewürzte, rötlich braune, luftgetrocknete Dauerwurst, deren Haut oft mit einem natürlichen weißen Belag überzogen ist od. einen weißen Überzug aus Kreide o. Ä. hat. **Sa|la|mi|tak|tik** *die;* -: Taktik, [politische] Ziele durch kleinere Forderungen u. entsprechende Zugeständnisse der Gegenseite zu erreichen zu suchen

Sa|lan|ga|ne ⟨*malai.-fr*⟩ *die;* -, -n: südostasiatischer schwalbenähnlicher Vogel, dessen Nester als Delikatesse gelten

Sa|lar ⟨*lat.-span.*⟩ *der;* -s, -e[s]: Salztonebene mit Salzkrusten in Südamerika

Sa|lär ⟨*lat.-fr.*⟩ *das;* -s, -e: (bes. schweiz.) Honorar, Gehalt, Lohn. **sa|la|rie|ren:** (schweiz.) besolden, entlohnen

¹Sa|lat ⟨*ital.*⟩ *der;* -s, -e: 1. a) mit verschiedenen süßen od. sauren Marinaden od. Dressings zubereitete kalte Speise aus zerkleinerten Salatpflanzen, Obst, frischem od. gekochtem Gemüse, Fleisch, Wurst, Fisch o. Ä. b) Blattsalat, Kopfsalat. 2. (ugs.) Wirrwarr, Durcheinander, Unordnung

²Sa|lat ⟨*arab.*⟩ *die;* -: das täglich fünfmal zu verrichtende Gebet der Moslems

Sa|la|ti|e|re ⟨*lat.-vulgärlat.-it.-fr.*⟩ *die;* -, -n: (veraltet) Salatschüssel

Sal|chow [...ço] ⟨nach dem schwedischen Eiskunstlaufweltmeister U. Salchow, 1877 bis 1949⟩ *der;* -[s], -s: mit einem Bogen rückwärts eingeleiteter Sprung, bei dem die Läuferin/ der Läufer mit einem Fuß abspringt, in der Luft eine Drehung ausführt u. mit dem anderen Fuß wieder aufkommt (Eiskunstlauf; Rollkunstlauf)

sal|die|ren ⟨*lat.-vulgärlat.-it.*⟩: 1. den Saldo ermitteln. 2. (österr.) die Bezahlung einer Rechnung bestätigen. 3. (eine Rechnung o. Ä.) begleichen, bezahlen; eine Schuld tilgen. Sal|do *der;* -s, Salden u. -s u. Saldi: 1. Differenzbetrag, der sich nach Aufrechnung der Soll- u. Habenseite des Kontos ergibt. 2. Betrag, der nach Abschluss einer Rechnung zu deren völliger Begleichung fällig bleibt

Sa|lem vgl. Salam

Sa|lep ⟨*arab.-span.*⟩ *der;* -s, -s: getrocknete u. zu Pulver verarbeitete Knolle verschiedener Orchideen, die für Heilzwecke verwendet wird

Sa|le|si|a|ner ⟨nach dem hl. Franz v. Sales, 1567–1622⟩ *der;* -s, - (meist Plural): 1. Mitglied der Gesellschaft des heiligen Franz von Sales. 2. Angehöriger eines katholischen Priesterordens, des bes. in der [Jugend]seelsorge tätig ist

Sales|ma|na|ger ['seilz...] ⟨*engl.-amerik.*⟩ *der;* -s, -: Verkaufsleiter(in) in einem Unternehmen (Wirtsch.). Sales|man|ship ['seilzmənʃip] *das;* -s: eine in den USA wissenschaftlich u. empirisch entwickelte Methode erfolgreichen Verkaufens. Sales|pro|mo|ter *der;* -s, -: Vertriebskaufmann/-kauffrau mit besonderen Kenntnissen auf dem Gebiet der Marktbeeinflussung. Sales|pro|mo|tion *die;* -: Verkaufswerbung, Verkaufsförderung (Wirtsch.).

Sal|et|tel, Sal|ettl ⟨*it.*⟩ *das;* -s, - u. -n: (bayr. u. österr.) Pavillon, Gartenhaus, Laube

Sa|li|cin vgl. Salizin. Sa|li|cy|lat vgl. Salizylat. Sa|li|cyl|säu|re vgl. Salizylsäure

Sa|li|er ⟨*lat.*⟩ *der;* -s, - (meist Plural): altrömischer Priester

Sa|li|ne ⟨*lat.;* „Salzwerk, Salzgrube"⟩ *die;* -, -n: 1. Anlage zur Gewinnung von Kochsalz durch Verdunstung von Wasser, in dem

Kochsalz enthalten ist. 2. Gradierwerk. sa|li|nisch: salzartig

sa|lisch ⟨Kunstw. zu *lat.* silex u. *A*luminium⟩: (von Mineralien) reich an Kieselsäure u. Tonerde; Ggs. ↑femisch

Sa|li|va|ti|on ⟨*lat.*⟩ *die;* -, -en: ↑Ptyalismus

Sa|li|zin ⟨*lat.-nlat.*⟩ *das;* -s: (früher als Fieber senkendes Mittel verwendet) Bitterstoff. Sa|li|zy|lat, chem. fachspr.: Salicylat ⟨(*lat.; gr.) nlat.*⟩ *das;* -[e]s, -e: Salz der Salizylsäure. Sa|li|zyl|säu|re, chem. fachspr.: Salicylsäure ⟨*lat.; gr.; dt.*⟩: farblose, süß schmeckende kristalline Substanz, die wegen ihrer antibakteriellen u. fäulnishemmenden Wirkung als Konservierungsmittel verwendet wird

Salk|vak|zi|ne ['zalk..., engl.: 'sɔ:lk...] ⟨nach dem amerik. Bakteriologen J. E. Salk, geb. 1914⟩ *die;* -: Impfstoff gegen Kinderlähmung (Med.)

¹Salm ⟨*lat.-gall.*⟩ *der;* -[e]s, -e: Lachs

²Salm ⟨*gr.-lat.*⟩ *der;* -s: (ugs.) umständlich-breites Gerede, Geschwätz

Sal|mi ⟨*fr.*⟩ *das;* -[s], -s: ein Ragout aus Wildgeflügel

Sal|mi|ak [auch, österr nur: 'zal...] ⟨*lat.-mlat.*⟩ *der* (auch: *das*); -s: Verbindung von Ammoniak u. Salzsäure mit einem durchdringend-beizenden Geruch

Sal|mo|nel|le ⟨*nlat.;* nach dem amerik. Pathologen u. Bakteriologen D. E. Salmon, 1850–1914⟩ *die;* -, -n (meist Plural): Bakterie, die beim Menschen Darminfektionen hervorruft. Sal|mo|nel|lo|se *die;* -, -n: durch Salmonellen verursachte Darmerkrankung (Med.)

Sal|mo|ni|den ⟨*lat.; gr.*⟩ *die* (Plural): Lachse u. lachsartige Fische

Sa|lo|mo|nisch ⟨nach dem biblischen König Salomo⟩: einem Weisen entsprechend ausgewogen, Einsicht zeigend; klug, weise

Salon [za'lõ:, auch: za'lɔŋ, za'lo:n] ⟨*germ.-it.-fr.*⟩ *der;* -s, -s: 1. größerer, repräsentativer Raum als Gesellschafts- od. Empfangszimmer. 2. a) [regelmäßig stattfindendes] Zusammentreffen eines literarisch od. künstlerisch interessierten Kreises; b) Kreis von Personen, der sich regelmäßig trifft u. die Meinungen über Kunst, Literatur, Wissenschaft u. Politik austauscht. 3. [modern eingerichtetes, elegantes u. groß-

zügig mit Luxus ausgestattetes] Geschäft (z. B. eines Frisörs). 4. a) Ausstellungsraum, -saal; b) Ausstellung (bes. Kunst- u. Gemäldeausstellung). Sa|lon|kom|mu|nist *der;* -en, -en: (iron.) jmd., der sich für die Theorien des Kommunismus begeistert, sie aber in der Praxis nur dann vertritt, wenn er dadurch nicht auf persönliche Vorteile verzichten muss. Sa|lon|mu|sik *die;* -: virtuos-elegant dargebrachte, gefällige Musik. Sa|lon|or|ches|ter *das;* -s, -: kleines Streichensemble mit Klavier für Unterhaltungsmusik. Sa|lon|re|mi|se *die;* -, -n: (Jargon abwertend) Remis, auf das sich zwei Gegner einigen, obwohl eine Beendigung der Partie durch ein Matt durchaus noch möglich erscheint (Schach). Sa|loon [sə'lu:n] ⟨*amerik.*⟩ *der;* -s, -s: Lokal, dessen Einrichtung dem Stil der Wildwestfilme nachempfunden ist

sal|opp ⟨*fr.*⟩: 1. (von Kleidung) betont bequem u. etwaige bestehende Formen od. Vorschriften nicht berücksichtigend. 2. (von Benehmen u. Haltung) unbekümmert zwanglos, die Nichtachtung gesellschaftlicher Normen ausdrückend. Sa|lop|pe|rie *die;* -, ...ien: (veraltet) Nachlässigkeit; Unsauberkeit

Sal|pe ⟨*gr.-lat.*⟩ *die;* -, -n: (im Meer lebendes) glasartig durchsichtiges Manteltier

Sal|pe|ter ⟨*lat.*⟩ *der;* -s: weißes od. hellgraues Salz der Salpetersäure, das früher vor allem zur Herstellung von Düngemitteln u. Schießpulver verwendet wurde. Sal|pe|ter|säu|re *die;* -: stark oxidierende, farblose Säure, die Silber u. die meisten unedlen Metalle löst. sal|pet|rig* : (von bestimmten Säuren) nur in verdünnten wässrigen Lösungen u. ihren Salzen beständig

Sal|pi|kon ⟨*span.(-fr.)*⟩ *der;* -[s], -s: sehr feines Ragout [in Muscheln od. Pasteten]

Sal|pin|gen: Plural von ↑Salpinx. Sal|pin|gi|tis ⟨*gr.-nlat.*⟩ *die;* -, ...itiden: entzündliche Erkrankung eines od. beider Eileiter (Med.). Sal|pin|go|gramm *das;* -s, -e: Röntgenkontrastbild des Eileiters (Med.). Sal|pin|go|gra|phie, auch: ...grafie *die;* -, ...ien: röntgenologische Untersuchung u. Darstellung des Eileiters mit Kontrastmitteln (Med.). Sal|pinx ⟨*gr.-lat.*⟩ *die;* -, ...ingen: 1. trompetenähnliches Instrument

Samojede

der griechischen Antike. 2. (Anat. selten) a) Eileiter; b) ↑ eustachische Röhre

Sal|sa 〈Kurzbez. für span. salsa picante „scharfe Soße"〉 der; -: 1. lateinamerikanischer ²Rock (1), der eine Mischung aus Rumba. afrokubanischem Jazz u. Bossa Nova darstellt (Mus.). 2. (wie Ketschup verwendete) kalte, scharfe, dickflüssige Tomatensoße

Sal|se 〈lat.-it.〉 die; -, -n: 1. kegelförmige Anhäufung von Schlamm u. Steinen, die von Gasquellen an die Oberfläche befördert wurden (Geol.). 2. (veraltet) [salzige] Tunke

SALT [sɔ:lt] 〈Abk. aus engl. Strategic Arms Limitation Talks〉: (seit November 1969 zwischen den USA u. der UdSSR bzw. Russland geführte) Gespräche über die Begrenzung der strategischen Rüstung

Sal|ta 〈lat.〉 das; -s: auf einem Damebrett zu spielendes Brettspiel für zwei Personen mit je 15 Steinen. **Sal|ta|rel|lo** 〈lat.-it.〉 der; -s, ...lli: lebhafter, der Tarantella ähnlicher süditalienischer u. spanischer Tanz in schnellem Dreiertakt. **sal|ta|to** mit springendem Bogen [zu spielen] (Mus.). **Sal|ta|to** das; -s, -s u. ...ti: Spiel mit springendem Bogen (Mus.). **sal|ta|to|risch** 〈lat.〉: sprunghaft, mit tänzerischen Bewegungen verbunden (z. B. bei krankhaften Bewegungsstörungen, Med.). **Sal|tim|boc|ca*** 〈it.〉 die; -, -s: mit Schinken u. Salbei gefülltes Kalbsschnitzel. **Sal|to** 〈lat.-it.; „Sprung, Kopfsprung"〉 der, -s, -s u. ...ti: 1. frei in der Luft ausgeführte Rolle, schnelle Drehung des Körpers um seine Querachse (als Teil einer sportlichen Übung; Sport). 2. Looping (Fliegersprache). **Sal|to mor|ta|le** 〈„Todessprung"〉 der; - -, - - u. ...ti ...li: [meist dreifacher] Salto, der in großer Höhe ausgeführt wird

sa|lü [auch: ˈsaly, saˈly] 〈lat.-fr.〉: (bes. schweiz. ugs.) Grußformel (zur Begrüßung u. zum Abschied)

Sa|lub|ri|tät* 〈lat.〉 die; -: gesunder körperlicher Zustand (Med.)

Sa|lu|re|ti|kum 〈lat.〉 das; -s, ...ka: ↑ Diuretikum

Sa|lus 〈lat.〉 der; -: (veraltet) Gedeihen, Wohlsein, Heil. **Sa|lut** 〈lat.-fr.〉 der; -[e]s, -e: Ehrung, z. B. anlässlich von Staatsbesuchen, durch Abfeuern einer Salve aus

Geschützen; Ehrengruß. **Sa|lu|ta|ti|on** 〈lat.〉 die; -, -en: (veraltet) das Salutieren. **sa|lu|tie|ren**: 1. a) bei militärischem Zeremoniell vor einem Vorgesetzten od. Ehrengast Haltung annehmen u. ihn grüßen, indem man die Hand an die Kopfbedeckung legt; b) [durch Anlegen der Hand an die Kopfbedeckung, an die Schläfe] grüßen. 2. (veraltend) Salut nlat.〉 der; -: Lehre u. Wirken der Heilsarmee; vgl. Salvation Army. **Sa|lu|tist** der; -en, -en: Angehöriger der Heilsarmee. **Sal|var|san*** ® 〈Kunstw. aus lat. salvare u. Arsenik〉 das; -s: (heute nicht mehr verwendetes) Medikament gegen Syphilis. **Sal|va|ti|on** 〈lat.〉 die; -, -en: (veraltet) Rettung, Verteidigung. **Sal|va|tion Ar|my** [ˈsælˈveɪʃən ˈɑ:mɪ] 〈engl.〉 die; - -: engl. Bez. für: Heilsarmee. **¹Sal|va|tor** 〈lat.〉 der; -s, -oren: 1. (ohne Plural) Christus als Retter u. Erlöser der Menschheit; Heiland. 2. Erlöser, Retter. **²Sal|va|tor** ® der od. das; -s: dunkles Münchner Starkbier. **Sal|va|to|ri|a|ner** 〈lat.-nlat.〉 der; -s, -: Angehöriger einer katholischen Ordensgemeinschaft für Priester u. Laien mit der Aufgabe der Seelsorge u. der Mission (Abk.: SDS). **sal|va|to|risch**: nur aushilfsweise, ergänzend geltend; **salvatorische Klausel:** Rechtssatz, der nur gilt, wenn andere Normen keinen Vorrang haben (Rechtsw.). **Sal|va|to|ri|um** 〈lat.-mlat.〉 das; -s, ...ien: Schutzbrief, Geleitbrief (im Mittelalter)

sal|va ve|nia 〈lat.〉: (veraltet) mit Erlaubnis, mit Verlaub [zu sagen]; Abk.: s. v. **Sal|ve** 〈lat.-fr.〉 die; -, -n: [auf ein Kommando gleichzeitig abgefeuerte] Anzahl von Schüssen aus Gewehren od. Geschützen. **sal|ve!** sei gegrüßt! (lat. Gruß). **Sal|via** die; -: zu den Lippenblütlern gehörende Gewürz- u. Heilpflanze; Salbei. **sal|vie|ren**: (veraltet) 1. retten, in Sicherheit bringen. 2. **sich salvieren:** sich von einem Verdacht reinigen. **sal|vis o|mis|sis:** unter Vorbehalt von Auslassungen; Abk.: s. o. (Wirtsch.). **sal|vo er|ro|re:** Irrtum vorbehalten; Abk.: s. e. **sal|vo er|ro|re cal|cu|li:** unter Vorbehalt eines Rechenfehlers; Abk.: s. e. c. (Wirtsch.). **sal|vo er|ro|re et o|mis|si|o|ne:** unter Vorbehalt von Irrtum u. Auslassung; Abk.: s. e. e. o., s. e.

et o. **sal|vo ju|re:** (veraltet) mit Vorbehalt, unbeschadet des Rechts [eines anderen] (Rechtsw.). **sal|vo ti|tu|lo:** (veraltet) mit Vorbehalt des richtigen Titels; Abk.: S. T.

Sa|ma|ri|ter 〈nach dem barmherzigen Mann aus Samaria in Lukas 10, 30 ff.〉 der; -s, -: 1. selbstlos helfender Mensch. 2. (schweiz.) Sanitäter

Sa|ma|ri|um 〈nlat.; nach dem russ. Mineralogen Samarski〉 das; -s: chemisches Element; hellgraues, in der Natur nur in Verbindungen vorkommendes Metall der seltenen Erden (Zeichen: Sm)

Sa|mar|kand 〈nach der Stadt Samarkand in Usbekistan〉 der; -[s], -s: in leuchtenden Farben geknüpfter Teppich mit Medaillons (2) auf meist gelbem Grund **Sam|ba** 〈afrik.-port.〉 die; -, -[s]; (ugs., österr. nur:) der; -s: aus Brasilien stammender geschwungter Gesellschaftstanz im ²/₄-Takt

Sam|bal 〈malai.〉 das; -s, -s: sehr scharfe indonesische Würzsoße **Sam|bar** 〈sanskr.-Hindi〉 der; -s, -s: (in Süd- u. Südostasien lebender) langer, hochbeiniger, meist schwärzlicher Hirsch **Sam|bu|ca** 〈it.〉 der; -s, -s, (auch:) die; -, -s: italienischer Anislikör **Sam|hi|tas** 〈sanskr.〉 die (Plural): älteste Bestandteile der Weden mit religiösen Sprüchen u. Hymnen

Sa|mi|el [...mje:l, auch: ...mjɛl] 〈hebr.-spätgriech.〉 der; -s: Satan in der jüdischen Legende u. der deutschen Sage

sa|misch 〈Herkunft unsicher〉: fettgegerbt (von Leder) **Sa|mis|dat** 〈russ.〉 Kurzform von samoisdatelstwo = Selbstverlag〉 der; -s, -s: 1. Selbstverlag von Büchern, die nicht erscheinen dürfen. 2. im Selbstverlag erschienene (verbotene) Literatur in der UdSSR

Sa|mi|sen 〈jap.〉 u. Schamisen die; -, -: dreisaitige, mit einem Kiel gezupfte japanische Gitarre

Samk|hja* u. Sankhja 〈sanskr.〉 das; -[s]: dualistisches religionsphilosophisches System im alten Indien

Sam|norsk 〈norw.; „Gemeinwegisch"〉 das; -: (teils angestrebte, oft abgelehnte gemeinsame norwegische Landessprache, die Bokmål u. Nynorsk vereinigt

Sa|mo|je|de 〈russ.〉 der; -n, -n: (aus der Tundra stammender)

Hund mit einem breiten, flachen Kopf, kurzen, an der Spitze abgerundeten Ohren, einem langhaarigen, weichen, meist weißen Fell u. einem buschigen, über den Rücken gerollten Schwanz **Sạlmos** ⟨griech. Insel⟩ *der; -, -:* griechischer Dessertwein [von der Insel Samos]

Salmo|war [auch: 'za...] ⟨*russ.*⟩ *der; -s, -e:* [kupferner] Kessel, in dem Wasser zur Zubereitung von Tee erhitzt u. gespeichert wird u. aus einem kleinen Hahn entnommen werden kann; russische Teemaschine

Sạm|pan ⟨*chin.*⟩ *der; -s, -s:* flaches, breites Ruder- od. Segelboot, das in Ostasien auch als Hausboot verwendet wird

Sạm|pi ⟨*gr.*⟩ *das; -[s] -s:* Buchstabe im ältesten griechischen Alphabet, der als Zahlzeichen für 900 fortlebte; Zeichen: ⟨ꙮ⟩

Sam|ple ['zamp(ə)l, engl.: sɑːmp(ə)l] ⟨*lat.-fr.-engl.;* „Muster, Probe"⟩ *das; -[s], -s:* 1. (Statistik) a) repräsentative Stichprobe, Auswahl; b) aus einer größeren Menge ausgewählte Gruppe von Personen, die repräsentativ für die Gesamtheit ist. 2. Warenprobe, Muster. **Samp|ler*** ['sɑːmplə] *der; -s, -:* 1. Langspielplatte od. CD, auf der [erfolgreiche] Titel von verschiedenen bekannten Musikern, Sängern, Gruppen zusammengestellt sind. 2. geologischer Assistent bei Erdölbohrungen

Sam|sạ|ra u. Sansara ⟨*sanskr.*⟩ *das; -:* endloser Kreislauf von Tod u. Wiedergeburt, aus dem die Heilslehren indischer Religionen den Menschen zu befreien suchen

Sạlmum [auch: za'muːm] ⟨*arab.*⟩ *der; -s, -s* u. *-e:* Staub od. Sand mitführender Wüstenwind in Nordafrika u. auf der Arabischen Halbinsel

Salmu|rai ⟨*jap.*⟩ *der; -[s], -[s]:* Angehöriger der japanischen Adelsklasse, der obersten Klasse der japanischen Feudalzeit

sa|na|bel ⟨*lat.*⟩: (von Krankheiten) heilbar (Med.). **Sa|na|to|rium** ⟨*lat.-nlat.*⟩ *das; -s, ...ien:* unter ärztlicher Leitung stehende stationäre Einrichtung [in klimatisch günstiger, landschaftlich schöner Lage] zur Behandlung und Pflege chronisch Kranker od. Genesender

San|cho Pạn|sa ['zantʃo -] ⟨nach dem Namen des Begleiters von ↑ Don Quichotte⟩ *der; -, --:*

mit Mutterwitz ausgestatteter, realistisch denkender Mensch **Sạnc|ta** ⟨*lat.*⟩; ...tae [...tɛ], ...tae [...tɛ]: weibliche Form von ¹Sanctus. **Sạnc|ta Sẹ|des** [-...dɛs] *die; - -:* lat. Bez. für: Heiliger (Apostolischer) Stuhl. **sạnc|ta simp|li|ci|tas!*:** heilige Einfalt! (Ausruf des Erstaunens über jemandes Begriffsstutzigkeit). **Sạnc|tịs|si|mum** vgl. Sanktissimum. **Sạnc|ti|tas** *die; -:* Heiligkeit (Titel des Papstes). **Sạnc|tum Of|fi|ci|um** *das; - -:* Kardinalskongregation für die Reinhaltung der katholischen Glaubens- u. Sittenlehre (Heiliges Offizium). ¹**Sạnc|tus** u. Sanktus; ...ti, ...ti: lat. Bez. für: Sankt. ²**Sạnc|tus** u. Sanktus *das; -, -:* Lobgesang vor der Eucharistie

Sạn|dal ⟨*pers.-arab.-türk.*⟩ *das; -s, -s:* schmales, langes, spitz zulaufendes türkisches Boot **San|dạle** ⟨*gr.-lat.*⟩ *die; -, -n:* leichter, meist flacher Schuh, dessen Oberteil aus Riemen od. druchbrochenem Leder besteht. **San|dạl|ẹt|te** ⟨französierende Bildung⟩ *die; -, -n:* der Sandale ähnlicher, leichter, oft eleganter Damenschuh

Sạn|da|rak ⟨*gr.-lat.*⟩ *der; -s:* gelbliches Harz einer Zypressenart, das bes. zur Herstellung von Lacken u. Pflastern sowie als Räuchermittel verwendet wird

Sạn|dhi ⟨*sanskr.;* „Verbindung"⟩ *das od. der; -:* (meist der Vereinfachung der Aussprache dienende) lautliche Veränderung, die der An-od. Auslaut eines Wortes durch den Aus- od. Anlaut eines benachbarten Wortes erleidet

Sand|schak* ⟨*türk.*⟩ *der; -s, -s:* (veraltet) 1. türkische Standarte (Hoheitszeichen). 2. türkischer Regierungsbezirk

Sand|wich ['zɛntvɪtʃ] ⟨*engl.;* nach dem 4. Earl of Sandwich, 1718–92⟩ *das* (auch: *der*)*; -s* od. *-[es], -s* od. *-es* [...is] (auch: *-e*)*:* 1. zwei zusammengelegte, innen mit Butter bestrichene u. mit Fleisch, Fisch, Käse, Salat o. Ä. belegte Brotscheiben od. Hälften von Brötchen. 2. Kurzform von ↑ Sandwichmontage (Fotogr.). 3. Belag des Tischtennisschlägers aus einer Schicht Schaumgummi o. Ä. u. einer Schicht Gummi mit Noppen. 4. auf Brust u. Rücken zu tragendes doppeltes Plakat, das für politische Ziele, für Produkte o. Ä. wirbt. **Sand|wich|board** [...bɔːd] *das; -s, -s:* ge-

schichtete Holzplatte, die außen meist aus Sperrholz u. in der Mitte aus einer Faser- od. Spanplatte besteht od. einen Hohlraum aufweist. **Sand|wich|man** [...mən] *der; -, ...men* [...mən] u. **Sand|wich|mann** *der; -[e]s, ...männer:* jmd., der mit zwei Plakaten, von denen er eins auf der Brust u. eines auf dem Rücken trägt, eine belebte Straße auf u. ab geht, um gegen Entgelt für etw. zu werben. **Sand|wich-mon|ta|ge** *die; -, -n:* Fotomontage, die dadurch entsteht, dass zwei Negative Schicht an Schicht aufeinander gelegt u. vergrößert od. kopiert werden. **Sand|wich-tech|nik** *die; -:* Herstellungsverfahren (bes. im Flugzeugbau u. bei der Skifabrikation), bei dem das Material aus Platten verschiedener Stärke u. aus verschiedenartigen Substanzen zusammengefügt wird

san|fo|ri|sie|ren ⟨*engl.*⟩ nach dem amerik. Erfinder Sanford L. Cluett, 1874–1968⟩: (Gewebe, bes. aus Baumwolle) durch ein bestimmtes Verfahren mit trockener Hitze so behandeln, dass es später beim Waschen nicht mehr od. nur noch wenig einläuft

San|ga|ree [sæŋgəˈriː] ⟨*span.-engl.;* aus *span.:* stark gewürztes westindisches alkoholisches Mixgetränk aus Spirituosen u. Zucker. **Sangrịa** ⟨*span.*⟩ *die; -, -s:* einer Bowle ähnliches spanisches Getränk aus Rotwein mit [Zucker u.] klein geschnittenen Früchten. **Sangrị|ta* ®** ⟨*(mex.)-span.*⟩ *die; -, -s:* mexikanisches Mischgetränk aus Tomaten-, Orangen- u. wenig Zwiebelsaft sowie Gewürzen

San|gu|i|ni|ker ⟨*lat.*⟩ *der; -s, -:* (nach dem von Hippokrates aufgestellten Temperamentstyp) lebhafter, temperamentvoller, meist heiterer, lebensbejahender Mensch. **san|gu|i|nisch** („das Blut bestehend; blutvoll"): das Temperament eines Sanguinikers habend, einen Typ verkörpernd; vgl. cholerisch, melancholisch, phlegmatisch. **san|gu|i-no|lẹnt** ⟨*lat.-nlat.*⟩: mit Blut vermischt (z. B. von Urin; Med.)

San|hed|rịn* ⟨*gr.-hebr.*⟩ *der; -s:* hebr. Form von Synedrion **Sal|ni|din** ⟨*gr.-nlat.*⟩ *der; -:* Feldspat

sa|nie|ren ⟨*lat.;* „gesund machen, heilen"⟩: 1. a) (eine bestimmte Stelle des Körpers) so behandeln, dass ein Krankheitsherd beseitigt wird (Med.); b) (früher) (einem Soldaten) nach dem Geschlechtsverkehr die Harnröhre mit einer desinfizierenden Lösung spülen, um eventuell vorhandene Erreger von Geschlechtskrankheiten abzutöten (Milit.). 2. a) durch Renovierung, Modernisierung od. Abriss alter Gebäude u. den Bau neuer Gebäude o. Ä. umgestalten; b) modernisierend umgestalten, reformieren; c) wieder in einen intakten Zustand versetzen. 3. a) aus finanziellen Schwierigkeiten herausbringen, wieder rentabel machen (Wirtsch.); b) sich -: seine finanziellen, wirtschaftlichen Schwierigkeiten überwinden, wieder rentabel werden. Sa|nie|rung die; -, -en: 1. Behandlung (von bestimmten Stellen des Körpers), durch die ein Krankheitsherd beseitigt od. ein Krankheitserreger abgetötet wird. 2. Instandsetzung; modernisierende Umgestaltung [durch Renovierung od. Abriss alter Gebäude sowie durch Neubau]. 3. erfolgreiche Bewältigung finanzieller Schwierigkeiten. sa|ni|tär ⟨lat.-fr.⟩: 1. mit der Körperpflege, der Hygiene in Zusammenhang stehend, sie betreffend, ihr dienend. 2. (veraltend) gesundheitlich. Sa|ni|tär (ohne Artikel u. ungebeugt): (Jargon) Sanitärbereich, Sanitärbranche. sa|ni|ta|risch ⟨lat.-nlat.⟩: (schweiz.) 1. sanitär (1). 2. das Gesundheitswesen betreffend, zu ihm gehörend, von den Gesundheitsbehörden ausgehend. Sa|ni|tät ⟨lat.⟩ die; -: (schweiz. u. österr.) 1. a) (ohne Plural) militärisches Gesundheitswesen, Sanitätswesen; b) Sanitätstruppe. 2. (ugs.) Unfallwagen, Sanitätswagen. Sa|ni|tä|ter der; -s, -: 1. jmd., der in erster Hilfe, Krankenpflege ausgebildet ist [u. in diesem Bereich tätig ist]. 2. als Sanitäter (1) dienender Soldat. sa|ni|tized ['sænitaizd] ⟨engl.⟩: engl. Bez. für: hygienisch einwandfrei, desinfiziert

Sa|ni|ka u. Sankra der; -s, -s: (Soldatenspr.) militärischer Sanitätswagen

Sankh|ja* vgl. Samkhja

Sank|ra* vgl. Sanka

Sankt ⟨lat.⟩: heilig (in Heiligennamen u. auf solche zurückgehenden Ortsnamen), z. B. Sankt Peter, Sankt Anna, Sankt Gallen (Abk.: St.). Sank|ti|on ⟨lat.-fr.;

„Heiligung, Billigung; geschärfte Verordnung, Strafgesetz"⟩ die; -, -en: 1. Bestätigung, Anerkennung. 2. (Rechtsw.) a) Anweisung, die einen Gesetzesinhalt zum verbindlichen Rechtssatz erhebt; b) (meist Plural) Maßnahme, die gegen einen Staat eingeleitet wird, der das Völkerrecht verletzt hat. 3. (meist Plural) Zwangsmaßnahme, Sicherung[sbestimmung]. 4. gesellschaftliche Reaktion sowohl auf normgemäßes als auch auf von der Norm abweichendes Verhalten (Soziol.); negative Sanktion: Reaktion auf von der Norm abweichendes Verhalten in Form einer Zurechtweisung o. Ä.; positive Sanktion: Reaktion auf normgerechtes Verhalten in Form von Belohnung o. Ä. sank|ti|o|nie|ren: 1. Gesetzeskraft erteilen. 2. bestätigen, gutheißen. 3. mit bestimmten Maßnahmen, z. B. Tadel, auf eine Normabweichung reagieren; Sanktionen verhängen. Sank|ti|ons|po|ten|zi|al, auch: ...potential das; -s: Gesamtheit von Mitteln u. Möglichkeiten, die zur Durchsetzung von Anordnungen od. Normen zur Verfügung stehen (Soziol.).

Sankt|tis|si|mum ⟨lat.; „Allerheiligstes"⟩ das; -s: die geweihte Hostie (kath. Kirche). Sankt|tua|ri|um ⟨„Heiligtum"⟩ das; -s, ...ien: a) Altarraum einer katholischen Kirche; b) [Aufbewahrungsort für einen] Reliquienschrein. Sank|tus vgl. Sanctus

Sann|ya|si vgl. Sanyasi

San|sa|ra vgl. Samsara

sans cé|ré|mo|nie [sãseremɔ'ni] ⟨fr.⟩: (veraltet) ohne Umstände

Sans|cu|lot|te [sãsky'lot(ə)] („ohne Kniehose") der; -n, -n [...tn]: proletarischer Revolutionär der Französischen Revolution

San|se|vi|e|ria u. San|se|vi|e|rie ⟨nlat.; nach dem italienischen Gelehrten Raimondo di Sangro, Fürst von San Severo, † 1774⟩ die; -, ...ien: tropisches Liliengewächs mit wertvoller Blattfaser; Bogenhanf.

sans fa|çon [sãfa'sõ] ⟨fr.⟩: (veraltet) ohne Umstände. sans gêne [sã'ʒɛn]: (veraltet) ungezwungen; nach Belieben

Sans|krit* ⟨sanskr.⟩ das; -s: noch heute in Indien als Literatur- und Gelehrtensprache verwendete altindische Sprache. sans|kri|tisch: das Sanskrit betreffend; in Sanskrit [abgefasst]. Sans|kri|tist ⟨sanskr.-nlat.⟩ der; -en, -en:

Wissenschaftler auf dem Gebiet der Sanskritistik. Sanskri|tis|tik die; -: Wissenschaft von der altindischen Literatursprache Sanskrit, der in dieser Sprache geschriebenen Literatur u. der altindischen Kultur

sans phrase [sãfra:z] ⟨fr.⟩: (veraltet) ohne Umschweife

San|ta Claus ['sænta'klɔ:z] ⟨niederl.-engl.-amerik.⟩ der; - -, - -: amerik. Bez. für: Weihnachtsmann. San|ta Con|ver|sa|zi|o|ne ⟨lat.-it.⟩ die; - - -: Sacra Conversazione

San|ya|si u. Sannyasi ⟨(sanskr.)-Hindi⟩ der; -[s], -n: Anhänger des Bhagwans Rajneesh

sa|pe|re au|de ⟨lat.; „wage es, weise zu sein" (nach Horaz)⟩: „habe Mut, dich deines eigenen Verstandes zu bedienen!" (Wahlspruch der Aufklärung)

Sa|phir [auch: za'fi:ɐ̯] ⟨semit.-gr.-lat.-mlat.⟩ der; -s, -e: [durchsichtig blauer] Edelstein. sa|phi|ren: aus Saphir gearbeitet, bestehend

sa|pi|en|ti sat! ⟨lat.; „genug für den Verständigen!" (nach Plautus)⟩: es bedarf keiner weiteren Erklärung für den Eingeweihten

Sa|pin der; -s, -e, Sa|pi|ne die; -, -n u. Sappel ⟨lat.-fr.⟩ der; -s, -: (österr.) Spitzhacke, Pickel zum Heben u. Wegziehen von gefällten Baumstämmen

Sa|po|na|ria ⟨lat.-mlat.-nlat.⟩ die; -: eine Zier- u. Heilpflanze; Seifenkraut. Sa|po|ni|fi|ka|ti|on ⟨lat.-nlat.⟩ die; -, -en: Verseifung des Körperfetts bei Wasserleichen (Chem.). Sa|po|nin das; -s, -e: in vielen Pflanzen enthaltener Stoff, der zur Herstellung von Reinigungs- u. Arzneimitteln verwendet wird

Sa|po|till|baum ⟨indian.-span.; dt.⟩ der; -[e]s, ...bäume: in Mittelamerika heimischer Laubbaum mit essbaren Früchten

Sa|po|to|xin ⟨lat.; gr.⟩ das; -s: stark giftiges Saponin

Sap|pan|holz ⟨malai.; dt.⟩ das; -es: ostindisches Rotholz

Sap|pe ⟨it.-fr.⟩ die; -, -n: (veraltet) [für einen Angriff auf Festungen angelegter] Laufgraben

Sap|pel vgl. Sapin

sap|per|lot vgl. sackerlot. sap|per|ment vgl. sackerment

Sap|peur [za'pø:ɐ̯] ⟨it.-fr.⟩ der; -s, -e: 1. (veraltet) Soldat für den Sappenbau. 2. (schweiz.) Soldat der technischen Truppe; Pionier

sap|phisch ['zapfiʃ, auch: 'zafiʃ] ⟨nach der altgriech. Dichterin Sappho (um 600 v. Chr. auf der

Insel Lesbos)〉: die Dichterin Sappho u. ihre Werke betreffend, auf sie bezüglich, für sie typisch; **sapphische Strophe:** antike vierzeilige Strophe aus drei gleich gebauten elfsilbigen Versen u. einem abschließenden zweitaktigen Kurzvers (Verslehre); **sapphische Liebe:** (selten) ↑lesbische Liebe. **Sap|phis|mus** 〈gr.-nlat.〉 der; -: ↑lesbische Liebe **sap|pra|di!*** 〈lat.〉: Ausruf des Erstaunens **Sap|rä|mie*** 〈gr.-nlat.〉 die; -, ...ien: durch Fäulnisbakterien hervorgerufene schwere Blutvergiftung (Med.) **sap|ris|ti!*** 〈lat.-fr.〉: (veraltet) Ausruf des Erstaunens **Sap|ro|bie*** [...jə] 〈gr.-nlat.〉 die; -, -n (meist Plural): Lebewesen, das in od. auf faulenden Stoffen lebt u. sich von ihnen ernährt; Ggs. ↑Katharobie. **Sap|ro|bi|ont** der; -en, -en: ↑Saprobie. **sap|ro-bisch:** a) in faulenden Stoffen lebend (von Organismen); b) die Fäulnis betreffend. **sap|ro|gen:** Fäulnis erregend. **Sap|ro|leg-nia** die; -, ...ien: Algenpilz, der in Gewässern saprophytisch auf toten Pflanzen, Insekten od. Fischen lebt. **Sap|ro|pel** das; -s, -e: Faulschlamm, der unter Sauerstoffabschluss in Seen u. Meeren entsteht. **Sap|ro|pe|lit** [auch: ...'lit] der; -s, -e: Gestein, das aus verfestigtem Faulschlamm entstanden ist. **sap|ro|pe|li|tisch:** faulschlammartig. **Sap|ro|pha-ge** der; -n, -n (meist Plural): pflanzlicher od. tierischer Organismus, der sich von faulenden Stoffen ernährt. **sap|ro|phil:** (von Organismen) auf, in od. von faulenden Stoffen lebend. **Sap-ro|phyt** der; -en, -en: Organismus, bes. Bakterie, Pilz, der von faulenden Stoffen lebt. **Sap|ro-zo|on** das; -s, ...zoen: Tier, das von faulenden Stoffen lebt **Sa|ra|band** u. Serabend 〈pers.〉 der; -[s], -s: handgeknüpfter, vorwiegend rot- od. blaugrundiger Perserteppich mit charakteristischer Palmwedelmusterung **Sa|ra|ban|da** 〈pers.-arab.-span.-it.〉 u. **Sa|ra|ban|de** 〈pers.-arab.-span.-fr.〉 die; -, ...den: a) langsamer Tanz im 3/4-Takt; b) Satz einer Suite (4) od. Sonate **Sa|ra|fan** 〈russ.〉 der; -s, -e: (zur russischen Frauentracht des 18. u. 19. Jh.s gehörendes) ärmelloses Überkleid mit angesetztem Leibchen **Sa|ra|ze|ne** 〈arab.-mgr.-mlat.〉

der; -n, -n: (hist.) Araber, Moslem. **sa|ra|ze|nisch:** zu den Sarazenen gehörend, sie betreffend **Sar|del|le** 〈lat.-it.〉 die; -, -n: 1. (im Mittelmeer, im Schwarzen Meer u. an den Atlantikküsten Westeuropas u. -afrikas vorkommender) kleiner, dem Hering verwandter Fisch, der als Speisefisch gepökelt od. mariniert gegessen wird. 2. (meist Plural) (ugs. scherzh.) Haarsträhne (von noch verbliebenem Haar), die schräg über eine Glatze gelegt ist. **Sar|di|ne** der; -, -n (an den Küsten West- u. Südwesteuropas vorkommender) kleiner, zu den Heringen gehörender bläulich silbern schillernder Speisefisch **sar|do|nisch** 〈gr.-lat.〉: (vom Lachen, Lächeln o. Ä.) boshaft, hämisch u. fratzenhaft verzerrt; **sardonisches Lachen:** scheinbares Lachen, das durch Gesichtskrämpfe hervorgerufen wird (Med.) **Sar|do|nyx*** 〈gr.-lat.〉 der; -[es], -e: (als Schmuckstein verwendeter) braun- u. weiß gestreifter Chalzedon **Sa|ri** 〈sanskr.-Hindi〉 der; -[s], -s: kunstvoll um den Körper gewickeltes Gewand indischer Frauen **Sa|rin** 〈Kunstwort〉 das; -s: gefährlicher chemischer Kampfstoff mit nervenschädigender Wirkung **Sar|kas|mus** 〈gr.-lat.〉 der; -, ...men: 1. (ohne Plural) beißender, verletzender Spott. 2. sarkastische Äußerung, Bemerkung. **sar|kas|tisch:** mit, von beißendem, verletzendem Spott. **Sar|ko|de** die; -, -n: (veraltet) Protoplasma. **sar|ko|id** 〈gr.-nlat.〉: (von Geschwülsten) sarkomähnlich (Med.). **Sar|ko-lemm** das; -s, -e: Hülle der Muskelfasern (Med.). **Sar|kom** das; -s, -e u. **Sar|ko|ma** 〈gr.; „Fleischgewächs“〉 das; -s, -ta: aus dem Bindegewebe hervorgehende bösartige Geschwulst (Med.). **Sar|ko|ma|tos** 〈gr.-nlat.〉: (Med.) a) (von Geweben) verändert in der Art eines Sarkoms; b) auf Sarkomatose beruhend. **Sar|ko|ma|to|se** die; -: ausgebreitete Sarkombildung (Med.). **Sar|ko|phag** 〈gr.-lat.; „Fleischverzehrer“〉 der; -s, -e: (meist aus Stein u. oft reich gefertigter) prunkvoller, großer, in einer Grabkammer od. in der Krypta einer Kirche o. Ä. aufgestellter Sarg, in dem hoch gestellte Per-

sönlichkeiten beigesetzt werden. **Sar|ko|plas|ma** das; -s, ...men: Protoplasma der Muskelzellen. **Sar|ko|ze|le** 〈gr.-nlat.〉 die; -, -n: Geschwulst od. Anschwellung des Hodens (Med.) **Sar|mat** 〈nlat.; nach dem Volksstamm der Sarmaten, der im Altertum in Südrussland lebte〉 das; -[s]: jüngste Stufe des Miozäns (Geol.) **Sa|rong** 〈malai.〉 der; -[s], -s: 1. um die Hüfte geschlungener, bunter Rock der Indonesierinnen. 2. gebatikter od. bunt gewebter Baumwollstoff für Umschlagtücher **Sa|ros|pe|ri|o|de** 〈gr.〉 die; -, -n: Zeitraum, nach dessen Ablauf sich Sonnen- u. Mondfinsternisse in nahezu gleicher Folge wiederholen (1 Sarosperiode = 18 Jahre u. 1113 Tage bzw. 18 Jahre und 1013 Tage, je nach den Schaltjahren; Astron.) **Sar|rass** 〈poln.〉 der; -es, -e: (veraltet) Säbel mit schwerer Klinge **Sar|ru|sol|phon,** auch: ...fon 〈fr.; gr.; nach dem franz. Militärkapellmeister Sarrus〉 das; -s, -e: Blechblasinstrument mit doppeltem Rohrblatt (Mus.) **Sar|sa|pa|ril|le** u. Sassaparille 〈span.〉 die; -,-n: in mehreren Arten in den Tropen wachsende Stechwinde, die in der Heilkunde verwendete Saponine enthält **Sar|se|nett** 〈gr.-lat.-fr.-engl.〉 der; -[e]s, -e: dichter, baumwoller Futterstoff **Sar|te** (sogdisch; „Kaufmann“) der; -n, -n (meist Plural): (hist.) Angehöriger der sprachlich türkisierten iranischen Stadtbevölkerung in Mittelasien **Sa|rugh** u. Saruk 〈nach dem iranischen Ort Sarugh〉 der; -[s], -s: Teppich in Blau-, Rot- u. Cremetönen mit Blumen-, Palmetten- u. Heratinmuster u. kurzem Flor **Sa|schen** [auch: za'ʃeːn] 〈russ.〉 der; -[s], -: (veraltet) russisches Längenmaß (= 2,133 m) **sä|sie|ren** 〈germ.-fr.〉: (veraltet) ergreifen, in Beschlag nehmen **Sas|sa|fras** 〈span.-fr.〉 der; -, -: (zu den Lorbeergewächsen gehörender) Baum, dessen Holz u. Rinde durch ein darin enthaltenes ätherisches Öl einen intensiven Duft ausströmen **Sas|sa|ni|de** 〈pers.〉 der; -n, -n: (hist.) Angehöriger eines persischen Herrschergeschlechts (224–651). **sas|sa|ni|disch:** die Sassaniden betreffend

Sas|sa|pa|ril|le vgl. Sarsaparille

Sas|so|lin ⟨nlat.; nach dem Fundort Sasso in Oberitalien⟩ das; -s, -e: farbloses, weißes, auch gelbliches Mineral

Sa|tan ⟨hebr.-gr.-lat.; „Widersacher"⟩ der; -s, -e: 1. (ohne Plural) der Widersacher Gottes, der Teufel, der Versucher. 2. (häufig als Schimpfwort) boshafter Mensch. Sa|ta|nas der; -: ↑Satan. Sa|ta|nie ⟨hebr.-gr.-nlat.⟩ die; -, ...ien: teuflische Grausamkeit. sa|ta|nisch: sehr böse, boshaft; teuflisch. Sa|ta|nis|mus der; -: 1. Teufelsverehrung. 2. Darstellung des Bösen, Krankhaften in der Literatur. Sa|tans|mes|se die; -, -n: der katholischen Messfeier nachgebildete orgiastische Feier zu Ehren des Satans od. einer sog. Hexe; schwarze Messe; Teufelsmesse

Sa|tel|lit ⟨lat.; „Leibwächter, Trabant; Gefolge"⟩ der; -en, -en: 1. Himmelskörper, der einen Planeten auf einer unveränderlichen Bahn umkreist (Astron.). 2. Flugkörper, der – auf eine Umlaufbahn gebracht – in elliptischer o. kreisförmiger Bahn die Erde (od. den Mond) umkreist u. dabei bestimmte wissenschaftliche od. technische Aufgaben erfüllt. 3. kurz für ↑Satellitenstaat. 4. kurz für ↑Satellitenbox. Sa|tel|li|ten|box die; -, -en: (in Verbindung mit einer großen Box für die tiefen Frequenzen beider Kanäle zur stereophonen Wiedergabe verwendete) kleinere Lautsprecherbox für die hohen u. mittleren Frequenzen eines Kanals (Elektronik). Sa|tel|li|ten|fo|to das; -s, -s: von einem [Wetter]satelliten aufgenommenes Foto von einem bestimmten Bereich der Erdoberfläche. Sa|tel|li|ten|me|te|o|ro|lo|gie die; -: auf der Grundlage von Satellitendaten betriebene Meteorologie. Sa|tel|li|ten|na|vi|ga|ti|on die; -: Navigation, bei der die Position des Schiffs od. Flugzeugs mithilfe von einem Satelliten (2) ausgesendeter Funksignale bestimmt wird (Seew.; Flugw.). Sa|tel|li|ten|pro|gramm das; -s, -e: über einen Satelliten (2) ausgestrahltes Fernsehprogramm. Sa|tel|li|ten|re|cei|ver der; -s, -: Anlage für den Empfang von Programmen des Satellitenfernsehens. Sa|tel|li|ten|staat der; -[e]s, -en: (abwertend) Staat, der (trotz formaler äußerer Unabhängigkeit) von einem anderen Staat (bes. von einer Großmacht) abhängig ist. Sa|tel|li|ten|stadt die; -, ...städte: größere, weitgehend eigenständige Ansiedlung am Rande einer Großstadt

Sa|tem|spra|che ⟨altiran.; dt.; nach der s-Aussprache des Anlauts im altiranischen Wort satem = „hundert"⟩ die; -, -n: Sprache aus der Gruppe der indogermanischen Sprachen, die die palatalen Verschlusslaute der indogermanischen Grundsprache in Reibelaute od. Zischlaute verwandelt haben (Sprachw.); Ggs. ↑Kentumsprache

Sa|tin [za'tɛ̃:, auch: za'tɛŋ] ⟨arab.-span.-fr.⟩ der; -s, -s: Sammelbezeichnung für Gewebe in Atlasbindung mit glatter, glänzender Oberfläche. Sa|ti|na|ge [zati'na:ʒə] die; -, -n: das Satinieren. Sa|ti|nel|la ⟨arab.-span.-fr.⟩ der; -[s]: glänzender Futterstoff [aus Baumwolle] in Atlasbindung. sa|ti|nie|ren ⟨arab.-span.-fr.⟩: mit einer Satiniermaschine (unter starkem Druck) glätten u. mit Hochglanz versehen. Sa|ti|nier|ma|schi|ne die; -, -n: ↑Kalander

Sa|ti|re ⟨lat.; „bunt gemischte Früchteschale"⟩ die; -, -n: 1. künstlerisches Werk, das zur Gattung der Satire (2) gehört. 2. (ohne Plural) Kunstgattung (Literatur, Karikatur, Film), die durch Übertreibung, Ironie u. Spott an Personen od. Zuständen Kritik übt, sie der Lächerlichkeit preisgibt, Zustände anprangert, mit scharfem Witz geißelt. Sa|ti|ri|ker der; -s, -: a) Verfasser von Satiren, b) jmd., der sich gerne bissig-spöttisch, ironisch äußert. sa|ti|risch: a) in der Art der Satire (1); b) spöttisch-tadelnd, beißend. sa|ti|ri|sie|ren: satirisch darstellen

Sa|tis|fak|ti|on ⟨lat.⟩ die; -, -en: a) (veraltend) Genugtuung, bes. in Form einer Ehrenerklärung; b) (veraltet) Zurücknahme einer Beleidigung durch die Bereitschaft zum Duell (Verbindungswesen)

Sa|tor-A|re|po-For|mel ⟨lat.; nach dem lat. Palindrom: sator arepo tenet opera rotas⟩ die; -: als magisches Quadrat geschriebenes spätantikes Palindrom, das als Abwehrzauber (z. B. gegen Unheil u. Brandgefahr) verwendet wurde

Sat|rap* ⟨pers.-gr.-lat.⟩ der; -en, -en: (hist.) Statthalter einer Provinz im Persien der Antike. Sa|tra|pie die; -, ...ien: (hist.) Amt des Statthalters

Sat|sang ⟨sanskr.⟩ das (auch: der); -s: geistige Unterweisung in einem Meditationskult

¹Sat|su|ma ⟨nach der japanischen Halbinsel Satsuma (Kiuschu)⟩ das; -[s]: feine japanische Töpferware mit einfachen Formen u. regelmäßiger Glasur. ²Sat|su|ma die; -, -s: meist kernlose, sehr saftige Mandarine

Sat|tu|ra|ti|on ⟨lat.⟩ die; -, -en: 1. Sättigung. 2. spezielles Verfahren bei der Zuckergewinnung, bei dem überschüssiger Kalk aus dem Zuckersaft durch Kohlendioxid abgeschieden wird..

Sat|tu|re|ja ⟨lat.⟩ die; -: Gattung der Lippenblütler mit Heil- u. Würzkräutern

sat|tu|rie|ren ⟨lat.⟩: 1. sättigen. 2. bewirken, dass jmds. Verlangen, etw. Bestimmtes zu bekommen, gestillt wird; [Ansprüche] befriedigen; sa|tu|riert: (abwertend) ohne geistige Ansprüche, selbstzufrieden

Sa|turn ⟨lat.-nlat.; nach dem Planeten Saturn⟩ das; -s: (veraltet) Blei. Sa|tur|na|li|en ⟨nach dem im Rom der Antike zu Ehren des Gottes Saturn im Dezember gefeierten Fest⟩ die (Plural): ausgelassenes Fest. Sa|tur|ni|er der; -s, -: Langvers der ältesten römischen Dichtung (antike Metrik). sa|tur|nin ⟨lat.-nlat.⟩: bleihaltig; durch Bleivergiftung hervorgerufen. sa|tur|nisch ⟨lat.⟩: (veraltet) uralt; saturnischer Vers: ↑Saturnier; saturnisches Zeitalter: ideale Vorzeit der griechischen bzw. römischen Sage; goldenes Zeitalter. Sa|tur|nis|mus ⟨lat.-nlat.⟩ der; -, ...men: Bleivergiftung (Med.)

Sa|tyr ⟨gr.-lat.⟩ der; -s (auch: -n), -n (meist Plural): 1. lüsterner Waldgeist u. Begleiter des Dionysos in der griechischen Sage. 2. sinnlich-lüsterner Mensch. Sa|tyr|huhn ⟨gr.-lat.; dt.⟩ das; -s, ...hühner: farbenprächtiger asiatischer Hühnervogel. Sa|ty|ria|sis ⟨gr.-lat.⟩ die; -: extrem gesteigerter männlicher Geschlechtstrieb (Psychol.). Sa|tyr|spiel ⟨gr.-lat.⟩ das; -s, -e: (im Griechenland der Antike) heiter-groteskes mythologisches Nachspiel einer Tragödientrilogie mit einem Chor aus Satyrn

Sauce ['zo:sə, österr.: zo:s] ⟨lat.-vulgärlat.-fr.⟩ die; -, -n: franz. Schreibung von Soße. Sauce béar|naise [sosbear'nɛːz] *die;* - -: dicke, weiße Soße aus Weinessig, Weißwein, Butter, Eigelb u. Gewürzen, bes. Estragon u. Kerbel. **Sauce hol|lan|daise** [sosɔlã-'dɛːz] *die;* - -: Soße, bei der Weißwein, Eigelb u. Butter im Wasserbad kremig gerührt u. mit Pfeffer, Salz u. Zitronensaft abgeschmeckt werden. **Sau|ci|er** [zo'sje:] *der;* -s, -s: Soßenkoch. **Sau|ci|e|re** [zo'sje:rə] *die;* -, -n: zum Servieren von Soße verwendete, mit einer Art Untertasse fest verbundene kleine Schüssel. **sau|cie|ren** [zo'si:...]: Tabak mit einer Soße behandeln, beizen. **Sau|cis|chen** [zo'si:sçən, auch: so...] *das;* -s, -: kleine [Brat]wurst **Sau|na** ⟨*finn.*⟩ *die;* -, -s u. ...nen: 1. (mit Holz ausgekleideter) Raum od. Holzhäuschen, in dem trockene Hitze herrscht u. von Zeit zu Zeit Wasser zum Verdampfen gebracht wird. 2. dem Schwitzen dienender Aufenthalt in einer Sauna (1). **sau|nen** u. **sau|nie-ren:** ein Saunabad nehmen **Sau|ri|er** ⟨*gr.* „Eidechse"⟩ *der;* -s, -: ausgestorbene [Riesen]echse der Urzeit. **sau|rol|lith** *der;* -en, -en: versteinerter Saurier. **Sau-ro|po|de** *der;* -n, -n: Pflanzen fressender Riesensaurier. **Sau-rop|si|den*** ⟨*gr.-nlat.*⟩ *die* (Plural): Vögel u. Reptilien **sau|té** [so'te:] ⟨*lat.-fr.*⟩: sautiert (vgl. sautieren) **Sau|ternes** [so'tɛrn] ⟨nach dem franz. Ort u. der Landschaft Sauternes⟩ *der;* -, -: französischer Weißwein **sau|tie|ren** [zo...] ⟨*lat.-fr.*⟩: a) kurz in der Pfanne braten; b) (bereits gebratene Stücke Fleisch od. Fisch) kurz in frischem, heißem Fett schwenken **Sauve|garde** [zo:f'gart, auch: sov'gard] ⟨*fr.*⟩ *die;* -, -n [...ɔn]: (veraltet): 1. Schutz-, Sicherheitswache. 2. Schutzbrief (gegen Plünderung). **sauve qui peut!** [sovki'pø]: rette sich, wer kann! **Sal|val|la|di** ⟨*lat.-it.*⟩ *die;* -, -: (österr.) ↑Zervelatwurst **Sal|van|ne** ⟨*indian.-span.*⟩ *die;* -, -n: tropische Steppe mit einzeln od. gruppenweise stehenden Bäumen (Baumsteppe) **Sal|va|rin** ['zavarɛ̃, auch: ...'rɛ̃] ⟨nach dem franz. Schriftsteller Brillat-Savarin, 1755–1826⟩ *der;* -s, -s: mit Rum getränkter Hefekuchen **Sal|voir-faire** [savwar'fɛːr] ⟨*lat.-fr.*⟩ *das;* -: (veraltet) Gewandt-

heit. **Sal|voir-viv|re*** [savwar-'vi:vr] *das;* -: feine Lebensart, Lebensklugheit **Sax|horn** ⟨nach dem belg. Erfinder A. Sax, 1814–1894⟩ *das;* -s, ...hörner: ein dem Bügelhorn ähnliches, mit Ventilen statt Klappen versehenes Horn (Mus.) **Sa|xif|ra|ga*** [auch: ...'fra:ga] ⟨*lat.*⟩ *die;* -, ...agen: Steinbrech; Gebirgspflanze, auch Polster bildende Zierpflanze mit weißen, roten od. gelben Blüten in Steingärten. **Sa|xif|ra|ga|zee** ⟨*lat.-nlat.*⟩ *die;* -, -n (meist Plural): Steinbrechgewächs **Sa|xo|phon,** auch: Saxofon ⟨*nlat.;* nach dem belg. Erfinder Antoine Sax, 1814–1894⟩ *das;* -s, -e: mit Klarinettenschnabel anzublasendes Instrument aus Messing in 4 bis 6 Tonhöhen mit nach oben gerichtetem Schalltrichter (Mus.). **Sa|xo|pho|nist,** auch: Saxofonist *der;* -en, -en: Saxophonspieler **Say|nète** [sɛ'nɛt] ⟨*span.-fr.*⟩ *die;* -, -n: kurzes französisches Lustspiel mit zwei od. drei Personen; vgl. Sainete **sal|zer|do|tal** ⟨*lat.*⟩: priesterlich. **Sal|zer|do|ti|um** *das;* -s: 1. Priestertum, Priesteramt. 2. die geistliche Gewalt des Papstes im Mittelalter **S-Bahn-Sur|fen** ['ɛs...sə:fn] ⟨*dt.* Bildung mit *engl.* surfen⟩ *das;* -s: (ugs.) aus Übermut betriebenes waghalsiges Mitfahren auf dem Dach od. an der Außenseite eines S-Bahn-Wagens **Sbir|re** ⟨*gr.-vulgärlat.-it.*⟩ *der;* -n, -n: (veraltet) italienischer Polizeidiener, Geheimagent (bes. im Kirchenstaat), Scherge **Sca|bi|es** vgl. Skabies **Scag|li|o|la*** [skal'joːla] ⟨*it.*⟩ *die;* -: zur Nachahmung von Marmor verwendete formbare Masse; Stuckmarmor **Scal|ling** ['skœlɪŋ] ⟨*engl.*⟩ *das;* -s: das Vergrößern od. Verkleinern von [Bild]vorlagen od. Anzeigen **Scal|ping O|pe|ra|tions** ['skælpɪŋ ɔpə'reɪʃənz] ⟨*engl.*⟩ *die* (Plural): Börsengeschäfte, die sehr geringe Kursschwankungen zu nutzen versuchen **Scam|pi** [sk...] ⟨*it.*⟩ *die* (Plural): ital. Bez. für eine Art kleiner Krebse **Scan** [skɛn] ⟨*lat.-engl.*⟩ *der* od. *das;* -s, -s: ↑Scanning **Scan|di|um** ['ska...] ⟨*nlat.;* von

Scandia, dem lat. Namen für Skandinavien⟩ *das;* -s: chemisches Element; ein Leichtmetall (Zeichen: Sc) **Scan|ner** ['skɛnɐ] ⟨*lat.-engl.*⟩ *der;* -s, -: Gerät, das ein zu untersuchendes Objekt (z. B. den menschlichen Körper) mit einem Licht- od. Elektronenstrahl punkt- bzw. zeilenweise abtastet [u. die erhaltenen Messwerte weiterverarbeitet]. **Scan|ner-kas|se** ['skɛnɐ...] ⟨*lat.-engl.; dt.*⟩ *die;* -, -n: mit einem Scanner zum Einlesen von Preisen u. anderen Daten ausgestattete elektronische Kasse. **Scan|ning** ['skɛnɪŋ] *das;* -s: Untersuchung mithilfe eines Scanners **Sca|ra|mouche** [skara'muʃ] ⟨*it.-fr.*⟩ *der;* -, -s [...'muʃ]: franz. Form von: Skaramuz. **Sca|ra-mµz|za** [sk...] ⟨*it.*⟩ *der;* -, ...zze: ital. Form von: Skaramuz **Scart** [skaːt] ⟨*fr.-engl.*⟩ *der;* -s, -s: Steckverbindung, bes. zum Anschluss von Videogeräten **Scat** [skæt] ⟨*engl.*⟩ *der;* -, -s: Gesangsstil [im Jazz], bei dem anstelle von Wörtern zusammenhanglose Silben verwendet werden **sce|man|do** [ʃe...] ⟨*lat.-it.*⟩: abnehmend, schwächer werdend (Mus.) **Scene** [si:n] ⟨*engl.*⟩ *die;* -, -s: (Jargon) Milieu (meist junger Menschen), in dem bestimmte Vorlieben o. Ä. ausgelebt, bestimmte Lebensformen, vorübergehende Moden o. Ä. gepflegt werden. **Sce|no|nym*** [stse...] ⟨*gr.-nlat.*⟩ *das;* -s, -e: Deckname, der aus dem Namen eines Bühnenautors od. Schauspielers besteht. **Sce-no|test** ['stse...] vgl. Szenotest **Schab|bes** ⟨*jidd.*⟩ *der;* -, -: ↑Sabbat **Schab|lo|ne*** ⟨Herkunft unsicher⟩ *die;* -, -n: 1. ausgeschnittene Vorlage [zur Vervielfältigung], Muster. 2. vorgeprägte, herkömmliche Form, geistlose Nachahmung ohne eigene Gedanken. **schab|lo|nie|ren** u. **schab|lo|ni|sie|ren:** a) nach einer Schablone [be]arbeiten, behandeln; b) in eine Schablone pressen **Schab|bot|te** ⟨*fr.*⟩ *die;* -, -n: schweres Beton- od. Stahlfundament für Maschinenhämmer **Schab|ra|cke*** ⟨*türk.-ung.*⟩ *die;* -, -n: 1. a) verzierte Decke über od. unter dem Sattel; Untersatteldecke; Prunkdecke; b) übergelegte, überhängende Zier- und

Schutzdecke (bes. für Polstermöbel); c) aus dem gleichen Stoff wie die Übergardine gefertigter Behang, der quer oberhalb des Fensters angebracht ist. 2. (ugs. abwertend) a) alte [hässliche] Frau; b) altes Pferd; c) alte, abgenutzte Sache. 3. (Jägerspr.) weißer Fleck auf den Flanken des männlichen Wildschafs.

Schab|run|ke *die;* -, -n: (veraltet) Decke über den Pistolenhalftern

schach|matt *‹pers.-arab.-roman.›:* 1. unfähig, im Schachspiel unmittelbar angegriffenen König zu verteidigen, u. damit die Partie verlierend. 2. handlungsunfähig, erschöpft

Schaldor vgl. Tschador

Schalduf *‹arab.› der;* -s, -s: ägyptisches Schöpfwerk in Form eines Hebebaums

Schalfilt *‹arab.› der;* -en, -en: Angehöriger einer islamischen Rechtsschule

Schalfott *‹vulgärlat.-niederl.› das;* -[e]s, -e: [erhöhte] Stätte für Enthauptungen

Schah *‹pers.› der;* -s, -s: a) (ohne Plural) persischer Herrschertitel; b) Träger dieses Titels.

Schah-in-Schah *‹„Schah der Schahs"› der;* -s, -s: a) (ohne Plural) (früher) offizieller Titel des iranischen Herrschers; b) Träger dieses Titels

Schai|tan *‹arab.› der;* -s, -e: Teufel, Dämon

Schai|wa u. Shaiva *‹sanskr.› der;* -[s], -s (meist Plural): (im Hinduismus) Verehrer des Gottes Schiwa

Schalkal [auch: ʃa:...] *‹sanskr.-pers.-türk.› der;* -s, -e: in Asien, Südosteuropa u. Afrika heimisches hundeartiges Raubtier, das überwiegend nachts jagt

Schalkalré *‹indian.-port.› der;* -s, -s: südamerikanisches breitschnäuziges Krokodil

Schakta u. Shakta *‹sanskr.› der;* -s, -s: Anhänger einer hinduistischen Religionsgemeinschaft, die die Göttin Schakti verehrt.

Schakti u. Shakti *die;* -: Urkraft im Hinduismus, die mythologisch meist als weibliche Gottheit dargestellt wird

Schal|lan|ken *‹ung.› die* (Plural): an Pferdegeschirren lang herabhängender Schmuck aus Leder

Schallom! u. Shalom! [ʃa...] *‹hebr.›* Frieden! (hebr. Begrüßungsformel)

Schallotte *‹lat.-vulgärlat.-fr.;* vom Namen der Stadt Askalon

in Palästina) *die;* -, -n: kleine Zwiebel von mildem Aroma und weißem bis violettem Fleisch

Schallup|pe *‹fr.› die;* -, -n: Frachtfahrzeug; großes Beiboot

Schallwar *‹pers.-türk.› der;* -[s], -s: im Orient (von Frauen getragene) lange, weite, meist blaue Hose

Schalmalde u. Chamade *‹lat.-it.-fr.› die;* -, -n: (veraltet) [mit Trommel od. Trompete gegebenes] Zeichen der Kapitulation; **Schamade schlagen:** sich ergeben

Schalmalne *‹sanskr.-tungus.› der;* -n, -n: (bei bestimmten Naturvölkern) Zauberpriester, der mit Geistern u. den Seelen Verstorbener Verbindung aufnimmt. **Schalmalnislmus** *‹sanskr.-tungus.-nlat.› der;* -: Glaube an die Fähigkeit der Schamanen (Völkerk.)

Schalmllsen vgl. Samisen

Schalmlmes *‹hebr.-jidd.› der;* -, -: Synagogendiener

1Schalmott *‹hebr.-jidd.› der;* -s: (ugs.) Kram, Zeug, wertlose Sachen.

2Schalmott *‹dt.-it.› der;* -s: (österr. ugs.) ↑Schamotte. **Schamott|te** [auch: ...'mɔt] *‹dt.-it.› die;* -: feuerfester Ton. **schalmot|tie|ren:** (österr.) mit Schamottesteinen auskleiden

Schamlpon vgl. Shampoo.

scham|po|nie|ren: das Haar mit Schampon waschen.

Schamlpun [auch: ...'puːn] vgl. Shampoo. **scham|pu|nie|ren:** schamponieren

Schamlpus *der;* -: (ugs.) Sekt

schang|hai|en u. shanghaien (nach der chin. Stadt Schanghai): einen Matrosen gewaltsam heuern

Schan|tung|sei|de *die;* -, -n u. (fachspr.) Schantung (nach der chin. Provinz Schantung) *der;* -, -s: Seidengewebe aus Tussahseide mit rauer Oberfläche

Schap|pe *‹fr.› die;* -, -n: [Gewebe aus] Abfallseide

Schalralde u. Charade *‹fr.› die;* -, -n: Worträtsel, bei dem das zu erratende Wort in Silben od. sonstige Bestandteile zerlegt und durch Umschreibung dargestellt wird

Schalraff *‹hebr.› der;* -s: heißer Wüstenwind in Israel

Schälre *‹schwed.› die;* -, -n (meist Plural): kleine, buckelartige Felseninsel od. -klippe, bes. vor der schwedischen od. der finnischen Ostseeküste

Schalria u. Scheria *‹arab.› die;* -: religiöses Gesetz des Islams, das

kultische Pflichten verzeichnet sowie ethische Normen u. Rechtsgrundsätze für alle Lebensbereiche aufstellt

Schalrif vgl. Scherif

Scharllaltan *‹it.-fr.› der;* -s, -e: jmd., der bestimmte Fähigkeiten vortäuscht u. andere damit hinters Licht führt. **Scharllalta|nerie** *die;* -, ...ien u. **Scharllaltanislmus** *‹it.-fr.-nlat.› der;* -, ...ismen: a) Verhaltensweise eines Scharlatans; b) Schwindelei eines Scharlatans

scharlmielren vgl. charmieren

Scharlmützel *‹it.-it.› das;* -s, -: kurzes, kleines Gefecht, Plänkelei. **scharlmütlzeln:** ein kleines Gefecht führen. **scharlmutlzielren:** (veraltet, aber noch landsch.) flirten

Scharlnier *‹lat.-vulgärlat.-fr.› das;* -s, -e: 1. drehbares Gelenk [an Türen]. 2. Umbiegungslinie einer Falte (Geol.)

1Scharlpie *‹lat.-vulgärlat.-fr.› die;* -: früher als Verbandsmaterial verwendete zerzupfte Leinwand

2Scharlpie *‹engl.› das;* -s, -s: in bestimmter Bauweise hergestelltes leichtes Segelboot

scharlrielren *‹lat.-vulgärlat.-fr.›:* die Oberfläche von Steinen mit dem Scharriereisen bearbeiten

Scharltelke *‹niederd.› die;* -, -n: 1. a) altes wertloses Buch, Schmöker; b) (veraltend) anspruchsloses Theaterstück. 2. (abwertend) unsympathische ältere Frau

Scharlwenlzel u. Scherwenzel *‹tschech.› der;* -s, -: 1. Bube, Unter in Kartenspielen. 2. (ugs.) übergeschäftiger, dienstbeflissener Mensch. 3. (Jägerspr.) Fehlschuss. **scharlwenlzeln** u. scherwenzeln: (ugs.) schmeichlerisch, liebedienernd um jmdn. herum sein

Schäschlka *‹russ.› der;* -s, -s: früher von Soldaten getragener russischer Kavalleriesäbel

Schaschllik *‹turkotat.-russ.› der* od. *das;* -s, -s: Spieß, auf dem kleine, scharf gewürzte Stückchen Fleisch [zusammen mit Speck, Zwiebeln, Paprika u. Tomaten] gereiht u. gebraten od. gegrillt werden

schaslsen *‹lat.-vulgärlat.-fr.›:* (ugs.) 1. kurzerhand [von der Schule, der Lehrstätte, aus der Stellung] entlassen. 2. fassen, ergreifen. 3. (landsch.) jagen.

Schas|sie|ren: mit kurzen Schritten geradlinig tanzen

Schaltullle *‹mlat.› die;* -, -n: 1. Geld-, Schmuckkästchen. 2.

(veraltet) Privatkasse eines Staatsoberhaupts od. eines Fürsten

Sche|be|cke ⟨arab.-span.-it.-fr.⟩ die; -, -n: Mittelmeerschiff des 17. u. 18. Jh.s mit zwei bis drei Masten

Schech vgl. Scheich

Scheck, schweiz. auch: Check ⟨engl.⟩ der; -s, -s: Zahlungsanweisung an eine Bank; vgl. ²Check

sche|cken vgl. checken

Scheilda ⟨lat.⟩ die; -, ...den: (veraltet) einzelnes Blatt Papier

Schedlbau u. Shedbau ⟨engl.; dt.⟩ der; -[e]s, ...bauten: eingeschossiger Bau mit Satteldach.

Sched|dach u. Sheddach das; -s, ...dächer: Dach, das ungleich große u. verschieden geneigte Flächen hat; Sattel-, Sägedach

Scheldulla ⟨gr.-lat.⟩ die; -, ...lä: Verkleinerungsform von Scheda

Scheich, Schech u. **Scheik** ⟨arab.; „Ältester"⟩ der; -s, -e u. -s: 1. a) (ohne Plural) arabischer Ehrentitel führender Persönlichkeiten der traditionellen islamischen Gesellschaft; b) Träger dieses Titels. 2. (ugs.) Freund eines Mädchens, einer Frau

Scheikel ⟨hebr.⟩ der; -s, -: 1. israelische Währungseinheit. 2. vgl. Sekel

Schelf ⟨engl.⟩ der od. das; -s, -e: vom Meer überfluteter Sockel der Kontinente; Flachsee (Geogr.)

Schelllack ⟨niederl.⟩ der; -[e]s, -e: (auch synthetisch hergestellte) Mischung aus Baumharz u. Wachsabscheidungen (bes. der Lackschildlaus), die zur Herstellung von Lacken u. Firnis verwendet wird

Schellto|pu|sik ⟨russ.⟩ der; -s, -e: südosteuropäische u. vorderasiatische große braune bis kupferfarbene Schleiche

Schelma ⟨gr.-lat.⟩ das; -s, -s u. -ta, ...men: 1. Muster, anschauliche [grafische] Darstellung, Aufriss. 2. Entwurf, Plan, Form. **schelmaltisch**: 1. einem Schema folgend, anschaulich zusammenfassend u. gruppierend. 2. gleichförmig; gedankenlos. **schelmatilsielren** ⟨gr.-lat.-nlat.⟩: nach einem Schema behandeln; in eine Übersicht bringen. **Schelmatislmus** ⟨gr.-lat.⟩ der; -, ...men: 1. gedankenlose Nachahmung eines Schemas. 2. statistisches Handbuch einer katholischen Diözese od. eines geistlichen Ordens. **Schelmen**: Plural von ↑Schema

Schen u. **Scheng** ⟨chin.⟩ das; -s, -s: chinesische Mundorgel

Schelol ⟨hebr.⟩ der; -s: (im alten Testament) als Unterwelt gedachtes Totenreich, in dem die Toten mit verminderter Lebenskraft weiter existieren

Scher|bett vgl. Sorbet

Schelria vgl. Scharia

Schelrif u. Scharif ⟨arab.; „erhaben"⟩ der; -s u. -en, -s u. -e[n]: a) (ohne Plural) Titel der Nachkommen des Propheten Mohammed; b) Träger dieses Titels

Scher|wen|zel usw. vgl. Scharwenzel usw.

scher|zan|do [sker...] ⟨germ.-it.⟩: in der Art des Scherzos (Vortragsanweisung; Mus.). **Scherzo** [′sk...] das; -s, -s u. ...zi: Tonstück von heiterem Charakter, (meist dritter) Satz in Sinfonie, Sonate u. Kammermusik (Mus.). **scher|zo|so** [sk...]: ↑scherzando

Schi vgl. Ski

Schia ⟨arab.; „Sekte, Partei"⟩ die; -: eine der beiden Hauptrichtungen des Islams, die allein Ali, den Schwiegersohn Mohammeds, sowie dessen Nachkommen als rechtmäßige Stellvertreter des Propheten anerkennt

Schib|bo|leth ⟨hebr.; „Ähre" od. „Strom", nach der Losung der Gileaditer, Richter 12, 5 f.⟩ das; -s, -e u. -s: Erkennungszeichen, Losungswort; Merkmal

Schi|bob vgl. Skibob

schick ⟨dt.-fr.⟩: 1. modisch, schön, geschmackvoll gekleidet. 2. (ugs.) erfreulich, nett. 3. (ugs.) in Mode, modern. **Schick** der; -[e]s -: 1. modische Eleganz, gutes Aussehen, gefällige Form. 2. (schweiz.) [vorteilhafter] Handel. **Schi|cke|ria** ⟨it.⟩ die; -: modebewusste [obere] Gesellschaftsschicht

Schick|se ⟨jidd.-gaunerspr.⟩ die; -, -n: 1. (abwertend) Flittchen. 2. (aus jüdischer Sicht) Nichtjüdin

Schie|da|mer (nach der niederl. Stadt Schiedam) der; -s, -: Kornbranntwein

Schilis|mus ⟨arab.-nlat.⟩: Lehre der Schiiten. **Schilit** der; -en, -en: Anhänger der Schia. **schilijtisch**: zur Schia gehörend, sie betreffend

Schilka|ne ⟨fr.⟩ der; -, -n: 1. böswillig bereitete Schwierigkeit, Bosheit. 2. [eingebaute] Schwierigkeit in einer Autorennstrecke (Sport). 3. (unzulässige) Ausübung eines Rechts zum ausschließlichen Schädigung eines anderen (Rechtsw.); mit **allen**

Schikanen: mit allem verwöhnten Ansprüchen genügenden Zubehör; mit besonderer technischer o. a. Vollkommenheit, Vervollkommnung [für hohe Ansprüche]. **Schilkaineur** [...′nø:ɐ] der; -s, -e: jmd., der andere schikaniert. **schilka|nielren**: jmdm. in kleinlicher u. böswilliger Weise Schwierigkeiten machen. **schilkalnös**: 1. andere schikanierend. 2. von Böswilligkeit zeugend

Schilkjölring [′ʃi:jørɪŋ] vgl. Skikjöring

Schillling vgl. Shilling

Schillum ⟨pers.-Hindi-engl.⟩ das; -s, -s: meist aus Holz gefertigtes Röhrchen, bes. zum Rauchen von Haschisch u. Marihuana

Schilmaralthon vgl. Skimarathon

Schilmälre ⟨gr.-lat.-fr.; nach dem Ungeheuer ↑Chimära⟩ die; -, -n: Trugbild, Hirngespinst. **schimälrisch**: trügerisch

Schim|pan|se ⟨afrik.⟩ der; -n, -n: kleiner afrikanischer Menschenaffe. **schim|pan|so|id** ⟨afrik.; gr.⟩: schimpansenähnlich

Schi|na|kel ⟨ung.⟩ das; -s, -[n]: (österr. ugs.) 1. kleines Ruderboot. 2. (nur Plural) breite, ausgetretene Schuhe

Schin|to|is|mus u. Shintoismus ⟨nlat., von chin.-jap. shintō „Weg der Götter"⟩ der; -: japanische Nationalreligion mit Verehrung der Naturkräfte u. Ahnenkult. **Schin|to|ist** der; -en, -en: Anhänger des Schintoismus. **schin|to|is|tisch**: zum Schintoismus gehörend

Schi|ras (nach der iran. Stadt) der; -, -: 1. weicher Teppich aus glänzender Wolle u. mit ziemlich langem Flor. 2. persianerähnliches Fettschwanzschaf

Schi|rok ⟨arab.-it.⟩ der; -s, -s: sehr warmer, oft stürmischer Mittelmeerwind

Schir|ting ⟨engl.⟩ der; -s, -e u. -s: oft als Futterstoff verwendetes Baumwollgewebe in Leinwandbindung (eine Webart)

Schir|wan (nach der kaukasischen Landschaft) der; -[s], -s: dichter, kurz geschorener Teppich mit geometrischer Musterung

Schis|ma [ʹsç...] ⟨gr.-lat.⟩ das; -s, ...men u. -ta: 1. a) Kirchenspaltung; b) die Weigerung, sich dem Papst, den ihm unterstehenden Bischöfen unterzuordnen, bestehendes kirchenrechtliches Delikt. 2. kleinstes musikalisches Intervall (Mus.).

Schis|ma|ti|ker [auch: sç...] der;
-s, -: Verursacher einer Kirchenspaltung, Anhänger einer schis-
matischen Gruppe. schis|ma-
tisch [auch: sç...]: a) die Kirchenspaltung betreffend; b) eine
Kirchenspaltung betreibend.
Schis|men [auch: 'sçı...]: Plural
von ↑ Schisma
Schiss|la|weng vgl. Zislaweng
Schis|to|pro|so|pie* [auch: sç...]
⟨gr.-nlat.⟩ die; -: ↑ Prosoposchisis.
Schis|to|so|ma [auch: sç...] das;
-s, -ta: Egel, der in Blutgefäßen
schmarotzt (Med.). Schis|to|so-
mi|a|se [auch: sç...] die, -, -n:
durch Schistosomata hervorgerufene Wurmerkrankung
(Med.). schi|zo|gen: (von Ge-
webslücken) durch Spaltung od.
Auseinanderweichen von Zell-
wänden entstanden (Biol.).
Schi|zo|go|nie die; -, ...ien: un-
geschlechtliche Vermehrung
durch Zerfallen einer Zelle in
mehrere Teilstücke (z. B. im Ent-
wicklungszyklus des Malaria-
erregers; Biol.). schi|zo|id: der
Schizophrenie ähnlich (Psy-
chol.). Schi|zo|my|zet der; -en,
-en (meist Plural): Bakterie, die
sich ungeschlechtlich durch
Querteilung vermehrt; Spaltpilz
(Biol.). Schi|zo|ny|chie* die; -,
...ien: Spaltung des freien Ran-
des der Nägel infolge Brüchig-
keit (Med.). Schi|zo|pha|sie
die; -, ...ien: Äußerung zusam-
menhangloser Wörter u. Sätze
(Psychol.). schi|zo|phren: 1. an
Schizophrenie leidend, zum Erscheinungsbild der Schizophrenie gehörend (Med.). 2. (ugs) in
sich widersprüchlich, unverein-
bar (mit anderem). 3. (ugs.)
verrückt, absurd. Schi|zo|phre-
nie die; -, ...ien: 1. extreme
Verhaltensstörung mit den
Hauptsymptomen Denkstörung,
Wahn, Wahrnehmungsstörung,
motorische und affektive Störungen (Med.; Psychol.). 2.
(ugs.) innere Widersprüchlich-
keit, Zwiespältigkeit, Unsinnig-
keit, absurdes Verhalten. Schi-
zo|phyten die (Plural): (veraltet)
Bakterien u. Blaualgen (Biol.).
Schi|zo|phy|zee die; -, -n (meist
Plural): (veraltet) Zyanophyzee
(Biol.). schi|zo|thym: eine dem
leptosomen Körperbau zuge-
schriebene Temperamentsform
aufweisend (Psychol.). Schi|zo-
thy|me der u. die; -n, -n: jmd.,
der schizothym veranlagt ist
(Psychol.). Schi|zo|thy|mie die;
-: Eigenschaft u. Veranlagung

des schizothymen Konstitutions-
typs (Psychol.)
Schlach|ta ⟨poln.⟩ die; -: (hist.)
der niedere polnische Adel.
Schlacht|schitz* der; -en, -en:
(hist.) Angehöriger der Schlach-
ta
Schla|mas|sel ⟨jidd.⟩ der (auch:
das); -s: (ugs.) Unglück; verfah-
rene, schwierige Situation
Schle|mihl [auch: ...'mi:l] ⟨hebr.⟩
der; -s, -e: (ugs.) 1. jmd., dem
[durch eigene Dummheit] alles
misslingt; Pechvogel. 2. gerisse-
ner Mensch
Schlipp vgl. Slip (2)
Schlup vgl. Slup
Schma ⟨hebr.; „höre!"⟩ das; -: das
jüdische Bekenntnisgebet
Schmal|te u. Smalte ⟨germ.-it.⟩
die; -, -n: pulverig gemahlener,
kobaltblauer Farbstoff für feuer-
feste Glasuren
Schmal|sche ⟨poln.⟩ die; -, -n: Fell
eines tot geborenen Lamms
Schmock ⟨slowen.; nach dem Namen einer Romanfigur in
G. Freytags „Die Journalisten")
der; -[e]s, Schmöcke (auch: -e u.
-s): (abwertend) gesinnungsloser
Journalist, Schriftsteller
Schmo|ne es|re ⟨hebr.; „das
Achtzehnbittengebet") das; - -:
längeres Gebet des werktägli-
chen jüdischen Gottesdienstes
Schmon|zes ⟨jidd.⟩ der; -, -: leeres
Geschwätz. Schmon|zet|te die;
-, -n: (ugs. abwertend) wenig
geistreiches, kitschiges Stück, al-
bernes Machwerk
Schmu ⟨hebr.-jidd.⟩ der; -s: (ugs.)
etw., was nicht ganz korrekt ist;
Schmu machen: (ugs.) auf harm-
lose Weise betrügen
Schmus ⟨hebr.-jidd.⟩ der; -es.
(ugs.) leeres Gerede, Ge-
schwatz; Schönrednerei, Lobhu-
delei. schmu|sen: (ugs.) 1. mit
jmdm. zärtlich sein, Liebkosun-
gen austauschen. 2. (abwertend)
schwatzen, schmeicheln, schön-
tun.
Scho|ah u. Shoah ⟨hebr.⟩ die; -:
der von den Nationalsozialisten
betriebene ↑ Holocaust
Schock ⟨niederl.-engl.⟩ der; -[e]s,
-s: 1. durch ein plötzliches kata-
strophenartiges od. außergewöhnlich belastendes Ereignis
ausgelöste Erschütterung, aus-
gelöster großer Schreck [wobei
der Betroffene nicht mehr fähig
ist, seine Reaktionen zu kontrol-
lieren]. 2. akutes Kreislaufversa-
gen mit ungenügender Sauer-
stoffversorgung lebenswichtiger
Organe (Med.). scho|ckant

⟨niederl.-fr.⟩: anstößig. scho-
cken ⟨niederl.-fr.-engl.⟩: 1. mit
künstlich erzeugtem (z. B. elektrischem) Schock behandeln
(Med.). 2. jmdm. einen Schock
(1) versetzen, jmdn. verstören,
aus dem seelischen Gleichge-
wicht bringen. Scho|cker der; -s,
-: Roman od. Film mit gruseli-
gem od. anstößigem Inhalt.
scho|ckie|ren ⟨niederl.-fr.⟩: Ent-
rüstung, moralische Empörung
hervorrufen; jmdn. aufbringen.
Schock|me|ta|mor|pho|se die;
-, -n: Umwandlung von Ge-
steinen durch starke Druck-
wellen (z. B. durch Kernexplo-
sion erzeugt; Geol.). Schock-
the|ra|pie die; -, -n: Heilverfah-
ren, das den gezielten Einsatz
von elektrischen Schocks be-
inhaltet
Scho|far ⟨hebr.⟩ der; -[s], Schofa-
roth: ein im jüdischen Kult verwendetes Widderhorn, das z. B.
zur Ankündigung des Sabbats
geblasen wird
scho|fel u. schofelig, schoflig
⟨hebr.-jidd.⟩: (ugs.) 1. gemein,
niedrig, schäbig. 2. knauserig,
armselig, kümmerlich. Scho|fel
der; -s, -: (ugs.) 1. Schund,
schlechte Ware. 2. gemeiner
Mensch. scho|fe|lig vgl. scho-
fel
Schof|för der; -s, -e: eindeut-
schend für: Chauffeur
schof|lig vgl. schofel
Scho|gun u. Shogun ⟨chin.-jap.⟩
der; -s, -e: (hist.) a) (ohne Plural)
[erblicher] Titel japanischer kai-
serlicher Feldherren, die lange
Zeit anstelle der machtlosen
Kaiser das Land regierten; b)
Träger dieses Titels. Scho|gu-
nat ⟨chin.-jap.-nlat.⟩ das; -[e]s:
(hist.) Amt eines Schoguns
Scho|kol|la|de ⟨mex.-span.-nie-
derl.⟩ die; -, -n: 1. mit Zucker
[Milch o. Ä.] gemischte Kakao-
masse, die meist in Tafeln ge-
walzt od. in Figuren gegossen ist.
2. Getränk aus Schokoladen-
masse und Milch. scho|ko|lie-
ren ⟨mex.-span.-niederl.-nlat.⟩:
mit Schokolade überziehen
Scho|la ['sko:la, auch: 'sç...] ⟨gr.-
lat.⟩ die; -, ...ae [...ä]: institutio-
nelle Vereinigung von Lehrern u.
Schülern, bes. zur Pflege u. Wei-
terentwicklung des gregoriani-
schen Chorals (im Mittelalter;
Mus.). Scho|lar u. Scholast [ſ...]
⟨gr.-lat.⟩ der; -en, -en: (hist.) [he-

rumziehender] Schüler, Student [im Mittelalter]. **Scho|larch*** ⟨gr.⟩ der; -en, -en: (hist.) Vorsteher einer Kloster- od. Domschule im Mittelalter. **Schollarchat***⟨gr.-nlat.⟩ das; -[e]s, -e: (hist.) Amt eines Scholarchen. **Scho|last** vgl. Scholar. **Scho|las|tik** ⟨gr.-mlat.; „Schulwissenschaft, Schulbetrieb"⟩ die; -: 1. die auf die antike Philosophie gestützte, christliche Dogmen verarbeitende Philosophie u. Theologie des Mittelalters (etwa 9.–14. Jh.). 2. engstirnige, dogmatische Schulweisheit. **Scholas|ti|ka|t** ⟨gr.-mlat.-nlat.⟩ das; -[e]s, -e: Studienzeit des Scholastikers (2). **Scho|las|ti|ker** ⟨gr.-mlat.⟩ der; -s, -: 1. Vertreter der Scholastik. 2. junger Ordensgeistlicher während des philosophisch-theologischen Studiums, bes. bei den Jesuiten. 3. (abwertend) reiner Verstandesmensch, spitzfindiger Haarspalter. **Scho|las|ti|kus** der; -, ...ker: ↑Scholarch. **schollas|tisch**: 1. nach der Methode der Scholastik, die Philosophie der Scholastik betreffend. 2. (abwertend) spitzfindig, rein verstandesmäßig. **Schollas|ti|zis|mus** ⟨gr.-mlat.-nlat.⟩ der; -: 1. einseitige Überbewertung der Scholastik. 2. (abwertend) übertriebene Spitzfindigkeit. **Scho|li|ast** ⟨gr.-mgr.-mlat.⟩ der; -en, -en: Verfasser von Scholien. **Scho|lie** [...jə] die; -, -n u. **Scho|li|on** ⟨gr.⟩ das; -s, Scholien: erklärende Randbemerkung [alexandrinischer Philologen] in griechischen u. römischen Handschriften **Schojre** vgl. Sore **Schojse** vgl. Chose **schraf|fie|ren** ⟨it.-niederl.⟩: [eine Fläche] mit parallelen Linien stricheln (Kunstwiss.). **Schraf|fur** die; -, -en: a) schraffierte Fläche auf einer Zeichnung; b) Strichzeichnung auf [Land]karten; c) Strichelung **Schrap|nell** ⟨nach dem engl. Artillerieoffizier H. Shrapnel⟩ das; -s, -e u. -s: 1. (veraltet) Sprenggeschoss mit Kugelfüllung. 2. (abwertend) ältere, als unattraktiv empfundene Frau **Schred|der** u. Shredder ⟨engl.⟩ der; -s, -: technische Anlage zum Verschrotten u. Zerkleinern von Autowracks **schrin|ken** u. shrinken ⟨engl.⟩: Geweben Feuchtigkeit zuführen, um sie im Griff weicher u. krumpfecht zu machen

Schu|bi|lack ⟨niederl.⟩ der; -s, -s u. -e: (landsch. abwertend) niederträchtiger Mensch, Lump **Schud|ra*** u. Shudra ⟨sanskr.⟩ der; -s, -s: (hist.) Angehöriger der vierten, dienenden Hauptkaste im alten Indien; vgl. Waischja **Schul|chan A|ruch** [...x...] ⟨hebr.; „gedeckter Tisch", nach Psalm 23, 5⟩ der; - -: um 1500 n. Chr. entstandenes maßgebendes jüdisches Gesetzeswerk **Schwa** ⟨hebr.⟩ das; -[s], -[s]: in bestimmten unbetonten Silben erscheinende Schwundstufe des vollen Vokals; Murmel-e (Lautzeichen: ə; Sprachw.) **Schwad|ron*** ⟨lat.-vulgärlat.-it.⟩ die; -, -en: kleinste Truppeneinheit der Kavallerie (Mil.). **Schwad|ro|na|lde** ⟨mit französierender Endung gebildet⟩ die; -, -n: wortreiche, aber nichts sagende Schwafelei, prahlerisches Gerede. **Schwad|ro|neur** [...'nø:ʀ] ⟨lat.-it.-fr.⟩ der; -s, -e: jmd., der schwadroniert. **schwad|ro|nie|ren**: schwatzen, viel u. lebhaft erzählen **Schwer|lath|let** der; -en, -en: Sportler der Schwerathletik treibt. **Schwer|lath|le|tik** die; -: sportliche Disziplin, die Ringen, Gewichtheben, Kunst- u. Rasenkraftsport umfasst; Kraftsport; vgl. Leichtathletik **schwoi|len** u. **schwo|jen** ⟨altnord.-niederl.⟩: sich durch Wind od. Strömung vor Anker drehen (Seew.) **Sci|ence|fic|tion** ['saɪəns'fɪkʃən] ⟨engl.⟩ die; -: abenteuerlich-fantastische Literatur utopischen Inhalts auf naturwissenschaftlich-technischer Grundlage. **Sci|en|tis|mus** [sts...] usw. vgl. Szientismus usw. **Sci|en|to|lo|gy** ® [saɪən'tɔlədʒɪ] die; -: mit religiösem Anspruch auftretende Bewegung, deren Anhänger behaupten, eine wissenschaftliche Theorie über das Wissen u. damit den Schlüssel zu (mithilfe bestimmter psychotherapeutischer Techniken zu erlangender) vollkommener geistiger u. seelischer Gesundheit zu besitzen. **scili|cet** ['stsi:litsɛt] ⟨lat.⟩: nämlich; Abk.: sc. u. scil. **Scil|la** ['stsɪla] vgl. Szilla **sciol|to** ['ʃɔlto] ⟨lat.-vulgärlat.-it.⟩: frei, ungebunden im Vortrag (Mus.) **Scoop** [sku:p] ⟨engl.⟩ der; -s, -s: Exklusivmeldung, Knüller **Scoo|ter** ['sku:tɐ] ⟨engl.⟩ der; -s, -:

1. Segelboot mit Stahlkufen zum Wasser- u. Eissegeln. 2. ↑Skooter **Sco|po|la|min*** [sk...] vgl. Skopolamin **Scor|da|tu|ra** [sk...] u. Skordatur ⟨lat.-it.⟩ die; -: von der üblichen Stimmung abweichende Umstimmung von Saiteninstrumenten (z. B. zur Erzeugung besonderer Klangeffekte; Mus.); Ggs. ↑Accordatura **Score** [skɔ:] ⟨engl.⟩ der; -s, -s: 1. a) Spielstand, Spielergebnis; b) Zahl der erreichten Treffer im Lotto od. der erreichten Punkte in einem sportlichen Wettkampf. 2. geschätzter od. gemessener Zahlenwert, Messwert (z. B. bei Testergebnissen; Psychol.). **Score|kar|te** ['skɔ:...] die; -, -n: vorgedruckte Karte, auf der die Anzahl der von einem Spieler (beim Golf, Minigolf) gespielten Schläge notiert wird. **sco|ren** ['skɔ:...]: einen Punkt, ein Tor o. Ä. erzielen (Sport). **Sco|rer** ['skɔ:...] der; -s -: 1. jmd., der die von den einzelnen Spielern (beim Golf, Minigolf) gemachten Schläge zählt. 2. Spieler, der scort **Scotch** [skɔtʃ] ⟨engl.; Kurzw. aus: scotch whisky⟩ der; -s, -s: schottischer Whisky; vgl. Bourbon. **Scotch|ter|ri|er** ['skɔtʃ...] ⟨engl.⟩ der; -s, -: schottischer Jagdhund **Sco|tis|mus** [sk...] ⟨nlat.⟩ nach dem schottischen Scholastiker Duns Scotus⟩ der; -: philosophische Richtung, die durch die Vorrangstellung des Willens vor der Vernunft gekennzeichnet ist. **Sco|tist** der; -en, -en: Vertreter des Scotismus **Scot|land Yard** ['skɔtlənd 'jɑːd] ⟨engl.⟩ der; - -: [Hauptgebäude der] Londoner Kriminalpolizei **Scout** [skaʊt] ⟨engl.⟩ der; -s, -s: 1. a) Pfadfinder; vgl. Boyscout; b) Wegbereiter, Vorreiter, Vordenker. 2. (Jargon) für einen literarischen Verlag arbeitende Person, die im Ausland nach erfolgreichen od. Erfolg versprechenden Büchern Ausschau hält, um für ihren Verlag die Lizenz zu erwerben **Scrab|ble** ® [skræb(ə)l] ⟨engl.⟩ das; -s, -s: Spiel für zwei bis vier Mitspieler, bei dem aus Spielsteinen mit Buchstaben Wörter nach einem bestimmten Verfahren zusammengesetzt werden müssen **Scra|pie** ['skreɪpi] ⟨engl.⟩ die; -:

Traberkrankheit (der BSE ähnliche, vor allem bei Schafen auftretende Tierseuche; Tiermed.)

Scraps [skræps] ⟨altnord.-engl.⟩ die (Plural): Tabak, der aus den unteren Blättern der Tabakpflanze hergestellt wird

scratch [skrætʃ] ⟨engl.⟩: ohne Vorgabe (beim Golf). **scratchen** ['skrætʃən] ⟨engl.⟩: Scratching betreiben. **Scratching** ['skrætʃɪŋ] ⟨engl.⟩ das; -s: das Hervorbringen bestimmter akustischer Effekte durch Manipulieren der laufenden Schallplatte (bes. in der Diskomusik).

Scratch|spie|ler ['skrætʃ...] der; -s, -: Golfspieler mit sehr hoher u. konstanter Spielstärke, der ohne Vorgabe spielt

Scree|ning ['skri:nɪŋ] ⟨engl.⟩ das; -s, -s u. Screeningtest ['skri:nɪŋ...] der; -s, -s: Verfahren zur Reihenuntersuchung (z. B. auf Krebs; Med.) **Screen|shot** ['skri:nʃɔt] der; -s, -s: [Fixierung u.] Abbildung einer Bildschirmanzeige (EDV)

Screw|ball|ko|mö|die ['skru:bɔ:l...] ⟨engl.⟩ die; -, -n: aus Amerika stammende temporeiche, respektlose Filmkomödie, in der die Hauptfiguren unkonventionell, exzentrisch sind

Scrib|ble ['skrɪb(ə)l] ⟨engl.⟩ das; -s, -s: erster, noch nicht endgültiger Entwurf für eine Werbegrafik, -fotografie o. Ä.

Scrip ⟨lat.-fr.-engl.⟩ der; -s, -s: 1. Interimsschein als Ersatz für noch nicht fertig gestellte Stücke von neu ausgegebenen Wertpapieren. 2. Gutschein über nicht gezahlte Zinsen, durch den der Zinsanspruch zunächst abgegolten ist; vgl. Dollarscrip. **Scrit|tu|ra** ⟨lat.-it.⟩ die; -, ...ren: schriftlicher Opernvertrag in Italien

scrol|len ['skroʊlən] ⟨engl.⟩: eine umfangreichere Datei, die auf dem Bildschirm nicht im Ganzen dargestellt werden kann, in Ausschnitten nach und nach auf dem Bildschirm erscheinen lassen (EDV). **Scrol|ling** ['skroʊlɪŋ] ⟨engl.⟩ das; -s: das Scrollen (EDV)

Scro|tum vgl. Skrotum

Scrub [skrap] ⟨engl.⟩ der; -s, -s: Buschvegetation in Australien

Scu|do ⟨lat.-it.; „Schild"⟩ der; -, ...di: alte italienische Münze

sculp|sit ⟨lat.; „hat [es] gestochen"⟩: gestochen von (hinter dem Namen des Künstlers auf Kupferstichen); Abk.: sc., sculps.

Scu|tel|lum ⟨lat.-nlat.; „Schildchen"⟩ das; -s, ...lla: zu einem Saugorgan umgewandeltes Keimblatt der Gräser

Scyl|la ['stsyla] vgl. Szylla

Scyth [stsy:t] ⟨nach dem Volksstamm der Skythen⟩ das; -s: alpiner Buntsandstein

Seal [zi:l, auch: si:l] ⟨engl.⟩ der od. das; -s, -s: 1. Fell des Seebären (Ohrenrobbe). 2. Pelz aus Seal (1). **Seal|skin** ['zi:lskɪn, auch: 'si:lskɪn] der od. das; -s, -s: 1. Seal. 2. Plüschgewebe als Nachahmung des echten Seals

Sea|ly|ham|ter|ri|er ['si:liəm...] ⟨nach Sealyham, dem walisischen Landgut des ersten Züchters⟩ der; -s, -: englischer Jagdhund

Sé|an|ce [ze'ã:s(ə)] ⟨lat.-fr.⟩ die; -, -n [...s'n̩]: [spiritistische] Sitzung

Sea|son [si:zn] ⟨lat.-fr.-engl.⟩ die; -; engl. Bez. für: Saison

Seb|cha ['zɛpxa] ⟨arab.⟩ die; -, -s: Salztonwüste u. Salzsumpf in der Sahara (Geogr.)

Se|bor|rhö ⟨lat.; gr.⟩ die; -, -en u. **Se|bor|rhöe** [...'rø:ə] die; -, -n [...'rø:ən]: krankhaft gesteigerte Absonderung der Talgdrüsen; Schmerfluss (Med.)

sec [sɛk] ⟨engl.-fr.⟩: ↑ dry

SECAM-Sys|tem ⟨Kurzw. aus fr. séquentiel à mémoire; „aufeinander folgend mit Zwischenspeicherung"; gr.⟩ das; -s: französisches Farbfernsehsystem, das auf einer abwechselnden (nicht gleichzeitigen) Übertragung von Farbsignalen beruht; vgl. PAL-System

sec|co ⟨lat.-it.⟩: ital. Bez. für: trocken. **Sec|co** das; -s, -s: nur auf einem Tasteninstrument begleitetes Rezitativ (Mus.). **Sec|co|mal|le|rei** die; -: Wandmalerei auf trockenem Putz; Ggs. ↑ Freskomalerei

Se|cen|tis|mus [setʃɛn...] ⟨lat.-it.-nlat.⟩: Stilrichtung in der italienischen Barockpoesie des 17. Jh.s; vgl. ²Marinismus. **Se|cen|tist** [setʃɛn...] der; -en, -en: Dichter, Künstler des Secentismus. **Se|cen|to** [se'tʃɛnto] das; -[s]: ital. Bez. für das 17. Jh. in der italienischen Kunst u. Literatur; vgl. Seicento

se|ck|ant usw. vgl. sekkant usw.

se|con|da vol|ta ⟨lat.-it.⟩: das zweite Mal (bei der Wiederholung eines Teils; Mus.); vgl. prima volta. **se|cond|hand** ['sɛkənd'hɛnd] ⟨engl.⟩: aus zweiter Hand; gebraucht. **Se|cond-hand|shop** ['sɛkənd'hɛnd...] ⟨engl.⟩ der; -s, -s: Laden, in dem

gebrauchte Ware (insbesondere gebrauchte Kleidung) verkauft wird. **Se|cond|line** ['sɛkənd'laɪn] ⟨engl.; „zweite Reihe"⟩ die; -: 1. Schar von kleinen Jungen u. Halbwüchsigen, die früher hinter den Straßenkapellen in New Orleans herzog. 2. Nachwuchskräfte im Jazz. **se|con|do** ⟨lat.-it.⟩: das zweite (hinter dem Namen eines Instruments zur Angabe der Reihenfolge; Mus.). **Se|con|do** das; -s, -s u. ...di: (Mus.) 1. zweite Stimme. 2. Bass bei vierhändigem Klavierspiel; Ggs. ↑ Primo

Sec|ret* Ser|vice ['si:krɪt 'sə:vɪs] ⟨engl.⟩ der; - - -: britischer Geheimdienst

Sec|tio au|rea ⟨lat.⟩ die; - - -: Teilung einer Strecke in der Art, dass sich die kleinere Teilstrecke zur größeren wie die größere zur ganzen Strecke verhält (goldener Schnitt, Math.). **Sec|tio cae|sa|rea** ⟨lat.-mlat.⟩ die; - -: Kaiserschnitt (Med.). **Sec|tion** ['sɛk-ʃən] ⟨lat.-fr.-engl.⟩ die; -, -s: ein amerikanisches Landmaß (259 Hektar)

Se|da: Plural von ↑ Sedum

Se|da|rim: Plural von ↑ Seder

se|dat ⟨lat.⟩: (veraltet, aber noch landsch.) ruhig, von gesetztem Wesen, bescheiden, sittsam. **se|da|tiv** ⟨lat.-nlat.⟩: beruhigend, schmerzstillend (von Medikamenten; Med.). **Se|da|tiv** ⟨lat.⟩ das; -s, -e u. **Se|da|ti|vum** das; -s, ...va: Beruhigungsmittel; schmerzlinderndes Mittel (Med.). **se|den|tär** ⟨lat.⟩: 1. (veraltet) sitzend, sesshaft, ansässig. 2. (von Sedimenten) aus tierischen (od. pflanzlichen Stoffen aufgebaut; biogen (Geol.)

Se|der ⟨hebr.; „Reihe"⟩ der; -[s], Sedarim: 1. Hauptteil der Mischna u. Talmud. 2. häusliche Passahfeier im Judentum

Se|des Apos|to|li|ca ⟨mlat.⟩ die; - -: ↑ Sancta Sedes

Se|dez ⟨lat.⟩ das; -es: Buchformat, bei dem der Bogen 16 Blätter = 32 Seiten hat. **Se|de|zi|mal|sys|tem** das; -s: ↑ Hexadezimalsystem

Se|dia ges|ta|to|ria [- dʒɛs...] ⟨lat.-it.⟩ die; - - -: Tragsessel des Papstes bei feierlichen Anlässen. **se|die|ren** ⟨lat.-nlat.⟩: dämpfen, beruhigen (z. B. durch Verabreichung eines Sedativums; Med.). **Se|die|rung** der; -, -en: (Med.) a) Dämpfung von Schmerzen; b) Beruhigung eines Kranken. **Se|di|le** ⟨lat.⟩ das; -[s], ...lien: 1. leh-

nenloser Sitz für die amtierenden Priester beim Hochamt. 2. Klappsitz im Chorgestühl. **Se|di|ment** *das;* -[e]s, -e: 1. das durch Sedimentation entstandene Schicht- oder Absatzgestein (Geol.). 2. Bodensatz einer [Körper]flüssigkeit (bes. des Urins; Med.). **se|di|men|tär** ⟨*lat.-nlat.*⟩: durch Ablagerung entstanden (von Gesteinen u. Lagerstätten; Geol.). **Se|di|men|ta|ti|on** *die;* -, -en: 1. Ablagerung von Stoffen, die an anderen Stellen abgetragen wurden (Geol.). 2. Bodensatzbildung in Flüssigkeiten (Chem.; Med.). **se|di|men|tie|ren:** 1. ablagern (von Staub, Sand, Kies usw. durch Wind, Wasser od. Eis; Geol.). 2. einen Bodensatz bei Flüssigkeiten bilden (Chem.; Med.). **Se|dis|va|kanz** ⟨*lat.-mlat.*⟩ *die;* -, -en: Zeitraum, während dessen das Amt des Papstes od. eines Bischofs unbesetzt ist
Se|di|ti|on ⟨*lat.*⟩ *die;* -, -en: (veraltet) Aufruhr, Aufstand. **se|di|ti|ös:** (veraltet) aufständisch, aufrührerisch
Se|duk|ti|on ⟨*lat.*⟩ *die;* -, -en: (veraltet) Verführung
Se|dum ⟨*lat.*⟩ *das;* -s, ...da: Pflanzengattung der Dickblattgewächse
se|du|zie|ren ⟨*lat.*⟩: (veraltet) verführen
Seg|ment ⟨*lat.*⟩ *das;* -[e]s, -e: Abschnitt, Teilstück (in Bezug auf ein Ganzes). **seg|men|tal** ⟨*lat.-nlat.*⟩: segmentförmig, als Segment vorliegend. **seg|men|tär:** aus einzelnen Abschnitten zusammengesetzt. **Seg|men|ta|ti|on** *die;* -, -en: Bildung von Furchungen an Zellkernen (Med.). **seg|men|tie|ren:** [in Segmente] zerlegen; gliedern. **Seg|men|tie|rung** *die;* -, -en: 1. das Segmentieren. 2. Metamerie (1)
Seg|no* [ˈzɛnjo] ⟨*lat.-it.*⟩ *das;* -s, -s u. ...ni: Zeichen, von dem od. bis zu dem noch einmal zu spielen ist (Mus.); Abk.: s.; vgl. al segno u. dal segno
Seg|re|gat* ⟨*lat.*⟩ *das;* -[e]s, -e: (veraltet) Ausgeschiedenes, Abgetrenntes. **¹Seg|re|ga|ti|on** ⟨*lat.*⟩ *die;* -, -en: 1. (veraltet) Ausscheidung, Trennung. 2. Aufspaltung der Erbfaktoren während der Reifeteilung der Geschlechtszellen (Biol.). **²Seg|re|ga|tion** [sɛgriˈgeiʃn] ⟨*lat.-engl.*⟩ *die;* -, -en: Absonderung einer Menschengruppe aus gesellschaftlichen, eigentumsrechtli-

chen od. räumlichen Gründen (Soziol.). **seg|re|gie|ren** ⟨*lat.*⟩: absondern, aufspalten
se|gue [ˈzeːguə] ⟨*lat.-it.*⟩: „es folgt"⟩: (in älteren Notendrucken unten rechts auf der Seite als Hinweis) umblättern, es geht weiter. **Se|gui|dil|la** [zegiˈdilja] ⟨*lat.-span.*⟩ *die;* -: spanischer Tanz im ³/₄ od. ³/₈-Takt mit Kastagnetten- u. Gitarrenbegleitung
Sei|cen|to [seiˈtʃɛnto] u. Secento ⟨*lat.-it.*⟩ *das;* -[s]: die italienische Kunst des 17. Jh.s als eigene Stilrichtung
Seiches [sɛʃ] ⟨*fr.*⟩ *die* (Plural): stehende Wellen, bei denen der Wasserspiegel an einen Ufer steigt, am entgegengesetzten fällt (bei Binnenseen)
Seig|net|te|salz* [sɛnˈjɛt] ⟨nach einem franz. Apotheker⟩ *das;* -es: das Kaliumnatriumsalz der Weinsäure (Abführmittel)
Seig|neur* [sɛnˈjøːɐ̯] ⟨*lat.-fr.*⟩ *der;* -s, -s: 1. (hist.) französischer Grund-, Lehnsherr. 2. (veraltet) vornehmer, gewandter Herr. **seig|neu|ral** [sɛnjøˈ...]: (veraltet) vornehm, weltmännisch. **Seig|neu|rie** [sɛnjøˈ...] *die;* -, ...ien (hist.) im Besitz eines Seigneurs (1) befindliche Gebiet
Seis|mik ⟨*gr.-nlat.*⟩ *die;* -: Wissenschaft, Lehre von der Entstehung, Ausbreitung u. Auswirkung der Erdbeben. **Seis|mi|ker** *der;* -s, -: Wissenschaftler, Fachmann auf dem Gebiet der angewandten Seismik, auf dem durch künstlich (meist durch Sprengungen) hervorgerufene Erdbenwellen der Verlauf u. die Größe von Gesteinsschichten unter der Erdoberfläche untersucht werden, um Lagerstätten (z. B. von Erdöl) zu erkunden. **seis|misch:** 1. die Seismik betreffend. 2. Erdbeben betreffend, durch Erdbeben verursacht. **Seis|mi|zi|tät** *die;* -: Häufigkeit u. Stärke der Erdbeben eines Gebietes. **Seis|mo|gramm** *das;* -s, -e: Erdbebenkurve des Seismographen. **Seis|mo|graph,** auch: ...graf *der;* -en, -en: Erdbebenmesser, der Richtung und Dauer des Bebens aufzeichnet. **seis|mo|gra|phisch,** auch: ...grafisch: mit Seismographen aufgenommen (von Erschütterungen im Erdinnern). **Seis|mo|lo|ge** *der;* -n, -n: ↑ Seismiker. **Seis|mo|lo|gie** *die;* -: ↑ Seismik. **seis|mo|lo|gisch:** seismisch (1). **Seis|mo|me|ter** *das;* -s, -: Erdbebenmesser, der auch Größe u.

Art der Bewegung aufzeichnet. **seis|mo|met|risch*:** mit einem Seismometer gemessen. **Seis|mo|nas|tie** *die;* -: durch Stoß ausgelöste Pflanzenbewegung, ohne Beziehung zur Reizrichtung (Bot.). **Seis|mo|phon,** auch: ...fon *das;* -s, -e: technisches Gerät, das weit entfernte Erdbeben hörbar macht. **Seis|mo|skop*** *das;* -s, -e: heute veraltetes u. nicht mehr verwendetes Instrument zum Registrieren von Erdbeben
Sejm [sɛjm] ⟨*poln.*⟩ *der;* -s: polnische Volksvertretung
Sel|junk|ti|on ⟨*lat.*⟩ *die;* -, -en: mangelnde od. verminderte Fähigkeit, Bewusstseinsinhalte miteinander zu verbinden (Psychol.)
Se|kans ⟨*lat.*⟩ *der;* -, - (auch: Sekanten): Verhältnis der Hypotenuse zur Ankathete im rechtwinkligen Dreieck; Zeichen: sec (Math.). **Se|kan|te** *die;* -, -n: Gerade, die eine Kurve (bes. einen Kreis) schneidet (Math.)
Se|kel u. Schekel ⟨*hebr.*⟩ *der;* -s, -: altbabylonische u. jüdische Gewichts- u. Münzeinheit
se|kant ⟨*lat.-it.*⟩: (österr., sonst veraltet) lästig, zudringlich. **Sek|ka|tur** *die;* -, -en: (österr., sonst veraltet) a) Quälerei, Belästigung; b) Neckerei. **sek|kie|ren:** (österr., sonst veraltet) a) belästigen, quälen; b) necken. **Sek|ko|ma|le|rei** vgl. Seccomalerei. **Sek|ko|re|zi|tal|tiv** *das;* -s, -e: ↑ Secco
Se|kond ⟨*lat.-it.*⟩ *die;* -, -en: bestimmte Klingenhaltung beim Fechten. **Se|kon|de|leut|nant** [auch: zeˈkõːdə...] ⟨*fr.*⟩: (veraltet) Leutnant
sek|ret* ⟨*lat.*⟩: (veraltet) geheim; abgesondert. **¹Se|kret** ⟨*lat. (-mlat.)*⟩ *das;* -[e]s, -e: 1. (Med.) a) von einer Drüse produzierter u. abgesonderter Stoff, der im Organismus bestimmte biochemische Aufgaben erfüllt (z. B. Speichel, Hormone); b) Ausscheidung, Absonderung [einer Wunde]; vgl. Exkret, Inkret. 2. vertrauliche Mitteilung. **²Se|kret** ⟨*lat.*⟩ *das;* -s, -en (Plural selten): stilles Gebet des Priesters während der Messe. **Se|kre|tär** ⟨*lat.-mlat.*⟩ *der;* -s, -e: 1. (veraltet) Geschäftsführer, Abteilungsleiter. **Se|kre|tär** ⟨*lat.-mlat.(-fr.)*⟩ „Geheimschreiber"⟩ *der;* -s, -e: 1. jmd., der für eine [leitende] Persönlichkeit des öffentlichen Lebens die Korrespondenz, die

organisatorischen Aufgaben o. Ä. erledigt. 2. a) leitender Funktionär einer Organisation; b) Schriftführer. 3. Beamter des mittleren Dienstes. 4. Schreibschrank. 5. afrikanischer Raubvogel (Kranichgeier). **Sek|re|ta|ri|at** ⟨*lat.-mlat.*⟩ *das;* -[e]s, -e: a) der Leitung einer Organisation, Institution, eines Unternehmens beigeordnete, für Verwaltung u. organisatorische Aufgaben zuständige Abteilung; b) Raum, Räume eines Sekretariats (a). **Sek|re|ta|rie** *die;* -, ...ien: päpstliche Behörde; vgl. Staatssekretarie. **Sek|re|tä|rin** *die;* -, -nen: Angestellte, die für jmdn. die Korrespondenz abwickelt und organisatorische Aufgaben erledigt. **Sek|re|ta|ri|us** *der;* -, ...rii: (veraltet) Sekretär. **sek|re|tie|ren** ⟨*lat.-nlat.*⟩: 1. absondern, ausscheiden (Med.). 2. geheimhalten, verschließen, bes. Bücher in einer Bibliothek. **Sek|re|tin** *das;* -s: Hormon des Zwölffingerdarms (Med.). **Sek|re|ti|on** ⟨*lat.*⟩ *die;* -, -en: 1. Vorgang der Produktion u. Absonderung von Sekreten durch Drüsen (Med.). 2. das Ausfüllen von Hohlräumen im Gestein durch Minerallösungen (Geol.). **sek|re|torisch** ⟨*lat.-nlat.*⟩: die Sekretion von Drüsen betreffend (Med.) **Sek|te** ⟨*lat.-mlat.;* „befolgter Grundsatz"⟩ *die;* -, -n: 1. kleinere, von einer christlichen Kirche od. einer anderen Hochreligion abgespaltene religiöse Gemeinschaft. 2. philosophisch od. politisch einseitig ausgerichtete Gruppe. **Sek|tie|rer** *der;* -s, -: 1. Anhänger einer Sekte. 2. jmd., der von der herrschenden politischen od. von einer philosophischen Richtung abweicht. **sek|tie|re|risch**: 1. einer Sekte anhängend. 2. nach Art eines Sektierers **Sek|ti|on** ⟨*lat.*⟩ *die;* -, -en: 1. Abteilung, Gruppe [innerhalb einer Behörde od. Institution]. 2. ↑Obduktion. 3. vorgefertigtes Bauteil, bes. eines Schiffs (Techn.). **Sek|ti|ons|chef** [...ʃef] *der;* -s, -s: (bes. österr.) Abteilungsleiter in einer Behörde [in einem Ministerium]. **Sek|tor** *der;* -s, ...oren: [Sach]gebiet (als Teil von einem Ganzen); Bezirk **Se|kund** ⟨*lat.*⟩ *die;* -, -en: (österr.) ↑Sekunde (4). **Se|kun|da** *die;* -, ...den: (veraltend) 1. die sechste u. siebente Klasse einer höheren Schule. 2. (österr.) die zweite

Klasse einer höheren Schule. **se|kun|da**: (veraltet) „zweiter" Güte (von Waren). **Se|kund|akkord** *der;* -[e]s, -e: die 3. Umkehrung des Dominantseptimenakkords (in der Generalbassschrift mit einer „2" unter der Bassstimme angedeutet; Mus.) **Se|kunda|ner** *der;* -s, -: (veraltend) Schüler einer Sekunda. **Se|kundant** ⟨*lat.(-fr.)*⟩ *der;* -en, -en: 1. Zeuge bei einem Duell. 2. Helfer, Berater, Betreuer eines Sportlers während eines Wettkampfes (bes. beim Berufsboxen). 3. Helfer, Beistand. **Se|kun|danz** ⟨*lat.-nlat.*⟩ *die;* -, -en: 1. Tätigkeit eines Sekundanten (2). 2. Hilfe, Beistand. **se|kun|där** ⟨*lat.-fr.*⟩: 1. a) an zweiter Stelle stehend, zweitrangig, in zweiter Linie in Betracht kommend; b) nachträglich hinzukommend. 2. (von chemischen Verbindungen o. Ä.) jeweils zwei von mehreren gleichartigen Atomen durch zwei bestimmte andere Atome ersetzend od. mit zwei bestimmten anderen verbindend; vgl. primär (2), tertiär (2). 3. den Teil eines Netzgerätes betreffend, über den die umgeformte Spannung als Leistung abgegeben wird (Elektrot.); vgl. primär (3). **Se|kun|där|arzt** *der;* -es, ...ärzte: (österr.) Assistenzarzt; Krankenhausarzt ohne leitende Stellung; Ggs. ↑Primararzt. **Se|kun|där|ener|gie** *die;* -, -n: aus einer Primärenergie gewonnene Energie (Techn.). **Se|kun|där|li|te|ra|tur** *die;* -: wissenschaftliche u. kritische Literatur über Primärliteratur (Literatur). **Se|kun|där|roh|stoff** *der;* -[e]s, -e: Altmaterial. **Se|kun|där|schu|lo** *die;* -, -n: (schweiz.) höhere Volksschule. **Se|kun|där|sta|tis|tik** *die;* -, -en: statistische Auswertung von Material, das nicht primär für statistische Zwecke erhoben wurde; vgl. Primärstatistik. **Se|kun|där|stu|fe** *die;* -, -n: a) die Klassen der Hauptschule (5.–9. Schuljahr); b) die Klassen des Gymnasiums (5.–13. Schuljahr); vgl. Primarstufe. **Se|kun|därsuf|fix** *das;* -es, -e: Suffix, das erst in sprachgeschichtlich jüngerer Zeit durch die Verschmelzung zweier anderer Suffixe entstanden ist (z. B. -keit aus mhd. -ec-heit; Sprachw.). **Se|kun|därtek|to|ge|ne|se** *die;* -: durch Schwere u. Abgleiten des Gesteins verursachte Falten- u. Deckenbildung (von Gesteinen;

Geol.); vgl. Primärtektogenese. **Se|kun|da|wech|sel** ⟨*lat.;* dt.⟩ *der;* -s, -: zweite Ausfertigung eines Wechsels. **Se|kun|de** ⟨*lat.*⟩ *die;* -, -n: 1. a) der 60. Teil einer Minute, eine Grundeinheit der Zeit; Abk.: Sek.; Zeichen: s (Astron.: ...ˢ), älter: sec, sek.; b) (ugs.) sehr kurze Zeitspanne, kurzer Augenblick. 2. Winkelmaß (der 3 600ste Teil eines Winkelgrads; Kurzzeichen: ″; Math.). 3. die dritte Seite eines Druckbogens mit der Sternchenziffer. 4. (Mus.) a) zweiter Ton einer diatonischen Tonleiter; b) Intervall von zwei diatonischen Tonstufen. **Se|kun|den|mel|ter** *der;* -s, -: vgl. Metersekunde. **se|kun|dieren** ⟨*lat.(-fr.)*⟩: 1. a) jmdn., etwas [mit Worten] unterstützen; beipflichtend äußern; b) die zweite Stimme singen od. spielen u. jmdn., etwas damit begleiten. 2. als Sekundant tätig sein. 3. einen Teilnehmer während des Wettkampfs persönlich betreuen u. beraten (Sport, bes. Boxen u. Schach). **Se|kun|di|pa|ra** *die;* -, ...paren: Frau, die ihr zweites Kind gebiert (Med.). **Se|kun|diz** ⟨*lat.-nlat.*⟩ *die;* -: 50-jähriges Priesterjubiläum (kath. Rel.); vgl. Primiz. **se|kund|lich** (selten), **sekünd|lich**: in jeder Sekunde geschehend, sich vollziehend. **Sekun|do|ge|ni|tur** *die;* -, -en: Besitz[recht] des zweitgeborenen Sohnes u. seiner Linie in Fürstenhäusern; vgl. Primogenitur **Se|ku|rit** ® [auch: ...'rɪt] ⟨*lat.-nlat.*⟩ *das;* -s: nicht splitterndes Sicherheitsglas. **Se|ku|ri|tät** ⟨*lat.*⟩ *die;* -, -en: Sicherheit, Sorglosigkeit **se|la!** ⟨*hebr.*⟩ (ugs.) abgemacht! Schluss! **Se|la** *das;* -s, -s: Musikzeichen in den Psalmen **Se|la|chi|er** [...x...] ⟨*gr.-nlat.*⟩ *der;* -s, - (meist Plural): Haifisch **se|la|don** [auch: zela'dõ:] ⟨*fr.;* nach dem in zartes Grün gekleideten Schäfer Céladon in d'Urfés Roman „L'Astrée", 17. Jh.⟩: (veraltet) blassgrün. **¹Se|la|don** [auch: zela'dõ:] *der;* -s, -s: (veraltet) schmachtender Liebhaber. **²Se|la|don** [auch: zela'dõ:]: 1. seladongrün. 2. chinesisches Porzellan mit -s, -s: chinesisches Porzellan mit grüner bis blaugrüner Glasur (aus dem 10.–13. Jh.) **Se|la|gi|nel|la** ⟨*lat.-it.*⟩ *die;* -, ...llae [...lle] u. **Se|la|gi|nel|le** *die;* -, -n: Moosfarn (Bärlappgewächs) **Se|lam**, vgl. Salam. **Se|lam|lik** ⟨⟨*arab.;* *türk.*⟩ *türk.*⟩ *der;* -s, -s: 1.

Empfangsraum in einem vornehmen muslimischen Haus. 2. (hist.) die Auffahrt des Sultans od. Kalifen zum Freitagsgebet **se|le|gie|ren** ⟨lat.⟩: auswählen. **Se|lek|ta** ⟨lat.⟩ die; -, ...ten: (veraltet) Oberklasse für begabte Schüler nach Abschluss der eigentlichen Schule. **Se|lek|ta|ner** der; -s, -: (veraltet) Schüler einer Selekta. **Se|lek|teur** [...'tøː ɐ̯] ⟨lat.-fr.⟩ der; -s, -e: Pflanzenzüchter, der von Krankheiten befallene Pflanzenbestände aussondert, um die Ansteckung gesunder Pflanzen zu verhüten. **se|lek|tie|ren** ⟨lat.-nlat.⟩: aus einer Anzahl von Individuen od. Dingen diejenigen heraussuchen, deren Eigenschaften sie für einen bestimmten Zweck besonders geeignet machen. **Se|lek|ti|on** ⟨lat.⟩ die; -, -en: 1. Aussonderung, Auswahl. 2. Auslese, Zuchtwahl (Biol.); vgl. Elektion. **se|lek|ti|o|nie|ren** ⟨lat.-nlat.⟩: ↑selektieren. **se|lek|tiv**: 1. auf Auswahl, Auslese beruhend; auswählend; vgl. elektiv. 2. trennscharf (im Rundfunk). **Se|lek|ti|vi|tät** die; -: Trennschärfe (Funkw.)

Se|len ⟨gr.-nlat.⟩ das; -s: chemisches Element; ein Halbmetall (Zeichen: Se). **Se|le|nat** das; -[e]s, -e: Salz der Selensäure **Se|lend|ro*** vgl. Slendro **¹Se|le|nit** ⟨gr.-nlat.⟩ das; -s, -e: Salz der selenigen Säure. **²Se|le|nit** [auch: ...nɪt] ⟨gr.⟩ der; -s, -e: Gips. **Se|le|no|gra|phie**, auch: ...grafie die; -: Beschreibung u. Darstellung der topographischen u. physikalischen Beschaffenheit des Mondes (Astron.). **Se|le|no|lo|ge** der; -n, -n: Mondforscher, Mondgeologe. **Se|le|no|lo|gie** die; -: Wissenschaft von der Beschaffenheit des Mondes, Mondgeologie (Astron.). **se|le|no|lo|gisch**: mondkundlich. **Se|len|zel|le** die; -, -n: spezielle Photozelle, die Lichtimpulse in elektrische Stromschwankungen umwandelt (Phys.).

Self|ak|tor* ⟨engl.⟩ der; -s, -s: Spinnmaschine mit einem sich bewegenden Wagen, der die Spindeln trägt. **Self|ap|peal** ['sɛlfəpiːl] ⟨engl.⟩ der; -s: Werbewirkung, die eine Ware selbst ausübt, sodass der Kunde zum spontanen Kauf veranlasst wird. **Self|ful|fil|ling Pro|phe|cy** ['sɛlf'fʊl'fɪlɪŋ 'prɔfɪsɪ] ⟨engl.; „sich selbst erfüllende Voraussage"⟩

die; - -: Zunahme der Wahrscheinlichkeit, dass ein bestimmtes Ereignis eintritt, wenn es vorher bereits erwartet wird (Psychol.; Soziol.). **Self|go|vern|ment** [sɛlfˈɡʌvnmənt] das; -s, -s: engl. Bez. für: Selbstverwaltung. **Self|made|man** ['sɛlfmeɪd'mæn] der; -s, ...men [...'mɛn]: jmd., der aus eigener Kraft zu beruflichem Erfolg gelangt ist. **Self|ser|vice** ['sɛlf'səːvɪs] ⟨engl.⟩ der; -: engl. Bez. für: Selbstbedienung **Sel|ler** ['sɛl ɐ] ⟨engl.⟩ der; -s, -: Kurzform von ↑Bestseller **Sel|le|rie** [österr.: ...riː] ⟨gr.-lat.-it.⟩ der; -s, -[s] od. (österr. nur:) die; -, - (österr.: ...rjen): eine Gemüse- u. Gewürzpflanze **Sel|vas** ⟨lat.-span.⟩ die (Plural): tropischer Regenwald im Amazonasgebiet **Sem** ⟨gr.⟩ das; -s, -e: eines von mehreren Bedeutungselementen, Merkmalen, die zusammen ein Semem ausmachen (z. B. das Merkmal „männlich" im Lexem „Hengst"; Sprachw.). **Se|man|tem** das; -s, -e: (Sprachw.) 1. Ausdrucksseite eines Lexems als Träger des Inhalts. 2. ↑Sem. 3. ↑Semem. **Se|man|tik** die; -: 1. Teilgebiet der Linguistik, das sich mit den Bedeutungen sprachlicher Zeichen u. Zeichenfolgen befasst (Sprachw.). 2. Bedeutung, Inhalt (eines Wortes, Satzes od. Textes). **Se|man|ti|ker** der; -s, -: Wissenschaftler auf dem Gebiet der Semantik (Sprachw.). **se|man|tisch**: a) den Inhalt eines sprachlichen Zeichens betreffend; b) die Semantik betreffend. **se|man|ti|sie|ren**: die Bedeutung umschreiben, ermitteln (z. B. durch Paraphrasieren; Sprachw.). **Se|ma|phor** ⟨gr.-nlat.; „Zeichenträger"⟩ das od. (österr. nur:) der; -s, -e: Mast mit verstellbarem Flügelsignal zur optischen Zeichengebung (z. B. zum Anzeigen von Windstärke u. -richtung an der Küste). **se|ma|pho|risch**: das Semaphor betreffend. **Se|ma|si|o|lo|gie** die; -: Wissenschaft, Lehre von den Bedeutungen; Teilgebiet der [älteren] Sprachwissenschaft, das sich besonders mit der Wortbedeutungen u. ihren [historischen] Veränderungen befasst. **se|ma|si|o|lo|gisch**: die Semasiologie betreffend, deren Methode anwendend **Se|mé** [sə'me] ⟨lat.-fr.; „gesät"⟩ das; -: 1. Bucheinbandschmuck

des 16.–18. Jh.s, der eine gleichmäßige Streuung von Ornamenten, Wappen u. anderen Motiven aufweist. 2. gleichmäßige Anordnung von verschiedenen Motiven um ein Wappen **Se|mei|o|gra|phie**, auch: ...grafie ⟨gr.-nlat.⟩ die; -: Zeichenschrift; Notenschrift. **Se|mei|o|tik** vgl. Semiotik. **Se|mem** das; -s, -e: Bedeutung, inhaltliche Seite eines sprachlichen Zeichens (Sprachw.). **Se|men** ⟨lat.⟩ das; -s, Semina: Pflanzensamen (Bot.) **Se|mes|ter** ⟨lat.; „Zeitraum von 6 Monaten"⟩ das; -s, -: 1. akademisches Studienhalbjahr. 2. (Studentenspr.) Student eines bestimmten Semesters. 3. (ugs. scherzh.) Jahrgang (in Bezug auf eine Person). **se|mes|t|ral*** ⟨lat.-nlat.⟩: (veraltet) a) halbjährig; b) halbjährlich **se|mi|a|rid** ⟨lat.-nlat.⟩: im größten Teil des Jahres trocken; mitteltrocken (Geogr.). **Se|mi|bre|vis** die; -, ...ves [...veːs]: um die Hälfte gekürzter Notenwert der Brevis in der Mensuralmusik (Mus.). **Se|mi|de|po|nens** das; -, -, ...nentia u. ...nenzien: Deponens, das in bestimmten Verbformen bei aktivischer Bedeutung teils aktivische, teils passivische Endungen zeigt (z. B. lat. solēre „gewohnt sein", Perfekt: solitus sum; Sprachw.). **Se|mi|fi|na|le** ⟨lat.-it.⟩ das; -s, - (auch: -s): Vorschlussrunde bei Sportwettkämpfen, in mehreren Ausscheidungsrunden durchgeführt werden. **Se|mi|ko|llon** ⟨lat.; gr.⟩ das; -s, -s u. ...la: aus einem Komma mit einem darüber gesetzten Punkt bestehendes Satzzeichen, das etwas stärker trennt als ein Komma, aber doch den Zusammenhang eines [größeren] Satzgefüges verdeutlicht; Strichpunkt (Zeichen: ;). **se|mi|la|te|ral** ⟨lat.-nlat.⟩: nur eine Körperhälfte betreffend, halbseitig (z. B. von Lähmungen; Med.). **se|mi|lu|nar**: halbmondförmig. **Se|mi|mi|ni|ma** ⟨lat.⟩ die; -, ...mae [...me]: kürzester Notenwert der Mensuralmusik; Viertelnote (Mus.)

Se|mi|na: Plural von ↑Semen. **Se|mi|nar** ⟨lat.⟩ das; „Pflanzschule, Baumschule"⟩ -s, -e (österr. auch: -ien): 1. Hochschulinstitut für einen bestimmten Fachbereich mit den entsprechenden Räumlichkeiten. 2. Lehrveranstaltung [an einer Hochschule].

3. kirchliches Institut zur Ausbildung von Geistlichen (Priester-, Predigerseminar). 4. a) (früher) Institut für die Ausbildung von Volksschullehrern; b) mit dem Schulpraktikum einhergehender Lehrgang für Studienreferendare vor dem 2. Staatsexamen. Se|mi|na|rist ⟨lat.-nlat.⟩ der; -en, -en: jmd., der an einem Seminar (3, 4) ausgebildet wird. se|mi|na|ris|tisch: a) das Seminar betreffend; b) den Seminaristen betreffend

Se|mi|o|lo|gie ⟨gr.-nlat.⟩ die; -: 1. Lehre von den Zeichen, Zeichentheorie (Philos.; Sprachw.). 2. ↑Symptomatologie. Se|mi|o|tik die; -: 1. Semiologie (1). 2. Wissenschaft vom Ausdruck, Bedeutungslehre. 3. ↑Symptomatologie. se|mi|o|tisch: a) die Semiotik betreffend; b) das [sprachliche] Zeichen betreffend

Se|mi|pe|la|gi|a|nis|mus ⟨nlat.; nach dem ir. Mönch Pelagius⟩ der; -: theologische Richtung [des 5. Jh.s]; vgl. Pelagianismus.

se|mi|per|me|a|bel ⟨lat.-nlat.⟩: halbdurchlässig (z. B. von Membranen; Chem.; Biol.). Se|mi|per|me|a|bi|li|tät die; -: Halbdurchlässigkeit. se|mi|pro|fes|si|o|nell: fast professionell

Se|mis ⟨sə'mi⟩ ⟨lat.-fr.⟩ das; -: ↑Semé

se|misch ⟨gr.⟩: das Sem betreffend (Sprachw.)

Se|mi|se|ria ⟨lat.-it.⟩ die; -: ↑Opera semiseria

Se|mit ⟨nach Sem, dem ältesten Sohn Noahs im A. T.⟩ der; -en, -en: Angehöriger einer sprachlich und anthropologisch verwandten Gruppe von Völkern bes. in Vorderasien und Nordafrika. se|mi|tisch: die Semiten betreffend. Se|mi|tist ⟨lat.⟩ der; -en, -en: Wissenschaftler auf dem Gebiet der Semitistik. Se|mi|tis|tik die; -: Wissenschaft von den alt- u. neusemitischen Sprachen u. Literaturen. se|mi|tis|tisch: die Semitistik betreffend

Se|mi|to|ni|um ⟨lat.⟩ das; -s, ...ia u. ...ien: Halbton (Mus.). Se|mi|vo|kal der; -s, -e: ↑Halbvokal

sem|per a|li|quid hae|ret ⟨lat.⟩: es bleibt immer etwas hängen (von Verleumdung u. übler Nachrede). sem|per i|dem ⟨lat.; „immer derselbe"⟩: Ausspruch Ciceros über den Gleichmut des Sokrates

Sem|per|vi|vum ⟨lat.⟩ das; -s, ...va: Hauswurz (Dickblattgewächs)

semp|li|ce* [...lit∫e] ⟨lat.-it.⟩: einfach, schlicht, ungeziert (Vortragsanweisung; Mus.)

semp|re* ⟨lat.-it.⟩: immer (Mus.)

Sem|st|wo* ⟨russ.⟩ das; -s, -s: (hist.) ständische Selbstverwaltung im zaristischen Russland (1864–1917)

Sen ⟨chin.-jap. u. indones.⟩ der; -[s], -[s] (aber: 100 -): japanische u. indonesische Münzeinheit (= 0,01 Yen od. 0,01 Rupiah)

Se|na|na vgl. Zenana

Se|nar ⟨lat.⟩ der; -s, -e: dem griechischen Trimeter entsprechender lateinischer Vers mit sechs Hebungen (antike Metrik)

Se|nat ⟨lat.; „Rat der Alten"⟩ der; -[e]s, -e: 1. (hist.) Staatsrat als Träger des Volkswillens im Rom der Antike. 2. eine Kammer des Parlaments im parlamentarischen Zweikammersystem (z. B. in den USA). 3. a) Regierungsbehörde in Hamburg, Bremen u. Berlin; b) ¹Magistrat (2) (z. B. in Lübeck). 4. Verwaltungsbehörde an Hochschulen und Universitäten. 5. Richterkollegium an höheren deutschen Gerichten (z. B. an Oberlandesgerichten, Bundessozialgerichten). Se|na|tor der; -s, ...oren: Mitglied des Senats. se|na|to|risch: den Senat betreffend. Se|na|tus Po|pu|lus|que Ro|ma|nus: „der Senat u. das römische Volk" (historische formelhafte Bez. für das gesamte römische Volk); Abk.: S. P. Q. R.

Se|ne|ga|wur|zel ⟨indian.; dt.⟩ die; -: Wurzel einer nordamerikanischen Kreuzblume (ein Heilmittel)

Se|ne|schall ⟨germ. fr.⟩ der; -s, -e: (hist.) Oberhofbeamter im merowingischen Reich

Se|nes|zenz ⟨lat.-nlat.⟩ die; -: das Altern u. die dadurch bedingten körperlichen Veränderungen (Med.)

Sen|hor* ⟨sɛn'jo:ɐ̯⟩ ⟨lat.-port.⟩ der; -s, -es: port. Bez. für: Herr; Gebieter, Besitzer. Sen|ho|ra [...'jo:ra] die; -, -s: port. Bez. für: Dame, Frau. Sen|ho|ri|ta [...jo...] die; -, -s: port. Bez. für die unverheiratete Frau

se|nil ⟨lat.⟩: 1. (Med.) a) greisenhaft, altersschwach; b) das Greisenalter betreffend, im hohen Lebensalter auftretend. 2. (abwertend) verkalkt. Se|ni|li|tät ⟨lat.-nlat.⟩ die; -: 1. verstärkte Ausprägung normaler Alterserscheinungen; z. B. Gedächtnisschwäche, psychische Verände-

rungen (Med.). 2. (abwertend) Verkalktheit, Verschrobenheit.

se|ni|or ⟨lat.; „älter"⟩: ...der Ältere (nur unflektiert hinter dem Personennamen, z. B. Krause senior); Abk.: sen.; Ggs. ↑junior. Se|ni|or der; -s, ...oren: 1. (ugs.) a) ↑Seniorchef; b) Vater (im Verhältnis zum Sohn); Ggs. ↑Junior (1). 2. der ältere Mann (im Unterschied zum jüngeren, jungen Mann), bes. der Sportler im Alter von mehr als 18 od. (je nach Sportart) 20, 21, 23 Jahren; Ggs. ↑Junior (2). 3. Vorsitzender. 4. (ugs.) der Älteste (in einem [Familien]kreis, einer Versammlung o. Ä.). 5. (meist Plural) älterer Mensch. Se|ni|o|rat ⟨lat.-nlat.⟩ das; -[e]s, -e: 1. (hist.) Aufsicht u. Verantwortung des Grundherrn gegenüber seinen Abhängigen im Frankenreich. 2. Vorrecht des Ältesten innerhalb eines Familienverbandes (bes. auf das Erbgut; Rechtsgeschichte). 3. (veraltet) Ältestenwürde, Amt des Vorsitzenden. Se|ni|or|chef der; -s, -s: Geschäfts-, Firmeninhaber, dessen Sohn in der Firma mitarbeitet. Se|ni|o|rin die; -, -nen: 1. Geschäfts-, Firmeninhaberin, deren Sohn od. Tochter in der Firma mitarbeitet. 2. die ältere Frau (im Unterschied zur jüngeren, jungen Frau), bes. die Sportlerin im Alter von mehr als 18 od. (je nach Sportart) 20, 23 Jahren. 3. (meist Plural) ältere Frau. Se|ni|um ⟨lat.⟩ das; -s: Greisenalter (Med.)

Sen|na ⟨arab.-roman.⟩ die; -: ↑Kassia

Sen|ne ⟨nach der iran. Stadt Sinneh⟩ der; -[s], -s: kleiner, feiner, kurz geschorener Teppich in dezenten Farben, meist mit Palmetten als Musterung

Sen|nes|blät|ter ⟨arab.-roman.; dt.⟩ die (Plural): getrocknete Blätter verschiedener indischer u. ägyptischer Pflanzen (ein Abführmittel; Med.); vgl. Senna

Se|non ⟨nach dem kelt. Stamm der Senonen⟩ das; -s: zweitjüngste Stufe der oberen Kreideformation (Geol.). se|no|nisch: das Senon betreffend

Se|ñor ⟨sen'jo:r⟩ ⟨lat.-span.⟩ der; -s, -es: span. Bez. für: Herr. Se|ño|ra die; -, -s: span. Bez. für: Dame, Frau. Se|ño|ri|ta die; -, -s: span. Bez. für die unverheiratete Frau

Sen|sal ⟨lat.-it.⟩ der; -s, -e: ↑Courtier. Sen|sa|lie, auch: Sen|sa|rie die; -, ...ien: ↑Courtage

Sen|sa|ti|on ⟨lat.-mlat.-fr.; „Empfindung") die; -, -en: 1. Aufsehen erregendes, unerwartetes Ereignis; Aufsehen erregende, erstaunliche, verblüffende Leistung, Darbietung. 2. subjektive körperliche Empfindung; Gefühlsempfindung (Med.). **sen|sa|ti|o|nell** ⟨lat.-mlat.-fr.⟩: Aufsehen erregend, verblüffend, [höchst] eindrucksvoll. **sen|si|bel** ⟨lat.-fr.⟩: 1. empfindsam, empfindlich (in Bezug auf die Psyche). 2. die Empfindung, Reizaufnahme betreffend, Hautreize aufnehmend (von Nerven; Med.). **Sen|si|bi|li|sa|tor** ⟨lat.-nlat.⟩ der; -s, ...oren: Farbstoff zur Erhöhung der Empfindlichkeit fotografischer Schichten für gelbes u. rotes Licht. **sen|si|bi|li|sie|ren**: 1. empfindlich, sensibel (1) machen (für die Aufnahme von Reizen u. Eindrücken). 2. (von Filmen) mithilfe von Sensibilisatoren lichtempfindlich machen. 3. den Organismus gegen bestimmte Antigene empfindlich machen, die Bildung von Antikörpern bewirken (Med.). **Sen|si|bi|li|sie|rung** die; -, -en: (Med.) a) angeborene od. erworbene Fähigkeit des Organismus zur Antikörperbildung gegen ein bestimmtes Antigen; b) künstliche Anregung des Organismus zur Bildung von Antikörpern (z. B. durch Impfen). **Sen|si|bi|lis|mus** der; -: [hochgradige] Empfindlichkeit für äußere Eindrücke, Reize. **Sen|si|bi|li|tät** ⟨lat.-fr.⟩ die; -: 1. Empfindlichkeit, Empfindsamkeit; Feinfühligkeit. 2. Fähigkeit des Organismus od. bestimmter Teile des Nervensystems, Gefühls- u. Sinnesreize aufzunehmen (Med.; Psychol.). 3. Empfangsempfindlichkeit bei Funkempfängern. **sen|si|tiv** ⟨lat.-mlat.(-fr.)⟩: leicht reizbar, überempfindlich (in Bezug auf die Psyche; Med.). **sen|si|ti|vie|ren** ⟨lat.-mlat.-nlat.⟩: fotografische Schichten stark empfindlich machen. **Sen|si|ti|vi|tät** die; -: Überempfindlichkeit, Feinfühligkeit. **Sen|si|ti|vi|tätstrai|ning** u. **Sen|si|ti|vi|ty|trai|ning** [sɛnsɪ'tɪvətɪ...] ⟨engl.⟩ das; -s: gruppentherapeutische Methode zur Intensivierung des Verständnisses für menschliche Verhaltensweisen u. zur Beseitigung von Hemmungen beim Ausdrücken von Gefühlen. **Sen|si|to|me|ter** ⟨lat.; gr.⟩ das; -s, -: Instrument zur Empfindlich-

keitsmessung fotografischer Platten u. Filme. **Sen|si|to|met|rie*** die; -: Verfahren zur Messung der Empfindlichkeit von fotografischen Platten u. Filmen. **Sen|so|mo|bi|li|tät** ⟨lat.-nlat.⟩ die; -: das Zusammenstimmen der sensiblen (2) mit den motorischen Nerven bei der Steuerung willkürlicher Bewegungsabläufe (Med.). **Sen|so|mo|to|rik** [auch: ...ˈtoː...] u. **Sensomotorik** die; -: durch Reize bewirkte Gesamtaktivität in sensorischen u. motorischen Teilen des Nervensystems u. des Organismus (Med.; Psychol.). **sen|so|mo|to|risch** [auch: ...ˈtoː...] u. sensumotorisch: die Sensomotorik betreffend, auf ihr beruhend (Med.; Psychol.). **Sen|sor** der; -s, ...oren: elektronischer Fühler, Signalmesser (Techn.). **sen|so|ri|ell** ⟨lat.-fr.⟩: die Sinnesorgane, die Aufnahme von Sinnesempfindungen betreffend (Med.). **Sen|so|ri|en** ⟨lat.-nlat.⟩ die (Plural): Gebiete der Großhirnrinde, in denen Sinnesreize bewusst werden (Med.); vgl. Sensorium. **sen|so|risch**: ↑sensoriell. **Sen|so|ri|um** das; -s: 1. Bewusstsein (Med.); vgl. Sensorien. 2. Gespür. **Sen|su|a|lis|mus** der; -: Lehre, nach der alle Erkenntnis allein auf Sinneswahrnehmung zurückführbar ist (Philos.). **Sen|su|a|list** der; -en, -en: Vertreter des Sensualismus. **sen|su|a|lis|tisch**: den Sensualismus betreffend. **Sen|su|a|li|tät** ⟨lat.⟩ die; -: Empfindungsvermögen der Sinnesorgane (Med.). **sen|su|ell** ⟨lat.-fr.⟩: (Med.) a) die Wahrnehmung durch Sinnesorgane, die Sinnesorgane betreffend; b) sinnlich wahrnehmbar. **Sen|su|mo|to|rik** [auch: ...ˈtoː...] vgl. Sensomotorik. **sen|su|mo|to|risch** [auch: ...ˈtoː...] vgl. sensomotorisch. **Sen|sus** der; - , - [...zuːs]: Empfindungsvermögen eines bestimmten Sinnesorgans (Med.). **Sen|sus com|mu|nis** ⟨lat.⟩ der; - -: gesunder Menschenverstand. **Sen|tenz** die; -, -en: 1. a) einprägsamer, weil kurz u. treffend formulierter Ausspruch; b) Sinnspruch, Denkspruch als dichterische Ausdrucksform; vgl. Gnome. 2. richterliches Urteil (Rechtsw.). 3. (nur Plural) Sammlung von Stellen aus der Bibel u. aus Schriften der Kirchenväter. **sen|ten|zi|ös** ⟨lat.-fr.⟩: in der Art der Sentenz, sentenzenreich. **Sen|ti-**

ment [sāti'mã:] das; -s, -s: Empfindung, Gefühl, Gefühlsäußerung. **sen|ti|men|tal** ⟨lat.-fr.-engl.⟩: a) empfindsam; b) rührselig, übertrieben gefühlvoll. **Sen|ti|men|tal|le** die; -n, -n: Darstellerin jugendlich-sentimentaler Mädchengestalten (Rollenfach beim Theater). **sen|ti|men|ta|lisch**: a) (veraltet) ↑sentimental (a); b) die verloren gegangene ursprüngliche Natürlichkeit durch Reflexion wiederzugewinnen suchend (Literaturw.); Ggs. ↑naiv (2); vgl. ...isch/-. **sen|ti|men|ta|li|sie|ren** ⟨lat.-fr.-engl.-nlat.⟩: (veraltet) sich überspannt benehmen, aufführen. **Sen|ti|men|ta|li|tät** ⟨lat.-fr.-engl.⟩ die; -, -en: Empfindsamkeit; Rührseligkeit. **Se|nus|si** ⟨nach dem Gründer Muhammad Ibn Ali Sanusi⟩ der; -, - u. ...ssen: Anhänger eines kriegerischen islamischen Ordens in Nordafrika (seit 1833). **sen|za** ⟨lat.-it.⟩: ohne (in Verbindung mit musikalischen Vortragsanweisungen); z. B. **senza pedale**: ohne Pedal; **senza sordino**: ohne Dämpfer (bei Streichinstrumenten u. beim Klavier); **senza tempo**: ohne bestimmte Zeitmaß (Mus.). **Se|pal|lum** ⟨fr.-nlat.⟩ das; -s, ...lla: Kelchblatt der Pflanzenblüte. **Se|pa|ran|dum** ⟨lat.⟩ das; -s, ...da (meist Plural): Arzneimittel, das gesondert aufbewahrt wird (z. B. Opiate, Gift). **se|pa|rat**: abgesondert; einzeln. **Se|pa|ra|ta**: Plural von ↑Separatum. **Se|pa|rate** ['sep(ə)rɪt] ⟨lat.-engl.⟩ das; -s, -s: Kleidungsstück, das zu einer zwei- od. mehrteiligen Kombination gehört, aber auch getrennt davon getragen werden kann. **Se|pa|ra|ti|on** ⟨lat.(-fr.)⟩ die; -, -en: 1. (veraltet) Absonderung. 2. Gebietsabtrennung zum Zwecke der Angliederung an einen anderen Staat od. der politischen Verselbstständigung. 3. (hist.) Flurbereinigung, Auflösung der genossenschaftlichen Wirtschaftsweise auf dem Agrarsektor im 18./19. Jh. in Deutschland. **Se|pa|ra|tis|mus** ⟨lat.-nlat.⟩ der; -: (oft abwertend) (im politischen, kirchlich-religiösen od. weltanschaulichen Bereich) Streben nach Separation (1, 2), das Streben nach Gebietsabtrennung, um einen separaten Staat zu gründen. **Se|pa|ra|tist** der; -en, -en: Verfechter, Anhänger des Separatismus.

selpalraltisltisch: a) den Separatismus betreffend; b) Tendenzen des Separatismus zeigend. Selpalraltiv ⟨lat.⟩ der; -s, -e: Kasus der Trennung (z. B. der Ablativ im Lateinischen). Selpalrator der; -s, ...oren: Gerät zur Trennung verschiedener Bestandteile von Stoffgemischen [durch Zentrifugalkräfte]. Selpalraltum das; -s, ...ta (meist Plural): Sonderdruck. Sélparée, auch: Selpalree ⟨lat.-fr.⟩ das; -s, -s: Nebenraum in einem Lokal. selpalrielren ⟨lat.(-fr.)⟩: absondern, ausschließen Selphardim [auch: ...'di:m] ⟨hebr.⟩ die (Plural): die spanisch-portugiesischen u. die orientalischen Juden. selphardisch: die Sephardim betreffend selpia ⟨gr.-lat.⟩: grau- bis schwarzbraun. Selpia u. Sepie die; -, ...ien: 1. zehnarmiger Kopffüßer (z. B. Tintenfisch). 2. (ohne Plural) aus dem Sekret des Tintenbeutels der Sepia (1) hergestellter grau- bis schwarzbrauner Farbstoff. Selpilalknolchen der; -s, - u. Selpilalschalle die; -, -n: kalkhaltige Rückenplatte der Kopffüßer. Selpilalzeichlnung die; -, -en: Feder- od. Pinselzeichnung mit aus Sepia (2) hergestellter Tinte, Tusche. Selpie vgl. Sepia

Selpoy ['zɪpɔy] ⟨pers.-Hindi-port.-engl.⟩ der; -s, -s: (hist.) eingeborener Soldat des englischen Heeres in Indien Seplpulku ⟨chin.-jap.⟩ das; -[s], -s: ↑Harakiri Seplsis ⟨gr.; "Fäulnis"⟩ die; -, ...sen: Blutvergiftung (Med.) Sept ⟨lat.⟩ das; -, -en: ↑Septime Seplta: Plural von ↑Septum Septlaklkord vgl. Septimenakkord Sepltalrie [...jə] ⟨lat.-nlat.⟩ die; -, -n: birnenförmige bis knollige Konkretion (3) von Mergel in Ton (Geol.) Seplte ⟨lat.⟩ die; -, -n: ↑Septime. Sepltemlber der; -[s], -: neunter Monat im Jahr (Abk.: Sept.). Sepltelnar der; -s, -e: lateinisches Versmaß, das dem griechischen Tetrameter entspricht (antike Metrik). sepltenlnal* ⟨lat.-nlat.⟩: (veraltet) siebenjährig. Sepltenlnat* das; -[e]s, -e u. Sepltenlnilum* ⟨lat.⟩ das; -s, ...ien: (veraltet) Zeitraum von sieben Jahren. sepltentlrilolnal*: nördlich. Sepltett ⟨lat.-it.⟩ das; -[e]s, -e: (Mus.) 1. Komposition für 7 Instrumente od. 7 Gesangsstimmen. 2. Vereinigung von 7 Instrumental- od. Vokalsolisten Septlhällmie ⟨gr.-nlat.⟩ die; -, ...ien: ↑Sepsis sepltilfrag* ⟨lat.-nlat.⟩: die Scheidewand der Fruchtblätter zerbrechend (von der Öffnungsweise von Kapselfrüchten; Bot.); vgl. septizid Sepltilkällmie* u. Sepltiklhällmie die; -, ...ien: ↑Sepsis. Sepltilkopylällmie ⟨gr.-nlat.⟩ die; -, ...ien: schwere Blutvergiftung mit Eitergeschwüren an inneren Organen (eine Kombination von Sepsis u. Pyämie; Med.) Sepltim ⟨lat.-mlat.⟩ die; -, -en: (österr.) Septime. Sepltilma die; -, ...men: (österr.) die siebte Klasse des Gymnasiums. Sepltilme die; -, -n: 7. Ton der diatonischen Tonleiter; Intervall von 7 Tonstufen (Mus.). Sepltilmenlakkord u. Septakkord der; [e]s, e: Akkord aus Grundton, Terz, Quint u. Septime od. aus drei übereinander gebauten Terzen (mit Septime; Mus.). Sepltilmole ⟨lat.-nlat.⟩ die; -, -n: ↑Septole sepltisch ⟨gr.-lat.⟩: (Med.) 1. die Sepsis betreffend, mit Sepsis verbunden. 2. nicht keimfrei, mit Keimen behaftet; Ggs. ↑aseptisch (a) (Med.) sepltilzid ⟨lat.-nlat.⟩: sich durch Aufspalten entlang der Verwachsungsnähte der Fruchtblätter voneinander lösend (von der Öffnungsweise von Kapselfrüchten; Bot.); vgl. septifrag Sepltolle ⟨lat.-nlat.⟩ die; -, -n: Notengruppe von 7 Tönen, die den Taktwert von 4, 6 od. 8 Noten hat (Mus.). Sepltulalgelsilma ⟨lat.-mlat.⟩ die; -: neunter Sonntag vor Ostern. Sepltulallginlta ⟨lat.; "siebzig"; nach der Legende von 72 Gelehrten verfasst⟩ die; -: älteste u. wichtigste griechische Übersetzung des Alten Testaments; Zeichen: LXX Sepltum ⟨lat.⟩ das; -s, ...ta u. ...ten: Scheidewand, Zwischenwand, die benachbarte anatomische Strukturen voneinander trennt od. ein Gebilde unterteilt (Med.) Sepltulor ⟨lat.-fr.⟩ das; -s, -s: (veraltet) Septett Selpulclrum* ⟨lat.; "Grabstätte"⟩ das; -s, ...ra: kleine Reliquiengruft in der Mensa (1) des Altars. selpulklral ⟨lat.⟩: (veraltet) das Grab[mal] od. Begräbnis betreffend selquens ⟨lat.⟩: (veraltet) folgend (Abk.: seq., sq.). selquenltes: (veraltet) folgende, die folgenden (Seiten); (Abk.: seqq., sqq., ss.). selquenltilell vgl. sequenziell. Selquenz die; -, -en: 1. hymnusähnlicher Gesang in der mittelalterlichen Liturgie. 2. Wiederholung eines musikalischen Motivs auf höherer od. tieferer Tonstufe (Mus.). 3. aus einer unmittelbaren Folge von Einstellungen gestaltete, kleinere filmische Handlungseinheit (Film). 4. eine Serie aufeinander folgender Karten gleicher Farbe (Kartenspiel). 5. Befehlsfolge in einem Programmierabschnitt (EDV). 6. Aufeinanderfolge, Folge, Reihe. Selquenlzer der; -s, -: meist als Teil eines Synthesizers verwendeter Kleincomputer, der Tonfolgen speichern u. beliebig oft (auch beschleunigt, verlangsamt u. a.) wiedergeben kann (Mus.). selquenlzilell, auch: sequentiell: fortlaufend, nacheinander zu verarbeiten (von der Speicherung u. Verarbeitung von Anweisungen eines Computerprogramms; EDV). selquenlzielren ⟨lat.-nlat.⟩: eine Sequenz (2) durchführen ¹Selquester ⟨lat.-nlat.⟩ der (auch: das); -s, -: ↑Sequestration (1). 2. abgestorbenes Knochenstück, das mit dem gesunden Knochen keine Verbindung mehr hat (Med.). ²Selquester ⟨lat.⟩ der; -s, -: jmd., der amtlich durch Gerichtsbeschluss mit der treuhänderischen Verwaltung einer strittigen Sache beauftragt wird (Rechtsw.). Selquestlraltion* ⟨lat. ⟩ die; -, -en: 1. gerichtlich angeordnete Übergabe einer strittigen Sache an einen ²Sequester (Rechtsw.). 2. Zwangsverwaltung eines Staates od. eines bestimmten Staatsgebietes, dessen Regierung abgesetzt ist. 3. Abstoßung eines ¹Sequesters (2) (Med.). selquestlrielren*: 1. eine Sequestration (2) anordnen. 2. eine ²Sequester bestellen (Rechtsw.). 3. ein abgestorbenes Knochenstück abstoßen (in Bezug auf den Organismus od. ein Gewebe; Med.). Selquestlroltolmie* ⟨lat.; gr.⟩ die; -, ...ien: operative Entfernung eines ↑¹Sequesters (2) Selquolglia [...ja] ⟨indian.-nlat.⟩ die; -, -s u. Selquolglie [...jə] die; -, -n: Mammutbaum (ein Sumpfzypressengewächs) Ser ⟨lat.-it.⟩: proklitische Form von ↑Sère

Se|ra: *Plural* von ↑ Serum
Se|ra|bend vgl. Saraband
Sé|rac [ze`rak, se...] ⟨fr.⟩ *der;* -s,
-s: Eisbruch od. Gletschersturz
durch größeren Gefällsknick
(Geogr.)
Se|rai *der;* -s, -s: ↑²Serail. ¹Se|rail
ze`ra:j, ze`rai(l)] ⟨pers.-türk.-it.-
fr.⟩ *das;* -s, -s: a) Palast des Sul-
tans; b) orientalisches Fürsten-
schloss. ²Se|rail *der;* -s, -s: fei-
nes, leicht gewalktes Wolltuch
Se|ra|pei|on ⟨ägypt.-gr.⟩ *das;* -s,
...eia u. Se|ra|pe|um ⟨ägypt.-gr.-
lat.⟩ *das;* -s, ...een: Tempelanla-
ge, die dem ägyptisch-grie-
chischen Gott Serapis geweiht
war
Se|raph ⟨hebr.-lat.⟩ *der;* -s, -e u.
-im: Engel des Alten Testaments
mit sechs Flügeln [in Gestalt ei-
ner Schlange]. se|ra|phisch: a)
zu den Engeln gehörend; b) en-
gelgleich; c) verzückt
Sè|re [`sere] ⟨lat.-it.⟩: (veraltet)
höfliche, auf eine männliche Person bezogene Anrede (in Italien)
se|ren ⟨lat.⟩: (veraltet) heiter
Se|ren: *Plural* von ↑ Serum
Se|re|na|de ⟨lat.-it.-fr.⟩ *die;* -, -n:
(Mus.) 1. a) aus einer lockeren
Folge von fünf bis sieben Einzel-
sätzen, bes. Tanzsätzen, bestehende Komposition für meist
kleines Orchester; b) Konzert-
veranstaltung [im Freien], auf
deren Programm bes. Serenaden
(1) stehen. 2. (veraltet) Ständ-
chen. Se|re|nis|si|mus ⟨lat.⟩ *der;*
-, ...mi: (veraltet) a) Anrede für
einen regierenden Fürsten;
Durchlaucht; b) (scherzh.) Fürst
eines Kleinstaates. Se|re|ni|tät
die; -: (veraltet) Heiterkeit
Serge [zɛrʃ, sɛrʒ] u. Sersche ⟨gr.-
lat.-vulgärlat.-fr.⟩ *der;* nach dem Namen des alten ostasiat. Volks-
stammes der Serer⟩ *die* (österr.
auch: *der*); -, -n: Gewebe in Köperbindung (einer bestimmten
Webart), bes. für Futterstoffe
Ser|geant [zɛr`ʒant, engl. Aus-
spr.: `sa:dʒɛnt] ⟨lat.-fr.(-engl.)⟩
der; -en, -en u. (bei engl.
Ausspr.:) -s, -s: 1. (ohne Plural)
Unteroffiziersdienstgrad. 2. Träger dieses Dienstgrades
Se|ria ⟨lat.-it.⟩ *die;* -: Opera seria
Se|ri|al [`sıərıəl] ⟨lat.-engl.⟩ *das;* -s,
-s: a) Fernsehserie; b) Roman,
der als Fortsetzungsserie abge-
druckt wird. Se|rie [...i̯ə] ⟨lat.⟩
die; -, -n: 1. Reihe bestimmter
gleichartiger Dinge od. Ge-
schehnisse; Folge. 2. mehrteilige
Fernseh- oder Radiosendung.
se|ri|ell ⟨lat.-nlat.⟩: 1. eine Rei-

hentechnik verwendend, die vorgegebene, konstruierte Tonrei-
hen zugrunde legt u. zueinander
in Beziehung setzt (von einer
Sonderform der Zwölftonmusik;
Mus.). 2. (in Bezug auf die Übertragung bzw. Verarbeitung von
Daten) zeitlich nacheinander
(EDV). 3. in Serie herstellbar,
gefertigt, erscheinend; serienmäßig
Se|ri|fe ⟨niederl.-engl.⟩ *die;* -, -n
(meist Plural): kleiner, abschlie-
ßender Querstrich am oberen
od. unteren Ende von Buchstaben (Druckw.)
Se|ri|gra|phie, auch: Serigrafie
⟨gr.-nlat.⟩ *die;* -, ...ien: 1. (ohne
Plural) Siebdruckverfahren. 2.
durch Serigraphie (1) hergestellter Druck
se|rio ⟨lat.-it.⟩: ernst, schwer, ru-
hig, nachdenklich (Mus.). se|ri-
ös ⟨lat.-mlat.-fr.⟩: a) ernsthaft,
ernst gemeint; b) gediegen, anständig; würdig; c) glaubwürdig,
vertrauenswürdig, [gesetzlich]
zulässig. Se|ri|o|si|tät *die;* -: se-
riöse Art
Se|rir ⟨arab.⟩ *die;* -, -e: Kies- od.
Geröllwüste [in Libyen]
Se|ri|zit [auch: ...`tsıt] ⟨gr.-lat.-
nlat.⟩ *der;* -s, -e: ein Mineral
Ser|mon ⟨lat.(-fr.)⟩ *der;* -s,-e: 1.
(veraltet) Rede, Gespräch, Pre-
digt. 2. (ugs.) a) Redeschwall;
langweiliges Geschwätz; lange,
inhaltsleere Rede; b) Strafpredigt
Se|ro|di|ag|nos|tik* ⟨lat.; gr.⟩ *die;*
-: Diagnostik von Krankheiten
durch serologische Untersu-
chungsmethoden (Med.). se|ro-
fib|ri|nös ⟨lat.-nlat.⟩: aus Serum
u. Fibrin bestehend, seröse u. fi-
brinöse Bestandteile enthaltend
(Med.). Se|ro|lo|ge ⟨lat.; gr.⟩ *der;*
-n, -n: Facharzt, Wissenschaftler
auf dem Gebiet der Serologie.
Se|ro|lo|gie *die;* -: Teilgebiet der
Medizin, das sich mit der Diag-
nostizierung von [Infekti-
ons]krankheiten aus den Veränderungen des Blutserums befasst
(Med.). se|ro|lo|gisch: die Sero-
logie betreffend. Se|rom ⟨lat.-
nlat.⟩ *das;* -s, -e: Ansammlung einer serösen Flüssigkeit in Wun-
den od. Narben (Med.)
Se|ro|nen ⟨span.(-fr.)⟩ *die* (Plu-
ral): (früher) Packhüllen aus
Ochsenhäuten, in denen trocke-
ne Waren aus Südamerika ver-
sendet werden
se|ro|pu|ru|lent ⟨lat.-nlat.⟩: aus
Serum u. Eiter bestehend
(Med.). se|rös: (Med.) a) aus Se-

rum bestehend, mit Serum ver-
mischt; b) Serum absondernd.
Se|ro|sa *die;* -, ...sen: zarte, in-
nere Organe überziehende Haut
(Med.)
Se|ro|si|lom ⟨russ.⟩ *der;* -s, -e:
Grauerde in Trockensteppen
Se|ro|si|tis *die;* -, ...itiden: Ent-
zündung der Serosa (Med.). Se-
ro|to|nin ⟨lat.; gr.⟩ *das;* -s, -e: im
Darm u. im Nervensystem vorkommender hormonähnlicher
Stoff, der verschiedene Organ-
funktionen reguliert (Med.). Se-
ro|zel|le *die;* -, -n: abgekapselter
seröser Erguss (Med.)
ser|pens ⟨lat.⟩ u. serpiginös ⟨lat.-
nlat.⟩: fortschreitend, sich wei-
terverbreitend (z. B. von Haut-
flechten; Med.). Ser|pent ⟨lat.-
it.⟩ *der;* -[e]s, -e: Blechblasinstru-
ment mit 6 Grifflöchern u. einem Umfang von 3 Oktaven
(Mus.). Ser|pen|tin ⟨lat.⟩ *der;* -s,
-e: ein Mineral, Schmuckstein.
Ser|pen|ti|ne *die;* -, -n: a)
Schlangenlinie, in Schlangenlinie ansteigender Weg an Berg-
hängen; b) Windung, Kehre,
Kehrschleife. Ser|pen|to|ne
⟨lat.-it.⟩ *der;* -s, ...ni: ital. Bez. für
Serpent. ser|pi|gi|nös vgl. ser-
pens.
Ser|ra ⟨lat.-port.⟩ *die;* -, -s:
↑Sierra. Ser|ra|del|la u. Ser|ra-
del|le *die;* -, ...llen: mitteleuro-
päische Futterpflanze; Vogelfuß
(Schmetterlingsblütler)
Ser|sche vgl. Serge
Ser|tão [...`tãu̯] ⟨port.⟩ *der;* -, -s:
unwegsames [Trocken]wald- u.
Buschgebiet in Brasilien
Se|rum ⟨lat.⟩ *das;* -s, Sera u. Se-
ren: (Med.) a) flüssiger, hauptsächlich Eiweißkörper enthaltender, nicht mehr gerinnbarer
Anteil des Blutplasmas; b) mit
Immunkörpern angereichertes,
als Impfstoff verwendetes Blut-
serum
Ser|val ⟨lat.-port.-fr.⟩ *der;* -s, -e u.
-s: katzenartiges afrikanisches
Raubtier
Ser|van|te ⟨lat.-fr.⟩ *die;* -, -n: (ver-
altet) a) Anrichte; Nebentisch;
b) Glasschränkchen für Nipp-
sachen
Serve-and-Vol|ley [`sə:vənd`vɔlɪ]
⟨engl.⟩ *das;* -s: dem eigenen Auf-
schlag unmittelbar folgender
Netzangriff, der es ermöglicht,
den zurückgeschlagenen Ball
volley zu spielen
Ser|vel|la u. Serwela ⟨lat.-it.-fr.⟩
die od. *der;* -, -s (schweiz.: -): 1.
(landsch., bes. schweiz.) Zerve-
latwurst. 2. (landsch.) kleine

Fleischwurst. **Ser|ve|lat|wurst** ⟨lat.-it.-fr.; dt.⟩ vgl. Zervelatwurst

Ser|ven|te|se ⟨lat.-it.⟩ das; -, -: ital. Form von ↑Sirventes. **Ser|ven|tois** [sɛrvã'tŏa] ⟨lat.-it.-fr.⟩ das; -, -: nordfranz. Form von ↑Sirventes. **Ser|ver** ['sɜ:vɐ] ⟨lat.-fr.-engl.; „Bediener"⟩ der; -s, -: 1. Spieler, der den Aufschlag macht (Tennis). 2. Rechner, der ein zentrales Speichermedium verwaltet (z. B. größere Festplatten o. Ä.), auf das verschiedene mit ihm vernetzte Rechner Zugriff haben (EDV). **¹Ser|vice** [zɛr'vi:s] ⟨lat.-fr.⟩ das; - [...'vi:s] u. -s [...'vi:səs], - [...'vi:s] u. ...'vi:s]: zusammengehöriger Geschirrod. Gläsersatz. **²Ser|vice** ['sə:vɪs] ⟨lat.-fr.-engl.⟩ der (selten: das); -, -s [...vɪs u. ...vɪsɪs]: 1. Bedienung, Kundendienst, Kundenbetreuung. 2. Aufschlag[ball] im Tennis. **ser|vie|ren** ⟨lat.-fr.⟩: 1. bei Tisch bedienen; zum Essen, Trinken auf den Tisch bringen. 2. (Sport) a) den Ball aufschlagen (Tennis); b) einem Mitspieler den Ball [zum Torschuss] genau vorlegen (z. B. beim Fußball). 3. (ugs. abwertend) [etwas Unangenehmes] vortragen, erklären, darstellen. **Ser|vie|re|rin** die; -, -nen: weibliche Bedienung in einer Gaststätte. **Ser|vier|toch|ter** ⟨lat.-fr.; dt.⟩ die; -, ...töchter: (schweiz.) Kellnerin. **Ser|vi|et|te** ⟨lat.-fr.⟩ die; -, -n: Stoff- od. Papiertuch zum Abwischen des Mundes beim Essen. **ser|vil** ⟨lat.⟩: (abwertend) unterwürfig, kriechend, knechtisch. **Ser|vi|lis|mus** ⟨lat.-nlat.⟩ der; -, ...men: (abwertend) 1. (ohne Plural) Unterwürfigkeit, Kriecherei. 2. eine für unterwürfige Gesinnung kennzeichnende Handlungsweise o. Ä. **Ser|vi|li|tät** die; -, -en: (abwertend) 1. (ohne Plural) unterwürfige Gesinnung. 2. ↑Servilismus (2). **Ser|vis** ⟨lat.-fr.⟩ der; -: (veraltet) 1. Dienst[leistung]. 2. a) Quartier-, Verpflegungsgeld; b) Wohnungs-, Ortszulage. **Ser|vit** ⟨lat.-mlat.⟩ der; -en, -en: Angehöriger eines 1233 gegründeten Bettelordens. **Ser|vi|teur** [...'ø:ɐ] ⟨lat.-fr.⟩ der; -s, -e: (veraltet) 1. kleine Anrichte. 2. Diener, Verbeugung. 3. Vorhemd. **Ser|vi|tin** die; -, -nen: Angehörige des weiblichen Zweiges der Serviten. **Ser|vi|tium** ⟨lat.⟩ das; -s, ...ien: 1. (veraltet) Dienstbarkeit; Sklaverei. 2. (nur Plural; hist.) die Abgaben

neu ernannter Bischöfe u. Äbte an die römische Kurie. **Ser|vi|tut** das; -[e]s, -e (auch: die; -, -en): (veraltet) dingliches [Nutzungs]recht an fremdem Eigentum (Rechtsw.). **Ser|vo|brem|se** ⟨lat.; dt.⟩ die; -, -n: Bremse mit einem Bremskraftverstärker. **Ser|vo|fo|kus** der; -, -se: ↑Autozoom (Fotogr.). **Ser|vo|ge|rät** das; -[e]s, -e: Hilfsgerät für schwer zu handhabende Steuerungen (Techn.). **Ser|vo|len|kung** die; -, -en: Lenkung für Autos u. Lastwagen, bei der die Betätigungskraft hydraulisch unterstützt wird. **Ser|vo|mo|tor** ⟨lat.-nlat.⟩ der; -s, -en: Hilfsmotor zur Betätigung von Steuervorrichtungen (Techn.). **Ser|vo|prin|zip** das; -s: Prinzip der Steuerung durch eine Hilfskraftmaschine. **Ser|vus!** ⟨lat.⟩ „(Ihr) Diener!"⟩: (bes. südd., österr.) freundschaftlicher Gruß beim Abschied od. zur Begrüßung. **Ser|vus Ser|vo|rum Dei** ⟨lat.; „Knecht der Knechte Gottes"⟩: Titel des Papstes in päpstlichen Urkunden **Ser|wel|la** vgl. Servela. **Se|sam** ⟨semit.-gr.-lat.⟩ der; -s, -: a) in Indien u. Afrika beheimatete Ölpflanze mit fingerhutartigen Blüten u. Fruchtkapseln; b) Samen der Sesampflanze; **Sesam, öffne dich!**: scherzh. Ausruf bei dem [vergeblichen] Versuch, etw. zu öffnen od. ein Hindernis zu überwinden, eine Lösung herbeizuführen o. Ä. (nach der Zauberformel zum Öffnen einer Schatzkammer im den Märchen „Ali Baba u. die 40 Räuber" aus „Tausendundeiner Nacht"). **Se|sam|bein** ⟨semit.-gr.-lat.; dt.⟩ das; -s, -e: kleiner, plattrunder Knochen im Bereich von Gelenken der Hand u. des Fußes (Med.). **Se|sam|ku|chen** das; -s, -: Viehfutter aus Pressrückständen des Sesams. **Se|sam|öl** das; -s: Speiseöl aus dem Samen einer indischen Sesamart. **Se|sel** ⟨gr.-lat.⟩ der; -s, -: eine Heil- u. Gewürzpflanze **ses|sil** ⟨lat.⟩: festsitzend, festgewachsen (bes. von im Wasser lebenden Tieren; Biol.). **Ses|si|li|tät** ⟨lat.-nlat.⟩ die; -: Lebensweise vieler im Wasser lebender Tiere (z. B. Korallen), die fest auf etwas angewachsen sind (Biol.). **¹Ses|si|on** ⟨lat.⟩ die; -, -en: Sitzungsperiode (z. B. eines Parlaments). **²Ses|sion** ['sɛʃən] ⟨lat.-engl.⟩ die; -, -s: ↑Jam Session **Ses|ter** ⟨lat.⟩ der; -s, -: (veraltet)

ein Getreidemaß. **Ses|terz** der; -es, -e: antike römische Münze. **Ses|ter|zi|um** das; -s, ...ien: 1 000 Sesterze. **Ses|ti|ne** ⟨lat.-it.⟩ die; -, -n: 1. sechszeilige Strophe. 2. Gedichtform aus sechs Strophen zu je sechs Zeilen u. einer dreizeiligen Schlussstrophe **¹Set** [sɛt] ⟨engl.⟩ das od. der; -[s], -s: 1. Satz zusammengehörender, oft gleichartiger Dinge. 2. (meist Plural) Platzdeckchen für ein Gedeck. 3. Erwartungszustand u. körperliche Verfassung eines Drogensüchtigen, die die Wirkung einer Droge beeinflussen. 4. (nur: der) Szenenaufbau, Dekoration (Film, Fernsehen). **²Set** das; -[s]: Maßeinheit für die Dicke der Monotypeschrift (Druckw.). **Se|ta** ⟨lat.; „Borste"⟩ die; -, Seten: 1. Stiel der Sporenkapsel von Laubmoosen (Bot.). 2. (nur Plural) kräftige Borste in der Haut einiger Säugetiere (z. B. bei Schweinen) **Set|te|cen|to** [sɛte'tʃɛnto] ⟨lat.-it.⟩ das; -[s]: das 18. Jh. in Italien als Stilepoche **Set|ter** ['sɛtɐ] ⟨engl.⟩ der; -s, -: langhaariger englischer Jagd- u. Haushund. **Set|ting** das; -s, -s: die Umgebung, der ein Drogenerlebnis stattfindet u. die den Drogensüchtigen umgibt **Sett|le|ment** ['sɛtlmənt] ⟨engl.⟩ das; -s, -s: 1. Niederlassung, Ansiedlung, Kolonie. 2. (ohne Plural) eine soziale Bewegung in England gegen Ende des 19. Jh.s **Set-Top-Box** ⟨engl.⟩ die; -, -en u. **Set-Top-De|co|der** der; -s, -: Gerät zum Empfang ²digitaler Fernsehprogramme, das die digitalen Einheiten so umwandelt, dass sie von analogen (2) Fernsehgeräten empfangen werden können **Se|ve|ri|tät** ⟨lat.⟩ die; -: (veraltet) Strenge, Härte **Se|vil|la|na** [sevɪl'ja:na] ⟨nach der span. Stadt Sevilla⟩ die; -, -s: eine Variante der Seguidilla **Sèvres|por|zel|lan*** ['sɛvr...] ⟨nach dem Pariser Vorort Sèvres⟩ das; -s: Porzellan aus der französischen Staatsmanufaktur in Sèvres; vgl. Chelseaporzellan **Sex** [zɛks, sɛks] ⟨lat.-engl.⟩ der; -[es]: 1. Geschlechtlichkeit, Sexualität [in ihren durch Kommunikationsmittel (z. B. Film, Zeitschriften) verbreiteten Erscheinungsformen]. 2. Geschlechtsverkehr. 3. Geschlecht, Sexus. 4. ↑Sexappeal

Se|xa|ge|si|ma ⟨lat.-mlat.⟩ die; -: achter Sonntag vor Ostern. se|xa|ge|si|mal ⟨lat.-nlat.⟩: das Sexagesimalsystem betreffend, das Sexagesimalsystem verwendend. Se|xa|ge|si|mal|sys|tem das; -s: Zahlensystem, das auf der Basis 60 aufgebaut ist. Se|xa|gon ⟨lat.; gr.⟩ das; -s, -e: Sechseck Sex and Crime ['sɛks ənd 'kraɪm] ⟨engl.⟩: Kennzeichnung von Filmen (seltener von Zeitschriften) mit ausgeprägter sexueller u. krimineller Komponente. Sex|appeal ['zɛksə'piːl, 'sɛks...] ⟨engl.⟩ der; -s: starke erotische Anziehungskraft (bes. einer Frau). Sex|bom|be die; -, -n: (ugs.) Frau (bes. Filmschauspielerin) von der eine starke sexuelle Reizwirkung ausgeht. Sex|bou|tique ⟨lat.-engl.; fr.⟩ die; -, -n: [kleiner] Laden, in dem Erotika u. Mittel zur sexuellen Stimulation verkauft werden. Se|xis|mus der; -: Haltung, Grundeinstellung, die darin besteht, einen Menschen allein aufgrund seines Geschlechts zu benachteiligen; insbesondere diskriminierendes Verhalten gegenüber Frauen. Se|xist der; -en, -en: Vertreter des Sexismus. se|xis|tisch: den Sexismus betreffend. Sex|lekt der; -[e]s, -e: geschlechtsspezifische Sprache, Ausdrucksweise (Fachspr.). Se|xo|lo|ge der; -n, -n: Wissenschaftler auf dem Gebiet der Sexologie. Se|xo|lo|gie die; -: Wissenschaft, die sich mit der Erforschung der Sexualität u. des sexuellen Verhaltens befasst. se|xo|lo|gisch: die Sexologie betreffend. Sex|shop der; -s, -s: ↑Sexboutique Sext ⟨lat.-mlat.⟩ die; -, -en: 1. drittes Tagesgebet des Breviers (1 a) (zur sechsten Tagesstunde, 12 Uhr). 2. vgl. Sexte. Sex|ta ⟨lat.⟩ die; -, ...ten: (veraltend) erste Klasse einer höheren Schule. Sext|ak|kord der; -[e]s, -e: erste Umkehrung des Dreiklangs mit der Terz im Bass (Mus.). Sex|ta|ner der; -s, - : (veraltend) Schüler einer Sexta. Sex|tant der; -en, -en: (bes. in der Seefahrt zur astronomisch-geographischen Ortsbestimmung benutztes) Winkelmessinstrument zur Bestimmung der Höhe eines Gestirns. Sex|te u. Sext ⟨lat.-mlat.⟩ die; -, ...ten: a) sechster Ton einer diatonischen Tonleiter vom Grundton an; b) Intervall von sechs diatonischen Tonstufen. Sex|ten: Plural von ↑Sext, ↑Sex-

ta u. ↑Sexte. Sex|tett ⟨lat.-it.⟩ das; -s, -e: a) Komposition für sechs solistische Instrumente od. auch sechs Solostimmen; b) Ensemble von sechs Instrumental-od. auch Vokalsolisten. Sex|til|li|on ⟨lat.-nlat.⟩ die; -, -en: sechste Potenz einer Million (10³⁶ = 1 Million Quintillionen). Sex|to|le die; -, -n: Notengruppe von 6 Tönen, die den Taktwert von 4 od. 8 Noten hat (Mus.) Sex|tou|ris|mus ⟨engl.⟩ der; -: Tourismus mit dem Ziel sexueller Kontakte Sex|tu|or ⟨lat.-fr.⟩ das; -s, -s: (veraltet) Sextett se|xu|al ⟨lat.⟩: ↑sexuell; vgl. ...al/...ell. Se|xu|al|de|likt das; -[e]s, -e: Delikt auf sexuellem Gebiet (z. B. Vergewaltigung). Se|xu|al|ethik die; -: Ethik im Bereich des menschlichen Geschlechtslebens. se|xu|al|ethisch: die Sexualethik betreffend. Se|xu|al|hor|mon das; -s, -e: (Med.) a) von den Keimdrüsen gebildetes Hormon, das regulativ auf die Entwicklung der sekundären Geschlechtsmerkmale und auf die Tätigkeit der Eierstöcke einwirkt (z. B. Östrogen, Progesteron); b) Hormon, das auf die Keimdrüsen einwirkt. Se|xu|al|hy|gi|e|ne die; -: Hygiene im Bereich des menschlichen Geschlechtslebens. se|xu|al|li|si|e|ren: die Sexualität in den Vordergrund stellen; sexualisieren. Se|xu|al|li|tät ⟨lat.-nlat.⟩ die; -: Geschlechtlichkeit, Gesamtheit der im Sexus begründeten Lebensäußerungen. Se|xu|al|ob|jekt das; -[e]s, -e: Person die zur Befriedigung sexueller Wünsche dient. Se|xu|al|or|gan das; -s, -e: Geschlechtsorgan. Se|xu|al|pä|da|go|gik* ⟨lat.⟩: Teilgebiet der Pädagogik, das sich mit Theorie und Praxis der Geschlechtserziehung und der sexuellen Aufklärung befasst. Se|xu|al|part|ner der; -s, -: Partner in einer sexuellen Beziehung; Geschlechtspartner. Se|xu|al|pa|tho|lo|gie die; -: Wissenschaftszweig, der sich mit krankhaften Störungen des Geschlechtslebens befasst (Med.; Psychol.). se|xu|al|pa|tho|lo|gisch: die Sexualpathologie betreffend. Se|xu|al|psy|cho|lo|gie die; -: Teilbereich der Psychologie, der sich mit dem menschlichen Verhalten auf sexuellem Gebiet befasst. Se|xu|al|rhyth|mus der; -, ...men u. Se|xu|al|zy|klus* der; -, ...len:

durch Geschlechtshormone gesteuerter periodischer Vorgang, der den Sexus betrifft (z. B. Brunst, Menstruation). se|xu|ell ⟨lat.-fr.⟩: die Sexualität betreffend, geschlechtlich; vgl. ...al/...ell. Sex und Crime [- - 'kraɪm] vgl. Sex and Crime. Se|xu|ol|lo|ge usw.: (seltener) ↑Sexologe usw. Se|xus ⟨lat.⟩ der; -, - [...uːs]: 1. (Plural selten) (Fachspr.) a) differenzierte Ausprägung eines Lebewesens im Hinblick auf seine Aufgabe bei der Fortpflanzung; b) Geschlechtstrieb als zum Wesen des Menschen gehörende elementare Lebensäußerung; Sexualität. 2. (selten) ↑Genus (2). se|xy [auch: 'sɛksi] ⟨lat.-fr.-engl.⟩: (ugs.) Sexappeal besitzend, von starkem sexuellem Reiz; erotisch attraktiv Sey|chel|len|nuss [ze'ʃɛlən...] ⟨nach der Inselgruppe der Seychellen im Indischen Ozean⟩ die; -, ...nüsse: Frucht der Seychellenpalme se|zer|nie|ren ⟨lat.⟩: ein Sekret absondern (z. B. von Drüsen od. offenen Wunden; Med.) Se|zes|si|on ⟨lat.(-engl.)⟩ die; -, -en: 1. Absonderung, Trennung von einer Künstlergruppe, von einer älteren Künstlervereinigung. 2. Absonderung, Verselbstständigung von Staatsteilen. 3. (ohne Plural) Jugendstil in Österreich. Se|zes|si|o|nist ⟨lat.-nlat.⟩ der; -en, -en: 1. Künstler, Mitglied einer Sezession (1). 2. Anhänger einer Sezession (2). se|zes|si|o|nis|tisch: die Sezession betreffend, ihr angehörend se|zie|ren ⟨lat.; „schneiden, zerschneiden, zerlegen")︰ [eine Leiche] öffnen, anatomisch zerlegen (Anat.) sfor|zan|do vgl. sforzato. Sfor|zan|do vgl. Sforzato. sfor|za|to ⟨lat.-it.⟩: verstärkt, hervorgehoben, plötzlich betont (Vortragsanweisung für Einzeltöne od. -akkorde); Abk.: sf, sfz (Mus.). Sfor|za|to das; -s, -s u. ...ti: plötzliche Betonung eines Tones od. Akkordes (Mus.) sfu|ma|to ⟨lat.-it.⟩: mit weichen, verschwimmenden Umrissen gemalt SGML ⟨Abk. für engl. Standard Generalized Mark-up Language⟩ die; -: normierte Auszeichnungssprache zur Beschreibung strukturierter Texte (EDV) Sgra|f|fi|a|to vgl. Graffiato. Sgraf|fi|to ⟨it.⟩ das; -s, -s u. ...ti:

Fassadenmalerei, bei der die Zeichnung in die noch feuchte helle Putzschicht bis auf die darunterliegende dunkle Grundierung eingeritzt wird (bes. in der italienischen Renaissance verwendete, in der Gegenwart wieder aufgenommene Technik); vgl. Graffito

Sha|do|wing ['ʃædoʊɪŋ] ⟨engl. shadow = „Schatten") *das;* -[s]: fortlaufendes Nachsprechen sprachlicher Äußerungen, die Testpersonen über Kopfhörer eingespielt werden, um die selektive Aufmerksamkeit und Satzverarbeitungsprozesse zu erforschen

Shag [ʃɛk, ʃɛg] ⟨engl.⟩ *der;* -s, -s: 1. fein geschnittener Pfeifentabak. 2. amerik. Modetanz bes. der 30er- u. 40er-Jahre

Shai|va ['ʃaiva] vgl. Schaiwa

¹Shake [ʃeɪk] ⟨engl. to shake = „schütteln") *das;* -s, -s: (Jazz) a) bes. von Trompete u. Posaune geblasenes, heftiges Vibrato über einer einzelnen Note; b) besondere Betonung einer Note.

²Shake ⟨engl.-amerik.⟩ *der;* -s, -s: 1. Mixgetränk. 2. Modetanz, bei dem die Tänzer schüttelnde Bewegungen machen. **Shakehands** ['ʃeɪk'hændz] ⟨engl.⟩ *das;* -, - (meist Plural): Händedruck, Händeschütteln. **Sha|ker** ['ʃeɪkə] *der;* -s, -: Mixbecher, bes. für alkoholische Getränke. **shakern:** im Shaker mischen

Shak|ta ['ʃak...] vgl. Schakta.

Shak|ti ['ʃak...] vgl. Schakti

Shal|lom [ʃ...] vgl. Schalom

Sham|poo [ʃɛm'pu:, auch: ʃam'pu:, 'ʃampu, ʃam'po, 'ʃampo] u. **Shampon** [ʃɛm'pu:n, auch: ʃam'po:n], auch: **Schampon** u. **Schampun** ⟨Hindi-engl.⟩ *das;* -s, -s: Haarwaschmittel. **shampoo|nie|ren** [ʃɛmpu..., auch: ʃampu...]: ↑schamponieren

Sham|rock ['ʃæmrɔk] ⟨irisch-engl.⟩ *der;* -[s], -s: [Sauer]kleeblatt als Wahrzeichen der Iren, denen der heilige Patrick damit die Dreieinigkeit erklärt haben soll

shang|hai|en [ʃ...] vgl. schanghaien

Shan|tung ['ʃan...] vgl. Schantungseide

Shan|ty ['ʃɛnti] ⟨lat.-fr.-engl.⟩ *das;* -s, -s: Seemannslied

¹Sha|ping ['ʃeɪpɪŋ] ⟨engl.⟩ *die;* -, -s: kurz für: Shapingmaschine.

²Sha|ping *das;* -[s]: allmähliches Annähern einer Reaktion an ein (definiertes) Endverhalten durch Reinforcement jeder Reaktion, die in Richtung auf dieses Verhalten zielt (Psychol.).

Sha|ping|ma|schi|ne ⟨engl.; gr.-lat.-fr.⟩ *die;* -, -n: Hobelmaschine zur Metallbearbeitung, bei der das Werkzeug stoßende Bewegungen ausführt, während das Werkstück fest eingespannt ist

Share [ʃɛə] ⟨engl.⟩ *der;* -, -s: engl. Bez. für; Aktie. **Share|hol|der** ['ʃɛəhoʊldə]] *der;* -s, -: engl. Bez. für: Aktionär. **Share|hol|der-va|lue** [...'vælju:] u. **Share|hol-der-Va|lue** *der;* -s, -s: sich auf die Aktionäre aufteilendes Eigenkapital, Unternehmenswert (Wirtsch.). **Share|ware** ['ʃɛə-wɛə]: zu Testzwecken kostengünstig angebotene Software, die erst nach Eignungsnachweis bezahlt werden muss

sharp [ʃarp] ⟨engl.⟩: engl. Bez. für: Erhöhungskreuz (♯) im Notensatz (z. B. G sharp = Gis; Mus.). **Shar|pie** vgl. ²Scharpie

Shed|bau usw. vgl. Schedbau usw.

She|riff ['ʃɛrɪf] ⟨germ.-engl.⟩ *der;* -s, -s: 1. hoher Verwaltungsbeamter in einer englischen od. irischen Grafschaft. 2. oberster, auf Zeit gewählter Vollzugsbeamter einer amerikanischen Stadt mit begrenzten richterlichen Aufgaben

Sher|pa ['ʃɛr...] ⟨tibet.-engl.⟩ *der;* -s, -s: (als Träger u. Bergführer bei Expeditionen im Himalajagebiet bekannt gewordener) Angehöriger einer Bergbevölkerung mit tibetischer Sprache in Ostnepal. **Sher|pa|ni** *die;* -, -s: weibliche Form zu Sherpa

Sher|ry ['ʃɛri] ⟨span.-engl.; vom Namen der span. Stadt Jerez de la Frontera) *der;* -s, -s: spanischer Likörwein

Shet|land ['ʃɛtlənd] ⟨nach den schottischen Shetlandinseln⟩ *der;* -s, -s: grau melierter Wollstoff in Tuch- od. Köperbindung. **Shet|land|po|ny** *das;* -s, -s: Kleinpferd von den Shetland- u. Orkneyinseln

Shi|gel|le [ʃ...] ⟨nlat.; nach dem jap. Bakteriologen K. Shiga⟩ *die;* -, -n (meist Plural): zu den Salmonellen zählende Bakterie

Shi|i|ta|ke|pilz [ʃ...] ⟨jap.⟩ *der;* -es, -e: (in Japan u. China an Stämmen von Bambus u. Eichen kultivierter u. als Speisepilz beliebter) Blätterpilz mit rölich braunem Hut u. festem weißlichem Fleisch

Shil|ling [ʃɪ...] ⟨engl.⟩ *der;* -s, -s (aber: 10 Shilling): bis 1971 im Umlauf befindliche britische Münze (20 Shilling = 1 Pfund Sterling); Abk.: s od. sh

Shim|my ['ʃɪmɪ] ⟨engl.-amerik.⟩ *der;* -s, -s: Gesellschaftstanz der 20er-Jahre im $^2/_2$- od. $^2/_4$-Takt

Shin|to|is|mus [ʃ...] usw. vgl. Schintoismus usw.

Shirt [ʃɔːt] ⟨engl.⟩ *das;* -s, -s: [kurzärmeliges] Baumwollhemd

Shit [ʃɪt] ⟨engl.⟩ *der* (auch: *das*); -s: (Jargon) Haschisch

Sho|ah [ʃ...] vgl. Schoah

Shock [ʃɔk] ⟨engl.⟩ vgl. Schock (2). **sho̱-cking** ⟨niederl.-fr.-engl.⟩: anstößig, schockierend, peinlich

Shod|dy ['ʃɔdi] ⟨engl.⟩ *das* (auch: *der*); -s, -s: aus Trikotagen hergestellte Reißwolle

Sho|gun ['ʃo:...] vgl. Schogun

Shoo|ting|star ['ʃu:tɪŋsta:] ⟨engl.⟩ *der;* -s, -s: Person od. Sache, die schnell an die Spitze gelangt; Senkrechtstarter(in)

Shop [ʃɔp] ⟨engl.⟩ *der;* -s, -s: Laden, Geschäft. **Shop|ping** *das;* -s, -s: Einkaufsbummel. **Shop|ping|cen|ter** *das;* -s, -: Einkaufszentrum. **Shop|ping|goods** [...gʊdz] *die* (Plural): Güter, die nicht täglich gebraucht werden u. bei deren Einkauf der Verbraucher eine sorgfältige Auswahl trifft; Ggs. ↑Convenience-goods

Shore|här|te ['ʃɔ:ɐ...] ⟨nach dem Engländer Shore⟩ *die;* -: Härtebestimmung mit fallenden Kugeln bei sehr harten Werkstücken, wobei die Rücksprunghöhe ausgewertet wird

Short|horn|rind ['ʃo:ɐt..., 'ʃɔrt...] ⟨engl.; dt.⟩ *das;* -s, -er: mittelschweres Rind mit kurzen Hörnern, kleinem Kopf u. kurzem Hals. **Shorts** [ʃɔrts, ʃɔ:ts] ⟨engl.⟩ *die* (Plural): kurze, sportliche Hose. **Short|sto|ry** ['ʃɔ:t'stɔ:rɪ] ⟨engl.-amerik.⟩ *die;* -, -s od. **Short Story** *die;* - -, - -s: angelsächs. Bez. für: Kurzgeschichte. **Short|ton** ['ʃɔ:t'tʌn] ⟨engl.⟩ *die;* -, -s: Gewichtsmaß in Großbritannien (907,185 kg). **Short|track** ['ʃɔ:t'træk] *der;* -s: Eisschnelllauf auf einer kurzen (nur ca. 110 m langen) Bahn. **Shor|ty** ['ʃɔ:...] *das* (auch: *der*); -s, -s: Damenschlafanzug mit kurzer Hose

Shout [ʃaʊt] ⟨engl.-amerik.⟩ *der;* -s, -s: ↑Shouting. **Shou|ter** ['ʃaʊtɐ] *der;* -s, -: Sänger, der im Stil des Shoutings singt. **Shou|ting** *das;* -[s]: aus [kultischen] Gesängen der afroamerikanischen Musik entwickelter Gesangsstil des

Jazz mit starker Tendenz zu abgehacktem Rufen od. Schreien

Show [ʃou] ⟨engl.-amerik.⟩ *die;* -, -s: Vorführung eines großen bunten Unterhaltungsprogramms in einem Theater, Varietee o. Ä., bes als Fernsehsendung. **Show|block** [ʃou...] *der;* -s, ...blöcke: Show als Einlage in einer Fernsehsendung. **Show|busi|ness** *das;* -: Vergnügungs-, Unterhaltungsbranche; Schaugeschäft. **Show-down** auch: **Show|down** [...daun] *der;* -s, -s: Entscheidungskampf. **Show|girl** *das;* -s, -s: Sängerin od. Tänzerin in einer Show. **Show|man** [...mən] *der;* -s, ...men [...mən]: 1. jmd., der im Showbusiness tätig ist. 2. geschickter Propagandist. **Show|mas|ter** ⟨dt. Bildung aus engl. show u. master⟩ *der;* -s, -: Unterhaltungskünstler, der eine Show arrangiert u. präsentiert. **Show|view** ® [...vju:] ⟨engl.⟩ *das;* -s: in bestimmten Ziffernreihen dargestelltes (bes. in Programmzeitschriften abgedrucktes) Programm (4), das die Videoprogrammierung ermöglicht **Shred|der** [ˈʃrɛdɐ] vgl. Schredder **Shrimp** [ˈʃrɪmp] ⟨engl.⟩ *der;* -s, -s (meist Plural): kleine, essbare Garnele, Nordseekrabbe **shrin|ken** [ˈʃrɪ...] vgl. schrinken **Shud|ra*** [ˈʃu:...] vgl. Schudra **Shuf|fle|board** [ˈʃʌf|bɔ:d] ⟨engl.⟩ *das;* -s: Spiel, bei dem auf einem länglichen Spielfeld Scheiben mit langen Holzstöcken möglichst genau von der Startlinie in das gegenüberliegende Zielfeld geschoben werden müssen **Shunt** [ʃant] ⟨engl.⟩ *der;* -s, -s: 1. elektrischer Stromnebenschlusswiderstand (Phys.). 2. (Med.) a) infolge eines angeborenen Defekts bestehende Verbindung zwischen großem u. kleinem Kreislauf; b) operativ hergestellte künstliche Verbindung zwischen Blutgefäßen des großen u. kleinen Kreislaufs zur Kreislaufentlastung. **shun|ten** [ˈʃantn]: in elektrischen Geräten durch Parallelschaltung eines Widerstandes die Stromstärke regeln **Shut|tle** [ˈʃʌt] ⟨engl.⟩ *der;* -s, -s: 1. Kurzform von: Spaceshuttle. 2. a) Pendelverkehr; b) im Shuttle (2 a) eingesetztes Fahr-, Flugzeug **Shy|lock** [ˈʃailɔk] ⟨engl.; nach der Figur in Shakespeares „Kaufmann von Venedig"⟩ *der;* -[s], -s: erpresserischer Geldverleiher; mitleidloser Gläubiger

si [si:] ⟨it.⟩: Silbe, auf die beim Solmisieren der Ton h gesungen wird

Si|al ⟨Kurzw. aus: ↑Silicium u. ↑Aluminium⟩ *das;* -[s]: oberste Schicht der Erdkruste (Geol.) **Si|al|lade|ni|tis** ⟨gr.-nlat.⟩ *die;* -, ...itiden: Speicheldrüsenentzündung (Med.) **si|al|lisch** ⟨von ↑Sial⟩: (von den Gesteinen der oberen Erdkruste) überwiegend aus Silicium-Aluminium-Verbindungen zusammengesetzt (Geol.). **si|al|li|tisch:** (von der Verwitterung der Gesteine in feuchtem Klima) tonig **Si|al|lo|lith** [auch: ...ˈlɪt] ⟨gr.-nlat.⟩ *der;* -s und -en, -e[n]: ↑Ptyalolith. **Si|al|lor|rhö** *die;* -, -en u. **Sia|llor|rhöe** [...ˈrø:] *die;* -, -n [...ˈrø:ən]: ↑Ptyalismus **sia|me|sisch:** in der Fügung: **siamesische Zwillinge** ⟨nach den Zwillingen Eng u. Chang aus Siam [heute Thailand] (1811–1874)⟩: bei eineiigen Zwillingen selten auftretende Fehlbildung in Form zweier völlig entwickelter Individuen, die an einem Körperabschnitt (meist Brust- od. Kreuzbein) miteinander verwachsen sind (Med.). **Si-a|mo|sen** ⟨lat.⟩ *die* (Plural): karierte u. gestreifte Baumwollgewebe in Leinwandbindung, die bes. für Schürzen u. Bettbezugsstoffe verwendet werden **Si|bi|lant** ⟨lat.⟩ *der;* -en, -en: Zischlaut, Reibelaut (z. B. s; Sprachw.). **si|bi|lie|ren:** (von Lauten) zu Sibilanten machen (Sprachw.) **Si|bil|jak*** ⟨serbokroat.⟩ *der;* -s, -s: sommergrüner Buschwald **Si|byl|le** ⟨gr.-lat.⟩ *die;* -, -n: weissagende Frau, Wahrsagerin. **Si-byl|li|nen** *die* (Plural): hellenistisch-jüdische Weissagungsbücher. **si|byl|li|nisch:** geheimnisvoll, rätselhaft **sic!** [auch: zik] ⟨lat.⟩: so, ebenso; wirklich so! (mit Bezug auf etwas Vorangegangenes, das in dieser [falschen] Form gelesen od. gehört worden ist) **Si|ci|li|a|no** [sitʃi...] ⟨it.⟩ *der;* -s, -s und ...ni: alter sizilianischer Volkstanz im ⁶/₈ od. ¹²/₈ Takt mit punktiertem Grundrhythmus und von ruhigem, einfachem Charakter. **Si|ci|li|enne** [zisi-ˈliɛn, sisiˈljɛn] ⟨it.-fr.⟩ *die;* -, -s: franz. Bez. für: Siciliano **Sick-out,** auch: **Sick|out** [sɪkˈaut, ˈsɪkaut] ⟨engl.⟩ *das;* -s, -s: Krankmeldung (bes. von Arbeitneh-

mern, für die ein Streikverbot gilt) als Arbeitskampfmaßnahme

sic tran|sit glo|ria mun|di ⟨lat.⟩: „so vergeht die Herrlichkeit der Welt" (Zuruf an den neuen Papst beim Einzug zur Krönung, wobei symbolisch ein Büschel Werg verbrannt wird)

Sid|dhan|ta [ziˈdanta] ⟨sanskr.;* „Lehrbuch"⟩ *das* od. *der;* -: Gesamtheit der heiligen Schriften des Dschainismus **Side|board** [ˈsaidbɔ:d] ⟨engl.⟩ *das;* -s, -s: Anrichte, Büfett (1) **si|de|ral** ⟨lat.⟩: ↑siderisch. **si|de-risch:** auf die Sterne bezogen; Stern...; **siderisches Pendel:** Metallring od. -kugel an dünnem Faden od. Haar zum angeblichen Nachweis von Wasser, Erz u. a. (Parapsychologie) **Si|de|rit** [auch: ...ˈrɪt] ⟨gr.-nlat.⟩ *der;* -s, -e: 1. karbonatisches Eisenerz. 2. Meteorit aus reinem Eisen. **Si|de|ro|gra|phie,** auch: **...grafie** *die;* -, ...ien: (veraltet) [Erzeugnis der] Stahlstichkunst. **Si|de|ro|lith** [auch: ...ˈlɪt] *der;* -s u. -en, -e[n]: Eisensteinmeteorit. **Si|de|ro|lith|wa|ren** *die;* (veraltet) lackierte Tonwaren. **Si|de|ro|lo|gie** ⟨gr.-nlat.⟩ *die;* -: Wissenschaft von der Gewinnung u. den Eigenschaften des Eisens **Si|de|ro|nym*** ⟨lat.; gr.⟩ *das;* -s, -e: Deckname, der aus einem astronomischen Ausdruck besteht (z. B. Sirius) **Si|de|ro|pe|nie** ⟨gr.-nlat.⟩ *die;* -: Eisenmangel in den Körpergeweben (Med.). **si|de|ro|phil:** Eisen an sich bindend, sich leicht mit eisenhaltigen Farbstoffen färben lassend (z. B. von chemischen Elementen). **Si|de|ro|phi-lin** *das;* -s: Eiweißkörper des Blutserums, der Eisen an sich binden kann (Med.). **si|de|ro-priv:** (von roten Blutkörperchen) ohne Eisen, eisenarm (Med.). **Si|de|ro|se** u. **Si|de|ro|sis** *die;* -: Ablagerung von Eisen[salzen] in den Körpergeweben (Med.). **Si|de|ro|skop*** *das;* -s, -e: Magnetapparat zum Nachweis u. zur Entfernung von Eisensplittern im Auge (Med.). **Si|de|ro|sphä|re*** *die;* -: ↑Nife. **Si|de|ro|zyt** *der;* -en, -en (meist Plural): rotes Blutkörperchen mit Eiseneinlagerungen (Med.). **Si|de|rur|gie*** *die;* -: Eisen- u. Stahlbearbeitung (Techn.). **si|de|rur|gisch*:** die Siderurgie betreffend (Techn.)

Sid|ra* ⟨hebr.; „Ordnung"⟩ die; -: der jeweils an einem Sabbat zu verlesende Abschnitt der Thora

si|e|na [s...] ⟨it.; nach der ital. Stadt Siena⟩: rotbraun. **Si|e|na** das; -s: 1. ein rotbrauner Farbton. 2. ↑ Sienaerde. **Si|e|na|er|de** die; -: als Farbstoff zur Herstellung sienafarbener Malerfarbe verwendete, gebrannte, tonartige, feinkörnige Erde; Terra di Siena

Si|er|ra [s...] ⟨lat.-span.; „Säge"⟩ die; -, ...ren u. -s: span. Bez. für: Gebirgskette

Si|es|ta [s...] ⟨lat.-span.⟩ die; -, -s: Ruhepause [nach dem Essen]

Si|fe|ma (Kurzw. aus: ↑ Silicium, ↑ Ferrum ↑ u. Magnesium⟩ das; -s: Material, aus dem der (zwischen Erdkern und unterster Erdkruste liegende) Erdmantel besteht (Geol.)

Sif|flö|te ⟨lat.-vulgärlat.-fr.⟩ die; -, -n: hohe Orgelstimme

Si|gel ⟨lat.⟩ das; -s, - u. Sigle ⟨lat.-fr.⟩ die; -, -n: festgelegtes Abkürzungszeichen für Silben, Wörter od. Wortgruppen. **si|geln**: mit einem festgelegten Abkürzungszeichen versehen (z. B. von Buchtiteln in Katalogen)

Sight|see|ing ['saɪt.si:ɪŋ] ⟨engl.⟩ das; -s, -s: Besichtigung von Sehenswürdigkeiten. **Sight|see|ing|tour** [...tu:ɐ̯] die; -, -en: (meist mit einem Bus vorgenommene) Stadtrundfahrt zur Besichtigung von Sehenswürdigkeiten

Si|gill ⟨lat.⟩ das; -s, -e: (veraltet) Siegel. **Si|gil|la**: Plural von ↑ Sigillum. **Si|gil|la|ria** [...riə] ⟨lat.-nlat.⟩ die; -, -n: Siegelbaum (eine ausgestorbene Pflanzengattung). **si|gil|lie|ren** ⟨lat.⟩: (veraltet) [ver]siegeln. **Si|gil|lum** das; -s, ...lla: lat. Form von: Sigill. **Sig|lle*** ['zi:gl] vgl. Sigel

Sig|ma ⟨gr.⟩ das; -[s], -s: 1. achtzehnter Buchstabe des griechischen Alphabets: Σ, σ. 2. ↑ Sigmoid (Med.). **Sig|ma|ti|ker** der; -s, -: jmd., der an Sigmatismus leidet. **Sig|ma|tis|mus** ⟨gr.-nlat.⟩ der; -: das Lispeln; fehlerhafte Aussprache der s-Laute (Med.). **Sig|mo|id** der; -[e]s, -e: s-förmiger Abschnitt des Dickdarms (Med.)

Sig|na*: Plural von ↑ Signum. **Sig|nal** ⟨lat.-fr.⟩ das; -s, -e: 1. Zeichen mit einer bestimmten Bedeutung, das auf optischem od. akustischem Weg gegeben wird. 2. a) für den Schienenverkehr an der Strecke aufgestelltes Schild mit einer bestimmten Bedeutung od. bewegbare [fernbediente] Vorrichtung, deren Stellung eine besondere Bedeutung hat; an der Strecke installierte Vorrichtung zum Geben von Lichtsignalen; b) (bes. schweiz.) Verkehrszeichen für den Straßenverkehr. **Sig|na|le|ment** [...'mã:, schweiz.: ...'mɛnt] das; -s, -s (schweiz. auch: -e): 1. (bes. schweiz.) Personenbeschreibung, Kennzeichnung (z. B. in einem Personalausweis od. einer Vermisstenanzeige). 2. Gesamtheit der Merkmale, die ein bestimmtes Tier charakterisieren (Pferdezucht). **Sig|nal|horn** ⟨lat.-fr.; dt.⟩ das; -s, ...hörner: Messingblasinstrument mit 6 bis 9 Tönen ohne Ventile. **sig|na|li|sie|ren** ⟨französierende Bildung⟩: 1. etw. deutlich, auf etw. aufmerksam machen, ein Signal geben. 2. etwas ankündigen. 3. benachrichtigen, warnen. **Sig|nal|pis|to|le** ⟨lat.-frz.; tschech.⟩ die; -, -n: Pistole, die dazu dient, durch Abschießen einer bestimmten Munition etwas zu signalisieren. **Sig|na|tar** ⟨lat.-nlat.⟩ der; -s, -e: 1. Signatarmacht. 2. (veraltet) Unterzeichner eines Vertrags (Rechtsw.). **Sig|na|tar|macht** ⟨lat.-nlat.; dt.⟩ die; -, ...mächte: einen [internationalen] Vertrag unterzeichnender Staat. **sig|na|tum** ⟨lat.⟩: unterzeichnet (Abk.: sign.). **Sig|na|tur** ⟨lat.-mlat.⟩ die; -, -en: 1. Kurzzeichen als Aufschrift od. Unterschrift, Namenszug. 2. Kennzeichen auf Gegenständen aller Art, bes. beim Versand. 3. Name (auch abgekürzt) od. Zeichen von Künstlern auf ihrem Werk. 4. Nummer (meist in Verbindung mit Buchstaben) des Buches, unter der es im Magazin einer Bibliothek zu finden ist u. die im Katalog hinter den betreffenden Buchtitel vermerkt ist. 5. kartographisches Zeichen zur lage-, richtungs- od. formgerechten, dem Maßstab angepassten Darstellung von Dingen u. Gegebenheiten. 6. (Druckw.) a) (veraltet) runde od. eckige Einkerbung am Drucktypen zur Unterscheidung von Schriften gleichen Kegels u. zur Kennzeichnung der richtigen Stellung beim Setzen; b) Ziffer od. Buchstabe zur Bezeichnung der Reihenfolge der Bogen einer Druckschrift (Bogennummer). **Sig|nem** das; -s, -e: ↑ Monem. **Sig|net** [zɪn'je:,

auch: zɪ'gnɛt] ⟨lat.-fr.⟩ das; -s, -s u. (bei dt. Ausspr.): -e: 1. Buchdrucker-, Verlegerzeichen. 2. (veraltet) Handsiegel, Petschaft. 3. Aushängeschild, Visitenkarte. 4. Marke, Firmensiegel. **sig|nie|ren** ⟨lat.⟩: a) mit einer Signatur versehen; b) unterzeichnen, abzeichnen. **Sig|ni|fi|ant** [sɪnji'fjã] ⟨lat.-fr.⟩ das; -s, -s: ↑ Signifikant. **Sig|ni|fié** [sɪnji'fje] das; -s, -s: ↑ Signifikat. **sig|ni|fi|kant**: 1. a) wichtig, bedeutsam; b) typisch. 2. signifikativ (1). **Sig|ni|fi|kant** ⟨lat.⟩ der; -en, -en: Ausdrucksseite des sprachlichen Zeichens (Sprachw.); Ggs. ↑ Signifikat. **Sig|ni|fi|kanz** die; -: Bedeutsamkeit, Wesentlichkeit. **Sig|ni|fi|kanz|test** der; -s, -s: Testverfahren zum Nachprüfen einer statistischen Hypothese. **Sig|ni|fi|kat** das; -[e]s, -e: Inhaltsseite des sprachlichen Zeichens (Sprachw.); Ggs. ↑ Signifikant. **sig|ni|fi|ka|tiv**: 1. (von sprachlichen Einheiten) bedeutungsunterscheidend (Sprachw.). 2. signifikant (1). **sig|ni|fi|zie|ren**: bezeichnen, anzeigen. **sig|ni|tiv**: symbolisch, mithilfe von Zeichensystemen (z. B. der Sprache)

Sig|nor* [zɪn'jo:ɐ̯] ⟨lat.-it.⟩ der; -, ...ri: ital. Bez. für: Herr (mit folgendem Namen od. Titel). **Sig|no|ra** [zɪn'jo:ra] die; -, -s u. ...re: ital. Bez. für: Frau. **¹Sig|no|re** [zɪn'jo:rə] der; -, ...ri: ital. Bez. für: [mein] Herr (ohne folgenden Namen od. Titel). **²Sig|no|re**: Plural von ↑ Signora. **Sig|no|ria** [zinjo...] u. **Sig|no|rie** [zinjo...] die; -, ...ien: die höchste [leitende] Behörde der italienischen Stadtstaaten (bes. der Rat in Florenz). **Sig|no|ri|na** [zinjo...] die; -, -s u. ...ne: ital. Bez. für eine unverheiratete Frau. **Sig|no|ri|no** [zinjo...] der; -, -s u. ...ni: ital. Bez. für: junger Herr

Sig|num* ⟨lat.⟩ das; -s, -s, ...na: verkürzte Unterschrift; Zeichen

Sig|rist* [auch: zi'grɪst] ⟨lat.-mlat.⟩ der; -en, -en: (schweiz.) Küster

Si|gu|rim ⟨lat.-alban.⟩ die; -: für die Staatssicherheit verantwortliche Polizei in Albanien

Si|ka|hirsch ⟨jap.; dt.⟩ der; -s, -e: ein in Japan u. China vorkommender kleiner Hirsch mit [rot]braunem, weiß geflecktem Fell

Sikh [zi:k] ⟨Hindi; „Jünger"⟩ der; -[s], -s: Angehöriger eines gegen Ende des 15. Jh.s gestifteten monotheistischen indischen Religion mit militärischer Organisation

Sik|ka|tiv ⟨lat.⟩ das; -s -e: Trockenstoff, der Druckfarben, Ölfarben u. a. zugesetzt wird. **sikka|ti|vie|ren** ⟨lat.-nlat.⟩: Sikkativ zusetzen

Si|la|ge [...ʒə] vgl. Ensilage

Si|lan ⟨Kunstw. aus ↑Silikon u. ↑Methan⟩ das; -s, -e: Siliciumwasserstoff

Sil|ber|bro|mid vgl. Bromsilber

Sild ⟨skand.⟩ der; -[e]s, -[e]: pikant eingelegter junger Hering

Si|len ⟨gr.-lat.⟩ der; -s, -e: zweibeiniges Fabelwesen der griechischen Sage mit menschlichem Oberkörper u. Pferdeleib

Si|len|ti|um ⟨lat.⟩ das; -s, ...tien: 1. (veraltend, noch scherzh.) [Still]schweigen, Stille (oft als Aufforderung). 2. Zeit, in der die Schüler eines Internats ihre Schularbeiten erledigen. **Si|len|ti|um ob|se|qui|o|sum** das; - -: (kath. Kirche) a) ehrerbietiges Schweigen gegenüber einer kirchlichen Lehrentscheidung; b) Schweigen als Ausdruck des Nichtzustimmens. **Si|lent|mee|ting** [ˈsaɪlənt'miːtɪŋ] ⟨engl.⟩ das; -s, auch: **Si|lent Mee|ting** das; - -s: stille gottesdienstliche Versammlung der Quäker

Sil|hou|et|te [zi'lɥɛtə] ⟨fr.⟩ die; -, -n: 1. a) Umriss, der sich [dunkel] vom Hintergrund abhebt; b) Schattenriss. 2. Umriss[linie]; Form der Konturen (Mode). **sil|hou|et|tie|ren** [zilɥɛ'tiːrən]: im Schattenriss zeichnen od. schneiden

Si|li|ca|gel ® ⟨lat.-nlat.; lat.⟩ das; -s: Adsorptionsmittel für Gase, Flüssigkeiten u. gelöste Stoffe; Kieselgel. **Si|li|cat** vgl. Silikat. **Si|li|cid** u. Silizid ⟨lat.-nlat.⟩ das; -[e]s, -e: Verbindung von Silicium mit einem Metall. **Si|li|ci|um** u. Silizium das; -s: chemisches Element; ein Nichtmetall (Zeichen: Si). **Si|li|con** vgl. Silikon **si|lie|ren** ⟨span.-nlat.⟩: Grünfutter, Gemüse in einem Silo einlagern

Si|li|fi|ka|ti|on ⟨lat.-nlat.⟩ die; -, -en: Verkieselung. **si|li|fi|zie|ren:** verkieseln (von Gesteinen u. Versteinerungen). **Si|li|ka|stein** ⟨lat.-nlat.; dt.⟩ der; -s, -e: beim Brennen sich ausdehnender feuerfester Stein aus Siliciumdioxid sowie Kalk- u. Tonbindemitteln. **Si|li|kat,** chem. fachspr.: Silicat ⟨lat.-nlat.⟩ das; -[e]s, -e: Salz der Kieselsäure. **si-**

li|ka|tisch: reich an Kieselsäure. **Si|li|ka|to|se** die; -, -n: durch silikathaltige Staubarten hervorgerufene Staublungenerkrankung (Med.). **Si|li|kon,** fachspr.: Silicon das; -s, -e: siliciumhaltiger Kunststoff von großer Wärme- u. Wasserbeständigkeit. **Si|li|ko|se** die; -, -n: durch eingeatmeten kieselsäurehaltigen Staub verursachte Staublungenerkrankung; Steinstaublunge (Med.). **Si|li|zid** vgl. Silicid. **Si|li|zi|um** vgl. Silicium

Silk ⟨engl.⟩ der; -s, -s: glänzender Kleiderstoff. **Silk|gras** das; -es: haltbare, feine Blattfasern verschiedener Ananasgewächse. **Silk|screen** [ˈsɪlkskriːn] das; -s, auch: **Silk Screen** das; - -s: engl. Bez. für: Siebdruck. **Silk|worm** [ˈsɪlkwɔːm] **Silk|worm|gut** [ˈsɪlkwɔːmgæt] das; -s: aus dem Spinnsaft der Seidenraupe gewonnenes chirurgisches Nähmaterial

¹**Sill** ⟨schwed.⟩ der; -s, -e: Sild ²**Sill** ⟨engl.⟩ der; -s, -s: waagerechte Einlagerung eines Ergussgesteins in bereits vorhandene Schichtgesteine (Geol.)

Sil|la|bub [ˈsɪləbʌb] ⟨engl.⟩ das; -: kaltes Getränk aus schaumig geschlagenem Rahm, Wein u. Gewürzen

Sil|len ⟨gr.⟩ die (Plural): parodistische, zum Teil aus homerischen Versen zusammengestellte altgriechische Spottgedichte auf Dichter u. Philosophen. **Sil|lo|graph,** auch: ...graf ⟨gr.-lat.⟩ der; -en, -en: Verfasser von Sillen

Sil|ly|bos ⟨gr.-lat.⟩ der; -, ...boi: farbiger Zettel an den Schriftrollen des Altertums mit dem Titel des Werks u. dem Namen des Verfassers

Si|lo ⟨span.⟩ der (auch: das); -s, -s: a) Großspeicher (für Getreide, Erz u. a.); b) Gärfutterbehälter; c) (abwertend) ein für den Zweck ungewöhnlich großes, unpersönlich wirkendes u. eigentlich zu großes Gebäude

Si|lon ® ⟨Kunstw.⟩ das; -s: eine Kunstfaser

Si|lu|min ® ⟨Kurzw. aus ↑Silicium u. ↑Aluminium⟩ das; -[s]: schweiß- u. gießbare, feste Leichtmetalllegierung

Si|lur ⟨nlat.; nach dem vorkeltischen Volksstamm der Silurer⟩ das; -s: erdgeschichtliche Formation des Paläozoikums (Geol.). **si|lu|risch:** a) das Silur betreffend; b) im Silur entstanden

Sil|vae ⟨lat.; „Wälder"⟩ die (Plu-

ral): literarische Sammelwerke der Antike u. des Mittelalters mit formal u. inhaltlich verschiedenartigen Gedichten

Sil|va|ner ⟨vielleicht zu Transsilvanien = Siebenbürgen (Rumänien), dem angeblichen Herkunftsland⟩ der; -s, -: a) (ohne Plural) Rebsorte für einen milden, feinfruchtigen bis vollmundigen Weißwein; b) Wein der Rebsorte Silvaner (a)

Sil|ves|ter ⟨nach dem Papst Silvester I.⟩ das; -s, -: der letzte Tag des Jahres (31. Dezember)

¹**Si|ma** ⟨gr.-lat.⟩ die; -, -s u. ...men: Traufleiste antiker Tempel

²**Si|ma** ⟨Kurzw. aus: ↑Silicium u. ↑Magnesium⟩ das; -s: unterer Teil der Erdkruste (Geol.)

Si|mar|re u. Zimarra ⟨it.-fr.⟩ die; -, ...rren: 1. bodenlanger Männermantel im Italien des 16. Jh.s. 2. (veraltet) Schleppkleid

si|ma|tisch u. simisch: aus Basalten u. Gabbro zusammengesetzt (Geol.)

si|mi|lär ⟨lat.-fr.⟩: ähnlich. **Si|mi|la|ri|tät** die; -, -en: Ähnlichkeit. **si|mi|le** ⟨lat.-it.⟩: ähnlich, auf ähnliche Weise weiter, ebenso (Mus.). **Si|mi|le** das; -s, -s: Gleichnis, Vergleich. **Si|mi|li** das od. der; -s, -s: Nachahmung, bes. von Edelsteinen. **si|mi|lia si|mi|li|bus** ⟨lat.⟩: „Gleiches [wird] durch Gleiches [geheilt]" (ein Grundgedanke der Volksmedizin); vgl. contraria contrariis u. Sympathie (4). **Si|mi|li|stein** der; -[e]s, -e: (Fachspr.) imitierter Edelstein

si|misch vgl. simatisch

Si|mo|nie ⟨mlat.; nach dem Zauberer Simon, Apostelgesch. 8, 9 ff.⟩ die; -...ien: Kauf od. Verkauf von geistlichen Ämtern od. Dingen. **si|mo|nisch** u. **si|mo|nis|tisch:** die Simonie betreffend

sim|pel ⟨lat.-fr.⟩: 1. so einfach, dass es keines besonderen geistigen Aufwands bedarf, nichts weiter erfordert, leicht zu bewältigen ist; unkompliziert. 2. in seiner Beschaffenheit anspruchslos-einfach; nur das Übliche und Notwendigste aufweisend. **Sim|pel** der; -s, -: (landsch. ugs.) einfältiger Mensch, Dummkopf.

Simp|la*: Plural von ↑Simplum. **Sim|plex*** ⟨lat.⟩ das; -, -e u. Simplizia: nicht zusammengesetztes (u. nicht abgeleitetes) Wort (Sprachw.); Ggs. ↑Kompositum. **Simp|lex|wa|re*** die; -, -n: dichte Wirkware aus Baumwoll- od.

Perlongarn für die Handschuhherstellung. **simp|li|ci|ter*:** (veraltet) schlechthin. **Simp|li|fi|ka|ti|on*** ⟨lat.-nlat.⟩ die; -, -en: ↑Simplifizierung; vgl. ...[at]ion/ ...ierung. **simp|li|fi|zie|ren*:** a) vereinfacht darstellen; b) sehr stark vereinfachen. **Simp|li|fi|zie|rung*:** Plural von ↑Simplex. **Simp|li|zi|a|de*** ⟨nach der Titelfigur Simplicissimus aus dem Roman von Grimmelshausen, † 1676⟩ die; -, -n: Abenteuerroman um einen einfältigen Menschen. **Simp|li|zi|tät*** ⟨lat.⟩ die; -: 1. Einfachheit. 2. Einfalt. **Simp|lum*** das; -s, ...pla: einfacher Steuersatz (Wirtsch.).

Sim|sa|la|bim ⟨Herkunft unsicher⟩ das; -s: ein Zauberwort (im entscheidenden Moment der Ausführung eines Zauberkunststücks)

Si|mul|ant ⟨lat.⟩ der; -en, -en: jmd., der etw., bes. eine Krankheit, vortäuscht. **Si|mu|la|ti|on** die; -, -en: 1. Verstellung. 2. Vortäuschung [von Krankheiten]. 3. Nachahmung (in Bezug auf technische Vorgänge). **Si|mu|la|tor** der; -s, ...oren: Gerät, in dem künstlich die Bedingungen u. Verhältnisse herstellbar sind, wie sie in Wirklichkeit bestehen (z. B. Flugsimulator; Techn.). **si|mu|lie|ren:** 1. [eine Krankheit] vortäuschen, vorgeben. 2. [technische] Vorgänge wirklichkeitsgetreu nachahmen. **si|mul|tan** ⟨lat.-mlat.⟩: gleichzeitig; **simultanes Dolmetschen:** Form des Dolmetschens, bei der die Übersetzung gleichzeitig mit dem Originalvortrag über Kopfhörer erfolgt; Ggs. ↑konsekutives Dolmetschen. **Si|mul|tan|büh|ne** die; -, -n: Bühne, bei der alle im Verlauf des Spiels erforderlichen Schauplätze nebeneinander u. dauernd sichtbar aufgebaut sind (z. B. bei den Passionsspielen des Mittelalters). **Si|mul|ta|ne|i|tät** die; -, -en: a) Gemeinsamkeit; Gleichzeitigkeit; b) die Darstellung von zeitlich od. räumlich auseinander liegenden Ereignissen auf einem Bild. **Si|mul|ta|ne|ous** en|gi|nee|ring [sɪməl-'tɛɪnjəs ɛndʒɪ'nɪərɪŋ] ⟨engl.⟩ das; - -s: Verfahren, bei dem Produktionstechnologie u. Produktionsgestaltung zeitlich parallel zueinander entwickelt werden, um so die Innovationszeiten zu verkürzen (Wirtsch.). **Si|mul|ta|ne|um** das; -s: staatlich od. durch Vertrag geregeltes gemeinsames

Nutzungsrecht verschiedener Konfessionen an kirchlichen Einrichtungen (z. B. Kirchen, Friedhöfe). **Si|mul|ta|ni|tät** vgl. Simultaneität. **Si|mul|tan|kir|che** die; -, -n: Kirchengebäude, das mehreren Bekenntnissen offen steht. **Si|mul|tan|schu|le** die; -, -n: Gemeinschaftsschule für verschiedene Konfessionen; Ggs. ↑Konfessionsschule. **Si|mul|tan|spiel** das; -[e]s, -e: Spiel, bei dem ein Schachspieler gegen mehrere, meist leistungsschwächere Gegner gleichzeitig spielt

Si|nanth|ro|pus* ⟨gr.-nlat.⟩ der; -, ...pi u. ...pen: Frühmensch, dessen fossile Reste in China gefunden wurden

Sin|da|co ⟨gr.-lat.-it.⟩ der; -, ...ci [...t͡ʃi]: Gemeindevorsteher, Bürgermeister in Italien

si|ne an|no ⟨lat.⟩: „ohne Jahr" (veralteter Hinweis bei Buchtitelangaben, wenn kein Erscheinungsjahr genannt ist); Abk.: s. a. **si|ne an|no et lo|co:** ↑sine loco et anno; Abk.: s. a. e. l. **si|ne i|ra et stu|dio:** ohne Hass u. Eifer, d. h. objektiv u. sachlich. **Si|ne|ku|re** ⟨lat.-nlat.; „ohne Sorge"⟩ die; -, -n: 1. (hist.) Pfründe ohne Amtsgeschäfte. 2. müheloses, einträgliches Amt. **si|ne lo|co** ⟨lat.⟩: „ohne Ort" (veralteter Hinweis bei Buchtitelangaben, wenn kein Erscheinungsort genannt ist); Abk.: s. l. **si|ne lo|co et an|no:** „ohne Ort und Jahr" (veralteter Hinweis bei Buchtitelangaben noch -jahr genannt sind); Abk.: s. l. e. a. **si|ne ob|li|go*** ⟨lat.-it.⟩: ohne ↑Obligo; Abk.: s. o. **si|ne tem|po|re** ⟨lat.⟩: ohne akademisches Viertel, d. h. pünktlich (zur genannten Zeit); Abk.: s. t.; vgl. cum tempore

Sin|fo|nia ⟨lat.-it.⟩ die; -, ...ien [...ə] od. ...nie [...niːə] od. -: meist dreisätzige Komposition für mehrere Soloinstrumente u. Orchester (bes. der zweiten Hälfte des 18. Jh.s). **Sin|fo|nie** ⟨lat.-it.⟩ die; -, ...ien: auf das Zusammenklingen des ganzen Orchesters hin angelegte Instrumentalkomposition in mehreren (meist vier) Sätzen (Mus.). **Sin|fo|ni|et|ta** ⟨gr.-lat.-it.⟩ die; -, ...tten: kleine Sinfonie. **Sin|fo|nik** u. Symphonik ⟨gr.-lat.-nlat.⟩ die; -: Lehre vom sinfonischen

Satzbau (Mus.). **Sin|fo|ni|ker** ⟨gr.-lat.-it.⟩ u. Symphoniker ⟨gr.-lat.-nlat.⟩ der; -s, -: 1. Komponist von Sinfonien. 2. Mitglied eines Sinfonieorchesters. **sin|fo|nisch** u. symphonisch ⟨gr.-lat.-nlat.⟩: sinfonieartig, in Stil u. Charakter einer Sinfonie

¹Sin|gle ['sɪŋl] ⟨lat.-fr.-engl.⟩ das; -s, -s: 1. Einzelspiel zweier Spieler, Spielerinnen im Tennis. 2. Zweierspiel im Golf. **²Sin|gle** die; -, -s: kleine Schallplatte mit nur je einem Titel auf Vorder- u. Rückseite. **³Sin|gle** der; -s, -s: jmd., der allein, ohne Bindung an einen Partner lebt. **Sin|gle|ton** ['sɪŋltən] ⟨engl.⟩ der; -, -s: a) engl. Bez. für: nur aus Spielkarten gleicher Farbe bestehendes Blatt in der Hand eines Spielers; b) engl. Bez. für: Trumpf im Kartenspiel

Sing-out ['sɪŋlaʊt, auch: ...'aʊt] ⟨engl.⟩ das; -s, -s: (von protestierenden Gruppen veranstaltetes) öffentliches Singen von Protestliedern

Sin|gu|lar ⟨lat.⟩ der; -s, -e: 1. (ohne Plural) Numerus, der beim Nomen u. Pronomen anzeigt, dass dieses sich auf eine einzige Person od. Sache bezieht, u. der beim Verb anzeigt, dass nur ein Subjekt zu dem Verb gehört; Einzahl. 2. Wort, das im Singular steht; Singularform. **sin|gu|lär:** 1 vereinzelt vorkommend, einen Einzel- od. Sonderfall darstellend. 2. einzigartig. **Sin|gu|la|re|tan|tum** das; -s, -s u. Singulariatantum: nur im Singular vorkommendes Wort (z. B. das All; Sprachw.). **Sin|gu|la|ris** der; -, ...res: (veraltet) Singular. **sin|gu|la|risch:** a) den Singular betreffend; b) im Singular [gebraucht, vorkommend]. **Sin|gu|la|ris|mus** ⟨lat.-nlat.⟩ der; -: metaphysische Lehre, nach der die Welt als eine Einheit aus nur scheinbar selbstständigen Teilen angesehen wird (Philos.); Ggs. ↑Pluralismus (1). **Sin|gu|la|ri|tät** ⟨lat.⟩ die; -, -en: 1. vereinzelte Erscheinung; Seltenheit, Besonderheit. 2. Stelle, an der sich Kurven od. Flächen anders verhalten als bei ihrem normalen Verlauf (Math.). 3. die zu bestimmten Zeiten des Jahres stetig wiederkehrenden Wettererscheinungen (Meteor.). **Sin|gu|lar|suk|zes|si|on** die; -, -en: Eintritt in ein einzelnes, bestimmtes Rechtsverhältnis (Rechtsw.).

Sin|gu|lett ⟨lat.-engl.⟩ das; -s, -s: einfache, nicht aufgespaltete Spektrallinie (Phys.)

Sin|gul|tus ⟨lat.⟩ der; -, - [...tu:s]: Schluckauf (Med.)

Si|nia ⟨nlat.⟩ die; -: eine geotektonische Aufbauzone (Geol.)

Si|ni|ka ⟨nlat.⟩ die (Plural): Werke aus u. über China

si|nis|ter ⟨lat.; „links“⟩: 1. links, linker (Med.). 2. unheilvoll, unglücklich. si|nis|t|ra* ma|no vgl. mano sinistra

Si|no|lo|ge ⟨gr.-nlat.⟩ der; -n, -n: jmd., der sich wissenschaftlich mit der chinesischen Sprache u. Literatur befasst (z. B. Hochschullehrer, Studierende). Si|no|lo|gie die; -: Wissenschaft von der chinesischen Sprache u. Literatur. si|no|lo|gisch: die Sinologie betreffend

Si|no|pie [...pi̯ə] ⟨nach der türk. Stadt Sinop, aus der ursprünglich die Erdfarbe stammte⟩ die; -, ...ien: in roter Erdfarbe auf dem Rauputz ausgeführte Vorzeichnung bei Mosaik u. Wandmalerei (Kunstwiss.)

Sin|ti|za ⟨zigeunerspr.⟩ die; -, -s: weibliche Form zu ↑ Sinto. Sin|to der; -, ...ti (meist Plural): Angehöriger einer im deutschsprachigen Raum beheimateten Gruppe eines ursprünglich aus Indien stammenden Volks (das vielfach als diskriminierend empfundene Zigeuner ersetzende Selbstbezeichnung); vgl. Rom

Si|nu|il|tis vgl. Sinusitis. si|nu|ös ⟨lat.⟩: buchtig, gewunden, Falten od. Vertiefungen aufweisend (von Organen od. Organteilen; Med.). Si|nus der; -, - [...nu:s] u. -se: 1. Winkelfunktion im rechtwinkligen Dreieck, die das Verhältnis der Gegenkathete zur Hypotenuse darstellt; Zeichen: sin (Math.). 2. (Med.) a) Hohlraum, bes. innerhalb von Schädelknochen; b) venöses Blut führender Kanal zwischen den Hirnhäuten. Si|nu|si|tis u. Sinuitis ⟨lat.-nlat.⟩ die; -, ...it|den: Entzündung im Bereich der Nebenhöhlen (Med.). Si|nus|kur|ve die; -, -n: zeichnerische Darstellung der Sinusfunktion (vgl. Sinus) in einem Koordinatensystem (Math.)

Si|pho ⟨gr.-lat.; „Röhre, Wasserröhre, Saugröhre“⟩ der; -s, ...onen: Atemröhre der Schnecken, Muscheln u. Tintenfische. Si|phon ['zi:fõ, österr.: zi'fo:n] ⟨gr.-lat.-fr.⟩ der; -s, -s: 1. s-förmiger Geruchsverschluss bei Wasserausgüssen zur Abhaltung von Abwassergasen. 2. Getränkegefäß, aus dem beim Öffnen die eingeschlossene Kohlensäure die Flüssigkeit herausdrückt; Siphonflasche. 3. (österr. ugs.) Sodawasser. 4. Abflussanlage, die unter eine Straße führt. Si|pho|no|pho|re ⟨gr.-nlat.⟩ die; -, -n (meist Plural): Staats- od. Röhrenqualle

Sir [sø:] ⟨lat.-fr.-engl.⟩ der; -s, -s: a) allgemeine engl. Anrede (ohne Namen) für: Herr; b) engl. Adelstitel; vgl. ²Dame. Sire [si:r] ⟨lat.-fr.⟩: franz. Anrede für: Majestät

Si|re|ne ⟨gr.-lat.(-fr.); nach göttlichen Wesen der griech. Sage, die mit betörendem Gesang begabt waren⟩ die; -, -n: 1. schöne, verführerische Frau. 2. Anlage zur Erzeugung eines Alarm- od. Warnsignals. 3. Seekuh

Si|ri|o|me|ter ⟨gr.-nlat.⟩ das; -s, -: in der Astronomie u. Astrophysik verwendete Längeneinheit (= 1,495 × 10¹⁴ km)

Si|ri|tal|ki ⟨ngr.⟩ der; -, -s: ein griechischer Volkstanz

Si|rup ⟨arab.-mlat.⟩ der; -s, -e: a) eingedickter, wässriger Zuckerrübenauszug; b) zähflüssige Lösung aus Zucker u. Wasser od. Fruchtsaft

Sir|ven|tes ⟨lat.-provenzal.; „Dienstlied“⟩ das; -, -: politisch-moralisierendes Rügelied der provenzalischen Troubadoure

Si|sal ⟨nach der mex. Hafenstadt Sisal⟩ der; -s: Faser aus den Blättern einer Agave, die zur Herstellung von Seilen u. Säcken verwendet wird

sis|tie|ren ⟨lat.⟩: 1. ein Verfahren unterbrechen, vorläufig einstellen (Rechtsw.). 2. jmdn. zur Feststellung seiner Personalien zur Wache bringen. Sis|tie|rung die; -, -en: 1. Unterbrechung, vorläufige Einstellung eines Verfahrens (Rechtsw.). 2. das Feststellen der Personalien auf der Polizeiwache

Sis|t|rum* ⟨gr.-lat.⟩ das; -s, ...stren: ein altägyptisches Rasselinstrument, bei dem durch Metallstäbe ein klirrendes Geräusch hervorgerufen wird

Si|sy|phus|ar|beit ⟨nach Sisyphos, einer Gestalt der griech. Sage, der zu einem nie endenden Steinwälzen verurteilt war⟩ die; -, -en: sinnlose Anstrengung, vergebliche, nie ans Ziel führende Arbeit

Si|tar ⟨iran.⟩ der; -[s], -[s]: ein iranisches u. indisches Zupfinstrument

Sit|com ['sɪtkɔm] ⟨engl.; kurz für: situation comedy⟩ die; -, -s: Situationskomödie (bes. als Fernsehserie)

Sit-in [s...] ⟨engl.⟩ das; -s, -s: demonstratives Sichhinsetzen einer Gruppe zum Zeichen des Protests; Sitzstreik

Si|tu|a|ti|on ⟨lat.-mlat.-fr.⟩ die; -, -en: 1. [Sach]lage, Stellung, [Zu]stand. 2. Lageplan (Geogr.). 3. die Gesamtheit der äußeren Bedingungen des sozialen Handelns u. Erlebens (Soziol.). si|tu|a|ti|o|nell, si|tu|a|ti|o|nist ⟨lat.-mlat.-fr.-nlat.⟩ der; -en, -en: (selten) jmd., der sich schnell u. zu seinem Vorteil jeder [neuen] Lage anzupassen versteht. Si|tu|a|ti|ons|ethik die; -: Richtung der Ethik, die nicht von allgemein gültigen sittlichen Normen ausgeht, sondern die sittliche Entscheidung an der jeweiligen konkreten Situation orientiert. Si|tu|a|ti|ons|ko|mik die; -: Komik, die durch eine Situation entsteht. Si|tu|a|ti|ons|ko|mö|die die; -, -en: Komödie, deren Komik bes. durch Verwechslungen, Verkettung überraschender Umstände, Intrigen o. Ä. entsteht. si|tu|a|tiv: durch die (jeweilige) Situation bedingt. si|tu|ie|ren ⟨lat.-mlat.-fr.⟩: legen, stellen, in die richtige Lage bringen, [an]ordnen (meist als Partizip Perfekt in Verbindung mit Adjektiven wie „gut“ gebraucht, z. B. gut situiert = wirtschaftlich gut gestellt). Si|tu|ie|rung die; -, -en: Lage, Anordnung (z. B. von Gebäuden)

Si|tu|la ⟨lat.⟩ die; -, ...ulen: vorgeschichtliches, bes. für die Eisenzeit typisches, meist aus Bronze getriebenes eimerartiges Gefäß

Si|tus ⟨lat.⟩ der; -, - [...tu:s]: (Med.) a) [natürliche] Lage der Organe im Körper; b) Lage des Fetus in der Gebärmutter; vgl. in situ

sit ve|nia ver|bo ⟨lat.; „dem Wort sei Verzeihung [gewährt]“⟩: man möge mir diese Ausdrucksweise gestatten, nachsehen; Abk.: s. v. v.

Si|va|pi|the|cus ⟨nlat.; nach dem Fundort Siwalik Hills im Himalaja⟩ der; -, ...ci: fossiler Menschenaffe aus dem Miozän u. Pliozän mit stark menschlichen Merkmalen

Si|vas ⟨nach der türk. Stadt⟩ *der;* -, -: vielfarbiger, meist rotgrundiger Teppich mit persischer Musterung

Six|days ['sɪks'deɪz] ⟨*engl.*⟩, auch: **Six Days** *die* (Plural): engl. Bez. für: Sechstagerennen (Sport).

Six|pence ['sɪkspəns] *der;* -, -: frühere britische Münze im Wert von sechs Pence

Sixt ⟨*lat.*⟩ *die;* -, -en: Fechtstellung mit gleicher Klingenlänge wie bei der ↑Terz (2), jedoch mit anderer Haltung der Faust. **Six-ty-nine** [sɪkstɪ'naɪn] ⟨*engl.;* „69"⟩ *das;* -: (von zwei Personen ausgeübter) gleichzeitiger gegenseitiger oraler Geschlechtsverkehr; Neunundsechzig

Si|zi|li|a|ne ⟨*it.*⟩ *die;* -, -n: aus Sizilien stammende Abart der Stanze mit nur zwei Reimen. **Si|zi|li|a|no** vgl. Siciliano. **Si|zi|li|en|ne** [zitsi'ljɛn] ⟨*it.-fr.*⟩ *die;* -: ↑Eolienne

Ska (Herkunft unsicher) *der;* -[s]: Musik, die sich in Jamaica aus dem ↑Rhythm and Blues entwickelte u. zum Vorläufer des ↑Reggae wurde (Mus.)

Ska|bi|es ⟨*lat.*⟩ *die;* -: Krätze (Med.). **ska|bi|ös**: krätzig, die typischen Hauterscheinungen der Krätze zeigend (Med.). **Ska-bi|o|se** ⟨*lat.-nlat.*⟩ *die;* -, -n: Pflanze mit gefiederten, behaarten Blättern u. Blütenköpfen von blauvioletter od. gelber Farbe.

skab|rös* ⟨*lat.-fr.*⟩: (veraltet) heikel, schlüpfrig

Ska|denz ⟨*lat.-vulgärlat.-it.*⟩ *der;* -, -en: (veraltet) Verfallzeit (Wirtsch.).

Skai ® *das;* -s: ein Kunstleder

skål! [skɔːl] ⟨*skand.*⟩: dänisch, norwegisch, schwedisch für: prost!, zum Wohl!

Ska|la ⟨*lat.-it.;* „Treppe, Leiter"⟩ *die;* -, Skalen u. -s: 1. (auch: Skale) Maßeinteilung an Messinstrumenten (Techn.). 2. beim Mehrfarbendruck die Zusammenstellung der Farben, mit denen jede Platte gedruckt werden muss (Druckw.). 3. Tonleiter (Mus.). 4. Stufenleiter, vollständige Reihe. **ska|lar**: durch reelle Zahlen bestimmt (Math.). **Ska-lar** *der;* -s, -e: 1. mathematische Größe, die allein durch einen Zahlenwert bestimmt wird (Math.). 2. ein Süßwasserfisch aus dem Amazonasgebiet

Skal|de ⟨*altnord.*⟩ *der;* -n, -n: altnordischer Dichter u. Sänger

Ska|le vgl. Skala (1). **Ska|len:** *Plural* von ↑Skala

Ska|le|no|e|der ⟨*gr.-nlat.*⟩ *das;* -s, -: Vielflächner mit 12 ungleichseitigen Dreiecken als Oberfläche (Math.)

skal|lie|ren ⟨*lat.-it.-nlat.*⟩: Verhaltensweisen od. Leistungen in einer statistisch verwendbaren Wertskala einstufen (Psychol.; Soziol.)

Skalp ⟨*skand.-engl.*⟩ *der;* -s, -e: (hist.) bei den Indianern die abgezogene Kopfhaut des getöteten Gegners als Siegeszeichen **Skal|pell** ⟨*lat.*⟩ *das;* -s, -e: kleines chirurgisches Messer mit feststehender Klinge **skal|pie|ren** ⟨*skand.-engl.-nlat.*⟩: den Skalp nehmen, die Kopfhaut abziehen

Skal|mu|sik *die;* -: ↑Ska

Skan|dal ⟨*gr.-lat.-fr.*⟩ *der;* -s, -e: 1. Ärgernis; Aufsehen erregendes, schockierendes Vorkommnis. 2. (landsch. veraltend) Lärm. **skan|da|lie|ren**: (veraltet) lärmen. **skan|da|li|sie|ren**: (veraltet) etwas zu einem Skandal machen; Anstoß nehmen. **Skan|da-lon** ⟨*gr.*⟩ *das;* -s: (veraltet) Anstoß, Ärgernis. **skan|da|lös** ⟨*gr.-lat.-fr.*⟩: ärgerlich, unglaublich, unerhört; anstößig

skan|die|ren ⟨*lat.*⟩: a) Verse taktmäßig, mit besonderer Betonung der Hebungen u. ohne Rücksicht auf den Sinnzusammenhang sprechen; b) rhythmisch abgehackt, in einzelnen Silben sprechen. **Skan|si|on** *die;* -, -en: (veraltet) Messung eines Verses, Bestimmung des Versmaßes; das Skandieren

Skal|po|lith [auch: ...'lɪt] ⟨*lat.; gr.*⟩ *der;* -s u. -en, -e[n]: ein Mineral **Skal|pul|a|man|tie** u. **Skal|pu|la-man|tik** ⟨*lat.; gr.*⟩ *die;* -: das Weissagen aus den Rissen im Schulterblatt [eines Schafes]. **Skal|pu|lier** ⟨*lat.-mlat.;* „Schulterkleid"⟩ *das;* -s, -e: Überwurf über Brust u. Rücken in der Tracht mancher Mönchsorden

Skal|ra|bä|en|gem|me *die;* -, -n: Skarabäus (2). **Skal|ra|bä|us** ⟨*gr.-lat.*⟩ *der;* -, ...äen: 1. (überwiegend in wärmeren Gebieten heimischer) Käfer, der aus Kot Kugeln formt, die ihm als Nahrung u. zur Eiablage dienen; Pillendreher. 2. als Amulett od. Siegel benutzte [altägyptische] Nachbildung des Skarabäus (1), der im alten Ägypten als Sinnbild des Sonnengottes verehrt wurde, in Stein, Glas od. Metall

nischen Commedia dell'Arte und des französischen Lustspiels (prahlerischer Soldat)

Ska|ri|fi|ka|ti|on ⟨*gr.-lat.*⟩ *die;* -, -en: kleiner Einschnitt od. Stich in die Haut zur Blut- od. Flüssigkeitsentnahme (Med.). **ska|ri|fi-zie|ren**: die Haut zu diagnostischen od. therapeutischen Zwecken anritzen

Ska|ri|ol ⟨*lat.-mlat.*⟩ *der;* -s: ↑Es kariol

Skarn ⟨*schwed.*⟩ *der;* -s, -e: aus Kalkstein, Dolomit od. Mergel entstandenes erzhaltiges Gestein (Geol.)

skar|tie|ren ⟨*lat.-vulgärlat.-it.*⟩: (österr. Amtsspr.) (alte Akten u. a.) ausscheiden. **Skat** *der;* -[e]s, -e u. -s: 1. Kartenspiel für drei Spieler. 2. die zwei bei diesem Kartenspiel verdeckt liegenden Karten

Skate|board ['skeɪtbɔːd] ⟨*engl.*⟩ *das;* -s, -s: als Spiel- u. Sportgerät dienendes Brett auf vier federnd gelagerten Rollen, mit dem man sich stehend [mit Abstoßen] fortbewegt u. das nur durch Gewichtsverlagerung gesteuert wird. **skate|boar|den** ['skeɪtbɔːdən]: Skateboard fahren. **Skate|boar|der** ['skeɪtbɔːdɐ] *der;* -s, -: jmd., der Skateboard fährt.

¹**skalten**: (ugs.) Skat spielen
²**skalten** ['ske:tn] ⟨*engl.*⟩ Rollschuh laufen

¹**Skalter** *der;* -s, -: (ugs.) Skatspieler

²**Skalter** ['ske:tɐ] ⟨*engl.*⟩ *der;* -s, -: Rollschuhläufer. **Ska|ting|ef-fekt** ['skeɪtɪŋ...] ⟨*engl.; lat.*⟩ *der;* -[e]s, -e: das Auftreten der Skatingkraft beim Abspielen einer Schallplatte. **Ska|ting|kraft** ['skeɪtɪŋ...] ⟨*engl.; dt.*⟩ *die;* -, ...kräfte: vom Tonabnehmer auf die innere Seite der Rille einer Schallplatte ausgeübte Kraft

Ska|tol ⟨*gr.; lat.*⟩ *das;* -s: übel riechende, bei der Fäulnis von Eiweißstoffen entstehende chemische Verbindung (z. B. im Kot). **Ska|to|lo|gie** ⟨*gr.*⟩ *die;* -: 1. die wissenschaftliche Untersuchung von Kot. 2. Vorliebe für das Benutzen von Ausdrücken aus dem Analbereich. **ska|to|lo|gisch**: 1. die ↑Skatologie (1) betreffend, auf ihr beruhend. 2. eine auf den Analbereich bezogene Ausdrucksweise bevorzugend. **Ska-to|pha|ge** ⟨*gr.*⟩ *der;* -n, -n: ↑Koprophage. **Ska|to|pha|gie** *die;* -: ↑Koprophagie. **Ska|to-phi|lie** *die;* -: ↑Koprophilie

Ska̱|zon ⟨gr.-lat.⟩ der; -s, ...zo̱n-
ten: ↑Choliambus
Skeet|schie̱|ßen [ski:t...] ⟨engl.;
dt.⟩ das; -s: Wettbewerb des
Wurftauben-, Tontaubenschie-
ßens, bei dem die Schützen halb-
kreisförmig um die Wurfmaschi-
nen stehen u. auf jede Taube nur
einen Schuss abgeben dürfen
(Sport)
Ske̱l|ḷet vgl. ¹Skelett (1). **Ske̱|le-
ton** ['skɛlətn̩, ...letɔn] ⟨gr.-engl.⟩
der; -s, -s: niedriger, schwerer
Sportrennschlitten (Winter-
sport). **ske̱l|le|to̱|to̱|pisch** ⟨gr.-
nlat.⟩: die Lage eines Organs im
Verhältnis zum Skelett bezeich-
nend (Med.; Biol.). ¹**Ske̱l|ḷet̲t**
⟨gr.; „ausgetrockneter (Körper),
Mumie“⟩ das; -[e]s, -e: 1. (medi-
zinisch fachspr.: Skelet) inneres
od. äußeres, [bewegliches] stüt-
zendes Körpergerüst aus Knochen, Chitin od. Kalk bei Tieren
u. dem Menschen; Gerippe
(Biol.; Med.). 2. das zur Festi-
gung von Pflanzenorganen dienende Gewebe (Bot.). 3. der tragende Unterbau, Grundgerüst.
²**Ske̱l|ḷet̲t** die; -: eine Schriftart.
Ske̱l|ḷet̲t|bo̲|den ⟨gr.; dt.⟩ der; -s,
...böden: Bodenkrume mit gro-
ben Mineral- u. Gesteinsteilen
(in Gebirgen). **ske̱l|let|tie̲|ren**
⟨gr.-nlat.⟩: 1. das ¹Skelett (1)
bloßlegen. 2. [ein Blatt] bis auf
das ¹Skelett (2) abfressen. 3. zum
¹Skelett (1) werden
Ske̱|ne̲ ⟨gr.⟩ die; -, ...na̱i: im alt-
griechischen Theater ein Anklei-
deräume enthaltender Holzbau,
der als Bühnenabschluss diente
u. vor dem die Schauspieler auf-
traten; vgl. Szene. **Ske̱|no|gra-
phie̲**, auch: Skenografie die; -:
altgriechische Bühnendekorati-
onsmalerei
Ske̱p|sis ⟨gr.⟩ die; -: Zweifel, Be-
denken (aufgrund sorgfältiger
Überlegung); Zurückhaltung;
Ungläubigkeit; Zweifelsucht.
Ske̱p|ti|ker der; -s, -: 1. Zweifler;
misstrauischer Mensch. 2. Anhänger des Skeptizismus. **ske̱p-
tisch:** zum Zweifel neigend,
zweiflerisch, misstrauisch, un-
gläubig; kühl abwägend. **Ske̱p-
ti|zis|mus** ⟨gr.-nlat.⟩ der; -: 1.
skeptische Haltung. 2. die den
Zweifel zum Denkprinzip erhe-
bende, die Möglichkeit einer Erkenntnis der Wirklichkeit u.
Wahrheit infrage stellende philosophische Schulrichtung; vgl.
Pyrrhonismus
Sketch, auch: **Ske̱tsch** [skɛtʃ]
⟨it.-niederl.-engl.⟩ der; „Skizze; Steg-

reifstudie“⟩ der; -[e]s, -e: (bes. im
Kabarett, Varietee, Fernsehen
aufgeführte) kurze, effektvolle
Szene mit meist witziger Pointie-
rung
Ski [ʃi:], auch: Schi ⟨norw.⟩ der;
-[s], - u. -er: 1. aus Holz, Kunststoff od. Metall gefertigtes, lan-
ges schmales Brett mit Spezial-
bindung zur Fortbewegung auf
Schnee. 2. das Skilaufen
Ski|a|gra̲|phie̲, auch: Skiagrafie
⟨gr.-nlat.⟩ die; -, ...ien: Schatten-
malerei (zur Erzielung von
Raumwirkung bei Gegenständen od. Figuren auf Gemälden
od. Zeichnungen). **Ski|a|me̲|ter**
das; -s, -: Instrument zur Messung der Intensität von Röntgen-
strahlen (Phys.). **Ski|a|sko|pie̲***
die; -, ...ien: Schattenprobe zur
Bestimmung des Brechungsver-
mögens des Auges (Med.)
Ski|bob ['ʃi:...], auch: Schi...
⟨norw.; engl.⟩ der; -s, -s: 1. einku-
figer Schlitten mit Lenkvorrich-
tung, der von einem Fahrer mit
Kurzskiern an den Füßen, wie
auf einem Fahrrad sitzend, gefahren wird. 2. mit dem Skibob
(1) betriebener Sport
Skiff ⟨germ.-roman.-engl.⟩ das;
-[e]s, -e: schmales nordisches
Einmannruderboot (Sport)
Skif|fle ['skɪfl] ⟨engl.⟩ der (auch:
das); -s: Vorform des ↑Jazz auf
primitiven Instrumenten wie
z. B. Waschbrett, ↑Jug. **Skif|fle-
group** ['skɪflgru:p] ⟨engl.⟩ die; -,
-s: kleine Musikergruppe, die
Skiffle spielt
Ski|fu̲|ni ['ʃi:...], auch: Schifuni
⟨norw.; roman.⟩ der; -, -s:
(schweiz.) großer Schlitten, der
von einer seilbahnähnlichen
Konstruktion gezogen wird u.
Skiläufer bergaufwärts beför-
dert. **Ski|gym|nas|tik** ['ʃi:...],
auch: Schi... die; -: spezielle
Gymnastik, die den Körper für
das Skilaufen kräftigt. **Ski|kjö-
ring** ['ʃi:jø:rɪŋ], auch: Schi... das;
-s, -s: Skilauf hinter einem Pfer-
de- od. Motorradvorspann. **Ski-
lift** ['ʃi:...], auch: Schi... der; -[e]s,
-e u. -s: Seilbahn od. ähnliche
Anlage, die Skiläufer bergauf-
wärts befördert. **Ski|ma|ra|thon**
['ʃi:...], auch: Schi... das; -s,
-s: Skilanglauf[wettbewerb] über
50 km
Skin|ef|fekt ⟨engl.; lat.⟩ der; -[e]s,
-e: Erscheinung, dass der Strom-
weg eines Wechselstroms hoher
Frequenz hauptsächlich an der
Oberfläche des elektrischen Lei-
ters verläuft (Elektrot.). **Skin-**

head [...hɛd] ⟨engl.⟩ der; -s, -s:
Angehöriger einer Gruppe
männlicher Jugendlicher, die äußerlich durch Kurzhaarschnitt
bzw. Glatze gekennzeichnet sind
u. zu aggressivem Verhalten u.
Gewalttätigkeiten neigen [auf
der Grundlage rechtsradikalen
Gedankenguts]
Skink ⟨gr.-lat.⟩ der; -[e]s, -e: (in
den Tropen u. Subtropen leben-
de) gelbliche bis graubraune Eidechse mit keilförmigem Kopf u.
glatten, glänzenden Schuppen
Skin|ner|box ⟨engl.; nach dem
amerik. Verhaltensforscher B. F.
Skinner, 1904–1990⟩ die; -, -en:
Experimentierkäfig zur Erforschung von Lernvorgängen bei
Tieren (Verhaltensforschung)
Ski|no|li̲d ⟨R⟩ das; -[e]s: lederähnli-
cher Kunststoff, der u. a. für
Bucheinbände verwendet wird
Ski|o̲p|ti|kon ⟨gr.-nlat.⟩ das; -s,
...ken od. -s: (veraltet) Projekti-
onsapparat
¹**Skip** ⟨skand.-engl.⟩ der; -s, -s: besonderer Förderkübel mit Kipp-
vorrichtung (Bergw.)
²**Skip** ⟨Kurzform von ↑Skipper⟩
der; -s, -s: Mannschaftsführer
(bes. beim Curling). **Skip|per**
⟨engl.⟩ der; -s, -: Kapitän einer
[Segel]jacht
Skis vgl. Skus
Ski|ver|tex ⓇⓇ ['skaj...] ⟨Kunstw.⟩
das; -: äußerlich dem Leder glei-
chendes Material aus Kunststoff
zum Einbinden von Büchern
Ski|zir|kus ['ʃi:...], auch: Schi...
⟨norw.; gr.-lat.⟩ der; -, -se: (Jargon) 1. (ohne Plural) alpine Ski-
rennen mit allem damit in Zusammenhang stehenden Veranstal-
tungen der Saison. 2. über ein
ganzes Skigebiet verteiltes, in
sich geschlossenes System von
Skiliften
Skiz|ze ⟨it.; „Spritzer“⟩ die; -, -n:
1. das Festhalten eines Ein-
drucks od. einer Idee in einer
vorläufigen Form. 2. [erster]
Entwurf, flüchtig entworfene
Zeichnung für ein Gemälde, eine
Plastik, eine Architektur. 3. klei-
ne Geschichte. **skiz|zie̲|ren:** 1.
(einen Eindruck od. eine Idee)
vorläufig [auf dem Papier] festhalten; (ein Problem) umreißen.
2. entwerfen, in den Umrissen
zeichnen; andeuten
Skla̲|ve ⟨slaw.-mgr.-mlat.⟩ der; -n,
-n: 1. (hist.) Leibeigener, in völ-
liger wirtschaftlicher u. rechtli-
cher Abhängigkeit von einem
anderen Menschen lebender
Mensch. 2. (Jargon) ↑Masochist.

Skla|ve|rei *die; -*: 1. Leibeigenschaft, völlige wirtschaftliche u. rechtliche Abhängigkeit eines Sklaven (1). 2. harte, ermüdende Arbeit. **skla|visch**: 1. unterwürfig, blind gehorchend, willenlos. 2. einem Vorbild genau nachgebildet **Skle|ra** *(gr.-nlat.) die; -, ...ren*: Lederhaut des Auges, die äußere Hülle des Auges (Med.). **Skle-ra|de|ni|tis*** *die; -, ...iti̯den*: Drüsenverhärtung (Med.). **Skle-re|i|de** *die; -, -n*: Steinzelle, Pflanzenzelle mit verholzten, starren Wänden (Bot.). **Skle-rem** *das; -s*: der Sklerodermie ähnliche Erkrankung (Med.). **Skle|ren**: *Plural* von ↑Sklera. **Skle|ren|chym*** *das; -s, -e*: Festigungsgewebe ausgewachsener Pflanzenteile (Bot.). **Skle|ri|tis** *die; -, ...iti̯den*: Entzündung der Lederhaut des Auges (Med.). **Skler|ödem*** *das; -s, -e*: mit einem Ödem verbundene, sklerodermieähnliche Verhärtung des Unterhautfettgewebes (Med.). **Skle|ro|der|mie** *die; -, ...ien*: Darrsucht; krankhafte Quellung des Bindegewebes mit Verhärtung der Haut (Med.). **Skle|rom** *das; -s, -e*: (Med.) 1. Sklerodermie. 2. chronische, mit Knotenbildung verlaufende Entzündung der oberen Luftwege. **Skle|ro-me|ter** *das; -s, -*: Instrument zur Härtebestimmung bei Mineralien. **Skle|ro|phyl|len** *die* (Plural): Hartlaubgewächse. **Skle-ro|se** *die; -, -n*: krankhafte Verhärtung von Geweben u. Organen (Med.). **Skle|ro|skop*** *das; -s, -e*: Härteprüfgerät in der Materialprüfung (Techn.). **Skle|ro-ti|ker** *der; -s, -*: an Sklerose Erkrankter bzw. Leidender (Med.). **skle|ro|tisch**: verhärtet (von Geweben; Med.). **Skle|ro|ti|um** *das; -s, ...ien*: hartes Pilzfadengeflecht als Dauerform mancher Schlauchpilze (z. B. des Mutterkornpilzes) **Sko|lex** *(gr.) „Wurm, Spulwurm")* *der; -, ...lizes [...litse:s]*: Bandwurmkopf. **Sko|li|on** *das; -s, ...ien*: altgriechisches Tischu. Trinklied mit vielfach gnomischem, vaterländischem od. religiösem Inhalt. **Sko|li|o|se** *(„Krümmung") die; -, -n*: seitliche Verkrümmung der Wirbelsäule (Med.). **Sko|lo|pen|der** *(gr.-lat.) der; -s, -*: (in den Tropen u. Subtropen in vielen Arten verbreiteter) gelblich brauner bis grüner Gliederfüßer mit längli-

chem Rumpf, vielen Beinpaaren u. giftigen Klauen **skon|tie|ren** *(lat.-it.)*: Skonto gewähren. **Skon|to** *der od. das; -s, -s (auch: ...ti)*: Preisnachlass bei Barzahlung **Skont|ra|ti|on*** *(lat.-it.-nlat.) die; -, -en: Fortschreibung, Bestandsermittlung durch Zu- u. Abschreibungen der Zu- und Abgänge (Wirtsch.). **skont|rie|ren**: (die Zu- und Abgänge) fortschreiben (Wirtsch.). **Skont|ro** *(lat.-it.) das; -s, s: Nebenbuch der Buchhaltung zur täglichen Ermittlung von bestimmten Bestandsmengen (Wirtsch.) **Skoo|ter** *['sku:tɐ] (engl.) der; -s, -*: 1. [elektrisches] Kleinauto auf Jahrmärkten. 2. Motorroller **Skop** *(angels.) der; -s, -s*: (hist.) Dichter u. Sänger in der Gefolgschaft eines westgermanischen Fürsten **Sko|po|la|min*** *(Kunstw.) das; -s*: dem Atropin verwandtes Alkaloid verschiedener Nachtschattengewächse mit stark erregungshemmender Wirkung **Sko|pus** *(gr.-lat.; „Ziel") der; -, ...pen*: 1. zentrale Aussage eines Predigttextes, auf die die Predigtauslegung hinführen soll. 2. Wirkungsbereich einer näheren Bestimmung (eines Satzes; Sprachw.). **Skop|ze** *(russ.) der; -n, -n* (meist Plural): Anhänger einer zu Anfang des 19. Jh.s gegründeten, von ihren Mitgliedern strenge Enthaltsamkeit fordernden, schwärmerischen russischen Sekte **Skor|but** *(mlat.) der; -[e]s*: auf einem Mangel an Vitamin C beruhende Krankheit, bei der es vor allem zu Blutungen des Zahnfleisches kommt (Med.). **skor|bu-tisch**: an Skorbut leidend **Skor|da|tur** vgl. Scordatura **sko|ren** *(engl.)*: (österr.) ↑scoren **Skor|pi|on** *(gr.-lat.) der; -s, -e*: 1. tropisches u. subtropisches Spinnentier mit Giftstachel. 2. (ohne Plural) ein Sternbild. 3. a) (ohne Plural) das 8. Tierkreiszeichen; b) in diesem Zeichen geborener Mensch **Skor|zo|ne|re** *(it.) die; -, -n*: Schwarzwurzel **Sko|to|di|nie** *(gr.-nlat.) die; -, ...ien*: Schwindel-, Ohnmachtsanfall (Med.). **Sko|tom** *das; -s, -e*: Gesichtsfelddefekt; Abdunkelung bzw. Ausfall eines Teils des Gesichtsfeldes (Med.). **Sko-to|mi|sa|ti|on** *die; -, -en*: Reali-

tätsleugnung (Psychol.) **sko|to-mi|sie|ren**: Realität od. Teile der Realität aufgrund eines Abwehrmechanismus negieren, für nicht gegeben halten (Psychol.). **Sko-to|pho|bie** *die; -, ...ien*: gesteigerte Angst vor der Dunkelheit (Psychol.) **Skra|per** *['skre:pɐ] (engl.) der; -s, -*: Entborstermaschine in Schlachtereien **Skri|bent** *(lat.) der; -en, -en*: Vielschreiber, Schreiberling. **Skri|bi-fax** *(lat.-nlat., scherzh. Bildung) der; -[es], -e*: (veraltet) Skribent. **Skrip** *vgl. Scrip. **Skript** *(lat.-fr.-engl.) „Geschriebenes") das; -[e]s, -en u. -s*: 1. schriftliche Ausarbeitung, Schriftstück. 2. Nachschrift einer Hochschulvorlesung. 3. (Plural meist -s) a) Drehbuch für einen Film; b) einer Rundfunk-, Fernsehsendung zugrunde liegende schriftliche Aufzeichnungen. **Skrip|ta** *(lat.)*: Plural von ↑Skriptum. **Skrip|ten**: Plural von ↑Skript. **Skript|girl** *['skript-gœrl] (engl.) das; -s, -s*: Mitarbeiterin, Sekretärin eines Filmregisseurs, die während der Dreharbeiten alle technischen Daten als Grundlage für die weitere Filmbearbeitung notiert. **Skrip-tor** *(lat.) der; -s, ...oren*: (hist.) antiker u. mittelalterlicher Buchschreiber od. Bibliotheksgehilfe. **Skrip|to|ri|um** *(lat.-mlat.) das; -s, ...ien*: mittelalterliche Klosterschreibstube. **Skrip|tum** *(lat.) das; -s, ...ta*: ↑Skript. **Skrip|tur** *die; -, -en* (meist Plural): (veraltet) Schrift, Schriftstück. **skrip|tu|ral** *(lat.-mlat.)*: die Schrift betreffend; **skrip-turale Malerei**: von den Schriftzeichen, vor allem den ostasiatischen, inspirierte Form der abstrakten Malerei **Skro|fel** *(lat.-mlat.) die; -, -n*: ↑Skrofulose. **skro|ful|lös** *(lat.-mlat.-nlat.)*: zum Erscheinungsbild der Skrofulose gehörend, an ihr leidend (Med.). **Skro|fu|lo|se** *die; -, -n*: (tuberkulöse) Haut- u. Lymphknotenerkrankung bei Kindern (Med.). **Skro|ta**: Plural von ↑Skrotum. **skro|tal** *(lat.-nlat.)*: auf den Hodensack bezüglich, ihn betreffend (Med.). **Skro|tal|bruch** *der; -[e]s, ...brüche u. Skro|tal|her-nie** *[...ni̯ə] die; -, -n*: Hodenbruch (Med.). **Skro|tum,** med. fachspr.: Scrotum *(lat.) das; -s ...ta*: Hodensack (Med.)

Skrub|ber ['skrabɐ] ⟨engl.⟩ *der; -s, -:* Anlage zur Reinigung von Gasen; Sprühwäscher

Skrubs [skrʌbz] ⟨engl.⟩ *die* (Plural): minderwertige Tabakblätter

¹Skru|pel *der; -s, -* (meist Plural): Zweifel, ob ein bestimmtes Handeln mit dem eigenen Gewissen vereinbar ist; auf moralischen Bedenken beruhende Hemmung. **²Skru|pel** *das; -s, -:* altes Apothekergewicht. **skru|pu|lös** ⟨lat.⟩: (veraltet) bedenkenvoll, ängstlich; peinlich genau. **Skrupu|lo|si|tät** *die; -, -en:* (veraltet) skrupulöses Wesen, Ängstlichkeit

Skru|ta|tor ⟨lat.; „Durchsucher, Prüfer"⟩ *der; -s, ...oren:* Einsammler der geheimen Stimmen bei einer katholischen kirchlichen Wahl. **Skru|ti|ni|um** ⟨„Durchsuchung, Prüfung"⟩ *das; -s, ...ien:* 1. a) Sammlung u. Prüfung der Stimmen bei einer katholischen kirchlichen, seltener bei einer politischen Wahl; b) Abstimmung od. kanonische Wahl durch geheime Stimmabgabe. 2. a) bischöfliche Prüfung der Kandidaten für die Priesterweihe; b) in altchristlicher Zeit die Prüfung der Täuflinge

Skua ⟨färöisch⟩ *die; -, -s:* nordatlantische Raubmöwe (Zool.)

Sku|ban|ken ⟨tschech.⟩ *die* (Plural): (österr.) aus Kartoffeln, Mehl u. Butter hergestellte Klöße, die mit zerlassener Butter übergossen u. mit Mohn bestreut werden

Skull ⟨engl.⟩ *das; -s, -s:* der nur mit einer Hand geführte Holm mit Ruderblatt eines Skullboots. **Skull|boot** ⟨engl.; dt.⟩ *das; -[e]s, -e:* Ruderboot, das mithilfe von Skulls vorwärts bewegt wird. **skul|len** ⟨engl.⟩: mit Skulls rudern (Sport). **Skul|ler** *der; -s, -:* jmd., der skullt

Skulp|teur [...'tø:ɐ] ⟨lat.-fr.⟩ *der; -s, -e:* Künstler, der Skulpturen herstellt. **skulp|tie|ren** ⟨lat.-nlat.⟩: eine Skulptur herstellen, ausmeißeln. **Skulp|tur** ⟨lat.⟩ *die; -, -en:* 1. Bildhauerarbeit, -werk. 2. (ohne Plural) Bildhauerkunst. **skulp|tu|ral** ⟨lat.-nlat.⟩: die Form einer Skulptur betreffend, in der Form einer Skulptur

Skunk ⟨indian.-engl.⟩ *der; -s, -e* (auch: -s): 1. (zu den Mardern zählendes) nord- u. südamerikanisches Stinktier. 2. (Plural: meist Plural) a) Fell des Skunks (1); b) aus Skunkfell hergestellter Pelz. **Skunks** *der; -es, -e:* (Fachspr.) Skunk (2 b)

Skupsch|ti|na* ⟨serbokroat.⟩ *die; -:* jugoslawisches Parlament

skur|ril ⟨etrusk.-lat.⟩: (in Aussehen u. Wesen) sonderbar, auf lächerliche oder befremdende Weise eigenwillig. **Skur|ri|li|tät** *die; -, -en:* sonderbares Wesen, bizarres Aussehen, bizarre Beschaffenheit; Verschrobenheit

Skus u. **Sküs** u. **Skis** ⟨lat.-fr.⟩ *der; -, -:* Trumpfkarte im Tarockspiel

Skye [skai] *der; -s, -s* u. **Skye|ter|ri|er** ['skai...] ⟨engl.; nach der Hebrideninsel Skye⟩ *der; -s, -:* kleiner, kurzbeiniger Hund mit langem Schwanz

Sky|ja|cker ['skaidʒɛkɐ] ⟨engl.⟩ *der; -s, -:* ↑ Hijacker. **Sky|light** ['skailait] ⟨engl.⟩ *das; -s, -s:* (Seemannsspr.) Oberlicht, Luke (auf Schiffen). **Sky|light|fil|ter** ['skailait...] *der* od. (fachspr. meist:) *das; -s, -:* schwach rötlich getönter Filter, der man (bei Verwendung eines Umkehrfarbfilms zur Verhinderung von Blaustichigkeit) vor das Objektiv setzt (Fotogr.). **Sky|line** ['skailain] *die; -, -s:* Horizont[linie], [charakteristische] Silhouette einer aus der Ferne gesehenen Stadt

Sky|lla ⟨gr.⟩: griechische Form von ↑ Szylla

Sky|phos ⟨gr.⟩ *der; -, ...phoi:* altgriechisches becherartiges Trinkgefäß mit zwei waagerechten Henkeln am oberen Rand

Sky|se|gel [skai...] ⟨engl.; dt.⟩ *das; -s, -:* bei großen Segelschiffen das oberste Rahsegel

Slacks [slɛks, slæks] ⟨engl.⟩ *die* (Plural): lange, weite [Damen]hose

Sla|lom ⟨norw.; „geneigte Skispur"⟩ *der; -s, -s:* a) Torlauf (Ski- u. Kanusport); b) Zickzacklauf, -fahrt

Slang [slæŋ] ⟨engl.⟩ *der; -s:* a) (oft abwertend) nachlässige, saloppe Umgangssprache; b) umgangssprachliche Ausdrucksweise bestimmter sozialer, beruflicher o. ä. Gruppen; [Fach]jargon

Slap|stick ['slɛpstɪk, auch: 'slæpstɪk] ⟨engl.⟩ *der; -s, -s:* a) (bes. in Bezug auf Stummfilme) Burleske (1); b) burleske Einlage, grotesk-komischer Gag, wobei meist die Tücke des Objekts als Mittel eingesetzt wird. **Slapstick|ko|mö|die** ['slæpstɪk..., auch: 'slæpstɪk] *die; -, -n:* [Film]komödie, die überwiegend aus Slapsticks (b) besteht

slar|gan|do ⟨lat.-it.⟩: breiter, langsamer werdend (Vortragsanweisung; Mus.)

sla|wi|sie|ren ⟨slaw.-nlat.⟩: slawisch machen. **Sla|wis|mus** *der; -, ...men:* 1. Übertragung einer für eine slawische Sprache charakteristischen Erscheinung auf eine nicht slawische Sprache im lexikalischen u. syntaktischen Bereich. 2. Element der slawischen orthodoxen Kirchensprache in bestimmten modernen slawischen Schriftsprachen. **Sla|wist** *der; -en, -en:* Wissenschaftler auf dem Gebiet der Slawistik. **Sla|wis|tik** *die; -:* wissenschaftliche Erforschung der slawischen Sprachen u. Literaturen. **sla|wis|tisch:** die Slawistik betreffend. **sla|wo|phil** ⟨slaw.; gr.⟩: den Slawen, ihrer Kultur besonders aufgeschlossen gegenüberstehend. **Sla|wo|phi|le** *der; -n, -n:* 1. Freund u. Gönner der Slawen u. ihrer Kultur. 2. Anhänger einer russischen philosophisch-politischen Ideologie im 19. Jh., die die Eigenart u. die geschichtliche Aufgabe Russlands gegenüber Westeuropa betonte

Slee|per ['sli:pɐ] ⟨engl.⟩ *der; -s, -:* (Jargon) 1. Sitzplatz in der 1. Klasse eines Flugzeugs, dessen Lehne stark zurückgeklappt werden kann. 2. (für eine spätere Aufgabe) irgendwo eingeschleuster, aber noch nicht tätiger Spion, Geheimagent o. Ä.

Slen|dro* u. Selendro ⟨javan.⟩ *das; -[s]:* siebenstufige indonesische Tonskala

slen|tan|do: ↑ lentando

Sli|bo|witz u. Sliwowitz ⟨serbokroat.⟩ *der; -[es], -e:* Pflaumenbranntwein

Slice [slais] ⟨germ.-fr.-engl.⟩ *der; -s [...sɪz]:* 1. Schlag, bei dem der Ball in einer bestimmten Richtung (nämlich beim Rechtshänder nach rechts u. beim Linkshänder nach links) von der Geraden abweicht (Golf). 2. Schlag, bei dem sich Schlägerbahn u. Schlagfläche in einem Winkel von weniger als 45° schneiden (Tennis). **sli|cen** [slaisn]: einen Slice spielen, schlagen (Golf, Tennis). **Slick** ⟨engl.-amerik.⟩ *der; -s, -s:* für trockene Strecken verwendeter, profilloser Rennreifen mit einer klebrigen Gummimischung, die bei starker Erhitzung ihre beste Haftfähigkeit erlangt (Motorsport)

Sli|ding|tack|ling [ˈslaɪdɪŋˈtæklɪŋ] ⟨engl.⟩ das; -s, -s: Aktion eines Abwehrspielers mit dem Ziel, den Angreifer vom Ball zu trennen, wobei der Abwehrspieler in die Beine des Angreifers hineingrätscht (Fußball)
slim ⟨germ.-engl.⟩: engl. Bez. für: schlank, schmal
Sling ⟨engl.⟩ der; -[s], -s: 1. Kurzform von ↑Slingpumps. 2. (bes. in Amerika getrunkenes) kaltes alkoholisches Getränk. **Slingpumps** der; -, -: Pumps mit ausgesparter Hinterkappe, der über der Ferse mit einem Riemchen gehalten wird
Slink ⟨engl.⟩ das; -[s], -s: Fell des 4 bis 5 Monate alten Lammes einer ostasiatischen Schafrasse
Slip ⟨engl.⟩ der; -s, -s: 1. Unterschied zwischen dem tatsächlich zurückgelegten Weg eines durch Propeller angetriebenen Flugzeugs, Schiffes u. dem aus der Umdrehungszahl des Propellers theoretisch sich ergebenden Weg (Techn.). 2. schiefe Ebene in einer Werft für den Stapellauf eines Schiffes (Seew.). 3. kleine, eng anliegende Unterhose, deren Beinteil in der Schenkelbeuge endet. 4. gezielt seitwärts gesteuerter Gleitflug mit starkem Höhenverlust (Flugw.). 5. [Abrechnungs]beleg bes. bei Bank- u. Börsengeschäften (Bankw.). **Slippon** der; -s, -s: bequemer Herrensportmantel mit Raglanärmeln. **Slip|pen** das; -s: 1. Änderung der Fallrichtung beim Fallschirmspringen. 2. ↑Slip (4).
Slip|per der; -s, -: 1. bequemer Schuh mit niederem Absatz u. ohne Verschnürung. 2. (österr.) ↑Slipon
Slj|wo|witz vgl. Slibowitz
Slo|gan [ˈsloːgn̩, ˈsloʊɡən] ⟨gäl.-engl.⟩ der; -s, -s: Werbeschlagwort od. -zeile, einprägsame, wirkungsvoll formulierte Redewendung
Slo|ka ⟨sanskr.⟩ der; -, -s: aus zwei 16-silbigen Versen bestehender epischer Vers der Sanskritdichtungen
Sloop [sluːp] ⟨niederl.-engl.⟩ der; -, -s: ↑Slup
Slop ⟨engl.-amerik.⟩ der; -s, -s: aus dem Madison entwickelter Modetanz im ²/₄-Takt
Slot|ra|cing [...reɪsɪŋ] ⟨engl.-amerik.⟩ das; -: Rennen mit elektrisch betriebenen Spielzeugautos auf einer speziellen, dafür vorgesehenen Bahn
slow [sloː, sloʊ] ⟨amerik.⟩: Tempobezeichnung im Jazz, etwa zwischen adagio u. andante. **Slow|fox** [ˈsloː..., ˈsloʊ...] ⟨engl.⟩ der; -[es], -e: dem Blues ähnlicher langsamer Foxtrott. **Slow-Scan|ning-Ver|fah|ren** [...ˈskɛnɪŋ...] das; -s: Verfahren, bei dem das bewegte Bild des Fernsehens scheinbar in Momentaufnahmen zerlegt wird
Slum [slam, slʌm] ⟨engl.; „kleine, schmutzige Gasse"⟩ der; -s, -s: (meist Plural) Elendsviertel [von Großstädten]
Slump [slamp, slʌmp] ⟨engl.⟩ der; -[s], -s: ↑Baisse im Börsenwesen
Slup ⟨eindeutschend für ↑Sloop⟩ die; -, -s: 1. einmastige Jacht mit Groß- u. Vorsegel. 2. kurz für: Sluptakelung (Takelungsart mit Groß- u. Vorsegel)
small [smɔːl] ⟨engl.⟩: klein (als Kleidergröße; Abk.: S). **Smallband** [ˈsmɔːlbænd] ⟨engl.-amerik.⟩ die; -, -s, auch: **Small Band** die; - -, - -s: kleine Jazzbesetzung, bes. für den Swingstil. **Smalltalk** [ˈsmɔːltɔːk] ⟨engl.⟩ der (auch: das); -[s], -, auch: **Small Talk** der (auch: das); - -[s], - -: leichte, beiläufige Konversation; Geplauder
Smal|te vgl. Schmalte. **Smal|tin** ⟨germ.-roman.-nlat.⟩ u. **Smal|tit** auch: ...'tɪt] der; -s: grauweißes bis stahlgraues Mineral; Speiskobalt
Sma|ragd ⟨gr.-lat.⟩ der; -[e]s, -e: tiefgrün gefärbter Beryll, der als wertvoller Edelstein gilt. **smarag|den**: grün wie ein Smaragd
smart [auch: smart] ⟨engl.⟩: a) schlau, geschäftstüchtig, durchtrieben; b) schick, flott (von der Kleidung)
Smash [smæʃ] ⟨engl.⟩ der; -[s], -s (Tennis) a) Schmetterschlag; b) Schmetterball
Smeg|ma ⟨gr.-nlat.; „das Schmieren"⟩ das; -[s]: von den Talgdrüsen unter dem Vorhaut sowie zwischen Klitoris u. kleinen Schamlippen abgesondertes Sekret (Med.)
Smith|so|nit [smɪtsoˈniːt, auch: ...ˈnɪt] ⟨nlat.; nach dem engl. Mineralogen Smithson⟩ der; -s, -e: farbloses bis weißes, meist getöntes, durchscheinendes bis trübes Mineral
Smog ⟨engl.; Bildung aus engl. smoke „Rauch" u. fog „Nebel"⟩ der; -s, -s: dicke, undurchdringliche, aus Rauch u. Schmutz bestehende Dunstglocke über Industriestädten
Smok|ar|beit ⟨engl.; dt.⟩ die; -, -en: Näharbeit, bei der der Stoff durch einen Zierstich in kleine Fältchen gerafft wird. **smo|ken** ⟨engl.⟩: eine Smokarbeit anfertigen
Smo|king ⟨engl.⟩ der; -s, -s (österr. auch: -e): bei kleineren gesellschaftlichen Veranstaltungen getragener, meist schwarzer Abendanzug für Herren mit seidenen Revers
Smör|gås|bord [...goːs...] ⟨schwed.⟩ der; -s, -s: aus vielen verschiedenen, meist kalten Speisen bestehende Vorspeisentafel. **Smör|rebröd** ⟨dän.⟩ das; -s, -s: reich belegtes Brot
smor|zan|do ⟨lat.-vulgärlat.-it.⟩: ersterbend, verlöschend, verhauchend, abnehmend (Vortragsanweisung; Mus.). **Smor|zan|do** das; -s, -s u. ...di: ersterbendes, verlöschendes, verhauchendes Spiel (Mus.)
Smyr|na ⟨nach der kleinasiat. Stadt (heute İzmir)⟩ der; -[s], -s: langfloriger Teppich mit großer Musterung
Snack [snɛk, snæk] ⟨engl.⟩ der; -s, -s: Imbiss, kleine Zwischenmahlzeit. **Snack|bar** die; -, -s: engl. Bez. für: Imbissstube
snie|fen (zu engl. to sniff: „schnüffeln"): (Jargon) ↑sniffen
Sniff ⟨engl.-amerik.⟩ der; -s, -s: (Jargon) das Sniffen. **snif|fen**: (Jargon) a) sich durch das Einatmen von Dämpfen bestimmter Stoffe (z. B. Lösungsmittel) in einen Rauschzustand versetzen; b) (einen Stoff) zum Sniffen (a) benutzen. **Snif|fing** das; -[s]: das Sniffen
Snob [snɔp, snɔb] ⟨engl.⟩ der; -s, -s: Mensch, der sich durch zur Schau getragene Extravaganz den Schein geistiger, kultureller Überlegenheit zu geben sucht u. nach gesellschaftlicher Exklusivität strebt. **Snob|ap|peal** [snɔpəˈpiːl] ⟨engl.⟩ der; -s: Wirkung, Ansehen, über das ein Snob verfügt; Reiz, den ein Snob ausübt. **Sno|bi|el|ty** [snɔbaɪəti] die; -: ↑Highsnobiety. **Sno|bis|mus** ⟨engl.-nlat.⟩ der; -, ...men: 1. (ohne Plural) Vornehmtuerei, Wichtigtuerei. 2. für einen Snob typische Verhaltensweise od. Eigenschaft. **sno|bis|tisch**: in der Art eines Snobs; von Snobismus (1) geprägt
Snoo|ker [ˈsnuːkə] ⟨engl.; Herkunft unsicher⟩ das; -s, -s: 1. (ohne Plural) dem Poolbillard ähnliches Billardspiel. 2. bestimmte Spielsituation beim Snooker (1)

Snow [snoʊ] ⟨engl.-amerik.⟩ der; -[s]: Rauschmittel, das als weißes Pulver gehandelt wird, bes. Kokain. **Snow|board** ['snoʊbɔːd] ⟨engl.; „Schneebrett“⟩ das; -s, -s: einem Brett ähnliches Sportgerät zum Gleiten auf Schnee. **snow|boar|den:** Snowboarding betreiben. **Snow|boarder** der; -s, -: jmd., der Snowboarding betreibt. **Snow|boarding** das; -s: sportliche Betätigung auf einem Snowboard. **Snow|mo|bil** ⟨engl.; lat.⟩ das; -s, -e: Fahrzeug mit Motor zur Fortbewegung auf Schnee. **Snowraf|ting** ⟨engl.⟩ das; -s: dem ↑ Rafting ähnliche wilde Fahrt im Schnee

Soap|ope|ra ['soʊp'ɔpərə] ⟨engl.-amerik.; „Seifenoper“⟩ die; -, -s: rührselige, seichte, melodramatische, komische o. ä. Funk- od. Fernsehserie, Unterhaltungsserie

so|a|ve ⟨lat.-it.⟩: lieblich, sanft, angenehm, süß (Vortragsanweisung; Mus.)

Sol|bor ⟨russ.⟩ der; -: Konzil, Synode (der russisch-orthodoxen Kirche). **So|bor|nost** die; -: Organisationsprinzip in der orthodoxen Kirche, wonach ein Synodalbeschluss vom Kirchenvolk gutgeheißen werden muss

Sob|ri|e|tät* ⟨lat.⟩ die; -: (veraltet) Mäßigkeit

Soc|cer ['sɔkə] ⟨engl.⟩ das (auch: der); -s: amerik. Bez. für: Fußball (im Unterschied zu ↑ Football u. ↑ Rugby)

Soc|cus ⟨gr.-lat.⟩ der; -, Socci ['zɔktsi]: leichter, niedriger Schuh der Schauspieler mit flacher Sohle (in den antiken Komödie im Unterschied zum ↑ Kothurn des tragischen Schauspielers)

So|cial|costs ['soʊʃəl'kɔsts] ⟨engl.⟩, auch: **So|cial Costs** die (Plural): Kosten, die bei der industriellen Produktion entstehen (z. B. durch Wasser-, Luftverschmutzung), jedoch von der Gemeinschaft getragen werden müssen. **So|cial|en|gi|nee|ring** [...ɛndʒɪ'nɪərɪŋ] das; -, auch: **Social Engi|nee|ring** das; -: ↑ Einbeziehung sozialer Bedürfnisse des Menschen bei der Planung von Arbeitsplätzen u. Ä. **So|cial-spon|so|ring** [...'spɔnsərɪŋ] das; -[s], auch: **So|cial Spon|so|ring** das; - -[s]: Sponsoring zugunsten sozialer Einrichtungen o. Ä. **So|ci|e|tas Je|su** ⟨nlat.; „Gesellschaft Jesu“⟩ die; - -: Orden der

Jesuiten; Abk.: SJ (hinter Personennamen = Societatis Jesu „von der Gesellschaft Jesu“). **So|ci|e|ty** [sə'saɪətɪ] die; -: ↑ Highsociety

So|da ⟨span.⟩ die; -, (auch:) das; -s: 1. Natriumkarbonat. 2. (nur: das; -s:)mit Kohlensäure versetztes Mineralwasser, Sodawasser **So|da|le** ⟨lat.⟩ der; -n, -n: Mitglied einer katholischen Sodalität. **So|da|li|tät** die; -, -en: katholische Bruderschaft od. Kongregation (1)

So|da|lith [auch: ...'lɪt] ⟨span.; gr.⟩ der; -s, -e: als Schmuckstein verwendetes meist farbloses Mineral

So|do|ku ⟨jap.⟩ das; -: durch den Biss von Ratten od. Ratten fressenden Tieren übertragene Infektionskrankheit mit Fieberanfällen, Schmerzen u. Hautausschlag (Med.)

So|dom ⟨nach der bibl. Stadt⟩ das; -: Stadt od. Stätte der Sünde u. Lasterhaftigkeit. **So|do|mie** ⟨nlat.⟩ die; -, ...ien: 1. Geschlechtsverkehr mit Tieren. 2. (veraltet) Homosexualität. **so|do|mi|sie|ren:** anal koitieren. **So|do|mit** der; -en, -en: jmd., der seinen Geschlechtstrieb durch Sodomie (1) befriedigt. **so|do|mi|tisch:** Sodomie treibend. **So|doms|ap|fel** der; -s, ...äpfel: Wucherung an Blättern, Knospen od. jungen Trieben von Eichen; Gallapfel (Bot.). **So|dom und Go|mor|rha** ⟨nach 1. Mos. 18 u. 19⟩ das; - - -[s], - - -s: Zustand der Lasterhaftigkeit u. Verworfenheit

So|fa ⟨arab.-türk.(-fr.)⟩ „Ruhebank“⟩ das; -s, -s: gepolstertes Sitzmöbel für mehrere Personen **Sof|fi|o|ne** ⟨lat.-it.⟩ die; -, -n: Exhalation (2) borsäurehaltiger heißer Wasserdämpfe (in ehemaligen Vulkangebieten)

Sof|fit|te u. Suffitte ⟨lat.-vulgärlat.-it.⟩ die; -, -n (meist Plural): 1. vom Schnürboden herabhängendes Deckendekorationsstück, das eine Bühne nach oben abschließt (Theater). 2. Kurzform von ↑ Soffittenlampe. **Sof|fit|ten|lam|pe** der; -, -n: röhrenförmige Glühlampe

soft ⟨engl.⟩: 1. a) weich; b) weich (Vortragsweise in der Musik, bes. im Jazz). 2. (von Männern) nicht den althergebrachten Vorstellungen entsprechend, sondern sanft, weich, seinen Gefühlen Ausdruck gebend **Soft|ta** ⟨pers.-türk.; „(für die Wis-

senschaft) Erglühter“⟩ der; -[s], -[s]: (hist.) Student einer islamischen Hochschule **Soft|ball** [...bɔːl] der; -s: Form des Baseballs mit weicherem Ball u. kleinerem Feld. **Soft|co|py** [...kɔpi] ⟨engl.; „weiche (im Sinn von nicht gegenständliche) Kopie“⟩ die; -, -s, auch: **Soft Co|py** die; - -, - -s: Darstellung von Daten od. Texten auf dem Monitor eines Computers (im Unterschied zur ausgedruckten ↑ Hardcopy; EDV). **Soft|drink** der; -s, -s, auch: **Soft Drink** der; - -s, - -s: alkoholfreies Getränk; Ggs. ↑ Harddrink. **Soft|drug** [...drʌg] die; -, -s, auch: **Soft Drug** die; - -, - -s: Rauschgift mit geringerem Suchtpotenzial (z. B. Haschisch, Marihuana). **Soft-eis** ⟨engl.; dt.⟩ das; -es, -: sahniges, weiches Speiseeis. **sof|ten** ⟨engl.⟩: mit optischen Hilfsmitteln weich zeichnen (Fotogr.). **Sof|te|ner** der; -s, -: Quetschmaschine, die Fasern weich macht (Textilindustrie). **Sof|tie** der; -s, -s: Mann von sanftem, zärtlichem, empfindungsfähigem Wesen. **Sof|t|por|no** der; -s, -s: Sexfilm, in dem keine ausgefallenen Sexualpraktiken dargestellt u. die Vorgänge nicht allzu detailliert gezeigt werden. **Soft|rock** der; -[s], auch: **Soft Rock** der; - -[s]: gemilderte, leisere Form der Rockmusik. **Soft|ware** [...ɛə] ⟨engl.; „weiche Ware“⟩ die; -, -s: zum Betrieb einer Datenverarbeitungsanlage erforderliche nichtapparative Funktionsbestandteile (Einsatzanweisungen, Programme u. Ä.); Ggs. ↑ Hardware.

So|har ⟨hebr.; „Glanz“⟩ der; -: in Anlehnung an den Pentateuch gestaltetes Hauptwerk der jüdischen Kabbala

soi-di|sant [swadi'zã] ⟨fr.⟩: (veraltet) angeblich; so genannt **soig|nie|ren*** [zɔa̯n'ji:...] ⟨germ.-fr.⟩: (veraltet) besorgen, pflegen. **soig|niert:** gepflegt; gediegen; seriös (bes. in Bezug auf die äußere Erscheinung)

Soil|ero|sion ['sɔɪlɪ'roʊʒən] ⟨lat.-engl.⟩ die; -: engl. Bez. für: Bodenerosion (Geol.)

Soi|ree [sɔa'reː] ⟨lat.-fr.⟩ die; -, -n: Abendgesellschaft; Abendvorstellung

Soi|xante-neuf [swasãt'nœf] ⟨fr.; „69“⟩ das; -: ↑ Sixty-nine

So|ja ⟨jap.-niederl.⟩ die; -, Sojen u. **So|ja|boh|ne** die; -, -n: südostasiatische wertvolle, eiweißreiche Nutzpflanze. **So|ja|so|ße** *die; -, -n:* aus gegorenen Sojabohnen gewonnene Speisewürze **So|kol** *‹slaw.;* „Falke") *der; -s, -n:* Name polnischer, tschechischer. u. südslawischer (früher sehr nationalistischer) Turnverbände. **So|kol|ist** *‹slaw.-nlat.› der; -en, -en:* Mitglied eines Sokols **Sok|ra|tik*** ‹nach dem griech. Philosophen Sokrates, 469–399 v. Chr.) *die; -:* Art des Philosophierens, bei der die Einsicht in das menschliche Leben die wesentliche Aufgabe ist. **Sok|ra|ti|ker** *der; -s, -* (meist Plural): Schüler des Sokrates u. Vertreter der an das sokratische Philosophieren anknüpfenden Schulrichtungen. **sok|ra|tisch:** die Sokratik betreffend; **sokratische Methode:** auf die sokratische Art des Philosophierens zurückgehendes Unterrichtsverfahren, den Schüler durch geschicktes Fragen die Antworten u. Einsichten selbst finden zu lassen

sol *‹lat.-it.›:* Silbe, auf die beim Solmisieren der Ton g gesungen wird (Mus.); vgl. Solmisation

¹Sol *‹lat.-span.› der; -[s], -s* (aber: 5 Sol): (bis 1985 geltende) Währungseinheit in Peru

²Sol ‹Kunstw.) *das; -s, -e:* kolloide Lösung (Chem.)

so|la fi|de *‹lat.;* „allein durch den Glauben"): Grundsatz der Rechtfertigungslehre Luthers nach Römer 3, 28

So|la|nin *‹lat.-nlat.› das;* s: stark giftiges Alkaloid verschiedener Nachtschattengewächse. **So|la|nis|mus** *der; -:* Vergiftung durch Solanin (Med.). **So|la|num** *‹lat.) das; -s, ...nen:* Nachtschattengewächs mit zahlreichen Nutzpflanzen (z. B. Kartoffel, Tomate)

so|lar u. **solarisch** ‹lat.): die Sonne betreffend, zur Sonne gehörend (Meteor.; Astron.; Phys.). **So|lar|ener|gie** *die; -:* Sonnenenergie; im Innern der Sonne erzeugte Energie, die an die Oberfläche der Sonne gelangt u. von dort abgestrahlt wird (Phys.). **So|lar|farm** *die; -, -en:* Sonnenkraftanlage mit sehr vielen, auf großer Fläche angeordneten Solarkollektoren, in der Sonnenenergie in größerem Maße gewonnen wird. **So|lar|ho|ro|skop*** *das; -s, -e:* auf den Sonnenlauf ausgerechnetes Horoskop für ein Jahr. **So|la|ri|me|ter** *das; -s, -:* Gerät zur Messung der Sonnen- u. Himmelsstrahlung. **So|la|ri|sa-**

ti|on ‹lat.-nlat.) *die; -, -en:* Erscheinung der Umkehrung der Lichteinwirkung bei starker Überbelichtung des Films (Fotogr.). **so|la|risch** vgl. solar. **So|la|ri|um** *das; -s, ...ien:* Anlage, Gerät mit künstlich ultraviolette Strahlung erzeugenden Lichtquellen zur Bräunung des Körpers. **So|lar|jahr** *das; -[e]s, -e:* Sonnenjahr (Astron.). **So|lar|kol|lek|tor** *der; -s, -en:* Sonnenkollektor, Vorrichtung, mit deren Hilfe Sonnenenergie absorbiert wird. **So|lar|kon|stan|te** *die; -, -n:* mittlere Wärmemenge der in der Minute auf einen Quadratzentimeter der Erdoberfläche auftreffenden Sonnenstrahlen (Meteor.). **So|lar|öl** *das; -s, -e:* (früher) bei der Destillation von Braunkohlenteer gewonnenes Mineralöl. **So|lar|ple|xus** [auch: ...'plε...] *der; -, -:* Sonnengeflecht (des sympathischen Nervensystems im Oberbauch; Med.). **So|lar|tech|nik** *die; -:* Technik, die sich mit der Nutzbarmachung u. den Anwendungsmöglichkeiten der Sonnenenergie befasst. **so|lar|thermisch:** die Sonnenenergie, -wärme betreffend, davon ausgehend, dadurch bewirkt. **So|lar|zel|le** *die; -, -n:* Sonnenzelle; Element (7) aus bestimmten Halbleitern, das die Energie der Sonnenstrahlen in elektrische Energie umwandelt

So|la|wech|sel ‹lat. it.; dt.) *der; -s, -:* Wechsel, bei dem sich der Aussteller selbst zur Zahlung einer Geldsumme verpflichtet; Eigenwechsel (Wirtsch.)

Sol|da|nel|la u. **Sol|da|nel|le** ‹it.) *die; -, ...llen:* Alpenglöckchen (Schlusselblume)

Sol|dat *‹lat.-vulgärlat.-it.;* „der im Wehrsold Genommene") *der; -en, -en:* 1. a) Angehöriger der Streitkräfte eines Landes; b) unterster militärischer Dienstgrad, unterste Ranggruppe der Land- u. Luftstreitkräfte. 2. (bei Insekten) [unfruchtbares] Exemplar, das für die Verteidigung des Stocks sorgt (bes. bei Ameisen u. Termiten). 3. Feuerwanze (Zool.). **Sol|da|tes|ka** *die; -, ...ken:* gewalttätig u. rücksichtslos vorgehende Soldaten. **Sol|da|tin** *die; -, -nen:* weibl. Form zu ↑Soldat (1). **sol|da|tisch:** in Art u. Haltung eines ↑Soldaten (1). **Sol|do** *der; -s, -s* u. Soldi: (hist.) italienische Münze

Sol|leil [zɔ'lɛːj, sɔ'lɛj] ‹lat.-vulgär-

lat.-fr.; „Sonne"› *der; -[s]:* fein geripptes, glänzendes Kammgarngewebe

sol|lenn ‹lat.): feierlich, festlich. **sol|len|ni|sie|ren:** (veraltet) feierlich begehen; feierlich bestätigen. **Sol|len|ni|tät** *die; -, -en:* Feierlichkeit

Sol|le|no|id (gr.; „rinnen-, röhrenförmig") *das; -[e]s, -e:* zylindrische Metallspule, die bei Stromdurchfluss wie ein Stabmagnet wirkt

Sol|fa|ta|ra u. **Sol|fa|ta|re** ‹it.; nach dem Krater bei Neapel) *die; -, ...ren:* ↑Exhalation (2) schwefelhaltiger heißer Wasserdämpfe in ehemaligen Vulkangebieten

sol|feg|gie|ren [...fε'dʒi:...] ‹it.): Solfeggien singen (Mus.). **Sol|feg|gio** [...dʒo] *das; -s, ...ggien* [...dʒn]: auf die Solmisationssilben gesungene Gesangsübung

So|li: *Plural* von ↑Solo

So|li|ci|tor [sə'lɪsɪtə] ‹lat.-fr.-engl.) *der; -s, -s:* (in Großbritannien) nur bei niederen Gerichten zugelassener Anwalt

so|lid u. **solide** ‹lat.-fr.): 1. fest, haltbar; gediegen (von Gegenständen). 2. ordentlich, maßvoll, nicht ausschweifend, nicht vergnügungssüchtig; anständig (von Personen). **so|li|da|risch** ‹lat.-fr.): a) gemeinsam; übereinstimmend; b) füreinander einstehend, eng verbunden. **so|li|da|ri|sie|ren** ‹lat.-fr.-nlat.): a) sich -: für jmdn. etwas eintreten; sich mit jmdm. verbünden, um gemeinsame Ziele u. Interessen zu verfolgen; b) zu solidarischem Verhalten bewegen. **So|li|da|ris|mus** *der; -:* Richtung der [katholischen] Sozialphilosophie, die im rechten Ausgleich zwischen dem Einzelnen und der Gemeinschaft das Gemeinwohl zu fördern sucht. **So|li|da|ri|tät** *‹lat.-fr.›* *die; -:* Zusammengehörigkeitsgefühl, Gemeinsinn. **So|li|da|ri|täts|zu|schlag** *der; -[e]s:* zur Beschaffung der durch die deutsche Vereinigung zusätzlich benötigten Mittel erhobener Zuschlag zur Einkommens- u. Körperschaftssteuer. **So|li|dar|pakt** *der; -[e]s, -e:* Übereinkommen zwischen Politik, Unternehmensverbänden u. Gewerkschaften zur Finanzierung außergewöhnlicher Vorhaben durch eine möglichst sozialverträgliche Verteilung der Lasten. **So|li|dar|pa|tho|lo|gie** ‹lat.-nlat.; gr.) *die; -:* Lehre, die in den festen Bestandteilen des Körpers die Ursachen der Krankheiten sucht (Med.). so|li|de vgl. solid

So|li De̱o ⟨*lat.;* „allein vor Gott"⟩ *der; - -, - -:* der nur vor dem Allerheiligsten abgenommene ↑Pileolus der katholischen Geistlichen. **so̱|li De̱o glo̱|ria!:** Gott [sei] allein die Ehre! (Inschrift auf Kirchen u. a.); Abk.: S. D. G. **So̱|li|di:** *Plural* von ↑Solidus. **so|li-die̱|ren** ⟨*lat.*⟩: (veraltet) befestigen, versichern. **So|li|di|tä̱t** ⟨*lat.-fr.*⟩ *die; -:* 1. Festigkeit, Haltbarkeit. 2. Zuverlässigkeit; Mäßigkeit, Gesetztheit. **So̱|li|dus** ⟨*lat.*⟩ *der; -, ...di:* (hist.) römische Goldmünze

so|li|flu|i|da̱l ⟨*lat.-nlat.*⟩: die Solifluktion betreffend (Geol.). **So-li|fluk|ti|o̱n** *die; -, -en:* 1. Bodenfließen, Erdfließen, Kriechen der Hänge (eine Form der Bodenbewegungen; Geol.). 2. Frostbodenbewegung, die zur Bildung von ↑Polygonböden führt (Geol.). **So|li|fluk|ti|o̱ns-de|cke** *die; -, -n:* während der Eiszeit entstandene Frostschuttböden (Blockmeere der Mittelgebirge u. a.; Geol.)

So|li|lo|que̱nt ⟨*lat.-nlat.*⟩ *der; -en, -en:* einzeln auftretende Person (außer dem Evangelisten u. Christus) in der ↑Passion (2 b), wie Petrus, Pilatus u. a. im Unterschied zu ↑Turba. **So|li|lo-qui̱st** *der; -en, -en:* Verfasser eines Soliloquiums. **So|li|lo|qui̱-um** ⟨*lat.*⟩ *das; -s, ...ien:* Selbstgespräch, ↑Monolog der antiken Bekenntnisliteratur

So̱|ling ⟨Herkunft unsicher⟩ *die; -, -s, auch: -e* (auch: *das* od. *der; -s, -s*): mit drei Personen zu segelndes Kielboot im Rennsegelsport **So|li|lo̱n** ⟨*lat. -; gr.*⟩ *das; -s, -en:* als Gleichrichter od. Strombegrenzer verwendetes Steuerelement, bei dem die Ionenleitung in Lösungen zum Stromtransport dient (Phys.)

So|lip|si̱s|mus* ⟨*lat.-nlat.*⟩ *der; -:* erkenntnistheoretischer Standpunkt, der nur das eigene Ich mit seinen Bewusstseinsinhalten als das einzig Wirkliche gelten lässt u. alle anderen Ichs mit der ganzen Außenwelt nur als dessen Vorstellungen annimmt (Philos.). **So|lip|si̱st** *der; -en, -en:* Vertreter des Solipsismus. **so-lip|si̱s|tisch:** den Solipsismus betreffend; ichbezogen. **So̱|list** ⟨*lat.-it.-fr.*⟩ *der; -en, -en:* a) jmd, der ein ↑Solo (1) singt, spielt od. tanzt. b) (Jargon) Spieler, der einen Alleingang unternimmt (bei

Mannschaftsspielen, besonders beim Fußball). **so|lis̱|tisch:** a) den Solisten betreffend; b) sich als Solist betätigend; c) für ↑Solo (1) komponiert. **so|li|tär** ⟨*lat.-fr.*⟩: einsam lebend, nicht Staaten bildend (von Tieren); Ggs. ↑sozial (5). **So|li|tär** *der; -s, -e:* 1. einzeln gefasster Brillant od. Edelstein. 2. Einsiedlerspiel (ein Brettspiel für eine Person). 3. einzeln [außerhalb des Waldes] stehender Baum. **So|li|tu̱de** [...'ty:d], **So|li|tü̱|de** ⟨„Einsamkeit"⟩ *die; -, -n:* Name von Schlössern

So|li|zi|ta̱nt ⟨*lat.*⟩ *der; -en, -en:* (veraltet) Bittsteller. **So|li|zi|ta-ti|o̱n** *die; -, -en:* (veraltet) Bitte, [Rechts]gesuch. **So|li|zi|ta̱|tor** *der; -s, ...o̱ren:* (österr. veraltet) Gehilfe eines Rechtsanwalts. **so|li|zi|ti̱e|ren:** (veraltet) nachsuchen, betreiben

Sol|mi|sa|ti|o̱n ⟨*it.*⟩ *die; -:* von Guido v. Arezzo im 11. Jh. ausgebildetes System, bei dem die Töne der Tonleiter anstatt mit c, d, e usw. mit den Tonsilben ↑ut (später: do), ↑re, ↑mi, ↑fa, ↑sol, ↑la, ↑si bezeichnet werden (Mus.). **sol|mi|si̱e|ren:** die Solmisation, die Silben der Solmisation anwenden, damit arbeiten, danach singen (Mus.); Ggs. ↑abecedieren

so̱llo ⟨*lat.-it.*⟩: 1. als Solist (a) (z. B. bei einer musikalischen Darbietung). 2. (ugs.) allein; unbegleitet, ohne Partner. **So̱llo** *das; -s, -s u. Soli:* 1. musikalische od. tänzerische Darbietung eines einzelnen Künstlers, meist zusammen mit einem [als Begleitung auftretenden] Ensemble; Einzelgesang, -spiel, -tanz; Ggs. ↑Tutti. 2. a) Einzelspiel, Alleinspiel (bei Kartenspielen mit mehreren Teilnehmern); b) Alleingang eines Spielers (vor allem beim Fußball)

so̱llo̱nisch ⟨nach Solon, dem altathenischen Gesetzgeber (640 bis 560 v. Chr.)⟩: klug, weise [wie Solon]

So|lö̱zi̱s|mus ⟨*gr.-lat.*⟩ *der; -, ...men:* (veraltend) grober sprachlicher Fehler, bes. in der syntaktischen Verbindung der Wörter (Rhet.; Stilk.)

Sols|ti|ti|al|punkt* ⟨*lat.*⟩ *der; -[e]s, -e:* Sonnenwendepunkt, a) dem die Sonne ihren höchsten od. niedrigsten Stand über dem Himmelsäquator hat; (nördlicher od. südlicher)Wendepunkt der Sonne. **Sols|ti̱|ti|um** *das; -s,*

...ien u. **Sols|ti̱z** *das; - u. -es, -e:* Sonnenwende (Astron.)

so̱llu|bel u. **so̱llu|bille** ⟨*lat.*⟩: löslich, auflösbar (Chem.). **So̱llu-bi|li|sa̱ti|on** *die; -, -en:* Auflösung eines Stoffes in einem Lösungsmittel, in dem er unter normalen Bedingungen nicht löslich ist, durch Zusatz bestimmter Substanzen (Chemie). **So̱llu̱tio** *die; -, ...ig̱nes* u. **So̱llu|ti|o̱n** *die; -, -en:* Arzneimittellösung (Abk.: Sol.)

So̱llut|ré|en* [zolytre'ɛ̃:] ⟨nach dem franz. Fundort Solutré⟩ *das; -[s]:* Stufe der Altsteinzeit

sol|va̱|bel ⟨*lat.-nlat.*⟩: 1. auflösbar (Chemie). 2. (veraltet) solvent. **So̱llvat** *das; -[e]s, -e:* aus einer Solvatation hervorgegangene lockere Verbindung (Chem.). **Sol-va|ta|ti|o̱n** *die; -:* das Eingehen einer lockeren Verbindung zwischen Kolloidteilchen u. Lösungsmittel (Chem.). **So̱llvens** ⟨*lat.*⟩ *das; -, ...ve̱nzien u. ...ve̱ntia* [schleim]lösendes Mittel (Med.). **sol|ve̱nt** ⟨*lat.-it.*⟩: zahlungsfähig (Wirtsch.); Ggs. ↑insolvent. **Sol-ve̱n|tia:** *Plural* von ↑Solvens. **So̱llve̱nz** ⟨*lat.-nlat.*⟩ *die; -, -en:* Zahlungsfähigkeit (Wirtsch.); Ggs. ↑Insolvenz. **Sol|ve̱n|zien:** *Plural* von ↑Solvens. **sol|vie̱|ren** ⟨*lat.*⟩: auflösen (Chem.)

¹So̱lma ⟨*sanskr.*⟩ *der; -[s], -s:* [im Mondgott personifizierter] Opfertrank der ↑wedischen Religion; vgl. Haoma

²So̱lma ⟨*gr.*⟩ *das; -s, -ta:* (Med.) 1. Körper (im Gegensatz zum Geist). 2. Gesamtheit der Körperzellen im Gegensatz zu den Keimzellen. **So|ma̱t|ker** *der; -s, -:* Arzt, der sich mit den körperlichen Erscheinungsformen der Krankheiten befasst. **so|ma̱-tisch:** 1. den Körper betreffend (im Unterschied zu Geist, Seele, Gemüt); körperlich (Med.; Psychol.). 2. die Körperzellen im Ggs. zu den Keim-, Geschlechtszellen) betreffend (Med.; Biol.). **so|ma|to|ge̱n** ⟨*gr.-nlat.*⟩: 1. körperlich bedingt, verursacht (Med.; Psychol.). 2. von Körperzellen [und nicht aus der Erbmasse] gebildet (von Veränderungen an Individuen; Biol.). **So|ma|to|gra̱mm** *das; -s, -e:* grafische Darstellung, Schaubild der körperlichen Entwicklung bes. eines Säuglings od. Kleinkindes. **So|ma|to|lo̱gie** *die; -:* Wissenschaft von den allgemeinen Eigenschaften des menschlichen Körpers (Anthropologie).

So|ma|to|met|rie* *die;* -: Messungen am menschlichen Körper (Anthropologie). **So|ma|to|psycho|lo|gie** *die;* -: Teilgebiet der Psychologie, das die ↑Symptome des Seelenlebens in körperlichen Begleit- u. Folgeerscheinungen erforscht: vgl. Psychosomatik. **So|ma|to|sko|pie*** *die;* -, ...jen: Untersuchung des Körpers (Med.). **So|ma|to|tro|pin** *das;* -s: Wachstumshormon aus dem Hypophysenvorderlappen (Biol.; Med.)

Somb|re|ro* ⟨*lat.-span.*⟩ *der;* -s, -s: breitrandiger, leichter Strohhut aus Mittel- u. Südamerika

Som|ma|ti|on ⟨*lat.-fr.*⟩ *die;* -, -en: (veraltet) gerichtliche Vorladung, Mahnung; Ultimatum

Som|me|li|er [...'je:] ⟨*lat.-nlat.-fr.*⟩ *der;* -s, -s: speziell für die Getränke, bes. für den Wein zuständiger Kellner. **Som|me|li|è|re** [...'je:rə] *die;* -, -n: weibliche Form zu Sommelier

Som|mi|tät ⟨*lat.-fr.*⟩ *die;* -, -en: (veraltet) hoch stehende Person

som|nam|bul ⟨*lat.-fr.*⟩: schlafwandlerisch, nachtwandelnd, mondsüchtig. **Som|nam|bu|le** *der* u. *die;* -n, -n: jmd., der schlafwandelt. **som|nam|bu|lieren**: schlafwandeln. **Som|nambu|lis|mus** *der;* -: Schlaf-, Nachtwandeln, Mondsüchtigkeit (Med.). **som|no|lent** ⟨*lat.*⟩: benommen; schlafsüchtig (Med.). **Som|no|lenz** *die;* -: Benommenheit; krankhafte Schläfrigkeit (Med.)

So|na|gramm *das;* -s, -e: grafische Darstellung einer akustischen Struktur (z. B. der menschlichen Stimme). **So|nagraph**, auch: Sonagraf *der;* -en, -en: Gerät zur Aufzeichnung von Klängen u. Geräuschen. **so|nagra|phisch**, auch: sonagrafisch: mit einem Sonagraphen aufgezeichnet u. dargestellt. **So|nant** ⟨*lat.;* „tönend"⟩ *der;* -en, -en: Silben bildender Laut (außer den Vokalen auch sonantische Konsonanten (z. B. l in Dirndl). **sonan|tisch**: a) den Sonanten betreffend; b) Silben bildend

So|nar [Kurzw. aus: *sound navi*gation and *ranging*] *das;* -s, -e u. **So|nar|ge|rät** *das;* -[e]s, -e: Unterwasserortungsgerät, Gerät zur Aufspürung u. Lokalisierung von Gegenständen unter Wasser (z. B. von Minen) mittels Schallwellen

So|na|ta ⟨*lat.-it.*⟩ *die;* -, ...te: ital. Bez. für: Sonate; **Sonata a tre:**

Triosonate (Mus.); **Sonata da Camera:** Kammersonate; **Sonata da Chiesa:** Kirchensonate. **So|na|te** (",Klingstück"⟩ *die;* -, -n: zyklisch angelegte Instrumentalkomposition mit meist mehreren Sätzen in kleiner od. solistischer Besetzung. **So|na|tine** *die;* -, -n: kleinere, meist leicht zu spielende Sonate mit verkürzter Durchführung

son|die|ren ⟨*fr.*⟩: 1. mit einer Sonde untersuchen. 2. vorsichtig erkunden, ausforschen, vorfühlen. 3. loten, die Wassertiefe messen (Seew.)

So|ne ⟨*lat.*⟩ *die;* -, -: Maßeinheit der Lautheit; Zeichen: sone (Phys.). **So|nett** ⟨*lat.-it.;* eigtl. etwa „Klinggedicht"⟩ *das;* -[e]s, -e: in Italien entstandene Gedichtform von insgesamt 14 Zeilen in zwei Teilen, von denen der erste aus zwei Strophen von je vier Versen (vgl. Quartett 2), der zweite aus zwei Strophen von je drei Versen (vgl. Terzett 2) besteht

Song [sɔŋ] ⟨*engl.*⟩ *der;* -s, -s: 1. Lied (der populären Unterhaltungsmusik o. Ä.). 2. (musikalisch u. textlich meist einfaches) einprägsames, oft als Sprechgesang vorgetragenes Lied mit zeitkritischem, sozialkritischem, satirischem, lehrhaftem o. ä. Inhalt. **Song|book** ['sɔŋbʊk] *das;* -[s], -s: Buch, in dem sämtliche bei Abfassung des Buches vorliegenden Lieder eines Einzelinterpreten od. einer Gruppe mit Text u. Noten enthalten sind. **Songwri|ter** [...raɪtə] ⟨*engl.*⟩ *der;* -s, -: jmd., der Songs schreibt, komponiert

Son|ny|boy ['sʌnɪbɔy, auch: 'zɔni...] ⟨*engl.*, „(mein) Söhnchen, (mein) Junge"; sonny = Koseform von son „Sohn"⟩ *der;* -s, -s: junger Mann, der eine unbeschwerte Fröhlichkeit ausstrahlt, Charme hat, dem die Sympathien zufliegen.

So|no|graph, auch: Sonograf ⟨*lat.; gr.*⟩ *der;* -en, -en: Gerät zur Durchführung einer Sonographie (Med.). **So|no|gra|phie**, auch: Sonografie *die;* -, ...jen: ↑elektroakustische Prüfung u. Aufzeichnung der Dichte eines Gewebes mittels Schallwellen, Echographie (Med.)

So|no|lu|mi|nes|zenz ⟨*lat.-nlat.*⟩ *die;* -, -en: durch Schallwellen hervorgerufene Leuchterscheinung (Phys.). **So|no|me|ter** ⟨*lat.; gr.*⟩ *das;* -s, -: Schallstärkemes-

ser. **so|nor** ⟨*lat.-fr.*⟩: 1. klangvoll, volltönend. 2. stimmhaft (Sprachw.). **So|nor** [*lat.*] *der;* -s, -e: Konsonant [ohne Geräuschanteil], der [fast] nur mit der Stimme gesprochen wird (z. B. m, n, l, r; Sprachw.). **So|no|ri|tät** *die;* -: Klangfülle eines Lautes, Grad der Stimmhaftigkeit (Sprachw.). **So|nor|laut** *der;* -[e]s, -e: ↑Sonor

Soor ⟨*Herkunft* unsicher; vielleicht zu *mittelniederd.* sōr „ausgedörrt, trocken"⟩ *der;* -[e]s, -e: Pilzinfektion (bes. bei Säuglingen), die sich in grauweißem Belag bes. der Mundschleimhaut äußert (Med.). **Soor|my|ko|se** *die;* -, -n: ↑Soor

Sol|phia ⟨*gr.-lat.;* „Weisheit"⟩ *die;* -: 1. (Philos.) das Wissen von den göttlichen Ideen, die in ihrer Reinheit nur von der körperlosen Seele geschaut werden (bei Plato). 2. (in der russischen Religionsphilosophie) schöpferische Weisheit Gottes. **So|phisma** *das;* -s, ...men u. **So|phismus** *der;* -, ...men: Scheinbeweis; Trugschluss, der mit Täuschungsabsicht gemacht wird. **So|phist** (",Weisheitslehrer"⟩ *der;* -en, -en: 1. Angehöriger einer Gruppe von Philosophen u. Rhetoren im antiken Athen des 5. u. 4. Jh.s v. Chr., die als berufsmäßige Wanderlehrer die Jugend in Wissenschaft, Philosophie u. Redekunst ausbildeten. 2. jmd., der in geschickter u. spitzfindiger Weise etwas aus u. mit Worten zu beweisen versucht; Wortverdreher. **So|phis|te|rei** *die;* -, -en: (abwertend) Spitzfindigkeit, Spiegelfechterei. **so|phis|ti|cated** [sə'fɪstɪkeɪtɪd] ⟨*engl.*⟩: 1. weltgewandt, kultiviert. 2. geistreich, intellektuell. **So|phis|tik** *die;* -: 1. Lehre der Sophisten. 2. scheinbare, spitzfindige Weisheit; Spitzfindigkeit. **So|phis|ti|ka|tion** ⟨*gr.-nlat.*⟩ *die;* -, -en: Argumentation mithilfe von Scheinschlüssen; (bes. nach Kant) Argumentation, durch die eine in Wirklichkeit grundsätzlich unbeweisbare objektive Realität erschlossen werden soll (Philos.). **so|phis|tisch** ⟨*gr.-lat.*⟩: 1. den od. die Sophisten betreffend. 2. spitzfindig, wortklauberisch

Soph|ro|sy|ne* ⟨*gr.-lat.*⟩: antike Tugend der Selbstbeherrschung u. der Mäßigung, Beherrschung der Begierden durch Vernunft u. Besonnenheit

So|por ⟨*lat.*⟩ *der;* -s: starke Benommenheit (Med.). **so|po|rös** ⟨*lat.-nlat.*⟩: stark benommen (Med.)

sop|ra* ⟨*lat.-it.*⟩: oben (z. B. beim Klavierspiel mit gekreuzten Händen der Hinweis auf die Hand, die oben spielen soll; 8ᵛᵃ sopra: eine Oktave höher). **Sop|ran** ⟨*lat.-mlat.-it.*⟩ *der;* -s, -e: 1. höchste Stimmlage von Knaben u. Frauen. 2. Sopransängerin. 3. (ohne Plural) Gesamtheit der Sopranstimmen im gemischten Chor. 4. (ohne Plural) Sopranpartie, Sopranstimme in einem Musikstück. **Sop|ra|nist** *der;* -en, -en: Sänger (meist Knabe) mit Sopranstimme. **Sop|ra|nistin** *die;* -, -nen: Sopransängerin. **Sop|ran|schlüs|sel** *der;* -s: ↑ Diskantschlüssel. **Sop|ra|porte** ⟨*lat.-it.*⟩ u. Supraporte *die;* -, -n: Wandfeld [mit Gemälde od. Relief] über einer Tür (bes. im Baustil des Rokokos)

So|ra|bist ⟨*lat.-nlat.*⟩ *der;* -en, -en: Wissenschaftler auf dem Gebiet der Sorabistik. **So|ra|bis|tik** *die;* -: Wissenschaft von der sorbischen Sprache und Kultur

Sor|bet [meist: zɔr'beː] ⟨*arab.- türk.-it.-fr.*⟩ *der* od. *das;* -s, -s u. **Sor|bett** ⟨*arab.-türk.-it.*⟩ *der* od. *das;* -[e]s, -e: 1. eisgekühltes Getränk aus gesüßtem Fruchtsaft od. Wein mit Eischnee od. Sahne. 2. Halbgefrorenes mit Süßwein od. Spirituosen sowie Eischnee od. Schlagsahne

Sor|bin|säu|re ⟨*lat.-nlat.; dt.*⟩ *die;* -, -n: organische Säure, Konservierungsstoff (für Lebensmittel; Chem.).

¹Sor|bit [auch: ...'bɪt] ⟨*lat.-nlat.*⟩ *der;* -s: sechswertiger Alkohol, pflanzlicher Wirkstoff

²Sor|bit [auch: ...'bɪt] ⟨*nlat.;* nach dem engl. Forscher H. C. Sorby⟩ *der;* -s: (veraltet) Bestandteil von Stahl. **sor|bi|tisch** [auch: ...'bɪt...]: (veraltet) aus ²Sorbit bestehend

Sor|bo|se ⟨*lat.-nlat.*⟩ *die;* -: aus ¹Sorbit entstehender unvergärbarer Zucker

Sor|di|ne ⟨*lat.-it.*⟩ *die;* -, -n u. **Sordi|no** *der;* -s, -s u. ...ni: Dämpfer (bei Musikinstrumenten); vgl. con sordino. **sor|do:** gedämpft (Mus.). **Sor|dun** *der* od. *das;* -s, -e: 1. mit Oboe u. Fagott verwandte Schalmei mit Doppelrohrblatt u. dumpfem Klang (16. u. 17. Jh.). 2. dunkel klingendes Orgelregister

So|re u. Schore ⟨*hebr.-jidd.*⟩ *die;* -, -n: Diebesgut

So|re|di|um ⟨*gr.-nlat.*⟩ *das;* -s, ...ien: der vegetativen Vermehrung dienende Algenzelle der Flechten (Bot.)

Sor|gho [...go] ⟨*it.*⟩ *der;* -s, -s u. **Sor|ghum** ⟨*it.-nlat.*⟩ *das;* -s, -s: in Afrika u. Südeuropa angebaute Getreidepflanze, Durra

So|ri: *Plural* von ↑ Sorus. **So|ri|tes** ⟨*gr.-lat.*⟩ *der;* -, -: 1. Bez. Ciceros für die auf Zeno zurückgehende ↑ Aporie: „bei welchem Wieviel beginnt der Haufen?" 2. aus mehreren verkürzten ↑ Syllogismen bestehender Haufen- od. Kettenschluss (Logik)

So|ro|rat ⟨*lat.-nlat.*⟩ *das;* -[e]s: Sitte, dass der Mann nach dem Tode seiner Frau (bei einigen Völkern auch noch zu ihren Lebzeiten od. gleichzeitig mit ihr) deren jüngere Schwester[n] heiratet

Sorp|ti|on ⟨*lat.-nlat.*⟩ *die;* -, -en: Aufnahme eines Gases od. gelösten Stoffes durch einen anderen festen od. flüssigen Stoff (Chem.)

Sor|tes [...teːs] ⟨*lat.*⟩ *die* (Plural): in der Antike beim Orakel verwendete Eichenstäbchen od. Bronzeplättchen. **sor|tie|ren** ⟨*lat.-it.*⟩: nach Art, Farbe, Größe, Qualität o. Ä. sondern, ordnen, auslesen. **Sor|tie|rer** *der;* -s, -: a) Arbeiter, der Waren, Werkstücke, Materialien o. Ä. sortiert; b) Arbeiter an einer Sortiermaschine; c) Sortiermaschine. **sor|tiert:** 1. ein reichhaltiges [Waren]angebot aufweisend. 2. erlesen, ausgewählt, hochwertig. **Sor|ti|le|gi|um** ⟨*lat.-mlat.*⟩ *das;* -s, ...ien: Weissagung durch Lose. **Sor|ti|ment** ⟨*lat.-it.*⟩ *das;* -[e]s, -e: 1. Warenangebot (Warenauswahl) in einem Geschäft. 2. Kurzform von Sortimentsbuchhandel, Sortimentsbuchhandlung. **Sor|ti|men|ter** *der;* -s, -: Angehöriger des Sortimentsbuchhandels; Ladenbuchhändler. **Sor|ti|ments|buch|han|del** *der;* -s, -: Buchhandelszweig, der in Läden für den Käufer ein Sortiment von Büchern aus den verschiedensten Verlagen bereithält **Sor|ti|ta** ⟨*lat.-it.*⟩ *die;* -, ...ten: Eintrittsarie der Primadonna in der altitalienischen Oper

So|rus ⟨*gr.-nlat.*⟩ *der;* -s, Sori: Gruppe von Sporenbehältern auf der Blattunterseite der Farne (Bot.)

sos|pi|ran|do* u. **sos|pi|ran|te** ⟨*lat.-it.*⟩: seufzend, wehklagend (Vortragsanweisung; Mus.). **Sos|pi|ro** ⟨„Seufzer"⟩ *das;* -s, -s

u. ...ri: Pause im Wert eines halben Taktes (Mus.)

sos|te|nu|to ⟨*lat.-it.*⟩: [aus]gehalten, breit, getragen; Abk.: sost. (Mus.). **Sos|te|nu|to** *das;* -s, ...ti: mäßig langsames Musikstück (Mus.)

So|tal|de|lus ⟨*gr.-lat.;* nach dem altgr. Dichter Sotades⟩ *der;* -, ...ei [...'deːi]: altgriechische Versart **Sol|ter** ⟨*gr.-lat.*⟩ *der;* -, -e: Retter, Heiland (Ehrentitel Jesu Christi; auch Beiname von Göttern u. Herrschern der Antike). **So|teri|o|lo|gie** ⟨*gr.-nlat.*⟩ *die;* -: theologische Lehre vom Erlösungswerk Christi. **so|te|ri|o|lo|gisch:** die Soteriologie betreffend

So|tie: franz. Schreibung von ↑ Sottie

Sot|nie [...niə] ⟨*russ.;* „Hundertschaft"⟩ *die;* -, -n: Kosakenabteilung

Sot|tie ⟨*fr.*⟩ *die;* -, -s: französisches, meist gegen den Papst gerichtetes satirisches Narrenspiel (15. u. 16. Jh.). **Sot|ti|se** *die;* -, -n (meist Plural): 1. Dummheit, Unsinnigkeit. 2. Grobheit. 3. freche, stichelnde Äußerung, Rede **sot|to vo|ce** [- voːtʃə]: halblaut, gedämpft (Vortragsanweisung; Mus.)

Sou [su] ⟨*lat.-fr.*⟩ *der;* -, -s [su]: 1. (früher) französische Münze im Wert von 5 Centimes. 2. (veraltend) Münze, Geldstück von geringem Wert

Soub|ret|te* [zu..., auch: su...] ⟨*lat.-provenzal.-fr.*⟩ *die;* -, -n: Sopranistin, die auf die naiv-heiteren, komischen Partien in Oper, Operette, Singspiel spezialisiert ist

Sou|che [zu:ʃə, auch: suʃ] ⟨*fr.*⟩ „Stumpf"⟩ *die;* -, -n: Teil eines Wertpapiers, der zur späteren Kontrolle der Echtheit zurückbehalten wird

Sou|chong ['zu:ʃɔŋ, auch: su:...] ⟨*chin.-engl.*⟩ *der;* -[s], -s: chinesischer Tee mit großen, breiteren Blättern

Souf|flé*, auch: **Souff|lee** [zu'fleː, auch: 'su....] ⟨*lat.-fr.*⟩ *das;* -s, -s: Auflauf (Gastr.). **Souf|fleur** [...'løːɐ̯] *der;* -s, -e: Mann, der souffliert. **Souf|fleu|se** [...'løːzə] *die;* -, -n: Frau, die souffliert. **souff|lie|ren:** einem Schauspieler auf der Bühne den Text seiner Rolle flüsternd vorsprechen

Souf|la|ki* [zu...] ⟨*ngr.*⟩ *der;* -[s],

-[s]: kleiner Fleischspieß (in der griechischen Küche)

Souk [zu:k] ⟨*arab.-fr.*⟩: ↑Suk

Soul [soʊl] ⟨*amerik.*⟩ *der;* -s: expressive afroamerikanische Jazzmusik als bestimmte Variante des Rhythm and Blues

Soulla|ge|ment [sulaʒə'mã:] ⟨*lat.-vulgärlat.-fr.*⟩ *das;* -s, -s: (veraltet) Erleichterung, Unterstützung. **soulla|gie|ren** [...] (veraltet) unterstützen, erleichtern, beruhigen

Sound [saʊnd] ⟨*engl.*⟩ *der;* -s, -s: charakteristischer Klang, Klangfarbe, bes. in der Rock- u. Jazzmusik. **Sound|check** ['saʊndtʃɛk] *der;* -s, -s: das Ausprobieren des Klangs, der Akustik (vor dem Konzert bes. einer Jazz-, Rockgruppe o. Ä.). **Sound|kar|te** *die;* -, -en: spezielle Steckkarte, die der Wiedergabe von Tönen bei Computern dient. **Sound|track** [...trɛk] *der;* -s, -s: a) Tonstreifen eines Tonfilms; b) Musik zu einem Film **Soup|çon** [zʊp'sõ:, auch: sup'sõ] ⟨*lat.-fr.*⟩ *der;* -s, -s: (veraltet) Verdacht, Argwohn

Sou|per [zu'pe:, auch: su...] ⟨*germ.-gallorom.-fr.*⟩ *das;* -s, -s: festliches Abendessen [mit Gästen]. **sou|pie|ren** ⟨„eine Suppe zu sich nehmen“⟩: an einem Souper teilnehmen, festlich zu Abend essen

Sou|pir [zu'pi:ɐ̯, auch: su'pi:r] ⟨*lat.-fr.;* „Seufzer“⟩ *der;* -s, -s: ↑Sospiro

Sour [zaʊɐ, auch: 'saʊɐ] ⟨*engl.,* „sauer“⟩ *der;* -[s], -s: starkes, alkoholisches Mischgetränk mit Zitrone

Sour|di|ne [zʊr'di:n(ə)] ⟨*lat.-it.-fr.*⟩ *die;* -, -n ↑Sordine

Sou|sa|phon, auch: Sousafon [zu...] (nach dem amerik. Komponisten J. Ph. Sousa) *das;* -s, -e: tiefes, in der nordamerikanischen Jazzmusik verwendetes Blechblasinstrument mit kreisförmig gebogenem Rohr, das der Spieler um den Oberkörper trägt **Sous|chef** ['zu:...] ⟨*fr.*⟩ *der;* -s, -s: a) Stellvertreter des Küchenchefs (Gastr.); b) (schweiz.) Stellvertreter des Bahnhofsvorstandes

Sou|ta|che [zu'taʃ(ə), auch: su-'taʃ] ⟨*ung.-fr.*⟩ *die;* -, -n: schmale, geflochtene Schnur für Besatzzwecke. **sou|ta|chie|ren** [zu...]: Soutache aufnähen, mit Soutache verzieren

Sou|ta|ne, auch: Sutane [zu..., auch: su...] ⟨*lat.-it.-fr.;* „Untergewand“⟩ *die;* -, -n: (früher) langes Obergewand der katholischen Geistlichen. **Sou|ta|nel|le**, auch: Sutanelle *die;* -, -n: (früher) bis ans Knie reichender Gehrock der katholischen Geistlichen

sou|te|nie|ren [zuto...] ⟨*lat.-vulgärlat.-fr.*⟩: (veraltet) unterstützen, behaupten

Sou|ter|rain [zute'rɛ̃:, 'zu..., auch: 'su...] ⟨*lat.-fr.;* „unterirdisch“⟩ *das;* -s, -s: Kellergeschoss, Kellerwohnung

Sou|ti|en [zu'tjɛ̃:, auch: su'tjɛ̃] ⟨*lat.-vulgärlat.-fr.*⟩ *das;* -, -s: (veraltet) 1. Beistand, Unterstützung. 2. Unterstützungstruppe

Sou|ve|nir [zuvə..., auch: su...] ⟨*lat.-fr.*⟩ *das;* -s, -s: [kleines Geschenk als] Andenken, Erinnerungsstück

sou|ve|rän [zuvə..., auch: su...] ⟨*lat.-mlat.-fr.;* „darüber befindlich; überlegen“⟩: 1. die staatlichen Hoheitsrechte [unumschränkt] ausübend. 2. einer besonderen Lage od. Aufgabe jederzeit gewachsen; überlegen. **Sou|ve|rän** *der;* -s, -e: [unumschränkter] Herrscher, Fürst eines Landes. **Sou|ve|rä|ni|tät** *die;* -: 1. die höchste Herrschaftsgewalt eines Staates, Hoheitsgewalt; Unabhängigkeit (vom Einfluss anderer Staaten). 2. Überlegenheit. **Sove|reign** ['zɔvrɪn] ⟨*lat.-mlat.-fr.-engl.*⟩ *der;* -s, -s: ehemalige englische Goldmünze im Wert von 1 £

Sow|chos ['sɔfxɔs, ...'xɔs, auch: ...'çɔs] ⟨*russ.;* Kurzw. aus: *so*wetskoje *cho*sjaistwo = Sowjetwirtschaft⟩ *der* (auch: *das*); -, ...chose od. **Sow|cho|se** *die;* -, -n: staatlicher landwirtschaftlicher Großbetrieb in der ehemaligen Sowjetunion. **Sow|jet*** [auch: 'zɔ...] ⟨„Rat“⟩ *der;* -s, -s: 1. (hist.) Arbeiter-, Bauern- u. Soldatenrat der russischen Revolutionen (1905 u. 1917). 2. Behörde od. Organ der Selbstverwaltung in der ehemaligen Sowjetunion; **Oberster Sowjet:** höchstes Organ der Volksvertretung in der ehemaligen Sowjetunion. 3. (nur Plural) (ugs.) Sowjetbürger. **sow|je|tisch*:** den Sowjet od. die ehemalige Sowjetunion betreffend. **sow|je|ti|sie|ren*:** (oft abwertend) nach dem Muster der ehemaligen Sowjetunion organisieren, einrichten. **Sow|jet|re|pu|blik*** [auch: 'zɔ...] *die;* -, -en: Gliedstaat der ehemaligen Sowjetunion

Soxh|let-Ap|pa|rat ⟨nach dem dt. Chemiker F. von Soxhlet (1848–1926)⟩ *der;* -[e]s, -e: Apparat zur Extraktion fester Stoffe (Chem.)

So|zi ⟨Kurzform von *Sozi*aldemokrat⟩ *der;* -s, -s: (ugs., auch abwertend) Sozialdemokrat. **So|zia** ⟨*lat.*⟩ *die;* -, -s: (meist scherzh.) Beifahrerin auf einem Motorrad od. -roller. **so|zi|a|bel:** gesellig, umgänglich, menschenfreundlich (Soziol.). **So|zi|a|bi|li|tät** ⟨*lat.-nlat.*⟩ *die;* -: soziales Wesen, Verhalten (Soziol.). **so|zi|al** ⟨*lat.-fr.*⟩: 1. die menschliche Gesellschaft, Gemeinschaft betreffend; gesellschaftlich; **soziale Indikation:** ↑Indikation für einen Schwangerschaftsabbruch aus sozialen Gründen (z. B. wirtschaftliche Notlage der Mutter). 2. das Gemeinwohl betreffend, der Allgemeinheit nutzend, 3 auf das Wohl der Allgemeinheit bedacht; gemeinnützig, menschlich, wohltätig, hilfsbereit. 4. die gesellschaftliche Stellung betreffend. 5. gesellig lebend (von Tieren, bes. von Staaten bildenden Insekten). **So|zi|al|anth|ro|po|lo|gie*** *die;* -: Teilgebiet der ↑Anthropologie, das sich mit dem Problem der Beziehungen zwischen verschiedenen Klassen und mit den Fragen der Vererbung von Eigenschaften innerhalb sozialer Gruppen befasst. **So|zi|al|dar|wi|nis|mus** *der;* -: soziologische Theorie, die unter Berufung auf Charles Darwins Lehre von der natürlichen Auslese auch die menschliche Gesellschaft als den Naturgesetzen unterworfen begreift und somit Ungleichheiten, Ungerechtigkeiten o. Ä. als naturgegeben und deshalb als richtig ansieht. **So|zi|al|de|mo|krat*** *der;* -en, -en: Mitglied, Anhänger einer sozialdemokratischen Partei. **So|zi|al|de|mo|kra|tie*** *die;* -: 1. politische Richtung, die eine Verbindung zwischen ↑Sozialismus u. ↑Demokratie herstellen will. 2. a) Sozialdemokratische Partei (eines Landes); b) Gesamtheit der sozialdemokratischen Parteien. **so|zi|al|de|mo|kra|tisch*:** die Sozialdemokratie betreffend. **So|zi|al|de|mo|kra|tis|mus*** *der;* -: (aus dem Blickwinkel der ehemaligen DDR negativ beurteilte) Richtung der Sozialdemokratie mit antikommunistischen Tendenzen; sozialdemokratische Ideologie, die den

Klassenkampf ignoriert u. den Kapitalismus unterstützt. **So|zi|al|ethik** die; -: Lehre von den Pflichten des Menschen gegenüber der Gesellschaft, dem Gemeinschaftsleben. **So|zi|al|geo|gra|phie,** auch: ...grafie die; -: Teilgebiet der Geographie, auf dem man Beziehungen menschlicher Gruppen zu den von ihnen bewohnten Erdräumen untersucht. **So|zi|al|hy|gi|e|ne** die; -: Teilgebiet der Hygiene (1), das sich mit der Wechselbeziehung zwischen dem Gesundheitszustand des Menschen u. seiner sozialen Umwelt befasst. **So|zi|al|im|pe|ri|a|lis|mus** der; -: 1. (nach Lenin) im 1. Weltkrieg von Teilen der Sozialdemokratie praktizierte Unterstützung der imperialistischen Politik der jeweiligen nationalen Regierung. 2. (von Gegnern gebrauchte) Bez. für die [außen]politische Praxis der sich als sozialistisch verstehenden ehemaligen Sowjetunion. **So|zi|al|i|sa|ti|on** ⟨lat.-nlat.⟩ die; -, -en: Prozess der Einordnung des [heranwachsenden] Individuums in die Gesellschaft u. die damit verbundene Übernahme gesellschaftlich bedingter Verhaltensweisen (Soziol.); Ggs. ↑ Individuation; vgl. ...[at]ion/ ...ierung. **so|zi|a|li|sie|ren:** ein Unternehmen, einen Wirtschaftszweig vergesellschaften, verstaatlichen; Ggs. ↑ reprivatisieren. **So|zi|a|li|sie|rung** die; -, -en: 1. Verstaatlichung, Vergesellschaftung der Privatwirtschaft; Ggs. ↑ Reprivatisierung. 2. ↑ Sozialisation; vgl. ...[at]ion/ ...ierung. **So|zi|a|lis|mus** ⟨lat.-fr.⟩ der; -: 1. (ohne Plural) (nach Karl Marx die dem Kommunismus vorausgehende) Entwicklungsstufe, die auf gesellschaftlichen od. staatlichen Besitz der Produktionsmittel u. eine gerechte Verteilung der Güter an alle Mitglieder der Gemeinschaft hinzielt. 2. (Plural selten) politische Richtung, Bewegung, die den gesellschaftlichen Besitz der Produktionsmittel u. die Kontrolle der Warenproduktion u. -verteilung verficht. **So|zi|a|list** der; -en, -en: a) Anhänger, Verfechter des Sozialismus; b) Mitglied einer sozialistischen Partei. **so|zi|a|lis|tisch:** 1. den Sozialismus betreffend, zum Sozialismus gehörend. 2. (österr.) sozialdemokratisch. **So|zi|al|kri|tik** die; -: Kritik an einer bestehenden Gesellschaft; Gesellschaftskritik. **So|zi|al|kun|de** die; -: 1. Darstellung und Beschreibung der politischen, ökonomischen und sozialen Verhältnisse in einer Gesellschaft. 2. der politischen Erziehung u. Bildung dienendes Unterrichtsfach, das gesellschaftliche Fragen zusammenhängend darstellt. **so|zi|al-li|be|ral,** auch: so|zi|al|li|be|ral: die Kombination von Sozialismus od. Sozialdemokratie u. Liberalismus betreffend; **sozial-liberale,** auch: **sozialliberale Koalition:** Regierungsbündnis zwischen einer sozialistischen od. sozialdemokratischen u. einer liberalen Partei. **So|zi|al|me|di|zin** die; -: Teilgebiet der Medizin, das sich mit den durch die gesellschaftlichen Gegebenheiten bedingten Ursachen von Krankheiten befasst. **So|zi|al|öko|lo|gie** die; -: Teilgebiet der Ökologie, das sich mit dem Verhältnis zwischen dem sozialen Verhalten des Menschen u. seiner Umwelt befasst. **So|zi|al|öko|no|mie** u. **So|zi|al|öko|no|mik** die; -: Wissenschaft, die sich mit der gesamten Wirtschaft einer Gesellschaft befasst; Sozialwirtschaftslehre. **So|zi|al|pä|da|go|ge*** der; -n, -n: jmd., der in der Sozialpädagogik (1) tätig ist (Berufsbez.). **So|zi|al|pä|da|go|gik*** die; -: 1. Teilgebiet der Pädagogik, das sich mit der Erziehung des Einzelnen zur Gemeinschaft u. zu sozialer Verantwortung außerhalb der Familie u. der Schule befasst. 2. Gesamtheit der Bemühungen, die der Behebung von gesellschaftsbedingten Erziehungsschwierigkeiten dienen. **so|zi|al|pä|da|go|gisch*:** die Sozialpädagogik betreffend. **So|zi|al|part|ner** der; -s, -: Arbeitgeber od. Arbeitnehmer bzw. deren Vertreter (z. B. bei Tarifverhandlungen). **So|zi|al|po|li|tik** die; -: Planung u. Durchführung staatlicher Maßnahmen zur Verbesserung der sozialen Verhältnisse der Bevölkerung. **so|zi|al|po|litisch:** die Sozialpolitik betreffend. **So|zi|al|pres|ti|ge** das; -s: Ansehen, das jmd. aufgrund seiner gesellschaftlichen Stellung genießt. **So|zi|al|pro|dukt** das; -[e]s; -e: Gesamtheit aller Güter, die eine Volkswirtschaft in einem Zeitraum mithilfe der Produktionsfaktoren erzeugt (nach Abzug sämtlicher Vorleistungen). **So|zi|al|re|for|mis|mus** der; -:

↑ Sozialdemokratismus. **So|zi|al|re|vo|lu|ti|o|när** der; -s, -e: (hist.) Mitglied einer 1901 entstandenen Partei in Russland, die auf revolutionärem Wege einen bäuerlichen Sozialismus erreichen wollte. **So|zi|al|staat** der; -[e]s: Demokratie, die bestrebt ist, die soziale Sicherheit ihrer Bürger zu gewährleisten. **So|zi|al|struk|tur** die; -, -en: inneres Beziehungsgefüge einer Gesellschaft, das aus Schichten, Gruppen, Institutionen, Rollen besteht. **So|zi|al|tech|no|lo|gie** die; -: ↑ Socialengineering. **So|zi|al|wai|se** die; -, -n: Kind, um das sich weder Eltern noch Verwandte kümmern. **So|zi|al|wis|sen|schaf|ten** die (Plural): Gesamtheit der Wissenschaften, die sich mit dem sozialen Aspekt des menschlichen Lebens beschäftigen; Gesellschaftswissenschaften. **So|zi|al|tiv** [auch: ...'ti:f] ⟨lat.-nlat.⟩ der; -s, -e: die Begleitung ausdrückender ↑ Kasus (Sprachw.). **so|zi|el|tär** ⟨lat.-fr.⟩: die rein [vertrags]gesellschaftlichen Beziehungen betreffend (Soziol.). **So|zi|e|tär** der; -s, -e: Angehöriger, Mitglied einer Sozietät; Mitinhaber. **So|zi|e|tät** ⟨lat.⟩ die; -, -en: 1. a) menschliche Gemeinschaft; soziale, durch gleiche Interessen u. Ziele verbundene Gruppe, Gesellschaft (Soziol.); b) Verband, Gemeinschaft bei Tieren. 2. Zusammenschluss bes. von Angehörigen freier Berufe wie Ärzte, Rechtsanwälte u. Ä. zu gemeinsamer Arbeit. **so|zi|ie|ren,** sich: sich wirtschaftlich vereinigen, sich assoziieren.

So|zi|ni|a|ner ⟨nlat.; nach dem ital. Begründern Lelio u. Fausto Sozini⟩ der; -s, -: (hist.) Angehöriger einer ↑ antitrinitarischen Religionsgemeinschaft des 16. Jh.s in Polen. **So|zi|ni|a|nis|mus** der; -: Lehre der Sozinianer **So|zi|o|bi|o|lo|gie** die; -: Wissenschaft, die sich mit dem Leben unter Einbeziehung der gesellschaftlichen Umwelt befasst. **So|zio|ge|ne|se** die; -: die Entstehung u. Entwicklung (z. B. von Krankheiten) aufgrund bestimmter gesellschaftlicher Umstände. **So|zi|o|gramm** ⟨lat.; gr.⟩ das; -s, -e: grafische Darstellung sozialer Verhältnisse od. Beziehungen innerhalb einer Gruppe (Soziol.). **So|zi|o|gra|phie,** auch: ...grafie die; -: sozialwissenschaftliche Forschungsrichtung in der Soziologie, die die deskriptive Erfassung konkreter (oft geographisch bestimmter) Bereiche anstrebt (Soziol.). **So|zi|o|hor|mon** *das;* -s, -e (meist Plural): Wirkstoff aus der Gruppe der ↑ Pheromone (bisher bei Staaten bildenden Insekten bekannt), der die Fortpflanzungsverhältnisse regelt (Biol.). **so|zi|o|kul|tu|rell:** die soziale Gruppe u. ihr kulturelles Wertsystem betreffend. **So|zi|o|lekt** *der;* -[e]s, -e: Sprachgebrauch einer sozialen Gruppe (z. B. Berufssprache, Teenagersprache); vgl. Idiolekt. **So|zi|o|lin|gu|is|tik** *die;* -: Teilgebiet der Linguistik, das das Sprachverhalten von gesellschaftlichen Gruppen untersucht. **so|zi|o|lin|gu|is|tisch:** die Soziolinguistik betreffend. **So|zi|o|lo|ge** *der;* -n, -n: jmd., der sich wissenschaftlich mit der Soziologie befasst (z. B. Hochschullehrer, Student), der als wissenschaftlich ausgebildeter Fachmann auf dem Gebiet der Soziologie tätig ist. **So|zi|o|lo|gie** *die;* -: Wissenschaft, die sich mit dem Ursprung, der Entwicklung u. der Struktur der menschlichen Gesellschaft befasst. **so|zi|o|lo|gisch:** die Soziologie betreffend; auf den Forschungsergebnissen der Soziologie beruhend; mit den Methoden der Soziologie durchgeführt. **So|zi|o|met|rie*** *die;* -: Verfahren der Sozialpsychologie zur Erfassung der Gruppenstruktur hinsichtlich der Sympathie- u. Antipathiebeziehungen. **so|zi|o|met|risch*:** die Soziometrie betreffend. **so|zi|o|morph:** von der Gesellschaft, den sozialen Verhältnissen geformt. **so|zi|o|öko|no|misch:** die Gesellschaft wie die Wirtschaft, ihre [Volks]wirtschaft in ihrer gesellschaftlichen Struktur betreffend. **So|zi|o|pa|thie** *die;* -, ...ien: Form der ↑ Psychopathie, die sich bes. durch ein gestörtes soziales Verhalten und Handeln äußert. **So|zi|us** *⟨lat.⟩ der;* -, -se u. ...ii: 1. Teilhaber (Wirtsch.). 2. a) Beifahrer auf einem Motorrad, -roller; b) Beifahrersitz. 3. (ugs. scherzh.) Genosse, Kompagnon. **So|zi|us|sitz** *der;* -es, -e: Rücksitz auf dem Motorrad, -roller

Space|lab [ˈspeɪslæb] *⟨engl.⟩ das;* -s, -s: von ESA u. NASA entwickeltes Raumlabor. **Space|shut|tle** [...ˌʃʌtl] *⟨engl.⟩ der;* -s, -s: dem Transport von der Erdober-

fläche auf eine Satellitenbahn dienender Flugkörper, der, zur Erde zurückgeführt, wieder verwendbar ist

Spal|da [ˈspa:..., ˈʃpa:...] *⟨gr.-lat.-it.⟩ die;* -, -s: italien. Bez. für: Degen (Sport). **Spal|dil|le** [spaˈdɪljə, ʃpaˈdɪlə] *⟨gr.-lat.-span.-fr.⟩ die;* -, -n: höchste Trumpfkarte (Pikass) im Lomber. **Spal|dix** [ˈspa:..., ˈʃpa:...] *⟨gr.-lat.⟩ der;* -: zu einem Kolben verdickte Blütenachse (Bot.)

¹Spal|gat *⟨it.⟩ der* (österr. nur so) od. *das;* -[e]s, -e: Stellung (Ballett, Gymnastik), bei der die gespreizten Beine eine Linie bilden. **²Spal|gat** *der;* -[e]s, -e: (österr.) Bindfaden. **Spal|ghet|ti,** auch: Spagetti [ʃpaˈgɛti, auch: sp...] *⟨it.⟩ die* (Plural): lange, dünne, stäbchenförmige Teigwaren

Spa|gi|rik [ʃp..., sp...] *⟨gr.-nlat.⟩ die;* -: 1. (hist.) Alchimie. 2. Arzneimittelzubereitung auf mineralisch-chemischer Basis. **Spa|gi|ri|ker** *der;* -s, -: (hist.) Alchimist. **spa|gi|risch:** alchimistisch; **spagirische Kunst:** Alchimie (im Mittelalter)

Spa|gno|let|t [ʃpanjo..., sp...] *⟨span.-fr.-it.⟩ der;* -[e]s, -e: 1. (hist.) angerautes Wollgewebe. 2. beidseitig angerautes Baumwollgewebe in Leinwandbindung (einer Webart). 3. Espagnoletteverschluss

Spal|hi [ˈspa:..., ˈʃpa:...] *⟨pers.-türk.-fr.⟩ der;* -s, -s: 1. (hist.) [adliger] Reiter im türkischen Heer. 2. Angehöriger einer aus nordafrikanischen Eingeborenen gebildeten französischen Reitertruppe

Spal|let [ʃp..., sp...] *⟨gr.-lat.-it.⟩ das;* -e, -s: (veraltet) Lattenwand; Brustwehr, Geländer (Mil.). **Spal|lett** *das;* -[e]s, -e: (österr.) hölzerner Laden vor einem Fenster. **Spal|lier** [ʃp...] *das;* -s, -e: 1. Gitterwand, an der Obstbäume, Wein o. Ä. gezogen werden. 2. Ehrenformation beiderseits eines Weges

Spand|ril|le* *⟨lat.-roman.⟩ die;* -, -n: Bogenzwickel (Archit.)

Spa|ni|el [ʃpanjal, auch: ˈspen...] *⟨lat.-span.-fr.-engl.⟩ der;* -s, -s: Jagd- und Haushund mit großen Schlappohren u. seidigem Fell. **Spa|ni|ol** [ʃp...] *⟨lat.-span.⟩ der;* -s, -e: ein spanischer Schnupftabak. **Spar|man|nie** [ʃparˈmanjə, auch: sp...] *⟨nlat.;* nach dem schwed. Forschungsreisenden A. Sparrman⟩ *die;* -, -n: Zimmerlinde

¹Spar|ring *⟨engl.⟩ das;* -s: Boxtraining. **²Spar|ring** *der;* -s, -s: kleiner, von Boxern zum Schlagtraining verwendeter Übungsball

Spart *⟨gr.-lat.⟩ der* od. *das;* -[e]s, -e: ↑ Esparto

Spar|ta|ki|a|de [ʃp..., sp...] *⟨nlat.;* in Anlehnung an ↑ Olympiade nach Spartakus, dem Führer des Sklavenaufstandes 73 v. Chr. im alten Rom⟩ *die;* -, -n: (aus Arbeitersportfesten hervorgegangene, in den osteuropäischen Ländern bis 1990 durchgeführte) sportliche Großveranstaltung mit Wettkämpfen in verschiedenen Disziplinen. **Spar|ta|ki|de** *der;* -n, -n: (veraltet) Spartakist. **Spar|ta|kist** *der;* -en, -en: Angehöriger des Spartakusbundes. **Spar|ta|kus|bund** *⟨lat.; dt.⟩ der;* -[e]s 1917 gegründete linksradikale Bewegung in Deutschland, die 1918 den Namen „Kommunistische Partei" annahm

spar|ta|nisch [ʃp..., sp...] *⟨gr.-lat.;* nach der Hauptstadt Sparta der altgriech. peloponnesischen Landschaft Lakonien⟩: streng, hart; genügsam, einfach, anspruchslos

Spar|te ⟨Herkunft unsicher; vielleicht *gr.-nlat.⟩ die;* -, -n: 1. spezieller Bereich, Abteilung eines Fachgebiets, Geschäfts-, Wissenszweig o. Ä. 2. Spalte, Teil einer Zeitung, in dem [unter einer bestimmten Rubrik] etw. abgehandelt wird

Spar|te|lin [ʃp..., sp...] *⟨gr.-nlat.⟩ das;* -s: organische chemische Verbindung, Alkaloid des Besenginsters (Krampfgegenmittel)

Spar|ten|sen|der *der;* -s, -: privater Fernsehsender, dessen Sendungen inhaltlich auf einen ganz speziellen Bereich beschränkt sind

Spar|te|rie *⟨gr.-lat.-fr.⟩ die;* -: Flechtwerk aus Span od. Bast

spar|tie|ren [ʃp..., sp...] *⟨lat.-it.⟩:* ein nur in den einzelnen Stimmen vorhandenes Musikwerk in Partitur setzen (Mus.)

Spas|men [ˈʃpas..., ˈspas...]: Plural von ↑ Spasmus. **spas|misch** *⟨gr.⟩* u. **spas|mo|disch:** krampfhaft, krampfartig, verkrampft (vom Spannungszustand der Muskulatur). **spas|mo|gen** *⟨gr.-nlat.⟩:* Krämpfe erzeugend (z. B. von der Wirkung von Arzneimitteln; Med.). **Spas|mo|ly|ti|kum** *das;* -s, ...ka: krampflösendes Mittel (Med.). **spas|mo|ly|tisch:** krampflösend (Med.). **spas|mo|phil:** zu Krämpfen nei-

gend (Med.). **Spas|mo|phi|lie**
die; -, ...jen: mit Neigung zu
Krämpfen verbundene Stoff-
wechselkrankheit bei Kindern
(Med.). **Spạs|mus** ⟨*gr. -lat.;* „Zu-
ckung; Krampf"⟩ *der;* -, ...men:
Krampf, Verkrampfung (Med.).
Spạs|ti|ker *der;* -s, -: 1. jmd., der
an einer spasmischen Krankheit
leidet. 2. (ugs. abwertend)
Dummkopf. **spạs|tisch:** 1.
↑spasmisch. 2. (ugs. abwertend)
unsinnig, dumm
Spal|tha [ˈʃpa:..., ˈspa:...] ⟨*gr. -lat.*⟩
die; -, ...then: 1. auffällig gefärb-
tes Hochblatt bei Palmen- u.
Aronstabgewächsen, das den
Blütenstand umschließt (Bot.).
2. zweischneidiges germanisches
Langschwert
Spal|ti|on [ˈʃpa:tsi̯ɔn, ˈsp...]: *Plural*
von ↑Spatium. **spal|ti|ie|ren**
⟨*lat.*⟩: ↑spationieren. **spal|tio-**
nie|ren ⟨*lat.-nlat.*⟩: [mit Zwi-
schenräumen] durchschießen,
gesperrt drucken (Druckw.).
spal|ti|ös geräumig, weit, licht
(vom Druck). **Spạ|ti|um** *das;* -s,
...ien: 1. [Zwischen]raum (z. B.
zwischen Notenlinien). 2. dünnes Ausschlussstück (Druckw.).
spa|zie|ren ⟨*lat.-it.*⟩: 1. sich ge-
mütlich, ohne Eile [u. ohne bestimmtes Ziel] fortbewegen,
schlendern. 2. (veraltend) spazieren gehen, einen Spaziergang
machen
Spea|ker [ˈspiːkɐ] ⟨*engl.;* „Spre-
cher"⟩ *der;* -s, -: 1. Präsident des
englischen Unterhauses. 2. Präsident des nordamerikanischen
Kongresses
Spe|cial [ˈspɛʃəl] ⟨*lat.-engl.*⟩ *das;*
-s, -s: Fernseh-, Rundfunksen-
dung, in der eine Persönlichkeit
(meist ein Künstler), eine Gruppe od. ein Thema im Mittelpunkt
steht. **Spe|cial Ef|fect** [- ɪˈfɛkt]
der; - -s, - -s (meist Plural): [von
Computern erzeugter] besonderer Bild- od. Toneffekt (bes. bei
Actionfilmen zur Dramatisie-
rung des Handlungsablaufs).
Spe|ci|es [ˈʃpeːtsi̯es, sp...] vgl.
Spezies. **Spe|cu|lum** [ˈʃpeː...,
ˈspe...] ⟨*lat.;* „Spiegel"⟩ *das;* -s,
...la: Titel von spätmittelalterli-
chen ↑Kompilationen (1) theologischer, lehrhafter u. unterhal-
tender Art
spe|die|ren ⟨*lat.-it.*⟩: [Waren] ver-
senden, abfertigen. **Spe|di|teur**
[...ˈtøːɐ̯] ⟨*lat.-it.,* mit französischer Endung gebildet⟩ *der;* -s,
-e: Kaufmann, der gewerbsmä-
ßig in eigenem od. fremdem Namen Speditionsgeschäfte be-

sorgt; Transportunternehmer.
Spe|di|ti|on ⟨*lat.-it.*⟩ *die;* -, -en: 1.
gewerbsmäßige Verfrachtung
od. Versendung von Gütern. 2.
Transportunternehmen. **spe|di-**
tiv ⟨*lat.-it.*⟩: (schweiz.) rasch vo-
rankommend, zügig
Speech [spiːtʃ] ⟨*engl.*⟩ *der;* -es, -e
u. -es [...ɪs]: (selten) Rede, An-
sprache
¹Speed [spiːd] ⟨*engl.*⟩ *der;* -[s], -s:
Geschwindigkeit[ssteigerung] ei-
nes Rennläufers od. Pferdes;
Spurt (Sport). **²Speed** *das;* -s, -s:
(Jargon) Aufputsch-, Rauschmittel.
Speed|ball [ˈspiːdbɔːl] ⟨*engl.*⟩ *der;*
-s, -s: (Jargon) Mischung aus
↑Heroin u. ↑Kokain. **Speed-**
way [...weɪ] ⟨*engl.;* „Schnell-
weg"⟩ *der;* -s, -s: engl. Bez. für:
Autorennstrecke. **Speed|way-**
ren|nen *das;* -s, -: Motorradren-
nen auf Aschen-, Sand- od. Eis-
bahnen (Sport)
spek|ta|bel [ʃp..., sp...] ⟨*lat.*⟩:
(veraltet) sehenswert, ansehn-
lich. **Spek|ta|bi|li|tät** („Ansehn-
lichkeit") *die;* -, -en: (veraltet)
Anrede an den Dekan (3).
¹Spek|ta|kel [ʃp...] ⟨*lat.;* „Schau-
spiel"⟩ *der;* -s, -: (ugs.) Lärm,
Krach; laute Auseinanderset-
zung. **²Spek|ta|kel** [ʃp..., sp...]
das; -s, -: 1. (veraltet) [Aufsehen
erregendes] die Schaulust befrie-
digendes] Theater-, Ausstat-
tungsstück. 2. Aufsehen erregen-
der Vorgang, Anblick. **spek|ta-**
keln [ʃp...] ⟨*lat.*⟩: (veraltend) lär-
men. **Spek|ta|kel|stück** [ʃp...,
sp...] ⟨*lat.; dt.*⟩ *das;* -[e]s, -e:
²Spektakel (1). **Spek|ta|ku|la**
⟨*lat.*⟩: *Plural* von ↑Spektakulum.
spek|ta|ku|lär ⟨*lat.-nlat.*⟩: Auf-
sehen erregend. **spek|ta|ku|lös:**
(veraltet) seltsam; abscheulich.
Spek|ta|ku|lum ⟨*lat.*⟩ *das;* -s,
...la: (scherzh.) Anblick, Schau-
spiel. **Spek|ta|tor** *der;* -s, ...oren:
Zuschauer. **Spek|tiv** *das;* -s, -e:
↑Perspektiv
Spẹk|tra *: *Plural* von ↑Spektrum.
spek|tral ⟨*lat.-nlat.*⟩: das ↑Spekt-
rum (1) betreffend, davon ausge-
hend. **Spek|tral|ana|ly|se** *die;* -,
-n: 1. Ermittlung der chemischen
Zusammensetzung eines Stoffes
durch Auswertung seines Spekt-
rums. 2. Verfahren zur Feststellung der physikalischen Natur u.
chemischen Beschaffenheit von
Himmelskörpern durch Beobachtung der Spektren u. deren
Vergleich mit bekannten Spekt-
ren (Astron.). **Spek|tral|far|be**
die; -, -en: eine der sieben unge-

mischten, reinen Farben verschiedener Wellenlänge, die bei
der spektralen Zerlegung von
Licht entstehen u. die nicht wei-
ter zerlegbar sind. **Spẹkt|ren:**
Plural von ↑Spektrum. **Spekt-**
ro|graph, auch: ...graf ⟨*lat.; gr.*⟩
der; -en, -en: Instrument zur
Aufnahme u. Auswertung von
Emissions- u. Absorptionsspekt-
ren im sichtbaren, ultraroten u.
ultravioletten Bereich (u. a. bei
der Werkstoffprüfung verwen-
det; Techn.). **Spekt|ro|gra|phie,**
auch: ...grafie *die;* -, ...ien: 1.
Aufnahme von Spektren mit einem Spektrographen. 2. Auswertung der festgehaltenen
Sternspektren (Astron.). **Spekt-**
ro|met|rie *die;* -: ↑Spektrosko-
pie. **Spekt|ro|pho|to|met|rie,**
auch: ...foto... *die;* -: 1. photometrische Messung der einzelnen wellenabhängigen Größen
im Sternspektrum (Astron.). 2.
fotografische Untersuchung von
Spektren auf ihre Intensitätsver-
teilung (Phys.). **Spekt|ro|skop**
das; -s, -e: meist als Handinstru-
ment konstruierter besonderer
Spektralapparat zum Bestimmen der Wellenlängen von
Spektrallinien (Phys.; Astron.).
Spekt|ro|sko|pie *die;* -: Beob-
achtung u. Bestimmung von
Spektren mit dem Spektroskop
(Phys.; Astron.). **Spẹkt|rum**
⟨*lat.*⟩ *das;* -s, ...tren u. ...tra: 1.
[relative] Häufigkeits- bzw. In-
tensitätsverteilung der Bestandteile eines [Strahlen]gemisches
in Abhängigkeit von einer gemeinsamen Eigenschaft, vor allem von der Wellenlänge bzw.
Frequenz. 2. bei der Brechung
von weißem Licht durch ein Gla-
sprisma entstehende Farbfolge
von Rot bis Violett. 3. Buntheit,
Vielfalt
Spe|ku|la [ʃpe..., ˈspe:...] *Plural*
von ↑Spekulum. **Spe|ku|lant**
[ʃp...] *der;* -en, -en: jmd., der spe-
kuliert (3), sich in Spekulationen
(3) einlässt. **Spe|ku|la|ti|on** *die;*
-, -en: 1. a) auf bloßen Annah-
men, Mutmaßungen beruhende
Erwartung, Behauptung, dass
etw. eintrifft; b) hypothetischer,
über die erfahrbare Wirklichkeit
hinausgehender Gedankengang
(Philos.). 2. Geschäftsabschluss,
der auf Gewinn aus zukünftigen
Veränderungen der Preise ab-
zielt (Wirtsch.). 3. gewagtes Ge-
schäft. **Spe|ku|la|ti|us** ⟨*lat.-ro-
man.-niederl.*⟩: Herkunft unsi-
cher⟩ *der;* -, -: flaches Gebäck

aus gewürztem Mürbeteig in Figurenform. **spe|ku|la|tiv** ⟨*lat.*⟩: 1. in der Art der Spekulation (1 b) denkend. 2. in reinen Begriffen denkend. 3. die Spekulation (2) betreffend. 4. grüblerisch. **spe|ku|lie|ren** („spähen, beobachten; ins Auge fassen"): 1. (ugs.) a) grübeln; b) auf etwas rechnen. 2. (ugs.) ausforschen, auskundschaften. 3. [an der Börse] durch Spekulationen (2) Gewinne zu erzielen suchen. **Spe-ku|lum** ['ſpe:..., 'spe:...] *das;* -s, ...la: meist mit einem Spiegel versehenes röhren- od. trichterförmiges Instrument zum Betrachten u. Untersuchen von Hohlräumen u. Organen, die dem bloßen Auge nicht [genügend] zugänglich sind (Med.)

Spe|lä|o|lo|gie [ſp..., sp...] ⟨*gr.-nlat.*⟩ *die;* -: Wissenschaft, die sich mit der Erforschung von Höhlen befasst. **spe|lä|o|lo-gisch:** die Speläologie betreffend. **Spe|lun|ke** [ſp...] ⟨*gr.-lat.;* „Höhle, Grotte"⟩ *die;* -, -n: (abwertend) wenig gepflegtes, verrufenes Wirtshaus

spen|da|bel ⟨mit *roman.* Endung zu *dt.* spenden gebildet⟩: (ugs.) freigebig, großzügig. **spen|die-ren:** (ugs.) (für jmdn.) bezahlen; (jmdn.) zu etwas einladen

Spen|ser ['ſpɛnsə] vgl. Spenzer.

Spen|zer ['ſpɛn...], (österr.:) Spenser ⟨nach dem englischen Grafen G. J. Spencer⟩ *der;* -s, -: kurzes, eng anliegendes Jäckchen od. Hemd

Spe|ren|z|chen u. **Spe|ren|zi|en** ⟨*lat.-mlat.*⟩ *die* (Plural): (ugs.) a) Umschweife, Umstände; Schwierigkeiten, Ausflüchte; b) kostspielige Vergnügungen od. Gegenstände

Sper|ma ['ſpɛr..., 'spɛr...] ⟨*gr.-lat.;* „Samen"⟩ *das;* -s, ...men u. -ta: männliche Keimzellen enthaltende Samenflüssigkeit (von Mensch u. Tier; Biol.). **Sper-ma|ti|de** ⟨*gr.-nlat.*⟩ *die;* -, -n: noch unreife männliche Keimzelle (von Mensch u. Tier; Biol.). **Sper|ma|ti|tis** *die;* -, ...itiden: ↑ Funikulitis. **Sper|ma|ti|um** *das;* -s, ...ien (meist Plural): unbewegliche männliche Keimzelle der Rotalgen (Bot.). **sper|ma|to|gen:** 1. männliche Keimzellen bildend. 2. dem Samen entstammend (Biol.). **Sper|ma|to|ge-ne|se** u. Spermiogenese *die;* -: Samenbildung im Hoden (Biol.; Med.). **Sper|ma|to|gramm** *das;* -s, -e: ↑ Spermiogramm. **Sper-**

ma|to|pho|re *die;* -, -n (meist Plural): zusammenklebende Samenkapseln mancher niederer Tiere (Zool.). **Sper|ma|to|phyt** *der;* -en, -en: Blüten-, Samenpflanze. **Sper|ma|tor|rhö** *die;* -, -en u. **Sper|ma|tor|rhöe** [...'rø:] *die;* -, -n [...ø:ən]: Samenfluss ohne geschlechtliche Erregung (Med.). **Sper|ma|to|zo|id** *der;* -en, -en: bewegliche männliche Keimzelle mancher Pflanzen (Biol.). **Sper|ma|to|zo|on** *das;* -s, ...zoen: ↑ Spermium. **Sper-ma|zet** ⟨*gr.; gr.-lat.*⟩ *mlat.*⟩ *das;* -[e]s u. **Sper|ma|ze|ti** *das;* -s: Walrat, ↑ Cetaceum. **Sper|men:** *Plural* von ↑ Sperma. **Sper|mi-en:** *Plural* von ↑ Spermium. **Sper|min** ⟨*gr.-nlat.*⟩ *das;* -s: Bestandteil des männlichen Samens von charakteristischem Geruch (Biol.). **Sper|mio|ge-ne|se** *der;* -: ↑ Spermatogenese. **Sper|mio|gramm** *das;* -s, -e: bei der mikroskopischen Untersuchung der Samenflüssigkeit entstandenes Bild. **Sper|mi|um** *das;* -s, ...ien: reife männliche Keimzelle bei Mensch u. Tier (Biol.). **sper|mi|zid:** den männlichen Samen abtötend (von empfängnisverhütenden Mitteln; Med.). **Sper|mi|zid** *das;* -[e]s, -e: den männlichen Samen abtötendes Mittel zur Empfängnisverhütung

Spe|sen ⟨*lat.-vulgärlat.-it.*⟩ *die* (Plural): Auslagen, [Un]kosten im Dienst o. Ä. [die ersetzt werden]

Spe|ze|rei ⟨*lat.-it.*⟩ *die;* -, -en (meist Plural): (veraltend) Gewürz[ware]. **Spe|ze|rei|wa|ren** *die* (Plural): 1. (veraltend) Lebensmittel, bes. Delikatessen. 2. (schweiz.) Gemischtwaren

¹Spe|zi ⟨*lat.*⟩ *der;* -s, -[s]: (landsch.) bester Freund, Busenfreund. **²Spe|zi** ⟨Herkunft unsicher⟩ *die;* -, -[s]: (ugs.) Mischgetränk aus Limonade u. einem koffeinhaltigen Erfrischungsgetränk. **spe|zi|al:** ↑ speziell. **Spe-zi|al** *der;* -s, -e: (landsch.) 1. vertrauter Freund. 2. [kleinere Menge] Tageswein, Schankwein. **Spe|zi|a|li|en** *die* (Plural): (veraltet) Besonderheiten, Einzelheiten. **Spe|zi|a|li|sa|ti|on** ⟨*lat.-fr.*⟩ *die;* -, -en: ↑ Spezialisierung; vgl. ...[at]ion/...ierung. **spe|zi|a-li|sie|ren:** 1. gliedern, sondern, einzeln anführen, unterscheiden. 2. sich -: sich, seine Interessen innerhalb eines größeren Rahmens auf ein bestimmtes Gebiet konzentrieren. **Spe|zi|a|li|sie-**

rung *die;* -, -en: das Sichspezialisieren. **Spe|zi|a|list** *der;* -en, -en: Fachmann auf einem bestimmten Gebiet; Facharbeiter, Facharzt. **spe|zi|a|lis|tisch:** in der Art eines Spezialisten. **Spe|zi|a-li|tät** *die;* -, -en: 1. Besonderheit. 2. Gebiet, auf dem die besonderen Fähigkeiten od. Interessen eines Menschen liegen. 3. Feinschmeckergericht. **Spe|zi-a|l|prä|ven|ti|on** *die;* -, -en: Versuch, künftige Straftaten eines Straffälligen durch bestimmte Maßnahmen (z. B. Resozialisation) zu verhüten. **Spe|zi|al|sla-lom** *der;* -s, -: Slalom, der als Einzelwettbewerb u. nicht als Teil einer ¹Kombination (3 b) ausgetragen wird. **spe|zi|ell** (französierende Umbildung von spezial): vor allem, besonders, eigentümlich; eigens; Ggs. ↑ generell. **Spe|zi|e|rer** ⟨*lat.-it.*⟩ *der;* -s, --: (schweiz. ugs.) Spezerei-, Gemischtwarenhändler. **Spe|zi|es** ['ſpe:tsjɛs, 'sp...] ⟨*lat.*⟩ *die;* -, -[...e:s]: 1. besondere, bestimmte Art, Sorte von etw., einer Gattung. 2. Tier- od. Pflanzenart (in der biol. Systematik). 3. Grundrechnungsart in der Mathematik. 4. eine bestimmte, nicht auswechselbare Sache, die Gegenstand eines Schuldverhältnisses ist, z. B. Spezieskauf: Kauf eines bestimmten Gegenstandes; Speziesschuld: Verpflichtung zur Leistung einer bestimmten Sache (Rechtsw.). 5. Teegemisch (Pharm.). **Spe|zi|es|ta|ler** *der;* -, -: (hist.) ein harter Taler im Gegensatz zu Papiergeld. **Spe-zi|fik** *die;* -: das Spezifische einer Sache. **Spe|zi|fi|ka:** *Plural* von ↑ Spezifikum. **Spe|zi|fi|ka|ti|on** ⟨*lat.-mlat.*⟩ *die;* -, -en: 1. Einteilung der Gattung in Arten (Logik). 2. Einzelaufzählung. 3. Umbildung, Behandlung eines Stoffes durch Arbeiten, die ihn erheblich verändern (Rechtsw.); vgl. ...[at]ion/...ierung. **Spe|zi|fi-kum** ⟨*lat.*⟩ *das;* -s, ...ka: 1. Besonderes, Entscheidendes. 2. gegen eine bestimmte Krankheit wirksames Mittel (Med.). **spe|zi-fisch** ⟨*lat.-fr.*⟩: einer Sache ihrer Eigenart nach zukommend, bezogen [auf eine besondere Art], arteigen, kennzeichnend; **spezifisches Gewicht:** Gewicht eines Körpers im Verhältnis zu seinem Volumen; **spezifische Wärme:** Wärmemenge, die erforderlich ist, um 1 g eines Stoffes um 1 °C zu erwärmen. **Spe|zi|fi|tät** *die;* -,

-en: 1. Eigentümlichkeit, Besonderheit. 2. charakteristische Reaktion (Chem.). **spe|zi|fi|zie|ren:** 1. einzeln aufführen, verzeichnen. 2. zergliedern. **Spe|zi|fi|zie|rung** *die; -, -en:* ↑Spezifikation; vgl. ...[at]ion/...ierung. **Spe|zi|men** *(lat.) das; -s, Spezimina:* (veraltet) Probearbeit; Probe. **spe|zi|ös** *(lat.-fr.):* 1. ansehnlich. 2. scheinbar **Sphag|num*** *(gr.-nlat.) das; -s:* Gattung der Torf-, Sumpf- od. Teichmoose **Spha|le|rit** [auch: ...'rɪt] *(gr.-nlat.) der; -s:* Zinkblende (ein Mineral) **Sphä|re** *(gr.-lat.(-fr.)) die; -, -n:* 1. kugelförmig erscheinendes Himmelsgewölbe. 2. Gesichts-, Gesellschafts-, Wirkungskreis; [Macht]bereich. **Sphä|ren|har|mo|nie** u. **Sphä|ren|mu|sik** *die; -:* durch die Bewegung der Planeten entstehendes kosmisches, für den Menschen nicht hörbares, harmonisches Tönen (nach der Lehre des altgriech. Philosophen Pythagoras). **Sphä|rik** *die; -:* Geometrie von Figuren, die auf Kugeloberflächen durch größte Kreise gebildet sind (Math.). **sphä|risch:** 1. die Himmelskugel betreffend. 2. auf die Kugel bezogen, mit der Kugel zusammenhängend (Math.); **sphärische Trigonometrie:** Berechnung von Dreiecken auf der Kugeloberfläche. **Sphä|ro|id** *(gr.-nlat.) das; -[e]s, -e:* 1. kugelähnlicher Körper (bzw. seine Oberfläche). 2. Rotationsellipsoid (durch Drehung der Ellipse um ihre kleine Achse entstehend). **sphä|ro|i|disch:** kugelähnlich. **Sphä|ro|lith** [auch: ...'lɪt] *der; -s u. -en, -e[n]:* strahlig angeordnete Zusammenwachsung verschiedener Mineralindividuen (Mineral.). **sphä|ro|li|thisch** [auch: ...'lɪ...]: (vom Gefüge mancher magmatischer Gesteine) von kugeliger Form u. strahlenförmigem Aufbau. **Sphä|ro|lo|gie** *die; -:* Teil der Geometrie, der sich mit der Kugel befasst. **Sphä|ro|me|ter** *das; -s -:* Instrument mit Feinstellschraube (Mikrometerschraube) zur exakten Messung von Krümmungsradien (z. B. bei Linsen). **Sphä|ro|si|de|rit** [auch: ...'rɪt] *der; -s, -e:* Variation des Eisenspats in Kugelform **Sphen** *(gr.; „Keil") der; -s, -e:* ↑Titanit (1). **Sphe|no|id** *(gr.-nlat.) das; -[e]s, -e:* keilförmige Kristallform. **sphe|no|i|dal:**

keilförmig. **Sphe|no|ze|pha|lie** *die; -, ...ien:* keil- od. eiförmige Missbildung des Kopfes (Med.) **Sphin|gen:** *Plural von* ↑Sphinx **Sphink|ter** *(gr.-lat.; „Schnürer") der; -s, ...tere:* Ring-, Schließmuskel (Med.) **Sphinx** *(gr.-lat.):* 1. *die; -, -e* (archäologisch fachspr.: *der; -, -e* u. Sphingen): ägypt. Steinbild in Löwengestalt, meist mit Männerkopf, Sinnbild des Sonnengottes od. des Königs. 2. (ohne Plural) rätselhafte Person od. Gestalt (nach dem weibl. Ungeheuer der griech. Mythologie). 3. (Plural: -en) Abendpfauenauge (mitteleuropäische Schmetterlingsart) **Sphra|gis|tik** *(gr.) die; -:* Siegelkunde. **sphra|gis|tisch:** siegelkundlich **Sphyg|mo|graph,** auch: Sphygmograf *(gr.-nlat.) der; -en, -en:* Pulsschreiber; Gerät zur Aufzeichnung der Pulskurve (Med.). **Sphyg|mo|gra|phie,** auch: **...ien:** durch den Sphygmographen selbsttätig aufgezeichnete Pulskurve (Med.). **Sphyg|mo|ma|no|me|ter** *das; -s, -:* Gerät zur Messung des Blutdrucks (Med.) **spic|cal|to** [sp...] *(lat.-it.):* einfach, schlicht (Vortragsanweisung; Mus.). **spic|cal|to** *das; -s, -s u. ...ti:* die Töne voneinander absetzende, mit Springbogen zu spielende Strichart bei Saiteninstrumenten (Mus.) **Spi|cil|le|gi|um** [...tsi...] *(lat.; „Ährenlese") das;* ...*gien: a)* Anthologie (im 17. u. 18. Jh. oft in Buchtiteln) **Spi|der** ['ʃpaidɐ, 'sp...] *(engl.) der; -s, -:* Roadster **Spie|li|o|thek, Spie|lo|thek** *(dt.; gr.) die; -, -en:* 1. Einrichtung zum Verleih von Spielen. 2. Spielhalle **Spike** [spaik, spaik] *(engl.; „langer Nagel, Stachel") der; -s, -s:* 1. a) Metalldorn an der Sohle von Laufschuhen (Leichtathletik); b) Metallstift an der Lauffläche von Autoreifen. 2. (meist Plural) rutschfester Laufschuh mit Spikes (1 a). 3. (Plural) Kurzform von ↑Spikesreifen. **Spike[s]|rei|fen** *der; -s, -:* mit Spikes (1 b) versehener, bei Schnee- u. Eisglätte weitgehend rutschfester Autoreifen

Spil|la|ge [ʃpɪ'la:ʒ, sp...] *(dt., mit* französischer Endung *-age) die; -, -n:* Verluste, die durch falsche Verpackung trockener Waren entstehen (Wirtsch.) **Spin** [spɪn] *(engl.; „schnelle Drehung") der; -s, -s:* Eigendrehimpuls der Elementarteilchen im Atom (Phys.) **Spi|na** ['ʃpi:..., 'spi:...] *(lat.) die; -,...nen:* 1. Stachel, Dorn; spitzer Knochenvorsprung (Med.). 2. Rückgrat (Anat.). **spi|nal** [ʃp..., sp...]: zur Wirbelsäule, zum Rückenmark gehörend; **spinale Kinderlähmung:** Erkrankung des Rückenmarks; vgl. Poliomyelitis. **Spi|nal|gie*** *(lat.; gr.) die; -, -ien:* Druckempfindlichkeit der Wirbel (Med.). **Spi|na|li|om** *(lat.-nlat.) das; -s, -e:* Stachelzellen-, Hornkrebs (Med.) **Spi|nat** *(pers.-arab.-span.) der; -[e]s, -e:* dunkelgrünes Blattgemüse **Spi|nell** *(lat.-it.) der; -s, -e:* ein Mineral, Edelstein **Spi|nen:** *Plural von* ↑Spina **Spi|nett** *(it.; vielleicht nach dem Erfinder G. Spinetto, um 1500) das; -[e]s, -e:* dem ↑Cembalo ähnliches Musikinstrument, bei dem die Saiten mit einem Dorn angerissen werden. **Spi|net|ti|no** *das; -s, -s:* kleines Spinett **Spi|ni|fex** *(lat.-nlat.) der; -:* australische Grasart **Spin|na|ker** *(engl.) der; -s, -:* großes, halbrundes, sich stark wölbendes Jachtvorsegel (Seew.) **Spin-off** ['spɪn...] *(engl.) das; -s, -s:* Nebenprodukt **Spi|nor** [ʃpi..., 'spi:...] *(engl.-nlat.) der; -s, ...oren:* math. Größe, die es gestattet, den ↑Spin des Elektrons zu beschreiben **spi|nös** [ʃp..., sp...] *(lat.):* (veraltend) heikel u. sonderbar, schwierig (z. B. im Umgang) **Spi|no|zis|mus** [ʃp..., sp...] *(nlat.):* nach dem Philosophen Spinoza, 1632–1677) *der; -:* Lehre u. Weiterführung der Philosophie Spinozas. **Spi|no|zist** *der; -en, -en:* Vertreter des Spinozismus. **spi|no|zis|tisch:** den Spinozismus betreffend **Spin|the|ris|mus** [ʃp..., sp...] *(gr.-nlat.) der; -:* ↑Photopsie **spin|ti|sie|ren** (vermutlich eine französische Weiterbildung zu *dt.* spinnen): (ugs.) grübeln; ausklügeln; fantasieren **Spi|on** *(germ.-it.) der; -s, -e:* 1. Späher, Horcher; heimlicher Kundschafter; Person, die geheime Informationen unerlaubterweise [an eine fremde Macht] übermittelt. 2. ein außen am Fenster angebrachter Spiegel, in dem man die Vorgänge auf der Straße beobachten kann. 3. [vergittertes] Guckloch an den Zellentüren im Gefängnis od. an Haustüren. **Spi|o|na|ge** [...'na:-ʒə] ⟨germ.-it.(-fr.)⟩ die; -: Auskundschaftung von Geheimnissen für eine fremde Macht. **spi|o|nie|ren:** [für eine fremde Macht] Geheimnisse auskundschaften

Spi|rae [ʃp..., ʃp...] ⟨gr.-lat.⟩ die; -, -n: Pflanzengattung der Rosengewächse mit zahlreichen Ziersträuchern. **spi|ral** [ʃp...] ⟨gr.-lat.-mlat.⟩: schneckenförmig gedreht (Techn.). **Spi|ra|le** die; -, -n: 1. a) sich gleichmäßig um eine Achse windende Linie, Schraubenlinie; b) ebene Kurve, die in unendlich vielen, immer weiter werdenden Windungen einen festen Punkt umläuft (Math.). 2. Gegenstand in der Form einer Spirale (1) (z. B. Uhrfeder). **spi|ra|lig:** schraubenförmig, schneckenförmig

Spi|rans ['ʃpi:..., 'spi:...] ⟨lat.⟩ die; -, Spiranten u. **Spi|rant** der; -en, -en: Reibelaut, ↑ Frikativ. **spi|ran|tisch:** die Spirans, den Spiranten betreffend

Spi|ri|fer ['ʃpi:..., 'spi:...] ⟨⟨gr.-lat.; lat.⟩ nlat.⟩ der; -s, ...feren: ausgestorbener Armfüßer (Leitfossil des ↑ Devons). **Spi|ril|le** ⟨gr.-lat.-nlat.⟩ die; -, -n (meist Plural): Schraubenbakterie. **spi|ril|li|zid** ⟨gr.-lat.-nlat.; lat.⟩: Spirillen tötend

Spi|rit ['spɪ...] ⟨lat.-fr.-engl.⟩ der; -s, -s: [↑mediumistischer] Geist. **Spi|ri|tis|mus** [ʃp..., sp...] ⟨lat.-nlat.⟩ der; -: Geisterlehre, Glaube an Erscheinungen von Seelen Verstorbener, mit denen man durch ein ↑'Medium (4) zu verkehren sucht; Versuch, okkulte Vorgänge als Einwirkungen von Geistern zu erklären; Ggs. ↑ Animismus (3). **Spi|ri|tist** der; -en, -en: Anhänger des Spiritismus. **spi|ri|tis|tisch:** den Spiritismus betreffend. **spi|ri|tu|al** ⟨lat.-mlat.⟩: auf den [Heiligen] Geist bezogen; geistig, übersinnlich. **'Spi|ri|tu|al** ⟨lat.-mlat.⟩ der; -s u. -en, -en: Seelsorger, Beichtvater in kath. Seminaren u. Klöstern. **²Spi|ri|tu|al** ['spɪrɪtjʊəl] ⟨lat.-fr.-engl.-amerik.⟩ das (auch: der); -s, -s: ↑ Negrospiritual. **Spi|ri|tu|a|le** [ʃp..., sp...] ⟨lat.-mlat.⟩ der; -n, -n (meist Plural): strenge Rich-

tung der ↑ Franziskaner im 13./14. Jh.; vgl. Observant. **Spi|ri|tu|a|li|en** die (Plural): geistliche Dinge. **spi|ri|tu|a|li|sie|ren** ⟨lat.-mlat.-nlat.⟩: vergeistigen. **Spi|ri|tu|a|lis|mus** der; -: 1. metaphysische Lehre, die das Wirkliche als geistig od. als Erscheinungsweise des Geistigen annimmt. 2. theologische Richtung, die die unmittelbare geistige Verbindung des Menschen mit Gott gegenüber der geschichtlichen Offenbarung betont. **Spi|ri|tu|a|list** der; -en, -en: Vertreter des Spiritualismus. **spi|ri|tu|a|lis|tisch:** den Spiritualismus betreffend. **Spi|ri|tu|a|li|tät** ⟨lat.-mlat.⟩ die; -: Geistigkeit; Ggs. ↑ Materialität. **spi|ri|tu|ell** ⟨lat.-mlat.-fr.⟩: geistig; geistlich. **spi|ri|tu|os** ⟨lat.-fr.; in der Endung relativiert⟩ u. **spi|ri|tu|ös** ⟨lat.-fr.⟩: Weingeist enthaltend; geistig. **Spi|ri|tu|o|se** ⟨lat.-fr., in der Endung relativiert⟩ die; -, -n (meist Plural): stark alkoholisches Getränk (z. B. Weinbrand, Likör). **spi|ri|tu|o|so** [sp...] ⟨lat.-it.⟩: geistvoll, feurig (Vortragsanweisung; Mus.). **'Spi|ri|tus** ['spi:...] ⟨lat.⟩ der; -, - [...tu:s]: Hauch, Atem, [Lebens]geist; **Spiritus asper** (Plural: Spiritus asperi): Zeichen (') für den h-Anlaut im Altgriechischen; **Spiritus familiaris:** guter Hausgeist, Vertraute[r] der Familie; **Spiritus lenis** (Plural: Spiritus lenes [...ne:s]): Zeichen (') für das Fehlen des h-Anlautes im Altgriechischen; **Spiritus Rector:** leitender, belebender, treibender Geist, Seele (z. B. eines Betriebes, Vorhabens); **Spiritus Sanctus:** der Heilige Geist. **²Spi|ri|tus** ['ʃpi:...] der; -, -se: Weingeist; Alkohol

Spi|ro|chä|te [ʃp..., sp...] ⟨gr.-nlat.⟩ die; -, -n: krankheitserregende Bakterie (z. B. Erreger der Syphilis u. des Rückfallfiebers) **Spi|ro|er|go|met|rie*** [ʃp..., sp...] ⟨lat.; gr.-nlat.⟩ die; -, ...ien: Messung der Kapazität der Sauerstoffaufnahme im Ruhezustand des Organismus u. nach körperlicher Belastung **Spi|ro|gy|ra** [ʃp..., sp...] ⟨gr.-nlat.⟩ die; -, ...ren: Schraubenalge (Jochalge) **Spi|ro|me|ter** [ʃp..., sp...] ⟨lat.; gr.⟩ das; -s, -: Gerät, mit dem die verschiedenen Eigenschaften des Atems gemessen werden (Med.). **Spi|ro|met|rie*** die; -: Messung u. Aufzeichnung der

Atmung (z. B. zur Messung des Grundumsatzes od. der Lungenkapazität; Med.) **Spi|tal** ⟨lat.-mlat.⟩ das (schweiz. ugs. auch: der); -s, Spitäler: 1. (veraltend, aber noch landsch., bes. österr., schweiz.) Krankenhaus. 2. (veraltet) a) Pflegeheim, Altersheim; b) Armenhaus. **Spi|ta|ler** u. **Spi|tä|ler** u. **Spitt|ler** der; -s, -: 1. (veraltend, aber noch landsch.) Insasse eines Spitals (1). 2. (veraltet) Insasse eines Spitals (2)

splanch|nisch ['splan...] ⟨gr.⟩: ↑ viszeral. **Splanch|no|lo|gie** ⟨gr.-nlat.⟩ die; -: Teilgebiet der Medizin, das sich mit den Eingeweiden befasst (Med.)

Splat|ter|mo|vie ['splɛtəmu:vi] ⟨engl.; lat.-fr.-engl.-amerik.⟩ das; -[s],-s: (Jargon) Horrorfilm mit vielen blutrünstigen Szenen **Spleen** [ʃpli:n, seltener: sp...] ⟨gr. lat.-engl.⟩ der; -s, -e u. -s: Schrulle, Marotte; Überspanntheit. **splee|nig:** schrullig, verrückt, überspannt

splen|did [ʃp..., sp...] ⟨lat.⟩: 1. freigebig. 2. glanzvoll, kostbar. 3. weit auseinander gerückt (Druckw.). **Splen|did Il|so|la|tion** ['splɛndɪd aisə'leiʃən] ⟨engl.; "glänzendes Alleinsein"⟩ die; - -: 1. (hist.) die Bündnislosigkeit Englands im 19. Jh. 2. freiwillige Bündnislosigkeit eines Landes, einer Partei o. Ä. **Splen|di|di|tät** [ʃp..., sp...] ⟨lat.-nlat.⟩ die; -: (veraltet) Freigebigkeit **Sple|nek|to|mie*** [sp..., ʃp...] ⟨gr.-nlat.⟩ die; -, ...ien: operative Entfernung der Milz (Med.). **Sple|ni|tis** ⟨gr.-nlat.⟩ die; -, ...itiden: Milzentzündung (Med.). **sple|no|gen:** von der Milz herrührend (von krankhaften Veränderungen; Med.). **Sple|no|he|pa|to|me|ga|lie** die; -, ...ien: Vergrößerung von Milz u. Leber (Med.). **Sple|nom** das; -s, -e: gutartige Milzgeschwulst (Med.). **sple|no|me|gal:** die Splenomegalie betreffend. **Sple|no|me|ga|lie** die; -, ...ien: krankhafte Milzvergrößerung (Med.). **Sple|no|to|mie** die; -, ...ien: Milzoperation (Med.)

split|ten ['ʃplɪtn, 'sp...] ⟨engl.⟩: das Splitting anwenden, aufteilen. **Split|ting** das; -s, -s: 1. (ohne Plural) Form der Haushaltsbesteuerung, bei der das Einkommen der Ehegatten zusammengezählt, halbiert und jeder Ehegatte mit der Hälfte des Gesamteinkommens bei der Steuerberechnung berücksichtigt wird. 2. Teilung eines Anteilspapiers (Aktie, Investmentpapier), wenn der Kurs erheblich gestiegen ist. 3. Verteilung der Erst- u. Zweitstimme auf verschiedene Parteien (bei Wahlen) **Spo|di|um** ['ʃpoː..., 'spoː...] ⟨*gr.-lat.*⟩ *das;* -s: adsorbierende Knochenkohle (Chem.). **Spo|du|men** ⟨*gr.-nlat.*⟩ *der;* -s, -e: ein Mineral, Schmuckstein **Spoi|ler** ['ʃpɔylɐ, 'sp...] ⟨*engl.;* zu to spoil „(Luft[widerstand]) wegnehmen"⟩ *der;* -s, -: 1. Luftleitblech an [Renn]autos zum Zweck der besseren Bodenhaftung. 2. Verlängerung des Skistiefels am Schaft als Stütze bei der Rücklage. 3. Klappe an den Tragflächen von Flugzeugen, die die Strömungsverhältnisse verändert (Störklappe) **Spoils|sys|tem** ['spɔɪlzsɪstɪm] ⟨*engl.-amerik.;* „Beutesystem"⟩ *das;* -: in den Vereinigten Staaten die Besetzung öffentlicher Ämter durch die Mitglieder der in einer Wahl siegreichen Partei. **Spo|li|ant** [ʃp..., sp...] ⟨*lat.*⟩ *der;* -en, -en: (veraltet) jmd., der der Beraubung angeklagt ist (Rechtsw.). **Spo|li|a|ti|on** *die;* -, -en: (veraltet) Raub, Plünderung (Rechtsw.). **Spo|li|en** [ʃp...]: 1. *Plural* von ↑Spolium. 2. *die* (Plural): (hist.) beweglicher Nachlass eines katholischen Geistlichen. 3. aus anderen Bauten wieder verwendete Bauteile (z. B. Säulen, Friese o. Ä.; Archit.). **Spo|li|en|kla|ge** *die;* -, -n: Klage auf Rückgabe widerrechtlich entzogenen Besitzes (im kanonischen und gemeinen Recht; Rechtsw.). **Spo|li|en|recht** *das;* -[e]s, -e: a) im Mittelalter das Recht eines Kirchenpatrons (vgl. ¹Patron 3), die Spolien (2) eines verstorbenen Geistlichen einzuziehen; b) der Anspruch des Kaisers od. später des Papstes auf den Nachlass eines Bischofs. **spo|li|ie|ren:** (veraltet, aber noch landsch.) berauben, plündern, stehlen. **Spo|li|um** *das;* -s, ...ien [...jən]: Beutestück, erbeutete Waffe (im alten Rom) **Spom|pa|na|de[l]n** ⟨*it.*⟩ *die* (Plural): (österr. ugs.) ↑Sperenzchen **Spon|de|en:** *Plural* von ↑Spondeus. **spon|de|isch** [ʃp..., sp...] ⟨*gr.-lat.*⟩: 1. den Spondeus betreffend. 2. in, mit Spondeen geschrieben, verfasst. **Spon|de|us** *der;* -, ...deen: aus zwei Längen bestehender antiker Versfuß

(--). **Spon|di|a|kus** *der;* -, ...zi: ↑Hexameter, in dem statt des fünften ↑Daktylus ein Spondeus gesetzt ist **Spon|dy|l|arth|ri|tis*** [ʃp..., sp...] ⟨*gr.-nlat.*⟩ *die;* -, ...iti̯den: Entzündung der Wirbelgelenke (Med.). **Spon|dy|li|tis** *die;* -, ...iti̯den: Wirbelentzündung (Med.). **Spon|dy|l|o|se** *die;* -, -n: krankhafte Veränderung an den Wirbelkörpern u. Bandscheiben (Med.) **Spon|gia** ['ʃpɔngi̯a, 'spɔngi̯a] ⟨*gr.-lat.*⟩ *die;* -, ...ien: Schwamm, einfachst gebautes, vielzelliges Tier. **spon|gi|form** ⟨*lat.*⟩: schwammförmig (bes. Tiermed.). **Spon|gin** ⟨*gr.-nlat.*⟩ *das;* -s: Gerüstsubstanz der Hornschwämme. **Spon|gi|o|lo|gie** *die;* -: Teilgebiet der Biologie, das sich mit den Schwämmen befasst. **spon|gi|ös** ⟨*gr.-lat.*⟩: schwammig. **Spon|gi|o|sa** *die;* -: schwammartiges Innengewebe der Knochen **Spon|sa** [ʃpɔnza, 'spɔnza] ⟨*lat.*⟩ *die;* -, ...sae [...zɛ]: in Kirchenbüchern lat. Bez. für: Braut. **Spon|sa|li|en** *die* (Plural): (veraltet) Verlöbnis; Verlobungsgeschenke (Rechtsw.). **spon|sern:** aus Reklamegründen jmdn. od. etwas finanziell unterstützen, fördern; vgl. Sponsor (1). **Spon|si** *Plural* von ↑Sponsus. **spon|sie|ren:** (veraltet, auch noch landsch.) um ein Mädchen werben, den Hof machen. **Spon|si|on** *die;* -, -en: (österr.) Feier, bei der der Magistergrad verliehen wird. **Spon|sor** ['ʃpɔnzɐ, 'spɔnzɐ, engl.: 'spɔnsə] ⟨*lat.-engl.*⟩ *der;* -s, ...oren u. (bei engl. Aussprache) -s: 1. Person, Organisation o. Ä., die jmdn. od. etwas sponsert. 2. (bes. in den USA) Person[engruppe], die eine Sendung im Rundfunk od. Fernsehen finanziert, um sie zu Reklamezwecken zu nutzen. **Spon|so|ring** ['ʃpɔn..., 'spɔn..., engl.: 'spɔnsərɪŋ] *das;* -s: das Sponsern. **Spon|sor|ship** ['ʃpɔnzoːɐ̯ʃɪp, 'sp..., engl.: 'spɔnsəʃɪp] *das;* -s: Sponsorentum. **Spon|sus** ⟨*lat.*⟩ *der;* -, Sponsi in Kirchenbüchern lat. Bez. für: Bräutigam **Spon|tan** [ʃp..., sp...] ⟨*lat.*⟩: von selbst; von innen heraus, freiwillig, ohne Aufforderung, aus eigenem plötzlichem Antrieb; unmittelbar: **Spon|ta|ne|i|tät** *die;* -, -en: ↑Spontanität. **Spon|ta|ni|tät** ⟨*lat.-nlat.*⟩ *die;* -, -en: Handeln ohne äußere Anregung; eigener, innerer Antrieb; unmittel-

bare, spontane Reaktion. **Spon|ti** *der;* -s, -s: (ugs.) Angehöriger einer undogmatischen linksgerichteten Gruppe **Spon|ton** [ʃpɔnˈtoːn, sp..., auch: spɔ'tõː] ⟨*lat.-it.(-fr.)*⟩ *der;* -s, -s: von den Infanterieoffizieren im 17. u. 18. Jh. getragene kurze, der Hellebarde ähnliche Pike **Spoon** [spuːn, ʃpuːn] ⟨*engl.*⟩ *der;* -s, -s: ein bestimmter Golfschläger (Sport) **spo|ra|disch** [ʃp..., sp...] ⟨*gr.-fr.*⟩: 1. vereinzelt [vorkommend], verstreut. 2. selten, gelegentlich, selten. **Spo|ran|gi|um*** ⟨*gr.-nlat.*⟩ *das;* -s, ...ien: Sporenbildner u. -behälter bei Pflanzen (Bot.) **spor|co** ['ʃpɔrko, 'sp...] ⟨*lat.-it.*⟩: ↑brutto; mit Verpackung [gewogen]. **Spor|ko** *das;* -s: Bruttogewicht; Masse mit Verpackung **spo|ro|gen** [ʃp..., sp...] ⟨*gr.-nlat.*⟩: Sporen erzeugend (Bot.). **Spo|ro|gon** *das;* -s, -e: Sporen erzeugende Generation der Moospflanzen (Bot.). **Spo|ro|go|nie** *die;* -: 1. Erzeugung von Sporen als ungeschlechtliche Phase im Verlauf eines ↑Generationswechsels (Bot.). 2. Vielfachteilung im Entwicklungszyklus der Sporentierchen (Biol.). **Spo|ro|phyll** *das;* -s, -e: Sporen tragendes Blatt (Bot.). **Spo|ro|phyt** *der;* -en, -en: Sporen bildende Generation bei Pflanzen (Bot.). **Spo|ro|tri|cho|se** *die;* -, -n: Pilzerkrankung des Haut- u. Unterhautgewebes mit Geschwürbildung (Med.). **Spo|ro|zo|it** *der;* -en, -en: durch Sporogonie (2) entstehendes Sporenentwicklungsstadium der Sporentierchen (Biol.). **Spo|ro|zo|on** *das;* -s, ...zoen (meist Plural): Sporentierchen (parasitischer Einzeller). **Spo|ro|zys|te** *die;* -, -n: Larvenstadium der Saugwürmer (Zool.) **Spor|tel** ⟨*lat.-etrusk.-lat.*⟩ *die;* -, -n (meist Plural): mittelalterliche Form des Beamteneinkommens **spor|tiv** [sp..., ʃp...] ⟨*engl., fr.*⟩: sportlich. **Sports|wear** ['spɔːtsvɛə] ⟨*engl.*⟩ *der* od. *das;* -[s]: sportliche Tageskleidung, Freizeitkleidung **Spo|sal|zio** [sp..., ʃp...] ⟨*lat.-it.,* „Vermählung") *das;* -: Darstellung der Verlobung bzw. Vermählung Marias mit Joseph in der [italienischen] Kunst **Spot** [spɔt, ʃpɔt] ⟨*engl.*⟩ *der;* -s, -s: 1. a) Werbekurzfilm (in Kino u. Fernsehen); b) in Hörfunksendungen eingeblendeter Werbetext. 2. Kurzform von ↑Spot-

light. Spot|ge|schäft ⟨*engl.; dt.*⟩ *das;* -[e]s, -e: Geschäft gegen sofortige Lieferung u. Kasse im Geschäftsverkehr der internationalen Warenbörsen. **Spotlight** [...laɪt] ⟨*engl.*⟩ *das;* -s, -s: Beleuchtung od. Scheinwerfer, der auf einen Punkt gerichtet ist u. dabei die Umgebung im Dunkeln lässt. **Spot|markt** ⟨*engl.; dt.*⟩ *der;* -[e]s, ...märkte: Handelsplatz, an dem nicht vertraglich gebundene Mengen von Rohöl an den Meistbietenden verkauft werden **Spray** [ʃpre:, spre:, engl.: spreɪ] ⟨*niederl.-engl.*⟩ *der* od. *das;* -s, -s: Flüssigkeit, die durch Druck [meist mithilfe eines Treibgases] aus einem Behältnis in feinsten Tröpfchen versprüht wird. **spray|en:** a) Spray versprühen; b) mit Spray besprühen. **Sprayer** *der;* -s, -: jmd., der [Graffiti an Wände o. Ä.] sprayt **Sprea|der** [ˈʃpreɪdɐ, ˈspreɪdɐ] ⟨*engl.*⟩ *der;* -s, -: Anlegemaschine in der Flachsspinnerei **Sprink|ler** ⟨*engl.*⟩ *der;* -s, -: 1. Teil einer Beregnungsanlage zum Feuerschutz (z. B. in Kaufhäusern), der bei bestimmter Temperatur Wasser versprüht. 2. Rasensprenger. 3. in Spinnereien Teil der Anlage zur Feuchterhaltung der Luft **Sprint** ⟨*engl.*⟩ *der;* -s, -s: kurzer, schneller Lauf. **sprin|ten:** eine kurze Strecke mit größtmöglicher Geschwindigkeit zurücklegen. **Sprin|ter** *der;* -s, -: Kurzstreckenläufer **Sprit** ⟨volkstümliche Umbildung von †²Spiritus, formal an franz. esprit = „Geist; Weingeist" angelehnt⟩ *der;* -[e]s, -e: (ugs.) Benzin, Treibstoff. **spri|tig:** spritähnlich **Sprue** [spru:] ⟨*niederl.-engl.*⟩ *die;* -: fieberhafte Erkrankung mit Gewebsveränderungen im Bereich von Zunge und Dünndarmschleimhaut (Med.) **Spu|man|te** [sp..., ʃp...] ⟨*lat.-it.*⟩ *der;* -s, -s: †Asti spumante **Spurt** ⟨*engl.*⟩ *der;* -[e]s, -s (selten: -e): Steigerung der Geschwindigkeit bis Rennen; äußerst schnelles Laufen über eine kürzere Strecke (Sport). **spur|ten:** einen Spurt machen (Sport) **Spu|ta** [ˈʃp..., ˈsp...]: *Plural* von †Sputum. **Spu|tum** ⟨*lat.*⟩ *das;* -s, ...ta: Auswurf, Gesamtheit der Sekrete der Luftwege (Med.) **Square** [ˈskweə] ⟨*lat.-vulgärlat.-fr.-engl.*⟩ *der* od. *das;* -[s], -s: engl. Bez. für: Quadrat; Platz.

Square|dance [...dɑːns] ⟨*engl.-amerik.*⟩ *der;* -, -s [...sɪz]: beliebter amerikanischer Volkstanz, bei dem jeweils vier Paare, in Form eines Quadrates aufgestellt, gemeinsam verschiedene Figuren ausführen **Squash** [skvɔʃ] ⟨*lat.-vulgärlat.-fr.-engl.*⟩ *das;* -: 1. Ballspiel, bei dem ein kleiner Ball mit einer Art Tennisschläger gegen eine Wand geschlagen wird u. der Gegner daraufhin versuchen muss, den Ball beim Rückprall zu erreichen u. seinerseits zu schlagen (Sport). 2. ausgepresster Saft [mit Mark] von Zitrusfrüchten. **Squash|cen|ter** *das;* -s, -: Einrichtung zum Squashspielen **Squat|ter** [ˈskvɔtɐ, engl.: ˈskwɔtə] ⟨*lat.-vulgärlat.-fr.-engl.*⟩ *der;* -s, -: (bes. früher in den USA) Siedler, der ohne Rechtsanspruch auf unbebautem Land siedelt **Squaw** [skvɔː] ⟨*indian.-engl.*⟩ *die;* -, -s: nordamerikanische Indianerfrau **Squi|re** [ˈskvaɪɐ, engl.: ˈskwaɪə] ⟨*lat.-fr.-engl.*⟩ *der;* -[s], -s: engl. Gutsherr **Sse|rir** vgl. Serir **Staats|lärar** ⟨*lat.-mlat.(-fr.)*⟩ *das;* -s, -e: Amtsspr. †Fiskus. **Staats|ka|pi|ta|lis|mus** *der;* -: Wirtschaftsform, die Elemente des Sozialismus mit Prinzipien der Marktwirtschaft verbindet. **staats|mo|no|po|lis|tisch:** (Marxismus-Leninismus) durch die Verbindung der Macht der Monopole mit der Macht des Staates gekennzeichnet. **Staats|mo|no|pol|ka|pi|ta|lis|mus** *der;* -: (Marxismus-Leninismus) staatsmonopolistischer Kapitalismus; Kurzw.; Stamokap. **Staats|lä|son** *die;* -: (hist.) der Grundsatz [des Nationalstaates], dass die Staatsinteressen allen anderen Interessen voranstehen. **Staats|sek|re|tär** *der;* -s, -e: hoher Staatsbeamter, der einem Minister unmittelbar untersteht u. dem die Geschäftsleitung des Ministeriums obliegt; in manchen Staaten (z. B. in den USA): Minister. **Staats|sek|re|ta|rie*** *die;* -: päpstliche Behörde für die Außenpolitik der kath. Kirche, unter Leitung des Kardinalstaatssekretärs. **Staats|ser|vi|tu|ten** *die* (Plural): durch völkerrechtlich gültige Verträge einem Staat auferlegte Verpflichtungen, auf bestimmte Hoheitsrechte zugunsten anderer Staaten zu ver-

zichten (z. B. fremden Truppen den Durchmarsch zu gestatten, auf Grenzbefestigungen zu verzichten) **Sta|bat Ma|ter** [ˈst... -] ⟨*lat.;* „die Mutter (Jesu) stand (am Kreuz)"⟩ *das;* - -, - -: 1. (ohne Plural) Anfang u. Bezeichnung einer Sequenz (1). 2. Komposition, die den Text dieser Mariensequenz zugrunde legt **Sta|bel|le** ⟨*lat.-roman.*⟩ *die;* -, -n: (schweiz.) hölzerner Stuhl, Schemel **sta|bil** ⟨*lat.*⟩: 1. beständig, sich im Gleichgewicht haltend (z. B. Wetter, Gesundheit); Ggs. †labil (1). 2. seelisch robust, widerstandsfähig; Ggs. †labil (2). 3. körperlich kräftig, widerstandsfähig. 4. fest, dauerhaft, den Abnutzung standhaltend (z. B. in Bezug auf Gegenstände). **Sta|bi|le** ⟨*lat.-engl.*⟩ *das;* -s, -s: auf dem Boden stehende metallene Konstruktion in abstrakter Gestaltung (in der modernen Kunst). **sta|bi|li|sie|ren** ⟨*lat.*⟩: (veraltet) stabilisieren. **Sta|bi|li|sa|tor** ⟨*lat.-nlat.*⟩ *der;* -s, ...oren: 1. Gerät, das Schwankungen von elektrischen Spannungen o. Ä. verhindert od. vermindert. 2. (bes. bei Kraftwagen verwendetes) Bauteil, das bei der Federung einen Ausgleich bei einseitiger Belastung o. Ä. bewirkt. 3. Zusatz, der unerwünschte Reaktionen chemischer Verbindungen verhindert oder verlangsamt. 4. gerinnungshemmende Flüssigkeit zur Konservierung des Blutes (Med.). 5. Vorrichtung in Schiffen, die den Schlingern entgegenwirkt. **sta|bi|li|sie|ren:** festsetzen, festigen, dauerhaft, standfest machen. **Sta|bi|li|sie|rung** *die;* -, -en: 1. Herstellung od. Herbeiführung eines festen, dauerhaften Zustandes. 2. das Entfernen von leicht verdampfenden Stoffen aus Treibstoffen unter hohem Druck. **Sta|bi|li|tät** ⟨*lat.*⟩ *die;* -: 1. Beständigkeit, Dauerhaftigkeit. 2. Standfestigkeit, Gleichgewichtssicherheit **stac|ca|to** [st..., ʃt...] ⟨*germ.-it.*⟩: kurz abgestoßen (zu spielen od. zu singen, in Bezug auf Tonfolge); Abk.: stacc. (Vortragsanweisung; Mus.); Ggs. †legato; vgl. martellato. **Stac|ca|to** vgl. Stakkato **sta|di|al** ⟨*gr.-lat.-nlat.*⟩: stufen-, abschnittweise. **Sta|di|a|li|tät** ⟨*gr.-lat.-russ.*⟩ *die;* -: Lehre den russischen Sprachwissenschaftlers N. Marr, die auf der Annahme gesellschaftlich bedingter sprachlicher Veränderungen in bestimmten Stadien der Entwicklung beruht. Sta|di|en= *Plural* von ↑Stadion und ↑Stadium. Sta|di|on ⟨*gr.*⟩ *das;* -s, ...ien: 1. mit Zuschauerrängen versehenes ovales Sportfeld; Kampfbahn. 2. alt- u. neugriechisches Längenmaß (1 Stadion alt = 184,98 m, 1 Stadion neu = 1 km). Sta|di|um ⟨*gr.-lat.*⟩ *das;* -s, ...ien: Zeitraum aus einer gesamten Entwicklung; Entwicklungsstufe, -abschnitt Sta|fet|te ⟨*germ.-it.*⟩ *die;* -, -n: 1. (hist.) reitender Eilbote, Meldereiter. 2. Staffel, Staffellauf (bes. Sport) Staf|fa|ge [...'fa:ʒə] ⟨mit französierender Endung zu staffieren gebildet⟩ *die;* -, -n: 1. Beiwerk; Nebensächliches; Ausstattung, trügerischer Schein. 2. Menschen u. Tiere als Belebung eines Landschafts- od. Architekturgemäldes (bes. in der Malerei des Barocks). staf|fie|ren ⟨*fr.-niederl.*⟩: 1. (veraltet) ausstaffieren, ausrüsten, ausstatten (bes. mit Bekleidung, Wäsche). 2. (österr.) schmücken, putzen (z. B. einen Hut). 3. einen Stoff auf einen anderen aufnähen (z. B. Futter in einen Mantel) Sta|ge ['sta:ʒə] ⟨*lat.-fr.*⟩ *die;* -, -n: Vorbereitungszeit, Probezeit Stag|fla|ti|on [ʃt..., st...] ⟨Kurzw. aus *Stag*nation u. In*flation*⟩ *die;* -, -en: Stillstand des Wirtschaftswachstums bei gleichzeitiger Geldentwertung Sta|gi|aire [sta'ʒjɛ:ɐ̯] ⟨*fr.*⟩ *der;* -s, -s: Probekandidat Sta|gio|ne [sta'dʒo:nə] ⟨*lat.-it.*⟩ *die;* -, -n: 1. Spielzeit italienischer Operntheater. 2. Ensemble eines italienischen Operntheaters Sta|gi|rit [st...] ⟨*gr.-lat.*; nach dem makedonischen Stadt Stageira, dem Geburtsort des Philosophen⟩ *der;* -en: Beiname des Aristoteles (384–322 v. Chr.) Stag|na|ti|on* [ʃt... auch: st...] ⟨*lat.-nlat.*⟩ *die;* -, -en: 1. Stockung, Stauung, Stillstand. 2. kalte Wasserschicht in Binnenseen, die sich im Sommer nicht mit der oberen erwärmten Schicht mischt (Geogr.); vgl. ...[at]ion/...ierung. stag|nie|ren ⟨*lat.*⟩: 1. stocken, sich stauen; sich festfahren. 2. stehen (von Gewässern ohne sichtbaren Ab-

fluss u. vom Stillstand eines Gletschers). Stag|nie|rung *die;* -, -en: ↑Stagnation; vgl. ...[at]ion/...ierung Stal|gol|sko|pie* ⟨*gr.-nlat.;* „Tropfenschau"⟩ *die;* -: neueres Verfahren zum Nachweis von Stoffen in chemischen Verbindungen (z. B. in Körpersäften od. an Kristallen in getrockneten Tropfen; Med.; Biol.) Stain|less Steel ['steɪnlɪs 'sti:l] ⟨*engl.*⟩ *der;* - -: rostfreier Stahl (Qualitätsbezeichnung auf Gebrauchsgütern) Stakes [ste:ks, ʃt..., engl.: steɪks] ⟨*engl.*⟩ *die* (Plural): 1. Einsätze bei Pferderennen, die den Pferden die Startberechtigung sichern. 2. Pferderennen, die aus Einsätzen bestritten werden Sta|ket ⟨*germ.-it.-fr.-niederl.*⟩ *das;* -[e]s, -e: Staketenzaun, Lattenzaun. Sta|ke|te *die;* -, -n: (österr.) Latte. Stak|ka|to [ʃt..., st...] ⟨*germ.-it.*⟩ *das;* -s, -s u. ...ti: ein die einzelnen Töne kurz abstoßender musikalischer Vortrag; vgl. staccato Sta|lag|mit [ʃt..., st..., auch: ...'mɪt] ⟨*gr.-nlat.*⟩ *der;* -s u. -en, -e[n]: Tropfstein, der vom Boden der Höhle nach oben wächst; vgl. Stalaktit. sta|lag|mi|tisch: wie ein Stalagmit geformt. Sta|lag|mo|me|ter *das;* -s, -: Gerät zur Messung der Tropfengröße u. damit der Oberflächenspannung von Flüssigkeiten. Sta|lak|tit [ʃt..., st..., auch: ...'tɪt] ⟨*gr.-nlat.*⟩ *der;* -s u. -en, -e[n]: Tropfstein, der von der Höhlendecke nach unten wächst; vgl. Stalagmit Sta|li|nis|mus [ʃt..., st...] ⟨*nlat.;* nach dem ehemaligen sowjetischen Diktator Stalin, 1879–1953⟩ *der;* -: von Stalin geprägte Interpretation des Marxismus u. die darauf beruhenden, von Stalin erstmals praktizierten Methoden u. Herrschaftsformen. Sta|li|nist *der;* -en, -en: Anhänger, Verfechter des Stalinismus. sta|li|nis|tisch: den Stalinismus betreffend. Sta|lin|or|gel *die;* -, -n: (Jargon) (von den sowjetischen Streitkräften im 2. Weltkrieg eingesetzter) Raketenwerfer, mit dem eine Reihe von Raketengeschossen gleichzeitig abgefeuert wurden Sta|men [ʃt..., st...] ⟨*lat.*⟩ *das;* -s, ...mina: Staubblatt der Pflanzenblüte (Bot.). Sta|mi|no|di|um ⟨⟨*lat.; gr.*⟩ *nlat.*⟩ *das;* -s, ...ien: rückgebildetes od. umgebildetes Staubblatt (Bot.)

Sta|mo|kap *der;* -[s]: Kurzw. für: *staats*monopolistischer *Kapita*lismus. Stam|pe|de [ʃt..., st..., engl.: stæm'pi:d] ⟨*germ.-span.(mex.)-engl.-amerik.*⟩ *die;* -, -n, bei engl. Aussprache: -s : wilde Flucht einer in Panik geratenen [Rinder]herde Stam|pig|lie* [...'pɪljə, ...'pi:ljə] ⟨*germ.-fr.-span.-it.*⟩ *die;* -, -n: (österr.) Gerät zum Stempeln; Stempelaufdruck ¹Stan|dard ['ʃt..., auch: 'st...] ⟨*germ.-fr.-engl.*⟩ *der;* -s, -s: 1. Normalmaß, Durchschnittsbeschaffenheit, Richtschnur. 2. allgemeines Leistungs-, Qualitäts-, Lebensführungsniveau; Lebensstandard. 3. (früher in der DDR) staatlich vorgeschriebene Norm. 4. Feingehalt (Verhältnis zwischen edlem u. unedlem Metall) einer Münze. 5. anerkannter Qualitätstyp, Qualitätsmuster, Normalausführung einer Ware. ²Stan|dard ['stændəd] ⟨*engl.*⟩ *das;* -s, -s: Musikstück, das zum festen Repertoire [einer Jazzband] gehört. Stan|dar|di|sa|ti|on *die;* -, -en: ↑Standardisierung; vgl. ...[at]ion/...ierung. stan|dar|di|sie|ren [nach einem Muster] vereinheitlichen. Stan|dar|di|sie|rung *die;* -, -en: das Standardisieren; vgl. ...[at]ion/...ierung. Stan|dard|spra|che *die;* -, -n: die über Umgangssprache, Gruppensprachen u. Mundarten stehende allgemein verbindliche Sprachform, die sich im mündlichen und schriftlichen Gebrauch normsetzend entwickelt hat; Hochsprache, Schriftsprache, Literatursprache. Stan|dar|te [ʃt...] ⟨*germ.-fr.*⟩ *die;* -, -n: 1. Feldzeichen, Fahne einer berittenen od. motorisierten Truppe; Flagge eines Staatsoberhaupts. 2. die etwa einem Regiment entsprechende Einheit von SA u. SS zur Zeit des Nationalsozialismus. 3. (Jägerspr.) Schwanz des Fuchses (od. Wolfes) Stand-by ['stændbaɪ] ⟨*engl.*⟩ *das;* -[s], -s: 1. Flugreise (zu verbilligtem Preis) mit Platzvergabe nach einer Warteliste, in die sich die Fluggäste vor der Abflugzeit eintragen (Luftf.). 2. Kurzform von: Stand-by-Betrieb. Stand-by-Be|trieb *der;* -[e]s, -e: Betriebsart, bei der ein Gerät auf die Fernbedienung anspricht, im Übrigen aber abgeschaltet ist (Elektronik). Stan|ding ['stændıŋ] ⟨engl.⟩ das; -[s]: engl. Bez. für: Rang, Ansehen, Name. **Stan|ding|ova|tions,** auch: **Stan|ding O|va|tions** ['stændıŋou'veıʃənz] ⟨engl.⟩ die (Plural): das Beifallklatschen, Ovationen im Stehen **Sta|ni|tzel, Sta|nitzl** ⟨Herkunft unsicher⟩ das; -s, -: (bayr.-österr. ugs.) spitze Papiertüte **Stan|nat** [ʃt..., st...] ⟨lat.-nlat.⟩ das; -[e]s, -e: Salz der Zinnsäure (Chem.). **Stan|nin** ⟨lat.-nlat.⟩ der; -s, -e: Zinnkies. **Stan|ni|ol** das; -s, -e: 1. silber glänzende Zinnfolie. 2. (ugs.) silber glänzende Aluminiumfolie. **stan|ni|ol|ie|ren:** in Stanniol verpacken. **Stan|num** das; -s: Zinn; chem. Zeichen: Sn **stan|ta|pe:** (österr. salopp) ↑stante pede. **stan|te pe|de** ['st... -, auch: ʃt... -] ⟨lat.; "stehenden Fußes"⟩: sofort, auf der Stelle (im Hinblick auf etw., was zu unternehmen ist). **Stan|ze** ['ʃt...] ⟨lat.-it.⟩ die; -, -n: 1. (urspr. italien.) Strophenform aus acht elfsilbigen jambischen Verszeilen (Reimfolge: ab ab ab cc). 2. (Plural) von Raffael u. seinen Schülern ausgemalte Wohnräume des Papstes Julius II. im Vatikan **Sta|pe|lia** die; -, ...ien u. **Sta|pelie** [...i̯ə] ⟨nlat.; nach dem niederländischen Arzt J. B. van Stapel, † 1636⟩ die; -, -n: Aasblume od. Ordenskaktus (Bot.). **Sta|phyl|le** [ʃt..., st...] ⟨gr.; "Weinbeere"⟩ die; -, -n: Zäpfchen am Gaumen (Med.). **Sta|phy|li|ni|de** ⟨gr.-nlat.⟩ die; -, -n (meist Plural): Kurzflügler (Käfer mit verkürzten Vorderflügeln). **Sta|phy|li|tis** die; -, ...itiden: Entzündung des Gaumenzäpfchens (Med.). **Sta|phy|lo|der|mie** die; -, ...ien: durch Staphylokokken verursachte Hauteiterung (z. B. Furunkel; Med.). **Sta|phy|lo|kok|kus** der; -, ...kken (meist Plural): traubenförmige Bakterie, Eitererreger (Med.). **Sta|phy|lo|ly|sin** das; -s: ein die Blutkörperchen auflösendes Gift der Staphylokokken (Med.). **Sta|phyl|lom** das; -s, -e u. ...phyl|lo|ma das; -s, -ta: Beerengeschwulst am Auge (durch Vorwölbung des Augeninhalts; Med.). **Sta|phy|lo|my|ko|se** ⟨gr.-nlat.⟩ die; -, -n: Erkrankung durch Infektion mit Staphylokokken (Med.) **Star** [st..., auch: ʃt...] ⟨engl.; "Stern"⟩ der; -s, -s: 1. gefeierter,

berühmter Künstler (Theater, Film). 2. jmd., der auf einem bestimmten Gebiet Berühmtheit erlangt hat **Sta|rez** ['st..., ʃt...] ⟨russ.; "der Alte"⟩ der; -, Starzen: ostkirchlicher Mönch der höchsten asketischen Stufe (im Volksglauben oft als wundertätig verehrt). **Sta|rine** die; -, -n: ↑Byline **Star|let, Star|lett** ['ʃt..., 'st...] ⟨engl.; "Sternchen"⟩ das; -s, -s: [ehrgeiziges] Nachwuchsfilmschauspielerin **Sta|rost** [st..., auch: ʃt...] ⟨poln.⟩ der; -en, -en: 1. (hist.) Dorfvorsteher in Polen. 2. Kreishauptmann, Landrat in Polen. **Sta|ros|tei** die; -, -en: Amt[sbezirk] eines Starosten **Sta|ro|wer|zen** [st...] ⟨russ; "Altgläubige"⟩ die (Plural): wichtigste Gruppe der Raskolniki **Stars and Stripes** ['stɑːz ənd 'straips] ⟨engl.; "Sterne u. Streifen"⟩ die (Plural): Nationalfahne der USA, Sternenbanner **Start|au|to|ma|tik** ⟨engl.; gr.-lat.-fr.⟩ die; -, -en: über die Temperatur des Motors automatisch geregelter Choke **Star|zen:** Plural von ↑Starez **Sta|se** [st..., ʃt...] ⟨gr.⟩ u. Stasis die; -, Stasen: Stockung, Stauung (Med.). **Sta|si|mon** ['ʃt..., st...] ⟨"Standlied"⟩ das; -s, ...ma: von dem in der Orchestra stehenden Chor des altgriechischen Tragödie (zwischen zwei Epeisodia) gesungenes Lied. **Sta|si|morphie** ⟨gr.-nlat.⟩ die; -, ...ien: das Stehenbleiben in der Organentwicklung bei Pflanzen (Bot.). **Sta|sis** vgl. Stase. **Stat** ⟨Kurzw. aus: elektrostatisch⟩ das; -, -: (veraltet) Einheit für die Radioaktivität von Quellgewässern o. Ä. (Abk.: St). **sta|ta|risch** ⟨lat.⟩: verweilend, langsam fortschreitend; **statarische Lektüre:** durch ausführliche Erläuterungen des gelesenen Textes immer wieder unterbrochene Lektüre; Ggs. ↑kursorisch. **State Depart|ment** ['steıt dɪ'pɑːtmənt] ⟨engl.⟩ das; - -: das Außenministerium der Vereinigten Staaten **State|ment** ['steıtmənt] das; -s, -s: öffentliche [politische] Erklärung od. Behauptung. **Sta|ter** ⟨gr.(-lat.)⟩ der; -s, -e: Münze des Altertums. **Stath|mo|graph,** auch: Stathmograf ⟨gr.-nlat.⟩ der; -en, -en: selbsttätig arbeitendes Instrument zur Aufzeichnung von Geschwindigkeiten u. Fahrzeiten von Eisenbahnzügen. **sta-**

tie|ren [ʃt...] ⟨lat.-nlat.⟩: als Statist tätig sein. **Sta|tik** ['ʃt..., 'st...] ⟨gr.⟩ die; -: 1. a) Teilgebiet der Mechanik, auf dem man sich mit dem Gleichgewicht von Kräften an ruhenden Körpern befasst; b) Lehre vom Gleichgewicht der Kräfte an ruhenden Körpern. 2. Stabilität bewirkendes Verhältnis der auf ruhende Körper, bes. auf Bauwerke, wirkenden Kräfte. 3. statischer (3) Zustand. **Sta|ti|kor** der; -s, -: Bauingenieur mit speziellen Kenntnissen auf dem Gebiet statischer Berechnungen von Bauwerken **Sta|ti|on** ⟨lat.⟩ die; -, -en: 1. a) [kleiner] Bahnhof; b) Haltestelle (eines öffentlichen Verkehrsmittels); c) Halt, Aufenthalt, Rast. 2. Bereich, Krankenhausabteilung. 3. Ort, an dem sich eine technische Anlage befindet, Sende-, Beobachtungsstelle. 4. Stelle, an der bei einer Prozession Halt gemacht wird. **sta|ti|o|när** ⟨lat.(-fr.)⟩: 1. a) an einen festen Standort gebunden; b) örtlich u. zeitlich nicht verändert; unverändert. 2. an ein Krankenhausaufnahme gebunden, die Behandlung in einer Klinik betreffend (Med.); Ggs. ↑ambulant (2). **sta|ti|o|nie|ren** ⟨lat.-fr.⟩: 1. an einen bestimmten Platz stellen, aufstellen, anstellen. 2. eine Truppe an einen bestimmten Standort verlegen. **sta|ti|ös** ⟨lat., mit französierender Endung⟩: (veraltet, aber noch landsch.) prunkend, stattlich, ansehnlich, vorzüglich. **sta|tisch** ['ʃt..., 'st...] ⟨gr.⟩: 1. die Statik betreffend (Bauw.). 2. keine Bewegung, Entwicklung aufweisend; Ggs. ↑dynamisch (1). 3. das von Kräften erzeugte Gleichgewicht betreffend (Phys.); (ugs.) **statische Elektrizität:** elektrische Aufladung (bei Schallplatten, Hartgummi- u. Kunststoffgegenständen); **statisches Moment:** Drehmoment = Kraft mal Hebelarm (senkrechter Abstand vom Drehpunkt); **statisches Organ:** Gleichgewichtsorgan (Med.). **Sta|tist** [ʃt...] ⟨lat.-nlat.⟩ der; -en, -en: jmd., der als stumme Figur in einer Theater- od. Filmszene mitwirkt. **Sta|tis|te|rie** die; -, ...ien: Gesamtheit der Statisten. **Sta|tis|tik** die; -, -en: 1. (ohne Plural) wissenschaftliche Methode zur zahlenmäßigen Erfassung, Untersuchung u. Darstellung von Massenerscheinungen. 2. [schriftlich] dargestelltes Ergebnis einer Untersuchung nach der statistischen Methode. 3. Auswertung einer großen Zahl physikalischer Größen zur Bestimmung von physikalischen Gesetzen. **Sta|tis|ti|ker** *der;* -s, -: 1. Wissenschaftler, der sich mit den theoretischen Grundlagen u. den Anwendungsmöglichkeiten der Statistik befasst. 2. Bearbeiter u. Auswerter von Statistiken. **sta|tis|tisch:** die Statistik betreffend, auf Ergebnissen der Statistik beruhend. **Sta|tiv** ⟨*lat.*⟩ *das;* -s, -e: dreibeiniges Gestell zum Aufstellen von Geräten (z. B. für Kamera, Nivellierinstrument). **Sta|to|blast** [*ʃt...,* st...] ⟨*gr.-nlat.*⟩ *der;* -en, -en: ungeschlechtlicher Fortpflanzungskörper der Moostierchen (Biol.). **Sta|to|lith** [auch: ...'lɪt] *der;* -s u. -en, -e[n] (meist Plural): 1. Steinchen in Gleichgewichtsorganen von Tieren, Gehörsand (Med.; Biol.). 2. Stärkekorn in Pflanzenwurzeln (Bot.). **Sta|tor** ⟨*lat.-nlat.*⟩ *der;* -s, ...oren: 1. feststehender Teil eines Elektromotors od. einer Dynamomaschine; Ggs. ↑ Rotor (1). 2. feststehendes Plattenpaket beim Drehkondensator, in das der Rotor hineingedreht werden kann. 3. feststehende Spule beim Variometer. **Sta|to|skop*** ⟨*gr.-nlat.*⟩ *das;* -s, -e: hoch empfindliches Gerät zum Messen von Höhendifferenzen beim Flug. **Sta|tu|a|rik** ⟨*lat.-nlat.*⟩ *die;* -: Statuenhaftigkeit. **sta|tu|a|risch** ⟨*lat.*⟩: auf die Bildhauerkunst od. eine Statue bezogen; standbildhaft. **Sta|tue** [...uə] *die;* -, -n: Standbild (plastische Darstellung eines Menschen od. Tieres). **Sta|tu|et|te** ⟨*lat.-fr.*⟩ *die;* -, -n: kleine Statue. **sta|tu|ie|ren** ⟨*lat.*⟩: aufstellen, festsetzen; bestimmen; **ein Exempel statuieren:** ein warnendes Beispiel geben. **Sta|tur** [ʃt...] *die;* -, -en: [Körper]gestalt, Wuchs. **Sta|tus** ['ʃt..., 'st...] *der;* -, - [...tu:s]: 1. Zustand; Bestand; **Status Nascendi** [...ts...]: (von Stoffen im Augenblick ihres Entstehens) besonders reaktionsfähiger Zustand (Chem.); **Status quo:** gegenwärtiger Zustand; **Status quo ante:** Stand vor dem bezeichneten Tatbestand od. Ereignis; **Status quo minus:** Verschlechterung gegenüber dem gegenwärtigen Zustand. 2. (Med.) a) allgemeiner Gesundheits- od. Krankheitszustand; der sich aus der ärztlichen Un-

tersuchung ergebende Allgemeinbefund; b) akutes Stadium einer Krankheit mit gehäuft auftretenden Symptomen; **Status praesens:** augenblicklicher Krankheitszustand. 3. anlagemäßig bedingte Neigung zu einer bestimmten Krankheit (Med.). 4. Stand, Stellung in der Gesellschaft, innerhalb einer Gruppe. **Sta|tus|sym|bol** *das;* -s, -e: etwas, womit jmds. gehobener Status (4), seine tatsächliche od. erstrebte Zugehörigkeit zu einer Gesellschaftsschicht dokumentiert werden soll. **Sta|tut** [ʃt...] *das;* -[e]s, -en: Satzung, [Grund]gesetz. **sta|tu|ta|risch** ⟨*lat.-nlat.*⟩: auf einem Statut beruhend, satzungs-, ordnungsgemäß. **Sta|tute Law** ['stætju:t 'lɔ:] ⟨*engl.*⟩ *das;* - -: das gesetzlich verankerte Recht in England; vgl. Common Law

Stau|rol|lith [ʃt..., st..., auch: ...'lɪt] ⟨*gr.*⟩ *der;* -s, u. -en, -e[n]: ein Mineral. **Stau|ro|thek** *die;* -, -en: Behältnis für eine Reliquie des heiligen Kreuzes

Stea|dy|sel|ler ['stɛdɪ...] ⟨*engl.-amerik.*⟩ *der;* -s, -: Buch, das über längere Zeit gleichmäßig gut verkauft wird; vgl. Longseller. **Stea|dy|state** [...'steɪt] *der;* -[s] -s, und *die;* -, -[s]: **stabiler Zustand** ⟨*engl.;* -s: 1. trotz dauernder Energiezufuhr u. -abfuhr bestehendes Gleichgewicht in offenen physikalischen Systemen; Fließgleichgewicht (Biol.). 2. Zustand einer Wirtschaft, bei dem alle wirtschaftlichen Größen (Konsum, Investitionen u. Ä.) mit derselben Rate wachsen oder konstant sind (Wirtsch.)

Steak [ste:k, selten: ʃt...] ⟨*altnord.-engl.*⟩ *das;* -s, -s: Fleischscheibe aus der Lende (vor allem von Rind, Kalb, Schwein), die nur kurz gebraten wird. **Steak|let** ['ste:klət, 'ʃt...] *das;* -s, -s: flach gedrückter, kurz gebratener Kloß aus feinem Hackfleisch

Steam ['sti:m] ⟨*engl.*⟩ *der;* -: engl. Bez. für: Dampf. **Stea|mer** ['sti:mə] *der;* -s, -: engl. Bez. für:

Stea|p|sin [ʃt..., st...] ⟨*gr.-nlat.*⟩ *das;* -s, -e: (veraltet) Lipase. **Stea|rat** *das;* -[e]s, -e: Salz der Stearinsäure (Chem.). **Stea|rin** *das;* -s, -e: festes Gemisch aus Stearin- u. Palmitinsäure und Entfernen der flüssigen Ölsäure; Rohstoff zur Kerzenherstellung. **Stea|rin|säu|re** ⟨*gr.-nlat.;* dt.⟩

die; -: gesättigte höhere Fettsäure, Bestandteil vieler fester u. halbfester Fette (Chem.). **Stear|rhö, Ste|ar|rhöe** [...'rø:] *die;* -, ...öen: Fettdurchfall, in reichem Maße Fettstoffe enthaltender Stuhl (Med.). **Ste|a|tit** [auch: ...'tɪt] ⟨*gr.-lat.*⟩ *der;* -s, -e: ein Mineral (Speckstein). **Ste|a|tom** ⟨*gr.-nlat.*⟩ *das;* -s, -e: Talggeschwulst (Med.). **Ste|a|to|py|gie** *die;* -: starker Fettansatz am Steiß (Med.). **Ste|a|tor|rhö, Ste|a|tor|rhöe** [...'rø:] *die;* -, ...öen: Fettstuhl (Med.). **Ste|a|to|se** *die;* -, -n: Verfettung (Med.). **Ste|a|to|ze|lle** *die;* -, -n: Fettbruch (Med.)

Steel|band ['sti:lbɛnt, engl.: ...bænd] ⟨*amerik.*⟩ *die;* -, -s: Band, das aus verschieden großen leeren Ölfässern bestehen (vor allem auf den karibischen Inseln) **Steel|ple|chase** ['sti:pltʃeɪs] ⟨*engl.*⟩ *die;* -, -n [...sn]: Hindernisrennen, Jagdrennen (Pferdesport). **Steep|ler** ['sti:plɐ] *der;* -s, -: Pferd, das eine Steeplechase läuft

Ste|ga|no|gra|phie, auch: Steganografie [ʃt..., st...] ⟨*gr.-nlat.*⟩ *die;* -: (veraltet) Geheimschrift, Geheimschreibkunst. **Ste|go|don** *das;* -s, ...donten: ausgestorbenes Rüsseltier. **Ste|go|sau|ri|er** *der;* -s, -: Gattung der ausgestorbenen Dinosaurier mit sehr kleinem Schädel. **Ste|go|ze|pha|le** *der;* -n, -n: ausgestorbener Panzerlurch (Oberdevon bis Trias) **Ste|le** ['st..., 'ʃt...] ⟨*gr.*⟩ *die;* -, -n: 1. frei stehende, mit einem Relief od. einer Inschrift versehene Platte oder Säule (bes. als Grabdenkmal; Kunstwiss.). 2. Leitbündelstrang des Pflanzensprosses (Zentralzylinder der Pflanze) **Stell|la|ge** [...'la:ʒə] ⟨*niederl.*⟩ *die;* -, -n: Aufbau aus Stangen u. Brettern o. Ä. [zum Abstellen, Aufbewahren von etw.]; Gestell. **Stell|la|ge|ge|schäft** ⟨*niederl. dt.*⟩ *das;* -[e]s, -e: Form des Prämiengeschäfts der Terminbörse

stell|lar [ʃt..., st...] ⟨*lat.*⟩: Fixsterne betreffend. **Stell|lar|ast|ro|nom*** *der;* -en, -en: Wissenschaftler, der sich auf dem Gebiet der Stellarastronomie. **Stell|lar|ast|ro|no|mie*** *die;* -: Teilgebiet der Astronomie, auf dem man sich besonders mit den Fixsternen, Sternhaufen u. Nebelsystemen beschäftigt. **Stell|la|ra|tor** [auch: 'stɛlərɛɪtə] *der;* -s, ...oren, (bei engl. Ausspr.:) -s: amerik. Versuchsgerät zur Erzeugung thermonuklearer Kernverschmelzung. **Stel|lar|dy|na|mik** die; -: Ableitung der Bewegungen der Fixsterne aus dem bekannten Kraftfeld im Milchstraßensystem, Teilgebiet der Astronomie. **Stel|le|ra|tor** vgl. Stellarator **Stem|ma** ['ʃt..., 'st...] ⟨gr.-lat.⟩ das; -s, -ta: 1. [in grafischer Form erstellte] Gliederung der einzelnen Handschriften eines literarischen Werks in Bezug auf ihre zeitliche Folge u. textliche Abhängigkeit (Literaturw.). 2. ¹Graph zur Beschreibung der Struktur eines Satzes (Sprachw.). **stem|ma|to|lo|gisch**: das Stemma betreffend **Ste|no** die; -: (ugs.) Kurzform von ↑ Stenografie. **Ste|no|dak|ty|lo** die; -, -s: Kurzform von ↑ Stenodaktylographin. **Ste|no|dak|ty|lo|gra|phie**, auch: ...grafie ⟨gr.-nlat.⟩ die; -: (schweiz.) Stenografie u. Maschinenschreiben. **Ste|no|dak|ty|lo|gra|phin**, auch: ...grafin die; -, -nen: (schweiz.) Stenotypistin. **Ste|no|graf**, auch: Stenograph ⟨gr.-engl.⟩ der; -en, -en: jmd., der Stenografie schreibt, Kurzschriftler. **Ste|no|gra|fie**, auch: Stenographie die; -, ...ien: Kurzschrift (Schreibsystem mit besonderen Zeichen u. Schreibbestimmungen zum Zwecke der Schriftkürzung). **ste|no|gra|fie|ren**, auch: stenographieren: in Stenografie schreiben. **ste|no|gra|fisch**, auch: stenographisch: a) die Stenografie betreffend; b) in Kurzschrift geschrieben, kurzschriftlich. **Ste|no|gramm** das; -s, -e: in Stenografie geschriebenes Diktat, geschriebene Rede. **Ste|no|graph** usw. vgl. Stenograf usw. **ste|no|ha|lin** [ʃt..., st...] ⟨gr.-nlat.⟩: empfindlich gegenüber Schwankungen des Salzgehalts des Wassers (von Pflanzen u. Tieren; Biol.); Ggs. ↑ euryhalin. **ste|nök***: empfindlich gegenüber Schwankungen der Umweltfaktoren (von Pflanzen u. Tieren; Biol.); Ggs. ↑ euryök. **Ste|no|kar|die** die; -, ...ien: Herzbeklemmung, Herzangst (Angina Pectoris; Med.). **Ste|no|kon|to|ris|tin** [ʃt...] die; -, -nen: Kontoristin mit Kenntnissen in Stenografie und Maschinenschreiben. **Ste|no|ko|rie** [ʃt..., st...] die; -: ↑ Miosis. **ste|no|phag**: auf bestimmte Nahrung angewiesen (von Pflanzen u. Tieren; Biol.); Ggs. ↑ euryphag. **Ste|no|se** die; -, -n u. Ste-

no|sis ⟨gr.; „Einengung"⟩ die; -, ...osen: Verengung von Öffnungen, Kanälen (Med.). **ste|no|therm** ⟨gr.-nlat.⟩: empfindlich gegenüber Temperaturschwankungen (von Pflanzen u. Tieren; Biol.); Ggs. ↑ eurytherm. **Ste|no|tho|rax** der; -[es], -e: enger Brustkorb (Med.). **ste|no|top**: nicht weit verbreitet (von Pflanzen u. Tieren; Biol.). **ste|no|ty|pie** [ʃt...] ⟨gr.-engl.⟩ die; -, ...ien: Abdruck stenografischer Schrift. **ste|no|ty|pie|ren**: stenografisch niederschreiben u. danach in Maschinenschrift übertragen. **Ste|no|ty|pis|tin** ⟨gr.-engl.-fr.⟩ die; -, -nen: weibliche Kraft, die Stenografie u. Maschinenschreiben beherrscht. **ste|no|xy|bi|ont*** [ʃt..., st...] ⟨gr.-nlat.⟩: empfindlich gegenüber Schwankungen des Sauerstoffgehaltes (von Pflanzen u. Tieren; Biol.) **sten|tan|do** u. **sten|ta|to** [st...] ⟨lat.-it.⟩: zögernd, schleppend (Vortragsanweisung; Mus.) **Sten|tor|stim|me** [ʃt..., 'st...] ⟨nach dem stimmgewaltigen Helden des Trojanischen Krieges⟩ die; -, -n: laute, gewaltige Stimme **Stepp** [ʃtep, stɛp] ⟨engl.; „Schritt, Tritt"⟩ der; -s, -s: 1. zweiter Sprung beim Dreisprung (Leichtathletik); vgl. ¹Hop, Jump (1). 2. artistischer Tanz, bei dem die mit Eisen beschlagenen Spitzen u. Absätze der Schuhe dem Rhythmus entsprechend in schnellem, stark akzentuierten Bewegungswechsel auf den Boden gesetzt werden. **Stepp|ae|ro|bic** das; -s od. die; -: Aerobic unter Zuhilfenahme einer stufenartigen Vorrichtung **Step|pe** ⟨russ.⟩ die; -, -n: überwiegend baumlose, trockene Graslandschaft außereuropäischer Klimazonen **Ster** ⟨gr.-fr.⟩ der; -s, -e u. -s (aber: 3 -): ein vor allem in der Forstwirtschaft verwendetes Raummaß für Holz (1 m³). **Ste|ra|di|ant** ⟨gr.; lat.⟩ der; -en, -en: Einheit des Raumwinkels; Abk.: sr (Math.) **Ster|cu|lia** [ʃt..., st...] ⟨lat.-nlat.⟩ die; -: Pflanzengattung aus der Familie der Sterkuliengewächse, die teilweise Kakao liefert **ste|reo** [ʃt..., auch: 'st...] ⟨gr.⟩: 1. ↑ stereophonisch. 2. (ugs.) bisexuell. **Ste|reo** das; -s: 1. Kurzform von ↑ Stereotypplatte. 2. (ohne Plural) Kurzform von ↑ Stereophonie. **Ste|reo|agno-**

sie* ⟨gr.-nlat.⟩ die; -, ...ien: Unfähigkeit, Gegenstände allein mithilfe des Tastsinns zu identifizieren (Med.); Ggs. ↑ Stereognosie. **Ste|reo|akus|tik** die; -: Wissenschaft vom räumlichen Hören. **Ste|reo|au|to|graph**, auch: ...graf der; -en, -en: optisches Instrument zur Raumbildauswertung für Karten (Kartographie). **Ste|reo|bat** der; -en, -en: Fundamentunterbau des griechischen Tempels. **Ste|reo|bild** das; -[e]s, -er: Bild, das bei der Betrachtung einen räumlichen Eindruck hervorruft; Raumbild. **Ste|reo|che|mie** die; -: Teilgebiet der Chemie, das die räumliche Anordnung der Atome im Molekül erforscht. **Ste|reo|chro|mie** die; -: altes Verfahren der Wandmalerei. **Ste|reo|de|co|der** der; -s, -: Decoder in einem Stereorundfunkgerät. **Ste|reo|fern|se|hen** das; -: Fernsehen mit stereophoner Tonwiedergabe. **Ste|reo|film** der; -[e]s, -e: dreidimensionaler Film. **ste|reo|fon** usw. vgl. stereophon usw. **Ste|reo|fo|to|gra|fie**, auch: Stereophotographie die; -, ...ien: 1. (ohne Plural) Verfahren zur Herstellung von räumlich wirkenden Fotografien. 2. fotografisches Raumbild. **Ste|reo|gno|sie*** die; -, ...ien: Fähigkeit, Gegenstände allein mithilfe des Tastsinns zu identifizieren (Med.); Ggs. ↑ Stereoagnosie. **Ste|reo|graph**, auch: Stereograf der; -en, -en: Maschine zur Herstellung von Stereotypplatten. **ste|reo|gra|phisch**, auch: stereografisch: in der Fügung stereographische Projektion: Abbildung der Punkte einer Kugeloberfläche auf eine Ebene, wobei Kugelkreise wieder als Kreise erscheinen (Kartographie). **Ste|reom** das; -s, -e: Festigungsgewebe der Pflanzen (zusammenfassende Bez. für Sklerenchym u. Kollenchym; Bot.). **Ste|reo|me|ter** das; -s, -: 1. optisches Gerät zur Messung des Volumens fester Körper (Phys.). 2. Gerät zur Auswertung von Stereofotografien. **Ste|reo|met|rie*** ⟨gr.⟩ die; -: Wissenschaft von der Geometrie u. der Berechnung räumlicher Gebilde (Math.); vgl. Planimetrie. **ste|reo|met|risch***: die Stereometrie betreffend. **ste|reo|phon**, auch: stereofon: über zwei od. mehr Kanäle elektroakustisch übertragen, räumlich klingend;

vgl. quadrophon. **Ste|re|o|pho-nie**, auch: Stereofonie ⟨gr.-nlat.⟩ die; -: elektroakustische Schallübertragung über zwei od. mehr Kanäle, die räumliches Hören gestattet (z. B. bei Breitwandfilmen, in der Rundfunktechnik und in der modernen Schallplattentechnik); vgl. Quadrophonie. **ste|re|o|pho-nisch**, auch: stereofonisch: ↑stereophon. **Ste|re|o|pho|to-gramm|met|rie***, auch: ...foto... die; -: Auswertung und Ausmessung von räumlichen Messbildern bei der Geländeaufnahme (Kartographie). **Ste|re|o|pho-to|gra|phie** vgl. Stereofotografie. **Ste|re|o|pla|ni|graph**, auch: ...graf ⟨gr.; lat.; gr.⟩ der; -en, -en: optisches Instrument zur Raumbildauswertung für Karten (Kartographie). **Ste|re|o|plat|te** die; -, -n: Schallplatte, die stereophonisch abgespielt werden kann. **Ste|re|o|skop*** ⟨gr.-nlat.⟩ das; -s, -e: optisches Gerät zur Betrachtung von Stereobildern. **Ste|re-o|sko|pie*** die; -: Gesamtheit der Verfahren zur Aufnahme u. Wiedergabe von raumgetreuen Bildern. **ste|re|o|skop|pisch***: räumlich erscheinend, dreidimensional wiedergegeben. **ste-re|o|tak|tisch**: die Stereotaxie betreffend, auf ihr beruhend (Med.). **Ste|re|o|ta|xie** die; -: durch ein kleines Bohrloch in der Schädeldecke punktförmig genaues Berühren eines bestimmten Gebietes im Gehirn (Med.). **Ste|re|o|ta|xis** ⟨gr.⟩ die; -: 1. ↑Stereotaxie. 2. Bestreben von Tieren, mit festen Gegenständen in Berührung zu kommen (z. B. bei Röhren- od. Höhlenbewohnern). **Ste|re|o|to|mie** die; -: (veraltet) Teil der Stereometrie, der die Durchschnitte der Oberflächen von Körpern behandelt, bes. den so genannten Steinschnitt bei Gewölbekonstruktionen. **Ste|re|o|tu|ner** der; -s, -: Tuner für Stereoempfang. **ste-re|o|typ** ⟨gr.-fr.⟩: 1. mit fest stehenden Schrifttypen gedruckt. 2. feststehend, unveränderlich. 3. ständig [wiederkehrend]; leer, abgedroschen. **Ste|re|o|typ** ⟨gr.-engl.⟩ das; -s, -e (meist Plural): 1. eingebürgertes Vorurteil mit festen Vorstellungsklischees innerhalb einer Gruppe; vgl. Autostereotyp u. Heterostereotyp ⟨[Sozial]psychol.⟩. 2. ↑Stereotypie (2). **Ste|re|o|typ|druck** der; -s, -e: Druck von der Stereotypplat-

te. **Ste|re|o|ty|peur** [...'pø:ɐ̯] ⟨gr.-fr.⟩ der; -s, -e: jmd., der Matern herstellt u. ausgießt (Druckw.). **Ste|re|o|ty|pie** die; -, ...ien: 1. das Herstellen u. Ausgießen von Matern (Druckw.). 2. das Wiederholen von sprachlichen Äußerungen od. motorischen Abläufen über einen längeren Zeitraum (Psychol.; Med.); vgl. Perseveration. **ste-re|o|ty|pie|ren** ⟨gr.-fr.-nlat.⟩: Matern herstellen u. zu Stereotypplatten ausgießen (Druckw.). **ste|re|o|ty|pisch**: stereotyp. **Ste|re|o|typ|plat|te** die; -, -n: Abguss einer Mater in Form einer festen Druckplatte

ste|ril [ʃt..., st...] ⟨lat.-fr.⟩ „unfruchtbar; ertraglos"): 1. keimfrei; vgl. aseptisch (1). 2. unfruchtbar, nicht fortpflanzungsfähig; Ggs. ↑fertil. 3. a) langweilig, geistig unfruchtbar, unschöpferisch; b) kalt, nüchtern wirkend, ohne eigene Note gestaltet. **Ste|ri|li|sa|ti|on** die; -, -en: das Sterilisieren. **Ste|ri|li-sa|tor** ⟨lat.-fr.-nlat.⟩ der; -s, ...oren: Entkeimungsapparat. **ste|ri|li|sie|ren** ⟨lat.-fr.⟩: 1. keimfrei [u. dadurch haltbar] machen (z. B. Nahrungsmittel). 2. unfruchtbar, zeugungsunfähig machen. **Ste|ri|li|sie|rung** die; -, ...[at]ion/...ierung. **Ste|ri|li|tät** die; -: 1. Keimfreiheit (von chirurgischen Instrumenten u. a.). 2. Unfruchtbarkeit (der Frau), Zeugungsunfähigkeit (des Mannes); Ggs. ↑Fertilität. 3. geistiges Unvermögen, Ertraglosigkeit **Ste|rin** [ʃt..., st...] ⟨gr.-nlat.⟩ das; -s, -e: in jeder tierischen od. pflanzlichen Zelle vorhandene Kohlenwasserstoffverbindung **ster|ko|ral** [ʃt..., st...] ⟨lat.-mlat.⟩: kothaltig, kotig (Med.) **Ster|let, Ster|lett** ⟨russ.⟩ der; -s, -e: (in osteurop. Gewässern lebender) kleiner Stör **Ster|ling** ['ʃtɛr..., 'st..., engl.: 'stɜ:lɪŋ] ⟨engl.⟩ der; -s, -e (aber: 5 Pfund -): 1. altenglische Silbermünze. 2. Währungseinheit in Großbritannien; Pfund -; Zeichen u. Abk.: £, £Stg **ster|nal** [ʃt..., st...] ⟨gr.-nlat.⟩: zum Brustbein gehörend (Med.). **Ster|nal|gie** die; -, ...ien: Brustbeinschmerz (Med.). **Ster|num** das; -s, ...na: Brustbein (Med.) **Ste|ro|id** [ʃt..., st...] ⟨gr.-nlat.⟩ das; -[e]s, -e (meist Plural): biologisch wichtige organische Verbindung, z. B. Gallensäure und

Geschlechtshormone). **Ste|ro-id|hor|mon** das; -s, -e (meist Plural): Wirkstoff, der aus Cholesterin od. Cholesterinderivaten gebildet wird (z. B. das Hormon der Keimdrüsen u. der Nebennierenrinde; Biol.) **Ster|tor** [ʃt..., 'st...] ⟨lat.-nlat.⟩ der; -s: röchelndes Atmen (Med.). **ster|to|rös**: röchelnd, schnarchend (vom Atemgeräusch; Med.) **Stel|tho|skop*** [ʃt..., st...] ⟨gr.-nlat.⟩ das; -s, -e: Hörrohr zur Auskultation **Stet|son** [stɛtsn] ⟨amerik.; nach dem Hersteller) der; -s, -s: weicher Filzhut mit breiter Krempe; Cowboyhut **Ste|ward** ['stju:ɐt] ⟨engl.⟩ der; -s, -s: Betreuer der Passagiere an Bord von Schiffen, Flugzeugen u. in Omnibussen. **Ste|war-dess** ['stju:ɐdɛs, auch: ...'dɛs] die; -, -sen: Betreuerin von Passagieren, bes. in Flugzeugen. **Ste-ward|ship** [...ʃɪp] ⟨engl.⟩ die; -: Laiendienst der Gemeindemitglieder, die einen Teil ihrer Zeit, ihrer Fähigkeiten u. ihres Geldes der Gemeinde zur Verfügung stellen (in der protestantischen Kirche der USA) **Sthe|nie** [st..., ʃt...] ⟨gr.-nlat.⟩ die; -, ...ien: Vollkraft, Kraftfülle (Med.). **sthe|nisch**: vollkräftig, kraftvoll **Sti|bi|um** ['ʃt..., 'st...] ⟨gr.-lat.⟩ das; -s: ↑Antimon. **Stib|nit** [auch: ...'nɪt] ⟨gr.-lat.-nlat.⟩ der; -s: Antimonglanz **Sti|cha|ri|on** [st..., ʃt...] ⟨mgr.⟩ das; -s, ...ia: liturgisches Gewand in der Ostkirche, ein ungegürteter weißer od. farbiger Talar; vgl. Albe **sti|chisch** ['ʃt..., 'st...] ⟨gr.⟩: nur den Vers als metrische Einheit besitzend (von Gedichten); vgl. monostichisch. **Sti|cho|man|tie** ⟨gr.-nlat.⟩ die; -, ...ien: im Wahrsagung aus einer zufällig aufgeschlagenen Buchstelle (Bibelvers u. Ä.). **Sti|cho|met|rie*** die; -, ...ien: 1. in der Antike die Bestimmung des Umfangs einer Schrift nach Normalzeilen zu etwa 16 Silben. 2. Antithese, die im Dialog durch Behauptung u. Entgegnung entsteht (Stilk.). **Sti|cho|my|thie** ⟨gr.⟩ die; -, ...ien: Wechsel von Rede u. Gegenrede mit jedem Vers im [altgriech.] Drama; vgl. Distichomythie u. Hemistichomythie **Stick** [stɪk, ʃtɪk] ⟨engl.-amerik.⟩ der; -s, -s: 1. (meist Plural) kleine, dünne Salzstange, ein Knabbergebäck. 2. Stift (als Kosmetikartikel, z. B. Deostick). **Stickcer** [ˈʃt..., ˈst...] *der; -s, -:* Aufkleber aus Papier od. Plastik **Stick|oxy|dul** ⟨*dt.; gr.-nlat.*⟩ *das; -s:* (veraltet) Lachgas **Stie|fo|gra|fie**, auch: **Stie|fogra|phie** ⟨nach dem Erfinder Helmut Stief⟩ *die; -:* ein Kurzschriftsystem **stie|kum** ⟨*jidd.*⟩: (landsch.) heimlich, leise **Stig|ma** [ˈʃt..., ˈst...] ⟨*gr.-lat.;* „Stich"⟩ *das; -s, ...men u. -ta:* 1. a) Mal, Zeichen; Wundmal; b) (nur Plural) Wundmale Christi. 2. a) Narbe der Blütenpflanzen; b) Augenfleck der Einzeller; c) äußere Öffnung der Tracheen (1). 3. den Sklaven aufgebranntes Mal bei Griechen u. Römern. 4. auffälliges Krankheitszeichen, bleibende krankhafte Veränderung (z. B. bei Berufskrankheiten; Med.). **Stig|ma|rie** [...rjə] ⟨*gr.-nlat.*⟩ *die; -, -n* (meist Plural): versteinerter Wurzelstock des ausgestorbenen Schuppenbaumes (häufig im Karbon). **Stigma|ta:** *Plural* von ↑ Stigma. **Stigma|ti|sa|ti|on** ⟨*gr.-mlat.-nlat.*⟩ *die; -, -en:* 1. Auftreten der fünf Wundmale Christi bei einem Menschen. 2. Brandmarkung der Sklaven im Altertum. 3. das Auftreten von Hautblutungen u. anderen psychogen bedingten Veränderungen bei hysterischen Personen. **stig|ma|ti|sch:** in der Fügung stigmatische Abbildung: optische Abbildung mit sehr geringer Aberration (1). **stig|ma|ti|sie|ren** ⟨*gr.-mlat.*⟩: 1. a) mit den Wundmalen des gekreuzigten Jesus kennzeichnen; b) jmdn. brandmarken, anprangern. 2. jmdm. bestimmte, von der Gesellschaft als negativ bewertete Merkmale zuordnen, jmdn. in diskriminierender Weise kennzeichnen (Soziol.). **stig|ma|ti|siert:** mit den Wundmalen Christi gezeichnet. **Stig|ma|ti|sier|te** *der* u. *die; -n, -n:* Person, bei der die Wundmale Christi erscheinen. **Stig|ma|ti|sie|rung** *die; -, -en:* das Stigmatisieren. **Stig|ma|tor** *der; -s, ...oren:* Vorrichtung in Elektronenmikroskopen, mit der sich der [axiale] Astigmatismus (1) ausgleichen lässt. **Stig|men:** *Plural* von ↑ Stigma. **Stig|mo|nym** ⟨*gr.-nlat.*⟩ *das; -s, -e:* durch Punkte od. Sternchen [teilweise] ersetzter Name

Stil [ʃtiːl, stiːl] ⟨*lat.*⟩ *der; -[e]s, -e:* 1. Art des sprachlichen Ausdrucks [eines Individuums]. 2. einheitliche u. charakteristische Darstellungs- u. Ausdrucksweise einer Epoche od. eines Künstlers; **galanter Stil:** französisch beeinflusste, freiere Kompositionsweise, die im 18. Jh., bes. in der Cembalomusik in Deutschland, die streng gebundene Musik der Zeit Bachs u. Händels ablöste. 3. Lebensweise, die dem besonderen Wesen od. den Bedürfnissen von jmdm. entspricht. 4. [vorbildliche u. allgemein anerkannte] Art, etwas (z. B. eine Sportart) auszuführen **Stilb** [ʃt..., ˈst...] ⟨*gr.*⟩ *das; -s, -* (aber: 5 Stilb): Einheit der Leuchtdichte auf einer Fläche; Zeichen: sb (Phys. früher) **Sti|le** [ˈstiːlə] ⟨*lat.-it.*⟩ *der; -:* ital. Bez. für: Stil; **Stile antico** od. **osservato:** strenger klassischer Stil (Mus.); **Stile concitato** [- kɔntʃi...]: erregter, heißblütiger Stil (in der Musik des Frühbarocks); **Stile rappresentativo** od. **recitativo** [retʃi...]: darstellender Stil (frühe Oper). **Sti|lett** *das; -s, -e:* kleiner Dolch. **Stil|figur** *die; -, -en:* rhetorische Figur. **Sti|li:** *Plural* von ↑ Stilus. **sti|li|sie|ren** ⟨französierende Bildung zu Stil⟩: 1. Formen, die in der Natur vorkommen, [in dekorativer Absicht] vereinfachen od. verändern, um die Grundstrukturen sichtbar zu machen. 2. (veraltend) in einen bestimmten Stil bringen. **Sti|li|sie|rung** *die; -, -en:* a) nach einem bestimmten Stilideal od. -muster geformte [künstlerische] Darstellung; b) Vereinfachung od. Reduktion auf die Grundstruktur[en]. **Stilist** ⟨*lat.-nlat.*⟩ *der; -en, -en:* Beherrscher des Stils, des sprachlichen Ausdrucks. **Sti|lis|tik** *die; -, -en:* 1. (ohne Plural) Stillehre, -kunde; vgl. Rhetorik (a). 2. Lehrbuch für guten Stil (1); systematische Beschreibung der Stilmittel. **sti|lis|tisch:** den Stil (1, 2, 4) betreffend **Stil|ja|gi** [st...] ⟨*russ.*⟩ *die* (Plural): russ. Bez. für: Halbstarke **Stil|ton** [ˈstɪltn] ⟨nach dem englischen Ort⟩ *der; -[s], -s:* überfetter Weichkäse mit grünem Schimmelbelag **Sti|lus** [ʃt..., st...] ⟨*lat.*⟩ *der; -, ...li:* antiker [Schreib]griffel **Sti|mu|lans** [ˈʃt..., ˈst...] *das; -, -* ...lanzien [...jən] u. ...lantia: anregendes Arzneimittel, Reizmit-

tel. **Sti|mu|lanz** *die; -, -en:* Anreiz, Antrieb. **Sti|mu|la|ti|on** *die; -, -en:* das Stimulieren. **Sti|mu|la|tor** *der; -s, ...oren:* Vorrichtung, die einen Reiz auslöst. **Sti|mu|li:** *Plural* von ↑ Stimulus. **sti|mu|lie|ren** ⟨*lat.*⟩: anregen, anreizen; ermuntern. **Sti|mu|lie|rung** *die; -, -en:* das Stimulieren; vgl. ...[at]ion/...ierung. **Sti|mu|lus** *der; -, ...li:* a) Reiz, Antrieb; b) ein dem Sprechakt vorausgehender [äußerer] Reiz (Sprachw.) **Sti|pel** [ˈʃt..., ˈst...] ⟨*lat.*⟩ *die; -, -n:* Nebenblatt (Bot.). **Sti|pen|di|at** [ʃt...] *der; -en, -en:* jmd., der ein Stipendium erhält. **Sti|pen|di|en:** *Plural* von ↑ Stipendium. **Sti|pen|dist** ⟨*lat.-nlat.*⟩ *der; -en, -en:* (bayr., österr.) Stipendiat. **Sti|pen|di|um** ⟨*lat.*⟩ *das; -s, ...ien:* finanzielle Unterstützung für Schüler, Studierende u. jüngere Wissenschaftler. **Sti|pu|la|ti|on** [ʃt..., st...] *die; -, -en:* vertragliche Abmachung; Übereinkunft. **sti|pu|lie|ren:** 1. vertraglich vereinbaren, übereinkommen. 2. festlegen, festsetzen **Stoa** [ˈst..., ˈʃt...] *das; -s* (nach der stoa poikile, einer mit Bildern geschmückten Säulenhalle im antiken Athen) *die; -, Stoen:* 1. (ohne Plural) eine um 300 v. Chr. von Zeno von Kition begründete der Philosophenschule, deren oberste Maxime der Ethik darin bestand, in Übereinstimmung mit sich selbst u. mit der Natur zu leben u. Neigungen u. Affekte als der Einsicht hinderlich zu bekämpfen. 2. altgriechische Säulenhalle [in aufwendigen Stil] (Kunstwiss.) **Sto|chas|tik** [stɔˈxas..., ʃt...] ⟨*gr*⟩ *die; -:* Teilgebiet der Statistik, das sich mit der Analyse zufallsabhängiger Ereignisse u. deren Wert für statistische Untersuchungen befasst. **sto|chastisch:** zufallsabhängig **Stö|chi|o|me|trie*** [st..., ʃt...] ⟨*gr.-nlat.*⟩ *die; -:* Lehre von der mengenmäßigen Zusammensetzung chemischer Verbindungen u. der mathematischen Berechnung chemischer Umsetzungen. **stö|chi|o|met|risch*:** entsprechend den in der Chemie geltenden quantitativen Gesetzen reagierend **Stock** [stɔk] ⟨*engl.*⟩ *der; -s, -s:* 1. Warenvorrat. 2. Gesamtbetrag einer Anleihe. 3. Grundkapital einer Gesellschaft od. dessen Teilbeträge (Wirtsch.). **Stockcar** [ˈstɔkkaːɐ̯] ⟨*amerik.*⟩ *der; -s, -s:*

Serienauto, das einen sehr starken Motor hat u. mit dem Rennen gefahren werden. **Stock Exchange** [- ıks'tʃeɪndʒ] *die;* - -: 1. (hist.) Name der Londoner Börse. 2. Effektenbörse. **Stock|jobber** ['stɔk...] *der;* -s, -s: Händler an der Londoner Börse, der nur Geschäfte für eigene Rechnung abschließen darf

stoi! [stɔy] *⟨russ.⟩:* stopp, halt!

Stoi|che|dǫn [stɔyç...] *⟨gr.⟩ das;* -: Anordnung der Buchstaben auf altgriechischen Inschriften reihenweise untereinander u. ohne Worttrennung

Stǫ|i|ker ['ʃt..., 'st...] *⟨gr.-lat.⟩ der;* -s, -: 1. Angehöriger der Stoa. 2. Vertreter des Stoizismus. 3. Mensch von stoischer Gelassenheit. **stǫ|isch:** 1. die Stoa od. den Stoizismus (1) betreffend. 2. von unerschütterlicher Ruhe, gleichmütig, gelassen. **Sto|i|zis|mus** *⟨gr.-nlat.⟩ der;* -: 1. von der Stoa ausgehende weit reichende Philosophie u. Geisteshaltung mit dem Ideal des Weisen, der naturgemäß u. affektfrei unter Betonung der Vernunft u. der Ataraxie lebt. 2. Unerschütterlichkeit, Gleichmut

Stokes [stouks] *⟨nach dem engl. Physiker George G. Stokes, 1819–1903⟩ das;* -, -: Maßeinheit der Zähigkeit eines Stoffes; Zeichen: St (Phys. früher)

Stǫ|la ['ʃt..., 'st...] *⟨gr.-lat.⟩ die;* -, ...len: 1. altrömisches knöchellanges Obergewand für Frauen. 2. schmaler, über beide Schultern herabhängender Teil des priesterlichen Messgewandes; vgl. Epitrachelion u. Orarion. 3. langer, schmaler Umhang aus Stoff od. Pelz. **Stǫl|ge|büh|ren** ['ʃt...] *⟨gr; dt.⟩ die* (Plural): Gebühren für bestimmte Amtshandlungen des Geistlichen (Taufe, Trauung u. Ä.)

Stǫ|lo[n] ['ʃt..., 'st...] *⟨lat.⟩ der;* -s, Stolonen (meist Plural): 1. Ausläufer, unterirdischer Trieb bei Pflanzen (Bot.). 2. schlauchartiger Fortsatz bei niederen Tieren, die Kolonien bilden (Zool.).

Sto|lǫ|wa|ja [russ.: stʌ...] *⟨russ.⟩ die;* -, -s: einfache russische Speisegaststätte; russische Imbissstube

Stǫ|ma ['ʃt..., 'ʃt...] *⟨gr.; „Mund, Öffnung")⟩ das;* -s, -ta: 1. Mundöffnung (Zool.; Med.). 2. (meist Plural) sehr kleine Öffnung in Blut- u. Lymphgefäßen, durch die Zellen hindurchtreten können (Med.). 3. künstlich herge-

stellter Ausgang von Darm od. Harnblase. 4. Spaltöffnung des Pflanzenblattes (Bot.). **sto|ma-chạl** *⟨gr.-nlat.⟩:* durch den Magen gehend, aus dem Magen kommend, den Magen betreffend (Med.). **Sto|mạ|chi|kum** *⟨gr.-lat.⟩ das;* -s, ...ka: Mittel, das den Appetit u. die Verdauung anregt u. fördert (Med.). **Sto|ma-kạ|ze** *die;* -: geschwürige Mundfäule (Med.). **Stǫ|ma|ta:** *Plural* von ↑Stoma. **Sto|ma|ti|tis** *⟨gr.-nlat.⟩ die;* -, ...itiden: Entzündung der Mundschleimhaut (Med.). **sto|ma|to|gẹn:** vom Mund u. seinen Organen herrührend (Med.). **Sto|ma|to|lo|ge** *der;* -n, -n: Arzt mit speziellen Kenntnissen auf dem Gebiet der Stomatologie. **Sto|ma|to|lo|gie** *die;* -: Wissenschaft von den Krankheiten der Mundhöhle (Med.). **sto|ma|to|lo|gisch:** die Stomatologie betreffend

Stǫmp [st..., ʃt...] *⟨engl.-amerik.; „Stampfen")⟩ der;* -[s]: 1. ein altamerikanischer Tanz. 2. im Jazz eine melodisch-rhythmische Technik, die bei der fortlaufenden Melodie eine rhythmische Formel zugrunde gelegt wird

stoned [stoʊnd] *⟨engl.-amerik.⟩:* unter der Wirkung von Rauschmitteln stehend; vgl. high. **stone-washed** ['stoʊnwɔʃt] *⟨engl.⟩:* (von Jeansstoffen) mit kleinen Steinen vorgewaschen, um Farbe u. Material so herzurichten, dass sie nicht mehr neu aussehen

stop! [ʃt..., st...] *⟨gr.-lat.-vulgärlat.-engl.⟩:* 1. (auf Verkehrsschildern) halt! 2. Punkt (im Telegrafenverkehr). **Stop-and-go-Ver-kehr** ['stɔpənd'goʊ...] *⟨engl.; dt.⟩ der;* -s: durch langsame Fahrweise u. häufiges Anhalten der Fahrzeuge gekennzeichneter Verkehr. **Stop-o|ver** ['stɔp-oʊvə] *⟨engl.⟩ der;* -s, -s: Zwischenlandung, Zwischenaufenthalt auf einer Reise. **Stǫpp** *der;* -s, -s: [unfreiwilliger] Halt, Stockung. **stopp!** [ʃtɔp]: halt! **Stop|ping** ['stɔpɪŋ] *das;* -[s], -s: unerlaubtes Verabreichen von einschläfernden, das Leistungsvermögen herabmindernden Mitteln bei Rennpferden; Ggs. ↑Doping. **Stop|time** ['stɔptaɪm] *⟨engl.⟩ die;* -: rhythmische Technik, die im plötzlichen Abbruch des Beats besteht (in der afroamerikanischen Musik)

Stǫ|rax vgl. Styrax

[1]Store [ʃto:ɐ̯, stɔ:ɐ̯, schweiz.: 'ʃto:rə] *⟨lat.-it.-fr.⟩ der;* -s, -s

(schweiz.: *die;* -, -n): durchsichtiger Fenstervorhang

[2]Store [sto:ɐ̯] *⟨lat.-fr.-engl.⟩ der;* -s, -s: engl. Bez. für: Vorrat, Lager, Laden

Stǫ|ren *⟨lat.-it.-fr.⟩ der;* -s, -: (schweiz.) 1. Vorhang, der von oben vor ein Fenster gezogen od. herabgelassen wird, um direkte Sonnenstrahlung abzuhalten; Rouleau. 2. aufrollbares, schräges Sonnendach; Markise

Stor|nẹl|lo [st...] *⟨lat.-it.⟩ das* (auch: *der);* -s, -s u. ...lli: dreizeilige volkstümliche Liedform in Italien

Stǫr|ni ['ʃt..., 'st...] *Plural* von ↑Storno. **stor|nie|ren** *⟨lat.-vulgärlat.-it.⟩:* 1. einen Fehler in der Buchhaltung durch Eintragung eines Gegenpostens berichtigen. 2. [einen Auftrag] rückgängig machen. **Stǫr|no** *der* u. *das;* -s, ...ni: Berichtigung eines Buchhaltungsfehlers, Rückbuchung (Wirtsch.)

Stǫr|ting ['st..., 'ʃt...] *⟨norw.⟩ das;* -s: norwegisches Parlament

Stǫ|ry ['stɔ:rɪ, 'stɔrɪ] *⟨gr.-lat.-fr.-engl.-amerik.⟩ die;* -, -s: 1. im Inhalt eines Films, Romans o. Ä. ausmachende Geschichte. 2. (ugs.) a) ungewöhnliche Geschichte, die sich so zugetragen haben soll; b) Bericht, Report. **Stǫ|ry|board** ['stɔ:rɪbɔ:d] *das;* -s, -s: aus Einzelbildern bestehende Abfolge eines Films zur Erläuterung des Drehbuchs

Stoǀtịn|ka [...] *⟨bulgar.⟩ die;* -, ...ki: Münzeinheit in Bulgarien (= 0,01 Lew)

Stout [staʊt] *⟨germ.-fr.-engl.; „stark")⟩ der;* -s, -s: dunkles englisches Bier mit starkem Hopfengeschmack

Stra|bịs|mus [ʃt..., st...] *⟨gr.-nlat.⟩ der;* -: das Schielen (Med.). **Stra-bo** *⟨gr.-lat.⟩ der;* -s, -s: Schielender (Med.). **Stra|bo|me|ter** *⟨gr.-nlat.⟩ das;* -s, -: optisches Messgerät, mit dem die Abweichung der Augenachsen von der Parallelstellung bestimmt wird (Med.). **Stra|bo|me|trie*** *die;* -, ...jen: Messung des Schielwinkels um ein Strabometer (Med.). **Stra|bo|to|mie** *die;* -, ...jen: operative Korrektur einer Fehlstellung der Augen (Med.)

Strac|chi|no [stra'ki:no] *⟨germ.-it.⟩ der;* -[s]: Weichkäse aus der Gegend von Mailand

[1]Strac|cia|tel|la [stratʃa'tɛla] *⟨lat.-it.⟩ das;* -[s]: Speiseeissorte, die aus Milchspeiseeis mit Schokoladenstückchen besteht.

²**Strac|cia|tel|la** die; -, ...le: italienische [Eier]einlaufsuppe
Strad|dle ['strɛdl] ⟨engl.⟩ der; -[s], -s: Art des Hochsprungs, bei der sich der Körper beim Überqueren der Latte so dreht, dass die Brust nach unten zeigt
Stra|di|va|ri [st...] ⟨it.⟩ die; -, -[s] u. **Stra|di|va|ri|us** ⟨it.-nlat.⟩ die; -, -: Geige aus der Werkstatt des italienischen Geigenbauers Antonio Stradivari (1644–1737)
Stra|gul|la ℗ ['ʃt..., 'st...] ⟨lat.; „Decke, Teppich"⟩ das; -s: ein Bodenbelag
straight [strɛit] ⟨engl.⟩: (Jargon) 1. heterosexuell; Ggs. ↑gay. 2. a) geradlinig, konsequent; b) notengetreu, (eine Melodie) ohne Variation od. Improvisation spielend. **Straight** der; -s, -s u.
Straight|flush ['strɛitflʌʃ] der; -[s], -es [...ʃɪz, ...ʃɪs]: Sequenz von fünf Karten der gleichen Farbe beim Pokerspiel
stral|zie|ren [ʃt..., st...] ⟨lat.-it.⟩: (Kaufmannspr. veraltet) liquidieren, gütlich abtun. **Stral|zio** der; -s, -s: (österr.) Liquidation
Stram|bot|to [st...] ⟨it.⟩ das; -[s], ...tti: Gedichtform der volkstümlichen sizilianischen Dichtung, die aus acht elfsilbigen Versen bestand; vgl. Rispetto
Stra|min ⟨lat.-vulgärlat.-fr.-niederl.⟩ der; -s, -e: appretiertes Gittergewebe als Grundmaterial für [Kreuz]stickerei
Strange|ness ['strɛindʒnɪs] ⟨engl.; „Fremdartigkeit"⟩ die; -: Quantenzahl zur Klassifizierung von Elementarteilchen (Phys.)
Stran|gu|la|ti|on [ʃt..., st...] ⟨gr.-lat.⟩ die; -, -en: 1. das Strangulieren. 2. Abklemmung innerer Organe (z. B. des Darms; Med.); vgl. ...[at]ion/...ierung, **stran|gu|lie|ren**: durch Zuschnüren, Zudrücken der Luftröhre töten; erdrosseln. **Stran|gu|lie|rung** die; -en: ↑Strangulation; vgl. ...[at]ion/...ierung. **Strang|u|rie*** die; -, ...ien: schmerzhaftes Wasserlassen, Harnzwang (Med.)
Stra|pa|ze ⟨it.⟩ die; -, -n: große Anstrengung, Mühe, Beschwerlichkeit. **stra|pa|zie|ren**: 1. übermäßig anstrengen, beanspruchen; abnutzen, verbrauchen. 2. a) auf anstrengende Weise in Anspruch nehmen; b) sich strapazieren: sich [körperlich] anstrengen, nicht schonen. **stra|pa|zi|ös** ⟨französierende Bildung⟩: anstrengend, beschwerlich
Strap|pal|tu|ra [st..., ʃt...] ⟨germ.-

it.⟩ die; -: Werg des italienischen Hanfes
Straps [ʃt..., st..., engl.: strɛps] ⟨engl.⟩ der; -es, -e: a) Strumpfhalter; b) [schmaler] Hüftgürtel mit vier Strapsen (a)
stra|sci|nan|do [straʃi'nando] ⟨lat.-it.⟩: schleppend, geschleift (Vortragsanweisung; Mus.)
Strass ⟨nach dem franz. Juwelier G. F. Stras (1700–1773)⟩ der; - u. -es, -c: a) (ohne Plural) aus bleihaltigem Glas mit starker Lichtbrechung hergestelltes, glitzerndes Material bes. für Nachbildungen von Edelsteinen; b) aus Strass (a) hergestellte Nachbildung von Edelsteinen
Stra|ta: Plural von ↑Stratum
Stra|ta|gem [ʃt..., st...] ⟨gr.-lat.-it.⟩ das; -s, -e: ↑Strategem
Stra|ta|me|ter [ʃt..., st...] ⟨lat.; gr.⟩ das; -s, -: Instrument zur Feststellung von Bohrlochabweichungen aus der vorgegebenen Richtung
Stra|te|ge [ʃt..., st...] ⟨gr.-lat.(-fr.)⟩ der; -n, -n: jmd., der nach einer bestimmten Strategie strategisch vorgeht. **Stra|te|gem** ⟨gr.-lat.⟩ das; -s, -e: a) Kriegslist; b) Kunstgriff, Trick. **Stra|te|gie** ⟨gr.-lat.(-fr.)⟩ die; -, ...ien: genauer Plan des eigenen Vorgehens, der dazu dient, ein militärisches, politisches, psychologisches u. ä. Ziel zu erreichen, u. in dem man diejenigen Faktoren, die in die eigene Aktion hineinspielen könnten, von vornherein einzukalkulieren versucht. **stra|te|gisch:** genau geplant, einer Strategie folgend; strategische Waffe: Waffe von größerer Sprengkraft u. Reichweite, die zur Abwehr u. zur Zerstörung des feindlichen Kriegspotenzials bestimmt ist
Stra|ti: Plural von ↑Stratus. **Stra|ti|fi|ka|ti|on** ⟨lat.-nlat.⟩ die; -, -en: 1. Schichtung [von Gesteinen]. 2. Schichtung von Saatgut in feuchtem Sand od. Wasser, um das Keimen zu beschleunigen (Landw.). **Stra|ti|fi|ka|ti|ons|gram|ma|tik** die; -: grammatische Theorie, die Sprache als ein System hierarchisch geordneter, in wechselseitiger Beziehung stehender Ebenen versteht (Sprachw.). **stra|ti|fi|zie|ren:** 1. die Schichtenfolge einordnen, sie feststellen (von Gesteinen; Geol.). 2. langsam keimendes Saatgut in feuchtem Sand od. Wasser schichten, um es schneller zum Keimen zu brin-

gen (Landw.). **Stra|ti|gra|phie,** auch: Stratigrafie ⟨lat.; gr.⟩ die; -: Teilgebiet der Geologie, das sich mit der senkrechten u. damit auch zeitlichen Aufeinanderfolge der Schichtgesteine befasst (Geol.). **stra|ti|gra|phisch,** auch: stratigrafisch: die Altersfolge der Schichtgesteine betreffend (Geol.). **Stra|to|ku|mu|lus** ⟨lat.-nlat.⟩ der; -, ...li: tief hängende, gegliederte Schichtwolke; Abk.: Sc (Meteor.). **Stra|to|pau|se** die; -: Schicht in der Atmosphäre zwischen Stratosphäre u. Mesosphäre (Meteor.). **Stra|to|sphä|re*** ⟨lat.; gr.⟩ die; -: Teilschicht der Atmosphäre in einer Höhe von etwa 12 bis 80 km über der Erde (Meteor.). **stra|to|sphä|risch*:** die Stratosphäre betreffend. **Stra|tum** ⟨lat.⟩ das; -s, ...ta: 1. Strukturebene in der Stratifikationsgrammatik. Teilsystem der Sprache (z. B. Phonologie, Syntax; Sprachw.). 2. flache, ausgebreitete Schicht von Zellen (Med.). 3. Lebensraumschicht eines Biotops (Biol.). 4. soziale Schicht (Soziol.). **Stra|tus** ⟨lat.-nlat.⟩ der; -, ...ti: tief hängende, ungegliederte Schichtwolke; Abk.: St (Meteor.)
Straz|za ['ʃt..., 'st...] ⟨lat.-vulgärlat.-it.⟩ die; -, ...zzen: Abfall bei der Seidenbearbeitung. **Straz|ze** die; -, -n: Kladde (Kaufmannsspr.)
strea|ken ['stri:kn̩] ⟨engl.-amerik.⟩: (veraltend) in provokatorischer Absicht in der Öffentlichkeit nackt über belebte Straßen, Plätze o. Ä. laufen **Strea|ker** ['stri:kɐ] der; -s, -: (veraltend) jmd., der streakt
Strea|mer ['stri:mɐ] ⟨engl.⟩ der; -s, -: (beim Lachsangeln verwendeter) größerer, mit Federn versehener Haken (der einer Fliege ähnlich sieht). **Stream of Con|scious|ness** ['stri:m əv 'kɔnʃəsnɪs] ⟨engl.; „Bewusstseinsstrom"⟩ der; - - -: Erzähltechnik, bei der an die Stelle eines äußeren, festumschriebenen Geschehens od. dessen Wiedergabe durch einen Ich-Erzähler eine assoziative Folge von Vorstellungen, Gedanken o. Ä. einer Romanfigur tritt (Literaturw.)
Street|ball ['stri:tbɔ:l] ⟨engl.; „Straßenball"⟩ der; -s: auf Plätzen, Höfen o. Ä. gespielte Variante des Basketballs mit drei Spielern in einer Mannschaft.

Street|work ['stri:twə:k] ⟨engl.; „Straßenarbeit"⟩ die; -: (Jargon) Hilfe u. Beratung für Drogenabhängige, gefährdete od. straffällig gewordene Jugendliche innerhalb ihres Wohnbereichs, ihres Milieus. **Street|wor|ker** ['stri:twə:kə] der; -s, -: (Jargon) Sozialarbeiter, der Streetwork betreibt

Strel|lit|ze ⟨russ.; „Schütze"⟩ der; -n, -n: Angehöriger einer Leibwache des Zaren im 17. Jh.

Strem|ma 'ʃt..., 'st...] ⟨ngr.⟩ das; -[s], -ta: neugriechisches Flächenmaß

Stre|nu|i|tät [ʃt..., st...] ⟨lat.⟩ die; -: (veraltet) Tapferkeit; Unternehmungsgeist

stre|pi|to|so [st...] u. **stre|pi|tu|lo|so** ⟨lat.-it.⟩: lärmend, geräuschvoll, glänzend, rauschend (Vortragsanweisung; Mus.)

Strep|to|ki|na|se [ʃt..., st...] ⟨gr.-nlat.⟩ die; -, -n: Fibrin lösendes, aus Streptokokken gebildetes Enzym (Med.). **Strep|to|kok|ke** die; -, -n u. **Strep|to|kok|kus** der; -, ...kken (meist Plural): Kettenbakterien, Eitererreger. **Strep|to|my|cin** u. **Strep|to|my|zin** das; -s: ein Antibiotikum. **Strep|to|tri|cho|se** die; -, -n: Pilzerkrankung der Lunge durch Infektion mit Fadenpilzen (Med.)

Stress ['ʃt..., 'st...] ⟨lat.-vulgärlat.-fr.-engl.⟩ der; -es, -e: 1. erhöhte Beanspruchung, Belastung physischer u./od. psychischer Art (die bestimmte Reaktionen hervorruft u. zu Schädigungen der Gesundheit führen kann). 2. gerichteter, einseitiger Druck (Geol.). **stres|sen** ['ʃt...]: jmdn. körperlich u. seelisch überbeanspruchen. **Stres|sor** der; -s, ...oren: Mittel (z. B. Faktor, der Stress (1) bewirkt od. auslöst

Stretch [stretʃ] ⟨engl.; „strecken"⟩ der; -[e]s, -es: elastisches Gewebe aus Stretchgarn, bes. für Strümpfe. **Stret|ching** ['stretʃin] das; -s: aus Dehnungsübungen bestehende Form der Gymnastik. **Stret|ta** ['st...] ⟨lat.-it.⟩ die; -, -s: brillanter, auf Effekt angelegter Schluss einer Arie od. eines Instrumentalstückes. **stret|to** ⟨lat.-it.⟩: gedrängt, eilig, lebhaft; (bei der Fuge:) in Engführung (Vortragsanweisung; Mus.)

Stria ['ʃt..., 'st...] ⟨lat.⟩ die; -, Striae [...ɛ]: Streifen (z. B. Dehnungsstreifen in der Haut; Med.)

stric|te ['ʃt..., 'st...] ⟨lat.⟩: lat. Form von strikt[e] (Adverb).

stric|tis|si|me: (veraltet) aufs Genaueste

Stri|dor ['ʃt..., 'st...] ⟨lat.⟩ der; -s: pfeifendes Atemgeräusch (Med.). **Stri|du|la|ti|on** ⟨lat.-nlat.⟩ die; -: Erzeugung von Lauten bei bestimmten Insekten durch Gegeneinanderstreichen bestimmter beweglicher Körperteile (Zool.). **Stri|du|la|ti|ons|or|gan** das; -s, -e: Werkzeug bestimmter Insekten zur Erzeugung zirpender Laute (z. B. bei Grillen u. Heuschrecken) **stri|gi|liert** [ʃt..., st...] ⟨lat.⟩: s-förmig geriefelt (von den Wänden altchristlicher Sarkophage)

Strike [straik] der; -s, -s: 1. das Abräumen mit dem ersten Wurf (Bowling). 2. ordnungsgemäß geworfener Ball, der entweder nicht angenommen, verfehlt od. außerhalb des Feldes geschlagen wird (Baseball)

strikt ['ʃt..., 'st...] ⟨lat.⟩: streng; genau; pünktlich; strikte. **strik|te:** streng, genau. **strik|ti|on** die; -, -en: Zusammenziehung. **Strik|tur** die; -, -en: Verengung eines Körperkanals (z. B. der Speise-, Harnröhre; Med.). **strin|gen|do** [strin'dʒendo] ⟨lat.-it.⟩: schneller werdend, eilend (Vortragsanweisung; Mus.); Abk.: string. **Strin|gen|do** das; -s, -s u. ...di: schneller werdendes Tempo (Mus.). **strin|gent** [ʃt..., st...] ⟨lat.⟩: bündig, zwingend, streng (Philos.). **Strin|genz** ⟨lat.-nlat.⟩ die; -: Bündigkeit, strenge Beweiskraft (Philos.). **Strin|ger** ['ʃtrinɐ, engl.: 'strinɡ] ⟨engl.⟩ der; -s, -: längsseits angeordneter, der Versteifung dienender Bauteil (im Flugzeug- u. Schiffbau). **strin|gie|ren** [ʃt..., st...] ⟨lat.⟩: 1. (veraltet) zusammenziehen, -schnüren. 2. die Klinge des Gegners mit der eigenen Waffe abdrängen, auffangen (Fechtsport). **String|re|gal** ⟨engl.; 2. Bestandteil Herkunft unsicher⟩ das; -s, -e: Regal, bei dem die einzelnen Bretter in ein an der Wand befestigtes Gestell eingelegt sind. **String|wand** ⟨engl.; dt.⟩ die; -, ...wände: meist ganze Wand ausfüllende Kombination aus Stringregalen mit Hängeschränken

Strip [ʃt..., st...] ⟨engl.⟩ der; -s, -s: 1. Kurzform von ↑Striptease. 2. in Streifen verpacktes, gebrauchsfertiges Wundpflaster. **Strip|film** der; -[e]s, -e: Film, dessen Emulsionsschicht abziehbar ist u. mit anderen Filmen zu-

sammenmontiert werden kann (Fotogr.; Druckw.). **strip|pen:** 1. eine Entkleidungsnummer vorführen; sich in einem Varietee od. Nachtlokal entkleiden. 2. die Emulsionsschicht von Filmen od. Platten abziehen, um eine Sammelform zu montieren (Fotogr.); vgl. Stripfilm. 3. (Jargon) [als Student] durch nebenberufliches Musizieren auf einer Veranstaltung, im Café usw. sich etwas dazuverdienen. **Strip|per** ⟨„Abstreifer"⟩ der; -s, -: 1. Instrument zum Entfernen eines Blutpfropfs od. einer krankhaft veränderten Vene. 2. Striptease-tänzer. 3. Spezialkran zum Abstreifen der Gussformen von gegossenen Blöcken (Hüttenw.). **Strip|pe|rin** die; -, -nen: Stripteasetänzerin. **Strip|ping** das; -[s], -s: ausschälende Operation mit Spezialinstrumenten (z. B. die Entfernung eines Blutpfropfs; Med.). **Strips** die (Plural): 1. kurze Fasern, die auf einer Spinnereimaschine durch Arbeitswalzen abgestreift werden. 2. Comicstrips. **Strip|tease** ['ʃtripti:s, 'st...] ⟨engl.-amerik.⟩ der (auch: das); -: 1. Entkleidungsnummer (in Theater u. Varietee). 2. (scherzh.) Entblößung **stri|scian|do** [striʃando] ⟨it.⟩: schleifend, gleitend (Vortragsanweisung; Mus.). **Stri|scian|do** das; -s, -s u. ...di: schleifendes, gleitendes Spiel (Mus.)

Strīz|zi ⟨it.⟩ der; -s, -s: (bes. südd., schweiz., österr.) 1. leichtsinniger Mensch; Strolch. 2. Zuhälter

Stro|bo|light ['strobolait] ⟨aus engl. stroboscopic light⟩ das; -s, -s: schnell u. kurz grell aufleuchtendes Licht. **Stro|bo|skop*** [ʃt..., st...] ⟨gr.-nlat.⟩ das; -s, -e: 1. Gerät zur Bestimmung der Frequenz schwingender od. rotierender Systeme, z. B. der Umlaufzeit von Motoren. 2. als Vorläufer des Films geltendes Gerät zur Sichtbarmachung von Bewegungen (zwei gegenläufig rotierende Scheiben, von denen die eine Schlitze od. Löcher, die andere Bilder trägt). **stro|bo|sko|pisch*:** das Stroboskop betreffend

Stro|ga|noff [ʃt...] das; -s, -s: ↑Bœuf Stroganoff

Stro|ma [ʃt..., st...] ⟨gr.-lat.; „das Hingebreitete, die Decke"⟩ das; -s, -ta: 1. Grundgewebe in drüsigen Organen u. Geschwülsten, Stützgerüst eines Organs (Med.). 2. a) Fruchtlager mancher Pilze;

b) Grundmasse der Chloroplasten (Bot.). **Stro|ma|tik** ⟨gr.-nlat.⟩ die; -: Teppichwebekunst **Stron|ti|a|nit** [ʃt..., st..., auch: ...ˈnɪt] ⟨nlat.; nach dem Dorf Strontian in Schottland⟩ der; -s, -e: farbloses, auch graues, gelbliches od. grünliches Mineral aus einer Kohlenstoffverbindung des Strontiums. **Stron|ti|um** das; -s: chem. Element; ein Metall (Zeichen: Sr) **Stro|phan|thin*** [ʃt..., st...] ⟨gr.-nlat.⟩ das; -s, -e: als Herzmittel verwendetes, hochwirksamer Extrakt aus Strophanthussamen. **Stro|phan|thus** der; -, -: (in den Tropen vorkommende) meist kletternde Pflanze mit farbigen Blüten, von deren Blättern oft lange Fortsätze herabhängen **Stro|phe** ⟨gr.-lat.; „das Drehen, die Wendung"⟩ die; -, -n: aus mehreren rhythmisch gegliederten [u. gereimten] Verszeilen bestehender [in gleicher Form sich wiederholender] Abschnitt eines Liedes, Gedichtes od. Versepos. **Stro|phik** ⟨gr.-nlat.⟩ die; -: Kunst des Strophenbaus. **stro|phisch:** 1. in Strophen geteilt. 2. (von einer [Lied]strophe) mit der gleichen Melodie zu singen. **Stro|pho|i|de** die; -, -n: ebene Kurve dritter Ordnung (Math.) **Struck** [ʃtrʊk, strʌk] ⟨engl.⟩ das (österr. auch: der); -[s]: ein dem Cord ähnliches Doppelgewebe **struk|tiv** [ʃt..., st...] ⟨lat.-nlat.⟩: zur Konstruktion, zum Aufbau gehörend, ihn sichtbar machend (Kunstw.; Bauw.). **Struk|to|gramm** ⟨lat.-gr.⟩ das; -s, -e: grafische Darstellung für Computerprogramme (EDV). **Struk|tur** [ʃt..., st...] ⟨lat.⟩ die; -, -en: 1. [unsichtbare] Anordnung der Teile eines Ganzen zueinander, gegliederter Aufbau, innere Gliederung. 2. Gefüge, das aus Teilen besteht, die wechselseitig voneinander abhängen. 3. (ohne Plural) erhabene Musterung bei Textilien, Tapeten o. Ä. 4. geologische Bauform (z. B. Falte, Salzstock u. a.). **struk|tu|ral** ⟨lat.-nlat.⟩: sich auf die Struktur von etw. beziehend, in Bezug auf die Struktur; vgl. ...al/...ell. **Struk|tu|ra|lis|mus** der; -: 1. wissenschaftliche Richtung, die Sprache als ein geschlossenes Zeichensystem versteht u. die Struktur (1) dieses Systems erfassen will, indem sie die wechselseitigen Beziehungen der Teile zueinander erforscht. 2. For-

schungsmethode in der Völkerkunde, die eine Beziehung zwischen der Struktur der Sprache u. der Kultur einer Gesellschaft herstellt u. die alle sichtbaren Strukturen auf geschichtslose Grundstrukturen zurückführt. 3. Wissenschaftstheorie, die von einer synchronen Betrachtungsweise ausgeht u. die allem zugrunde liegenden, unwandelbaren Grundstrukturen erforschen will. **Struk|tu|ra|list** der; -en, -en: Vertreter des Strukturalismus. **struk|tu|ra|lis|tisch:** den Strukturalismus betreffend; vom Strukturalismus ausgehend. **Struk|tur|a|na|ly|se** die; -, -n: Untersuchung, Analyse der Struktur (1, 2), der einzelnen Strukturelemente von etwas (z. B. in der Literaturw., Wirtsch., Chem.) **Struk|tur|bo|den** der; -s, ...böden: ↑Polygonboden. **struk|tu|rell:** a) eine bestimmte Struktur aufweisend; von der Struktur her; b) ↑struktural; vgl. ...al/...ell. **Struk|tur|for|mel** die; -, -n: formelhafte grafische Darstellung vom Aufbau einer chemischen Verbindung. **struk|tu|rie|ren:** mit einer Struktur (1–3) versehen **Stru|ma** [ʃt..., st...] ⟨lat.⟩ die; -, ...men od. ...mae: (Med.) 1. Vergrößerung der Schilddrüse; Kropf. 2. krankhafte Veränderung von Eierstock, Vorsteherdrüse, Nebenniere od. Hypophyse. **Stru|mek|to|mie*** ⟨lat.; gr.⟩ die; -, ...ien: operative Entfernung eines Kropfs. **Stru|mi|tis** ⟨lat.-nlat.⟩ die; -, ...itiden: Entzündung in einem Kropf (Med.). **stru|mös** ⟨lat.-fr.⟩: kropfig, kropfartig (Med.) **Stru|sa** [ʃt..., st...] ⟨it.⟩ die; -, ...sen: Abfall von Seide beim Abhaspeln u. Schlagen der Kokons **Strych|nin** [ʃt..., st...] ⟨gr.-nlat.⟩ das; -s: farbloses, giftiges Alkaloid aus den Samen eines indischen Baumes **Stu|art|kra|gen** [ˈstjʊət..., ˈʃtuːart...] ⟨nach der schottischen Königin Maria Stuart⟩ der; -s, -: steifer, breiter, nach hinten hoch stehender [Spitzen]kragen **Stu|cka|teur** [...ˈtøːɐ̯] ⟨germ.-it.-fr.⟩ der; -s, -e: a) Stuckarbeiter; b) (selten) Stuckator. **Stu|cka|tor** ⟨germ.-it.⟩ der; -s, ...oren: Künstler, der Stuckplastiken herstellt, Stuckkünstler. **Stu|cka|tur** die; -, -en: [künstlerische] Stuckarbeit

Stu|dent der; -en, -en: a) zur wissenschaftlichen Ausbildung an einer Hochschule od. Fachhochschule Immatrikulierter, Studierender, Hochschüler; b) (österr.) Schüler einer höheren Schule. **Stu|den|ti|ka** ⟨lat.-nlat.⟩ die (Plural): (veraltet) Werke über Wesen u. Geschichte des Studententums. **stu|den|tisch:** a) [die] Studierenden betreffend; b) von, durch, mit Studierenden. **Stu|dio** die; -, -n: Entwurf, kurze [skizzenhafte] Darstellung, Vorarbeit [zu einem Werk der Wissenschaft od. Kunst]; Übung. **Stu|di|en:** Plural von ↑Studie u. ↑Studium. **Stu|di|en|an|stalt** die; -, -en: (hist.) höhere Mädchenschule. **Stu|di|en|as|ses|sor** der; -s, -en: (früher) Anwärter auf das höhere Lehramt nach der zweiten Staatsprüfung. **Stu|di|en|di|rek|tor** der; -s, -en: a) Ehrentitel für einen Lehrer in der DDR; b) Beförderungsstufe für einen Oberstudienrat (als Stellvertreter des Direktors). **Stu|di|en|kol|leg** das; -s, -s u. ...-ien: Vorbereitungskurs an einer Hochschule, bes. für ausländische Studierende. **Stu|di|en|pro|fes|sor** der; -s, -en: 1. Gymnasiallehrer, der Referendarinnen u. Referendare in Fachdidaktik ausbildet. 2. (früher) Titel für Lehrer an einer höheren Schule. **Stu|di|en|rat** der; -s, -räte: 1. beamteter Lehrer an einer höheren Schule. 2. Ehrentitel für einen Lehrer in der DDR. **Stu|di|en|re|fe|ren|dar** der; -s, -e: Anwärter auf das höhere Lehramt nach der ersten Staatsprüfung. **stu|die|ren** ⟨lat.; „etwas eifrig betreiben"⟩: 1. a) eine Universität, Hochschule besuchen; b) Kenntnisse auf einem bestimmten Fachgebiet durch ein Studium erwerben. 2. a) genau untersuchen, beobachten, erforschen; b) genau, prüfend durchlesen; c) einüben, einstudieren. **Stu|dio** ⟨lat.-it.⟩ das; -s, -s: 1. Künstlerwerkstatt, Atelier (z. B. einer Malerin). 2. Produktionsstätte für Rundfunk-, Fernsehsendungen, Filme, Schallplatten. 3. kleines [Zimmer]theater od. Kino, in dem bes. experimentelle Stücke, Filme od. Inszenierungen gebracht werden. 4. Übungs- u. Trainingsraum für Tänzer(innen). 5. (veraltend) abgeschlossene Einzimmerwohnung. **Stu|di|o|lo** ⟨ital.⟩ das; -, ...li: 1. italienische Bez. für Studier-, Arbeitszimmer. 2. (seit dem 16. Jh.) Raum in städtischen Palästen in Italien, in dem Luxusgegenstände, Handschriften, Bilder o. Ä. aufbewahrt werden. **Stu|di|o|mu|si|ker** *der;* -s, -: (im Bereich der Unterhaltungsmusik) Musiker, der selbst nicht öffentlich auftritt, sondern für Plattenaufnahmen anderer Künstler engagiert wird. **Stu|di|o|qua|li|tät** *die;* -, -en: hohe technische Qualität, wie sie nur in einem Studio (2) erreicht wird. **Stu|di|o|sus** ⟨*lat.*⟩ *der;* -, ...si: (scherzh. veraltend) Studierender, Student. **Stu|di|um** ⟨*lat.- (mlat.)*⟩ *das;* -s, ...ien: 1. (ohne Plural) akademische Ausbildung an einer Hochschule. 2. a) eingehende [wissenschaftliche] Beschäftigung mit etw.; b) (ohne Plural) genaue, kritische Prüfung, kritisches Durchlesen; c) (ohne Plural) das Einüben, Erlernen. **Stu|di|um ge|ne|ra|le** *das;* - -: 1. frühe Form der Universität im Mittelalter. 2. Vorlesungen allgemein bildender Art an Hochschulen **Stu|fa|ta** [st...] ⟨*vulgärlat.-it.*⟩ *die;* -, -s: ital. Bez. für: geschmortes Rindfleisch **Stuf|fer** ['stʌfə] ⟨*engl.-amerik.*⟩ *der;* -s, -: kleiner Prospekt, der Postsendungen beigefügt wird **Stun|dis|mus** ⟨*dt.-nlat.*⟩ *der;* -: durch pietistische Erbauungs„stunden" deutscher Siedler angeregte Erweckungsbewegung südrussischer Bauern in der zweiten Hälfte des 19. Jh.s **Stunt** [stʌnt] ⟨*engl.-amerik.*⟩ *der;* -s, -s: gefährliches akrobatisches Kunststück, bes. als Szene eines Films. **Stunt|frau** *die;* -, -en: ↑Stuntwoman. **Stunt|girl** [...gə:l] *das;* -s, -s: ↑Stuntwoman. **Stunt|man** [...mən] *der;* -[s], ...men [...mən]: Mann, der sich auf Stunts spezialisiert hat u. entsprechende Szenen für den eigentlichen Darsteller übernimmt. **Stunt|wo|man** [...wʊmən] *die;* -, ...men [...wɪmɪn]: Frau, die sich auf Stunts spezialisiert hat u. entsprechende Szenen für die eigentliche Darstellerin übernimmt. **Stu|pa** [ʃt...] ⟨*sanskr.*⟩ *der;* -s, -s: massiver buddhistischer Kultbau, der als Grab- od. Erinnerungsmal dient **stu|pend** [ʃt..., st...] ⟨*lat.*⟩: erstaunlich, verblüffend. **stu|pid** u. **stu|pi|de** [ʃt..., st...] ⟨*lat.-fr.*⟩:

a) dumm, beschränkt; ohne geistige Interessen; b) langweilig, monoton, stumpfsinnig. **Stu|pi|di|tät** *die;* -, -en: 1. (ohne Plural) a) Beschränktheit, Dummheit, Geistlosigkeit; b) Langeweile, Monotonie, Stumpfsinn. 2. von Geistlosigkeit zeugende Handlung, Bemerkung o. Ä. **Stu|por** ⟨*lat.*⟩ *der;* -s: völlige körperliche u. geistige Regungslosigkeit, Starrheit (Med.). **stup|rie|ren*** (veraltet) vergewaltigen. **Stu|prum*** *das;* -s, ...pra: (veraltet) Vergewaltigung **Sty|gal** [st..., ʃt...] ⟨*gr.;* zu Stýx, dem Fluss der griechischen Unterwelt⟩ *das;* -s: von Grundwasser durchströmte Hohlräume in Sanden, Kiesen, Schottern u. Kluften des Erdbodens als Lebensraum von Stygobionten (Ökologie). **sty|gisch:** schauerlich, kalt. **Sty|go|bi|ont** *der;* -en, -en: im Stygal lebender Organismus (Ökologie) **styl|len** ['staɪln] ⟨*lat.-engl.*⟩: 1. das Styling von etw. entwerfen, gestalten. 2. seine äußere Aufmachung durch Kosmetik, Kleidung usw. zurechtmachen. **Style ra|yon|nant** [stilrɛjɔ'nã] ⟨*fr.;* „strahlender Stil"⟩ *der;* - -: Stilrichtung der französischen Gotik, die durch ein reiches Maßwerk gekennzeichnet ist (Kunstwiss.). **Sty|li:** *Plural* von ↑Stylus. **Sty|ling** ['staɪlɪŋ] ⟨*lat.-engl.*⟩ *das;* -s, -s: 1. Formgebung, Design, Gestaltung. 2. durch Frisur, Kleidung, Kosmetik u. a. bestimmte Aufmachung eines Menschen. **Sty|list** [staɪ'lɪst] ⟨*engl.*⟩ *der;* -en, -en: Formgestalter; jmd., der das Styling (1) entwirft (Berufsbez.) **Sty|lit** [st..., ʃt...] ⟨*gr.*⟩ *der;* -en, -en: frühchristlicher Asket, der auf einer Säule lebte; Säulenheiliger. **Sty|lo|bat** ⟨*gr.-lat.*⟩ *der;* -en, -en: oberste Stufe des griechischen Tempels, auf der die Säulen stehen **Sty|lo|gra|phie** [st..., ʃt...] ⟨*lat.; gr.*⟩ *die;* -: Herstellung von Kupferdruckplatten **Sty|lo|lith** [st..., ʃt..., auch: ...'lɪt] ⟨*gr.-nlat.*⟩ *der;* -s u. -en, -e[n]: in sich verzahnte, unregelmäßige Auflösungsfläche, die unter Druck in Kalkstein entsteht (Geol.) **Sty|lus** [st..., ʃt...] ⟨*lat.*⟩ *der;* -, Styli: 1. Griffel am Fruchtknoten von Blüten (Bot.). 2. griffelartiges Rudiment von Gliedmaßen

am Hinterleib mancher Insekten (Biol.). 3. Arzneimittel in Stäbchenform zum Einführen od. Ätzen; Arzneistift (Med.) **Stym|pha|li|de** [st..., ʃt...] ⟨*gr.-lat.*⟩ *der;* -n, -n (meist Plural): vogelartiges Ungeheuer in der griechischen Mythologie **Styp|sis** [st..., ʃt...] *die;* -: Blutstillung (Med.). **Styp|ti|kum** *das;* -s, ...ka: 1. blutstillendes Mittel. 2. Mittel gegen Durchfall (Med.) **Sty|rax** [st..., ʃt...] ⟨*gr.-lat.*⟩ u. Storax *der;* -[es], -e: 1. (in vielen Arten in den Tropen u. Subtropen heimischer) Strauch od. Baum mit weißen Blüten. 2. (früher aus dem Styrax 1 gewonnener) aromatisch riechender Balsam, der für Heilzwecke sowie in der Parfümindustrie verwendet wird. **Sty|rol** ⟨*gr.; arab.*⟩ *das;* -s: zu den Kohlenwasserstoffen gehörende farblose, benzolartig riechende Flüssigkeit, die zur Herstellung von Kunststoffen verwendet wird. **Sty|ro|por** ® ⟨*gr.; lat.*⟩ *das;* -s: weißer, sehr leichter, aus kleinen, zusammengepressten Kügelchen bestehender schaumstoffartiger Kunststoff, der bes. als Dämmstoff u. Verpackungsmaterial verwendet wird **Su|a|da** (österr. nur so) u. **Su|a|de** ⟨*lat.*⟩ *die;* -, Suaden: 1. wortreiche Rede; ununterbrochener Redefluss, Redeschwall. 2. (ohne Plural) Beredsamkeit, Überredungskunst **Su|a|he|li,** Swahili ⟨*arab.;* nach dem afrikanischen Volk der Suaheli⟩ *das;* -[s]: zu den Bantusprachen gehörende weit verbreitete Handels- u. Amtssprache in Ostafrika **Su|a|so|rie** ⟨*lat.*⟩ *die;* -, -n: (in der altrömischen Rhetorik) Schulübung, bei der man aus Geschichte od. Sage bekannte Entscheidungen berühmter Persönlichkeiten mit Gründen u. Gegengründen erörtert werden. **su|a|so|risch:** zum Überreden geeignet, der Überredung dienend **sua spon|te** ⟨*lat.*⟩: aus eigenem Antrieb, freiwillig **su|a|ve** ⟨*lat.-it.*⟩: lieblich, sanft (Vortragsanweisung; Mus.) **¹Sub** ⟨*lat.*⟩ *das;* -s, -s: ↑Supra **²Sub** [zap, sʌb] ⟨*lat.-engl.-amerik.*⟩ *der;* -s, -s: 1. Lokalität, Wirkungsbereich, Treffpunkte, Kommunikationszentren o. Ä. einer subkulturellen Gruppe. 2. Angehöriger einer subkulturellen Gruppe. **³Sub** ⟨*lat.*⟩ *die;* -: Kurzform von ↑Subkultur

Sub|aci|di|tät ⟨*lat.-nlat.*⟩ *die; -*: verminderter Säuregehalt (z. B. des Magensaftes; Med.)

sub|a|e|risch: (von biologischen Vorgängen) sich unter Mitwirkung der freien Atmosphäre (z. B. Wind, Temperatur) vollziehend

sub|akut: (von krankhaften Prozessen) weniger heftig verlaufend (Med.)

sub|al|pin, sub|al|pi|nisch: 1. räumlich unmittelbar an die Alpen anschließend (Geogr.). 2. (von der Nadelwaldzone in 1600–2000 m Höhe) bis zur Baumgrenze reichend.

sub|al|tern ⟨*lat.*⟩: 1. (abwertend) in beflissener Weise unterwürfig, untertänig, devot. 2. a) nur einen untergeordneten Rang einnehmend, nur beschränkte Entscheidungsbefügnis habend; b) (abwertend) geistig unselbstständig, auf einem niedrigen geistigen Niveau stehend. **Sub|al|ter|na|ti|on** ⟨*lat.-nlat.*⟩ *die; -*: Unterordnung eines Begriffs unter einen anderen von weiterem Umfang od. eines Teilurteils unter ein allgemeines Urteil (Logik). **sub|al|ter|nie|ren**: unterordnen, ein besonderes Urteil unter ein allgemeines unterordnen (Logik). **Sub|al|ter|ni|tät** *die; -*: das Subalternsein

sub|ant|ark|tisch: zwischen Antarktis u. gemäßigter Klimazone gelegen (Geogr.)

sub|aqual ⟨*lat.-nlat.*⟩: unter Wasser befindlich; sich unter Wasser vollziehend (Biol.; Med.). **sub|aqua|tisch**: (von geol. Vorgängen u. Erscheinungen) unter der Wasseroberfläche gelegen

sub|ark|tisch: zwischen Arktis u. gemäßigter Klimazone gelegen (Geogr.)

Sub|ar|ren|da|tor ⟨*mlat.*⟩ *der; -s, ...to|ren*: (veraltet) jmd., der etw. von jmdm. pachtet, der selbst Pächter ist. **sub|ar|ren|die|ren**: (veraltet) etw. von jmdm. pachten, der selbst Pächter ist

Sub|at|lan|ti|kum ⟨*nlat.*⟩ *das; -s*: jüngste Stufe des Alluviums (Geol.). **sub|at|lan|tisch**: das Subatlantikum betreffend

sub|ato|mar ⟨*lat.; gr.-nlat.*⟩: (Phys.) a) kleiner als ein Atom; b) die Elementarteilchen u. Atomkerne betreffend

Sub|azi|di|tät ⟨*lat.*⟩ vgl. Subacidität

Sub|bo|re|al ⟨*lat.; gr.-lat.*⟩ *das; -s*: zweitjüngste Stufe des Alluviums (Geol.)

Sub|bot|nik ⟨*russ.*⟩ *der; -[s], -s*:

(früher) in der DDR in einem besonderen Einsatz freiwillig u. unentgeltlich ausgeführte Arbeit

sub|der|mal ⟨*lat.; gr.-nlat.*⟩: ↑subkutan

Sub|di|a|kon ⟨⟨*lat.; gr.*⟩ *lat.*⟩ *der; -s u. -en, -e[n]*: Geistlicher, der unter einem Diakon steht (kath. Kirche früher). **Sub|di|a|ko|nat** *das* (auch: *der*); *-[e]s, -e*: Stand u. Würde eines Subdiakons

Sub|di|vi|si|on ⟨*lat.*⟩ *die, -, -en*: Unterteilung (Philos.)

Sub|do|mi|nan|to ⟨*lat.-it.*⟩ *die; -, -n*: a) vierte Stufe einer diatonischen Tonleiter; b) auf einer Subdominante (a) aufgebauter Dreiklang (Mus.)

sub|du|ral ⟨*lat.-nlat.*⟩: unter der harten Hirnhaut gelegen (z. B. von Abszessen; Med.)

Su|be|rin ⟨*lat.-nlat.*⟩ *das; -s, -e*: hochmolekulare Substanz, die als Stoffwechselprodukt der höheren Pflanzen in den Zellwänden des Kork bildenden Gewebes abgelagert wird u. dieses gegen Flüssigkeiten u. Gase undurchlässig macht

sub|feb|ril* ⟨*lat.-nlat.*⟩: (von der Körpertemperatur) leicht erhöht, aber noch nicht fieberhaft (Med.)

sub|fos|sil ⟨*lat.-nlat.*⟩: (von Tieren u. Pflanzen) in geschichtlicher Zeit ausgestorben (Biol.)

sub|gla|zi|al ⟨*lat.-nlat.*⟩: unter dem Gletscher[eis] befindlich, vor sich gehend (Geol.)

sub hos|ta ⟨*lat.*⟩: (veraltet) unter dem Hammer. **Sub|has|ta|ti|on** *die; -, -en*: (veraltet) öffentliche Versteigerung; Zwangsversteigerung. **sub|has|tie|ren**: (veraltet) öffentlich versteigern

Sub|ima|go ⟨*lat.-nlat.*⟩ *die; -, ...gi|nes*: Entwicklungsstadium der geflügelten, aber noch nicht geschlechtsreifen Eintagsfliege (Zool.)

Su|bi|tan|lei ⟨*lat.; dt.*⟩ *das; -[e]s, -er*: von einigen niederen Tieren (z. B. Wasserflöhen, Blattläusen) in der warmen Jahreszeit abgelegtes dünnschaliges, dotterarmes, sich schnell entwickelndes Ei. **su|bi|to** ⟨*lat.-it.*⟩: schnell, sofort anschließend (Vortragsanweisung; Mus.)

Sub|jekt ⟨*lat.*⟩ *das; -[e]s, -e*: 1. [auch: 'zʊp...] erkennendes, mit Bewusstsein ausgestattetes, handelndes Ich (Philos.); Ggs. ↑Objekt (1 b). 2. [auch: 'zʊp...] Satzglied, in dem dasjenige (z. B. eine Person, ein Sachverhalt) genannt wird, worüber eine Aussage

gemacht wird; Satzgegenstand (Sprachw.). 3. [auch: 'zʊp...] Thema einer kontrapunktischen Komposition, bes. einer Fuge (Mus.). 4. (abwertend) verachtenswerter Mensch. **Sub|jek|ti|on** *die; -, -en*: Aufwerfen einer Frage, die man anschließend selbst beantwortet (Rhet.). **sub|jek|tiv** [auch: 'zʊp...]: 1. zu einem Subjekt (1) gehörend, von einem Subjekt ausgehend, abhängig (Philos.). 2. von persönlichen Gefühlen, Interessen, von Vorurteilen bestimmt; voreingenommen, befangen, unsachlich. **sub|jek|ti|vie|ren**: dem persönlichen subjektiven (1) Bewusstsein gemäß betrachten, beurteilen, interpretieren. **Sub|jek|ti|vis|mus** ⟨*lat.-nlat.*⟩ *der; -*: 1. philosophische Anschauung, nach der es keine objektive Erkenntnis gibt, sondern alle Erkenntnisse Schöpfungen des subjektiven Bewusstseins sind. 2. subjektivistische (b) Haltung, Ichbezogenheit. **Sub|jek|ti|vist** *der; -en, -en*: 1. Vertreter des Subjektivismus (1). 2. jmd., der subjektivistisch (b) ist, denkt. **sub|jek|ti|vis|tisch**: 1. den Subjektivismus (1) betreffend, von ihm geprägt, zu ihm gehörend. 2. ichbezogen. **Sub|jek|ti|vi|tät** *die; -*: 1. subjektives (1) Wesen (einer Sache); das Subjektivsein (bes. Philos.). 2. subjektive (2) Haltung, das Subjektivsein. **Sub|jekt|satz** *der; -es, ...sätze*: Subjekt (2) in Gestalt eines Gliedsatzes (Sprachw.). **Sub|jekts|ge|ni|tiv** *der; -s, -e*: Genitivus subiectivus (Sprachw.). **Sub|junk|ti|on** ⟨*lat.*⟩ *die; -, -en*: 1. objektsprachliche Verknüpfung von Aussagen zu einer neuen Aussage derselben Grundstufe mit der logischen Partikel der Bedingung „wenn – dann". 2. ↑Hypotaxe. 3. Konjunktion (1). **Sub|junk|tiv** ⟨*lat.*⟩ *der; -s, -e*: (selten) Konjunktiv

sub|kon|zi|ent* ⟨*lat.-nlat.*⟩: unterbewusst (Psychol.)

Sub|kon|ti|nent ⟨*lat.-nlat.*⟩ *der; -[e]s, -e*: geographisch geschlossener Teil eines Kontinents, der aufgrund seiner Größe u. Gestalt eine gewisse Eigenständigkeit hat, z. B. der indische Subkontinent

Sub|kont|ra|ok|ta|ve* ⟨*lat.-nlat.*⟩: Oktave, die unter der Kontraoktave liegt (Mus.)

sub|krus|tal ⟨*lat.-nlat.*⟩: unter der Erdkruste gelegen (Geol.)

Sub|kul|tur ⟨*lat.-nlat.*⟩ *die; -, -en*

innerhalb eines Kulturbereichs, einer Gesellschaft bestehende, von einer bestimmten gesellschaftlichen, ethnischen o.ä. Gruppe getragene Kultur mit eigenen Normen u. Werten (Soziol.). **sub|kul|tu|rell:** zu einer Subkultur gehörend, sie betreffend **sub|ku|tan** ⟨lat.⟩: (Med.) 1. unter der Haut befindlich. 2. unter die Haut appliziert **sub|lim** ⟨lat.⟩: a) nur mit großer Feinsinnigkeit wahrnehmbar, verständlich; nur einem sehr feinen Verständnis od. Empfinden zugänglich; b) von Feinsinnigkeit, feinem Verständnis, großer Empfindsamkeit zeugend. **Sub|li|mat** ⟨lat.-nlat.⟩ das; -[e]s, -e: 1. (veraltet) Quecksilberchlorid. 2. bei der Sublimation (1) sich niederschlagende feste Substanz. **Sub|li|ma|ti|on** die; -, -en: 1. das Sublimieren (2) (Chem.). 2. das Sublimieren (1); vgl. ...[at]ion/ ...ierung. **sub|li|mie|ren** ⟨lat.⟩: 1. a) auf eine höhere Ebene erheben, ins Erhabene steigern; verfeinern, veredeln; b) einen Trieb in kulturelle, künstlerische o.ä. Leistungen umsetzen (Psychol.). 2. (Chem.) a) unmittelbar vom festen in den gasförmigen Zustand übergehen u. umgekehrt; b) vom festen unmittelbar in den gasförmigen Zustand überführen u. umgekehrt. **Sub|li|mie|rung** ⟨lat.-nlat.⟩ die; -, -en: 1. das Sublimieren (1). 2. das Sublimieren (2); vgl. ...[at]ion/...ierung. **sub|li|mi|nal:** unterschwellig (Psychol.). **Sub|li|mi|tät** ⟨lat.⟩ die; -: (selten) das Sublimsein; Erhabenheit **sub|lin|gu|al** ⟨lat.-nlat.⟩: unter der Zunge liegend (Med.) **Sub|lo|ka|ti|on** ⟨lat.-nlat.⟩ die; -, -en: (veraltet) Untermiete **sub|lu|na|risch** ⟨lat.⟩: (veraltet) irdisch **Sub|lu|xa|ti|on** ⟨lat.-nlat.⟩ die; -, -en: nicht vollständige Luxation (Med.) **sub|ma|rin** ⟨lat.-nlat.⟩: unter der Meeresoberfläche lebend od. befindlich (Geol.; Biol.) **sub|men|tal** ⟨lat.-nlat.⟩: unter dem Kinn gelegen (Med.) **Sub|mer|genz** ⟨lat.-nlat.⟩ die; -: ↑Submersion (1). **sub|mers** ⟨lat.; „untergetaucht"⟩: (von Wasserpflanzen) unter Wasser lebend; Ggs. ↑emers. **Sub|mer|si|on** die; -, -en: 1. Untertauchen des Festlandes unter den Meeresspiegel (Geol.). 2. (veraltet) Über-

schwemmung. 3. Hineintauchen des Täuflings ins Wasser (Theol.). **Sub|mer|si|ons|tau|fe** die; -, -n: Taufe durch Submersion (z.B. im Urchristentum) **Sub|mik|ro|nen*** die (Plural): unter dem Ultramikroskop gerade noch erkennbare Teilchen. **sub|mik|ro|sko|pisch*:** unter einem optischen Mikroskop nicht mehr erkennbar **Sub|mi|nist|ra|ti|on*** ⟨lat.⟩ die; -, -en: (veraltet) Vorschubleistung. **sub|mi|nist|rie|ren:** (veraltet) Vorschub leisten, behilflich sein **sub|miss** ⟨lat.⟩: (veraltet) ehrerbietig; untertänig, demütig. **Sub|mis|si|on** die; -, -en: 1. (veraltet) Ehrerbietigkeit, Unterwürfigkeit; Unterwerfung. 2. öffentliche Ausschreibung einer Arbeit [durch die öffentliche Hand] u. Vergabe des Auftrags an denjenigen, der das günstigste Angebot liefert. 3. (regional) a) Kaufhandlung; b) Musterausstellung der Herstellerbetriebe zur Entgegennahme von Aufträgen des Handels. **Sub|mit|tent** der; -en, -en: jmd., der sich um einen Auftrag bewirbt (Wirtsch.). **sub|mit|tie|ren:** sich um einen Auftrag bewerben (Wirtsch.) **sub|mu|kös** ⟨lat.-nlat.⟩: unter der Schleimhaut gelegen (Med.) **sub|ni|val** ⟨lat.-nlat.⟩: unmittelbar unterhalb der Schneegrenze gelegen, vorkommend (Geogr.) **Sub|nor|ma|le** die; -[n], -n: in der analytischen Geometrie die Projektion einer Normalen auf die Abszissenachse (Math.) **sub|or|bi|tal** ⟨lat.-nlat.⟩: nicht in eine Umlaufbahn gelangend **Sub|or|di|na|ti|on** ⟨lat.-mlat.⟩ die; -, -en: 1. (veraltend) a) Unterordnung; Gehorsam, bes. gegenüber einem militärischen Vorgesetzten; b) untergeordnete, abhängige Stellung. 2. ↑Hypotaxe (Sprachw.); Ggs. ↑Koordination (2). **sub|or|di|na|tiv:** die Subordination (2) betreffend (Sprachw.). **sub|or|di|nie|ren:** 1. einen Satz unterordnend bilden (Sprachw.); **subordinierende Konjunktion:** unterordnendes Bindewort. 2. (veraltend) einer weisungsbefugten Institution unterstellen **Sub|oxid,** auch: **Sub|oxyd** das; -[e]s, -e: Oxid mit vermindertem Sauerstoffgehalt (Chem.) **sub|pe|ri|os|tal** ⟨lat.; gr.⟩ nlat.⟩: unter der Knochenhaut gelegen (z.B. von Hämatomen; Med.) **sub|phre|nisch:** ↑hypophrenisch

sub|po|lar: zwischen den Polen u. der gemäßigten Klimazone gelegen (Geogr.) **Sub|pri|or** ⟨lat.-mlat.⟩ der; -s, ...oren: Stellvertreter eines Priors **Sub|rep|ti|on** ⟨lat.; „Erschleichung"⟩ die; -, -en: 1. (veraltet) unrechtmäßige Erlangung eines [rechtlichen] Erfolges durch Entstellung od. Verschleierung des wahren Sachverhalts (Rechtsw.). 2. das Erhalten eines [bewusst fehlerhaften] Beweisschlusses durch Stützung auf Voraussetzungen, die nicht auf Tatsachen beruhen (Logik) **sub|re|zent** ⟨lat.⟩: zeitlich unmittelbar vor der erdgeschichtlichen Gegenwart liegend (Geol.) **sub|ro|gie|ren** ⟨lat.⟩: (veraltet) 1. [einen Wahlkandidaten anstelle eines anderen] unterschieben. 2. ein Recht an einen anderen abtreten (Rechtsw.) **sub ro|sa** ⟨lat.; „unter der Rose"⟩ (dem Sinnbild der Verschwiegenheit): unter dem Siegel der Verschwiegenheit **Sub|ro|si|on** ⟨lat.-nlat.⟩ die; -, -en: Auflösung von Salz- od. Gipsschichten durch Grundwasser (Geol.) **sub|se|ku|tiv** ⟨lat.-nlat.⟩: (veraltet) nachfolgend **Sub|se|mi|to|ni|um** ⟨nlat.⟩ das; -s: Leitton der Tonleiter (Mus.) **sub|se|quent** ⟨lat.⟩: (von Flüssen) den weicheren Gesteinsschichten folgend (Geogr.) **sub|si|di|är** ⟨lat.-fr.⟩ u. **sub|si|di|a|risch** ⟨lat.⟩: a) unterstützend, Hilfe leistend; b) behelfsmäßig, als Behelf dienend; **subsidiäres Recht:** Rechtsbestimmungen, die nur dann zur Anwendung gelangen, wenn das übergeordnete Recht keine Vorschriften enthält (Rechtsw.). **Sub|si|di|a|ris|mus** ⟨lat.-nlat.⟩ der; -: a) das Gelten des Subsidiaritätsprinzips (in einer sozialen Ordnung); b) das Streben nach, das Eintreten für Subsidiarismus (a). **Sub|si|di|a|ri|tät** der; -: 1. gesellschaftspolitisches Prinzip, nach dem übergeordnete gesellschaftliche Einheiten (bes. der Staat) nur solche Aufgaben übernehmen sollen, zu deren Wahrnehmung untergeordnete Einheiten (bes. die Familie) nicht in der Lage sind (Pol.; Soziol.). 2. das Subsidiärsein einer Rechtsnorm (Rechtsw.). **Sub|si|di|um** ⟨lat.⟩ das; -s, ...ien: 1. (veraltet) Beistand, Rückhalt, Unterstützung.

2. (meist Plural) einem Krieg führenden Staat von einem Verbündeten zur Verfügung gestellte Hilfsgelder (od. materielle Hilfen)

sub si|gil|lo [con|fes|si|o|nis] ⟨*lat.;* „unter dem Siegel (der Beichte)"⟩: unter dem Siegel der Verschwiegenheit

Sub|sis|tenz ⟨*lat.*⟩ *die;* -, -en: 1. (ohne Plural) (in der Scholastik) das Bestehen durch sich selbst, das Substanzsein (Philos.). 2. (veraltet) a) [Lebens]unterhalt, materielle Lebensgrundlage; b) (ohne Plural) materielle Existenz. **sub|sis|tie|ren:** 1. für sich [unabhängig von anderem] bestehen (Philos.). 2. (veraltet) seinen Lebensunterhalt haben

Sub|skri|bent* ⟨*lat.;* „Unterzeichner"⟩ *der;* -en, -en: jmd., der etw. subskribiert (Buchw.). **sub|skri|bie|ren:** sich verpflichten, ein noch nicht [vollständig] erschienenes Druckerzeugnis zum Zeitpunkt des Erscheinens abzunehmen; vorausbestellen (Buchw.). **Sub|skrip|ti|on** *die;* -, -en: 1. Vorherbestellung von später erscheinenden Büchern [durch Unterschrift] (meist zu niedrigerem Preis; Buchw.). 2. am Schluss einer antiken Handschrift stehende Angabe über Inhalt, Verfasser, Schreiber usw. des Werkes. 3. Verpflichtung, eine bestimmte Anzahl von †emittierten (1) Wertpapieren zu kaufen

sub|so|nisch ⟨*lat.-engl.*⟩: mit einer Geschwindigkeit unterhalb der Schallgeschwindigkeit fliegend

sub spe|cie ae|ter|ni|ta|tis [- 'spe:tsiɛ -] ⟨*lat.*⟩: unter dem Gesichtspunkt der Ewigkeit. **Sub|spe|zi|es** ⟨*lat.-nlat.*⟩ *die;* -, -: Unterart (in der Tier- u. Pflanzensystematik)

Sub|stan|dard ⟨*lat.; engl.*⟩ *der;* -s: a) (bes. österr.) minderdurchschnittliche Qualität; b) Sprachebene innerhalb der Hochsprache (Sprachw.). **Sub|stan|dard|woh|nung** *die;* -, -en: (bes. österr.) Wohnung ohne eigene Toilette u. ohne fließendes Wasser

sub|stan|ti|al* vgl. substanzial. **Sub|stan|ti|a|lis|mus** vgl. Substanzialismus. **Sub|stan|ti|a|li|tät** vgl. Substanzialität. **sub|stan|ti|ell** vgl. substanziell. **sub|stan|ti|ie|ren** vgl. substanziieren. **Sub|stan|tiv** [auch: ...'ti:f] *das;* -s, -e: Wort, das ein Ding, ein Lebewesen, einen Begriff

o.Ä. bezeichnet; Nomen; Haupt-, Dingwort (Sprachw.). **sub|stan|ti|vie|ren** ⟨*lat.-nlat.*⟩: zu einem Substantiv machen, als Substantiv gebrauchen. **Sub|stan|ti|vie|rung** *die;* -, -en: 1. (ohne Plural) das Substantivieren. 2. substantivisch gebrauchtes Wort (einer nicht substantivischen Wortart). **sub|stan|ti|visch** [auch: ...'vɪʃ] ⟨*lat.*⟩: als Substantiv, wie ein Substantiv [gebraucht], durch ein Substantiv [ausgedrückt]; nominal; haupt-, dingwörtlich; **substantivischer Stil:** Nominalstil. **Sub|stan|ti|vum** *das;* -s, ...va: †Substantiv. **Sub|stanz** *die;* -, -en: 1. Stoff, Materie. 2. (Philos.) a) für sich Seiendes, unabhängig (von anderen) Seiendes; b) das eigentliche Wesen der Dinge. 3. den Wert Ausmachende, das Wesentliche, Wichtige. 4. das als Grundstock Vorhandene, fester Bestand. **sub|stan|zi|al:** †substanziell. **Sub|stan|zi|a|lis|mus** ⟨*lat.-nlat.*⟩ *der;* -: philosophische Lehre, nach der die Seele eine Substanz, ein dinghaftes Wesen ist. **Sub|stan|zi|a|li|tät** *die;* -: 1. das Substanzsein, substanzielles Wesen (Philos.). 2. das Substanzziellsein. **sub|stan|zi|ell:** 1. die Substanz (1) betreffend, stofflich, materiell. 2. die Substanz (4) betreffend, zu ihr gehörend, sie [mit] ausmachend. 3. die Substanz (3) einer Sache betreffend, wesentlich. 4. (veraltend) nahrhaft, gehaltvoll. 5. wesenhaft (Philos.); vgl. ...al/...ell. **sub|stan|zi|ie|ren** ⟨*lat.-nlat.*⟩: mit Substanz (3) erfüllen, [durch Tatsachen] belegen, begründen. **Sub|sti|tu|ent*** ⟨*lat.*⟩ *der;* -en, -en: Atom od. Atomgruppe, die andere Atome od. Atomgruppen in einem Atomgefüge ersetzen kann, ohne dieses grundlegend zu verändern. **sub|sti|tu|ie|ren:** austauschen, ersetzen; einen Begriff anstelle eines anderen setzen. **¹Sub|sti|tut** *das;* -[e]s, -e: Ersatz[mittel], Surrogat. **²Sub|sti|tut** *der;* -en, -en: a) Stellvertreter, Ersatzmann, Untervertreter; b) Verkaufsleiter. **Sub|sti|tu|ti|on** *die;* -, -en: das Substituieren. **Sub|sti|tu|ti|ons|the|ra|pie** *die;* -: a) Wiederherstellung des im Körper fehlenden lebensnotwendigen Stoffes (z.B. von Insulin bei Diabetes); b) medikamentöser Ersatz einer Droge durch eine nicht abhängig machende Ersatzdroge (z.B. von

Heroin durch Methadon) im Rahmen einer ambulanten Therapie

Sub|strat* ⟨*lat.*⟩ *das;* -[e]s, -e: 1. das einer Sache Zugrundeliegende; Grundlage, Basis. 2. die eigenschaftslose Substanz eines Dinges als Träger seiner Eigenschaften (Philos.). 3. (Sprachw.) a) Sprache, Sprachgut eines [besiegten] Volkes im Hinblick auf den Niederschlag, den sie in der übernommenen od. aufgezwungenen Sprache [des Siegervolkes] gefunden hat; b) aus einer Substratsprache stammende Sprachform einer Sprache; Ggs. †Superstrat. 4. Nährboden (Biol.). 5. Substanz, die bei fermentativen Vorgängen abgebaut wird (Biochem.)

Sub|struk|ti|on* ⟨*lat.*⟩ *die;* -, -en: Unterbau, Grundbau

sub|su|mie|ren ⟨*lat.-nlat.*⟩: 1. einem Oberbegriff unterordnen, unter einer Kategorie einordnen; unter einem Thema zusammenfassen. 2. einen konkreten Sachverhalt unter eine Rechtsnorm unterordnen (Rechtsw.). **Sub|sum|ti|on** *die;* -, -en: 1. Unterordnung von Begriffen unter einen Oberbegriff. 2. Unterordnung eines Sachverhaltes unter den Tatbestand einer Rechtsnorm. **sub|sum|tiv:** unterordnend, einbeziehend (Philos.)

Sub|sys|tem *das;* -s, -e: Bereich innerhalb eines Systems, der selbst Merkmale eines Systems aufweist

Sub|tan|gen|te *die;* -, -n: Projektion einer Tangente auf die Abszissenachse (Math.)

Sub|teen ['sʌbti:n] ⟨*amerik.*⟩ *der;* -s, -s: Junge od. Mädchen im Alter von etwa 10–12 Jahren (in der Werbespr.)

sub|tem|po|ral: unter der Schläfe liegend (Med.)

sub|ter|ran ⟨*lat.*⟩: (Fachspr.) unterirdisch

sub|til ⟨*lat.*⟩: a) mit viel Feingefühl, mit großer Behutsamkeit, Sorgfalt, Genauigkeit vorgehend od. ausgeführt; detailliert; ins Feinheiten gehend; b) fein strukturiert [u. daher schwer zu durchschauen, zu verstehen]; schwierig, kompliziert. **Sub|ti|li|tät** *die;* -, -en: 1. (ohne Plural) subtiles Wesen, das Subtilsein. 2. etwas Subtiles; Feinheit

Sub|tra|hend ⟨*lat.*⟩ *der;* -en, -en: Zahl, die von einer anderen Zahl subtrahiert wird (Math.). **sub|tra|hie|ren:** abziehen, vermindern (Math.). Sub|trak|ti|on *die;* -, -en: das Subtrahieren; Ggs. ↑Addition (1). sub|trak|tiv ⟨*lat.-nlat.*⟩: mit Subtraktion durchgeführt

Sub|tro|pen *die* (Plural): zwischen den Tropen und der gemäßigten Zone gelegene Klimazone (Geogr.). sub|tro|pisch [auch: ...'tro:...]: in den Subtropen gelegen

sub|un|gu|al ⟨*lat.-nlat.*⟩: unter dem Nagel befindlich (Med.)

Su|burb* ['sʌbə:b] ⟨*lat.-engl.*⟩ *die;* -, -s: angloamerikanische Bez. für: Vorstadt. Sub|ur|ba|ni|sa|ti|on ⟨*lat.-nlat.*⟩ *die;* -: Ausdehnung der Großstädte durch Angliederung von Vororten u. Trabantenstädten. Su|bur|bia* [sə'bə:bɪə] ⟨*lat.-engl.-amerik.*⟩ *die;* -: Gesamtheit der um die großen Industriestädte wachsenden Trabanten- u. Schlafstädte (in Bezug auf ihre Erscheinung u. die für sie typischen Lebensformen). sub|ur|bi|ka|risch ⟨*lat.*⟩: vor der Stadt gelegen; **suburbikarisches Bistum:** eines von sieben kleinen, vor Rom gelegenen Bistümern, das einem Kardinalbischof ohne Leitungsvollmacht übergeben wird. Sub|ur|bi|um *das;* -s, ...ien: Vorstadt (bes. einer mittelalterlichen Stadt)

sub ut|ra|que* spe|cie [- - 'spe:-tsiə] ⟨*lat.*⟩: in beiderlei Gestalt (als Brot u. Wein, in Bezug auf das Abendmahl)

sub|ve|nie|ren ⟨*lat.*⟩: (veraltet) zu Hilfe kommen, unterstützen. Sub|ven|ti|on *die;* -, -en: zweckgebundene [finanzielle] Unterstützung einzelner Wirtschaftszweige aus öffentlichen Mitteln; Staatszuschuss. sub|ven|ti|o|nie|ren ⟨*lat.-nlat.*⟩: durch zweckgebundene öffentliche Mittel unterstützen, mitfinanzieren

Sub|ver|si|on ⟨*lat.*⟩ *die;* -, -en: meist im Verborgenen betriebene, auf den Umsturz der bestehenden staatlichen Ordnung zielende Tätigkeit. sub|ver|siv ⟨*lat.-nlat.*⟩: Subversion betreibend, umstürzlerisch

sub vo|ce [- 'vo:tsə] ⟨*lat.*⟩: unter [dem Stichwort, dem Thema]; Abk.: s. v.

Sub|vul|kan ⟨*lat.-nlat.*⟩ *der;* -s, -e: in die äußeren Teile der Erdkruste eingedrungene magmatische Masse (Geol.)

Sub|way ['sʌbweɪ] ⟨*engl.-amerik.*⟩ *die;* -, -s: 1. angloamerikanische Bez. für: Untergrundbahn. 2.

(auch: *der;* -s, -s) Straßenunterführung

Sub|woo|fer ['sʌbwufə] ⟨*engl.*⟩ *der;* -s, -s: (in Verbindung mit zwei kleineren Satellitenboxen zur stereophonen Wiedergabe verwendete) große Lautsprecherbox für die tiefen Frequenzen beider Kanäle

Suc|co|tash ['sʌkətæʃ] ⟨*indian.-engl.*⟩ *das;* -: indianisches Gericht aus grünen Maiskörnern u. grünen Bohnen

Suc|cus vgl. Sucus

Su|cho|wej, Su|cho|wei [...x...] ⟨*russ.*⟩ *der;* -[s], -s: trocken-heißer sommerlicher Staubsturm in der südrussischen Steppe

Su|cre* ⟨*span.*⟩ *der;* -, -: Währungseinheit in Ecuador (= 100 Centavos)

Su|cus ⟨*lat.*⟩ *der;* -, ...ci [...tsi], (fachsprachl.:) Succus *der;* -, Succi ['zʊktsi]: zu Heilzwecken verwendeter Pflanzensaft (Med.)

Su|da|men ⟨*lat.-nlat.*⟩ *das;* -s, ...mina: Hautbläschen, das bei starkem Schwitzen infolge fieberhafter Erkrankungen auftritt (Med.). Su|da|ti|on ⟨*lat.*⟩ *die;* -: Schwitzen (Med.) Su|da|to|ri|um *das;* -s, ...rien: Schwitzbad (Med.)

Sud|den|death ['sʌdn'dεθ] ⟨*engl.*⟩ *der;* -, -, auch: Sud|den Death *der;* - -, - -: bei unentschiedenem Stand in einem zusätzlichen Spielabschnitt durch den ersten Treffer herbeigeführte Entscheidung (Sport)

Su|dor ⟨*lat.*⟩ *der;* -s: Schweiß (Med.). Su|do|ra|ti|on ⟨*lat.-nlat.*⟩ *die;* -: ↑Sudation. Su|do|ri|fe|rum ⟨*lat.*⟩ *das;* -s, ...ra: schweißtreibendes Mittel (Med.)

suf|fi|cit ⟨*lat.*⟩: (veraltet) es ist genug

suf|fi|gie|ren ⟨*lat.*⟩: mit einem Suffix versehen (Sprachw.)

Süf|fi|sance [...'zã:s] ⟨*lat.-fr.*⟩ *die;* -: ↑Süffisanz. süf|fi|sant: ein Gefühl von [geistiger] Überlegenheit genüsslich zur Schau tragend; selbstgefällig, spöttisch-überheblich. Süf|fi|sanz *die;* -: süffisantes Wesen, süffisante Art

Suf|fit|te vgl. Soffitte

Suf|fix [auch: 'zʊ...] ⟨*lat.*⟩ *das;* -es, -e: an ein Wort, einen Wortstamm angehängte Ableitungssilbe; Nachsilbe (z. B. *-ung, -chen, -heit;* Sprachw.). suf|fi|xal: mithilfe eines Suffixes gebildet (Sprachw.). suf|fi|xo|id: einem Suffix ähnlich (Sprachw.).

Suf|fi|xo|id *das;* -[e]s, -e: Wortbildungsmittel, das sich aus einem selbstständigen Lexem zu einer Art Suffix entwickelt hat u. das sich vom selbstständigen Lexem unterscheidet durch Reihenbildung u. Entkonkretisierung (z. B. *-papst* in Literaturpapst, *-verdächtig* in olympiaverdächtig; Sprachw.)

suf|fi|zi|ent ⟨*lat.*⟩: genügend, ausreichend (von der Leistungsfähigkeit eines Organs; Med.). Suf|fi|zi|enz *die;* -, -en: 1. Zulänglichkeit, Können; Ggs. ↑Insuffizienz (1). 2. ausreichendes Funktionsvermögen (z. B. des Herzens; Med.); Ggs. ↑Insuffizienz (2)

suf|fo|cal|to ⟨*lat.-it.*⟩: gedämpft, erstickt (Vortragsanweisung; Mus.). Suf|fo|ka|ti|on ⟨*lat.*⟩ *die;* -, -en: Erstickung (Med.)

Suf|fra|gan* ⟨*lat.-mlat.*⟩ *der;* -s, -e: einem Erzbischof unterstellter Diözesanbischof. Suf|fra|get|te ⟨*lat.-fr.-engl.*⟩ *die;* -, -n: a) radikale Frauenrechtlerin in Großbritannien vor 1914; b) (veraltet abwertend) Frauenrechtlerin. Suf|fra|gi|um ⟨*lat.*⟩ *das;* -s, ...ien: 1. a) politisches Stimmrecht; b) Abstimmung. 2. Gebet zu den Heiligen um ihre Fürbitte

Suf|fu|si|on ⟨*lat.*⟩ *die;* -, -en: größerer, flächiger, unscharf begrenzter Bluterguss (Med.)

Su|fi ⟨*arab.*⟩ *der;* -[s], -s: islamischer Mystiker. Su|fis|mus *der;* -: islamische Mystik. Su|fist *der;* -en, -en: Sufi Su|gar|dad|dy ['ʃʊgədεdi] ⟨*engl.*⟩ *der;* -s, -s: [spendabler] älterer Mann, der sich mit jungen Frauen umgibt

sug|ge|rie|ren ⟨*lat.*⟩: 1. jmdm. etwas [ohne dass dem Betroffenen bewusst wird] einreden o. auf andere Weise eingeben. 2. darauf abzielen, einen bestimmten [den Tatsachen nicht entsprechenden] Eindruck entstehen zu lassen. sug|ges|ti|bel ⟨*lat.-nlat.*⟩: durch Suggestion [leicht] beeinflussbar. Sug|ges|ti|bi|li|tät *die;* -: das Suggestibelsein. Sug|ges|ti|on ⟨*lat.*⟩ *die;* -, -en: 1. a) (ohne Plural) Beeinflussung eines Menschen [mit dem Ziel, ihn zu einem bestimmten Verhalten zu veranlassen] (1) wird. 2. (ohne Plural) suggestive (b) Wirkung, Kraft. sug|ges|tiv ⟨*lat.-nlat.*⟩: a) darauf abzielend, jmdm. etw. zu suggerieren; auf

Suggestion beruhend; b) eine starke psychische, emotionale Wirkung ausübend; einen Menschen stark beeinflussend. **Sugges|ti|vi|tät** ⟨lat.⟩ die; -: Beeinflussbarkeit. **Sug|ges|to|pädie** ⟨lat.; gr.⟩ die; -: Lernmethode für Fremdsprachen, die es ermöglichen soll, auf kreativ-spielerische Weise (z. B. durch Malen, Verkleiden, Sketche) möglichst viel innerhalb kurzer Zeit zu lernen

Su|gil|la|ti|on ⟨lat.⟩ die; -, -en: starker, flächiger Bluterguss (Med.)

Su|i|cid vgl. Suizid

su|i ge|ne|ris ⟨lat.⟩: nur durch sich selbst eine Klasse bildend; einzig, besonders

Suit|case ['sjuːtkeɪs] ⟨engl.⟩ das od. der; -, - u. -s [...sɪz]: englische Bez. für: kleiner Handkoffer. **Sui|te** ['sviːt(ə), auch: 'syiːtə] ⟨lat.-galloroman.-fr.⟩ die; -, -n: 1. Gefolge einer hoch gestellten Persönlichkeit. 2. Folge von zusammengehörenden Zimmern in Hotels, Palästen o. Ä. 3. (veraltet) lustiger Streich. 4. aus einer Folge von in sich geschlossenen, nur lose verbundenen Sätzen (oft Tänzen) bestehende Komposition. **Sui|ti|er** [svi'tje:, syi'tjeː] der; -s, -s: (veraltet) a) lustiger Bursche; b) Schürzenjäger. **sui|vez** [svi'veː] ⟨lat.-fr.⟩: ↑ colla parte

Su|i|zid ⟨lat.-nlat.⟩ der od. das; -[e]s, -e: Selbsttötung. **su|i|zidal:** a) den Suizid betreffend, zum Suizid neigend; b) durch Suizid [erfolgt]. **Su|i|zi|da|li|tät** die; -: Neigung zum Suizid. **Su|izi|dant** der; -en, -en: jmd., der einen Suizid begeht od. versucht. **su|i|zi|där:** ↑ suizidal. **Su|i|zident** der; -en, -en: ↑ Suizidant. **Su|i|zi|do|lo|gie** die; -: Teilgebiet der Psychiatrie, das sich mit der Erforschung u. Verhütung des Suizids befasst

Su|jet [zy'ʒeː, sy'ʒe] ⟨lat.-fr.⟩ das; -s, -s: Gegenstand, Motiv, Thema einer [künstlerischen] Darstellung

Suk ⟨arab.⟩ der; -[s], -s: Händlerviertel in arabischen Städten

Suk|ka|de ⟨roman.⟩ die; -, -n: kandierte Schale verschiedener Zitrusfrüchte

Suk|koth ⟨hebr.⟩ "Hütten") die (Plural): mehrtägiges jüdisches Herbstfest mit dem Brauch, in Laubhütten zu essen [u. zu wohnen]; Laubhüttenfest

Suk|ku|bus ⟨lat.-mlat.⟩ der; -, ...kuben: (im mittelalterlichen Volksglauben) weiblicher Dämon, der einen Mann im Schlaf heimsucht u. mit dem Schlafenden geschlechtlich verkehrt **suk|ku|lent** ⟨lat.⟩: a) (von pflanzlichen Organen) saftreich u. fleischig (Bot.); b) (von Geweben) flüssigkeitsreich (Med.). **Sukku|len|te** die; -, -n: hauptsächlich in trockenen Gebieten vorkommende Pflanze mit besonderen, Wasser speichernden Geweben in Wurzeln, Blättern od. Stamm. **Suk|ku|lenz** ⟨lat.-nlat.⟩ die; -: sukkulente Beschaffenheit (Bot.; Anat.)

Suk|kurs ⟨lat.-nlat.⟩ der; -es, -e: 1. (veraltet) Hilfe, Unterstützung, Beistand. 2. Gruppe von Personen, Einheit, die als Verstärkung, zur Unterstützung eingesetzt ist. **Suk|kur|sa|le** die; -, -n: (veraltet) Filiale einer Firma

Suk|ti|on ⟨lat.-nlat.⟩ die; -, -en: das Ansaugen, Aussaugung (z. B. von Körperflüssigkeit mittels Punktionsnadel; Med.)

suk|ze|dan ⟨lat.⟩: nachfolgend, aufeinander folgend (Med.). **suk|ze|die|ren:** (veraltet) nachfolgen (z. B. in einem Amt). **Sukzess** ⟨lat.⟩ der; -es, -e: (veraltet) Erfolg. **Suk|zes|si|on** die; -, -en: 1. Thronfolge. 2. ↑ apostolische Sukzession. 3. Übernahme der Rechte u. Pflichten eines Staates durch einen anderen; Staatensukzession. 4. Eintritt einer Person in ein bestehendes Rechtsverhältnis; Rechtsnachfolge; vgl. Singular-, Universalsukzession. 5. zeitliche Aufeinanderfolge der an einem Standort einander ablösenden Pflanzen- u./od. Tiergesellschaften (Ökologie). **sukzes|siv** ⟨lat.-nlat.⟩: allmählich, nach u. nach, schrittweise [eintretend, erfolgend]. **suk|zes|sive:** allmählich, nach und nach, in allmählicher Weise (lat.). der; -s, ...oren: (veraltet [Rechts]nachfolger

Suk|zi|nat ⟨lat.-nlat.⟩ das; -[e]s, -e: Salz der Bernsteinsäure. **Suk|zinit** [auch: ...'nit] der; -s, -e: Bernstein. **Suk|zi|nyl|säu|re** ⟨lat.; gr.; dt.⟩ die; -: Bernsteinsäure

sul [zul, suːl] ⟨it.⟩: auf der, auf dem (z. B. sul A = auf der A-Saite; Mus.)

Sul|la ⟨altnord.-nlat.⟩ die; -, -s: großer Meeresvogel mit schwarzweißem Gefieder; Tölpel

Sul|fat ⟨lat.-nlat.⟩ das; -[e]s, -e: Salz der Schwefelsäure. **Sul|fid** das; -[e]s, -e: Salz der Schwefelwasserstoffsäure. **sul|fi|disch:** Schwefel enthaltend. **Sul|fit** das; -s, -e: Salz der schwefligen Säure. **Sul|fo|na|mid*** ⟨Kunstwort aus: Sulfon(säure) u. ↑ Amid⟩ das; -[e]s, -e: antibakteriell wirksames chemotherapeutisches Heilmittel gegen Infektionskrankheiten. **sul|fo|nie|ren:** ↑ sulfurieren. **Sul|fur** ⟨lat.⟩ das; -s: chemisches Element; Schwefel (Zeichen: S). **sul|fu|rie|ren** ⟨lat.-nlat.⟩: bei organischen Verbindungen eine Reaktion mit einer Schwefelverbindung herbeiführen (Chem.) **Sul|ky** ['zʊlki, 'sʌlki] ⟨engl.⟩ das; -s, -s: bei Traberrennen verwendetes zweirädriges Gefährt

sul|la tas|ti|e|ra ⟨it.⟩: nahe am Griffbrett (von Saiteninstrumenten) zu spielen (Mus.). **sul pon|ti|cel|lo** [- ...'tʃɛlo]: nahe am Steg [den Geigenbogen ansetzen] (Mus.)

Sul|tan ⟨arab.; "Herrscher") der; -s, -e: 1. a) (ohne Plural) Titel islamischer Herrscher; b) Träger dieses Titels. 2. türkischer Nomadenteppich aus stark glänzender Wolle. **Sul|ta|nat** ⟨arab.-nlat.⟩ das; -[e]s, -e: 1. Herrschaftsgebiet eines Sultans. 2. Herrschaft eines Sultans. **Sul|tani|ne** ⟨arab.-it.⟩ die; -, -n: große, kernlose Rosine

Su|mach ⟨arab.-mlat.⟩ der; -s, -e: Baum od. Strauch mit kleinen, trockenen Steinfrüchten u. [gefiederten] Blättern, die zusammen mit den jungen Trieben zum Gerben von Saffianleder verwendet werden; Rhus

Su|mak (nach der Stadt Schemacha im östlichen Kaukasus) der; -[s], -s: Wirkteppich mit glatter Oberfläche u. langen Wollfäden an der Unterseite

Sum|ma ⟨lat.⟩ die; -, Summen: 1. (veraltet) Summe (Abk.: Sa.). 2. (im Mittelalter) auf der scholastischen Methode aufbauende, systematische Gesamtdarstellung eines Wissensstoffs (bes. der Theologie u. der Philosophie). **sum|ma cum lau|de** ("mit höchstem Lob"): mit Auszeichnung (bestes Prädikat bei Doktorprüfungen). **Sum|mand** der; -en, -en: Zahl, die hinzuzuzählen ist, addiert wird; Addend. **summa|risch** ⟨lat.-mlat.⟩: mehreres gerafft zusammenfassend 1. grob, bei wichtige Einzelheiten außer Acht lassend. **Sum|ma|ri|um** das; -s, ...ien: 1. (veraltet) a) kurze Inhaltsangabe; b) Inbegriff. 2. Sammlung mittelalterlicher Glossen (Sprachw.; Literaturw.). **Sum|ma|ry** ['sʌmərɪ] ⟨engl.⟩ das; -s, -s: Zusammenfassung eines Artikels, Buches o. Ä. **sum|ma sum|ma|rum:** alles zusammengerechnet; alles in allem; insgesamt. **Sum|ma|ti|on** die; -, -en: 1. Bildung einer Summe (Math.). 2. Anhäufung. **sum|ma|tiv** ⟨lat.-nlat.⟩: a) das Zusammenzählen betreffend; b) durch Summation erfolgend. **Sum|me** ⟨lat.⟩ die; -, -n: 1. Resultat einer Addition. 2. Gesamtzahl. 3. Geldbetrag. **Summ|epis|ko-pat*** ⟨lat.; gr.-lat.⟩ der od. das; -[e]s, -e: in den deutschen evangelischen Kirchen bis 1918 die oberste Kirchengewalt der Landesfürsten. **sum|mie|ren** ⟨lat.⟩: 1. a) zusammenzählen; b) zusammenfassen, vereinigen. 2. sich summieren: immer mehr werden, anwachsen. **Sum|mist** ⟨lat.-mlat.⟩ der; -en, -en: scholastischer Schriftsteller, der sich der Publikationsform der Summa (2) bediente. **Sum|mum Bo-num** ⟨lat.⟩ das; - -: (in der christlichen Philosophie u. Theologie) höchstes Gut; höchster Wert; Gott. **sum|mum jus sum|ma in-ju|ria** ⟨„höchstes Recht (kann) größtes Unrecht (sein)"; nach Cicero⟩: die buchstabengetreue Auslegung eines Gesetzes kann im Einzelfall schwerwiegendes Unrecht bedeuten. **Sum|mus Epis|co|pus*** ⟨lat.; gr.-lat.⟩ der; - -: 1. der Papst als oberster Bischof (kath. Kirche). 2. Landesherr als Oberhaupt einer evangelischen Landeskirche in Deutschland (ev. Kirche früher). **Su|mo** ⟨jap.⟩ das; -: japanische Form des Ringkampfes. **sump|tu|ös** ⟨lat.⟩: (veraltet) verschwenderisch. **Sunn** [sʌn] ⟨engl.⟩ der; -s: dem Hanf ähnliche Pflanzenfaser. **Syn|na** ⟨arab.; „Gewohnheit"⟩ die; -: Gesamtheit der überlieferten Aussprüche u. Lebensgewohnheiten des Propheten Mohammed als Richtschnur islamischer Lebensweise. **Sun|nit** ⟨arab.-nlat.⟩ der; -en, -en: Anhänger der orthodoxen Hauptrichtung des Islams, die sich auf die Sunna stützt; vgl. Schia. **sun|ni-tisch:** die Sunna betreffend **Su|o|ve|tau|ri|lia** ⟨lat.⟩ die (Plural): altrömisches Sühneopfer, bei dem je ein Schwein, ein Schaf u. ein Stier geschlachtet wurde **su|per** ⟨lat.⟩: (ugs.) großartig, hervorragend. **¹Su|per** der; -s, -: Kurzform von ↑Superhetero-

dynempfänger. **²Su|per** das; -s (meist ohne Artikel): Kurzform von: ↑Superbenzin. **Su|per|aci-di|tät** ⟨lat.-nlat.⟩ die; -: übermäßig hoher Säuregehalt des Magens (Med.) **Su|per|ädi|fi|kat** ⟨lat.⟩ das; -[e]s, -e: Bauwerk, das auf fremdem Grund u. Boden errichtet wurde, sich also nicht im Besitz des Grundeigentümers befindet **su|per|ar|bit|rie|ren*** ⟨lat.-nlat.⟩: a) überprüfen, eine Oberentscheidung treffen; b) (österr.) für dienstuntauglich erklären. **Su-per|ar|bit|ri|um** das; -s, ...ien: Überprüfung, Oberentscheidung **Su|per|azi|di|tät** vgl. Superacidität **su|perb, sü|perb** ⟨lat.-fr.⟩: vorzüglich; prächtig **Su|per|ben|zin** das; -s, -e: Benzin von hoher Klopffestigkeit, mit hoher Oktanzahl **Su|per|cup** [...kap] ⟨engl.⟩ der; -s, -s: (Fußball) 1. Pokalwettbewerb zwischen den Europapokalgewinnern der Landesmeister u. der Pokalsieger. 2. Siegestrophäe beim Supercup (1) **Su|per|ego** ['s(j)u:pər'i:gou, ...'ɛ-gou] ⟨lat.-engl.⟩ das; -s, -s: engl. Bez. für: Über-Ich (Psychol.) **Su|per|ero|ga|ti|on** ⟨lat.⟩ die; -, -en: (veraltet) Übergebühr, Über- od. Mehrleistung **Su|per|ex|lib|ris*** das; -: ↑Supralibros **Su|per|fe|kun|da|ti|on** ⟨lat.-nlat.⟩ die; -, -en: Befruchtung von zwei Eiern desselben Zyklus durch zwei Geschlechtsakte, die ggf. zu zweieiigen Zwillingen führt **Su|per|fe|ta|ti|on** ⟨lat.-nlat.⟩ die; -, -en: (bei manchen Säugetieren) Befruchtung von zwei (od. mehr) Eiern aus zwei auseinander folgenden Zyklen, wodurch zu einer bereits bestehenden Schwangerschaft eine hinzutritt **su|per|fi|zi|a|risch** ⟨lat.⟩: (veraltet) baurechtlich. **su|per|fi|zi|ell:** an od. unter der Körperoberfläche liegend, oberflächlich (Med.). **Su|per|fi|zi|es** („Oberfläche") die; -, -: (veraltet) Baurecht **Su|per-G** [...dʒi] ⟨engl.; wohl kurz für: supergiant „riesengroß; Riesen-"⟩ der; -[s], -[s]: alpine Disziplin mit Elementen von Abfahrtslauf u. Riesenslalom **Su|per|het** ⟨engl.⟩ der; -s: Kurzform von Superheterodynempfänger. **Su|per|he|te|ro|dyn|emp|fän-**

ger ⟨lat.; gr.; dt.⟩ der; -s, -: Rundfunkempfänger mit hoher Verstärkung, guter Reglung u. hoher Trennschärfe **sul|pe|rie|ren:** 1. (veraltet) überschreiten, übertreffen. 2. aus bestehenden Zeichen ein Superzeichen bilden; Einzelteile zu einem Ganzen zusammenfassen (Kybernetik). **Su|pe|rie|rung** die; -, -en: Fähigkeit, Einzelteile zu einem Ganzen zusammenzufassen; Bildung von Superzeichen **Su|per|in|ten|dent** [auch: 'zu...] ⟨lat.-mlat.⟩ der; -en, -en: höherer evangelischer Geistlicher, Vorsteher eines Kirchenkreises. **Su-per|in|ten|den|tur** ⟨lat.-mlat.⟩ die; -, -en: a) Amt eines Superintendenten; b) Amtssitz eines Superintendenten **Su|per|in|vo|lu|ti|on** ⟨lat.-nlat.⟩ die; -, -en: ↑Hyperinvolution **su|pe|ri|or** ⟨lat.⟩: überlegen. **Su-pe|ri|or** der; -s, ...oren: katholischer Kloster- od. Ordensoberer. **Su|pe|ri|o|ri|tät** ⟨lat.-mlat.⟩ die; -: Überlegenheit; Übergewicht **Su|per|kar|go** der; -s, -s: vom Auftraggeber bevollmächtigter Frachtbegleiter [auf Schiffen] **su|per|krus|tal,** auch: suprakrustal ⟨lat.-nlat.⟩: (von Gesteinen) an der Erdoberfläche gebildet (Geol.) **su|per|la|tiv** ⟨lat.⟩: a) überragend; b) übertreibend, übertrieben (Rhet.). **Su|per|la|tiv** der; -s, -e: 1. Höchststufe des Adjektivs bei der Steigerung (Sprachw.). 2. a) (Plural) etwas, was sich in seiner höchsten, besten Form darstellt; etwas, was zum Besten gehört u. nicht zu übertreiten ist; b) Ausdruck höchsten Wertes, Lobes. **su|per|la|ti|visch:** 1. den Superlativ betreffend. 2. a) übertreibend; b) übertrieben, superlativ (b). **Su|per|la|ti|vis|mus** ⟨lat.-nlat.⟩ der; -, ...men: a) übermäßige Verwendung von Superlativen; b) Übertreibung. **Su|per|lear|ning** ['sju:pələ:nɪŋ] ⟨engl.⟩ das; -s: Lernmethode für Fremdsprachen, die darin besteht, durch gezielte Entspannungsübungen eine bessere Aufnahmefähigkeit zu erreichen **Su|per|mar|ket** ['s(j)u:pəma:kɪt] ⟨engl.-amerik.⟩ der; -s, -s: (veraltet) Supermarkt. **Su|per|markt** ⟨amerik.; dt.⟩ der; -[e]s, ...märkte: großer Selbstbedienungsladen od. entsprechende Abteilung in einem Kaufhaus, bes. für Lebensmittel, die in umfangrei-

chem Sortiment u. meist zu niedrigen Preisen angeboten werden **Su|per|na|tu|ra|lis|mus** usw. vgl. Supranaturalismus usw.
Su|per|no|va ⟨lat.-nlat.⟩ die; -, ...vä: besonders lichtstarke [1]Nova (Astron.)
Su|per|nu|me|rar ⟨lat.; „Überzähliger"⟩ der; -s, -e u. **Su|per-nu|me|ra|ri|us** der; -, ...rien: (veraltet) Beamtenanwärter; über die gewöhnliche [Beamten]zahl Angestellter
Su|per|nym u. **Su|pe|ro|nym*** ⟨lat.; gr.-nlat.⟩ das; -s, -e: ↑Hyperonym. **Su|per|ny|mie** u. **Su-pe|ro|ny|mie*** die; -, ...ien: ↑Hyperonymie
Su|per|oxid, auch: **Su|per|oxyd** das; -[e]s, -e: ↑Peroxid
Su|per|pel|li|ce|um ⟨lat.-mlat.⟩ das; -s, ...cea: (früher über dem Pelzrock getragener) weißer Chorrock der katholischen Priester
Su|per|phos|phat das; -[e]s, -e: phosphathaltiger Kunstdünger
su|per|po|nie|ren ⟨lat.⟩: überlagern, übereinander lagern (bes. Med.). **su|per|po|niert:** von [Blüten]blättern] übereinander stehend (Bot.). **Su|per|po|si|ti-on** die; -, -en: Überlagerung, bes. von Kräften od. Schwingungen (Phys.). **Su|per|po|si|ti|ons|au-ge** ⟨lat.; dt.⟩ das; -s, -n: besondere Form des Facettenauges (Biol.)
Su|per|re|vi|si|on die; -, -en: Nach-, Überprüfung (Wirtsch.).
Su|per|sek|re|ti|on* die; -, -en: ↑Hypersekretion
su|per|so|nisch ⟨lat.-nlat.⟩: schneller als der Schall; über der Schallgeschwindigkeit
Su|per|star ⟨lat.; engl.⟩ der; -s, -s: (ugs.) besonders erfolgreicher Star
Su|per|sti|ti|on ⟨lat.⟩ die; -: (veraltet) Aberglaube. **su|per|sti|ti-ös:** (veraltet) abergläubisch
Su|per|strat ⟨lat.⟩ das; -[e]s, -e: Sprache eines Eroberervolkes im Hinblick auf den Niederschlag, den sie in der Sprache der Besiegten gefunden hat (Sprachw.); Ggs. ↑Substrat (3)
Su|per|vi|si|on [engl.: 's(j)u:pə-'vɪʒən] ⟨lat.-engl.⟩ die; -: a) Beratung eines Arbeitsteams, einer Organisation zur Erhöhung der Effektivität; b) Beratung u. Beaufsichtigung von Psychotherapeuten. **Su|per|vi|sor** ['s(j)u:pə-'vaɪzə] der; -s, -[s]: 1. Person, die innerhalb eines Betriebes Aufseher- u. Kontrollfunktionen

wahrnimmt (Wirtsch.). 2. Kontroll- u. Überwachungsgerät bei elektronischen Rechenanlagen (EDV)
Su|pin ⟨lat.⟩ das; -s, -e: ↑Supinum.
Su|pi|num das; -, ...na: (bes. im Lateinischen) Verbform zur Bezeichnung einer Absicht od. eines Bezugs
Sup|pe|da|ne|um ⟨lat.-mlat.⟩ das; -s, ...nea: 1. stützendes Brett unter den Füßen des gekreuzigten Christus an Kreuzifixen. 2. oberste Altarstufe
Sup|per ['zɛpɐ, engl.: 'sʌpə] ⟨germ.-galloroman.-fr.-engl.⟩ das; -[s], -: engl. Bez. für: Abendessen
Sup|ple|ant* ⟨lat.-fr.⟩ der; -en, -en: (schweiz.) Ersatzmann [in einer Behörde]. **Sup|ple|ment** ⟨lat.⟩ das; -[e]s, -e: 1. Ergänzung (Ergänzungsband od. Ergänzungsteil), Nachtrag, Anhang. 2. Ergänzungswinkel od. -bogen, der einen vorhandenen Winkel od. Bogen zu 180° ergänzt (Math.). **su|ple|men|tär** ⟨lat.-nlat.⟩: ergänzend. **Sup|ple-ment|win|kel** ⟨lat.; dt.⟩ der; -s, -: der Winkel β, der einen gegebenen Winkel zu 180° (gestreckter Winkel) ergänzt. **Sup|plent** ⟨lat.⟩ der; -en, -en: (österr.) Aushilfslehrer. **Sup|ple|ti|on** die; -: Suppletivismus. **Sup|ple|tiv|form** die; -, -en: grammatische Form eines Wortes, die anstelle einer fehlenden Form den Suppletivismus vervollständigt (Sprachw.). **Sup|ple|ti|vis|mus** ⟨lat.-nlat.⟩ der; -: ergänzender Zusammenschluss von Wörtern verschiedenen Stammes zu einer formal od. inhaltlich geschlossenen Gruppe (z. B. bin, war, gewesen), **sup-ple|to|risch:** (veraltet) ergänzend, stellvertretend, nachträglich, zusätzlich. **sup|plie|ren** ⟨lat.⟩: (veraltet) a) ergänzen, hinzufügen; b) vertreten
Sup|plik* ⟨lat.-it.-fr.⟩ die; -, -en: (veraltet) Bittschrift an den Papst zur Erlangung eines Benefiziums. **Sup|pli|kant** ⟨lat.⟩ der; -en, -en: (veraltet) Bittsteller. **Sup|pli|ka|ti|on** die; -, -en: (veraltet) Bittgesuch, Bitte. **sup|pli-zie|ren:** (veraltet) ein Bittgesuch einreichen
sup|po|nie|ren ⟨lat.⟩: voraussetzen, unterstellen, annehmen
Sup|port ⟨lat.-fr.⟩ der; -[e]s, -e: 1. zweiseitig verschiebbarer, schlittenförmiger Werkzeugträger auf dem Bett einer Drehbank. 2. Unterstützung, Hilfe (bes. EDV)

Sup|po|si|ta: Plural von ↑Suppositum. **Sup|po|si|ti|on** ⟨lat.; „Unterstellung"⟩ die; -, -en: 1. Voraussetzung, Annahme. 2. Verwendung ein u. desselben Wortes zur Bezeichnung von Verschiedenem (Philos.). **Sup-po|si|to|ri|um** das; -s, ...ien: Arzneizäpfchen. **Sup|po|si|tum** das; -s, ...ta: Annahme
Sup|pres|si|on ⟨lat.⟩ die; -, -en: 1. Unterdrückung, Hemmung (einer Blutung o. Ä.; Med.). 2. Unterdrückung od. Kompensation der Wirkung von mutierten Genen durch Suppressoren (Biol.). **sup|pres|siv** ⟨lat.-nlat.⟩: unterdrückend; hemmend. **Sup-pres|sor** der; -s, ...oren: Gen, das die Mutationswirkung eines andern, nicht allelen Gens kompensiert od. unterdrückt. **sup-pri|mie|ren** ⟨lat.⟩: unterdrücken, hemmen, zurückdrängen
Sup|pu|ra|ti|on ⟨lat.⟩ die; -, -en: Eiterung (Med.). **sup|pu|ra|tiv** ⟨lat.-nlat.⟩: eiternd, eitrig (Med.)
Su|pra* ⟨lat.⟩ das; -s, -s: Erwiderung auf ein Re; Sub (Skat)
Su|pra|lex|li|bris* ⟨lat.⟩ das; -, -: ↑Supralibros
Su|pra|flu|i|di|tät* ⟨lat.-nlat.⟩ die; -: Stoffeigenschaft des flüssigen Heliums, bei einer bestimmten Temperatur die Viskosität sprunghaft auf sehr kleine Werte sinken zu lassen
su|pra|krus|tal* vgl. superkrustal
Su|pra|lei|ter* ⟨lat.; dt.⟩ der; -s, -: elektrischer Leiter, der in der Nähe des absoluten Nullpunktes ohne Widerstand Strom leitet
Su|pra|lib|ros* ⟨lat.⟩ das; -, -: auf der Vorderseite des Bucheinbandes eingeprägtes Exlibris in Form von Wappen o. Ä.
Su|pra|mid* ® (Kunstw.) das; -[e]s: Kunststoff mit eiweißähnlicher Struktur, als Knochenersatz u. chirurgisches Nähmaterial)
su|pra|na|ti|o|nal*: überstaatlich, übernational
su|pra|na|tu|ral*: übernatürlich (Philos.). **Su|pra|na|tu|ra|lis-mus** u. Supernaturalismus der; -: 1. Glaube an das Übernatürliche, an ein erfahrbaren Dinge bestimmendes übernatürliches Prinzip (Philos.). 2. dem Rationalismus entgegengesetzte Richtung in der evangelischen Theologie des 18. und 19. Jahrhunderts (ev. Theol.). **su|pra|na-tu|ra|lis|tisch** u. supranaturalistisch: den Supranaturalismus betreffend

sup|ra|or|bi|tal* ⟨lat.-nlat.⟩: über der Augenhöhle liegend (Med.)

Sup|ra|por|te* vgl. Sopraporte

sup|ra|re|nal* ⟨lat.-nlat.⟩: 1. über der Niere gelegen. 2. die Nebenniere betreffend (Med.)

sup|ra|seg|men|tal*: nicht von der Segmentierung erfassbar (von sprachlichen Erscheinungen, z.B. Intonation, Akzent)

sup|ra|ster|nal* ⟨⟨lat.; gr.⟩ nlat.⟩: oberhalb des Brustbeins gelegen (Med.)

Sup|ra|strom* ⟨lat.; dt.⟩ der; -[e]s: in einem Supraleiter dauernd fließender elektrischer Strom (Phys.)

sup|ra|va|gi|nal ⟨lat.-nlat.⟩: oberhalb der Scheide gelegen (Med.)

Sup|re|mat* ⟨lat.-nlat.⟩ der od. das; -[e]s, -e u. Suprematie die; -, ...ien: [päpstliche] Oberhoheit, Vorrang[stellung]. Sup|re|ma|tie vgl. Supremat. Sup|re|ma|tis|mus ⟨lat.-russ.⟩ der; -: eine von K. Malewitsch (1878–1935) begründete Art des Konstruktivismus (1). Sup|re|ma|tist der; -en, -en: Anhänger des Suprematismus. Sup|re|mat[s]|eid ⟨lat.-nlat.; dt.⟩ der; -[e]s, -e: Eid der englischen Beamten u. Geistlichen, mit dem sie den Supremat des englischen Königs anerkannten

Su|rah ⟨vermutlich entstellt aus dem Namen der indischen Stadt Surat⟩ der; -[s], -s: Seidengewebe für Tücher, Schals o.Ä.

Sur|cot [syr'ko] ⟨fr.⟩ der; -[s], -s: ärmelloser Überwurf des späten Mittelalters

Sur|di|tas ⟨lat.⟩ die; -: Taubheit (Med.). Sur|do|mu|ti|tas ⟨lat.-nlat.⟩ die; -: Taubstummheit (Med.)

Su|re ⟨arab.; „Reihe"⟩ die; -, -n: Kapitel des Korans

Surf|board ['sɔ:fbɔ:d] ⟨engl.⟩ das; -s, -s: ↑Surfbrett. Surf|brett ⟨engl.; dt.⟩ das; -[e]s, -er: flaches, stromlinienförmiges Brett aus Holz od. Kunststoff, das beim Surfing verwendet wird. sur|fen ['sɔ:fn] 1. Surfing betreiben. 2. a) Windsurfing betreiben; b) surfend (2 a) irgendwohin gelangen. 3. (Jargon) (im Internet) wahllos od. gezielt nach Informationen suchen, sie abfragen; von einem Informationsangebot zum anderen springen. Sur|fer der; -s, -: jmd., der Surfing betreibt. Sur|fing ['sɔ:fɪŋ] ⟨engl.⟩ das; -s: 1. Wassersport, bei dem man sich, auf einem Surfbrett stehend, von den Brandungswellen ans Ufer tragen lässt. 2. Windsurfing. 3. (Jargon) die wahllose od. gezielte Suche nach od. Abfrage von Informationen (im Internet). Surf|ri|ding [...raidɪŋ] das; -s: Surfing (1)

Su|ri|ka|te ⟨Herkunft unsicher⟩ die; -, -n: südafrikanische Schleichkatze

Su|ril|ho [zu'rɪljo] ⟨port.⟩ der; -s, -s: mit den Mardern verwandtes südamerikanisches Stinktier

Su|ri|mo|no ⟨jap.⟩ das; -s, -s: als private Glückwunschkarte verwendeter japanischer Holzschnitt

sur|jek|tiv ⟨lat.-fr.⟩: bei einer Projektion in eine Menge alle Elemente dieser Menge als Bildpunkte aufweisend (Math.)

Sur|plus ['sɔ:pləs] ⟨lat.-mlat.-fr.-engl.⟩ das; -, -: Überschuss, Gewinn, Profit (Wirtsch.)

Sur|prise|par|ty, auch: Surprise-Par|ty* [sə'praɪz...] ⟨engl.-amerik.⟩ die; -, -s: Party, mit der man jmdn. überrascht u. die ohne sein Wissen [für ihn] arrangiert wurde

Su|r|ra ⟨südind.⟩ die; -: fieberhafte, meist tödlich verlaufende Erkrankung bestimmter Säugetiere in Afrika u. Asien

Su|r|re ⟨arab.⟩ die; -, -n: (hist.) alljährlich vom türk. Sultan mit der Pilgerkarawane nach Mekka gesandtes Geldgeschenk

sur|re|al ⟨auch: zyr...⟩ ⟨lat.-fr.⟩: traumhaft, unwirklich. Sur|re|a|lis|mus der; -: (nach dem 1. Weltkrieg in Paris enstandene) Richtung der modernen Literatur u. Kunst, die das Unbewusste, Träume, Visionen u.Ä. als Ausgangspunkt künstlerischer Produktion ansieht. Sur|re|a|list der; -en, -en: Vertreter des Surrealismus. sur|re|a|lis|tisch: den Surrealismus betreffend, dafür typisch

Sur|ro|gat ⟨lat.-nlat.⟩ das; -[e]s, -e: 1. Stoff, Mittel o.Ä. als behelfsmäßiger, nicht vollwertiger Ersatz. 2. Ersatz für einen Gegenstand, Wert (Rechtsw.). Sur|ro|ga|ti|on ⟨lat.⟩ die; -, -en: Austausch eines Wertes, Gegenstandes gegen einen anderen, der den gleichen Rechtsverhältnissen unterliegt (Rechtsw.)

sur|sum cor|da! ⟨lat.; „empor die Herzen!"⟩: Ruf zu Beginn der Präfation in der lateinischen Messe

Sur|tax ['sɔ:tɛks] ⟨lat.-fr.-engl.⟩ die; -, -es u. Sur|taxe [zyr'taks] ⟨lat.-fr.⟩ die; -, -n: zusätzliche

Steuer (bei Überschreitung einer bestimmten Einkommensgrenze)

Sur|tout [syr'tu] ⟨lat.-fr.; „über allem"⟩ der; -[s], -s: (im 18. Jh. getragener) weiter, mit großem, doppeltem Kragen versehener Herrenmantel

Sur|vey ['sɔ:veɪ] ⟨lat.-fr.-engl.- (amerik.)⟩ der; -[s], -s: 1. Erhebung, Ermittlung, Befragung (in der Markt- u. Meinungsforschung). 2. Gutachten eines Sachverständigen im Warenhandel (Wirtsch.). Sur|vey|or [sə'veɪə] der; -s, -s: Sachverständiger u. Gutachter im Warenhandel

Sur|vi|vals [sə'vaɪvlz] ⟨lat.-fr.-engl.; „Überbleibsel"⟩ die (Plural): [unverstandene] Reste untergegangener Kulturformen in heutigen [Volks]bräuchen u.a. Vorstellungen des Volksglaubens. Sur|vi|val|trai|ning [sə-'vaivl...] ⟨engl.; lat.-vulgärlat.-fr.-engl.⟩ das; -s, -s: Überlebenstraining

Su|shi ['zu:ʃi] ⟨jap.⟩ das; -s, -s: aus rohem Fisch [Fleisch, Krustentieren, Gemüse, Pilzen u.a.] auf einer Unterlage aus Reis bestehendes Gericht

Su|si|ne ⟨it.; vom Namen der pers. Stadt Susa⟩ die; -, -n: eine italienische Pflaume

Sus|lik ⟨russ.⟩ der; -s, -s: geringwertiges, v.a. als Mantelfutter verwendetes Fell bestimmter osteuropäischer Zieselarten

sus|pekt* ⟨lat.⟩: von einer Art, dass sich bei jmdm. Zweifel hinsichtlich der Qualität, Nützlichkeit, Echtheit o.Ä. einstellen; verdächtig, fragwürdig, zweifelhaft

sus|pen|die|ren ⟨lat.⟩: 1. a) [einstweilen] des Dienstes entheben; aus einer Stellung entlassen; b) zeitweilig aufheben; c) von einer Verpflichtung befreien. 2. (Teilchen in einer Flüssigkeit) fein verteilen, aufschwemmen (Chem.). 3. (Glieder) aufhängen, hoch hängen, hoch lagern (Med.). Sus|pen|si|on die; -, -en: 1. [einstweilige] Dienstenthebung; zeitweilige Aufhebung. 2. Aufschwemmung feinstverteilter fester Stoffe in einer Flüssigkeit (Chem.). 3. schwebende Aufhängung (von Gliedern; Med.). sus|pen|siv ⟨lat.-nlat.⟩: aufhebend; aufschiebend. Sus|pen|so|ri|um ⟨lat.-nlat.⟩ das; -s, ...ien: 1. beutelförmige Tragevorrichtung für erschlaffte, schwer herabhängende Glieder (z. B. die weibliche Brust; Med.). 2. beutelförmiger Schutz für die männlichen Geschlechtsteile **Sus|tain** [səs'teın] ⟨engl.; „(den Ton) halten"⟩ das; -s, -s: Zeit des Abfallens des Tons bis zu einer bestimmten Tonhöhe beim Synthesizer. **Sus|ten|ta|ti|on** ⟨lat.⟩ die; -, -en: (veraltet) Unterstützung, Versorgung **sus|zep|ti|bel** ⟨lat.⟩: (veraltet) empfindlich, reizbar. **Sus|zep|ti|bi|li|tät** ⟨lat.-nlat.⟩ die; -: 1. (veraltet) Empfindlichkeit, Reizbarkeit. 2. Maß für die Magnetisierbarkeit eines Stoffes. **Sus|zep|ti|on** ⟨lat.⟩ die; -, -en: 1. (veraltet) An-, Übernahme. 2. Aufnahme eines Reizes (z. B. durch Absorption des Lichts beim Phototropismus; Bot.). **sus|zi|pie|ren:** 1. (veraltet) an-, übernehmen. 2. einen Reiz aufnehmen (Bot.)

Su|tal|ne vgl. Soutane. **Su|ta|nel|le** vgl. Soutanelle

Su|tasch vgl. Soutache

Sut|ra* ⟨sanskr.; „Leitfaden"⟩ das; -, -s (meist Plural): knapp u. einprägsam formulierter Lehrsatz der indischen Literatur **Su|tur** ⟨lat.⟩ die; -, -en: 1. Naht, Knochennaht (Med.). 2. a) zackige Naht in Kalksteinen, die durch Lösung unter Druck entsteht; b) Anheftungslinie (Artmerkmal versteinerter Ammoniten

su|um cu|i|que ⟨lat.; „jedem das Seine"⟩: jeder soll haben, was ihm zusteht, was er gern möchte (geflügeltes Wort in der Antike, das zum Wahlspruch des preußischen Schwarzen-Adler-Ordens wurde)

su|ze|rän ⟨lat.-vulgärlat.-fr.⟩: (selten) oberhoheitlich, oberherrschaftlich. **Su|ze|rän** der; -s, -e: Staat, der die Suzeränität über einen anderen Staat ausübt. **Su|ze|rä|ni|tät** die; -: Oberhoheit, Oberherrschaft eines Staates über einen anderen Staat

Sva|ra|bhak|ti vgl. Swarabhakti

sveg|li|al|to* [svel'ja:to] ⟨lat.-vulgärlat.-it.⟩: munter, frisch (Vortragsanweisung; Mus.)

Swa|hi|li vgl. Suaheli

Swa|mi ⟨Hindi⟩ der; -s, -s: hinduistischer Mönch, Lehrer

Swamps [svɔmpz] ⟨engl.⟩ die (Plural): 1. nasse, poröse, nach Entwässerung fruchtbare Böden. 2. Sumpfwälder an der Atlantikküste der südöstlichen USA

Swan|boy ['svɔnbɔy] ⟨engl.⟩ das; -s: auf beiden Seiten stark gerauter Baumwollflanell in Köperod. Leinwandbindung. **Swanskin*** ['svɔnskın] ⟨„Schwanenfell"⟩ der; -s: Swanboy **Swap** [svɔp] ⟨engl.⟩ der; -s, -s: (Bankwesen) 1. Austausch bestimmter Rechte, Pflichten o. Ä. 2. Differenz zwischen dem Kassakurs u. dem Terminkurs. **Swap|ge|schäft** ⟨engl.; dt.⟩ das; -[e]s, -e: [von den Zentralbanken] meist zum Zweck der Kurssicherung vorgenommener Austausch von Währungen in einer Verbindung von Kassageschäft u. Termingeschäft. **Swap|per** ['svɔpɐ] der; -s, -: (Jargon) jmd., der Partnertausch betreibt **Swa|ra|bhak|ti** ⟨sanskr.⟩ das (auch: die); -: Sprossvokal **Swas|ti|ka** ⟨sanskr.⟩ die; -, ...ken (auch: der; -[s], -s): altindisches Glückssymbol in Form eines Sonnenrades, Hakenkreuzes **Swea|ter** ['sve:tɐ] ⟨engl.; „Schwitzer"⟩ der; -s, -: Pullover. **Sweatshirt** ['svɛtʃɔ:t] das; -s, -s: weit geschnittener Sportpullover (meist aus Baumwolle) **Sweep|stake*** ['swi:psteık] ⟨engl.-amerik.⟩ das od. der; -s, -s: 1. zu Werbezwecken durchgeführte Verlosung, bei der die Gewinnlose vor der Verlosung festgelegt werden. 2. Wettbewerb [im Pferderennsport], bei dem die ausgesetzte Prämie aus den Eintrittsgeldern besteht **Sweet** [svi:t] ⟨engl.-amerik.; „süß"⟩ der; -: dem Jazz nachgebildete Unterhaltungsmusik. **Sweet|heart** ['svi:tha:t] das; -, -s: Liebste, Liebster **Swer|tia** ⟨nlat.; nach dem niederl. Botaniker Emanuel Swert (17. Jh.)⟩ die; -, ...iae [...jɛ]: blaues Lungenkraut (Enziangewächs)

Swim|ming|pool ['svımıŋpu:l] ⟨engl.⟩ der; -s, -s: (auf einem Privatgrundstück befindliches) Schwimmbecken innerhalb od. außerhalb eines Gebäudes

¹Swing ⟨engl.; „das Schwingen"⟩ der; -[s], -s: 1. (ohne Plural) a) rhythmische Qualität des Jazz, die durch die Spannung zwischen dem Grundrhythmus u. den melodisch-rhythmischen Akzenten sowie durch Überlagerungen verschiedener Rhythmen entsteht; b) (bes. 1930–1945) Jazzstil, bei dem die afroamerikanischen Elemente hinter europäischen Klangvorstellungen

zurücktreten. 2. Kurzform von ↑Swingfox. **²Swing** ⟨engl.⟩ der; -[s]: (bei zweiseitigen Handelsverträgen) Betrag, bis zu dem ein Land, das mit seiner Lieferung im Verzug ist, vom Handelspartner Kredit erhält (Wirtsch.). **Swing-by** [...'baı] ⟨engl.⟩ das; -s, -s: ↑Fly-by (a) (Raumfahrt). **swin|gen:** 1. a) in der Art des ¹Swing (1 a) ein Musikstück spielen, Musik machen; b) zur Musik des ¹Swing (1 b) tanzen. 2. Gruppensex betreiben. **Swin|ger** der; -s, -: 1. Kurzmantel in schwingender Weite (Mode). 2. (Jargon) jmd., der swingt (2). **Swing|fox** der; -[es], -e: aus dem Foxtrott entwickelter Gesellschaftstanz. **swin|ging:** schwungvoll, aufregend (meist in Verbindung mit Städtenamen: Swinging London). **Swin|ging** das; -[s]: (Jargon) Gruppensex **Switch** ⟨engl.⟩ der; -[s]: (Jargon) Switchgeschäft **swit|chen** ['svıtʃn] ⟨engl.⟩: 1. ein Switchgeschäft tätigen (Wirtsch.). 2. (ugs.) mithilfe der Fernbedienung von einem zum anderen Fernsehkanal schalten. **Switch|ge|schäft** ⟨engl.; dt.⟩ das; -[e]s, -e: über ein Drittland abgewickeltes Außenhandelsgeschäft **Sy|ba|rit** ⟨gr.-lat.; nach der antiken unteritalienischen Stadt Sybaris, deren Einwohner als Schlemmer verrufen waren⟩ der; -en, -en: Schlemmer. **sy|ba|ri|tisch:** genusssüchtig, schwelgerisch. **Sy|ba|ri|tis|mus** ⟨nlat.⟩ der; -: Genusssucht, Schlemmerei, Schwelgerei **Sy|e|nit** [auch: ...'nıt] ⟨gr.-lat.; nach der altägypt. Stadt Syene bei Assuan⟩ der; -s, -e: mittel- bis grobkörniges Tiefengestein **Sy|ko|mo|re** ⟨gr.-lat.⟩ die; -, -n: (in Ostafrika beheimateter) Feigenbaum mit essbaren Früchten u. festem Holz. **Sy|ko|phant** ⟨„Feigenanzeiger"⟩ der; -en, -en: (veraltet) 1. gewerbsmäßiger Ankläger im alten Athen. 2. (veraltet) Verräter, Verleumder. **sy|ko|phan|tisch:** (veraltet) anklägerisch, verleumderisch. **Sy|ko|se** ⟨gr.-nlat.⟩ die; -, -n: 1. (veraltet) Saccharin. 2. Bartflechte (Med.). **Sy|ko|sis** die; -, ...kosen: ↑Sykose (2) **Syl|la|bar** ⟨gr.-lat.⟩ das; -s, -e u. **Syl|la|ba|ri|um** das; -s, ...ien: (veraltet) Abc-Buch, Fibel. **Syl|la|bi:** Plural von ↑Syllabus. **syl|la|bie|ren** ⟨gr.-nlat.⟩: (veraltet) buchstabieren, in Silben [aus]sprechen. **syl|la|bisch** ⟨gr.-lat.⟩:

1. (veraltet) silbenweise. 2. silbenweise komponiert, sodass jeder Silbe des Textes eine Note zugehörig ist. **Syl|la|bus** *der;* -, - u. ...bi: 1. Zusammenfassung, Verzeichnis. 2. päpstliche Auflistung kirchlich verurteilter religiöser, philosophischer u. politischer Lehren (kath. Kirche früher). **Syl|lep|se** u. **Syl|lep|sis** *die;* -, ...epsen: Ellipse (2), bei der ein Satzteil anderen in Person, Numerus od. Genus verschiedenen Satzteilen zugeordnet wird (z. B. ich gehe meinen Weg, ihr den eurigen). **syl|leptisch** *(gr.-nlat.):* in der Form einer Syllepse **Syl|lo|gis|mus** *(gr.-lat.) der;* -, ...men: aus zwei Prämissen gezogener logischer Schluss vom allgemeinen auf das Besondere (Philos.). **Syl|lo|gis|tik** *die;* -: Lehre von den Syllogismen. **syl|lo|gis|tisch:** den Syllogismus, die Syllogistik betreffend
¹**Syl|phe** (Elementargeist im System des Paracelsus, 1493–1541) *der;* -n, -n (selten: *die;* -, -n): Luftgeist (z. B. Ariel). ²**Syl|phe** *die;* -, -n: junges, zartes weibliches Wesen. **Syl|phi|de** *(lat.-nlat.) die;* -, -n: 1. weiblicher Luftgeist. 2. zartes, anmutiges Mädchen. **syl|phi|den|haft:** zart, anmutig
Syl|va|nit [auch: ...'nɪt] *(nlat.; von dem lat.* Namen Transsylvania für Siebenbürgen) *der;* -s, -e: stahlgraues, silberweißes od. gelbes, metallisch glänzendes Mineral
Syl|vin *(nlat.;* nach dem französischen Arzt Franz Sylvius, 1614–1672) *das* (auch: *der*); -s, -e: zu den Kalisalzen gehörendes Mineral. **Syl|vi|nit** [auch: ...'nɪt] *das;* -s, -e: Sylvin u. Steinsalz enthaltendes Salzgestein
Sym|bi|ont *(gr.) der;* -en, -en: Lebewesen, das mit Lebewesen anderer Art in Symbiose lebt. **symbi|on|tisch:** ↑ symbiotisch. **Symbi|o|se** *die;* -, -n: Zusammenleben von Lebewesen verschiedener Art zu gegenseitigem Nutzen. **sym|bi|o|tisch:** in Symbiose lebend
Symb|le|pha|ron* *(gr.-nlat.) das;* -s: Verwachsung der Augenlider mit dem Augapfel (Med.)
Sym|bol *(gr.-lat.;* „Kennzeichen, Zeichen") *das;* -s, -e: 1. in der Antike ein durch Boten überbrachtes Erkennungs- od. Beglaubigungszeichen zwischen Freunden, Vertragspartnern

o. Ä. 2. Sinnbild. 3. Ausdruck des Unbewussten, Verdrängten in Worten, Handlungen, Traumbildern u. a. (Psychol.). 4. christliches Tauf- od. Glaubensbekenntnis. 5. Zeichen, das eine Rechenanweisung gibt (verkürzte Kennzeichnung eines mathematischen Verfahrens). 6. Zeichen für eine physikalische Größe (als deutscher, lat. od. griech. Buchstabe geschrieben). 7. Zeichen od. Wort zur Darstellung od. Beschreibung einer Informationseinheit od. Operation (EDV). **Sym|bol|la:** *Plural* von ↑ Symbolum. **Sym|bol|fi|gur** *die;* -, -en: Figur, Person, die ein Symbol darstellt. **Sym|bollik** *die;* -: 1. a) symbolische Bedeutung, symbolischer Gehalt; b) symbolische Darstellung. 2. a) Verwendung von Symbolen; b) Wissenschaft von den Symbolen u. ihrer Verwendung. 3. Lehre von den christlichen Bekenntnissen. **Sym|bo|li|sa|ti|on** *die;* -, -en (die Ersetzung von Objekten, auf die sich verbotene Strebungen beziehen, durch Symbole als Abwehrmechanismus des Ich (Psychol.); vgl. ...[at]ion/...ierung. **sym|bo|lisch:** a) als Symbol für etw. anderes stehend; ein Symbol darstellend; b) sich eines Symbols bedienend. **sym|bo|li|sie|ren** *(gr.-nlat.):* sinnbildlich darstellen. **Sym|bo|li|sie|rung** *die;* -, -en: 1. sinnbildliche Darstellung. 2. Versinnbildlichung seelischer Konflikte im Traumerleben (Psychol.); vgl. ...[at]ion/...ierung. **Sym|bo|lis|mus** *der;* -: 1. (seit etwa 1890 verbreitete u. als Gegenströmung zum Naturalismus entstandene) [literarische] Bewegung, die eine symbolische Darstellungs- u. Ausdrucksweise anstrebt. 2. (Fachspr.) System von Formelzeichen. **Sym|bo|list** *der;* -en, -en: Vertreter des Symbolismus (1). **sym|bo|lis|tisch:** den Symbolismus, die Symbolisten betreffend. **Sym|bo|lum** *(gr.-lat.) das;* -s, ...la: lat. Form von Symbol
Sym|ma|chie *(gr.) die;* -, ...ien: (hist.) Bundesgenossenschaft der altgriechischen Stadtstaaten
Sym|met|rie* *(gr.-lat.) die;* -, ...ien: 1. Gleich-, Ebenmaß; die harmonische Anordnung mehrerer Teile zueinander; Ggs. ↑ Asymmetrie. 2. Spiegelungsgleichheit; Eigenschaft von Figuren, Körpern o. Ä., die beiderseits einer [gedachten] Mittel-

achse ein jeweils spiegelgleiches Bild ergeben (Math.; Biol.); Ggs. ↑ Asymmetrie. 3. die wechselseitige Entsprechung von Teilen in Bezug auf die Größe, die Form od. die Anordnung (Mus.; Literaturw.). **sym|met|risch** *(gr.-nlat.):* 1. gleich-, ebenmäßig. 2. auf beiden Seiten einer [gedachten] Mittelachse ein Spiegelbild ergebend (von Körpern, Figuren u. Ä.; Math.). 3. auf beiden Körperseiten gleichmäßig auftretend (Med.). 4. wechselseitige Entsprechungen aufweisend (in Bezug auf die Form, Größe, Anordnung von Teilen; Mus.; Literaturw.)
Sym|pa|thek|to|mie* *(gr.-nlat.) die;* -, ...ien: operative Entfernung eines Teiles des Sympathikus (Med.). **sym|pa|the|tisch** („mitfühlend"): 1. (veraltet) Sympathie empfindend, auf Sympathie beruhend; **sympathetischer Dativ:** Dativ des Zuwendens, Mitfühlens (z. B. *dem Freund* die Hand schütteln). 2. eine geheimnisvolle Wirkung ausübend. **Sym|pa|thie** *(gr.-lat.) die;* -, ...ien: 1. aufgrund gewisser Übereinstimmung, Affinität positive gefühlsmäßige Einstellung zu jmdm., einer Sache; [Zu]neigung; Wohlgefallen; Ggs. ↑ Antipathie. 2. Verbundenheit aller Teile des Ganzen, sodass, wenn ein Teil betroffen ist, auch alle anderen Teile betroffen sind (Naturphilos.). 3. Ähnlichkeit in der Art des Erlebens u. Reagierens, Gleichgerichtetheit der Überzeugung u. Gesinnung (Psychol.; Soziol.). 4. im Volksglauben die Vorstellung von geheimer gegenseitiger Einwirkung aller Wesen u. Dinge aufeinander. **Sym|pa|thie|bo|nus** *(gr.-nlat.; lat.-engl.) der;* - u. -ses, - u. -se (auch: ...ni): Vorteil, Vorsprung an Sympathie, die jmdm. entgegengebracht wird. **Sym|pa|thi|ko|ly|ti|kum** *(gr.-nlat.) das;* -s, ...ka: Arzneimittel, das die Reizung sympathischer Nerven hemmt od. aufhebt (Med.). **Sym|pa|thi|ko|mi|me|ti|kum** *das;* -s, ...ka: Arzneimittel, das im Organismus die gleichen Erscheinungen hervorruft wie bei Erregung des Sympathikus (z. B. Adrenalin; Med.). **Sym|pa|thi|ko|to|nie** *die;* -, ...ien: erhöhte Erregbarkeit des sympathischen Nervensystems (Med.). **Sym|pa|thi|ko|to|ni|kum** *das;* -s, ...ka: Arzneimittel,

das das sympathische Nervensystem anregt (Med.). **Sym|pa|thi|kus** *der; -, ...thizi:* Grenzstrang des sympathischen Teils des autonomen Nervensystems, der bes. die Eingeweide versorgt (Med.); vgl. Parasympathikus. **Sym|pa|thi|sant** *(gr.-nlat.) der; -en, -en:* jmd., der einer [extremen] politischen od. gesellschaftlichen Gruppe (seltener einer Einzelperson), Anschauung wohlwollend gegenübersteht [u. sie unterstützt]. **sym|pa|thisch** *(gr.-(fr.)):* 1. Sympathie erweckend. 2. zum vegetativen Nervensystem gehörend; den Sympathikus betreffend (Med.). 3. (veraltet) mitfühlend, aufgrund innerer Verbundenheit gleich gestimmt. **sym|pa|thi|sie|ren:** die Anschauungen einer Gruppe, einer Einzelperson teilen, ihnen zuneigen, sie unterstützen. **Sym|pa|thi|zi:** *Plural* von ↑Sympathikus. **Sym|pa|tho|ly|ti|kum** *(gr.-nlat.) das; -s, ...ka:* ↑Sympatholytikum

Sym|pe|ta|len *(gr.-nlat.) die* (Plural): Blütenpflanzen mit verwachsenen Kronblättern (Bot.). **Sym|pho|nie** usw. vgl. Sinfonie usw.

symph|ro|nis|tisch* *(gr.-nlat.):* (veraltet) sachlich übereinstimmend **Sym|phy|se** *(gr.) die; -, -n:* (Med.) a) Verwachsung zweier Knochenstücke; b) Knochenfuge, bes. Schambeinfuge. **sym|phy-tisch:** zusammengewachsen (Med.)

Sym|plo|ke *(gr.; „Verflechtung, Verbindung") die; -, ...ploken:* Wiederholung der gleichen Wörter am Anfang u. am Ende zweier od. mehrerer aufeinander folgender Verse od. Sätze **sym|po|di|al** *(gr.-nlat.):* keine einheitliche Hauptachse ausbildend (von der Verzweigung einer Pflanzensprossachse; Biol.). **Sym|po|di|um** *das; -s, ...ien:* Pflanzenverzweigung mit Scheinachse; Ggs. ↑Monopodium

Sym|po|si|on [auch: ...'po:...] *(gr.) das; -s, ...ien:* 1. Zusammenkunft von Wissenschaftlern, Fachleuten, bei der bestimmte fachbezogene Themen (in Vorträgen u. Diskussionen) erörtert werden. 2. (im antiken Griechenland) Trinkgelage, bei dem das [philosophische] Gespräch im Vordergrund stand. 3. Sammelband mit Beiträgen verschiede-

ner Autoren zu einem Thema. **Sym|po|si|um** [auch: ...'po:...] *das; -s, ...ien:* lat. Form von: ↑Symposion

Symp|tom* *(gr.; „Zufall; vorübergehende Eigentümlichkeit") das; -s, -e:* 1. Anzeichen, Vorbote, Warnungszeichen; Kennzeichen, Merkmal. 2. Krankheitszeichen, für eine bestimmte Krankheit charakteristische, zu einem bestimmten Krankheitsbild gehörende krankhafte Veränderung (Med.). **Symp|to|ma|tik** *die; -:* 1. Gesamtheit von Symptomen. 2. ↑Symptomatologie. **symp|to|ma|tisch:** 1. bezeichnend. 2. die Symptome betreffend; nur auf die Symptome, nicht auf die Krankheitsursache einwirkend (Med.). **Symp|to-ma|to|lo|gie** *(gr.-nlat.) die; -:* Wissenschaft von den Krankheitszeichen

syn|a|gog|al* *(gr.-lat.-nlat.):* 1. den jüdischen Gottesdienst betreffend. 2. die Synagoge betreffend. **Sy|na|go|ge** *(gr.-lat.; „Versammlung") die; -, -n:* 1. Gebäude, Raum, in dem sich die jüdische Gemeinde zu Gebet u. Belehrung versammelt. 2. (ohne Plural) zusammen mit der Ecclesia (2) zusammengestellte weibliche Figur (mit einer Binde über den Augen u. einem zerbrochenen Stab in der Hand) als Allegorie des Alten Testaments (Kunstwiss.) **Sy|nal|gie*** *(gr.-nlat.) die; -, ...ien:* das Mitempfinden von Schmerzen in einem nicht erkrankten Körperteil (Med.) **Sy|nal|la|ge*** *(gr.) die; -, ...agen* u. **Sy|nal|lag|ma** *das; -s, ...men:* gegenseitiger Vertrag (Rechtsw.). **sy|nal|lag|ma|tisch** *(gr.-nlat.):* gegenseitig; **synallagmatischer Vertrag:** ↑Synallage **Sy|na|lö|phe*** *(gr.) die; -, -n:* Verschmelzung zweier Silben durch Elision (1) od. Krasis (antike Metrik) **sy|nand|risch*** *(gr.-nlat.):* verwachsene Staubbeutel aufweisend (von Blüten; Bot.). **Sy-nand|ri|um** *das; -s, ...ien:* die Einheit der miteinander verwachsenen Staubbeutel (z. B. bei Glockenblumengewächsen u. Korbblütlern; Bot.) **Sy|nan|thie*** *(gr.-nlat.) die; -, ...ien:* durch seitliche Verwachsung von Blüten od. Pflanzen auftretende Fehlbildung (Bot.). **Sy|na|phie** *(gr.-lat.) die; -, ...ien:* rhythmisch fortlaufende Verbin-

dung von Versen (Metrik). **sy-na|phisch** *(gr.-nlat.):* die Synaphie betreffend, Synaphie aufweisend. **Sy|nap|se** *(gr.) die; -, -n:* (Biol.; Med.) 1. Kontakt-, Umschaltstelle zwischen Nervenfortsätzen an der nervöse Reize von einem Neuron auf ein anderes weitergeleitet werden. 2. Berührungsstelle der Grenzflächen zwischen Muskel u. Nerv. **Sy|nap|sis** *die; -:* die Paarung der sich entsprechenden Chromosomen während der ersten Phase der Reduktionsteilung (Biol.). **Sy|nap|te** *(gr.; „Zusammenstellung") die; -, -n:* Fürbittgebet (Wechselgebet) im orthodoxen Gottesdienst **Sy|nä|re|se*** u. **Sy|nä|re|sis** *(gr.) die; -, ...resen:* Zusammenziehung zweier verschiedenen Silben angehörender Vokale zu einer Silbe (z. B. *gehen* zu *gehn*) **Sy|narth|ro|se*** *(gr.-nlat.) die; -, -n:* feste Knochenverbindung, Knochenfuge (Med.) **Sy|näs|the|sie*** *(gr.-nlat.) die; -, ...ien:* a) Reizempfindung eines Sinnesorgans bei Reizung eines anderen (z. B. Farbwahrnehmung bei akustischem Reiz; Med.); b) durch sprachlichen Ausdruck hervorgerufene Verschmelzung mehrerer Sinneseindrücke (z. B. schreiendes Grün; Stilk.). **sy|näs|the|tisch:** a) die Synästhesie betreffend; b) durch einen nichtspezifischen Reiz erzeugt **Sy|na|xa|ri|on*** *(gr.-mgr.) das; -s, ...ien:* liturgischer Kalender der orthodoxen Kirche mit Lebensbeschreibung der Tagesheiligen **Sy|na|xis*** *(gr.-lat.) die; -, ...axen:* Gottesdienst in der griechisch-orthodoxen Kirche **Syn|cho|ro|lo|gie** *die; -:* Teilgebiet der Pflanzensoziologie, das die geographische Verbreitung der Pflanzengesellschaften untersucht **syn|chron** *(gr.-nlat.):* 1. gleichzeitig; mit gleicher Geschwindigkeit [ab]laufend. 2. a) als sprachliche Gegebenheit in einem bestimmten Zeitraum geltend, anzutreffen; b) synchronisch (a). **Syn|chro|nie** *die; -:* a) Zustand einer Sprache in einem bestimmten Zeitraum (im Gegensatz zu ihrer geschichtlichen Entwicklung); b) Beschreibung sprachlicher Phänomene, eines sprachlichen Zustandes innerhalb eines bestimmten Zeitraums. **Syn-**

chro|ni|sa|ti|on *die;* -, -en: 1. Synchronisierung. 2. Ergebnis einer Synchronisierung; synchronisierte Fassung; vgl. ...[at]ion/...ierung. **syn|chro|nisch** (Sprachw.) a) die Synchronie betreffend; b) synchron (2 a). **syn|chro|ni|sie|ren:** 1. a) Bild u. Ton in zeitliche Übereinstimmung bringen (bes. Film); b) zu den Bildern eines fremdsprachigen Films, Fernsehspiels die entsprechenden Worte der eigenen Sprache sprechen, die so aufgenommen werden, dass die Lippenbewegungen der Schauspieler (im Film) in etwa mit den gesprochenen Worten übereinstimmen. 2. den Gleichlauf zwischen zwei Vorgängen, Maschinen od. Geräte[teile]n herstellen. 3. zeitlich aufeinander abstimmen. **Syn|chro|ni|sie|rung** *die;* -, -en: das Synchronisieren; vgl. ...[at]ion/...ierung. **Syn|chro|nis|mus** *der;* -, ...men: 1. (ohne Plural) Gleichlauf, übereinstimmender Bewegungszustand mechanisch voneinander unabhängiger Schwingungserzeuger (Techn.). 2. (für die geschichtliche Datierung wichtiges) zeitliches Zusammentreffen von Ereignissen. **syn|chro|nis|tisch:** 1. den Synchronismus (1) betreffend (Techn.). 2. Gleichzeitiges zusammenstellend. **Syn|chro|nop|se*** (gr.-nlat.) *die;* -, -n: Gegenüberstellung von Ereignissen (die zur gleichen Zeit, aber in verschiedenen Bereichen od. in verschiedenen Ländern eintraten) in tabellarischer Form. **syn|chro|nop|tisch*:** die Synchronopse betreffend. **Syn|chrotron*** *das;* -s, ...trone (auch: -s): Beschleuniger für geladene Elementarteilchen, der diese auf der gleichen Kreisbahn beschleunigt (Kernphys.) **Syn|dak|ty|lie** (gr.-nlat.) *die;* -, ...lien: Verwachsung der Finger od. Zehen (Med.) **Syn|de|re|sis** (gr.) *die;* -: das Gewissen als Bewahrung des göttlichen Funkens im Menschen (Theol.) **Syn|des|mo|lo|gie** (gr.-nlat.) *die;* -: (Med.) 1. Teilgebiet der Anatomie, das sich mit den Bändern befasst. 2. Gesamtheit der Bänder, die Knochen miteinander verbinden od. Eingeweide halten. **Syn|des|mo|se** *die;* -, -n: Knochenverbindung durch Bindegewebe (Med.). **Syn|det** (Kurzw. aus *engl.* synthetic de-

tergents) *das;* -s, -s (meist Plural): 1. (nur Plural) synthetische Tenside. 2. kurz für: Syndetseife (Kosmetik). **Syn|de|ti|kon®** (gr.) *das;* -s: dickflüssiger Klebstoff. **syn|de|tisch:** durch eine Konjunktion verbunden (von Satzteilen od. Sätzen). **Syn|det|sei|fe** *die;* -, -n: Seife für bes. empfindliche Haut, die auf der Basis von ↑Syndets hergestellt ist **Syn|di|ka|lis|mus** (gr.-lat.-nlat.) *der;* -: gegen Ende des 19. Jahrhunderts in der Arbeiterbewegung entstandene Richtung, die in den gewerkschaftlichen Zusammenschlüssen der Lohnarbeiter u. nicht in einer politischen Partei den Träger revolutionärer Bestrebungen sah. **Syn|di|ka|list** *der;* -en, -en: Anhänger des Syndikalismus. **syn|di|ka|lis|tisch:** den Syndikalismus betreffend. **Syn|di|kat** *das;* -[e]s, -e: 1. Kartell, bei dem die Mitglieder ihre Erzeugnisse über eine gemeinsame Verkaufsorganisation absetzen müssen (Wirtsch.). 2. (gr.-lat.-nlat.-amerik.) als geschäftlichen Unternehmen getarnter Zusammenschluss von Verbrechern. **Syn|di|kus** (gr.-lat.) *der;* -, -se u. ...dizi: der von einer Körperschaft zur Besorgung ihrer Rechtsgeschäfte aufgestellte Bevollmächtigte, Rechtsbeistand (Rechtsw.). **syn|di|ziert** (gr.-lat.-nlat.): in einem Syndikat (2) zusammengefasst **Syn|drom*** (gr.; „das Zusammenlaufen") *das;* -s, -e: a) Krankheitsbild, das sich aus dem Zusammentreffen verschiedener charakteristischer Symptome ergibt (Med.); b) Gruppe von Merkmalen od. Faktoren, deren gemeinsames Auftreten einen bestimmten Zusammenhang od. Zustand anzeigt (Soziol.) **Sy|ne|chie*** (gr.) *die;* -, ...ien: Verwachsung von Regenbogenhaut u. Augenlinse bzw. Hornhaut (Med.). **Sy|ne|chol|lo|gie** (gr.-nlat.) *die;* -: die Lehre von Raum, Zeit u. Materie als etwas Stetigem, Zusammenhängendem (Philos.) **Sy|ned|ri|on*** (gr.; „Versammlung") *das;* -s, ...ien: 1. altgriechische Ratsbehörde. 2. ↑Synedrium. **Sy|ned|ri|um** (gr.-lat.) *das;* -s, ...ien: (hist.) der Hohe Rat der Juden in der griech. u. röm. Zeit **Sy|nek|dol|che*** (gr.-lat.) *die;* -, ...dochen: das Ersetzen eines Begriffs durch einen engeren od.

weiteren Begriff (z. B. *Kiel* für *Schiff*). **sy|nek|do|chisch:** die Synekdoche betreffend **Sy|nek|tik*** (gr.) *die;* -: dem Brainstorming ähnliche Methode zur Lösung von Problemen **Sy|ne|phe|be*** (gr.-lat.) *der;* -n, -n: (veraltet) Jugendfreund **Sy|ner|get*** (gr.-nlat.) *der;* -en, -en: ↑Synergist. **sy|ner|ge|tisch:** zusammen, mitwirkend. **Sy|ner|gi|den** *die* (Plural): zwei Zellen der pflanzlichen Samenanlage (Biol.). **Sy|ner|gie** *die;* -: 1. Energie, die für den Zusammenhalt u. die gemeinsame Erfüllung von Aufgaben zur Verfügung steht. 2. ↑Synergismus (1). **Sy|ner|gie|ef|fekt** *der;* -[e]s, -e: positive Wirkung, die sich aus dem Zusammenschluss od. der Zusammenarbeit zweier Unternehmen o. Ä. ergibt. **Sy|ner|gis|mus** *der;* -: 1. das Zusammenwirken von Substanzen od. Faktoren, die sich gegenseitig fördern. 2. Heilslehre, nach der der Mensch an der Erlangung des Heils mitwirken kann (Rel.); vgl. Pelagianismus. **Sy|ner|gist** *der;* -en, -en (meist Plural): 1. gleichsinnig zusammenwirkendes Organ, Muskel (Med.). 2. (nur Plural) Arzneimittel, die sich in additiver od. potenzierender Weise ergänzen. 3. Anhänger des Synergismus (2). **sy|ner|gis|tisch:** den Synergismus betreffend **Sy|ne|sis*** (gr.) *die;* -, ...gsen: sinngemäß richtige Wortfügung, die streng genommen nicht den grammatischen Regeln entspricht (z. B. eine *Menge* Äpfel *fielen* herunter); vgl. Constructio ad Sensum **syn|ge|ne|tisch** (gr.-nlat.): 1. gleichzeitig entstanden (Biol.). 2. gleichzeitig mit dem Gestein entstanden (von Lagerstätten; Geol.); Ggs. ↑epigenetisch (2) **Syn|hy|pe|ro|nym*** (gr.-nlat.) *das;* -s, -e: ↑Kohyperonym (Sprachw.). **Syn|hy|po|nym** *das;* -s, -e: ↑Kohyponym (Sprachw.). **Sy|ni|ze|se*** u. **Sy|ni|zä|sis** (gr.-lat.) *die;* -, ...zäsen: Zusammenziehung zweier meist im Wortinnern nebeneinander liegender, zu verschiedenen Silben gehörender Vokale zu einer diphthongischen Silbe (antike Metrik) **syn|karp** (gr.-nlat.): (von Fruchtknoten) durch Zusammenwachsen der Fruchtblätter entstanden (Bot.). **Syn|kar|pie** *die;* -: Zusammenwachsen der Fruchtblätter zu einem Fruchtknoten (Bot.).

Syn|ka|ry|on *das; -s, ...ka̱rya* od. ...ka̱ryen: durch die Vereinigung zweier Kerne entstandener diploider Zellkern (Biol.)

Syn|ka|ta|the|sis ⟨*gr.*⟩ *die; -:* (in der stoischen Philosophie) Anerkennung eines über die Wahrnehmung hinausgehenden Urteils

Syn|ka|te|go̱|re|ma ⟨*gr.-lat.*⟩ *das; -s, ...re̱mata:* das unselbstständige, nur in Verbindung mit anderen Worten sinnvolle Wort od. Zeichen (Logik)

Syn|ki|ne̱|se ⟨*gr.-nlat.*⟩ *die; -, -n:* unwillkürliche Mitbewegung von Muskeln (Med.)

syn|kli|na̱l ⟨*gr.-nlat.*⟩: zum Muldenkern hin einfallend (von der Gesteinslagerung; Geol.). **Syn|kli|na̱|le** u. **Syn|kli̱|ne** *die; -, -n:* Mulde (Geol.). **Syn|kli|no̱|ri|um** *das; -s, ...ien:* Faltenbündel, dessen mittlere Falten tiefer als die äußeren liegen; Sattel (Geol.)

Syn|ko̱|pe ⟨*gr.-lat.*⟩ *die; , ...ko̱-* pen: 1. ['zynkope] a) Ausfall eines unbetonten Vokals zwischen zwei Konsonanten im Wortinnern (z. B. ew'ger statt ewiger); b) Ausfall einer Senkung im Vers (Metrik). 2. ['zynkope] (Med.) plötzliche, kurzzeitige Ohnmacht infolge einer Störung der Gehirndurchblutung. 3. [zyn-'ko:pə] rhythmische Verschiebung durch Bindung eines unbetonten Wertes an den folgenden betonten (Mus.). **syn|ko|pie̱|ren** ⟨*gr.-nlat.*⟩: 1. einen unbetonten Vokal zwischen zwei Konsonanten ausfallen lassen. 2. eine Senkung im Vers ausfallen lassen. 3. durch eine Synkope (3), durch Synkopen rhythmisch verschieben (Mus.). **syn|ko|pisch:** die Synkope betreffend, in der Art der Synkope

Syn|ko|ty|lie̱ ⟨*gr.-nlat.*⟩ *die; -:* Einkeimblättrigkeit infolge Verwachsens von zwei Keimblättern (Bot.); Ggs. ↑ Heterokotylie

Syn|kre|tis|mus ⟨*gr.-nlat.*⟩ *der; -:* 1. Vermischung verschiedener Religionen, Konfessionen od. philosophische Lehren, meist ohne innere Einheit (z. B. in der späten Antike). 2. ↑ Kasussynkretismus. **Syn|kre|tist** *der; -en, -en:* Vertreter des Synkretismus (1). **syn|kre|tis|tisch:** den Synkretismus betreffend

Syn|kri|se u. **Syn|kri|sis** ⟨*gr.*⟩ *die; -, ...krisen:* Vergleich; Zusammensetzung, Mischung (Philos.). **syn|kri|tisch** ⟨*gr.-nlat.*⟩: zusammensetzend, verglei-

chend, verbindend (Philos.); Ggs. ↑ diakritisch

Sy|no̱d ⟨*gr.-lat.*⟩ *der; -[e]s, -e:* (bis 1917) oberstes Organ der russisch-orthodoxen Kirche. **sy|no̱-da̱l:** die Synode betreffend, zu ihr gehörend. **Sy|no̱|da̱|le** *der* od. *die; -n, -n:* Mitglied einer Synode. **Sy|no̱|de** ⟨„Zusammenkunft"⟩ *die; -, -n:* 1. aus Beauftragten der Gemeinden bestehende Versammlung, die Fragen der Lehre u. kirchlichen Ordnung regelt u. Trägerin kirchlicher Selbstverwaltung ist (ev. Kirche). 2. beratende, beschließende u. gesetzgebende Versammlung von Bischöfen u. einem Konzil (1) [unter Vorsitz des Papstes] (kath. Kirche). **sy|no̱-disch:** 1. auf die Stellung von Sonne u. Erde zueinander bezogen (Astron.). 2. ↑ synodal **Sy|nö̱|kie̱*** u. **Sy|nö̱|ko|lo|gie** ⟨*gr.-nlat.*⟩ *die; -:* ↑ Biozönologie **sy|no̱|nym*** ⟨*gr.-lat.*⟩: mit einem anderen Wort von gleicher od. ähnlicher Bedeutung, sodass beide in einem bestimmten Zusammenhang austauschbar sind; sinnverwandt. **Sy|no̱|nym** *das; -s, -e,* auch: Synonyma: synonymes Wort (Sprachw.). **Sy|no̱|ny-mie** *die; -, ...ien:* inhaltliche Übereinstimmung von verschiedenen Wörtern od. Konstruktionen in derselben Sprache. **Sy|no|ny̱|mik** ⟨*gr.*⟩ *die; -, -en:* 1. (ohne Plural) Teilgebiet der Linguistik, auf dem man sich mit der Synonymie befasst. 2. Wörterbuch der Synonyme. **sy|no|ny̱-misch:** die Synonymie betreffend

Sy|no̱ph|rys* ⟨*gr.*⟩ *die; -:* das Zusammenwachsen der Augenbrauen (Med.).

Sy|no̱p|se* ⟨*gr.-lat.;* „Zusammenschau"⟩ u. **Sy|no̱p|sis** *die; -, ...o̱psen:* 1. knappe Zusammenfassung, vergleichende Übersicht. 2. a) vergleichende Gegenüberstellung von Texten o. Ä.; b) sachliche bzw. wörtliche Nebeneinanderstellung der Evangelien nach Matthäus, Markus u. Lukas. **Sy|no̱p|tik** ⟨*gr.*⟩ *die; -:* für eine Wettervorhersage notwendige großräumige Wetterbeobachtung (Meteor.). **Sy|no̱p|ti|ker** *die* (Plural): einer der drei Evangelisten Matthäus, Markus u. Lukas, deren Texte beim Vergleich weitgehend übereinstimmen. **sy-no̱p|tisch:** 1. [übersichtlich] zusammengestellt, nebeneinander

gereiht. 2. von den Synoptikern stammend

sy|no̱|ro|ge̱n* ⟨*gr.-nlat.*⟩: gleichzeitig mit einer Gebirgsbildung aufsteigend (von Gesteinsschmelzen; Geol.)

Sy|nos|to̱|se* ⟨*gr.-nlat.*⟩ *die; -, -n:* ↑ Synarthrose

Sy|no̱|via* ⟨⟨*gr.; lat.*⟩ *nlat.*⟩ *die; -:* Gelenkschmiere (Med.). **Sy|no-vi|a̱l|om** *das; -s, -e:* von der Gelenkinnenhaut ausgehende bösartige Gelenkgeschwulst (Med.). **Sy|no|vi̱|tis** *die; -, ...iti̱den:* Gelenkentzündung (Med.)

Sy|nö̱|zie* ⟨*gr.-nlat.;* „Zusammenhausen"⟩ *die; -, ...ien:* 1. das Zusammenleben zweier od. mehrerer Arten von Organismen, ohne dass die Gemeinschaft den Wirtstieren nützt od. schadet (z. B. bei Ameisen u. Termiten, die andere Insekten in ihren Bauten dulden u. ernähren). 2. ↑ Muuö̱zle. **sy|nö̱|zisch:** die Synözie betreffend

Syn|se|ma̱n|ti|kon ⟨*gr.-nlat.*⟩ *das; -s, ...ka* (meist Plural): inhaltsarmes Wort, das seine eigentliche Bedeutung erst durch den umgebenden Text erhält (z. B. dieser); Ggs. ↑ Autosemantikon. **syn|se-ma̱n|tisch:** das Synsemantikon betreffend

Syn|ta̱g|ma ⟨*gr.;* „Zusammengestelltes, Sammlung"⟩ *das; -s, ...men* oder *-ta:* 1. (veraltet) Sammlung von Schriften, Aufsätzen, Bemerkungen verwandten Inhalts. 2. Verknüpfung von Wörtern zu Wortgruppen, Wortverbindungen (z. B. von *in* und *Eile* zu *in Eile;* Sprachw.). **syn-ta̱g|ma̱|tisch** ⟨*gr.-nlat.*⟩: die Beziehung, die zwischen ein Syntagma bildenden Einheiten besteht, betreffend (Sprachw.). **Syn|ta̱k|tik** *die; -:* Teilgebiet der Semiologie (1), das sich mit der Untersuchung der formalen Beziehungen zwischen den Zeichen einer Sprache befasst. **Syn|ta̱k-ti|kum** *das; -s, ...ka:* ↑ Syntagma (2). **syn|ta̱k|tisch** ⟨*gr.*⟩: die Syntax (1, 2) betreffend. **Syn|tax** ⟨*gr.-lat.;* „Zusammenordnung", Verfügung; Satzgefüge"⟩ *die; -, -en:* (Sprachw.) 1. in einer Sprache übliche Verbindung von Wörtern zu Wortgruppen u. Sätzen; korrekte Verknüpfung sprachlicher Einheiten im Satz. 2. Lehre vom Bau des Satzes als Teilgebiet der Grammatik; Satzlehre. 3. wissenschaftliche Darstellung der Syntax (2)

Syn|te̱|re|sis *die; -:* ↑ Synderesis

Syn|the̱|se ⟨gr.-lat.⟩ die; -, -n: 1. (Philos.). a) Vereinigung verschiedener [gegensätzlicher] geistiger Elemente, von These u. Antithese zu einem neuen [höheren] Ganzen; b) Verfahren, von elementaren zu komplexen Begriffen zu gelangen. 2. Aufbau einer Substanz aus einfacheren Stoffen (Chemie). Syn|the̱|sis die; -, ...the̱sen: ↑Synthese (1). Syn|the̱|si̱|zer ['zyntəsaizɐ, engl.: 'sınθɪsaɪzə] ⟨gr.-engl.⟩ der; -s, -: elektronisches Musikinstrument aus einer Kombination aufeinander abgestimmter elektronischer Bauelemente zur Erzeugung von Klängen u. Geräuschen. Syn|the̱|ta: Plural von ↑Syntheton. Syn|the̱|tics ⟨gr.-engl.⟩ die (Plural): a) auf chemischem Wege gewonnene Textilfasern; Gewebe aus Kunstfasern; b) Textilien aus Synthetics (a). Syn|the̱|tik das; - (meist ohne Artikel): [Gewebe aus] Kunstfaser, Chemiefaser. Syn|the̱|tiks vgl. Synthetics. syn|the̱|tisch ⟨gr.⟩: 1. zusammensetzend; synthetische Sprachen: Sprachen, die die Beziehung der Wörter im Satz durch Endungen u. nicht durch freie Morpheme ausdrücken (z. B. lat. amavi gegenüber dt. ich habe geliebt); Ggs. ↑analytische Sprachen. 2. aus einfacheren Stoffen aufgebaut; künstlich hergestellt (Chem.). 3. gleichsinnig einfallend (von einem geologischen Verwerfungssystem). syn|the̱|ti̱|sie̱|ren ⟨gr.-nlat.⟩: aus einfacheren Stoffen herstellen (Chem.). Syn|the̱|ton ⟨gr.⟩ das; -s, ...ta: aus einer ursprünglichen Wortgruppe zusammengezogenes Wort (z. B. „wettlaufen" aus „um die Wette laufen") Syn|tro|pie̱ ⟨gr.-nlat.⟩ die; -, ...i̱en: gemeinsames Auftreten zweier verschiedener Krankheiten (Med.) Syn|u|ri̱e̱* ⟨gr.-nlat.⟩ die; -, ...i̱en: Ausscheidung von Fremdstoffen durch den Harn (Med.) Syn|zy̱|ti̱|um ⟨gr.-nlat.⟩ das; -s, ...ien: mehrkernige Plasmamasse (durch Verschmelzung mehrerer Zellen entstanden) Sy|phi̱|lid ⟨nlat.⟩ das; -[e]s, -e: syphilitischer Hautausschlag. Sy-phi̱|lis ⟨nlat.; nach dem Titel eines lat. Lehrgedichts des 16. Jh.s, in dem die Geschichte eines am Syphilis erkrankten Hirten namens Syphilus erzählt wird⟩ die; -: chronisch verlaufende Ge-

schlechtskrankheit, die mit Schädigungen der Haut, der inneren Organe, Knochen, des Gehirns u. Rückenmarks einhergeht; Lues. Sy|phi̱|li̱|ti|ker der; -s, -: jmd., der an Syphilis leidet. sy|phi̱|li̱|tisch: die Syphilis betreffend. Sy|phi̱|lo|id das; -[e]s, -e: abgeschwächte Form der Syphilis. Sy|phi̱|lom das; -s, -e: syphilitische Geschwulst. Sy|phi̱-lo|se die; -, -n: syphilitische Erkrankung

Sy|ri̱n|ge ⟨gr.-mlat.⟩ die; -, -n: Flieder (Bot.). Sy|ri̱n|gen: Plural von ↑Syringe u. Syrinx. Sy-rin|gi̱|tis ⟨gr.-nlat.⟩ die; -, ...iti̱-den: Entzündung der Ohrtrompete. Sy|rin|go|my|e̱|lie die; -, ...i̱en: Erkrankung des Rückenmarks mit Bildung von Höhlen im grauen Mark. Sy|rinx ⟨gr.-lat.⟩ die; -, ...i̱ngen: 1. Panflöte. 2. (bei [Sing]vögeln) Töne erzeugendes Organ an der Gabelung der Luftröhre in die beiden Hauptbronchien.

Sy|ro|lo|ge ⟨gr.-nlat.⟩ der; -n, -n: Wissenschafter auf dem Gebiet der Syrologie. Sy|ro|lo|gie die; -: Wissenschaft von den Sprachen, der Geschichte u. den Altertümern Syriens

sys|ta̱l|tisch ⟨gr.-lat.⟩: zusammenziehend (Med.)

Sys|te̱m ⟨gr.-lat.; „Zusammenstellung"⟩ das; -s, -e: 1. Prinzip, Ordnung, nach der etwas organisiert od. aufgebaut wird, Plan, nach dem vorgegangen wird. 2. Gefüge, einheitlich geordnetes Ganzes. 3. wissenschaftliches Schema, Lehrgebäude. 4. Form der staatlichen, wirtschaftlichen u. gesellschaftlichen Organisation; Regierungsform. 5. eine Menge von Elementen, zwischen denen bestimmte Beziehungen bestehen od. die nach bestimmten Regeln zu verwenden sind (EDV; Sprachw.; Kybernetik). 6. Zusammenfassung u. Einordnung der Tiere u. Pflanzen in verwandte od. ähnlich gebaute Gruppen (Biol.). 7. Zusammenschluss von zwei od. mehreren Perioden (7) (Metrik). 8. in festgelegter Weise zusammengeordnete Linien o. Ä. zur Eintragung und Festlegung von etwas. Sys-te̱m|an|a|ly̱|se die; -, -n: (EDV) 1. Untersuchung eines Problems u. seine Zerlegung in Einzelprobleme als Vorstufe des Programmierens. 2. Untersuchung der Computertechnik u. der jeweiligen Einsatzmöglichkeiten

in einem Bereich. Sys|te̱m|ana|ly̱|ti|ker der; -s, -: Fachmann auf dem Gebiet der Systemanalyse. Sys|te|ma̱|tik die; -, -en: 1. planmäßige Darstellung; einheitliche Gestaltung. 2. Teilgebiet der Zoologie u. Botanik mit der Aufgabe der Einordnung aller Lebewesen in ein System. Sys|te|ma̱-ti|ker der; -s, -: 1. jmd., der systematisch vorgeht. 2. Wissenschaftler auf dem Gebiet der Systematik (2). sys|te|ma̱|tisch: 1. das System, die Systematik betreffend. 2. in ein System gebracht, ordentlich gegliedert. 3. planmäßig, gezielt, absichtlich. sys|te|ma̱|ti|si̱e̱|ren ⟨gr.-nlat.⟩: in ein System bringen, in einem System darstellen. sys|te̱m|im-ma̱|nent: a) einem System innewohnend, in den Rahmen eines Systems (3, 4) gehörend; b) sich [im Denken u. Handeln] innerhalb der Grenzen eines Systems (4) bewegend; angepasst. sys|te̱-misch: ein Organsystem od. mehrere Organe in gleicher Weise betreffend od. auf sie wirkend (Biol.; Med.); systemische Insektizide: Insektengifte, die von der Pflanze durch Blätter u. Wurzeln mit dem Saftstrom aufgenommen werden u. so vom innen her einen wirksamen Schutz gegen saugende Schädlinge bieten. Sys|te̱m|ka|me̱|ra die; -, -s: (künstlerischen od. wissenschaftlichen Zwecken dienender) fotografischer Apparat, dessen Ausrüstung nach dem Baukastenprinzip ausgewechselt werden kann. Sys|te̱m|kon-form: mit einem bestehenden politischen System im Einklang. Sys|te̱m|kri̱ti|ker der; -s, -: jmd., der eine politische od. gesellschaftliche Ideologie angreift u. kritisiert. Sys|te|mo|id das; -[e]s, -e: systemähnliches Gebilde. Sys|te̱m|soft|ware die; -: Gesamtheit der Programme einer Datenverarbeitungsanlage, die vom Hersteller mitgeliefert werden u. die Anlage betriebsbereit machen (EDV). Sys|to|le [auch: ...'to:lə] ⟨gr.-lat.; „Zusammenziehung, Kürzung"⟩ die; -, ...olen: 1. mit der Diastole rhythmisch abwechselnde Zusammenziehung des Herzmuskels (Med.). 2. Kürzung eines langen Vokals od. eines Diphthongs aus Verszwang (antike Metrik). sys|to̱|lisch ⟨gr.-nlat.⟩: die Systole betreffend Sy|zy|gie ⟨gr.-lat.; „Zusammenfügung") *die;* -, ...jen: 1. Stellung von Sonne, Mond u. Erde in annähernd gerader Linie (d. h. die Zeit um Vollmond od. Neumond; Astron.). 2. Verbindung von zwei Versfüßen, Dipodie (antike Metrik). **Sy|zy|gi|um** ⟨*gr.-nlat.*⟩ *das;* -s, ...ien: ↑ Syzygie (1)

Sze|nar ⟨*gr.-lat.*⟩ *das;* -s, -e: 1. ↑ Szenarium (1). 2. ↑ Szenario (1, 3). **Sze|na|rio** *das;* -s, -s: 1. szenisch gegliederter Entwurf eines Films (als Entwicklungsstufe zwischen Exposé u. Drehbuch; Theater). 2. Szenarium (1). 3. (in der öffentlichen u. industriellen Planung) hypothetische Aufeinanderfolge von Ereignissen, die zur Beachtung kausaler Zusammenhänge konstruiert wird. 4. Szenerie (2), Bild, Ambiente. **Sze|na|rist** *der;* -en, -en: jmd., der ein Szenario entwirft. **Sze|na|ri|um** *das;* -s, ...ien: 1. für die Regie u. das technische Personal erstellte Übersicht mit Angaben über Szenenfolge, auftretende Personen usw. (Theater). 2. Szenario (1) (Film). 3. Szenario (3). 4. Schauplatz. **Sze|ne** ⟨*gr.-lat.-fr.*⟩ *die;* -, -n: 1. ↑ Skene. 2. Schauplatz einer [Theater]handlung; Bühne. 3. kleinste Einheit des Dramas od. Films; Auftritt (als Unterabteilung des Aktes). 4. auffallender Vorgang, Vorfall, der sich zwischen Personen [vor anderen] abspielt. 5. Auseinandersetzung; heftige Vorwürfe, die jmdm. gemacht werden. 6. charakteristischer Bereich, Schauplatz, auf dem sich etwas abspielt, Gesamtheit bestimmter [kultureller] Aktivitäten. **Sze|ne|rie** *die;* -, ...ien. 1. das mittels der Dekorationen usw. dargestellte Bühnenbild. 2. Schauplatz, Rahmen von etwas. **sze|nisch:** die Szene betreffend, bühnenmäßig. **Sze|no|graph,** auch: Szenograf *der;* -en, -en: (frühere Bez. für Produktionsdesigner) jmd., der Dekorationen u. Bauten für Filme entwirft. **Sze|no|gra|phie,** auch: Szenografie *die;* -, ...ien: (frühere Bez. für Produktionsdesign) Entwurf u. Ausführung der Dekoration u. der Bauten für Filme. **Sze|no|test** ⟨*fr.; engl.*⟩ *der;* -[e]s, -e u. -s: Test für Kinder, bei dem mit Puppen, Tieren u. Bausteinen Szenen (4) darzustellen sind, wodurch (unbewusste) kindliche Konflikte zum Ausdruck gelangen sollen (Psychol.)

Szep|ter ⟨*gr.-lat.*⟩ *das;* -s, -: (veraltet) Zepter

szi|en|ti|fisch ⟨*lat.-nlat.*⟩: wissenschaftlich. **Szi|en|ti|fis|mus** *der;* -: ↑ Szientismus (1). **Szi|en|tis|mus** *der;* -: 1. Wissenschaftstheorie, nach der die Methoden der exakten [Natur]wissenschaften auf die Geistes- u. Sozialwissenschaften übertragen werden sollen; auf strenger Wissenschaftlichkeit gründende Haltung (Philos.). 2. Lehre der Christian Science, nach der Sünde, Tod u. Krankheit Einbildungen sind, die durch das Gebet zu Gott geistig überwunden werden können. **Szi|en|tist** *der;* -en, -en: Vertreter des Szientismus. **szi|en|tis|tisch:** den Szientismus, die Szientisten betreffend

Szil|la u. Scilla ⟨*gr.-lat.*⟩ *die;* -, ...llen: (im Frühjahr blühende) Pflanze mit schmalen Blättern u. kleinen, sternförmigen blauen Blüten

Szin|ti|gramm ⟨*lat.; gr.*⟩ *das;* -s, -e: durch die Einwirkung der Strahlung radioaktiver Stoffe auf eine fluoreszierende Schicht erzeugtes Leuchtbild (Med.). **Szin|ti|graph,** auch: Szintigraf *der;* -en, -en: Gerät zur Herstellung von Szintigrammen (Med.). **Szin|ti|gra|phie,** auch: Szintigrafie *die;* -, ...ien: Untersuchung u. Darstellung innerer Organe mithilfe von Szintigrammen. **Szin|til|la|ti|on** ⟨*lat.*⟩ *die;* -, -en: 1. das Sternfunkeln (Astron.). 2. Lichtblitze beim Auftreffen radioaktiver Strahlung auf fluoreszierende Stoffe. **szin|til|lie|ren:** funkeln, leuchten, flimmern (Astron.; Phys.). **Szin|til|lo|me|ter** ⟨*lat.; gr.*⟩ *das;* -s, -: 1. Instrument zur Messung der Zahl der Farbwechsel je Sekunde beim Funkeln eines Sternes (Astron.). 2. Strahlenmesser für die Suche nach uranhaltigem Gestein

Szir|rhus ⟨*gr.-lat.*⟩ *der;* -: harte Krebsgeschwulst (Med.)

Szis|si|on ⟨*lat.*⟩ *die;* -, -en: (veraltet) Spaltung, [Ab]trennung. **Szis|sur** *die;* -, -en: (veraltet) Spalte, Riss

Szyl|la u. Scylla ⟨*gr.-lat.*⟩ *die;* -: (bei Homer) ein sechsköpfiges Seeungeheuer in einem Felsenriff in der Straße von Messina [gegenüber der Charybdis, einem gefährlichen Meeresstrudel]; **zwischen Szylla und Charybdis:** in einer Situation, bei der nur zwischen zwei Übeln zu wählen ist; in einer ausweglosen Lage

Tab [bei engl. Aussspr.: tæb] ⟨*engl.*⟩ *der;* -[e]s, -e u. (bei engl. Ausspr.:) *der;* -s, -s: vorspringender Teil einer Karteikarte zur Kenntlichmachung bestimmter Merkmale

Ta|bal|gie [...'ʒi:] ⟨*span.-fr.*⟩ *die;* -, ...jen: in früherer Zeit ein Gasthaus, in dem geraucht werden durfte. **Ta|bak** [auch: 'ta:... u. bes. österr.: ...'bak] ⟨*span.*⟩ *der;* -s, -e: 1. (ohne Plural) eine Pflanze, deren Blätter zu Zigaretten, Zigarren u. Pfeifentabak verarbeitet werden. 2. das aus den Blättern der Tabakpflanze hergestellte Genussmittel. **Ta|ba|ko|se** ⟨*span.-nlat.*⟩ *die;* -, -n: Ablagerung von Tabakstaub in der Lunge (Tabakstaublunge; Med.). **Ta|bak|re|gie** *die;* -: (österr. ugs.) staatliche Tabakwerke. **Ta|bak|tra|fik** *die;* -, -en: (österr.) kleines Geschäft, in dem man Tabakwaren, Briefmarken, Zeitschriften u. Ä. kaufen kann. **Ta|bak|tra|fi|kant** *der;* -en, -en: (österr.) Inhaber einer Tabaktrafik

Ta|bas|co ® ⟨nach dem mexik. Bundesstaat⟩ *der;* -s u. **Ta|bas|co|so|ße** *die;* -: aus roten ↑ Chillies unter Beigabe von Essig, Salz u. anderen Gewürzen hergestellte, scharfe Würzsoße

Ta|ba|tie|re ⟨*span.-fr.*⟩ *die;* -, -n: 1. (veraltet) Schnupftabakdose. 2. (österr.) Zigarettendose

ta|bel|la|risch ⟨*lat.*⟩: in Form einer Tabelle angeordnet. **ta|bel|la|ri|sie|ren** ⟨*lat.-nlat.*⟩: übersichtlich in Tabellen anordnen. **Ta|bel|la|ri|um** *das;* -s, ...ria: aus Tabellen bestehende Zusammenstellung, Übersicht [als Anhang eines Buches]. **Ta|bel|le** ⟨*lat.;* „Täfelchen", Merktäfelchen"⟩ *die;* -, -n: listenähnliche Zusammenstellung von Zahlenmaterial, Fakten, Namen u. a.; Übersicht, [Zahlen]tafel, Liste. **ta|bel|lie|ren** ⟨*lat.-nlat.*⟩: Angaben auf maschinellem Wege in Tabellenform darstellen. **Ta|bel|lier|ma|schi|ne** *die;* -, -n: Lochkartenmaschine, die Tabellen ausdruckt. **Ta|ber|na|kel** ⟨lat.; „Zelt, Hütte") das (auch, bes. in der katholischen Kirche: der); -s, -: 1. a) kunstvoll gearbeitetes (im Mittelalter tragbares) festes Gehäuse zur Aufbewahrung der geweihten Hostie auf dem katholischen Altar; b) ↑Ziborium (1). 2. Ziergehäuse mit säulengestütztem Spitzdach [für Figuren] (in der Gotik). **Ta|ber|ne** die; -, -n: (veraltet) ↑Taverne **Ta|bes** ⟨lat.⟩ die; -: (Med.) 1. (veraltet) Auszehrung, Schwindsucht. 2. Rückenmarksschwindsucht. **Ta|bes|zenz** ⟨lat.-nlat.⟩ die; -, -en: Abzehrung, Auszehrung (Med.). **Ta|be|ti|ker** der; -s, -: ↑Tabiker. **ta|be|tisch:** ↑tabisch. **Ta|bi|ker** der; -s, -: jmd., der an Rückenmarksschwindsucht erkrankt ist (Med.). **ta|bisch:** (Med.) a) an Rückenmarksschwindsucht leidend; b) die Rückenmarksschwindsucht betreffend **Tab|lar*** ⟨lat.-fr.⟩ das; -s, -e: (schweiz.) Regalbrett. **Tab|leau*** [ta'blo:] das; -s, -s: 1. wirkungsvoll gruppiertes Bild [im Schauspiel] (Theat.). 2. (veraltet) Gemälde. 3. (österr.) a) übersichtliche Zusammenstellung von einzelnen Tafeln, die einen Vorgang darstellen; b) Tafel im Flur eines Mietshauses, auf der die Namen der Mieter verzeichnet sind. 4. Zusammenstellung von im gleichen Maßstab angefertigten Vorlagen für eine Gesamtaufnahme in der Reproduktionstechnik. 5. breit ausgeführte, personenreiche Schilderung (bes. Literaturw.). **Tab|leau!*:** (veraltet ugs.) da haben wir die Bescherung! (Ausruf der Überraschung). **Tab|leau* é|co|no|mique** [tabloekɔnɔ'mik] ⟨fr.⟩ das; - -, -x -s [tablozekɔnɔ'mik]: bildliche Darstellung des volkswirtschaftlichen Kreislaufs nach dem franz. Nationalökonomen Quesnay (1694–1774). **Tab|leau* d'Hôte** [tablə'do:t] die; - -: (veraltet) [gemeinsame] Speisetafel im Hotel. **Ta|ble|top** [ˈtɛɪbltɔp] ⟨lat.-fr.-engl.⟩ das; -s, -s: Anordnung verschiedener Gegenstände, die stilllebenähnlich fotografiert od. als Trickfilm aufgenommen werden. **Tab|lett** ⟨lat.-fr.⟩ das; (auch:) die; -[e]s (auch: -e): Servierbrett. **Tab|let|te*** der; -s, -n: ein in eine feste [runde] Form gepresstes Arzneimittel zum Einneh-

men. **tab|let|tie|ren*** ⟨lat.-fr.-nlat.⟩: in Tablettenform bringen. **tab|lie|ren*** ⟨lat.-fr.⟩: für Konserven od. Bonbons bestimmten siedenden Zucker umrühren. **Tab|li|num*** ⟨lat.⟩ das; -s, ...na: Hauptraum des altrömischen Hauses **Ta|bo|pa|ra|ly|se** ⟨lat.; gr.⟩ die; -: mit fortschreitender ↑Paralyse verbundene Rückenmarksschwindsucht (Med.). **Ta|bo|pho|bie** die; -, ...ien: krankhafte Angst, an Rückenmarksschwindsucht zu erkranken od. erkrankt zu sein (Med.). **Ta|bor** ⟨turkotat.-slaw.⟩ der; -s, -s: 1. tschech. Bez. für: Volksversammlung. 2. (hist.) russ. Bez. für: Zigeunerlager **Ta|bo|rit** ⟨nlat.; nach der tschech. Stadt Tábor⟩ der; -en, -en: Angehöriger einer radikalen Gruppe der ↑Hussiten (15. Jh.) **Ta|bor|licht** ⟨nach der Verklärung Jesu auf dem Berg Tabor, Matth. 17, 2⟩ das; -[e]s: das Gott umgebende ungeschaffene Licht in der Mystik der orthodoxen Kirche; vgl. Hesychasmus **Tab|ris*** ⟨nach der iran. Stadt⟩ der; -, -: feiner, kurz geschorener Teppich aus Wolle od. Seide, meist mit Medaillonmusterung **ta|bu** ⟨polynes.⟩: einem Tabu unterliegend; unverletzlich, unantastbar. **Ta|bu** das; -s, -s: 1. bei Naturvölkern die Heiligung eines mit ↑Mana erfüllten Menschen od. Gegenstandes mit dem Verbot, ihn anzurühren (Völkerk.). 2. ungeschriebenes Gesetz, das aufgrund bestimmter Anschauungen innerhalb einer Gesellschaft verbietet, bestimmte Dinge zu tun; sittliche, konventionelle Schranke. **ta|bu|ie|ren** ⟨polynes.-nlat.⟩: ↑tabuisieren. **Ta|bu|ie|rung** die; -, -en: ↑Tabuisierung. **ta|bu|i|sie|ren:** für tabu erklären (Med.). **Ta|bu|i|sie|rung** die; -, -en: das Tabuisieren. **ta|bu|is|tisch:** das Tabu betreffend, in der Art eines Tabus beschaffen **Ta|bu|la gra|tu|la|to|ria** ⟨lat.⟩ die; - -, ...lae ...iae [...lɛ ...i̯ɛ]: Gratulantenliste (in Fest-, Jubiläumsschriften o. Ä.). **Ta|bu|la ra|sa** ⟨„abgeschabte Tafel") die; - -: 1. Zustand der Seele [bei der Geburt des Menschen], in dem sie noch keine Eindrücke von außen empfangen u. keine Vorstellungen entwickelt hat (Philos.). 2. a) (in der Antike) wachsüberzogene Schreibtafel, auf der die

Schrift wieder vollständig gelöscht war; b) unbeschriebenes Blatt; **Tabula rasa machen:** reinen Tisch machen; energisch Ordnung schaffen. **Ta|bu|la|ten** ⟨lat.-nlat.⟩ die (Plural): ausgestorbene Korallen mit quer gefächerten Röhren. **Ta|bu|la|tor** der; -s, ...oren: zum Tabellenschreiben bestimmte Einrichtung bei Schreib- u. Buchungsmaschinen. **Ta|bu|la|tur** die; -, -en: (Mus.) 1. Tafel mit den Meistersingerregeln. 2. Notierungsweise für Instrumente, auf denen mehrstimmig gespielt wird (vom 14. bis 18. Jh.). **Ta|bu|lett** ⟨lat.-mlat.⟩ das; -[e]s, -e: (veraltet) Rückentrage, leichter Bretterkasten mit Fächern **Ta|bu|rett** ⟨arab.-fr.⟩ das; -[e]s, -e: (veraltet, aber noch schweiz.) Hocker **Ta|bu|wort** ⟨polynes.; dt.⟩ das; -[e]s, ...wörter: Wort, das ein Tabu berührt u. das man deswegen meidet u. durch ein anderes ersetzt (z. B. der Leibhaftige anstelle von der Teufel; Sprachw.) **ta|cet** ⟨lat.; „(es) schweigt"): Angabe, dass ein Instrument od. eine Stimme auf längere Zeit zu pausieren hat (Mus.) **Ta|che|les** ⟨hebr.-jidd.⟩: in der Fügung: **Tacheles reden:** a) offen miteinander reden; b) jmdm. seine Meinung sagen **Ta|chi|na** ⟨gr.-nlat.⟩ die; -, ...nen: Raupenfliege, deren Larven in Raupen u. Puppen von Schmetterlingen schmarotzen **ta|chi|nie|ren** ⟨Herkunft unsicher): (österr. ugs.) [während der Arbeitszeit] untätig herumstehen, faulenzen **Ta|chis|mus** [ta'ʃɪs...] ⟨germ.-fr.-nlat.⟩ der; -: Richtung der abstrakten Malerei, die Empfindungen durch spontane Auftragen von Farbflecken auf die Leinwand auszudrücken sucht. **Ta|chist** der; -en, -en: Vertreter des Tachismus. **ta|chis|tisch:** im Stil des Tachismus **Ta|chis|to|sko|pe*** ⟨gr.-nlat.⟩ das; -s, -e: Apparat zur Vorführung optischer Reize in Zusammenhang mit Aufmerksamkeitstests bei psychologischen Untersuchungen. **Ta|cho** der; -s, -s: (ugs.) Kurzform von: ↑Tachometer (2). **Ta|cho|graph**, auch: Tachograf ⟨gr.-nlat.⟩ der; -en, -en: Gerät zum Aufzeichnen von Geschwindigkeiten; Fahrtschreiber. **Ta|cho|me|ter** der (auch: das); -s, -: 1. Instrument an Maschinen zur Messung der Augenblicksdrehzahl, auch mit Stundengeschwindigkeitsanzeige. 2. [mit einem Kilometerzähler verbundener] Geschwindigkeitsmesser bei Fahrzeugen. Tachy|graph, auch: Tachygraf der; -en, -en: 1. (hist.) Schreiber, der die Tachygraphie beherrscht. 2. ↑Tachograph. Ta|chy|gra|phie, auch: Tachygrafie die; -, ...ien: Kurzschriftsystem des Altertums. Ta|chy|kar|die die; -, ...ien: stark beschleunigte Herztätigkeit; Herzjagen (Med.). Tachy|me|ter das; -s, -: Instrument zur geodätischen Schnellmessung, das neben Vertikal- u. Horizontalwinkeln auch Entfernungen misst. Ta|chy|met|rie* die; -: Verfahren zur schnellen Geländeaufnahme durch gleichzeitige Entfernungs- u. Höhenmessung mithilfe des Tachymeters. Ta|chy|on das; -s, ...onen: hypothetisches Elementarteilchen, das Überlichtgeschwindigkeit besitzt (Phys.). Ta|chy|pha|gie die; -: hastiges Essen (Med.). Tachy|phy|la|xie die; -, ...ien: nachlassende, durch Steigerung der Dosis nicht ausgleichbares Reagieren des Organismus auf wiederholt verabreichte Arzneimittel (Med.). Ta|chyp|noe* die; -: beschleunigte Atmung; Kurzatmigkeit (Med.). ta|chy|seismisch: schnell bebend (Erdbebenkunde)

Ta|cker ⟨engl.⟩ der; -s, -: Gerät, mit dem etwas geheftet werden kann. ta|ckern: (ugs.) mit dem Tacker heften

Tack|ling ['tɛk...] ⟨engl.⟩ das; -s, -s: Kurzform von ↑Slidingtackling. Tä|oko u. Täks, (auch, bes. österr.:) Tacks ⟨engl.⟩ der; og, -e: kleiner keilförmiger Nagel zur Verbindung von Oberleder u. Brandsohle (Schuhherstellung). Ta|c|tus ⟨lat.⟩ der; -: Fähigkeit des Organismus, Berührungsreize über die Tastkörperchen aufzunehmen; Tastsinn (Med.)

Taek|won|do* [tɛ'kvɔndo] ⟨korean.⟩ das; -: koreanische Abart des ↑Karate

Tael [tɛːl, teːl] ⟨sanskr.-Hindimalai.-port.⟩ das; -s, -s (aber: 5 Tael): 1. ehemaliges asiatisches Handelsgewicht. 2. eine alte chinesische Münzeinheit

Tae|nia ['tɛː...] ⟨gr.-lat.⟩ die; -, ...ien: 1. (ohne Plural) Gesamtheit der Bandwürmer (Zool.). 2. Leiste am Architrav der dorischen Säule (altgriech. Archit.).

3. Kopfbinde siegreicher Athleten (altgriech. Plastik)
Taf vgl. Tef
Taf|sir vgl. Tefsir
Taft ⟨pers.-türk.-it.⟩ der; -[e]s, -e: a) dichtes, feinfädiges [Kunst]seidengewebe in Leinwandbindung; b) ein Futterstoff. taf|ten: aus Taft
¹Tag [tɛg] ⟨engl.-amerik.⟩ der; -, -s: [improvisierte] Schlussformel bei Jazzstücken. ²Tag das; -s, -s: auf dem Bildschirm eines Computers dargestelltes sichtbares Zeichen zur Strukturierung z. B. eines Textes (EDV)
Tal|ge|tes ⟨lat.-nlat.⟩ die; -, -: eine Zierpflanze
Tag|li|a|ta* [tal'ja:ta] ⟨lat.-vulgärlat.-it.⟩ die; -, -s: ein bestimmter Fechthieb (Sport). Tag|li|a|tel|le [talja...] u. Tag|li|a|ti [tal'ja:ti] die (Plural): italienische Bandnudeln
Tag|mem ⟨gr.⟩ das; -s, -e· 7uordnungseinheit in der Tagmemik. Tag|me|mik die; -: linguistische Theorie auf syntaktischer Ebene
Ta|gu|lan ⟨aus einer indonesischen Sprache der Philippinen⟩ der; -s, -e: indisches Flughörnchen
Tahr u. Thar ⟨nepalesisch⟩ der; -s, -s: indische Halbziege
Tai-Chi [...'tʃiː] ⟨chin.⟩ das; -[s]: 1. (in der chinesischen Philosophie) Urgrund des Seins, aus dem alles entsteht. 2. Abfolge von Übungen mit langsamen, fließenden Bewegungen; Schattenboxen. Tai-Chi-Chu|an [...tʃiˈtʃuan] das; -[s]: ↑Tai-Chi (2)
Tai|fun ⟨chin.-engl.⟩ der; -s, -e: tropischer Wirbelsturm [in Südostasien]
Tai|ga ⟨russ.⟩ die; -: Wald- u Sumpflandschaft bes. in Sibirien
Tai|ji vgl. Tai-Chi (2)
Tail|gate ['teilgeit] ⟨engl.⟩ der; -[s]: Posaunenstil im ↑New-Orleans-Jazz
Tail|le ['taljə, österr.: 'tajljə] ⟨lat.-vulgärlat.-fr.⟩ die; -, -n: 1. a) oberhalb der Hüfte schmaler werdende Stelle des menschlichen Körpers; Gürtellinie; b) (ugs.) die Taille bedeckende Teil von Kleidungsstücken; c) (veraltet) eng anliegendes, ärmelloses Oberteil eines Trachtenkleides o. Ä.; per Taille: (landsch.) ohne Mantel (weil das Wetter es erlaubt). 2. (hist.) a) Vasallensteuer in England u. Frankreich; b) bis 1789 in Frankreich eine Staatssteuer. 3. tiefere Tenorlage eines Instrumenten (z. B. Bratsche; Mus.). 4. das

Aufdecken der Blätter für Gewinn oder Verlust (Kartenspiel).
¹Tail|leur [ta'jøːɐ̯] der; -s, -s [ta'jøːɐ̯]: franz. Bez. für: Schneider.
²Tail|leur das (auch: der); -s, -s: eng anliegendes Schneiderkostüm, Jackenkleid (Fachspr.). tail|lie|ren [ta'ji:...]: 1. (ein Kleidungsstück) auf Taille arbeiten. 2. die Karten aufdecken (Kartenspiel); vgl Taille (4). Taillor ['teɪlɐ] ⟨lat.-vulgärlat.-fr.-engl.⟩ der; -s, -s: engl. Bez. für: Schneider. Tai|lor|made [...meɪd] das; -, -s: Schneiderkleid, -kostüm
¹Tai|pan ⟨austral.⟩ der; -s, -s: in Australien u. Neuguinea vorkommende Giftschlange
²Tai|pan ⟨chin.⟩ der; -s, -e: Leiter eines ausländischen Unternehmens in China
Ta|ka|mal|hak ⟨indian.-span.⟩ der; -[s]: Harz eines tropischen Baumes
Take [teːk, teɪk] ⟨engl.⟩ der od. das; -s, -s: 1. Abschnitt, Teil einer Filmszene, die in einem Stück gedreht wird. 2. (Jargon) Zug aus einer Haschisch- od. Marihuanazigarette
Ta|ke|la|ge [...ʒə] ⟨mit fr. Endung -age zu niederd. Takel "Tauwerk u. Hebezeug eines Schiffes" gebildet⟩ die; -, -n: Segelausrüstung eines Schiffes; Takelwerk
Take-off ['teɪkˈɔf] der; -[s] das u. der; -s, -s: Start (einer Rakete, eines Flugzeugs)
Tal|kin ⟨tibetobirmanisch⟩ der; -s, -s: südostasiatische Rindergämse od. Gnuziege
Täks vgl. Täcks
¹tak|tie|ren ⟨lat.-nlat.⟩: den Takt angeben, schlagen
²tak|tie|ren ⟨gr.-fr.⟩: in einer bestimmten Weise taktisch vorgehen. Tak|tik ⟨gr.-fr.; "Kunst der Anordnung u. Aufstellung"⟩ die; -, -en: 1. Praxis der geschickten Kampf- od. Truppenführung (Mil.). 2. auf genauen Überlegungen basierende, um bestimmten Erwägungen bestimmte Art u. Weise des Vorgehens; berechnendes, zweckbestimmtes Verhalten. Tak|ti|ker der; -s, -: jmd., der eine Situation planmäßig und klug berechnend zu seinem Vorteil zu nutzen versteht
tak|til ⟨lat.⟩ das Tasten, den Berührung, den Tastsinn betreffend (Med.)
tak|tisch ⟨gr.-fr.⟩: a) die Taktik betreffend; b) geschickt u. planvoll vorgehend, auf einer bestimmten Taktik beruhend; taktische Waffe: Waffe von geringe-

rer Sprengkraft u. Reichweite, die zum Einsatz gegen feindliche Streitkräfte u. deren Einrichtungen bestimmt ist; vgl. strategische Waffe

Ta̱kyr ⟨turkmenisch⟩ der; -s, -e (meist Plural): Salztonebene in der Turkmenenwüste

Ta̱l|lal|gi̱e* ⟨lat.; gr.⟩ die; -, ...jen: Fersenschmerz (Med.). **Ta̱l|ar** ⟨lat.-it.⟩ der; -s, -e: bis zu den Knöcheln reichendes, weites, schwarzes Amts- od. Festgewand (z. B. des Richters od. Hochschullehrers)

Ta̱l|la|yot [...'jɔt] ⟨arab.-span.⟩ der; -s, -s: steinerner Wohn- od. Grabbau auf den Balearen (Bronzezeit u. frühe Eisenzeit)

Tal|bo̱|ty|pi̱e ⟨nach dem engl. Physiker Talbot, 1800-1877⟩ die; -: erstes fotografisches Negativ-Positiv-Verfahren für Lichtbilder

Ta̱l|ent ⟨gr.-lat.⟩ das; -[e]s, -e: 1. a) Anlage zu überdurchschnittlichen geistigen od. körperlichen Fähigkeiten auf einem bestimmten Gebiet; angeborene besondere Begabung; b) jmd., der über eine besondere Begabung auf einem bestimmten Gebiet verfügt. 2. altgriechisches Gewichts- u. Geldeinheit. **ta̱|len|ti̱ert**: begabt, geschickt

ta̱l|le qua̱l|le ⟨lat.; „so wie"⟩: so, wie es ist (Bezeichnung für die Qualität einer Ware)

Ta̱|li̱|on ⟨lat.⟩ die; -, -en: die Vergeltung von Gleichem mit Gleichem (umstrittener mittelalterlicher, im Volksbewusstsein z. T. noch nachwirkender Strafrechtsgrundsatz, der z. B. die Todesstrafe für Mord fordert; Rechtsw.)

Ta̱|li|pes ⟨lat.-nlat.⟩ der; -, Talipedes u. ...pe̱des: Klumpfuß (Med.). **Ta̱|li|po̱|ma̱|nus** die; -, -[...nu:s]: Klumphand (Med.)

Ta̱|lis|man ⟨gr.-mgr.-arab.-roman.⟩ der; -s, -e: Glücksbringer, Maskottchen; vgl. Fetisch

Ta̱l|je ⟨lat.-it.-niederl.⟩ die; -, -n: (Seemannsspr.) Flaschenzug. **ta̱l|jen**: (Seemannsspr.) aufwinden

¹Ta̱lk ⟨arab.-span.-fr.⟩ der; -[e]s: ein Mineral

²Talk [tɔːk] ⟨engl.⟩ der; -s, -s: Plauderei, Unterhaltung, [öffentliches] Gespräch. **tal|ken** ['tɔːkn] ⟨engl.⟩: 1. eine Talkshow durchführen. 2. sich unterhalten, Konversation machen

Ta̱lk|er|de ⟨arab.-span.-fr.; dt.⟩ die; -: ↑Magnesia

Talk|mas|ter ['tɔːk...] ⟨engl.⟩ der; -s, -: jmd., der eine Talkshow leitet. **Talk|show** die; -, -s: Unterhaltungssendung, in der ein Gesprächsleiter [bekannte] Persönlichkeiten durch Fragen zu Äußerungen über private, berufliche u. allgemein interessierende Dinge anregt

Ta̱l|kum ⟨arab.-span.-fr.-nlat.⟩ das; -s: 1. ↑¹Talk. 2. feiner weißer Talk als Streupulver. **tal|ku|mie̱ren**: mit Talkum bestreuen

Tal|li̱s (selten), **Tal|li̱t[h]** ⟨hebr.⟩ der; -, -: jüdischer Gebetsmantel

Ta̱ll|öl ⟨schwed.; gr.-lat.-dt.⟩ das; -s: aus Harz- u. Fettsäuren bestehendes Nebenprodukt bei der Zellstoffherstellung

Ta̱l|ly|mann ⟨engl.; dt.⟩ der; -[e]s, Tallyleute: Kontrolleur, der die Stückzahlen von Frachtgütern beim Be- u. Entladen von Schiffen feststellt (Wirtsch.)

ta̱l|mi (zu ↑Talmi gebildet): (österr.) talmin. **Ta̱l|mi** ⟨Kurzform von Talmigold; Herkunft unsicher⟩ das; -s: 1. schwach vergoldeter ↑Tombak. 2. etwas Unechtes. **ta̱l|min**: 1. aus Talmi bestehend. 2. unecht

Ta̱l|mud ⟨hebr.; „Lehre"⟩ der; -[e]s, -e: Sammlung der Gesetze u. religiösen Überlieferungen des Judentums nach der Babylonischen Gefangenschaft; vgl. Mischna. **ta̱l|mu̱|disch**: den Talmud betreffend; im Sinne des Talmuds. **Ta̱l|mu̱|dis|mus** ⟨hebr.-nlat.⟩ der; -: aus dem Talmud geschöpfte Lehre u. Weltanschauung. **Tal|mu̱|dist** der; -en, -en: Erforscher u. Kenner des Talmuds. **tal|mu̱|dis|tisch**: a) den Talmudismus betreffend; b) (abwertend) buchstabengläubig, am Wortlaut klebend

Ta̱l|on [ta'lõ:, österr.: ta'lo:n] ⟨lat.-vulgärlat.-fr.⟩ der; -s, -s: 1. Erneuerungsschein bei Wertpapieren, der zum Empfang eines neuen Kuponbogens berechtigt. 2. a) Kartenrest (beim Geben); b) Kartenstock (bei Glücksspielen); c) einer der noch nicht verteilten, verdeckt liegenden Steine, von denen sich die Spieler der Reihe nach bedienen; Kaufsteine (beim Dominospiel). 3. unterer Teil des Bogens von Streichinstrumenten

Ta̱|ma̱|rak ⟨Herkunft unbekannt⟩ das; -s, -s: Holz einer nordamerikanischen Lärche

Ta̱|ma̱|rin|de ⟨arab.-mlat.⟩ die; -, -n: tropische Pflanze

Ta̱|ma̱|ris|ke ⟨vulgärlat.⟩ die; -, -n:

Strauch od. Baum mit schuppenförmigen Blättern u. kleinen, rosa, in Trauben stehenden Blüten

Ta̱m|bour [...bu:ɐ̯, auch: ...'bu:ɐ̯] ⟨pers.-arab.-span.-fr.⟩ der; -s, -e, (schweiz.) -en: 1. Trommel. 2. Trommler. 3. zylinderförmiges Zwischenteil [mit Fenstern] in Kuppelbauten (Archit.). 4. mit Stahlzähnen besetzte Trommel an Krempeln (Spinnerei). 5. Trommel zum Aufrollen von Papier. **¹Tam|bou̱|rin** [tãbu'rɛ̃] ⟨fr.⟩ das; -s, -s: längliche, zylindrische Trommel, die mit zwei Fellen bespannt ist. **²Tam|bou̱|rin** der; -s, -s: provenzalischer Tanz im lebhaften ²/₄-Takt. **Tam|bour|ma̱|jor** der; -s, -e: Leiter eines [uniformierten] Spielmannszuges. **¹Ta̱m|bur** ⟨pers.-arab.-span.-fr.⟩ der; -s, -e: Stickrahmen, Sticktrommel; vgl. Tambour. **²Ta̱m|bur** vgl. Tanbur. **tam|bu|ri̱e|ren**: 1. mit ↑Tamburierstichen sticken. 2. zur Fertigung des Scheitelstrichs einer Perücke Haare zwischen Tüll u. Gaze einknoten. **Tam|bu|ri̱er|stich** der; -[e]s, -e: Kettenstich, der mit einer entsprechenden Nadel auf den straff gespannten Stoff gehäkelt wird. **Tam|bu̱|rin** [auch: 'tam...] das; -s, -e: 1. Handtrommel mit Schellen. 2. Stickrahmen. **Tam-bu̱|riz|za** ⟨pers.-arab.-span.-it.-serbokroat.⟩ die; -, -s: mandolinenähnliches Saiteninstrument der Serben u. Kroaten

Ta̱|mil ⟨tamil.⟩ das; -[s]: zu den ↑drawidischen Sprachen gehörende Literatursprache der (bes. in Südindien u. Sri Lanka lebenden) Tamilen

Tam|pi̱|ko|fa̱|ser ⟨nach der mexikanischen Stadt Tampico⟩ die; -, -n: Agavenfaser

Ta̱m|pon [auch: ...'po:n od. tã-'põ:] ⟨germ.-fr.⟩ der; -s, -s: 1. a) [Watte-, Mull]bausch zum Aufsaugen von Flüssigkeiten (Med.); b) in die Scheide einzuführender Tampon (1 a), der von Frauen während der ↑Menstruation benutzt wird. 2. Einschwärzballen für den Druck gestochener Platten (Druckw.). **Tam|po|na̱|de** die; -, -n: das Ausstopfen (z. B. von Wunden) mit Tampons (Med.). **Tam|po|na̱|ge** [...ʒə] der; -, -n: Abdichtung eines Bohrlochs gegen Wasser od. Gas. **tam|po|ni̱e|ren**: mit Tampons ausstopfen (Med.)

Tam|ta̱m [auch: 'tam...] ⟨Hindi-fr.⟩ das; -s, -s: 1. asiatisches, mit einem Klöppel geschlagenes Becken; Gong. 2. (ohne Plural; auch: der) (ugs.) laute Betriebsamkeit, mit der auf etwas aufmerksam gemacht werden soll **Ta|nag|ra|fi|gur*** 〈nach dem Fundort, der altgriech. Stadt Tanagra〉 die; -, -en: meist weibliche bemalte Tonfigur **Tan|bur** u. Tambur 〈arab.-fr.〉 der; -s, -e u. -s: arabisches Zupfinstrument mit 3 bis 4 Stahlsaiten **Tan|dem** 〈lat.-mlat.-engl.〉 das; -s, -s: 1. Wagen mit zwei hintereinander gespannten Pferden. 2. Doppelsitzerfahrrad mit zwei hintereinander angeordneten Sitzen u. Tretlagern. 3. zwei hintereinander geschaltete Antriebe, die auf die gleiche Welle wirken (Techn.). **Tan|dem|dampf-ma|schi|ne** die; -, -n: Dampfmaschine mit hintereinander geordneten Zylindern, die durch eine gemeinsame, durchlaufende Kolbenstange auf ein Kurbeltriebwerk arbeiten **Tand|schur*** 〈tibet.; „übersetzte Lehre"〉 der; -[s]: aus dem Indischen übersetzte Kommentare u. Hymnen (religiöse Schrift d. ↑Lamaismus); vgl. Kandschur **Tan|ga** 〈indian.-port.〉 der; -s, -s: modischer Minibikini **Tan|ga|re** 〈indian.-port.〉 die; -, -n (meist Plural): mittel- u. südamerikanischer bunt gefiederter Singvogel **Tan|gens** 〈lat.〉 der; -, -: im rechtwinkligen Dreieck das Verhältnis von Gegenkathete zu ↑Ankathete (Zeichen: tan, tang, tg). **Tan|gen|te** der; -, -n: 1. Gerade, die eine gekrümmte Linie (z. B. einen Kreis) in einem Punkt berührt (Math.). 2. dreieckiges Messingplättchen, das beim ↑Klavichord von unten an die Saiten schlägt. 3. Autostraße, die am Rande von etwas vorbeiführt. **tan|gen|ti|al** 〈lat.-nlat.〉: eine gekrümmte Linie od. Fläche berührend (Math.). **tan|gie|ren** 〈lat.〉: 1. eine gekrümmte Linie od. Fläche berühren (von Geraden od. Kurven; Math.). 2. berühren, betreffen, beeindrucken. 3. auf Flachdruckplatten ein Rastermuster anbringen (Druckw.). **Tan|gier|ma|nier** die; -, -: Druckverfahren, bei dem regelmäßige Muster durch einfärbbare Folien auf Druckplatten aufgebracht werden **Tan|go** 〈span.〉 der; -s, -s: lateinamerikanischer Tanz im langsamen $^2/_4$- od. $^4/_8$-Takt

Tan|go|re|zep|to|ren 〈lat.-nlat.〉 die (Plural): berührungsempfindliche, auf mechanische Reize reagierende Sinnesorgane (Med.) **Tang|ram*** 〈chin.-engl.; Herkunft unsicher〉 das; -s: Spiel, bei dem aus Dreiecken, Quadraten o. Ä. Figuren gelegt werden **Tä|nie** [...i̯ǝ], (fachspr.:) Taenia 〈gr.-lat.〉 die; -, ...ien (meist Plural): Bandwurm ¹**Tan|ka** 〈jap.〉 das; -, -: japanische Kurzgedichtform aus einer dreizeiligen Ober- u. einer zweizeiligen Unterstrophe mit zusammen 31 Silben ²**Tan|ka** 〈Hindi〉 das; -, -: 1. alte indische Gewichtseinheit. 2. indisches Münzsystem **Tan|nat** 〈gall.-fr.-nlat.〉 das; -[e]s, -e: Salz der Gerbsäure. **tan|nie-ren:** mit Tannin beizen. **Tan|nin** das; -s, -e: aus Blattgallen von Pflanzen gewonnene Gerbsäure **Tan|rek** 〈madagassisch〉 der; -s, -s: Borstenigel auf Madagaskar **Tan|tal** 〈gr.-lat.-nlat.; nach Tantalus, einem König der griech. Sage〉 das; -s: chem. Element; ein Metall (Zeichen: Ta). **Tan|ta-lus|qual|len** 〈gr.-lat.; dt.〉 die (Plural): Qualen, die dadurch entstehen, dass etwas Ersehntes zwar in greifbarer Nähe, aber doch nicht zu erlangen ist **Tan|tes** vgl. Dantes **Tan|ti|e|me** [tã...] 〈lat.-fr.〉 die; -, -n: 1. Gewinnbeteiligung an einem Unternehmen. 2. (meist Plural) an Autoren, Sänger u. a. gezahlte Vergütung für Aufführung bzw. Wiedergabe musikalischer od. literarischer Werke. **tant mieux** [tã'mjø]: (veraltet) desto besser. **tan|to** 〈lat.-it.〉: viel, sehr (Vortragsanweisung; Mus.) **Tan|t|ra*** 〈sanskr.〉 das; -[s]: 1. ein Lehrsystem der indischen Religion; vgl. Tantrismus. 2. Lehrschrift der ↑Schaktas. **Tan|t|ri-ker** der; -s, -: Anhänger des Tantras. **tan|t|risch:** das Tantra betreffend, zu ihm bestimmt. **Tan|t|ris|mus** 〈sanskr.-nlat.〉 der; -: ind. Heilsbewegung, bes. die Lehre des buddhistischen ↑Wadschrajana und der ↑Schaktas **Tan|tum er|go** 〈lat.〉 das; - -: Anfang der 5. Strophe des ↑Pange Lingua, der folgenden Strophe vor der Erteilung des eucharistischen Segens zu singen (kath. Liturgie) **Tan|ya** [...ja] 〈ung.〉 die; -, -s: Einzelgehöft in der ↑Puszta

Tao [auch: tau] 〈chin.; „der Weg"〉 das; -: Grundbegriff der chinesischen Philosophie (z. B. Urgrund des Seins, Vernunft). **Ta-o|is|mus** 〈chin.-nlat.〉 der; -: philosophisch bestimmte chinesische Volksreligion (mit Ahnenkult u. Geisterglauben), die den Menschen zur Einordnung in die Harmonie der Welt anleitet. **Ta-o|ist** der; -en, -en: Anhänger des Taoismus. **ta|o|is|tisch:** den Taoismus betreffend, zu ihm gehörend. **Tao-Te-King** 〈chin.〉 das; -: die heilige Schrift des Taoismus ¹**Ta|pa** 〈polynes.〉 die; -, -s: in Polynesien, Ostafrika u. Südamerika verwendeter Stoff aus Bastfasern ²**Ta|pa** 〈span.〉 die; -, -s od. der; -s, -s (meist Plural): (in Bars od. Cafés in Spanien servierter) kleiner Appetithappen [zum Wein] **Tape** [te:p, teip] 〈engl.〉 das (auch: der); -, -s: 1. Lochstreifen, Magnetband. 2. (veraltend) Tonband. 3. Kassette. 4. Klebeband. **Tape-deck** das; -s, -s: Tonbandgerät (als Baustein einer Hi-Fi-Anlage) **Ta|pei|no|sis** 〈gr.; „Erniedrigung"〉 die; -: Gebrauch eines leichteren, abschwächenden od. erniedrigenden Ausdrucks (Rhet.; Stilk.) **ta|pen** ['teipn̩] 〈engl.〉: (Jargon) einen ↑Tapeverband anlegen **Ta|pet** 〈gr.-lat.(-fr.)〉 das; -[e]s, -e: (veraltet) Bespannung, Überzug eines Konferenztisches; **etw. aufs Tapet bringen:** (ugs.) etw. zur Sprache bringen; **aufs Tapet kommen:** (ugs.) zur Sprache kommen. **Ta|pe|te** 〈gr.-lat.-mlat.〉 die; -, -n: Wandverkleidung aus [gemustertem] Stoff, Leder od. Papier **Ta|pe|ver|band** ['te:p..., 'teip...] 〈engl.; dt.〉 der; -[e]s, ...bände: Verband aus klebenden Binden od. Pflastern zur Vorbeugung od. bei Quetschungen u. Verstauchungen **Ta|pe|zier** 〈gr.-mgr.-fr.-it.〉 der; -s, -e: (südd.) Tapezierer. **ta|pe|zie-ren:** 1. [Wände] mit Tapeten bekleben od. verkleiden. 2. (österr.) mit einem neuen Stoff beziehen (Sofa u. a.). **Ta|pe|zie|rer** der; -s, -: Handwerker, der tapeziert, mit Stoffen bespannt [u. Möbel polstert] **Ta|pho|pho|bie** 〈gr.-nlat.〉 die; -, ...ien: krankhafte Angst, lebendig begraben zu werden (Med.) **Ta|pi|o|ka** 〈bras.-port.〉 die; -: Stärkemehl aus den Knollen des Maniokstrauches

Ta̲pir [österr.: ta'pi:ɐ̯] ⟨indian.-port.-fr.⟩ der; -s, -e: in den tropischen Wäldern Amerikas u. Asiens beheimatetes Säugetier mit plumpem Körper und kurzem Rüssel

Ta|pis|se|rie ⟨gr.-mgr.-fr.⟩ die; -, ...ien: 1. a) Wandteppich; b) Stickerei auf gitterartigem Grund. 2. Geschäft, in dem Handarbeiten u. Handarbeitsmaterial verkauft werden. **Ta|pis|se|ris|tin** die; -, -nen: in der Herstellung feiner Handarbeiten, bes. Stickereien, handgeknüpfter Teppiche u. Ä., ausgebildete Frau (Berufsbez.)

Ta|po|te|ment [...'mã:] ⟨fr.⟩ das; -s, -s: Massage in Form von Klopfen und Klatschen mit den Händen

Tapp|ta|rock ⟨dt.; it.⟩ das (österr. nur so) od. der; -s, -s: dem Tarock ähnliches Kartenspiel

Ta̲|ra ⟨arab.-it.⟩ die; -, Ta̲ren: 1. Verpackungsgewicht einer Ware. 2. Verpackung einer Ware; Abk.: T, Ta

Ta|ran|tas ⟨russ.⟩ der; -, -: alter, ungefederter russischer Reisewagen, der nur auf einem Stangengestell ruht

Ta|ran|tel ⟨it.⟩ die; -, -n: südeuropäische Wolfsspinne, deren Biss Entzündungen hervorruft. **Ta|ran|tel|la** der; -, -s u. ...llen: süditalienischer Volkstanz im ³/₈ od. ⁶/₈-Takt

Tar|busch ⟨pers.-arab.⟩ der; -[e]s, -e: orientalische Kopfbedeckung; vgl. Fes

tar|dan|do ⟨lat.-it.⟩: zögernd; langsamer werdend (Vortragsanweisung; Mus.). **Tar|dan|do** das; -s, -s u. ...di: zögerndes, langsamer werdendes Spiel (Mus.)

Tar|de|noi|si|en [...dənɔa'ziɛ̃:] ⟨nach dem französischen Fundort La Fère-en-Tardenois⟩ das; -[s]: Kulturstufe der Mittelsteinzeit

tar|div ⟨lat.-nlat.⟩: sich nur zögernd, langsam entwickelnd (von Krankheiten od. Krankheitssymptomen; Med.). **tar|do** ⟨lat.-it.⟩: langsam (Vortragsanweisung; Mus.)

Ta̲|ren: Plural von ↑Tara

Tar|get [auch: 'ta:gɪt] ⟨engl.; „Zielscheibe"⟩ das; -s, -s: Substanz, auf die energiereiche Strahlung gelenkt wird, um in ihr Kernreaktionen zu erzielen (Kernphys.)

Tar|gum ⟨aram.; „Verdolmetschung"⟩ das; -s, -e u. ...gumim: alte, teilweise sehr freie u. paraphrasierende aramäische Übersetzung des A. T.

Tar|hon|ya [...ja] ⟨ung.⟩ die; -: eine aus Mehl u. Eiern bereitete ungarische Beilage od. Suppeneinlage

ta|rie̲|ren ⟨arab.-it.⟩: 1. die ↑Tara bestimmen (Wirtsch.). 2. durch Gegengewichte das Reingewicht einer Ware auf der Waage ausgleichen (Phys.)

Ta|rif ⟨arab.-it.-fr.⟩ der; -s, -e: 1. verbindliches Verzeichnis der Preis- bzw. Gebührensätze für bestimmte Lieferungen, Leistungen, Steuern u. a. 2. durch Vertrag od. Verordnung festgelegte Höhe von Preisen, Löhnen, Gehältern u. a. **ta|ri|fär** u. **ta|ri|fa̲risch** ⟨arab.-it.-fr.-nlat.⟩: den Tarif betreffend. **Ta|rif|au|to|no|mie** ⟨arab.-it.-fr.; gr.⟩ die; -: Befugnis der ↑Sozialpartner, Tarifverträge auszuhandeln u. zu kündigen. **Ta|ri|feur** [...'fø:ɐ̯] ⟨arab.-it.-fr.⟩ der; -s, -e: jmd., der Preise festlegt; Preisschätzer. **ta|ri|fie̲ren**: die Höhe einer Leistung durch Tarif bestimmen. **Ta|rif|kom|mis|si|on** die; -, -en: Arbeitsgruppe aus Gewerkschaftsvertretern u. Vertretern von Arbeitgeberverbänden für die Beratung von Tarifverträgen. **ta|rif|lich**: den Tarif betreffend. **Ta|rif|part|ner** der; -s, -: zum Abschluss von Tarifverträgen berechtigter Vertreter der Arbeitnehmer u. Arbeitgeber (Gewerkschaften u. Arbeitgeberverbände). **Ta|rif|ver|trag** ⟨arab.-it.-fr.; dt.⟩ der; -[e]s, ...verträge: Vertrag zur Regelung der arbeitsrechtlichen Beziehungen (Lohn, Arbeitszeit, Urlaub u. a.) zwischen Arbeitgebern u. Arbeitnehmern

Ta|la|tan ⟨fr.⟩ der; -s, -e: stark appretierter Baumwoll- od. Zellwollstoff [für Faschingskostüme]

Ta̲|ro ⟨polynes.⟩ der; -s, -s: stärkehaltige Knolle eines Aronstabgewächses (wichtiges Nahrungsmittel der Südseeinsulaner)

Ta|rock ⟨it.⟩ das (österr. nur so) od. der; -s, -s: ein Kartenspiel. **ta|ro|cken, ta|ro|ckie̲ren**: Tarock spielen

Tá|ro|gal|tó ['ta:rogɔto:] ⟨ung.⟩ das; -s, -s: ein ungarisches Holzblasinstrument

Ta|rot [ta'ro:] ⟨it.-fr.(-engl.)⟩ das od. der; -s, -s: dem Tarock ähnliches Kartenspiel, das zu spekulativen Deutungen verwendet wird

Tar|pan ⟨russ.⟩ der; -s, -e: ausgestorbenes europäisches Wildpferd

Tar|paul|lin [ta:'pɔ:lɪn, 'ta:pəlɪn] ⟨engl.⟩ der; -[s]: als Packmaterial od. Futterstoff verwendetes Jutegewebe

Tar|pun ⟨Herkunft unsicher⟩ der; -s, -e: dem Hering ähnlicher Knochenfisch

Tar|ra|go|na ⟨nach der span. Stadt⟩ der; -s, -s: spanischer Süßwein

tar|sal ⟨gr.-nlat.⟩: (Med.) 1. zur Fußwurzel gehörend. 2. zu einem Lidknorpel gehörend. **Tar|sal|gie*** die; -, ...ien: Fußwurzel-, Plattfußschmerz (Med.). **Tar|sek|to|mie*** die; -, ...ien: operative Entfernung von Fußwurzelknochen (Med.). **Tar|si|tis** die; -, ...itiden: Entzündung des Lidknorpels (Med.). **Tar|sus** ⟨gr.-nlat.⟩ der; -, ...sen: 1. Fußwurzel. 2. Lidknorpel. 3. aus mehreren Abschnitten bestehender Fußteil des Insektenbeins (Zool.)

¹Tar|tan [auch: 'ta:tən] ⟨engl.⟩ der; -[s], -s: 1. schottische Musterung des ↑Kilts (a) od. ↑Plaids (1). 2. Plaid od. Kilt mit Tartanmuster

²Tar|tan ® ⟨Kunstw.⟩ der; -s: wetterfester Belag für Laufbahnen o. Ä. (aus Kunstharzen)

Tar|ta̲ne ⟨provenzal.-it.⟩ die; -, -n: ungedecktes, einmastiges Fischerfahrzeug im Mittelmeer

Tar|ta|ros ⟨gr.⟩ der; -: ↑ ↑Tartarus. **¹Tar|ta|rus** ⟨gr.-lat.⟩ der; -: Unterwelt, Schattenreich der griechischen Sage

²Tar|ta|rus ⟨mlat.⟩ der; -: Weinstein

Tar|te|let|te ⟨fr.⟩ die; -, -n: (veraltet) ↑Tortelette

Tart|rat* ⟨mlat.-fr.⟩ das; -[e]s, -e: Salz der Weinsäure

Tar|tsche ⟨germ.-fr.⟩ die; -, -n: ein mittelalterlicher Schild

Tar|tüff ⟨nach Tartuffe, der Hauptperson eines Lustspiels von Molière⟩ der; -s, -e: Heuchler

Ta|schi-La̲|ma ⟨tibet.⟩ der; -[s], -s: zweites, kirchliches Oberhaupt des tibetischen Priesterstaates (gilt als Verleiblichung eines Buddhas); vgl. Lamaismus

Task ⟨lat.-vulgärlat.-fr.-engl.⟩ der; -s, -s: Höchstleistung; vielfache Darstellung der gleichen Idee in Schachaufgaben. **Task|force**, auch: **Task-Force** [...fo:ɐ̯s] ⟨engl.⟩ die; -, -s ...sɪs]: für eine begrenzte Zeit gebildete Gruppe von Leuten mit umfassenden

Kompetenzen zur Lösung bestimmter Probleme **Tas|ta|tur** ⟨*lat.-vulgärlat.-it.*⟩ *die;* -, -en: (Mus.) 1. größere Anzahl von in bestimmter Weise (meist in mehreren übereinander liegenden Reihen) angeordneten Tasten. 2. sämtliche Ober- u. Untertasten bei Tasteninstrumenten. **Tas|ti|e|ra** ⟨*lat.-vulgärlat.-it.*⟩ *die;* -, -s u. ...re: (Mus.) 1. Tastatur (b). 2. Griffbrett der Streichinstrumente. **tas|to so|lo** ⟨*it.*⟩: allein zu spielen (Anweisung in der Generalbassschrift, dass die Bassstimme ohne Harmoniefüllung der rechten Hand zu spielen ist); Abk.: t. s. (Mus.) **Ta|tar** ⟨nach dem Volksstamm der Tataren⟩ *das;* -s: rohes gehacktes mageres Rindfleisch [angemacht mit Ei u. Gewürzen]. **Ta|tar|beef|steak** *das;* -s, -s: aus Tatar geformter Klops **ta|tau|ie|ren** ⟨*tahit.-engl.(-fr.)*⟩: ↑tatowieren (Völkerk.). **tä|to|wie|ren** ⟨*tahit.-engl.-fr.*⟩: Muster od. Zeichnungen mit Farbstoffen in die Haut einritzen. **Tä|to|wie|rung** *die;* -, -en: 1. das Tätowieren. 2. auf die Haut tätowierte Zeichnung **Tat|ter|sall** ⟨nach dem engl. Stallmeister R. Tattersall, 1724–95⟩ *der;* -s, -s: 1. geschäftliches Unternehmen für reitsportliche Veranstaltungen. 2. Reitbahn, -halle **¹Tat|too** [tɛ'tu:] ⟨*niederl.-engl.*⟩ *das;* -[s], -s: engl. Bez. für: Zapfenstreich **²Tat|too** [tɛ'tu:] ⟨*tahit.-engl.*⟩ *der* od. *das;* -s, -s:↑Tätowierung (2) **tat twam a|si** ⟨*sanskr.*⟩: das bist du, d. h., das Weltall u. die Einzelseele sind eins, sind aus dem gleichen Stoff (Formel der ↑brahmanischen Religion) **Tau** ⟨*gr.*⟩ *das;* -[s], -s: neunzehnter Buchstabe des griechischen Alphabets: Τ, τ. **Tau|kreuz** *das;* -es, -e: das T-förmige Kreuz des hl. Einsiedlers Antonius **taupe** [to:p] ⟨*lat.-fr.*⟩: maulwurfsgrau, braungrau **Tau|ro|bo|li|um** ⟨*gr.-lat.*⟩ *das;* -s, ...ien: Stieropfer u. damit verbundene Bluttaufe in antiken ↑Mysterien. **Tau|ro|ma|chie** ⟨*gr.-span.*⟩ *die;* -, ...jen: 1. (ohne Plural) Technik des Stierkampfs. 2. Stierkampf **tau|schie|ren** ⟨*arab.-it.-fr.*⟩: Edelmetalle (Gold od. Silber) in unedle Metalle (z. B. Bronze) zur Verzierung einhämmern (einlegen)

Tau|ta|zis|mus ⟨*gr.-nlat.*⟩ *der;* -, ...men: unschöne Häufung von gleichen [Anfangs]lauten in aufeinander folgenden Wörtern (Rhet.; Stilk.). **Tau|to|gramm** ⟨*gr.-nlat.*⟩ *das;* -s, -e: Gedicht, das in allen Wörtern od. Zeilen mit demselben Anfangsbuchstaben beginnt. **Tau|tol|lo|gie** ⟨*gr.-lat.*⟩ *die;* -, ...jen: 1. einen Sachverhalt doppelt wiedergebende Fügung (z. B. schwaɪzer Rappe, alter Greis). 2. ↑Pleonasmus (1); vgl. Redundanz (2 b). 3. (aufgrund formallogischer Gründe) wahre Aussage (Logik). **tau|to|lo|gisch:** a) die Tautologie betreffend; b) durch Tautologie wiedergebend; vgl. pleonastisch. **tau|to|mer** ⟨*gr.-nlat.*⟩: der Tautomerie unterliegend. **Tau|to|me|rie** *die;* -, ...jen: das Nebeneinander-vorhanden-Sein von zwei im Gleichgewicht stehenden isomeren Verbindungen (vgl. Isomerie), die sich durch den Platzwechsel eines ↑Protons unter Änderung der Bindungsverhältnisse unterscheiden (Chem.) **Ta|ver|ne** ⟨*lat.-it.*⟩ *die;* -, -n: italienisches Wirtshaus **Ta|xa:** *Plural* von ↑Taxon **Ta|xa|me|ter** ⟨*lat.-mlat.; gr.*⟩ *das* od. *der;* -s, -: 1. Fahrpreisanzeiger in einem Taxi. 2. (veraltet) ↑Taxi. **Ta|xa|ti|on** ⟨*lat.-fr.*⟩ *die;* -, -en: Bestimmung des Geldwertes einer Sache od. Leistung. **Ta|xa|tor** ⟨*lat.*⟩ *der;* -s, ...oren: Wertsachverständiger, Schätzer. **¹Ta|xe** ⟨*lat.-mlat.(-fr.)*⟩ *die;* -, -n: 1. Schätzung, Beurteilung des Wertes. 2. [amtlich] festgesetzter Preis. 3. Gebühr, Gebührenordnung. **²Ta|xe** (Kurzw. für: Taxameter) *die;* -, -n:↑Taxi. **Ta|xem** ⟨*gr. engl.*⟩ *das;* -s, -e: kleinste grammatisch-syntaktische Einheit ohne semantischen Eigenwert als Teil eines Tagmems, wobei sich Taxem u. Tagmem zueinander verhalten wie ↑Phonem u. ↑Morphem (Sprachw.) **ta|xen** ⟨*lat.-fr.*⟩: ↑taxieren. **Ta|xi** ⟨Kurzw. für: Taxameter⟩ *das* (schweiz.: *der*); -s, -s: (von einem Berufsfahrer gelenktes) Auto, mit dem man sich gegen ein Entgelt befördern lassen kann. **Ta|xi|der|mie** ⟨*gr.-nlat.*⟩ *die;* -: das Haltbarmachen toter Tierkörper für Demonstrationszwecke (z. B. Ausstopfen von Vögeln). **Ta|xi|der|mist** *der;* -en, -en: jmd., der Tiere ↑präpariert (2). **Ta|xie** ⟨*gr.-nlat.*⟩ *die;* -, ...ien: ↑²Taxis

ta|xie|ren ⟨*lat.-fr.*⟩: 1. einschätzen, abschätzen, veranschlagen. 2. prüfend betrachten u. danach ein Urteil fällen. **Ta|xie|rer** *der;* -s, -: ↑Taxator. **Ta|xi|girl** ⟨*engl.*⟩ *das;* -s, -s: (veraltend) in einer Tanzbar o. Ä. angestelltes Mädchen, das für jeden Tanz von seinem Partner einen bestimmten Betrag erhält **¹Ta|xis** ⟨*gr.;* „das Ordnen, die Einrichtung"⟩ *die;* -, Taxes [...kse:s]: das Wiedereinrichten eines Knochen-od. Eingeweidebruchs (Med.). **²Ta|xis** ⟨*gr.;* Taxen: durch äußere Reize ausgelöste Bewegungsreaktion von Organismen, z. B. ↑Chemotaxis, ↑Phototaxis (Biol.) **³Ta|xis** [...ksi:s]: *Plural* von ↑Taxi. **Ta|xi|way** ['tɛksiweɪ] *der;* -s, -s: Verbindungsweg zwischen den ↑Runways; Rollbahn. **Ta|xi|kurs** ⟨*lat.*⟩ *der;* -es, -e: geschätzter Kurs. **Ta|xler** *der;* -s, -: (österr. ugs.) Taxifahrer **Ta|xo|die** [...jə] ⟨*gr.-nlat.*⟩ *die;* -, -n u. **Ta|xo|di|um** *das;* -s, ...ien: nordamerikanische Sumpfzypresse **Ta|xon** ⟨*gr.*⟩ *das;* -s, Taxa: künstlich abgegrenzte Gruppe von Lebewesen (z. B. Stamm, Art) als Einheit innerhalb der biologischen Systematik. **ta|xo|nom** u. **ta|xo|no|misch:** 1. systematisch (Biol.); vgl. Taxonomie (1). 2. nach der Methode der Taxonomie (2) vorgehend, die Taxonomie betreffend (Sprachw.). **Ta|xo|no|mie** *die;* -: 1. Einordnung der Lebewesen in ein biologisches System (Biol.). 2. Teilgebiet der Linguistik, auf dem man durch Segmentierung u. Klassifikation sprachlicher Einheiten den Aufbau eines Sprachsystems beschreiben will (Sprachw.). **ta|xo|no|misch** vgl. taxonom **Ta|xus** ⟨*lat.*⟩ *der;* -, -: Eibe **Tay|lo|ris|mus** [telo...] ⟨nach dem amerik. Ingenieur F. W. Taylor, 1856–1915⟩ *der;* - u. **Tay|llor|sys|tem** ['telə...] *das;* -s: System der wissenschaftlichen Betriebsführung mit dem Ziel, einen möglichst wirtschaftlichen Betriebsablauf zu erzielen **Ta|zet|te** ⟨*it.*⟩ *die;* -, -n: in Südeuropa heimische Narzisse **T-Bone-Steak** ['ti:bounste:k] ⟨*engl.*⟩ *das;* -s, -s: dünne Scheibe aus dem Rippenstück des Rinds, deren Knochen (engl. „bone") die Form eines T hat **Tea** [ti:] ⟨*engl.;* „Tee"⟩ *der* (auch: *das*); -s: (Jargon) ↑Haschisch

Teach-in [tiːtʃˈɪn] ⟨engl.⟩ das; -s, -s: [politische] Diskussion mit demonstrativem Charakter, bei der Missstände aufgedeckt werden sollen
Teak [tiːk] ⟨drawid.-port.-engl.⟩ das; -s: Kurzform von ↑Teakholz.
Teak|ken: aus Teakholz.
Teak|holz das; -es, ...hölzer: wertvolles Holz des südostasiatischen Teakbaums
Team [tiːm] ⟨engl.⟩ das; -s, -s: a) Gruppe von Personen, die mit der Bewältigung einer gemeinsamen Aufgabe beschäftigt ist; b) Mannschaft (Sport). **Team|chef** [ˈtiːm...] der; -s, -s: Betreuer, Trainer einer Mannschaft (Sport). **Team|geist** der; -[e]s: Mannschaftsgeist. **Teams|ter** der; -s, -: engl. Bez. für: Lastkraftwagenfahrer. **Team|teaching** [...tiːtʃɪŋ] das; -[s], -s: Unterrichtsorganisationsform, in der Lehrer, Dozenten, Hilfskräfte o. Ä. Lernstrategien, Vorlesungen o. Ä. gemeinsam planen, durchführen u. auswerten. **Team|work** [...wəːk] das; -s: a) Gemeinschafts-, Gruppen-, Zusammenarbeit; b) gemeinsam Erarbeitetes
Tea|room [ˈtiːruːm] ⟨engl.; „Tee-raum"⟩ der; -s, -s: 1. kleines, nur tagsüber geöffnetes Lokal, in dem in erster Linie Tee gereicht wird; Teestube; vgl. Five-o'Clock-Tea. 2. (schweiz.) Café, in dem kein Alkohol ausgeschenkt wird
Tea|ser [ˈtiːzə] ⟨engl.⟩ der; -s, -: Neugier erregendes Werbeelement
Tech|ne|ti|um ⟨gr.-nlat.⟩ das; -s: chem. Element; ein Metall (Zeichen: Tc). **Tech|ni|col|or®** ⟨gr.-lat.⟩ das; -s: ein Farbbildverfahren. **tech|ni|fi|zie|ren:** Errungenschaften der Technik auf etwas anwenden. **Tech|nik** ⟨gr.-fr.⟩ die; -, -en: 1. (ohne Plural) die Gesamtheit der Maßnahmen, Einrichtungen u. Verfahren, die dazu dienen, naturwissenschaftliche Erkenntnisse praktisch nutzbar zu machen. 2. ausgebildete Fähigkeit, Kunstfertigkeit, die zur richtigen Ausübung einer Sache notwendig ist. 3. (ohne Plural) Gesamtheit der Kunstgriffe u. Verfahren, die auf einem bestimmten Gebiet üblich sind. 4. Herstellungsverfahren. 5. (österr.) technische Hochschule. **Tech|ni|ka:** Plural von ↑Technikum. **Tech|ni|ker** der; -s, -: 1. Fachmann auf einem Gebiet der Ingenieurwissenschaften. 2. in einem Zweig der Technik fachlich ausgebildeter Arbeiter. 3. jmd., der auf technischem Gebiet besonders begabt ist. 4. jmd., der die Feinheiten einer bestimmten Sportart sehr gut beherrscht. **Tech|ni|kum** ⟨gr.-nlat.⟩ das; -s, ...ka (auch: ...ken): technische Fachschule, Ingenieurfachschule; vgl. Polytechnikum. **tech|nisch** ⟨gr.-fr.⟩: 1. die Technik (1) betreffend. 2. die zur fachgemäßen Ausübung u. Handhabung erforderlichen Fähigkeiten betreffend. **tech|ni|sie|ren** ⟨gr.-nlat.⟩: 1. Maschinenkraft, technische Mittel einsetzen. 2. auf technischen Betrieb umstellen, für technischen Betrieb einrichten. **Tech|ni|zis|mus** der; -, ...men: 1. technischer Fachausdruck, technische Ausdrucksweise. 2. (ohne Plural) weltanschauliche Auffassung, die den Wert der Technik losgelöst von den bestehenden Verhältnissen, vom sozialen Umfeld sieht u. den technischen Fortschritt als Grundlage u. Voraussetzung jedes menschlichen Fortschritts betrachtet. **Tech|no** [ˈtɛkno] ⟨gr.-engl.⟩ das od. der; -[s]: rein elektronisch erzeugte, von besonders schnellem Rhythmus bestimmte Tanzmusik (Mus.). **tech|no|id** ⟨gr.-nlat.⟩: durch die Technik (1) bestimmt, verursacht. **Tech|no|krat*** ⟨gr.-engl.⟩ der; -en, -en: Vertreter der Technokratie. **Tech|no|kra|tie*** die; -: 1. von den USA ausgehende Wirtschaftslehre, die der Vorherrschaft der Technik über Wirtschaft u. Politik propagiert u. deren kulturpolitisches Ziel es ist, die technischen Errungenschaften für den Wohlstand der Menschen nutzbar zu machen. 2. (abwertend) die Beherrschung des Menschen u. seiner Umwelt durch die Technik. **tech|no|kra|tisch*:** 1. die Technokratie (1) betreffend. 2. (abwertend) von der Technik bestimmt, rein mechanisch. **Tech|no|lekt** ⟨gr.-nlat.⟩ der; -[e]s, -e: Fachsprache (Sprachw.). **Tech|no|lo|ge** der; -n, -n: Wissenschaftler, der auf dem Gebiet der Technologie arbeitet. **Tech|no|lo|gie** die; -, ...ien: 1. (ohne Plural) Wissenschaft von der Umwandlung von Rohstoffen in Fertigprodukte (Verfahrenskunde). 2. Methodik u. Verfahren in einem bestimmten Forschungsgebiet (z. B.

Raumfahrt). 3. Gesamtheit der zur Gewinnung u. Bearbeitung od. Verformung von Stoffen nötigen Prozesse. 4. ↑Technik (4). **Tech|no|lo|gie|park** der; -s, -s: Gelände mit bestimmten Serviceeinrichtungen, das innovativ arbeitenden Kleinunternehmen von Kommunen zur Verfügung gestellt wird mit dem Ziel einer Förderung des Technologietransfers. **Tech|no|lo|gie|transfer** der; -s, -s: Weitergabe betriebswirtschaftlicher u. technologischer Kenntnisse u. Verfahren. **tech|no|lo|gisch:** verfahrenstechnisch, den technischen Bereich von etwas betreffend. **tech|no|morph:** von den Kräften der Technik geformt (Philos.). **Tech|no|pä|gni|on*** ⟨gr.-lat.⟩ das; -s, ...ien: Gedicht, dessen Verse äußerlich den besungenen Gegenstand nachbilden (z. B. ein Ei); Figurengedicht, Bildgedicht (bes. im Altertum u. im Barock)
Tech|tel|mech|tel ⟨Herkunft unsicher⟩ das; -s, -: (ugs.) Liebschaft, Verhältnis
Ted ⟨engl.⟩ der; -[s], -s: Kurzform von ↑Teddyboy.
TED ⟨Kurzw. aus Teledialog⟩ der; -s: Computer, der telefonische Stimmabgaben registriert u. hochrechnet
Ted|dy ⟨engl.; Koseform von engl. Theodore⟩ der; -s, -s: Stoffbär (als Kinderspielzeug). **Ted|dy|boy** ⟨engl.⟩ der; -s, -s: Jugendlicher, der sich in Kleidungs- u. Lebensstil nach den 50er-Jahren richtet
te|des|ca vgl. alla tedesca
Te|de|um ⟨lat.; nach den Anfangsworten des Hymnus „Te Deum laudamus" = „Dich, Gott, loben wir!"⟩ das; -s, -s: 1. (ohne Plural) frühchristlicher ↑ambrosianischer Lobgesang. 2. musikalisches Werk über diesen Hymnus
¹Tee ⟨chin.⟩ der; -s, -s: 1. auf verschiedene Art aufbereitete Blätter u. Knospen des asiatischen Teestrauchs. 2. aus den Blättern des Teestrauchs bereitetes Getränk. 3. Absud aus getrockneten [Heil]kräutern. 4. gesellige Zusammenkunft [am Nachmittag], bei der Tee gereicht wird
²Tee [tiː] ⟨engl.; „T"⟩ das; -s: (Golf) 1. kleiner Stift aus Holz od. Kunststoff, der in den Boden gedrückt u. auf den der Golfball vor dem Abschlag aufgesetzt wird. 2. kleine rechtwinklige Fläche, von der aus bei jedem zu

spielenden Loch mit dem Schlagen des Golfballes begonnen wird

Teen [ti:n] ⟨engl.⟩ der; -s, -s u. **Teenalger*** ['ti:neɪdʒə] der; -s, -: Junge od. Mädchen im Alter zwischen etwa 13 u. 19 Jahren; vgl. Twen. **Teelner** ['ti:nə] der; -s, -: (Jargon) ↑Teenie. **Teelnie**, auch: **Teelny** [ti:ni] der; -s, -s: (ugs.) jüngerer Teen

Tef, Teff u. Taf ⟨afrik.⟩ der; -[s]: eine nordafrikanische Getreidepflanze **Telfillla** ⟨hebr.⟩ die; -: 1. jüdisches Gebet, bes. das ↑Schmone esre. 2. jüdisches Gebetbuch. **Telfilllin** die (Plural): Gebetsriemen der Juden (beim Morgengebet an Stirn u. linkem Oberarm getragene Kapseln mit Schriftworten) **Tefllon*** ® [auch: ...'lo:n] ⟨Kunstw.⟩ das; -s: hitzebeständiger Kunststoff **Teflsir** ⟨arab.⟩ der; -s, -s: wissenschaftliche Auslegung u. Erklärung des ↑Korans **Teglment** ⟨lat.⟩ das; -[e]s, -e: Knospenschuppe bei der Pflanzenblüte (Bot.). **Teilchoplsie*** ⟨gr.-nlat.⟩ die; -, ...jen: Zackensehen bei Augenflimmern (Med.). **Teilcholskopie*** ⟨gr.; „Mauerschau"⟩ die; -: Mittel im Drama, auf der Bühne nicht od. nur schwer darstellbare Ereignisse dem Zuschauer dadurch nahe zu bringen, dass ein Schauspieler sie schildert, als sähe er sie außerhalb der Bühne vor sich gehen **Teljin** vgl. Thein **Teint** [tɛ̃:, teŋ] ⟨lat.-fr.⟩ der; -s, -s: Beschaffenheit od. Tönung der menschlichen Gesichtshaut; Gesichts-, Hautfarbe **Telju** ⟨indian.-port.⟩ der; -s, -s: eine südamerikanische Schienenechse

tekltielren ⟨lat.-nlat.⟩: eine fehlerhafte Stelle in einem Buch überkleben; vgl. Tektur **tekltisch** ⟨gr.⟩: die Ausscheidung von Kristallen aus Schmelzen betreffend (Mineral.) **Tekltolgen** ⟨gr.-nlat.⟩ das; -s, -e: der Teil der Erdkruste, der tektonisch einheitlich bewegt wurde (Geol.). **Tekltolgelnelse** die; -: alle tektonischen Vorgänge, die das Gefüge der Erdkruste umformten (Geol.). **Tekltolnik** ⟨gr.-lat.⟩ die; -: 1. Teilgebiet der Geologie, das sich mit dem Bau der Erdkruste u. ihren inneren Bewegungen befasst (Geol.). 2. [Lehre von der] Zusammenfü-

gung von Bauteilen zu einem Gefüge. 3. [strenger, kunstvoller] Aufbau einer Dichtung. **tekltonisch:** die Tektonik betreffend **Tekltur** ⟨lat.⟩ die; -, -en: Deckstreifen mit dem richtigen Text, der über eine falsche Stelle in einem Buch geklebt wird; vgl. tektieren

Tella ⟨lat.⟩ die; -, Telen: Gewebe, Bindegewebe (Med.) **Tellalmon** [auch: ...'mo:n] ⟨gr.-lat.⟩ der od. das; -s, ...onen: 1. (veraltet) Leibgurt für Waffen (Mil.). 2. kraftvolle Gestalt als Träger von [vorspringenden] Bauteilen **Tellanthlrolpus*** ⟨gr.-nlat.⟩ der; -, ...pi: ein südafrikanischer fossiler Typ des Frühmenschen **Tellalrilbühlne** ⟨lat.-mlat.; dt.⟩ die; -: (hist.) Bühne der Renaissancezeit, auf der perspektivisch bemalte Leinwandrahmen links u. rechts vom Bühnenabschluss aufgestellt wurden **Tellelanlgilekltalsie** ⟨gr.-nlat.⟩ die; -, ...jen: bleibende, in verschiedenen Formen (z. B. Malen) auf der Haut sichtbare Erweiterung der ↑Kapillaren (1) (Med.). **Tellelarlbeit** ⟨gr.; dt.⟩ die; -: Form der Heimarbeit, bei der der Arbeitnehmer über Datenleitungen mit dem Arbeitgeber verbunden ist. **Tellelbanking** [...bɛŋkɪŋ] ⟨⟨gr.; engl.⟩-engl.⟩ das; -s: Abwicklung von Bankgeschäften über Post u. ↑Telekommunikation; Homebanking. **Tellelbrief** der; -[e]s, -e: Schreiben, das durch ↑Telekopierer übermittelt u. durch Eilboten zugestellt wird. **Tellelfax** ⟨Kunstw. aus gr. tele „weit, fern" u. ↑Faksimile; das x in Anlehnung an ↑Telex⟩ das; -, -[e]. 1. durch Telefax (2 a) übermittelte Fotokopie. 2. a) Telekopierer; b) (ohne Plural) in Verbindung mit dem öffentlichen Telefonnetz funktionierende Einrichtung, die das Telekopieren ermöglicht. **tellefalxen:** ein Telefax übermitteln. **Tellelfon** [auch: 'te:...] ⟨gr.⟩ das; -s, -e: Fernsprecher, Fernsprechanschluss. **Tellelfolnat** das; -[e]s, -e: Ferngespräch, Anruf. **Tellelfonlbanlking** [...bɛŋkɪŋ] ⟨gr.; engl.;⟩ das; -s: Erledigung persönlicher Bankangelegenheiten per Telefon. **Tellelfolnie** ⟨gr.-nlat.⟩ die; -: Sprechfunk. **Tellelfolnielren:** 1. anrufen, durch das Telefon mit jmdm. sprechen. 2. telefonisch (b) mitteilen. **tellelfo-**

nisch: a) das Telefon betreffend; b) mithilfe des Telefons [zeitfolgend]. **Tellelfolnist** der; -en, -en: Angestellter im Fernsprechverkehr. **Tellelfolnisltin** die; -, -nen: Angestellte im Fernsprechverkehr. **Tellelfonlkarlte** die; -, -n: kleine Karte, die anstelle von Münzen zum Telefonieren in öffentlichen Telefonen zu verwenden ist. **Tellelfonlsex** der; -: (ugs.) auf sexuelle Stimulation zielender telefonischer Kontakt, den jmd. gegen Bezahlung mit einer meist weiblichen Person herstellt. **Tellelfolto** das; -s, -s: Kurzform von ↑Telefotografie. **Tellelfoltolgralfie** die; -, ...jen: fotografische Aufnahme entfernter Objekte mit einem ↑Teleobjektiv. **tellelgen:** in Fernsehaufnahmen besonders wirkungsvoll zur Geltung kommend. **Tellelgolnie** die; -: wissenschaftlich nicht haltbare Annahme, dass ein rassereines Weibchen nach einer einmaligen Begattung durch ein rassefremdes Männchen keine rassereinen Nachkommen mehr hervorbringen kann (Biol.). **Tellelgraf,** auch: **Telegraph** ⟨gr.-fr.⟩ der; -en, -en: Apparat zur Übermittlung von Nachrichten durch vereinbarte Zeichen; Fernschreiber. **Tellelgralfie,** auch: Telegraphie die; -: Fernübertragung von Nachrichten durch vereinbarte Zeichen. **tellelgralfielren,** auch: telegraphieren: eine Nachricht telegrafisch übermitteln. **tellelgrafisch,** auch: telegraphisch: auf drahtlosem Weg, drahtlos, durch Telegrafie. **Tellelgralfist,** auch: Telegraphist der; -en, -en: (früher) Angestellter, der telegrafisch Nachrichten übermittelt. **Tellelgramm** ⟨gr.-engl.(-fr.)⟩ das; -s, -e: telegrafisch übermittelte Nachricht. **Tellelgraph** usw. vgl. Telegraf usw. **Tellelkalmelra** die; -, -s: Kamera mit Teleobjektiv

Tellelkie [...jə] ⟨nlat.; nach dem ung. Forscher Samuel Graf Teleki v. Szék, 1845–1916⟩ die; -, -n: Ochsenauge (Zierstaude) **Tellelkilnelse** ⟨gr.-nlat.⟩ die; -: das Bewegtwerden von Gegenständen allein durch übersinnliche Kräfte. **tellelkilneltisch:** die Telekinese betreffend. **Tellelkollleg** die; -s, -s u. -ien: allgemein bildende od. fachspezifische Unterrichtssendung in Serienform im Fernsehen. **Tellelkom** ⟨kurz für: Deutsche Telekom AG⟩ die;

-: in der Telekommunikation tätiges Dienstleistungsunternehmen. **Te̲|le|kom|mu|ni|ka̲|ti|on** *die; -:* Austausch von Informationen u. Nachrichten mithilfe der Nachrichtentechnik. **Te̲|lekon|ver|ter** *der; -s, -:* Linsensystem, das zwischen Objektiv u. Kamera eingefügt wird, wodurch sich die Brennweite vergrößert (Fotogr.). **te|le|ko|pie̲ren:** mithilfe eines Telekopierers fotokopieren. **Te̲|le|ko|pie̲|rer** *der; -s, -:* Gerät, das zu fotokopierendes Material aufnimmt u. per Telefonleitung an ein anderes Gerät weiterleitet, das innerhalb kurzer Zeit eine Fotokopie der Vorlage liefert. **Te̲|le|kra̲|tie*** ⟨*gr.-nlat.*⟩ *die; -, ...ien:* (abwertend od. scherzh.) Vorherrschaft, übermäßiger Einfluss des Fernsehens. **te|le|kra̲|tisch*:** (abwertend od. scherzh.) die Telekratie betreffend, auf ihr beruhend
Te̲|le|mark ⟨nach der norw. Landschaft⟩ *der; -s, -s:* (Skisport) 1. (früher) Schwung quer zum Hang. 2. (beim Skispringen) Stellung des Springers beim Aufsetzen, bei der das eine Bein leicht nach vorn geschoben u. der Druck federnd mit den Knien aufgefangen wird
Te̲|le|mar|ke|ting ⟨*gr.; lat.-fr.-engl.*⟩ *das; -[s]:* Angebot von Waren u. Dienstleistungen z. B. über Telefon (Wirtsch.).
Te̲|le|marks|vi|o|li|ne *die; -, -n:* ↑Hardangerfiedel
Te̲|le|ma̲|tik ⟨Kurzw. aus ↑Telekommunikation u. ↑Informatik⟩ *die; -:* Forschungsbereich, in dem man sich mit der wechselseitigen Beeinflussung u. Verflechtung von verschiedenen nachrichtentechnischen Disziplinen befasst. **Te̲|le|me̲|ter** ⟨*gr.-nlat.*⟩ *das; -s, -:* Entfernungsmesser. **Te̲|le|metri̲e*** *die; -:* Entfernungsmessung
Te̲|len: *Plural* von ↑Tela. **Te̲|lenze|phal|lon*,** fachspr. auch: Telencephalon *das; -s, ...la:* (Med.) a) die beiden Großhirnhälften; b) vorderer Abschnitt des ersten Hirnbläschens beim Embryo
Te̲|le|ob|jek|tiv *das; -s, -e:* Kombination von Linsen zur Erreichung großer Brennweiten für Fernaufnahmen (Fotogr.)
Te̲|le|o|lo|gie̲ ⟨*gr.-nlat.*⟩ *die; -:* die Lehre von der Zielgerichtetheit u. Zielstrebigkeit jeder Entwicklung im Universum od. in seinen Teilbereichen (Philos.). **te|le|o-**

lo̲|gisch: a) die Teleologie betreffend; b) zielgerichtet, auf einen Zweck hin ausgerichtet. **Te̲le|o|no|mie̲** *die; -, ...ien:* von einem umfassenden Zweck regierte u. regulierte Eigenschaft, Charakteristikum. **te|le|o|no̲misch:** die Teleonomie betreffend. **Te̲|le|o|sau̲|rus** *der; -, ...rier [...ri̯ɐ]:* ausgestorbene Riesenechse. **Te̲|le|os|ti̲|er** *der; -s, -* (meist Plural): Knochenfisch
Te̲|le|pa̲th ⟨*gr.-nlat.*⟩ *der; -en, -en:* für Telepathie Empfänglicher. **Te̲|le|pa|thie̲** *die; -:* das Fernfühlen, das Wahrnehmen der seelischen Vorgänge eines anderen Menschen ohne Vermittlung der Sinnesorgane. **te|le|pa̲|thisch:** a) die Telepathie betreffend; b) auf dem Weg der Telepathie. **Te̲le|phon** usw.: frühere Schreibung für: Telefon usw. **Te̲le|pho̲to|gra̲|phie** vgl. Telefotografie. **Te̲|le|pla̲s|ma** *das; -s, ...men:* bei der ↑Materialisation angeblich durch das Medium abgesonderter Stoff. **Te̲|le|pla̲y|er** [...pleɪə] ⟨*gr.; engl.*⟩ *der; -s, -:* Abspielgerät für Videoaufnahmen; vgl. Videorecorder. **Te̲|le|proces|sing** [ˈtɛlɪprouˌsɛsɪŋ] *das; -s:* Datenfernverarbeitung durch fernmeldetechnische Übertragungswege (z. B. Telefonleitungen). **Te̲|le|promp̲ter®** *der; -s, -:* (Jargon) Vorrichtung, die es ermöglicht, den vorzutragenden Text ohne Blicksenkung vom Monitor abzulesen. **Te̲|le|sho̲pping** [...ʃɔpɪŋ] ⟨*gr.; engl.*⟩ *das; -s:* Einkaufen per Bestellung von im Fernsehen od. durch andere elektronische Medien angebotenen Produkten. **Te̲|le|si̲l|lei|on** ⟨*gr.;* nach der altgriech. Dichterin Telesilla⟩ *das; -s, ...lleia:* ein ↑Glykoneus, dessen Anfang um eine Silbe verkürzt ist (antike Metrik)
Te̲les|ko|ma̲t® ⟨*gr.-nlat.*⟩ *der; -en, -en:* bei der Teleskopie (1) eingesetztes Zusatzgerät zum Fernsehapparat, durch das ermittelt wird, wer welches Programm eingeschaltet hat. **Te̲le|skop̲** *das; -s, -e:* Fernrohr. **Te̲le|sko̲p|an|ten|ne** *die; -, -n:* Antenne aus dünnen Metallröhrchen, die man ineinander schieben kann. **Te̲|le|sko̲|pie** ⟨*gr.-nlat.*⟩ *die; -:* 1. ® Verfahren zur Ermittlung der Einschaltquoten bei Fernsehsendungen. 2. Wahrnehmung in der Ferne befindlicher verborgener Gegenstände; Ggs. ↑Kryptoskopie. **te̲|le|sko̲|pisch:**

1. a) das Teleskop betreffend; b) durch das Fernrohr sichtbar. 2. die Teleskopie betreffend
Te̲|les|ti̲|chon* ⟨*gr.*⟩ *das; -s, ...chen u. ...cha:* a) Wort od. Satz, der aus den Endbuchstaben, -silben od. -wörtern der Verszeilen od. Strophen eines Gedichts gebildet ist; b) Gedicht, das Telestichen enthält; vgl. Akrostichon, Mesostichon
Te̲|le|test ⟨*gr.-engl.*⟩ *der; -s, -s:* Befragung von Fernsehzuschauern, um den Beliebtheitsgrad einer Sendung festzustellen. **Te̲|letype|set|ter** [...taɪpsɛtɐ] ⟨*engl.*⟩ *der; -s, -:* Setzmaschine, die ähnlich wie die ↑Monotype das Tasten vom Gießen trennt u. den Gießvorgang durch ein Lochband steuert (Druckw.)
Te̲|leu|to|spo̲|ren ⟨*gr.-nlat.*⟩ *die* (Plural): Wintersporen der Rostpilze (Bot.)
Te̲|le|vi̲|si|on [auch: ˈtɛlɪvɪʒən] ⟨*gr.-engl.*⟩ *die; -:* Fernsehen. **Te̲lex** ⟨Kurzw. aus: engl. *teleprinter exchange* = „Fernschreiber-Austausch"⟩ *das* (österr., schweiz.: *der*); -, -[e]: 1. a) (ohne Plural) international übliche Bez. für: Fernschreiber[teilnehmer]netz; b) Fernschreiber. 2. Fernschreiben. **te̲le|xen:** ein Fernschreiben per Telex übermitteln. **Te̲le|xo|gra̲mm** ⟨Kunstw. aus: ↑*Telex* u. ↑Telegramm⟩ *das; -s, -e:* an einen ausländischen Telexteilnehmer gerichtetes Fernschreiben
Tel|lur ⟨*lat.-nlat.*⟩ *das; -s:* chem. Element; ein Halbmetall (Zeichen: Te). **tel|lu̲|risch:** die Erde betreffend. **Tel|lu̲|ri|um** *das; -s, ...ien:* Gerät zur modellhaften Darstellung der Bewegungen von Erde u. Mond um die Sonne (Astron.)
Te̲|lo|de̲nd|ron* ⟨*gr.*⟩ *das; -s, ...ren* (meist Plural): feinste Aufzweigung der Fortsätze von Nervenzellen
Te̲lom ⟨*gr.-nlat.*⟩ *das; -s, -e:* Grundorgan fossiler Urlandpflanzen (Biol.). **Te̲|lo|pha̲|se** *die; -, -n:* Endstadium der Kernteilung (Biol.). **Te̲|los** ⟨*gr.*⟩ *das; -:* das Ziel, der [End]zweck (Philos.)
tel|quel, auch: **tel quel** [tɛlˈkɛl] ⟨*fr.;* „so wie"⟩: der Käufer hat die Ware so zu nehmen, wie sie ausfällt (Handelsklausel)
Te̲l|son ⟨*gr.*⟩ *das; -s, ...sa:* Endglied des Hinterleibs bei Gliederfüßern (z. B. bei Krebsen; Biol.)
Te̲ma con Va̲|ri|a|zi|o̲|ni ⟨*it.*⟩ *das;*

- - - : Thema mit Variationen (Mus.).

Te̱lme̱lnos ⟨gr.⟩ das; -, ...ne: abgegrenzter heiliger [Tempel]bezirk im altgriechischen Kult

Te̱m|mo̱|ku ⟨jap.⟩ das; -: chinesische Töpfereien der Sungzeit (10.–13. Jh.) schwarzer od. brauner Glasur u. ihre japanischen Nachbildungen

Te̱mp ⟨Kurzform von Temperatur⟩ der; -s, -s: Kennwort verschlüsselter meteorologischer Meldungen einer Landstation (Meteor.)

Te̱m|pel ⟨lat.⟩ der; -s, -: 1. a) nichtchristlicher, bes. antiker Kultbau für eine Gottheit; b) Synagoge. 2. heilige, weihevolle Stätte, z. B.: ein Tempel der Kunst. 3. Gotteshaus (z. B. der Mormonen). **te̱m|peln** ⟨lat.-nlat.⟩: ↑Tempeln spielen. **Te̱m|peln** das; -s: ein Kartenglücksspiel

Te̱m|pe̱|ra ⟨lat.-it.⟩ die; -, -s: ↑Temperamalerei. **Te̱m|pe̱|ra|far|be** ⟨lat.-it.; dt.⟩ die; -, -n: aus anorganischen Pigmenten, einer Emulsion aus bestimmten Ölen u. einem Bindemittel hergestellte Farbe, die auf Papier einen matten u. deckenden Effekt hervorruft. **Te̱m|pe̱|ra|ma|le|rei** die; -, -en: 1. (ohne Plural) Technik des Malens mit Temperafarben. 2. mit Temperafarben gemaltes Bild. **Te̱m|pe̱|ra|me̱nt** ⟨lat.-fr.; „das richtige Verhältnis gemischter Dinge; die gehörige Mischung"⟩ das; -[e]s, -e: 1. Wesens-, Gemütsart; vgl. Choleriker, Melancholiker, Phlegmatiker, Sanguiniker. 2. (ohne Plural) Gemütserregbarkeit, Lebhaftigkeit, Munterkeit, Schwung. **Te̱m|pe̱|ra̱n|ti|um** ⟨lat.-nlat.⟩ das; -s, ...ta: Beruhigungsmittel (Med.). **Te̱m|pe̱|ra|tu̱r** ⟨lat.⟩ die; -, -en: 1. Wärmegrad eines Stoffes. 2. Körperwärme; [erhöhte] Temperatur haben: leichtes Fieber haben (Med.). 3. temperierte Stimmung bei Tasteninstrumenten (Mus.).

Te̱m|pe̱|re̱nz ⟨lat.-fr.-engl.⟩ die; -: Mäßigkeit [im Alkoholgenuss]. **Te̱m|pe̱|re̱nz|ler** der; -s, -: Anhänger einer Mäßigkeitsod. Enthaltsamkeitsbewegung. **Te̱m|pe̱r|guss** ⟨engl.; dt.⟩ der; -es, ...güsse: durch Glühverfahren unter Abscheidung von [Temper]kohle schmiedbar gemachtes Gusseisen. **te̱m|pe̱|rie̱ren** ⟨lat.⟩: 1. a) die Temperatur regeln; b) [ein wenig] erwärmen. 2. mäßigen, mildern. 3. (die Ok-

tave) in zwölf gleiche Halbtonschritte einteilen (Mus.). **te̱m|pern** ⟨engl.⟩: Eisen in Glühkisten unter Hitze halten (entkohlen), um es leichter hämmer- u. schmiedbar zu machen

Te̱m|pest [...pıst] ⟨engl.⟩ die; -, -s: mit zwei Personen zu segelndes Kielboot für den Rennsegelsport. **tem|pes|to̱|so** ⟨lat.-it.⟩: stürmisch, heftig, ungestüm (Mus.). **Te̱m|pi**: Plural von ↑Tempo (2). **tem|pie̱|ren** ⟨veraltet⟩ den Zünder von Hohlgeschossen auf eine bestimmte Brennzeit einstellen (Mil.). **Te̱m|pi pas|sa̱|ti!** ⟨it.; „vergangene Zeiten!"⟩: das sind [leider/zum Glück] längst vergangene Zeiten!

Temp|lei|se* ⟨lat.-fr.⟩ der; -n, -n (meist Plural): Gralshüter, -ritter der mittelalterlichen Parzivalsage. **Te̱mp|ler** der; -s, - : 1. (hist.) Angehöriger eines mittelalterlichen geistlichen Ritterordens. 2. Mitglied der Tempelgesellschaft, einer 1856 von Ch. Hoffmann gegründeten pietistischen Freikirche

te̱m|po ⟨lat.-it.⟩: Bestandteil bestimmter Fügungen mit der Bedeutung „im Zeitmaß, Rhythmus von ... ablaufend", z. B.: **tempo di marcia** [- di 'martʃa]: Marschtempo; **tempo giusto** [- 'dʒusto]: in angemessener Bewegung; **tempo primo**: im früheren, anfänglichen Tempo; **tempo rubato**: ↑rubato. **Te̱m|po** das; -s, -s u. Tempi: 1. (ohne Plural) Geschwindigkeit, Schnelligkeit, Hast. 2. a) zeitlicher Vorteil eines Zuges im Schach; b) (bei der Parade) Hieb in den gegnerischen Angriff, um einen Treffer zuvorzukommen (Fechten); c) Taktbewegung, das zähl- u. messbare musikalische (absolute) Zeitmaß. 3. ® (Plural nur: -s) (ugs.) Kurzform von: Tempotaschentuch (Papiertaschentuch). **Te̱m|po|li|mit** [...lımıt] ⟨lat.-it.; engl.⟩ das; -s, -s, auch: -e: Geschwindigkeitsbeschränkung. **Te̱m|po|ra**: Plural von ↑Tempus. **tem|po|ra̱l** ⟨lat.⟩: 1. zeitlich, das Tempus betreffend (Sprachw.); **temporale Konjunktion**: zeitliches Bindewort (z. B.: nachdem). 2. (veraltet) weltlich. 3. zu den Schläfen gehörend (Med.); vgl. ...al/...ell. **Te̱m|po|ra̱|li|en** ⟨lat.-mlat.⟩ die (Plural): mit einem Kirchenamt verbundene Einkünfte (kath. Kirchenrecht). **Te̱m|po|ra̱l|satz**

⟨lat.; dt.⟩ der; -es, ...sätze: Umstandssatz der Zeit (z. B.: während er kochte, spielte sie mit den Kindern). **Te̱m|po|ra̱l|va|ri|a̱|ti|on** die; -: jahreszeitlich bedingter Wechsel im Aussehen der Tiere (Zool.). **te̱m|po|ra mu|ta̱n|tur** ⟨lat.⟩: alles wandelt sich, ändert sich. **te̱m|po|rä̱r** ⟨lat.-fr.⟩: zeitweilig [auftretend], vorübergehend. **te̱m|po|re̱ll**: (veraltet) zeitlich, vergänglich, irdisch, weltlich; vgl. ...al/...ell. **te̱m|po|ri|sie|ren**: (veraltet) 1. jmdn. hinhalten. 2. sich den Zeitumständen fügen. **Te̱m|pus** ⟨lat.⟩ das; -, Tempora: Zeitform des Verbs (z. B.: Präsens)

Te̱|mu|le̱nz ⟨lat.⟩ die; -: das Taumeln, Trunkenheit, bes. infolge Vergiftung mit den Rostpilzen eines Getreideunkrauts (Med.)

Te̱|nail|le [tə'naljə, te'naljə] ⟨lat.-vulgärlat.-fr.⟩ die; -, -n: (hist.) Festungswerk, dessen Linien abwechselnd ein- u. ausspringende Winkel bilden. **Te̱|na̱|kel** ⟨lat.⟩ das; -s, -: 1. Gerät zum Halten des Manuskripts beim Setzen (Druckw.). 2. (veraltet) Rahmen zum Befestigen eines Filtertuchs (Seew.). **Te̱n|al|lge*** ⟨gr.-nlat.⟩ der; -s, ...ien: Sehnenschmerz (Med.)

Te̱|na̱|zi|tät ⟨lat.⟩ die; -: 1. Zähigkeit, Ziehbarkeit; Zug- Reißfestigkeit (Phys.; Chem.; Techn.). 2. Widerstandsfähigkeit eines Mikroorganismus (z. B. eines Virus) gegenüber äußeren Einflussen (Med.). 3. Beharrlichkeit, Hartnäckigkeit; Zähigkeit, Ausdauer (Psychol.)

Te̱n|de̱nz ⟨lat.-fr.⟩ die; -, -en: 1. Hang, Neigung. 2. a) erkennbare Absicht, Zug, Richtung; eine Entwicklung, die sich abzeichnet; Entwicklungslinie; b) (abwertend) Darstellungsweise, mit der etwas bezweckt od. ein bestimmtes (meist politisches) Ziel erreicht werden soll. **ten|den|zi̱e̱ll** ⟨lat.-fr.⟩: der Tendenz nach, entwicklungsmäßig. **ten|den|zi̱ö̱s**: von bestimmter weltanschaulichen, politischen Tendenz beeinflusst u. daher als nicht objektiv empfunden. **Te̱n|der** ⟨engl.⟩ der; -s, -: 1. an die Lokomotive angekoppelter Wagen, in dem Kohle u. Wasser mitgeführt werden. 2. Begleitschiff, Hilfsfahrzeug. **ten|die̱ren** ⟨lat.⟩: neigen zu etwas; gerichtet sein auf etwas

Te̱n|di|ni̱|tis ⟨lat.-mlat.-nlat.⟩ die; -, ...itiden: Sehnenentzündung

(Med.). **Ten|do|va|gi|ni|tis** ⟨lat.-nlat.⟩ die; -, ...itiden: Sehnenscheidenentzündung (Med.)

Tend|re* ['tã:drə] ⟨lat.-fr.⟩ das; -s, -s: (veraltet) Vorliebe, Neigung.

Tend|resse [tã'drɛs] die; -, -n [...snn]: (veraltet) 1. Zärtlichkeit, zärtliche Liebe. 2. Vorliebe

Te|ne|ber|leuch|ter ⟨lat.; dt; lat. tenebrae = „Finsternis (der Karwoche)"⟩ der; -s, -: spätmittelalterlicher Leuchter, dessen 12–15 Kerzen nur in der Karwoche angezündet werden

te|ne|ra|men|te ⟨lat.-it.⟩: zart, zärtlich (Vortragsanweisung; Mus.)

Te|nes|mus ⟨gr.-nlat.⟩ der; -: andauernder schmerzhafter Stuhlod. Harndrang (Med.)

Ten|nis ⟨lat.-fr.-engl.⟩ das; -: ein Ballspiel mit Schlägern

Ten|no ⟨jap.⟩ der; -s, -s: japanischer Kaisertitel; vgl. ¹Mikado (1)

¹Te|nor ⟨lat.-it.⟩ der; -s, Tenöre (österr. auch: -e): 1. hohe Männerstimme. 2. Tenorsänger. 3. (ohne Plural) Gesamtheit der Tenorsänger in einem Chor. 4. (ohne Plural) solistischer, für den ¹Tenor (1) geschriebener Teil eines Musikwerks. **²Te|nor** ⟨lat.⟩ der; -s: 1. grundlegender Gehalt, Sinn, Wortlaut. 2. (Rechtsw.) a) Haltung, Inhalt eines Gesetzes; b) der entscheidende Teil des Urteils. 3. Stimme, die im ↑Cantus firmus den Melodieteil trägt; Abk.: t, T. **Te|no|ra** ⟨lat.-it.-katalan.-span.⟩ die; -, -s: katalanische Abart der Oboe (Mus.). **te|no|ral** ⟨lat.-it.-nlat.⟩: tenorartig, die Tenorlage betreffend. **Te|nor|ba|ri|ton** der; -s, -e u. -s: 1. Baritonsänger mit tenoraler Stimmlage. 2. Baritonstimme mit tenoraler Stimmlage. **Te|nor|bass** der; -es, ...bässe: Tuba (1). **Te|nor|buf|fo** der; -s, -s: 1. Tenor für heitere Opernrollen. 2. zweiter Tenor an einem Operntheater. **Te|nö|re:** Plural von ↑ ¹Tenor. **Te|no|rist** ⟨lat.-it.⟩ der; -en, -en: Tenorsänger [im Chor]. **Te|nor|schlüs|sel** ⟨lat.-it.; dt.⟩ der; -s, -: C-Schlüssel auf der vierten Notenlinie

Te|no|tom ⟨gr.-nlat.⟩ das; -s, -e: spitzes, gekrümmtes Messer für Sehnenschnitte (Med.). **Te|no|to|mie** die; -: operative Sehnendurchschneidung (Med.)

Ten|sid ⟨lat.-nlat.; gr.⟩ das; -[e]s, -e: die Oberflächenspannung des Wassers herabsetzender Zusatz in Wasch- u. Reinigungsmit-

teln. **Ten|si|on** ⟨lat.⟩ die; -, -en: Spannung von Gasen u. Dämpfen; Druck (Phys.). **Ten|sor** ⟨lat.-nlat.⟩ der; -s, ...oren: 1. Begriff der Vektorrechnung (Math.). 2. Spannmuskel (Med.). **Ten|ta|kel** der od. das; -s, - (meist Plural): 1. Fanghaar Fleisch fressender Pflanzen. 2. beweglicher Fortsatz in der Kopfregion niederer Tiere zum Ergreifen der Beutetiere. **Ten|ta|kulit** [auch: ...'lɪt] der; -en, -en: eine ausgestorbene Flügelschnecke. **Ten|ta|men** ⟨lat.⟩ das; -s, ...mina: 1. Vorprüfung (z. B. beim Medizinstudium). 2. Versuch (Med.). **ten|ta|tiv:** versuchsweise, probeweise. **ten|tie|ren:** 1. (veraltet, noch landsch.) untersuchen, prüfen; versuchen, unternehmen, betreiben, arbeiten; 2. (österr. ugs.) beabsichtigen. **Te|nü** [tə'ny] vgl. Tenue. **te|nue** [...nyə] vgl. tenuis. **Te|nue** [tə'ny:] ⟨lat.-fr.⟩ das; -s, -s: (schweiz.) 1. Art und Weise, wie jmd. gekleidet ist. 2. a) Anzug; b) Uniform. **te|nu|is** u. tenue ⟨lat.⟩: dünn, zart (Med.). **Te|nu|is** die; -, Tenues [...e:s]: stimmloser Verschlusslaut (z. B. p); Ggs. ↑ Media (1). **te|nu|to** ⟨lat.-it.⟩: ausgehalten, getragen (Vortragsanweisung; Mus.); Abk.: t, ten.; **ben tenuto:** gut gehalten (Vortragsanweisung; Mus.). **Ten|zo|ne** ⟨lat.-provenzal.⟩ die; -, -n: (hist.) Wett- od. Streitgesang der provenzalischen ↑Troubadoure

Te|ol|cal|li ⟨indian.-span.⟩ der; -[s], -s: pyramidenförmiger aztekischer Kultbau mit Tempel

Te|pa|che [...'tʃə] ⟨indian.-span.⟩ der; -: ↑Pulque

Te|pa|len ⟨fr.⟩ die (Plural): die gleichartigen Kelch- u. Blütenblätter des ↑Perigons (Bot.)

Te|phi|gramm ⟨gr.-nlat.⟩ das; -s, -e: grafische Aufzeichnung wetterdienstlicher Messergebnisse

Teph|rit* [auch: ...'rɪt] ⟨gr.-nlat.⟩ der; -s, -e: ein Ergussgestein (Geol.). **Teph|ro|it** [auch: ...'ɪt] der; -s, -e: ein Mineral

Te|pi|da|ri|um ⟨lat.⟩ das; -s, ...ien: 1. lauwarmer Raum der römischen Thermen. 2. (veraltet) Gewächshaus

Te|quil|la [te'ki:la] ⟨mex.-span.⟩ der; -[s]: ein aus ↑Pulque gewonnener mexikanischer Branntwein

Te|ra... ⟨gr.⟩: in Zusammensetzungen auftretendes Bestimmungswort mit der Bedeutung „eine Billion", z. B. Terameter (Tm) = 10¹² m; Zeichen: T

te|ra|to|gen ⟨gr.⟩: Missbildungen bewirkend (z. B. von Medikamenten; Med.). **Te|ra|to|lo|gie** die; -: Teilgebiet der Medizin, das sich mit den körperlichen u. organischen Missbildungen befasst (Med.). **te|ra|to|lo|gisch:** die Teratologie betreffend. **Te|ra|tom** ⟨gr.-nlat.⟩ das; -s, -e: angeborene Geschwulst aus Gewebe, die sich aus Gewebsversprengungen entwickeln (Med.)

Ter|bi|um ⟨nlat.; nach dem schwed. Ort Ytterby⟩ das; -s: chem. Element; ein Metall aus der Gruppe der ↑Lanthanide (Zeichen: Tb)

Te|re|bin|the ⟨gr.-lat.⟩ die; -, -n: ↑Pistazie (1) des Mittelmeergebietes, aus der Terpentin u. Gerbstoff gewonnen werden; Terpentinbaum

Te|reb|ra|tel* ⟨lat.-nlat.⟩ die; -, -n: fossiler Armfüßer

Ter|gal ® ⟨Kunstw.⟩ das; -s: eine synthetische Faser

Term ⟨lat.-fr.⟩ der; -s, -e: 1. [Reihe von] Zeichen in einer formalisierten Theorie, mit der eines der in der Theorie betrachteten Objekte dargestellt wird. 2. Zahlenwert der Energie eines Atoms, Ions od. Moleküls (Phys.). 3. Terminus (Sprachw.). **Ter|me** der; -n, -n: (veraltet) Grenzstein, -säule. **Ter|min** ⟨lat.; „Grenze"⟩ der; -s: 1. a) festgesetzter Zeitpunkt, Tag; b) Liefer-, Zahlungstag; Frist. 2. vom Gericht festgesetzter Zeitpunkt für eine Rechtshandlung. **ter|mi|nal:** die Grenze, das Ende betreffend, zum Ende gehörend. **Ter|mi|nal** ['tə:ɡmɪn], 'tœr..., auch: 'tə:mɪn] ⟨engl.⟩ der (auch: das); -s, -s: 1. Abfertigungshalle für Fluggäste. 2. Zielbahnhof. 3. (nur: das) Ein- u. Ausgabeeinheit einer EDV-Anlage

Ter|mi|nant ⟨lat.-nlat.⟩ der; -en, -en: Bettelmönch; vgl. terminieren (2). **Ter|mi|na|ti|on** ⟨lat.⟩ die; -, -en: Begrenzung, Beendigung. **ter|mi|na|tiv:** den Anfangs- od. Endpunkt einer verbalen Handlung mit ausdrückend (in Bezug auf Verben, z. B.: holen, bringen; Sprachw.). **Ter|mi|na|tor** der; -s, ...oren: Grenzlinie zwischen dem beleuchteten u. dem im Schatten liegenden Teil des Mondes od. eines Planeten (Astron.). **Ter|mi|ner** der; -s, -: Angestellter eines Industriebetriebes, der für die Ermittlung der Liefertermine u. dementsprechend für die zeitliche Steuerung des Produktionsablaufs verantwortlich ist. Ter|min|ge|schäft ⟨lat.; dt.⟩ das; -[e]s, -e: Zeitgeschäft, bei dem zu einem späteren Zeitpunkt zum Kurs bei Vertragsabschluss zu liefern ist. Ter|mi|ni: Plural von ↑Terminus. ter|mi|nie|ren: 1. a) befristen; b) zeitlich festlegen. 2. innerhalb eines zugewiesenen Gebiets Almosen sammeln (von Bettelmönchen). Ter|mi|nis|mus ⟨lat.-nlat.⟩ der; -: philosophische Lehre, nach der alles Denken nur ein Rechnen mit Begriffen ist (eine Variante des ↑Nominalismus; Philos.). Ter|mi|no|lo|ge ⟨lat.; gr.⟩ der; -n, -n: [wissenschaftlich ausgebildeter] Fachmann, der fachsprachliche Begriffe definiert u. Terminologien erstellt. Ter|mi|no|lo|gie die; -, ...ien: a) Fachwortschatz (eines bestimmten Fachgebiets); b) Wissenschaft vom Aufbau eines Fachwortschatzes. ter|mi|no|lo|gisch: die Terminologie betreffend, dazu gehörend. Ter|mi|nus ⟨lat.⟩ der; -, ...ni: 1. Begriff (Philos.). 2. Fachausdruck, Fachwort. Ter|mi|nus ad quem der; - - -, Termini ad quos u. Ter|mi|nus an|te quem der; - - -, Termini ante quos: Zeitpunkt, bis zu dem etwas gilt od. ausgeführt sein muss (Philos.; Rechtsw.). Ter|mi|nus a quo der; - - -, Termini a quibus: Zeitpunkt, von dem an etwas beginnt, ausgeführt wird (Philos.; Rechtsw.). Ter|mi|nus in|ter|mi|nus [...terminus] der; - -, Termini intermini: das unendliche Ziel alles Endlichen (Nikolaus von Kues; Philos.). Ter|mi|nus post quem der; - - -, Termini post quos; ↑Terminus a quo (Philos.; Rechtsw.). Ter|mi|nus tech|ni|cus der; - -, Termini technici: Fachwort, Fachausdruck. Ter|mi|te ⟨lat.-nlat.⟩ die; -, -n (meist Plural): Staaten bildendes, den Schaben ähnliches Insekt der Tropen u. Subtropen. Ter|mon ⟨Kunstw.⟩ aus determinieren u. Hormon⟩ das; -s, -e: hormonähnlicher, geschlechtsbestimmender Wirkstoff der ↑Gameten (Med.; Biol.) ter|när ⟨lat.-fr.⟩: dreifach; aus drei Stoffen bestehend; ternäre Verbindung: aus drei Elementen aufgebaute chemische Verbindung. Ter|ne ⟨lat.-it.⟩ die; -, -n: Zusammenstellung von drei Nummern (Lottospiel). Ter|ni|on ⟨lat.⟩ die;

-, -en: (veraltet) Verbindung von drei Dingen. Ter|no ⟨lat.-it.⟩ der; -s, -s: (österr.) Terne Terp ⟨niederl.⟩ die; -, -en: künstlich aufgeschütteter Hügel an der Nordseeküste, auf dem [in vorgeschichtlicher Zeit] eine Siedlung oberhalb der Flutwassergrenze angelegt wurde Ter|pen ⟨gr.-lat.-mlat.-nlat.⟩ das; -s, -e: organische Verbindung (Hauptbestandteil ätherischer Öle). Ter|pen|tin ⟨gr.-lat.-mlat.⟩ das (österr. meist: der); -s, -e: a) Harz verschiedener Nadelbäume; b) (ugs.) kurz für: Terpentinöl Ter|ra ⟨lat.⟩ die; -: Erde, Land (Geogr.). Ter|ra di Si|e|na ⟨it.⟩ die; - - -: Siena (2). Ter|rain [tɛˈrɛ̃:] ⟨lat.-vulgärlat.-fr.⟩ das; -s, -s: 1. a) Gebiet, Gelände; b) Boden, Baugelände, Grundstück. 2. Erdoberfläche (im Hinblick auf ihre Formung; Geogr.). Ter|ra in|cog|ni|ta* ⟨lat.⟩ die; -: 1. unbekanntes Land. 2. unerforschtes, fremdes Wissensgebiet. Ter|ra|kot|ta u. (österr. nur:) Ter|ra|kot|te ⟨lat.-it.⟩ die; -, ...tten: 1. gebrannte Tonerde, die beim Brennen eine weiße, gelbe, braune, hell- od. tiefrote Farbe annimmt. 2. antikes Gefäß od. kleine Plastik aus dieser Tonerde. Ter|ra|ma|re der; -, -n (meist Plural): bronzezeitliche Siedlung in der Poebene. Ter|ra|ri|um ⟨lat.⟩ das; -s, ...ien: 1. Behälter für die Haltung kleiner Landtiere. 2. Gebäude [in einem zoologischen Garten], in dem Lurche u. Reptilien gehalten werden. Ter|ra ros|sa ⟨lat.-it.⟩ die; --: Terre rosse: roter Tonboden, entstanden durch Verwitterung von Kalkstein in warmen Gegenden. Ter|ra si|gil|la|ta ⟨lat.; „gesiegelte Erde"⟩ die; --: Geschirr der römischen Kaiserzeit aus rotem Ton, mit figürlichen Verzierungen u. dem Fabrikstempel versehen. Ter|ras|se ⟨lat.-galloroman.-fr.; „Erdaufhäufung"⟩ die; -, -n: 1. stufenförmige Erderhebung, Geländestufe, Absatz, Stufe. 2. nicht überdachter größerer Platz vor od. auf einem Gebäude. ter|ras|sie|ren: ein Gelände terrassen-, treppenförmig anlegen, erhöhen (z. B. Weinberge). Ter|raz|zo ⟨lat.-mlat.-roman.-it.⟩ der; -[s], ...zzi: Fußbodenbelag aus Zement u. verschieden getönten Steinkörnern. ter|res|t|risch*

⟨lat.⟩: 1. a) die Erde betreffend; Erd...; b) nicht über Satellit (gesendet, empfangen). 2. a) (von Ablagerungen u. geologischen Vorgängen) auf dem Festland gebildet, geschehen (Geol.); b) zur Erde gehörend, auf dem Erdboden lebend (Biol.); Ggs. ↑limnisch (1), ↑marin (2) ter|ri|bel ⟨lat.⟩: (veraltet) schrecklich. Ter|rib|lo Sim|pli|fi|ca|teur* [tɛriblǝsɛplifika'tœ:r] ⟨fr.⟩ der; - -, -s -s [tɛriblǝsɛplifika'tœ:r]: jmd., der wichtige Fragen, Probleme o. Ä. auf unzulässige Weise vereinfacht Ter|ri|er ⟨lat.-mlat.-engl.⟩ der; -s, -: kleiner bis mittelgroßer englischer Jagdhund mit zahlreichen Rassen (z. B. Airedaleterrier). ter|ri|gen ⟨lat.; gr.⟩: vom Festland stammend (Biol.). Ter|ri|ne ⟨lat.-vulgärlat.-fr.⟩ die; -, -n: [Suppen]schüssel Ter|ri|ti|on ⟨lat.⟩ die; -: (hist.) in Rechtsprozessen des Mittelalters angewandte Bedrohung eines Angeschuldigten mit der Folter durch Vorzeigen der Folterwerkzeuge ter|ri|to|ri|al ⟨lat.-fr.⟩: zu einem Gebiet gehörend, ein Gebiet betreffend. Ter|ri|to|ri|al|ho|heit ⟨lat.-fr.; dt.⟩ die; -, -en: Landeshoheit. Ter|ri|to|ri|a|li|tät ⟨lat.-fr.⟩ die; -: Zugehörigkeit zu einem Staatsgebiet. Ter|ri|to|ri|a|li|täts|prin|zip das; -s: [internationaler] Rechtsgrundsatz, der besagt, dass eine Person den Rechtsbestimmungen des Staates unterworfen ist, in dem sie sich aufhält (Rechtsw.); Ggs. ↑Personalitätsprinzip. Ter|ri|to|ri|al|staat der; -[e]s, -en: (hist.) (in der Zeit des Feudalismus) der kaiserlichen Zentralgewalt nicht unterworfener Staat. Ter|ri|to|ri|um ⟨lat.(-fr.)⟩ das; -s, ...ien a) Grund u. Boden, Land, Bezirk, Gebiet; b) Hoheitsgebiet eines Staates. Ter|ror ⟨lat.⟩ der; -s: 1. [systematische] Verbreitung von Angst u. Schrecken durch Gewaltaktionen. 2. Zwang, Druck [durch Gewaltanwendung]. 3. (ugs.) a) Zank u. Streit; b) großes Aufheben um Geringfügigkeiten. ter|ro|ri|sie|ren ⟨lat.-fr.⟩: 1. Terror ausüben, Schrecken verbreiten. 2. jmdn. unterdrücken, bedrohen, einschüchtern, unter Druck setzen. Ter|ro|ris|mus ⟨lat.-nlat.⟩ der; -: 1. Schreckensherrschaft. 2. das Verbreiten von Terror durch Anschläge u. Gewaltmaßnahmen zur Erreichung eines bestimmten [politischen] Ziels. 3. Gesamtheit der Personen, die Terrorakte verüben. **Ter|ro|rist** *der;* -en, -en: jmd., der Terroranschläge plant u. ausführt. **ter|ro|ris|tisch:** Terror verbreitend **¹Ter|tia** *die;* -, ...ien: 1. (veraltend) die vierte u. fünfte Klasse einer höheren Schule. 2. (österr.) die dritte Klasse einer höheren Schule. **²Ter|tia** *die;* -: Schriftgrad von 16 Punkt (Druckw.). **Ter|ti|al** ⟨*lat.-nlat.*⟩ *das;* -s, -e: (veraltet) Jahresdrittel. **ter|ti|an** ⟨*lat.*⟩: (Med.) a) dreitägig (z. B. von Fieberanfällen); b) alle drei Tage auftretend (z. B. von Fieberanfällen). **Ter|ti|a|na** *die;* - u. **Ter|ti|a|na|fie|ber** ⟨*lat.; dt.*⟩ *das;* -s: Dreitagewechselfieber (Med.). **Ter|ti|a|ner** ⟨*lat.*⟩ *der;* -s, -: (veraltend) Schüler einer ¹Tertia. **Ter|ti|an|fie|ber** ⟨*lat.; dt.*⟩ *das;* -s: ↑ Tertiana. **ter|ti|är** ⟨*lat.-fr.*⟩: 1. dritte Stelle in einer Reihe einnehmend; drittrangig. 2. (von chemischen Verbindungen) jeweils drei gleichartige Atome durch drei bestimmte andere ersetzend od. mit drei bestimmten anderen verbindend. 3. das Tertiär betreffend. **Ter|ti|är** *das;* -s: erdgeschichtliche Formation des ↑ Känozoikums (Geologie). **Ter|ti|a|ri|er** vgl. Terziar. **Ter|ti|en:** *Plural* von ↑ ¹Tertia. **Ter|ti|um Com|pa|ra|ti|o|nis** *das;* - -, ...tia -: Vergleichspunkt, das Gemeinsame zweier verschiedener, miteinander verglichener Gegenstände od. Sachverhalte (Philos.). **ter|ti|um non da|tur:** ein Drittes gibt es nicht (Grundsatz vom ausgeschlossenen Dritten; Logik). **Ter|ti|us gau|dens** *der;* - -: der lachende Dritte

Terz ⟨*lat.-mlat.*⟩ *die;* -, -en: 1. Intervall von drei Tonstufen; der dritte Ton vom Grundton aus (Mus.). 2. bestimmte Klingenhaltung beim Fechten. 3. Gebet des Breviers um die dritte Tagesstunde (9 Uhr). **Ter|zel** ⟨*lat.-mlat.*⟩ *der;* -s, -: (Jägerspr.) männlicher Falke. **Ter|ze|rol** ⟨*lat.-mlat.-it.*⟩ *das;* -s, -e: kleine Pistole. **Ter|ze|ro|ne** ⟨*lat.-span.*⟩ *der;* -n, -n: Nachkomme eines Weißen u. einer Mulattin. **Ter|zett** ⟨*lat.-it.*⟩ *das;* -[e]s, -e: 1. a) Komposition für drei Singstimmen [mit Instrumentalbegleitung]; b) dreistimmiges musikalischer Vortrag; c) Gruppe von drei gemeinsam singenden Solis-

ten; d) Gruppe von drei Personen, die häufig gemeinsam in Erscheinung treten. 2. die erste od. zweite der beiden dreizeiligen Strophen des Sonetts. **Ter|zi|ar** *der;* -s, -en u. **Ter|ti|a|rier** *der;* -s, -: Angehöriger einer Ordensgemeinschaft von Männern, die nach einer anerkannten Regel, jedoch nicht im Kloster leben. **Ter|zi|a|rin** *die;* -, -nen: Angehörige einer Ordensgemeinschaft von Frauen, die nach einer anerkannten Regel, jedoch nicht im Kloster leben. **Ter|zi|ne** ⟨*lat.-it.*⟩ *die;* -, -n (meist Plural): meist durch Kettenreim mit den anderen Strophen verbundene Strophe aus drei elfsilbigen Versen. **Terz|quart|ak|kord** *der;* -[e]s, -e: zweite Umkehrung des Septimenakkords mit der Quint als Basston u. darüber liegender Terz u. Quart (Mus.)

Te|sching ⟨Herkunft unsicher⟩ *das;* -s, -e u. -s: kleine Handfeuerwaffe

Tes|la ⟨nach dem kroatischen Physiker N. Tesla (1856–1943)⟩ *das;* -, -: gesetzliche Einheit der magnetischen Induktion. **Tes|la-strom** *der;* -[e]s: Hochfrequenzstrom mit sehr hoher Spannung, aber geringer Stromstärke

Tes|sar® ⟨Kunstw.⟩ *das;* -s, -e: lichtstarkes Fotoobjektiv

tes|sel|la|risch ⟨*gr.-lat.*⟩: gewürfelt (Kunstw.). **tes|sel|lie|ren:** eine Mosaikarbeit anfertigen. **tes|se|ral** ⟨*gr.-lat.-nlat.*⟩: Fügung: **tesserales Kristallsystem:** Kristallsystem mit drei gleichen, aufeinander senkrecht stehenden Achsen

Test ⟨*lat.-fr.-engl.*⟩ *der;* -[e]s, -s (auch: -e): nach einer genau durchdachten Methode vorgenommener Versuch, Prüfung zur Feststellung der Eignung, der Leistung o. Ä. einer Person od. Sache

Tes|ta|ment ⟨*lat.*⟩ *das;* -[e]s, -e: 1. a) letztwillige Verfügung, in der jmd. die Verteilung seines Vermögens nach seinem Tode festlegt; b) [politisches] Vermächtnis. 2. Verfügung, Ordnung [Gottes], Bund Gottes mit den Menschen (danach das Alte u. das Neue Testament der Bibel; Abk.: A. T., N. T.). **tes|ta|men|ta|risch:** durch letztwillige Verfügung festgelegt. **Tes|tat** *das;* -[e]s, -e: 1. Bescheinigung, Beglaubigung. 2. (früher) von Hochschullehrer, in Form einer Unterschrift im Studienbuch ge-

gebene Bestätigung über den Besuch einer Vorlesung, eines Seminars o. Ä. 3. (Fachspr.) Bestätigung (in Form einer angehefteten Karte o. Ä.), dass ein Produkt getestet worden ist. **Tes|ta-tor** *der;* -s, ...oren: 1. jmd., der ein Testament macht. 2. jmd., der ein Testat ausstellt **Tes|ta|zee** ⟨*lat.*⟩ *die;* -, -n (meist Plural): Schalen tragende Amöbe (Biol.). **tes|ten** ⟨*lat.-fr.-engl.*⟩: einem Test unterziehen. **Tes|ter** *der;* -s, -: jmd., der etw. testet **tes|ti|e|ren** ⟨*lat.*⟩: 1. ein Testat geben, bestätigen. 2. ein Testament machen (Rechtsw.). **Tes|tie|rer** *der;* -s, -: jmd., der testiert. **Tes|ti|fi|ka|ti-on** *die;* -, -en: (veraltet) Bezeugung, Bekräftigung durch Zeugnis; Beweis (Rechtsw.). **Tes|ti-kel** *der;* -s, -: Hoden (Med.). **Tes-ti|kel|hor|mon** *das;* -s, -e: männliches Keimdrüsenhormon (Med.). **Tes|ti|mo|ni|al** [...'moun-jəl] ⟨*lat.-engl.*⟩ *das;* -s, -s: zu Werbezwecken (in einer Anzeige, einem Prospekt o. Ä.) verwendetes Empfehlungsschreiben eines zufriedenen Kunden, eines Prominenten o. Ä. **Tes|ti|mo|ni|um** *das;* -s, ...ien u. ...ia: (veraltet) Zeugnis. **Tes|ti|mo-ni|um Pau|per|ta|tis** *das;* - -, ...nia --: (veraltet) amtliche Bescheinigung der Mittellosigkeit für Prozessführende zur Erlangung einer Prozesskostenhilfe (Rechtsw.).

Tes|to ⟨*lat.-it.*⟩ *das;* -s, Testi: im Oratorium die Handlung zunächst psalmodierend, später rezitativisch berichtender Erzähler

Tes|tos|te|ron* ⟨Kunstw.⟩ *das;* -s: Hormon der männlichen Keimdrüsen (Med.)

Test|se|rie [...jə] *die;* -, -n: 1. Reihe von Tests. 2. Produktserie, an der die Qualität getestet wird. **Tes|tu|do** ⟨*lat.;* „Schildkröte"⟩ *die;* -, ...dines [...dine:s]: 1. (hist.) bei Belagerungen verwendetes Schutzdach. 2. Verband zur Ruhigstellung des gebeugten Kniegelenks. 3. a) (bei den Römern) Lyra (1); b) (vom 15. bis 17. Jh.) Laute

Te|ta|nie ⟨*gr.-nlat.*⟩ *die;* -, ...ien: schmerzhafter Muskelkrampf; Starrkrampf (Med.). **te|ta|ni-form** ⟨*gr.; lat.*⟩: starrkrampfartig, -ähnlich (Med.). **te|ta|nisch** ⟨*gr.-*

nlat.): den Tetanus betreffend, auf Tetanus beruhend, von Tetanus befallen. **Te|ta|nus** [auch: 'tε...] ⟨*gr.-lat.*⟩ *der; -:* nach Infektion einer Wunde auftretende Krankheit, die sich durch Muskelkrämpfe, Fieber u. Ä. äußert; Wundstarrkrampf (Med.)
Te|tar|to|ed|rie* ⟨*gr.-nlat.*⟩ *die; -:* Ausbildung nur des vierten Teils der Flächen bei einem Kristall
Te|te ['te:tə, 'tɛ:tə] ⟨*lat.-fr.*⟩ *die; -,* **-n:** (veraltet) Anfang, Spitze [einer marschierenden Truppe]. **tête-à-tête** [tɛta'tɛ:t] ⟨„Kopf an Kopf"⟩: (veraltet) vertraulich, unter vier Augen. **Tete-a-Tete**, auch: **Tête-à-tête** [tɛta'tɛ:t] *das; -, -s:* a) (ugs. scherzh.) Gespräch unter vier Augen; b) vertrauliche Zusammenkunft; zärtliches Beisammensein
Te|thys *die; - u.* **Te|thys|meer** ⟨*gr.-lat.;* nach Tethys, der Mutter der Gewässer in der griech. Sage⟩ *das; -[e]s:* vom Paläozoikum bis zum Alttertiär bestehendes zentrales Mittelmeer
Te|tra* *der; -s, -s:* 1. (ohne Plural) Kurzform von ↑Tetrachlorkohlenstoff. 2. Kurzform von ↑Tetragonopterus. **Te|trachlor|koh|len|stoff** [...kl...] ⟨*gr.; dt.*⟩ *der; -[e]s:* nicht entflammbares Lösungsmittel. **Te|tra|chord** [...'kɔrt] ⟨*gr.-lat.*⟩ *der od. das; -[e]s, -e:* Folge von vier Tönen einer Tonleiter, die Hälfte einer Oktave (Mus.). **Te|tra|de** *die; -, -n:* die Vierheit; das aus vier Einheiten bestehende Ganze (Philos.). **Te|tra|e|der** ⟨*gr.-nlat.*⟩ *das; -s, -:* von vier gleichseitigen Dreiecken begrenzter Körper, dreiseitige Pyramide. **Te|tra|e|dr|it*** [auch: ...'drit] *der; -s, -e:* ein metallisch glänzendes Mineral. **Te|tra|gon** ⟨*gr.-lat.*⟩ *das; -s, -e:* Viereck. **tet|ra|go|nal:** das Tetragon betreffend, viereckig. **Te|tra|go|nop|te|rus** ⟨*gr.-nlat.*⟩ *der; -, ...ri:* farbenprächtiger Aquarienfisch. **Tet|ra|gramm** ⟨*gr.*⟩ *das; -s, -e u.* **Tet|ra|gram|ma|ton** *das; -s, ...ta:* Bezeichnung für die vier hebräischen Konsonanten J-H-W-H des Gottesnamens Jahwe als Sinnbild Gottes [zur Abwehr von Bösem]. **Tet|ra|kis|he|xa|e|der** ⟨*gr.-nlat.*⟩ *das; -s, -:* Pyramidenwürfel, der aus 24 Flächen zusammengesetzt ist, bes. als Kristallform. **Tet|rak|tys** ⟨*gr.*⟩ *die; -:* die (bei den Pythagoreern heilige) Zahl Vier, zugleich die Zehn als Summe der ersten vier Zahlen. **Tet|ra|lem-**

ma ⟨*gr.-nlat.*⟩ *das; -s, -ta:* vierteilige Annahme (Logik). **Tet|ra|lin ®** ⟨Kunstw.⟩ *das; -s:* ein Lösungsmittel. **Tet|ra|lo|gie** ⟨*gr.*⟩ *die; -, ...ien:* Folge von vier eine innere Einheit bildenden Dichtwerken (bes. Dramen), Kompositionen u. a. **tet|ra|mer:** vierzählig (z. B. von Blütenkreisen; Bot.). **Tet|ra|me|ter** ⟨*gr.-lat.*⟩ *der; -s, -:* aus vier Metren bestehender Vers. **Tet|ra|morph** ⟨*gr.;* „Viergestalt"⟩ *der; -s, -en:* Darstellung eines Engels mit vier verschiedenen Köpfen od. Flügeln als Sinnbild der vier Evangelisten in der frühchristlichen Kunst. **Tet|ra|pa|nax** ⟨*gr.-nlat.*⟩ *der; -, -:* Gattung der Efeugewächse. **tet|ra|pe|ta|lisch:** vier Kron- od. Blumenblätter aufweisend (Bot.). **Tet|ra|ple|gie*** *die; -:* gleichzeitige Lähmung aller vier Gliedmaßen (Med.). **Tet|ra|po|l|de** ⟨*gr.*⟩ *der; -n, -n:* 1. Vierfüßer (Biol.). 2. vierfüßiges klotzartiges Gebilde, das mit anderen zusammen aufgestellt u. aufgeschichtet wird und dadurch als Sperre, Wellenbrecher o. Ä. dient. **Tet|ra|po|die** *die; -:* (in der griechischen Metrik) Verbindung von vier Versfüßen zu einem Verstakt. **Tet|r|arch** ⟨*gr.-lat.*⟩ *der; -en, -en:* (hist.) Herrscher über den vierten Teil eines Landes. **Tet|rar|chie** *die; -, ...ien:* a) Gebiet eines Tetrarchen; b) Herrschaft eines Tetrarchen. **Tet|ras|ti|chon*** *das; -s, ...cha:* Gruppe von vier Verszeilen. **Tet|ro|de** ⟨*gr.-nlat.*⟩ *die; -, -n:* Vierpolröhre. **Tet|ryl** *das; -s:* giftige kristalline Substanz, die als Sprengstoff verwendet wird **Teu|cri|um** ⟨*gr. nlat.*⟩ *das; -s:* ↑Gamander
Tex ⟨*lat.*⟩ *das; -, -:* Maß für die längenbezogene Masse textiler Fasern u. Garne; Zeichen: tex **Te|xas|fie|ber** ⟨nach dem US-Bundesstaat⟩ *das; -s:* Malaria der Rinder **Te|xo|print|ver|fah|ren*** ⟨*engl.; dt.*⟩ *das; -s:* Verfahren zur Herstellung von Schriftvorlagen für Offset- u. Tiefdruck (Druckw.)
¹Text ⟨*lat.;* „Gewebe, Geflecht"⟩ *der; -[e]s, -e:* 1. Wortlaut eines Schriftstücks, Vortrags o. Ä. 2. Folge von Aussagen, die untereinander in Zusammenhang stehen (Sprachw.). 3. Bibelstelle als Predigtgrundlage. 4. Beschriftung (z. B. von Abbildungen). 5. die zu einem Musikstück gehörenden Worte. **²Text** *die; -:*

Schriftgrad von 20 Punkt (ungefähr 7,5 mm Schrifthöhe; Druckw.). **Tex|tem** *das; -s, -e:* dem zu formulierenden Text zugrunde liegende, noch nicht realisierte sprachliche Struktur (Sprachw.). **tex|ten:** einen [Schlager-, Werbe]text verfassen. **Tex|ter** *der; -s, -:* Verfasser von [Schlager-, Werbe]texten. **tex|til** ⟨*lat.-fr.*⟩: 1. eine Unterschrift unter einer Abbildung anbringen, vermerken. 2. (einem Musikstück) einen Text unterlegen. **tex|til** ⟨*lat.-fr.*⟩: 1. die Textiltechnik, die Textilindustrie betreffend. 2. gewebt, gewirkt. **Tex|ti|li|en** (die) (Plural): gewebte, gestrickte od. gewirkte, aus Faserstoffen hergestellte Waren. **Text|kri|tik** *die; -:* [vergleichende] philologische Untersuchung eines überlieferten Textes auf Echtheit und Inhalt. **Text|lin|gu|is|tik** *die; -:* Teilgebiet der modernen Sprachwissenschaft, das sich mit dem Wesen, dem Aufbau und den inneren Zusammenhängen von Texten befasst. **text|lin|gu|is|tisch:** die Textlinguistik betreffend. **tex|tu|ell:** den Text betreffend. **Tex|tur** ⟨*lat.*⟩ *die; -, -en:* 1. Gewebe, Faserung. 2. räumliche Anordnung u. Verteilung der Gemengteile eines Gesteins (Geol.). 3. gesetzmäßige Anordnung der Kristallite in Faserstoffen u. technischen Werkstücken (Chem.; Techn.). 4. strukturelle Veränderung des Gefügezustands von Stoffen bei Kaltverformung (Techn.). **tex|tu|rie|ren:** synthetischen Geweben ein Höchstmaß an textilen Eigenschaften geben (z. B. Fördern von Feuchtigkeitsaufnahme)
Thal|la|mus ⟨*gr.-lat.*⟩ *der; -, ...mi:* Hauptteil des Zwischenhirns (Med.)
thal|las|so|gen ⟨*gr.-nlat.*⟩: durch das Meer entstanden (Geogr.; Geol.). **Tha|las|so|gra|phie**, auch: ...grafie *die; -:* Meereskunde. **tha|las|so|kra*** u. **tha|las|so|kra|tisch*:** vom Meer beherrscht (von Zeiten der Erdgeschichte, in denen die Meere Festland eroberten). **Tha|las|so|me|ter** *das; -s, -:* Meeresfliefenmesser; Messgerät für Ebbe u. Flut. **Tha|las|so|the|ra|pie** *die; -, ...ien:* Teilbereich der Medizin, der sich mit der heilklimatischen Wirkung von Seeluft u. Bädern im Meerwasser sowie mit der therapeutischen Verwendung

von Meerwasser u. Meersalz befasst. **Tha̱llat̯|ta, Tha̱llat̯|ta!** ⟨Freudenruf der Griechen nach der Schlacht v. Kunaxa⟩: das Meer, das Meer! **Tha̱|li̯|do̱|mi̯d** ⟨Kunstw.⟩ das; -s: (nicht mehr verwendeter) schädliche Nebenwirkungen hervorrufender Wirkstoff in bestimmten Schlaf- u. Beruhigungsmitteln (Med.) **Tha̱l|lei̯|o̱|chi̯n** [...ɔ'xiːn] vgl. Dalleochin **Tha̱l|li:** *Plural* von ↑ Thallus. **Tha̱l|li̯|um** ⟨*gr. -nlat.*⟩ *das;* -s: chemisches Element; ein Metall (Zeichen: Tl). **Tha̱l|lo̱|phyt** *der;* -en, -en (meist Plural): Vertreterin einer Gruppe der Sporenpflanzen (Algen, Pilze u. Flechten). **Tha̱l|lus** ⟨*gr.-lat.*⟩ *der;* -, ...lli: primitiver Pflanzenkörper der Thallophyten (ohne Wurzeln u. Blätter); Ggs. ↑ Kormus **Tha̱|na̱t|is̯|mus** ⟨*gr.-nlat.*⟩ *der;* -: Lehre von der Sterblichkeit der Seele. **Tha̱|na̱t|o̱|lo̱|gie** *die;* -: interdisziplinäres Forschungsgebiet, das sich mit den Problemen des Sterbens u. des Todes befasst. **Tha̱|na̱|to̱|pho̱|bi̯e** ⟨*gr.-nlat.*⟩ *die;* -, ...i̯en: gesteigerte Angst vor dem Tode. **Tha̱|na̱|tos** ⟨*gr.*⟩ *der;* -: der Tod in der griechischen Mythologie **Thanks|gi̱|ving Day** ['θæŋksgɪvɪŋ 'deɪ] ⟨*engl.*⟩ *der;* - -s, - -s: Erntedanktag in den USA **Tha̱r** vgl. Thar **Thar|ge̱|li̯|en** [...i̯ən] ⟨*gr.*⟩ *die* (Plural): altgriechisches Sühnefest für Apollon zum Schutz der kommenden Ernte **Thau|ma̱|to̱|lo̱|gie** ⟨*gr.-nlat.*⟩ *die;* -: (veraltet) Lehre von den Wundern (Theol.). **Thau|ma̱|turg*** ⟨*gr.*⟩ *der;* -en, -en: Wundertäter (Beiname mancher griechischer Heiliger) **The̱a** ⟨*chin.-nlat.*⟩ *die;* -: Pflanzengattung der Teegewächse **The̱|al̯|ter** ⟨*gr.-lat.(-fr.)*⟩ *das;* -s, -: 1. a) Gebäude, in dem regelmäßig Schauspiele aufgeführt werden, Schauspielhaus; b) künstlerisches Unternehmen, das die Aufführungen von Schauspielen, Opern o. Ä. arrangiert; c) (ohne Plural) Schauspiel-, Opernaufführung, Vorstellung; d) (ohne Plural) darstellende Kunst [eines Volkes od. einer Epoche] mit allen Erscheinungen. 2. (ohne Plural; ugs.) Unruhe, Aufregung, Getue **The̱|al̯t|ner** ⟨*nlat.;* nach der it. Bischofsstadt Theate, heute Chieti⟩

der; -s, - (meist Plural): Angehöriger eines italienischen Ordens **The̱|at̯|ra̱|lik*** ⟨*gr.-lat.-nlat.*⟩ *die;* -: übertriebenes schauspielerisches Wesen, Gespreiztheit. **the̱|at̯|ra̱|lisch** ⟨*gr.-lat.*⟩: 1. das Theater betreffend, bühnengerecht. 2. übertrieben, unnatürlich, gespreizt. **The̱|at̯|rum Mu̱n|di** *(lat.;* „Welttheater") *das;* - -: 1. Titel von umfangreichen historischen Werken im 17. u. 18. Jh. 2. (hist.) mechanisches Theater, in dem die Figuren mithilfe von Laufschienen bewegt werden **Thé dan|sant** [tedã'sã] ⟨*fr.*⟩ *der;* - -, -s -s [tedã'sã]: (veraltet) kleiner [Haus]ball. **The̱|in** u. Tein ⟨*chin.- nlat.*⟩ *das;* -s: in Teeblättern enthaltenes Koffein **The̱|is̯|mus** ⟨*gr.-nlat.*⟩ *der;* -: Glaube an einen persönlichen, von außen auf die Welt einwirkenden Schöpfergott. **The̱|ist** *der;* -en, -en: Anhänger des Theismus. **the̱|is̯|tisch:** den Theismus, den Theisten betreffend **The̱l|ka** ⟨*gr.-lat.;* „Behältnis; Hülle"⟩ *die;* -, ...ken: zwei Pollensäckchen enthaltendes Fach der Staubblattes (Bot.). **The̱l|ke** *die;* -, -n: 1. Schanktisch. 2. Ladentisch. **The̱l|ken|dis̯|play** [...dɪs-'pleɪ] *das;* -s, -s: aufstellbares Werbeelement für den Ladentisch; Counterdisplay; Thekenaufsteller **The̱l|la̱l|gie*** ⟨*gr.-nlat.*⟩ *die;* -, ...i̯en: Schmerzen in den Brustwarzen (Med.) **The̱l|le̱|ma** ⟨*gr.*⟩ *das;* -s, ...le̱mata: Wille (Philos.). **The̱l|le̱|ma̱|tis̯|mus** ⟨*gr.-nlat.*⟩ *der;* - u. The̱l|le̱|ma̱|to̱|lo̱|gie *die;* -: Willenslehre. **the̱l|le̱|ma̱|to̱|lo̱|gisch:** die Thelematologie betreffend. **The̱l|lis̯|mus** vgl. Thelematismus. **the̱l|lis̯|tisch:** den Thelismus betreffend, willensmäßig **The̱l|li̱|tis** ⟨*gr.-nlat.*⟩ *die;* -, ...iti̯den: Entzündung der Brustwarzen (Med.). **The̱l|ly̱|tol|ki̯e** *die;* -, ...i̯en: Erzeugung ausschließlich weiblicher Nachkommen (Biol.); Ggs. ↑ Arrhenogenie, Arrhenotokie (2). **the̱l|ly̱|to̱|kisch:** nur weibliche Nachkommen habend (Biol.); Ggs. ↑ arrhenotokisch **The̱l|ma** ⟨*gr.-lat.;* „das Aufgestellte"⟩ *das;* -s, ...men u. (veraltend) -ta: 1. Aufgabe, [zu behandelnder] Gegenstand; Leitgedanke, Leitmotiv; Sache, Gesprächs-

stoff. 2. Gegenstand der Rede, psychologisches Subjekt des Satzes (Sprachw.); Ggs. ↑ Rhema. 3. [aus mehreren Motiven bestehende] Melodie, die den musikalischen Grundgedanken einer Komposition od. eines Teils derselben bildet (Mus.). **The̱|ma-Rhe̱|ma:** Begriffspaar zur Satzanalyse unter dem Gesichtspunkt, dass im Thema der (bekannte, in Rede stehende) Gegenstand genannt wird, von dem dann im Rhema etwas ausgesagt wird. **The̱|ma̱|tik** ⟨*gr.*⟩ *die;* -, -en: 1. ausgeführtes, gewähltes, gestelltes Thema; Thematstellung; Komplexität eines Themas; Leitgedanke. 2. Kunst der Themaaufstellung, -einführung und -verarbeitung (Mus.). **the̱|ma̱|tisch:** 1. das Thema betreffend. 2. mit einem Themavokal gebildet (von Wortformen); Ggs. ↑ athematisch (2). **the̱|ma̱|ti̱|sie̱|ren:** 1. zum Thema (1) von etwas machen, als Thema behandeln, diskutieren. 2. mit einem Themavokal versehen. **The̱|ma̱|vo̱|kal** *der;* -s, -e: Vokal, der bei der Bildung von Verbformen zwischen Stamm u. Endung eingeschoben wird. **The̱|men:** *Plural* von ↑ Thema **The̱|nar** ⟨*gr.*⟩ *das;* -s, ...na̱re: Muskelwulst der Handfläche an der Daumenwurzel (Daumenballen; Med.) **The̱|o̱|bro̱|ma** ⟨*gr.-nlat.*⟩ *das;* -s: Kakaobaum. **The̱|o̱|bro̱|min** *das;* -s: Alkaloid der Kakaobohnen. **The̱|o̱|di̱|zee** *die;* -, ...zeen: Rechtfertigung Gottes hinsichtlich des von ihm in der Welt zugelassenen Übels u. Bösen, das man mit dem Glauben an seine Allmacht, Weisheit u. Güte in Einklang zu bringen sucht (Philos.) **The̱|o̱|do̱|li̯t** ⟨Herkunft unsicher⟩ *der;* -[e]s, -e: geodätisches Instrument zur Horizontal- u. Höhenwinkelmessung (Vermessungstechnik) **The̱|o̱|gno̱|si̯e*** u. **The̱|o̱|gno̱|sis** ⟨*gr.*⟩ *die;* -: die Gotteserkenntnis (Philos.). **The̱|o̱|go̱|ni̯e** ⟨*gr.-lat.*⟩ *die;* -, ...i̯en: mythische Lehre od. Vorstellung von der Entstehung u. Abstammung der Götter. **The̱|o̱|krat** ⟨*gr.-nlat.*⟩ *der;* -en, -en: Anhänger der Theokratie. **The̱|o̱|kra̱|ti̯e** ⟨„Gottesherrschaft"⟩ *die;* -, ...i̯en: Herrschaftsform, bei der die Staatsgewalt allein religiös legitimiert wird, aber im Gegensatz zur Hierokratie nicht von Priestern ausgeübt zu werden braucht. **theo|kra|tisch:** die Theokratie betreffend. **The|o||lat|rie** die; -, ...ien: (veraltet) Gottesverehrung, Gottesdienst. **The|o||lo|ge** ⟨gr.-lat.⟩ der; -n, -n: jmd., der sich wissenschaftlich mit der Theologie beschäftigt. **The|o||lo|gie** die; -, ...ien: wissenschaftliche Lehre von einer als wahr vorausgesetzten [christlichen] Religion, ihrer Offenbarung, Überlieferung und Geschichte. **the|o||lo|gisch:** die Theologie betreffend. **the|o||lo|gi|sie|ren** ⟨gr.-nlat.⟩: Theologie treiben, das Gebiet der Theologie berühren. **The|o||lo|gu|me|non** ⟨gr.-lat.⟩ das; -s, ...mena: (nicht zur eigentlichen Glaubenslehre gehörender) theologischer Lehrsatz. **Theo|man|tie** die; -, ...ien: das Weissagen durch göttliche Eingebung. **theo|morph** u. **the|o|mor|phisch:** in göttlicher Gestalt auftretend, erscheinend. **the|o|nom** ⟨gr.-nlat.⟩: unter Gottes Gesetz stehend. **The|o|no|mie** die; -: Unterwerfung unter Gottes Gesetz als Überhöhung von Autonomie u. Heteronomie. **The|o|pha|nie** ⟨gr.⟩ die; -, ...ien: Gotteserscheinung; vgl. Epiphanie. **the|o|phor:** Gott[esnamen] tragend. **the|o|pho|risch:** Gott tragend; **theophorische Prozession:** feierliche kirchliche Prozession, bei der das Allerheiligste in Gestalt einer geweihten Hostie in einer Monstranz mitgeführt wird **The|o|phyl|lin** ⟨⟨chin.; gr.⟩ nlat.⟩ das; -s: Alkaloid aus Teeblättern, ein Arzneimittel **The|op|neus|tie*** ⟨gr.-nlat.; „göttliche Einhauchung") die; , ...ien: Eingebung Gottes **The|or|be** ⟨it.-fr.⟩ die; -, -n: (bes. im Barock) tiefe Laute mit zwei Hälsen (von denen der eine die Fortsetzung des anderen bildet) u. doppeltem Wirbelkasten **The|o|rem** ⟨gr.-lat.⟩ das; -s, -e: Lehrsatz (Philos.; Math). **The|o|re|ti|ker** der; -s, -: jmd., der sich theoretisch mit der Erörterung u. Lösung von [wissenschaftlichen] Problemen auseinander setzt; ↑ Praktiker (1). **the|o|retisch:** 1. die Theorie zu etwas betreffend; Ggs. ↑ experimentell. 2. [nur] gedanklich, die Wirklichkeit nicht [genügend] berücksichtigend. **the|o|re|ti|sie|ren** ⟨gr.-nlat.⟩: gedanklich, theoretisch durchspielen. **The|o|rie** ⟨gr.-lat.⟩ die; -, ...ien: 1. a) System

wissenschaftlich begründeter Aussagen zur Erklärung bestimmter Tatsachen od. Erscheinungen u. der ihnen zugrunde liegenden Gesetzmäßigkeiten; b) Lehre von den allgemeinen Begriffen, Gesetzen, Prinzipien eines bestimmten Bereichs. 2. a) (ohne Plural) rein begriffliche, abstrakte [nicht praxisorientierte od. -bezogene] Betrachtung[sweise], Erfassung von etwas; Ggs. ↑ Praxis (1); b) (meist Plural) wirklichkeitsfremde Vorstellung, bloße Vermutung **The|o|soph** ⟨gr.-mlat.⟩ der; -en, -en: Anhänger der Theosophie. **The|o|so|phie** ⟨„Gottesweisheit") die; -, ...ien: religiös-weltanschauliche Richtung, die in meditativer Berührung mit Gott den Weltbau und den Sinn des Weltgeschehens erkennen will. **the|o|so|phisch:** die Theosophie betreffend; **Theosophische Gesellschaft:** 1875 gegründete religiöse Gemeinschaft, deren Erlösungslehre sich an altindischen u.ä. Überlieferungen orientiert. **The|o|xe|ni|en** [auch: ...'kse...] ⟨gr.⟩ die (Plural): kultische Mahlzeiten mit Götterbewirtungen im altgriechischen Kult. **the|o|zent|risch*** ⟨gr.-nlat.⟩: Gott in den Mittelpunkt stellend (von einer Religion od. Weltanschauung) **The|ra|peut** ⟨gr.; „Diener, Pfleger") der; -en, -en: jmd., der eine Therapie vornimmt. **The|ra|peu|tik** die; -: Wissenschaft von der Behandlung der Krankheiten. **The|ra|peu|ti|kum** ⟨gr.-nlat.⟩ das; -s, ...ka: Heilmittel. **the|ra|peu|tisch** ⟨gr.⟩: die Therapie gehörend. **The|ra|pie** die; -, ...ien: Heilbehandlung (Med.; Psychol.). **the|ra|pie|ren:** jmdn. einer Therapie unterziehen. **the|ra|pie|re|sis|tent:** (von Krankheiten) auf keine mögliche Therapie ansprechend **The|ri|ak** ⟨gr.-lat.⟩ der; -s: bes. bei Vergiftungen angewandtes opiumhaltiges Allheilmittel der Mittelalters. **the|ri|o|morph** ⟨gr.⟩: (von Göttern) tiergestaltig (Rel.). **the|ri|o|phor** ⟨gr.-nlat.⟩: einen Tiernamen tragend **ther|mak|tin*** ⟨gr.-nlat.⟩: auf dem Vorgang des inneren Temperaturstrahlungsaustausches zwischen zwei Körpern beruhend, wobei die aus Wärmeenergie entstandene Strahlung des einen Körpers vom anderen aufgenommen u. wieder in reine Wärmeenergie

umgewandelt wird (Phys.). **ther|mal:** auf Wärme bezogen, die Wärme betreffend, Wärme... (Phys.). **Ther|mal|quel|le** die; -, -n: warme Quelle. **Ther|man|ästhe|sie*** die; -: Verlust der Temperaturempfindlichkeit (Med.). **Ther|me** ⟨gr.-lat.⟩ die; -, -n: 1. Thermalquelle. 2. (nur Plural, hist.) antike römische Badeanlage. **Ther|mi|dor** ⟨gr.-fr.; „Hitzemonat") der; -[s], -s: der elfte Monat des französischen Revolutionskalenders (19. Juli bis 17. Aug.). **Ther|mik** ⟨gr.-nlat.⟩ die; -: aufwärts gerichtete Warmluftbewegung (Meteor.). **Therm|ion*** das -s, -en: aus glühenden Metallen austretendes Ion (Chem.). **therm|io|nisch*** ⟨gr.-nlat.⟩: die Thermionen betreffend. **thermisch:** die Wärme betreffend, Wärme... (Meteor.). **Ther|mistor** ⟨Kunstw. aus ↑thermal u. lat.- nlat. Resistor „Widerstand") der; -s, ...oren: Halbleiter mit temperaturbedingtem Widerstand. **Ther|mo|ba|ro|graph,** auch: ...graf ⟨gr.-nlat.⟩ der; -en, -en: ↑ Barothermograph. **Ther|moche|mie** die; -: Untersuchung der Wärmeumsätze bei chemischen Vorgängen. **Ther|mochro|mie** [...kro...] die; -: Farbänderung eines Stoffes bei Temperaturänderung (Chem.). **Ther|mo|chro|se*** [...'kro:zə] die; -: Wärmefärbung (Chem.). **Ther|mo|dy|na|mik** die; -: Teilgebiet der Physik, das sich mit der Untersuchung der Verhaltens physikalischer Systeme bei Temperaturänderung, bes. beim Zuführen u. Abführen von Wärme beschäftigt (Phys.). **ther|mo|dyna|misch:** die Thermodynamik betreffend, den Gesetzen der Thermodynamik folgend. **Thermo|ef|fekt** der; -[e]s: die Entstehung elektrischer Energie aus Wärmeenergie. **ther|mo|elektrisch*:** auf Thermoelektrizität beruhend. **Ther|mo|elekt|ri|zität*** die; -: Gesamtheit der Erscheinungen in elektrisch leitenden Stoffen, bei denen Temperaturunterschiede elektrische Spannung bzw. Ströme hervorrufen u. umgekehrt. **Thermo|ele|ment** das; -[e]s, -e: [Temperaturmess]gerät, das aus zwei Leitern verschiedener Werkstoffe besteht, die an ihren Enden zusammengelötet sind (Chem.). **ther|mo|fi|xie|ren:** (synthetische Fasern) dem Einfluss von Wärme aussetzen, um spätere

Formbeständigkeit zu erreichen (in der Textilindustrie). **Thermo|gramm** *das; -s, -e:* bei der Infrarotfotografie von Wärmestrahlen erzeugtes Bild. **Thermo|graph,** auch: ...*graf der; -en, -en:* Gerät zur selbsttätigen Temperaturaufzeichnung (Meteor.). **Ther|mo|gra|phie,** auch: ...*grafie die; -:* 1. Verfahren zur fotografischen Aufnahme von Objekten mittels ihrer an verschiedenen Stellen unterschiedlichen Wärmestrahlung (z. B. zur Lokalisierung von Tumoren). 2. Gesamtheit von Kopierverfahren, bei denen mit wärmeempfindlichen Materialien u. Wärmestrahlung gearbeitet wird. **thermo|hal|lin:** Temperatur- und Salzgehalt von Meerwasser betreffend. **Ther|mo|hyg|rograph*,** auch: ...*graf der; -en, -en:* Verbindung eines Thermographen mit einem Hygrographen (Meteor.). **Ther|mo|kaustik** *die; -:* das Verschorfen von Gewebe durch Anwendung starker Hitze (Med.). **Ther|mo|kauter** *der; -s, -:* elektrisches Glüheisen od. Schneidbrenner zur Vornahme von Operationen od. zur Verschorfung von Gewebe (Med.). **Ther|mo|kraft** *die; -:* elektromotorische Kraft, die einen elektrischen Strom hervorruft, wenn Temperaturdifferenzen im Stromleiter auftreten. **ther|mo|la|bil:** nicht wärmebeständig (Phys.). **Ther|mo|lu|mines|zenz** *die; -:* das beim Erwärmen bestimmter Stoffe auftretende Aufleuchten in einer charakteristischen Farbe (Phys.). **Ther|mo|ly|se** *die; -:* Zerfall einer chemischen Verbindung durch Wärmeeinfluss. **Ther|mome|ta|mor|pho|se** *die; -:* Gesteinsumwandlung, die durch Erhöhung der Temperatur im Gestein verursacht wird (Geol.). **Ther|mo|me|ter** *das* (österr. u. schweiz. auch: *der*); *-s, -:* Temperaturmessgerät (Phys.; Med.). **Ther|mo|met|rie*** *die; -, ...ien:* Temperaturmessung (Meteor.). **ther|mo|met|risch*:** die Thermometrie betreffend (Meteor.). **Ther|mo|mor|pho|se** *die; -, -n* (meist Plural): temperaturabhängige Änderung der Gestaltausbildung bei bestimmten Pflanzen u. Tieren (Biol.). **thermo|nuk|le|ar*:** die bei einer Kernreaktion auftretende Wärme betreffend. **Ther|mo|nuk|lear|waf|fe*** *die; -, -n:* Atombom

be, bei der die kinetische Energie der die Kettenreaktion fortpflanzenden Teilchen der entstehenden Wärme (etwa 100 Mill. Grad C) entstammt. **ther|mooxi|diert:** durch Wärme in eine Sauerstoffverbindung überführt (Chem.). **Ther|mo|pane** ® [...pein, auch: ...pe:n] ⟨zu engl. pane „Fensterscheibe"⟩ *das; -:* aus zwei od. mehreren Scheiben bestehendes Fensterglas, das wegen eines Vakuums zwischen den Scheiben isolierende Wirkung hat. **Ther|mo|pa|pier** *das; -s, -e:* für ein bestimmtes Druckverfahren benötigtes Spezialpapier mit einer Schicht, die sich unter Wärmeeinwirkung verfärbt (z. B. für Faxgeräte). **ther|mophil:** wärmeliebend (z. B. von Bakterien; Biol.). **Ther|mo|philie** *die; -:* Bevorzugung warmer Lebensräume (Biol.). **Ther|mophor** *der; -s, -e:* 1. Wärme speicherndes Gerät (z. B. Wärmflasche) zur medizinischen Wärmebehandlung (Med.). 2. Gerät zur Übertragung genau bestimmter Wärmemengen. 3. isolierendes Gefäß aus Metall. **Ther|moplast*** *der; -[e]s, -e:* bei höheren Temperaturen ohne chemische Veränderung erweichbarer u. verformbarer Kunststoff. **thermo|plas|tisch:** in erwärmtem Zustand formbar, weich. **Thermo|skop*** *das; -s, -e:* Instrument, das Temperaturunterschiede, aber keine Messwerte anzeigt. **ther|mo|sta|bil:** wärmebeständig (Phys.). **Ther|mostat*** *der; -[e]s u. -en, -e[n]:* mit Temperaturregler versehener Apparat zum Einstellen u. Konstanthalten einer gewählten Temperatur. **Ther|mo|strom** *der; -s:* von der Thermokraft hervorgerufener Strom (Phys.). **Ther|mo|the|ra|pie** *die; -, ...ien:* Heilbehandlung durch Anwendung von Wärme (Med.). **The|ro|phyt** ⟨*gr.*⟩ *der; -en, -en:* einjährige Pflanze **the|sau|rie|ren** ⟨*gr.-lat.-nlat.*⟩: 1. Geld, Wertsachen od. Edelmetalle horten. 2. einen Thesaurus (2) zusammenstellen. **The|saurus** ⟨*gr.-lat.*⟩ *der; -, ...ren u. ...ri:* 1. Titel wissenschaftlicher Sammelwerke, bes. großer Wörterbücher der alten Sprachen. 2. alphabetisch u. systematisch geordnete Sammlung von Wörtern eines bestimmten [Fach]bereichs. 3. (in der Antike) kleineres Gebäude in einem Heiligtum

zur Aufbewahrung von kostbaren Weihegaben **The|se** ⟨*gr.-lat.-fr.*⟩ *die; -, -n:* 1. aufgestellter [Lehr-, Leit]satz, der als Ausgangspunkt für die weitere Argumentation dient. 2. in der dialektischen Argumentation die Ausgangsbehauptung, der die Antithese (1) gegenübergestellt wird. **The|sis** [auch 'tezıs] ⟨*gr.-lat.*⟩ *die; -, Thesen:* 1. a) betonter Taktteil im altgriechischen Versfuß; Ggs. ↑Arsis (1 a); b) abwärts geführter Schlag beim musikalischen Taktieren; Ggs. ↑Arsis (1 b). 2. unbetonter Taktteil in der neueren Metrik; Ggs. ↑Arsis (2). **Thesmo|pho|ri|en** *die* (Plural): im Herbst gefeiertes altgriechisches Fruchtbarkeitsfest der Frauen zu Ehren der Göttin Demeter **Thes|pis|kar|ren** ⟨nach Thespis, dem Begründer der altgriechischen Tragödie⟩ *der; -s, -:* (scherzh.) Wanderbühne **The|ta** ⟨*gr.*⟩ *das; -[s], -s:* achter Buchstabe des griechischen Alphabets: Θ, ϑ **The|tik** ⟨*gr.*⟩ *die; -:* Wissenschaft von den Thesen od. dogmatischen Lehren (Philos.). **thetisch** ⟨*gr.-lat.*⟩: behauptend; dogmatisch **The|urg** ⟨*gr.-lat.*⟩ *der; -en, -en:* jmd., der der Theurgie mächtig ist (Völkerk.). **The|ur|gie** *die; -:* [vermeintliche] Fähigkeit u. Kraft, durch Zauber Götter zu beschwören (Völkerk.) **Thi|a|min** ⟨*gr.-nlat.*⟩ *das; -s:* Vitamin B₁. **Thi|a|mi|na|se** *die; -, -n:* Enzym, das Vitamin B₁ spaltet **Thig|mo|ta|xis** ⟨*gr.-nlat.*⟩ *die; -, ...xen* (auch durch Berührungsreiz ausgelöste Orientierungsbewegung von Tieren u. niederen pflanzlichen Organismen (Biol.). **Thi|o|cy|a|nat** ⟨*gr.-nlat.*⟩ *das; -[e]s, -e:* ↑Rhodanid. **Thi|o|kol** ® ⟨Kunstwort⟩ *das; -s:* thermoplastischer, kautschukähnlicher Kunststoff. **Thi|o|nal|farb|stoff** ⟨*gr.-nlat.; dt.*⟩ *der; -[e]s, -e:* Schwefelfarbstoff. **Thi|o|phen** ⟨*gr.-nlat.*⟩ *das; -s:* farblose, flüssige Schwefelverbindung, die bei der Herstellung von Arzneimitteln, Insektenvernichtungsmitteln u. Ä. verwendet wird. **Thi|o|plast*** *der; -[e]s, -e:* kautschukähnlicher schwefelhaltiger Kunststoff. **Thi|o|sul|fat** *das; -es, -e:* Salz einer Thiosäure. **Thi|osäu|re** *die; -, -n:* eine Sauerstoffsäure, bei der die Sauerstoffato me durch zweiwertige Schwefelatome ersetzt sind. **Thi|o|sul·fat** *das;* -[e]s, -e: Salz der Thioschwefelsäure

thi|xo|trop* ⟨*gr.-nlat.*⟩: (von kolloidalen Mischungen) die Eigenschaft der Thixotropie besitzend. **Thi|xo|tro|pie** *die;* -: Eigenschaft bestimmter kolloidaler Mischungen, sich bei mechanischer Einwirkung (z. B. Rühren) zu verflüssigen

Tho|los ⟨*gr.*⟩ *die* (auch: *der*); -, ...loi [...lɔy] u. ...len: altgriechischer Rundbau mit Säulenumgang

Tho|mis|mus ⟨*nlat.*⟩ *der;* -: (bes. bis zum Ende des 19. Jh.s) theologisch-philosophische Richtung im Anschluss an die Lehre des Philosophen Thomas v. Aquin (1225–1274), die die Grundlage des kirchlichen Lehramtes in der katholischen Kirche bildet. **Tho|mist** *der;* -en, -en: Vertreter, Anhänger des Thomismus. **tho|mis|tisch:** die Lehre des Thomas v. Aquin u. den Thomismus betreffend

Thon ⟨*gr.-lat.-fr.*⟩ *der;* -s, -s: (schweiz.) Thunfisch

Thor vgl. Thorium

Tho|ra [auch, österr. nur: 'to:ra] ⟨*hebr.* „Lehre"⟩ *die;* -: die fünf Bücher Mosis, das mosaische Gesetz

tho|ra|kal ⟨*gr.-nlat.*⟩: zum Brustkorb gehörend, an ihm gelegen (Med.). **Tho|ra|ko|plas|tik** *die;* -, -en: operative Entfernung von Rippen bei Lungenerkrankungen (Med.). **Tho|ra|ko|skop*** *das;* -s, -e: Instrument zur Ausleuchtung der Brusthöhle (Med.). **Tho|ra|ko|sko|pie*** *die;* , ...ien: Untersuchung der Brusthöhle u. Vornahme von Operationen mithilfe des Thorakoskops (Med.). **Tho|ra|ko|to|mie** *die;* -, ...ien: operative Öffnung der Brusthöhle (Med.). **Tho|ra|ko|zen|te|se** *die;* -, -n: Punktion des Brustfellraums (Med.). **Tho|rax** ⟨*gr.-lat.*⟩ *der;* -[es], -e (fachspr. ...races [...tse:s]): 1. Brustkorb (Med.). 2. zwischen Kopf u. Hinterleib liegendes mittleres Segment bei Gliederfüßern (Biol.).

Tho|ri|um u. **Thor** ⟨*altnord.-nlat.;* nach Thor, einem Gott der nordischen Sage⟩ *das;* -s: chemisches Element; ein Metall (Zeichen: Th). **Tho|ron** *das;* -s: radioaktives Isotop des Radons; (Zeichen: Tn)

Thre|ni ⟨*gr.-lat.*⟩ *die* (Plural): die Klagelieder Jeremias. **Thre|no·die*** ⟨*gr.*⟩ *die;* -, ...ien u. **Thre|nos** *der;* -, ...noi [...nɔy]: rituelle Totenklage im Griechenland der Antike; Klagelied, Trauergesang [als literarische Gattung]

Thrill [θrɪl] ⟨*engl.*⟩ *der;* -s, -s: Nervenkitzel; prickelnde Erregung. **Thril|ler** ['θrɪlɛ] ⟨*engl.-amerik.*⟩ *der;* -s, -: Film, Roman od. Theaterstück, das Spannungseffekte u. Nervenkitzel erzeugt

Thrips ⟨*gr.-lat.*⟩ *der;* -, -e: artenreiches Insekt mit blasenartigen Haftorganen an den Füßen (Biol.)

Throm|bas|the|nie* ⟨*gr.-nlat.*⟩ *die;* -, ...ien: gestörte Funktion der Thrombozyten (Med.). **Throm|bin** *das;* -s: Enzym, das die Blutgerinnung bewirkt. **Throm|bo|ar|te|ri|i|tis** *die;* -, ...iitiden: Entzündung einer Arterie bei Embolie od. Thrombose (Med.). **Throm|bo|gen** *das;* -s: Faktor für die Blutgerinnung (Med.). **Throm|bo|ly|ti|kum** *das;* -s, ...ka: ↑ Fibrinolytikum. **Throm|bo|pe|nie** *die;* -, ...ien: Mangel an Blutplättchen (Med.). **Throm|bo|phle|bi|tis*** *die;* -, ...itiden: Venenentzündung mit Ausbildung einer Thrombose (Med.). **Throm|bo|se** ⟨*gr.;* „Gerinnmachen, Gerinnen"⟩ *die;* -, -n: völliger od. teilweiser Verschluss eines Blutgefäßes durch Blutinnsel. **throm|bo|tisch:** die Thrombose betreffend; auf einer Thrombose beruhend. **Throm|bo|zyt** ⟨*gr.-nlat.*⟩ *der;* -en, -en: Blutplättchen (Med.). **Throm|bo|zy|to|ly|se** *die;* -, -n: Zerfall od. Auflösung der Blutplättchen (Med.). **Throm|bo|zy|to|se** *die;* -, -: krankhafte Vermehrung der Thrombozyten (Med.). **Throm|bus** ⟨*gr.-nlat.*⟩ *der;* -, ...ben: zu einer Thrombose führendes Blutinnsel (Med.)

Thu|ja (österr. auch:) **Thuje** ⟨*gr.-mlat.*⟩ *die;* -, ...jen: (zu den Zypressen gehörender) immergrüner Baum mit schuppenförmigen kleinen Blättern; Lebensbaum. **Thu|ja|öl** *das;* -s: aus den Blättern des Thuja gewonnenes ätherisches Öl. **Thu|je** vgl. Thuja

Thu|li|um ⟨*gr.-lat.-nlat.;* nach der sagenhaften Insel Thule⟩ *das;* -s: chemisches Element; ein Metall (Zeichen: Tm)

Thun|fisch ⟨*gr.-lat.; dt.*⟩ *der;* -[e]s, -e: (bes. im Atlantik u. im Mittelmeer lebender) großer Fisch mit mondsichelförmigem Schwanzflosse

Thu|rin|git [auch: ...'gɪt] ⟨*nlat.;* vom lat. Namen Thuringia für Thüringen⟩ *der;* -s, -e: zu den Chloriten gehörendes, oliv- bis schwärzlich grünes Mineral

Thyl|le ⟨*gr.-nlat.*⟩ *die;* -, -n: sackartige Ausstülpung einer Zelle im Kernholz mancher Bäume

Thy|mi|an ⟨*gr.-lat.*⟩ *der;* -s, -e: a) in kleinen Sträuchern wachsende Pflanze mit würzig duftenden kleinen Blättern u. meist hellroten bis violetten Blüten, die als Gewürz od. zu Heilzwecken verwendet wird; b) (ohne Plural) Gewürz aus getrockneten Blättern des Thymians (a)

Thy|mi|tis ⟨*gr.-nlat.*⟩ *die;* -, ...itiden: Entzündung der Thymusdrüse (Med.). **thy|mo|gen:** (bes. von krankhaften Veränderungen) von der Thymusdrüse ausgehend. **Thy|mo|lep|ti|kum** ⟨*gr.-nlat.*⟩ *das;* -s, ...ka (meist Plural): zur Behandlung von Depressionen verwendetes Arzneimittel. **Thy|mom** *das;* -s, -e: von der Thymusdrüse ausgehende Geschwulst. **Thy|mo|psy|che** *die;* -: „gemüthafte" Seite des Seelenlebens (Psychol.); Ggs. ↑ Noopsyche. **Thy|mo|se** *die;* -, -: für die Funktion kennzeichnender, durch Empfindsamkeit, Gereiztheit, Verträumtheit u. Ä. charakterisierter Zustand (Psychol.). **Thy|mus** *der;* -, Thymi u. **Thy|mus|drü|se** *die;* -, -n: hinter dem Brustbein gelegenes drüsenartiges Organ, das sich während der Pubertät zurückbildet (Med.)

Thy|rat|ron* ⟨*gr.-nlat.*⟩ *das;* -s, ...one (auch: -s): eine zur Erzeugung von Kippschwingungen od. als Schaltelement bestimmte, mit Edelgas od. Quecksilberdampf gefüllte Röhre für elektronische Geräte (Elektrot.)

thy|re|o|gen ⟨*gr.-nlat.*⟩: von der Schilddrüse ausgehend, durch ihre Tätigkeit bedingt (bes. von Krankheiten; Med.). **Thy|re|o|i|dea** *die;* -: Schilddrüse (Med.). **Thy|re|o|i|dek|to|mie*** *die;* -, ...ien: operative Entfernung der Schilddrüse (Med.). **Thy|re|o|i|di|tis** *die;* -, ...itiden: Entzündung der Schilddrüse (Med.). **thy|re|o|priv** ⟨*gr.; lat.*⟩: schilddrüsenlos; nach Verlust bzw. Ausfall der Schilddrüse auftretend (z. B. von Krankheitserscheinungen; Med.). **Thy|re|o|sta|ti|kum*** ⟨*gr.-nlat.*⟩ *das;* -s, ...ka: Substanz, die die Hormonbildung der Schilddrüse hemmt

(Med.). **Thy|re|o|to|mie** _die; -, ...jen:_ operativer Zugang zum Kehlkopfinneren durch Spaltung des Schildknorpels (Med.). **Thy|re|o|to|xi|ko|se** _die; -, -n:_ krankhafte Überfunktion der Schilddrüse (Med.). **thy|re|o|to|xisch:** durch Überfunktion der Schilddrüse erzeugt (Med.). **thyre|o|trop*:** die Schilddrüsentätigkeit steuernd (Med.)

Thy|ris|tor _der; -s, ...oren:_ steuerbares elektronisches Bauelement auf Siliciumbasis

Thy|ro|xin* _das; -s:_ Hauptbestandteil des Schilddrüsenhormons

Thyr|sos _⟨gr.⟩ der; -, ...soi [...sɔy]_ u. **Thyr|sus** _⟨gr.-lat.⟩ der; -, ...si:_ mit Efeu u. Weinlaub umwundener, von einem Pinienzapfen gekrönter Stab des Dionysos u. der Mänaden

Ti|a|ra _⟨pers.-gr.-lat.⟩ die; -, ...ren:_ 1. (hist.) hohe, spitze Kopfbedeckung altpersischer u. assyrischer Könige. 2. (heute nicht mehr getragene) hohe, aus drei übereinander gesetzten Kronen bestehende Kopfbedeckung des Papstes als Zeichen seiner weltlichen Macht

Ti|bet ⟨nach dem innerasiatischen Hochland⟩ _der; -s, -e:_ 1. Reißwolle aus neuen Stoffen. 2. Mohair

Ti|bia _⟨lat.⟩ die; -, Tibiae [...ɛ]:_ 1. altrömisches Musikinstrument in der Art einer Schalmei. 2. Schienbein (Med.)

Tic _⟨fr.⟩ der; -s, -s:_ in kurzen Abständen wiederkehrende, unwillkürliche Muskelzuckung (bes. im Gesicht; Med.). **Tick** _der; -[e]s, -s:_ 1. (ugs.) wunderliche Eigenart, Schrulle, Fimmel. 2. ↑Tic. 3. (ugs.) Nuance. **Ti|cker** _⟨engl.⟩ der; -s, -:_ 1. (Jargon) vollautomatischer Fernschreiber zum Empfang von Nachrichten. 2. (Med. Jargon) Gerät zur Überwachung der Pulsfrequenz **Ti|cket** _⟨niederl.-fr.-engl.⟩ das; -s, -s:_ Flug-, Fahr-, Eintrittskarte **Tick|fe|ver**, auch: **Tick-Fe|ver** _['tɪkfiːvə] ⟨engl.⟩ das; -:_ bes. in den USA auftretende, durch Zecken übertragene Infektionskrankheit

Tie|break, auch: **Tie-Break** _['taɪbreɪk] ⟨engl.⟩ der od. das; -s, -s:_ besondere Zählweise beim Tennis, durch die ein Spiel bei unentschiedenem Stand (6:6 od. 7:7) zum Abschluss gebracht wird

Ti|er|ra _ca|li|en|te ⟨lat.-span.; „heißes Land"⟩ die; - -:_ unterste

der drei klimatischen Höhenstufen in den tropischen Gebirgsländern Mittel- u. Südamerikas (Geogr.). **Ti|er|ra fria** _⟨„kaltes Land"⟩ die; - -:_ oberste klimatische Höhenstufe in den tropischen Gebirgsländern Mittel- u. Südamerikas (Geogr.). **Ti|er|ra temp|la|da*** _⟨„gemäßigtes Land"⟩ die; - -:_ mittlere klimatische Höhenstufe in den tropischen Gebirgsländern Mittel- u. Südamerikas

Tiers|état _[tjɛrze'ta] ⟨fr.; „der dritte Stand"⟩ der; -,_ auch: **Tiers État** _der; - -:_ Bürgertum, das bis zur Französischen Revolution nach Adel u. Geistlichkeit an dritter Stelle in der ständischen Gliederung stand

Ti|fo|so _⟨it.⟩ der; -, ...si (meist Plural):_ italienische Bezeichnung für: Fan

Ti|gon ⟨Kunstwort aus engl. tiger = Tiger u. lion = Löwe⟩ _der; -s, -:_ Bastard (1) aus der Kreuzung eines Tigermännchens mit einem Löwenweibchen (Zool.); vgl. Liger. **tig|ro|id*** _⟨pers.-gr.-lat.; gr.⟩:_ tigerähnlich gestreift (Zool.)

Ti|ki _⟨maorisch⟩ der; -[s], -s:_ a) (in Polynesien) einen Gott od. Ahnen darstellende [monumentale] Figur aus Stein; b) (in Neuseeland) einen Gott od. Ahnen darstellender Anhänger aus Nephrit

Til|bu|ry _['tɪlbəri] ⟨engl.⟩ der; -s, -s:_ in Nordamerika früher häufig verwendeter, leichter zweirädriger u. zweisitziger offener Wagen mit aufklappbarem Verdeck

Til|de _⟨lat.-span.⟩ die; -, -n:_ 1. diakritisches Zeichen in Gestalt einer kleinen liegenden Schlangenlinie, das im Spanischen über einem n die Palatalisierung, im Portugiesischen über einem Vokal die Nasalierung angibt (z. B. span. Señor, port. São Paulo). 2. (in Wörterbüchern) Zeichen in Gestalt einer kleinen liegenden Schlangenlinie auf der Mitte der Zeile u. die Wiederholung eines Wortes od. eines Teils davon angibt; Zeichen: ~

Til|lal|ze|en _⟨lat.-nlat.⟩ die (Plural):_ Lindengewächse (Bot.)

Til|land|sie ⟨nach dem finn. Botaniker E. Tillands (1640–1693)⟩ _die; -, -n:_ zu den Ananasgewächsen gehörende, meist epiphytisch lebende Pflanze; Luftnelke

Til|lit _[auch: ...'lɪt] ⟨engl.-nlat.⟩ der; -s, -e:_ verfestigter Geschiebelehm

Ti|mar|chie* _⟨gr.⟩ die; -, ...jen:_

⟨nach Plato⟩ auf Ehrsucht, Ruhm u. Reichtum der Regierungsschicht beruhende Herrschaft im Staat

Tim|bal _⟨pers.-arab.-span.⟩ die; -, -es (meist Plural):_ eine von zwei gleichen, auf einem Ständer befestigten Trommeln (bes. bei [südamerikanischen] Tanzorchestern). **Tim|ba|le** _⟨pers.-arab.-span.-fr.⟩ die; -, -n:_ mit Aspik überzogene, meist becherförmige Pastete

Tim|ber _⟨engl.⟩ der od. das; -, -:_ englisches Zählmaß für Rauchwaren (40 Stück)

Timb|re* _['tɛ̃:brə, auch: 'tɛ̃:bɐ] ⟨gr.-mgr.-fr.⟩ das; -s, -s:_ charakteristische Klangfarbe eines Instruments, einer [Gesangs]stimme. **timb|rie|ren** _[tɛ̃...]:_ mit einer bestimmten Klangfarbe versehen; einer Sache ein bestimmtes Timbre verleihen

Time|lag _['taɪmlæg] ⟨engl.; „Zeitverzögerung"⟩ das; -[s], -s:_ zeitliche Verschiebung zwischen der Änderung wirtschaftlicher Größen u. der dadurch bewirkten Änderung anderer ökonomischer Größen, z. B. zwischen Rezession u. dadurch bedingtem Arbeitsplatzabbau (Wirtsch.). **Time|line** _['taɪmlaɪn] das; -[s], -s:_ Ablaufprogramm von wissenschaftlichen od. technischen Prozessen, z. B. in der Raumfahrt. **ti|men** _['taɪmən] ⟨engl.⟩:_ 1. die Zeit [mit der Stoppuhr] messen. 2. den geeigneten Zeitpunkt für eine Handlung, ein Vorgehen bestimmen. **Time-out** _['taɪm'aʊt] das; -[s] -s:_ Auszeit; Spielunterbrechung, die einer Mannschaft nach bestimmten Regeln zusteht (Basketball, Volleyball). **Ti|mer** _['taɪmɐ] der; -s, -:_ elektronischer Zeitmesser, der zeitliche gebundene Vorgänge (z. B. in Videorekordern u. zur Vorprogrammierung) exakt regelt; Zeitschaltuhr. **Time|sam|pling** _['taɪmsa:mplɪŋ] das; -[s], -s:_ systematische, in regelmäßigen Zeitabständen durchgeführte Beobachtung zur Ermittlung von bestimmten Abläufen u. Verhaltensweisen; Zeitstichprobe. **Time|sha|ring** _['taɪmʃeːrɪŋ] das; -[s], -s:_ Zeitzuteilung bei der Inanspruchnahme einer Großrechenanlage durch verschiedene Benutzer (EDV)

ti|mid _⟨lat.(-fr.)⟩:_ (veraltet) schüchtern, zaghaft, ängstlich. **Ti|mi|di|tät** _die; -:_ (veraltet) Schüchternheit, Furchtsamkeit

Ti|ming ['taɪmɪŋ] ⟨engl.⟩ das; -s, -s: das Timen, Aufeinanderabstimmen von Abläufen

Ti|mo|kra|tie* ⟨gr.-mlat.;￼ „Vermögensherrschaft"⟩ die; -, ...ien: 1. (ohne Plural) Staatsform, in der die Rechte der Bürger nach ihrem Vermögen bemessen werden. 2. Staat, Gemeinwesen, in dem eine Timokratie (1) besteht. **ti|mo|kra|tisch:** die Timokratie betreffend, auf ihr beruhend, sie kennzeichnend

ti|mo|nisch ⟨gr.-lat.;￼ nach dem altgriechischen Staatsmann Timon⟩: (veraltet) menschenfeindlich

Ti|mo|thee|gras u. **Ti|mo|theus|gras** u. **Ti|mo|thy|gras** ⟨vermutlich nach einem amerikanischen Farmer Timothy Hanson⟩ das; -es: zu den Lieschgräsern gehörendes Gras, das als wertvolle Futterpflanze gilt

Tim|pa|no ⟨gr.-lat.-it.⟩ der; -s, ...ni (meist Plural): [Kessel]pauke

tin|gie|ren ⟨lat.⟩: eintauchen; färben (Chem.). **tin|giert:** 1. gefärbt (Chem.). 2. (von Münzen) dünn versilbert. **Tink|ti|on** die; -, -en: Färbung (Chem.). **Tink|tur** die; -, -en: 1. (veraltet) Färbung. 2. dünnflüssiger, meist alkoholischer Auszug aus pflanzlichen od. tierischen Stoffen; Abk.: Tct

Tin|nef ⟨hebr.-jidd.;￼ „Kot, Schmutz"⟩ der; -s: (ugs.) 1. wertlose Ware; Schund, Plunder. 2. Unsinn

Tin|ni|tus ⟨lat.;￼ „Geklingel"⟩ der; -, -: von den Betroffenen subjektiv wahrgenommenes Rauschen, Klingeln in den Ohren. Pfeifen in den Ohren

Tin|to|me|ter ⟨lat.-it.; gr.⟩ das; -s, - ↑ Kolorimeter

Ti|or|ba ⟨it.⟩ die; -, ...ben: ↑ Theorbe

Ti|pi ⟨indian.⟩ das; -s, -s: mit Leder od. Leinwand überspanntes kegelförmiges Zelt der Prärieindianer

Tipp ⟨engl.;￼ „Anstoß; Andeutung, Wink"⟩ der; -s, -s: 1. Andeutung, Information über gute Aussichten für Wertpapiere an der Börse. 2. a) Wetthinweis; b) Vorhersage des wahrscheinlichen Ergebnisses eines Sportwettkampfes (bes. im Fußballtoto). 3. (ugs.) nützlicher Hinweis, guter Rat, den jmdm. bei etw. hilft

Tipp|ster ⟨engl.⟩ der; -s, -: jmd., der gewerbsmäßig Wetttipps für Sportwettkämpfe gibt

Ti|ra|de ⟨vulgärlat.-it.-fr.⟩ die; -, -n: 1. wortreiche, geschwätzige [nichts sagende] Äußerung; Wortschwall. 2. Lauf von schnell aufeinander folgenden Tönen als Verzierung zwischen zwei Tönen einer Melodie (Mus.). **Ti|rail|leur** [tira(l)'jøːɐ̯] ⟨vulgärlat.-fr.⟩ der; -s, -e: (veraltet) Angehöriger einer in gelockerter Linie kämpfenden Truppe. **ti|rail|lie|ren** ['ji...] (veraltet) in gelockerter Linie kämpfen

Ti|ra|mi|su ⟨it.;￼ „zieh mich hoch"⟩ das; -s, -s: aus Eigelb, Mascarpone u. in Likör u. Kaffee getränkten Biskuits hergestellte cremige Süßspeise

Ti|rass ⟨vulgärlat.-fr.⟩ der; -es, -e: (Jägerspr.) Deckgarn zum Fangen von Feldhühnern. **ti|ras|sie|ren:** (Jägerspr.) [Vögel, Feldhühner] mit dem Tirass fangen

Ti|ret [ti're:] ⟨fr.⟩ der od. das; -s, -s: (veraltet) Bindestrich

ti|ro! ⟨fr.;￼ „schieß hoch!"⟩: (Jägerspr.) Zuruf bei Treibjagden, auf vorbeistreifendes Federwild zu schießen

Ti|ro ⟨lat.⟩ der; -s, ...onen: (veraltet) 1. Anfänger. 2. Rekrut. **Ti|ro|ci|ni|um** das; -[s]: (veraltet) 1. Probestück, kleines Lehrbuch für Anfänger. 2. erster Kriegsdienst, erster Feldzug eines Soldaten

Ti|ro|li|enne [...'liɛn] ⟨fr.;￼ nach dem österreichischen Bundesland Tirol⟩ die; -, -n [...nən]: einem Ländler ähnlicher tirolischer Rundtanz im ³/₄-Takt

Ti|ro|nen: Plural von ↑ Tiro **ti|ro|nisch** ⟨nach dem römischen Grammatiker Tiro⟩: in der Fügung: **tironische Noten:** altrömische Kurzschrift

¹Ti|tan (auch:) Titane ⟨gr.-lat.⟩ der; ...nen, ...nen (meist Plural): 1. Angehöriger eines Geschlechts riesenhafter, von Zeus gestürzter Götter der griechischen Sage. 2. jmd., der durch außergewöhnlich große Leistungen, durch Machtfülle o. Ä. beeindruckt. **²Ti|tan** ⟨gr.-lat.-nlat.⟩ das; -s: chemisches Element; ein Metall (Zeichen: Ti). **Ti|ta|ne** vgl. ¹Titan. **Ti|ta|ni|de** ⟨gr.⟩ der; -n, -n: Abkömmling der ¹Titanen (1). **ti|ta|nisch** ⟨gr.-lat.⟩: 1. die ¹Titanen (1) betreffend, zu ihnen gehörend. 2. von, in der Art eines ¹Titanen (2). **Ti|ta|nit** [auch: ...'nɪt] ⟨gr.-lat.-nlat.⟩ der; -s, -e: 1. titanhaltiges Mineral. 2. ® Hartmetall aus Karbiden des ²Titans u. des Molybdäns. **Ti|ta|no|ma|chie** [...'xi:] ⟨gr.⟩ die; -: Kampf der ¹Titanen (1) gegen Zeus in der griechischen Sage. **Ti|tan|ra|ke|te** die; -, -n: amerikanische ballistische Rakete für Weltraumunternehmen u. militärische Zwecke

Ti|tel ⟨lat.⟩ der; -s, -: 1. a) kennzeichnender Name eines Buches, einer Schrift, eines Kunstwerks o. Ä.; b) unter einem bestimmten Titel (1 a) bes. als Buch, CD o. Ä. veröffentlichtes Werk. 2. a) Beruf, Stand, Rang, Würde kennzeichnende Bezeichnung, häufig als Zusatz zum Namen; Abk.: Tit.; b) im sportlichen Wettkampf errungene Bezeichnung eines bestimmten Ranges, einer bestimmten Würde. 3. (Rechtsw.) a) Abschnitt eines Gesetzes- od. Vertragswerks; b) gesetzlicher, durch ein rechtskräftiges Urteil erworbener Grund, einen Anspruch durchzusetzen; Rechtstitel. 4. (im Haushalt eines Staates, einer Institution o. Ä.) Verwendungszweck von einer zu einer Gruppe zusammengefassten Anzahl von Ausgaben, Beträgen. **Ti|tel|lei** die; -, -en: Gesamtheit der dem Textbeginn eines Druckwerkes vorangehenden Seiten mit Titelangaben, Inhaltsangaben u.a. **ti|teln:** etw. (z. B. einen Zeitungsartikel, einen Film) mit einem Titel versehen. **Ti|tel|part** der; -s, -e: Rolle in einem Film od. Theaterstück, deren Name mit dem des Stücks übereinstimmt; Titelrolle. **Ti|tel|song** der; -s, -s: Lied aus einem Film, einem Musical, einer CD, dessen Titel (1b) dem entsprechenden Werk den Namen gibt. **Ti|ter** ⟨lat.-fr.⟩ der; -s, -: 1. Gehalt an aufgelöster Substanz in einer Lösung (Chem.). 2. Maß für die Feinheit eines Chemie- od. Naturseidenfadens

Ti|thon ⟨gr.-lat.-nlat.;￼ nach dem unsterblichen Greis Tithonos in der griechischen Sage⟩ das; -s: Übergang zwischen ²Jura u. Kreide (Geol.)

Tit|lo|num ⟨lat.; gr.⟩ das; -s, -e: Deckname, der aus dem Verweis auf einen anderen Buchtitel des gleichen Autors (in der Form: vom Verfasser des ...) od. aus einer Berufsangabe besteht

Ti|to|is|mus ⟨nlat.;￼ nach dem jugoslawischen Staatspräsidenten Tito (1892–1980)⟩ der; -: (hist.) in Jugoslawien entwickelte kommunistische, aber von der Sowjetunion unabhängige Politik u. Staatsform

Titlraltilon* ⟨lat.-fr.-nlat.⟩ die; -, -en: Bestimmung des Titers, Ausführung einer chemischen Maßanalyse. Titlre ⟨lat.-fr.⟩ der; -s, -s: (veraltet) Titer. Titlrieranallylse ⟨lat.-fr.; gr.⟩ die; -, -en: ↑Maßanalyse. titlrielren ⟨lat.-fr.⟩: den Titer bestimmen, eine chemische Maßanalyse ausführen. Titlrilmetlrie ⟨lat.-fr.; gr.⟩ die; -: ↑Maßanalyse

Tiltullar ⟨lat.-nlat.⟩ der; -s, -e: 1. jmd., der mit dem Titel eines Amtes bekleidet ist, ohne die damit verbundenen Funktionen auszuüben. 2. (veraltet) Titelträger. Tiltullaltur die; -, -en: Betitelung; Rangbezeichnung. tiltulielren ⟨lat.⟩: 1. (veraltet) [mit dem Titel] anreden, benennen. 2. mit einem meist negativen Begriff bezeichnen. titlullo plelno: mit vollständigem Namen u. Titel; Abk. T. P. Tiltullus der; -, ...li: 1. meist in Versform gebrachte mittelalterliche Bildunterschrift. 2. Amts-, Dienstbezeichnung, Ehrenname

Tilvolli ⟨nach der italienischen Stadt bei Rom⟩ das; -[s], -s: 1. Name von Vergnügungsplätzen od. -stätten, Gartentheatern u. a. 2. italienisches Kugelspiel

tilzilan ⟨nach dem italienischen Maler Tizian (um 1477–1576)⟩: Kurzform von ↑tizianblond u. ↑tizianrot. tilzilanlblond: rotblond. tilzilanlrot: (bes. von Haaren) ein goldenes bis braunes Rot aufweisend

Tjälle ⟨schwed.⟩ die; -, -: Dauerfrostboden in sehr kalten Gegenden der Erde (Geol.)

Tjalk ⟨niederl.⟩ die; -, -en: ein- od. anderthalbmastiges niederländisches Segelschiff mit breitem Bug u. flachem Boden

Tjost ⟨fr.⟩ die; -, -en od. der; -[e]s, -e: im Mittelalter mit scharfen Waffen geführter ritterlicher Zweikampf zu Pferde. tjosltielren: einen Tjost ausfechten

Toast [to:st] ⟨lat.-fr.-engl.⟩ der; -[e]s, -e u. -s: 1. a) geröstete Weißbrotscheibe; b) zum Toasten geeignetes Weißbrot, Toastbrot. 2. Trinkspruch. toaslten: 1. Weißbrot rösten. 2. einen Trinkspruch ausbringen. Toaster der; -s, -: elektrisches Gerät zum Rösten von Brotscheiben

Tolbak ⟨span.-fr.⟩ der; -s, -e: (scherzh.) Tabak

Tolboglgan ⟨indian.-engl.⟩ der; -s, -s: länglich-flacher [kanadischer Indianer]schlitten

Toclcalta vgl. Tokkata

tolchalrisch [...'x...] ⟨lat.⟩: das Tocharisch betreffend, zu ihm gehörend. Tolchalrisch das; -[s]: ausgestorbene indogermanische Sprache (von der Texte aus dem 6. u. 7. Jh. n. Chr. erhalten sind) tolckielren vgl. tokkieren

Toldldy ⟨Hindi-engl.⟩ der; -[s], -s: 1. alkoholisches Getränk aus dem Saft von Palmen; Palmwein. 2. grogartiges Getränk

Toelloop ['tu:lu:p, 'to:..., 'tou...] ⟨engl.⟩ der; -[s], -s: Drehsprung beim Eiskunstlauf

Toflfee ['tɔfi, auch: 'tɔfe] ⟨engl.⟩ das; -s, -s: eine Weichkaramelle

Tolfu ⟨jap.⟩ der; -[s]: aus Sojabohnen gewonnenes halbfestes eiweißreiches Produkt

Tolga ⟨lat.⟩ die; -, ...gen: im alten Rom von dem vornehmen Bürgern getragenes Obergewand. Tolgalta die; -, ...ten: altrömische Komödie mit römischem Stoff u. Kostüm im Gegensatz zur ↑Palliata

Tolhulwalbolhu ⟨hebr.; „wüst u. leer" (1. Mose 1, 2)⟩ das; -[s], -s: Wirrwarr, Durcheinander

Toile ⟨lat.⟩ die; -, -: feinfädiges, zart gemustertes [Kunst]seidengewebe in Leinwandbindung. Toillleltte [tφa...] die; -, -n: 1. a) (ohne Plural) das Sichankleiden, Sichfrisieren, Sichzurechtmachen; b) [elegante] Damenkleidung samt Zubehör, bes. Gesellschaftskleidung. 2. a) meist kleinerer Raum mit einem Toilettenbecken [u. Waschgelegenheit]; b) Toilettenbecken in einer Toilette (2 a)

Toise [tɔa:s] ⟨lat.-vulgärlat.-fr.⟩ die; -, -n [...sn]: früheres französisches Längenmaß (= 1,949 m)

Tolkaldille [...'dɪljə] ⟨span.⟩ das; -s: spanisches Brettspiel mit Würfeln

Tolkailer u. Tolkaljer ⟨nach der ungar. Stadt Tokaj⟩ der; -s, -: süßer, aus Ungarn stammender Dessertwein von hellbrauner Farbe

Tolken ['toʊkən] ⟨engl.⟩ das; -s, -s: Folge zusammengehöriger Zeichen od. Folge von Bits (EDV)

Toklkalta u. Toccata ⟨vulgärlat.-it.⟩ die; -, ...ten: (Mus.) in freier Improvisation gestaltetes Musikstück für Tasteninstrumente, bes. als Präludium, das häufig durch freien Wechsel zwischen Akkorden u. Läufen gekennzeichnet ist. toklkielren u. toccieren: in kurzen, unverriebenen Pinselstrichen malen (Kunstwiss.)

Tolko ⟨indian.-port.⟩ der; -s, -s: afrikanischer Nashornvogel Tolkolgolnie ⟨gr.-nlat.⟩ die; -, ...jen: geschlechtliche Fortpflanzung (Biol.). Tolkolllolgie die; -: Lehre von Geburt u. Geburtshilfe (Med.)

Tolla ⟨Hindi⟩ das; -[s], -[s]: indisches Handelsgewicht, bes. für Gold, Silber u. Edelsteine. tollelralbel ⟨lat.⟩: geeignet, toleriert, gebilligt zu werden; annehmbar, erträglich. tollelrant ⟨lat.-fr.⟩: 1. (in Fragen der religiösen, politischen u. a. Überzeugung, der Lebensführung anderer) bereit, eine andere Anschauung, Einstellung, andere Sitten u. a. gelten zu lassen. 2. verschiedenen sexuellen Praktiken gegenüber aufgeschlossen. Tollelranz ⟨lat.⟩ die; -, -en: 1. (ohne Plural) das Tolerantsein (1); Duldsamkeit. 2. begrenzte Widerstandsfähigkeit des Organismus gegenüber schädlichen äußeren Einwirkungen, bes. gegenüber Giftstoffen od. Strahlen (Med.). 3. zulässige Differenz zwischen der angestrebten Norm u. den tatsächlichen Maßen eines Werkstücks (Techn.). tollelrielren: 1. dulden, zulassen, gelten lassen [obwohl etw. nicht den eigenen Wertvorstellungen entspricht]. 2. eine Toleranz (3) in bestimmten Grenzen zulassen (bes. Techn.)

Tollulballsam ⟨nach der Stadt Santiago de Tolú in Kolumbien, dem früheren Hauptausfuhrhafen⟩ der; -s: aus einem in Südamerika beheimateten Baum gewonnener Balsam, der als Duftstoff verwendet wird. Tollulildin das; -s: zur Herstellung verschiedener Farbstoffe verwendetes aromatisches Amin des Toluols (Chem.). Tollulol das; -s: als Verdünnungs- u. Lösungsmittel verwendeter farbloser, benzolartig riechender Kohlenwasserstoff (Chem.)

Tolmalhawk [...'ha:k] ⟨indian.-engl.⟩ der; -s, -s: Streitaxt der nordamerikanischen Indianer

tolmaltielren u. tolmaltilsielren ⟨mex.-span.-fr.⟩: mit Tomatenmark, -soße versehen (Gastr.)

Tomlbak ⟨sanskr.-malai.-span.-fr.-niederl.⟩ der; -s, -s: Gold-imitation bei Schmuck verwendete kupferreiche Kupfer-Zink-Legierung. tomlbalken: aus Tombak [hergestellt u. daher unecht]. Tomlbalsil ⟨Kurzwort aus ↑Tombak u.↑Silicium⟩ das; -s: siliciumhaltige Kupfer-Zink-Legierung

Tom|bo|la ⟨it.⟩ die; -, -s u. ...len: Verlosung von [gestifteten] Gegenständen, meist anlässlich von Festen

To|mi: Plural von ↑Tomus

Tom|my [...mi] ⟨engl.; Verkleinerungsform von Thomas⟩ der; -s, -s: Spitzname für die britischen Soldaten des 1. u. 2. Weltkriegs

To|mo|gra|phie, auch: Tomografie ⟨gr.-nlat.⟩ die; -: röntgenologisches Schichtaufnahmeverfahren (z. B. zur besseren Darstellung u. Lokalisierung von Krankheitsherden im Körper; Med.). **To|mus** ⟨gr.-lat.⟩ der; -, Tomi: (veraltet) Teil, Abschnitt, Band (eines Schriftwerkes); Abk.: Tom.

to|nal ⟨gr.-lat.-mlat.⟩: auf die Tonika der Tonart bezogen, in der ein Musikstück steht. **To|na|li|tät** ⟨gr.-lat. nlat.⟩ die; : a) jegliche Beziehung zwischen Tönen, Klängen u. Akkorden; b) Bezogenheit von Tönen, Harmonien u. Akkorden auf die Tonika der Tonart, in der ein Musikstück steht

Ton|do ⟨lat.-it.⟩ das (auch: der) -s, -s u. ...di: Bild von kreisförmigem Format, bes. in der Florentiner Kunst des 15. u. 16. Jh.s

To|ner ⟨engl.⟩ der; -s, -: Druckfarbe für Kopiergeräte, Drucker o. Ä.

To|nic: Plural von ↑Tonus. **To|nic** ⟨engl.⟩ das; -[s], -s: 1. mit Kohlensäure u. Chinin versetztes, leicht bitter schmeckendes Wasser [zum Verdünnen hochprozentiger alkoholischer Getränke]. 2. Gesichtswasser, Haarwasser.

To|nic|wal|ter [wɔ:tə] das; -, -: ↑Tonic

¹To|ni|ka: Plural von ↑Tonikum

²To|ni|ka: ⟨gr.-nlat.⟩ die; -, ...ken: (Mus.) 1. Grundton eines Musikstücks. 2. Grundton einer Tonleiter. 3. Dreiklang auf der ersten Stufe; Zeichen: T. **To|ni|ka-Do** das; -: System in der Musikerziehung, das die bei der Solmisation verwendeten Silben mit Handzeichen verbindet, die von den Lernenden beim Singen der jeweiligen Töne gleichzeitig angedeutet werden

To|ni|kum das; -s, ...ka: Kräftigungsmittel, Stärkungsmittel (Med.). **¹to|nisch** ⟨gr.-nlat.⟩ (Med.): 1. kräftigend, stärkend. 2. den Tonus betreffend; durch anhaltende Muskelanspannung charakterisiert; Ggs. ↑klonisch.

²to|nisch: (Mus.) die ¹Tonika (c) betreffend

to|ni|sie|ren: den Tonus (1) heben, kräftigen, stärken (Med.)

Ton|na|ge [...ʒə] ⟨gall.-mlat.-fr.-engl.-fr.⟩ die; -, -n: 1. in Bruttoregistertonnen angegebener Rauminhalt eines Schiffes. 2. gesamte Flotte (einer Reederei, eines Staates). **Ton|neau** [tɔ'no:] ⟨gall.-mlat.-fr.⟩ der; -s, -s: 1. (veraltet) Schiffslast von 1 000 kg. 2. früheres französisches Hohlmaß

To|no|gra|phie, auch: Tonografie ⟨gr.-nlat.⟩ die; -: Messung u. Registrierung des Augeninnendrucks mithilfe des Tonometers. **To|no|me|ter** das; -s, -: Instrument zur Messung des Augeninnendrucks. **Ton|phy|si|o|lo|gie** die; -: Lehre von den physikalischen Bedingungen des Hörvorgangs u. der Töne

ton|sil|lär u. **ton|sil|lär** ⟨lat.-nlat.⟩: zu den Gaumen- od. Rachenmandeln gehörend (Med.). **Ton|sil|le** ⟨lat.⟩ die; -, -n: Gaumen-, Rachenmandel. **Ton|sil|lek|to|mie*** ⟨lat.; gr.⟩ die; -, ...jen: operative Entfernung der Gaumenmandeln (Med.). **Ton|sil|li|tis** ⟨lat.-nlat.⟩ die; -, ...itiden: Mandelentzündung (Med.). **Ton|sil|lo|tom** ⟨lat.; gr.⟩ das; -s, -e: chirurgisches Instrument zum Abtragen der Gaumenmandeln (Med.). **Ton|sil|lo|to|mie** die; -, ...jen: teilweises Abtragen der Gaumenmandeln (Med.)

Ton|sur ⟨lat.; „das Scheren, die Schur"⟩ die; -, -en: kreisrund geschorene Stelle auf dem Kopf von katholischen Geistlichen, bes. Mönchen (kath. Kirche früher). **ton|su|rie|ren** ⟨lat.⟩: bei jmdm. die Tonsur schneiden

To|nus ⟨gr.-lat.⟩ der; -, Toni: 1. normaler Spannungszustand eines Muskels; Muskeltonus (Med.). 2. Ganzton (Mus.)

To|ny [bei engl. Ausspr.: 'tʊʊnɪ] ⟨amerik.⟩ der; -s, -s: amerikanischer Bühnenpreis für herausragende Theateraufführungen

Tool [tu:l] ⟨engl.⟩ das; -s, -s: Programm, das bestimmte zusätzliche Aufgaben innerhalb eines anderen Programms übernimmt (EDV)

Top ⟨engl.⟩ das; -s, -s: zu Röcken u. Hosen getragenes, einem T-Shirt ähnliches Oberteil mit Trägern. **Top|act** ['tɔpɛkt] ⟨engl.⟩ der; -s, -s, auch: **Top Act** der; - -, - -s: Hauptattraktion

To|pal|gie* die; -, ...jen: ↑Topoalgie

To|pas [österr. 'to:pas] ⟨gr.-lat.⟩ der; -es, -e: farbloses, gelbes, blaues, grünes, braunes od. rotes glasglänzendes Mineral; Edelstein. **to|pa|sen:** aus einem Topas bestehend; mit einem Topas, mit Topasen besetzt. **to|pa|sie|ren** ⟨gr.-lat.-nlat.⟩: zu Topas brennen (von Quarz). **To|pa|zo|lith** ⟨gr.-nlat.⟩ der; -s u. -en, -e[n]: hellgelbes bis hellgrünes Mineral

To|pe ⟨sanskr.-Hindi⟩ die; -, -n: ↑Stupa

top|fit ⟨engl.⟩: gut in Form, in bester körperlicher Verfassung (bes. von Sportler[inne]n)

To|pik ⟨gr.-lat.⟩ die; -: 1. Wissenschaft, Lehre von den Topoi. 2. Lehre von den Sätzen u. Schlüssen, mit denen argumentiert werden kann (Philos.). 3. (veraltet) Lehre von der Wort- u. Satzstellung (Sprachw.). 4. Stelle, die ein Begriff in der Sinnlichkeit od. im Verstand einnimmt (Kant; Philos.). 5. Lehre von der Lage der einzelnen Organe im Organismus zueinander (Med.). **to|pi|kal:** themen-, gegenstandsbezogen; gegenstandsspezifisch. **To|pi|kal|li|sie|rung** die; -: Hervorhebung eines Satzglieds od. einzelner Wörter durch eine bestimmte Anordnung im Satz (Sprachw.)

To|pi|nam|bur ⟨bras.-fr.⟩ der; -s, -s u. -e od. die; -, -en: a) Pflanze, deren unterirdische Ausläufer die Kartoffeln ähnliche Knollen bilden, die als Gemüse gegessen werden; b) Knolle des Topinambur (a)

to|pisch ⟨gr.-lat.⟩: 1. örtlich, äußerlich (von der Anwendung u. Wirkung bestimmter Arzneimittel; Med.). 2. einen Topos behandelnd, Topoi ausdrückend

Top|la|der ⟨engl.; dt.⟩ der; -s, -: Waschmaschine, bei der die Wäsche von oben eingefüllt wird. **top|less** ⟨engl.-amerik.⟩: ohne Oberteil; mit unbedecktem Busen. **Top|ma|nage|ment** das; -s, -s: oberste Ebene der Unternehmensleitung (Wirtsch.). **Top|ma|na|ger** der; -s, -: Angehöriger des Topmanagements (Wirtsch.)

To|po|al|gie ⟨gr.-nlat.⟩ die; -, ...jen: Schmerz an einer eng begrenzten Körperstelle ohne organische Ursache. **to|po|gen:** (von etw.) durch seine Lage bedingt entstanden. **To|po|graph,** auch: Topograf ⟨gr.⟩ der; -s, -en: Experte für topographische Vermessungen; Vermessungsingenieur. To|po|gra|phie, auch: Topografie (gr.-lat.) die; -, ...ien: 1. Beschreibung und Darstellung geographischer Örtlichkeiten; Lagebeschreibung. 2. topographische Anatomie. 3. kartographische Darstellung der Atmosphäre. to|po|gra|phisch, auch: topografisch (gr.): die Topographie betreffend; topographische Anatomie: Beschreibung der Körperregionen u. der Lageverhältnisse der einzelnen Organe (Med.)

To|poi ['tɔpɔy]: Plural von ↑Topos. To|po|lo|gie (gr.-nlat.) die; -: 1. in der Geometrie die Lehre von der Lage u. Anordnung geometrischer Gebilde im Raum. 2. [Lehre von der] Wortstellung im Satz. to|po|lo|gisch: die Topologie betreffend. To|po|no|mas|tik* die; -: ↑Toponymik. To|po|ny|mie* die; -: 1. Gesamtheit der Ortsnamen in einer bestimmten Region. 2. ↑Toponymik. To|po|ny|mik* die; -: Ortsnamenkunde. To|po|pho|bie die; -: übersteigerte Angst vor bestimmten Orten od. Plätzen (Med.; Psychol.). To|pos (gr.) der; -, Topoi ['tɔpɔy]: feste Wendung, stehende Rede od. Formel, feststehendes Bild o. Ä.

top|sec|ret* ['tɔpsi:krɪt] (engl.): engl. Bezeichnung für: streng geheim

Top|spin (engl.; „Kreiseldrall") der; -s, -s: (Tischtennis) a) starker, in der Flugrichtung des Balles wirkender Aufwärtsdrall, der dem Ball durch einen lang gezogenen Bogenschlag vermittelt wird; b) Bogenschlag, der dem Ball einen starken Aufwärtsdrall vermittelt. Top|star der; -s, -s: Star der Spitzenklasse. Top|ten (engl.) die; -, -s, auch: Top Ten die; - -, - -s: [aus zehn Titeln, Werken, Personen bestehende] Hitparade; die ersten zehn Titel usw. einer Hitparade

Toque [tɔk] (span.-fr.) die; -, -s: kleiner, barettartiger Damenhut Tord|alk (schwed.) der; -[e]s od. -en, -e[n]: arktischer Seevogel tor|die|ren (lat.-vulgärlat.-fr.): verdrehen, verwinden To|re|al|dor (lat.-span.) der; -s u. -en, -e[n]: [berittener] Stierkämpfer. To|re|ra die; -, -s: nicht berittene Stierkämpferin. To|re|ro der; -s, -s: nicht berittener Stierkämpfer

To|reut (gr.-lat.) der; -en, -en; Künstler, der Metalle ziseliert od. treibt. To|reu|tik die; -:

Kunst der Metallbearbeitung durch Treiben, Ziselieren o. Ä.

To|ri: Plural von ↑Torus To|ries ['tɔri:s, 'tɔ:rɪz]: Plural von ↑Tory

To|rii ['to:rii] (jap.) das; -[s], -[s]: frei stehendes [Holz]portal japanischer Schintoheiligtümer mit zwei beiderseits überstehenden Querbalken

to|risch (lat.-nlat.): wulstförmig Tork|ret* ® (Kunstwort) der; -s: Spritzbeton. tork|re|tie|ren: mit Pressluft Torkret an die Wand spritzen

¹Tor|men|till (lat.-mlat.) der; -s: gelb blühendes Fingerkraut, das als Heilpflanze verwendet wird. ²Tor|men|till das; -s: gerbstoffhaltiges Heilmittel aus der Wurzel des ¹Tormentills

Törn (gr.-lat.-mlat.-fr.-engl.) der; -s, -s: (Seemannsspr.) 1. Fahrt mit einem Segelboot; Segeltörn. 2. Zeitspanne, Turnus für eine bestimmte, abwechselnd ausgeführte Arbeit an Bord. 3. (mit beabsichtigte) Schlinge in einer Leine. 4. ↑Turn (2)

Tor|na|do (lat.-span.-engl.) der; -s, -s: starker Wirbelsturm im südlichen Nordamerika

To|ro (lat.-span.) der; -s, -s: spanische Bezeichnung für: Stier

To|ross (russ.) der; -, -en: Packeis tor|pe|die|ren (lat.-nlat.): 1. (ein Schiff) mit Torpedos beschießen, versenken. 2. in gezielter Weise bekämpfen u. dadurch verhindern. Tor|pe|do (lat.; „Erstarrung, Lähmung; Zitterrochen") der; -s, -s: mit eigenem Antrieb u. selbsttätiger Zielsteuerung ausgestattetes schweres Unterwassergeschoss. tor|pid (lat.): 1. regungslos, starr, schlaff (Med.; Zool.). 2. (Med.) a) schwachsinnig, benommen; b) unbeeinflussbar. Tor|pi|di|tät (lat.-nlat.) die; -: 1. Regungslosigkeit, Schlaffheit, Starre (Med.; Zool.). 2. (Med.) a) Stumpfsinn, Stumpfheit; b) Unbeeinflussbarkeit (z. B. vom Verlauf einer Krankheit). Tor|por (lat.) der; -s: ↑Torpidität (1, 2 a) Tor|ques (lat.) der; -, -: aus frühgeschichtlicher Zeit stammender offener Hals- od. Armring aus Gold, Bronze od. Eisen. tor|qui|e|ren: 1. peinigen, quälen, foltern. 2. drehen, krümmen (Techn.)

Tor|ren|te (lat.-it.) der; -, -n: Wasserlauf mit breitem, oft tief eingeschnittenem Bett, das nur nach starken Niederschlägen Wasser führt

Tor|se|lett (zu ital. Torso mit französierender Endung) das; -s, -s: (zur Damenunterwäsche gehörendes) einem Unterhemd ähnliches Wäschestück mit Strapsen

Tor|si|o|graph, auch: ...graf (lat.; gr.) der; -en -en: Instrument zur Messung u. Aufzeichnung der Torsionsschwingungen rotierender Maschinenteile, besonders der Wellen. Tor|si|on (lat.) die; -, -en: 1. Verdrehung, Verdrillung; Formveränderung fester Körper durch entgegengesetzt gerichtete Drehmomente (Phys.; Techn.). 2. Verdrehung einer Raumkurve (Math.). Tor|si|ons|mo|dul der; -s, -n: Materialkonstante, die bei der Torsion auftritt (Techn.)

Tor|so (gr.-lat.-spätlat.-it.) „Kohlstrunk; Fruchtkern") der; -s, -s u. ...si: 1. unvollendete od. unvollständig erhaltene Statue, meist nur der Rumpf dieser Statue. 2. Bruchstück, unvollendetes Werk

Tort (lat.-vulgärlat.-fr.) der; -[e]s: etwas Unangenehmes, Ärger, Kränkung

Tor|te|lett (spätlat.-it.) das; -[e]s, -s u. Tor|te|let|te die; -, -n: kleiner Tortenboden aus Mürbeteig, der mit Obst belegt od. mit Creme bestrichen wird. Tor|tel|li|no (spätlat.-it.) der; -s, ...ni: (meist Plural) kleiner, mit Fleisch, Gemüse o. Ä. gefüllter Ring aus Nudelteig

Tor|ti|kol|lis (lat.-nlat.) der; -: einseitiger Krampf der Nacken- u. Halsmuskeln mit dadurch bedingtem Schief- u. Seitwärtsdrehung des Kopfes; Schiefhals (Med.)

Tor|til|la [...'tɪlja] (spätlat.-span.) die; -, -s: 1. (in Lateinamerika) aus Maismehl hergestelltes Fladenbrot. 2. (in Spanien) Omelett Tor|tur (lat.-mlat.) die; -, -en: 1. Folter. 2. Qual, Quälerei, Strapaze.

To|rus (lat.) der; -, Tori: 1. Wulst (Med.). 2. Ringfläche, die durch Drehung eines Kreises um eine in der Kreisebene liegende, den Kreis aber nicht treffende Gerade entsteht (Math.). 3. wulstartiger Teil an der Basis antiker Säulen (Kunstwiss.)

To|ry ['tɔri, 'tɔ:rɪ] (engl.) der; -s, ...ries ['tɔri:s, 'tɔ:rɪz]: a) (hist.)

Angehöriger einer britischen Partei, aus der im 19. Jh. die Konservative Partei hervorging; Ggs. ↑Whig (1); b) Vertreter der konservativen Politik in Großbritannien; Ggs. ↑Whig (2). **Torys|mus** [to'rɪs...] *der; -*: Richtung der von den Torys (1) vertretenen konservativen Politik in Großbritannien. **to|rys|tisch:** den Torysmus betreffend

To|sef|ta *‹aram.;* „Hinzufügung") *die; -*: (nicht in den Talmud aufgenommenes) Ergänzungswerk zur Mischna

tos|to *‹lat.-it.)*: hurtig, eilig, sofort (Vortragsanweisung; Mus.)

To|ta: *Plural* von ↑Totum. **to|tal** *‹lat.-mlat.-fr.)*: 1. a) so beschaffen, dass es in einem bestimmten Bereich, Gebiet, Zustand o.Ä. ohne Ausnahme alles umfasst; in vollem Umfang; vollständig; **totales Theater:** die Zuschauer(innen) in das dramatische Geschehen auf der Bühne einbeziehendes Theater; b) völlig, ganz u. gar, durch u. durch. 2. totalitär. 3. insgesamt, gesamt (schweiz.). **To|tal** *das; -s, -e:* (bes. schweiz.) Gesamtheit, Gesamtsumme. **Totalle** *die; -, -n:* (Filmw.; Fotogr.) a) Kameraeinstellung, die das Ganze einer Szene erfasst; b) Gesamtaufnahme, Totalansicht. **To|ta|li|sa|tor** *‹lat.-mlat.-fr.-nlat.) der; -s, ...oren:* 1. Einrichtung zum Wetten beim Renn- u. Turniersport. 2. (bes. in unzugängliche Gebieten verwendetes) Sammelgefäß für Niederschläge (Meteor.). **to|ta|li|sieren** *‹lat.-mlat.-fr.)*: 1. unter einem Gesamtaspekt betrachten, behandeln. 2. (veraltet) zusammenzählen (Wirtsch.). **to|ta|litär** (französierende Bildung zu *total)*: 1. die Gesamtheit umfassend. 2. (abwertend) mit diktatorischen Methoden jegliche Demokratie unterdrückend, das gesamte politische, gesellschaftliche, kulturelle Leben sich total unterwerfend, es mit Gewalt reglementierend. **To|ta|li|taris|mus** *‹lat.-mlat.-nlat.) der; -, ...men:* (abwertend) totalitäres System, totalitäre Machtausübung. **To|ta|li|tät** *‹lat.-mlat.-fr.) die; -, -en:* 1. a) universeller Zusammenhang aller Dinge u. Erscheinungen in Natur u. Gesellschaft (Philos.); b) Ganzheit, Vollständigkeit. 2. totale Sonnen- od. Mondfinsternis (Astron.). 3. totale Machtausübung; totaler Machtanspruch. **to|ta|li-**

ter *‹lat.-mlat.)*: ganz und gar, gänzlich **To|tem** *‹indian.-engl.) das; -s, -s:* bei Naturvölkern ein Wesen od. Ding (Tier, Pflanze, Naturerscheinung), das als Ahne od. Verwandter eines Menschen, eines Clans od. einer sozialen Gruppe gilt, als zauberischer Helfer verehrt wird u. nicht getötet od. verletzt werden darf. **Tote|mis|mus** *‹indian.-engl.-nlat.) der; -*: Glaube an die übernatürliche Kraft eines Totems u. seine Verehrung. **to|te|mis|tisch:** den Totemismus betreffend, zu ihm gehörend, auf ihm beruhend. **Totem|pfahl** *‹indian.-engl.; dt.) der; -[e]s, ...pfähle:* (bei den Indianern Nordwestamerikas) geschnitzter Wappenpfahl mit Bildern des Totemtiers od. aus der Ahnenlegende der Sippe

To|ti|es-quo|ti|es-Ab|lass *‹lat.; dt.; lat. toties quoties* = „so oft wie") *der; -es, ...lässe:* Ablass, der so oft erlangt werden kann, wie die gestellten Bedingungen erfüllt werden (kath. Kirche) **to|ti|po|tent** *‹lat.-nlat.)*: (von Zellen) in der Differenzierung noch nicht festgelegt (Biol.). **To|to** (Kurzwort für: Totalisator) *der; (auch:) -s, -s:* Einrichtung zum Wetten im Fußball- od. Pferdesport. **To|tum** *‹lat.) das; -s, Tota:* das Ganze, Gesamtbestand

Touch [tatʃ] *‹vulgärlat.-fr.-engl.) der; -s, -s:* etw., was jmdm., einer Sache als leicht angedeutete Eigenschaft ein besonderes Fluidum gibt; Anflug, Hauch. **touchant** [tu'ʃã:, tu'ʃã:] *‹vulgärlat.-fr.)*: (veraltet) rührend, bewegend, ergreifend. **tou|chie|ren:** 1. berühren. 2. mit dem Finger betastend untersuchen (Med.). 3. mit dem Ätzstift bestreichen, abätzen (Med.). **Touch|screen** ['tatʃskriːn] *‹engl.) der; -s, -s:* Computerbildschirm mit Sensorfeldern, durch deren Berühren der Programmablauf gesteuert werden kann

Tou|pet [tu'pe:] *‹germ.-fr.) das; -s, -s:* 1. (früher) Haartracht, bei der das Haar über der Stirn toupiert war. 2. (bes. für Herren) Haarteil, das als Ersatz für teilweise fehlendes eigenes Haar getragen wird. 3. (schweiz.) Unverfrorenheit, Dreistigkeit. **tou|pie|ren** (deutsche Bildung zu Toupet): das Haar strähnenweise in Richtung des Haaransatzes in schnellen u. kurzen Bewegungen käm-

men, um es fülliger erscheinen zu lassen

Tour [tuːɐ̯] *‹gr.-lat.-fr.;* „Dreheisen; Drehung, Wendung") *die; -, -en:* 1. Ausflug, Fahrt, Exkursion. 2. bestimmte Strecke. 3. a) (abwertend) Art u. Weise, mit Tricks u. Täuschungsmanövern etw. zu erreichen; b) Vorhaben, Unternehmen [das nicht ganz korrekt ist]. 4. Umdrehung, Umlauf eines rotierenden Körpers, bes. einer Welle (Techn.). 5. in sich geschlossener Abschnitt einer Bewegung. 6. einzelne Lektion im Dressurreiten. **Tour de Force** [turdə'fɔrs] *‹fr.) die; - - -, - -s - - -* [turdə'fɔrs]: Gewaltaktion; mit Mühe, Anstrengung verbundenes Handeln. **Tour de France** [...'frã:s] *‹fr.) die; - - -, -s - - -* [turdf'frã:s]: alljährlich in Frankreich von Berufsradfahrern ausgetragenes Straßenrennen, das über zahlreiche Etappen führt u. als schwerstes Straßenrennen der Welt gilt. **Tour d'Ho|ri|zon** [turdɔri'zõ] *die* (auch: *der); - -, - -s* - [turdɔri'zõ]: informativer Überblick (über zur Diskussion stehende Fragen). **tou|ren** ['tuː...]: 1. (Jargon) auf Tournee gehen, sein. 2. (ugs.) auf Tour (1) gehen, sein

Tou|rill [tu...] *‹Herkunft unsicher) das; -s, -s* (meist Plural): reihenförmig angeordnetes, durch Rohre verbundenes Gefäß zur Kondensation od. Absorption von Gasen (Chem.)

Tou|ris|mus [tu...] *‹gr.-lat.-fr.-engl.-nlat.) der; -*: das Reisen, der Reiseverkehr [in organisierter Form]; Fremdenverkehr. **Tourist** *der; -en, -en:* 1. Reisender, Urlauber. 2. (veraltet) Ausflügler, Wanderer. 2. a) Bergsteiger. **Touris|ten|klas|se** *die; -, -n:* auf Passagierschiffen u. in Flugzeugen eingerichtete preiswerte Reiseklasse mit geringerem Komfort. **Tou|ris|tik** *die; -*: 1. organisierter Reise-, Fremdenverkehr. 2. (veraltet) das Wandern od. Bergsteigen. **Tou|ris|ti|ker** *der; -s, -:* auf dem Gebiet des Tourismus ausgebildeter Fachmann. **touris|tisch:** die Touristik, den Tourismus betreffend; für den Tourismus charakteristisch, den Tourismus zugehörend

Tour|nai|tep|pich [tur'nɛ...] (nach der belg. Stadt Tournai) *der; -s, -e:* auf der Jacquardmaschine hergestellter Webteppich **Tour|nant** [tur'nã:] *‹gr.-lat.-fr.) der; -[s], -s:* Ersatzkraft im Hotelgewerbe. **Tour|né** [tʊrˈneː] *das;* -s, -s: aufgedecktes Kartenblatt, dessen Farbe als Trumpf gilt. **Tour|ne|dos** [tʊrnəˈdoː] *das;* - [...doː(s)], - [...doːs]: wie ein Steak zubereitete, meist auf einer Röstbrotschnitte angerichtete Lendenschnitte von der Filetspitze des Rinds (Gastr.). **Tournee** *die;* -, -s u. ...neen: Gastspielreise von Künstlern, Künstlerinnen o. Ä. **tour|nie|ren:** 1. in gewünschter Form ausstechen (Gastr.). 2. die Spielkarten wenden, aufdecken. **Tour|ni|quet** [tʊrniˈkeː] ⟨*fr.*⟩ *das;* -s, -s: 1. schlingenförmiges Instrument zum Abklemmen von Blutgefäßen (Med.). 2. Drehkreuz an Wegen, Eingängen o. Ä. 3. (meist Plural) korkenzieherförmiges Gebäckstück aus Blätterteig. **Tour|nü|re** vgl. Turnüre

tour-re|tour [tuːˈreːrəˈtuːɐ̯] ⟨*fr.*⟩: (österr. veraltend) hin u. zurück **To|wa|rischtsch** ⟨*russ.*⟩ *der;* -[s], -s (auch: -i): russische Bezeichnung für: Genosse

Tow|er [ˈtaʊə] ⟨*engl.;* gekürzt aus: Control-Tower⟩ *der;* -[s], -: Kontrollturm auf Flughäfen

Tow|garn [ˈtoʊ...] ⟨*engl.; dt.*⟩ *das:* Gespinst aus den Abfällen von Hanf od. Flachs

Town|ship [ˈtaʊnʃip] ⟨*engl.*⟩ *die;* -, -s: von Farbigen bewohnte städtische Siedlung in Südafrika **To|xä|mie*, Tox|hä|mie** u. Toxikämie ⟨*gr.-nlat.*⟩ *die;* -, ...ien: (Med.) 1. toxisch bedingte Blutbildveränderungen; Blutvergiftung. 2. ↑Toxinämie. **To|xi|der|mie** *die;* -, ...ien: (veraltet) durch Gifteinwirkung verursachte Hauterkrankung (Med.). **To|xi|fe|rin** ⟨*(gr.; lat.) nlat.*⟩ *das;* -s: Alkaloid; stärkster Wirkstoff des Pfeilgiftes Kurare. **to|xi|gen** u. toxogen ⟨*gr.-nlat.*⟩: (Med.) 1. Giftstoffe erzeugend (z. B. von Bakterien). 2. durch Vergiftung entstanden, verursacht. **To|xi-ka:** *Plural* von ↑Toxikum. **To|xi-kä|mie** vgl. Toxämie. **To|xi|ko-dend|ron** *der* (auch: *das*); -s, ...dren und ...dra: stark giftiges südafrikanisches Wolfsmilchgewächs. **To|xi|ko|lo|ge** *der;* -n, -n: Fachwissenschaftler auf dem Gebiet der Toxikologie. **To|xi-ko|lo|gie** *die;* -: Wissenschaft, Lehre von den Giften und ihren Einwirkungen auf den Organismus (Med.). **to|xi|ko|lo|gisch:** die Toxikologie betreffend. **To-xi|ko|se,** auch: Toxikonose u. Toxonose *die;* -, -n: Vergiftung;

durch Giftstoffe verursachte Krankheit (Med.). **To|xi|kum** ⟨*gr.-lat.*⟩ *das;* -s, ...ka: Gift, Giftstoff (Med.). **To|xin** ⟨*gr.-nlat.*⟩ *das;* -s, -e: von Bakterien, Pflanzen od. Tieren ausgeschiedener od. beim Zerfall von Bakterien entstandener organischer Giftstoff. **To|xi|nä|mie** *die;* -, ...ien: Vergiftung des Blutes durch Toxine (Med.). **to|xisch:** giftig, auf einer Vergiftung beruhend (Med.). **To|xi|zi|tät** *die;* -: giftige Eigenschaft u. Wirkung chemischer Substanzen u. physikalischer Faktoren (Med.). **to|xo-gen** vgl. toxigen. **To|xo|id** *das;* -s, -e: entgiftetes Toxin (Med.). **To-xo|no|se** vgl. Toxikose. **To|xo-plas|mo|se** *die;* -, -n: durch eine bestimmte Parasitenart hervorgerufene Infektionskrankheit (Med.)

Toy [tɔy] ⟨*engl.; „Spielzeug"*⟩ *das;* -s, -s (meist Plural): zur sexuellen Stimulation verwendeter Gegenstand

Tra|ba|kel ⟨*it.*⟩ *der;* -s, -: früheres zweimastiges Wasserfahrzeug im Adriatischen Meer **Tra|bant** ⟨*tschech.*⟩ *der;* -en, -en: 1. (hist.) Leibwächter eines Fürsten; Diener. 2. Satellit (2, 3). 3. in der Fernsehtechnik schmale Impulse mit Halbzeilenfrequenz zur Synchronisierung der Fernsehbilder. **Tra|ban|ten|stadt** ⟨*tschech.; dt.*⟩ *die;* -, ...städte: am Rande einer Großstadt gelegene größere, weitgehend eigenständige Ansiedlung; Wohnstadt **Tra|bu|kel** ⟨*lat.*⟩ *die;* -, -n: bälkchen- od. strangartiges Bündel von Gewebs- bzw. Muskelfasern (Anat.)

Tra|bu|ko ⟨*span.*⟩ *die;* -, -s: (österr. veraltet) Zigarre [einer bestimmten Sorte]

Tra|cer [ˈtreɪsə] ⟨*engl.; „Aufspürer"*⟩ *der;* -s, -: radioaktiver Markierungsstoff, mit dessen Hilfe u. a. biochemische Vorgänge im Organismus verfolgt werden können (Physiol.; Med.)

Tra|chea [auch: ˈtraxea] ⟨*gr.-lat.-mlat.*⟩ *die;* -, ...gen: Luftröhre (Med.). **tra|che|al** ⟨*gr.-lat.-mlat.*⟩: zur Luftröhre gehörend, sie betreffend (Med.). **Tra|che-al|ste|no|se*** *die;* -, -n: Luftröhrenverengung (Med.). **Tra|che|en** ⟨*gr.-lat.-mlat.*⟩ *die;* -, -n: 1. Atmungsorgan der meisten Gliedertiere (Zool.). 2. durch Zellfusion entstandenes Gefäß der Pflanzen (Bot.). **Tra|che|en:** *Plural* von ↑Trachea, ↑Trachee.

Tra|che|i|de ⟨*gr.-nlat.*⟩ *die;* -, -n: nur noch aus der Zellwand bestehende abgestorbene Zelle niederer pflanzlicher Organismen, die als Wasserleitbahn dient (Bot.). **Tra|che|i|tis** *die;* -, ...itiden: Luftröhrenentzündung (Med.). **Tra|che|o|mala|zie** *die;* -: Stabilitätsverlust der Luftröhre (Med.). **Tra|che|o|skop*** *das;* -s, -e: optisches Gerät zur Untersuchung der Luftröhre; Luftröhrenspiegel (Med.). **Tra|che|o-sko|pie*** *die;* -, ...ien: Luftröhrenspiegelung (Med.). **tra|che|o-sko|pie|ren*:** eine Tracheoskopie durchführen (Med.). **Tra-che|o|to|mie** *die;* -, ...ien: operatives Öffnen der Luftröhre; Luftröhrenschnitt (Med.). **Tra|che-o|ze|le** *die;* -, -n: Vorwölbung der Luftröhre; Luftröhrenbruch (Med.). **Tra|chom** ⟨*gr.; „Rauheit"*⟩ *das;* -s, -e: langwierig verlaufende Virusinfektion des Auges mit Ausbildung einer Bindehautentzündung; Körnerkrankheit. **Tra|chyt** [auch: ...xyt] ⟨*gr.-nlat.*⟩ *der;* -s, -e: graues od. rötliches, meist poröses vulkanisches Gestein

Track [trɛk] ⟨*germ.-fr.-engl.*⟩ *der;* -s, -s: 1. übliche Schiffsroute zwischen zwei Häfen (Schifffahrt). 2. der Übertragung von Zugkräften dienendes Element (wie Seil, Kette, Riemen). 3. (Jargon) (bes. auf einer CD) Musikstück, Nummer. 4. abgegrenzter Bereich auf einem Datenträger, in eine einfache Folge von Bits gespeichert werden kann (EDV). **Track|ball** [ˈtrɛkbɔːl] ⟨*engl.*⟩ *der;* -s, -s: aus einer beweglichen, auf der Tastatur befestigten Kugel bestehendes Eingabegerät (EDV)

Trac|tus vgl. Traktus **Trade|mark** [ˈtreɪdmaːk] ⟨*engl.*⟩ *die;* -, -s: englische Bezeichnung für: Warenzeichen **Tra|des|kan|tie** [...tsiə] ⟨*nlat.*⟩ nach dem britischen Gärtner J. Tradescant, † 1638⟩ *die;* -, -n: (in zahlreichen Arten im tropischen u. gemäßigten Amerika) vorkommende Pflanze mit länglich-eiförmigen Blättern u. weißen, roten od. violetten Blüten **Trade U|ni|on** [ˈtreɪd ˈjuːnjən] ⟨*engl.*⟩ *die;* -, -s: englische Bezeichnung für: Gewerkschaft. **Trade|u|ni|o|nis|mus** ⟨*engl.-nlat.*⟩ *der;* -: britische Gewerkschaftsbewegung

tra|die|ren ⟨*lat.*⟩: überliefern, weitergeben; etw. Überliefertes weiterführen. **Tra|di|ti|on** *die; -,* -en: 1. a) Überlieferung, Herkommen; b) Brauch, Gewohnheit, Gepflogenheit; c) das Tradieren, Weitergabe (an spätere Generationen). 2. außerbiblische, von der katholischen Kirche als verbindlich anerkannte Überlieferung von Glaubenslehren seit der Apostelzeit. **Tra|di|ti|o|na|lis|mus** *(lat.-nlat.) der; -:* 1. geistige Haltung, die bewusst an der Tradition festhält, sich ihr verbunden fühlt. 2. philosophisch-theologische Richtung des frühen 19. Jh.s in Frankreich, die alle religiösen u. ethischen Begriffe auf die Überlieferung einer Uroffenbarung Gottes zurückführte u. der Vernunft Erkenntnisvermögen absprach. **Tra|di|ti|o|na|list** *der; -en,* -en: Anhänger u. Vertreter des Traditionalismus (1, 2). **tra|di|ti|o|na|lis|tisch:** den Traditionalismus (1, 2) betreffend, für ihn charakteristisch, dem Traditionalismus verbunden, verhaftet. **Tra|di|ti|o|nal|jazz** *[tra'dɪʃənəl'dʒæz] (engl.-amerik.) der; -,* auch: **Tra|di|tio|nal Jazz** *der; -* -: traditioneller Jazz (die älteren Stilrichtungen bis etwa 1940). **tra|di|ti|o|nell** *(lat.-fr.):* überliefert, herkömmlich; einer Tradition entsprechend

Tra|duk|ti|on *(lat.) die; -, -*en: 1. Übersetzung. 2. wiederholte Anwendung desselben Wortes in veränderter Form od. mit anderem Sinn (antike Rhet.). **Tra|duk|ti|o|nym** *(lat.; gr.) das; -s, -*e: Deckname, der aus der Übersetzung des Verfassernamens in eine fremde Sprache besteht (z. B. Agricola = Bauer). **Tra|du|zi|a|nis|mus** *(lat.-mlat.-nlat.) der; :* spätantike u. frühchristliche, später verurteilte Lehre, Anschauung, nach der die menschliche Seele bei der Zeugung als Ableger der väterlichen Seele entstehe

Tra|fik *(it.-fr.) die; -, -*en: (bes. österr.) Tabak- u. Zeitschriftenladen, -handel. **Tra|fi|kant** *der; -en,* -en: (österr.) Inhaber einer Trafik

Tra|fo *der; -[s], -*s: Kurzwort für: Transformator

Tra|gant *(gr.-lat.-mlat.) der; -[e]s, -*e: 1. (zu den Schmetterlingsblütlern gehörende) Pflanze mit Blüten verschiedener Form u. Farbe. 2. aus verschiedenen Arten des Tragants (1) gewonnene, gallertartige, quellbare Substanz, die bes. zur Herstellung von Klebstoffen verwendet wird **Tra|gé|die ly|rique** *[traʒedili'rik] (gr.-lat.-fr.) die; - -, -s -s [traʒedili'rik]:* ernste (tragische) französische Oper von Lully u. Rameau. **Tra|gel|laph*** *(gr.-lat.;* „Bockhirsch") *der; -en, -*en: 1. altgriechisches Fabeltier. 2. (veraltet) uneinheitliches literarisches Werk, das man mehreren Gattungen zuordnen kann. **tra|gie|ren** *(gr.-nlat.):* eine Rolle tragisch spielen. **Tra|gik** *die; -:* außergewöhnlich schweres, schicksalhaftes, Konflikte, Untergang od. Verderben bringendes, unverdientes Leid, das Mitempfinden auslöst. **Tra|gi|ker** *(gr.-lat.) der; -s, -:* Tragödiendichter. **Tra|gi|ko|mik** *(gr.-nlat.) die; -:* halb tragische, halb komische Wirkung. **tra|gi|ko|misch:** halb tragisch, halb komisch. **Tra|gi|ko|mö|die** *(gr.-lat.) die; - -n:* Drama, das die Tragik u. Komik miteinander verknüpft und. **tra|gisch:** die Tragik betreffend; schicksalhaft, erschütternd, ergreifend. **Tra|gö|de** *der; -n, -*n: eine tragische Rolle spielender Schauspieler; Heldendarsteller. **Tra|gö|die** *[...jə] (,,Bocksgesang") die; -, -*n: 1. a) (ohne Plural) Dramengattung, in der das Tragische gestaltet wird, meist aufgezeigt an Grundsituationen des Menschen zwischen Freiheit u. Notwendigkeit, zwischen Sinn u, Sinnlosigkeit; b) einzelnes Drama, Bühnenstück dieser Gattung; Trauerspiel; Ggs. ↑Komödie (1). 2. tragisches Ereignis, Unglück

Trai|ler *['treɪlə] (engl.) der; -s, :* 1. kurzer, aus einigen Szenen eines Films zusammengestellter Vorfilm, der als Werbemittel für diesen Film vorgeführt wird. 2. nicht belichteter Filmstreifen am inneren Ende einer Filmrolle. 3. Fahrzeuganhänger (bes. als Wohnwagen)

Trail|le *['tra:jə] od. 'traljə] (lat.-fr.) die; -, -*n: (veraltet) 1. Fähre. 2. Fährseil, Tau u. Rolle, an denen eine Fähre läuft; vgl. Tralje

Train *[trɛ̃:, österr. auch: trɛ:n, trɛ:n] (lat.-vulgärlat.-fr.) der; -s, -*s: Tross; für den Nachschub sorgende Truppe. **Trai|nee** *['treɪni:] (lat.-vulgärlat.-fr.-engl.) der; -s, -*s: jmd.; bes. Hochschulabsolvent, der innerhalb eines Unternehmens für eine bestimmte Aufgabe vorbereitet wird, eine praktische Ausbildung absolviert (Wirtsch.). **Trai|ner** *['trɛ:..., 'trɛ:...] der; -s, -:* jmd., der Sportler trainiert (a). **trai|nie|ren:** a) durch systematisches Training auf einen Wettkampf vorbereiten; b) Training betreiben; c) durch Training [bestimmte Übungen, Fertigkeiten] technisch vervollkommnen; d) (ugs.) einüben; planmäßig, gezielt üben. **Trai|ning** *das; -s, -s:* planmäßige Durchführung eines Programms von vielfältigen Übungen zur Ausbildung von Können, Stärkung der Kondition u. Steigerung der Leistungsfähigkeit. **Trai|ning on the Job** *[--θə 'dʒɔp] (engl.) das; -s - - -, -s - - -:* Gesamtheit der Methoden zur Ausbildung, Vermittlung u. Erprobung praktischer Kenntnisse u. Fähigkeiten direkt am Arbeitsplatz

Trai|té *[trɛ'te:] (lat.-fr.) der; -s, -s:* (veraltet) 1. [Staats]vertrag. 2. Abhandlung, Traktat. **Trai|teur** *[trɛ'to:ɐ̯] der; -s, -e:* (schweiz.) Hersteller, Verkäufer u. Lieferant von Fertiggerichten

Traj|jekt *(lat.) der od. das; -[e]s, -e:* 1. (veraltet) Überfahrt. 2. [Eisenbahn]fährschiff. **Traj|jek|to|rie** *[...jə] (lat.-nlat.) die; -, -n:* Linie, die jede Kurve einer ebenen Kurvenschar unter gleich bleibendem Winkel schneidet (Math.)

Tra|kas|se|rie *(fr.) die; -, ...jen:* Quälerei. **tra|kas|sie|ren:** quälen, plagen, necken

Trakt *(lat.) der; -[e]s, -e:* 1. Gebäudeteil. 2. Zug, Strang; Gesamtlänge (z. B. Darmtrakt). 3. Landstrich. **trak|ta|bel:** leicht zu behandeln, umgänglich. **Trak|ta|ment** *(lat.-mlat.) das; -s, -e:* (landsch.) 1. Verpflegung, Bewirtung. 2. Behandlung. 3. (veraltet) Löhnung des Soldaten. **Trak|tan|den|lis|te** *der; -, -n:* (schweiz.) Tagesordnung. **Trak|tan|dum** *(lat.) das; -s, ...den:* (schweiz.) Verhandlungsgegenstand. **Trak|ta|ri|a|nis|mus** *(lat.-engl.-nlat.) der; -:* katholisierende Bewegung in der englischen Staatskirche im 19. Jh.; vgl. Oxfordbewegung (1). **Trak|tat** *(lat.) das* (auch: *der); -[e]s, -e:* 1. Abhandlung. 2. religiöse Flugschrift. 3. (veraltet) [Staats]vertrag. **trak|tie|ren:** 1. (veraltet) a) behandeln; unterhandeln; b) literarisch darstellen, gestalten. 2. plagen, quälen, misshandeln. 3. a) (veraltet) bewirten; b) [mit etwas] überfüttern, in sehr reichlicher Menge anbieten. **Trak|ti|on** *die;* -, -en: 1. Zug, das Ziehen, Zugkraft (z. B. als Geburtshilfe; Med.; aber auch: Phys.; Techn.). 2. Art des Antriebs von Zügen [durch Triebfahrzeuge]. **Trak|tor** ⟨*lat.-engl.*⟩ *der;* -s, ...oren: [landwirtschaftliche] Zugmaschine, Schlepper (Landw.). **Trak|to|rie** [...jə] ⟨*lat.-nlat.*⟩ *die;* -, -n: ↑ Traktrix. **Trak|to|rist** ⟨*lat.-russ.*⟩ *der;* -en, -en: Traktorfahrer. **Trak|trix*** ⟨*lat.-nlat.*⟩ *die;* -, ...izes: ebene Kurve, deren Tangenten von einer festen Geraden (Leitlinie) stets im gleichen Abstand vom Tangentenberührungspunkt geschnitten werden (Math.). **Trak|tur** ⟨*lat.*⟩ *die;* -, -en: bei der Orgel der vom Manual od. Pedal her auszulösende Zug (Regierwerk), der mechanisch, pneumatisch od. elektrisch sein kann. **Traktus** (verkürzt aus: cantus tractus = „gezogener Gesang"⟩ *der;* -, - [...tu:s]: nicht im Wechsel gesungener [Buß]psalm, der in der Fastenzeit u. beim ↑ Requiem an die Stelle des ↑ Hallelujas tritt **Tral|je** ⟨*lat.-fr.-niederl.*⟩ *die;* -, -n (meist Plural): (landsch.) Geländer-, Gitterstab; Gitterwerk; vgl. Traille, Treille **Tram** ⟨*engl.*⟩ *die;* -, -s (schweiz.: *das;* -s, -s): (landsch.) Straßenbahn. **Tram|bahn** ⟨*engl.; dt.*⟩ *die;* -, -en: ↑ Tram **Trame** [tra:m, tram] ⟨*lat.-fr.*⟩ *die;* -: leicht gedrehte, aus Schussfaden verwendete Naturseide **Tra|mel|lo|gö|die** [...jə] ⟨*gr.-it.*⟩ *die;* -, -n: a) (ohne Plural) von dem italienischen Dichter Alfieri (1749–1803) geschaffene Kunstgattung zwischen Oper u. Tragödie; b) einzelnes Werk dieser Gattung **Tra|met|te** ⟨*lat.-fr.*⟩ *die;* -, -n: grobe Schussseide **Tra|mi|ner** ⟨nach dem Ort Tramin⟩ *der;* -s, -: 1. Südtiroler Rotwein. 2. a) (ohne Plural) Rebsorte mit spätreifen Trauben; b) aus dieser Rebsorte hergestellter alkoholreicher, würziger Weißwein **Tra|mon|ta|na** u. **Tra|mon|ta|ne** ⟨*lat.-it.*⟩ *die;* -, ...nen: Nordwind in Oberitalien **Tramp** [trɛmp] ⟨*engl.*⟩ *der;* -s, -s: 1. engl. Bez. für: Landstreicher, umherziehender Gelegenheitsarbeiter. 2. Fußwanderung. 3. Dampfer mit unregelmäßiger Route, der Gelegenheitsfahrten unternimmt. **tram|pen** [ˈtrɛmpn]: 1. [durch Winken o. Ä.] Autos

anhalten, um unentgeltlich mitfahren zu können. 2. (veraltend) lange wandern, als ↑ Tramp (1) umherziehen. **Tram|per** [ˈtrɛmpɐ] *der;* -s, -: jmd., der trampt (1). **Tram|po|lin** [auch: ...ˈliːn] ⟨*dt.-it.*⟩ *das;* -s, -e: in Sport u. Artistik verwendetes Federsprunggerät **Tram|way** [...vai] ⟨*engl.*⟩ *die;* -, -s: (österr.) Straßenbahn; vgl. Tram **Tran|ce** [ˈtrã:s(ə)] ⟨*lat.-fr.-engl.*⟩ *die;* -, -n: schlafähnlicher Zustand [bei spiritistischen Medien]; Dämmerzustand, Übergangsstadium zum Schlaf **Tran|che** [ˈtrã:ʃ(ə)] ⟨*fr.*⟩ *die;* -, -n: 1. fingerdicke Fleisch- od. Fischschnitte. 2. Teilbetrag einer Wertpapieremission (Wirtsch.). **Tran|cheur** [...ˈʃøːɐ] ⟨*fr.*⟩ *der;* -s, -e: jmd., der Fleisch tranchiert. **tran|chie|ren** vgl. transchieren **Tran|quil|li|zer** [ˈtrɛŋkwilaizɐ] ⟨*lat.-fr.-engl.*⟩ *der;* -s, - (meist Plural): beruhigendes Medikament gegen Psychosen, Depressionen, Angst- u. Spannungszustände. **tran|quil|la|men|te** vgl. tranquillo. **Tran|quil|li|tät** ⟨*lat.*⟩ *die;* -: Ruhe, Gelassenheit. **tran|quil|lo** ⟨*lat.-it.*⟩ u. **tran|quil|la|men|te** ⟨*lat.*⟩: ruhig (Vortragsanweisung; Mus.). **Trans|ak|ti|on** ⟨*lat.*⟩ *die;* -, -en: 1. größere [finanzielle] Unternehmung. 2. [wechselseitige] Beziehung (Psychol.) **trans|al|pin, trans|al|pi|nisch** ⟨*lat.*⟩: jenseits der Alpen (von Rom aus) **Trans|ami|na|se** ⟨*lat.-nlat.*⟩ *die;* -, -n: ↑ Enzym, das die Übertragung einer Aminogruppe von einer Substanz auf eine andere bewirkt (Med.). **trans|at|lan|tisch:** überseeisch **trans|chie|ren,** auch: tranchieren ⟨*fr.*⟩: Fleisch, Geflügel kunstgerecht in Stücke schneiden, zerlegen **Trans|duk|tor** ⟨*lat.-nlat.*⟩ *der;* -s, ...oren: in der Elektrotechnik eine mit Gleichstrom vormagnetisierte Drossel, die aus einem Eisenkern (mit großer magnetischer Induktion), einer Wechselstrom- u. Gleichstromwicklung besteht **Tran|sept** ⟨*lat.-engl.*⟩ *der* od. *das;* -[e]s, -e: Querschiff, Querhaus einer Kirche **trans|se|unt*** ⟨*lat.*⟩: über etwas hinausgehend, in einen anderen Bereich übergehend (Philos.) **Trans|fer** ⟨*lat.-engl.;* „Übertra-

gung, Überführung"⟩ *der;* -s, -s: 1. Zahlung ins Ausland in fremder Währung. 2. Übertragung der im Zusammenhang mit einer bestimmten Aufgabe erlernten Vorgänge auf eine andere Aufgabe (Psychol.; Päd.). 3. Überführung, Weitertransport im Reiseverkehr (z. B. vom Flughafen zum Hotel). 4. Wechsel eines Berufsspielers in einen andern Verein (Sport). 5. (Sprachw.) a) positiver Einfluss der Muttersprache auf eine Fremdsprache bei deren Erlernung; b) ↑ Transferenz. 6. Übermittlung, Weitergabe, Übertragung. **trans|fe|ra|bel:** umwechselbar od. übertragbar in fremde Währung. **Trans|fe|renz** *die;* -, -en: (Sprachw.) a) (ohne Plural) Vorgang u. Ergebnis der Übertragung einer bestimmten Erscheinung in einer Fremdsprache auf das System der Muttersprache; b) Übernahme fremdsprachiger Wörter, Wortverbindungen, Bedeutungen o. Ä. in die Muttersprache. **trans|fe|rie|ren:** 1. Geld in eine fremde Währung umwechseln, Zahlungen an das Ausland leisten. 2. den Wechsel eines Berufsspielers in einen andern Verein vornehmen (Sport). 3. (österr.) Amtsspr.) jmdn. dienstlich versetzen. **Trans|fer|stra|ße** *die;* -, -n: Fertigungsstraße für die Bearbeitung u. Weitertransport automatisch erfolgen **Trans|fi|gu|ra|ti|on** ⟨*lat.*⟩ *die;* -, -en: die Verklärung Christi u. ihre Darstellung in der Kunst **Trans|fi|nit** ⟨*lat.-nlat.*⟩: unendlich, im Unendlichen liegend (Philos.; Math.) **Trans|flu|xor** ⟨*lat.-nlat.*⟩ *der;* -s, ...oren: aus magnetisierbarem Material bestehendes elektronisches Bauelement (Phys.) **Trans|fo|ka|tor** ⟨*lat.-nlat.*⟩ *der;* -s, ...oren: ↑ Objektiv mit veränderlicher Brennweite, Gummilinse (Optik) **Trans|for|ma|ti|on** ⟨*lat.*⟩ *die;* -, -en: Umwandlung, Umformung, Umgestaltung, Übertragung. **trans|for|ma|ti|o|nell:** die Transformation betreffend, auf ihr beruhend. **Trans|for|ma|ti|ons|gram|ma|tik** *die;* -, -en: Grammatik, die mit Transformationen arbeitet, die Regeln zur Umwandlung von Sätzen in andere Sätze enthält (Sprachw.). **Trans|for|ma|tor** ⟨*lat.-nlat.*⟩ *der;* -s, ...oren: aus Eisenkörper, Primär- u. Sekundärspule bestehendes Instrument zur Umformung elektrischer Spannungen ohne bedeutenden Energieverbrauch. **trans|for|mie|ren** ⟨*lat.*⟩: umwandeln, umformen, umgestalten; übertragen. **Trans|for|mis|mus** ⟨*lat.-nlat.*⟩ *der; -*: ↑ Deszendenztheorie (Biol.) **trans|fun|die|ren** ⟨*lat.*⟩: eine Transfusion (1) vornehmen (Med.). **Trans|fu|si|on** *die; -, -en*: 1. intravenöse Einbringung, Übertragung von Blut, Blutersatzlösungen od. anderen Flüssigkeiten in den Organismus; Blutübertragung. 2. Diffusion von Gasen durch eine poröse Scheidewand **trans|gal|lak|tisch**: jenseits der Milchstraße befindlich, über das Milchstraßensystem hinausgehend (Astron.) **trans|gre|di|ent** ⟨*lat.*⟩: überschreitend, über etwas hinausgehend (Philos.). **trans|gre|die|ren**: große Festlandsmassen überfluten (von Meeren; Geogr.). **Trans|gres|si|on** *die; -, -en*: 1. Vordringen des Meeres über größere Gebiete des Festlands (Geogr.). 2. das Auftreten von ↑ Genotypen, die in ihrer Leistungsfähigkeit die Eltern- u. Tochterformen übertreffen (Biol.) **trans|hu|mant** ⟨*lat.-span.-fr.*⟩: mit Herden wandernd. **Transhu|manz** *die; -, -en*: 1. bäuerliche Wirtschaftsform, bei der das Vieh von Hirten auf entfernte Sommerweiden (z. B. Almen) gebracht wird. 2. Wanderschäferei mit jährlich mehrmaligem Wechsel zwischen entfernten Weideplätzen (bes. in Süddeutschland) **tran|si|ent** ⟨*lat.-engl.*⟩: die Transiente betreffend, auf ihr beruhend. **Tran|si|en|te** *die; -, -n*: 1. bei elektromechanischen Schaltvorgängen im lokalen Stromversorgungsnetz plötzlich auftretende Spannungs- u. Stromstärkeänderung durch das Auftreten von Wanderwellen entlang der Leitungen. 2. (durch Betriebsstörung verursachte) vorübergehende Abweichung vom Normalbetrieb eines Kernkraftanlage **tran|si|gie|ren** ⟨*lat.*⟩: (veraltet) verhandeln, einen Vergleich abschließen (Rechtsw.). **Tran|sis|tor** ⟨*lat.-engl.*⟩ *der; -s, ...oren*: Halbleiterbauelement, das die Eigenschaften einer ↑ Triode besitzt (Phys.). **tran|sis|torie|ren** u. **tran|sis|to|ri|sie|ren**:

mit Transistoren versehen (Techn.) **¹Tran|sit** [auch: ...'zɪt, 'tran...] ⟨*lat.-it.*⟩ *der; -s, -e*; 1. Durchfuhr, Durchreise durch ein Land. 2. Zustandekommen von ↑ Aspekten (2) infolge der Bewegung der Planeten; das Überschreiten eines Tierkreises. **²Tran|sit** *das; -s, -s*: kurz für: ↑ Transitvisum. **tran|si|tie|ren** ⟨*lat.-it.-nlat.*⟩: durchgehen, durchfuhren. **Tran|si|ti|on** ⟨*lat.*⟩ *die; -, -en*: Übergang; Übergehung. **tran|si|tiv:** (von einem Verb) zielend; ein Akkusativobjekt nach sich ziehend u. ein persönliches Passiv bildend; Ggs. ↑ intransitiv. **Tran|si|tiv** *das; -s, -e*: transitives Verb. **tran|si|ti|vie|ren** ⟨*lat.-nlat.*⟩: ein intransitives Verb transitiv machen (z. B. *kämpfen* in: einen guten Kampf kämpfen; Sprachw.). **Tran|si|ti|vi|tät** *die; -*: 1. transitive Beschaffenheit (Sprachw.). 2. Eigenschaft bestimmter zweistelliger mathematischer Relationen (Math.). **Tran|si|ti|vum** ⟨*lat.*⟩ *das; -s, ...va:* ↑ Transitiv. **tran|si|to|risch:** vorübergehend, später wegfallend (Wirtsch.). **Tran|si|to|ri|um** *das; -s, ...ien*: Ausgabenbewilligung im Staatshaushalt, die nur für die Dauer eines Ausnahmezustandes gilt. **Tran|sit|ron*** ⟨*lat.; gr.*⟩ *das; -s, ...one* (auch : -s): aus einer Röhre bestehende Kippschaltung zur Erzeugung von Impulsen u. Sägezahnspannungen. **Tran|sit|vi|sum** *das; -s, ...sa* u. ...sen: (in bestimmten Ländern für den Transit erforderliches) Durchreisevisum **trans|kon|ti|non|tal:** einen Erdteil durchquerend, sich über einen ganzen Erdteil erstreckend **tran|skri|bie|ren*** ⟨*lat.*⟩: 1. in eine andere Schrift (z. B. in eine phonetische Umschrift) übertragen; bes. Wörter einer Sprache mit nichtlateinischer Schrift mit lautlich ungefähr entsprechenden Zeichen des lateinischen Alphabets wiedergeben; vgl. transliterieren. 2. die Originalfassung eines Tonstückes auf ein anderes od. auf mehrere Instrumente übertragen (Mus.). **Tran|skript** *das; -[e]s, -e*: Ergebnis einer Transkription. **Tran|skrip|ti|on** *die; -, -en*: 1. a) lautgerechte Übertragung in eine andere Schrift; b) phonetische Umschrift. 2. Umschreibung eines Musikstückes in eine andere als die Originalfassung

trans|kris|tal|lin: mit Stängelkristallen behaftet (Gießereitechnik). **Trans|kris|tal|li|sa|tion** *die; -, -en*: das Auftreten von Stängelkristallen, die beim Walzvorgang ein Auseinanderbrechen in diagonaler Richtung verursachen können **trans|ku|tan** ⟨*lat.-nlat.*⟩: durch die Haut hindurch (Med.) **Trans|la|teur** [...'tø:ɐ̯] ⟨*lat.-fr*⟩ *der; -s, -e*: (veraltet) Übersetzer, Dolmetscher. **Trans|la|ti|on** ⟨*lat.*⟩ *die; -, -en*: 1. Übertragung, Übersetzung. 2. ↑ Trope. 3. geradlinige, fortschreitende Bewegung (Phys.). 4. feierliche Überführung der Reliquien eines Heiligen an einen anderen Ort (kath. Kirche.). 5. Prozess, durch den unter Weitergabe bestimmter genetischer Informationen Proteine gebildet werden (Biochem.). **Trans|la|tiv** [auch: ...'ti:f] *der; -s, -e*: einen bestimmte Richtung angebender Kasus in den finnougrischen Sprachen. **Trans|la|tor** *der; -s, ...oren*: (veraltet) Übersetzer. **trans|la|to|risch** ⟨*lat.-nlat.*⟩: (veraltet) übertragend **Trans|li|te|ra|ti|on** ⟨*lat.-nlat.*⟩ *die; -, -en*: buchstabengetreue Umsetzung eines nicht in lateinischen Buchstaben geschriebenen Wortes in lateinische Schrift [unter Verwendung ↑ diakritischer Zeichen]. **trans|li|te|rie|ren**: eine Transliteration vornehmen; vgl. transkribieren **Trans|lo|ka|ti|on** ⟨*lat.-nlat.*⟩ *die; -, -en*: 1. (veraltet) Ortsveränderung, Versetzung. 2. Verlagerung eines Chromosomenbruchstückes in ein anderes Chromosom (Biol.). **trans|lo|zie|ren:** 1. (veraltet) [an einen anderen Ort] versetzen. 2. verlagern (von Chromosomenbruchstücken; Biol.) **trans|lu|nar,** **trans|lu|na|risch** ⟨*lat.-nlat.*⟩: jenseits des Mondes befindlich, liegend **trans|lu|zent** u. **trans|lu|zid** ⟨*lat.*⟩: durchscheinend, durchsichtig **trans|ma|rin,** **trans|ma|ri|nisch** ⟨*lat.*⟩: überseeisch **Trans|mis|si|on** ⟨*lat.*⟩ *die; -, -en*: 1. Vorrichtung zur Kraftübertragung u. -verteilung auf mehrere Arbeitsmaschinen (z. B. durch einen Treibriemen). 2. Durchlassung von Strahlung (Licht) durch einen Stoff (z. B. Glas) ohne Änderung der Frequenz. **Trans|mit|ter** ⟨*lat.-amerik.*⟩ *der; -s, -*: 1. amerik. Bez. für: Messumformer (Techn.). 2. Überträgersubstanz, Überträgerstoff (Med.). **Trans|mit|ter|sub|stanz*** *die; -, -en:* ↑Transmitter (2). **trans|mit|tie|ren:** übertragen, übersenden **trans|mon|tan** ⟨*lat.*⟩: jenseits der Berge gelegen (Geogr.) **Trans|mu|ta|ti|on** ⟨*lat.-nlat.*⟩ *die; -, -en:* ↑Genmutation. **trans|mu|tie|ren:** um-, verwandeln **trans|neu|ro|nal** ⟨*lat.; gr.-nlat.*⟩: durch das ↑Neuron verlaufend (Med.; Biol.) **trans|ob|jek|tiv:** über das Objekt, den Gegenstand hinausgehend (Philos.) **trans|oze|a|nisch:** jenseits des Ozeans liegend **trans|pa|da|nisch** ⟨*lat.; zu* lat. *Padus = „Po“*⟩: jenseits des Po liegend (vom Rom aus gesehen) **trans|pa|rent** ⟨*lat.-mlat.-fr.*⟩: 1. durchscheinend; durchsichtig. 2. deutlich, verstehbar, erkennbar. **Trans|pa|rent** *das; -[e]s, -e:* 1. Spruchband. 2. Bild, das von hinten beleuchtet wird; Leuchtbild. **Trans|pa|renz** *die; -:* 1. a) das Durchscheinen; Durchsichtigkeit; b) Lichtdurchlässigkeit (z. B. des Papiers). 2. Deutlichkeit, Verstehbarkeit; das Erkennbarsein **Trans|phras|tik** ⟨*lat.; gr.*⟩ *die; -:* Teilgebiet der modernen Sprachwissenschaft, bei dem der Textbegriff (vgl. Textlinguistik) an den Satzbegriff gekoppelt ist (Sprachw.). **trans|phras|tisch:** die Transphrastik betreffend, auf ihr beruhend (Sprachw.) **Tran|spi|ra|ti|on*** ⟨*lat.-vulgärlat.-fr.*⟩ *die; -:* 1. Hautausdünstung, Schwitzen (Med.). 2. Abgabe von Wasserdampf durch die Spaltöffnungen der Pflanzen (Bot.). **tran|spi|rie|ren:** ausdünsten, schwitzen **Trans|plan|tat** ⟨*lat.*⟩ *das; -[e]s, -e:* transplantierendes od. zu transplantierendes Gewebestück (z. B. Haut, Knochen, Gefäße) od. Organ (Med.). **Trans|plan|ta|ti|on** ⟨*lat.-nlat.*⟩ *die; -, -en:* 1. das Transplantieren von lebenden Geweben od. Organen (Med.). 2. Pfropfung (Bot.). **Trans|plan|teur** [...'tø:ɐ̯] *der; -s, -e:* Arzt, der eine Transplantation durchführt. **trans|plan|tie|ren** ⟨*lat.*⟩: lebendes Gewebe od. Organe operativ dem einen Organismus entnehmen u. in einen anderen einsetzen **Trans|pon|der** ⟨*engl.; Kunstw.* aus *trans*mitter = Messumformer u. re*sponder* = Antwortge-

ber⟩ *der; -s, -:* nachrichtentechnische Anlage, die von einer Sendestation ausgehende Funksignale aufnimmt, verstärkt u. [auf einer anderen Frequenz] wieder abstrahlt **trans|po|nie|ren** ⟨*lat.*⟩: ein Tonstück in eine andere Tonart übertragen **Trans|port** ⟨*lat.-fr.*⟩ *der; -[e]s, -e:* 1. Versendung; Beförderung von Menschen, Tieren od. Gegenständen. 2. Fracht, zur Beförderung zusammengestellte Sendung. 3. (veraltet) Übertrag in der Buchhaltung. **trans|por|ta|bel:** beweglich, tragbar, beförderbar. **Trans|por|ta|ti|on** *die; -, -en:* ↑Transport (1). **Trans|por|ter** ⟨*lat.-fr.-engl.*⟩ *der; -s, -:* Transportflugzeug, -schiff. **Trans|por|teur** [...'tø:ɐ̯] ⟨*lat.-fr.*⟩ *der; -s, -e:* 1. jmd., der etwas transportiert. 2. mit einer Gradeinteilung versehener Voll- od. Halbkreis zur Winkelmessung od. Winkelauftragung (Math.). 3. Zubringer an der Nähmaschine. **trans|por|tie|ren:** 1. a) versenden, befördern, wegbringen; b) mechanisch bewegen, weiterschieben (z. B. einen Film). 2. die Basis für etwas abgeben, was an andere weitergegeben wird (z. B. Wörter transportieren Bedeutungen). 3. (veraltet) (in der Buchhaltung) übertragen. **Trans|por|tie|rung** *die; -, -en:* Fortschaffung, Beförderung **Trans|po|si|ti|on** ⟨*lat.-nlat.*⟩ *die; -, -en:* das Transponieren **Trans|ra|pid**® ⟨Kunstw. aus lat. *trans* u. ↑*rapid*⟩ *der; -[s]:* Magnetschwebebahn; Schnellbahn, bei der die räderlosen Wagen mithilfe von Magnetfeldern an eisernen Schienen schwebend entlanggeführt werden **Trans|se|xu|a|lis|mus** ⟨*lat.-nlat.*⟩ *der; -:* psychische Identifizierung eines Menschen mit dem Geschlecht, das seinem eigenen körperlichen Geschlecht entgegengesetzt ist, verbunden mit dem Wunsch nach Geschlechtsumwandlung. **trans|se|xu|ell:** den Transsexualismus betreffend. **Trans|se|xu|el|le** *der u. die; -n, -n:* zum Transsexualismus neigende Person **trans|so|nisch** ⟨*lat.-nlat.*⟩: oberhalb der Schallgeschwindigkeit gelegen **Trans|sub|stan|ti|a|ti|on*** ⟨*lat.-mlat.;* „Wesensverwandlung“⟩ *die; -, -en:* durch die ↑Konsekration (2) im Messopfer (Wand-

lung) sich vollziehende Verwandlung der Substanz von Brot u. Wein in Leib u. Blut Christi (kath. Kirche); vgl. Konsubstantiation **Trans|su|dat** ⟨*lat.-nlat.*⟩ *das; -[e]s, -e:* die bei der Transsudation abgesonderte Flüssigkeit (Med.). **Trans|su|da|ti|on** *die; -, -en:* nichtentzündliche Absonderung u. Ansammlung von Flüssigkeit in Gewebslücken od. Körperhöhlen (Med.) **Trans|su|mie|rung** ⟨*lat.-nlat.*⟩ *die; -, -en:* ↑Insertion (3) einer Urkunde **Trans|uran** ⟨*lat.; gr.-lat.-nlat.*⟩ *das; -s, -e* (meist Plural): künstlich erzeugtes radioaktives chem. Element mit höherer Ordnungszahl als das Uran. **trans|ura|nisch:** im periodischen System der chemischen Elemente hinter dem Uran stehend **trans|ver|sal** ⟨*lat.-mlat.*⟩: quer verlaufend, senkrecht zur Ausbreitungsrichtung stehend, schräg. **Trans|ver|sa|le** *die; -, -n:* Gerade, die eine Figur (Dreieck od. Vieleck) schneidet (Math.). **Trans|ver|sal|schwin|gung** *die; -, -en* (meist Plural): Schwingung, die senkrecht zu der Richtung verläuft, in der sich eine Welle ausbreitet **trans|ves|tie|ren** ⟨*lat.-nlat.*⟩: aus einer vom normalen sexuellen Verhalten abweichenden Neigung die für das andere Geschlecht typische Kleidung anlegen (Psychol.; Med.). **Trans|ves|tis|mus** u. Transvestitismus *der; -:* vom normalen sexuellen Verhalten abweichende Tendenz zur Bevorzugung von Kleidungsstücken, die für das andere Geschlecht typisch sind (Psychol.; Med.). **Trans|ves|tit** *der; -en, -en:* Mann, der sich aufgrund seiner Veranlagung wie eine Frau kleidet, frisiert, schminkt. **Trans|ves|ti|tis|mus** vgl. Transvestismus **trans|zen|dent*** ⟨*lat.*⟩: 1. die Grenzen der Erfahrung u. der sinnlich erkennbaren Welt überschreitend; übersinnlich, übernatürlich (Philos.); Ggs. ↑immanent (2). 2. nicht algebraisch; über das Algebraische hinausgehend (Math.). **trans|zen|den|tal** ⟨*lat.-mlat.*⟩: (Philos.) 1. ↑transzendent (1) (in der Scholastik). 2. die ↑a priori mögliche Erkenntnis|art von Gegenständen betreffend (Kant). **Trans|zen|den|ta|li|en** *die* (Plural): die 6

Grundbestimmungen des über jeder Gattung liegenden Seienden (Scholastik). **Trans|den|tal|is|mus** ⟨*lat.-mlat.-nlat.*⟩ *der;* -: System der Transzendentalphilosophie Kants. **Transzen|den|tal|phi|lo|so|phie** *die;* -: (nach Kant) erkenntniskritische Wissenschaft von den transzendentalen (2) Bedingungen. **Trans|zen|denz** ⟨*lat.*⟩ *die;* -: a) das jenseits der Erfahrung, des Gegenständlichen Liegende; Jenseits; b) das Überschreiten der Grenzen der Erfahrung, des Bewusstseins, des Diesseits (Philos.). **trans|zen|die|ren:** über einen Bereich hinaus in einen anderen [hin]übergehen (Philos.) **Tra|pa** ⟨*nlat.; Herkunft unsicher*⟩ *die;* -: Wassernuss (einjährige Wasserpflanze) **Tra|pez** ⟨*gr.-lat.; „Tischchen“*⟩ *das;* -es, -e: 1. Viereck mit zwei parallelen, aber ungleich langen Seiten (Math.). 2. an Seilen hängendes Schaukelreck. **Tra|pezakt** *der;* -[e]s, -e: am Trapez (2) ausgeführte Zirkusnummer. **Trape|zo|e|der** ⟨*gr.-nlat.*⟩ *das;* -s, -: Körper, der von gleichschenkligen Trapezen begrenzt wird (Math.). **Tra|pe|zo|id** *das;* -[e]s, -e: Viereck ohne zueinander parallele Seiten (Math.). **Trap|per** ⟨*engl.; „Fallensteller“*⟩ *der;* -s, -: Pelztierjäger in Nordamerika **Trap|pist** ⟨*fr.; nach der Abtei La Trappe in der Normandie*⟩ *der;* -en, -en: Angehöriger des 1664 gegründeten Ordens der reformierten Zisterzienser (mit Schweigegelübde); Abk.: O.C.R.; OCR, O.C.S.O., OCSO **Traps** ⟨*engl.*⟩ *der;* -[es] -e: [Schraube am] Geruchsverschluss eines Waschbeckens, Ausgusses o. Ä. **Trap|schie|ßen** ⟨*engl.; dt.*⟩ *das;* -s, -: a) (ohne Plural) Wurftauben- od. Tontaubenschießen; b) einzelner Wettkampf im Trapschießen (a) **tra|sci|nan|do** [traʃi...] ⟨*lat.-vulgärlat.-it.*⟩: schleppend, zögernd (Vortragsanweisung; Mus.). **Trasci|nan|do** *das;* -s, -s u. ...di: schleppendes, zögerndes Spiel (Mus.) **Tras|sant** ⟨*lat.-vulgärlat.-it.*⟩ *der;* -en, -en: Aussteller eines gezogenen Wechsels (Wirtsch.). **Trassat** *der;* -en, -en: zur Bezahlung eines Wechsels Verpflichteter (Wirtsch.). **Tras|see** ⟨*lat.-vulgärlat.-fr.*⟩ *das;* -s, -s: (schweiz.) 1. Trasse (im Gelände abgesteckte

Linie für neue Verkehrswege). 2. Bahnkörper, Bahn-, Straßendamm. **¹tras|sie|ren:** eine Trasse zeichnen, berechnen, im Gelände abstecken. **²tras|sie|ren** ⟨*lat.-vulgärlat.-it.*⟩: 1. einen Wechsel auf jmdn. ziehen od. ausstellen. 2. mit Fäden in der Farbe der Stickerei vorspannen (Gobelinstickerei). **trä|ta|bel** ⟨*lat.-fr.*⟩: (veraltet) leicht zu behandeln, fügsam, umgänglich, nachgebend. **Trä|teur** [...'tøːɐ̯] *der;* -s, -e: (veraltet) Gastwirt. **trä|tie|ren:** behandeln; vgl. maltätieren **Trat|te** ⟨*lat.-it.*⟩ *die;* -, -n: gezogener Wechsel. **Trat|toria** *die;* -, ...ien: einfaches Speiselokal [in Italien] **Trau|ma** ⟨*gr.; „Verletzung, Wunde“*⟩ *das;* -s, ...men u. -ta: 1. seelischer Schock, starke seelische Erschütterung, die einen komplex bewirken kann (Psychol.; Med.). 2. Wunde, Verletzung durch äußere Gewalteinwirkung (Med.). **Trau|ma|tin** ⟨*gr.-nlat.*⟩ *das;* -s: aus verwundeten Pflanzenteilen isolierter Stoff, der verstärkte Zellteilung hervorruft. **trau|ma|tisch** ⟨*gr.-lat.*⟩: 1. das Trauma (1) betreffend, auf ihm beruhend, dadurch entstanden (Psychol.; Med.); Ggs. atraumatisch. 2. durch Gewalteinwirkung verletzt (Med.). **Trau|ma|ti|zin** ⟨*gr.-nlat.*⟩ *das;* -s: Guttaperchalösung (zum Verschließen kleiner Wunden; Med.). **Trauma|tol|o|ge** *der;* -n, -n: Arzt mit Spezialkenntnissen auf dem Gebiet der Wundbehandlung. **Trauma|tol|o|gie** *die;* -: Wissenschaft u. Lehre von der Wundbehandlung. -versorgung. **Trau|men:** *Plural von* ↑Trauma **Trau|to|ni|um** ® ⟨*nlat.; nach dem Erfinder F. Trautwein*⟩ *das;* -s, ...ien: elektronisches Musikinstrument mit Lautsprecher, kleinem Spieltisch, auf dem anstelle der Klaviatur Drähte gespannt sind, die durch Schließung eines Stromkreises Töne, Zwischen- u. Obertöne anderer Instrumente hervorbringen können **Tra|vée** [...'veː] ⟨*lat.-fr.*⟩ *die;* -, -n: franz. Bez. für: Joch, Gewölbeeinheit (z. B. der Teil zwischen zwei Gurtbögen) **Tra|vel|ler** ['trɛvələ] ⟨*engl.*⟩ *der;* -s, -[s]: 1. (Plural: -s) engl. Bez. für: Reisender. 2. (Seemannsspr.) auf einem Stahlbügel od. einer Schiene gleitende Vorrichtung, durch die bes. die Schot des

Großsegels gezogen wird. **Travel|ler|scheck** ⟨*engl.*⟩ *der;* -s, -s: Reisescheck **tra|vers** ⟨*lat.-fr.*⟩: quer gestreift (Mode). **Tra|vers** [...'veːɐ̯] *der;* - [...'veː(s)]: Seitengang des Pferdes, das in die Richtung der Bewegung gestellt ist u. so weit um den inneren Reiterschenkel gebogen ist, dass die Vorhand auf dem Hufschlag geht u. die Hinterhand einen halben Schritt vom Hufschlag des äußeren Vorderbeins entfernt ist (Dressurreiten); vgl. Renvers. **Tra|ver|sa|le** *die;* -, -n: Schrägverschiebung des Pferdes auf zwei Hufschlägen, bei der das Pferd so in eine Längsbiegung gestellt ist, dass es sich fast parallel zur Viereckseite (der Reitbahn) seitlich verschiebt (Dressurreiten). **Tra|verse** *die;* -, -n: 1. Querbalken, -träger (Archit.; Techn.). 2. Querverbindung zweier fester od. parallel beweglicher Maschinenteile (Techn.). 3. zu einem Leitwerk senkrecht zur Strömung in den Fluss gezogener Querbau, der die Verlandung der Zwischenflächen beschleunigt. 4. Schulterwehr (Mil.). 5. seitliche Ausweichbewegung (Fechten). 6. Querungsstelle an Hängen od. Wänden; Quergang (Bergsteigen). **Tra|vers|flö|te** *die;* -, -n: Querflöte. **tra|ver|sie|ren:** 1. a) quer durchgehen; b) durchkreuzen, hindern. 2. eine Reitbahn in der Diagonale durchreiten (Dressurreiten). 3. durch Seitwärtstreten vom Hieb od. Stoß des Gegners ausweichen (Fechten). 4. horizontal an einem Abhang entlanggehen od. -klettern (Bergsteigen) **Tra|ver|tin** ⟨*lat.-it.*⟩ *der;* -s, -e: mineralischer Kalkabsatz bei Quellen u. Bächen **Tra|ves|tie** ⟨*lat.-it.-fr.* (*-engl.*)⟩; „Umkleidung“⟩ *die;* -, ...ien: komisch-satirische Umbildung ernster Dichtung, wobei der Inhalt in unpassender, lächerlicher Form gegeboten wird; vgl. Parodie (1). **tra|ves|tie|ren** ⟨*lat.-fr.*⟩: 1. als Travestie darbieten. 2. ins Lächerliche ziehen **Trawl** [trɔːl] ⟨*engl.*⟩ *das;* -s, -s: Grundschleppnetz, das von Fischereifahrzeugen verwendet wird. **Trawl|er** ['trɔːlə] *der;* -s, -s: mit dem Grundschleppnetz arbeitender Fischdampfer **Trax** ⟨*Kurzw. für amerik.* Traxcavator ®⟩ *der;* -[es], -e: (schweiz.) Bagger, Schaufellader

Treat|ment ['tri:tmənt] ⟨lat.-fr.-engl.⟩ das; -s, -s: erste schriftliche Fixierung des Handlungsablaufs, der Schauplätze u. der Charaktere der Personen eines Films als eine Art Vorstufe des Drehbuchs (Film, Fernsehen)

Tre|cen|tist [...tʃen...] ⟨lat.-it.⟩ der; -en, -en: Künstler des Trecentos. Tre|cen|to das; -[s]: italienischer Kunststil des 14. Jh.s

trei|fe ⟨hebr.-jidd.⟩: unrein, verboten (von Speisen); Ggs. ↑ koscher

Treil|le ['trɛ:jə, trɛj] ⟨lat.-fr.⟩ die; -, -n: Gitterwerk, [Treppen]geländer; vgl. Traille, Tralje

Trek|king ⟨engl.⟩ das; -s, -s: Wanderung einer geführten Gruppe durch oft unwegsames Gebiet im Hochgebirge. Trek|king|bike [...baik] das; -s, -s: Fahrrad, das bes. für längere Touren mit Gepäck geeignet ist

Trel|lon ® ⟨Kunstw.⟩ das; -s: sehr widerstandsfähige Kunstfaser

Trel|ma ⟨gr.⟩ das; -s, -s u. -ta: 1. ↑ diakritisches Zeichen in Form von zwei Punkten über einem von zwei getrennt auszusprechenden Vokalen (z. B. franz. naïf); vgl. Diärese (1). 2. Lücke zwischen den mittleren Schneidezähnen (Med.). Tre|ma|to|de ⟨gr.-nlat.⟩ die; -, -n (meist Plural): Saugwurm (Zool.)

tremb|lie|ren* [trã'bli:...] ⟨lat.-vulgärlat.-fr.⟩: eine gewellte Linie gravieren, wobei der Gravurstichel abwechselnd zu einen u. zur andern Seite gekantet wird.

tre|mo|lan|do ⟨lat.-vulgärlat.-it.⟩: zitternd, bebend, mit Tremolo (1) auszuführen; Abk.: trem. (Vortragsanweisung; Mus.). tre-mo|lie|ren u. tremulieren (Mus.). 1. mit einem Tremolo (1) ausführen, vortragen, spielen. 2. mit einem Tremolo (2) singen. Tre|mo|lo das; -s, -s u. ...li (Mus.). 1. bei Tasten-, Streichod. Blasinstrumenten in verschiedener Weise erzeugte Bebung; rasche, in kurzen Abständen erfolgende Wiederholung eines Tones od. Intervalls. 2. [fehlerhafte] bebende Tonführung beim Gesang. Tre|mor ⟨lat.⟩ der; -s, ...ores: Muskelzittern, rhythmische Zuckungen einzelner Körperteile (z. B. der Lippen; Med.). Tre|mu|lant ⟨lat.-vulgärlat.⟩ der; -en, -en: Vorrichtung an der Orgel, die den Ton einzelner Register zu einem vibratoähnlichen Schwanken der Lautstärke bringt. tre|mu|lie|ren vgl. tremolieren

Trench|coat ['trɛntʃkoːt] ⟨engl.⟩ der; -[s], -s: zweireihiger [Regen]mantel mit Schulterklappen u. Gürtel

Trend ⟨engl.⟩ der; -s, -s: Grundrichtung einer [statistisch erfassbaren] Entwicklung, Entwicklungstendenz. Trend|scout [...skaut] der; -s, -s: jmd., der Trends nachspürt. Trend|set|ter der; -s, -: a) jmd., der etwas Bestimmtes in Mode bringt, der einen Trend auslöst; b) Produkt, das auf dem Markt einen Trend auslöst. tren|dy ⟨Jargon⟩ modisch; dem vorherrschenden Trend entsprechend

Trente-et-qua|rante [trãteka'rãːt] ⟨lat.-fr.; „dreißig u. vierzig"⟩ das; -: Kartenglücksspiel.

Trente-et-un [trãte'œ̃] ⟨„einunddreißig"⟩ das; -: Kartenglücksspiel

Tre|pan ⟨gr.-mlat.-fr.⟩ der; -s, -e: Bohrgerät zur Durchbohrung der knöchernen Schädeldecke (Med.). Tre|pa|na|ti|on die; -, -en: operative Schädelöffnung mit dem Trepan (Med.)

tre|pa|nie|ren ⟨gr.-mlat.-fr.⟩: den Schädel mit dem ↑Trepan aufbohren (Med.)

Tre|phi|ne ⟨lat.-engl.⟩ die; -, -n: kleine Ringsäge zur Entnahme kleiner Gewebsteilchen (z. B. aus Knochen od. der Hornhaut des Auges; Med.)

Tre|sor ⟨gr.-lat.-fr.; „Schatz, Schatzkammer"⟩ der; -s, -e: Panzerschrank, Stahlkammer [einer Bank] zur Aufbewahrung von Wertgegenständen

tres|sie|ren ⟨it.-fr.⟩: kurze Haare mit Fäden aneinander knüpfen (Perückenmacherei)

très vite [trɛ'vit] ⟨fr.⟩: sehr schnell (Vortragsanweisung; Mus.)

Treu|ga Dei ⟨mlat.; „Gottesfriede"⟩ die; - -: (hist.) im Mittelalter das Verbot einer Fehde an bestimmten Tagen (dessen Übertretung Exkommunikation u. Vermögensentzug zur Folge haben konnte)

Tre|vi|ra ® ⟨Kunstw.⟩ das; -[s]: aus synthetischer Faser hergestelltes Gewebe

¹Tri|a|de ⟨gr.-lat.; „Dreizahl, Dreiheit"⟩ die; -, -n: 1. Gruppe von drei Göttern (z. B. Vater, Mutter, Sohn; Rel.). 2. die Dreiheit aus ↑Strophe (1), ↑Antistrophe u. ↑Epode (2) als Kompositionsform bes. in der altgriechischen Tragödie. 3. ursprünglich gebildete Gruppe aus drei chemisch verwandten Elementen bei den Versuchen der Aufstellung eines natürlichen Systems der Elemente. ²Tri|a|de ⟨gr.-lat.-engl.⟩ die; -, -n (meist Plural): von Chinesen im Ausland getragene kriminelle Geheimorganisation. tri|a|disch ⟨gr.-lat.⟩: die Triade betreffend

Tri|a|ge [tri'aʒə] ⟨fr.⟩ die; -, -n: 1. Ausschuss (bei Kaffeebohnen). 2. das Einteilen der Verletzten (bei einem Katastrophenfall) nach der Schwere ihrer Verletzungen

Tri|a|kis|do|de|ka|e|der ⟨gr.-nlat.⟩ das; -s, -: Körper, der von 36 Flächen begrenzt wird (Math.). Tri|a|kis|ok|ta|e|der das; -s, -: Pyramidenoktaeder (Körper aus 24 Flächen mit einer aufgesetzten Pyramide je Oktaederfläche). ¹Tri|al ⟨lat.-nlat.⟩ der; -s, -e: Numerus, der eine Dreizahl ausdrückt (Sprachw.)

²Tri|al ['traiəl] ⟨engl.⟩ das; -s, -s: fahrtechnische Geschicklichkeitsprüfung für Motorradfahrer. Tri|al-and-Er|ror-Me|tho-de ['traiələnd'ɛrə...] ⟨engl.; gr.-lat.⟩ das; -: Lernverfahren, das davon ausgeht, dass Fehler zum Lernprozess gehören; Methode, den besten Weg zur Lösung eines Problems zu finden, indem verschiedene Möglichkeiten ausprobiert werden, um Fehler[quellen] zu finden u. zu beseitigen

Tri|al|lis|mus ⟨lat.-nlat.⟩ der; -: 1. (hist.) die früheren Bestrebungen in Österreich, die habsburgische Monarchie nicht mehr in Österreich u. Ungarn (Dualismus), sondern in drei Teile (die südslawischen Gebiete als selbstständiges Reichsgebiet) zu gliedern. 2. philosophische Lehre, nach der in der Welt das Dreiteilungsprinzip vorherrscht (z. B. Leib-Seele-Geist od. These-Antithese-Synthese bei Hegel). tri|al|lis|tisch: 1. den Trialismus betreffend. 2. mit drei Nebenlösungen [in einem Abspiel] behaftet (Kunstschach)

Tri|an|gel ⟨lat.; „dreieckig; Dreieck"⟩ der (österr.: das); -s, -: 1. Schlaginstrument in Form eines dreieckig gebogenen Stahlstabes, der, frei hängend u. mit einem Metallstäbchen angeschlagen, einen hellen, in der Tonhöhe nicht bestimmbaren Ton angibt.

2. (ugs.) Winkelriss in Kleidungsstücken. **tri|an|gu|lär:** dreieckig. **Tri|an|gu|la|ti|on** ⟨lat.-mlat.⟩ die; -, -en: 1. Festsetzung eines Netzes von Dreiecken zur Landvermessung (Geodäsie). 2. geometrisches Hilfsmittel in Gestalt eines gleichseitigen Dreiecks zur Bestimmung u. Konstruktion von Maßverhältnissen eines Bauwerks od. seiner Teile. 3. bestimmte Veredelungsart bei Gehölzen. **Tri|an|gu|la|tur** die; -: (bes. in der gotischen Baukunst) Konstruktionsschema, bei dem gleichseitige od. spitzwinklige Dreiecke als Maßgrundlage u. Gliederungshilfsmittel dienen. **tri|an|gu|lie|ren:** mithilfe der Triangulation vermessen (Geodäsie). **Tri|an|gu|lie|rung** die; -, -en: 1. ↑Triangulation (1). 2. Fähigkeit des Vaters, sich liebend mit der Mutter zu identifizieren, sodass das Kind in die Lage gebracht wird, sich von einer allzu engen Bindung an die Mutter zu lösen

Tri|ar|chie ⟨gr.⟩ die; -, ...ien: ↑Triumvirat

Tri|a|ri|er ⟨lat.⟩ der; -s, - (meist Plural): altgedienter, schwer bewaffneter Soldat im alten Rom, der in der dritten Schlachtreihe kämpfte. **Tri|as** ⟨gr.-lat.; „Dreiheit"⟩ die; -, -: 1. (ohne Plural) erdgeschichtliche Formation des ↑Mesozoikums, die Buntsandstein, Muschelkalk u. Keuper umfasst (Geol.). 2. Dreizahl, Dreiheit. 3. ↑¹Triade (1). **tri|as|sisch** ⟨gr.-nlat.⟩: die Trias (1) betreffend. **Tri|ath|let** ⟨gr.; gr.-lat.⟩ der; -en, -en: jmd., der den Triathlon betreibt. **Tri|ath|lon** ⟨gr.; „Dreikampf"; gebildet nach ↑Biathlon⟩ das; -s, -s: 1. an einem Tag zu absolvierender Mehrkampf aus Schwimmen, Radfahren u. Laufen. 2. Mehrkampf aus Skilanglauf, Schießen u. Riesenslalom **Tri|ba|de** ⟨gr.-lat.⟩ die; -, -n: lesbische Frau. **Tri|ba|die** ⟨gr.-nlat.⟩ die; - u. **Tri|ba|dis|mus** der; -: lesbische Liebe

Tri|ba|lis|mus ⟨lat.-nlat.⟩ der; -: Stammesbewusstsein, -zugehörigkeitsgefühl (bes. in Afrika). **tri|ba|lis|tisch:** den Tribalismus betreffend, zu ihm gehörend, auf ihm beruhend

Tri|bo|elek|tri|zi|tät* ⟨gr.-nlat.⟩ die; -: entgegengesetzte elektrische Aufladung zweier verschiedener ↑Isolatoren, wenn sie aneinander gerieben werden. **Tri|bo|lo|gie** die; -: Wissenschaft von Reibung, Verschleiß u. Schmierung gegeneinander bewegter Körper. **Tri|bo|lu|mi|nes|zenz** ⟨gr.; lat.-nlat.⟩ die; -, -en: Lichterscheinung, die beim Zerbrechen mancher Stoffe od. während des Auskristallisierens auftritt (z. B. bei Quarzkristall). **Tri|bo|me|ter** ⟨gr.-nlat.⟩ das; -s, -: Gerät zur Ermittlung des Reibungskoeffizienten (Techn.)

Tri|bra|chys* ⟨gr.-lat.⟩ der; -, - : antiker Versfuß aus drei Kürzen (‿‿‿)

Tri|bu|la|ti|on ⟨lat.⟩ die; -, -en: (veraltet) Drangsal, Quälerei. **tri|bu|lie|ren:** (landsch.) quälen; [mit Bitten] plagen, durch ständiges Fragen in Atem halten

Tri|bun ⟨lat.⟩ der; -s u. -en, -e[n]: 1. altrömischer Volksführer. 2. zweithöchster Offizier einer altrömischen Legion. **Tri|bu|nal** ⟨lat.-fr.⟩ das; -s, -e: 1. im Rom der Antike auf dem Prätor Recht sprach. 2. [hoher] Gerichtshof. 3. Forum, das in einer öffentlichen Untersuchung gegen behauptete Rechtsverstöße von Staaten o. Ä. protestiert; [Straf]gericht. **Tri|bu|nat** ⟨lat.⟩ das; -[e]s, -e: Amt, Würde eines Tribuns. **Tri|bü|ne** ⟨lat.-it.-fr.⟩ die; -, -n: 1. Rednerbühne. 2. a) erhöhtes Gerüst mit Sitzplätzen für Zuschauer; die Zuschauer auf einem solchen Gerüst. **tri|bu|ni|zisch** ⟨lat.⟩: einen Tribunen betreffend. **Tri|bus** die; -, - [...bu:s]: 1. Wahlbezirk im antiken Rom. 2. zwischen Gattung u. Familie stehende Kategorie der zoologischen u. botanischen Systematik. **Tri|but** ⟨lat.⟩ der; -[e]s, -e: 1. im Rom der Antike die direkte Steuer. 2. Opfer, Beitrag. 3. schuldige Verehrung, Hochachtung. **tri|bu|tär** ⟨veraltet⟩ steuer-, zinspflichtig

Tri|ce|ra|tops ⟨gr.⟩ der; -, -[e]: Pflanzen fressender Saurier der Kreidezeit

Tri|chal|gie* ⟨gr.-nlat.⟩ die; -, ...ien: Berührungsschmerz im Bereich der Kopfhaare (Med.). **Tri|chi|a|sis** ⟨gr.-lat.⟩ die; -, ...asen: angeborener od. erworbener Misswuchs der Wimpern nach innen, sodass sie auf dem Augapfel reiben (Med.). **Tri|chi|ne** ⟨gr.-engl.⟩ die; -, -n (meist Plural): parasitischer Fadenwurm (Übertragung auf den Menschen durch infizierten Fleisch). **tri|chi|nös:** von Trichinen befallen. **Tri|chi|no|se** die; -, -n: durch Trichinen verursachte Erkrankung (Med.). **Tri|chit** ⟨gr.-nlat.⟩ der; -s u. -en, -e[n]: kleinstes, nicht mehr bestimmbares Mineralindividuum in Haarform **Tri|chlor|äthen** u. **Tri|chlor|äthylen** ⟨gr.; nlat.⟩ das; -s: unbrennbares Lösungsmittel; Extraktions- u. Narkosemittel **Tri|chom** ⟨gr.⟩ das; -s, -e: durch starke Verlausung bedingte Verfilzung der Haare. **Tri|cho|monas** die; -, ...naden (meist Plural): Gattung begeißelter Kleinlebewesen, die im Darm u. in der Scheide leben u. dort Krankheiten hervorrufen können (Med.). **Tri|cho|mo|ni|a|se** die; -, -n: Erkrankung durch Trichomonaden. **Tri|cho|phy|tie** ⟨gr.-nlat.⟩ die; -, ...ien: Scherpilzflechte der Haut, Haare, Nägel (Med.). **Tri|cho|phy|to|se** die; -, -n: aus einer Trichophytie hervorgehende Allgemeininfektion des Körpers (Med.). **Tri|chop|ti|lo|se*** die; -, -n: krankhafte Brüchigkeit der Haare mit Aufspaltung in Längsrichtung (Med.). **Tri|cho|se** die; -, -n: Anomalie der Behaarung (Med.). **Tri|cho|spo|rie*** die; -, ...ien: eine Pilzkrankheit der Haare (Med.). **Tri|cho|til|lo|ma|nie** die; -, ...ien: krankhafte Sucht, sich Kopf- u. Barthaare auszureißen (Med.). **¹Tri|cho|to|mie** ⟨gr.-nlat.⟩ die; -, ...ien: (veraltet) Haarspalterei

²Tri|cho|to|mie ⟨gr.; „Dreiteilung"⟩ die; -: 1. Anschauung von der Dreiteilung des Menschen in Leib, Seele u. Geist (Rel.). 2. Einteilung der Straftaten nach ihrer Schwere in Übertretungen, Vergehen u. Verbrechen (Rechtsw.). 3. ↑Trialismus (2) **Tri|cho|zo|glo|pha|lus** ⟨gr.-nlat.⟩ der; -, ...li u. ...phalen: Peitschenwurm (Biol.). **Tri|chu|ri|a|sis*** die; -: eine Wurmerkrankung des Menschen (Med.). **Tri|chu|ris*** die; -: Gesamtheit der Fadenwürmer (Biol.)

Tri|ci|ni|um ⟨lat.⟩ das; -s, ...ia u. ...ien: dreistimmiger, meist kontrapunktischer Satz für Singstimmen (Mus.)

Trick ⟨fr.-engl.⟩ der; -s, -s: 1. listig ausgedachtes, geschicktes Vorgehen; Kunstgriff, Kniff, Finesse. 2. bei einer artistischen Vorführung ausgeführte, verblüffende Aktion. **trick|sen:** (ugs.) sich eines Tricks bedienen; mithilfe eines Tricks bewerkstelligen. **Trick|ser** der; -s, - : (ugs.) jmd., der trickst, zu tricksen versteht. **¹Trick|ski** der; -[s], -

u. -er: spezieller, bes. elastischer Ski. ²**Tri̱ck|ski** *das;* -s: Sportart, bei der auf ↑Trickskiern bes. kunstvolle Schwünge, artistische Drehungen u. Sprünge ausgeführt werden. **Tri̱cks|ter** ⟨*engl.*⟩ *der;* -s, -: mythologische Gestalt, die durch ein unberechenbares, betrügerisches, aber auch schelmisches Wesen charakterisiert ist

Tri̱ck|track ⟨*fr.*⟩ *das;* -s, -s: ein Brettspiel

tri̱|cky ⟨*engl.*⟩: trickreich

Tri̱|dent ⟨*lat.*⟩ *der;* -[e]s, -e: Dreizack (bes. als Waffe des griech.-röm. Meergottes)

tri̱|den|ti̱|nisch ⟨*lat.-mlat.*⟩: zu der Stadt Trient gehörend

Tri̱|du|um ⟨*lat.*⟩ *das;* -s, ...duen: Zeitraum von drei Tagen (bes. für katholische kirchliche Veranstaltungen)

Tri̱|dy|mi̱t [auch: ...'mɪt] ⟨*gr.-nlat.*⟩ *der;* -s, -e: 1. ein Mineral. 2. eine Modifikation von Siliciumoxid

Tri̱|e|der|bi̱|no|kel* ⟨*gr.; lat.-nlat.-fr.*⟩ *das;* -s, -: Doppelfernrohr

tri̱|en|na̱l ⟨*lat.*⟩: a) drei Jahre dauernd; b) alle drei Jahre [stattfindend]. **Tri̱|en|na̱|le** *die;* -, -n: Veranstaltung im Turnus von drei Jahren. **Tri̱|en|ni̱|um** *das;* -s, ...ien: Zeitraum von drei Jahren

Tri̱|e̱|re ⟨*gr.-lat.*⟩ *die;* -, -n: Dreiruderer (antikes Kriegsschiff mit drei übereinander liegenden Ruderbänken)

Tri̱|eur [tri'ø:ɐ̯] ⟨*lat.-vulgärlat.-fr.*⟩ *der;* -s, -e: Maschine zum Trennen von Gemischen fast gleicher Körnungsgrößen (z. B. bei der Getreidereinigung)

Tri̱|fle [traɪfl] ⟨*engl.*⟩ *das;* -s, -s: kuchenartige englische Süßspeise

Tri̱|fo|ka̱l|glas ⟨*lat.-nlat.; dt.*⟩ *das;* -es, ...gläser (meist Plural): Dreistärkenglas, Brillenglas für drei Entfernungen; vgl. Bifokalglas

Tri̱|fo̱|li|um ⟨*lat.;* „Dreiblatt"⟩ *das;* -s, ...ien: 1. Klee (Schmetterlingsblütler; Bot.). 2. drei Personen, die als zusammengehörig gelten, sich zusammengehörig fühlen; Kleeblatt

Tri̱|fo̱|ri|um ⟨*lat.-mlat.*⟩ *das;* -s, ...ien: in romanischen u. bes. in gotischen Kirchen unter den Chorfenstern vorgeblendete Wandgliederung, die später zu einem Laufgang ausgebildet wurde, der um Chor, Querhaus u. Langhaus führt u. dessen Bogenstellungen sich zum Kirchenhaus öffnen (Archit.)

Tri̱|ga ⟨*lat.*⟩ *die;* -, -s u. ...gen: Dreigespann

Tri̱|ge|mi̱|nus ⟨*lat.*⟩ *der;* -, ...ni: im Mittelhirn entspringender 5. Hirnnerv, der sich in 3 Hauptäste gabelt (Med.)

Tri̱g|ger ⟨*engl.*⟩ *der;* -s, -: Schaltelement zum Auslösen eines anderen Schaltvorgangs (Kybern.)

Tri̱|glo̱t|te* ⟨*gr.-nlat.*⟩ *die;* -, -n: Werk, auch Wörterbuch in drei Sprachen; vgl. ²Polyglotte

Tri̱|glyph* *der;* -s, -e u. **Tri̱|gly|phe** ⟨*gr.-lat.*⟩ *die;* -, -n: mit den ↑Metopen abwechselndes dreiteiliges Feld am Fries des dorischen Tempels

Tri̱|gon ⟨*gr.-lat.*⟩ *das;* -s, -e: Dreieck. **tri̱|go|na̱l**: dreieckig. **Tri̱|go|na̱l|zahl** *die;* -, -en: Dreieckszahl. **Tri̱|go|no|me̱|ter** ⟨*gr.-nlat.*⟩ *der;* -s, -: mit ↑Triangulation (1) beschäftigter Vermesser (Geodäsie). **Tri̱|go|no|me̱|trie̱*** *die;* -, -: Dreiecksmessung; Zweig der Mathematik, der sich mit der Berechnung von Dreiecken unter Benutzung der trigonometrischen Funktionen befasst (Math.). **tri̱|go|no|me̱|trisch***: die Trigonometrie betreffend

Tri̱|ke̱|ri|on ⟨*gr.*⟩ *das;* -s, ...rien: zu den Insignien eines Bischofs in den Kirchen des Ostens gehörender dreiarmiger Leuchter

tri̱|kli̱n*, **tri̱|kli̱|nisch** ⟨*gr.-nlat.*⟩: auf drei verschieden große Achsen bezogen, die sich schiefwinklig schneiden (Kristallographie)

Tri̱|kli̱|ni|um ⟨*gr.-lat.*⟩ *das;* -s, ...ien: 1. an drei Seiten von Polstern für je drei Personen umgebener altrömischer Esstisch. 2. altrömisches Speisezimmer

Tri̱|ko̱|li̱|ne (Kunstw.) *die;* -: ripsartiger Oberhemdenstoff in Leinwandbindung (Webart)

Tri̱|ko̱|lon ⟨*gr.-lat.*⟩ *das;* -s, -s u. ...la: aus drei Kola (vgl. Kolon 2) zusammengesetztes Satzgefüge (Rhet.)

tri̱|ko̱|lo̱r ⟨*lat.*⟩: dreifarbig. **Tri̱|ko̱|lo̱|re** ⟨*lat.-fr.*⟩ *die;* -, -n: dreifarbige Fahne, die französische Nationalfahne

Tri̱|kom|po̱|si̱|tum *das;* ...ta: dreigliedrige Zusammensetzung (z. B. Einzimmerwohnung)

¹**Tri̱|kot** [tri'ko:, auch: 'trɪko] ⟨*fr.*⟩ *der* (selten auch: *das*); -s, -s: maschinengestricktes Gewebe. ²**Tri̱|kot** *das;* -s, -s: a) meist eng anliegendes, gewirktes, hemdartiges Kleidungsstück, das bes. im Sport getragen wird; b) ²Trikot (a) in bes. festgelegter Farbe zur Kennzeichnung des Spitzenrei-

ters bei Radrennen über mehrere Etappen. **Tri̱|ko̱|ta̱|ge** [...ʒə] ⟨*fr.*⟩ *die;* -, -n: Wirkware. **Tri̱|ko̱|ti̱ne** [...'ti:n] *der;* -s, -s: trikotartiger, gewebter Wollstoff

Tri̱|kus|pi̱|da̱l|klap|pe ⟨*lat.-nlat.; dt.*⟩ *die;* -, -n: dreizipflige Klappe zwischen rechtem Herzvorhof u. rechter Herzkammer (Med.)

tri̱|la̱|te̱|ra̱l ⟨*lat.*⟩: dreiseitig, von drei Seiten ausgehend, drei Seiten betreffend

Tri̱|le̱m|ma ⟨*gr.-nlat.*⟩ *das;* -s, -s u. -ta: die dreiteilige Annahme (Logik)

tri̱|lin|gu̱|isch ⟨*lat.*⟩: dreisprachig

Tri̱|li̱th ⟨*gr.;* „dreisteinig"⟩ *der;* -s od. -en, -e[n]: vorgeschichtliches Steindenkmal (Bronzezeit u. Jüngere Steinzeit)

Tri̱l|li|ar|de ⟨*lat.-nlat.*⟩ *die;* -, -n: 1 000 Trillionen (= 10²¹). **Tri̱l|li|on** *die;* -, -en: eine Million Billionen (= 10¹⁸)

Tri̱l|lo|bi̱t [auch: ...'bɪt] ⟨*gr.-nlat.*⟩ *der;* -en, -en: Dreilappkrebs; ausgestorbener Urkrebs

Tri̱l|lo̱|gie ⟨*gr.*⟩ *die;* -, ...ien: Folge von drei eine innere Einheit bildenden Werken

Tri̱|ma̱|ran ⟨*lat.; tamil.-engl.*⟩ (auch: *das*); -s, -e: offenes Segelboot mit drei Rümpfen

tri̱|me̱r ⟨*gr.*⟩: dreiteilig (z. B. von Fruchtknoten, die aus drei Fruchtblättern hervorgegangen sind; Bot.)

Tri̱|me̱s|ter ⟨*lat.*⟩ *das;* -s, -: Zeitraum von drei Monaten; Dritteljahr eines Unterrichtsjahres (Unterrichtswesen)

Tri̱|me̱|ter ⟨*gr.-lat.*⟩ *der;* -s, -: aus drei Metren (vgl. Metrum 1) bestehender antiker Vers; ↑Senar

tri̱|morph, auch: trimorphisch ⟨*gr.*⟩: dreigestaltig (z. B. von Pflanzenfrüchten; Bot.); vgl. -isch/-. **Tri̱|mor|phie** *die;* - u. **Tri̱|mor|phi̱s|mus** ⟨*gr.-nlat.*⟩ *der;* -: Dreigestaltigkeit (z. B. von Früchten einer Pflanze; Bot.)

Tri̱|mu̱r|ti ⟨*sanskr.*⟩ *die;* -: göttliche Dreifaltigkeit des ↑Hinduismus (Brahma, Wischnu u. Schiwa)

tri̱|nä̱r ⟨*lat.*⟩: dreifach, dreiteilig. **Tri̱|na̱|ti̱|on** ⟨*lat.-nlat.*⟩ *die;* -, -en: dreimaliges Lesen der Messe an einem Tage durch denselben Priester (z. B. Allerseelen u. Weihnachten); vgl. Bination

Tri̱|ni̱|ta̱|ri̱|er ⟨*lat.-nlat.*⟩ *der;* -s, -: 1. Bekenner der Dreieinigkeit, Anhänger der Lehre von der Trinität; Ggs. ↑Unitarier. 2. Angehöriger eines katholischen Bettelordens. **tri̱|ni̱|ta̱|risch**: die

[Lehre von der] Trinität betreffend. **Tri|ni|tät** ⟨*lat.*⟩ *die;* -: Dreieinigkeit, Dreifaltigkeit Gottes (Gott Vater, Sohn u. Heiliger Geist). **Tri|ni|ta|tis** *das;* -: Sonntag nach Pfingsten (Fest der Dreifaltigkeit) **Tri|nit|ro|phe|nol*** ⟨*Kunstw.*⟩ *das;* -s: ↑Pikrinsäure. **Tri|nit|ro|to|lu|ol** ⟨*Kunstw.*⟩ *das;* -s: stoßunempfindlicher Sprengstoff (bes. für Geschosse); vgl. Trotyl **Tri|nom** ⟨*lat.-nlat.*⟩ *das;* -s -e: Zahlengröße aus drei Gliedern (z. B. $x+y+z$; Math.). **tri|no|misch:** dreigliedrig, aus drei Gliedern bestehend (Math.) **Trio** ⟨*lat.-it.*⟩ *das;* -s, -s: 1. a) Musikstück für drei Instrumente; b) Mittelteil des ↑Menuetts od. ↑Scherzos. 2. Vereinigung von drei Instrumental-, seltener Vokalsolisten. 3. (oft iron.) drei Personen, die etwas gemeinsam ausführen **Tri|o|de** ⟨*gr.-nlat.*⟩ *die;* -, -n: Verstärkerröhre mit drei Elektroden (Anode, Kathode u. Gitter) **Tri|o|le** ⟨*lat.-it.*⟩ *die;* -, -n: 1. Gruppe von drei Tönen im Taktwert von zwei od. vier (Mus.). 2. ↑Triolismus. **Tri|o|lett** ⟨*lat.-fr.*⟩ *das;* -[e]s, -e: ursprünglich französische Gedichtform einer achtzeiligen Strophe (mit zwei Reimklängen), deren erste Zeile als vierte u. zusammen mit der zweiten am Schluss wiederkehrt (also dreimal vorkommt). **Tri|o|lis|mus** ⟨*lat.-nlat.*⟩ *der;* -: Geschlechtsverkehr zwischen drei Partnern. **Tri|o|list** ⟨*lat.-it.*⟩ *der;* -en, -en: jmd., der sich triolistisch betätigt. **tri|o|lis|tisch:** den Triolismus betreffend, zu ihm gehörend **Tri|ö|zie** ⟨*gr.-nlat.*⟩ *die;* -: Dreihäusigkeit von Pflanzen (Bot.). **tri|ö-zisch:** dreihäusig (von Pflanzen, bei denen zwittrige, weibliche u. männliche Blüten auf drei Pflanzenindividuen derselben Art verteilt sind; Bot.) **Trip** ⟨*germ.-fr.-engl.*⟩ *der;* -s: 1. Ausflug, Reise, Fahrt. 2. a) Rauschzustand nach dem Genuss eines Rauschgiftes; b) ↑Hit (2) **Tri|pal|mi|tin** *das;* -s: Bestandteil vieler pflanzlicher u. tierischer Fette **Tri|par|ti|ti|on** ⟨*lat.*⟩ *die;* -, -en: (veraltet) Trisektion **¹Tri|pel** ⟨*lat.-fr.*⟩ *das;* -s, -: die Zusammenfassung dreier Dinge (z. B. Dreieckspunkte, Dreiecksseiten; Math.). **²Tri|pel** *der;* -s, -: (veraltet) dreifacher Gewinn

³Tri|pel ⟨nach der Stadt Tripolis⟩ *der;* -s: Kieselerde (Geol.) **Tri|pel|al|li|anz** ⟨*lat.-fr.*⟩ *die;* -, -en: staatlicher Dreibund. **Tri|pel|en|tente** [...ãtã:t] *die;* -, -n: ↑Tripelallianz. **Tri|pel|fu|ge** *die;* -, -n: ↑Fuge mit drei selbstständigen Themen (Mus.). **Tri|pel|kon-zert** *das;* -[e]s, -e: Konzert für drei Soloinstrumente mit Orchester **Triph|thong*** ⟨*gr.-nlat.*⟩ *der;* -s, -e: Dreilaut; drei eine Silbe bildende Selbstlaute (z. B. ital. miei = „meine") **Tri|pi|tal|ka** ⟨*sanskr.;* „Dreikorb"⟩ *das;* -: der aus drei Teilen bestehende ↑Kanon (5 b) des Buddhismus **Trip|la*:** *Plural* von ↑Triplum. **Trip|lé** [...'ple:] *das;* -s, -s: Zweibandenball (Billardspiel). **Trip-let** [...'ple:] *das;* -s, -s; ↑Triplett (3). **Trip|lett** *das;* -s, -e u. -s: 1. drei miteinander verbundene Serien eines Linienspektrums (Phys.). 2. Kombination von drei aufeinander folgenden Basen einer Nukleinsäure, die den Schlüssel für den Aufbau einer Aminosäure darstellen (Biol.). 3. aus drei Linsen bestehendes optisches System. **Trip|let|te** *die;* -, -n: aus drei Teilen zusammengesetzter, geschliffener Schmuckstein. **trip|lie|ren:** verdreifachen. **Trip|lik** ⟨*lat.-nlat.*⟩ *die;* -, -en: (veraltet) die Antwort des Klägers auf eine ↑Duplik des Beklagten (Rechtsw.). **Trip|li|kat** ⟨*lat.*⟩ *das;* -[e]s, -e: dritte Ausfertigung [eines Schreibens]. **Trip|li-ka|ti|on** *die;* -, -en: dreimalige Wiederholung desselben Wortes, derselben Wortgruppe (Rhet.). **Trip|lit** [auch: ...'plιt] ⟨*gr.-nlat.*⟩ *der;* -s, -e: Mineral, Eisenpecherz. **Trip|li|zi|tät** ⟨*lat.*⟩ *die;* -, -en: Dreifachheit; dreifaches Vorkommen. **trip|lo|id** ⟨*gr.-nlat.*⟩: einen dreifachen Chromosomensatz aufweisend (von Zellen; Biol.). **Trip|lum** ⟨*lat.*⟩ *das;* -: angeborene Anomalie des Augenlids mit drei Wimpernreihen (Med.). **Trip|po|den:** *Plural* von ↑Tripus. **Tri|po|die** ⟨*gr.;* „Dreifüßigkeit"⟩ *die;* -, ...ien: Verbindung dreier Versfüße (rhythmischer Einheiten) zur einem Verstakt; vgl. Monopodie u. Dipodie **Tri|po|tage** [...ʒə] ⟨*fr.*⟩ *das;* -: (veraltet) Kniff, Ränke, bes. Geld-, Börsenschwindel **Trip|tik*** vgl. Triptyk **Trip|ton** ⟨*gr.*⟩ *das;* -s: im Wasser

schwebender, feinster organischer ↑Detritus (2) **Trip|ty|chon*** ⟨*gr.*⟩ *das;* -s, ...chen u. ...cha: dreiteiliges [Altar]bild, bestehend aus dem Mittelbild u. zwei Seitenflügeln; vgl. Diptychon, Polyptychon. **Trip|tyk** u. **Triptik** ⟨*gr.-fr.-engl.*⟩ *das;* -s, -s: dreiteiliger Grenzübertrittsschein für Kraft- u. Wasserfahrzeuge **Tri|pus** [...pu:s] ⟨*gr.-lat.*⟩ *der;* -, ...poden: Dreifuß; altgriechisches dreifüßiges Gestell für Gefäße **Tri|re|me** ⟨*lat.*⟩ *die;* -, -n: ↑Triere **Tri|rot|ron*** ⟨*gr.*⟩ *das;* -s, -s (auch: ...one): Hochfrequenz-Hochleistungsverstärker, der mit beschleunigten Elektronen arbeitet **Tri|sek|ti|on** ⟨*lat.-nlat.*⟩ *die;* -: Dreiteilung (bes. von Winkeln; Math.). **Tri|sekt|rix*** *die;* -, ...trizes od. ...trizen: zur Dreiteilung eines Winkels verwendete Kurve (Math.) **Tri|set** ⟨*lat.; lat.-fr.-engl.*⟩ *das;* -[s], -s: 1. drei zusammengehörende Dinge. 2. zwei Eheringe u. ein zusätzlicher Ring mit Schmucksteinen (meist Diamanten) für die Ehefrau **Tris|hal|gi|on** ⟨*gr.-mgr.;* „dreimal heilig"⟩ *das;* -s, ...ien: dreimalige Anrufung Gottes, bes. in der orthodoxen Liturgie **Tris|kai|de|ka|pho|bie** ⟨*gr.*⟩ *die;* -: Angst vor der Zahl 13 **Tris|mus** ⟨*gr.-lat.*⟩ *der;* -, ...men: Kiefersperre, Kaumuskelkrampf (Med.) **trist** ⟨*lat.-fr.*⟩ traurig, öde, trostlos, freudlos; langweilig, unfreundlich, jämmerlich. **Tris-tesse** [...'tɛs] *die;* -, -n [...sn] ⟨*gr.-nlat.*⟩ *der;* -s, -s: Traurigkeit, Trübsinn, Melancholie, Schwermut **tris|tich** ⟨*gr.*⟩: dreizeilig (von der Anordnung der Blätter od. Seitenwurzeln in drei Längszeilen; Bot.). **Tris|ti|chi|a|sis** ⟨*gr.-nlat.*⟩ *die;* -: angeborene Anomalie des Augenlids mit drei Wimpernreihen (Med.). **Tris|ti|chon** *das;* -s, ...chen: aus drei Versen bestehende Versgruppe **Tris|ti|en** ⟨*lat.*⟩ *die* (Plural): Trauergedichte (bes. die des röm. Dichters Ovid über seine Verbannung) **tri|syl|la|bisch** ⟨*gr.-lat.-nlat.*⟩: dreisilbig. **Tri|syl|la|bum** ⟨*gr.-lat.*⟩ *das;* -s, ...syllaba: dreisilbiges Wort **Tri|ta|go|nist*** ⟨*gr.*⟩ *der;* -en, -en: dritter Schauspieler im altgrie-

chischen Drama; vgl. Deute-
ragonist u. Protagonist (1)

Tri|ta|no|pie* ⟨gr.-nlat.⟩ die; -, ...jen: Violettblindheit (Med.)

Tri|te|ri|um ⟨gr.-nlat.⟩ das; -s: ↑Tritium

Tri|the|is|mus ⟨gr.-nlat.; „Dreigötterlehre"⟩ der; -: Abwandlung der christlichen Dreieinigkeitslehre unter Annahme dreier getrennter göttlicher Personen

Tri|the|mi|me|res* ⟨gr.⟩ die; -, -: Zäsur nach dem dritten Halbfuß im Hexameter (antike Metrik)

Tri|ti|cum ⟨lat.; „Weizen"⟩ das; -s: Getreidepflanzengattung mit zahlreichen Weizenarten

Tri|ti|um ⟨gr.-nlat.⟩ das; -s: radioaktives Wasserstoffisotop, überschwerer Wasserstoff; Zeichen: T

Tri|to|je|sa|ja ⟨gr.⟩ der; -: unbekannter, der Zeit nach dem babylonischen Exil angehörender Verfasser von Jesaja 56–66; vgl. Deuterojesaja

¹Tri|ton ⟨gr.-lat.⟩ der; ...onen, ...onen: 1. a) (ohne Plural) griechischer Meergott, Sohn des Poseidon u. der Amphitrite; b) (nur Plural) griechische Meergötter im Gefolge Poseidons. 2. Salamandergattung mit zahlreichen einheimischen Arten (Biol.)

²Tri|ton ⟨Kunstw.⟩ das; -s, -s: (österr.) Kinder[tritt]roller

³Tri|ton ⟨gr.-nlat.⟩ das; -s, ...onen: Atomkern des ↑Tritiums

Tri|to|nus ⟨gr.-nlat.⟩ der; -: die übermäßige Quarte, die ein Intervall von drei Ganztönen bildet (Mus.)

Tri|tu|ra|ti|on ⟨lat.-mlat.⟩ die; -, -en: Verreibung eines festen Stoffes (bes. einer Droge) zu Pulver; Pulverisierung (Med.)

Tri|umph ⟨lat.⟩ der; -[e]s, -e: 1. a) großer Erfolg, Sieg; b) Genugtuung, Frohlocken, Siegesfreude. 2. im Rom der Antike der feierliche Einzug eines siegreichen Feldherrn. **tri|um|phal:** herrlich, ruhmvoll, glanzvoll, großartig. **tri|um|phant:** a) triumphierend, frohlockend; b) siegreich, erfolgreich. **Tri|um|pha|tor** der; -s, ...oren: 1. im Rom der Antike feierlich einzieherder siegreicher Feldherr. 2. frohlockender, jubelnder Sieger. **tri|um|phie|ren:** a) jubeln, frohlocken; b) jmdm. hoch überlegen sein; über jmdn., etwas siegen

Tri|um|vir [...vɪr] ⟨lat.⟩ der; -s u. -n, -n: (in der römischen Antike) Mitglied eines Triumvirats. **Tri|um|vi|rat** das; -[e]s, -e: (in der römischen Antike) Bund dreier Männer (als eine Art Kommission zur Erledigung bestimmter Staatsgeschäfte)

tri|va|lent ⟨lat.-nlat.⟩: dreiwertig (Chem.)

tri|vi|al ⟨lat.-fr.; „zum Dreiweg gehörend", jedermann zugänglich"⟩: a) im Ideengehalt, gedanklich recht unbedeutend, nicht originell; b) alltäglich, gewöhnlich, nichts Auffälliges aufweisend. **tri|vi|a|li|sie|ren:** etwas trivial machen, ins Triviale ziehen. **Tri|vi|a|li|tät** die; -, -en: Plattheit, Seichtheit, Alltäglichkeit. **Tri|vi|a|li|te|ra|tur** die; -: Unterhaltungs-, Konsumliteratur, die auf den Geschmack eines anspruchslosen Leserkreises zugeschnitten ist u. vorwiegend aus kommerziellen Gründen produziert wird. **Tri|vi|al|na|me** der; -ns, -n: herkömmliche, volkstümliche, nicht nach gültigen systematischen Gesichtspunkten gebildete Bezeichnung einer Tier-, Pflanzenart, von Chemikalien (z. B. Kochsalz, Soda). **Tri|vi|um** ⟨lat.-mlat.; „Dreiweg"⟩ das; -s: im mittelalterlichen Universitätsunterricht die drei unteren Fächer: Grammatik, Rhetorik, Dialektik; vgl. Quadrivium

Tri|zeps ⟨lat.⟩ der; -[es], -e: dreiköpfiger Muskel des Oberarms, der den Unterarm im Ellbogengelenk streckt (Med.)

tro|chä|isch [...x...] ⟨gr.-lat.⟩: den Trochäus betreffend; aus Trochäen bestehend. **Tro|chä|us** der; -, ...äen: [antiker] Versfuß (–,). **Tro|chi|lus** der; -, ...ilen: Hohlkehle in der ↑Basis ionischer Säulen. **Tro|chit** [auch: ...'xɪt] ⟨gr.-nlat.⟩ der; -s u. -en, -en: Stiel ausgestorbener Seelilien. **Tro|cho|i|de** die; -, -n: spezielle zyklische Kurve, Sonderform der ↑Zykloide (Math.). **Tro|cho|pho|ra** die; -, ...phoren: Larve der Ringelwürmer (Zool.). **Tro|cho|ze|pha|lie** die; -, ...ien: abnorme Rundform des Schädels

Trog|lo|dyt* ⟨gr.-lat.⟩ der; -en, -en: (veraltet) als Höhlenbewohner lebender Eiszeitmensch. **Tro|gon** ⟨gr.; „Nager"⟩ der; -s, -s u. ...onten: südamerikanischer Nageschnäbler (bunt gefiederter Urwaldvogel)

Troi|cart [troa'ka:ɐ̯] vgl. Trokar

Troi|ka [auch: 'tro:ika] ⟨russ.⟩ die; -, -s u. ...ken: russisches Dreigespann

Tro|kar ⟨lat.-fr.⟩ der; -s, -e u. -s u. Troicart der; -s, -s: chirurgisches Stichinstrument mit kräftiger, dreikantiger Nadel u. einem Röhrchen für ↑Punktionen (Med.)

tro|kie|ren ⟨fr.⟩: Waren austauschen

Trol|ley|bus ['trɔli...] ⟨engl.⟩ der; ...busses, ...busse: (schweiz.) Oberleitungsomnibus

Trom|ba ⟨germ.-it.⟩ die; -, ...ben: ital. Bez. für: Trompete. **Trom|ba ma|ri|na** ⟨it.⟩ die; - -, ...be ...ne: dem ↑Monochord verwandtes Streichinstrument des Mittelalters mit lang gestrecktem, dreieckigem, keilförmigem Körper. **Trom|be** ⟨germ.-it.(-fr.)⟩ die; -, -n: Wirbelwind in Form von Wasser- u. Windhosen. **Trom|ben:** Plural von ↑Tromba. ↑Trombe

Trom|bi|di|o|se u. **Trom|bi|ku|lo|se** ⟨gr.-nlat.⟩ die; -, -n: durch bestimmte Milbenlarven hervorgerufene juckende Hautkrankheit; Ernte-, Heukrätze

Trom|bo|ne ⟨germ.-it.⟩ der; -, ...ni: ital. Bez. für: Posaune. **Trom|pe** ⟨germ.-fr.⟩ die; -, -n: Bogen mit nischenartiger Wölbung zwischen zwei rechtwinklig aneinander stoßenden Mauern

Trompe-l'Œil [trõp'lœj] ⟨fr.; „Augentäuschung"⟩ das (auch: der); -[s], -s: Darstellungsweise in der Malerei, bei der durch naturalistische Genauigkeit mithilfe perspektivischer Mittel ein Gegenstand so wiedergegeben wird, dass der Betrachter nicht zwischen Wirklichkeit u. Gemaltem unterscheiden kann

Trom|pe|te ⟨germ.-fr.⟩ die; -, -n: aus gebogener Messingröhre mit Schallbecher u. Kesselmundstück bestehendes Blasinstrument. **trom|pe|ten:** 1. Trompete blasen. 2. (ugs.) a) sehr laut u. aufdringlich sprechen; b) sich sehr laut die Nase putzen. **Trom|pe|ter** der; -s, -: jmd., der [berufsmäßig] Trompete spielt; Trompetenbläser

Trom|peu|se [trõ'pøːzə] ⟨fr.⟩ „Betrügerin"⟩ die; -, -n: (hist.) durch Polster hochgewölbtes, den Halsausschnitt deckendes Tuch (um 1800). **trom|pie|ren:** (landsch.) täuschen

¹Troos|tit [tru:s'ti:t, auch: ...'tɪt] ⟨nlat.; nach dem amerik. Geologen G. Troost, 1776–1850⟩ der; -s, -e: ein Mineral

²Troos|tit [auch: ...'tɪt] ⟨nlat.; nach dem franz. Chemiker L. J. Troost, 1825–1911⟩ der; -s, -e: beim Härten von Stahl durch schnelle Abkühlung entstandenes, sehr feines ↑perlitisches Gefüge des Kohlenstoffs

Tro|pae|o|lum ⟨*gr.-lat.-nlat.*⟩ *das; -s:* Kapuzinerkresse. **Tro|pa|rion** ⟨*gr.-mgr.*⟩ *das; -s, ...ien:* kurzer Liedhymnus im orthodoxen Gottesdienst. **Tro|pa|ri|um** ⟨*gr.-nlat.*⟩ *das; -s, ...ien:* 1. Anlage, Haus (in zoologischen Gärten) mit tropischem Klima zur Haltung bestimmter Pflanzen u. Tiere. 2. römisch-katholisches Chorbuch mit den Tropen (2). **Tro|pe** ⟨*gr.-lat.;* „Wendung") *die; -, -n:* bildlicher Ausdruck; Wort (Wortgruppe), das im übertragenen Sinn gebraucht wird (z. B. *Bacchus* statt *Wein;* Sprachw.). **¹Tro|pen** ⟨*gr.-lat.*⟩ *die* (Plural): heiße Zone zu beiden Seiten des Äquators zwischen den Wendekreisen. **²Tro|pen:** *Plural* von ↑*Tropus*

Tro|phäe ⟨*gr.-lat.-fr.*⟩ *die; -, -n:* 1. erbeutete Fahne, Waffe o. Ä. als Zeichen des Sieges über den Feind. 2. aus einem bestimmten Gegenstand (z. B. Pokal) bestehender Preis für den Sieger in einem [sportlichen] Wettbewerb. 3. Teil eines erlegten Tiers als Zeichen erfolgreicher Jagd; Jagdtrophäe. 4. (veraltet) Zierrat zum Halten des Ordenszeichens **tro|phisch** ⟨*gr.-nlat.*⟩: die Ernährung [der Gewebe] betreffend, gewebsernährend (Med.). **Tropho|bi|o|se** *die; -, -n:* Form der Ernährungssymbiose (z. B. bei Blattläusen u. Ameisen; Biol.). **Tro|pho|blast*** *der; -en, -en:* ernährende Hülle des Embryos (Med.). **Tro|pho|lo|ge** *der; -n, -n:* Ernährungswissenschaftler. **Tro|pho|lo|gie** *die; -:* Ernährungswissenschaft. **tro|pho|logisch:** die Trophologie betreffend. **Tro|pho|neu|ro|se** *die; -, -n:* Form der Neurose, die mangelhafte Gewebsernährung u. damit Schwunderscheinungen an Organen zur Folge hat (Med.). **Tro|pho|phyll** *das; -s, -e:* bei Farnpflanzen ein der ↑*Assimilation* (2 b) dienendes Blatt; Ggs. ↑*Sporophyll* (Bot.) **Tro|pi|ka** ⟨*gr.-lat.-engl.-nlat.*⟩ *die; -:* schwere Form der Malaria (Med.). **tro|pisch** ⟨*gr.-lat.-engl.*⟩: 1. die ↑¹*Tropen* betreffend, für sie charakteristisch; südlich, heiß. 2. die ↑*Trope* betreffend; bildlich, übertragen (Sprachw.). **Tro|pis|mus** ⟨*gr.-nlat.*⟩ *der; -, ...men:* durch äußere Reize bestimmte gerichtete Bewegung

fest sitzender Tiere u. Pflanzen (Biol.). **Tro|po|pau|se** [auch: 'tro:...] *die; -:* Grenze zwischen Tropo- u. Stratosphäre (Meteor.). **Tro|po|phyt** *der; -en, -en:* Pflanze, die auf Böden mit stark wechselndem Wassergehalt lebt (Bot.). **Tro|po|sphä|re*** *die; -:* die unterste, bis zu einer Höhe von 12 km reichende, wetterwirksame Luftschicht der Erdatmosphäre (Meteor.). **Tro|po|taxis** *die; -, ...xen:* Orientierungsweise frei beweglicher Lebewesen; Ausgleichsbewegung von Tieren zur Herstellung eines Erregungsgleichgewichtes in symmetrisch angeordneten Reizempfängern (Bot.)

Tro|pus ⟨*gr.-lat.*⟩ *der; -, Tropen:* 1. ↑*Trope*. 2. (Mus.) a) Kirchenton (Tonart); b) textliche [u. musikalische] Ausschmückung, Erweiterung liturgischer Gesänge

Ir|oss ⟨*lat.-vulgarlat.-fr.*⟩ *der; -es, -e:* 1. (veraltet) die Truppe mit Verpflegung u. Munition versorgender Wagenpark. 2. (oft abwertend) a) Anhang, Gefolge, Mitläufer; b) Schar, Haufen. **Tros|se** *die; -, -n:* starkes Tau, Drahtseil

Trot|teur [...'tø:ɐ̯] ⟨*germ.-fr.*⟩ *der; -s, -s:* 1. eleganter, bequemer Schuh mit flachem od. mittlerem Absatz. 2. (veraltend) kleiner Hut für Damen. **trot|tie|ren:** (veraltet) traben. **Trot|ti|nett** *das; -s, -e:* (schweiz.) Kinderroller. **Trot|toir** [...'tǫa:ɐ̯] *das; -s, -e* u. *-s:* (landsch.) Bürgersteig

Tro|tyl ⟨Kunstw.⟩ *das; -s:* ↑*Trinitrotoluol*

Trotz|kis|mus ⟨*nlat.*⟩ *nach dem russischen Revolutionär L. D. Trotzki, 1879–1940⟩ *der; -:* vom Trotzki u. seinen Anhängern vertretene Variante des Kommunismus mit der Forderung der unmittelbaren Verwirklichung der Weltrevolution. **Trotz|kist** *der; -en, -en:* Anhänger, Vertreter des Trotzkismus

Trou|ba|dour ['tru:badu:ɐ̯, auch: ...'du:ɐ̯] ⟨*provenzal.-fr.;* „Erfinder") *der; -s, -e* u. *-s:* provenzalischer Dichter u. Sänger höfischer Liebeslyrik des 12. bis 14. Jh.s; vgl. Trouvère

Trou|ble ['trʌbl] ⟨*lat.-vulgärlat.fr.-engl.*⟩ *der; -s:* (ugs.) Ärger, Unannehmlichkeit[en], Aufregung. **Trou|ble|shoo|ter** ['trʌblʃu:tɐ] ⟨*engl.*⟩ *der; -s, -:* jmd., der sich bemüht, Konflikte auszuräumen, Probleme aus der Welt zu schaffen

Trou|pier [tru'pie:] ⟨*fr.*⟩ *der; -s, -s:* altgedienter, erfahrener Soldat **Trous|seau** [tru'so:] ⟨*lat.-vulgärlat.-fr.*⟩ *der; -s, -s:* (veraltet) Brautausstattung, Aussteuer **Trou|vaille** [tru'va:jə] ⟨*fr.*⟩ *die; -, -n:* [glücklicher] Fund. **Trouvère** [tru've:r] *der; -s, -s:* nordfranzösischer Minnesänger des Mittelalters

Troy|ge|wicht ['trɔy...] ⟨*engl.; dt.;* nach der französischen Stadt Troyes) *das; -[e]s, -e:* Gewicht in England u. den USA für Edelmetall u. Edelsteine

Truck [trʌk] ⟨*engl.*⟩ *der; -s, -s:* amerik. Bez. für: Lastkraftwagen. **Tru|cker** ['trʌkɐ] ⟨*engl.*⟩ *der; -s, -:* amerik. Bez. für: Lastwagenfahrer. **Truck|sys|tem** ['trʌk...] ⟨*engl.; gr.-lat.*⟩ *das; -s:* frühere Entlohnungsform, bei der der Arbeitnehmer Waren z. T. od. ausschließlich als Entgelt für seine Leistungen erhielt **Tru|is|mus** ⟨*engl.-nlat.*⟩ *der; -:* Binsenwahrheit; Gemeinplatz (z. B.: man lebt nur einmal)

Trul|lo ⟨*mgr.-it.*⟩ *der; -s, Trulli:* rundes Wohnhaus mit konischem Dach (auf der Salentinischen Halbinsel in Apulien)

Tru|meau [try'mo:] ⟨*germ.-fr.*⟩ *der; -s, -s:* (Archit. bes. des 18. Jh.s): 1. Pfeiler zwischen zwei Fenstern. 2. (zur Innendekoration eines Raumes gehörender) großer, schmaler Wandspiegel an einem Pfeiler zwischen zwei Fenstern

Trust [trast, auch] ⟨*altnord.-engl.*⟩ *der; -[e]s, -e u. -s:* Zusammenfassung mehrerer Unternehmen mit dem gleichen Zweck ohne dem Monopolisierung. **Trust|ee** [tras'ti:] *der; -s, -s:* engl. Bez. für: Treuhänder

Try|pa|no|so|ma ⟨*gr.-nlat.*⟩ *das; -s, ...men:* Vertreter einer Gattung der Geißeltierchen mit zahlreichen Krankheitserregern (z. B. dem Erreger der Schlafkrankheit). **Try|pa|no|so|mi|asis** *die; -, ...iasen:* Schlafkrankheit (Med.). **Tryp|sin** *das; -s:* Eiweiß spaltendes ↑*Enzym* der Bauchspeicheldrüse (Med.). **Tryp|to|phan** *das; -s:* eine in den meisten Eiweißstoffen enthaltene ↑*Aminosäure*

Tsant|sa ⟨*indian.*⟩ *die; -, -s:* Schrumpfkopf

Tsat|si|ki [tsa'tsi:ki] vgl. Zaziki **Tscha|dor** [...'do:ɐ̯], **Tschadyr** ⟨*pers.*⟩ *der; -s, -s:* (von persischen Frauen getragener) langer, den Kopf u. teilweise das Gesicht u. den Körper bedeckender Schleier

Tscha̱ko ⟨*ung.*⟩ *der;* -s, -s: (früher) im Heer u. (nach 1918) von der Polizei getragene zylinder-, helmartige Kopfbedeckung

Tscha̱k|ra* ⟨*sanskr.;* „Rad"⟩ *das;* -[s], -s: altindische Schleuderwaffe

Tscha|ma̱|ra ⟨*tschech. u. poln.*⟩ *die;* -, -s u. ...ren: zur tschechischen u. polnischen Nationaltracht gehörende, geschnürte Jacke mit niedrigem Stehkragen

Tscha̱n ⟨*sanskr.-chin.*⟩ *das;* -[s]: chinesische buddhistische Richtung; vgl. Zen

Tscha̱n|du ⟨*Hindi*⟩ *das;* -s: zum Rauchen zubereitetes Opium

Tscha̱|no|ju ⟨*jap.*⟩ *das;* -: Teezeremonie als japanischer Brauch, der aus feierlichen Handlungen buddhistischer Priester beim Teetrinken hervorgegangen ist

Tscha̱p|ka ⟨*dt.-poln.*⟩ *die;* -, -s: frühere, mit viereckigem Deckel versehene (ursprünglich polnische) Mütze der Ulanen

Tscha̱r|da vgl. Csárda. **Tscha̱r-dasch** vgl. Csárdás

Tscha̱r|ka ⟨*russ.*⟩ *das;* -: früheres russisches Flüssigkeitsmaß (= 0,1231)

tscha̱u! ⟨*lat.-it.*⟩: tschüs!, hallo!; vgl. ciao!

Tscha̱|u̱sch ⟨*türk.*⟩ *der;* -, -: 1. (hist.) türkischer Leibgardist, Polizist, Amtsvogt; Unteroffizier. 2. in Serbien Spaßmacher bei einer Hochzeit

Tsche̱|ka ⟨*russ.; Kurzw.*⟩ *die;* -: (von 1917–1922) Name der politischen Polizei in Sowjetrussland. **Tsche|ki̱st** *der;* -en, -en: a) Angehöriger der Tscheka; b) (in den sozialistischen Ländern des Ostblocks) Angehöriger des Staatssicherheitsdienstes

Tscher|ke̱ss|ka ⟨*russ.*⟩ nach dem kaukasischen Volk der Tscherkessen) *die;* -, -s u. ...ken: langer, eng anliegender Leibrock mit Gürtel u. Patronentaschen (Nationalkleidung, auch Uniform der Kaukasusvölker)

Tscher|no|sem [...no'zjom], auch: **Tscher|nos|jom*** ⟨*russ.*⟩ *das;* -s: Schwarzerde (fruchtbarer, humushaltiger Lössboden in Südrussland)

Tscher|wo̱|nez ⟨*russ.*⟩ *der;* ...wonzen (aber: 5 -): frühere russische Währungseinheit

Tsche̱t|nik ⟨*serbokroat.*⟩ *der;* -s, -s: serbischer Freischärler

Tschi̱l|buk ⟨*türk.*⟩ *der;* -s, -s: lange türkische Tabakspfeife mit kleinem Kopf

Tschi̱|kosch vgl. Csikós

Tschi̱l|ne̱l|le ⟨*it.*⟩ *die;* -, -n (meist Plural): Becken (messingenes Schlaginstrument)

Tschi̱s|ma ⟨*ung.*⟩ *der;* -s, ...men (meist Plural): niedriger, farbiger ungarischer Stiefel

Tschi̱t|ra|ka* ⟨*Hindi*⟩ *das;* -[s], -s: täglich erneuertes Sektenzeichen auf der Stirn der Hindus

Tscho̱r|ten ⟨*tibet.*⟩ *der;* -, -: tibetische Form des ↑ Stupas

tschü̱s!, auch: tschüss! ⟨*lat.-fr.*⟩: (ugs.) auf Wiedersehen!

Tschu̱sch ⟨Herkunft unsicher⟩ *der;* -en, -en: (österr. ugs. abwertend) Ausländer (bes. Angehöriger eines südosteuropäischen od. orientalischen Volkes)

tschü̱ss! vgl. tschüs!

Tse̱|tse|flie|ge* ⟨*bantuspr.; dt.*⟩ *die;* -, -n: im tropischen Afrika vorkommende Stechfliege, die den Erreger der Schlafkrankheit überträgt

T-Shirt ['ti:ʃə:t] ⟨*engl.*⟩ *das;* -s, -s: [kurzärmeliges] Oberteil aus Trikotstoff

Tsu̱|ba ⟨*jap.*⟩ *das;* -[s], ...ben: Stichblatt des japanischen Schwertes

Tsu̱|ga ⟨*jap.-nlat.*⟩ *die;* -, -s u. ...gen: Hemlocktanne; Schierlingstanne

Tsu|na̱|mi ⟨*jap.*⟩ *das;* -, -s: plötzliche Meereswelle im Pazifik, die durch Veränderungen des Meeresbodens entsteht (mit verheerender Wirkung an den Küsten)

tua res a̱|gi|tur ⟨*lat.*⟩: um deine Angelegenheit handelt es sich, dich geht es an, du musst selbst aktiv werden

Tub [tʌb] ⟨*niederl.-engl.*⟩ *das;* -s, -s (aber: 5 Tub): englisches Gewichtsmaß für Butter (= 38,102 kg) u. Tee (= 27,216 kg)

Tu̱|ba ⟨*lat.*⟩, Tuben: 1. zur Bügelhörnerfamilie gehörendes tiefstes Blechblasinstrument mit nach oben gerichtetem Schalltrichter u. vier Ventilen. 2. altrömisches Blasinstrument, Vorläufer der Trompete. 3. röhrenförmige Verbindung zwischen der Paukenhöhle des Ohrs u. dem Rachen, Ohrtrompete (Med.). 4. Ausführungsgang der Eierstöcke; Eileiter (Med.). **Tu̱|ben:** *Plural* von ↑ Tuba, ↑ Tubus

Tu̱|ber|kel ⟨*lat.*⟩ *der;* -s, - (österr. auch: *die;* -, -n) (Med.) 1. kleiner Höcker, Vorsprung (bes. an Knochen). 2. knötchenförmige Geschwulst, [Tuberkulose]knöt-

chen. **tu|ber|ku|la̱r** ⟨*lat.-nlat.*⟩: knotig, mit Bildung von Tuberkeln einhergehend (von Organveränderungen; Med.). **Tu|ber-ku|li̱d** *das;* -[e]s, -e: gutartige Hauttuberkulose (Med.). **Tu-ber|ku|li̱n** *das;* -s: aus Zerfallsstoffen der Tuberkelbakterien gewonnener Giftstoff, der in der Medizin zur Diagnosestellung der Tuberkulose verwendet wird. **Tu|ber|ku|lo̱m** *das;* -s, -e: Geschwulst aus tuberkulösem Gewebe (Med.). **tu|ber|ku|lö̱s**, (österr. ugs. auch:) **tu|ber|ku|lo̱s:** (Med.) a) die Tuberkulose betreffend, mit ihr zusammenhängend; b) an Tuberkulose leidend; schwindsüchtig. **Tu|ber|ku|lo̱|se** *die;* -, -n: durch Tuberkelbakterien hervorgerufene chronische Infektionskrankheit (z. B. von Lunge, Haut, Knochen); Abk.: Tb, Tbc (Med.). **tu|ber|kro̱s**, auch: **tu|be|ro̱s** ⟨*lat.*⟩: höckerig, knotenartig, geschwulstartig (Med.). **Tu|be|ro̱se** ⟨*lat.-nlat.*⟩ *die;* -, -n: aus Mexiko stammende stark duftende Zierpflanze mit weißen Blüten an langem Stängel

tu|bu|lä̱r u. **tu|bu|lö̱s** ⟨*lat.-nlat.*⟩: schlauch-, röhrenförmig (Med.). **Tu̱|bus** ⟨*lat.;* „Röhre"⟩ *der;* -, ...ben u. -se: 1. bei optischen Geräten linsenfassendes Rohr. 2. bei Glasgeräten Rohransatz. 3. Röhre aus Metall, Gummi od. Kunststoff zur Einführung in die Luftröhre (Med.). 4. (veraltet) Fernrohr

Tu̱|chent ⟨Herkunft unsicher; vielleicht *slaw.*⟩ *die;* -, -en: (österr.) Federbett

Tu̱|dor|bo|gen ['tju:də..., auch: 'tu:dɔr..., ...do:ɐ...] ⟨*engl.; dt.*⟩ *der;* -s, -: Spitzbogen der englischen Spätgotik. **Tu̱|dor|stil** ['tju:də..., auch: 'tu:dɔr..., ...do:ɐ...] ⟨*engl.; lat.*⟩ *der;* -: Stil der engl. Spätgotik zwischen 1485 u. 1558, in dem auch Renaissanceformen einflossen

Tuf|ting|wa|re ['taf...] ⟨*engl.; dt.*⟩ *die;* -: Teppichware, bei der nach einem Spezialfertigungsverfahren Schlingen in ein Grundgewebe eingenäht werden

Tu̱gh ⟨*türk.*⟩ *der;* -s, -s: (hist.) in der Türkei Rossschweif als militärisches Ehrenzeichen

Tu̱|kan [auch: ...'ka:n] ⟨*indian.-span.-fr.*⟩ *der;* -s, -e: Pfefferfresser (mittel- u. südamerikanischer spechtartiger Vogel)

Tu|la|rä̱mie* ⟨*indian.; gr.;* nach der kaliforn. Landschaft Tulare⟩ *die;* -,...ien: Hasenpest, auf den

Menschen übertragbare (Fieber u. Erbrechen hervorrufende) Seuche wild lebender Nager (Med.)

Tu|li|pan *der;* -[e]s, -e u. **Tu|li|pa-ne** ⟨*pers.-türk.-it.*⟩ *die;* -, -n: (veraltet) Tulpe

Tum|ba ⟨*gr.-lat.*⟩ *die;* -, ...ben: 1. Scheinbahre beim katholischen Totengottesdienst. 2. sarkophagartiger Überbau eines Grabes mit Grabplatte

Tu|mes|zenz ⟨*lat.-nlat.*⟩ *die;* -: Schwellung, Anschwellung (Med.). **Tu|mor** [ugs. auch: ...'mo:ɐ̯] ⟨*lat.*⟩ *der;* -s, ...oren (auch: ...ore): Geschwulst, Gewächs, Gewebswucherung (Med.). **Tu|mor|mar|ker** ⟨*lat.; engl.*⟩ *der;* -s, -: in Körperflüssigkeiten nachweisbare Substanz, deren Konzentration Aufschluss über den Grad der Bösartigkeit eines vorhandenen Tumors geben kann (Med.). **Tu|mu|li:** *Plural* von ↑Tumulus. **Tu|mult** *der;* -[e]s, -e: a) Lärm; Unruhe; b) Auflauf lärmender u. aufgeregter Menschen, Aufruhr. **Tu|mul-tu|ant** *der;* -en, -en: Unruhestifter; Ruhestörer, Aufrührer. **tu-mul|tu|a|risch:** lärmend, unruhig, erregt, wild, ungestüm, aufrührerisch. **tu|mul|tu|ie|ren:** lärmen; einen Auflauf erregen. **tu|mul|tu|os** u. **tu|mul|tu|ös** ⟨*lat.-fr.*⟩: heftig, stürmisch, aufgeregt, wild bewegt. **tu|mul|tu|o-so** ⟨*lat.-it.*⟩: stürmisch, heftig, lärmend (Vortragsanweisung; Mus.). **Tu|mu|lus** ⟨*lat.*⟩ *der;* -, ...li: Hügelgrab

Tund|ra* ⟨*finn.-russ.*⟩ *die;* -, ...ren: baumlose Kältesteppe jenseits der arktischen Waldgrenze

Tu|nel *das;* -s, -s: (südd., österr., schweiz.) Tunnel

tu|nen ['tju:nən] ⟨*engl.*⟩: die Leistung eines Kraftfahrzeugmotors nachträglich erhöhen, einen Motor frisieren. **Tu|ner** ['tju:nɐ] *der;* -s, -: 1. a) Vorrichtung an einem Fernseh- oder Rundfunkgerät zur Einstellung des Frequenzkanals; Kanalwähler; b) diese Vorrichtung enthaltendes Bauteil. 2. (Jargon) Spezialist für Tuning

Tun|fisch vgl. Thunfisch

Tu|ni|ca ⟨*semit.-lat.*⟩ *die;* -, ...cae [...ze:]: 1. äußere Schicht des ↑Vegetationskegels der Pflanzen (Bot.); Ggs. ↑Corpus (2). 2. dünne Gewebsschicht der Haut (z. B. die Schleimhäute; Med.; Biol.). **Tu|ni|ka** *die;* -, ...ken: 1. im Rom der Antike (urspr. ärmelloses) Untergewand für

Männer u. Frauen. 2. über dem Kleid getragener [kürzerer] Überrock; ärmelloses, vorne offenes Übergewand. **Tu|ni|ka|te** *die;* -, -n (meist Plural): Manteltier (Zool.)

Tu|ning ['tju:nɪŋ] ⟨*engl.*⟩ *das;* -s, -s: nachträgliche Erhöhung der Leistung eines Kraftfahrzeugmotors

Tu|ni|zel|la ⟨*semit.-lat.*⟩ *die;* -, ...llen: liturgisches Oberkleid des katholischen ↑Subdiakons

Tun|nel ⟨*gall.-mlat.-fr.-engl.*⟩ *der;* -s, - (auch: -s): a) röhrenförmiges unterirdisches Bauwerk, bes. als Verkehrsweg durch einen Berg, unter einem Gewässer hindurch o. Ä.; b) unterirdischer Gang; c) (beim Rugby bei einem Gedränge) freier Raum zwischen den Spielern; vgl. Tunell. **tun|ne|lie-ren:** (österr.) (durch etwas hindurch) einen Tunnel bauen

Tu|pa|ma|ro ⟨nach dem Inkakonig Túpac Amaru⟩ *der;* -s, -s (meist Plural): uruguayischer Stadtguerillero

Tu|pi ⟨*indian.*⟩ *das;* -: ↑Lingua general (2)

Tu|ras ⟨aus fr. *tour* = „Umdrehung" u. niederd. *as* = „Achse"⟩ *der;* -, -se: großes Kettenrad (z. B. beim Eimerkettenbagger)

Tur|ba ⟨*lat.*⟩ *die;* -, ...bae [...bɛ]: in die Handlung eingreifender dramatischer Chor in Oratorien, Passionen u. geistlichen Schauspielen; Ggs. ↑Soliloquent

Tur|ban ⟨*pers.-türk.-mgr.-roman.*⟩ *der;* -s, -e: aus [einer kleinen Kappe u.] einem in bestimmter Weise um den Kopf gewundenen langen, schmalen Tuch bestehende Kopfbedeckung (bes. der Moslems u. Hindus)

Tur|ba|ti|on ⟨*lat.*⟩ *die;* -, -en: (veraltet) Störung, Verwirrung, Beunruhigung.

Tür|be ⟨*arab.-türk.*⟩ *die;* -, -n: islamischer, bes. türkischer, turmförmiger Grabbau mit kegel- od. kuppelförmigem Dach

Tur|bel|la|rie [...rjə] ⟨*lat.-nlat.*⟩ *die;* -, -n (meist Plural): Strudelwurm. **tur|bie|ren** ⟨*lat.*⟩: (veraltet) beunruhigen, stören. **tur-bi|nal** ⟨*lat.*⟩: aufgewunden (Techn.). **Tur|bi|ne** ⟨*lat.-fr.*⟩ *die;* -, -n: Kraftmaschine, die der Energie strömenden Gases, Dampfes od. Wassers mithilfe eines Schaufelrades in eine Rotationsbewegung umsetzt. **Tur|bo** ⟨*lat.*⟩ *der;* -s, -s: (ugs.) 1. Kurzform von ↑Turbomotor, ↑Turbolader. 2. Auto mit Turbomotor. **Tur|bo-**

dy|na|mo *der;* -s, -s: elektrischer Energieerzeuger (Generator), der unmittelbar mit einer Turbine gekoppelt ist. **Tur|bo|ge|ne-ra|tor** *der;* -s, -en: ↑Turbodynamo. **Tur|bo|la|der** *der;* -s, -: mit einer Abgasturbine arbeitende Vorrichtung zum Aufladen eines Motors. **Tur|bo|mo|tor** *der,* -s, ...oren: 1. Motor mit einem Turbolader. 2. mit einer Gasturbine arbeitendes Triebwerk (z. B. bei Hubschraubern). **Tur-bo-Prop-Flug|zeug** ⟨Kurzw.⟩ *das;* -[e]s, -e: Flugzeug mit einem Triebwerk, bei dem die Vortriebskraft von einer Luftschraube u. zusätzlich von einer Schubdüse erzeugt wird. **Tur|bo|ven-til|la|tor** *der;* -s, -en: Kreisellüfter. **tur|bu|lent:** 1. stürmisch, ungestüm, lärmend. 2. durch das Auftreten von Wirbeln gekennzeichnet, ungeordnet (Phys.; Astron.; Meteor.). **Tur|bu|lenz** *die;* -, -en: 1. Wirbelbildung bei Strömungen in Gasen u. Flüssigkeiten (Phys.). 2. ungeordnete Wirbelströmung der Luft (Meteor.). 3. Unruhe; wildes Durcheinander, aufgeregte Bewegtheit

tur|ca ⟨*it.*⟩: ↑alla turca

Turf [auch: tə:f] ⟨*engl.*⟩ *der;* -s: a) Pferderennbahn; b) Pferderennen, Pferdesport

Tur|ges|zenz ⟨*lat.-nlat.*⟩ *die;* -en: Anschwellung, Volumenzunahme von Geweben bzw. Organen durch vermehrten Blut- u. Flüssigkeitsgehalt (Med.). **Tur-gor** ⟨*lat.*⟩ *der;* -s: 1. Spannungszustand, Flüssigkeitsdruck in einem Gewebe (Med.). 2. Druck des Zellsaftes auf die Pflanzenzellwand (Bot.)

Tu|ril|le ⟨*lle*⟩: -, -n (meist Plural): ↑Tourill

Tu|ring|ma|schi|ne ['tju:...] ⟨nach dem britischen Mathematiker A. M. Turing (1912–1954)⟩ *die;* -, -n: mathematisches Modell einer Rechenmaschine

Tu|ri|o|ne ⟨*lat.*⟩ *die;* -, -n: Überwinterungsknospe zahlreicher Wasserpflanzen (Bot.)

Turk|baff ⟨*pers.*⟩ „türkischer Knoten") *der;* -[s], -s: ziemlich kurz geschorener Teppich mit vielstrahligem Stern als Mittelmedaillon

Tur|key ['tə:kɪ] ⟨*engl.*⟩ *der;* -s, -s: (Jargon) durch Entzugserscheinungen gekennzeichneter körperlicher Zustand (Zittern usw.) von Drogenabhängigen, der eintritt, wenn die Wirkung des Rauschgifts nachlässt

tür|kis ⟨*türk.-fr.*⟩: blaugrün, türkisfarben. **¹Tür|kis** *der;* -es, -e: blauer, auch grüner Edelstein (ein Mineral). **²Tür|kis** *das;* -: blaugrüne Farbe, blaugrüner Farbton. **tur|ki|sie|ren** ⟨*türk.-nlat.*⟩: türkisch machen, gestalten. **Turk|me|ne** ⟨nach dem vorderasiatischen Volk der Turkmenen⟩ *der;* -n, -n: turkmenischer Orientteppich. **Tyr|ko** ⟨*türk.-it.-fr.*⟩ *der;* -s, -s: (hist.) farbiger Fußsoldat des französischen [Kolonial]heeres. **Tur|ko|lo|ge** ⟨*türk.; gr.*⟩ *der;* -n, -n: Wissenschaftler auf dem Gebiet der Turkologie. **Tur|ko|lo|gie** *die;* -: Wissenschaft von sämtlichen Turksprachen u. -kulturen. **turko|lo|gisch:** die Turkologie betreffend **Tur|ma|lin** ⟨*singhal.-fr.*⟩ *der;* -s, -e: roter, grüner, brauner, auch schwarzer od. farbloser Edelstein (ein Mineral) **Turn** [tɔːn] ⟨*gr.-lat.-engl.*⟩ *der;* -s, -s: 1. Kehre, hochgezogene Kurve im Kunstfliegen. 2. (Jargon) (bes. durch Haschisch, Marihuana bewirkter) Rauschzustand. **tur|nen** [tɔːnən]: (ugs.) eine berauschende Wirkung haben. **Tur|nier** ⟨*gr.-lat.-fr.*⟩ *das;* -s, -e: 1. ritterliches Kampfspiel im Mittelalter. 2. über einen längeren Zeitraum sich erstreckende sportliche Veranstaltung, bei der in einzelnen Wettkämpfen aus einer Anzahl von Teilnehmern od. Mannschaften der Sieger ermittelt wird. **tur|nie|ren:** (veraltet) ein Turnier austragen. **Tur|nü|re** ⟨*gr.-lat.-galloroman.-fr.*⟩ *die;* -, -n: 1. (ohne Plural) (veraltet) gewandtes Benehmen. 2. (hist.) in der Damenmode Ende des 19. Jh.s übliches Gesäßpolster. **Tyr|nus** ⟨*gr.-lat.-mlat.*⟩ *der;* -, -se: festgelegte, bestimmte Wiederkehr, Reihenfolge, regelmäßiger Wechsel; Umlauf; in gleicher Weise sich wiederholender Ablauf einer Tätigkeit **Tu|ron** ⟨nach der franz. Stadt Tours (*lat.* civitas Turonum)⟩ *das;* -s: zweitälteste Stufe der oberen Kreide (Geol.). **tu|ronisch:** das Turon betreffend **Tur|ri|ze|pha|lie** ⟨*lat.; gr.*⟩ *die;* -, ...ien: Turmschädel (Med.) **Tur|zis|mus** ⟨*türk.-nlat.*⟩ *der;* -, ...men: türkische Spracheigentümlichkeit in einer nichttürkischen Sprache **tu|schie|ren** ⟨*fr.*⟩: 1. ebene Metalloberflächen herstellen (durch Abschaben der erhabenen Stellen, die vorher durch das Aufdrücken von Platten, die mit Tusche bestrichen sind, sichtbar gemacht wurden). 2. (veraltet) beleidigen; vgl. touchieren **Tys|kul|lum** ⟨*lat.;* nach der altröm. Stadt Tusculum⟩ *das;* -s, ...la: (veraltet) 1. ruhiger, behaglicher Landsitz. 2. Lieblingsaufenthalt **Tys|sah|sei|de** ⟨*Hindi; dt.*⟩ *die;* -: Wildseide des Tussahspinners **Tys|sis** ⟨*lat.*⟩ *die;* -: Husten (Med.) **Tu|tand** ⟨*lat.*⟩ *der;* -en, -en: Studienanfänger, der von einem Tutor betreut wird. **Tu|tel** ⟨*lat.*⟩ *der;* -s, -en: Vormundschaft. **tu|te|larisch:** vormundschaftlich. **Tu|tio|ris|mus** ⟨*lat.-nlat.*⟩ *der;* -: Haltung, die zwischen zwei Möglichkeiten immer die sicherere wählt (Rel; Philos.). **Ty|tor** ⟨*lat.*⟩ *der;* -s, ...oren: 1. a) Leiter eines Tutoriums; b) Lehrer u. Ratgeber von Studenten (z. B. im praktischen pädagogischen Ausbildung). 2. Vormund, Erzieher (röm. Recht). **tu|to|ri|um** *das;* -s, ...rien: ein ↑Seminar (2) begleitender, meist in einer kleineren Gruppe gehaltener Übungskurs an einer Universität **tyt|ta la for|za** ⟨*it.;* „die ganze Kraft"⟩: mit voller Kraft (Vortragsanweisung; Mus.). **tyt|te [le] cor|de:** alle Saiten, ohne Verschiebung (beim Klavier; Mus.). **tyt|ti** ⟨*lat.-it.*⟩: alle [Instrumenten- u. Gesangs]stimmen zusammen (Mus.). **Tyt|ti** *das;* -[s], -[s]: alle Stimmen, volles Orchester (Mus.); Ggs. ↑Solo (1). **Tut|ti|fryt|ti** ⟨„alle Früchte"⟩ *das;* -[s], -[s]: 1. Vielfruchtspeise; Süßspeise aus verschiedenen Früchten. 2. (veraltet) Allerlei, Durcheinander. **tyt|ti quan|ti:** alle zusammen, ohne Ausnahme. **Tyt|ti|spie|ler** *der;* -s, - u. **Tyttist** *der;* -en, -en: Orchestermusiker, bes. Streicher, ohne solistische Aufgaben (Mus.) **Tu|tu** [ty'ty] ⟨*fr.*⟩ *das;* -[s], -s: kurzes Tanzröckchen, Ballettröckchen **TV** = Television **Tweed** [tviːt, auch: twiːd] ⟨*engl.*⟩ *der;* -s u. -e: kräftiges, oft meliertes Woll- od. Mischgewebe mit kleiner Bindungsmusterung **Twen** ⟨anglisierende Bildung zu *engl.* twenty = „zwanzig"⟩ *der;* -s, -s: jmd., der in den Zwanzigern ist; vgl. Teen **Twill** ⟨*engl.*⟩ *der;* -s, -s u. -e: geköperter Baumwollfutterstoff od. Seidenstoff, Feinköper **Twin|set** ⟨*engl.*⟩ *das* (auch: *der*); -s, -s: Pullover u. Jacke von gleicher Farbe u. aus gleichem Material **¹Twist** ⟨*engl.*⟩ *der;* -[e]s, -e: mehrfädiges Baumwoll[stopf]garn. **²Twist** ⟨*engl.*⟩ *der;* -s, -s: 1. aus den USA stammender Modetanz im ⁴/₄-Takt. 2. (Tennis) a) (ohne Plural) Drall eines geschlagenen Balls; b) mit Twist (2 a) gespielter Ball. 3. Schraube (beim Turnen); Sprung mit ganzer Drehung um die Längsachse des gestreckten Körpers. **twis|ten:** ²Twist (1) tanzen **Two|beat** ['tuː·biːt] ⟨*engl.;* „Zweischlag"⟩ *der;* -: archaischer, bal allgemein traditioneller Jazz, der dadurch charakterisiert ist, dass (vorwiegend) jeweils zwei von vier Taktteilen betont werden. **Two|stepp** ['tuːstɛp] ⟨*engl.;* „Zweischritt"⟩ *der;* -s, -s: schneller englischer Tanz im ³/₄-Takt **Ty|che** ⟨*gr.*⟩ *die;* -: Schicksal, Zufall, Glück. **Ty|chis|mus** ⟨*gr.-nlat.*⟩ *der;* -: Anschauung, nach der in der Welt der Zufall herrscht **Ty|coon** [taɪ'kuːn] ⟨*chin.-jap.-engl.*⟩ *der;* -s, -s: 1. sehr einflussreicher, mächtiger Geschäftsmann; Großkapitalist, Industriemagnat. 2. mächtiger Führer (z. B. einer Partei) **Ty|lom** ⟨*gr.*⟩ *das;* -s, -e: Schwiele (Med.) **Tym|pa|na:** *Plural* von ↑Tympanon, ↑Tympanum. **Tym|pa|nalgan** ⟨*gr.-nlat.*⟩ *das;* -s, -e: Gehörorgan der Insekten (Biol.). **Tym|pa|nie** u. **Tym|pa|ni|tis** *die;* -: Ansammlung von Gasen in inneren Organen, bes. Blähsucht bei Tieren (Med.; Zool.); vgl. Meteorismus. **Tym|pa|non** ⟨*gr.*⟩ *das;* -s, ...na: oft mit Reliefs geschmücktes Giebelfeld, Bogenfeld über Portal, Tür od. Fenster. **Tym|pa|num** ⟨*gr.-lat.*⟩ *das;* -s, ...na: 1. trommelartiges Schöpfrad in der Antike. 2. ↑Tympanon. 3. Paukenhöhle im Mittelohr (Med.). 4. Handpauke (Mus.) **Typ** ⟨*gr.-lat.;* „Schlag; Gepräge, Form; Muster"⟩ *der;* -s, -en: 1. (ohne Plural) Urbild, Grundform, Beispiel (Philos.). 2. a) bestimmte psychische Ausprägung einer Person, die einer Gruppe anderer Personen eine Reihe von Merkmalen gemeinsam hat (Psychol.); b) als klassischer Vertreter einer bestimmten Kategorie von Menschen gestaltete, stark stilisierte, keine individuellen Züge aufweisende Figur (Literaturw.; bildende Kunst). 3. Schlag, Menschentyp, Gattung. 4. Bauart, Muster, Modell (Techn.). 5. (Genitiv auch: -en; ugs.) männliche Person. Ty|pe ⟨gr.-lat.-fr.⟩ die; -, -n: 1. gegossener Druckbuchstabe, Letter (Druckw.). 2. (ugs.) Mensch von ausgeprägt absonderlicher, schrulliger Eigenart; komische Figur. 3. (Fachspr.) Mehltype. 4. (selten) Typ (4). ty|pen ⟨zu ↑Typ⟩: industrielle Artikel zum Zwecke der ↑Rationalisierung nur in bestimmten notwendigen Größen herstellen; vgl. typisieren. Ty|pen: *Plural* von ↑Typ, ↑Type, ↑Typus Typh|li|tis* ⟨gr.-nlat.⟩ die; -, ...itiden: Blinddarmentzündung (Med.) Ty|pho|id ⟨gr.-nlat.⟩ das; -[e]s, -e: typhusähnliche Erkrankung (Med.) Ty|pho|ma|nie die; -: beim Typhus auftretende Fieberdelirien (Med.) ¹Ty|phon ⟨Vermischung von gr.-lat. typhon = „Wirbelsturm" mit chin.-engl. typhoon (↑Taifun)⟩ das; -s, -e: mit Druckluft betriebene Schiffssirene. ²Ty|phon der; -s, ...one: (veraltet) Wirbelwind, Wasserhose ty|phös ⟨gr.-nlat.⟩: typhusartig; zum Typhus gehörend (Med.) Ty|phus der; -: mit schweren Bewusstseinsstörungen verbundene, fieberhafte Infektionskrankheit (Med.) Ty|pik ⟨gr.-nlat.⟩ die; -, -en: 1. die Wissenschaft von Typ (2) (Psychol.); vgl. Typologie (1). 2. (veraltet) Typologie (2). Ty|pi|kon ⟨gr. mgr.⟩ das; -s, ...ka: Buch mit liturgischen Festvorschriften u. Regeln in der orthodoxen Kirche. ty|pisch ⟨gr.-lat.⟩: 1. einen Typus betreffend, darstellend, kennzeichnend. 2. charakteristisch, bezeichnend, unverkennbar. 3. (veraltet) vorbildlich, mustergültig. ty|pi|sie|ren ⟨gr.-nlat.⟩: 1. typisch (1), als Typ, nicht als individuelle Person darstellen, auffassen. 2. nach Typen (vgl. Typ 2, 3) einteilen. 3. ↑typen. Ty|pi|zi|tät ⟨gr.-nlat.⟩ die; -, -en: charakteristische Eigenart, modellhafte Eigentümlichkeit. Ty|poge|ne|se ⟨gr.-nlat.⟩ die; -, -n: Formenbildung im Laufe der Stammesgeschichte (Biol.). Ty|po|graph der; -en, -en: 1. (auch:) Typograf: Schriftsetzer. 2. ® eine Zeilensetzmaschine. Ty|po|graphie, auch: ...grafie die; -, ...ien:

1. Buchdruckerkunst. 2. typographische Gestaltung (eines Druckerzeugnisses). ty|po|graphisch, auch: ...grafisch: die Typographie betreffend. Ty|po|logie die; -, ...ien: 1. Wissenschaft, Lehre von der Gruppenzuordnung aufgrund einer umfassenden Ganzheit von Merkmalen, die den ↑Typ (2) kennzeichnen: Einteilung nach Typen (Psychol.). 2. Wissenschaft, Lehre von der Vorbildlichkeit alttestamentlicher Personen u. Ereignisse für das Neue Testament u. die christliche Kirche (z. B. Adam im Verhältnis zu Christus; Rel.). ty|po|lo|gisch: die Typologie betreffend, zur Typologie gehörend. Ty|po|me|ter das; -s, -: auf den ↑typographischen Punkt bezogene Messvorrichtung im grafischen Gewerbe. Ty|po|skript* ⟨gr.; lat.⟩ das; -[e]s, -e: maschinegeschriebenes Manuskript (bes. als Satzvorlage; Buch-, Druckw.). Ty|pung die; -, -en: das Typen. Ty|pus ⟨gr.-lat.⟩ der; -, Typen: Typ (1, 2) Ty|rann ⟨gr.-lat.⟩ der; -en, -en: 1. unumschränkter Gewaltherrscher. 2. Gewaltmensch, strenger, herrschsüchtiger Mensch, Peiniger. 3. nord- u. südamerikanischer, meist sehr gewandt u. schnell fliegender Schreivogel. Ty|ran|nei ⟨gr.-lat.-fr.⟩ die; -: a) Herrschaft eines Tyrannen, Gewaltherrschaft; Willkür[herrschaft]; b) tyrannisches, willkürliches Verhalten; Unterdrückung. Ty|ran|nis ⟨gr.-lat.⟩ die; -: 1. Gewaltherrschaft (bes. im alten Griechenland). 2. ↑Tyrannei (a). ty|ran|nisch: gewaltsam, willkürlich, herrschsüchtig, herrisch, grausam, diktatorisch. tyran|ni|sie|ren ⟨gr.-lat.-fr.⟩: gewaltsam, willkürlich behandeln, unterdrücken, rücksichtslos beherrschen; quälen, anderen seinen Willen aufzwingen. Ty|ranno|sau|rus der; -, ...rier [...riɐ̯]: großer, auf den Hinterbeinen laufender, Fleisch fressender Dinosaurier. Ty|ran|no|sau|rus **Rex** der; - -: sehr großer, zur Gattung Tyrannosaurus gehörender Dinosaurier Ty|ro|li|enne [tiroˈliɛn] vgl. Tirolienne Ty|rom ⟨gr.-nlat.⟩ das; -s, -e: käsige Lymphknotengeschwulst (Med.). Ty|ro|sin das; -s: in den meisten Eiweißstoffen enthaltene ↑Aminosäure (Chem.). Ty|rosis die; -: Verkäsung (Med.)

U|a|ka|ri ⟨Tupi⟩ der; -s, -s: Scharlachgesicht; Kurzschwanzaffe in den Urwäldern Südamerikas u|bi be|ne, i|bi pat|ria* ⟨lat.⟩: wo es mir gut geht, da ist mein Vaterland (Kehrreim eines Liedes von F. Hückstädt, der auf einen Ausspruch Ciceros zurückgeht). U|bi|ka|ti|on die; -, -en: (österr.) militärische Unterkunft, Kaserne. U|bi|quist ⟨lat.-nlat.⟩ der; -en, -en: nicht an einen bestimmten ↑Biotop gebundene, in verschiedenen Lebensräumen auftretende Tier- od. Pflanzenart (Biol.). u|bi|qui|tär: überall verbreitet (bes. Biol.). U|bi|qui|tät die; -, -en: 1. (ohne Plural) Allgegenwart [Gottes od. Christi]. 2. in der Wirtschaft überall in jeder Menge erhältliches Gut. 3. (ohne Plural) das Nicht-gebunden-Sein an einen Standort (bes. Biol.) U|cha ⟨russ.⟩ die; -: russische Fischsuppe mit Graupen U|chi-Ma|ta [utʃi...] ⟨jap.⟩ der; -s, -s: innerer Schenkelwurf, bei dem das Bein zwischen den Beinen des Gegners nach hinten durchgeschwungen u. der Gegner durch Zug beider Hände nach links vorn über die rechte Hüfte geworfen wird (Judo) Ud ⟨arab.; „Holz"⟩ die; -, -s: Laute persischer Herkunft, die als Vorstufe der europäischen Laute gilt U|di|to|re ⟨lat.-it.⟩ der; - u. -n, ...ri u. -n: päpstlicher Richter, ↑Auditor U|do|me|ter ⟨lat.; gr.⟩ das; -s, -: Regenmesser (Meteor.) U|fo, UFO ⟨Kurzw. aus: unidentified flying object; engl.⟩ das; -[s], -s: unbekanntes Flugobjekt. U|fo|lo|ge ⟨engl.; gr.⟩ der; -n, -n: jmd., der Ufologie betreibt. U|folo|gie die; -: Beschäftigung mit Ufos U|kas ⟨russ.⟩ der; -ses, -se ⟨älter: -kas, -e⟩: 1. Anordnung, Befehl. 2. (hist.) Erlass des Zaren U|ke|lei ⟨slaw.⟩ der; -s, -e u. -s: Weißfisch, aus dessen Schuppen Perlenessenz (Perlmutterlack) gewonnen wird

Ulkullelle ⟨hawaiisch; „hüpfender Floh"⟩ die od. das; -, -n: aus Hawaii stammende, in der Unterhaltungsmusik verwendete kleine ↑Gitarre mit vier Saiten

Ullan ⟨türk.-poln.⟩ der; -en, -en: (früher) [leichter] Lanzenreiter.

Ullanlka die; -, -s: Waffenrock der Ulanen (kurzschößiger Rock mit zwei Knopfreihen)

Ullcus ⟨lat.⟩ das; -, ...cera: ↑Ulkus

Ullelma ⟨arab.-türk.; Plural: „die Gelehrten"⟩ der; -s, -s: islamischer Rechts- u. Religionsgelehrter

Ullijtis ⟨gr.-nlat.⟩ die; -, ...itiden: Zahnfleischentzündung (Med.)

Ullkus ⟨lat.⟩ das; -, Ulzera: Geschwür (Med.)

Ullmalzee ⟨lat.-nlat.⟩ die; -, -n (meist Plural): Ulmengewächs (Bot.)

Ullna ⟨lat.⟩ die; -, Ulnae [...nɛ]: Elle, Ellbogenknochen, Röhrenknochen des Unterarms (Anat.)

Ullolse ⟨gr.-nlat.⟩ die; -, -n: Narbenbildung (Med.)

Ullothlrix* ⟨gr.⟩ die; -: Kraushaaralge (Grünalge)

Ullslter [auch: 'ʌlstə] ⟨nach der gleichnamigen historischen irischen Provinz⟩ der; -s, -: 1. weiter [Herren]mantel aus Ulster (2). 2. Stoff aus grobem Streichgarn [mit angewebtem Futter]

Ultiltilma ⟨lat.⟩ die; -, ...mä u. ...men: letzte Silbe eines Wortes (Sprachw.). Ultiltilma Raltio die; -: letztes, äußerstes Mittel, letztmöglicher Weg, wenn nichts anderes mehr Aussicht auf Erfolg hat. ultiltilmaltiv ⟨lat.-nlat.⟩: 1. in Form eines Ultimatums; nachdrücklich. 2. sich nicht mehr verbessern lassend. Ultiltilmaltum das; -s, ...ten u. -s: [auf diplomatischem Wege erfolgende] Aufforderung, binnen einer Frist eine schwebende Angelegenheit befriedigend zu lösen [unter der Androhung harter Maßnahmen, falls der Aufforderung nicht entsprochen wird]. Ultiltilmen: Plural von ↑Ultima. ultiltilmo ⟨lat.⟩: am Letzten [des Monats] (Abk.: ult.). Ultiltilmo der; -s, -s: letzter Tag [des Monats]

Ultlra* ⟨lat.⟩ der; -s, -s: politischer ↑Extremist. Ultlralfiche [...'fi:ʃ, auch: 'ʊltra...] ⟨lat.; fr.⟩ das od. der; -s, -s: Mikrofilm mit stärkster Verkleinerung. Ultlralismo ⟨lat.-span.⟩ der; -: Bewegung in der spanischen u. lateinamerikanischen Dichtung um 1920, die die Lyrik rein auf die Bildwirkung aufzubauen sucht. Ultlra-

ist der; -en, -en: Vertreter des Ultraismo. ultlralkonlserlvativ: extrem konservativ. ultlramalrin ⟨lat.-nlat.⟩: kornblumenblau. Ultlralmalrin das; -s: ursprünglich aus Lapislazuli gewonnene, leuchtend blaue Mineralfarbe. Ultlralmiklrolskop das; -s, -e: Mikroskop zur Betrachtung kleinster Teilchen. ultlramonltan ⟨„jenseits der Berge (Alpen)"⟩: streng päpstlich gesinnt. Ultlralmonltalne der; -n, -n: strenger Katholik. Ultlramonltalnislmus der; -: streng päpstliche Gesinnung (bes. im ausgehenden 19. Jh.). ultlramunldan ⟨lat.⟩: über die Welt hinausgehend, jenseitig (Philos.). ultlra poslse nelmo oblliligatur: Unmögliches zu leisten, kann niemand verpflichtet werden (Rechtssatz des römischen Rechts). ultlralrot ⟨lat.; dt.⟩: ↑infrarot. Ultlralrot das; -s: ↑Infrarot. Ultlralrotlpholtolmetlrie, auch: ...fotometrie ⟨lat.; gr.-nlat.⟩ die; -: 1. Messung der Sternhelligkeit unter Ausnutzung roter u. ultraroter (infraroter) Strahlung, die starke Nebel (od. andere interstellare Materie) durchdringen kann (Astron.). 2. photometrische Messung der Ultrarotabsorption chemischer Verbindungen (Chem.). Ultlralschall ⟨lat.; dt.⟩ der; -[e]s: Schall mit Frequenzen von mehr als 20 Kilohertz (vom menschlichen Ohr nicht mehr wahrnehmbar); Ggs. ↑Infraschall. Ultlralsolnolgralphie, auch: ...grafie ⟨lat.; gr.⟩ die; -, -ien: Aufzeichnung von durch Ultraschall gewonnenen diagnostischen Ergebnissen (Med.). Ultlralsolnolskop das; -s, -e: Ultraschallwellen ausstrahlendes Gerät, durch dessen Echosignale diagnostische Ergebnisse gewonnen werden. Ultlralstrahllung ⟨lat.; dt.⟩ die; -: kosmische Höhenstrahlung. ultlralvilollett ⟨lat.; lat.-fr.⟩: im Spektrum am Violett anschließend (Abk.: UV). Ultlralvilollett das; -s: unsichtbare, im Spektrum an Violett anschließende Strahlung mit kurzer Wellenlänge (unter 0,0004 mm) u. starker chemischer u. biologischer Wirkung

Ullze|ra: Plural von ↑Ulkus. Ulzeralti|on ⟨lat.⟩ die; -, -,-en: Geschwürbildung (Med.). ullzelrielren: geschwürig werden (Med.) ullzelrös: geschwürig (Med.)

Umlbelllilfelre ⟨lat.-nlat.⟩ die; -,-n

(meist Plural): Doldengewächs (Bot.). Umlber der; -s, -n: 1. Speisefisch des Mittelmeeres. 2. (ohne Plural) Umbra (2)

Umlbillilcus ⟨lat.; „Nabel"⟩ der; -, ...ci: Kopf des Stabes, um den in der Antike die Buchrolle aus Papyrus gewickelt wurde

Umlbra* ⟨lat.; „Schatten"⟩ die; -: 1. dunkler Kern eines Sonnenflecks, der von der helleren ↑Penumbra umgeben ist. 2. Erdbraun; braune Malerfarbe aus eisen- od. manganhaltigem Ton

Umblrallglas ® ⟨lat.; dt.⟩ das; -es, ...gläser: Schutzglas für Sonnenbrillen gegen Ultraviolett u. Ultrarot

Ulmilak ⟨eskim.⟩ der od. das; -s, -s: mit Fellen bespanntes Boot der Eskimofrauen; vgl. Kajak

Ulmlma ⟨arab.⟩ die; -: Gemeinschaft aller Muslime

ulmolrislstilco ⟨lat.-it.⟩: heiter, lustig, humorvoll (Vortragsanweisung; Mus.)

Umlpilre ['ʌmpaɪə] ⟨lat.-fr.-engl.⟩ der; -, -s: Schiedsrichter (bes. beim Polo)

ulna corlda ⟨it.; „auf einer Saite"⟩: mit nur einer od. zwei Saiten (Anweisung für den Gebrauch des Pedals am Klavier, durch den die Hämmerchen so verschoben werden, dass sie statt nur zwei od. eine Saite anschlagen, wodurch ein gedämpfter Ton entsteht; Mus.)

Ulnalnilmislmus ⟨lat.-fr.-nlat.⟩ der; -: Anfang des 20. Jh.s eine literarische Richtung in Frankreich, die das kollektive Dasein als beseelte Einheit begreift, aus der allein eine neue, der Gegenwart verpflichtete Literatur hervorgehen kann. Ulnalnilmiltät ⟨lat.-fr.⟩ die; -: Einhelligkeit, Einmütigkeit

Ulna Sancita ⟨lat.; „eine heilige (Kirche)"⟩ die; - -: die eine heilige katholische und apostolische Kirche (Selbstbezeichnung der römisch-katholischen Kirche; vgl. Apostolikum (1). Ulna-Sancita-Belwelgung ⟨lat.; dt.⟩ die; -: katholische Form der ökumenischen Bewegung, die sich der interkonfessionellen Bewegung bes. auf der Herausarbeitung der dogmatischen, moralischen, institutionellen, sozialen u. konfessionellen Gemeinsamkeiten u. Gegensätze bedacht ist

Ulnau ⟨bras.-fr.⟩ das; -s, -s: südamerikanisches Faultier mit zweifingerigen Vordergliedmaßen

Un|cle Sam ['aŋkḷ 'sɛm] ⟨engl.; „Onkel Samuel"; nach der ehemaligen amtlichen Bezeichnung U.S.-Am. für die USA⟩: scherzh. symbolische Bezeichnung für die USA, bes. für die Regierung

Un|da|ti|on ⟨lat.; „das Wellenschlagen, Überwallen"⟩ die; -, -en: Großfaltung der Erdrinde (Geol.)

Un|der|co|ver|agent ['ʌndə-kʌvə...] ⟨engl.⟩ der; -en, -en: [in eine zu observierende Gruppe eingeschleuster] verdeckter Ermittler

Un|der|dog ['ʌndədɔg] ⟨engl.⟩ der; -s -s: [sozial] Benachteiligter, Schwächerer

Un|der|flow ['ʌndəflou] ⟨engl.⟩ der; -s, -s: (bei einer maschinellen Berechnung) Auftreten eines Zahlenwertes, der kleiner ist als die kleinste dort darstellbare Zahl

Un|der|ground* ['ʌndəgraʊnd] ⟨engl.⟩ der; -s: 1. Gruppe, Organisation außerhalb der etablierten Gesellschaft. 2. avantgardistische künstlerische Protestbewegung gegen das kulturelle ↑ Establishment

Un|der|state|ment [ʌndə'steɪtmənt] ⟨engl.⟩ das; -s, -s: das [bewusste] Untertreiben, Unterspielen

Un|der|wri|ter ['ʌndəraɪtɐ] ⟨engl.⟩ der; -s, -: in Großbritannien diejenige Firma, die sich verpflichtet, einen nicht unterzubringenden Teil einer ↑ Emission (1) selbst zu übernehmen

Un|de|zi|me ⟨lat.⟩ die; -, -n: der elfte Ton vom Grundton an (die Quart der Oktave; Mus.)

Un|di|ne ⟨lat.-nlat.⟩ die; -, -n: weiblicher Wassergeist. **Un|do-graph**, auch: Undograf ⟨lat.; gr.⟩ der; -en, -en: Gerät zur Aufnahme u. grafischen Darstellung von Schallwellen (Phys.). **Un|du-la|ti|on** ⟨lat.-nlat.⟩ die; -, -en: 1. Wellenbewegung, Schwingung (Phys.). 2. Sattel- u. Muldenbildung durch ↑ Orogenese (Geol.); vgl. Ondulation. **Un|du|la|tor** der; -s, ...oren: Instrument zur Aufzeichnung empfangener Morsezeichen bei langen Telegrafenkabeln (z. B. Seekabel). **un|du|la|to|risch**: in Form von Wellen, wellenförmig (Phys.). **un|du|lie|ren**: wellenartig verlaufen, hin u. her wogen (Med.; Biol.)

UNESCO ⟨engl.; Kurzw. aus: United Nations Educational, Scientific and Cultural Organization⟩

die; -: Organisation der Vereinten Nationen für Erziehung, Wissenschaft u. Kultur

un|ghe|rel|se [uŋge...] ⟨it.⟩: ungarisch (Mus.); vgl. all' ongharese

Un|gu|en|tum ⟨lat.⟩ das; -s, ...ta: Salbe (Abk. [auf Rezepten]: Ungt.)

Un|gu|lat ⟨lat.⟩ der; -en, -en (meist Plural): Huftier (Zool.)

u|ni [y'ni:, 'yni] ⟨lat.-fr.; „einfach; eben"⟩: einfarbig, nicht gemustert. **¹U|ni** [y'ni:, 'yni] das; -s, -s: einheitliche Farbe. **²U|ni** [auch: 'u:ni] ⟨lat.⟩ die; -, -s: (ugs.) Kurzform von ↑ Universität. **u|nie-ren**: vereinigen (bes. in Bezug auf Religionsgemeinschaften). **U|ni|fi|ka|ti|on** ⟨lat.-mlat.⟩ die; -, -en: ↑ Unifizierung; vgl. ...[at]ion/...ierung. **u|ni|fi|zie-ren**: vereinheitlichen, in eine Einheit, Gesamtheit verschmelzen (z. B. Staatsschulden, Anleihen) **U|ni|fi|zie|rung** die; -, -en: Konsolidierung, Vereinheitlichung, Vereinigung (z. B. von Staatsschulden, Anleihen); vgl. ...[at]ion/...ierung. **u|ni|form** ⟨lat.-fr.⟩: gleich-, einförmig; gleichmäßig, einheitlich. **U|ni-form** [auch: 'uni...] die; -, -en: einheitliche Dienstkleidung, bes. des Militärs, aber auch der Eisenbahn-, Post-, Forstbeamten u.a.; Ggs. ↑Zivil. **u|ni|for|mie-ren**: 1. einheitlich einkleiden, in Uniformen stecken. 2. gleichförmig machen. **U|ni|for|mis|mus** ⟨lat.-fr.-nlat.⟩ der; -: das Streben nach gleichförmiger, einheitlicher Gestaltung. **U|ni|for|mist** der; -en, -en: jmd., der alles gleichförmig gestalten will. **U|ni-for|mi|tät** ⟨lat.-fr.⟩ die; -, -en: Einförmigkeit, Gleichförmigkeit (z. B. im Denken u. Handeln). **U|ni|ka:** Plural von ↑ Unikum. **u|ni|kal** ⟨lat.-nlat.⟩: nur einmal vorhanden, 2. einzigartig. **U|ni-kat** ⟨lat.-nlat.⟩ das; -[e]s, -e: a) einzige Ausfertigung eines Schriftstücks im Unterschied zum ↑ Duplikat u. ↑ Triplikat; b) Unikum (1); c) einziges Kunstwerk seiner Art. **U|ni|kum** ⟨lat.⟩ das; -s, ...ka (auch: -s): 1. (Plural: ...ka) nur in einem Exemplar vorhandenes Erzeugnis der grafischen Künste. 2. (Plural: -s): (ugs.) origineller Mensch, der oft auf andere belustigend wirkt. **u|ni|la|te|ral** ⟨lat.-nlat.⟩: einseitig, nur auf einer Seite. **U|nio mys|ti|ca** ⟨lat.; gr.-lat.⟩ die; - -: die geheimnisvolle Vereinigung der Seele mit Gott als Ziel der

Gotteserkenntnis in der ↑ Mystik. **U|ni|on** ⟨lat.⟩ die; -, -en: Bund, Vereinigung, Verbindung (bes. von Staaten u. von Kirchen mit verwandten Bekenntnissen). **U|ni|o|nist** ⟨lat.-nlat.(-engl.)⟩ der; -en, -en: 1. Anhänger einer Union. 2. (hist.) Gegner der ↑ Konföderierten im nordamerikanischen Bürgerkrieg. 3. (hist.) in Großbritannien Befürworter einer Union zwischen Großbritannien u. Irland bzw. Nordirland. **U|ni|on Jack** ['juːniən 'dʒek] ⟨engl.⟩ der; - -, -s -s: Nationalflagge Großbritanniens. **U|ni-ons|sow|jet*** ⟨russ.⟩ der; -[s]: (früher) für die Belange der gesamten ehemaligen Sowjetunion zuständige Kammer des Obersten Sowjets. **u|ni|pe|tal** ⟨lat.; gr.⟩ nlat.⟩: einblättrig (von Pflanzen; Bot.). **u|ni|po|lar**: einpolig, den elektrischen Strom nur in einer Richtung leitend. **U|ni|po|lar-ma|schi|ne** die; -, -n: Maschine zur Entnahme starker Gleichströme bei kleiner Spannung. **U|ni|sex** der; -[es] [Tendenz zur] Verwischung der Unterschieds zwischen den Geschlechtern, bes. im Erscheinungsbild. **u|ni|se|xu|ell**: 1. den Unisex betreffend. 2. eingeschlechtlich. 3. (selten) ↑ homosexuell. **u|ni|son** ⟨lat.-it.⟩: auf demselben Ton od. in der Oktave (singend, spielend; Mus.). **U|ni|so|ni:** Plural von ↑ Unisono. **u|ni|so|no**: 1. auf demselben Ton od. in der Oktave (zu singen, zu spielen; Mus.). 2. in voller Übereinstimmung. **U|ni|so|no** das; -s, -s u. ...ni: das Zusammenklingen von mehreren Tönen auf derselben Tonhöhe od. im Oktavabstand, Einklang. **U|nit** ['juːnɪt] ⟨engl.⟩ die; -, -s: 1. [Lern]einheit in Unterrichtsprogrammen. 2. fertige Einheit eines technischen Gerätes. 3. Gruppe, Team. **u|ni|tär** ⟨lat.-nlat.⟩: ↑ unitarisch. **U|ni|ta-ri|er** der; -s, -: (hist.) Vertreter einer nachreformatorischen kirchlichen Richtung, die die Einheit Gottes betont u. die Lehre von der ↑ Trinität ablehnt; Ggs. ↑ Trinitarier. **u|ni-ta|risch**: 1. Einigung bezweckend oder erstrebend. 2. den Unitarismus betreffend. **U|ni|ta|ri|sie-rung** die; -: ↑ Unitarismus (1). **U|ni|ta|ris|mus** der; -: 1. das Bestreben, innerhalb eines Bundesstaates die Befugnisse der Bundesbehörden gegenüber den Ländern zu erweitern u. damit die Zentralgewalt zu stärken. 2. theologische Lehre der Unitarier. 3. Lehre von der ursächlichen Übereinstimmung verschiedener Krankheitsformen (Med.). U|ni|ta|rịst der; -en, -en: Vertreter des Unitarismus. u|ni|ta|rịs|tisch: den Unitarismus betreffend. U|ni|tät ⟨lat.⟩ die; -, -en: 1. Einheit, Übereinstimmung. 2. Brüderunität (eine pietistische Freikirche). 3. (scherzh.) Kurzw. für: Universität. U|ni|täts|leh|re ⟨lat.; dt.⟩ die; -: ↑Unitarismus (3). u|ni|to|ni|co ⟨lat. -it.⟩: in einer Tonart (Mus.). u|ni|val|lẹnt ⟨lat. -nlat.⟩: einwertig (Chem.). U|ni|ver|bie|rung die; -, -en: das Zusammenwachsen zweier Wörter zu einem einzign, meist ohne Bedeutungsspezialisierung (z. B. obschon aus „ob" u. „schon"). u|ni|ver|sal ⟨lat. -fr.⟩: allgemein, gesamt; [die ganze Welt] umfassend, weltweit; vgl. ...al/...ell. U|ni|ver|sal ⟨lat.⟩ das; -[s]: früher ↑Panroman genannte Welthilfssprache. U|ni|ver|sal|emp|fän|ger der; -s, -: Person mit der Blutgruppe AB, auf die Blut beliebiger Gruppenzugehörigkeit übertragen werden kann (Med.); vgl. Universalspender. U|ni|ver|sal|epis|ko|pat* der od. das; -[e]s, -e: oberste bischöfliche Gewalt des Papstes über die katholische Kirche. U|ni|ver|sal|ge|nie das; -s, -s: 1. auf vielen Gebieten zu großen Leistungen befähigter Mensch. 2. (scherzh.) Alleskönner. U|ni|ver|sal [...jə] ⟨lat.⟩ die; -, -n: 1. (nur Plural) allgemein gültige Aussagen, Allgemeinbegriffe, bes. in der Scholastik (Philos.). 2. Eigenschaft, die alle natürlichen Sprachen aufweisen. U|ni|ver|sal|is|mus ⟨lat. -nlat.⟩ der; -: 1. Denkart, die den Vorrang des Allgemeinen, des Ganzen gegenüber dem Besonderen u. Einzelnen betont (Philos.; Pol.; Wirtsch.). 2. theologische Lehre, nach der der Heilswille Gottes die ganze Menschheit umfasst; Ggs. ↑Prädestination (1). U|ni|ver|sal|ist der; -en, -en: zu einer amerikanischen kirchlichen Gruppe gehörender Anhänger des Universalismus (2). U|ni|ver|sa|li|tät ⟨lat.⟩ die; -: 1. Allgemeinheit, Gesamtheit. 2. Allseitigkeit, alles umfassende Bildung. U|ni|ver|sal|prin|zip das; -s: im Unterschied zum ↑Territorialitäts- u. ↑Personalitätsprinzip

Grundsatz des internationalen Strafrechts, nach dem ein Staat auch die von Ausländern im Ausland begangenen Straftaten zu verfolgen habe (Rechtsw.). U|ni|ver|sal|spen|der ⟨lat.; dt.⟩ der; -s, -: Person mit der Blutgruppe 0, die mit gewissen Einschränkungen für jeden Blut spenden kann (Med.); vgl. Universalempfänger. U|ni|ver|sal|suk|zes|si|on die; -, -en: Gesamterbfolge; Eintritt als od. mehrerer Erben in das Gesamtvermögen des Erblassers (Rechtsw.). u|ni|ver|sẹll: umfassend, weit gespannt; vgl. ...al/...ell. U|ni|ver|si|a|de ⟨lat. -nlat.⟩ die; -, -n: internationale Studentenwettkämpfe in verschiedenen sportlichen Disziplinen. U|ni|ver|sis|mus der; -: Anschauung bes. des chinesischen ↑Taoismus, dass die Welt eine Einheit sei, in die der Einzelmensch sich einordnen müsse. u|ni|ver|si|tär: die Universität betreffend. U|ni|ver|si|tas Lit|te|ra|rum ⟨lat.; „Gesamtheit der Wissenschaften"⟩ die; - - : lat. Bez. für: Universität. U|ni|ver|si|tät die; -, -en: wissenschaftliche Hochschule. U|ni|ver|sum das; -s: das zu einer Einheit zusammengefasste Ganze; Weltall. u|ni|vok ⟨"einstimmig"⟩: eindeutig, einnamig (Philos.). U|ni|vo|zi|tät ⟨lat. -nlat.⟩ die; -: Eindeutigkeit, Einnamigkeit (Philos.)

Unk|ti|on ⟨lat.⟩ die; -, -en: Einreibung, Einsalbung (Med.). u|no ac|tu ⟨lat.⟩: in einem Akt, ohne Unterbrechung

un|plugged ⟨'ʌnplʌgd⟩ ⟨engl.⟩: (Jargon) (bes. in der Popmusik) ohne elektronische Verstärkung un po|chet|ti|no [ʊn poketi:no] ⟨lat.-it.⟩: ein klein wenig (Mus.). un po|co [auch: - 'po:ko]: ein wenig, etwas (Mus.). ụn|po|pu|lär ⟨dt.; lat.-fr.⟩: auf Ablehnung stoßend. ụn|pro|duk|tiv ⟨dt.; lat.-fr.⟩: nicht produktiv, nicht lohnend. ụnus pro mụl|tis [...ti:s] ⟨lat.; „einer für viele"⟩: einer für alle

Un|zi|al ⟨lat.⟩ die; -, -n: 1. mittelalterliche griechische u. römische Buchschrift aus gerundeten Großbuchstaben. 2. ↑Initiale (Druckw.). U|pa|ni|schad ⟨sanskr.; „(geheime, belehrende) Sitzung"⟩ die; -, ...aden (meist Plural): zum ↑wedischen Schrifttum gehörende philosophisch-theologische Ab-

handlung über die Erlösung des Menschen U|pas ⟨malai.⟩ das; -: als Pfeilgift verwendeter Milchsaft eines javanischen Baumes Up|date ['ʌpdeɪt] ⟨engl.⟩ das; -s, -s: aktualisierte Version eines Softwareprogramms, einer Datei o. Ä. (EDV) U|pe|ri|sa|ti|on ⟨Kurzw. aus: Ultrapasteurisation⟩ die; -, -en: Milchkonservierungsverfahren, bei dem in entgaste u. vorgewärmte Milch Dampf eingeleitet wird Up|load ['ʌ ploʊd] ⟨engl.⟩ das; -s, -s: das Uploaden (EDV); Ggs. ↑Download. up|loa|den: Daten von einem Arbeitsplatzcomputer auf einen zentralen, meist größeren Computer übertragen, aufladen (z. B. bei der Datenfernübertragung); Ggs. ↑downloaden Up|per|class ['ʌpɐkla:s, 'ʌpə'kla:s] ⟨engl.⟩ die; -: die oberen zehntausend, Oberschicht. Up|per|cut ['ʌpɐkʌt, 'ʌpəkʌt] ⟨engl.⟩ der; -s, -s: Aufwärtshaken (Boxen). Up|per|ten ['ʌpə'ten], auch: Up|per Ten (die (Plural): die oberen zehntausend, Oberschicht. up to date [ap tu 'de:t, 'ʌp tə 'deɪt]: (häufig scherzh.) zeitgemäß, auf dem neuesten Stand U|rä|mie* ⟨gr.-nlat.⟩ die; -, ...ien: Harnvergiftung (Med.). u|rä|misch: die Urämie betreffend, an ihr leidend, auf ihr beruhend (Med.) U|ran ⟨gr.-lat.-nlat.; nach dem Planeten Uranus⟩ das; -s: chemisches Element; ein Metall (Zeichen: U). U|ra|nis|mus ⟨gr.-lat.- nlat.; von Urania, dem Beinamen der altgriechischen Liebesgöttin Aphrodite⟩ der; -: (selten) Homosexualität zwischen Männern. U|ra|nist der; -en, -en: (selten) Homosexueller. U|ra|no|gra|phie, auch: Uranografie ⟨gr.⟩ die; -: Himmelsbeschreibung. U|ra|no|la|trie* ⟨gr.-nlat.⟩ die; -: göttliche Verehrung der Himmelskörper. U|ra|no|lo|gie die; -: (veraltet) Himmelskunde. U|ra|no|me|trie* ⟨gr.⟩ die; -, ...ien: (veraltet) 1. Messung der Himmelserscheinungen. 2. Sternkatalog. 3. kartographische Festlegung des Fixsternhimmels. U|ra|no|skop* das; -s, -e: (veraltet) Fernrohr zur Beobachtung des Sternhimmels und seiner Vorgänge. U|ra|no|sko|pie* das; -: (veraltet) Himmelsbeobachtung. U|ran|pech|blen|de ⟨gr.-lat.-

nlat.; dt.⟩ *die; -*: radiumhaltiges Mineral

U|rat ⟨*gr.-nlat.*⟩ *das; -[e]s, -e*: Salz der Harnsäure (Chem.). **u|ra|tisch**: mit der Harnsäure zusammenhängend (Med.)

U|rä|us|schlan|ge ⟨*gr.-nlat.; dt.*⟩ *die; -, -n*: afrikanische Hutschlange (Giftnatter; als Sonnensymbol am Diadem der altägyptischen Könige)

ur|ban ⟨*lat.,* „städtisch"⟩: 1. gebildet u. weltgewandt, weltmännisch. 2. für die Stadt charakteristisch, in der Stadt üblich. **Ur|ba|ni|sa|ti|on** ⟨*lat.-nlat.*⟩ *die; -, -en*: 1. durch städtebauliche Erschließung entstandene moderne Stadtsiedlung (zur Nutzung durch Tourismus od. Industrie). 2. städtebauliche Erschließung. 3. Verstädterung; kulturelle, zivilisatorische Verfeinerung; vgl. ...[at]ion/...ierung. **ur|ba|ni|sie|ren**: 1. städtebaulich erschließen. 2. kulturell, zivilisatorisch verfeinern; verstädtern. **Ur|ba|ni|sie|rung** *die; -, -en*: das Urbanisieren; vgl. ...[at]ion/...ierung. **Ur|ba|nis|tik** *die; -*: Wissenschaft des Städtewesens. **Ur|ba|ni|tät** ⟨*lat.*⟩ *die; -*: 1. Bildung, weltmännische Art. 2. städtische Atmosphäre.

ur|ba|ri|al ⟨*dt.-nlat.*⟩: das Urbarium betreffend. **ur|ba|ri|sie|ren**: (schweiz.) urbar machen. **Ur|ba|ri|um** *das; -s, ...ien*: (im Mittelalter) Grund-, Hypotheken- und Grundsteuerbuch

ur|bi et or|bi ⟨*lat.;* „der Stadt (= Rom) u. dem Erdkreis"⟩: Formel für päpstliche Erlasse u. Segensspendungen, die für die ganze katholische Kirche bestimmt sind; *etw.* **urbi et orbi ver|künden.** etw. aller Welt mitteilen. **Urbs ae|ter|na** [- ε...] *die; - -*: die Ewige Stadt (Rom)

Ur|du ⟨*Hindi*⟩ *das; -*: neuindische Sprache, die in Pakistan als Amtssprache gilt

U|rea ⟨*gr.-nlat.*⟩ *die; -*: Harnstoff (Med.). **U|re|a|se** *die; -, -n*: Harnstoff spaltendes ↑Enzym (Med.). **U|re|at** *das; -[e]s, -e*: ↑Urat

U|re|do|spo|ren ⟨*lat.; gr.*⟩ *die* (Plural): Sommersporen der Rostpilze (Bot.)

U|re|id ⟨*gr.-nlat.*⟩ *das; -[e]s, -e*: vom Harnstoff abgeleitete chemische Verbindung. **U|re|ise** ⟨*gr.*⟩ *die; -*: das Harnen (Med.). **U|re|ter** *der; -s, ...teren* (auch: -): Harnleiter (Med.). **U|re|te|ri|tis** ⟨*gr.-nlat.*⟩ *die; -, ...itiden*: Harn-

leiterentzündung (Med.). **U|re|than** *das; -s, -e*: in vielen Arten vorkommender ↑Ester einer ammoniakhaltigen Säure, der u. a. als Schädlingsbekämpfungs- u. Schlafmittel verwendet wird (Chem.)

U|re|thra* ⟨*gr.-lat.*⟩ *die; -, ...ren*: Harnröhre (Med.). **u|reth|ral** ⟨*gr.-lat.-nlat.*⟩: zur Harnröhre gehörend, sie betreffend (Med.). **U|reth|ral|ero|tik** *die; -*: von sexuellen Lustgefühlen begleitetes Urinieren (Psychoanalyse). **U|reth|ral|gie** ⟨*gr.-nlat.*⟩ *die; -, ...ien*: ↑Urethrodynie. **U|reth|ris|mus** *der; -*: Harnröhrenkrampf (Med.). **U|reth|ri|tis** *die; -, ...itiden*: Harnröhrenentzündung (Med.). **U|reth|ro|dy|nie** *die; -, ...ien*: ↑Neuralgie der Harnröhre (Med.). **U|reth|ror|rhö** *die; -, -en u.* **U|reth|ror|rhöe** [...'rø:] *die; -, -n* [...'rø:ən]: Harnröhrenausfluss (Med.). **U|reth|ro|skop** *das; -s, -e*: Instrument zur Ausleuchtung der Harnröhre (Med.). **U|reth|ro|to|mie** *die; -, ...ien*: äußerer Harnröhrenschnitt (Med.).

u|re|tisch ⟨*gr.-lat.*⟩: harntreibend (Med.)

ur|gent ⟨*lat.*⟩: unaufschiebbar, dringend, eilig. **Ur|genz** ⟨*lat.-mlat.*⟩ *die; -, -en*: Dringlichkeit. **ur|gie|ren** ⟨*lat.*⟩: (bes. österr.) drängen; nachdrücklich betreiben

U|ri|an (Herkunft unbekannt) *der; -s, -e*: a) (veraltet abwertend) unliebsamer Mensch; b) (ohne Plural) der Teufel

U|ri|as|brief ⟨nach dem von David in den Tod geschickten Gemahl der Bathseba, 2. Sam. 11⟩ *der; -[e]s, -e*: Brief, der dem Überbringer Unheil bringt

U|ri|kä|lmie* ⟨*gr.-nlat.*⟩ *die; -, ...ien*: krankhafte Erhöhung der Harnsäure im Blut (Med.). **U|rin** ⟨*lat.*⟩ *der; -s, -e*: von den Nieren abgesonderte Flüssigkeit, die sich in der Blase sammelt u. durch die Harnröhre ausgeschieden wird. **u|ri|nal** das; betreffend, zum Urin gehörend. **U|ri|nal** *das; -s, -e*: 1. Uringlas, Urinflasche. 2. (in Herrentoiletten) an der Wand befestigtes Becken zum Urinieren. **u|ri|nie|ren**: harnen. **u|ri|nös** ⟨*lat.-nlat.*⟩: urinähnlich; harnstoffhaltig

Ur|lin|de (Umbildung aus ↑Urninde) *die; -, -n*: (selten) lesbische Frau, die sexuell die aktive Rolle spielt. **Ur|nin|de** ⟨gelehrte Bildung zum Beinamen

der altgriechischen Liebesgöttin Aphrodite [Urania]⟩ *die; -, -n*: (selten) Frau mit gleichgeschlechtlicher Neigung. **Ur|ning** *der; -s, -e*: ↑Uranist. **ur|nisch**: (selten) gleichgeschlechtlich veranlagt

U|ro|bi|lin ⟨⟨*gr.; lat.*⟩ *nlat.*⟩ *das; -s*: Gallenfarbstoff im Harn. **U|ro|bi|li|no|gen** ⟨*gr.; lat.; gr.*⟩ *das; -s*: Vorstufe des Urobilins. **U|ro|bi|li|no|gen|u|rie*** *die; -, ...ien*: vermehrte Ausscheidung von Urobilinogen im Harn (Med.). **U|ro|bi|lin|u|rie*** *die; -, ...ien*: vermehrte Ausscheidung von Urobilin im Harn (Med.)

U|ro|bo|ros ⟨*gr.;* „Schwanzfresser"⟩ *der; -*: 1. im Symbol der sich in den Schwanz beißenden u. sich selbst zeugenden Schlange dargestellte Ewigkeit. 2. im Symbol der sich in den Schwanz beißenden u. sich selbst zeugenden Schlange dargestelltes ursprüngliches Enthaltensein des Ich im Unbewussten (Psychol.)

U|ro|chel|sie ⟨*gr.-nlat.*⟩ *die; -, ...ien*: Ausscheidung des Harns aus dem After (z. B. bei angeborenen Fehlbildungen; Med.). **U|ro|chrom** *das; -s*: normaler gelber Harnfarbstoff (Med.). **U|ro|dy|nie** *die; -, ...ien*: schmerzhaftes Harnlassen (Med.). **u|ro|ge|ni|tal** ⟨*gr.; lat.*⟩: Harn- u. Geschlechtsorgane betreffend, zu ihnen gehörend (Med.). **U|ro|hä|ma|tin** ⟨*gr.-nlat.*⟩ *das; -s*: Harnfarbstoff. **U|ro|lith** [auch: ...'lɪt] *der; -s u. -en, -e[n]*: Harnstein (Med.). **U|ro|li|thi|a|sis** *die; -, ...iasen*: Neigung zur Harnsteinbildung (Med.). **U|ro|lo|ge** *der; -n, -n*: Facharzt für Krankheiten der Harnorgane. **U|ro|lo|gie** *die; -*: Wissenschaft von den Krankheiten der Harnorgane. **u|ro|lo|gisch**: Krankheiten der Harnorgane betreffend. **U|ro|me|la|nin** *das; -s*: ↑Urohämatin. **U|ro|me|ter** *das; -s, -*: Harnwaage (Med.). **U|ro|my|ze|ten** ⟨*gr.-nlat.*⟩ *die* (Plural): Rostpilze (Erreger von Pflanzenkrankheiten)

U|ro|pe|nie ⟨*gr.-nlat.*⟩ *die; -, ...ien*: verminderte Harnausscheidung (Med.). **U|ro|phil|lie** *die; -*: (bei Tieren) Bekundung freundlicher Regungen durch Harnlassen; Ggs. ↑Uropolemie. **U|ro|pho|bie** *die; -, ...ien*: Angst vor Harndrang zur Unzeit (Med.). **U|ro|pol|le|mie** *die; -*: (bei Tieren) Bekundung feindlicher Regungen durch Harnlassen; Ggs. ↑Urophilie. **U|ro|sep|sis** *die; -, ...sen:* durch Zersetzung des Harns bewirkte Allgemeininfektion (Med.). **U|ro|sko|pie*** *die; -, ...ien:* Harnuntersuchung (Med.)

Ur|pas|sat ⟨*dt.; niederl.*⟩ *der; -[e]s:* Ostwindzone über der tropischen Tiefdruckrinne (Meteor.)

Ur|su|li|ne ⟨nach der hl. Ursula⟩ *die; -, -n* u. **Ur|su|li|ne|rin** *die; -, -nen:* Angehörige eines katholischen Nonnenordens für Jugenderziehung (seit 1535)

Ur|ti|ka ⟨*lat.;* „Nessel, Brennnessel"⟩ *die; -, ...kä:* allergisch bedingtes Ödem der Haut; Quaddel (Med.). **Ur|ti|ka|ria** ⟨*lat.-nlat.*⟩ *die; -:* Nesselfieber, -sucht (Med.)

U|ru|bu ⟨*indian.-span.* u. *port.*⟩ *der; -s, -s:* südamerikanischer Rabengeier

U|sam|ba|ra|veil|chen ⟨nach einem Gebirge in Ostafrika⟩ *das; -s, -:* Zierpflanze mit veilchenähnlichen Blüten u. fleischigen, rundlichen, behaarten Blättern

U|sance [y'sã:s] ⟨*lat.-vulgärlat.-fr.*⟩ *die; -, -n:* Brauch, Gepflogenheit im Geschäftsverkehr. **U|s<u>a</u>nz** *die; -, -en:* (schweiz.) Usance

U|schak ⟨nach der türkischen Stadt⟩ *der; -[s], -s:* dunkelrotod. dunkelblaugrundiger Teppich mit Medaillonmusterung in gedämpften Farben

U|schan|ka ⟨*russ.*⟩ *die; -, -s:* Pelzmütze mit Ohrenklappen

U|scheb|ti ⟨*ägypt.*⟩ *das; -s, -[s]:* altägyptische Grabbeigabe in Form eines mumienförmigen Figürchens aus Holz, Stein, Terrakotta od. Fayence, das die Aufgaben des Toten im Jenseits ausführen sollte

Usch|ki ⟨*russ.*⟩ *die* (Plural): krapfen- od. pastetenartige Speise

U|ser ['ju:zɐ] ⟨*engl.*⟩ *der; -s, -:* 1. (Jargon) Drogenabhängiger. 2. jmd., der mit einem Computer arbeitet, Computerprogramme anwendet (EDV)

U|sie ⟨*gr.-lat.*⟩ *die; -,* Usien: Sein, Wesen, Wesensgehalt (Rel.)

Us|nea bar|ba|ta ⟨*arab.-mlat.; lat.*⟩ *die; - -:* Bartflechte (als Heilmittel verwendete Baumflechte)

U|so ⟨*lat.-it.*⟩ *der; -s:* Gebrauch, Handelsbrauch

Us|ta|scha ⟨*kroat.*⟩ *die; -:* (hist.) kroatische nationalistische Bewegung, die den serbischen Zentralismus in Jugoslawien bekämpfte (1941–45)

Us|taw [us'taf] ⟨*russ.*⟩ *der; -[s], -s:* (veraltet) Statut, ↑ Reglement

Us|til|la|go ⟨*lat.*⟩ *die; -:* Brandpilz (Erreger von Pflanzenkrankheiten)

u|su|ell ⟨*lat.-fr.*⟩: gebräuchlich, üblich, landläufig. **U|su|ka|pi|on** ⟨*lat.*⟩ *die; -, -en:* Ersitzung, Eigentumserwerb durch langen Eigenbesitz (Grundsatz des römischen Rechts). **U|sur** *die; -, -en:* Abnutzung, Schwund von Knochen u. Knorpeln an Stellen, die sehr beansprucht werden (Med.). **U|sur|pa|ti|on** *die; -, -en:* widerrechtliche Inbesitznahme, Anmaßung der öffentlichen Gewalt, gesetzwidrige Machtergreifung. **U|sur|pa|tor** *der; -s, ...oren:* jmd., der widerrechtlich die [Staats]gewalt an sich reißt; Thronräuber. **u|sur|pa|to|risch:** die Usurpation od. den Usurpator betreffend. **u|sur|pie|ren:** widerrechtlich die [Staats]gewalt an sich reißen.

U|sus *der; -:* Gebrauch; Brauch, Gewohnheit, Herkommen, Sitte. **U|sus|fruk|tus** *der; -:* Nießbrauch (Rechtsw.)

¹ut ⟨*lat.(-fr.)*⟩: erste Silbe der ↑ Solmisation (seit 1659 durch ↑ do ersetzt). **²ut** [yt]: franz. Bez. für den Ton c

U|ta ⟨*jap.*⟩ *das; -, -:* ↑ Tanka

U|ten|sil ⟨*lat.*⟩ *das; -s, -ien* (meist Plural): [notwendiges] Gerät, Gebrauchsgegenstand; Hilfsmittel; Zubehör

U|te|ri: *Plural* von ↑ Uterus. **u|te|rin** ⟨*lat.*⟩: zur Gebärmutter gehörend, auf sie bezogen (Med.). **U|te|rus** *der; -, ...ri:* Gebärmutter (Med.)

u|ti|li|sie|ren ⟨*lat.-fr.*⟩: (veraltet) aus etwas Nutzen ziehen. **U|ti|lis|mus** ⟨*lat.-nlat.*⟩ *der; -:* ↑ Utilitarismus. **u|ti|li|tär** ⟨*lat.-fr.*⟩: auf die bloße Nützlichkeit gerichtet. **U|ti|li|ta|ris|mus** *der; -:* ↑ Utilitarist. **U|ti|li|ta|ris|mus** *der; -:* philosophische Lehre, die im Nützlichen die Grundlage des sittlichen Verhaltens sieht u. ideale Werte nur anerkennt, sofern sie dem Einzelnen od. der Gemeinschaft nützen. **U|ti|li|ta|rist** *der; -en, -en:* Vertreter des Utilitarismus. **u|ti|li|ta|ris|tisch:** den Utilitarismus betreffend. **U|ti|li|tät** ⟨*lat.*⟩ *die; -:* (veraltet) Nützlichkeit

ut in|fra* ⟨*lat.*⟩: (veraltet) wie unten; Abk.: u. i.

U|to|pia ⟨*gr.-fr.;* „Land, das nirgends ist"; von Utopia, dem Titel eines Romans v. Th. Morus⟩ *das; -s:* Traumland, erdachtes Land, wo ein gesellschaftlicher Ideal-

zustand herrscht. **U|to|pie** *die; -, ...ien:* als unausführbar geltender Plan; Idee ohne reale Grundlage. **U|to|pi|en** *das; -s* (meist ohne Artikel): ↑ Utopia. **u|to|pisch:** nur in der Vorstellung, Fantasie möglich, mit der Wirklichkeit [noch] nicht vereinbar, nicht durchführbar; fantastisch. **U|to|pis|mus** ⟨*gr.-fr.-nlat.*⟩ *der; -, ...men:* 1. utopisches Denken. 2. utopische Vorstellung. **U|to|pist** *der; -en, -en:* jmd., der utopische Pläne u. Ziele hat

Ut|ra|quis|mus* ⟨*lat.-nlat.*⟩ *der; -, -en:* 1. Bildungskonzept, nach dem gleichermaßen geisteswissenschaftliche (humanistische) u. naturwissenschaftliche Bildungsinhalte vermittelt werden sollen. 2. Lehre der ↑ Utraquisten. **Ut|ra|quist** *der; -en, -en:* (hist.) Anhänger der hussitischen ↑ Kalixtiner, die das Abendmahl in beiderlei Gestalt (↑ sub utraque specie) zu empfangen forderten. **ut|ra|quis|tisch:** den Utraquismus, die Utraquisten betreffend

Ut|ri|cu|la|ria* ⟨*lat.-nlat.*⟩ *die; -:* Wasserschlauch, Wasserhelm (gelb blühende Wasserpflanze kalkarmer Gewässer)

Ut|rum* ⟨*lat.*⟩ *das; -s, ...tra:* gemeinsame Form für das männliche u. weibliche Genus von Substantiven (z. B. im Schwedischen; Sprachw.)

ut sup|ra* ⟨*lat.*⟩: wie oben, wie vorher [zu singen, zu spielen] (Mus.); Abk.: u. s.

Ut|te|rance ['ʌtərəns] ⟨*engl.*⟩ *die; -, -s* [...sız]: aktuelle Realisierung eines Satzes in der Rede (amerik. Sprachw.); vgl. ¹Parole

UV = ultraviolett

U|va|gras ⟨*indian.-span.; dt.*⟩ *das; -es, ...gräser:* Silber- od. Pampasgras

U|val|la ⟨*serbokroat.*⟩ *die; -, -s:* große, flache ↑ Doline (Geogr.)

U|vi|ol|glas ® ⟨Kurzw. aus: ultraviolett u. Glas⟩ *das; -es:* für das Durchlassen ultravioletter Strahlen besonders geeignete Glasart

U|vu|la ⟨*lat.-mlat.*⟩ *die; -, ...lae* [...lɛ]: Gaumenzäpfchen (Med.). **u|vu|lar** ⟨*lat.-mlat.-nlat.*⟩: mit dem Halszäpfchen gebildet (von Lauten; Sprachw.). **U|vu|lar** *der; -s, -e:* Halszäpfchenlaut (z. B. Zäpfchen-R)

U|wa|ro|wit [auch: ...'vit] ⟨*nlat.*⟩ nach dem russischen Staatsmann Uwarow, 1786–1855⟩ *der; -s, -e:* ein Mineral

Va|banque, auch: **va banque** [va-'bã:k, auch: va'baŋk] ⟨fr.; „es gilt die Bank“⟩: in der Wendung: **Vabanque,** auch: **va banque spielen:** 1. (beim Glücksspiel) in riskanter Weise um die gesamte Bank, den gesamten Geldeinsatz spielen. 2. ein sehr hohes Risiko eingehen, alles auf eine Karte setzen. **Va|banque|spiel** *das;* -[e]s: hohes Risiko, Wagnis **va|cat** *(lat.;* „es fehlt“): (veraltet) [etw. ist] nicht vorhanden, leer; [es] fehlt; vgl. Vakat **Vac|ci|nal|ti|on** [vaktsi...] vgl. Vakzination. **Vac|ci|ne** vgl. Vakzine. **Vachel|le|der** ['vaʃ...] *(lat.-fr.; dt.) das;* -s: biegsames Leder für leichte Schuhe, Brandsohlen od. Schuhkappen. **Va|che|rin** [vaʃə'rɛ̃] *(fr.) der;* -, -s: 1. sahniger Weichkäse aus der Schweiz. 2. Süßspeise aus Meringen, Eis u. Sahne. **Va|chet|ten** *die* (Plural): leichtere Lederarten für Taschen u. a. **Va|de|me|kum** *(lat.;* „geh mit mir!“) *das;* -s, -s: Taschenbuch, Leitfaden, Ratgeber **Va|di|um** *(germ.-mlat.) das;* -s, ...ien: (hist.) Gegenstand (z. B. Halm, Stab), der beim Abschluss eines Schuldvertrags als Symbol dem Gläubiger übergeben u. gegen Zahlung der Schuld zurückgegeben wurde (Rechtsw.). **va|dos** *(lat.):* durch Versickerung von Niederschlägen u. aus Oberflächengewässern gebildet (vom Grundwasser; Geol.) **vae vic|tis!** ['vɛ: vɪkti:s] *(lat.;* „wehe den Besiegten!“; Ausspruch des Gallierkönigs Brennus nach seinem Sieg über die Römer 390 v. Chr.): einem Unterlegenen geht es schlecht **vag** vgl. vage. **Va|ga|bon|da|ge** [...'daːʒə] *(lat.-fr.) die;* -: Landstreicherei, Herumtreiberei. **Va|ga|bund** *der;* -en, -en: Landstreicher, Herumtreiber. **va|ga|bun|die|ren:** herumstrolchen, sich herumtreiben. **Va|gans** *(lat.):* ↑Quintus. **Va|gant** *der;* -en, -en: umherziehender, fahrender Student od. Kleriker im Mittelalter; Spielmann. **va|ge** u. vag *(lat.-fr.):* unbestimmt, ungewiss, unsicher; dunkel, verschwommen. **va|gie|ren** *(lat.):* (veraltet, noch landsch.) beschäftigungslos umherziehen; sich unstet, unruhig bewegen. **Va|gi|li|tät** *die;* -: Fähigkeit eines Organismus, die Grenzen des Biotops zu überschreiten **Va|gi|na** *(lat.) die;* -, ...nen: 1. (Med.) a) aus Haut u. Bindegewebe- od. Muskelfasern bestehende Gleithülle od. Kanal; b) weibliche Scheide. 2. Blattscheide (Bot.). **va|gi|nal** *(lat.-nlat.):* zur Vagina gehörend (Med.). **Va|gi|nis|mus** *der;* -, ...men: Scheidenkrampf (Med.). **Va|gi|ni|tis** *die;* -, ...itjden: Scheidenentzündung, -katarrh (Med.). **Va|gi|no|sko|pie*** *(lat.; gr.) die;* -, ...ien: ↑Kolposkopie **Va|go|to|mie** *(lat.; gr.) die;* -, ...ien: Durchschneidung des Vagus (Med.). **Va|go|to|nie** *die;* -, ...ien: erhöhte Erregbarkeit des parasympathischen Systems, Übergewicht über den Sympathikus (Med.). **Va|go|to|ni|ka:** *Plural* von ↑Vagotonikum. **Va|go|to|ni|ker** *der;* -s, -: an Vagotonie Leidender (Med.). **Va|go|to|ni|kum** *das;* -s, ...ka: das parasympathische Nervensystem anregendes Mittel (Med.). **va|go|trop*:** auf den Vagus wirkend, ihn steuernd (Med.). **Va|gus** *(lat.;* „umherschweifend“⟩ *der;* -: Hauptnerv des parasympathischen Systems (Med.). **Vaish|ya** ['vaiʃja]: ↑Waischja **Vaj|ra|ya|na** [vadʒra'jana]: ↑Vadschrajana **val|kant** *(lat.):* frei, unbesetzt, offen; erledigt. **Va|kanz** *(lat.-mlat.) die;* -, -en: 1. freie Stelle. 2. (landsch.) Ferien. **va|kat** vgl. vacat. **Va|kat** *(lat.) das;* -[s], -s: leere Seite (Druckw.). **Va|kua:** *Plural* von ↑Vakuum. **Va|ku|o|le** *(lat.-nlat.) die;* -, -n: mit Flüssigkeit od. Nahrung gefülltes Bläschen im Zellplasma besonders der Einzeller (Biol.). **Va|ku|um** *(lat.) das;* -s, ...kua od. ...kuen: 1. a) nahezu luftleerer Raum; b) Zustand des geringen Drucks in einem Vakuum (1 a). 2. unausgefüllter Raum, Leere. **va|ku|mie|ren** *(lat.-nlat.):* Flüssigkeiten bei vermindertem Luftdruck verdampfen. **Va|ku|um|me|ter** *(lat.; gr.) das;* -s, -: Luftdruckmesser für kleine Drücke **Vak|zin** *(lat.;* „von Kühen, Kuh...“⟩ *das;* -s, -e: ↑Vakzine. **Vak|zi|na|ti|on** *(lat.-nlat.) die;* -, -en: 1. [Pocken]schutzimpfung. 2. (hist.) Impfung mit Kuhpockenlymphe (Med.). **Vak|zi|ne** *(lat.) die;* -, -n: Impfstoff aus lebenden od. toten Krankheitserregern (Med.). **vak|zi|nie|ren** *(lat.-nlat.):* mit einer Vakzine impfen **Val** ⟨Kurzw. aus: Äquivalent⟩ *das;* -s: (früher) dem Äquivalentgewicht entsprechende Grammmenge eines Stoffes. **va|le!** *(lat.):* (veraltet) leb wohl! **Va|le|dik|ti|on** *(lat.-nlat.) die;* -, -en: (veraltet) a) Abschiednehmen; b) Abschiedsrede. **va|le|di|zie|ren** *(lat.):* Lebewohl sagen, Abschied nehmen; die Abschiedsrede halten. **Va|lenz** *die;* -, -en: 1. chemische Wertigkeit. 2. Entfaltungsstärke der einzelnen, nicht geschlechtsbestimmenden, aber auf die Ausbildung der Geschlechtsorgane wirkenden Geschlechtsfaktoren in den Chromosomen u. im Zellplasma (Biol.). 3. Fähigkeit eines Wortes, ein anderes semantisch-syntaktisch an sich zu binden, bes. Fähigkeit eines Verbs, eine bestimmte Zahl von Ergänzungen zu fordern (Sprachw.). 4. (bei Tieren) Aufforderungscharakter, den Objekte der Wahrnehmung besitzen (Psychol.). **Va|lenz|elekt|ron*** *das;* -s, -en (meist Plural): Außenelektron, das für die chemische Bindung verantwortlich ist. **Va|lenz|zahl** *die;* -, -en: die den Atomen bzw. Ionen in chemischen Verbindungen zuzuordnende Wertigkeit. **Val|le|ri|ja|na** *(lat.-mlat.) die;* -, nen: Baldrian. **Val|le|ri|at** *(lat.-mlat.-nlat.) das;* -[e]s, -e: Salz der Valeriansäure (Baldriansäure) **¹Val|let** [auch: ...le't] *(lat.) das;* -s, -s: (veraltet) Lebewohl **²Val|let** [va'le:] *(gall.-galloroman.-fr.) der;* -s: Bube im französischen Kartenspiel **val|le|te!** *(lat.):* (veraltet) lebt wohl! **Val|leur** [va'lø:ɐ̯] *(lat.-fr.;* „Wert“⟩ *der;* -s, -s: 1. (veraltet) Wertpapier. 2. (meist Plural) Ton-, Farbwert, Abstufung von Licht u. Schatten (Malerei). **val|lid** *(lat. (fr.)):* 1. kräftig, gesund. 2. rechtskräftig. **Va|li|da|ti|on** *(lat.-nlat.) die;* -, -en: Gültigkeitserklärung. **va|li|die|ren** *(lat.):* etw. für rechtsgültig erklären, geltend machen, bekräftigen. **Va|li|di|tät** *die;* -: 1. Rechtsgültigkeit. 2. Gültigkeit eines wissenschaftlichen Versuchs. 3. Übereinstimmung eines Ergebnisses [einer Meinungsumfrage] mit dem tatsächlichen Sachverhalt (Soziol.; Psychol.). **Va‖lin** ⟨Kunstw.⟩ *das;* -s: für das Nerven- und Muskelsystem besonders wichtige Aminosäure

Val‖lis‖ne‖ria ⟨*nlat.; nach dem ital. Botaniker Antonio Vallisneri, 1661–1730*⟩ *die;* -, ...ien: Sumpfschraube (eine Aquarienpflanze)

Va‖lor ⟨*lat.*⟩ *der;* -s: (veraltet) Wert, Gehalt (Wirtsch.). **Va‖loren** *die* (Plural): Wertsachen, Schmucksachen, Wertpapiere. **Va‖lo‖ri‖sa‖ti‖on** ⟨*lat.-nlat.*⟩ *die;* -, -en: staatliche Preisbeeinflussung zugunsten der Produzenten. **va‖lo‖ri‖sie‖ren**: Preise durch staatliche Maßnahmen zugunsten der Produzenten beeinflussen

Val‖po‖li‖cel‖la [...'tʃɛla] ⟨*nach der italienischen Landschaft Valpolicella*⟩ *der;* -[s]: italienischer Rotwein aus Venetien

Va‖lu‖ta ⟨*lat.-it.*⟩ *die;* -, ...ten: 1. a) ausländische Währung; b) Geld, Zahlungsmittel ausländischer Währung. 2. Wert, Gegenwert. 3. Wertstellung im Kontokorrent. 4. (nur Plural): Zinsscheine von ausländischen od. auf fremde Währung lautenden Wertpapieren. **Va‖lu‖ta‖klau‖sel** *die;* -, -n: 1. Klausel auf Wechseln, die bedeutet, dass der Remittent in bar bezahlt hat. 2. Wertsicherungsklausel, durch die eine Schuld nach dem Kurs einer bestimmten ausländischen Währung festgelegt ist. **Va‖lu‖ten** *Plural* von ↑ Valuta. **va‖lu‖tie‖ren** ⟨*lat.-it.-nlat.*⟩: 1. a) eine Wertstellung festsetzen; b) (einen durch eine Hypothek od. Grundschuld gesicherten Betrag) tatsächlich zur Verfügung stellen u. dadurch (aus der Sicht des Schuldners) tatsächlich schulden. 2. dem Wert nach bestimmen, bewerten, abschätzen. **Val‖va‖ti‖on** ⟨*lat.-fr.*⟩ *die;* -, -en: Schätzung des Wertes einer Sache, bes. von Münzen. **val‖vie‖ren** ⟨*lat.-fr.*⟩: (veraltet) valutieren

Vamp [vɛmp] ⟨*serb.-dt.-fr.-engl.*⟩ *der;* -s, -s: verführerische, erotisch anziehende, oft kühl berechnende Frau (bes. als Typ des amerikanischen Films). **Vam‖pir** [auch: 'piːɐ] ⟨*serb.*⟩ *der;* -s, -e: 1. Blut saugendes Gespenst des südosteuropäischen Volksglau-

bens. 2. Wucherer, Blutsauger. 3. amerikanische Blut saugende Fledermausgattung. **Vam‖pi‖rismus** ⟨*serb.-nlat.*⟩ *der;* -: durch Verschlingungstrieb u. Verschmelzungsdrang bedingte Form des Sadismus

Va‖na‖dat ⟨*altnord.-nlat.*⟩ *das;* -[e]s, -e: Salz der Vanadinsäure (Chem.). **Va‖na‖din** u. Vanadium *das;* -s: chem. Element; ein Metall (Zeichen: V). **Va‖na‖di‖nit** [auch: ...'nɪt] *der;* -s: Vanadiumerz. **Va‖na‖di‖um** vgl. Vanadin

Van-Al‖len-Gür‖tel [væn'ælın...] ⟨*nach dem amerik. Physiker J. A. van Allen, geb. 1914*⟩ *der;* -s: Strahlungsgürtel um den Äquator der Erde in großer Höhe

Van‖da‖le usw. vgl. Wandale usw. **va‖nil‖le** [va'nɪljə, va'nɪlə] ⟨*lat.-span.-fr.*⟩: hellgelb, blassgelb. **Va‖nil‖le** (⟨„kleine Scheide, kleine Schote"⟩ *die;* -: zu den Orchideen gehörende mexikanische Pflanze, aus deren Schoten ein aromatisch duftendes Gewürz für Süßspeisen gewonnen wird. **Va‖nil‖lin** ⟨*lat.-span.-fr.-nlat.*⟩ *das;* -s: bes. in den Früchten bestimmter Arten der Vanille vorkommende Substanz, die bes. als Riech- u. Aromastoff verwendet wird

va‖ni‖tas va‖ni‖ta‖tum ⟨*lat.*⟩: alles ist eitel

Va‖peurs [va'pøːɐs] ⟨*lat.-fr.*⟩ *die* (Plural): (veraltet) 1. Blähungen. 2. Launen, üble Laune. **Va‖po‖ret‖to** ⟨*lat.-it.*⟩ *das;* -s, -s u. ...tti: Dampfboot, kleines Motorboot (in Italien). **Va‖po‖ri‖me‖ter** ⟨*lat.; gr.*⟩ *das;* -s, -: (veraltend) Gerät zur Bestimmung des Alkoholgehaltes in Flüssigkeiten, bes. in Wein u. Bier. **Va‖po‖ri‖sa‖ti‖on** ⟨*lat.-nlat.*⟩ *die;* -, -en: 1. (veraltend) das Vaporisieren. 2. (früher) Anwendung von Wasserdampf zur Blutstillung (bes. im Bereich der Gebärmutter; Med.); vgl. ...[at]ion/...ierung. **va‖po‖ri‖sie‖ren** ⟨*veraltend*⟩: 1. verdampfen. 2. den Alkoholgehalt in Flüssigkeiten bestimmen. **Va‖po‖ri‖sie‖rung** *die;* -, -en: ↑ das Vaporisieren; vgl. ...[at]ion/...ierung

Va‖que‖ro [va'keːro, span.: ba'kero] ⟨*lat.-span.*⟩ *der;* -[s], -s: Cowboy (im Südwesten der USA u. in Mexiko)

Va‖ria ⟨*lat.*⟩ *die* (Plural): Vermischtes, Verschiedenes, Allerlei (bes. Buchw.). **va‖ri‖a‖bel** ⟨*lat.-fr.*⟩: nicht auf nur eine Möglichkeit beschränkt; veränderbar, [ab]wandelbar. **Va‖ri‖a‖bi‖li-**

tät *die;* -, -en: das Variabelsein. **Va‖ri‖ab‖le** * *die;* -n, -n (fachspr. ohne Artikel meist: -): 1. veränderliche Größe (Math.; Physik); Ggs. ↑ Konstante. 2. [Symbol für] ein beliebiges Element aus einer vorgegebenen Menge (Logik). **va‖ri‖ant**: bei bestimmter Umformung veränderlich (Math.). **Va‖ri‖an‖te** *die;* -, -n: 1. leicht veränderte Art, Form von etw.; Abwandlung, Abart, Spielart. 2. abweichende Lesart einer Textstelle bei mehreren Fassungen eines Textes (Literaturw.). 3. Wechsel von Moll nach Dur (u. umgekehrt) durch Veränderung der großen Terz in eine kleine (u. umgekehrt) im Tonikadreiklang (Mus.). **Va‖ri‖anz** ⟨*lat.*⟩ *die;* -, -en: 1. Veränderlichkeit bei bestimmten Umformungen (Math.). 2. Maß für die Größe der Abweichung von einem Mittelwert (Statistik). **va‖ri‖a‖tio de‖lec‖tat**: Abwechslung macht Freude. **Va‖ri‖a‖ti‖on** ⟨*lat.-fr.*⟩ *die;* -, -en: 1. a) das Variieren; Veränderung, Abwandlung; b) das Variierte, Veränderte, Abgewandelte. 2. melodische, harmonische od. rhythmische Abwandlung eines Themas (Musik). 3. Abweichung von der Norm im Erscheinungsbild bei Individuen einer Art (Biol.). 4. geordnete Auswahl, Anordnung von Elementen unter Beachtung der Reihenfolge (Math.). **va‖ri‖a‖tiv**: Variationen aufweisend. **Va‖ri‖a‖tor** ⟨*lat.-nlat.*⟩ *der;* -s, ...oren: ↑ Variometer (5). **Va‖ri‖e‖tät** ⟨*lat.*⟩ *die;* -, -en: a) Ab-, Spielart (Bez. der biologischen Systematik für geringfügig abweichende Formen einer Art); Abk.: var.; b) sprachliche Variante. **Va‖ri‖e‖tee**, auch: **Va‖ri‖e‖té** [...'teː] ⟨*lat.-fr.*⟩ *das;* -s, -s: Theater mit bunt wechselndem Programm artistischer, tänzerischer u. gesanglicher Darbietungen. **va‖ri‖ie‖ren**: verschieden sein; verändern, abwandeln (bes. ein Thema in der Musik)

va‖ri‖kös ⟨*lat.*⟩: krampfaderig (Med.). **Va‖ri‖ko‖se** *die;* -, -n: ↑ Krampfaderleiden. **Va‖ri‖ko‖si‖tät** ⟨*lat.-nlat.*⟩ *die;* -, -en: Anhäufung von Krampfadern, Krampfaderbildung (Med.). **Va‖ri‖ko‖zele** ⟨*lat.; gr.*⟩ *die;* -, -n: Krampfaderbruch (Med.)

Va‖ri‖nas [auch: va'riːnas] ⟨*nach der Stadt Barinas in Venezuela*⟩ *der;* -: südamerikanische Tabaksorte

Va‖ri‖o‖graph, auch: Variograf

〈lat.; gr.〉 der; -en, -en: Gerät, das die Werte eines Variometers (1, 2, 4) selbsttätig aufzeichnet. **Va|ri|o|la** 〈lat.-mlat.〉 die; -, ...lä u. ...o̱len u. **Variole** die; -, -n (meist Plural): Pocken, [schwarze] Blattern (Med.). **Va|ri|o̱|le** vgl. Variola. **Va|ri|o|me̱|ter** 〈lat.; gr.〉 das; -s, -: 1. Gerät zur Bestimmung kleinster Luftdruckschwankungen innerhalb kurzer Zeitabschnitte (Meteor.). 2. Gerät zur Beobachtung der erdmagnetischen Schwankungen. 3. Spulenanordnung mit stetig veränderbarer Selbstinduktion zur Frequenzabstimmung in Hochfrequenzgeräten (Phys.). 4. Gerät zur Bestimmung der Steig- od. Sinkgeschwindigkeit von Flugzeugen. 5. Messgerät für Selbstinduktionen bei Wechselströmen (Phys.). **Va|ri|o|ob|jek|tiv** das; -s, -e; Zoomobiektiv **va|ris|kisch** u. **va|ris|tisch** u. **va|ris|zisch** 〈mlat.-nlat.; nach dem germanischen Volksstamm der Varisker im Vogtland〉: sich in Südwest-Nordost-Richtung erstreckend (von Gebirgen) **Va|ris|tor** 〈lat.-engl.〉 der; -s, ...o̱ren: Widerstand, dessen Leitwert mit steigender Spannung wächst (Phys.) **Va|ris|zit** [auch: ...'tsit] 〈nlat.〉 vom Namen des germanischen Volksstammes der Varisker im Vogtland〉 der; -s, -e: ein Mineral, grünes Tonerdephosphat **Va|rix** 〈lat.〉 die; -, Vari̱zen: Krampfader, Venenknoten (Med.). **Va|ri|ze** die; -, -n: ↑ Varix. **Va|ri|ze̱l|le** 〈lat.-nlat.〉 die; -, -n (meist Plural)· Windpocke (Med.). **Va|ri|zen** Plural von ↑ Varix **Var|so|vi|enne** [varzo'vi̯ɛn] 〈fr.〉 „Warschauer (Tanz)") die; -, -n [...nən]: polnischer Tanz im mäßig schnellen $^3/_4$-Takt **va|sal** 〈lat.-nlat.〉: die [Blut]gefäße betreffend (Med.) **Va|sall** 〈gall.-mlat.-fr.〉 der; -en, -en: mittelalterlicher Lehnsmann; Gefolgsmann. **va|sal|lisch**: einen Vasallen od. die Vasallität betreffend. **Va|sal|li|tät** 〈gall.-mlat.-fr.-nlat.〉 die; -: (hist.) Verhältnis eines Vasallen zum Lehnsherrn **Va|sal|lteil** 〈lat.-nlat.; dt.〉 der; -s, -e: ↑ Xylem. **Va̱|se** 〈lat.-fr.〉 die; -, -n: (aus Glas, Porzellan o. Ä.) oft kunstvoll gearbeitetes offenes Gefäß, in das u. a. Schnittblumen gestellt werden. **Va|sek|to|mie̱***

〈lat.; gr.〉 die; -, ...i̱en: ↑ Vasoresektion **Va|sel|li̱n** das; -s: ↑ Vaseline. **Va|se|li̱|ne** 〈Kunstw. aus dt. Wasser u. gr. elaion „Öl") die; -: aus Rückständen der Erdöldestillation gewonnene Salbengrundlage für pharmazeutische, kosmetische u. a. Zwecke **vas|ku|la̱r, vas|ku|lär** 〈lat.-nlat.〉: zu den Blutgefäßen gehörend, sie enthaltend (Med.). **Vas|ku|la|ri|sa|ti|o̱n** die; -, -en: Bildung von Blutgefäßen (Med.). **vas|ku|lo̱s**: gefäßreich (Med.). **Va|so|di|la|ta̱|tor** der; -s, ...o̱ren: gefäßerweiternder Nerv (Med.). **Va|so|kon|strik|tor*** der; -s, ...o̱ren: gefäßverengender Nerv (Med.). **Va|so|li|ga|tu̱r** die; -, -en: Unterbindung von Blutgefäßen (Med.). **Va|so|mo|to|ren** die (Plural): Gefäßnerven (Med.). **va|so|mo|to|risch**: die Gefäßnerven betreffend (Med.). **Va|so|neu|ro̱|se** 〈lat.; gr.〉 die; -, -n: Neurose der Gefäßnerven; Gefäßlabilität (Med.). **Va|so|ple|gie̱*** die; -, ...i̱en: Gefäßlähmung (Med.). **Va|so|pres|si̱n*** das; -s: Hormon mit blutdrucksteigernder Wirkung (Med.). **Va|so|re|sek|ti|o̱n** die; -, -en: (Med.) 1. operative Entfernung eines Stückes des Samenleiters des Mannes (z. B. zur Sterilisation). 2. operative Entfernung eines Teils eines Blutgefäßes. **Va|so|to|mi̱e** die; -, ...i̱en: (Med.) 1. operative Durchtrennung des Samenleiters. 2. operative Durchtrennung eines Blutgefäßes **Vas|ta|ti|o̱n** 〈lat.〉 die; -, -en: (veraltet) Verwüstung **Va|ti|ka̱n** 〈lat. mlat.; nach der Lage auf dem Mons Vaticanus, einem Hügel in Rom〉 der; -s: 1. Papstpalast in Rom. 2. oberste Behörde der katholischen Kirche. **va|ti|ka̱|nisch**: zum Vatikan gehörend. **Va|ti|ka̱|num** das; -s: erstes (1869/70) u. zweites (1962–1965) in der Peterskirche zu Rom abgehaltene allgemeines Konzil der katholischen Kirche **Vau|de|ville** [vodə'vi:l, vod'vil] 〈fr.; nach dem romanischen Tal Vau de Vire〉 das; -s, -s: 1. (um 1700) populäre Liedeinlage in französischen Singspielen. 2. (im frühen 18. Jh.) burleskes od. satirisches, Aktualitäten behandelndes französisches Singspiel. 3. abschließender Rundgesang, Schlussensemble zunächst in der französischen Opéra comique,

später auch in der Oper u. im deutschen Singspiel. 4. in den USA szenische Darbietung kabarettistischen Charakters mit Chansons, Tanz, Akrobatik u. a. **va|zie̱|ren** 〈lat.〉: (veraltet) [dienst]frei sein; unbesetzt sein **Ve̱|da** vgl. Weda **Ve|de̱t|te** 〈lat.-span.-it.-fr.〉 die; -, -n: 1. (hist.) vorgeschobener Reiterposten; Feldwache. 2. (selten) berühmter [Film]schauspieler **ve|disch** vgl. wedisch **Ve|du̱|te** 〈lat.-it.〉 die; -, -n: naturgetreue Darstellung einer Landschaft (Malerei) **ve|ga̱n** 〈lat.-engl.〉: den Veganismus betreffend, zu ihm gehörend, ihm folgend. **Ve|ga̱|ner** der; -s, -: strenger Vegetarier, der auf tierische Produkte in jeder Form verzichtet. **Ve|ga|nis|mus** der; -: strenger Vegetarismus, dessen Anhänger auf tierische Produkte in jeder Form verzichten. **ve|ge|ta̱|bil**: ↑ vegetabilisch. **Ve|ge|ta|bi|li|en** 〈lat.〉 die (Plural): pflanzliche Nahrungsmittel. **ve|ge|ta|bi|lisch**: pflanzlich. **Ve|ge|ta̱|ri|a̱ner** der; -s, -: ↑ Vegetarier. **Ve|ge|ta|ri|a̱|nis|mus** der; -: ↑ Vegetarismus. **Ve|ge|ta̱|ri|er** 〈lat.-mlat.-engl.〉 der; -s, -: jmd., der ausschließlich od. vorwiegend pflanzliche Nahrung zu sich nimmt. **ve|ge|ta̱|risch**: (in Bezug auf die Ernährungsweise) pflanzlich, dem Vegetarismus entsprechend, auf ihm beruhend. **Ve|ge|ta|ris|mus** 〈lat.-mlat.-engl.-nlat.〉 der; -: Ernährung ausschließlich von Pflanzenkost, meist aber ergänzt durch Eier u. Milchprodukte. **Ve|ge|ta|ti|o̱n** 〈lat.〉 die; -, -en: 1. Gesamtheit des Pflanzenbestandes [eines bestimmten Gebietes]. 2. Wucherung des lymphatischen Gewebes (Med.). **Ve|ge|ta|ti|ons|ke|gel** der; -s, -: Wachstumszone der Wurzel- u. Sprossspitze einer Pflanze (Bot.). **Ve|ge|ta|ti|ons|or|gan** das; -s, -e: Teil einer Pflanze, der der Erhaltung des Organismus u. nicht der Fortpflanzung dient (z. B. Blätter u. Wurzeln; Bot.). **Ve|ge|ta|ti|ons|pe|ri|o̱|de** die; -, -n: Zeitraum des allgemeinen Wachstums der Pflanzen innerhalb eines Jahres. **Ve|ge|ta|ti|ons|punkt** der; -[e]s, -e: ↑ Vegetationskegel. **ve|ge|ta̱|tiv** 〈lat. mlat.〉: 1. pflanzlich, pflanzenhaft. 2. ungeschlechtlich (Biol.). 3. dem Willen nicht unterliegend (von Nerven; Med.; Biol.). **ve-**

ge|tie|ren ⟨lat.⟩: 1. kümmerlich, kärglich [dahin]leben. 2. nur in der vegetativen (2) Phase leben (von Pflanzen; Biol.)

ve|he|ment ⟨lat.⟩: heftig, ungestüm, stürmisch; leidenschaftlich. Ve|he|menz die; -: Heftigkeit, Ungestüm; Schwung, Elan.

Ve|hi|kel ⟨lat.⟩ das; -s, -: 1. Hilfsmittel; etw., was als Mittel dazu dient, etw. anderes deutlich, wirksam werden zu lassen, zu ermöglichen. 2. (ugs.) [altes, schlechtes] Fahrzeug. 3. wirkungsloser Stoff in Arzneien, in dem die wirksamen Stoffe gelöst od. verteilt sind (Med.). Vek|tor ⟨„Träger, Fahrer"⟩ der; -s, ...oren: Größe, die durch Pfeil dargestellt wird u. durch Angriffspunkt, Richtung u. Betrag festgelegt werden kann (Math.; Physik). Vek|tor|feld das; -es, -er: Gesamtheit von Punkten im Raum, denen ein Vektor zugeordnet ist (Math.). vek|to|ri|ell ⟨lat.-nlat.⟩: den Vektor, die Vektorrechnung betreffend (Math.). Vek|tor|kar|di|o|gra|phie, auch: ...grafie die; -, ...jen: Aufzeichnung der Veränderungen der Stärke u. Richtung der Aktionsströme der Herzmuskelfasern während der Herzaktion (Med.)

Ve|la: Plural von ↑ Velum

Ve|la|men ⟨lat.; „Hülle, Decke"⟩ das; -s, -: schwammige Hülle vieler Luftwurzeln zur Wasseraufnahme (Bot.). ve|lar: am Velum (4) gebildet (von Lauten; Sprachw.). Ve|lar der; -s, -e: Gaumensegellaut, [Hinter]gaumenlaut (z. B. k)

Ve|lin [auch: ve'lɛ̃:] ⟨lat.-fr.⟩ das; -s: 1. (früher) feines, weiches Pergament. 2. glattes Papier ohne Warenzeichen

Vel|le|i|tät ⟨lat.-mlat.-fr.⟩ die; -, -en: kraftloses, zögerndes Wollen (Philos.)

Ve|lo ⟨Kurzw. aus: Veloziped⟩ das; -s, -s: (schweiz.) Fahrrad. ve|lo|ce [ve'lo:tʃə] ⟨lat.-it.⟩: behände, schnell, geschwind (Vortragsanweisung; Mus.). Ve|lo|drom* ⟨(lat.-fr.; gr.⟩ fr.⟩ das; -s, -e: [geschlossene] Radrennbahn

¹Ve|lours [va'lu:ɐ̯, auch: ve...] ⟨lat.-provenzal.-fr.⟩ der; - [...lu:ɐ̯s], - [...lu:ɐ̯s]: 1. franz. Bez. für: Samt. 2. Gewebe mit gerauter, weicher, samt- od. plüschartiger Oberfläche. ²Ve|lours das; - [...lu:ɐ̯s], - [...lu:ɐ̯s]: ↑ Veloursleder. Ve|lours|le|der das; -s, -: Leder, dessen Oberfläche durch

Schleifen ein samtartiges Aussehen hat. Ve|lours|tep|pich der; -s, -e: kettgemusterter, gewebter Teppich. ve|lou|tie|ren [vəlu..., auch: velu...]: (die Lederoberfläche) abschleifen u. dadurch aufrauen. Ve|lou|tine [...'ti:n] ⟨lat.-provenzal.-fr.⟩ der; -[s], -s: 1. feiner, weicher Halbseidenrips. 2. samtartig gerauter Flanell

Ve|lo|zi|ped ⟨lat.-fr.⟩ das; -[e]s, -e: (veraltet) Fahrrad. Ve|lo|zi|pe|dist der; -en, -en: (veraltet) Radfahrer

Vel|pel ['fɛlp] vgl. Felbel

Velt|li|ner ⟨nach der italienischen Landschaft Veltlin⟩ der; -s: 1. Traubensorte, Rebsorte. 2. Weinsorte

Ve|lum ⟨lat.; „Hülle; Segel"⟩ das; -s, Vela: 1. Vorhang od. Teppich, im altrömischen Haus zum Bedecken der Türen, in Säulenhallen als Schutz gegen die Sonne. 2. Seiden- od. Leinentuch zur Bedeckung der Abendmahlsgeräte in der katholischen Kirche. 3. Schultertuch in der katholischen Priestergewandung. 4. Gaumensegel, weicher Gaumen, wo die Velare gebildet werden (Sprachw.). 5. (Biol.). a) Wimperkranz der Larven von Schnecken u. Muscheln; b) Randsaum der Quallen; c) Hülle vieler junger Blätterpilze. Ve|lum pa|la|ti|num das; - -, ...la ...na: Gaumensegel (Anat.; Sprachw.).

Vel|vet ⟨lat.-vulgärlat.-fr.-engl.⟩ der od. das; -s, -s: Baumwollsamt mit glatter Oberfläche

Ven|de|mi|aire [vãde'mjɛ:ʀ] ⟨lat.-fr.; „Weinmonat"⟩ der; -[s], -s: erster Monat des französischen Revolutionskalenders (22. September bis 21. Oktober)

Ven|det|ta ⟨lat.-it.⟩ die; -, ...tten: ital. Bez. für: Blutrache

Ve|ne ⟨lat.⟩ das; -, -n: Blutgefäß, das das Blut zum Herzen hinführt; Med.)

Ve|ne|fi|ci|um ⟨lat.⟩ das; -s; ...cia: Giftmord (Med.)

Ve|nek|ta|sie* ⟨lat.; gr.⟩ die; -, ...ien: auf Erschlaffen der Gefäßwände beruhende Venenerweiterung (Med.)

Ve|na: Plural von ↑ Venenum. ve|ne|nös ⟨lat.⟩: giftig (Med.). Ve|ne|num das; -s, ...na: Gift (Med.)

ve|ne|ra|bel ⟨lat.⟩: (veraltet) verehrungswürdig. Ve|ne|ra|bi|le das; -[s]: 1 Sakramentum. ve|ne|ra|bilis: lat. Bez. für: ehr-, hochwürdig (im Titel katholischer Geistlicher); Abk.: ven. Ve|ne-

ra|ti|on die; -, -en: (veraltet) Verehrung, bes. der katholischen Heiligen. ve|ne|rie|ren: (veraltet) [als heilig] verehren. ve|ne|risch ⟨vom Namen der Venus, der römischen Liebesgöttin⟩: geschlechtskrank, die Geschlechtskrankheiten betreffend; venerische Krankheiten: Geschlechtskrankheiten (Med.). Ve|ne|ro|lo|ge ⟨lat.; gr.⟩ der; -n, -n: Facharzt für Geschlechtskrankheiten (Med.). Ve|ne|ro|lo|gie die; -: Wissenschaftszweig, der sich mit den Geschlechtskrankheiten befasst (Med.). ve|ne|ro|lo|gisch: die Venerologie betreffend

Ve|nia Le|gen|di ⟨lat.⟩ die; - - -: Erlaubnis, an Hochschulen zu lehren

Ve|ni, cre|a|tor spi|ri|tus! ⟨lat.; „Komm, Schöpfer Geist!"⟩: Anfang eines altchristlichen Hymnus auf dem Heiligen Geist. Ve|ni, sanc|te spi|ri|tus! ⟨„Komm, Heiliger Geist!"⟩: Anfang einer mittelalterlichen Pfingstsequenz. ve|ni, vi|di, vi|ci ⟨„ich kam, ich sah, ich siegte"; Ausspruch Caesars über seinen Sieg bei Zela 47 v. Chr.⟩: das war ein überaus rascher Erfolg; kaum angekommen, schon erfolgreich. ve|nös ⟨lat.⟩: die Venen betreffend, zu ihnen gehörend

Ven|til ⟨lat.-mlat.⟩ das; -s, -e: 1. Absperr-, Steuervorrichtung für das Einlassen, Auslassen od. Durchlassen von Gasen od. Flüssigkeiten an Leitungen o. Ä. 2. a) bewegliche Klappe bei der Orgel, durch die die Windzufuhr geregelt wird; b) mechanische Vorrichtung bei den Blechblasinstrumenten zur Erzeugung der vollständigen Tonskala. Ven|ti|lab|ro* ⟨lat.-it.⟩ der; -s, -: Windlade der Orgel. Ven|ti|la|ti|on ⟨lat.⟩ die; -, -en: 1. Lufterneuerung in geschlossenen Räumen zur Beseitigung von verbrauchter u. verunreinigter Luft; Lüftung, Luftwechsel. 2. Belüftung der Lungen (Med.). 3. ↑ Ventilierung; vgl. ...[at]ion/...ierung. Ven|ti|la|tor ⟨lat.-engl.⟩ der; -s, ...oren: mechanisch arbeitendes Gerät mit einem Flügelrad zum Absaugen u. Bewegen von Luft od. Gasen. Ven|til|horn ⟨lat.-mlat.; lat.⟩ das; -[e]s, ...hörner: Horn mit 3 Ventilen zur Erzeugung der chromatischen Zwischentöne (Mus.). ven|ti|lie|ren ⟨lat.-fr.⟩: 1. lüften, die Luft erneuern. 2. sorgfältig erwägen, prüfen, überlegen, von allen Seiten betrachten, untersuchen; eingehend erörtern. **Ven|ti|lie|rung** *die; -, -en:* 1. (seltener) das Ventilieren (1). 2. Erörterung; eingehende Prüfung, Überlegung, Erwägung; vgl. ...[at]ion/...ierung. **Ven|tose** [vã'to:s] ⟨„Windmonat"⟩ *der; -[s], -s:* sechster Monat des französischen Revolutionskalenders (19. Februar bis 20. März) **vent|ral*** ⟨lat.⟩: (Med.) 1. bauchwärts gelegen. 2. im Bauch lokalisiert, an der Bauchwand auftretend. **vent|re à terre** [vãtra'tɛ:ʀ] ⟨lat.-fr.⟩: „Bauch an der Erde"): im gestreckten Galopp (Reiten). **Vent|ri|cu|lus:** lat. Form von ↑Ventrikel. **Vent|ri|kel** ⟨„kleiner Bauch"⟩ *der; -s, -:* 1. Kammer, Hohlraum, bes. von Organen (z. B. Herz u. Hirn; Med.). 2. bauchartige Verdickung, Ausstülpung eines Organs od. Körperteils (z. B. der Magen). **vent|ri|ku|lär** ⟨lat.-nlat.⟩: den Ventrikel betreffend (Med.). **Vent|ri|lo|quis|mus** *der; -:* das Bauchreden. **Vent|ri|lo|quist** *der; -en, -en:* Bauchredner **Ve|ran|da** ⟨port.-engl.⟩ *die; -, ...den:* gedeckter [u. an drei Seiten verglaster] Vorbau an einem Wohnhaus **Ve|rat|rin*** ⟨lat.-nlat.⟩ *das; -s:* Alkaloidgemisch aus weißer Nieswurz, ein Hautreizmittel **Ve|ra|zi|tät** ⟨lat.-mlat.⟩ *die; -:* (veraltet) Wahrhaftigkeit **Verb** ⟨lat.⟩ *das; -s, -en:* Zeitwort, Tätigkeitswort. **Ver|ba:** *Plural* von ↑Verbum. **ver|bal:** 1. das Verb betreffend, als Verb [gebraucht]. 2. wörtlich, mit Worten, mündlich **Ver|bal|abst|rak|tum*** *das; -s, ...ta:* von einem Verb abgeleitetes Abstraktum. **Ver|bal|ad|jek|tiv** *das; -s, -e:* a) als Adjektiv gebrauchte Verbform, Partizip (z. B. blühend); b) (selten) von einem Verb abgeleitetes Adjektiv (z. B. tragbar). **Ver|ba|le** *die; -s, ...lie:* 1. von einem Verb abgeleitetes Wort (z. B. Sprecher von sprechen). 2. (meist Plural) (veraltet) verbale, mündliche Äußerung. 3. (nur Plural) (veraltet) Wortkenntnisse; Ggs. ↑Realien (3) (Päd.). **Ver|bal|ero|ti|ker** *der; -s, -:* a) jmd., der gern u. häufig über sexuelle Dinge spricht, sie jedoch wenig praktiziert; b) jmd., der sexuelle Befriedigung daraus zieht, in anschaulich-derber, obszöner Weise über sexuelle Dinge zu sprechen. **Ver|bal|in-**

ju|rie [...rjə] *die; -, -n:* Beleidigung durch Worte (Rechtsw.). **Ver|bal|in|spi|ra|ti|on*** *die; -:* wörtliche Eingebung der Bibeltexte durch den Heiligen Geist (frühere theologische Lehre); vgl. Personalinspiration, Realinspiration **ver|bal|i|sie|ren** ⟨lat.-nlat.⟩: 1. in Worte fassen, mit Worten zum Ausdruck bringen. 2. ein Wort durch Anfügen verbaler Endungen zu einem Verb umbilden (z. B. Tank zu tanken; Sprachw.). **Ver|bal|is|mus** *der; -:* Unterrichtsform, -praxis, die allein auf die Vermittlung von Wortwissen abgestellt ist, ohne einen Bezug zur Praxis, zur Wirklichkeit des Lebens herzustellen (Päd.). **ver|bal|is|tisch:** den Verbalismus betreffend. **ver|ba|li|ter** ⟨lat.⟩: wörtlich. **Ver|bal|kon|kor|danz** *die; -, -en:* Konkordanz (1 a), die ein alphabetisches Verzeichnis von gleichen od. ähnlichen Wörtern od. Textstellen enthält; vgl. Realkonkordanz. **Ver|bal|kon|trakt*** *der; -[e]s, -e:* mündlicher Vertrag (Rechtw.). **Ver|bal|no|men** *das; -s, ...mina:* als Nomen gebrauchte Verbform (z. B. Vermögen von vermögen, geputzt von putzen); vgl. Verbaladjektiv, Verbalsubstantiv. **Ver|bal|no|te** *die; -, -n:* nicht unterschriebene, vertrauliche diplomatische Note (als Bestätigung einer mündlichen Mitteilung). **Ver|bal|phra|se** *die; -, -n:* Wortgruppe, die aus einem Verb u. den von ihm abhängenden Gliedern besteht (z. B. ... schloss vorsichtig das Fenster; Sprachw.). **Ver|bal|prä|fix** *das; -es, -e:* Präfix, das vor ein Verb tritt (z. B. be- + steigen = besteigen). **Ver|bal|stil** *der; -[e]s:* Schreib- od. Sprechstil, der das Verb bevorzugt; Ggs. ↑Nominalstil. **Ver|bal|sub|stan|tiv** *das; -s, -e:* zu einem Verb gebildetes Substantiv, das (zum Zeitpunkt der Bildung) eine Geschehensbezeichnung ist (z. B. Gabe zu geben). **Ver|bal|suf|fix** *das; -es, -e:* Suffix, das an den Stamm eines Verbs tritt (z. B. -eln in lächeln). **Ver|bas|kum** ⟨lat.⟩ *das; -s, ...ken:* Königskerze, Wollkraut (Bot.). **Ver|ben** *Plural* von ↑Verb **Ver|be|ne** ⟨lat.⟩ *die; -, -n:* Eisenkraut (Garten- u. Heilpflanze) **ver|bi|cau|sa** ⟨lat.⟩: (veraltet) zum Beispiel; Abk.: v. c. **Ver|bi|ge|ra|ti|on** ⟨lat.-nlat.⟩ *die; -, -en:* ständiges Wiederholen gleicher,

meist unsinniger Wörter od. Sätze (Vorkommen bei Schizophrenie; Med.). **ver|bi gra|tia** ⟨lat.⟩: (veraltet) zum Beispiel; Abk.; v. g. **ver|bos:** (veraltet) wortreich. **Ver|bo|si|tät** *die; -:* (veraltet) Wortfülle, Wortreichtum. **Ver|bum** *das; -s, ...ba:* ↑Verb; **Verbum finitum:** Verbform, die die Angabe einer Person u. der Zahl enthält, Personalform (z. B. [du] liest); vgl. finit; **Verbum infinitum:** Verbform, die keine Angabe einer Person enthält (z. B. lesend, gelesen); vgl. infinit; **Verba Dicendi [et Sentiendi]:** Verben des Sagens [und Denkens]. **Ver|dikt** ⟨lat.-mlat.-engl.⟩ *das; -[e]s, -e:* 1. (veraltet) Urteil, Urteilsspruch der Geschworenen (Rechtsw.). 2. Verdammungsurteil **Ver|du|re** [vɛr'dy:rə] ⟨lat.-fr.⟩ *die; -, -n:* meist Pflanzen darstellender Wandteppich in grünen Farben (vom 15. bis 17. Jh.) **Ver|gen|z** ⟨lat.-nlat.⟩ *die; -, -en:* die Richtung des Faltenwurfs in einem Faltengebirge (Geol.) **Ve|ri|fi|ka|ti|on** ⟨lat.-mlat.⟩ *die; -, -en:* 1. das Verifizieren. 2. Beglaubigung, Unterzeichnung eines diplomatischen Protokolls durch alle Verhandlungspartner. **ve|ri|fi|zier|bar:** nachprüfbar. **ve|ri|fi|zier|bar|keit** *die; -:* Nachprüfbarkeit. **ve|ri|fi|zie|ren:** 1. durch Überprüfen die Richtigkeit von etwas bestätigen; Ggs. ↑falsifizieren (1). 2. beglaubigen. **Ve|ris|men** ⟨lat.-nlat.⟩ *die* (Plural): Merkmale der veristischen Epoche in der Musik. **Ve|ris|mo** ⟨lat.-it.⟩ *der; -:* am Ende des 19. Jh.s aufgekommene Stilrichtung der italienischen Literatur, Musik u. bildenden Kunst mit dem Ziel einer schonungslosen Darstellung der Wirklichkeit. **Ve|ris|mus** ⟨lat.-nlat.⟩ *der; -:* 1. Verismo. 2. schonungslose u. sozialkritische künstlerische Darstellung der Wirklichkeit. **Ve|rist** *der; -en, -en:* Vertreter des Verismus. **ve|ris|tisch:** den Verismus betreffend, darauf beruhend, dazu gehörend. **ve|ri|ta|bel** ⟨lat.-fr.⟩: in der wahren Bedeutung des betreffenden Wortes; wahrhaft, echt; aufrichtig **ver|kad|men** vgl. kadmieren **ver|ka|mi|so|llen** ⟨lat.; fr.⟩: (veraltend) kräftig verprügeln **ver|ma|le|dei|en** (ugs.) verfluchen, verwünschen **ver|meil** [vɛr'mɛ:j] ⟨lat.-fr.⟩: gelblich rot, hellrot. **Ver|meil** *das; -s:* vergoldenes Silber. **Ver|meil|le** [...vɛrˈmɛːjə] *die; -:* 1. orangefarbener Spinell. 2. braun gefärbter [^1]Hyazinth. **Ver|mi|cel|li** [vɛrmiˈsɛl] *‹lat.-vulgärlat.-it.;* „Würmchen") *die* (Plural): Fadennudeln. **ver|mi|form** *‹lat.-nlat.›:* wurmförmig (Med.). **ver|mi|ku|lar:** wurmförmig (Biol.). **Ver|mil|lon** [vɛrmiˈjõː] *‹lat.-fr.› das; -s:* sehr fein gemahlener Zinnober. **ver|mi|zid** *‹lat.-nlat.›:* wurmtötend (von Heilmitteln; Med.). **Ver|mi|zid** *das; -s, -e:* wurmtötendes chemisches Mittel (Med.)

Ver|na|ku|lar|spra|che *‹lat.-engl.; dt.; lat.* vernaculus „einheimisch; selbst erfunden") (Sprachw.): 1. indigene Sprache; Sprache von Ureinwohnern. 2. Jargon (a)

Ver|na|li|sa|ti|on *‹lat.-nlat.› die; -, -en:* Kältebehandlung von Pflanzenkeimlingen zur Entwicklungsbeschleunigung. **ver|na|li|sie|ren:** Pflanzenkeimlinge einer Kältebehandlung unterziehen. **Ver|na|ti|on** *die; -, -en:* Lage der einzelnen jungen Blätter in der Knospe (Bot.)

Ver|nis mou [vɛrniˈmu] *‹fr.;* „weicher Firnis") *das; - -:* Radierung, bei der die Metallplatte mit einer weichen Lack- od. Wachsschicht überzogen u. mit einem dünnen Papier abgedeckt wird. **Ver|nis|sa|ge** [...sa'ʒə] *die; -, -n:* Eröffnung einer Ausstellung, bei der die Werke eines lebenden Künstlers [mit geladenen Gästen] vorgestellt werden

Ve|ro|ni|ka *‹nlat.; kath. Heilige› die; -, ...ken:* Ehrenpreis (Zierstaude aus der Familie der Rachenblütler)

Ver|ril|lon [vɛriˈjõː] *‹lat.-fr.› das; -[s], -s:* franz. Bez. für: Glasglockenspiel, Glasharmonika. **Ve|ro|te|le|ri|en** *‹lat.-fr.› die* (Plural): kleine Glaswaren (z. B. Perlen)

Ver|ru|ca|no *‹it.; nach dem Monte Verruca in der Toskana) der; -s:* rotes, konglomeratisches Gestein im [^1]Perm der Alpen (Geol.)

ver|ru|kös *‹lat.›:* warzig, warzenförmig (Med.)

Vers *‹lat.;* „das Umwenden; Furche") *der; -es, -e:* 1. durch Metrum, Rhythmus, Zäsuren gegliederte, eine bestimmte Anzahl von Silben, oft einen Reim aufweisende Zeile einer Dichtung in gebundener Rede wie Gedicht, Drama, Epos. 2. a) Strophe eines

Gedichtes, Liedes; b) kleinster Abschnitt des Bibeltextes **Ver sac|rum*** *‹lat.;* „heiliger Frühling"› *das; - -:* altrömischer Brauch, in Notzeiten alle im Frühjahr geborenen Kinder u. Tiere den Göttern Mars u. Jupiter zu weihen **Ver|sal** *‹lat.-nlat.› der; -s, -ien* (meist Plural): Großbuchstabe. **Ver|sal|schrift** *‹lat.-nlat.; dt.) die; -:* Schriftart, die nur aus Versalien, Ziffern u. Interpunktionszeichen besteht. **ver|sa|til** *‹lat.›:* 1. beweglich, gewandt (z. B. im Ausdruck). 2. ruhelos; wankelmütig. **Ver|sa|ti|li|tät** *‹lat.-nlat.› die; -:* 1. Beweglichkeit, Gewandtheit (z. B. im Ausdruck). 2. Ruhelosigkeit; Wandelbarkeit. **Vers blanc** [vɛrˈblã] *‹fr.) der, - -, -s* [vɛrˈblã]: reimloser Vers, Blankvers. **Vers com|mun** [...kɔˈmœ̃] *der, - -, - -s* [...kɔˈmœ̃]: (in der älteren französischen Dichtung beliebter) gereimter jambischer zehnsilbiger Vers. **Ver|set|to** *‹lat.-it.› das; -s, -s u. ...tti:* kleines, meist fugenartiges, kunstvolles Orgelzwischenspiel. **Vers|fuß** *der; -es, ...füße:* kleinste rhythmische Einheit eines Verses, die sich aus einer chrarakteristischen Reihung von langen u. kurzen od. betonten u. unbetonten Silben ergibt. **ver|sie|ren** *‹lat.-nlat.›:* (veraltet) verkehren; sich mit etwas beschäftigen. **ver|siert:** auf einem bestimmten Gebiet durch längere Erfahrung gut Bescheid wissend u. daher gewandt, geschickt. **Ver|si|fex** *‹lat.-nlat.› der; -es, -e:* (veraltet) Verseschmied. **Ver|si|fi|ka|ti|on** *‹lat.› die; -, -en:* Umformung in Verse. **ver|si|fi|zie|ren:** in Versform bringen. **Ver|si|kel** *der; -s, -:* kurzer überleitender [Psalm]vers (ev. u. kath. Liturgie). **Ver|si li|be|ri:** ↑ Versi sciolti. **Ver|si|on** *‹lat.-fr.› die; -, -en:* 1. eine von mehreren möglichen Arten, einen bestimmten Sachverhalt auszulegen u. darzustellen. 2. Ausführung, die in einigen Punkten vom ursprünglichen Typ, Modell o. Ä. in bestimmter Weise abweicht. 3. a) eine von mehreren möglichen Darstellungen, Fassungen, Gestaltungsformen; b) Übersetzung. **Ver|si sciol|ti** [- ˈʃɔlti] *‹lat.-it.›:* „reimlose Verse") *die* (Plural): fünffüßige jamben von verschiedener Länge, oft reimlose Verse. **Vers lib|re*** [vɛrˈlibr] *‹lat.-fr.› der; - -, - -s* [vɛrˈlibr]: franz. Bez. für: [reimloser] taktfreier

Vers. **Ver|so** *‹lat.› das; -s, -s:* (Fachsprache) Rückseite eines Blattes in einem Buch od. einer Handschrift; Ggs. ↑ Rekto. **ver|sus:** gegen[über]; im Gegensatz zu; Abk.: vs. **Ver|sus** *der* (Plural): Verse, die als Gedächtnisstütze dienen. **Ver|sus quad|ra|tus*** *der; - -, - ...ti:* trochäischer Septenar. **Ver|sus rap|por|ta|ti** [...zu:s -] *die* (Plural): in der Barockzeit beliebte Verse mit verschränkter Aufzählung von Satzgliedern (z. B. Die Sonn', verwundt, weht hin ... Opitz). **ver|ta|tur!:** man wende!, man drehe um!; Abk.: vert., Zeichen: √ (bei der Korrektur von Buchstaben, die dann am Kopf stehen; Druckw.). **ver|te!:** wende um!, wenden! (das Notenblatt beim Spielen); Abk.: v.; vgl. verte, si placet! **ver|teb|ral*** *‹lat.-nlat.›:* zu einem od. mehreren Wirbeln, zur Wirbelsäule gehörend; die Wirbel, die Wirbelsäule betreffend; aus Wirbeln bestehend (Med.). **Ver|teb|rat*** *‹lat.› der; -en, -en* (meist Plural): Wirbeltier; Ggs. ↑ Evertebrat. **ver|te, si pla|cet!:** bitte wenden! (Hinweis auf Notenblättern; Mus.); Abk.: v. s. pl. **ver|te sub|bi|to!:** rasch wenden! (Hinweis auf Notenblättern; Mus.). **Ver|tex** *‹„Scheitel"› der; -, ...tices* [...ti|tse:s]: 1. Scheitel, Spitze eines Organs, bes. der höchstgelegene Teil des Schädels (Med.). 2. gemeinsamer Zielpunkt der Bewegung einer Gruppe von Sternen (Astron.). **ver|ti|gi|nös:** schwindlig, mit Schwindelgefühlen verbunden (Med.). **ver|ti|kal** *‹„scheitellinig"›:* senkrecht, lotrecht. **Ver|ti|ka|le** *die; -, -n:* senkrechte Gerade; Senkrechte; Ggs. ↑ Horizontale. **Ver|ti|kal|ebe|ne** *‹lat.; dt.) die; -:* in Bezug auf eine andere senkrecht stehende Ebene (Math.). **Ver|ti|kal|in|ten|si|tät** *die; -:* Stärke des Erdmagnetfeldes in senkrechter Richtung (Phys.). **ver|ti|ka|li|sie|ren** *‹lat.-nlat.›:* die Vertikale (in der Gliederung eines Werks) besonders betonen (Archit.). **Ver|ti|ka|lis|mus** *der; -:* starke Betonung der Senkrechten gegenüber der Waagerechten (bes. in der Gotik; Kunstw.). **Ver|ti|kal|kon|zern** *der; -s, -e:* Konzern, dessen einzelne Unternehmen [Zwischen]produkte aufeinander folgender Produktionsstufen liefern (Wirtsch.); Ggs. ↑ Horizontalkonzern. **Ver|ti|kal|kreis** ⟨lat.; dt.⟩ der; -es, -e: (Astron.) l. um eine waagerechte wie um eine senkrechte Achse drehbares Winkelmessinstrument. 2. auf dem Horizont senkrecht stehender Großkreis am Himmelsgewölbe **Ver|ti|ko** [ˈvɛ...] ⟨angeblich nach dem ersten Verfertiger, dem Berliner Tischler Vertikow⟩ das (selten: der); -s, -s: kleiner Schrank mit zwei Türen, der nach oben mit einer Schublade u. einem Aufsatz abschließt **ver|ti|kul|lie|ren** ⟨lat.-spätlat.⟩: ↑ vertikulieren. **ver|ti|ku|tie|ren** ⟨lat.-spätlat.; fr.⟩: (mit einem dafür vorgesehenen Gerät) die Grasnarbe eines Rasens aufreißen, um den Boden zu lockern u. zu belüften; aerifizieren. **Ver|ti|ku|tie|rer** der; -s, -: Gerät zum Vertikutieren **Ver|tum|na|li|en** ⟨lat.; nach dem altrömischen Vegetationsgott Vertumnus⟩ die (Plural): altrömisches Fest **Ver|ve** [ˈvɛːvə] ⟨lat.-vulgärlat.-fr.⟩ die; -: Schwung, Begeisterung (bei einer Tätigkeit) **Ve|si|ca** ⟨lat.⟩ die; -, ...cae [...tʃɛ]: [Harn]blase (Med.). **ve|si|kal** zur Harnblase gehörend, sie betreffend (Med.). **Ve|si|kans** das; -, ...kantia u. ...kanzien: ↑ Vesikatorium. **Ve|si|ka|to|ri|um** ⟨lat.-nlat.⟩ das; -s, ...ien: Blasen ziehendes Arzneimittel; Zugpflaster (Med.) **Ves|per** [ˈfɛ...] ⟨lat.; „Abend, Abendzeit"⟩ die; -, -n: 1. a) vorletzte, abendliche Gebetsstunde der Gebetszeiten des Stundengebets; b) (christlicher) Gottesdienst am frühen Abend. 2. (südd. auch:) das; -s, -: (bes. südd.) kleinere Zwischenmahlzeit (bes. am Nachmittag). **Ves|per|bild** ⟨lat.; dt.⟩ das; -s, -er: Darstellung Marias mit dem Leichnam Christi; vgl. Pieta. **ves|pern:** (bes. südd.) die Vesper (2) einnehmen **Ves|ta|lin** ⟨lat.⟩ die; -, -nen: altrömische Priesterin der Vesta, der Göttin des Herdfeuers **Ves|ti|bül** ⟨lat.-fr.⟩ das; -s, -e: Vorhalle, Eingangshalle in einem Theater od. Konzertsaal]. **Ves|ti|bu|la:** Plural von ↑ Vestibulum. **Ves|ti|bu|lar|ap|pa|rat** der; -[e]s, -e: Gleichgewichtsorgan im Ohr (Med.). **Ves|ti|bu|lum** ⟨lat.⟩ das; -s, ...la: 1. Vorhalle des altrömischen Hauses. 2. den Ein-

gang zu einem Organ bildende Erweiterung (Med.) **Ves|ti|tur** ⟨lat.⟩ die; -, -en: ↑ Investitur. **Ves|ton** [vɛsˈtõ:] ⟨lat.-fr.⟩ das; -s, -s: (schweiz.) [sportliches] Herrenjackett **Ve|su|vi|an** ⟨nlat.; nach dem Vesuv⟩ der; -s, -e: dem Granat ähnlicher grüner od. brauner Edelstein (Mineral) **Ve|te|ran** ⟨lat.⟩ der; -en, -en: 1. jmd., der (bes. beim Militär) altgedient ist, sich in langer Dienstzeit o.Ä. bewährt hat. 2. Oldtimer (2). **ve|te|ri|när** ⟨lat.-fr.⟩: tierärztlich. **Ve|te|ri|när** der; -s, -e: Tierarzt. **Ve|te|ri|när|me|di|zin** die; -: Tierheilkunde **Ve|to** ⟨lat.-fr.; „ich verbiete"⟩ das; -s, -s: a) (bes. in der Politik) offizieller Einspruch, durch den das Zustandekommen od. die Durchführung eines Beschlusses o.Ä. verhindert od. verzögert wird: b) Recht, gegen etw ein Veto (a) einzulegen **Ve|tus La|ti|na** ⟨lat.⟩ die; - -: der Vulgata vorausgehende lateinische Bibelübersetzung **Ve|xa|ti|on** ⟨lat.⟩ die; -, -en: (veraltet) Ärgernis, Quälerei. **ve|xa|to|risch:** quälerisch. **Ve|xier|bild** ⟨lat.; dt.⟩ das; -[e]s, -er: a) Bild, auf dem eine od. mehrere versteckt eingezeichnete Figuren zu suchen sind; Suchbild; b) bildliche Darstellung eines Gegenstandes, dessen seitliche Konturen bei genauerer Betrachtung die Umrisse zweier spiegelbildlich gesehener Figuren ergeben. **ve|xie|ren** ⟨lat.⟩: (veraltet) irreführen; quälen; necken. **Ve|xier|glas** ⟨lat.; dt.⟩ das; -es, ...gläser: merkwürdig geformtes Trinkglas, das man nur mit besonderer Geschicklichkeit getrunken werden kann. **Ve|xier|rät|sel** das; -s, -: Scherzrätsel. **Ve|xil|lo|lo|gie** die; -: Lehre von der Bedeutung von Fahnen, Flaggen. **Ve|xil|lum** ⟨lat.⟩ das; -s, ...lla u. ...llen: 1. altrömische Fahne. 2. aus den einzelnen Ästen bestehender Teil der Vogelfeder zu beiden Seiten des Federkiels (Zool.). 3. die übrigen Blütenblätter teilweise umgreifendes, oberes, größtes Blütenblatt der Schmetterlingsblütler (Bot.) **Ve|zier** [veˈziːɐ̯] usw. vgl. Wesir usw. **vez|zo|so** ⟨lat.-it.⟩: zärtlich, lieblich (Mus.) **VGA** ⟨Kurzw. aus engl. Video Graphic's Array⟩: Abkürzung für ei-

nen Chip zur Steuerung eines Farbbildschirms mit hoher Bildwiederholungsfolge und hoher Auflösung **VHS** = Video Home System: (ein sehr verbreitetes) Video-Aufzeichnungssystem **via** ⟨lat.⟩: a) [auf dem Wege] über..., z.B. via München nach Wien fliegen; b) durch, über [eine bestimmte Instanz o.Ä. erfolgend], z.B. er wurde via Verwaltungsgericht zur sofortigen Zahlung aufgefordert. **Via** ⟨lat.⟩ die; -: lat. Bez. für: Weg; Methode (Philos.); **Via Eminentiae:** Methode, etwas durch Steigerung zu bestimmen; **Via moderna:** rationalistisch-mathematische Methode des Kartesianismus; **Via Negationis:** Methode, etwas durch Verneinung zu bestimmen. **Vi|a|dukt** ⟨lat.-nlat.⟩ der (auch: das); -[e]s, -e: über ein Tal, eine Schlucht führende Brücke, deren Tragwerk meist aus mehreren Bogen besteht **via il sor|di|no** ⟨lat.-it.⟩: Dämpfer abnehmen; weg (Spielanweisung für Streichinstrumente; Mus.); Ggs. ↑ con sordino **Vi|a|ti|kum** ⟨lat.; „Wegzehrung"⟩ das; -s, ...ka u. ...ken: dem sterbenden gereichte letzte Kommunion (kath. Kirche) **Vi|brant*** ⟨lat.⟩ der; -en, -en: 1. Laut, bei dessen Artikulation die Zunge od. das Zäpfchen in eine schwingende, zitternde Bewegung versetzt wird; Zitterlaut (z.B. r; Sprachw.). 2. schwingender, zitternder Ton (Mus.). **Vib|ra|phon,** auch: Vibrafon ⟨lat.; gr.⟩ das; -s, -e: (bes. für Tanz- u. Unterhaltungsmusik verwendetes) dem Xylophon ähnliches Schlaginstrument, mit dem vibrierende Töne hervorgebracht werden. **Vib|ra|pho|nist,** auch: Vibrafonist der; -en, -en: jmd., der [berufsmäßig] Vibraphon spielt. **Vib|ra|ti:** Plural von ↑ Vibrato. **Vib|ra|ti|on** ⟨lat.⟩ die; -, -en: Schwingung, Beben, Erschütterung. **vib|ra|to** ⟨lat.-it.⟩: schwingend, leicht zitternd, bebend (in Bezug auf die Tongestaltung im Gesang, bei Streich- u. Blasinstrumenten). **Vib|ra|to** das; -s, -s u. ...ti: leichtes Zittern, Beben des Tons beim Singen u. Spielen. **Vib|ra|tor** ⟨lat.-nlat.⟩ der; -s, ...oren: 1. Gerät zur Erzeugung mechanischer Schwingungen. 2. Massagestab. **vib|rie|ren** ⟨lat.⟩: in leise schwingender [akustisch wahrnehmbarer] Bewegung sein. **Vi̱b|rio** ⟨lat. -nlat.⟩ der; -, ...onen: begeißelte Kommabakterie (z. B. Erreger der Cholera; Med.). **Vib|ro|graph,** auch: Vibrograf der; -en, -en: Instrument zum Messen der Schwingungen bei Bauwerken, Brücken, Schiffen u. a. **Vib|ro|re|zep|tor** ⟨lat.-nlat.⟩ der; -s, ...oren: (meist Plural) Tastorgan, das Erschütterungen anzeigt (Biol.) **Vi|bu̱r|num** ⟨lat.⟩ das; -s: Schneeball (ein Zierstrauch) **vi̱|ce ver|sa** ⟨lat.⟩: umgekehrt (in der gleichen Weise zutreffend, genauso); Abk.: v. v. **Vi̱|chy** [vi'ʃi] ⟨nach der franz. Stadt⟩ der; -: baumwollener, klein karierter Stoff in Leinwandbindung (eine Webart) **Vi|comte** [vi'kõːt] ⟨lat.-mlat.-fr.⟩ der; -s, -s: a) französischer Adelstitel im Rang zwischen Graf u. Baron; b) Träger des Adelstitel Vicomte (a). **Vi|comtesse** [vi'kõ'tɛs] die; -, -n [...sn]: dem Vicomte entsprechender weiblicher Adelstitel **Vic|ti|mo|lo|gie** vgl. Viktimologie **Vi|cu̱|ña** [vi'kunja] spanische Form von ↑ Vikunja **vi̱|de!** ⟨lat.⟩: (veraltet) siehe!; Abk.: v. vi|de|a|tur: vide!; Abk.: vid. **Vi̱|deo** ⟨lat.-engl.⟩ das; -s, -s: 1. Kurzform von ↑ Videoband, ↑ Videoclip, ↑ Videofilm. 2. (ohne Plural) a) Kurzform von ↑ Videotechnik; b) Video (2 a) als Einrichtung der Freizeitindustrie. **Vi̱|de|o|band** das; -[e]s, ...bänder: Magnetband zur Aufzeichnung von Fernsehsendungen, Filmen o. Ä. u. zu deren Wiedergabe auf dem Bildschirm eines Fernsehgerätes. **Vi̱|de|o|casting** das; -[s], -s (Jargon) Rollenbesetzung aufgrund der Auswertung von Videoaufzeichnungen von Gesprächen, gespielten Szenen o. Ä. der Bewerber. **Vi̱|de|o|clip** ⟨lat.-engl.; engl. clip „(Film)streifen"⟩ der; -s, -s: kurzer Videofilm zu einem Titel der Popmusik bzw. über eine Person od. Sache. **Vi̱|de|o|film** der; -[e]s, -e: a) mit einer Videokamera aufgenommener Film; b) Kinofilm auf Videokassette. **Vi̱|de|o|graph,** auch: Videograf der; -en, -en: eingeblendeter Text in einer Fernsehsendung, der eine [von der Sendung unabhängige] Information enthält. **vi̱|de|o|gra|phie|ren,** auch: videografieren: Videofilme herstellen. **Vi̱|de|o-**

ka|me|ra die; -, -s: Kamera zur Aufnahme von Filmen auf Videobändern. **Vi̱|de|o|kas|set|te** die; -, -n: auswechselbare Kassette (5), die ein Videoband enthält. **Vi̱|de|o|kon|fe|renz** ⟨lat.-engl.; dt.⟩ die; -, -en: Konferenz, bei der die Teilnehmer sich an verschiedenen Orten befinden, mithilfe der Videotechnik aber optisch u. akustisch miteinander verbunden sind. **Vi̱|deo-on-De-mand** [...dɪ'maːnd] ⟨engl.⟩ das; -[s]: Form des Fernsehens, bei der Zuschauer einen gewünschten Film aus einem Archiv abrufen u. ihn – gegen eine Gebühr – mithilfe der Telefonleitung u. des angeschlossenen Fernsehgerätes empfangen kann. **Vi̱|de|o|re|kor|der,** auch: Videorecorder ⟨lat.; engl.⟩ der; -s, -: Rekorder (2) zur Aufzeichnung von Fernsehsendungen und zum Abspielen der Videokassetten. **Vi̱|de|o|tech|nik** die; -: a) Gesamtheit der technischen Anlagen, Geräte, Vorrichtungen, die zur magnetischen Aufzeichnung einer Fernsehsendung o. Ä. und zu deren Wiedergabe über ein Fernsehgerät dienen; b) Gesamtheit aller Maßnahmen, Verfahren o. Ä. im Bereich der magnetischen Aufzeichnung und deren Wiedergabe über ein Fernsehgerät. **Vi̱|de|o|te|le|fon** das; -s, -e: Telefon, das auch das Bild des Gesprächspartners übermittelt; Bildtelefon. **Vi̱|de|o|text** der; -[e]s, -e: [geschriebene] Information (z. B. programmbezogene Mitteilungen, Pressevorschauen o. Ä.), die auf Abruf mithilfe eines Zusatzgerätes über den Fernsehbildschirm vermittelt werden kann. **Vi̱|de|o|thek** die; -, -en: 1. Sammlung von Filmen u. Fernsehsendungen, die auf Videobändern aufgezeichnet sind. 2. Geschäft zum Verleihen von Videofilmen (b). **Vi̱|de|o|the-ka̱r** der; -s, -e: Betreiber einer Videothek. **vi̱|di** ⟨lat.⟩: (veraltet) ich habe gesehen; Abk.: v. **vi̱|die-ren:** (veraltet) beglaubigen, unterschreiben. **Vi̱|di|kon** ⟨lat.; gr.⟩ das; -, -one (auch: -s): speichernde Fernsehaufnahmeröhre. **Vi̱|di|ma|ti|on** ⟨lat.-nlat.⟩ die; -, -en: Beglaubigung. **vi̱|di|mie-ren:** (veraltet) etwas mit einem Zeichen der Kenntnisnahme versehen; beglaubigen; für druckreif erklären. **vi̱|dit** ⟨lat.⟩: (veraltet) hat [es] gesehen; Abk.: vdt. **Vi̱|e̱l|la** ⟨fr.-it.⟩ u. **Vi̱|e̱l|le** ⟨fr.⟩ die;

-, ...llen: 1. (veraltet) ²Viola. 2. Drehleier **Vi̱|eux Saxe** [vjø'saks] ⟨fr.; „altes Sachsen"⟩ das; - -: Meißner Porzellan des 18. Jahrhunderts **vif** [viːf] ⟨lat. -fr.⟩: (landsch.) aufgeweckt, wendig, rührend **vi̱|gil** ⟨lat.⟩: wachend, schlaflos (Med.). **Vi̱|gil** ⟨„Nachtwache"⟩ die; -, -ien: 1. nächtliches Gebet der mönchischen Gebetsordnung. 2. [liturgisches Feier am] Vortag eines kirchlichen Festes. **vi̱|gi|lant:** (veraltet) schlau, pfiffig u. dabei wachsam. **Vi̱|gi|lanz** die; -: 1. (veraltet) vigilante Art. 2. Zustand erhöhter Reaktionsbereitschaft, Aufmerksamkeit (Psychol.). **Vi̱|gi|lia** die; -: Schlaflosigkeit (Med.). **Vi̱|gi|lie** [...jə] die; -, -n: 1. (im altrömischen Heer) Nachtwache. 2. ↑ Vigil **Vi̱g|ne*** ['vɪnjə, 'viːnjə] ⟨lat.-fr.; „Weinberg"⟩ die; -, -n: (veraltet) kleines Haus auf dem Land; Ferienhaus. **Vi̱g|net|te** [vɪn'jɛtə] ⟨„Weinranke"⟩ die; -, -n: 1. Ornament in Form einer Weinranke od. mittelalterlichen Handschriften. 2. Zier-, Titelbildchen, Randverzierung [in Druckschriften]. 3. Maskenband zur Verdeckung bestimmter Stellen des Negativs vor dem Kopieren (Fotogr.). 4. privat gestaltete Werbe- od. Spendenmarke ohne amtlichen Charakter zur finanziellen Unterstützung einer wohltätigen Organisation, einer Veranstaltung o. Ä. 5. Gebührenmarke für die Autobahnbenutzung in der Schweiz. **Vi̱g|net-tie|rung** die; -, -en: Unterbelichtung der Ränder u. Ecken einer Fotografie **Vi̱|gor** ⟨lat.⟩ der; -s: (veraltet) Lebenskraft, Rüstigkeit, Stärke. **vi-go|rö̱s** ⟨lat.-fr.⟩: (veraltet) kräftig, rüstig. **vi̱|go|ro|so** ⟨lat.-it.⟩: kräftig, stark, energisch (Vortragsanweisung; Mus.). **Vi̱|gou-reux** [vigu'rø:] ⟨lat.-fr.⟩ der; -: meliertes Kammgarn, das während des Kammzugs streifenweise bedruckt wird **Vi̱|kar** ⟨lat.; „stellvertretend; Stellvertreter"⟩ der; -s, -e: 1. ständiger od. zeitweiliger Vertreter einer geistlichen Amtsperson (kath. Kirche); vgl. Generalvikar. 2. Kandidat der evangelischen Theologie nach der ersten theologischen Prüfung, der einem Pfarrer zur Ausbildung zugewiesen ist. 3. (schweiz.) Stellvertreter eines Lehrers. **Vi̱|ka|ri-**

at ⟨*lat.-mlat.*⟩ *das;* -[e]s, -e: Amt eines Vikars. **vi|ka|ri|ie|ren** ⟨*lat.- nlat.*⟩: (veraltet) 1. jmds. Stelle vertreten. 2. das Amt eines Vikars versehen. **vi|ka|ri|ie|rend:** 1. die Funktion eines ausgefallenen Organs übernehmend (Med.). 2. nicht gemeinsam vorkommend, aber am jeweiligen Standort einander vertretend (von Tieren od. Pflanzen; Biol.). **Vi|ka|rin** *die;* -, -nen: Kandidatin der evangelischen Theologie nach der ersten theologischen Prüfung, die einem Pfarrer zur Ausbildung zugewiesen ist **Vik|ti|mo|lo|gie** ⟨*lat.; gr.*⟩ *die;* -: Teilgebiet der Kriminologie, das die Beziehungen zwischen Opfer u. Tat bzw. Täter untersucht **¹Vik|to|ria** ⟨*lat.*⟩ *die;* -, -s: (in der römischen Antike) Frauengestalt mit Flügeln als Personifikation eines errungenen Sieges. **²Vik|to|ria** ⟨*lat.*⟩ *das;* -s, -s (meist ohne Artikel): Sieg (als Ausruf). **vik|to|ri|a|nisch:** dem Geist der Regierungszeit der englischen Königin Viktoria entsprechend. **Vik|to|ri|a|nis|mus** ⟨nach Königin Viktoria, 1819–1901⟩ *der;* -: Strömung von nüchtern-sachlicher Tendenz im geistigen Leben Großbritanniens Ende des 19. Jahrhunderts, die bes. Literatur und Kunst beeinflusste **Vik|tu|a|li|en** ⟨*lat.*⟩ *die* (Plural): (veraltet) Lebensmittel [für den täglichen Bedarf, den unmittelbaren Verzehr]. **Vik|tu|a|li|en-brü|der** ⟨*lat.; dt.*⟩ *die* (Plural): ↑ Vitalienbrüder **Vi|kun|ja** ⟨*indian.-span.*⟩ *das;* -s, -s u. *die;* -, ...jen: höckerloses südamerikanisches Kamel, aus dessen dichtem, braungelbem Fell sehr feine Wolle gewonnen wird **Vil|la** ⟨*lat.-it.*⟩ *die;* -, Villen: a) größeres, vornehmes, in einem Garten od. Park [am Stadtrand] liegendes Einfamilienhaus; b) großes, herrschaftliches Landhaus. **Vil|la|nel|l** *das;* -s, -e: ↑ Villanella. **Vil|la|nel|la** u. **Vil|la|nel|le** ⟨*lat.-it.*⟩ *die;* -, ...llen: meist dreistimmiges italienisches Bauern-, Hirtenlied des 16. u. 17. Jh.s. **Vil|len:** *Plural von* ↑ Villa **vil|lös** ⟨*lat.*⟩: viele Zotten aufweisend (bes. von Schleimhautfalten des Magens od. Darms; Med.) **Vi|na** vgl. Wina **Vin|ai|gret|te*** [vinɛ'grɛt(ə)] ⟨*lat.- fr.*⟩ *die;* -, -n: aus Essig, Öl, Senf u. Gewürzen bereitete Soße **Vin|di|kant** ⟨*lat.*⟩ *der;* -en, -en: (veraltet) Aussonderungsbe-

rechtigter beim Konkurs. **Vin|di-ka|ti|on** *die;* -, -en: Anspruch des Eigentümers gegen den Besitzer einer Sache auf deren Herausgabe (Rechtsw.); vgl. ...[at]ion/ ...ierung. **Vin|di|ka|ti|ons|zes-si|on** *die;* -, -en: Abtretung des Herausgabeanspruchs (auf eine Sache) durch den Eigentümer an den Erwerber, wenn sich die Sache im Besitz eines Dritten befindet (Rechtsw.). **vin|di|zie-ren:** die Herausgabe einer Sache vom Eigentümer gegenüber dem Besitzer einer Sache verlangen. **Vin|di|zie|rung** *die;* -, -en: ↑ Vindikation; vgl. ...[at]ion/...ierung **Vingt-et-un** [vɛ̃te'œ̃] ⟨*lat.-fr.;* „einundzwanzig"⟩ u. **Vingt-un** [vɛ̃'tœ̃] *das;* -: ein Kartenglücksspiel **Vin|ku|la|ti|on** ⟨*lat.-nlat.*⟩ *die;* -, -en: Bindung des Rechtes der Übertragung eines Wertpapiers an die Genehmigung des Emittenten. **Vin|ku|la|ti|ons|ge-schäft** *das;* -[e]s, -e: Form der Bevorschussung von Waren. **vin-ku|lie|ren** ⟨*lat.*⟩: das Recht der Übertragung eines Wertpapiers an die Genehmigung des Emittenten binden. **Vin|ku|lie|rung** *die;* -, -en: ↑ Vinkulation **Vi|no|thek** ⟨*lat.; gr.*⟩ *die;* -, -en: a) Sammlung kostbarer Weine; b) Weinkeller mit Weinausschank. **Vi|nyl** *das;* -s: von Äthylen abgeleiteter ungesättigter Kohlenwasserstoffrest. **Vi|nyl|chlo|rid** *das;* -s, -e: bes. zur Herstellung von Polyvinylchlorid verwendete, farblose, gasförmige, sehr reaktionsfähige Substanz **Vin|zen|ti|ner** ⟨nach dem Stifter, dem hl. Vinzenz v. Paul, † 1660⟩ *der;* -s, -: Lazarist. **Vin|zen|ti-ne|rin** *die;* -, -nen: Angehörige einer karitativen, laizistischen weiblichen Kongregation. **Vin-zenz|kon|fe|renz** *die;* -, -en: an die zuständige Pfarrei angeschlossene katholische Laienorganisation für karitative Arbeit **¹Vi|o|la** ⟨*lat.*⟩ u. **Vi|o|le** *die;* -, ...olen: Veilchen (Bot.) **²Vi|o|la** ⟨*provenzal.-it.*⟩ *die;* -, ...olen: Bratsche. **Vi|o|la bas|tar-da** ⟨*it.*⟩ *die;* - -, ...le -: die Großgambe mit 6–7 Saiten u. Resonanzsaiten. **Vi|o|la da Brac|cio** [- - 'bratʃo] (,,Armgeige") *die;* - -, ...le - -: in Armhaltung gespieltes Streichinstrument, Bratsche. **Vi|o|la da Gam|ba** *die;* - - -, ...le - -: ↑ Gambe. **Vi|o|la d'A|mo-re** *die;* - - -, ...le - -: der Bratsche ähnliches Streichinstrument [der

Barockzeit] in Altlage, mit meist sieben Saiten in variabler Stimmung u. sieben in Einklang od. in der Oktave mitklingenden Saiten unter dem Griffbrett. **Vi|o|la pom|po|sa** *die;* - -, ...le ...se: große, fünfsaitige Bratsche, die auf dem Arm gehalten u. zusätzlich mit einem Band befestigt wird **Vi|o|la|ti|on** ⟨*lat.*⟩ *die;* -, -en: (veraltet) Verletzung, Schändung **Vi|o|la tri|co|lor** ⟨*lat.*⟩ *die;* - -: Stiefmütterchen. **Vi|o|la|ze|en** ⟨*lat.-nlat.*⟩ *die* (Plural): Veilchengewächse (Bot.). **Vi|o|le** vgl. ¹Viola **Vi|o|le d'A|mour** [vjɔlda'mu:r] ⟨*fr.*⟩ *die;* - -, -s - [vjɔlda'mu:r]: franz. Bez. für: Viola d'Amore **Vi|o|len:** *Plural von* ↑ Viola u. ↑ Viole **vi|o|lent** ⟨*lat.*⟩: (veraltet) heftig; gewaltsam. **vi|o|len|to** ⟨*lat.-it.*⟩: heftig; gewaltsam (Vortragsanweisung; Mus.) **vi|o|lett** ⟨*lat.-fr.*⟩: in der Färbung zwischen Blau u. Rot liegend; veilchenfarben. **Vi|o|lett** *das;* -s: violette Farbe **Vi|o|let|ta** ⟨*provenzal.-it.*⟩ *die;* -, ...tten: kleine ²Viola od. Violine. **Vi|o|li|na|ta** *die;* -, -s: (Übungs)stück für Violine. **Vi|o-li|ne** *die;* -, -n: Geige (als ausführendes, einen spezifischen Klangeindruck hervorrufendes Instrument). **Vi|o|li|nist** ⟨*provenzal.-it.-nlat.*⟩ *der;* -en, -en u. Geiger, Geigenvirtuose. **Vi|o|li|no** ⟨*provenzal.-it.*⟩ *das;* -, ...ni; ital. Bez. für: Geige; **Violino piccolo:** Quartgeige der Tanzmeister im Barock. **Vi|o|lon|cell** [vjolɔn-'tʃɛl] *das;* -s, -e: (veraltend) ↑ Violoncello. **Vi|o|lon|cel|list** *der;* -en, -en: [Violon]cellospieler. **Vi-o|lon|cel|lo** *das;* -s, ...lli u. (ugs.): -s: viersaitiges, eine Oktave tiefer als die Bratsche gestimmtes Tenor-Bass-Instrument, das beim Spielen, auf einen Stachel gestützt, zwischen den Knien gehalten wird; Cello. **Vi|o|lo|ne** *der;* -[s], -s u. ...ni: Kontrabass. **Vi|o|lo|phon,** auch: Violofon **Vi|o|lo|phon** ⟨*provenzal.-it.; gr.*⟩ *das;* -s, -s: im Jazz gebräuchliche Violine mit eingebauter Schalldose **Vi|per** ⟨*lat.*⟩ *die;* -, -n: zu den Ottern gehörende Giftschlange **Vi|ra|gi|ni|tät** ⟨*lat.-nlat.*⟩ *die;* -: männliches sexuelles Empfinden der Frau (Med.). **Vi|ra|go** ⟨*lat.*⟩ *die;* -, -s u. ...gines [...zi:s]: Frau, die zur Viraginität neigt **vi|ral** ⟨*lat.*⟩: durch einen Virus verursacht (Med.)

Vire|lai [vir'lɛ] ⟨fr.⟩ das; -[s], -s [vir'lɛ]: französische Gedichtgattung [des 14. u. 15. Jahrhunderts]; vgl. Lai

Vi|re|ment [virə'mã:] ⟨vulgärlat.-fr.⟩ das; -s, -s: (im Staatshaushalt) Übertragung von Mitteln von einem Titel (4) auf einen anderen, von einem Haushaltsjahr auf das andere

Vi|ren: Plural von ↑ Virus

Vir|ga|ti|on ⟨lat.-nlat.⟩ die; -, -en: das Auseinandertreten von Gebirgsfalten (Geol.)

Vir|gel ⟨lat.; „kleiner Zweig; Strich"⟩ die; -, -n: Schrägstrich zwischen zwei Wörter od. Zahlen (z. B. 1870/71)

Vir|gi|nal ⟨engl.⟩ das; -s, -e: englisches Instrument in der Art des Spinetts, zur Cembalofamilie gehörend. **Vir|gi|nal|jst** der; -en, -en: Virginalspieler, -komponist (um 1600 in England)

Vir|gi|nia [auch: ...dʒ...] ⟨nach dem Bundesstaat Virginia in den USA⟩ die; -, -s: lange, dünne Zigarre mit einem Mundstück aus Stroh

Vir|gi|ni|tät ⟨lat.⟩ die; -: Jungfräulichkeit

Vir|gi|ni|um ⟨nlat.; nach dem Bundesstaat Virginia in den USA⟩ das; -s: (veraltet) Bez. für das chemische Element Francium (Zeichen: Vi)

vi|ri|bus u|ni|tis ⟨lat.⟩: „mit vereinten Kräften"

Vi|ri|da|ri|um ⟨lat.⟩ das; -s, ...ien: (veraltet) mit immergrünen Pflanzen angelegter Garten

vi|ril ⟨lat.⟩: (Med.) [in Bezug auf das Erscheinungsbild] in charakteristischer Weise männlich. **Vi|ri|lis|mus** ⟨lat.-nlat.⟩ der; -: (Med.) 1. Vermännlichung (bei Frauen). 2. vorzeitige Geschlechtsreife (bei Jungen). **Vi|ri|li|tät** ⟨lat.⟩ die; -: männliche [Zeugungs]kraft, Manneskraft, Männlichkeit (Med.). **Vi|ril|stim|me** die; -, -n: (hist.) (bis ins 19. Jahrhundert) Einzelstimme in verfassungsrechtlichen Kollegien. **vi|ri|ltim:** (veraltet) Mann für Mann, einzeln

Vi|ro|lo|ge ⟨lat.; gr.⟩ der; -n, -n: Wissenschaftler auf dem Gebiet der Virologie. **Vi|ro|lo|gie** die; -: Wissenschaft u. Lehre von den Viren. **vi|ro|lo|gisch:** die Virologie betreffend. **vi|rös** ⟨lat.⟩: virusbedingt. **Vi|ro|se** ⟨lat.-nlat.⟩ die; -, -n: Viruskrankheit

vir|tu|al ⟨lat.-mlat.⟩: (veraltet) virtuell. **Vir|tu|al|li|tät** die; -, -en: innewohnende Kraft od. Möglichkeit. **vir|tu|a|li|ter:** als Möglichkeit. **Vir|tu|al Re|a|li|ty** ['vɔ:tʃʊəl rɪ'ælɪtɪ] ⟨engl.⟩ die; -: virtuelle Realität. **vir|tu|ell** ⟨lat.-mlat.-fr.⟩: a) entsprechend seiner Anlage als Möglichkeit vorhanden, die Möglichkeit zu etw. in sich begreifend; b) nicht echt, nicht in Wirklichkeit vorhanden, aber echt erscheinend, dem Auge, den Sinnen vortäuschend; **virtuelle Realität:** vom Computer simulierte Wirklichkeit, künstliche Welt, in die man sich mithilfe der entsprechenden technischen Ausrüstung scheinbar hineinversetzen kann. **vir|tu|os** ⟨lat.-it.⟩: meisterhaft, technisch vollendet. **Vir|tu|o|se** der; -n, -n: ausübender Künstler (bes. Musiker), der seine Kunst mit vollendeter Meisterschaft beherrscht. **Vir|tu|o|si|tät** ⟨lat.-it.-nlat.⟩ die; -: meisterhaft vollendete Beherrschung einer [künstlerischen] Technik. **Vir|tus** ⟨lat.⟩ die; -: Tüchtigkeit; Tapferkeit; Tugend (Ethik)

vi|ru|lent ⟨lat.⟩: 1. (von Krankheitserregern) aktiv, ansteckend (Med.); Ggs. ↑ avirulent. 2. sich gefahrvoll auswirkend. **Vi|ru|lenz** die; -: 1. aktive Wirkung von Krankheitserregern; Ansteckungsfähigkeit; Giftigkeit (Med.). 2. das Virulentsein. **Vi|rus** ⟨„Schleim, Saft, Gift"⟩ das (auch: der); -, Viren: 1. kleinstes [krankheitserregendes] Partikel, das sich nur in lebendem Gewebe entwickelt. 2. Computerprogramm, das falsche od. zerstörerische Befehle in anderen Programmen auslöst. **Vi|rus|in|fek|ti|on** der; -, -en: durch Viren hervorgerufene Infektion (1)

Vi|sa: Plural von ↑ Visum. **Vi|sa|ge** [vi'za:ʒə] ⟨lat.-fr.⟩ die; -, -n: a) (ugs. abwertend) Gesicht; b) (salopp) Miene, Gesichtsausdruck. **Vi|sa|gist** der; -en, -en: Spezialist für die vorteilhafte Gestaltung des Gesichts mit den Mitteln der dekorativen Kosmetik. **Vi|sa|gis|tin** die; -, -nen: weibliche Form zu ↑ Visagist. **Vi|sa-vis** [...'vi:] das; - [...'vi:(s)], - [...'vi:s]: Gegenüber. **vis-a-vis,** auch: **vis-à-vis** [viza'vi:]: gegenüber.

Vis|ce|ra ['vɪstsera] vgl. Viszera

Vis|con|te ⟨lat.-mlat.-fr.-it.⟩ der; -, ...ti: dem Vicomte entsprechender italienischer Adelstitel. **Vis|con|tes|sa** die; -, ...tesse: dem Visconte entsprechender weiblicher Adelstitel. **Vis|count** ['vai-

kaunt] ⟨lat.-mlat.-fr.-engl.⟩ der; -s, -s: dem Vicomte entsprechender englischer Adelstitel. **Vis|coun|tess** [...tɪs] die; -, -es [...tɪsɪz]: dem Viscount entsprechender weiblicher Adelstitel

Vi|sen: Plural von ↑ Visum. **vi|si|bel** ⟨lat.⟩: (veraltet) sichtbar

Vi|sier ⟨lat.-fr.⟩ das; -s, -e: 1. a) beweglicher, das Gesicht bedeckender, mit Sehschlitzen versehener Teil des [mittelalterlichen] Helms; b) visierähnlicher Teil des Schutzhelms für Rennfahrer und Zweiradfahrer. 2. Vorrichtung zum Zielen an Feuerwaffen u. a. **vi|sie|ren:** 1. a) nach etwas sehen, zielen; b) etwas ins Auge fassen. 2. eichen, ausmessen. 3. (veraltet) beglaubigen. 4. ein Dokument, einen Pass mit einem Visum versehen. **Vi|sie|rung** die; -, -en: Entwurf zu einem Kunstwerk des Mittelalters u. der Renaissance

Vis In|er|ti|ae [- ...tsiɛ] ⟨lat.⟩ die; -: Beharrungsvermögen (Philos.)

Vi|si|on ⟨lat.⟩ die; -, -en: a) übernatürliche Erscheinung als religiöse Erfahrung; b) optische Halluzination; c) in jmds. Vorstellung bes. in Bezug auf die Zukunft entworfenes Bild. **vi|si|o|när** ⟨lat.-nlat.⟩: a) zu einer Vision gehörend, dafür charakteristisch; b) sich in einer Vision, in Visionen ausdrückend. **Vi|si|o|när** der; -s, -e: visionär begabter Mensch, bes. Künstler. **vi|si|o|nie|ren:** (schweiz.) (einen Film o. Ä.) ansehen.

Vi|si|ta|tio ⟨lat.⟩ die; -, ...onen: bildliche Darstellung von Marias Besuch bei Elisabeth (Heimsuchung Mariä). **Vi|si|ta|ti|on** ⟨lat.(-fr.)⟩ die; -, -en: 1. Durchsuchung (z. B. des Gepäcks od. der Kleidung [auf Schmuggelware]). 2. a) Besuch[sdienst] des vorgesetzten Geistlichen in den ihm unterstellten Gemeinden zur Erfüllung der Aufsichtspflicht; b) (veraltend) Besuch des Schulrats zur Überprüfung des Unterrichts. **Vi|si|ta|tor** ⟨lat.⟩ der; -s, ...oren: jmd., der etwas durchsucht od. untersucht. **Vi|si|te** ⟨lat.-fr.⟩ die; -, -n: 1. Krankenbesuch des Arztes [im Krankenhaus]. 2. (veraltet, aber noch scherzh.) [Höflichkeits]besuch. **Vi|si|ten|kar|te** die; -, -n: kleine Karte mit aufgedrucktem Namen u. aufgedruckter Adresse, die man jmdm. aushändigt, damit er sich gegebenenfalls an einen wenden kann. **vi|si|tie|ren**

⟨lat.(-fr.)⟩: 1. aufgrund eines bestimmten Verdachts jmdn., jmds. Kleidung, Gepäck, Wohnung durchsuchen. 2. zur Überprüfung besichtigen, besuchen. Vi|sit|kar|te die; -, -n: (österr.) Visitenkarte
vis|kos u. vis|kös ⟨lat.⟩: zähflüssig, leimartig. Vis|ko|se ⟨lat.-nlat.⟩ die; -: glänzende Chemiefaser aus Zellulose. Vis|ko|si|me|ter ⟨lat.-nlat.; gr.⟩ das; -s, -: Messgerät zur Bestimmung des Grades der Zähflüssigkeit. Vis|ko|si|met|rie* die; -: Lehre von der Viskosität u. ihrer Messung. Vis|ko|si|tät ⟨lat.-nlat.⟩ die; -: Zähflüssigkeit; Zähigkeit von Flüssigkeiten u. Gasen
Vis ma|jor ⟨lat.⟩ die; - -: höhere Gewalt (Rechtsw.)
Vis|ta ⟨lat.-it.⟩ die; -: Sicht, Vorzeigen eines Wechsels (Wirtsch.). Vis|ta|wech|sel der; -s, -: Sichtwechsel (Wirtsch.)
vi|su|al|li|sie|ren ⟨lat.-engl.⟩: auf optisch ansprechende Weise darstellen. Vi|su|al|li|zer ['vɪzjʊəlaɪzə] ⟨lat.-fr.-engl.⟩ der; -s, -: Fachmann für die grafische Gestaltung von Werbeideen. vi|su|ell ⟨lat.-fr.⟩: den Gesichtssinn betreffend; visueller Typ: Menschentyp, der Gesehenes besser behält als Gehörtes; Ggs. ↑akustischer Typ. Vi|sum ⟨lat.; „Gesehenes"⟩ das; -s, Visa u. Visen: Urkunde [in Form eines Vermerks im Pass] über die Genehmigung des Grenzübertritts. Vi|sus der; -: der Gesichtssinn
Vis|ze|ra u. Viscera ⟨lat.⟩ die (Plural): im Inneren der Schädel-, Brust-, Bauch- u. Beckenhöhle gelegene Organe (Eingeweide; Med.), vis|ze|ral: die Eingeweide betreffend (Med.)
vis|zid ⟨lat.⟩: ↑viskos
Vi|ta ⟨lat.⟩ die; -, Viten u. Vitae: 1. a) Lebensbeschreibung [antiker u. mittelalterlicher Persönlichkeiten u. Heiliger]; b) Leben[slauf] eines Menschen. 2. Lebensfunktion, Lebenskraft (Med.). Vi|ta ac|ti|va die; - -: tätiges Leben, bes. als Teil mönchischer Lebensführung. Vi|ta com|mu|nis die; - -: gemeinsames Leben [unter Verzicht auf privates Vermögen] in katholischen geistlichen Orden u. Kongregationen. Vi|ta con|tem|pla|ti|va* die; - -: betrachtendes, kontemplatives Leben im Gegensatz zur Vita activa. vi|tae, non scho|llae dis|ci|mus vgl. non scholae sed vitae discimus.

vi|tal ⟨lat.-fr.⟩: 1. von entscheidender Wichtigkeit; lebenswichtig. 2. voller Lebenskraft, im Besitz seiner vollen Leistungskraft. Vi|tal|funk|ti|on die; -, -en: lebenswichtige Körperfunktion (z.B. Atmung, Herztätigkeit; Med.). Vi|ta|li|a|ner ⟨lat.-nlat.⟩ u. Vi|ta|li|en|brü|der die (Plural): (hist.) Seeräuber in der Nord- und Ostsee im 14. und 15. Jahrhundert. vi|ta|li|sie|ren: beleben, anregen. Vi|ta|lis|mus der; -: naturphilosische Richtung, nach der das organische Leben einer besonderen Lebenskraft zuzuschreiben ist. Vi|ta|list der; -en, -en: Vertreter des Vitalismus. vi|ta|lis|tisch: den Vitalismus betreffend. Vi|ta|li|tät ⟨lat.-fr.⟩ die; -: Lebenskraft, Lebensfülle; Lebendigkeit. Vi|ta|min* ⟨Kunstw. aus lat. vita „Leben" u. Amin⟩ das; -s, -e: die biologischen Vorgänge im Organismus regulierender, lebenswichtiger, vorwiegend in Pflanzen gebildeter Wirkstoff, der mit der Nahrung zugeführt wird (z.B. Vitamin A). vi|ta|min|nie|ren* u. vi|ta|mi|ni|sie|ren*: Lebensmittel mit Vitaminen anreichern
vite [vi:t] ⟨lat.-vulgärlat.-fr.⟩: schnell, rasch (Vortragsanweisung; Mus.). vi|te|ment [vitə-'mã:, vɪt'mã:]: ↑vite
Vi|ten: Plural von ↑Vita
Vi|tia: Plural von ↑Vitium. Vi|ti|li|go ⟨lat.⟩ die; -, ...ligines [...ne:s]: erworbene Pigmentanomalie der Haut (Med.). vi|ti|ös ⟨lat.(-fr)⟩: a) fehlerhaft, mangelhaft; b) bösartig, lasterhaft. Vi|ti|um ⟨lat.⟩ das; -s, Vitia: organischer Fehler od. Defekt
Vi|tra|ri Plural von ↑Vitrum. Vit|ri|ne ⟨lat.-vulgärlat.-fr.⟩ die; -, -n: a) Schaukasten; b) Glasschrank. Vit|ri|ol ⟨lat.-mlat.⟩ das; -s, -e: (veraltet) Kristallwasser enthaltendes Sulfat eines zweiwertigen Metalls. Vit|ri|ol|öl das; -[e]s (veraltet) rauchende Schwefelsäure. Vit|rit [auch: ...'trɪt] ⟨lat.-nlat.⟩ der; -s, -e: aschenarme Streifenart der Steinkohle (Geol.). Vit|ro|id ⟨lat.; gr.⟩ das; -[e]s, -e (meist Plural): Stoff, der einen glasartigen Schmelzfluss bildet (Chem.). Vit|ro|phyr der; -s, -e: vulkanisches Glas (Geol.). Vit|rum ⟨lat.; „Glas"⟩ das; -s, Vitra u. Vitren: Arzneiflasche; Abk.: Vitr.
Vitz|li|putz|li ⟨nach dem aztekischen Stammesgott Huitzilopochtli⟩ der; -[s]: 1. Schreckge-

stalt, Kinderschreck. 2. (verhüllend) Teufel.
viv vgl. vif. vi|va|ce [...tʃə] ⟨lat.-it.⟩: lebhaft (Mus.). Vi|va|ce das; -, -: lebhaftes, schnelles Tempo (Mus.). vi|va|cet|to [...'tʃeto]: etwas lebhaft (Mus.). vi|va|cis|si|mo [...tʃ...]: sehr lebhaft (Mus.). Vi|va|cis|si|mo das; -s, -s u. ...mi: äußerst lebhaftes Zeitmaß (Mus.). vi|vant! ⟨lat.⟩: sie sollen leben! vi|vant se|quen|tes! ⟨lat.⟩: die [Nach]folgenden sollen leben! Vi|va|ri|um das; -s, ...ien: 1. Behälter, in dem kleinere Tiere gehalten werden. 2. Gebäude [in einem zoologischen Garten], in dem Vivarien (1) untergebracht sind. vi|vat, cres|cat, flo|re|at!: (Studenspr.) er [sie, es] lebe, blühe u. gedeihe! Vi|vat das; -s, -s: Hochruf. vi|vat! er lebe! vi|vat se|quens!: es lebe der [Nach]folgende! Vi|va|zi|tät die; -: (veraltet) Lebhaftigkeit, Munterkeit
Vi|vi|a|nit [auch: ...'nɪt] ⟨nlat.; nach dem engl. Mineralogen J. G. Vivian⟩ der; -s, -e: Blaueisenerz (ein Mineral)
vi|vi|par ⟨lat.⟩: 1. lebend gebärend (Biol.). 2. (von Pflanzen) auf der Mutterpflanze auskeimend (Bot.). Vi|vi|pa|rie ⟨lat.-nlat.⟩ die; -: 1. geschlechtliche Fortpflanzung durch Gebären von lebenden Jungen (Zool.). 2. Auskeimen von Samen auf der Mutterpflanze (Bot.). Vi|vi|sek|ti|on die; -, -en: Eingriff am lebenden Tier (zu Forschungszwecken). vi|vi|se|zie|ren: eine Vivisektion vornehmen. vi|vo ⟨lat.-it.⟩: ↑vivace
Vi|ze ['fi:tsə, auch: 'vi:tsə] ⟨lat.⟩ der; -[s], -s: (ugs.) Stellvertreter. Vi|ze|kanz|ler der; -s: Stellvertreter des Kanzlers. Vi|ze|prä|si|dent der; -en, -en: stellvertretender Präsident
Viz|tum ['fɪtstu:m, auch: 'vi:ts...] ⟨lat.-mlat.⟩ der; -[e]s, -e: (im MA) Vermögensverwalter geistlicher, später auch weltlicher Herrschaft
Vlie|se|li|ne ® ⟨Kunstw.⟩ die; -: anstelle von Steifleinen verwendeter Vliesstoff [der aufgebügelt wird]
vo|cal|le ⟨lat.-it.⟩: gesangsmäßig, stimmlich (Mus.). Vol|ce ['vo:tʃə] die; -, Voci ['vo.tʃi]: ital. Bez. für: Singstimme; Stimme. Voce alta: hohe, laute Stimme; Voce bassa: tiefe, leise Stimme; Voce di Testa: Kopfstimme. Voce pastosa: geschmeidige Stimme; Voce

spiccata: die Töne perlenartig führende Stimme (Mus.). **Vo|ces** ['vo:tse:s] ⟨*lat.*⟩ *die* (Plural): 1. die Singstimmen; Abk.: V.; **Voces aequales:** gleiche Stimmen (Mus.). 2. *Plural* von ↑ Vox. **Vo|ci** ['vo:tʃi] *Plural* von ↑ Voce. **Vo|co-der** ⟨Kurzw. aus engl. *voice coder*⟩ *der;* -s, -: a) Gerät zur Erzeugung von künstlicher, menschlicher Sprache; b) Gerät zur Verschlüsselung, Modulation u. [drahtlosen] Übertragung menschlicher Sprache **Vogue** [vo:k, vɔg] ⟨*fr.*⟩ *der;* -: (veraltet) Ansehen, Beliebtheit **voi|là!** [vɔa'la] ⟨*fr.*⟩: sieh da!; da haben wir es! **Voile** [vɔa:l] ⟨*lat.-fr.*⟩ *der;* -, -s: feinfädiges, leinwandbindiges poröses Gewebe **Voix mixte** [vɔa'mıkst] ⟨*lat.-fr.;* „gemischte Stimme"⟩ *die;* - -: (Mus.) 1. Mittelregister bei der Orgel. 2. Übergangston von der Brust- zur Kopfstimme. **Vo|ka-bel** ⟨*lat.*⟩ *die;* -, -n (österr. auch: *das;* -s, -): a) einzelnes Wort in einer fremden Sprache; b) Bezeichnung, Ausdruck; Begriff, wie er sich in einem Wort manifestiert. **Vo|ka|bu|lar** ⟨*lat.-mlat.*⟩ *das;* -s, -e: a) Wörterverzeichnis; b) Wortschatz, dessen man sich bedient, der zu einem bestimmten [Fach]bereich gehört. **Vo|ka-bu|la|ri|um** *das;* -s, ...ien: (veraltet) Vokabular. **vo|kal** ⟨*lat.*⟩: von einer od. mehreren Singstimmen ausgeführt; durch die Singstimme hervorgebracht, für sie charakteristisch (Mus.). **Vo|kal** *der;* -s, -e; Laut, bei dessen Artikulation die Atemluft verhältnismäßig ungehindert ausströmt; Selbstlaut (Sprachw.); Ggs. ↑ Konsonant. **Vo|kal|har|mo|nie** *die;* -: Beeinflussung eines Vokals durch einen benachbarten anderen Vokal. **Vo|ka|li|sa|ti|on** ⟨*lat.-nlat.*⟩ *die;* -, -en: 1. Feststellung der Aussprache des (vokallosen) hebräischen Textes des Alten Testaments durch Striche od. Punkte. 2. Bildung u. Aussprache der Vokale beim Singen. 3. vokalische Aussprache eines Konsonanten; vgl. vokalisieren (2); vgl. [at]ion/...ierung. **vo|ka-lisch** ⟨*lat.*⟩: den Vokal betreffend, selbstlautend. **Vo|ka|li|se** ⟨*lat.-fr.*⟩ *die;* -, -n: Singübung nur mit Vokalen (Mus.). **vo|ka|li|sie-ren** ⟨*lat.-nlat.*⟩: 1. beim Singen die Vokale bilden u. aussprechen (Musik). 2. einen Konsonanten wie einen Vokal sprechen (z. B. r

in *Kurt* [kʊrt] wie ɐ [ku:ɐ̯t]). **Vo-ka|li|sie|rung** *die;* -, -en: Vokalisation (3); vgl. ...[at]ion/...ie-rung. **Vo|ka|lis|mus** ⟨*lat.-nlat.*⟩ *der;* -: System, Funktion der Vokale. **Vo|ka|list** ⟨*lat.-fr.*⟩ *der;* -en, -en: (veraltet) Sänger im Gegensatz zum Instrumentalisten. **Vo-kal|mu|sik** *die;* -: Gesangsmusik im Gegensatz zur Instrumentalmusik. **Vo|ka|ti|on** ⟨*lat.*⟩ *die;* -, -en: Berufung in ein Amt. **Vo|ka-tiv** *der;* -s, -e: Kasus der Anrede (Sprachw.) **Vol|lant** [vo'lɑ̃:] ⟨*fr.*⟩ *der* (schweiz. meist, österr. auch: *das*); -s, -s: 1. (bei Kleidungsstücken) als Besatz auf- od. angesetzter, angekrauster Stoffstreifen. 2. Steuerrad eines Kraftwagens **Vo|la|pük** ⟨Kunstw. aus *vol* (engl. world = Welt) u. *pük* (engl. speak = sprechen)⟩ *das;* -s: im 19. Jh. geschaffene Welthilfssprache; vgl. Esperanto **Vo|la|ta** ⟨*lat.-it.*⟩ *die;* -, ...te: kleiner [Verzierungs]lauf im Gesang (Mus.). **vo|la|til** ⟨*lat.*⟩: flüchtig, verdunstend (Chem.). **Vo|la|ti|li-tät** ⟨*lat.*⟩ *die;* -, -en: 1. Ausmaß der Schwankung von Preisen, Aktien- u. Devisenkursen, Zinssätzen od. auch ganzen Märkten innerhalb einer kurzen Zeitspanne (Bankwesen). 2. (veraltet) Flüchtigkeit. **Vol-au-Vent** [volo-'vã:] ⟨*lat.-fr.*⟩ *der;* -, -s: hohle Pastete aus Blätterteig, die mit Ragout gefüllt wird. **Vo|li|e|re** [vo'lje:rə] *der;* -, -n: großer Vogelkäfig, in dem die Vögel fliegen können **vo|li|ti|o|nal** ⟨*lat.-nlat.*⟩: durch den Willen bestimmt (Psychol.). **vo|li|tiv:** (Psychol.) a) willentlich, gewollt; b) den Willen, die Willenskraft betreffend **vol|ley** ['vɔlɪ] ⟨*lat.-fr.-engl.*⟩: aus der Luft [geschlagen], ohne dass der Ball aufspringt (Tennis, Fußball). **Vol|ley** *der;* -s, -s: Flugball (Tennis). **Vol|ley|ball** *der;* -s, ...bälle: 1. (auch: *das;* ohne Plural, meist ohne Artikel) ein Ball mit den Händen über ein Netz zurückgeschlagen werden muss u. nicht den Boden berühren darf. 2. Ball für das Volleyballspiel. 3. Flugball, direkt aus der Luft angenommener u. weitergeschlagener od. -getretener Ball. **Vol|ley|stoß** *der;* -es, ...stö-ße: (österr.) voller, gerader Stoß (Fußball, Billard) **Vol|on|tär** ⟨*lat.-fr.;* „Freiwilliger"⟩ *der;* -s, -e: jmd., der zur Vorberei-

tung auf seine künftige berufliche (bes. journalistische od. kaufmännische) Tätigkeit [gegen geringe Bezahlung] bei einer Redaktion, bei einem kaufmännischen Betrieb o. Ä. arbeitet. **Vo-lon|ta|ri|at** ⟨*lat.-fr.-nlat.*⟩ *das;* -s, -e: 1. Ausbildungszeit eines Volontärs. 2. Stelle eines Volontärs. **vo|lon|tie|ren:** als Volontär[in] arbeiten **Volt** ⟨nach dem italienischen Physiker A. Volta, 1745–1827⟩ *das;* - u. -[e]s, -: internationale Bez. für die Einheit der elektrischen Spannung; Zeichen: V **Vol|ta** ⟨*lat.-vulgärlat.-it.*⟩ *die;* -, ...ten: schneller, ausgelassener Tanz im Dreier- od. ⁶/₈-Takt (16. u. 17. Jh.) **Vol|ta|ele|ment** ⟨zu: Volta, Volt⟩ *das;* -s: galvanisches Element (aus Kupfer- u. Zinkelektroden in wässrigem Elektrolyten). **Vol-ta|me|ter** ⟨*it.; gr.*⟩ *das;* -s, -: elektrolytisches Instrument zur Messung der Strommenge aus der Menge des beim Stromdurchgang abgeschiedenen Metalls od. Gases. **Vol|t|am|pere** *das;* -[s], -: Einheit der elektrischen Leistung; Zeichen: VA **Vol|te** ⟨*lat.-vulgärlat.-it.-fr.*⟩ *die;* -, -n: 1. Kunstgriff im Kartenspiel, durch den beim Mischen eines Kartenblatt eine gewünschte Lage gegeben wird. 2. das Reiten eines Kreises von kleinem Durchmesser (Reiten). 3. seitliches Ausweichen (Fechten). **vol|tie-ren:** ↑ voltigieren **Vol|ti-ge** [vɔl'ti:ʒə] *die;* -, -n: Sprung eines Kunstreiters auf das trabende od. galoppierende Pferd. **Vol|ti-geur** [...'ʒø:ɐ̯] *der;* -s, -e: Voltigierer. **vol|ti|gie|ren** [...'ʒi:...]: 1. eine Volte (1 u. 3) ausführen. 2. Luft-, Kunstsprünge o. Ä. am trabenden od. galoppierenden Pferd ausführen. 3. (veraltet) ein leichtes Gefecht führen, plänkeln; vgl. Voltigierer (2). **Vol|ti-gie|rer** *der;* -s, -: 1. Luft-, Kunstspringer. 2. (veraltet) jmd., der ein leichtes Gefecht führt, Plänkler (Mil.). **vol|ti su|bi|to** ⟨*lat.-it.*⟩: wende (das Notenblatt) schnell um (Mus.); Abk.: v. s.; vgl. verte [subito] **Vol|t|me|ter** ⟨↑ Volt⟩ *das;* -s, -: in Volteinheiten geeichtes Instrument zur Messung von elektrischen Spannungen. **Vol|t|se-kun|de** *die;* -, -en: Einheit des magnetischen Flusses; Zeichen: Vs **Vol|lum** ⟨*lat.(-fr.)*⟩ *das;* -s, -e: (veraltet, aber noch in Zusammensetzungen) Volumen. **Vo|lu|men** *das; -s, - u. ...mina:* 1. (Plural: -) Rauminhalt eines festen, flüssigen od. gasförmigen Körpers; Zeichen: V. 2. (Plural: ...mina) Schriftrolle, Band (eines Werkes); Abk.: vol. 3. (Plural: -) Stromstärke einer Fernsprechod. Rundfunkübertragung. 4. (Plural: -) Umfang, Gesamtmenge von etwas. **Vo|lu|men|gewicht** vgl. Volumgewicht. **Vo|lume|no|me|ter** ⟨*lat.; gr.*⟩ *das; -s, -:* ↑Stereometer (1). **Vo|lu|menpro|zent** vgl. Volumprozent. **Vo|lu|me|ter** *das; -s, -:* Senkwaage mit Volumenskala zur Bestimmung der Dichte einer Flüssigkeit. **Vo|lu|met|rie*** *die; -:* Maßanalyse, Messung von Anteilen. **Vo|lum|ge|wicht** u. Volumengewicht *das; -[e]s, -e:* spezifisches Gewicht; Raumgewicht. **Vo|lu|mi|na:** Plural von ↑Volumen. **vo|lu|mi|nös** ⟨*lat.-fr.*⟩*:* von beträchtlichem Umfang. **Vo|lum|pro|zent** u. Volumenprozent *das; -[e]s, -e:* Hundertsatz vom Rauminhalt; Abk.: Vol.-%

Vo|lun|ta|ris|mus ⟨*lat.-nlat.*⟩ *der; -:* philosophische Lehre, die den Willen als Grundprinzip des Seins ansieht. **Vo|lun|ta|rist** *der; -en, -en:* Vertreter des Voluntarismus. **vo|lun|ta|ris|tisch:** den Voluntarismus betreffend. **vo|lun|ta|tiv** ⟨*lat.*⟩*:* 1. willensfähig, den Willen betreffend (Philos.). 2. den Modus (2) des Wunsches ausdrückend (Sprachw.)

vo|lup|tu|ös ⟨*lat.-fr.*⟩*:* Begierde erweckend, wollüstig

Vo|lu|te ⟨*lat.*⟩ *die; -, -u.* spiralförmige Einrollung am Kapitell ionischer Säulen od. als Bauornament in der Renaissance. **Vo|lu|tin** ⟨*lat.-nlat.*⟩ *das; -s:* körnige Struktur in Bakterienzellen (Biol.)

Völ|va ⟨*altnord.*⟩ *die; -, ...vur:* Seherin in nordgermanischen Sagen

vol|vie|ren ⟨*lat.*⟩*:* 1. wälzen, rollen, wickeln. 2. genau ansehen; überlegen, durchdenken. **Vol|vox** ⟨*lat.-nlat.*⟩ *die; -:* Kugelalge. **Vol|vu|lus** *der; -, ...li:* Darmverschlingung (Med.)

vo|mie|ren ⟨*lat.*⟩*:* erbrechen (Med.). **Vo|mi|tio** ⟨*lat.*⟩ *die; -, ...tiones:* ↑Vomitus. **Vo|mi|tiv** ⟨*lat.-nlat.*⟩ *das; -s, -e u.* **Vo|mi|ti|vum** *das; -s, ...va u.* **Vo|mi|to|ri|um** ⟨*lat.*⟩ *das; -s, ...ien:* Brechmittel (Med.)

Vo|mi|tus *der; -:* das Erbrechen (Med.)

Voo|doo [vuˈduː] vgl. Wodu

Vo|ra|zi|tät ⟨*lat.*⟩ *die; -:* Gefräßigkeit, Heißhunger (Med.)

Vor|tum|na|li|en vgl. Vertumnalien

Vo|ta: Plural von ↑Votum. **Vo|tant** ⟨*lat.-nlat.*⟩ *der; -en, -en:* (veraltet) jmd., der ein Votum abgibt. **Vo|ta|ti|on** *die; -, -en:* (veraltet) Abstimmung. **Vo|ten:** Plural von ↑Votum. **vo|tie|ren:** 1. seine Stimme für od. gegen jmdn., etw. abgeben; sich für od. gegen jmdn., etw. entscheiden; für od. gegen jmdn. stimmen. 2. sich für od. gegen jmdn., etw. aussprechen. **Vo|tiv** ⟨*lat.*⟩ *das; -s, -e u.* **Vo|tiv|ga|be** *die; -, -n:* als Bitte um od. Dank für Hilfe in einer Notlage einem Heiligen dargebrachte Gabe (kath. Kirche). **Vo|tiv|ka|pel|le** *die; -, -n:* einem Heiligen aufgrund eines Gelübdes gestiftete Kapelle. **Vo|tiv|mes|se** *die; -, -n:* Messe, die für ein besonderes Anliegen gefeiert wird (z. B. Braut-, Totenmesse). **Vo|tum** ⟨*lat.-mlat.(-engl.)*⟩ *das; -s, ...ten u. ...ta:* 1. [feierliches] Gelübde. 2. a) Urteil, Stimme; b) [Volks]entscheidung; c) Gutachten

Vou|cher [ˈvaʊtʃə] ⟨*engl.*⟩ *das od. der; -s, -[s]:* Gutschein für im Voraus bezahlte Leistungen (Touristik)

Vou|dou [vuˈduː] vgl. Wodu

Voûte [ˈvuːtə] ⟨*lat.-vulgärlat.-fr.*⟩ *die; -, -n:* 1. gewölbter Übergang zwischen einer Wand bzw. Säule u. der Decke. 2. Verstärkung eines Trägers am Auflager

Vox ⟨*lat.*⟩ *die; -, Voces* [ˈvoːtseːs]: lat. Bez. für Stimme, Laut; **Vox acuta:** hohes, scharfes Orgelregister; **Vox celestis:** lieblich, schwebend klingendes Orgelregister; **Vox humana:** menschenstimmenähnliches Orgelregister; **Vox media:** inhaltlich neutrales, von zwei Extremen gleich weit entferntes Wort (z. B. „Geschick" gegenüber „Glück" od. „Unglück"; Rhet.; Stilk.); **Vox nihili** „Stimme des Nichts"): ↑Ghostword; **vox populi vox Dei** ⟨„Volkes Stimme [ist] Gottes Stimme"⟩: das ist die Stimme des Volkes [der man Rechnung tragen, entsprechen muss], das ist die öffentliche Meinung [der ein Bes Gewicht hat]

Vo|ya|geur [vɔajaˈʒøːɐ̯] ⟨*lat.-fr.*⟩ *der; -s, -s u. -e:* (veraltet) Reisender

Vo|yeur [vɔaˈjøːɐ̯] ⟨*lat.-fr.*⟩ *der; -s, -e u. -s:* jmd., der durch [heimli-

ches] Zuschauen bei sexuellen Handlungen anderer Lust empfindet (Psychol.; Med.). **Vo|yeuris|mus** *der; -:* sexuelles Empfinden u. Verhalten der Voyeure. **vo|yeu|ris|tisch:** den Voyeurismus betreffend. **vo|yons** [vwaˈjõ] wir wollen sehen!, nun!

vo|zie|ren ⟨*lat.*⟩: a) berufen; b) [vor Gericht] vorladen

Vri|sea [ˈfriː...] ⟨*nlat.;* nach dem niederl. Botaniker W. H. de Vriese (1807–1862)⟩ *die; -, ...gen:* Ananasgewächs mit in Rosetten angeordneten, oft marmorierten Blättern u. in Ähren wachsenden, leuchtend gefärbten Blüten

V.S.O.P. = *very special old pale* (Gütekennzeichnung für Cognac od. Weinbrand)

vul|gär ⟨*lat.-fr.*⟩*:* 1. (abwertend) auf abstoßende Weise derb u. gewöhnlich, ordinär. 2. zu einfach u. oberflächlich; nicht wissenschaftlich dargestellt, gefasst. **vul|ga|ri|sie|ren:** 1. (abwertend) in unzulässiger Weise vereinfachen; allzu oberflächlich darstellen. 2. (veraltet) unter das Volk bringen, allgemein bekannt machen. **Vul|ga|ris|mus** *der; -, ...men:* vulgäres (1) Wort, vulgäre Wendung (bes. Sprachw.). **Vul|ga|ri|tät** ⟨*lat.*⟩ *die; -, -en:* 1. a) (ohne Plural) vulgäres (1) Wesen, vulgäre Art; b) vulgäre (1) Beschaffenheit. 2. vulgäre (1) Äußerung. **Vul|gär|la|tein** *das; -s:* umgangssprachliche Form der lateinischen Sprache (als Ursprung der romanischen Sprachen entwickelten). **Vul|ga|ta** ⟨„die allgemein Verbreitete"⟩ *die; -:* vom hl. Hieronymus im 4. Jahrhundert begonnene, später für authentisch erklärte lateinische Übersetzung der Bibel. **vul|go:** gemeinhin, gewöhnlich genannt

Vul|kan ⟨*lat.;* nach Vulkanus, dem altröm. Gott des Feuers⟩ *der; -s, -e:* (Geol.) Berg, aus dessen Innerem Lava u. Gase ausgestoßen werden; Feuer speiender Berg. **Vul|kan|fi|ber** *die; -:* Kunststoff als Leder- od. Kautschukersatz. **Vul|ka|ni|sat** ⟨*lat.-nlat.*⟩ *das; -[e]s, -e:* vulkanisierter Kautschuk. **Vul|ka|ni|sa|ti|on** *die; -en:* Umwandlung von Kautschuk in Gummi mithilfe von Schwefel o. Ä.; vgl. ...[at]ion/ ...ierung. **vul|ka|nisch** ⟨*lat.*⟩: durch Vulkanismus bedingt, von Vulkanen herrührend. **Vul|ka|ni|seur** [...ˈøːɐ̯] ⟨*lat.; fr.*⟩ *der; -s, -e:* Facharbeiter in der Gummiherstellung. **vul|ka|ni-**

sie|ren: 1. Kautschuk in Gummi umwandeln. 2. Gummiteile durch Vulkanisation miteinander verbinden. **Vul|ka|ni|sie-rung** die; -, -en: ↑Vulkanisation; vgl. ...[at]ion/...ierung. **Vul|ka-nis|mus** ⟨lat.-nlat.⟩ der; -: zusammenfassende Bez. für alle mit dem Empordringen von ↑Magma (1) an die Erdoberfläche zusammenhängenden Erscheinungen und Vorgänge (Geol.). **Vul-ka|nit** [auch: ...'nıt] der; -s, -e: Erguss- od. Eruptivgestein. **Vul-ka|no|lo|ge** der; -en, -en: Forscher auf dem Gebiet der Vulkanologie. **Vul|ka|no|lo|gie** ⟨lat.; gr.⟩ die; -: Teilgebiet der ↑Geologie, das sich mit der Erforschung des Vulkanismus befasst. **vul|ka-no|lo|gisch:** die Vulkanologie betreffend. **Vul|ka|zit** ⟨lat.-nlat.⟩ der; -s, -e: organische Verbindung als Beschleuniger bei der Vulkanisation (Chem.)

vul|ne|ra|bel ⟨lat.⟩: verletzlich, verwundbar (von Organen od. Gefäßen, die nahe an der Körperoberfläche liegen; Med.). **Vul|ne|ra|bi|li|tät** ⟨lat.-nlat.⟩ die; -: Verwundbarkeit, Verletzbarkeit (bes. Med.)

Vul|va ⟨lat.⟩ die; -, ...ven: äußeres ↑Genitale der Frau (Med.). **Vul-vi|tis** ⟨lat.-nlat.⟩ die; -, ...itiden: Entzündung der äußeren weiblichen Geschlechtsteile (Med.). **Vul|vo|va|gi|ni|tis** die; -, ...itiden: Entzündung der äußeren weiblichen Geschlechtsteile u. der ↑Vagina (Med.)

vu|o|ta ⟨lat.-vulgärlat.-it.⟩: auf der leeren Saite (d.h., ohne den Finger auf das Griffbrett zu setzen) zu spielen. **Vu|o|to** das; -: (Mus.) 1. Generalpause. 2. Benutzung der leeren Saite eines Streichinstrumentes

Wa|di ⟨arab.⟩ das; -s, -s: tief eingeschnittenes, meist trocken liegendes Flussbett eines Wüstenflusses

Wadsch|ra|ja|na* ⟨sanskr.; „diamantenes Fahrzeug (der Erlösung)"⟩ das, -: dritte, in magi-

schen Riten veräußerlichte Hauptrichtung des Buddhismus; vgl. Hinajana, Mahajana

Wa|fer ['weı...] ⟨engl.⟩ der; -s, -: Mikroplättchen (EDV)

Wag|gon [va'gõ:, va'gɔŋ, auch: va'goːn] ⟨niederl.-engl.⟩ der; -s, -s (österr. auch: -e [...goːnə]): [Eisenbahn]wagen, Güterwagen. **Wa|gon-Lit** [vagõ:'liː] ⟨fr.⟩ der; -, -s [vagõ:'liː] franz. Bez. für: Schlafwagen

Wah|ha|bit ⟨arab.-nlat.⟩ der; -en, -en: Angehöriger einer puritanischen Glaubensgemeinschaft des Islams

Wai|schja ⟨sanskr.⟩ der; -s, -s: Angehöriger der dritten indischen Hauptkaste (Kaufleute, Bauern u. Handwerker); vgl. Brahmane, Kschatrija, Schudra

Waisch|na|wa ⟨sanskr.⟩ der; -s, -s: Verehrer des Gottes Wischnu (Angehöriger einer hinduistischen Sekte)

Wa|jang ⟨jav.⟩ das; -: javanisches [Schattenspiel]theater

Wa|kon|da ⟨indian.⟩ das; -s: ↑Orenda

¹Wa|li ⟨arab.-türk.⟩ der; -s, -s: (veraltet) höherer türkischer Verwaltungsbeamter; Statthalter. **²Wa|li** ⟨arab.; „Vertrauter (Gottes)"⟩ der; -[s], -s: 1. mohammedanischer Heiliger. 2. Grab eines mohammedanischen Heiligen als Wallfahrtsort

Wall|kie-Tal|kie ['wɔː'kıˈtɔːkı] ⟨engl.⟩ das; -[s], -s: tragbares Funksprechgerät. **Wall|king-bass** ['wɔː'kıŋbeıs] ⟨engl.⟩ der; -: laufende Bassfiguration des Boogie-Woogie-Pianostils.

Walk|man ® ['wɔːkmən] ⟨engl.⟩ der; -s, -s u. ...men [...mən]: tragbarer ↑Kassettenrekorder mit Kopfhörern

Wall|kü|re [auch: 'val...] ⟨altnord.; „Totenwählerin"⟩ die; -, -n: 1. göttliche Kampfjungfrau der nordischen Sage, die die Gefallenen nach Walhall, der Halle Odins, geleitet. 2. (scherzh.) große, stattliche [blonde] Frau

Wal|la|by ['wɔləbı] ⟨engl.⟩ das; -s, -s: 1. (meist Plural) kleines bis mittelgroßes Känguru (z. B. Felsen-, Hasenkänguru). 2. Fell verschiedener Känguruarten

Wall|street ['wɔːlstriːt] die; - u. **Wall Street** die; -: Geschäftsstraße in New York (Bankzentrum); Finanzzentrum der USA

Wal|lo|ne ⟨gr.-mgr.-it.⟩ die; -, -n: gerbstoffreicher Fruchtbecher der Eiche

Wam|pum [auch: ...puːm] ⟨indi-

an.⟩ der; -s, -e: (bei den nordamerikanischen Indianern) Gürtel aus Muscheln u. Schnecken als Zahlungsmittel u. Urkunde

Wan|da|le u. **Vandale** ⟨nach dem germanischen Volksstamm⟩ der; -n, -n: zerstörungswütiger Mensch. **wan|da|lisch** u. vandalisch: zerstörungswütig. **Wan-da|lis|mus** u. Vandalismus ⟨nlat.⟩ der; -: Zerstörungswut. **Wa|pi|ti** ⟨indian.⟩ der; -[s], -s: nordamerikanische Hirschart mit großem Geweih

Wa|ran ⟨arab.⟩ der; -s, -e: bis zu drei Meter lange tropische Echse

War|dein ⟨germ.-mlat.-fr.-niederl.⟩ der; -[e]s, -e: Münzprüfer. **war|die|ren:** den Münzwert prüfen

War|lord ['wɔːlɔːd] ⟨engl.⟩ der; -s, -s: militärischer Machthaber in bürgerkriegsähnlichen Konflikten

Warm-up ['wɔːmʌp] ⟨engl.⟩ das; -s, -s: 1. das Warm-laufen-Lassen eines Motors (Motorsport). 2. Einstimmung des Studiopublikums vor Beginn einer Fernsehsendung (Fernsehen).

Warp ⟨engl.⟩ der od. das; -s, -e: 1. Kettgarn. 2. Schürzenstoff aus Baumwollabfall u. Reißspinnstoff

War|rant ⟨engl.: 'vɔrənt, 'wɔrənt⟩ ⟨germ.-fr.-engl.⟩ der; -s, -s: 1. Lager[pfand]schein. 2. Optionsschein

War|ve ⟨schwed.⟩ die; -, -n: Jahresschicht, die aus einer hellen Sommer- u. einer dunklen Winterschicht besteht (Geol.). **War-vit** u. **Warwit** [auch: ...'vıt] ⟨schwed.-nlat.⟩ der; -s, -e: verfestigter Bänderton älterer Eiszeiten

wash and wear ['wɔʃ ənd 'weə] ⟨engl.; „waschen u. tragen"⟩: Qualitätsbezeichnung für Kleidungsstücke, die nach dem Waschen ohne Bügeln wieder getragen werden können. **Wash-board** ['wɔʃbɔːd] das; -s, -s: als Rhythmusinstrument im Jazz benutztes Waschbrett. **Wash|pri-mer** ['wɔʃpraımə] der; -s, -: vor der Lackierung auf das Metall aufgespritzte Lösung, durch die sich eine antikorrosive (vgl. korrosiv) Schicht bildet, die den Haftgrund für die später aufgetragene Lackschicht gibt

Was|ser|stoff|per|oxid, auch: ...oxyd u. **Was|ser|stoff|su-per|oxid**, auch: ...oxyd das; -s: Verbindung aus Wasserstoff u.

Sauerstoff (ein Oxidations- u. Bleichmittel)

Wat ⟨sanskrit.-siamesisch⟩ der; -[s], -s: buddhistische Klosteranlage in Südasien

Wa|ter|loo ⟨nach der Schlacht bei Waterloo, in der Napoleon vernichtend geschlagen wurde⟩ das; -, -s: vernichtende Niederlage, Untergang

wa|ter|proof ['wɔ:təpru:f]: wassergeschützt, wasserdicht (z. B. von Uhren). **Wa|ter|proof** der; -s, -s: 1. wasserdichtes Material. 2. wasserdichter Regenmantel

Watt ⟨nach dem engl. Ingenieur J. Watt, 1736-1819⟩ das; -s, -: Einheit der [elektrischen] Leistung; Zeichen: W

Wat|te|li|ne ⟨mlat.-niederl.-nlat.⟩ die; -: leichtes, watteähnliches Zwischenfutter. **wat|tie|ren**: mit Watte füttern

Watt|me|ter ⟨↑Watt⟩ das; -s, -: Gerät zur Messung elektrischer Leistung. **Watt|se|kun|de** die; -, -n: Einheit der Energie bzw. der Arbeit; Zeichen: Ws

Wa|vel|lit [auch: ...'lɪt] ⟨nlat.; nach dem engl. Arzt W. Wavell, † 1829⟩ der; -s, -e: ein Mineral

Weal|den ['vi:ldən] ⟨nach der südostenglischen Hügellandschaft The Weald⟩ das; -s: unterste Stufe der unteren Kreide (Geol.)

Webs|te|rit [auch: ...'rɪt] ⟨nlat.; nach dem schottischen Geologen Th. Webster⟩ der; -s, -e: ein Mineral

We|cka|min* ⟨Kunstw. aus we-cken u. ↑Amin⟩ das; -s, -e: der körperlich-geistigen Abspannung entgegenwirkendes, stimulierendes Kreislaufmittel

We|da ⟨sanskr.; „Wissen“⟩ der; -s, ...den und -s: die heiligen Schriften der altindischen Religion.

We|dan|ta ⟨„Ende der Weda“⟩ der; -: auf den wedischen ↑Upanischaden beruhende philosophische Schule in Indien, die einen mehr od. minder strengen ↑Monismus lehrt; vgl. Samkhja.

We|den: Plural von ↑Weda

Wedge [vedʒ] ⟨engl.; „Keil“⟩ der; -[s], -s: Golfschläger mit besonders breiter Schlagfläche

Wedg|wood ['wedʒwud] ⟨nach dem englischen Kunsttöpfer J. Wedgwood, 1730-1795⟩ das; -[s]: feines, verziertes Steingut

we|disch: auf die Weden bezüglich. **We|dis|mus** ⟨sanskr.-nlat.⟩ der; -: wedische Religion

Wed|ro* ⟨russ.; „Eimer“⟩ das; -, -: altes russisches Flüssigkeitsmaß (= 12,3l)

Week|end ['wi:kɛnd] ⟨engl.⟩ das; -s, -s: Wochenende

Weft ⟨engl.⟩ das; -[e]s, -e: Schussgarn aus harter engl. Cheviotwolle (vgl. Cheviot)

Wei|ge|lie [...jə] ⟨nlat.; nach dem deutschen Arzt Ch. E. Weigel, 1748-1831⟩ die; -, -n: Zierpflanze mit roten od. rosafarbenen Blüten

Wei|muts|kie|fer vgl. Weymouthskiefer

We|kil ⟨arab.(-türk.)⟩ der; -s, Wu-kela: 1. türkischer Minister. 2. stellvertretender ägyptischer Gouverneur

We|li ⟨arab.-türk.⟩: ↑²Wali

Wel|ling|to|nia ⟨nlat.; nach dem Herzog von Wellington, 1769-1852⟩ die; -, ...ien: ↑Sequoia

Well|ness ⟨engl.⟩ die; -: durch leichte körperliche Betätigung erzieltes Wohlbefinden

Welsh|rab|bit ['welʃ'ræbɪt] ⟨engl., „Waliser Kaninchen“⟩ u. **Welsh-rare|bit** ['welʃ'reəbɪt] ⟨„Waliser Leckerbissen“⟩ der; -s, -s: mit Käse belegte u. überbackene Weißbrotscheibe

Well|wit|schia ⟨nlat.; nach dem österreichischen Arzt F. Welwitsch, 1806-1872⟩ die; -, ...ien: Wüstenpflanze mit zwei bandförmigen Blättern

Werst ⟨russ.⟩ die; -, -en (aber: 5 Werst): altes russisches Längenmaß (= 1,067km); Zeichen: W

We|sir ⟨arab.(-türk.)⟩ der; -s, -e: (hist.) 1. höchster Würdenträger des türkischen Sultans. 2. Minister in islamischen Staaten. **We-si|rat** ⟨arab.-nlat.⟩ das; -[e]s, -e: Amt, Würde eines Wesirs

Wes|ley|a|ner [vɛsli'a:nɐ, vɛəle'ja:nɐ] ⟨nlat.; nach dem englischen Geistlichen J. Wesley, 1703-1791⟩ der; -s, -: Anhänger des von Wesley begründeten ↑Methodismus

West|coast|jazz ['westkoust...] ⟨engl.⟩ der; -: von der Mitte der 50er- bis Anfang der 60er-Jahre an der Westküste der USA gespielte, dem Cooljazz ähnliche Stilrichtung des Jazz

West|end ⟨engl.; nach dem Londoner Stadtteil West End⟩ das; -s, -s: vornehmer Stadtteil einer Großstadt

Wes|tern ⟨engl.⟩ der; -s, -: Film, der während der Pionierzeit im so genannten Wilden Westen (Amerikas) spielt. **Wes|ter|ner** der; -s, -: Westernheld

Wes|ting|house|brem|se ['ves-tinghaus...] ⟨Westinghouse ®; nach dem amerikanischen Ingenieur G. Westinghouse, 1846-1914⟩ die; -, -n: Luftdruckbremse bei Eisenbahnen mit Hauptluftleitung, die von Wagen zu Wagen durchläuft

Wes|ton|ele|ment ['westən...] ⟨nach dem amerik. Physiker E. Weston, 1850-1936⟩ das; -s, -e: H-förmiges galvanisches Element, das als Normalelement für die elektrische Spannung eingeführt ist

West|over ⟨Kunstw. aus engl. vest „Weste“ u. engl. over „über“⟩ der; -s, -: ärmelloser Pullover, der über einem Hemd od. einer Bluse getragen wird

Wey|mouths|kie|fer ['vai-mu:ts...] Weimutskiefer ⟨nach Lord Weymouth, † 1714⟩ die; -, -n: eine nordamerikanische Kiefernart

Wheats|tone|brü|cke* [wi:ts-tən...] ⟨nach dem engl. Physiker Sir Ch. Wheatstone († 1875)⟩ die; -, -n: Brückenschaltung zur Messung elektrischer Widerstände, wobei vier Widerstände zu einem geschlossenen Stromkreis verbunden werden

Whig [vɪk, wɪg] ⟨engl.⟩ der; -s, -s: 1. (hist.) Angehöriger einer ehemaligen englischen Partei, aus der sich die liberale Partei entwickelte; Ggs. ↑Tory (1 a). 2. englischer Politiker, der in Opposition zu den Konservativen steht; Ggs. ↑Tory (1 b)

Whip [wɪp] ⟨engl.⟩ der; -s, -s: ein Abgeordneter im englischen Unterhaus, der den Fraktionsmitgliedern die Aufträge des Partei- u. Fraktionsführers mitteilt u. für ihr Erscheinen in wichtigen Sitzungen sorgt. **Whip|cord** ⟨engl.; „Peitschenschnur“⟩ der; -s, -s: kräftiger Anzugstoff mit ausgeprägten Schrägrippen

Whirl|pool, als Warenzeichen: **Whirl-pool ®** ['wə:lpu:l] ⟨engl.⟩ der; -s, -s: Bassin mit warmem, durch Düsen in brodelnde Bewegung gebrachtem Wasser, in dem man sich sitzend od. liegend aufhält

Whis|ker ['wɪs...] ⟨engl.; „Schnauzhaare“⟩ der; -s, -: sehr dünne, zugfeste Kristallfaser

Whis|key [...ki] ⟨gäl.-engl.; „Lebenswasser“⟩ der; -s, -s: (in Irland od. Amerika hergestellter) Whisky. **Whis|ky** [...ki] ⟨gäl.-engl.⟩ der; -s, -s: aus Gerste od. Malz hergestellter [schottischer] Branntwein

Whist [vɪst] ⟨engl.⟩ das; -[e]s: aus England stammendes Kartenspiel mit 52 Karten

Whist|ler ['wɪslɐ] ⟨engl.; „Pfeifer"⟩ der; -s, - (meist Plural): von Blitzen ausgesandte elektromagnetische Wellen, die an den magnetischen Feldlinien der Erde entlang durch den Raum laufen (Phys.)

White-Col|lar-Kri|mi|na|li|tät ['waɪtkɔlə...] ⟨engl.⟩ die; -: nicht gewalttätige Kriminalität (z. B. Steuerhinterziehung, Bestechung)

Whit|worth|ge|win|de ['wɪt-wəːθ...] ⟨engl.; dt.; nach dem englischen Ingenieur Sir J. Whitworth, 1803–1887⟩ das; -s: ein Schraubengewinde

Who's who? ['huːz 'huː] ⟨engl.; „Wer ist wer?"⟩: Titel biographischer Lexika

Wig|wam ⟨indian.-engl.⟩ der; -s, -s: Behausung nordamerikanischer Indianer

Wik|li|fit* ⟨nlat.⟩ der; -en, -en: Anhänger des engl. Vorreformators J. Wyclif († 1384)

Wi|la|jet ⟨arab.-türk.⟩ das; -[e]s, -s: türkische Provinz, Verwaltungsbezirk

Wild|card ['waɪld'kaːd] ⟨engl.; „wilde (= beliebig verwendbare) Spielkarte"⟩ die; -, -s: freie Platzierung bei einem Tennisturnier, die der Veranstalter nach Gutdünken vergeben kann

Wil|dschur* ⟨poln.; „Wolfspelz"⟩ die; -, -en: im 19. Jh. Bez. für: schwerer Pelzmantel

Wil|liams Chrịst der; - -, - -: aus Williams Christbirnen hergestellter Branntwein. **Wil|liams Chrịst|bir|ne** ⟨Herkunft unbekannt⟩ die; - -, - -n: große Birne mit gelber, bräunlich gepunkteter Schale u. gelblich weißem, zartem Fruchtfleisch

Wị|na u. Vina ⟨sanskr.⟩ die; -, -s: altindisches Saiteninstrument aus einem auf zwei ausgehöhlten Kürbissen liegenden Bambusrohr mit vier Drahtsaiten, die angerissen werden

Wịnd|chill [...tʃɪl] ⟨engl.⟩ der; -s: durch Wind verursachte verstärkte Kälteempfindung.

Wịnd|jam|mer der; -s, -: großes Segelschiff. **Win|dow|shopping** ['wɪndoʊʃɔpɪŋ] das; -s, -s: Schaufensterbummel. **Winds** [wɪndz] die (Plural): engl. Bez. für: Blasinstrumente des Orchesters. **Wịnd|sur|fer** [...səːfɐ] der; -s, -: jmd., der Windsurfing betreibt. **Wịnd|sur|fing** [...sə:-

fɪŋ] das; -s: Segeln auf einem mit einem Segel ausgerüsteten langen, flachen, stromlinienförmigen Brett aus Kunststoff

Wis|ta|ria ⟨nlat.; nach dem amerikanischen Anatomen C. Wistar⟩ die; -: ↑ Glyzine

Wla|di|ka ⟨slaw.; „Herr"⟩ der; -s, -s: 1. Bischofstitel in der russisch-orthodoxen Kirche. 2. (hist.) Titel des Herrschers u. Kirchenoberhaupts von Montenegro

wob|beln ⟨engl.⟩: 1. eine Frequenz sinusförmig gegenüber einer anderen (niedrigeren) gering schwanken lassen (Phys.). 2. eine periodische Schwankung verursachen (Phys.). **Wobb|ler** der; -, -: 1. Handmorsetaste mit beidseitig Kontakt gebendem Tasthebel. 2. Einrichtung zur Verursachung periodischer Schwankungen der Frequenz (Phys.)

Wod|ka ⟨russ.; „Wässerchen"⟩ der; -s, -s: hochprozentiger russischer Trinkbranntwein

Wo|du, Voodoo, Voudou, Wudu ⟨westafrik.-kreol.⟩ der; -: aus Westafrika stammender synkretistischer mit katholischen Elementen durchsetzter, magisch-religiöser Geheimkult auf Haiti

Woj|lach ⟨russ.⟩ der; -s, -e: wollene [Pferde]decke, Sattelunterlage

Woi|wod u. **Woi|wo|de** ⟨poln.⟩ der; ...den, ...den: 1. (hist.) Heerführer (in Polen, in der Walachei). 2. oberster Beamter einer polnischen Provinz; Landeshauptmann. **Woi|wod|schaft** ⟨poln; dt.⟩ die; -, -en: Amt[sbezirk] eines Woiwoden

Wolf|ra|mat ⟨dt.-nlat.⟩ das; -[e]s, -e: Salz der Wolframsäure (Chem.). **Wolf|ra|mịt** [auch: ...'mɪt] das; -s: wichtigstes Wolframerz

Wol|las|to|nịt* [auch: ...'nɪt] ⟨nlat.; nach dem engl. Chemiker W. H. Wollaston, 1766–1828⟩ der; -s, -e: ein Mineral

Wọm|bat ⟨austr.-engl.⟩ der; -s, -s: australisches Beuteltier

Wo|men's Lịb ['wɪmɪnz 'lɪb] ⟨engl.; kurz für: Women's Liberation Movement⟩ die; -: innerhalb der Bürgerrechtsbewegung der 60er-Jahre entstandene amerikanische Frauenbewegung

Wood [wʊd] ⟨engl.⟩ der; -s, -s: Golfschläger mit Kopf aus Holz **Wood|cock|spa|ni|el** ['wʊdkɔk-ʃpaniəl, auch: ...spɛnjəl] ⟨engl.⟩ der; -s, -: ↑ Cockerspaniel

Worces|ter|so|ße ['vʊstɐ...,

auch: 'wʊstə...] ⟨nach der englischen Stadt Worcester⟩ die; -, -n: pikante Soße zum Würzen

Wor|ka|ho|lic* [wəːkə'hɔlɪk] ⟨engl.⟩ der; -s, -s: jmd., der unter dem Zwang steht, ununterbrochen zu arbeiten. **Work-out**, auch: **Work|out** ['wə:kaut] ⟨engl.⟩ das; -s, -s: kurze, intensive Gymnastikstunde. **Work|shop** ['wə:kʃɔp] ⟨engl.; „Werkstatt"⟩ der; -s, -s: Kurs, Seminar o. Ä., in dem in freier Diskussion bestimmte Probleme erarbeitet werden, ein Erfahrungsaustausch stattfindet. **Work|song** ['wə:ksɔŋ] ⟨engl.⟩ der; -s, -s: [hist.] Arbeitslied, bes. der afrikanischen Sklaven in Nordamerika. **Work|sta|tion** ['wə:ksteɪʃn] ⟨engl.; die; -, -s: sehr leistungsfähiger, an einem Arbeitsplatz installierter, meist an ein lokales Netz angeschlossener Computer **World|cup** ['wə:ldkʌp] ⟨engl.⟩ der; -s, -s: [Welt]meisterschaft in verschiedenen sportlichen Disziplinen (z. B. Skisport). **World Wide Web** ['wə:ld waɪd 'wɛb] ⟨engl.; „weltweites Netz"⟩ das; -s: weltweites Informationssystem im Internet (EDV)

Wrest|ling ['wrɛslɪŋ] ⟨engl.⟩ das; -s: in besonderem Maße auf Show ausgerichtetes Catchen

Wụ|du vgl. Wodu

Wul|ke|la: Plural von ↑ Wekil

Wul|fe|nịt [auch: ...'nɪt] ⟨nlat.; nach dem österreichischen Mineralogen F. X. v. Wulfen, 1728–1805⟩ das; -s, -e: ein Mineral

Wụr|lit|zer|or|gel ⟨nach der nordamerikanischen Herstellerfirma Wurlitzer⟩ die; -, -n: Kinoorgel

Wy|an|dotte ['waɪəndɔt(ə)] ⟨engl.; nach dem nordamerikanischen Indianerstamm der Wyandots⟩ das; -, -s od. die; -, -n [...tn]: Huhn einer mittelschweren amerikanischen Rasse

Xan|that ⟨gr.⟩ das; -[e]s, -e: ↑ Xanthogenat. **Xan|the|las|ma*** das; -s, -ta u. ...men: gelbe Flecken od. Knötchen an den Augenlidern (Med.). **Xan|then**

das; -s: Grundgerüst einer Gruppe von Farbstoffen (Chem.).

Xan|thin das; -s: eine physiologisch wichtige Stoffwechselverbindung, die im Organismus beim Abbau der ↑Purine entsteht (Med.). **Xan|thin|oxi|da|se**, auch: **Xan|thin|oxy|da|se** die; -, -n: ↑Enzym, das Xanthin in Harnsäure überführt (Med.). **Xan|thip|pe** ⟨gr.-lat.; nach der Frau des Sokrates, die in der altgriechischen Literatur als schwierig u. zanksüchtig geschildert wird⟩ die; -, -n: (ugs.) zanksüchtige Ehefrau. **xan|thochrom** [...'kro:m] ⟨gr.-nlat.⟩: gelb-, hellfarbig. **Xan|tho|chromie** [...kro'mi:] die; -, ...ien: Gelbfärbung der Gehirn-Rückenmarks-Flüssigkeit durch Beimengung von Blutfarbstoffen (Med.). **Xan|tho|ge|nat** das; -[e]s, -e: Salz der Xanthogensäure (Chem.). **Xan|tho|gen|säu|re** ⟨gr.-nlat.; dt.⟩ die; -: Äthylester der Dithiokohlensäure, Ausgangsstoff technisch wichtiger Salze. **Xan|thom** ⟨gr.-nlat.⟩ das; -s, -e: gutartige, gelb gefärbte Geschwulst der Haut (Med.). **Xan|tho|ma|to|se** die; -, -n: ausgedehnte Xanthombildung (Med.). **Xan|tho|phyll** das; -s: gelber Farbstoff der Pflanzenzellen (Bot.). **Xan|thop|sie*** die; -, ...ien: das Gelbsehen aller Gegenstände bei gestörtem Farbensehen (Med.). **Xan|thor|rhoea** die; -: australische Gattung der Liliengewächse

X-Chro|mo|som ['ɪkskro...] das; -s, -en: ↑Chromosom, das beim Vorkommen in der Samenzelle das Geschlecht des gezeugten Kindes auf weiblich festlegt (Med.; Biol.)

Xe|nie [...niə, auch: 'ksɛ...] ⟨gr.-lat.⟩ die; -, -n u. **Xe|ni|on** das; -s, ...ien [...jən]: kurzes Sinngedicht (ein ↑Distichon). **xe|no|blastisch*** ⟨gr.-nlat.⟩: nicht in der eigenen Gestalt ausgebildet (von Mineralneubildungen bei der Gesteinsmetamorphose; Geol.). **Xe|no|do|chi|um** ⟨gr.-lat.⟩ das; -s, ...ien: altkirchliche Fremdenherberge, Vorläufer des mittelalterlichen ↑Hospizes. **Xe|no|ga|mie** ⟨gr.-nlat.⟩ die; -, ...ien: Fremd- od. Kreuzbestäubung von Blüten (Bot.). **Xe|no|glos|sie*** die; -, ...ien: unbewusstes Reden in einer unbekannten Fremdsprache (Psychol.). **Xe|no|kra|tie*** die; -, ...ien: Fremdherrschaft, Regierung eines

Staates durch ein fremdes Herrscherhaus. **Xe|no|lith** [auch: ...'lɪt] der; -s und -en, -e[n]: Fremdkörper, Einschluss in Ergussgesteinen (Geol.). **Xe|no|lo|gie** die; -: ↑Okkultismus. **xe|no|morph:** fremdgestaltig (von Mineralien, die bei der Gesteinsbildung nicht in ihrer typischen Kristallform erstarren konnten; Geol.). **Xe|non** das; -s: chem. Element; bes. zur Füllung von Glühlampen verwendetes farb- u. geruchloses Edelgas (Zeichen: Xe). **xe|no|phil:** fremdenfreundlich; Ggs. ↑xenophob. **Xe|no|phi|lie** die; -: Fremdenliebe, Vorliebe für Fremde; Ggs. ↑Xenophobie. **xe|no|phob:** fremdenfeindlich; Ggs. ↑xenophil. **Xe|no|pho|bie** die; -: Fremdenfeindlichkeit; Ggs. ↑Xenophilie. **Xe|no|tim** der; -s: Hauptmineral der ↑Yttererden **Xe|ran|the|mum*** ⟨gr.-nlat.⟩ das; -s, ...themen: Strohblume **Xe|res** ['çe:rɛs] vgl. Jerez **Xe|ro|der|ma** ⟨gr.-nlat.⟩ das; -s, -ta u. ...men: erblich bedingte u. meist schon in früher Kindheit tödlich endende Hautkrankheit mit Flecken- u. Warzenbildung, Entzündungen u. Karzinomen (Med.). **Xe|ro|der|mie** die; -, ...ien: Trockenheit der Haut (Pergamenthaut; Med.). **Xe|rogra|phie**, auch: ...grafie ⟨gr.-engl.⟩ die; -, ...ien: ein in den USA entwickeltes Vervielfältigungsverfahren (Druckw.). **xe|ro|gra|phie|ren**, auch: ...grafieren: nach dem Verfahren der Xerographie vervielfältigen. **xe|ro|gra|phisch**, auch: ...grafisch: die Xerographie betreffend. **Xe|ro|ko|pie** ⟨gr.; lat.⟩ die; -, ...ien: xerographisch hergestellte Kopie. **xe|ro|ko|pie|ren:** eine Xerokopie herstellen. **xe|ro|morph** ⟨gr.-nlat.⟩: Schutzvorrichtungen gegen Austrocknung besitzend (von Pflanzen od. Pflanzenteilen; Bot.). **xe|ro|phil:** Trockenheit liebend oder bevorzugend (von Pflanzen; Bot.). **Xe|ro|phi|lie** die; -: Bevorzugung der Trockenheit (Bot.). **Xe|roph|thal|mie*** ⟨gr.⟩ die; -, ...ien: 1. **Xe|roph|thall|mus*** der; -, ...men: Austrocknung der Binde- u. Hornhaut des Auges (Med.). **Xe|ro|phyt** der; -en, -en: an trockene Standorte angepasste Pflanze (Bot.). **Xe|ro|se** ⟨gr.⟩ die; -, -n: 1. ↑Xerophthalmie. 2. Trockenheit der Schleimhäute der oberen Luftwege (Med.). **Xe|ros|to-**

mie* ⟨gr.-nlat.⟩ die; -, ...ien: abnorme Trockenheit der Mundhöhle (Med.). **xe|ro|therm:** ein trocken warmes Klima aufweisend

Xi ⟨gr.⟩ das; -[s], -s: vierzehnter Buchstabe des griechischen Alphabets: Ξ, ξ **Xi|mé|nez** [xi'meneθ] ⟨span.⟩ der; -: ↑Pedro Ximénez **XL** ⟨Abk. für engl. extra large⟩: extragroß (Kleidergröße) **Xo|la|non** ⟨gr.⟩ das; -s, ...ana: [meist aus Holz] geschnitzte, Menschen od. Götter darstellende altgriechische Figur **XS** ⟨Abk. für engl. extra small⟩: extraklein (Kleidergröße). **XXL** ⟨Abk. für engl. extra extra large⟩: extrem groß (Kleidergröße). **XXS** ⟨Abk. für engl. extra extra small⟩: extrem klein (Kleidergröße) **Xyl|an** ⟨gr.-nlat.⟩ das; -s: eine der wichtigsten ↑Hemizellulosen, Holzgummi. **Xyl|em** das; -s, -e: der Wasser leitende Gefäßteil der Pflanze (Bot.). **Xy|le|nol** ⟨gr.; arab.⟩ das; -s: ein ↑Phenol. **Xy|li|din** ⟨gr.-nlat.⟩ das; -s, -e: aus Xylol gewonnener Ausgangsstoff zur Synthese gewisser Teerfarbstoffe. **Xy|lit** [auch: ...'lɪt] der; -s, -e: 1. aus der Xylose abgeleiteter Alkohol (Chem.). 2. Holzbestandteil der Braunkohle. **Xy|lo|graph**, auch: ...graf ⟨gr.-nlat.⟩ der; -en, -en: Holzschneider. **Xy|lo|gra|phie**, auch: ...grafie die; -, ...ien: a) Holzschneidekunst; b) Holzschnitt. **xy|lo|gra|phisch**, auch: ...grafisch: in Holz geschnitten; die Xylographie betreffend. **Xy|lol** ⟨gr.; arab.⟩ das; -s: Dimethylbenzol, eine aromatische Kohlenstoffverbindung, Lösungsmittel u. Ausgangsstoff für Farb-, Duft-, Kunststoffe. **Xy|lo|me|ter** das; -s, -: Gerät zur Bestimmung des Rauminhalts unregelmäßig geformter Hölzer. **Xy|lo|pha|ge** ⟨gr.⟩ der; -n, -n: ↑Lignivore. **Xy|lo|phon**, auch: ...fon ⟨„Holzstimme"⟩ das; -s, -e: Schlaginstrument, bei dem auf einem Holzrahmen befestigte Holzstäbe mit zwei Holzklöppeln geschlagen werden. **Xy|lo|se** die; -: Holzzucker **Xys|ti:** Plural von ↑Xystus. **Xys|tos** ⟨gr.⟩ der; -, ...ten: in altgriechischen Gymnasien eine gedeckter Säulengang, in dem während des Winters die Athleten übten. **Xys|tus** ⟨gr.-lat.⟩ der; -, ...ti: altrömische Gartenanlage vor der Halle

Yak vgl. Jak

Ya̱l|ki ⟨jap.; „Gebranntes"⟩ das; -[s]: jap. Bez. für: keramische Erzeugnisse

Ya|ku̱|za ⟨jap.⟩ die; -, -: japanische Verbrecherorganisation.

Ya|ma|shi̱|ta [...ˈʃiːta] ⟨nach dem jap. Kunstturner H. Yamashita, * 1938⟩ der; -s, -s: ein Sprung am Langpferd (Sport)

Yams|wur|zel vgl. Jamswurzel

Ya̱ng ⟨chin.⟩ das; -: die lichte männliche Urkraft, das schöpferische Prinzip in der chinesischen Philosophie; vgl. Yin

Yan|kee [ˈjɛŋki] ⟨engl.⟩ der; -s, -s: 1. Spitzname für Bewohner der amerikanischen Nordstaaten (bes. Neuenglands). 2. Spitzname für den US-Amerikaner.

Yan|kee Doo|dle [ˈjæŋkɪ duːdl] der; - -s: amerikanischer Nationalgesang aus dem 18. Jh.

Ya̱rd ⟨engl.⟩ das; -s, -s (aber: 5 Yard[s]): angelsächsisches Längenmaß (= 91,44 cm); Abk.: y., yd., Plural: yds.

Yas|ti̱k vgl. Jastik

Yawl [jɔːl] ⟨dt.-engl.⟩ die; -, -e u. -s: zweimastiges [Sport]segelboot

Y-Chro|mo|som [ˈy̆psilɔnkro...] das; -s, -en: Geschlechtschromosom, das beim Vorkommen in der Samenzelle das Geschlecht des gezeugten Kindes als männlich bestimmt (Med.; Biol.)

Yel|low|press [ˈjɛloʊˈprɛs] ⟨engl.⟩ die; -, auch: **Yel|low Press** die; - -: Sensationspresse

Ye̱n ⟨jap.⟩ der; -[s], -[s] (aber: 5 Yen): Währungseinheit in Japan (= 100 Sen)

Yeo|man [ˈjoʊmən] ⟨engl.⟩ der; -, ...men: 1. (hist.) im Mittelalter in England jeder Gemeinfreie unterhalb des Ritterstandes. 2. kleiner Gutsbesitzer u. Pächter.

Yeo|man|ry [ˈjoʊmənrɪ] die; -: Milizkavallerie in Großbritannien

Ye̱l|ti ⟨nepal.⟩ der; -s, -s: legendärer Schneemensch im Himalaja

Yggd|ra|sil* ⟨nord.⟩ der; -s: Weltesche (nord. Mythol.)

Yi̱n ⟨chin.⟩ das; -: die dunkle weibliche Urkraft, das empfangende Prinzip in der chinesischen Philosophie; vgl. Yang

Yip|pie ⟨engl.⟩ der; -s, -s: aktionistischer, radikalisierter Hippie

Yl|lang-Yl|lang-Öl [ˈiːlaŋˈiː...] ⟨malai.; dt.⟩ das; -s: ätherisches Öl bestimmter tropischer Bäume, das als Duftstoff verwendet wird

Yo̱|ga, Joga ⟨sanskr.; „Anschirrung"⟩ der od. das; -[s]: a) indische philosophische Lehre, deren Ziel es ist, durch Meditation, Askese u. bestimmte körperliche Übungen den Menschen von dem Gebundensein an die Last der Körperlichkeit zu befreien: b) Gesamtheit der Übungen, die aus dem Yoga (a) herausgelöst wurden u. die zum Zweck einer gesteigerten Beherrschung des Körpers, der Konzentration u. Entspannung ausgeführt werden

Yo̱|gi, Jogi, **Yo̱|gin**, Jogin ⟨sanskr.⟩ der; -s, -s: indischer Büßer ↑brahmanischen Glaubens, der ↑Yoga (b) ausübt

Yo̱|him|bin ⟨bantuspr.-nlat.⟩ das; -s: Alkaloid aus der Rinde eines westafrikanischen Baumes (als ↑Aphrodisiakum verwendet)

Yo̱|mud ⟨nach dem turkmenischen Volksstamm der Yomuden⟩ der; -[s], -s: zentralasiatischer Teppich mit hakenbesetzten ↑Rhomben als kennzeichnender Musterung

Yo̱|ni ⟨sanskr.⟩ das od. die; -, -: als heilig geltendes Symbol des weiblichen Geschlechts in Indien

York|shire|ter|ri|er [ˈjɔkʃə...] ⟨nach der engl. Grafschaft Yorkshire⟩ der; -s, -: englischer Zwergterrier

Youngs|ter [ˈjʌŋs...] ⟨engl.⟩ der; -s, -[s]: junger Sportler

Yo-Yo vgl. Jo-Jo

Yp|si|lon ⟨gr.⟩ das; -[s], -s: 1. zwanzigster Buchstabe des griechischen Alphabets: Y, υ. 2. ↑Ypsiloneule. **Yp|si|lon|eu|le** die; -, -n: Nachtschmetterling mit Y-förmigem Fleck auf den Vorderflügeln

Y̱|sop [ˈiː...] ⟨semit.-gr.-lat.⟩ der; -s, -e: Heil- u. Gewürzpflanze des Mittelmeergebietes

Y̱|tong ® ⟨Kunstwort⟩ der; -s, -s: Leichtkalkbeton

Ytt|er|bi|um ⟨nlat.; nach dem schwedischen Fundort Ytterby⟩ das; -s: chem. Element; seltene Erde (Zeichen: Yb). **Ytt|er|er|den** ⟨schwed.; dt.⟩ die (Plural): seltene Erden, die hauptsächlich in den Erdmineralien von Ytterby vorkommen. **Ytt|ri|um*** das;

-s: chem. Element; seltene Erde (Zeichen: Y)

Yu̱|an ⟨chin.⟩ der; -[s], -[s] (aber: 5 Yuan): Währungseinheit der Volksrepublik China

Yu̱c|ca ⟨span.-nlat.⟩ die; -, -s: Palmlilie (Zier- u. Heilpflanze)

Yu̱p|pie [auch: ˈjʌpi] ⟨engl.; Kurzw. aus: young urban professional (people)⟩ der; -s, -s: junger, karrierebewusster Stadtmensch

Yü|rük vgl. Jürük

Za|bag|li|o|ne* [...balˈjoːnə], **Za|ba|gio|ne** [...baˈjoːnə] ⟨it.⟩ die; -, -s: Weinschaumsoße, -creme

Za̱|bel ⟨lat.⟩ das; -s, -: (veraltet) Spielbrett

Zad|di̱k ⟨hebr.; „der Gerechte"⟩ der; -s, Zaddiki̱m: [als heilig verehrter] Lehrer im ↑Chassidismus

Za̱|kat [z...] ⟨arab.⟩ die; -: pflichtmäßiges Almosen, Armensteuer im Islam

Zä|kos|to|mi̱e* u. Zökostomie ⟨lat.; gr.⟩ die; -, ...ien: operative Herstellung einer künstlichen Verbindung zwischen Blinddarm u. äußerer Bauchhaut (Med.). **Zä|ko|to|mi̱e** u. Zökotomie die; -, ...ien: operative Eröffnung des Blinddarms (Med.).

Zä̱|kum u. Zökum ⟨lat.⟩ das; -s, ...ka: (Med.) 1. Blinddarm. 2. Blindsack, blind endigender Teil eines röhrenförmigen Organs

Za̱l|mia u. **Za̱l|mie** [...jə] ⟨gr.-lat.-nlat.⟩ die; -, ...ien: amerikanischer Zapfenpalmfarn

Zam|pa̱|no ⟨nach der gleichnamigen Gestalt in F. Fellinis Film „La Strada" (1954)⟩ der; -s, -s: auffälliger, sich lautstark in Szene setzender Mann, der durch übertriebenes Gebaren, durch Protzen o. Ä. zu imponieren versucht

Za̱|nel|la ⟨it.⟩ der; -s, -s: Futterstoff aus Baumwolle od. Halbwolle in Atlasbindung

Zä|no|ge|ne|se u. **Zä|no|ge|ne|sis** ⟨gr.-nlat.⟩ die; -, ...nesen: das Auftreten von Besonderheiten während der stammesgeschichtlichen Entwicklung der Tiere

(Biol.). zä|no|ge|ne|tisch: die Zänogenese betreffend. Zä|no|zo|i|kum usw. vgl. Känozoikum usw.

Za|pa|te|a|do [s...] ⟨span.⟩ der; -[s], -s: spanischer, nur von einer Person ausgeführter Schautanz im Dreiertakt, bei dem der Rhythmus mit den Hacken gestampft wird za|po|nie|ren ⟨Kunstw.⟩: mit Zaponlack überziehen. Za|pon|lack der; -[c]s, -e: als Metallschutz dienender farbloser Lack

zap|pen ['zɛpṇ] ⟨engl.⟩: (ugs.) (beim Fernsehen) mit der Fernbedienung den Kanal wechseln, auf einen anderen Kanal umschalten. Zap|ping ['zɛpɪŋ] das; -s: (ugs.) das Zappen

Zar ⟨lat.-got.-slaw.⟩ der; -en, -en: (hist.) Herrschertitel bei Russen, Serben, Bulgaren. Za|re|witsch u. Zessarewitsch ⟨russ.⟩ der; -[es] -e: (hist.) Sohn eines russischen Zaren, russischer Kronprinz. Za|rew|na die; -, -s: (hist.) Tochter eines russischen Zaren. Za|ris|mus ⟨lat.-got.-slaw.-nlat.⟩ der; -: Zarentum, unumschränkte Herrschaft der Zaren. za|ris|tisch: den Zaren od. den Zarismus betreffend. Za|ri|za ⟨lat.-got.-slaw.⟩ die; -, -s od. ...zen: (hist.) Zarin

Zä|sur ⟨lat.⟩ die; -, -en: 1. an bestimmter Stelle auftretender Einschnitt im Vers, bei dem Wortende u. Versfußende nicht zusammenfallen (Metrik). 2. Unterbrechung des Verlaufs eines Musikstücks durch ↑Phrasierung od. Pause. 3. Einschnitt

Za|zi|ki u. Tsatsiki ⟨ngr.⟩ der u. das; -s, -s: Joghurt mit Knoblauch u. Salatgurkenstückchen

Zea ⟨gr.-lat.⟩ die; -: Mais (Bot.).

Ze|a|xan|thin ⟨gr.-nlat.⟩ das; -s: im Maiskorn u. anderen Früchten enthaltenes ↑Xanthophyll

Ze|ba|oth, (ökum.:) Zebaot ⟨hebr.; „Heerscharen"⟩: alttestamentliche Erweiterung des Namens Gottes, z. B.: der Herr Zebaoth (der Herr der Heerscharen)

Zeb|ra* ⟨lat.-vulgärlat.-span.(-fr./engl.);⟩ „Wildpferd"⟩ das; -s, -s: südafrikanisches Wildpferd mit weißen und schwarzen (auch bräunlichen) Streifen. Zeb|ro|id ⟨afrik.; gr.⟩ das; -[e]s, -e: ↑Bastard (1) von Zebra u. Pferd od. Zebra u. Esel

Ze|bu ⟨tibet.⟩ der od. das; -s, -s: asiatisches Buckelrind

Ze|chi|ne ⟨it.⟩ die; -, -n: alte venezianische Goldmünze

Ze|dent ⟨lat.⟩ der; -en, -en: Gläubiger, der seine Forderung an einen Dritten abtritt (Rechtsw.). ze|die|ren: eine Forderung an einen Dritten abtreten

Zee|man|ef|fekt ['ze:...] [nach dem niederländischen Physiker P. Zeeman, 1865–1943) der; -s: Aufspaltung jeder Spektrallinie in mehrere Komponenten verschiedener Frequenz im starken Magnetfeld

Ze|in ⟨gr.-lat.-nlat.⟩ das; -s: Eiweiß des Maiskorns

Ze|le|brant* ⟨lat.⟩ der; -en, -en: Priester, der die Messe liest. Ze|leb|ra|ti|on die; -, -en: Feier [des Messopfers]. Ze|leb|ret u. Celebret ⟨„er möge zelebrieren"⟩ das; -s, -s: schriftliche Erlaubnis für einen Priester, die Messe in einer fremden Kirche zu lesen. ze|leb|rie|ren: 1. [ein Fest] feierlich begehen. 2. eine Messe lesen. 3. etwas feierlich gestalten, betont langsam u. genussvoll ausführen. Ze|leb|ri|tät die; -, -en: 1. Berühmtheit, berühmte Person. 2. Feierlichkeit, Festlichkeit

Zel|la vgl. Cella. Zel|lit [auch: ...'lɪt] ⟨lat.-nlat.⟩ das; -s: ein Kunststoff

Zell|memb|ran* ⟨lat.⟩ die; -, -en: ↑Protoplast (1) einer Zelle (Biol.). Zel|lo|bi|o|se ⟨lat.; gr.; gr.-lat.⟩ das; -s: aus Zellulose abgebauter Doppelzucker. Zel|lo|i|din|pa|pier ⟨lat.; gr.; gr.-lat.⟩ das; -s: Kollodiumschichtträger (vgl. Kollodium) für Bromsilber bei Filmen. Zel|lo|phan vgl. Cellophan. Zel|lu|lar, zel|lu|lär ⟨lat.-nlat.⟩: zellenähnlich, zellenartig, aus Zellen gebildet. Zel|lu|lar|pa|tho|lo|gie die; -: wissenschaftliche Annahme, nach der alle Krankheiten auf Störungen der normalen Zellfunktionen beruhen. Zel|lu|lar|the|ra|pie die; -: das Einspritzen von Frischzellen zur Regenerierung des Organismus (Med.). Zel|lu|la|se die; -, -n: ein Zellulose spaltendes ↑Enzym (Chem.). Zel|lu|li|tis die; -, ...itiden: eine Entzündung des Zellgewebes (Med.). Zel|lu|loid, Zel|lu|lo|id ⟨lat.; gr.⟩ das; -[e]s: leicht brennbarer Kunststoff aus Zellulosenitrat, Zellhorn. Zel|lu|lo|se, chem. fachspr.: Cellulose ⟨lat.-nlat.⟩ die; -, -n: Hauptbestandteil der pflanzlichen Zellwände, Grundstoff zur Herstellung von Papier u. ↑Acetatseide. Zell|lu|lo|se|nit-

rat das; -[e]s: Schießbaumwolle, Kollodiumwolle, Nitrozellulose ze|lo|sa|men|te u. ze|lo|so ⟨gr.-lat.-it.⟩: eifrig, feurig, hastig (Vortragsanweisung; Mus.). Ze|lot ⟨gr.-lat.⟩ der; -en, -en: 1. fanatischer [Glaubens]eiferer. 2. Angehöriger einer antirömischen jüdischen Partei zur Zeit Christi. ze|lo|tisch ⟨gr.-nlat.⟩: glaubenseifrig. Ze|lo|tis|mus der; : Glaubensfanatismus

[1]Ze|ment ⟨lat.-fr.⟩ der; -[e]s, -e: aus gebranntem Kalk, Ton o. Ä. hergestellter, bes. als Bindemittel zur Herstellung von Beton u. Mörtel verwendeter Baustoff, der bei Zugabe von Wasser erhärtet. [2]Ze|ment das; -[e]s, -e: die Zahnwurzeln überziehendes Knochengewebe (Med.). Ze|men|ta|ti|on ⟨lat.-fr.-nlat.⟩ die; -, -en: 1. Abscheidung von Metallen aus Lösungen durch elektrochemische Reaktionen (Chem.). 2. das Veredeln von Metalloberflächen durch chemische Veränderung (z. B. Aufkohlung von Stahl). ze|men|tie|ren: 1. mit Zement ausfüllen, verkitten; (lockeres Material) verfestigen, in seinen Bestandteilen verbinden. 2. eine Zementation durchführen. 3. (einen Zustand, einen Standpunkt, eine Haltung u. dgl.) starr u. unverrückbar festlegen. Ze|men|tit [auch: ...'tɪt] der; -s: Eisenkarbid, besonders harte Verbindung von Eisen u. Kohlenstoff

Zen [s..., auch: ts...] ⟨sanskr.-chin.-jap.; „Meditation"⟩ das; -[s]: japanische Richtung des Buddhismus, die durch Meditation die Erfahrung der Einheit allen Seins u. damit tätige Lebenskraft u. größte Selbstbeherrschung zu erreichen sucht

Ze|na|na [ze...] u. Senana ⟨pers.-Hindi⟩ die; -: (in Indien bei Moslems u. Hindus) Wohnbereich der Frauen (den Fremde nicht betreten dürfen)

Zend|awes|ta* ⟨pers.; „Kommentar-Grundtext"⟩ das; -: (veraltet) ↑Awesta

Ze|ner|di|o|de (nach dem amerik. Physiker C. M. Zener) die; -, -n: ↑Diode, in der einer Richtung bei Überschreiten einer bestimmten Spannung einen starken Anstieg des Stroms zeigt (Elektrot.)

Ze|nit ⟨arab.-it.⟩ der; -[e]s: 1. senkrecht über dem Beobachtungspunkt gelegener höchster Punkt des Himmelsgewölbes; Scheitelpunkt (Astron.); Ggs. ↑Nadir. 2. Gipfelpunkt, Höhepunkt; Zeitpunkt, an dem sich das Höchste an Erfolg, Entfaltung o. Ä. innerhalb eines Gesamtablaufs vollzieht. ze|ni|tal ⟨arab.-it.-nlat.⟩: auf den Zenit bezogen; den Zenit betreffend. Ze|ni|tal|re|gen ⟨arab.-it.-nlat.; dt.⟩ der; -s, -: zwischen den Passaten fallender Regen. Ze|nit|dis|tanz die; -: Abstand eines Sternes vom Zenit Ze|no|ge|ne|se usw. vgl. Zänogenese usw. Ze|no|taph vgl. Kenotaph zen|sie|ren ⟨lat.⟩: 1. eine Arbeit od. Leistung mit einer Note bewerten. 2. ein Buch, einen Film o. Ä. auf unerlaubte od. unmoralische Inhalte hin kritisch prüfen. Zen|sor der; -s, ...oren: 1. niemandem verantwortlicher Beamter im Rom der Antike, der u. a. die Vermögensschätzung der Bürger durchführte u. eine sittenrichterliche Funktion ausübte. 2. a) behördlicher Beurteiler, Überprüfer von Druckschriften; b) Kontrolleur von Postsendungen. zen|so|risch: 1. den Zensor (2) betreffend. 2. (veraltet) sittenrichterlich. Zen|sur die; -, -en: 1. Amt des Zensors (1). 2. behördliche Prüfung u. gegebenenfalls Verbot von Büchern, Theaterstücken u. Ä. 3. a) kirchliche Prüfung religiöser Literatur von katholischen Verfassern; b) Verwerfung einer theologischen Lehrmeinung (kath. Kirchenrecht). 4. Note, Bewertung einer Leistung. 5. Kontrollinstanz der Persönlichkeit an der Grenze zwischen Bewusstem u. Unbewusstem, die Wünsche u. Triebregungen kontrolliert u. reguliert (Psychoanalyse). zen|su|rie|ren ⟨lat.-nlat.⟩: (österr., schweiz.) ↑zensieren. Zen|sus ⟨lat.⟩ der; -, [...zu:s] 1. (hist.) die durch die Zensoren (1) vorgenommene Schätzung der Bürger nach ihrem Vermögen. 2. Verzeichnis aller bekannten Exemplare von Frühdrucken (Bibliotheksw.). 3. Abgabe, Pachtzins. 4. Volkszählung Zent ⟨lat.-mlat.⟩ die; -, -en: (hist.) 1. (in fränkischer Zeit) mit eigener Gerichtsbarkeit ausgestatteter Siedlungsverband. 2. (im Hoch- u. Spätmittelalter) Unterbezirk einer Grafschaft (in Hessen, Franken u. Lothringen) Zen|taur u. Kentaur ⟨gr.-lat.⟩ der; -en, -en: [wildes] Fabelwesen der

griechischen Sage mit menschlichem Oberkörper u. Pferdeleib Zen|te|nar ⟨lat.-mlat.⟩ der; -s, -e: 1. Hundertjähriger. 2. [gewählter] Vorsteher der Zent (1) u. Vorsitzender ihrer Gerichtsbarkeit. Zen|te|na|ri|um das; -s, ...ien: Hundertjahrfeier. zen|te|si|mal ⟨lat.-nlat.⟩: hundertteilig. Zen|te|si|mal|waa|ge ⟨lat.-nlat.; dt.⟩ die; -, -n: Brückenwaage, auf der eine Last durch ein Gewicht zum hundertsten Teil der Last ins Gleichgewicht gebracht wird. Zent|ge|richt das; -s, -e: (hist.) Gericht einer fränkischen ↑Zent (2). Zent|graf der; -en, -en: (hist.) Vorsitzender eines fränkischen Zentgerichts. Zen|ti|fo|lie [...li̯ǝ] die; -, -n: eine Rosenart mit dicht gefüllten Blüten. Zen|ti|grad [auch: 'tsɛn...] der; -s, -e: der hundertste Teil eines Grads. Zen|ti|gramm [auch: 'tsɛn...] ⟨⟨lat.; gr.⟩ fr.⟩ das; -s, -e: der hundertste Teil eines Gramms (Zeichen: cg). Zen|ti|li|ter [auch: 'tsɛn...] ⟨fr.⟩ der (schweiz. nur so, auch: das) -s, -: der hundertste Teil eines Liters; Zeichen: cl. Zen|ti|me|ter [auch: 'tsɛn...] der (schweiz. nur so) das; -s, -: der hundertste Teil eines Meters; Zeichen: cm Zen|to der; -s, -s u. ...tonen: ↑Cento zent|ral* ⟨gr.-lat.⟩: a) im Zentrum [liegend], vom Zentrum ausgehend, nach allen Seiten hin günstig gelegen; Ggs. ↑dezentral. b) von einer [übergeordneten] Stelle aus [erfolgend]; c) sehr wichtig, sehr bedeutend, hauptsächlich, entscheidend, Haupt... Zent|ral|abi|tur das; -s, -e: zentral (b) durchgeführtes Abitur mit gleichen Aufgaben[stellungen] und einheitlicher Bewertung. Zent|ra|le die; -, -n: 1. zentrale Stelle, von der aus etwas organisiert od. geleitet wird; Hauptort, -stelle. 2. Fernsprechvermittlung mit mehreren Anschlüssen. 3. Verbindungsstrecke der Mittelpunkte zweier Kreise (od. Kugeln); Mittelpunktsgerade (Math.). Zent|ra|li|sa|ti|on ⟨gr.-lat.-fr.⟩ die; -, -en: organisatorische Zusammenfassung gleichartiger Aufgaben, Arbeitsplätze u. a. nach bestimmten Merkmalen zu einem einheitlichen Komplex; Ggs. ↑Dezentralisation (1). 2. (ohne Plural) Zustand, in dem sich etwas nach dem Zentralisieren befindet; Ggs. ↑Dezentralisation

(2); vgl. ...[at]ion/...ierung. zent|ra|li|sie|ren: mehrere Dinge organisatorisch so zusammenfassen, dass sie von einer zentralen Stelle aus gemeinsam verwaltet und geleitet werden können; Ggs. ↑dezentralisieren. Zent|ra|li|sie|rung die; -, -en: Zentralisation (1); vgl. ...[at]ion/...ierung. Zent|ra|lis|mus ⟨gr.-lat.-nlat.⟩ der; -: das Bestreben, Politik und Verwaltung eines Staates zusammenzuziehen u. nur eine Stelle mit der Entscheidung zu betrauen; Ggs. ↑Föderalismus. zent|ra|lis|tisch: nach Zusammenziehung strebend; vom Mittelpunkt, von den Zentralbehörden aus bestimmt. Zent|ra|li|tät die; -: Mittelpunktslage von Orten. Zent|ral|ko|mi|tee das; -s, -s: höchstes leitendes Organ der kommunistischen u. mancher sozialistischer Parteien (Abk.: ZK). Zent|ral|ner|ven|sys|tem das; -s, -e: von Gehirn u. Rückenmark gebildeter Teil des Nervensystems bei Mensch u. Wirbeltieren. Zent|ral|or|gan das; -s, -e: das offizielle Presseorgan einer Partei od. einer Massenorganisation [in sozialistischen Ländern]. Zent|ral|pro|jek|ti|on die; -: Verfahren zur Abbildung einer räumlichen od. ebenen Figur mithilfe von Strahlen, die von einem Punkt (dem Zentrum der Zentralprojektion) ausgehen (z. B. in der Kartendarstellung durch Projektion aus der Mitte der Erdkugel). zent|rie|ren: 1. etwas auf die Mitte einstellen, um etwas anordnen. 2. sich genau, speziell auf jmdn., etw. als das Zentrum des Handelns einstellen. zent|ri|fu|gal ⟨gr.-lat.; lat.-nlat.⟩: 1. auf die Zentrifugalkraft bezogen; durch Zentrifugalkraft wirkend; Ggs. ↑zentripetal (1). 2. vom Zentrum zur Peripherie verlaufend (z. B. von den motorischen Nerven; Med.); Ggs. ↑zentripetal (2). Zent|ri|fu|gal|kraft ⟨gr.-lat.; lat.-nlat.; dt.⟩ die; -: bei der Bewegung eines Körpers auf einer gekrümmten Bahn od. bei der Drehung um eine Achse auftretende, nach außen gerichtete Kraft (Fliehkraft, Schwungkraft; Phys.). Zent|ri|fu|ge ⟨fr.⟩ die; -, -n: Schleudergerät zur Trennung von Substanzen mithilfe der Zentrifugalkraft (z. B. Wäscheschleuder). zent|ri|fu|gie|ren: mit der Zentrifuge trennen, ausschleudern, zerlegen. Zent|ri|ol

⟨*lat.*⟩ *das;* -s, -e: meist doppelt in einer Zelle vorkommendes Zellorgan, das bei der Kernteilung den Pol der neu entstehenden Zelle bildet (Biol.). **zentlrilpeltal** ⟨*gr.-lat.; lat.-nlat.*⟩: 1. zum Mittelpunkt, zum Drehzentrum hinstrebend; auf die Zentripetalkraft bezogen; Ggs. ↑zentrifugal (1). 2. von der Peripherie zum Zentrum ziehend, zum Mittelpunkt hin gerichtet (z. B. von den sensiblen Nerven; Med.); Ggs. ↑zentrifugal (2). **Zentlrilpeltalkraft** ⟨*gr.-lat.; lat.-nlat.; dt.*⟩ *die;* -: bei der Bewegung eines Körpers auf einer gekrümmten Bahn od. bei der Drehung um eine Achse auftretende, nach dem Mittelpunkt hin wirkende Kraft (Phys.); Ggs. ↑Zentrifugalkraft. **zentlrisch** ⟨*gr.-lat.-nlat.*⟩: mittig, in der Mitte, im Mittelpunkt befindlich. **Zentlrislmus** *der;* -: vermittelnde linkssozialistische Richtung innerhalb der Arbeiterbewegung. **Zentlrist** *der;* -en, -en: Anhänger des Zentrismus. **Zentlrilwinlkel** ⟨*gr.-lat.; dt.*⟩ *der;* -s, -: Mittelpunktswinkel (Winkel zwischen zwei Kreisradien; Math.). **Zentlrolmer** *das;* -s, -e: Ansatzstelle der Spindelfasern am ↑Chromosom (Biol.). **Zentrolsom** *das;* -s, -en: ↑Zentriol. **Zentlrum** ⟨*gr.-lat.*⟩ *das;* -s, ...ren: 1. Mittelpunkt; innerster Bezirk, Brennpunkt. 2. Innenstadt. 3. (ohne Plural) politische katholische Partei des Bismarckreiches u. der Weimarer Republik. 4. Mittelfeld des Schachbretts. 5. ↑Center

Zenltulrie u. **Centurie** ⟨*lat.*⟩ *die;* -, -n: Heeresabteilung von 100 Mann im Rom der Antike. **Zenltulrio** *der;* -s, ...onen: Befehlshaber einer Zenturie. **Zenltulrilum** u. **Centurium** ⟨*lat.-nlat.*⟩ *das;* -s: (veraltet) Fermium; Zeichen: Ct **Zelollith** [auch: ...'lɪt] ⟨*gr.-nlat.*⟩ *der;* -s u. -en, -e[n]: feldspatähnliches Mineral, das u. a. für die Enthärtung von Wasser verwendet wird **Zelphir** (österr. nur so) u. **Zephyr** ⟨*gr.-lat.*⟩ *der;* -s, -e (österr.: ...ire): 1. feiner einfarbiger od. gestreifter Baumwollstoff in Leinwandbindung. 2. (ohne Plural) (dichter. veraltet) milder [Süd]westwind. **Zelphirlgarn** ⟨*gr.-lat.; dt.*⟩ *das;* -[e]s: ↑Zephirwolle. **zelphirisch** u. **zephyrisch** ⟨*gr.-lat.*⟩: (dichter. veraltet) säuselnd, lieblich, sanft (bes. von der Luft). **Zelphirlwollle** ⟨*gr.-lat.; dt.*⟩ *die;* -: weiches, sehr locker gedrehtes Wollgarn für Handarbeiten. **Zephyr** usw. vgl. Zephir usw. **Zeplter** ⟨*gr.-lat.*⟩ *das* (auch: *der*); -s, -: 1. Herrscherstab. 2. höchste Gewalt, Herrschaft, Macht **Zer** vgl. Cer **Zelrat** ⟨*lat.-nlat.*⟩ *das;* -[e]s, -e: Wachssalbe **Zerlbelrus** ⟨*gr.-lat.;* nach dem Hund Kerberos der griechischen Mythologie, der den Eingang der Unterwelt bewacht⟩ *der;* -, -se: (scherzh.) grimmiger Wächter **Zelrelallie** [...jə] ⟨*lat.*⟩ *die;* -, -n: 1. (meist Plural) Getreide, Feldfrucht. 2. (nur Plural) [Gericht aus] Getreideflocken; vgl. Cerealien **zelrelbelllar** ⟨*lat.-nlat.*⟩: das Kleinhirn betreffend, zu ihm gehörend (Med.). **Zelrelbelllum** vgl. Cerebellum. **zelreblral*** 1. das Großhirn betreffend, von ihm ausgehend, zu ihm gehörend (Med.). 2. ↑retroflex (Sprachw.). 3. intellektuell, geistig. **Zelreblral*** *der;* -s, -e: mit der Zungenspitze am Gaumendach gebildeter Laut (z. B. altind. d, t; Sprachw.). **Zelreblralllilsaltilon*** *die;* -: Ausbildung u. Differenzierung des Gehirns in der Embryonal- u. Fetalperiode (vgl. Embryo, Fetus; Med.). **Zelreblralllisielrung*** *die;* -, -en: Artikulation eines Verschlusslautes als ↑Zerebral (Sprachw.). **Zelreblralllsklelrolse*** *die;* -, -n: Verhärtung der Gehirnsubstanz (fälschlich oft im Sinne von Hirnarteriosklerose gebraucht; Med.). **zelreblrolspilnal*** Gehirn u. Rückenmark betreffend, zu ihnen gehörend (Med.). **Zelreblrum*** vgl. Cerebrum. **Zelrelmolnilallie** vgl. Caeremoniale. **Zelrelmolnilar** ⟨*lat.-nlat.*⟩ *der;* -s, -e: katholischer Geistlicher, der die Liturgie vorbereitet u. leitet. **Zelrelmolnie** [auch, österr. nur: ...'mo:niə] ⟨*lat.-mlat.(-fr.)*⟩ *die;* -, ...ien [auch: ...'mo:njən]: 1. [traditionsgemäß begangene] feierliche Handlung; Förmlichkeit. 2. (nur Plural) zum ↑Ritus gehörenden äußeren Zeichen u. Handlungen (Rel.). **zelrelmolnilell** ⟨*lat.-fr.*⟩: a) feierlich, förmlich, gemessen; b) steif, umständlich. **Zelrelmolnilell** *das;* -s, -e: Gesamtheit der Regeln u. Verhaltensweisen, die zu bestimmten [feierlichen] Handlungen im gesellschaftlichen Verkehr notwendig gehören. **Zelrelmolnilenlmeislter** ⟨*lat.-mlat.(-fr.); dt.*⟩ *der;* -s, -: der für das Hofzeremoniell verantwortliche Beamte an Fürstenhöfen. **zelrelmolnilös:** steif, gemessen **Zelrelsin** u. **Ceresin** ⟨*lat.-nlat.*⟩ *das;* -s: ein gebleichtes Erdwachs aus hochmolekularen Kohlenwasserstoffen **Zelrelvis** [...'vi:s] ⟨*kelt.-lat.*⟩ *das;* -, -: 1. (Studentenspr. veraltet) Bier. 2. gold- od. silberbesticktes Käppchen der Verbindungsstudenten **Zelrin** ⟨*lat.-nlat.*⟩ *das;* -s: eine Fettsäure (Bestandteil des Bienenwachses) **Zelrit** u. **Cerit** [auch: ...'rɪt] ⟨*lat.-nlat.;* nach dem chem. Element ↑Cer⟩ *der;* -s, -e: ein Mineral **Zerlkalrie** [...jə] ⟨*gr.-nlat.*⟩ *die;* -, -n: gabelschwänzige Larve der Leberegels **Zelrnielren** ⟨*lat.-fr.*⟩: (veraltend) durch Truppen umzingeln **Zelro** ['ze:ro] ⟨*arab.-mlat.-it.-fr.*⟩ *die;* -, -s od. *das;* -s, -s: 1. Null, Nichts. 2. das Gewinnfeld des Bankhalters im Roulett. 3. (Sprachw.) a) sprachliche Einheit, die keinen kommunikativen Beitrag leistet; b) sprachliche Einheit, die formal, nicht aber inhaltlich vorhanden ist (z. B. „du" im Imperativ „geh!") **Zelrolgraph,** auch: **Zerograf** ⟨*gr.*⟩ *der;* -en, -en: jmd., der Wachsgravierungen anfertigt. **Zelrolgralphie,** auch: **Zerografie** *die;* -, ...ien: Wachsgravierung. **Zelrolplasltik** *die;* -, -en: 1. (ohne Plural) Wachsbildnerei. 2. Wachsbild. **Zelroltinlsäulre** ⟨*gr.-nlat.; dt.*⟩ *die;* -: ↑Zerin **Zerltilfilkat** ⟨*lat.-mlat.*⟩ *das;* -[e]s, -e: 1. [amtliche] Bescheinigung, Beglaubigung, Schein, Zeugnis. 2. a) Anteilschein bei Investmentgesellschaften; vgl. Investment; b) Urkunde für hinterlegte Wertpapiere. **Zerltilfilkaltilon** *die;* -, -en: ↑Zertifizierung. **zerltilfilzielren** ⟨*lat.*⟩: [amtlich] bescheinigen, beglaubigen. **Zerltilfilzielrung** *die;* -, -en: das Beglaubigen, Bescheinigen; vgl. ...[at]ion/...ierung **Zelrulmen** u. **Cerumen** ⟨*lat.*⟩ *das;* -s: Ohrenschmalz (Med.) **Zelruslsit** [auch: ...'sɪt] ⟨*lat.-nlat.*⟩ *das;* -s, -e: ein Mineral (Bleierz) **Zerlvellatlwurst** [auch: zɛr...] ⟨*lat.-it.; dt.*⟩ *die;* -, ...würste: Dauerwurst aus Schweinefleisch, Rindfleisch u. Speck (Schlackwurst); vgl. Servela **zerlvilkal** ⟨*lat.*⟩: (Med.) 1. den Nacken, den Hals betreffend, zu ihm gehörend. 2. den Gebärmutterhals betreffend, zu ihm gehörend; vgl. Cervix

Zes|sa|li|en vgl. Zissalien

Zes|sa|re|witsch vgl. Zarewitsch

zes|si|bel ⟨lat.-nlat.⟩: abtretbar, übertragbar (z. B. von Ansprüchen, Forderungen; Rechtsw.). **Zes|si|bi|li|tät** die; -: Abtretbarkeit (z. B. von Ansprüchen, Forderungen; Rechtsw.). **Zes|si|on** die; -, -en: Übertragung eines Anspruchs von dem bisherigen Gläubiger auf einen Dritten (Rechtsw.). **Zes|si|o|nar** ⟨lat.-mlat.⟩ der; -s, -e: jmd., an den eine Forderung abgetreten wird; neuer Gläubiger (Rechtsw.) **Zes|to|de** ⟨gr.-nlat.⟩ die; -, -n: Bandwurm (Zool.)

Ze|ta ⟨gr.⟩ das; -[s], -s; sechster Buchstabe des griechischen Alphabets: Z, ζ. **Ze|ta|zis|mus** ⟨gr.-nlat.⟩ der; -, ...men: 1. die Entwicklung von k vor einem hellen Vokal zu z (Sprachw.). 2. fehlerhaftes Aussprechen des z-Lautes

Ze|tin ⟨gr.-lat.-nlat.⟩ das; -s: Hauptbestandteil des ↑ Cetaceums

Zeug|ma ⟨gr.-lat.; „Verbindung, Joch"⟩ das; -s, -s u. -ta: unpassende Beziehung eines Satzgliedes (meist des Prädikats) auf zwei od. mehr Satzglieder (z. B. er schlug die Stühl' und Vögel tot [Struwwelpeter]; Sprachw.)

Ze|zi|die [...i̯ə] u. Cecidie ⟨gr.-nlat.⟩ die; -, -n: Wucherung an Pflanzen (Pflanzengalle; Biol.)

Zi|be|be ⟨arab.-it.⟩ die; -, -n: (landsch.) große Rosine

Zi|bet ⟨arab.-mlat.-it.⟩ der; -s: als Duftstoff verwendete Drüsenabsonderung der Zibetkatze. **Zi|bet|kat|ze** die; -, -n: asiatische Schleichkatze. **Zi|be|ton** das; -s: Riechstoff aus der Drüsenabsonderung der Zibetkatze

Zi|bo|ri|um ⟨gr.-lat.-⟩ das; -s, ...ien: 1. von Säulen getragener Überbau über einem Altar, Grabmal u. Ä.; vgl. Baldachin (2), Tabernakel (1). 2. gedeckter Kelch zur Aufbewahrung der geweihten Hostie; vgl. Pyxis

Zi|cho|rie [tsiˈçoːri̯ə] ⟨gr.-mlat.-it.⟩ die; -, -n: 1. Wegwarte (ein Korbblütler). 2. Kaffeezusatz, Kaffeeersatz. 3. Stammform verschiedener Salat- u. Gemüsepflanzen

Zi|der vgl. Cidre

Zi|ga|ret|te ⟨span.-fr.⟩ die; -, -n: Rauchware in Form eines etwa

---

fingerlangen Stäbchens, das in einer Hülle von Papier fein geschnittenen Tabak enthält. **Zi|ga|ril|lo** [auch: ...ˈrɪljo] ⟨span.⟩ das (auch: der); -s, -s (ugs. auch: die; -, -s): kleine Zigarre. **Zi|gar|re** ⟨span.-fr.⟩ die; -, -n: 1. Rauchware aus Tabakblättern, die zum Rauchen zu einer dickeren Rolle zusammengewickelt u. mit einem Deckblatt umhüllt sind. 2. (ugs.) Vorwurf, Ermahnung, Vorhaltung, Verweis

Zi|ka|de ⟨lat.⟩ die; -, -n: kleines, grillenähnliches Insekt (Zirpe)

zi|li|ar ⟨lat.-nlat.⟩: an den Wimpern befindlich, sie betreffend (Med.). **Zi|li|ar|kör|per** der; -s, -: vorderster, verdickter Teil der Gefäßhaut des Auges (Strahlenkörper; Med.). **Zi|li|ar|neu|ral|gie*** die; -, -n: Schmerzen im Augapfel u. Augenhöhle (Med.). **Zi|li|a|te** die; -, -n (meist Plural): Wimpertierchen (Einzeller). **Zi|lie** [...i̯ə] ⟨lat.⟩ die; -, -n: feines Haar (z. B. Augenwimper, Haar der Flimmerzellen; Med.)

Zi|mar|ra vgl. Simarre

Zim|bal u. Cimbal u. Cymbal u. Zymbal ⟨gr.-lat.(-it.)⟩ das; -s, -s u. ...bal od. ...baln. **Zim|bel** die; -, -n: 1. antikes Schlaginstrument. 2. mit Hämmerchen geschlagenes Hackbrett. 3. mittelalterliches Glockenspiel. 4. Orgelregister

Zi|me|lie [...i̯ə] ⟨gr.-lat.⟩ die; -, -n u. **Zi|me|li|um** das; -s, ...ien: 1. wertvoller Besitz antiker od. mittelalterlicher Herkunft in einer Bibliothek (Papyrus, Handschrift, Buch u. a.). 2. Wertgegenstand [in kirchlichen Schatzkammern]

Zi|ment ⟨lat.-fr.⟩ das; -[e]s, -e: (bayr., österr.) metallenes zylindrisches Maßgefäß der Wirte

Zi|mier ⟨gr.-lat.-vulgärlat.-fr.⟩ das; -s, -e: [Ritter]helmschmuck

Zi|mo|lit [auch: ...ˈlɪt] ⟨gr.-lat.-nlat.; nach der griech. Insel Kimolos⟩ der; -s: hellgrauer Ton

Zin|cke|nit [auch: ...ˈnɪt] ⟨nlat.; nach dem deutschen Mineralogen J. K. L. Zincken, † 1862⟩ der; -s: ein Mineral

Zink|cum ⟨germ.-lat.⟩ das; -s: Zink; chem. Element; ein Metall (Zeichen: Zn)

Zin|del ⟨gr.-lat.-mlat.⟩ das; -s: 1. im Mittelalter verwendetes kostbares, schleierartiges Seidengewebe. 2. ↑ Zindeltaft. **Zin|del|taft** der; -s: Futterstoff aus Leinen od. Baumwolle

Zin|der ⟨engl.⟩ der; -s, - (meist Plural): ausgeglühte Steinkohle

---

Zin|nel|len vgl. Tschinellen

Zin|ne|ra|ria u. **Zin|ne|ra|rie** [...i̯ə] ⟨lat.⟩ die; -, ...ien: zu den Korbblütlern gehörende Zimmerpflanze mit aschfarbenen Blättern (Aschenblume)

Zin|ga|res|ca ⟨it.⟩ die; -, -s: Zigeunertanzlied. **zin|ga|re|se:** nach Art der Zigeunermusik

Zin|gu|lum ⟨lat.⟩ das; -s, -s u. ...la: 1. Gürtel[schnur] der ↑ Albe u. katholischen Ordenstrachten. 2. Gürtelbinde der ↑ Soutane

Zin|ko|gra|phie, auch: Zinkografie ⟨dt.; gr.⟩ die; -, ...ien: Zinkätzung. **Zin|ko|ty|pie** die; -, ...ien: Zinkhochätzung. **Zink|oxid**, auch: **Zink|oxyd** das; -s: Zinkweiß (Malerfarbe). **Zink|sul|fat** das; -s: schwefelsaures Zink, technisch wichtigstes Zinksalz

Zin|na|mom ⟨semit.-gr.-lat.⟩ der; -s: Zimtbaum, Zimt

Zin|nie [...i̯ə] ⟨nlat.; nach dem dt. Arzt u. Botaniker J. G. Zinn, 1727–1759⟩ die; -, -n: Korbblütler mit leuchtenden Blüten (eine Gartenzierpflanze)

Zin|no|ber ⟨pers.-gr.-lat.-provenzal.-fr.⟩ der; -s, -: 1. ein Mineral (wichtiges Quecksilbererz). 2. (österr.: das) (ohne Plural) gelblich rote Farbe. 3. (ohne Plural) (ugs.) Blödsinn; Kram, Krempel

Zi|o|nis|mus ⟨nlat.; nach dem Tempelberg Zion in Jerusalem⟩ der; -: a) (Ende des 19. Jh.s entstandene) jüdische Bewegung mit dem Ziel, einen nationalen Staat für Juden in Palästina zu schaffen; b) politische Strömung im heutigen Israel u. innerhalb des Judentums in aller Welt, die eine Stärkung des Staates Israel befürwortet u. zu erreichen sucht. **Zi|o|nist** der; -en, -en: Anhänger des Zionismus. **zi|o|nis|tisch:** der Bewegung des Zionismus angehörend, sie betreffend. **Zi|o|nit** der; -en, -en: Angehöriger einer schwärmerisch-pietistischen Sekte des 19. Jh.s

Zi|pol|le ⟨lat.-mlat.-roman.⟩ die; -, -n: Zwiebel (Bot.)

Zir|co|ni|um vgl. Zirkonium

zir|ka ⟨lat.⟩: ungefähr, etwa (Abk.: ca.). **Zir|kel** ⟨gr.-lat.⟩ der; -s, -: 1. geometrisches Gerät zum Kreiszeichnen und Streckenabmessen (Math.). 2. eng miteinander verbundene Gruppe von Personen. 3. Kreis, Ring. 4. verschlungene Buchstaben als Zeichen der Zugehörigkeit zu einer studentischen Verbindung; vgl. Cercle (1 b). 5. Figur beim Dressurreiten, bei der das Pferd im Kreis geht. 6. ↑Circulus vitiosus (1). 7. kurz für ↑Quintenzirkel. **Zir|kel|de|fi|ni|ti|on** die; -, -en: Definition, die einen Begriff enthält, der seinerseits mit dem an dieser Stelle zu erklärenden Begriff definiert wurde. **Zir|kel|ka|non** der; -s, -s: immer in seinen Anfang mündender ¹Kanon (3) ohne Ende (Mus.). **zir|keln:** 1. a) genau einteilen, abmessen; b) (ugs.) genau bemessend an eine bestimmte Stelle bringen. 2. ei nen Kreis ziehen. **Zir|kel|training** das; -s: ↑Circuittraining **Zir|kon** ⟨nlat.; Herkunft unsicher⟩ der; -s, -e: ein Mineral (brauner, durch Brennen blau gewordener Edelstein). **Zir|ko|ni|um**, (chem. fachspr.:) Zirconium das; -s: chem. Element; ein Metall (Zeichen: Zr) **zir|ku|lar** u. **zir|ku|lär** ⟨gr.-lat.⟩: 1. kreisförmig. 2. periodisch wiederkehrend (z. B. von bestimmten Formen des Irreseins; Med.). **Zir|ku|lar** das; -s, -e: Rundschreiben. **Zir|ku|lar|no|te** die; -, -n: mehreren Staaten gleichzeitig zugestellte Mitteilung gleichen Inhalts. **Zir|ku|la|ti|on** die; -, -en: Kreislauf, Umlauf (z. B. des Blutes, der Luft). **zir|ku|lie|ren:** in Umlauf sein, umlaufen, kreisen. **Zir|kum|fe|renz** ⟨lat.⟩ die; -, -en: Umkreis, Umfang, Ausdehnung, Ausmaß. **zir|kum|flek|tie|ren:** einen Buchstaben mit einem Zirkumflex versehen. **Zir|kum|flex** der; -es, -e: Dehnungszeichen (ˆ ; z. B. ô); vgl. Accent circonflexe. **zir|kum|skript:** umschrieben, scharf abgegrenzt (z. B. von Hauterkrankungen; Med.). **Zir|kum|skripti|on** die; , en: Abgrenzung kirchlicher Gebiete. **Zir|kumter|rest|risch*:** im Umkreis der Erde; den Weltraum in Erdnähe betreffend (Astron.). **Zir|kumven|ti|on** die; -, -en: (veraltet) Umgehung; Überlistung, Hintergehung. **Zir|kum|zi|si|on** die; -, -en: (Med.) 1. Entfernung der zu langen od. zu engen Vorhaut des männlichen Gliedes. 2. Umschneidung eines Geschwürs. **Zir|kus** ⟨gr.-lat.(-fr. u. engl.)⟩: „Kreis"⟩ der; -, -se: 1. Kampfspielbahn im Rom der Antike. 2. a) [nicht ortsfestes] Unternehmen, das in einem großen Zelt od. in einem Gebäude mit einer ↑Manege ein vielseitiges artistisches Programm vorführt; b) Zelt, Gebäude mit einer Manege u. stufenweise ansteigenden Sitz-

reihen, in dem Zirkusvorstellungen stattfinden. 3. a) etwas Vielfältiges, Abwechslungsreiches, Buntes; b) (ohne Plural; ugs.) unnötiger Trubel, Aufwand; Wirbel, Getue **Zir|ren:** Plural von ↑Zirrus **Zir|rho|se** ⟨gr.-nlat.⟩ die; -, -n: Wucherung im Bindegewebe eines Organs (z. B. Leber, Lunge) mit nachfolgender Verhärtung und Schrumpfung (Med.). **zir|rhotisch:** durch Zirrhose bedingt, sie betreffend (Med.) **Zir|ro|ku|mu|lus** ⟨lat.-nlat.⟩ der; -, ...li: fein gegliederte, federige Wolke in höheren Luftschichten; Schäfchenwolke (Meteor.). **Zirro|stra|tus*** der; -, ...ti: überwiegend aus Eiskristallen bestehende Schleierwolke in höheren Luftschichten (Meteor.). **Zir|rus** ⟨lat.; „Haarlocke"; Federbüschel; Franse"⟩ der; -, -. u. Zirren: 1. aus feinsten Eisteilchen bestehende Federwolke in höheren Luftschichten (Meteor.). 2. (Biol.) a) Begattungsorgan der Plattwürmer; b) rankenartiger Körperanhang vieler Wassertiere **zir|zen|sisch** ⟨gr.-lat.⟩: den Zirkus betreffend, in ihm abgehalten **zis|al|pin, zis|al|pi|nisch** ⟨lat.⟩: diesseits der Alpen (von Rom aus gesehen) **Zi|se|leur** [...'lo:ɐ̯] ⟨lat.-vulgärlat.fr.⟩ der; -s, -e: jmd., der Ziselierarbeiten ausführt (Metallstecher). **zi|se|lie|ren:** Metall mit Grabstichel, Meißel, Feile u. a. bearbeiten; Figuren u. Ornamente aus Gold od. Silber herausarbeiten. **Zi|se|lie|rer** der; -s, -: ↑Ziseleur **Zis|la|weng** ⟨Herkunft unsicher⟩: **In der Fügung: mit [einem] Zislaweng:** (ugs.) mit Schwung; mit einem besonderen Kniff, Dreh **zis|pa|da|nisch** ⟨lat.; zu lat. Padus „Po"⟩: [von Rom aus] diesseits des Pos liegend **Zis|sal|li|en** u. Zessalien ⟨lat.-galloroman.-fr.⟩ die (Plural): missglückte Münzplatten od. Münzen, die einen eingeschmolzen werden **Zis|so|i|de** ⟨gr.-nlat.⟩ die; -, -n: ebene Kurve dritter Ordnung (Efeublattkurve; Math.) **Zis|ta** u. **Zis|te** ⟨gr.-nlat.⟩ die; -, ...ten: 1. frühgeschichtlicher zylinderförmiger Bronzeeimer mit reich verzierter Außenwand. 2. altgriechischer zylinderförmiger Korb, in dem Mysterienfeiern die heiligen Symbole aufbewahrt od. bei Abstimmungen

zur Aufnahme der Stimmtäfelchen verwendet wurde. 3. frühgeschichtliche etruskische Urne in Zylinderform. **Zis|ter|ne** die; -, -n: unterirdischer Behälter zum Auffangen von Regenwasser [in wasserarmen Gebieten] **Zis|ter|zi|en|ser** ⟨nach dem franz. Kloster Cîteaux, mlat. Cistercium⟩ der; -s, -: Angehöriger eines benediktinischen Reformordens (gegründet 1098); Abk.: O. Cist. **Zi|ta|del|le** ⟨lat.-it.-fr.⟩ die; -, -n: 1. Festung innerhalb od. am Rande einer Stadt. 2. letzter Widerstandskern in einer Festung **Zi|tat** ⟨lat.⟩ das; -[e]s, -e: 1. wörtlich angeführte Belegstelle. 2. bekannter Ausspruch, geflügeltes Wort. **Zi|ta|ti|on** die; -, -en: 1. (veraltet) [Vor]ladung vor Gericht. 2. ↑Zitat (1) **Zi|ther** ⟨gr.-lat.⟩ die; -, -n: ein Zupfinstrument **zi|tie|ren** ⟨lat.⟩: 1. eine Stelle aus einem geschriebenen od. gesprochenen Text [wörtlich] anführen. 2. jmdn. vorladen, jmdn. zu sich kommen lassen, um ihn für etwas zur Rechenschaft zu ziehen **Zit|ral*,** chem. fachspr.: Citral (zu ↑Zitrone u. ↑Aldehyd) das; -s, -e: ungesättigter ↑Aldehyd, Bestandteil zahlreicher ätherischer Öle (z. B. des Zitronenöls). **Zitrat,** (chem. fachspr.:) Citrat ⟨lat.nlat.⟩ das; -[e]s, -e: Salz der Zitronensäure (Chem.). **Zit|rin** der; -s, -e: hellgelbes Mineral, das als Schmuckstein verwendet wird. **Zit|ro|nat** ⟨lat.-it.-fr.⟩ das; -[e]s, -e: kandierte Fruchtschale einer Zitronenart. **Zit|ro|ne** ⟨lat.-it.⟩ die; -, -n: a) Strauch od. Baum wärmerer Gebiete mit gelben, saftigen, vitaminreichen Früchten; b) Frucht des Zitronenbaumes. **Zit|rus|frucht** ⟨lat.; dt.⟩ die; -, ...früchte: Frucht einer Zitruspflanze mit meist dicker Schale u. saftigem, vitaminhaltigem Fruchtfleisch (z. B. Apfelsine, Grapefruit, Zitrone) **Zitz** ⟨Bengali-niederl.⟩ der; -es, -e: ↑Kattun **Zi|vi** (Kurzw.) der; -s, -s: (Jargon) 1. jmd., der Zivildienst leistet. 2. Polizeibeamter in Zivil. **zi|vil** ⟨lat.(-fr.)⟩: 1. bürgerlich; Ggs. ↑militärisch (1). 2. anständig, annehmbar. **Zi|vil** ⟨lat.-fr.⟩ das; -s: bürgerliche Kleidung; Ggs. ↑Uniform. **Zi|vil|cou|ra|ge** [...kuraʒə] der; -, -: mutiges Verhalten, mit dem jmd. seinen Unmut über etw. ohne Rücksicht auf mögliche Nachteile gegenüber Obrigkeiten, Vorgesetzten o. Ä. zum Ausdruck bringt. **Zi|vil|dienst** der; -[e]s, -e: Dienst, den ein Kriegsdienstverweigerer anstelle des Wehrdienstes leistet. **Zi|vil|ehe** die; -, -n: standesamtlich geschlossene Ehe. **Zi|vi|li|sa|ti|on** ⟨lat.-fr. u. engl.⟩ die; -, -en: 1. Gesamtheit der durch den Fortschritt der Wissenschaft u. Technik geschaffenen [verbesserten] materiellen u. sozialen Lebensbedingungen. 2. (ohne Plural) Bildung, Gesittung. **zi|vi|li|sa|to|risch** ⟨lat.-fr.-nlat.⟩: auf die Zivilisation gerichtet, sie betreffend. **zi|vi|li|sie|ren** ⟨lat.-fr.⟩: der Zivilisation zuführen; verfeinern, veredeln. **zi|vi|li|siert**: 1. Zivilisation (1) aufweisend. 2. Kultur u. Bildung habend od. zeigend. **Zi|vi|list** ⟨lat.-nlat.⟩ der; -en, -en: Bürger (im Gegensatz zum Soldaten). **Zi|vi|li|tät** ⟨lat.-fr.⟩ die; -: Anstand, Höflichkeit. **Zi|vil|kam|mer** die; -, -n: für privatrechtliche Streitigkeiten zuständiges Richterkollegium bei den Landgerichten. **Zi|vil|lis|te** die; -, -n: für den Monarchen bestimmter Betrag im Staatshaushalt. **Zi|vil|pro|zess** der; -es, -e: Gerichtsverfahren, um die Bestimmungen des Privatrechts zugrunde liegen. **Zi|vil|se|nat** der; -[e]s, -e: für privatrechtliche Streitigkeiten zuständiger ↑Senat (5). **Zi|vil|stand** der; -[e]s: (schweiz.) Familien-, Personenstand. **Zi|vil|stands|amt** das; -[e]s, ...ämter: (schweiz.) Standesamt

Zi|zit ⟨hebr.⟩ die (Plural): die vier an den Enden des Tallith angebrachten Troddeln

Zlo|ty ['zlɔti, 'slɔti] ⟨poln.⟩ der; -s, -s (aber: 5 -): Währungseinheit in Polen (= 100 Groszy)

zo|di|a|kal ⟨gr.-lat.-nlat.⟩: auf den Tierkreis bezogen, den Tierkreis betreffend (Astron.). **Zo|di|a|kal|licht** das; -[e]s, -er: schwacher, pyramidenförmiger Lichtschein in Richtung des Tierkreises, der im Frühjahr am Abendhimmel, im Herbst am Morgenhimmel zu beobachten ist (Tierkreislicht; Astron.). **Zo|di|a|kus** ⟨gr.-lat.⟩ der; -: Tierkreis (Astron.).

Zoff ⟨hebr.-jidd.⟩ der; -s: (ugs.) Streit, Zank

Zö|kos|to|mie* vgl. Zäkostomie.
Zö|ko|to|mie vgl. Zäkotomie.
Zö|kum vgl. Zäkum.
Zöl|len|te|rat* ⟨gr.-nlat.⟩ der; -en, -en (meist Plural): Hohltier (z. B. Qualle, Polyp)

Zöl|les|tin ⟨lat.-nlat.⟩ der; -s, -e: ein Mineral. **Zöl|les|ti|ner** ⟨mlat.; nach dem Stifter, Papst Zölestin V., um 1215–1296⟩ der; -s, -: Angehöriger eines im 18. Jh. aufgelösten Benediktinerordens in Italien u. Frankreich. **zö|les|tisch**: (veraltet) himmlisch **Zö|li|a|kie** ⟨gr.-nlat.⟩ die; -, ...ien: chronische Verdauungsstörung im späten Säuglingsalter (Med.) **Zö|li|bat** ⟨lat.⟩ das (auch: der); -[e]s: pflichtgemäße Ehelosigkeit aus religiösen Gründen, bes. bei katholischen Geistlichen. **zö|li|ba|tär** ⟨lat.-nlat.⟩: im Zölibat lebend. **Zö|li|ba|tär** der; -s, -e: jmd., der im Zölibat lebt **Zö|lom** ⟨gr.⟩ das; -s, -e: Leibeshöhle, Hohlraum zwischen Darm- u. Körperwand (Med.) **Zö|los|tat*** ⟨lat.; gr.⟩ der; -[e]s u. -en, -en: System aus zwei Spiegeln, das das Licht eines Himmelskörpers immer in die gleiche Richtung lenkt **Zom|bie** ⟨afrik.-kreol.-engl.-amerik.⟩ der; -[s], -s: im Wodu u. als Motiv des Horrorfilms ein eigentlich Toter, der dem willenlosen Werkzeug dessen ist, der ihn zum Leben erweckt hat **Zö|me|te|ri|um** u. Coemeterium u. Koemeterion ⟨gr.-lat.⟩ das; -s,...ien: 1. frühchristliche Grabstätte, Friedhof. 2. Katakombe **Zö|na|kel** ⟨lat.⟩ das; -s, -: ↑Refektorium **zo|nal** u. zonär ⟨gr.-lat.⟩: zu einer Zone gehörend, eine Zone betreffend **Zö|no|bit** ⟨gr.-nlat.⟩ der; -en, -en: in ständiger Klostergemeinschaft lebender Mönch; Ggs. ↑Eremit. **zö|no|bi|tisch**: in Gemeinschaft lebend (von Mönchen). **Zö|no|bi|um** ⟨gr.-lat.⟩ das; -s, ...ien: 1. Kloster. 2. Zellkolonie (Biol.). **Zö|no|karp** ⟨gr.-nlat.⟩ das; -s, -e: aus mehreren Fruchtblättern zusammengewachsener Fruchtknoten (Bot.)

Zoo der; -s, -s: Kurzform von ↑zoologischer Garten. **Zoo|chlo|rel|le** [...klo...] ⟨gr.-nlat.⟩ die; -, -n: Grünalge, die in Lebensgemeinschaft mit Schwämmen, Hohltieren und niederen Würmern lebt (Biol.). **Zoo|cho|rie** [...ko...] die; -: Verbreitung von Pflanzensamen u. -früchten durch Tiere (Biol.). **zo|o|gen**: aus tierischen Resten gebildet (von Gesteinen; Geol.). **Zoo|geo|gra|phie**, auch: Zoogeografie die; -: Teilgebiet der Biologie, das sich u. a. mit der Verbrei-

tung der Tiere befasst (Tiergeographie). **zo|o|geo|gra|phisch**, auch: zoogeografisch: die Tiergeographie betreffend. **Zoo|gra|phie**, auch: Zoografie die; -, ...ien: Benennung u. Einordnung der Tierarten. **Zo|o|lat|rie*** die; -, ...ien: Tierkult; Verehrung tiergestalteter Götter. **Zo|o|lith** [auch: ...'lit] der; -s u. -en, -e[n] (meist Plural): Sedimentgestein, das ausschließlich od. größtenteils aus Resten von Tieren besteht (Geol.). **Zo|o|lo|ge** ⟨gr.-fr.⟩ der; -n, -n: jmd., der sich wissenschaftlich mit den Erscheinungen tierischen Lebens befasst. **Zo|o|lo|gie** die; -: Tierkunde. **zo|o|lo|gisch**: die Tierkunde betreffend; zoologischer Garten: Tierpark **¹Zoom** [zu:m] ⟨engl.⟩ das; -s, -s: 1. Objektiv mit stufenlos verstellbarer Brennweite. 2. Vorgang, durch den der Aufnahmegegenstand näher an den Betrachter herangeholt od. weiter von ihm entfernt wird **²Zo|om** ⟨gr.⟩ das; -s, -e: tierischer Bestand eines ↑Bioms **zoo|men** ['zu:] den Aufnahmegegenstand mithilfe eines ¹Zooms (1) näher heranholen od. weiter wegrücken. **Zoom|ob|jek|tiv** das; -s, -e: ↑¹Zoom (1) **Zo|o|no|se** ⟨gr.-nlat.⟩ die; -, -n: von Tieren auf Menschen übertragbare Infektionskrankheit. **zo|on po|li|ti|kon** ⟨gr.; nach Aristoteles, Politika III, 6⟩ das; - -: Mensch als soziales, sich in der Gemeinschaft handelnd entfaltendes Wesen (Philos.). **Zo|o|pa|ra|sit** ⟨gr.-nlat.⟩ der; -en, -en: Schmarotzer, der in od. auf Tieren lebt. **zo|o|phag**: Fleisch fressend (von Pflanzen; Bot.). **Zo|o|pha|ge** der; -n, -n (meist Plural): Fleisch fressende Pflanze (Bot.). **Zo|o|phi|lie** die; -, ...ien: ↑Sodomie (1). **Zo|o|plank|ton** das; -s; Gesamtheit der im Wasser schwebenden tierischen Organismen. **Zo|o|sper|mie** die; -, ...ien: Vorhandensein beweglicher Samenfäden in ↑Ejakulat (Med.). **Zo|o|spo|re** die; -, -n (meist Plural): Schwärmspore niederer Pflanzen (Bot.). **Zoo|tech|nik** die; -: (landsch.) Technik der Tierhaltung u. -zucht. **Zoo|tech|ni|ker** der; -s, -: (landsch.) Tierpfleger (im Zoo). **Zo|o|tom|ie** die; -: Tieranatomie. **Zo|o|to|xin** das; -s, -e: tierisches Gift. **Zo|o|no|lo|gie** die; -: Teilgebiet der Zoologie, der Verhaltensforschung, das sich mit den Formen des sozialen Zusammenlebens der Tiere befasst; Tiersoziologie. **Zo|pho|ros** ⟨gr.-lat.⟩ u. **Zo|pho|rus** ⟨gr.-lat.⟩ der; -, ...phoren: Figurenträger; mit Reliefs geschmückter Fries in der altgriechischen Baukunst **zop|po** ⟨it.⟩: lahm, schleppend (Vortragsanweisung; Mus.) **Zo|res** ⟨hebr.-jidd.⟩ der; -: (landsch.) 1. a) Wirrwarr; b) Ärger. 2. Gesindel **Zo|ril|la** ⟨span.⟩ der; -s, -s (auch: die); -, -s: schwarzweißer afrikanischer Marder (Bandiltis) **zo|ro|ast|risch*** ⟨awest.-gr.-lat.⟩: den ↑ Parsismus betreffend. **Zo|ro|ast|ris|mus** der; -: ↑ Parsismus **Zort|zi|co** ⟨baskisch⟩ der; -[s]: baskischer Tanz im $^5/_4$-Takt **Zos|ter** [auch: 'tsɔstɐ] vgl. ↑ Herpes zoster **Zö|tus** ⟨lat.⟩ der; -, Zöten. (veraltet) Jahrgang, Schulklasse **Zu|a|lve** ⟨fr.⟩ der; -n, -n: Angehöriger einer ehemaligen, aus Berberstämmen rekrutierten französischen [Kolonial]truppe **Zuc|chet|to** [...'keto] ⟨it.⟩ der; -s, ...tti: (schweiz.) ↑ Zucchini. **Zuc|chi|ni** [...'ki:ni] die; -, -, (seltener:) **Zuc|chi|no** der; -s, ...ni (meist Plural): gurkenähnliche Frucht einer bestimmten Kürbisart (als Gemüse gekocht) **Zu|cker|cou|leur** [...kulø:ɐ̯] ⟨dt.; lat.-fr.⟩ die; -: gebrannter Zucker; vgl. Karamell **Zu|fol|lo** ⟨it.⟩ der; -s, -s u. ...li: Hirtenflöte, -pfeife, Flageolett (1) **Zu|pan** ['ʒʊ...] ⟨slaw.⟩ der; -s, ...ane: (hist.) slawischer Gerichtsbeamter (im deutschen Kolonisationsgebiet) **Zy|an**, chem. fachspr.: Cyan ⟨gr.-lat.⟩ das; s, -: giftige Kohlenstoff-Stickstoff-Verbindung mit Bittermandelgeruch. **Zy|a|nat**, chem. fachspr.: Cyanat ⟨gr.-lat.-nlat.⟩ das; -[e]s, -e: Salz der Zyansäure. **Zy|a|ne** ⟨gr.-lat.⟩ die; -, -n: Kornblume (ein Getreideunkraut). **Zy|a|nid**, chem. fachspr.: Cyanid das; -s, -e: Salz der Blausäure. **Zy|a|ni|sa|ti|on** usw. vgl. Kyanisation usw. **Zy|an|ka|li|um** das; -s: das stark giftige Kaliumsalz der Blausäure. **Zy|a|no|phy|ze** die; -, -n (meist Plural): Blaualge. **Zy|a|nop|sie*** die; -, ...ien: Störung des Farbensehens, bei der alle Gegenstände blau erscheinen (Blausehen; Med.). **Zy|a|no|se** die; -, -n: bläuliche Verfärbung

der Haut bes. an Lippen u. Fingernägeln infolge Sauerstoffmangels im Blut (u.a. bei Herzinsuffizienz; Med.). **zy|a|no|tisch**: mit Zyanose verbunden, auf ihr beruhend (Med.). **Zy|an|ra|di|kal**, chem. fachspr.: Cyanradikal das; -s: Atomgruppe aus Kohlenstoff u. Stickstoff, die nur in chemischen Verbindungen od. als elektrisch negativ geladenes Ion vorkommt **Zy|a|thus** vgl. Kyathos **Zy|gä|ne** ⟨gr.-lat.⟩ die; -, -n: 1. ein mitteleuropäischer Schmetterling (Blutströpfchen). 2. Haifisch (Hammerhai) **Zy|go|ma** ⟨gr.⟩ das; -s, -ta: Backenknochen des Gesichts (Jochbein; Med.). **zy|go|ma|tisch**: zum Jochbein gehörend (Med.). **zy|go|morph** ⟨gr.-nlat.⟩: nur eine Symmetrieebene zeigend (von Blüten; Bot.). **Zy|go|te** die; -, -n: nach Verschmelzung der beiden ↑ Gameten entstandene ↑ diploide Zelle (Biol.) **Zy|ka|da|ze|len** u. **Zy|ka|de|len** ⟨gr.-nlat.⟩ die (Plural): Palmfarne. **zy|kas** ⟨gr.-lat.⟩ -: Palmfarn **zyk|lam*** ⟨gr.-lat.⟩: lilarot. **Zyk|la|me** die; -, -n (österr., schweiz.), u. **Zyk|la|men** das; -s, -: Alpenveilchen (eine Berg- u. Zierpflanze). **Zyk|len:** Plural von ↑ Zyklus. **Zyk|li|de** ⟨gr.-nlat.⟩ die; -, -n: von einer Schar Kugeln (von denen jede drei feste Kugeln berührt) umgebene Fläche vierten Grades (Math.). **Zyk|li|ker** [auch: 'tsyk...] ⟨gr.-lat.⟩ der; -s, -: Dichter altgriechischer Epen, die zu einem Zyklus zusammengefasst wurden. **zyk|lisch**, chem. fachspr.: zyklisch [auch: 'tsyk...]: 1. kreisläufig, -förmig, ringförmig. 2. sich auf einen Zyklus beziehen od. regelmäßig wiederkehrend. 3. regelmäßig zwischen Heiterkeit u. Traurigkeit schwankend (von der Stimmungslage eines Menschen; Med.). **Zyk|lo|i|de** die; -, -n: Kurve, die ein starr mit einem Kreis verbundener Punkt beschreibt, wenn der Kreis auf einer Geraden abrollt; vgl. Epizykloide, Hypozykloide. **Zyk|lo|id|schup|pe** die; -, -n: dünne Fischschuppe mit hinten abgerundetem Rand. **Zyk|lo|ly|se**

die; -, -n: Auflösung von ↑ ¹Zyklonen (Meteor.). **Zyk|lo|met|rie** die; -, ...ien: (veraltet) 1. Wegmessung. 2. Maßbestimmung am Kreis (Math.). **zyk|lo|met|risch**: auf den Kreisbogen bezogen, den Kreisbogen darstellend; **zyklometrische Funktion:** Umkehrfunktion der Winkelfunktion (Math.). **¹Zyk|lon** ⟨gr.-engl.⟩ der; -s, -e: heftiger Wirbelsturm in tropischen Gebieten. **²Zyk|lon** ® der; -s, -e: Vorrichtung zur Entstaubung von Gasen mithilfe der Fliehkraft. **³Zyk|lon** ® das; -s: ein blausäurehaltiges Durchgasungsmittel zur Schädlingsbekämpfung. **Zyk|lo|ne** die; -, -n: Tiefdruckgebiet (Meteor.). **Zyk|lo|no|pa|thie** die; -, ...ien: Wetterfühligkeit (Med.; Psychol.). **Zyk|lo|no|se** die; -, -n: Krankheitserscheinung bei wetterfühligen Personen (Med.). **Zyk|lop** ⟨gr. lat.⟩ ("Rundäugiger") der; -en, -en: einäugiger Riese der griechischen Sage. **Zyk|lo|pho|rie** ⟨gr.-nlat.⟩ die; -, ...ien: eine Form des Schielens. **Zyk|lo|pie** die; -, ...ien: angeborene Fehlbildung des Gesichts, bei der die miteinander verwachsenen Augäpfel in einer gemeinsamen Augenhöhle liegen (Med.). **zyk|lo|pisch** ⟨gr.-lat.⟩: von gewaltiger Größe, riesenhaft. **zyk|lo|thym:** von extravertierter Wesensart, dabei aber Stimmungsschwankungen unterworfener Mensch (Med.; Psychol.). **Zyk|lo|thy|me** der u. die; -n, -n: jmd., der zyklothymes Temperament besitzt (Med.; Psychol.). **Zyk|lo|thy|mie** die; -: Wesensart des Zyklothymen. **Zyk|lo|t|ron** ⟨gr.-engl.⟩ das; -s, trone (auch: -s): Gerät zur Beschleunigung geladener Elementarteilchen u. Ionen zur Erzielung hoher Energien (Kernphysik). **zyk|lot|ron|isch**: mit dem Zyklotron beschleunigt; auf das Zyklotron bezogen. **Zyk|lus** [auch: 'tsyk...] ⟨gr.-lat.⟩ der; -, Zyklen: 1. periodisch ablaufendes Geschehen, Kreislauf regelmäßig wiederkehrender Dinge od. Ereignisse. 2. a) Zusammenfassung, Folge; Reihe inhaltlich zusammengehörender [literarischer] Werke, Vorträge u.a.; b) Ideen-, Themenkreis. 3. periodische Regelblutung der Frau mit dem Intervall bis zum Einsetzen der jeweiligen nächsten Menstruation (Med.). 4. ↑ Permutation (2), die bei zyklischer Vertauschung ei-

ner bestimmten Anzahl von Elementen entsteht (Math.).
Zyl|in|der [tsi..., auch: tsy...] ⟨gr.-lat.⟩ der; -s, -: 1. Körper, dessen beide von gekrümmten Linien begrenzte Grundflächen (meist Kreise) parallel, eben, kongruent und durch eine Mantelfläche miteinander verbunden sind (Math.). 2. röhrenförmiger Hohlkörper einer Maschine, in dem sich gleitend ein Kolben bewegt. 3. Lampenglas. 4. Teil einer Pumpe (Stiefel). 5. hoher Herrenhut [aus schwarzem Seidensamt]. 6. walzenförmiger, im Harn auftretender Fremdkörper (Med.). 7. Zuordnung von Informationsspuren im Kernspeicher, die direkt über- od. untereinander auf Magnetplatten zu einer Einheit gespeichert sind (EDV). **Zyl|in|der|bü|ro** das; -s, -s: Schreibsekretär mit Rollverschluss. **Zyl|in|der|glä|ser** die (Plural): nur in einer Richtung gekrümmte Brillengläser. **Zyl|in|der|pro|jek|ti|on** die; -, -en: Kartendarstellung mit einem Zylindermantel als Abbildungsfläche. **zy|lind|risch*** ⟨gr.-nlat.⟩: walzenförmig. **Zyl|ind|rom*** [tsy...] das; -s, -e: gallertige Geschwulst an den Speichel- u. Schleimdrüsen der Mundhöhle mit zylindrischen Hohlräumen (Med.)
Zyl|ma|lse ⟨gr.-nlat.⟩ die; -: aus zellfreien Hefepresssäften gewonnenes Gemisch von ↑Enzymen, das die alkoholische Gärung verursacht
Zym|bal vgl. Zimbal
zy|misch ⟨gr.-nlat.⟩: die Gärung betreffend, auf Gärung beruhend, durch sie entstanden. **Zy-mo|gen** das; -s, -e: Vorstufe eines ↑Enzyms. **Zy|mo|lo|gie** die; -: Teilgebiet der Chemie, das sich mit den Gärungsvorgängen befasst
zy|mös ⟨gr.⟩: in der Fügung: **zymöse Verzweigung**: Verzweigungsform, bei der die Hauptachse die Entwicklung einstellt u. die Seitenachsen sich weiterentwickeln u. verzweigen (Bot.)
Zy|mo|tech|nik ⟨gr.-nlat.⟩ die; -: Gärungstechnik. **zy|mo|tisch**: Gärung bewirkend
Zy|ne|ge|tik* ⟨gr.-lat.⟩ die; -: Kunst, Hunde abzurichten (Jagd). **zy|ne|ge|tisch**: die Zynegetik betreffend (Jagd). **Zy|ni-ker** ⟨gr.-lat.⟩ der; -s, -: zynischer Mensch; vgl. Kyniker. **zy|nisch**: verletzend-spöttisch, bissig. **Zy-**

nis|mus der; -, ...men: 1. (ohne Plural) Lebensanschauung der ↑Kyniker. 2. a) (ohne Plural) zynische Haltung, Einstellung, zynisches Wesen; b) zynische Äußerung, Bemerkung
Zy|per|gras ⟨nach der Insel Zypern⟩ das; -es: einjähriges Riedgras. **Zy|per|kat|ze** die; -, -n: gestreifte Hauskatze
Zyp|re|s|se* ⟨gr.-lat.⟩ die; -, -n: immergrüner Baum des Mittelmeergebietes. **zyp|res|sen**: aus Zypressenholz hergestellt
Zyp|ri|di|nen|kalk* ⟨gr.-nlat.; dt.⟩ der; -s: teilweise aus kleinen Muschelkrebsen bestehende Schicht des ↑Devons (Geol.)
zy|ril|lisch vgl. kyrillisch
Zys|tal|gie* ⟨gr.-nlat.⟩ die; -, ...ien: Schmerzempfindung in der Harnblase (Med.). **Zys|te** die; -, -n: 1. im od. am Körper gebildeter sackartiger, mit Flüssigkeit gefüllter Hohlraum; Geschwulst (Med.). 2. bei niederen Pflanzen u. Tieren auftretendes kapselartiges Dauerstadium (z. B. bei ungünstigen Lebensbedingungen) (Biol.). **Zys|te|in** das; -s: eine ↑Aminosäure (Baustein der Eiweißkörper). **Zys|tek|to-mie** die; -, ...ien: operative Entfernung der Harnblase, Gallenblase od. einer Zyste (Med.). **Zys|tin** das; -s: eine ↑Aminosäure, Hauptträger des Schwefels im Eiweißmolekül. **Zys|tis** ⟨gr.⟩ die; -, Zysten: Blase, Harnblase (Med.). **zys|tisch** ⟨gr.-nlat.⟩: blasenartig; auf die Zyste bezogen (Med.). **Zys|ti|tis** die; -, ...iti|den: Blasenentzündung, -katarrh (Med.). **Zys|ti|zer|ko|se** die; -, -n: Erkrankung durch Befall verschiedener Organe (z. B. Augen, Gehirn) mit Bandwurmfinnen (Med.). **Zys|ti|zer|kus** der; -, ...ken: Finne des Bandwurms. **Zys|to|py|e|li|tis** ⟨gr.-nlat.⟩ die; -, ...iti|den: Entzündung von Blase und Nierenbecken (Med.). **Zys-to|skop** das; -s, -e: röhrenförmiges Instrument zur Untersuchung der Harnblase; Blasenspiegel (Med.). **Zys|to|sko|pie** die; -, ...ien: Ausleuchtung der Blase mit dem Zystoskop (Med.). **Zys|to|spas|mus** der; -, ...men: Blasenkrampf (Med.). **Zys|tos|to|mie** die; -, ...ien: operative Herstellung einer Verbindung zwischen der Harnblase u. der äußeren Haut (Med.). **Zys-to|to|mie** die; -, ...ien: operative Öffnung der Harnblase (Med.). **Zys|to|ze|le** die; -, -n: Blasenvor-

fall, Vorfall von Teilen der Harnblase (Med.)
Zy|ti|sin ⟨gr.⟩ das; -s, -e: giftiges ↑Alkaloid
Zy|ti|sus ⟨gr.-lat.⟩ der; -, -: Goldregen (Schmetterlingsblütler)
Zy|to|ar|chi|tek|to|nik ⟨gr.⟩ die; -: Anordnung u. Aufbau der Nervenzellen im Bereich der Großhirnrinde (Med.). **Zy|to|blast*** ⟨gr.-nlat.⟩ der; -en, -en: 1. Zellkern (Med.). 2. ↑Mitochondrium. **Zy|to|blas|tom*** das; -s, -e: bösartige Geschwulst aus unreifen Gewebszellen. **Zy|to|chrom** [...'kro:m] das; -s, -e: in allen Zellen vorhandener Farbstoff, der bei der Oxidation die Rolle von ↑Enzymen spielt (Med.). **Zy|to-de** die; -, -n: kernloses Protoplasmaklümpchen (Biol.). **Zy|to-di|ag|nos|tik*** die; -, -en: mikroskopische Untersuchung von Körpergeweben, -flüssigkeiten u. -ausscheidungen auf das Vorhandensein anomaler Zellformen. **zy|to|gen** von einer Zelle gebildet (Biol.). **Zy|to|ge|ne|tik** die; -: Forschungsrichtung der allgemeinen Biologie, die die Zusammenhänge zwischen erblichem Verhalten u. dem Feinbau der Zelle untersucht. **Zy|to|lo|ge** der; -n, -n: Wissenschaftler auf dem Gebiet der Zytologie. **Zy-to|lo|gie** die; -: Wissenschaft vom Aufbau u. von der Funktion der Zelle (Biol.; Med.). **zy|to|lo-gisch**: die Zytologie betreffend. **Zy|to|ly|se** die; -: Auflösung, Abbau von Zellen (Biol.). **Zy|to-ly|sin** das; -s, -e: Substanz, Antikörper mit der Fähigkeit, Zellen aufzulösen (Med.). **Zy|to|plas-ma** das; -s, ...men: ↑Protoplasma (Biol.). **Zy|to|ple|xie*** die; -, ...ien: ↑Zytodiagnostik. **Zy|to-sta|ti|kum** das; -s, ...ka: [chemische] Substanz, die die Kernteilung u. Zellvermehrung hemmt (Biol.). **zy|to|sta|tisch**: Kernteilung u. Zellvermehrung hemmend (Biol.). **Zy|tos|tom*** das; -s, -e u. **Zy|tos|to|ma*** das; -s, -ta: Zellmund der Einzeller. **Zy|to|to|xin** das; -s, -e: Zellgift. **zy|to|to-xisch**: zellvergiftend, zellschädigend. **Zy|to|to|xi|zi|tät** die; -: Fähigkeit bestimmter [chemischer] Substanzen, Gewebszellen zu schädigen. **Zy|to|zent|rum*** das; -s, ...tren: Zentrum der Zelle